# रामविलास शर्मा रचनावली

भाग : दो

भाषा और भाषाविज्ञान

खंड : 20

• भाषा और समाज

# रामविलास शर्मा रचनावली

भाग : दो

भाषा और भाषाविज्ञान

खंड : 20

सम्पादक

**कृष्णदत्त शर्मा**

**विजय मोहन शर्मा**

राजकमल प्रकाशन

ISBN : 978-93-60861-436-1

**मूल्य :** ₹7,500 [5 खंडों का सम्पूर्ण सेट]



**पहला संस्करण :** 2024

**प्रकाशक :** राजकमल प्रकाशन प्रा. लि.
1-बी, नेताजी सुभाष मार्ग, दरियागंज
नई दिल्ली-110 002

**शाखाएँ :** अशोक राजपथ, साइंस कॉलेज के सामने, पटना-800 006
पहली मंजिल, दरबारी बिल्डिंग, महात्मा गांधी मार्ग, प्रयागराज-211 001
1, अनमोल सोराबजी सन्तुक लेन, धोबी तलाव, मरीन लाइंस, मुम्बई-400 002
वेबसाइट : www.rajkamalprakashan.com
ई-मेल : info@rajkamalprakashan.com

**मुद्रक :** बी.के. ऑफसेट
नवीन शाहदरा, दिल्ली-110 032

RAMVILAS SHARMA RACHANAWALI (Vol. 20)
*Edited by* Krishna Dutt Sharma, Vijay Mohan Sharma

# प्रकाशकीय

हिन्दी आलोचना के आधार-स्तम्भों में से एक रामविलास शर्मा की रचनावली का प्रकाशन राजकमल के लिए गौरव की बात है। उनका राजकमल से पाँच दशक से भी अधिक पुराना सम्बन्ध रहा। उनकी अधिकांश किताबें यहीं से प्रकाशित हैं। लगभग एक साल तक उन्होंने 'आलोचना' त्रैमासिक का सम्पादन भी किया था। राजकमल की स्थापना के 75वें वर्ष से ऐन पहले उनकी रचनावली का प्रकाशन उनसे हमारे आत्मीय लगाव का कृतज्ञतापूर्वक स्मरण तो है ही, हिन्दी जाति के प्रति अपने दायित्व को पूरा करने का प्रयास भी है जो हमेशा से हमारी प्राथमिकता रही है।

रामविलास जी हिन्दीभाषी जनता की उन्नति का स्वप्न देखते थे। इसके लिए वे हिन्दी प्रदेश में जातीय चेतना के प्रसार को आवश्यक मानते थे। लोक और परम्परा से लेकर भाषा, इतिहास और साहित्य तक, उन्होंने इस जातीय चेतना के सूत्रों की तलाश की और हिन्दी नवजागरण की अवधारणा प्रस्तुत की, जो व्यापक विचार-विमर्श का विषय बनी।

उन्होंने विपुल लेखन किया है। साहित्य, भाषाविज्ञान, इतिहास, दर्शन, संस्कृति, राजनीति आदि पर वे लगातार लिखते रहे। उन्होंने खुद को विवेचक माना। वे साहित्य में चिन्तन और विचार के महत्त्व को स्वीकार करते थे। उनका चिन्तन और लेखन सामाजिक सरोकारों से लैस था। वे साहित्य को जातीयता और जनवादी सन्दर्भों में रखकर देखते थे। आलोचना उनके लिए एक व्यापक सांस्कृतिक प्रक्रिया का अंग थी। इस दृष्टिकोण का ही परिणाम है कि रामविलास जी के कृतित्व में साहित्य, समाज और भाषाओं के इतिहास परस्पर गहरे सम्बद्ध नजर आते हैं। इससे उनकी आलोचना में जो व्यापकता सम्भव हुई उसे अन्यत्र देख पाना दुर्लभ है।

इस रचनावली का काम विगत कुछ वर्षों से चल रहा था। डॉ. कृष्णदत्त शर्मा और रामविलास जी के सुपुत्र विजय मोहन शर्मा

सम्पादन कर रहे थे। दोनों ने रचनावली को कुल 50 (पचास) खंडों में प्रस्तुत करने की योजना बनाई थी। रचनावली का पहला भाग 'आलोचना समग्र' 18 (अठारह) खंडों में प्रकाशित होना तय हुआ। योजना पर काम चल ही रहा था कि कोरोनाकाल में दोनों सम्पादकगण अस्वस्थ हुए और हमारे बीच नहीं रहे। उन दोनों की योजना के अनुरूप रचनावली का 18 खंडों का पहला भाग सितम्बर, 2021 में प्रकाशित हुआ। बाद में कुछ और ऐसी सामग्री मिली जिसे विषय के हिसाब से पहले भाग में रखना आवश्यक था। इसलिए पहले भाग का 19वाँ खंड भी प्रकाशित किया गया।

अब इस रचनावली के दूसरे भाग 'भाषा और भाषाविज्ञान' के पाँच खंड आपके हाथों में हैं। राजकमल प्रकाशन इस रचनावली के शेष सभी भाग इसके दोनों सम्पादकों की योजना के अनुरूप जल्द-से-जल्द प्रकाशित करने को कृतसंकल्प है।

**—अशोक महेश्वरी**

अक्टूबर, 2024
नई दिल्ली

# अनुक्रम

# भाषा और समाज

[प्रकाशन वर्ष : 1961]

# भूमिका

प्रस्तुत पुस्तक में सामाजिक विकास के सन्दर्भ में भाषा के विकास का अध्ययन किया गया है।

भाषा-सम्बन्धी अन्य समस्याओं की तरह भाषा की उत्पत्ति का विवेचन भी मानव समाज के उद्‌भव और विकास के प्रसंग में ही सम्भव है। यदि आप मानते हैं कि मनुष्य का सृजन किसी आध्यात्मिक शक्ति ने किया है, तो सम्भवत: आपको यह भी विश्वास होगा कि भाषा की रचना ईश्वर ने की है। अधिकांश भाषाविज्ञान के पंडित भाषा को ईश्वर-कृत नहीं मानते। वे प्रकृति और समाज के अन्य तत्त्वों की तरह उसे भी विकासमान स्वीकार करते हैं। किन्तु उनका कहना है कि मनुष्य में बुद्धि-तत्त्व विशेष था; इसलिए पशुओं की तुलना में मनुष्य भाषा की रचना कर सका। इस सम्बन्ध में सोवियत वैज्ञानिक पावलोव की यह स्थापना स्मरणीय है कि स्थूल चिन्तन पशु में भी होता है और विचार-प्रक्रिया के निम्नतम धरातल पर पशु और मानव में अन्तर नहीं है। मनुष्य भाषा की रचना दो कारणों में कर सका। उसके जीवन की परिस्थितियाँ पशुओं से भिन्न थीं। पशु भी ध्वनि-संकेतों से काम लेते हैं। मानव अपनी भाषा-रचना का कार्य इसी पशु-स्तर से आरम्भ करता है। दूसरा कारण उसकी शारीरिक विशेषताएँ हैं जिनसे वह ध्वनि-संकेतों को रचने और उनका व्यवहार करने में पशुओं से अधिक सक्षम हुआ है। किसी ध्वनि-विशेष से किसी वस्तु अथवा कार्य का सम्बन्ध जोड़ना—यह व्यापार पशु और मानव, दोनों में देखा जाता है और वहीं से भाषा की उत्पत्ति आरम्भ होती है। यह सब पहले अध्याय की विवेच्य विषयवस्तु है।

ध्वनि-संकेतों से काम लेनेवाले मानव के लिए सभी ध्वनियों का एक-सा महत्त्व नहीं होता। ध्वनि के प्रयोग की विधियाँ भिन्न होती हैं। किसी भाषा में ध्वनियों का सामंजस्य कैसे हो, इसके अपने नियम होते हैं। जब हम दूसरी भाषा सीखते हैं, तब उसके उच्चारण में हमारी अपनी भाषा-पद्धति का प्रभाव भी झलकता है। इसी कारण किसी भी भाषा का अध्ययन करते समय यह जानना काफी नहीं है कि उसमें किन-किन ध्वनियों का व्यवहार होता है, वरन् महत्त्व की बात यह है कि उन ध्वनियों का व्यवहार किस प्रकार होता है। हिन्दी में 'ण्' ध्वनि है। देखना चाहिए कि यह शब्द के अन्त में या मध्य में ही आती है या उसके आरम्भ में भी प्रयुक्त होती

है। भाषाओं की ध्वनि-प्रकृति का अध्ययन करने से तुलनात्मक और ऐतिहासिक भाषाविज्ञान की अनेक समस्याओं के हल होने की सम्भावना उत्पन्न होती है। लैटिन, ग्रीक, संस्कृत आदि भाषाओं में बहुत-से शब्द सामान्य हैं। ये शब्द मूलत: भारत या एशिया के हैं या यूरोप के—इस समस्या पर ध्वनि-प्रकृति की दृष्टि से विचार करने की गुंजाइश है। भाषा की ध्वनि-प्रकृति क्या है, भारत-यूरोपीय 'परिवार' की भाषाओं का परस्पर सम्बन्ध—उनकी ध्वनि-प्रकृति को देखते हुए—क्या है, इन समस्याओं का विवेचन दूसरे अध्याय में है।

मनुष्य ध्वनि-संकेतों से काम लेते हुए उन्हें बराबर किसी अनुशासन या व्यवस्था द्वारा संचालित करता है। हिन्दी में यदि किसी अंग्रेज़ी शब्द का व्यवहार करें, तो वह हमारी वाक्य-रचना के नियम के अन्तर्गत प्रयुक्त होगा। कर्ता, क्रिया, विशेषण आदि के स्थान निश्चित हैं। हिन्दी में सम्बन्धवाचक शब्द सदा प्रकृति के बाद आएगा, अंग्रेज़ी की तरह पहले नहीं। अंग्रेज़ गिनती मिलेगा तो दहाई पहले बोलेगा, इकाई बाद को; हिन्दी की पद्धति इससे उल्टी है। हम ट्वेंटीवन की जगह इक्कीस (एक-बीस) वाला क्रम ही पसन्द करते हैं। इन सब बातों का सम्बन्ध समाज विशेष की चिन्तन-प्रक्रिया से होता है। यह चिन्तन-क्रिया जब भाषा के क्षेत्र में प्रकट होती है, तो उसे हम भाषा की भाव-प्रकृति कहते हैं। भाषाओं के परस्पर सम्बन्धों का अध्ययन करते हुए उनकी ध्वनियों और शब्दों पर ही ध्यान देना काफी नहीं होता। यह भी देखना चाहिए कि उनकी भाव-प्रकृति में कितनी समानता और विषमता है। इस दृष्टि से सम्भव है कि जो भाषा-परिवार एक-दूसरे से बिलकुल भिन्न मालूम होते हैं, वे एक-दूसरे के अधिक निकट हों, और वे भाषा-समूह, जो एक ही परिवार के अन्तर्गत माने जाते हैं, वे वास्तव में परस्पर भिन्न हों। इन बातों की चर्चा तीसरे अध्याय में की गई है।

भाषा की मुख्य सम्पत्ति है उसका शब्द-भंडार। शब्द-भंडार में जिन शब्दों का सम्बन्ध मनुष्य के प्राकृतिक और सामाजिक परिवेश से है, जो उसकी नित्य-प्रति की आर्थिक और सांस्कृतिक कार्यवाही में काम आते हैं उन्हें मूल शब्द-भंडार मानना चाहिए। ग्रीक, लैटिन, संस्कृत आदि भाषाओं में बहुत-से शब्द सामान्य हैं। देखना चाहिए कि इन भाषाओं का अपना स्वतंत्र शब्द-भंडार भी है या सब कुछ सामान्य ही सामान्य है। यदि इनका अपना मूल शब्द-भंडार हो, तो इस परिचित स्थापना में संशोधन करना आवश्यक होगा कि वे सब एक ही परिवार की भाषाएँ हैं। इसके अलावा इस भारत-यूरोपीय 'परिवार' में कुछ भाषाएँ एक-दूसरे से ज्यादा मिलती हैं, कुछ कम। स्लाव भाषाएँ संस्कृत से ज्यादा मिलती हैं, ग्रीक-लैटिन कम; जर्मन कुल की भाषाएँ उनसे भी कम। इसका कारण क्या है? क्या यह स्थापना सही है कि लिथुआनियन भाषा यूरोप की अन्य सभी भाषाओं से संस्कृत के अधिक निकट है (अथवा आदि भारत-यूरोपीय भाषा के सर्वाधिक निकट है)? इन समस्याओं की छानबीन चौथे-पाँचवें अध्यायों में की गई है।

भाषाओं के परिवार का निर्माण कैसे होता है? भाषा-विज्ञानियों की धारणा है कि प्रत्येक भाषा-परिवार का जन्म किसी आदि भाषा से हुआ है। इस प्रकार आदि-आर्य, आदि-द्रविड़, आदि-सामी भाषाओं की कल्पना की गई है। किन्तु जिसे हम 'भाषा' कहते हैं, वह स्वयं सामाजिक विकास की एक निश्चित मंजिल में ही सुलभ होती है। आदिमानव समाज का साधारण नियम है बोलियों का बिखराव। भाषा का परिवार आज के मानव-परिवार की तुलना में आदिम मानव-परिवार के अधिक निकट था जिसमें अजनबी भी शामिल कर लिये जाते थे। जैसे किसी आदि-पुरुष से मानव-परिवार की उत्पत्ति नहीं हुई, वैसे ही किसी आदि भाषा से कोई भाषा-परिवार नहीं बना। किसी भी भाषा-परिवार की भाषाओं की परीक्षा कीजिए। आपको अनेक भाषाओं में ही नहीं, एक भाषा के अन्तर्गत ही ध्वनि-प्रकृति, भाव-प्रकृति और मूल शब्द-भंडार के महत्त्वपूर्ण भेद दिखाई देंगे। इसका यह अर्थ नहीं कि भाषाओं के परिवार होते नहीं हैं, किन्तु उनके निर्माण की प्रक्रिया यह नहीं है कि आदि भाषा के विकृत या परिवर्तित होने से नई-नई भाषाएँ पैदा हो गई हैं। यह सब छठे अध्याय की विषयवस्तु है।

आदि भाषा वाला सिद्धान्त संस्कृत-प्राकृत-अपभ्रंश-आधुनिक भारतीय भाषाओं के विकास पर लागू किया जाता है। संस्कृत क्यों विकृत हुई? अनार्य प्रभाव से। यूरोप में आदि आर्य भाषा कैसे विकृत हुई? भारत के पूर्व में ध्वनि-क्षय हुआ, उत्तर में नहीं हुआ। क्यों नहीं हुआ? जो विद्वान संस्कृत से प्राकृतों की उत्पत्ति मानते हैं, वे यह भी कहते जाते हैं कि प्राकृतें कृत्रिम हैं! फिर कृत्रिम भाषाओं से सहज आधुनिक भाषाओं की उत्पत्ति कैसे हुई? यदि मूल शब्द-भंडार और भाव-प्रकृति की दृष्टि से विचार किया जाए तो प्राकृतें संस्कृत से मूलत: भिन्न भाषाएँ सिद्ध नहीं होतीं। संस्कृत-प्राकृत-अपभ्रंश की नसेनी छोड़ देने पर आधुनिक भाषाओं के मूल तत्त्व काफी प्राचीन सिद्ध होते हैं। आधुनिक उत्तर-भारतीय भाषाएँ किस हद तक स्वतंत्र हैं? इनके मूल तत्त्वों को संस्कृत से उत्पन्न सिद्ध करने के प्रयास में किस तरह की भ्रान्तियाँ फैलती हैं? संस्कृत परिनिष्ठित भाषा क्यों बनी? प्राकृतों की अपेक्षा उसने हमारी वर्तमान भाषाओं को क्यों अधिक प्रभावित किया? अपभ्रंश की ध्वनि-प्रकृति हिन्दी से भिन्न है या उसके समान? अपभ्रंश से हिन्दी के मुख्य रूप निकले हैं या वे अपभ्रंश से पुराने हैं?—इन प्रश्नों का विवेचन सातवें, आठवें और नवें अध्यायों में किया गया है।

भाषा के बोलनेवाले किसी सामाजिक रूप में संगठित होते हैं। पहले जन या कबीले के रूप में मानव संगठित होते थे। इसके स्मृतिरूप हमारे इतिहास के जनपद हैं। कबीलों की व्यवस्था के बाद वर्ण धर्म वाला सामन्ती समाज आता है। सामन्ती व्यवस्था में जातियों का निर्माण होता है या नहीं? पुराने जनपदों और सामन्ती जनपदों में क्या अन्तर होता है? जातीय भाषाओं के निर्माण में सामन्तवाद और सामन्ती राज्यसत्ता की भी क्या कोई उल्लेखनीय भूमिका होती है? आधुनिक भाषाएँ—अंग्रेज़ी, रूसी, बंगला, हिन्दी आदि—आधुनिक जातियों (नेशन) की भाषाएँ

हैं। इन जातियों का गठन उन तत्त्वों से होता है जो सामन्त काल में विद्यमान थे। इस जातीय गठन की प्रक्रिया का प्रभाव भाषा के गठन पर क्या पड़ता है? समाजशास्त्री कहते हैं कि आधुनिक जातियाँ पूँजीवादी युग की देन हैं। परन्तु पूँजीवाद है क्या? पूँजीवाद का सम्बन्ध केवल उत्पादन से है या वितरण से भी? भारत, ब्रिटेन, रूस आदि में जातीय निर्माण-प्रक्रिया में वितरण की भूमिका, जातीय निर्माण में भाषा-तत्त्व की अपनी विशेषता, व्यापार-केन्द्रों से जनपदों में भाषा के प्रसार आदि विषयों का उल्लेख दसवें-ग्यारहवें अध्यायों में है।

हिन्दी भी एक जाति की भाषा है। इसकी दो साहित्यिक भाषाएँ हैं : हिन्दी और उर्दू। क्या उर्दू हिन्दुओं और मुसलमानों के मेल-जोल से उत्पन्न हुई है? भारत की अन्य भाषाओं के विकास में मुसलमानों की महत्त्वपूर्ण देन को देखते हुए हिन्दी-उर्दू की समस्या पर पुन: विचार करना आवश्यक है। हिन्दी-उर्दू एक ही जाति की भाषाएँ हैं, इसलिए उनकी बुनियादी एकता को कभी न भुलाना चाहिए। साथ ही उनके अलगाव के जो ऐतिहासिक कारण हैं, उन्हें भी समझना चाहिए। हिन्दी-उर्दू समस्या पर बारहवें-तेरहवें अध्यायों में विचार किया गया है।

ब्रज, अवधी, भोजपुरी आदि स्वतंत्र भाषाएँ हैं या हिन्दी की बोलियाँ हैं? क्या बिहारी नाम की भी कोई भाषा है? भोजपुरी के सम्बन्ध में ग्रियर्सन और डॉ. उदयनारायण तिवारी की मान्यताएँ कहाँ तक सही हैं? ये प्रश्न केवल हिन्दी का अध्ययन करनेवालों के लिए महत्त्वपूण नहीं हैं। जाति का निर्माण कैसे होता है? बोलियों का परस्पर सम्बन्ध कैसे बदलता है? भाषा और बोली के सम्बन्ध का निर्णय विशुद्ध भाषागत कारणों से होता है या उसके सामाजिक कारण भी होते हैं?—इन समस्याओं पर विचार करनेवालों के लिए भी भोजपुरी-हिन्दी, मैथिली-हिन्दी आदि के सम्बन्ध की चर्चा दिलचस्प होनी चाहिए। राजस्थानी और पंजाबी से हिन्दी का क्या सम्बन्ध है? हिन्दी पंजाबी के अधिक निकट है या भोजपुरी के? भोजपुरी बंगला के अधिक निकट है या हिन्दी के?—इन सब बातों की जाँच-पड़ताल और भाषा और बोलियों के सम्बन्धों का विश्लेषण चौदहवें अध्याय में है।

भारत में राज्यभाषा और राष्ट्रभाषा की समस्या—अहिन्दी-भाषी प्रदेशों में असन्तोष के कारण—क्या भारत की सभी भाषाएँ राज्यभाषाएँ बनेंगी? भारत की भाषाओं और विशेष कर हिन्दी के अविकसित होने का प्रश्न—क्या अंग्रेज़ी विश्व-भाषा है और उसके बिना हमारा काम नहीं चल सकता?—यह सब पन्द्रहवें अध्याय का विवेच्य है।

अन्त में भाषा के विकास का कुछ सामान्य विवेचन है। भाषा भी संस्कृति का अंग है। उसके विकास का अध्ययन उसे संस्कृति का अंग मानकर ही किया जा सकता है। कुछ लोग परिव़र्तन को विकास का पर्याय मानते हैं, जो सही नहीं है। प्रयत्नलाघव, वर्ण-विपर्यय, समीकरण आदि के सिद्धान्तों से भाषा के विकास की व्याख्या नहीं की जा सकती। अर्थ-संकोच, अर्थ-विस्तार आदि के नियम भी विकास

की व्याख्या करने में असमर्थ सिद्ध होते हैं। सामाजिक विकास बाह्य अन्तर्विरोधों से होता है या समाज के अपने अन्तर्विरोधों से? ये दोनों तरह के अन्तर्विरोध परस्पर मिलकर भी काम करते हैं। भाषा के रूप और उसकी विषयवस्तु पर इनका प्रभाव पड़ता है। अंग्रेज़ी में कितने फ्रांसीसी शब्द आए हैं और हिन्दी में कितने फ़ारसी शब्द हैं, यह मुख्यत: दोनों देशों के बाह्य अन्तर्विरोधों के अध्ययन से जाना जाता है। आदिम समाज से लेकर आज के समाज तक भाषा की अभिव्यक्ति-क्षमता किस तरह बढ़ी है या नहीं बढ़ी, यह समाज के अपने अन्तर्विरोधों से जाना जाता है। क्या भाषा की विषयवस्तु समाज-व्यवस्था के बदलने के साथ परिवर्तित होती है? भाषा के विकास में वर्गों की भूमिका क्या होती है, होती भी है या नहीं? क्या भाषा के विकास का काल-विभाजन किया जा सकता है? —इन प्रश्नों का विवेचन सोलहवें अध्याय में है।

इस पुस्तक का सामान्य सिद्धान्त-पक्ष यह है कि भाषा का अध्ययन उसकी ध्वनि-प्रकृति, भाव-प्रकृति और मूल शब्द-भंडार को दृष्टि में रखकर करना चाहिए। आदिम साम्यवादी व्यवस्था से लेकर आधुनिक जातियों के निर्माण तक समाज के गठन में, उसके ढाँचे में, वर्गों के परस्पर सम्बन्धों में, अन्य समाजों से संघर्ष या हेलमेल में जो परिवर्तन हुए हैं, वे सब भाषा में प्रतिबिम्बित होते हैं और उसका विकास निर्धारित करते हैं। प्राचीन जनों से लघुजातियाँ बनीं, लघुजातियों से महाजातियाँ बनीं। वितरण ने उत्पादन से कम महत्त्वपूर्ण भूमिका पूरी नहीं की। जनपदों में परस्पर विनिमय की आवश्यकताओं से भाषाओं ने परिनिष्ठित रूप धारण किया। आधुनिक जातियों के निर्माण-काल में नवीन सामाजिक आवश्यकताओं के साथ नये व्यापार-केन्द्रों से नई भाषाएँ फैलीं और वे क्रमश: परिनिष्ठित हुईं। इस पुस्तक का विशेष व्यवहार-पक्ष यह है कि तथाकथित भारत-यूरोपीय परिवार की संस्कृत, लैटिन ग्रीक, स्लाव आदि भाषाएँ स्वतंत्र कुलों की भाषाएँ हैं। इनमें जो सामान्य तत्त्व मिलते हैं, उनका आधार इन भाषाओं या इनसे मिलती-जुलती भाषाओं के बोलनेवालों का परस्पर सम्पर्क है, न कि एक आदि भाषा से उनका जन्म। इस प्रकार संस्कृत आदिभारत-यूरोपीय भाषा का उच्छिष्ट और विकृत रूप न होकर स्वतंत्र भारतीय भाषा सिद्ध होती है। यूरोप की भाषाओं पर संस्कृत और उसके समानान्तर बोली जानेवाली भाषाओं का असर पड़ा है, न कि किसी कल्पित आदि आर्य भाषा से अनार्य सम्पर्क के कारण संस्कृत की उत्पत्ति हुई है। आधुनिक उत्तर-भारतीय भाषाएँ संस्कृत के समानान्तर बोली जानेवाली भाषाओं से उत्पन्न हुई हैं, न कि वे संस्कृत का विकृत रूप हैं। इन भाषाओं के बोलनेवालों का जातीय निर्माण भारत में ब्रिटिश राज कायम होने से पहले हुआ था। अपने प्रदेशों में इनका राजनीतिक और सांस्कृतिक क्षेत्रों में व्यवहार होने पर भारत की अन्तरजातीय भाषा के रूप में हिन्दी की प्रतिष्ठा होगी। हिन्दी-उर्दू, हिन्दी-भोजपुरी, हिन्दी-राजस्थानी आदि की समस्याएँ जातीय निर्माण की प्रक्रिया समझने पर ही ठीक से हल की जा सकती हैं।

आशा है, देश की अनेक व्यावहारिक भाषा-सम्बन्धी समस्याओं के विवेचन से पुस्तक उन पाठकों के लिए भी उपयोगी होगी जो भाषाविज्ञान का शास्त्रीय अध्ययन नहीं करना चाहते किन्तु जिन्हें इन समस्याओं से गहरी दिलचस्पी है। साथ ही सैद्धान्तिक विवेचन से उन भाषाशास्त्रियों को दिलचस्पी होनी चाहिए जो किसी भी भारतीय या अभारतीय भाषा का अध्ययन कर रहे हों।

पुस्तक के विवेचन में भाषाशास्त्र और समाजशास्त्र की अनेक मान्यताओं का खंडन-मंडन है। विशेष रूप से जन, लघुजाति और महाजाति के निर्माण के सम्बन्ध में पाठकों को यहाँ कुछ नई स्थापनाएँ मिलेंगी। यह स्पष्ट कर देना उचित है कि मैंने विभिन्न समस्याओं पर मार्क्सवादी दृष्टिकोण से विचार किया है किन्तु मार्क्सवाद की अपनी व्याख्या के लिए मैं ही उत्तरदायी हूँ, अन्य किसी व्यक्ति या दल की मान्यताओं से इस व्याख्या का सम्बन्ध नहीं है।

पुस्तक में अनेक भाषाओं, भाषा-परिवारों, सामाजिक विकास की अनेक समस्याओं की चर्चा है। पुस्तक की विषयवस्तु का क्षेत्र इतना व्यापक है कि भ्रान्तियाँ अनिवार्य हैं। पुस्तक की आलोचना हो, ये भ्रान्तियाँ दूर हों, इसके लिए विद्वानों से सहयोग की प्रार्थना है।

एक बात की चर्चा यहाँ और करनी है। क्या इस पुस्तक की विषयवस्तु भाषाविज्ञान के अन्तर्गत है?

अनेक विद्वानों का विचार है कि भाषाविज्ञान का वैज्ञानिक अर्थ है वर्णनात्मक भाषाविज्ञान। "किन्तु वर्णन किसका? भाषा में ध्वनियों और उनकी प्रयोग-पद्धति का।"[1] इसका कारण : "वर्णनात्मक भाषा-तत्त्व के विभागों में फोनेटिक्स, फोनेमिक्स, मॉर्फोलोजी तथा सिनटैक्स में फोनेटिक्स या ध्वनिविज्ञान का स्थान सबसे महत्त्वपूर्ण है।"

ध्वनिविज्ञान की चर्चा करनेवाले विद्वान पुराने भाषाविज्ञान से आधुनिक भाषा-तत्त्व को अलग रखते हैं। "वर्णनात्मक भाषा-तत्त्व किसी भाषा के ढाँचे (निर्माण-पद्धति) का अध्ययन करता है, उस भाषा के अर्थ-विचार से इसका कोई सम्बन्ध नहीं है।" यह स्वीकार किया जा सकता है कि ध्वनिविज्ञान भाषाविज्ञान का एक अंग है, उसका एक महत्त्वपूर्ण अंग है। किन्तु वर्णनात्मक भाषा-तत्त्व से अर्थ-विचार को अलग करके ध्वनिविज्ञान का भी सही अध्ययन नहीं हो सकता। भाषाविज्ञान के विभिन्न अंग एक-दूसरे से सम्बद्ध हैं। वे एक ही विज्ञान के विभिन्न अवयव हैं। भाषाओं की तरह उनकी सीमाएँ भी एक-दूसरे में घुल-मिल जाती हैं। यदि कोई कहे, नहीं मिलतीं, सीमाएँ बिलकुल स्पष्ट और अलग-अलग हैं, तो भी यह बात माननी होगी कि किसी भाषा का वर्णन उसकी ध्वनियों के अध्ययन से पूरा नहीं हो सकता। यदि भाषा-ध्वनियों का निरर्थक प्रयोग हो तो अवश्य अर्थ-विचार को वर्णनात्मक भाषा-तत्त्व के दायरे से बाहर ही रखना उचित होगा।

1. आगरा से प्रकाशित 'ध्वनिविज्ञान' नामक पुस्तक से यह तथा अन्य अंश उद्धृत हैं।

भाषाविज्ञान को वर्णनात्मक भाषा-तत्त्व और इस भाषा-तत्त्व को ध्वनि-तत्त्व तक सीमित करनेवाले विद्वान उदाहरण देते हैं : "मान लीजिए, आपने अपने जीवन में हिन्दी भाषा का किंचित् भी ज्ञान प्राप्त नहीं किया। और आपसे हिन्दी भाषा का वैज्ञानिक विवरण प्रस्तुत करने को कहा जाय...!" आजकल की सामाजिक व्यवस्था में यह असम्भव नहीं है। जब अन्य क्षेत्रों में जिम्मेदारी के काम ऐसे लोगों को सौंप दिये जाते हैं जिन्हें उन क्षेत्रों का ज्ञान रत्ती भर नहीं है, तब भाषाविज्ञान का क्षेत्र ही इसका अपवाद क्यों हो? किन्तु हिन्दी भाषा को जाने बिना उसका वैज्ञानिक विवरण प्रस्तुत नहीं किया जा सकता। समूची भाषा का विवरण तो दरकिनार, उस भाषा की ध्वनियों का विवरण भी प्रस्तुत नहीं किया जा सकता। अज्ञात भाषा को सुनने पर सचेत श्रोता "यह जानना चाहता है कि उस भाषा में प्रयुक्त सार्थक ध्वनियाँ कौन-सी हैं, भिन्न-भिन्न परिस्थितियों में उन ध्वनियों की नियोजन-प्रणाली कैसी रहती है, किस प्रकार ये ध्वनियाँ मिलकर बड़े रूप खड़े करती हैं, तथा उन रूपों को वाक्य में किस स्थिति में रखा जाता है।" अर्थ-विचार से जरा भी सम्बन्ध रखे बिना केवल ध्वनियों के विश्लेषण से अध्ययन-कर्ता यह जान ले कि 'सार्थक ध्वनियाँ' कौन-सी हैं, उनकी नियोजन-प्रणाली क्या है, उनसे 'बड़े रूप' कैसे बनते हैं और इन रूपों को वाक्य में कैसे रखा जाता है, यह चमत्कार ही होगा। ध्वनिविज्ञान भाषा की सार्थक ध्वनियों का अध्ययन करता है, निरर्थक ध्वनियों का नहीं। उदाहरण के लिए हिन्दी में किसी शब्द को षड्ज, गंधार या मध्यम स्वर में बोलने से चीनी भाषा की तरह उसका अर्थ नहीं बदल जाता। शब्द को स्वर-सप्तक में किस स्थान से बोलते हैं, यह प्रक्रिया हमारे लिए निरर्थक है, हमारे पड़ोसियों के लिए सार्थक। लेकिन यदि कोई चीनी विद्यार्थी अर्थ-विचार को अलग रखकर हिन्दी भाषा की ध्वनियों के 'वैज्ञानिक' अध्ययन में जुट जाए और पटना से लेकर दिल्ली तक हिन्दी की अनन्त ध्वनियों का चार्ट बनाना शुरू कर दे, तो अपने चीनी अध्यवसाय से भी पहले तो इस जीवन में वह इस कार्य को समाप्त न कर पाएगा, इसके अलावा अपनी भाषा की प्रकृति को ध्यान में रखते हुए वह एक-एक शब्द की जो स्वर-लिपियाँ तैयार करेगा, वे हिन्दी की प्रकृति के हिसाब से नितान्त निरर्थक श्रम की सूचक होंगी। ध्वनियों में कौन-सी सार्थक हैं, कौन-सी निरर्थक—यह जानने के लिए ध्वनि-संकेतों (अर्थात् शब्दों) का अर्थ जानना आवश्यक होगा।

प्रसिद्ध अमरीकी भाषाविद् ब्लूमफील्ड ने 'लैंग्वेज़' नामक अपने ग्रंथ में आदिवासी मेनेमोनी इंडियनों की भाषा से एक दिलचस्प ध्वनि-सम्बन्धी उदाहरण दिया है। इनकी भाषा में पानी के लिए एक शब्द है : 'निपीव'। श्रोता को लगता है कि इस शब्द में कभी तो 'प' की ध्वनि होती है और कभी 'ब' की। इस भाषा के लिए 'सार्थक' ध्वनि न 'प' है, न 'व', वरन् नाक से हवा को निकलने न देकर ओठों को बन्द करने मात्र से जो भी ध्वनि निकलती है, वही सार्थक है। इस

सार्थकता का पता श्रोता को तभी चल सकता है जब उसे पेय वस्तु से 'निपीव' का सम्बन्ध ज्ञात हो, वर्ना वह निपीव और निबीव के निरर्थक ध्वनि-भेद से उलझा रहेगा।

ध्वनिविज्ञान को वर्णनात्मक भाषा-तत्त्व का पर्याय समझने से भारतीय भाषा-विज्ञान का क्षेत्र अंधकारमय दिखाई देता है। इस आधुनिक भाषा-तत्त्व के समर्थक अपनी प्रतिक्रिया इन शब्दों में व्यक्त करते हैं : "यदि 'दीपक तले अँधेरा' कहावत को सत्य माना जाए, तो भारतीय भाषा-तत्त्व के सम्बन्ध में इसको सत्यतम माना जाएगा।" इस पर भी यदि भाषाविज्ञान के प्रसंग में डॉ. सुनीति कुमार चाटुर्ज्या, डॉ. सिद्धेश्वर वर्मा, डॉ. धीरेन्द्र वर्मा, डॉ. बाबूराम सक्सेना आदि विद्वानों का नाम कोई आधुनिक भाषा-तत्त्व का विशेषज्ञ ले तो इसे उसकी अनुपम उदारता ही समझना चाहिए।

ध्वनिविज्ञान भाषा के अध्ययन का एक साधन है, साध्य नहीं। किसी ध्वनि के उच्चारण में जिह्वा के अग्र, मध्य और पश्च भागों में कौन-सा भाग क्रियाशील होता है, जिह्वा की ऊँचाई कितनी होती है, ओठों की स्थिति विस्तृत, गोलाकार या उदासीन होती है, कोमल तालु की स्थिति विशेष में नासारंध्र उन्मुक्त रहता है या अवरुद्ध, स्वर-तंत्रियों के कम्पन से सघोष ध्वनि निकल रही है या अघोष, अल्पप्राण अघोष वर्त्स्य स्पर्श ध्वनि और अल्पप्राण अघोष मूर्धन्य स्पर्श ध्वनि का भेद क्या है, अल्पप्राण सघोष वर्त्स्य लुंठित और अल्पप्राण सघोष मूर्धन्य उत्क्षिप्त का अन्तर क्या है—इन सबकी जानकारी भाषा के अध्ययन में सहायक होती है, किन्तु प्रयत्न-स्थान और प्रयत्न-विधि के अनुरूप विभिन्न ध्वनियों का नामकरण ही भाषाविज्ञान (या भाषा-तत्त्व) नहीं है। कुछ ध्वनिविज्ञानियों की वर्गीकरण-नामकरण-दक्षता सामन्ती साहित्य-शास्त्रियों के नायिका-भेद और अलंकारशास्त्र की याद दिलाती है। अन्तर यह है कि नायिकाओं का वर्गीकरण ध्वनियों के वर्गीकरण से अधिक सरस था।

ध्वनिविज्ञानी यह मानकर चलते हैं कि "मनुष्यों के मध्य सामाजिक सम्पर्क स्थापित करने के लिए भाषा ही सर्वोत्कृष्ट साधन है।" यदि भाषा का सम्बन्ध समाज से है, उसका विकास सामाजिक सम्पर्क के एक साधन रूप में होता है, तो यह स्पष्ट है कि समाज का अध्ययन किये बिना सामाजिक सम्पर्क स्थापित करने के साधन का अध्ययन भी नहीं हो सकता। समाज एक गतिशील प्रक्रिया है। उसमें वर्ग हैं, वर्ग-संघर्ष है, व्यक्तिगत सम्पत्ति है; शोषण है और शोषण के विरुद्ध जनता का संघर्ष है; भाषा के प्रति विभिन्न वर्गों के अपने दृष्टिकोण हैं; कभी-कभी सम्पत्तिशाली वर्गों की नीति के फलस्वरूप समूची भाषाएँ नेस्तनाबूद हो जाती हैं और छोटे-छोटे द्वीपों की भाषाएँ विश्व-भाषा बन जाती हैं जिनके बिना भारत जैसे विशाल देशों की एकता कायम रखना कुछ राजनीतिज्ञों को असम्भव जान पड़ता है—ये सब प्रश्न भाषाविद् को परेशानी में डाल सकते हैं। उनकी चर्चा भी उसकी अपनी सामाजिक स्थिति को संकटमय बना सकती है।

वर्णनात्मक भाषाविज्ञान के विदेशी आचार्यों की तुलना में उनके भारतीय शिष्यों ने भाषा-तत्त्व को और भी समाज-निरपेक्ष बना दिया है। सामाजिक विकास के सन्दर्भ में भी भाषा का अध्ययन किया जा सकता है, यह बात सुनते ही वे ऐसे चौंक उठते हैं, जैसे विप्रवर के चौके में शूद्र घुस आया हो! ऐसे विप्रों की सेवा में यह निवेदन करना आवश्यक है कि जिन आचार्यों से आपने शिक्षा ग्रहण की है, उनका चौका पहले ही छूत हो चुका है। उदाहरण के लिए, आचार्य ब्लूमफील्ड कहते हैं : "मानवीय भाषा पशुओं के संकेतात्मक कार्यों से भिन्न है—उन पशुओं के कार्यों से भी, जो अपनी आवाज में काफी भेद करते हुए उससे काम लेते हैं।" प्रस्तुत पुस्तक के पहले अध्याय में इस समस्या पर विचार किया गया है कि पशु भी ध्वनि-संकेतों का उपयोग करता है और मनुष्य भी, किन्तु मनुष्य भाषा की रचना कर सका, पशु नहीं, इसका कारण क्या है? जो शरीरविज्ञान का अध्ययन करते हैं, उन्हें भी इस प्रश्न से दिलचस्पी है। जो समाजविज्ञान का अध्ययन करते हैं, उन्हें भी। इस प्रकार भाषाविज्ञान—समाज-निरपेक्ष शुद्ध विज्ञान न होकर—विभिन्न विज्ञानों को निकट लाता है और उनके अनुसंधानों से लाभ उठाता है। यदि ब्लूमफील्ड द्वारा पशुओं के ध्वनि-संकेतों और मानवीय भाषा के अन्तर का उल्लेख करने से भाषा-तत्त्व दूषित नहीं होता, तो इस विषय की किंचित् विस्तृत चर्चा इस पुस्तक में क्षम्य समझी जानी चाहिए।

ब्लूमफील्ड ने पुराने तुलनात्मक और ऐतिहासिक भाषाविज्ञान की काफी और सारगर्भित आलोचना की है। किन्तु उस पुराने भाषाविज्ञान के अनुसार वह भी अनेक भाषाओं को परस्पर सम्बन्धित देखते हैं। उन्होंने इस परस्पर सम्बन्ध की व्याख्या इस प्रकार की है : "भाषाएँ एक-दूसरे से सम्बन्धित हैं, इससे हमारा तात्पर्य यही है कि उनमें ऐसी समानताएँ हैं जिनकी व्याख्या इस मान्यता के आधार पर ही हो सकती है कि वे एक ही प्राचीन भाषा के विभिन्न रूप हैं।" भाषाओं की ध्वनि-प्रकृति, भाव-प्रकृति और मूल शब्द-भंडार की चर्चा करते हुए प्रस्तुत पुस्तक में इस बात पर विचार किया गया है कि भाषाओं की समानता और भेद का आधार क्या है? जो समानताएँ दिखाई देती हैं, उनके साथ विभिन्नताओं का कारण क्या है? समानता का आधार एक ही भाषा से विभिन्न रूपों की सृष्टि है या विभिन्न रूपों वाली भाषाओं के सम्पर्क और परस्पर मिश्रण या आदान-प्रदान से भी ये समानताएँ उत्पन्न हो सकती हैं?

ब्लूमफील्ड ने भारत-यूरोपीय भाषा-परिवार की स्थापना को पुराने भाषाविदों से ग्रहण किया है, और इस सिलसिले में लिखा है : "भारत-यूरोपीय भाषाओं में 'स्नो' शब्द संज्ञा और क्रिया रूप में इतना आम है कि हम आदिम भारत-यूरोपीय समुदाय के सम्भाव्य निवास-स्थानों से भारत को बाहर रख सकते हैं।" प्रस्तुत पुस्तक में भी इस समस्या का विवेचन है कि कोई आदिभारत-यूरोपीय समुदाय और उसकी भाषा थी या नहीं, 'भारत-यूरोपीय' नामक कोई भाषा-परिवार है भी या नहीं, 'भारत-यूरोपीय' कहलानेवाली भाषाओं में कौन-से तत्त्व पूर्व के हैं, कौन-से पश्चिम के, इत्यादि। पुराने

भाषाविज्ञान की मान्यता के अनसार ही ब्लूमफील्ड ने आर्यों द्वारा भारत की विजय की चर्चा करते हुए लिखा है : "विजेताओं का अपेक्षाकृत एक छोटा समूह भारत में इंडो-आर्यन भाषा लाया होगा और शासक जाति द्वारा अपना आधिपत्य स्थापन करने के सुदीर्घ क्रम में विजितों को उसे ग्रहण करने पर बाध्य किया होगा। जिन भाषाओं ने अपना स्थान खो दिया, उनमें से कम-से-कम कुछ भाषाएँ भारत की वर्तमान अनार्य—मुख्यत: द्रविड़ भाषानिधि—की सम्बन्धिनी रही होंगी।" प्रस्तुत पुस्तक में भी इस विषय की चर्चा है कि आर्य जाति, आर्य भाषा से हमारा तात्पर्य क्या है, आर्यों के आने से यहाँ की भाषाएँ निर्मूल हुईं अथवा संस्कृत में आर्य-द्रविड़ तत्त्व घुल-मिल गए, इत्यादि। इस सिलसिले में इस समस्या का विवेचन भी आवश्यक हुआ कि आर्य और द्रविड़ भाषा-परिवारों का निर्माण कैसे हुआ? किसी भी भाषा-परिवार—या भाषा की बोलियों—के आन्तरिक भेदों और समानताओं का कारण क्या है?

आधुनिक भाषाएँ प्राचीन भाषाओं का नया रूप हैं, इस पुरानी और प्रचलित धारणा के प्रभाव से ही ब्लूमफील्ड ने फ्रांस के सिलसिले में एक जगह लिखा है कि वहाँ "लैटिन (जो अब फ्रेंच कहलाती है) दो हजार साल से बोली जा रही है।" इसी प्रकार लोग हिन्दी, बंगला आदि भाषाओं को संस्कृत की पुत्रियाँ कहते हैं। लैटिन और फ्रेंच, संस्कृत और हिन्दी, प्राचीन और आधुनिक भाषाओं का परस्पर सम्बन्ध क्या है—इसे भाषाविज्ञान का वैध और संगत प्रश्न मानना चाहिए। ब्लूमफील्ड ने 'स्पीच-कम्यूनिटी' (भाषा बोलनेवाले समुदाय) की काफी विस्तार से चर्चा की है। मानव-समुदाय पुराने कबीलों या सामन्ती जातियों (नेशनैलिटी) या पूँजीवादी (अथवा समाजवादी) व्यवस्था के अन्तर्गत महाजातियों (नेशन) के रूप में संगठित होता है। इस संगठन का आर्थिक, भौगोलिक, सांस्कृतिक, राजनीतिक आधार क्या है? ऐसा कोई आधार है भी या नहीं? सामाजिक विकास-क्रम में इस तरह के संगठनों के बनने-बिगड़ने से भाषा का सम्बन्ध क्या है?—यह सब भी भाषाविज्ञान में विवेच्य है। ब्लूमफील्ड ने लिखा है कि "भाषा के कारण श्रम-विभाजन और उसके साथ समग्र समाज की कार्यशीलता सम्भव होती है।" श्रम-विभाजन, वर्ग-भेद, भाषा की रक्षा, परिवर्तन और विकास में श्रम-विभाजन और वर्गों की भूमिका का उल्लेख इस पुस्तक में भी है। भाषा का परिनिष्ठित रूप, भाषा और बोलियों का सम्बन्ध, भाषा और बोली के भेद का आधार—यह सब भाषाविज्ञान का विषय है। ब्लूमफील्ड कहते हैं कि यॉर्कशायर (इंग्लैंड) का आदमी अपनी बोली में बातचीत करे तो अमरीकी आदमी उसकी बात नहीं समझ सकता। स्वभावत: प्रश्न उठता है कि यॉर्कशायर वाले आदमी की ज़बान अंग्रेज़ी की बोली है या स्वतंत्र भाषा? ब्लूमफील्ड ने लिखा है : "इंग्लैंड से भी अधिक फ्रांस, इटली और जर्मनी में स्थानीय बोलियाँ हैं।" एक भारतीय विद्वान ने अंग्रेज़ी में हिन्दी भाषा का 'वैज्ञानिक' इतिहास लिखा है जिसमें यूरोपीय भाषाओं की स्थानीय बोलियों के अस्तित्व से ही इनकार किया है और हिन्दी की सभी बोलियों

को स्वतंत्र भाषाएँ माना है। ब्लूमफील्ड के आधार पर हम कह सकते हैं कि भाषा और बोली के सम्बन्ध की चर्चा करना भाषा-तत्त्व की सीमाओं का उल्लंघन नहीं है।

पूना में गर्मी की छुट्टियाँ बितानेवाले जो मित्र इस पुस्तक के विषय को ही भाषाविज्ञान के अन्तर्गत मानने को तैयार नहीं हैं, उस विषय के प्रतिपादन में क्या गलत है, क्या सही, यह बताना तो दूर की बात है, उनसे निवेदन है कि आप एक बार ब्लूमफील्ड की 'लैंग्वेज़' पुस्तक फिर पढ़िए। यदि उसे भाषाविज्ञान की पुस्तक मानते हो तो स्वीकार कीजिए कि सामाजिक विकास के सन्दर्भ में भाषा का अध्ययन भाषा-तत्त्व से बाहर का विषय नहीं है। प्रस्तुत पुस्तक में ऐसी अनेक समस्याएँ हैं जिनका समाधान ब्लूमफील्ड में मौजूद है। यदि वह समाधान मुझे ग्राह्य होता तो यह पुस्तक लिखना अनावश्यक होता; ब्लूमफील्ड का अनुवाद करना ही अधिक उचित होता (या परिशिष्ट में एक लम्बी पुस्तक-सूची देकर ब्लूमफील्ड, जोन्स आदि दो-तीन विद्वानों की पुस्तकों के आधार पर एक नई पुस्तक लिखना अधिक समीचीन होता)।

प्रत्येक विज्ञान की तरह व्यावहारिक प्रश्नों को सामने रखकर ही इस देश में भाषाविज्ञान भी उन्नति कर सकता है। उसे हमेशा व्यावहारिकता तक सीमित कर देना हमारा उद्देश्य न होना चाहिए किन्तु व्यवहार-क्षेत्र से अलग रहकर भी किसी विज्ञान की रचना नहीं हो सकती, ध्वनिविज्ञान की भी नहीं। 'ध्वनिविज्ञान' नामक पुस्तक में एक ध्वनि की व्याख्या की गई है जिसका संकेत चिह्न है अंग्रेज़ी का उल्टा हुआ छोटा एफ ( ɟ ) व्याख्या है : "इस प्रकार की ध्वनियों की उच्चारण-विधि [c] के समान है, अन्तर केवल इतना है कि इसमें स्वर-यंत्र में कम्पन होता है और उच्चारण-प्रयत्न कुछ अशक्त है। इसे अल्पप्राण सघोष तालव्य स्पर्श कहा जाता है। यह ध्वनि फ्रांसीसी शब्द guepe के g के उच्चारण में सुनाई पड़ती है।" व्याख्या समाप्त। एक उदाहरण और। ध्वनि-संकेत है अंग्रेज़ी का बड़ा N। व्याख्या : "इस वर्ग की ध्वनियों के उच्चारण में जिह्वापश्च कौआ से मिलकर वायु-प्रवाह को बन्द कर देता है। कोमल तालु तथा स्वर-यंत्र की प्रक्रिया अन्य नासिक्य व्यंजनों के समान है। इसे सघोष अल्पप्राण अलिजिह्व या अलिजिह्वीय नासिक्य कहा जाता है। बहुत कम भाषाओं में इसका उपयोग मिलता है। ग्रीनलैंड की एस्किमो भाषा में यह ध्वनि पाई जाती है। उदाहरणार्थ [eNina] (गाना)।" यदि ध्वनिविज्ञान का यह ग्रंथ पाठ्य-पुस्तक के रूप में स्वीकृत हो जाए, तो अध्यापक प्रश्नपत्र में अवश्य पूछेंगे (क्योंकि ग्रिम-नियम के बारे में पूछते-पूछते थक गए हैं) : "सघोष अल्पप्राण अलिजिह्व या अलिजिह्वीय नासिक्य ध्वनि की सोदाहरण व्याख्या कीजिए", और कुशाग्रबुद्धि विद्यार्थी उत्तर लिखेगा : "यह ध्वनि जिह्वापश्च को कौआ से मिलाकर वायु-प्रवाह को बन्द करने से उत्पन्न होती है। इसका केवल एक उदाहरण ग्रीनलैंड की एस्किमो भाषा से प्राप्त हो सका है, eNina जिसका अर्थ है गाना।" अध्यापक-परीक्षक सही उत्तर देखकर ध्वनिविज्ञान-लेखक का श्रम सार्थक कर देगा।

भाषाविज्ञान पर लिखी हुई पुस्तकें अक्सर दुरूह और नीरस होती हैं। यह पुस्तक सरस नहीं है तो दुरूह भी नहीं है। आपको सरल और बोधगम्य लगे तो इसे उसके अवैज्ञानिक होने का प्रमाण न मान बैठिएगा। आखिर मैं एक आलोचक हूँ, भाषाविज्ञान का अध्यापक नहीं। आलोचना में विषय-विवेचन और शैली के मेरे जो भी गुण-अवगुण हैं, वे सब इस पुस्तक में भी विद्यमान हैं। भाषाओं और भाषाविज्ञान के अध्ययन के लिए मुझे प्रेरणा भी मूलत: साहित्यकारों से मिली है। निराला जी इस विषय में मुझे सदा प्रोत्साहन देते थे। हिन्दी, बंगला और संस्कृत के भाषागत विवेचन में उनकी अन्तर्दृष्टि साधारण महत्त्व की न थी। हिन्दी कवियों के शणवल स्कूल की जो आलोचना उन्होंने 'माधुरी' में की थी, वह इस बात का प्रमाण है कि वे भाषा की ध्वनि-प्रकृति को कितनी अच्छी तरह पहचानते थे। श्री अमृतलाल नागर भाषाविज्ञान के क्षेत्र में मेरे शिष्यवत् श्रोता रहे हैं। भाषाओं का सर्वेक्षण करने में वह मुझसे बहुत अधिक पटु और योग्य हैं। आशा है, आगे चलकर उनकी पुस्तकों का अध्ययन कलात्मक मूल्य के लिए ही नहीं, उनके भाषाशास्त्रीय महत्त्व के लिए भी होगा। श्री वृन्दावनलाल वर्मा के साथ पुस्तक की अनेक स्थापनाओं की चर्चा हो चुकी है। उनके अनेक सुझावों से मैंने लाभ उठाया है।

उर्दू साहित्य के इतिहासकार डॉ. रामबाबू सक्सेना ने एक बार लखनऊ में भाषा-समस्या पर मेरा एक भाषण सुनकर मुझे इस विषय पर विस्तार से लिखने के लिए कहा था। कुछ समय बाद आगरे के डॉ. रमेशचन्द्र के साथ वे मेरे घर पधारे और देर तक भाषा-समस्या पर विचार करते रहे। उन्होंने अपनी बात दोहराई और इस विषय पर विस्तार से और जमकर लिखने को कहा। यह बात दस-ग्यारह साल पहले की है और मैंने भरसक उनकी सलाह मानने का प्रयत्न किया है। खेद है कि वे इस पुस्तक को पढ़कर उसकी आलोचना करने के लिए अब इस संसार में नहीं हैं।

डॉ. महादेव साहा किसी भी विषय पर लिखने में पुस्तकों आदि से मेरी सहायता करते रहे हैं। भाषाविज्ञान का अध्ययन करते हुए मुझे उनसे अमूल्य सहायता मिली है। आगरा मेडिकल कॉलेज के ॲनॉटमी के प्रोफेसर डॉ. प्यारेलाल शुक्ल ने नीगस और पेनफील्ड की कृतियों से मुझे परिचित कराया। प्रथम अध्याय की अनेक समस्याओं के बारे में उनसे चर्चा करने पर मुझे लाभ हुआ है। आगरे के हिन्दी विद्यालय के संचालक श्री रामकृष्ण नाबड़ा मेरे लिए द्रविड़ भाषाओं के आचार्य रहे हैं। पुस्तक में द्रविड़ भाषाओं के प्रसंग में जो गलतियाँ रह गई हों, उनके लिए आंशिक रूप से वह भी उत्तरदायी हो सकते हैं। पुस्तक का प्रूफ मेरे अलावा श्री सच्चिदानन्द शर्मा ने देखा है, कुछ अंशों का प्रूफ केवल उन्होंने देखा है। इसलिए प्रूफ की अशुद्धियों की सारी जिम्मेदारी मेरी नहीं है। इन सब मित्रों और विद्वानों के प्रति हार्दिक कृतज्ञता प्रकट करते हुए मैं यह वक्तव्य समाप्त करता हूँ।

**—रामविलास शर्मा**

आगरा
15-11-60

# दूसरे संस्करण की भूमिका

[1]

पिछले 25 साल में भाषाविज्ञान में बहुत काम हुआ है। ये पिछले 25 साल दूसरे महायुद्ध के बाद के हैं। इस महायुद्ध से पहले आधुनिक भाषाविज्ञान के मुख्य केन्द्र यूरोप में थे, युद्ध के बाद संयुक्त राज्य अमरीका भाषाविज्ञान का मुख्य केन्द्र बना। नाजियों के अत्याचार से पीड़ित जैसे बहुत-से भौतिक विज्ञानी अमरीका पहुँच गए, वैसे ही बहुत-से भाषाविज्ञानी भी वहाँ पहुँचे। इनमें जर्मन-भाषी यहूदियों की संख्या काफी थी। अमरीका में बहुत दूसरे स्लाव भाषाएँ बोलनेवाले भी एकत्र हुए, जिन्हें साम्यवादी व्यवस्था नापसन्द थी या जिनके लिए उस व्यवस्था में रहकर काम करना सम्भव नहीं था। इसके सिवा दूसरे महायुद्ध के बाद संयुक्त राज्य अमरीका विश्व पूँजीवाद का भी केन्द्र बना। एक ओर पूँजी का केन्द्रीकरण, दूसरी ओर भाषा-विज्ञानियों का एकत्रीकरण, ये दोनों प्रक्रियाएँ नितान्त असम्बद्ध नहीं हैं।

दूसरे महायुद्ध के बाद जो नया काम हुआ है, वह दो हिस्सों में बाँटा जा सकता है। पहला हिस्सा विवरणात्मक भाषाविज्ञान का है जो महायुद्ध से पहले आरम्भ हो चुका था, जिसके प्रमुख आचार्य अमरीकी भाषाविद् ब्लूमफील्ड थे। दूसरा हिस्सा मुख्यत: विन्यास (वाक्य-विन्यास अथवा वाक्य-रचना) से सम्बन्धित है जो वर्णनात्मक भाषाविज्ञान की प्रतिक्रिया के रूप में विकसित हुआ और जिसके मुख्य अमरीकी आचार्य चोम्स्की हैं। भारत के भाषाविज्ञानी इस सारे विकास से प्रभावित हुए हैं। जो भाषाविज्ञानी दूसरे महायुद्ध से पहले ब्रिटेन से प्रशिक्षित होकर आए थे, वे सब पीछे छूट गए हैं। नये भाषाविज्ञानी संस्थाओं-सम्मेलनों आदि में उनका उपयोग कर लेते हैं किन्तु चलते हैं अपने रास्ते। यहाँ पहला प्रश्न यह उठता है कि इस सारे विकास से क्या पुराने—यानी 19वीं सदी के—ऐतिहासिक भाषाविज्ञान की मान्यताओं में कोई मौलिक परिवर्तन हुआ है?

उक्त प्रश्न से हमारी दिलचस्पी का कारण यह है कि भारत एक पुरानपंथी पिछड़ा हुआ देश है जहाँ लोगों को इस बात की बड़ी चिन्ता है कि आर्य लोग यहाँ

के मूल निवासी थे या नहीं, और उन्होंने द्रविड़ों आदि को जीतकर उनकी भाषाओं का नाश किया या नहीं, और आधुनिक भारतीय भाषाओं का सम्बन्ध संस्कृत से किस तरह का है, इन भाषाओं का विकास कैसे हुआ है, इत्यादि। यह देखकर बड़ा आश्चर्य होता है कि पिछले 25 वर्षों में भाषाविज्ञान का इतना विकास होने पर भी 19वीं सदी के ऐतिहासिक भाषाविज्ञान की मान्यताएँ ज्यों-की-त्यों प्रतिष्ठित हैं। भाषाविज्ञानी चाहे ब्लूमफील्ड-सम्प्रदाय का हो, चाहे चोम्स्की-सम्प्रदाय का, ऐतिहासिक भाषाविज्ञान के नाम पर वह उन्हीं मान्यताओं को दोहराता है। आधुनिक भाषाविज्ञान में ध्वनि-तंत्र और वाक्य-तंत्र, इन्हीं दो तंत्रों पर सबसे ज्यादा ध्यान दिया गया है। जहाँ तक ऐतिहासिक भाषाविज्ञान का सम्बन्ध है, इन दोनों तंत्रों पर जो भी काम हुआ है, उसका होना न होना बराबर है। पुरानी मान्यताएँ जिस पुराने ध्वनि-तंत्र और वाक्य-तंत्र के आधार पर निश्चित की गई थीं, वह पुराना तंत्र ऐसा बुरा नहीं था क्योंकि उसमें बहुत बड़ी खामियाँ होतीं, तो भाषाओं के तुलनात्मक अध्ययन से जो नतीजे निकाले गए थे, वे रद्द हो जाते। पर ऐसा नहीं हुआ। इस तरह ऐतिहासिक भाषा विज्ञान के सन्दर्भ में आधुनिक भाषाविज्ञान के इस समस्त विकास की व्यर्थता स्वयंसिद्ध है।

एक इंडो-यूरोपियन परिवार है। इस परिवार की प्राचीन और नवीन भाषाएँ एक आदि इंडो-यूरोपियन भाषा से उत्पन्न हुई हैं। इस आदि भाषा की अनेक शाखाएँ हुईं। उनमें से एक शाखा से सम्बद्ध लोग भारत आए। ये भारतीय आर्य थे। आदि इंडो-यूरोपियन भाषा कहाँ बोली जाती थी, इसका पता नहीं, पर वह भारत में न बोली जाती थी। भारत में आने पर आर्य विजेताओं ने यहाँ के मूल निवासियों को उनकी भूमि से या तो हटा दिया या उन्हें परास्त करके दासों की तरह जीवन बिताने पर बाध्य किया। भारतीय आर्य भाषा से क्रमशः प्राकृतों और अपभ्रंशों का विकास हुआ। इसी विकास अथवा ह्रास का परिणाम हैं आधुनिक भारतीय आर्य भाषाएँ। 19वीं सदी के ऐतिहासिक भाषाविज्ञान की ये मान्यताएँ अपनी जगह स्थिर हैं, अचल हैं।

दुनिया में सबसे ज्यादा काम इंडो-यूरोपियन भाषा-परिवार पर हुआ है। वह काम अन्य भाषा-परिवारों का अध्ययन करनेवालों के लिए एक आदर्श नमूना बन गया। उसी के अनुरूप द्रविड़ भाषा-परिवार पर कार्य हुआ। एक आदि द्रविड़ भाषा से आधुनिक द्रविड़ भाषाओं का जन्म हुआ। यहाँ प्राकृतों जैसी सामग्री उपलब्ध नहीं थी। एकआध भाषाविज्ञानी ने प्रयत्न किया कि आदि आर्य भाषा, मध्य आर्य भाषा और नव्य आर्य भाषा की तीन मंजिलों की तरह आदि द्रविड़, मध्य द्रविड़ और नव्य द्रविड़, इन तीन मंजिलों का निर्माण कर दिया जाए, पर उपयुक्त सामग्री के अभाव में मंजिलें निश्चित करने का यह प्रयत्न असफल हुआ। पर इस बारे में किसी को सन्देह नहीं है कि एक आदि द्रविड़ भाषा थी और उससे वर्तमान द्रविड़

भाषाओं का उद्भव हुआ है। इसी तरह कोल अथवा मुंडा परिवार की भाषाओं के विकास को समझने का प्रयत्न किया गया है।

जहाँ तक द्रविड़ भाषाओं का सम्बन्ध है, इनके विकास के बारे में काल्डवेल ने 19वीं शताब्दी में जो रूपरेखा बनाई थी, वह अपनी जगह कायम है। द्रविड़ लोग भी बाहर से आए थे, यह स्थापना उन्हीं की है। द्रविड़ भाषा-परिवार किसी और बड़े भाषा-परिवार की एक शाखा है, यह और बड़ा भाषा-परिवार एक जाति के लोगों का है, यह स्थापना भी काल्डवेल की थी। कुछ आधुनिक विशेषज्ञ एक परिवार को अतिव्यापक मानकर, उसे सीमित करके, फिनो उग्रियन परिवार की बात करते हैं। इससे काल्डवेल की मूल स्थापना में बहुत बड़ा फर्क नहीं पड़ जाता। तत्त्व की बात यह है कि द्रविड़ भाषा-भाषी जन-समुदाय उत्तर-पश्चिम से भारत में आए और बाद को आर्यों ने उन्हें पराजित किया तथा दक्षिण भारत में ठेल दिया। इस तत्त्व के बारे में किसी ऐतिहासिक भाषाविज्ञानी को सन्देह नहीं है। यदि सन्देह था तो काल्डवेल को ही था क्योंकि विजित द्रविड़ भाषाओं के क्रियापद आदि उन्हें विजेता (नवीन या प्राचीन) आर्य भाषाओं में दिखाई न देते थे।

रह गया कोल या मुंडा भाषा-परिवार। वह भी एक अन्य बड़े भाषा-परिवार की शाखा है। इस बड़े भाषा-परिवार का नाम है ऑस्ट्रो एशियाटिक। यह नामकरण इसलिए हुआ कि इस बड़े परिवार की भाषाएँ दक्षिण-पूर्वी एशिया से लेकर आस्ट्रेलिया तक अनेक द्वीपों और द्वीप-समूहों और महाद्वीपों में बोली जाती हैं। कुछ भाषा-विज्ञानियों को इस बारे में सन्देह है कि ये सारी भाषाएँ ऑस्ट्रो एशियाटिक-परिवार के अन्तर्गत हैं किन्तु इस बारे में किसी को सन्देह नहीं है कि भारत की मुंडा भाषाएँ किसी आदि मुंडा भाषा से उत्पन्न हुई हैं। इस परिवार से सम्बन्धित मान्यताएँ भी काफी पुरानी हैं यद्यपि उतनी पुरानी नहीं हैं जितनी आर्य या द्रविड़ भाषा-परिवारों से सम्बन्धित मान्यताएँ हैं।

भारत में एक परिवार की भाषाएँ और बोली जाती हैं। इसे लोग चीनी-तिब्बती परिवार कहते हैं। नागालैंड की भाषाएँ इसी परिवार की हैं। इस परिवार पर सबसे कम काम हुआ है। फिर भी ऐतिहासिक विकास के अध्ययन के लिए एक आदि चीनी-तिब्बती भाषा यहाँ भी पूर्व कल्पित है। जैसाकि इस परिवार के नाम से विज्ञापित है, उससे सम्बद्ध भाषाओं का स्रोत भी भारत से कहीं बाहर था।

इस तरह मुख्यत: 19वीं सदी, और आंशिक रूप से 20वीं सदी, में विकसित होनेवाले ऐतिहासिक भाषाविज्ञान का एक महत्त्वपूर्ण निष्कर्ष यह है कि सभी भारतीय भाषा-परिवारों के स्रोत भारत से बाहर के हैं, और भारत की अपनी कोई भी प्राचीन भाषा-सम्पदा नहीं है।

दूसरा निष्कर्ष यह निकलता है कि ये सभी भाषा-परिवार अपनी मूल विशेषताएँ कहीं ऐसे एकान्त स्थान में विकसित कर लेते हैं जहाँ किसी भी दूसरे भाषा-परिवार

से उनका सम्पर्क नहीं होता। जिस समय आदि इंडो-यूरोपियन भाषा का निर्माण हुआ, उस समय उसे बोलनेवाले किसी भी अन्य परिवार की भाषाएँ बोलनेवालों के सम्पर्क में नहीं आए। इसलिए वह आदि भाषा अपनी विशेषताएँ, किसी भी अन्य भाषा-परिवार से संपृक्त हुए बिना, निश्चित करती है। सम्पर्क तब होता है जब आदि भाषा विघटित हो जाती है और उसकी शाखाएँ विभिन्न प्रदेशों में फैल जाती है। यही स्थिति आदि द्रविड़ भाषा तथा अन्य परिवारों की आदि भाषाओं के निर्माण की है।

पिछले कुछ वर्षों से भारत के सन्दर्भ में ऐतिहासिक भाषाविज्ञान की मान्यताएँ थोड़ी-सी बदली हुई जान पड़ती हैं। यह तब्दीली इस दिशा में है। भारत के अनेक भाषा-परिवार शताब्दियों से एक साथ रहते आए हैं। इसलिए इन्होंने एक-दूसरे को प्रभावित करके ऐसी विशेषताएँ निर्मित की हैं जो भारत के अन्दर इन परिवारों में सामान्य हैं, किन्तु भारत के बाहर उन्हीं परिवारों की भाषाओं में वे विशेषताएँ नहीं मिलतीं। इसलिए भारत एक भाषाई क्षेत्र है और उसके भाषा-परिवारों का इतिहास, उनके क्षेत्रीय सम्पर्क को ध्यान में रखकर, करना चाहिए।

दरअसल यहाँ भी कोई बुनियादी तब्दीली नहीं की गई। भारत में आकर आर्य लोग द्रविड़, मुंडा आदि भाषाएँ बोलनेवालों के सम्पर्क में आए। इन आर्येतर परिवारों के अनेक भाषा-तत्त्व संस्कृत में दाखिल हो गए। यह मान्यता और अध्ययन की यह पद्धति बहुत पुरानी है। जो लोग भारत को भाषाई क्षेत्र घोषित करते हैं, वे आर्यों द्वारा द्रविड़ों और कोलों की पराजय की बात मानकर आगे चलते हैं, और व्यवहार में उनका क्षेत्रीय अध्ययन विजेता आर्यों की भाषा पर विजित द्रविड़ों और कोलों की भाषा के प्रभाव के अध्ययन से आगे नहीं बढ़ पाता। इस तरह भाषाई क्षेत्र वाला अध्ययन नवीन प्रगति का सूचक नहीं है; वह नई शब्दावली का प्रयोग करके पुरानी पद्धति का अनुसरण मात्र करता है।

19वीं सदी में ही ऐतिहासिक भाषाविज्ञान की मान्यताओं और उसकी विश्लेषण पद्धति को अनेक विद्वान चुनौती देने लगे थे। इनमें बोली-विज्ञान के विशेषज्ञ प्रमुख थे। जर्मनी और फ्रांस, इन दोनों देशों में बोली-विज्ञान को लेकर महत्त्वपूर्ण कार्य हुआ। इस कार्य की विशेषता यह थी कि लिखित भाषाओं और परनिष्ठित भाषाओं की अपेक्षा व्यवहार में आनेवाली शहरों और गाँवों की बोलियों पर ध्यान केन्द्रित किया जाता था। बोलियों का अध्ययन करने से यह सत्य प्रत्यक्ष हो जाता था कि व्यवहार जगत् में बहुसंख्यक बोलियों की प्रधानता है, अल्पसंख्यक लिखित भाषाओं की नहीं। उधर ऐतिहासिक भाषाविज्ञान का सारा विवेचन अल्पसंख्यक लिखित भाषाओं पर ही निर्भर था। बोली-विज्ञान वाले उस पद्धति से किये हुए अध्ययन के निष्कर्षों को अमान्य ठहराते थे। पर उनके पास इस बात का कोई जवाब नहीं था कि ग्रीक, लैटिन, संस्कृत, जर्मन आदि भाषाओं में जो सामान्य तत्त्व दिखाई देते

हैं, उनके अस्तित्व का कारण क्या है। ऐतिहासिक भाषाविज्ञान ने जो विकास की रूपरेखा बनाई थी, उसका विकल्प बोली-विज्ञान वालों के पास नहीं था। इनके उत्तराधिकारी कुछ नव्य भाषाविज्ञानी इटली में हैं और उनके सम्प्रदाय के समर्थक अमरीका में हैं। पर इन सब लोगों ने ऐतिहासिक भाषाविज्ञान की जो आलोचना की है, वह नकारात्मक अधिक है। किसी एक भाषा या भाषा-परिवार का इतिहास प्रस्तुत करने में ये लोग अक्षम सिद्ध हुए हैं। इसलिए ऐतिहासिक भाषाविज्ञान की पद्धति या मान्यताओं में ये लोग कोई उल्लेखनीय परिवर्तन नहीं कर सके।

ऐतिहासिक भाषाविज्ञान की विश्लेषण-पद्धति की आलोचना अमरीकी समाज-विज्ञान के प्रवर्तक बोआस ने भी की थी। विशेष रूप से एक ही आदि भाषा से किसी परिवार की अनेक भाषाओं के उत्पन्न होने के सिद्धान्त का उन्होंने खंडन किया था। पहले वह स्वयं ही इस आदि भाषा वाले सिद्धान्त को मानते थे। पर समाजशास्त्र सम्बन्धी अपने अनुसंधान-क्रम में उन्होंने देखा कि यह सिद्धान्त भ्रामक है। इसलिए उन्होंने उस प्रचलित मान्यता का खंडन किया। बोआस की यह आलोचना महत्त्वपूर्ण है। वह समाजशास्त्र के अलावा आधुनिक भाषाविज्ञान के भी प्रवर्तक थे। अमरीकी आदिवासियों की भाषाओं पर उन्होंने विशेष ध्यान दिया था। यह दुर्भाग्य की बात है कि अमरीकी भाषा-विज्ञानियों ने उनकी आलोचना-पद्धति को आगे विकसित नहीं किया और वे अधिकतर 19वीं सदी के जर्मन भाषाविज्ञान की स्थापनाएँ दोहराते रहे।

'भाषा और समाज' पुस्तक में मैंने ऐतिहासिक भाषाविज्ञान की मान्यताओं को अस्वीकार किया। इंडो-यूरोपियन भाषा के लिए एक आदि भाषा की जगह मैंने अनेक स्रोत-भाषाओं का सिद्धान्त प्रतिपादित किया। ध्वनि-प्रकृति, शब्द-भंडार और भाव-प्रकृति के अनेक तत्त्व उदाहरण रूप में प्रस्तुत करके मैंने यह सिद्ध करने का प्रयत्न किया कि भारतीय और यूरोपीय अनेक भाषा-स्रोतों के परस्पर सम्पर्क से इस परिवार का निर्माण हुआ है। इस सम्बन्ध में मैंने जो भी प्रमाण दिये थे, किसी ने उनका खंडन नहीं किया, कम-से-कम ऐसा खंडन मेरे देखने में नहीं आया। मैंने यह भी प्रमाणित किया कि द्रविड़ भाषाओं की कुछ विशेषताएँ यूरोप की भाषाओं में मिलती हैं। किसी भाषा-परिवार के मूल तत्त्व किसी अन्य भाषा-परिवार के मूल तत्त्वों से प्रभावित होते हैं, इस बात का यह पहला उल्लेख है। दरअसल किसी एक आदि भाषा का एकान्त शून्य में विकसित होना तभी सम्भव है जब हम यह मानें कि उस आदि भाषा के बोलनेवाले किसी एक खास नस्ल के एकान्तवासी लोग थे। इंडो-यूरोपियन भाषा-परिवार के विवेचन पर प्रत्यक्ष या अप्रत्यक्ष रूप से नस्ल के सिद्धान्त का प्रभाव है। 'भाषा और समाज' में मैंने इस सिद्धान्त का खंडन किया है। इसके साथ मैंने इस बात के यथेष्ट प्रमाण दिये हैं कि भारत की अपनी भाषा-सम्पदा भी है। यदि ऐतिहासिक भाषाविज्ञान की सभी स्थापनाएँ स्वीकार कर ली

जाएँ तो भी यह प्रश्न रह जाता है कि संस्कृत के जो तत्त्व न तो यूरोप की भाषाओं में हैं और न द्रविड़-कोल-भाषाओं में हैं, वे उसके अपने तत्त्व हैं या नहीं?—इस प्रश्न के उत्तर में मैंने जिन तत्त्वों को प्रमाण रूप में प्रस्तुत किया है, उनका खंडन किसी ने नहीं किया।

ऐतिहासिक भाषाविज्ञान की प्रचलित पद्धति के विपरीत इस पुस्तक में मैंने जिस मार्ग का अनुसरण किया है, उसकी विशेषताएँ इस प्रकार हैं :

1. कोई भी भाषा-परिवार अपनी मूल विशेषताएँ एकान्त शून्य में विकसित नहीं करता। इसलिए किसी भी भाषा-परिवार के उद्‌भव और विकास का अध्ययन अन्य भाषा-परिवारों के उद्‌भव और विकास से अलग न करना चाहिए।
2. किसी भी भाषा-परिवार की आदि भाषा की कल्पित विशेषताएँ खोजने के स्थान पर उसके निर्माण में अनेक भाषा-मूलों के तत्त्वों की प्राप्ति के लिए तैयार रहना चाहिए।
3. एक ही परिवार की भाषाओं के सामान्य तत्त्वों का अध्ययन करते हुए उनमें जो तत्त्व असामान्य हैं, उन पर भी पूरा ध्यान देना चाहिए।
4. प्राचीन लिखित भाषाओं की सामग्री का उपयोग करते समय जहाँ भी समकालीन उपभाषाओं, बोलियों आदि की सामग्री प्राप्त हो, वहाँ उस पर भी ध्यान देना चाहिए। इसी तरह आधुनिक परिनिष्ठित भाषाओं की सामग्री का उपयोग करते हुए उनकी बोलियों के भाषा-तत्त्वों पर निरन्तर ध्यान देना चाहिए।
5. प्राचीन भाषाओं के अध्ययन में आधुनिक भाषाओं और बोलियों का अध्ययन सहायक होता है। संस्कृत के अध्ययन से यदि हिन्दी की विशेषताएँ पहचानी जा सकती हैं, तो हिन्दी के अध्ययन से संस्कृत की भी अनेक विशेषताएँ पहचानी जा सकती हैं।
6. भारत भाषा-तत्त्वों का आयात-केन्द्र ही नहीं रहा, वह इन तत्त्वों का निर्यात-केन्द्र भी रहा है, इस सम्भावना को पहले से ही अमान्य ठहराकर विवेचन आरम्भ न करना चाहिए।
7. आधुनिक या प्राचीन भाषाओं का विश्लेषण करते समय ध्वनियों के यांत्रिक वर्गीकरण के बदले उनकी समग्रता का ध्यान रखकर भाषाओं की ध्वनि-प्रकृति का विवेचन करना उचित है। किसी भी भाषा में प्रयुक्त सभी ध्वनियों का—शब्द में उनकी स्थिति और प्रयोग में उनकी निरन्तरता के विचार से समान महत्त्व नहीं होता। इसलिए भाषाओं की प्रकृति पहचानने के लिए यह विवेक आवश्यक है कि किसी भाषा की व्यवस्था में कौन-सी ध्वनियाँ अधिक महत्त्वपूर्ण हैं और कौन-सी कम।

8. इसी तरह वाक्य-रचना, रूप-विकार, शब्द-निर्माण-प्रक्रिया और व्याकरण की अन्य विशेषताओं को अलग-अलग विभागों में न रखकर उनकी समग्रता में, भाषा की एक ही भाव-प्रकृति के अन्तर्गत, उन पर विचार करना चाहिए।
9. ध्वनियों की तरह शब्दों में भी विवेक करना उचित है कि शब्द-भंडार का कौन-सा भाग मूल है और कौन-सा भाग गौण है। किसी भी भाषा के मूल शब्द-भंडार का विश्लेषण किये बिना उसका विवेचन अधूरा रहेगा।
10. भाषा निरन्तर परिवर्तनशील है और विकासमान है। विरोध और भिन्नता के बिना भाषा न गतिशील हो सकती है न उसका विकास हो सकता है। इसलिए किसी भी भाषा की व्यवस्था में, भाषा के किसी भी स्तर पर—ध्वनि-प्रकृति, भाव-प्रकृति और शब्द-भंडार, किसी भी विभाग में—विरोधी प्रवृत्तियों और विरोधी तत्त्वों के सहअस्तित्व की सम्भावना के लिए भाषाविज्ञानी को प्रस्तुत रहना चाहिए।

इन बातों को ध्यान में रखते हुए ऐतिहासिक भाषाविज्ञान के क्षेत्र में अनुसंधान नहीं किया गया। उन्हें ध्यान में रखकर अनुसंधान किया जाए तो नये निष्कर्ष निकल सकते हैं। पुरानी मान्यताओं की सीमाएँ पहचानी जा सकती हैं। विशेष रूप से भारत की प्राचीन भाषा-सम्पदा पहचानने में बड़ी सहायता मिल सकती है, इसके यथेष्ट प्रमाण इस पुस्तक में दे दिये गए हैं।

## [2]

ऐतिहासिक भाषाविज्ञान ने प्राचीन और आधुनिक भाषाओं के नये ज्ञान से मानव संस्कृति को समृद्ध किया। 19वीं सदी में समाज-सम्बन्धी विज्ञानों में जैसा महत्त्व भाषाविज्ञान को प्राप्त हुआ, वैसा अन्य किसी विज्ञान को नहीं। इस समग्र विकास में भारत के प्राचीन भाषाविज्ञान की भूमिका निर्णायक थी। यह कल्पना करना कठिन है कि पाणिनि के व्याकरण के बिना ऐतिहासिक भाषाविज्ञान और आधुनिक भाषाविज्ञान की क्या स्थिति होती। यही नहीं कि संस्कृत के ज्ञान से यूरोप के विद्वानों को एक नया संसार दिखाई दिया वरन् उस संसार की पूरी पहचान के लिए पाणिनि के रूप में उन्हें एक महान् मार्गदर्शक भी मिला। उन्हें खेद इसी बात का था कि पाणिनि ने जैसा भरा-पूरा और वैज्ञानिक विवरण संस्कृत का प्रस्तुत किया था, वैसा यूरोप की किसी भाषा का प्रस्तुत न किया गया था। वैसे तो पाश्चात्य विद्वान और उनके भारतीय अनुयायी हर क्षेत्र में भारत को यूनान, सुमेर या बाबुल की सभ्यताओं से अनेक प्रकार की विद्याएँ सीखता हुआ मानते हैं। इनमें भी यूनानियों की प्रतिभा का

कहना ही क्या! पर व्याकरण के क्षेत्र में किसी को यह कहने का साहस नहीं हुआ कि पाणिनि ने व्याकरण-रचना-कौशल यूनानियों से सीखा था।

पाणिनि से प्रभावित 19वीं सदी के ऐतिहासिक भाषाविज्ञान ने भाषाओं का नई रीति से विश्लेषण आरम्भ किया। यह रीति यूरोप में पहले नहीं थी। भारत की इस प्राचीन रीति का पुनर्जन्म 19वीं सदी के यूरोप में हुआ। इस रीति पर चलनेवाले ऐतिहासिक भाषाविज्ञान ने 20वीं सदी के विवरणात्मक भाषाविज्ञान को प्रभावित किया। इस आधुनिक विज्ञान का सूत्रपात 19वीं सदी के अन्तिम चरण में फ्रांसीसी भाषा-भाषी विद्वान सोस्योर ने किया। वह संस्कृत के विद्वान थे और उनका मूल कार्य-क्षेत्र ऐतिहासिक भाषाविज्ञान ही था। उनके बाद 20वीं सदी में विवरणात्मक भाषाविज्ञान को व्यवस्थित रूप अमरीकी विद्वान ब्लूमफील्ड ने दिया। उनका प्रशिक्षण जर्मनी में हुआ था। उनके गुरु प्रोकोश अमरीका-निवासी जर्मन थे और ऐतिहासिक भाषाविज्ञान के विशेषज्ञ थे। खास बात यह कि ब्लूमफील्ड पाणिनि के प्रेमी और विशेषज्ञ थे। अमरीकी आदिवासियों की भाषाओं के विवेचन में उन्होंने पाणिनीय-पद्धति का उपयोग किया था। उनके बाद जब इस विवरणात्मक सम्प्रदाय के विरोध में चोम्स्की ने विद्रोह का झंडा उठाया, तब पाणिनि से अपना सम्बन्ध उन्होंने भी जोड़ा। उनकी व्याकरण-पद्धति को जैनेरेटिव या ट्रांसफॉर्मेशनल कहते हैं। हिन्दी में हम उसे परिणामी व्याकरण कह सकते हैं क्योंकि परिणाम का एक अर्थ वही है जो अंग्रेज़ी में ट्रांसफॉर्मेशन का है। इस प्रकार लगभग 200 वर्ष का पाश्चात्य भाषा-वैज्ञानिक विकास किसी-न-किसी रूप में भारत से और पाणिनि से सम्बद्ध है। पर स्वयं भारत में पाणिनि का जो पुनर्मूल्यांकन अपेक्षित था, वह नहीं हुआ। पाणिनि और संस्कृत के भाषा-वैज्ञानिक रिक्थ से प्रेरित होकर भारतीय भाषाविज्ञान को जो प्रगति करनी चाहिए थी, वह उसने नहीं की। इसका मुख्य सामाजिक कारण भारतीय सामन्तवाद का ह्रास और उसके ह्रास काल में यहाँ अंग्रेज़ों का प्रभुत्व था। संस्कृत और पाणिनि के अध्ययन-अध्यापन की पद्धति वही पुराने ढंग की बनी रही। यूरोप के भाषाविज्ञानी न केवल समाज-सम्बन्धी विज्ञानों से परिचित थे वरन् वे भौतिक विज्ञान से भी परिचित थे और विशेष कर जीवविज्ञान से वे प्रभावित हुए थे। ज्ञान के इस आधुनिक विकास से भारत के रूढ़िवादी विद्वान अपरिचित थे। उनके विरोध में जो भी नई प्रवृत्तियाँ उभरती थीं, वे उनका दमन बड़ी कट्टरता से करते थे।

पर इसमें सन्देह है कि 19वीं सदी के विज्ञान से प्रभावित आधुनिक भाषाविज्ञान पाणिनि का सही मूल्यांकन कर सका है। 19वीं सदी के समाजविज्ञान और उसके भौतिकविज्ञान की युगान्तरकारी उपलब्धियों के साथ उसकी सीमाएँ हैं और वे सीमाएँ इस पुनर्मूल्यांकन में दिखाई देती हैं। ऊपर मैंने जिस पद्धति का उल्लेख किया है, उसके अनुरूप द्वन्द्वात्मक विश्लेषण-पद्धति अपनाकर ही हम अपने देश के भाषा-वैज्ञानिक रिक्थ का सही मूल्यांकन प्रस्तुत कर सकते हैं।

विवरणात्मक भाषाविज्ञान ने भाषाओं के विवरण प्रस्तुत करने के कौशल को खूब परिष्कृत किया। विशेष रूप से उसने ध्वनि-तंत्र पर बड़ा काम किया और यह काम इतना महत्त्वपूर्ण माना गया कि उसने भाषाविज्ञान के सभी विभागों को प्रभावित किया। किन्तु यह विवरणात्मक भाषाविज्ञान एक विशेष दर्शन से प्रभावित था। उसे हम यांत्रिक भौतिकवाद कह सकते हैं। यह एक प्रकार का भौतिकवाद है किन्तु वह द्वन्द्वात्मक न होकर यांत्रिक है। इससे प्रभावित भाषाविज्ञान की एक विशेषता यह थी कि वह भाषा को रूप मात्र मानकर उसका विवेचन करता था। अर्थ की चिन्ता किये बिना वह भाषा के पूरे तंत्र के विश्लेषण का दावा करता था। इस रीति पर चलने में उसे सबसे अधिक सुगमता ध्वनिविज्ञान में थी। ब्लूमफील्ड के यहाँ यह प्रवृत्ति अभी जन्म ले रही थी। उसे पुष्ट और परिवर्द्धित किया उनके शिष्यों ने। इस रूपवादी पद्धति की संक्षिप्त आलोचना इस पुस्तक के प्रथम संस्करण की भूमिका में है।

विवरणात्मक भाषाविज्ञान की सबसे बड़ी उपलब्धि उसका सैद्धान्तिक विवेचन नहीं है। यदि पाणिनि की पद्धति से संस्कृत का श्रेष्ठ व्याकरण रचा जा सकता था तो यह पूछा जा सकता है कि इस समस्त सैद्धान्तिक विवेचन के बाद, भाषाओं का विवरण प्रस्तुत करने के लिए, आपने किस नये कौशल की सृष्टि की है, जिसके उपयोग के फलस्वरूप आप किसी भी भाषा का ऐसा विवरण प्रस्तुत कर सके हैं जो पाणिनि के संस्कृत-सम्बन्धी विवरण से अधिक भरा-पूरा हो? विवरणात्मक भाषाविज्ञान की बहुत बड़ी सफलता यह है कि उसने अनेक महाद्वीपों की पचीसों भाषाओं के नये विवरण प्रस्तुत किये जिनके बारे में पहले कुछ भी सामग्री उपलब्ध न थी। इस सामग्री का उपयोग तुलनात्मक और ऐतिहासिक भाषाविज्ञान के लिए किया जा सकता था और आंशिक रूप में किया भी गया। 19वीं सदी के बाद ऐतिहासिक भाषाविज्ञान को जो नई सामग्री प्राप्त हुई है, वह इस विवरणात्मक भाषाविज्ञान से ही प्राप्त हुई है।

इस विवरणात्मक भाषाविज्ञान की प्रतिक्रिया के रूप में परिणामी भाषाविज्ञान का विकास हुआ। ब्लूमफील्ड यदि यांत्रिक भौतिकवाद से प्रभावित थे तो चोम्स्की भाववाद (आइडियलिज्म) से प्रभावित हैं। उनकी मूल धारणा यह है कि एक विश्वजनीन व्याकरण का ढाँचा प्रत्येक मनुष्य की चेतना में विद्यमान रहता है। इस विश्वजनीन आधार पर विभिन्न भाषाओं के व्याकरण का प्रतिफलन होता है। चोम्स्की की मान्यताएँ 19वीं सदी और उससे पहले के भाववादी पाश्चात्य वैयाकरणों के चिन्तन पर आधारित हैं। चोम्स्की ने विवरणात्मक भाषाविज्ञान की जो आलोचना की है, वह अनेक रूपों में महत्त्वपूर्ण और सारगर्भित है। उन्होंने और उनके सहयोगियों ने भाषाओं के विश्लेषण में ऐसी अनेक बातें कही हैं जिनसे पुराने विवरणात्मक भाषाविज्ञान की कुछ खामियाँ दूर की जा सकती हैं। पर यह परिणामी व्याकरण-

शास्त्र है—उसी विवरणात्मक भाषाविज्ञान का अंग। उसका लक्ष्य है किसी भी भाषा का सम्पूर्ण और वैज्ञानिक विवेचन प्रस्तुत करना।

द्वन्द्ववादी दृष्टि से—चाहे व्याकरण हो, चाहे अन्य कोई विज्ञान—किसी भी प्रपंच के विलेषण में व्याप्ति और पृथक्ता, इन दोनों पक्षों पर ध्यान देना उचित है। चोम्स्की की विचारधारा में व्याप्ति पर ही जोर है, पृथक्ता आभासमात्र है, एक मिथ्या प्रतीति है, जिसका विश्वजनीन मूल भाषा स्तर से वही सम्बन्ध है जो विश्व में व्याप्त ब्रह्म का क्षणभंगुर संसार से है। स्वभावत: यह दृष्टि विकासवाद की विरोधी है। भाषाओं की भिन्नता, उनकी अपनी विशेषताएँ व्यंजना की उनकी अपनी पद्धतियाँ यहाँ अनावश्यक प्रपंच मात्र है। भाषाविज्ञान में उनकी भूमिका महत्त्वपूर्ण नहीं है; महत्त्वपूर्ण भूमिका है केवल उन व्यापक तत्त्वों की, जो सनातन काल से मानव चेतना में विद्यमान थे और रहेंगे।

'भाषा और समाज' लिखने के समय परिणामी वैयाकरण सम्प्रदाय का जन्म हो रहा था। उसका विकास बाद को हुआ। किन्तु इस पुस्तक के पहले अध्याय में जहाँ इस मत का खंडन किया गया है कि मनुष्य भाषा की रचना अपनी विशेष बुद्धि के कारण करता है, वहाँ उस भाववाद का भी खंडन किया गया है जो परिणामी सम्प्रदाय की आधारभूमि है।

चोम्स्की के कुछ अनुयायी उनके विरोध में उठ खड़े हुए हैं और उन्होंने अर्थ-विचार पर बहुत बल दिया है। उनकी इस आलोचना का आधार भी एक तरह का रूपवाद है जो अर्थ-विचार को सामाजिक विकास-सन्दर्भ से दूर रखकर, उसमें विश्वजनीन, अपरिवर्तनशील तत्त्वों का अनुसंधान करता है। रूपवाद को प्रेरणा यांत्रिक भौतिकवाद से ही नहीं मिलती, भाववाद से भी मिलती है। इसलिए चोम्स्की और ब्लूमफील्ड के विवेचन में सतह पर बड़ी भिन्नता है, पर आधारभूत अनेक समानताएँ भी हैं। इसी तरह चोम्स्की के विरोध में उनके जो अनुयायी उठ खड़े हुए हैं, उनमें और चोम्स्की में आधारभूत समानताएँ हैं; जो विरोध दिखाई देता है, वह सतह पर है।

परिणामी व्याकरण-पद्धति भी भाषा का विवरण प्रस्तुत करती है। उसमें सिद्धान्त-चर्चा बहुत हुई है। जहाँ भाषाओं का विश्लेषण किया गया है, जैसे अंग्रेज़ी का, वहाँ यह विचारणीय है कि अंग्रेज़ी या अन्य किसी भाषा के विश्लेषण से हमें कौन-सी नई जानकारी प्राप्त हुई है जो पहले प्राप्त नहीं थी, विवरणात्मक भाषाविज्ञान ने अनेक नई भाषाओं के विवरण प्रस्तुत किये। परिणामी वैयाकरणों ने ऐसा उल्लेखनीय कुछ नहीं किया।

परिणामी वैयाकरणों का दावा है कि वे किसी भी भाषा के व्याकरण-सम्बन्धी नियम बहुत ही संक्षिप्त रूप में प्रस्तुत कर सकते हैं। नियमों के लिए गणित के-से फार्मूले बनाना उनके विश्लेषण-कौशल की अपनी विशेषता है। सम्भव है, इस

कौशल पर भारत की पुरानी सूत्र-पद्धति का प्रभाव हो, दोनों में अन्तर यह है कि सूत्र आसानी से रट लिये जाते थे; इन फार्मूलों को रटना बीजगणित के फाइलों को रटने से बहुत ज्यादा मुश्किल है। गणित के-से फार्मूलों के अलावा आधुनिक भाषाविज्ञान में गणित ने, अपने विशुद्ध रूप में, बड़े पैमाने पर प्रवेश किया है। आधुनिक भाषाविज्ञान में ही नहीं, अनेक सामाजिक विज्ञानों में गणित का ऐसा ही उपयोग किया जा रहा है। गणित में सारी बातें एकदम नपे-तुले ढंग से कही जाती हैं। इसलिए विज्ञान-प्रेमी विद्वानों का कहना है कि चिन्तन को अस्पष्टता से बचाने के लिए गणित की एक नई भाषा का व्यवहार करना जरूरी है। यदि चिन्तन को नपा-तुला और वैज्ञानिक बनाया जाए तो यह बात स्वागत करने के योग्य है। किन्तु गणित उतना नपा-तुला होता नहीं है जितना कुछ विशेषज्ञ उसे मानते हैं। जिस संसार का अध्ययन करना है, यदि उसकी नियमबद्धता सापेक्ष हो तो उसका विवरण निरपेक्षत: नियमबद्ध कैसे हो जाएगा? पुराने तर्कशास्त्र से गणित के इस तथाकथित नपे-तुलेपन का बहुत बड़ा सम्बन्ध है। वास्तव में गणित का सामाजिक-विज्ञानों में प्रसार पुराने तर्कशास्त्र का ही आविर्भाव है। और यह तर्कशास्त्र द्वन्द्ववादी तर्क-पद्धति का विरोधी है।

भारत में तर्कशास्त्र के एक सम्प्रदाय का नाम पुराने जमाने में अनेकान्तवाद था। अनेकान्तवाद का सारतत्त्व यह है कि एक ही प्रपंच विभिन्न दृष्टिकोणों से भिन्न-भिन्न रूपों में प्रतीत हो सकता है। यह संसार अनित्य है क्योंकि प्रतिक्षण परिवर्तनशील है। यह संसार नित्य है क्योंकि जो अनादि और अनन्त है, उसकी समग्रता में परिवर्तन हो नहीं सकता। इसलिए संसार नित्य है, अनित्य भी है। इस धारणा में हम द्वन्द्ववाद का यह लक्षण देखते हैं कि संसार में परस्पर विरोधी तत्त्वों का सामंजस्य है। तर्कशास्त्र की जो पद्धति इससे भिन्न है, उसे हम एकान्तवादी कह सकते हैं। इस एकान्तवादी तर्क-पद्धति के अनुसार संसार या तो नित्य है या अनित्य है, दोनों बातें एक साथ नहीं हो सकतीं। यह बात बहुत नपी-तुली जान पड़ती है, गणित के दो दूनी चार की तरह सत्य जान पड़ती है, पर है मिथ्या। यूरोप में अरस्तू से लेकर सोलहवीं सदी तक इस एकान्तवादी तर्कशास्त्र का बोलबाला रहा। बेकन ने इसकी जगह नई तर्क-पद्धति का चलन किया। बाद को हेगल ने द्वन्द्ववादी तर्क-पद्धति को भाववादी भूमि पर और अधिक विकसित किया। मार्क्स और एंगेल्स ने भौतिकवाद की जमीन पर द्वन्द्ववाद को नया रूप दिया। सामाजिक विज्ञानों में जिस गणित का प्रसार हो रहा है, वह इस एकान्तवादी तर्कशास्त्र का जोड़ीदार है। बात बहुत नपे-तुले ढंग से कही जा रही है, इसका आभास मात्र इन सामाजिक विज्ञानों में होता है। विरोधी और गतिशील तत्त्व इस विश्लेषण की पकड़ से बाहर रह जाते हैं। जैसे नई कविता के कुछ लेखक भाषा मात्र के व्यवहार को व्यर्थ समझते हैं, कुछ-कुछ वैसा ही यह गणित का आडम्बर है जो सामान्य भाषा

को अशक्त और अनुपयोगी मानकर गणित की नई भाषा के व्यवहार पर जोर देता है। इसे आधुनिक पूँजीवादी संस्कृति के संकट का एक लक्षण ही समझना चाहिए। पर यह लक्षण सबसे ज्यादा अंग्रेज़ी-भाषी दुनिया में दिखाई देता है। जहाँ गणित की भाषा का व्यवहार नहीं होता, वहाँ भी अंग्रेज़ी-भाषी संसार में भाषाविज्ञान का विवेचन निरन्तर दुरूह बनता जाता है।

हर देश की पूँजीवादी संस्कृति एक-सी नहीं है। पूँजीवादी संसार के जिस हिस्से में फ्रांसीसी और इतालवी भाषाओं का चलन है, वहाँ विवेचन की पद्धति सामान्यत: दूसरे ढंग की है। इन भाषा-वैज्ञानिकों का विवेचन प्रसाद गुणयुक्त होता है; वे प्रयत्न करके विवेचन को दुरूह बनने से बचाते हैं; तर्क-शृंखला को स्पष्ट रखते हुए वे अभिव्यंजना को सुबोध बनाए रखते हैं। भारत के भाषाविज्ञानी उनसे बहुत कुछ सीख सकते हैं। यह दुर्भाग्य की बात है कि भारत के अधिकांश भाषाविज्ञानी आधुनिक भाषाविज्ञान से केवल अंग्रेज़ी द्वारा परिचित होते हैं। अंग्रेज़ी के अलावा विश्व-संस्कृति से परिचित होने के लिए दो-एक खिड़कियाँ और खोल दी जाएँ तो इससे भारतीय संस्कृति को लाभ होगा।

अपनी एकान्तवादी दृष्टि के कारण परिणामी व्याकरण नियमों को स्थिर इकाइयों के रूप में प्रस्तुत करता है। एक नियम की जगह जब दूसरा नियम आ जाता है तब समझना चाहिए कि एक स्थिर इकाई की जगह दूसरी स्थिर इकाई आ गई। किन्तु यह इकाई स्वयं सापेक्ष रूप में स्थिर है। भाषा की व्यवस्था में परस्पर विरोधी अनेक व्यवस्थाएँ समाहित होती हैं। अन्तर्विरोधों से युक्त निरन्तर गतिशील भाषा नाम के प्रपंच के नियम सापेक्ष रूप में ही स्थिर होते हैं। जो भाषाविज्ञान नियमों की प्रवहमानता नहीं पहचानता, वह एकान्तवादी स्थिति को भाषा पर आरोपित करता है, जबकि भाषागत यथार्थ इससे नितान्त भिन्न है। जिस समय जातीय भाषा अपने निर्माण की आरम्भिक अवस्था में होती है, जिस समय अनेक जनपदीय उपभाषाएँ बोलनेवाले लोग नगरों में सिमट आते हैं और अपने भिन्न-भिन्न रूपों से जातीय भाषा को प्रभावित करते हैं, जिस समय बीसियों वैकल्पिक प्रयोगों में से कुछ चुने जाते हैं, कुछ छोड़े जाते हैं, और व्यवहार में बहुत दिनों तक वैकल्पिक प्रयोगों की बहुलता बनी रहती है, उस समय नियमों की प्रवहमानता—महावीर प्रसाद द्विवेदी के शब्दों में, भाषा की अनस्थिरता—स्पष्ट देखी जा सकती है। 18वीं सदी से लेकर 19वीं सदी के प्रथम चरण तक इस प्रयोग-बहुलता और भाषा की अनस्थिरता के बहुत-से उदाहरण मेरी पुस्तक 'भारतेन्दु-युग और हिन्दी भाषा की विकास-परम्परा' में दिये हुए हैं। उससे मिलती-जुलती स्थिति जातीय भाषा के प्रारम्भिक विकास के समय अन्यत्र भी देखी जा सकती है। परिणामी व्याकरण भाषा की इस गतिशील स्थिति को विश्लेषित करने में असफल रहा है।

## [3]

भाषाविज्ञान का कोई भी सम्प्रदाय हो, एक प्रश्न का उत्तर उसे देना ही होगा और वह प्रश्न यह है कि भाषा में परिवर्तन क्यों होता है? सामाजिक सन्दर्भ से भाषा को अलग करके इस प्रश्न का उत्तर नहीं दिया जा सकता। भाषाविज्ञानी जो उत्तर देते रहे हैं, वह अधिकतर यह है कि प्रत्येक मनुष्य की भाषा उसकी आयु के अनुसार कुछ-न-कुछ बदलती रहती है। एक ही समाज के लोग अपने-अपने ढंग से भाषा का व्यवहार करते हैं। छोटे-छोटे परिवर्तन क्रमश: एकत्र होकर बड़े परिवर्तनों का रूप ले लेते हैं। इसलिए कुछ भाषाविज्ञानी किसी मनुष्य की व्यक्तिगत बोली (इडियोलेक्ट) को भाषा की एकमात्र यथार्थ इकाई मानते हैं।

मनुष्य भाषा का व्यवहार स्वयं से ही बातचीत करने के लिए नहीं करता, मूलत: भाषा एक से अधिक मनुष्यों के बीच बातें कहने-सुनने का साधन है। इसलिए एक ही व्यक्ति जीवन की विभिन्न अवस्थाओं में अपनी बोली में चाहे जितने परिवर्तन करे, जिस समाज में वह रहता है, उसमें उसकी बोली समझ ली जाती है। इसी तरह वह दूसरों की बोली समझ लेता है। इसलिए महत्त्व व्यक्ति द्वारा व्यवहृत बोली का नहीं है, समुदाय द्वारा व्यवहृत बोली का है। जैसे भाषा का व्यवहार करते हुए मनुष्य जब ध्वनियों से काम लेता है, तब अपनी बात कहने और दूसरे की बात समझने के लिए इन ध्वनियों के सभी भौतिक लक्षण उसके लिए उपयोगी नहीं होते, वह उनमें से कुछ लक्षणों पर ही ध्यान देता है जो सामाजिक स्तर पर आदान-प्रदान के लिए महत्त्वपूर्ण होते हैं। वैसे ही व्यक्तिगत स्तर पर वह भाषा में जो भी परिवर्तन करता है, वह महत्त्वपूर्ण नहीं होता; महत्त्वपूर्ण वह परिवर्तन होता है जो सामाजिक स्तर पर भाषा के बोलनेवाले समुदाय के लिए आवश्यक होता है। भाषा में ध्वनियों का प्रयोग जहाँ सार्थक होता है, वहीं वह भाषाविज्ञान के लिए विवेच्य होता है; भाषा-सम्बन्धी परिवर्तन जहाँ समाज के लिए सार्थक होते हैं, भाषा बोलनेवाले समुदाय के लिए महत्त्वपूर्ण होते हैं, वहीं वे भाषाविज्ञान के लिए विवेच्य होते हैं।

पुराने भाषाशास्त्री कहीं-न-कहीं सतयुग वाली कल्पना से प्रभावित थे। हजरत आदम जब खुल्द में रहते थे, तब मेहनत न करनी पड़ती थी और जीवन बड़ा सुखी था। जब आर्य लोगों का रक्त शुद्ध था, तब उनकी ध्वनियों में पौरुष था; जब अनार्य रक्त का मिश्रण हुआ, तब यह पौरुष नष्ट हो गया। सतयुग की भाषा में अपूर्व व्यंजना-क्षमता थी। जैसे-जैसे कलियुग की ओर बढ़े, वैसे-वैसे भाषा के प्रत्येक स्तर पर ह्रास होता गया। इस स्थापना को अब इसी ढंग से कोई नहीं दोहराता, पर अप्रत्यक्ष रूप से वह अनेक भाषा-विज्ञानियों को अब भी प्रभावित करती है। इस धारणा का एक परिणाम यह है कि हिन्दी शुद्ध लिखना हो तो अधिक-से-अधिक संस्कृत का अनुकरण करना चाहिए।

सामाजिक विकास-सन्दर्भ से भाषा को अलग हटाकर उसका विवेचन करना एक तरह का रूपवाद है जहाँ रूप को विषयवस्तु से अलग कर दिया जाता है। इस रूपवाद को प्रश्रय देनेवाले चाहे भौतिकवादी हों, चाहे भाववादी, है वह रूपवाद। इसीलिए सबसे पहले यह देखना आवश्यक होता है कि मनुष्य अपने विकास-क्रम में पशुओं से अलग कैसे हुआ? मानव की अवस्था में विकसित होने के साथ-साथ किस बाध्यता के कारण पशुओं से भिन्न स्तर पर वह ध्वनि-संकेतों से काम लेने लगा? सामाजिक विकास की अनेक मंजिलें पार करता हुआ सामाजिक गठन के जिन रूपों से वह गुजरता है, उनमें भाषा की स्थिति क्या होती है?

इस पुस्तक में भाषागत परिवर्तनों के दो तरह के कारण बताए गए हैं : आन्तरिक और बाह्य। भाषा बोलनेवाला समुदाय अन्तर्विरोधों से मुक्त नहीं होता। इन आन्तरिक विरोधों के कारण, उसमें परिवर्तन होते हैं, वह गतिशील बनता है। इसके साथ बाह्य विरोध हैं। समाज-विशेष अपने से भिन्न समाजों के सम्पर्क में आता है और यह स्थिति उसकी भाषा को प्रभावित करती है।

मनुष्य निरन्तर प्रकृति के संसर्ग में अपना विकास करता रहा है और निरन्तर इस प्रकृति पर हावी होने का प्रयत्न करता रहा है। मनुष्य और प्रकृति का अन्तर्विरोध सनातन है। समस्त सभ्यता का विकास इस अन्तर्विरोध को हल करने का परिणाम है। जीवित रहने के लिए मनुष्य जिस प्रकृति के मुकाबले खड़ा होता है, उस पर वह सामुदायिक प्रयत्न से ही क्रमशः विजय पाता है। उसके जीवन की आवश्यकताएँ निरन्तर बढ़ती जाती हैं। प्रकृति का ज्ञान प्राप्त करने, उस पर विजय प्राप्त करने की आवश्यकताएँ निरन्तर बढ़ती जाती हैं। भाषा में परिवर्तन और विकास का यह मुख्य कारण है।

समाज में व्यक्तिगत सम्पत्ति के उद्‌भव, नये श्रम-विभाजन के चलन और वर्गों के निर्माण के साथ समाज के भीतर नये अन्तर्विरोध उत्पन्न होते हैं। सभ्यता और ज्ञान के प्रसार के साथ भाषा में परिवर्तन और विकास अपेक्षित होता है। यह दूसरी तरह का अन्तर्विरोध भाषागत परिवर्तन का दूसरा कारण है।

भाषा बोलनेवाला समुदाय विकास की विभिन्न अवस्थाओं में एकरूप नहीं रहता। मनुष्य पहले छोटे-छोटे गण-समाजों में संगठित होते हैं, फिर ये विभिन्न गण-समाज अपने गण-संघ बनाते हैं। गण-संघ बनाने के समय किसी भी गण-विशेष की भाषा की वही स्थिति न रहेगी जो उसके अलगाव के समय में थी। परस्पर विनिमय के बढ़ने के साथ भाषा-तत्त्वों का विनिमय भी बढ़ता है। गण-व्यवस्था समाप्त होने पर सामन्ती व्यवस्था का चलन होता है। रक्त-सम्बन्ध पर आधारित गण-समाज टूट जाते हैं या बड़े समाजों में समेट लिये जाते हैं। वर्णाश्रम धर्मवाला यह छोटे पैमाने का उत्पादन करनेवाला समाज जनपदों में गठित होता है। पुनः व्यापार के प्रसार और पूँजीवादी सम्बन्धों के निर्माण के साथ ये जनपद अलगाव की स्थिति में नहीं रह जाते।

सामन्ती व्यवस्था के जनपद टूट जाते हैं या और बड़े संगठनों में समेट लिये जाते हैं। इस नये संगठन का नाम है जाति (नेशन)। किसी भी भाषा बोलनेवाले समुदाय का विघटित होना और ऐसे अनेक समुदायों के मिलने से किसी और बड़े समुदाय का निर्मित होना भाषा की स्थिति को प्रभावित करेगा ही। भाषा-वैज्ञानिक-विवेचन में इस विकास-प्रक्रिया के सन्दर्भ में भाषा-सम्बन्धों परिवर्तनों पर विचार नहीं किया गया। मार्क्सवादी समाजशास्त्र में सामाजिक विकास की जो मंजिलें निश्चित की गई हैं, उनमें दास-प्रथा को लेकर बड़ी भ्रान्ति है। गण-समाजों के टूटने पर छोटे पैमाने के उत्पादन वाली सामन्ती व्यवस्था ही पुरानी गण-व्यवस्था का स्थान लेती है। दास-प्रथा का चलन व्यापक रूप में तब होता है जब बड़े पैमाने पर उत्पादन आवश्यक होता है, जब समाज में व्यापारी वर्ग ऐसी वस्तुओं की माँग करता है जो मुनाफे के लिए देश-देशान्तर में बेची जा सकें। इसके लिए आवश्यक होता है कि द्रव्य का चलन व्यापक रूप से हुआ हो और न केवल तैयार माल द्रव्य लेकर बेचा जाए वरन् उसे तैयार करनेवाले दास का भी क्रय-विक्रय द्रव्य के माध्यम से हो।

मार्क्सवादी समाजशास्त्र में गण-समाजों का उल्लेख होता है और आधुनिक जातियों का उल्लेख होता है। इन दोनों के बीच सामन्ती व्यवस्था में सामाजिक गठन का रूप क्या होता है, इस समस्या के विवेचन का प्राय: अभाव है। किन्तु इस विवेचन के अभाव में इस बात की व्याख्या नहीं की जा सकती कि आधुनिक जातियों का निर्माण किन तत्त्वों से होता है। आधुनिक जातियों का निर्माण समझने के लिए, इस निर्माण-क्रम में जो समस्याएँ उत्पन्न होती है, उनके समाधान के लिए सामन्ती व्यवस्था वाले सामाजिक गठन के रूप को समझ लेना आवश्यक है। इस पुस्तक में इस सामन्ती समाज के गठन के रूप की व्याख्या करने का प्रयत्न किया गया है। हिन्दी प्रदेश में कौन-सी समस्याएँ पुराने गठन के नष्ट होने पर, जातीय निर्माण-क्रम में उत्पन्न होती हैं, सामान्य सैद्धान्तिक स्तर पर उनका विवेचन यहाँ प्रस्तुत किया गया है।

जातीय भाषा के निर्माण की जो प्रक्रिया यहाँ बताई गई हैं, बंगला के सन्दर्भ में उससे भिन्न प्रक्रिया डॉ. सुनीति कुमार चाटुर्ज्या ने प्रतिपादित की है। सबसे पहले इस बात पर ध्यान देना चाहिए कि हिन्दी प्रदेश की तरह बंगाल भी जनपदों में विभाजित था। डॉ. चाटुर्ज्या ने इनके ये नाम लिखे हैं : राढ, पुंड्र अथवा वरेन्द्र, वंग और कामरूप। इन जनपदों का एकीकरण कैसे हुआ? डॉ. चाटुर्ज्या कहते हैं कि बोलियों की भिन्नता के बावजूद राजनीतिक और सामाजिक कारणों से वर्तमान भाषाई एकता कायम हुई। स्पष्ट है कि विशुद्ध भाषा-वैज्ञानिक कारणों से ऐसी एकता कायम नहीं होती यानी जातीय भाषा का प्रसार नहीं होता पर ये राजनीतिक और सामाजिक कारण कौन-से हैं? डॉ. चाटुर्ज्या का कहना है कि बंगाल में एक बौद्धिक अभिजात वर्ग था जिसमें ब्राह्मण वर्ण

के लोग थे। जमींदारों में कायस्थ थे। ब्राह्मणों और कायस्थों ने मिलकर बंगाल के जनपदों को संयुक्त किया, "जहाँ के जनसाधारण को अपनी एकता और परस्पर सम्बन्धों का कोई ज्ञान न हो सकता है।" (ऑरिजिन एंड डिवेलपमेंट ऑफ़ द बेंगाली लैंग्वेज़, पृ. 146)

जातीय क्षेत्र का गठन और जातीय भाषा का प्रसार कोई ऐसा प्रपंच नहीं है जो उन्हीं देशों में घटित होता हो जहाँ भारत की-सी वर्ण-व्यवस्था का चलन हो, जहाँ अभिजात वर्ग में ब्राह्मणों और कायस्थों की प्रधानता हो। यह प्रपंच उन सभी देशों में घटित होता है जो सामन्ती व्यवस्था की सीमाएँ लाँघकर पूँजीवादी व्यवस्था की ओर बढ़ते हैं। यह सामाजिक विकास की सामान्य प्रक्रिया है, इसलिए उसके नियम भी सामान्य होने चाहिए। डॉ. चाटुर्ज्या की सामन्ती अभिजातवर्गीय दृष्टि नये पूँजीवादी विकास को समझने में असमर्थ सिद्ध होती है। वास्तव में वर्ण-व्यवस्था भी सामन्तवाद की सामान्य विशेषता है यद्यपि विभिन्न देशों में उसका रूप अलग-अलग तरह का होता है। पूँजीवादी सम्बन्धों के प्रसार के साथ यह वर्ण-व्यवस्था टूटने लगती है; अत: सामन्ती अभिजात वर्ग जातीय गठन की नवीन प्रक्रिया में मुख्य भूमिका नहीं निबाह सकता। यह भूमिका व्यापारियों की होती है। इसका कारण यह है कि उत्पादन के क्षेत्र में पूँजीवादी पद्धति के चलन से पहले वितरण के क्षेत्र में घरेलू बाजार का निर्माण आवश्यक होता है। सामन्ती व्यवस्था में भी शहरों, कस्बों और बड़े-बड़े गाँवों में छोटे-बड़े बाजार होते हैं, विशेष अवसरों पर मेले होते हैं, जहाँ दूर-दूर से आकर लोग क्रय-विक्रय करते हैं। पर ये सब बाजार बिखरे हुए होते हैं। इन सब बाजारों को मिलाकर एक बड़ा बाजार कायम करना, सब जगह एक-से सिक्कों से काम लेना, तौलने के लिए एक-से बाँटों का व्यवहार होना आदि बातें पूँजीवादी व्यापार की विशेषताएँ हैं। जातीय प्रदेश का एकीकरण पूँजीवादी व्यापार के प्रसार से जुड़ा हुआ है। इसीलिए इस प्रक्रिया में भूस्वामियों और पुरोहित वर्ग की भूमिका प्रमुख नहीं होती, प्रमुख भूमिका होती है व्यापारियों की—वे चाहे हिन्दू हों, चाहे मुसलमान; बनिये हों, चाहे खत्री हों, चाहे किसी और बिरादरी के हों। वास्तव में जमींदार और पुरोहित व्यापार के इस प्रसार में तरह-तरह की बाधाएँ डालते हैं क्योंकि इससे उन्हें अपना प्रभुत्व खतरे में पड़ता दिखाई देता है।

इस प्रक्रिया में व्यापारियों के साथ कारीगरों का वर्ग भी होता है। जैसे-जैसे व्यापार का प्रसार होता है, वैसे-वैसे आवश्यक होता है कि कारीगर कुछ केन्द्रों में इकट्ठे होकर माल तैयार करें और उसे व्यापारियों को दें। इसलिए जातीय निर्माण में केवल व्यापारियों की भूमिका नहीं होती। जैसे-जैसे छोटे बाजार बड़े बाजारों के रूप में गठित होते हैं, वैसे-वैसे किसानों के रूप में ग्राहकों का एक बड़ा समुदाय विनिमय की व्यापक प्रक्रिया से सम्बद्ध हो जाता है। इस तरह

जातीय निर्माण की प्रक्रिया से वह भी सम्बद्ध होता है। शहर और देहात के रईस भी इस प्रक्रिया में सिमट आते हैं। डॉ. चाटुर्ज्या ने जातीय निर्माण की प्रक्रिया से जनसाधारण को एकदम बाहर रखा है।

जातीय भाषा के गठन और प्रसार में जनसाधारण की भूमिका का एक प्रमाण हिन्दी क्षेत्र में लोकसाहित्य रचनेवालों द्वारा खड़ी बोली का व्यवहार है। पुराने समय से ब्रज जनपद खड़ी बोली के इस साहित्य का प्रसार-केन्द्र रहा है। इस विषय पर श्रीधर पाठक ने प्रथम हिन्दी साहित्य सम्मेलन में एक निबन्ध पढ़ा था जो नवम्बर, 1910 की 'मर्यादा' में छपा था। इसमें उन्होंने लिखा था :

"हरिद्वार, कनखल, ज्वालापुर, मेरठ, मुरादाबाद, बुलन्दशहर, हाथरस, आगरा आदि स्थानों में 'भगत' और 'स्वाँग' नामक परम रोचक और अवलोकनीय अभिनय इस बोली के गद्य-पद्य में स्मरणातीत समय से होते चले आए हैं। इस लेख को आरम्भ करने के पहले मैं समझे हुए था कि ये काव्य हाथ की लिखी पोथियों में अथवा पात्रों के कंठों ही में विद्यमान हैं, ग्रंथाकार मुद्रित नहीं हुए, किन्तु विशेष अनुसन्धान से ज्ञात हुआ कि कई एक प्रकाशित हो गए हैं। परन्तु जो मेरे देखने में आए हैं, उसमें बहुत संशोधन अपेक्षित है; कुछ एक के नाम नीचे लिखे जाते हैं :

| **ग्रंथ** | **रचयिता** |
|---|---|
| 1. श्रवण चरित्र | चिरंजीलाल नाथराम हाथरस |
| 2. सांगीत चित्रकूट चरित्र | " " " |
| 3. सांगीत भैन भैया | ला. गोबिन्दराम |
| 4. सांगीत पूरनमल | मातादीन चौबे (औरैया) |
| 5. सुदामा चरित्र दुखार | |
| 6. सांगीत हरिश्चन्द | |

"इन सबमें ब्रजभाषा और खड़ी बोली, दोनों का मिश्रण है, जहाँ-तहाँ विशुद्ध खड़ी बोली के भी पद्य पाए जाते हैं। पहले तीन में दूसरे तीन की अपेक्षा ब्रजभाषा का सम्पर्क अधिक है। पहले तीन एक हाथरस निवासी के रचे हुए हैं, अत: उनका अभिनय अवश्य हाथरस वा उसके निकट के नगरों में अधिक होता होगा। यह नहीं कहा जा सकता कि हरिद्वार, मेरठ, मुरादाबाद आदि उत्तरीय स्थानों में जो अभिनय होते हैं, उनके पद्य में ब्रजभाषा का योग होता है, किन्तु यदि होता है तो मिस प्ररिमाण [परिमाण] में होता होगा [।] मेरा अनुमान है कि इन स्थानों के ब्रजभूमि से वह दूर होने के कारण वहाँ के पद्यों में ब्रजभाषा का मेल बहुत थोड़ा होता होगा।

"इस प्रकार के साधारण लोकप्रिय काव्यों की रचना प्राय: अर्द्ध-शिक्षित व्यक्तियों द्वारा होती है जो प्राय: पद-योजना में भाषा की विशुद्धता के विशेष

पक्षपाती नहीं होते। यह खड़ी बोली की पद्य रचना सम्बन्धिनी प्राचीन लोकप्रथा है; अत: यदि इस बोली की कविता प्राचीन और नवीन नामक दो शैलियों में विभक्त की जाए तो इस ढंग की रचनाओं को प्राचीन शैली में रखना पड़ेगा, चाहे वे वर्तमान में भी क्यों न की गई हों।

"उक्त पुस्तकों में से मिश्रित और शुद्ध, दोनों प्रकार की बोली के पद्य नीचे उद्धृत किये जाते हैं :

### [मिश्रित भाषा]

### लावनी

उद्यान ऋषी खुश हो धन माल लुटाये।
गौदान दिये कोटिन द्विजराज जिमाये॥
महाराज दान नित ऐसो भारी होत।
निरमुख कोई न जात भिखारी लेते दो 2 पोत॥
एक साल भयौ अति उत्सव खुशी समायन।
घुटअन चल सरका डोलन लागे पायन॥
महाराज मात पितु करते प्यार महान।
लाड़ लड़ावैं गोद खिलावैं करैं निछावर प्रान॥

[श्रवण चरित्र]

### दोहा

सुन इतनी जल लायकर, तनक न करी अबार।
विहसि 2 रघुवीर पद, केवट लिये पखार॥

### दुबोला

पग धोय पटन कोनौ केवट,
त्रिय सहित सकल परिवारा है।
आगे के पुरखा स्वर्ग गए,
शिव उमा से वचन उचारा है॥

[सांगीत चित्रकूट]

## दोहा

उदत भानु भयौ भामिनी, अब मैं जाऊँ जरूर।
सिर पर मंजिल चढ़ रही, मुझे पहुँचना दूर॥

## कड़ा

मैं असगुन सगुन विचार रही,
लड़ मुक्त माँग खिड़ जाती है।
दक्षिण दृग फड़क गिरत नूपुर,
और धड़क रही मम छाती है॥

[सांगीत भैन भैया]

## [शुद्ध बोली पद्य]

## तवील

हरिश्चन्द्र के सत्य से ज्ञानी सुनो,
मंजुआसन सुरेन्द्र का हिलने लगा।
जाना मन में कि राज्य हमारा गया,
सोच बस होके हाथों को मलने लगा॥
हुआ सत्य के भानु का तेज जभी,
पाप रूपी अँधेरा खिसलने लगा।
सभी प्रजा आनन्द से रहने लगी,
नया सृष्टि का रंग ढंग बदलने लगा॥

[हरिश्चन्द्र सत्य मंजरी]

## चौबोला

तन चाहे बिक जाए पिताजी,
सत्य न त्यागन कीजै।
हुम तुम माता बिकैं हाट में,
कंचन द्विज को दीजै॥

धीरज धर्म मित्र अरु नारी
दुख में अजमा लीजै।
पूरन काम हो गया हित से
राम नाम रस पीजै॥

(सैव)

## चौबोला

करो नाथ निर्मूल अशुभ गण
कहता सीस नवाके।
रचूँ चरित पूरनमल जन का
तुमको आदि मनाके॥
वक्र तुंड एक रदन बदन लख
मदन जाए शरमा के।
करुना अयन शयन कीजै मम
हृदय कमल में आके॥

[सांगीत पूरनमल]

## दोहा

सुनो दास दासी सकल, चित दे मेरी बात।
कहाँ हमारे तात हैं, कहाँ हमारी मात॥

## चौबोला

कहाँ हमारी मात
माथ चरणों पर जाए नवाऊँ।
दीजै शीघ्र बताय
दरस करके कृतार्थ हो जाऊँ॥
है अधीर बस तन मन
व्याकुल बार 2 बलि जाऊँ।
रूप सुधारस निरख सुभग
नैनों की प्यास बुझाऊँ॥

[सैव]

"यहाँ पर यह कह देना आवश्यक है कि शुद्ध खड़ी बोली के पद्य जो ऊपर दिये गए हैं, वह रचयिता की शुद्ध बोली व्यवहार करने की ओर विशेष चेष्टा का फल नहीं हैं, किन्तु अनायास ही इस रूप में उस्से बन गए होंगे, ऐसा समझना असंगत प्रतीत नहीं होता।"

इसके बाद कबीर, रहीम, नागरीदास से प्राचीन शैली के पुराने पद्यों के उदाहरण देते हैं। इन्हीं के बीच कुछ लोक-काव्य के उदाहरण भी देते हैं जो दिलचस्प हैं :

बड़े बड़ाई कभी न करते
छोटे मुख से कहें वचन।
अपनै मन में सभी बड़े
यों मोती बिनोले लगे लड़न॥

[मोती बिनोले का झगड़ा]

बाग के फाटक खोल दे सुन माली की बेटी
सैर करने दै (रे) बाग के माहीं॥

[हीर-राँझा लोकगीत]

एक अचम्भा देखो चल
सूखी लकड़ी लागा फल।
जो कोई उस फल को खाय
पेड़ छोड़ू वह अनत न जाय॥

[पहेली]

सोने की तेरी कलम है, हीरे जड़ी दवात।
गोरे गोरे तेरे हाथ हैं, काले अक्षर डाल॥
अब उदय भान और रानी केतकी दोनों मिले।
आस के जो फूल कुम्हलाये हुए थे फिर खिले॥
घर बसा जिस रात उनका तब मदनवान् उस घड़ी।
कह गई दूलह दूल्हन् से ऐसी सौ बातें कड़ी॥

अन्तिम तीन उदाहरण किस तरह के लोक-काव्य से लिये गए हैं, इसका उल्लेख नहीं है। खड़ी बोली के प्रसार और उस पर स्थानीय बोलियों के प्रभाव के बारे में श्रीधर पाठक आगे कहते हैं : "उन स्थानों में जहाँ कि यह बोली विशुद्ध रूप में रमण करती है, लोकगीत (जैसे हीरा-राँझा) स्थानिक गीत और स्त्रियों के गीत प्राचीन शैली के पद्य में पाए जाते हैं। मैं आजकल ऐसे स्थान में हूँ कि उदाहरण नहीं दे सकता। इन गीतों में कभी-कभी मारवाड़ी, शूर सेनी, पंजाबी, पूर्वी, बुन्देलखंडी शब्दों का मेल देखने में आता है। यह पड़ोस का प्रभाव है।

आगरे (नगर) के गीतों में ब्रजभाषा और मारवाड़ी और देहली या मेरठ के पद्य में पंजाबी शब्दों का आ जाना सहज। उदाहरण :

### आगरे का गीत

ठाड़े रहियो परदेसी सामने (रे)
चोट सम्हारौ म्हारे नैनों की
तुझे मोरचा लगा ढाल का
मुझे ओट पट घूँघट की।

### मेरठ का गीत

सुन सुन रे पीतम खुशहाल,
मैं भी चलूँगी तेरे नाल।
तेरा हाल सो मेरा हवाल,
मुझे दुनिया में बदनाम किया॥

जातीय भाषा का सहज प्रसार इस तरह होता है। लोक-साहित्य के माध्यम से जनसाधारण उसे चारों ओर फैलाते हैं। विभिन्न जनपदीय भाषाएँ इस जातीय माध्यम को प्रभावित करती हैं। संस्कृति पर अभिजात वर्ग का इजारा टूट जाता है। जातीय जीवन पुरानी सीमाएँ लाँघकर नई शक्ति से प्रवाहित होता है।

## [4]

1976 में एक महत्त्वपूर्ण पुस्तक छपी है : 'हिन्दी के तीन प्रारम्भिक व्याकरण'[1] (संत पौलुस प्रकाशन, इलाहाबाद)। ये तीन व्याकरण हिन्दी भाषा के हैं और 17वीं तथा 18वीं शताब्दियों में विदेशियों द्वारा लिखे गए थे। इन व्याकरणों से खड़ी बोली हिन्दी के प्रसार और उसके रूपों के बारे में कुछ बहुत दिलचस्प तथ्य हमारे सामने आते हैं। इनमें पहला व्याकरण जौन जोशुआ केटलेर का है। केटलेर पादरी थे और उनका सम्बन्ध डच ईस्ट इंडिया कम्पनी से था। उन्होंने यह व्याकरण पहले डच में लिखा था। लैटिन में उसका अनुवाद 1698 ई. में हुआ। इसका अर्थ यह हुआ कि "इसकी रचना सन् 1698 के पहले हुई थी।" (पृ. 20) अनुमान से कह सकते हैं कि यह व्याकरण 17वीं सदी के मध्य में किसी समय लिखा गया होगा

1. यह पुस्तक तथा आगे लेबेदेव की जिस पुस्तक का उल्लेख है, वह मुझे डॉ. रामेश्वर प्रसाद अग्रवाल से पढ़ने को मिलीं, इसके लिए उन्हें धन्यवाद है।

और उसमें भाषा की जिस अवस्था का वर्णन है, वह कम-से-कम 16वीं सदी के उत्तरार्द्ध की है। दूसरा व्याकरण बेंजामिन शुल्ज का है जो 1745 में प्रकाशित हुआ था। इनका विशेष सम्बन्ध हैदराबाद से था, इसलिए उनकी पुस्तक को 'दक्खिनी हिन्दी का व्याकरण' भी कह सकते हैं। तीसरा व्याकरण कासिआनो बेलीगात्ती का है और इनका सम्बन्ध बिहार से विशेष था।

ये तीनों व्यक्ति पादरी थे। यूरोप के विभिन्न देशों से यहाँ आए थे। ईसाई धर्म का प्रचार करना इनका मुख्य उद्देश्य था। इसके लिए इन्होंने हिन्दुस्तानी अथवा हिन्दी भाषा सीखी थी और अपने सहयोगियों के लिए उसका व्याकरण लिखा था। दो व्याकरण मूलत: लैटिन में लिखे गए थे और केटलेर का व्याकरण लैटिन में अनुवादित हुआ। उस समय लैटिन ही ईसाइयों की अन्तरराष्ट्रीय धर्म-भाषा थी।

पहली बात ध्यान देने की यह है कि ये तीनों पादरी नागरी लिपि का परिचय देते हैं और बेलीगात्ती ने तो अपनी पुस्तक केवल इस लिपि का परिचय देने के लिए लिखी है। इससे 17वीं और 18वीं सदियों में नागरी लिपि के व्यापक व्यवहार का ज्ञान होता है। पादरी चाहे हैदराबाद में काम करे, चाहे पटना में, और चाहे आगरे में, उसे नागरी लिपि का ज्ञान अवश्य होना चाहिए। केटलेर ने इस लिपि के बारे में लिखा है : "हिन्दुस्तान के लोग, जिनकी भाषा जनता की भाषा कही जाती है, अपनी लिपि को नागरी या नागरिक वर्णमाला कहते हैं।" (पृ. 44) शुल्ज का विचार था कि हिन्दुस्तानी भाषा 'बर्बरों की भाषा' है; धर्म प्रचार के लिए इस भाषा को और उसकी लिपि को सीखना आवश्यक है। (पृ. 71) धर्म-प्रचारकों को चाहिए कि "अशिक्षितों की बोलचाल की भाषाएँ सीखें, उन भाषाओं के द्वारा अपने धर्म के नियम लोगों को समझाएँ और उनकी लिपि में उन्हें प्रस्तुत करें।" (पृ. 71) शुल्ज ने मुसलमानों द्वारा फ़ारसी लिपि के व्यवहार की बात लिखी है। 18वीं सदी में फ़ारसी भाषा और फ़ारसी लिपि का प्रसार पहले की अपेक्षा बढ़ गया था। पर इससे पहले स्थिति क्या थी? जैसे बंगाल के मुसलमान बंगला लिपि का व्यवहार करते थे, वैसे ही हिन्दी प्रदेश के मुसलमान कभी हिन्दी लिपि का व्यवहार करते थे या नहीं? शुल्ज कहते हैं : "समय की प्रगति से यह प्रथा इतनी प्रबल हो गई कि पुरानी देवनागरी लिपि को यहाँ के मुसलमान भूल गए हैं!" (पृ. 78) इसका अर्थ यह हुआ कि इससे पहले हिन्दी प्रदेश के मुसलमान नागरी लिपि का व्यवहार करते थे। जायसी ने 'अखरावट' में जो वर्ण-क्रम दिया है, उससे भी इस तथ्य की पुष्टि होती है। मुगल-साम्राज्य के विघटन काल में यह स्थिति बदल गई।

बेलीगात्ती हिन्दुस्तानी भाषा और नागरी लिपि के व्यवहार-क्षेत्र के बारे में कहते हैं : "हिन्दुस्तानी भाषा जो नागरी लिपियों में लिखी जाती है, पटना के आसपास ही नहीं बोली जाती अपितु विदेशी यात्रियों द्वारा भी जो या तो व्यापार या तीर्थाटन

के लिए भारत आते हैं, प्रयुक्त होती है।" बेलीगात्ती का ध्यान केवल नागरी लिपि की ओर है। फ़ारसी लिपि की चर्चा उनके लिए अनावश्यक है। पटना फ़ारसी भाषा का केन्द्र नहीं है। आगरा भी फ़ारसी का केन्द्र नहीं रहा। फ़ारसी का केन्द्र बना दिल्ली शहर, औरंगज़ेब के शासनकाल में। इससे पहले फ़ारसी राजभाषा रह चुकी थी किन्तु उसका व्यवहार बहुत सीमित था। इससे सिद्ध हुआ कि दिल्ली जैसे कुछ केन्द्र छोड़कर हिन्दी प्रदेश में व्यापक रूप से नागरी लिपि का ही व्यवहार होता था। जो लोग समझते हैं कि मुसलमानों की भाषा फ़ारसी थी, उर्दू के रूप में फ़ारसी लिपि के सहारे खड़ी बोली का प्रसार उन्होंने किया, उनकी धारणा इस तथ्य से खंडित हो जाती है।

इन व्याकरणों से दूसरा निष्कर्ष यह निकलता है कि 17वीं-18वीं सदियों में जातीय भाषा के रूप में हिन्दी का व्यापक प्रसार हो चुका था। विभिन्न जनपदों में वहाँ की उपभाषाओं के बीच जो भाषा परस्पर आदान-प्रदान के काम में आ रही थी, वह हिन्दी थी। इन व्याकरणों पर मैथ्यू वेच्चुर ने उदय नारायण तिवारी के निर्देशन में कार्य किया है। तिवारी जी भोजपुरी भाषा को हिन्दी से स्वतंत्र भाषा मानते हैं। वह उसे जनपदीय उपभाषा अथवा हिन्दी की बोली का दर्जा नहीं देते। उन्हें और उन जैसे व्यक्तियों को इस तथ्य पर ध्यान देना चाहिए कि शुल्ज के अनुसार हिन्दुस्तानी भाषा "बिहार या पटना और आसपास के प्रदेशों में बोली जाती है।" (पृ. 122) जातीय भाषा के प्रसार को यह प्रक्रिया दो शताब्दियों से अब लक चली आ रही है। खेद की बात है कि जातीय भाषा के विकास और प्रसार की प्रक्रिया बिलकुल न समझकर ग्रियर्सन का अनुसरण करते हुए तिवारी जी भोजपुरी को हिन्दी से स्वतंत्र भाषा घोषित करते हैं, यद्यपि उनका अपना सारा लेखन और अध्यापन-कार्य हिन्दी के माध्यम से होता है।

तीसरा निष्कर्ष यह निकलता है कि जिस हिन्दी का प्रसार हो रहा है, वह विभिन्न जनपदों में जाकर, वहाँ की उपभाषाओं से प्रभावित होकर, स्थानीय रूप ग्रहण करती है। कोई भी भाषा जो सहज रूप से जातीय भाषा बनती है, इसी तरह स्थानीय रूप ग्रहण करती है। फ़ारसी की स्थिति इससे भिन्न है। वह यहाँ की जनता के लिए किताबी भाषा है। इसलिए पटना, आगरे और हैदराबाद की फ़ारसी में अन्तर न होगा, पर इन स्थानों की हिन्दी में होगा। यह हिन्दी के सहज प्रसार का प्रमाण है।

जिस समय पूरे जातीय क्षेत्र का गठन न हो पाया हो और जातीय भाषा अपने मानक रूप में सभी शिक्षित जनों के बीच व्यवहार में न आने लगी हो, उस समय साहित्य में उसके विभिन्न स्थानीय रूपों का प्रयुक्त होना स्वाभाविक है। दकनी इसी तरह साहित्य में और राजकाज में प्रयुक्त हुई थी। अभी जबाने देहली अपने परिमार्जित रूप से हैदराबाद न पहुँची थी। साहित्य में हिन्दी के स्थानीय रूप दकनी

का व्यवहार कोई आश्चर्यजनक अपवाद नहीं है। प्रसिद्ध है कि आगरे के लल्लूजी लाल की खड़ी बोली पर ब्रजभाषा की छाप है। लल्लूजी लाल से पहले दिल्ली के अनेक मुसलमान लेखकों के गद्य-पद्य पर ब्रजभाषा की छाप है। हैदराबादी हिन्दी और आगरे की हिन्दी—ये दो स्थानीय रूप साहित्य में बहुत दिनों तक और बहुत बड़े क्षेत्र में प्रयुक्त होते रहे। इन स्थानीय रूपों के क्षेत्र में क्रमश: परिनिष्ठित उर्दू और हिन्दी ने प्रवेश किया—पहले उर्दू ने, फिर हिन्दी ने। इसी प्रक्रिया को कुछ लोग यों समझते हैं कि खड़ी बोली का प्रसार मुसलमानों ने किया यानी जातीय भाषा के निर्माण और प्रसार को वे धर्म विशेष से जोड़ देते हैं। इस उर्दू ने हैदराबाद में स्वयं को मानक भाषा के रूप में प्रतिष्ठित किया। दकनी ने उस मानक भाषा की बोली का दर्जा पाया। इसी तरह आगरे में ब्रज प्रभावित खड़ी बोली के साथ मानक हिन्दी प्रतिष्ठित हुई; आगरे की वह पुरानी हिन्दी स्थानीय बोली के समान व्यवहार में आती रही। किसी आरोपित भाषा—यथा फ़ारसी—से भिन्न इस विकास-प्रक्रिया की विशेषता यह है कि जातीय भाषा के अनेक स्थानीय भेद बने और वे तब भी व्यवहार में आते रहे जब मानक भाषा का व्यवहार व्यापक रूप से होने लगा। दरअसल नये-नये स्थानीय रूप बाद को भी कायम होते रहे। अब पटना की हिन्दी के अलावा कलकत्ते की हिन्दी और बम्बई की हिन्दी भी अलग पहचानी जाती है और जहाँ पहले जबाने-देहली का चलन था, वहाँ—उस दिल्ली में—अब पंजाबी प्रभावित हिन्दी का राज्य है। जातीय भाषा के रूप में हिन्दी भाषा की विकास-प्रक्रिया अभी समाप्त नहीं हुई। परिनिष्ठित भाषा के दो प्रमुख रूप अभी प्रचलित हैं—हिन्दी और उर्दू। इनमें हिन्दी क्रमश: प्रमुख मानक रूप बन गई है और उर्दू ने उसकी एक विशिष्ट बोली का रूप ले लिया है। इस बोली के लिए नहीं कहा जा सकता कि वह जातीय भाषा का कोई स्थानीय रूप है। वह फ़ारसी-अरबी प्रभावित जातीय भाषा का एक विशिष्ट रूप है जिसके विकास और व्यवहार के कारण सामाजिक और सांस्कृतिक हैं। हिन्दी के उक्त तीन प्रारम्भिक व्याकरणों के सन्दर्भ में हिन्दी-उर्दू की समस्या पर विचार करें तो यह समस्या एक दीर्घकालीन ऐतिहासिक प्रक्रिया के अन्तर्गत अपने गतिशील रूप में दिखाई देगी और यह ज्ञान हो जाएगा कि इसके समाधान की दिशा कौन-सी है।

जिस समय हिन्दी जातीय भाषा के रूप में विभिन्न जनपदों में फैल रही थी, उस समय विभिन्न भारतीय भाषाओं के बीच राष्ट्रभाषा के रूप में भी उसका व्यवहार बढ़ता जा रहा था। इस तथ्य को बेलीगात्ती ने देखा और स्वीकार किया था। उन्होंने लिखा था : "हम इसके लिए यह कह सकते हैं कि यह भारत की राष्ट्रभाषा (lingua media) है। इसके अध्ययन से देश की अन्य भाषाओं का अध्ययन भी सुगम हो जाता है।" जो भाषा इस प्रकार सम्पर्क-भाषा का काम देती थी, वह केवल लिखित भाषा न थी, वह बोलचाल की भाषा थी और अपने

स्थानीय रूपों में ही व्यवहार में आती थी। इन रूपों में दकनी का विशेष महत्त्व था। दक्षिण भारत में वह सम्पर्क भाषा की तरह इस्तेमाल की जाती थी। इसीलिए जिन क्षेत्रों में तमिल, तेलगू आदि द्रविड़ भाषाएँ बोली जाती थीं, वहाँ अंग्रेज़ों ने अपने फौजी अफसरों के लिए इस भाषा का ज्ञान अनिवार्य कर दिया था और इसके लिए उन्होंने दकनी की पाठ्य-पुस्तकें भी तैयार कराई थीं। जातीय भाषा की तरह राष्ट्रभाषा हिन्दी के भी स्थानीय रूप बनते रहे हैं। इन्हीं के अन्तर्गत बम्बइया हिन्दी और कलकतिया हिन्दी को मानना चाहिए। इनके साथ द्रविड़ क्षेत्रों में जिस हिन्दी का व्यवहार हो रहा है, उसका रूप भी क्रमश: स्पष्ट होता जा रहा है। जातीय भाषा के समान राष्ट्रभाषा के भी ये स्थानीय रूप सिद्ध करते हैं कि यह भाषा दूसरों पर लादी नहीं गई वरन् परस्पर सम्पर्क की आवश्यकता पूरी करने के लिए एक सहज विकास का परिणाम है।

जिस समय ये व्याकरण लिखे गए थे, उस समय आधुनिक विज्ञान की शिक्षा का प्रसार नहीं के बराबर था।

राष्ट्रभाषा के रूप में प्रयुक्त होने के अलावा इस सम्बन्ध में एक विशेष बात यह थी कि विदेशी भी यहाँ आकर इसे सीखते थे और व्यापार आदि के लिए उसका व्यवहार करते थे। उस समय अंग्रेज़ी राजभाषा न बनी थी और उसके प्रति किसी की यह धारणा न थी कि इसके बिना भारत में देशी या विदेशी जनों का काम ही नहीं चल सकता। इसीलिए बेलीगात्ती का यह कथन अत्यन्त महत्त्वपूर्ण है कि "हिन्दुस्तानी भाषा जो नागरी लिपियों में लिखी जाती है, पटना के आसपास ही नहीं बोली जाती अपितु विदेशी यात्रियों द्वारा भी जो या तो व्यापार या तीर्थाटन के लिए भारत आते हैं, प्रयुक्त होती है।" इस कथन की पुष्टि अन्य तथ्यों से भी होती है जिनका उल्लेख मैंने अपनी पुस्तक 'भारतेन्दु-युग और हिन्दी भाषा की विकास परम्परा' में किया है।

यह भी उल्लेखनीय है कि उस समय हिन्दी भाषा वैसी दरिद्र न समझी जाती थी, जैसी आज के अर्द्ध-शिक्षित राजनीतिज्ञों और विद्वानों के लिए वह है। न केवल अंग्रेज़ी के मुकाबले, वरन् उस लैटिन के मुकाबले भी, जो अंग्रेज़ी के ज्ञानमय शब्द-कोश का मुख्य स्रोत है, हिन्दी भाषा समृद्ध मानी जाती थी। लैटिन भाषा में प्रशिक्षित ये पादरी जब हिन्दी का व्यावहारिक शब्दकोश बनाने बैठते थे, तब वे यह देखकर चकित रह जाते थे कि लैटिन के एक ही शब्द के अनेक पर्याय यहाँ प्रचलित हैं॥ ऐसे ही एक शब्दकोश के बारे में बेलीगात्ती ने लिखा है : "एक लैटिन शब्द के लिए प्राय: दो या तीन हिन्दुस्तानी शब्द दिये गए हैं क्योंकि इस भाषा का शब्दकोश अति विस्तृत है।" (पृ. 127) उस समय अंग्रेज़ों समेत यूरोपवासियों का व्यापार और धर्म-प्रचार, दोनों तरह के कामों के लिए हिन्दुस्तानी भाषा की जरूरत पड़ती थी। चाहे व्यापार-सम्बन्धी शब्दावली हो, चाहे धर्म-सम्बन्धी शब्दावली, दोनों ही स्तरों

पर लैटिन की अपेक्षा उन्हें हिन्दुस्तानी भाषा का शब्दकोश अति विस्तृत जान पड़ता था। जब भारत ब्रिटिश साम्राज्य का अंग बन गया और अमरीकी साम्राज्यवाद के प्रसार के साथ अंग्रेज़ी एक मात्र ज्ञान-विज्ञान की विश्व-भाषा मानी जाने लगी, तब यह स्थिति बदल गई। इस बदली हुई स्थिति में विदेशी विद्वान तो चाहे हिन्दी को भारत की सम्पर्क भाषा मान भी लें, उसे आधुनिक ज्ञान-विज्ञान के प्रसार के लिए उपयुक्त माध्यम मान भी लें, पर इस देश की अखिल भारतीय सेवाओं में, अखिल भारतीय संगठनों के केन्द्रों में, उच्च शिक्षा के संस्थानों में हिन्दी या किसी भी अन्य भारतीय भाषा की व्यापक स्वीकृति असम्भव हो गई है।

इन तीनों पुस्तकों में ईसाइयों की कुछ प्रार्थनाओं का अनुवाद दिया गया है। यह अनुवाद उस समय की हिन्दी का नमूना माना जा सकता है। किन्तु यह अनुवाद है, भाषा का सहज रूप नहीं। जैसे आज भी अंग्रेज़ी से हिन्दी में किसी पुस्तक का अनुवाद करनेवाला बहुधा हिन्दी के सहज प्रवाह की रक्षा नहीं कर पाता, वैसे ही लैटिन से किये हुए ये हिन्दी अनुवाद भाषा का सहज रूप प्रकट नहीं करते। फिर इन अनुवादकों की मातृभाषा न तो लैटिन थी और न हिन्दी। हिन्दी की अपेक्षा वे लैटिन से ही अधिक परिचित थे। लैटिन से अनुवाद करते समय हिन्दी के सहज रूप की रक्षा करना उनके लिए सम्भव नहीं था। इसलिए केटलेर जब एक प्रार्थना इस तरह शुरू करते हैं, 'इमने रखतों खुदा बाबते सब सक्ते पैदा करनेवाला आसमान और जमीन का', तो यह न समझना चाहिए कि 17वीं सदी में लोग इसी तरह की हिन्दी बोलते थे। भाषा के सहज रूप के ज्यादा अच्छे नमूने व्याकरण लिखते समय दिये गए हैं। उदाहरण देते समय कहीं-कहीं लेखकों से कुछ गलतियाँ हो गई हैं। किन्तु कुल मिलाकर इन उदाहरणों से यह अच्छी तरह विदित हो जाता है कि हिन्दी के जिन रूपों का चलन था, वे खड़ी बोली के ही थे और अन्य बोलियों से स्पष्ट रूप में भिन्न थे।

इनमें से कुछ उदाहरण यहाँ उद्धृत किये जाते हैं। केटलेर के व्याकरण से : तू चाकर है। तू मेरा गुलाम है। मत गाली दे। मत शोर कर। (पृ. 50) आदमी घोड़ा से खूब है। हाथी बैल से बड़ा है। (पृ. 54) हम हो गये। तुम हो गये। इन्ने हो गये। (पृ. 55) हम कर चुके। हम किये थे। हम करोंगे। मे करता था। मे काम किया था। मे काम करेगा। तद हम खाय चुके। तद वह खाय चुके। (पृ. 61)

अन्तिम दो उदाहरणों में तद और खाय रूप लल्लूजी लाल की याद दिलाते हैं। केटलेर ने 'जी' के प्रयोग का उल्लेख करते हुए उसे स्नेह और श्रद्धा का द्योतक बताया है। इसके उदाहरणों में मा जी, बहुन जी, बीबी जी, भाई जी, साहब जी आदि पढ़कर ऐसा लगता है कि यह हमारी आज की ही सरस और परिचित हिन्दी है। शब्द-निर्माण-प्रक्रिया के अन्तर्गत जब केटलेर नंगा से 'नंगई' शब्द बनाते हैं, तब लगता है, यह हिन्दुस्तानी जनपदीय भाषाओं के बहुत नजदीक है।

अब कुछ उदाहरण शुल्ज के व्याकरण से : मेघ पड़ा तो भी अनाज सस्ता करने का नहीं। खूब आदमी भिखारी हो रहा तो भी बदबखत नहीं (पृ. 99) अल्लाह के हाथ में सब है। आसमान के नीचे जानवरां जीवते हैं। कोतवाल के आगे खामोश रहना। मौत के पीछे इनसाफ चुकाने का दिन होगा। बच्चे सारे मा के कने खड़े रहे। (पृ. 102) ये शराबखोर पीता है पन और कुछ भी करता नहीं। ये हरामखोर हरामकारी करता पन वफादारी करता नहीं। (पृ. 107) ये घोड़ियाँ बहुत पानी पीतियाँ हैं। मेरा बाप बहुत काम करता है। मेरी मा बहुत मेहनत करती है। (पृ. 108) अनाज मोल लेने कु बहुत सौदागरा [सौदागर] इस गाँव में आये। मेहनत करने के वास्ते अल्लाह आदमीआकु पैदा किया। दिन दिन के कामा सब आखिर होने के पीछे रात में नींद करना। (पृ. 110)

ये सब उदाहरण दकनी हिन्दी की झलक दिखाते हैं। इनसे उस समय की बोलचाल की हिन्दी के नमूने अच्छी तरह समझ में आ जाते हैं। बेलीगात्ती की पुस्तक में ऐसे नमूने नहीं हैं क्योंकि उन्होंने व्याकरण नहीं लिखा, केवल लिपि का परिचय दिया है। किन्तु उन्होंने भी उदाहरण के रूप में कुछ शब्द दिये हैं जिनसे इतना तो सिद्ध हो जाएगा कि हिन्दी गद्य फोर्ट विलियम कॉलेज की देन नहीं है। बेलीगात्ती ने जिन शब्दों को सामान्य व्यवहार में सुना था, उनमें इस तरह के शब्द भी थे : अवग्या, कस्ट, ग्यानगोष्टि, व्याकुल, विद्या-वंद, बीस्वास, मुग्धा, होना, इस्त्री, अधर्म्मीष्ट, शास्त्रवंत, इत्यादि। (पृ. 146) इससे ज्ञात होता है कि संस्कृत के काफी शब्द तद्भव रूपों में प्रयुक्त होते थे। ऐसा नहीं हुआ कि उर्दू से बोलचाल के सरल शब्द निकालकर उनकी जगह कठिन शब्द रख दिये गए और इस तरह उर्दू को बिगाड़कर हिन्दी भाषा का विकास हुआ। बेलीगात्ती के शिक्षक पटना और बेतिया के निवासी थे। साधारण व्यवहार में जो शब्द आते थे, वही ईसाई पादरी को सिखाए गए थे।

इन तीनों व्याकरणों से सिद्ध हुआ कि अंग्रेज़ी राज कायम होने से पहले जातीय भाषा और राष्ट्रभाषा के रूप में दूर-दूर तक हिन्दी का प्रसार हो चुका था।

इन तीनों व्याकरणों से भिन्न रूसी कलाकार लेबेदेव की पुस्तक है : 'पूर्व भारतीय विशुद्ध और मिस्त्र बोलियों का व्याकरण' ('A Grammar of the Pure and Mixed East Indian Dialects' by Herasim Lebedeff; कलकत्ता 1963)। यह पुस्तक 1801 में लन्दन से प्रकाशित हुई थी। उद्देश्य यह था कि इसे पढ़कर भारत आनेवाले अंग्रेज़ तथा अन्य यूरोपवासी हिन्दुस्तानी भाषा सीख जाएँगे और यहाँ के ज्ञान और साहित्य के अलावा व्यापार आदि के लिए उसका उपयोग कर सकेंगे। उपर्युक्त तीन व्याकरणों के लेखक पादरी थे। उनका उद्देश्य ईसाई धर्म का प्रचार करना था। चाहे धर्म का प्रचार करना हो, चाहे व्यापार करना हो; चाहे भारतीय साहित्य की जानकारी प्राप्त करना हो, हॉलैंड, इटली, रूस आदि यूरोप के विभिन्न देशों

के लोग जिस भाषा को सीखना सबसे अधिक आवश्यक समझते थे, वह हिन्दी या हिन्दुस्तानी थी। बेलीगात्ती के समान लेबेदेव के लिए भी नागरी लिपि और संस्कृत वर्णमाला का महत्त्व अन्य सभी लिपियों और वर्णमालाओं से बढ़कर था। अभी तक किसी यूरोपवासी को यह न सूझा था कि नागरी लिपि को अवैज्ञानिक करार देकर रोमन लिपि के व्यवहार की बात करे। यूरोप वालों को, खास कर अंग्रेज़ों को, हिन्दी भाषा से परिचित कराने के लिए रोमन लिपि का व्यवहार करना किसी सीमा तक आवश्यक था। इस लिपि का व्यवहार करते समय लेबेदेव के सामने अनेक कठिनाइयाँ थीं। कलाकार होने के नाते हिन्दी की ध्वनियों के लिए उन्होंने निश्चित रोमन वर्णों के बारे में कोई नियम नहीं बनाए। जहाँ जैसा सूझ गया, वहाँ वैसा लिख दिया। उन्होंने जो लिखा, उसका सही उच्चारण उस समय क्या था, यह जानना हमेशा आसान नहीं होता। पर जिन लोगों ने अपनी पुस्तकें लैटिन में लिखी थीं, या जिनकी पुस्तकें लैटिन में अनुवादित हुई थीं, उनकी लिखाई भी कुछ बहुत व्यवस्थित नहीं है। उनके लिखे हुए शब्द ठीक-ठीक कैसे बोले जाते थे, यह कठिनाई लेबेदेव की अपेक्षा नहाँ कुछ अधिक ही है। भारतीय ध्वनियों को रोमन लिपि द्वारा कैसे व्यक्त किया जाए, इस समस्या पर विचार होना अभी आरम्भ ही हुआ था।

लेबेदेव के व्याकरण के अनेक दोष पुस्तक की भूमिका में डॉ. सुनीति कुमार चाटुर्ज्या ने बताए हैं। इनमें से अधिकांश की ओर उनसे पहले ही ग्रियर्सन और ग्रियर्सन से पहले 'एशियाटिक ऐन एनुअल रजिस्टर' में उनकी पुस्तक के आलोचक ने ध्यान दिया था। यह सब आलोचना सही है। लेबेदेव में पर्याप्त धैर्य और आवश्यक अध्ययन की कमी थी। सामग्री उन्होंने कलकत्ते में इकट्ठा की थी और उसे पुस्तक का रूप दिया था लन्दन में। जो सुना, उसे जहाँ-तहाँ गलत लिखा। जो नहीं सुना और किताब लिखते समय उन्हें आवश्यक जान पड़ा, उसे उन्होंने अपने मन से गढ़कर जोड़ दिया। लड़का लोग, गोरा लोग के साथ इन्होंने कुत्ता लोग और घर लोग भी बहुवचन बनाने की प्रक्रिया में दिखा दिए यद्यपि आगे उन्होंने लिखा कि जहाज लोग लिखना-बोलना गलत है। यह आपत्ति सही नहीं है कि उन्होंने गोलकनाथदास की सूचनाओं पर बहुत भरोसा किया। उनकी पुस्तक में खुदा और बहिश्त का अनेक बार उल्लेख है। इसका कारण गोलकनाथदास न रहे होंगे। सम्भव है, कुछ हिन्दुस्तानी लेबेदेव ने अपने बावर्ची लस्कर मुहम्मद से सीखी हो। यदि उन्होंने केवल गोलकनाथदास या लस्कर मुहम्मद से हिन्दुस्तानी सीखी होती तो उनकी पुस्तक एक विशेष देशकाल में एक व्यक्ति विशेष की बोली का विवरण देनेवाला अनुपम दस्तावेज होती। वैसा नहीं हुआ। उन्होंने अनेक सूत्रों से अनेक क्षेत्रों में व्यवहार में आनेवाली हिन्दुस्तानी के नमूने इकट्ठे किये। इससे उनकी पुस्तक का महत्त्व और भी बढ़ गया। विशुद्ध भाषाविज्ञानी उसमें

बहुत-से दोष पाएँगे पर जो लोग सामाजिक सन्दर्भ में भाषा का अध्ययन करते हैं, उनके लिए उस समय के अन्य हिन्दी व्याकरणों की तुलना में यह पुस्तक अधिक मूल्यवान सिद्ध होगी।

पुस्तक में दिये हुए उदाहरण फ़ारसी के प्रचलित शब्दों का बहिष्कार नहीं करते। लेबेदेव मिली-जुली बोली का व्याकरण लिख रहे हैं। बोली मिश्रित है पर लिपि अमिश्रित है। कारण यह है कि फोर्ट विलियम कॉलेज की स्थापना अभी नहीं हुई। नागरी लिपि को अपदस्थ करके बड़े पैमाने पर फ़ारसी लिपि चलाने का प्रयत्न अभी सफल नहीं हुआ। फ़ारसी लिपि का व्यवहार होता है पर बहुत सीमित क्षेत्रों में व्यापक रूप से व्यवहार अभी नागरी लिपि का ही होता है। यही कारण है कि लेबेदेव संस्कृत वर्णमाला और नागरी लिपि सीखने पर इतना जोर देते हैं। इनके मुख्य शिक्षक बंगाली हैं। वह संस्कृत बंगाली ढंग से पढ़ते हैं, तत्सम शब्दों का बंगाली ढंग से उच्चारण करते हैं, पर कलकत्ते के बुद्धिजीवियों ने अभी हिन्दी और नागरी लिपि से घृणा करना नहीं सीखा। 18वीं सदी के अन्तिम चरण में एक रूसी कलाकार को एक बंगाली सज्जन हिन्दी सिखा रहे हैं, और पुस्तक लन्दन में छप रही है, यह घटना अपने-आपमें अन्तरराष्ट्रीय महत्त्व की है।

आज बंगाल उन प्रदेशों की पाँति में सबसे आगे है जिनमें पूँजीवादी अन्ध जातीयता का विष चारों तरफ बुरी तरह फैल गया है। लेबेदेव के समय कलकत्ते की जो भाषाई स्थिति थी, आज के भद्र लोक उसकी कल्पना नहीं कर सकते। लेबेदेव से पहले हैडले और फर्गुसन नाम के दो अंग्रेज़ों ने हिन्दुस्तानी का व्याकरण लिखा था। डॉ. चाटुर्ज्या के अनुसार ये व्याकरण बाजार हिन्दुस्तानी के थे। उसी बाजार हिन्दुस्तानी का व्याकरण लेबेदेव ने भी लिखा। डॉ. चाटुर्ज्या ने बहुत सही लिखा है कि कलकत्ते में बंगाली तथा अन्य जन जिस बाजार हिन्दुस्तानी का प्रयोग करते थे, खास तौर से यूरोप वालों के साथ जिसका व्यवहार करते थे, उसकी स्थिति के बारे में विवेकशील अनुसंधान कर्ता को लेबेदेव की पुस्तक से कुछ मूल्यवान बातें मालूम होंगी। यहाँ ध्यान देने की बात है कि कलकत्ता जैसे बहुजातीय, बहुभाषाभाषी नगर में जो भाषा देशी और विदेशी—सभी तरह के लोगों के आपसी व्यवहार की भाषा थी, वह बाजार हिन्दुस्तानी थी। डॉ. चाटुर्ज्या ने लिखा है कि कलकत्ते की जो भाषाई स्थिति उस समय लेबेदेव ने अपने मन में बनाई, वह यह थी कि वहाँ एक मिश्रित बोली का चलन है, जिसे हम अब कलकत्ते की बाजार हिन्दुस्तानी कहेंगे, और वह समझते थे कि इस मिश्रित बोली के अधिक शुद्ध रूप भी कहीं विद्यमान हैं : "किन्तु उनकी पुस्तक से पता चलता है कि उन्हें मानक या सही हिन्दुस्तानी का ज्ञान नहीं था। यह एक तरह से बंगाली और संस्कृत के साथ मिलाई हुई बोली है।" डॉ. चाटुर्ज्या के अनुसार, गोलकनाथदास को शुद्ध व्याकरण-सम्मत हिन्दुस्तानी का ज्ञान नहीं था। बातचीत के जो उदाहरण दिये गए

हैं, उनसे पता चलता है कि व्याकरण लिखनेवाले की पकड़ भाषा पर ढीली है "और बंगाली शब्द और बंगालीपन की मिसालें बार-बार देखने को मिलती हैं।"

ये सारे दोष एक तरह से पुस्तक के गुण हैं। जहाँ भी हिन्दी अपने प्रदेश से बाहर व्यवहार में आई है, वहाँ उसने स्थानीय भाषाओं का प्रभाव ग्रहण किया है। शुद्धतावादी विद्वान इस प्रक्रिया का महत्त्व नहीं समझ पाते। बम्बइया हिन्दुस्तानी की तरह कलकतिया हिन्दुस्तानी, राष्ट्रभाषा के रूप में, हिन्दी के सहज विकास का सबसे पुष्ट प्रमाण है। यह पुष्ट प्रमाण 18वीं सदी के उत्तरार्द्ध में, जब भारत पर पूरी तरह अंग्रेज़ी राज कायम न हुआ था, बहुत साफ दिखाई देता है। राष्ट्रभाषा के रूप में इस प्रक्रिया को उलट देने की भरपूर कोशिश अंग्रेज़ों ने की। उस साम्राज्यवादी परम्परा से प्रभावित भारत के आधुनिक बुद्धिजीवी समझने में असमर्थ हैं कि सिर-तोड़ कोशिश करने पर भी अंग्रेज़, बम्बइया हिन्दुस्तानी या कलकतिया हिन्दुस्तानी या दक्षिण भारत की दकनी के रूप में व्यवहृत, राष्ट्रभाषा हिन्दी का अस्तित्व मिटा नहीं पाए। इस राष्ट्रभाषा का एक मानक रूप है, जैसे ब्रिटिश अंग्रेजी का एक मानक रूप है। पर उसके साथ जनसाधारण के व्यवहार में, अन्य भाषाओं के तत्त्व लेती हुई, अनेक रूपों में राष्ट्रभाषा हिन्दी प्रचलित है। इस सारी सहज, ऐतिहासिक रूप से अनिवार्य, प्रक्रिया के विरोध में राजनीति और भाषाविज्ञान के पंडितों द्वारा अंग्रेज़ी भाषा खड़ी की गई है।

लेबेदेव के व्याकरण में शब्दों का उच्चारण भी अधिकतर बंगाली ढंग का है। बेदान्त, वर्ण, व्याकरण रूप बदलकर बेदान्तो, बोर्नों, बेइआकोरोन दिखाई देते हैं। विसर्ग और कारक बेशोर्गो, कारोक बन जाते हैं। महाप्राणता अधिकतर अल्पप्राणता में बदल जाती है। पहला शब्द का रूप बदलकर पोइला या पइला हो जाता है। इसी तरह खजान्ची-कजान्ची, जगन्नाथ—जगन्नात, बहुत—बोउत हो जाते हैं। यकार का रूप-परिवर्तन बेइआकोरोन के अलावा दोइआशेन्धो (दयासिन्धु) में देखा जाता है। बंगला का जातीय उच्चारण तत्सम, तद्भव, फ़ारसी शब्दों को समभाव से देखता है। बित्तो, चित्तो, पुत्रो, नोपून्शोक लीजो के साथ मोरोद, जोबान, खोदा, जोमीन जैसे रूप हैं। बंगला के कोछ (कुछ), जेग्गेशा (जिज्ञासा) तो हैं ही। हमारा जोबान हय, हम होने सक्ता, हम होने सकेगा—इस तरह के वाक्य कलकत्ते में सुनने को अब भी मिल सकते हैं, कलकत्ते के बाहर भी। इनके साथ तुम होने सक्तो, ऊअ (वह) होने सक्तय—इस तरह के वाक्य लेबेदेव के गढ़े हुए जान पड़ते हैं। व्याकरण में स्त्रीलिंग की चर्चा बहुत कम है। बंगाल में सामग्री संग्रह करने के कारण यह भी स्वाभाविक है। किन्तु कुछ वाक्यों में लेबेदेव ने कर्मकारक क्रिया के बाद रखा है : हम पिआर कोरके भोलोनात। यहाँ भोला का भोलो भी उन्होंने अपने मन से किया है और क्रिया के बाद भोलानाथ की स्थापना अंग्रेज़ी वाक्य-विन्यास की नकल करते हुए की है। इस वाक्य का अंग्रेज़ी रूपान्तर दिया है : I Love Bholo Nat!

यूरोपवाले भारत की जिस विशेषता से बहुत आकर्षित थे, वह लेबेदेव के इस वाक्य में प्रतिबिम्बित है : पूरुब का मुलोक में बोथ (बहुत) दौलत हय। पश्चिम के मुल्कों में भी दौलत है पर बहुत दौलत तो पूरब में ही है। इसलिए पश्चिम का व्यापारी भारत में आकर इस तरह के वाक्य सीखता है : यह एक हुंडी तुमारे पास आता है; अब तोक इसका वख्त गया नय साहब; तो कब तोक इसका मुद्दोत असगेन (Then when will it be due?); आठ रोज बाद। (ये वाक्य रोमन लिपि से ज्यों-के-त्यों नागरी में रूपान्तरित नहीं किये गए। उद्देश्य हुंडी सम्बन्धी बातचीत से परिचित कराना भर है।) हुंडी और व्यापार के अलावा कलकत्ता अंग्रेज़ी फौज का अड्डा था। बंगाल आर्मी में हिन्दी प्रदेश के सिपाही थे। फौज में हिन्दी शब्दों का चलन था। खबरदार कन्धा सामने, खबरदार घूमने को आदमी लोग; चलने का छोटा कदम; सरदार लोग हुकुम देओ; चले जा बराबर; खड़े हो सीधा; देखो दाहिने—इस तरह के वाक्यों से उस समय फौज के भीतर हिन्दी के व्यवहार का पता चलता है। व्यापार से लेकर फौज तक सारी सूचनाएँ लेबेदेव को गोलकनाथदास से न मिल सकती थीं। लेबेदेव ने अपनी सूचनाएँ अनेक सूत्रों से प्राप्त की होंगी। किन्तु निम्न प्रकार के वाक्य उन्होंने बाजार में सुने होंगे : क्या सुथरा वक्त है आज; हम लोग घर में रहेंगे; महरबान, यह राह है कलकत्ता में जाने को; देखाओ राह हमको; तुमारा मेहनत का वास्ते हम कुछ देओगे तुमको। (यहाँ भी रोमन लिपि से वाक्यों का रूपान्तर ज्यों-का-त्यों नहीं किया गया।)

पुस्तक के अन्त में लेबेदेव ने कुछ उपयोगी शब्दों की सूची दे दी है। इनमें दियासलाई, जहाज, किश्ती, धरती, नगर, ग्राम, हाट, बाजार आदि शब्द हैं जो कलकत्ते के बाजार में रोज सुने जा सकते थे। लंगर छोड़ देना, लंगर उठाना जैसे कुछ पारिभाषिक मुहावरे हैं जिनके लिए 1950 के बाद भारत में कुछ लोगों ने नये पर्यायवाची शब्द अवश्य गढ़े होंगे। लेबेदेव जब खजाने को काजना लिखते हैं तब प्रथम वर्ण पर बलाघात उनके बंगाली सूचनादाता की ओर संकेत करता है। फौज से सम्बन्धित शब्दावली उन्हें गोलकनाथदास से न मिली होगी, भले ही फौज से सम्बन्धित किसी अन्य बंगाली ने उन्हें ये शब्द बताए हों। हिरावल, गिरदावर, कुर्ती का झब्बा, टोंटा, बुकनी जैसे शब्द इस जमाने में कुछ लोगों को अजनबी लग सकते हैं। बन्दूक का गोली के साथ तोपेर गुली भी है जो बंगाली स्रोत की ओर संकेत करती है।

लेबेदेव कलाकार थे। कलकत्ते में कुछ अंग्रेज़ों को संगीत की शिक्षा देते थे। कलकत्ते में नाटक-घर बनवाकर बंगला भाषा में दो अंग्रेज़ी नाटकों के अनुवाद उन्होंने मंच पर दिखाए थे। ये अनुवाद अवश्य ही उन्होंने किसी दूसरे से कराए होंगे। उनकी योजना थी कि नाटक-घर में अंग्रेज़ी नाटक भी दिखाएँ किन्तु ईस्ट इंडिया कम्पनी के अंग्रेज़ों का अपना नाटक-घर था। शायद व्यापार में होड़ से

डरकर कुछ तरकीबों में काम लेकर अंग्रेज़ों ने इन्हें कलकत्ता छोड़ने पर विवश किया। लेबेदेव को अंग्रेज़ी राज पसन्द नहीं था और उन्होंने अन्यत्र उसकी कड़ी आलोचना की है। साथ ही भारतीय जनता के हृदय में उस समय भी अंग्रेज़ों के प्रति जो तीव्र घृणा का भाव था, उसका उल्लेख किया है। साथ ही वह कोई साम्राज्य-विरोधी लेखक न थे। उन्हें विश्वास था कि भारत पर रूसियों का आधिपत्य होगा। इस सन्दर्भ में उन्होंने कुस्तुन्तुनिया के बादशाह लियो की घोषणा का जिक्र किया है कि सुनहले बालों वाली जाति मुसलमानों को निकाल बाहर करेगी और किन्हीं डॉक्टर प्रिदोस की भविष्यवाणी का उल्लेख किया है कि मॉस्को वाले विजेता होंगे। (पृ. 18) पर भाषा-सम्बन्धी कुछ बातें उनकी कलाकार दृष्टि देख लेती थी जिन्हें पादरी लोग न देख पाते थे। जिस हिन्दुस्तानी भाषा का—उन्होंने अध्ययन किया था, उसके बारे में उन्होंने अन्यत्र यह भी लिखा था कि इस भाषा का व्यवहार सारे भारत में ही नहीं होता वरन् उन जिप्सियों के बीच भी होता है जो सारी दुनिया में फैले हुए हैं और जिनका उद्भव हिन्दुस्तानी कबीलों से हुआ है। (पृ. 11) मुझे नहीं मालूम, लेबेदेव से पहले किसी ने यूरोप की जिप्सी भाषाओं से हिन्दी का सम्बन्ध जोड़ा था या नहीं। जोड़ा हो, तो भी लेबेदेव का यह कथन ऐसे प्राथमिक उल्लेखों में होगा। जिप्सियों के भारतीय उद्भव के बारे में लोग जानते थे, विशेषता यहाँ हिन्दी से सम्बन्ध जोड़ने में है। खास तौर से जो जिप्सी रूस में बस गए थे, उनकी भाषा का मूलाधार हिन्दी थी, जिस पर प्रसिद्ध रूसी विद्वान वरान्निकोव ने शोध-कार्य किया था। शोध की उस दिशा की ओर पहले लेबेदेव ने संकेत किया था।

## [5]

पिछले कुछ वर्षों में भाषाविज्ञान की एक नई शाखा का उद्भव और विकास हुआ है। इसे सोशियोलिंग्विस्टिक्स अथवा समाजी भाषाविज्ञान नाम दिया गया है। चोम्स्की से आरभ होकर जो भाववादी विश्लेषण-पद्धति आगे बढ़ी थी, इसे उसकी प्रतिक्रिया कहा जा सकता है। यदि भाषा का व्याकरण सार्वदेशिक और सार्वकालिक है, उसके मूल तत्त्व अपरिवर्तनशील हैं, तो व्याकरण के लिए बदलते हुए सामाजिक सन्दभों का कोई महत्त्व नहीं है। इसके सिवा चोम्स्की और उनके अनुवर्ती भाषा-विज्ञानी जब अंग्रेज़ी, रूसी या अन्य किसी भाषा का विश्लेषण करने बैठते हैं, तब वे भाषा का एक आदर्श मानक रूप सामने रखते हैं जो व्यवहार की दृष्टि से बहुत कुछ कल्पित होता है। विलियम ब्राइट ने 'सोशियोलिंग्विस्टिक्स' (मूटों, हेग, 1971) में इस बात की ओर ध्यान दिलाया है कि पुराना भाषाविज्ञान भाषा की संरचना को समरूपी मानकर चलता था। किसी भी भाषा के बोलनेवाले समाज

में जो व्यवहारगत अनेक भेद दिखाई देते हैं, उन्हें अवांछनीय समझकर एक ओर हटा दिया जाता था। समाजी भाषाविज्ञान ने दावा किया कि ये भेद अकारण नहीं हैं, वरन् समाज-भेदों से उनका सम्बन्ध है और इस तरह के सम्बन्ध का विश्लेषण करके उसे नियमबद्ध किया जा सकता है। समाजी भाषाविज्ञान ने समरूपता के स्थान पर विषमरूपता पर जोर दिया। बोली-विज्ञान विशारद इसी बात पर 19वीं सदी से जोर देते आ रहे थे।

19वीं सदी में, विशेष कर उस शताब्दी के उत्तरार्द्ध में, जिस ऐतिहासिक भाषाविज्ञान का विकास हुआ, उसमें भाषा की आदर्श समरूपता पर ही जोर दिया गया। दरअसल वर्णनात्मक भाषाविज्ञान और परिणामी भाषाविज्ञान के आचार्यों—ब्लूमफील्ड और चोम्स्की—ने अपनी विलेषण-पद्धति में भाषा के प्रति प्राय: वही दृष्टिकोण अपनाया था जो 19वीं सदी के ऐतिहासिक भाषा-विज्ञानियों में प्रचलित है। यह भी एक कारण है कि आधुनिक भाषाविज्ञान में नई-नई विश्लेषण-पद्धतियों का विकास हो जाने पर भी ऐतिहासिक भाषाविज्ञान की मान्यताओं में—उसके मुख्य निष्कर्षों में—अभी तक कोई परिवर्तन नहीं हुआ। कुछ समाजी भाषाविज्ञानी यह अनुभव करने लगे हैं कि 19वीं सदी से भाषाविज्ञान का जो सिलसिला चला आ रहा है, वह भाषा की व्यवहारगत विविधता की उपेक्षा करने के कारण दोषपूर्ण है। यह अनुभव गुम्पर्ज के लेखन में साफ दिखाई देता है। गुम्पर्ज और हाइम्स ने एक पुस्तक सम्पादित की है : 'डिरेक्शंस इन सोशियोलिंग्विस्टिक्स' (होल्ट, 'राइन हार्ट एंड विंस्टन', 1942)। इसकी भूमिका में गुम्पर्ज ने लिखा है कि 19वीं सदी के नव्य व्याकरण-पंथियों ने ध्वनि-परिवर्तन सम्बन्धी जो सिद्धान्त स्थिर किये, उनसे भाषाओं का प्रत्यक्ष विवरण देने की प्रेरणा मिली अर्थात् भाषा-विज्ञानियों ने समकालीन भाषाओं का अध्ययन, व्यवहार क्षेत्र में उनका परिचय पाकर, किया। नव्य व्याकरणपंथी समझते थे कि ध्वनि-परिवर्तन-सम्बन्धी नियम प्राकृतिक विज्ञान के नियमों के समान अटल हैं और उनमें कोई अपवाद नहीं होता। तब बोली-विज्ञान-विशारदों ने कहा कि किसी भाषा के प्राचीन रूप नियमानुसार बदलते रहे है तो बोलियों की सीमाएँ साफ-साफ और अलग-अलग दिखाई देनी चाहिए, और ये सीमाएँ उन्हीं नियमित ध्वनि-परिवर्तनों के अनुरूप होनी चाहिए, परन्तु व्यवहार जगत् में स्थिति इससे भिन्न थी। कुछ विद्वान नव्य व्याकरण-पंथियों की पद्धति अस्वीकार करते थे और उन्होंने मानव-समुदायों के अभियानों, एक प्रदेश छोड़कर दूसरे प्रदेश में उनके आवास, एक समाज द्वारा दूसरे समाज का पराजित किया जाना, दो भाषाओं का मिश्रित होना आदि बातों पर जोर दिया। गुम्पर्ज कहते हैं कि 1875 से 1940 तक इन समस्याओं पर जो कुछ लिखा गया है, वह अक्सर अटकल-पंथी है और प्रमाण रूप में तथ्य-सामग्री बहुत कम है, फिर भी उससे यह विदित हो गया कि भाषा मूलत: एक सामाजिक प्रपंच है, इसलिए भाषा-सम्बन्धी

परिवर्तन के लिए सामाजिक उपादानों का विवरण प्रस्तुत करना आवश्यक है; इस तरह पहले प्राणिशास्त्रीय या भौगोलिक नियमितता की जो धारणाएँ प्रचलित थीं, वे ग़लत साबित हुईं। दूसरे शब्दों में समाजों के आपसी सम्बन्धों को और सामाजिक विकास की प्रक्रिया को समझे बिना भाषा का ऐतिहासिक विवेचन करना सम्भव नहीं है।

बोलीविज्ञान और समाजी भाषाविज्ञान में गहरा सम्बन्ध है, इसका प्रमाण उक्त भूमिका में गुम्पर्ज द्वारा इस बात का उल्लेख भी है कि भाषागत परिवर्तन जहाँ सामाजिक उपादानों के कारण हुए हैं, वहाँ आधुनिक समाजविज्ञानी के लिए सबसे दिलचस्प तथ्य-सामग्री, और सबसे विस्तृत विवरण वाली सामग्री, बोलियों के उस सर्वेक्षण से प्राप्त हुई है जो 20वीं सदी के प्रथम चरण में किया गया था। इसलिए यह कहना असंगत न होगा कि नव्य व्याकरण-पंथियों के अनुवर्ती हैं विवरणात्मक भाषाविज्ञान वाले तथा परिणामी व्याकरण वाले; बोलीविज्ञान और बोली-सर्वेक्षण वालों के अनुवर्ती है ये समाजी भाषाविज्ञान वाले। किन्तु इनमें कुछ लोग जहाँ भाषा की विविधता का विलेषण करते हुए बोलियों पर ध्यान देते हैं, वहाँ दूसरे लोग। जिस तरह की विविधता का विवेचन करते हैं, उसे शैली तात्त्विक विवेचन कहा जा सकता है। बोली शब्द की स्पष्ट परिभाषा का यहाँ अभाव है क्योंकि जातीय गठन-सम्बन्धी विवेचन किया ही नहीं गया। जिसे मानक भाषा कहा जाता है, वह आधुनिक समाजों में जातीय भाषा होती है। इस जातीय भाषा के अनेक रूप हो सकते हैं, पुरानी लघुजातियों की भाषाएँ विद्यमान हो सकती हैं। दकनी जातीय भाषा हिन्दी की एक बोली है। कलकतिया हिन्दी, बम्बइया हिन्दी जातीय भाषा के दो रूप हैं, हिन्दी की दो बोलियाँ हैं। इनसे भिन्न कोटि में ब्रजभाषा, अवधी, भोजपुरी आदि पुरानी लघुजातियों की भाषाएँ हैं जो अब जातीय भाषा हिन्दी की उपभाषाएँ अथवा बोलियाँ बन गई हैं। किसी भी तरह की बोली हो, जातीय-भाषा से भिन्न उसका बोली होना इस बात पर निर्भर है कि उसके ध्वनितंत्र, शब्द-भंडार और वाक्य-तंत्र की अपनी विशेषताएँ हैं। किन्तु यदि कोई व्यक्ति एक सामाजिक सन्दर्भ में 'तू' सर्वनाम का व्यवहार करता है और अन्य सन्दर्भ में 'तुम' या 'आप' का व्यवहार करता है; तो यह व्यवहार-भेद एक ही भाषा अथवा एक ही बोली के अन्तर्गत माना जाएगा। उसे बोली-भेद न कहकर, शैली-भेद कहना अधिक उपयुक्त होगा। ब्राइट द्वारा सम्पादित 'सोशियोलिंग्विस्टिक्स' पुस्तक में रूसी सर्वनामों के व्यवहार पर जो लेख प्रकाशित हैं, उसमें इसी तरह का शैली तात्त्विक विवेचन है। गुम्पर्ज द्वारा सम्पादित पुस्तकें में बन्स्टाइन ने अपने निबन्ध में यह बताया है कि किसी भी समाज में मनुष्य जो कुछ कहता है, उसे कैसे कहता है और कब कहता है, यह सामाजिक सम्बन्धों पर निर्भर है; ये सम्बन्ध निश्चित करते हैं कि शब्द-चयन और वाक्य-रचना के स्तर पर वह किस तरह की भाषा-सामग्री का व्यवहार करता है।

यहाँ स्पष्ट है कि विवेचक का ध्यान सामाजिक सन्दर्भ के अनुसार, एक ही भाषा या बोली के व्यवहार में, शैलीगत भेद की ओर है। शैली-भेद और बोली-भेद को माफ-साफ अलग न करने के कारण समाजी भाषाविज्ञान में उलझनें पैदा होना स्वाभाविक था।

कुछ समाजशास्त्र की पहले समाजी भाषाविज्ञान की ओर झुके, फिर उन्होंने इसे अपूर्ण समझकर भाषा के समाजशास्त्र का नाम देकर विवेचन को अधिक व्यापक और वैज्ञानिक बनाने का प्रयत्न किया। फिशमैन ने इस विषय की एक पुस्तक दो खंडों में सम्पादित की है जिसका नाम है : 'एडवांसेज़ इन द सोशियोलॉजी ऑफ़ लैंग्वेज़' (मूटों, हेग, 1971)। इसकी भूमिका में उन्होंने इस बात की कैफियत दी है कि 'सोशियोलिंग्विस्टिक्स' की जगह 'सोशियोलॉजी ऑफ़ लैंग्वेज़' का व्यवहार करना क्यों अधिक उपयुक्त है। उनका कहना है कि समाजी भाषाविज्ञानी यह मानने लगे हैं कि जब सामान्यत: भाषाविज्ञान यह स्वीकार कर लेगा कि सामाजिक सन्दर्भों के बिना भाषा का विश्लेपण सम्भव नहीं है, तब भाषाविज्ञान शब्द से ही काम चल जाएगा, लिंग्विस्टिक्स में अलग से 'सोशियो' जोड़ने की आवश्यकता न होगी। फिशमैन के मत से, जिन लोगों ने समाजी भाषाविज्ञान का नामकरण संस्कार किया था, वही अब उसे निरस्त कर रहे हैं, या आगे कर देंगे। पर समाजशास्त्र के निरस्त होने का प्रश्न नहीं है, अत: 'भाषा का समाजशास्त्र' नाम चलेगा। भाषा के समाजशास्त्र ने इस बात पर जोर दिया है कि भाषाविज्ञान और समाजशास्त्र, इन दोनों विज्ञानों को मिलकर काम करना चाहिए। यह धारणा स्वागत योग्य है। क्या प्रकृति में और क्या मानव समाज में, कोई भी प्रपंच किसी अन्य कोटि या वर्ग के प्रपंच से पूर्णत: भिन्न नहीं होता? अमरीकी भाषाविज्ञान का जन्म समाजशास्त्र की दुनिया में हुआ था। बोआस उस वैज्ञानिक विलेषण-पद्धति के जनक हैं जिसमें भाषा और समाज के परस्पर सम्बन्ध को—अत: भाषाविज्ञान और समाजशास्त्र की परस्पर सम्बद्धता को—विवेचन का आधार बनाया गया है। फिशमैन उसी जगह लौट आए हैं जहाँ 70 साल पहले बोआस मौजूद थे। कोई ऐसी निषेध-भावना काम कर रही है जो अमरीकी भाषाविज्ञान को पुरानी राहों में जहाँ में चक्कर खिलाकर यह भ्रम उत्पन्न करती है कि वह बड़ी तेजी से प्रगति कर रहा है। इस निषेध भावना का सामाजिक सन्दर्भ पूँजीवादी व्यवस्था है जिसकी सीमाएँ लाँघने में समाजशास्त्री और भाषाविज्ञानी स्वयं को असमर्थ पाते हैं।

बोआस में लेकर फिशमैन तक—ब्लूमफील्ड और चोम्स्की समेत—किसी भाषाविज्ञानी ने अभी सामाजिक सन्दर्भ में भाषा के प्रत्येक स्तर, भाषाविज्ञान के प्रत्येक विभाग का विवेचन प्रस्तुत नहीं किया। किसी भी भाषा में जिन ध्वनियों का व्यवहार होता है और जिस ढंग से होता है, वह सब एक विकारा प्रक्रिया का परिणाम है। प्रत्येक भाषा का जो मूल शब्द-भंडार है, उसकी जो व्याकरण-व्यवस्था

है, वह भी विकास-प्रक्रिया का परिणाम है। यह प्रक्रिया आन्तरिक विरोधों से प्रेरित होती है और बाह्य विरोधों से भी। कोई भी भाषा या भाषा-परिवार एकान्त शून्य में निर्मित और विकसित नहीं होता। सामाजिक सन्दर्भ की यह विशेषता समझे बिना जब भाषाविज्ञानी भाषागत परिवर्तनों की व्याख्या करने चलते हैं तब ब्यौरे के रूप में छोटी-मोटी बातें वे अवश्य इकट्ठी कर लेते हैं पर किसी भी भाषा के विकास की व्याख्या नहीं कर पाते।

भारत में अनेक भाषा-समस्याएँ ऐसी हैं जिनका सम्बन्ध ऐतिहासिक भाषाविज्ञान से है। आर्य भाषा-परिवार और द्रविड़ भाषा-परिवार, दो भिन्न, निरपेक्षत: अलग जन-समुदायों के भाषा-परिवार हैं या अपने उद्भव काल से ही परस्पर सम्बद्ध रहे हैं? भारत के लिए यह समाजशास्त्र और भाषाविज्ञान, दोनों का महत्त्वपूर्ण प्रश्न है। अमरीकी और ब्रिटिश भाषा-विज्ञानियों के विवेचन में यह प्रवृत्ति और यह लक्ष्य अत्यन्त स्पष्ट है कि द्रविड़ भाषा-समुदाय को विजित समाजों की भाषा सिद्ध किया जाए और द्रविड़ भारत को आर्य भारत से अलग किया जाए। किसी भी सम्प्रदाय का भाषाविज्ञानी हो, वह वर्तमान भारतीय सन्दर्भ में पुरानी मान्यताएँ दोहराता चला जाता है।

हमारे देश में साम्राज्यवादी प्रभुत्व और सामन्ती अवशेषों के कारण जातीय निर्माण की प्रक्रिया अवरुद्ध रही है। इसलिए यहाँ इस तरह के प्रश्न महत्त्वपूर्ण हैं कि ब्रज या बुन्देलखंड की भाषा किसी स्वतंत्र जाति की भाषा है या हिन्दी भाषा की बोली है। सामन्ती व्यवस्था में लघुजातियों के निर्माण और पूँजीवादी व्यवस्था में उनके विघटन की प्रक्रिया समझे बिना इस प्रश्न का उत्तर नहीं दिया जा सकता। किन्तु अमरीकी-ब्रिटिश समाजशास्त्र और भाषाविज्ञान में यह समस्या सही-सही प्रस्तुत नहीं की गई, न उसका विवेचन किया गया है। यह एक सामान्य प्रक्रिया है जो पश्चिमी देशों में भी घटित हुई है, इस ओर उनका ध्यान नहीं गया।

हमारे यहाँ एक समस्या हिन्दी-उर्दू की है। इस समस्या पर गुम्पर्ज़ और नईम ने कुछ लिखा। फिर उस मार्ग पर चलते हुए पूना के अशोक रामचन्द्र केलकर ने जो कुछ लिखा, उसमें इस बात की पहचान नहीं है कि हिन्दी और उर्दू किसी एक जाति की भाषा है। 'स्टडीज इन हिन्दी-उर्दू' (पूना, 1968) में सुनीति कुमार चाटुर्ज्या की तरह केलकर हिन्दी जाति का अस्तित्व अस्वीकार करते हैं। उनका कहना है कि पंजाबी, सिन्धी, गुजराती, मराठी आदि भाषाओं के सुनिश्चित प्रदेश हैं किन्तु हिन्दी-उर्दू का कोई अपना प्रदेश नहीं है। हिन्दी-क्षेत्र की जनपदीय भाषाओं का उल्लेख वह स्वतंत्र जातीय भाषाओं के रूप में करते हैं। इस सन्दर्भ में डॉ. सुनीति कुमार और डॉ. केलकर में अन्तर यह है कि डॉ. सुनीति कुमार पहले हिन्दी जाति और उसके क्षेत्र का अस्तित्व बहुत अच्छी तरह जानते-पहचानते थे और उसका स्पष्ट वर्णन करते थे। स्वाधीनता-प्राप्ति के बाद जैसे-जैसे प्रादेशिक पूँजीवादी राष्ट्रवाद ने सिर

उठाया, वैसे-वैसे ये पुरानी मान्यताएँ बदलने लगीं। डॉ. केलकर ने इस संस्था पर तब लिखा जब यह प्रादेशिक पूँजीवादी राष्ट्रवाद हिन्दी-द्वेष की आग भड़का रहा था और अमरीकी साम्राज्यवाद को इस बात से विशेष दिलचस्पी हो गई थी कि भारत सुदृढ़ और शक्तिशाली राष्ट्र के रूप में संगठित होकर आगे न बढ़े।

समाजी भाषाविज्ञानी भाषा के सामाजिक सन्दर्भ पर बहुत जोर देते हैं पर भारतीय सन्दर्भ के विवेचन में वे एक बात का उल्लेख नहीं करते : भारत में अंग्रेज़ी भाषा सिखाने पर कितना अमरीकी और ब्रिटिश धन व्यय किया गया है, भारत के अर्थतंत्र, राज्यतंत्र को अमरीकी प्रभाव क्षेत्र में लाने के लिए कितना प्रयत्न किया गया है, और भारत के शिक्षा-केन्द्रों में अमरीकी प्रभाव का विस्तार करने के लिए निरन्तर कितना प्रयास किया जा रहा है—फलत: विश्वविद्यालयों में पढ़ाया जानेवाला भाषाविज्ञान और इन विद्यालयों से सम्बद्ध भाषा-वैज्ञानिक शोध-कार्य अधिकांशत: अमरीकी भाषाविज्ञान की शाखा मात्र बनकर रह गया है। जहाँ सामाजिक सन्दर्भों के विलेषण की बात आती है, वहाँ इन भारतीय भाषाशास्त्रियों के विज्ञान में और अमरीकी पंडितों के ज्ञान में ज्यादा अन्तर नहीं रह जाता। कुछ बातों में भारतीय शिष्य गुरु से भी आगे बढ़ जाता है। अमरीकी भाषाविज्ञानी भले ही 'इंडिया' को एक भाषागत इकाई मानें, अशोक रामचन्द्र केलकर को इस तरह 'इंडिया' शब्द का प्रयोग पसन्द नहीं है, उसकी जगह वह साउथ एशिया लिखना पसन्द करते हैं ['In the linguistic (as well as cultural) area of *South Asia* (don't loosely call it India, as some, do)..." पृ. 18]।

यह बात अब बहुत साफ है कि जो लोग हिन्दी जाति का अस्तित्व अस्वीकार करते हैं और हिन्दी भाषा की एकता खंडित करना चाहते हैं, वे कही न कहीं भारत की राष्ट्रीय एकता का भी विरोध करते हैं। कारण यह है कि इस राष्ट्रीय एकता को सुदृढ़ करने का माध्यम हिन्दी है। ब्राइट द्वारा सम्पादित 'सोशियोलिंग्विस्टिक्स' में एक निबन्ध केली का हिन्दी की लिंगुआ फ्रांका-स्थिति पर है। जनगणना के आँकड़े के आधार पर उन्होंने यह मत प्रकट किया है कि मद्रास तथा कलकत्ता जैसे नगरों में हिन्दी के लिंगुआ फ्रांका होने का कोई प्रमाण नहीं है। निबन्ध पर विचार-विनिमय के दौरान साइनबोर्डों की बात आई और केली ने कहा कि ये प्रादेशिक भाषाओं में होते हैं और अंग्रेज़ी में होते हैं : "और शायद यह इस बात का बहुत अच्छा सूचक है कि लिंगुआ फ्रांका के रूप में अंग्रेज़ी भाषा कायम रखी जाएगी।" ऊपर से देखने में लगता है कि यह परिस्थिति का तटस्थ और यथार्थवादी विवरण है किन्तु इस परिस्थिति को उत्पन्न करने के लिए करोड़ों डॉलर पहले ही खर्च किये जा चुके थे, यह बात गुप्त रखी जाती है। जब तमिलनाडु में हिन्दी-विरोधी और अलगाववादी आन्दोलन चला, तब उसे प्रत्यक्ष और अप्रत्यक्ष रूप से बढ़ावा देने में अमरीकी साम्राज्यवादी सबसे आगे थे।

देखना चाहिए कि सोवियत संघ के बारे में, वहाँ की भाषा-समस्या के बारे में इन विद्वानों के क्या विचार हैं। फिशमैन द्वारा सम्पादित, ऊपर उल्लिखित पुस्तक के दूसरे खंड में लीविस का एक लेख है जिसमें आबादी के स्थानान्तरित होने के सन्दर्भ में भाषा समस्या पर विचार किया गया है। लेखक ने यह दिखाने का प्रयत्न किया है कि रूसी भाषा हर जगह जातीय भाषाओं के क्षेत्र में दखलअन्दाजी कर रही है। आबादी के स्थानान्तरण से यह स्थिति पैदा हो गई है कि लोगों का अपनी भाषा से प्रेम नष्ट नहीं हो गया तो कम अवश्य हो गया है। साथ ही लेखक ने यह भी माना है कि सोवियत संघ की जातियों में जो चीज प्रेक्षक का ध्यान सर्वाधिक आकर्षित करती है, वह विभिन्न जातियों की अपनी भाषा के व्यवहार के प्रति आसक्ति है। बड़े-बड़े शहरों में भी स्थानान्तरित आबादियाँ अपनी भाषाओं के अनुसार संघबद्ध हो जाती हैं और अपनी जातीय विशेषताओं की रक्षा करते हुए, शिक्षा के माध्यम के रूप में, अपनी जातीय भाषाओं का व्यवहार करती हैं।

अंग्रेज़ी में राष्ट्र के लिए कोई शब्द नहीं है। बहुजातीय राष्ट्रीयता की धारणा को अंग्रेज़ी भाषा द्वारा व्यक्त करना सम्भव नहीं है। पेट्रिऑटिक और पेट्रिऑटिज्म शब्द अंग्रेज़ी में हैं पर जिस लैटिन पात्रिअ शब्द से ये रूप बने हैं, उसका व्यवहार अंग्रेज़ी में नहीं होता। अमरीकी भाषाविज्ञान अपना आधा कौशल नये-नये पारिभाषिक शब्द गढ़ने में दिखाता है, किन्तु भारत और सोवियत संघ जैसे बहुजातीय राष्ट्रों के सन्दर्भ में उसने 'राष्ट्र' के लिए कोई पारिभाषिक शब्द गढ़ने का विचार नहीं किया। वैसे अमरीका भी बहुजातीय राष्ट्र है, इस अर्थ में ही नहीं कि वहाँ यूरोप की भाषाएँ बोलनेवाले अल्पसंख्यक लोग रहते हैं, वरन् इस अर्थ में भी कि वहाँ के मूल निवासी अपनी भाषाएँ बोलते हैं और उनके लिए निरन्तर संघर्ष करते रहे हैं। संयुक्त राज्य अमरीका की भूमि पर इनका हक पहले है और गोरे अमरीकियों का बाद को। उस देश में एक 'नेशन' नहीं रहती, भले ही गोरी जाति ने अपने दबाव से दूसरी जातियों को रंगमंच पर पीछे ठेल दिया हो। अमरीकी भाषा-विज्ञानियों को यह प्रक्रिया बहुत स्वाभाविक लगती है कि उनके देश में आकर बसनेवाले यूरोप और एशिया के लोग अंग्रेज़ी का व्यवहार करने लगते हैं और एक-दो पीढ़ी बाद उनके बच्चे अपनी भाषा भूल जाते हैं। और उन्हें सोवियत संघ में यह बात बड़ी अनुचित जान पड़ती है कि सोवियत राष्ट्र की एकता का माध्यम रूसी भाषा है; और यद्यपि अमरीकी आदिवासियों के समकक्ष सोवियत संघ के गण-समाज शिक्षा-संस्कृति-राजनीति आदि क्षेत्रों में अपनी भाषाओं का व्यवहार करते हैं—जो अमरीकी आदिवासियों के लिए अभी सम्भव नहीं हैं—फिर भी उन्हें लगता है कि रूसी भाषा गैर-रूसी भाषाओं का नाश कर रही है।

इस बारे में किसी को सन्देह न होना चाहिए कि सोवियत राष्ट्र की जनता की सम्पर्क-भाषा रूसी है। इस भाषा के बिना सोवियत संघ में राष्ट्रीय एकता की

स्थापना और उसकी सुरक्षा असम्भव है। अमरीकी भाषा-विज्ञानियों की समझ में जैसे रूसी भाषा की भूमिका नहीं आती, वैसे ही भारत में राष्ट्रभाषा हिन्दी की भूमिका भी उनकी समझ में नहीं आती। किन्तु इजराइल में हीब्रू की भूमिका उनकी समझ में आ जाती है। फिशमैन द्वारा सम्पादित उसी ग्रंथ में इजराइल पर हौफमैन और फिशरमैन का निबन्ध इस बात का प्रमाण है। इजराइलियों के लिए हीब्रू वैसे ही है, जैसे हिन्दी-भाषियों के लिए संस्कृत या उससे अधिक दुरूह। कहा जाता है कि हिन्दी संस्कृत की पुत्री है। इस तरह हीब्रू की कोई पुत्री वहाँ नहीं है। प्राचीन गण-समाज की वह भाषा धर्म-ग्रंथों में सुरक्षित रही और धार्मिक कार्यों में मंत्रपाठ की तरह उसका व्यवहार होता रहा। प्रचार यह किया जाता है कि इजराइलियों की भाषा हीब्रू है पर इस राष्ट्र में अंग्रेज़ी, जर्मन, रूसी, चेक आदि अनेक भाषाएँ बोलनेवाले लोग हैं। वास्तविक स्थिति यह है कि अंग्रेज़ी-भाषी यहूदियों का गुट राज्य-सत्ता पर हावी है और वह जो अंग्रेज़ी बोलता है, वह ब्रिटिश अंग्रेज़ी नहीं होती, अमरीकी अंग्रेज़ी होती है। अंग्रेज़ी पढ़ने-पढ़ाने और दैनिक जीवन में उसके व्यवहार के बारे में हौफमैन और फिशरमैन कहते हैं : "अधिकांश स्कूलों में पाँचवें दर्जे से लगाकर आगे तक अंग्रेज़ी अनिवार्य है। माँ-बाप अक्सर पाँचवें दर्जे तक पहुँचने से पहले ही बच्चों को अंग्रेज़ी की प्रारम्भिक शिक्षा देते हैं। इजराइली स्कूलों के पाठ्यक्रम में फ्रांसीसी और अरबी भी स्वीकृत हैं किन्तु अपेक्षाकृत थोड़े ही लोग इनसे लाभ उठाते हैं। अन्तरराष्ट्रीय सम्बन्ध, यात्रा-कार्य, अमरीकी और ब्रिटिश यहूदी-समुदाय से घनिष्ठता, और व्यापार तथा विज्ञान की आवश्यकताएँ वर्तमान काल में अंग्रेज़ी के व्यवहार को प्रोत्साहन देती हैं।" (पृ. 359) तात्पर्य यह कि संयुक्त राज्य अमरीका की तरह इजराइल भी बहुजातीय राज्य है। धर्म के आधार पर पाकिस्तान की तरह उसे एक राष्ट्र बनाया जा रहा है। संयुक्त राज्य अमरीका की तरह अंग्रेज़ी छोड़कर वहाँ अन्य सभी भाषाओं का दमन किया जा रहा है। ऊपर से दिखाने को उस प्राचीन हीब्रू का सीमित व्यवहार किया जाता है, जो किसी आधुनिक जाति की भाषा नहीं है। इजराइल की यह भाषाई स्थिति इस सामाजिक सन्दर्भ के बिना नहीं समझी जा सकती कि अरब राष्ट्रवाद के विरोध में अमरीकी धन और शस्त्र-बल के सहारे एक ऐसा राज्य स्थापित किया गया है जिसका आधार जातीयता नहीं, धर्म है।

भारत में अनेक मार्क्सवादी विचारक जातीय भाषा और बोली से सम्बन्धित स्थिति को लेकर कभी-कभी उलझन में पड़ जाते हैं। फिशमैन द्वारा सम्पादित ग्रंथ में एक लेख चीन की भाषा और लिपि समस्या पर है। इसमें चीनी कम्यूनिस्ट विचारकों के लेखों या भाषणों से जो उद्धरण दिये गए हैं, उन पर ध्यान देना लाभकारी होगा। चीनी विचारकों के अलावा अन्य देशों के भाषा-विज्ञानियों ने भी अक्टूबर, 1955 में होनेवाले भाषा-लिपि-सम्बन्धी सम्मेलन में भाग लिया था। इनमें रुमानिया के ग्रौर ने कहा था : "कुछ पाश्चात्य भाषाविज्ञानी समझते हैं कि कई चीनी भाषाएँ हैं क्योंकि

चीनी बोलियों में आपसी भेद काफी बड़ा है और यहाँ तक है कि इन बोलियों का व्यवहार करनेवाले एक दूसरे की बात समझ नहीं पाते। यह भ्रान्त धारणा राजनीतिक दृष्टि से बहुत खतरनाक है। जो भी यह कहता है कि अनेक भाषाएँ हैं, वह सिद्धान्त रूप से मानता है कि अनेक जातियाँ हैं। यह प्रतिपादित करना कि अनेक चीनी भाषाएँ हैं, चीन को अनेक राज्यों में विभाजित करने के लिए दलील पेश करना है।" ग्रौर ने यहाँ गैर-चीनी जातियों की बात नहीं कही। चीन बहुजातीय राष्ट्र है और उसमें यदि एक से अधिक भाषाएँ बोली जाती हैं तो इससे यह निष्कर्ष नहीं निकलता कि चीन का विभाजन होना चाहिए। किन्तु मानक चीनी भाषा और अन्य चीनी बोलियों में क्या सम्बन्ध है, यह विचारणीय है। 'भाषा और समाज' में मैंने चीनी बोलियों के आपसी भेद की चर्चा की थी। उसकी पुष्टि ग्रौर के इस कथन से होती है कि ये बोलियाँ एक-दूसरे से इतना भिन्न हैं कि परस्पर समझ में नहीं आतीं। हिन्दी प्रदेश की बोलियों की स्थिति इससे बिलकुल भिन्न है। इसका अर्थ है, भाषा के स्तर पर हिन्दी जाति, चीनी जाति की अपेक्षा, कहीं अधिक सुगठित है।

उक्त निबन्ध में आगे 'पीपुल्स डेली' अखबार से वाङ्ली के लेख से यह उद्धरण दिया गया है : "चीनी जनता की भाषा चीनी है। जैसाकि सभी लोग जानते हैं, सामान्य भाषा जाति का एक लक्षण है। अत: चीनी जाति की सामान्य भाषा चीनी जाति का एक मूल लक्षण है। पूँजीवादी भाषा-विज्ञानियों को एक ओर यह तो मानना ही पड़ता है कि जो लोग चीनी भाषा का व्यवहार करते हैं, उनकी संख्या संसार में सर्वप्रथम है; दूसरी ओर वे यह कहकर हमारी जाति पर कीचड़ उछालते हैं कि 'चीनी भाषा' का मतलब एक ऐसा भाषा-परिवार है जिसमें एक दूसरे की समझ में न आनेवाली विविध प्रकार की भाषाएँ शामिल हैं। उनका यह न मानना कि हमारी एक सामान्य भाषा है, इस बात को न मानना है कि हमारी एक सामान्य जाति है। स्पष्ट ही यह बेसिर-पैर की बात है। दरअसल हमारे पास एक लिखित भाषा है जो सामान्य भाषा के रूप में कई हजार साल से प्रयुक्त होती रही है और जो चीनी जनता की अटूट एकता का प्रमाण है। इसके अलावा 55 करोड़ जनसंख्या वाली चीनी जैसी जाति के लिए स्वाभाविक है कि उसके यहाँ ढेरों बोलियाँ हैं और इनमें परस्पर बड़ा भेद है, ये तथ्य हैं। किन्तु यदि चीनी बोलियों की परस्पर तुलना की जाए तो ज्ञात होगा कि इनका व्याकरण मूलत: एक है, शब्द-भंडार में बड़ा भेद नहीं है, ध्वनितंत्र में प्रतिरूपों की समानता के नियम हैं। चूँकि शब्द-भंडार में बड़ा भेद नहीं है और ध्वनि-प्रतिरूपता के नियम हैं, इसलिए अवश्य ही यह कहना मुमकिन नहीं है कि यहाँ बहुत प्रकार की परस्पर समझ में न आनेवाली भाषाएँ हैं। इस अटल तथ्य को स्वीकार करते हुए कि चीनी जनता की एक सामान्य भाषा है, हमें फिर भी यह कहना होगा कि चीनी जनता की सामान्य भाषा अभी परिपक्वता की आखिरी मंजिल तक—पूर्णत: एकीकृत मानक भाषा की मंजिल तक—नहीं

पहुँची। हमें अब भी एकीकृत लिखित भाषा के आधार पर बोलचाल की एकीकृत भाषा 'प्रतिष्ठित' करनी होगी।

इसमें सन्देह नहीं कि चीनी जाति है और उसकी एक सामान्य भाषा है और इस सामान्य भाषा की उपभाषाएँ या बोलियाँ हैं। किन्तु अभी तक चीनी जाति की निर्माण-प्रक्रिया का मार्क्सवादी विवरण कहीं देखने को नहीं मिला। प्रश्न यह है कि सामन्ती व्यवस्था में लघुजातियों वाले वे जनपद कौन से हैं जिनके एकीकरण से चीनी जाति का गठन हुआ है? चीनी लिपि का व्यवहार कई हजार साल से होता आया है और इसका मतलब ही यह है कि इस लिपि का व्यवहार सामन्तकाल में हो रहा था, जब चीनी जाति का गठन सम्भव नहीं था। लिपि के आधार पर जातीय भाषा की एकता की बात कहना कुछ-कुछ वैसे ही है, जैसे कोई लैटिन लिपि के व्यवहार के आधार पर यूरोप की भाषाओं का भेद मिटाकर उन्हें एक ही भाषा माने। संसार में भाषाएँ बहुत हैं, उनकी तुलना में लिपियाँ बहुत कम हैं। कारण यह है कि भाषा सबसे पहले मौखिक स्तर पर बोली और सुनी जाती है। लिखित भाषा का व्यवहार सामाजिक विकास-क्रम में बहुत बाद को होता है। मौखिक भाषाओं के विकास और प्रसार के हजारों केन्द्र रहे हैं; लिपियों के विकास और प्रसार के केन्द्र बहुत ही कम रहे हैं। इसलिए लिपि को जातीयता का आधार नहीं माना जा सकता। यह बात अवश्य है कि चीनी लिपि भारत और यूरोप की लिपियों से भिन्न है; बहुत कुछ चित्र-लिपि होने के कारण। चीन में रहनेवाली विभिन्न जातियाँ उसे देखकर, अपनी-अपनी भाषा के अनुसार, अलग-अलग तरह से उसे पढ़ सकती हैं। एक ही लिखित रूप के मौखिक रूपान्तर अनेक होते हैं। जिस समय चीनी सैनिक कोरिया में अमरीकियों से लड़ रहे थे, उस समय कोरिया और चीन के अनेक सैनिक लिखकर एक-दूसरे की बात समझ लेते थे किन्तु मौखिक रूप से एक दूसरे की बात समझना उनके लिए सम्भव नहीं था। यदि चीन और कोरिया की लिपि सामान्य हो तो उससे यह सिद्ध न होगा कि कोरियाई और चीनी भाषाएँ वास्तव में एक ही भाषा हैं।

चीनी जाति और चीनी भाषा के सन्दर्भ में हान जाति की चर्चा की जाती है। यह स्पष्ट नहीं है कि यह हान जाति सामन्त काल में गठित हुई थी या पूँजीवादी युग में। कहा जाता है कि चीन में एक तो हान जाति के बहुसंख्यक लोग रहते है, दूसरे गैर-हान लोग हैं जो अल्पसंख्यक हैं। इस 'हान' शब्द का प्रयोग कुछ इस तरह किया जाता है, जैसे स्लाव, द्रविड़ या आर्य शब्दों का प्रयोग किया जाता है। स्लाव भाषाएँ एक-दूसरे से मिलती-जुलती हैं, इंडो-यूरोपियन परिवार की एक ही शाखा में उत्पन्न बताई जाती हैं। ज़ारशाही रूस में, रूसी भाषा को केन्द्र बनाकर, अन्य सभी स्लाव भाषाएँ बोलनेवाली जातियों के विलयन का प्रयत्न किया गया था जो असफल हुआ। हिटलर ने गैर-जर्मनों को ही जर्मन जाति के अधीन नहीं

किया; वरन् आस्ट्रिया के लोगों को भी अपने अधीन किया जिनकी भाषा जर्मन ही थी। नॉर्वे, स्वीडन, डेनमार्क, हॉलैंड आदि में जो भाषाएँ बोली जाती हैं, वे सब इंडो-यूरोपियन परिवार की एक ही जर्मन शाखा से उत्पन्न बताई जाती हैं। जर्मन एकीकरण का हिटलरी स्वप्न फलीभूत नहीं हुआ। ब्रिटिश साम्रज्यवाद के प्रोत्साहन से भारत में द्रविड़ों को भारत से अलग करने के लिए राजनीतिक प्रयत्न किये गए। एक आदि द्रविड़ भाषा से सभी द्रविड़ भाषाओं की उत्पत्ति हुई है, इसलिए द्रविड़ लोगों को अपना राष्ट्र अलग बनाना चाहिए। इसके लिए अब तक निरन्तर प्रयत्न होते जा रहे हैं। किन्तु द्रविड़ भाषाओं की परस्पर समानता से यह सिद्ध नहीं होता कि तेलगू, तमिल, कन्नड़ आदि भाषाओं और जातियों का भिन्न अस्तित्व नहीं है। इसी तरह बंगला, मराठी, हिन्दी आदि भाषाएँ इंडो-यूरोपियन परिवार की एक ही मूल आर्य भाषा से उत्पन्न बताई जाती हैं पर संस्कृत को राष्ट्रभाषा बनानेवाले भी यह नहीं कहते कि बंगला और मराठी एक ही भाषा हैं। इसलिए आर्य, द्रविड़, स्लाव, जर्मन आदि भाषा-समुदायों में से किसी को एक ही जाति की भाषा कहना संसार के अत्यन्त प्रतिक्रियावादियों का काम रहा है। अत: यह स्पष्ट करना आवश्यक होगा कि 'हान' शब्द का प्रयोग आर्य, द्रविड़, स्लाव, आदि की तरह किसी भाषा-समुदाय के लिए होता है या पूँजीवादी सम्बन्धों के विकास के साथ नवगठित किसी आधुनिक जाति के लिए।

जिस सम्मेलन में चीनी लिपि और मानक भाषा के बारे में विचार-विनिमय हुआ था, उसमें पोलैंड के विद्वान वितोल्द यावलोन्स्की ने अपने देश में स्थानीय टोलियों के बारे में जो कुछ कहा, वह भी ध्यान देने योग्य है। उपर्युक्त लेख में उनका यह कथन उद्धृत किया गया है : "इस सम्मेलन में सभी ने इस बात पर विचार प्रकट किये हैं कि इस समय बोलियों का दर्जा क्या है किन्तु उनके भविष्य के बारे में अपेक्षाकृत कम कहा गया है। कुछ देशों में, जैसेकि पोलैंड में स्थानीय बोलियों का दरजा जातीय संस्कृति में अपेक्षाकृत ऊँचा है। इससे जातीय एकता की कोई क्षति नहीं होती। सभी लोग लोकसंस्कृति का आदर करते हैं। यही नहीं, ऐसी बोलियाँ भी हैं जिनका अपना स्वतंत्र साहित्य है। जो लोग इस तरह की साहित्यिक गतिविधि में भाग लेते हैं, वे बोली के थोड़े-से स्थानीय लेखक मात्र नहीं हैं। इनके अलावा अनेक पेशेवर साहित्यकार भी हैं जो बड़े नगरों में रहते हैं। यह अवश्य है कि यह स्थिति एक अपेक्षाकृत छोटे देश की है जिसकी आबादी केवल ढाई करोड़ है। किन्तु जिस बात पर जोर देना है, वह यह है कि जो बोलियाँ पोलैंड की साहित्यिक भाषा से बहुत फासले पर हैं, उन सबका अपना फलता-फूलता साहित्य है।" पोलैंड की स्थिति से हिन्दी प्रदेश की स्थिति मिलती-जुलती है। यहाँ लोग लोकसंस्कृति का आदर करते हैं। आकाशवाणी द्वारा विभिन्न जनपदीय उपभाषाओं में लोकगीत प्रसारित किये जाते हैं, कवि-सम्मेलनों में परिनिष्ठित हिन्दी की रचनाओं के साथ-साथ ये लोकगीत भी

सुने जाते हैं। यदि विभिन्न विश्वविद्यालयों में लोक-संस्कृति के अध्ययन के लिए स्वतंत्र विभाग खोल दिये जायँ, प्रत्येक जनपद में स्थित विश्वविद्यालय लोक-संस्कृति सम्बन्धी सामग्री संकलित करे, तो इससे न केवल जनपदीय संस्कृति का समुचित उपयोग होगा वरन् हमारी अन्तरजनपदीय जातीय संस्कृति भी समृद्ध होगी, हिन्दी भाषा के विकास में सहायता मिलेगी। जो भाषाविज्ञानी ब्रज, अवधी आदि पुरानी जनपदीय भाषाओं के साहित्य को हिन्दी से अलग करते हैं, वे जातीय विकास की प्रक्रिया के प्रति अपना अज्ञान प्रकट करते हैं। वे इस तरह न अपनी भाषा के साहित्य का इतिहास लिख सकते हैं, न यूरोप की जातियों के साहित्य का ऐतिहासिक विवरण प्रस्तुत कर सकते हैं। जिन लघुजातियों के मिलने से जाति का निर्माण होता है, उनकी भाषाओं में रचा हुआ पुराना या नया साहित्य उस जाति का साहित्य तो माना ही जाएगा। फिर यदि ब्रजभाषा लिखनेवाले आधे से ज्यादा ब्रज के बाहर के हों, तो उनके रचे हुए साहित्य को केवल ब्रज जनपद का साहित्य कैसे कहा जा सकता है? हिन्दी प्रदेश में जो साहित्य रचा गया है, वह चाहे ब्रजभाषा में हो, चाहे अवधी में, चाहे खड़ी बोली हिन्दी में, यह ऐतिहासिक तथ्य है कि उसका प्रसार किसी एक जनपद तक सीमित नहीं रहा। हिन्दी-द्वेषी भाषाविज्ञानी इस प्रयत्न में हैं कि हिन्दी की सारी साहित्यिक विरासत से हिन्दी जनता को वंचित कर दिया जाए, फिर हिन्दी भाषा के क्षेत्र को स्वतंत्र जनपदों में बाँटकर उसके जातीय अस्तित्व को छिन्न-भिन्न कर दिया जाए। इस तरह जब हिन्दी एकता नष्ट हो जाएगी, तब इन विद्वानों की अपनी भाषाओं की बहुसंख्यक श्रेष्ठता सिद्ध हो जाएगी, और सबसे महत्त्वपूर्ण बात यह कि तब भारत में हिन्दी नहीं, अंग्रेज़ी राष्ट्रभाषा बनी रहेगी।

## [6]

सामाजिक सन्दर्भ में भाषा-सम्बन्धी सभी तरह की समस्याओं का अध्ययन करना आवश्यक है। इस अध्ययन में मूल सूत्र है सामाजिक गठन का स्वरूप। जब हम किसी भाषा या भाषा-परिवार के इतिहास का अध्ययन करते हैं, तब सबसे पहले इस बात पर ध्यान देना चाहिए कि कोई भी विवेच्य भाषा किसी गण-समाज, लघुजाति अथवा महाजाति की भाषा होगी। जब हम इस बात पर विचार करें कि आदि इंडो-यूरोपियन भाषा से स्लाव, जर्मन आदि अनेक शाखाएँ फूटीं, तब प्रश्न यह करना चाहिए कि उस आदि भाषा के बोलनेवाले एक ही गण-समाज में संगठित थे या भिन्न गण-समाजों में संगठित होकर भिन्न भाषाएँ बोलते थे? गण-समाज के गठन, उसके सुदीर्घ जीवन, गण-समाजों में परस्पर विनिमय, गण संघों के निर्माण आदि पर ध्यान दिये बिना आदि इंडो-यूरोपियन भाषा और उससे फूटनेवाली शाखाओं का विवरण काल्पनिक विवेचन मात्र सिद्ध होगा। इसी तरह वर्तमान काल में आधुनिक

जातियों की भाषाओं के उद्भव और विकास को समझने के लिए इस बात पर ध्यान देना होगा कि आधुनिक जाति का निर्माण किन तत्त्वों से हुआ है? जाति के गठन-काल में इन पुराने तत्त्वों की स्थिति में क्या परिवर्तन होता है? तभी हम भाषा और बोलियों आदि से सम्बन्धित समस्याओं को सही सामाजिक परिप्रेक्ष्य में देख सकेंगे। बहुजातीय राष्ट्र का गठन उसी प्रक्रिया की एक कड़ी है जिसमें लघुमानव समाज, अपने विकास-क्रम में, निरन्तर वृहत्तर समुदायों में गठित होते रहते हैं। 'भाषा और समाज' में मैंने प्रयत्न किया है कि गण-समाजों के युग से लेकर वर्तमान काल तक निरन्तर चली आनेवाली इस प्रक्रिया का अध्ययन करूँ। भारत में इस तरह के अध्ययन के लिए जितनी सामग्री सुलभ है, उतनी अन्यत्र कम है। भारत में भी वैदिक काल के गण-समाज, बौद्धकालीन महाजन पद, सूरदास-तुलसीदास के समय के जनपद और प्रेमचन्द-निराला के समय की हिन्दी-भाषी जाति—ये सब मिलकर ऐतिहासिक विकास की ऐसी अविच्छिन्न शृंखला प्रस्तुत करते हैं, जैसी अन्यत्र सुलभ नहीं है। 'भाषा और समाज' इस अविच्छिन्न ऐतिहासिक प्रक्रिया के सन्दर्भ में भाषा-समस्या को समझने का प्रयास है।

इस पुस्तक को लिखने के बाद अपने विवेचन की दिशा और मूल निष्कर्षों के बारे में मैं निरन्तर सोचता रहा हूँ। पन्द्रह साल बाद दूसरे संस्करण के लिए पुस्तक दोहराते समय मुझे यह आवश्यक नहीं जान पड़ा कि विवेचन-पद्धति और मूल निष्कर्षों में कहीं व्यापक परिवर्तन करना आवश्यक है। कुछ अध्यायों को मैंने संक्षिप्त कर दिया है, जहाँ-तहाँ कुछ और साधारण परिवर्तन किये हैं। एक लेख परिशिष्ट रूप में जोड़ दिया है। पिछले पाँच-छह साल से मैं विशेष रूप से ऐतिहासिक भाषाविज्ञान के क्षेत्र में अनुसंधान करता रहा हूँ। उस सिलसिले में भारत को केन्द्र बनाकर मैंने काफी तथ्य-सामग्री एकत्र की है। इसके विश्लेषण से जो निष्कर्ष निकलते हैं, उनसे 'भाषा और समाज' की मान्यताएँ पुष्ट होती हैं। उस विवेचन-पद्धति पर चलते हुए जो नई बातें दिखाई देती हैं, वे इस प्रकार हैं :

अत्यन्त प्राचीन काल से भारत भाषा-तत्त्वों का केवल आयात-केन्द्र नहीं रहा, निर्यात-केन्द्र भी रहा है। यूरोप और एशिया के किसी भी भाषा-परिवार का इतिहास अखिल भारतीय भाषाई स्थिति की उपेक्षा करके नहीं प्रस्तुत किया जा सकता। भारत का यह भाषागत सम्बन्ध एक ओर मध्य एशिया, यूरोप तथा पश्चिमी एशिया के भाषा-समुदायों से है, दूसरी ओर यह सम्बन्ध दक्षिण-पूर्वी एशिया की भूमि पर, और प्रशान्त महासागर के द्वीप समूहों में बोली जानेवाली भाषाओं से है। यह सम्बन्ध किसी एक भारतीय भाषा-परिवार से नहीं है। भारत के विभिन्न भाषा-परिवार अपने उद्भव और निर्माणकाल से परस्पर सम्बद्ध रहे हैं और एक दूसरे के विकास को प्रभावित करते रहे हैं। यह सम्बद्धता इतनी गहरी और इतनी पुरानी है कि कभी-कभी यह कहना असम्भव है कि कोई भाषा-तत्त्व किस परिवार का है। यह सम्बद्धता

ध्वनितंत्र, शब्द-भंडार, वाक्यतंत्र—भाषा के सभी स्तरों पर दिखाई देती है। जिन परिवारों के नाम ज्ञात हैं, उनके अलावा भी अनेक भाषा-परिवार अपने अवशेषों से पहचाने जा सकते हैं। इन परिवारों का निर्माण विविध गण-समाजों के भाषा-तत्त्वों से हुआ है, इनके विश्लेषण से भाषा-परिवारों की वे सीमा-रेखाएँ मिट जाती हैं जिन्हें ऐतिहासिक भाषा-विज्ञानियों ने निश्चित किया है। किसी भाषा-परिवार का निर्माण एकान्त शून्य में हुआ है या उसके निर्माण-काल में ही उसका सम्पर्क अन्य भाषा-परिवारों से हुआ था, इस समस्या के विवेचन के लिए भारत में जितनी सामग्री उपलब्ध है—प्राचीन भाषाओं के रूप में ही नहीं, वर्तमान काल की भाषाओं के रूप में भी—उतनी अन्यत्र एशिया और यूरोप के किसी भूमि-खंड में नहीं है। दुर्भाग्य से जो लोग आर्य भाषा-परिवार के विशेषज्ञ हैं और आर्येतर भाषा-परिवारों पर भी अनुसंधान करते रहे हैं, उन्होंने भारत को केन्द्र में रखकर, भाषा-परिवारों के उद्‌भव काल में उनकी परस्पर सम्बद्धता पर विचार नहीं किया।

वैसे तो भारत के सभी भाषा-परिवार न्यूनाधिक परिमाण में एक-दूसरे से सम्बद्ध हैं पर आर्य-द्रविड़ भाषा-परिवारों की सम्बद्धता इस सारे प्रपंच की धुरी है। 1973 में इलाहाबाद की हिन्दुस्तानी एकेडमी में आर्य-द्रविड़ भाषा-परिवारों के सम्बन्धों पर मैंने एक निबन्ध पढ़ा था। उसमें मैंने इस बात के प्रमाण दिये थे भारतीय आर्य-द्रविड़-परिवारों ने यूरोप की भाषाओं को प्रभावित किया था। उस निबन्ध में मैंने यह वादा किया था कि इस विषय पर विस्तार से कुछ समय बाद मैं और सामग्री प्रस्तुत करूँगा। मेरा वह कार्य पूरा हो गया है और मुझे आशा है कि निकट भविष्य में अपने अनुसंधान के निष्कर्ष और आवश्यक तथ्य-सामग्री 'भारत के प्राचीन भाषा-परिवार और इंडो-यूरोपियन' पुस्तक के रूप में पाठकों को दे सकूँगा। यहाँ उसका उल्लेख केवल इसलिए किया है, कि यह कार्य 'भाषा और समाज' में प्रतिपादित 'धारणाओं' और विषय-विवेचन की अगली कड़ी है। उन लोगों के लिए अपने कार्य की यह अग्रसूचना भी है जो 'भाषा और समाज' पढ़कर अपने परामर्श से अथवा विचार-विमर्श से मुझे कृतार्थ करते रहे हैं।

किसी भी विषय में दृढ़ता से जमी हुई पुरानी मान्यताओं को बदलना आसान नहीं होता। यह बात भाषाविज्ञान पर और भी अधिक लागू होती है। भाषा का विश्लेषण कैसे किया जाए, इस प्रश्न को लेकर अनेक सम्प्रदाय हैं और उनमें खूब वाद-विवाद होता है। पर ऐतिहासिक भाषाविज्ञान की मूल स्थापनाओं के लेकर कोई मतभेद नहीं है। यूरोप की भाषाओं का सम्बन्ध, अधिक-से-अधिक, संस्कृत से है। उनका किसी प्रकार का सम्बन्ध द्रविड़, कोल या किसी अन्य भारतीय भाषा-परिवार से है, किसी ने शायद इसकी कल्पना नहीं की। इसके सिवा इंडो-यूरोपियन परिवार की भाषाओं का तुलनात्मक अध्ययन करके मूल भाषा के तत्त्व निश्चित करने की जो पद्धति अपनाई गई है, वह नितान्त दोषपूर्ण और अवैज्ञानिक है, इस बात की

ओर भी भाषा-विज्ञानियों का ध्यान नहीं गया। चाहे ध्वनितंत्र हो, चाहे शब्द-भंडार, चाहे वाक्य-तंत्र, विभिन्न भाषा-तत्त्व एक सुदीर्घ विकास का परिणाम हैं और इस विकास में प्राचीन गण-समाज परस्पर, निरन्तर, भाषा-तत्त्वों का आदान-प्रदान करते रहे हैं यह धारणा ऐतिहासिक भाषा-विज्ञानियों के चिन्तन से काफी दूर है। ऐसी स्थिति में 'भाषा और समाज' को लेकर विद्वानों में जो भी चर्चा हुई—और उससे अधिक जो अव्यक्त चिन्तन हुआ—उससे मुझे सन्तोष है। विश्वास है कि इस दिशा में और नई सामग्री के प्रकाशन के बाद उन लोगों को सोच-विचार के लिए नया आधार प्राप्त होगा जो भाषाविज्ञान की वर्तमान स्थिति से सन्तुष्ट न होकर स्वतंत्र मार्ग का अनुसरण करना चाहते हैं, और इससे भी महत्त्वपूर्ण बात यह कि भारतीय भाषा-परिवारों के इतिहास के सहारे इस भारत देश को समझना चाहते हैं और उसकी भाषा-सम्बन्धी तथा अन्य समस्याओं को सुलझाकर उसे शक्तिशाली समृद्ध राष्ट्र के रूप में विकसित करना चाहते हैं। भारत के वर्तमान सामाजिक सन्दर्भ में भाषा-वैज्ञानिक कार्य एक राजनीतिक कर्तव्य की पूर्ति भी है।

**—रामविलास शर्मा**

आगरा
4-7-76

पहला अध्याय

# भाषा की उत्पत्ति

प्राणि-जगत् में मनुष्य ही ऐसा प्राणी है जो भाषा का व्यवहार करता है। इसका कारण क्या है?

अध्यात्मवादी विचारक मानते हैं कि भाषा ईश्वरकृत है। मनुष्य में यह क्षमता नहीं थी कि वह भाषा रचता। धर्म-विशेष के अनुयायी अपनी भाषा को देववाणी कहते रहे हैं। यह देववाणी ही क्रमशः मानव-भाषा बनी। कुछ यहूदी और ईसाई विचारकों का मत रहा है कि जिस भाषा में मानव जाति के आदि पिता-माता आदम और हौवा बातें करते थे, उसी से संसार की समस्त भाषाएँ उत्पन्न हुई हैं। भाषा-वैज्ञानिकों में ईश्वरकृत मूल भाषा की स्थापना का खंडन-मंडन अब अनावश्यक समझा जाता है। जैसे भौतिक विज्ञान में इस स्थापना का खंडन अनावश्यक हो गया है कि मेघों से इन्द्र पानी बरसाता है, वैसे ही भाषाविज्ञान के क्षेत्र में उपर्युक्त स्थापना का खंडन भी अनावश्यक है। साथ ही जैसे भौतिक विज्ञान भी जब-तब अध्यात्मवाद से प्रभावित दिखाई देता है, वैसे ही भाषाविज्ञान पर भी अध्यात्मवाद का प्रभाव देखा जा सकता है। अध्यात्मवाद अब आत्मा की ही बात करे, यह आवश्यक नहीं है; हेगल की तरह वह बुद्धि और विचार की बात करता है। यह संसार क्या है? विचार का ही मूर्त रूप है। पदार्थ क्या है? चिन्तन का ही घनीभूत रूप है। इसी तरह भाषा की रचना क्यों हुई? इसलिए हुई कि मनुष्य में बुद्धि है, मनुष्य चिन्तनशील प्राणी है।

इस तरह का मत भाषा-विज्ञानियों में ही नहीं, शरीर-विज्ञानियों में भी प्रचलित है। वी.ई. नीगस इंग्लैंड के एक प्रसिद्ध शरीर-वैज्ञानिक हैं। उन्होंने घोषयंत्र (लैरिंक्स) के विकास पर एक बहुत ही महत्त्वपूर्ण पुस्तक लिखी है।[1] पशुओं द्वारा ध्वनि-संकेतों के प्रयोग की चर्चा करते हुए उन्होंने लिखा है : "बहुत-से पशु ऐसी ध्वनियाँ करते हैं जिनसे भाषा का विशद शब्द-भंडार बन सके, लेकिन उनमें बुद्धि नहीं है कि वे इस क्षमता से लाभ उठाएँ, जैसेकि मनुष्य उठाता है।" (पृ. 127) इस धारणा के अनुसार मनुष्य की बुद्धि उसके विकास का परिणाम नहीं है, वरन् उसका विकास उसकी बुद्धि का परिणाम है। भाषा के प्रयोग द्वारा उसने बुद्धि अर्जित और परिष्कृत

1. वी.ई. नीगस, 'द कम्पैरेटिव अनाटोमी एंड फिज़ियोलॉजी ऑफ़ द लैरिंक्स', लन्दन, 1949

नहीं की, वरन् अपनी बौद्धिक योग्यता के कारण वह भाषा की रचना कर सका। इस तरह की स्थापना भौतिकवादी विचारधारा के अनुकूल न होकर अध्यात्मवादी या भाववादी विचारधारा के ही अधिक अनुकूल मानी जाएगी।

विकास-सिद्धान्त के अनुसार मनुष्य अपने आदिम बर्बर जीवन में पशु के समान ही था। भाषा की उत्पत्ति क्यों हुई, मनुष्य ही भाषा की रचना क्यों कर सका, यह जानने के लिए देखना चाहिए कि पशु-जगत् में ध्वनि-संकेतों का व्यवहार होता है या नहीं, और होता है तो किसलिए।

घर के आँगन में बिल्ली आ जाए तो चिड़ियाँ जोर से चहचहाने लगती हैं। इससे और सब चिड़ियों को मालूम हो जाता है कि खतरा है और उन्हें आत्मरक्षा के लिए सावधान हो जाना चाहिए। सबेरे आनन्द से चिड़ियाँ चहचहाती हैं; उससे कोई यह नहीं समझता कि कहीं खतरा है, खतरे वाली चहचहाहट दूसरे ढंग की होती है। इससे दो नतीजे निकले कि पक्षी भिन्न परिस्थितियों में भिन्न प्रकार की ध्वनि करते हैं और इस भिन्न ध्वनि के संकेत को वे समझ लेते हैं। साथ ही इस ध्वनि-संकेत का एक कारण आत्मरक्षा है जो प्राणिमात्र का धर्म है। आहार-प्राप्ति के लिए अनेक पशु भयानक शब्द करके अपने शिकार को बेबस कर देते हैं। सिंह अपनी दहाड़ से जंगल को कँपा देता है। ध्वनि-संकेतों से काम लेने का दूसरा कारण आहार-प्राप्ति की आवश्यकता हुई। आहार-प्राप्ति के लिए पशु आक्रमण करते हैं; आत्मरक्षा या क्रीड़ा के लिए भी वे आक्रमण करते हैं। आक्रमण के समय अन्य साथी पशुओं को उत्साहित करने या विरोधी को त्रस्त करने के लिए वे शब्द करते हैं। मैथुन के लिए सहयोगी का आह्वान करने, उसे रिझाने, सन्तान उत्पन्न करने और उसकी रक्षा करने के लिए विभिन्न पशु-पक्षी ध्वनि-संकेतों से काम लेते हैं। टिड्डे अपने पंख रगड़कर ध्वनि-संकेत करते हैं। सरीसृप भी काम-व्यापार के समय तरह-तरह की ध्वनियाँ करते हैं। दादुर और पपीहे की ध्वनियों से सभी साहित्यिक परिचित हैं। पशुओं की कामचेतना ध्वनि-संकेतों से काम लेने के लिए उन्हें विवश करती है। सहयोगी प्राप्त होने पर उसे अपने साथ रखने, प्रतिद्वन्द्वी को ललकारने और भगाने, सन्तान को आहार तक ले जाने, संतान द्वारा आहार माँगने के लिए ध्वनि-संकेतों का प्रयोग होता है।

यह आपत्ति की जा जकती है कि पशु ध्वनि तो करते हैं, लेकिन ध्वनि-संकेतों से काम नहीं लेते। यह आपत्ति निराधार है। पशु-पक्षी भिन्न परिस्थितियों में भिन्न प्रकार की ध्वनि करते हैं; ध्वनि की इस भिन्नता को वे पहचानते हैं, इसीलिए ध्वनि-विशेष के अनुसार उनकी क्रिया भी भिन्न होती है। ध्वनि-संकेतों से काम लेने का एक प्रमुख कारण किसी जाति के पशु-समुदाय में जीवों द्वारा परस्पर सम्पर्क कायम रखने की आवश्यकता है। अनेक जातियों के पशु-समूह की रक्षा के लिए अपने में से किसी एक को संतरी का काम सौंप देते हैं। खतरा दिखने पर संतरी ध्वनि-संकेत करता है और समूह के सभी पशु आत्मरक्षा के लिए तैयार हो जाते हैं।

प्रसिद्ध शिकारी जिम कॉर्बेट ने तो पशुओं के ध्वनि-संकेतों को भाषा का नाम दिया है। उनके अनुसार प्रत्येक जाति के पशुओं की अपनी भाषा होती है; इस भाषा को अन्य जातियों के पशु भी समझ लेते हैं और जंगल में रहकर मनुष्य भी पशुओं की ध्वनि के सहारे उनकी गतिविधि का पता लगा लेता है।[1]

पशुओं का समूह सदा अव्यवस्थित समूह नहीं होता। उस समूह को हम समाज नहीं कह सकते, किन्तु व्यवस्थित समूह को यूथ अवश्य कह सकते हैं। पशुओं में यूथपति होते हैं जो आत्मरक्षा, आक्रमण, आहार-प्राप्ति आदि के समय शेष पशुओं का नेतृत्व करते हैं। मौसम बदलने पर पक्षियों का दल एक स्थान से दूसरे स्थान जाता है, कभी-कभी मनुष्य को चकित कर देनेवाली सैकड़ों-हजारों मील की यात्रा करता है। साइबेरिया के हिमाच्छादित प्रदेशों से उड़ता हुआ बंगाल के मैदानों तक आ पहुँचता है। उस समय अपना यूथगत सम्पर्क बनाए रखने के लिए वह ध्वनि-संकेतों से काम लेता है। एक स्थान में रहनेवाले पक्षी जब रात्रि में एक-दूसरे को देख नहीं पाते, तो ध्वनि करके अपना सम्पर्क कायम रखते हैं। यहाँ यह बात स्पष्ट कर देनी चाहिए कि सभी पशु-पक्षी ध्वनि-संकेतों से काम नहीं लेते। नीगस ने इस तथ्य की ओर ध्यान आकर्षित किया है कि वृक्षों में रहनेवाले पशु-पक्षी मैदान या पानी में रहनेवाले जीवों की अपेक्षा अधिक शब्द करते हैं। जिन जातियों के पशु सुस्त होते हैं या सीमित स्थान में रहते हैं, वे भी ध्वनि-संकेतों से काम नहीं लेते। वृक्षों पर रहनेवाले जीव पत्तों के कारण एक-दूसरे को देख नहीं पाते। पानी, मैदान या सीमित स्थान में रहनेवाले जीव एक-दूसरे के सहज सम्पर्क में रहते हैं, इसलिए उन्हें ध्वनि-संकेतों की उतनी आवश्यकता नहीं होती। खरगोश अपना सीमित स्थान छोड़कर दूर नहीं जाता, इसलिए चुप रहता है। मैदान में रहनेवाले हिरन से वृक्षवासी वानर अधिक मुखर होते हैं। घास, झाड़ियों आदि में रहनेवाले जीव भी अधिक शब्द करते हैं। इससे परिणाम यह निकला कि किन जातियों के पशु ध्वनि-संकेतों से काम लेते हैं और किन जातियों के नहीं, यह बहुत कुछ उनके परिवेश पर निर्भर है। आहार, आत्मरक्षा, मैथुन आदि की आवश्यकताएँ सभी जीवों के लिए समान हैं, फिर भी ध्वनि-संकेतों के प्रयोग में काफी भिन्नता है। इसका कारण परिवेश की भिन्नता है। नीगस ने लिखा है कि जीवों की गतिशीलता और उनके सक्रिय जीवन से ध्वनि-संकेतों का गहरा सम्बन्ध है। ओरांग और गोरिल्ला कम गतिशील होते हैं; उनकी तुलना में चंचल चिम्पांजी अधिक मुखर होता है। यह बात आंशिक रूप में सत्य है। गिद्ध और चील, कोयल और पपीहे से कम गतिशील नहीं होते, फिर भी उनकी तुलना में कम शब्द करते हैं। इसका कारण परिवेश और शारीरिक गठन की भिन्नता है। कोयल और पपीहे आकाशचारी से अधिक वृक्षवासी हैं। अनेक जीवों की क्रीड़ा-वृत्ति, अपने ही स्वर पर मुग्ध होने की प्रवृत्ति भी, उनकी मुखरता में सहायक होती है।

---

1. मैन ईटिंग लेपर्ड ऑफ़ रुद्रप्रयाग, पृ. 115

आत्मरक्षा, आहार-प्राप्ति, मैथुन, संतान-रक्षा, यूथ सम्पर्क आदि की आवश्यकताएँ मनुष्य के लिए वैसे ही रही हैं, जैसे पशुओं के लिए। ध्वनि-संकेतों से काम लेने के आदि कारण मनुष्य के लिए वही हैं जो पशु के लिए। समृद्ध भाषा की रचना हो जाने के बाद भी मनुष्य अनेक ध्वनि-संकेतों से काम लेता है जिन्हें सदा भाषा के अन्तर्गत स्वीकार नहीं किया जा सकता। सड़क पर किसी सुन्दरी को जाते देखकर मनचले युवक सीटी बजाते हैं। उनकी यह क्रिया किसी देश या युग तक सीमित नहीं है। सीटी बजाना एक सनातन और अन्तरराष्ट्रीय ध्वनि-संकेत है। बम्बई में किसी को बुलाने के लिए लोग 'सी' की आवाज करते हैं। यह एक तरह की अस्पष्ट ध्वनि है। संकेत सुननेवाले इधर-उधर देखकर जानने का प्रयत्न करते हैं : कोई उन्हें तो नहीं बुला रहा? गाँव के लोग किसी को बुलाते हुए ए, हो, ओ, आदि शब्द करते हैं। ये शब्द भाषा के सार्थक शब्द न होकर सार्थक ध्वनि-संकेत मात्र हैं। अंग्रेज़ों का 'हलो' शब्द इसी प्रकार की ध्वनि है जो भारत में अंग्रेज़ी पढ़े-लिखों का आम सम्बोधन संकेत है। टेलीफोन करनेवाले इस 'हलो' के बिना किसी से बातचीत ही नहीं कर पाते। रणक्षेत्र में सैनिक एक-दूसरे को उत्साहित करने के लिए अनेक सार्थक और निरर्थक शब्द करते हैं। इस ध्वनि-क्रिया का उद्देश्य वही होता है जो आक्रमण के समय पशु-यूथ का होता है। जुलूस में चलते हुए लोग कभी-कभी ऐसे नारे लगाते हैं जिनका अर्थ वे खुद नहीं समझते। 'मैला आंचल' के लेखक को साक्षी मानें तो लोग इन्कलाब को 'किलकिलाब' और जिन्दाबाद को 'जिन्दाबाघ' भी कह सकते हैं। लेकिन इससे उनके उत्साह में कमी नहीं होती। 'किलकिलाब—जिन्दाबाघ' निरर्थक शब्दावली होकर भी यूथ प्रेरणा के लिए समुचित ध्वनि-संकेत का काम करता है। ऊपर हमने पक्षियों के चहचहाने से खतरे या आनन्द के बोध की बात की थी। चहचहाहट के स्वर-व्यंजन एक ही होंगे, लेकिन उदात्त-अनुदात्त भेद से उनकी व्यंजना भिन्न हो जाती है। भय से मनुष्य की घिग्घी बँध जाती है, तो उसके स्वर से उसकी परिस्थिति को समझने में कठिनाई नहीं होती। क्रोध, भय, घृणा, प्रीति आदि के भाव, शब्दों के अलावा केवल स्वर की विशेषता से पहचाने जा सकते हैं। मनुष्य और पशु में इस प्रकार की स्वर-भिन्नता द्वारा भाव-व्यंजना की यह प्रणाली सामान्य है।

पशुओं के ध्वनि-संकेतों में जो भेद दिखाई देता है, उसका कारण स्वर का उतार-चढ़ाव ही नहीं है। जैसे वे नृत्य में किन्हीं विशेष क्रियाओं से कुछ निश्चित संकेत करते हैं, वैसे ही वे कुछ निश्चित ध्वनि-संकेतों से भी काम लेते हैं। अमरीकी मनोविज्ञान शास्त्री रॉबर्ट एम. यर्क्स ने चिम्पांजी की ध्वनि-व्यंजनाओं का अध्ययन किया है।[1] उनकी सहयोगिनी ब्लांश डब्ल्यू. लर्नेड ने लिखा है कि उनका चिम्पांजी आहार के सन्दर्भ में 'गाक' जैसी ध्वनि करता था। उनके शब्दों में "चिम्पांजी भाषा में

1. रॉबर्ट एम. यर्क्स और ब्लांश डब्ल्यू लर्नेड, 'चिम्पांजी इंटेलिजेंस एंड इट्स वोकल एक्सप्रेशंस', बाल्टिमोर, 1925

'गाक' आहार के लिए मूल शब्द मालूम होता है।" 'भाषा' शब्द यहाँ आलंकारिक रूप में लेना चाहिए। मुख्य बात यह कि चिम्पांजी किसी विशेष परिस्थिति में एक ही शब्द करता था। उस परिस्थिति से वह ध्वनि-संकेत सम्बद्ध हो गया था। भाषा की उत्पत्ति का यही सूत्र है। निरर्थक ध्वनि किसी परिस्थिति से सम्बद्ध होकर सार्थक ध्वनि-संकेत बन जाती है, उसी को हम 'शब्द' कहते हैं।

'गाक' ध्वनि में कोई ऐसा तत्त्व नहीं है जो चिम्पांजी के आहार की विशेषताओं को प्रकट करता हो। 'गाक' में भोजन को चबाने, गटकने या जुगाली करने की किसी ध्वनि विशेष का अनुकरण भी नहीं किया जाता। 'गाक' ध्वनि ही भोजन के सन्दर्भ में क्यों प्रयुक्त हो, इसका कोई कारण नहीं। भोजन से उसकी सम्बद्धता आकस्मिक है। हो सकता है कि 'गाक' ध्वनि करने से चिम्पांजी को कुछ विशेष शारीरिक आनन्द प्राप्त होता हो, इसलिए उसने उसे आहार में सम्बद्ध कर दिया हो : फिर भी इस सम्बद्धता का कारण बौद्धिक नहीं है, यह स्पष्ट है।

भाषाविज्ञानी ब्लूमफील्ड का यह मत सही है कि पशु किसी परिस्थिति की प्रतिक्रिया रूप में ध्वनि करते हैं और इसीसे भाषा की उत्पत्ति हुई है।[1] नृतत्त्वशास्त्री मेलविल जेकब्स और बी.जे. स्टर्न ने वनमानुषों के बारे में लिखा है कि वे अनेक भाववाचक ध्वनियों या साधारण ध्वनि-संकेतों से काम लेते हैं। आरम्भ में ये ध्वनियाँ स्वत-प्रेरित होती हैं। क्रमश: जीवन-यापन में इनकी उपयोगिता से लाभ उठाकर मनुष्य अधिक सुस्पष्ट और निश्चित संकेतवाली ध्वनियों से काम लेता है।[2] भाषा-रचना मानव-व्यवहार के साधारण नियमों का अपवाद नहीं है; वह उन साधारण नियमों को पुष्ट करती है। साधारण नियम यह है कि जैसा मनुष्य का जीवन होता है, वैसे ही उसके विचार होते हैं। उसका जीवन कैसा है, यह इस पर निर्भर है कि वह जीवन-यापन के लिए आवश्यक सामग्री कैसे संग्रह करता है। जैसे समाज के पुराने ढाँचे में उत्पादन और वितरण के नये तरीके स्वत:स्फूर्त ढंग से पैदा होते हैं और इन नये तरीकों के अनुरूप नये सामाजिक सम्बन्ध मनुष्य की योजना के अनुसार नहीं, वरन् उसकी इच्छा से स्वतंत्र, सामाजिक विकास के नियमों के अनुसार, कायम होते हैं, वैसे ही मनुष्य बुद्धि से, सोचकर, योजना के अनुसार भाषा नहीं रचता वरन् उसकी जीवन-यापन की आवश्यकताओं के अनुसार वह स्वत:स्फूर्त ढंग से निर्मित होती है। मनुष्य पशुओं से इस बात में भिन्न है कि वह श्रम के लिए औजार बनाता है। अपने इन औजारों के कारण वह श्रम के नये तरीके अपनाता है और इस प्रकार पशु-यूथ से भिन्न मानव-समाज में संगठित होता है। श्रम के नये तरीके, पशुओं से भिन्न, अधिक सुस्पष्ट और निश्चित ध्वनि-संकेतों से काम लेने के लिए उसे बाध्य करते हैं। सोवियत संघ में शरीर-विज्ञान की एक महत्त्वपूर्ण पाठ्य-पुस्तक प्रकाशित हुई है।

1. लियोनार्ड ब्लूमफील्ड, 'लैंग्वेज़', 1955, पृ. 40
2. मेलविल जेकब्स और बी.जे. स्टर्न, 'जेनरल एंथ्रोपोलॉजी', न्यूयॉर्क 1952, पृ. 17

इसमें कई लेखकों ने भाषा की उत्पत्ति की चर्चा की है। वी. देलोव ने लिखा है : "एक विशिष्ट मानवीय क्रिया के रूप में भाषा मनुष्य की सूक्ष्म चिन्तन-क्षमता के साथ ही उत्पन्न होती है।"[1] यदि हम यह मानें कि मनुष्य ने श्रम के लिए अस्त्र बनाना अपनी सूक्ष्म चिन्तन-क्षमता के कारण शुरू किया, तो यह भाषा-सम्बन्धी स्थापना सही होगी।

भाषा के बारे में एक भ्रान्ति यह है कि वह केवल विचार प्रकट करती है। यह धारणा उतनी ही भ्रान्त है जितनी यह कि कलात्मक साहित्य केवल विचारधारा को व्यंजित करने का साधन है। विचार का आधार क्या है? मनुष्य का इन्द्रिय-बोध, यह मूर्त भौतिक संसार जिसे मनुष्य अपनी इन्द्रियों से पहचानता है। जब तक मनुष्य संसार के मूर्त पदार्थों, क्रियाओं को नाम नहीं देता, तब तक उसे विचार क्रिया के लिए आधारभूत सामग्री ही प्राप्त नहीं होती। तुलसीदास के शब्दों में : 'देखिअहिं रूप नाम आधीना। रूप ग्यान नहिं नाम बिहीना॥' रूप नाम के अधीन होता है, नाम के बिना रूप का 'ज्ञान' नहीं होता। यह रूप का ज्ञान सूक्ष्म चिन्तन नहीं है, वरन् वह गोचर-आधार है जिससे सूक्ष्म चिन्तन सम्भव होता है।

शरीरविज्ञान की उपरोक्त पाठ्य-पुस्तक में एक अन्य वैज्ञानिक कोनरादी ने लिखा है कि भाषा का व्यवहार सूक्ष्म चिन्तन-क्रिया का परिचायक है। कोई भी शब्द जिस पदार्थ की व्यंजना करता है, उससे उसका—अर्थात् शब्द और पदार्थ का—अभिन्न सम्बन्ध नहीं है। कोनरादी के अनुसार शब्द-संकेतों की रचना पदार्थ के स्थूल गुणों से अलग होने की सूक्ष्म प्रक्रिया है।

पशु-पक्षी जिन ध्वनि-संकेतों से काम लेते हैं, वे भी व्यंजित परिस्थिति या पदार्थ के गुणों से जुड़े हुए नहीं होते। ध्वनि-क्रिया वस्तु से सम्बद्ध मात्र होती है, उसके गुणों का प्रतिरूप नहीं होती। यदि कोई पक्षी आहार-प्राप्ति के लिए दूसरे पक्षियों को ध्वनि-संकेत करता है तो इसका यह अर्थ नहीं है कि आहार (या भूख) के गुण उस ध्वनि से प्रकट होते हैं। वस्तु के गुणों से ध्वनि-संकेत की भिन्नता मनुष्य से पहले पशुओं में ही देखी जाती है।

एक प्रश्न और है : क्या पशुओं में भी चिन्तन-क्षमता होती है? मनुष्य में यदि सूक्ष्म चिन्तन की योग्यता है, तो क्या यह योग्यता स्थूल चिन्तन के आधार पर विकसित नहीं हुई? क्या यह स्थूल चिन्तन मनुष्य और पशु में कभी समान रूप से विद्यमान नहीं रहा? जो लोग विचार-प्रक्रिया के बारे में भाववादी या अध्यात्मवादी दृष्टिकोण से सोचते हैं, विचार के मूर्त आधार को अस्वीकार करते हैं, वे कहेंगे कि स्थूल चिन्तन जैसी कोई चीज़ नहीं है, चिन्तन सूक्ष्म (अमूर्त) ही होता है और वह मनुष्य की ही विशेषता है। इस सम्बन्ध में प्रसिद्ध वैज्ञानिक पावलोव का मत विचारणीय है।

---

1. 'टेक्स्ट बुक ऑफ़ फिजियोलॉजी', के.एम. बायकोव द्वारा सम्पादित, मॉस्को, 1958

पावलोव से पहले पदार्थ और चेतना का द्वन्द्व वर्तमान था; प्रश्न यह किया जाता था कि इनमें कौन प्रधान है, कौन गौण है, अथवा पहले चेतना थी कि पदार्थ था? दर्शन के इस मूलभूत प्रश्न से ही भाषा की उत्पत्ति का प्रश्न भी जुड़ा हुआ है। यदि हम चेतना और पदार्थ में मौलिक भिन्नता स्वीकार करें, तो भाषा को मनुष्य की विशेष चेतना की देन ही मानेंगे। भले ही हम पदार्थ को प्रधान मानें और चेतना को गौण मानें, पदार्थ और चेतना के द्वन्द्व से हम बच नहीं सकते; और जहाँ इस द्वन्द्व को स्वीकार किया, वहीं भाषा की उत्पत्ति भी शुद्ध बुद्धि से स्वीकार करके रहेंगे। इस गुत्थी को पावलोव ने सुलझाया था। उनसे पहले भौतिकवादी विचारक यह तो मानते थे कि आदमी दिमाग से सोचता है और दिमाग एक भौतिक पदार्थ है—भारत के अनेक दार्शनिक भी मन को इन्द्रिय मानते थे, बुद्धि को कोई अगोचर सत्ता न कहते थे—किन्तु चिन्तन-क्रिया कैसे सम्पन्न होती है, इसकी व्याख्या उनके पास नहीं थी। पावलोव ने शुद्ध मानसिक क्रियाओं के अस्तित्व से ही इनकार किया; वे शरीर-विज्ञानी थे उन्होंने मनोविज्ञान को शरीर विज्ञान की कसौटी पर परखा और इस नतीजे पर पहुँचे कि जिन्हें हम शुद्ध मानसिक क्रियाएँ कहते हैं, वे मूलत: भौतिक क्रियाएँ हैं।

पशु और मनुष्य के पास स्नायुतंत्र है; ज्ञान और कर्म की प्रक्रिया इसी स्नायु-तंत्र से सम्भव होती है। बाह्य पदार्थ (और शरीर के भीतर के तत्त्व भी) ग्राहिकाओं (इन्द्रियों) पर आघात करते हैं। यह आघात स्नायुविक उत्तेजना बनकर स्नायु-तंतुओं द्वारा कर्मेन्द्रिय तक पहुँचता है और उस इन्द्रिय के कोशों (cells) की विशेष क्रिया में बदल जाता है। इस समस्त व्यापार का नाम है रिफ्लेक्स। पावलोव के अनुसार, यह स्नायुविक प्रतिक्रिया ही चेतना, ज्ञान और बुद्धि का मूलाधार है।

वैज्ञानिक कोएलर ने चिम्पांजी के व्यवहार का अध्ययन करके उसमें अभौतिक बुद्धि-तत्त्व की सत्ता मानी थी। पावलोव ने उसके 'बौद्धिक' कार्यों को भौतिक सिद्ध किया। मान लीजिए, आपने कमरे की छत से कुछ फल टाँग दिये। चिम्पांजी उन तक पहुँच नहीं पाता। वह कमरे में रखे हुए कुछ बक्स और छड़ी देखता है, लेकिन उन्हें इस्तेमाल करना नहीं जानता। वह प्रयत्न करता है और असफल रहता है। कोएलर के अनुसार, वह थककर बैठ जाता है और 'सोचता' है और कुछ समय बाद बक्सों को ठीक से एक के ऊपर एक रखकर फल उतार लेता है। पावलोव के अनुसार, चिम्पांजी का स्नायुतंत्र बक्सों, छड़ी आदि से अस्थायी सम्बन्ध कायम करता है। अपने वन्य जीवन में उसने बाह्य पदार्थों से कुछ स्थायी सम्बन्ध कायम किये थे; उनके आधार पर वह इन नये पदार्थों से काम लेने की कोशिश करता है। वह बक्सों को एक ढंग से रखता है और असफल होता है; तब फिर वह उस ढंग को छोड़ देता है और दूसरे के जरिये फल पाने की कोशिश करता है। पावलोव का कहना है कि बक्से उठाने-गिराने की जिस प्रक्रिया को मनोविज्ञान शास्त्री प्रयत्न और

असफलता (ट्रायल एंड एरर) कहते हैं, वही उसकी बुद्धि का निदर्शन है, उसकी बुद्धि का कर्ममय रूप है। अपनी इन्द्रियों द्वारा उसने बाह्य पदार्थों से पहले जो सम्बन्ध कायम किये थे और फल पाने के इस प्रयत्न काल में जो सम्बन्ध कायम करता है, उन्हीं के आधार पर वह सही नतीजे पर पहुँचता है। जब हम पदार्थों से सही सम्बन्ध कायम करते हैं, तो उसे बुद्धि की संज्ञा देते हैं। जब ये सम्बन्ध गलत होते हैं, तो वही भ्रान्ति या बुद्धि का अभाव माना जाता है। पावलोव पूछते हैं, चिम्पांजी की यह 'बौद्धिक' क्रिया बच्चे के विकास से किस तरह भिन्न है? यह बुद्धि प्राथमिक स्तर की है। हमारी बुद्धि से वह इस बात में कम है कि चिम्पांजी को अपने जीवन में उतने पदार्थों से सम्बन्ध कायम करने का अवसर नहीं मिला, जितना हमें। चिम्पांजी अन्य पशुओं की अपेक्षा मनुष्य के निकट क्यों है, इस प्रश्न का उत्तर देते हुए पावलोव ने कहा है कि चिम्पांजी के हाथ हैं इसलिए वह अन्य पशुओं की अपेक्षा अपने परिवेश से अधिक पेचीदा सम्बन्ध कायम करता है। वह अन्य पशुओं की अपेक्षा पदार्थों से अधिक सम्बन्ध कायम करता है, इसलिए वह अन्य पशुओं से अधिक 'बुद्धिमान' भी होता है। मनुष्य अन्य सभी पशुओं की तुलना में अपने हाथों से अधिक काम लेता है। वह बुद्धिमान था, इसलिए हाथों से काम नहीं लेने लगा, बल्कि हाथों से काम लेने के कारण अधिक बुद्धिमान हुआ है। "मनुष्य जो कुछ सीखता है, वह अस्थायी सम्बन्धों के निर्माण से सीखता है; चिन्तन, विचार या ज्ञान इसी का नाम है।"[1]

बाह्य पदार्थ पशुओं की इन्द्रियों पर जो आघात करते हैं, पशु उसका विश्लेषण और संश्लेषण (अथवा विघटन और संगठन) करते हैं। यह प्राथमिक मूर्त चिन्तन है।[2] यह मूर्त चिन्तन और मनुष्य में सामान्य है। इस मूर्त चिन्तन के बिना भाषा की रचना असम्भव है। पावलोव भाषा को द्वितीय संकेत-प्रक्रिया कहते थे। प्रथम संकेत-प्रक्रिया वह है जिसमें पदार्थ हमारी इन्द्रियों द्वारा स्नायुतंत्र से सम्बन्ध कायम करते हैं। दूसरे शब्दों में पहले हम अपनी इन्द्रियों द्वारा गोचर संसार के सम्पर्क में आते हैं, फिर इस गोचर संसार को—जिसमें हम स्वयं भी शामिल हैं—ध्वनि-संकेतों से अभिहित करते हैं। पावलोव-सिद्धान्त से यह निष्कर्ष निकला कि चिन्तन की आधारभूत मूर्त प्रक्रिया पशु और मनुष्य, दोनों में है। भाषा इस मूर्त परिचय को व्यक्त करने का साधन है। सूक्ष्म चिन्तन बाद की मंजिल है। भाषा की उत्पत्ति प्राथमिक मूर्त चिन्तन से होती है, न कि उच्चतर सूक्ष्म चिन्तन से।

पावलोव से भाषा की उत्पत्ति के बारे में हम एक बात और सीखते हैं। जैसे हमारा स्नायुतंत्र बाह्य पदार्थों से स्थायी-अस्थायी सम्बन्ध कायम करता है, वैसे ही हम इन पदार्थों से कुछ ध्वनियों का सम्बन्ध भी कायम करते हैं। कुत्ते को यदि

1. 'नेलेक्टेड वर्क्स ऑफ़ पावलोव', पृ. 581
2. उपरोक्त, पृ. 274

मांस का टुकड़ा दिखाया जाए, तो उसके मुँह में पानी आ जाएगा। मांस उत्तेजक पदार्थ हुआ; मुँह में पानी आना कुत्ते की सहज प्रतिक्रिया हुई। यदि उसे मांस देते समय घंटी बजाई जाए तो उसका स्नायुतंत्र मांस और घंटी की आवाज में सम्बन्ध कायम कर लेगा। मांस के अभाव में घंटी की आवाज से ही उसे लगेगा कि मांस आनेवाला है और उसके मुँह में पानी आ जाएगा। घंटी की आवाज मांस के समान कुत्ते के लिए सहज उत्तेजक वस्तु नहीं है। उसे उत्तेजक बनाया गया है। उसे बाधित उत्तेजक कहा जाएगा। भाषा इसी प्रकार का एक बाधित उत्तेजक है।

मदारी बन्दर और भालू को नचाते हुए कुछ शब्द कहता है जिसका 'अर्थ' वे समझते हैं। यह अर्थ क्या है? अर्थ यह है कि उस ध्वनि के साथ बन्दर या भालू कोई क्रिया विशेष सम्पन्न करेगा तो उसे इनाम मिलेगा, वर्ना उसकी पिटाई होगी। इसी प्रकार लोग कुत्तों को बहुत-से शब्द सिखा देते हैं, जिसका अर्थ है कि कुछ ध्वनियों से कुत्तों के स्नायुतंत्र ने कुछ कार्यों का सम्बन्ध जोड़ लिया है। इधर आ, बैठ, खड़ा हो, आदि आज्ञाएँ मिलने पर शिक्षित कुत्ता उन्हीं के अनुरूप काम करता है। जैसे चिम्पांजी के लिए 'गाक' ध्वनि आहार से सम्बद्ध हो गई थी, वैसे ही मनुष्य ने अनेक पदार्थों और कार्यों से कुछ ध्वनियों को हठात् सम्बद्ध किया। यही ध्वनि-संकेत भाषा की मूल पूँजी बनते हैं और उनके आधार पर परिस्थितियों के अनुसार नई शब्दावली गढ़ी जाती है।

शब्द और अर्थ का मूर्त सम्बन्ध यह है कि शब्द द्वारा हमें किसी पदार्थ या कर्म का बोध होता है जिससे वह ध्वनि-संकेत सम्बद्ध हो गया है। शब्द स्वयं वह पदार्थ नहीं है; वह किसी की ओर संकेत भर करता है। इसलिए हम उसे बाधित उत्तेजक कहते हैं। जैसे 'माँ' शब्द कहने पर हमें अपनी जन्मदात्री का बोध होता है; अन्य लोगों को यही बोध 'ममी' कहने से होता है। माँ या ममी की ध्वनियों में कोई ऐसा गुण नहीं है जो जननी के गुणों का प्रतिबिम्ब हो। शब्द और अर्थ का सम्बन्ध ध्वनि और उससे सम्बद्ध किये हुए पदार्थ का ही सम्बन्ध है। यह सम्बन्ध अटूट और अविच्छेद्य नहीं है। एक भाषा से दूसरी भाषा में किसी रचना का अनुवाद करते समय संक्रमण की दशा में विचार की स्थिति कहाँ होती है? यदि शब्द और अर्थ निरपेक्ष रूप में अभिन्न हों, तो एक विचार को एक से अधिक भाषा में प्रकट ही न किया जा सके। अनुवाद करते समय दोनों भाषाओं की समान शब्दावली जिन वस्तुओं की ओर संकेत करती है, वे वस्तुएँ और उनसे हमारे स्नायुतंत्र का सम्बन्ध ही वह मूर्त आधार है जिसके कारण एक भाषा का सहारा छोड़ते हुए दूसरी भाषा की शब्दावली तक पहुँचने की अवधि में 'अर्थ' लुप्त नहीं हो जाता।

शब्द को हम बाधित उत्तेजक मानते हैं किन्तु वह हमारे लिए संकेत मात्र नहीं रह जाता। हमारे लिए सापेक्ष रूप से उसकी एक स्वतंत्र सत्ता कायम हो

जाती है। भाषा हमारी संस्कृति का अंग है। इसलिए भाषा के विभिन्न तत्त्व बाधित उत्तेजक मात्र न रहकर सहज उत्तेजक भी बन जाते हैं। हम अपनी भाषा के शब्दों को इसीलिए प्यार नहीं करते कि वे विभिन्न पदार्थों और व्यापारों की ओर संकेत करते हैं, वरन् इसलिए भी और मुख्यत: इसीलिए कि वे हमारे हैं, उनसे हमारा और हमारे पूर्वजों का सम्बन्ध रहा है; इसलिए हिन्दुस्तानी बच्चे जब माँ को ममी कहते हैं, तो हमें बुरा लगता है, यद्यपि संकेतित पदार्थ में कोई अन्तर नहीं आता।

भाषा की विशेषता यह है कि एक ओर वह महज और बाधित उत्तेजक है, दूसरी ओर वह सहज और बाधित प्रतिक्रिया भी है। विभिन्न परिस्थितियों में पशु-पक्षी कुछ स्वत:स्फूर्त ध्वनियाँ करते हैं। ये ध्वनियाँ स्वत:स्फूर्त होती हैं, इसलिए वे पशु-पक्षियों की सहज ध्वन्यात्मक प्रतिक्रिया हैं। मनुष्य जब दुख में 'हाय-हाय' करता है, तब यह शब्द उसकी ध्वन्यात्मक प्रतिक्रिया है, न कि दुख को प्रकट करने का ध्वनि-संकेत। भाषा के आदिकाल में इस तरह की प्रतिक्रिया वाली सहज ध्वनियाँ अधिक रही होंगी। किसी पशु को यह पता चल जाए कि विशेष परिस्थितियों में विशेष ध्वनि करने से उसका उद्देश्य सफल होगा, तो इस तरह की ध्वनि बाधित प्रतिक्रिया होगी, न कि सहज प्रतिक्रिया। उल्लू कभी-कभी बच्चों के रोने की नकल करता है और शिकारियों को—या घोंसले की ओर आनेवालों को—धोखा देता है। इस तरह की ध्वनि बाधित प्रतिक्रिया मानी जाएगी, क्योंकि उल्लू के लिए वह सहज और जन्मजात नहीं है। उसने उसे विशेष परिस्थितियों में सीखा है। मनुष्य ने भी विशेष परिस्थितियों में विशेष ध्वन्यात्मक प्रतिक्रियाएँ करना सीख लिया है। अंग्रेज़ अफसर की ध्वनियों से प्रभावित होकर हिन्दुस्तानी साहब बोलता था—हम खाना माँगटा है। अंग्रेज़ी राज की विशेष परिस्थितियों में हिन्दुस्तानी साहब की यह बाधित प्रतिक्रिया हुई।

विशेष कार्यों, कार्य-समूहों या वस्तुओं से कुछ निश्चित ध्वनियों के संसर्ग द्वारा भाषा का निर्माण होता है। यह क्रिया मूलत: वही है जिसमें स्नायुतंत्र बाह्य पदार्थों से स्थायी या अस्थायी सम्बन्ध बनाता है। बाह्य पदार्थों का यह प्रत्यक्ष इन्द्रिय-बोध प्रथम संकेत-पद्धति हुआ; इन्हीं पदार्थों से ध्वनियों का सम्बन्ध-स्थापन द्वितीय संकेत-पद्धति हुआ। दोनों ही पद्धतियों में मूलभूत एकता है। सम्बन्ध-स्थापना की प्रणाली दोनों में मूलत: एक है। ऐसा होना स्वाभाविक है, क्योंकि भाषा की उत्पत्ति इन्द्रियों की स्वत:स्फूर्त प्रतिक्रिया से होती है। जो इन्द्रियाँ किसी पदार्थ के रूपज्ञान का माध्यम हैं, वही उसके नामकरण का माध्यम भी हैं। जैसे रूपज्ञान में पदार्थ से स्थायी और अस्थायी सम्बन्ध कायम किये जाते हैं, वैसे ही नामकरण में भी कायम होते हैं, यद्यपि यह क्रिया अक्सर हमारी आँखों से ओझल रहती है और हमें लगता है कि ध्वनि और पदार्थ का सम्बन्ध

सदा से पूर्व निश्चित है। आजकल हिन्दी में पारिभाषिक शब्दों की रचना हो रही है। इन्द्रियों द्वारा गृहीत पदार्थ को हम अंग्रेज़ी के माध्यम से 'स्टिमुलस' संज्ञा द्वारा अभिहित करते हैं। इसके लिए एक हिन्दी शब्द है : उद्दीपक; अन्य शब्द है : उत्तेजक। यदि उत्तेजक शब्द का चलन हो जाए तो 'स्टिमुलस' द्वारा ज्ञापित पदार्थ से उसका सम्बन्ध अस्थायी से बदलकर स्थायी हो जाएगा और 'उद्दीपक' का सम्बन्ध अस्थायी ही रहकर खत्म हो जाएगा। हिन्दी में तीर्थ किसी धार्मिक स्थान को कहते हैं; दक्षिण का वाचक शब्द है; हिन्दी में वह नदी विशेष का सूचक भी है। मृग हरिण के लिए प्रयुक्त होता है; दक्षिण की कुछ भाषाओं में मृग का अर्थ है पशु। हिन्दी में शिक्षा का सम्बन्ध सीखने-सिखाने से है; मराठी में उसका सम्बन्ध ताड़ना से है। हिन्दी में अनर्गल शब्द निरर्थक शब्द-प्रवाह का सूचक है; तेलगू में उसकी व्यंजना है—धाराप्रवाह भाषण। इस तरह की सैकड़ों मिसालें एकत्र की जा सकती हैं जिनसे हम देखते हैं कि ध्वनि एक ही है किन्तु उसके द्वारा संकेतित पदार्थ भिन्न-भिन्न हैं। यह तभी सम्भव है जबकि एक स्थिति या काल में ध्वनि और पदार्थ का जो सम्बन्ध स्थायी लगता था, वही अन्य स्थिति और काल में अस्थायी हो जाए और उसका स्थान भिन्न पदार्थ वाला स्थायी सम्बन्ध ले ले। संसार के पदार्थ और क्रियाएँ ही जब परिवर्तनशील हैं, तब ध्वनियों से उनका सम्बन्ध ही कैसे अपरिवर्तनशील रह सकता है? मुख्य बात यह है कि भाषा-रचना का साधारण क्रम यह है कि मनुष्य अजाने, बिना सोचे-समझे, स्वत: प्रेरित ढंग से ध्वनि और पदार्थ का स्थायी-अस्थायी सम्बन्ध बनाता है।

मनुष्य ने भाषा की रचना अपनी विशेष बौद्धिक प्रतिभा के कारण नहीं की, इसका एक प्रमाण और है। बच्चे भाषा कैसे सीखते हैं? आरम्भ में वे निरर्थक ध्वनियाँ करते हैं, केवल ध्वनि करना सीखते हैं। अनेक अस्पष्ट ध्वनियों के बीच वे कुछ निश्चित और स्पष्ट ध्वनियाँ भी करते हैं। इन ध्वनियों से किन्हीं वस्तुओं, व्यक्तियों आदि का सम्बन्ध जोड़ना सीखते हैं। यह सम्बन्ध अस्थायी भी होता है। हमारे पड़ोस की एक लड़की को उसके माता-पिता 'बच्चा' कहकर पुकारते थे। लड़की 'बच्चा' को सम्बोधन मात्र के लिए उपयुक्त समझकर अपने माता-माता को भी बच्चा कहती थी। ठीक यही क्रिया 'तात' शब्द के साथ घटित हुई थी; पिता भी 'तात' है, पुत्र भी 'तात' है। 'तात' ध्वनि के पिता-पुत्र वाले दोनों सम्बन्ध स्थायी हो गए। पड़ोस की लड़की वाले उदाहरण में 'बच्चा' का सनातन सम्बन्ध ही कायम रहा; उस लड़की ने कुछ दिन बाद माता-पिता से उसके अस्थायी सम्बन्ध को भुला दिया। बच्चा स्वयं निरर्थक ध्वनियाँ करता है और इन निरर्थक ध्वनियों में कुछ को सार्थक भी बना लेता है; सुनी हुई और अपनी स्वत:स्फूर्त ध्वनियों से वह वस्तुओं का अस्थायी सम्बन्ध कायम करता है—भाषा के निर्माण की भी

यही प्रक्रिया है। जैसे गर्भ में शिशु मानव-विकास की सारी मंजिलें पार करता है, वैसे ही गर्भ से बाहर आने पर वही शिशु भाषा सीखने में भाषा-निर्माण-प्रक्रिया की सारी मंजिलें पार करता है। जैसे गर्भ में वह मानव-पूर्व मंजिलें बहुत जल्दी पार करता है और उसके शेष जीवन की तुलना में यह अवधि बहुत छोटी होती है, वैसे ही जन्म के बाद वह भाषा-निर्माण की प्राथमिक मंजिलें बहुत जल्दी पार करता है और उसके पूर्वज जो भाषा-निधि अर्जित कर चुके हैं, उससे पूर्ण लाभ उठाता है। प्राथमिक मंज़िलें पार करने का महत्त्व यह है कि भाषा-निर्माण की बुद्धि-निरपेक्ष क्रिया स्पष्ट हो जाती है। आरम्भ में मानव शिशु भाषा के मामले में अन्य पशु-शावकों से बहुत भिन्न नहीं होता।

देलोव ने इस सम्बन्ध में लिखा है कि पहले वर्ष के अन्त तक अव्यक्त और अस्पष्ट ध्वनियाँ शिशु की व्यक्त और स्पष्ट ध्वनियाँ (शब्द) बनने लगती हैं। पहले वर्ष के अन्त में बच्चा चार-पाँच शब्द बोलने लगता है; उसकी मुखर प्रतिक्रियाएँ बाधित उत्तेजक (अर्थात् ध्वनि-संकेत) का रूप लेती हैं। दूसरे वर्ष में उसका शब्द-भंडार संवर्द्धित होता है और उसमें दो सौ से चार सौ शब्द तक हो जाते हैं। साथ ही भाषा की व्याकरण-व्यवस्था भी निर्मित होने लगती है। "जीवन के दूसरे वर्ष में बच्चे में सूक्ष्म चिन्तन के प्रथम चिह्न दिखाई देते हैं।" ध्यान देने की बात है कि सूक्ष्म चिन्तन के प्रथम चिह्नों के प्रकट होने से पहले ही बच्चा भाषा के कुछ मूल उपादान एकत्र कर चुका है। भाषा सीखने की पहली मंजिल से सूक्ष्म चिन्तन का सम्बन्ध नहीं है। भाषा की उत्पत्ति पहले है, सूक्ष्म चिन्तन बाद को है।

शरीरविज्ञान की पाठ्य-पुस्तक में देलोव ने लिखा है कि भाषा मनुष्य में अन्तर्निहित (inherent) है। वास्तव में भाषा मनुष्य की जन्मजात प्रतिक्रिया नहीं है। भेड़ियों के बीच कोई मानव शिशु रहे, तो वह भेड़ियों के समान ही शब्द करने लगता है। पशु भाषा का निर्माण क्यों नहीं कर सके और मनुष्य क्यों कर सका इसका यह उत्तर नहीं है कि मनुष्य ने अपने सूक्ष्म चिन्तन के कारण भाषा रची अथवा भाषा उसमें अन्तर्निहित होती है। भाषा-रचना का कारण मानव का परिवेश, उसके जीवन की आवश्यकताएँ तथा उसका विशेष शारीरिक गठन है।

निम्न और उच्च श्रेणी के जीवों में एक मौलिक भेद जीव-कोशों से सम्बन्धित है। निम्न कोटि के जीवों में ग्राहिका-कोश (receptor cells) शरीर की समूची सतह पर बिखरे होते हैं; उच्च श्रेणी के जीवों में वे बिखरे न होकर निश्चित क्षेत्रों में केन्द्रित होने लगते हैं। उनके कार्यों में भेद उत्पन्न होता है; एक तरह से विभिन्न कोश-समुदायों में काम का बँटवारा हो जाता है और इसलिए निश्चित कार्यों वाले जीवकोश अपना काम विशेष योग्यता से करते हैं। स्नायुतंत्र और उसके ग्राहिका-कार्य प्राणी की गतिशीलता के अनुपात में भी विकसित होते हैं। पैरों से चलनेवाले पशुओं में शरीर का अग्र भाग विशेष महत्त्वपूर्ण हो जाता है। इस भाग पर बाह्य

परिवेश का अधिक प्रभाव पड़ता है और उसी को बाह्य जगत् के उत्तेजकों का सामना ज्यादा करना पड़ता है। प्राणी की सर्वाधिक महत्त्वपूर्ण ग्राहिकाएँ यहीं स्थित होती हैं। यहीं प्रकाश की लहरों, ध्वनि की लहरों, रासायनिक उत्तेजकों का प्रभाव ग्रहण करने में समर्थ विशिष्ट ग्राहिकाओं की रचना होती है। उच्च श्रेणी के पशु बाह्य परिवेश को विभिन्न खंडों में बारीकी से विघटित कर सकते हैं और इसलिए निम्न कोटि के पशुओं की तुलना में अपने परिवेश से ज्यादा अच्छी तरह परिचित हो सकते हैं।

स्तनपायी जीवों की श्रवणशक्ति सभी प्राणियों से अधिक विकसित होती है। निम्न पशुओं में आँख केवल प्रकाश और अन्धकार का भेद कर सकती है। उच्च पशुओं में वस्तुओं के आकार, दूरी, रंग, आदि का भेद पहचानने की क्षमता होती है। मनुष्य की त्वचा अन्य सभी जीवों की तुलना में अधिक सूक्ष्म प्रभाव ग्रहण कर सकती है। शीत और ऊष्मा की अनुभूति, स्पर्श-बोध, संवेदन—यह सब पशुओं को भी होता है लेकिन मनुष्य में इस तरह का बोध अधिक सूक्ष्म होता है। इन्द्रिय-बोध में—अर्थात् बाह्य परिवेश से परिचित होने में मानव सभी पशुओं से बढ़कर है। प्राकृतिक परिवेश का मुकाबला करने में निरस्त्र मानव अन्य पशुओं से कमजोर पड़ता है किन्तु अपने उच्चतर इन्द्रिय-बोध के कारण वह इस परिवेश से पूर्ण परिचित ही नहीं होता, वरन् उसे अनुकूल बनाने के लिए नये-नये उपाय भी ढूँढ़ निकालता है।

नीगस का मत है कि आदिमानव वनवासी और शाकाहारी था। मांसाहारी पशु भोजन को चबाते नहीं हैं इसलिए उनके मुख और कपोलों का विकास नहीं होता। मानव अन्य पशुओं की तुलना में शाकाहार के कारण अपने मुख और कपोलों को अधिक विकसित कर सका। इसलिए ध्वनियों में भेद करने में, ध्वनि-संकेतों को बदलने में वह अन्य पशुओं से अधिक समर्थ हुआ। मुख-विवर के संकोचन और प्रसार से मनुष्य गाने और बोलने में सहायता लेता है। अन्य स्तनपायी जीव गंधगुण वाली पृथ्वी का सहारा नहीं छोड़ पाते। अच्छा-बुरा भोजन पहचानने, शत्रु के आक्रमण की जानकारी आदि के लिए वे घ्राण पर अधिक निर्भर रहते हैं। वृक्षों पर चढ़नेवाला आदिमानव अपनी दृष्टि को अधिक विकसित कर सका। दो पैरों के बल सीधे खड़े होने और चलने से अन्य स्तनपायी जीवों की अपेक्षा मनुष्य अपने सिर को भूमि से दूर रख सका। उसकी गंधनिर्भरता कम हुई। महाघ्राणी (macrosmatic) जीवों का वृहत् कंठपिधान (epiglottis) दीर्घ कोमल तालु से जुड़ा रहता है। यह कंठपिधान खूब विकसित होता है और उसका मूल कर्म होता है गंधबोध में सहायता देना। मनुष्य की गंध-निर्भरता कम होने पर उसके लिए यह आवश्यक नहीं रहता कि कंठपिधान कोमल तालु से संपृक्त रहे। दोनों के बीच अन्तर उत्पन्न हो जाता है। ध्वनि-संकेतों के विकास और उपयोग में कंठपिधान

और कोमल तालु के इस अलगाव का निर्णायक महत्त्व है। यह विशेषता मनुष्य के निकटवर्ती उच्च श्रेणी के बनमानुसों में ही मिलती है। इस अलगाव के कारण मनुष्य स्वर, और व्यंजनों के रूप में सुस्पष्ट और सुनिश्चित ध्वनियाँ निकालने में समर्थ हुआ। वृक्षों में रहने के कारण मनुष्य को अन्य पशुओं के समान ही ध्वनि-संकेतों के व्यवहार की भी आवश्यकता पड़ी। इसमें वह अन्य पशुओं से अधिक सक्षम सिद्ध हुआ।

मनुष्य के निकटवर्ती बनमानुसों के जबड़े आगे को बढ़े हुए होते हैं, माथा पीछे को दबा हुआ होता है। इसके विपरीत मनुष्य का माथा आगे को बढ़ा हुआ और जबड़े पीछे को हटे हुए होते हैं। बदलते हुए परिवेश से प्राणी का सम्पर्क सिर से ही होता है। दिमाग के सबसे पेचीदा भाग सिर के सबसे अगले हिस्से में विकसित हुए। निम्न श्रेणी के जीवों से भिन्न उच्च श्रेणी के पशुओं में मस्तिष्क और इन्द्रियों के बीच दीर्घ सूचना-सूत्र होते हैं। परिवेश में कोई तब्दीली हुई, इन्द्रियों ने सन्देश भेजा, मस्तिष्क से उसका उत्तर कर्मेन्द्रिय को भेजा गया। यह सूचना-कार्य स्नायुतंत्र द्वारा होता है। पशु के स्नायुतंत्र में जितनी ही अधिक संख्या में स्नायुकोश (neurons) होते हैं, उतनी ही अधिक उसमें यह क्षमता होती है कि वह बाह्य उत्तेजक पदार्थों के प्रति अपने उत्तर में हेरफेर कर सके।[1] साधारण स्नायुतंत्र वाले पशु परिवेश में होनेवाली किसी भी हरकत का जवाब एक-सा और नपा-तुला देंगे; ऊँची श्रेणी के स्नायुतंत्र वाले पशुओं की प्रतिक्रिया में काफी तब्दीली होती है। मनुष्य का स्नायुतंत्र सबसे अधिक विकसित होता है, इसलिए इस तरह की प्रतिक्रिया में सबसे ज्यादा तब्दीली भी उसी के लिए सम्भव है। इसीलिए परिवेश की जानकारी और उसे अनुकूल बनाने में वह अधिक सक्षम होता है। उसके 'ज्ञान' का यह भौतिक स्नायुविक आधार है।

मानव-मस्तिष्क में देखने, सुनने, बोलने, हाथ-पैर चलाने के विशेष केन्द्र होते हैं। निम्न श्रेणी के जीवों में यह स्थान-सीमन (localization)—निश्चित स्थान में विशिष्ट कार्यवाही का संचालन केन्द्र—नहीं होता।[2] स्तनपायी जीवों के मस्तिष्क में स्थान-सीमन होता है। यहाँ भी शाकाहारी प्रकृति मस्तिष्क-विकास में सहायक होती है। सोवियत वैज्ञानिकों के अनुसार आक्रामक पशुओं की अपेक्षा बानरों में स्थान-सीमन अधिक होता है। शब्दों के उच्चारण के लिए हम अपने शरीर के अवयवों का इच्छानुसार संचालन करते हैं। इस संचालन-सामर्थ का सम्बन्ध मानव-मस्तिष्क के उच्चस्तरीय स्थान-सीमन से है। कभी-कभी सिर में चोट लगने से मनुष्य की बोलने और भाषा का व्यवहार करने की क्षमता नष्ट हो जाती है। कभी मनुष्य ज़बान और ओठ तो हिला सकता है, लेकिन अपने घोषयंत्र का संचालन नहीं कर पाता।

---

1. रैनसन और क्लार्क, 'द ॲनाटॉमी ऑफ़ द नर्वस सिस्टम, सौंडर्स एंड कम्पनी, 1957
2. टेक्स्ट बुक ऑफ़ फिज़ियोलॉजी, पृ. 656

कभी वह दूसरों के कहे हुए शब्द तो सुनता है, पर उनका अर्थ नहीं समझ पाता। कभी वह दूसरों की लिखी हुई बातें देख तो लेता है, लेकिन उन्हें समझ नहीं पाता। इसका कारण मस्तिष्क के उन केन्द्रस्थलों का विनाश है जहाँ से प्रत्येक स्थिति की कार्यवाही संचालित होती थी।

स्थान-सीमन की समस्या का विशेष अध्ययन पेनफील्ड और उनके सहयोगियों ने किया है।[1] वागवरोध (aphasia) के सिलसिले में उन्होंने लिखा है कि ओठ, जीभ और वाणी का नियमन स्नायुकोशों के जन्मजात साँचे के अनुसार होता है। बच्चा पैदा होने पर जैसे ही साँस लेता है, उसका पहला काम होता है रोना। ओठ, जीभ आदि की सहायता से वह दूध खींचता है। वयस्क मानव-मस्तिष्क के कुछ भागों पर विद्युत् के हल्के आघात से ओठ, जीभ और मुख-विवर की यह क्रिया उत्पन्न की जा सकती है। सिर के दोनों ओर जो इन्द्रिय संचालन स्थल (sensory motor zones) हैं, उन पर विद्युत्-आघात से मनुष्य का बोलना बन्द किया जा सकता है। 1934 में वैज्ञानिक फ्रीडमैन ने कुत्ते पर प्रयोग करके दिखलाया था कि मस्तिष्क के संचालन-वलय (motor gyrus) को प्रेरित करने से कुत्ते के मुँह से भूँकने की आवाज़ निकाली जा सकती है। 1935 में पेनफील्ड सचेत अवस्था के एक रोगी के पूर्व केन्द्रीय वलय (percentral gyrus) को प्रेरित करके उससे आवाज़ उत्पन्न करा सके। 1936 से 1947 तक पेनफील्ड और उनके सहयोगियों ने मस्तिष्क के 206 ऑपरेशन किये। इनमें 51 केसों में वे आवाज़ उत्पन्न कराने में सफल हुए। इन 51 केसों में तीन-चौथाई केस ऐसे थे जिनमें आवाज़ पूर्व केन्द्रीय वलय को प्रेरित करने से उत्पन्न हुई थी और चौथाई में पश्चकेन्द्रीय वलय (postcentral gyrus) को प्रेरित करने से उत्पन्न हुई थीं। इससे सिद्ध हुआ कि मस्तिष्क में भाषण के केन्द्र स्थल का निश्चित पता चल सकता है। उस पर दूसरा आदमी अपना नियंत्रण कायम कर सकता है; वह उससे कुछ ध्वनियाँ भी उत्पन्न करा सकता है। यह स्पष्ट है कि मानव-मस्तिष्क में भाषण-क्षमता का भौतिक आधार है, जिसे प्रेरित या नष्ट किया जा सकता है। पेनफिल्ड के उपर्युक्त 51 केसों में एक बात और दिलचस्प है आधे केस ऐसे थे जिनमें ध्वनि-क्रिया ओठों के स्वत: हिलने से सम्बद्ध थी। एक-चौथाई ऐसे थे जिनमें ध्वनि-क्रिया मुँह, जीभ, दाढ़, आदि के संचालन या उनमें किसी प्रकार के संवेदन से सम्बद्ध थी। शेष एक-चौथाई केसों में ध्वनि-क्रिया के साथ अवयवों की अन्य कोई ऐसी हरकत नहीं हुई जिसे देखा जा सकता। सबसे अधिक केस वही थे जिनमें ओठ हिले थे। शायद ओठ हिलाना आदि-मानव के लिए ज़बान हिलाने से आसान था। माताएँ मम्-मम्, बब्-बब्, पप्-पप् जैसी ध्वनियाँ करके बच्चों को सरल कृपि वर्णों का उच्चारण सिखाती हैं। सम्भवत: मस्तिष्क में

1. डब्ल्यू पेनफील्ड और थियोडोर रासमुसेन, 'द सेरेब्रल कॉटक्स ऑफ़ मैन', मैकमिलन, 1955

भाषण-केन्द्रस्थल की न्यूनतम प्रेरणा से ओठ हिल सकते हैं; ज़बान लौटाने में अधिक प्रयास आवश्यक होता है। संसार की प्राय: सभी भाषाओं में प, ब, म वर्णों का सर्वाधिक प्रसार है।

शरीर के जिन अवयवों से हम ध्वनि करते हैं, उनकी हरकत इस बात पर निर्भर है कि मस्तिष्क में ऐसे केन्द्रस्थल हैं या नहीं जो उनका संचालन कर सकें। कुत्ता काफी समझदार जानवर होता है। वह अपने स्वामी की बहुत-सी आज्ञाएँ समझ लेता है और उनके अनुसार कार्य भी करता है। लेकिन कितना भी प्रयत्न करे, वह मानव-कृत ध्वनियों का अनुकरण नहीं कर सकता। इसके विपरीत तोते को देखिए। तोता-रटन्त मशहूर है। बिना समझे बात को दोहराना उसकी विशेषता है। कुत्ते की 'बुद्धि' मानव-ध्वनियों का अनुकरण करने में उसकी सहायता नहीं करती; उस बुद्धि के अभाव में तोता उन्हीं ध्वनियों का अनुकरण कर लेता है। इससे भाषा-रचना में मस्तिष्क के उन संचालन-केन्द्रों का महत्त्व सिद्ध हुआ जिनसे शरीर के अवयव ध्वनि उत्पन्न करते हैं। इससे यह भी सिद्ध हुआ कि परिवेश और प्राणी की आवश्यकताओं पर ही सब कुछ निर्भर नहीं है। भाषा-रचना के लिए अपेक्षित शारीरिक विकास भी होना चाहिए। किसान अपने पशुओं के लिए कहते हैं, बेचारों के बोल-बाचा नहीं है। इसका अर्थ यह है कि पशु बोल तो नहीं पाते, लेकिन मनुष्य की बहुत-सी बातें समझ लेते हैं। प्रेमचन्द ने 'दो बैलों की कथा' में किसानों के इसी अनुभव को कलात्मक रूप दिया है। संचालन केन्द्रों के अविकसित होने से अधिकांश पशु मानव-ध्वनियों का अनुकरण नहीं कर पाते।

मनुष्य का घोषयंत्र अन्य सभी पशुओं से अधिक विकसित है। नीगस ने घोषयंत्र के विकास पर जो ग्रंथ लिखा है, उसमें उन्होंने भाषा-रचना के लिए मानवीय घोषयंत्र की निर्णायक भूमिका नहीं मानी। उनके अनुसार बिल्ली में भी यदि बुद्धि होती, तो वह अपनी सीमित ध्वनियों से भाषा गढ़ सकती थी। किन्तु नीगस के दिये हुए तथ्यों से यह स्पष्ट हो जाता है कि मनुष्य का मस्तिष्क जैसे अन्य सभी पशुओं से अधिक विकसित है, वैसे ही उसका घोषयंत्र भी अन्य सभी प्राणियों से अधिक विकसित है। उसके पास ध्वनियों की वह विभिन्नता और बहुलता है जिससे वह आवश्यकतानुसार संकेतों का काम ले सकता है। गर्भस्थ मानव-शिशु विकास मार्ग की जो विभिन्न मंज़िलें पार करता है, उनसे पता चलता है कि उसके विकास में घोषयंत्र की भूमिका कितनी महत्त्वपूर्ण रही है। आरम्भ में उसका घोषयंत्र साधारण कोटि का होता है—जैसे आस्ट्रेलिया के फुफ्फुस मत्स्य (लंगफिश) का। इस मछली के घोषयंत्र में पेशियों को सम्बद्ध करने के लिए कास्थि-तंत्र (cartilaginous framework) नहीं होता। कंठद्वार (glottis) के प्रान्तों (margins) में दृढ़ शलाकाएँ (rigid bars) नहीं होतीं। उसमें

वे तंतु (fibers) नहीं होते जिनसे घोषयंत्र खुल सके। इस कारण ध्वनि के लिए उसका उपयोग नहीं हो सकता। इसके बाद तंतुओं, पेशियों को सम्बद्ध करने के लिए पार्श्व कास्थियों आदि का विकास होता है। साँप, छिपकली और बहुत-से पक्षी केवल सीत्कार कर सकते हैं। इनके क्लोमस्थल (pulmonary tract) पर एक कपाट (valve) होता है या घोषयंत्र में दीर्घ कास्थि-प्रान्त होते हैं। संकुचित छिद्र में वायु का प्रवेश या निष्कासन सीत्कार उत्पन्न करता है। सरीसृपों की अरीटेनायड कास्थियाँ (arytenoid cartilages) लम्बी होती हैं, विडाल जाति के पशुओं में वे छोटी होती हैं। इसलिए ध्वनि करने की उनकी क्षमता अधिक होती है। कपाटयुत निम्न-थायरो अरीटेनायड वलन के विकास से वायु-प्रवाह को पुनः-पुनः शीघ्रता से अवरुद्ध करने की सम्भावना उत्पन्न होती है। ध्वनि की ऊँचाई, गहराई आदि के गुण इस विकसित घोषयंत्र से ही सम्भव होते हैं। लेमूर, बानर, चिम्पांजी आदि के कपाट-वलन अधिक समर्थ होते हैं; इसलिए उनकी आवाज तीखी होती है। अपने शाखामृग-जीवन में साँस रोकने और छलाँग मारने में उन्हें इन वलनों से सहायता मिलती है। मनुष्य के लिए इस तरह डालियाँ पकड़कर कूदना और छलाँग मारना आवश्यक नहीं होता, इसलिए उसके कपाट-वलन कम नुकीले और कम सक्षम होते हैं। इससे लाभ यह होता है कि आवाज तीखी न होकर स्वर में उतार-चढ़ाव वाली होती है, उसके प्रवाह में यथेष्ट परिवर्तन किया जा सकता है।

उभयचारियों (ambhibians) में वायु-निष्कासन पेशी-तंतुओं द्वारा फेफड़ों को संकुचित करके होता है। पक्षी उरोस्थि (sternum) और पसलियों की हरकत से यही क्रिया करते हैं। इन जातियों में स्तनपायी जीवों के समान डायफ्राम नहीं होता। उदरीय आन्तरंग (abdominal) और पेशीय पूर्व उदर-प्राचीर (muscular anterior abdominal wall) के प्रभाव से डायफ्राम ऊपर चढ़ता है और पसलियों द्वारा फेफड़े दबते हैं। इससे वायु स्वेच्छानुसार श्वासनली और घोषयंत्र से निकाली जा सकती है। अधिकांश स्तनपायी जीवों में ऊपर की पसलियाँ स्थिर होती हैं, किन्तु बनमानुसों और मनुष्य में वे किंचित् गतिशील होती हैं। इसलिए अन्य पशुओं की अपेक्षा मनुष्य वायु-निष्कासन पर अधिक नियंत्रण कर सकता है।

मनुष्य का गल-प्रतिस्वनक (pharyngeal resonator) उसकी अपनी विशेषता है। यह दूसरे स्तन्यों में नहीं होता। मनुष्य का घोषयंत्र गर्दन में धँसा हुआ होता है। उसका कंठपिधान कोमल तालु से जुदा होता है। इससे मनुष्य के पास विशद गलगुहा होती है। ध्वनि करने के समय गलगुहा के आकार में काफी परिवर्तन सम्भव होता है। घोषयंत्र की इन सब विशेषताओं के कारण मनुष्य अन्य पशुओं की अपेक्षा अधिक और भिन्न कोटि की ध्वनियाँ कर सका। अन्य पशुओं के

समान उसने भी ध्वनि-संकेतों से काम लेना शुरू किया। ध्वनियों की बहुलता से वह नये-नये ध्वनि-संकेत निश्चित कर सका। अपने शारीरिक गठन के कारण जैसे-जैसे परिवेश के विभिन्न पदार्थों से उसका परिचय बढ़ा, वैसे ही उनके लिए वह ध्वनि-संकेत भी निश्चित करता गया।

निष्कर्ष यह कि मनुष्य ने अपने सूक्ष्म चिन्तन की विशेषता के कारण भाषा-रचना नहीं की। उसके जीवन-यापन की आवश्यकताओं ने उसे ध्वनि-संकेतों का उपयोग करने के लिए विवश किया। अपने शारीरिक गठन के कारण वह अन्य पशुओं की अपेक्षा अधिक ध्वनि-संकेतों से काम ले सका। अपने शारीरिक गठन के कारण ही आत्मरक्षा के लिए उसे अन्य पशुओं से भिन्न साधन ढूँढ़ने पड़े। वह अस्त्रों का निर्माण करके श्रम करनेवाला प्राणी बना। श्रम के साथ ही पशु-जगत् कई ध्वनि-संकेतों के दायरे से बाहर निकलकर उसने मानवीय भाषा क्षेत्र में प्रवेश किया।

दूसरा अध्याय

# भाषा की ध्वनि-प्रकृति

सभी मनुष्य, जो बोलते हैं, ध्वनि-संकेतों से काम लेते हैं। लेकिन ध्वनि-संकेतों से काम लेने का ढंग उन सबका एक-सा नहीं होता। 'आ गये'—इन शब्दों को सन्दर्भ के अनुसार आश्चर्य, भय, क्रोध या जिज्ञासा प्रकट करने के लिए कई ढंग से कहा जा सकता है। इस स्वर-भेद में मूल क्रिया 'आना' का अर्थ नहीं बदलता, किन्तु चीनी भाषा में स्वर-भेद से शब्द का मूल अर्थ ही बदल जाता है, भिन्न स्वर में उच्चारण करने पर वह शब्द-रूप ही भिन्न हो जाता है। चीनी भाषा का 'मा' शब्द एक स्वर में बोलने से मेढक अर्थ वाला होगा, दूसरे स्वर में पटसन, तीसरे में घोड़ा, इत्यादि। हिन्दी में किसी शब्द को षड्ज, गन्धार, पञ्चम, किसी स्वर में बोलें, उसका मूल अर्थ पूर्ववत् रहेगा। चीनी में चार स्वरों में अलग-अलग बोलने से चार भिन्न शब्दों का बोध होगा, एक ही शब्द अपरिवर्तनशील न बना रहेगा। इसका कारण यह है कि भिन्न-भिन्न परिस्थितियों में मनुष्य ने ध्वनि-संकेतों के अनेक सम्भाव्य प्रयोगों में से कुछ को ही अपनाया है। मनुष्य की मूलभूत आवश्यकताएँ एक-सी रही हैं; उन्हें पूरा करने के साधनों में भी बहुत कुछ समानता रही है। किन्तु आवश्यकताओं और पूर्ति के साधनों को एक-दूसरे से मिलाने में मनुष्य ने ध्वनि-संकेतों का उपयोग अलग-अलग ढंग से किया। ये ध्वनि-संकेत उसी तरह निश्चित नहीं होते जिस तरह मनुष्य का प्यास बुझाना पानी पीने से निश्चित है। यदि प्यास और पानी की तरह शब्द और अर्थ—ध्वनि-संकेत और पदार्थ अथवा क्रिया-विशेष—का सम्बन्ध भी प्राकृतिक और अपरिवर्तनशील होता, तो संसार में हर जगह साँस लेने और पानी पीने के लिए समान शब्दों का प्रयोग होता। भाषा मनुष्य की संस्कृति के विकास का साधन है और स्वयं उस संस्कृति का महत्त्वपूर्ण अंग है। संस्कृति के अन्य अंगों की तरह उसमें भी यथेष्ट विचित्रता और विभिन्नता है।

अंग्रेज़ी, रूसी, जर्मन आदि भाषाओं में शब्द के किस अंश पर बोलनेवाला जोर देता है, यह बात इन भाषाओं के लिए बहुत महत्त्वपूर्ण है। अंग्रेज़ी सीखे हुए हिन्दुस्तानी भद्रजन अंग्रेज़ों और अमरीकियों की बातचीत समझने में कभी-कभी कठिनाई का अनुभव करते हैं। इसी तरह अंग्रेज़, अमरीकी या रूसी कभी हिन्दी

बोलने की कोशिश करते हैं, तो उनकी बात समझना हमेशा आसान नहीं होता। इसका मुख्य कारण बलाघात की विभिन्नता है। भोजपुरी प्रदेश के लोग जब संगीतमय ढंग से हिन्दी बोलते हैं, तब यह पता लगने में देर नहीं होती कि ये पूरब के साकिन हैं।

यह विभिन्नता बलाघात तक सीमित नहीं है। स्वरों और व्यंजनों के उच्चारण के लिए कोई विश्वव्यापी नियम नहीं है। 'क्' जैसे व्यंजन का उच्चारण अंग्रेज़ी शब्दों के आरम्भ में साधारणत:—'क्' और 'ख्' के बीच—महाप्राण जैसा होता है। चीनी में 'क्' और 'ग्' के बीच की ध्वनि या दोनों से मिलती हुई ध्वनि है जो ग्वो मो-जो (Kuo Mo-Jo) या ग्वोमिन्ताङ (Kuomintang) जैसे नामों में मिलती है। रूसी में अनेक व्यंजन तीव्र और कोमल—दो ढंग से बोले जाते हैं। ब्रात् में 'त्' तीव्र हो तो 'भाई' का बोध होगा, कोमल हुआ तो 'लेना' अर्थ होगा। इसी प्रकार रूसी में द्, म्, ल् आदि के तीव्र और कोमल रूप हैं। यह भिन्नता व्यंजनों के ही उच्चारण में नहीं है। रूसी में 'इ' का उच्चारण दो तरह से होता है, अथवा उस भाषा में दो स्वर ऐसे हैं जो, हमारी 'इ' से मिलते-जुलते हैं। कश्मीरियों द्वारा 'आ' का उच्चारण हिन्दी-भाषियों को 'आ' और 'ऐ' के बीच का लगता है। भोजपुरी प्रदेश, मिथिला और बंगाल में 'अ' का उच्चारण दुर्लभ है; स्वर और व्यंजन सरस गोलाकार रूप धारण करते चले जाते हैं।

ध्वनि-संकेतों के उपयोग, स्वर और व्यंजनों के उच्चारण, शब्दों और वाक्यों के बलाघात से सम्बन्धित ये विशेषताएँ भाषा का वह अंग हैं जो अपेक्षाकृत कम परिवर्तनशील है। दूसरी भाषाओं से हम शब्द उधार लेते हैं और अपनी स्वर-पद्धति के अनुकूल उनका उच्चारण करते हैं। बंगला में शरम और शंध्या (संध्या) समान रूप से शकारयुक्त उच्चरित होते हैं। हिन्दी-भाषियों ने 'श्' और 'ष्' का भेद मिटा दिया है। अधिकांश हिन्दी-भाषी प्रदेश में—अस्सी फीसदी जनता की बोलचाल में—'स्' और 'ब्' ने 'श्' और 'व' का स्थान ले लिया है। ब्रज, अवध, बुंदेलखंड, भोजपुरी प्रदेश, मिथिला आदि से 'न्' ने 'ण्' को निकाल बाहर किया है। किस तरह के वर्ण जनसाधारण की प्रकृति के अनुकूल हैं, इसकी अचूक कसौटी लोकगीत हैं। उपर्युक्त प्रदेशों के लोकगीतों में श्, ण्, व, की जगह स्, न्, ब ने ले ली है। निराला जी ने आधुनिक हिन्दी गीतों की चर्चा करते हुए तत्सम शब्दों से अलंकृत शैली को 'शणवल' शैली की संज्ञा दी थी। उन्होंने इस प्रकार हिन्दी और संस्कृत की उच्चारण विशेषताओं का भेद बताया था। पूर्वी प्रदेशों में 'ल' के स्थान पर 'र' अथवा पश्चिमी प्रदेशों में 'र' के स्थान पर 'ल' अक्सर सुनने को मिलता है। किन्तु कुछ इलाकों को छोड़कर 'र' या 'ल' का कहीं पूर्ण बहिष्कार नहीं है। जनपदीय बोलियों की प्रकृति 'ल' को उसी तरह अस्वीकार नहीं करती, जैसे श्, ण् और व को।

दूसरी भाषाओं से शब्द ग्रहण करने पर ही हम उनके उच्चारण में परिवर्तन नहीं करते; जब हम दूसरी भाषा सीखते हैं, तब उसके शब्दों और वाक्यों का उच्चारण

प्राय: उन नियमों के अनुसार करते हैं जिनका सम्बन्ध हमारी भाषा या बोली से है। यहाँ हम विशेषज्ञों की बात नहीं करते, तात्पर्य साधारण रूप से भाषा सीखनेवालों से है। पंजाब, तमिलनाडु, बंगाल के लोग जब अंग्रेज़ी बोलते हैं, तब उनके उच्चारण पर उनकी मातृभाषा का प्रभाव लक्षित हुए बिना नहीं रहता। हिन्दी-भाषी प्रदेश के अंग्रेज़ीदाँ लोगों को यह गर्व है कि वे सबसे अच्छी अंग्रेज़ी बोलते हैं। वास्तव में उनके उच्चारण पर हिन्दीपन का ही असर नहीं होता, वरन् भोजपुरीपन, ब्रजभाषापन या बुंदेलखंडीपन का असर भी होता है। यदि हमें स्मरण रहे कि संयुक्त राज्य अमरीका या ग्रेट ब्रिटेन में भिन्न-भिन्न स्थानों और वर्गों के लोग इतने भिन्न-भिन्न ढंगों से अंग्रेज़ी बोलते हैं, जिनकी तुलना में भारतीय शिक्षितों द्वारा बोली हुई अंग्रेज़ी के भेद नगण्य हैं, तो अंग्रेज़ की तरह (या अब अमरीकी की तरह) अत्यन्त शुद्ध अंग्रेज़ी न बोल पाने की हमारी हीन भावना दूर हो जाए।

मनुष्य की उच्चारण-सम्बन्धी विशेषताएँ या भाषा की ध्वनि-प्रकृति सापेक्ष रूप में ही अपरिवर्तनशील हैं। इस परिवर्तनशील संसार में निरपेक्ष रूप से अपरिवर्तनशील भाषा का कोई भी तत्त्व नहीं है। हिन्दी क्षेत्र के गाँवों में अधिक शिक्षित और सुसंस्कृत दिखने के प्रयत्न में अनेक सज्जन 'जनाब' को 'ज़नाब', 'इच्छा' को 'इक्षा कहते हुए सुने जाते हैं, यद्यपि 'ज़' और 'क्ष' की ध्वनियाँ हमारी जनपदीय बोलियों की प्रकृति के अनुकूल नहीं हैं। मराठी में 'जगह' का 'जोगा' हो ही गया है। बम्बई के एक मित्र 'क़ाजी जलील अहमद' का मज़ाक सुनाते थे, जिन्हें एक मराठी-भाषी सज्जन 'काजी जलील अहमद' कहते थे। जी का नुक्ता हटाकर वे उसे दूसरे ज के नीचे लगा देते थे और अनजान में जलील साहब को ज़लील करते थे।

भाषाओं और बोलियों का सम्बन्ध निश्चित करने, उनका वर्गीकरण और परस्पर शब्दों के आदान-प्रदान का इतिहास जानने के लिए अनेक महत्त्वपूर्ण संकेत भाषाओं की ध्वनि-प्रकृति, उनके बोलनेवालों की उच्चारण-सम्बन्धी विशेषताओं से मिलते हैं। प्राचीन ही नहीं, आधुनिक भाषाओं और बोलियों की ध्वनि-प्रकृति का अध्ययन करने में अनेक कठिनाइयाँ हैं। प्राचीन भाषाओं के अध्ययन का आधार उनका लिखित रूप है। इस लिखित रूप से यह जानना कि बोलचाल में इनका वास्तविक रूप क्या था, प्राय: असम्भव है। आधुनिक भाषाओं के बारे में भी—विशेष कर भारतीय भाषाओं के बारे में—पर्याप्त सामग्री एकत्र नहीं की गई। फिर भी जो सामग्री सुलभ है, उसमें भाषाओं की ध्वनि-प्रकृति का अध्ययन करने के लिए बहुत-से महत्त्वपूर्ण तत्त्व मौजूद हैं। उन पर ध्यान देना आवश्यक है।

'हिन्दी' शब्द कैसे बना—इस बारे में प्रचलित मान्यता यह है कि ईरान के लोग सिन्धु (या सिन्ध) को हिन्द कहते थे और वहाँ के निवासियों को हिन्दू, हिन्दुई या हिन्दी कहने लगे। 'स्' का उच्चारण करने में उन्हें कुछ कठिनाई होती होगी, इसलिए उन्होंने 'स' की जगह 'ह्' कहना शुरू किया। लेकिन फ़ारसी में साल,

सादगी, साज़, साग़र, सामान, साया, सब्ज़ा, सिपारिश, सिपाही, सितार, सितम, सख़्त, सख़ुन, सर, सर्दी, सिरिश्त (सृष्टि), सर्ग़ना, सरकार, सिरका, सुरमा, सुरूर आदि पचीसों शब्द हैं जिनमें ईरानियों को 'स्' का उच्चारण करने में दिक्कत नहीं होती। यही नहीं, उनके क्रिया-वाचक शब्द भी ऐसे बहुत-से हैं जो 'स्' से शुरू होते हैं, जैसे साज़ीदन (बनाना), साईदन (पीसना), सबारीदन (हल जोतना), सिपारीदन (सिफारिश करना), सिपुर्दन (सिपुर्द करना), सितादन (खड़े होना), सितूदन (स्तुति करना), सख़्तन (तौलना) इत्यादि। फ़ारसी में अरबी से बहुत-से शब्द आए हैं जो 'स्' से शुरू होते हैं—जैसे साहिल, साअत (सायत), साकिन, सान, सहर, सराय, सतर, सफर, सिफर, इत्यादि। इनमें ईरानियों ने 'स्' के स्थान पर 'ह्' का उच्चारण करना आवश्यक नहीं समझा। इसके सिवा 'श्' से आरम्भ होनेवाले या स-श युक्त सैकड़ों ऐसे शब्द फ़ारसी में हैं जिनके समानान्तर भारतीय भाषाओं के शब्दों ने स-श का स्थान 'ह' को दे दिया है। इससे सिन्ध का हिन्द ईरान में बना या भारत में—इस समस्या पर प्रकाश पड़ता है।

सर जॉर्ज ग्रियर्सन ने कश्मीरी भाषा में 'ह' ध्वनि की अधिकता पर ध्यान दिया था। वहाँ शरद्—हरुद् है, शाक—हाख, श्वसुर—हिहर, मूसल—मुहुल, कृष्ण—कृहनु, शुष्क—हूखु, सांकल (या शृंखला)—हांकल, शलभ—हालव, श्याम—होमु, शमन—हमुन, शृंग—ह्यांग, श्वापद—हापुथ, शिर—हीरू, शत—हथ्, इत्यादि।

राजस्थानी के सम्बन्ध में हमने एक कहानी सुनी थी : किसी स्थान में शाम को सात बजे स्वामी सत्यानन्द सरस्वती का भाषण होनेवाला था; ऐलान करनेवाला ज़ोर-ज़ोर से कहता था, आज हाम को हात बजे ह्वामी हत्यानन्द हरह्वती का भाहण होगा। यह कहानी अतिशयोक्तिपूर्ण लगे तो हम सुप्रसिद्ध भाषाविद् श्री सुनीति कुमार चाटर्ज्या का मत उद्धृत करते हैं। 'राजस्थानी भाषा'[1] नाम से संकलित अपने भाषणों में श्री चाटुर्ज्या ने कहा है कि राजस्थान की कुछ बोलियों में च्, छ ज्, झ—इन तालव्य ध्वनियों का दन्त्य उच्चारण सुनाई देता है। "जिन बोलियों में ऐसा दन्त्य उच्चारण आता है, उनमें साथ ही साथ 'स' की ध्वनि 'ह्' हो जाती है।" राजस्थानी के समान अन्य भाषाओं में यही विशेषता देखकर आगे श्री चाटुर्ज्या ने कहा है कि "च-वर्गीय वर्णों का दन्त्य उच्चारण तथा 'स' का 'ह' में परिवर्तन राजस्थानी के लिए कुछ अनोखी या निराली बात नहीं है। ऐसा उच्चारण और 'स' का ह-भाव पूर्व बंग की बंगला भाषा में तथा आसामी में मिलते हैं। दन्त्य उच्चारण नेपाली (गोरखाली) तथा कुछ अन्य हिमाली बोलियों में भी पाया जाता है। राजस्थानी से सम्बन्धित गुजराती की कुछ उपभाषा या प्रान्तिक रूप (जैसे सुरती गुजराती) में भी दन्त्य उच्चारण तथा 'स' का 'ह' भाव आता है। पुरानी मराठी में, और गंजम जिले की ओड़िया में यह दन्त्य उच्चारण दिखाई देता है।

1. प्रकाशक : मंत्री, महाराणा भूपाल, प्राचीन साहित्य शोध-संस्थान, राजस्थान विश्व विद्यापीठ, उदयपुर।

'स' का 'ह' उच्चारण मराठी में, बंगला, पछाहीं हिन्दी आदि कुछ भाषाओं में कहीं-कहीं मिलता है—केवल प्राचीन प्राकृत में उपलब्ध कुछ शब्दों में; पर इन भाषाओं में यह विशिष्टिता भाषा की अपनी तखसीस या विशिष्टताओं में नहीं है—यह किसी बाहरी भाषा के प्रभाव से कुछ विशेष शब्द या प्रत्ययों में आया है, ऐसा ही मालूम पड़ता है। पर पूर्वी-पंजाबी और हिन्दकी या लहन्दी में और सिन्धी में 'स' का 'ह' हो जाना निहायत लक्षणीय है।"

इससे सिद्ध हुआ कि सत्यानन्द का हत्यानन्द होना राजस्थान में तो सम्भव है ही, अन्यत्र भी असम्भव नहीं है।

असमिया भारत की एक ऐसी भाषा है जिसमें श—स का बहिष्कार है। 'च्' का उच्चारण 'स्' से मिलता जुलता होता है, वह अलग बात है। पता नहीं, असम शब्द अहम का रूपान्तर है या—जिसकी सम्भावना अधिक है—असम का रूपान्तर अहम है। यह हकार-प्रेम 'द्रविड़' परिवार की कन्नड़ भाषा में भी पाया जाता है। तेलगू का पकलु कन्नड़ में हगलु (दिन) है, पालु हालु (दूध) है, पवड़ा हवड़ा (प्रवाल) है पुलि हुलि (बाघ) है, पलैया हुलैया (प्राचीन) है। ज़्यूल ब्लाख ने मराठी भाषा पर अपनी पुस्तक में दुही (दुख का स्थान) माहो (माघ), मेहुडा (मेघ), मेहुण (मैथुन), मोह (मधु) आदि के उदाहरण दिये हैं जिनसे इस भाषा के हकार-प्रेम का पता चलता है।

मराठी दहा की तरह हिन्दी में पहाड़ा पढ़ते समय 'दस दहम् सौ' में दस के दह रूप की आवृत्ति होती है। इसी से ताश के पत्तों में 'दहला' और उसके सम पर 'नहला' और साधारण व्यवहार में उससे पहले 'पहला' आदिरूप हैं। दस तक गिनती गिनते समय 'छह' में ही हकार प्रतिष्ठित होता है, किन्तु ग्यारह, बारह के बाद अठारह तक यह क्रम चलता ही रहता है। इक्कीस, इकतीस, इकतालीस आदि में अन्त का 'स्' सुरक्षित रहता है; उनहत्तर के बाद इखत्तर (इकहत्तर), बहत्तर, तिहत्तर आदि में आरम्भ का 'स्' 'ह्'-रूप धारण करता चला जाता है। ब्रजभाषा, अवधी आदि हिन्दी की बोलियों में नहान या हनान (स्नान), पाहन (पाषाण) पुहुप (पुष्प), निहचै (निश्चय), पुहकर (पोखर, पुष्कर), कान्ह (कृष्ण), केहरी (केशरी), आदि रूप इसी प्रवृत्ति के द्योतक हैं। श्, ष्, स् के अतिरिक्त अन्य व्यंजनों का भी ह्-रूप में परिवर्तन देखा जाता है—कोह (क्रोध), बहू (वधू), मुँह (मुख), नँह (नख), गहिर या गहरा (गंभीर) आदि। इस तरह के रूपों को यह कहकर टाला नहीं जा सकता कि वे प्राकृत या अपभ्रंश के कुछ अवशेष मात्र हैं जो आधुनिक भाषाओं में बने हुए हैं। पूर्वी बोलियों में मस्जिद का महजिद रूप प्रचलित है जो एक आन्तरिक ध्वनि-प्रवृत्ति का द्योतक है। इन बोलियों को 'ह्' से इतना प्रेम है कि विदेशी शब्दों को अनुकूल बनाने के लिए, किसी अन्य व्यंजन को ह्-रूप दिये बिना भी एक अतिरिक्त 'ह्' जोड़ देते हैं, जैसे लाश के लहास रूप में। रिसौहें (रिसयुक्त),

बकरिहा (बकरी वाला), (भुतहा भूतों वाला) आदि शब्दों में 'ह' प्रत्यय इसी प्रवृत्ति का परिचायक है। 'ह्' की यह प्रधानता किसी बाहरी भाषा के प्रभाव के कारण नहीं हो सकती। वह साधु हिन्दी से अधिक हिन्दी की जनपदीय बोलियों की विशेषता है। और हिन्दी में च्, छ्, ज्, झ् का उच्चारण दन्त्य नहीं होता। इसलिए 'स' या अन्य वर्णों के स्थान में 'ह्' का प्रयोग न तो किसी विदेशी भाषा का प्रभाव सूचित करता है, न वह तालव्य ध्वनियों का दन्त्य उच्चारण करनेवाली भाषाओं की ही विशेषता है। इसका एक प्रमाण यह भी है कि यह प्रवृत्ति संस्कृत शब्दों में ही अपना असर दिखाने लगी थी; और वह भी लौकिक संस्कृत में ही नहीं वरन् वैदिक भाषा में भी!

हृद् या हृदय का मूल रूप श्रद् श्रद्धा में बना हुआ है। रूसी में सेर्द्त्से उस मूल रूप का साक्षी है। लैटिन में कोर (अंग्रेज़ी में लैटिन से बना शब्द कौर्डियल) उसी श्रद् का स्मारक है। विद्वानों ने लैटिन के कोर से कौर्डियल बनाया, लेकिन साधारण अंग्रेज़ जनता कोर से अपरिचित थी; वह भारतीय हृद् के रूपान्तर हार्ट से काम चलाती थी।

सर्वनाम 'अहम्' 'अस्मद्' का एक रूप है। जब तक 'स्' 'ह्' में परिवर्तित न हो, तब तक अस्मद् से अहम का सम्बन्ध स्थापित नहीं किया जा सकता। इस शब्द का प्राचीन स्लाव रूप अज़ु[1] है। इससे भी इस धारणा की पुष्टि होती है कि 'अहम्' मूल रूप नहीं है। संस्कृत के बहि: शब्द का समानान्तर प्राचीन स्लाव बेज़ु (वर्तमान रूसी बेज़) है। यहाँ भी 'ज़' (या स) 'ह' में परिवर्तित हुआ है। बर्हि का समकक्ष प्राचीन स्लाव रूप ब्लज़ीन है जो उपर्युक्त कोटि के ध्वनि-परिवर्तन की ओर संकेत करता है। हवते का समानान्तर रूप प्राचीन स्लाव रूप ज़वेतु है। वराह का अवेस्ता रूप 'वराज़'[2] है। संस्कृत के अनेक शब्द, जैसे असुर, अवेस्ता में अहुर के समान हकार वाले रूप में दिखाई देते हैं। किन्तु वराह अवेस्ता में वराज़ रहा, संस्कृत में ही हकारयुक्त हुआ, यह इस बात को सिद्ध करता है कि स-ह या ज़-ह का विनिमय-क्रम ईरान में ही नहीं, इस देश में भी चल रहा था। इसी प्रकार हिरण्य शब्द अवेस्ता में ज़रन्य रूप धारण किये हुए है। कुछ अन्य भाषाओं में हिरण्य के अनुरूप सुरेन, सरेन और सिर्ने शब्द हैं। इससे यह अनुमान होता है कि प्राचीन स्लाव, अवेस्ता आदि में जहाँ 'ज़' ध्वनि है और वैसे ही शब्दों में संस्कृत में 'ह' है। वहाँ 'ज़' और 'ह', दोनों की मूल ध्वनि 'स' होगी और संस्कृत का 'ह' 'ज़' का नहीं, 'स' का परिवर्तित रूप रहा होगा। नमस् से नमज़ (नमाज़) रूप का बनना इसी तथ्य की ओर संकेत करता है। प्राचीन यूनानी में जो शब्द सकारान्त हैं, वैसे ही शब्द, संस्कृत में विसर्ग ग्रहण करते हैं। नौस् (जहाज)—नौ:, ज़ोओस्—जीव:, गेनोस—जन: इत्यादि।

---

1. टी. बरो, 'संस्कृत : लैंग्वेज़, फेवर एंड फेवर', लन्दन, पृ. 19
2. टी. बरो, 'संस्कृत लैंग्वेज़', पृ. 23

वैदिक भाषा में एक धातु है 'ग्रभ्'। ऋग्वेद के उन सूक्तों में, जिन्हें प्राचीन माना जाता है, 'ऋ' के बाद आनेवाले 'भ्' का 'ह' रूप होता है, जैसे हस्तगृह्य में। हस्त-ग्राभ में यह परिवर्तन नहीं होता। किन्तु दसवें मंडल में प्राचीन रूप जग्राभ का स्थान जग्राह ले लेता है। आज्ञा मध्यम पुरुष एकवचन का 'धि' चिह्न बाद के मंडलों में 'हि' रूप धारण करता दिखाई देता है।[1] 'वैदिक भाषा में दद्धि और देहि, नद्ध और नह्, भवामसि और भवामहे, हरित और घ्नन्ति, दुघान और दुहाम, मेहन्त और मेघमान जैसे रूप[2] इस सत्य को स्पष्ट करते हैं कि म्, ध्, घ् आदि व्यंजनों का स्थान ह् को देने के लिए इस देश की भाषाओं की कोई बहुत ही शक्तिशाली प्रवृत्ति काम कर रही थी। इससे सिद्ध होता है कि हिन्द और हिन्दी शब्दों का निर्माण भारत में ही हुआ था।

कुछ विद्वानों का अनुमान है कि इस तरह के ध्वनि-परिवर्तनों का कारण प्राचीन प्राकृतें हैं जो वैदिक भाषा के समय में यहाँ बोली जाती थीं। यह तो निश्चित है कि भिन्न प्रकृति वाली भाषाओं के मिश्रण या आदान-प्रदान के बिना उपर्युक्त कोटि के ध्वनि-परिवर्तन नहीं होते। इन परिवर्तनों से यह सिद्ध नहीं होता कि यूरोप के किसी भाग से शुद्ध उच्चारण वाले 'आर्य' यहाँ आकर भ्रष्ट अनार्यों के संसर्ग और उनकी प्राकृतों के प्रभाव से देहि, हन्ति, मेहन्त आदि बोलने लगे।

शायद प्राचीन यूनानी शुद्ध आर्य थे। हृदय के लिए उनके यहाँ 'कार्दिआ' शब्द था, जो लैटिन के कोर के समान श-ध्वनि के 'क' में परिवर्तित होने से बना है। श्रद् जैसा रूप—जिसे अधिक प्राचीन माना गया है—उनके यहाँ नहीं है। इसी प्रकार दश के लिए उनका शब्द है 'देका'। यूनानी भाषा में 'श' की ध्वनि नहीं है, 'स' की है। किन्तु स्वप्न के लिए निद्रा के अर्थ में 'हुप्नोस' शब्द है जहाँ स्पष्ट ही 'स्' 'ह्' में परिवर्तित हुआ है। संस्कृत-हिन्दी की तरह यूनानी में भी 'स्' और 'ह्', दोनों ध्वनियाँ विद्यमान हैं। फिर भी स्वप्न का हुप्नोस जैसा रूप बनना तभी सम्भव है जब किसी समय दो भिन्न प्रकृति वाली भाषाओं का सम्पर्क हुआ हो और हकार प्रधान भाषावालों के लिए सकारयुक्त शब्दों का उच्चारण सुगम न हुआ हो। या तो इस प्रकार को हकार प्रधान भाषा (या भाषाएँ) यूनान में बोली जाती थी और वहाँ की 'प्राकृतों' ने यूनानी आर्यों की 'संस्कृत' को प्रभावित किया, या भारतीय दरकार क्षेत्रों के लोगों या उनके भाईबन्दों की इस ध्वनि-प्रकृति ने यूनानी भाषा पर असर डाला था।

'आर्य' शब्द के प्रचार का श्रेय बहुत कुछ जर्मन विद्वानों को है। इनके यहाँ कुत्ते के लिए हुंट (hund) शब्द है जो हमारे श्वान की बिरादरी का है। 'श्' ने यहाँ भी 'ह्' का रूप धारण किया। शत और केण्टुम के बदले हुण्ट और हुण्डेर्ट शब्द हैं। श्वेत से इसी ध्वनि-परिवर्तन के अनुसार ह्वाइस (अंग्रेज़ी ह्वाइट), श्रद् से हेर्त्स (अं—हार्ट),

1. पांडुरंग वामन गुणे, 'ऍन इंट्रोडक्शन टु कम्पैरेटिव फिलोलॉजी', 1950, पृ. 143
2. ए.ए. मैकडनल, 'ए वैदिक ग्रामर फॉर स्टूडेंट्स'

शष से हाज़े (अं—हेअर), यूनानी (और संस्कृत) क्रतुस् से हार्ट (कठिन, अं—हार्ड) इत्यादि बने हैं। जर्मन में 'श' और 'स' का अभाव नहीं है, फिर भी अनेक सामान्य भारत-यूरोपीय शब्दों में 'श्-स्' के स्थान पर 'ह' को देखकर यही निष्कर्ष निकलता है कि यह दो भिन्न ध्वनि-प्रकृतिवाली भाषाओं के सम्पर्क का फल है। जहाँ तक हकार प्रधान भाषा का सम्बन्ध है, उसके बोलनेवाले या तो जर्मन आर्यों के पूर्वज और जर्मन प्रदेशों के आदिवासी थे, या ह-प्रेमी भारतवासियों का प्रभाव किसी-न-किसी रूप में उन पर भी पड़ा था।

लैटिन-व्याकरण लिखनेवाले कुछ विद्वानों के अनुसार यूरोप की इस दूसरी महत्त्वपूर्ण प्राचीन भाषा में 'ह्' का उच्चारण न होता था; जिन शब्दों में लैटिन ह् ध्वनि आए, उनके अनुसार उसका उच्चारण 'अ' के समान होना चाहिए। लैटिन के बहुत-से शब्द जिनके लिखित रूप में 'ह्' विद्यमान है, अपने इतालवी रूप में उस 'ह्' से वंचित हो गए हैं। सम्भव है कि इतालवी (और फ्रांसीसी) की इस ह्-विरोधी प्रवृत्ति के कारण लोगों ने कल्पना की हो कि लैटिन में इस ध्वनि का अभाव था। अस्मद् के मध्यम् रूप से मिलता-जुलता लैटिन में एगो का मिही (मुझे, मेरे लिए) रूप है। साधारणतः लैटिन में संज्ञा या क्रिया विसर्गान्त या हकारान्त न होकर स-ध्वनि को सुरक्षित रखती है। 'श' को यह भाषा 'क' में बदल देती है। किन्तु 'स' से उसे परहेज नहीं है। संस्कृत 'वः' और 'नः' के समकक्ष उसमें वोस् और नोस् रूप है; इसलिए मिही को अपवाद रूप मानकर उस पर और भी ध्यान देना आवश्यक है। यह रूप भाषा की अपनी प्रकृति का परिचायक नहीं है। या तो लैटिनवासियों का सम्पर्क इटली में ह-प्रधान भाषाओं से हुआ या उन्होंने उसे सीधे भारतीय मह्यम् से ग्रहण किया।

इन उदाहरणों से सिद्ध हुआ कि संस्कृत और अन्य भारतीय भाषाओं में श-स तथा अन्य व्यंजनों का ह् से विनिमय इन भाषाओं की ही विशेषता नहीं है। उस तरह का ध्वनि-परिवर्तन यूरोप की अनेक प्राचीन और नवीन भाषाओं में देखा जा सकता है। उसे हम तालव्य ध्वनियों का दन्त्य उच्चारण करनेवाली भाषाओं में सीमित नहीं देखते, न उसे हम भारत की किन्हीं प्राचीन प्राकृतों का प्रभाव मान सकते हैं। यदि भाषाविज्ञान की प्रचलित मान्यताओं के अनुसार 'आर्य' जन पश्चिमोत्तर से भारत में आए और यहाँ अनार्यों के सम्पर्क से उनकी मूल ध्वनियाँ बदल गईं, तो यूनानी, लैटिन, जर्मन आदि भाषाओं में ह् ने श्-स् तथा अन्य व्यंजनों का भी स्थान कैसे ले लिया? 'आर्य' परिवार से सम्बन्धित प्रचलित मान्यता को अक्षुण्ण बनाए रखने के लिए हमें भारत के समान यूरोप में भी प्राचीन प्राकृतों की कल्पना करनी होगी। एक बात स्पष्ट दिखाई देती है कि ह्-ध्वनि का जैसा व्यापक प्रभाव भारत में—वैदिक काल से लेकर अब तक बना हुआ है, वैसा यूरोप के किसी क्षेत्र में नहीं है। यह महाप्राणता भारतीय भाषाओं की अपनी विशेषता है।

भारतीय भाषाओं में 'ह्' के महत्त्व के बारे में श्री किशोरीदास वाजपेयी ने 'हिन्दी शब्दानुशासन' में लिखा है : " 'ऊष्म' वर्ण (श, ष, स, ह) तथा वर्गों के द्वितीय-चतुर्थ अक्षर 'महाप्राण' हैं। इनका उच्चारण महाप्राणता प्रकट करता है। ऊष्मा (गरमाहट) इनमें स्पष्ट है। महाप्राण ही ठहरे!...इन 'ऊष्म' वर्णों का उच्चारण 'क' तथा 'य' आदि की अपेक्षा ज़ोरदार है। इन सबका गुरु है 'ह'। 'स' तो प्राय: 'ह' हो जाया करता है। पंजाब जैसे अक्खड़ प्रान्त में 'स' के जोर से काम न चला, तब उसे 'ह' कर दिया गया। हमारे 'पैसा' तथा 'ऐसा' आदि शब्द वहाँ 'पैहा', 'ऐहा' हो जाते हैं। 'और' वहाँ 'होर' हो जाता है। हिन्दी में 'दस' से ज़ोरदार 'दहला' बन जाता है। ज़ोरदार काम करने पर कहते हैं—'उसने तो अच्छा नहले पर दहला जमाया।' विसर्गों का उच्चारण 'ह' से मिलता-जुलता है और इसीलिए हम संस्कृत में 'स' को प्राय: विसर्ग तथा विसर्गों को 'स्' हुआ देखते हैं। भाषा के विकास में 'ह' वर्ण का जो स्थान है, अन्य किसी वर्ण का नहीं।"

जैसे यूरोप की भाषाओं की तुलना में 'ह्' का महत्त्व संस्कृत में अधिक है, वैसे ही वैदिक की तुलना में लौकिक संस्कृत में, लौकिक संस्कृत की तुलना में हिन्दी में, साधु हिन्दी की तुलना में जनपदीय बोलियों में 'ह्' का प्राधान्य है। बच्चे रोते हैं तो उनकी इस क्रिया के लिए एक शब्द है—हुनहुनाना, जिसमें रोने की ध्वनि का अनुकरण किया गया है। माँ का दूध पीते समय बच्चे अक्सर प्रसन्नता प्रकट करने के लिए 'हूँ, हूँ' की आवाज करते हैं। जब दादी-नानी से कहानियाँ सुनते हैं, तो 'हूँ-हूँ' करते हैं जिसे हुंकारी भरना कहते हैं। जब मनुष्य क्रोध करता है, तो उसके ललकारने को हुंकार कहते हैं। अन्य भारत-यूरोपीय भाषाओं के विपरीत यहाँ 'हाँ' और 'नहीं' दोनों में 'ह्' विद्यमान है। दु:ख में मनुष्य हाय-हाय करता है, पुराने जमाने में शायद 'हा हंत' कहता था। चारों ओर शोक और व्यथा के दृश्य देखकर वह उसे 'हाहाकार' के ध्वनि-संकेत से व्यंजित करता है। प्रसन्नता में वह 'हँसता' है, होली में उसकी हाहा, हीही होहो साहित्य का विषय बन गई है।

'हो हो हो हो लै लै बोलैं। गोरस केरे माते डोलैं।'

तथा

'हो हो हो हो हो हो होरी।'

सूरदास को होली के हो-हल्ले से विशेष प्रेम था। और भी लिखा है :

'हो हो हो हो होरी, करत फिरत ब्रज खोरी।'

तथा

'हो हो होरी खेलैं।'

गाँव के आदमी दूसरे को ज़ोर से पुकारेंगे तो नाम के बाद होऽऽ या होत की आवाज़ करेंगे। संस्कृत में इस के अनुरूप 'हे' सम्बोधन चिह्न है। जायसी और तुलसीदास में 'ह' अपने पूर्ण वैभव में दिखाई देता है। 'मैं' के लिए 'हौ' तो है ही,

'तुम' भी 'तुम्ह' रूप में दिखाई देता है। स्थानवाचक शब्दों या विभक्ति-चिह्नों में महुँ, कहुँ, न्ह (सजनन्ह, बसिठन्ह), इहाँ, वहाँ, जहिया आदि हैं, सर्वनामों में उन्ह, तिन्ह, ओहि, तेहि आदि, क्रिया के भूत, भविष्यत्, वर्तमान प्राय: सभी रूपों में 'ह्' के बिना काम नहीं चलता—लीन्हा, कीन्हा, है, रहे, हते, रहिहैं, अहहिं, होइहि, होहु, हहु (जानति हहु बस नाहु हमारे), इत्यादि रूप भरे पड़े हैं। पश्चिम ने हिन्द की जगह इण्ड और इंडिया ही स्वीकार किया, उसके विपरीत हमारे लिए महाप्राण 'ह्' के बिना हिन्दी निष्प्राण हो जाती है। निष्कर्ष यह निकला कि संस्कृत श्वान, शत, स्वप्न के यूरोपीय समरूप हुंट, हुंडेर्ट, हुप्नोस शब्द मिलें तो उनमें विद्यमान 'ह' ध्वनि भारतीय भाषाओं की ध्वनि-प्रकृति के प्रभाव का परिणाम मानी जा सकती है।

संस्कृत और उस परिवार की अन्य भाषाओं के लिए एक अन्य ध्वनि बहुत महत्त्वपूर्ण है : 'त्'। माता-पिता जैसे अन्तरराष्ट्रीय शब्दों में यह ध्वनि है। इन्हीं के समकक्ष 'तात' में वह आदि, अन्त—दोनों में विद्यमान है। पुत्र को जनपदीय बोलियों ने 'र'-हीन करके अपनी प्रकृति के अनुकूल 'पूत' बना लिया और उसका जोड़ीदार 'सुत' भी काव्य-भाषा में काम आता रहा। माता-पिता के समान 'भ्रात' को अन्तरराष्ट्रीय सम्मान प्राप्त है। दिल्ली से लन्दन तक, कॉमनवेल्थ में और सोवियत समाजवादी प्रजातंत्र संघ में यह शब्द किसी-न-किसी रूप में काम आता है।

संस्कृत के यत्, तत्, एतत्, तौ, ते, तावत्, तु, कञ्चित्, उत, इत:, अत: और 'रामात्' जैसे शब्दों में विभक्ति-चिह्न के रूप में इसी ध्वनि का उपयोग होता है। क्रिया-रूपों में प्रथम पुरुष की यह प्रिय ध्वनि है। वर्तमान में पठति, पठन्ति, आज्ञा में पठतु, पठन्तु, विधि में पठेत् (मध्यम पुरुष में पठेत) भूतकाल में अपठत् (म. पु. अपठत), भविष्य में पठिष्यति, पठिष्यन्ति आदि रूप हैं। कुछ क्रियाओं में कभी प्रथम पुरुष के तीनों वचनों में 'त्' ध्वनि का ही उपयोग होता है—जैसे कुरुते, कुर्वाते, कुर्वते।

यदि कोई जन चला गया है तो 'गत' है, जा रहा है तो 'गच्छत्' है, मर गया है तो 'मृत' है, जीता है तो 'जीवित' है, क्रिया को सम्पन्न करनेवाले की ओर संकेत करना हो तो 'ता' लगा देने से दाता, कर्ता, भर्ता, हर्ता, आदि रूप बन जाते हैं। क्रिया द्वारा सम्पन्न कर्म की ओर संकेत करने के लिए स्तुति, कृति, गति, मति, नीति, जाति, प्रीति, प्रतीति, आदि शब्दों में 'त' ध्वनि ही काम आती है। शत, विंशति आदि संख्यावाचक शब्दों में; 'ऋतु' और हेमन्त, वसन्त आदि ऋतुओं में, धूर्त से लेकर सत्, चित् की शान्ति पानेवाले सन्त तक अनेक शब्दों के अन्त में भाषणकर्ता की जिह्वा तालू स्पर्श करके उच्चारण-क्रिया समाप्त करती है।

हिन्दी में व्याख्यान देनेवालों को जब शब्द नहीं मिलते, तब 'तो, तो' करके कुछ क्षण बिताते हैं। जनपदीय बोलियों में आयत, जात, कहत, सुनत, आदि रूप संस्कृत रूपों के समकक्ष व्यवहार में आते हैं। हिन्दी को 'त्' ध्वनि संस्कृत से

भी ज्यादा प्रिय है। हिन्दी भाषा क्षेत्र को खेत, रात्रि को राति या रात, पुत्र को पूत बनाकर उन्हें तकारान्त करके और मधुर बना लेती है।

संस्कृत के समान लैटिन प्रथम पुरुष के एकवचन और बहुवचन में क्रिया रूप को तकारान्त रखती है। लउदो (प्रशंसा करना) के वर्तमान काल में लउदात, लउदान्त; भूतकाल में लउदाबात, लउदाबान्त; भविष्य में लउदाबीत, लउदाबुन्त रूप होते हैं। यूनानी भाषा में चुभो (खोना) के प्रथम पुरुष में एक, द्वि और बहुवचनों के रूपों में 'त्' का प्राय: लोप हो गया है। वर्तमान काल में लुएइ, लुएतोन, लुओउसिन; भूतकाल में एलुएन, एलुएतिन, एलुओन, और भविष्य में लुसेइ, लुसेतोन, लुसोउसिन रूप होते हैं। प्रथम पुरुष के एकवचन में तो तीन कालों में 'त्' का अभाव है। द्विवचन में तीनों कालों में 'त्' है यद्यपि यह अन्तिम ध्वनि नहीं है; एतोन, एतिन, एतोन में 'त्' 'न्' के पहले आया है। मध्यम पुरुष से बहुवचन में लुएते (वर्तमान), एलुएते (भूत), लुसेते (भविष्य) में संस्कृत की ध्वनि-प्रकृति के अनुकूल 'त्' का उपयोग हुआ है। संस्कृत 'अस्' की समकक्ष यूनानी धातु के प्रथम पुरुष, एकवचन (वर्तमान) में 'एस्तिन' रूप और (भविष्य में) 'एस्तइ' रूप होते हैं जिनसे मालूम होता है कि लैटिन 'एस्त' और संस्कृत 'अस्ति' की तरह यह धातु तो 'त्' ध्वनि ग्रहण करती है, किन्तु अन्य धातुओं में इस भाषा को तकारान्त रूपों से उतना प्रेम नहीं है जितना संस्कृत और लैटिन को।

यहाँ 'त्' के साथ 'इ' स्वर पर भी ध्यान देना चाहिए। संस्कृत में 'अस्ति' और 'सन्ति' रूप होते हैं। यूनानी में भी 'एस्तिन' और 'एइसिन' रूप हैं किन्तु लैटिन में 'एस्त' और 'सुन्त' रूप हैं (यद्यपि मध्यम पुरुप में 'इ' का बहिष्कार नहीं है : 'एस्तिस'; भविष्य में 'एरिस', 'एरितिस' और भूत बहुवचन में 'एरातिस' रूप हैं)। रूसी में भी 'ति' की जगह 'त' का प्रयोग होता है : चिताएत (पढ़ता है), चितायूत (वे पढ़ते हैं)। जर्मन में भी अकारान्त 'त' या 'ट' का प्रयोग होता है : लोबेत (प्रशंसा करना), लोब्ट (या लोप्ट; प्रशंसा करता है); इसी प्रकार भूतकाल के रूपों में गेलोब्ट।

क्रिया रूपों के अन्त में, विशेष कर प्रथम पुरुष में, त-कार का प्रयोग और अनेक स्थलों में 'ति' का प्रयोग संस्कृत और हिन्दी आदि अन्य भारतीय भाषाओं-बोलियों की विशेषता है। यूनानी, लैटिन, रूसी, जर्मन आदि भाषाओं ने इस प्रवृत्ति का प्रभाव ग्रहण किया है, वह उनकी मूल प्रवृत्ति नहीं है।

'त'-वर्ग का अन्तिम वर्ण 'न' भी शब्द-निर्माण और धातु रूपों में बड़े काम आता है। मन, तन, जन, घन, धन, वन आदि छोटे-छोटे शब्द हमारी भाषा के प्राण हैं। जीवन, गायन, वन्दन, नन्दन, स्पन्दन आदि न जाने कितने शब्दों में धातु के साथ जुड़कर 'न' अपना चमत्कार दिखाता है। रूसी में संस्कृत के समान 'दान' शब्द है, यूनानी में स्वप्न के समान 'हुप्नोस' है, किन्तु 'न' की जैसी भरमार संस्कृत और हिन्दी में है, वैसी उन भाषाओं में नहीं है। 'न्' की समानान्तर ध्वनि 'ण्' यूनानी,

लैटिन, रूसी, जर्मन आदि भाषाओं में नहीं है। संस्कृत में 'न' के समान 'ण' भी तरण, हरण, भरण, मरण, करण, चरण, पोषण, शोषण, गण, रण, प्राण, कर्ण, वर्ण आदि शब्दों में भरा पड़ा है। 'न्' या 'ण्' की ध्वनि जिन धातुओं का अभिन्न अंग नहीं है, उनमें भी ये वर्ण दखल जमा लेते हैं। कृ से कृणु, श्रू से श्रुणु, शक् से शक्नोति आदि रूप इसी प्रवृत्ति के प्रमाण हैं। संस्कृत के विपरीत किन्तु हिन्दी के समान प्राचीन यूनानी और जर्मन की बहुत-सी धातुएँ 'न'-कारान्त होती हैं। यूनानी में अकोउएइन (सुनना), अदेइन (गाना), एस्थिएइन (खाना) आदि; जर्मन में हावेन (रखना), जाइन (होना), रेनेन (दौड़ना), ज़ेंडेन (भेजना) आदि। इसी तरह फ़ारसी और अरबी में। यह प्रवृत्ति लैटिन और रूसी में नहीं है। या तो ग्रीक, जर्मन, हिन्दी आदि में धातुओं के नकारान्त रूपों की समानता आकस्मिक घटना है या इन भाषाओं का सम्बन्ध संस्कृत से ही नहीं, प्राचीन संस्कृत की समकालीन अन्य बोलियों से है जो अनेक बातों में संस्कृत के समान होते हुए भी किन्हीं बातों में उससे भिन्न थीं और वे भिन्न विशेषताएँ इन भाषाओं में मिलती हैं। हम भोजपुरी, मराठी आदि के लकारान्त धातु रूपों—गेला, गयल, रहल आदि—से रूसी के भूतकालिक लकारान्त रूपों—चिताल (पढ़ा), पिसाल (लिखा), दाल (दिया) आदि की तुलना कर सकते हैं। या तो यह लकार प्रेम आकस्मिक समानता है या इन भाषाओं का सम्बन्ध संस्कृत की समानान्तर प्राचीन बोलियों से है।

संस्कृत में 'र्' और 'ल्', दोनों का प्रयोग होता है। यूरोपीय भाषाओं तथा संस्कृत में बहुत-से मिलते-जुलते शब्द हैं जिनमें संस्कृत रूप 'र्' ग्रहण करता है और यूरोपीय रूप 'ल्'। रुच्, यूनानी एलाफ्रोस; सूरि या सूर्य, लैटिन सोल; श्रु, रूसी स्लूशात् (स्लीशात्) किन्तु जर्मन होयरेन, अंग्रेज़ी हिअर; पुर, यूनानी पोलिस; चुक, यूनानी लूकोस; परशु, यूनानी पेलेकुस; सर्पिः, यूनानी हेल्फोस; चक्रम्, यूनानी कुक्लोस इत्यादि। प्रश्न यह है कि जब 'आर्य' जन यूरोप से भारत की ओर चले, तब उनमें लकार-प्रेम अधिक था या रकार-प्रेम?

हिन्दी की पूर्वी बोलियों पर ध्यान दें तो पता चलेगा कि पछाहीं बोलियों की अपेक्षा उनमें रकारवाद का चलन अधिक है। बेला-बेरिया, काला-करिया, दिवाली-दिवारी (या द्येवारी), ससुराल-ससुरारि, साला-सार, उजाला-अँजोरिया (उज्यार), लड़का-लरिका इत्यादि में 'ल'-युक्त शब्द पछाँही हैं, 'र'-युक्त पूरबी। डॉक्टर पांडुरंग वामन गुणे के अनुसार ऋग्वेद के उन मंडलों में, जो बाद को रचे गए थे, प्राचीन 'र' का स्थान 'ल' ने अधिकाधिक ले लिया है : म्रुच-म्लुच, रभ्-लभ्, रोहित-लोहित इत्यादि। इससे सिद्ध हुआ कि रकार वाले रूप अधिक प्राचीन हैं।

डॉ. सुनीति कुमार चाटुर्ज्या ने फ्रांसीसी भाषाविद् मेय्ये के मत का उल्लेख करते हुए लिखा है : "प्रो. आंत्वान् मेय्ये ने ऋग्वेद की साहित्यिक भाषा-मूल इस आर्यभाषी प्रदेश की एक पश्चिमी बोली को ही बतलाया है। इस मूल वैदिक भाषा

में केवल 'र' ध्वनि ही थी, जैसा कि ईरानी (प्राचीन पारसीक तथा अवेस्ता) में पाई जाती है, और भारतीय-यूरोपीय 'र' एवं 'ल', दोनों के लिए 'र' ध्वनि का ही उपयोग होता था।"

डॉ. गुणे और मेय्ये का मत ल-कारवाले रूपों को अधिक प्राचीन स्वीकार करता है।

डॉ. चाटुर्ज्या ने आगे लिखा है : " 'र' और 'ल' का प्रश्न ही प्राचीन भारतीय आर्य भाषा की बोलियों की विभिन्नता का एक महत्त्वपूर्ण कारण है। इस प्रकार पश्चिम की एक बोली में 'ल' न होकर केवल 'र' था। दूसरी में, जिसकी प्रतिनिधि संस्कृत और पालि हैं, 'र' और 'ल', दोनों थे; तीसरी में, 'र' न होकर केवल 'ल' ही था, जो सम्भवत: सुदूर पूर्व की बोली थी। इस पूर्वी बोली की पहुँच आर्यों के प्रसार तथा भाषा-विषयक विकास के द्वितीय युग के पहले-पहल ही, आधुनिक पूर्वी उत्तर प्रदेश और बिहार के प्रदेशों तक हो गई थी।" ('भारतीय आर्य भाषा और हिन्दी', पृ. 52) जो बोली पूर्वी-उत्तर प्रदेश और बिहार के प्रदेशों तक फैल गई थी, यह यदि अब भी अपनी कुछ विशेषताएँ बचाए हुए है, तो उनसे यही सिद्ध होता है कि वह प्राचीन बोली रकार-प्रधान थी। पूर्वी और पश्चिमी बोलियों में र-ल का भेद जो अभी तक सुरक्षित है, वह इन बोलियों के प्राचीन रूपों के भेद की ओर संकेत करता है।

डॉ. चाटुर्ज्या के अनुसार भारतीय-यूरोपीय क्रॅइ-लो आर्य भाषा में श्री-ल हो गया और भारतीय आर्य भाषा में उसके तीन भिन्न-भिन्न रूप श्री-र, श्री-ल और श्ली-ल बने। यहाँ हम क-श के रूपान्तर का प्रश्न छोड़ देते हैं। क्या श्री-ल रूप में पहले व्यंजन के साथ 'र्' का उच्चारण सुगम था जो दूसरे 'र्' को तो 'ल्' बनाया किन्तु श्री के 'र्' को वैसा ही रहने दिया? यदि संस्कृत का श्ली-ल रकार उच्चारण की असमर्थता का प्रतीक है, तो श्री की जगह श्ली, श्रद्धा की जगह श्लद्धा, पुर की जगह पुल, गुरु की जगह गुलु आदि रूप व्यवहार में आने चाहिए थे।

उधर लैटिन और यूनानी भाषाएँ बोलनेवाले भी रकार-उच्चारण में असमर्थ न थे। यूनानी में लूरा (लायर बाजा), मेरोस (भाग), पतेर (पिता), मेतेर (माता), आदि 'र' वर्णवाले शब्द भरे पड़े हैं। ऐसे ही लैटिन में। क्या कारण है कि जो लोग माता-पिता जैसे रोजमर्रा इस्तेमाल में आनेवाले शब्दों में 'र्' का उच्चारण कर लेते थे, उन्होंने पोलिस, लुकोस आदि में 'र्' का स्थान 'ल्' को दे दिया था? इसका कारण यही हो सकता है कि संस्कृत के समान प्राचीन यूनानी और लैटिन के निर्माण पर अनेक बोलियों, भाषाओं या भाषा-परिवारों का प्रभाव पड़ा है; कम-से-कम उनके शब्द ऐसी भाषाओं के प्रभाव की ओर संकेत करते हैं जिनकी ध्वनि-प्रकृति एक-सी नहीं है।

डॉ. चाटुर्ज्या ने पतंजलि द्वारा उद्धृत एक कथा की चर्चा करते हुए लिखा है : "असुर (सम्भवत: पूरब के) लोग संस्कृत शब्द 'अरय:' (= शत्रुगण) का 'अलयो'

या 'अलवो' उच्चारण करते थे। इससे पता चलता है कि पश्चिम वालों को पूरबी लोगों के 'र' को 'ल' बोलने की आदत लक्षित हो चुकी थी।" इस कहानी से इतना ही संकेत मिलता है कि दो पड़ोसी बोलियों में 'अरय:' शब्द सामान्य होने पर भी उसका उच्चारण र-ल के भेद से होता था। लेकिन यह एक सम्भावना मात्र है कि पूरब के लोग 'र' की जगह 'ल' बोलते थे। आधुनिक पूरबी बोलियों के अध्ययन से यह सम्भावना निराधार सिद्ध होती है। इसके विपरीत पछाहीं बोलियों ने जिस तरह 'ल' को अपनाया है, उससे यह सम्भावना उत्पन्न होती है कि 'हेलयो' कहनेवाले असुर पछाँह के थे।

इतना तो निश्चित है कि लैटिन और यूनानी भाषाओं में 'ल' के लिए विशेष आग्रह (और 'र' के विरुद्ध सत्याग्रह) नहीं है, किन्तु भारत की पछाहीं बोलियों में स्थिति इससे उल्टी है। पुर को पोलिस और वृक को लुकोस बनाने का श्रेय इन्हीं 'असुरों' को तो नहीं है जो हेलयो-हेलयो करते हुए पूर्व से पश्चिम तक—भारत के सीमान्त से यूरोप के दक्षिण-पूर्वी भाग तक—पहुँच गए हों? सम्भव है कि इन्हीं ने स्लाव प्रदेशों में श्रु को स्लु और श्राव को स्लाव बनाया हो, यद्यपि 'ब्रात्' यूनानी 'फ्रातेर' की तरह रकार रूप में ज्यों-का-त्यों बना रहा।

भाषाओं की ध्वनि-प्रकृति का अध्ययन करने से यह परिणाम निकलता है कि जो भाषाएँ भारत-यूरोपीय परिवार के अन्तर्गत गिनी जाती हैं, उनमें कोई भी ऐसी नहीं है जिसमें भिन्न ध्वनि-प्रकृतिवाली भाषाओं या भाषा-परिवारों के तत्त्वों का सम्मिश्रण न हुआ हो। संस्कृत में एक धातु है इष्; इसके विभिन्न रूपों में—इच्छति आदि में—'ष' का स्थान 'छ' ले लेता है। यहाँ अनुमान करना पड़ता है कि किसी जाति या जन (नेशनैलिटी या ट्राइब) के लोग षकारान्त शब्दों का उच्चारण आसानी से कर लेते थे, किन्तु उनका सम्पर्क ऐसे लोगों से हुआ जिन्हें इस ध्वनि के उच्चारण में कठिनाई होती थी। उन्होंने 'ष' के बदले 'छ' ध्वनि निकाली और उसे 'ष' का स्थान दे दिया। इसी प्रकार प्रच्छति में प्रच्छ है। रूसी में स्प्राशिवात् क्रिया मूल रूप के 'श' को बनाए हुए है। वही 'श' 'प्रश्न' में सुरक्षित है। हमारे यहाँ छ-प्रेमी जनों की ध्वनि-प्रकृति इतनी सबल थी कि उन्होंने स्प्रश के 'श' का स्थान 'छ' को दे दिया। इसी तरह गच्छ का 'छ' भी सम्भवत: 'श' का रूपान्तर है। जर्मन में जाने के लिए गेहेन क्रिया है, जिसका 'ह' शकार का परिवर्तित रूप है। हिन्दी और उत्तर भारत की अन्य भाषाओं में जो छे, आछे, आदि रूप मिलते हैं, वह इसी प्रवृत्ति के कारण। संस्कृत का 'षष्' इसी प्रकार हिन्दी का 'छह' बना। यह प्रवृत्ति प्राकृतों या नव्य भारतीय भाषाओं के वास्तविक या कल्पित अभ्युदय काल से शुरू नहीं होती; वह उतनी ही पुरानी है जितना ऋग्वेद। और ऋग्वेद के रचनाकाल में वह मंत्र-द्रष्टाओं की भाषा अथवा देववाणी को प्रभावित करने में समर्थ थी। इससे सिद्ध हुआ कि वह ऋग्वेद के रचनाकाल से भी प्राचीन है। इच्छति, प्रच्छति जैसे रूप यह

भी सिद्ध करते हैं कि संस्कृत बोलचाल की भाषा थी; शिष्ट जनों की ही बोलचाल की नहीं, वरन् साधारण जनों की बोलचाल की भाषा थी। वर्ना जिस प्रवृत्ति ने 'षष्' को 'छह' किया, वह देववाणी या शिष्ट जनों की 'कृत्रिम' संस्कृत में 'इष' या 'प्रश्' (या स्प्रश्) के 'श' को 'छ' का रूप न देती। यहाँ यह प्रश्न भी उठता है कि वैदिक ऋचाएँ भारत के बाहर रची गई थीं, तो वह भाषा या क्षेत्र कौन-सा है जहाँ लोग श्-ष्-स् की ध्वनियों को 'छ्' में परिवर्तित करते थे? ऐसा क्षेत्र न मिले तो मानिए कि उनकी रचना इसी भारतभूमि में हुई थी।

अवधी के क्षेत्रों में गाँव के लोग छींक आने पर 'शतंजीव' को अब भी 'छतंजी' कहते हैं। लक्ष्मी को बंगाल के लोग लक्खी (या लोक्खी) कहेंगे; अवध में उसका लछमी (या लछिमी) रूप प्रचलित है। क्षमा का बंगला रूप खमा है तो यहाँ 'छमहु सकल अपराध हमारे।' लक्ष्मण का एक रूप लखन है—लक्खी के अनुरूप—तो दूसरा अवधी की सहज प्रकृति के अनुकूल है, लछिमन। इसी प्रकार क्षिति का छिति-छिति-जल पावक गगन समीरा। वत्स का बच्छ—बहुरि बच्छ कहि लाल कहि। मत्स्य का मच्छ, मछरी, मछली। श, ष को छ में परिवर्तित करनेवाली प्रवृत्ति हमारे प्रदेश की है।

भाषा की धनि-प्रकृति के अध्ययन—एक ही भाषा में विभिन्न ध्वनि-प्रकृतियों के सह-अस्तित्व और उनसे जनपदीय बोलियों की ध्वनि-प्रकृति के तुलनात्मक अध्ययन से पता चलता है कि संस्कृत जनसाधारण की भाषा थी और उसके वैदिक एवं लौकिक रूप-गठन के समय अवधी आदि भाषाओं की अनेक वर्तमान विशेषताएँ विद्यमान थीं।

संस्कृत में संधि के अनेक नियम वर्तमान जनपदीय बोलियों की ध्वनि-प्रकृति पर ही आधारित हैं। उच्छृंखल (उत् + शृंखल), उच्छासन (उत् + शासन), उच्छिख (उद् + शिख), उच्छ्वास (उत् + श्वास), उच्छिष्ट (उत् + शिष्ट) आदि रूप उसी प्रवृत्ति के आधार पर सिद्ध होते हैं जो उत्साह को उछाह और उत्संग को उछंग बना लेती है (या शतंजीव को छतंजी का रूप देती है)!

अंग्रेज़ी भाषा के विशेषज्ञों को हिन्दी-भाषी क्षेत्र के शिक्षितों से शिकायत रहती है कि वे स्कूल को इस्कूल और स्टूल को इस्टूल कहते हैं। गाँव के लोग या तो सकार के पहले एक स्वर (इ या अ) जोड़ देंगे (कभी-कभी पंडितजन पंजाबी मित्रों की तरह 'स्पष्ट' का 'सपष्ट' उच्चारण भी करते हैं) या उस सकार की जड़ ही काट देंगे। इस तरह उन्होंने स्टेशन का 'टेसन' बना लिया है और श्मशान को 'मसान' का रूप दिया है। यह प्रवृत्ति वैदिक काल में भी थी। 'स्पष्ट' का जन्म 'स्पश्' से हुआ है। अंग्रेज़ी के स्पाई (spy) का नाता उसी 'स्पश्' से है। 'स्पष्ट' में सकार रहा, पश्यति में उसका लोप हो गया। मैकडनल ने अपने वैदिक व्याकरण में पश्यति और स्पश् के समान अन्य शब्दों का उल्लेख किया है

जिनके सकारयुक्त और सकारहीन, दोनों रूप प्रचलित थे। स्तनयित्नु और तनयित्नु (मेघ गर्जन), स्तायु और तायु (चोर), स्तृ और तृ (सितारे)। इसी प्रकार रकारयुक्त और शकारहीन रूप—श्चन्द्र और चन्द्र।

'स्था' धातु से तिष्ठति रूप बनता है जिसमें 'स' का लोप हो जाता है, यद्यपि स्थास्यति में वह पुन: प्रकट होता है। इसी 'स्था' से स्थान शब्द बनता है जो पाकिस्तान, अफगानिस्तान, कजाकिस्तान आदि में 'स्तान' के रूप में प्रतिष्ठित है। मूल शब्द 'स्था' है या 'सत' या दोनों? रूसी में क्रिया है स्तोईत्, अंग्रेज़ी में स्टैण्ड। उत्तर भारतीय भाषाओं का तकार प्रेम हम देख चुके हैं। ब्रज, अवध आदि जनपदों में वस्तु को बत्त (चीज-बत्त या चीज-बत्तु), लस्त को लत्त कहते सुना जाता है। क्रिस्तान का कित्तान, किट्टान (या किष्टान) रूप इसी प्रवृत्ति के कारण बनता है। स्तान मूल रूप होता तो वह 'त्तान' या 'ट्टान' बन जाता। जिन भाषाओं ने 'स्त' या 'स्ट' वाला रूप ग्रहण किया है, उनके यहाँ 'थ' का प्राय: अभाव है (रूसी और जर्मन में)। इसलिए धारणा यह बनती है कि स्था और स्थान मूल रूप हैं और 'थ' को 'त' उच्चरित करने की प्रवृत्ति के कारण अन्य भाषाओं ने स्त और स्तान वाले रूप ग्रहण किये हैं। रूसी स्तारिइ (वृद्ध), सं. स्थविर; स्तेन (दीवाल), स्थाणु; पूत (जिसे स्पूत्निक ने प्रसिद्ध कर दिया है), पथ—रूसी-संस्कृत के इस तरह के समानान्तर शब्दों से यही निष्कर्ष निकलता है कि 'पथ' पूरब से पच्छिम गया है, पच्छिम से पुरब नहीं। पूरब के लोग भात, रात, जात, लात आदि में 'त' का मजे में उच्चारण कर लेते थे; उच्चारण की कठिनाई तो दूर, उन्हें तकार से विशेष प्रेम था। इसलिए पुत या पूत को उन्होंने पथ नहीं बनाया, पथ ही पुत या पूत बना है।

डॉ. सुनीति कुमार चाटुर्ज्या ने 'भारतीय आर्य भाषा और हिन्दी' में लिखा है कि बीसवीं शताब्दी के आरम्भ में बोगाज़कोई में जो लेख प्राप्त हुए, उनका भाषा-स्तर "वैदिक भाषा से निश्चय ही प्राचीनतर काल का है। वह भारतीय आर्य की अपेक्षा भारतीय-ईरानी के सन्निकट है।" उदाहरणस्वरूप उन्होंने जो शब्द दिये हैं, उनमें एक है 'शिमालिया' ('प्रकाशमान अर्थात् तुषाराच्छादित पर्वतों की देवी')। हिन्दुस्तान में एक बहुत प्रसिद्ध स्थान है शिमला और उसका इसी नाम की देवी से सम्बन्ध भी है। यह शिमला वैदिक भाषा से प्राचीन हो सकता है, लेकिन है हिन्दुस्तानी ही।

आदि आर्य भाषा पर मेसोपोटामिया की भाषाओं के प्रभाव की चर्चा करते हुए डॉ. चाटुर्ज्या ने लिखा है : "मेसोपोटामिया के सुसभ्य जनों—सुमेरों तथा शेमीय अक्कदीयों—का भी परोक्ष या प्रत्यक्ष प्रभाव आदिम भा.यू. में उनसे आए हुए कुछ शब्दों में लक्षित होता है।" इनमें एक शब्द है अक्कदी भाषा का पिलक्कु, यूनानी पेलेकुस, संस्कृत परशु। इस मिसाल से लगता है कि भारत से बाहर बोली जानेवाली

भाषा का एक शब्द जब इस देश में आया, तब उसने लकार का स्थान 'र' को दे दिया। इसके विपरीत, इसी प्रसंग 'में डॉ. चाटुर्ज्या ने लौह शब्द की व्युत्पत्ति इस प्रकार समझाई है : " 'लौह' प्राचीन 'रोह, रोध, रउध' से व्युत्पादित है और 'रउध' में विदेशी काल्दीय उपादान तथा स्वदेशी भा.यू.—दोनों मिश्रित हो गए हैं।" इस चर्चा में यह स्पष्ट नहीं है कि भारत आनेवाले आर्यों ने पिलक्कु के 'ल्' को तो 'र्' बनाया लेकिन रोध या रोह के 'र' को 'ल्' बना दिया। कहीं 'र्' से घृणा और 'ल्' से प्रेम और कहीं 'ल्' से घृणा और 'र्' से प्रेम—भारतीय आर्यों की इस ध्वनि-सम्बन्धी चंचलता का कारण क्या था?

विद्वानों के अनुसार आर्यों की पश्चिमी शाखा ने मूल कंठ्य-ध्वनियों को सुरक्षित रखा; भारत और रूस की शाखा ने उन्हें ऊष्म बना दिया। लैटिन केन्तुम, संस्कृत शत—इनमें लैटिन ने मूल ध्वनि को सुरक्षित रखा, संस्कृत आदि पूरब की भाषाओं ने उसे 'श' या 'स' का रूप दे दिया। प्रश्न यह है कि किम्, कः, कृतः, कत, कुत्र आदि क-युक्त शब्दों का विशाल भंडार रखनेवाली संस्कृत ने केन्तुम् के 'क्' को ही क्यों अछूत समझा? उत्तर भारत में ऐसी भाषाएँ तो हैं जो 'श' तथा अन्य वर्णों को हकार में बदल देती हैं। लेकिन 'क्' का स्थान 'श्' को देनेवाली भाषाएँ कौन-सी हैं? उधर लैटिन और ग्रीक, दोनों में 'श्' का अभाव है। इसलिए सम्भावना यही अधिक है कि उन्होंने 'श्' के बदले 'क्' वाले रूप अपनाए होंगे।

एक समस्या और है यदि आर्यों की पश्चिमी शाखा मूल कंठ्य-ध्वनियों को सुरक्षित रखे हुए 'शतं' के स्थान में 'केन्तुम्' का व्यवहार करती थी, तो जर्मन और अंग्रेज़ी में 'केण्टुम्' की जगह 'हुण्डेर्ट' और 'हण्ड्रेड' का व्यवहार कैसे होने लगा? जर्मन में कैसर, कापिटाल, काल्ट, कार्टे, केनेन, केर्ल, केर्न, क्नाबे, किंट आदि ढेरों शब्द है जो 'क्' से आरम्भ होते हैं; जिनके मध्य या अन्त में 'क्' हो, उनका जिक्र नहीं। फिर जर्मन 'आर्यों ने केण्टुम' के 'क्' से क्यों परहेज किया? इसका समाधान यही हो सकता है कि जर्मन हुण्डेर्ट का 'ह्' केण्टुम् के 'क्' के बदले नहीं आया; वह शतम् (या शेत्तुम्) के 'श्' का ही परिवर्तित रूप है जिसका कारण किसी हकारवादी जाति का प्रभाव है।

संस्कृत की मूर्धन्य ध्वनियों के बारे में डॉ. चाटुर्ज्या ने लिखा है : "भारत में, सम्भवतः ईरान में भी आर्य उपजातियों की भाषाओं में ध्वनि-तत्त्व, व्याकरण तथा शब्दावली की सभी दृष्टियों से नये परिवर्तन हुए। मूर्धन्य ध्वनियों का विकास हुआ—ध्वनि-तत्त्व में यह सबसे महत्त्वपूर्ण परिवर्तन हुआ। विकास के कारण अपने-आप ही आ गया हो, अथवा बहुत सम्भव है, इसके कारण बाहरी अनार्य प्रभावित [प्रभाव] रहे हों।"[1] इसके फलस्वरूप ज़, झ़, की 'आर्य ध्वनियाँ' विलुप्त हो गईं।

---

1. 'भारतीय आर्य भाषा और हिन्दी', पृ. 31

कश्मीरी में यज़्मन (यजमान) शब्द अभी तक प्रचलित है और 'ज़' की ध्वनि उस भाषा में वर्तमान है। मराठी में साझा, निजला आदि में झ-ज का उच्चारण झ़ ज़ का है। तेलगू, पूर्वी बंगला आदि अनेक भारतीय भाषाओं में 'ज़' की ध्वनि है। डॉ. चाटुर्ज्या के अनुसार भी : "राजस्थान की कुछ बोलियों में 'च, छ, ज, झ', इन तालव्य ध्वनियों का भी दन्त्य उच्चारण सुनाई देता है—c, ch, j, jh के स्थान पर ts, s, dz, z।" शुद्ध आर्य-ध्वनियाँ भारत में आकर बदल गईं, यह धारणा तर्कसंगत नहीं मालूम होती। किन्तु इस धारणा के अनुकूल डॉ. चाटुर्ज्या ने कुछ वैदिक मंत्रों की भारतीय ध्वनियाँ बदलकर उनकी शुद्ध आर्य-ध्वनियों को बहाल करते हुए उन्हें फिर से लिखा है। जैसे ऋग्वेद का यह पहला मंत्र :

अग्निम् ईले (ईडे) पुरोहितं<br>
यज्ञस्य देवम् ऋत्विजम्।<br>
होतारं रत्नधातमम्।

इसका ऋग्वेद में संकलित होने के 'कुछ शताब्दियों पूर्व' कुछ इस प्रकार का रूप रहा होगा :

अग्निम् इज़्दइ पुरज़्-धितम्<br>
यज़ञस्य दइवम् ऋत्विज़म्।<br>
झउतारम् रत्न-धा-तमम्॥

जहाँ तक इज़्दइ, यज़ञस्य, ऋत्विज़म् और पुरज़-धितम् का सम्बन्ध है, 'ज़' की ध्वनि कश्मीरी आदि में अपने आदि शुद्ध रूप में बनी हुई है। धितम् का 'धि' 'हि' में बदल गया लेकिन धातमम् का 'हातमम्' न हुआ। संस्कृत में धकारयुक्त और बहुत-से शब्द भी हैं। झउतारम् के 'झ' से भी संस्कृत या हिन्दी को वैर नहीं। इसी तरह गायत्री मंत्र का पूर्व रूप डॉ. चाटुर्ज्या के अनुसार यह है :

तत् सवितृस् बरइनिअम्।<br>
भर्गज़् दइवस्य धीमधि।<br>
धियज़् यज़् नस् प्रक' उदयात्॥

इस रूप में कोई ऐसी ध्वनि नहीं है जो भारतीय भाषाओं में कहीं-न-कहीं आज भी प्रचलित न हो। इसमें अनेक 'ध' हैं जो बदले नहीं। प्रचोदयात् का पूर्व रूप प्रक' उदयात् होगा, यह कल्पना इस आधार पर की गई है कि "पश्चिमी उपगोष्टियों में कंठ्य-ध्वनियाँ ज्यों-की-त्यों बनी रहीं।" संस्कृत में वाक्य और वचन, वाक्-वाच्, दिश्-दिक्, श्-क्, क्-च्, दोनों ध्वनियाँ हैं। लैटिन-ग्रीक में न 'च्' है, न 'श्'। यदि यह सिद्धान्त सही माना जाए कि ग्रीक-लैटिन के जिन

शब्दों में 'क्' है, वे मूल रूप हैं, और इन्हीं के समकक्ष संस्कृत-रूसी-हिन्दी आदि शब्दों में जहाँ 'क्' का स्थान किसी अन्य ध्वनि ने ले लिया है, वे विकृत रूप हैं, तो भाषा-विज्ञानियों के सामने ध्वनि-सम्बन्धी अनेक चमत्कार प्रकट होंगे। मूल शब्द हुआ केन्तुम या केत्; यहाँ 'क्' का स्थान 'श्' को देकर हमने भारतीय रूप बनाया शतम् या शत। मूल शब्द हुआ प्रक' उदयात्; यहाँ क्' का स्थान 'श्' को न देकर 'च्' को दिया और भारतीय रूप बनाया प्रचोदयात्। यह चमत्कार ही हुआ कि भारतीय आर्यों ने जहाँ तबियत आई, क् का 'श्' कर लिया, जहाँ मन न भरा, वहाँ उसे 'च्' रूप दे दिया।

मूल आर्य भाषा के नमूने के रूप में डॉ. चाटुर्ज्या ने एक वाक्य यह लिखा है : "घेरि-स्केन्द्रोस्यो पॅतेर्स, एक्वोस्यो उपेरि स्थॅतोस, ग्व्म्स्कोन्तस् पेङ्क्वे ब्लृकोन्स् घेगोने।" इसका संस्कृत रूप (अथवा विकृत भारतीय रूप) यह हुआ, "हरिश्चन्द्रस्य पिता अश्वस्य उपरिस्थित: गच्छन् पंच वृकान् जघान।" यदि यह मान लें कि घंटा, निघंटु, धन, घ्नन्ति, और उपर्युक्त वाक्य में ही जघान के घ-युक्त शब्दों वाली भाषा बोलनेवाले जन घेरिस्केन्द्र के 'घ' का उच्चारण न कर पाते थे और उन्होंने उसे ह-रूप दे दिया, तो भी केन्द्र का तो चन्द्र किया, पेङ्क्वे का पंच किन्तु एक्वोस्यो को 'अच्वस्य' क्यों न बनाया? मूल ध्वनि हुई 'क', परिवर्तित रूपों में बिना किसी नियम के कहीं 'श', कहीं च!

डॉ. चाटर्ज्या के अनुसार : जैसे व्यंजनों में परिवर्तन हुए, वैसे ही स्वरों में भी हुए। पेङ् क्वे में 'पे' का 'ए' गायब हो गया, रह गया पंच। एक्वोस्यो, उपेरि, घेघोने और केन्तुम्—सभी के एकार शश-शृंग के समान उड़ गए और रह गए अश्वस्य, उपरि, जघान और शतम्। इसी तरह संस्कृत अद्मि का मूल रूप माना गया है 'एद्मि', भर् धातु का मूल रूप माना गया है 'भेरो'।

संस्कृत धातु 'दा' का हिन्दी रूप है देना। यदि ए-कारवाला रूप प्राचीन माना जाए तो वह हिन्दी क्रिया 'देना' में सुलभ है। इसी प्रकार दृश् और देखना। अवध के गाँवों के लोग कभी-कभी किसी गला फाड़कर रोनेवाले से कहते हैं : "काहे अललात है?" यहाँ 'अललात' शब्द उन्होंने अस्वर का उच्चारण सुनकर गढ़ा। प्राचीन यूनान के आर्य भी अललाते थे—'अलालाजो' का अर्थ है चिल्लाना। लेकिन उनमें से कुछ को यह निश्चय न था कि हर्ष से या युद्धस्थल में वीरभाव से वे जो शब्द करते हैं, वह अ-स्वर की आवृति है या 'ए' की। इसलिए उनके यहाँ एक और शब्द है : 'एलेलीज़ो' जिसका वही अर्थ है जो पहले शब्द का। दा-देना की तरह प्राचीन यूनान की भी अनेक परस्पर सम्बन्धित भाषाओं में स्वरों का यह हेर-फेर खूब देखने को मिलता है। परिनिष्ठित ग्रीक (ऐटिक) में सोफिआ है तो आयोनियन में सोफिइ। परिनिष्ठित ग्रीक में मेतेर है; तो डोरिक में मातेर। यही लैटिन में मातेर रूप में है। इनमें शुद्ध रूप कौन-सा है? यूनानी लोग पारस (ईरान) को पेर्सिस कहते थे

और पारसीक को पेर्सिकोस। इससे यह सिद्ध नहीं होता कि मूल यूरोपीय आर्य रूप पेर्सिस या पेर्सिकोस था जो एशिया में आकर पारस या पारसीक बन गया। इसके विपरीत अनुमान यह होता है कि जहाँ संस्कृत 'अ' के समानान्तर यूनानी में 'ए' या अन्य कोई स्वर है, वहाँ संस्कृत स्वर ही अधिक प्राचीन होगा। लैटिन-भाषियों ने अलफरात नदी को एलफ्रातेस बना लिया था जिससे यह साबित नहीं होता कि अरबी अल् का मूल रूप 'एल्' था। अंग्रेज़ी के ऐलजेब्रा, ऐलकेमी, ऐलकोहल, ऐलकली आदि शब्द अरबी से लिये गए हैं और इनमें भी प्राचीन लैटिन-ग्रीक की तरह मूल अ-स्वर को परिवर्तित किया गया है।

इस प्रकार न तो पेंक्वे और एक्वेस्यो के एकार मूल-स्वर सिद्ध होते हैं, न क-कार। सम्भावना यह अधिक है कि मूल रूप—यदि कोई मूल रूप रहा हो तो—पंच और अश्वस्य ही थे।

यूरोप और भारत की अनेक भाषाओं में समानता है। इसलिए इनका एक स्रोत होना चाहिए। उस मूल भाषा के बोलनेवालों का एक निश्चित समुदाय होना चाहिए। उस समदाय का नाम हुआ आर्य। आर्य-जन बाहर से हिन्दुस्तान में आए। यहाँ अनार्यों में घुलने-मिलने से या उनसे लड़ने-भिड़ने के कारण उनकी शुद्ध आर्य भाषा में अनेक विकृतियाँ उत्पन्न हो गईं। पहले कहते थे विकृत तो अब कहने लगे विकट। 'ट' वर्ग की ध्वनियों ने मूल आर्य भाषा का रूप बदल दिया। कठिनाई यह है कि यदि अनार्यों के प्रभाव से भारतीय आर्यों ने 'ट' वर्ग अपनाया, तो जर्मन, अंग्रेज़ी आदि उत्तरी यूरोप की भाषाओं में 'ट्', 'ड्' की ध्वनियाँ किन अनार्यों के प्रभाव से उत्पन्न हुईं? विद्वानों के अनुसार लैटिन भाषा बोलनेवाले आर्य भी केण्टुम् (केन्तुम् नहीं) में 'ट' का उच्चारण करते थे। उन पर किसका प्रभाव पड़ा? यदि ये ध्वनियाँ अपने आप उत्पन्न हुई हों तो इसका क्या प्रमाण है कि वे आर्यों के भारत आने पर ही उत्पन्न हुईं? जब वे ईरान या अफगानिस्तान (या वोल्गा तट पर) भ्रमण कर रहे थे, तब भी वे ध्वनियाँ उत्पन्न हो सकती थीं!

इस तरह की अनेक कठिनाइयाँ हैं। यूरोप के आर्य देका, पेंक्वे बोलते थे और भारतीय आर्य दश और पंच। भारतीय आर्यों ने एक जगह 'क' को 'श' किया, दूसरी जगह 'च'। इसका नियम क्या है? फिर जर्मन आर्य केन्तुम की जगह हुण्डेर्ट क्यों बोलने लगे? इसी तरह लैटिन 'कोर' में यदि दृश्यवाचक शब्द का मूल रूप मिलता है, तो जर्मन में हेर्त्स और अंग्रेज़ी में हार्ट कहाँ से आए? और स्वयं लैटिन में एगो (अस्मद्) से मिही कैसे बना? ग्रीक आर्यों ने स्वप्न के 'स' को हकार में बदलकर विकृत रूप हुप्नोस कैसे अपनाया?

एक आदि भाषा—उसके बोलनेवाले आर्य—उनका पश्चिम से पूर्व की ओर अभियान—यह धारणा अनेक भाषा-विज्ञानियों के दिमाग में इतनी मजबूती से जड़ जमाए है कि उन्हें इस तरह की कठिनाइयों का आभास भी नहीं होता। वे आर्यों की

आदि भाषा की मूल ध्वनियों की कल्पना करके प्राचीन मंत्रों का शुद्ध आर्य रूप भी प्रस्तुत करते हैं, उसमें वाक्य-रचना के नमूने देते हैं।

किसी भाषा का अध्ययन करते समय इतना कहना काफी नहीं है कि उसमें इन स्वरों या व्यंजनों का प्रयोग होता है। यह देखना और आवश्यक होता है कि किन ध्वनियों का व्यवहार भाषा में अधिक होता है, किस तरह की ध्वनियाँ उसकी प्रकृति के ज्यादा अनुकूल हैं। इस तरह भाषाओं का अध्ययन करने से पहला निष्कर्ष यह निकलता है कि संस्कृत, लैटिन, ग्रीक, जर्मन, हिन्दी आदि भाषाओं में किसी में भी 'शुद्ध' एक भाषा की ध्वनि-प्रकृति नहीं है। संस्कृत में प्रश्न भी है और प्रच्छति भी। एक ध्वनि-प्रकृति 'श' को सहज उच्चरित करने और उसे भाषा में बनाए रखने की है, तो दूसरी उसे 'छ' में परिवर्तित करने की। इन प्राचीन भाषाओं का अध्ययन करते हुए जब हम आज की भाषाओं पर—शिष्ट जनों की भाषा ही नहीं, जनपदीय बोलियों पर भी—ध्यान देते हैं तो पता चलता है कि यहाँ की अनेक भाषाओं और बोलियों में वह प्रवृत्ति मौजूद है जो श-ष को 'छ' का रूप देती है। इससे यह अनुमान पुष्ट होता है कि संस्कृत में 'प्रश्' का प्रच्छति इसी प्रवृत्ति के कारण हुआ था। इसी तरह ग्रीक में सकारयुक्त शब्द भी हैं और स्वप्न का रूपान्तर हुप्नोस भी है। जर्मन में श-वाले बहुत-से शब्द हैं और श्वान का रूपान्तर हुण्ट और शत का हुण्डेर्ट भी हैं। रूसी में रकारयुक्त बहुत-से शब्द हैं और श्राव का रूपान्तर स्लाव, श्रू का रूपान्तर स्लू (-शात्) भी है। इसका कारण अत्यन्त प्राचीन काल से विभिन्न भाषा-परिवारों का परस्पर सम्पर्क, उनका परस्पर सांस्कृतिक आदान-प्रदान, विभिन्न कारणों से और विभिन्न रूपों में प्राचीन जनों (कबीलों) का एक दूसरे में घुलना-मिलना है। इसलिए शुद्ध आर्यों की विशुद्ध ध्वनियों की निराधार कल्पना छोड़कर हमें प्राप्त भाषाओं के आधार पर उनकी ध्वनि-प्रकृति का अध्ययन करना चाहिए। इस तरह के अध्ययन से पता चलेगा कि संस्कृत-ग्रीक-लैटिन आदि की ध्वनि-प्रकृति एक अखंड, अविच्छेद्य इकाई न होकर विरोधी ध्वनि-प्रकृतियों का समन्वय है।

दूसरा निष्कर्ष यह निकलता है कि यूरोप की कुछ भाषाओं की जिन ध्वनियों को मूल ध्वनि माना गया है, वे मूल ध्वनि नहीं हैं; उनके जिन शब्दों को मूल शब्द माना गया है, वे मूल शब्द नहीं हैं। प्राचीन कबीलों का अभियान पश्चिम से पूर्व की ओर भी हुआ होगा, किन्तु भाषाओं की ध्वनि-प्रकृति के अध्ययन से यह अनुमान होता है कि यूरोप की भाषाओं की अनेक विशेषताओं का कारण उन पर प्राच्य भाषाओं की ध्वनि-प्रकृति का प्रभाव है। इस तरह के अध्ययन का एक सूत्र 'ह्'-सम्बन्धी है। हिन्द और हिन्दी शब्द ईरानियों की देन नहीं हैं। फ़ारसी में 'श्' और 'स्' बहुतायत से हैं। केवल भारत में ऐसे क्षेत्र हैं जहाँ आज भी लोग सत्यानन्द को हत्यानंद या मस्जिद को महजिद बोलते हैं। हकारवृत्ति भारत की प्राचीनतम

भाषाओं में विद्यमान थी। हुप्नोस, हुंट आदि रूप इन भारतीय जनों या उनके भाई-बंदों के सम्पर्क से बने हैं।

यूरोप की भाषाओं में आम तौर से महाप्राण ध्वनियों की कमी है। उनके यहाँ स्पर्श ध्वनियों में 'क्' और 'ग्', दोनों ध्वनियाँ मिलेंगी। 'क्' अघोष है, 'ग्' सघोष लेकिन दोनों ही हैं अल्पप्राण। इनके महाप्राण रूपों में 'ख्' तो मिल भी जाएगा किन्तु 'घ्' का अभाव दिखाई देगा। इसी प्रकार दन्त्य ध्वनियों में अल्पप्राण अघोष 'त्' और अल्पप्राण सघोष 'द्', ये दोनों ध्वनियाँ अनेक यूरोपीय भाषाओं में मिलेंगी, लेकिन इनके महाप्राण रूपों में 'थ्' तो मिल भी जाएगा, 'ध्' का अभाव दिखाई देगा। भारतीय वर्णमाला के हिसाब से प्रत्येक वर्ग का सघोष महाप्राण (अर्थात् चौथा) वर्ण—घ, झ, ड, ध, भ—यूरोपीय भाषाओं में नहीं हैं। 'ख्' और 'घ्', दोनों ही महाप्राण ध्वनियाँ हैं, लेकिन अघोष 'श्' की तुलना में सघोष 'घ्' के उच्चारण के लिए श्वास को कुछ अधिक मात्रा और विशेष श्रम से बाहर निकलना होता है। संस्कृत भाषा-परिवार इस महाप्राणता को सुगम मानता है; यूरोपीय भाषा-परिवार के लिए अल्पप्राणता ही सुगम है। यूरोपीय भाषाएँ महाप्राण रूप अपनाती हैं तो अधिकतर अघोष वर्णों के, सघोष वर्णों के महाप्राण रूप वे छोड़ देती हैं क्योंकि उनकी ध्वनि-प्रकृति को देखते हुए वे अति-श्रमसाध्य हैं। यूरोप और उत्तर भारत की भाषाओं में यह एक महत्त्वपूर्ण भेद हुआ। इससे यह परिणाम निकलता है कि भ्रात् और ब्रात् दो रूप दिखाई दें तो इनमें भ्रात् को ही मूल रूप मानना चाहिए। इसी प्रकार घ, ध आदि से आरम्भ होनेवाले शब्दों के बारे में भी समझना चाहिए।

जो ध्वनियाँ एक भाषा-परिवार के लिए सरल हैं, वही दूसरे के लिए कठिन हो सकती हैं। इसका कारण यह है कि हम जिन ध्वनियों का बराबर उच्चारण करते हैं, उनके लिए शरीर के अवयवों की आवश्यक क्रिया के हम अभ्यस्त हो जाते हैं।

हिन्दी में ऐसे शब्द कम होंगे जहाँ क या ग का स्थान 'ह' ने ले लिया हो, लेकिन ख और घ ने जहाँ 'ह' को अपना आसन दिया हो, ऐसे शब्द बहुत मिलेंगे (नख, नह, लघु, लहु)। इसी प्रकार त और द की तुलना में 'थ' और ध, प और ब की तुलना में 'फ' और 'भ' महाप्राण 'ह' के सामने आत्मसमर्पण करते हैं। यदि अल्पप्राण ध्वनियों के साथ 'स' का मिश्रण हुआ तो 'स' पहले 'ह' में परिवर्तित होगा और 'ह' के संसर्ग से शेष अल्पप्राण ध्वनि भी महाप्राण ध्वनि बन जाएगी—जैसे स्तन से थन। इसलिए संस्कृत में गरजने के लिए 'स्तन्' धातु मिले और उसी के अनुरूप अंग्रेज़ी में 'थंडर' मिले तो समझना चाहिए कि 'स्तन्' जैसे शब्दों का 'थन्' में परिवर्तन संस्कृत-हिन्दी परिवार की विशेषता है, यूरोपीय भाषाओं की नहीं। और भी, जैसे श, ष के वास्ते आवश्यक जिह्वा-प्रयत्न हमारे कुछ पूर्वजों के लिए सुगम न था, वैसे ही वह लैटिन भाषियों के लिए भी सुगम न था। हमारे पूर्वजों के विपरीत 'च' जैसी ध्वनि के लिए भी ज़बान की जितनी हरकत दरकार थी, उतनी

लैटिन भाषियों को अखरती थी। उन्होंने श्, ष्, च्, आदि के लिए 'क्' ध्वनि से ही काम चलाया। इसलिए अश्व की जगह 'एकुउस', पंच की जगह 'पेंक्वे'। संस्कृत, हिन्दी आदि भाषाओं में 'ह्द' के समान 'त्' की प्रधानता है। तुलनात्मक अध्ययन से हम देखते हैं कि विभक्ति रूपों में, शब्द-निर्माण में 'त्' को वही महत्त्व पाश्चात्य भाषाओं में प्राप्त नहीं है, जो हमारे यहाँ प्राप्त है। इसलिए पूर्व और पश्चिम की भाषाओं में जब एक ही 'त्' वाला रूप मिलता है, तब हम उसे मूलत: पूर्व का रूप मानते हैं, पश्चिम का नहीं। इसी तरह र्-ल् का भेद-अभेद है। पश्चिम की भाषाओं में 'र्' और 'ल्', दोनों का सहज अबाध व्यवहार होता है। केवल भारत में हम देखते हैं कि पश्चिम की बोलियों में 'ल्' की प्रधानता है और पूर्व की बोलियों में 'र्' की। इससे हम हेरय:-हेलयो सम्बन्धी प्राचीन कथा को मिलाते हैं तो यह परिणाम निकलता है कि र् या ल् के लिए विशेष आग्रह यहाँ की पूर्वी-पश्चिमी बोलियों की प्राचीन विशेषता है। जब हम लैटिन में सोल् शब्द देखते हैं जो सूरि (या सूर्य) का रूपान्तर है किन्तु मातेर अपना 'र्' सुरक्षित रखता है, तब यह अनुमान तर्कसंगत लगता है कि सोल् आदि शब्दों में 'ल्' की प्रतिष्ठा भारत की पश्चिमी बोलियों या उनसे मिलती-जुलती भारत के बाहर की बोलियों के प्रभाव का परिणाम है।

तीसरा निष्कर्ष यह निकलता है कि जो लोग संस्कृत में श-ष आदि का स्थान ह-छ आदि को लेते देखकर यह कल्पना करते हैं कि यह प्राचीन प्राकृतों का प्रभाव है, वे इसी से मिलते-जुलते परिवर्तन यूरोप की भाषाओं में नहीं देखते और वहाँ भी प्राचीन प्राकृतों की कल्पना नहीं करते। केवल भारत के लिए यह प्राचीन प्राकृतों की स्थापना विज्ञानसम्मत नहीं है। इसके सिवा प्राकृत शब्द से यह आभास होता है कि कुछ भाषाएँ तो साधारण (प्राकृत) जनों की बोलचाल के काम में आती थीं, वैदिक या संस्कृत केवल शिष्ट जनों की भाषा थी। संस्कृत बहुत बाद में केवल शिष्ट जनों की भाषा रह गई किन्तु संस्कृत के वैदिक और लौकिक, दोनों रूप इस देश की धरती पर ही संगठित हुए और वे जनसाधारण की बोलचाल के रूप थे। इष् से इच्छति और प्रश् से प्रच्छति रूप वही लोग बनाते हैं (और बनाए रखते हैं) जो आए-दिन अपने जीवन में इन क्रियाओं का व्यवहार करते हैं।

भाषा के अन्य तत्त्वों के अध्ययन से ये निष्कर्ष और पुष्ट होते हैं।

तीसरा अध्याय

# भाषा की भाव-प्रकृति

भाषा की ध्वनि-प्रकृति के समान उसकी एक भाव-प्रकृति होती है जो शब्द-निर्माण, वाक्य-रचना तथा व्याकरण के विभिन्न अंगों में प्रकट होती है। दस के बाद हम गिनते हैं, ग्यारह, बारह, तेरहय; बीस के बाद इक्कीस, बाईस, तेईस और इसी तरह इक्यानवे, बानबे, तिरानबे तक। इन संख्यावाचक शब्दों की विशेषता यह है कि दहाई का अंक बाद को आता है और उसमें जितनी वृद्धि होती है, वह अंक पहले रहता है। यही पद्धति संस्कृत में है—एकादश, द्वादश, त्रयोदश इत्यादि। ग्रीक में ग्यारह-बारह के लिए हेन्देका, दोदेका शब्द हैं। तेरह से 'तीन और दस' के लिए 'त्रेइस काइ देका', 'चार और दस' के लिए 'तेत्तारेस काइ देका' आदि हैं (काइ = और)। पच्चीस के लिए एइकोसी पेन्ते (बीस पाँच), छब्बीस के लिए एइकोसिन हेक्स (बीस छह) आदि रूप हैं।

अंग्रेज़ी में दस के बाद इलेवन, ट्वेल्व, थर्टीन, आदि शब्दों में संस्कृत-हिन्दी के समान दहाई की संख्या बाद में आती है, और जो संख्या जोड़ी जाती है, वह पहले होती है। किन्तु बीस के बाद ट्वेंटी-वन, ट्वेंटी-टू, आदि क्रम चलता है जिसमें दहाई पहले और जोड़ी जानेवाली संख्या बाद में आती है।

केवल भारतीय भाषाओं में जो क्रम ग्यारह-बारह में है, वही इकीस-बाईस आदि बाद की संख्याओं में हैं। भारतीय भाषाओं की यह भाव-प्रकृति हुई—उन भाषाओं का व्यवहार करनेवालों के चिन्तन और भाव-व्यंजना की विशेष पद्धति हुई—जिसके अनुसार दहाई का स्थान बाद में होता है और उसके साथ जुड़नेवाली संख्या का पहले। ग्रीक में बारह तक और अंग्रेजी में उन्नीस तक संस्कृत क्रम चलता है, उसके बाद यह क्रम टूट जाता है। अंग्रेज़ी की सहज भाव-प्रकृति दहाई को पहले रखने की है, जुड़नेवाली संख्या को बाद में रखने की। यही स्थिति ग्रीक में है। ग्रीक और अंग्रेज़ी में अन्तर यह है कि अंग्रेज़ी में छब्बीस के लिए 'छह और बीस' न कहेंगे, लेकिन ग्रीक में 'हेक्स काइ एइकोसी' स्वीकृत प्रयोग है। ग्रीक में जब 'काइ' (और) न जोड़ेंगे, तब अंग्रेज़ी के समान दहाई पहले होगी; 'काई' जोड़ने से दस से छोटी संख्या पहले होगी, दहाई बाद में।

लैटिन में दस के बाद सत्रह तक संख्यावाचक शब्द वैसे ही बनते हैं, जैसे संस्कृत-हिन्दी में। ग्यारह-बारह-तेरह के लिए ऊनदेकिम्, दुओदेकिम्, त्रेदेकिम् शब्द हैं, किन्तु बीस के बाद वीगिन्ती-ऊनुस्, बीगिन्नी-दुओ आदि रूप आरम्भ होते हैं। लैटिन की भी सहज भाव-वृत्ति दहाई के शब्द को पहले रखने की है। जब इस भाषा में दहाई का शब्द बाद में आता है, तो ग्रीक की तरह (उसमें भी 'एत' (और) आवश्यक हो जाता है : एक और बीस—ऊनुस एत वीगिन्ती, दो और बीस—दुओ एत वीगिन्ती।

रूसी में उन्नीस तक संस्कृत का-सा क्रम चलता है लेकिन इक्कीस के लिए द्वाद्सत-अदीन—यूरोप की अन्य भाषाओं वाला क्रम चलने लगता है। जर्मन में उन्नीस तक संस्कृत वाला क्रम है : बीस के बाद 'उन्ट' (और) जोड़ कर एक और बीस—आइन-उन्ट-त्स्वानत्सिग—आदि रूप चलते हैं। डैनिश और डच में जर्मन-क्रम है किन्तु स्वीडिश में अंग्रेज़ी की तरह त्यूगोएन (बीस-एक), त्यूगोत्वा (बीस-दो) रूप चलते हैं। फ्रांसीसी में सोलह तक संस्कृत-क्रम और उसके बाद दहाई की संख्या पहले। स्पेनी में पन्द्रह तक संस्कृत-क्रम चलता है, उसके बाद दहाई का स्थान पहले हो जाता है। पुर्तगाली और इतालवी में बीस के बाद अंग्रेज़ी-क्रम चलता है। चीन-पद्धति यूरोपीय-पद्धति से मिलती-जलती है और अधिक सुसंगत भी है। उसमें ग्यारह-बारह आदि के लिए भी 'शिह्' (दश) में 'ई' (एक), 'एर' (दो) आदि जोड़े जाते हैं। चीनी जैसा ही नियम द्रविड़ भाषाओं में है, यथा : तमिल में पत्तु—दस, पदिनाण्णु—ग्यारह। भाव-प्रकृति के इस भेद से भी संस्कृत-द्रविड़ भाषा-परिवारों की भिन्नता सूचित होती है।

साधारणत: यूरोप की भाषाओं में दहाई की संख्या को पहले और जोड़ी जानेवाली संख्या को बाद में रखने की प्रवृत्ति है। कुछ में ग्यारह-बारह, कुछ में पन्द्रह, कुछ में उन्नीस तक संस्कृत जैसा क्रम चलता है। बाद में उनकी मूल प्रवृत्ति प्रकट हो जाती है जो दहाई को पहले रखती है। कुछ भाषाएँ 'और' से काम लेकर दहाई को बाद में रखती हैं। यह सामान्य नियम केवल संस्कृत और उससे सम्बन्धित भारतीय भाषाओं में ही देखा जाता है कि जैसे ग्यारह-बारह रूप बनते हैं, वैसे ही इक्की-बाईस। इससे सिद्ध हुआ कि दहाई को बाद में रखना संस्कृत भाषा-परिवार की अपनी भाव-प्रकृति है। यूरोप की भाषाओं में उसकी झलक दिखाई देती है खास तौर पर ग्यारह से उन्नीस तक की संख्याओं में; वह उनकी सहज प्रक्रिया नहीं है। स्पष्ट है कि ग्रीक-लैटिन, फ्रांसीसी-अंग्रेज़ी आदि भाषाओं में दो तरह की भाव-प्रकृतियों से संख्यावाचक शब्द-रूपों का गठन हुआ है। एक भाव-प्रकृति बीस-एक, बीस-दो रूप स्वीकार करती है; इसे यूरोपीय भाषाओं की अपनी भाव-प्रकृति कहते हैं। दूसरी भाव-प्रकृति एक-बीस, दो-बीस का क्रम पसन्द करती है; इसे हम भारतीय कहते हैं। यूरोप की भाषाओं में यह क्रम अपवाद रूप में है। उत्तर भारत

की भाषाओं में यूरोपवाले क्रम की छाया भी नहीं है। क्या यह आश्चर्य की बात नहीं है कि जिन आर्यों ने पेंक्वे में 'क' की मूल ध्वनि सुरक्षित रखी थी, उन्होंने 'पंच' कहनेवालों पर इस दिशा में कोई असर न डाला? हमारी संख्यावाचक शब्दावली एक नियम से परिचालित होती है और यूरोप के आर्यों की एक से अधिक—परस्पर विरोधी—नियमों से।

परिणाम यह निकलता है कि जिस तरह पंच और दश शब्द पूर्व से पश्चिम गए थे और उनके च्-श्-क् में बदल गए थे, वैसे ही पूर्व की संख्या-पद्धति ने भी ग्रीक-लैटिन-भाषियों को प्रभावित किया। यदि संख्यावाचक शब्दों को पूर्व ने पश्चिम से ग्रहण किया होता तो सम्भावना यह थी कि उनकी बीस-एक, बीस-दो वाली पद्धति का कुछ असर हमारे यहाँ भी दिखाई देता।

भाषा की भाव-प्रकृति का यह एक उदाहरण हुआ।

दूसरा उदाहरण संस्कृत के विभक्ति-चिह्नों से देते हैं। रामस्य में सम्बन्धवाचक. 'स्य' राम के बाद आया है; हिन्दी में भी 'राम का' रूप में सम्बन्धवाचक 'का' बाद में आता है। अगर 'राम के ऊपर' कोई विपत्ति पड़ी हो तो 'के' के बाद ही ऊपर जोड़ा जाएगा, उसके पहले नहीं। यूरोप की भाषाओं में यह विचित्रता है कि जब वे विभक्ति-चिह्न स्वीकार करती हैं, तब वह मूल शब्द के बाद ही आता है, किन्तु जब उन्हें कोई अन्य सम्बन्धवाचक शब्द इस्तेमाल करना होता है, तब वह मूल शब्द के पहले आता है। सम्बन्धसूचक शब्द वही काम करता है जो विभक्ति-चिह्न। वास्तव में विभक्ति-चिह्न स्वतंत्र शब्द ही थे जो संसर्ग-दोष से स्वतंत्र अस्तित्व खोकर चिह्न मात्र रह गए। संस्कृत-परिवार की भाषाओं में स्वतंत्र सम्बन्धवाचक शब्दों और विभक्ति-चिह्नों के लिए एक-सा नियम है। ग्रीक, लैटिन, रूसी, जर्मन आदि भाषाओं में दो नियम हैं : विभक्ति चिह्न मूल शब्द के बाद आएँगे, सम्बन्धवाचक पहले।

ग्रीक में 'शाम को' के लिए कहेंगे : 'एइस हेस्पेरान्'। यहाँ 'हेस्पेरान्' स्वयं कर्म-कारक है, 'एइस' (को) अलग से जुड़ा हुआ है। 'एथेंस से'—'अप अथीनोन'; अथी-नोन सम्बन्ध-कारक है, अप (अपो) पहले आया है, अलग से। इसी तरह लैटिन में 'इन पोर्तू' (बन्दरगाह में), 'कुम एआ लेगिओने' (सेना सहित), 'एलेफान्तुस् अल्तिओर् एस्त् काम् एकुउस्' (हाथी घोड़े से ऊँचा है)—इन मिसालों में सम्बन्धवाचक शब्द इन्, कुम्, काम् विभक्ति-चिह्न-युक्त मूल शब्द के पहले आए हैं। ऐसे ही रूसी में 'व मस्क्वे' (मॉस्को में), 'ना स्तोले' (मेज़ पर), 'ऊ मेन्या' (मेरे यहाँ, मेरे पास)। जर्मन में 'बिनेन आइनेर स्टुण्डे' (एक घंटे में; बिनेन = में), 'ह्वेगेन डेस क्रीगेस', (युद्ध के कारण; ह्वेगेन = कारण)। यूरोप की भाषाओं में सम्बन्धवाचक शब्द मूल शब्द के बाद में आए तो उसे अपवाद समझना चाहिए। वैसे ही संस्कृत, हिन्दी आदि भाषाओं में वह मूल शब्द से पहले आए तो उसे अपवाद समझना चाहिए।

इससे दो तरह के भाषा-परिवारों के स्वभाव की भिन्नता प्रमाणित हुई। यूरोपीय भाषाओं को—विशेष कर ग्रीक और लैटिन को—विभक्ति-चिह्न से जब इतना प्रेम था तो अपने स्वभाव के अनुकूल उन्होंने उसे मूल शब्दों से पहले क्यों न बिठाया? इसका एक ही कारण हो सकता है। उन पर संस्कृत या उस परिवार की अन्य भाषाओं का गहरा असर पड़ा जिससे विभक्ति-चिह्न उन्होंने शब्दों के बाद ही रखा किन्तु अपनी सहज भाव-प्रकाशन विधि के कारण सम्बन्धवाचक शब्दों को उन्होंने वाक्य में मूल शब्द के पहले रखा। इस तरह का व्याकरण-भेद मूलत: दो तरह की चिन्तन-पद्धतियों का भेद है। यदि शब्द के अन्त में विभक्ति-चिह्नों का प्रयोग यूरोप की भाषाओं की अपनी विशेषता होती तो वे सम्बन्धवाचक शब्दों को भी उसी प्रवृत्ति के अनुसार मूल शब्द के बाद ही रखतीं।

संस्कृत में क्रिया, संज्ञा, विशेषण आदि में उपसर्ग जोड़कर मूल शब्द के अर्थ में कोई विशेषता उत्पन्न की जाती है : कंप्-प्रकंप्, मत्त-प्रमत्त, स्थान-प्रस्थान, वाद-प्रवाद, इत्यादि। ग्रीक, लैटिन, रूसी आदि भाषाओं में उपसर्ग का यही धर्म है। संस्कृत में विशेषण आएगा तो संज्ञा के पहले, क्रिया-विशेषण होगा तो क्रिया के पहले आएगा। यदि विशेषण की विशेषता ज्ञापित करनेवाला शब्द होगा तो वह भी विशेषण के पहले आएगा। यह संस्कृत का साधारण नियम है। ग्रीक में विशेषण मूल शब्द के पहले भी आते हैं, बाद को भी। 'निकिन एनीकिसान कल्लिस्तीन' (उन्होंने श्रेष्ठ विजय प्राप्त की, निकिन-विजय पहले हैं, बाद को क्रिया, अन्त में विशेषण कल्लिस्तीन श्रेष्ठ। 'एगो फिलो मालिस्त'—मैं बहुत अधिक प्यार करता हूँ। यहाँ मालिस्त (बहुत अधिक) क्रिया के बाद आया। सम्बन्धकारक का प्रयोग भी एक प्रकार से वस्तु का सम्बन्ध या उसकी विशेषता बताने के लिए होता है। संस्कृत में स्वाभाविक रूप से सम्बन्धकारक मूल शब्द से पहले आएगा—जैसे रामस्य पत्नी। अंग्रेज़ी में अँपौस्ट्रोफी एस् से काम न लिया जाए तो 'वाइफ ऑफ़ राम'—इस तरह का क्रम होगा। ग्रीक में भी यह प्रवृत्ति दिखाई देती है : 'एन आर्खी तोउ लोगोउ' (भाषण के आरम्भ में)—यहाँ भाषण के (लोगोउ) अन्त में है और आर्खी (आरम्भ) पहले है। इसी प्रकार लैटिन में 'फोर्तिस्सिमुस् मीलितुम्'—सैनिकों में श्रेष्ठ। यहाँ 'सैनिकों में' के लिए षष्ठी विभक्ति (मीलितुम्) का प्रयोग हुआ है और वह मूल शब्द के बाद में है। 'तेम्पूला देओरुम्'—देवताओं के मंदिर; यह वाक्यांश बिलकुल अंग्रेज़ी की तरह है 'टेम्पेल्स ऑफ़ गॉड्स'। इन उदाहरणों से सिद्ध हुआ कि संस्कृत का साधारण नियम विशेषण को मूल शब्द से पहले रखने का है; इसी के अनुरूप उपसर्ग भी शब्द से पहले आता है। ग्रीक-लैटिन आदि भाषाओं में विशेषण पहले भी आता हैं, बाद को भी; कोई साधारण नियम नहीं है। ऐसी स्थिति में इस सम्भावना से इनकार नहीं किया जा सकता कि यूरोप की इन प्राचीन भाषाओं में उपसर्ग के प्रयोग पर संस्कृत-पद्धति का प्रभाव पड़ा है।

संस्कृत का साधारण नियम है कि क्रिया वाक्य के अन्त में आती है। ग्रीक और लैटिन में क्रिया वाक्य के अन्त में आती है और बीच में भी आ सकती है। 'तो थउमाक्सेइन आर्खी एस्ति तिस सोफिआस'—आश्चर्य आरम्भ है ज्ञान का—इस ग्रीक वाक्य में एस्ति क्रिया वाक्य के अन्त में न होकर बीच में है। लैटिन में 'मोन्स एस्त अल्तिओर'—पहाड़ ऊँचा है; 'ओप्पिदुम एरात माग्नुम'—नगर विशाल था;—इन वाक्यों में एस्त और एरात क्रियाएँ वाक्य के बीच में आई हैं, जैसे वे अंग्रेज़ी में आती हैं।

यूरोप की आधुनिक भाषाओं में साधारणत: कर्म क्रिया के बाद आता है। वाक्य के अन्य अंश जिनका क्रिया से सम्बन्ध हो, वे भी प्राय: क्रिया के बाद आते हैं। अंग्रेज़ी में कहेंगे—'दि मैन इज़ हैप्पी।' फ्रांसीसी में 'ल लीव्र ए स्यूर ला ताब्ल'—पुस्तक मेज़ पर है। इतालवी में—'जिउसेप्पे आमा सुआ सोरेल्ला'—जिउसेप्पे अपनी बहन से स्नेह करता है। रूसी में 'उचीतेल राज़दायोत क्नीगी'—अध्यापक पुस्तकें दे रहा है। इन उदाहरणों में क्रिया वाक्य के अन्त में नहीं है, वरन् उसके बाद कम या क्रिया से सम्बन्धित अन्य शब्द आते हैं। इसे हम यूरोपीय भाषाओं का साधारण नियम मानते हैं। लैटिन और ग्रीक में भी यह प्रवृत्ति थी। इससे परिणाम यह निकलता है कि ग्रीक और लैटिन में जहाँ कर्म क्रिया से पहले आता है और क्रिया अपने से सम्बन्धित शब्दों के बाद आती है, वहाँ वाक्य-रचना पर संस्कृत या उस परिवार की अन्य भाषाओं का प्रभाव पड़ा है। यूरोपीय भाषाओं की सहज प्रवृत्ति उनकी वर्तमान वाक्य-रचना में देखी जा सकती है। यह प्रवृत्ति ग्रीक और लैटिन की वाक्य-रचना को भी प्रभावित करने लगी थी। भारत-यूरोपीय परिवार की यूरोपीय भाषाओं में जो आन्तरिक समानता है, वह उनकी वाक्य-रचना में प्रकट होती है। यह वाक्य-रचना विशेष प्रकार की चिन्तन-अभिव्यंजन-पद्धति का परिणाम है जो अत्यन्त प्राचीन होगी। इधर भारतीय भाषाओं में संस्कृत तथा उत्तर भारत की अन्य भाषाएँ वाक्य-रचना में एक-से नियमों का पालन करती हैं : कर्ता पहले, क्रिया अन्त में, विशेषण मुख्य शब्द से पहले, कर्म और क्रिया से सम्बन्धित शब्द क्रिया के बाद न आकर उससे पहले आएँगे। इससे सिद्ध हुआ कि संस्कृत और हिन्दी आदि प्राचीन-नवीन भाषाओं की वाक्य-रचना में मौलिक अन्तर नहीं है। यदि यूरोप से आए हुए 'आर्यों' ने भारतीय भाषाओं को जन्म दिया होता या उन्हें प्रभावित किया होता, तो यहाँ की भाषाओं में भी क्रिया के बाद कर्म को रखने की मिसालें मिलतीं और यूरोप में आधुनिक-प्राचीन भाषाओं की वाक्य-रचना में अधिक साम्य होता। इसके विपरीत हम देखते हैं कि उनमें इस साम्य का अभाव है। यही नहीं, ग्रीक-लैटिन की वाक्य-रचना कहीं तो संस्कृत के नियमों के अनुकूल होती है, कहीं आधुनिक यूरोपीय भाषाओं के नियमों के अनुकूल होती है। इसका कारण दो भिन्न भाव-प्रकृतियों वाले भाषा-कुलों का प्रभाव ही हो सकता है।

भाव-प्रकृति की दृष्टि से यूरोप की 'आर्य' भाषाएँ जितना सामी परिवार के निकट हैं, उतना भारतीय भाषाओं के नहीं। जैसे अरबी में सम्बन्धवाचक 'लि' का अर्थ है : 'को'; 'लिमलिकिन' का अर्थ हुआ : 'राजा को'। अंग्रेज़ी के समान अरबी का सम्बन्धसूचक शब्द 'प्रिपोज़ीशन' होता है, 'पोस्टपोज़ीशन' नहीं। मलिकिन में 'इन' स्वयं सम्बन्धकारक का चिह्न है। इससे सिद्ध हुआ कि ग्रीक, लैटिन, रूसी आदि भाषाओं के समान अरबी में भी दो तरह की भाव-प्रकृति मिलती है। एक ओर शब्दों के अन्त में सम्बन्धवाचक शब्दांश जुड़े हुए हैं, दूसरी ओर मूल शब्द के पहले भी सम्बन्धवाचक शब्द का प्रयोग होता है। 'ज़ैदुनिब्नु मुहम्मदिन'—मुहम्मद का पुत्र ज़ैद, यहाँ 'मुहम्मद' के साथ जुड़े हुए विभक्ति-चिह्न से ही काम चल गया, 'का' के लिए अलग से सम्बन्धवाचक शब्द का प्रयोग आवश्यक न हुआ। सामी और संस्कृत-परिवारों की भाषाएँ बोलनेवालों का किसी समय घनिष्ठ सम्बन्ध रहा है। इसलिए ग्रीक और लैटिन के समान अरबी आदि सामी भाषाओं के लिए भी यह अनुमान किया जा सकता है कि विभक्ति-चिह्न के रूप में सम्बन्धवाचक शब्द को प्रकृति के बाद में रखना संस्कृत प्रभाव के कारण है। प्रकृति के पहले सम्बन्धवाचक शब्द का प्रयोग सामी भाषाओं की अपनी विशेषता है। 'फ़िलहाल' में 'फ़िल' सम्बन्धवाचक शब्द है जो हाल के पहले आया है; इसी प्रकार 'फिल जुमला' (कुल मिलाकर या संक्षेप में)। यूरोप की भाषाओं और सामी-परिवार की भाषाओं में यह जो समानता दिखाई देती है, वह भी आकस्मिक नहीं है। यूरोप की भाषाओं से तात्पर्य यहाँ 'भारत-यूरोपीय' परिवार की ही यूरोपीय भाषाओं से है। यूरोप की ये भाषाएँ एक ओर भारतीय संस्कृत-परिवार से प्रभावित हुई हैं, दूसरी ओर उन पर सामी-परिवार का भी असर पड़ा है। ये प्रभाव शब्द-भंडार और भाव-प्रकृति में भी स्पष्टत: देखे जा सकते हैं।

अरबी का एक वाक्यांश लीजिए—ख़ादिमुत्तबीबी। इसका अर्थ हुआ तबीब (वैद्य) के ख़ादिम (सेवक)। अंग्रेज़ी में इसका अनुवाद अरबी शब्द-क्रम के अनुरूप होगा—'दि सर्वेन्ट्स ऑव दि डॉक्टर'। संस्कृत-परिवार का साधारण नियम है कि विशेषण का स्थान विशेष्य से पहले है। कैसे सेवक? वैद्य के सेवक। इसलिए हिन्दी में 'वैद्य के' यह टुकड़ा सेवक से पहले आएगा। अंग्रेज़ी और अरबी दोनों में विशेषण का काम करनेवाला यह अंश मूल शब्द के बाद आता है। यह प्रवृत्ति सामी भाषाओं में ही अधिक संगत रूप में मिलती है। 'वलदहु'—उसका बेटा; यहाँ 'हु' (उसका) मूल शब्द 'वलद' (बेटा) के बाद आया है। अरबी में यह प्रवृत्ति अधिक संगत रूप में मिलती है, इसलिए यूरोपीय भाषाओं में उसे सामी-प्रभाव का परिणाम माना जा सकता है।

ख़ुदावन्द्-इ-हक़ीक़ी—अरबी के इस टुकड़े में विशेष्य ख़ुदावन्द पहले है, विशेषण हक़ीक़ी (वास्तविक) बाद में। 'अल्लाह ताला' में ताला विशेषण (महान्)

बाद में है, अल्लाह पहले। शम्-इ-काफ़ूरी (कपूर की बत्ती)—शमा पहले, काफ़ूरी बाद में। इसी प्रकार मुर्ग़्-इ-सहर (प्रभात का पक्षी)—सम्बन्धवाचक 'इ', सहर से पहले आया, हिन्दी-संस्कृत आदि में वह बाद में आता। 'व लउ शरिब्तु बुहूरा' (चाहे मैं समुद्रों को पी जाऊँ)—यहाँ यूरोपीय भाषाओं के साधारण नियम के अनुकूल शरिब्तु क्रिया पहले है, बुहूरा (समुद्रों को) कर्म बाद में है। 'ज़रब ज़ैदुन् अम्रन्' (ज़ैद ने अम्र को मारा)—यहाँ क्रिया वाक्य के आरम्भ में है, कर्म अन्त में। हिन्दी-संस्कृत में इस तरह का वाक्य अपवाद होगा। 'अल् फ़क्रु सवादुल वजहि फ़िद् दारैनी' (ग़रीबी दोनों जहां में मुँह की कालिख है)—इस वाक्य में 'फिद् दारैनी' (दोनों जहां में) अंग्रेज़ी आदि की प्रकृति के अनुकूल वाक्य के अन्त में आया। 'वल्लाहु युहिब्बुल मुहसिनीन' (ईश्वर परोपकारियों से प्रेम करता है)—क्रिया युहिब्बु पहले, कर्म मुहसिनीन बाद में।

फ़ारसी आर्य-परिवार की भाषा है किन्तु उस पर भी अरबी का गहरा असर पड़ा है। अज़ सर—आरम्भ से, अज़ मा—हम से, दर ख़्वाब—नींद में, शहीदम् मन् वले न दर कनान—मैं सुन्दर हूँ लेकिन कनान में नहीं; यहाँ सम्बन्धवाचक अज़ और दर मूल शब्द से पहले आए हैं। फ़ारसी ने यहाँ संस्कृत-परिवार की अपनी प्राचीनतर पद्धति छोड़कर सामी-परिवार की नई रीति अपनाई है। अरबी रीति से ही आब्-इ-दीदा—दीदा (आँखों) का आब (पानी) जैसे प्रयोगों का चलन हुआ है। फ़ारसी, लैटिन, रूसी, संस्कृत, हिन्दी आदि भाषाओं में निश्चयबोधक विशेषण (डेफिनिट आर्टिकल) का प्रयोग साधारण नियम नहीं है। ग्रीक, जर्मन, इतालवी, फ्रांसीसी, अंग्रेज़ी आदि भाषाओं में उसका प्रयोग साधारण नियम है। इसका कारण भी सामी भाषाओं का प्रभाव मालूम होता है। अरबी में मकान के लिए 'बैंतु' कहना काफी नहीं है, निश्चयबोधक् अल् जोड़कर अल्‌बैतु कहना आवश्यक होता है। ग्रीक में हो, ही, तो जर्मन में डेर, डी, डास; अंग्रेज़ी में दि, फ्रांसीसी में ल, ला; इतालवी में इल, लो, ला आदि निश्चयबोधक शब्द सामी भाषाओं का प्रभाव सूचित करते हैं।

संस्कृत और यूरोपीय भाषाओं की भिन्नता कुछ धातु रूपों में देखी जा सकती है। संस्कृत में जब भविष्य काल के रूप बनाते हैं, तब मूल धातु में 'इष' जोड़ देते हैं। इस तरह गम् से गमिष्यति, गमिष्यामि आदि रूप बनते हैं। ग्रीक-क्रियाएँ साधारणत: भविष्य काल में धातु के साथ सकार जोड़ती हैं। अकोउओ (सुनना)—अकोउसोमाइ; गेलो (हँसना)—गेलासोमाइ; एपिस्तामाइ (जानना)—एपिस्तिसोमाइ। लैटिन धातुएँ—अवधी-भोजपुरी के जाबऽ, खइबे आदि की तरह—कभी-कभी भविष्य काल के लिए 'भू' धातु से काम लेती हैं। लाउदो (प्रशंसा करना)—लाउदाबो; मोनेओ (सलाह देना)—मोनेबो। चाहे इष् का 'स' हो, चाहे भू का 'ब' हो, वह आता है धातु के बाद ही। किन्तु अंग्रेज़ी

में कहेंगे—'आई विल गो'। भविष्यवाचक 'विल' गो के बाद न आकर पहले आया। रूसी में 'या बूदू चितात्' (मैं पढ़ूँगा)—यहाँ भी भू धातु का बूदू रूप चितात् (पढ़ना) से पहले आया। फ्रांसीसी और इतालवी भाषाएँ साधारणत: लैटिन-पद्धति का अनुकरण करती हैं और भविष्यवाचक चिह्न धातु के अन्त में लगाती हैं। इससे यह निष्कर्ष निकला कि मूल किया के अन्त में भविष्यवाचक चिह्न या अन्य धातु जोड़ना यूरोपीय भाषाओं का सामान्य धर्म नहीं है। इसके विपरीत, हमारे यहाँ गमिष्यति-गमिष्यामि से लेकर जैहों, जैबे, जाएँगे आदि सभी रूपों में एक ही नियम का पालन होता है। हमारे यहाँ की भाषाओं और बोलियों की भाव-प्रकृति में मौलिक अन्तर नहीं है। यूरोपीय भाषाओं की प्रवृत्ति ग्रीक-लैटिन से स्वतंत्र दिखाई देती है।

इसी प्रकार सहायक क्रियाओं को जोड़कर क्रिया के विभिन्न काल प्रकट करने की यूरोपीय पद्धति ग्रीक-लैटिन का अनुसरण नहीं करती। अंग्रेज़ी में हैज़, हैव, हैड, आदि 'विल' के समान मूल क्रियावाचक शब्द के पहले आएँगे। यही हाल जर्मन, फ्रांसीसी आदि का है। फ्रांसीसी में भविष्यकाल लैटिन पद्धति का अनुसरण करता है, लेकिन सहायक क्रियाओं का व्यवहार उसमें अन्य यूरोपीय भाषाओं के समान ही होता है। 'इल आ व्यू ल र्वा—उसने बादशाह को देखा; यहाँ 'आ' अंग्रेज़ी के 'हैज़' का समकक्ष है और 'व्यू' 'सीन' का। इसके विपरीत हिन्दी में 'उठ बैठे थे', 'चले जा रहे होंगे' आदि वाक्यांशों में क्रियाओं की शृंखला बना दें, फिर भी मूल क्रियावाचक शब्द पहले ही आएगा जो संस्कृत का नियम भी है। ग्रीक-लैटिन की प्रकृति अनेक बातों में यूरोपीय भाषाओं से भिन्न है और संस्कृत के अधिक निकट है। इधर भारतीय भाषाओं और संस्कृत की भाव-प्रकृति में वैसा गहरा भेद नहीं दिखाई देता, जैसा यूरोप की आधुनिक और प्राचीन भाषाओं में इस भेद का कारण पूर्वोल्लिखित सामी-प्रभाव हो सकता है।

संस्कृत में क्रिया का वचन और पुरुष वही होता है जो कर्ता का। यही नियम ग्रीक और लैटिन में भी है। किन्तु अंग्रेज़ी में 'आई गो', 'वी गो', 'दे गो' लेकिन 'ही गोज'। भूतकाल और भविष्य में 'विल गो' आई, ही, दे—सभी के साथ चलता है। लेकिन 'गोइंग' के साथ 'इज, वाज, वेयर, ऐम' आदि विभिन्न क्रियाएँ लगेंगी। इसका अर्थ यह हुआ कि अंग्रेज़ी में दोनों प्रवृत्तियाँ काम करती हैं; कर्ता के अनुसार क्रिया का वचन और पुरुष बदलते भी हैं और नहीं भी बदलते। जर्मन में वर्तमान और भूतकाल में कर्ता के अनुसार क्रिया का पुरुष-वचन बदलता है किन्तु भविष्य, परोक्ष, भूत आदि कालों में जहाँ सहायक क्रिया से काम लिया जाता है, वहाँ सहायक क्रिया का वचन-पुरुष ही बदलता है, मूल क्रिया अपरिवर्तित रहती है। 'एर ह्विर्ड, लोबेन'—वह प्रशंसा करेगा; 'ज़ी ह्वेर्डेन लोबेन'—वे प्रशंसा करेंगे; इन वाक्यों में लोबेन रूप ज्यों-का-त्यों रहा।

इसके विपरीत हिन्दी में वह गाएगा, वे गाएँगे, मैं गाऊँगा—इन वाक्यों में गाना क्रिया के रूप बदलते रहते हैं। जर्मन भाषा पुरुष-वचन के मामले में ग्रीक-लैटिन से किंचित् समानता रखती है, पूर्ण रूप से उनकी अनुगामिनी नहीं है। फ्रांसीसी में क्रिया पुरुष-वचन में कर्ता का अनुसरण करती है किन्तु सहायक-क्रिया के साथ कभी वह परिवर्तनशील होती है, कभी अपरिवर्तनशील। परिवर्तित होने पर लिंग-भेद भी होता है। साइकिल जो कारबारी ने बनाई—'ला बिसिक्लेत क ल फाब्रिकाँ आ फेत (faite)'; साइकिल जो कि मैंने खुद बनाई है—'ला बिसिल्केत क ज़ म सुइ फे (fait) फेयर।' पहले वाक्य में 'फेत' एक वचन और स्त्रीलिंग है; दूसरे में 'फे' अपरिवर्तनशील है, उसके बाद 'फेयर' क्रिया और आती है। रूसी में वर्तमान काल में कर्ता के अनुसार क्रिया बदलती है। भूतकाल में वचन के साथ क्रिया में लिंग-भेद भी होता है, उसने (पुरुष) लिखा—अन पिसाल; उसने (स्त्री) लिखा—अना पिसाला। भविष्यकाल में जर्मन की तरह सहायक-क्रिया ही बदलती है (सहायक-क्रिया को कुछ लोग मूल क्रिया मानें तो हमें आपत्ति नहीं), मूल क्रिया अपरिवर्तनशील रहती है। पुरुष-वचन के मामले में आधुनिक यूरोपीय भाषाएँ काफी स्वच्छन्दता से काम लेती हैं; एक सीमा तक ही वे ग्रीक-लैटिन का अनुसरण करती हैं। वर्तमान काल में प्राय: सभी संस्कृत-ग्रीक की पुरुष-वचन-सम्बन्धी संगति को स्वीकार करती हैं; अन्य कालों में भेद बढ़ते जाते हैं। इसका कारण यह हो सकता है कि भाषा के विकास-क्रम में वर्तमान काल की उद्भावना पहले हुई, अन्य कालों की बाद में। ग्रीक-लैटिन और संस्कृत के वर्तमान-काल में जितनी समानता है, उतनी भविष्यकाल में नहीं। संस्कृत में अस् धातु के भविष्य काल में वही रूप होते हैं जो भू धातु के, जिसका अर्थ है, अस् धातु के भविष्य काल में अपने रूप होते ही नहीं हैं। उत्तर-भारत की आधुनिक भाषाएँ पुरुष-वचन के मामले में जितना संस्कृत के निकट हैं, उतना यूरोप की आधुनिक भाषाएँ ग्रीक-लैटिन के नहीं हैं।

लिंग-भेद में यूरोप की आधुनिक और प्राचीन भाषाओं में अधिक समानता है। रूसी में भूतकाल के क्रिया रूप लिंग के अनुसार बदलते हैं; वैसै ही कभी-कभी फ्रांसीसी में। जर्मन में यह परिवर्तन नहीं होता। किन्तु लिंग-भेद का सम्बन्ध उतना क्रिया से नहीं है जितना संज्ञा, सर्वनाम और विशेषणों से। अंग्रेज़ी लिंग-भेद से प्राय: मुक्त है यद्यपि 'ही' और 'शी' सर्वनामों में प्राचीन लिंग-भेद की शेष स्मृति बनी हुई है। प्राचीन व्याकरणों का अनुसरण करते हुए भले ही विद्यार्थियों को अंग्रेज़ी में भी शब्दों का लिंग-भेद बताने का प्रयत्न किया जाए, पर वास्तविकता यह है कि अंग्रेज़ी की भाव-प्रकृति लिंग-भेद स्वीकार नहीं करती। इस दृष्टि से वह बंगला के समान है। उतर-भारत की अधिकांश भाषाओं की तरह फ्रांसीसी, रूसी आदि आधुनिक यूरोपीय भाषाएँ स्त्रीलिंग और पुल्लिंग, इन्हीं दो लिंगों को

पर्याप्त समझती हैं। जर्मन और मराठी में प्राचीन भाषाओं के समान तीनों लिंग हैं। शब्दों की लिंगहीनता भाषा के अधिक जनतांत्रिक होने का सबूत हो सकती है, किन्तु लिंग-भेद का सम्बन्ध केवल स्थूल उपादेयता से न होकर सौन्दर्यबोध से भी हैं। शब्द जिस पदार्थ की ओर संकेत करता है, वह वास्तविक जीवन में किस लिंग का है या लिंग-भेद से परे है, यह बात सदा महत्त्वपूर्ण नहीं होती। शब्द की अपनी सापेक्ष स्वतंत्रता है; उसकी ध्वनि और रूप के अनुसार जनता उसका लिंग निश्चित करती है। पुस्तक लैटिन और फ्रांसीसी में (लिबेर, लीव्र) पुल्लिंग है, ग्रीक (बिल्बोस) और हिन्दी में स्त्रीलिंग, संस्कृत और जर्मन (बुख़) में नपुंसक लिंग। संस्कृत में कलत्र के समान जर्मन में मैड़्ख़ेन( कुमारी) नपुंसक लिंग है। हिन्दी में राह अच्छी है और रास्ता अच्छा है।

हिन्दी में सर्वनामों में लिंग-भेद नहीं होता, लेकिन अवधी में 'वह' के दो रूप होते हैं : 'वहु जात है', 'वह जाति है', वह पुल्लिंग, वह स्त्रीलिंग। क्रियाओं में 'है' और 'हैं' में लिंग-भेद नहीं होता किन्तु 'था, थी, थे, थीं' में लिंगानुसार परिवर्तन होता है। करता, करती, जाता, जाती, आदि क्रिया-रूपों में भी लिंग भेद होता है लेकिन वे जाएँगे, वे जाएँगी में केवल भविष्य-सूचक शब्द में परिवर्तन होता है। इसके विपरीत अवधी में 'वी जइहैं' स्त्रियों और पुरुष दोनों के लिए प्रयुक्त होगा; इसी प्रकार 'हम जइबे' दोनों के लिए उपयुक्त है किन्तु खड़ी बोली में 'हम जाएँगे' और 'हम जाएँगी' होगा। रूसी में लकारान्त भूतकाल में लिंग-भेद होता है, जैसे 'अन पिसाल' (पुं.) 'अना पिसाला', किन्तु वर्तमान और भविष्यकाल में—भविष्यकाल में अनेक धातुएँ बूदू (भू) के बिना भी अपना रूप परिवर्तित करती हैं—लिंग-भेद नहीं होता। संस्कृत में क्रिया-भाव को प्रकट करने के दो तरीके हैं : एक तो साधारण क्रिया-रूप में प्रयोग, दूसरा विशेषण रूप में प्रयोग। रूसी, हिन्दी आदि में जहाँ लिंग-भेद होता है, वहाँ यह दूसरी प्रवृत्ति काम करती है अर्थात् 'जाता है, जाती हैं'—में जाता और जाती विशेषण की तरह प्रयुक्त होते हैं। यह असम्भव नहीं है कि क्रिया के उपयोग, की ये दो पद्धतियाँ दो भिन्न भाव-प्रकृति वाले भाषा-परिवारों के सम्पर्क का परिणाम हों।

रूप-गठन की दृष्टि से कुछ भाषाएँ विश्लेषणात्मक कहलाती हैं, जैसे अंग्रेज़ी। इनमें शब्दों के साथ विभक्ति-चिह्न नहीं जुड़ते या उनमें रूप-विकार नहीं होता। इनसे भिन्न संश्लिष्ट भाषाएँ हैं जिनमें रूप-विकार होता है, शब्दों में विभक्ति-चिह्न जुड़ते, हैं। कुछ विद्वान चीनी जैसी भाषाओं को वियोगात्मक कहते हैं क्योंकि उनमें समास का प्रयोग नहीं होता; शब्द एक-दूसरे से अलग और अपरिवर्तित रहते हैं। तुर्की जैसी भाषाएँ संयोगात्मक कहलाती हैं; उनमें शब्दों का रूप नहीं बदलता लेकिन शब्द एक-दूसरे से जड़कर समास-रूप ग्रहण करते हैं। तुर्की जैसी भाषा में रूप-विकार-सूचक जो प्रत्यय जुड़ते हैं, वे

संस्कृत जैसी संश्लिष्ट भाषा के प्रत्ययों से मूलतः भिन्न नहीं हैं। उदाहरण के लिए तुर्की का जान (आत्मा) शब्द ले सकते हैं :

| | **एकवचन** | **बहुवचन** |
|---|---|---|
| कर्ता | जान् | जान्-लेर् |
| कर्म | जान्-इ | जान्-लेर्-इ |
| सम्प्रदान | जान्-एह् | जान्-लेर्-एह् |
| अपादान | जान्-दान् | जान्-लेर्-दान् |
| सम्बन्ध | जान्-एन् | जान्-लेर्-इन् |

इसी तरह धातु-रूप का लीजिए :

| | | |
|---|---|---|
| गैलियोरुम् | — | मैं आ रहा हूँ; |
| गेलियोर्सुन् | — | तू आ रहा है; |
| गेलियोर् | — | वह आ रहा है; |
| गेलियोरुज़ | — | हम आ रहे हैं; |
| गेलियोर्सुनुज़ | — | तुम आ रहे हो; |
| गैलियोर्लार | — | वे आ रहे हैं; |
| गेलियोर्दुम् | — | मैं आ रहा था; |
| गैलियोर्दुन् | — | तू आ रहा था; |
| गोनियोर्दु | — | वह आ रहा था; |
| गेलिसोर्दुक | — | हम आ रहे थे; |
| गेलियोर्दुनुज़् | — | तुम आ रहे थे; |
| गेलियोर्लार्दि | — | वे आ रहे थे। |

यद्यपि मूल धातु में परिवर्तन नहीं होता, किन्तु उससे जुड़नेवाले प्रत्यय काल, पुरुष, वचन के अनुसार बदलते रहते हैं।

रूसी भाषा संस्कृत-परिवार के सर्वाधिक निकट है किन्तु फ़ारसी के समान उसकी भाव-प्रकृति भी सामी-परिवार से प्रभावित जान पड़ती है। फ़ारसी के समान सम्बन्धवाचक शब्द रूसी में प्रकृति से पहले ही नहीं आते, वरन् उनमें ध्वनि-सम्बन्धी समानता भी है। फ़ारसी अज़ के समान रूसी इज़ 'से' के लिए प्रयुक्त होता है, इज़-परीझा—पैरिस से। साथ ही रूसी 'अत्' संस्कृत के पंचमी विभक्ति-चिह्न से मिलता है—राम+अत्, रामात्। इससे एक तो यह सिद्ध होता है कि स्लाव भाषाओं ने सामी और आर्य, दोनों परिवारों का प्रभाव ग्रहण किया है; दूसरे इस तथ्य का संकेत मिलता है कि संश्लिष्ट वर्ग की संस्कृत भाषा के रामात् जैसे रूपों में अत् जैसे विभक्ति-चिह्न कभी स्वतंत्र सम्बन्धसूचक शब्द थे।

रूसी-फ़ारसी की उपर्युक्त समानता से हम तुर्की-अरबी की एक प्रत्यय-समानता की तुलना कर सकते हैं। अरबी में मुहम्मदिन् का अर्थ होगा—मुहम्मद का। तुर्की में

भी इसका ठीक यही अर्थ होगा। दोनों ही भाषाओं में 'इन्' प्रत्यय सम्बन्धवाचक है। अरबी में उसे शब्द से अभिन्न मानकर हम उसे संश्लिष्ट भाषा की विशेषता मानते हैं; तुर्की में उसे शब्द से भिन्न मानकर हम उसे संयोगात्मक भाषा की विशेषता मानते हैं। प्रत्यय एक ही है, उसका अर्थ एक ही है, उसके प्रयोग का स्थान भी एक है; किन्तु भाषा के प्रति दृष्टिकोण की भिन्नता से उसकी व्याख्या अलग-अलग है। यह भी उल्लेखनीय है कि सम्बन्धवाचक शब्दों या शब्दांशों के प्रयोग में तुर्की संस्कृत की समानधर्मा है। अरबी में जहाँ सम्बन्धसूचक शब्द प्रकृति के पहले आते हैं, वहाँ तुर्की में वे सदा प्रकृति का अनुसरण करते हैं। अदम—मनुष्य, अदमा—मनुष्य के लिए; एव—घर, एव-दे—घर में, एव-देन—घर से। तुर्की की वाक्य-रचना भी अरबी तथा यूरोपीय भाषाओं से भिन्न संस्कृत-हिन्दी के अधिक निकट होती है। 'बु किताबि अकदश-इनिज़ अहमत्-तेन अल्दिम्—(मैं) यह पुस्तक तुम्हारे मित्र अहमद से लाया; इस वाक्य में क्रिया अन्त में है, कर्म उससे पहले, 'तुम्हारे मित्र अहमद से'—यह टुकड़ा भी, अंग्रेज़ी-अरबी से भिन्न, क्रिया से पहले आया है। अपनी भाव-प्रकृति के कारण तुर्की यूरोप की अनेक भाषाओं की तुलना में संस्कृत के अधिक निकट है। यूरोप की 'आर्य' भाषाएँ संस्कृत से अधिक अरबी की भाव-प्रकृति का अनुसरण करती हैं।

चीनी भाषा के लिए कहा जाता है कि वह एक-स्वरिक (मोनो सिलैबिक) है। वास्तव में चीनी भाषा एक-स्वरिक न होकर बहु-स्वरिक है। उसकी मूल धातुएँ एक-स्वरिक हैं और उनके आधार पर बहु-स्वरिक शब्दों की रचना हुई है। गोङ्-चानझयी (साम्यवाद) एक ही शब्द कहा जाएगा यद्यपि उसमें चार स्वरिक हैं। सम्भव है, कुछ अन्य भाषाएँ भी—जो बहु-स्वरिक मानी जाती हैं—पहले एक-स्वरिक रही हों! संस्कृत की धातुएँ साधारणत: एक-स्वरिक हैं। संस्कृत के बहुत-से शब्द एक या दो अक्षरों के हैं, खं (आकाश), कु: (पृथ्वी), नु: (प्रशंसा), श: (शिव) इत्यादि। संस्कृत के क्रियारूपों में जो चिह्न जोड़े जाते हैं, वे विद्वानों की धारणा के अनुसार यदि सर्वनाम ही हैं, तो संस्कृत की क्रियाएँ किसी समय अपरिवर्तनशील और एक-स्वरिक रही होंगी। जो सर्वनाम उनके साथ प्रयुक्त होते थे, वे उनका अंग बन गए। कुछ शब्दों में ध्वनि-सौन्दर्य के लिए या अर्थ-विकार के लिए नये वर्ण जोड़ दिये गए हैं जिससे मूल शब्द का एक-स्वरिक रूप छिप गया है—जैसे फ्रांसीसी भाषा का सैर (soeur) इतालवी में सोरेल्ला हो गया है। बहन के समान भाई के लिए भी इतालवी में फ्रातेर से आगे बढ़कर फ्रातेल्लो शब्द है। सम्भव है कि फ्रातेर या भ्राता की मूल धातु भ्रा रही हो और उसमें 'ता' या 'तर' अर्थ-विकार के लिए जोड़ा गया हो! संस्कृत के दश शब्द को लीजिए। इसमें दो वर्ण हैं : द और श। विंशति में विं है दो के लिए; दश के लिए बचा केवल 'श'। चीनी में दश के लिए 'शिह' शब्द है। रूसी में दश के लिए 'देस्यत्' है जिसमें दे (द) के अलावा त (शत के त की तरह) भी लगा हुआ है। इस प्रकार दशवाचक मूल शब्द एक-स्वरिक शि या श सिद्ध हुआ।

अरबी आदि सामी भाषाओं के लिए कहा जाता है कि इनकी धातुएँ तीन अक्षरों की हैं। फ्रांसीसी भाषाविद् अर्नेस्त रेनाँ इस भाषा-परिवार पर अपने ग्रंथ[1] में इससे भिन्न मत प्रकट करते हैं। उनका कहना है कि तीन अक्षरों की धातुओं की बात वैयाकरणों की गढ़न्त है। तीन अक्षरों में एक अक्षर निर्बल होता है; वास्तव में प्रत्येक धातु में दो मूल अक्षर होते हैं जिनसे एक ही स्वरिक (सिलेबल) बनता है। उनका विचार है कि यदि भारत-यूरोपीय भाषा-परिवार में कोई साम्य है, तो उसे यहाँ (यानी धातुओं के एक-स्वरिक रूप में) देखना चाहिए।

संस्कृत के समान अरबी भी संश्लिष्ट और रूपविकार वाली भाषा मानी जाती है किन्तु रेनाँ सामी-परिवार की धातुओं का विश्लेषण करते हुए इस महत्त्वपूर्ण परिणाम पर पहुँचते हैं : "इस प्रकार हम सरल और एक-स्वरिक भाषा तक पहुँचते हैं जिसमें रूप-विकार नहीं हैं (sans flexiones) जिसमें व्याकरण के निश्चित भेद नहीं (sans categories grammaticales), जो शब्दों के क्रम द्वारा या उनके संयोग द्वारा (रेनाँ ने l'agglutination शब्द का प्रयोग किया है जो तुर्की जैसी भाषाओं की विशेषता प्रकट करने के लिए इस्तेमाल किया जाता है) विचार की व्यंजना करती है; संक्षेप में हम ऐसी भाषा तक पहुँचते हैं जो चीनी भाषा के प्राचीनतम रूपों से काफी मिलती-जुलती है।" (प्रथम भाग, पृ. 87)

सामी और आर्य भाषा-परिवार परस्पर भिन्न और विरोधी समझे जाते हैं। धार्मिक भावनाएँ वास्तविक और कल्पित भेद को बढ़ा-चढ़ा कर पेश करती हैं; कुछ लोग इस भेद को नस्ल (रेस) के भेद से मिला देते हैं। उनके विचार से प्राचीन ग्रीक-लैटिन-संस्कृत भाषाएँ महान् थीं क्योंकि वे संश्लिष्ट थीं। उनकी अपूर्व भावाभिव्यंजन-क्षमता का कारण यह था कि गौर वर्ण के आर्यों का रक्त काले-पीले वर्णों वाली नस्लों के रक्त से श्रेष्ठ था। इसके विपरीत एक दूसरा सिद्धान्त है कि भाषाओं में जो व्याकरण-सम्बन्धी विशेषताएँ दिखाई देती हैं, वे विकास-क्रम में उनकी अर्जित विशेषताएँ हैं, उनका रक्त से कोई सम्बन्ध नहीं है। इस मत के अनुसार विभिन्न भाषा-परिवारों की धातुओं—मूल शब्दों—के विश्लेषण से हम इस परिणाम पर पहुँचते हैं कि जैसे सामाजिक विकास की आदि-दशा में वर्ण-व्यवस्था नहीं थी वरन् प्रत्येक मनुष्य कर्म करने में स्वतंत्र था, वैसे ही आरम्भ में व्याकरण-व्यवस्था भी नहीं थी; भाषा के मूल शब्द न क्रिया थे, न विशेषण, न संज्ञा, वरन् वे आवश्यकतानुसार क्रिया, विशेषण, संज्ञा—सभी कुछ हो सकते थे। यह मत रेनाँ ने (उप. पृ. 89) 1855 में प्रकट किया था जब डार्विन ने अपने विकास-सिद्धान्त का प्रचार न किया था। उस समय अनेक क्षेत्रों में काम करनेवाले विद्वान विकासवादी धारणाओं की ओर उन्मुख हो रहे थे। भाषा-तत्त्वविद् भी भाषाविज्ञान में विकासवादी दृष्टिकोण से अपनी समस्याएँ हल करने की कोशिश कर रहे थे। उन्होंने देखा कि भाषा अचल और अपरिवर्तनशील नहीं है;

1. 'इस्त्वार ज़ेनेराल ए सिस्तेम कोम्पारे दे लांग सेमीतीक', पेरिस, 1855

विभिन्न योनियों के पशुओं के समान भाषाएँ भी मानव-समाज की विकास-प्रक्रिया का फल हैं। भाषा के क्षेत्र में व्याकरण को कोई भी विशेषता अचल, अनादि और अपरिवर्तनशील नहीं है। उनका इस परिणाम पर पहुँचना स्वाभाविक था कि संज्ञा, क्रिया, विशेषण आदि के भेद सनातन नहीं हैं; भाषा की स्थिति ऐसी हो सकती है जब उसमें यह भेद न रहा हो। उन्नीसवीं सदीं के तुलनात्मक भाषाविज्ञान में जहाँ अनेक खामियाँ हैं, वहाँ ऐतिहासिक अनुसन्धान से पुष्ट उसका विकासवादी दृष्टिकोण विज्ञान की बहुत बड़ी देन है। इसी कारण सामी भाषाओं के प्रसंग में रेनाँ भाषा की भाव-प्रकृति को एक तरल प्रवाह के रूप में देखते हैं।

एक आधुनिक लेखक ने बोलचाल की चीनी भाषा पर अपनी पुस्तक[1] में व्याकरण के बारे में लगभग इसी दृष्टिकोण का परिचय दिया है। उनका कहना है कि जिसे दूसरी भाषाओं के सिलसिले में व्याकरण की संज्ञा दी जाती है, उसका चीनी में अभाव है (जिसका अर्थ यह नहीं है कि चीनी भाषा की अपनी भाव-प्रकृति नहीं है)। उसमें यूरोपीय भाषाओं की तरह 'आर्टिकल' (ए, दि, आदि) नहीं हैं (जो रूसी, हिन्दी, संस्कृत आदि में भी नहीं हैं), संज्ञाओं में प्राकृतिक भेद के अलावा लिंग-भेद नहीं होता (जैसे बंगला में नहीं है), संज्ञा और क्रिया में रूप-विकार होता है। सर्वनामों और सम्बन्धसूचक शब्दों का प्रयोग यथासम्भव कम होता है। "एक ही शब्द संज्ञा, क्रिया, विशेषण या क्रिया-विशेषण की तरह स्वच्छन्दता से प्रयुक्त हो सकता है; जो परिवर्तन होता है, वह इतना ही कि उसे वाक्य के एक हिस्से से उठाकर दूसरे हिस्से में रख देते हैं।" चीनी व्याकरण की विशेषता वाक्य में शब्द की स्थिति पर निर्भर है; इस स्थिति के परिवर्तन से ही चीनी जनता उन आवश्यकताओं की पूर्ति कर लेती है जिनके लिए अन्य भाषाओं ने अपने क्रिया-संज्ञा-विशेषण-रूप-विकार आदि से समन्वित व्याकरण रचे हैं।

चीनी की वाक्य-रचना सामी और यूरोपीय भाषाओं की वाक्य-रचना से मिलती-जुलती है। एक चीनी वाक्य लें—'वो शी यिङ्-गुओ रेन' (मैं हूँ अंग्रेज़ जन); संस्कृत-हिन्दी के समान क्रिया वाक्य के अन्त में न होकर मध्य में है; कर्म का स्थान क्रिया के बाद है, न कि उसके पहले। चीनी में तुर्की भाषा की तरह शब्द जोड़कर लिंग, वचन, काल आदि के भेद सूचित किए जाते हैं। 'मैं' के लिए 'वो' है तो बहुवचन हम के लिए 'वोमेन'। 'हमारा' के लिए इसी में 'दे' और जोड़ दिया और शब्द बना : 'वोमेन् दे'। इसी प्रकार काल-भेद में; 'गान्' माने 'करना', 'गान्वान' का अर्थ हुआ : 'कर चुका'। चीनी में सम्बन्धसूचक शब्दों का प्रयोग संस्कृत-हिन्दी पद्धति से होता है। 'पर्वत' के लिए 'शान', 'पर्वतों में' के लिए कहेंगे 'शान-लि'। चीनी में व्याकरण का अभाव नहीं है, वरन् उसमें व्याकरण की अनेक विशेषताएँ ऐसी हैं, जैसी तुर्की या अंग्रेज़ी में हैं।

1. ए. नेवील जे, व्हाईमेंट, 'कोलोकियल चाइनीज', 1943

भाषा की भाव-प्रकृति के विवेचन से मुख्य निष्कर्ष यह निकलता है कि व्याकरण की कोई भी विशेषता अनादि नहीं है। भाषा के अन्य तत्त्वों की तरह ही व्याकरणगत विशेषताओं का विकास दुआ है। संज्ञा, क्रिया, आदि के भेद निरपेक्ष और अपरिवर्तनशील न होकर सापेक्ष और परिवर्तनशील हैं।

कुछ अंग्रेज़ विद्वान अपनी भाषा की विश्लेषणात्मक प्रकृति पर गर्व करते हैं और उसे पुराने जर्मन संश्लिष्ट रूप की तुलना में प्रगति का बहुत बड़ा चिह्न मानते हैं (जिससे जर्मन जाति से अंग्रेज़ जाति की श्रेष्ठता सिद्ध होती है)। उनके इस प्रगति-सिद्धान्त के मार्ग में चीनी भाषा एक बहुत बड़ी बाधा है। अंग्रेज़ी के लिए कहा जाता है कि वह प्राचीन संश्लिष्ट रूप से प्रगति करती हुई असंश्लिष्ट रूप तक पहुँची लेकिन चीनी के लिए यह सवाल ही नहीं उठा; वह आरम्भ में ही पूर्ण प्रगतिशील बनकर अवतरित हुई! उधर सामी भाषाओं के बारे में कुछ विद्वानों की धारणा है कि आरम्भ में वे असंश्लिष्ट थीं, बाद को संश्लिष्ट बनीं। इससे इतना तो पता चलता है कि भाषाओं की भाव-प्रकृति एक-सी नहीं रहती; इस भाव-प्रकृति के परिवर्तन की एक ही दिशा नहीं है। व्याकरण की किन्हीं विशेषताओं या उनके अभाव को हम भाषा की प्रगति या पिछड़ेपन का प्रमाण नहीं मान सकते।

द्रविड़ भाषाओं का अध्ययन करते हुए फ्रांसीसी भाषाविद् ज़्यूल ब्लॉख़ ने लिखा है कि क्रिया के रूपों में प्रत्ययों की व्यवस्था अपर्याप्त है और "क्रिया और संज्ञा का प्राचीन अभेद अभी तक दिखाई देता है।"[1] ब्लॉख़ ने इस धारणा का भी समर्थन किया है कि द्रविड़ भाषा-परिवार पश्चिम से भारत में आया है। इसका कारण यह बताया गया है कि इस परिवार की भाषाएँ बहु-स्वरिक हैं, उनमें उपसर्ग और अन्त:प्रत्यय (infixes) नहीं लगते, उनमें रूप-विकार (flexion) होते हैं।

वास्तव में द्रविड़ भाषाओं की प्रकृति साधारणत: भारतीय भाषाओं से मिलती है, न कि यूरोपीय भाषाओं से। यूरोपीय भाषाओं के विपरीत द्रविड़ भाषाओं में क्रिया वाक्य के अन्त में आती है। 'नांगल् पाल् कुडित्तोम्'—हमने दूध पिया; तमिल के इस वाक्य में संस्कृत-हिन्दी के समान पहले कर्ता, अन्त में क्रिया का स्थान है। यूरोपीय भाषाओं की भाव-प्रकृति के विपरीत कर्म का स्थान यहाँ क्रिया से पहले है, न कि बाद को। जोज़फ एडकिन्स ने चीनी भाषा पर एक पुस्तक लिखी थी।[2] इसमें उन्होंने संसार की सभी भाषाओं को बाइबल-मत के आधार पर एक ही मूल भाषा से उत्पन्न माना था। (यह मत उन लोगों की धारणा से मिलता-जुलता है जो संसार की सभी भाषाओं को संस्कृत से उत्पन्न मानते हैं।) लेकिन एडकिन्स ने चीनी-हिब्रू-अंग्रेज़ी की वाक्य-रचना तथा तमिल-संस्कृत-मंगोल की वाक्य-रचना का भेद पहचान लिया था। इस भेद पर उन्होंने यह मत भी प्रकट किया था कि कर्म को

1. 'द ग्रैमेटिकल स्ट्रक्चर ऑफ़ द्रविडियन लैंग्वेज़ेज़', पृ. 126
2. जोज़फ एडकिन्स, 'चाइनीज़ प्लेस इन फिलोलॉजी', 1871

क्रिया के पूर्व रखने से वाक्य बहुत ही अस्वाभाविक हो जाता है और भाषा की शक्ति अवरुद्ध हो जाती है। हम लोग पुस्तक पढ़ते हैं। हम पढ़ने की क्रिया से पहले पुस्तक को स्थान देते हैं; एडकिन्स का मत है कि पढ़ो पहले, पुस्तक पर ध्यान बाद में देना!

यूरोपीय भाषाओं को मुझे, तुम्हारा, हमारा जैसे सर्वनामों के रूप एशियाई भाषाओं के प्रभाव से मिले हैं। अंग्रेज़ी में 'मुझे' के लिए 'मी' है, लेकिन 'तुम्हें' के लिए 'यू' (तुम) से भिन्न शब्द नहीं है। तमिल में 'तुम' के लिए 'नी' है और 'तुम्हें' के लिए 'उन्नै'। 'तुमसे' के लिए तमिल में होगा 'उन्नाल'। ध्यान देने की बात यह है कि यूरोपीय भाषाओं की प्रकृति जहाँ सम्बन्धसूचक शब्द को मूल शब्द से पहले रखने की है, वहाँ संस्कृत-परिवार के समान तमिल भी उसे मूल शब्द के बाद ही रखती है। तमिल में क्रिया-विशेषण क्रिया के पहले आएगा, अंग्रेज़ी के समान बाद को नहीं। 'कालैइल् शीग्रम् येळुन्दिरु'—सबेरे जल्दी उठो। अंग्रेज़ी में सहायक क्रिया पहले आती है, जैसे 'आई हैव रेड' में 'हैव'; किन्तु तमिल में हिन्दी के समान, 'नान् पडित्तु इरुक्किरेन'—मैंने पढ़ा है; 'नान् पडित्तु इरुन्देन्'—मैंने पढ़ा था। अंग्रेज़ी में कर्ता के लिंग के अनुसार 'वाज' (या अन्य किसी क्रिया) में परिवर्तन न होगा, लेकिन तमिल में वह था—अवन् इरुन्दान्; वह थी—अवळ् इरुन्दाळ्। यही नहीं, तमिल में नपुंसक लिंग के लिए एक अलग सर्वनाम अदु (वह) है और क्रिया का तीसरा रूप है इरुन्ददु (था)। हिन्दी के समान तमिल में भी क्रिया में यह लिंग-भेद कुछ रूपों में होता है, कुछ में नहीं।

संस्कृत धातुओं के समान द्रविड़ भाषा-परिवार की धातुएँ भी एक-स्वरिक हैं, पो (जा), केळ् (सुन), नड (चल), शय् (कर), कुडि (पी) इत्यादि। काल्डवेल ने इस सम्बन्ध में लिखा है कि द्रविड़ भाषाओं के शब्द देखने में लम्बे लगते हैं। व्यंजन एक-दूसरे से न टकराए, इस कारण ध्वनि-सौन्दर्य के लिए बीच में स्वर डाल दिये गए हैं। इसके अलावा विभक्ति-चिह्नों, पुराने सर्वनामों के अवशेषों आदि के जुड़ने से मूल शब्द का आकार विस्तृत हो गया है। सामी परिवार के समान कुछ लोग द्रविड़-परिवार की धातुओं को भी त्रि-स्वरिक मानते हैं। किन्तु काल्डवेल का कहना है कि इन धातुओं के प्रथम दो स्वरिक एक ही स्वरिक का विस्तृत रूप हैं। ध्वनि-सौन्दर्य के लिए एक स्वर जोड़ने से मूल स्वरिक ने विस्तृत होकर द्वि-स्वरिक धातु का रूप लिया। धातु का तीसरा स्वरिक भी बाद को जोड़ा हुआ है; काल्डवेल के मत से वह नाम-धातु का चिह्न था। निष्कर्ष यह कि "द्रविड़ शब्द चाहे जितने लम्बे और संश्लिष्ट हों, बाद को जुड़े हुए अंशों को सावधानी से हटाने पर उनका मूल कोई एक-स्वरिक धातु ही ठहरती है।"

सारांश यह कि जिन भाषाओं की धातुओं को बहु-स्वरिक माना जाता है, उन्हें भी कुछ विद्वानों के मत से एक-स्वरिक सिद्ध कि या जा सकता है। भाषा-रचना में

संयोगात्मक प्रक्रिया तुर्की भाषा की विशेषता ही नहीं है, वह अन्य भाषाओं में भी मिलती है। जिन्हें हम संश्लिष्ट भाषाएँ कहते हैं, उनका यह रूप संयोगात्मक प्रक्रिया का फल है। भाषा की भाव-प्रकृति के सभी तत्त्व विकासमान और परिवर्तनशील सिद्ध होते हैं। भाषाओं के वर्गीकरण और उनके परस्पर सम्बन्ध का विवेचन करने में भाव-प्रकृति का अध्ययन विशेष महत्त्व रखता है। इसी अध्ययन से हम ग्रीक-लैटिन और संस्कृत की भिन्नता और निकटता पहचानते हैं। हम देखते हैं कि यूरोप की भाषाओं पर संस्कृत-परिवार के अलावा सामी-परिवार का भी असर पड़ा है। संस्कृत और आधुनिक हिन्दी आदि भाषाओं में जैसी संगति है, वैसी यूरोप की प्राचीन और नवीन भाषाओं में नहीं है। द्रविड़ भाषाएँ संस्कृत-परिवार की तुलना में यूरोपीय भाषाओं के अधिक निकट हैं, यह धारणा भी खंडित होती है। भाषा की ध्वनि-प्रकृति और मूल शब्द-भंडार के अध्ययन से जो निष्कर्ष निकलते हैं, वे भाव-प्रकृति के अध्ययन से भी पुष्ट होते हैं।

चौथा अध्याय

# मूल शब्द-भंडार

## भाषा-परिवारों का सम्बन्ध और स्वतंत्र सत्ता

भाषाओं की ध्वनि और भाव-प्रकृति में जैसे बहुत-से भेद हैं और कुछ समानताएँ भी हैं, वैसे ही विभिन्न भाषा-परिवारों के मूल शब्द-भंडार में भी बहुत अन्तर है और कुछ समानताएँ भी हैं। यूरोप और एशिया के भाषा-परिवारों की ये समानताएँ—जिस हद तक वे वास्तव में समानताएँ हैं—यह सिद्ध करती हैं कि इन भाषा-परिवारों का विकास एकान्त या अलगाव की दशा में नहीं हुआ। जैसे वनस्पति-जगत् में एक प्रदेश दूसरे प्रदेश के सम्पर्क में रहा है, गेहूँ और जौ ने दूर-दूर देशों की यात्रा की है, जैसे पशु-जगत् में घोड़ा प्राचीन काल में उन स्थानों में पहुँच गया जहाँ अतिप्राचीन काल में उसका अभाव था। जैसे लोहे-ताँबे का प्रयोग प्राचीन काल में ही उन स्थान में फैल गया, जहाँ पहले प्रस्तर-आयुधों का बोलबाला था, वैसे ही सांस्कृतिक आदान-प्रदान में, मनुष्य के मन से कुछ ही कम चंचल, उसके शब्द विश्व के एक छोर से दूसरे छोर तक पहुँच गए हैं। अन्य प्रदेशों की भाषाएँ अपनी विशेष ध्वनि-प्रकृति और भाव-प्रकृति के अनुसार इन विदेशी आगन्तुकों का रूप बदलकर और उन्हें अपनी व्यवस्था के अनुरूप व्यवहार करने के लिए बाध्य करके उन्हें अपना नागरिक बना लेती हैं, फिर भी इन शब्दों का कोई-न-कोई अंश बच रहता है (या ध्वनि-परिवर्तन के नियमों आदि से हम उनके पूर्व रूपों या अन्य रूपों को पहचान लेते हैं) जिससे अन्य भाषाओं में उनके पूर्वजों या सगोतियों से हम उनका सम्बन्ध स्थापित करते हैं।

चीनी भाषा के शिह् (दश) का उल्लेख हम पहले कर चुके हैं। दश और विंशति का सामान्य तत्त्व यह 'श' होना चाहिए जो मूल रूप में दश का वाचक था। वह प्राय: अपने आदि रूप में चीनी शिह् में उपलब्ध है। पता नहीं, उसने हिमालय के उस पार की यात्रा बौद्ध धर्म से पहले की थी या बाद में। भारत में 'श' का दश रूप वैदिक काल में ही प्रचलित था; इसलिए शिह् और दश का यह मैत्री-सम्बन्ध प्राग्वैदिक कालीन होना चाहिए। यह मैत्री-सम्बन्ध कल्पित या आकस्मिक भी हो सकता है, लेकिन चीनी में 'एक' के लिए शब्द है 'ई'। ग्रीक में 'एक' के लिए जो

अनेक शब्द हैं, उनमें एक है 'एइस'। ग्रीक भाषा दश के लिए 'देका' शब्द से काम लेती है, किन्तु एक में उसे 'क' आवश्यक नहीं लगा'। यदि 'क' 'एक' का अभिन्न अंग होता तो वह सम्भवत: ग्रीक में लुप्त न होता। लैटिन में न 'क' है, न 'स'; इनके स्थान में है 'न', एक के लिए 'ऊनुस्' और इसी से मिलता-जुलता न-कारयुक्त रूप है जर्मन 'आइन' (रूसी 'अदीन' इन सबसे भिन्न भी हो सकता है, इसलिए हम उसे छोड़ देते हैं)। ग्रीक, लैटिन, संस्कृत, जर्मन आदि भाषाओं में एक-वाचक शब्द प्राय: दो अक्षरों का होता है; दूसरा अक्षर क, स या न ध्वनि-सौन्दर्य के लिए हैं, मूल अक्षर ए, एइ या आइ जैसा स्वर है जिसका एक रूप चीनी 'ई' हो सकता है।

चीनी में एक सहायक संख्यावाचक प्रत्यय और होता है 'को'। इसलिए 'एक' के लिए 'ई' के अलावा एक अन्य रूप होता है 'ई-को'। यह 'को' लिआङ्-को, सान्-को आदि अन्य संख्यावाचक शब्दों के साथ भी लगता है। बालक आदि शब्दों के 'क' के समान चीनी में ई, लिआङ्, सान् आदि के साथ यह 'क' ('को') जुड़ता है। 'क' ध्वनि का यह प्रयोग हिन्दी-चीनी परिवारों की सामान्य विशेषता हुई। चीनी में 'ई-को' रूप देखकर यह धारणा और भी दृढ़ होती है कि मूल 'ए' में सहायक ध्वनि 'क' जोड़कर ही हमारे 'एक' की रचना हुई है।

नहीं के लिए चीनी शब्द है 'मेइ'। नहीं या मत के लिए एक अन्य शब्द है 'मो'। ये दोनों शब्द संस्कृत के 'मा' से मिलते-जुलते हैं। 'मो' का प्रयोग वाक्य के आरम्भ में संस्कृत के समान होता है : 'मो ता वो' (मत मारो मुझे)।

चीनी में एक सर्वनाम है 'नी', जिसका अर्थ है 'तुम'। सम्भवत: यह एशिया का प्राचीनतम सर्वनाम है। संस्कृत में 'अस्माकम्' का अन्य रूप है 'न:' जो स्पष्ट ही अस्मद्-परिवार का न होकर उसमें मिल गया है। रूसी में 'नास्' 'नाशा' (हमको, हमारा) आदि रूपों में वही 'न:' है। लैटिन में 'अहम्' के लिए तो है 'एगो', लेकिन उसका बहुवचन है 'नोस'; उसी से नोस्त्रुम्, नोबीस् आदि अन्य रूप भी बनते हैं। ग्रीक में लैटिन के समान अहम् के लिए एगो है जिसके एकवचन-बहुवचन में एमे-एमोन, हिमेइस-हिमास आदि रूप बनते हैं किन्तु द्वि-वचन में 'नो' और 'नोन' रूप मिलते हैं जिनका 'एगो' से उतना ही कम सम्बन्ध है जितना 'अस्मद्' से 'न:' का। यही सर्वनाम सामी भाषाओं में है। अरबी में उत्तम पुरुष सर्वनाम का बहुवचन है 'ना'। सामी परिवार की भाषाओं में अन, अने, अनि, अनु, अनेक, अनकु, नहन, अन्त, एन्त, अन्ति, अन्तुम्, अन्तिन् आदि सर्वनाम मिलेंगे। (देखिए De Lacy O'leary : Grammar of The Semitic Languages.) आस्त्रिक परिवार की खसी भाषा में उत्तम पुरुष सर्वनाम ना है। फिन-उग्रियन परिवार में मैं के लिए 'एन' शब्द है। द्रविड़ भाषा-परिवार में 'न' का पूर्ण साम्राज्य है; तमिल में नान् (मैं), नांगळ (हम), नी (तुम), नींगळ (आप) आदि। इतनी भाषाओं में 'हम' या 'तुम' के लिए न:, नो, नी जैसे सर्वनाम रूपों का मिलना आकस्मिक नहीं हो सकता। उसे एशिया

(और यूरोप) का प्राचीनतम सर्वनाम मानना उचित होगा। अनेक भाषाओं में वह अस्मद् या एगो के रूपों में घुल-मिल गया है जो विभिन्न भाषा-परिवारों के सम्पर्क या मिश्रण की ओर संकेत करता है।

अन्य सर्वनामों में चीनी 'वो' (मैं) संस्कृत वयम् से मिलता है और 'ता' (वह) तद्, ते आदि से। माता-पिता के लिए चीनी में 'मू' और 'फू' शब्द हैं। 'माँ' की तरह चीनी में 'माता' का तकारहीन रूप है और उसी के अनुरूप पिता का भी। संस्कृत की एक बहुप्रयुक्त धातु है 'दिव्' जिससे दिवस, देव, दिव्य आदि शब्द बनते हैं। चीनी में 'दिआन' का अर्थ है 'दिन'। रूसी में 'दिन' के लिए 'द्येन' शब्द है, लैटिन में 'दिईस्' अंग्रेज़ी में 'डे'। इस प्रकार भारतीय 'दिव्' का प्रकाश दूर-दूर तक फैला है। आकाश और स्वर्ग के लिए भी इसी से शब्द बनता है 'दिआन-कोङ्'। चीनी में देश के लिए 'गुओ' (या 'ग्वो') शब्द है, इसी से देशवाचक शब्द बनते है झोङ्-गुओ (चीन), यीङ्-गुओ (इंग-देश, इंग्लैंड); च्याङ् काई-शेक की पार्टी कुओमिन्ताङ् के आरम्भ में यही 'गुओ' है ('ग्वोमिन्ताङ्')। ग्रीक में धरती के लिए 'गेआ' शब्द है जिससे अंग्रेज़ी के 'जिओग्राफी', 'जिओलॉजी' आदि शब्द बनते हैं। संस्कृत में यही 'ज्यामिति' वाला 'ज्या' है। चीनी में गाय के लिए 'मूनिउ' शब्द है जिसका हमारे परिवार से कोई सम्बन्ध नहीं है। किन्तु दक्खिनी चीनी (कैन्तनी भाषा) में 'गाव' शब्द हुऐ जो 'गौ' से अपना स्पष्ट सम्बन्ध घोषित करता है।

चीनी में जन या जनता के लिए 'रेन' शब्द है। इसे अंग्रेज़ी में 'जे' अक्षर से 'जेन' लिखते हैं। यह 'रेन' 'जन' का ही रूपान्तर है। इसका प्रमाण यह है कि दक्खिनी चीनी में इसका 'युन' रूप प्रचलित है। अंग्रेज़ी में जैसे 'मैन' से ही स्त्रीवाचक 'वोमैन' शब्द बनाते हैं, वैसे ही चीनी में 'रेन' से नू-रेन (नारी) पू-रेन (पत्नी) आदि शब्द बनाते हैं। यह जन रूसी, ग्रीक, लैटिन आदि भाषाओं में नाना-रूप धारण किये हुए विद्यमान है। संस्कृत 'ज्ञा' (जानना) के समान चीनी में 'रेन-शी' क्रिया है; यहाँ भी 'ज'—'र' विनिमय के दर्शन होते हैं। संस्कृत में 'ते जाने' के लिए 'नी' धातु है; चीनी में 'ना' का अर्थ है 'लेना'। 'सोने' के लिए संस्कृत 'सस्' और 'स्वप्' के समान चीनी शब्द है 'शुइ'।

चीनी में शराब के लिए 'चिउ' शब्द है। देवताओं या मृत जनों को जो मद अर्पित किया जाता है, वह 'चेह', 'च्वो' या 'चुए' है। विश्वविख्यात पेय 'चाय' तो चीनी में 'चा' है ही। चाय पीने के लिए 'च्युत', साफ पानी के लिए 'चित', भीगे के लिए 'चोम', चाय या शराब ढालने के लिए 'चेम' आदि शब्द हैं। इनसे स्पष्ट है कि चीनी में 'च'-कारमूल एक ऐसा शब्द है जो जल या पेय-वाचक है। इससे तुलना कीजिए कश्मीरी भाषा के पेय-वाचक च्यन्, च्यनी, च्यन्-बाव्, च्यथ्, च्यन्-वोलु (पिये हुए), च्यन्-ग्राख् (पीनेवाला) आदि शब्दों की। कश्मीरी और चीनी के ये शब्द संस्कृत 'चम्' धातु से सम्बन्धित हैं (जिससे पवित्र आचमन शब्द बनता है)।

चीनी 'शुओ' का अर्थ है बोलना। संस्कृत में 'शब्द' (ध्वनि करना) क्रिया है। चीनी 'हुआ' (या 'बा') का अर्थ है, शब्द, भाषा। संस्कृत धातु 'ह्वे' का अर्थ है पुकारना। (श-ह का विनिमय भारत की तरह चीन में भी पाया जाता है। 'ह्वा' के लिए परिनिष्ठित चीनी में 'शिह-ती' है, दक्खिनी चीनी में 'हेइ' है।) 'शुओ' और 'हुआ' का मूल शब्द एक ही जान पड़ता है, उसी 'शुओ' से 'शब्द' और 'ह्वे' का सम्बन्ध है।

डॉ. सुनीति कुमार चाटुर्ज्या ने 'गंगा' शब्द का थाई भाषागत रूप 'खोंग' बताया है। उनके अनुसार यही 'याग-त्से-किआंग', 'सी-किआंग', 'वू-किआंग' में नदी वाचक 'किआंग' है। "गंगा शब्द का यह अर्थ आधुनिक बंगला के थोड़े परिवर्तित गाङ् या गाङ्ग शब्द में 'कोई भी नदी या नाला' के अर्थ रूप में सुरक्षित है। सिंहल में गंगा शब्द अब भी सभी नदियों के साथ प्रयुक्त होता है।"

कश्मीरी में 'गंग' शब्द इसी प्रकार नदी वाचक है। डॉ. चाटुर्ज्या के मत से गंग, गाङ् या 'खोंग' दक्षिण एशियाई आस्त्रिक परिवार का है। दक्षिण-एशिया का शब्द कश्मीर की घाटियों तक पहुँचा हो, यह आश्चर्य की बात ही होगी। सम्भावना इसकी अधिक है कि दक्षिण-एशिया में भारतीय-संस्कृति के प्रसार के साथ यह शब्द भी वहाँ पहुँचा होगा। हिन्दी-भाषी प्रदेश में भी पचीसों नदियों को गंगा नाम दिया गया है। कश्मीर, हिन्द-प्रदेश और बंगाल में सर्वत्र नदी-वाचक इस शब्द का जितना प्रयोग है, उससे यही मालूम होता है कि यह एक अत्यन्त प्राचीन भारतीय शब्द है।

ये समानताएँ आकस्मिक नहीं हैं। चीन और भारत का सम्बन्ध बौद्ध धर्म से बहुत पुराना है। पुरातत्त्वज्ञ मिट्टी के बर्तनों का तुलनात्मक अध्ययन करके ईसा से दो हजार वर्ष पूर्व की चीनी संस्कृति का सम्बन्ध भारत के उत्तरी सीमान्त, मध्यपूर्व और दक्षिणी रूस से जोड़ते हैं। चेकोस्लोवाकिया के प्रसिद्ध भाषा-तत्त्वविद् और पुरातत्त्वज्ञ बेद्रिच ह्रौज़्नी ने अपनी पुस्तक 'पश्चिम एशिया, भारत और क्रीट का प्राचीन इतिहास' नामक ग्रंथ में इस विषय पर विस्तार से प्रकाश डाला है। उनका मत इसलिए और भी महत्त्वपूर्ण है कि वह भारत-यूरोपीय भाषाओं का मूल केन्द्र एशिया में नहीं मानते। उन्होंने लिखा है : "निकट पूर्व के नव्य प्रस्तर युग की विशेषता तथाकथित चित्रित मृत्तिकापात्र हैं। किन्तु इस मामले में निकट पूर्व अपवाद नहीं है; इसके विपरीत यह उस विशाल यूरोप-एशियाई प्रदेश का एक खंड मात्र है जो बोहीमिया और मोराविया, थेसली और सिशिली (अर्थात् मध्य और दक्षिणी यूरोप) से लेकर पूर्व में चीन के कान्सू और होनान प्रान्तों तथा दक्षिण-पूर्वी मंचूरिया तक फैला हुआ है। यद्यपि यह विशाल प्रदेश छोटे-छोटे खंडों में विभाजित है, फिर भी इस बात की सम्भावना सबसे ज्यादा मालूम होती है कि वह एक विराट् सम्बद्ध इकाई है जिसका केन्द्र कोई स्थल विशेष होना चाहिए। इसी केन्द्रीय क्षेत्र से चित्रित बर्तन विभिन्न जनों के स्थानान्तरित होने से और कबीलों के परस्पर आर्थिक विनिमय से सभी दिशाओं में फैले हुए हैं। इस दिशा में ईसापूर्व द्विसहस्राब्दी

में चीनी याङ्शाओ संस्कृति के नव्य-प्रस्तर युगीन अनेक रंगों में चित्रित मृत्तिकापात्रों की तुलना किएव के दक्षिण त्रिपोल्ये के, तुर्किस्तान में अनान के, तथा बेबीलोनिया, असीरिया और एलाम के मृत्तिका पात्रों से करनी चाहिए जो बहुत शिक्षाप्रद होगी। सम्भावना यह है कि इस क्रम में मध्यस्थ का काम भारत-यूरोपीय तोख़ारी-जनों ने किया था या किसी केन्द्रीय क्षेत्र से—जो शायद तुर्किस्तान में रहा हो और तुर्किस्तान नहीं, तो कास्पियन समुद्र, पामीर और अलाई के बीच कहीं तो रहा ही होगा—बाहर जानेवाले किन्हीं अन्य जनों ने मध्यस्थ का काम किया होगा।"

हौज़्नी की महत्त्वपूर्ण मान्यता यह है कि चीन से लेकर दक्षिणी रूस तक—संस्कृति के अन्यतम परिचायक उपादान मृत्तिका पात्रों के आधार पर—एक विराट् सम्बद्ध इकाई का सामना करना होता है। इस इकाई का केन्द्र चाहे पामीर (और उसके आसपास का) प्रदेश रहा हो, चाहे अन्य कोई; तोख़ारी जन (या संस्कृत-परिवार की किसी अन्य भाषा के बोलनेवाले जन) चाहे मध्यस्थ रहे हों, चाहे उस संस्कृति के मूल स्रोत रहे हों—यह बात निर्विवाद जान पड़ती है कि ईसा से दो हजार साल पहले दक्षिणी रूस, उत्तरी भारत (या उसके सीमान्त), मध्य एशिया और चीन में परस्पर सम्पर्क था। बाद को भारत-चीन, भारत-रूस का जो सम्पर्क बढ़ा, उसकी चर्चा यहाँ अनावश्यक है। सम्पर्क की इस प्राचीनता को हम ध्यान में रखें तो नी-न: सर्वनाम का एशिया-यूरोप-व्यापी प्रसार आकस्मिक न लगेगा; भारतीय-चीनी भाषाओं की अन्य समानताएँ भी सम्भव जान पड़ेंगी और इस ओर अधिक विस्तृत अध्ययन के लिए प्रेरणा मिलेगी।

'द्रविड़' और 'आर्य' भाषा-परिवारों के सम्पर्क के बारे में कुछ विद्वानों का अनुमान है कि "आर्यों के आगमन के पूर्व द्रविड़ों ने ही पंजाब और सिन्ध की महान् नागरिक सभ्यताओं का निर्माण किया था।" द्रविड़ों के अलावा यहाँ निषाद जाति रहती थी और निषाद भाषा-परिवार का भी प्रभाव संस्कृत पर पड़ा होगा, यह अनुमान किया जाता है। डॉ. चाटुर्ज्या के शब्दों में : "इस प्रकार यह सम्भावना खड़ी हो जाती है कि जब आर्य आए, तब उत्तरी भारत के मैदानों में द्रविड़ और निषाद-जन निवास करते थे। इनमें पहले दासदस्यू कहलाते थे और अधिकतर पश्चिमोत्तर तथा पश्चिम में पाए जाते थे, और दूसरे मध्य तथा पूर्व में। दक्षिण के विषय में ठीक-ठीक पता नहीं चलता।"

भाषाविदों की ही नहीं, इतिहासकारों और साहित्यकारों की भी यह प्रचलित धारणा है कि शुद्ध रक्तवाले आर्य जब यूरोप या मध्य एशिया से भारत में आए, तब चपटी नाक वाले दास या दस्यू द्रविड़ों से उनका सम्पर्क हुआ, उनकी लम्बी नाक चपटी हुई, गौर वर्ण कुछ साँवला हुआ, ध्वनियों के उच्चारण में उनकी जिह्वा लुंठित या कुंठित होने लगी, अनेक ध्वनियों का मूर्धन्यीकरण हुआ और मूल भारत-यूरोपीय भाषा से भिन्न संस्कृत में सैकड़ों नये शब्द आ गए जिनका मूल स्रोत द्रविड़ (या निषाद) भाषाएँ थीं।

और जब संस्कृत ने विकृत होकर प्राकृत-अपभ्रंशों के मार्ग से आधुनिक भाषाओं का रूप लिया, तब इन्हीं द्रविड़ भाषाओं ने इस विकृति और पतन में सहायता की। इस सम्बन्ध में द्रविड़ भाषाओं के अन्यतम पंडित काल्डवेल ने एक बहुत महत्त्वपूर्ण बात कही है : "उत्तर भारत की आधुनिक भाषाओं में जो तत्त्व संस्कृत से भिन्न हैं, वे यदि द्रविड़-परिवार के हैं, तो हम आशा कर सकते हैं कि उनके शब्द-भंडार में कुछ मूल द्रविड़ शब्द भी होंगे—जैसेकि सिर, पैर, आँख, कान वगैरह के लिए शब्द। लेकिन इस तरह के शब्दों में मुझे कोई विश्वसनीय समानता नहीं दिखाई दी।"

यह युक्ति उत्तर भारत की आधुनिक भाषाओं के लिए ही संगत नहीं है, वरन् संस्कृत के लिए भी संगत है। द्रविड़ भाषाओं का मूल शब्द-भंडार संस्कृत से भिन्न है। इससे सिद्ध होता है कि न तो द्रविड़ भाषाएँ संस्कृत की पुत्रियाँ हैं, न संस्कृत के निर्माण में—मूल भारत-यूरोपीय भाषा से भिन्न उसके भारतीय विकास में—द्रविड़ भाषाओं की व्यापक भूमिका है। संस्कृत में द्रविड़ भाषाओं के जो शब्द मिलते हैं, उनसे उनका परस्पर सम्पर्क सिद्ध होता है, सम्मिश्रण नहीं। काल्डवेल ने इस तरह के शब्दों को द्रविड़ भाषाओं से संस्कृत में आया हुआ माना है : अगुरु, अनल, अर्क, कट्ु, कुटी, कुंड, कुंडल, चन्दन, तूल (कपास), नक्र, निबिड़, नीर, पंडित, पल्ली, बक, बिडाल, बिल, मयूर, मल्लिका, माला, मीन, मुकुट, वलय, वल्लरी, शठ, शव, हुडुक्क (छोटा ढोल या ढफ)। इसी प्रकार आस्त्रिक भाषा-परिवार से संस्कृत में आए हुए कुछ शब्द उनके मत से ये हैं : मातंग, कुलिंग, लवंग, उन्दुरु, कर्पास, जंबाल (कीचड़ ), ताम्बूल, लांगल इत्यादि। इस तरह के शब्दों में कौन आर्य है और कौन द्रविड़ या निषाद, यह कहना कठिन है। इतना स्पष्ट है कि इन शब्दों में क्रियावाचक शब्द प्राय: नहीं हैं और मूल शब्द-भंडार के वे अधिकांश शब्द भी नहीं हैं जिनका व्यवहार साधारण जन नित्य-प्रति अपने जीवन में करते हैं। भारत में अनेक भाषा-परिवार रहे हैं और वे एक-दूसरे को प्रभावित और शब्दों का आदान-प्रदान करते रहे हैं, यह सत्य असन्दिग्ध है।

सामी और आर्य भाषा-परिवार एक दूसरे से एकदम विच्छिन्न माने जाते हैं। डेनमार्क के भाषाविद् मोयलर (Möller) ने विस्तार से दोनों परिवारों की प्राचीन और आधुनिक भाषाओं का तुलनात्मक अध्ययन किया है। उनका विचार है कि सामी और आर्य भाषा-परिवारों का मूल स्रोत एक ही था। मोयलर की यह धारणा भ्रान्त हो सकती है, किन्तु दोनों परिवारों में बहुत-सा साम्य है, यह स्वीकार करना होगा। मोयलर की युक्तियों पर टिप्पणी करते हुए अमरीकी विद्वान ई. ब्लॉकेट ने लिखा है कि वाक्य-रचना, शब्द-रूपों आदि में कोई विशेष समानता नहीं है, फिर भी बहुत-से शब्दों में जो साम्य दिखाई देता है, उस पर अनुसन्धान होना चाहिए। यूनानी ताउ-रौस (बैल) सिरिएक तौरा, हिब्रू शौर से मिलता है। संस्कृत शृंग, लैटिन कोर्नू, असीरियन कार्नू; शराब के लिए असीरियन इनू, अरबी उऐनी, यूनानी ओइनोस

(अंग्रेज़ी वाइन); संस्कृत गर्भ, हिब्रू केरेब (अन्दर); सं. रसना, हिब्रू, लसोन (इसी से लसानियात, भाषाविज्ञान); लैटिन फ्लेक्तो, हि. बेरेक (घुटना); लै. फुल्गेओ, हि. बरक (बिजली, भ्रज्); लै. अल्बुस, हि. लबौ; लै. वेर्तो हि. इअरद् (उतरना); लै.—अद (ad), हि: अद (तक) इत्यादि।

अरबी के सर्वनाम अन, नहनो, अन्त, आन्ते, अनातुन आदि की चर्चा करते हुए एडकिन्स ने लिखा है कि अरबी अना, हिब्रू अनोचि, मिस्री अनोक को देखकर लगता है कि संसार में शायद ही कोई ऐसी भाषाएँ हों जिनके सर्वनामों में इस धातु (ना) का अस्तित्व न हो। रूसी में वह के लिए अन (पुरुष), अना (स्त्री) और अनो (नपुंसक) रूप मिलते हैं।

जैसे विभिन्न भाषा-परिवारों में साम्य है और भेद भी है, वैसे ही एक ही परिवार की भाषाओं में भी साम्य और भेद देखा जाता है, साम्य अधिक और भेद कम। कौन-सी भाषाएँ एक परिवार के अन्तर्गत हैं, यह तै करने में मूल शब्द-भंडार का अध्ययन हमारी सहायता करता है। यह मूल शब्द-भंडार भी कोई स्थिर इकाई नहीं है। सामाजिक आवश्यकताओं में परिवर्तन होने से भाषा में नये शब्दों का आकलन होता है, कुछ शब्द पुराने और अनावश्यक होकर व्यवहार-क्षेत्र में नष्ट हो जाते हैं। इसके सिवा विभिन्न भाषाओं के बोलनेवाले युद्ध की विजय-पराजय या आर्थिक, राजनीतिक और सांस्कृतिक कारणों से जब एक-दूसरे के सम्पर्क में आते हैं, तब कुछ भाषाएँ अपने मूल शब्द छोड़कर दूसरी भाषाओं से उन्हीं के पर्यायवाची शब्द ग्रहण कर लेती हैं, जैसे कुछ लोग पिता को वालिद या अब्बा कहते हैं। परिवार सम्बन्धी इन शब्दों के बदलने से मूल भाषा का परिवार नहीं बदल जाता। कुछ लोग ईश्वर को रब, खुदा या अल्ला कहते हैं। धार्मिक शब्दों के बदलने से भी मूल भाषा का परिवार नहीं बदलता। अवधी, भोजपुरी, ब्रजभाषा के व्याकरण में, उनकी ध्वनियों में काफी भेद है। कुछ लोग उन्हें हिन्दी की बोलियाँ न कहकर स्वतंत्र भाषा मानते हैं। व्याकरण या ध्वनियों के भेद से ही वे स्वतंत्र भाषाएँ नहीं हो जातीं। देखना चाहिए उनके मूल शब्द-भंडार की समानता को। इस मूल शब्द-भंडार में सर्वनाम, सम्बन्धसूचक शब्द, क्रियाएँ सबसे कम बदलती हैं। उर्दू का एक शेर देखिए :

*आह को चाहिए इक उम्र असर होने तक,*
*कौन जीता है तेरी ज़ुल्फ़ के सर होने तक।*

सर्वनाम कौन और तेरी, सम्बन्धसूचक को, के, क्रियाएँ चाहिए, जीता है, होना—ये नहीं बदलीं। मूल भाषा का ढाँचा इनके द्वारा सुरक्षित बना है; उम्र, असर, ज़ुल्फ़ आदि शब्द बाहर से आकर उस ढाँचे का मूल रूप नहीं बदल पाए। अंग्रेज़ी पर फ्रांसीसी और लैटिन भाषाओं का बहुत गहरा असर पड़ा है। अंग्रेज़ी शब्दकोश के तीन-चौथाई शब्द गैर-अंग्रेज़ी हैं। लेकिन सर्वनामों में ही, शी, इट, दे, आई, वी,

अस, हिम, देम, आदि जर्मन भाषा-परिवार के हैं। इसी प्रकार सम्बन्धसूचक ऑफ़, इन, टू, फ्राम, आदि अंग्रेज़ी के अपने परिवार के हैं। क्रियाओं में गो, गेट, ईट, स्लीप रन, बेक, आदि भी उसके अपने परिवार के हैं। इसलिए भाषाओं के परिवार निश्चित करते समय इन मूल तत्त्वों पर विशेष ध्यान देना चाहिए।

सबसे पहले हम भारत-यूरोपीय परिवार और ग्रीक के सम्बन्ध पर विचार करें। भाषाविज्ञान से थोड़ी-सी भी रुचि रखनेवाले विद्यार्थी जानते हैं कि पिता, माता, भ्राता आदि शब्द भारत-यूरोपीय परिवार की भाषाओं में सामान्य हैं। भ्राता का समकक्ष ग्रीक शब्द फ्रातेर (या फ्रातोर) है जिसका अर्थ है फ्रात्रा (बिरादरी) का सदस्य। फ्रातेर में वे सब लोग शामिल हैं जो एक कुल, वंश या गोत्र के हैं। हिन्दी-भाषी क्षेत्र के कुछ भागों में परस्पर सम्बन्धित बन्धु-बांधव 'भैयाचार' कहलाते हैं। गाँवों में एक उम्र के लोग एक दूसरे को भाई कहकर सम्बोधित करते हैं। इस प्रयोग में 'भ्राता' शब्द का प्राचीन अर्थ निहित है। ग्रीक में भाई के लिए एक शब्द और हैं : अदेल्फोस। यह शब्द भाई के वर्तमान सीमित अर्थ में प्रयुक्त होता था। इसी प्रकार स्वसा (बहन) के लिए ग्रीक शब्द था : अदेल्फी। यूनानियों का यह अपना शब्द था जिससे पारिवारिक सम्बन्ध सूचित करनेवाले वे अन्य अनेक शब्द भी बनाते थे : अदेल्फिदेओस—भतीजा; अदेल्फिदी—भतीजी; अदेल्फिदिओन—छोटा भाई, इत्यादि। यह शब्द न संस्कृत में है, न लैटिन में, न स्लाव भाषाओं में। यह यूनानी भाषा का अपना शब्द माना जाएगा। इस तरह के कुछ शब्द और मिलें तो आप बाध्य होकर सोचेंगे—यह ग्रीक भारत-यूरोपीय परिवार की भाषा है या इसका स्वतंत्र अस्तित्व है? पिता से मिलते-जुलते शब्द परस्पर सम्पर्क से तो नहीं आ गए?

ग्रीक में पिता के लिए एक शब्द और है 'गोनेउस' जिसका सम्बन्ध जन से है। जन और जनक भारतीय भाषाओं में भी हैं। किन्तु ग्रीक 'तोकेउस' न भारतीय भाषाओं में है, न लैटिन में। यह शब्द 'तिक्तो' या 'तितेको' या 'तेको' धातु से बना है जिसका अर्थ है 'जन्म देना'। 'हो तेकोन'—पिता; 'ही तेकोउसा'—माता; 'ओइ तेकोन्तेस'—माता-पिता। भारत-यूरोपीय परिवार में यह शब्द अन्यत्र नहीं मिलता, इसलिए 'गोनेउस' या 'पतेर' की तुलना में उसे ग्रीक भाषा की अपनी सम्पत्ति मानना चाहिए।

अब स्पष्ट हो गया कि पिता-माता, भ्राता के आधार पर ही यूनानी भाषा को भारत-यूरोपीय-परिवार के अन्तर्गत नहीं माना जा सकता। इनके समानान्तर उसके अपने शब्द हैं : तोकेउस, तेकोउसा, अदेल्फोस आदि। भारतीय भाषाओं से ग्रीक का यही सम्बन्ध है कि अपने मूल शब्दों के साथ उसने हमारे शब्दों को भी स्थान दिया।

ग्रीक भाषा और संस्कृत में मातृसत्ताक समाज-व्यवस्था के अवशेषों का अनुसन्धान करते हुए प्रोफेसर जॉर्ज टामसन नें लिखा हुए कि ग्रीक भाषा में पितृ का नामान्तसूचक प्रत्यय ईदस (ईदेस) है जिसका आधार 'इद' शब्दांश है और यह है स्त्रीलिंग। "इससे यह निष्कर्ष निकलता है कि प्राचीन काल में पुरुष नहीं,

स्त्रियाँ गोत्र (clan) की प्रतिनिधि मानी जाती थीं।"[1] यह देखना दिलचस्पं होगा कि इस प्राचीन मातृसत्ताक व्यवस्था के अवशेष ग्रीक भाषा के उन शब्दों में मिलते हैं जो ग्रीक भाषा (या ग्रीक परिवार) तक सीमित हैं या उनमें मिलते हैं जो ग्रीक के समान संस्कृत में भी हैं। उन्होंने अदेल्फोस और अदेल्फी की मिसाल देकर कहा है कि उनकी समता करनेवाले शब्द दूसरी भारत-यूरोपीय भाषाओं में नहीं हैं। भारत-यूरोपीय 'भ्रातेर' और 'सुएसोर' ग्रीक में 'फ्रातेर' और 'एओर' रूपों में बच रहे हैं, परन्तु वे परस्पर सम्बन्ध के द्योतक नहीं हैं। ग्रीक पारिवारिक-सम्बन्ध-शब्दावली की सबसे बड़ी विशेषता इन शब्दों का अपना स्थान छोड़ना है और उसकी व्याख्या आवश्यक है। 'सवाल स्थान छोड़ने' का नहीं है; पहले यह सिद्ध करना होगा कि फ्रातेर और एओर मातृसत्ताक समाज में, किस भिन्न अर्थ में, प्रयुक्त होते थे। 'फ्रातेर' के समान डोरियन (यूनानी भाषाओं में एक) में 'कासिस' शब्द था जिसका अर्थ था एक गोत्र के भाई-बन्धु। फ्रातेर और कासिओइ "मूलत: हर पीढ़ी में एक पिता के लड़के, पिता के भाई के लड़के, पितामह के भाई के नाती इत्यादि होते थे। ये गोत्र-विभाजन की दृष्टि से भाई थे। 'एओर' बाद के एक शब्दकोश में मिलता है; एक जगह इसका अर्थ लिखा है : 'पुत्री या चचेरी बहन' (cousin), दूसरी जगह लिखा है : 'सम्बन्धी'।" अदेल्फोस का अर्थ है 'सहोदर'। फ्रातेर अदेल्फोस वह भाई हुआ, जो एक ही माता से उत्पन्न हुआ हो।

टॉमसन के इस तर्क से यही सिद्ध होता है कि अदेल्फोस प्राचीन शब्द है जो एक ही माता से उत्पन्न मातृसत्ताक कल के सभी भाइयों के लिए प्रयुक्त होता शा। यदि यह सिद्ध किया जा सके कि इसी अर्थ में फ्रातेर का प्रयोग पहले होता था, तब यह स्वीकार किया जा सकेगा कि 'भारत-यूरोपीय' 'फ्रातेर' ने अपना स्थान 'अदेल्फोस' को दे दिया। टॉमसन यह मानकर चले हैं कि 'ग्रीक' विजेता यूनान में आने से पहले पितृसत्ताक समाज-व्यवस्था में थे, यूनान में आकर उन्होंने मातृसत्ताक व्यवस्था के सम्बन्धसूचक शब्द अपना लिये। "पुरुषों ने पितृसत्ताक फ्रात्री सुरक्षित रखी, इसलिए इस सन्दर्भ में फ्रातेर बचा रहा।" यूनानियों में फ्रातेर शब्द अवश्य पितृसत्ताक सम्बन्धों का सूचक है, किन्तु इसे उन्होंने बाद को स्वीकार किया। जिस भाषा का मूल 'अदेल्फोस' उसके बोलनेवाले या तो मातृसत्ताक व्यवस्था में थे, या उससे अगली मंजिल की ओर संक्रमण की दशा में थे। इस भाषा से सम्पर्क हुआ एक अन्य भाषा का जिसमें पितृसत्ताक गोत्र के बन्धुओं के लिए फ्रातेर शब्द का प्रयोग होता था। अदेल्फोस द्वारा फ्रातेर का पदच्युत होना सम्भाव्य कल्पना नहीं है। पितृसत्ताक व्यवस्था के लोग वैसे भी सामाजिक विकास-क्रम में आगे बढ़े हुए होंगे; न भी हों तो ग्रीक विजेताओं ने भाई जैसे सम्बन्ध के लिए विजितों का शब्द अपना लिया होगा, यह बात असाधारण लगती है।

1. जॉर्ज टॉमसन, 'स्टडीज़ इन ऐन्शेंट ग्रीक सोसाइटी', पृ. 145

इस बात पर भी ध्यान देना चाहिए कि फ्रातेर कोई अपवाद रूप में एकमात्र भारत-यूरोपीय शब्द नहीं है, जिसके समानान्तर 'विजितों' का 'अ-भारत-यूरोपीय' अदेल्फोस शब्द मिलता हो। पिता-माता के लिए भी इसी प्रकार के शब्द हैं। प्राचीन ग्रीक काव्यों में एक शब्द आता है 'हेकुरोस', जिसका अर्थ है : सौतेला बाप; 'हेकुरा' हुई सौतेली माँ। सम्भव है, इस शब्द का सम्बन्ध 'भारत-यूरोपीय' श्वसुर से रहा हो, किन्तु ग्रीक का प्रचलित श्वसुर-वाचक शब्द है 'पेन्थेरोस', जो उसका अपना है। इसी प्रकार साली के लिए 'गालोस', सास के लिए 'पेन्थेरा', दादी के लिए 'तीथी', दादी की माँ के लिए 'एपीतीथी', नाती के लिए 'उइदोउस' आदि शब्द हैं। पति के लिए एक शब्द है 'पोसिस' जो पति का अपभ्रंश रूप जान पड़ता है, क्योंकि नारी के लिए सम्मानसूचक 'पोत्निआ' शब्द भी ग्रीक में है। पति के लिए साधारण ग्रीक शब्द है 'अनेर' जिसका अर्थ है : मर्द, आदमी। स्त्रियों के विवाह के लिए विशेष शब्द है 'नुम्फेउओ'; इसी से वधू के लिए 'नुम्फ' और वर के लिए 'नुम्फिओस' शब्द हैं। इस तरह के और बहुत-से शब्द एकत्र किये जा सकते हैं जिनसे पता चलता है कि प्राचीन यूनान के नर-नारी अपने पारिवारिक सम्बन्ध जताने के लिए जिन शब्दों का व्यवहार करते थे, उनमें भारत-यूरोपीय शब्द नाममात्र को थे; अधिकांश शब्द ऐसे थे जो संस्कृत में (या कभी-कभी निकटवर्ती लैटिन में भी) नहीं हैं।

ग्रीक भाषा के कुछ सर्वनाम संस्कृत से मिलते हैं, अस्मद्-एगो, माम्-एमे, मे; किन्तु त्वं या युष्मद् के लिए 'सू' है। प्रथम पुरुष सर्वनामों के लिए एक व्याकरण-लेखक डब्लू गुनियन रदरफोर्ड ने लिखा है कि ग्रीक में कोई वास्तविक प्रथम पुरुष सर्वनाम है ही नहीं। ग्रीक भाषा के सम्बन्धवाचक शब्द यूरोपीय पद्धति के अनुकूल मूल शब्द के पहले आते हैं; इसके सिवा संस्कृत के विभक्ति-चिह्नों या सम्बन्धसूचक शब्दों से उनका कोई स्पष्ट सम्बन्ध नहीं दिखाई देता। 'हुपेर' का अर्थ है ऊपर; सम्भव है, वह 'उपरि' का परिवर्तित रूप हो, किन्तु काता (नीचे), मेता (साथ), अम्फी (लगभग), एपी (दिशा में), परा (ओर से), पेरी (बारे में), एइस (को), एक (से) इत्यादि शेष सम्बन्धवाचक शब्द संस्कृत से असम्बन्धित हैं। उर्दू में हिन्दी के सम्बन्धवाचक शब्द—में, पर, से, को—बदले नहीं जा सके; अंग्रेज़ी के इन, टू, ऑफ़, अप, आदि को लैटिन-फ्रांसीसी शब्दावली पदच्युत न कर सकी; उसी प्रकार ग्रीक के सम्बन्धवाचक शब्द प्राय: उसके अपने हैं और 'भारत-यूरोपीय' परिवार से स्वतंत्र ग्रीक भाषा की मूल सत्ता की घोषणा करते हैं।

अब ग्रीक क्रियाओं पर ध्यान देना चाहिए। जानने के लिए 'गिग्नोस्को' क्रिया संस्कृत 'ज्ञा' का रूपान्तर है। एक दूसरी क्रिया है 'ओइदा' जो सम्भवत: विद् का रूपान्तर है। इसी अर्थ की द्योतक तीसरी क्रिया है 'इसेमि' ('मैं जानता हूँ') जो संस्कृत-परिवार से बाहर की है। चौथी क्रिया 'सुने-इदो' का अर्थ है : देखना-समझना। 'काता-मन्थानो'—पाँचवीं क्रिया का अर्थ है : सीखना-जाना। जानने के लिए अत्यन्त

प्रचलित ग्रीक क्रिया है 'एपिस्तामाइ'; इसीसे एपिस्तीमि—ज्ञान, एपिस्तीमोन—ज्ञानी, एपिस्तितोस—ज्ञेय; इसी से अंग्रेज़ी का एपिस्टेमोलोजी—ज्ञानशास्त्र। एक ही अर्थ या उससे मिलते-जुलते अर्थ के लिए विभिन्न क्रियाओं का प्रयोग इस बात की ओर संकेत करता है कि ग्रीक में विभिन्न भाषाओं के तत्त्वों का समावेश हुआ है। इनमें एक-दो संस्कृत परिवार के हैं, शेष ग्रीक के अपने या अन्य विस्मृत भाषाओं के।

ग्रीक ज़ोओस (जीवित), ज़ोओन (जीव, पशु) संस्कृत जीव की याद दिलाते हैं। 'ज़ाओ' क्रिया का अर्थ है : साँस लेना, जीना। इसके समानान्तर अन्य ग्रीक क्रियाएँ हैं बिआओ, प्नेओ, दिआप्लेको, दिआफेरो आदि। गेन्नाओ—जन्म देना, समानार्थक तिक्तो। जाने के लिए इओ, एइम, संस्कृत की 'इ' धातु से; साथ ही बाइनो। संस्कृत श्रु से क्लुओ; अकोउओ, साथ ही अइस्थानोमाइ, अक्रोआओमाइ। पीने के लिए 'पिनो', साथ ही हेल्को, लाप्तो। खाने के लिए एस्थिओ (भविष्यकाल का रूप एदोमाइ 'अद्' से सम्बन्ध ज्ञापित करता है), फागेइन का सम्बन्ध 'भुज्' से है; इनके साथ 'बिब्रोस्को', 'त्रोगो'। देखने के लिए 'एइदो', 'विद' से सम्बन्धित, साथ में 'होराओ'। देने के लिए दिदोमि, उसके साथ परेखो (पर्+एखो)। भागने के लिए थेओ (धाव), साथ में त्रेख़ो, द्रेमो।

इस तरह संस्कृत और ग्रीक की जो मिलती-जुलती सामान्य क्रियाएँ हैं, उनमें प्राय: प्रत्येक की समानार्थक ग्रीक क्रियाएँ भी हैं। इससे इतना ही सिद्ध होता है कि ग्रीक भाषा से किसी अन्य भाषा-परिवार का सम्पर्क हुआ है और यह सम्पर्क काफी गहरा था, तभी इतनी क्रियाएँ उसमें आईं। किन्तु ऐसी क्रियाओं की संख्या बहुत बड़ी है जो ग्रीक भाषा की अपनी हैं। वे उसमें चाहे अन्य किन्हीं भाषाओं से आई हों लेकिन वे संस्कृत से भिन्न हैं। इनमें भी नित्य-प्रति जनसाधारण के काम में आनेवाली क्रियाओं की एक विशाल संख्या है। कुछ उदाहरण यहाँ देते हैं : आना—एर्खोमाइ, द्राओ; बैठना—कथेज़ोमाइ, हेज़ोमाइ, हिमाइ; सोना—कथेउदो (कथ् + एउदो); लेना—आइरेओ; कहना—फीमि, लेगो (जिससे डायलेक्टिक्स बनता है); गाना—अदो; माँगना—अइतेओ; दुख पाना—अल्गेओ; उत्तर देना—अमेइबोमाइ; ले चलना—अगो; पूछना—एरोताओ; उठना, उदित होना—तेल्लो; चिल्लाना—बोआओ; हँसना—गेलाओ; योग्य होना, सकना—दुनामाई; फेंकना, मारना—बाल्लो; ढूँढ़ना—एरेउनाओ; पुकारना—कलेओ; छोड़ना—लेइपो; धोना—लोउओ; लड़ना, युद्ध करना—पोलेमेओ; वध करना—फोनेउओ; जीतना—निकाओ। यह सिलसिला बहुत दूर तक चल सकता है। संस्कृत से मिलती-जुलती क्रियाएँ बहुत कम हैं; ग्रीक की अपनी या संस्कृत से भिन्न क्रियाओं की संख्या बहुत बड़ी है।

क्रियाओं से भिन्न शेष मूल शब्द-भंडार का भी यही हाल है। कुछ शब्द संस्कृत से मिलते-जुलते हैं, जैसे 'अइक्स'—अजा (बकरी); बारोस—भार; गेनोस—जन; गुनी—जनी (नारी); पोदोस—पद; दोमा—धाम; थुमोस—आत्मा (धूम); थूरा—द्वार;

कूनो—श्वान; मेथुओ—नशे में होना (मधु या मद); मूस—मूष; मिथोस—कहानी (मिथ्या); नुक्स, नुक्तोस—रात्रि (नक्तं); नौस—नाव, जहाज; ओनुक्स—नख; हुदोर—उद (जल); पोलिस—पुर; हेओस्—उषा; हिलिओस—सूर्य; थेओस—देवता; हिप्पोस—अश्व; केफाली—कपाल; नेफोस—बादल (नभ); ओस्तेओन—अस्थि, इत्यादि। इनके विपरीत बहुत-से अतिसाधारण शब्द संस्कृत से भिन्न हैं। बैल—ताउरोस; वृक्ष—देन्द्रोस; प्यास—दिप्सा; वीर—हेरोस; समुद्र—थालस्सा; नदी—पोतामोस; पर्वत—ओरोस; वन—हुले; हरी घास के मैदान—लेइमोन; मृत्यु—थानतोस; दृश्य—थेआ; पुरोहित—हिरेउस; मन्दिर—हिएरोन; समय—काइरोस; गधा—ओनोस; मांस—सितोस, क्रेआस; मनुष्य—अन्थ्रोपोस; फल—कर्पोस; ग्राम—कोमी; सिंह—लेओन; बछड़ा—मोस्खोस; पत्थर—लिथोस; भूख—लिमोस; शब्द—लोगोस; शिशु—नेपिओस; तलवार—क्सीफोस; पक्षी—ओइओनोस; शस्त्र—होप्लोन; प्रभात—ओथ्रोस; चन्द्रमा—सलेने; अंधकार—स्कोतोस; पहिया—त्रोखोस; देश, धरती—ख़ोरा; ग्रीष्म—थेरोसा; ठंढ—कुओस; खोपड़ी—क्रानिओन; बाल—कोमी, थ्रिक्स; नाक—हिस, मुक्तीर; आँख—ओम्मा; पेट—गस्तीर; ओठ—रखेइलोस, इत्यादि। इनमें बहुत-से शब्द ऐसे हैं जो संस्कृत के अलावा लैटिन से भी भिन्न हैं। इससे ग्रीक भाषा-परिवार—जिसमें इलियन, डोरियन, आयोनियन, तीन मुख्य भाषाएँ शामिल हैं—की मूल स्वतंत्र सत्ता सिद्ध होती है। ग्रीक भाषा या भाषाओं का जन्म किसी आदि भारत-यूरोपीय भाषा से हुआ है, यह धारणा ग्रीक भाषा के मूल शब्द-भंडार का अध्ययन करने से निर्मूल सिद्ध होती है।

लैटिन के एकुउस, पेंक्वे की मिसाल देकर भाषाविद् कहते हैं कि उसमें मूल भारत-यूरोपीय भाषा की ध्वनियाँ सबसे अधिक सुरक्षित हैं। इसी धारणा के अनुरूप टॉमसन ने लिखा है कि भारत-यूरोपीय भाषाओं में पारिवारिक सम्बन्धसूचक जो शब्द बचे हैं, उनमें सबसे प्राचीन लैटिन के हैं। पिता के भाई के लड़के लैटिन में पत्रुएलिस कहलाते हैं। लैटिन में पिता के भाई के लिए पत्रुउस शब्द है, जैसे संस्कृत में पितृव्य है। पत्रुउस के पुत्र पत्रुएलिस हुए। किन्तु पितृव्य और पत्रुउस बाद के शब्द हैं; पिता का प्राचीनतम अर्थ वह है जिसका संकेत पहले किया जा चुका है। भाई-बहन के लिए लैटिन में फ्रातेर और सोरोर शब्द हैं, किन्तु ग्रीक अदेल्फोस और अदेल्फी के समान उसके दो अपने शब्द हैं, फिलिउस और फिलिम। इनका अर्थ पुत्र-पुत्री भी है। टॉमसन ने 'फेलो (दूध पीना) क्रिया से इन शब्दों का सम्बन्ध दिखाया है जिससे उनका सहोदर-अर्थ सिद्ध होता है। जिस तर्क से 'अदेल्फोस' ग्रीक परिवार का अपना शब्द सिद्ध होता है, उसी से फिलिउस भी लैटिन का अपना स्वीकृत होगा। फिलिउस, फिलिआ मातृसत्ताक परिवार के भाई-बहन हैं जिन्होंने एक ही माँ का दूध पिया है। इन्हें पितृसत्ताक परिवार के फ्रातेर और सोरोर ने अपदस्थ करने का प्रयत्न किया।

टॉमसन ने भारत-यूरोपीय और लैटिन परिवार सम्बन्धी शब्दों की एक सूची दी है। लगता है कि किसी शब्द के 'भारत-यूरोपीय' होने के लिए यह आवश्यक नहीं है कि वह भारतीय भाषाओं में हो ही; यूरोप की ही कुछ भाषाओं में एक शब्द मिल जाए और भारत में न भी मिले, तो भी वह 'भारत-यूरोपीय' मान लिया जाता है। इसलिए टामसन की सूची में कुछ ऐसे शब्द हैं जो भारतीय भाषाओं के न होकर भी भारत-यूरोपीय खाने में लिखे हुए हैं। इनमें एक है पितामह के लिए 'आउआस', लैटिन में auos। इसी प्रकार लैटिन में साली के लिए 'ग्लोस' है जिसका 'भारत-यूरोपीय' रूप लिखा गया है : गेलोउ। इन शब्दों को लैटिन परिवार का ही मानना अधिक युक्तिसंगत होगा।

लैटिन के सर्वनामों में एगो, मिही, नोस का उल्लेख हो चुका है। ये संस्कृत से मिलते हैं। किन्तु 'उस' (तद्) के लिए 'इल्ले, इल्ला, इल्लुद' और 'इस्ते, इस्ता, इस्तुद' हैं। अपने (सेल्फ) के लिए 'इप्से, इसा, इप्सुम' भी लैटिन के अपने शब्द हैं। इसी प्रकार सम्बन्धसूचक शब्दों में प्राय: सभी लैटिन-परिवार के ही हैं, 'अब'— से, 'अद'—को, दे—बारे में, ए या एक्स—से, पश्चात्।

संस्कृत और लैटिन की अनेक क्रियाओं में समानता है। सुर— अस् (जो कुछ कालों में भू धातु के फुई आदि रूप धारण करती है); एओ—इ (जाना); सेदेओ, सीदो—सद् (बैठना); स्पेक्तो—स्पश् (देखना); कोग्नोस्को—ज्ञा (जानना); दो—दा (देना); वीदेओ—विद् (देखना ) इत्यादि। इनसे भिन्न लैटिन की अपनी बहुत-सी धातुएँ हैं जिनकी कुछ मिसालें ये हैं : सुनना—अउदिओ; चिल्लाना—क्लामो; दौड़ना—कुर्रो; पुकारना—वोको; बहुना—फ्लुओ; रहना—हवीतो; रखना—हबेओ; जानना—इन्तेलेगो; चमकना—नितेओ; विवाह करना—नूबो; लड़ना—पुग्नो; हँसना—रीदेओ; पूछना—रोगो; साँस लेना—स्पीरो; उठना—सुर्गो; जलाना—उरो; खाना—वेस्कोर; रोना—फ्लेओ; ले जाना—दूको; मारना—इन्तेरफिकिओ; जीतना—विंको; करना—फकिओ; उत्तर देना—रेस्पोन्देओ, इत्यादि।

क्रियाओं से भिन्न शेष मूल शब्द-भंडार में कुछ शब्द संस्कृत से मिलते हैं, जैसे अगेर—अजिर (खेत); देउस—दैव; एकुउस—अश्व; ईग्निस—अग्नि; लुपुस—लोपाश : गेन्स—जन; ओस—अस्थि; नोक्स—नक्तं; नूबेस—नभ, बादल; पेस—पद; सिक्कुस—शुष्क; सोल—सूर्य; सोनुस—स्वप्न; तेरा—धरा; वीर—पुरुष, पति, वीर; दोमुस्—धाम; फूम्स—धूम; मूस—मूष; नाविस—नौका; देन्स—दन्त, इत्यादि। संस्कृत से न मिलनेवाले लैटिन के कुछ साधारण शब्द ये हैं : नगर—उर्ब्स; हवा—अएर; आकाश—काएलुम्; युद्ध—बेल्लुम्; बकरी—कपेर; भूख—फामेस; स्त्री—फेमिना; नदी—फ्लूमेन; द्वार—इआनुआ; शिशु—इन्फान्स; पत्थर—लपिस; सिंह—लेओ; स्थान—लोकुस; चन्द्र—लूना; प्रभात—माने; समुद्र—मारे; पर्वत—मोन्स; जनता—पोपुलुस; बैल—ताउरुस; शस्त्र—तेलुम्; मंदिर—तेम्प्लुम्; संध्या—वेस्पेर; छाती—पेक्तुस; हाथ—मानुस; पशु—अनिमल।

ग्रीक और लैटिन में ग्रीक ही संस्कृत के अधिक निकट है। सम्भव है, संस्कृत-परिवार के कुछ शब्द ग्रीक के माध्यम से लैटिन तक पहुँचे हों। लेकिन लैटिन तक उनके पहुँचने का एक स्वतंत्र मार्ग भी रहा है, यह निश्चित है। ऐसा न होता तो ग्रीक से भिन्न लैटिन में अग्नि के लिए ईग्निस न होता। पारिवारिक सम्बन्ध सूचित करनेवाले ग्रीक और लैटिन के शब्दों में जो अन्तर है, उनकी क्रियाओं और मूल शब्द-भंडार में जो व्यापक भेद है, उससे सिद्ध होता है कि ये दोनों भाषाएँ संस्कृत से भिन्न परिवार की तो हैं ही, वे आपस में भी एक कुल में उत्पन्न सगी बहनें नहीं हैं। लैटिन का अपना परिवार है जिसके अन्तर्गत स्पेनी, फ्रांसीसी, इतालवी, आदि आधुनिक भाषाएँ हैं।

इसी प्रकार जर्मन भाषाओं का अपना परिवार है। इसमें स्वीडिश, डेनिश, डच आदि भाषाएँ हैं। जर्मन धरती को न तो लैटिन-भाषियों की तरह 'तेरा' कहते हैं, न यूनानियों की तरह गेआ; उनका शब्द है 'एर्दे' जिससे अंग्रेज़ी 'अर्थ' का सम्बन्ध है। आकाश को वे 'हिमेल' कहते हैं, अंग्रेज़ी में इसी के लिए 'स्काई' है, जिसका डैनिश में अर्थ है 'बादल'। जर्मन में बादल के लिए 'नभ' नहीं है, उसका अपना शब्द है 'ह्वोल्के' (अंग्रेज़ी वेल्किन)। हवा के लिए अंग्रेज़ी ने 'एयर' लिया है, लेकिन जर्मन शब्द है 'लुफ्ट'। वन के लिए 'वाल्ट', पर्वत के लिए 'बेर्ग', नदी के लिए 'फ्लुस' (डैनिश में फ्लोद जिससे अंग्रेज़ी 'फ्लड'), पानी के लिए उद नहीं, 'ह्वासेर'; हड्डी के लिए अस्थि नहीं 'क्नोखेन'; कान के लिए लैटिन के समान 'ओर', बालों के लिए अंग्रेज़ी के समान 'हेअर'; हाथ लैटिन मानुस से भिन्न हाण्ट (अं. हैण्ड) है; पैर के लिए पद नहीं, 'वाइन' ओठ हैं लिपे, नाक अवश्य नाजे (नासा) है, दाँत भी 'त्सान' शायद कभी दन्त रहा हो (स्वीडिश तन्द)। पशु के लिए लैटिन 'अनिमल' से भिन्न 'तिएर' (स्वीडिश द्यूर), पक्षी—फोगेल, बैल—स्तिएर, गाय के लिए हमारे खान्दान का शब्द है कुह (अं. काऊ), बछड़ा—काल्फ (अं. काफ); घोड़ा न अश्व है, न एकुउस, हिन्दी-भाषियों के लिए विचित्र ध्वनिवाला शब्द है 'पफेर्ड'। मूस जर्मन में भी 'माउस' है, यद्यपि उसकी बिरादरी का चूहा स्वतंत्र 'राटे' भी है। सर्प है श्लांगे। वृक्ष के लिए है बाउम्; जौ के लिए गेर्स्टे (स्वीडिश कोर्न), गेहूँ के लिए हाइज़ेन। पिता के लिए फाटेर, माँ के लिए मुटेर, भाई के लिए ब्रूडेर, सूनु के लिए ज़ोन, दुहिता के लिए टोख़्टेर, स्वसा के लिए श्वेस्टर संस्कृत के समान हैं जिनसे—कुछ अन्य शब्दों को मिलाकर—भाषाविदों ने इंडोजर्मेनिक परिवार की कल्पना की है। किन्तु बच्चा—किण्ट, लड़की—मैडख़ेन, पत्नी—फ्राउ, यहाँ हम जर्मन-परिवार के अपने शब्द देखते हैं। घर के लिए धाम नहीं, हाउस (स्वीडिश, डैनिश में हुस)। शहद मधु नहीं, होनिग (अंग्रेज़ी हनी), मांस—पलाइश (अं. पलेश), भोजन—नारुंग, भूख—हुंगेर, आदि। क्रियाओं में मरना—स्टेर्बेन (स्वीडिश डोय), रहना—ह्वोनेन, देखना—ज़ेहेन, पूछना—फ्रागेन, रखना—हाबेन,

सकना—कोयनेन, डरना—फ्यूर्ख्टेन, मारना—श्लागेन, लाना—ब्रिंगेन, पुकारना—रुफेन, गिरना—फालेन, लड़ना—काम्पफेन, उड़ना—फ्लीगेन, खड़े होना—स्टहेन (स्था), उठना—आउफस्टेहेन, हँसना—लाख़ेन, रोना—ह्वाइनेन, जलाना—ब्रेनेन, बनाना—माखेन, विवाह करना—हाइरोटेन, जोतना—पूफ्लूगेन, बरसना—रेग्नेन, दौड़ना—रेनेन, चमकना—शाइनेन, गाना—जिंगेन, सोना—श्लाफेन (स्वप), कहना—ज़ागेन, इत्यादि। जर्मन और संस्कृत की बहुत कम क्रियाएँ सामान्य हैं; जो हैं, वे दो भाषा-परिवारों के सम्पर्क की ओर संकेत करती हैं, उनके सामान्य उद्गम की ओर नहीं। भिन्न क्रियाएँ बहुत-सी हैं।

सर्वनामों में 'कौन' के लिए व्हेर, 'क्या' के लिए ह्वास, किम्-क: से बहुत दूर हैं। 'जो' के लिए व्हेर, व्हास, व्हेल्खेर, व्हेल्खे, कुछ—आइनिगे, प्रत्येक—येडेर। सम्बन्धसूचक शब्द प्राय: सभी जर्मन के अपने हैं : में—इन, का—फौन, को—त्सु, से—आउस, साथ—मिट।

जितना साम्य लैटिन और संस्कृत में था, उतना साम्य भी जर्मन और संस्कृत में नहीं है। हम जितना ही यूरोप के दक्षिण से उत्तर पश्चिम की ओर चलते हैं, उतना ही इस तरह का साम्य कम होता जाता है। यह साम्य सबसे अधिक पूर्वी यूरोप की भाषाओं तथा संस्कृत में है। इस साम्य पर विचार करने से पहले दो शब्द ग्रीक, लैटिन, जर्मन तथा संस्कृत-परिवारों की समानता के बारे में कह देना चाहिए। इस सम्बन्ध में पहली बात जो उल्लेखनीय है, वह ऐसी है जिससे सभी लोग परिचित हैं। इन भाषाओं में पारिवारिक सम्बन्धों के सूचक बहुत-से शब्द मिलते हैं। पिता, माता, भाई, बहन के लिए सामान्य शब्द देखकर सबसे पहले यही धारणा बनती है कि इन भाषाओं के माता-पिता भी एक हैं और भाषाएँ भाई-बहन की तरह एक-दूसरे से सम्बन्धित हैं। माता-पिता, भाई-बहन हमारे निकटतम सम्बन्ध के सूचक हैं। वैसे पुत्र (सूनु) और लड़की (दुहिता) भी बहुत निकट हैं और इनके लिए भी इन भाषाओं में कुछ शब्द मिलते-जुलते हैं। किसी कारणवश पत्नी को उतना महत्त्व नहीं मिला जिससे नारी या पत्नी वाचक शब्द भी सामान्य होता। मानो आदि भारत-यूरोपीय जनों को पुत्र-पुत्रियों के लिए माता की अधिक आवश्यकता हो, वह माता विधिवत् पत्नी बनाई गई है या नहीं, इसकी चिन्ता न हो। अस्तु, ये सम्बन्ध हृदय को छूते हैं और हम कल्पना करते हैं कि भाषाओं के प्राचीनतम शब्द यही होंगे। वास्तव में सांस्कृतिक प्रभावों के कारण अक्सर किसी भाषा के जो शब्द सबसे पहले बदलते हैं, वे यही पिता-माता जैसे शब्द हैं।

किसी समय हमारे यहाँ 'बाबू' शब्द बहुत सम्मानप्रद समझा जाता था। अंग्रेज़ ने जिसको बाबू कह दिया, वह कृतार्थ हो गया। हिन्दी भाषा के परम सेवक बाबू श्यामसुन्दरदास इसी सम्मानसूचक विशेषण के साथ याद किये जाते थे (या हैं)। बिहार के ज़मींदारों के नाम के साथ बाबू न लगे तो ज़मींदारी-उन्मूलन से अधिक

उनका प्रतिष्ठा-उन्मूलन हो जाए। इस सुन्दर सांस्कृतिक शब्द को हिन्दी-भाषी प्रदेश के सम्मान्य नागरिकों ने अपने बच्चों को सिखाया। देहातियों के बप्पा, दादा जैसे ग्राम्य सम्बोधनों से अपने कर्ण-कुहरों को पीड़ित होने का अवसर न देकर वे उनमें बाबू शब्द की सुधा उड़ेलने लगे। माताओं में अम्मा अधिक टिका, परन्तु था तो यह भी ग्राम्य शब्द। बहुत-से घरों में माँ या अम्मा की जगह बच्चों को भाभी कहना सिखाया जाता है। लेकिन यह सब स्वाधीनता-पूर्व के भारत की बातें हैं। एक सम्मान्य मित्र भारतीय संस्कृति के बड़े प्रेमी हैं; वेदान्त के समर्थक हैं। उनकी पत्नी शिक्षित महिला हैं और रामचरितमानस तथा उपनिषदों से बहुत प्रेम करती हैं। इस दम्पती से सुना कि उनका लड़का अपनी डायरी में 'डैडी' और 'ममी' की शिकायतें लिखा करता है। जब ऐसे संस्कृति-निष्ठ सम्भ्रान्त परिवार में डैडी और ममी ने प्रवेश पा लिया, तो अन्य बापुरे माँ-बाप का कहना ही क्या! हिन्दी लेखकों के घर में अब 'डैडी' और 'ममी' का अधिकार है। जिन सौभाग्यशाली जनों के बच्चे कॉन्वेंट स्कूलों में बचपन से अंग्रेज़ी शिक्षा पाते हैं, उनकी तो बात ही क्या! यदि—ईश्वर न करे—अणु बम से दुनिया तबाह हो गई और बाद को मंगल ग्रह के निवासियों को यहाँ खँडहरों में कहीं वह डायरी मिली जिसे डैडी-प्रेमी युवक ने लिखा था, तो वे इस परिणाम पर पहुँचेंगे कि हिन्दी की उत्पत्ति अंग्रेज़ी से हुई थी, क्योंकि यहाँ माता-पिता के लिए डैडी-ममी का व्यवहार होता था। आश्चर्य नहीं कि कहीं दादा-माता के दर्शन होने पर वे इस नतीजे पर भी पहुँचें कि दादा डैडी का और माता ममी का अपभ्रंश रूप है! और जापान में भी डैडी-ममी के अवशेष देखकर वे कहेंगे, हिन्दी ही नहीं, जापानी भाषा भी अंग्रेज़ी से निकली है और एशिया की इन भाषाओं के मूल पूर्वज इंग्लैंड के निवासी थे जिन्होंने अपनी बुद्धिमत्ता से अणु बम के आविष्कार और प्रयोग द्वारा इस पृथ्वी को मंगल ग्रह निवासियों के लिए जनशून्य और निरापद बना दिया।

जिन परिवारों में डैडी-ममी का प्रवेश नहीं हुआ, उनके शिक्षित (या अर्द्ध- शिक्षित) सदस्य यह कहते सुने जाते हैं : आज 'फादर' की तबियत खराब है, दफ्तर न जा सकूँगा या 'मदर' को लेने जाना है, छुट्टी चाहिए। फादर-मदर ऐसी भाषा के शब्द हैं जिसे अन्तरराष्ट्रीय सम्मान प्राप्त है। इसलिए माता-पिता की तुलना में मदर-फादर अधिक सम्मानसूचक हैं। इसी प्रकार वालिद और वाल्दा, अब्बा, ख़ाला आदि का प्रयोग भी यहाँ के निवासियों में प्रचलित हुआ।

इसलिए जर्मन-लैटिन-ग्रीक में पिता-माता के रूप-आकृति वाले शब्दों से यह सिद्ध नहीं होता कि ये भाषाएँ एक परिवार की हैं। साथ ही यह समझना भी सही न होगा कि ये शब्द उनमें केवल सांस्कृतिक प्रभाव के कारण आ गए हैं। इन शब्दों के अलावा और भी साधारण शब्द हैं, सर्वनाम और धातुएँ भी हैं जिनसे भाषाओं के सम्मिश्रण का बोध होता है। ग्रीक में यह प्रक्रिया बहुत अच्छी तरह देखी जा सकती है। ग्रीक भाषा-समुदाय ने भारतीय भाषाओं के परिवार-सम्बन्धी शब्दों को

अपनाया और वह उसी कोटि के अपने शब्द भी बनाए रहा। यदि सम्मिश्रण न होता तो पिता, माता, भाई, आदि के लिए संस्कृत से मिलते-जुलते शब्दों के अलावा इन्हीं के समानान्तर ग्रीक के अपने शब्द न होते। सर्वनामों में भी यही सम्मिश्रण दिखाई देता है, कुछ संस्कृत से मिलते-जुलते शब्द हैं, कुछ ग्रीक के स्वतंत्र हैं। इसी प्रकार क्रियाओं में।

इस सम्मिश्रण में एशियाई आगन्तुकों का स्थान सांस्कृतिक दृष्टि से उच्चस्तरीय था। परिवार से सम्बन्धित संस्कृत-सामान शब्दों पर पितृसत्ताक समाज की छाप है। ये शब्द उस सामाजिक व्यवस्था की ओर संकेत करते हैं जिसमें उत्पादन और वितरण का मुख्य संचालक पुरुष है। पितृसत्ताक समाज से पहले 'पिता' का जो सम्भव अर्थ है, वह भारतीय भाषाओं में मिलता है, ग्रीक और लैटिन में नहीं। वहाँ पिता केवल पितृसत्ताक परिवार का पिता है। यह आश्चर्य की बात नहीं कि ग्रीक और लैटिन भाषाएँ बोलनेवालों ने जहाँ अपने प्राचीन देवी-देवताओं के नाम सुरक्षित रखे, वहाँ उन्होंने पिता रूप में एक विशेष देवता को अपना लिया जिसका सम्बन्ध संस्कृत परिवार से भी है। यह है यूनानियों का 'ज़ेउस' जिसका षष्ठी-रूप 'दिओस' उसके मूल रूप 'द्यौस' या 'द्यो' की ओर स्पष्ट संकेत करता है। 'द्यावापृथिव्यो' का साथी यह 'ज़ेउस' लैटिन 'युपितर' (द्युपितर) है और उसका पितृत्व इतना महत्त्वपूर्ण है कि पितर शब्द उसके साथ जुड़ गया है।

यूनान की पौराणिक गाथाओं में एक दिलचस्प कहानी यह थी कि नये देवताओं ने पुराने देवताओं को परास्त कर दिया। अंग्रेज़ कवि कीट्स ने इसी विषय पर विकास-सिद्धान्त का आभास देते हुए अपनी प्रसिद्ध कविता 'हाइपीरियन' लिखी थी। इन नये देवताओं का नेता था 'ज़ेउस' और पुरातन देवताओं का प्रतीक था उसका पिता 'क्रोनोस' जो संस्कृत-परिवार से बाहर का नाम है। एथेंस में बूढ़ों को 'खूसट' के अर्थ में क्रोनोस कहा जाता था। लैटिन देवमंडल में युपितर के पिता का नाम दूसरा है—सातुर्नुस (सैटर्न, शनि)। पुत्र का नाम एक ही होने से उसके पिता ग्रीक क्रोनोस और लैटिन सातुर्नुस को एक-दूसरे का पर्यायवाची मान लिया गया है। लैटिन-भाषियों में भारतीय होली की तरह एक उत्सव होता था—'सातुर्नालिया' जिसमें सामाजिक विधि-निषेध को भूला दिया जाता था। इससे सातुर्न की परम्परागत लोकप्रियता का पता चलता है। इस तरह का कोई त्योहार क्रोनोस नाम के साथ सम्बद्ध होकर यूनान में न मनाया जाता था। इससे क्रोनोस और सातुर्न की भिन्नता सिद्ध हुई। क्रोनोस के दो पुत्र और थे : एक प्लोउतोन (लैटिन प्लूतो) जो पाताल-लोक का देवता था और दूसरा, पोसेइदोन (लैटिन नेप्तूनुस, नेपच्यून) जो समुद्र का स्वामी था। प्लोउतोन पोसेइदोन—दोनों ही नाम संस्कृत-परिवार से बाहर के हैं। ये दोनों यूनान के अपने देवताओं के नाम हैं जिनके गोत्र में बड़ा भाई बनकर ज़ेउस शामिल हुआ।

ज़ेउस के समान संस्कृत-परिवार के सूर्य ने भी 'हेलिओस' रूप में ग्रीक भाषा में अपना आधिपत्य जमाया। ग्रीक भाषा में सूर्य देवता के लिए अन्य अनेक शब्द हैं : हुपेरिओन, फोइबोस, अपोल्लोन। इनको सह-अस्तित्व का अधिकार देकर सूर्य के लिए प्रचलित शब्द हो गया 'हेलिओस'। चन्द्रमा के देवी 'सेलेने' का नाम ज्यों-का-त्यों बना रहा। जिस मातृसत्ताक व्यवस्था में ज़ेउस और हेलिओस उदित हुए, उसके चिह्न यूनान की पौराणिक गाथाओं में देखने को मिलते हैं। ज़ेउस की माता हेर्आ उसके पिता क्रोनोस की बहन है। प्राचीन मिस्र में जैसे सम्पत्ति का सर्वाधिकार मातृकुल तक सीमित था, इसीलिए वहाँ का सम्राट् अपनी भगिनी का ही पति होता था, वैसे ही यूनान के प्राचीन देवताओं की पद्धति थी। ज़ेउस की मुख्य पत्नी है हेरा और वह भी ज़ेउस की बहन है।

यूनान की पौराणिक गाथाओं की एक विशेषता यह भी है कि देवता प्राय: अनैतिक और उच्छृंखल व्यवहार करते हैं किन्तु देवियाँ अपनी चरित्रगत दृढ़ता के लिए वन्दनीय होती हैं। प्राचीन यूनानी जन वास्तव में देवी-पूजक था। पिता ज़ेउस के कारण हेरा ईर्ष्यालु हो गई और ज़ेउस उसे झाँसा देने के लिए तरह-तरह की तरकीबें ढूँढ़ निकालता है। किन्तु उपास्य देवियाँ प्राय: अविवाहित रहती हैं। आर्तेमिस आखेट की देवी है और सदा अविवाहित रहती है। चन्द्रमा की देवी के रूप में वह एन्दिमिओन से प्रेम करती है, लेकिन उसका प्रेम विवाह का रूप नहीं लेता। शस्त्र धारण करनेवाली अथेना भी चिरकुमारी है। प्रेम और सौन्दर्य की देवी अफ्रोदिति (लैटिन वीनस) अदोनिस से प्रेम करती है, और वह आखेट में मारा जाता है। देमेतेर कृषि की देवी है; ज़ेउस से उसके एक पुत्री हुई पेर्सेफोनी जिसे उसका चाचा पाताल-लोक का स्वामी प्लोउतोन उठा ले गया। देमेतेर एक महान् देवी के रूप में पूजी जाती थी किन्तु उसका कोई विवाहित पति नहीं था। ऋग्वेद में अग्नि प्रमुख देवताओं में है, किन्तु यूनानियों में अग्नि की देवी थी वेस्ता और वह चिरकुमारी थी। उसी का समकक्ष अग्नि का देवता था हिफाइस्तोस लेकिन वह लंगड़ा था और उसका काम अस्त्रादि तैयार करना था। अग्नि की देवी और देवता में देवी ही अधिक उपास्य समझी गई। यूनान के नगरों में एक सार्वजनिक स्थान में अग्नि सदा प्रज्वलित रखी जाती थी और यूनानी जन जब किसी नये प्रदेश में उपनिवेश बनाने जाते थे, तब वे वेस्ता की स्मृति रूप वहाँ से अग्नि अपने साथ ले जाते थे। रोमन जनों के मन्दिरों में चिरकुमारियाँ आजीवन उसकी सेवा करतीं और उपास्य-देवी के समान पवित्र जीवन बिताने का प्रयत्न करतीं। यूनानियों ने भाग्य की कल्पना तीन देवियों के रूप में की थी और दंड देनेवाली भी तीन देवियाँ थीं। पुरुष देवों के साथ यूनानी मज़ाक कर सकते थे, उनकी पूजा करते यह भी उनकी पुरुष-सुलभ कमज़ोरियों पर हँस सकते थे, किन्तु वास्तविक भय था उन्हें देवियों से। यदि भारत आनेवाले 'आर्य' यूनान या रोम से आए होते—या रोम और यूनान

के आर्यों से उनका घनिष्ठ सम्बन्ध होता—तो उनके देवी-देवताओं के ग्रीक या लैटिन नाम हमारे यहाँ भी मिलते। किन्तु एक-आध पुरुष देवों के सामान्य नाम ही मिलते हैं; वहाँ की देवियों से संस्कृत-परिवार की देवियों का कोई सम्बन्ध नहीं है। ज़ेउस पितृसत्ताक समाज का प्रतीक बनकर यूनान के मातृसत्ता के देवी मंडल में प्रतिष्ठित हुआ। ज़ेउस का षष्ठी-रूप दिओस, सम्प्रदान दिइ, और कर्म-रूप दिआ होता है। इन रूपों में मूल भारतीय ध्वनि सुरक्षित है।

ज़ेउस का एक पुत्र है दिओनूसोस। इसका सम्बन्ध भी दिव् धातु के देव या द्यौस से मालूम होता है। वह मद का देवता है और जिन अनेक देशों की उसने यात्रा की है, उनमें भारत भी है। पौराणिक गाथा-विशारद यह स्वीकार करते हैं कि वह पूर्व से आया हुआ देवता है। उसका एक नाम बाक्खोस है। वह मद का देवता है, साथ ही काव्य से—विशेष रूप से नाटकों से—उसका घनिष्ठ सम्बन्ध है। वह कवियों को आवेश और प्रेरणा देनेवाला देवता है। इस देवता के प्रसाद से जब कोई प्रलाप करने लगता था, तब उस क्रिया को बाक्खिओस कहते थे। इस बाक्खोस देवता का सम्बन्ध भारतीय वाक् से है। यूनानी वर्णमाला में 'व' ध्वनि नहीं है। ब्रजवासियों के समान यूनानियों ने 'व' का 'ब' किया। लेकिन वाणी के लिए ग्रीक में बाक् जैसा भी कोई शब्द नहीं है। फिर भी भारतीय वाक् से बाक्खोस का स्पष्ट सम्बन्ध है। यह सम्बन्ध जोड़ने के लिए काव्य-साहित्य के अलावा भी प्रमाण हैं। एक ग्रीक शब्द है बाग्मा। यह शब्द वाङ्मय का यूनानी रूप हो, चाहे न हो, उसका बाग वाक् का ही दूसरा रूप है, इसमें सन्देह नहीं। बाग्मा (या बाङ्मा) का अर्थ है भाषा या भाषण। एक अन्य ग्रीक क्रिया है अबाकेओ जिसका अर्थ है अवाक् होना। इसी में बना अबाकिस—वाक्-हीन। इस प्रकार यूनानी देव-मंडल के दो पुरुष-देवता ज़ेउस और बाक्खोस, पिता आदि शब्दों के साथ, भारत की ओर संकेत करते हैं।

एथेंस के निवासियों में यह किंवदन्ती प्रचलित थी कि उनके पुरखे 'पेलास्गोइ' नामक जन थे जो बाद में हेलेनिक (या ग्रीक) संस्कृति में दीक्षित हुए। इस सम्बन्ध में टॉमसन ने लिखा है : "एथेंस के जनवादी नागरिकों को इस बात पर अभिमान था कि वे पेलास्गोइ की सन्तान हैं। वे अपने को 'धरती-पुत्र' कहते थे। हेरोदोतस ने उनका वर्णन करते हुए लिखा है कि वे हेलेनिक संस्कृति में दीक्षित हुए। उनका एक प्राचीन राजा था केक्रोप्स, जिसने मातृसत्ताक व्यवस्था की नींव डाली। उसके पहले स्त्रियाँ स्वच्छंदता से रमण करती थीं और अपने नाम पर अपनी सन्तान का नाम रखती थीं।"[1] इससे उपर्युक्त स्थापना की पुष्टि होती है कि यूनान के मूलभूत मातृसत्ताक समाज में बाहर से आए हुए जनों ने पितृसत्ताक परिवर्तन किये।

---

1. 'स्टडीज़ इन ऐन्शेंट ग्रीक सोसाइटी', पृ. 175-76

एथेंस के समान यूनान का अत्यन्त शक्तिशाली राज्य था स्पार्टा। इस राज्य के बारे में टॉमसन ने लिखा है : "वहाँ एक पति-पत्नी वाली विवाह-प्रथा का इतना कम बन्धन था कि छह भाई एक पत्नी रख सकते थे और नारी का पर-पुरुष से सम्पर्क न तो दंडनीय समझा जाता था, न अनुचित ही।" ('स्टडीज़ इन ऐन्शेंट ग्रीक सोसाइटी', पृ. 143) इस तरह का समाज पिता शब्द को पितृसत्ताक व्यवस्था का प्रतीक न बना सकता था। यह शब्द यूनान में बाहर से ही पहुँचा है।

टॉमसन ने कल्पना की है कि मातृसत्ताक व्यवस्था आर्यों से पहले की थी; उसका ध्वंस करके आर्यों ने पितृसत्ताक व्यवस्था कायम की और साथ ही विजितों में अपनी भाषा का प्रसार किया। यूनान की अख़ायन जाति के लिए उन्होंने लिखा है कि उसने अपनी भाषा को सुरक्षित ही न रखा, वरन् विजितों को भी उसे सीखने के लिए विवश किया। "इस दिशा में उनकी सफलता भारत पर आर्यों की विजय के समान है, जहाँ आर्य-पूर्व मातृसत्ताक संस्कृति का ध्वंस करके क्रमश: विजेताओं ने अपनी भाषा का प्रसार किया।" (उप., पृ. 431) आर्यों की भारत-विजय की चर्चा आगे होगी; यहाँ उल्लेखनीय यह है कि टॉमसन के अनुसार यूनान में बाहर से आनेवालों द्वारा मातृसत्ताक व्यवस्था का ध्वंस हुआ। यह बात ठीक है, किन्तु यदि ग्रीक भाषा और संस्कृति के मूल तत्त्व इन आर्य विजेताओं के दिये हुए हैं तो ज़ेउस ही वह अकेला देवता क्यों है जिसके लिए, टामसन के अनुसार : "हम निश्चित रूप से कह सकते हैं कि उसका नाम भारत-यूरोपीय है?" (पृ. 286) अख़ायन जाति के बारे में टॉमसन की कल्पना सही होती तो बहुत-से ग्रीक देवी-देवताओं के नाम 'भारत-यूरोपीय' होते। इसके विपरीत टॉमसन के ही अनुसार : "प्राय: सभी ग्रीक देवियों और बहुत-से देवताओं का कुछ-न-कुछ सम्बन्ध चन्द्रमा से रहा है और यह सम्बन्ध उस समय की यादगार है जब नारी-जीवन पर चन्द्रमा का आधिपत्य था।" (पृ. 229) यूनान की शक्तिशाली मातृसत्ताक व्यवस्था के प्रमाणस्वरूप टॉमसन ने देमेतेर का हवाला दिया है जिसका कोई पिता न था और उसी के समान उसकी लड़की पेर्सेफोने को भी बिना पिता का माना गया था। इसी प्रकार अथेना आदि देवियाँ भी अपितृजा हैं। यूनान में मातृसत्ता का इतना जोर था कि लेस्बोस, लेम्नोस, कोस, आदि द्वीपों में अठारहवीं सदी के अन्त तक सम्पत्ति के उत्तराधिकार का नियम मातृसत्ताक था। (पृ. 202-3)

यूनानी देवमंडल के प्रतिकूल हित्ती जनों का देवमंडल वैदिक देवमंडल का ही एक अंश था। इन हित्ती (या मितन्नी) जनों के लेख तुर्की के बोगाज़ कोई गाँव में प्राप्त हुए। ये लोग इन्द्र, मित्र, वरुण और नासत्यों के उपासक थे। इन्द्र-पूजक संस्कृति पितृसत्ताक थी। टॉमसन ने ईजियन समुद्र-तट की संस्कृतियों का विहंगावलोकन करने के बाद लिखा है कि चारों ओर मातृसत्ताक व्यवस्था के अवशेष दिखाई देते हैं किन्तु "प्राचीन हित्ती राजा बहुपत्नीक और पितृसत्ताक व्यवस्था के थे। पिता की

सम्पत्ति का उत्तराधिकारी पुत्र होता था। किन्तु वैभव के दिनों में हित्तियों की रानी या राजमाता को अधिकार-पद प्राप्त था और वह राजा के साथ अनेक राजकीय कार्यों में भाग लेती थी।" (पृ. 180) राजकीय कार्यों में राजमहिषी का भाग लेना भारतीय परम्परा के अनुकूल था और उससे पितृसत्ताक व्यवस्था का उल्लंघन नहीं होता। इससे सिद्ध हुआ कि यूनान के निकट एशियाई भूखंड में पितृसत्ताक जन मौजूद थे और इनका वैदिक संस्कृति से घनिष्ठ सम्बन्ध था।

यह आश्चर्य की बात है कि यूनान के आर्य-विजेता अपने ग्रीक देवताओं के नाम निकटवर्ती हित्तियों को भी न दे पाए। यदि उनके भाईबन्दों ने भारत विजय की होती तो पोसेउदोन, प्लोउतोन, अथेना, आर्तेमिस के नाम संस्कृत-परिवार की भाषाओं में भी मिलते। लैटिन जनों ने यूनानियों के देवी-देवताओं की ही उपासना की; उनके नाम उन्होंने बदल दिये, जब-तब मूल नाम ही रहने दिये। यूनान की पौराणिक गाथाओं से जो भाषा-सम्बन्धी निष्कर्ष निकलता है, वही निष्कर्ष रोम की पौराणिक गाथाओं से निकलता है। इन गाथाओं के देवी-देवताओं ने एशिया की यात्रा नहीं की, वरन् एक-आध एशियाई देवता ही उनमें जाकर धुल-मिल गया और अपनी विशेष प्रतिष्ठा भी बनाए रहा। इसी प्रकार यदि इंडो-जर्मेनिक भाषा-परिवार की कल्पना सही होती, तो जर्मन (या ट्यूटॉनिक) पौराणिक गाथाओं के भी कुछ देवी-देवता भारत आते। उनका आकाश और युद्ध से सम्बन्धित देवता ओडिन है जिसके एक ही आँख है, वज्र घोष करनेवाला देवता थोर है, ग्रीष्म के सूर्य का देवता है बाल्डेर, उसकी माता है धरती की देवी फ्रिग, दुष्ट देवता है लोके। इस तरह के और बहुत-से नामों का उल्लेख किया जा सकता है। जैसे ग्रीक की तुलना में जर्मन भाषा-परिवार हमसे दूर है, वैसे ही ग्रीक देवमंडल की तुलना में जर्मन देवमंडल और भी दूर है। यूनानी, लैटिन और जर्मन देवमंडल वैदिक देवमंडल से अपनी भिन्नता द्वारा संस्कृत-परिवार से इन भाषाओं के मूल तत्त्वों की स्वतंत्रता और भिन्न सत्ता सिद्ध करते हैं।

पाँचवाँ अध्याय

# मूल शब्द-भंडार—संस्कृत और स्लाव

भारत-यूरोपिय परिवार में जिन भाषाओं को गिना जाता है, उनका संस्कृत से सम्बन्ध एक-सा नहीं है। जैसे जर्मन-परिवार की अपेक्षा ग्रीक-लैटिन संस्कृत के अधिक निकट हैं, वैसे ही ग्रीक और लैटिन की तुलना में स्लाव-परिवार की भाषाएँ संस्कृत के अधिक निकट हैं। भारत-यूरोपीय परिवार की चर्चा में इस न्यूनाधिक समानता का भेद भुला दिया जाता है। भाषाओं का इतिहास जानने के लिए उनकी सापेक्ष दूरी या निकटता की जानकारी आवश्यक है। संस्कृत-परिवार और स्लाव भाषाओं का सम्पर्क ज्यादा गहरा है; दो परिवारों के सम्मिश्रण की आधारभूमि अधिक विस्तृत है। यह बात भी ध्यान देने योग्य है कि ग्रीक या लैटिन से संस्कृत का जैसा साम्य है, वैसा ही साम्य स्लाव भाषाओं से हो, यह आवश्यक नहीं है। कहीं कोई शब्द ग्रीक और संस्कृत में है, लेकिन रूसी में नहीं है; कहीं रूसी और संस्कृत में कोई शब्द सामान्य है किन्तु ग्रीक या लैटिन में नहीं है। इससे एक निष्कर्ष यह निकलता है कि पूर्व से आनेवाले जिन जन-समुदायों का प्रभाव यूरोप की भाषाओं पर पड़ा है, वे किसी एक परिनिष्ठित भाषा के बोलनेवाले न थे वरन् उनकी बोलियों में अन्तर भी था यद्यपि वे एक-दूसरे में बहुत मिलती-जुलती थीं। इसके सिवा यह धारणा भी पुष्ट होती है कि स्लाव-संस्कृत समानता का कारण वोल्गा से गंगा की ओर स्लाव-जनों की यात्रा नहीं है, वरन् इस समानता का कारण उसी तरह का सम्पर्क है, जिस तरह के सम्पर्क के लक्षण हमने ग्रीक और लैटिन भाषाओं में देखे थे। ग्रीक और संस्कृत में यदि 'क्' तत्त्व समान है, तो वह स्लाव-कुल में नहीं है; स्लाव-संस्कृत में यदि 'ख्' तत्त्व समान है तो वह ग्रीक-कुल में नहीं है; 'क्' और 'ख्' तत्त्वों का सामान्य भंडार है संस्कृत। इससे या तो यह निष्कर्ष निकलेगा कि ग्रीस और स्लाव प्रदेशों के लोग समय-समय पर भारत आते रहे और यहाँ अनेक स्रोतों से शब्द इकट्ठे होते रहे, इसलिए 'क्' और 'ख्' तत्त्व, दोनों संस्कृत में हैं। इस परिणाम के विरोध में एक तो ध्वनिविज्ञान का साक्ष्य है; शब्दों की मूल ध्वनि ग्रीक-रूसी की अपेक्षा संस्कृत में अधिक सुरक्षित है। दूसरे, समाजशास्त्र यह संकेत करता है; अनेक सामान्य शब्दों का पूर्व पितृसत्ताक अर्थ भारतीय भाषाओं में बना

हुआ है। यूरोपीय और भारतीय परिवारों के सामान्य शब्द इस तथ्य की ओर इंगित करते हैं कि सूर्य-पितृ आदि शब्दों को यूरोप में पितृसत्ताक समाज के अभ्युदय के साथ मान्यता मिली; इनके यूरोपीय पर्यायवाची दब गए और भारतीय शब्दों ने मातृसत्ताक क्षेत्र की विशिष्ट शब्दावली को प्राय: ज्यों-का-त्यों रहने दिया। तीसरे, इतिहास में भी पूर्व से पश्चिम की ओर अनेक जन-अभियानों का उल्लेख मिलता है। रूसी-संस्कृत के तुलनात्मक अध्ययन से कुछ उसी कोटि के तथ्य सामने आते हैं, जिस कोटि के तथ्य ग्रीक-संस्कृत मूल शब्द-भंडार के तुलनात्मक अध्ययन से सामने आए थे। रूसी और अन्य स्लाव भाषाओं में अनेक शब्द ऐसे हैं जिनके पर्यायवाची संस्कृत में तो मिलते हैं, किन्तु उन्हीं के समकक्ष स्लाव-कुल के मूल शब्दों का लोप नहीं हुआ, वरन् ग्रीक-कुल के स्वतंत्र शब्दों की तरह वे भी सुरक्षित हैं। इसके सिवा स्लाव भाषाओं का अपना मूल शब्द-भंडार है, अपने विशिष्ट भाषा-तत्त्व हैं जिनसे ग्रीक या जर्मन-कुल के समान स्लाव-कुल की स्वतंत्र सत्ता सिद्ध होती है।

पहले परिवार-सम्बन्धी शब्दों को लेते हैं। रूसी में पिता शब्द नहीं है, यद्यपि वह ग्रीक, लैटिन और जर्मन में है। उसके बदले 'अतेत्स' (रूसी) है जिसका सम्बन्ध तात से है। चेकोस्लोवाकिया के शहीद जूलियस फूचिक ने फाँसी के तख्ते की छाया में लिखी हुई अपनी पुस्तक में माता-पिता को याद करते हुए 'मामो, तातो' शब्दों द्वारा भारतीय तात के समान पिता को सम्बोधित किया है। बुल्गार भाषा में पिता के लिए एक अन्य शब्द है 'बाश्चा'। उक्रैनी में अतेत्स के साथ-साथ बाश्चा से मिलता-जुलता पितृवाचक शब्द है 'बात् को'। इससे सिद्ध हुआ कि स्लाव-कुल में 'तातो' के अलावा उसका अपना शब्द है 'बात'। रूसी में भी इसका लघु रूप है 'वात्यूश्का'।

स्लाव-कुल की एक धातु है 'रोद्' जिसका अर्थ है जन्म देना। इससे रूसी में पिता के लिए एक अन्य शब्द बनता है 'रोदीतेल' (जनक, ग्रीक 'तोकेउस्' के समान)। उक्रैनी और बुल्गार में भी रोदीतेल। स्लाव भाषाओं ने ग्रीक के समान जन् धातु से 'गोनेउस' (जनक) शब्द नहीं बनाया। जन-सम्बन्धित शब्द संस्कृत-कुल के हुए; रोद-सम्बन्धित शब्द स्लाव-कुल के।

माता के लिए रूसी शब्द है 'मात्'। बुल्गार में यह शब्द नहीं है, इससे मिलता-जुलता 'मात्का' शब्द का अर्थ है गर्भ, योनि। उक्रैनी में 'माति' के अलावा एक शब्द है 'नेन्या' (रूसी 'न्यान्या'—धाय)। भाई के लिए सामान्य शब्दा है 'ब्रात', बहन के लिए 'सेस्त्रा'। पत्नी के लिए 'झेना' (जनी) शब्द है किन्तु एक अन्य रूसी शब्द है 'सुप्रूगा' (पति के लिए 'सुप्रूग') श्वसुर के लिए 'स्व्योकोर' लैटिन के 'सोकेर' से मिलता है; 'स' की ध्वनि 'क' में परिवर्तित हुई है यद्यपि रूसी भाषा श, स दोनों को सुरक्षित रखती है। श्वसुर के साथ सास के लिए रूसी शब्द है 'स्वेक्रोव्'। सास के लिए रूसी का अपना शब्द है 'त्योश्चा'। साले के लिए स्वतंत्र शब्द है 'शूरिन'

और बहनोई के लिए 'ज़्यात'। 'देवेर' (देवर) रूसी में है, 'विदोवा' (विधवा, अं. विडो) भी। पुत्र के लिए रूसी 'सीन' (सूनु) और पुत्री के लिए 'दोच्' (दुहिता) है। नाती और नातिन के लिए रूसी के अपने शब्द हैं 'व्नूक' और 'व्नूचूका'। चाचा के लिए दादा से मिलता-जुलता शब्द है 'द्याद्या'। बच्चे के लिए रूसी का अपना शब्द है 'द्येति'। पितामह के लिए दादा से मिलता-जुलता शब्द है 'देद' किन्तु दादी के लिए बाबूका, बाबुश्का शब्द हैं। लड़के के लिए युवा शब्द का समकक्ष 'यूंगा' है (जवानी के लिए 'यूनोस्त')। परिवार-सम्बन्धी शब्दावली में अनेक शब्द संस्कृत से मिलते-जुलते हैं, साथ ही कुछ शब्द स्लाव भाषाओं के अपने हैं।

सर्वनामों में 'या' (अहम्), ती (तू, त्वं), वी (तुम, वयं से मिलता-जुलता किन्तु भिन्न अर्थवाला), एतोत् (यह, एतद्), प्रश्नवाचक क्तो, च्तो, कतोरी, ककोइ, चेइ आदि (किम्-कः समुदाय के), तोत् (तह, वह), सेइ (यह, सः), मोइ (मेरा), स्वोइ (अपना), मी (हम), मेन्या (मुझे), संस्कृत-परिवार के सर्वनामों से मिलते-जुलते हैं। नास (हमको), नाश (हमारा) उसी सर्वनाम से सम्बन्धित हैं जिसका 'नः' रूप संस्कृत में है। अन, अनो, अना (वह) सामी-कुल के सर्वनामों से मिलते हैं। रूसी 'एवो' (उसका, पुं.) 'एयो' (उसका, स्त्री.), 'इख़' (उनका), अन-अनो-अना से भिन्न उसके अपने परिवार के हैं। इसी प्रकार तकोइ, एताकिइ (ऐसा), द्रूग, द्रूगा (दूसरे) काझ् दी (हरेक), आदि रूसी के अपने शब्द हैं।

सम्बन्धसूचक शब्दों में 'ऊपर' के लिए 'नाद' (संस्कृत से भिन्न) किन्तु 'नीचे' के लिए 'नीझ़े' (संस्कृत के समान), साथ ही 'नीचे' के लिए रूसी का अपना शब्द 'पोद', 'पर' के लिए 'ना', 'में' के लिए 'व', 'से' के लिए 'इज़' (फ़ारसी से मिलता हुआ), 'पीछे' के लिए 'ज़ा' संस्कृत से भिन्न हैं। पो (बारे में), चेरेज़ (पार), स्क्वोज़ (बीच से), पेरेद (सामने), व्ने (बाहर), व्नूची (भीतर), द्ल्या (लिए), पोस्ले (पीछे), उ (पर, निकट) आदि रूसी के अपने जान पड़ते हैं। 'प्रोस्तीव' (विरुद्ध) का सम्बन्ध अवश्य ही संस्कृत 'प्रति' से है। 'मध्य' के लिए दो शब्द हैं 'मेंझ़ू दु', जो 'मध्य' का ही रूसी रूप है और 'स्रेदी', जो रूसी का अपना है। मूल शब्द-भंडार के अन्य समुदायों के समान यहाँ भी स्लाव और संस्कृत-परिवारों के मिश्रण के चिह्न दिखाई देते हैं।

ग्रीक-लैटिन से भिन्न स्लाव-संस्कृत भाषाओं का आश्चर्यजनक सामीप्य उनकी धातुओं में है। ग्रीक-लैटिन में जीव् धातु से बननेवाले शब्द हैं किन्तु जीव धातु का प्रयोग नहीं होता। रूसी में 'पझ़ीवात' का अर्थ है रहना, जीना। इस जीव से रूसी में बहुत-से शब्द बनते हैं, झ़ीव—जीवित, झ़िवोत—पेट, झ़िवोत्नोए—जीव (पशु), झ़ीज़्न (जीवन), झ़ीतेल (निवासी) इत्यादि। उमीरात—मरना (लैटिन मोरिओर), बेगात् और बेझ़ात—दौड़ना (सं. वेग), इद्ति—चलना (इ), बीत और बीवात्—होना (भू), एस्त—इसे 'बीत्' के वर्तमान काल का रूप कहा जाता है किन्तु वह स्वतंत्र क्रिया

'अस्' का रूसी रूप है, वीदेत् देखना (विद), वेदात्—जानना (वेद्), ज़्नात्—जानना (ज्ञा), इसी से ज़्नानिये—ज्ञान, दवात्—देना (दा), ल्यूबीत—प्यार करना (लुभ), पादत्—गिरना (पत्), पीत्—पीना (पि), एस्त्—खाना (अद्), स्प्राशिवात् और प्रोसीत्—पूछना (स्प्रश्, प्रश्, प्रच्छ्), सदीत्स्या और सीदेत्—बैठना (सद्), स्लूशात् और स्लीशात्—सुनना (श्रु), स्पात्—सोना (स्वप), स्तोयात्—खड़े होना (स्था), गोरेत् और ग्रेत् (गर्मी देना) में वही धातु मालूम होती है जो 'ग्रीष्म' में है; कोपात्—खोदना (या तो इस धातु से 'कूप' बना है या कूप से इस क्रिया शब्द को गढ़ा गया है); ज़्वनीत्—बजना, शब्द करना (यह भी ज़्वोन—ध्वनि संज्ञा से बनाई हुई क्रिया है); संस्कृत श्वेत के समान रूसी शब्द है स्वेत जिसका अर्थ है प्रभात, प्रकाश; इसी से क्रिया बनती है, स्वेतात्—भोर होना, अस्वेश्चात् प्रकाशित करना, प्लावात्—तैरना (प्लव्), स्मेयात्स्या—हँसना (स्मि), स्लुझ़ीत्—सेवा करना (शुश्रु), त्रुसीत्—त्रस्त होना, बोयात्स्या—भय पाना, नेस्ती और नोसीत्—ले जाना (नी), झ़ेच् और स्झ़ेच्—जलाना (द्युत् या ज्युत्), तेम्नेत—अँधेरा होना (तम से), इत्यादि।

स्लाव भाषाएँ आत्, आवात्, एत् आदि प्रत्यय लगाकर संज्ञा से क्रिया बना लेती हैं। उनकी यह प्रकृति हिन्दी की बोलियों से मिलती है, जैसे—हाथ से हथियाना, लात से लतियाना। फूचिक ने अपनी उपर्युक्त पुस्तक में अंग्रेज़ी के knock out से चेक क्रिया-रूप बनाया है 'नौक-आउटोवात्'। इसलिए तेम्नेत जैसे क्रिया शब्द संज्ञा से बने हुए मानने चाहिए। वे संस्कृत 'तम' का मूल रूप नहीं हैं। चेक में 'उषा' से भोर होने के अर्थ में क्रिया-रूप बनाए गए हैं। स्लाव-कुल की सभी भाषाओं में संस्कृत-परिवार के तत्त्व समान रूप से विद्यमान नहीं हैं। चेक में 'दोव्रज़ोबात्' धातु देखने के अर्थ में आती है; उसका मूल रूप दृश् है किन्तु वह रूसी में नहीं है। इसी प्रकार उषा वाला क्रिया-रूप रूसी में नहीं है। जिस प्रकार ग्रीक, लैटिन और जर्मन परिवारों से संस्कृत का सम्पर्क अलग-अलग ढंग का है, उसी प्रकार स्लाव भाषाओं से भी यह सम्पर्क अलग-अलग तरह का है। इसी से ज्ञात होता है कि संस्कृत-परिवार की भाषाएँ बोलनेवाले जनों का प्रभाव विभिन्न क्षेत्रों में स्लाव भाषाओं पर विभिन्न ढंग से पड़ा है।

लैटिन-ग्रीक ने देवता के लिए दिव् धातु वाला ज़ेउस, द्यौस, द्युपितर या युपितर अपनाया; रूसी ने ऐश्वर्यवाचक 'भग' (जिससे भगवान बने) शब्द लिया; देवता के लिए ग्रीक-परम्परा से भिन्न शब्द हुआ 'बोग' और देवी के लिए 'बोगीन्या'। आकाश के लिए रूसी में 'नेबो' है किन्तु वह कुछ पश्चिमी भाषाओं के समान बादल के अर्थ में प्रयुक्त नहीं होता। सूर्य के लिए पश्चिमी भाषाओं की तरह रूसी में सोल से 'सोल्न्त्से' है (जिसमें 'ल्' उच्चरित नहीं होता) किन्तु पितृसत्ताक सूर्योपासकों ने ग्रीक सेलेने के समान रूसी में—लैटिन से मिलता-जुलता—चन्द्र-वाचक 'लूना' (स्त्रीलिंग) रहने दिया। रात्रि के लिए लैटिन-ग्रीक के समान नक्तं से 'नोच्' है। दिन

के लिए सीधा 'देन' है। किरण के लिए 'रुच्' से 'लुच्' है। मूल शब्द-भंडार के कुछ अन्य उल्लेखनीय शब्द हैं वोदा (उद, जल) द्वेर (द्वार), देरेवो (दारु, वृक्ष), दोलीना (द्रोणी, घाटी), दोम (धाम), दीम (धूम), झ़र (ज्वर), ज़ेम्ल्या (धरती, ज्या), म्योद (मधु), मेद्वेद् (मधु-अद्, भालू), नोस (नासा), ओब्लाको (अभ्र, बादल), अगोन (अग्नि), पूत् (पथ), चाष्का (चषक प्याला), क्रेस्त्यानिन (किसान), पोराझ़ेनिये (पराजय), ज़्नाति (ज्ञाति, अभिजातवर्ग) इत्यादि। जहाँ पशु बाँधे जाते हैं, उसके लिए रूसी शब्द है ज़गोन। जहाँ पशु चराए जाते हैं, उसके लिए शब्द है विगोन। इन दोनों में पशुवाचक मूल शब्द है गो। वैसे गाय के लिए रूसी शब्द है 'करोवा'। किसान के लिए क्रेस्त्यानिन जैसा शब्द यूरोप की पश्चिमी भाषाओं में नहीं है। वह स्लाव-संस्कृत-परिवारों के विशेष सामीप्य का साक्षी है।

स्लाव और संस्कृत परिवारों के सामीप्य का एक कारण उपसर्ग और प्रत्ययों का व्यवहार है। यही नहीं कि इस तरह के व्यवहार से दोनों भाषा-परिवारों की एक-सी प्रकृति का पता चलता है, वरन् दोनों के कुछ प्रत्यय और उपसर्ग हैं भी एक ही। इनमें एक है 'स', जिसका अर्थ है 'सहित'। यह अलग से भी सम्बन्धसूचक अव्यय के रूप में प्रयुक्त होता है और अन्य शब्दों के साथ उपसर्ग-रूप में भी जुड़ता है। 'सोवियत' शब्द में यही 'स' 'इ' धातु के साथ आया है। 'सयूज़ा' का अर्थ है 'संघ'; 'युज्' धातु में 'स' उपसर्ग जोड़कर 'सयूज़ा' बना। इसी प्रकार 'प्र'; 'प्रबुझ़् देनिये' (जागना), 'बुध्' में 'प्र' जोड़कर क्रिया बनी प्रबुदीत्, प्रबुझ़दात्। भाववाचक संज्ञाएँ बनाके लिए 'त्व' (या स्त्व) प्रत्यय का प्रयोग वैसे ही होता है, जैसे संस्कृत-परिवार को भाषाओं में। ब्रात—भाई, उससे ब्रात्स्त्वो—बिरादरी; मुझ़—पुरुष, उससे मुझ़ेस्त्वो—पुरुषत्व। स्लाव भाषाओं को 'क' प्रत्यय से वैसे ही प्रेम है, जैसे संस्कृत को। जैसे बाल से बालक बनाते हैं, वैसे ही उनके यहाँ दीम (धूम) से दीमोक या कर्तीना (चित्र) से कर्तीन्का। जैसे संस्कृत में धातु के साथ ता या तर जोड़कर कर्ता बनाते हैं, दा से दाता या दातर, उसी प्रकार रूसी में चितात्—पढ़ना, उससे बना चितातेल् ('र' ने 'ल' रूप धारण किया)—पाठक। कुछ विशेषणों से संज्ञा वैसे ही बनती है, जैसे संस्कृत में। सुन्दर में 'ता' जोड़कर जैसे सुन्दरता बनाया, वैसे ही रूसी में 'अता' (या ओता) जोड़कर 'विसोकिइ'—उच्च, विसोता—उच्चता। हमारे यहाँ कर्ताभाव में 'क' प्रत्यय व्यवहार में आता है—जैसे पाठक, ग्राहक, वैसे ही वस्तु से सम्बन्ध प्रकट करने के लिए मोरे—समुद्र, मोर्याक—नाविक, रीबा—मछली, रिबाक—मछुवा। क्रियाओं में 'स' उपसर्ग सहित के अर्थ में जुड़ता है, सोब्रात्—एकत्र होना।

रूसी क्रियाओं में 'आनिये', 'एनिये' जोड़कर संज्ञा बनाने का जो क्रम है, वह संस्कृत की ल्युट्-प्रक्रिया से मिलता-जुलता है, जैसे ज्ञा से ज्ञान, वैसे ही उचीत्—पढ़ना, उचनिये—पठन; सोब्रात्—मिलना, सोब्रानिये—मिलन, सभा।

चेक भाषा में एक धातु है 'रिक्', जिसका अर्थ है बोलना। फूचिक की पुस्तक में वाक्यांश है : 'रिका द्लोही एस्. एस्.'—लम्बा एस्. एस्. सैनिक बोला। इस रिक् का सम्बन्ध हमारे ऋक् और ऋचाओं से है। रूसी में रेच् शब्द भाषण के लिए प्रयुक्त होता है यद्यपि 'रिक्' क्रिया उसमें नहीं है। इसी प्रकार 'वेद' शब्द हमारे यहाँ ज्ञान के साधारण अर्थ में प्रयुक्त नहीं होता, किन्तु रूसी में 'वेदात्' का अर्थ है जानना और 'विदेनिये' का अर्थ है ज्ञान; वस्तोक—पूर्व, वस्तकोवेद—प्राच्यविद्या-विशारद।

यह सम्भव है कि स्लाव भाषाओं में कुछ शब्दों के प्राचीन अर्थ सुरक्षित हों। बुल्गार भाषा का 'मात्का' (गर्भ या योनि) ऐसा ही एक शब्द है। इसी प्रकार रूसी 'अगोन' (अग्नि) से सम्बन्धित एक शब्द है 'अग्नीवो', जिसका अर्थ है—चकमक पत्थर। अग्नि उत्पन्न करने में पहले इसी की आवश्यकता पड़ती थी, इसलिए आश्चर्य नहीं, अग्नि का प्राचीनतम अर्थ यही हो। चेकोस्लोवाकिया के एक सज्जन ने 'चाश्का' (चषक) के बारे में एक दिलचस्प बात बताई थी। वहाँ 'चाश्का' एक फूल का नाम भी है जिसकी आकृति अञ्जलि जैसी होती है। सम्भव है, पहले चुल्लू में पीने से उसका स्थान लेनेवाले पात्र का नाम भी चषक पड़ा हो!

स्लाव भाषाओं में कुछ शब्द ऐसे हैं जो संस्कृत में नहीं हैं, यद्यपि अन्य भारतीय भाषाओं में हैं। ऐसा ही एक शब्द है 'मीर'—संसार, दुनिया। 'कश्मीर' में यही मीर है, कश् लोगों का देश; यद्यपि कश्मीरी-भाषी जन बोलचाल (कशीर) में उसका लोप कर देते हैं। यही मीर पामीर में है जिसका अर्थ है चरागाहों का देश। कश्मीर के कश् जन जो भी रहे हों, उन्होंने अपना नाम भारतीय कश्यप और रूसी 'कस्पीस्कोए मोरे' (कास्पियन सागर) में स्मृति-रूप छोड़ दिया है।

इतनी घनिष्ठता होने पर भी यह कहना युक्तिसंगत न होगा कि संस्कृत और स्लाव भाषाएँ मूलत: एक ही परिवार की हैं। स्लाव भाषाओं में कुछ तत्त्व फ़ारसी के हैं जो संस्कृत से भिन्न हैं, कुछ तत्त्व ग्रीक के हैं। स्लाव भाषाएँ संस्कृत-परिवार के सम्पर्क में उसी प्रकार आई हैं, जैसे—ग्रीक और लैटिन। अन्तर इतना है कि स्लाव-संस्कृत का सम्पर्क बहुत गहरा है और उनका मिश्रण अधिक हुआ है। किन्तु केवल समानताओं को देखना और स्लाव भाषाओं का स्वतंत्र परिवार घोषित करनेवाली उनका असामान्य विशेषताओं को भूल जाना एकांगी दृष्टिकोण का परिचायक होगा। सर्वनामों, पारिवारिक क्षेत्र के शब्दों, सम्बन्धसूचक शब्दों में जहाँ कुछ संस्कृत-परिवार के हैं, वहाँ अनेक स्लाव भाषाओं के अपने हैं। इसी प्रकार क्रियाओं में रबोतात्—काम करना, खोतेत्—चाहना, क्लास्त् (क्लादू, क्लाद्योत)—रखना, मीत (मोयू, मोएत)—धोना, उबीवात् (उबीत्)—मारना, रास्ती (वीरोस्ति)—बढ़ना, मेन्यात्—बदलना, तेर्यात्—खोना, त्रोगात्—छूना, तनूत्—डूबना, बोलेत्—बीमार पड़ना, झ़ेलात्—इच्छा करना, स्त्रोईत्—बनाना, वेज़्ति—ले जाना, मूल धातु 'मेच्' (जिसका स्वतंत्र प्रयोग अब रूसी में नहीं

होता) से मेच्तात्—स्वप्न देखना; ज़मेचात्—ध्यान से देखना, पमेचात्—चिह्नित करना—इन शब्दों से स्पष्ट है कि वे किसी प्राचीन मेच् धातु से बने हैं जिसका अर्थ है देखना। स्मत्रेत क्रिया भी देखने के अर्थ में प्रयुक्त होती है, मिलोवात्—प्यार करना (यद्यपि इसी अर्थ के लिए लुभ् से बनी हुई क्रिया ल्यूबीत् भी है), पखात्—जोतना, पलुचात्—पाना, तेच्—बहना, उमेत—जानना, योग्य होना, प्लाकात्—रोना, इग्रात्—खेलना, इत्यादि।

लैटिन और संस्कृत में 'अश्व' सामान्य है किन्तु स्लाव भाषाओं का अपना शब्द है 'कोन्'। सिंह के लिए लैटिन-ग्रीक से मिलता-जुलता रूसी शब्द है 'लेव'। पशु के लिए 'जीव' के अतिरिक्त 'ज्वेर' शब्द है। आकाश के लिए नभ सामान्य शब्द है किन्तु नक्षत्र के लिए 'ज़्वेज़्दा'। वायु के लिए 'वेतेर' (वात) के अलावा 'वोज़्दुख' है। सिर के लिए ग्रीक की तरह यहाँ कपाल नहीं है, अपना शब्द है 'गलोवा'। दाँत के लिए दंत नहीं, 'ज़ुब', भौंह के लिए 'ब्रोव' (भ्रू) किन्तु 'लोब' और 'चेल्ब' भी, मुँह के लिए 'रोत' (यद्यपि पर्यायवाची 'उस्ता' उत्स का विपर्यय हो सकता है), आँख के लिए 'ग्लाज' (यद्यपि अक्ष से 'ओको' भी), कान के लिए 'ऊखो', हाथ के लिए 'रुका', पैर के लिए 'नोगा', ओठों के लिए 'गुबा' इत्यादि। शरीर-सम्बन्धी अनेक अवयवों के नाम जहाँ ग्रीक-लैटिन और संस्कृत में मिलते हैं, वहाँ स्लाव भाषाओं ने अपने शब्द सुरक्षित रखे हैं। हरा है 'ज़लेनी' (इसका सम्बन्ध कुछ लोग हरित से जोड़ते हैं), पीला है 'झ़ूयोल्ती', काला है 'च्योर्नी', और लाल है 'क्रास्नी', नीला है 'गलुबोइ' या 'सीनी'। यद्यपि कुछ स्लाव भाषाओं में उषा शब्द बना हुआ है, किन्तु उसके लिए प्रचलित स्लाव शब्द है 'ज़र्या'। प्रभात और संध्या के लिए भी स्वतंत्र शब्द हैं 'उत्रो' और 'वेचेर'। वर्ष के लिए है 'गोद' (लैटिन 'अन्नुस' हमारे 'अयन' का सगोती है)। प्राचीन काल में जैसे वर्ष के लिए किसी ऋतु का नाम लेते थे, वैसे ही रूसी में भी प्रथा है किन्तु शरद का नाम न लेकर 'लेतो' का प्रयोग किया जाता है जिसका अर्थ है 'ग्रीष्म'। रूसी में दिनों और दिशाओं के नाम भी अपने हैं।

मूल शब्द-भंडार के कुछ अतिप्रचलित शब्द, जो संस्कृत-परिवार से आश्चर्यजनक रूप से भिन्न हैं, ये हैं वोत—यहाँ, ग्दे—कहाँ, ज़्देस—इधर, वूखोद और पदएज़्द—द्वार (द्वेर के अतिरिक्त), वीशे—ऊँचा, गोरोद—नगर (पुर या पोलिस नहीं), गाँव—सेलो (ग्राम नहीं), दारोगा—मार्ग (पथ के समानान्तर ), दोझ़्द—वर्षा, द्रुग—मित्र, क्रूप्नी—बड़ा, मेन्शी—छोटा, लोद्का—नाव, कोराब्ल—जहाज़ (ग्रीक के समान नौ की खपत यहाँ नहीं हुई), ल्यूदी—लोग, जनता; मेस्तो—स्थान, पबेदा—विजय, पोले—क्षेत्र, राद—प्रसन्न, राज़—एक बार, सेम्या—परिवार, त्रूद—श्रम, स्त्रना—देश, तेलो—शरीर, तपेर—अब, तोल्को—केवल, ख़ोल्म—पहाड़ी, खरोशो—अच्छा, प्लोखोइ—बुरा, इत्यादि।

रूसी तथा अन्य स्लाव भाषाओं के अपने प्रत्यय और उपसर्ग हैं। धातु में 'व' उपसर्ग लगाकर 'अन्दर' का भाव उत्पन्न किया जाता है, व्लोझ़ीत्—अन्दर रखना। वज़ (या वोज़) जोड़कर क्रिया में 'ऊपर' की अर्थवृद्धि होती है, वज़्ग्ल्यानूत्—ऊपर देखना। 'द' (या दो) उपसर्ग से किसी स्थान 'तक' का भाव पैदा होता है, दचितात्—किसी स्थान तक पढ़ना। 'ना' 'ऊपर' के अर्थ में नपिसात्—किसी चीज पर लिखना। 'राज' से नकारात्मक अर्थ उत्पन्न होता है, राज़्देत्स्या—कपड़े उतारना। 'उ' से दूरी का अर्थ प्रकट होता है, उस्काकात्—(घोड़े पर चढ़कर) भाग जाना। इसी प्रकार प्रत्ययों में भिन्नता है। कुछ विशेषणों में 'ओस्त' जोड़कर संज्ञा बनाते हैं, ब्लीज़्की—समीप, ब्लीज़्नोस्त। 'चिक' और 'निक' जोड़कर कर्म या वस्तु से उसके कर्ता का अर्थ प्रकट किया जाता है, पेरेवोद—अनुवाद, पेरेवोद्चिक—अनुवादक; म्यासो—मांस, म्यास्निक—कसाई।

इन भेदों को ध्यान में रखते हुए यह मानना पड़ेगा कि रूसी और संस्कृत मूलत: एक परिवार की भाषाएँ नहीं हैं। ग्रीक-लैटिन की तुलना में स्लाव भाषाएँ हमारे अधिक निकट हैं, जर्मन परिवार उनकी तुलना में हमसे बहुत दूर है। फिर भी भाषाविदों ने इंडो-जर्मेनिक परिवार की कल्पना की और इंडो-स्लाविक परिवार की (वैसी ही अवैज्ञानिक) कल्पना न की। इसका कारण आर्य नस्ल की भावना और पश्चिमी यूरोप के कुछ विद्वानों में स्लाव जातियों के प्रति घृणा का भाव हो सकता है।

जिन तर्कों से यह सिद्ध होता है कि ग्रीक, लैटिन, जर्मन और स्लाव मूलत: एक ही परिवार की भाषाएँ नहीं हैं, वरन् उनके स्वतंत्र परिवार हैं, उन्हीं से यह भी सिद्ध होता है कि संस्कृत भारत-यूरोपीय परिवार की भाषा नहीं है, वरन् उसका अपना स्वतंत्र परिवार है। संस्कृत भारत-यूरोपीय परिवार की भाषा है—इस स्थापना का आधार यह मान्यता है कि संस्कृत तथा यूरोप की कुछ प्राचीन और नवीन भाषाओं में अनेक समानताएँ हैं, आर्य यूरोप से या मध्य एशिया से भारत में आए, यहाँ उन्होंने द्रविड़ों और निषादों को जीत लिया और उन पर अपनी भाषा थोप दी, इस सिलसिले में उनकी मूल भाषा काफी परिवर्तित हो गई और उसका यह नया रूप हमें वैदिक और लौकिक संस्कृत में देखने को मिलता है। यदि थोड़ी देर के लिए मान लें कि ये मान्यताएँ तर्कसंगत हैं, तो भी उनसें यह सिद्ध न होगा कि संस्कृत भारत-यूरोपीय परिवार की भाषा है। उनसे इतना ही सिद्ध होगा कि संस्कृत और यूरोप की भाषाओं में कुछ समानताएँ हैं, इन समानताओं का कारण मूल संस्कृत भाषा (या परिवार) पर यूरोपीय (या बाह्य) भाषा (या भाषाओं) का प्रभाव है। संस्कृत की अधिकांश क्रियाएँ, उसके मूल शब्द-भंडार का सर्वाधिक भाग यूरोपीय क्षेत्र से बाहर का है। जहाँ तक द्रविड़ भाषाओं के प्रभाव की बात है, उस प्रभाव से संस्कृत 'यूरोपीय' नहीं हो जाती। इसके सिवा द्रविड़ भाषाओं और संस्कृत

के मूल शब्द-भंडार अलग-अलग हैं। जो शब्द सामान्य हैं, वे सहज सांस्कृतिक विनिमय का परिणाम हैं। उनसे दो भाषा-परिवारों का सम्मिश्रण बिलकुल सिद्ध नहीं होता। इस निष्कर्ष से बच निकलना असम्भव है कि संस्कृत के मूल तत्त्व उत्तर भारत की उन भाषाओं से निर्मित हुए हैं जिनका सम्बन्ध न द्रविड़ परिवार से है, न यूरोप की भाषाओं से। यह स्थापना कि संस्कृत भारत-यूरोपीय भाषा है और उसका वैदिक-लौकिक रूप यूरोपीय आर्यों और भारतीय द्रविड़ों (या निषादों) के सम्मिश्रण का परिणाम है, उतनी ही निराधार है जितनी यह स्थापना कि संसार की तमाम भाषाएँ हिब्रू या संस्कृत से निकली हैं।

मान लीजिए, द्यो या दिव रूप ग्रीक ज़ेउस का अपभ्रंश है, युपितर में द्यु की मूल ध्वनि वर्तमान है, ज़ेउस और युपितर आकाश के देवता हैं, इसलिए द्यु, द्यो, दिव भारत-यूरोपीय शब्द हुए। किन्तु आकाश? भारतीय भाषाओं का प्रचलित शब्द आकाश किस परिवार का है? ख, गगन, अन्तरिक्ष आदि शब्दों को हम छोड़ देते हैं। द्यु, देव, देवता को यूरोपीय मान लें तो भी सुर बच रहते हैं और भगवान का भग स्लाव हो तो भी 'ईश्वर' को यूरोप में कहाँ जगह मिलेगी? लैटिन के नूबीस (बादल) को नभ का मूल यूरोपीय मान लेते हैं और उसका अर्थ भी बादल रहा होगा, यह मान लेते हैं; बादल के लिए रूसी अब्लाको हमारे अभ्र का पूर्वज है, यह भी मान लिया। लेकिन हमारा प्रचलित शब्द मेघ किस अभारतीय परिवार का है? यदि यह मान लें कि सोल या हेलिओस या सोल्न्त्से से सूर या सूर्य शब्द बना है, तो भी 'तत्सवितुर्वरेण्यम्' के सविता का क्या होगा? अर्क को किसी निषाद भाषा का मान लें तो भी आदित्य, रवि आदि सूर्योपासक भारतीयों के इतने शब्द हैं (विशेषण नहीं) कि उन्हें यूरोपीय से स्वतंत्र भारतीय परिवार के अपने शब्द मानना ही होगा। चन्द्र के लिए यूरोप की भाषाओं में भिन्न-भिन्न शब्द हैं, यह हम देख चुके हैं। 'लूना' से हमारे चन्द्र का कोई सम्बन्ध नहीं है। किरण और प्रकाश रुच् से सम्बन्धित लैटिन लुक्स, रूसी लूच् से स्वतंत्र हैं। नक्षत्र नक्त और स्तर से बना; मान लें कि नक्त यूरोपीय है और 'स्टार' के भाई तारे और सितारे भी यूरोपीय हैं, किन्तु 'उडुगण केशवदास' के उडु तो यूरोप के नहीं हैं? और नक्त और निशा यूरोपीय लेकिन रात्रि? दिन और दिवस यूरोपीय लेकिन मध्याह्न और अपराह्न का अहन्? उषा यूरोपीय लेकिन प्रातः, प्रभात, संध्या? अयन लैटिन अन्नुस से बना, लेकिन वर्ष, वत्सर, संवत्सर शब्द? धरा को लैटिन 'तेरा' ने ले लिया और ज्या को ग्रीक 'गे' ने; दो प्रचलित शब्द और रहे भूमि और पृथ्वी। उद का पूर्व-रूप लैटिन उन्दा (उद-रूप लैटिन ऊदुस में है जिसका अर्थ है भीगा) या रूसी वोद, किन्तु जल—वारि, पानी, नीर को छोड़ भी दें तो? अग्नि यूरोपीय हो तो वह्नि, पावक, अनल? वात स्लाव वेतेर का सखा हो तो वायु, पवन, मरुत्? तम् स्लाव त्मा से बना हो तो अन्धकार? जन लैटिन

गेन्स से बना हो और नर को भी स्लाव नरोद से बना मान लें, फिर भी मनुष्य, मानव और पुरुष बच रहे। पुर यूरोपीय पोलिस से बना हो तो नगर भारतीय है। धाम बाहर से आया हो, तो भी गृह हमारा है। जनी स्लाव झ़ेना के कुनबे की हो तो भी स्त्री भारतीय परिवार की सदस्या हुई (महिला, रमणी, वामा, कान्ता आदि का जिक्र नहीं; नारी को भी नरोद—नर से सम्बन्धित जानकर छोड़ देते हैं)। पति की तलाश ग्रीक में हो सकती है, पत्नी भी वहाँ मिल सकती है, लेकिन वर-वधू तो यहीं के हैं। इसी प्रकार दुहिता के साथ कन्या, युवा के साथ तरुण, स्थविर (रूसी स्तारिइ) के साथ वृद्ध, माता के साथ जननी, स्वसा के साथ भगिनी, पिता के साथ तात और जनक, सूनु के साथ पुत्र, भ्राता के साथ बन्धु, कपाल (ग्रीक केफाली) के साथ सिर, अक्ष के साथ चक्षु और नेत्र, पाद के साथ चरण, जीव के साथ प्राणी, दन्त के साथ दशन, अश्व के साथ हय, सर्प के साथ अहि, गो के साथ धेनु, श्वान के साथ कुक्कर, वृक के साथ कोक (भेड़िया) —इस प्रकार प्राय: सभी 'भारत-यूरोपीय' शब्दों के भारतीय पर्याय दिये जा सकते हैं।

धातुओं में अद् के साथ खाद् और भुज्, घस्, भक्ष् और अश्; पी के साथ चम्; गम् (या गश्) और 'इ' (एति) के साथ 'या' (याति), पद्, ऋ (ऋच्छति), चर् और चल्; सद् के साथ आस् (बैठना); पश् (स्पश्) और दृश् के साथ ईक्ष्, चक्ष्; लुभ् के साथ कम् (काम और कामायनी वाला कम्); स्वन् और ध्वन् के साथ धुष् और नद्; प्रछ् (स्प्रश्) के साथ याच्; दा के साथ रा (वयं ते अद्य ररिमा हि कामम्, ऋग्वेद 3-14-5); रुच् के साथ भ्राज, काश्; स्तु के साथ ऋच्, शस्, स्तुभ्; पत् के साथ स्रस्; अस् और भू के साथ वृत्; ज्वल् के साथ दह्—इसी तरह अन्य 'भारत-यूरोपीय' धातुओं के 'भारतीय' पर्याय मिल सकते हैं। इनके अलावा संस्कृत की कृ, कृष्, क्रद्, गृ-गा (गाना), तप्, तृष, धृ, सृ, वा, ग्रह्, जि, तृ, ब्रू, धा, शक्, गुह्, यज्, हन्, वस्, शी, नश्, वह्, आदि अपनी धातुओं का अक्षय भंडार है। ये धातुएँ ऐसी हैं जिनका व्यवहार जनसाधारण करते थे, उनमें से बहुतों का हिन्दी में अब भी व्यवहार होता है। ये सब उत्तर भारत की अपनी भाषागत सम्पत्ति हैं।

सम्बन्धसूचक शब्दों में प्रति (ग्रीक प्रोति), परि (ग्रीक पेरि), अपि (ग्रीक एपि), अन्तर (लैटिन इन्तेर) आदि को 'भारत-यूरोपीय' मान लें, तो भी पुर:, अति, अनु, उप, अधि, अध:, पर:, परित:, साकम् आदि बहुत-से 'भारतीय' शब्द बच रहते हैं। इसी प्रकार सर्वनामों में स:, अस्मद्, युष्मद्, एतद्, किम् आदि को 'भारत-यूरोपीय' मानें, तो भी अदस् (असौ, अमू), यद्, एनद्, इदम् (अयम्, इमे), अन्य, सर्व आदि अनेक सर्वनाम बच रहते हैं।

भारत-यूरोपीय परिवार की कल्पना का समर्थन करनेवाले विद्वान यह आवश्यक नहीं समझते कि इस परिवार की सभी भाषाओं में कोई शब्द हो, तब वह भारत-यूरोपीय कहलाए। लैटिन और जर्मन परिवारों का सामान्य शब्द न हो, लैटिन-ग्रीक

का ही हो, तब भी वह भारत-यूरोपीय है। स्लाव-संस्कृत का सामान्य शब्द न हो, संस्कृत-जर्मन का सामान्य शब्द हो, तो भी वह भारत-यूरोपीय है। इस तरह की विच्छिन्न समानता के आधार पर उन्होंने एक अविच्छिन्न आदि-परिवार की कल्पना की है। इस तरह की विच्छिन्न (और विभिन्न भाषाओं के लिए विषम) समानता को आधार मान भी लिया जाए, तो भी इस भारत-यूरोपीय परिवार की प्राचीन और नवीन भाषाओं में परस्पर इतना भेद है कि उन्हें मूलत: एक परिवार की भाषा किसी भी नियम से नहीं माना जा सकता। उनकी ध्वनि-प्रकृति में भेद है। मान लिया कि एक भाषा की बोलियों में भी उतना भेद हो सकता है। उनके व्याकरण में—भाषाओं की भाव-प्रकृति में—भेद है। मान लिया कि ये भेद अन्य भाषाओं के सम्पर्क से या स्वत: विकास-प्रक्रिया से उत्पन्न हो गए हैं, आरम्भ में आदि भाषा या आदि भाषा-परिवार का व्याकरण बहुत कुछ एक-सा रहा होगा। फिर भी बच रहा शब्द-भंडार। वाक्य-रचना ठीक न हो, सम्बन्धसूचक शब्द उड़ा दिये जाएँ, वचन और लिंग का ध्यान न रखा जाए; कारक, विभक्ति-चिह्न आदि को भी भुलाकर कुछ शब्द कह दिये जाएँ—जैसे हम सबेरा खाना—तो सुननेवाला कुछ-न-कुछ आशय समझ लेगा (कहनेवाले को सबेरे खाना चाहिए)। किन्तु यदि व्याकरण दुरुस्त है और मूल शब्द-भंडार बदल गया है, तो एकाध क्रियार्थक या सम्बन्धसूचक शब्द को छोड़कर पल्ले कुछ न पड़ेगा। जैसे :

*जबस कि मश्के तमाशा जुनूँ अलामत है।*
*कुशादो बस्ते मिशा सैलिए नदामत है॥*

इस शेर में 'है' मूल भाषा का अकेला शब्द है, बाकी में साधारण हिन्दी-भाषी की समझ में तमाशा ही आएगा। भाषा का रूप स्थिर करने में मूल शब्द-भंडार की नियामक भूमिका है। इस मूल शब्द-भंडार में हम उन शब्दों को नहीं लेते जिनका विशेष सम्बन्ध पढ़े-लिखे शिष्ट जनों या उनकी दार्शनिक, साहित्यिक या वैज्ञानिक चर्चा से है। मूल शब्द-भंडार में हम उन शब्दों को लेते हैं जिनके बिना साधारण जनों का काम नहीं चलता। इनमें भी क्रियाओं का विशेष महत्त्व है क्योंकि भाषाओं का इतिहास बतलाता है कि बाह्य प्रभावों से जब देशी शब्दों का स्थान विदेशी शब्द ले लेते हैं, तब भी क्रियाओं में कम-से-कम परिवर्तन होता है। इसके सिवा वाक्य-रचना, व्याकरण की अन्य विशेषताओं की छानबीन करके हम भाषाओं का वर्गीकरण करते हुए उन्हें किसी परिवार का मान सकते हैं।

एशियाई भाषाओं का प्रभाव यूरोपीय भाषाओं पर पड़ा है, इस बात को अस्वीकार करने में आदि भारत-यूरोपीय भाषा-भाषी समुदाय के निवास-स्थान की कल्पना सहायता करती है। पहले यह माना कि भारत-यूरोपीय भाषाओं की जननी एक आदि भाषा थी; फिर माना कि इसके बोलनेवालों का निवास कहीं यूरोप में

था। फिर इस स्थापना के लिए तुलनात्मक भाषाविज्ञान से प्रमाण दिये। उदाहरण के लिए, ब्लूमफील्ड ने 'स्नो' (बर्फ) शब्द लिया है। उनके अनुसार यह शब्द यूरोपीय भाषाओं में विभिन्न रूपों में मिलता है, किन्तु भारतीय भाषाओं में नहीं है; इसलिए आदि भारत-यूरोपीय समुदाय का निवास भारत में था—इसकी कोई सम्भावना नहीं रहती। ग्रीक निफास, निफा, लैटिन निक्स, निविस, जर्मन श्ने, रूसी स्नेग आदि एक ही शब्द के भिन्न रूप माने जाते हैं।

यदि ब्लूमफील्ड का यह तर्क मान लिया जाए कि भारतीय भाषाओं में 'स्नो' का समकक्ष शब्द नहीं है, इसलिए आदि भारत-यूरोपीय भाषा-भाषी समुदाय का निवास भारत में न हो सकता था, तो उसी तर्क से यह भी स्वीकार करना चाहिए कि हिम शब्द भारतीय भाषाओं में भी है, दक्षिणी और पूर्वी यूरोप की भाषाओं में भी—इसके अलावा हिमाच्छादित, संसार का उच्चतम और विशालतम पर्वत, पृथ्वी का मानदंड नगाधिराज हिमालय भारत में ही है—इसलिए आदि भारत-यूरोपीय समाज का मूल निवास-स्थान भारत में ही होना चाहिए!

यूरोप में 'आर्यों' का आदि निवास-स्थान माननेवालों के सामने अनेक कठिनाइयाँ हैं जिनमें से कुछ का वे उल्लेख करते हैं और कुछ का उन्हें आभास नहीं है। एक कठिनाई ईरानी अवेस्ता के सम्बन्ध में है। अवेस्ता और वेदों की भाषा और संस्कृति की समानता देखकर कुछ यूरोपीय विद्वानों ने यह मत प्रकट किया था कि अवेस्ता के देवताओं का स्रोत भारत है। यह धारणा सही थी। पश्चिम की भाषाओं पर संस्कृत-परिवार का जो प्रभाव देखा गया है, उससे यह स्थापना पुष्ट होती है। किन्तु कुछ विद्वानों के मत से भारत लेनेवाला रहा, देनेवाला नहीं। उसमें बाहर से लोग आए, वहाँ से बाहर नहीं गए। इसलिए ईरान पर भारतीय भाषा या संस्कृति का प्रभाव पड़ ही न सकता था। पुरातत्त्वज्ञ गौर्डन चाइल्ड ने 1926 में प्रकाशित अपनी पुस्तक 'एर्येन्स' में लिखा था कि ईरान में यदि आर्य सभ्यता का प्रसार भारत से आनेवालों ने किया हो, तो उनका समूह काफी बड़ा रहा होगा। लेकिन गौर्डन चाइल्ड को इतने बड़े पैमाने पर भारत से बाहर जानेवाले समुदायों का कोई प्रमाण नहीं मिला। "ऐतिहासिक काल में साधारणत: बाहर के ही लोग भारत जाते रहे हैं।" (पृ. 33) यद्यपि बात प्रागैतिहासिक काल की है, फिर भी ऐतिहासिक काल के तथ्यों पर आधारित धारणाएँ लेखक को उस समय की घटनाओं को भी इन्हीं बाद के तथ्यों के अनुकूल देखने पर विवश करती हैं (यद्यपि यह भी सही नहीं है कि ऐतिहासिक काल में भारत से काफी बड़े समूह देश से बाहर नहीं गए)। दूसरा तर्क यह है कि "जिस समय की चर्चा हो रही है, उस समय आर्यों के लिए अपने उपनिवेश बनाने को सारा दक्षिण भारत पड़ा हुआ था। फिर वे अफगानिस्तान के दर्रों को लाँघने क्यों जाते और ईरान के बंजर पठारों पर क्यों घूमते?" इस तर्क में आर्यों को एक विजेता जाति माना गया है; ईरान की भौगोलिक दशा आज के

समान ही प्राचीन काल की भी मानी गई है। दोनों बातें मान भी लें, तो इसी तर्क से प्रश्न किया जा सकता है कि दक्षिण भारत को जीते बिना ही अकबर कश्मीर और कन्दहार में युद्ध करने क्यों गया था?

ईरान जैसी कठिनाई बोगाज़कोई वाले मितन्नी देवताओं से सम्बन्ध में है। जैकोबी, पार्जिटर, कोनाउ आदि का मत था कि मितन्नी देवताओं के नाम वैदिक हैं और हित्ती-संस्कृत समानता का कारण यह है कि उत्तर भारत से लोग मेसोपोटामिया में आकर बसे थे। यही नहीं, तेल-एल-अमर्ना के अभिलेखों से—गौर्डन चाइल्ड के अनुसार—पता चलता है कि आर्य राजा सीरिया और फिलिस्तीन में भी थे। वहाँ बिरिदश्व (वृहदश्व), शुवरदत (ईश्वरदत्त), यशदत (यशदत्त) जैसे नाम मिलते हैं। इन्हें चाइल्ड ने किसी भी आर्य भाषा के प्राचीनतम उदाहरण माना है (इससे वृहद् का मूल रूप बिरिद हुआ! अश्व के मूल रूप एकुउस से तो बचे!)। केन्तुम् भाषाओं से इन रूपों का कोई सम्बन्ध नहीं है। चाइल्ड के अनुसार ये शब्द लगभग शुद्ध भारतीय जैसे हैं।

चेक विद्वान ह्रौज़्नी भारत-यूरोपीयों का आदि निवास-स्थान यूरोप में मानते हैं। किन्तु उन्होंने पूर्व से पश्चिम की ओर—भारतीय सीमान्त से ईरान, इराक, तुर्की, फिलिस्तीन होते हुए मिस्र तक—सांस्कृतिक प्रवाह के कुछ दिलचस्प तथ्य दिये हैं। उनके अनुसार संसार में प्राचीनतम लिपि बैबिलोनिया की है और सम्भवत: उसका प्रभाव मिस्र की लिपि पर भी पड़ा है। सुमेरियन जनों ने कीलाक्षर लिपि का आविष्कार किया और उनसे बैबिलोनिया के सामी जनों और अक्कदियों ने लेखन-कला सीखी। सुमेरियन जनों का एक प्रवाह उत्तर-पश्चिम से आया और इस उत्तर-पश्चिम में सुबीर या सुबर प्रदेश भी था। यह नाम परिवर्तित होकर सुबुर या सुमेर बन सकता है।[1] एक प्राचीन सुमेर-अक्कदी राजा का नाम बलिह था।

सौवीर, सुमेर, बलि आदि नाम भारतीय भाषाओं के चिरपरिचित शब्द हैं।

इसके बाद ह्रौज़्नी ने लिखा है कि बैबिलोन के कला-कौशल का प्रभाव प्राचीन मिस्र पर पड़ा था। कुम्हार का चक्र भी मिस्र में बैबिलोन तथा पश्चिमी एशिया से आया था। कुदाल के लिए मिस्री शब्द 'मर' सुमेरियन भाषा का है और यही शब्द सामी तथा यूरोपीय भाषाओं में पहुँचा—ग्रीक मर्रोन, लैटिन मर्रा, फ्रेंच मार (marre)। (भारत के निकटवर्ती प्रदेशों के शब्द यूरोप में कैसे पहुँच सकते हैं, उसकी यह एक अच्छी मिसाल है।) हल के लिए सुमेरियन अपिन्, अक्कदी एपिनु, मिस्री में हेबी है। शराब के लिए अक्कदी चिकु, मिस्री में चेक्त है (जिसका सम्बन्ध भारतीय चष् से हो सकता है)। बढ़ई के लिए सुमेरियन नगर, अक्कदी नग्गरु, मिस्री नजर और इसी का एक रूप सीरिया होता हुआ पहले फ्रांस में भी प्रचलित था। इस प्रकार पूर्व के शब्द सुदूर पश्चिम की ओर धावा मारते रहे।

---

1. ह्रौज़्नी, पृ. 40

कश्मीर के कश् जनों का उल्लेख पहले हो चुका है। ह्रौज़्नी के अनुसार, ईसा-पूर्व द्विसहस्राब्दी में कश या कस जाति के लोगों ने पाँच सौ वर्षों तक राज्य किया था। हैमिटिक जातियों में भी कुश, कुसु या कशि नाम के लोग थे। ग्रीक भाषा में कोसाइओइ, किसिओइ इन्हीं कश जनों के द्योतक शब्द हैं। कास्पियन सागर के तट पर रहनेवाले कस्पिओइ भी यही थे। इनका एक भाग—ह्रौज़्नी के मत से—भारत के उत्तर में काफिरिस्तान आया और उसने हिन्दूकुश नाम के पहाड़ को यह नाम दिया जिसका अर्थ है कुश-हिन्दुओं का प्रदेश। गिलगित के आसपास कस्पियों की पूर्वी शाखा के कुछ लोग बचे हुए हैं। कौकासोस (कोकेशस पर्वत) को यूनानी लोग कस्पिओस ही कहते थे। हित्तियों की राजधानी का नाम था कुश्-शर, कुस्सर। तोख़ारी आक्रमक कुषाण और कच्छ प्रदेश भी इसी नाम से सम्बन्धित है। कजाक शब्द इसी कश का आत्मज है।

ह्रौज़्नी ने कश-सम्बन्धी अपनी उपर्युक्त स्थापना से यह मत पुष्ट किया है कि कौकेशस और कैस्पिअन सागर के निकटवर्ती प्रदेश से विभिन्न जन इधर-उधर बिखरे। ह्रौज़्नी ने कश्मीर, भारतीय पौराणिक गाथाओं के कश्यप और प्रसिद्ध नगर काशी का उल्लेख नहीं किया।

सुमेरियन अरलु, अक्कदी अरल्लू पर्वतमाला का नाम है। रूस के पूर्वी सीमान्त पर उराल पर्वत और अरल सागर भी इसी से सम्बद्ध हैं। (भारतीय अरावली पर्वत का नाम भी उल्लेखनीय है।) सुमेरियन अन आकाश का देवता है; अक्कदी में अनु है। (भारतीय हेतु+मान भी पवन पुत्र हैं।) सुमेरियन 'गु' गोवाचक शब्द हैं जो मिस्री शब्द 'का' बना। ह्रौज़्नी ने चीनी और तिब्बत-बर्मी परिवारों में भी इसका अस्तित्व स्वीकार किया है। अन्य विद्वानों के समान वे भी इसका मूल रूप भारतीय 'गो' नहीं मानते। सुमेरियन उरुदु, लैटिन रुदुस, स्लाव रुदा धातु (या ताँबे) के लिए प्रयुक्त शब्द हैं। (इन्हीं से सम्बन्धित है भारतीय लौह।) बैबिलोन के समुद्री देवता 'अप्सु' को जल-देवता 'एआ' ने परास्त किया। (यह 'अप्सु' भारतीय अप् का सम्बन्धी है।)

अश्व के सम्बन्ध में ह्रौज़्नी की स्थापना स्पष्ट और महत्त्वपूर्ण है। उनका कहना है कि 'बैबिलोनी सिसू, हिब्रू सूस, मिस्री शेस्मेत संस्कृत अश्व से बने हैं : "न कि केन्तुम् एकुओस, हित्ती अकुवाय (घोड़े पर) से।" (पृ. 112) (इसी तरह 'गो' शब्द को भी समझना चाहिए।) उनका तर्क है कि अश्वविद्या का प्रचार आर्यों ने किया था। हित्ती राज्य की जनता न शुद्ध आर्य थी, न शुद्ध सामी, वरन् दोनों का मिश्रण थी। प्रजाजन 'हुर्री' थे और आर्यों से भिन्न थे। "आर्येतर: (नौन-इंडो-यूरोपियन) हुर्री जनों के अलावा एक शासक वर्ग था जो भारत-यूरोपीय वंश का था।" मित्र, वरुण, इन्द्र, नासत्य आदि देवताओं की उपासना इस शासक वर्ग के लोग करते थे। मितन्नी राज्य आयुधजीवी आर्य-अभिजात-वर्ग' का केन्द्र था।

"उत्तरी मैसोपोटामिया से यह आयुधजीवी आर्य-अभिजात-वर्ग जब-तब सीरिया और फिलिस्तीन के विशाल प्रदेशों पर अधिकार जमा लेता था। यही कारण है कि तेल-एल-अमर्ना और बोगाज़कोई के अभिलेखों में, न जाने कितने सीरियाई और फिलिस्तीनी राजाओं के आर्य नाम मिलते हैं!" ये आर्य नाम भारतीय थे या भारत-यूरोपीय (अर्थात् यूरोपीय)?

ह्रौज़्नी ने आगे लिखा है : "ईसा-पूर्व द्विसहस्राब्दी में आर्य, विशेष कर भारतीय, मेसोपोटामिया में रहते थे, इसका और भी प्रमाण हित्ती अभिलेखों में प्राप्त आर्य, और भारतीय भी, संख्यासूचक शब्द हैं।" भारत से बाहर कुछ भारतीय जनों का निवास तो ह्रौज़्नी जैसे विश्वविख्यात विद्वान ने स्वीकार किया। यह निवास ईसा-पूर्व द्विसहस्राब्दी में था और उस प्रदेश में था जिससे होमर, ग्रीक भाषा तथा ग्रीक संस्कृति का घनिष्ठ सम्बन्ध था। हित्ती भाषा के रथ-चालन-सम्बन्धी शब्द भारतीय गोत्र के थे। जैसे ऐकवर्तन्न—एक: वर्तनम् (यह व्याख्या ह्रौज़्नी की है)। अश्वविद्या और रथचालन से सम्बन्धित भारतीय जनों की भूमिका के बारे में ह्रौज़्नी ने लिखा है : "मितन्नी राज्य में स्पष्ट ही भारतीय लोग बसे हुए थे। इन अभिलेखों के अनुसार इन्होंने (भारतीय जनों ने) हित्तियों और दूसरी जातियों को पुरातन प्राच्य अश्वविद्या और लघुरथों में चलनेवाले घोड़ों का शिक्षण-कौशल सिखाया था।"

इस प्रकार इतिहास से यह अकाट्य प्रमाण मिलता है कि जिन प्रदेशों में आज तुर्की या सामी परिवार की भाषाएँ बोली जाती हैं, उनमें कभी भारतीय जनों की बस्तियाँ थीं। कास्पियन सागर के तट पर रहनेवाले कश जनों में शूरिअश् (सूर्य ), मरुत्तश् (मरुत) आदि नाम देखकर ह्रौज़्नी ने वहाँ भी भारतीय जनों के निवास की सम्भावना स्वीकर की है : "यह सम्भव है कि कास्पियन तटवासी कश-जनों पर किन्हीं आर्य अर्थात् भारतीय वंश के लोगों का आधिपत्य था।" (पृ. 118) इस प्रकार प्राचीन काल में मेसोपोटामिया और काकेशस-प्रदेश में—स्लाव और ग्रीक भाषाओं के पड़ोसी देशों में—भारतीय जनों की बस्तियों के प्रमाण मिलते हैं।

ह्रौज़्नी के अनुसार, मानव-जाति का अभ्युदय मध्य एशिया में हुआ और समय-समय पर यहाँ के जन मिस्र और अफ्रीका पहुँचते रहे। "मालूम होता है कि मध्य एशिया मानव जाति का अभ्युदय केन्द्र था जहाँ हिम-युग के पश्चात् धरती के सूखने पर और पुरानी निवासभूमि में आबादी बढ़ने पर कुछ जातियों को बाहर जाना पड़ा। ये जातियाँ एक के बाद एक विभिन्न दिशाओं में कम आबाद और जलवायु की दृष्टि से अधिक अनुकूल प्रदेशों में गईं। हिमालय की उपत्यकाओं से शायद सर्वप्रथम नीग्रो जन अफ्रीका गए। उनके पीछे शीघ्र ही नीग्रोयड जन और उनके बाद हैमिटिक जन बाहर गए। निस्सन्देह अफ्रीकी हैमिटक जनों—जिनमें प्रचलित मिस्त्री भी शामिल हैं—और एशियाई सामी जनों में नस्ल और भाषा का निकट सम्बन्ध था। हैमिटिक—सामी और भारत-यूरोपीय भाषाओं में परस्पर सम्बन्ध

सम्भव है, यद्यपि यह दूर का सम्बन्ध है; इस सम्बन्ध के कारण हैमिटिक-सामी जनों की आदि निवास-भूमि भारत-यूरोपियों की निवास-भूमि—जो सम्भवत: काले सागर और काकेशस के उत्तर में थी—से बहुत दूर नहीं हो सकती, इसलिए यह अनुमान किया जा सकता है कि हैमिटिक जन भी उसी प्रदेश से मिस्र में आए थे। मिस्र के हैमिटिक जनों के प्राचीनतम लाल और काले मृत्तिका पात्र लघु एशिया (वर्तमान तुर्की) और काकेशस प्रदेश के काले और लाल मृत्तिका पात्रों की याद दिलाते हैं और उनसे पता चलता है कि कहाँ से और किस दिशा में प्राचीन हैमिटिक जन एशिया से घूमते हुए मिस्र पहुँचे थे। कुल मिलाकर यह वही दिशा है जिसमें ईसा-पूर्व चतुर्थ सहस्राब्दी में सुमेर-अक्कदी सभ्यता से प्रभावित होनेवाले सामी जन सीरिया और फिलिस्तीन से मिस्र गए थे।" (पृ. 48) यह उद्धरण उन लोगों के लिए प्रस्तुत है जो समझते हैं कि संस्कृत का जन्म प्राचीन मिस्री भाषा से हुआ था। गौर्डन चाइल्ड का कहना था कि बाहर से ही लोग भारत आते रहे थे; ह्रौज़्नी के तथ्यों से पता चलेगा कि भारत से भी लोग बाहर गए थे और मध्य एशिया से अनेक जातियाँ मध्य-पूर्व और अफ्रीका की ओर गई थीं।

सिन्धु घाटी की सभ्यता से मध्य-पूर्व के सामी जनों का सम्बन्ध था। यूरोपीय विद्वानों के मत से ईसा से डेढ़-दो हजार साल पहले या जब भी भारत पर वैदिक आर्यों का आक्रमण हुआ हो, उसने कई हजार साल पहले से ही भारत और मध्य-पूर्व का सम्बन्ध बना हुआ था। इस धारणा को स्वीकार करने में ह्रौज़्नी को कठिनाई है कि सिन्धु घाटी की सभ्यता की जनक "भारत-यूरोपीय संस्कृत-भाषी जाति थी जिसके बारे में साधारणत: अनुमान किया जाता है कि उसने 1500-1200 ईसा-पूर्व भारत पर आक्रमण किया था।" (पृ. 167) यह तो स्पष्ट है कि अगर किसी भारत-यूरोपीय जाति ने उपर्युक्त समय में इस देश पर आक्रमण किया भी हो तो सिन्धु घाटी की सभ्यता उससे पुरानी होगी। सिन्धु घाटी की लिपि पर ह्रौज़्नी ने भी काम किया है। इस विषय पर उन्होंने सबसे पहले 1939 में अपना लेख प्रकाशित किया था। हंटर और लैंगडन ने इस लिपि से ब्राह्मी का सम्बन्ध स्थापित किया था। कुछ अन्य लोगों ने उसमें तमिल भाषा पढ़ी थी लेकिन उनकी स्थापनाएँ मान्य नहीं हुईं। ह्रौज़्नी के अनुसार इसका सम्बन्ध हित्तियों की चित्राक्षरी (कीलाक्षरी से भिन्न) लिपि से है। मुद्राओं पर उनके अनुसार देवताओं के नाम अंकित हैं। एक नाम है न त श, न त य, जिसे ह्रौज़्नी ने नटराज का रूप माना है। 'कु ए य' शिव है। मुद्रा आँकने के लिए मूल धातु है 'शि', इससे शिश, शियश, शुइश, शिनश आदि रूप बनते हैं और ह्रौज़्नी ने इनसे हित्ती क्रिया शइ, शिया (मुद्रित करना) का सम्बन्ध जोड़ा है। ह्रौज़्नी सिन्धु घाटी के देवताओं को आर्य पूर्व मानते हैं। हित्ती भाषा भारतीय परिवार की है; उसके अंश सिन्धु घाटी की भाषा में हैं इसलिए सिन्धु घाटी की भाषा और संस्कृति—ह्रौज़्नी के विवरण के अनुसार—हुई भारतीय। वह आर्य थी या आर्य-

पूर्व—यह इन प्रश्नों के उत्तर पर निर्भर है कि आर्य थे कौन और उन्होंने भारत पर यदि आक्रमण किया था तो कब?

ह्रौज़्नी ने मुद्रांकन के लिए 'शि' धातु का उल्लेख किया और सिन्धु घाटी की 'शि' और हित्ती, शइ, शिय का परस्पर सम्बन्ध दिखाया। मालूम होता है कि मुद्रांकन के साथ यह हिन्दी-हित्ती धातु यूरोप पहुँची। लैटिन में मुद्रा के लिए 'सिग्नुम' (अंग्रेज़ी Sign) शब्द है। लैटिन सिगिल्ला का अर्थ है छोटी मूर्तियाँ और मुद्रा। अंग्रेज़ी में सिगिलेट (Sigillate) का अर्थ होता है मुद्रांकित मृत्तिकापात्र। ग्रीक में मुद्रा या मुद्रा के ऊपर अंकन के लिए शब्द है 'सिमा'। भारतीय शब्द 'चिह्न' उस प्रचीन 'शि' धातु से निर्मित रूप हो सकता है (विशेष रूप से यदि श्रेष्ठि को चेट्टी बोलनेवाले लोग उस समय उत्तर-भारत में रहे हों तो यह रूप सहज बोधगम्य हो जाता है)। जो भी हो, हित्ती शइ, शिय, यूनानी सिमा और लैटिन सिग्नुम् का सम्बन्ध तो असन्दिग्ध है।

ह्रौज़्नी का 'कु ए य' पाठ सही हो और वह शिव का दूसरा ही रूप हो तो उससे सिद्ध होगा कि केन्तुम्-शतम् (दिश्-दिक् की तरह) दोनों शाखाओं के लोग सिन्धु घाटी की सभ्यता में घुल-मिल रहे थे। शकार का पूर्ण बहिष्कार करनेवाली ग्रीक-लैटिन की तुलना में संस्कृत एक ही शब्द के क-श वाले दोनों रूप लेती है जिससे भारत में दो भिन्न ध्वनि-प्रकृतिवाली भाषाओं के मिश्रण का पता चलता है। भारत के उत्तरी सीमान्त की तोख़ारी भाषा को केन्तुम् भाषा के अन्तर्गत माना गया है। यूरोपीय आर्यों की एशिया-विजय में यह तोख़ारी भाषा दाल-भात में मूसरचन्द बनकर आ खड़ी हुई। गौर्डन चाइल्ड का मत है कि नौर्डिक संस्कृति का उद्गम जो भी हो, उसका प्रसार ढाई हजार से एक हजार साल ईसा-पूर्व तक यूरोप के आदिम इतिहास की मुख्य घटना है। ('दि एर्यन्स', पृ. 200) नौर्डिक जाति हुई केन्तुम्-भाषी। केन्तुम्-ध्वनियों को विकृत किया एशियाई—विशेष कर भारतीय—शतंवादियों ने। पश्चिम से पूर्व की ओर इस केन्तुम्-अभियान में बाधा उपस्थित की तोख़ारी भाषा ने। यह बाधा गौर्डन चाइल्ड के शब्दों में इस प्रकार है : "मध्य एशिया में यह केन्तुम् भाषा क्यों है, इसकी सबसे आसान व्याख्या यह होगी कि उसे मूल एशियाई आर्य-समुदाय का अन्तिम अवशेष माना जाए। आदिम इतिहास में काफी बाद के युग में आर्य यूरोप से आकर तुर्किस्तान में घूमते फिरे—यह धारणा स्पष्ट ही दुरूह है।" (पृ. 95-96) वास्तव में यह कठिनाई गढ़ी हुई है। उसका कारण लैटिन ध्वनियों की प्राचीनता में विश्वास है। यद्यपि भारतीय जनों द्वारा अश्वविद्या और रथचालन के प्रसार के अनेक प्रमाण मिलते हैं, फिर भी कुछ विद्वान एकुउस को ही अश्व का पूर्व रूप बताते हैं। वास्तव में केन्तुम् जैसी यूरोपीय भाषाओं की कोई शाखा नहीं है और यदि लैटिन के आधार पर वह मान भी ली जाए, तो तोख़ारी भाषा शुद्ध केन्तुम् शाखा की भाषा नहीं है। उसमें शत के लिए कन्ते है तो दश के लिए

शक। ('चाइल्ड', पृ. 9) गुणे तो कहना है कि "वास्तव में तोख़ारी, शत परिवार की भाषा थी। हैमलैट की तरह तोख़ारी जन निश्चय न कर पाए कि पूरब जाएँ कि पश्चिम। उनकी भाषा में भारत-आर्य और भारत-यूरोपीय, दोनों ही वर्गों की विशेषताएँ मिलती हैं।"[1] हाँ, तोख़ारी में अश्व के लिए 'यक्वे' है जिसे लैटिन एकुउस का पितामह माना जा सकता है।

चाइल्ड के मत से "आदिम आर्य मूलत: नौर्डिक नस्ल के थे।" (पृ. 164) इस धारणा के समर्थन में भाषा-तत्त्व का हवाला देते हुए उन्होंने कहा कि "भारत-यूरोपीय भाषाओं में एक विशुद्धतम भाषा वह है जिसे नौर्डिक लिथुआनियन आज भी बोलते हैं।" (पृ. 167) पता नहीं, भाषाओं में अशुद्ध कौन हैं, विशुद्ध कौन-सी हैं। लिथुआनियन में वैसे ही भिन्न भाषाओं के तत्त्वों का समावेश है, जैसे ग्रीक, रूसी या संस्कृत में। लैटिन के समान इसमें पंच के लिए 'पेंकी', चत्वारि के लिए 'केतुरी' जैसे क-ध्वनियुक्त शब्द हैं, किन्तु दश के लिए 'दशिम्त' और शत के लिए 'शिम्तस' शब्द हैं। रूसी स्लूशात (श्रु) के स को क में बदलकर 'क्लौसिति' क्रिया है, इसी प्रकार संस्कृत अस्मन् लिथुआनी में अक्मुओ (और रूसी में भी कामेन) है। 'पेंकी' जैसे शब्दों में क-वर्ण को मूल ध्वनि मानने में जो कठिनाइयाँ हैं, उनका उल्लेख पहले हो चुका है। लिथुआनी में श-ध्वनि भी है और श के स्थान में क-ध्वनि भी (यथा ऊपर का उदाहरण क्लौसिति)। फिर इसे केन्तुम् शाखा की भाषा माना जाए या शतं की या दोनों का मिश्रण? संस्कृत 'जीव' लिथु. में गिवस् है; यहाँ भी मूल ध्वनि 'ज' है। लिथुआनी भाषा की वाक्य-रचना अंग्रेज़ी की अपेक्षा रूसी से—और फलत: संस्कृत-हिन्दी से—अधिक मिलती है। जैसे यिस (वह), मने (मुझे), गेरई (अच्छी तरह), वझ़ीस्त (जानता है); इसी का रूसी रूपान्तर—'अन मेन्या खरशो ज़्नाएत्'—अंग्रेज़ी के 'ही नोज़ मी वेल' से भिन्न है। अंग्रेज़ी वाक्य में कर्म और क्रिया-विशेषण क्रिया के बाद आए हैं, रूसी-लिथुआनियन में पहले। अन्य यूरोपीय भाषाओं के समान लिथुआनियन में भी सम्बन्धसूचक शब्द मूल शब्द के पहले आते हैं—जैसे 'आगरे में' के लिए 'ई आगरा'। यह पद्धति संस्कृत-हिन्दी से भिन्न है। इसके सर्वनाम और सम्बन्धसूचक शब्द कहीं भारतीय शब्दों से मिलते-जुलते हैं, कहीं वे भिन्न हैं। संस्कृत स: के लिए रूसी अन है किन्तु लिथुआनी का अपना यिस है; संस्कृत सा, रूसी अना के लिए लिथुआनी 'यी', इनका बहुवचन 'यिए' है। किन्तु संस्कृत में 'स:' और 'सा' पुरुष वाचक होने के साथ निश्चयार्थक सर्वनाम भी हैं; लिथुआनी में इनके अनुरूप (संस्कृत तद् से) 'तस्', 'ता' रूप हैं। दिलचस्प बात है कि रूसी अन, अना से मिलते हुए 'तस्', 'ता' के पर्यायवाची लिथुआनी शब्द 'अनस्', 'अना' भी हैं। एक ही अर्थवाले दो वर्गों के सर्वनाम भाषाओं के मिश्रण के बिना सम्भव नहीं।

---

1. 'ऐन इंट्रोडक्शन टु कम्पैरेटिव फिलोलॉजी', पूना, 1950, परिशिष्ट-2

रूसी से लिथुआनी भाषा की तुलना करने पर यह निष्कर्ष निकलता है कि कहीं तो लिथुआनी भारतीय भाषाओं के अधिक निकट है और कहीं रूसी। दोनों का अपना शब्द-भंडार भी है जो संस्कृत—या भारत-यूरोपीय परिवार—के शब्द-भंडार से भिन्न है। संस्कृत 'पिता' रूसी के समान लिथुआनी में भी नहीं है। उसके बदले रूसी अतेत्स (सं. तात) से मिलता-जुलता शब्द है 'तेवस्'। माता के लिए उसी के अनुरूप 'मोतीना' है, भ्रात के लिए 'ब्रोलिस' है (यहाँ रूसी ब्रात् हमारे अधिक निकट है)। दुहिता के लिए रूसी में दोच् है, लिथु. में 'दुक्ते'। रूसी 'सेस्त्रा' से लिथुआनी 'सेसुओ' स्वसा के निकट है। इसी प्रकार रूसी 'सीन' से लिथुआनी 'सूनुस्' सं. सूनु के समीप है। रूसी में सप्त के लिए सेम किन्तु लिथुआनी में सेप्तिनी, रूसी में अष्ट के लिए ओमेम किन्तु लिथुआनी में अश्तुओनी, नव के लिए रूसी देव्यत् के अनुरूप—संस्कृत से भिन्न—देविनी। सूर्य के लिए लैटिन सोल के समान लिथुआनी शब्द है सोले; नभ के लिए रूसी नेबो से भिन्न लिथुआनी का अपना शब्द है दंगुस; दिन के लिए रूसी देन् के समान ही दिएना, नक्तं के लिए रूसी नोच से अधिक निकट लिथुआनी नक्तिस्, अभ्र के लिए रूसी अब्लको किन्तु लिथुआनी का अपना शब्द देबेसिस; अग्नि के लिए रूसी अगोनू, किन्तु लिथुआनी उग्निस, रूसी बोग (सं. भग) के बदले लैटिन के समान लिथुआनी दिएवस्; सं. उद, रूसी वोद, लिथुआनी वन्दुओ; सं. विश्व, रूसी वस्यो, लिथुआनी विस्कस्, किन्तु 'विस्' रूप भी; सं. द्वार, रूसी द्वेर, लिथुआनी दूरिस्—रूसी 'द्वोर' सहन के लिए प्रयुक्त होता है, उसके लिए लिथुआनी का अपना शब्द है किएमस्। सं. दारु, रूसी देरेवो, लेकिन लिथुआनी का अपना शब्द मेदिस्; सं. धाम, रूसी दाम किन्तु लिथुआनी नमइ, नामस्; सं. जनी, रूसी झे ना किन्तु लिथुआनी ज़्मोना इनसे भिन्न है। सं. पत्नी के लिए लिथुआनी में 'पति' शब्द का ही प्रयोग होता है। अवश्य ही मातृसत्ताक व्यवस्था में नारी ही वास्तविक गृहस्वामिनी थी, अत: वही 'पति' रही होगी। रति के लिए रूसी मुझसे भिन्न किन्तु लैटिन के समान लिथुआनी शब्द है वीरस्। सं. जीव, रूसी झिवोइ, लिथुआनी गिवस्; सं. जीवन, रूसी झ़ीज़्न, इनसे कुछ दूर लिथुआनी गिवेनिमस्; सं. ज्मा, रूसी जेम्ल्या, लिथुआनी झ़ेमी; सं. हिम, रूसी ज़िमा (शिशिर), लिथुआनी ज़िएमा; सं. दन्त के लिए लिथुआनी दन्तिस् है किन्तु रूसी का अपना शब्द है ज़ूब; लिथुआनी अक्मुओ सिद्ध करता है कि रूसी कामेन् उसी की भाँति अश्मन का भिन्न रूप है; ग्रीष्म के लिए रूसी में हमारे परिवार से भिन्न 'लेतो' है लेकिन लिथुआनी में 'वासर' है जो भिन्नार्थ में प्रयुक्त भारतीय शब्द ही लगता है; सं. लोपाश (लोपाक रूप भी है), रूसी लिसा, लिथुआनी 'लापे' (लोमड़ी)—लिथुआनी ने 'प' ध्वनि सुरक्षित रखी है; किरण के लिए रुच् से रूसी रूप लुच् है लेकिन लिथुआनी का अपना शब्द है स्पिन्दुलिस; मधु रूसी म्योद के समान लिथुआनी में भी मेदुस् है, और रूसी मेद्वेद् के लिए लिथुआनी में मेस्का, अन्य शब्द लोकिस भी; सं. वृक के

लिए रूसी वोल्क के समान लिथुआनी विल्कस्; संसार के लिए 'कश्मीर' वाला मीर रूसी के समान लिथुआनी में नहीं है, उसका अपना शब्द है 'पसौलिस्'; पक्षी के लिए रूसी पतीत्सा से अधिक निकट है लिथुआनी पौक्षतिस्; सं. पथ और रूसी पूत् से भिन्न है लिथुआनी केलिअस्; सं. तम, रूसी तेम्नाता, लिथुआनी तम्स; सं. चपक, रूसी चाष्का किन्तु लिथुआनी पुओदेलिस। क्रियाओं में अस्, रूसी एस्त्, लिथुआनी यिस, इरा; भू, रूसी बीवात्, लिथुआनी बुवोति, बूति; अद्, अस् के लिए रूसी के समान एस्ति, और लिथुआनी की अपनी क्रिया वाल्गिति; विद्, रूसी वीदेत्, किन्तु लिथुआनी मतुति; ज्ञा, रूसी ज़्नात् के निकट लिथुआनी झिनोति; सं. इ, रूसी इद्ति लिथुआनी एईति; सं. लुभ् रूसी ल्यूबीत्, लेकिन रूसी के अन्य प्रेमवाचक शब्द मिलोयात् के अनुरूप लिथुआनी में मिलेति; पुकारने के लिए रूसी नज़िवात् किन्तु लिथुआनी में (स. वद् से) वदिन्ति; प्रकाश देने के लिए सं. श्वित् से रूसी स्वेतीत्, लिथुआनी श्विएस्ति; जीने के लिए रूमी झ़ीत्, लिथुआनी गिवेन्ति; मरने के लिए रूसी उमीरात्, लिथुआनी मिर्ति (मृतक के लिए मिरेस्, और अजीव के समान रूप नेगीवस्); सं. सद्, रूसी सदीत्स्या, सीदेत्, लिथूआनी सोदिन्ति, सेरिति; स्था, रूसी स्तोयात्, लिथुआनी स्तोवेति; सं. वेग से सम्बन्धित रूसी वेगात्, लिथुआनी वेगिओति—मूल धातु है विज् जिससे वेग शब्द बनता है, रूसी-लिथुआनी आदि भाषाओं में इस संज्ञा से नई क्रिया बनी; रूसी द्विगानिये (गतिशील, चंचल) में यही विज् है, द्विगात् (चलना, चंचल होना) क्रिया संस्कृत विज् का ही दूसरा रूप है, गति और आन्दोलन के लिए रूसी शब्द द्विझ़ेनिए में विज् अपनी मूल ध्वनि के अधिक निकट वर्तमान है, लिथुआनी में द्विगात् के लिए यूदिन्ति, द्विझ़ेनिये के लिए युदेसिमस् शब्द हैं; प्रश्, प्रच्छ् के लिए रूसी प्रोसीत् के समान लिथुआनी प्रशीति; पत् के अनुरूप रूसी में तो व्पदात्, पादत् आदि रूप हैं किन्तु लिथुआनी में इतेक्ति, क्रिस्ति, ग्रिउति आदि उसके अपने मूल शब्द हैं; रूसी ग्रेत् (गर्मी देना) सं. ग्रीष्म की मूल धातु की ओर संकेत करती है किन्तु इसके लिए लिथुआनी क्रिया है सिल्दिति; रूसी कोपात् (खोदना) में कूप का सम्बन्ध है, लिथुआनी कस्ति में भी वही धातु हो सकती है; गाने के लिए रूसी पेत् के विपरीत लिथुआनी गिएदोति में 'गी' धातु विद्यमान है; सं. प्लव्, रूसी प्लवात्, इससे कुछ दूर लिथुआनी प्लौक्ति; जागने, प्रबुद्ध होने के लिए रूसी प्रबुदीत्, लिथुआनी पबुदिन्ति; जनने, जन्म देने के लिए रूसी रोदीत् किन्तु लिथुआनी गिन्दिति सम्भवत: जन् से सम्बन्धित है; सं. शुश्रु के लिए रूसी स्लुझ़ीत् (सेवा करना), किन्तु लिथुआनी का अपना शब्द है तनौति; बहने के लिए रूसी तेच से भिन्न सं. स्त्र के अनुरूप लिथुआनी स्त्रोवेन्ति, उसकी अपनी क्रिया भी है तेकेति; सं. त्वर् के अनुरूप रूसी त्वरीत् है किन्तु लिथुआनी शब्द है कुर्ति; त्रस् के लिए रूसी त्रुसीत् किन्तु लियुआनी में 'भी' (भय) वाली क्रिया है, बियोतिस्, बइमिन्तिस्।

अश्व के लिए रूसी कोन् के समान लिथुआनी का स्वतंत्र शब्द है झ़िर्गस्, अक्लिंस्। प्रभात और सायंकाल के लिए जैसे रूसी के स्वतंत्र शब्द हैं उत्रो, वेचेर, वैसे ही लिथुआनी के शब्द हैं रितस् और वाक्रस्। उष:काल के लिए रूसी ज़र्या से भिन्न लिथुआनी औश्र में उषा का मूल बीज वर्तमान है। चमकने के लिए रूसी ब्लेस्तेत्, लिथुआनी ब्लज़्गेति, दोनों सं. से भिन्न हैं। श्वेत के लिए इसी प्रकार रूसी बेली, लिथुआनी बाल्तस् (जिससे बाल्टिक सागर); नाती के लिए रूसी व्नूक, लिथुआनी अनुकस्, यहाँ के लिए रूसी ज़्देस्, लिथुआनी चिआ; से के लिए रूसी इज़, लिथुआनी इश्; ऊपर के लिए रूसी नाद, लिथुआनी विर्शु; कहाँ के लिए रूसी ग्दे, लिथुआनी कुर, कमे; वर्ष के लिए रूसी गोद, लिथुआनी मेतइ; नगर (पुर) के लिए रूसी गोरोद, लिथुआनी मिएस्तस्; बच्चों के लिए रूसी द्येति, लिथुआनी वैकइ; वर्षा के लिए रूसी दोझ्द, लिथुआनी लिएतुस्; मार्ग के निए रूसी दरोगा, लिथुआनी केलिअस्; नक्षत्र के लिए रूसी ज़्वेज्दा, लिथुआनी ज़्वैग्झ्दे; वन के लिए रूसी लेस, लिथुआनी मिस्कस्, गिरिआ; नाव के लिए रूसी लोद्का, लिथुआनी लैवेलिस, वाल्तिस; पैर के लिए रूसी नोगा, लिथुआनी कोया; हाथ के लिए रूसी रुका, लिथुआनी रका; गाय के लिए रूसी करोवा, लिथुआनी कार्वे; काम करने के लिए रूसी रबोतात्, लिथुआनी दिर्ब्ति; प्रसन्न के लिए रूसी राद्, लिथुआनी लइमे; मुख के लिए रूसी रोत, लिथुआनी बुर्ना; ग्राम के लिए रूसी सेल्स्की, लिथुआनी कइमो—से शब्द संस्कृत से भिन्न हैं, कहीं आपस में मिलते हैं और कहीं रूसी-लिथुआनी में परस्पर भिन्न हैं।

संस्कृत अक्ष से लिथुआनी में अकिस रूप बनता है यद्यपि आँख के लिए रूसी शब्द ग्लाज है। सोने के लिए रूसी में संस्कृत परिवार की धातु स्पात् है किन्तु लिथुआनी में 'मिएगोति' क्रिया है। संस्कृत द्रोणी का रूसी रूपान्तर 'दोलीना' है किन्तु लिथुआनी शब्द 'स्लेनिस' है। संस्कृत जीव से रूसी शब्द झ़िबोत बना है किन्तु लिथुआनी में पेट के लिए 'पिल्वस' शब्द है। किसान के लिए रूसी क्रेस्त्यानिन हमारे परिवार का ही है किन्तु लिथुआनी शब्द है 'वल्सतिएतिस'। ऋक् से सम्बन्धित रूसी शब्द रेच है किन्तु भाषा के लिए लिथुआनी शब्द है 'कल्ब'। स्थिति के लिए रूसी स्मेयात्स्या से भिन्न है लिथुआनी युओक्तेस। विधवा के लिए रूसी वदोवा से भिन्न लिथुआनी 'नश्ले' है। इस तरह के शब्दों को देखकर यह नहीं कहा जा सकता कि रूसी की अपेक्षा लिथुआनी संस्कृत के अधिक निकट है। रूसी में संस्कृत की तरह जहाँ त्व प्रत्यय लगता है—जैसे पुरुषत्व के लिए मुझ़ेस्त्व, वहाँ लिथुआनी में मस् लगता है—जैसे वीर से विरिश्कुमस्। इसी प्रकार रूसी में ता जोड़कर विशेषण से भाववाचक संज्ञा बनाई जाती है, दोब्री दोब्रोता (दयालु, दयालुता) किन्तु लिथुआनी में गेरास, गेरूमस्। संस्कृत ज्ञा की समरूप धातु ज़्नात, और झ़िनोति रूसी और लिथुआनी दोनों में है किन्तु संस्कृत में जैसे ज्ञा से ज्ञान संज्ञा बनती है, वैसे रूसी

में तो ज़्नानिये संज्ञा बनेगी किन्तु, लिथुआनी में झ़िनौति से संज्ञा बनेगी झ़िनौयिमस्। इसी प्रकार रूसी में दा धातु से दान् शब्द बनता है किन्तु लिथुआनी में उसी की समकक्ष धातु से दान के लिए शब्द बनता है 'दुओक्ले'। रूसी 'में 'क' प्रत्यय का वैसे ही प्रयोग होता है, जैसे संस्कृत में; यथा अनुवाद से कर्ता भाव में अनुवादक, किन्तु लिथुआनी में वेर्तीमस् से वेर्तेयस्। संस्कृत में कृ से जैसे कर्तृ, कर्ता, कर्तार: आदि रूप बनते हैं, वैसे ही रूसी में उचीत् (शिक्षा देना) से उचीतेल् शब्द (र् का स्थान ल् ने लिया) शिक्षक के अर्थ में बना किन्तु लिथुआनी में वही यस् प्रत्यय लगता है, मोकुति से मोकितोयस्। मानना होगा कि कुल मिलाकर लिथुआनी की अपेक्षा रूसी संस्कृत-परिवार के अधिक निकट है।

चाइल्ड की यह स्थापना कि मूल आर्य भाषा का शुद्धतम रूप लिथुआनी में है, उतनी ही सही है जितनी यह धारणा कि उस मूल भाषा की ध्वनियाँ लैटिन में सबसे अधिक सुरक्षित हैं। कम-से-कम नौर्डिक जाति का विजय-अभियान लिथुआनी भाषा के तत्त्वों से सिद्ध नहीं होता।

चाइल्ड के मत को डॉ. बी.के. घोष ने 'वेदिक एज' नामक ग्रंथ में आर्य-समस्या पर विचार करते हुए दोहराया है। डॉ. घोष कलकत्ता विश्वविद्यालय में भाषाविज्ञान के अध्यापक हैं। उनके अनुसार तुलनात्मक भाषाविज्ञान ने आर्यों की जिस मूल भाषा के गठन का अनुसंधान किया है, उसके निकटतम लिथुआनी भाषा है, न कि संस्कृत या उसकी कोई बेटी। वे उसे हित्ती और तोख़ारी से बाद की भाषा भी मानते हैं, किन्तु उसके रूप-गठन को प्राचीन मानकर वे कल्पना करते हैं कि "सतम्-केन्तुम् विच्छेद के बाद एक समूचा भारत-यूरोपीय समुदाय लिथुआनिया में आ पहुँचा और वहाँ की एकान्त वनस्थली में उसने अपना सुदीर्घ किन्तु महत्त्वपूर्ण घटनाओं से हीन राष्ट्रीय जीवन प्राय: पूर्ण अलगाव में आरम्भ किया। इससे उनकी भाषा को परिवर्तन और प्रगति के लिए अवसर न मिला। अन्य भारत-यूरोपीय भाषा-भाषी देशों में स्वयं भारत-यूरोपीय जन इतना नहीं आए जितना उनकी भाषाएँ।" इस कल्पना की आवश्यकता बिलकुल न पड़े, यदि लिथुआनी भाषा में 'आर्य-कुल' से भिन्न उसके अपने तत्त्वों पर भी ध्यान दिया जाए। यदि उसकी ध्वनि सम्बन्धी मिश्रित विशेषताओं को देखा जाए, पूर्वी स्लाव भाषाओं से उसके मूल शब्द-भंडार, धातु-प्रत्यय आदि का तुलनात्मक अध्ययन किया जाए तो उसकी विशेष प्राचीनता की धारणा सहज ही खंडित हो जाए।

यूरोप से एशिया की ओर आर्य-अभियान की कल्पना करनेवालों की तुलना में उनका मत अधिक मान्य है जो मध्य एशिया से उनका यूरोप, ईरान, भारत आदि में प्रसार मानते हैं (ह्रौज़नी आदि)। मध्य एशिया में भी जो विद्वान पामीर या उसके आसपास के प्रदेश को आर्यों की आदि निवास-भूमि मानते हैं (एडुअर्ड मेयर आदि), उनका मत सत्य के अधिक निकट है। भाषाविज्ञान और पुरातत्त्व, दोनों ही इस सत्य

की ओर इंगित करते हैं कि पूर्व से पश्चिम की ओर ऐसे जनों का अभियान हुआ जो संस्कृत-परिवार से मिलती-जुलती भाषाएँ बोलते थे। इन भाषाओं के सम्पर्क में बैबिलोन से लेकर मिस्र तक के सामी जन आए, उधर कॉकेशस, पूर्वी, मध्य तथा दक्षिणी यूरोप पर भी इनका प्रभाव पड़ा। स्लाव, जर्मन, ग्रीक, लैटिन-परिवारों में जो समानता है, उसका कारण उनका संस्कृत-परिवार की भाषाओं से सम्पर्क है। इन परिवारों का अपना स्वतंत्र अस्तित्व है। इसी प्रकार संस्कृत का भी अपना स्वतंत्र अस्तित्व है। यदि यूरोपीय भाषाओं से संस्कृत के मिलते-जुलते तत्त्वों को यूरोपीय या मध्य एशियाई भाषाओं की देन माना जाए, तो भी संस्कृत की समग्रता को देखते हुए यह समानता इतनी आंशिक है कि संस्कृत को स्वतंत्र भारतीय भाषा स्वीकार करना ही होगा। वैसे संस्कृत भी कोई अमिश्रित 'शुद्ध' रक्त-वर्णवाली भाषा नहीं है। उसमें भी भिन्न वृत्तियोंवाली भाषाओं का सम्मिश्रण हुआ है। शुद्ध भाषाएँ भाषाविदों की नस्ल-सम्बन्धी कल्पना की देन हैं; वास्तविक स्थिति से उनका कोई सम्बन्ध नहीं है।

छठा अध्याय

# भाषा-परिवार और आदि भाषा

भाषाओं के भारत-यूरोपीय परिवार की कल्पना, इस परिवार की आदि भाषा का अनुमान, उस भाषा के बोलनेवालों की आदि भूमि, उनके रहन-सहन, समाज-व्यवस्था आदि के सम्बन्ध में स्थापनाएँ नस्ल के बारे में विद्वानों की धारणाओं से जुड़ी हुई हैं। डॉ. बी.के. घोष नें 'वेदिक एज' में 'आर्य-समस्या' पर विचार करते हुए लिखा है कि "उस अति प्राचीनकाल में, जब मूल भारत-यूरोपीय भाषा गठित हो रही थी, इस तरह का विशेष समाज केवल नस्ल-सम्बन्धों पर आधारित हो सकता था, शुद्ध सांस्कृतिक सम्बन्धों का प्रश्न ही न उठता था।"

पहले तो यह निश्चित नहीं है कि नस्ल (रेस) के लक्षण क्या हैं। कम-से-कम त्वचा का रंग नस्ल का आधार नहीं हो सकता। काले-पीले या श्वेत वर्ण के लोगों में किसी की नाक लम्बी है तो किसी की चपटी, किसी की खोपड़ी लम्बी है तो किसी की चौड़ी और गोल, किसी की आँखें नीली हैं तो किसी की भूरी। कुछ लोग आँख, नाक, खोपड़ी के अलावा बालों को बहुत महत्त्व देते हैं। अन्य जन इनके साथ या इनके अतिरिक्त रक्त की जाँच करते हैं। नृतत्त्वविशारद जूलियन हक्सले और ए.सी. हैडन ने अपनी पुस्तक 'वी यूरोपियन्स' (लन्दन, 1935) में इस धारणा का खंडन किया है कि माता का रक्त किसी तरह संतान के रक्त में मिल जाता है। गर्भ-स्थिति में शिशु और माता के रक्त का मिश्रण नहीं होता। पिता के रक्त का प्रश्न ही नहीं है। जहाँ तक कद का सवाल है, वह बहुत कुछ परिवेश पर निर्भर रहता है। त्वचा का वर्ण नस्ल की परख के लिए सही कसौटी नहीं है; कम-से-कम ऊपर से देखने में वह भ्रामक होता है। इन विद्वानों का मत है कि मनुष्य के शारीरिक गठन की जो भिन्न कोटियाँ हैं, उनमें कोई भी अमिश्रित नहीं है। यूरोप से शिया के पूर्व की ओर चलें तो गौर वर्ण और पीत वर्ण के बीच में सैकड़ों मध्यस्थ रंग मिलते हैं जो न शुद्ध पीत हैं, न शुद्ध श्वेत। नस्ल क्या है, इसकी व्याख्या करना कठिन है; हैडन और हक्सले के मत से यह अति वांछनीय है कि मानव-समुदायों के सिलसिले में 'रेस' को शब्द-विज्ञान की शब्दावली से निकाल दिया जाए।" (पृ. 107) इंग्लैंड के गौरांग निवासियों की त्वचा के वैज्ञानिक परीक्षण से पता चलता है कि "यह ऐसा

देश है, जिसके निवासी गौर से अधिक श्याम वर्ण के हैं।" (पृ. 28) अफ्रीकावासी नीग्रो भी किसी शुद्ध श्याम वर्ण नस्ल के नहीं हैं। उनमें कॉकेशिक और हैमिटिक समुदायों का मिश्रण हुआ है। (पृ. 100) ऐसी स्थिति में यह कल्पना करना कि आदि भारत-यूरोपीय भाषा के बोलनेवाले लम्बे, वृहत्काय, लम्बी नासिका वाले, गौरवर्ण, नीलाक्ष एवं हिरण्यकेश नार्डिक कुल के आर्य थे, साहस का काम है।

विभिन्न युगों में यूरोप की ओर एशिया से किस प्रकार अनेक जातियाँ गईं और वहाँ बस गईं, इस बारे में हक्सले और हैडन भाषाविज्ञान की इस स्थापना को पुष्ट करते हैं कि जातियों के ये अभियान एशिया से यूरोप की ओर हुए थे।

यूरोप के पुरातत्त्वज्ञों ने जिन प्राचीन प्रस्तर-आयुधों की खोज की है, उनके आधार पर हक्सले और हैडन ने लिखा है कि इनका प्रयोग करनेवाले जन यूरोप में अफ्रीका और एशिया से आए थे। (पृ. 53) मानव की उत्पत्ति के बारे में उनका कहना है कि "यह लगभग निश्चित है कि मनुष्य की उत्पत्ति किसी वानर जैसे पशु से हुई जो अर्ध-ऊष्म या साधारण ऊष्म प्रदेश में रहता था। यह उत्पत्ति अवश्य ही कई लाख वर्ष पहले हुई होगी लेकिन यह बिलकुल निश्चित है कि यूरोप उसकी मूल निवास-भूमि नहीं था।" (पृ. 57) मानव के पुरखों के अलावा स्वयं मानव के बारे में उनका कहना है कि यह निश्चित है कि यूरोप उसका आदि निवास-स्थान नहीं था। अमरीका में भी वे उसका जन्म नहीं मानते। उनके अनुसार सम्भावना मध्य एशिया और अफ्रीका के पक्ष में है। यह तो हुई सम्भावनाओं की बात। पुरातत्त्व के आधार पर प्राचीन जनों के अभियान "एशिया और अफ्रीका से उत्तर और पश्चिम की ओर हुए हैं", इन विद्वानों के मत से ऐसा मानना चाहिए। (पृ. 69) यूरोप के मेडीटरेनियन, यूरेशिएटिक और नौर्डिक—तीनों टाइपों को वे बाहर से आकर यूरोप में आकर बसा हुआ मानते हैं। हंगरी के मग्यार जनों को वह एशिया से आया हुआ मानते हैं। (पृ. 214) इसी प्रकार बुल्गार जनों को वह एशिया से आया हुआ बतलाते हैं। "अति प्राचीन काल में एशियाई और दक्खिनी रूस के, मैदानों में दीर्घ कपालवाली घुमन्तू जातियाँ पर्यटन करती रही थीं और वे मध्य यूरोप में भी पहुँचीं।" (पृ. 217)

अमरीकी नृतत्त्वज्ञ फ्रान्ज बोआस ने 'दि माइंड ऑव प्रिमिटिव मैन' नामक अपनी पुस्तक में अपना तथा अन्य विद्वानों का यह मत दिया है कि एशिया से अनेक धान्य और पशु यूरोप में आए। इन्हीं में भाषाविज्ञान का प्रमुख वाहन अश्व भी था। (पृ. 169) इसके अलावा तांबे का प्रयोग मध्य एशिया से यूरोप और चीन में फैला। (पृ. 170) इसी प्रकार लोहे के प्रयोग के बारे में बील्स और होइयर ने यह मत प्रकट किया है कि उसका प्रयोग भारत तथा निकट पूर्व से एक सहस्राब्दी ईसा-पूर्व या उससे भी पहले दक्षिण एशिया में फैला।[1] हर तरह के प्रमाण उत्तर भारत या भारत के

1. राल्फ एल. बील्स और हैरी होइयर, ऐन इंट्रोडक्शन टु ऐंथ्रोपोलॉजी, न्यूयॉर्क, 1957, पृ. 246

उत्तर वाले प्रदेश को सांस्कृतिक वितरण-केन्द्र के रूप में प्रस्तुत करते हैं। आश्चर्य की बात होगी यदि तांबा, पशु, अनाज आदि का उपयोग इधर से यूरोप पहुँचा हो, लेकिन भाषाएँ सब उधर से इधर आ गई हों।

वर्गहीन आदिम समाज-व्यवस्था रक्त-सम्बन्ध पर आधारित समझी जाती है। किन्तु इन प्राचीन समाजों की रक्त-सम्बन्धी नीति दक्षिण अफ्रीका की गोरी सरकार की वर्णभेद वाली नीति से अधिक उदार और प्रगतिशील थी। हक्सले और हैडन ने स्कॉटलैंड के कबीलों का उल्लेख किया है, जो दूसरे कबीलों से आनेवालों को अपने में मिला लेते थे। इसी प्रकार आयरलैंड में बहुत-से अजनबियों और गुलामों को कबीलों या गोत्रों में शामिल कर लिया गया। बाइबल की एक उक्ति इस तथ्य की ओर संकेत करती है : "जो अजनबी तुम्हारे साथ आकर रहे, वह तुम्हारे लिए वैसा ही होगा, जैसे वह तुम्हीं में पैदा हुआ हो और तुम उससे वैसे ही स्नेह करोगे, जैसे खुद अपने से करते हो!" (लेवेटिकस से हक्सले और हैडन द्वारा उद्धृत)अमरीकी आदिवासियों की समाज-व्यवस्था का अध्ययन करते हुए मौर्गन ने इस बात का उल्लेख किया था कि एक गोत्र के लोग अजनबियों को अपने में मिलाकर उन्हें अपना गोत्र-नाम दे देते थे। युद्ध में वे जिन्हें बन्दी बनाते थे, उन्हें या तो मार डालते थे, या इसी प्रकार उन्हें अपना भाई बना लेते थे। प्राचीन यूनानी समाज के विशेषज्ञ टॉमसन ने ग्रीक और रोमन जनों में इसी प्रथा का उल्लेख किया है। अजनबी को कुछ धार्मिक कृत्य पूरे करने होते हैं जिनसे यह समझा जाता है कि वह अजनबी-रूप में मर गया और नया जन्म लेकर (द्विज बनकर) नये गोत्र का सदस्य बन जाता है। प्राचीन कबीलों में वर्ण-सम्बन्धी आग्रह की कल्पना आधुनिक विद्वानों के दुराग्रह पर ही आधारित है। डॉ. घोष की भी मान्यता है कि बाद वाले भारत-यूरोपीयों में—बिखरने से पहले ही—नस्लों का मिश्रण हो चुका था। इस मिश्रण में नारी-अपहरण की उदार नीति का भी हाथ रहा होगा, इसमें सन्देह नहीं।

आदि भाषा बोलनेवालों के यहाँ एक शब्द था ग्वेर या ग्वेरौ। "संस्कृत में उसके रूप ग्रावन् का अर्थ कुछ संकीर्ण होकर (सोमरस को) निचोड़ने का पत्थर होता है।"[1] वैसे 'उत्तर-रामचरित' में राम का दुख देखकर जब 'अपिग्रावा रोदिति'—पत्थर भी रोने लगे थे—तब शायद सोमरस निचोड़नेवाले पत्थरों में विशेष रूप से करुण रस उत्पन्न हुआ होगा। मान लिया कि यह शब्द यूरोप की कुछ अन्य भाषाओं में भी है और उसका अर्थ चक्की का पत्थर या हाथ-चक्की है, तो भी पत्थर के लिए जर्मन स्टाइन (डच स्टीन, डैनिश और स्वीडिश स्टेन, अंग्रेज़ी स्टोन), लैटिन की भाषाओं में पिएत्रा, पेद्रा आदि (ग्रीक पेत्रोस), ग्रीक भाषा का अन्य शब्द लिथोस (जिससे अंग्रेज़ी में प्रस्तर-युग की व्यंजना के लिए शब्द बने हैं), रूसी कामेन्, संस्कृत अश्मन्, प्रस्तर आदि यही सिद्ध करते हैं कि भारत-यूरोपीय भाषाओं में पत्थर के लिए

1. डॉ. चाटुर्ज्या, 'भारतीय आर्य भाषा और हिन्दी', पृ. 42

अनेक शब्द हैं। इनमें रूसी-लिथुआनी-संस्कृत के सामान्य शब्द अश्मन् को मूल शब्द क्यों न माना जाए, ग्रावा को ही यह अधिकार क्यों दिया जाए? या यह क्यों न माना जाए कि इस 'परिवार' के विभिन्न वर्गों ने स्वतंत्र रूप से अपनी प्रस्तरयुगीन सभ्यता विकसित की थी?

एक अन्य आद्य भारत-यूरोपीय शब्द 'मेल्ग' माना गया है जो संस्कृत में मृज् रूप में है। अन्य भारत-यूरोपीय बोलियों में इसका अर्थ दूध दुहना (to milk) हो गया। रूसी में दूध के लिए मिल्क का सगोती मोलोको है लेकिन दुहने के लिए भारतीय दुह की समरूप धातु है 'दोईत'। लिथुआनी में अंग्रेज़ी के समान दुहने के लिए मिल्क वाली धातु है—मेल्झ़ति। लैटिन समुदाय में दूध के लिए लात, लेइते, लै आदि शब्द हैं, 'मिल्क' जर्मन परिवार के लिए छोड़ दिया गया है। फ्रांसीसी में दुहने के लिए 'त्रैर' शब्द है जिसका अर्थ खींचना भी है। लैटिन मुल्गेरे के अनुरूप ग्रीक में दोहन के लिए अमेल्गो क्रिया है (वास्तव में वह नाम धातु है, संज्ञा को क्रिया बनाकर प्रयुक्त किया गया है), किन्तु दूध के लिए लैटिन में अपना शब्द है 'लाक' और इसी से मिलता-जुलता यूनानी शब्द है गाल या गालक्तोस। इन सभी ग्रीक-लैटिन शब्दों को म्लेग का अपभ्रंश मान लिया जाए, तभी दुह् और दुग्ध से यह सिद्ध होगा कि आर्यों की म्लेग-क्रिया भारतीय अनार्यों को पसन्द नहीं आई और वे उसे दोहन के बदले रगड़ने के अर्थ में प्रयुक्त करते रहे। वर्ना यह मानना होगा कि दूध और दोहन के लिए भारत-यूरोप परिवार में भिन्न-भिन्न शब्द थे।

तुलनात्मक भाषाविज्ञान से आर्यों के जीवन के बारे में यह निष्कर्ष निकाला गया है कि वे बराह, भेड़िया, लोमड़ी, रीछ आदि जानवरों से परिचित थे। उनके पालतू जानवरों में भेड़, बकरी, घोड़ा और सूअर थे। "वे कुछ पक्षियों और मछली तथा कुछ जलचर जीवों को भी जानते थे।" इस तरह के निष्कर्ष यूरोपीय भाषाओं के उन सामान्य शब्दों पर निर्भर हैं जिन्हें उन्होंने भारतीय या मध्य एशियाई आगन्तुकों से ग्रहण किया था। इसका यह अर्थ नहीं है कि जिन वस्तुओं के लिए सामान्य शब्द नहीं हैं, उनसे वे परिचित नहीं थे। यूरोप की अनेक भाषाओं में नाक के लिए नासा शब्द के विभिन्न रूप मिलते हैं, कान के लिए उनके अपने अनेक शब्द हैं। इसका यह अर्थ नहीं है कि पितृसत्ताक व्यवस्था तक प्रगति कर चुकनेवाले आर्य कान नामक वस्तु से परिचित नहीं थे, या उनके लिए उनकी भाषा में शब्द ही नहीं था। जिस तर्क-पद्धति से भौगोलिक वस्तुओं के सामान्य नामों के अध्ययन द्वारा यह कल्पना की गई है कि आदिम आर्य "किसी अपेक्षाकृत शुष्क गैरिक प्रदेश में निवास करते थे", उससे यह निष्कर्ष भी निकाला जा सकता है कि आर्यों के नाक तो थी लेकिन कान नहीं थे!

चाइल्ड ने लिखा है कि शिकार खेलने के लिए भारत-यूरोपीय भाषाओं में कोई सामान्य शब्दावली नहीं है। इसका भी यह अर्थ न होगा कि वन-पर्वतों को लाँघनेवाले

आर्य शिकार ही न खेलते थे। वैसे आखेट का समरूप रूसी शब्द 'अख़ोता' है। मधु के लिए सामान्य शब्द है, मधुमक्खी के लिए नहीं; इसका अर्थ यह नहीं है कि आर्य मधुमक्खियों से अपरिचित थे या फूलों से शहद निकालने की उन्हें कोई दैवी विधि मालूम थी। ऐसे ही मछली के लिए सामान्य शब्द नहीं है, जिसका अर्थ यह न होगा कि आर्यों को मांस से प्रेम था लेकिन मछली से परहेज था या वे मछली खाना जानते ही न थे। नमक के लिए सामान्य शब्द नहीं है; इसलिए नमक खाना तो वे जानते ही न होंगे!

यह स्वीकार करना होगा कि सामान्य शब्दावली के आधार पर आदि आर्य-जनों के निवास या जीवन के बारे में पूर्ण तथ्यों का पता नहीं चल सकता। इसे भ्रान्त धारणा मानना चाहिए कि जिन वस्तुओं के लिए सामान्य शब्द है, उनसे तो आर्य परिचित थे और जिनके लिए नहीं हैं, उनसे वे अपरिचित थे। सही स्थापना यह है कि यूरोपीय भाषाओं ने एशियाई आगन्तुकों के अनेक शब्दों को स्वीकार किया, और जितनों को स्वीकार किया, उनसे कहीं ज्यादा को अस्वीकार किया।

आर्यों के बारे में प्रचलित धारणा यह है कि वे पशुपालन में दक्ष थे किन्तु खेती से उनका विशेष सम्बन्ध न था। खेती के लिए संस्कृत शब्द है कृषि। यह शब्द कृष् धातु से बना है जिसका अर्थ है खींचना (इसी से आ+कृष्ट)। रूसी में कृषक के लिए क्रेस्त्यानिन शब्द है ही। इससे कम-से-कम इतना तो मानना चाहिए कि हिन्दी-रूसी आर्य कृषि-विद्या से परिचित थे। (किसान के लिए रूसी का अपना शब्द है मुझ़ीक।) लैटिन में देहात के आदमी को अग्रेस्तिस्, किसान को अग्रिकोला, खेती को अग्रिकुल्तूरा कहेंगे। कृष् का गृष् रूप इटली में बना हो, यह आवश्यक नहीं; सम्भावना इसी की अधिक है कि यहीं से कुछ लोग ऐसे गए हों जो—वाक्, वाग्, दिक्, दिग् में ग् रूपों के समान-कृष् को गृष् कहते हों। कश्मीरी में किसान के लिए ग्रूस शब्द है। इसलिए कृषि और अग्रि का सम्बन्ध असम्भव नहीं है। ग्रीक में किसान के लिए अग्रोतिस् शब्द है।

स्वयं कृष् में दो मूल शब्दों का योग मालूम होता है, कु—पृथ्वी, ऋष् (भेदन, गमन अर्थ में)। ऋ धातु का अर्थ चलना भी है। कश्मीरी में रिख् का अर्थ होता है रेखा। संस्कृत शब्द रेखा की मूल धातु लिख् मानी जाती है। उसका सीधा सम्बन्ध ऋष् से भी हो सकता है। ऋष् का सम्बन्ध भेदन से, रेखा खींचने से होता है। यह धातु भी कृष् के अर्थ में प्रयुक्त हो सकती है। यदि यह अर्थ स्वीकार हो तो ऋषि का बहुत-सीधा अर्थ निकलता है किसान। मंत्रद्रष्टाओं को ऋषि कहते हैं, वे ऋचाओं के गायक हैं। इन प्राचीन ऋषियों को कृषि से घृणा न थी। उनका इन्द्र श्रम करनेवालों का सखा था। इसलिए कृषि से ऋषि शब्द का सम्बन्ध जोड़ने से उसका गौरव कम नहीं होता। ऋषि से विशेषण बनता है आर्ष। ऋ धातु के अरिष्यति आदि रूप बनते हैं। ऋ का अर् होना संस्कृत व्याकरण के अनुकूल

है। अब ग्रीक में हल चलाने या खेत जोतने के लिए यही क्रिया है, अरोओ रूप में। धरती के लिए गेआ शब्द से जुड़ने पर गेओर्गोस शब्द बनता है जिसका अर्थ है किसान। लैटिन में जोतने के लिए क्रिया है अरो, उसी से हल के लिए शब्द बनता है अरात्रुम। लैटिन की तरह ग्रीक में हल के लिए शब्द है अरोत्रोन। रूसी में जोतने के लिए पख़ात् शब्द है किन्तु उक्रैनी में अरवंशीय 'ओराति' है, उसी के समान लिथुआनी में 'अर्ति' क्रिया है। अरय: को हेलय: कहनेवाली किसी पच्छिमी (यानी भारत की पच्छिमी) जाति के पास यही 'अर' धातु पहुँचे तो बड़ी सुविधा से हल हो जाएगी। कश्मीरी में हल के लिए हकार हीन अलवञ् शब्द है। इस विवरण में और बातें विवादास्पद हो सकती हैं, निर्विवाद तथ्य यह है कि लैटिन और ग्रीक में जोतने के लिए एक ही धातु है और रूसी तथा संस्कृत में किसान के लिए समरूप शब्द हैं। इससे यह सिद्ध है कि ग्रीक-लैटिन और कुछ स्लाव जनों के पूर्वज और रूसी-संस्कृत भाषियों के पूर्वज एक साथ नहीं तो अलग-अलग कृषि-विद्या से परिचित थे। पूर्व से पश्चिम जानेवाले आर्यों का सम्पर्क जिस समय यूरोपीय जातियों से हुआ, उस समय वे खेती करना न जानते थे, केवल पशु-पालन से परिचित थे, यह धारणा भ्रान्त सिद्ध होती है।

भारत और यूरोप को भाषाओं में जो शब्द समान रूप से मिलते हैं, उनका ध्वनिभेद यूरोप में ही उत्पन्न हुआ हो, यह आवश्यक नहीं है। इस तरह का ध्वनिभेद यूरोप पहुँचने से पहले भी उनमें था, यह बात मानी जा सकती है। जहाँ से भी 'आर्य' गए हों, वे एक ही समय में तो गए नहीं। वे अनेक कबीलों में विभक्त रहे होंगे और उनकी बोलियों में समानता रहते हुए भी भेद रहे होंगे। केन्तुम्-शतम् विशेषताओं के मिश्रण वाले तोख़ारियों को भारत के उत्तर में देखकर यह धारणा पुष्ट होती है। केन्तुम्-शतम् का भेद क और श ध्वनियों का ही नहीं है। इतना ही भेद होता तो शतम् का कतम् या केतुम् रूप होता। केन्तुम् में एक अनुनासिक ध्वनि और जुड़ी हुई है। संस्कृत में पथ शब्द भी है और पंथ भी। आर्यों की एक शाखा जिसे अनुनासिकता से विशेष प्रेम नहीं था, स्लाव प्रदेशों की ओर गई। इसलिए रूसी में शत के लिए 'स्तो' शब्द है, 'सोत्न्या' भी है किन्तु संत जैसा रूप नहीं है। दूसरी शाखा यूनान गई जहाँ श् का क् रूप तो है (शत-हेकातोन्, एक के लिए हे, शत के लिए कतोन्), लेकिन श् और त् के बीच में न् का प्रवेश नहीं है। लैटिन में हमें क् और न्, दोनों ध्वनियों से निर्मित केन्तुम् रूप मिला। बीस के लिए लैटिन शब्द विगिन्ति है जिसमें न् की ध्वनि विग् (विश्) के बाद जुड़ी हुई है किन्तु इतालवी में सीधा वेन्ती रूप है, पुर्तगाली में विन्ते। लिथुआनी में शत का शिम्तस् रूप है और इसी ध्वनि-प्रकृति के अनुरूप जर्मन में सौ के लिए हुंडेर्ट, बीस के लिए त्स्वानत्सिग, डच में ट्विंटिग, अंग्रेज़ी में ट्वेंटी। संस्कृत में पथ और पंथ—दोनों प्रकार के रूप हैं। हिन्दी के बीस, तीस आदि शब्द विंश, त्रिंश के विपरीत निरनुनासिक हैं जिससे

यह निष्कर्ष निकलेगा के ये शब्द उस शाखा की देन है जिसने दो वर्णों के बीच अनुनासिक अलंकरण स्वीकार न किया था।

यदि हम यूरोप जानेवाले आर्यों की तीन शाखाएँ मानें, तो यह बात और स्वीकार करनी होगी कि इनमें से प्रत्येक शाखा में अनेक बोलियों के—प्राय: विभिन्न भाषा-परिवारों के—तत्त्व मौजूद थे। यथा रूस जानेवालों में श्रु को स्लू बोलनेवाली प्रवृत्ति भी थी और 'र' को अपरिवर्तित रखकर उमीरात् बोली जानेवाली प्रवृत्ति भी। यूनान की ओर जानेवालों में जीव को ज़ोओस (ज को ज़) और जन को गेनोस (ज को ग) कहनेवाली दोनों तरह की प्रवृत्तियाँ थीं। गेनोस् में स् स्वीकार करनेवाली प्रवृत्ति भी थी और स्वप्न के स् को ह् में परिवर्तित करके हुप्नोस कहनेवाली प्रवृत्ति भी। इसी प्रकार इटली जानेवाले शब्दों में भ्रातर को फ्रातेर (भ् को फ्) और नभ को नवेस् (भ् को ब्) कहनेवाली प्रवृत्तियाँ थीं। जर्मन भाषा में संस्कृत श्वान का हुंट रूप है, शत से हुंडेर्ट बनता है किन्तु स्वसा की जगह श्वेस्टर में श ध्वनि बनी रहती है।

इसी प्रकार शब्द-भंडार में। संस्कृत में अस्माकम् के साथ न: रूप भी है। यूरोप की अनेक भाषाओं में अस्मद् के विभिन्न रूपों के साथ जो न: वाले रूप भी मिलते हैं, वे अवश्य ही वहाँ अस्मद् के साथ ही पहुँचे हैं। इसी प्रकार अस् के साथ भू धातु यूरोप पहुँचने के पहले ही आर्यों की विभिन्न बोलियों की सामान्य सम्पत्ति बन गई थी। पिता और तात, सूनु और पुत्र, भग और देव, ज्मा और धरा, गम् (गश्) और 'इ' आदि शब्द यूरोप-गमन से पूर्व संस्कृत-परिवार की विभिन्न भाषाओं या बोलियों में समान या असमान रूप से विद्यमान थे। इससे परिणाम यह निकला कि आर्यों की आदि भाषा के रूप में लोग जो एक परिनिष्ठित, एक-सी ध्वनि-प्रकृति वाली, शुद्ध मूल भाषा की कल्पना करते हैं, उसका कोई वैज्ञानिक आधार नहीं है।

भाषा वृक्ष के समान नहीं है जिसकी शाखाएँ एक तने से फूटती हैं, जिसकी जड़ें एक निश्चित स्थान में खोदकर निकाली जा सकती हैं और उसके बीज का पता लगाकर उसके वंश का नामकरण किया जा सकता है। यद्यपि वृक्ष उतना जड़ नहीं होता जितना वह दिखाई देता है, फिर भी भाषा असन्दिग्ध रूप से अधिक चंचल और परिवर्तनशील होती है। वह वृक्ष से अधिक नदी के समान है जिसमें विभिन्न सहायक नदी-नाले भी अपना जल मिला देते हैं, जिसमें अरब समुद्र के बादलों का पानी कितना है और कितना हिन्द महासागर के बादलों का, यह पता लगाना प्राय: असम्भव है।

आर्य-परिवार की भाषाओं की समानता और भिन्नता के बारे में नृतत्त्वशास्त्र के पंडित फ्रान्ज़ बोआस ने लिखा है : "आर्य भाषाओं के अध्ययन के अनुभव से हमारी प्रवृत्ति इन्हें समान भाषागत स्रोतों का सदस्य मानने की होगी, लेकिन यह अनुमान

बुनियादी भेदों की कैफियत नहीं देता। यह सम्भावना भी छोड़ दी जाती है कि रूप सम्बन्धी विशेषताएँ उन्होंने (औरों से) ग्रहण की होंगी, इसलिए अभी यह परिणाम विश्वसनीय नहीं मालूम होता।"[1] बोआस उन थोड़े-से लोगों में हैं जो भाषाओं की समानता के साथ उनके भेद पर भी ध्यान देते हैं। भाषाविदों का साधारण नियम यह है कि एक परिवार की भाषाओं में समानता देखकर वे आदि भाषा की कल्पना कर लेते हैं और परिवार के सभी सदस्यों को उस आदि पूर्वज की सन्तान मान लेते हैं। उदाहरण के लिए लैटिन-परिवार की भाषाओं को लैटिन का ही आधुनिक परिवर्तित रूप कहा जाता है। ऐसा कहनेवाले पुराने तुलनात्मक भाषाविज्ञान के आचार्य ही नहीं थे, ब्लूमफील्ड जैसे आधुनिक भाषाविज्ञानी भी कहते हैं : "फ्रांस में लैटिन (जिसे अब फ्रेंच कहते हैं) दो हजार वर्षों से बोली जाती रही है।" जिन भाषाओं को हम एक परिवार की मानते हैं, वे इतनी समान होती हैं कि ब्लूमफील्ड के अनुसार उन्हें 'एक ही प्राचीन भाषा के भिन्न रूप' होना चाहिए। भारत की बहुत-सी भाषाओं में अरबी-फ़ारसी के सैकड़ों शब्द प्रचलित हैं। इसका अर्थ यह नहीं है कि कश्मीरी, बंगला और मराठी में किसी आदि भाषा से ये शब्द चले आ रहे हैं।

इसी प्रकार यूरोपीय भाषाओं की अनेक समानताओं का आधार एशियाई भाषाओं का प्रभाव हो सकता है; इन समानताओं से यह सिद्ध नहीं होता कि वे किसी आदि भाषा में भी वर्तमान थीं। गो शब्द के बारे में प्रचलित मत यह है कि यह सुमेरियन शब्द है; इसी प्रकार परशु का आदि रूप पिलक्कु अक्कदी भाषा का शब्द माना जाता है। यदि भाषाविदों की गो और परशु सम्बन्धी धारणाओं को सत्य माना जाए तो यही सिद्ध होगा कि भारत-यूरोपीय भाषाओं में गो और परशु शब्द सामान्य हैं, पर उन्हें आदि आर्य भाषा का अंग नहीं माना जा सकता। जर्मन-समुदाय की भाषाओं में धरती के लिए एर्डे (या एर्दे) शब्द है; डैनिश और स्वीडिश में योर्ड। इससे अनुमान यह होगा कि यह आदि जर्मन भाषा का शब्द होगा। यह बिलकुल सम्भव है कि जर्मन जनों में धरती के लिए कोई अन्य शब्द प्रचलित रहा हो और सामी परिवार के इस एर्डे या योर्ड ने बाहर से आकर उसे स्थान-च्युत कर दिया हो। हौज़्नी के मत से यह अरबी शब्द अर्दुन का समरूप है। इसी प्रकार स्लाव भाषाओं में मार्ग के लिए 'दरोगा' शब्द बैबिलोनी 'दरगु' है। अच्छे के लिए स्लाव 'द्रोबी' हिब्रू 'तोब' है। सींग के लिए लैटिन 'कोर्नू' अरबी 'कर्नुम्' है (और दोनों का सम्बन्ध संस्कृत शृंग से हो सकता है, श के क में परिवर्तित होने से कर्नुम् और कोर्नू रूप बने, 'श' के 'ह' में परिवर्तित होने से अंग्रेज़ी हौर्न बना)। यह तो हुआ हौज़्नी का मत। लैटिन-परिवार की भाषाओं की एक विशेषता ग्रीक और जर्मन-परिवारों की तरह निश्चयार्थक शब्दों का प्रयोग है जिन्हें अंग्रेज़ी में डेफिनिट आर्टिकल कहते हैं। जैसे धरती के लिए फ्रांसीसी ला तेर, स्पेनी ला तिएरा, इतालवी ला तेरा।

---

1. फ्रान्ज़ बोआस, 'रेस लैंग्वेज़ एंड कल्चर', 1948, पृ. 204

लैटिन में इस प्रकार डेफिनिट आर्टिकिल का प्रयोग नहीं होता; ऐसा लकारयुक्त निश्चयार्थक विशेषण भी उस भाषा में नहीं है। अल्जेब्रा के अल की तरह यह ला, ल सामी-परिवार की देन है। यदि फ्रांसीसी, इतालवी आदि भाषाएँ लैटिन का आधुनिक रूप मान ली जाएँ, तो भी यह स्वीकार करना होगा कि उनमें भाषा की एक ऐसी मूलभूत विशेषता, जैसी कि डेफिनिट आर्टिकल का प्रयोग है, उन्हें लैटिन से प्राप्त नहीं हुई। वह उनकी अर्जित सम्पत्ति है।

इसमें सन्देह नहीं कि लैटिन-परिवार की भाषाओं में बहुत बड़ी समानता है और उन्हें एक परिवार का सदस्य मानना चाहिए। लेकिन यह परिवार एक आदि भाषा लैटिन का आधुनिक परिवर्तित रूप नहीं है। लैटिन के बहुत-से शब्द इन भाषाओं में ध्वनि-भेद के साथ विद्यमान हैं, किन्तु मूल शब्द-भंडार में ही फ्रांसीसी, इतालवी, स्पेनी आदि में काफी अन्तर है। उदाहरण के लिए फ्रांसीसी में नदीवाचक शब्द है 'ला रीव', स्पेनी में है 'ला ओरिल्ला', पुर्तगाली में 'आ मार्गेम'। स्पष्ट है कि ये तीनों शब्द एक ही लैटिन मूल के परिवर्तित रूप नहीं हैं। इस तरह के और बहुत-से शब्द हैं जो यद्यपि साधारण जनों की परिचित या व्यवहार में आनेवाली वस्तुओं के लिए प्रयुक्त होते हैं, फिर भी लैटिन-परिवार की दो या अधिक भाषाओं में एक से नहीं हैं। वन के लिए फ्रां. ला फोरे, इता. इल बोस्को; बड़ी नदी के लिए फ्रां. ला फ्लेव, स्पेनी एल रिओ; बालू—इता. ला साब्बिआ, स्पेनी ला अरेना; नगर—इता. ला चित्ता, फ्रां. ला वीय (ville); ग्राम—इता. इल विलाज्जिओ, स्पेनी ला आल्देआ; पक्षी—इता. ल' उच्चेल्लो, स्पेनी एल पयारो; कुत्ता—इता. इल काने, स्पेनी एल पेरो; गधा—इता. इल चिउको, स्पेनी एल बुर्रो, फ्रां. ल्' आन; लोमड़ी—इता. ला वोल्पे, स्पेनी एल ज़ोरो, फ्रां. ल रेनार; मुर्गी—इतालवी ला गल्लीना फ्रांसीसी ला पूल; बन्दर—इतालवी ला शिम्मिआ, स्पेनी मोनी; चूहा—इतालवी इल सोर्चिओ, स्पेनी एल रातोन; भेड़—इता. ला पेकोरा, स्पेनी ला ओवेया, फ्रां. ल मूतों; जौ—इता. ल' और्ज़ो, स्पेनी ला चेबोदा; गेहूँ—इता. इल फ्रुमेन्तो, स्पेनी एल नीगो; इमारत—इता. ल् एदीफिचिओ, फ्रां. ल बातीमां; घर—इता. ला कासा, फ्रां. ला मैज़ों; झोंपड़ी—इता. ला कपान्ना, फ्रां. ला यूत (hutte); पथ—इता. इल सेन्तिएरो, पुर्तगाली आ कमिन्हो; लड़का—इता. इल रगाज़्ज़ो, फ्रां. ल गार्सों; शिशु—इता. इल फाँचिउल्लो, स्पेनी एल नीन्यो; पितामह— पुर्त. ओ अवो (लैटिन वाला रूप), इता. इल नोन्नो, फ्रां. ल ग्रां-पेअर; महिला—इता. ला सिन्योरा, फ्रां. ला दाम; चाचा—इता. लो ज़िओ, फ्रां. ल्' ओंक्ल; नारी—इता. ला दोना, फ्रां. ला फाम; सिर—इता. ला तेस्ता, स्पे. ला कबेज़ा; चेहरा—इता. ला फाच्चिआ, स्पे. ला कारा; भौंह—इता. इल सोप्राच्चिल्लिओ, स्पे. ला चेया; पैर—इता. ला गाम्बा, स्पे. ला पिएर्ना; कन्धा—इता. ला स्पाल्ला, स्पेनी एल होम्ब्रो; मांस—इता. ला कार्ने, फ्रां. ला विआंद; हल—इता. ल्' अरात्रो (अरो क्रिया से), फ्रां. ला शारू; नाव—इता. ला बार्का, फ्रां. ल बातो; सेना—इता.

ल्' एशेरीतो, फ्रां. ल्' आर्मे; स्वप्न—इता. इल सोन्यो, फ्रां. ल रेव; भय—इता. ला पौरा, स्पेनी एल तेमोर; शब्द—इता. ला परोला, फ्रां ल मो; पूछना—इता. दोमान्दारे, स्पेनी प्रेगुन्तार; पीटना—इता बात्तेरे, स्पेनी गोल्पेआर; लाना—इता. पोर्तारे, स्पेनी त्राएर; बनाना—इता. कोस्त्रुइर, फ्रां. बाती (र); पुकारना—इता. किआमारे, फ्रां. आप्ले (र); ले जाना—इता. पोर्तारे स्पेनी लेवार; खाना—इता, मञ्जिआरे, स्पेनी कोमेर; गिरना—इता. कदेरे, फ्रां. तोम्बे (र); जाना—इता. अन्दारे, फ्रां. अत्ले (र); सुनना—इता. उदीरे (या सेन्तीरे), फ्रां. आंतान्द्र मारना (वध करना)—इता. उच्चिदेरे, स्पेनी मतार, फ्रां. तुए (र); चमकना—इता. ब्रिल्यारे, रिस्प्लेन्दारे, स्पेनी लुचीर; लेना—इता, प्रेन्देरे, स्पेनी तोमार; जागना—इता. स्वेल्लियारे, स्पेनी देम्पेर्तारे; काम करना—इता. लवोरारे, फ्रां. त्रवाइये (र) इत्यादि।

मूल शब्द-भंडार की इस भिन्नता से पता चलता है कि लैटिन-परिवार की भाषाओं की, लैटिन से भिन्न, अपनी सम्पत्ति भी रही है, लैटिन से शब्द ग्रहण करने की भी उन सबकी प्रक्रिया एक नहीं है तथा उन्होंने लैटिन के अलावा अन्य भाषाओं से भी शब्द ग्रहण किये हैं। इसलिए उनमें परस्पर बहुत बड़ी समानता होते हुए भी यह कहना गलत होगा कि वे लैटिन का आधुनिक रूप हैं या यह कि फ्रांस (या इटली) में दो हजार साल से लैटिन बोली जाती रही है।

इसी प्रकार स्लाव भाषाओं की समानताएँ देखकर यह कल्पना की जाती है कि वे सब एक आदि स्लाव भाषा का वर्तमान रूप हैं। रूसी, उक्रैनी बेलो-रूसी भाषाओं के लिए ब्लूमफील्ड ने लिखा है कि वे (एक ही भाषा के) "परस्पर बोधगम्य भिन्न रूप हैं, लगभग उतने ही भिन्न रूप जितने अंग्रेज़ी के ब्रिटिश और अमरीकी रूप।" (पृ. 44) अंग्रेज़ी के ब्रिटिश और अमरीकी रूपों में जितना ध्वनि-भेद है, उतना शब्द-भेद नहीं है। अमरीकी अंग्रेज़ी में कुछ नये शब्द गढ़े गए हैं जिनमें से कुछ ब्रिटिश रूप में भी स्वीकृत हो गए हैं, कुछ शब्द अमरीका के आदिवासियों या नीग्रो लोगों की भाषा से लिये गए हैं, कुछ अंग्रेज़ी के प्राचीन रूप हैं जो परिनिष्ठित ब्रिटिश अंग्रेज़ी में प्रयुक्त नहीं होते। किन्तु ब्रिटिश और अमरीकी अंग्रेज़ी—दोनों में मूल शब्द-भंडार, क्रियाएँ आदि एक ही हैं जिससे उन्हें एक भाषा मानना ही उचित है। स्लाव भाषाओं में इससे अधिक भेद है।

उक्रैनी में पिता के लिए रूसी के समान अतेत्स शब्द है किन्तु अन्य शब्द बात्का भी है जो रूसी में नहीं है। माता के लिए रूसी मात का समरूप 'माति' है किन्तु अन्य शब्द 'नेन्या' भी है जो रूसी में नहीं है। आँख के लिए रूसी में ग्लाज़ है, उक्रैनी में अक्ष का समरूप ओको ही है। रूसी ज़्वेज्दा, (नक्षत्र) के लिए उक्रैनी में जोर्या है। उक्रैनी में क्रेस्त्यानिन नहीं है, किसान के लिए सेल्यानिन शब्द है। रूसी लोद्का (नाव) के लिए उक्रैनी चोवेन है। रूसी लूना (चाँद) के लिए उक्रैनी मीस्यत्म, रूसी पूत (पथ) के लिए श्ल्याख़, क्रीशा (छत) के लिए पक्रीव्ल्या, रेच (भाषण) के

लिए मोवा, स्त्रना (देश) के लिए क्रईना (रूसी में 'क्राइ' प्रदेश या सीमान्त के लिए ही प्रयुक्त होता है), ऊझ़िन (शाम का भोजन) के लिए वेचेर्या (रूसी बेचेर, संध्या), ऊत्रो (सबेरा) के लिए रानोक, ख़ोल्म (पहाड़ी) के लिए गोर्ब, खरोशो (सुन्दर) के लिए गार्नो, शाग (कदम) के लिए क्रोक, सोवेत (सोवियत) या पंचायत के लिए भी उक्रैनी का अलग शब्द है रादा, गोरोद (नगर) के लिए मिस्तो (लिथुआनी के समान), ज्देस (यहाँ) के लिए तूत, काक (कैसे) के लिए याक्, पेख़ात् (जोतने) के लिए ओराति (परिनिष्ठित रूसी में यह क्रिया नहीं है, यद्यपि बोलियों में ओरात् है), पलुचात् (पाना) के लिए ओदेर्झ़िवात्, पनिमात् (समझना) के लिए रोज़ुमीति, स्त्रोईन् (बनाना) के लिए बुदुवाति (भी), पोतेर्यात् (खोना) के लिए ज़गुबीति, प्रयातात् (छिपाना) के लिए ख़ोवाति, झेच् (जलाना) के लिए पेक्ति, उमेरीत (मरना) के लिए ज़मे-शुवाति शब्द हैं। साधारणत: एक परिवार की भाषाओं में दिशाओं के लिए एक-से शब्द होते हैं। किन्तु रूसी-उक्रैनी में पूर्व के लिए वस्तोक और स्ख़िद, पच्छिम के लिए ज़ापद और ज़ाखिद, उत्तर के लिए सेवेर और पीव्निच्, और दक्षिण के लिए यूग और पीव्देन शब्द हैं। दिनों के नाम साधारणत: मिलते हैं किन्तु इतवार के लिए रूसी में वस्क्रेसेने, उक्रैनी में नेदील्या, मंगल के लिए रूसी में वतोर्निक, उक्रैनी में दीव्तरोक शब्द हैं। मूल शब्द-भंडार में जहाँ इतना भेद हो, वहाँ उक्रैनी और रूसी की तुलना अंग्रेज़ी के ब्रिटिश और अमरीकी रूपों से कैसे की जा सकती है? लैटिन-परिवार की भाषाओं की तरह स्लाव-परिवार की भाषाओं की सामूहिक सम्पत्ति के अलावा उनकी निजी शब्द-सम्पत्ति भी है। लैटिन-परिवार की तरह स्लाव भाषा-परिवार भी भिन्न दिशाओं से आए हुए भिन्न प्रकृति के तत्त्वों से बना है। आदि भाषा की कल्पना से इस भिन्नता और एक ही परिवार की भाषाओं के निजत्व की व्याख्या नहीं होती।

इसी प्रकार जर्मन-परिवार की भाषाओं के मूल शब्द-भंडार का अध्ययन करने से यह धारणा पुष्ट नहीं होती कि ये सब भाषाएँ किसी आदि जर्मन भाषा का परिवर्तित रूप हैं। मूल शब्द-भंडार में जहाँ बहुत बड़ी समानता है, वहाँ उल्लेखनीय असमानता भी है। अश्व जैसे आवश्यक पशु के लिए जर्मन शब्द लीजिए। लैटिन एकुउस का तो यहाँ प्रवेश ही नहीं है; स्वीडिश और डैनिश में हैस्ट और हेस्ट शब्द हैं तो जर्मन और डच् में प्फेर्ड और पार्ड शब्द—यहाँ हम भाषाओं के परिवार-निर्माण की प्रक्रिया स्पष्ट रूप में देखते हैं। एक ही परिवार की दो भाषाएँ ऐसी हैं जिनमें हैस्ट या उससे मिलता-जुलता शब्द प्रचलित है और अन्य दो भाषाएँ ऐसी हैं जिनमें प्फेर्ड या उसका परिवर्तित प्रतिरूप प्रचलित है। अश्व शब्द के लिए हेस्ट और प्फेर्ड शब्द दो स्रोतों से आए हैं; ये दो स्रोत पहले भिन्न थे, अब मिलकर एक हो गए हैं। ऐसे ही अनेक स्रोतों के मिलने से भाषा-परिवार का निर्माण होता है। जब इनमें एक स्रोत बलवान सिद्ध होता है या कई स्रोतों से

आए हुए कुल शब्द सामान्य रूप से अनेक बोलियों या भाषाओं में स्वीकृत हो जाते हैं, तो हम इन सामान्य तत्त्वों के आधार पर उन सभी बोलियों को एक ही मूल स्रोत की उपज मान बैठते हैं।

लैटिन और स्लाव-परिवारों में आकाश या बादल के लिए नभ शब्द मिलता है लेकिन जर्मन में इसके लिए शब्द है व्होल्के। डैनिश में भिन्न शब्द स्काई है और स्वीडिश में मोल्न। आकाश जैसे साधारण प्रपंच के लिए एक परिवार की चार भाषाओं में तीन भिन्न-भिन्न शब्द हैं। अन्धकार के लिए जर्मन में डुंकेलहाइट है तो डैनिश में मोर्के। धूल के लिए जर्मन स्टौब, स्वीडिश डम; जंगल के लिए जर्मन ह्वाल्ट, डच बौश, स्वीडिश स्कौग; पहाड़ी के लिए जर्मन ह्यूगेल, डैनिश बाक्के; समुद्र के लिए जर्मन ज़े (अंग्रेज़ी सी), डैनिश हाव्न; मेघगर्जन के लिए जर्मन डोनेर (अंग्रेज़ी थंडर), स्वीडिश अस्का; जौ के लिए जर्मन गेर्स्टे, डैनिश बिग, स्वीडिश कोर्न; गेहूँ के लिए जर्मन ह्वाइत्सेन, डरच तर्बे; गाँव के लिए जर्मन डोर्फ, स्वीडिश बी; लड़के के लिए जर्मन युंगे, डैनिश द्रेंग, स्वीडिश गोसे; बच्चे के लिए जर्मन किट, स्वीडिश बार्न; लड़की के लिए जर्मन मैड्खेन, डैनिश पिगे, स्वीडिश फ्लिका; नारी के लिए जर्मन फ्राउ, स्वीडिश क्विना; अग्नि के लिए जर्मन फोयर, स्वीडिश एल्ड; मक्खन के लिए जर्मन बुटेर, स्वीडिश स्मोयर; मांस के लिए जर्मन फ्लाइश, स्वीडिश कोयट; कुल्हाड़ी के लिए जर्मन आक्स्ट, डच बियूल; कुदाल् के लिए जर्मन हाक्के, डच शोफेल; हँसिया के लिए जर्मन ज़ेंसे, डैनिश ले; भोजन के लिए जर्मन नारुंग, डच् बोयड्सेल। क्रियाओं में खाने के लिए जर्मन एसेन, डैनिश स्पिज़े; काम करने के लिए डच् डोएन (अंग्रेज़ी डू, जर्मन टुन), स्वीडिश गोयरा; काम करने के लिए जर्मन आरबाइटेन डच् में इसका समरूप आरबाइडेन है, साथ ही भिन्न शब्द ह्वेर्क्रेन भी है जिससे अंग्रेज़ी 'वर्क' सम्बन्धित है; लाने के लिए जर्मन ब्रिंगेन, स्वीडिश हैम्टा; ले जाने के लिए डच् द्रागेन, डैनिश बाएरे; मरने के लिए जर्मन स्टेर्बेन, स्वीडिश डोय (अंग्रेज़ी डाइ); हँसने के लिए जर्मन लाखेन, स्वीडिश स्क्राट्टा; प्यार करने के लिए जर्मन लीबेन, स्वीडिश ऐल्स्के; बनाने के लिए जर्मन माखेन, स्वीडिश गोयरा; खेलने के लिए जर्मन स्पीलेन, स्वीडिश लेंका; दौड़ने के लिए जर्मन रेनेन, स्वीडिश लोयपा; धोने के लिए जर्मन ह्वाशेन, स्वीडिश त्वैत्ता; रोने के लिए जर्मन ह्वाइनेन, डैनिश ग्राएडे; उत्तर देने के लिए जर्मन आंट-ह्वोर्टेन, स्वीडिश स्वर। कुछ अन्य साधारण शब्दों का भेद इस प्रकार है : पीछे—जर्मन हिंटेन, डच् अख्टेर, स्वीडिश बकोम; दूर—जर्मन ह्वाइट, डैनिश लांग्ट; निकट—जर्मन नाख़, डच् डिख्टबियू; पुनः—जर्मन व्हीडेर, डैनिश इगेन (अंग्रेज़ी अगेन); सदा—जर्मन इमेर, डेनिश आल्टिड; कभी नहीं—जर्मन नी (अंग्रेज़ी नेवर) डैनिश आल्ड्रिग; अक्सर—जर्मन ओफ़्ट, डच डिकविल्स; शीघ्र—जर्मन वाल्ट, डैनिश स्नार्ट; वसन्त—जर्मन फ्रूहलिंग, डच लेंटे (इससे तुलना करनी चाहिए 'वसन्त' की, जो

संस्कृत-परिवार की सभी भाषाओं में प्रचलित है); समय—जर्मन त्साइट (सामी-परिवार से आया हुआ शब्द, हिन्दी सायत), डच् आदि में टिड; चमकीला—स्वीडिश और डैनिश में ल्युस और लिस संस्कृत रूच् से, किन्तु जर्मन का अपना शब्द है हेल, उसी से डच् में हेल्डर; गन्दा—जर्मन श्मूत्सिग, डच फुइल; तैयार—जर्मन बेराइट या फेर्टिग, डच क्लार; पका हुआ—जर्मन राइफ (अंग्रेज़ी राइप), स्वीडिश मोगेन।

जर्मन भाषा-परिवार के मूल शब्द-भंडार के अध्ययन से वही परिणाम निकलता है जो लैटिन और स्लाव भाषा-परिवारों के अध्ययन से निकला था। आदि जर्मन भाषा की कल्पना निराधार है। जर्मन-परिवार की प्रमुख भाषाओं के निर्माण में न जाने कितने कबीलों की बोलियों का योगदान है। उन बोलियों का समग्र रूप अब प्राप्त नहीं है किन्तु विशुद्ध आदि आर्य भाषा से जर्मन का सम्बन्ध जोड़नेवालों को तंग करने के लिए वे कबीले अपने सैकड़ों शब्द छोड़ गए हैं। कहीं जर्मन-परिवार में संस्कृत कुल के शब्द जमे हुए हैं, कहीं सामी-परिवार के मेहमान अपने अस्तित्व की घोषणा कर रहे हैं, कहीं एक ही वस्तु के लिए भिन्न-भिन्न डच्, जर्मन, स्वीडिश और डैनिश शब्द यह घोषित करते हैं कि वे परस्पर भिन्न बोलियों वाले कबीलों की देन हैं। भाषा-तत्त्वों का जितना मिश्रण अन्य परिवारों में हुआ है, उससे कम जर्मन-परिवार में नहीं हुआ। इस पर भी कोई आदि-जर्मन या आर्य भाषा का आग्रह करे और जर्मन-परिवार की भाषाओं को उसी का वर्तमान 'परिवर्तित' रूप माने तो इसका कारण उसकी समाज और नस्ल-सम्बन्धी भ्रान्त धारणाएँ ही मानी जाएँगी। वह जैसे पितृसत्ताक परिवार से भिन्न किसी अन्य परिवार की कल्पना नहीं कर सकता और इस पितृसत्ताक परिवारवाले समाज का सम्बन्ध नस्ल से जोड़ता है, वैसे ही भाषा के क्षेत्र में माता और पुत्री का सम्बन्ध स्थापित किये बिना वह भाषाओं के विकास की कल्पना ही नहीं कर सकता।

आदि आर्य भाषा की देखादेखी आदि द्रविड़ भाषा की कल्पना की गई है। इस आदि द्रविड़ से दक्षिण भारत की प्रमुख भाषाओं की उत्पत्ति मानी गई है। ध्वनि और व्याकरण-सम्बन्धी भेदों के अलावा द्रविड़ भाषाओं में मूल शब्द-भंडार सम्बन्धी भेद भी महत्त्वपूर्ण है। संस्कृत-परिवार की भाषाओं में जहाँ संख्यावाचक एक शब्द का सर्वत्र व्यवहार होता है, वहाँ तमिल में ऑण्णु या ऑन्रु शब्द है और तेलगू में ओकटि। आठ के लिए तमिल शब्द ऍट्टु है, तेलगू एनिमिदि; नौ के लिए तमिल ऑम्वदु, तेलगू तोम्मिदि; पचास के लिए तमिल अम्बदु, तेलगू यामै। इसी तरह सर्वनामों में महत्त्वपूर्ण भेद है। मैं के लिए तमिल और तेलगू में क्रमश: नान् और नेनु शब्द हैं। इनमें नकारमूलक एक सामान्य सर्वनाम स्वीकार किया जा सकता है, किन्तु हम के लिए तमिल में नाम्, नांगल शब्द हैं और तेलगू में इनसे भिन्न मेमु शब्द है। इसी तरह तुम के लिए तमिल-तेलगू के नींगळ और मीरु शब्द हैं; वह (पुल्लिंग) के लिए अवन् और अतडु, वह (स्त्रीलिंग)

के लिए अवळ और आमे; वे (स्त्री और पुल्लिंग, दोनों) के लिए अवर्हळ और वारु। शायद ही किसी भाषा-परिवार के सर्वनामों में इतना भेद मिले जितना द्रविड़ भाषाओं के सर्वनामों में मिलता है। शब्द-भंडार में सर्वनाम अपेक्षाकृत अधिक स्थिरता का परिचय देते हैं। अन्य भाषाओं और संस्कृतियों के प्रभाव से जब दूसरे शब्द पदच्युत होने लगते हैं, तब सर्वनाम धैर्य से अपनी प्राचीन सार्वभौम सत्ता की रक्षा करते हैं। द्रविड़ भाषाओं में सर्वनामों की भिन्नता इस बात का दृढ़ प्रमाण है कि ये भाषाएँ एक आदि भाषा से उत्पन्न नहीं हुईं वरन् उनके निर्माण में—उनके अत्यन्त मूलभूत तत्त्वों के निर्माण में भी—अनेक भाषा-परिवारों का योग रहा है।

इसी तरह का भेद क्रियाओं में देखा जाता है। खाना के लिए—तमिल शाप्पि, तेलगू तिनु, कन्नड़ उण्णु; पीना—त. कुडि, ते. त्रागु; देखना—त. पार, ते. चूचु; सुनना—त. केळ, ते. विनु; बैठना—त. उट्कार, ते. कूर्चु; बोलना—त. पेश, ते. माटलाडु; देना—त. कॉडु, ते. इय्यु; पढ़ना—त. पडि, ते. चदुवु। घोड़े के लिए तमिल शब्द है कुदिरै, तेलगू शब्द है गुर्रमु। मुँह के लिए तमिल है वाय, तेलगू है नीरु। अच्छे के लिए तमिल है नल्ल, तेलगू है मंचि। इसी प्रकार मूल शब्द-भंडार के हर क्षेत्र में यथेष्ट भेद देखा जा सकता है। ऊपर—मलयालम मुकळिल्, तेलगू पैन, नीचे—मल. ताल, ते. क्रिंद, कन्नड़ केळगे; बाहर—मल. पुरन्तु, ते. बयिट, कन्नड होरगे; अंदर—मल. अकत्तु, ते. लोपल, कन्नड़ वड़गे; आगे—मल. मुम्पिल, ते एदुट; पीछे—मल. पिन्निल, ते. वेनुक, कन्नड हिन्दे इत्यादि।

कुछ लोग मलयालम को तमिल की पुत्री मानते हैं। दोनों भाषाओं में काफी समानता है किन्तु मलयालम तमिल से उत्पन्न नहीं हुई। भात को मल. में चोरु कहते, तमिल में शादम कन्नड़ कूडु)। सुपारी मल. में अटक्क है, तमिल में पान; तमिल और मलयालम में दिशाओं के नाम सामान्य हैं किन्तु पच्छिम के लिए तमिल शब्द है मेर्क्कु और मलयालम में उससे भिन्न शब्द है पटिञ्ञरु। दिनों के नाम के साथ जैसे हिन्दी में वार शब्द लगता है, वैसे ही तमिल में किळमै का प्रयोग होता है किन्तु मलयालम में आळ्च आता है—यथा इतवार के लिए तमिल है ञाइरु किळमै, मल. में ञायराळ् च।

तमिल में ओठों के लिए उदडु, मलयालम में चण्टु (कन्नड़ तुटि); पानी के लिए तमिल में तण्णि है किन्तु मलयालम का शब्द है वॅळ्ळम्। बड़ा—त. में पॅरिय, मल. में वलिय, बुरा—त. में कॅट्ट, मल. में चीत्त। तमिल और मलयालम में भिन्न विशेषण जोड़कर पितावाचक शब्द से चाचा आदि के लिए नये शब्द बनते हैं, तमिल—पॅरियप्पा, बड़े चाचा; मल. कोच्चच्छन्, चाचा; दादा के लिए तमिल का संक्षिप्त शब्द है तात्ता किन्तु मल. में विशेषण जोड़कर बनता है अच्छन्टच्छन्; नाती के लिए तमिल शब्द है पेरन्, मल. में कहेंगे मकन्टॅ मकन्। तमिल में नाना के लिए वही शब्द है जो दादा के लिए—तात्ता, किन्तु मल. में नाना के लिए कहेंगे

मुत्तच्छन। तमिल में दादी और नानी के लिए एक ही शब्द है पाट्टि, मल. में दादी के लिए है अच्छन्टम्म, नानी के लिए अम्मूम्म। इस तरह के भेद क्रियाओं में भी हैं। सोना—त. तूंगु, मल. उरङ्ङुक; रोना—त. अळु, म. करयुक; देखना—त. पार, मल. काणुक या नोक्कुक; पढ़ना—त. पडि, मल. वोयिक्कुक; कहना—त. शॉल, मल. परयुक; बोलना—त. पेशु, मल. संसारिक्कुक इत्यादि।

मलयालम और शेष द्रविड़ भाषाओं में बहुत बड़ा अन्तर यह है कि पुरुष-वचन आदि के अनुसार तमिल-तेलगू में जहाँ क्रिया-रूप बदलते हैं, वहाँ मलयालम में वे अपरिवर्तित रहते हैं—यथा 'वरुन्नु' मैं आता हूँ, तू आता है, वह आता है, हम आते हैं, तुम आते हो, आप आते हैं, वे आते हैं—वर्तमान काल के इन सभी रूपों के लिए प्रयुक्त होगा। यह आश्चर्य की बात होगी कि तमिल से उत्पन्न होकर मलयालम भाषा व्याकरण में इतनी स्वतंत्र हो गई हो! लिंग-वचन और पुरुष के कारण क्रिया का रूप बदलना—यह एक तरह की भाव-प्रकृति हुई; इनके कारण क्रिया-रूप का न बदलना—यह दूसरी तरह की भाव-प्रकृति हुई। दोनों का अन्तर इस बात की ओर संकेत करता है कि मलयालम तथा अन्य द्रविड़ भाषाओं की व्याकरण-व्यवस्था में मौलिक अन्तर है। इससे मलयालम के भिन्न मूल स्रोत का पता चलता है।

यहाँ हमने द्रविड़ भाषाओं की भिन्नता पर जोर दिया है। इसका अर्थ यह नहीं है कि उनमें बहुत बड़ी समानता नहीं है, विशेष कर तमिल और मलयालम में। किन्तु समानता इस धारणा का निश्चित प्रमाण नहीं है कि दोनों का मूल स्रोत एक है अथवा उनमें माता और पुत्री का सम्बन्ध है। दो भाषाओं में समानता के अनेक कारण हो सकते हैं। यदि कोई कबीला या जाति घुमन्तू जीवन बिताती है तो यह स्वाभाविक है कि वह अन्य स्थानों की बोलियों से शब्द ले। एक देश वाले जब दूसरे देश पर आक्रमण करते हैं, वहाँ के लोगों को जीत लेते हैं या उनके साथ बस जाते हैं तब भी भाषाओं के मिश्रण की यह प्रक्रिया देखी जाती है। अनेक कबीले परस्पर सम्पर्क की सुविधा के लिए किसी एक कबीले की भाषा को सामान्य व्यवहार के लिए अपना सकते हैं, ऐसी स्थिति में यह मुख्य भाषा अन्य कबीलों की भाषाओं को भी प्रभावित करेगी।

बस्तर का हलवी बोली हलवा जाति की भाषा है। डॉ. विनयमोहन शर्मा के अनुसार "वह जाति जहाँ-जहाँ गई, वहाँ-वहाँ की स्थानीय बोलियों का अपनी बोलियों में समावेश करती गई।"[1] एक हलवी कहानी में चूहा शेर से कहता है : "मोचो मारले से तुचो का बड़ाई मीलोते।" यहाँ मोचो और तुचो मराठी के षष्ठी विभक्ति-चिह्न 'चा' के अनुकरण पर बनाए गए हैं। "को नी दिन में आपलो येचे दीया का बदला दीहो।" इस वाक्य में आपलो मराठी के द्वितीया विभक्ति-चिह्न 'ला'

1. डॉ. विनयमोहन शर्मा, 'बस्तर की हलवी बोली'; 'सम्मेलन' पत्रिका, इलाहाबाद, पौष सं. 2011

के सम पर बना है; येचे मराठी के षष्ठी विभक्ति-चिह्न का अनुसरण करता है। हलवी का मूलाधार हिन्दी का है। लेकिन विभक्ति-चिह्न जैसे भाषा के आधारभूत तत्त्व भी अस्थिर सिद्ध हुए हैं और उन्होंने मराठी रूपों के सामने अपना स्थान छोड़ दिया है। इसी प्रकार मालवी में हिन्दी, राजस्थानी और गुजराती रूपों का मिश्रण हुआ है : "थोड़ाई देन छोटो छोरो सब अपनो मालमत्तो लईने कोई दूसरा देस चल्यो गयो।"[1] यहाँ 'लई ने' गुजराती प्रभाव की ओर संकेत करता है और 'चल्यो गयो' राजस्थानी आधार की ओर। 'दन में' का 'में' शुद्ध हिन्दी रूप है। हैदराबाद की दखिनी में 'भूलना नको', 'उठने का नामई च नहीं लेते' जैसे प्रयोगों में मराठी का प्रभाव ग्रहण किया गया है।[2] अंग्रेज़ी का प्राचीन सर्वनाम है 'ही' (he)। पहले इसी का बहुवचन हिए या ही प्रयुक्त होता था। कर्ता और कर्म के लिए यही रूप थे। 'उनका' के लिए हिओरा और 'उन्हें' के लिए 'हिओम' रूप प्रचलित थे। इंग्लैंड पर डैनिश जनों ने आक्रमण किया; उस देश के कई हिस्सों में वे बस गए। उनके सर्वनाम दे, देम, देअर (they, them, their) ने अंग्रेज़ी के ही, हिओरा, हिओम आदि रूपों को पदच्युत कर दिया और वे अंग्रेज़ी भाषा का अंग बन गए। हेनरी ब्रैडले ने इस सम्बन्ध में लिखा है : "ऐसा बहुत कम होता है कि एक भाषा अपनी व्याकरण-व्यवस्था को दूसरे भाषा-रूपों से समृद्ध करे, किन्तु अंग्रेज़ी की विशेष परिस्थिति के कारण उसके इतिहास में इस अनोखी बात के कुछ उदाहरण मिलते हैं।"[3] अंग्रेज़ी में दो भाषाओं के मूलभूत तत्त्वों के मिश्रण के अच्छे उदाहरण हैं, यद्यपि इस तरह का मिश्रण अंग्रेज़ी के लिए अनोखा नहीं है। जैसे 'ही' का बहुवचन 'हिए' तो हो सकता है किन्तु 'दे' नहीं; वह एक भिन्न ध्वनि-रूप है, एकवचन की ध्वनि का किंचित् परिवर्तित रूप नहीं; वैसे ही संस्कृत के सर्वनाम तद् के रूप तौ, ते, तानि आदि तो बन सकते हैं, 'स:' नहीं। स: और तद् दो भिन्न भाषाओं या भाषा-कुलों के शब्द हैं और वे संस्कृत में उसी तरह संपृक्त हो गए हैं, जैसे ही और दे। इसी प्रकार संस्कृत के अस्माकम् और न: भिन्न परिवारों के हैं। तमिल नान (मैं) का बहुवचन नांगळ सहज रीति से बनेगा और दोनों शब्द एक ही परिवार के माने जाएँगे किन्तु तेलगू में नेनु (मैं) का बहुवचन मेमु, नीचू (तू) का बहुवचन मीरु सहज रीति से नहीं बना, वरन् दूसरी भाषा का शब्द लेकर बनाया गया है (अथवा मेमु और मीरु—तेलगू के इन मूल शब्दों के साथ तमिल के सर्वनाम नेनु और नीवु जोड़े गए हैं)। सर्वनामों की तथा भाषा के अन्य तत्त्वों की समानता का कारण भाषाओं का मिश्रण हो सकता है एक भाषा से दूसरी भाषा की उत्पत्ति मानना आवश्यक नहीं है।

---

1. श्री श्याम परमार, 'भाषाविज्ञान में मालवी का स्थान'; वीणा, मार्च-अप्रैल, 1954
2. श्रीराम शर्मा, 'दक्खिनी का गद्य और पद्य', हैदराबाद, पृ. 459
3. हेनरी ब्रैडले, 'द मेकिंग ऑफ इंग्लिश', 1925, पृ. 54

सामन्ती व्यवस्था से पहले मानव-समाज के गठन का रूप जन या गण, कबीला या ट्राइब रहता है। एंगेल्स ने 'परिवार, व्यक्तिगत सम्पत्ति और राज्यसत्ता की उत्पत्ति' शीर्षक अपने प्रसिद्ध ग्रंथ में लिखा है कि अमरीकी आदिवासी जन की विशेषता यह थी कि उसकी निवास-भूमि (अथवा उसकी अधिकृत धरती) निश्चित थी। निश्चित निवास-भूमि सभी कबीलों की विशेषता नहीं होती। अनेक कबीले घुमन्तू जीवन बिताते हैं; कुछ कबीले निश्चित निवास-भूमि में रहने पर भी बाह्य कारणों से घुमन्तू जीवन बिताने पर विवश किये जा सकते हैं। यह जन या कबीला नामक संगठन जड़ या स्थिर न होकर काफी तरल साबित होता है। इस तरलता के कारण सदा आन्तरिक न होकर बाह्य भी होते हैं। एंगेल्स ने अमरीकी सेनेका जन के बारे में लिखा है कि जो युद्धबन्दी मारे न जाते थे, वे जन के किसी गोत्र द्वारा अपने में मिला लिये जाते थे। कभी-कभी कुछ गोत्रों के सदस्यों की संख्या इतनी कम हो जाती थी कि उन्हें दूसरे गोत्रों से 'सामूहिक रूप में' नये सदस्य बनाने पड़ते थे। इस प्रकार प्राचीन जनों का रक्त-सिद्धान्त काफी लचीला था; आत्मरक्षा और जीवन-यापन की आवश्यकताओं के अनुरूप उसमें परिवर्तन हुआ करता था और इस परिवर्तन का असर भाषा पर भी पड़ता था।

एक कबीले की जनसंख्या बढ़ी तो वह कबीला टूटकर एक से दो हो गया या दो से अधिक कबीलों में बँट गया और इस तरह उन दो या अधिक कबीलों की जनसंख्या बढ़ने से और नये कबीले पैदा हो गए। कबीलों के विघटन की यह एक आदर्श पद्धति है, जो यथार्थ जीवन में बहुत कम चरितार्थ होती है। एंगेल्स ने अपने उपयुक्त ग्रंथ के नवें अध्याय में यही व्याख्या दी है; साथ ही एंगेल्स ने ऐसे अनेक तथ्य दिये हैं जिनसे मालूम होता है कि कबीलों का विघटन और नये कबीलों का निर्माण काफी पेचीदा प्रक्रिया होती है। जनसंख्या की वृद्धि जैसा उसका आन्तरिक कारण ही नहीं होता, उसके अनेक बाह्य कारण भी हो सकते हैं। यदि जनसंख्या के बढ़ने से एक कबीले का टूटना और दो कबीलों का बनना साधारण नियम हो, तो उस आदि कबीले की भाषा ही नये कबीले भी बोलें और भाषा-परिवारों के सम्बन्ध में प्रचलित मान्यता सही साबित हो। किन्तु यह प्रचलित मान्यता पग-पग पर खंडित होती है; ऐसे विशुद्ध भाषा-कुल कहीं नहीं हैं जिनमें एक आदि-जन की भाषा ही उसके सन्तति-जनों की भाषा बनी हो। इसके विपरीत, प्राचीनतम भाषाओं में भिन्न कुलों के मिश्रण और प्रभाव के चिह्न दिखाई देते हैं। यह कहा जा सकता है कि भाषागत मिश्रण या भाषाओं का परस्पर प्रभाव अनिवार्य रूप से कबीलों का मिश्रण नहीं है। हिन्दी में बहुत-से अरबी शब्दों का व्यवहार होता है; इसका यह अर्थ नहीं है कि उतने ही अरब हिन्द प्रदेश में बसे हुए हैं। भाषा-तत्त्वों का आदान-प्रदान अन्य सामाजिक कारणों से भी हो सकता है। यह बात उतनी ही सही है जितनी कि मानव-इतिहास में जनसमूहों का एक जगह से दूसरी जगह जाना, उनका टूटना और मिश्रित होना।

यदि जनसंख्या के बढ़ने से एक कबीले का टूटना और उसका एक से दो बनना साधारण नियम हो, तो हम कल्पना नहीं कर सकते कि एक ही कबीले में कभी दो भाषाएँ भी बोली जा सकती होंगी। किन्तु ऐसा भी होता है और इसके प्रमाण हैं। एंगेल्स ने लिखा है कि प्रत्येक अमरीकी आदिवासी जन की अपनी बोली है; जहाँ दो कबीले कमजोर पड़ने के कारण एक में मिल जाते हैं, वहाँ दो निकट रूप से सम्बन्धित बोलियाँ एक ही कबीले में बोली जाती हैं। एंगेल्स ने इसे अपवाद कहा है, किन्तु इस तरह के अपवाद और भी बहुत-से हैं। इंग्लैंड पर डैनिश जनों ने आक्रमण किया और वे 'दे, देम' आदि सर्वनामों का व्यवहार करते रहे; उधर अंग्रेज़ जन 'ही, हिए' वाले सर्वनाम काम में लाते रहे। बाद को न इंग्लैंडवासी डैनिश जनों का स्वतंत्र अस्तित्व रहा, न उनके सर्वनामों का; दोनों मिलकर एक हो गए। यह जनों के मिश्रण के साथ भाषा-तत्त्वों के मिश्रण का एक इतिहास-सम्मत प्रमाण है। वैदिक कुरु-जन कौन थे? इतिहासकारों का मत है कि भरत और पुरु-जनों के मिलने से इस नये जन की रचना हुई थी।[1] इसी प्रकार कुरु और पाञ्चालों ने अपना संयुक्त गण बनाया। प्राचीन ग्रंथों में कुरु-जन का अलग उल्लेख कम मिलता है; उनका नाम साधारणत: पाञ्चालों के साथ आता है और "बहुधा स्पष्ट रूप से संयुक्त जाति के रूप में कुरु-पाञ्चालों का उल्लेख किया जाता है।"[2] इसी प्रकार अंधक और वृष्णि जनों ने अपना संघ बनाया था जिसके नेता कृष्ण की कठिनाइयों का वर्णन महाभारत में मिलता है। बौद्ध काल में विदेह और लिच्छवि तथा अन्य जनों ने मिलकर वज्जि संघ बनाया था।

प्रत्येक समाज को बाह्य और आन्तरिक, दोनों तरह के विरोधों का सामना करना पड़ता है। वर्तमान समय में अमरीकी या ब्रिटिश पूँजीवाद को अपने मजदूर वर्ग से आन्तरिक विरोध का सामना इतना अधिक नहीं करना पड़ रहा है जितना उपनिवेशों की जनता के बाह्य विरोध का। मानव इतिहास में इस समय इस बाह्य विरोध की प्रमुख भूमिका है। सामाजिक विकास की ऐसी मंजिल में, जब उत्पादन और वितरण के साधन कुछ लोगों के हाथों में केन्द्रित न हुए हों, जब व्यक्तिगत सम्पत्ति, वर्ग और राज्यसत्ता का पूर्ण अभ्युदय न हुआ हो, अर्थात् समाज को अग्रसर करने के लिए आर्थिक हितों ने वर्ग-संघर्ष का रूप न लिया हो, उस मंजिल में यह स्वाभाविक है कि आन्तरिक विरोध से अधिक बाह्य कारणों से जनों का विघटन और नवनिर्माण हो। इन कारणों में युद्ध, आत्मरक्षा और आक्रमण मुख्य हैं। इसलिए दो कबीले मिलकर शक्तिशाली बनें, यह स्वाभाविक है। यही नहीं, आवश्यकतानुसार अनेक जन मिलकर अपने विशाल संघ भी बनाते हैं। एंगेल्स ने उन पाँच अमरीकी आदिवासी जनों की चर्चा की है जिन्होंने समानता के अधार पर अपना स्थायी संघ बनाया था। "ये एक ही भाषा की निकट सम्बन्धित बोलियाँ बोलते थे।"

1. 'दि वेदिक एज', पृ. 246
2. बिमला चरन, 'लॉ. ट्राइब्स इन ऐन्शेंट इंडिया', पूना, 1943, पृ. 19-20

एंगेल्स मानते थे कि उनकी बोलियाँ एक ही भाषा की विभिन्न शाखाएँ थीं। संघबद्ध होने पर वे किस भाषा का व्यवहार करते थे? वे उस मूल भाषा का व्यवहार करते थे जिससे उनकी बोलियाँ उत्पन्न हुई थीं या उनकी बोलियों में ही उनके आदान-प्रदान का माध्यम कोई एक बोली बन गई थी? स्पष्ट है कि मूल भाषा कोई रही भी हो तो उसका प्रचलित बोलियों से अलग कोई अस्तित्व न था। एंगेल्स के अनुसार : "सामान्य भाषा, जिसमें केवल बोलियों का भेद था, उनका एकवंशीय होना प्रकट करती थी और उसका प्रमाण थी।" यदि यह सामान्य भाषा व्यवहार में आती थी, तो वह उन बोलियों में से ही कोई एक रही होगी।

अक्सर जिसे हम भाषा कहते हैं, वह बोलियों का एक समुदाय होती है। ब्रज क्षेत्र में अनेक मिलती-जुलती बोलियाँ बोली जाती हैं; इन्हें सामूहिक रूप से या इनमें से किसी एक को हम ब्रजभाषा कह सकते हैं। जायसी ने अवधी लिखी, रामचरित मानस में तुलसीदास ने अवधी लिखी, स्वर्गीय बलभद्र दीक्षित 'पढ़ीस' ने अवधी में कविताएँ लिखीं—इन सबकी भाषा का आधार अवध की अलग-अलग बोलियाँ हैं। अवधी भाषा कहने से केवल जायसी या तुलसी की भाषा का बोध नहीं होता। इन्हीं में से कोई परिनिष्ठित भाषा बन जाए, तो हम कहने लगेंगे कि अमुक स्थान या कवि की भाषा तो मूल भाषा हैं, शेष उसकी बोलियाँ हैं! आजकल राजस्थान की बोलियों के बारे में कहा जाता है कि इनमें कोई भी परिनिष्ठित भाषा नहीं है, फिर राजस्थानी किसे कहें? इस सम्बन्ध में श्री पुरुषोत्तमलाल मैनारिया का कहना है : " 'बारा कोसां बोली बदले' का सिद्धान्त सभी भाषाओं पर लागू होता है, उसी तरह राजस्थानी पर भी। राजस्थानी भाषा में मारवाड़ी, मेवाड़ी, मालवी, बागड़ी, ढूंढाड़ी और हाड़ौती आदि बोलियाँ हैं, किन्तु एक-दूसरे से इतनी भिन्न नहीं कि आपस में समझी न जा सकें।"[1] मैनारिया जी ने बहुत ठीक लिखा है कि राजस्थानी भाषा में 'हाड़ौती' आदि बोलियाँ हैं, अर्थात् राजस्थानी भाषा इन बारह कोस पर बदलती हुई बोलियों का समूह है। इन बोलियों से भिन्न उसका अस्तित्व नहीं है। इन्हीं में से कोई बोली परिनिष्ठित भाषा के रूप में स्वीकार की जा सकती है। मैनारिया जी का मत है : "पश्चिमी राजस्थानी जो मारवाड़, मेवाड़, अजमेर-मेरवाड़ा, सिरोही, बीकानेर और शेखावाटी आदि क्षेत्रों में प्रचलित है, खड़ी अर्थात् स्टैंडर्ड राजस्थानी के रूप में राजस्थान में वर्षों से स्वीकृत हो चुकी है।" यहाँ इस बात से बहस नहीं है कि यह पश्चिमी राजस्थानी 'स्टैंडर्ड' भाषा के रूप में वर्षों से स्वीकृत हो चुकी है या नहीं; बहस इस बात से है कि यदि वह स्वीकृत है तो क्या अन्य बोलियाँ उससे उत्पन्न समझी जाएँगी? स्पष्ट है कि परिनिष्ठित भाषा कोई आदि सामान्य भाषा नहीं होती, अनेक बोलियों में से ही कोई बोली परिनिष्ठित भाषा बनती है। ऐसे ही अनेक बोलियों में से एक—भरत या कुरुजन की बोली—'संस्कृत' बनी थी।

1. श्री पुरुषोत्तमलाल मैनारिया, 'राजस्थान की प्रान्तीय भाषा राजस्थानी ही क्यों?', वीणा, नवम्बर, 1955

एक और उदाहरण लें। ब्रज, अवधी, बुंदेलखंडी आदि को हम हिन्दी की बोली कहते हैं। ऐसा कहना इस अर्थ में सही है कि इन सब बोलियों के क्षेत्र की एक सामान्य परिनिष्ठित भाषा हिन्दी है। उन्हें हिन्दी की बोली इस अर्थ में न कहा जाएगा कि वे खड़ी बोली हिन्दी की पुत्रियाँ हैं। यह परिनिष्ठित हिन्दी स्वयं एक बोली थीं, बोली रूप में अब भी हैं। ब्रज, अवधी आदि की तरह खड़ी बोली भी अनेक बोलियों का समूह थी और है, वह बोली रूप में भी 'कुरु-जनपद' की परिनिष्ठित भाषा नहीं थी। एक बोली के आधार पर हिन्दी का विकास हुआ। इस हिन्दी ने साथ की दूसरी बोलियों को प्रभावित करना शुरू किया। अवधी में 'मैं' सर्वनाम न था, 'हम' से ही काम चलता था। अब 'मैं' का प्रयोग साधारण हो गया है। ब्रज में 'हौं' का बोलबाला था लेकिन 'मैं' ने इसे भी खदेड़ना शुरू कर दिया है; कहना चाहिए कि बहुत पहले शुरू कर दिया था (मैया मोरी मैं नहि माखन खायो), क्योंकि जातीय भाषा के रूप में खड़ी बोली का प्रसार अंग्रेज़ी राज से पहले की प्रक्रिया है। ब्रज, अवधी और खड़ी बोली में उत्तम पुरुष एकवचन सर्वनाम 'मैं' का सर्वत्र अस्तित्व देखकर यदि कोई यह परिणाम निकाले कि वे सब एक ही 'मैं' सर्वनाम सम्पन्न आदि भाषा से उत्पन्न हुई हैं, तो यह भ्रान्त धारणा होगी। इसी प्रकार मलयालम और तमिल में सामान्य सर्वनाम देखकर निश्चित रूप से यह परिणाम नहीं निकाला जा सकता कि उनका आदिस्रोत एक है अथवा उनमें से एक भाषा दूसरी से उत्पन्न हुई है। यहाँ समानता से अधिक भिन्नता महत्त्वपूर्ण है। यदि मलयालम में ऐसे तत्त्व हों जो न तमिल के हों, न संस्कृत के हों, तो सम्भावना यही है कि वे मलयालम के अपने होंगे। दो भाषाओं की समानता के कारण अनेक हो सकते हैं; इस समानता से आदि मूल स्रोत की स्थापना अनिवार्यतः सिद्ध न होगी। इन अनेक कारणों में प्राचीन जनों का संघबद्ध होना एक प्रधान कारण है।

एंगेल्स ने पाँच अमरीकी आदिवासी जनों का हवाला दिया है। इन्होंने अपना स्थायी संघ बनाया था। उनकी एक सामान्य भाषा थी जिसने विभिन्न बोलियों में आंशिक समानता स्थापित की होगी। ये जन उत्तरी अमरीका में रहते थे। दक्षिण अमरीका में वीर इच्छा जाति रहती थी जिसने स्पेन से आनेवाले, दस्युओं का मुकाबला किया था। ये उत्तर में कोलम्बिया से लेकर मध्य चिली तक तीन हज़ार मील के इलाके में फैले हुए थे; पश्चिम में प्रशान्त महासागर के तट से लेकर अमेज़न वनों तक इनका अधिकार था। इतने विशाल प्रदेश में एक भाषा के बिना वे अपना प्रभुत्व कायम न रख सकते थे। "उनकी एक सामान्य भाषा थी 'किचुआ' जिसे उनके अधीन कबीले अपनी भाषा के अतिरिक्त जानते थे।"[1] वैदिक काल में विश्वामित्र ने पुरु, यदु आदि दस जनों का संघ बनाकर भरतों से युद्ध किया था।

1. विलियम जेड फौस्टर, 'आउटलाइन पोलिटिकल हिस्ट्री ऑफ़ द अमेरिकाज', न्यूयॉर्क, 1951, पृ. 36

युद्ध की आवश्यकताओं के कारण बनाया हुआ यह गणसंघ था। ऋग्वेद के जनों में भरत जन सबसे महत्त्वपूर्ण था जिसने सारे देश को अपना नाम दिया। सुदास और त्रित्सु के सम्बन्ध में भरत जन का नामोल्लेख ऋग्वेद में काफी प्रमुख रूप में होता है। भरत पुरुजन के शत्रु हैं। उनके राजा सरस्वती, दृषद्वती और आपया अर्थात् उस क्षेत्र में, जिसे आगे चलकर कुरुक्षेत्र कहा गया, यज्ञ करते थे।" यदि भरत-जन का ऐसा महत्त्व था, तो मानना होगा कि संस्कृत मूलत: कुरुक्षेत्र-वासी भरत-जन की भाषा थी। उसे उत्तर भारत के अन्य जनों ने अपनी अन्तरजनपदीय भाषा के रूप में स्वीकार किया होगा। ईरानी साम्राज्य का मुकाबला करने के लिए यूनानी जनों ने अपना संघ बनाया था। इस संघ में एथेंस राज्य ने अपना आधिपत्य कायम किया; ईरानियों को खदेड़ने के बाद उसने अधीन-जनों से अर्जित धन और उनकी शक्ति को शेष यूनानियों के विरुद्ध इस्तेमाल करना शुरू किया।[1] स्पार्टा और एथेंस में जो अनेक युद्ध हुए, उससे यूनानी जन दो गणसंघों में संगठित हुए। गण-संघ में नेतृत्व के कारण, दूर-दूर उपनिवेश बनाने के कारण और व्यापार में अग्रसर होने के कारण एथेंस जन की भाषा का सभी यूनानी बोलियों पर गहरा असर पड़ा। यूनानी और अमरीकी आदिवासी बोलियों की तुलना करते हुए एंगेल्स ने लिखा था : "यूनानी जन अपेक्षाकृत छोटे प्रदेश में बसे हुए थे। विशाल अमरीकी वनों में बोलियों के जो परस्पर भेद उत्पन्न हुए, वैसे भेद यूनानियों में कम थे, तथापि यूनान में भी हम देखते हैं कि एक ही मुख्य बोली बोलनेवाले जन अपने से बड़ा गण बनाते हैं। छोटी-सी अत्तिका (एथेंस जनपद) की भी अपनी बोली थी जो आगे चलकर यूनानी गद्य की प्रचलित भाषा बनी।" यूनानी जनों में वैसे ही अनेक बोलियों का चलन था, जैसे अमरीकी जनों में। एथेंस की बोली परिनिष्ठित यूनानी भाषा बनी, इसका कारण आत्मरक्षा और युद्ध के लिए गण-संघों का निर्माण था। इन संघों में एथेंस का आधिपत्य, व्यापार और उपनिवेश-निर्माण में एथेंस की प्रगति—इन सामाजिक कारणों से एथेंस की भाषा अन्तरजनपदीय भाषा बनी। इस परिनिष्ठित भाषा ने अन्य यूनानी बोलियों से बहुत-से शब्द लिये होंगे और अवश्य ही उन्हें अपने बहुत-से भाषा-तत्त्व दिये भी होंगे।

यूनानी बोलियों के बारे में प्रचलित मान्यता यह है कि वे एक-दूसरे से बहुत मिलती-जुलती हैं किन्तु अमरीकी आदिवासी भाषाएँ एक-दूसरे से बहुत भिन्न हैं। आधुनिक भाषाशास्त्री उन्हें एक आदिस्रोत से उत्पन्न नहीं मानते। एंगेल्स की मान्यता यह थी कि उनका स्रोत एक था, किन्तु कबीलों के विघटन और प्रसार से उनमें बहुत बड़ा भेद उत्पन्न हो गया : "भाषाएँ इतना ही नहीं बदल गईं कि एक के बोलनेवाले दूसरी को समझ न सकें, वरन् यहाँ तक बदल गईं कि उनकी मूल एकता का प्रत्येक चिह्न मिट गया।" यूनान और भारत में यह मूल एकता बनी रही और

1. जौर्ज ग्रोटे, 'ए हिस्ट्री ऑफ़ ग्रीस', खंड 4, पृ. 234; खंड 5, पृ. 390

उत्तरी अमरीका में मिट गई, यह आश्चर्य की बात होगी। अमरीकी भाषाएँ शब्द-भंडार में ही भिन्न नहीं हैं, उनका गठन, उनकी भाव-प्रकृति भी भिन्न-भिन्न है। इन भाषाओं की एक से अधिक भिन्न स्रोतों से रचना हुई है। यद्यपि अमरीकी आदिवासियों में शारीरिक गठन और वर्ण की बहुत बड़ी समानता है, किन्तु भाषाओं का गठन शारीरिक गठन की तुलना में हज़ार गुना विचित्र है। अमरीकी आदिवासियों की भाषाएँ अच्छी तरह सिद्ध करती हैं कि भाषा-गठन नस्ल के आधार पर नहीं होता।

यदि इन्का जन की भाषा और उससे प्रभावित अन्य बोलियाँ आज जीवित होतीं, तो शायद वहाँ भी हम कुछ-कुछ वैसी ही समानता देखते, जैसी उत्तर भारत या यूनान की भाषाओं में देखते हैं। उत्तरी अमरीका के आदिवासी जन जहाँ-तहाँ संघबद्ध हो रहे थे, किन्तु यह प्रक्रिया छिन-भिन्न हो गई और उनकी भाषाएँ परस्पर समानता उत्पन्न न कर सकीं। समानता जन्मजात ही नहीं होती, बाद में भी उत्पन्न हो जाती है। यूनान या उत्तर भारत की भाषाओं में समानता न भी रही होगी, तो एथेंस या भरत-जन के अधिनायकत्व के कारण वह समानता उत्पन्न हुई होगी। यूरोप की उन भाषाओं का उदाहरण लीजिए जो लैटिन-परिवार के अन्तर्गत हैं। इनमें इतनी बड़ी समानता है कि लोग इन्हें लैटिन का ही आधुनिक रूप मानते हैं। इटली, फ्रांस, स्पेन और पुर्तगाल की मूल भाषाएँ बिलकुल मिट गईं, यह कहना गलत है। अगर वे भाषाएँ बिलकुल मिट जातीं तो जैसे अमरीका, आस्ट्रेलिया और न्यूजीलैंड में अंग्रेज़ी ही बोली जाती है, वैसे ही इटली, फ्रांस आदि में एक ही भाषा बोली जाती जो वास्तव में लैटिन होती, उसका आधुनिक रूप भी नहीं। उस लैटिन तथा प्राचीन लैटिन में उतना ही अन्तर होता जितना अठारहवीं सदी की अंग्रेज़ी और आधुनिक अंग्रेज़ी में है, अर्थात् मूलत: कोई अन्तर न होता। किन्तु लैटिन-परिवार की आधुनिक भाषाओं तथा चीन लैटिन में बहुत अन्तर है, विशेष रूप से गठन या भाव-प्रकृति की दृष्टि से। लैटिन-परिवार की भाषाओं में परस्पर यथेष्ट अन्तर है, विशेष कर मूल शब्द-भंडार की दृष्टि से। इससे सिद्ध हुआ कि स्पेनी, पुर्तगाली, इतालवी और फ्रांसीसी भाषाएँ तो लैटिन से और परस्पर भी भिन्न हैं; यह उनके मौलिक निजत्व का प्रमाण है; दूसरे, उनमें बहुत समानता है जिसका आधार लैटिन है। अत: भिन्न भाषाओं में जहाँ समानता नहीं थी, वहाँ समानता उत्पन्न हुई; वे पहले जिस परिवार की सदस्य नहीं थीं, उसकी सदस्य बन गईं।

एंगेल्स ने लैटिन के प्रसार के बारे में लिखा था : "जहाँ ग्रीक भाषा ने मुकाबला न किया, वहाँ सभी जातीय भाषाओं ने अपभ्रंश लैटिन के सामने घुटने टेक दिये। अब जातिगत भेद न रह गए; गॉल, इबेरियन, लिगूरिअन, नोरीकन आदि न रह गए। सभी रोमन बन गए।...विभिन्न प्रान्तों की लैटिन बोलियाँ एक-दूसरे से और भी जुदा होती गईं।" ग्रीक भाषा के अलावा जर्मन-परिवार की भाषाओं ने भी यथेष्ट जीवन-क्षमता का परिचय दिया। फ्रांस और स्पेन में भी सभी बोलियों ने

घुटने नहीं टेके। बास्क भाषा अपनी स्वाधीनता का झंडा अभी तक ऊँचा किये है। अन्य प्राचीन मूल भाषाएँ फ्रांस, इटली आदि की आधुनिक भाषाओं और बोलियों में अपने अवशेष छोड़ गई हैं। एंगेल्स की टिप्पणी से जो तथ्य सिद्ध होता है, वह यह कि एक भाषा के प्रसार से विभिन्न भाषाओं में समानता उत्पन्न हो सकती है और जो भाषाएँ पहले एक परिवार की सदस्य नहीं थीं या भिन्न परिवार की थीं, वे अब एक नये परिवार की सदस्य बन गई हैं।

सारांश यह कि प्राचीन भाषाओं—अथवा प्राक् सामन्ती व्यवस्था में रहनेवाले ने लोगों की भाषाओं—का अध्ययन करते समय यह याद रखना चाहिए कि कबीला, जन या ट्राइब स्थिर इकाई नहीं है, जन रक्त-सम्बन्ध पर आधारित होते हुए भी इस सम्बन्ध का बराबर उल्लंघन करता है, युद्धबन्दिगों को अपने में शामिल करता है, आवश्यकतानुसार अजनबियों को अपने में शामिल करता है, अन्य जनों के साथ स्थायी अथवा अस्थायी संघ बनाता है। अपने पर्यटनशील जीवन में एक देश के जन दूसरे देश में पहुँचते हैं, इसी प्रकार अनेक भारतीय या भारतीय सीमान्त के जन यूरोप गए थे। ये 'आर्य' एक प्रदेश में रहनेवाले और एक परिनिष्ठित भाषा बोलनेवाले न थे; वे विभिन्न प्रदेशों में बिखरे हुए थे और मिली-जुली भाषाएँ बोलते थे। आदि आर्य-जन की भाषा में संस्कृत, ग्रीक, लैटिन आदि भाषाएँ उत्पन्न हुई हैं, यह धारणा भ्रांत सिद्ध होती है। इसी प्रकार फ्रांसीसी, इतालवी भाषाएँ लैटिन का आधुनिक रूप नहीं हैं। आदि जर्मन, आदि द्रविड़ से सम्बन्धित धारणाएँ इसी प्रकार निराधार हैं। भाषाओं की समानता जन्मजात हो, यह आवश्यक नहीं; वह अनेक सामाजिक कारणों में भी उत्पन्न होती है। इस समानता के आधार पर किन्हीं भाषाओं को एक परिवार के अन्तर्गत मानना सही है किन्तु उन्हें एक ही आदिस्रोत से उत्पन्न मानना अनिवार्यत: सही नहीं है। एक ही परिवार में भाषाओं की भिन्नता उनकी मौलिक स्वतंत्रता प्रमाणित करती है।

सातवाँ अध्याय

# संस्कृत-परिवार और प्राकृत-अपभ्रंश

लैटिन-परिवार की भाषाओं की उत्पत्ति किसी आदि लैटिन से नहीं हुई; न जर्मन, स्लाव, द्रविड़ आदि भाषा-परिवारों की उत्पत्ति अपनी-अपनी आदि भाषाओं से हुई है। इसी प्रकार संस्कृत-परिवार की भाषाओं का जन्म भी संस्कृत से नहीं हुआ। इस परिवार की भाषाओं को हम संस्कृत का आधुनिक परिवर्तित रूप नहीं कह सकते। परिनिष्ठित लैटिन या संस्कृत के व्यवहार की मंजिल बाद की है; उससे पहले की मंजिल वह है जब लैटिन या संस्कृत स्वयं एक बोली थी, उसके साथ उससे मिलती-जुलती अन्य बोलियाँ भी बोली जाती थीं।

डॉ. सुनीति कुमार चाटुर्ज्या ने वैदिक भाषा के लिए लिखा है : "लगभग 600 वर्ष ईसा-पूर्व तक अफगान सीमा प्रदेश से बंगाल तक आर्य भाषा का एकच्छत्र साम्राज्य स्थापित हो गया। सर्वप्रथम समस्त आर्य उपभाषाओं में से उपादान लेते हुए एक साहित्यिक अथवा कलात्मक भाषा का निर्माण हुआ।"[1] यहाँ आर्य भाषा के एकच्छत्र साम्राज्य पर बहस करने की जरूरत नहीं है; महत्त्व की बात है—आर्य उपभाषाओं का उल्लेख। साहित्यिक भाषा इन्हीं बोलियों में से एक या अधिक के उपादान लेकर विकसित हुई थी। एकच्छत्र साम्राज्य रहा भी होगा तो अपने-अपने क्षेत्र में इन अनेक बोलियों का, न कि एक आर्य भाषा का।

डॉ. चाटुर्ज्या की एक अन्य स्थापना है : "वैसे तो संस्कृत देश के किसी भी भाग में घर की भाषा नहीं थी; हाँ, हम यों मान सकते हैं कि केवल ईसा-पूर्व की कुछ शताब्दियों में पंजाब तथा मध्यदेश (आधुनिक पश्चिमी उत्तर प्रदेश) की बोलियों पर इसका प्रारम्भिक स्वरूप अधारित था।"[2] यहाँ भी बहस इस बात से नहीं है कि संस्कृत इस देश के किसी भाग में घर की भाषा थी या नहीं, महत्त्व की बात यह है कि वह एक निश्चित प्रदेश की बोलियों पर आधारित थी। ये बोलियाँ वर्तमान हिन्दी-भाषी क्षेत्र की थीं।

---

1. 'भारतीय आर्य भाषा और हिन्दी', पृ. 184
2. उपरोक्त, पृ. 187

अन्यत्र उन्होंने आद्य भारतीय आर्य भाषा की 'विभिन्न प्रादेशिक बोलियों' की चर्चा की है जिसका अर्थ यह है कि कल्पित आद्य भारतीय आर्य भाषा पहले किसी बहु-जन-स्वीकृत परिनिष्ठित रूप में प्रचलित न थी; उसका अस्तित्व इन्हीं 'विभिन्न प्रादेशिक बोलियों' के रूप में ही था। इन प्रादेशिक बोलियों में समानता के साथ विषमता भी थी। डॉ. चाटुर्ज्या के मत से कारक विभक्तियों के कई ऐसे रूप 'जो कि वैदिक या लौकिक संस्कृत में नहीं मिलते' आद्य भारतीय आर्य भाषा की इन प्रादेशिक बोलियों में मिलते थे और वे मध्य भारतीय आर्य भाषा में सुरक्षित रहे। इसका अर्थ यह हुआ कि संस्कृत की समानान्तर बोलियों में परस्पर व्याकरण-सम्बन्धी विभिन्नता भी थी। मूल शब्द-भंडार और ध्वनि की भिन्नता भी रही होगी, यह सहज ही अनुमान किया जा सकता है।

यदि संस्कृत के समानान्तर उससे मिलती-जुलती—किन्तु व्याकरण-रूपों में कहीं-कहीं भिन्न—भाषाएँ इस देश में बोली जाती थीं, तो यह स्वीकार करना होगा कि उनका प्रभाव आधुनिक भारतीय भाषाओं पर भी पड़ा होगा। किन्तु व्यवहार में इस सम्भावना को भुला दिया जाता है। भाषाशास्त्री एक आदि भारतीय आर्य भाषा की बात करते हैं। इस आदि भाषा से मध्य भारतीय आर्य भाषा बनी और उससे आधुनिक भाषाओं का जन्म हुआ। यदि आद्य, मध्य और नव्य विशेषणों का आतंक दूर कर दिया जाए तो बात वही पुरानी है : पहले थी देववाणी संस्कृत; वह विकृत होकर प्राकृत बनी और प्राकृत ने अपभ्रंशों के मार्ग से आधुनिक भाषाओं का रूप लिया। इस बात को डॉ. चाटुर्ज्या ने बहुत स्पष्ट शब्दों में एक जगह—आद्य-नव्य के झमेले में पड़े बिना—यों लिखा है : "प्रादेशिक अपभ्रंशों की राह से होती हुई प्राकृतें, परिवर्तित होकर, आधुनिक भारतीय भाषाएँ बन गई थीं।" इस प्रकार संस्कृत के समानान्तर विभिन्न बोलियों के सिद्धान्त का लोप हो जाता है। यदि कोई कहे कि ये प्राकृतें ही तो प्रचलित बोलियाँ थीं, तो निवेदन है कि इन प्राकृतों को संस्कृत की 'समानान्तर' बोलियाँ नहीं माना गया, उपर्युक्त स्थापनाओं में वे संस्कृत के बाद की मंजिल वाली बोलियाँ बताई गई हैं।

डॉ. धीरेन्द्र वर्मा ने आधुनिक भाषाओं और वैदिक भाषा के सम्बन्ध पर प्रकाश डालते हुए लिखा है : "यदि तद्भव-रूपों की दृष्टि से देखा जाए, तब तो समस्त भारतीय आधुनिक भाषाओं का मूलाधार ऋग्वेद की ही भाषा है।"[1] इस कथन में आधुनिक भाषाओं की आश्चर्यजनक जानकारी परिलक्षित है, वैदिक भाषा के प्रति अपार श्रद्धा का प्रदर्शन भी है, वैदिक और लौकिक संस्कृत के शब्द-भंडार के तुलनात्मक अध्ययन का निष्कर्ष तो सन्निहित है ही। किन्तु अत्यन्त प्राचीन काल में ही वैदिक भाषा का क्षेत्र—मध्यदेश—अनेक जनपदों में बँटा हुआ था। डॉ. वर्मा के शब्दों में : "लगभग 2400 ईसा-पूर्व से 600 ईसा-पूर्व तक मध्यदेश के जनपद अनेक

1. डॉ. धीरेन्द्र वर्मा, 'मध्यदेश, बिहार राष्ट्रभाषा परिषद्', पटना, पृ. 24

परिवर्तनों के होते हुए भी सम्पन्न तथा स्वतंत्र रूप में वर्तमान रहे। गत ढाई हजार वर्षों के साम्राज्यों, राजवंशों और विदेशी आक्रमणकारियों की उथल-पुथल में यद्यपि इन जनपदों का स्वतंत्र राजनीतिक अस्तित्व आज नहीं रह गया है, किन्तु इनका व्यक्तित्व प्रादेशिक बोली, संस्कृति तथा सामाजिक संगठन के रूप में आज भी वर्तमान है।"[1] इन जनपदों का अपना व्यक्तित्व 'आज भी' वर्तमान है; इसका अर्थ यह हुआ कि ढाई हजार साल पहले वह व्यक्तित्व बहुत ज्यादा वर्तमान रहा होगा। इस व्यक्तित्व के उपादानों में एक महत्त्वपूर्ण तत्त्व है प्रादेशिक बोली।

अन्यत्र उन्होंने लिखा है : "प्राचीन मध्यदेश अनेक जनपदों में बँटा था। इनका अस्तित्व आज भी है। इनका व्यक्तित्व हिन्दी की प्रधान बोलियों की सीमाओं के रूप में स्पष्टतया दिखलाई पड़ता है।"[2] यदि जनपदों की ऐसी भिन्नता संस्कृत के मूल क्षेत्र में थी, तो यह सहज अनुमेय है कि 'समस्त भारत' में जनपदों की विविधता और भी अधिक रही होगी। उन प्राचीन भाषाओं की सामग्री कुछ-न-कुछ आधुनिक भाषाओं में भी सुरक्षित होनी चाहिए।

श्री किशोरीदास वाजपेयी ने बहुत स्पष्टता और दृढ़ता से इस धारणा का खंडन किया है कि हिन्दी की उत्पत्ति संस्कृत से हुई है। जहाँ ब्लूमफील्ड जैसे भाषाविज्ञानी फ्रांसीसी को लैटिन का आधुनिक रूप कहते हैं, जहाँ डॉक्टर सुनीति कुमार चाटुर्ज्या जैसे पारंगत भाषाविद् संस्कृत-प्राकृत-अपभ्रंश की सीढ़ियों के बिना आधुनिक भाषाओं तक पहुँच नहीं पाते, वहाँ संस्कृत के पंडित होते हुए वाजपेयी जी का यह कहना कि हिन्दी संस्कृत की पुत्री नहीं है, बौद्धिक ईमानदारी की एक अनुकरणीय मिसाल है। ईमानदारी के अलावा यह साहस का भी काम है, क्योंकि संस्कृत के प्रति श्रद्धा की होड़ में कोई भी हिन्दी की स्वतंत्र सत्ता मानने की ढिठाई नहीं कर सकता। इसलिए वाजपेयी जी की हिन्दी-संस्कृत सम्बन्धी स्थापना का अन्यतम महत्त्व है। 'हिन्दी शब्दानुशासन' के आरम्भ में ही उन्होंने लिखा है : "हिन्दी की उत्पत्ति उस संस्कृत भाषा से नहीं है, जो कि वेदों में, उपनिषदों में तथा वाल्मीकि या कालिदास आदि के काव्य-ग्रंथों में हमें उपलब्ध है। 'करोति' से 'करता है' एकदम कैसे निकल पड़ेगा? 'राम: करोति' की तरह 'सीता करोति' भी संस्कृत में चलता है, परन्तु हिन्दी में 'लड़का चलता है, करता है, खाता है' और 'लड़की चलती है, करती है, खाती है' होता है। कितना अन्तर! यह ठीक है कि 'चल, खा, कर' शब्द-रूप संस्कृत के 'चल, कृ, खाद्' से मिलते-जुलते हैं। परन्तु इस मेल-जोल का यह मतलब नहीं कि 'चलति' से चलता है' निकल पड़ा! दोनों की चाल एकदम अलग-अलग है।" वाजपेयी जी ने भाषा के दो तत्त्वों में महत्त्वपूर्ण भेद किया है। एक तत्त्व है शब्द-रूपों का; इस दृष्टि से 'चलति' और 'चलता है'

1. डॉ. धीरेन्द्र वर्मा, 'मध्यदेश, बिहार राष्ट्रभाषा परिषद्', पटना, पृ. 10
2. उपरोक्त, पृ. 11

में समानता है। हम इसे मूल शब्द-भंडार की समानता कहेंगे। दूसरा तत्त्व है, 'चाल' का। दोनों की चाल एकदम अलग-अलग है। दोनों भाषाओं में शब्दों के व्यवहार का ढंग अलग-अलग है। इसे हम भाव-प्रकृति का भेद कहेंगे। हिन्दी और संस्कृत, "दोनों का पृथक् और स्वतंत्र पद्धति पर विकास हुआ है।" यदि इस प्रकाश्य तथ्य को भारतीय भाषाशास्त्री और कोश-निर्माता अच्छी तरह समझ लें तो वे हिन्दी—या बंगला—को संस्कृत के साँचे में ढालने का प्रयास न करें।

हिन्दी और संस्कृत में बहुत बड़ी समानता भी है। इसलिए वाजपेयी जी दोनों को 'एक ही मूल भाषा की शाखाएँ' मानते हैं किन्तु शाखाएँ इतनी बड़ी हैं कि "तना कहीं दिखाई भी नहीं देता और इतना विस्तार कि कोई सहसा समझ नहीं पाता कि कहाँ से ये चली हैं!" जो तना दिखाई नहीं देता उसका अनुसंधान क्या किया जाए? वाजपेयी जी के सामने एक निष्कर्ष स्पष्ट है : हिन्दी की अनेक विशेषताओं का सम्बन्ध न वैदिक संस्कृत से है, न लौकिक संस्कृत से, न अपभ्रंश से। उनका सम्बन्ध खड़ी बोली क्षेत्र की किसी प्राचीन बोली से ही हो सकता है।

वाजपेयी जी बोलचाल की भाषा को प्राकृत कहते हैं। वैदिक ऋषियों ने जिस भाषा का संस्कार किया, वह अपने 'जन-गृहीत रूप' में प्रथम अवस्था की प्राकृत हुई। "दूसरी अवस्था की प्राकृतें बहुत कुछ कृत्रिम रूप में हमारे सामने उपस्थित हैं।" कहने को वे प्राकृत हैं; वास्तव में हैं अप्राकृत! इनसे हिन्दी की उत्पत्ति का सम्बन्ध क्या हो सकता है? हिन्दी का सम्बन्ध प्राकृत की तीसरी अवस्था से होना चाहिए। इस सिलसिले में वाजपेयी जी ने लिखा है : "कुरु जनपद में प्राकृत का तीसरा रूप जो प्रचलित था, उसका नाम-रूप कुछ भी हमारे सामने नहीं है! प्राकृत के (दूसरी तथा तीसरी अवस्था के) जो भी रूप साहित्य में उपलब्ध हैं, उनसे हिन्दी की पटरी बैठती नहीं है। इन सभी प्राकृतों में वर्तमान काल की क्रियाएँ तिङन्त हैं, जिनमें कर्ता के अनुसार पुल्लिंग-स्त्रीलिंग में कोई रूप-परिवर्तन नहीं होता। 'पिआ पुच्छइ' और 'माआ पुच्छइ'। उभयत्र 'पुच्छइ' है। यह संस्कृत के 'पिता पृच्छति', 'माता पृच्छति' की छाया है। हिन्दी में रूप बदलता है—'पिता पूछता हैं'—'माता पूछती है'। हिन्दी की यह विशेषता किसी भी प्राकृत में दिखाई नहीं देती। जिस (कुरु जनपद की) प्राकृत में यह बात थी, उसका कोई रूप हमारे सामने है नहीं। कई कड़ियाँ टूटी हैं। कुछ भी हो, साहित्य में उपलब्ध प्राकृतों में से कोई भी ऐसी नहीं है, जिसे हिन्दी 'खड़ी बोली' का उद्‌गम माना जा सके। हाँ, अवधी आदि का सम्बन्ध उनसे जरूर है।"

वाजपेयी जी ने बड़ी स्पष्टता से अपनी कठिनाइयों का उल्लेख किया है। वैज्ञानिक प्रगति के लिए कठिनाइयों का उल्लेख कम महत्त्वपूर्ण नहीं होता। समस्या का समाधान पाने से पहले समस्या की स्पष्ट स्वीकृति आवश्यक होती है। आद्य, मध्य और नव्य आर्य भाषा अथवा संस्कृत, प्राकृत, अपभ्रंश की सुगम नसेनी छोड़कर लुप्त प्राचीन भाषाओं की कल्पना करना उन्हीं लोगों का काम है जिनमें

सरल, प्रचलित और लोकप्रिय किन्तु अवैज्ञानिक मान्यताओं का विरोध करने का साहस है, जिनमें कठिनाइयों से टकराने और अनुसंधान के नये मार्ग खोजने के लिए पर्याप्त आत्मविश्वास है।

वाजपेयी जी की आदि प्राकृत वैदिक भाषा का दूसरा नाम है। दूसरी अवस्था की प्राकृत साहित्य में प्राप्त—प्रचलित अर्थ में गृहीत—प्राकृत है। तीसरी अवस्था वाली प्राकृत 'पिआ पुच्छइ' वाली अपभ्रंश है। वाजपेयी जी हिन्दी की अनेक मूल विशेषताओं को इन तीनों में किसी से भी उत्पन्न नहीं मानते। दूसरे शब्दों में उन्होंने संस्कृत-प्राकृत-अपभ्रंश की सुगम नसेनी को उठाकर एक किनारे रख दिया है। यह उनके ग्रंथ 'हिन्दी शब्दानुशासन' का युगान्तरकारी महत्त्व है। उनकी यह स्थापना बिलकुल सही है कि हिन्दी की ये विशेषताएँ कुरुजन पद की किसी प्राकृत में रही होंगी। यहाँ प्राकृत से तात्पर्य णकारबहुला साहित्यिक प्राकृत से नहीं है। तात्पर्य है खड़ी बोली क्षेत्र की प्राचीन साधारण जनों की भाषा से। यह भाषा कितनी प्राचीन थी? कम-से-कम वह उस समय बोलचाल की भाषा जरूर थी, जब साहित्य में संस्कृत का व्यवहार साधारण नियम था।

हिन्दी में 'ने' का प्रयोग कहाँ से आया? किसी प्राकृत में मिलता नहीं। आया होगा प्राकृत की ही किसी धारा से। "प्राकृत का वह ('ने' वाला) रूप निश्चय 'खड़ी बेली' के क्षेत्र में, कुरु जनपद में (उ.प्र. के मेरठ डिवीजन में) जन-गृहीत रहा होगा। अन्यथा वहाँ 'ने' कैसे कूद पड़ती? और कहीं क्यों न कूद पड़ी? संस्कृत के गढ़ काशी-क्षेत्र में वह क्यों न अवतरित हो गई?" ये सब प्रश्न उन पंडितों को परेशान करने के लिए हैं जो संस्कृत के एक रूप से भारतीय भाषाओं के पचीसों रूप उत्पन्न कर सकते हैं। वाजपेयी जी ने हठवादिता के इस मार्ग से भिन्न अनुसंधान की और राह निकाली है। संस्कृत के समानान्तर यहाँ अन्य भाषाएँ भी प्रचलित थीं। इनमें और संस्कृत में व्याकरणगत भेद भी था। इन लोक-प्रचलित भाषाओं ने संस्कृत को प्रभावित किया। इसका प्रमाण भी संस्कृत कवियों के यहाँ विद्यमान है। उपर्युक्त शंकाओं का समाधान करते हुए वाजपेयी जी लिखते हैं : " 'खड़ी बोली' के क्षेत्र में कदाचित् संस्कृत भी कृदन्त-प्रधान ही कभी चलती हो! महाकवि राजशेखर ने लिखा है—'कृत्प्रयोगरुचय उदीच्या:' यानी उत्तर भारत के (उत्तर प्रदेश के, उत्तर-पश्चिमी क्षेत्र के) लोग कृदन्त क्रियाएँ बहुत पसन्द करते हैं। राजशेखर ने संस्कृत-प्रयोग के सम्बन्ध में यह निर्देश किया है। इसका मतलब यह भी हो सकता है कि इस क्षेत्र के संस्कृत-विद्वानों पर अपनी जनभाषा का प्रभाव पड़ा और वे अपनी मातृभाषा की पद्धति पर (संस्कृत के) कृदन्त प्रयोग अधिक करने लगे। यह भी सम्भव है कि संस्कृत नहीं, उस समय की 'खड़ी बोली' के बारे में ही उनकी कलम से ही वैसा निकला हो; यद्यपि संस्कृत-मंच में वैसा कह रहे हैं! उस समय 'खड़ी बोली' प्रकट होकर जन-व्यवहार में मदद दे रही थी।"

यदि हिन्दी-भाषियों की अंग्रेज़ी वाक्य-रचना पर हिन्दी का प्रभाव पड़ सकता है, तो संस्कृत पर उसी से मिलती-जुलती भाषा की भाव-प्रकृति का प्रभाव पड़ना बिलकुल स्वाभाविक बात होगी। निष्कर्ष यह निकला कि हिन्दी जैसी भाषाओं की हर विशेषता को संस्कृत में न ढूँढ़कर उन भाषाओं में मानना चाहिए जो संस्कृत के समानान्तर वहाँ बोली जाती थीं। भाषाओं के उद्गम और विकास के अनुशीलन की यह सही पद्धति है और उस पद्धति से भिन्न है जो हिन्दी की हर विशेषता को संस्कृत से उत्पन्न मानने का आग्रह करती है।

अब देखना चाहिए कि आद्य भारतीय आर्य भाषा और मध्य भारतीय आर्य भाषा अथवा संस्कृत और प्राकृत का अन्तर क्या है। दो भाषाओं का स्वतंत्र अस्तित्व मानने के लिए व्याकरण और मूल शब्द-भंडार में अन्तर होना चाहिए। यदि केवल ध्वनि का अन्तर है तो हम कहेंगे कि भाषा एक ही है, केवल उच्चारण की भिन्नता है। अंग्रेज़ आलोचक मैथ्यू आर्नोल्ड जब अमरीका गए थे, तब अमरीकी जनता उच्चारण-भेद के कारण उनकी भाषा समझ न पाती थी और अमरीकी उच्चारण का अभ्यास करने के लिए उन्हें वहाँ के एक विशेषज्ञ से सहायता लेनी पड़ी। इससे इंग्लैंड और अमरीका की भाषाएँ दो नहीं हो गईं। यदि प्राकृत और संस्कृत का भेद केवल या मूलत: ध्वन्यात्मक है, तो प्राकृत स्वतंत्र भाषा (या भाषाएँ) न होकर संस्कृत का ही किंचित् परिवर्तित रूप मानी जाएगी।

अनार्य प्रभाव को प्राकृतों के जन्म का कारण मानते हुए डॉ. चाटुर्ज्या ने लिखा है : "भारत में आगमन के पश्चात् सात-आठ शताब्दियों के भीतर ही जैसे-जैसे भारतीय आर्य भाषा अनार्य जनों द्वारा अपनाई जाने लगी, वैसे-वैसे उसमें नये परिवर्तन आने लगे।" यदि यह स्थापना सत्य होती तो द्रविड़ भाषाओं की क्रियाएँ, सर्वनाम आदि उत्तर भारत की आधुनिक भाषाओं में मिलते। यदि भारत आगमन के 'पश्चात्' अनार्यों द्वारा अपनाई हुई भाषा ही संस्कृत या प्राकृत होती तो उसके मूल शब्द-भंडार का अधिकांश—अल्पांश नहीं—यूरोप में भी मिलता। हम देख चुके हैं कि इन शब्द-भंडार की दृष्टि से संस्कृत यूरोपीय भाषाओं से स्वतंत्र परिवार की भाषा है।

मध्य भारतीय आर्य भाषा का अभ्युदय कब हुआ, किन प्रदेशों में पहले हुआ, किनमें बाद में हुआ, यह सब अद्भुत रीति से निश्चित किया जा चुका है। "बुद्ध के कुछ पहले, लगभग 600 वर्ष ईसा-पूर्व तक पूर्वी भारत में भारतीय आर्य भाषा का मभाआ काल पूर्णतया प्रतिष्ठित हो चुका था, जबकि पश्चिमोत्तर भारत—उदीच्य—तथा सम्भवत: मध्यदेश—में भी, जहाँ तक ध्वनिविज्ञान का प्रश्न था, वैदिक (या आभाआ) रूप ही चल रहा था; परन्तु रूप-तत्त्व में यहाँ की भाषा भी अन्य प्रादेशिक बोलियों के समान हो गई थी।" मध्य भारतीय आर्य भाषा का अभ्युदय बुद्ध से ही कुछ पहले क्यों माना गया, उनसे काफी पहले क्यों नहीं, इसका कोई कारण नहीं दिया गया। पूर्वी भारत में मभाआ काल पहले क्यों प्रतिष्ठित हुआ? क्या उधर

अनार्य ज्यादा थे और उन्होंने आद्य भाषा को ज्यादा प्रभावित किया? पश्चिमोत्तर भारत में आद्य भाषा वाली ध्वनियाँ क्यों चालू थीं? क्या उधर शुद्ध आर्य ज्यादा थे? यदि आर्य ज्यादा थे, तो भाषा के रूप तत्त्व में वहाँ भी परिवर्तन कैसे हो गया? आर्य-अनार्य प्रभावों वाला सूत्र इन शंकाओं का कोई समाधान प्रस्तुत नहीं करता।

एक स्थापना यह है कि सीमान्त की दर्द बोलियों और पंजाब की बोलियों की विशेषता यह है कि वे अधिक रूढ़िबद्ध रही हैं। "उदीच्य की इस ध्वनिविज्ञान-सम्बन्धी रूढ़िबद्धता की तुलना में पूर्व की भाषाओं का ध्वनि-वैज्ञानिक क्षय (अथवा विकास) बहुत अधिक शीघ्रतर हुआ।" पंजाब का 'पंज' मूल ध्वनि की रक्षा करता है या पंच? पंजाबी में 'प्रा' में मूल ध्वनि है या 'भ्रात' में? कश्मीर शब्द में मूल शब्द मीर सुरक्षित है या कश्मीरियों द्वारा उच्चारित 'कशीर' में? क्या श्-ष्-स् की ध्वनियों कश्मीरी-पंजाबी में पूर्वी बोलियों की अपेक्षा ह् में कम परिवर्तित होती हैं? केवल द्वित्वावस्थित व्यंजनों के संरक्षण के आधार पर इतना व्यापक सिद्धान्त स्थिर नहीं किया जा सकता कि उदीच्य भाषाओं में ध्वनि-सम्बन्धी रूढ़िबद्धता है और प्राच्य भाषाओं का ध्वनि-क्षय हुआ है। इस क्षय और रूढ़िबद्धता के कल्पित भेद से आद्य और मध्य आर्य भाषाओं का अन्तर समझने में कुछ भी सहायता नहीं मिलती।

एक अत्यन्त विचित्र सिद्धान्त यह है कि आद्य भाषा के बोलनेवाले इस बात को जानकर शब्दों का उच्चारण करते थे कि "किसी एक शब्द का धातु भाग कौन-सा है और प्रत्यय भाग कौन-सा?" उदाहरण के लिए 'जन्मजात आर्य-भाषी' धर्म शब्द कहता होगा तो उस समय "स्वभावत: उसके मन में इस शब्द का 'धर्‌म' इस प्रकार विश्लेषण हो जाता होगा।" शायद ही किसी भाषा के बोलनेवाले धातु-प्रत्यय का ध्यान रखकर शब्दों का उच्चारण करते हों। यदि सभी 'जन्मजात आर्य-भाषी' भाषाशास्त्री रहे हों, तो बात दूसरी है। क्या वे श्रद्धा का उच्चारण करते समय हृदय से उसके सम्बन्ध का ध्यान रखते थे? क्या वे प्रच्छ कहते हुए यह ध्यान रखते थे कि वे प्रश्न की प्रश् किया का क्षयग्रस्त रूप बोल रहे हैं? सौभाग्य से वे भाषाशास्त्री न थे; वर्ना संस्कृत में नियमों के इतने अपवाद न मिलते, उसमें रूपों, शब्दों, ध्वनियों की विविधता न होती, संस्कृत संसार की अत्यन्त समृद्ध भाषा न होकर डॉ. रघुवीर का कोशमात्र होती! किन्तु शब्दों को धातु-प्रत्यय के ज्ञान के बिना उच्चारित करने से क्या नई भाषा की सृष्टि हो सकती है? आभाआ और मभाआ के भेद की व्याख्या धातु-प्रत्यय के ज्ञान या अज्ञान से कैसे हो सकती है?

ध्वनि-क्षय के समान रूप-तत्त्व के क्षय का सिद्धान्त माना गया है। संज्ञा-रूपों में द्विवचन का धीरे-धीरे लोप हो गया। यह एक नकारात्मक प्रक्रिया हुई। भाषा ने अपने एक व्याकरण-रूप का प्रयोग करना बन्द कर दिया। इस तरह वैदिक भाषा के अनेक रूप लौकिक संस्कृत में छोड़ दिये गए हैं। किन्तु इससे दोनों में मौलिक भाषागत अन्तर उत्पन्न नहीं होता। क्षय की दूसरी मिसाल यह दी गई है कि "कारकों की संख्या कम

कर दी गई और एक ही कारक-रूप एकाधिक कारकों का काम देने लगा।" यह भी वही नकारात्मक प्रक्रिया हुई। एक ही कारक-रूप अनेक कारकों का काम देने लगा—इसकी मिसालें हमें संस्कृत तथा प्राचीन-नवीन यूरोपीय भाषाओं में मिलती हैं।

कुछ रूप ऐसे भी हैं जो "वैदिक या लौकिक संस्कृत में नहीं मिलते परन्तु आभाआ की विभिन्न प्रादेशिक बोलियों में पाए जाते थे, मभाआ में सुरक्षित देखे जाते हैं।" जो रूप वैदिक या लौकिक संस्कृत में नहीं मिलते, वे आभाआ की प्रादेशिक बोलियों में—अर्थात् संस्कृत की समानान्तर भाषाओं में—प्रचलित रहे होंगे, यह कल्पना बिलकुल तर्कसंगत है। यदि प्राकृतों में ऐसे रूप मिलें जो संस्कृत में न हों, तो यह अनुमान करना उचित होगा कि ये रूप प्राचीन हैं, यद्यपि वे संस्कृत में नहीं आए। डॉ. चाटुर्ज्या के शब्दों में : "इससे यही सिद्ध होता है कि आभाआ के सभी कारक-रूप वैदिक तथा संस्कृत में सुरक्षित न रह सके।" इससे यह भी सिद्ध हुआ कि आभाआ-मभाआ-नभाआ की नसेनी यहाँ काम नहीं आई। इससे यह निष्कर्ष भी निकलता है कि आधुनिक भाषाओं के हर रूप को संस्कृत से सिद्ध करने का प्रयास न करना चाहिए। आधुनिक भाषाओं के अनेक रूपों के बारे में यह स्थापना भी गलत न होगी कि वे उतने ही पुराने हैं जितने वैदिक रूप, यद्यपि न वे वैदिक भाषा में हैं, न उनकी उत्पत्ति वैदिक रूपों से हुई है।

यह मानने पर भी कि मभाआ के अनेक रूप वैदिक और लौकिक संस्कृत में सुरक्षित न रह सके होंगे, डॉ. चाटुर्ज्या ने इन रूपों के जो उदाहरण दिये हैं, उन्हें उन्होंने संस्कृत से ही उत्पन्न सिद्ध किया है। मभाआ रूप राम-केरक तथा रामस्य केरक कैसे बने? एक वैदिक प्रयोग है—सूरे दुहिता। इसका अर्थ है सूर्य की पुत्री। यह सूरे सूरस्  रहा होगा। स् का लोप हो गया; कार्यकम् से केरक बना! इसी प्रकार मभाआ का 'कहि=कहाँ'; यह आभाआ का 'कधि' माना गया है। यह भी एक प्रकार का क्षय है जिसके लिए जिम्मेदार हैं अनार्य। "यहाँ हम परोक्ष द्रविड़ या दक्षिण-देशीय (ऑस्ट्रिक) प्रभाव की प्रतिक्रिया का अनुमान कर सकते हैं।" इस सन्दर्भ में लैटिन शब्दों के फ्रांसीसी रूप और उच्चारण पर ध्यान देना चाहिए। साधारण नियम है अन्तिम व्यंजन को उदरस्थ कर जाना। क्या इस क्षय के लिए भी हम यूरोप के अनार्यों को जिम्मेदार मानें? उधर स्पेनी में फ्रांसीसी के सम रूप शब्दों का भरा-पूरा उच्चारण होता है, इसे क्या हम वहाँ आर्यों की अधिकता का फल मानें?

क्रिया-रूपों में आभाआ के अधिकांश भेद लुप्त हो गए। भूतकाल के लिए कृदंत रूपों का चलन हुआ; यह रूप "अकर्मक होने पर कर्ता के, एवं सकर्मक होने पर कर्म के विशेषण का कार्य करता था।" जैसे मैं गया या मैं गई—यह अकर्मक रूप हुआ; मैंने खाना खाया, मैंने रोटी खाई—यह सकर्मक रूप हुआ। लेकिन अवधी में—वहु घर मां रहै (वह घर में था) और वह घर मां रहै (वह घर में थी)—इन दोनों रूपों में 'रहै' क्रिया अपवर्तित रहती है। वह विशेषण का काम करे तो उसे था,

थी के लिंग-भेदानुसार अपना रूप बदलना चाहिए। इसी प्रकार सकर्मक क्रिया के भूतकाल में वह रोटी खायेसि; वहु भातु खायेसि। यहाँ रोटी-भात के लिंग-भेदानुसार 'खायेसि' क्रिया में भेद नहीं हुआ। इसलिए यह निष्कर्ष निकालना गलत होगा कि "क्रिया का भूतकालिक रूप स्वभावत: विशेषण का कार्य करने लगा।" सर्वत्र ऐसा नियम नहीं है। इसके बाद यह टिप्पणी और भी गलत है कि "इस विषय में आर्य भाषा ने द्रविड़ के मार्ग का अनुसरण किया, क्योंकि द्रविड़ भाषा में क्रिया से अपने-आप विशेषण का बोध होता था।" रूसी में अन चिताल, अना चिताला—उसने पढ़ा, लिंग-भेद से चिताल क्रिया के दो रूप बने। क्या हम कहें कि यह रूसी पर द्रविड़ भाषा के प्रभाव का परिणाम है? फिर वह 'द्रविड़ भाषा' कौन-सी है जिसमें क्रिया से अपने-आप विशेषण का बोध होता है? वास्तव में द्रविड़ 'भाषाएँ' तो हैं, द्रविड़ 'भाषा' नहीं है। इन भाषाओं के अपने-अपने नियम हैं; कुछ नियमों में समानता है, कुछ में भेद है। मलयालम के क्रिया-रूपों की विशेषता का उल्लेख पहले हो चुका है जिनमें लिंग-वचन-पुरुष के अनुसार भेद होता ही नहीं है। नस्ल का सिद्धान्त रामबाण का काम करता है। हर मर्ज की अचूक दवा है। आर्य भाषा में जो भी 'क्षय' हो, उसके लिए जिम्मेदार ठहराना चाहिए द्रविड़ों को। उदारतावश कभी-कभी हम इस क्षय को आर्य-द्रविड़ संस्कृतियों का समन्वय भी कह लेते हैं।

शब्द-निर्माण-प्रक्रिया के सम्बन्ध में एक सिद्धान्त यह माना गया है कि नभाआ की ओर संक्रमण वेला में 'अल्ल, इल्ल, ऍल्ल, ड़' आदि गुरुता-लघुता सूचक प्रत्ययों का प्रयोग बढ़ता है। पहले तो अल्ल, इल्ल सभी नव्य भारतीय भाषाओं में प्रयुक्त नहीं होते; दूसरे, इनका प्रयोग भारत के बाहर भी दर्शनीय है, यथा—संस्कृत स्वसा, फ्रांसीसी सॅर, इतालवी सोरेल्ला; संस्कृत भ्रातृ, इतालवी फ्रातेल्लो। भाषा-शास्त्रियों को चाहिए कि उन्होंने जैसे भारतीय आर्य भाषा के आद्य-मध्य-नव्य तीन खंड किये हैं, वैसे ही वे यूरोपीय आर्य भाषाओं के भी कर डालें।

मभाआ की तीन अवस्थाएँ कल्पित की गई हैं—प्राथमिक, परिवर्तनकालीन, अपभ्रंश। इनके "ध्वनि-तत्त्व तथा रूप-तत्त्व की स्थिति-रेखा लगभग निश्चयात्मक रूप से स्थिर की जा चुकी है।" यह स्थिरीकरण इतना स्पष्ट है कि "इस विषय का और अधिक विवेचन अनावश्यक होगा।" लेकिन मुख्य समस्या यह है कि मभाआ यानी प्राकृतों को "आधुनिक भाषाओं की माता माना जाए या नहीं?" आधुनिक भाषाओं में कोई मागधी की पुत्री है तो कोई शौरसेनी की; सन्देह है इसी मातृत्व की व्यवस्था में। "कहने का तात्पर्य यह है कि प्राचीन भारतीय वैयाकरणों द्वारा प्रादेशिक नामों के साथ उल्लिखित प्राकृत बोलियाँ किस हद तक आधुनिक प्रादेशिक बोलियों की पूर्वज कही जा सकती हैं?" आद्य-मध्य-नव्य वाली नसेनी उतनी सुगम सिद्ध नहीं होती जितनी उसके यूरोपीय निर्माताओं ने उसे घोषित किया था। आधुनिक भाषाओं और प्राकृतों से सम्बन्ध को समझना क्या सरल काम है?

नहीं, "यह प्रश्न बड़ा जटिल है।" जटिल प्रश्न भी हल किये जा सकते हैं लेकिन प्राकृतों के बारे में जो सामग्री मिलती है, वह "इतनी कम और मिश्रित प्रकार की है कि उसके आधार पर उपर्युक्त प्रश्न का सुलझना सम्भव-सा प्रतीत होता है।" एक प्रकार से यह असफलता की स्वीकृति है जिस पर विद्वान भाषाशास्त्री को बधाई देनी चाहिए। इस प्रकार की असफलता के बाद ही सफलता के आंशिक दर्शन हो सकते हैं। प्राकृतों के आधार पर आधुनिक भाषाओं की उत्पत्ति और विकास की व्याख्या क्यों 'असम्भव'-सी प्रतीत होती है? इसलिए कि संस्कृत-प्राकृत-अपभ्रंश की व्याख्या-पद्धति का आधार प्राचीन रूढ़िवाद है; उसमें भाषाओं के प्रति जो दृष्टिकोण अपनाया गया है, वह मूलत: गलत है। दुर्भाग्य से यूरोपीय भाषाविदों के अनेक योग्य अनुवर्ती अपनी पद्धति की असफलता को मान लेने पर भी उसे छोड़ नहीं पाते।

मुख्य कठिनाई यह है कि प्रादेशिक बोलियों के नाम पर जो प्राकृतें मिलती हैं, वे विश्वसनीय नहीं हैं। उनकी तुलना आधुनिक नाटकों में व्यवहृत किसी बोली की नकल से की जा सकती है। डॉ. चाटुर्ज्या ने बिलकुल ठीक लिखा है कि यह नाटकों वाली नकल भी असल के जितना निकट होती है, उतना प्राकृतें प्रादेशिक बोलियों के निकट नहीं थीं। श्रद्धेय डॉ. चाटुर्ज्या ने प्राकृतों की कृत्रिमता के बारे में लिखा है : "वास्तव में हमें उपलब्ध, उनका रूप, वैयाकरणों (तथा तत्पश्चात् के प्राकृत लेखकों) द्वारा, शौरसेनी, मागधी, महाराष्ट्री, पैशाची आदि किस प्रकार की प्रादेशिक बोलियाँ होनी चाहिए, इस दृष्टि से कल्पित किया हुआ रूप है।"[1]

भाषाविज्ञान के विद्यार्थियों को 'कल्पित किया हुआ रूप है', इस वाक्यांश को खूब अच्छी तरह ध्यान से देखकर, उसका अर्थ समझकर, हृदयंगम कर लेना चाहिए। इस कल्पित किये हुए रूप के आधार पर अब तक भाषाविद् आधुनिक भाषाओं की उत्पत्ति और विकास को समझते रहे हैं। इसी के आधार पर वे हिन्दी, बंगला आदि भाषाओं को संस्कृत की पुत्रियाँ सिद्ध करते रहे हैं। इसी के आधार पर उन्होंने आभाआ-मभाआ-नभाआ का ताना-बाना खड़ा किया है। उस ताने-बाने में स्वयं उलझकर वे पुकार उठे हैं, यह सब जाल है : "मभाआ की शब्द-रेखाएँ, जान पड़ता है, आधुनिक प्रान्तीय भाषाओं तथा बोलियों के सूक्ष्म अध्ययन से ही स्थिर की जा सकती है; साथ में जो भी प्रकाश स्वयं प्राकृतों से मिल सके, वह तो रहेगा ही।" मभाआ की रूपरेखा अभी निश्चित होने को है। संस्कृत और आधुनिक भाषाओं के बीच की कड़ी कौन-सी थी, यह अभी स्थिर होना है। इस बीच की कड़ी को निश्चित करने का उपाय वर्तमान भाषाओं का अध्ययन ही हो सकता है—यह स्थापना सौ फीसदी सही है। आश्चर्य इस बात पर है कि जिस पैराग्राफ का अन्तिम वाक्य ऊपर वाला है—जिसमें मभाआ की रूपरेखा को स्थिर करने के भावी कार्यक्रम की ओर संकेत है—उसी पैराग्राफ के पहले वाक्य में यह दावा

1. 'भारतीय आर्य भाषा और हिन्दी', पृ. 98

किया गया है कि मभाआ की विभिन्न अवस्थाओं के ध्वनि-तत्त्व तथा रूप-तत्त्व की स्थिति-रेखा लगभग निश्चयात्मक रूप से स्थिर की जा चुकी है। जो रूपरेखा पहले लगभग स्थिर दिखाई देती है, वही कुछ क्षणों बाद लगभग अस्तित्वहीन हो जाती है।

यह शंका किसी के मन में न रहनी चाहिए कि जिसे मभाआ कहा गया है, वह प्राकृतों से किसी प्रकार भिन्न है। 'मभाआ' का प्रयोग इस संज्ञा को 'प्राकृतों' की तुलना में अधिक वैज्ञानिक मानकर किया गया है। मूल स्थापना वही है जिसे यहाँ के पंडितों ने बहुत पहले प्रचारित किया था : "संस्कृत के पश्चात् वे भाषाएँ आईं, जिन्हें हम वैज्ञानिक दृष्टि से उसी के कनीयस् रूप कह सकते हैं। ये प्राचीन 'प्राकृतें' तथा आधुनिक 'भाषाएँ' हैं।"[1] संस्कृत, उसके बाद प्राकृत, फिर भाषा-विकास की इन मंजिलों का यहाँ स्पष्ट उल्लेख है। अन्यत्र इस प्रकार की व्याख्या भी है : "भारतीय आर्य भाषा के विकास की द्वितीय अवस्था—प्राकृत या मध्ययुगीय कार्यकाल", इत्यादि। अब कोई संशय न रहना चाहिए कि कल्पित प्राकृतों के युग को आर्य भाषा के विकास का मध्य युग माना गया है। किन्तु यदि प्राकृतें ही कल्पित हैं, तो आर्य भाषा का मध्ययुग कल्पित नहीं है, इसका क्या प्रमाण है? कल्पित प्राकृतों के आधार पर यह कैसे पता चला कि "बुद्ध के कुछ पहले, लगभग 600 वर्ष ईसा-पूर्व तक पूर्वी भारत में भारतीय आर्य भाषा का मभाआ काल पूर्णतया प्रतिष्ठित हो चुका था?" शायद इस स्थापना का आधार यह हो कि भगवान् बुद्ध ने पंडितों की भाषा संस्कृत छोड़कर अपने लोक-धर्म का प्रचार लोकभाषा में किया था। लेकिन "एक बात जो स्पष्ट होती जा रही है, वह यह है कि पालि भाषा का मगध प्रदेश से कोई सम्बन्ध नहीं है, यद्यपि उसका एक वैकल्पिक नाम 'मागधी भाषा' है। पालि वास्तव में शौरसेनी से सम्बन्धित एक मध्यदेशीय भाषा है।"[2]

भगवान बुद्ध ने पालि में उपदेश दिये—पहले तो इसी का कोई प्रमाण नहीं है। फिर पालि को मागधी प्राकृत नहीं कहा जा सकता। जिस हद तक वह प्रकृत भाषा है—कृत्रिम प्राकृत नहीं—उस हद तक उसका सम्बन्ध मध्यदेश से है। इस मध्यदेश की प्राकृत के आधार पर यह कैसे कहा जा सकता है कि 600 ईसा-पूर्व तक 'पूर्वी भारत में' मभाआ काल पूर्णतया प्रतिष्ठित हो चुका था? और यह कैसे कहा जा सकता है कि जिन प्रदेशों से पालि का विशेष सम्बन्ध था, वहाँ तब तक वैदिक ध्वनियाँ ही प्रचलित थीं? बुद्ध से कुछ पहले, पालि-क्षेत्र से दूर, पूर्वी भारत में मभाआ काल पूर्णतया प्रतिष्ठित हो गया, "जबकि पश्चिमोत्तर भारत—उदीच्य तथा सम्भवत: मध्यदेश—में भी, जहाँ तक ध्वनिविज्ञान का प्रश्न था, वैदिक (या आभाआ) रूप ही चल रहा था!"[3] न तो ऐतिहासिक दृष्टि से 600 ईसा-पूर्व के लगभग मभाआ को

1. 'भारतीय आर्य भाषा और हिन्दी', पृ. 84
2. उप., पृ. 98
3. उप., पृ. 84

प्रतिष्ठित मानने का प्रमाण है, न भौगोलिक दृष्टि से पश्चिमोत्तर प्रदेश की तुलना में पूर्वी भारत को उसका प्रतिष्ठा-क्षेत्र मानने का कोई कारण है। यह सारा विश्लेषण और भी आश्चर्यजनक हो जाता है जब हम सुनते हैं कि पश्चिमोत्तर प्रदेश में 600 ईसा-पूर्व तक—यानी कम-से-कम दो हजार साल तक—वैदिक ध्वनियाँ सुरक्षित रहीं लेकिन रूप-तत्त्व में वहाँ की भाषा अन्य बोलियों के समान ही परिवर्तित हो गई!

प्राकृतों का रूप प्रामाणिक नहीं; उनका क्षेत्र प्रामाणिक नहीं; उनका अभ्युदय-काल प्रामाणिक नहीं। इसलिए आद्य आर्य भाषा के क्षय के जो अनार्य उपकरण बताए गए हैं, वे भी प्रामाणिक नहीं हैं। संस्कृत-प्राकृत का मुख्य भेद ध्वनि-सम्बन्धी है, जबकि संस्कृत और आधुनिक भाषाओं का भेद-ध्वनि के अलावा रूप-गठन और मूल शब्द-भंडार से सम्बन्धित भी है। संस्कृत से भिन्न प्राकृतें जनसाधारण की स्वतंत्र भाषाएँ थीं या नहीं, इसकी कसौटी यह है कि उनकी अपनी व्याकरण व्यवस्था और अपना मूल शब्द-भंडार हैं या नहीं। गच्छति-गच्छदि, कथय-कथेहि, भूत्वा-भविअ, करिष्यामि-करिस्सं, पश्यति-पेक्खदि, प्राकृत-पाउअ, कृति-कइ, कवि-कइ, श्रेष्ठ:-शेठो—इस तरह के भेद संस्कृत-प्राकृत का मौलिक भेद प्रकट नहीं करते। मागधी प्राकृत में यदि शकार-प्रयोग अधिक है—विलास-विलाश, सारस-शारश आदि—तो शौरसेनी से उसका यह मौलिक भेद न हुआ। पालि में यदि बुद्ध, बुद्धेन, बुद्धाय, बुद्धस्स, बुद्धेसु! आदि रूप मिलते हैं तो इससे पालि की स्वतंत्र व्याकरण-व्यवस्था सिद्ध नहीं होती।

इसके सिवा जहाँ कुछ ध्वनि-परिवर्तन वास्तविक स्थिति की ओर संकेत करते हैं, वहाँ बहुत-से शब्द कुछ 'नियमों' के अनुसार गढ़े गए हैं। श्री किशोरीदास वाजपेयी का यह तर्क बिलकुल सही है कि "यदि राजा का रूप राआ कभी जनगृहीत हुआ होता, तो आज भी वह उसी रूप में कहीं चलता दिखाई देता। उल्टी गंगा पहाड़ पर न चढ़ती कि 'राआ' को फिर जनता 'राजा' कर देती। 'राआ' बनाया हुआ रूप है, प्राकृत व्याकरणों में दी हुई विधि के अनुसार। कहीं जन-भाषा में किसी पद के उपान्त्य व्यंजन का लोप देखकर वैसा लिख दिया गया होगा कि 'अन्तिम सस्वर व्यंजन का स्वर शेष रहता है, व्यंजन का लोप हो जाता है', बस, वह नियम बन गया! सर्वत्र वैसा बनाया जाने लगा। ऐसा विकृत रूप भाषा का कर दिया गया है कि अचरज होता है!"[1] अपभ्रंशों पर भी इन प्राकृतों का बहुत असर पड़ा है, इतना असर पड़ा है कि इन्हें भी प्राकृतों में—या मभाआ की तृतीय अवस्था में—गिना जाता है। प्राकृतों से भिन्न अपभ्रंशों की विशेषता यह है कि इनमें आधुनिक भाषाओं के कुछ रूप मिलते हैं। लेकिन प्राकृत-प्रभाव के कारण अपभ्रंश भी निहायत अप्राकृतिक हो गई हैं। वाजपेयी जी के शब्दों में "कर्ण कटुता का तो कोई ठिकाना ही नहीं। संस्कृत में तथा हिन्दी आदि आधुनिक भाषाओं में ऐसा कोई शब्द न मिलेगा, जिसके प्रारम्भ में 'ण' हो। परन्तु प्राकृतों में णकारादि शब्दों की बेहद भरमार है। यहाँ तक कि 'न'

1. 'हिन्दी शब्दानुशासन', पृ. 11

भी 'ण' कर दिया गया है!" अपभ्रंश कवियों में पुष्पदंत तथा अनेक सिद्धों का नाम लिया जाता है। "भगवान भला करें हमारे राहुल सांकृत्यायन का, जिनके असाधारण पुरुषार्थ से पुष्पदंत की तथा अनेक सिद्धों की वाणी सामने आई। 'सिद्ध' कवियों के अतिरिक्त अन्य भी बहुत-से कवियों का पुनरुद्धार राहुल जी ने किया है। आश्चर्य आप करेंगे, इनमें से कितने ही समसामयिक कवियों की भाषा में आकाश-पाताल का अन्तर है।" यह अन्तर स्वाभाविक है, क्योंकि अपभ्रंश पर कृत्रिम प्राकृतों का प्रभाव है; उसमें बोलचाल की भाषा के कुछ रूप ही आए हैं, वह बोलचाल की भाषा नहीं है। जैसे गोरखवाणी और पुष्पदन्त की भाषा में अन्तर है, वैसे ही एक कवि, विद्यापति की मैथिली और उनकी अपभ्रंश में अन्तर है। अपभ्रंश में न केवल संस्कृत का भ्रष्ट रूप है, वरन् उसमें आधुनिक भाषाओं का भी भ्रष्ट रूप प्रस्तुत किया गया है। अपभ्रंश-साहित्य में हम हिन्दी रूपों को जहाँ-तहाँ पहचान सकते हैं, किन्तु संस्कृत-प्राकृत के बाद उसे विकास की कड़ी नहीं मान सकते।

जिस तरह मध्य भारतीय आर्य भाषा के अभ्युदय का देश-काल निश्चित कर लिया गया था, उसी तरह नव्य भारतीय आर्य भाषा के अभ्युदय का देश-काल भी निश्चित कर लिया गया है। मभाआ के अभ्युदय में अहिंसावतार भगवान बुद्ध ने सहायता की थी, तो नभाआ के अभ्युदय में हिंसावतार तुर्क-आक्रमणकारियों ने मदद की! "लगभग 1000 ई. के आसपास से आर्य भाषा के इतिहास का एक नया युग—'नव्य-भारतीय-आर्य' काल—आरम्भ होता है।" इस आरम्भ का कारण तुर्कों का आक्रमण और भारत में इस्लाम का आगमन है। "तुर्कों की विजय के साथ एक बिलकुल नूतन, अपूर्वागत वस्तु देश में आई। वह था उनका बिलकुल असहिष्णु तथा आक्रामक वृत्ति वाला इस्लाम धर्म।" इस धर्म के वाहक थे तुर्क। "वे 'दीन' के अनुयायियों के रूप में अपने को 'खुदा' के 'बन्दे' मानते थे, जिनका मुख्य कर्तव्य 'काफिर बुत-परस्तों' को सच्चे धर्म इस्लाम की छत्रच्छाया में लाना और 'खुदा' के हुक्म का विरोध करनेवालों को लूटना तथा मौत के घाट उतारना था।" इस आक्रमण की प्रतिक्रिया में हिन्दू जाति ने धर्मरक्षा का जो बीड़ा उठाया, उसी से नव्य आर्य भाषाओं का अभ्युदय सम्भव हुआ। धर्मरक्षा से प्रेरित भाषाओं के अभ्युदय की कहानी इस प्रकार है : "तुर्कों की विजय की प्रारम्भिक हलचलपूर्ण शताब्दियों में उन्होंने भारतीयों के मानस को भी बलपूर्वक अपने ही सदृश बनाने की चेष्टा की; उनकी यह प्रवृत्ति भारतीय संस्कृति के लिए बड़ी हानिप्रद सिद्ध हुई; अधिकांश भारतीय विचारधारा के नियामक तो विदेशी म्लेच्छों के इस नूतन प्रकार के बर्बर आक्रमण की आकस्मिकता तथा हिंसात्मकता के समक्ष किंकर्तव्यविमूढ़ हो गए, और जो सँभले रह सके, उन्होंने इस आक्रमण से अपनी सभ्यता के आध्यात्मिक तथा सांस्कृतिक उपादानों के संरक्षण करने के प्रयत्न आरम्भ कर दिये। जनता में अपने उच्च आध्यात्मिक और सांस्कृतिक विचारों के प्रसार के लिए उन्होंने लोकभाषा को अपना माध्यम बनाया; इस प्रकार जनता अपने जीवन और

धर्म को अन्तरित कर तर्कों का-सा न बनाए, इसके लिए उन्होंने प्रयत्न किये। तुर्की आक्रमण की चोट से आई हुई प्रथम मूर्च्छा से ज्योंही उत्तर भारतीय हिन्दू सँभलकर उठे, त्योंही उनमें अटनशील धर्म-प्रचारक तथा उपदेशक निकल पड़े, जो ईश्वर को राम, कृष्ण और शिव आदि विभिन्न रूपों से देखते थे और हिन्दू धर्म के प्राचीन एकेश्वरवाद का प्रचार करते थे।" इस प्रकार नव्य आर्य भाषाओं का अभ्युदय हिन्दुओं के सँभलने और हिन्दू धर्म के प्रचार से सम्बद्ध था। इतिहास की इस व्याख्या को स्वीकार कर लिया जाए, तो भी यह सिद्ध नहीं होता कि हिन्दू धर्म की रक्षा के कारण मभाआ से नभाआ का जन्म हो गया। बहुत-से-बहुत धर्म-प्रचारकों ने लोकभाषाओं को 'अपना माध्यम बनाया'। उन्होंने उन्हें जन्म नहीं दिया। आश्चर्य की बात यह है कि तुर्क-आक्रमण को जहाँ धर्म और संस्कृति के लिए इतना हानिकर माना गया है, वहाँ भाषाओं के अभ्युदय के लिए उसे उतना ही आवश्यक स्वीकार किया गया है। स्थापना यह है कि भारतीय समाज में ऐसी शक्ति अपने-आप उत्पन्न न हुई थी जो अपभ्रंशों को हटाकर लोकभाषाओं को सामने लाती। "यदि भारतीय जीवन की धारा पूर्वनिर्मित दिशा में ही बहती रहती, और उस पर बाहर का कोई भीषण आक्रमण न हुआ होता, तो सम्भवतः, जैसा पहले सुझाव रखा जा चुका है, नव्य-भारतीय-आर्य-साहित्यों का श्रीगणेश तथा विकास एक-दो शताब्दी पश्चात् ही होता।" अंग्रेज़ी राज की प्रगतिशील भूमिका से मिलता-जुलता यह तुर्क-आक्रमण की प्रगतिशील भूमिका का सिद्धान्त है। अंग्रेज़ भारत को गुलाम न बनाते तो पाश्चात्य सभ्यता से हमारा सम्पर्क न होता और तब आधुनिक साहित्य—विशेष कर बंगला साहित्य—का अभ्युदय भी न होता। उसी प्रकार न तुर्क हमला करते, न हिन्दू सँभलते, न उनके धर्म-प्रचारक लोकभाषाओं को अपनाते। यहाँ यह प्रश्न करना संगत है कि उन्होंने लोकभाषाओं को किसके विरुद्ध अपनाया—तुर्क-आक्रमणकारियों की भाषा तुर्की के विरुद्ध या अपभ्रंशों के विरुद्ध? ऊपर की व्याख्या में तुर्की के मुकाबले देशी भाषाओं की रक्षा की और संकेत नहीं है; संकेत है अपभ्रंशों के मुकाबले में लोकभाषाओं के आगे बढ़ने का। ऊपर 'यदि भारतीय जीवन की धारा' आदि जो वाक्य उद्धृत किया गया है, वह अपभ्रंशों के प्रसंग में ही; उससे पहले का वाक्य है : "नभाआ के पूर्ण रूप से उदय हो जाने पर भी अपभ्रंश (एवं कुछ अंशों में प्राकृत) की परम्परा बराबर चलती रही; ई. 15वीं शताब्दी के अन्त में संकलित 'प्राकृत-पैंगल' इस बात का ज्वलन्त उदाहरण है।" नभाआ का अभ्युदय हुआ 1000 ई. के आसपास। पाँच सौ वर्ष तक ये नव्य भाषाएँ अपने आसन पर प्रतिष्ठित न हो सकीं। वे अपना आसन किससे माँग रही थीं? अपनी ही अपभ्रंश माताओं से। माँ-बेटी के इस झगड़े को निपटाया तुर्क-आक्रमण ने। हिन्दू धर्म की रक्षा के लिए यह आवश्यक हो गया कि हिन्दू जाति अपभ्रंश माताओं को त्यागकर नव्य आधुनिक पुत्रियों का साथ दे! आधुनिक भाषाएँ प्राकृतों से उत्पन्न हुई हैं, इस स्थापना को उपर्युक्त सन्दर्भ में दोहराया गया है : "प्राकृतों का युग बीत

चुका था। प्रादेशिक अपभ्रंशों की राह से होती हुई प्राकृतें, परिवर्तित होकर, आधुनिक भारतीय भाषाएँ बन गई थीं।" यदि यह मान लें कि आक्रमण के प्रभाव से अपभ्रंशों को हटना पड़ा और नव्य भाषाओं ने उनका स्थान लिया, तो भी—इस क्रिया से पहले ही "प्राकृतों का युग बीत चुका था।" यदि प्राकृतें कृत्रिम साहित्यिक भाषाएँ थीं, तो उनके युग के बीतने का सवाल ही क्यों उठे? वास्तविक व्यवहार में उनका अस्तित्व था ही नहीं। बोलचाल की भाषाएँ आद्य-नव्य भले रही हों, मध्य नहीं थीं। यदि प्राकृतें बोलचाल की भाषाएँ थीं, तो उनके युग बीतने का कोई कारण होना चाहिए; कम-से-कम तुर्क-आक्रमण से तो यह सम्भव नहीं कि बोलचाल की भाषाएँ सारे उत्तर भारत से तिरोहित हो जाएँ और अचानक उन्हीं की पुत्रियाँ—दूसरी भाषाएँ—उत्पन्न हो जाएँ। भारत पर तुर्क-आक्रमण की व्याख्या से यह बिलकुल स्पष्ट नहीं होती कि प्रादेशिक अपभ्रंशों की राह से होती हुई प्राकृतें, परिवर्तित होकर, आधुनिक भारतीय भाषाएँ कैसे बन गई थीं। यदि अपभ्रंशमार्गी प्राकृतों के आधुनिक भाषाएँ बनने की यह पद्धति सही हो, तो भी उसे तुर्क-आक्रमण से एकदम असम्बद्ध स्वतंत्र प्रक्रिया ही माना जाएगा।

अब देखना चाहिए कि मभाआ से—जिसका प्राप्त रूप सन्दिग्ध और कृत्रिम माना गया है—नभाआ की उत्पत्ति कैसे हुई? शुरुआत होती है ध्वनि-क्षय से। "मभाआ युग से भाषा में एक प्रकार के क्षय का आरम्भ हो गया था। यह क्षय अबाध गति से बराबर चलता रहा।" जब यह क्षय-प्रकिया सम्पूर्ण हो गई, तब 'विकास और शक्ति-संचय की एक नई क्रिया' का आरम्भ हुआ। इस नई क्रिया का पहला उदाहरण यह है : "भारतीय आर्य-भाषी प्रदेश के अधिकांश भाग में 'अक्क' तथा 'अकअ' के सदृश प्राकृत शब्दों का 'अ' स्वर तथा 'क' व्यंजन संकुचित हो गया, और वे क्रमशः 'आक' तथा 'अका' बन गए। दोनों ही उदाहरणों में व्यंजन की दीर्घता (या द्वित्व) तथा अन्तिम स्वर की स्थान-पूर्ति के लिए स्वर को दीर्घ बना दिया गया।" जितना समय अक्क के उच्चारण में लगता है, उतना ही आक के; अकअ और अका भी तीन-तीन मात्राओं के शब्द हैं। स्वर-व्यंजनों में स्थान-परिवर्तन हुआ; उच्चारण काल ज्यों-का-त्यों रहा। न यह क्षय-प्रक्रिया हुई, न शक्ति-संचय की नई क्रिया। 'माता' से माँ, माय, माई, मैया, महतारी आदि अनेक रूप हमारी जनपदीय बोलियों में प्रचलित हैं; इनमें कहाँ क्षय-सिद्धान्त माना जाए, कहाँ शक्ति-संचय की क्रिया?

मभाआ से नभाआ की उत्पत्ति की दूसरी मिसाल यह है : "किसी व्यंजन के पहले आया हुआ पूर्ण सानुनासिक घटकर निकटस्थ स्वर का नासिक्यी-भवन मात्र रह गया। (उदाहरण 'चन्द्र, चन्द, चाँद')।" लेकिन हिन्दी में चन्द्र भी प्रचलित रहा, परिनिष्ठित हिन्दी में ही नहीं, बोलचाल की भाषा और बोलियों में भी। रामलीला या रामायण पाठ के समय जनसाधारण बार-बार 'बोल रजा रामचन्द्र की जै' ध्वनि करते रहे हैं। यदि कोई कहे, जनता रामचन्द्र नहीं, रामचन्द की जै बोलती है, तो दूसरा उदाहरण है इन्द्र का। गाँव की स्त्रियाँ रूपगर्विता के लिए तिरस्कार भाव में

कहती हैं—बड़ी इन्द्र की परी बनी है! इन्दर रूप उर्दू-पंजाबी में स्वीकृत है, हिन्दी क्षेत्र की बोलियों में नहीं। भूषण ने 'इन्द्र जिमि जंभ पर' लिखकर लोकभाषा के ध्वनि-सिद्धान्त की अवहेलना न की थी।

चन्द को यदि मभाआ रूप मानें तो प्रेमचन्द जैसा प्रिय नाम आधा आद्य आर्य (प्रेम) और आधा मध्य आर्य (चन्द) रहेगा, उसे नव्य आर्य भाषा का नाम माना ही न जा सकेगा। एक प्रचलित कहावत है : 'दाल-भात में मुसरचन्द'; इससे चन्द रूप की लोकप्रियता का पता चलता है। चन्द की तुलना में चाँद को विशेष रूप से नव्य क्यों माना जाए? चन्द का एक लोकप्रिय रूप चन्दा भी है : 'आजु सुहाग की राति, चन्दा तुम उइहौ, उइहौ।' चाँद के अलावा उसका एक और लघु रूप चान् भी कहीं-कहीं बोला जाता है और चन्दरमा या चँदरगा में हलन्त 'द' का स्थान पूरा 'द' ले लेता है। पंजाबी बोलियों को नासिक्यी-भवन-नियम का अपवाद माना गया है : "पंजाब की बोलियों में इस प्रकार के व्यंजन-सम्बन्धी परिवर्तनों का गतिरोध हुआ और इस विषय में उनका अपना भिन्न पथ रहा।" भिन्न पथ अवश्य रहा, लेकिन गतिरोध क्यों माना जाए? जब तक कृश्न चन्दर का नाम लोगों की ज़बान पर है, तब तक इस ध्वन्यात्मक गतिरोध को कैसे मान्यता दी जाए?

तीसरा परिवर्तन इस प्रकार है : "आभाआ तथा मभाआ की 'च' तथा 'ज' ध्वनियों का मराठी में (कुछ विशेष संयोगों में), गंजाम की उड़िया में, सूरत की गुजराती में, कुछ राजस्थानी बोलियों में, परबतिया या गोरखाली तथा पूर्वी बंगाल में, 'त्स' तथा 'द्ज़्' (ts, dz) में परिवर्तन।" ज़, झ़ आदि आर्य-ध्वनियाँ मानी गई थीं। यज्ञस्य-यज़ञस्य, पुरोहितं-पुरज़्धितमऋत्विजम्-ऋत्विज़म्, भर्गो-भर्गज़्, धियो-धियज़् आदि रूपों में दूसरा रूप शुद्ध मूल-आर्य माना गया था और पहला रूप अनार्य-प्रभावित—या स्वत: अपभ्रष्ट—भारतीय रूप। अब मभाआ के बाद उन शुद्ध आर्य-ध्वनियों का पुन: अभ्युदय हुआ। लेकिन इसका प्रमाण क्या है कि राजस्थान, महाराष्ट्र आदि के लोग पहले च, ज ही बोलते थे और च, ज़ की ध्वनियों से अपरिचित थे? मराठी भाषा के उद्गम और विकास पर अपने ग्रंथ में श्री कुलकर्णी ने इस सम्बन्ध में एक दिलचस्प नियम का उल्लेख किया है। तत्सम शब्दों में च, छ, ज, झ—इन ध्वनियों का शुद्ध तालव्य उच्चारण होता है। तद्भव और देशी शब्दों में च-वर्ग का उच्चारण दन्त्य-तालव्य होता है लेकिन तद्भव शब्दों में भी जब च-वर्ग का कोई वर्ण ई, ए, ऐ, य—इनमें किसी से संयुक्त होता है, तब उसका उच्चारण शुद्ध तालव्य होता है। इसके उदाहरण दिये हैं : चिमट, चिवट, भेदक, चेतविणें, चिता, जिनगर, झिपरी।[1] इससे सिद्ध हुआ कि मराठी जैसी भाषा में च-च़ आदि का परिवर्तन नियम तद्भव शब्दों में भी सर्वत्र लागू नहीं होता। फिर यह नभाआ समूह की सभी भाषाओं के लिए नियम नहीं हैं, यह तो स्पष्ट है।

---

1. कृष्णा जी पांडुरंग कुलकर्णी, 'मराठी भाषा : उद्गम व विकास'; पुणे, 1950; पृ. 393-94

ध्वनि-परिवर्तन से सम्बन्धित अन्य उदाहरण : " 'ह्' के लिए बहुत-सी नभाआ भाषाएँ भिन्न ध्वनियों का उपयोग करती हैं।" इससे पता चला कि नभाआ का ध्वनि-सम्बन्धी कोई एक ही व्यापक नियम नहीं है। उनकी ध्वनि-प्रकृति में काफी विभिन्नता है। यह विभिन्नता एक हद तक वैदिक भाषा में भी प्रकट हो चुकी थी—विशेष कर महाप्राण ध्वनियों के सम्बन्ध में।

ध्वनि-सम्बन्धी एक महत्त्वपूर्ण सिद्धान्त यह है कि उत्तर-भारत की बोलियाँ एक-दूसरे को प्रभावित करती रही हैं। हमारे विचार से बहुत प्राचीन काल में सामी, आर्य, द्रविड़ आदि भिन्न माने जानेवाले भाषा-परिवार भी एक-दूसरे को प्रभावित करते रहे थे। इसलिए कोई आश्चर्य नहीं कि "हिन्दी पर कई एक बातों में पंजाबी का प्रभाव स्पष्ट है; बंगला पर उत्तर-प्रदेशीय भाषाओं एवं बिहारी बोलियों का, जो स्वयं हिन्दी या हिन्दुस्ता(स्था)नी के प्रभावान्तर्गत हैं, प्रभाव पड़ा है।" इससे यह निष्कर्ष निकालना उचित होगा कि उत्तर भारत की कोई भी भाषा अपने ही तत्त्वों से नहीं बनी, उसके निर्माण में अन्य बोलियों का भी योग है। यदि लोग इस बात को समझें कि जिस भाषा पर उन्हें इतना अहंकार है, उसके निर्माण में अन्य भाषाओं का भी हाथ है, तो जातीय अहंकार की मात्रा कुछ कम हो जाए। लेकिन भाषाओं के परस्पर प्रभाव और सम्पर्क का उचित सिद्धान्त मानने के बाद यह आवश्यक नहीं है कि हम किसी प्रदेश की बोलियों को एकमात्र प्रभाव स्रोत मान लें और अन्य भाषाओं को सदा दूसरों से प्रभावित होनेवाला मानें। "भारत में भाषागत प्रभाव का स्रोत साधारणतया पश्चिम में पंजाब की ओर से पूर्व की ओर बहता रहा है, और पंजाब हमेशा से आर्यों के तथा आर्य-प्रभाव के प्रसार का मुख्य केन्द्रस्थल रहा है।" दूसरे अध्याय में हमने देखा था कि पूर्वी बोलियाँ रकार-बहुला हैं, पछाहीं बोलियाँ लकार-बहुला। लकारवाले रूप बाद के सिद्ध हुए थे, रकारवाले प्राचीन। भरत या कुरुजन का क्षेत्र—जहाँ की बोली संस्कृत का मुख्य आधार थी—पंजाब में न होकर हिन्दी-भाषी प्रदेश में आता है। यह आश्चर्य की बात होगी कि आर्य-प्रभाव के प्रसार का केन्द्र तो पंजाब रहा, और आर्य-संस्कृति के प्रधान केन्द्र गंगा-जमुना के किनारे पाए गए। "पंजाब का यह महत्त्वपूर्ण स्थान कुछ अंशों में तो परम्परा को लेकर है; कुछ अंशों में पंजाब के निवासियों की कार्यशीलता भी इसका कारण है।" कलकत्ते में पंजाबी टैक्सी ड्राइवर बहुत अधिक हैं, उनके बंगाली समान-धर्मा बहुत कम। कार्यशीलता के इस तरह के और बहुत-से प्रमाण दिये जा सकते हैं। देश के विभाजन के बाद उत्तर प्रदेश के व्यापारियों को इस कार्यशीलता का विशेष अनुभव हुआ है। किन्तु इस सबसे ध्वनि परिवर्तन या नव्य भाषाओं का अभ्युदय का क्या सम्बन्ध है, यह समझ पाना कठिन है।

कहा गया है कि "पंजाबी में अब भी मभाआ के युग्म व्यंजन सुरक्षित हैं।" उदाहरण : कर्म्म—कम्म-काम, कल्य—कल्ल-कल, सत्य—सच्च-सच,

किञ्चित्—कुज्झ—कुछ, हस्त—हत्थ-हाथ, नस्ता—नत्थ-नथ। निष्कर्ष : "हिन्दी के 'कल', 'सच' आदि रूप पंजाबी के ही आए हुए रूप हैं, केवल पहले अक्षरों का 'अ' ह्रस्व कर दिया गया; और अन्तिम दीर्घ या द्वित्वव्यंजन, हिन्दी के मौलिक ध्वनिविज्ञान के नियमानुसार मान्य न होने के कारण, ह्रस्व हो गया या अकेला रह गया।" पहले तो प्रश्न यह है कि संस्कृत में युग्म व्यंजनों वाले शब्द ही हैं या हिन्दी के मौलिक ध्वनिविज्ञान का अनुसरण करनेवाले अयुग्म व्यंजन वाले शब्द भी हैं? संस्कृत में कर्म शब्द है, काम भी। दोनों का अर्थ अलग-अलग है। दोनों भिन्न शब्द हैं, लेकिन इससे सिद्ध हुआ कि काम शब्द कहने में वैदिक जनों की जिह्वा कुंठित न होती थी। संस्कृत में अद्य है; अज और अजा भी हैं। भिन्न अर्थ वाले हैं। आर्यों को अज या अजा कहने में कठिनाई न होती थी। संस्कृत में कल्य है, काल (सायंकाल, प्रात:काल और महाकाल) और कल (सकल, विकल, कल-कल) भी हैं। युग्म वर्ण वाली ध्वनियाँ कुछ विशेष आर्य नहीं हैं। दूसरा प्रश्न यह है कि क्या हिन्दी में युग्म व्यंजन वाले शब्दों का अभाव है? हम परिनिष्ठित या साहित्यिक हिन्दी की बात नहीं करते; ठेठ देहाती बोलियों में युग्म व्यंजन वाले शब्द हैं या नहीं? किसान तोते को पढ़ाते हैं : 'सत्त गुरुदत्त सिवदत्त राखा; राम के चरन में चित्त लागा।' सत्त, दत्त और चित्त; इनके बाद 'पढ़ो पट्टे' कहकर पट्टे द्वारा ग्रामीण जन अपना युग्म-व्यंजन-प्रेम पुन: प्रकट करते हैं। हिन्दी में काम है, निकम्मा में कम्मा भी। सच भी है, सच्चाई भी (अवधी में सच्ची का विशेष आग्रह है)। हाथ है, दुहत्था भी। नथ है और नत्थन सिंह जैसे प्रचलित नामों में नत्थ भी। 'कुछ' है और अवधी में अर्थ पर जोर देने के लिए कुच्छु, कुच्छौ रूप भी। उपर्युक्त उदाहरणों में रक्तिका-रत्ती की मिसाल भी दी गई है। रत्ती का हिन्दी रूप नहीं दिया गया; उसे 'आदि' में शामिल करके पाठक की कल्पना पर छोड़ दिया गया है। हिन्दी में रती की तुलना में रत्ती का प्रचार ही अधिक है। इसके अलावा लत्ता, पत्ता, कलकत्ता, अलबत्ता, सत्तर, बहत्तर, छियत्तर, भद्दा, मद्दा, दद्दा, गद्दी, रद्दी, पिद्दी, चौहद्दी, बर्ध (बैल), गर्द-गर्दा, पर्दा, हर्दी (हल्दी), मर्द, सर्द-सर्दी, कक्का-पक्का, बिचक्खनि (विचक्षण), मक्कर (मक्र), चक्कर, अक्कड़-बक्कड़ (गुली डंडा खेलते समय बच्चे कहते हैं : अक्कड़-बक्कड़-बम्दे-बो) लग्घी, (लम्बी लकड़ी) बग्घी, घिग्घी, लुच्चा, कच्चा, बच्चा, अच्छा, रच्छा (तीन देव रच्छा करैं—ब्रह्मा, बिस्नु, महेस), दच्छिना, लच्छन, धज्जी, छज्जा, झज्झर, टट्टर, खट्टा, लट्ठ, हट्टा-कट्टा, भड्डरी, बप्पा, अम्मा, दब्बू, भड़ब्ड़, हल्ला-गुल्ला, छल्ला, गल्ला, दुतल्ला, पल्ला (पल्ले पड़ना, पल्ला झाड़ना), खैरसल्ला (अल्ला-अल्ला खैरसल्ला), बर्र, हर्र (हड़), चर्रमर्र, अर्है (अरहर), सेल्ला (से पर बलाघात, ए स्वर ह्रस्व; सनके पौधों के डंठल), गुस्सा, रस्सा, अस्सी, इत्यादि। इस तरह के युग्म व्यंजन वाले सैकड़ों शब्द हैं जो अवधी, ब्रज, बुन्देलखंडी आदि बोलियों में

प्रचलित हैं। युग्म व्यंजनों को मध्य भारतीय आर्य भाषा की विशेषता मानना, फिर इस मभाआ से पंजाबी का सम्बन्ध जोड़ना, हिन्दी के कल, सच आदि रूपों को पंजाबी से आया हुआ बताना—इस व्यूह-रचना में नव्य-आर्य भाषा ऐसे फँस जाती है, जैसे मकड़ी के जाले में मक्खी!

तीसरा प्रश्न यह है कि हिन्दी में क्या कल, सच आदि रूप ही प्रचलित हैं? कहावत है : 'साँच को आँच क्या' और 'काल्हि करै सो आज कर, आज करै सो अब; छिन में परलै होत है बहुरि करैगा कब।' कल, सच आदि के साथ काल्हि, साँच आदि रूप भी हिन्दी बोलियों में प्रचलित हैं। फिर यह नियम कैसे माना जाए कि नभाआ में पहले अक्षरों का अ ह्रस्व कर दिया गया और अन्तिम दीर्घ या द्वितीय व्यंजन ह्रस्व हो गया या अकेला रह गया?

डॉ. चाटुर्ज्या ने एक बहुत दिलचस्प मिसाल फ़ारसी शब्दों के पंजाबीकरण की दी है : "फ़ारसी 'चादर', 'उमेद' से क्रमश: 'चद्दर', 'उम्मेद' आदि। हिन्दी में इनकी जगह एक व्यंजन का सीधा रूप लिया गया है।" उम्मेद वाला रूप अवधी में प्रचलित है; हिन्दी में साधारणत: उम्मीद रूप का चलन है। चद्दर-चादर, दोनों रूप हिन्दी में स्वीकृत हैं। ध्यान देने की बात यह है कि मूल शब्द में जहाँ युग्म-व्यंजन नहीं हैं, वहाँ पंजाबी (और अवधी) ने उन्हें उत्पन्न कर लिया है। इससे यह उचित निष्कर्ष निकालना चाहिए कि संस्कृत और प्राकृत (तथा पंजाबी) में जहाँ युग्म व्यंजन मिलें—और हिन्दी में एक ही व्यंजन मिले—वहाँ आँख मूँदकर संस्कृत-प्राकृत (या पंजाबी) वाले रूप को प्राचीन और हिन्दी रूप को उससे अपभ्रष्ट न मान लेना चाहिए। मूल शब्द चादर है, चद्दर नहीं; उमेद (या उमीद) है, उम्मेद नहीं। फ़ारसी-अंग्रेज़ी के शब्दों में जहाँ यह युग्म स्थापन-क्रिया सम्पन्न हो, वहाँ कौन मूल है, कौन अपभ्रंश—इस बारे में सन्देह नहीं रहता। इससे भाषा की मूल प्रकृति का पता चलता है। अंग्रेज़ी शब्द सेक्रेटरी का सिकट्टर (या सिकत्तर) रूप देखकर कोई न कहेगा कि मूल शब्द सिकट्टर है या उसमें मभाआ के युग्म व्यंजन सुरक्षित हैं। किन्तु हिन्दी कल की तुलना में कल्य और कल्ल को प्राचीन रूप मानने में कम लोगों को संकोच होता है!

'मृच्छकटिक' नाटक में मैत्रेय कहता है : एव्वं विअ। इसका संस्कृत रूप हुआ—एवमिव। यहाँ व्यंजनों के द्वित्वभाव को प्राकृत की विशेषता समझकर एव का एव्व किया गया है। इससे एव्व रूप प्राचीन और एव उससे उत्पन्न नहीं माना जा सकता। रदनिका उसी नाटक में 'एष खलु' का प्राकृत रूप 'एसो क्खु' बोलती है; खलु नवीन और क्खु प्राचीन रूप नहीं हैं। हा धिक् का हद्धी रूप नाटकों में बार-बार आता है। हद्धी का ह दीर्घ हा में परिवर्तित नहीं हुआ, जैसे अज्ज से आज रूप माना जाता है। वह तो पहले ही 'हा' था। वर्धमानक कहता है : एदेणश्शा लज्जु कडुवा बइल्ला। ये बइल्ला संस्कृत के एक लकारवाले वलीवर्द

हैं। और णश्शा एक सकार वाली नासा या नासिका है। प्राकृत में इति के स्थान पर 'त्ति' रूप का चलन है। उत्तर रामचरित में सीता कहती हैं : ओसरिदुं इच्छम्मि। इसका संस्कृत रूप है अपसर्तु मिच्छामि। इच्छामि का एक मकार इच्छम्मि में द्वित्वभाव से स्थित है। डॉ. सरयूप्रसाद अग्रवाल ने 'प्राकृत-विमर्श' में 'पेम्प वज्जा' से एक उद्धरण दिया है। पेम्म प्रेम का प्राचीन रूप नहीं है, प्रेम ही मूल शब्द है। एक अन्य वज्जा—पियोल्लास-वज्जा—में एक पद आता है : 'एक्केण विणा पियमानुसेण'; यहाँ एकेन का प्राकृत रूप एक्केण माना गया है। मूल रूप 'एक' ही है। डॉ. अग्रवाल ने 'रावणवहो' से जो उद्धरण दिये हैं, उनमें संस्कृत ध्रियते की जगह धरिज्जइ, मूर्छते की जगह मुच्छिज्जइ, प्रियेति की जगह पिअत्ति, जीवेत् की जगह जीवेज्ज आदि द्वित्वभाव वाले रूप मिलते हैं। इन उदाहरणों से यह बिलकुल स्पष्ट हो जाना चाहिए कि किसी शब्द में युग्म व्यंजनों का अस्तित्व उसकी प्राचीनता का प्रमाण नहीं है। सच्च और सच, कम्म और काम में सच्च और कम्म को प्राचीन रूप सिद्ध करने के लिए युग्म व्यंजनों के अलावा किसी अन्य तर्क का सहारा लेना चाहिए।

चरित शब्द प्राचीन है या चरित्र? युग्म व्यंजनों के कारण चरित्र शब्द शायद अधिक श्रद्धास्पद माना जाता है। किन्तु भवभूति ने उत्तर रामचरित ही लिखा, उत्तर रामचरित्र नहीं। तुलसीदास ने रामचरित मानस लिखा। हिन्दी चरित चरित्र का विकृत रूप न हुआ; वह हमारे यहाँ अपने संस्कृत रूप में ही प्रतिष्ठित है। संस्कृत में यत्र-तत्र है, किंचित् भिन्न अर्थ में इतस्तत: भी। हिन्दी की बोलियों में त्र वाले रूप नहीं हैं, इतै-उतै आदि रूप हैं। इन इतै-उतै को क्या यत्र-तत्र का विकृत रूप मानें? अवधी में हन् (मारना) धातु का अभी भी प्रयोग होता है। संस्कृत में इससे एक रूप बनता है ध्नन्ति। मूल धातु हन् है या घ्न? हिन्दी में जानना क्रिया का चलन है; संस्कृत में जानाति आदि रूप चलते हैं। मूल धातु जान् मानी जाए या ज्ञा? गायत्री मंत्र में वरेण्यम् मूल रूप है या वरेणियम्? डॉ. चाटुर्ज्या ने उसका प्रचलित संस्कृत रूप उद्धृत करते हुए 'वरेणियम्' लिखा है (कल्पित आदिम रूप तो बरइनिअम् माना गया है जिसकी चर्चा यहाँ नहीं की जा रही है)। मैकडनल ने वैदिक छंदों के प्रसंग में लिखा है कि ज्येष्ठ को ज्य-इष्ठ, ऐछस् को अ-इछस्, एन्द्र को आ-इन्द्र, स्याम को सिआम पढ़ना चाहिए। यदि इस तरह के नियमों को हम याद रखें तो आधुनिक भाषाओं के बारे में बहुत-सी उलझनें दूर हो जाएँ।

कुरुजनों में वर्ण-संकोच की प्रवृत्ति काम करती रही है। क्रिया रूप है जानाति; इसमें धातु जान् प्रतिष्ठित है। जा का स्वर लोप करके कुरु ध्वनि प्रकृति के अनुकूल नई धातु रची गई 'ज्ञा'। उसका उपयोग हुआ भविष्यकाल के लिए, ज्ञास्यति आदि में। उसी से संज्ञा बनी ज्ञान। संस्कृत के जानत् (जानता हुआ), जानान (जाननेवाला) आदि रूपों में मूल जान् धातु असंकुचित रूप में विद्यमान है। करोति, करोमि, कर्म

आदि में धातु है कर्; उसका संकुचित रूप बना कृ। कृ से कर् नहीं हुआ, कर् से कृ रूप बना है जिससे करोमि के समानान्तर कृणोमि आदि रूप चले। कर्तन (काटना), कर्तनी (कैंची), कर्तरी (चाकू) आदि में काटने के लिए धातु है कर्त्। इसका संकुचित रूप हुआ कृत् जिससे कृन्तति आदि रूप बने। हिन्दी धातु काट कृत् का विकृत रूप न होकर कर्त् का ही सहज परिवर्तित रूप है। कर्षति, कर्षण आदि में धातु है कर्ष्; इसी का संकुचित रूप बना कृष्। कर्षक रूप उतना ही 'संस्कृत' है जितना कृषक। कर्ष् से कर्षित रूप बनता है और कृष् से कृष्ट। कष्ट से कर्षित सिद्ध करना आवश्यक नहीं है। गिरति में धातु हुई गिर (निगलना); संकुचित रूप गृ। जरते, जर् (गाना), जृ; तर्पण, तर्प, तृप (तृप्त); तरति, तर् (तैरना, पार करना), तृ; ददर्श, दर्शन, दर्श, दृश (दृश्य, दृश्यते); धरा, धर्म, धरण, धर, धृ (ध्रियते); नर्तक, नर्तन, नर्तित, नर्त्, नृत् (नृत्य); भरति, भरण, भर्ता, भर, भृ (भ्रियते, भृत्य) मरति, मरण, मर, मृ (मृत्यु, मृत) आदि। दर्शन-दृश्य, नर्तन-नृत्य, मरण-मृत्यु—संस्कृत में इस तरह के द्वन्द्व-रूपों का कारण दो ध्वनि-प्रकृतिवाली भाषाओं (या भाषा समूहों) का मिश्रण है। इनमें कौन-से रूप प्राचीन हैं, यह कहना कठिन है। क्रिया-रूपों को देखें तो भरति, मरति, तरति की लोकप्रियता निर्विवाद है। इन रूपों का लगभग वैसा ही चलन आज भी है। यूरोपीय भाषाओं में इनकी जो प्रतिरूप धातुएँ हैं, वे मर, भर् आदि असंकुचित रूपों के अनुकूल अधिक हैं। रूसी मेर्त्वेत्, मेर्त्वीत, म्योर्त्वी (मृत) आदि में मर्त्य से मिलते-जुलते रूप हैं, मृत से नहीं। इसी प्रकार लैटिन मोरिओर। इस नियम के अपवाद रूप में जान् की अपेक्षा ज्ञा रूप यूरोप में अधिक अपनाया गया है : रूसी ज़्नात, ज़्नानिये; यूनानी गिग्नोस्को, ग्नोसिस।

संस्कृत धातुओं की एक विशेषता यह है कि वे क्रिया-रूपों में एक अतिरिक्त व्यंजन जोड़ लेती हैं। इसका कारण उनकी बलाघात की आवश्यकता हो सकती है; यह भी सम्भव है, कुछ ध्वनियों की आवृत्ति उन्हें विशेष प्रिय हो और इसलिए रागतत्त्व के रूप में वे अतिरिक्त व्यंजनों का उपयोग करती हों। दा धातु को लीजिए। इसके ददाति आदि रूपों में एक अतिरिक्त द से काम लिया गया है। दत्त जैसे रूप में यह द्वित्वभाव वर्तमान है लेकिन दान, दाता आदि रूपों में मूल धातु दा ही है। दान और दाता दन्न और दत्ता रूपों से नहीं बने; वे हिन्दी काम (कर्म से भिन्न) के समान संस्कृत के सहज रूप हैं। रूसी में दात्, दावात् क्रिया के रूप, दद् से, भिन्न दा धातु को मान्यता देते हैं। हिन्दी क्रिया देना संस्कृत दा या दद् का भ्रष्ट रूप नहीं है। वह संस्कृत के समानान्तर किसी जनपदीय भाषा की क्रिया है जो दा से मिलती-जुलती है किन्तु उससे उत्पन्न न होकर उसके समकक्ष व्यवहार में आती रही है। देय रूप को दा के बदले दे धातु से भी सिद्ध किया जा सकता है। संस्कृत में गाने के लिए गृ धातु है जिससे गृणाति आदि रूप बनते हैं। इसी अर्थ के लिए गा धातु भी है जिससे गायति आदि रूप बनते हैं। एक ही अर्थ के लिए गृ और गा दो धातुओं का चलन

यह सिद्ध करता है कि वैदिक काल में विभिन्न जन एक ही धातु के भिन्न रूपों को काम में लाते थे। वैदिक भाषा में कभी-कभी ये एक से अधिक रूप मिल भी जाते हैं। हिन्दी, क्रिया गाना गृ के बदले गा से सम्बन्धित है। रूप-विकार में अन्तर है किन्तु मूल धातु हिन्दी तथा अन्य भाषाओं में ज्यों-की-त्यों बनी हुई है। इसका दूसरा रूप है 'गै' जिससे गाये, गाति, जिगाति आदि रूप बनते हैं। गेष्ण और गेष्णु का अर्थ होता है गायक; इन रूपों से लगता है कि गा का एक अन्य रूप गे भी रहा है। देय के समान उसी से गेय भी सिद्ध होना चाहिए। अश् से अश्नाति, आप् से आप्नोति, इध् से इन्धे, उद् से उनत्ति, ऋज् से ऋज्जति, ऋध् से ऋध्नोति, कृ से कृणोति, कृत् से कृन्तति, क्री से क्रीणाति, क्षि से क्षीणति, गृ से गृणामि, ग्रभ् से ग्रम्नाति, ग्रह् से गृहणाति, चि से चिनोति, छिद् से छिनत्ति, जु से जुनोति, ज्या से जिनाति, तुज् से तुञ्जते, तृद् से तृणति, तृप् से तृप्नोति—ये रूप सिद्ध करते हैं कि संस्कृत में मूल धातु के साथ अतिरिक्त वर्ण का प्रयोग कितना साधारण है। इन रूपों से यह भी ज्ञात होता है कि केन्तुम्-शतम् का वर्गीकरण कितना निरर्थक है। यूरोप की किसी भाषा की धातुएँ इस अतिरिक्त 'न' का ऐसा व्यवहार नहीं करतीं, जैसा संस्कृत की धातुएँ करती हैं। अतिरिक्त 'ण' की तो वहाँ चर्चा ही निरर्थक है। हिन्दी में चिनोति के समान चुनता रूप है जो 'चि' से भिन्न किसी अन्य जनपदीय भाषा की 'चु' धातु का सनातन रूप है। किन्तु अतिरिक्त 'न' का प्रयोग हिन्दी का साधारण नियम नहीं है। यदि कृणोति, क्षीणति, छिनत्ति आदि से कोई इनके समकक्ष हिन्दी रूप निकाले और यह कहे कि नव्य-आर्य भाषा में ध्वनिक्षय के कारण न-ण का लोप हो गया, तो इसे ध्वनिक्षय के बदले व्याख्याता के बुद्धिक्षय का प्रमाण मानना चाहिए। जब वैदिक भाषा में ही एक धातु के अनेक रूप विद्यमान हैं, तब हिन्दी आदि भाषाओं की क्रियाओं को संस्कृत की कुछ परिनिष्ठित धातुओं में हो उत्पन्न क्यों माना जाए?

इष् (चाहना) से इच्छति रूप बनता है। इससे इषति या इछति रूप भी बन सकता था। छ के साथ च का आगम इ पर बलाघात के लिए है। इष् (भेजना) का रूप बनता है इष्यति। यहाँ ष के साथ य को सम्बद्ध किया गया है बलाघात के लिए। इसी प्रकार क्रुध् से क्रुध्यति, तुष् से तुष्यति, तृष् से तृष्यति, द्रुह से द्रुह्यति, नृत् से नृत्यति, पश् से पश्यति, पुष् से पुष्यति आदि रूपों में अतिरिक्त व्यंजन 'य्' का उपयोग बलाघात के लिए है।

संस्कृत में प्रच्छति है, हिन्दी में पूछत, पूछता। यह आवश्यक नहीं कि प्रच्छ से पुच्छ और पुच्छ से पूछ बना हो। मूल धातु 'प्रश्न' में निहित 'प्रश्' है। प्रश् में प्रछ् बनेगा, प्रच्छ नहीं। प्रच्छ में अतिरिक्त 'च्' बलाघात के लिए है। प्रश् या उससे मिलते-जुलते अन्य रूप से पूछति रूप बन सकता है। यह बिलकुल सम्भव है कि ईसा से डेढ़ हजार साल पहले जब भी यहाँ के कुछ जन प्रच्छति बोलते थे, तब उनके दूसरे भाईबन्द इस बलाघात की आवश्यकता न अनुभव करके पूछति

ही बोलते थे। धातु प्रश् है, इसलिए प्रशति, प्रछति या पूछति जैसा रूप प्रच्छति की तुलना में प्राचीन माना जा सकता है।

हिन्दी क्रिया पेख (पेखहु, पेखना आदि), पश्य की समरूप पेश जैसी किसी धातु से बनी है। पेक्ख का क और पश्य का य बलाघात के लिए हैं। इस प्रकार के बलाघात के अभाव में मूल धातु से सीधे पेख रूप बन सकता है। इसी प्रकार देख धातु दृश का विकृत रूप नहीं है; देना के समान वह किसी एकारमूलक धातु से बनी है। हिन्दी धातु खा संस्कृत खाद से उत्पन्न नहीं है; वास्तव में मूल धातु रही है खा, उसमें द जोड़ा गया है। इसका यह अर्थ नहीं है कि संस्कृत की धातुएँ हिन्दी से उत्पन्न हुई हैं। तात्पर्य केवल इतना है कि अनेक धातुओं के मूल रूप संस्कृत की तुलना में हिन्दी आदि भाषाओं में अधिक सुरक्षित हैं।

हिन्दी क्रिया सोना का सम्बन्ध संस्कृत स्वप् से नहीं है। स्वप् में प् अतिरिक्त व्यंजन के रूप में है। संस्कृत में सोने के लिए एक धातु है सस्। सस् और स्वप् एक ही धातु के दो भिन्न रूप हैं। इन्हीं के समकक्ष हम उस धातु के तीसरे रूप की कल्पना करते हैं, 'सो' की। हिन्दी सोना न सस् से बना है, न स्वप् से। वह इन्हीं के साथ अन्य जनपदों में प्रचलित 'सो' का वर्तमान अपरिवर्तित रूप है।

मूल धातु के दो या तीन रूपों की चर्चा से यह न समझना चाहिए कि हिन्दी प्रदेश की विभिन्न जनपदीय भाषाएँ एक ही आदि भाषा से उत्पन्न हुई हैं। पहले तो यहाँ उनकी समानताओं की ही चर्चा हो रही है, भिन्नताओं की नहीं। इनके अलावा यह स्मरण रखना चाहिए कि परिनिष्ठित भाषा के समान परिनिष्ठित उच्चारण भी सामाजिक विक्रम पर निर्भर होता है। किसी भी भाषा को बोलनेवाला सम्पूर्ण मानव-समुदाय अपने शब्द-भंडार का एक-सा उच्चारण कहीं करता। भाषा के अन्दर बोलियों के भेद हैं और हर बोली में उपबोलियों का अन्तर है—बारह कोस पर बोली बदलने की बात में उच्चारण-भेद भी शामिल है। यह क्रम आज का नहीं है। इस सिलसिले में ब्लूमफील्ड की उस बात को याद रखना चाहिए कि भाषा के बोलनेवाले जितनी ध्वनियाँ करते हैं, वे सभी सार्थक नहीं होतीं। उन्होंने अमरीकी आदिवासी मेनोमिनी जाति का उदाहरण दिया था। पानी के लिए निपीब् शब्द कहने पर भी लगता है—शब्द निरीह है, कभी निबीब्। यहाँ सार्थक ध्वनि-क्रिया केवल ओठों को बन्द करना और श्वास को नाक से निकलने न देना है। यह तो हुई एक आदिवासी जाति की बात। अब एक समुन्नत समाज का उदाहरण लीजिए। प्रसिद्ध जर्मन कवि गेटे अपने देशवासियों के उच्चारण से काफी परेशान थे। उन्होंने एकरमन से बातचीत करते हुए कहा था कि उत्तरी जर्मनी के लोगों का उच्चारण शुद्ध है और उसे बहुत कुछ आदर्श रूप में ग्रहण किया जा सकता है। लेकिन सुआबियन, ऑस्ट्रियन और सैक्सन लोगों का उच्चारण दूषित है। "हमारे प्रिय नगर व्हाइमर के निवासियों ने भी मुझे काफी उद्विग्न किया है। इनमें एकदम हास्यास्पद गलतियाँ

देखने को मिलती हैं। कारण यह कि यहाँ के स्कूलों में स्पष्ट उच्चारण द्वारा उन्हें ब और प, ड और ट का भेद करना नहीं सिखाया जाता। मालूम होता है कि उनके लिए व, प, ड और ट चार भिन्न वर्ण हैं ही नहीं। वे केवल एक कठोर और कोमल ब का उच्चारण करते हैं और एक कठोर और कोमल ड का। इस तरह मानो वे सूचित करते हैं कि प और ट का अस्तित्व है ही नहीं। ऐसे लोग जब पाइन (पीड़ा, अंग्रेज़ी पेन) कहते हैं तो लगता है, बाइन (पैर) कह रहे हैं। जब पास (अंग्रेज़ी पास, निकलना) कहते हैं तो लगता है, बास (अंग्रेज़ी बेस, मंद स्वर) कह रहे हैं। टेकेल (एक कुत्ता) कहते हैं तो लगता है, डेकेल (आवरण) कह रहे हैं।" पर गेटे ने इन व्यंजनों के अलावा दो स्वरों के अस्पष्ट उच्चारण की मिसाल भी दी है। जर्मन ध्वनि ü (यू) का उच्चारण इ जैसा सुनने में आता था। लोग क्यूस्टेन-बेह्वोनेर (समुद्रतटवासी) को कस्टेनबे-ह्वोनेर (सन्दूक में रहनेवाला) कहते थे। यही नहीं, ग और क की ध्वनियाँ भी अस्पष्ट सुनाई देती थीं। नाट्य-गृहों में गार्टेनहाउस (उद्यान गृह) के बदले कार्टेनहाउस (ताश के पत्तों का घर), गासे (गली) के बदले कासे (सन्दूक) सुनने को मिलता था। "ग के स्थान पर क का उच्चारण अभिनेताओं में ही नहीं, धर्माचार्यों में भी मिलता है।" अर्थात् उच्चारण की यह तरलता साधारण शिक्षा-प्राप्त अभिनेताओं की ही विशेषता नहीं थी; विशेष शिक्षा-प्राप्त धर्माचार्यों में भी उसके दर्शन होते थे। इससे मिलती-जुलती मिसाल संस्कृत से दी जा सकती है। संस्कृत गर्त का एक वैदिक रूप कर्त भी है। इन दो रूपों का कारण ग-क वाला भेद है। इन उदाहरणों से सिद्ध हुआ कि एक ही भाषा के बोलनेवाले शिक्षित जन भी अनेक शब्दों का भिन्न उच्चारण कर सकते हैं। ग्रिम ने ध्वनि-परिवर्तन सम्बन्धी नियम बनाते समय इस बात पर ध्यान दिया था कि उनके बहुत-से देशवासी उस समय भी—प्राचीन-काल की बात दरकिनार—क-ग, प-ब और ट-ड का स्पष्ट भेद न करते थे। प्राचीन काल में कहाँ क का ग हुआ, कहा प का ब, यह सब इस मान्यता के आधार पर कल्पित किया गया था कि एक समाज के लोग एक काल विशेष में शब्दों का एक-सा ही उच्चारण करते थे। उच्चारण में समानता शिक्षा और अभ्यास से उत्पन्न होती है। हमारे देश में संस्कृत का सही उच्चारण सिखाने के लिए भगीरथ प्रयत्न किये गए। 'पुरानी हिन्दी' में चन्द्रधर शर्मा 'गुलेरी' ने राजशेखर का हवाला देते हुए लिखा है कि द्रविड़ लोग संस्कृत गद्य को भी पद्य के समान गाकर पढ़ते थे। गुजरात और राजस्थान के लोग संस्कृत अपभ्रंश के अंश मिलाकर एक ही ढंग से पढ़ते थे। कश्मीरी पंडित संस्कृत में सुन्दर कविता रचते थे, लेकिन पढ़ते थे तो लगता था : "कानों में गिलोय की पिचकारी है।" उत्तरापथ के लोग नक्की सुर में पढ़ते थे।

अब आश्चर्य न होना चाहिए कि प्राचीन जनपदों में कोई स्वपिति कहता था, तो कोई सस्ति और अन्य जन सोवति से काम लेते थे। ऐसी स्थिति में स्वप् से सो

धातु बनी है, यह कहना उचित न होगा। जब हम कहते हैं कि स्वप्, सस् और सो एक ही मूल धातु के तीन रूप हैं, तो उसका अर्थ इतना ही है कि धातु मूलत: एक है; उच्चारण-भेद के कारण वह तीन रूपों में मिलती है। खोदने के लिए संस्कृत में दो धातुएँ हैं—खन् और खा। हिन्दी धातु खोद् इनसे भिन्न तीसरे रूप 'खो' में अतिरिक्त व्यंजन 'द' जोड़कर बनी है। अवधी में खोह और खन्, दोनों रूपों का चलन रहा है। खान और खदान शब्द दो भिन्न धातु-रूपों से बने हैं। संस्कृत जागृ और हिन्दी जाग एक-दूसरे की समकक्ष और स्वतंत्र धातुएँ हैं। हिन्दी में अनेक क्रियाएँ र-युक्त है, विशेष कर अवधी या अन्य पूर्वी रूपों में—जरत, बरत, पुरवत, हरत, मरत, करत, लरत, गिरत इत्यादि। यदि जागृ का ऋ उस धातु का अतिरिक्त वर्ण न होकर उसका आवश्यक अंग होता, तो र रूप में वह हिन्दी जाग के साथ जुड़ा होता। जाग धातु से जो हिन्दी संज्ञाएँ बनती हैं, वे भी र-हीन होती हैं, जैसे रतिजगा। हिन्दी क्रिया जीतना संस्कृत के 'जि' से भिन्न दीर्घ स्वर वाली 'जी' में अतिरिक्त व्यंजन त् जोड़कर बनी है। संस्कृत ज्वल् हिन्दी जलना से भिन्न है। जल पूर्वी रूप जर के रकार-परिवर्तन से बना है। संस्कृत तर् (तृ) के अन्य रूप तैर से हिन्दी क्रिया तैरना बनी है। सुनना का सुन् श्रु में, संस्कृत के अनुरूप, 'न' व्यंजन की बढ़ती से बना है। यहाँ भी यह नहीं कहा जा सकता कि मूल धातु में श् ध्वनि थी या स थी। (रूसियों को श से काफी प्रेम है लेकिन उनके यहाँ सु से स्लू रूप बना है।) यह भी निश्चित रूप से नहीं कहा जा सकता कि हिन्दी सुन स्रुन का रूप है। सम्भव है, सुन् धातु पहले भी रकारहीन रही हो। धोने के लिए संस्कृत धाव् से भिन्न ओकारान्त रूप धो से हिन्दी क्रिया बनी है। पकड़ने के अर्थ में हिन्दी क्रिया धर (धर-पकड़) धृ से नहीं बनी; धर् से वर्ण-संकोच द्वारा धृ रूप बना है।

हिन्दी क्रिया 'होना' का कोई सम्बन्ध भू से रहा होगा तो उसके अन्य रूप 'भो' से न कि 'भू' से। कनौजी के हुइहै आदि रूप भी सीधे भू से न बनकर अवधी होइहै का लघु रूप जान पड़ते हैं। भू से भया, भे, भा आदि जनपदीय रूप बने हैं। हिन्दी है और हैं इसी हो (भो) से बने हैं। अस् धातु से आहै, आछै आदि रूप बनते हैं। रोने के लिए संस्कृत में रु (रुवति) और रुद् (रोदिति), दो धातुएँ हैं। हिन्दी रो का सम्बन्ध रोद् से है, लेकिन उसके दकार-हीन रूप से। रोना संज्ञा रोदन से नहीं बनी; वह सीधे प्राचीन रो धातु से बनी है। रुद् की तुलना में रु-वाली धातु प्राचीन माननी चाहिए और रो को रु के समकक्ष। उत्तर रामचरित में सीता राम के लिए कहती हैं : परुण्णो होदि। इसका संस्कृत रूप है : प्ररुदितो भवति। स्पष्ट ही रुदितो से रूण्णो नहीं बना; उसका सम्बन्ध वैदिक रु से है।

नाटकों की प्राकृत में पश्चिमोत्तर प्रदेश—राजस्थान, हरियाणा आदि—की उच्चारण-विशेषताओं की खासी नकल की गई है। दारुण की जगह दालुण पश्चिमी बोलियों के लकारप्रेम की नकल में बना। पुन:-पुन: की जगह पुणो-पुणो उनकी

बोलियों में णकार-बाहुल्य की ओर संकेत करता है। स्फुटित की जगह फुडइ, एतेन की जगह एदिणा जैसे रूप इस बात की ओर संकेत करते हैं कि पश्चिमोत्तर वासियों को अघोष वर्णों की तुलना में सघोष वर्णों से अधिक प्रेम था। अघोष-सघोष भेद के कारण ही शरद-शरत्, तद्-तत् जैसे विकल्प-रूप देखने को मिलते हैं। इसी प्रवृत्ति से पंच का पंज, मातर का मादर, पितर का पिदर रूप होता है। ईरानी-पंजाबी में यह प्रवृत्ति आज भी पाई जाती है। यदि ईरानी 'आर्य'—या आर्य ईरान होकर—भारत आए होते तो यहाँ भी पंज, पिदर, मादर रूप प्रचलित होते। यूरोप में जहाँ यह पश्चिमोत्तरी प्रभाव पड़ा है, वहाँ मदर, फादर, ब्रदर जैसे रूप मिलते हैं। जहाँ इस प्रभाव से मुक्त प्राचीनतर भारतीय रूपों का प्रभाव पड़ा है, वहाँ पतेर, मतेर, ब्रात् आदि रूप मिलते हैं।

संस्कृत के विकास में पूर्वी प्रदेशों की कितनी महत्त्वपूर्ण भूमिका रही है, इसे न समझ पाने के अनेक कारण हैं। एक कारण ईरान-अफगानिस्तान होकर आर्यों के आगमन की कहानी है। दूसरा कारण कुरुक्षेत्र या उससे और भी उत्तर के प्रदेशों से वेदों का सम्बन्ध है। तीसरा कारण पूर्वी प्रदेशों की वर्तमान गरीबी है जिससे संस्कृत जैसी भाषा के विकास में उनके योग की कोई कल्पना नहीं करता। किन्तु वेद-मंत्रों की रचना और वैदिक भाषा का विकास दो भिन्न वस्तुएँ हैं। प्राचीनकाल में मगध और कोसल के साम्राज्य सामन्ती विकास के मुख्य क्षेत्र रहे हैं, इसे भी स्मरण रखना चाहिए।

हिन्दी तथा अन्य भारतीय भाषाओं की अपनी व्याकरण-व्यवस्था है, उनका अपना शब्द-भंडार है। उन्हें हम संस्कृत की पुत्रियाँ या देववाणी का आधुनिक परिवर्तित रूप नहीं कह सकते। प्राचीन काल में संस्कृत यहाँ की एकमात्र भाषा नहीं रही। उसके साथ यहाँ अन्य भाषाएँ बोली जाती थीं जो संस्कृत से मिलती-जुलती थीं, फिर भी उससे भिन्न थीं, जैसे हिन्दी की साथी बोलियाँ एक-दूसरे से भिन्न हैं। जो लोग हिन्दी आदि नव्य भारतीय भाषाओं को संस्कृत से उत्पन्न मानते हैं, वे भी संस्कृत के समानान्तर अन्य भाषाओं का अस्तित्व स्वीकार करते हैं। संस्कृत का विकृत रूप प्राकृतें थीं और उनसे अपभ्रंश के मार्गों से आधुनिक भाषाएँ उत्पन्न हुईं—अनुसंधान की इस पद्धति को अपनानेवाले स्वयं उससे असन्तोष प्रकट कर चुके हैं। सही पद्धति यह है कि हम आधुनिक भाषाओं में प्राचीन तत्त्वों की स्थिति स्वीकार करें, उनकी हर विशेषता को संस्कृत से उत्पन्न सिद्ध करने का आग्रह न करें, एक क्षेत्र—यथा हिन्दी प्रदेश—की बोलियाँ एक-दूसरे को प्रभावित करती रही हैं, उनके रूप एक-दूसरे में मिलते रहे हैं, और कुछ तत्त्व ऐसे हैं जो संस्कृत में भी नहीं हैं किन्तु जिनका प्राचीनतम रूप हिन्दी आदि भाषाओं में सुरक्षित है, यह सिद्धान्त मानें। अनार्य प्रभाव से प्राकृतों का जन्म हुआ, गौतम बुद्ध से कुछ पहले पूर्वी क्षेत्रों में मभाआ प्रतिष्ठित हो चुकी थी और नभाआ का अभ्युदय तर्क-आक्रमण

से हुआ—इस तरह की स्थापनाएँ अवैज्ञानिक हैं और इतिहास की वास्तविकता से उनका कोई सम्बन्ध नहीं है। मभाआ और नभाआ का अन्तर प्रकट करने के लिए जो ध्वनि-सम्बन्धी विशेषताएँ बताई गई हैं, वे एकांगी हैं और पूर्व-निश्चित मान्यताओं के समर्थन के लिए गढ़ी गई हैं। इनमें सबसे हास्यास्पद युग्मव्यंजन वाले संस्कृत-प्राकृत-पंजाबी शब्दों को प्राचीन मानने से सम्बन्धित स्थापना है। अनेक संस्कृत शब्दों में यह द्वित्वभाव स्थापित करके उन्हें प्राकृत बनाया गया है, इससे उनकी प्राचीनता सिद्ध नहीं होती। स्वयं संस्कृत में बहुत-से ऐसे रूप हैं जो व्यंजन-संकोच का परिणाम हैं; कृ, ज्ञा आदि की तुलना में कर्, जान् आदि अधिक ही प्राचीन हैं, कम नहीं। भाषा का परिनिष्ठित उच्चारण स्थिर होते-होते होता है। इस उच्चारण-सम्बन्धी अस्थिरता के कारण एक ही जनपदीय भाषा में किसी धातु-विशेष के अनेक रूप हो सकते हैं। अनेक जनपदीय भाषाओं में कुल मिलाकर ये रूप और भी अधिक होंगे। इन विभिन्न प्राचीन रूपों में आधुनिक भाषाओं के शब्द-भंडार और व्याकरण का घनिष्ठ सम्बन्ध है।

आठवाँ अध्याय

# आधुनिक भारतीय भाषाएँ
## उनके उद्‌भव की कुछ समस्याएँ

संस्कृत-परिवार की आधुनिक भाषाएँ बहुत-सी बातों में संस्कृत के समान हैं, और दूसरी बहुत-सी बातों में वे उनसे भिन्न भी हैं। इसका कारण यह है कि उनका मूलाधार वे भाषाएँ हैं जो संस्कृत के साथ-साथ उत्तर भारत के विभिन्न जनपदों में बोली जाती थीं। ये भाषाएँ संस्कृत से कुछ बातों में भिन्न होते हुए भी उसी परिवार की थीं। इसलिए जैसे उनमें और संस्कृत में बहुत बड़ी समानता थी, वैसे ही उनके आधार पर विकसित आधुनिक भाषाओं में भी परस्पर तथा संस्कृत से बहुत बड़ी समानता है। इस समानता का कारण यही नहीं है कि इन भाषाओं ने संस्कृत से बहुत-सी सामग्री उधार ली है या उसे विरासत के रूप में पाया है, वरन् यह भी है कि संस्कृत से मिलते-जुलते और उससे भिन्न रूप उन प्राचीन भाषाओं में प्रचलित थे और वे आधुनिक भाषाओं में अपनी समानता और विषमता के साथ विद्यमान हैं। प्राचीन और नवीन भाषाओं का यह सम्बन्ध सीधा न होकर पेचीदा है। उसमें न केवल समानताएँ हैं, वरन् परस्पर भिन्नताएँ भी हैं। उसमें न केवल संस्कृत से समानताएँ निहित हैं, वरन् संस्कृत की समानान्तर भाषाओं की समानताएँ और भिन्नताएँ भी निहित हैं। इस संश्लिष्ट सम्बन्ध के विरोध में एक ओर तो रूढ़िवादी स्थापना है कि विश्व की नहीं तो भारत की और भारत की सभी नहीं तो उत्तर भारत की भाषाएँ संस्कृत से उत्पन्न हुई हैं। उनमें जो तत्त्व संस्कृत से सिद्ध न हो सकें, उन्हें अनार्य प्रभाव की देन मानना चाहिए। इस रूढ़िवादी स्थापना से भिन्न एक और अति प्रगतिशील स्थापना यह है कि संस्कृत कभी बोलचाल की भाषा थी ही नहीं—लौकिक संस्कृत ही नहीं, वैदिक भाषा भी काफी कृत्रिम थी, स्वाभाविक बोलचाल की भाषाएँ प्राकृत थीं। ये भी साहित्यिक रूप में कृत्रिम थीं। इसलिए आधुनिक भाषाओं का विकास प्रकृत-प्राकृतों से हुआ है—ऐसी प्राकृतों से, जो साहित्य का माध्यम बनने से कृत्रिम नहीं बनीं और इसलिए जिनका रूप-गठन अनुमेय है, प्राप्य नहीं।

यह दूसरी तरह की अति प्रगतिशील स्थापना सर जार्ज ग्रियर्सन के प्रसिद्ध ग्रंथ 'लिंग्विस्टिक सर्वे ऑव इंडिया' की भूमिका में मिलती है। उन्होंने लिखा है :

"भारत में बोलचाल की आर्य भाषा शताब्दियों से आर्य कहलाती रही है। प्राकृत का अर्थ है संस्कृत, संस्कृत, सँवारी हुई, नकली भाषा से भिन्न सहज, अकृत्रिम भाषा। 'प्राकृत' की इस व्याख्या से यह परिणाम निकलता है कि वेदमंत्रों के संकलनकर्ता ब्राह्मणों ने इन मंत्रों में अपेक्षाकृत कृत्रिम संस्कृत भाषा सुरक्षित रखी है। वेदमंत्रों के समय की बोलचाल की भाषाएँ वास्तव में प्राकृत थीं।"[1] ग्रियर्सन ने वैदिक भाषा की कृत्रिमता सिद्ध करने के लिए कहीं उसका विश्लेषण नहीं किया। उनकी स्थापना का आधार प्राकृत-संस्कृत शब्दों का अस्तित्व और उनका अर्थभेद है। भले ही वैदिक काल में 'संस्कृत' शब्द का चलन न रहा हो, ग्रियर्सन ने प्राकृत-संस्कृत का भेद उस समय के लिए भी सत्य माना है।

1886 में वियना में होनेवाली ओरिएंटल कांग्रेस ने एक प्रस्ताव द्वारा भारत सरकार से इस देश की भाषाओं का सर्वेक्षण करने का अनुरोध किया था। आठ साल बाद भारत सरकार ने इस ओर ध्यान दिया। सर्वेक्षण से मद्रास, हैदराबाद और मैसूर बाहर रखे गए। इस प्रकार यह सर्वे-ग्रंथ सर्वभारत का सर्वे न कर सका था। सरकार ने हर जिले के पोलिटिकल एजेंट और अन्य कर्मचारियों के पास खाली फार्म भेज दिये और उनसे कहा गया कि वे भाषा का नाम और उसके बोलनेवालों की संख्या लिख भेजें। भारत जैसे देश में कहाँ कौन-सी भाषा बोली जाती है और इसके बोलनेवाले कितने हैं, इन बातों का पता लगाना हमेशा आसान नहीं होता। स्वाधीनता-प्राप्ति के बाद भी स्वयं भारत के लोग इस बारे में सदा एकमत नहीं हो पाते। सारे भारत की तो बात दूर, पंजाब जैसे एक राज्य के लोगों में ही इस बात को लेकर मतभेद है कि उनकी भाषा हिन्दी है या पंजाबी। इसलिए भारत की भूतपूर्व अंग्रेज़ सरकार ने जिला कर्मचारियों को जो काम सौंपा था, वह उतना सरल न था, जितना वह ऊपर से देखने में लगता है। हिमालय की तराई से किसी जिले के ईमानदार अफसर ने बड़ी मेहनत से सरकारी प्रश्नों का उत्तर तलाश किया और उसे एक पन्ने में लिख भेजा। वह उत्तर सर जार्ज ग्रियर्सन ने पढ़ा, उनके सहकारियों ने पढ़ा, लेकिन किसी से उसका अर्थ न खुला। अन्त में जिलाधीश के पास और भी जाँच-पड़ताल के लिए वह काग़ज़ वापस भेज दिया गया। अब पता चला कि उस पन्ने में भाषा का नाम और उसके बोलनेवालों की संख्या न लिखी हुई थी। उसमें भाषाशास्त्र से अनभिज्ञ किन्तु चतुर किसी भारतवासी ने जिलाधीश के प्रश्न का उत्तर लिखाया था—हम नहीं समझता कि तुम क्या कहता है।

शिमला से थोड़ी दूर की समकालीन पहाड़ी बोली की जाँच-पड़ताल में जब आई.सी.एस. स्तर के विद्वान को इतनी कठिनाई हो सकती थी, तब वेदमंत्रों के समय की प्राकृतों का अनुशीलन करने में उन्हें कितनी दुर्लंध्य बाधाओं का सामना करना पड़ा होगा, पाठक इसकी कल्पना कर सकते हैं। ऐसा कोई तरीका न था कि परम प्रतापी ब्रिटिश साम्राज्य वैदिक मंत्र-द्रष्टाओं के पास खाली फार्म भेज देता और

---

1. 'लिंग्विस्टिक सर्वे ऑव इंडिया', खंड 1, पृ. 121

उनसे भाषा का नाम और उसके बोलनेवालों की संख्या मँगवा लेता। किन्तु यदि वैदिक ऋषियों को मंत्र-दर्शन होता था, तो भाषा-शास्त्रियों को भाषा-तत्त्व-दर्शन क्यों नहीं हो सकता? उन्होंने अपने सहज ज्ञान के बल पर घोषित कर दिया कि वैदिक मंत्रों की भाषा कृत्रिम थी। इस कृत्रिमता का विशेष कारण यह था कि वेदमंत्रों को ब्राह्मणों ने संकलित किया था और उन्हें सुरक्षित रखा था। लेकिन इसमें ब्राह्मणों से अधिक भारत की जलवायु का दोष है, क्योंकि "लिखित रूप लेने पर प्राकृत भी जड़ (fixed) हो गई ठीक वैसे ही, जैसे ब्राह्मण-परम्परा में संस्कृत जड़ हो गई थी। वह अनेक पीढ़ियों तक साहित्यिक भाषा बनकर अपरिवर्तित रही।"[1] इसलिए परिवर्तनशील भाषा के नमूने आपको इस देश में मिल ही नहीं सकते। उन्होंने लिखित रूप लिया नहीं कि जड़ हुए। टेपरिकॉर्डर का चलन उस समय था नहीं।

ग्रियर्सन के अनुसार तद्भव उन शब्दों को नहीं कहते जो संस्कृत रूपों से बने हैं। तद्भव शब्द वे हैं, जो आदि प्राकृतों से चले आ रहे हैं। इन प्राकृतों का संस्कृत से सम्बन्ध नहीं है। "अधिकांश शब्द ऐसे हैं जो आदि प्राकृत की बोलियों से निकले हैं और ये बोलियाँ वे नहीं हैं जिनसे क्लासिकल संस्कृत निकली है।"[2] आधुनिक भाषाओं के शब्द-भंडार से संस्कृत का इतना कम सम्बन्ध है, तब उनके व्याकरण से तो और भी कम होगा। "इन भाषाओं के जीवित व्याकरणों में संस्कृत व्याकरण का एक रूप भी जोड़ा नहीं गया।"[3] उन्होंने मिसाल दी है घोड़ा और राजा शब्दों की। राजा शब्द का बहुवचन घोड़े की तरह राजे नहीं होता। लेकिन इससे सिद्ध क्या हुआ? यदि घोड़े की तरह राजे रूप नहीं बनता तो इससे संस्कृत व्याकरण का असर साबित हुआ। यदि राजे-महाराजे में राजे की चाल घोड़े जैसी ही है, तो राजे-घोड़े में कोई अन्तर नहीं है। उदाहरण निरर्थक हुआ। ग्रियर्सन का यह कहना सही नहीं है कि संस्कृत से उधार लिये हुए शब्द "रूप-विकार में बहुत कम बदलते हैं।"

उन्होंने क्रियाओं के बारे में एक दूसरा सिद्धान्त स्थिर किया है। आधुनिक भाषाओं में मूल क्रिया अपने रूप बदलती है लेकिन यह जरूरी नहीं है कि संज्ञाएँ भी अपना रूप बदलें। इसलिए आम तौर से तत्सम शब्द क्रियाओं के लिए नहीं ग्रहण किये जाते। ऐसा करना आवश्यक हुआ तो एक दूसरी तद्भव क्रिया की मदद ली जाती है। अपनी इस स्थापना के समर्थन में ग्रियर्सन ने दर्शन शब्द का उदाहरण दिया है। "अगर हम कहना चाहें कि वह देखता है, तो हम दर्शन नहीं कह सकते बल्कि हमें कहना होगा कि दर्शन करे।"[4]

1. 'लिंग्विस्टिक सर्वे ऑव इंडिया', पृ. 123
2. उप., पृ. 127
3. उप., पृ. 118
4. उप., पृ. 128-29

ग्रियर्सन ने यह मान लिया है कि संस्कृत में दर्शन क्रिया है। हिन्दी में वह क्रिया के बदले संज्ञारूप में करे के साथ प्रयुक्त होती है। यदि दर्शन संस्कृत में भी संज्ञा है, तो हिन्दी और संस्कृत के प्रयोग में अन्तर क्या हुआ? जहाँ तक दृश् धातु की बात है, हिन्दी की देखना आदि क्रियाएँ उससे या उसकी समकक्ष अन्य धातुओं से सम्बन्धित है। "यद्यपि जहाँ-तहाँ अपवाद मिलते हैं, फिर भी हम इसे व्यापक नियम (यूनिवर्सल लॉ) मान सकते हैं कि इंडो-आर्यन वर्नाक्यूलर की संज्ञाएँ तत्सम् (या अर्द्ध-तत्सम्) अथवा तद्भव होती हैं लेकिन इंडो-आर्यन वर्नाक्यूलर की क्रियाएँ तद्भव ही होती हैं।"[1] यदि पढ़ को पठ् से निकली हुई तद्भव क्रिया मानें—यद्यपि ग्रियर्सन का यह आशय नहीं है—तो भी हिन्दी-संस्कृत की बहुत-सी क्रियाएँ एकदम सामान्य हैं। कर, खून, गा (गाना), गाह (अवगाहे), जन, जान, जीव, तप, तर, दह, दुह, धाव, नह, पि (पा या पिब), भन (भूषन भनत सिवराज बीर तेरे त्रास), मर, सह, हन, चल, लिख आदि पचीसों क्रियाएँ हिन्दी-संस्कृत में सामान्य हैं। ग्रियर्सन की प्रवृत्ति संस्कृत और आधुनिक भाषाओं के सम्बन्ध को कम करके दिखाने की ओर है?

संस्कृत और हिन्दी के क्रिया-रूपों का भेद दिखाने के लिए ग्रियर्सन अनार्य उपकरणों का सहारा लेते हैं। उनके अनुसार हिन्दी क्रिया-रूपों पर हिन्दी-चीनी भाषाओं का असर पड़ा है। उदाहरण यह दिया है। संस्कृत में भूत काल के दो रूप होते हैं : मैंने उसे मारा और वह मुझसे मारा गया। आधुनिक भाषाओं में दूसरा रूप ही प्रचलित है। "No modern Indo Aryan language ever says, 'I struck him' or 'I went', but all say, 'he was struck by me' or 'I am gone'."[2] ग्रियर्सन ने हिन्द-चीनी भाषाओं के प्रभाव की बात चलाई थी। उससे उपर्युक्त उदाहरण का कोई सम्बन्ध नहीं है। वास्तव में उनके दिमाग में समस्या है हिन्दी कारक चिह्न 'ने' की। संस्कृत में यह 'ने' है नहीं। इसको उन्होंने संस्कृत के किसी तीसरे भूतकालीन रूप से सम्बद्ध किया है। उनका कहना है कि संस्कृत में भूतकाल का एक तीसरा रूप था जो अकर्मक क्रियाओं के साथ आता था (सुप्तः, मृतः, गतः, आदि)। इसकी मिसाल अंग्रेज़ी शब्दावली में यह है : it is gone by me; हिन्दी में कह लीजिए, मेरे द्वारा जाना हुआ। संस्कृत में यह रूप अकर्मक क्रियाओं के साथ ही था, आधुनिक भाषाओं में वह सकर्मक क्रियाओं के साथ भी चालू हो गया। सकर्मक क्रियाओं में इस रूप की मिसाल है : मैंने उसको मारा। इसका अंग्रेज़ी अनुवाद यह दिया गया है : by me, with reference to him, striking was done; मेरे द्वारा, उसके सम्बन्ध में, मारने का काम किया गया!

---

1. 'लिंग्विस्टिक सर्वे ऑव इंडिया', पृ. 129
2. उप., पृ. 132

इस उलझन की जड़ यह है कि संस्कृत क्रिया-रूपों में लिंग-भेद होता नहीं है। लिंग-भेद होता है कृदन्त रूपों में। गच्छति, अगच्छत् में लिंग-भेद नहीं है; लिंग-भेद है, गत:, गता में। इस कृदन्त को कुछ लोग शुद्ध क्रिया नहीं मानते; इसलिए उनके विचार से हिन्दी में क्रियावाचक विशेषण हैं या सहायक क्रियाएँ हैं, शुद्ध क्रियाएँ हैं ही नहीं। अन्य लोग जो कृदन्त रूपों को क्रिया मानते हैं, कहते हैं कि हिन्दी में तिङन्त क्रियाएँ कम हैं, कृदन्त रूपों का प्रयोग ही अधिक होता है। "हिन्दी में कृदन्त क्रियाएँ ही अधिक हैं। वर्तमान काल की सब-की-सब क्रियाएँ कृदन्त हैं; सहायक क्रिया केवल 'है' ही तिङन्त हैं—लड़का पढ़ता है, लड़की पढ़ती है। भूतकाल की भी सभी क्रियाएँ कृदन्त हैं—लड़का गया और लड़की गई।"[1]

शुद्ध क्रिया की दृष्टि से लिंग-भेद, पुरुष-भेद, वचन-भेद अनावश्यक हैं। क्रिया किसी काल में सम्पन्न होती है, इसलिए काल-भेद ही काफी होना चाहिए। साहबी हिन्दुस्तानी के 'हम खाना माँगता' में माँगता भूत, भविष्य, वर्तमान त्रिकाल सिद्ध रूप है। 'चाय होना' जैसी खानसामा-हिन्दी में होना रूप होगा (या होगी) का काम करता है। श्री किशोरीदास वाजपेयी ने बहुत ठीक लिखा है : "शुद्ध क्रिया में लिंग, वचन आदि कुछ है ही नहीं! उसे 'भाव' कहते हैं। आप लड़कों की गिनती कर सकते हैं, लिंग-भेद भी समझ सकते हैं; परन्तु 'लड़के पानी पीते हैं' कहने से 'पीने' की क्रिया को कैसे गिनेंगे? उस क्रिया में लिंग-भेद भी कैसे करेंगे?" इसलिए मलयालम में मैं आता हूँ—आन् वरुन्नु; तू आता है—नी वरुन्नु; वह आता है—नी वरुन्नु; वह आता है—अवन् वरुन्नु, वे आते हैं—अपर् वरुन्नु। कर्ता बदलता रहता है, लेकिन क्रिया-रूप वरुन्नु स्थाणुवत् स्थिर रहता है! अन्य द्रविड़ भाषाओं में इसके विपरीत क्रिया-रूप बदलते हैं। संस्कृत में वचन और पुरुष के अनुसार पठति, पठन्ति, पठामि, पठाव: आदि एक ही काल के भिन्न रूप होते हैं। वचन के हिसाब से हिन्दी-संस्कृत, दोनों में क्रिया-रूप का बदलना आवश्यक है, लेकिन पुरुष और लिंग का महत्त्व दोनों भाषाओं में एक-सा नहीं है। हिन्दी में 'पढ़ते हैं' कहने से यह बोध न होगा कि हम पढ़ते हैं या वे पढ़ते हैं। इसी तरह 'पढ़ता है' कहने से तू पढ़ता है और वह पढ़ता है, दोनों का बोध हो सकता है; पढ़ता हूँ, पढ़ते हो कहने से उत्तम और मध्यम पुरुष का बोध होगा। संस्कृत में क्रिया का हर रूप कर्ता के बिना भी अपना पुरुष घोषित करता है। लिंग-भेद में हिन्दी की प्रकृति संस्कृत से और भी भिन्न है। संस्कृत से भिन्न यहाँ दो ही लिंग हैं किन्तु मराठी ने त्रिलिंग-भेद द्वारा आधुनिक भाषाओं को सर्वत्र क्षय-ग्रस्त होने के कलंक से बचा लिया। वैसे दक्षिण की भाषाओं में जहाँ-तहाँ यह त्रिलिंग-भेद मिलता है। विद्वान उसे चाहें तो अनार्यों पर आर्य प्रभाव का प्रमाण कह सकते हैं। महाराष्ट्र से बंगाल की ओर चलिए—लिंग-भेद का महत्त्व क्रमश: कम होता जाता है। ग्रियर्सन का आर्यों की बाह्य और अभ्यन्तर शाखाओं वाला भेद यहाँ तिरोहित हो जाता है।

1. हिन्दी शब्दानुशासन, पृ. 420

संस्कृत से अधिक घनिष्ठ सम्बन्ध किसका है, बंगला का या मराठी का इसका निर्णय वहाँ के विद्वान करें; एक बात स्पष्ट है कि यहाँ एक भाषा-परिवार ऐसा रहा है जिसमें लिंग-भेद का अतिशय आग्रह रहा है, दूसरा परिवार ऐसा रहा है जिसमें इस तरह का आग्रह बिलकुल नहीं रहा, वरन् आज भी हिन्दी से लिंग-भेद मिटाने का सत्याग्रह वर्तमान है। इस दृष्टि से मराठी और बंगला—संस्कृत की दोनों पुत्रियाँ—देश के दो विरोधी छोरों पर हैं, भूगोल-विचार से ही नहीं, भाषा-तत्त्व-विचार से भी। हिन्दी की पूर्वी बोलियों की तुलना में पछाहीं बोलियाँ लिंग-भेद का आग्रह अधिक प्रकट करती हैं। कोई आश्चर्य नहीं कि यह आग्रह संज्ञा, सर्वनाम, विशेषण के अलावा क्रिया-रूपों में भी प्रकट हुआ।

यहाँ यह स्मरण रखना चाहिए कि क्रिया-रूपों में लिंग-भेद कुछ भारतीय भाषाओं की ही विशेषता नहीं है। यूरोप की अनेक भाषाएँ—जो किसी-न-किसी रूप में संस्कृत-परिवार के सम्पर्क में आई हैं—यही विशेषता प्रकट करती हैं।

नभाआ की कृदन्त-सम्बन्धी विशेषता के बारे में डॉ. चाटुर्ज्या ने लिखा है : "परन्तु सबसे अधिक महत्त्वपूर्ण बात यह हुई कि कुछ कृदन्त भी कालरूपों के आधारों के रूप में प्रतिष्ठित हुए। उदा. 'कृत>किअ,-कीन, कीध, कृत-अल्प, इल्ल>कयल्ल, कयिल्ल>कइल-, कैल, केल; कुर्वन्त>करन्त>करता, करदा, करित-, करत्; कर्तव्य>अर्द्ध-तत्सम मभाआ-करितब्ब>अर्ध-तत्सम—करिअब्ब-, करिअबव्-, करिब-, करब-, करिब, इत्यादि।"

इस स्थापना में यह मान लिया गया है कि संस्कृत में कृदन्त काल-निरपेक्ष है। वाल्मीकि ने व्याध के लिए कहा था—पापात्मना कृतं कष्टं। उस पापात्मा ने बुरा किया। यहाँ कृत स्पष्ट ही कालवाचक है। यदि किया जैसे रूप कृत से उत्पन्न माने जाएँ तो संस्कृत और हिन्दी में कोई भेद नहीं है। श्री किशोरीदास वाजपेयी संस्कृत में भी कृदन्त रूपों की काल-व्यंजना की ओर संकेत करते हुए कहते हैं : "संस्कृत में अकर्मक धातुओं से प्रकृत 'त' प्रत्यय 'कर्तरि' होता है; अर्थात् अकर्मक क्रियाओं में भूतकालिक त-प्रत्ययान्त रूप कर्तृवाच्य होते हैं—कर्ता के लिंग-वचन का अनुसरण करते हैं। ठीक यही स्थिति हिन्दी में है :

"बालक: सुप्त:, बालिका सुप्ता, बालका: सुप्ता:—लड़का सोया, लड़की सोई, लड़के सोए।" इसलिए यदि कृत और कुर्वन्त् से कालबोध हुआ, तो संस्कृत से भिन्न हिन्दी में यह कोई नया परिवर्तन न हुआ।

एक बात और अस्पष्ट है। कृत से किया बना तब त अन्तर्धान हो गया। जब कुर्वन्त् से करता बना, तब त अन्तर्धान होने के बदले हलन्त से पूर्ण वर्ण बना, और दीर्घ आ के साथ अपने अस्तित्व की बहुत जोरदार घोषणा करने लगा। कर्तव्य में वह बीच से ही उड़ गया और छोड़ गया संक्षिप्त रूप करब। त के इस उच्छृंखल व्यवहार का कोई कारण नहीं बताया गया। इसलिए कृत से किया और कुर्वन्त्

से करता रूपों की सिद्धि पर थोड़ा सन्देह होना स्वाभाविक है। वर्तमान काल में महाराष्ट्र से लेकर बंगाल तक क्रिया-रूपों में यह त विद्यमान है। मराठी—मी करितों; हिन्दी—मैं करता हूँ; बंगला—अमि करितेछि। उधर भूतकाल में म्यां केला, मैंने किया, आमि कर्लाम्। रूसी में चिताल, पिसाल जैसे भूतकालवाचक लकारान्त रूप हैं। इनसे बंगला-मराठी आदि के लकारान्त रूपों की समानता आश्चर्यजनक है; उतनी ही आश्चर्यजनक त के अन्तर्धान होने की बात है। जहाँ तक करब के ब का सम्बन्ध है, वह बंगला, भोजपुरी आदि के अलावा लैटिन के भविष्यवाचक क्रिया-रूपों में भी मिलता है—लाउदाबो—प्रशंसा करूँगा।

'वह करता है' जैसे वाक्य में 'है' का अस्तित्व देखकर भाषाशास्त्री सोचता है, 'करोति' से 'करता भले बन जाए, 'करता है' कैसे बनेगा? यह अवश्य कुर्वन्त् अस्ति का हिन्दी रूप है, भले ही संस्कृत में कुर्वन्त् अस्ति जैसा प्रयोग प्राय: दुर्लभ हो। इसके अलावा करोति आदि रूप केवल पुरुष और वचन में कर्ता का अनुसरण करते हैं, किन्तु हिन्दी के करता है, करती है, आदि रूप लिंग में भी कर्ता का अनुसरण करते हैं। मराठी रूप तो करितो—वह करता है—में करितो का प्रयोग आहे (है) के बिना ही हुआ है। मराठी के करितों, करितोस, करितात आदि रूप वैसे ही हैं, जैसे संस्कृत के करोति, कुर्वन्ति आदि। मराठी में संस्कृत से भिन्न ये रूप लिंग-भेद भी सूचित करते हैं किन्तु बंगला में करितेछि स्त्री-पुरुष, दोनों के लिए प्रयुक्त होता है। अवधी में 'हम करित है'—स्त्री-पुरुष, दोनों के लिए प्रयुक्त हो सकता है, यद्यपि 'वहु करत है' और 'वह करति है' में पुलिंग और स्त्रीलिंग का भेद है। मराठी में तीन लिंग, खड़ी बोली में द्विलिंग-भेद अनिवार्य, अवधी में विकल्प से और बंगला में तिरोहित, यद्यपि करतो, करता, करित, करिते रूप एक-दूसरे से बहुत ही मिलते-जुलते हैं। इससे सिद्ध हुआ कि क्रिया रूप द्वारा लिंग-भेद सूचित होना उसके कृदन्त होने का निश्चित प्रमाण नहीं है। वही रूप जो एक भाषा में लिंग-भेद से सम्बद्ध है, दूसरी भाषा में उससे परे है। संस्कृत में जो अर्थ कुर्वन्त् का है, वह हिन्दी 'करता है' का नहीं है। करता है, और करता हुआ, इन दोनों रूपों में अन्तर है। श्री किशोरीदास वाजपेयी ने कृदन्त क्रिया और कृदन्त विशेषण का अन्तर स्पष्ट करते हुए लिखा है : "जिस संज्ञा या विशेषण आदि में किसी क्रिया ('धातु') का अर्थ झलक मारता हो, उसे कृदन्त शब्द कहते हैं।" कृदन्त की यह बहुत अच्छी व्याख्या है। कृदन्त विशेषण से भिन्न कृदन्त क्रिया में क्रिया की प्रधानता होगी, लेकिन वह पूर्ण क्रिया नहीं बन पाती। इसीलिए उसे अस्ति आदि का सहारा लेना पड़ता है।

हिन्दी में 'है' की जितनी भरमार है, संस्कृत में अस् का प्रयोग उतना ही अनावश्यक समझा जाता है। ऋग्वेद में "ये शुभ्रा: घोरऽवर्पस: सु: क्षत्रास: रिशादस। मरुभूमि: अग्ने आगहि।" ('ऋग्वेद', मं. 7, सू. 49) मरुत शुभ्र हैं अर्थात् शोभा वाले हैं। वे घोरवर्पस हैं, उग्र रूप धारण करते हैं। रिशादस हैं, हिंसकों के भक्षक हैं। इस वर्णन में अस् धातु

से कहीं काम नहीं लिया गया। "यो अपां नेता स जनास: इन्द्र:"—यहाँ नेता के बाद पुन: अस् का प्रयोग नहीं किया गया। "येनेमो विश्वा च्यवन कृतानि" (ऋ., मं. 2, सू. 12)—यहाँ कृतानि काफी है, अस् के प्रयोग द्वारा क्रिया को भरापूरा नहीं बनाया गया। छान्दोग्योपनिषद् में : "मनो हिंकारो वाक्प्रस्ताव श्चक्षुरुद्गीथ: श्रोत्रं प्रतिहार: प्राणो निधनमेतद्गायत्रं प्राणेषु प्रोतम्" (एकादश खंड) मन हिंकार, वाक्-प्रस्ताव, चक्षु उद्गीथ, श्रोत्र प्रतिहार, प्राण निधन; यह गायत्र प्राणों में प्रोत (बसा हुआ)। 'है' का सर्वत्र लोप! वाल्मीकि ने अपनी श्लोक-रचना के बारे में लिखा था :

*समाक्षरैश्चतुर्भिर्य: पादैर्गीतो महर्षिणा।*
*सोऽनुव्याहरणाद् भूय: शोक: श्लोकत्वमागत:।*

यहाँ गीत:, आगत: रूप पूर्ण क्रिया का स्थान ग्रहण किये हुए हैं। गीता में कृष्ण कहते हैं : "या निशा सर्वभूतानां तस्यां जागर्ति संयमी।" सब जीवों के लिए जो रात्रि है, 'है' का पुन: अभाव। 'तस्य प्रज्ञा प्रतिष्ठिता', प्रतिष्ठिता अस्ति या भवति नहीं। इसी भाव-प्रकृति का अनुसरण करते हुए मराठी में भी करितों, तो जातो आदि प्रयोग होते हैं। 'मैं नहीं हूँ' के लिए केवल 'मी नाहीं' का प्रयोग हिन्दी में सम्भव नहीं है।

भूतकाल के लकारान्त रूपों को कृत जैसे रूपों से सिद्ध किया गया है। 'भोजपुरी भाषा और साहित्य' में डॉ. उदयनारायण तिवारी ने लिखा है : "ल—अतीत के सम्बन्ध में डॉ. चटर्जी ने पूर्ण रूप से विचार किया है। बंगला, असमिया तथा उड़िया—इल्-अतीत, बिहारी—अल्-अतीत तथा मराठी—इल्, अल-अतीत की उत्पत्ति सं.—त,-इत×सं. लघुवाची या विशेषणीय प्रत्यय—ल के विस्तृत रूप—इल-अल>-इल्ल (—एल्ल),-अल्ल से हुई है।"[1] त, इत का तकार कहाँ खो गया? भूतकाल में लघुवाची विशेषणीय प्रत्यय की आवश्यकता क्यों हुई? ल ने इल्ल, अल्ल आदि विस्तृत रूप क्यों धारण किये? इन प्रश्नों का कोई उत्तर नहीं है। लेकिन यह 'ल' अतीतवाचक ही नहीं है। 'ओकर घर देखल जाला'—उसका घर देखा जाता है। 'रोटी खाइल जाला'—रोटी खाई जाती है।[2] राजस्थान की कुछ बोलियों में यही 'ल' भविष्य काल के लिए प्रयुक्त होता है। एक लोककथा में 'मराय दूं ला'[3], एक आधुनिक राजस्थानी कविता में 'जड़ दूं ली', 'कर दूं ली'[4], कविवर मुकुल की प्रसिद्ध कविता 'सैनाणी' में 'गाऊं ला' भविष्य के लिए प्रयुक्त हुए हैं। महाराष्ट्र, राजस्थान, भोजपुरी प्रदेश और बंगाल—देश के बाहर रूस तक—इस ल का प्रयोग आकस्मिक नहीं है। ये सब भाषाएँ उन प्राचीन बोलियों के आधार पर विकसित हुई हैं

1. डॉ. उदयनारायण तिवारी, 'भोजपुरी भाषा और साहित्य', पृ. 269
2. उप., पृ. 260
3. 'दो राजस्थानी लोक-कथाएँ', नया राजस्थान, 27 जनवरी, 1957
4. रामदेव आचार्य, 'सपना रो क्या विसवास?', प्रेरणा, अगस्त, 1955

जो आपस में मिलती-जुलती थीं। इनमें परस्पर मिलने-जुलनेवाली कुछ बातें ऐसी भी हैं जो संस्कृत में नहीं हैं। यह इन भाषाओं की संस्कृतेतर समानता हुई। उसे संस्कृत से कम प्राचीन मानने का कोई कारण नहीं। लकारान्त रूप—भूत, भविष्यत् और वर्तमान काल के लिए—वैसे ही शुद्ध क्रियावाचक हैं, जैसे 'करता है' का 'करता'। 'करता' के समान ही इन रूपों में कहीं लिंग-भेद होता है, कहीं नहीं होता। भोजपुरी में 'हम देखलीं', हमने देखा, दोनों लिंगों में प्रयुक्त होता है किन्तु तुमने देखा के लिए पुल्लिंग रूप है देखल सन्हि और स्त्रीलिंग रूप है देखलु सन्हि।[1] डॉ. तिवारी ने इस सम्बन्ध में लिखा है : "कभी-कभी संज्ञापदों का लिंगज्ञान क्रियाओं द्वारा भी निर्धारित होता है।" इसका उदाहरण दिया है : घर जरि गइल, घर जल गया; पोथी जरि गइलि, पोथी जल गई। इस प्रकार के लिंग-भेद को भोजपुरी की सहज प्रकृति न मानकर उन्होंने यह मत प्रकट किया है कि "भोजपुरी क्रियापदों में लिंग का पार्थक्य खड़ी बोली के ही प्रभाव से आया है।"[2] डॉ. तिवारी का यह मत सही जान पड़ता है। लिंग-भेद पश्चिम की भाषाओं में अधिक है, पूर्व की भाषाओं में कम। यदि भोजपुरी में आंशिक रूप से उत्पन्न यह लिंग-भेद खड़ी बोली के प्रभाव से हो, तो उससे यही सिद्ध होगा कि हिन्दी प्रदेश की बोलियाँ एक-दूसरे को बराबर प्रभावित करती रही हैं और व्याकरण में लिंगहीनता जैसी विशेषता भी अचल और अभेद्य नहीं है।

डॉ. तिवारी ने 'तुं चलऽ' की उत्पत्ति संस्कृत चलत, चलथ रूपों से सम्भव मानी है। 'उ चलो' की उत्पत्ति 'चलतु' से 'प्रतीत होती है।' "ऐसा प्रतीत होता है कि जब अनुज्ञा तथा निर्देशक के रूप उलट-पलट गए, तब यह-ओ निर्देशक प्रत्यय बन गया। पुन: वर्तमानकाल के रूप (चलति>चलइ>चले) तथा भविष्यत् के रूप (चलिष्यति>चलितिइ>चलिहइ) के अन्तर को स्पष्ट रखने के लिए भी औ>ओ का व्यवहार किया जाने लगा।"[3] अनुज्ञा और निर्देशक के रूपों में उलटफेर हुआ हो, चाहे न हुआ हो, और चले चलति से, चलिहइ चलिष्यति से बना हो चाहे न बना हो, उपर्युक्त विवेचन में महत्त्वपूर्ण बात यह है कि भोजपुरी में चलति, चलिष्यति जैसे तिङन्त रूपों के समकक्ष क्रिया रूप प्राप्त हैं। उन्हें कृदन्त रूप सिद्ध करने का प्रयास नहीं किया गया। भविष्य काल में हमारे परिवार की भाषाएँ कहीं क्रिया में संस्कृत इष् का स्मृतिचिह्न स और उसका परिवर्तित रूप ह जोड़ती हैं, कहीं भू का ब और कहीं अज्ञात-कुल-शील गा। कर्तव्य से ब की सिद्धि आवश्यक नहीं है। कर्तव्य जैसा रूप पुरुष-वचन भेद से परे है किन्तु लैटिन में बकारान्त भविष्य रूप संस्कृत के समान ही पुरुष-वचन भेद प्रकट करते हैं। ग्रीक में सकारयुक्त भविष्यवाचक

1. 'भोजपुरी भाषा', पृ. 270
2. उप., पृ. 185
3. उप., पृ. 265

रूप मिलते हैं। इसी प्रकार राजस्थान की कुछ बोलियों में भविष्य के लिए सकारान्त रूपों का चलन है। 'म्हारो बाप थानु द्रव्य देसी'—मेरा बाप तुम्हें धन देगा। 'मुहर एक देस्यां'—एक मुहर दूँगा।[1] जैसे लकार वाले रूप अतीत के अलावा भविष्य के लिए भी आते हैं, वैसे ही कुछ अन्य भाषाओं और बोलियों में सकार वाले रूप वर्तमान और अतीत के लिए आते हैं। तुलसीदास में—जो हसि सो हसि मुहँ मसि लाई; हसि, है के लिए। मारेसि मोहिं कुठांव—मारेसि, मारा के लिए। इसी प्रकार भविष्यवाचक हिन्दी 'गा' है। वाजपेयी जी के अनुसार "आज यह 'ग' एक कृदन्त प्रत्यय ही है—भविष्यत् प्रकट करने के लिए; वस्तुत: भविष्यत्-क्रिया की निष्पति में निश्चिति प्रकट करने के लिए।"[2] यह निश्चिति प्रकट करने का धर्म भविष्य में ही नहीं, वर्तमान में भी सम्पन्न होता है। लाला जी घर में है? हैंगे। आपके पास चार आने पैसे हैं? हैंगे। श्री अमृतलाल नागर के उपन्यास 'बूँद और समुद्र' के कर्नल को इस निश्चयवाचक 'गा' से विशेष प्रेम है : "वह तो मेरी आँखों-देखी बात हैगी सज्जन।" श्री राजेन्द्र यादव के उपन्यास 'उखड़े हुए लोग' के कुछ पात्र 'था' के साथ भी 'ग' का प्रयोग करते हैं। "नहीं, तब हुमारी शादी नहीं हुई थी गी, सो मरा पढ़ावै लिखा है तो कुछ धागा नहीं, जब देखो तब अखबार पढ़ता दिखाई देता था गा।"[3] पता नहीं, वास्तव में 'था' के साथ कहीं लोग 'गा' का प्रयोग करते हैं या नहीं। श्री यादव का कहना है कि उन्होंने ऐसे प्रयोग सुने हैं। द्रविड़ भाषाओं के विशेषज्ञ काल्डवेल का मत है कि इन भाषाओं के प्राचीन रूपों में भविष्य के लिए 'ग' प्रत्यय का ही उपयोग होता था। शेय्-गु—मैं करूँगा। 'The sign of the future is 'g'.' ('भविष्यवाचक चिह्न है 'ग'।)[4] काल्डवेल की यह बात सही हो तो 'गा' की प्राचीनता मान्य होगी; साथ ही उत्तर-दक्षिण की भाषाओं के सम्पर्क का एक अनुपम उदाहरण मिलेगा। इस सन्दर्भ में काल्डवेल ने भोजपुरी—बंगला आदि के 'ब' को भी स्मरण किया है और द्रविड़ भाषाओं के भविष्यवाचक प्रत्यय व से उसकी तुलना की है : "द्रविड़ भाषाओं में बहुप्रचलित और उनका विशेष भविष्यवाचक चिह्न स्पष्ट ही तमिल, कन्नड़ और तुलू का 'व' है। यह बात मार्के की है कि बंगला और उड़िया में, तथा भोजपुरी-हिन्दी में भी भविष्य-काल का चिह्न 'व' है जो ब बोला जाता है—यथा बंगला राखिब, उड़िया राखिबी, भोजपुरी राखब—और मैक्समूलर ने इसे लैटिन के 'ब' या 'बो' से सम्बद्ध किया जो उस भाषा का खास भविष्यवाचक चिह्न है जिसे किसी पुरानी पूर्ण क्रिया का अवशेष माना जाता है।"

---

1. अगरचन्द नाहटा, 'एक-एक मोहर की चार बातां', प्रेरणा, नवम्बर, 1954
2. 'हिन्दी शब्दानुशासन', पृ. 429
3. राजेन्द्र यादव, 'उखड़े हुए लोग'; राजकमल प्रकाशन, पृ. 216
4. रॉबर्ट काल्डवेल, 'ए कम्पैरेटिव ग्रामर ऑव दि द्रैवीडियन ऑर साउथ इंडियन फैमिली ऑव लैंग्वेज़ेज़'; संशोधित संस्करण, 1913; पृ. 513

यह स्थापना असम्भव नहीं है, यद्यपि सम्भाव्य कम है—यह कहते हुए काल्डवेल ने फिनलैंड और हंगरी की भाषाओं में भविष्यवाचक 'व' का उल्लेख किया है। इस चर्चा से इतना अवश्य सिद्ध हो जाता है कि करव जैसा रूप कर्तव्य से नहीं बना और ब, गा आदि प्रत्यय प्राचीनता और कुलीनता में किसी से घटकर नहीं हैं।

मैंने उसे मारा—इसका अर्थ यह नहीं है, मेरे द्वारा उसके सम्बन्ध में मार का काम किया गया। 'उसे' का अर्थ 'उसके सम्बन्ध में' नहीं है। 'मैंने' का अर्थ मेरे द्वारा नहीं है। संस्कृत में पुल्लिंग संज्ञाओं के तृतीया एकवचन में 'न' का चिह्न देखकर ग्रियर्सन आदि ने 'मैंने' का अर्थ मेरे द्वारा किया। संस्कृत तथा उसकी समकक्ष भोषाओं में न, ने, नु, आदि का विभिन्न कारक-चिह्नों के रूप में प्रयोग होता था। हिन्दी में वह करण-कारक का चिह्न नहीं है। वाजपेयी जी ने बिलकुल ठीक लिखा है : "लोगों ने 'ने' को करण-कारक की विभक्ति गलती से समझ लिया है। 'ने' का 'करण'-कारक से कोई सम्बन्ध नहीं।"[1] वास्तव में वह हिन्दी में कर्ता-कारक का चिह्न है। उसे संस्कृत के करण-कारक-चिह्न का अवशेष न मानकर स्वतंत्र रूप से प्रयुक्त, उससे मिलता-जुलता ध्वनि-चिह्न मानना चाहिए। राजस्थान की कुछ बोलियों में 'ने' या 'नै' का चिह्न कर्म-कारक के लिए आता है—भगा नाई ने बुलायो, भगा नाई को बुलाया; दरोगा नै हुक्म हुयो, दरोगा को हुक्म हुआ।[2] इसी तरह गुजराती में 'मगन ने मार्यो' में 'ने' कर्मकारक के लिए प्रयुक्त हुआ है। उसी से मिलता-जुलता 'ना' सम्बन्ध कारक के लिए—घोडाना पग।[3] पंजाब की बोलियों में कर्ता के लिए ने का प्रयोग—दिल ने सुनी लई दिले दी कहानी; कर्म के लिए नूं का प्रयोग—गोरी नूं भाये न दिनें दा जुवाला (उजाला)।[4] पंजाबी में जिन्हें के लिए जिनां के साथ ने जोड़कर 'जिनांने' जैसा प्रयोग होता है। वारिस शाह ने हीर-राँझा की कथा में लिखा है :

*लईया, कढ हरनालियाँ हालियाँ ने*
*सीयाँ मुड्ढों तो जिनां ने लानियाँ नी।*

"हल चलानेवालों ने हल निकाल लिये हैं; जिन्हें नये सिरे से धरती चीरनी है।"[5] पंजाबी में ही 'ने' का प्रयोग कर्ता के अलावा अन्य कारकों में होता है। करण-कारक से उसका अटूट सम्बन्ध नहीं है। हिन्दी में वह कर्ता के लिए भ्रमवश प्रयुक्त नहीं होता। 'मैंने उसे मारा' में मैं कर्ता-कारक ही है; यह वाक्य 'वह मेरे द्वारा मारा गया' से भिन्न है। मैंने उसे पीटा, वह मुझसे पिटा—हिन्दी में दोनों तरह की वाक्य-रचना होती है। मैंने मारा, मैं मारा गया—इन दोनों वाक्यों में मारा सामान्य है।

1. 'हिन्दी शब्दानुशासन', पृ. 145
2. 'नया राजस्थान', 27 जनवरी, 1957
3. एन.बी. दिवाटिया, 'गुजराती लैंग्वेज़ एंड लिटरेचर', बम्बई, 1932, खंड 2, पृ. 81
4. घनश्याम सेठी, 'चम्बे दिए धारे'; अजन्ता, सितम्बर, 1954
5. घनश्याम सेठी, 'पंजाबी भाषा का जनकवि : वारिस शाह'; 'सम्मेलन' पत्रिका, प्रयाग, चैत्र 2011

दोनों वाक्यों के 'मारा' का एक ही अर्थ नहीं है। अंग्रेज़ी से एक मिसाल लें—दे किल्ड हिम—उन्होंने उसे मारा (या मार डाला); ही वाज किल्ड बाई देम—वह उनके द्वारा मारा गया। मारा की तरह 'किल्ड' भी दोनों वाक्यों में समान है लेकिन 'दे किल्ड हिम' के कर्तृवाच्य होने में किसी को संशय नहीं होता। मारा जैसे रूप का 'ने' से कोई विशेष सम्बन्ध नहीं है, यह अवधी से सिद्ध है : हम वहिका मारा (हमने उसे मारा)। 'ने' करण-कारक का आवश्यक चिह्न होता और उसी के कारण मैंने मारा जैसा रूप बनता, तो अवधी में 'हम मारा' जैसा रूप सम्भव न होता। हिन्दी की एक विशेषता यह है कि वर्तमान काल में क्रिया कर्ता का लिंगानुसरण करती है, वह आता है, वह पढ़ता है। क्रिया चाहे अकर्मक हो चाहे सकर्मक, पढ़ने की पुस्तक वेद हो चाहे रामायण, पढ़ता है, पढ़ती है रूप कर्ता का अनुसरण करेंगे। इसी प्रकार भविष्य काल में—आएगा, वह वेद पढ़ेगा, वह रामायण पढ़ेगा। वर्तमान काल में कार्य सम्पन्न नहीं हुआ, भविष्य में भी कर्म अदृश्य है, मानो इसीलिए बोलनेवाले का ध्यान कर्म की अपेक्षा कर्ता पर केन्द्रित रहता है। भूत काल में कार्य सम्पन्न हो चुकता है, इसलिए 'उसने वेद पढ़ा', 'उसने रामायण पढ़ी' में कर्म वेद और रामायण के अनुसार क्रिया का लिंग परिवर्तन होता है। 'वह आया' जैसे अकर्मक क्रिया वाले प्रयोगों में कर्म का प्रश्न नहीं है, इसलिए क्रिया वर्तमान और भविष्य के समान कर्ता का ही लिंगानुसरण करती है।

हिन्दी कारक-चिह्न संस्कृत से ही उत्पन्न हुए होंगे, इस धारणा के कारण कल्पना की गई कि घोड़ा का बहुवचन घोड़े संस्कृत की तृतीया विभक्ति के एभिः के ए से बना है ('करण बहु आभाआ—घोटकेभिः=हिन्दी कर्ता बहु घोड़हि>घोड़े')।[1] संस्कृत के करण-कारक से हिन्दी को विशेष प्रेम मालूम होता है। वहीं से उसने 'ने' प्राप्त किया; वहीं से घोड़े का ए। और ने और ए, दोनों ही चिह्न कर्ता-कारक के लिए ही ग्रहण किये। गनीमत यह है कि किसी ने यह नहीं कहा कि हिन्दी में घोड़ा का कर्ता-रूप में बहुवचन होता ही नहीं है और 'घोड़े' का अर्थ 'घोड़ों द्वारा' है! वैसे संस्कृत में 'कः' का बहुवचन 'के', 'अयम्' का बहुवचन 'इमे', सः का बहुवचन 'ते' होता है; उसमें एकारान्त कर्ता बहुवचनों का अभाव नहीं है। ग्रीक में बहुत-से संज्ञा-शब्द बहुवचन में सकार-सहित एकारान्त रूप ग्रहण करते हैं : खेइर, ख़ेर (कर, हाथ) बहुवचन में ख़ेइरेस्; कुओन, कुन (श्वान), बहुवचन-कूनेस्; हीरो (वीर), बहुवचन—हीरोएस्। हीरो शब्द पुल्लिंग है, कुओन उभयलिंग, ख़ेर स्त्रीलिंग। जर्मन में पुल्लिंग स्टाइन (पत्थर) का बहुवचन स्टाइने, ज़ोन (सूनु, पुत्र) का बहुवचन जोयूने होता है। ऐसी भाषाएँ, जिन पर संस्कृत भाषा-परिवार का असर पड़ा है, कर्ताकारक के बहुवचन में ए चिह्न ग्रहण करने की प्रवृत्ति दिखलाती हैं। इसलिए घोड़ा का बहुवचन घोड़े आश्चर्यजनक नहीं है; उसके लिए एभिः को स्रोत मानना आवश्यक नहीं है। हिन्दी ए ग्रीक-लैटिन-जर्मन आदि के कर्ता बहुवचन चिह्न 'ए' का सहधर्मी है।

---

1. 'भारतीय आर्य भाषा और हिन्दी', पृ. 326

इसी प्रकार बहुवचन घोड़े को घोटकानाम् से सिद्ध किया है, यद्यपि संस्कृत रूप सम्बन्ध कारक है और घोड़ों रूप 'ने, से, पर, के' आदि के साथ विभिन्न कारकों में प्रयुक्त होता है। बातें रूप कैसे बना? वार्तानि से। यदि वार्ता स्त्रीलिंग हो तो? तो कोई बात नहीं, 'स्त्रीलिंग में भी नपुंसक आनि प्रत्यय का ही प्रयोग करते हुए' यह रूप बना लिया! और बातों? वार्तानाम् से! संस्कृत 'कार्य' से बंगला को एर और र प्राप्त हुए सम्बन्ध चिह्न के रूप में; उसी के प्राकृत रूप कज्ज से सिन्धी को सम्बन्ध चिह्न के लिए ही जो, जी प्राप्त हुए। मराठी का सम्बन्ध-चिह्न च 'त्य' से निकला है। यह त्य पद-गठनकारी प्रत्यय बताया गया है जिसने कारकरूप धारण कर लिया। यह व्युत्पत्ति न जमे तो 'इस प्रकार भी सम्भव है—घोटक-कृत्य>घोड अ-अच्च>घोडाचा।' हिन्दी 'ने' 'कर्ण' से, 'को' 'कक्ष' से, 'का' 'कृत' से—कहीं से कुछ भी सिद्ध हो सकता है। उसने राजा को देखा—इसका मूल संस्कृत रूप यह दिया गया है : 'तेन राज्ञ: कृते या कक्षे दृक्षितम्=दृष्टम्।' यहाँ कृत से 'को' भी सिद्ध कर दिया गया है।

बंगला के लोकेरा, मायेरा आदि का बहुवचन-सूचक 'रा' हमर, हमार आदि का 'र' माना गया है। जर्मन में फेल्ड (फील्ड, मैदान) का (कर्ता और सम्बन्ध-कारकों में) वह वचन फेल्डेर बनता है। हिन्दी 'को' (अवधी आदि का 'का' या 'क') से मिलता-जुलता रूसी 'क' है। 'कग्दा मी प्रिब्लिज़ीलीस् क लन्दन्'—जब हम लन्दन-को-पहुँचे। इसका यह अर्थ नहीं है कि हिन्दी बंगला के कारक—चिह्न रूसी और जर्मन भाषाओं की देन हैं। यहाँ केवल अनुसंधान की एक अन्य पद्धति की ओर ध्यान आकर्षित करना ही उद्देश्य है। जैसे हम माता-पिता से मिलते-जुलते शब्द ग्रीक-लैटिन, जर्मन, रूसी आदि भाषाओं में ढूँढ़ निकालते हैं, वैसे ही बहुत कारक-चिह्न भी हमारी और इन भाषाओं में मिलते हैं। ये सभी चिह्न संस्कृत से नहीं निकले, यद्यपि संस्कृत के साथ-साथ बोली जानेवाली अन्य भाषाओं—जिनका प्रभाव यूरोप पर भी पड़ा है—में उनके अस्तित्व का अनुमान किया जा सकता है। कृत, कार्य और कर्ण से कारक-चिह्नों की उत्पत्ति सिद्ध करने के प्रयास स्वर्गीय चन्द्रधर शर्मा गुलेरी के इस कथन की याद दिलाते हैं : "वे विद्वान जो मा धातु से डियां, डुलुक्, डौलाना प्रत्यय बनाकर मियाँ, मुलुक, मौलाना सिद्ध कर लेते हैं या हमारे आचार्य-देशीय सुगृहीतनामा सर्वतंत्र स्वतंत्र सतीर्थ्य जो 'जयौ जयशीलौ ऊरू यस्या: सा जयोरू: जोरू (स्त्री)' बनाते हैं" इत्यादि।[1]

डॉ. चाटुर्ज्या और ग्रियर्सन आदि से पहले हिन्दी के पूर्व रूपों की खोज का काम हार्नले ने किया था। यदि उनके कार्य में खामियाँ हैं, तो उन्नीसवीं सदी में भाषाविज्ञान की स्थिति को देखते हुए वे क्षम्य हैं। बीसवीं सदी के मध्य में वही बातें दोहराई जाएँ तो यह कार्य बहुत प्रशंसनीय न माना जाएगा। 1880 में एशियाटिक सोसायटी ऑव बेंगाल की पत्रिका (खंड 49, भाग 1) में हार्नले ने

1. चन्द्रधर शर्मा गुलेरी, 'पुरानी हिन्दी', पृ. 26-27

हिन्दी धातुओं पर एक लेख[1] प्रकाशित किया था। इसमें उन्होंने बोधव्य से बूझब और बूझिब रूप सिद्ध किये थे। उसी का अनुसरण करते हुए डॉ. चाटुर्ज्या ने कर्तव्य से करब बनाया; इसका अनुसरण करते हुए डॉ. उदयनारायण तिवारी ने लिखा : "आधुनिक भारतीय आर्य भाषाओं की धातुओं की उत्पत्ति के सम्बन्ध में डॉ. चटर्जी, ग्रियर्सन तथा अन्य विद्वानों ने अपने प्रामाणिक ग्रंथों में पूर्ण रूप से विचार किया है। और वे जिस निष्कर्ष पर पहुँचे हैं, उसमें कुछ भी घटाना-बढ़ाना अनावश्यक है।"[2] इस पद्धति से भाषाविज्ञान की प्रगति सम्भव नहीं है।

हार्नले ने बहुत-सी धातुओं का सही उद्गम बताया है; वे यदि संस्कृत की उन्हीं धातुओं से नहीं बनीं तो उन्हीं की समरूप धातुओं से बनी हैं, जैसे उन्होंने द्रक्ष्यति से देखने का सम्बन्ध जोड़ा है। लेकिन उनके और बहुत-से अनुमान सही नहीं मालूम होते। कुछ मिसालें यहाँ देते हैं—उद्+ज्वल=उबल; उद्+भृ=उभार; क्षिप्-खो, अट्ट+कृ—अटक; उच्च+कृ=उचक; क्षिप्त+कृ—छिटक, छूट; क्षिप् या क्षप्+कृ—झोंक; तक्ष+कृ=ठसक, प्रकृष्ट-पकड़, स्फूत्कार—पुकार।

उस समय भी अनेक विद्वानों को इस तरह की व्युत्पत्ति आपत्तिजनक मालूम होती थी। उदाहरण के लिए, कृतं से को या कृते से के सिद्ध करने के प्रयास को 1864 में एक विद्वान ने 'आल टुगेदर ए फोर्स्ड वन' कहा था।[3] विद्वानों ने अक्ष+वाट से अखाड़ा सिद्ध किया है।[4] इस तरह की सिद्धियों की लम्बी सूची बनाई जा सकती है। जिस समय अक्षवाट से अखाड़ा और कर्ण से 'ने' जैसे रूप आधुनिक भाषाओं में प्रतिष्ठित हो रहे थे, उसी समय—कहा जाता है—इन नई भाषाओं में संस्कृत के ढेर के ढेर तत्सम रूप लिये जाने लगे। णअण-नयन, णअर—नगर, कइ— कपि, राया—राजा; णई—नदी, सभलउँ—सफल, विवइ—विपद्, आदि। प्राकृत-तत्सम रूपों में जब हिन्दी आदि भाषाएँ राजा, नगर, नयन आदि तत्सम रूपों को ही अपना रही थीं, तभी किसी कारणवश कारक-चिह्नों में उन्होंने एक भी तत्सम रूप न स्वीकार किया, उनके बदले उनके ऐसे रूप अपनाए जो प्राकृत में भी न मिलें! और एक भाषा ने नहीं, उत्तर भारत की सभी भाषाओं ने मानो षड्यंत्र करके यह नीति अपनाई। मथुरा, काशी, द्वारका जैसे प्राचीन नामों में एक बार ध्वनि-परिवर्तन हुआ होगा, उसके बाद सर्वत्र तत्सम रूपों का चलन हो गया होगा! सिद्धान्त यह स्थिर किया गया है कि "नव्य-भारतीय आर्य भाषाओं का जन्म संस्कृत के वातावरण में हुआ।"[5] इसलिए यह और भी आश्चर्य की बात है कि शब्द-भंडार में तो नभाआ भाषाओं ने संस्कृत से तत्सम रूप लिये, किन्तु कारक-चिह्नों, विभक्ति-रूपों आदि में उन्होंने प्राकृत-जन्य ही रूप अपनाए।

1. 'ए कलेक्शन ऑव हिन्दी रूट्स विद रिमार्क्स ऑन देयर डेरीवेशेन एंड क्लासीफिकेशन'
2. 'भोजपुरी भाषा और साहित्य', पृ. 243
3. 'जर्नल ऑव एशियाटिक सोसायटी ऑव बेंगाल', 1864; खंड 33, पृ. 497
4. 'ऑरिजिन एंड डिवेलपमेंट ऑव बेंगाली लैंग्वेज़', खंड 2, पृ. 688
5. 'भारतीय आर्य भाषा और हिन्दी', पृ. 136

1953 में प्रकाशित अपने एक लेख में मैंने संस्कृत-प्राकृत-अपभ्रंश वाली मंजिलों का विरोध किया था। इस सिलसिले में श्री नामवर सिंह ने अपने गवेषणापूर्ण ग्रंथ 'हिन्दी के विकास में अपभ्रंश का योग' में लिखा है : "किन्तु कुछ विद्वानों को भारतीय आर्य भाषा के विकास में संस्कृत-प्राकृत अप्रभंश वगैरह इतनी मंजिलें गिनाना असंगत प्रतीत होता है।" डॉ. चाटुर्ज्या से जो उद्धरण पहले दिये गए हैं, उनसे स्पष्ट है कि इन मंजिलों की असंगति स्वीकृत पद्धति के भाषा-वैज्ञानिकों को भी मालूम हुई है। श्री किशोरीदास वाजपेयी ने अपने ग्रंथ 'हिन्दी शब्दानुशासन' में इस मंजिल को स्वीकार नहीं किया। इन दोनों विद्वानों के ग्रंथ पढ़ने के बाद मेरी यह धारणा और भी दृढ़ हो गई कि यह मंजिलों की कल्पना अवैज्ञानिक है। हिन्दी आदि आधुनिक भाषाओं के मूलतत्त्व—क्या शब्द-भंडार और क्या व्याकरण-रूपों की दृष्टि से—उतने ही प्राचीन हैं जितने संस्कृत के? इस प्राचीनता को न स्वीकार करने का एक कारण हिन्दी आदि भाषाओं के प्रति विद्वानों का उपेक्षा-भाव रहा है। नामवर सिंह ने इस सम्बन्ध में लिखा है : "प्राकृत और अपभ्रंश को लोकभाषा मानकर अध्ययन करनेवालों के मन में आम जनता के प्रति घृणा-भाव था या प्रेम-भाव, इसका निर्णय तो सामान्य जन ही करेंगे, लेकिन इन तमाम मंजिलों को तोड़कर सम्पूर्ण भारतीय आर्य भाषा को हिन्दी घोषित कर देने से आम जनता के प्रति प्रेम किस प्रकार प्रकट हो जाता है, यह समझ में नहीं आता।"[1] समझ में न आने की बात ही है। यदि कोई 'सम्पूर्ण भारतीय आर्य भाषा' को हिन्दी घोषित करे तो इसका यह अर्थ होगा कि बंगला, मराठी, पजाबी आदि सभी नव्य भारतीय आर्य भाषाएँ हिन्दी की पुत्रियाँ हैं। श्री नामवर सिंह ने मेरे जिस लेख का हवाला दिया है,[2] उसमें कहीं भी हिन्दी को 'सम्पूर्ण आर्य भाषा' घोषित नहीं किया गया। जहाँ हिन्दी की प्राचीनता की बात है, वहाँ अन्य भाषाओं की प्राचीनता की बात भी है। श्री नामवर सिंह ने जान-बूझकर मेरी बात को तोड़ा-मरोड़ा नहीं है। सारे उत्तर भारत में एक काल में एक ही भाषा बोली जाती थी, इस धारणा का बहुत समय से प्रचार होता रहा है। यह केवल नये युग की विशेषता मानी जाती रही है कि अनेक भाषाएँ एकबारगी प्रगट हो गईं, वर्ना पहले एक आद्य भाषा संस्कृत, दूसरी मंजिल में उसी का परिवर्तित रूप प्राकृत जिसके शौरसेनी, महाराष्ट्री आदि रूपों में बहुत थोड़ा भेद था, उसी का परिवर्तित रूप अपभ्रंश और अपभ्रंश से उत्पन्न अनेक आधुनिक भाषाएँ। इस तरह की स्थापना डॉ. चाटुर्ज्या में हम देख चुके हैं। उनसे पहले हार्नले ने लिखा था कि एक समय उत्तर भारत की एकमात्र 'आर्यन वर्नाक्यूलर' मागधी थी।[3] श्री नामवर सिंह ने इसी 'एक भाषा' के प्रसार की मान्यता के आधार पर लिखा है :

1. नामवर सिंह, 'हिन्दी के विकास में अपभ्रंश का योग'; साहित्य भवन, इलाहाबाद, 1954; पृ. 14
2. 'हमारी जातीय भाषा के विकास की समस्या', लेख-संग्रह, संख्या 1, मार्च, 1953, जन प्रकाशन गृह, बम्बई
3. ए.एफ. रुडोल्फ हार्नले, 'ए ग्रामर ऑव दि ईस्टर्न हिन्दी', 1880, भूमिका

"तुलसीदास की भाषा वाल्मीकि की भाषा से बहुत भिन्न है; शब्दकोश में थोड़ा-बहुत साम्य भले ही मिल जाए; लेकिन दोनों के वाक्य-गठन में महान अन्तर है, दोनों के व्याकरण दो हैं। एक हिन्दी है, दूसरी संस्कृत। इस अन्तर को न देखना अथवा देखने से इनकार करना भाषा-सम्बन्धी विवेक को पीठ देना है।"[1] इस तर्क में मान्यता यह है कि वाल्मीकि की भाषा का प्रसार सारे उत्तर भारत में था। इसलिए उस समय हिन्दी के अस्तित्व की कल्पना नहीं की जा सकती। मान्यता को प्रस्तुत करने का ढंग ऐसा है मानो कोई हिन्दी-संस्कृत का भेद अस्वीकार कर रहा हो, और तुलसीदास और वाल्मीकि की भाषा को एक कह रहा हो! इसी प्रकार विद्वान अनुसंधानकर्ता ने अपभ्रंश का प्रसार सारे उत्तर भारत में माना है। अपभ्रंश पहले 'पश्चिमोत्तर भारत की बोली' थी; फिर 'उन मूल प्रान्तों से सरककर दूसरे क्षेत्रों में' प्रतिष्ठित हुई। जब बहुत ज्यादा सरकी और बहुत बड़े इलाके में पसर गई तब स्थानीय भेद उत्पन्न हो गए। "जब अपभ्रंश सिंध में मुल्तान से लेकर बंगाल के समुद्र तट तक और कन्नौज से लेकर मान्यखेट तक फैल गई, तो उसमें स्थानीय विशेषताओं का उभार आवश्यक था।" मूल भाषा एक थी; स्थानीय भेद प्रसार के कारण उत्पन्न हुए। "यह देश-भेद धीरे-धीरे इतना बढ़ा कि तेरहवीं शताब्दी तक जाते-जाते अपभ्रंश के सहारे ही पूर्व और पश्चिम के देशों ने अपनी-अपनी बोलियों का रूप प्रकट कर दिया।" देश-भेद उत्पन्न होने से पहले यह अपभ्रंश किस तरह की भाषा थी? "उसकी पूर्ववर्ती प्राकृत ही देशी भाषाओं के योग से अपभ्रंश की अवस्था में विकसित हो गई।" अर्थात् देशी भाषाओं का योग होने से पहले अपभ्रंश प्राकृत से भिन्न नहीं थी। ये देशी भाषाएँ कौन थीं, कब से थीं, किन क्षेत्रों में थीं, ये कहाँ से उत्पन्न हुईं—ये सब प्रश्न अप्रासंगिक समझे गए। और प्राकृत किस तरह की भाषा है? "यदि नाटकों में प्रयुक्त प्राकृत को लें, तो साफ मालूम हो जाता है कि वह संस्कृत वाक्यों का ही यत्किंचित् ध्वनि-परिवर्तन किया हुआ रूप है।" संस्कृत-प्राकृत और अपभ्रंश का यह सम्बन्ध देखकर हमें इस स्थापना पर बिलकुल आश्चर्य नहीं होता : "वास्तविकता यह है कि अपभ्रंश काल में पंजाब, राजस्थान, गुजरात, शूरसेन तथा उत्तरी महाराष्ट्र की भाषा में कोई मौलिक व्याकरण-भेद न था। थोड़े-से उच्चारणगत ध्वनिपरक भेदों तथा कतिपय व्याकरणिक विशेषताओं को छोड़कर भाषा का ढाँचा सर्वत्र बहुत कुछ एक ही सा था।"[2] इसे कलियुग का प्रभाव कहना चाहिए कि अपभ्रंश द्वारा स्थापित इस राष्ट्रीय एकता को आधुनिक भाषाओं ने अपने मौलिक व्याकरण-भेदों द्वारा ध्वस्त कर दिया। उसी के फलस्वरूप कोई हिन्दी से 'ने' उड़ाने की व्यवस्था देता है, तो कोई उससे लिंग-भेद समाप्त करने की राय देता है। यदि कलकत्ते की बाजारू हिन्दुस्तानी राष्ट्रभाषा मान ली जाए,

1. 'हिन्दी के विकास में अपभ्रंश का योग', पृ. 15
2. उप., पृ. 31

तो उसका सारा व्याकरण एक पोस्टकार्ड पर लिखा जा सके। लेकिन यह तो नौ मन तेल के जुटने पर राधा के नाचने की बात हुई। आश्चर्य की बात है कि वैदिक भाषा में तो विभिन्न बोलियों के प्रभाव के कारण अनेक व्याकरण-भेद दिखाई देते हैं, किन्तु अपभ्रंश काल में पंजाब से लेकर महाराष्ट्र तक की भाषा में कोई मौलिक व्याकरण भेद ही न था! ये सब भेद आधुनिक भाषाओं के अभ्युदय-काल में अचानक प्रकट हो गए!

हमारी धारणा के अनुसार इस तरह के अधिकांश व्याकरण-भेद पहले भी थे। महाराष्ट्री, शौरसेनी, मागधी आदि प्राकृतों का नामकरण उन प्रदेशों में प्रयुक्त भाषाओं के आधार पर किया गया है। किन्तु ये प्राकृतें 'संस्कृत वाक्यों का ही यत्किंचित् ध्वनि-परिवर्तन किया हुआ रूप' नहीं हैं। व्याकरण के अनेक रूप—जैसे द्विवचन का प्रयोग—प्राकृतों में नहीं हैं। इस तरह की विशेषताएँ संस्कृत और प्राकृत में मौलिक व्याकरण-भेद प्रकट नहीं करतीं, किन्तु वे आधुनिक भाषाओं की प्रकृति का आभास देती हैं। इससे भी महत्त्वपूर्ण तथ्य डॉ. चाटुर्ज्या के शब्दों में यह है कि कारक-विभक्तियों के कई ऐसे रूप जो वैदिक या लौकिक संस्कृत में नहीं हैं : 'परन्तु आभाआ की विभिन्न प्रादेशिक बोलियों में पाए जाते थे', वे मभाआ अर्थात् प्राकृतों में सुरक्षित रहे। डॉ. चाटुर्ज्या की इस स्थापना का महत्त्व यह है कि वैदिक संस्कृत के समानान्तर उससे मिलती-जुलती बोलियों की स्थिति स्वीकार की गई है। उनमें ऐसे व्याकरणगत भेद स्वीकार किये गए हैं, जो संस्कृत में प्राप्त नहीं हैं। इसलिए अपभ्रंश काल में देश की वास्तविक भाषाओं में व्याकरणगत भेदों का अभाव महान् आश्चर्य की बात होगी। शब्द-भंडार की दृष्टि से भी प्राकृतों में—नाटकों की प्राकृत में ही—अनेक ऐसे शब्द मिलते हैं जो संस्कृत के नहीं हैं किन्तु आधुनिक भाषाओं में मिलते हैं। उदाहरण के लिए हिन्दी क्रिया 'माँगना' संस्कृत में नहीं है। 'मृच्छकटिक' में रदनिका कहती है, 'तदो उण तं मग्गन्तस्स', इत्यादि। इसका संस्कृत रूपान्तर दिया गया है : 'ततः पुनस्तां याचमानस्य।' याचमानस्य से मग्गन्तस्स के बनने की सम्भावना नहीं है। हिन्दी क्रिया को प्राकृत की ध्वनि और व्याकरण के नियमों के अनुकूल बनाकर 'मग्गन्तस्स' रूप में प्रस्तुत किया गया है। मुख्य बात यह है कि मग्ग धातु संस्कृत की नहीं है, प्राकृत में प्रयुक्त हुई है और हिन्दी की एक प्रचलित क्रिया है। इसी प्रकार हिन्दी (ब्रज आदि) का 'दीन' रूप। वही रदनिका इसका 'दिण्णा' रूप बोलती हैं। इसका संस्कृत रूप 'दत्ता' दिया गया है। द का दि कैसे हुआ? त्ता की जगह ण्णा ने कैसे ली? चारुदत्तः तो चारुदत्तो ही बना; अप्रमत्ताः अप्पमत्ता बना; तब दत्ता से दिण्णा कैसे हो जाएगा? स्पष्ट ही यह दीन की नकल है या उससे मिलता-जुलता कोई—संस्कृत दत्त से भिन्न—रूप है। इसी प्रकार युष्माकं से तुम्हाणं नहीं बन सकता। यहाँ तुम, तुम्हारा जैसे रूपों के आधार पर प्राकृत-व्याकरण के अनुकूल तुम्हाणं रूप गढ़ा गया है। यत्र से जत्र, जत भले बन जाए, 'जहिं' नहीं बन सकता; 'मृच्छकटिक' में 'जहिं'

हिन्दी जहाँ, जहँ आदि का सगोती है। इसी प्रकार उत्तररामचरित में 'परुण्णो' का मूल 'प्ररुदितो' नहीं हो सकता। उसका सम्बन्ध रोना या इससे मिलती-जुलती किन्तु दकारहीन धातु से है। प्राचीन वैयाकरण प्राकृत में तद्भव रूपों के अलावा संस्कृतेतर 'देश्य' रूपों' का अस्तित्व मानते थे। "भारतीय वैयाकरणों तथा आचार्यों द्वारा प्राकृत शब्द-समूह को तीन भागों में विभाजित किया गया है—1. संस्कृत-तत्सम अथवा तत्सम; 2. संस्कृत-भाव अथवा तद्भव; 3. देश्य अथवा देशी।"[1] देशी शब्दों को व्याख्या इस प्रकार है : "देशी वे शब्द हैं, जो संस्कृत व्याकरण अथवा प्राकृत भाषा के नियमित रूपों के अनुसार सिद्ध नहीं किये जा सकते। उनमें प्रकृति और प्रत्यय का भेद नहीं किया जा सकता अथवा वे शब्द जो विकास के प्रारम्भिक काल से ही संस्कृत से असम्बद्ध रूप में प्रयुक्त होते आए हैं।"[2] यह ध्यान देने की बात है कि विकास के प्रारम्भिक काल से ही कुछ शब्द-संस्कृत से असम्बद्ध रूपों में प्रयुक्त होते आए हैं। इस प्रकार हिन्दी आदि भाषाओं के शब्द-भंडार की प्राचीनता और स्वतंत्र सत्ता आंशिक रूप में स्वीकृत हुई।

जो शब्द संस्कृत और प्राकृत से सिद्ध न हो, उन्हें 'देशी' नाम देने से ऐसा बोध होता है कि स्वयं संस्कृत के शब्द परदेशी हैं। प्राचीन वैयाकरणों का यह आशय न था। देशी शब्द शिष्ट-जनों से भिन्न साधारण-जनों की भाषा के लिए प्रयुक्त होता था। लेकिन वे तमाम शब्द जो संस्कृत में गृहीत हैं, 'देशी' भाषाओं में प्राचीन काल से ही न बोले जाते थे, इसका क्या प्रमाण है? उत्तर भारत की भाषाओं में जो संस्कृत के शब्द मिलते हैं, उन्हें हम संस्कृत से उधार ली हुई सम्पत्ति मानते हैं। यहाँ हम उन्नीसवीं सदी में या उससे पहले और बाद को भक्ति, दर्शन आदि की चर्चा के लिए संस्कृत से उधार लिये हुए शब्द का विवेचन नहीं करते। हमारा आशय मूल शब्द-भंडार से है। जैसे संस्कृत में दुह धातु है। हिन्दी-भाषी क्षेत्र की बात करें। यहाँ के लोग वैदिक, प्राकृत और अपभ्रंश काल में गायें दुहते थे। वे प्रत्येक काल में दुह् धातु का प्रयोग ही करते थे या उन्होंने दुहने जैसी क्रिया के लिए अपनी देशी धातु—वह जो भी रही हो—को छोड़कर तत्सम दुह को अपना लिया। इसी प्रकार चल् किया; गाने के लिए गा, उत्पन्न करने के लिए जन् आदि। धातुओं के अलावा जल, नीर, पाताल, पवन, नदी, सागर, समुद्र, पर्वत, वन, जंगल, जन, धन, अन्तर, परन्तु, अंग, तन, काया, कथा, अधिक, देव, अमर, नरक, मंत्र, पूजा, जीव, हल, हेतु, चर्चा, चतुर, चित्त, चीर, छटा, छाया, छवि, जय, तट, तार, ताल, तान, तिलक, तिल, दया, दान, दानव, धाम, धान, धीर, वीर, नगर, नाथ, नाम, नर, नारी, निकट, नील, नीच, नीति, राजा, प्रजा, सेना, पट, पति, पद, पार, पिंड, पुर, प्रभु, भगवान, फल, फेन, बल, बालक, बीज, बुद्धि, मन, मंदिर, महा, मुकुट, मूल, रंग, रथ, रस,

1. डॉ. सरयूप्रसाद अग्रवाल, 'प्राकृत विमर्श', लखनऊ, पृ. 64
2. उप., पृ. 66

राग, रुचि, रूप, रोग, लाभ, संकट, संगति, संग, सजन, संचय, समान, साहस, हानि, होली आदि सैकड़ों शब्द ऐसे हैं जो उत्तर प्रदेश की अनेक भाषाओं में—विशेष कर हिन्दी-भाषी क्षेत्र की भाषाओं या बोलियों में—बराबर बोले जाते रहे हैं। आधुनिक भाषाओं ने इन शब्दों को उधार नहीं लिया; वे उनके मूल शब्द-भंडार का अंश हैं। संस्कृत से उधार लेने का प्रश्न नहीं था; संस्कृत स्वयं विभिन्न जनपदीय भाषाओं के शब्दों से समृद्ध बनी थी। जैसाकि हम पहले भी कह चुके हैं, इस कारण उसमें दिन-अहन्, निशा-रात्रि, अद्-खार, धरा-भूमि, उदक-जल—एक ही अर्थ के वाचक अनेक शब्द मिलते हैं। यहाँ जलद, नीरद जैसे विशेषण रूप में गढ़े हुए शब्दों की चर्चा नहीं है। साथ ही वे सभी शब्द जिन्हें हम तद्भव कहते हैं, संस्कृत से हिन्दी आदि भाषाओं में नहीं आए। अनेक हिन्दी धातुएँ सो, खा, रो, पी, मर, कर, जी, दे, देख आदि हिन्दी की अपनी धातुएँ हैं या उनके पूर्व रूप संस्कृत के साथ बोली जानेवाली अन्य जनपदीय भाषाओं में प्राप्त थे। यह सब चर्चा पहले हो चुकी है। यहाँ उसकी ओर संकेत करना भर आवश्यक है।

हिन्दी तथा अन्य भारतीय भाषाओं की इस सम्पत्ति को अस्वीकार करके अनेक भाषाशास्त्री इन भाषाओं को दिवालिया घोषित करते हैं। उनका दावा है कि इन भाषाओं में जो कुछ महत्त्वपूर्ण है, वह संस्कृत की देन है और भविष्य में भी उन्हें महान् बनाने का एक ही ढंग है कि उन्हें अधिकाधिक संस्कृत-गर्भित किया जाए। नभाआ की प्रारम्भिक अवस्था कैसी थी? "(आभाआ से प्राप्त उपादानों पर ही आश्रित) वास्तविक नभाआ तो बिलकुल क्षीण भाषा थी, जो अपने-आप स्वतंत्र रूप से जीवित भी नहीं रह सकती।" महाबलवती संस्कृत माता ने ऐसी निर्बल पुत्रियाँ उत्पन्न कीं। अब वे माता के भरोसे ही जीवित रह सकती थीं। "परन्तु माता पुत्री को शक्ति प्रदान करने के लिए हर घड़ी कटिबद्ध थी, और नभाआ ने संस्कृत के सुसमृद्ध कोष से ही अपना शब्द-भंडार भरना आरम्भ कर दिया। इसके सिवा और कोई चारा ही न था।" जिस भाषा में जितने ही संस्कृत के शब्द हों, उसका सांस्कृतिक धरातल भी उतना ही ऊँचा माना जाएगा। "किसी भाषा के अन्तर्गत संस्कृत शब्दों का परिणाम उसकी संस्कृति के अनुरूप ही रहा।" यदि किसी भाषा में संस्कृत शब्दों की बेहद ठूँसठास की जाएगी तो उस भाषा का अस्तित्व ही खतरे में पड़ जाएगा। "परन्तु केवल अपने इतिहास के लिए ही एक भाषा का अस्तित्व नहीं होता; उपर्युक्त क्रमागत संस्कृतीकरण को लेकर ही विभिन्न नभाआ भाषाओं का सांस्कृतिक एकीकरण दृढ़तर होता रहा, एवं उनके आर्यत्व की रिक्थ की सुरक्षा हुई।" भारत की सांस्कृतिक एकता का अर्थ हुआ आर्यत्व की सुरक्षा! भारत की दो भाषाएँ जिनमें संस्कृत शब्दावली का बाहुल्य है, भारत के पूर्वी और दक्षिणी छोरों पर बोली जाती हैं—एक पूर्वी और पश्चिमी बंगाल में, दूसरी केरल में। ये भाषाएँ संस्कृत से इतनी दूर हैं कि इनमें लिंग-भेद नहीं है, मानो इस दूरी को उन्होंने संस्कृत शब्दों की बहुलता से पूरा कर लिया है! 'हिन्दुओं के लिए 'उच्च'

या 'साधु' या 'नागरी' हिन्दी में सबसे बड़ा आकर्षण' क्या है? सबसे बड़ा आकर्षण है देवनागरी लिपि और संस्कृत शब्दावली। इन दोनों से हिन्दी "देवभाषा संस्कृत का ही आधुनिक प्रचलित रूप सिद्ध हो जाती है।" इस देवभाषा के आधुनिक संस्करण को क्यों स्वीकार करना चाहिए? "हिन्दू नेतागण इस बात को अच्छी तरह समझते हैं कि भारतीय देशज नागरी लिपि के स्वीकार हो जाने के बाद संस्कृत शब्दावली तथा हिन्दू या भारतीय वातावरण का आना सहज सिद्ध हो जाएगा।" कुछ लोगों को हिन्दी का इस प्रकार संस्कृतगर्भित होना पसन्द नहीं है। इनके प्रयत्नों को क्या कहा जाए? "हिन्दी के संस्कृत उपादान को क्रमशः कम करने की प्रवृत्ति भारतीय परम्परा एवं भारतीय संस्कृति पर प्रत्यक्ष आघात-सा है।" यदि हिन्दी से इन संस्कृत-उपादानों को कम करने का प्रयत्न किया गया तो "कम-से-कम हिन्दुओं के लिए तो ऑक्सफर्ड के डॉ. एफ.डब्ल्यू. टॉमस के सुझाव का अनुसरण करना ही श्रेयस्कर होगा। वह यह है : जब कि संस्कृत भाषा लगातार तीस शताब्दियों से भारतीय संस्कृति की सेवा करती आ रही है, और अब भारत की सर्वाधिक मूल्यवान रिक्थ बन चुकी है, तो क्यों न संस्कृत को ही भारत की 'सांस्कृतिक भाषा', 'आदान-प्रदान (मेल-मिलाप) की भाषा' एवं 'वास्तविक राष्ट्रभाषा बना लिया जाए?' यह ठीक है कि भारत की आधुनिक भाषाओं में थोड़ा-बहुत साहित्य रचा गया है लेकिन "संस्कृत भारतीय संस्कृति की एकमात्र प्रतीक है।" ज़रा भारत से बाहर इस आर्य संस्कृति की उपासना पर दृष्टिपात कीजिए : "नात्सी (Nazi) लोग अपने नार्डिक जात्यभिमान में भी अपनी विशिष्टता की प्रतीक को संस्कृत शब्द 'स्वस्तिक' से ही पुकारते हैं—एक शब्द जो आभाआ काल से पीढ़ियों से हमारा है और जिसका नभाआ रूप 'साथिया' या 'साथियो' क्रमशः राजस्थानी और गुजराती में अब भी प्रचलित है। इसके भी आगे, वे अपने को 'आर्य' कहलाने में अभिमान अनुभव करते हैं तथा यहूदियों को अनार्य कहकर घृणा की दृष्टि से देखते हैं। परन्तु स्वयं भारत में आधुनिक भारतीय बुद्धिजीवियों में इस महान् रिक्थ के प्रति उपेक्षा का एक षड्यंत्र-सा खड़ा रहा है।" भारत के सर्वश्रेष्ठ भाषाशास्त्री की इन स्थापनाओं की यहाँ आलोचना करना आवश्यक नहीं है। ये उद्धरण केवल इसलिए दिये गए हैं कि मेरे अनेक मित्र जो कुछ नामों से बहुत ज्यादा आतंकित हैं, इस बात को समझ लें कि विचारक का सामाजिक दृष्टिकोण हर विज्ञान की तरह भाषाविज्ञान के क्षेत्र में भी उसके विवेचन को प्रभावित करता है। संस्कृत किसी आर्य नाम की नस्ल की भाषा नहीं है। उसके निर्माण में अनेक भाषा-परिवारों का योग रहा है। उसमें अध्यात्मवाद से लेकर भौतिकवाद तक विभिन्न दृष्टिकोण रखनेवाले विचारकों ने साहित्य रचा है। भारत के सामन्त युग की मूल्यवान विरासत संस्कृत में सुरक्षित है। किन्तु संस्कृत भारत की एकमात्र भाषा कभी नहीं रही। नवीन जातियों के अभ्युत्थान के साथ उनकी बोलियाँ साहित्य की भाषाएँ बनीं। इन भाषाओं की अपनी समृद्ध पूँजी है। भारतीय संस्कृति संस्कृत, और संस्कृत से भिन्न शेष सभी भारतीय

भाषाओं में प्राप्त उपकरणों से रची गई है। भाषा के सिलसिले में धर्म और नस्ल की दुहाई देना समाज की चरम प्रतिक्रियावादी शक्तियों का काम रहा है।

संस्कृत-परिवार की आधुनिक भाषाओं का निर्माण सबसे पहले उन तत्त्वों से हुआ है जो संस्कृत में समानान्तर बोली जानेवाली भाषाओं में प्राप्त थे। इन तत्त्वों में कुछ संस्कृत में सामान्य रूप से विद्यमान थे—यथा तकारान्त वर्तमान क्रिया रूप, शब्द-भंडार में जन, वन, मन जैसे शब्द; कुछ तत्त्व भिन्न होते हुए भी मिलते-जुलते थे—यथा दा-दे, स्वप्-सो, खाद्-खा; कुछ तत्त्व जनपदीय भाषाओं में संस्कृत से स्वतंत्र थे, यथा लकारान्त भूतकालीन क्रियारूप; इसके साथ ही संस्कृत के परिनिष्ठित भाषा बन जाने के बाद समय-समय पर साहित्यिक भाषाओं में तत्सम रूप ग्रहण किये जाते रहे हैं जिनका अर्थ हर भारतीय भाषा में सदा एक-सा नहीं रहा। जिन्हें हम तद्भव रूप कहते हैं, उनमें दो स्रोतों से आए हुए शब्द होने चाहिए—एक तो संस्कृत से, दूसरे संस्कृत के साथ की जनपदीय बोलियों से। जिस तरह बोलचाल में व्यवहृत धन, जन, वन जैसे तत्सम रूपों को हम सदा संस्कृत से आया हुआ नहीं मान सकते, उन्हें संस्कृत के साथ की अन्य जनपदीय भाषाओं की सामान्य सम्पत्ति मानना ज्यादा उचित होगा, उसी प्रकार तद्भव रूप भी इस सामान्य सम्पत्ति से बने होंगे, यह अनुमान तर्कसंगत है। इन तद्भव रूपों में विशेष रूप से ऐसे शब्द, जिनका किसान जीवन से सम्बन्ध है या जो अशिक्षित जनसाधारण के व्यवहार में बराबर आते रहे हैं, उसी सामान्य सम्पत्ति के अन्तर्गत माने जाएँगे। मराठी-बंगला-हिन्दी-पंजाबी-कश्मीरी आदि में मूल शब्द-भंडार के अन्तर्गत शब्दों की बहुत बड़ी समानता है। इस समानता का कारण यह नहीं है कि मुट्ठी भर संस्कृतज्ञ पंडितों द्वारा ये शब्द जनसाधारण में बंगाल से कश्मीर और कश्मीर से महाराष्ट्र तक फैला दिये गए। इसका कारण संस्कृत के परिनिष्ठित भाषा बनने से पहले ही उन प्रदेशों में उनका चलन होना चाहिए (या उन प्रदेशों में आकर बसनेवाली जातियों में उनका चलन होना चाहिए)। आधुनिक भाषाओं में अक्सर एक ही शब्द तद्भव और तत्सम, दो रूपों में मिलता है। ऐसे भिन्न रूप पहले भी प्रचलित रहे होंगे। इसका कारण समाज में वर्गभेद, शिक्षा में भिन्नता, पंडितों और जनसाधारण में उच्चारण-भेद है। यह भेद सामन्ती युग में बराबर रहा; इसलिए एक ही शब्द के दो-दो रूप भाषा में स्वीकृत हो गए। इससे यह भी सिद्ध हुआ कि प्राकृत या अपभ्रंश का तद्भवी उच्चारण कभी पूरे समाज में प्रचलित न रहा होगा; तद्भव रूपों के साथ शिक्षित जन तत्सम रूपों का भी प्रयोग करते रहे होंगे।

यहाँ परिनिष्ठित संस्कृत के बारे में एक बात याद रखनी चाहिए। संस्कृत को परिनिष्ठित भाषा बनाया गया था, उसकी समानान्तर जनपदीय भाषाओं के बीच में, न कि प्राकृतों से भिन्नता दिखाने के लिए उसके संस्कार किये गए थे। चन्द्रधर शर्मा गुलेरी के अनुसार "वेद या छांदस की भाषा का जितना साम्य पुरानी प्राकृत से है, उतना संस्कृत से नहीं। संस्कृत में छाना हुआ पानी ही लिया गया है।" गुलेरी जी

संस्कृत-प्राकृत-अपभ्रंश की मंजिलों के बदले मूलभाषा छांदस् (वेद) की भाषा-प्राकृत-अपभ्रंश—ये मंजिलें मानते हैं। संस्कृत नाटकों की प्राकृत को वे शुद्ध प्राकृत का नमूना नहीं मानते। भास के नाटकों की प्राकृत को उन्होंने शुद्ध मागधी कहा है। पुरानी अपभ्रंश को संस्कृत और प्राकृत से मिलता-जुलता बताया है और पिछली अपभ्रंश को हिन्दी से। उनकी इन स्थापनाओं में महत्त्वपूर्ण है वैदिक और लौकिक संस्कृत से सम्बन्धित स्थापना। वे वैदिक भाषा को अकृत्रिम—बोलचाल की—भाषा मानते हैं; संस्कृत को उसका परिष्कृत रूप। जिन्हें हम प्राकृत कहते हैं, वे जितना संस्कृत से दूर हैं, उससे कहीं ज्यादा वैदिक भाषा से दूर हैं। कारण यह कि प्राकृतों का निर्माण लौकिक संस्कृत के आधार पर किया गया है, वैदिक भाषा के आधार पर स्वत: नहीं हुआ।

संस्कृत-परिवार की भाषाओं में शब्द-भंडार और व्याकरण की अनेक ऐसी समानताएँ हैं जो स्वयं संस्कृत में नहीं हैं। ये समानताएँ या तो संस्कृत की समकक्ष जनपदीय बोलियों में थीं या किसी अन्य भाषा-परिवार में थीं जिनसे उन जनपदीय बोलियों का मिश्रण हुआ। इस बात की आवश्यकता है कि भारतीय भाषाओं की इस संस्कृतेतर समानता का भी अध्ययन किया जाए। साथ ही इन भाषाओं की अपनी भाषागत विशेषताएँ हैं, उनकी एक-एक बोली की व्याकरण और मूल शब्द-भंडार सम्बन्धी कुछ विशेषताएँ हैं जो यहाँ एक-दो नहीं, सैकड़ों बोलियों, भाषाओं और भाषा-कुलों के मिश्रण की ओर संकेत करती हैं। उदाहरण के लिए, मराठी की चकार ध्वनि, हिन्दी में ढ, ड़ की ध्वनियाँ, भोजपुरी-बंगला में अ का न्यूनाधिक गोलाकार उच्चारण, एक ही काल के सूचक क्रिया-रूपों में बकारान्त, सकारान्त, हकारान्त, गकारान्त आदि भेद, शब्द-भंडार में (बंगला-हिन्दी) चाषी—किसान, दांड़ानो—खड़े होना, घुमानो—सोना, खोका—बच्चा, बोका—मूर्ख, (मराठी-हिन्दी) कोल्हा—सिआर, माकड—बन्दर, आई—माता, मुलगा—लड़का, निजणें—सोना, बघणें—देखना, इकडे—इधर, तिकडे—उधर, वर—पर, पुढें—आगे, इत्यादि भेद इन भाषाओं में भिन्न ध्वनि-प्रकृति, भिन्न भाव-प्रकृति और भिन्न शब्द-भंडार वाली भाषाओं के मिश्रण की सूचना देते हैं। अरबी, फ़ारसी, तुर्की, पुर्तगाली, अंग्रेज़ी आदि से जो बाद को शब्द लिये गए हैं या ध्वनि आदि पर इन भाषाओं का जो प्रभाव पड़ा है, उस सबकी यहाँ चर्चा नहीं है।

ग्रियर्सन आदि विद्वानों ने कश्मीरी को संस्कृत भाषा-परिवार के बाहर माना था। उन्हीं का अनुसरण करते हुए डॉ. चाटुर्ज्या ने लिखा है : "कश्मीरी ठीक-ठीक रूप से संस्कृत एवं भारतीय-आर्य समूह की भाषा नहीं, वरन् एक दरदी भाषा है।" जिस समय देश के अन्य भागों में आद्य भारतीय आर्य भाषा मध्य और नव्य मंजिलें पार कर रही थी, उस समय "इस अखिल-भारतवर्षीय विकासक्रम से केवल दरदी भाषाएँ अलग रहीं।" लगता है, अखिल भारतवर्षीय विकास-प्रतियोगिता में भिन्न परिवार की द्रविड़ भाषाएँ तो हिस्सा लेती रहीं, कश्मीरी ही उससे वंचित रही। फिर कश्मीरी को अन्य दरदी भाषाओं से अलग करके कहा गया है : "केवल कश्मीरी

एक ऐसी भाषा है जिसका अपने हिन्दू एवं बौद्ध धर्म के कारण हिन्दू भारत तथा उसकी संस्कृत भाषा से सम्बन्ध रहा; इसके अतिरिक्त अन्य दरदी भाषाओं का भारत से सम्पर्क रहा प्रतीत नहीं होता और न उन पर भारतीय आर्य या मध्य-देशीय भारतीय (अर्थात् मिश्रित आर्य-अनार्य) प्रभाव ही पड़ा जान पड़ता है।"

जिस समय कश्मीर में बौद्ध और हिन्दू धर्मों का प्रभाव फैला था, उन्हीं दिनों उसकी भाषा को पैशाची—पिशाचों की भाषा—नाम दिया गया था। कहा जाता है कि गुणाढ्य की बृहत्कथा पैशाची में लिखी गई थी। कश्मीर के क्षेमेन्द्र और सोमदेव ने उसके संस्कृत-अनुवाद किये। "कश्मीर का उत्तरी प्रान्त पिशाच (पिश्—कच्चा मांस, अश्—खाना) या पिशाश कहलाता था और कश्मीर ही में बृहत्कथा का अनुवाद मिलने से पैशाची वहाँ की भाषा मानी जाती थी।"[1] इस पिशाचवादी परम्परा को ग्रियर्सन आदि ने निबाहा। कश्मीरी से संस्कृत तथा अन्य भारतीय भाषाओं का सम्बन्ध दिलचस्प है। उसमें संस्कृत के वही उपकरण नहीं मिलते जो सांस्कृतिक कारणों से मलयालम जैसी भिन्न परिवार की भाषाओं में पहुँच गए हैं। कश्मीरी और संस्कृत में क्रियाएँ और मूल शब्द-भंडार के बहुत-से तत्त्व सामान्य हैं। यही नहीं, उसमें कुछ शब्दों के ऐसे अर्थ प्रचलित हैं जो संस्कृत में सुलभ नहीं हैं। वे उन शब्दों के मूल अर्थ मालूम होते हैं।

वैदिक भाषा में एक शब्द आता है—समन। इसके बारे में मैकडनल और कीथ ने 'वैदिक इंडेक्स' में लिखा है कि "ऋग्वेद में इसका अर्थ कुछ सन्दिग्ध है।" उन्होंने रौथ का मत उद्धृत किया है जिसके अनुसार समन का अर्थ युद्ध है, पिशेल के अनुसार उसका अर्थ उत्सव-समारोह है, जिसमें युवतियाँ भाग लेती थीं और पति-निर्वाचन करती थी। यह शब्द अभी तक संज्ञा-क्रिया, दोनों रूपों में कश्मीरी में प्रयुक्त होता है। कश्मीरी कवि रहमान राही की एक रचना में :

*वल यार समौ [समउ] दिलदार समौ,*
*यमि यावन यिमि लकुचार समौ।*

[आओ यार, आओ दिलदार, हम इकट्ठे हों! हम आज अपनी जवानी के उभार में इकट्ठे हों!]

*कल सरसां करिना ज़रदारन*
*शहमार समन इलि घारन मज़?*

[क्या जरदारों को सरसाम का आरिज़ा न होगा जब उनकी दौलत में शहमार जमा होंगे?][2]

समौ और समन—क्रिया और संज्ञा—दोनों रूपों में अर्थ है, इकट्ठे होना।

---

1. चन्द्रधर शर्मा, 'पुरानी हिन्दी', काशी, सं. 2005, पृ. 6
2. अनुवाद की भाषा कवि रहमान राही की ही है।

वितस्ता झेलम नदी का पुराना नाम है। वितस्ता का सम्बन्ध तस् और त-स् धातुओं से जोड़ा जाता है जिनका अर्थ है फेंकना। कश्मीरी में व्यत् का अर्थ है नदी। इसी नदीवाचक कश्मीरी शब्द से वितस्ता रूप सिद्ध करना चाहिए। व्यति से मिलता-जुलता शब्द है व्युप जिसका अर्थ है सैलाब। व्युपिस सूप थावुन—सैलाब के सामने सूप रखना। कश्मीरी में कुल वृक्ष को कहते हैं। जैसे वंश का प्रयोग वृक्ष विशेष के साथ खानदान के लिए भी होता है, वैसे ही सम्भव है, कुल शब्द का मूल अर्थ भी वृक्ष हो। गंधर्व नाचने-गाने के लिए प्रसिद्ध थे। कश्मीरी में गन्दुर् का अर्थ है युवती, गन्दुर् का अर्थ है युवा। ऐश्वर्यवाचक भग शब्द स्वामी के अर्थ में प्रयुक्त होता है : बुगिय्—स्वामी, बुगिञ्—स्वामिनी। कश्मीरी में युवती के लिए कूरू या कोरि शब्द है (क्वोरि-वजु—कन्यादान करनेवाला पिता)। यह शब्द संस्कृत में नहीं है किन्तु ग्रीक में 'कोरि' शब्द इसी अर्थ में प्रयुक्त होता है। राम के पुत्रों का नाम लव-कुश था। कश्मीरी में कुश के समान लव भी सूखी घास को कहते हैं जो पशुओं को खिलाई जाती है।

ऐसे शब्दों की संख्या बहुत है जो कश्मीरी और संस्कृत में समानार्थी हैं। हिन्दी आदि भाषाओं में गम् धातु के गच्छ आदि रूपों का चलन नहीं है। कश्मीरी में गछ क्रिया का आम चलन आज भी है। उष्ण शब्द का प्रयोग हिन्दी आदि में साधारण नहीं है; साहित्य या विज्ञान में ही उसका प्रयोग होगा। कश्मीरी में 'वशुन' शब्द जनसाधारण में प्रचलित है। अर्चन्—अर्चना, अशु—अश्रु, आथवार—आदित्यवार, च्यन्—आचमन, खोषु—चषक, दारुवु—दारु सम्बन्धी, गान—गणिका, गुरुस—गोरस, ग्रूस्त—गृहस्थ, कृषक; गीथ—गीत (उद्गीथ), गुठ—गोष्ठ, हांकल—शृंखला, हमुन—शमनम्, ह्यंग—शृंग, हापुथ—श्वापद (भालू), हरुद—शरद्, खीति—क्षेत्र (खेत), अशुद्—औषधि, कति—कुत:, मुदा—मोद, मुहुलु—मुसल, म्यथ्र्—मित्र आदि संस्कृत-कश्मीरी शब्द-भंडार की निकटता सूचित करते हैं। कश्मीरी के 'प्राकृत' और 'अपभ्रंश' रूप नहीं मिलते; उसे अखिल भारतीय भाषा विकासक्रम के बाहर रखा गया है। इसीलिए आधुनिक कश्मीरी के अध्ययन से यह परिणाम निकालना आसान है कि वह संस्कृत-परिवार की किसी प्राचीन भाषा का आधुनिक रूप है। कश्मीरी के अध्ययन से संस्कृत और स्लाव भाषा-परिवारों की अनेक गुत्थियाँ सुलझ सकती हैं।

भारतीय भाषाओं की अनेक समानताएँ संस्कृत से भिन्न स्तर की भी हैं। कश्मीरी के अनेक शब्द हिन्दी और उसकी बोलियों में भी मिलते हैं। यहाँ हम उर्दू के प्रभाव से कश्मीर में बोले जानेवाले सामान्य शब्दों की बात नहीं कर रहे; यहाँ आशय है भाषा के ठेठ शब्दों से! दिवाली में अवध के किसान सन के सूखे पौधों (सेल्हों) के छोटे-छोटे पूलों का एक सिरा जलाकर गाँव के बाहर सिर के ऊपर घुमाते हैं और 'अलैया-बलैया अमुक स्थान के डांड़े' कहते हैं, अर्थात् अलाय-बलाय गाँव

के बाहर हो। अलाय्-बलाय् कश्मीरी में भी है। ग्रियर्सन द्वारा सम्पादित कश्मीरी शब्दकोश में इसका अर्थ दिया है—स्त्रियों द्वारा थाली में जलते दीप घुमाकर अशुभ प्रभाव से बच्चों आदि को मुक्त करना। बलाय का सम्बन्ध बला से है; अलाय-बलाय का सम्बन्ध आलिगी-विलगी से जोड़ा गया है। हमें यहाँ अलाय पर ध्यान देना है। कश्मीरी-अवधी, दोनों में अलाय के साथ जलती आग का सम्बन्ध है। हिन्दी क्षेत्र की अनेक बोलियों में प्रचलित अलाव शब्द लीजिए। इसका भी अर्थ वही है और इसी अर्थ में यह कश्मीरी में भी प्रयुक्त होता है। अलाव का अल निश्चित रूप से अग्निवाचक शब्द है। वही अलाय में है। संस्कृत अल् धातु—रोकने, दूर करने के अर्थ में—कश्मीरी आलवुन् से मिलती है। आलवुन्, आलविथ् का अर्थ सिर के ऊपर हाथ हिलाकर प्रेत-बाधा दूर करना है। अल, आलवुन् आदि का यह अर्थ उनमें मूल अग्निवाचक अल् के संसर्ग से उत्पन्न हुआ है।

कश्मीरी 'अकहार' का अर्थ है अखाड़ा। यह 'हार' हर से सम्बन्धित जान पड़ता है जिसका अर्थ है लड़ना, झगड़ा करना। हरिबाज़—झगड़ालू, हरूवोलु—झगड़ा कराता हुआ; इनसे तुलना करनी चाहिए हिन्दी शब्द 'हड़बोंग' की। सम्भव है, अखाड़ा इस हर शब्द से बना हो! हिन्दी अधेला कश्मीरी में 'अदि-ह्यलु' है; ह्यलु का अर्थ है सौ कौड़ियाँ, सौ की आधी—पचास कौड़ियाँ—हुई अर्द्ध-ह्यलु अधेला! डूबने के लिए अवधी बूड़ब के समान कश्मीरी क्रिया है ब्वडुन। कम उम्र की या अपनी उम्र की लड़की से पुरुष कहेगा बिञ् या बिञू जो बुंदेलखंडी बिन्नू से बहुत मिलता है। हिन्दी शब्दों में जहाँ अन्तिम वर्ण में 'न्' होगा, वहाँ कश्मीरी में अक्सर 'ञ्' होगा, यथा अरञिकाठ—अरणिकाष्ठम्। अवधी में कंडों के ढेर को बठिया कहते हैं; इसी अर्थ में कश्मीरी बठु का प्रयोग होता है। हिन्दी शब्द गडुवा का समरूप कश्मीरी गडूव है। अवधी में पशुओं को बाँधने की जगह को ग्वाँड़ा कहते हैं। कश्मीरी में ग्वण्ड गाँव को कहते हैं। कश्मीरी में घोड़े के लिए गुरु शब्द है। घोटक के बदले यह सीधे तेलगू घुर्रमु से सम्बन्धित है। हिन्दी हथौड़े का समरूप कश्मीरी हथोर है। खलिहान का पर्यायवाची कश्मीरी खल् हिन्दी शब्द की व्युत्पत्ति सूचित करता है। हिन्दी खड़ाऊँ कश्मीरी में ख्राव है। गेहूँ के लिए एक शब्द है कन्ख; हिन्दी नाम कनखल इस प्रकार सार्थक होता है। पेड़ के तने या शाखा को लंग कहते हैं। बंगला 'लांगल' (हल) और संस्कृत 'लिंग' को आस्त्रिक परिवार के लंग शब्द से जोड़ा गया है।[1] लंग आस्त्रिक परिवार का हो चाहे न हो, वह कश्मीर और बंगाल जैसे सुदूर प्रदेशों में प्राप्त है। लंग और लिंग का सम्बन्ध दिलचस्प है। हल का काम वृक्ष की डाली से लिया गया और यह हल प्रजनन-क्रिया का प्रतीक बनकर लिंगवाचक हो गया। इसी पद्धति से कश्मीरी लंडू शब्द शाखा, बाँहें या पैर के लिए प्रयुक्त होता है। उसी से उसके समरूप लिंगवाचक हिन्दी शब्द की उत्पत्ति मानी जा सकती है।

1. सिल्वैं लेवी, पूजिलुस्की और ज़्युल ब्लॉख, 'प्रिआर्यन एंड प्रिय-द्रैवीडिअन', कलकत्ता, 1929

हिन्दी और कश्मीरी के और बहुत-से साधारण शब्द सामान्य हैं। छान कश्मीरी में बढ़ई के लिए है; हमारे यहाँ उसका सम्बन्ध छाने से है। लकड़ी काटने के लिए बढ़ई आरा-आरी काम में लाते हैं। कश्मीरी में लट्ठे चीरनेवाला अरकश् कहलाता है। बखान करने के अर्थ में वखनुन्, लुनने (काटने) के लिए लोनवञ्, बछेड़ा-बछेड़ी के लिए बछेर-बछीरि, भात खाना कश्मीरी में बतख्यव् (अवधी भतखवा), छथ् (छत), छपर्, डेंकली (पानी भरने का यंत्र, अवधी ढेंकली), कुर्कटु (कर्कट, कूड़ा), ल्वह-लंगर (लोहा-लंगर)—इस तरह के बहुत-से शब्द कश्मीरी-हिन्दी में सामान्य हैं।

कश्मीरी की वाक्य-रचना संस्कृत-परिवार की भाषाओं से कुछ बातों में भिन्न है। कशीर छु स्वन्दर देश—कश्मीर सुन्दर प्रदेश है; हिन्दी में है (छु) क्रिया वाक्य के अन्त में आई; कश्मीरी में कर्ता के बाद ही, सुन्दर देश से पहले। म्य छ न ब्वछ—मैं हूँ नहीं भूखा; यह वाक्य-रचना अंग्रेज़ी से मिलती है, आई ऐम नॉट हंग्री। बु छुस् गछान्—मैं हूँ जा रहा। अंग्रेज़ी के गोइंग के समान गछान् में भी लिंग-पुरुष-वचन का भेद नहीं होता। केवल छुस् की जगह छुक, छू आदि रूप बदलते हैं। भविष्य काल में कश्मीरी अंग्रेज़ी के समान 'विल' का सहारा नहीं लेती। ब गच्छ—मैं जाऊँगा; ब आस—मैं हूंगा। इस प्रकार कश्मीरी कुछ बातों में संस्कृत से भिन्न है तो और बहुत-सी बातों में उससे मिलती है। संस्कृत के अलावा अवधी आदि के शब्द-भंडार से उसमें बहुत बड़ी समानता है। इन कारणों से उसे भारतीय भाषा-परिवार के अन्तर्गत ही मानना चाहिए। यह ध्यान देने की बात है कि कश्मीरी णकार-बहुला भाषा नहीं है। उसमें हत्थ, गड्डी, अज्ज जैसे द्वित्वभाव वाले शब्दों की कमी है। संस्कृत से अन्य अनेक भाषाओं के समान सम्बन्धित होते हुए भी प्राकृत-अपभ्रंशवाली मंजिलें यहाँ काम नहीं देतीं; इसलिए उसे अखिल भारतवर्षीय विकास-क्रम से बाहर रखा गया है।

यह दिलचस्प बात है कि जिन लोगों ने अपभ्रंश भाषा और साहित्य का विस्तार से अध्ययन किया है, वे आधुनिक हिन्दी (खड़ी बोली, अवधी नहीं) की व्याकरण-विशेषताओं को अपभ्रंश से उत्पन्न करने में असमर्थ रहे हैं। अपभ्रंश को मूलत: पश्चिमोत्तर भारत की बोली बताया गया है। इसके साहित्यिक रूप में 'शब्दकोश का अधिकांश साहित्यिक प्राकृतों से' आया : "जैसे शब्द-कोश के क्षेत्र में अपभ्रंश ने प्राय: प्राकृत की ही निधि का प्रयोग किया है, शब्दों में ध्वनि-परिवर्तन करके उन्हें विशिष्ट रूप अपभ्रंश ने कम दिया है।"[1] यानी मूलत: शब्द-भंडार और ध्वनि-प्रकृति में अपभ्रंश ने प्राकृतों का अनुसरण किया है। अब रह गए व्याकरण-रूप। इसके बारे में याकोबी का यह मत उद्धृत किया गया है : उसने 'अपना व्याकरणिक गठन देश-भाषाओं से' लिया है। यदि अपभ्रंश ने 'देश-भाषाओं' से उनकी ध्वनि-प्रकृति

1. नामवर सिंह, 'हिन्दी के विकास में अपभ्रंश का योग'।

न ली, उनका शब्द-भंडार न लिया, तो उसे बोलचाल की भाषा या ऐसी भाषा के आधार पर विकसित साहित्यिक भाषा कैसे माना जाए? यदि याकोबी का यह कथन 'विचारणीय' है कि 'अपभ्रंश एक मिश्रित भाषा थी' तो देखना चाहिए कि यह मिश्रण किस प्रकार का है? यदि बोलचाल की भाषाओं का सहज मिश्रण हो तो उसके चिह्न ध्वनि और शब्द-भंडार के क्षेत्रों में भी दिखाई देंगे। यदि शब्द-भंडार प्राकृत से ले लिया जाए और प्राकृत के ध्वनि-समूह में भी कोई विशेष परिवर्तन न हो, तो ऐसे मिश्रण को कृत्रिम ही कहेंगे। दूसरे शब्दों में बोलचाल की भाषा—या भाषाओं—के व्याकरण-रूपों को मिलाकर लिखी हुई प्राकृत ही अपभ्रंश है। लेकिन जिन व्याकरण-रूपों का सहारा लिया गया, वे अपभ्रंश से पहले के हैं या बाद के? श्री नामवर सिंह के शब्दों में : "अपभ्रंश का ध्वनि-विचार प्राकृत से प्रभावित था किन्तु उसका व्याकरण प्राकृत-प्रभाव से मुक्त होकर लोक-बोलियों के सहारे भारतीय आर्य भाषा के विकास की नूतन सम्भावनाएँ प्रकट कर रहा था।" लोक-बोलियों के 'सहारे' जिस भाषा का व्याकरण प्राकृत-प्रभाव से मुक्त हो रहा था, वह भाषा उन लोक-बोलियों की जननी कैसे हो गई? स्पष्ट ही लोक-बोलियाँ पहले थीं, अपभ्रंश ने उनका सहारा लेना बाद को शुरू किया। आगे भी लिखा है : "परिनिष्ठित अपभ्रंश में आधुनिक देसी बोलियों के मिश्रण का आभास हेमचन्द्र के प्राकृत-व्याकरण के रचना-काल से ही मिलने लगता है।" अपभ्रंश 'में' देशी बोलियों का मिश्रण हुआ; अपभ्रंश 'से' देशी बोलियों का जन्म नहीं हुआ।

अपभ्रंश से आधुनिक भाषाओं के जन्म के इस विवेचन में सबसे रोचक तथ्य यह है कि आधुनिक हिन्दी के व्याकरण-रूपों का पता अपभ्रंश में कहीं नहीं लगा। अपभ्रंश है तो उत्तर-पश्चिम की भाषा लेकिन उसमें व्याकरण रूप हैं पूर्व के। पहली स्थापना अपभ्रंश के मूलाधार के बारे में यह है : "इस परिनिष्ठित अपभ्रंश का मूल आधार पश्चिमी प्रदेशों की बोली थी।" अब देखिए, इस पश्चिमी बोली में वर्तमान पश्चिमी भाषाओं के रूप कैसे नहीं मिलते। दूसरी स्थापना है हिन्दी क्रिया 'है' के बारे में। अस् धातु से इसकी अस्ति, असति, अबद, अहइ, अहै, है—इन अवस्थाओं की कल्पना की गई है। "इनमें से अपभ्रंश में है, अहै और अहइ में से कोई भी रूप प्राप्त नहीं होता।" पश्चिमी प्रदेशों—खड़ी बोली क्षेत्र—की विशेष क्रिया 'है' का अपभ्रंश में पता नहीं है। तीसरी स्थापना 'था' के बारे में : "था वाले रूप अपभ्रंश से लेकर ब्रजभाषा तक कहीं नहीं मिलते।" था भी नदारद! चौथी स्थापना भविष्यवाचक—'गा' के सम्बन्ध में—"अपभ्रंश में भविष्यत् काल बनानेवाली सहायक क्रिया 'होगा' अथवा उसकी तरह का कोई रूप नहीं मिलता।" वर्तमान, भूत, भविष्य के है, था, गा में एक भी अपभ्रंश में प्राप्त नहीं हुआ! इस बात पर आश्चर्य प्रकट किया गया है कि "अवधी के ग्रंथों में भी इसका (गा का) प्रयोग नहीं हुआ है।" अवधी में 'गा' का प्रयोग आज तक नहीं होता। अवधी के ग्रंथों में

वह नहीं मिलता, तो आश्चर्य का कोई कारण नहीं। इस बात पर अवश्य आश्चर्य प्रकट करना चाहिए कि पश्चिमोत्तर प्रदेश की संस्कृत में जिस कर्तव्य वाले तव्यत् प्रत्यय का इतना चलन था, उसने पूरबी बोलियों को ही करब, देखब, पढ़व जैसे रूप दिये, खड़ी बोली में अपनी छाया भी न छोड़ी। पाँचवीं स्थापना हिन्दी के 'करता है, जाता है' जैसे रूपों से सम्बन्धित है : "अपभ्रंश में सामान्यत: सामान्य वर्तमान काल के रूप निम्नलिखित प्रकार के होते हैं :

| | **एकवचन** | **बहुवचन** |
|---|---|---|
| अ. पु. | करइ | करहिं |
| म. पु. | करहि | करहु |
| उ. पु. | करउँ | करहुँ।" |

हिन्दी के वर्तमान काल वाले—करता है, जाता है—रूप यहाँ भी नहीं हैं। छठी स्थापना पूर्व कालिक कृदन्त के बारे में : "इ प्रत्यय का ही विशेष चलन दिखाई पड़ता है, जैसे कर+इ=करि।" हिन्दी में होगा 'कर'। यह रूप भी अपभ्रंश में नहीं है।

अन्य स्थापनाएँ। अपभ्रंश में हिन्दी सर्वनाम 'मैं' का प्राय: अभाव है। "हउँ और हौं—उत्तम पुरुष, एकवचन, कर्ताकारक में अपभ्रंश में अधिकांशत: इसी का प्रयोग मिलता है। आगे चलकर अवधी और ब्रजभाषा में भी इसका प्रचलन रहा; परन्तु खड़ी बोली में इसका प्रयोग बन्द हो गया।" बन्द हो गया! मानो यह स्वत:सिद्ध सत्य हो कि खड़ी बोली में पहले मैं की जगह लोग हौं ही बोलते थे। अपभ्रंश में जहाँ मइँ का प्रयोग मिलता है, वहाँ 'ने' का अभाव है। "अपभ्रंश के मइँ के साथ कोई परसर्ग नहीं लगता था, लेकिन खड़ी बोली में भूतकालिक सकर्मक क्रिया के सभी कर्ताओं की भाँति 'मैं' में भी 'ने' परसर्ग लगने लगा।" मानो 'ने' लगाने का अचानक इलहाम हुआ हो! गुजराती, पंजाबी, राजस्थानी, खड़ी बोली के इस लोकप्रिय 'ने' को पश्चिमोत्तर प्रदेश की मूलभाषा में स्थान ही न मिला। इसी प्रकार 'में' का हाल है। "आगे चलकर ब्रजभाषा और खड़ी बोली में मँह का 'ह्' लुप्त हो गया।" और उससे बना में। लेकिन महँ और माँह के भी दर्शन अपभ्रंश में कम होते हैं : "माँह, महँ—अपभ्रंश और परवर्ती अपभ्रंश में इसके प्रयोग प्राय: नहीं मिलते।"

हिन्दी के मुख्य क्रियारूप, 'परसर्ग', सर्वनाम आदि अपभ्रंश—में नहीं—या प्राय: नहीं—मिलते। भले ही अपभ्रंश पछाँह की बोली रही हो, उसमें जो रूप मिलते हैं, वे अधिकतर पूरब के हैं। खड़ी बोली की व्याकरण-व्यवस्था अपभ्रंश से उत्पन्न हुई, यह किसी प्रकार सिद्ध नहीं होता। इस बात को अनेक पंडित पहले भी मान चुके थे। फिर भी उत्साही अनुसंधानकर्ता 'हिन्दी' के विकास में अपभ्रंश का योग सिद्ध ही कर देते हैं। जैसे 'हिन्दी' शब्द काफी लचीला है, वैसे ही कुछ व्याकरण रूप भी काफी लचीले जान पड़ते हैं। कर्म और सम्प्रदान कारकों के उदाहरणों में तुलसी की यह पंक्ति उद्धृत

है—करौं भरोसो का को; का को यानी किसका। प्रसंग है 'केहि' से 'को' की उत्पत्ति दिखाने का। सम्बन्धकारक 'को' कर्म और सम्प्रदान कारकों का चिह्न मान लिया गया है! सामान्य वर्तमान काल के उदाहरणों में 'बसौं ब्रज गोकुल गाँव के ग्वारन', 'जो जग और बियो हौं पाऊँ' आदि पंक्तियाँ उद्धृत की गई हैं। मैं बसूँ, यदि मैं पाऊँ, आदि का अर्थ बसता हूँ, पाता हूँ नहीं है। ब्रजभाषा और खड़ी बोली के साहित्यिक विकास को भाषागत विकास समझ लिया गया है। ब्रजभाषा में साहित्य पहले रचा गया, इसलिए मान लिया गया कि वह भाषा भी खड़ी बोली से पहले रची गई!

अपभ्रंश साहित्य 14वीं शताब्दी तक रचा जाता रहा है। तेरहवीं सदी के कवि नामदेव की रचनाओं में 'फेरा आवेगा', 'जन्म लीयगा' आदि 'गा' वाले रूप देख लीजिए।[1] 14वीं सदी के अन्त में दक्खिनी हिन्दी के लेखक बन्दानवाज 'पछानेगा', 'बोलते हैं', 'समजत है', आदि रूपों का प्रयोग करते हैं। उत्तर से जाकर जो लोग दक्खिन में बसे थे, उन्होंने वहाँ अचानक नई भाषा को ईजाद न कर लिया होगा। चौदहवीं सदी में उन्होंने जिस भाषा को साहित्य के लिए इस्तेमाल किया, उसे उनके पुरखे—हिन्दू या मुसलमान—कुछ सदियों पहले तो बोलते ही रहे होंगे। जिसे अपभ्रंश काल कहा जाता है, उसमें 'दक्खिनी' हिन्दी खूब बोली जाती थी। वास्तव में तब वह उत्तरी हिन्दी थी, अर्थात् खड़ी बोली थी जिस पर राजस्थानी आदि अन्य बोलियों का असर भी था। चौदहवीं सदी के दक्खिनी लेखक बन्दानवाज के यहाँ खड़ी बोली के जो रूप मिलते हैं, वे उसी समय के उत्तरी अपभ्रंश लेखकों के यहाँ क्यों नहीं मिलते? उन्हें दो-चार सौ वर्ष पहले अपभ्रंश लेखकों में भी कहीं-न-कहीं मिलना चाहिए। उत्तर के मुसलमान 'बोलते हैं', 'पछानेगा', 'समजता है' कहते हुए उत्तर से दक्खिन तक चले गए, लेकिन अपभ्रंश-लेखकों को इसकी खबर ही न हुई, न उनके पुरखों ने उन रूपों को सुना! अपभ्रंश में 'होगा' रूप न मिला, तो ऐसा प्रतीत होना चाहिए कि "यह पश्चिमी हिन्दी में सोलहवीं सदी के आसपास विकसित और प्रचलित हुआ।" ये सब भ्रान्तियाँ इसलिए हैं कि लेखक ने अपने मन में पहले ही तै कर लिया है कि खड़ी बोली के व्याकरण-रूप अपभ्रंश से ही निकले हैं। यदि अपभ्रंश में न मिले तो यह मान लो कि वे बाद में किसी प्रकार प्रकट हुए। जिस समय अपभ्रंश में साहित्य रचा जा रहा था, उस समय की खड़ी बोली की रचनाएँ मिलती हैं, अपभ्रंश में अप्राप्त खड़ी बोली के व्याकरण रूप उनमें भी मिलते हैं, किन्तु यह सब सामग्री सामने रहते हुए भी लेखक अपभ्रंश के बारे में सही निष्कर्ष नहीं निकाल पाता। इसका कारण उसका पूर्वग्रह-दूषित दृष्टिकोण है।

खड़ी बोली पछाँह की बोली है। अपभ्रंश से उसी का उद्भव सिद्ध नहीं किया जा सका, अन्य भारतीय भाषाओं का उद्भव उससे सिद्ध करना और भी कठिन है। मराठी भाषा पर अपने ग्रंथ में ज़्युल ब्लॉख आद्य, मध्य और नव्य वाला क्रम मान

1. श्रीराम शर्मा, 'दक्खिनी का पथ और गद्य', हैदराबाद

कर चले हैं, किन्तु उन्होंने प्राकृतों के बारे में लिखा है : "लौकिक संस्कृत के युग में भारत के विभिन्न प्रदेशों में कौन-सी भाषाएँ बोली जाती थीं, इसके प्रत्यक्ष उदाहरण प्राकृतों में ढूँढ़ना व्यर्थ होगा। जब से साहित्यकारों ने प्राकृतों में लिखना शुरू किया, वे एक साहित्यिक और व्याकरणिक परम्परा में कैद हो गए। नौ या दस शताब्दियों की अवधि में प्राकृत ने कोई भी ऐसा परिवर्तन न दिखाया जिसे महत्त्वपूर्ण कहा जा सके।"[1] परम्परा के बन्दी बनने की बात अपभ्रंशों के लेखकों पर भी लागू होती है। भाषाविज्ञान का कोई भी पूर्वग्रह-मुक्त विद्यार्थी प्राकृतों और अपभ्रंशों से आधुनिक भाषाओं का उद्‌भव सिद्ध करने में कठिनाई का अनुभव करेगा। अपभ्रंश में अवधी आदि पूरबी बोलियों के भी सभी रूप नहीं मिलते, यह याद रखना चाहिए।

प्राकृत के विपरीत वैदिक भाषा को बोलचाल की भाषा मानना चाहिए। जिस भाषा में भी साहित्य रचा जाए, वह कृत्रिम होगी—यह तर्क असंगत है। वैदिक और लौकिक संस्कृत से हिन्दी आदि आधुनिक भाषाओं का गहरा सम्बन्ध है। संस्कृत या उसके साथ की अन्य जनपदीय भाषाओं की अनेक धातुएँ, मूल शब्द-भंडार के बहुत-से शब्द, अनेक व्याकरण-रूप इन भाषाओं में मिलते हैं। साथ ही आधुनिक भाषाओं की अपनी विशेषताएँ हैं जो प्राचीन काल में यहाँ बहुत-सी भिन्न प्रकृति वाली भाषाओं और भाषा-परिवारों के अस्तित्व की सूचना देती हैं। हिन्दी के क्रिया-रूप संस्कृत से मिलते-जुलते हैं यद्यपि वे उनकी नकल नहीं हैं। कर्तव्य से करब, कृत से केल और क्रिया, कर्ण से ने, कक्ष से को आदि रूप सिद्ध करने का प्रयास अवैज्ञानिक है। तुलनात्मक भाषाविज्ञान से हिन्दी और उसके साथ की बोलियों के अनेक रूप काफी प्राचीन सिद्ध होते हैं। संस्कृत-प्राकृत-अपभ्रंश की मंजिलों को आधुनिक भारतीय भाषाओं के विकास की सही मंजिलें मानने के कारण भाषाविद् तथ्यों को तोड़-मरोड़कर पेश करते हैं और उनसे गलत निष्कर्ष निकालते हैं। यही कारण है कि अपभ्रंश को पश्चिमी बोली मानते हुए भी वे वर्तमान पश्चिमी बोलियों के रूप उसमें नहीं दिखा पाते। कश्मीरी जैसी भाषा संस्कृत-परिवार की है। उसका विकास उस परिवार की अन्य भाषाओं के समान ही हुआ है। संस्कृत के अलावा अन्य भारतीय भाषाओं से भी उसका घनिष्ठ सम्बन्ध है। संस्कृत और आधुनिक भाषाओं की समानताओं का काफी अध्ययन किया गया है, जो उचित है। इसके साथ उनकी संस्कृतेतर समानताओं का अध्ययन भी आवश्यक है। आधुनिक भाषाओं का अभ्युदय तब हुआ, जब उनमें साहित्य रचा जाने लगा, इस धारणा को त्याग देना चाहिए। प्राकृत-अपभ्रंश में आधुनिक भाषाओं के जो थोड़े-से शब्द, व्याकरण-रूप आदि आ गए हैं, उनसे लाभ उठाते हुए प्राकृत-अपभ्रंश की मंजिलों को अनिवार्य माने बिना ही आधुनिक भाषाओं का अध्ययन करना चाहिए।

---

1. ज्युल ब्लॉख़, 'ला फॉर्मासिओं द ला लांग मराठ', पेरिस, 1920, पृ. 15

नवाँ अध्याय

# परिनिष्ठित संस्कृत और आधुनिक भाषाएँ

जब हम आधुनिक भाषाओं की प्राचीनता की बात करते हैं, तब उसका अर्थ यह न लेना चाहिए कि वे आज के ही रूप में किसी विशाल प्रदेश में बोली जाती थीं। हमारा तात्पर्य केवल इतना है कि उनके शब्द-भंडार, व्याकरण और ध्वनि के मूल-तत्त्व उस समय भी उपलब्ध थे। दस या बारह कोस पर बोली बदलने के सिद्धान्त को उतना ही पुराना समझना चाहिए, जितना कि बोलियों को। प्राचीन काल में बोलियों की बहुलता अब से ज्यादा भले रही हो, कम नहीं थी। बीते युगों की परिनिष्ठित भाषाओं में इन बोलियों के चिह्न मिलते हैं। उनके निर्माण में एक से अधिक भाषा-परिवारों का योग रहा है। बोलियाँ लहरों की तरह हैं। प्रत्येक लहर का दायरा दस-बारह कोस का हुआ। इनमें जब कोई एक बोली भाषा बनकर बारह कोस की जगह बारह सौ कोस का दायरा घेर लेती है, तब वे बोलियाँ समाप्त नहीं हो जातीं। भाषा के साथ उनका शान्ति (या अशान्ति) पूर्ण सह-अस्तित्व बना रहता है। बोली के सीमित क्षेत्र से बाहर भाषा सामान्य सांस्कृतिक और सामाजिक व्यवहार में काम आती है; बोली अपने सीमित क्षेत्र में दैनिक जीवन के नित्य व्यवहार में प्रयुक्त होती है। हम जिन जनपदीय भाषाओं से आधुनिक भाषाओं का उद्‌भव और विकास मानते हैं, वे अधिकतर परिनिष्ठित भाषाएँ न होकर बोलियों का समूह थीं। इन बोलियों की स्थिर और निश्चित सीमाएँ न थीं; सीमाएँ—लहरों की तरह—बनती और बिगड़ती रहती थीं। खड़ी बोली का शिष्ट रूप अब स्थिर हो गया है (या प्राय: स्थिर हो गया है)। उससे पुरानी (या वर्तमान) दकनी की तुलना करने से लगता है, यह दकनी अजीब खिचड़ी बोली है। "उसमें अवधी, ब्रजभाषा और खड़ी बोली तथा राजस्थानी, पंजाबी आदि दूसरी अनेक बोलियों का मिश्रण है।"[1] और यह राजस्थानी, पंजाबी, अवधी आदि क्या हैं? ये भी अनेक बोलियों के समूह हैं। बोलियों की बहुलता न समझने के कारण किसी भाषा-परिवार की आदि भाषा की कल्पना की जाती है। द्वन्द्व के बिना गति असम्भव है। यदि आदि भाषा अद्वैत ब्रह्म के समान अखंड इकाई हो, तो वह ब्रह्म के समान ही सनातन, अपरिवर्तनशील बनी रहे।

1. 'हिन्दी के विकास में अपभ्रंश का योग', पृ. 96

वह आदि भाषा माया द्वारा अनेक भाषाओं के रूप धारण नहीं करती—अपनी लीला दिखाने के लिए लैटिन, फ्रांसीसी, इतालवी और स्पेनी नहीं बनती, न इसी भाँति संस्कृत ने आधुनिक लोकभाषाओं का रूप लिया है। जैसे आदिमानव की उत्पत्ति के लिए भी दो व्यक्तियों की जरूरत थी—एक जनक, दूसरा जननी, उसी प्रकार भाषा के विकास के लिए आरम्भ में ही एक से अधिक मानव-समूहों की कल्पना करनी होगी जिनके परस्पर अन्तर्विरोध से भाषाओं में परिवर्तन सम्भव हुआ। एक भाषा में भी अन्तर्विरोध हो सकते हैं जिनसे उसकी प्रगति सम्भव हो। इनकी चर्चा हम आगे करेंगे। एक अन्तर्विरोध जो काफी पहले दिखाई देता है, वह बोली और भाषा से सम्बन्धित है। अनेक बोलियों के रूप में ही किसी एक भाषा का अस्तित्व दिखाई देता है। इन्हीं में से कोई एक बोली परिनिष्ठित भाषा का रूप धारण करती है।

प्राचीन कबीलों के बारे में हम सोचते हैं कि किसी एक कबीले की भाषा-ध्वनि, व्याकरण; शब्द-भंडार आदि में बिलकुल एक-सी होगी। पूरा कबीला एक ही गाँव में बसा हो, तब तो उसके नित्यप्रति सम्पर्क के कारण ऐसी समानता हो सकती है। किन्तु कबीले एक से अधिक गाँवों में बसे होते हैं या एक से अधिक दुकड़ियों में घुमन्तू जीवन बिताते हैं। उनकी बोलियों में थोड़ा-बहुत भेद होना स्वाभाविक है। इन अनेक भेदों के ऊपर जब एक या अनेक कबीले भाषा-सम्बन्धी अभेद कायम करते हैं, जब वे किसी ऐसी बोली को अपनाते हैं जो अन्य सभी बोली बोलनेवालों के लिए मान्य हो, तब इसके महत्त्वपूर्ण सामाजिक कारण होते हैं। यदि कोई कबीला बहुत शक्तिशाली है, वह दूसरे कबीलों को दबाकर अपने अधीन रखता है, तो उसकी बोली को दूसरे कबीले सामान्य भाषा के रूप में अपनाएँगे। यदि अनेक कबीलों ने अपना कोई संघ बनाया है, तो वे आत्मरक्षा, आक्रमण आदि के लिए अपने में से किसी एक की भाषा को सामान्य व्यवहार के लिए चुनेंगे। व्यापार और विनिमय की आवश्यकताओं के लिए भी इसी प्रकार किसी एक कबीले की भाषा अपनाई जा सकती है। पहले हम देख चुके हैं कि एथेंस की भाषा यूनानी जनों के परस्पर आदान-प्रदान की भाषा बनी। इसी प्रकार भरत या कुरुजन की बोली के आधार पर संस्कृत का विकास हुआ और वह विभिन्न जनपदों के व्यवहार की भाषा बनी।

बोलियों के बीच में भाषा का उत्थान, छोटे-छोटे दायरों में बोली जानेवाली बोलियों के विपरीत एक बड़े दायरे में बहुत कुछ एक-से शब्द-भंडार और व्याकरण वाली एक ही भाषा का व्यवहार एक महत्त्वपूर्ण सामाजिक घटना है। सामाजिक आवश्यकताओं के बिना उसका उत्थान सम्भव ही नहीं है। ये आवश्यकताएँ तभी उत्पन्न होती हैं जब मनुष्य आदिम वन्य अवस्था से निकलकर बर्बर या अर्द्ध-सभ्य अवस्था तक पहुँच गया हो। मार्क्सवादी समाजशास्त्र में जिसे आदिम

साम्यवाद की व्यवस्था कहा जाता है, या पुरातत्त्वज्ञ जिसे प्रस्तर युग कहते हैं, उसमें बोलियों के बीच भाषा के ऐसे अभ्युदय की कल्पना नहीं की जा सकती। आदिम साम्यवाद की काफी लचीली परिभाषा की गई है। उसमें वेदों से लेकर प्रारम्भिक बौद्ध धर्म तक शामिल हो जाता है। स्तालिन ने आदिम साम्यवाद की व्याख्या करते हुए लिखा था कि प्रस्तर आयुधों और बाद को धनुष-बाण के प्रयोग के कारण मनुष्य अलग-अलग रहकर प्रकृति और हिंस्र जन्तुओं का मुकाबला न कर सकते थे। जंगल से फल बटोरने, मछली पकड़ने या किसी तरह का निवास-स्थान बनाने के लिए मनुष्यों को मिलकर काम करना पड़ता था। एक साथ काम करने से उत्पादन के साधनों पर और उत्पादित वस्तुओं पर उनका सम्मिलित अधिकार होता था।

परिवार, व्यक्तिगत सम्पत्ति और राज्यसत्ता की उत्पत्ति पर अपने ग्रंथ में एंगेल्स ने सभ्यता से पहले मानव-समाज की दो अवस्थाओं का वर्णन किया है : पहली वन्य अवस्था (सैवेजरी), दूसरी बर्बर अवस्था (बार्बरिज़्म)। वन्य अवस्था की पहली मंजिल में मनुष्य वृक्ष-वासी है; वह कन्द-मूल, फल खाकर जीवित रहता है। एंगेल्स के अनुसार इस मंजिल में व्यक्त भाषा का निर्माण—पशुओं से भिन्न—'the formation of articulate speech'—मानवकी मुख्य उपलब्धि थी। दूसरी मंजिल में उसने आग का इस्तेमाल करना सीखा और गदा और भाले बनाकर शिकार खेलना सीखा। तीसरी मंजिल में उसने धनुष-वाण का उपयोग किया। बर्बर अवस्था की विशेषता पशु-पालन और बागबानी हैं। उसकी अन्तिम मंजिल में लोहे का काम, हल की खेती और लिपि का आविष्कार होता है। इस बर्बर अवस्था के बीत जाने पर व्यक्तिगत सम्पत्ति, दास-प्रथा और राज्यसत्ता का अभ्युदय होता है।

एंगेल्स ने जिन्हें वन्य और बर्बर अवस्थाएँ कहा है, स्तालिन ने उन्हें आदिम साम्यवाद के अन्तर्गत ही माना है। बर्बर अवस्था में मनुष्य प्रकृति के सामने पहले जैसा असहाय नहीं रहता। खेती और पशुपालन के कारण समाज पहले से अधिक समृद्ध होता है। कुछ कबीले किन्हीं विशेष वस्तुओं के उत्पादन में दक्ष होकर उनका विनिमय आरम्भ करते हैं। कबीले में पहले जैसी समानता नहीं रहती; कुछ कुल अधिक शक्तिशाली होते हैं और उनके पास कबीले की सम्पत्ति का अधिक भाग आ जाता है। ऐसे ही कुलों से राजन्य वर्ग का निर्माण होता है। कुल से अलग व्यक्ति का अस्तित्व नहीं होता; इसलिए 'व्यक्तिगत सम्पत्ति' पहले 'कुलगत सम्पत्ति' ही होती है। एंगेल्स ने होमर की गाथाओं में वर्णित वीरों को बर्बर अवस्था की अन्तिम मंजिल का बताया है। उस वर्णन से स्पष्ट है कि उनके पास सम्पत्ति की कमी नहीं थी और जीवन-यापन के लिए ये सामूहिक श्रम करने के लिए विवश न थे। इस अवस्था को हम आदिम साम्यवाद कहें या न कहें, इस विवाद को यहाँ

न बढ़ाकर हम इतना ही कहेंगे कि जब तक मनुष्य अपने श्रम द्वारा प्रकृति पर यत्किंचित् विजय नहीं पाता, खाद्य के लिए टोलियाँ बनाकर घूमनेवाले प्राणी का जीवन समाप्त नहीं करता, तब तक उसे अनेक बोलियों में किसी एक को भाषा बनाने की आवश्यकता का अनुभव नहीं होता। बिखरी हुई छोटी-छोटी बोलियों से भिन्न एक व्यापक सामान्य 'भाषा' का अभ्युदय कुलगत सम्पति, कबीलों के परस्पर विनिमय, विनिमय के लिए आवश्यक सम्पत्ति के उत्पादन आदि के साथ जुड़ा हुआ है। पशु-पालन या खेती या दोनों के द्वारा सम्पत्ति अर्जित करने पर ही चरागाहों, खेतों को हथियाने या उन्हें हड़पने की आवश्यकता अनुभव होती है। तभी कबीले आत्मरक्षा, आक्रमण या व्यापार के लिए किसी एक बोली को भाषा रूप में अपनाते हैं।

निष्कर्ष यह कि आदिम साम्यवाद की पहली मंजिल में 'भाषा' का व्यवहार नहीं होता; बोलियों से ही अपने-अपने सीमित क्षेत्र में काम चलता है। आदिम साम्यवाद की दूसरी मंजिल में, जब सामूहिक सम्पत्ति के साथ कुलगत सम्पत्ति का अभ्युदय हो चुकता है, तभी सामाजिक आवश्यकताओं की पूर्ति के लिए ऐसी भाषाओं का व्यवहार होता है जिनका क्षेत्र दस-बारह कोस के बदले एक या उससे अधिक कबीलों की भूमि होती है। लैटिन, ग्रीक, संस्कृत आदि प्राचीन भाषाएँ ऐसी ही परिनिष्ठित भाषा के अभ्युदय का प्रमाण हैं।

ग्रीक, लैटिन और संस्कृत—ये तीनों ही 'चर्च' की भाषाएँ भी रही हैं। संघबद्ध धर्म का अभ्युदय सामन्तवाद की विशेषता है। धर्म-विशेष के प्रसार के साथ किसी भाषा का क्षेत्र बहुत बढ़ जाता है। वह उन जनपदों की ही शिष्ट भाषा नहीं रहती, जिनकी बोलियाँ उससे मिलती-जुलती हैं; वह उन प्रदेशों में भी जा पहुँचती हैं जहाँ की भाषाएँ उससे भिन्न हैं और वह उन्हें प्रभावित करना शुरू करती है। कोई भाषा इस तरह फैलती है या नहीं, यह किसी देश में सामन्तवाद के विकास और वहाँ धर्म के सम्बन्ध होने पर निर्भर है। लेकिन सामन्तवाद से पहले समाज-व्यवस्था का दास-प्रथा पर आधारित एक रूप और माना जाता है। भाषा के प्रसार या गठन पर इसका क्या असर पड़ता है?

एंगेल्स की बताई हुई बर्बर अवस्था के बाद सामन्तवाद की ओर बढ़ने के लिए दास-प्रथा पर आधारित कोई व्यवस्था अनिवार्य नहीं है। एंगेल्स के अनुसार अमरीकी आदिवासी कबीलों में संगठित थे, लेकिन कई जगह उन्होंने अपने स्थायी संघ बना लिये थे, और इस तरह जातियों (नेशंस) के निर्माण की ओर उन्होंने पहला कदम उठाया था। जाति-निर्माण की तरफ पहला कदम उठा लेने पर भी उनमें दास-प्रथा का चलन न था। एंगेल्स के अनुसार जर्मन कबीलों में भी दास-प्रथा का अभाव था और जब उन्होंने रोमन-साम्राज्य को ध्वस्त कर दिया, तब वहाँ दास-प्रथा को भी समाप्त कर दिया। उन्होंने अपने प्रदेशों की-सी सामन्ती प्रथा वहाँ भी चलाई।

वास्तव में यूनान और इटली में प्रचलित दास-प्रथा के आधार पर सामाजिक विकास की एक ऐसी मंजिल की कल्पना की गई है जिसका आधार ही दास-प्रथा हो। इस कल्पना के प्रभाव से कुछ विद्वानों ने उन देशों में भी दास-प्रथा पर आधारित समाज-व्यवस्था का अनुसंधान कर डाला है जहाँ दास समाज के उत्पादक वर्ग का एक प्रतिशत भी न थे। यूनान और रोम के प्राचीन समाज में भी मुख्य वर्ग-विरोध दास और उनके स्वामियों में न था, वरन् धनी भू-स्वामियों और स्वाधीन किन्तु निर्धन किसानों या बेकार नागरिकों में था। एथेंस में क्या हुआ? एंगेल्स के शब्दों में : "उद्योग और व्यापार की प्रगति से कुछ लोगों के हाथों में सम्पत्ति सिमटकर केन्द्रित हो गई; आजाद नागरिक जन-समूह मुफलिस हो गया। उसे दो रास्तों में से एक चुनना था—या तो वह दस्तकार बने और दासों से होड़ करे जिसे नीच और घृणित काम समझा जाता था, इसके अलावा उसमें सफलता की गुंजाइश भी कम थी—या वह एकदम मुफलिस हो जाए। वहाँ की हालत में जो बात हुई, वह दूसरी थी। बहुसंख्यक (मैजॉरिटी) होने के कारण वे समूचे एथेंस राज्य को अपने साथ खड्ड में घसीट ले गए।" एथेंस के पतन का कारण दास-प्रथा थी अप्रत्यक्ष रूप से। उसने धनी-निर्धन एथेंस-वासियों का संघर्ष तीव्र कर दिया और एथेंस की राज्यसत्ता इस संघर्ष में चकनाचूर हो गई। रोम के बारे में मार्क्स ने 8 मार्च, 1855 के अपने एक पत्र में लिखा था : "कुछ समय पहले मैंने रोम के (प्राचीन) इतिहास को आगस्टस-काल तक फिर पढ़ा। वहाँ के आन्तरिक इतिहास का सीधा अर्थ है बड़ी भू-सम्पत्ति से छोटी भू-सम्पत्ति वालों का संघर्ष जो अवश्य ही, एक विशेष दिशा में, दास-प्रथा से किंचित् परिवर्तित हुआ हो।"[1] दूसरे शब्दों में रोमन समाज-व्यवस्था मूलत: सामन्ती थी। यूनान में जिस उत्पादन-व्यवस्था को दास-प्रथा पर आधारित समझा जाता है, वह भी आदिम साम्यवाद (या बर्बर अवस्था) के तुरन्त बाद की मंजिल नहीं है। तुरन्त बाद की मंजिल सामन्तवाद ही है; उत्पादन के लिए बडे पैमाने पर दासों का उपयोग बाद में होता है और इस उपयोग से सामन्ती-प्रथा में मूलत: परिवर्तन नहीं होता। ईसा-पूर्व छठी शताब्दी में सामन्तों और किसानों का संघर्ष तीव्र हो गया था। गरीब किसानों को उपज का छठा हिस्सा ही रखने की अनुमति दी गई थी। कुछ भिखारी बन गए या दास बनकर बिके, कुछ मुफलिस बनकर इधर-उधर मारे-मारे फिरने लगे। इसी संघर्ष को दूर करने के लिए सोलन ने अपने नये कानून बनाए थे।

दास-प्रथा पर आधारित कोई विशेष उत्पादन-व्यवस्था नहीं होती, इसलिए भाषा के विकास पर उसके प्रभाव का सवाल नहीं उठता। सामन्ती ढाँचे में एक वर्ग और उत्पन्न होता है—सौदागरों का, जो पहले सामन्ती बंधनों को मानकर, उसी ढाँचे के अन्दर मुनाफा कमाता है। लेकिन क्रमश: वह शक्तिशाली होता जाता है और जब-तब

1. मार्क्स और एंगेल्स, 'सेलेक्टेड करेस्पौंडेंस, लॉरेन्स एंड विशार्ट', 1943, पृ. 127

राज्यसत्ता को अपने हाथ में लेने के लिए सामन्त-वर्ग से टक्कर भी लेता है। टॉमसन के अनुसार प्राचीन यूनान में जो जनवादी क्रान्ति हुई, उससे राज्यसत्ता भू-स्वामी वर्ग के हाथ से सौदागरों के हाथ में आई।[1] लेकिन इस क्रान्ति का प्रसार सारे यूनान में न हो सका। एथेंस ने व्यापार के आधार पर जो पूँजीवादी सम्बन्ध कायम किये थे, वे चारों ओर के सामन्ती सागर में डूब गए। लेकिन इसमें सन्देह नहीं कि एथेंस के अधिनायकत्व का कारण व्यापार था और अपनी इस प्रमुख भूमिका के कारण एथेंस अपनी भाषा को भी यूनान की अन्य सभी बोलियों में सर्वोपरि स्थान दिला सका।

प्राचीन रोम में सौदागरों और भूस्वामियों के एकदम भिन्न वर्ग न थे। उनकी स्थिति इंग्लैंड में औद्योगिक क्रान्ति से पहले के सौदागरों और बड़े जमींदारों की-सी थी। इंग्लैंड में जिस सौदागर के पास अपनी भू-सम्पत्ति न होती थी, वह इज्जतदार न समझा जाता था। इसलिए व्यापार से पैसा कमाकर ही वह सन्तुष्ट न हो सकता था; उसे इज्जत के लिए जमींदार भी बनना होता था। साथ ही पुराने जमींदार आमदनी के पुराने तरीकों में सन्तुष्ट न होकर व्यापार से भी धन कमाने की सोचते थे। इतिहासकार टॉमसन के अनुसार प्राचीन रोम में "बड़े सौदागर और बड़े उद्योगपति बड़े जमींदारों से एकदम भिन्न वर्ग के रूप में दिखाई न पड़ते थे। एक ओर बड़े जमींदार पुराने जमाने से ही व्यापारी और पूँजीपति होते आए थे, और अपने हाथ में लेन-देन का कारबार, बड़े पैमाने का व्यापार और राज्य के काम समेटे रहते थे।" दूसरी ओर भूस्वामित्व का नैतिक महत्त्व था; इसके बिना व्यापारी को राजनीतिक अधिकार न मिल सकते थे। व्यापार में मुनाफा कमानेवाला आम तौर से अपनी पूँजी जमीन में लगाता था। रोमन राजनीतिज्ञ इस बारे में सतर्क रहते थे कि 'भूमिहीन धनवानों का खतरनाक वर्ग' बढ़ने न पाए।[2] रोमन समाज में व्यापारियों और सामन्तों का सहयोग भी था औरु आपसी संघर्ष भी। सामन्तों का पलड़ा भारी था। आपसी संघर्ष को दूर करने के लिए उनका तरीका यह था कि वे व्यापारियों को शुद्ध व्यापारी न रहने देते थे। तरह-तरह के दबाव डालकर वे उन्हें अपने वर्ग का ही एक अंग बना लेते थे। इसके सिवा वे स्वयं भी सौदागरी के जरिये अपनी आमदनी बढ़ाते थे। इन सौदागरों को इटली के एकीकरण में सामन्तों से अधिक दिलचस्पी थी। लैटिन भाषा के प्रसार से उन्हें व्यापार में सुविधा होती थी। इटली में लैटिन का प्रसार केवल सामन्तों का काम नहीं था; उसमें सौदागरों का हाथ भी था। इसी प्रकार यूरोप में साम्राज्य-विस्तार से उन्हें लाभ था। ईसा की प्रथम शताब्दी में रोमन व्यापारी सुदूर ब्रिटेन तक पहुँचते थे। वर्तमान यौर्कशायर के पूर्वी भाग में पैरीसी जन रहते थे। इन्होंने रोमन सौदागरों का स्वागत किया था। इन्हीं की भूमि से रोमन सेना ने ब्रिगान्तेस नामक दूसरे जन पर धावा बोला था।

1. जार्ज टॉमसन, 'फर्स्ट फिलॉसफर्स, लॉरेन्स एंड विशार्ट', 1955, पृ. 208-9
2. थेओडोर मॉमसेन, 'हिस्ट्री ऑव रोम', 1868, खंड 1, पृ. 489-90

"इस अभियान का स्वागत नहीं किया गया, तो कम-से-कम उसे शान्तिपूर्ण ढंग से ग्रहण किया गया। इसका प्रमाण यह है कि इस कबीले की भूमि पर स्थायी रोमन छावनी बनाने से उसे मुक्त किया गया।"[1] रोमन व्यापारी अपने व्यापार से मतलब रखते थे; उन्हें ब्रिटेन के निवासियों को जबर्दस्ती रोमन सभ्यता में दीक्षित करने से दिलचस्पी नहीं थी। इस प्रकार ब्रिटेन जैसे सुदूर टापू को रोमन साम्राज्य में मिलाने से व्यापारियों का वर्ग-स्वार्थ जुड़ा हुआ था। ब्रिटिश कबीलों के सरदार अपनी परम्परा के अनुसार देहात में अपना जीवन बिताते थे। "बड़े-बड़े इतालवी जमींदार शहरों की उपज थे और वही उनके मुख्य केन्द्र थे। गाँवों की सम्पत्ति के अलावा उनका शहरी मकान अक्सर दुकान या कारखाने से बहुत निकट रूप में सम्बन्धित होता था। इस दुकान या कारखाने में दासों या आजाद किये हुए आदमियों की देखरेख में व्यापार फलता-फूलता था।"[2]

जिन जर्मन जातियों ने रोमन-साम्राज्य को छिन्न-भिन्न किया, उनमें सामन्ती सम्बन्धों का चलन था। उनमें दास-प्रथा के बदले अर्द्ध-दास (सर्फ) प्रथा का चलन था, लेकिन वे जर्मन भाषा का प्रसार उसी तरह न कर पाए जिस तरह रोमनों ने लैटिन का किया था। स्वयं जर्मनी का एकीकरण बहुत बाद में हुआ। जर्मनी और इटली—जर्मन और लैटिन भाषाओं—के इतिहास की इस भिन्नता का कारण व्यापार है। आगे चलकर लैटिन ईसाई चर्च की भाषा ही न बनी, मिल्टन के समय तक वह अन्तरराष्ट्रीय राजकाज की भाषा थी। यूनानी व्यापारियों और यूनानी उपनिवेशों के प्रभाव से भूमध्य सागर के तटवर्ती प्रदेशों में रोमन-साम्राज्य और उसके बाद तक ग्रीक भाषा को अन्तर-जातीय महत्त्व प्राप्त रहा। व्यापार और सांस्कृतिक आदान-प्रदान की इन आवश्यकताओं के कारण जर्मन के विपरीत ग्रीक और लैटिन भाषाओं का परिनिष्ठित रूप स्थिर हुआ। बोलचाल की लैटिन के अनेक रूप थे अथवा लैटिन परिवार की अनेक बोलियाँ इटली, फ्रांस आदि में बोली जाती थीं। लैटिन जिस जाति की भाषा थी, वह जाति नये जातीय संगठनों में तिरोहित हो गई। वृहत्तर इटली ने एक नई जनपदीय भाषा को अपनाकर उसे अपनी जातीय भाषा बनाया। लैटिन-भाषी जाति का अस्तित्व न रहने पर भी लैटिन यूरोप के विभिन्न अन्तर-जातीय कार्यों में व्यवहृत होती रही। लैटिन का स्थान इतालवी (या अन्य भाषाओं) ने ले लिया, इसका कारण यह न था कि वैयाकरणों ने लैटिन को कठोर नियमों से जकड़ दिया था। बोलचाल की भाषा न रहने पर भी लैटिन तब तक शिक्षित जनों के काम में आती रही, जब तक यूरोप में नई जातियों के अभ्युदय के साथ उनकी भाषाएँ भी आर्थिक, राजनीतिक और सांस्कृतिक क्षेत्रों में प्रयुक्त न होने लगीं। इन जातियों और उनकी भाषाओं के अभ्युदय के बाद भी सैकड़ों वर्षों तक लैटिन अपने पद पर—धर्म से भिन्न क्षेत्र में भी—आसीन रही। ईसाई धर्मग्रंथों में ग्रीक भाषा का प्रयोग हुआ था। लैटिन के समान वह भी ईसाई धर्म से सम्बद्ध हुई।

1. आई.ए. रिचमौंड, 'रोमन ब्रिटेन', 1955, पृ. 79-80
2. उप., पृ. 85

उस समय उसके बोलचाल के रूपों और परिनिष्ठित ग्रीक में बहुत अन्तर हो गया था। फिर भी व्यापार के कारण उसी पुरानी परिनिष्ठित ग्रीक का बहुत दिनों तक चलन रहा।

वैदिक संस्कृत अनेक जनपदीय बोलियों में से एक थी। वह मुख्यत: भरत या कुरुजन की बोली थी। उसी के आधार पर संस्कार की हुई भाषा—संस्कृत—का विकास और प्रसार हुआ। प्राकृतों का संस्कार करके यह भाषा न बनी थी। भारत की बोलचाल की भाषा का प्राचीनतम रूप ऋग्वेद में मिलता है। वह रूप जितना लौकिक संस्कृत के निकट है, उतना प्राकृतों के नहीं। कुछ अपवादों को छोड़कर उसके अधिकांश भाषा-तत्त्व प्राकृतों से बहुत दूर हैं। शक्तिशाली भरत-जन की भाषा अन्तर-जनपदीय व्यवहार के लिए स्वीकृत हुई। ये जन और जनपद स्थिर इकाइयाँ न थे। उनका संगठन-विघटन, मख्यत: बाह्य कारणों से, बराबर चलता रहा। प्राचीन भरत-जन का अस्तित्व नये जन-गठनों में घुल-मिल गया। संस्कृत बोलनेवाला मूल जन न रहा तो संस्कृत भी साधारण जनों की—किसानों, कारीगरों आदि की—भाषा न रह गई। लेकिन अन्य जनपदीय भाषाएँ जो पहले ही संस्कृत से मिलती-जुलती थीं, संस्कृत को सर्वोपरि आसन देती रहीं। पाणिनि के समय में संस्कृत तक्षशिला से लेकर पाटिलपुत्र तक के प्रदेश की भाषा न थी किन्तु विभिन्न जनपदों के शिक्षित जन अन्तर-जनपदीय व्यवहार के लिए उसे माध्यम बनाए हुए थे, यह निश्चित है। उत्तर-भारत में केवल एक भाषा का अस्तित्व माननेवालों के विपरीत डॉ. वासुदेवशरण अग्रवाल ने पाणिनि के लिए बिलकुल ठीक लिखा है : "बोलियों, जन-विश्वासों और स्थानीय प्रथाओं से भी शब्दों का चुनाव किया गया है।" इसका एक उदाहरण उन्होंने यह दिया है : "पीलु वृक्ष के पक्के फलों के 'पीलुकुण' शब्द पाणिनी को ठेठ पंजाब की बोलियों से मिला होगा, जहाँ पीलु और शामी के घने जंगल थे और आज भी पक्के पीलु फलों को 'पिलकना' कहते हैं।"[1]

अष्टाध्यायी के भौगोलिक उल्लेखों के आधार पर डॉ. वासुदेवशरण अग्रवाल ने पामीर से काठियावाड़ तक और गोदावरी से असम तक संस्कृत भाषा का प्रसार माना है। यह भी लिखा है : "सम्भव है, इस विशाल प्रदेश में स्थानीय बोलियाँ भी रही हों, किन्तु एकच्छत्र साम्राज्य का पट्टबंध संस्कृत के ही माथे था।"[2] इसमें जरा भी सन्देह नहीं कि इस विशाल प्रदेश में बहुत-सी बोलियाँ थीं जिनमें अनेक संस्कृत से भिन्न परिवार की भी थीं। यद्यपि पंडित वर्ग ने संस्कृत को देववाणी कहा किन्तु उसमें विविध मानवीय तत्त्वों का सम्मिश्रण हुआ। वैदिक भाषा के शब्द-भंडार से लौकिक संस्कृत के शब्द-भंडार की तुलना करने से दोनों का अन्तर, लौकिक संस्कृत की संग्रह-शक्ति, उसमें द्रविड़ आदि अन्य परिवारों के शब्दों का आगमन स्पष्ट हो जाएगा। वैसे यह क्रिया वैदिक युग में ही आरम्भ हो गई थी और ऋग्वेद के पहले ही मंत्र में 'अग्निमीळे' के 'ईळे' को विद्वान द्रविड़-परिवार की क्रिया कहते हैं।

---

1. डॉ वासुदेवशरण अग्रवाल, 'पाणिनिकालीन भारतवर्ष', बनारस, पृ. 20
2. उप., पृ. 5

पाणिनि के समय में कुरुक्षेत्र का पुराना नाम भरत प्रचलित था।[1] संस्कृत के प्रसार के साथ यह नाम भी सारे देश में फैल गया और देश को भारतवर्ष की संज्ञा मिली। चीनी यात्री श्यूआन चुआङ् के अनुसार : "समय की मंदता और अवस्था को देखकर पाणिनि ने साहित्य और बोलचाल की भाषा के अनिश्चित और अशुद्ध प्रयोगों एवं नियमों में सुधार करना चाहा। उनकी इच्छा थी कि नियम निश्चित करें और अशुद्ध प्रयोगों को ठीक करें।"[2] प्रत्येक भाषा के परिनिष्ठित रूप ग्रहण करने के समय यह शुद्ध-अशुद्ध प्रयोगों की समस्या उसके सामने आती है। पाणिनि के व्याकरण की रचना एक सामाजिक आवश्यकता की पूर्ति के लिए हुई थी। यह आवश्यकता उत्तर भारत के जनपदों के बीच सांस्कृतिक और आर्थिक आदान प्रदान की थी। डॉ. अग्रवाल के शब्दों में : "भारतवर्ष के दूरस्थित भाग व्यापार, राज्य और विद्या के सम्बन्ध के द्वारा महाजनपद युग में (दशमी शती विक्रम पूर्व से पाँचवीं शती विक्रम पूर्व तक) एक-दूसरे के साथ घनिष्ठ सम्बन्ध में बँध चुके थे।"[3] यह घनिष्ठ सम्बन्ध ही वह सामाजिक आवश्यकता थी जिससे व्यवस्थित व्याकरण द्वारा भाषा को 'संस्कृत' बनाना अनिवार्य हो गया।

डॉ. अग्रवाल ने पाणिनिकालीन व्यापार-व्यवस्था के बारे में महत्त्वपूर्ण शोध किया है। उससे मालूम होता है कि व्यापार का काम किसी जाति के हाथ में सीमित न था। "किसी भी जाति का व्यापारी हो, वह वाणिज कहलाता था।" थोक व्यापारी, पूँजी लगानेवाले महाजन, कामकाज देखनेवाले निर्देशक आदि के लिए अलग-अलग नामों से व्यापार का प्रसार और महत्त्व प्रकट होता है। वस्तु विशेष का व्यापार करने से व्यापारी का नाम उसी वस्तु के अनुसार गोवाणिज, अश्ववाणिज आदि पड़ जाता था। देवा-विदेश से व्यापार करनेवालों का नाम उसी देश पर हो जाता था—मद्र-वाणिज, गन्धार-वाणिज। डॉ. अग्रवाल ने इससे उचित निष्कर्ष निकाला है : "इन उदाहरणों से प्राचीन काल के अन्तर-प्रान्तीय व्यापार का संकेत मिलता है।" उन्होंने जातकों से भी इसी तरह के अन्तर-जनपदीय व्यापार के उदाहरण दिये हैं। डॉ. अग्रवाल के मत से पाणिनि के समय में मगध-साम्राज्य की स्थापना न हुई थी। मगध, कोसल, अवन्ति, कुरु, पंचाल आदि जनपद 'स्वाधीन रूप में पनप रहे थे।' यदि यह मत सही हो तो विभिन्न जनपदों को एक-दूसरे के निकट लाने में व्यापार का महत्त्व और भी स्पष्ट हो जाएगा। व्यापार की बढ़ती का एक और प्रमाण यह है कि "वस्तुओं का मूल्य दुकानदार और ग्राहकों के बीच में सिक्कों में ही चुकाया जाता था।" एक हजार कार्षापण मूल्य की सामग्री साहस कहलाती थी जिससे ऊँचे पैमाने के व्यापार की सूचना मिलती है। लेकिन "बाजार में सोने के निष्क से लेकर ताँबे के मास तक

1. वासुदेवशरण अग्रवाल, 'पाणिनिकालीन भारतवर्ष', बनारस, पृ. 14
2. उप., पृ. 16-17
3. उप., पृ. 37

बीसियों प्रकार के सिक्के चलते थे।" नाप-तोल आदि के लिए जिन अनेक शब्दों का उल्लेख हुआ है, उनसे पता चलता है कि पाणिनिकालीन नगर विनिमय के महत्त्वपूर्ण केन्द्र थे। इसी नागरिक सभ्यता का वाहन संस्कृत बनी। डॉ. मोतीचन्द ने 'सार्थवाह' में इन नगरों के व्यापारिक महत्त्व का उल्लेख किया है। बनारस 'एक प्रधान व्यापारिक नगर' था जिसका सम्बन्ध गन्धार और तक्षशिला से था। श्रावस्ती नगरी एक दूसरा व्यापार-केन्द्र थी और बुद्ध के शिष्य अनाथ पिंडिक यहीं के थे जिनके बारे में कहा जाता था कि उन्होंने जेतवन की भूमि को स्वर्ण-मुद्राओं से ढँककर उसे अपने गुरु के लिए खरीदा था। वैशाली, मथुरा, चम्पा आदि नगर इसी प्रकार व्यापार के लिए प्रसिद्ध थे। ताम्रलिप्ति, भरुकच्छ, कावेरी पट्टनम आदि प्रसिद्ध बन्दरगाहों से समुद्री मार्ग द्वारा विदेश से व्यापार होता था। व्यापार को सुव्यवस्थित रखने के लिए जो नियम बनाए गए थे, उनसे भी प्रकट होता है कि व्यापार राज्य के लिए आय का एक प्रमुख स्रोत था। "जैसे-जैसे ईसा की प्रारम्भिक सदियों में व्यापार बढ़ता गया, वैसे-वैसे व्यापार के ठीक से चलने के लिए नियमों की आवश्यकता हुई। इसी के आधार पर साझेदारी, वादा पूरा न करने तथा माल न देने और श्रेणि-सम्बन्धी नियमों की व्याख्या की गई। जिस तरह कौटिल्य ने अपने अर्थशास्त्र में तत्कालीन व्यापार-सम्बन्धी बहुत-से नियम दिये हैं, उसी तरह 'नारद-स्मृति' में भी बहुत-से व्यापार-सम्बन्धी नियमों का उल्लेख है।"[1] गुप्त-युग में व्यापार की और भी उन्नति हुई। भारत के पूर्वी और पश्चिमी तट के बन्दरगाह लंका से सम्बद्ध थे।

डॉ. मोतीचन्द का मत है कि बौद्ध धर्म में जातिवाद और खानपान की कड़ाई न होने से उसके अनुयायियों के लिए समुद्र-यात्रा सहज थी। उन्होंने ब्राह्मणों के संकुचित दृष्टिकोण से उदार बौद्ध दृष्टिकोण की तुलना करते हुए लिखा है : "बौद्ध व्यापारियों और नाविकों का यह अन्तरराष्ट्रीय भ्रातृभाव ब्राह्मणों के उस अन्तरदेशीय भाव से—जिसके अनुसार दुनिया की सीमा उत्तर में हिमालय, दक्षिण में समुद्र, पश्चिम में सिन्धु और पूर्व में ब्रह्मपुत्र है—बिलकुल भिन्न था। ब्राह्मणों के लिए तो आर्यावर्त ही सब कुछ था, उसके बाहर रहनेवाले घृणित अनार्य और म्लेच्छ थे। खाने-पीने तथा विवाह इत्यादि में जातिवाद की कठोरता ब्राह्मण-समाज का नियम था और इसीलिए छुआछूत के डर से समुद्र-यात्रा वर्जित थी, गोकि प्राचीन भारत में इस नियम का कितने लोग पालन करते थे, इसका तो केवल अटकल ही लगाया जा सकता है। बौद्धों को इस जातिवाद के प्रपंच से विशेष मतलब नहीं था और इसीलिए हम प्राचीन बौद्ध-साहित्य में समुद्र-यात्रा के अनेक विवरण पाते हैं जिनका ब्राह्मण-साहित्य में पता नहीं चलता।"[2]

1. डॉ. मोतीचन्द, 'सार्थवाह', बिहार राष्ट्रभाषा परिषद्, पटना, पृ. 153
2. उप., पृ. 59

इस ब्राह्मण-बौद्ध विवाद का उल्लेख करना यहाँ आवश्यक न होता यदि इससे व्यापार और संस्कृत का सम्बन्ध न होता। दक्षिण-पूर्वी एशिया के प्राचीन भारतीय उपनिवेशों में पचीसों संस्कृत अभिलेख मिले हैं। डॉ. चाटुर्ज्या के अनुसार : "भारतीय प्रभाव तथा संस्कृत भाषा दक्षिणी स्याम (द्वारावती), कम्बोडिया (कम्बुज) तथा अन्नाम (चम्पा) में ख्रिष्टाब्द-पूर्व से ही प्रविष्ट होते रहे थे। धीरे-धीरे इंडो-चीन के इस क्षेत्र में संस्कृत उसी स्थान पर प्रतिष्ठित हो गई, जो उसे भारतीय जनता के जीवन में प्राप्त था। ईसा की दूसरी-तीसरी शताब्दी के बीसों संस्कृत शिलालेख संस्कृत के इस महत्त्व के प्रमाण हैं।" इतिहासकार श्री आर.सी. मजूमदार ने 'दि क्लासिकल एज' नामक ग्रंथ में दक्षिण-पूर्वी एशिया के भारतीय उपनिवेशों के बारे में कुछ रोचक तथ्य दिये हैं। चौथी शताब्दी ईसवी के अन्त में कौण्डिन्य नामक ब्राह्मण कम्बुज का राजा निर्वाचित हुआ था। उसके एक उत्तराधिकारी जयवर्मन ने चीनी बन्दरगाह कैन्तन को व्यापार के लिए कुछ सौदागर भेजे थे। इसी परिवार के गुणवर्मन और रुद्रवर्मन संस्कृत अभिलेख छोड़ गए हैं। चम्पा, ब्रह्मदेश, थाइवेश, सुमात्रा, जव आदि देशों और द्वीपों में भारतीय उपनिवेश बन गए थे। ये उपनिवेश हमें भूमध्यसागर के तट पर विभिन्न देशों में ग्रीक उपनिवेशों की याद दिलाते हैं। सुमात्रा में श्रीविजय नामक नगर बौद्ध धर्म का केन्द्र था और वहाँ से विभिन्न देशों से व्यापार भी होता था। पश्चिमी जावा में पूर्व वर्मन के चार संस्कृत अभिलेख मिले हैं। जिस स्थान पर ये लेख मिले हैं, वह श्री मजूमदार के अनुसार प्राचीन काल में बड़ा बन्दरगाह था। इन विभिन्न प्रदेशों में प्राप्त अभिलेखों की भाषा के बारे में श्री मजूमदार ने लिखा है : "ये अभिलेख सुन्दर और शुद्ध संस्कृत में हैं जिससे मालूम होता है कि यह भाषा खूब सीखी जाती थी और शिष्ट समाज तथा राजसभाओं में व्यवहृत होती थी।"[1] उपनिवेशों के द्वारावती, चम्पा, अमरावती आदि जो नाम भारतीय जनों ने रखे थे, वे पालि या अन्य प्राकृतों की ध्वनि-प्रकृति का अनुसरण न करके संस्कृत-पद्धति के अनुकूल थे। दक्षिण-पूर्वी एशिया के भारतीय उपनिवेशों, वहाँ के संस्कृत अभिलेखों और प्राचीन व्यापार-केन्द्रों से डॉ. मोतीचन्द की स्थापना का खंडन हो जाता है। किसी प्रबल सामाजिक आवश्यकता के बिना संस्कृत का ऐसा दृढ़ परिनिष्ठित रूप और विशाल देश में तथा सुदूर मलय और सुवर्ण द्वीप तक उसका प्रसार असम्भव था। व्यापार द्वारा अर्थोपार्जन—यह एकमात्र नहीं किन्तु प्रमुख सामाजिक आवश्यकता थी।

दूसरी सामाजिक आवश्यकता थी सामन्तवाद के प्रसार और साम्राज्यों की स्थापना की। गण-राज्यों को अपने में समेटकर या उनका नाश करके ये साम्राज्य स्थापित हुए थे। जहाँ तक व्यापार का सम्बन्ध है, वह विच्छिन्न गण-राज्यों की तुलना में

1. 'द क्लासिकल एज', भारतीय विद्याभवन, पृ. 643

सुदृढ़ साम्राज्यों में ही ज्यादा फलता-फूलता था। डॉ. मोतीचन्द ने एक जैनग्रंथ से यह नियम उद्धृत किया है : "साधु को अराजक देश, गणराज्य, यौवराज्यों और विराज्यों में होकर यात्रा करने की भी अनुमति नहीं थी।"[1] इसका कारण यह है कि गणराज्यों में यात्रा करना वैसा निरापद नहीं था; व्यापारियों के लिए तो और भी नहीं था। गुप्त-युग में व्यापार की जो उन्नति हुई और उसके साथ साहित्य और ललित कलाओं ने जो प्रगति की, उससे देश के एकीकरण, यातायात के साधनों की रक्षा, एक विशाल प्रदेश में एक ही मुद्रा का चलन, और इस सबके लिए—उस युग की दृष्टि से—आवश्यक साम्राज्य का महत्त्व प्रकट होता है। चक्रवर्ती सम्राटों को अपनी सत्ता जमाए रखने के लिए संघबद्ध धर्म और उस धर्म के लिए एक भाषा की आवश्यकता थी। संस्कृत के प्रसार का कारण सामन्ती व्यवस्था और धर्म विशेष का प्रसार भी था। भारतीय सामन्तवाद पूरे देश को राजनीतिक रूप से कभी भी एकच्छत्र शासन में नहीं बाँध सका। संस्कृत के माध्यम से धर्म, साहित्य और दर्शन का प्रभाव सामन्ती राज्य-सीमाएँ पार करके भिन्न प्रदेशों में पहुँचा। यूरोप में भी ईसाई धर्म फैला; वहाँ भी भारत की तरह साम्राज्य स्थापित हुए। भाषा की दृष्टि से जर्मन, लैटिन, ग्रीक और स्लाव-परिवार एक-दूसरे से उतने दूर नहीं थे जितने यहाँ के संस्कृत और द्रविड़ परिवार। फिर भी यूरोप में यह भावना कभी उत्पन्न नहीं हुई कि वहाँ के निवासी एक देश के हैं। हमारे इतिहास की यह विशेषता है कि भिन्न भाषाओं और जातियों के स्वतंत्र अस्तित्व की चेतना रहते हुए भी यहाँ अखिल देशगत राष्ट्रीय चेतना का विकास हुआ। इसका कारण धर्म विशेष न होकर हमारी संस्कृति है जिसमें बौद्ध, जैन आदि भिन्न मतावलम्बियों की देन शामिल है। यदि इन धर्मों के मानने वाले हमें आज हिन्दू धर्म के बहुत निकट लगते हों तो प्राचीन काल में इनके तीव्र भेदभाव को न भूल जाना चाहिए। भारतीय राष्ट्रीयता की भावना एक अत्यन्त मूल्यवान उपलब्धि है और इस भावना को उत्पन्न करने में उत्तर-दक्षिण, पूर्व-पश्चिम—और मध्य देश—के व्यापारियों की बहुत बड़ी भूमिका रही है।

प्राचीन व्यापार की सीमाएँ भी समझ लेना चाहिए। यह व्यापार सामन्तवाद से बराबर दबता था। व्यापारियों से स्थान-स्थान पर शुल्क लिया जाता था; विभिन्न करों के अलावा अर्थ की आवश्यकता पड़ने पर राजा उन्हीं का गला दबाता था। नगर-सेठों की इज्जत जरूर होती थी, लेकिन उनके हाथ में राज्यसत्ता कभी नहीं रही। वे देश को राजनीतिक रूप से एक करने में असमर्थ रहे। उन्होंने सारे भारत में जो बाजार कायम किया था, उसके सूत्र कुछ बड़े-बड़े नगरों को जोड़ते थे; शेष ग्रामीण भारत इस अर्थ-व्यवस्था से प्राय: अछूता था। यदि यह ग्रामीण भारत इस व्यवस्था में सिमट आता, तो जनता संस्कृत से भिन्न जातीय भाषाओं को अपने

1. 'सार्थवाह', पृ. 163

कारबार का माध्यम बनाती, भले ही अन्तरप्रान्तीय व्यवहार के लिए संस्कृत या अन्य कोई भाषा चुनी जाती। इस प्राचीन व्यापार की पण्य वस्तुएँ मुख्यत: उच्च वर्गों के लिए थीं। कपड़े, मसाले, सुगंधित द्रव्य व्यापार की मुख्य वस्तुएँ थीं। डॉ. मोतीचन्द ने 'महावस्तू' में दी हुई तालिका के आधार पर काशी के दुकूल, बंगाल के रेशमी वस्त्र, केचुल की तरह मलमल और चमड़ा, बट कर बनाई हुई चटाइयों के व्यापार का उल्लेख किया है।[1] व्यापार की एक अन्य वस्तु थी—स्वयं मनुष्य। "भारतीय दास रोमन-साम्राज्य की स्थापना के पहले भी रोम पहुँचते थे।"[2] हीरे-जवाहरात, हाथी-दाँत, रेशम, चन्दन, कपूर, घोड़े आदि गुप्त-युग में व्यापार की मुख्य वस्तुएँ थे।[3]

व्यापार से किसी धर्म विशेष का सम्बन्ध जोड़ना ग़लत है। दक्षिण में व्यापारी वर्ग ने वैष्णव धर्म को वैसे ही अपनाया, जैसे भिन्न समय और भिन्न प्रदेशों में उसने बौद्ध और जैन धर्मों को अपनाया था। जैन और बौद्ध धर्म दक्षिण भी पहुँचे और वैष्णव धर्म उत्तर के व्यापारियों में भी फैला। लेकिन प्रत्येक धर्म के साथ यहाँ एक भाषा विशेष का सम्बन्ध ज़ुड़ गया। बौद्ध धर्म का साहित्य मुख्यत: पालि में है, जैन धर्म का प्राकृत में और हिन्दू धर्म का संस्कृत में। पालि-साहित्य के एक इतिहास लेखक के अनुसार : "विषय की दृष्टि से पालि-साहित्य उतना विस्तृत और पूर्ण नहीं है, जितने संस्कृतादि अन्य साहित्य। अनेक प्रकार की ज्ञान-शाखाओं पर उसमें साहित्य नहीं मिलता। ठीक तो यह है कि बौद्ध धर्म—स्थविरवादी बौद्ध धर्म—के अलावा उसमें ज्ञातव्य ही अल्प है।"[4] यदि पालि बोलचाल की भाषा थी, तो यह आश्चर्य की बात है कि उसमें संस्कृत के समान काव्य, नाटक आदि न रचे गए। बौद्ध कवि अश्वघोष ने 'बुद्ध-चरित' और 'सौन्दरानन्द' महाकाव्य संस्कृत में ही लिखे। उन्हीं का लिखा हुआ 'सारिपुत्र-प्रकरण' संस्कृत का प्राचीनतम नाटक कहा गया है।[5] प्राकृतों से जैन लेखकों का इतना घनिष्ठ सम्बन्ध था कि धर्म के अनुसार भाषा का नामकरण भी हो गया—जैन महाराष्ट्री और जैन शौरसेनी।

कहा जाता है कि जैन और बौद्ध धर्मों के संस्थापकों ने अपने-अपने धर्म का प्रचार लोकभाषा में किया। धार्मिक कर्मकांड के लिए चाहे जिस लोकोत्तर वाणी का प्रयोग हो, जनसाधारण में धर्म का प्रचार तो उनकी भाषा के बिना असम्भव है। वैदिक धर्म का प्रचार भी जब हुआ होगा, तो लोकभाषाओं द्वारा ही हुआ होगा।

---

1. 'सार्थवाह', पृ. 143
2. उप., पृ. 125
3. 'द क्लासिकल एज', पृ. 590
4. भरतसिंह उपाध्याय, 'पालि-साहित्य का इतिहास', हिन्दी साहित्य सम्मेलन, प्रयाग, पृ. 90-91
5. 'एज ऑफ़ इम्पीरियल यूनिटी', भारतीय विद्याभवन, पृ. 258

जैन और बौद्ध धर्म के संस्थापकों की भाषा क्या थी? "यह सम्भव है, यद्यपि इसे स्पष्ट रूप से प्रमाणित नहीं किया जा सकता कि गौतम बुद्ध और महावीर, दोनों ने अपने मतों का प्रचार प्राचीन अर्द्ध-मागधी बोली में किया था लेकिन उनके मतों के जो धर्मग्रंथ मौजूद हैं, वे ऐसी भाषा में हैं जो उससे बहुत भिन्न है। प्राचीन जैन धर्म-ग्रंथ लुप्त हो गए हैं, लेकिन जो प्राचीनतम ग्रंथ, अर्थात् श्वेताम्बर सम्प्रदाय के ग्रंथ, सुरक्षित रहे और जो पाँचवीं शताब्दी के मध्य के हैं, वे महाराष्ट्री प्राकृत का प्रबल प्रभाव प्रदर्शित करते हैं। जहाँ तक बौद्ध धर्म-ग्रंथों का सम्बन्ध है, सर्वाधिक सुरक्षित धर्म-ग्रंथ हीनयान सम्प्रदाय के हैं और अब वे लंका, ब्रह्मा और थाइदेश में व्यवहृत होते हैं। लेकिन पालि का उद्गम क्या था, वह किस-किस विशेष प्राकृत बोली से निकली थी, इस पर विद्वानों में मतभेद है और वे अभी किसी सर्वमान्य निष्कर्ष पर नहीं पहुँचे हैं। कुछ लोग उसे मगध में प्रचलित बोली से उत्पन्न मानते हैं, अन्य लोग उससे तथा कौशाम्बी या अवन्ति अर्थात् मध्यदेश की बोली से घनिष्ठ सम्बन्ध मानते हैं।"[1] एक कठिनाई और है। बुद्ध की भाषा पालि हो सकती है लेकिन "पालि मागधी प्राकृत से बिलकुल नहीं मिलती। इसके बदले वह शौरसेनी या मध्यदेशीय बोली से अधिक मिलती है, विशेष कर उस प्राचीन शौरसेनी से जो अश्वघोष की रचनाओं में मिलती है।" इससे निष्कर्ष यह निकला कि बुद्ध और महावीर के उपदेश उनकी अपनी भाषा में नहीं मिलते। जिस भाषा में मिलते हैं, वह पूर्व की न होकर, पश्चिम की प्राकृत है। लेकिन प्राकृत चाहे पूर्व की हो चाहे पश्चिम की, उसका शब्द-भंडार और व्याकरण मूलत: संस्कृत के हैं। कुछ विद्वानों ने प्राकृत व्याकरणों को इस बात के लिए दोषी ठहराया है कि उनके प्रभाव से प्राकृत भी कृत्रिम हो गई। लेकिन प्राकृतों का व्याकरण तो संस्कृत का ही अनुसरण करता है! यदि वे वास्तव में प्राकृतें—बोलचाल की भाषाएँ—होतीं तो उनमें व्याकरणगत भेद बहुत ज्यादा होते। पुरानी प्रचलित धारणा यह रही है कि संस्कृत ही बिगड़कर प्राकृत बनी। यह धारणा सही है। प्राकृतों और संस्कृत का मूलभेद ध्वनिगत है; ध्वनि-भेद से ही उनके स्थानीय भेद किये गए हैं। यदि उनमें व्याकरणगत और शब्द-भंडार सम्बन्धी व्यापक भेद होते, तो आधुनिक भाषाओं के उद्भव और विकास की समस्या बहुत आसान हो जाती।

अशोक के समय में और उनके बाद कई शताब्दियों तक शिलालेखों का माध्यम प्राकृत रही। इससे यह बिलकुल सिद्ध नहीं होता कि ये प्राकृतें—जिनमें परस्पर बहुत कम भेद हैं—सर्वत्र बोली जाती थीं। पल्लव राजा सिंहवर्मन का एक प्राकृत अभिलेख गुंतूर जिले में मिला है।[2] इसका यह अर्थ नहीं कि आन्ध्र प्रदेश में प्राकृत बोली जाती थी। कुछ समग्र बाद दो पल्लव राजाओं ने अपने

1. 'एज ऑफ इम्पीरियल यूनिटी', पृ. 283
2. 'द क्लासिकल एज', पृ. 276

दो आज्ञापत्र संस्कृत में जारी किये।[1] इसी प्रदेश में काञ्ची के राजा सिंहवर्मन के समय में जैन विद्वान सर्वनन्दिन ने लोक-विभाग नामक ग्रंथ प्राकृत में रचा। इसका रचनाकाल 458 ई. है।[2] दक्षिण में दिगम्बर सम्प्रदाय के जैनियों ने महाराष्ट्री और शौरसेनी प्राकृतों में अपनी रचनाएँ कीं।[3] इसका कारण यह नहीं था कि दक्षिण में महाराष्ट्री या शौरसेनी प्राकृत को सब लोग समझ लेते थे, वरन् यह कि प्राकृत से जैन धर्म का एक रूढ़िगत सम्बन्ध हो गया था।

आधुनिक भाषाएँ जाननेवालों के लिए प्राकृतें समझ लेना आसान होना चाहिए, कारण यह कि प्रचलित धारणा के अनुसार अपभ्रंशों के मार्ग से विकसित होती हुई प्राकृतें ही आधुनिक भाषाएँ बनी हैं। लेकिन होता इसका उल्टा है। आधुनिक भाषा जाननेवाला संस्कृत छाया की तलाश करता है जिससे यह समझ में आ जाए कि संस्कृत के किन शब्दों का विकृत रूप उसके सामने है। भारतीय संस्कृति के इतिहासकार जैन ग्रंथों से पूरा लाभ नहीं उठा पाए, इसका मुख्य कारण डॉ. मोतीचन्द के मत से 'जैन ग्रंथों की दुष्प्राप्यता और दुर्बोधता' है। जो काम के ग्रंथ छपे हैं, उनके बारे में लिखा है : "भाषा-सम्बन्धी टिप्पणियों का इनमें सदा अभाव होता है जिससे पाठ समझने में बड़ी कठिनाई होती है।"[4] यदि एक परिनिष्ठित भाषा के रूप में संस्कृत का प्रचार न हुआ होता, तो सामन्त-युग की विशाल सांस्कृतिक सामग्री इसी प्रकार दुर्बोध और दुष्प्राप्य होती। दुर्बोधता का कारण यह नहीं है कि प्राकृतें लोकभाषाएँ थीं; कारण इससे बिलकुल उल्टा था, वे लोकभाषाओं से संस्कृत की तुलना में भी दूर थीं। कोई आश्चर्य नहीं कि अनेक जैन और बौद्ध विद्वानों ने संस्कृत में ही रचनाएँ कीं। गुप्त-युग और उसके बाद "हम जैन विद्वानों में एक सामान्य प्रवृत्ति पाते हैं कि वे अधिकाधिक प्राकृत की तुलना में संस्कृत अपनाते हैं। वे इस भाषा के प्रयोग को अधिक सम्मानप्रद और अन्य मतवादियों से विवाद के लिए अधिक उपयोगी मानते थे। बहुत जल्दी संस्कृत टीकाओं ने प्राकृत में लिखी टिप्पणियों का स्थान ले लिया। इस युग की लगभग समाप्ति के समय हम प्रसिद्ध जैन विद्वान हरिभद्र की अपनी रचनाएँ और टीकाएँ संस्कृति में करते देखते हैं।"[5] कल्पना कीजिए, प्राकृत मूल की टीकाएँ संस्कृत में लिखना आवश्यक हो गया! संस्कृत के इस नवीन उत्थान का कारण मुसलमानों का आक्रमण न था। इसका कारण देश के सामाजिक जीवन की आन्तरिक आवश्यकताएँ थीं। संस्कृत द्वारा देश का एकीकरण व्यापारियों और बड़े सामन्तों के लिए आवश्यक था।

1. 'द क्लासिकल एज', पृ. 277
2. उप., पृ. 408
3. उप., पृ. 325
4. 'सार्थवाह', पृ. 162
5. 'द क्लासिकल एज', पृ. 412

संस्कृत द्वारा देश का जो सांस्कृतिक एकीकरण हुआ, वह पालि और अन्य प्राकृतों द्वारा नहीं हुआ, न शायद हो सकता था। संस्कृत के माध्यम से इस देशव्यापी अभ्युत्थान में विभिन्न प्रदेशों और मतों के लोगों ने भाग लिया। एक नहीं, सब प्राकृतें मिलकर भी संस्कृति का ऐसा व्यापक माध्यम नहीं बन पाईं। उसके बाद के युग में जब आधुनिक भाषाएँ साहित्य का माध्यम बनीं, तब उनके लिए प्राकृतों की तुलना में संस्कृत से लाभ उठाना स्वाभाविक था। मुसलमानों के आक्रमण की प्रतिक्रिया के फलस्वरूप हिन्दू धर्म का जागरण हुआ और तत्सम शब्दों का प्रयोग बढ़ गया, यह धारणा भ्रान्त सिद्ध होती है।

संस्कृत में रचनाएँ करनेवालों को प्राकृतों से परहेज न था। संस्कृत नाटकों में उन्हें स्थान मिला ही था। प्राकृतों में रचना किन्हीं रूढ़ियों के अनुसार होती थी। एक रूढ़ि यह थी कि महाराष्ट्री प्राकृत में—जिसका महाराष्ट्र की वर्तमान भाषा से कोई विशेष सम्बन्ध न था—गीत ही लिखे जाएँगे। जैन विद्वानों ने उसमें गद्य भी लिखा। धार्मिक भेदभाव के कारण संस्कृत का सम्बन्ध ब्राह्मणों से, पालि का बौद्धों से, प्राकृत का जैनों से समझा जाने लगा। इसी परम्परा के कारण "अनुपालि या अनुपिटक साहित्य के विकास का इतिहास प्रथम शताब्दी ईसा-पूर्व से लेकर वर्तमान काल तक चला आ रहा है।"[1] इसी लम्बी अवधि में साधारणत: जैन विद्वानों ने पालि भाषा में अपने ग्रंथ लिखना आवश्यक न समझा। अपभ्रंश से भी उनका कुछ ऐसा ही लगाव था। 'अपभ्रंश के वाल्मीकि'[2] स्वयंभू जैन थे। दसवीं सदी के पुष्पदन्त "शुरू में शैव थे लेकिन अन्त में जैन हो गए।" अपभ्रंश में अन्य धर्मावलम्बियों ने भी रचनाएँ की हैं किन्तु जैन कवियों से उसका विशेष सम्बन्ध रहा है। इसलिए साहित्य में 'जैन-काव्य' की भी चर्चा होने लगी है। डॉ. हजारी प्रसाद द्विवेदी ने लिखा है : "जैन-काव्य के विषय में हिन्दी विद्वानों के मन में अभी उतना आकर्षण नहीं हुआ है जितना होना चाहिए।"[3] इस 'जैन-काव्य' से मुक्ति पाने पर ही भारतीय भाषाएँ अपने वास्तविक रूप में उभर सकीं।

इसका यह अर्थ नहीं है कि किसी धर्म विशेष के कवि जातीय भाषाओं के उत्थान का विरोध कर रहे थे। आशय केवल इतना है कि अनेक प्रदेशों में प्राकृत से जैन धर्म का विशेष सम्बन्ध मानने के कारण जैन साहित्यकार और धर्माचार्य प्राकृत या अपभ्रंश में रचनाएँ करते रहे। जो प्राचीन-पंथी हिन्दू पंडित वर्ग था, वह संस्कृत को अपनाए रहा। यहाँ सिद्धों की तथाकथित प्रगतिशील भूमिका के बारे में यह याद रखना चाहिए कि उनकी भाषा जैन कवियों की अपभ्रंश से भिन्न न थी।

1. 'पालि साहित्य का इतिहास', पृ. 91
2. 'हिन्दी के विकास में अपभ्रंश का योग', पृ. 185
3. डॉ. शिवप्रसाद सिंह, 'सूर-पूर्व ब्रजभाषा और उसका साहित्य', हिन्दी प्रचारक पुस्तकालय, वाराणसी; भूमिका।

तमिलनाडु में एक समृद्ध साहित्यिक परम्परा होने के कारण संस्कृत-प्राकृत रचना-पद्धति का वहाँ वैसा प्रभाव न पड़ सका, जैसा अन्य प्रदेशों में। भारत की आधुनिक भाषाओं में तमिल की ही सर्वाधिक गौरवमय प्राचीनतम साहित्यिक परम्परा है। यह इतनी बलवती थी कि जैन और बौद्ध कवियों ने भी पालि-प्राकृत के बदले तमिल में ही अपने काव्य रचे। दूसरी सदी ईसवी में तमिल महाकाव्य 'सिलप्पदि कारम्' के रचनाकार इलंगो जैन मुनि थे। उनके जैन होने के बारे में कुछ लोगों को संशय है। किन्तु पाँच लघु काव्य—जिनमें 'नीलकेशि', 'उदयण् कदै' प्रकाशित हो चुके हैं—जैन कवियों की ही रचनाएँ हैं। 'सिलप्पदि कारम्' का समकक्ष और प्राय: समसामयिक काव्य 'मणि-मेकलै' बौद्ध व्यापारी सीत्तलै सात्तनार की रचना है। जो बात तमिल-भाषी प्रदेश में हुई, वह अन्यत्र भी सम्भव थी, अर्थात् प्राकृत अपभ्रंश की मंजिलें पार किये बिना ही 'आधुनिक' भाषाओं की सुदीर्घ साहित्यिक परम्परा वहाँ भी कायम हो सकती थी। ये मंजिलें किसी तरह भी अनिवार्य सिद्ध नहीं होतीं। अवश्य ही प्राचीन तमिल और आधुनिक तमिल में भेद है किन्तु यह भेद प्राकृत और आधुनिक उत्तर भारतीय भाषाओं के भेद जैसा नहीं है। 'मणिमेखला', 'जीवक-चिन्तामणि', 'यशोधर काव्यम्', 'नागकुमार काव्यम्', 'नीलकेशी'—प्राचीन तमिल काव्यों के इन नामों को देखिए। ये पालि-प्राकृत की ध्वनि-प्राकृति से प्रभावित नाम नहीं हैं। ये वैसे ही तत्सम रूप हैं, जैसे आधुनिक भाषाओं में आते हैं। उनमें जहाँ ध्वनि-परिवर्तन हुआ है, वहाँ तमिल की प्रकृति के अनुसार, न कि प्राकृत नियमों के अनुसार।

कुछ लोगों का विचार है कि हिन्दी जैसी भाषाओं में जो तद्भव शब्द मिलते हैं, वे तो अपभ्रंश का प्रभाव हैं और जो तत्सम-रूप मिलते हैं, वे हिन्दुत्व के पुनर्जागरण का परिणाम है। "हिन्दी बोलियों के उदयकाल में जो संस्कृत और फ़ारसी तत्सम शब्दों के आगमन के बावजूद तद्भव शब्दों का जोर है, वह तेरहवीं सदी के सांस्कृतिक पुनर्जागरण की लोकोन्मुखी प्रकृति का प्रभाव है और उसमें जो संस्कृत और फ़ारसी के तत्सम शब्दों का आगमन है, वह हिन्दुत्व और इस्लाम के शास्त्रीय संस्कारों के पुनरुत्थान का परिणाम है।"[1] धर्म के आधार पर हिन्दी के तद्भव-तत्सम रूपों के अनुपात की जो व्याख्या की गई है, वह एकदम भ्रान्त है।

अपभ्रंश के तद्भव कहने को ही तद्भव हैं; उनका हिन्दी (अवधी, ब्रज, आदि) के तद्भवों से बहुत कम सम्बन्ध है। 'अपभ्रंश के वाल्मीकि' स्वयंभू ने नर-नारी के णर-णारी रूप बनाए। किस प्रदेश के लोगों को नर-नारी जैसे 'तत्सम' रूपों के उच्चारण में कठिनाई होती थी, या आज कहीं णर-णारी जैसे रूपों का प्रयोग होता है? नहीं के अर्थ में प्रयुक्त होनेवाला लघु 'न' भी 'ण' का रावण

1. 'हिन्दी के विकास में अपभ्रंश का योग', पृ. 156-57

रूप धरकर 'तद्भव' होने का दावा करता है! इसी प्रकार बिनु के लिए बिणु! नगर शब्द देहात में भरा पड़ा है; गाँवों से लेकर शहरों तक के नाम के साथ नगर जुड़ा है लेकिन स्वयंभू के यहाँ नगरी के लिए णयरी है! यदि णयरी की जगह हिन्दी कवि नगरी लिखने लगें, तो इसमें हिन्दुत्व के उत्थान की कौन-सी बात हुई? इसी प्रकार पुर शब्द सारे भारत में प्रचलित है, स्वयंभू के यहाँ लंकापुरी लंकउरि है। अनुराग हिन्दी का सीधा-सा मीठा शब्द है—अनुराग तड़ाग में भानु उदै इत्यादि—स्वयंभू के यहाँ तद्भव रूप में आणुराए है! रघुकुल रीति सदा चलि आई—किसान भी कहते हैं; स्वयंभू ने राघव को राहव बनाया है! अवहेला के 'ल' को बदलकर तो अवहेरि किया और चरण के 'र' को बदलकर 'चलण'! पूत की तरह दूत का उच्चारण हर कोई (यानी हिन्दी-भाषी प्रदेश में) कर लेता है। लेकिन यमदूत हो गए जमदूय! लोग-लुगाई—सर्वत्र प्रचलित है; काण्हपा लोग के लिए 'लोअ' लिखते हैं! इसी प्रकार वेद 'वेअ' हो गए, पण्डित-पण्डिअ! द, त आदि वर्णों के लोप की कमी को 'ण' की भरमार से पूरा किया गया! लीन भी लीण है और निरंजन अपने तद्भव अवतार में णिरजन! पण्डित ज्ञानी—क्यों न पियो छान पानी; ज्ञान, ज्ञानी शब्द गाँवों में प्रचलित है ('ग्यान'—इस तद्भव उच्चारण रूप में)। अपभ्रंश का कवि ज्ञान को 'णाण' लिखता है।[1] जरि-जरि मरत पतंग—पतंग हो गए पयंग। 'रूप' हुआ 'रूवि'; 'शब्द' सबद न होकर सद्दि हो गया! मृग भी मय, और ज्ञानमय तो णाणमय है ही। (कहीं मृगमय लिखना पड़े तो मयमय की नौबत आ जाए) सुरत सैल अलसानी—सुरत हुआ सुरउ! अधर-अहर, लोचन-लोअण, विकाल विआल, बल-वलुल्लड़ा, कान-कन्नडइ, कुल-उल—इस तरह के तद्भवों से अपभ्रंश भरी पड़ी है। ये तद्भव हिन्दी के तद्भवों से बिलकुल भिन्न कोटि के हैं! ये तद्भव से अधिक (अपभ्रंश नाम सार्थक करनेवाले) भ्रष्ट रूप हैं।

यह बात नहीं है कि अपभ्रंश कवियों को संस्कृत शब्दों से—और वह भी कठिन शब्दों से—कोई परहेज हो। उनके यहाँ दुर्निद्रा, गगनांगन, वलयालंकृत, विषण्ण, रत्नाकर, आखंडल, ध्यानाग्नि, निर्लक्षण परिग्रह, निरपेक्ष, विप्रिय जैसे अनेक शब्द या पद मिल जाएँगे। अन्तर इतना है कि तत्सम रूपों में वे पहचान में आ जाते हैं, अपभ्रष्ट रूपों में एक पहेली बन जाते हैं—दुण्णिद्दए, गयणंगण, वलयालंकिय, विसण्णु, रयणायरु, आहंडल, झाणग्गिय, णिल्लक्खणु, परिग्गह, निरवक्खि, विप्पिय। संस्कृत का कोई भी शब्द मनचाहे ढंग से तोड़-मरोड़कर 'तद्भव' नहीं बनाया जा सकता, न भाषा में उसका प्रयोग अनिवार्य है।

जायसी आदि कवियों की रचनाओं में अवश्य 'तद्भव शब्दों का जोर' है लेकिन इसका कारण यह नहीं है कि उनके संस्कार अपभ्रंश के थे। स्वयंभू की छिप्पइ, लिप्पइ, थक्कइ, धुज्जइ, विसत्थउ, समत्थउ वाली भाषा के बाद 'पृथ्वीराज रासो'

1. 'हिन्दी के विकास में अपभ्रंश का योग', पृ. 327

में वीर रस का यह वर्णन पढ़िए तो पता चलेगा कि अपभ्रंश के संस्कारों का कहाँ किस रीति से प्रयोग किया गया है :

*नरद्द नाद रिझ्झयँ। चुसठ्ठ ताल दिज्जयं।*
*तरंग पन्ति चल्लयं। मनौ जलद्द दल्लयं।*

अथवा

*परे चट्ट पट्टी। मनौ मद्द जट्टी।*
*उनं तेग कड्ढी। जनौ बज्र टट्टी।*
*जम दड्ढ दट्टी। मनौं नोन अट्टी।*
*उछट्टे उछट्टी। घनं घट्ट घट्टी।*

वीर रस के सन्दर्भ में ही शृंगार रस की एक कोमल सरस पंक्ति आती है :

*सुकनास नैन फूले कमल, कंबु कंठ कोकिल कलक।*

उसके बाद ही अपभ्रंश के संस्कार जागे :

*दुल्लह सुचित्त फंदन मनहु, फंदु मंडि रख्खिय अलक।*

रासो में णर-णारिय भी हैं—'श्रवननि सहज कटाच्छ, चित्त कर्षण णर णारिय'—नास और नैन इस णर-णारी परम्परा से बच गए हैं। जायसी 'एहि बिधि चीन्हहु करहु गियान'—गियान लिखते हैं, णाण नहीं। जायसी ने लिखा था :

*राघव पूज जाखिनी, दुइज देखाएसि साँझ।*
*वेदपंथ जे नहिं चलहिं, ते भूलहिं बन माँझ॥*

राघव को उन्होंने राहव नहीं लिखा; वेद वेअ नहीं हो गए। जायसी के यहाँ रसना, रस, भोग, कंठ, अनूप, कर-पल्लौ (पल्लव), भूमिपति, गगन, पुरुष, जग, कवि, समुद्र, मलयगिरि, अस्वपति, पंडित, माता, इन्द्र (जनु कैलाश इन्द्र कर वासा—यहाँ इन्दर पढ़ा जाए तो छंद भंग हो जाए), विद्या (ठग-विद्या), अधिक, कंचन, ब्याध, दिवस, तिथि, कुंद, प्रीति, संसार, चरित्र, धन, कनक, सुरा, पतंग, कुलवंती, स्रवन आदि सैकड़ों शब्द यह प्रकट करते हैं कि जिन बहुत-से शब्दों को हम संस्कृत का समझते हैं, वे पुरातन काल से जनसाधारण की बोलियों का अंग रहे हैं। अपभ्रंश में इनके भी भ्रष्ट रूप मिलते हैं; हिन्दी में वे ज्यों-के-त्यों या सहज ध्वनि-परिवर्तन के साथ (श्रवण-स्रवन) प्रचलित हैं।

संस्कृत शब्दों का प्रयोग उन कवियों की रचनाओं में और भी मिलता है जो संस्कृत काव्य-परम्परा से परिचित थे। जैन लेखकों ने संस्कृत के इस व्यापक

प्रभाव के कारण किसी समय प्राकृत के बदले उसे अपनाया था। दूसरी सदी के आसपास के तमिल काव्यों के नाम देखिए। तमिल काव्य 'जीवक चिन्तामणि' के लेखक तिरुत्तक्कदेवर के बारे में कहा जाता है कि वे काव्य में संस्कृत की रचना-शैली को अपनानेवाले प्रथम तमिल कवि थे। तेरहवीं सदी के तेलगू कवि तिक्कन्ना इस प्रकार की भाषा लिखते थे :

*सकल वर्ण धर्म संकर रक्षयु*
*संधि विग्रहादि षड्गुणमुलु*
*नलय करयुटयुनु नर्घ सम्यगुपार्ज*
*नमुनु नृपति येपुड्ड नडुप वलयु।*

[समस्त वर्णाश्रम धर्मों की रक्षा करना, संधि, विग्रह आदि षड्गुणों के पालन का ध्यान रखते हुए समुचित धन का उपार्जन करके राजा को राज्य चलाना चाहिए।][1] वर्ण, धर्म में, नृपति आदि शब्दों के रूप संस्कृत से ज्यों-के-त्यों लिये गए हैं; तेरहवीं सदी के इस महाकवि पर कहीं प्राकृत परम्परा का प्रभाव नहीं दिखाई देता। इनसे भी पहले ग्यारहवीं सदी में तेलगू के आदि महाकवि नन्नय्य भट्ट इस प्रकार की भाषा लिखते थे :

"शारद रात्रुलुज्ज्वल लसत्तर तारक हारपंक्तुलन् जारु तरंबुलय्ये विकसन्नव कैरव गन्ध बुन्धरोदार समीर सौरभमु दाल्चि सुधांशु विकीर्यमाण कर्पूरपराग पांडुरचि-पूरमुलम्बर पूरितम्मुलै।"[2] इस तरह की शैली पर बाणभट्ट का प्रभाव हो सकता है, लेकिन उसका हिन्दू पुनरुत्थानवाद से कोई सम्बन्ध नहीं है।

ये कवि तो पुराने थे। संस्कृत के पंडित थे। एक बंगला लोकगीत में मुसलमान कवि अल्ला से कहता है :

*आल्ला तोमार नामटि कादेर गनि, एकमात्र उपास्य तुमि।*
*अन्तर्जामी मानुष तुमि, आबार तुमि आछो जगत् जुड़े।*
*आल्ला तुमि पाप तुमि पन्य, तुमि हे जगत् मान्य।*
*आबार धर्म्मरूपे आछो तुमि, ए मर जगते।*[3]

इस तरह के लोकगीतों में संस्कृत का प्रभाव स्पष्ट है, अपभ्रंश का नहीं के बराबर है। हिन्दू पुनरुत्थान से इस अल्ला की वंदना का कोई प्रकट सम्बन्ध नहीं दिखाई देता। जो तद्भव-रूप आए हैं, उनकी प्रकृति अपभ्रंश से भिन्न है।

---

1. बालशौरि रेड्डी, 'पंचामृत', हिन्दी प्रचार सभा, हैदराबाद, पृ. 62-63
2. हनुमच्छास्त्री, 'तेलगू और उसका साहित्य', राजकमल, पृ. 20
3. मुहम्मद मनसूर उद्दीन द्वारा सम्पादित लोकगीत संग्रह 'हारामनि'; कलकत्ता विश्वविद्यालय

यह कहना ज्यादा सही है कि प्राकृत और अपभ्रंश में हिन्दी आदि आधुनिक भाषाओं के कुछ तत्त्व आ गए हैं; यह कहना गलत है कि प्राकृत से अपभ्रंश और अपभ्रंश से आधुनिक भाषाओं की उत्पत्ति हुई है। प्राकृत और अपभ्रंश को लोक-भाषा मानने की भ्रान्ति के कारण कुछ विद्वान संस्कृत और आधुनिक भाषाओं का सम्बन्ध ठीक-ठीक नहीं देख पाते। उन्हें जहाँ तत्सम रूप मिलते हैं, वे समझ बैठते हैं कि यह अपभ्रंश की प्रगतिशील परम्परा का अनादर है और इन तत्सम रूपों का कारण ब्राह्मणवाद का पुनरुत्थान है। वे इस बात को भूल जाते हैं कि अपभ्रंश साहित्य में बहुत जगह संस्कृत के कठिन शब्दों को ऐसा तोड़ा-मरोड़ा गया है कि वे न तत्सम रह गए हैं, न तद्भव। अपभ्रंश में ऐसे तद्भव रूप कम हैं जिनकी प्रकृति आधुनिक भाषाओं या बोलियों में व्यवहृत तद्भवों से मिलती हो। अपभ्रंश के अधिकाश तद्भव कृत्रिम हैं। यही कारण है कि हिन्दी ही नहीं बंगला, तेलगू आदि भाषाएँ भी अपभ्रंश की तुलना में संस्कृत रूपों को अपनाती हैं। उनमें जो तद्भव शब्द हैं, उनकी प्रकृति अपभ्रंश से भिन्न है। भरे-पूरे व्यंजनों का लोप (लोग-लोअ, वेद-वेअ), णकार की बहुलता (णर-णारी, णिरंजणलीण), द्वित्व भाव के व्यंजनों की भरमार (स्वयंभू में आयड्ढएण, गुट्ठएण, छिप्पइ, लिप्पइ) आदि विशेषताएँ अपभ्रंश की कृत्रिमता सूचित करती हैं। इस बात को न समझकर अपभ्रंश-विशारद आधुनिक भाषाओं के अभ्युदय-काल के साहित्यकारों को दोषी ठहराते हैं कि उन्होंने पुनरुत्थानवाद के कारण अपनी भाषा में तत्सम रूप भर लिये।

हिन्दी आदि भाषाओं और संस्कृत में जितने तत्त्व सामान्य हैं, उतने प्राकृत, अपभ्रंश और इन भाषाओं में नहीं हैं। एक ओर जहाँ इन सामान्य तत्त्वों पर ध्यान न देना भ्रामक है, वहाँ दूसरी ओर यह समझना कि आधुनिक भाषाएँ अपने अभ्युदय काल में दुर्बल थीं और वे संस्कृत का सहारा लिये बिना आगे बढ़ ही न सकती थीं, भी भ्रामक है। इन भाषाओं में व्याकरण-व्यवस्था और शब्द-भंडार की संस्कृतेतर विशेषताएँ भी थीं। संस्कृत ने उसमें योग दिया लेकिन वह इन भाषाओं का मूलाधार नहीं बनी। उदाहरण के लिए हिन्दी की प्रकृति को लें। हिन्दी को संयुक्ताक्षर कम पसन्द हैं; वह स्मरण को सुमिरन, विस्मरण को बिसरना (मराठी विसरणें) कहना ज्यादा पसन्द करेगी। उसकी यह प्रकृति बहुत पुरानी है। इसी के प्रभाव से संस्कृत में चरित और चरित्र जैसे दो रूप मिलते हैं। चरित्र की अपेक्षा चरित हिन्दी की प्रकृति के अनुकूल है। श, ष, स वर्णों का ह, छ, ख आदि ध्वनियों में परिवर्तन भी बहुत पुराना है। इसका उल्लेख पहले हो चुका है। श की तुलना में स, व की तुलना में ब, ण की तुलना में न हिन्दी को अधिक प्रिय हैं। इसी प्रकार अन्य भाषाओं की ध्वनि-सम्बन्धी विशेषताएँ हैं। हिन्दी में लिंग-भेद अधिकांश क्रिया-रूपों में मिलता है। हिन्दी में उठ बैठा, आ गया, चल पड़ा, जैसी संयुक्त क्रियाओं का खूब प्रयोग होता है। हिन्दी में मुहावरों की भरमार है (आँख चुराना, आँख फेरना, आँखें बिछाना, आँखों में समाना इत्यादि)। संस्कृत में

लोकोक्तियाँ हैं; इस तरह के मुहावरे कम हैं। यदि यह मान लिया जाए कि हिन्दी का प्रसिद्ध शब्द 'बाप' संस्कृत 'वाप' से बना है—जिसका अर्थ 'शब्दसागर' में बीज बोनेवाला लिखा है—तो भी यह मानना होगा कि हिन्दी बाप के अर्थ में संस्कृत वाप का प्रयोग न होता था। 'का बापुरो पिनाक पुराना'—यह बापुरा किस बीज बोनेवाले का पर्याय है? इसका सम्बन्ध 'बर्बर' से जोड़ा गया है। और बाबा, बाबुल (ठुमरियों का परिचित—बाबुल मोरा नैहरवा छूटो जाय)? यह तुर्की भाषा से आया है। जो भी हो, बूढ़ी स्त्री को रूसी में भी बाब्का, बाबुश्का कहते हैं (बाब—ग्राम्य स्त्री)। सबेरे के लिए एक शब्द है विहान। इसे विभात का तद्भव सिद्ध किया गया है। पिता की बहन बुआ—यह शब्द 'देशज' है। अन्दर का पर्यायवाची भीतर—इसके आगे लगा है प्रश्नवाचक चिह्न (?)! इस प्रकार आधुनिक भाषाओं की संस्कृतेतर विशेषताओं को अस्वीकार करने की प्रवृत्त भी काम करती रही है।

सारांश यह कि भारत में संस्कृत-परिवार की भाषाएँ जहाँ अनेक रूपों में उससे सम्बद्ध हैं, वहाँ बहुत-सी बातों में उससे भिन्न भी हैं। इन भाषाओं में बहुत-से नये तत्त्वों का मिश्रण और विकास हुआ है किन्तु भिन्नता का मुख्य कारण यह है कि उनका मूलाधार प्राचीन जनपदीय भाषाएँ बहुत-सी बातों में संस्कृत से भिन्न थीं। जब हम इन प्राचीन जनपदीय भाषाओं की बात करते हैं,तब यह स्पष्ट होना चाहिए कि उनमें से प्रत्येक भाषा बोलियों का समूह थी; परिनिष्ठित भाषा के रूप में केवल संस्कृत विकसित हुई। मानव-समाज जब तक उत्पादन और वितरण में बहुत पिछड़ा रहता है, तब तक बोलियों के बीच व्यापक भाषा के अभ्युदय की आवश्यकता नहीं होती। यह आवश्यकता कबीलों में कुलगत सम्पत्ति के साथ उत्पन्न होती है। इस अवस्था के बाद दास-प्रथा पर आधारित कोई सामाजिक व्यवस्था नहीं आती। एंगेल्स ने जिसे बर्बर अवस्था की अन्तिम मंजिल कहा है, उसके बाद संक्रमण सामन्तवाद की ओर होता है। चक्रवर्ती सम्राटों के साम्राज्य और संघबद्ध धर्म स्थापित होने से बड़े पैमाने पर लैटिन, ग्रीक या संस्कृत जैसी परिनिष्ठित भाषाओं का व्यवहार हुआ। लेकिन इन भाषाओं के प्रसार का प्रबलतम कारण व्यापार रहा है। यूरोप में जर्मन-विजेता उसी तरह अपनी भाषा का प्रसार न कर सके जिस तरह रोमन व्यापारी लैटिन का। कालान्तर में लैटिन की यही स्थिति न रही; यूरोप में नई जातियों के साथ उनकी नई भाषाएँ सामने आईं। लैटिन के इस प्रकार पदच्युत होने का कारण यह न था कि उसे व्याकरण की कठिन शृंखला में जकड़ दिया गया था। भारत में भी व्यापार-सम्बन्धी आवश्यकताओं के कारण भाषा का संस्कार करके उसे 'संस्कृत' रूप दिया गया। इसका यह अर्थ नहीं है कि भाषा गढ़ी गई; अर्थ यह है कि भाषा के कुछ रूप सही माने गए, कुछ अन्य रूपों को मान्यता न दी गई। पाणिनि ने अपना व्याकरण रचकर अखिल भारतीय सांस्कृतिक, राजनीतिक और आर्थिक आवश्यकताओं की पूर्ति में योग दिया। जिस समय उन्होंने अपना

व्याकरण रचा, उस समय अशोक और समुद्रगुप्त के से साम्राज्य न थे। अन्तर-जनपदीय व्यापार की प्रगति से यह आवश्यकता उत्पन्न हुई कि व्याकरण द्वारा एक सामान्य व्यवहार की भाषा के रूप स्थिर किये जाएँ। पाणिनि के व्याकरण में व्यापार-सम्बन्धी शब्दों की काफी चर्चा है। इसके सिवा भारतीय व्यापार के निरन्तर प्रसार के अन्य प्रमाण भी हैं। इस व्यापार का माध्यम संस्कृत बनी और सुवर्णद्वीप जैसे सुदूर उपनिवेशों में भी पहुँची।

प्राचीन व्यापार का सम्बन्ध मुख्यत: उच्च वर्गों से था। कुल मिलाकर सामन्त वर्ग व्यापारियों पर हावी रहा और उनके हाथ में राज्यसत्ता कभी न आई। सामन्ती सम्बन्धों के प्रभाव से यहाँ संस्कृत ब्राह्मणों की, पालि बौद्धों और प्राकृत जैनों की धार्मिक भाषा समझी जाने लगी। जैन और बौद्ध धर्म के संस्थापकों ने अपने धर्मों का प्रचार लोकभाषाओं में अवश्य किया होगा, लेकिन ये लोकभाषाएँ प्राकृत और पालि से भिन्न थीं। यहाँ किसी समय शिलालेखों में प्राकृत के प्रयोग का चलन था। इससे यह न समझना चाहिए कि जहाँ-जहाँ ऐसे-ऐसे शिलालेख मिलते हैं, वहाँ की भाषा प्राकृत थी। प्राकृतें संस्कृत की तुलना में बोलचाल की भाषाओं से दूर थीं। यही कारण है कि अनेक जैन और बौद्ध विद्वानों ने संस्कृत में भी ग्रंथ लिखे। सामन्ती युग के ह्रासकाल में जब आधुनिक भाषाओं में साहित्य रचा जाने लगा, तब स्वभावत: साहित्यकारों ने प्राकृत या अपभ्रंश की तुलना में संस्कृत का ही अधिक सहारा लिया। इसका कारण इस्लाम की प्रतिक्रिया या हिन्दू नवजागरण न था; कारण था संस्कृत का साहित्यिक महत्त्व और बोलचाल की भाषाओं से उसका सम्बन्ध। इन भाषाओं ने जहाँ तद्भव रूपों को अपनाया है, वहाँ अधिकतर अपभ्रंश के तद्भव निर्माण का मार्ग छोड़कर। संस्कृत से आधुनिक भाषाओं के निकट सम्बन्ध पर पूरा बल देते हुए संस्कृत से उनकी भिन्नता को न भूलना चाहिए। अनेक तत्त्वों के सामान्य होते हुए भी उनकी अपनी जातीय विशेषताएँ हैं।

दसवाँ अध्याय

# जातीय निर्माण के उपकरण

अन्तरजनपदीय व्यवहार के लिए संस्कृत अपने परिनिष्ठित रूप में विकसित हुई। इससे पहले भी वैदिक काल में यहाँ विभिन्न जन अपने-अपने जनपदों में निवास करते थे। आज भी हम ब्रज, बुंदेलखंड आदि को जनपद कहते हैं; इनकी भाषा और संस्कृति तथा राजनीतिक पुनर्गठन के लिए छोटे-मोटे जनपदीय आन्दोलन भी चले हैं। इन विभिन्न युगों में नाम एक ही रहा है जनपद; किन्तु उसका अर्थ एक-सा नहीं रहा। रूप (शब्द) के स्थिर रहने पर भी उसकी विषयवस्तु (अर्थ) बदलती रही है। वैदिक और उत्तर वैदिक काल के जनपद उन जनों के निवास थे जो रक्त-सम्बन्ध के आधार पर सम्बद्ध थे। प्रत्येक जन (कबीले, ट्राइब) के सदस्य वही लोग होते थे जो परस्पर एक-दूसरे के सम्बन्धी होते थे। जन के अन्दर एक गोत्र के लोग आपस में विवाह न करते थे, परन्तु उसी जन के विभिन्न गोत्र आपस में इस तरह का सम्बन्ध स्थापित करते थे। शस्त्र-धारण करने का अधिकार किसी वर्ण विशेष को न था; प्रत्येक नागरिक अपने जनपद का रक्षक भी होता था। इन जनों में व्यक्तिगत सम्पत्ति का उद्भव हुआ। सम्पत्ति कुछ कुलों में सिमटकर केन्द्रित होने लगी। वर्णों का उद्भव हुआ। चातुर्वर्ण्य व्यवस्था संसार में प्रत्येक सामन्ती समाज की विशेषता है। इसमें सम्पत्ति का स्वामी भूस्वामी वर्ग होता है। संस्कृति और शिक्षा का काम पुरोहित वर्ग के हाथ में रहता है। सामन्तों के साथ उनके अधीन रहकर या उनका सहयोगी बनकर व्यापारी वर्ग काम करता है। समाज के शेष सदस्य खेती, कारीगरी आदि के द्वारा इन 'द्विजों' की 'सेवा' करते हैं।

चातुर्वर्ण्य व्यवस्था का उद्भव पुराने रक्त-सम्बन्धों के विघटन की सूचना देता है। एक ही जन के सदस्य एक-दूसरे की बराबरी का दावा न करके ऊँच-नीच बन जाते हैं, पहले विवाह-सम्बन्ध केवल गोत्र-भेद का ध्यान रखकर किया जाता था; अब वर्ण-भेद का ध्यान रखना सबसे अधिक आवश्यक हो जाता है। एक जन का क्षत्रिय दूसरे जन के क्षत्रिय के यहाँ विवाह-सम्बन्ध करे तो उचित है; एक ही जन के ब्राह्मण-क्षत्रिय परिवार इस तरह का सम्बन्ध करें तो यह अनुचित है। सामूहिक प्रभुत्व का स्थान व्यक्तिगत या कुलगत प्रभुत्व ले लेता है। कौरव और पांडव एक

ही जन के 'भाई' होते हुए आपस में युद्ध करते हैं। अर्जुन की समस्या प्राचीन रक्त-सम्बन्धों पर आधारित संस्कारों के छिन्न होने की समस्या है। अपने ही जन के सदस्य का वध उन संस्कारों के अनुसार सबसे बड़ा पाप है। इस पाप-भावना को लेकर यूनान में अनेक दु:खान्त नाटक लिखे गए थे। कृष्ण ने इन प्राचीन रूढ़िगत रक्त-सम्बन्धी संस्कारों को तोड़ने का मंत्र दिया।

समाज-शास्त्रीय दृष्टिकोण से महाभारत सामन्ती युग के अभ्युदय और प्राचीन जनों के छिन्न होने की गाथा है। सामाजिक विकास के लिए यह विघटन आवश्यक और अनिवार्य था।

भारत जैसे विशाल देश में समस्त प्राचीन जनों का एक साथ विघटन—सर्वत्र एक साथ सामन्तवाद का अभ्युदय—सम्भव न था। इस विघटन के अनेक केन्द्र थे। इनमें एक था धर्मक्षेत्र-कुरुक्षेत्र। दूसरा था मगध, जो कुछ पंडितों के विचार से ऐसा अधर्म-क्षेत्र था कि वहाँ मरने से मुक्ति ही न मिलती थी। (कहते हैं, इसीलिए कबीर ने मगध में मरने का निश्चय किया था—जो कासी तन तजै कबीरा, रामहिं कौन निहोरा।) यह विघटन आज भी पूरा नहीं हुआ। अनेक जन अर्द्धसभ्य अवस्था में भारत के अनेक प्रदेशों में बिखरे पड़े हैं। वे अभी तक सामन्ती व्यवस्था में समेटे नहीं जा सके। उत्तर भारत के प्रमुख जनों और उनके संघों का विघटन चन्द्रगुप्त मौर्य से लेकर समुद्रगुप्त तक के साम्राज्यों के स्थापना काल में लगभग पूरा हो गया था। डॉ. जायसवाल के अनुसार 'मौर्य साम्राज्यवाद' और हिन्दू-यूनानी क्षत्रपों ने अधिकांश प्राचीन गणराज्यों का विनाश किया।[1] इसके बाद गुप्त-युग में "पाँचवीं शताब्दी के अन्त तक हिन्दू भारत से गणराज्यों का लोप हो जाता है।"[2] ये गणराज्य मुख्यत: किन्हीं बाह्य कारणों से लुप्त नहीं हो गए; उन्हें विघटित करनेवाली शक्ति मुख्यत: उन्हीं के अन्दर थी। यह शक्ति थी उत्पादन और वितरण का विकास, कृषि के प्रसार से भूमि का सम्पत्ति-रूप में महत्त्व, श्रम का नया विभाजन और उसके अनुरूप वर्ण-व्यवस्था का अभ्युदय और प्रसार। प्राचीन गणराज्यों में—उनके ह्रास काल में—सामाजिक समानता न थी। सम्पत्ति कुछ कुलों में केन्द्रित थी। राज्यसत्ता भी इन्हीं के हाथों में थी। शासक चुनने का काम सारा जन न करता था; उसके कुछ विशेषाधिकार-भोगी परिवारों तक यह अधिकार सीमित था। दासों और परदेसियों को राज्यसत्ता में अधिकार न था। वर्ण-व्यवस्था ने इस दादापंथी रक्त-सम्बन्ध के बदले नये सम्बन्ध स्थापित किये जिनका मुख्य आधार था सम्पत्ति। रक्त-सम्बन्ध की परम्परा उन बिरादरियों में कायम हुई जो वर्णों के अन्तर्गत थीं। नई बिरादरियाँ बनीं जिनका आधार कोई पेशा था। पुराने जनों के नाम वर्ण-व्यवस्था के अधीन रहनेवाली जातियों (कास्ट) के साथ जुड़ गए। आभीर जन की स्मृति शेष रही अहीरों में।

1. के.पी. जायसवाल, 'हिन्दू पौलिटी', बंगलौर, 1943, पृ. 148
2. उप., पृ. 164

जोहिया राजपूत यौधय गण के चिह्न रूप में रहे। डॉ. जायसवाल के अनुसार प्राचीन भोजक जन कच्छ और काठियावाड़ की एक जाति विशेष बने; प्राचीन राठिक जन से मारवाड़ी वैश्यों में प्राप्त राठी जाति सम्बन्धित है; इसी प्रकार कम्बोह जाति का सम्बन्ध प्राचीन कम्बोज जन से है। हिन्दुस्तान में जितने पेशे हैं, उनसे बहुत ज्यादा संख्या में जातियाँ हैं। इसका कारण यह है कि जातियों के साथ उनके प्राचीन जन-नाम जुड़े हुए हैं। किसी जन का विघटन होने पर उसके सभी सदस्य एक ही जाति (कास्ट) में शामिल न हो सकते थे। साधारणत: वे अनेक वर्णों और जातियों में बँट जाते थे। यही कारण है कि अग्रजन से सम्बन्धित अग्रवाल, वैश्य वर्ण के अलावा, अन्य वर्णों या जातियों में भी पाए जाते हैं।

सामन्त-युग के जनपद प्राचीन जनपदों से बिलकुल भिन्न हैं। इनका आधार वर्ण-व्यवस्था है प्राचीन व्यवस्था का वर्णेतर रक्त-सम्बन्ध खत्म हो गया है। इन जनपदों में वर्ग-भेद है, राज्यसत्ता है, ऊँच-नीच का भेदभाव है, शासक-शसित हैं, न्यायालय, दंड-विधान, कोश, सेना, स्मृति-ग्रंथ हैं। मगध, कोसल, केरल, आन्ध्र आदि प्राचीन जनों के नाम पर अनेक प्रदेशों के नाम रखे गए जो आज तक चले आ रहे हैं। इन प्रदेशों की न तो प्राचीन सीमाएँ आज की-सी थीं, न प्राचीन काल की तरह उनमें आज रक्त-सम्बन्ध पर आधारित जन रहते हैं। इसलिए इतिहास में ईसा की नवीं शताब्दी में कुरु-जन का उल्लेख मिले तो उसे प्राचीन कुरु-जन का पर्यायवाची समझना जरूरी नहीं।

समाजशास्त्र का एक पेचीदा प्रश्न है—सामन्ती युग में जाति (नेशनैलिटी) का गठन होता है या नहीं और होता है तो उसका आधार क्या है। पूँजीवाद के अभ्युदय काल में नये सिरे से जातियों का गठन होता है। इस गठन का आधार नये पूँजीवादी बाजार का निर्माण माना जाता है। किन्तु इस पूँजीवादी विकास से पहले, और पुराने कबीलों के विघटन के बाद 'बीच' की मंजिल में सामाजिक गठन का कोई जातीय रूप होता है या नहीं? वैज्ञानिक समाजशास्त्र में सामन्ती विघटन की चर्चा अक्सर रहती है। यह विघटन पूँजीवादी एकीकरण की तुलना में ही विघटन है। पुराने कबीलों को देखते हुए सामन्ती समाज अपनी जातीय सीमा-रेखाओं में अधिक विस्तृत होता है। सोवियत अकादमिक कोस्मिन्स्की ने अंग्रेज़ी जाति के निर्माण पर अपने निबन्ध में इस समस्या की ओर संकेत किया है। उन्होंने लिखा है : "इतिहासकार के लिए, विशेष कर मध्यकाल-विशेषज्ञ के लिए सबसे महत्त्वपूर्ण समस्या यह है कि वह इस बात की व्याख्या करे कि पूँजीवाद से पहले के युग में जाति (नेशन) के विभिन्न तत्त्व कैसे धीरे-धीरे विकसित हुए। मध्यकाल के विशेषज्ञ को उस जन-समाज (कम्यूनिटी ऑव पीपुल) से खास दिलचस्पी है जो जाति (नेशन) के निर्माण से पहले था और जिसे लघुजाति (नेशनैलिटी, नरोद्नोस्त) कहना चाहिए। लेकिन यह पेचीदा सवाल है जिसकी विशेष छानबीन आवश्यक है;

उस पर हम इस समय विचार न करेंगे।"[1] कोस्मिन्स्की ने लघुजाति की व्याख्या नहीं की किन्तु पूँजीवाद से पहले अर्थात् सामन्ती युग में उसका अस्तित्व माना है। स्तालिन की रचनाओं में लघुजाति (नेशनैलिटी) और महाजाति (नेशन) का भेद किया गया है। आस्ट्रिया, हंगरी और रूस के राज्यों के निर्माण की चर्चा करते हुए उन्होंने लिखा था कि इन देशों में राज्य-निर्माण की विशेष प्रक्रिया का कारण यह था कि सामन्तवाद का पूरी तरह खात्मा न हुआ था, पूँजीवादी विकास कमजोर था और "जो लघुजातियाँ पीछे ठेल दी गई थी, वे आर्थिक रूप से सम्बद्ध महाजातियों के रूप में अपने को सुगठित न कर सकी थीं।"[2] अन्यत्र उन्होंने पूर्वी यूरोप के बारे में लिखा था कि वहाँ सुकेन्द्रित राज्य पहले बने थे और उनमें से "प्रत्येक में अनेक लघुजातियाँ थीं जो अभी महाजातियों के रूप में निर्मित न हुई थीं लेकिन जो एक सामान्य राज्य में संघबद्ध हो गई थीं।"[3] मार्क्सवाद और भाषाविज्ञान के सम्बन्ध में प्रश्नों का उत्तर देते हुए स्तालिन ने लघुजातियों की भाषा से महाजातियों की भाषा के विकास की बात की थी। सिकन्दर और सीजर के साम्राज्यों को उन्होंने कबीलों और लघुजातियों का जमघट बताया था। स्पष्ट ही कबीलों के समाज के बाद और पूँजीवाद के अभ्युदय से पहले वह मानव-समाज को लघुजातियों के रूप में गढ़ा हुआ मानते थे किन्तु इन लघुजातियों की निर्माण-प्रक्रिया, उनके आर्थिक आधार आदि की व्याख्या उनकी रचनाओं में नहीं है। लेनिन और स्तालिन ने यह स्पष्ट कर दिया था कि सामन्ती समाज का आधार कबीलों वाला रक्त-सम्बन्ध नहीं है। रूस के लोकवादी (नरोद्निक) विचारक मिखायलोव्स्की का मत था कि उन रक्त-सम्बन्धों के आधार पर ही आधुनिक जातियों का निर्माण होता है। लेनिन ने इस मत का खंडन किया था। 'जनता के मित्र कौन हैं और वे सोशल डेमोक्रेटों से कैसे लड़ते हैं'—इस पुस्तिका में उन्होंने लिखा था कि मध्यकाल में, मॉस्को के ज़ार-शासन में, ये रक्त-सम्बन्ध बिलकुल नहीं थे और "राज्य का आधार प्रादेशिक संघ थे, न कि रक्त-सम्बन्ध पर आधारित संघ। जमींदार और मठ विभिन्न स्थानों से अपने किसान चुन लेते थे और इस तरह जो ग्राम-समाज बने थे, वे विशुद्ध प्रादेशिक इकाइयाँ थे।" लेनिन ने जिन्हें प्रादेशिक इकाइयाँ कहा है, उन्हें संस्कृत-हिन्दी में हम जनपद कहते हैं। हिन्दी में बुंदेलखंड, ब्रज, अवध, आदि प्रदेशों को हम आज भी 'जनपद' कहते हैं; इन्हीं से मिलकर समूचा हिन्दी-भाषी प्रदेश बना है। लेनिन के अनुसार लगभग सत्रहवीं सदी के आरम्भ में रूसी सौदागरों ने छोटे स्थानीय बाजारों को मिलाकर एक विशाल अखिल-रूसी बाजार कायम किया और इससे रूसी जाति का निर्माण हुआ। लेनिन की इस स्थापना से

1. ई.ए. कोस्मिन्स्की, 'दि फॉर्मेशन ऑव दि इंग्लिश नेशन', ऐंग्लो-सोवियत जर्नल, ग्रीष्म, 1952
2. स्तालिन, 'मार्क्सिज़्म एंड दि नेशनल एंड कोलोनियल क्वेश्चन', लॉरेन्स एंड विशार्ट, पृ. 13
3. उप., पृ. 100

यह निष्कर्ष निकाला जा सकता है कि सामन्ती युग के जनपदों का आधार छोटे स्थानीय बाजार हैं। लेकिन ये स्थानीय बाजार काफी छोटे होते हैं और जनपद अक्सर उनसे बड़े होते हैं। महाजातियों (नेशन) के निर्माण में भी इस बाजार-निर्माण का महत्त्व सीमित ही होता है। बंगाल और पंजाब विभाजित हैं, उनका सामान्य बाजार नहीं है। लेकिन इसका यह अर्थ नहीं है कि पूर्वी बंगाल के लोग पश्चिमी बंगाल वालों से भिन्न जाति के हैं। यूरोप में उक्रैनी जाति विभाजित रही है; दूसरे महायुद्ध के बाद उसका एकीकरण पूरा हुआ है; उक्रैनी-उक्रैनी एक हैं, इस बात को वे विभाजित दशा में भी जानते थे।

रोमन-साम्राज्य के बाद यूरोप के मध्ययुग के बारे में एंगेल्स ने 'परिवार, व्यक्तिगत सम्पत्ति और राज्यसत्ता की उत्पत्ति' नामक ग्रंथ में लिखा था कि यद्यपि ये चार सौ वर्ष अनुत्पादक थे, फिर भी भूस्वामियों के लिए यह नये युग का सूत्रपात था और आधुनिक इतिहास के लिए इन 400 वर्षों ने एक महान् वस्तु तैयार कर दी थी और वह थी आधुनिक जातियाँ (नेशनैलिटी)। इससे मालूम होता है कि एंगेल्स सामन्ती युग में लघुजातियों का उद्भव और अस्तित्व स्वीकार करते थे। इस सम्बन्ध में उन्होंने उपर्युक्त ग्रंथ में अन्यत्र जो कुछ कहा है, उससे लघुजातियों की निर्माण-प्रक्रिया पर प्रकाश पड़ता है। अमरीका की आदिवासी जातियों के बारे में उन्होंने लिखा था कि कुछ क्षेत्रों में उन्होंने स्थायी संघ बनाए थे और इस प्रकार "जातियों (नेशन) के निर्माण की ओर उन्होंने पहला कदम उठाया था।" एंगेल्स के मत से कबीलों का स्थायी संघ बनाना जाति-निर्माण के लिए आवश्यक है। जनसंख्या बढ़ने के साथ वह इस तरह का संघ बनना अनिवार्य समझते थे। उन्होंने आगे लिखा है : "जनसंख्या का घनत्व बढ़ने से यह आवश्यकता उत्पन्न हुई कि आन्तरिक रूप से और बाहरी दुनिया के विरुद्ध संघबद्ध हुआ जाए। हर जगह सम्बन्धित जातियों का संघ आवश्यक हुआ और शीघ्र ही उनका परस्पर घुल-मिलकर एक होना भी आवश्यक हो गया। तब कबीलों के विभिन्न प्रदेश (जनपद) जनता के एक ही विशाल प्रदेश (महा जनपद) में घुल-मिलकर एक हो गए।" सामन्ती-व्यवस्था में लघुजातियों के निर्माण की यह सुन्दर व्याख्या है। उत्पादन और वितरण में विकास, सम्पत्ति का अर्जन और केन्द्रीकरण यह आवश्यकता उत्पन्न करता है। प्राचीन जनों का बिखराव परस्पर विनिमय, व्यापार आदि के विकास में बाधक होता है। भूस्वामियों के हाथ में सम्पत्ति का मुख्य स्रोत केन्द्रित होने पर समाज नये श्रम-विभाजन के आधार पर चार वर्णों में विभाजित हो जाता है। सामन्ती समाज की विशेषता है छोटे पैमाने का उत्पादन। इस उत्पादन से लाभ उठाते हैं पुरोहित, भूस्वामी और व्यापारी; जनता का अधिकांश भाग जो शारीरिक श्रम करके खाने-पहनने से लेकर भोग-विलास तक की सामग्री जुटाता है, अधिकारच्युत होकर सेवक मात्र रह जाता है। सम्पत्तिशाली वर्गों के समर्थक शास्त्रकार इस व्यवस्था को सनातन और ईश्वर-कृत बतलाते हैं। उनके

लिए वर्ण-धर्म मुख्य हो जाता है, जन का रक्त-सम्बन्ध गौण हो जाता है। पूरे जन के गरीब-अमीर सदस्यों को एक से अधिकार देनेवाला रक्त-सम्बन्ध उनके किसी काम का नहीं रहता। सम्पत्ति और श्रम-विभाजन के आधार पर कुलीनता के नये मानदंड कायम होते हैं। प्राचीन जनों का जनतंत्र केवल सेवकों में अवशिष्ट रहता है।

प्राचीन जनों का एकीकरण समानता और भाईचारे के आधार पर सदा जन-तांत्रिक ढंग से नहीं होता। शक्तिशाली जन दूसरों पर विजय प्राप्त करके भी यह एकीकरण की प्रक्रिया सम्पन्न करते हैं। 'सेवकों' का काम करने के लिए निर्बल विजित जनों के सदस्य उपयोगी सिद्ध होते हैं। साथ ही एक ही जन या सम्बन्धित जनों के सदस्य सामन्ती व्यवस्था में नये सिरे से गठित लघुजातियों में मिल जाते हैं और बहुत दिनों तक अपनी प्राचीन विशिष्टता भी बनाए रहते हैं। उत्तरी भारत के जाट और गूजर इस प्रक्रिया के उदाहरण हैं। जाट और गूजर—सुनार, लुहार की तरह—किसी पेशे वाली जाति के नाम नहीं हैं। वे प्राचीन जनों के अवशेष हैं जो भारत के विभिन्न जनपदों (लघुजातियों के प्रदेशों) में बँट गए हैं। वे जिस जनपद में रहते हैं, वहीं की—ब्रज, पंजाबी, खड़ी बोली आदि—भाषा बोलते हैं। किसी भाषा को बोलनेवालों की इकाई पहले जन थी; उसका स्थान अब लघुजाति ले लेती है। जनसंख्या में लघुजाति जन से बड़ी होती है; उसका प्रदेश प्राचीन जनपद से बड़ा होता है। इस लघुजाति की भाषा का निर्माण किसी प्रमुख जन की भाषा के आधार पर ही होगा, किन्तु अनेक जनों के मिश्रण से उस प्रमुख जन की भाषा में अन्य तत्त्वों का समावेश भी होगा। इसी कारण सामन्ती युग में जिन भाषाओं से हम परिचित होते हैं, उनके मूल-तत्त्व प्राचीन जनों की भाषाओं में मिलने चाहिए, किन्तु उन भाषाओं का वही रूप लघुजातियों के निर्माण से पहले के जनों की भाषाओं में मिले, यह आवश्यक नहीं है।

आधुनिक भाषाएँ किन्हीं आधुनिक जातियों की भाषाएँ हैं—बंगला बंगाली जाति की, तमिल तमिल जाति की, कश्मीरी कश्मीरी जाति की। आधुनिक भाषाओं का विकास समझने के लिए उन्हें बोलनेवाली आधुनिक जातियों का विकास समझना आवश्यक है। इन आधुनिक जातियों का विकास सामन्ती व्यवस्था की लघुजातियों के विकास से सम्बद्ध है और इन लघुजातियों का विकास प्राचीन जनों के विघटन और एकीकरण से सम्बद्ध है। भारत में बहुत-सी ऐसी लघुजातियाँ हैं जिन्होंने अपने प्राचीन जनकाल की स्मृतियों को सुरक्षित रखा है। इस सिलसिले में हम ब्रज का उदाहरण ले सकते हैं। पुरातत्त्वज्ञ श्री कृष्णदत्त वाजपेयी ने अपने ग्रंथ 'ब्रज का इतिहास' में कुछ तथ्य दिये हैं जिनसे प्राचीन जनों और सामन्ती व्यवस्था के जनपदों का सम्बन्ध समझा जा सकता है। प्राचीन काल में मथुरा और उसके आसपास का प्रदेश शूरसेन जनपद कहलाता था। यहीं किसी समय अंधक-वष्णि संघ बना था। "श्रीकृष्ण के अन्त का इतिहास वास्तव में यादव गणतंत्र के अन्त

का इतिहास है।"[1] इस अन्त को ब्रजवासी जाति के निर्माण का आरम्भ भी कहा जा सकता है। शूरसेन जनपद का अन्त नहीं हुआ। उसका महत्त्व इसी बात से सिद्ध है कि एक प्राकृत को उसी के आधार पर शौरसेनी नाम दिया गया। यादव गणतंत्र कैसे भंग हुआ? "पूर्व निश्चय के अनुसार उग्रसेन, कृष्ण, बलराम आदि के नेतृत्व में यादवों ने बहुत बड़ी संख्या में मथुरा से प्रयाण किया और सौराष्ट्र की नगरी द्वारावती में जाकर बस गए।"[2] (यदि यह घटना सत्य हो तो ब्रज और गुजराती भाषाओं के सामीप्य का ऐतिहासिक कारण मिल जाता है।) गणतंत्र भंग हो गया लेकिन सामन्ती व्यवस्था में नये आधार पर वह जनपद बना रहा।

बुद्ध के समय में भारत के सोलह महाजनपदों में सूरसेन जनपद भी था। लेकिन "ये सोलह महाजनपद बहुत काल तक यथापूर्व स्थिति में न रह सके। इनमें से कुछ में दूसरों को हड़पकर अपना विस्तार बढ़ाने की भावना बड़ी, विशेष कर पूर्वी जनपदों में। काशी, कोसल, मगध, अंग, वत्स आदि राज्यों में हम यह बात स्पष्ट रूप से पाते हैं। इसका फल यह हुआ कि विभिन्न जनपदों के बीच संधि-विग्रह की घटनाएँ द्रुतगति से बढ़ने लगीं। महात्मा बुद्ध के समय तक आते-आते मगध, कौसल, वत्स और अवन्ति—ये भारत के चार प्रधान राज्य बन गए और इनके सामने प्राय: सभी अन्य जनपदों की स्थिति गौण हो गई।"[3] बुद्ध का समय प्राचीन जनों के विघटन और सामन्ती व्यवस्था के अभ्युदय का युग है। प्राचीन जनपदों का एकीकरण संघ बनाकर ही नहीं होता, उनमें दूसरों को हड़पकर अपना विस्तार बढ़ाने की भावना भी उत्पन्न होती है, यह बात ऊपर के उद्धरण से स्पष्ट है।

शूरसेन जनपद पर मगधवासी मौर्य शासकों का अधिकार होता है। आधुनिक हिन्द प्रदेश के दो छोर—ओर-छोर के भिन्न भाषाएँ बोलनेवाले जन—एक-दूसरे के ज़िकट आते हैं। निकट आने की यह प्रक्रिया युद्ध, हिंसा और राज्य-विस्तार की सामन्ती पद्धति से सम्पन्न होती है। लेकिन इस सामन्ती एकीकरण का एक सबल पक्ष था। मौर्य शासकों ने पेशावर से पाटलिपुत्र तक 1850 मील लम्बी सड़क बनाई। "यह सड़क राजगृह, काशी, प्रयाग, साकेत, कौशाम्बी, कन्नौज, मथुरा, हस्तिनापुर, शाकल, तक्षशिला और पुष्कलावती होती हुई पेशावर जाती थी।"[4] इस प्रकार सूरसेन जनपद का अलगाव दूर हुआ; मथुरा नगर व्यापार का प्रमुख केन्द्र बना और विभिन्न जनपदों को निकट लाने में उसकी भूमिका महत्त्वपूर्ण सिद्ध हुई। मगधवासी समुद्रगुप्त ने फिर इस जनपद को एक विशाल साम्राज्य का अंग बनाया। मथुरा पर नागों, शकों, यूनानियों, हूणों, तुर्कों आदि के आक्रमण हुए किन्तु इनसे

1. कृष्णदत्त वाजपेयी, 'वन का इतिहास', प्रथम खंड, मथुरा, पृ. 55
2. उप, पृ. 45
3. उप., पृ. 64
4. उप., पृ. 70

जनपद का अस्तित्व खत्म न हुआ। वहाँ रक्त-सम्बन्ध पर आधारित कोई कबीला न रहता था; वह शूरसेन जाति का निवास था। उसकी अपनी भाषा और संस्कृति थी। अनेक बाह्य तत्त्व उसमें आकर मिलते रहे और वे ब्रज में बसकर ब्रज के हो गए। यही कारण है कि जब आक्रमणों के बादल निकल जाते हैं, जनपद की धरती फिर हरी हो जाती है। ब्रज को यह स्थायित्व देनेवाली शक्ति वह लघुजातीय संगठन था जिसमें वहाँ के निवासी बँधे हुए थे। सामन्ती व्यवस्था में प्राचीन जनपद की सीमाएँ बहुत विस्तृत हो गईं। अब मथुरा नगरी और उसके आसपास का प्रदेश ही ब्रज-मंडल न था; इस मंडल में दूर-दूर के प्रदेश शामिल हुए। "ई. सातवीं शती में जब चीनी यात्री ह्वेन सांग यहाँ आया तब उसने लिखा कि मथुरा राज्य का विस्तार 5000 ली (लगभग 833 मील) था। इस वर्णन से पता चलता है कि सातवीं शती में मथुरा राज्य के अन्तर्गत वर्तमान मथुरा-आगरा जिलों के अतिरिक्त आधुनिक भरतपुर तथा धौलपुर जिले और उपरले मध्यभारत का उत्तरी लगभग आधा भाग रहा होगा।"[1] यह कल्पना भ्रान्त हो सकती है, किन्तु इतना निश्चित है कि सातवीं सदी में सूरसेन जनपद की सीमाएँ बुद्धपूर्व के जनपद से बहुत बड़ी थीं। इस प्रकार प्राचीन जनपद सामन्ती व्यवस्था में निर्मित होनेवाली लघुजाति का विस्तृत प्रदेश बना।

इसी प्रकार प्राचीन मगध जन के नाम पर उस जनपद का नाम पड़ा और वह नाम आज तक सुरक्षित है। श्री बिमलाचरन लॉ के अनुसार बुद्ध के समय में मगध प्रदेश के अन्तर्गत वर्तमान पटना जिला और गया जिले के उत्तरी अर्द्धांश की भूमि आती थी। कभी प्राचीन जनपदों के नाम सुरक्षित रहते हैं, कभी उनके बदले दूसरा नाम प्रचलित हो जाता है। मगध का नाम अब तक चला आया लेकिन सूरसेन जनपद का नाम ब्रज पड़ गया। इसी प्रकार वर्तमान अवध प्रदेश का निर्माण प्राचीन कोसल जन की भूमि को केन्द्र बनाकर हुआ; नाम बदल गया। महत्त्व नाम का नहीं है; महत्त्व इस बात का है कि जहाँ प्राचीन जनपद थे, वहीं सामन्ती युग में लघुजातियों के प्रदेश बने जो अब प्रमुख बोलियों के क्षेत्र हैं। डॉ. वासुदेवशरण अग्रवाल के अनुसार : "गंगा-यमुना के बीच में लगभग मेरठ कमिश्नरी का इलाका असली कुरु राष्ट्र था।"[2] इसे खड़ी बोली का मूल क्षेत्र समझना चाहिए। "यमुना और चम्बल के कांठे में प्राचीन कुंति राष्ट्र (वर्तमान ग्वालियर राज्य) था जो अब भी कोंतवार कहलाता है।...अभी तक चम्बल से टोंस तक का प्रदेश बुंदेलखंड की भौगोलिक इकाई के रूप में प्रसिद्ध रहा है।"[3] इस प्रकार बुंदेलखंड जनपद का निर्माण प्राचीन कुंती जनपद को केन्द्र बनाकर हुआ। काशी जनपद की राजधानी वाराणसी थी। यह पश्चिमी भोजपुरी का केन्द्र बना।

---

1. कृष्णदत्त वाजपेयी, 'ब्रज का इतिहास', प्रथम खंड, मथुरा, पृ. 2
2. 'पाणिनिकालीन भारतवर्ष', पृ. 70
3. उप., पृ. 75

डॉ. धीरेन्द्र वर्मा ने प्राचीन जनपदों से हिन्दी की आधुनिक बोलियों का सम्बन्ध ठीक जोड़ा है। "कुरु-जनपद आजकल अम्बाला, दिल्ली, मेरठ तथा बिजनौर के आस-पास का खड़ी बोली का प्रदेश है।"[1] पञ्चाल जनपद "आजकल के रोहिलखंड का अधिकांश भाग तथा कन्नौज के निकट का प्रदेश कहा जा सकता है। बोली की दृष्टि से इसे आजकल की कनौजी या पूर्वी ब्रज के रूप में हम पाते हैं।"..."शूरसेन आजकल का आगरा कमिश्नरी या ब्रज प्रदेश कहा जा सकता है।" डॉ. वर्मा के अनुसार, जयपुरी मेवाती बोली का वर्तमान क्षेत्र प्राचीन मत्स्य जनपद था। कोसल वर्तमान अवध है; प्राचीन विदेह जनपद वर्तमान मिथिला है। काशी जनपद वर्तमान भोजपुरी प्रदेश है। वर्तमान मरही बोली का क्षेत्र प्राचीन मगध था। बघेलखंड पहले वत्स जनपद था। "चेदि जनपद वर्तमान बुंदेलखंड के प्रदेश से मिलता-जुलता था।" अवन्ति जनपद पश्चिमी मालवा है।

डॉ. वर्मा ने हिन्दी की आधुनिक बोलियों का सम्बन्ध प्राचीन जनपदों से ठीक जोड़ा है किन्तु उन्होंने आधुनिक बोलियों के क्षेत्रों को प्राचीन जनपदों के बराबर मान लिया है। प्राचीन सूरसेन जनपद और आधुनिक ब्रज की सीमाओं में बहुत अन्तर है। प्राचीन जनपद रक्त-सम्बन्ध पर आधारित जनों की निवास-भूमि थी। आधुनिक ब्रज का निर्माण सामन्ती युग में हुआ; वह जन के बदले एक लघुजाति की निवास-भूमि बना। वह लघुजाति घुल-मिलकर अब एक महाजाति का अंग बन गई है। लघुजातियों के निर्माण और विघटन की इस प्रक्रिया को न देखने के कारण राहुल जी ने 1943 में हिन्दी-भाषी प्रान्तों को प्राचीन जनपदों के अनुसार बाँटने का सुझाव रखा था। इस प्रकार खड़ी बोली के क्षेत्र की दो राजधानियाँ होतीं—एक मेरठ, दूसरी दिल्ली; अवधी बोली के क्षेत्र की भी दो राजधानियाँ होतीं—लखनऊ और प्रयाग। भोजपुरी क्षेत्र की दो राजधानियाँ होतीं—बनारस और छपरा। भोजपुरी-भाषियों में वह एक ही जातीय चेतना स्वीकार नहीं करते। "प्रान्तों के बँटवारे में जहाँ स्टैंडर्ड भाषा का सवाल उठा कि सीधे छपरा और बनारस की बोलियों का दावा आपके सामने आएगा और मल्ल तथा काशी जनपदों के निवासी अपनी-अपनी भाषाओं की अलग-अलग सत्ता स्वीकार कराके रहेंगे। प्रान्तों के पुनर्विभाजन के सम्बन्ध में यह मालूम होना चाहिए कि सवा करोड़ मल्लवासी (छपरा, बलिया, आरा, मोतिहारी, देवरिया, दिलदारनगर वाले) इसके लिए सबसे अधिक उतावले हैं।"[2] सामाजिक विकास-क्रम में जो जनपद एक-दूसरे में घुलमिल चुके हैं, उन्हें विघटित करने का प्रयत्न इतिहास-विरोधी क्रिया है। एंगेल्स ने विभिन्न जनों द्वारा स्थायी संघ बनाने को ऐतिहासिक आवश्यकता बतलाया था; ये स्थायी संघ ही प्राचीन रक्त-सम्बन्ध तोड़कर सामन्त काल में लघुजाति के रूप में विकसित होते हैं।

1. 'मध्यदेश', पृ. 16
2. राहुल सांकृत्यायन, 'मातृभाषाओं का प्रश्न', 'हंस', सितम्बर, 1943

यह प्रक्रिया वज्जिगण के निर्माण में देखी जा सकती है। "इसके अन्तर्गत आठ जन थे जिनमें विदेह और लिच्छवि प्रधान थे।"[1] लघुजाति की तुलना में प्राचीन जन एक सीमित और सम्बद्ध इकाई था। लघुजाति के क्षेत्र में बोलियों की विविधता दिखाई देती है। काशी और छपरा की भोजपुरी में अन्तर है; इसी प्रकार लखनऊ और प्रयाग की अवधी में अन्तर है। इससे यह निष्कर्ष न निकालना चाहिए कि हर बारह कोस के क्षेत्र का एक प्रान्त बना देना चाहिए।

श्री कृष्णदत्त वाजपेयी ने 'ब्रज का इतिहास' में मथुरा जिले की जातियों की भाषागत विशेषताओं का अध्ययन किया है। अहीरों की भाषा उकार बहुला है। नाज, रास को नानु, कामु, रासु कहेंगे। वाजपेयी जी ने इस उकार बहुलता को भरत द्वारा निर्दिष्ट आभीरोक्ति (अपभ्रंश) से सम्बद्ध किया है। यह उकार बहुलता अवधी की भी विशेषता है जिससे मालूम होता है कि उसका आभीरादि किसी जाति विशेष से ही सम्बद्ध नहीं है। लेकिन यदि मथुरा में कुछ लोग नाज, काम, रास कहते हों, अन्य लोग बाबु, कामु, रासु कहते हों तो यह एक रोचक तथ्य होगा। यह एक ही जनपद में विभिन्न बोलियों के प्रभाव का सूचक है। वाजपेयी जी के अनुसार गूजर लोग राम-राम साब को 'रौम रौम साब' कहते हैं, आदि के आ का गोलाकार उच्चारण करते हैं। चमार 'ल' की जगह 'न'—चल्तु-चन्तु, मिल्तु-मिन्तु, 'ब' की जगह 'म'—महाबन-मामन—का प्रयोग करने की प्रवृत्ति दिखलाते हैं। जाट 'इ' का लोप करके जाइगौ, खाइगौ को जागौ, खागौ कहते हैं; जइयो, अइयो के ओकार को और भी विस्तार देकर वे जइयो, अइयो कहते हैं। चौबे लोग में के लिए हौं का प्रयोग करते हैं; "ब्रज की ग्रामीण बोली में 'हूँ' का प्रयोग तो मिलता है, पर 'हौं' का प्रयोग मथुरा जिले में नहीं मिलता।"[2] इसी प्रकार "ब्रज की ग्रामीण बोली में 'सूँ' मिलता है।" चौबे लोग सौं बोलते हैं। जांतूँ, आम्तूँ की जगह वे जाऔं, आऔं का प्रयोग करेंगे।

वाजपेयी जी पुरातत्त्वज्ञ हैं। मथुरा में क्यूरेटर के रूप में रहते हुए उन्होंने इन बोलियों की विशेषताओं पर ध्यान दिया होगा। जो तथ्य भाषाशास्त्रियों की दृष्टि से ओझल हो जाते हैं, उन्हें उनकी पूर्वग्रह-दोष-रहित निर्मल दृष्टि ने बाँध लिया है। उनके दिये हुए तथ्यों से दो निष्कर्ष निकलते हैं। भारत की अनेक जातियाँ (कास्ट) प्राचीन जनों के आधार पर बनी हैं। इनमें जाटों और गूजरों का उदाहरण हम पहले दे चुके हैं। ब्रज जनपद की लघुजाति अनेक जनों के विघटन और मिश्रण से बनी है। इसलिए ब्रजभाषा सर्वत्र एक ही रूप में नहीं बोली जाती; प्रत्येक जनपदीय बोली के समान वह भी अनेक बोलियों का समूह है। वाजपेयी जी ने ब्रजभाषा के स्थानीय भेदों के अध्ययन की आवश्यकता की ओर संकेत करते हुए लिखा है :

1. 'मध्यदेश', पृ. 18
2. 'ब्रज का इतिहास', द्वितीय खंड, पृ. 196

"ब्रज की बोलियों का यदि स्थानपरक अध्ययन किया जाए तो अनेक भिन्नताओं का पता चलेगा। मथुरा से दिल्ली की ओर जानेवाली सड़क पर के गाँवों में यदि एक प्रकार का भाषाक्रम दिखाई पड़ता है, तो आगरा की ओर जानेवाली सड़क पर दूसरे प्रकार का। यमुना के इस पार और उस पार की बोली में भी अन्तर है।" अब यदि ब्रज का अलग प्रान्त बने और परिनिष्ठित ब्रजभाषा का प्रश्न उठे, तो उसे हल करने का यह तरीका होगा कि यमुना के इस पार जातीय ब्रज और उस पार दूसरा ब्रज बना दिया जाए या दिल्ली वाली सड़क एक ब्रज का मेरुदंड बने और आगरे वाली सड़क दूसरे ब्रज का।

आधुनिक जातियों के निर्माण के लिए सामान्य भाषा, सामान्य प्रदेश, सामान्य आर्थिक जीवन और सामान्य संस्कृति आवश्यक तत्त्व माने गए हैं। ये तत्त्व न्यूनाधिक मात्रा में सामन्तकालीन लघुजातियों में भी मिलते हैं। ब्रज की सीमाएँ भले निर्धारित न हों, किन्तु यहाँ के निवासी अपने को ब्रजवासी समझते हैं। सीमाएँ तो मराठी-भाषी जाति के प्रदेश की भी निर्धारित नहीं हैं; भाषावार राज्यों के निर्माण के सिलसिले में हर जगह सीमा-सम्बन्धी विवाद दिखाई देते हैं। इसका यह अर्थ नहीं है कि मराठी या बंगला-भाषी जाति का अस्तित्व भी सन्दिग्ध है। आधुनिक जातियों का निर्माण सामान्य प्रदेश के बिना सम्भव नहीं है, भले ही वह प्रदेश हिन्द-एशिया की तरह द्वीप समूह ही हो। आधुनिक जातियों के ये प्रदेश अकस्मात् प्रकट नहीं हो जाते; सामन्तयुगीन लघुजातियों के प्रदेशों के विलयन से ही ये महाप्रदेश बनते हैं। सामन्तयुगीन लघुजातियों के प्रदेश प्राचीन जनपदों के विलयन से बनते हैं। प्राचीन जनों को हम रजत-सम्बन्ध पर आधारित मानते हैं; इसका यह अर्थ नहीं है कि उनका स्थायी प्रदेश न हो सकता था, या नहीं था। मिखाइलोव्स्की को उत्तर देते हुए लेनिन ने लिखा था : "प्राचीन रूस में हम रक्त-सम्बन्धों पर आधारित जीवन की बात कर सकते हैं, लेकिन इसमें जरा भी सन्देह नहीं कि मध्यकाल तक, मस्कोवी के ज़ारों के सुरा तक, ये रक्त-सम्बन्ध बिलकुल न रह गए थे; दूसरे शब्दों में राज्य का आधार प्रदेशगत संघ थे, न कि रक्त-सम्बन्धों पर आधारित संघ।"

रक्त-सम्बन्धों पर आधारित संघ और प्रदेशों के संघ में कोई मौलिक प्रदेशगत अन्तर नहीं है। यदि विदेह और लिच्छवि जन मिलकर रक्त-सम्बन्ध पर आधारित संघ बनाते हैं, तो उनके प्रदेश अलग नहीं रहते; वे भी वज्जि गण का संयुक्त प्रदेश बन जाते हैं। एंगेल्स ने अमरीकी आदिवासी जनों की पहली विशेषता यह बतलाई है कि उनमें प्रत्येक का एक सामान्य प्रदेश होता था और यद्यपि इसकी सीमाएँ स्पष्ट रूप से निर्धारित न होती थीं, फिर भी पड़ोसी जन उस सामान्य प्रदेश का मान्यता देते थे और उसके निवासी आक्रमकों से उसकी रक्षा करते थे। एंगेल्स ने अमरीकी आदिवासी जनों की अन्य विशेषताओं के बारे

में कहा है कि प्रत्येक जन की अपनी बोली होती थी; प्रत्येक जन के सामान्य धार्मिक विचार, धार्मिक गाथाएँ और कर्मकांड की पद्धति होती थी। सामूहिक सम्पत्ति का चलन होने से जन आर्थिक इकाई भी होता था। इस प्रकार, यदि आधुनिक जातियों के लिए सामान्य प्रदेश, भाषा, आर्थिक जीवन और संस्कृति आवश्यक तत्त्व हैं, तो वे प्राचीन जनों में भी उपलब्ध थे। जहाँ तक स्थायित्व का प्रश्न है, प्राचीन काल में मानव-इतिहास की गति ज्यादा धीमी थी। यदि संयुक्त राष्ट्र अमरीका के नीग्रो और गौरांग ब्रिटिश, जर्मन, इतालवी आदि अपने को अमरीकी जाति (नेशन) में गिन सकते हैं, तो अभी कल की बनी इस जाति के मुकाबले में मगध, कोसल, शूरसेन आदि जन बहुत ज्यादा स्थायी थे। जिन तत्त्वों से जन का निर्माण होता है, उन्हीं से सामन्तयुगीन लघुजाति का और पूँजीवादी महाजाति का निर्माण होता है। किन्तु इन तत्त्वों के गुण और परिमाण में अन्तर होता है। इसीलिए जन, लघुजाति और महाजाति में भी गुणात्मक अन्तर है। जन के आर्थिक जीवन का आधार सामूहिक या कुलगत उत्पादन और सम्पत्ति है। लघुजाति का आर्थिक जीवन नये श्रम-विभाजन के आधार पर बनता है जिसका स्पष्ट चिह्न है वर्ण-व्यवस्था। महाजाति का आर्थिक जीवन वितरण और उत्पादन के नये पूँजीवादी सम्बन्धों पर निर्भर होता है और उसमें वर्ण-व्यवस्था विशृंखल होकर नये वर्गों को स्थान देती है। जन से महाजाति तक के परिवर्तन की धुरी आर्थिक जीवन है। इसीसे जन संगठित होकर संघ बनाते हैं; विभिन्न जनपद सिमटकर लघुजाति का विस्तृत प्रदेश बनते हैं; भिन्न बोलियाँ बोलनेवाले एक-दूसरे के निकट आते हैं; बोलियों के बीच व्यापक व्यवहार के लिए 'भाषाओं' का अभ्युदय होता है। सभी परिस्थितियों में आर्थिक जीवन की नियामक भूमिका रहे, यह आवश्यक नहीं है। पूर्वी और पश्चिमी बंगाल का आर्थिक जीवन एक नहीं है। फिर भी भाषा और संस्कृति विभाजित प्रदेश के दोनों भागों की जनता को एक ही जातीय चेतना में बाँधे हुए हैं। भोजपुरी बोलनेवाले लोग बिहार और उत्तर प्रदेश के दो राज्यों में विभाजित हैं। देश के अन्य भागों में भाषावार राज्य बन गए हैं; यहाँ हिन्दी-भाषियों का एक राज्य बनाने की कौन कहे, एक बोली के बोलनेवाले भी दो राज्यों में विभाजित हैं! भोजपुरियों का प्रदेश भोजपुर नहीं कहलाता; प्रदेश से अधिक बोली का नाम प्रसिद्ध हैं। ब्रज, अवध और मिथिला की तुलना में भोजपुरी प्रदेश की साहित्यिक विरासत बहुत कम है लेकिन अपनी बोली के द्वारा भोजपुरी-भाषी जन अपने को एक-दूसरे के निकट पाते हैं, भले ही उन्हें दिल्ली में रहते बारह बरस हो जाएँ! ब्रज, अवध, मिथिला आदि के लोगों को अपनी साहित्यिक परम्परा के अलावा अपने प्रदेश के इतिहास पर गर्व है। ब्रज प्रदेश के अनेक नगरों में लोग घर में खड़ी बोली का व्यवहार करते हैं किन्तु ब्रज प्रदेश की निन्दा नहीं

सुन सकते। बुंदेलखंडवासी श्री वृन्दावनलाल वर्मा आगरा निवासी (ब्रजवासी) श्री हरिशंकर शर्मा से कहेंगे, "आपका ब्रज भी खूब है, आगरे में ज़रा-सा टीला मिल गया, उसका नाम रख दिया—हरी परबत!" शर्मा जी उत्तर देंगे, "अजी बुंदेलखंड में झाड़-झंखाड़ के सिवा है क्या!"..."आपको अपने नाम तक के लिए ब्रज का सहारा लेना पड़ा,"—वृन्दावन लाल; ऐसा है हमारा ब्रज! 'बड़े भाई' वर्मा जी और छोटे भाई शर्मा जी का यह विवाद होता है खड़ी बोली में। जातीय भाषा ने लघुजातीय बोलियों (बुंदेलखंडी और ब्रज को अपदस्थ कर दिया है, लेकिन लघुजातीय प्रदेश के प्रति वफादारी अपनी-अपनी जगह बरकरार है। (वैसे वर्मा जी ने अपने उपन्यासों में बुंदेलखंड के अलावा ब्रज के जीवन का भी चित्रण किया है, यथा—'टूटे काँटे' में।)

प्राचीन जन जैसी आर्थिक और राजनीतिक इकाई होते हैं, वैसी इकाइयाँ लघुजातियाँ नहीं होतीं। प्रत्येक सामन्त अपना राज्य विस्तार करते हुए दूसरी लघुजातियों का प्रदेश हड़प लेता है। सामन्ती राज्यों का प्रसार अक्सर किसी लघुजातीय प्रदेश की सीमाओं का अतिक्रमण ही करता है। किन्तु जो सामन्त राज्य-विस्तार करता है, वह भी किसी लघुजाति का सदस्य होता है। उसके समर्थक मुख्यत: या तो उसके प्रदेश के लोग होंगे या उसकी बिरादरी के होंगे। सामन्तकाल की बात छोड़िए। पूँजीवादी युग में उत्तर प्रदेश के किसी विश्वविद्यालय में यदि 'क' बिरादरी का प्रवेश हो गया तो उसका प्रयत्न यह होता है कि 'ख' को घुसने न दिया जाए। यदि 'ख' को एक पैर जमाने का अवसर मिल गया तो वह फिर 'क' को धकियाने और अपने दोनों पैर जमाने से बाज न आएगा। यह तो हुई बिरादरी की बात। कुछ मंत्री यदि किसी पवित्र प्राचीन जनपद से सम्बन्धित हुए तो वे चाहते हैं कि अन्य अधिकारी भी वहीं के हों—सेक्रेटरी से लेकर सूचना विभाग के अधिकारी तक! यह पूँजीवादी व्यवस्था में सामन्त परम्परा का पोषण है। इसलिए उन सामन्तों को क्यों दोष दिया जाए जो बिरादरी और प्रदेश के नाम पर अपने अनुयायियों को उत्साहित करके दूसरों का प्रदेश हड़प लेते थे? हाँ, यह अनिवार्य नहीं है कि प्रत्येक लघुजाति विशृंखल रहे, वे कभी एक ही सामन्त के शासन में आए ही नहीं। सामन्त के राज्य की सीमाएँ और लघुजाति के प्रदेश की सीमाएँ बहुत कुछ एक भी हो सकती हैं। उदाहरण के लिए बुंदेलखंड में हम छत्रसाल का राज्य ले सकते हैं। छत्रसाल पर अपने शोधग्रंथ में डॉ. भगवानदास गुप्त ने लिखा है : "छत्रसाल की मृत्यु के पश्चात् उनके पुत्रों और पेशवा बाजीराव प्रथम को जो प्रदेश मिले, अगर उनसे छत्रसाल के राज्य की सीमाओं को निर्धारित किया जाए, तो उनके राज्य का विस्तार उत्तर में यमुना तट पर कालपी से दक्षिण में सिरोंज और सागर तक और पश्चिम में ओरछा, दतिया तथा ग्वालियर की सीमाओं से लेकर पूर्व में

बघेलखंड के जसो, मैहर और बीरसिंहपुर के इलाकों तक था। इस विस्तृत भूखंड में उत्तर प्रदेश के झाँसी जिले का कुछ भाग; जालौन, बाँदा और हमीरपुर के जिले, आधुनिक मध्यप्रदेश में विलीन हुई अजयगढ़, चरखारी, पन्ना, बिजावर, शाहगढ़, छतरपुर, सरीला, अलीपुर आदि रियासतें और सागर तथा सिरोंज भी शामिल थे। छत्रसाल के राज्य का विस्तार पूर्वी और उत्तरी बुंदेलखंड में ही अधिक था। यह प्रदेश घने जंगलों, गहरी घाटियों और पर्वतश्रेणियों से आवृत्त होने के कारण 'डँगैया' राज्य कहा जाता था। छत्रसाल की लूट का क्षेत्र और भी अधिक विस्तृत था।"[1] अन्तिम वाक्य से यह निष्कर्ष निकाला जा सकता है कि छत्रसाल भी अन्य शासकों की तरह सामन्त धर्म का पालन करते थे, किन्तु उनके राज्य में बुंदेलखंड जनपद का अधिकांश भाग था, यह निर्विवाद है। राज्य और जनपद की सीमाओं के मिलने से लघुजातीय चेतना दृढ़ होती है, भाषा के परिनिष्ठित रूप धारण करने और विभिन्न सांस्कृतिक कार्यों का माध्यम बनने में सहायता मिलती है। छत्रसाल अपने राजकीय पत्र बुंदेलखंडी में लिखते थे। लाल कवि को दी हुई उनकी सनद बुंदेलखंडी में है ('अजै बरोबरी की बैठक बकसी जात है')। ओरछा, चन्देरी और दतिया के राजाओं से उनकी संधि इसी भाषा में है ('कोऊ काहू को लटी न चाहै न लटी करै एक ठाकुर पर कामु परै तहाँ सब पहुँचै कोऊ काहू कौ दोष न देवे')।

महान् प्रगतिशील अंग्रेज़ी राज ने भारतीय भाषाओं को राजभाषा न बनाया। स्वाधीनता-प्राप्ति के तेरह साल बाद भी अनेक प्रदेशों में वहाँ की भाषाएँ राजभाषा नहीं बनीं। पूँजीवाद की भाषा-सम्बन्धी नीति के मुकाबले में सामन्त छत्रसाल की नीति अत्यन्त उदार और प्रगतिशील थी। इसी प्रकार ब्रज प्रदेश को जाट सामन्तों ने एक ही राज्यसत्ता के अन्तर्गत सम्बद्ध किया। श्री कृष्णदत्त वाजपेयी ने जवाहर सिंह को ठीक ही 'ब्रज का राजा' कहा है। जवाहर सिंह के पिता सूरजमल ने आगरा, मथुरा, भरतपुर आदि को एक ही राज्य में मिलाकर ब्रज जनपद को राजनीतिक रूप से एक किया। मुगलों के शासनकाल में भी "आगरा के सूबे में ब्रज का प्रधान भाग आगरा, कोइल और सहार की सरकारों में पड़ता था।"[2] आजकल ब्रज प्रदेश का एक भाग राजस्थान में है, तो दूसरा उत्तर प्रदेश में और तीसरा दिल्ली में। छत्रसाल की तरह जाट सामन्त भी राजकाज के लिए जनपदीय भाषा काम में लाते थे। उदाहरण के लिए अठारहवीं सदी में लिखा हुआ रानी किशोरी का एक परवाना है। जाट शासन में ब्रजभाषा का उपयोग राजभाषा के रूप में होता था, इसके प्रमाणस्वरूप यहाँ वह परवाना उद्धृत किया जाता है :

1. डॉ. भगवानदास गुप्त, 'महाराजा छत्रसाल बुंदेला', शिवलाल अग्रवाल एंड कं., आगरा, 1958, पृ. 129
2. 'ब्रज का इतिहास', पृ. 171 (यह अंश डॉ. रघुवीर सिंह का लिखा हुआ है।)

॥श्री राम जी॥

श्री हरदेव जी

सही सहाय में माजी

श्री कीसोरी जी

श्री माजी साहव जो श्री श्री श्री श्री श्री कीसोरी जी वचनात दीघ के सकल पंच चौधरी व्योपारी पौरानै सहर वा जवाहरगंज के दसै अत्र ठाकुर मोहन जी कामरवारे की मंदर की चुगी हर जीनस की ढरती वहती सुदा मदतै पावते आओ है सौ पुन अरथ दीओ जाऔ हीलहुजत मत कीज्यो हु: माजी साहब फ: रोवरू मी। जेठ सुदी ३ संवत १८४४, मुकाम दीघ।"[1]

प्राचीन जनपदों में लघुजातियों का विकास—यह एक ऐतिहासिक नियम है। इस नियम का उल्लंघन तभी होता है जब बाह्य कारणों से जन का अस्तित्व ही न रहे। उत्तर भारत की तरह ग्रेट ब्रिटेन में भी लघुजातियों का निर्माण हुआ था। ब्रिटिश महाजाति के अन्तर्गत इन लघुजातियों का अस्तित्व और चेतना अभी भी समाप्त नहीं हुई। स्कॉटलैंड क्या है? यह किसी लघुजाति नेशनैलिटी का प्रदेश है या इंग्लैंड से स्वतंत्र महाजाति (नेशन) का देश है? स्कॉटलैंड में वे केल्टिक जन बसे थे जिन्हें यूरोप से आनेवाले जर्मन-भाषी जन जीत न सके थे। इन जनों से मिलकर स्कॉट नामक लघुजाति का निर्माण हुआ। उनकी भाषा अंग्रेज़ी से भिन्न गेलिक है (या गेलिक बोलियों का समूह है)। चौदहवीं सदी के आरम्भ में विलियम वैलेस और रॉबर्ट ब्रूस के नेतृत्व में स्कॉट जाति ने अंग्रेज़ी दासता का जुआ उतार फेंका। वे स्कॉट जाति के निर्माता कहे जाते हैं। अपने राजाओं के शासन में स्कॉट जाति ने अंग्रेज़ी से भिन्न अपनी भाषा का विकास किया, उसे सांस्कृतिक और राजकीय कार्यों का माध्यम बनाया। अंग्रेज़ी भाषा के एक इतिहास लेखक के अनुसार स्कॉट भाषा अंग्रेज़ी से इतनी भिन्न है कि उसे दूसरी ही भाषा मानना चाहिए। जिन बोलियों से साहित्यिक और शिष्ट अंग्रेज़ी विकसित हुई, उन्हें छोड़कर और किन्हीं भी बोलियों को वह प्रतिष्ठा प्राप्त नहीं हुई जो स्कॉट को प्राप्त है : शताब्दियों तक वह राजाओं और विद्वानों, कवियों और इतिहासकारों की भाषा रही; वह राज-दरबार और शासन, चर्च और साहित्य की भाषा एक साथ ही रही।"[2] स्कॉट भाषा में ही अठारहवीं सदी के कवि बर्न्स ने अपनी अधिकांश भावपूर्ण कविताएँ रचीं; स्कॉट लघुजाति की ऐतिहासिक परम्परा को लेकर ही वाल्टर स्कॉट ने अपने अधिकांश उपन्यास लिखे। इन उपन्यासों की भाषा अंग्रेज़ी है लेकिन वाल्टर स्कॉट ने किसानों आदि साधारण वर्ग

1. यह परवाना भरतपुर के अध्यापक श्री गुरुदत्त सोलंकी के प्रयत्न से पं. मदनलाल के कागज-पत्रों में देखने को मिला।
2. हेनरी सिसिल वाइल्ड, 'दि हिस्टॉरिकल स्टडी ऑव दि मदरटंग', लन्दन, 1906, पृ. 208

के पात्रों से स्कॉट ही बोलवाई है। चार्ल्स लैम्ब ने स्कॉट और अंग्रेज़ी के परस्पर भेदभाव की चर्चा करते हुए उन्नीसवीं सदी के पूर्वार्द्ध में लिखा था : "जिन्दगी भर यह कोशिश करता रहा हूँ कि स्कॉट मुझे अच्छे लगें, लेकिन निराश होकर अब मैंने यह प्रयोग बन्द कर दिया है। मैं उन्हें अच्छा नहीं लगता और सच तो यह है कि मुझे उस जाति (नेशन) का कोई भी सदस्य अब तक नहीं मिला जिसने यह कोशिश की हो कि मैं उसे अच्छा लगूँ।"[1] उन्नीसवीं सदी के पूर्वार्द्ध में अंग्रेज़ और स्कॉट के बीच इतना फासला था कि लैम्ब ने स्कॉट जाति के लिए 'नेशन' शब्द का प्रयोग किया था। 'ब्रिटिश नेशन' की चेतना अब तक भी एकदम सुदृढ़ न हुई थी। अठारह सौ सत्तावन में भारतीय स्वाधीनता-संग्राम का दमन करने के लिए जो पल्टनें ब्रिटेन से यहाँ आई थीं, उनमें बहुत-सी स्कॉट थीं। (वास्तव में स्कॉट और आयरिश सैनिकों के कन्धों पर बन्दूकें रखकर 'अंग्रेज़ों' ने उत्तर भारत पर फिर से अपना प्रभुत्व कायम किया था।) ब्रिटिश सेनापति कॉलिन कैम्पबेल स्कॉट था और वह अपने प्रदेशवासियों के प्रति पक्षपात करता था। पत्रकार रसेल ने लिखा था कि "हाईलैंडर्स को सर कॉलिन पर बहुत गर्व है और उसे उन पर गर्व है। वे समझते हैं कि वह उनकी वैसी ही निजी सम्पत्ति हो, जैसीकि उनके बैगपाइप।"[2] फौजी अफसर रॉबर्ट्स ने लिखा था कि "सारी फौज के मन में यह भावना थी कि सर कॉलिन का रवैया हाईलैंडरों के साथ अनुचित पक्षपात करने का है।"[3] भारतीय सैनिक भी इस भेद से परिचित थे। कानपुर में हैवलॉक के स्कॉट सैनिकों को चिढ़ाने के लिए उन्होंने बैंड पर एक प्रसिद्ध स्कॉट गीत—आउल्ड लैंग ज़ाइन—की धुन बजाई थी। स्कॉटलैंड का अलग जातीय निर्माण हो, उसकी राज्यसत्ता अलग हो, इस तरह के छुटपुट आन्दोलन बीसवीं सदी में भी चलते रहे हैं।

स्कॉटलैंड की तरह वेल्स में भी केल्टिक जन रहते थे। वेल्स में वेल्श भाषा अभी तक दैनिक जीवन में काम आती है। राजकाज के लिए अंग्रेज़ी का व्यवहार होता है। वेल्श भाषा उससे बिलकुल भिन्न है और अभी भी जीवित है। इतिहासकार डेविस के अनुसार, वेल्श सामन्त लेवेलिन ने छोटे-छोटे राज्यों को मिलाकर 'वेल्श को एक नेशन' बनाने का प्रयत्न किया।[4] "उनमें एक प्रकार की देशभक्ति (अर्थात् वेल्स-प्रदेश के प्रति भक्ति) हमेशा से थी।" वेल्श सामन्तों ने अपनी एक समिति बनाई और इस प्रकार सामन्ती व्यवस्था में अपनी लघुजाति का गठन किया। वेल्श जन अपने काव्यों और भावुक प्रकृति के लिए प्रसिद्ध रहे हैं। 1256 में उन्होंने इंग्लैंड के विरुद्ध 'मुक्ति-संग्राम' छेड़ा था। जिन ट्यूडर राजाओं के शासनकाल

---

1. 'इम्पर्फेक्ट सिम्पथीज़' नामक निबन्ध
2. डब्ल्यू.एच्. रसेल, 'माई इंडियन म्यूटिनी डायरी', एडवर्ड्स द्वारा सम्पादित, 1957, पृ. 131
3. अर्ल रॉबर्ट्स, 'फॉर्टीवन ईयर्स इन इंडिया', 1921, पृ. 213
4. एच्.डब्ल्यू.सी. डैविस, 'इंग्लैंड अंडर दि नॉर्मन्स एंड एंजविन्स', 1924, पृ. 446

में इंग्लैंड का नया जातीय गठन हुआ, वे वेल्श जाति के थे। ब्रिटेन का कॉर्नवाल प्रदेश केल्टिक जनों का निवास था और बहुत दिनों तक वहाँ कॉर्निश भाषा का चलन रहा। केंट प्रदेश में जूट नाम के जर्मन जन आकर बसे थे। इनकी बोली ऐंगल और सैक्सन जनों से भिन्न थी। स्कीट ने ब्रिटेन की बोलियों पर अपनी पुस्तक में लिखा है कि केंट की वर्तमान बोली की विशेषताएँ प्राचीन काल से चली आ रही हैं। केंट प्रदेश के इतिहास से पता चलता है कि किस प्रकार एक जनपद जन के बदले लघुजाति का निवास बनता है और फिर वह महाजाति के प्रदेश का अंग बनकर अपनी स्वतंत्र सत्ता खो देता है। उसकी भाषा बोली मात्र रह जाती है।

भारत के प्राचीन जनपदों की तरह नवीं सदी में वर्तमान रूस, उक्रैन आदि में स्लाव जनपद थे। नवगरोद नगर को केन्द्र बनाकर इल्मेन स्लावों का जनपद बसा था। किएव नगर को केन्द्र बनाकर पोल्याने जन बसा हुआ था। दसवीं सदी में नवगरोद के सरदार ओलेग ने क्रिविची, द्रेवल्याने, सेवेर्याने, रदीम्ची आदि जनों को जीतकर एक गणसंघ बनाया जिसका नाम हुआ रूस। जिस तरह मगध सम्राटों ने उत्तर भारत को एक किया था, उसी तरह 'किएव रूस' की राज्यसत्ता के अन्तर्गत विभिन्न स्लाव जनों का एकीकरण हुआ। यह सामन्ती राज्यसत्ता थी, लेकिन रूसी जाति के गठन, उसकी भाषा और संस्कृति के विकास में उसका अन्यतम महत्त्व स्वीकार किया जाता है।

यह कहा जा सकता है कि ये सामन्ती राज्य जातीय राज्य (नेशनल स्टेट) न थे। उनकी सीमाएँ जातीय प्रदेश की सीमाओं का अतिक्रमण करती थीं; इन राज्यों में अन्य भाषाएँ बोलनेवाली जातियों के प्रदेश भी शामिल थे। यह आपत्ति सही है। सामन्ती व्यवस्था में लघुजातियों का निर्माण होता है, महाजाति का नहीं। जब महाजाति का निर्माण ही नहीं हुआ, तब उसके जातीय प्रदेश और जातीय राज्यसत्ता का सवाल नहीं उठता। किन्तु महाजातियों का महाप्रदेश (जैसे महागुजरात, विशाल आन्ध्र) किन्हीं लघुजातियों के लघु-प्रदेशों से मिलकर ही तो बनेगा; यदि कोई चक्रवर्ती सम्राट् इन छोटे प्रदेशों को मिलाकर उन्हें एकच्छत्र शासन में ले आए, तो क्या वह महाजाति के निर्माण में—अप्रत्यक्ष रूप से—सहायता नहीं करता? सोवियत संघ के इतिहासकारों ने लिखा है कि चौदहवीं सदी में इवान तृतीय के राज्य में उत्तर-पूर्वी रूस के स्वतंत्र राज्यों के स्थान में एक ही 'जातीय रूसी राज्य' कायम हुआ और इस जातीय राज्य ने रूसी जनता को मिलाकर एक किया।[1] संकुचित अर्थ में इस स्थापना को लें तो वह शब्दश: सही नहीं है। उस समय रूसी जाति का अस्तित्व नहीं था; तब जातीय राज्य कैसे कायम हो सकता था? लेकिन व्यापक दृष्टिकोण से देखें तो बात सही है। इस राज्य में वे सब जनपद विद्यमान थे जिनसे रूस देश और वहाँ के निवासियों को मिलाकर रूसी जाति का निर्माण हुआ।

1. पंक्रातोवा द्वारा सम्पादित, 'ए हिस्ट्री ऑव दि यू.एस.एस. आर', मॉस्को, 1947, खंड 1, पृ. 140

इसलिए वह रूसी जाति का राज्य न हुआ तो उस जाति को बनानेवाले उपकरणों का राज्य तो हुआ ही। जहाँ तक पूँजीवाद के अभ्युदय का सवाल है, यह स्मरण रखना चाहिए कि प्रत्येक पूँजीवादी राज्य जातीय राज्य नहीं होता। अक्सर वह बहुजातीय राज्य होता है अर्थात् एक जाति के शासक दूसरी जातियों के प्रदेशों को अपने राज्य का अंग बना लेते हैं। यह स्थिति बड़े-बड़े इजारेदार पूँजीपतियों के प्रभुत्वकाल में—अर्थात् साम्राज्यवाद के समय—ही नहीं होती। पूँजीवाद के अभ्युदय काल में भी यह दशा देखी जा सकती है। जैसे जर्मन जमींदारों ने प्रशिया के स्लाव प्रदेश का जर्मनीकरण सम्पन्न किया था, वैसे ही अंग्रेज़ जमींदारों ने आयरलैंड की भाषा और संस्कृति का दमन करके उसे अंग्रेज़ बनाने में कुछ उठा न रखा था। इतिहासकार फिशर ने लिखा है कि यूरोप में प्रथम महायुद्ध के बाद जो अशान्ति फैली थी, उससे भी ज्यादा अशान्ति यूरोप में नेपोलियन की पराजय के बाद फैली थी। "आस्ट्रिया के जुए के नीचे इतालवी और चेक, डच जुए के नीचे बेल्जियन, रूसी और जर्मन जुए के नीचे पोल तथा तुर्क जुए के नीचे सर्ब और ग्रीक पीड़ित थे।"[1] इसका अर्थ यह है कि नेपोलियन के बाद यूरोप में सर्वत्र जातीय उत्पीड़न का बोलबाला था। ऐसा लगता है कि यूरोप में जब तक सामन्त-युगीन लघुजातियाँ थीं, तब तक जातीय उत्पीड़न भी लघु था। पूँजीवाद के अभ्युदय-काल में जब महाजातियों का गठन हुआ, तब यह जातीय उत्पीड़न भी लघु से महा बन गया। एशिया और अफ्रीका में यूरोपीय उपनिवेशवादी अपनी गौरांग सभ्यता के प्रसार का डंका पीटते थे। लेकिन यूरोप में ही अपने गौरांग भाइयों को मौका लगते ही गुलाम बनाने से वे कभी बाज नहीं आए। वास्तव में उन्होंने गोरी जातियों को गुलाम पहले बनाया था, काली-पीली जातियों को बाद में। युद्ध, हिंसा और जातीय उत्पीड़न—पूँजीवाद की ये विशेषताएँ उसके जन्मकाल से ही उसके साथ हैं। यदि किसी देश के पूँजीपतियों ने किसी समय इनका सहारा नहीं लिया, तो इसका कारण हौसले की कमी न थी; कारण यह था कि उस समय बेचारों के पास साधन न थे। पूँजीवाद ने हर स्थिति में—17वीं-18वीं सदी में जब सौदागरों का जोर था, 19वीं में जब उद्योगपतियों का जोर रहा और बीसवीं में जब इजारेदार पूँजीपतियों का जोर है—दूसरी जातियों को गुलाम बनाने की कोशिश की। उसे हर स्थिति में इस गुलामी से मुनाफा कमाने में मदद मिलती थी। इस कारण पूँजीवादी राज्यसत्ता आरम्भ से ही बहुजातीय राज्यसत्ता रही है। यह उसका साधारण नियम है। एकजातीय राज्यसत्ता अपवाद रूप में रही है। न केवल ज़ारशाही रूस वरन् प्रत्येक पूँजीवादी राज्य न्यूनाधिक मात्रा में जातियों का कारागार रहा है।

इसलिए सामन्ती राज्यों की सीमाएँ यदि किन्हीं जातीय प्रदेशों की सीमाओं से नहीं मिलती रहीं, तो इससे सामन्ती राज्यसत्ता के सीमित महत्त्व को न भूल जाना चाहिए। भाषा के गठन और विकास में सामन्ती राज्यसत्ता की वही भूमिका नहीं है

1. एच.ए.एल. फिशर, 'ए हिस्ट्री ऑव यूरोप', लन्दन, 1945, पृ. 876

जो पूँजीवादी राज्यसत्ता की होती है। किन्तु किसी महाजाति के गठन और उसकी भाषा के विकास में सामन्ती राज्यसत्ता का भी योग हो सकता है, यह मानना चाहिए। विभिन्न प्रदेशों को एक राजनीतिक प्रभुत्व में लाने से व्यापार के विकास में सुविधा होती है। जाति के गठन में व्यापारियों द्वारा पूँजीवादी सम्बन्धों के प्रसार की नियामक भूमिका है; इस भूमिका को पूरी करने में एक सुव्यवस्थित सामन्ती राज्य व्यापारी वर्ग की सहायता कर सकता है। हम इस स्थापना के प्रमाण-रूप रूस की सामन्ती राज्यसत्ता को ले सकते हैं। चौदहवीं सदी में मॉस्को राज्य के सामन्त इवान कलीता (कलीता का वास्तविक रूप है खलीता; खलीते में धन भरने की प्रसिद्धि से खलीता नाम पड़ा) ने तातारों की सहायता से त्वेर राज्य जीत लिया। तातार-सम्राट् ने उसे समस्त रूस से कर इकट्ठा करने का अधिकार दे दिया। इस सुविधा से लाभ उठाकर उसने अपना प्रभुत्व बढ़ाया। पन्द्रहवीं सदी में रियाज़ान भी मॉस्को सम्राटों के राज्य में मिला लिया गया। सामन्ती सत्ता के सुकेन्द्रित होने से तातार आक्रान्ताओं से लड़ने में सुविधा हुई। इस समय मॉस्को के सौदागरों ने तुर्की, ईरान आदि देशों से व्यापार करना शुरू किया। भारत की यात्रा करनेवाला अफानासी निकितिन त्वेर का एक सौदागर ही था। चर्च भी इस राज्यसत्ता का समर्थन करता था; उसका प्रचार यह था कि सम्राट् को प्रभुत्व-शक्ति ईश्वर से प्राप्त हुई है। यह राज्यसत्ता मुख्यत: सामन्त वर्ग का हितसाधन करती थी लेकिन "उससे सौदागरों का हित भी होता था, क्योंकि सामन्ती अलगाव से देश के विभिन्न प्रदेशों में व्यापार के विकास में बाधा पड़ती थी। इसलिए सौदागर ज़ार के प्रयत्नों का जोरों से समर्थन करते थे जिनसे देश की एकता दृढ़ हो। इसके सिवा शक्तिशाली राज्य कायम होने से पूरब और पश्चिम के बाजारों को हथियाने में सुविधा होती थी।"[1] इस तरह रूस में सामन्ती राज्यसत्ता ने व्यापार की उन्नति में, व्यापारू द्वारा पूँजीवादी सम्बन्धों के प्रसार में, पूँजीवादी सम्बन्धों के प्रसार द्वारा एक अखिल-रूसी बाजार कायम करने में, अखिल-रूसी बाजार द्वारा रूसी जाति के गठन में और रूसी जाति के गठन द्वारा रूसी भाषा के विकास और प्रसार में अप्रत्यक्ष रूप से सहायता की।

लीविस मम्फोर्ड नामक लेखक ने 'नगरों की सभ्यता' नामक ग्रंथ में इस बात की ओर ध्यान दिलाया है कि प्रदेशों की एकता और आन्तरिक शान्ति पूँजीवादी विकास के लिए आवश्यक थी। इंग्लैंड और फ्रांस में जो केन्द्रबद्ध राज्यशक्ति विकसित हुई, उससे व्यापारियों को लाभ था। सम्राट् के संरक्षण में लूटमार से बनकर राजमार्गों पर पद-यात्रा करना सम्भव हुआ। बारहवीं सदी के बाद यूरोप में सौदागरों के लिए यात्रा की परिस्थितियाँ बिगड़ रही थीं। वेई नदी के किनारे पहले उन्नीस जगह चुंगी लगती थी; तेरहवीं-चौदहवीं सदियों में क्रमश: पच्चीस और बीस चुंगी के अतिरिक्त अड्डे कायम हो गए। छह-छह मील पर चुंगी देकर चलने से व्यापारियों को बड़ी

1. 'ए हिस्ट्री ऑव दि यू.एस.एस.आर.', खंड 1, पृ. 164

असुविधा होती थीं। सुकेन्द्रित राज्यसत्ता न होने से सामान्य मुद्रा का चलन भी न था। इससे वस्तुओं के क्रय-विक्रय में बड़ी कठिनाई होती भी। छोटे-छोटे नगर, जहाँ व्यापारियों का प्राधान्य था, एक-दूसरे से जलते थे और संघबद्ध न हो पाते थे। "जहाँ सहकारिता का सिद्धान्त लागू न किया गया था या रो-झींककर लागू किया गया था और असफल रहा था, वहाँ राज्यसत्ता ने सैन्य-शक्ति द्वारा सबको एक सूत्र में बाँधा।"[1] इस प्रकार जहाँ व्यापारी स्वयं अपने वर्गहित में एक न हो पाते थे, वहाँ सामन्ती राज्यसत्ता ने उन्हें एक होने के लिए बाध्य किया। इसमें सबसे पहले सामन्त वर्ग को लाभ था, लेकिन अन्त में व्यापारी वर्ग अपनी शक्ति और संगठन को सुदृढ़ करके सामन्ती सत्ता को चुनौती देने में समर्थ हुआ।

यूरोप की तरह भारत में भी सामन्ती राज्यसत्ता ने व्यापार की उन्नति में सहायता की। मुगल शासन में उत्तर भारत का अधिकांश भाग एक राज्यसत्ता के अन्तर्गत आया। इसमें इलाहाबाद, आगरा, अवध, बिहार, दिल्ली आदि के सूबे शामिल थे। इस साम्राज्य का मेरुदंड हिन्दी-भाषी प्रदेश था। तुर्कों के समय में ही राज्य काफ़ी केन्द्रबद्ध हो गया था। तुगलक शासकों ने भूमिकर उगाहने के लिए अमले नियुक्त किए थे।[2] 1375 में पच्चीस चुंगी-कर हटा दिये गए; "इनसे सौदागर और व्यापारी बहुत परेशान रहते थे।"[3] इस समय जमुना से डेढ़ सौ मील लम्बी नहर निकाली गई जिसके किनारे हिसार नगर बसाया गया। जौनपुर, हिसार, फतहाबाद, फिरूजाबाद (दिल्ली के पास) आदि नये शहरों का आबाद होना व्यापारिक उन्नति का सूचक है। शेरशाह ने गाँव के मुखियों से यह अधिकार ले लिया कि वे किसानों के लिए भूमि-कर निश्चित करें। उसने काश्तकारों से सीधा सम्बन्ध स्थापित किया। शेरशाह के समय में टोडरमल ने जो भूमि-व्यवस्था कायम की थी, उसे अकबर बनाए रहा। अकबर ने न केवल राजनीतिक रूप से उत्तर भारत को एक किया, बल्कि जागीरदारों को भी अपनी निरंकुश राज्यसत्ता के अधीन रखा। राजपूत सामन्तों की बुनियादी कमजोरी यह थी कि वे न तो राजस्थान को एक सुकेन्द्रित शासन-व्यवस्था में ला सके, न समूचे उत्तर भारत (या हिन्दी-भाषी प्रदेश) का एक राज्य कायम कर सके। राजस्थान या हिन्दी-भाषी प्रदेश में वे एक संयुक्त जातीय राज्य कायम न कर सके। फलतः वे इतिहास की आवश्यकता की पूर्ति न कर सके। अकबर को निरंकुश सत्ता वैसी ही थी, जैसी इंग्लैंड या यूरोप के शासकों की। जागीरदारों और सामन्तों के स्वतंत्र राज्यों का अलगाव खत्म किये बिना व्यापार की उन्नति और उसका प्रसार सम्भव नहीं था। डॉ. पी. सरन ने मुगल जागीरों के बारे में लिखा है : "ये जागीरें मध्यकालीन यूरोप के सामन्तों की रियासतों की तरह नहीं थीं।

1. लीविस मम्फोर्ड, 'दि कल्चर ऑव दि सिटीज', लन्दन, 1958, पृ. 70
2. 'दि कैम्ब्रिज हिस्ट्री ऑव इंडिया', खंड 3, 1928, पृ. 128
3. उप., पृ. 175

उन रियासतों में सामन्तों की अखंड प्रभुसत्ता होती थी। यहाँ किसी को जागीर देने का यह अर्थ न होता था कि उस भूमि पर कोई राजनीतिक परिवर्तन हुआ। कभी-कभी उच्च अधिकारियों को सूबे के सूबे जागीर के रूप में दे दिये जाते थे। इससे उन्हें यह अधिकार न मिल जाता था कि वे दीवान, काज़ी, सदर काज़ी या फौजदार की नियुक्ति करें। जागीरदार मालगुजारी की दर या उसे इकट्ठा करने की पद्धति भी न बदल सकता था।"[1] जागीरदारों की नियुक्ति अक्सर उनकी जागीरों से दूर की जाती थी। अकबर के साम्राज्य में एक-सी मुद्रा-व्यवस्था का चलन हुआ। डॉ. पी. सरन के अनुसार तेरहवीं सदी के बाद से अठारहवीं सदी तक राजपूतों के सिक्के नहीं मिलते।

इतिहासकार विन्सेंट स्मिथ ने लिखा है कि "अकबर स्वयं एक व्यापारी था और व्यापार से मुनाफा कमाने को घटिया काम न समझता था।"[2] उसने गुजरात, आगरा और कश्मीर के कुछ उद्योगों पर अपना इजारा कायम कर लिया था; उसकी या उसके कर्मचारियों की जानकारी के बिना राज्य में कोई घोड़ा न बेचा जा सकता था।[3] डॉ. डी. पन्त ने लिखा है कि व्यापार में मुगल-शासकों की इस दिलचस्पी के कारण उन दिनों सबसे बड़ा सौदागर राज्यसत्ता ही थी।[4] शाहजहाँ के पास नील के व्यापार का इजारा था। सरकारी खजाने से रुपया उधार लेकर मनोहर दास नाम का सौदागर नील का व्यापार करता था और शाहजहाँ मुनाफे में हिस्सा बँटाता था।[5] शोरे के कारबार पर भी उसका इजारा था। उससे पहले नूरजहाँ ने भी नील और जरी के कपड़ों के व्यापार में भाग लिया था। सुकेन्द्रित राज्य-व्यवस्था होने के कारण मुगल शासन में "सारे देश में सुनिश्चित बाजार-भाव थे।"[6] इस राज्यसत्ता के कारण कारीगरों का मेहनताना भी निश्चित कर दिया गया था। यूरोपीय यात्रियों ने देखा था कि आगरे में कारीगरों का मेहनताना बँधा हुआ है और जो बात आगरे में होती थी, उसका अनुसरण अन्य प्रदेश करते थे।[7]

व्यापार के प्रसार में सहायता करने के अलावा मुगल-शासकों ने अनेक स्थानों में उत्पादन केन्द्र कायम किये थे। फ्रांसीसी यात्री बर्नियर ने जिस तरह के कारखानों का वर्णन किया है, वे लाहौर, आगरा, फतहपुर, बुरहानपुर और कश्मीर में स्थित थे। बर्नियर का वर्णन इस प्रकार है : "बहुत जगह बड़े-बड़े हॉल देखे जाते हैं जहाँ कारीगर काम करते हैं। इन्हें कारखाना कहा जाता है। एक हॉल में जरी का काम

1. पी. सरन, 'दि प्रोविंशल गवर्नमेंट ऑव दि मुगल्स', किताबिस्तान, इलाहाबाद, 1941, पृ. 81
2. बी.ए. स्मिथ, 'अकबर दि ग्रेट मोगल', 1919, पृ. 411
3. राधाकमल मुकर्जी, 'दि इकोनॉमिक हिस्ट्री ऑव इंडिया', लोंगमैंस, पृ. 109
4. डी. पन्त, 'दि कमर्शल पॉलिसी ऑव दि मोगल्स', तारापोरवाला, बम्बई, 1930, पृ. 64
5. उप., पृ. 195
6. डब्ल्यू.एच. मोरलैंड, 'फ्रॉम अकबर टु औरंगज़ेब', लन्दन, 1923, पृ. 128
7. उप., पृ. 194

करनेवाले अपने निर्देशक की देखरेख में कार्य-व्यस्त रहते हैं। दूसरे हॉल में सुनार दिखाई देते हैं, तीसरे में चित्रकार, चौथे में लकड़ी पर वार्निश करनेवाले रंगसाज, पाँचवें में बढ़ई, दर्जी, चमार वगैरह, छठे में रेशम, जरी के कपड़ों और बढ़िया मस्लिन के कारीगर बैठते हैं जिनसे पगड़ियाँ, सुनहरे फूलों वाले कमरबन्द, स्त्रियों के खूबसूरत काम करनेवाले लहँगे बनते हैं।" डॉ. राधाकमल मुकर्जी के अनुसार, एक ही वस्तु के उत्पादन में विभिन्न धन्धों के कारीगर काम करने लगे थे।[1] प्रारम्भिक पूँजीवादी उत्पादन की यह विशेषता है। एक ही कारीगर आदि से अन्त तक किसी वस्तु को बनाता है तो उसमें समय ज्यादा लगता है। उत्पादन की विभिन्न मंजिलों में यदि विभिन्न धन्धों के अनेक कारीगर उस एक वस्तु के निर्माण में भाग लें तो काम जल्दी होता है। यह निश्चित रूप से नहीं कहा जा सकता कि इन कारखानों में उत्पादन का यह समाजीकरण हुआ था या नहीं, किन्तु बहुत-से कारीगरों का एक जगह इकट्ठा होना ही एक महत्त्वपूर्ण बात थी। यह भी स्पष्ट नहीं है कि इन कारखानों में व्यापार के लिए उत्पादन होता था या केवल शाही घराने के लोगों की जरूरत की चीजें तैयार की जाती थीं। बर्नियर ने अपने यात्रा-वृत्तान्त में इस बात का उल्लेख किया है कि इस तरह के कारखाने दिल्ली में नहीं थे।[2] दिल्ली राजधानी थी। यदि ये कारखाने शाही खानदान की जरूरतें पूरी करने के लिए ही थे तो उन्हें सबसे पहले दिल्ली में होना चाहिए था। लाहौर और कश्मीर में कारखाने कायम करने में क्या तुक थी?

एक बात स्पष्ट है, मुगल-शासन केन्द्रबद्ध शासन था। इस शासन के मुख्य केन्द्र दिल्ली और आगरा थे। ये केन्द्र हिन्दी-भाषी प्रदेश के व्यापारिक और सांस्कृतिक केन्द्र थे। केन्द्रित राज्य-व्यवस्था होने के कारण सारे हिन्दी-भाषी प्रदेश में और उसके बाहर एक ही मुद्रा-व्यवस्था का चलन हुआ। राज्यसत्ता की देख-रेख में बाजार में नाप-तौल, क्रय-विक्रय भाव आदि के नियमन से, यातायात की सुविधा से, जागीरदारों और अन्य सामन्तों की निरंकुशता का दमन होने से व्यापार ने अभूतपूर्व उन्नति की। भारत का माल खरीदकर अपने देशों में बेचने के लिए दूर-दूर से—विशेष कर इंग्लैंड से—यहाँ व्यापारी आने लगे। व्यापार की इस प्रगति में सामन्ती राज्य-सत्ता ने भी सहायता की। इस प्रकार हिन्दी-भाषी जाति के निर्माण में मुगल राज्य-सत्ता की एक महत्त्वपूर्ण भूमिका है।

उपर्युक्त विवेचन का सारांश यह है कि प्राक्-सामन्तीय जनों और सामन्तयुगीन लघुजातियों के विघटन और एकीकरण से ही महाजातियों का निर्माण होता है। व्यक्तिगत सम्पत्ति के उद्‌भव और केन्द्रीकरण से प्राचीन जनों का विघटन होता है। वर्ण-व्यवस्था और नये श्रम-विभाजन के आधार पर नई लघुजातियों का गठन होता है।

1. राधाकमल मुकर्जी, 'द इकोनॉमिक हिस्ट्री ऑव इंडिया', पृ. 81
2. 'बर्नियर का यात्रा-वृत्तान्त', पृ. 254

किसी एक या दो शक्तिशाली जनों को केन्द्र बनाकर जो गण-संघ बनते हैं, अक्सर वही लघुजाति का रूप धारण करते हैं या उसके मूलाधार होते हैं। वे अपने प्राचीन जन या उसके प्रदेश की स्मृति सुरक्षित रखते हैं। किन्तु प्राचीन जनपद से लघुजाति के प्रदेश में काफी अन्तर होता है। उत्तर भारत में प्राचीन जनपदों और वर्तमान हिन्दी की बोलियों के क्षेत्रों को मिलाने से पता चलता है कि जनकाल की भाषागत परम्परा अभी तक किसी-न-किसी रूप में चली आई है। ब्रज जैसे जनपद की वर्तमान बोलियों की भिन्नता का कारण अनेक जनों या उनके अंशों द्वारा लघुजाति का निर्माण है। महाजाति का निर्माण होने पर लघुजातीय संस्कार खत्म नहीं हो जाते। कहीं बोली, कहीं प्रदेश, कहीं इतिहास, कहीं उस बोली के साहित्य के प्रति उत्कट अनुराग पूँजीवादी युग में भी कायम रहता है। महाजाति का निर्माण एक सुदीर्घ प्रक्रिया है। पश्चिम के उन देशों में भी—जहाँ पूँजीवाद का विकास सबसे अधिक हुआ है—यह प्रक्रिया पूरी तरह अभी भी सम्पन्न नहीं हुई। महाजातियों के निर्माण में लघुजातियों का विघटन और एकीकरण होता है। इस प्रक्रिया में सामन्ती राज्यसत्ता भी सहायता करती है। सामन्तवाद को हर स्थिति में विघटन का पर्यायवाची न मान लेना चाहिए। विशेष रूप से व्यापार के प्रसार में एक सुकेन्द्रित और निरंकुश सामन्ती राज्यसत्ता सहायक होती है। व्यापार के प्रसार से महाजाति के गठन और फलत: जातीय भाषा के गठन और प्रसार में सहायता मिलती है।

ग्यारहवाँ अध्याय

# जातीय भाषा का गठन और प्रसार

पूँजीवादी आर्थिक व्यवस्था की विशेषता यह है कि उसके अभ्युदय के साथ आधुनिक जातियों (नेशन) का निर्माण जुड़ा हुआ है। इन महाजातियों के निर्माण के पहले हम उनकी जातीय भाषाओं की कल्पना भी नहीं कर सकते। जातीय भाषाएँ किसी आर्थिक व्यवस्था का सांस्कृतिक प्रतिबिंब नहीं है। उनके भाषा-तत्त्वों का निर्माण आर्थिक आधार पर नहीं होता। बोलियों या किन्हीं लघुजातियों की भाषाओं के रूप में उनका अस्तित्व पहले भी रहता है किन्तु महाजातियों की भाषा के रूप में उनका अस्तित्व पहले नहीं होता। उदाहरण के लिए दिल्ली या आगरे की जो बोली हिन्दी-उर्दू के रूप में विकसित हुई, वह पहले एक छोटे-से क्षेत्र में सीमित थी। जब वह अवध, बुंदेलखंड, भोजपुरी प्रदेशों की सम्मिलित भाषा बनी, तब उसका क्षेत्र व्यापक हो गया, वह हमारी जातीय भाषा बनी। इस प्रकार की जातीय भाषा का विकास पूँजीवादी सम्बन्धों के कायम हुए बिना सम्भव नहीं होता। जहाँ पूँजीवाद से पहले की किसी आर्थिक व्यवस्था से लोग सीधे समाजवादी व्यवस्था में पहुँच गए हैं, वहाँ की चर्चा यहाँ पर नहीं की जा रही। पूँजीवादी व्यवस्था में जातीय भाषाओं के गठन और प्रसार से दो भाषा-सम्बन्धी निष्कर्ष निकलते हैं : पहला यह कि जो भाषाएँ या बोलियाँ जातीय भाषाओं के रूप में विकसित होकर सामने आती हैं, वे पूँजीवाद के अभ्युदय से पहले की होती हैं, आर्थिक व्यवस्था बदलने से एकदम नई भाषाओं का जन्म नहीं होता, इसलिए स्तालिन की यह स्थापना सही है कि भाषाएँ आर्थिक व्यवस्था का सांस्कृतिक प्रतिबिम्ब नहीं हैं। दूसरा यह कि आर्थिक व्यवस्था बदलने से भाषा में कोई परिवर्तन नहीं होता, यह समझना भी गलत है; पूँजीवाद से पहले जातीय भाषा के रूप में किसी भाषा का अस्तित्व न होना और पूँजीवादी विकास के साथ जातीय भाषाओं का सुगठित होना—यह एक साधारण परिवर्तन नहीं है। हम आगे देखेंगे कि जातीय भाषा की आवश्यकताएँ पूरी करने के लिए जब कोई बोली परिनिष्ठित भाषा के रूप में विकसित होती है, तब उसके रूप में काफी परिवर्तन होता है।

जातीय भाषाओं के प्रसार और गठन की समस्या का अध्ययन करने से पहले हमें पूँजीवाद के अभ्युदय से जातियों के निर्माण का सम्बन्ध समझ लेना चाहिए।

इस सिलसिले में सबसे पहले प्रश्न यह उठता है कि पूँजीवाद है क्या? प्रचलित धारणा के अनुसार पूँजीवाद उत्पादन की एक नई व्यवस्था का नाम है जिसमें उत्पादन के साधन पूँजीपतियों के हाथ में होते हैं और मजदूर अपनी श्रमशक्ति इन पूँजीपतियों के हाथ बेचते हैं और मजदूरों द्वारा निर्मित अतिरिक्त मूल्य को हड़पकर पूँजीपति उनका शोषण करते हैं। पूँजीवादी व्यवस्था के अभ्युदय के लिए एक ओर तो उद्योग-धन्धों में पूँजी लगाने के लिए तत्पर पूँजीपति चाहिए, दूसरी ओर उसके हाथ अपनी श्रमशक्ति बेचने के लिए मजबूर एक सर्वहारा समुदाय चाहिए जिसके पास जीविकोपार्जन के और कोई साधन न रहे हों।

पूँजीवाद की यह व्याख्या एकांगी है और उसके आधार पर जातियों के निर्माण की व्याख्या हो ही नहीं सकती। इस व्याख्या का आधार सामाजिक विकास के प्रति एक गलत धारणा है कि उत्पादन में परिवर्तन होने से ही समाज एक मंजिल से दूसरी मंजिल की ओर बढ़ता है। उत्पादन के अलावा सामाजिक व्यवस्था का नियमन करनेवाली एक शक्ति और है, वह है वितरण। एंगेल्स ने अपने प्रसिद्ध ग्रंथ 'ऐंटी-ड्यूरिंग' के दूसरे भाग के आरम्भ में ही अर्थशास्त्र की चर्चा शुरू करते हुए इस बात को स्पष्ट कर दिया था। अर्थशास्त्र की परिभाषा यह है कि वह मानव समाज में जीवन-यापन के भौतिक साधनों के उत्पादन और विनिमय का विज्ञान है। एंगेल्स के अनुसार, उत्पादन और विनिमय दो भिन्न कोटि के कार्य हैं, दोनों के अपने-अपने नियम हैं लेकिन "वे बराबर एक-दूसरे को प्रभावित करते हैं और एक-दूसरे का नियमन करते हैं।" विनिमय की इस महत्त्वपूर्ण भूमिका को याद रखने से ही हम रूसी जाति के निर्माण के सम्बन्ध में लेनिन की स्थापना का अर्थ समझ सकते हैं। उनके अनुसार, छोटे-छोटे बाजारों को मिलाकर एक अखिल-रूसी बाजार कायम किया गया था; इस बाजार को कायम करनेवाले पूँजीपति सौदागर थे रूस की प्राचीन आर्थिक व्यवस्था पन्द्रहवीं सदी में टूटने लगी थी। मुद्रा के चलन से वस्तुओं का क्रय-विक्रय बढ़ने लगा था। विभिन्न प्रदेशों और नगरों के बीच व्यापार सम्बन्ध कायम होने लगे थे। इस समय मॉस्को व्यापार का एक महान् केन्द्र बना। सोलहवीं सदी में रूस के विभिन्न बाजारों में परस्पर सम्बन्ध कायम होने लगे थे और इस तरह एक अखिल-रूसी बाजार के निर्माण की प्रक्रिया प्रारम्भ हो गई थी। इस समय रूसी सौदागरों ने ईरान, अज़रबैजान और बोखारा से अपना व्यापार बढ़ाया। ब्रिटेन और हॉलैंड से इसी समय व्यापारिक सम्बन्ध कायम हुए और रूस अन्तरराष्ट्रीय बाजार में खिंच आया। पूर्व और पश्चिम के देशों से व्यापार की उन्नति का प्रभाव स्वयं रूस के घरेलू बाजार पर पड़ा। इस समय उत्पादन की पद्धति में कोई अन्तर न पड़ा। माल बनानेवाले शहरों और गाँवों के दस्तकार होते थे। इस तैयार माल को सौदागर खरीद लेते थे और उसे बाजार में बेचते थे। सत्रहवीं सदी में कुछ फैक्टरियों की स्थापना हुई। इनमें एक से अधिक

कारीगर मिलकर काम करते थे। किन्तु इस तरह के कारखाने बहुत थोड़े थे और सौदागरों को पुराने ढंग के बिखरे हुए स्वतंत्र का कारीगरों से ही माल खरीदकर व्यापार करना होता था। कारखानों का उत्पादन देश के समग्र उत्पादन का बहुत छोटा भाग था। 'पूँजी' के तृतीय खंड में मार्क्स ने अंग्रेज़ी व्यापार से भी व्यापार की तुलना करते हुए लिखा था कि रूसी व्यापार ने एशियाई उत्पादन-पद्धति की आर्थिक नींव को ज्यों-का-त्यों बना रहने दिया था।"[1] इंग्लैंड में व्यापार की उन्नति का यह परिणाम हुआ कि बाजार में क्रय-वस्तुओं की माँग पूरी करने के लिए उत्पादन में परिवर्तन करना जरूरी हुआ; रूस में पुरानी पद्धति का उत्पादन बहुत दिनों तक चलता रहा। मार्क्स की स्थापना पर एंगेल्स ने टिप्पणी की है कि अब यह स्थिति बदलने लगी है। रूस में पूँजीवादी उत्पादन-पद्धति उन्नीसवीं सदी में चालू हुई; इसका यह अर्थ नहीं कि उन्नीसवीं सदी तक रूसी जाति का निर्माण न हुआ था। यदि पूँजीवाद के अभ्युदय का यह अर्थ लगाया जाए कि पूँजीवादी उत्पादन-पद्धति का चलन हुआ, तो रूसी जाति का अस्तित्व उन्नीसवीं सदी से पहले अस्वीकार करना पड़ेगा।

मार्क्स की स्थापना में यह तथ्य भी ध्यान देने लायक है कि इंग्लैंड के व्यापार ने उत्पादन-पद्धति पर प्रभाव डाला। 'पूँजी' के तृतीय खंड में मार्क्स ने सौदागरी पूँजी के विवेचन में जो कुछ कहा है, उससे निष्कर्ष यही निकलता है कि पूँजीवादी उत्पादन के चलन के लिए शर्त यह है कि व्यापार द्वारा एक बाजार कायम हो चुका हो जहाँ नई उत्पादन-पद्धति से तैयार किये हुए माल की खपत हो सके। जिस बाजार के आधार पर जाति का निर्माण सम्भव होता है, वह बाजार सौदागरी पूँजी द्वारा पहले कायम होता है। उसमें वस्तुओं की बढ़ती हुई खपत को पूरा करने के लिए उत्पादन की पद्धति में तब्दीली बाद को होती है। इसलिए हर देश के आर्थिक इतिहास में हम देखते हैं कि सौदागरी पूँजी का अभ्युदय पहले होता है और पूँजीवादी उत्पादन-पद्धति का बाद में। इस सौदागरी पूँजी का अभ्युदय किसी भी उत्पादन-पद्धति में हो सकता है। प्राचीन जनों में जहाँ सामूहिक सम्पत्ति का चलन हो, वहाँ मुद्रा के आधार पर व्यापार के विकास के बदले वस्तुओं का सीधा विनिमय (बार्टर) ही अधिक होता है। इन जनों में कुछ कुलों के हाथों सम्पत्ति का केन्द्रीकरण होने से व्यापार के प्रसार की सम्भावना उत्पन्न होती है। इन प्राक्-सामन्ती जनों में व्यापार के प्रसार का फल यह होगा कि पुराना, रक्त-सम्बन्ध पर आधारित, समाज टूटेगा। व्यापारियों का एक वर्ग विशेष ही बन जाएगा; चार वर्णों के बीच में यह तीसरा वैश्य वर्ण हर सामन्ती व्यवस्था में दिखाई देता है। व्यापार के लिए माल तैयार करना हर किसान का काम नहीं होता; सुनार, लुहार, बढ़ई आदि के नये-नये पेशे बन जाते हैं जो समाज में खपत के लिए तथा बाहर बेचने के लिए भी माल तैयार

1. मार्क्स, 'कैपिटल', तृतीय खंड, मॉस्को, 1959, पृ. 239

करते हैं। यह कारीगरों का वर्ग सामूहिक सम्पत्ति वाले जनों में नहीं होता; समाज की आवश्यकताएँ पूरी करने के अलावा यह वर्ग व्यापार की आवश्यकताएँ पूरी करने के लिए भी उत्पन्न होता है। 'पूँजी' के प्रथम खंड में मार्क्स ने प्राचीन यूनान के लेखक क्सेनोफोन से एक उद्धरण दिया है जिससे पता चलता है कि सामन्ती उत्पादन-पद्धति पर, सामन्ती समाज में पेशेवर जातियों के निर्माण पर, बाजार और व्यापार का क्या असर पड़ता है। क्सेनोफोन के अनुसार, छोटे नगरों में एक ही आदमी चारपाई, दरवाजे, हल और मेज बनाता था लेकिन बड़े शहरों में "जहाँ हर आदमी को बहुत-से खरीदार मिल सकते हैं, कारीगर एक ही धन्धा करे तो उसका गुजर हो जाता है।"[1] मिस्र में इसी प्रक्रिया से पेशेवर जातियाँ बन चुकी थीं और प्लेटो ने अपने आदर्श गणतंत्र (रिपब्लिक) में—मार्क्स के अनुसार—इसी मिस्री जाति-प्रथा (कास्ट सिस्टम) को अपनी राज्यसत्ता का आधार बनाया था। इस प्रकार प्राचीन जनों में व्यापार की उन्नति उनमें सामन्ती श्रम-विभाजन, पेशेवर जातियाँ आदि उत्पन्न करती है। हम यह पहले ही कह चुके हैं कि गुलामी के आधार पर चलनेवाली कोई विशेष आर्थिक व्यवस्था नहीं होती। यूनान में गुलामी की प्रथा का चलन सामन्ती-व्यवस्था के अन्तर्गत था; इसीलिए प्लेटो मिस्र की सामन्ती जाति प्रथा को अपने गणतंत्र के लिए आदर्श मानता है!

सामन्तवाद में जब व्यापार का प्रसार होता है, तब वह पूँजीवादी उत्पादन-पद्धति के लिए मार्ग प्रशस्त करता है। पूँजीवादी उत्पादन-पद्धति की विशेषता यह है कि उसमें वस्तुओं का उत्पादन खाने-खरचने के लिए नहीं होता, उत्पादन होता है क्रय-विक्रय के योग्य माल तैयार करने के लिए। सामन्ती व्यवस्था में खाने-खरचने से जो माल बचता है, वह बेच लिया जाता है। किन्तु व्यापार के प्रसार के साथ यह आवश्यकता उत्पन्न होती है कि खरीद-फरोख्त के लिए माल विशेष रूप से तैयार किया जाए। बचे हुए फालतू माल से काम नहीं चलता। कारीगर जो माल तैयार करता है, उसका उपयोग-मूल्य कम हो जाता है, विनिमय-मूल्य बढ़ जाता है। कुछ विशेष प्रदेशों और नगरों में खास चीजों का उत्पादन बढ़ जाता है; अन्य प्रदेश और नगर अपने यहाँ वे चीजें तैयार न करके उन प्रसिद्ध केन्द्रों से वे चीजें मँगाते हैं। मुख्यत: उपयोगी मूल्य की वस्तुएँ ही तैयार करनेवाली सामन्ती उत्पादन-पद्धति के ह्रास का यह लक्षण होता है। मार्क्स के अनुसार : "सौदागरी पूँजी के समस्त विकास का असर यह होता है कि उत्पादन अब अधिकाधिक विनिमय-मूल्य के लिए होता है और उत्पादित वस्तु अधिकाधिक क्रय-वस्तु का रूप ले लेती हे।"[2] इस प्रकार व्यापार के कारण वस्तुएँ क्रय-वस्तुएँ बनती हैं; पहले से क्रय-वस्तु उत्पादित होकर व्यापार को जन्म नहीं देती।

1. मार्क्स, 'कैपिटल', न्यूयॉर्क, पृ. 402
2. उप., पृ. 322

मार्क्स ने पूँजीवादी उत्पादन-पद्धति में और उससे पहले की अवस्था में व्यापार की दो तरह की भूमिका बताई है। पूँजीवादी उत्पादन-पद्धति से पहले व्यापार उद्योग-धन्धों पर शासन करता है; पूँजीवादी उत्पादन-पद्धति में वह उद्योग-धन्धों द्वारा शासित होता है। इस प्रकार उत्पादन की प्रत्येक व्यवस्था में व्यापार उसे प्रभावित करता है; उसे पुरानी पद्धति बदलकर नई पद्धति की ओर बढ़ने की प्रेरणा देता है। सामन्ती व्यवस्था में व्यापार का विकास स्वभावत: पूँजीवादी उत्पादन-पद्धति के लिए जमीन तैयार करता है। सामाजिक विकास में यह वितरण और विनिमय की भूमिका हुई।

इंग्लैंड पूँजीवादी उत्पादत-पद्धति का आदर्श देश माना जाता है। वहाँ अठारहवीं सदी से पहले पूँजीवादी उत्पादन का क्या हाल था? इंग्लैंड का आर्थिक इतिहास लिखनेवाले कहते हैं कि "बहुत-से मजदूरों का एक कारखाने में इकट्ठा होना विरल घटना थी जिसका समुचित कारण यह था कि उस समय उत्पादन-कौशल की जैसी दशा थी, उसे देखते हुए कारखानों में मजदूरों के इकट्ठा होकर काम करने से कोई लाभ न था।...भाप से चलनेवाली मशीनों का युग शुरू होने पर ही आर्थिक दृष्टि से यह उचित हुआ कि नये कौशल के लिए आवश्यक बड़ी-बड़ी इमारतों पर पैसा खर्च किया जाए जहाँ बहुत-से मजदूर मिलकर काम कर सकें।"[1] 1555 में एक कानून पास किया गया था जिससे एक घर में दो करघों से ज्यादा रखना जुर्म करार दिया गया था। अठारहवीं सदी की औद्योगिक क्रान्ति से पहले इंग्लैंड की उत्पादन-पद्धति को उचित ही 'घरेलू व्यवस्था' (डोमेस्टिक सिस्टम) कहा जाता है। एंगेल्स ने 'इंग्लैंड के मजदूर वर्ग की अवस्था' नामक ग्रंथ के आरम्भ में ठीक लिखा था कि इंग्लैंड में सर्वहारा वर्ग का इतिहास अठारहवीं सदी के उत्तरार्द्ध में नई मशीनों के चलन से आरम्भ होता है। इससे पहले बेटा-बेटी सूत कातते थे और बाप बुनाई करता था। खाली समय में वह खेती करता था; इसलिए उसे सर्वहारा नहीं कहा जा सकता था। वेस्ट राइडिंग में कपड़ा बनानेवाले छोटे-छोटे बुनकरों का प्राधान्य था। "उनका कारबार अक्सर उनके घर में सीमित होता था; कभी-कभी वे एक-दो आदमियों को मदद के लिए लगा लेते थे। ये लोग स्वयं धन्धे में मेहनत करते थे; वे ऊन के व्यापारियों पर ऊन पाने के लिए निर्भर होते थे और उन सौदागरों पर निर्भर होते थे जो उनका माल स्थानीय बाजारों में खरीदते थे।"[2] ये लोग खेती भी करते थे; इसलिए इन्हें 'क्लोदियर' (बुनकर) के साथ 'योमैन' (किसान) भी कहा जाता था। इस स्थिति के बाद की मंजिल यह है कि सौदागर स्वयं ही कारीगर

---

1. एम.डब्ल्यू. टामस द्वारा सम्पादित, 'ए सर्वे ऑव इंग्लिश इकोनॉमिक हिस्ट्री', लन्दन, 1957, पृ. 129
2. उप., पृ. 127

को कच्चा माल देता है, और उससे तैयार माल ले जाता है। पूँजीवादी उत्पादन-पद्धति का यह श्रीगणेश है। सौदागर से कच्चा माल या रुपया उधार लेने के कारण कारीगर जो माल तैयार करता है, उसका मालिक वह स्वयं नहीं होता; सौदागर के प्रभुत्व के कारण उसका माल तैयार होने से पहले ही बिक चुका होता है। यह स्थिति अंग्रेज़ों के आने से पहले हिन्दुस्तान में भी थी। मुगल काल के बारे में मोरलैंड ने लिखा है : "इस समय के व्यापारिक पत्र-व्यवहार में बुनकरों की स्थिति साफ दिखाई देती है। एक तरह से तो हरेक बुनकर केवल अपने लिए काम करता था; दूसरे अर्थ में वह उस पूँजीपति के हाथ में था जो उसे कच्चा माल खरीदने और काम करने की अवधि में परिवार का पेट पालने के लिए रुपया उधार देता था। सौदागरों द्वारा इस तरह पेशगी रुपया देने की क्रिया से सभी लोग परिचित हैं; इसलिए उस पर विस्तार से लिखने की आवश्यकता नहीं है। डच और अंग्रेज़ खरीदारों ने इस व्यवस्था को यहाँ दृढ़ रूप से कायम पाया और इसलिए आवश्यक माल पाने के लिए उन्हें भी उसी का अनुकरण करना पड़ा।"[1] इंग्लैंड की औद्योगिक क्रान्ति से पहले भारत और वहाँ की उत्पादन-पद्धति में बुनियादी भेद न था। जहाँ तक व्यापार का सम्बन्ध है, भारत और एशिया के अन्य देश इंग्लैंड से आगे बढ़े हुए थे।

इंग्लैंड, हॉलैंड, पुर्तगाल आदि में औद्योगिक क्रान्ति से पहले व्यापार की जो उन्नति हुई, उसका उत्पादन-पद्धति के परिवर्तन से कोई सम्बन्ध नहीं था। इस सत्य का एक प्रमाण यह है कि इन देशों के महावणिज एशियाई देशों का सौदा खरीदकर अपने यहाँ बेचते थे; अभी उनके माल की खपत के लिए एशियाई बाजारों में गुंजाइश न थी। यह गुंजाइश तब पैदा हुई जब उन्होंने यहाँ के सामन्तों को एक-दूसरे से लड़ाकर अपना राजनीतिक प्रभुत्व स्थापित कर लिया और इस प्रभुत्व के बल पर यहाँ के उद्योग-धन्धों का नाश कर दिया। विलायती माल से खुली होड़ में भारतीय धन्धे नष्ट नहीं हुए; खुली होड़ से खतरा पैदा हुआ था विलायती धन्धों को ही। मार्क्स की एक स्थापना यह थी कि विलायती माल की आमद से भारत की प्राचीन उत्पादन-व्यवस्था खत्म हुई। इस व्यवस्था की विशेषता यह मानी गई है कि उसमें खेती और उद्योग-धन्धों का मिश्रण था। जो आदमी खेती करता था, वही फुर्सत में कपड़े बुनता था। किन्तु हम देख चुके हैं कि औद्योगिक क्रान्ति से पहले इंग्लैंड में ही अधिकांश बुनकर खेती भी करते थे। इसलिए 'पूँजी' के प्रथम खंड में मार्क्स ने लिखा था कि मशीनों का चलन होने से ही खेती और घरेलू उद्योग-धन्धों का अलगाव पूरा होता है। इससे पहले गाँववालों का एक ऐसा वर्ग बराबर उत्पन्न हुआ करता है "जो सहायक धन्धे के रूप में खेती करता है और मुख्य धन्धे के रूप में औद्योगिक श्रम करता है। इस औद्योगिक श्रम से वह जो माल तैयार करता है, उसे या तो उद्योगपतियों (मैनूफैक्चरर) के हाथ सीधे बेच देता है

1. मोरलैंड, 'फ्रॉम अकबर टु औरंगज़ेब', पृ. 192

या सौदागरों के माध्यम से बेचता है।"[1] इससे सिद्ध है कि खेती और उद्योग-धन्धों का पूरी तरह अलगाव—और इस तरह किसी देश में पूँजीवादी सम्बन्धों का पूरी तरह प्रसार—मशीनों के चलन के बाद ही सम्भव है। 'पूँजी' के तृतीय खंड में मार्क्स ने वेनिस, जिनोआ, हॉलैंड आदि के सौदागरों की चर्चा की है जिन्हें अपने देश का माल बेचने से मुनाफा न होता था, मुनाफा कमाते थे वे दूसरे देशों का माल बेचकर। उस समय सभ्य जातियाँ कहाँ की थीं? क्या यूरोपवासी उन देशों को सभ्यता सिखाने आते थे जिनके यहाँ का माल बेचकर वे मुनाफा कमाते थे? मार्क्स ने प्रसिद्ध अर्थशास्त्री ऍडम स्मिथ के कुछ वाक्य उद्धृत किये हैं जिनसे यूरोप और एशिया की जातियों की सभ्यता के प्रति उस समय के लोगों की धारणाएँ मालूम होती है। ऍडम स्मिथ ने लिखा था : "यूरोप के अधिकांश भाग का व्यापार उस समय यों होता था कि अपने मोटे-झोटे सामान से अधिक सभ्य जातियों के तैयार माल का विनिमय किया जाता था।" जो पूरब के जितना निकट था, वह व्यापार में उतनी ही प्रगति कर सकता था। किसी समय इटली ने व्यापार में—और उसके साथ ललित कलाओं में भी—बड़ी उन्नति की थी। इसका कारण यह था : "पूरब की उच्चतर सभ्यताओं के अधिक निकट और अनुकूल रूप में अवस्थित होने के कारण इटली भौतिक और आध्यात्मिक, दोनों तरह के पुनर्जागरण का नेता था।"[2]

इंग्लैंड में जब औद्योगिक क्रान्ति हुई, तब मशीनें चलाने के लिए जिस चीज से सबसे पहले काम लिया गया, वह पानी था। इंग्लैंड के उत्तरी प्रदेशों—लंकाशायर, चेशायर और यौर्कशायर—में पानी की इफरात थी। इसलिए लन्दन के आसपास नहीं, वरन् उससे दूर उत्तर में सूती उद्योग-धन्धों का विकास हुआ। पानी की जगह भाप से मशीनें चलने पर लोहे और कोयले की खपत बढ़ी। लंकाशायर और यौर्कशायर में लोहे और कोयले की खानें भी थीं। इसलिए इन प्रदेशों में नये औद्योगिक केन्द्र बने। एंगेल्स ने 'इंग्लैंड के मजदूर वर्ग की अवस्था' नामक पुस्तक की भूमिका में लिखा था कि 1801 में बर्मिंघम की आबादी 73,000 था तो 1844 में उसकी आबादी बढ़कर दो लाख हो गई। इसी तरह और शहरों की आबादी भी बढ़ी। लेकिन इस औद्योगिक क्रान्ति के कारण लंकाशायर की बोली सारे देश की जातीय भाषा न बनी; जातीय भाषा बनी लन्दन की बोली। इससे सिद्ध हुआ कि जातीय भाषा के प्रसार का श्रेय सबसे पहले व्यापार को है। औद्योगिक क्रान्ति से देश के विभिन्न भागों का अलगाव और भी कम होता है। जातीय बाजार का गठन और भी सुदृढ़ होता है। जातीय भाषा का और भी प्रसार तथा उसका रूप परिनिष्ठित होता है। किन्तु यह जातीय भाषा बन चुकी होती है किसी बोली के आधार पर पहले ही—व्यापार के कारण।

---

1. मार्क्स, 'कैपिटल', पृ. 820
2. लीविस मम्फोर्ड, 'दि कल्चर ऑव दि सिटीज़', पृ. 23

अकादमिक कोस्मिन्स्की ने 'इंग्लिश नेशन' की निर्माण-प्रक्रिया की चर्चा में लन्दन के महत्त्व का उल्लेख किया है। उनके अनुसार इंग्लैंड का जातीय बाजार सोलहवीं सदी में बन चुका था। लन्दन की बोली के आधार पर बोलचाल और साहित्य की अंग्रेज़ी भाषा का विकास हुआ। लन्दन इंग्लैंड का प्रमुख व्यापारिक और औद्योगिक केन्द्र था। "वह इंग्लैंड का सबसे बड़ा अथवा एकमात्र बड़ा शहर था।" सत्रहवीं सदी में अन्य नगरों पर लन्दन का प्रभुत्व और भी बढ़ गया। लन्दन जातीय बाजार का केन्द्र बना। "यह बिलकुल स्पष्ट है कि लन्दन के सारे देश से और सारे देश के लन्दन से आर्थिक सम्बन्धों के कारण लन्दन की बोली जातीय भाषा बन सकी। लन्दन राजनीतिक, राज-दरबार और सांस्कृतिक जीवन तथा धार्मिक आन्दोलनों का तथा पार्लमेंट का केन्द्र बना, इससे भी उस काम में सहायता मिली।"

कोस्मिन्स्की ने अपने विवेचन में यह स्पष्ट नहीं किया कि जातीय बाजार को बनानेवाले कौन लोग थे। वे व्यापारी थे या उद्योगपति, या दोनों? लन्दन को औद्योगिक और व्यापारिक केन्द्र कहने से यह भ्रम उत्पन्न होता है कि जातीय बाजार के निर्माण और जातीय भाषा के गठन और प्रसार में उद्योग-धन्धों का उतना ही हाथ था जितना व्यापार का। लन्दन बारहवीं-तेरहवीं सदी में आन्तरिक व्यापार का केन्द्र बनने लगा था। वहाँ मछलियों का बहुत बड़ा व्यापार होता था। लन्दन से दूर-दूर तक देहात में मछलियाँ भेजी जाती थीं। वह अनाज की भी बहुत बड़ी मंडी था। यहीं न्यूकैसल से कोयला आता था। एक बन्दरगाह होने के कारण उसका महत्त्व और भी बढ़ गया था। सोलहवीं-सत्रहवीं सदी में बड़े-बड़े महाजन यहीं रहते थे जो फिजूलखर्च रईसों को रुपये उधार देते थे। आगे चलकर यहीं बैंकिंग का कारोबार बढ़ा। सोलहवीं सदी में इंग्लैंड से ऐंटवर्प को जो कपड़ा जाता था, वह लन्दन से। एशिया और अमरीका से जो माल आता था, उसे यूरोप में फिर बेचने के लिए सबसे बड़ा निर्यात-केन्द्र लन्दन था। एंगेल्स ने अपनी उपर्युक्त पुस्तक में लन्दन को 'विश्व की व्यापारिक राजधानी कहा था', जिसमें हजारों जहाज आकर टिका करते थे। लन्दन व्यापार का केन्द्र आरम्भ से ही था; बाद को भी रहा। उसकी बोली का प्रसार व्यापार के कारण हुआ, न कि उद्योग-धन्धों के कारण।

लन्दन की बोली जातीय भाषा बनी, इसका यह अर्थ न समझना चाहिए कि लन्दन में सभी लोग एक-सी टकसाली भाषा बोलते थे और वह ज्यों-की-त्यों सारे देश में फैल गई। वाइल्ड ने अंग्रेज़ी भाषा पर अपनी पुस्तक में ठीक लिखा है कि चौसर ने (चौदहवीं सदी में) लन्दन की बोली के एक रूप में अपनी रचनाएँ कीं। यह रूप आगे न चला। वाइल्ड का अनुमान है कि चौसर ने उच्च वर्गों की राज-दरबारी भाषा में अपनी रचनाएँ की थीं। कुछ विद्वानों का मत है कि कैक्सटन ने जो अंग्रेज़ी लिखी थी, वह आज की अंग्रेज़ी से ज्यादा मिलती है। कैक्सटन जब बीस साल का था तब वह यूरोप चला गया था। वह वहाँ अंग्रेज़ व्यापारियों का प्रतिनिधि बनकर रहा।

वह चौसर का बड़ा प्रशंसक था लेकिन उसकी बोली राज-दरबार के 'उच्च वर्गों' की बोली न थी। वह व्यापारियों का प्रतिनिधि था; उसकी बोली वह थी जो लन्दन के बाजार में व्यापारियों द्वारा प्रयुक्त होती थी। अंग्रेज़ों की जातीय भाषा के विकास में कैक्सटन का अन्यतम महत्त्व है। पचास का हो चुकने पर वह इंग्लैंड लौटा और लन्दन में उसने इंग्लैंड का पहला छापाखाना स्थापित किया। यहाँ से उसने गद्य में पुस्तकें छापनी शुरू कीं। फ्रांसीसी से उसने किस्से-कहानियों (रोमांस) के अनुवाद किये। ये किस्से आधुनिक लघुकथाओं जैसे नहीं थे वरन् 'फ़सान-ए-आजाद' या 'तिलस्मे होशरुबा' के ढंग के थे—आकार में विराट्। हर हिन्दी पाठक जानता है कि हिन्दी के प्रसार में 'चन्द्रकान्ता' का कितना महत्त्वपूर्ण स्थान है। देवकीनंदन ख़त्री की रचनाएँ हर ख़ास और आम में लोकप्रिय थीं। यही हाल कैक्सटन के अनुवादित रोमांसों का था। रोमांस खूब पढ़े जाते थे। उनमें मध्यकालीन जीवन का अलंकृत और रस-रंजित वर्णन होता था। कैक्सटन चतुर व्यापारी की तरह इस मध्यकालीन धरोहर से मुनाफा कमा रहा था; स्वयं रोमांस की दुनिया से कोसों दूर था। दूसरी तरह की पुस्तकें धार्मिक थीं। मध्यकाल के अन्त में जनता धर्मप्राण तो थी ही। ये किताबें भी खूब पढ़ी जाती थीं। इस प्रकार लन्दन के व्यापारियों की बोली को साहित्यिक गद्य का माध्यम बनाकर कैक्सटन ने उसे इंग्लैंड के हर शिक्षित जन तक पहुँचा दिया। कन्धे पर झोला डालकर जो फेरी लगानेवाले व्यापारी देहात पहुँचते थे, वे अन्य सामान के साथ कैक्सटन की पुस्तकें भी बेचा करते थे।

जर्मन भाषाविद् डिबेलियस (इसके मत का उल्लेख वाइल्ड ने किया है) ने इस बात की ओर संकेत किया था कि लन्दन की बोली तुरन्त जातीय भाषा के रूप में सर्वत्र स्वीकृत नहीं हो गई। लन्दन के अलावा ऑक्सफर्ड की अंग्रेज़ी को भी बहुत जगह लोग आदर्श भाषा मानते थे। ऑक्सफोर्ड धर्माधीशों का गढ़ था। किन्तु यह अन्तर चला नहीं। व्यापारिक केन्द्र लन्दन की अंग्रेज़ी की ही विजय हुई। यहाँ यह स्मरण रखना चाहिए कि जातीय भाषा जितनी लिखित रूप में परिनिष्ठित दिखाई देती है, उतनी उच्चारण में नहीं होती। यहाँ हम बोलियों की बात नहीं करते; व्याकरण की दृष्टि से शुद्ध अंग्रेज़ी बोलनेवाले भी उच्चारण में घोर विषमता प्रकट करते हैं। शिक्षा के प्रसार, पुस्तकों के मुद्रण और वितरण से जातीय भाषा के गठन और प्रसार का घनिष्ठ सम्बन्ध है। इसी कारण यह गठन और प्रसार की प्रक्रिया लम्बी होती है। अंग्रेज़ी के माध्यम से जो जाति गठित हुई, वह सिर्फ इंग्लैंड की अंग्रेज़ी जाति न थी वरन् वेल्श और स्कॉटलैंड के निवासियों को मिलाकर बनी हुई ब्रिटिश जाति थी। इंग्लैंड का एकीकरण आसान था, लेकिन वेल्श और स्कॉटलैंड में दूसरे कुल की भाषाएँ बोली जाती थीं। इन प्रदेशों के लोग इंग्लैंड की सत्ता के विरुद्ध अनेक बार लड़ भी चुके थे। इसलिए स्कॉट और वेल्श जनता के स्वतंत्र जातीय विकास की पूर्ण सम्भावना थी। ऐतिहासिक रूप से यह बिलकुल अनिवार्य न था कि स्कॉट और

वेल्श भाषाएँ अंग्रेज़ी के सामने अपदस्थ हो जाएँ, अपने प्रदेशों की जातीय भाषाएँ स्वयं न बनकर अंग्रेज़ी को इस रूप में स्वीकार करें। अंग्रेज़ों ने वेल्श और स्कॉट खून के राजाओं को लन्दन में गद्दी पर बिठाकर वेल्श और स्कॉटलैंड के लोगों के जातीय गर्व का संवर्द्धन किया किन्तु इतने से स्कॉट और वेल्श जन अपनी भाषा न छोड़ देते। स्कॉटलैंड और इंग्लैंड का राजनीतिक 'यूनियन' भी ब्रिटिश जाति के निर्माण का नियामक कारण नहीं था। उन्नीसवीं सदी में भी स्कॉटलैंड की जनता अपनी भाषा की रक्षा के लिए प्रयत्नशील थी। 'इंग्लैंड के मजदूर वर्ग की अवस्था' में एंगेल्स ने लिखा था कि 1803 में स्कॉटलैंड में 900 मील की कुल लम्बाई वाली सड़कें बनीं और इस तरह वहाँ का पार्वतीय प्रदेश सभ्यता की परिधि में आ गया। "और अब यद्यपि गेलिक भाषा की रक्षा के लिए गेलिक स्कूल कायम किये गए थे, फिर भी अंग्रेज़ी सभ्यता के अभियान के सामने गेलिक-केल्टिक रीति-रिवाज और भाषा तेजी से लुप्त हो रहे हैं।" एंगेल्स के मत से यह प्रक्रिया आयरलैंड में भी सम्पन्न हो रही थी। "यह बात आयरलैंड में देखी जाती है। कॉर्क, लिमेरिक और केरी के बीच का प्रदेश बिलकुल जंगली था और उसमें सड़कें न थीं और इस प्रकार दुर्गम होने के कारण वह सभी तरह के अपराधियों का शरणस्थल और दक्खिनी आयरलैंड में केल्टिक-आयरिश जातीयता का मुख्य संरक्षण-स्थल था। अब उसमें सड़कें बन गई हैं और इस जंगली प्रदेश में भी सभ्यता की पहुँच हो गई है।" पाठक यहाँ उत्तर भारत में मौर्यकाल से अकबर के समय तक पूरब से उत्तर को बाँधनेवाली सड़कों का स्मरण करें। अंग्रेज़ जमींदार आयरलैंड का शोषण करते थे लेकिन उसके विकास की उन्हें जरा भी चिन्ता न थी। औद्योगिक क्रान्ति से जब उन्हें कच्चा माल देनेवाले उपनिवेशों और तैयार माल की खपत के लिए बाजारों की आवश्यकता हुई, तब उन्होंने आयरलैंड में सड़कें बनाना शुरू किया। यातायात का एक और साधन होता है नहरें। एंगेल्स के अनुसार, 1755 तक इंग्लैंड में नहरें प्राय: थीं ही नहीं। इससे भारत में नहर-निर्माण की तुलना की जा सकती है। ब्रिटेन के शासकों की अपेक्षा उत्तर भारत के तुर्क, पठान और मुगल शासक इस दिशा में कहीं अधिक प्रगतिशील थे। उसका एक परिणाम यह हुआ कि उत्तर भारत में लघुजातीय जनपदों का अलगाव जल्दी दूर हुआ।

दक्खिनी आयरलैंड में अंग्रेज़ी सभ्यता की पहुँच तो हो गई, लेकिन आयरिश जातीयता ने हथियार नहीं डाले। यातायात के साधनों से हर प्रदेश की जातीयता को खत्म करके वहाँ के लोगों को ब्रिटिश जाति का अंग बना लेना सम्भव न था। आयरिश जातीयता और भाषा की रक्षा का श्रेय सबसे महले आयरिश जनता को है। यद्यपि गोल्डस्मिथ और बर्नार्ड शॉ जैसे अनेक आयरिश इंग्लैंड में आकर बसे और अंग्रेज़ी साहित्य को समृद्ध करते रहे, किन्तु इससे आयरिश भाषा और संस्कृति समाप्त न हो गई। इसी प्रकार वेल्श और स्कॉटलैंड भी अपनी भाषा और संस्कृति

की रक्षा कर सकते थे। किन्तु ये प्रदेश इंग्लैंड के बहुत पास थे, बीच में समुद्र न था, आकार में भी आयरलैंड से छोटे थे। यद्यपि अंग्रेजों न आयरलैंड में अपने पैर अच्छी तरह जमा लिये थे, फिर भी इन भौगोलिक कारणों से और समर्थ आयरिश प्रतिरोध के कारण अंग्रेज़ आक्रामक आयरिश जातीयता का नाश न कर सके।

राजनीतिक और आर्थिक एकीकरण के अन्तर्गत जिस प्रदेश के भी लोग आ जाएँ, वे किसी महाजाति का अंग बन जाएँगे, यह आवश्यक नहीं है। चाहे व्यापार द्वारा पूँजीवादी सम्बन्ध फैलें, चाहे औद्योगिक क्रान्ति बाजार का सुदृढ़ एकीकरण करे, चाहे राज्यसत्ता निरंकुश शासन द्वारा किसी जाति की भाषा को शिक्षा और संस्कृति के क्षेत्र से निकाल दे, उस जाति के लोग यदि अपनी भाषा और संस्कृति की रक्षा करने पर तुल जाएँ और इसके लिए निरन्तर संघर्ष करें तो वे अवश्य अपनी जातीयता की रक्षा कर सकते हैं। जातीय निर्माण के कोई अखंड, अविच्छेद्य भौतिक शास्त्र के-से नियम नहीं हैं। इस बात को किसी अखंड नियम से सिद्ध नहीं किया जा सकता कि अंग्रेज़ी से भिन्न कुल वाली वेल्श और स्कॉट भाषाएँ बोलनेवाले जनों का ब्रिटिश जाति में विलयन तो अनिवार्य था, लेकिन एक ही कुल की उक्रैनी भाषा बोलनेवाले जनों का रूसी जाति में विलयन अनिवार्य नहीं था। सत्रहवीं सदी में उक्रैन पर पोल सामन्तों का राज्य था। उक्रैनी जनता उनसे लड़कर अकेले विजय न पा सकी थी। 1652 में उक्रैन रूसी राज्य के अन्तर्गत हो गया और पोलैंड का आधिपत्य समाप्त हुआ। किन्तु अठारहवीं सदी में रूसी राज्यसत्ता ने उक्रैनी भाषा और संस्कृति का दमन करना आरम्भ किया। उक्रैनियों को अपनी भाषा में पुस्तकें छापने का अधिकार न था। उन्नीसवीं सदी में उक्रैन अखिल-रूसी बाजार का अंग बन गया। रूस के लिए यहाँ से अनाज जाता था। किएव में नाज की बिक्री, दस्तकारी के सामान के सौदे तै होते थे। रूस का तैयार माल उक्रैन में बिकता था। उन्नीसवीं सदी के आरम्भ में रूसी वस्त्र-उद्योग की एक-तिहाई उपज उक्रैन में खप जाती थी। काले सागर के तट पर ओदेसा, निकोलायेव और खेरसोन के उक्रैनी बन्दरगाह पूरब-पच्छिम के देशों में रूसी व्यापार के केन्द्र बने थे।[1] इन तथ्यों से इस बारे में कोई सन्देह न होना चाहिए कि उक्रैन अखिल रूसी बाजार का अंग था। राज्यसत्ता ने उक्रैनियों की जातीयता खत्म करने के लिए कुछ उठा न रखा। 1863 में ज़ार सरकार ने एक आज्ञापत्र निकाला था कि उक्रैनी में पाठ्य-पुस्तकें न छापी जाएँ। इस आज्ञापत्र में घोषित किया गया था कि "मालोरूसी (उक्रैनी) भाषा न पहले थी, न अब है, न आगे कभी होगी।"[2] किन्तु यह सब व्यर्थ हुआ। वेल्श और स्कॉट जितना अंग्रेज़ी से, व्याकरण और शब्द-भंडार में, दूर थीं, उक्रैनी रूसी के उतना ही निकट थी। दोनों एक ही कुल की भाषाएँ थीं। रूसी और उक्रैनी जातियाँ, दोनों ही

1. 'ए हिस्ट्री ऑव दि यू.एस.आर.', खंड 2, पृ. 32-33
2. उप., पृ. 262

अपने को स्लाव समझती थीं। इसलिए वेल्श और स्कॉट की तुलना में उक्रैनी के स्वतंत्र अस्तित्व के लिए भाषागत कारण कम थे। इससे सिद्ध हुआ कि पूँजीवादी सम्बन्धों का प्रसार और देशव्यापी बाजार का कायम होना हर स्थिति में नियामक कारण नहीं होते। भाषा, संस्कृति और इतिहास किन्हीं परिस्थितियों में आर्थिक उपकरणों से प्रबलतर सिद्ध होते हैं। स्वाभाविक प्रक्रिया यह है कि पूँजीवादी सम्बन्धों के प्रसार से वही जन और लघुजातियाँ एक महाजाति का अंग बने जो भाषा, संस्कृति और इतिहास में भी एक-दूसरे के बहुत निकट रही हो। रूसी जाति में जिन लघुजातियों का विलयन हुआ, वे सामन्ती व्यवस्था में ही भाषा, संस्कृति और इतिहास की दृष्टि से एक-दूसरे के बहुत निकट थीं। इसलिए आर्थिक और राजनीतिक एकता से रूसी जाति के निर्माण में वे सहायक हुईं। किन्तु भाषा, संस्कृति और इतिहास में यथेष्ट भिन्नता होने के कारण आर्थिक और राजनीतिक एकता के बावजूद उक्रैनी जाति रूसी महाजाति का अंग न बनाई जा सकी।

उक्रैन का एक भाग गैलीशिया नाम से आस्ट्रिया के अधिकार में था। वहाँ पर उक्रैनी भाषा और संस्कृति को दबाकर जर्मन भाषा का प्रभुत्व स्थापित करने का प्रयत्न किया गया। लेकिन इसमें जर्मन-भाषी ऑस्ट्रिया के शासकों को सफलता न मिली। हंगरी के प्रमुख नगरों में कभी जर्मन भाषा का प्रभुत्व था लेकिन वहाँ भी मग्यार भाषा और जातीयता ने जर्मन प्रभुता को परास्त किया। 1848 में यूरोप की क्रान्तिकारी उथल-पुथल से लाभ उठाकर स्लाव और मग्यार जातियों ने जर्मन प्रभुता का जुआ उतार फेंकने की कोशिश की थी। मार्क्स और एंगेल्स का विचार था कि जिस तरह वेल्श जन ब्रिटिश जाति का अंग बन गए हैं, उसी तरह स्लाव और मग्यार जातियों का अलगाव भी खत्म हो जाएगा और वे जर्मन भाषा और संस्कृति को अपना लेंगे। इस सम्बन्ध में एंगेल्स ने 'न्यूयॉर्क हेराल्ड ट्रिब्यून' (24 अप्रैल, 1852) में लिखा था : "पचीसों जातियों के बिखरे हुए अवशेष, जिनकी जातीयता और राजनीतिक सजीवता बहुत समय पहले खत्म हो चुकी थी और जिन्हें इसके फलस्वरूप लगभग हजार साल से अपने से अधिक शक्तिशाली विजेता जाति के पगचिह्नों का अनुसरण करना पड़ा था, जैसे वेल्श को इंग्लैंड में, बास्क को स्पेन में, निम्न ब्रिटनों को फ्रांस में और अभी हाल के जमाने में स्पेनी और फ्रांसीसी क्रिओल को उत्तरी अमरीका के उन भागों में जिन पर ऐंग्लो-अमरीकी जाति ने कब्जा कर लिया है—ये मरती हुई जातियाँ, बोहीमियन, करिंथियन, दलमाशियन—आदि इस ताक में रहीं कि 1844 की व्यापक अराजकता से लाभ उठाकर 800 ईसवी वाली अपनी राजनीतिक स्थिति फिर प्राप्त कर लें। एक हजार साल के इतिहास से उन्हें यह मालूम हो जाना चाहिए था कि इस तरह का प्रतिगमन सम्भव नहीं है। यदि एल्बे और ज़ाले के पूरब का सारा प्रदेश किसी समय परस्पर सम्बन्धित स्लावों के अधिकार में था, तो इससे जर्मन जाति की ऐतिहासिक प्रवृत्ति

और साथ ही उसकी भौतिक और बौद्धिक शक्ति का पता चलता है जिससे वह अपने प्राचीन, पूर्वी पड़ोसियों को परास्त करती और अपने में मिला लेती थी। इस तरह अपने में मिलाने की यह जर्मन प्रवृत्ति पश्चिमी यूरोप की सभ्यता को महाद्वीप के पूरब में फैलाने का प्रबलतम साधन रही है और अब भी है। यह प्रवृत्ति तभी रुक सकती थी जब जर्मनीकरण की यह धारा उन जातियों की सीमाओं तक पहुँच जाए जहाँ बड़ी और सम्बद्ध जातियाँ हों, जो भीतर से टूटी हुई न हों, जो स्वतंत्र जातीय जीवन बिताने में समर्थ हों, जैसेकि हंगेरियन और एक हद तक पोल। इसलिए इन मरती हुई जातियों का सहज और अनिवार्य अन्त यही है कि वे बिखरे और अपने सबलतर पड़ोसियों में घुल-मिल जाएँ। स्लाव महाजातीयता का स्वप्न देखनेवालों ने बोहीमियन और दक्खिनी स्लाव जनों के एक हिस्से को आन्दोलित कर लिया था; उनके लिए विलयन की यह सम्भावना प्रसन्नता का कारण न होगी। लेकिन क्या वे आशा करते हैं कि इतिहास उन थोड़े-से आदमियों को खुश करने के लिए एक हजार साल पीछे लौट जाएगा जो शरीर से अस्वस्थ हैं, जो हर प्रदेश में जर्मनों के बीच में हैं या उनसे घिरे हुए हैं, जिनके पास अति-प्राचीन काल से सभ्यता के सभी कार्यों के लिए जर्मन के अलावा और कोई भाषा नहीं रही और जिनके पास जातीय जीवन की प्राथमिक आवश्यकताएँ—संख्या और सम्बद्ध प्रदेश—नहीं हैं? इस प्रकार जर्मन और हंगेरियन स्लाव प्रदेशों में हर जगह स्लाव महाजातीयता के पक्ष में ये विद्रोह इस बात के लिए प्रच्छन्न प्रयत्न थे कि इन बेशुमार छुटपुट जातियों का स्वतंत्र अस्तित्व कायम हो जाए। उन्होंने यूरोप के क्रान्तिकारी आन्दोलन से हर जगह टक्कर ली। यद्यपि स्लाव लोग हर कहीं आजादी के लिए लड़ने का बहाना करते थे, किन्तु (पोलों के एक जनवादी अंश को छोड़कर) वे हमेशा निरंकुशता और प्रतिक्रिया के खेमे में पाए गए। यही हाल था जर्मनी में, यही हाल था हंगरी में और यही हाल था जहाँ-तहाँ तुर्की में भी। वे लोकप्रिय उद्देश्य के प्रति गद्दार थे, ऑस्ट्रिया सरकार के प्रमुख समर्थक थे, सभी क्रान्तिकारी जातियों की निगाह में उन्होंने अपने को दस्यु बना लिया था। स्लाव महाजातीयता के नेताओं ने जो जातीयता सम्बन्धी झगड़ा-फसाद किया, उसमें आम जनता ने कहीं भाग न लिया, क्योंकि वह बिलकुल जाहिल थी, फिर भी इस बात को कभी न भुलाया जाएगा कि प्राग (आधुनिक चेकोस्लोवाकिया की राजधानी) के अर्द्ध-जर्मन नगर में स्लाव जातीयता की अन्ध समर्थक भीड़ों ने तालियाँ बजाकर ये नारे लगाए थे : 'जर्मन आजादी से रूसी डंडा ही अच्छा!' 1848 में उनका पहला प्रयत्न असफल हुआ और ऑस्ट्रिया की सरकार ने उन्हें अच्छा सबक सिखा दिया; इसके बाद भी सम्भव है कि मौका मिलने पर फिर वे बाज न आएँ। लेकिन फिर ऐसे ही बहाने करके यदि वे क्रान्ति-विरोधी शक्तियों का साथ देने की कोशिश करेंगे तो जर्मनी के कर्तव्य में दुविधा न होगी। क्रान्ति के

दौर से गुजरता हुआ और बाह्य युद्ध में फँसा हुआ कोई भी देश अपने बीचोबीच वाँदे का अस्तित्व बर्दाश्त नहीं कर सकता (वाँदे—फ्रांस में पूँजीवादी क्रान्ति के दौरान क्रान्ति-विरोधियों का अड्डा)।"[1]

इस उद्धरण से पता चलेगा कि जर्मनीकरण की धारा कितनी प्रबल थी। इस धारा के वाहक जर्मन सामन्त और पूँजीपति थे। उन्होंने पूर्वी यूरोप में पाश्चात्य सभ्यता का प्रसार किया था। किन्तु सैकड़ों साल के प्रयत्नों से भी उन्हें सफलता न मिली। आर्थिक और राजनीतिक कारणों से सांस्कृतिक, ऐतिहासिक और भाषागत कारण अधिक शक्तिशाली सिद्ध हुए। स्लाव जातीयता के समर्थकों में अवश्य बहुत-से क्रान्ति-विरोधी लोग रहे होंगे। एंगेल्स के रोष का मुख्य कारण इनका क्रान्ति-विरोध था। हर जातीय आन्दोलन में उससे पूँजीवादी हित सिद्ध करनेवाले कुछ स्वार्थी लोग शामिल हो जाते हैं। इसलिए यह आवश्यक होता है कि जातीय आन्दोलनों को नजरअन्दाज न करके प्रगतिशील नेता उन्हें अपने नियंत्रण में रखें। इसका ताजा प्रमाण इस देश में ही असम के उपद्रव हैं, पंजाब का अकाली आन्दोलन है। लेकिन जो जर्मन सामन्त स्लाव जनों की जातीयता नष्ट कर रहे थे, वे कोई प्रगतिशील भूमिका अदा न कर रहे थे। उनके मुकाबले में रूस की सामन्ती राज्यसत्ता तातार, तुर्क, जर्मन आदि साम्राज्यों से उक्रैनियों, बेलोरूसियों आदि की रक्षा करके स्लाव जनों का मनोनुकूल कार्य कर रही थी। प्राग की चेक जनता का यह कहना स्वाभाविक था कि जर्मन आजादी से रूसी डंडा बेहतर है। उसकी जातीयता का नाश तो हर हालत में हो रहा था; इससे चेक से मिलती-जुलती भाषा बोलनेवाली रूसी जाति का अंग क्यों न बना जाए? जन-क्रान्ति की सफलता के लिए वर्ग-दासता से मुक्ति के अलावा जातीय उत्पीड़न से मुक्ति का कार्यक्रम भी होना चाहिए। लेनिन और स्तालिन ने जातीय मुक्ति को सर्वहारा कार्यक्रम का अंग बनाकर मार्क्सवाद को समृद्ध किया।

सोवियत क्रान्ति के बाद भी कुछ लोगों को बेलोरूसी और उक्रैनी जातियों के भिन्न अस्तित्व में सन्देह था। 1921 में इन्हें उत्तर देते हुए स्तालिन ने रूसी कम्यूनिस्ट पार्टी की दसवीं कांग्रेस में कहा था : "मेरे पास एक पुर्जा आया है जिसमें कहा गया है कि हम कम्यूनिस्ट बेलोरूसी जाति का कृत्रिम पोषण कर रहे हैं। यह सही नहीं है, क्योंकि बेलो-रूसी जाति है, जिसकी भाषा रूसी से स्पष्टत: भिन्न है। इसलिए बेलोरूसी जनता का सांस्कृतिक धरातल उसकी मातृभाषा द्वारा ही ऊँचा किया जा सकता है। इस तरह की बातें करीब पाँच साल पहले उक्रैन और उक्रैनी जाति के बारे में सुनी जाती थीं। अभी कुछ दिन पहले कहा गया था कि उक्रैनी प्रजातंत्र और उक्रैनी जाति जर्मनों का आविष्कार हैं। लेकिन यह स्पष्ट है कि उक्रैनी जाति का अस्तित्व है और उसकी संस्कृति को विकसित करना कम्यूनिस्टों का फर्ज है।

1. कार्ल मार्क्स, 'हिस्टॉरिकल राइटिंग्स', खंड 1, बम्बई, पृ. 110-12

हमें इतिहास के प्रतिकूल न चलना चाहिए। यद्यपि उक्रैन के शहरों में रूसी जनों की अब भी बहुलता है, लेकिन यह स्पष्ट है कि समय बीतने पर ये नगर लाजमी तौर से उक्रैनी हो जाएँगे। करीब चालीस साल पहले रीगा जर्मन नगर था, लेकिन चूँकि देहात से आदमियों के भरने से शहर बढ़ते हैं और देहात जातीयता के संरक्षक हैं इसलिए रीगा अब बिलकुल लेत जाति का नगर हो गया है। करीब पचास साल पहले हंगरी के सभी शहर जर्मन थे, अब उनका मग्यारीकरण हो गया है। यही हाल बेलोरूस का होगा जिसके शहरों में अभी भी ग़ैर-बेलोरूसी लोगों की बहुलता है।"

उक्रैन के शहरों में रूसियों की बहुलता इस बात का प्रमाण है कि रूसी बाजार बड़े समर्थ हाथों से इस प्रदेश को अपनी ओर खींच रहा था। लैतविया, हंगरी आदि के शहरों में इसी तरह जर्मन प्रभुत्व था लेकिन उक्रैन की तरह इन्होंने भी अपनी रक्षा की। इससे सिद्ध हुआ कि जातीय निर्माण में आर्थिक सम्बन्धों की सीमित भूमिका है। पूँजीवादी (या समाजवादी) आर्थिक सम्बन्धों के बिना किसी जाति का गठन नहीं हो सकता, लेकिन इस गठन में—बाजार की सीमाओं में—हर किसी को घसीटकर अपनी जाति का अंग बना लेना सम्भव नहीं है। भाषा, संस्कृति और इतिहास उन बिखरे हुए तत्त्वों को किसी महाजाति में मिलने से बचाते हैं जो अनुकूल परिस्थिति में स्वयं एक जाति बन सकते हैं। जातीयता के रक्षण में भाषा की भिन्नता एक प्रमुख कारण होती है। लेकिन भाषा जातीय विशिष्टता का एक कारण है, एकमात्र कारण नहीं। आस्ट्रिया और जर्मनी की भाषा एक है; दोनों देशों की सीमाएँ भी मिलती हैं। किन्तु ऑस्ट्रिया के इतिहास, राजनीतिक जीवन और सांस्कृतिक विकास ने—भाषा की एकता के बावजूद—उसे जर्मनी से अलग रखा है। हिटलर ने बलपूर्वक उसे जर्मनी में मिला लिया था; हिटलर मर गया, आस्ट्रियन जाति फिर स्वाधीन हुई। नॉर्वे, स्वीडन, डेनमार्क और हॉलैंड की भाषाएँ जर्मन से वैसे ही मिलती हैं, जैसे रूसी से उक्रैनी और बेलोरूसी। अपने राजनीतिक जीवन, भाषा, संस्कृति और इतिहास के कारण ये देश भी जर्मनी का अंग न बने। राजनीतिक जीवन, संस्कृति और इतिहास भाषा की तुलना में जातीय विशिष्टता का प्रबलतर कारण हो सकते हैं। उत्तरी अमरीका में कभी अंग्रेज़ ही रहते थे; उन्होंने अमरीका में इंग्लैंड के उपनिवेश कायम किये थे। इसी तरह दक्षिणी अमरीका में अंग्रेज़ी और स्पेनी लोगों ने अपने उपनिवेश कायम किये थे। आर्थिक जीवन की भिन्नता, राजनीतिक स्वाधीनता की प्राप्ति, मातृभूमि से उपनिवेशों का प्रदेशगत अलगाव—इन कारणों से भाषा में एक होते हुए और संस्कृति में बहुत बड़ी समानता होते हुए भी अमरीका में अंग्रेज़ी और स्पेनी बोलनेवाली स्वतंत्र जातियाँ बनीं। स्विट्जरलैंड में जर्मन, फ्रांसीसी और इतालवी बोलनेवाली तीन मुख्य जातियाँ हैं। इन तीनों जातियों का आर्थिक जीवन स्विट्जरलैंड के सम्बद्ध प्रदेश में अलग-अलग नहीं है; फिर भी वे तीनों भाषाएँ मिटी नहीं हैं, तीनों में किसी एक का प्रभुत्व नहीं है, तीनों ही राजभाषाएँ हैं, तीनों के परस्पर संसर्ग से किसी चौथी भाषा

की उत्पत्ति नहीं हुई। यहाँ भाषा जातीयता के भाव को बनाए हुए है। यह ठीक है कि स्विट्जरलैंड के निवासी—वे चाहे जर्मन बोलते हों, चाहे फ्रांसीसी—अपने को स्विस नागरिक समझते हैं। यह भावना जातीयता की नहीं, राष्ट्रीयता की है। एक ही देश में अनेक जातियाँ जब सांस्कृतिक, राजनीतिक और आर्थिक सूत्रों में बँधकर जीवन बिताती हैं, तब यह देशगत राष्ट्रीयता की भावना उत्पन्न होती है। सामन्ती व्यवस्था के समय में ही यह भाव हमारे देश में उत्पन्न हुआ था। जातीय प्रदेशों के पुनर्गठन के युग में पूँजीवादी प्रभावों के कारण द्वेषवृत्ति भी जगाई गई है, फिर भी देशगत राष्ट्रीयता का भाव साधारणत: हर प्रदेश में सुरक्षित है। इसी तरह सोवियत संघ एक बहुजातीय राष्ट्र है। वहाँ के लोग रूसी, उक्रैनी, बेलोरूसी भी हैं और साथ ही सोवियत नागरिक भी। जातीय उत्पीड़न जितना ही अधिक होता है, उतना ही अलगाव की भावना बढ़ती है और राष्ट्रीय एकता की भावना कम होती है। भारत, स्विट्जरलैंड और सोवियत संघ का अनुभव यह बताता है कि सामन्तवाद, पूँजीवाद और समाजवाद—सामाजिक विकास की हर मंजिल में यह राष्ट्रीय भावना उत्पन्न हो सकती है।

यद्यपि यह सही है कि अखिल रूसी बाजार में उक्रैन शामिल था, फिर भी उक्रैनी लोग रूसी जाति का अंग न बने, किन्तु यह न भूलना चाहिए कि स्वयं रूसी जाति के निर्माण में और जातीय भाषा के रूप में रूसी के गठन और प्रसार में व्यापार की नियामक भूमिका थी। व्यापार-केन्द्र मॉस्को की बोली ही रूसी भाषा बनी। इसी प्रकार अंग्रेज़ी भाषा के प्रसार में व्यापार-केन्द्र लन्दन की नियामक भूमिका थी। फ्रांस में किसी समय प्रोवांस साहित्य और संस्कृति का केन्द्र था। ल्वार नदी के दक्षिण की भाषा लांगदौक कहलाती थी; औक 'हाँ' के लिए प्रयुक्त होनेवाला प्रोवांसाल शब्द था। उत्तर की भाषा लांगदइल कहलाती थी; अइल 'हाँ' के लिए उत्तरी शब्द था। पेरिस को धुरी बनाकर उत्तर में व्यापार का जो प्रसार हुआ, उससे यह उत्तरी लांगदइल ही फ्रांस की जातीय भाषा बनी। प्रोवांस की समृद्ध सांस्कृतिक परम्परा वाली भाषा को व्यापार के साथ फैलनेवाली इस नई उत्तरी भाषा के मार्ग से हटना पड़ा। पेरिस राज्यसत्ता का भी केन्द्र बना, इससे उत्तरी भाषा के प्रसार में सहायता मिली। चीन में पेकिंग राज्यसत्ता का केन्द्र रहा है; वह चीन का प्रमुख सांस्कृतिक केन्द्र भी रहा है। जातीय भाषा के रूप में पेकिंग की चीनी का ही प्रसार हुआ और वह प्रसार-कार्य अभी समाप्त नहीं हुआ। जैसे मॉस्को की भाषा के माध्यम से विभिन्न जनपद एक-दूसरे के निकट आए, वैसे ही पेकिंग की बोली "विभिन्न बोलियों के क्षेत्रों में क्रमश: सामाजिक आदान-प्रदान का साधन बनी।"[1] पहले उत्तर चीन के विभिन्न जनपद एक-दूसरे के निकट आए होंगे, बाद को दूसरे प्रदेशों में वह भाषा फैलती गई। मॉडर्न चाइनीज रीडर के लेखकों के अनुसार जो लोग चीनी भाषा बोलते हैं, उनमें सत्तर फीसदी उत्तरी बोली का ही प्रयोग करते हैं। "अनेक ऐतिहासिक कारणों से

1. 'मॉडर्न चाइनीज रीडर', पेकिंग, 1958, भाग 1, पृ. 20

चीनी भाषा का पूर्ण एकीकरण अभी तक नहीं हुआ। लेकिन चीनी भाषा के एकीकरण का आधार कायम हो गया है। पेकिंग की ध्वनियाँ परिनिष्ठित ध्वनियाँ मानी गई हैं, उत्तरी बोली को आधारभूत बोली माना गया है, और बोलचाल की भाषा में जो आधुनिक क्लासिक रचनाएँ हुई हैं, उन्हें व्याकरण का नमूना माना गया है। इस आधार पर एक लोक-प्रचलित भाषा का निर्माण होगा।"[1] इस कार्य में कितनी कठिनाइयाँ हैं, इसका अनुमान एक घटना से होगा। लम्बे अभियान में जब माओत्से-तुंग और उनके साथी गैर-चीनी जातियों के इलाके में पहुँचे, तो चङश्येन-ची ने माओ से ई जाति के बारे में कहा : "अध्यक्ष, हालाँकि वे हमारे अच्छे भाई हैं, फिर भी वे जो कुछ कहते हैं, हम समझ नहीं सकते। ऐसा लगता है, मानो हम लोग विदेश में हों!" इस पर माओ ने उत्तर दिया : "यह आश्चर्य की बात नहीं है। तुम्हें मालूम है, हमारा देश कितना बड़ा है। तुम च्यांङशी के लोग हो और मैं हुनान का हूँ। जब तुम मेरी बोली नहीं समझ सकते, तो फिर ई लोग जो बोलते हैं, वह भला कैसे समझ सकोगे?"[2]

हिन्दी-भाषी क्षेत्र में बोलियों की जैसी भिन्नता है, वैसी ही और उससे अधिक भिन्नता चीनी-भाषी प्रदेश में है। पेकिंग की बोली के आधार पर हान जाति की भाषा का प्रसार अभी भी हो रहा है। पेकिंग व्यापार का प्रसिद्ध केन्द्र रहा है, साथ ही यह नगर चीन की राजधानी भी रहा है। तेरहवीं सदी में ही पेकिंग और हाङ-चाक को मिलानेवाली लम्बी नहर बनी थी जिससे चार प्रान्त—होपेइ, शान्तुङ्, क्याङसू और चेक्याङ—एक-दूसरे से सम्बद्ध हुए थे। याङ्त्सी, हाई आदि नदियों का यातायात एक ही व्यवस्था के अन्तर्गत आ गया था। यह नहर संसार की सबसे लम्बी नहर मानी जाती है। चीन की इस 'मध्यकालीन' स्थिति से इंग्लैंड के विकास की तुलना की जा सकती है जहाँ 1755 तक नहरें प्राय: थी ही नहीं। चौदहवीं-पन्द्रहवीं सदियों में मिङ राजाओं के शासन में चीनी व्यापार ने अभूतपूर्व उन्नति की। पेकिंग में चावल, कोयले, घोड़ों, मिट्टी के बर्तनों आदि की मंडियाँ कायम हुईं। मिङ-राजाओं की दूसरी राजधानी नानकिंग नगर थी। वहाँ लोहे, ताँबे, जरी के वस्त्रों के अनेक कारखाने थे। भारत और इंग्लैंड की तरह इन कारखानों में दस्तकारी द्वारा उत्पादन होता था। विभिन्न प्रदेशों में खास-खास उद्योगों का विकास हुआ—सूचाउ में रेशमी वस्त्रों का उद्योग, चिङ्तेहचेन में मिट्टी के बर्तनों का उद्योग, सुङ्च्याङ् में सूती वस्त्रों का उद्योग केन्द्रित हुआ। इस समय चीन ने जहाज बनाने में काफी उन्नति की और चीनी यात्रियों और व्यापारियों ने चम्पा, अरब, भारत आदि देशों की यात्रा की। कैन्तन विदेश से व्यापार का बहुत बड़ा केन्द्र बना। इस प्रकार चीन के सामन्ती ढाँचे में पूँजीवादी सम्बन्धों का विकास हो रहा था। अठारहवीं सदी में माञ्चू शासन के अन्तर्गत व्यापार और उद्योग-धन्धों ने और भी

1. 'मॉडर्न चाइनीज रीडर', पेकिंग, 1958, भाग 1, पृ. 20
2. छन छाङ फङ, 'लम्बे अभियान में अध्यक्ष माओ के साथ', पोकिंग, 1960, पृ. 63

उन्नति की। इस उन्नति का प्रमुख केन्द्र पेकिंग था। इसलिए पेकिंग की बोली के आधार पर हान लोगों की जातीय भाषा का विकास हुआ।

हिन्दी-भाषी प्रदेश में दिल्ली व्यापार और राजनीतिक जीवन का केन्द्र रहा। वह खड़ी बोली बोलनेवाले प्रदेश का केन्द्रीय नगर था। दिल्ली की बोली के आधार पर हिन्दी-उर्दू का विकास हुआ। हिन्द प्रदेश के पूर्वी भागों में खड़ी बोली का प्रसार कैसे हुआ, इस सम्बन्ध में भारतेन्दु ने 'हिन्दी भाषा' नामक निबन्ध में लिखा था : "जो यहाँ के शिष्ट लोग बोलते हैं, वह परदेसी भाषा है और यहाँ पश्चिम से आई है।" पश्चिम से उसे कौन लोग लाए थे, इस प्रश्न के उत्तर में उन्होंने लिखा था : "अब पश्चिमोत्तर देश में घर में बोलने की भाषा कौन है, यह निश्चय नहीं होता, क्योंकि दिल्ली प्रान्त के व अन्य नगरों में भी खत्रियों व पछाहीं अगरवालों व अन्य पछाहीं जातियों के अतिरिक्त घर में हिन्दी कोई नहीं बोलते, वरंच यहाँ तो कोस-कोस पर भाषा बदलती है।"[1] अवधी और भोजपुरी के क्षेत्रों में भी अनेक व्यापार-केन्द्र कायम हुए थे, किन्तु वे दिल्ली और आगरे के समान शक्तिशाली न थे बल्कि उनके अधीन थे। इसके सिवा तुर्कों और मुगलों के शासनकाल में दिल्ली उत्तर भारत में राज्यसत्ता का बहुत बड़ा केन्द्र थी। इस कारण भोजपुरी या अवधी जातीय भाषा के रूप में विकसित न हुई; जातीय भाषा बनी दिल्ली केन्द्र वाली खड़ी बोली। आचार्य रामचन्द्र शुक्ल ने भारतेन्दु का अनुसरण करते हुए लिखा था कि मुगल साम्राज्य के ह्रास-काल में "दिल्ली के आसपास के प्रदेशों की हिन्दू व्यापारी जातियाँ (अगरवाले, खत्री आदि) जीविका के लिए लखनऊ, फैजाबाद, प्रयाग, काशी, पटना आदि पूरबी शहरों में फैलने लगीं।" इन व्यापारियों में हिन्दू-मुसलमान, दोनों थे; पूर्व की ओर उनका यह अभियान मुगल शासन के ह्रास-काल से बहुत पहले आरम्भ हो चुका था।

भारत पर तुर्कों के आक्रमण से पहले ही यहाँ अनेक विनिमय-केन्द्रों का विकास हो चुका था। आक्रमणकारी शहरों को लूटने पर ज्यादा ध्यान देते थे क्योंकि व्यापार द्वारा यहाँ सम्पत्ति सिमटकर इकट्ठा हो रही थी। थानेसर, कन्नौज, दिल्ली, मेरठ, बयाना, आगरा, अयोध्या आदि ऐसे ही विनिमय-केन्द्र थे जिन्हें लूटा गया था। तुर्क-शासन में शहरों की संख्या और भी बढ़ी। अलाउद्दीन खिलजी ने गाँवों के मुखियों के अधिकार सीमित कर दिये थे। तुगलकों के शासन में राज-कर्मचारी स्वयं जाकर भूमि-कर निश्चित करते थे। मुबारकशाह ने जागीरदारों को उनकी जागीरों से दूर नियुक्त करने की प्रथा चलाई थी। घुड़सवारों या प्यादों के जरिये डाक-व्यवस्था शेरशाह से पहले ही की गई थी। चुंगी-कर की जो भरमार थी, उसे भी तुर्क शासकों ने कम किया था। तुगलकों के समय में नहरें बनवाने की ओर विशेष ध्यान दिया गया था। शेरशाह के लिए कहा जाता है कि डाक-व्यवस्था के लिए तीन हजार घोड़े रखे गए थे। सौदागरों के लिए उसने सत्रह सौ सरायें बनवाई थीं।

1. 'कवि-वचन सुधा', 2 अक्टूबर, 1872

इतिहासकार अब्बास खाँ शेरवानी के अनुसार, हर सराय में हिन्दुओं और मुसलमानों के ठहरने और खाने-पीने का अलग-अलग प्रबन्ध किया गया था।

सोलहवीं-सत्रहवीं सदियों में उत्तर भारत के बिखरे हुए बाजार एक-दूसरे से सम्बद्ध हुए। यूरोप के व्यापारी अवध का बना हुआ कपड़ा आगरे में खरीदते थे। यूरोपीय यात्रियों के अनुसार सत्रहवीं सदी में आगरे की आबादी 6 लाख थी। पेलसार्ट ने लिखा था कि गुजरात, सिन्ध, लाहौर, दकन—हर तरफ का माल आगरे से गुजरता है; सड़कों पर बेशुमार माल—खास कर सूती माल—ढोया जाता है। पटना, बनारस, लखनऊ—ये सभी शहर सूती कपड़े के व्यापार-केन्द्र थे। मुगल शासन के अन्तर्गत, आर्थिक और राजनीतिक दोनों रूपों में, वे परस्पर सम्बद्ध थे। इन बड़े नगरों में आसपास के देहात से जुलाहों की बड़ी तादाद सिमट आती थी। रोटी-रोजी की तलाश में अलग-अलग बोलियाँ बोलनेवाले लोग इन शहरों में इकट्ठा होते थे। इनमें आपस के व्यवहार के लिए किसी सामान्य भाषा की आवश्यकता थी। इस आवश्यकता को पूरा किया व्यापारी वर्ग से सम्बद्ध खड़ी बोली ने।

यहाँ यह भी ध्यान देने योग्य है कि मौर्य और गुप्त काल के व्यापार से इस नये व्यापार में बहुत अन्तर था। अब केवल कुछ रईसों के लिए क्रय-वस्तुएँ तैयार न होती थीं; व्यापार के लिए मुख्य क्रय-वस्तु था कपड़ा। अकेले इंग्लैंड के लिए आगरे से 1640-41 के 'सीज़न' में 23,550 थान कपड़ा भेजा गया था। आगरे का निर्यात व्यापार गुजरात से भी बढ़ गया था। इस 'सीज़न' में गुजरात ने 18,918 थान इंग्लैंड भेजे थे। (1638-39 में गुजरात ने 38,442 थान भेजे थे और आगरे ने केवल 2,823 थान!)[1] अवध का कपड़ा यदि आगरे में बिकने आए तो हम यही कहेंगे कि इस तरह अवध और ब्रज के प्रदेश एक बाजार द्वारा परस्पर सम्बद्ध हुए। इसी प्रकार पटना, बनारस का सम्बन्ध आगरे से कायम हुआ तो मगध और भोजपुरी, प्रदेश भी इस विशाल बाजार से सम्बद्ध हुए। अवध में दरियाबाद और खैराबाद अपने सूती कपड़ों के लिए प्रसिद्ध थे। यहाँ का बना हुआ माल बिकने के लिए लखनऊ की मंडी में आता था। उद्योग-धन्धों के छोटे केन्द्र विनिमय के बड़े केन्द्रों से सम्बद्ध होकर एक घरेलू बाजार का निर्माण कर रहे थे।

इस समग्र विकास-क्रम में आगरे का अन्यतम महत्त्व रहा है। आगरा व्यापार का बहुत बड़ा केन्द्र था। यातायात के अनेक मार्ग यहाँ आकर मिलते थे। आगरा जरी के वस्त्रों, दरियों और काँच के सामान के लिए प्रसिद्ध था। डॉ. डी. पन्त के अनुसार, अकबर स्वयं दरियों के निर्माण पर ध्यान देता था और इस उद्योग का संरक्षक था। आगरे में शोरे का बहुत बड़ा धन्धा होता था। पेलसार्ट के अनुसार, पाँच-छह हजार मन शोरा अकेले आगरे में पैदा होता था। शोरे से बारूद बनती थी। इसके सिवा आगरा नील के व्यापार का बहुत बड़ा केन्द्र था। आगरे के आसपास के प्रदेश में लोहे, ताँबे और

1. मोरलैंड, 'फ्रॉम अकबर टु औरंगज़ेब', पृ. 128

चाँदी की खानें थीं। बियाना नील और गन्ने की खेती के लिए प्रसिद्ध था। फतेहपुर सीकरी में लाल पत्थर की खानें थीं। श्री कृष्णदत्त बाजपेयी ने 'भारतीय व्यापार का इतिहास' में लिखा है : "बयाना, इतमादपुर, कन्नौज कोयला और खुर्जा नील उत्पन्न करनेवाले प्रधान केन्द्र थे। उत्तर भारत का बहुत-सा कपड़ा इन स्थानों में रँगा जाने के बाद आगरा होकर बाहर जाता था।" आगरा एक ओर आसपास के प्रदेश को व्यापार-सूत्रों में बाँधता था तो दूसरी ओर वह उत्तर भारत के विशाल बाजार का केन्द्र था।

व्यापारियों की सामान्य भाषा खड़ी बोली थी। ग्रियर्सन के अनुसार : "उन दिनों (अर्थात् सत्रहवीं सदी) के कुछ अंग्रेज़ सौदागर अवश्य ही धारा-प्रवाह हिन्दुस्तानी बोल लेते थे।"[1] टॉमस कॉरिओट नामक अंग्रेज़ राजदूत इतनी अच्छी तरह हिन्दुस्तानी बोल लेता था कि 1616 में जब उसकी धोबिन ने उसे गालियाँ देना शुरू किया, तो उसने भी धाराप्रवाह गाली-वर्षा से उसे शान्त कर दिया। व्यापार की उन्नति के लिए आवश्यक था कि एक भाषा और लिपि का चलन हो। एडवर्ड टेरी ने 1655 में प्रकाशित अपने यात्रा-वृत्तान्त में लिखा था : "इन्दोस्तान देश की बोलचाल की भाषा अरबी-फ़ारसी जबानों से बहुत साम्य रखती है लेकिन बोलने में ज्यादा सुखद और सरल है। इसमें काफी रवानी है और थोड़े शब्दों में बहुत कुछ कहा जा सकता है। लोग हमारी ही तरह यानी बायें से दायें को लिखते और पढ़ते हैं।"[2] इससे पता चलता है कि अरबी-फ़ारसी शब्दों के प्रयोग का यह अनिवार्य परिणाम न था कि भाषा के लिए एक भिन्न लिपि का प्रयोग भी किया जाए। उर्दू लेखक श्री अली सरदार जाफरी ने इस स्थापना का खंडन किया है। उनके अनुसार, चौदहवीं-पन्द्रहवीं सदी में ही मुसलमान उर्दू लिपि का प्रयोग करने लगे थे। "यह स्वाभाविक है कि हिन्दी के एक महान् कवि मलिक मुहम्मद जायसी के 'पद्मावत' की सभी प्राचीन पांडुलिपियाँ उर्दू लिपि में हों और उन्हीं से देवनागरी के रूपान्तर हुए हैं। हिन्दी-उर्दू के अनेक विद्वानों का मत है कि उन्होंने अपनी पुस्तक उर्दू लिपि में ही लिखी थी।"[3] यदि श्री जाफरी की यह बात सही हो तो उससे एक निष्कर्ष तो यह निकलता है कि लिपि बदलने से भाषा नहीं बदल जाती। जायसी की लिपि उर्दू रही हो तो भी उनकी भाषा हिन्दी (अवधी) थी, उर्दू नहीं। इसी न्याय से उर्दू लेखक यदि अपनी रचनाएँ देवनागरी लिपि में प्रकाशित कराएँ तो इससे उनकी भाषा खत्म न हो जाएगी। किन्तु इसमें सन्देह है कि जायसी ने उर्दू लिपि का व्यवहार किया था।

अखरावट में उन्होंने ज्ञान ककहरा लिखा है :

*कहौं सो ज्ञान ककहरा सब आखर महँ लेखि।*
*पंडित पढ़ अखरावटी टूटा जोरेहु देखि॥*

---

1. ग्रियर्सन, 'लिंग्विस्टिक सर्वे ऑव इंडिया', खंड 1, पृ. 2
2. उप.
3. 'इंडियन लिटरेचर', संख्या 1, 1953, बम्बई

जिनके लिए जायसी ने अखरावट लिखा था, उन्हें वे ककहरा से परिचित समझते। थे। इसीलिए :

*का—करतार चहिय अस कीन्हा।*
*खा—खेलार जस है दुइ करा।*
*गा—गौरहु अब सुनहु गियानी॥*

टेरी की बात ठीक मालूम होती है कि बायें से दायें लिखी-पढ़ी जानेवाली सामान्य लिपि का चलन था। बनारस के मित्रों ने मुझे बताया है कि वहाँ के अनेक मुसलमान व्यापारियों के यहाँ हिसाब-किताब अभी तक देवनागरी लिपि में होता है। आगरे में गोकलपुरा मोहल्ले के पंसारी श्री करीमा टेरी के समय की परम्परा का पालन करते हुए अभी तक अपना बही-खाता नागरी लिपि में लिखते हैं।

केन्द्रीय प्रदेश में व्यापार की भाषा होने के करण अन्तर-प्रान्तीय व्यवहार के लिए भी उसका उपयोग होता था। यह आश्चर्य की बात होती कि अंग्रेज़ व्यापारी खड़ी बोली सीखते और भारत के ही—विशेष कर उत्तरी, पूर्वी और पश्चिम भारत के—लोग अन्तर-प्रान्तीय व्यवहार के लिए खड़ी बोली को न अपनाते। इटली के यात्री "मनुच्ची और शिवा जी ने अनेक विषयों पर देर तक बातें कीं। मनुच्ची धाराप्रवाह उर्दू बोलता था और दुभाषिये की सहायता के बिना उन्होंने सीधे ही आपस में बातचीत की।"[1]

जिस प्रदेश में व्यापार के कारण खड़ी बोली का प्रसार हुआ, उसका पुराना नाम हिन्दुस्तान था; मुसलमान शासक इस प्रदेश की भाषा को हिन्दी, हिन्दवी या हिन्दुई कहते थे। यह सही है कि हिन्दुस्तान नामक प्रदेश की सीमाएँ निश्चित नहीं थीं और हिन्दी या हिन्दवी से हमेशा खड़ी बोली का बोध न होता था, इसमें आश्चर्य नहीं, क्योंकि हिन्दी-भाषी प्रदेश की सीमाएँ आज भी निश्चित नहीं हैं; कुछ लोग उर्दू को इलाकाई ज़बान मानते हैं और उर्दू का इलाका हिन्दी के इलाके से भिन्न मानते हैं। हिन्दी साहित्य के इतिहास में ब्रज, अवधी और मैथिली साहित्य का विवेचन होता है, अर्थात् साहित्य के इतिहासकार हिन्दी शब्द का प्रयोग खड़ी बोली के सीमित अर्थ में नहीं करते। खुसरो और नज़ीर जैसे दो-एक कवियों को छोड़कर (आधुनिक काल में गद्य लेखक प्रेमचन्द को छोड़कर जिनकी हिन्दी-उर्दू रचनाएँ शब्द-भंडार की दृष्टि से काफी भिन्न हैं) हिन्दी-उर्दू साहित्य के इतिहासों में खड़ी बोली की दोनों साहित्यिक शैलियों के साहित्य की चर्चा नहीं होती। इसलिए बाबर या अकबर के समय में हिन्दुस्तान और हिन्दी शब्दों का प्रयोग कुछ अनिश्चित रहा हो, तो आश्चर्य नहीं।

बाबर ने शिवालिक पर्वत की व्याख्या करते हुए लिखा था कि 'हिन्दी' ज़बान में 'सवाई लाख' का अर्थ होता है—एक लाख और उसका पौन हिस्सा यानी 1,25,000

1. जी.एस. सरदेसाई, 'न्यू हिस्ट्री ऑव दि मराठाज', खंड 1, पृ. 161

और परबत का अर्थ है—पहाड़। इस तरह शिवालिक पर्वत का मतलब हुआ—'सवा लाख पहाड़ियों वाला पर्वत'[1]। बाबर की यह व्युत्पत्ति सही हो चाहे गलत, यह स्पष्ट है कि उसने हिन्दी शब्द उस भाषा या बोलियों के लिए ठीक इस्तेमाल किया है जिसमें सवा लाख और पर्वत जैसे शब्दों का चलन था। अन्यत्र उसने लिखा है कि 'हिन्द' के लोग रती, माशा, तोला, सेर जैसी बँधी तौल के बाट काम में लाते हैं।[2] तौल के ये शब्द भी हिन्दी के हैं। 'तुज़ुकए-जहाँगीरी' में 'हिन्दी' के बहुत-से शब्दों का उल्लेख है और वे हिन्दी के ही हैं। जो माल कच्चा न हो, उसे 'पक्का' कहते हैं;[3] 'हिन्दी' में 'काला पानी' किसे कहते हैं, यह समझाया गया है;[4] एक तरह का जाल हिन्दी में 'भँवर जाल' कहलाता है;[5] हुमायूँ के सामने कूदनेवाले चूहे जैसा एक जीव लाया गया जिसे 'हिन्दी जबान' में 'गलहरी' कहते हैं;[6] बिना दुम के काले बन्दर को 'बनमानुस' कहते हैं;[7] अनूप राय को 'अनीराय सिंह दलन' की उपाधि दी गई थी क्योंकि हिन्दी ज़बान में अनीराय का अर्थ फौज का नायक और सिंह-दलन का अर्थ है शेर मारनेवाला;[8] यहाँ के लोग तलवार को 'खांडा' और कृपाण को 'कटार' कहते हैं;[9] हिन्दुस्तान में एक पक्षी होता है 'पपीहा', जो बरसात में हृदयबेधी शब्द करता है,[10] बहुत-से पक्षियों के नाम फ़ारसी में नहीं हैं या यों कहें कि विलायत में ये पक्षी होते नहीं हैं, "इसलिए मैंने हिन्दी नाम दिये हैं;"[11] पानी में खिलनेवाले एक फूल का नाम 'कुमुदिनी' है। इन फूलों पर भँवरा बैठता है;[12] हिन्दी में खम्भे को 'इस्तम्भ', 'खम्भ' कहते हैं।[13] जहाँगीर ने किष्टबार के राजा के बारे में लिखा था कि वह 'हिन्दी और कश्मीरी ज़बानें' जानता है; कश्मीरी में 'कदल' का अर्थ 'पुल' होता है और भात को 'बथ' कहा जाता है।[14] इससे जाहिर है कि जहाँगीर भाषाओं के भेद से परिचित था; इस देश की हर भाषा को वह हिन्दी न कहता था। उसने जिन शब्दों को हिन्दी भाषा के शब्द कहकर लिखा है, वे हिन्दी भाषा के शब्द ही हैं।

1. 'बाबरनामा', अनेत सुसाना बेवरिज द्वारा तुर्की से अनुवादित, लन्दन, 1922, खंड 2, पृ. 485
2. उप., पृ. 517
3. 'तुज़ुक-ए-जहाँगीर', अनु. अलेग्जेंडर रोजर्स, लन्दन, 1909, खंड 1, पृ. 98
4. उप.
5. उप., पृ. 99
6. उप., पृ. 104
7. उप., पृ. 143
8. उप., पृ. 187-88
9. उप., पृ. 218
10. उप., पृ. 164
11. उप., पृ. 169
12. उप., पृ. 412
13. उप., पृ. 416
14. उप., पृ. 140-46

कश्मीर के ब्राह्मण कश्मीरी जवान बोलते हैं; वे संस्कृत में लिखी किताबें पढ़ते हैं।[1] उसे हिन्दी शब्द से संस्कृत का भ्रम नहीं होता। वास्तव में जहाँगीर और उससे पहले अनेक मुसलमान लेखकों ने यहाँ पर अनेक भाषाओं के चलन का उल्लेख किया है। खुसरो ने हिन्दी के लिए लिखा था कि वह अरबी और फ़ारसी से घटकर नहीं है। ग्रियर्सन के अनुसार, खुसरो के लिए सम्भवत: हिन्दी का अर्थ था संस्कृत। खुसरो ने यहाँ की भाषाओं में सिन्धी, कश्मीरी, अवधी, बंगाल (बंगला), लाहौरी (पंजाबी), गुजरात (गुजराती) आदि भाषाओं के साथ दिल्ली और उसके आसपास की ज़बान का उल्लेख किया है। उसने संस्कृत के लिए 'हिन्दी' शब्द का प्रयोग किया होगा, यह सम्भव नहीं। दिल्ली के असपास की ज़बान का उल्लेख यह सिद्ध करता है कि भाषा-रूप में इसकी काफी प्रसिद्दि हो चुकी थी। अबुलफज़ल ने भी खुसरो की तरह दिल्ली, बंगाल, मुल्तान, मारवाड़, गुजरात, सिन्ध आदि की भाषाओं का उल्लेख किया है।

मुसलमान लेखकों की परम्परा का पालन करते हुए यूरोपीय लेखकों ने 'हिन्दुस्तान' शब्द का प्रयोग सीमित अर्थ में किया था। टेरी ने जिस 'इन्दोस्तान' की भाषा का साम्य अरबी-फ़ारसी से देखा था, वह दिल्ली-आगरे की ज़बान थी। टॉमस कौरिओट ने 'इन्दोस्तान' में महारत हासिल की थी। कौरिओट और धोबिन की घटना का वर्णन टेरी ने किया था और 'इन्दोस्तान' शब्द भाषा के लिए प्रयुक्त किया था। 1673 में फोयर ने लिखा था कि राजदरबार की भाषा फ़ारसी है लेकिन बोलचाल की आम ज़बान 'इन्दोस्तान' है। 1782 में इवारस एबेल नामक सज्जन ने तमिल, तेलगू, 'हिन्दुस्तानी' आदि भाषाओं का कोश तैयार किया था।[2] प्येत्रो देल्ला वाल्ले (1623) के अनुसार ब्राह्मण नागरी लिपि का प्रयोग करते थे। हाइनरिश रौथ (1653-1668) और जे.एफ. फ्रित्ज़ (1748) ने नागरी लिपि के व्यवहार का उल्लेख किया है। 1771 में कासिआनो बेलीगात्ती ने नागरी वर्णमाला पर एक पुस्तक लिखी। नागरी लिपि के ये उल्लेख इस तथ्य की ओर संकेत करते हैं कि जिन दिनों यहाँ फ़ारसी राजभाषा थी, लोगों ने नागरी लिपि को भुला न दिया था वरन् उसका व्यवहार बना हुआ था जिससे उसकी ओर विदेशियों का ध्यान आकर्षित हुआ 19वीं सदी के उत्तरार्द्ध में कुछ साम्प्रदायिक लोगों ने उर्दू लिपि का बहिष्कार करके नागरी लिपि का चलन न कर दिया था।

1786 में सर विलियम जोन्स ने हिन्दुस्तानी और ब्रजभाषा का भेद करते हुए लिखा था : "हम जानते हैं कि हिन्दुस्तान खास में मुसलमानों ने लोगों को एक विचित्र गठन की सजीव भाषा बोलते सुना जिसका शुद्ध रूप आगरे के आसपास और खास कर मथुरा की काव्यमय भूमि में प्रचलित था। इसे साधारणत: ब्रजभाषा कहा जाता है। सम्भवत: छह में पाँच शब्द इस भाषा में संस्कृत से आए थे।... लेकिन हिन्दुस्तानी का आधार, खास कर क्रिया के रूप और विकार उन दोनों से

1. 'तुज़ुक-ए-जहाँगीर', अनु. अलेग्जेंडर रोजर्स, लन्दन, 1909, खंड 1, पृ. 149
2. 'ग्रियर्सन के लिंग्विस्टिक सर्वे' (प्रथम खंड) में यह सब विवरण दिया हुआ है।

उतना ही भिन्न थे जितना अरबी फ़ारसी से या जर्मन ग्रीक से भिन्न है।" जोन्स ने यहाँ 'हिन्दुस्तान' को हिन्दी-भाषी प्रदेश के सीमित में प्रयुक्त किया है; 'हिन्दुस्तानी' उनके लिए, ब्रज से भिन्न (और संस्कृत से भी भिन्न) खड़ी बोली है, यह उन्होंने स्पष्ट कर दिया है। 1816 में विलियम केरी ने हिन्दी का व्यापक प्रसार देखकर लिखा था कि "हिन्दी का कोई अपना प्रदेश नहीं है जिसके लिए कहा जा सके कि हिन्दी वहीं की भाषा है।" केरी के अनुसार 'हिन्दी' उन सभी शहरों में बोली जाती थी जो उसके समय में मुस्लिम शासकों के केन्द्र थे या पहले रह चुके थे।

1857 के स्वाधीनता-संग्राम में हर अंग्रेज़ को हिन्दुस्तानी जाति के अस्तित्व का पता चल गया था। 11 सितम्बर, 1857 को पंजाब सरकार की ओर से ब्रैंडरेथ ने कलकत्ता सरकार को लिखा था : "अब 18,920 हिन्दुस्तानी सिपाहियों में से एक का भी विश्वास नहीं किया जा सकता। ये सब कमजोरी और खतरे की जड़ हैं। हर छावनी में गोरी और पंजाबी पल्टनें दिन-रात ड्यूटी पर रहती हैं और जरा भी गड़बड़ होते ही हिन्दुस्तानियों पर टूट पड़ने को तैयार हैं।" यहाँ हिन्दुस्तानियों को पंजाबियों से भिन्न जाति में गिना गया है। 20 अगस्त, 1857 के 'फ्रेंड ऑव इंडिया' ने यह समाचार प्रकाशित किया था कि पंजाब के जुडीशल मजिस्ट्रेट ने यह घोषणा करा दी है कि आम तौर से 'हिन्दुस्तानियों' को किसी सरकारी नौकरी में न लिया जाएगा। स्यालकोट के हिन्दुस्तानी अमलों के बारे में अंग्रेज़ अधिकारियों का विचार था कि वे वैसे तो बड़े अच्छे आदमी हैं, काम भी जी लगाकर करते हैं, फिर भी उनकी जगह धीरे-धीरे पंजाबियों को नियुक्त करना चाहिए।[1] इतिहासकार होल्म्स के अनुसार पंजाब सरकार के सामने समस्या यह थी कि "पंजाबी पल्टनों में करीब एक-चौथाई हिन्दुस्तानी थीं; वहीं लघुसंख्यक बहुसंख्यकों को गुमराह न कर दें।"[2] उस समय के साहित्य में हिन्दुस्तानी शब्द एक जाति विशेष के लिए प्रयुक्त होता था। इस जाति के प्रदेश के लिए सीमित अर्थ में 'हिन्दुस्तान' शब्द का प्रयोग बराबर होता रहा। ग्रियर्सन ने कैथी लिपि के बारे में लिखा था, "यह लिपि अधिक पूर्ण और सुन्दर नागरी के साथ सारे हिन्दुस्तान में प्रयुक्त होती है।"[3] अवधी में 'हिन्दुस्तान का कम-से-कम आधा साहित्य' लिखा गया है।[4] कोई आश्चर्य नहीं कि 1930 में हिन्दी-भाषी जाति के एकीकरण का प्रश्न उठाते हुए डॉ. धीरेन्द्र वर्मा ने 'हिन्दी राष्ट्र या सूबा हिन्दुस्तान' नामक पुस्तक प्रकाशित कराई। (इस पुस्तक के चार लेख 1922 में प्रकाशित हो चुके थे।) 1946 में भारतीय कम्यूनिस्ट पार्टी ने संविधान-सभा के लिए जो मसौदा तैयार किया था, उसमें भाषा-धार पर बननेवाले

1. रामविलास शर्मा, 'सन् सत्तावन की राज्यक्रान्ति', आगरा, पृ. 346-47
2. टी. राइस होल्म्स, 'ए हिस्ट्री ऑव दि इंडियन म्यूटिनी', 1898, पृ. 333
3. 'लिंग्विस्टिक सर्वे ऑव इडिया', खंड 1, पृ. 151
4. उप., पृ. 158

राज्यों में एक राज्य का नाम दिया था 'हिन्दुस्तान।' अन्त में भाषाविद् डॉ. सुनीति कुमार चाटुर्ज्या का मत उद्धृत करना यथेष्ट होगा। उन्होंने 'हिन्दुस्तानी' शब्द के चलन का इतिहास बताते हुए लिखा है : " 'हिन्दुस्तानी' शब्द का अर्थ होता है 'हिन्दुस्तान की (भाषा)' और 'हिन्दुस्तान', यह शब्द, मुस्लिम काल में अपने सीमित अर्थ में पंजाब तथा बंगाल के बीच के उत्तर-भारतीय मैदान के लिए प्रयुक्त होता था। पूर्वी हिन्दी तथा बिहारी बोलनेवाला पूर्वी उत्तर प्रदेश तथा बिहार का भाग, जो पूरब कहलाता है, भी इसी 'हिन्दुस्तान या हिन्दुस्थान' का ही एक हिस्सा है। बंगाल में बंगला न बोलनेवाले तथा बिहार या उत्तर प्रदेश के लोगों को 'हिन्दुस्थानी' अथवा 'पश्चिमी' कहा जाता है। परन्तु 'पंजाबी' या राजस्थान के निवासी 'मारवाड़ी' इन हिन्दुस्तानियों (या हिन्दुस्थानियों) से भिन्न गिने जाते हैं।"[1] हिन्दुस्तान और हिन्दुस्तानी शब्दों को एक जाति विशेष के प्रदेश और उसकी भाषा के लिए प्रयुक्त करके स्वयं डॉ. चाटुर्ज्या ने यह मत प्रकट किया है : "हिन्दुस्थानी के सर्वाग्र न आ सकने का एक कारण यह था कि बंगाल, महाराष्ट्र, पंजाब आदि प्रान्तों की भाँति हिन्दुस्थानी क्षेत्र (बिहार, उत्तर प्रदेश, मध्य भारत तथा अन्य प्रदेशों) की जनता राजनीतिक दृष्टि से उतनी जाग्रत न हुई थी।"[2] इस प्रकार 'हिन्दुस्तान' एक जाति विशेष का इतिहास-सम्मत प्रदेश है। इस जाति का गठन अंग्रेज़ों के आने से पहले हुआ। इसी कारण मुसलमान और अंग्रेज़, दोनों ही उसे आसानी से पहचान सके। यह धारणा भ्रान्त है कि भारत के अर्थतंत्र में अंग्रेज़ों की भारत-विजय से पहले कोई परिवर्तन न हुआ था। जिस पद्धति से यूरोप में रूसी, फ्रांसीसी, ब्रिटिश आदि जातियों का निर्माण हुआ था, मूलत: उसी पद्धति से, अर्थात् व्यापार द्वारा पूँजीवादी सम्बन्धों के प्रसार से यहाँ हिन्दुस्तानी जाति का गठन हुआ। भारत में अकेले हिन्दुस्तानी जाति का गठन नहीं हुआ; यहाँ बंगला, मराठी, गुजराती आदि भाषाएँ बोलनेवाली जातियों का भी गठन हुआ। 1953 में हिन्दुस्तानी जाति के निर्माण पर 'इंडियन लिटरेचर' में मेरा निबन्ध छपा तो कुछ अहिन्दी-भाषी मित्रों ने लिखा कि हिन्दी लेखकों ने जातीयता के उत्साह में एक जाति गढ़ डाली है और ब्रिटिश-पूर्व इतिहास में उसका प्रमाण भी खोज निकाला है। उनकी इस धारणा का खंडन करने के लिए ऊपर 'हिन्दुस्तान' आदि से सम्बन्धित उद्धरण दिये गए हैं। उपर्युक्त कोटि के मित्रों से आप पूछें कि अंग्रेज़ों के आने से पहले उनकी अपनी जाति का निर्माण हुआ था या नहीं तो वे कहेंगे, 'हाँ'! लेकिन पूछिए कि हमारी जाति का निर्माण हुआ था या नहीं, तो कहेंगे, 'नहीं'! अंग्रेज़ों ने यहाँ की जातियों के विकास को हर तरह से रोका, साम्प्रदायिकता के आधार पर उन्हें विभाजित करने की नीति अपनाई; इसका यह अर्थ नहीं कि स्वाधीन भारत के विचारक भी जातियों का विकास रोकें और उनके अस्तित्व से ही इनकार कर दें।

1. 'भारतीय आर्य भाषा और हिन्दी', पृ. 159
2. उप., पृ. 158

हिन्दुस्तानी जाति की एकता की ओर सबसे पहले ध्यान देनेवाले एक बंगाली सज्जन थे श्यामाचरन गांगुली। वह उदारपंथी विचारों के थे और अंग्रेज़ों से व्यर्थ झगड़ा मोल न लेना चाहते थे। किन्तु बंगाल के विभाजन ने उनके हृदय को काफी चोट पहुँचाई थी। इस विभाजन को दूर करने के लिए उन्होंने सभी जातियों की अपनी-अपनी एकता स्थापित करने का एक अखिल भारतीय कार्यक्रम बनाया था। उनका विचार था कि बंगाली अपनी एकता के लिए अकेले आन्दोलन करें, इससे अच्छा है कि अन्य सभी जातियाँ मिलकर अपनी एकता के लिए संयुक्त आन्दोलन करें। यह बहुत सूझबूझ की बात थी। एक प्रान्त विशेष के आन्दोलन को सारे देश से बल मिलता और देशव्यापी आन्दोलन चलने के कारण जातीय द्वेषभाव के उभरने की गुंजाइश भी कम रहती। जातीयता का एक दूषित भाव उस समय भी उत्पन्न होता है जब किसी जाति के लोग अपनी माँगों के लिए अकेले लड़ते हैं और देश के बाकी लोग तटस्थ और उदासीन रहते हैं। ऐसी जाति में उत्पीड़न और अहंकार की भावना उत्पन्न होती है; हमीं अकेले लड़े, बाकी सब तमाशा देखते रहे; हमने अकेले ही लड़कर अपनी माँगें मनवा लीं अथवा इस देश में हमारा कोई नहीं है, हमारे भाग्य में सताया जाना ही लिखा है। इस तरह की खतरनाक भावग्रंथियाँ अनेक जातियों की संयुक्त कार्यवाही से ही दूर की जा सकती हैं। इसलिए दूरदर्शी अध्यापक श्यामाचरन गांगुली की रणनीति का महत्त्व स्वाधीन भारत के लिए भी कम नहीं है। उन्होंने नवम्बर 1911 के 'मॉडर्न रिव्यू' में लिखा था : "किसी भी प्रदर्शन से अधिक महत्त्वपूर्ण यह होगा कि बंगभंग के प्रश्न को हम और ऊँचे धरातल पर ले जाएँ और एक बंगाली प्रश्न को भारतीय प्रश्न बना दें। यदि हम समग्र बंगाली जनता के प्रशासकीय एकीकरण की समस्या को इस वृहत्तर समस्या में मिला दें कि भाषा के आधार पर भारत के प्रशासकीय विभाग (अर्थात् प्रान्त) बनने चाहिए तो उपर्युक्त उद्देश्य सिद्ध हो सकता है। बंगाल के वर्तमान विभाजन में तब्दीली इस तरह की नीति का आवश्यक अंग होगी। यदि विच्छिन्न होकर विभिन्न प्रशासकीय विभागों के अन्तर्गत रहना बंगालियों के लिए बुरा है, तो इसी तरह हिन्दुस्तानियों, मराठों और उड़िया लोगों के लिए भी विच्छिन्न होकर विभिन्न प्रशासकीय विभागों के अन्तर्गत रहना बुरा होगा। संयुक्त प्रदेश के हिन्दुस्तानी पंजाब के दिल्ली विभाग के हिन्दुस्तानियों से, बिहार, छोटा-नागपुर के एक हिस्से और मध्य प्रदेश के हिन्दुस्तानियों से अलग रखे गए हैं; बम्बई प्रेसीडेंसी के मराठे मध्य प्रदेश के मराठों से अलग रखे गए हैं; बंगाल प्रान्त के उड़िया मद्रास के गंजम जिले के उड़िया लोगों से दूर रखे गए हैं। लेकिन बहुत दिनों से अलगाव की हालत में रहते चले आना एक बात है और बहुत दिनों तक संयुक्त रहने के बाद फिर अलगाव की हालत में आना दूसरी बात है। हिन्दुस्तानी, मराठे और उड़िया लोग बहुत दिनों से अलगाव की हालत में रहते

चले आ रहे हैं; उनके अलगाव और बंगाल के विभाजन में यही अन्तर है।"[1] जातीयता के प्रश्न को लेकर जैसी समझ श्यामाचरन गांगुली में दिखाई देती है, वैसी समझ आज के विद्वानों, विशेषज्ञों और राजनीतिज्ञों में भी कम दिखाई देती है। उन्हें अपनी स्थापनाओं के लिए और भी श्रेय इसलिए मिलना चाहिए कि तब तक स्तालिन की प्रसिद्ध पुस्तक 'मार्क्सवाद और जातियों का सवाल' लिखी न गई थी। लेनिन की रचनाएँ भारत आई न थीं, आई भी हों तो स्पष्ट ही अध्यापक गांगुली ने उन्हें पढ़ा न था। बंगाली जातीयता पर आक्रमण होने से उनका मानस प्रबुद्ध हुआ था और उन्होंने भारत की जातीय समस्या को दर्पण के प्रतिबिम्ब की तरह बहुत साफ देख लिया था। उनकी स्थापनाओं के बारे में यहाँ इतना ही कहना आवश्यक है कि भातीय समस्या के बारे में स्तालिन की बुनियादी सीख यह है कि इस समस्या को हमेशा मूल सामाजिक समस्या के अन्तर्गत देखना चाहिए। पराधीन भारत में मूल समस्या थी स्वाधीनता-प्राप्ति। अंग्रेज़ी प्रभुत्व से मुक्ति पाए बिना एक प्रान्त में संयुक्त होकर भी कोई जाति उन्नति न कर सकती थी। मध्य और उच्च वर्गों के थोड़े-से लोग नौकरियाँ पा जाते, नौकरियों का क्षेत्र विस्तृत हो जाता, लेकिन अधिकांश गरीब जनता का भाग्य न पलटता। स्वाधीन भारत के अनेक जातीय आन्दोलनों में यह रुझान साफ दिखाई दिया है कि देश के समाजवादी नवनिर्माण की मूल समस्या गौण हो गई है और भाषा के आधार पर राज्य बनाने की समस्या मुख्य हो गई है। किसान-मजदूर एकता की धुरी पर समग्र जनता की दृढ़ एकता ही देश में समाजवादी निर्माण को सफल बना सकती है। इस एकता का अभी अभाव है। इसलिए जातीय आन्दोलन हिंसा-द्वेष और अलगाव की भावना से बहुत जल्दी पीड़ित हो जाते हैं जिससे न देश का हित होता है, न किसी जाति विशेष का। जातीय समस्या को गौण समझकर उसे छोड़ देना भी हानिकर है। यदि जनसाधारण का संगठन करनेवाले प्रगतिशील विचारक इस समस्या की उपेक्षा करेंगे, तो साम्प्रदायिक और प्रतिक्रियावादी शक्तियाँ उसे अपने हित में इस्तेमाल करेंगी और श्रमिक जनता के संगठन और आन्दोलन पर ही वार करेंगी। इसीलिए जातीय समस्या और श्रमिक जनों की शोषणमुक्ति-समस्या में कौन गौण है, कौन प्रधान, इस बात का ध्यान रखते हुए प्रगतिशील विचारकों को जातीय समस्या के समाधान की ओर बढ़ना चाहिए।

जातीयता का प्रमुख चिह्न है भाषा। जाति के निर्माण से भाषा के गठन और विकास का घनिष्ठ सम्बन्ध है। दिल्ली के आसपास के प्रदेश की भाषा क्यों हमारी जातीय भाषा बन गई, कुछ लोग इसके लिए विशुद्ध भाषागत कारण ढूँढ़ने का प्रयत्न करते हैं। खड़ी बोली में कुछ ऐसे 'गुण' थे जो ब्रज, अवधी आदि में नहीं थे, इसलिए उसने ब्रजभाषा को अपदस्थ कर दिया! इसके विरुद्ध ब्रजभाषा-प्रेमी

1. श्यामाचरन गांगुली, 'एसेज़ एंड क्रिटिसिज़्म', लुजाक एंड को., लन्दन, 1927, पृ. 81-82

यह तर्क देते हैं कि ब्रजभाषा के-से कवि खड़ी बोली में पैदा ही नहीं हुए; खड़ी बोली ने ब्रजभाषा का हक छीन लिया है, यह घोर अनाचार है! जातीय विकास के सन्दर्भ में इस समस्या को देखने से पता चलेगा कि सामाजिक विकास-क्रम में जातीय भाषा के रूप में किसी एक बोली का प्रसार या गठन ऐतिहासिक रूप से अनिवार्य घटना है। इसी तरह ब्रिटेन, रूस, फ्रांस आदि देशों में वहाँ की जातीय भाषाओं का गठन और प्रसार हुआ। इस प्रक्रिया का आर्थिक आधार व्यापार है। पूँजीवाद का अर्थ उत्पादन की पद्धति-विशेष तक सीमित न करना चाहिए। पुरानी दस्तकारी के आधार पर सामन्ती व्यवस्था में बेचने और मुनाफा कमाने के लिए क्रय-वस्तुओं का उत्पादन होता है। व्यापार बाजार का निर्माण करता है और इस तरह नई उत्पादन-पद्धति के लिए सामाजिक आवश्यकता उत्पन्न करता है। व्यापार के आधार पर बाजार के अन्तर्गत जितना इलाका भी आ जाए, वह सभी जातीय प्रदेश बने, यह आवश्यक नहीं। स्वाभाविक क्रिया यह है कि जो लघुजातियाँ भाषा, संस्कृति, इतिहास आदि की दृष्टि से एक-दूसरे के बहुत निकट हैं, वे मिलकर एक महाजाति का निर्माण करें। किन्तु इस तरह की लघुजातियाँ कभी-कभी काफी भिन्न होने पर भी किसी प्रबलतर जाति का अंग बना ली जाती हैं। वेल्स और स्कॉटलैंड के केल्ट निवासी इसी तरह अंग्रेज़ों के साथ ब्रिटिश जाति का अंग बनाए गए। किन्तु रूस में उक्रैनी जाति ने अखिल-रूसी बाजार के अन्तर्गत रहते हुए भी अपनी जातीयता की रक्षा की। अनेक स्लाव जातियों को जर्मन आक्रमणकारियों ने जर्मन जाति का अंग बना लेने की कोशिश की लेकिन असफल रहे। जातीयता की रक्षा जाति विशेष के प्रतिरोध पर भी निर्भर है। भारत के हिन्दी-भाषी प्रदेश में अन्य देशों की तरह व्यापार का विकास हुआ। इस प्रदेश का इतिहास-सम्मत नाम हिन्दुस्तान है; उसकी भाषा हिन्दी या हिन्दुस्तानी है। हिन्दी का आधार दिल्ली और उसके निकटवर्ती प्रदेशों की बोली—खड़ी बोली—बनी, क्योंकि दिल्ली राजनीतिक और आर्थिक जीवन का एक प्रमुख केन्द्र थी।

हिन्दी-भाषी जाति के गठन और उसकी भाषा के विकास के सिलसिले में दो मुख्य समस्याएँ हमारे सामने आती हैं : एक है जातीयता और धर्म की समस्या। क्या मुसलमानों की अलग ज़बान है? क्या खड़ी बोली का प्रसार मुसलमानों के आने के कारण हुआ? हिन्दी-उर्दू दो भाषाएँ हैं या एक? दूसरी समस्या यह है : जातीय भाषा के विकास के बाद उन लघुजातियों की भाषा की स्थिति क्या होती है जो महाजाति का अंग बन जाती हैं? ब्रज, अवधी, भोजपुरी स्वतंत्र भाषाएँ हैं या हिन्दी की बोलियाँ हैं? हिन्दी इन्हें साम्राज्यवादी ढंग से कुचल तो नहीं रही? क्या राजस्थानी, पंजाबी आदि भी हिन्दी की बोलियाँ हैं? ये दो तरह की समस्याएँ हमारे सामने आती हैं। इन पर हम अगले अध्यायों में विचार करेंगे।

बारहवाँ अध्याय

# जातीय भाषाओं का विकास और उर्दू

उर्दू के बारे में एक प्रचलित धारणा यह रही है कि यह भाषा हिन्दुओं-मुसलमानों के मेल-जोल से बनी है। इस बहस का सम्बन्ध केवल उर्दू से नहीं है; उसमें एक बड़ा सैद्धान्तिक प्रश्न शामिल है : क्या दो या अनेक जातियों के लोगों के आपस में मिलने से नई भाषा उत्पन्न हो सकती है?

पद्मसिंह शर्मा ने 'हिन्दी, उर्दू और हिन्दुस्तानी' में उन लेखकों की चर्चा की है जिन्होंने इस धारणा का प्रचार किया था कि हिन्दुओं और मुसलमानों के मेल-जोल से उर्दू भाषा बनी थी। उन्नीसवीं सदी के आरम्भ में मीर अम्मन ने इसका जन्म अकबर के समय माना था। "जब अकबर बादशाह तख्त पर बैठे तब चारों तरफ के मुल्कों से सब क़ौम क़दरदानी और फैज़रसानी इस खानदाने-लासानी की सुनकर हुज़ूर में आकर जमा हुए, लेकिन हर एक की गोयाई और बोली जुदी-जुदी थी। इकट्ठे होने से आपस में लेन-देन, सौदा-सुलफ़, सवाल-जवाब करते एक ज़बान उर्दू की मुक़र्रर हुई।" उन्नीसवीं सदी के मध्य में सर सैयद अहमद खाँ ने अकबर के कुछ बाद शाहजहाँ के समय उर्दू का जन्मकाल निश्चित किया। "जबकि शाहजहाँ बादशाह ने सन् 1648 ई. में शहर शाहजहानाबाद आबाद किया और हर मुल्क के लोगों का मजमा हुआ। इस ज़माने में फ़ारसी ज़बान और हिन्दी भाषा बहुत मिल गई, और बाज़े फ़ारसी लफ़्ज़ों और अक्सर भाषा के लफ़्ज़ों में बसबब कसरत इस्तेमाल के तग़य्युर व तब्दील हो गई। गरज कि लश्कर बादशाही और उर्दू-ए-मुअल्ला में इन दोनों ज़बान की तरकीब से नई ज़बान पैदा हो गई और इसी सबब से ज़बान का उर्दू नाम हुआ।"[1]

श्री सैयद एहतिशाम हुसैन ने 'उर्दू साहित्य का इतिहास' में इस मेलजोल की बात को दूसरे ढंग से लिखा है : "जब लड़ाइयों, चढ़ाइयों, आक्रमणों और संग्रामों से उत्पन्न होनेवाली घृणा की लहर उठी तो हिन्दुओं और मुसलमानों के हृदय में मेल-मुहब्बत के स्रोत फूट पड़े, जिन्होंने कला और धर्म, सबको लपेट में ले लिया और उनके भावों, विचारों और कल्पनाओं को एक-दूसरे के समीप कर दिया। भक्ति को एक लोकप्रिय और उस समय की समस्याओं को देखते हुए प्रगतिशील

1. पद्मसिंह शर्मा, 'हिन्दी-उर्दू और हिन्दुस्तानी', इलाहाबाद, 1933, पृ. 26

आन्दोलन बनाने में, हिन्दू और मुसलमान, दोनों भक्तों का हाथ है। जब आचार-विचार की सीमाएँ इस प्रकार निकट आ गई हों, तब एक ऐसी भाषा के जन्म लेने की सम्भावना दूर नहीं रह जाती जो मिले-जुले सामाजिक जीवन का चिह्न हो।"[1] श्री सैयद एहतिशाम हुसैन ने उर्दू की उत्पत्ति का सम्बन्ध सूफ़ियों के धर्म-प्रचार से भी जोड़ा है। "हम यह भी समझते हैं कि उस समय कोई ऐसी बनी-बनाई भाषा प्रचलित नहीं रही होगी जिसमें वह धर्म और भक्ति के गहरे विचार सरलता से प्रकट कर सकें। इसलिए उनको मजबूरन बहुत-से फ़ारसी-अरबी के शब्द बोलचाल की भाषा में मिलाने पड़ते होंगे।"[2]

हिन्दी-उर्दू के भेद पर हम आगे विचार करेंगे किन्तु यहाँ इतना कह दें कि हिन्दी-उर्दू का एक सामान्य आधार है : बोलचाल की खड़ी बोली। इस खड़ी बोली में अरबी-फ़ारसी के कुछ—या बहुत ज्यादा—शब्द आ मिले तो इससे एक नई भाषा नहीं उत्पन्न हो गई। यह खड़ी बोली मुसलमानों के आने से पहले भी थी, उनके शासनकाल में रही और आज भी है। एक दूसरी बात ध्यान देने की यह है कि जितना ही हम पुराने ज़माने के उर्दू लेखकों की रचनाएँ पढ़ते हैं, उतना ही साधारणत: अरबी-फ़ारसी के शब्दों की खपत कम मिलती है और जितना ही बीसवीं सदी की ओर बढ़ते हैं, उतना ही यह खपत बढ़ती जाती है। अगर बारहवीं-तेरहवीं सदी में मेलजोल के लिए पाँच फीसदी अरबी-फ़ारसी शब्दों की जरूरत थी, तो 1947 के आसपास यह जरूरत बढ़कर पचासी फीसदी तक पहुँच गई है यानी ज्यों-ज्यों मेल-जोल बढ़ा, त्यों-त्यों हिन्दी-उर्दू का अलगाव बढ़ता गया। मर्ज़ बढ़ता गया ज्यों-ज्यों दवा की। यदि कोई कहे, हिन्दी गढ़ी हुई भाषा है, इसीलिए अलगाव है, तो हम कहेंगे कि उर्दू और भारत की शेष सभी भाषाओं का अन्तर बढ़ता गया।

उर्दू के विकास के सम्बन्ध में दो बुनियादी बातें याद रखनी चाहिए : एक तो यह कि बाहर से जो मुसलमान यहाँ आए, वे बहुत जल्दी यहाँ की जातियों (नेशनैलिटी का हिस्सा बन गए। वे अपने को तुर्क, पठान और मुगल कहते थे, लेकिन यह पुरानी जातीयता की यादगार भर थी। जातीयता का मुख्य चिह्न भाषा उनसे बहुत जल्दी छूट जाती थी। कश्मीर, बंगाल, पंजाब, सिन्ध, गुजरात, 'हिन्दुस्तान'—सभी प्रदेशों में उन्होंने वहीं की भाषा अपनाई। दूसरी बुनियादी बात यह है कि यहाँ लगभग छह सौ वर्ष तक फ़ारसी राजभाषा रही। दिल्ली सल्तनत की सीमाएँ घटती-बढ़ती रहीं, भारत के उन प्रदेशों को अपनी भाषाएँ पल्लवित करने का ज्यादा अवसर मिला जो दिल्ली से दूर थे; जहाँ तक हिन्दी क्षेत्र का सम्बन्ध है, यहाँ राजभाषा फ़ारसी का शासन बना रहा। इसे मेल-जोत का चिह्न नहीं कहा जा सकता। इसे स्पष्ट रूप से सामन्ती व्यवस्था के अन्तर्गत सांस्कृतिक उत्पीड़न का चिह्न मानना चाहिए।

1. सैयद एहतिशाम हुसैन, 'उर्दू साहित्य का इतिहास', अलीगढ़, 1959, पृ. 23
2. उप., पृ. 25

जिन मुसलमानों ने आठवीं सदी में सिन्ध पर आक्रमण किया था, वे अरब थे। उनकी भाषा अरबी थी। सिन्ध में विद्रोह हुआ और अरब राज्यसत्ता का अन्त कर दिया गया। आठवीं सदी में अभी मेल-जोल से नई भाषा बनने का सवाल न था। ग्यारहवीं सदी में महमूद गज़नवी ने भारत पर आक्रमण किया, वह तुर्क था। मुहम्मद गोरी ईरानी था, पठान नहीं था। खल्ज एक तुर्की कबीले का नाम था जिससे खिल्जी वंश चला। "इस समय (तेरहवीं सदी में) तुर्क एशिया के सबसे तेज़-तर्रार और लड़ाकू लोग थे। गज़नवी वंश की उत्पत्ति एक तुर्क गुलाम से हुई थी। गज़नवी और गोरी खानदानों के शासक तुर्क गुलामों के काफिले से घिरे रहते थे और अक्सर मुक्ति पाने से पहले भी ये गुलाम राज्य के ऊँचे-ऊँचे पदों पर नियुक्त किये जाते थे।"[1] बाबर की मातृभाषा तुर्की थी। उसने अपनी आत्मकथा फ़ारसी नहीं, तुर्की में लिखी थी। शेरशाह पठान था। भारत में आक्रामक बनकर जो मुसलमान आए, वे मुख्यतः तुर्क थे। इसीलिए यहाँ की बोलियों में तुर्क शब्द मुसलमान का पर्याय बन गया। यदि भिन्न जातियों के मिलने से भाषा बनती, तो उर्दू में सबसे ज्यादा शब्द तुर्की के होते। लेकिन उर्दू या अन्य भारतीय भाषाओं पर तुर्की का असर बहुत ही कम है। पठानों की ज़बान पश्तो थी। पश्तो का असर भी उर्दू आदि भाषाओं पर नहीं के बराबर है। बाहर से जो मुसलमान आए, वे किसी एक जाति के न थे; उन सबकी भाषा एक न थी। उनका सांस्कृतिक स्तर भी एक-सा न था। उनमें शरीफ, बदमाश, लुटेरे, व्यापारी, विद्वान, जाहिल—हर किस्म के लोग थे। इसलिए यह धारणा कि मुसलमान एक जाति के थे, उनकी एक भाषा और संस्कृति थी, गलत है। इस गलत धारणा का प्रचार मुसलमानों में ही नहीं है, हिन्दुओं में भी है। एक हिन्दी लेखक ने उर्दू को अरब जेहादियों का कीर्ति-स्तम्भ कहा था। अरब जेहादियों को भारत-विजय का श्रेय व्यर्थ ही दिया गया। उर्दू में अरबी शब्दों की आमद के लिए स्वयं अरब कतई जिम्मेदार नहीं है।

भारत में आनेवाले मुसलमान स्वयं जातीय और सांस्कृतिक उत्पीड़न के शिकार थे। कहने को शासन तुर्कों का था, लेकिन उनकी राजभाषा थी फ़ारसी। पठानों ने दिल्ली पर राज किया लेकिन दिल्ली और अफगानिस्तान दोनों जगह राजभाषा थी फ़ारसी। फ़ारसी के आधिपत्य के कारण तुर्की, पश्तो आदि भाषाओं को अपना स्वत्व प्राप्त न हुआ था; उन्हें अपने प्रदेशों में राजभाषा का गौरव पद न मिला था। उज़बेक जाति के सैनिक सम्भवतः पिछड़े हुए समझे जाते थे; इसलिए उज़बक शब्द का अर्थ हो गया गँवार! सैयद एहतिशाम हुसैन ने लिखा है : "जो मुसलमान यहाँ आए, वे तुर्की, अरबी, फ़ारसी और दूसरी मध्य एशियाई भाषाएँ बोलते थे किन्तु उनके साहित्यिक और सांस्कृतिक व्यवहार का माध्यम फ़ारसी थी।"[2] फ़ारसी का व्यवहार करनेवाले थोड़े-से लोग थे; बाकी लोग अपनी-अपनी मातृभाषा बोलते थे। ये मुसलमान आक्रामक एक जाति और

1. 'द कैम्ब्रिज हिस्ट्री ऑव इंडिया', खंड 3, पृ. 61
2. 'उर्दू साहित्य का इतिहास', पृ. 20

एक भाषा के न थे, इसलिए वे भारत की अग्रसर जातियों के मुकाबले में अपनी जातीयता की रक्षा न कर सके वरन् उन्हीं में घुलमिल गए। इसके विपरीत स्लाव देशों में बसनेवाले जर्मनों को देखिए। वे अपनी जर्मन जातीयता बनाए ही न रहे, वरन् उन्होंने बराबर प्रयत्न किया कि स्लावों का भी जर्मनीकरण हो जाए जिसकी पहली शर्त थी—स्लाव भाषाओं की जगह जर्मन भाषा का व्यवहार। बल्गारिया में तुर्कों का शासन देखिए। भाषा और मार्क्सवाद के प्रसंग में स्तालिन ने लिखा था कि तुर्कों ने शताब्दियों तक प्रयत्न किया कि बल्कान लोगों को तुर्क बना लें और उनकी भाषाओं को खंडित करें, उनका ध्वंस कर दें और नाम-निशान मिटा दें। भारत में इस प्रकार जातीयता के विनाश का प्रयत्न नहीं किया गया। आक्रमणकारियों में धर्मांधता थी और वे अपने धर्म का—या जिसे वे इस्लाम समझते थे, उसका—प्रसार करना चाहते थे। लेकिन जातियों के रूप में वे स्वयं गठित न थे। इसका यह अर्थ नहीं कि वे भारत में उत्पीड़न के लिए उत्तरदायी न थे। उनके उच्च वर्गों, शिक्षित जनों और सामन्तों ने फ़ारसी भाषा अपनाकर खुद को आधा ईरानी बना लिया था। इसके सिवा मुगल-काल में यहाँ काफी ईरानी आए और राजदरबार में ईरानी सरदारों का काफी प्रभाव रहा। इसी कारण फ़ारसी को राजभाषा बनाना एक तरह का सांस्कृतिक उत्पीड़न कहा जाएगा। स्वयं ईरान पर अरबों का अधिकार हो चुका था; फ़ारसी में अरबी शब्दावली का जोरों से प्रवेश हो चुका था। उर्दू के प्रारम्भिक काल में उसमें जो अरबी शब्द आए, वे फ़ारसी के माध्यम से। फ़ारसी के राजभाषा बनने से अप्रत्यक्ष रूप से अरबी ने भी हिन्दी तथा अन्य भारतीय भाषाओं को प्रभावित किया। लेकिन यह याद रखना चाहिए कि हिन्दी से उर्दू का अलगाव बहुत-से-बहुत दो सौ साल का है; फ़ारसी यहाँ राजभाषा रही है लगभग छह सौ साल। इन छह सौ सालों में जो आखीर के दो सौ वर्ष हैं, वही अलगाव के साल भी हैं। इसका अर्थ यह है कि जो युग सामन्तवाद के पतन और अंग्रेज़ी राज की स्थापना का युग है, उसी में यह अलगाव बढ़ा और मजबूत हुआ।

बाहर से आनेवाले भिन्न जातियों के मुसलमान यहाँ की जातियों में कैसे घुलमिल गए और उन्होंने कैसे यहाँ की भाषाओं को अपनाया, इसके प्रमाण देखिए। अमीर ख़ुसरो की हिन्दी रचनाओं को विवादास्पद माना जाता है; पता नहीं, वह उन्हीं की हैं या और लोगों की! खुसरो तुर्क थे लेकिन हिन्दुस्तान में पैदा हुए थे। उन्हें हिन्दुस्तानी होने का गर्व था और हिन्दी से प्रेम था। उनकी सांस्कृतिक भाषा फ़ारसी थी। उसमें—अविवादास्पद रूप सें—उन्होंने लिखा था :

*तुर्क हिन्दोस्तान बम मन हिन्दवी गोयम जवाब।*
*शकर मिस्री नदारम कुज़ अरब गोयम सुख़न।*

[मैं हिन्दुस्तानी तुर्क हूँ और हिन्दी में जवाब दे सकता हूँ। मेरे पास मिस्री की शकर नहीं है कि अरब की बात करूँ।]

*चु मन तूतिए हिन्दम अर रास्त पुरसी।*
*ज़े मन हिन्दवी पुर्स ता नग़्ज गोयम।*

[मैं हिन्दुस्तान की तूती हूँ। हिन्दी में सवाल करो जिससे मैं मीठी बात कर सकूँ।]

अपने एक दीवान की भूमिका में उन्होंने लिखा था कि उन्होंने हिन्दवी में भी कविता की है और उसे दोस्तों को दे दिया है। श्री मुहम्मद वहीद मिर्जा के अनुसार[1] खुसरो ने अपनी फ़ारसी रचनाओं में भी बड़े अच्छे ढंग से जहाँ-तहाँ हिन्दी शब्दों का प्रयोग किया है, जैसे—ख़ज़ाइन्-उल-फ़ुतूह में बसीठ, परधान, मार-मार वगैरह। ख़ुसरो का हिन्दुओं से विशेष प्रेम न था। उसने उनके अनेक रीति-रिवाजों का मज़ाक उड़ाया था और बादशाह को आगाह किया था कि उनके हाथ में ज्यादा सत्ता न आने दें। मंदिरों के ध्वंस पर उसने प्रसन्नता प्रकट की थी। ख़ुसरो में धार्मिक असहिष्णुता की कमी न थी लेकिन वह धर्म और भाषा को मिलाकर एक न कर देता था। उसे हिन्दू धर्म से भले घृणा रही हो, हिन्दी भाषा से उसे प्रेम था। श्री मिर्जा ने लिखा है कि ख़ुसरो से पहले अनेक मुसलमान लेखकों ने हिन्दी में रचनाएँ की थीं; इस बात का उल्लेख स्वयं ख़ुसरो ने किया है और अन्य प्रमाणों से भी यह तथ्य सिद्ध होता है। मसूद-इ-सद सलमान ने हिन्दी में एक पूरा दीवान लिखा था। फरिश्ता के अनुसार, महमूद गज़नवी के समय में भी हिन्दी कविता रची जाती थी।

खुसरो के अलावा उस समय जिन और लेखकों ने फ़ारसी में ग्रंथ रचे हैं, उन्होंने भी हिन्दी शब्दों का प्रयोग किया है। यह स्वाभाविक था क्योंकि जो ग़ैर-ईरानी मुसलमान फ़ारसी सीखते थे, वे उसे भारतीय भाषाओं के माध्यम से सीखते थे। यदि आम मुसलमानों में आपस के व्यवहार के लिए फ़ारसी भाषा का प्रयोग होता तो उसे सीखने के लिए भारतीय भाषाओं के सहारे की जरूरत न होती। "अमीर ख़ुसरो का युग खिलजियों और तुग़लकों का युग था। फ़ीरोज तुग़लक के समय में जो ऐतिहासिक ग्रंथ फ़ारसी में लिखे गए, उनमें न जाने कितने शब्द भारतीय भाषाओं से लिये गए हैं, जैसे—ठग, लौंडी, मंडल, ढोलक, मंडी, चौधरी, राज, घड़ियाल, चूना, इत्यादि। इन बातों के अतिरिक्त समकालीन इतिहासों से यह भी मालूम होता है कि पाठशालाओं में जो फ़ारसी पुस्तकें पढ़ाई जाती थीं, उनका अर्थ भारतीय भाषाओं में समझाया जाता था। इससे भी पता चलता है कि हिन्दुओं-मुसलमानों के मेल-जोल से भारतवर्ष की नवीन आर्य भाषाएँ प्रभावित हो रही थीं और जिस प्रकार राजस्थानी, बुन्देली, ब्रज, अवधी इत्यादि का विकास हो रहा था, उसी प्रकार उर्दू भी अपनी जड़ें भारतवर्ष की भूमि और समाज में फैला रही थी।"[2] जो मुसलमान घर में खड़ी बोली बोलते थे, वे लौंडी, ढोलक, चौधरी, घड़ियाल वगैरह का अर्थ खूब समझते थे।

1. मुहम्मद वहीद मिर्जा, 'द लाइफ एंड वर्क्स ऑव अमीर ख़ुसरो', कलकत्ता, 1935, पृ. 234; ख़ुसरो सम्बन्धी अन्य तथ्य भी इसी पुस्तक से लिये गए हैं।
2. 'उर्दू साहित्य का इतिहास', पृ. 29

जिनके लिए वे फ़ारसी ग्रंथ लिखते थे, वे भी इन शब्दों का अर्थ खूब समझते थे। उनकी आपस की बोली न फ़ारसी थी, न तुर्की—उनकी सामान्य भाषा थी खड़ी बोली हिन्दी। फ़ारसी के राजभाषा होने के कारण, ईरान के सांस्कृतिक प्रभुत्व के कारण ये हिन्दी-भाषी मुसलमान फ़ारसी सीखते थे और सीखते थे उसे हिन्दी के सहारे। इससे यह परिणाम कैसे निकलेगा कि हिन्दुओं-मुसलमानों के मेल-जोल से आर्य भाषाएँ प्रभावित हो रही थीं? यदि उस समय की हिन्दी या अन्य किसी भारतीय भाषा में तुर्की, पश्तो, फ़ारसी आदि भाषाओं के बहुत-से शब्द मिलते, तो यह कहा जा सकता था कि भिन्न जातियों के मेल से एक नई भाषा बन रही है। किन्तु यहाँ हम देखते हैं कि हिन्दी के शब्दों का प्रयोग हो रहा है फ़ारसी में! तब हिन्दी फ़ारसी को प्रभावित कर रही थी या उससे स्वयं प्रभावित होकर मेल-जोल की एक नई भाषा उर्दू को जन्म दे रही थी? वास्तव में हिन्दुओं और मुसलमानों को मिलकर एक नई कौम बनाने का सवाल न था। तुर्क और पठान यहाँ की भाषा बोलते थे, यहाँ रहते हुए यहीं के हो गए थे। वे जातीयता का मुख्य प्रतीक—अपनी भाषा—खो चुके थे। धर्म का भेद होने से जातीयता में भेद पैदा नहीं होता, जैसे अरब, तुर्क, पठान, इरानी सब एक धर्म इस्लाम को मानने पर भी एक जाति के नहीं हो जाते।

महमूद गज़नवी के लिए प्रसिद्ध है कि उसने अपनी मुद्रा पर संस्कृत शब्द भी अंकित किये थे। इससे अधिक महत्त्वपूर्ण बात यह है कि बल्बन के भतीजे अब्दुल्ला को लोग छज्जू कहते थे। चौदहवीं सदी में जब दिल्ली में अकाल पड़ा, तब बादशाह ने दिल्ली में 165 मील दूर तम्बुओं-कनातों का एक नया शहर बसाया था और उसका नाम रखा था—बादशाह सलामत ने खुद उसका नाम रखा था—सरगद्वारी।[1] यद्यपि फ़ारसी राजभाषा थी, फिर भी राज्य का बहुत-सा काम हिन्दी में होता था। इब्न बतूता को जब दिल्ली का काज़ी बनाया जा रहा था, तो उसने यही पशोपेश जाहिर किया था कि उसे वहाँ की ज़बान नहीं आती। शेरशाह ने दफ्तरों में फ़ारसीदां मुंशियों के साथ हिन्दी लेखक भी नियुक्त किये थे जिससे साधारण जनता को तकलीफ न हो। फ़ारसी एकमात्र राजभाषा हुई अकबर के शासन में, लेकिन हम देखेंगे कि अकबर के समय में भी राजभाषा के रूप में हिन्दी का चलन पूरी तरह बन्द न हुआ था। यह दुर्भाग्य की बात है कि यह घटना अकबर के समय में हुई क्योंकि मुगल शासकों में वह सबसे अधिक प्रगतिशील था। बाबर की भाषा अवश्य तुर्की थी लेकिन अकबर के समय तक मुगल घराने की नित्य प्रति के व्यवहार की भाषा हिन्दी हो चुकी थी। अकबर को हम विदेशी शासक नहीं कह सकते; वह पूरा हिन्दुस्तानी था। उसके समय में भारतीय संगीत और स्थापत्य ने खूब उन्नति की। उसके बारे में प्रसिद्ध है कि वह अपढ़ था। सम्भवत: इस प्रवाद का कारण यह था कि वह फ़ारसी न जानता था। लेकिन हिन्दी तो उसने बाकायदा पढ़ी थी।

---

1. 'कैम्ब्रिज हिस्ट्री ऑव इंडिया', भाग 3, पृ. 154

जहाँगीर ने लिखा था कि लाल कलावन्त बचपन से ही अकबर की सेवा में रहा था और उसने बादशाह को हिन्दी भाषा का राई-रत्ती ज्ञान करा दिया था। जहाँगीर का नाम था सलीम, लेकिन अकबर उसे न मुहम्मद सलीम कहकर बुलाता था, न सुल्तान सलीम कहकर। वह उसे हमेशा 'शेखू बाबा' कहकर बुलाता था। शेख का शेखू हिन्दुस्तान की बोलियों के नियमों से ही बन सकता है; फ़ारसी के नियमों से नहीं। इसी तरह फतहपुर सीकर के पहाड़ी इलाके में पैदा होने के कारण शाह मुराद का नाम पहाड़ी रखा गया था। दानियाल हिन्दी में कविताएँ रचता था। अकबर के घर और दरबार में जो हिन्दी कविता और भाषा का वातावरण था, उसकी झलक हमें जहाँगीर के तानसेन सम्बन्धी वर्णन में मिलती है। "काला भौंरा हमेशा इन (कँवल के) फूलों के साथ रहता है, इसलिए हिन्दुस्तान के शायर बुलबुल की तरह उसे फूल का प्रेमी समझते हैं और कविता में उन्होंने उसका बहुत उच्चकोटि का वर्णन किया है। इन कवियों में मुख्य था तानसेन कलावन्त; मेरे पिता के दरबार में उसका जोड़ न था। दरअसल उस जैसा गायक आज तक कहीं हुआ ही नहीं है। उसने अपने एक गीत में एक नौजवान के मुँह की उपमा सूरज से दी है, उसकी आँखों की उपमा खुलते हुए कँवल और उससे निकलते हुए भौंरे से दी है। दूसरे गीत में उसने नायिका के कटाक्ष की तुलना कँवल की थिरकन से की है जब भौंरा आकर उस पर बैठता है।"[1] अकबर ने संस्कृत और फ़ारसी के अन्य ग्रंथों का 'हिन्दवी' में अनुवाद कराया। नल-दमयन्ती की कथा का अनुवाद फ़ारसी में कराया। अकबर और जहाँगीर के समय हाथियों और तोपों के जो नाम रखे जाते थे, वे काफी दिलचस्प थे। अकबर के समय में हाथियों से खींची जानेवाली तोप को गजनल कहते थे; जिस तोप को मनुष्य खींचते थे, उसे नरनल कहते थे। जहाँगीर को एक हाथी भेंट किया गया था जिसका नाम था रन-रावत। उसके एक हाथी का नाम था पंच-गज या पंच-कुञ्जर।[2] एक का नाम था फतह-गज; एक था फौज-संगर। किन्हीं पत्रदास को अकबर ने राय रायान का खिताब दिया था। जहाँगीर ने उन्हीं को राजा विक्रमाजीत की उपाधि दी थी। बादशाह जिस खिड़की पर बैठकर जनता को दर्शन देता था, उसका कवित्वपूर्ण नाम रखा गया था—दर्शन-झरोखा। जहाँगीर को हिन्दी कविता से प्रेम था। उसने लिखा है, राजा दर्शन सिंह एक हिन्दी कवि को लाए; मैंने उसकी-सी सजीव हिन्दी कविता कम सुनी है।[3] जहाँगीर ने अपने बारे में लिखा है, हालाँकि मैं हिन्दुस्तान में पला और बढ़ा हूँ, फिर भी मैं तुर्की से नावाकिफ नहीं हूँ।[4] हिन्दुस्तान में रहते हुए तुर्क हिन्दुस्तानी हो गए थे; अब उनमें अगर कोई तुर्की जानता था,

1. 'तुजुके जहाँगीरी', पृ. 413
2. उप., पृ. 288
3. उप., पृ. 141
4. उप., पृ. 109

तो यह उल्लेखनीय बात होती थी। अकबर की तरह जहाँगीर भी हिन्दू त्योहारों में भाग लेता था। उसने लिखा है, मेरे पिता के समय में हिन्दू अमीर और उनका अनुकरण करनेवाले अन्य अमीर कीमती हीरे-जवाहरात की राखी उनके हाथ में बाँधते थे। उन्होंने इस काम में अति कर दी थी, इसलिए उन्होंने यह सब बन्द कर दिया था। इस साल मैंने यह सुन्दर धार्मिक कृत्य किया और हिन्दू अमीरों और बिरादरियों के मुखियों को हुक्म दिया कि मेरे हाथ में राखी बाँधे।[1] आगे लिखा है—इस महीने की आठ तारीख को दिवाली आई, मैंने महल के चाकरों को हुक्म दिया कि दो-तीन रात तक मेरे सामने जुआ खेलें। अन्यत्र उसने दशहरे के बारे में लिखा है कि उसके सामने घोड़े और हाथी सजा कर लाए गए। कहीं कूच करते समय रास्ते में शिवरात्रि पड़ी। कुछ जोगी इकट्ठे हुए। जहाँगीर उनसे भी मिला और उसने हिन्दू त्योहार की रस्में पूरी कीं। मुगल बादशाहों को हिन्दुओं के साथ इस तरह घुलते-मिलते देखकर हमें इस बात पर आश्चर्य न होना चाहिए कि दानियाल और अकबर कविता करते थे और जहाँगीर हिन्दी कविता पर राय जाहिर कर सकता था, न ही हमें इस बात पर आश्चर्य होना चाहिए कि जब शाह आज़म ने औरंगज़ेब को आम भेजे तो उसने उनका नाम सुधारस और रसना-विलास रखा।

सम्भव है, अब भी किसी के मन में भ्रम रह जाए कि मुगल बादशाहों की भाषा हिन्दी नहीं, फ़ारसी थी, किन्तु इस बात में सन्देह की जरा भी गुंजाइश नहीं है कि दिल्ली के आम मुसलमानों की भाषा हिन्दी थी। चौदहवीं सदी में मुहम्मद तुग़लक ने तै किया कि देश की राजधानी दिल्ली के बदले देवगिरि हो। दिल्ली-निवासियों को शहर छोड़कर दक्षिण चलने का हुक्म हुआ। राजधानी दिल्ली वापस आ गई, लेकिन जो बहुत-से लोग यहाँ से दक्षिण गए थे, वे वहीं बस गए। चौदहवीं सदी में ही इन दिल्ली-निवासियों को केन्द्र बनाकर बहमनी राज्य की स्थापना हुई। "यह राज्य उत्तरी भारत के राज्यों को देखते हुए बहुत कुछ भारतीय रंग रखता था। उत्तरी भारत ईरानी और अरबी संस्कृति से प्रभावित था, पर दक्षिण इससे बहुत कुछ मुक्त था, इसीलिए यहाँ एक आर्य भाषा को विकास का अच्छा अवसर मिला। अगर प्रसिद्ध इतिहास 'तारीखे फिरिश्ता' की बात ठीक मानी जाए तो यह मानना पड़ेगा कि बहमनी बादशाह के राज-कार्यालयों में हिसाब-किताब हिन्दी भाषा में रखा जाता था। इसका अर्थ यह हुआ कि 14वीं शताब्दी का अन्त होते-होते वहाँ उर्दू भाषा प्रचलित हो गई थी।"[2] जो काम दक्खिन में हुआ, वह उत्तर में भी हो सकता था। यदि चौदहवीं सदी में बहमनी राज्य की तरह दिल्ली राज्य की राजभाषा हिन्दी हो जाती तो देश का सांस्कृतिक और राजनीतिक इतिहास कुछ दूसरा ही होता। सामाजिक विकास का कोई ऐसा अनिवार्य नियम नहीं था जिससे उत्तर में राजभाषा फ़ारसी होती और दक्खिन में हिन्दी। आखिर रूस में सामन्ती राज्यसत्ता रूसी भाषा में काम-काज करती ही थी।

1. 'तुजुके जहाँगीरी', पृ. 246
2. 'उर्दू भाषा का इतिहास', पृ. 35

एक बात समझ में आती है। तुर्क और मुगल राज्यसत्ता का सामाजिक आधार बहुत सीमित था। इस राज्यसत्ता से किसान-कारीगर आदि अधिकांश जनता तो पीड़ित थी ही, सामन्तों का काफी बड़ा हिस्सा उससे बराबर असन्तुष्ट रहता आया था। ऐसी स्थिति में फ़ारसी को राजभाषा बनाने से वह राज्यसत्ता अपने संकुचित सामाजिक आधार में सुरक्षित रहती थी। फ़ारसी न मुसलमानों की बोलचाल की भाषा थी, न हिन्दुओं की। उसे हिन्दू भी सीखते थे और मुसलमान भी—उन मुसलमानों को छोड़कर, जो सीधे ईरान से आए थे। राज्य-सत्ता के संकुचित सामाजिक आधार के अनुरूप ही मुट्ठी-भर पढ़े-लिखे लोगों की समझ में आनेवाली फ़ारसी राजभाषा बनाई गई। दक्खिन में समस्या दूसरी थी। राज्य की अधिकांश प्रजा हिन्दी-भाषी न थी। उसकी भाषा तेलगू या मराठी थी। इन तेलगू और मराठी बोलनेवालों पर राजभाषा हिन्दी लादी गई। (यह बीसवीं सदी नहीं, चौदहवीं सदी की बात है, यह स्मरण रखना चाहिए)। दक्खिन में हिन्दुस्तानी जाति ने उत्पीड़क जाति की भूमिका पूरी की। राज्यसत्ता के संकुचित आधार के अनुरूप यहाँ हिन्दी को राजभाषा बनाया गया। राज्य की साधारण प्रजा इस राजभाषा से लाभ न उठा सकती थी। किन्तु इसमें सन्देह नहीं कि फ़ारसी को राजभाषा बनानेवाले तुर्क और मुगल बादशाहों की तुलना में हिन्दी को राजभाषा बनानेवाले बहमनी बादशाह ज्यादा प्रगतिशील थे। फ़ारसी की अपेक्षा हिन्दी समझने और बोलनेवालों[1] की संख्या अधिक थी। इसके सिवा तेलगू और मराठी बोलनेवाले लोग उसे फ़ारसी की अपेक्षा जल्दी सीख सकते थे।

बहमनी बादशाहों ने हिन्दी को राजभाषा बनाया हो चाहे न बनाया हो, इसमें ज़रा भी सन्देह नहीं कि उत्तर से आए हुए इस राज्य के मुसलमानों की भाषा हिन्दी थी। ख़्वाजा बन्दानवाज़ गैसूदराज़ "दिल्ली के प्रसिद्ध सूफ़ी फ़कीर निज़ामुद्दीन औलिया के ख़लीफ़ा ख़्वाजा नसरुद्दीन चिराग़ देहली के सबसे बड़े शिष्य और ख़लीफ़ थे। उनके माननेवालों की संख्या उत्तरी भारत में बहुत थी, पर वह अपना उद्देश्य फैलाने के लिए सन् 1412 ई. के लगभग गुलबर्गा (गोलकुंडा) चले आए और वहीं रह पड़े। गेसूदराज बहुत बड़े विद्वान थे, फ़ारसी-अरबी में उनकी कई पुस्तकें प्रसिद्ध थीं। दक्षिण में भी उनका बड़ा मान हुआ और उनके माननेवालों की संख्या बढ़ने लगी। अपने समुदाय और साधारण जनता के लिए वह अपने विचार हिन्दी में प्रकट किया करते थे।"[2] सूफी मत के एक अन्य प्रचारक शाह मीरान जी थे। "उन्होंने अपनी भाषा को स्वयं हिन्दी कहा है और इस सम्बन्ध में यह भी लिखा है कि मेरी ये रचनाएँ उन लोगों के लिए हैं जो अरबी-फ़ारसी नहीं जानते।"[3] यदि मुसलमानों की सामान्य भाषा फ़ारसी होती तो गेसूदराज और मीरान जी के लिए यह जरूरी न होता कि वे अपने अनुयायियों

1. 'उर्दू साहित्य का इतिहास', पृ. 35
2. उप., पृ. 37
3. उप., पृ. 39

को हिन्दी में उपदेश दें। न यह हिन्दी 'मेल-जोल' के फलस्वरूप बनी हुई भाषा थी जिसमें फ़ारसी-अरबी शब्दावली की बहुतायत हो। उर्दू लेखक प्रारम्भिक दकनी को उर्दू कहते हैं, किन्तु यह उर्दू बाद की दिल्ली-लखनऊ वाली उर्दू से बहुत भिन्न है। "दक्षिण में जिस साहित्य का विकास हो रहा था और उसमें जिस संस्कृति का रंग झलकता था, उस पर भारतीयता की गहरी छाप थी। वहाँ के कवियों की रचनाएँ स्थानीय रंग से मालामाल हैं।" इसका मुख्य कारण यह या कि "वहाँ के लेखक और कलाकार थोड़ा-बहुत ईरानी प्रभाव से बच जाते थे और अपने ही साधनों से काम लेकर अपनी ही भाषा का प्रयोग करते और उसी में रचनाएँ किया करते थे।" प्रारम्भिक दकनी और बाद की दिल्ली वाली उर्दू का मूख्य भेद है—ईरानी प्रभाव। दकनी में फ़ारसीयत कम-से-कम है। गेसूदराज के तीन सौ साल बाद की उर्दू में यह फ़ारसीयत कसरत से है। शाह मीरानजी (या मीराँजी) की भाषा के नमूने इस प्रकार हैं :

*ना उस रूप ना उस देह ना उस थान मकान।*
*निरगुन गुनवन्ता किस मुख करूँ बखान।*
*ना मुझ लोभे पाट-पितम्बर यह ज़र जमी सिंगार।*
*फाटी फूटी कँबली नीकी फटा लिहाफ़ हमार।*

भाषा के बारे में उन्होंने लिखा है :

*हमी बोल अरबी करे*
*और फ़ारसी बहुतेरे।*
*यों हिन्दवी बोली तब*
*इस अर्थ भावे सब।*
*यह भाखा भले सो बोले*
*पुन इसका भाव खोले।*
*वे अरबी बोल न जाने*
*न फ़ारसी पछाने।*

ईश्वर की वन्दना करते हुए कहते हैं :

*बिस्मिल्ला उल रहमान*
*उल रहीम तू सुजान।*
*यह सब आलम तेरा*
*तूँ रज्जाक सभों केरा।*
*तुझ बिन और न कोई*
*खालिक दूजा कोई।*
*जै तेरा होवे करम*
*तो टूटे सभी भरम।*

*इस कारन तुझ कू ध्याउँ*
*हौर तेरा लेऊँ नाऊँ।*
*है तेरा अन्त न पार*
*किस मुख सूँ करूँ उचार।*[1]

शब्द-भंडार की दृष्टि से यह भाषा जायसी-परम्परा की है। इसे उत्तर भारत के उन प्रदेशों के लोग भी समझ लेते जहाँ खड़ी बोली न बोली जाती थी वरन् जहाँ अवधी या ब्रजभाषा जैसी किसी बोली का चलन था। इसमें फ़ारसी का अंश उतना ही है जितना जायसी में मिल जाएगा, जिससे जायसी की अवधी अवधी ही रहेगी, मेल-जोल के फलस्वरूप बनी हुई कोई नई भाषा न हो जाएगी। बाद की दकनी में फ़ारसी शब्द ज्यादा आए हैं लेकिन वे ऐसे हैं जो उत्तर भारत की बोलियों में भी घुलमिल गए थे। खास बात यह है कि दकनी में उन शब्दों का बहिष्कार नहीं किया गया जो बाद की उर्दू में मतरूक समझे गए। सत्रहवीं सदी के प्रसिद्ध लेखक मुल्ला वजही का गद्य इस तरह का था :

"अव्वल जो सब जागा खुदा ई च था। होर कईं कुच न था। तो यू सब कां ते आया? जाननहारा जानता है। जानते आया। पानी ते मोती पड्या। मोती बी पानी च है। वले सूरत में फर्क पड्या। यू मोती पानी कहवाया। इस पानी होर इस मोती कूँ जिने समजा सो ग्यानी कहवाया।"[2]

'कुतुब मुश्तरी' में मुल्ला वजही नायिका का शृंगार वर्णन करते हैं :

*दिसें धन मुख बीच नैनाँ के मोती थाल में ढलते,*
*लटाँ छुट तन उपर यूँ है भुवँग ज्यूँ नीर पर झुलते।*
*नैन दो मस्त चंचल के अछे बीच मुख निर्मल के,*
*कँवल पर बूँद ज्यूँ जल के सो रह-रह बाव ते हिलते।*
*दुवुल धन पैने कानाँ में के सुर पन फूल पानाँ में,*
*सूरज चाँद आसमानाँ में बिचारे लाज ते गलते।*[3]

इस भाषा को दकनी लेखक हिन्दी कहते थे। यह नाम सही था। इससे यह जाहिर होता था कि यह दकनी दक्खिन की कोई नई भाषा नहीं है वरन् वही है—जिसका व्यवहार उत्तर में होता था। इसके सिवा शब्द-भंडार की दृष्टि से यह भाषा ब्रज और अवधी के बहुत निकट थी, इसलिए हिन्दी परम्परा के अन्तर्गत थी। कुली कुतुबशाह की भाषा के बारे में सैयद एहतिशाम हुसैन ने लिखा है : "जिस तरह उसके विषय और विचारधारा में भारतीयता मिलती है, उसी प्रकार उसकी भाषा उस हिन्दुस्तानी से निकट है जो हिन्दी भी है और उर्दू भी।"[4] मुसलमानों को भारत में रहते और यहाँ की

1. श्रीराम शर्मा, 'दक्खिनी का गद्य और पद्य', हैदराबाद, 1954, पृ. 51-53
2. उप., पृ. 415
3. 'कुतुब मुश्तरी', सम्पादक विमला वाघ्रे और नसीरुद्दीन हाशमी, हैदराबाद, 1954, पृ. 71
4. 'उर्दू साहित्य का इतिहास', पृ. 46

भाषाएँ बोलते लगभग पाँच सौ साल हो गए थे। पाँच शताब्दियाँ मेलजोल से नई भाषा उत्पन्न करने के लिए काफी थीं। लेकिन अब तक हिन्दी से स्वतंत्र उर्दू का विकास न हुआ था। यहाँ हम आधुनिक हिन्दी की बात नहीं कहते। उस समय जायसी, रहीम, रसखान जैसे मुसलमानों ने ब्रज या अवधी में जो शब्द-भंडार अपनाया है, लगभग वैसा ही शब्द-भंडार दकनी के लेखकों के यहाँ मिलता है। यह आकस्मिक बात नहीं है कि "18वीं सदी के अन्त तक 'उर्दू' शब्द का प्रयोग भाषा के अर्थ में नहीं मिलता।"[1] अभी तक ब्रज, अवधी लिखनेवाले मुसलमानों के शब्द-भंडार और खड़ी बोली लिखनेवाले मुसलमानों के शब्द-भंडार में मौलिक अन्तर न हुआ था। मीर के समय तक उर्दू कवि अपनी भाषा को हिन्दी कहने में न हिचकते थे। 'हिन्दी, उर्दू और हिन्दुस्तानी' में पद्मसिंह शर्मा ने मीर की यह उक्ति उद्धृत की है :

*क्या जानूँ लोग कहते हैं किसको सरूरे-क़ल्ब*
*आया नहीं है लफ़्ज़ ये हिन्दी ज़बाँ के बीच।*

इस विवेचन से यह निष्कर्ष निकला कि हिन्दुओं और मुसलमानों के मिलने से जो एक नई भाषा के जन्म लेने का सिद्धान्त गढ़ा गया है, वह एकदम लचर है। 'हिन्दुस्तान' के मुसलमान उसी भाषा का प्रयोग करते थे जिसका हिन्दू। हिन्दी भाषा राजभाषा हुई दक्खिन में। वहाँ बन्दानवाज़, वजही आदि उसके समर्थक लेखक उत्पन्न हुए। इससे अन्दाज़ लगाया जा सकता है कि दिल्ली में फ़ारसी के राजभाषा होने से हिन्दी के विकास को कितना धक्का लगा। हिन्दी के जिस रूप को हम उर्दू कहते हैं, उसका विकास भी दिल्ली में 18वीं सदी के पहले न हो पाया, यानी फ़ारसी के राजभाषा रहने से उर्दू साहित्य का विकास भी रुका रहा। वर्ना कोई कारण नहीं कि बन्दानवाज़ और वजही के समसामयिक लेखक दिल्ली में उर्दू साहित्य न रचते। जिस समय दिल्ली में उर्दू का विकास हुआ, उस समय तक हिन्दुओं-मुसलमानों को साथ रहते लगभग छह सौ साल हो चुके थे। कहना न होगा कि आपसी व्यवहार के लिए इन शताब्दियों में मुसलमान उर्दू के जन्म लेने का इन्तजार न कर रहे थे। अठारहवीं सदी की उर्दू-रूप वाली खड़ी बोली और इससे पहले की दकनी-रूप वाली खड़ी बोली के शब्द-भंडार में यह अन्तर है कि हिन्दी के वे प्रचलित शब्द जो दकनी में मिलते हैं, उर्दू से बहुत कुछ हटाए गए हैं और उनकी जगह फ़ारसी के शब्द रखे गए हैं। इस बात को मुसलमान उर्दू लेखकों ने स्वीकार किया है। मौलाना अब्दुल हक़ ने लिखा था : "बाद के उर्दू शोअरा पर फ़ारसी का रंग ऐसा ग़ालिब आया कि यह ख़सूसियत उर्दू शाइरी से बिलकुल उठ गई और रफ़्ता-रफ़्ता बहुत-से हिन्दी अलफाज़ भी ज़बान से ख़ारिज हो गए और उस्तादी अलफाज़ के मतरूक करने में रह गई।...इस ज़माने में मौलवी हाली एक ऐसे शाइर हुए हैं, जिन्होंने उर्दू में हिन्दी की चाशनी देकर कलाम में शीरीनी पैदा

1. 'उर्दू साहित्य का इतिहास', पृ. 24

कर दी है, मगर हमअसर शोअरा में इसकी कुछ क़दर न हुई।"[1] मानना होगा कि अठारहवीं सदी में जिस उर्दू का विकास हुआ, वह पहले की उस उर्दू से भिन्न थी जिसमें हिन्दी शब्दों का आम चलन था। यह पहले की उर्दू ब्रज, अवधी आदि से उस तरह दूर न थी जिस तरह 18वीं सदी और आज की उर्दू दूर है। इसलिए स्पष्टता के लिए इस पहले की उर्दू को उर्दू न कहकर हिन्दी ही कहना चाहिए, जैसेकि उसके लेखक भी उसे कहते थे। हिन्दी से भिन्न—खड़ी बोली, अवधी और ब्रज के सामान्य शब्द-भंडार को छोड़नेवाली—उर्दू की विशेषता है, मतरूकात। हिन्दी शब्द निकाले गए और फ़ारसी शब्दों की आमद बेहिसाब बढ़ी। जिन कवियों ने हिन्दी शब्दों का खुलकर प्रयोग किया, उनकी भाषा को भ्रष्ट माना गया। नज़ीर अकबराबादी ने हिन्दी शब्दों का खूब प्रयोग किया था लेकिन इस कारण उर्दू को संकुचित करनेवाले लेखकों की निगाह में वह ऊँचे दर्जे के शायर न थे। पद्मसिंह शर्मा के शब्दों में : "जितने हिन्दुस्तानी शब्दों और मुहावरों का अधिकता से प्रयोग उन्होंने किया है, उसकी मिसाल किसी भी उर्दू या हिन्दी लेखक के यहाँ नहीं मिलती। उन्होंने हिन्दुस्तानी कविता की सिर्फ नींव ही नहीं डाली, बल्कि उसकी एक शानदार इमारत भी खड़ी कर दी है। उनके इस आदर्श उपकार को ध्यान में रखकर हिन्दुस्तानीपन के हामियों और क़ौमियत के पुजारियों का फ़र्ज़ था कि वह उनकी पूजा करते, मगर अफ़सोस है कि इस जुर्म में उर्दू के धनी लोगों की खुदपरस्ती ने उन्हें 'मुस्तनद' और 'अहले ज़बान' शोअरा की बिरादरी से ही ख़ारिज कर दिया।"[2]

दिल्ली में उर्दू शायरी के विकास के बारे में सैयद एहतिशाम हुसैन ने लिखा है : "दिल्ली के काव्य-संसार में जो परिवर्तन हुआ, उसे हम इस प्रकार प्रस्तुत कर सकते हैं कि पहले फ़ारसी के कवियों ने एक-आध शेर उर्दू में लिखे, फिर धीरे-धीरे ऐसे कवि पैदा हुए जिन्होंने फ़ारसी में कहना आरम्भ किया पर थोड़े ही दिनों बाद फ़ारसी छोड़ उर्दू में कविताएँ लिखने लगे। इस बात से इनकार नहीं किया जा सकता कि उनकी शिक्षा फ़ारसी में हुई थी, फ़ारसी कविता उनकी आत्मा में बसी हुई थी, फ़ारसी के ही उदाहरण उनके सामने थे और फ़ारसी के ही आलोचकों के बताए हुए मार्ग पर वह चल सकते थे।"[3] इन शायरों पर फ़ारसी कविता के भावों का असर ही न था, वे भाषा को भी ज्यादा से ज्यादा मीठा बनाने के लिए फ़ारसी शब्दावली का प्रयोग करते थे। मुगल राज्य के पतनकाल में उर्दू को राजाश्रय प्राप्त हुआ। उर्दू को माध्यम बनाकर जो साहित्य पनप रहा था, उसका सामाजिक आधार बहुत ही संकुचित था। "यह सामन्तकाल के पतन का युग था। और कुछ न होने पर भी साहित्य और कला बादशाह और उसके अमीरों के हाथ में थे।"[4] श्री सैयद एहतिशाम हुसैन का विचार

1. पद्मसिंह शर्मा द्वारा उद्धृत, 'हिन्दी-उर्दू और हिन्दुस्तानी', पृ. 94
2. उप., पृ. 93
3. 'उर्दू साहित्य का इतिहास', पृ. 61
4. उप., पृ. 61

है कि इस पतनकाल में जनता की भाषा उर्दू को आगे बढ़ने का मौका मिला। "जीवन और सामाजिक चेतना के प्रभाव से उर्दू उन्नति की ओर बढ़ रही थी," लेकिन यह सामाजिक चेतना उस समय की उर्दू कविता में प्रतिबिम्बित नहीं हुई।

"उसके साहित्य में वह बल नहीं देख पड़ता जो एक आगे बढ़ते हुए राष्ट्र और प्रगति करती हुई जनता के साहित्य में मिलता है। सामन्तशाही युग में साहित्य राज्य-दरबार के संरक्षण और सहानुभूति पर निर्भर होता है और मुगल राज्य ऐसा दुर्बल हो रहा था कि वह उर्दू साहित्य की प्रगति में किसी प्रकार सहायक नहीं हो सकता था।"[1] साहित्य का भी एक हद तक वर्ग-आधार होता है। यह वर्ग-आधार सीमित और पतनशील होता है तो साहित्य अधिकांश जनता के लिए अग्राह्य हो जाता है। यदि वह प्रगतिशील और व्यापक होता है तो उसका महत्त्व अनेक वर्गों के लिए और अनेक युगों तक रहता है। उर्दू कवियों के जीवन पर एक दृष्टि डालने से राजदरबारों से उनके सम्बन्ध का पता चलेगा और यह सत्य स्पष्ट होगा कि साहित्य का वर्ग-आधार किस तरह उसकी भाव-सामग्री ही नहीं, उसके रूप (शब्द-चयन आदि) को भी प्रभावित करता है। आरम्भ में "अगर्चे ईरानी संस्कृति और फ़ारसी भाषा का गहरा प्रभाव पड़ रहा था, परन्तु ब्रजभाषा और दक्षिणी उर्दू के प्रभाव भी देखे जा सकते हैं।"[2] क्रमशः ब्रज और दकनी का यह प्रभाव मंद होता गया; उसका स्थान फ़ारसीपन ने लिया।

श्री सैयद एहतिशाम हुसैन ने प्रमुख उर्दू कवियों के जीवन के बारे में जो तथ्य दिये हैं, वे इस प्रकार हैं : दिल्ली छोड़कर जानेवालों में सबसे पहले शायर फ़ुग़ाँ थे। इन्होंने अवध और पटना के दरबारों में शरण ली। ताबाँ दिल्ली के रहनेवाले थे। इतने सुन्दर थे कि बादशाह इन्हें देखने के लिए स्वयं उनकी बैठक के रास्ते से गुज़रा करते थे। "शराब बहुत पीते थे और उसी के कारण युवावस्था में उनका देहान्त हो गया।" दर्द राजदरबार न जाते थे, "फिर भी राजदरबार से उनकी खानक़ाह की सहायता होती थी।" सौदा अवध की राजधानी फैज़ाबाद में रहे। जब राजधानी लखनऊ हुई तो वहाँ चले आए। अवध सरकार से उन्हें छह हजार रुपये साल मिलते थे। मीर के जीवनकाल में "मुगल राज्य इस प्रकार से गिर रहा था कि अब उसके सँभलने की आशा नहीं की जा सकती थी। मीर की कविता में उसके हृदयविदारक और रोचक चित्र मिलते हैं।" उन्होंने आगरा छोड़ा। दिल्ली में "बहुत-से अमीरों के यहाँ नौकरी की।" लखनऊ गए। वहाँ नवाब के यहाँ से हर महीने उन्हें तीन सौ रुपये मिलते रहे। जब उन्होंने राजदरबार जाना छोड़ दिया, तब भी यह वृत्ति उन्हें मिलती रही। जुरअत, इन्शा और मुसहफी लखनऊ दरबार में थे। दरबार में ऊँचा स्थान पाने के लिए इनके झगड़े इतने बढ़ गए कि "कभी-कभी वह बड़ा गंदा और

1. 'उर्दू साहित्य का इतिहास', पृ. 68
2. उप., पृ. 72

अश्लील रूप धारण कर लेते थे।" आतिश इस परम्परा से दूर थे लेकिन समकालीन कविता से अवश्य प्रभावित थे। कुछ सादी और प्रभावपूर्ण रचनाओं को छोड़कर "उनकी कविता अलंकारों से भरी हुई है और कभी-कभी तो ऐसा जान पड़ता है कि यह भी भावशून्य होकर केवल शब्दों और अलंकारों के लिए शेर लिखते थे।" उनके शिष्यों में नवाब सैयद मुहम्मद खाँ रिन्द थे और दयाशंकर कौल 'नसीम', जो शाही सेना में बख्शी के पद पर नियुक्त थे। नासिख़ भी राजदरबारों से दूर थे लेकिन "चूँकि बहुत-से अमीर लोग उनके शिष्य थे, इसीलिए उन्हें जीवन में कभी खाने-पीने की कठिनाई नहीं हुई। नवाब आगामीर जिनकी ड्योढ़ी लखनऊ में अब भी प्रसिद्ध है, उनका बहुत आदर करते थे।" अनीस और दबीर मर्सिया-लेखक थे। अनीस राजदरबार से दूर थे। दबीर उसके निकट थे; "अवध राजदरबार में भी उनका सम्मान होता था।" मोमिन राजदरबार से दूर रहे? "एक खाते-पीते परिवार से सम्बन्ध रखने के कारण उनके जीवन में भोगविलास की कमी न थी।" ज़ौक बादशाह के गुरु थे। मासिक वृत्ति के अलावा उन्हें जागीरें भी मिली थीं। ग़ालिब भी बादशाह के गुरु नियुक्त हुए थे। ग़दर के बाद रामपुर दरबार से उन्हें सौ रुपया महीना मिलता रहा। दाग़ भी रामपुर में रहे। "रामपुर में उनका ऐसा आदर-सत्कार हुआ और भोग-विलास के ऐसे अवसर मिले कि वह उसको आरामपुर कहा करते थे।" जीवन के अन्तिम चौदह वर्षों में वह हैदराबाद रहे और वहाँ एक हजार रुपया महीना पाते थे।

ये सब उर्दू के प्रसिद्ध कवि थे। राज-दरबार से सम्बन्ध न रखनेवाले कवि अपवाद रूप में थे। अधिकांश कवि राजदरबारों से सम्बन्धित और उनके आश्रित थे। भारतीय सामन्तवाद अपने जीवन की आखिरी साँसें ले रहा था। उसने अपने चारों ओर एक कृत्रिम संसार बसा लिया था जिसका जन-जीवन से कोई सम्बन्ध न था। नज़ीर जैसे कवि उर्दू साहित्य की मूलधारा से दूर थे और अपनी रचनाओं से उसे नया मोड़ देने में असमर्थ रहे थे। हिन्दी उर्दू के अलगाव का प्रमुख कारण उर्दू काव्य का यह संकुचित सामन्ती आधार था। इसका यह अर्थ नहीं है कि कवियों ने सरल उर्दू में रचनाएँ नहीं कीं, ऐसी सरल उर्दू में जो हिन्दी से भिन्न नहीं है, जो इतनी अच्छी हिन्दी है कि हिन्दी कवि उससे भाषा लिखना सीख सकते हैं। लेकिन इस सरल उर्दू के कारण हिन्दी-उर्दू का अलगाव नहीं हुआ। अलगाव हुआ फ़ारसी-मिश्रित कठिन उर्दू के कारण। हम यहाँ अलगाव के कारणों की चर्चा कर रहे हैं। यह अलगाव आज की हिन्दी से हो तो चिन्ता की बात नहीं। उसके लिए हिन्दू साम्प्रदायिकता को जिम्मेदार ठहराया जा सकता है। किन्तु यह अलगाव था जायसी और कबीर के शब्द-भंडार से, बन्दानवाज़ और वजही के शब्द-भंडार की परम्परा से। इसका कारण था मतरूकात का सिद्धान्त, भाषा में हिन्दीपन के बदले फ़ारसीपन का बोलबाला। उर्दू का जन्म न ब्रजभाषा से हुआ, न पंजाबी से, उसका जन्म हुआ हिन्दी से। जिस हिन्दुस्तानी जाति के गठन की बात हमने पहले की है,

उसका गठन अठारहवीं सदी तक रुका न था। उस गठन का आधार दिल्ली और लखनऊ के पतनशील सामन्ती दरबार न थे। जब अंग्रेज़ यहाँ व्यापार की सुविधा के लिए खड़ी बोली सीखते और बोलते थे, मनुच्ची ने दुभाषिये की सहायता के बिना शिवाजी से खड़ी बोली में बातचीत की थी, तब तक नवाबी जमाना शुरू न हुआ था, तब तक राजदरबारों में भी मतरूकात का सिलसिला शुरू न हुआ था। इसलिए यह कहना सही है कि हिन्दुस्तानी जाति का गठन सबसे पहले हिन्दी भाषा के द्वारा हुआ। भले ही इसे साहित्यिक रूप देनेवाले मुसलमान रहे हों, भले ही उन्होंने उर्दू (या फ़ारसी) लिपि का प्रयोग किया हो, उनकी भाषा हिन्दी है। जैसे रसखान और जायसी की भाषा ब्रज और अवधी है, वैसे ही दकनी के प्रारम्भिक लेखकों की भाषा हिन्दी है। उन्नीसवीं सदी में जब हिन्दी गद्य का विकास हुआ, तब उसके बारे में एक भ्रान्त धारणा का प्रचार किया गया कि उर्दू से सरल शब्द निकालकर उनकी जगह संस्कृत के कठिन शब्द रखे गए और इस तरह हिन्दी को मेल-जोल की भाषा उर्दू से अलग विकसित किया गया। बात इसके ठीक उल्टी है। यदि भारतेन्दु हरिश्चन्द्र, बालकृष्ण भट्ट या प्रतापनारायण मिश्र का हिन्दी गद्य लिया जाए, तो उसकी शब्दावली जायसी और बन्दानवाज़ की शब्दावली के बहुत निकट मिलेगी। उनके समकालीन उर्दू लेखकों का शब्द-भंडार उस परम्परा से दूर है। उन्नीसवीं सदी के हिन्दी लेखकों ने शहरों में प्रचलित हिन्दी को अपना आधार बनाया और जनपदीय बोलियों से बेझिझक शब्द लिये। भारतेन्दु, बालकृष्ण भट्ट, प्रतापनारायण मिश्र, बालमुकुन्द गुप्त उर्दू जानते थे, उनमें से कुछ उर्दू में लिखते भी थे लेकिन उनके हिन्दी गद्य की विशेषता संस्कृत शब्दों का प्रयोग नहीं है। उनके गद्य में 'देहाती' शब्द और मुहावरे मिलते हैं जिससे कुछ मित्र अभी तक हिन्दी को गँवारू भाषा कहते हैं। हिन्दुस्तानी जाति नगरों में ही सीमित नहीं थी। दिल्ली और लखनऊ में कुछ लाख लोग रहते थे जिनमें कुछ हजार उर्दू शायरी से परिचित थे। गाँवों के लोग रामायण पढ़ते थे; सूर, मीरा और कबीर के भजन गाते थे। सूर, मीरा, कबीर और तुलसी ने किस तरह के शब्द-भंडार का प्रयोग किया था? यद्यपि इन कवियों की भाषा खड़ी बोली न थी, लेकिन उनका शब्द-भंडार बहुत कुछ सामान्य था और बाद की हिन्दी के शब्द-भंडार से मिलता था। उदाहरण के लिए अयोध्या कांड के आरम्भ की आठ चौपाइयों में इस तरह के शब्द आते हैं : भुवन, भूधर, सुकृत, मेघ, रिधि-सिधि, नर-नारी, शुचि, विभूति, विधि, मुदित, शील, स्वभाव आदि। इनमें कोई शब्द ऐसा नहीं है जो आधुनिक हिन्दी में प्रयुक्त न होता हो। उर्दू में इनका प्रयोग कहीं मिले तो वह अपवाद रूप में होगा। किन्तु उस तरह की शब्दावली सूरदास में मिल जाएगी। यथा—कृष्ण के बंसी बजाने का वर्णन करते हुए सूर ने 'मेरे साँवरे जब मुरली अधर धरी' आदि जो पद लिखा है, उसमें इस तरह के शब्द हैं : अधर, समाधि, सिध (सिद्ध), देव, विमान, सुर, वधू, चित्र, समान,

ग्रह, नखत, रास (राशि), आनंद, चर-अचर, विपरीत, कल्पित, पखान (पाषाण), गंधर्व, खग, मृग, तृन, धेनु, द्रुम, चपल, पल्लव, विटप, पुलकित, अनुराग, पौन (पवन) समीर, नीर, अभिराम, लावन्य, अनंग, गरब (गर्व) इत्यादि। ये तमाम शब्द सूर की हिन्दी में स्वीकृत थे, आज की हिन्दी में भी स्वीकृत हैं। इसके विपरीत ज़ौक की दस पंक्तियों की एक ग़ज़ल में इस तरह की शब्दावली है : शौक़े-नज़्ज़ारा, रुख़े-पुरनूर, मुर्गे-नज़र, शमएतूर, रंजूर, बे-मक़दूर, मस्ते नाज़, क़स्ते-मुहब्बत, बिना (नींव), कोहकन, राहे-इश्क़, दुरे-ताजे-सुलेमा बैज़ा-बैज़ा, मूर (चींटी) इत्यादि। इस तरह के शब्द न पहले की ब्रज और अवधी में प्रयुक्त होते थे, न आज की हिन्दी में प्रयुक्त होते हैं। ग़ालिब के 'दीवान' की पहली ग़ज़ल में, जिसमें दस पंक्तियाँ हैं, इस तरह की शब्दावली का प्रयोग हुआ है : शोख़िए-तहरीर, पैरहन, पैकरे तसवीर, कावे-कावे-सख़्त, जानीहाए तनहाई, जू-एशीर, जज़्बए-बेइख़्तियारे शौक़, सीन-ए-शमशीर, आगही, दामे शनीदन, मुद्दआ (उद्देश्य), अंक़ा, आलम्-ए-तक़रीर, असीरी, आतश ज़ेर पा, मू-ए-आतश-दीदा, हलक: (कड़ी) इत्यादि। इस तरह की शब्दावली का प्रयोग हिन्दी में नहीं होता और आगे कभी होगा, इसमें सन्देह है। ज़ौक, ग़ालिब और उर्दू के दूसरे कवियों ने बहुत सरल उर्दू में भी पंक्तियाँ लिखी हैं लेकिन अलगाव हुआ है उस कठिन फ़ारसीपन की वजह से, जिसकी मिसालें ऊपर दी हुई हैं। यह ध्यान देने की बात है कि दकनी गद्य और पद्य में फ़ारसी व्याकरण के अनुसार बनाए हुए लम्बे समासों का प्रयोग प्राय: नहीं है। लम्बे समासों का प्रयोग दिल्ली के शायरों ने आरम्भ किया। शाह मियाँ तुराब दखनी उन्नीसवीं सदी के कवि थे। उनकी रचनाएँ नज़ीर अकबराबादी की याद दिलाती हैं :

*जिये लग तो जोरू बचे प्यार करते*
*मुये पर तो मुर्दा ककर (कहकर) जी में डरते*
*तेरे सात हर्गिज़ नहीं कोई मरते*
*तुझे गाड़ माटी में सारे बिसरते*
*ये ऐसा है परपंच झूटा जमाना*
*अरे मन नको रे नको हो दिवाना।*

*यह तन मन सकल धन बदल जाने हारे*
*अपस कूँ तूँ माया में ना घालना रे*
*सुख आनन्द सूँ उसको ना पालना रे*
*हरेक भाँत जीने के दिन टालना रे*
*जो हुशियार गुनवन्त चातुर है राना*
*अरे मन नको रे नको हो दिवाना।*[1]

1. 'दक्खिनी का गद्य और पद्य', पृ. 253-54

इस तरह की भाषा में जो फ़ारसी के प्रचलित शब्द आए हैं, वे हिन्दी में भी स्वीकृत हैं। कुछ लोगों ने यह कोशिश जरूर की है कि ऐसे प्रचलित शब्दों को हिन्दी से निकाल दें, लेकिन उन्हें न उन्नीसवीं सदी में सफलता मिली, न बीसवीं सदी में और आगे कभी सफलता मिलेगी, इसमें काफी सन्देह है।

आधुनिक हिन्दी में वे सभी शब्द प्रयुक्त होते हैं जो बोलचाल की उर्दू में रायज़ हैं। यह कोई नहीं देखता कि ये शब्द अरबी, फ़ारसी के हैं या अन्य किसी भाषा के। हम उनका प्रयोग हिन्दी शब्दों की तरह करते हैं। यहाँ प्रेमचन्द जैसे लेखक के गद्य से उदाहरण देना आवश्यक नहीं क्योंकि वह अपनी उदार भाषा-नीति के लिए प्रसिद्ध हैं। उदाहरण लेना चाहिए हिन्दी गद्य के संस्थापकों से जिनके बारे में यह प्रवाद है कि उन्होंने उर्दू के सरल शब्द निकालकर उनकी जगह संस्कृत के कठिन शब्द बिठाए और इस तरह एक बनावटी ज़बान हिन्दी को जन्म दिया। भारतेन्दु हरिश्चन्द्र हिन्दी गद्य के संस्थापकों में हैं। 'दिल्ली दरबार' नाम के अपने लघुनिबन्ध में वे इस तरह के प्रचलित उर्दू शब्दों का प्रयोग करते हैं : मुलाक़ात, हाल, मामूली, तमगा, ख़ास, ख़ैरख़्वाह, फ़र्क़, चेहरा, मिज़ाज, इशारा, सलामी, ख़िताब, जान और माल, जवाब, जगह, क़ायदे, मुहावरे, ख़ूब, उम्र, नक़ाब, दोस्ती, ख़वास, तरफ़, बिलकुल, नुमा (सीढ़ीनुमा), तमाशा, ज़ियादा, लैस, दामन, इत्यादि। भारतेन्दु के समकालीन लेखक बालकृष्ण भट्ट हिन्दी गद्य के एक अन्य संस्थापक थे। 'आत्म-निर्भर' नामक निबन्ध में वे इस तरह के 'उर्दू' शब्दों का प्रयोग करते हैं : क़िस्मत, तरक़्क़ी, क़ौमी, ताक़त, ज़ोर, हिम्मत, फ़िज़ूलख़र्च, किफ़ाइतशार, जमात, तनज्जुली, कमीनापन, नेस्तनाबूद, शकल, सिर्फ़, ज़ियादह, तरोताज़गी, सरसब्ज़ी, ख़याल, अगर, ग़लत, औवल, क़ानून, अदल-बदल, जोश, सरगरमी, ज़ालिम, हुकूमत, मज़बूत, नेक, ग़ुलाम, तालीम, बिलकुल, बेफ़ाइदा, बेहतरी, नतीजा, हमदर्दी, सिरताज, पुश्त, फिरके, साबितक़दम, दरजा, शुरू, ज़िन्दगी, शामिल, हिस्से, ग़रीब, ख़ासियत, ख़ाशी इत्यादि। ये उर्दू शब्द ऐसे नहीं हैं जिनके हिन्दी पर्यायवाची ढूँढ़े न मिलें। लेकिन भारतेन्दु हरिश्चन्द्र या बालकृष्ण भट्ट की नीति यह न थी कि उर्दू के प्रचलित शब्दों का बहिष्कार किया जाए। वह उस बोलचाल की हिन्दी के आधार पर अपने गद्य का विकास कर रहे थे जो अमीर ख़ुसरो के समय से गंगा-यमुना के किनारे बसे हुए शहरों में पनपती और फलती-फूलती आई थी। इस बोलचाल की भाषा में जो अरबी-फ़ारसी के शब्द घुलमिल गए थे, उनका वे बेझिझक प्रयोग करते थे। यह परम्परा आगे भी क़ायम रही। निराला जैसा कठिन हिन्दी का लेखक 1933 में अपनी कहानियों में उर्दू के सरल शब्दों का प्रयोग करता है। 'चतुरी चमार' के पहले दो पृष्ठों में इस तरह के शब्द मिलते हैं : मौज़ा, ज़िला, कदीमी, बाशिन्दा, बल्कि, मकान, फ़ासला, पुश्तैनी, रिश्ता, देहात, मज़बूत, हफ़्ता, चुस्त, वज़न, हल्का, ज़्यादा, वग़ैरह, नज़दीक, साया, अक्स इत्यादि। 'देवी' के पहले दो पृष्ठों

में : ख़याल, क़द्र, फाकेमस्ती, ख़्वाब, कोशिश, दुनिया, मौत, लाश, निगाह, अमीर, दोमंज़िला, रिश्ता, मश्क, रूह, नाराज़, ज़रूर, क़िस्मत, नज़र, तअज्जुब, निगाह, तमाम, चेहरा, उम्र, मुमकिन, परवरिश इत्यादि। यह 1933 की बात है। अभी पिछले साल (1959 में) श्री भगवतीचरण वर्मा के उपन्यास 'भूले-बिसरे चित्र' में सिर्फ एक पृष्ठ (9) पर इस तरह के उर्दू शब्द आए हैं : ख़बर, नामज़द, ख़ुशख़बरी, ख़ानदान, तवारीख़, पुश्त, चालाकी, बेईमानी, जाल-फ़रेब, बदनाम, नक़द, ख़रीदना, लिहाज़ा, नक़द-ज़ेवर, क़त्ल, सिर्फ़, आवारा, ज़िन्दगी, शान इत्यादि। ऐसे सरल उर्दू शब्दों का प्रयोग साधारण हिन्दी गद्य की विशेषता है। इसलिए यह स्थापना सही नहीं है कि हिन्दी का विकास उर्दू के सरल शब्दों के बदले संस्कृत के कठिन शब्दों के प्रयोग द्वारा हुआ है। हिन्दी का विकास उस भाषा-परम्परा के आधार पर हुआ है जिसे उर्दू ने अठारहवीं सदी में बहुत कुछ छोड़ दिया था।

कुछ विद्वानों का विचार है कि उर्दू में फ़ारसी-अरबी शब्दों का प्रयोग अनिवार्य था। "उस समय कोई ऐसी बनी-बनाई भाषा प्रचलित नहीं रही होगी जिसमें वह धर्म और भक्ति के गहरे विचार सरलता से प्रकट कर सकें। इसलिए उनको मजबूरन बहुत-से फ़ारसी-अरबी के शब्द बोलचाल की भाषा में मिलाने पड़ते होंगे।"[1] यदि सवाल धर्म और भक्ति-सम्बन्धी कुछ पारिभाषिक शब्दों का होता तो कोई अड़चन न होती। वे हिन्दी के शब्द-भंडार को समृद्ध करते। किन्तु बात ऐसे शब्दों की न थी। उर्दू कवियों ने बोलचाल के हिन्दी शब्दों के बदले फ़ारसी के शब्दों का चलन किया। आग—आतश, आँख—चश्म, धुआँ—दूद, अभी तक—हनोज़, कली—ग़ुंचा, नंगा—उरियाँ, दाँत—दन्दाँ, ओठ—लब, रोना—गिरिया, लड़ाई—नबर्द, साँस—नफ़स, सूरज—ख़ुर्शीद, रचना—तामीर, खलिहान—खिरमन, मुस्कान—तबस्सुम, रात—शब, छुरी—दश्ना, पानी—आब—इस तरह के शब्द ग़ालिब के 'दीवान' में दो-तीन सफ़े उलटने पर मिल जाएँगे। ग़ालिब कविता के लिए एक विशेष शब्दावली को उचित समझते थे। फ़ारसी के शब्दों को हिन्दी के पर्यायवाची शब्दों से ज्यादा सरस माना गया था। यही नहीं, ग़ालिब में उर्दू के सरल शब्दों के बदले भी अरबी-फ़ारसी के कठिन शब्द मिलते हैं जिनका व्यवहार बोलचाल की उर्दू में नहीं होता। लिबास—पैरहन, नहर—जू (जू-ए-शीर, दूध की नहर), क़ैद—असीरी, जख़्म-जराहत, हीरा—अलमास, तोहफ़ा—अर्मुग़ाँ (और हथिया), अलावा—जुज़, वीराना—सहरा, नुक़सान—ज़ियाँ, ज़िन्दगी—ज़ीस्त, ग़म—अन्दोह, दोस्त—अहबाब, क़ैदख़ाना—ज़िन्दाँ, दुनिया—दहर, कमज़ोरी—नातवानी, ज़ुल्म—बेदाद, क़ब्र—गोर, तरफ़—सू, महफ़िल—बज़्म, जन्नत—ख़ुल्द, ख़त—नामा, आसमान—गर्दू, लाश—नाश, आरज़ू—हवा, रेगिस्तान—दश्त, जख़्म—रीश, शराब—बादा, रास्ता—जादा, हवा—बाद—ये शब्द भी ग़ालिब के दीवान में शुरू के सफ़ों में मिल जाएँगे।

1. 'उर्दू साहित्य का इतिहास', पृ. 25

इनमें जो शब्द पहले दिये गए हैं, वे ऐसे हैं जो हिन्दी में भी प्रयुक्त होते हैं। उनके साथ जो दूसरे शब्द दिये गए हैं, वे बोलचाल की उर्दू में भी कम इस्तेमाल होते हैं। फ़ारसी के प्रभाव के कारण शब्दों के बहुवचन फ़ारसी-अरबी तरीके से बनाए गए। खिरामी—खिरामीहा, गुल—गुलहा, तबस्सुम—तबस्सुमहा, वर्क—औराक़, हादसा—हवादिस, हसद—हुसूद, ऐब—अयूब, क़ायदा—समूद। ये सब भी 'दीवाने-ग़ालिब' के आरम्भ में मिलेंगे। फ़ारसी की क्रियाएँ जिनका व्यवहार बोलचाल की उर्दू में नहीं होता, ज्यों-की-त्यों अपने तत्सम रूप में अपना ली गई हैं। सुनना के लिए शुनीदन (आगही दामे शुनीदन जिस क़दर चाहे बिछाये), खिलने के लिए शिगुफ़्तन (यह वक़्त है शिगुफ़्तने-गुलहा-ए-नाज़ का), जलने के लिए सोख्तन (यां जमीं से आस्मां तक सोख्तन का बाब था), लिथड़ने के लिए ग़ल्तीदन (कि अन्दाज़े बख़ूं ग़ल्लीदन-ए-बिस्मिल पसन्द आया), बन्द करने के लिए बुर्दन (तमाशाए बयक कफ़ बुर्दन-ए-सद दिल पसन्द आया), इत्यादि। फ़ारसी के ढंग पर क्रिया के अन्य रूप जो विशेषण की तरह प्रयुक्त होते हैं—आतशदीदह (आग में झुलसा हुआ), सरगश्तह (सर फिरा), हसरतज़दह (हसरतों का मारा हुआ), खूंगश्तह (जिसका खून हो गया हो), अफसुर्दह (बुझा हुआ), सरश्कआलूदह (आँसुओं से भीगा हुआ)। फ़ारसी के ढंग पर लम्बे-लम्बे समास बोलचाल की उर्दू से बहुत दूर तो हैं ही, बोलचाल की फ़ारसी में भी उन्हें जगह मिलती होगी, इसमें शक है : इशरतेक़त्लगहे अहलेतमन्ना (वधस्थल में मरने की अभिलाषा का आनन्द), जांदाद-ए-हवा-ए-सर-ए-रह-गुज़ार (गली-गली घूमने की तमन्ना का मारा हुआ), नाज़िश-ए-अय्याम्-ए ख़ाकिस्तरनशीनी (विनय के दिनों का गर्व), ताराज-ए-काविश-ए-ग़म-ए-हिजरां (विरह के दुखों का लूटा हुआ), काव-ए-काव-ए-सख़्तजानीहा-ए-तनहाई (विरह के दुख) इत्यादि।

ग़लिब उस युग के कवि हैं जब मुगल साम्राज्य ध्वस्त हो चुका था और अंग्रेज़ी राज हिन्दुस्तान में अपनी जड़ें जमा रहा था। इस विदेशी राज के विरुद्ध अठारह सौ सत्तावन में हिन्दुस्तान की हिन्दू-मुसलमान जनता ने जान की बाज़ी लगाकर संघर्ष किया। नेपाल, पंजाब, हैदराबाद तथा अन्य प्रदेशों के सामन्तों की सहायता से प्रतिक्रियावादी ब्रिटिश सत्ता ने इस संघर्ष का दमन किया। इस देश पर राज करने के लिए उसने जनता में फूट डालने, एक सम्प्रदाय को दूसरे से लड़ाने और इसके लिए भाषा-सम्बन्धी भेद से भी लाभ उठाने की नीति अपनाई। अंग्रेज़ों ने हिन्दी-उर्दू के भेद से लाभ उठाया, उसे बढ़ावा दिया, अलगाव की खाई को और गहरा किया लेकिन इसमें सन्देह नहीं कि यह भेद पहले से मौजूद था। उन्होंने किसी चमत्कार से उसे पैदा नहीं कर दिया। इस भेद का मुख्य कारण दिल्ली की राज्यसत्ता की भाषा-सम्बन्धी नीति थी। फ़ारसी राजभाषा थी। इसके दो परिणाम हुए। एक ओर तो व्यवस्थित राज्य संचालन से व्यापार की उन्नति हुई, ब्रज अवध, आदि जनपद एक-दूसरे के निकट आए, अप्रत्यक्ष रूप से खड़ी बोली दिल्ली व आगरे के अलावा

दूसरे शहरों में फैली और हिन्दुस्तानी जाति का गठन हुआ। दूसरी ओर फ़ारसी के राजभाषा होने से खड़ी बोली को जातीय भाषा के रूप में उभरने का अवसर न मिला, दिल्ली से दूर बीजापुर और गोलका में वह साहित्य का माध्यम बनी, दक्खिन के राजाओं ने उसे राजभाषा बनाया लेकिन अपने इस अधिकार से वह अपने जन्मस्थान दिल्ली ही में वंचित रही। दिल्ली का अभिजात वर्ग ईरानी संस्कृति से बहुत प्रभावित था। अपने संकुचित सामाजिक आधार के कारण यह पतनशील सामन्त वर्ग न तो जायसी-रसखान, मीरा-कबीर, सूर और तुलसी के शब्द-भंडार को अपना सका, न उसने प्रारम्भिक दकनी की उदार परम्परा से ही अपना नाता जोड़ा। फ़ारसी के राजभाषा होने के कारण और राज्यसत्ता के कर्णधारों में ईरानी संस्कृति का प्रभाव होने से हिन्दू भी फ़ारसी सीखते थे, उर्दू के विकास में उन्होंने भी योग दिया। किन्तु इससे दिल्ली के अभिजात वर्ग का सामाजिक आधार बहुत व्यापक न हो गया था। मूल समस्या यह थी कि जिस शब्द-भंडार को सूर, तुलसी, जायसी आदि कवियों ने अपनाया है, जिस शब्द-भंडार की मूल-सामग्री जनपदों की बोलियों में सुरक्षित है, उसे उर्दू अपनाती है या नहीं। यदि अपनाती है तो वह हिन्दुस्तानी जाति के बहुसंख्यक भाग—किसानों—को अपनी ओर खींचती है और पुरानी साहित्यिक परम्परा से नाता जोड़कर समूची हिन्दुस्तानी जाति की एकता और सांस्कृतिक विकास का माध्यम बनती है। यदि वह इससे भिन्न नीति अपनाती है, जनपदीय बोलियों के शब्द-भंडार को छोड़ती है; अवधी, ब्रज, मैथिली के सामान्य शब्द-भंडार से दूर रहती है, फ़ारसी शब्दावली का सहारा ज्यादा से ज्यादा लेती है, तो वह जातीय भाषा के बदले एक बोली मात्र रह जाती है। यह बोली चाहे जितनी मीठी हो, वह करोड़ों किसानों की सांस्कृतिक एकता और विकास का माध्यम नहीं हो सकती।

हिन्दी-उर्दू का अलगाव इतना ज्यादा न होता यदि दोनों की लिपि एक ही रहती। शिक्षा और अध्यापन का काम अधिकतर मुल्लाओं और पुरोहितों के हाथ में था। सामन्ती परिस्थितियों में शिक्षा का अर्थ होता था सबसे पहले धार्मिक शिक्षा। हिन्दुओं और मुसलमानों के धर्म अलग-अलग थे, इसलिए उनकी धार्मिक शिक्षा भी अलग-अलग होती थी। दो लिपियों के चलन का यह एक कारण था। यदि दोनों सम्प्रदायों के लिए सामान्य शिक्षा का प्रबन्ध होता तो बोलचाल की एक भाषा के लिए दो लिपियों का व्यवहार न होता। फिर भी दो लिपियों के चलन का कारण धार्मिक से अधिक सांस्कृतिक था। मुसलमान बंगाल में भी थे; 'हिन्दुस्तान' की अपेक्षा वहाँ उनका अनुपात ज्यादा था किन्तु वहाँ बंगला लिपि का चलन हुआ और उसे मुसलमान भी काम में लाते रहे हैं। इसी प्रकार गुजराती, मराठी, तेलगू, तमिल आदि भाषाओं की अपनी-अपनी लिपि रही है। लिपि भी संस्कृति का एक अंग है। अपने इस आविष्कार द्वारा मनुष्य अपनी बोलचाल की भाषा को लिखित रूप देता है। किसी जाति के लिए यह उदासीनता की बात नहीं है कि उसकी लिपि रहती है

या खत्म हो जाती है। जिस तरह हम मानव-समाज की अर्जित सम्पत्ति भाषा पर गर्व करते हैं, उसी तरह संस्कृति के एक महत्त्वपूर्ण अंग लिपि पर भी गर्व करते हैं। दिसम्बर, 1933 में बुल्गारिया के विख्यात नेता दिमित्रोव पर जर्मन फासिस्टों ने मुकदमा चलाया था। उस समय अपने देश की संस्कृति का उल्लेख करते हुए दिमित्रोव ने कहा था : "इतिहास के उस युग में जब जर्मन सम्राट् कहता था कि वह जर्मन में सिर्फ अपने घोड़े से बातचीत करेगा, जब जर्मनी के सरदार और शिक्षित जन केवल लैटिन में लिखते थे और अपनी मातृभाषा के लिए लज्जित थे, उस समय सेंट सिरिल और सेंट मेथोडियस ने प्राचीन बुल्गार लिपि का आविष्कार और प्रसार किया था।"

हिन्दुस्तान के लोगों ने फ़ारसीयत के दबाव के विरुद्ध अपनी भाषा के साथ अपनी लिपि की भी रक्षा की, यह कोई बुरा काम नहीं हुआ। देवनागरी लिपि बंगला, गुजराती, पंजाबी (गुरुमुखी), कश्मीरी (शारदा) आदि उत्तर भारत की सभी लिपियों से मिलती है। भारत की एक महत्त्वपूर्ण भाषा मराठी की लिपि वही है जो हिन्दी की है। तेलगू, तमिल आदि भाषाओं की वर्णमाला मूलत: वही है जो हिन्दी की है। इनकी लिपियों के मूल सिद्धान्त—मात्रा आदि लगाने, संयुक्ताक्षर बनाने के नियम—वैसे ही हैं, जैसे हिन्दी के। जैसे हिन्दी का शब्द-भंडार भारत की अन्य भाषाओं के शब्द-भंडार से मिलता है, वैसे ही उसकी लिपि भी भारतीय भाषाओं की लिपियों से मिलती है। हिन्दी-भाषी प्रदेश में हिन्दी-उर्दू की दो लिपियों का चलन हुआ; इसका कारण भाषा के क्षेत्र की तरह यहाँ भी ईरानी संस्कृति का प्रभाव था। इस संस्कृति के प्रभाव से कश्मीर में शारदा लिपि का चलन बन्द हो गया। लोग उर्दू लिपि में कुछ हेरफेर करके उसी को कश्मीरी भाषा के लिए काम में लाने लगे। गियर्सन ने 'लिंग्विस्टिक सर्वे' में इस बात का जिक्र किया है कि उन्नीसवीं सदी में सेरामपुर के ईसाई प्रचारकों ने बाइबल का अनुवाद शारदा लिपि में प्रकाशित किया था। इससे वहाँ उस लिपि की लोकप्रियता का पता चलता है। सिन्ध में अरबी लिपि का चलन हुआ। पंजाब की गुरुमुखी के साथ उर्दू लिपि का प्रयोग जारी रहा। पंजाब में उर्दू लिपि का प्रयोग उर्दू भाषा के अलावा पंजाबी के लिए भी होता था। अब वहाँ—देश के विभाजन के बाद—हिन्दी और गुरुमुखी लिपियों की समस्या है। कश्मीर, सिंध, पंजाब, हिन्दुस्तान—उत्तर पश्चिम के इन प्रदेशों में अरबी या फ़ारसी लिपि ने यहाँ की लिपियों को अपदस्थ करके उनका स्थान लेने का प्रयत्न किया। 'हिन्दुस्तान' में कश्मीरी लिपि शारदा की तरह देवनागरी का लोप नहीं हुआ। इसका कारण जनता का सांस्कृतिक प्रतिरोध था। आखिर यहाँ के लोग अपनी लिपि छोड़कर दूसरों की लिपि क्यों अपनाते? छह सौ साल तक फ़ारसी के राजभाषा बने रहने पर भी देवनागरी मिटी नहीं; इस बात पर हम गर्व करते हैं। इसका एक कारण यह भी था कि मुगल बादशाह ब्रजभाषा के प्रेमी थे; उन्होंने कुछ जानबूझकर फ़ारसी

के द्वारा हिन्दी का दमन न किया था। उनके दरबारों में ब्रजभाषा के कवियों का आदर होता था, ब्रजभाषा में संगीत की रचनाएँ हर कहीं लोकप्रिय थीं और ब्रज को लिखने के लिए वही लिपि काम में आती थी जो अवधी या हिन्दी लिखने के लिए आती थी। कुछ प्रदेशों में कैथी का चलन पूरा। यह कैथी देवनागरी से मिलती थी; पर देवनागरी की तरह उसका व्यापक प्रसार न था। मुगल सामन्तों ने एक ओर फ़ारसी भाषा और फ़ारसी लिपि को प्रश्रय दिया; दूसरी ओर उन्होंने ब्रजभाषा और देवनागरी को प्रत्यक्ष और अप्रत्यक्ष रूप से प्रोत्साहन दिया। यह दोहरी नीति उनकी जातीय और सांस्कृतिक विशेषता से उत्पन्न होती थी। वे एक ओर तो हिन्दुस्तान में रहते हुए हिन्दुस्तानी बन गए थे और यहाँ के संगीत, कला-कौशल, से प्रेम करते थे, उनके विकास को बढ़ावा देते थे; दूसरी ओर ईरानी संस्कृति के प्रभाव में कैद थे। फ़ारसी भाषा, साहित्य और रहन-सहन को आदर्श मानते थे। अत: उनसे हिन्दी भाषा और देवनागरी लिपि का हित और अहित, दोनों हुए।

लिपि संस्कृति का अंग है लेकिन उसे किसी धर्म का अभिन्न अंग न मान लेना चाहिए। यूरोप में ईसाई धर्म फैला लेकिन यूरोप में अनेक लिपियों का चलन रहा। जिस प्रदेश में ईसाई धर्म का जन्म हुआ, वहाँ जिस हिब्रू लिपि का व्यवहार होता था, उसके दर्शन भी यूरोप में दुर्लभ हैं। चीन में बौद्ध धर्म फैला, इसका यह अर्थ नहीं कि वहाँ ब्राह्मी लिपि भी फैल गई। कमाल अतातुर्क ने तुर्की भाषा के लिए रोमन लिपि का चलन किया। इसका अर्थ यह नहीं कि वहाँ इस्लाम धर्म का खात्मा हो गया। लिपि का सम्बन्ध किसी नस्ल से भी नहीं है। दक्षिण भारत की भाषाओं को द्रविड़-परिवार के अन्तर्गत माना जाता है। इससे कुछ लोग समझते हैं कि दक्षिण की चार प्रमुख जातियाँ द्रविड़ नस्ल की हैं। इस बात को माननेवाले भी आन्ध्र या तमिलनाडु में अपनी-अपनी लिपियों का ही प्रयोग करते हैं। इसी प्रकार देवनागरी न किसी नस्ल की लिपि है, न किसी धर्म-विशेष की। भारत के सभी राज्यों में हिन्दू बसे हुए हैं, लेकिन उनकी लिपि एक नहीं है। इसलिए यदि मुसलमान उर्दू लिपि की जगह देवनागरी का व्यवहार करें तो इससे उनके धर्म पर आँच न आएगी। आँच आएगी ईरान के सांस्कृतिक प्रभाव पर, जिसे कुछ लोगों ने धर्म से जोड़ रखा है।

श्री अली सरदार जाफ़री ने यह मत प्रकट किया है कि उत्तर भारत में दो लिपियों का चलन अनिवार्य था। उन्होंने इसका कारण यह बताया है कि यहाँ दो क्रान्तिकारी सांस्कृतिक आन्दोलन चले—मुसलमानों में सूफ़ी मत और हिन्दुओं में भक्ति आन्दोलन। "यही युग हमारी जातीय भाषा के विकास का युग भी था और यह विकास अपने समय की क्रान्तिकारी विचारधारा के असर से बचा न रह सकता था। इस कारण जातीय भाषा के लिए यह अनिवार्य था कि उसके दो साहित्यिक रूपों का विकास हो। यह स्वाभाविक ही था कि भक्त कवि देवनागरी लिपि अपनाएँ और सूफ़ी कवि

फ़ारसी लिपि अपनाएँ।"[1] आखिर सूफ़ी और भक्त कवि हिन्द प्रदेश के अलावा अन्य प्रदेशों में भी तो हुए थे? यदि क्रान्तिकारी विचारधारा के प्रभाव से लिपियों के चलन और एक ही भाषा के दो साहित्यिक रूपों के विकास की बात सही हो, तो बंगाल में दो तरह की बंगला और दो तरह की लिपियाँ, महाराष्ट्र में दो प्रकार की लिपियाँ और दो तरह की साहित्यिक भाषाएँ प्रचलित होनी चाहिए थीं। क्रान्तिकारी विचारधारा जनता में एकता उत्पन्न करती है; एक ही बोलचाल की भाषा के दो साहित्यिक रूप उत्पन्न नहीं करती। इसीलिए जायसी 'अखरावट' में ककहरा लिखते हैं। यदि यह मान लिया जाए कि जायसी ने 'पद्‌मावत' उर्दू लिपि में लिखा था और अन्य सूफ़ी भी उसी का उपयोग करते थे, तो इससे यह सिद्ध नहीं होता कि लिपि के साथ भाषा के भी दो साहित्यिक रूप होने चाहिए। वास्तव में सूफ़ी मत और भक्ति-आन्दोलन एक-दूसरे से उतनी दूर नहीं थे, जितनी दूर श्री जाफ़री के कथन से वे मालूम होते हैं।

'अखरावट' के आरम्भ में जायसी ने पैगम्बर की वन्दना की :

*गगन हुता नहिं महि हुती हुते चन्द नहिं सूर।*
*ऐसइ अंध कूप महँ रचा मुहम्मद नूर।*

और अन्त में वेदान्त मंत्र को दोहराते हुए लिखा :

*सोऽहं सोऽहं बसि जो करई। जो बूझै सो धीरज धरई॥*

वेदान्त के सोऽहं और मुहम्मद के नूर में जायसी के लिए कोई अनिवार्य भेद नहीं था। एक ओर वे नमाज की महिमा बतलाते हैं :

*ना नमाज है दीन क थूनी। पढ़ै नमाज सोइ बड़ गुनी॥*

दूसरी ओर वे भारतीय योगियों के सात चक्रों के दर्शन कराते हैं और कहते हैं कि सातवें खंड पर पहुँचकर ही योगी को सिद्धि मिलती है :

*सातवँ सोम कपार महँ, कहा सो दसवँ दुआर।*
*जो वह पवँरि उघारै, सो बड़ सिद्ध अपार॥*

'पद्‌मावत' में ब्रह्म-साक्षात्कार का वर्णन करते हुए लिखा है :

*गा अँधियार रैन मसि छूटी।*
*भाभिनसार किरन-रवि फूटी॥*
*अस्ति-अस्ति सब साथी बोले।*
*अंध जो अहे नैन बिधि खोले॥*

हठ-योगियों के अनुरूप उन्होंने शरीर का वर्णन किया है :

*नौ पौरी तेहि गढ़ मझियारा। औ तहँ फिरहिं पाँच कोटवारा॥*

1. 'इंडियन लिटरेचर', संख्या 1, 1953, बम्बई

शाहमियाँ तुराब दखनी की रचना में शिष्य पूछता है :

*गुरुजी ओ सूकछम का कुछ भेद पाऊँ।*
*तुमारे चरन के तो बलिहार जाऊँ।*
*मैं अस्तुत तुमारा तो काँ लग सराऊँ॥*
*दयावंत दाता तुम्हारा है नाँव।*
*मेरे पिंड का सब बता देव ठाँव॥*

गुरु उत्तर देता है :

*जो लिखने सूँ नुकता भार आया,*
*ओ ही सूकछम अर्द मात्र कलाया।*
*तू में पिण्ड में यूँ के माता में जाया,*
*वहाँ सूँ यहाँ सूकछम नाम पाया।*
*हुआ जमा पंचभुई का सारा माया,*
*अहंकार का हाँक चौफेर माया।*[1]

हिन्दी आलोचक रामचन्द्र शुक्ल के अनुसार कबीर, मीरा आदि पर सूफी मत का प्रभाव पड़ा था। जहाँ तक भक्त कवियों का सम्बन्ध है, उनमें भी अनेक मुसलमान थे। भक्ति-आन्दोलन हिन्दुओं तक सीमित नहीं था। श्री सैयद एहतिशाम हुसैन के शब्दों में : "भक्ति को एक लोकप्रिय और उस समय की समस्याओं को देखते हुए प्रगतिशील आन्दोलन बनाने में हिन्दू और मुसलमान, दोनों भक्तों का हाथ है।"[2] रसखान की कृष्ण-भक्ति प्रसिद्ध है। रहीम में भक्ति, शृंगार और नीति—तीनों के तत्त्व हैं। वास्तव में जो मुसलमान हिन्दी में रचनाएँ करते थे, वे सभी भक्त न थे। बहुतों ने शृंगार रस के गीत रचे हैं। कुछ ने नीति-सम्बन्धी कविताएँ की हैं। जमाल ने नीति और शृंगार के दोहे लिखे थे।[3] अकबर के समकालीन कवि आलम ने शृंगार रस में कविता की थी।[4] शेख और उसके प्रेमी आलम शृंगार रस में रचनाएँ करते थे। हिन्दुओं और मुसलमानों को यह आदान-प्रदान ज्ञान, भक्ति, शृंगार, नीति, आदि के कई क्षेत्रों में था। इन कवियों ने गाँवों के सांस्कृतिक जीवन को जितना प्रभावित किया था, उतना दिल्ली और लखनऊ के शायरों ने नहीं किया। रहीम के दोहे सूर और मीरा के पदों की तरह गाँवों में प्रचलित थे और आज भी हैं।

जिस तरह सूफ़ी और भक्त हिन्दुस्तान में एक-दूसरे के निकट थे, सूफ़ियों में भक्त थे और भक्तों में सूफ़ी थे, उसी तरह अन्य प्रदेशों में भी वे एक-दूसरे के निकट थे और उन्होंने अपने यहाँ की भाषा और साहित्य की सेवा की। हिन्दू सम्प्रदायवाद

1. 'दक्खिनी का गद्य और पद्य', पृ. 260-61
2. 'उर्दू साहित्य का इतिहास', पृ. 21
3. रामचन्द्र शुक्ल, 'हिन्दी साहित्य का इतिहास', सं. 1997, पृ. 250
4. उप., पृ. 242

की यह विशेषता है कि वह भारतीय संस्कृति में मुसलमानों के योग को स्वीकार नहीं करता। यदि वह रसखान और रहीम का नाम लेता भी है तो इसलिए कि वह उन्हें आधा हिन्दू मानता है। लेकिन जायसी की चर्चा में हमने देखा कि वह इस्लाम का खुलकर प्रचार करते हैं और फिर भी 'सोऽहं' के मंत्र से परहेज नहीं करते। हिन्दुओं और मुसलमानों के अलगाव के हम इतने आदी हो गए हैं कि जहाँ एका था और आज भी बना हुआ है, उसे हम देख नहीं पाते। हिन्दू जाति अलग है, मुस्लिम जाति अलग है, यह सिद्धान्त अनेक प्रगतिशील विचारकों तक में घर कर गया है और अगर निकल भी गया तो अपने कुछ निशान छोड़ गया है। एक आदरणीय लेखक के अनुसार : "आधुनिक हिन्दी ने खड़ी बोली का ढाँचा उर्दू से लिया और उसमें उसने उन शब्द-योजनाओं और समासों को खपाया और उन विचार-पद्धतियों और परम्पराओं से उसे अनुप्राणित किया, जो हिन्दू संस्कृति के अभिन्न अंग थे और शताब्दियों से अवधी, ब्रज और उत्तर भारत की अन्य जन-बोलियों में (जैसे बुन्देली राजस्थानी, मैथिली) सुरक्षित थे और जिनका निरन्तर विकास हो रहा था।"[1] इस स्थापना में यह बात सही है कि हिन्दी ने जनपदीय बोलियों में सुरक्षित शब्द-योजनाओं आदि को अपनाया। हिन्दी ने खड़ी बोली का ढाँचा उर्दू से लिया, यह बात सही नहीं है। इन बोलियों से जो तत्त्व हिन्दी में आए, वे सब 'हिन्दू संस्कृति' का अभिन्न अंग थे। यह बात ऐसी है जिसे हिन्दू सम्प्रदायवाद बड़े उत्साह से स्वीकार करेगा। इस तरह सारे देश में या तो हिन्दू संस्कृति है या मुस्लिम संस्कृति। कश्मीरियों, बंगालियों, पंजाबियों आदि की अपनी-अपनी जातीय संस्कृति कहीं नहीं बचती। उन्नीसवीं सदी में हिन्दी 'हिन्दू राष्ट्रीय जागरण' का 'एक शक्तिशाली माध्यम बन गई।' उधर "उर्दू साहित्य के अधिकांश भाग पर मुसलमानों की सभ्यता और संस्कृति की छाप है। बिलकुल ऐसे ही हिन्दी के अधिकांश भाग पर हिन्दु सभ्यता के प्रभाव स्पष्ट हैं।" इस तरह की स्थापनाओं का आधार दो राष्ट्रों का सिद्धान्त है : मुसलमानों का पाकिस्तान और हिन्दुओं का हिन्दुस्तान। यदि पूर्वी बंगाल और पश्चिमी पंजाब के मुसलमानों की संस्कृति एक ही है, तो पूर्वी बंगाल के मुसलमान उर्दू के राजभाषा बनाए जाने का विरोध क्यों करते हैं? यदि पश्चिमी बंगाल और असम के हिन्दुओं की संस्कृति एक है, तो बंगाली जन असमिया के राजभाषा बनाए जाने का विरोध क्यों कर रहे हैं? यदि तमिलनाडु और उत्तर प्रदेश के हिन्दुओं की संस्कृति एक है तो वहाँ हिन्दी के केन्द्रीय राजभाषा बनाए जाने का विरोध क्यों हो रहा है? भाषा को लेकर जब तक हिन्दू-मुसलमान विवाद करते हैं, तब तक मालूम होता है कि भाषा का आधार धर्म है। स्वाधीनता-प्राप्ति और देश के विभाजन के बाद यह बिलकुल स्पष्ट हो गया है कि भाषा को लेकर हिन्दू-हिन्दू और मुसलमान-मुसलमान भी आपस में लड़ सकते हैं और लड़ने के बहुत ही भयानक तरीके अपना सकते हैं।

1. 'नया साहित्य', संख्या 3, बम्बई

हिन्दू राष्ट्र और मुस्लिम राष्ट्र, हिन्दू संस्कृति और मुस्लिम संस्कृति—इसके अनुरूप हिन्दुओं की हिन्दी भाषा और मुसलमानों की उर्दू—आज की परिस्थितियों में इस विभाजन को स्वीकार करके कुछ मित्र उसे पुराने इतिहास में भी ढूँढ़ते हैं। अलगाव के बीज सामन्ती दरबारों में न ढूँढ़कर वे उन्हें सूफियों और भक्तों में खोजते हैं। पाकिस्तान बनने से पहले इस सिद्धान्त का काफी प्रचार था कि मुसलमानों की अपनी एक कौम है। दो राष्ट्र बनने के बाद दो राष्ट्रों या कौमों का सिद्धान्त पुराना पड़ गया। भारत में उसका उल्लेख करते हैं तो हिन्दू साम्प्रदायवादी करते हैं जिन्हें धर्म-निरपेक्ष राज्यसत्ता सह्य नहीं है। पाकिस्तान में मुस्लिम सम्प्रदायवादी बड़ी कृतज्ञता से उसे याद करते हैं क्योंकि उसी की बदौलत एक नये राष्ट्र का जन्म हुआ। धर्म के आधार पर जातीयता की कल्पना की गई और उसका इतना प्रचार किया गया कि उसका सारा प्रभाव तुरन्त नष्ट नहीं हो सकता।

हिन्दू प्रदेश के हिन्दुओं और मुसलमानों में सांस्कृतिक और भाषागत अलगाव के लिए जिम्मेदार थे यहाँ के सामन्त और उनसे मित्रता करके उन्हें गद्दी से उतारने या अपनी कठपुतली बनानेवाले अंग्रेज़। इसका श्रेय सूफियों और सन्तों को नहीं दिया जा सकता। मुसलमानों ने यहाँ जिस भाषा और संस्कृति को सँवारा, उसका एक व्यापक जातीय आधार था। बंगाल, पंजाब, सिन्ध, कश्मीर, हिन्द प्रदेश—सब जगह वहाँ की भाषा के विकास और जातीय साहित्य की समृद्धि में मुसलमानों का बहुत बड़ा हाथ रहा है। अन्य प्रदेशों की अपेक्षा सिन्ध का सम्पर्क मुसलमानों से पहले हुआ था। वहाँ पन्द्रहवीं सदी के अन्त में जिस प्रथम सिन्धी कवि के दर्शन होते हैं, वह एक मुसलमान है—क़ाजी क़ाज़न। सिन्धी भाषा के विद्वान श्री ला.ह. अजवाणी ने काज़ी क़ाज़न का सम्बन्ध देश के एक व्यापक सांस्कृतिक आन्दोलन से ठीक जोड़ा है। "क़ाजी क़ाज़न की कविता में अभिव्यक्त यह प्रेरणा उस महान् आध्यात्मिक जागृति या आन्दोलन का परिणाम है, जिसके कारण कबीर और चैतन्य, नानक और तुकाराम-जैसी ईश्वर-प्रेमोन्मत्त आत्माएँ पैदा हुईं।"[1] इस आन्दोलन को आगे बढ़ानेवाले और सिन्धी के सर्वमान्य कवि सत्रहवीं-अठारहवीं सदियों के रचनाकार शाह अब्दुल लतीफ़ भी मुसलमान थे। उन जैसे कवियों ने हिन्दुओं और मुसलमानों को मिलाया, अलग नहीं किया। "सिन्ध में कभी-कभी धर्मों के मिश्रण से ऐसा भी हुआ है कि मुसलमान कवि अपने-आपको गोपी और ईश्वर को कृष्ण कहकर कविता लिखते हैं।"[2] यह परम्परा सिन्ध ही में न थी, हिन्द प्रदेश में भी थी; अंग्रेज़ों के आने के बाद वह हिन्द प्रदेश में ही न टूटी, सिन्ध में भी टूटी। "यह मानना होगा कि सिन्ध की अधिकांश सूफी कविता ब्रिटिश-पूर्व दिनों की है और उसकी विषयवस्तु तथा कला-पक्ष (दोहरा रूप)

1. 'आज का भारतीय साहित्य', दिल्ली, 1958, पृ. 355
2. उप., पृ. 358

हिन्दी, पंजाबी और अन्य उत्तर भारतीय भाषाओं से मिलता-जुलता था। यह सामान्यत: 1843 में अंग्रेज़ों के आने के बाद कुछ बिगड़ गई।"[1]

सिन्ध के मुसलमान सिन्धी जाति से अलग नहीं थे। चाहे वे बाहर से आए हों और चाहे यहीं धर्म-परिवर्तन करके मुसलमान बने हों, सिन्ध में रहकर वे हो गए सिन्धी। सिन्धी भाषा और साहित्य के विकास में उनकी महत्त्वपूर्ण भूमिका से इनकार नहीं किया जा सकता।

जैसे सूफ़ी और भक्त सिन्ध में एक-दूसरे के बहुत नजदीक थे, वैसे ही पंजाब में हम उन्हें एक ही सांस्कृतिक धारा में घुलते-मिलते देखते हैं। "सिख गुरु, विशेषतया सिख धर्म के संस्थापक गुरु नानक ने उतनी ही भक्ति से सूफ़ियों को पढ़ा, जितनी भक्ति से भक्ति-आन्दोलन के भक्तों और सन्तों को।"[2] सूफ़ी कवि परमात्मा के विरह में तड़पते हैं। "बुल्लेशाह के लोकप्रिय गीतों में व्यक्त यही भावना प्राय: इन सन्त कवियों में है।" वारिस शाह भारत के एक महाकवि हैं। हीर-राँझा में उन्होंने प्रेम की सार्वजनीन भावना को ही नहीं व्यक्त किया, उन्होंने पंजाब के जनसाधारण के जीवन की जैसी झाँकी दी है, वैसी अन्य प्रदेशों के कवि कम दे पाए हैं। पंजाब का कोई कवि या लेखक अपने को वारिस शाह से ज्यादा पंजाबी नहीं कह सकता। और वारिस शाह मुसलमान थे। उनकी अलग कौम और ज़बान नहीं थी। वह पंजाबी जाति के रत्न थे, पंजाबी भाषा के सौन्दर्य के सबसे बड़े पारखी।

कश्मीरी भाषा को सँवारने में कवयित्रियों का विशेष हाथ रहा है। चौदहवीं सदी में ललद्यद ने अपने पद्यों में शैव दर्शन और सूफ़ी मत के 'अनिवार्य सम्पर्क'[3] का प्रमाण दिया। ललद्यद तथा उनके समकालीन कवि शेख नूरुद्दीन वली में "कबीर के पूर्व दर्शन मिलते हैं।"..."उनके पद्यों में हिन्दुत्व और इस्लाम एक ही भाषा में बोलते हैं।" सोलहवीं सदी में मुस्लिम कवयित्री हब्बा खातून ने कश्मीरी भाषा को सँवारा। अन्य प्रदेशों की तरह यहाँ भी हम मुसलमानों को प्रदेश विशेष की भाषा को सँवारते देखते हैं। इसी प्रकार बंगाल में, सत्रहवीं सदी में, दौलत काज़ी और सैयद आलाओल नाम के "दो मुसलमान कवि बड़े प्रतिभाशाली हुए" और "दोनों ने बंगला साहित्य की बड़ी सेवा की।"[4]

जैसे हिन्दी में मुसलमान कवियों का सहयोग सूफ़ी-भक्त-साहित्य में ही नहीं है, वैसे ही अन्य भाषाओं में उन्होंने अनेक स्तरों पर अपनी भाषा और साहित्य की सेवा की। श्री दिनेशचन्द्र सेन के अनुसार बंगाल के पठान सामन्तों ने संस्कृत से

1. 'आज का भारतीय साहित्य', पृ. 359
2. खुशवंत सिंह, पंजाबी (आज का भारतीय साहित्य), पृ. 187
3. पृथ्वीनाथ पुष्प, कश्मीरी (आज का भारतीय साहित्य), पृ. 106
4. काज़ी अब्दुल वदूद, बंगला (आज का भारतीय साहित्य), पृ. 208

बंगला में अनुवाद कराने के लिए विद्वान नियुक्त किए। "वे अब बंगला बोलते और समझते थे।"[1] चौदहवीं सदी में नसीर शाह की आज्ञा से 'महाभारत' का प्रथम बंगला अनुवाद हुआ। हुसैन शाह की आज्ञा से मालाधर वसु ने 'भागवत' का अनुवाद किया और इसके लिए उसे गुणराजखान की उपाधि मिली।[2] डॉ. सुकुमार सेन के अनुसार, सबसे पहले परमेश्वरदास ने बंगला 'महाभारत' लिखा। परमेश्वरदास परागल खाँ के दरबारी कर्मचारी थे और परागल खाँ हुसैन शाह का एक फौजी अफसर और चटगाँव का शासक था। परागल खाँ को 'महाभारत' सुनने का बड़ा शौक था और उसके आदेश से कवीन्द्र परमेश्वरदास ने बंगला अनुवाद किया। परागल के पुत्र नसरत खाँ ने कवि श्रीकर नन्दी को संस्कृत से बंगला अनुवाद करने के लिए प्रोत्साहन दिया। इसी प्रकार पन्द्रहवीं सदी में सुलतान जैनुल आबदीन के "दरबारी कवियों ने न केवल फिरदौसी का 'शाहनामा' कश्मीरी भाषा में अनूदित किया, प्रत्युत कश्मीरी भाषा में 'बाणासुर-वध' नामक एक महाकाव्य, 'जैन-चरित' नामक एक पद्य-जीवनी और 'जैन-विलास' नामक एक नाटक भी लिखा है।"[3]

सत्रहवीं सदी में दौलत काजी ने अपनी बंगला कविता में किस तरह की शब्दावली का प्रयोग किया था, उसका एक उदाहरण देना यहाँ अप्रासंगिक न होगा। वर्षा ऋतु का वर्णन करते हुए कवि कहता है :

*खरतर सिन्धु रव पवन दारुन*
*चौगुन बाढ़िया जाय बिरह-आगुन।*
*जनम दुखिनी तुइ राजार दुहिता*
*विफल से नाम धर लोरेर वनिता।*
*सुजन-पिरीति जान नित्य-नव माला।*
*लस्कर नायक-मनि जग उजियाला।*[4]

सिन्धु, पवन, दारुन, दुहिता, वनिता आदि शब्द उस समय की हिन्दी कविता में भी प्रयुक्त होते थे। उसी परम्परा में दौलत काज़ी ने अपना शब्द-चयन किया था।

आलाओल ने फ़ारसी गाथा 'सईफुल मुल्क बदिउज्जमाल' का बंगला रूप प्रस्तुत किया था। उसकी भाषा का नमूना यह है :

*की जानि लिखि छे विधि ए पाप करमे*
*पाइया पारस-मनि हाराइलुम भ्रमे।*

---

1. दिनेशचन्द्र सेन, 'हिस्ट्री ऑव बेंगाली लैंग्वेज़ एंड लिटरेचर', कलकत्ता, 1911, पृ. 11
2. डॉ. सुकुमार सेन ने 'बंगला साहित्य के इतिहास' (अंग्रेज़ी) में लिखा है कि सुल्तान रुकनुद्दीन बारक शाह ने यह उपाधि दी।
3. 'आज का भारतीय साहित्य', पृ. 107-8
4. सुकुमार सेन द्वारा 'हिस्ट्री ऑव बेंगाली लिटरेचर', दिल्ली, 1960, में उद्धृत, पृ. 397

*से सब मनेर दुःख काहाके कहिबा*
*व्यथित बान्धवकुल स्मरिते मरिबा।*
*जुगेर अधिक जाय दुःखे निशि दिन*
*केमने सहिब प्राने जल बिन मीन।*
*की लागि दारुन जिउ आछे मोर घटे*
*कठिन पाषान हिया ए दुखे ना फाटे।*[1]

दौलत काज़ी और आलाओल को ऐसी भाषा लिखते देखकर कौन कहेगा कि अंग्रेज़ों के आने के पहले बंगाल में हिन्दुओं और मुसलमानों ने मिलकर अपनी सामान्य भाषा और संस्कृति का विकास न किया था? यदि इन कवियों की रचनाएँ उस समय के हिन्दी कवि पढ़ते तो उन्हें आसानी से समझ लेते, जैसेकि आज हम उन्हें समझ लेते हैं। बंगाल में भी फ़ारसी को राजभाषा बनाया गया था। फ़ारसी के बहुत-से शब्द बंगला में आए। लेकिन इससे बंगला की दो साहित्यिक शैलियों का विकास न हुआ। बंगाल के बँटवारे के बाद जब कुछ मुस्लिग लीगी नेताओं ने ढाका में यह विचार प्रकट किया कि उर्दू की तरह बंगला का भी एक मुसलमानी रूप होना चाहिए, तब ढाका के विद्यार्थियों ने उनका तीव्र विरोध करके अपने भाषा-प्रेम का परिचय दिया।

सिन्धी, पंजाबी, कश्मीरी और बंगला साहित्य में मुसलमानों के इस योग से यह बात बिलकुल स्पष्ट हो जाती है कि भारत के हर जातीय प्रदेश में मुसलमानों ने वहाँ की भाषा को अपनाया। उन्होंने यहाँ की भाषाओं और उनके साहित्य के उत्थान में असाधारण योग दिया। भारतीय भाषाओं और उनके साहित्य के विकास की यह शक्तिशाली धारा थी जिसमें दिल्ली और लखनऊ के दरबारों की काव्य-शैली द्वीपों के समान थी। प्रगतिशील अंग्रेज़ों ने आकर यहाँ जो देशभक्ति का पाठ हमें पढ़ाया, उससे ऐसी प्रबल राष्ट्रीय चेतना उत्पन्न हुई कि एक राष्ट्र के बदले दो राष्ट्र पैदा हो गए। शाह अब्दुल लतीफ का सिन्ध एक नये राष्ट्र का अंग बन गया। वारिस शाह के पंजाब के दो पंजाब बन गए और इनमें से एक पंजाब में राजभाषा उर्दू है और दूसरे में पंजाबी को अपनी मातृभाषा न मानने का आग्रह है और एक धर्म-विशेष के हित में नया राज्य बनाने का आन्दोलन छिड़ा हुआ है। हब्बा खातून और शेख नूरुद्दीन का कश्मीर राजनीतिक कशमकश का अखाड़ा बन चुका है। काज़ी दाऊद और आलाओल का बंगाल धर्म के आधार पर विभाजित हो चुका है। मानना होगा कि ब्रिटिश राज ने यहाँ जैसी राष्ट्रीय चेतना फैलाई, वैसी राष्ट्रीय चेतना किसी भी देश का पूँजीवाद नहीं फैला सका।

सत्य यह है कि भारत में पूँजीवादी सम्बन्धों का प्रसार हो रहा था। अंग्रेज़ों ने यहाँ के व्यापार के सहारे अपनी आर्थिक और राजनीतिक शक्ति बढ़ाई। यदि अंग्रेज़ यहाँ न आते तो यूरोप की अन्य जातियों की तरह यहाँ की जातियाँ भी अपनी

1. डॉ. सुकुमार सेन द्वारा 'हिस्ट्री ऑव बेंगाली लिटरेचर', दिल्ली, 1960, में उद्धृत, पृ. 397-98

विकास-प्रक्रिया पूरी करतीं। सामन्तवाद न यूरोप में अमर रहा, न यहाँ रहता। उसके ध्वंसकाल में उसे नया जीवन दिया ब्रिटिश साम्राज्य ने। अठारह सौ सत्तावन में भारतीय सेना ने बहादुरशाह को वैधानिक सम्राट् बनाया और उनके झंडे के नीचे देश को एक करने का भगीरथ प्रयत्न किया। यहाँ की जातियों में यथेष्ट एकता न होने और भारतीय तथा भारत के सीमान्त देशों के सामन्तों की अंग्रेज़-भक्ति के कारण वह प्रयत्न सफल न हुआ। किन्तु भारतीय समाज में ऐसी शक्ति थी जो सामन्ती व्यवस्था के बाद पूँजीवाद की पूर्ण प्रतिष्ठा करती, यह सत्य यहाँ के आर्थिक इतिहास से प्रमाणित है। उस समय राज्यसत्ता, शिक्षा आदि के लिए, जातीय गठन के लिए एक लिपि और एक भाषा का सवाल आता। वह जैसे भी हल होता, निश्चित बात यह है कि वह हल अवश्य होता। एक भाषा और एक लिपि का चलन जातीय विकास के लिए अनिवार्य सामाजिक आवश्यकता है। सामन्तवाद के ह्रासकाल में फ़ारसी के राजभाषा रहने और ईरानी संस्कृति के प्रभाव से दरबारों के आसपास जो काव्य-साहित्य रचा गया, वह अलगाव का ऐसा बीहड़ कारण न था कि एक उभरती हुई जाति उसे दूर न कर पाती। अंग्रेज़ कूटनीतिज्ञों ने यहाँ एकता के तत्त्वों को बराबर दबाने की कोशिश की और अलगाव के तत्त्वों को भरसक बढ़ावा दिया। जिन हिन्दुओं और मुसलमानों ने मध्यकालीन धर्म की खाई को पाट लिया था और हर प्रदेश में एक संयुक्त जातीयता का विकास किया था, वे शब्दावली और लिपि के भेद को भी अवश्य दूर कर लेते और एक शक्तिशाली राष्ट्र का निर्माण करते। लेकिन अंग्रेज़ों ने इन सम्भावनाओं को खत्म कर दिया। उन्होंने हिन्दी-उर्दू की दो शैलियों को दो जातियों की भाषा का रूप दे दिया और भाषा को जातीय उत्पीड़न का साधन बनाया। इसीलिए यह बात मुश्किल से कुछ लोगों की समझ में आती है कि अंग्रेज़ी राज से पहले 'हिन्दुस्तान' के हिन्दू और मुसलमान एक जाति के थे और आज भी एक ही जाति के हैं। धर्म के आधार पर न कहीं भाषाओं में भेद उत्पन्न हुआ है, न कहीं जातियाँ बनी हैं। इस विषय पर आगे हम थोड़ा और विचार करेंगे।

तेरहवाँ अध्याय

# साम्राज्यवादी भेद-नीति और हिन्दी-उर्दू की एकता

भारत में अंग्रेज़ी राज कायम होने से पहले यहाँ की अनेक भाषाओं और उनके साहित्य के विकास में मुसलमानों ने योग दिया है। इनका यह योग इतना महत्त्वपूर्ण है कि अनेक मुसलमान लेखक कुछ भाषाओं के साहित्य के आदि संस्थापक माने जाएँगे। यहाँ पर जिन मुसलमान सामन्तों ने धार्मिक उत्पीड़न किया और मूर्तियाँ आदि तोड़ीं, उनसे इन सूफ़ियों और साहित्यकारों की नीति भिन्न थी। इन्होंने हर प्रदेश की भाषा और संस्कृति को अपनाया और हिन्दुओं और मुसलमानों का भेदभाव बहुत कुछ दूर करके जातीय संस्कृतियों और राष्ट्रीय भावना का आधार मजबूत किया। दिल्ली और लखनऊ के सामन्ती दरबारों में, उनके पतनकाल में, ईरानी संस्कृति से प्रभावित अनेक कवियों को आश्रय मिला। इन्होंने फ़ारसीयत को ज्यादा अपनाया। हिन्दी के बहुत-से शब्दों को काव्य के लिए अनुचित ठहराकर छोड़ दिया। कई सदियों से फ़ारसी के राजभाषा रहने से अभिजात वर्ग में—जिसमें हिन्दू-मुसलमान, दोनों थे किन्तु मुसलमानों की अधिकता थी—फ़ारसीयत का असर काफी था। धार्मिक कारणों से शिक्षण-कार्य प्राय: दो लिपियों में होता था; राजभाषा के लिए फ़ारसी लिपि का ज्ञान तो आवश्यक था ही। इस परिस्थिति में यह स्पष्ट है कि उत्तर भारत के अहिन्दी प्रदेशों में कहीं भी फ़ारसी-प्रेम के कारण अभिजात वर्ग की—या मुस्लिम-प्रधान अभिजात वर्ग की—बाकी लोगों से भिन्न साहित्यिक भाषा नहीं बनी। कश्मीरी, पंजाबी, सिन्धी, बंगला, ब्रज, अवधी आदि भाषाओं में मुसलमानों ने काफी साहित्य रचा। उनकी भाषा वैसी ही है, जैसी दूसरे हिन्दू कवियों की। इन भाषाओं में अरबी, फ़ारसी, तुर्की आदि भाषाओं के शब्द आए हैं और खप गए हैं। लेकिन अठारहवीं सदी की उर्दू में अरबी-फ़ारसी शब्दों की जैसी बहुलता है, वैसी न उस समय की, न आज की किसी भारतीय भाषा में है। यह अलगाव उत्तर भारत के शेष सांस्कृतिक विकास की व्यापक और शक्तिशाली धारा की तुलना में बहुत क्षुद्र था। यह इसलिए क्षुद्र था कि उसका सामाजिक आधार संकुचित, सीमित और विनाशोन्मुख था। उसके समानान्तर लोक-संस्कृति और लोकभाषा का प्रवाह अवरुद्ध न हुआ था।

अंग्रेज़ी राज कायम होने से पहले दरबारों से सम्बन्धित कवियों में भी कौमी अलगाव का विचार न पैदा हुआ था। यह विचार पैदा ही नहीं हो सकता था क्योंकि फ़ारसी पढ़नेवालों में हिन्दू-मुसलमान, दोनों थे। फ़ारसी मुसलमानों की मातृभाषा है—यह ग़लतफहमी उस समय मुमकिन न थी। उर्दू लिखनेवालों में हिन्दू-मुसलमान, दोनों थे। मुसलमान कवि-गुरुओं के दयाशंकर नसीम जैसे हिन्दू कवि-शिष्य प्रसिद्ध हुए। उर्दू को न किसी अलग क़ौम की, न किसी धर्म-विशेष के अनुयायियों की भाषा कहा जा सकता था। खड़ी बोली पर फ़ारसी का असर पड़ने से जो विशेष शैली बनी, उसके कारण सांस्कृतिक और राजनीतिक थे। फ़ारसी के राजभाषा होने और दरबारी कवियों के ईरानी शायरी से प्रभावित होने को हम धार्मिक प्रक्रिया नहीं कह सकते; उसे सांस्कृतिक और राजनीतिक प्रक्रिया ही मानना चाहिए। यह न भूलना चाहिए कि हिन्दुओं का बहुत-सा धार्मिक साहित्य उर्दू में लिखा गया है।

अलगाव का अहसास न होने से ही उर्दू लिखनेवाले मुसलमान कवि अपनी भाषा को हिन्दी या रेख्ता कहते। थे। अठारहवीं सदी के अन्त तक उर्दू नाम का चलन न हुआ था। सबसे महत्त्व की बात यह है कि मीर, ग़ालिब, सौदा जैसे उर्दू भाषा के संस्थापक कवियों ने कभी हिन्दी का आधार पूरी तरह नहीं छोड़ा। छोड़ना दरकिनार, हिन्दी भाषा के सरस शब्दों का बहुत ही कलात्मक प्रयोग अक्सर उन्हीं के यहाँ मिलता है। उर्दू के सम्बन्ध में इतनी सलत बातें बार-बार दोहराई गई हैं कि भाषा के नमूनों के साथ यहाँ कुछ कवियों की सांस्कृतिक विशेषताओं का उल्लेख करना भी आवश्यक है। उर्दू में केवल ईरानी संस्कृति का असर है, उसमें गुलबुलबुल शायरी के अलावा कुछ नहीं है। उसमें केवल शराब और इश्क की बातें हैं—इस तरह की धारणाओं का खूब प्रचार किया गया है।

उर्दू के सबसे बड़े कवि ग़ालिब हैं। उन पर सामन्ती संस्कृति का असर है; साथ ही उसका बहुत तीव्र विरोध भी है। वह बादशाह से अपनी तनखाह माँगते हैं, साथ ही शायरी को इज्जत का जरिया नहीं मानते। वह मुफलिसी और फाकेमस्ती के गीत भी गाते हैं (जिन्हें स्वभावत: निराला जैसा हिन्दी कवि अपनी परिस्थितियाँ देखकर गुनगुनाता रहा है)। उनमें रोमांटिक कवियों की आत्मविभोर गेयता है, अपनी व्यक्तिगत भावनाओं की जबर्दस्त रूढ़ि-विरोधी व्यंजना भी है। उनकी सबसे बड़ी विशेषता यह है कि भवभूति, दांते और शेक्सपियर की तरह वह करुणा और दुख के अन्यतम कवि हैं। हैमलेट और मैकबेथ की तरह वह रात को सो न सकने की व्यथा पहचानते हैं। दरबारों में मनोरंजन, कामोद्दीपन की शायरी का बोलबाला रहता है। ट्रैजिक कविता दरबारों की विशेषता कभी नहीं रही। ग़ालिब ने मनुष्य की वेदना को बहुत गहराई से अनुभव किया है और उसे बहुत ही मुहावरेदार लाक्षणिक शैली में चित्रित किया है। उनमें सूफ़ी परम्परा के अवशेष मौजूद हैं। इसलिए उनके काव्य में वेदान्त से मिलते-जुलते विचार भी हैं।

ग़ालिब ने जहाँ सरल भाषा का प्रयोग किया है, वहाँ वह इतने लोकप्रिय हुए हैं कि उनकी पंक्तियाँ कहावतें बन गई हैं :

*इश्क़ ने ग़ालिब निकम्मा कर दिया*
*वर्ना हम भी आदमी थे काम के।*

या

*मुश्किलें मुझ पर पड़ीं इतनी कि आसाँ हो गईं।*

या

*हमको मालूम है जन्नत की हक़ीक़त लेकिन*
*दिल के ख़ुश रखने को ग़ालिब ये ख़याल अच्छा है।*

इस तरह की बीसियों पंक्तियों ने लोकोक्तियों का रूप ले लिया है।

ग़ालिब अपने अलावा मीर को रेख़्ते का उस्ताद मानते थे। श्री सैयद एहतिशाम हुसैन का मत है : "सीधी-सादी बोलचाल की भाषा में इतना रस और मिठास, इतना विष और इतना कड़वापन, हार्दिक भावों का इतना कोमल चित्रण और भावनाओं का इतना तूफानी जोश काव्य-रचना का एक चमत्कार जान पड़ता है।" पद्मसिंह शर्मा ने हिन्दी, उर्दू और हिन्दुस्तानी वाले निबन्ध में मीर के बहुत-से शेर उद्धृत किये हैं जिनमें बिथा, सालता, पवन, विकस रही, छल, भसम, आरसी, मौन, अच्छर, सुख, विस्तार, चलनेहार, वचन, सजन, जीव, अचम्भा जैसे हिन्दी शब्दों का सुन्दर प्रयोग हुआ है। सौदा ने क़सीदे, ग़ज़ल, हजो आदि कई तरह का काव्य रचा। उनकी भाषा में फ़ारसीपन काफी है। साथ ही बहुत जगह उन्होंने ठेठ हिन्दी का प्रयोग किया है। बालमुकुन्द गुप्त ने 'ब्रजभाषा और उर्दू' नाम के निबन्ध में सौदा की भाषा के काफी नमूने दिये हैं। कहीं-कहीं सौदा की कविता साफ हिन्दी भी हो जाती थी। जब सौदा अरबी-फ़ारसी को छोड़कर मामूली बोलचाल की तरफ झुकते थे तो उनकी भाषा इतनी सरल हो जाती थी :

*अजब तरह की है वह नार। उसका क्या मैं करूँ विचार॥*
*दिन वह डोले पी के संग। लाग रहे निश वाके संग॥*

"सौदा की पहेलियाँ अमीर ख़ुसरो की याद दिलाती है।" लगता है, दिल्ली के लोकसाहित्य में इस तरह की रचनाएँ बराबर इजाफा करती रहीं। गुप्त जी ने उर्दू कवियों द्वारा हिन्दी शब्दों के प्रयोग के बारे में लिखा है : "पहले उर्दू में बहुत हिन्दी शब्द थे, पर पीछे निकाले गए। सौदा तनिक, टुक आदि शब्द बोलता था।" गुप्त जी ने सौदा द्वारा हिन्दी छन्दों के प्रयोग की मिसालें दी हैं। सौदा ने मरसियों

में लावनी, दोहा और रोला छन्दों का प्रयोग किया है। "खड़ी बोली में जो लोग ब्रजभाषा के बरते हुए छन्दों को बरतना चाहते हैं, उनके लिए यह सवा सौ साल पहले का नमूना है :

*सुनो मुहिब्बो बात कहूँ मैं तुमसे रोओ।*
*ग़म है शह का आज ख़ुशी को ग़म से धोओ॥*
*जिसको जग में लोग कहे थे दीन का सुलतां।*
*सीस कटा अब उसका तन है ख़ून में गलतां॥*
*कहता हूँ मैं अब तुम्हें मुँह पर खाक लगाय।*
*दीन दुखी के ताज का सिर नेजे पर जाय॥"*

छन्द ही नहीं, सौदा की शब्दावली ऐसी है जिस पर किसी हिन्दी प्रेमी को आपत्ति न होगी। हिन्दी-उर्दू अब भी एक-दूसरे के कितना पास थीं, इसका प्रमाण यह है कि सौदा ने एकाध मरसिया ऐसा लिखा है जिसमें चौपाई छन्द उर्दू भाषा में और दोहे ब्रजभाषा में हैं :

*आबिद कहते हैं यह सबसे। रोता हूँ मैं जग में तबसे॥*
*जब से आया छोड़ मदीना। फेर न चाहा अपना जीना।*
*मैं दुखियारा हो अब रोया। बाप चचा करबला में रोया॥*
*अकबर और असगर सा भाई। तिनकी टुक भी खबर न पाई॥*
*कैसा साथ हमारा छूटा। बैरी ने घर तिस पर लूटा॥*
*लिखी हती जो कर्म में मेटे मिटे न मूल।*
*होनी थी सो हो चुकी कासों कहौं रसूल॥*[1]

सौदा के बहुत-से शेर ऐसे हैं जिनकी भाषा ही हिन्दी नहीं है, उनमें रूमानी सौन्दर्य का उत्कृष्ट चित्रण भी है; जैसे :

*सावन के बादलों की तरह से भरे हुए।*
*ये वह नयन हैं जिनसे कि जंगल हरे हुए॥*[2]

और सौदा सूफ़ियों के प्रेमोन्माद को बहुत ही सादी और सरस हिन्दी में प्रकट कर सकते हैं :

*जिन्हों की छाती से पार बरछी हुई है रन में वो सूरमा हैं,*
*बड़ा वो सावन्त मन में जिसके विरह का काँटा खटक रहा है।*

---

1. बालमुकुन्द गुप्त, 'निबन्धावली', कलकत्ता, सं. 2007
2. अली सरदार जाफ़री द्वारा 'इंडियन लिटरेचर' वाले निबन्ध में उद्धृत

सामन्ती प्रभाव से हिन्दी-उर्दू का अलगाव शुरू हुआ। बहादुर शाह जफ़र बादशाह ही थे। उनकी सरल उर्दू जब-तब हिन्दी से बिलकुल मिल जाती है :

*कहाँ तक चुप रहूँ चुपके रहे से कुछ नहीं होता,*
*कहूँ तो क्या कहूँ उनसे कहे से कुछ नहीं होता।*

बहादुर शाह ने अपने समय की दिल्ली के बारे में लिखा :

*गई यक-ब-यक जो हवा पलट, नहीं दिल को मेरे क़रार है।*
*करूँ इस सितम का मैं क्या बयाँ, मेरा ग़म से सीना फिगार है।*
*ये रिआया हिन्द हुई तबाह, कहूँ क्या-क्या इन पै जफ़ा हुई।*
*जिसे देखा हाकिमे वक़्त ने, कहा ये भी क़ाबिले दार है।*
*ये किसी ने ज़ुल्म भी है सुना कि दी फाँसी लोगों को बेगुनाह।*
*वले कल्मा-गोयों की सिम्त से अभी दिल में उनके बुख़ार है।*
*न था शहर देहली, ये था एक चमन, कहूँ किस तरह का था याँ अमन।*
*जो ख़िताब था वो मिटा दिया, फ़क़त अब तो उजड़ा दयार है।*
*यही तंग हाल जो सबका है यह करिश्मा कुदरते रब का है।*
*जो बहार थी सो खिज़ाँ हुई, जो ख़िजाँ थी अब वो बहार है।*

इस रचना के उपर्युक्त अंश सिर्फ इसलिए उद्धृत किये गए हैं जिससे यह स्पष्ट हो जाए कि उर्दू में प्रेम और निराशा के अलावा भी बहुत कुछ है। इसे हिन्दुस्तानी जाति की प्राथमिक साम्राज्य-विरोधी राष्ट्रीय कविताओं में गिनना चाहिए।

सौदा की तरह बहादुर शाह ने भी हिन्दी और ब्रजभाषा में रचनाएँ की हैं :

*जिन गलियन में पहले देखीं लोगन की रंगरलियाँ थीं।*
*फिर देखा तो उन लोगन बिन सूनी पड़ी वो गलियाँ थीं।*
*ऐसी अखियाँ मीचे पड़े हैं करवट भी नहीं ले सकते।*
*जिनकी चालें अलबेली और चलने में छलबलियाँ थीं।*

एक अन्य रचना की पंक्तियाँ हैं :

*दुनिया है यह रैन-बसेरा, बीत गई रही थोड़ी सी।*
*उनसे कह दो सो ना जावें नींद में जो कि निंदासे हैं।*

ब्रजभाषा इस तरह की लिखी है :

*या ही बिरहा दुरजन होवे या ही बिरहा सिरजन होवे।*
*ना छूटे या बिरहा मों सों ना छूटूँ मैं बिरहा से।*
*नहीं खुले कुछ औरै देखूँ मूँदूँ तो कुछ और ही और।*
*कोई वाको साँच न जाने देखी बात कहूँ जा से।*

इस तरह के और भी उदाहरण दिये जा सकते हैं। इनसे एक नतीजा यह निकलता है कि बादशाह या दरबारी कवि फ़ारसी-मिश्रित भाषा में रचना करते थे, तो इससे यह न समझना चाहिए कि वे हिन्दी समझते न थे या उसमें लिख न सकते थे। वे खड़ी बोली के अलावा ब्रजभाषा में भी रचना करते थे। उर्दू कविता में एक विशिष्ट शब्दावली का प्रयोग होने पर भी उसका आधार बोलचाल की भाषा थी। इस भाषा के बहुत सुन्दर उदाहरण उर्दू कविता में मिलते हैं। इसके सिवा उर्दू कवियों का भाव-जगत् उतना संकुचित न था, जितना उसे बताया जाता है। सूफ़ी मत का प्रभाव दरबारों से लगाव रखनेवाले शायरों में भी देखा जा सकता है। दरबारी कवियों के अलावा मुसलमानों में नज़ीर जैसे कवि थे जिन्होंने मीर या ग़ालिब की-सी उर्दू अपवाद रूप में लिखी है। साधारण रूप में उन्होंने दकनी के सूफ़ी कवियों की तरह बोलचाल की भाषा को अपनाया है। नज़ीर ने आगरे के जनजीवन का जैसा चित्रण किया है, वैसा आज तक हिन्दी-उर्दू के किसी कवि ने किसी शहर का नहीं किया, न दिल्ली और लखनऊ का कोई भी कवि अपने शहर की जनता में आज तक इतना लोकप्रिय बना हुआ है। अमीर ख़ुसरो की तरह नज़ीर की चर्चा हिन्दी उर्दू, दोनों के साहित्य-इतिहासों में होती है।

नज़ीर में सूफ़ियों का वैराग्य है और जायसी की तरह का घोर शृंगार भी है। उन्होंने बचपन, जवानी, बुढ़ापे और मौत पर कविताएँ लिखी हैं। होली, दिवाली, महादेव जी के ब्याह और कन्हैया जी के जन्म पर भी रचनाएँ की हैं। एक कविता में उन्होंने गुरु नानक की वन्दना की है। जो लोग ग़ालिब, ज़ौक, मोमिन के साथ नज़ीर की कविताएँ पढ़ते हैं, उन्हें यह कुछ अनोखे शायर लगते हैं। भाषा और साहित्य के विकास को गलत ढंग से देखने-समझनेवाले आलोचक अठारहवीं सदी में नज़ीर की भाषा और विषयवस्तु का अनुज्ञापन देखकर चकरा उठते हैं। किन्तु सिन्धी, पंजाबी, बंगला और दकनी में सूफ़ी कवियों ने जो परम्परा चलाई थी, उसी की एक महत्त्वपूर्ण कड़ी नज़ीर हैं। उनकी विशेषता है उनका यथार्थवाद। उन्हें जीवन, समाज और चारों तरफ की दुनिया में हर कहीं कविता के लिए सामग्री मिल जाती है। उनका यह युगान्तरकारी महत्त्व है कि पाब्लो नेरुदा से बहुत पहले उन्होंने छोटी-मोटी चीजों पर कविताएँ लिखकर मानव-संवेदना को व्यापक बनाया था। वह बरसात पर लिखते हैं और उमस पर भी। वह आगरे की तैराकी देखते हैं, यहाँ की ककड़ियों का रस लेते हैं, यहाँ की मुफलिसी पर रोते हैं। कोरे बर्तन में पानी की बूँद का खनकना नज़ीर ही सुन सकते हैं :

*कोरे बरतन हैं क्यारी गुलशन की,*
*जिससे खिलती है हर कली तनकी।*
*बूँद पानी की इनमें जब खनकी,*
*क्या वह प्यारी सदा है सन सन की?*

*ताज़गी जी की और तरी तन की,*
*वाह क्या बात कोरे बरतन की!*

अपने आगरावासी होने पर गर्व प्रकट करते हुए कहा है :

*आशिक़ कहो असीर कहो आगरे का है।*
*मुल्ला कहो दबीर कहो आगरे का है।*
*मुफ़लिस कहो फ़कीर कहो आगरे का है।*
*शायर कहो नज़ीर कहो आगरे का है।*
*इस वास्ते ये उसने लिखे पाँच-चार बन्द।*

नज़ीर की कविता इस बात की ओर संकेत करती है कि उर्दू में दरबारी कविता के अलावा एक और परम्परा थी। इस दूसरी तरह की कविता में जनजीवन का चित्रण था और उसकी भाषा सरल उर्दू या सरल हिन्दी थी जिसे शहर के बाजारों में हिन्दू-मुसलमान आपस में काम में लाते थे। दरबारों के ख़ात्मे के साथ यह लोक-कविता की धारा और तेजी से आगे बढ़ती और हिन्दू-मुसलमान, दोनों को अपने साथ बहा ले जाती। इस तरह अंग्रेज़ी राज कायम होने के समय उत्तर भारत में हिन्दुओं-मुसलमानों की एक सामान्य साहित्यिक भाषा भी थी जो कठिन उर्दू से भिन्न थी और जो शहर के साधारण लोगों की सांस्कृतिक एकता का प्रतीक थी। धर्म के आधार पर दो कौमों और दो भाषाओं का अभी सवाल न था।

1798 में जॉन गिलक्राइस्ट ने 'दि ओरियंटल लिंग्विस्ट' में 'हिन्दुस्तान' की प्रचारक भाषा का परिचय देते हुए एक लेख लिखा। इसमें उन्होंने बताया कि यहाँ की भाषा को 'नेटिव और दूसरे लोग' हिन्दी कहते हैं। यह शब्द इंडिया के पुराने नाम हिन्द से बना है। लेकिन इस शब्द (हिन्दी) तथा हिन्दू से बने हिन्दुई जैसे शब्दों से भ्रम होने की गुंजाइश है, इसलिए हिन्दी तथा अन्य नामों को त्यागकर इस नाग को हिन्दुस्तानी कहना चाहिए। इसके बाद धर्म के आधार पर भाषा का विभाजन करते हुए उन्होंने लिखा : "हिन्दवी को मैंने शुद्ध हिन्दुओं की चीज माना है। इसलिए मैंने लगातार उसका प्रयोग भारत की प्राचीन भाषा के लिए किया है जो मुसलमान आक्रमण के पहले यहाँ प्रचलित थी। वह हिन्दुस्तानी का मूलाधार है। यह हिन्दुस्तानी अरबी-फ़ारसी से कुछ ही दिन पहले बनी हुई ऊपर की इमारत है। अंग्रेज़ी के लिए जैसे फ्रांसीसी और लैटिन हैं (अर्थात् अंग्रेज़ी ने उनसे शब्द लिये हैं), वैसे ही हिन्दुस्तानी के लिए फ़ारसी और अरबी हैं। अंग्रेज़ी का मूलाधार जैसे सैक्सन है, वैसे ही हिन्दुस्तानी का आधार हिन्दवी है।" गिलक्राइस्ट ने हिन्दुस्तानी शब्द का प्रयोग उर्दू के लिए किया। प्राचीन हिन्दी को इन्होंने उर्दू का मूलाधार माना, यह ठीक किया। लेकिन इसके बाद उन्होंने यह मत प्रकट किया : "हिन्दू स्वभावत: हिन्दवी की तरफ झुकेंगे और मुसलमान अरबी-फ़ारसी के प्रति आसक्ति दिखाएँगे। इससे दो शैलियाँ पैदा होती हैं :

एक तो उच्च शैली (कोर्ट ऑर हाई स्टाइल) और दूसरी, ग्रामीण या प्राचीन शैली। इनके बीच में एक प्रचलित लोकप्रिय शैली रहेगी जिसे मैंने सर्वोत्तम माना है और जिसका वर्णन अन्य शैलियों के साथ विस्तार के साथ कर चुका हूँ।"[1]

गिलक्राइस्ट की यह स्थापना सही नहीं थी। अरबी-फ़ारसी शब्दावली को प्रधानता देनेवाली जो साहित्यिक शैली विकसित हुई थी, उसका एक संकुचित वर्ग-आधार था। यह वर्ग-आधार संकुचित अवश्य था, किन्तु इसमें मुसलमानों के अलावा हिन्दू भी थे। इसके सिवा जिसे गिलक्राइस्ट ने मध्य शैली कहा है, उसके नमूने उन्हीं ग़ालिब, मीर और सौदा के यहाँ मिलते हैं जिन्होंने उच्च शैली को सँवारा था। यही नहीं, जिसे गिलक्राइस्ट ने ग्रामीण या प्राचीन शैली कहा है—यानी हिन्दी—उसके नमूने भी इन कवियों के यहाँ भरे पड़े हैं। सौदा जैसे कवियों ने ब्रजभाषा में भी कविता की थी। बहादुरशाह ज़फ़र ने हिन्दी और ब्रजभाषा, दोनों में कविता की थी। उधर दयाशंकर नसीम ने उर्दू को अपनाया था। जो एक सांस्कृतिक भेदभाव की बात थी, उसे गिलक्राइस्ट ने बढ़ा-चढ़ाकर धार्मिक भेदभाव की बात बना दिया। अवध, ब्रज, बुंदेलखंड, भोजपुरी जनपदों आदि के गाँवों में हिन्दू और मुसलमान अपने-अपने यहाँ की भाषाएँ बोलते हैं। धर्म के कारण उनमें कहीं भी अलगाव नहीं है, इस बात को उन्होंने बिलकुल भुला दिया।

गिलक्राइस्ट के विपरीत प्रेमचन्द ने देखा था कि जैसे भारत के अन्य प्रान्तों में हिन्दुओं और मुसलमानों की भाषाएँ सामान्य हैं, धर्म के आधार पर उनमें भेद नहीं है, वैसे ही हिन्द प्रदेश में बोलचाल की हिन्दी-उर्दू एक ही है। जहाँ तक बोलचाल की भाषा का सम्बन्ध है, दोनों धर्मों के माननेवाले एक ही जाति के अंग थे और आपस में एक ही भाषा का व्यवहार करते थे। यह एकता जाति के सबसे बड़े हिस्से किसानों में पूरी तरह बनी हुई थी। गिलक्राइस्ट के विपरीत भाषा के सम्बन्ध में प्रेमचन्द ने यह सही स्थापना की थी : "हिन्दुस्तान के हर एक सूबे में मुसलमानों की थोड़ी-बहुत संख्या मौजूद है। संयुक्त प्रान्त के सिवा और-और सूबों में मुसलमानों ने अपने-अपने सूबे की भाषा अपना ली है। बंगाल का मुसलमान बंगला बोलता और लिखता है, गुजरात का गुजराती, मैसूर का कन्नड़ी, मद्रास का तमिल और पंजाब का पंजाबी आदि। यहाँ तक कि उसने अपने-अपने सूबे की लिपि भी ग्रहण कर ली है। उर्दू लिपि और भाषा से यद्यपि उसका धार्मिक और सांस्कृतिक अनुराग हो सकता है; लेकिन नित्य-प्रति के जीवन में उसे उर्दू की बिलकुल आवश्यकता नहीं पड़ती। यदि दूसरे-दूसरे सूबों के मुसलमान अपने-अपने सूबे की भाषा निस्संकोच भाव से सीख सकते हैं और उसे यहाँ तक अपना भी बना सकते हैं कि हिन्दुओं और मुसलमानों की भाषा में नाम को भी कोई भेद नहीं रह जाता, तो फिर संयुक्त

1. जॉन गिलक्राइस्ट, 'दि ओरियंटल लिंग्विस्ट, एन ईज़ी एंड फैमीलिअर इंट्रोडक्शन टु द पॉपुलर लैंग्वेज़ ऑव हिन्दुस्तान', कलकत्ता, 1798

प्रान्त और पंजाब के मुसलमान क्यों हिन्दी से इतनी घृणा करते हैं? हमारे सूबे के देहातों में रहनेवाले मुसलमान प्राय: देहातियों की भाषा ही बोलते हैं। जो बहुत-से मुसलमान देहातों से आकर शहरों में आबाद हो गए हैं, वे भी अपने घरों में देहाती ज़बान ही बोलते हैं। बोलचाल की हिन्दी समझने में न तो साधारण मुसलमानों को ही कोई कठिनता होती है और न बोलचाल की उर्दू समझने में हिन्दुओं को ही, बोलचाल की हिन्दी और उर्दू प्राय: एक-सी ही हैं।"[1]

प्रेमचन्द भाषा की समस्या के बारे में राष्ट्रीय और जनवादी ढंग से सोचते थे। उनके सामने सारे देश का मानचित्र था जहाँ हर प्रदेश में वे हिन्दुओं और मुसलमानों को प्रादेशिक भाषाओं का व्यवहार करते देखते थे। इस आधार पर उन्हें यह दृढ़ विश्वास हुआ था कि जो बात सारे प्रदेशों में हुई है, वह हिन्द प्रदेश में भी होगी। वे गाँवों में हिन्दुओं और मुसलमानों की व्यापक भाषागत और सांस्कृतिक एकता देखते थे। इसलिए धर्म के आधार पर भाषा के विभाजन की बात वह सोच ही न सकते थे।

ग्रियर्सन के अनुसार, लल्लूजी लाल के 'प्रेमसागर' से हिन्दुओं को अपनी भाषा प्राप्त हुई। लल्लूजी लाल ने यह पुस्तक दो मुसलमान सहायकों के सहयोग से लिखी थी जिनके नाम थे मज़हर अली और कासिम अली। मज़हर अली ने 'बैताल पचीसी' की रचना में लल्लूजी लाल की मदद की थी। यदि धर्म के आधार पर भाषा का बँटवारा हो रहा था, तो हिन्दी पुस्तक-रचना में दो मुसलमानों ने एक हिन्दू की मदद कैसे की?

अठारह सौ सत्तावन में हिन्दुओं और मुसलमानों ने अंग्रेज़ों को अपनी सामान्य जातीयता का परिचय अच्छी तरह दिया था। इस महान् संघर्ष में हिन्दुओं और मुसलमानों ने कन्धे से कन्धा मिलाकर युद्ध किया था और इस तरह अपनी जातीय एकता को दृढ़ किया था। यही नहीं, बुंदेलखंड, अवध, भोजपुरी प्रदेश के सैकड़ों योद्धा एक-दूसरे के निकट आए। सन् सत्तावन की समरभूमि मुख्यत: विशाल हिन्दी-भाषी क्षेत्र की धरती थी। जनपदों का अलगाव और भी कम हुआ; पूरब और पछाँह के लोग घुले-मिले। अंग्रेज़ इस जातीय निर्माण के प्रति चौकन्ने थे। जनपदों की बोलियों और हिन्दी के सम्बन्ध पर हम आगे विचार करेंगे। यहाँ हिन्दी-उर्दू की समस्या की चर्चा करेंगे।

शिक्षित भारतवासियों को राष्ट्रीयता का पाठ पढ़ानेवाले अंग्रेज़ यहाँ की हिन्दू-मुस्लिम समस्या के बारे में क्या सोचते थे? अठारह सौ सत्तावन में आई.टी. प्रिचार्ड नामक एक अंग्रेज़ राजस्थान में फौजी काम करता था। उस प्रदेश में तत्कालीन क्रान्ति सम्बन्धी कार्यवाही पर उसने एक पुस्तक लिखी है। उसमें उसने इस बात पर सबसे अधिक आश्चर्य प्रकट किया है कि यहाँ हिन्दू और मुसलमान मिलकर अंग्रेज़ों के विरुद्ध लड़ने लगे। उसने लिखा है : "हम सोचा करते थे कि हिन्दू और मुसलमान किसी भी तरह आपस में एका नहीं कर सकते और मिलकर किसी तीसरे

1. प्रेमचन्द, 'कुछ विचार', बनारस, 1939, पृ. 168-69

सम्प्रदाय के विरुद्ध कभी कार्य नहीं कर सकते। लोगों के लिए यह कहना और हिन्दुस्तान में प्राय: हर एक के लिए ऐसा सोचना सबसे आम बात थी कि चाहे जो हो, हमारे पक्ष में दोनों में से एक जाति पूरी की पूरी अवश्य रहेगी।"[1] अंग्रेज़ों ने इस भेद-नीति को अपनी शासन-नीति का मुख्य अंग बना लिया था। बंगाल सेना में उन्होंने मुसलमानों को ज्यादातर घुड़सवार पल्टनों में रखा था और हिन्दुओं को पैदल पल्टनों में। पैदल सैनिकों की अपेक्षा घुड़सवारों की तनखाह ज्यादा होती थी। हिन्दू-मुस्लिम एकता से अंग्रेज़ शासकों को जो निराशा हुई, उसे इतिहासकार जॉन विलियम ने इन शब्दों में प्रकट किया है : "अप्रैल का महीना खत्म होने के पहले ही लॉर्ड कैनिंग को मालूम पड़ गया होगा कि एशियाई जातियों के परस्पर विरोध से अब कोई आशा नहीं है, जिस विरोध को हमने अपनी शक्ति और सुरक्षा का मुख्य आधार समझा था। स्पष्ट ही हिन्दू और मुसलमान हमारे विरुद्ध एक हो गए थे।"[2] अंग्रेज़ों ने जिस समय दिल्ली का घेरा डाल रखा था, उस समय उनके गुप्तचर अहसानुल्ला ने कोशिश की कि ईद के दिन मुसलमान गोकशी करें और हिन्दुओं और मुसलमानों में दंगा हो। गोकशी के विरुद्ध बहादुरशाह की आज्ञा से इन गुप्तचरों को बहुत निराशा हुई। बरेली में अंग्रेज़ों ने कोशिश की कि दंगे हो जाएँ और इसके लिए उन्होंने पचास हजार रुपये खर्च करना तय किया था; लेकिन सारी रकम ज्यों-की-त्यों अधिकारियों ने सरकार को वापस कर दी क्योंकि पैसा लेकर दंगा करनेवाले मिल ही न रहे थे!

इन सब तथ्यों से यह अनुमान किया जा सकता है कि सन सत्तावन के बाद अंग्रेंजों ने हिन्दी-उर्दू समस्या को जिस तरह उभारा, वह उनकी 'फूट डालो और राज करो' की नीति का अभिन्न अंग थी। बीम्स का मत था कि बोलचाल की भाषा को अरबी-फ़ारसी के कोश से समृद्ध करना चाहिए; ग्राउज़ का मत था कि संस्कृत से शब्द लेने चाहिए। सन् सत्तावन के बाद भारतीय समाज का विकास रुका नहीं। यदि भारत में अंग्रेज़ी राज कायम न होता, तो यह विकास बिलकुल दूसरे ढंग का होता। अब वह रुक-रुककर, अंग्रेज़ी शासन द्वारा उत्पन्न किए हुए अवरोधों से टकराकर, औपनिवेशिक परिस्थितियों में विषम गति से हुआ। सामन्तवाद का खात्मा न हुआ। बड़े-बड़े देशी राज्यों के अलावा हजारों ताल्लुकेदार और जमींदार ब्रिटिश राज्यसत्ता के स्तम्भ-स्वरूप यहाँ बने रहे। यहाँ जो पूँजीवाद विकसित हुआ, वह भारतीय सामन्तवाद और विदेशी साम्राज्यवाद, दोनों से दबा हुआ था। उन्नीसवीं सदी में उसने आज़ादी का ख्वाब देखना भी न सीखा था। बीसवीं सदी में उसने जब ब्रिटिश राज का सीमित विरोध करना सीखा, तब उसे सबसे बड़ी दहशत यह लगी रहती थी कि भारत की जनता कहीं क्रान्ति न कर दे! इसलिए वह जनता को रोकने और ब्रिटिश राज से समझौता करने के लिए बराबर तत्पर रहता था।

1. आई.टी. प्रिचार्ड, 'दि म्यूटिनीज इन राजपूताना', लन्दन, 1860, पृ. 298
2. नॉन विलियम के., 'ए हिस्ट्री ऑव दी सिपोय वार इन इंडिया'

हिन्दी-उर्दू की एकता और परस्पर भेद के बारे में 8 सितम्बर, 1873 की 'कवि-वचन-सुधा' में भारतेन्दु ने जो कुछ लिखा था, उससे बढ़कर अभी तक कोई कुछ नहीं लिख सका है। शीर्षक अंग्रेज़ी में था : 'Hindi versus Urdu, Philologically हिन्दी और उर्दू'। इसमें यह महत्त्वपूर्ण स्थापना है : "हिन्दी और उर्दू में अन्तर क्या है? हम बिना संकोच के उत्तर देते हैं कि भाषाओं में कुछ अन्तर नहीं है क्योंकि व्याकरण की विभक्तियाँ और नियम, दोनों के एक हैं पर इतना ही अन्तर है कि हिन्दी में जिसके लिए हिन्दी शब्द नहीं मिलता, वहाँ संस्कृत शब्द काम में आते हैं और उर्दू में सहज हिन्दी शब्द होने पर भी और जहाँ शब्द नहीं मिलते हैं, वहाँ तो अवश्य ही अरबी और फ़ारसी के शब्द लिखे जाते हैं, यही दोनों में अन्तर है।" अपनी इस स्थापना के अनुरूप भारतेन्दु ने उर्दू के प्रचलित शब्दों का बहिष्कार नहीं किया। नज़ीर अकबराबादी और अन्य सूफ़ियों की काव्य-परम्परा का अनुसरण करते हुए उन्होंने खड़ी बोली में इस तरह की रचनाएँ भी की हैं :

*श्री राधा माधव जुगल चरन रस का अपने को मस्त बना।*
*पी प्रेम पियाला भर-भर कर कुछ इस मै का भी देख मज़ा।*
*यह वह मै है जिसके पीने से और ध्यान छुट जाता है।*
*अपने में औ दिलवर में फिर कुछ भेद नहीं दिखलाता है।*
*इसके सुरूर से मस्त हरेक अपने को नज़र बस आता है।*
*फिर और हवस रहती न ज़रा कुछ ऐसा मज़ा दिखाता है।*
*टुक मान मेरा कहना दिल को इस मैख़ाने की तर्फ झुका।*
*पी प्रेम पियाला भर-भर कर कुछ इस मै का भी देख मज़ा।*

भारतेन्दु की हिन्दी नीति का अनुसरण करते हुए बालकृष्ण भट्ट भी उर्दू के सरल शब्दों का प्रयोग करते थे। वह हिन्दी-उर्दू को एक ही भाषा मानते थे। उन्होंने फरवरी, 1885 के 'हिन्दी प्रदीप' में लिखा था : "यह कौन कहता है कि उर्दू दूसरी वस्तु है? सच पूछो तो उर्दू भी इसी हिन्दी का एक रूपान्तर है।"[1]

बालमुकुन्द गुप्त हिन्दी-उर्दू को एक ही भाषा के दो रूप मानते थे। दोनों में लिपि और शब्दावली का भेद था। उन्होंने लिखा था : "इस समय हिन्दी के दो रूप हैं : एक उर्दू, दूसरा हिन्दी। दोनों में केवल शब्दों का ही नहीं, लिपि-भेद बड़ा भारी पड़ा हुआ है। यदि यह भेद न होता तो दोनों रूप मिलकर एक हो जाते। यदि आदि से फ़ारसी लिपि के स्थान में देवनागरी लिपि रहती तो यह भेद ही न होता। अब भी लिपि एक होने से भेद मिट सकता है। पर जल्द ऐसा होने की आशा कम है। अभी दोनों रूप कुछ काल तक अलग-अलग अपनी-अपनी चमक-दमक दिखाने की चेष्टा करेंगे। आगे समय जो करावैगा, वही होगा।" गुप्त जी को विश्वास था कि

1. राजेन्द्र शर्मा द्वारा 'हिन्दी गद्य के निर्माता बालकृष्ण भट्ट' (आगरा) में उद्धृत, पृ. 349

दोनों रूप मिलकर एक होंगे, इसलिए हिन्दी-उर्दू के साहित्यकारों को एक-दूसरे के साहित्य में परिचित होना चाहिए। उन्होंने हिन्दी-भाषियों को उर्दू साहित्य से परिचित कराने के लिए अनेक निबन्ध लिखे थे। उपर्युक्त वाक्य उन्होंने 'हिन्दी भाषा की भूमिका' नाम के निबन्ध में लिखे थे। उसी में आगे लिखा था : "बड़ी कठिनाई तो यह है कि दोनों एक-दूसरे को न पहचानते हैं, न पहचानने की चेष्टा करते हैं। इससे बड़ा भारी अन्तर हो जाता है! जो लोग उर्दू के अच्छे कवि और ज्ञाता हैं, वह हिन्दी की ओर ध्यान देना कुछ आवश्यक नहीं समझते। इसी से देवनागरी अक्षर भी नहीं सीखते और भारतवर्ष के साहित्य से निरे अनभिज्ञ हैं। अरब और फारिस के साहित्य की ओर खिंचते हैं। साथ-साथ भारतवर्ष के साहित्य से घृणा करते और जी चुराते हैं। उधर हिन्दी के प्रेमी भी उर्दू की ओर कम दृष्टि रखते हैं और उर्दू वालों को अपनी ओर की बातें ठीक-ठीक समझाने की चेष्टा नहीं करते। यदि दोनों ओर से चेष्टा हो तो इस भाषा की बहुत-कुछ उन्नति हो सकती है।" दोनों ओर के लोग चेष्टा करें तो किस भाषा की उन्नति होगी—हिन्दी की या उर्दू की? गुप्त जी का आशय उस सामान्य भाषा से है जिसके आधार पर हिन्दी-उर्दू की दो शैलियों का विकास हुआ था। उनका अपना प्रयत्न यह था कि सबसे पहले हिन्दी-उर्दू वाले एक-दूसरे के साहित्य से परिचित हों। "मैं इस पुस्तक द्वारा दोनों ओर के लोगों को एक-दूसरे की बातें ठीक-ठीक समझा देने की चेष्टा करूँगा। इसमें मेरा अधिक श्रम हिन्दी वालों के लिए होगा।"[1]

हिन्दुस्तानी जाति के गठन और उसके सांस्कृतिक विकास के लिए 19वीं सदी का हिन्दी आन्दोलन एक ऐतिहासिक आवश्यकता थी। हिन्द प्रदेश की जनपदीय बोलियों का शब्द-भंडार, ब्रजभाषा, अवधी, मैथिली आदि के साहित्य में प्रयुक्त शब्द-भडार, बंगला, मराठी, गुजराती, तेलगू, कन्नड़, मलयालम आदि भाषाओं के शब्द-भंडार का बहुत बड़ा सामान्य भाग हिन्दी में आया। उर्दू बहुत कुछ इस विकास-परम्परा से दूर जा पड़ी थी। ईरानी संस्कृति के प्रभाव से यहाँ की लिपियों, भाषाओं आदि को जो उभरने का मौका न मिला था, उस कमी का हिन्दी ने पूरा किया। तुर्कों और मुगलों ने यहाँ फ़ारसी को राजभाषा न बनाया होता, तो यह अधिकार अमीर ख़ुसरो के समय में, और उससे भी पहले, हिन्दी को मिलता। फ़ारसी के बाद अंग्रेज़ी की कृपा से कचहरियों, दफ्तरों, आदि में उर्दू का चलन हुआ। यह उर्दू बोलचाल की उर्दू न थी जिसके नमूने नज़ीर, सौदा, जफ़र आदि से हमने ऊपर दिये हैं। यह उर्दू ऐसी थी जिसमें सभी पारिभाषिक शब्द अरबी-फ़ारसी के थे और यहाँ की जनता के लिए पहेली थे। इसलिए देहात में पढ़े-लिखे आदमी का अर्थ होता था—उर्दू जाननेवाला। जो 'पढ़ा-लिखा' आदमी उर्दू न जानता था, वह गाँव वालों के किसी काम न आ सकता था, अर्थात् कचहरी या दफ्तरों के 'कागजात' समझ

1. बालमुकुन्द गुप्त, 'निबन्धावली', पृ. 110-11

न सकता था और न कोई सलाह दे सकता था। रोटी-रोज़ी के लिए उर्दू जानना आवश्यक था। कबीर, सूर और जायसी की शब्दावली का व्यवहार करनेवाला गँवार समझा जाता था; शराफत और शाइस्तगी फ़ारसी-बहुल भाषा के व्यवहार करने में समझी जाती थी। इसी कारण कचहरियों और सरकारी दफ्तरों में हिन्दी-प्रवेश के लिए आन्दोलन चला। इस आन्दोलन के विरुद्ध मुसलमानों को उभारना अंग्रेज़ों के लिए कठिन नहीं था। पुलिस-कचहरी में अल्पसंख्यकों को अनुपात से ज्यादा जगहें देकर अंग्रेज़ बहुसंख्यकों को दबाने की नीति बरत रहे थे। उन्होंने भाषा और धर्म को जातीय विघटन और उत्पीड़न का साधन बनाया था। इस पर भी बालमुकुन्द गुप्त जैसे लेखक हिन्दी-उर्दू, दोनों में रचनाएँ करते रहे और दोनों को एक-दूसरे के निकट लाने का प्रयत्न करते रहे, इसके लिए उनकी जितनी प्रशंसा की जाए, उतनी कम है। आश्चर्य इस बात पर न होना चाहिए कि उन्होंने उर्दू पर कुछ फब्तियाँ कसीं, वरन् इस पर होना चाहिए कि उकसावे का इतना सामान होने पर भी वे एकता के लिए बराबर प्रयत्न करते रहे और हिन्दी में उन्होंने मतरूकात का सिलसिला शुरू न किया।

ग्रियर्सन के अनुसार अंग्रेज़ों की प्रेरणा से आधुनिक हिन्दी का जन्म हुआ। लल्लूजी लाल-रचित 'प्रेमसागर' द्वारा हिन्दुओं को परस्पर व्यवहार के लिए गद्य की भाषा मिली। इस भाषा का निर्माण उर्दू शब्दों को निकालकर उनकी जगह इंडो-आर्य अर्थात् संस्कृत शब्दों के प्रयोग से हुआ। ग्रियर्सन को यह मालूम था कि बहुत-से हिन्दू उर्दू का व्यवहार करते हैं। इसलिए हिन्दुओं की ही भाषा हिन्दी है, यह कहना कठिन होता। उन्होंने हिन्दी को धार्मिक हिन्दुओं (पायस हिन्दूज) की भाषा कहा। लिंग्विस्टिक सर्वे की भूमिका में उन्होंने हिन्दी के जन्म के बारे में लिखा : "यह हिन्दी, जिसे उच्च हिन्दी (हाई हिन्दी) भी कहा जाता है, उन हिन्दुओं के गद्य की साहित्यिक भाषा है जो उर्दू का व्यवहार नहीं करते। इसकी उत्पत्ति हाल की है और पिछली शताब्दी (अर्थात् उन्नीसवीं शताब्दी) के आरम्भ-काल में अंग्रेज़ी प्रभाव से उसका चलन हुआ। तब तक हिन्दू गद्य लिखते थे, और उर्दू का प्रयोग न करते थे, तो अपनी स्थानीय बोली अवधी, बुन्देली, ब्रजभाषा, वर्नाक्युलर हिन्दोस्तानी आदि-आदि को व्यवहार करते थे। डॉक्टर गिलक्राइस्ट की प्रेरणा से लल्लूजी लाल ने प्रसिद्ध ग्रंथ 'प्रेमसागर' लिखकर यह स्थिति बदल दी। इस ग्रंथ के गद्य भाग प्राय: उर्दू में लिखे गए थे, अन्तर यह था कि जहाँ उर्दू लेखक फ़ारसी शब्द इस्तेमाल करता, वहाँ लल्लूजी लाल ने इंडो-आर्य शब्द रख दिये थे। उत्तरी दोआब की जो वास्तविक वर्नाक्युलर थी, उसकी ओर फिर लौटने का काम अपने-आप हुआ। आरम्भ से ही यह नया प्रयोग सफल हुआ। उसमें लिखी हुई प्रथम पुस्तक ने सभी धार्मिक हिन्दुओं का ध्यान आकर्षित किया और अरबी साज के समान लेखक की संगीतमय और लयपूर्ण शैली ने उनको मुग्ध कर दिया।

इस प्रकार इस भाषा ने एक कमी पूरी की। इसने हिन्दुओं को एक लिंगुआ-फ्रांका (सामान्य भाषा) दी। मुसलमानों के शब्दों का, जो उनके लिए अस्पष्ट थे, सहारा लिये बिना दूर-दूर के प्रान्तों के लोग इसके द्वारा एक-दूसरे से बातचीत कर सकते थे। हर जगह वह आसानी से समझ में आ जाती थी क्योंकि उसका व्याकरण उस भाषा का था जिसे हर हिन्दू सरकारी अफसरों के साथ अपने काम-काज में व्यवहृत करता था और उसका शब्द-भंडार उत्तर भारत की सभी इंडो-आर्य भाषाओं की सामान्य सम्पत्ति था। इसके सिवा टीका-टिप्पणियों जैसी चीजों को छोड़कर भारत की किसी भी वर्नाक्युलर में इससे पहले बहुत कम गद्य लिखा गया था। प्राय: सारा साहित्य पद्य तक सीमित था। इसलिए बिहार से लेकर पंजाब तक हिन्दुस्तान में सर्वत्र स्वभावत: 'प्रेमसागर' की भाषा हिन्दू गद्य का आदर्श बन गई। अब तक वह अपना यह स्थान बनाए हुए है।

'प्रेमसागर' ने धार्मिक हिन्दुओं का ध्यान आकर्षित किया। उससे हिन्दुओं को लिंगुआ-फ्रांका प्राप्त हुई। उसने हिन्दू गद्य का आदर्श प्रस्तुत किया। इसके द्वारा दूर-दूर के हिन्दू आपस में बातचीत कर सकते थे। कहना चाहिए कि गिलक्राइस्ट की प्रेरणा से लल्लूजी लाल ने हिन्दू राष्ट्र का निर्माण किया। लेकिन बंगाल, गुजरात, महाराष्ट्र आदि अहिन्दी प्रदेशों के हिन्दू वहाँ के मुसलमानों के समान बंगला, गुजराती, मराठी आदि भाषाएँ बोलते थे। अंग्रेज़ों की कृपा से इन अहिन्दी भाषाओं में हिन्दू गद्य और मुस्लिम गद्य का विकास न हो सका; मुस्लिम मिल्लत और हिन्दू राष्ट्र के विकास में कसर रह गई। इन अहिन्दी भाषाओं का नाश भी नहीं हुआ जिससे सारे देश में धर्म के आधार पर दो ही भाषाओं का चलन होता!

ग्रियर्सन के अनुसार, टीका-टिप्पणियों के अलावा भारत की किसी भी भाषा में 'प्रेमसागर' के रचना-काल तक गद्य का विकास हुआ ही न था। बहमनी राजाओं ने हिन्दी को राजभाषा बनाया था। शेरशाह ने फ़ारसी के साथ हिन्दी को राजकाज का माध्यम माना था। जाट सामन्तों ने राजकाज के लिए ब्रजभाषा का व्यवहार किया था। छत्रसाल सरकारी काम बुंदेलखंडी में करते थे। मराठा राज्य की भाषा मराठी थी। फिर भी यहाँ की किसी भाषा में टीका-टिप्पणियों को छोड़कर गद्य का विकास न हुआ था! 1635 ई. में, जब अंग्रेज़ी गद्य का कोई उल्लेखनीय विकास न हुआ था, मुल्ला वजही ने 'सबरस' में लिखा था : "आज लगन कोई इस जहान में हिन्दुस्तान में हिन्दी ज़बान में इस लताफत इस छन्दां सों नज़्म हौर नस्र मिला कर गुला कर नहीं बोल्या।" ग्रियर्सन यह सिद्ध करना चाहते थे कि यहाँ के सांस्कृतिक जागरण के अग्रदूत हैं अंग्रेज़ जिन्होंने एशियाई अज्ञान के अंधकूप से यहाँ के लोगों को बाहर निकाला और यूरोपीय सभ्यता का प्रकाश दिखाकर उन्हें सभ्य बनाया। इसीलिए उनकी समझ में गिलक्राइस्ट के प्रेरणादान से पहले यहाँ के हिन्दू परस्पर विचार-विनिमय भी न कर सकते थे।

ग्रियर्सन की एक स्थापना यह थी कि हिन्दी और उर्दू की वाक्य-रचना अलग-अलग ढंग से होती है। उन्होंने लिखा था : "लल्लूजी लाल के समय से हिन्दी ने अपने लिए शैली के कुछ नियम बना लिये हैं जिनके कारण वह उर्दू से भिन्न हो जाती है। इसमें मुख्य नियम का सम्बन्ध शब्द-क्रम से है जो हिन्दुस्तानी के उस रूप की तुलना में कम स्वच्छन्द होता है।" सम्भव है, ग्रियर्सन का आशय यह हो कि उर्दू में जैसे वाक्यांश आगे-पीछे कर दिये जाते हैं—यथा मीर अम्मन के ऊपर वाले उद्धरण में—वैसे हिन्दी में नहीं किये जाते। लेकिन उन्होंने हिन्दुओं की उर्दू और मुसलमानों की उर्दू में भी भेद किया है। उन्होंने स्पष्ट लिखा है : "केवल मुसलमानों की उर्दू में हमें वाक्य-रचना का फ़ारसी शब्द-क्रम मिलता है।" (ओनली इन दि उर्दू ऑव दि मुसलमान्स डु वी फाइंड दि पर्शियन ऑर्डर ऑव वर्ड्स इन ए सेंटेंस।) ग्रियर्सन जैसे भाषाविज्ञानी को इस तरह का मत प्रकट करते हुए देखकर आश्चर्य होता है। लगता है, यह बात वह जल्दी में नहीं कह गए। काफी सोच-विचार के बाद उन्होंने मुस्लिम उर्दू और हिन्दू उर्दू के भेद पर अपनी राय कायम की थी। उन्होंने इस प्रसंग में लिखा था कि "नेटिव सहज-बोध (इंस्टिक्ट) विदेशी रचनाक्रम के विरुद्ध इतना दृढ़ है कि हिन्दू किसी बोली को शब्द-भंडार के आधार पर नहीं वरन् उसके शब्द-क्रम के आधार पर उर्दू अर्थात् हिन्दुस्तानी का फ़ारसीयत वाला रूप मानते हैं।" इस नियम के अनुसार नज़ीर, इंशा आदि को हिन्दी साहित्य के इतिहास में जगह न मिलनी चाहिए और दयाशंकर नसीम, रतननाथ सरशार जैसों को उर्दू साहित्य के इतिहास में स्थान न मिलना चाहिए।

मुहम्मद हुसेन आज़ाद जैसे लेखक मुसलमान बच्चों को जिस फ़ारसी शब्दक्रम वाली उर्दू का अभ्यास कराते थे, उसकी मिसाल यह है। एक लड़के और जुलाहे में बातचीत हो रही है : "मियाँ! यह थान कितने को बेचोगे?"..."हुजूर! दो-ढाई रुपये को बिकेगा।"..."इस काम में क्या रहा?"..."जब से कल का कपड़ा चला है, इसे टके गज़ कोई नहीं लेता। अब तो नैनूं लट्ठे की कदर है। एक दिन वह था कि हमारे हाथ के कपड़े बड़े-बड़े अमीर पहनते थे। एक दिन यह है कि ग़रीब भी नहीं पूछते। क्या करें? अपने दिन पूरे करते हैं, कमती-बढ़ती बेच ही डालते हैं।"..."सुनो—हिम्मत न हारो, मेहनत किये जाओ—बहुत न सही, थोड़ा ही सही। तुम्हारा काम बहुत अच्छा है। गरीब के तन ढँकते हैं। अमीरों के भी काम निकलते हैं। वह आप नहीं पहनते, पर उनके सायबान, परदे, कनातें और तम्बू बनते हैं।" इस 'मुस्लिम उर्दू' पर बालमुकुन्द ने 'हिन्दी उर्दू' में टिप्पणी की है : "जहाँ जिसका बयान किया है, उसकी तसवीर खींच दी है। देखिए तो ग़रीब जुलाहे की हालत, कितनी खूबसूरती से दिखाई है! आज अगर हज़रत आज़ाद को खबर होती कि स्वदेशी तहरीक की बदौलत उनके ग़रीब जुलाहे के दिन फिरे हैं, और आपने जो उसे हिम्मत दिलाई थी कि मेहनत किये जाओ, उसका उसे फल मिला है, वह कितने खुश होते हैं?"[1]

1. बालमुकुन्द गुप्त, 'निबन्धावली', पृ. 101

यह मामूली आदमी का काम नहीं है कि आजाद और बालमुकुन्द गुप्त की वाक्य-रचना में फ़ारसी-हिन्दी का भेद पहचान लें। ग्रियर्सन का कहना है कि उन्नीसवीं सदी में शुद्ध हिन्दी में कहानियाँ लिखी गईं जिनमें एक भी फ़ारसी शब्द न था, फिर भी "हिन्दू लेखक उसे उर्दू नाम देते थे क्योंकि वाक्य-रचना फ़ारसी ढंग की थी। लेखक मुसलमान था। इसलिए बचपन में मौलवी ने उसे जो मुहावरे सिखा, थे, उन्हें इस्तेमाल करने की आदत वह छोड़ न पाता था।" बचपन में किस तरह की उर्दू सिखाई जाती थी, उसका एक नमूना ऊपर है। इस उर्दू को सीखकर कोई शुद्ध हिन्दी की वाक्य-रचना फ़ारसी ढंग से कैसे करने लगेगा, यह समझ से परे है।

ग्रियर्सन ने मानो यह तै कर लिया था कि हिन्दी-उर्दू का सम्बन्ध हिन्दू धर्म और इस्लाम से जोड़ेंगे ही। उर्दू का प्रसार क्यों हुआ? इस्लाम के कारण। "इस्लाम ने उर्दू को दूर-दूर तक पहुँचाया है। बंगाल और उड़ीसा में भी हमें मुसलमान नेटिव मिलते हैं जिनकी वर्नाक्युलर उनके प्रदेशवासियों की नहीं होती वरन् दिल्ली और लखनऊ की ज़बान बोलने की कोशिश—अक्सर भद्दी कोशिश—होती है।" मुमकिन है कि ग्रियर्सन को कुछ खानसामा वगैरह मिले हों जो यह समझकर कि साहब हिन्दुस्तानी समझता है, दिल्ली और लखनऊ की ज़बान बोले हों। यह भी सम्भव है कि कुछ अल्पसंख्यक यहाँ से जाकर उधर बस गए हों और अपनी मातृभाषा अपनाये रहे हों। दक्खिन में, बम्बई और कलकत्ते में बहुत-से मुसलमान उर्दू बोलते हैं। इनमें अधिकांश उत्तर से गए हुए अल्पसंख्यक हैं या उन्होंने उत्तरवासियों के सम्पर्क से यह भाषा सीख ली है। साधारण नियम यही है कि हर प्रदेश में मुस्लिम जनसाधारण वहीं की भाषा बोलते हैं। यदि इस्लाम से उर्दू का कोई आध्यात्मिक सम्बन्ध होता तो वह सबसे पहले इस्लाम की जन्मभूमि अरब में बोली जाती। उसके बाद तुर्की, ईरान, इराक जैसे देशों में भी वह मुसलमानों की मातृभाषा होती। लेकिन इस देश के बाहर की बात दूर, यहीं के मुसलमान कश्मीरी, सिन्धी, बंगला आदि भाषाएँ बोलते रहे हैं और उनमें बहुत शानदार साहित्य भी रच चुके हैं।

ग्रियर्सन की अन्य भ्रान्तियों की तरह यह इस्लाम के कारण उर्दू के प्रसार की भ्रान्ति भी है। किन्तु इसमें सन्देह नहीं कि कुछ मुसलमान उर्दू भाषा और लिपि से अपना धार्मिक सम्बन्ध मानते हैं। कुछ लोग फ़ारसी-अरबी का भेद न समझकर दोनों भाषाओं के शब्दों को अपनी धार्मिक भाषा का शब्द मान बैठते हैं। मुसलमानों का धर्म ग्रंथ अरबी भाषा में है। अरबी सामी-परिवार की भाषा है। जैसे अरब देश इस्लाम से पुराना है, वैसे ही अरबी भाषा इस्लाम से पुरानी है। जिस परिवार की सदस्य अरबी है, उसी की सदस्य हिब्रू है। कुछ धर्म-प्रेमी विद्वान पहले कहा करते थे कि हज़रत आदम हिब्रू बोलते थे, इसलिए संसार की सभी भाषाएँ हिब्रू से उत्पन्न हुई हैं। अब अगर भाषा का आधार धर्म होता तो यूरोप में सामी-परिवार की भाषाओं का चलन होता क्योंकि ईसा मसीह इसी परिवार की भाषा बोलते थे। लेकिन यूरोप

में ईसाई चर्च की भाषा लैटिन रही, कुछ देशों में ग्रीक का प्राधान्य है। ग्रीक और लैटिन को हिन्दी यूरोपीय या आर्य भाषा माना जाता है। इस बारे में तो ज़रा भी सन्देह नहीं कि अपने उच्चतम विकासकाल में ये भाषाएँ गैर-ईसाइयों में प्रचलित थीं। विधर्मियों की भाषाएँ लेकर ईसाई चर्च ने अपना प्रभुत्व स्थापित किया। यूरोप में ग्रीक, लैटिन, स्लाव, फिनोउग्रियन और जर्मन कुलों की भाषाएँ बोली जाती हैं यद्यपि इनके बोलनेवालों में अधिकांश ईसाई हैं। भाषा-परिवारों के निर्माण और भाषाओं के विकास की प्रक्रिया में कहीं भी हम धर्म को नियामक शक्ति के रूप में नहीं देखते। ईसाई धर्म इन भाषाओं और भाषा-परिवारों के भेद और समानता को मिटाने या कायम करने की स्थिति में नहीं रहा। उदाहरण के लिए, अंग्रेज़ ईश्वर को गॉड कहते हैं। जर्मन उसे 'गॉट' कहते हैं। दोनों शब्द एक ही परिवार के हैं। लेकिन फ्रांसीसी भाषा में ईश्वरवाचक शब्द दूसरा है—द्यु (या दियू)। यह शब्द भारतीय दिव् और देव से सम्बन्धित है। रूसी शब्द है बोग, जो ऐश्वर्यवाचक संस्कृत भग शब्द का एक रूप है। हंगेरियन भाषा में उसी के लिए शब्द है इस्तेन। धर्म एक है किन्तु ईश्वर के लिए भी इन भाषाकुलों के अलग-अलग शब्द हैं।

मुसलमान ईश्वर को खुदा कहते हैं, अल्लाह भी कहते हैं। खुदा फ़ारसी का शब्द है, अल्लाह अरबी का। भारत में हर जगह वे अपनी धार्मिक प्रार्थना को नमाज़ कहते हैं। यह शब्द भी अरबी का न होकर फ़ारसी का है। अरबी शब्द है सलात (सल्त का बहुवचन)। तुर्की में खुदा के लिए उस भाषा का अपना प्रचलित शब्द है तन्रि। फ़ारसी में अरबी शब्दों की भरमार है। इसका कारण इस्लाम धर्म का प्रसार उतना नहीं है जितना ईरान पर अरब का राजनीतिक और सांस्कृतिक प्रभुत्व है। फ़ारसी ने उच्च सांस्कृतिक स्तर की शब्दावली को ही अरबी से नहीं अपनाया, उसके मूल शब्द-भंडार में भी सैकड़ों अरबी शब्द भर गए और वे फ़ारसी के माध्यम से भारतीय भाषाओं में—न्यूनाधिक मात्रा में—आए। यदि कोई इन शब्दों का विशेष सम्बन्ध इस्लाम धर्म से माने तो उसकी इच्छा, लेकिन उसे यह न भूलना चाहिए कि फ़ारसी हिन्द-यूरोपीय परिवार की भाषा मानी जाती है। वह संस्कृत के बहुत निकट है, इसमें कोई सन्देह नहीं। फ़ारसी अस्त (है) संस्कृत अस्ति के समान अस् धातु का एक रूप है। होने के लिए बूदन् भू की समकक्ष धातु है। खड़े होने के लिए इस्तादन् क्रिया संस्कृत स्था (स्लाव स्तो) का फ़ारसी प्रतिरूप है। देने के लिए दादन् स्पष्ट ही संस्कृत की दा धातु है। इसी तरह खींचने के लिए कशीदन्, संस्कृत कृष्, उसी की समरूप फ़ारसी धातु है किश्तन् जिसका अर्थ है जोतना, करने के लिए कर्दन्, संस्कृत कृ, पकाने के लिए पुख़्तन, संस्कृत पुष्, पूछने के लिए पूर्सीदन, संस्कृत प्रच्छ् (पृश्), डरने के लिए तर्सीदन्, संस्कृत त्रस्, आस्वादन के लिए चषीदन्, संस्कृत चष्, जीने के लिए ज़ीस्तन, संस्कृत जीव् (जी), स्तवन के लिए सितूदन, संस्कृत स्तु, सुनने के लिए शिनूदन् और शनीदन्, संस्कृत श्रु,

खोदने के लिए कन्दन्, संस्कृत खन्, खाने के लिए खुर्दन, संस्कृत खाद्, बाँधने के लिए बन्दीदन्, संस्कृत बंध्—इस तरह की फ़ारसी-संस्कृत की सामान्य क्रियाएँ दोनों भाषाओं का प्राचीन और घनिष्ठ सम्पर्क सिद्ध करती हैं। फ़ारसी-संस्कृत में कुछ शब्द-रूप और अर्थ एक से हैं। नाम, तन, दूर, न आदि शब्द दोनों भाषाओं में एक ही रूप-अर्थ वाले हैं। संस्कृत के ऐसे शब्द फ़ारसी में बहुत हैं जो थोड़े ध्वनि-परिवर्तन के साथ उस भाषा में स्वीकृत हैं। सिरिश्त—सृष्टि, शिता—शीत, किर्म—कृमि, अस्प—अश्व, अंगुश्त—अंगुष्ठ, बार—भार, बूम—भूमि, दर—द्वार, पा—पाद, पुश्त—पृष्ठ, तिश्ना—तृष्णा, जव—यव, जुवान—युवन्, ख़र—खर, ख़ुश्क—शुष्क, दंदा—दन्त, ज़ानू-जानु, ज़न (ज़नी)—जनी, साया—छाया, नौ—नव, आब आप:, अब्र—अभ्र, अब्रू—भ्रू, सर—शिर, सफेद—श्वेत, शीर—क्षीर, सन्दल—चन्दन, काफूर—कर्पूर, कान—खनि, कुजा—कुत:, गाव—गो, मुश्त (मुश्ती)—मुष्टि, बन्द—बंध, तप—ताप, दोश—दोषा (रात्रि), सतर (पंक्ति)—सत्र, सोग—शोक—इस तरह भिन्न ध्वनि किन्तु समान अर्थ वाले बहुत-से शब्द दोनों भाषाओं में सामान्य हैं। फ़ारसी में माता-पिता के लिए मादर-पिदर, दुहिता के लिए दुख़्तर, स्वसा के लिए ख़्वाहर, भ्राता के लिए बिरादर आदि परिवार-सम्बन्धी शब्द प्रयुक्त होते हैं जो संस्कृत-परिवार के ही हैं। संख्यावाचक शब्द सद—शत, दुह—दशा, बीस्त—बिंशति, हश्त—अष्ट, पंज—पंच, शश्—षष्, हफ्त—सप्त, आदि हमारे परिवार के हैं। फ़ारसी में ज़ाद शब्द का बहुत प्रयोग होता है जो संस्कृत का जात: शब्द है : आदमी-ज़ाद, अर्थात् आदमी से उत्पन्न। फ़ारसी में ज़ाद से क्रिया बनाई गई है, ज़ादन। ज़िन्दा शब्द में नकार उसी प्रवृत्ति के कारण है जिससे पथ का भिन्न रूप पंथ भी होता है। ख़्वाब का अर्थ है निद्रा और यह स्वप्न का फ़ारसी रूप है। बुत शब्द डॉ. चाटुर्ज्या के अनुसार, बुद्ध से बना है; बुद्ध की मूर्तियों की अधिकता से लोग मूर्तिमान को बुद्ध-बुत कहने लगे। वर्ष के लिए साल शब्द सूरि से बना है। चन्द्रमा के बदले सूर्य की गति के आधार पर जिस वर्ष की गणना होती है, उसी को साल कहते हैं। सूर्य के लिए जैसे लैटिन में सोल शब्द है, वैसे ही फ़ारसी में साल शब्द चला है। बोगाज़ कुई के इन्द्र-वरुण-पूजक मर्तन्नी जन मर्त्य होने के कारण अपने को इस नाम से पुकारत थे। फ़ारसी के मर्द और मुर्दा शब्दों का स्रोत वही है जो मर्त्य और मर्तन्नी का था। अर्थ में भेद है। फ़ारसी में चन्द्रमा और महीने के लिए माह शब्द है; यह संस्कृत का मास शब्द है।

जो लोग फ़ारसी के शब्दों को इस्लामी संस्कृति का अभिन्न अंग समझकर अपनी भाषा में सजाते हैं, वे अक्सर अनजान में काफ़िर शब्दों को ही यह सम्मान देते हैं। जब वे हफ़्ते को उच्च शब्द और सप्त या सात को नीच शब्द समझते हैं, तब वे यही सिद्ध करते हैं कि वे इस्लाम नहीं, ईरानी संस्कृति के गुलाम हैं। इस्लाम अनेक भाषाएँ बोलनेवाले देशों में फैला; बौद्ध, हिन्दू, ईसाई धर्म भी अनेक भाषाएँ

बोलनेवाली जातियों में फैले। इन सब जातियों की अपनी-अपनी संस्कृतियाँ हैं। ईसाई धर्म अफ्रीका में फैला, भारत में फैला, उसके बाद यूरोप में फैला। इससे यूरोप के साम्राज्यवादी अफ्रीका और भारत को गुलाम बनाने से बाज न आए। यूरोप के लोग यदि अपनी यूरोपीय संस्कृति पर गर्व करते हैं तो इसका कारण ईसाई धर्म नहीं है; ईसाई धर्म माननेवाले हब्शियों को वे यूरोपीय सभ्यता का प्रतिनिधि नहीं मान लेते। यूरोपीय सभ्यता वहाँ के अनेक देशों के परस्पर सहयोग और उनके सांस्कृतिक आदान-प्रदान से बनी है। इस संस्कृति को बनानेवालों में मार्क्स, फ्रायड और आइंस्टाइन जैसे यहूदी भी रहे हैं जो ईसाई धर्म को न मानते थे। इसी तरह भारतीय संस्कृति के निर्माण में यहाँ के बौद्ध, जैन, सिख, ईसाई, मुसलमान—सभी धर्म के अनुयायियों ने योग दिया है; वह केवल हिन्दुओं की संस्कृति नहीं है। जो लोग हिन्दुत्व के जोश में संस्कृत को भारत की राष्ट्रभाषा बनाना चाहते हैं या हिन्दी तथा भारत की अन्य भाषाओं को संस्कृत शब्दावली से गले तक भर देना चाहते हैं, वे न संस्कृत के विकास को समझते हैं, न हिन्दी और अन्य भारतीय भाषाओं का विकास पहचानते हैं। जब लोग इस्लामी संस्कृति की बात करते हैं, तब उनका मतलब तुर्की, ताजिकिस्तान, उजबेकिस्तान, अफगानिस्तान की संस्कृति नहीं होता; हिन्दुस्तान के सिन्धी, कश्मीरी, पंजाबी या बंगाली मुसलमानों की संस्कृति नहीं होता; उनका मतलब होता है अरब और ईरान की संस्कृति, वहाँ की भाषा और साहित्य। वे यह भूल जाते हैं कि ये दो भिन्न देश हैं, उनकी भाषाएँ दो अलग परिवारों की हैं, उनकी संस्कृति में महत्त्वपूर्ण भेद हैं। यह सही है कि किन्हीं भी दो देशों के दो मुसलमान या ईसाई मिलें, तो सामान्य धर्म के आधार पर वे कुछ बातों में अपने को एक-दूसरे के निकट पाएँगे। किन्तु यह भी सही है कि बहुत-सी अन्य महत्त्वपूर्ण बातों में वे अपने प्रदेश के विधर्मी को अन्य जातीय सहधर्मी की तुलना में अपने निकट पाएँगे। इन 'कुछ बातों' में दो मुख्य हैं : भाषा और साहित्य। दो कश्मीरी—एक हिन्दू और एक मुसलमान—महजूर की कविता का साथ-साथ रस लेंगे; ईरान का मुसलमान उनके इस सांस्कृतिक कार्य को दूर से देखेगा। दो सिन्धी—एक हिन्दू और एक मुसलमान—शाह अब्दुल लतीफा की रचनाओं को गद्गद होकर पढ़ेंगे और सुनेंगे, तुर्की या अफगानिस्तान का मुसलमान इस आनन्द में शरीक नहीं हो सकता। इसी तरह वारिस शाह, नज़रुल इस्लाम आदि लेखकों की रचनाओं को पंजाब के हिन्दू-मुसलमान-सिख, बंगाल के हिन्दू-मुसलमान-बौद्ध समझ सकते हैं; अन्य प्रदेशों के गैर-बंगाली, गैर-पंजाबी मुसलमान—धर्म में भाई होते हुए भी—वारिस शाह और नज़रुल इस्लाम के साहित्य-रस से वंचित रहेंगे। कहना न होगा कि भाषा और साहित्य ऐसे तत्त्व हैं जिनका स्थान संस्कृति के और सभी तत्त्वों में ऊँचा है। इन्हें संस्कृति से निकाल दीजिए तो कहने-सुनने लायक उसमें बहुत ज्यादा सामग्री न बचेगी।

यदि लोग इस बात को समझ लें कि उर्दू में जिन फ़ारसी-अरबी शब्दों के लिए उनका इतना आग्रह है, वे इस्लाम धर्म की विशेष सम्पत्ति नहीं हैं, तो शायद वे भारत की अन्य भाषाओं की तरह उर्दू का विकास भी करें और हिन्दी तथा संस्कृत शब्दों से इतना परहेज न करें। जो लोग बोलचाल में घुलमिल जानेवाले फ़ारसी शब्दों को हिन्दी से निकालने का प्रयत्न करते हैं, यह समझकर कि ये शब्द मुसलमान हैं, वे भी यह प्रयत्न छोड़ दें। लेकिन इस्लामी संस्कृति, इस्लामी भाषा और इस्लामी साहित्य का भूत बहुत लोगों पर सवार है; अरबी-फ़ारसी से इस्लाम का विशेष सम्बन्ध है, इस बात को मुसलमान ही नहीं, हिन्दू-संस्कृतिवादी भी मानते हैं।

भाषा ही नहीं, लिपि से भी वे इस्लाम धर्म का विशेष सम्बन्ध मानते हैं। अरबी लिपि और वर्णमाला में पे नहीं है, चे नहीं है, टाल नहीं है, ड़े नहीं है, लेकिन अब ये सब अक्षर 'इस्लामी' लिपि में शामिल हैं। अरबी में 'से,' 'स्वाद' आदि वर्णों का उच्चारण उर्दू से बिलकुल भिन्न है; फिर भी से, स्वाद, सीन—तीनों अक्षर लिपि में सुरक्षित रहने चाहिए, भले ही बोलचाल में उनका उच्चारण-भेद बिलकुल ज़ाहिर न होता हो। उत्तर प्रदेश के शिक्षित और प्रगतिशील मुसलमान भी यह समझ बैठते हैं कि हिन्दुस्तान की ज़बानों में मुसलमानों ने साहित्य रचा भी होगा तो फ़ारसी या उर्दू लिपि में ही। यहाँ की लिपियों को वे कैसे अपनाते? उन्हें इस बात पर आश्चर्य अवश्य होता है कि बंगाल के मुसलमान बंगला लिपि का व्यवहार कैसे कर लेते हैं!

यह मान लिया जाता है कि हिन्दी-भाषी प्रदेश के सभी शिक्षित मुसलमान उर्दू लिपि जानते हैं। अब तो हिन्दी राजभाषा हो गई है और कुछ मुसलमान हिन्दी सीखते हैं। बात अभी की नहीं, तब की है जब यहाँ अल्पसंख्यकों के रक्षक अंग्रेज़ों का राज था और कचहरियों और दफ्तरों में उर्दू का व्यवहार होता था। 1928 ई. में ख़्वाजा हसन निजामी ने 'कुर्आन मजीद' का हिन्दी अनुवाद प्रकाशित किया था। इस पवित्र ग्रंथ को हिन्दी भाषा में अनुवादित करने और देवनागरी लिपि में प्रकाशित करने के उन्होंने जो कारण बताए हैं, वे बहुत दिलचस्प हैं। उन दिनों शुद्धि-आन्दोलन का ज़ोर था। बहुत-से मुसलमान अपना धर्म-परिवर्तन कर रहे थे। ख़्वाजा हसन निज़ामी ने इसके विरुद्ध इस्लाम की रक्षा का आन्दोलन चलाया। उन्होंने यह अनुभव किया कि उर्दू लिपि में प्रचार करने से बहुत थोड़े मुसलमान उससे लाभ उठा सकते हैं। अपने प्रचार-कार्य से आम मुसलमानों को प्रभावित करना है, तो हिन्दी लिपि से ही यह सम्भव होगा। इसलिए उन्होंने अपने पवित्र धर्म-ग्रंथ का अनुवाद देवनागरी लिपि में प्रकाशित किया—हिन्दुओं को इस्लाम में दीक्षित करने के लिए नहीं वरन् मुसलमानों को अपने धर्म से परिचित कराने के लिए।

जो लोग समझते हैं कि उर्दू लिपि के बिना न उर्दू भाषा रह सकती है, न इस्लाम सुरक्षित रह सकता है, उन्हें ख़्वाजा हसन निज़ामी के इन शब्दों पर खूब ग़ौर फर्माना चाहिए। अनुवाद की भूमिका में उन्होंने लिखा है : "इसी तहकीकात के सिलसिले

में मुझको यह भी मालूम हुआ था कि हिन्दुस्तान में एक करोड़ मुसलमान ऐसे हैं, जो अरबी और फ़ारसी हुरूफ नहीं पढ़ सकते। अगर्चे उनकी बोलचाल तो उर्दू है, मगर लिखना-पढ़ना उनका हिन्दी हुरूफ में है। और चूँकि इस्लामी अन्जुमनें और मुसलमान मुबल्लिग सिर्फ उर्दू हुरूफ के जरिये तबलीग करते हैं, इसलिए उनको कामयाबी नहीं होती या पूरी तरह कामयाब नतीजा नहीं निकलता।" इस्लाम धर्म के प्रचार के लिए—सबसे पहले आम मुसलमानों में उसे सुरक्षित रखने के लिए—देवनागरी लिपि अपनाना आवश्यक है, इस सत्य को धर्म-प्रचारक ख़्वाजा हसन निज़ामी ने अच्छी तरह पहचान लिया था। इससे पता चलता है कि बीसवीं सदी में भी एक सामान्य लिपि अपनाकर हिन्दुस्तानियों की एक ही सामान्य साहित्यिक भाषा विकसित करने के लिए कितना बड़ा सामाजिक आधार मौजूद था। एक करोड़ मुसलमान ऐसे थे जो हिन्दी लिपि में ही लिखते-पढ़ते थे।

ख़्वाजा हसन निज़ामी ने इस परिस्थिति के लिए देशी रियासतों के हिन्दू राजाओं और ब्रिटिश सरकार को दोषी ठहराया है। "देशी रियासतें जिस कदर हिन्दुओं के कब्ज़े में हैं, उन सबमें सिवाय कश्मीर वगैरा दो-तीन रियासतों के, बाकी सबने हिन्दी ज़बान को सरकारी ज़बान बना दिया है। और उन रियासतों के मुसलमान बाशिन्दे मजबूरन महज हिन्दी हुरूफ सीखते हैं।" विद्वान हसन निज़ामी ने यह नहीं लिखा कि कश्मीर के राजा हिन्दू थे और उन्हीं की कृपा से कश्मीरी भाषा का अधिकार छीनकर उर्दू को दिया गया था। उधर हैदराबाद के निज़ाम साहब ने मराठी और तेलगू बोलनेवाली जनता के लिए उर्दू को अनिवार्य राजभाषा बनाया था। अंग्रेज़ी हुकूमत के लिए उन्होंने लिखा था : "यू.पी. यानी मुमालिकमुत्तहिदा आगरा व अवध में अंग्रेज़ी गवर्नमेंट ने भी हिन्दी को सरकारी दफ्तरों में शरीक करके मुसलमान अवाम को हिन्दी हासिल करने के लिए मजबूर कर दिया है। और वहाँ के देहात में आधे मुसलमान सिवाय हिन्दी हुरूफ़ के और कोई हर्फ़ नहीं पढ़ सकते।" यदि अंग्रेज़ों ने सरकारी दफ्तरों में हिन्दी का चलन किया होता और मुसलमानों को हिन्दी सीखने के लिए मजबूर किया होता, तो 1947 के बाद उर्दू-भाषियों में, विशेष कर मुसलमानों में, इस बात को लेकर आन्दोलन न उठ खड़ा होता कि उन पर हिन्दी लादी जा रही है और उर्दू दबाई जा रही है। हिन्दी उत्तर प्रदेश में राजकाज की भाषा बनी स्वाधीनता-प्राप्ति के बाद। यह सभी जानते हैं कि राजकाज के बहुत कम विभागों में अभी हिन्दी से काम लिया जाता है। यह बात सही है कि वहाँ के देहात के आधे मुसलमान सिवाय हिन्दी हुरूफ़ के और कोई हर्फ़ नहीं पढ़ सकते थे। शहर में रहनेवाले मुसलमान उर्दू ज्यादा पढ़ते थे क्योंकि उन्हें कचहरियों-दफ्तरों में काम करना होता था। उनके साथ हिन्दू भी उर्दू सीखते थे और हिन्दुओं में खास कर क़ायस्थ उर्दूदां होते थे, क्योंकि पटवारी से लेकर डिप्टी कलक्टरी तक सभी सरकारी पदों पर वे अपनी बिरादरी का हक समझते थे। ख़्वाजा हसन निज़ामी ने

लिपि-सम्बन्धी स्थिति का सही वर्णन किया है; उसके कारण गलत दिये हैं। देहात में मुसलमान अपने जीवन की परिस्थितियों के कारण, सामान्य सामाजिक जीवन बिताने के लिए हिन्दी लिपि सीखते थे। हिन्दुस्तानी जाति के निर्माण में देहात के इन मुसलमानों का महत्त्व शहरों के उर्दूदां मुसलमानों से कम न था। इसीलिए प्रेमचन्द ने जोर देकर कहा था कि देहात में हिन्दुओं-मुसलमानों के बीच किसी तरह का भाषा-भेद नहीं है।

अन्य प्रान्तों के लिए हसन निज़ामी ने लिखा था : "सी.पी. में तो पहिले ही से सब मुसलमानों में हिन्दी हुरूफ़ का रिवाज था। बिहार व उड़ीसा में भी हिन्दी मुरव्वज थी और इस तरह एक करोड़ मुसलमानों की तादाद हिन्दी हुरूफ़ के सिवा अरबी, फ़ारसी हुरूफ़ से बेख़बर थी यानी देशी रियासतों और यू.पी., सी.पी. बिहार वगैरा में उन मुसलमानों की तादाद एक करोड़ थी, जो सिर्फ हिन्दी हुरूफ़ पढ़ सकते थे।" ख़्वाजा हसन निज़ामी ने जिन मुसलमानों पर ध्यान केन्द्रित किया था, वे बंगाल या केरल के मुसलमान न थे। वे मुख्यत: उन्हीं मुसलमानों की चर्चा कर रहे थे जो हिन्दुस्तानी क़ौम के थे। इस क़ौम के एक करोड़ मुसलमान हिन्दी लिपि का व्यवहार करते थे। यह मान लें कि ख़्वाजा ने यह संख्या कुछ बढ़ा-चढ़ाकर बताई है, तो भी उससे इतना स्पष्ट हो जाता है कि हिन्द प्रदेश के अधिकांश मुसलमान उर्दू लिपि का व्यवहार न करते थे और दिल्ली, आगरा, लखनऊ, हैदराबाद के जो मुसलमान जितना ही दूर थे, उतना ही वे हिन्दी लिपि ज्यादा आसानी से अपनाते थे। कारण जो भी हों, यह बिलकुल सम्भव था—और आज भी है—कि मुसलमान हिन्दी लिपि के माध्यम से हिन्दुस्तानी जाति की सामान्य संस्कृति और साहित्यिक भाषा के विकास में योग दें।

लिपि किसी जाति की संस्कृति का महत्त्वपूर्ण अंग है, लेकिन भाषा का यह अभिन्न अंग नहीं है। तुर्की रोमन लिपि में लिखी जाती है, इससे भाषा खत्म नहीं हो गई। राजपाल एंड सन्ज़ ने उर्दू काव्य के लोकप्रिय संस्करण देवनागरी लिपि में प्रकाशित किये हैं, इससे उर्दू भाषा की लोकप्रियता बढ़ी ही है, कम नहीं हुई।

ब्रिटिश कूटनीति के विरुद्ध हिन्दी-उर्दू के सजग साहित्यकार इस बात का बराबर प्रयत्न करते रहे कि हिन्दी-उर्दू घुल-मिलकर एक हों। ऐसे लोगों में सबसे बड़ा नाम प्रेमचन्द का है। वह हिन्दी-उर्दू, दोनों के साहित्यकार थे। गाँवों की जनता को जितनी अच्छी तरह वह जानते थे, उतनी अच्छी तरह हिन्दी-उर्दू का और कोई साहित्यकार न जानता था। उन्हें यहाँ की जनता की सांस्कृतिक एकता पर दृढ़ विश्वास था। इसीलिए उन्हें यह विश्वास भी था कि हिन्दी-उर्दू मिलकर एक होंगी। राजनीतिक स्तर पर इस एकता के लिए गांधी जी ने प्रयत्न किया। इस सिलसिले में हिन्दुस्तानी का आन्दोलन भी चला। हिन्दी-उर्दू, दोनों में इसका विरोध हुआ। हिन्दी में 'बेगम सीता' के प्रयोग की सही या झूठी कहानी का खूब प्रचार हुआ।

किन्तु यह बिलकुल सही है कि सन् '36 के आसपास हिन्दी और उर्दू लेखकों की एक बहुत बड़ी संख्या जितना एक-दूसरे के निकट आई, उतना पहले कभी न आई थी। इस आन्दोलन में कुछ खामियाँ भी थीं जिनके कारण वह सफल न हो सका।

किसी जाति की भाषा-समस्या पर विचार करते हुए हमें सबसे पहले उसके बोलचाल के रूप पर ध्यान देना चाहिए। क्या बोलचाल के रूप में भी हिन्दी-उर्दू दो भाषाएँ हैं? इसमें सन्देह नहीं कि बहुत कठिन हिन्दी और बहुत कठिन उर्दू 'बोली' जा सकती है लेकिन आम लोग उसे बोलते नहीं हैं। इसलिए प्रेमचन्द का यह कहना ठीक था कि "बोलचाल की हिन्दी और उर्दू प्राय: एक-सी हैं।" उर्दू-हिन्दी के सर्वनाम एक हैं—वह, मैं, तू, हम इत्यादि। हिन्दी-उर्दू की क्रियाएँ एक ही हैं—जाना, सोना, खाना, पीना, करना, मरना, जीना, लिखना, पढ़ना इत्यादि। आज़माना, गुज़रना, लरजना जैसी क्रियाएँ बहुत थोड़ी हैं, कुल मिलाकर एक दर्जन से ज्यादा नहीं, जो फ़ारसी-अरबी शब्दों के आधार पर बनी हैं। वे हिन्दी के लिए मतरूक नहीं हैं। बोलचाल में उनका प्रयोग बराबर होता है। हिन्दी-उर्दू के सम्बन्धवाचक शब्द—में, पर, से, का आदि—वही हैं, जो हिन्दी के। दोनों का मूल शब्द-भंडार भी एक है लेकिन यहाँ बहुत दिनों तक फ़ारसी के राजभाषा रहने से हिन्दी शब्दों के फ़ारसी या अरबी पर्यायवाची शब्द भी प्रचलित हो गए हैं, जैसे—देश—मुल्क, आकाश—आसमान, धरती—ज़मीन, भाषा—ज़बान, किसान—काश्तकार, नदी—दरिया, रोगी—बीमार इत्यादि। इन शब्दों का व्यवहार बोलचाल की हिन्दी-उर्दू में किसी भेदभाव के बिना होता है। देश, आकाश, धरती जैसे शब्द उर्दू साहित्यकारों की रचना में मिलेंगे और मुल्क, आसमान, ज़मीन जैसे शब्द हिन्दी साहित्यकारों की रचनाओं में। इसके सिवा हल, बैल, खेत, खलिहान, बीज, जुताई, बुवाई, कारखाना, मज़दूर, काम, छुट्टी आदि हज़ारों ऐसे शब्द हैं जिनके पर्यायवाची शब्द बोलचाल की भाषा में व्यवहृत नहीं होते, साहित्यिक भाषा में भले होते हों। लखनऊ और हैदराबाद के हिन्दू-मुसलमान बोलचाल की भाषा में फ़ारसी शब्दों का व्यवहार ज्यादा करेंगे, उन्हीं फ़ारसी शब्दों की जगह बिहार और मध्य प्रदेश के मुसलमान हिन्दी या संस्कृत शब्दों का प्रयोग करेंगे। यह स्थानीय भेद हुआ, इससे दो भाषाओं का निर्माण नहीं होता। हिन्दी-उर्दू का व्याकरण एक, वाक्य-रचना एक-सी, शब्द-भंडार और क्रियाएँ एक-सी, इसीलिए हिन्दी-उर्दू भाषियों की दो क़ौमें नहीं हैं। उनकी जाति एक है और बोलचाल की भाषा एक है।

हिन्दी-उर्दू में सबसे पहला भेद लिपि का है। लिपि लिखने के काम आती है, न कि बोलने के। इसीलिए लिपि-भेद को हम बुनियादी भेद नहीं मानते। हिन्दी-उर्दू में दूसरा भेद है शब्द-भंडार का। यह भेद साधारण लोगों की बोलचाल में बिलकुल नहीं हुए, पढ़े-लिखे लोगों में बहुत थोड़ा है और भाषा के लिखित रूपों में बहुत ज्यादा है। बोलचाल में जो शब्द सामान्य सम्पत्ति हैं, लिखते समय उनमें

भी अलगाव करने की प्रवृत्ति देखी जाती है। धरती, आकाश, किसान, नदी, भाषा, रोगी, देश जैसे शब्द उर्दू में कम मिलेंगे; काश्तकार, दरिया, आसमान, ज़बान जैसे शब्द साहित्यिक हिन्दी में कम मिलेंगे। लेकिन मूल भेद दूसरा है। दर्शन, राजनीति, साहित्य आदि में जब हमें ऐसे शब्दों की ज़रूरत होती है जो किसानों-मज़दूरों की बोलचाल में नहीं हैं, तो उर्दू लेखक अरबी-फ़ारसी से उधार लेते हैं, हिन्दी लेखक संस्कृत से। राजनीति—सियासत, साहित्य—अदब, लिपि—रस्मुलख़त, भाषाविज्ञान—लसानियात, आलोचना—तनक़ीद, अन्तरराष्ट्रीय—बैनुलअकवामी, इतिहास—तारीख़, जनतंत्र—जम्हूरियत, कोश—लुग़त, मुख्यत: इस तरह की शब्दावली हिन्दी-उर्दू में अलगाव उत्पन्न करती है।

पहले यह समझना आवश्यक है कि हिन्दी-उर्दू का अलगाव हमारे जातीय विकास के लिए घातक है। पढ़े-लिखे लोगों की शक्ति एक जगह सिमटकर पूरी जाति को आगे बढ़ाने के बदले बिखर जाती है और लिपि के आधार पर पाठक वर्ग दो हिस्सों में बँट जाता है। यदि भाषा और साहित्य उच्च वर्गों के थोड़े-से पढ़े-लिखे आदमियों के लिए ही हों तो वे चाहे उर्दू में मनोरंजन करें, चाहे हिन्दी में, बाकी जनता इस मनोरंजन से दूर रहेगी। लेकिन सवाल है देश के साधारण लोगों का, मेहनत से अन्न पैदा करनेवालों और पंचवर्षीय योजनाएँ पूरी करनेवालों का। भाषा और साहित्य इनके लिए हैं, समाजवादी व्यवस्था में सबसे पहले इन्हीं के लिए होंगे। तब यह भाषा और लिपि का बँटवारा कब तक चलेगा? समाजवादी व्यवस्था के निर्माण के लिए जनता का संगठन, उसकी शिक्षा और आन्दोलन जरूरी हैं। यदि एक ही कारखाने के मजदूर दो लिपियों से काम लेते हैं, तो इससे उनकी शक्ति कम होगी, उनकी संस्कृति में दरारें पड़ेंगी। इसके सिवा हिन्दुस्तानी जाति दुनिया की सबसे बड़ी जातियों में है। अंग्रेज़ी बोलनेवाले बहुत हैं, लेकिन वे अनेक जातियों के हैं। एक ही भाषा बोलनेवाली कोई जाति हमसे संख्या में बड़ी हो सकती है तो चीनी है। भारत की सभी जातियों में हमारी जाति सबसे बड़ी है, यह निर्विवाद है। ऐसी स्थिति में हमारी भाषा का राष्ट्रीय और अन्तरराष्ट्रीय महत्त्व है। स्पष्ट है कि हमारी भाषा अपनी पूरी ताकत से तभी प्रगति कर सकती है जब उसमें जाति के सभी तत्त्वों का सहयोग हो।

हिन्दी-उर्दू को एक होना चाहिए—यह हमारे ऐतिहासिक विकास की माँग है। इसके लिए आवश्यक सांस्कृतिक आधार यह है कि साधारण जनता की बोलचाल की भाषा एक है। हमें इस एकता की ओर बढ़ने के लिए मजबूर करनेवाला सामाजिक कारण देश का पिछड़ापन, जनता की गरीबी, समाजवादी निर्माण की आवश्यकता है। इसके सिवा यह भी याद रखना चाहिए कि भारत के हर प्रदेश का सामाजिक और सांस्कृतिक जीवन अलग-थलग रहकर विकसित नहीं होता, वह अखिल भारतीय जीवन-प्रवाह की एक धारा है और उस प्रवाह के साथ ही आगे बढ़ता है। यहाँ की

भाषाएँ भी एक-दूसरे को प्रभावित करती हैं, करती रही हैं और करेंगी। भारत के हर जातीय प्रदेश की भाषा और लिपि एक हो, लेकिन हिन्दी प्रदेश की दो लिपियाँ और दो भाषाएँ हों, यह सम्भव नहीं है।

इस स्थिति को बदलने के दो तरीके हैं : उर्दू का दमन किया जाए और हर उर्दू-प्रेमी को हिन्दी सीखने और उसका व्यवहार करने पर मजबूर किया जाए। दूसरा तरीका मेल-मिलाप और समझाने-बुझाने का है। पहले तरीके के हामी बहुत लोग हैं जिनमें कुछ अपने को मार्क्सवादी भी कहते हैं। यह तरीका गलत हैं। सबसे पहले इसलिए गलत है कि उर्दू लिखने-बोलनेवाले केवल मुसलमान नहीं है; उर्दू के संरक्षण की माँग विशुद्ध साम्प्रदायिक माँग नहीं है। उसे हम सांस्कृतिक अल्पसंख्यकों की माँग कहते हैं, भले ही उर्दू-प्रेमियों में मुसलमान अधिक हों, हिन्दू कम हों। साहित्यिक हिन्दी-उर्दू का भेद वास्तविक है, कल्पित नहीं। साहित्यिक उर्दू में राष्ट्रीय और जनवादी विचारों का समर्थन करनेवाली सैकड़ों रचनाएँ हैं। जनता का एक छोटा हिस्सा ही सही, वह अभी राष्ट्रीयता और जनतंत्र का पाठ उर्दू के माध्यम से पढ़ता है। हठात् उससे वह माध्यम छीनना ग़लत होगा। सबसे महत्त्वपूर्ण कारण यह है कि जिसे हम उर्दू कहते हैं, उसमें हमारी हिन्दी का बहुत बड़ा साहित्य रचा गया है। हैदराबाद राज्य हिन्दी प्रचार-सभा के आर्यसमाजी मंत्री श्री श्रीराम शर्मा ने इस सत्य को पहचानकर देवनागरी अक्षरों में दक्खिनी हिन्दी के गद्य-पद्य के नमूने एक पुस्तक में प्रकाशित किये हैं। इन्हीं को उर्दू आलोचक और इतिहासकार उर्दू कहते हैं—जिससे सिद्ध यह होता है कि हमारी मिली-जुली विरासत देवनागरी लिपि के अलावा उर्दू लिपि में भी सुरक्षित है। हिन्दी के हज़ारों मुहावरे, हज़ारों तद्भव शब्द उर्दू साहित्य में खूबसूरती से इस्तेमाल किये गए हैं। अभी तो राजपाल एंड संज ने उर्दू के लोकप्रिय शायरों की रचनाएँ प्रकाशित की हैं। इसी तरह सरल उर्दू गद्य की पुस्तकें प्रकाशित की जाएँ तो हिन्दी पाठकों को अन्दाज़ हो कि उनकी बोलचाल की भाषा का कितना सुथरा रूप इस गद्य में सुरक्षित है।

उर्दू अलग किसी क़ौम की भाषा नहीं है। इसलिए उसे इलाकाई ज़बान मनवाने के आन्दोलन का विरोध करना उचित है। किन्तु वह सांस्कृतिक अल्पसंख्यकों की साहित्यिक भाषा है, इसलिए उसे पढ़ने-पढ़ाने और उसका व्यवहार करने की सुविधा मिलनी चाहिए। राजभाषा के रूप में हिन्दी होनी चाहिए; राजकाज के लिए दो लिपियाँ और उनमें लिखी हुई दो भाषाएँ नहीं हो सकतीं। हिन्दी-उर्दू के शब्द-भंडार में काफी आदान-प्रदान की गुंजाइश है। हिन्दी में बोलचाल के बहुत-से शब्द साहित्यिक कृतियों में छोड़ दिये जाते हैं। बहुत-से मुहावरे, कहावतें, बोलचाल के शब्द ऐसे हैं जो उर्दू में हैं लेकिन जिनका प्रयोग हिन्दी में नहीं होता, कम होता है या ग़लत भी होता है। यह सब उर्दू से हिन्दी में आएगा, हमारी साहित्यिक भाषा ज्यादा सरल और मुहावरेदार होगी। उर्दू में संस्कृत शब्दों से जो परहेज है, उसे कम होना

है। भारत की भाषाओं के लिए अरबी-फ़ारसी का वही महत्त्व नहीं है जो संस्कृत का है। व्याकरण और मूल शब्द-भंडार की दृष्टि से उर्दू संस्कृत-परिवार की भाषा है, न कि अरबी परिवार की। इसलिए अरबी से पारिभाषिक शब्द लेने की नीति ग़लत है; केवल अरबी से शब्द लेने और संस्कृत शब्दों को मतरूक समझने की नीति और भी ग़लत है। भारत की सभी भाषाएँ प्राय: संस्कृत के आधार पर पारिभाषिक शब्दावली बनाती हैं। उर्दू इन सब भाषाओं से न्यारी रहकर अपनी उन्नति नहीं कर सकती। जहाँ तक पाकिस्तान का सम्बन्ध है, यह याद रखना चाहिए कि वहाँ की भाषाएँ सिन्धी, पंजाबी, पश्तो, बंगाली आदि हैं। उर्दू इनसे अधिकार छीननेवाली राजभाषा है। पाकिस्तान में उर्दू का सामाजिक आधार बहुत ही संकुचित है। इसमें जरा भी सन्देह न होना चाहिए कि सिन्ध, पंजाब, पूर्वी बंगाल आदि प्रदेशों की जनता अपनी भाषाओं की रक्षा करेगी और उन्हीं के माध्यम से अपनी सामाजिक और सांस्कृतिक उन्नति करेगी। इसलिए यदि कोई यह सोचे कि पाकिस्तान उर्दू की रक्षा करेगा, तो यह उसका भ्रम है। पाकिस्तान बनने से उत्तर प्रदेश के मुसलमानों की न सामाजिक समस्याएँ हल हुईं, न उनकी भाषा समस्या हल हो सकती है। इसीलिए उर्दू की समस्या का हल कहीं है तो इसी हिन्दी प्रदेश में है, जहाँ की जनता में उसकी बोलचाल का रूप कायम है।

शब्द-भंडार में आदान-प्रदान सम्भव है लेकिन लिपि में इसकी सम्भावना बिलकुल नहीं है। उर्दू से अलिफ़ और हिन्दी से 'इ' लेकर कोई नई लिपि नहीं बनाई जा सकती। रोमन लिपि का सवाल नहीं है। हम अपनी लिपि छोड़कर रोमन लिपि न अपनाएँगे। यदि रोमन लिपि कोई बहुत पूर्ण और वैज्ञानिक लिपि होती तो उस पर विचार भी किया जाता। हिन्दी-उर्दू के लिपि-भेद को दूर करने के लिए रोमन लिपि को अपनाना वैसे ही है, जैसे हिन्दी-तमिल, मराठी-गुजराती या बंगला-असमिया के झगड़ों को दूर करने के लिए अंग्रेज़ी को यहाँ राजभाषा बनाए रखना। उर्दू-लिपि के व्यवहार के लिए पूर्ण स्वाधीनता देते हुए प्रगतिशील विचारकों को चाहिए कि उर्दू-भाषियों को देवनागरी लिपि सिखाएँ। देवनागरी लिपि में उर्दू की जितनी किताबें छप रही हैं, उन्हें देखते हुए यह अनुमान होता है कि आगे चलकर देवनागरी लिपि में ही 'उर्दू' के लेखकों की रचनाएँ छपेंगी। साक्षरता-प्रसार के साथ और दक्षिण में हिन्दी-प्रचार के साथ हिन्दी पुस्तकों के लिए एक बहुत बड़ा बाजार तैयार हो गया है। यह नामुमकिन है कि उर्दू के होशियार पंजाबी लेखक इस स्थिति से फायदा न उठाएँ। सीधी मुनाफे की बात है। उर्दू में किताब छपेगी, कम बिकेगी; हिन्दी में छपेगी, ज्यादा बिकेगी। यह एक तरह का आर्थिक दबाव है जिससे देवनागरी लिपि को उर्दू लेखक अपनाएँगे। प्रेमचन्द साम्प्रदायिकता से बहुत दूर थे। हिन्दी-उर्दू, दोनों में लिखते थे। उनके बारे में कहा जाता है कि वे उर्दू से हिन्दी में 'आए'। इसका कारण उन्होंने 1915 के एक पत्र में लिखा था : "अब हिन्दी लिखने की मश्क

भी कर रहा हूँ। उर्दू में अब गुज़र नहीं। मालूम होता है, बालमुकुन्द गुप्त मरहूम की तरह मैं भी हिन्दी लिखने में जिन्दगी सर्फ कर दूँगा।" 1926 में उन्होंने लिखा था : "उर्दू में कोई पुर्साने हाल (पूछनेवाला) तो है ही नहीं। दो नाविलों के तर्जुमे दारुल अशाअत पंजाब को दिये। अभी कुछ तय नहीं हुआ।" इन पत्रों को उद्धृत करने के बाद श्री हंसराज रहबर ने 'प्रेमचन्द : जीवन और कृतित्व' में लिखा है : "गोया उन्हें अपनी जेब में पैसे खर्च करके पुस्तकें छपवानी पड़ती थीं। 'सेवासदन' प्रकाशित होने के छह-सात साल बाद इसका उर्दू संस्करण 'बाजारे-हुस्न' इसी दारुल-अशाअत पंजाब, लाहौर से प्रकाशित हुआ था।" इस तरह का आर्थिक दबाव प्रेमचन्द के समय कम था; आज बहुत ज्यादा हो गया है। इसलिए भी उर्दू लेखक हिन्दी लिपि अपनाएँगे।

सामाजिक जीवन की परिस्थितियाँ हिन्दी-उर्दू को बराबर एक-दूसरे के नज़दीक लाती रही हैं। सिनेमा और रंगमंच के लिए लिखनेवाले शुद्ध हिन्दी-उर्दू का ख़याल रखें तो उनकी रचनाएँ असफल हों। किसानों और मज़दूरों में राजनीतिक काम करनेवालों को मजबूरन ऐसी सरल भाषा का प्रयोग करना पड़ता है जिसे हिन्दू-मुसलमान, दोनों समझें। जन-आन्दोलन की एकता हिन्दी-उर्दू के रूपों पर बराबर असर डाल रही है; और इसीलिए हमें यह दृढ़ विश्वास है कि ये दोनों रूप अपने अच्छे से अच्छे तत्त्वों से एक ही साहित्यिक भाषा के विकास में सहायता करेंगे। आज जो अलगाव की भावनाएँ हैं, उनका सामाजिक आधार तेजी से नष्ट हो रहा है; एकता का विशाल सामाजिक आधार दिन-पर-दिन शक्तिशाली बन रहा है। देवनागरी लिपि में उर्दू का जो साहित्य छपा है और उर्दू में हिन्दी कवियों और हिन्दी साहित्य के बारे में जो पुस्तकें और लेख निकले हैं, उनसे आपस के भ्रम काफी दूर हुए हैं। इस वातावरण में बोलचाल की भाषा के एक ही साहित्यिक रूप के विकसित होने के लिए बहुत बड़ी सम्भावना है। अभी जो शक्ति दो रूपों में बिखरी हुई है, वह जब केन्द्रित होकर एक सामान्य रूप को सँवारेगी, तब हिन्दुस्तानी जाति का साहित्य सारे देश को चमत्कृत करेगा।

चौदहवाँ अध्याय

# बोली और भाषा

हिन्दी-उर्दू दो भाषाएँ नहीं हैं क्योंकि उनका व्याकरण एक है, उनका मूल शब्द-भंडार एक है। भोजपुरी और हिन्दी का व्याकरण एक नहीं है; अवधी, बुंदेलखंडी, मैथिली के व्याकरण में भी काफी भिन्नता है। इन्हें हिन्दी की बोलियाँ कहा जाए या हिन्दी से स्वतंत्र भाषाएँ माना जाए?

भाषा-सम्बन्धी समस्याओं को समझने के लिए भाषा और बोली में अन्तर करना आवश्यक है। जो लोग आर्य या द्रविड़-परिवार की भाषाओं को किसी आदि आर्य या द्राविड़ भाषा से उत्पन्न मानते हैं, वे इन पुत्रियों को बोलियाँ और उनकी जननी को भाषा कहते हैं। यह व्याख्या गलत है क्योंकि इसका कोई प्रमाण नहीं है कि किसी परिवार की भाषाएँ किसी आदि भाषा से उत्पन्न हुई हैं। कुछ लोग समझते हैं कि कोई मूल भाषा अपने क्षेत्र से बाहर जब विशाल प्रदेश में फैलती है, तब उसमें स्थानीय भेद उत्पन्न हो जाते हैं, जैसे अपभ्रंश सारे उत्तर भारत में फैल गई और उसके स्थानीय भेदों से आधुनिक भाषाओं का जन्म हुआ। अपभ्रंश का उदाहरण गलत है, क्योंकि भारत की आधुनिक भाषाओं के व्याकरण-रूप उसमें मिलते नहीं हैं। लेकिन जर्मन-भाषी ऐंगल और सैक्सन जन इंग्लैंड पहुँचे और वहाँ अंग्रेज़ी का विकास हुआ। क्या हम अंग्रेज़ी को जर्मन भाषा की बोली कहें? ऐसा कहना गलत होगा क्योंकि ऐंगल और सैक्सन जनों की कोई परिनिष्ठित जर्मन भाषा न थी। वास्तव में परिनिष्ठित भाषा के रूप में अंग्रेज़ी जर्मन के पीछे विकसित नहीं हुई। कुछ लोग बोली की यह व्याख्या करते हैं कि जो कुछ टकसाली भाषा के स्तर से गिरा हुआ हो, वह बोली है। जैसे अंग्रेज़ी में टकसाली प्रयोग है : 'आई हैव नन' (I have none)। इसे कोई कहे : 'आ हाए नैन' (a hae nane)—इसे बोली कहा जाएगा।[1] इस उदाहरण में व्याकरण और शब्द-भंडार एक ही हैं; भेद केवल शब्दों के उच्चारण में है। लेकिन बोलियों में हम ऐसे उदाहरण भी पाते हैं जिनमें ध्वनि के अलावा व्याकरण और शब्द-भंडार के रूपों में भी भेद होते हैं।

1. ब्लूमफ़ील्ड

भाषा और बोली का अन्तर सामाजिक विकास-क्रम में उत्पन्न होता है। जिस अवस्था में उत्पादन के साधन बहुत पिछड़े होते हैं, वितरण के लिए विशेष भौतिक मूल्य प्राप्त नहीं होते, उसमें मानव-समाज छोटे-छोटे समूहों में बँटा होता है। उस अवस्था में हर बारह कोस पर बदलनेवाली बोलियाँ ही दिखाई देती हैं; बहत्तर कोस के दायरे में बोली और समझी जानेवाली भाषा की आवश्यकता ही नहीं होती। जनों में परस्पर विनिमय की आवश्यकता उत्पन्न होने पर उनकी किसी एक बोली के आधार पर परिनिष्ठित भाषा उत्पन्न होती है। भाषाओं के बारे में जितनी भी सामग्री प्राप्त है, उससे यही सिद्ध होता है कि बोली के आधार पर परिनिष्ठित भाषा का विकास होता है, परिनिष्ठित भाषा से बोलियाँ उत्पन्न नहीं होतीं। दो भाषाओं या बोलियों के मिश्रण से उत्पन्न होनेवाले रूपों की बात अलग है। खड़ी बोली के आधार पर हिन्दी विकसित हुई; लन्दन (या मिडलैंड) की बोली के आधार पर अंग्रेज़ी और मॉस्को की बोली के आधार पर रूसी विकसित हुईं। इंग्लैंड, रूस और हिन्द प्रदेश की बोलियाँ अंग्रेज़ी, रूसी या हिन्दी से उत्पन्न नहीं हुई। भाषा और बोली का यह अन्तर सामन्ती व्यवस्था में बराबर बना रहता है। पूँजीवादी व्यवस्था में महाजातियों का गठन होता है; किसी एक बोली के आधार पर जातीय भाषा का विकास होता है। अन्य लघुजातियों की भाषाएँ बोली मात्र रह जाती हैं। जैसे सामाजिक गठन के रूपों में हम लघुजाति से महाजाति की ओर बढ़ते हैं, वैसे ही भाषा का क्षेत्र भी लघु से वृहत्तर होता जाता है। किसी भी भाषा या बोली की सीमाएँ अचल और सनातन नहीं होतीं। जिसे आज हम भाषा कहते हैं, वह किन्हीं परिस्थितियों में बोली मात्र रह सकती है, जिसे हम बोली कहते हैं, वह कल भाषा बन सकती है। पहले फ्रांस की साहित्यिक भाषा प्रोवांसाल थी, पूँजीवादी विकास के केन्द्र उत्तरी फ्रांस में थे, उत्तर की बोली भाषा बनी और प्रोवांसाल भाषा से बोली रह गई। उत्तर भारत का बहुत-सा साहित्य ब्रजभाषा में रचा गया था लेकिन हमारे जातीय विकास की विशेष परिस्थितियों में खड़ी बोली तो भाषा बन गई और ब्रजभाषा रह गया एक बोली के रूप में!

राजस्थान में यह समस्या क्यों पैदा होती है कि किस बोली को राजस्थानी कहें? इसका कारण यह है कि राजस्थान में सामन्ती और प्राक्सामन्ती सम्बन्ध बहुत दिनों तक कायम रहे। वहाँ पूँजीवाद का विकास बहुत बाद में हुआ। इसलिए जातीय भाषा के रूप में राजस्थानी का जैसा विकास होना चाहिए था, वह नहीं हुआ। सोवियत दाग़िस्तान में बोलियों की भरमार थी। उनमें से कुछ बोलियों के आधार पर भाषाओं के विकास का आयोजन किया गया अर्थात् सोवियत व्यवस्था में जातीय गठन की आवश्यकता उत्पन्न होने पर अनेक बोलियों के क्षेत्र में एक ही बोली के आधार पर किसी एक भाषा के प्रसार की आवश्यकता भी उत्पन्न हुई। अमरीका में रेड इंडियन जनों की बहुत-सी बोलियाँ हैं; जब कभी इन जनों में जातियों का निर्माण होगा, तब इन बोलियों में भी भाषाएँ उभरकर सामने आएँगी।

बोलियों में ध्वनि-भेद, व्याकरण-भेद और शब्द-भंडार के भेद—तीनों तरह के भेद होते हैं। कहीं बोलियों में केवल ध्वनि-भेद होता है, कहीं व्याकरण-भेद मुख्य होता है, कहीं दोनों भेद होते हैं। इन तीनों में मुख्य भेद है शब्द-भंडार का। यदि दो बोलियों का शब्द-भंडार मूलत: भिन्न है तो अन्य समानताओं के रहते हुए भी उनके बोलनेवाले एक-दूसरे की बात न समझेंगे। कठिन उर्दू और कठिन हिन्दी का भेद ऐसा ही है। 'दरिया-ए-लताफत' में सैयद इंशा ने मिर्ज़ा जानजाना से अपनी मुलाक़ात का हाल लिखा है जिसका एक वाक्य पद्मसिंह शर्मा ने उद्धृत किया है : "इब्तदा-ए-सिन सबासे ता अवायले-रीआन और अवायले रीआव से अलल-आन इश्तियाके-मिलई ताक़ तक़बील उतबए-आलिये न बहद्द था कि सिलके-तहरीरों-तक़रीर में मुन्तजिम हो सके, लिहाज़ा बेनारता ओ तरीला हाजिर हुआ हूँ।" यह न अरबी है, न फ़ारसी क्योंकि व्याकरण रूप, और विभक्ति-चिह्न हिन्दी के हैं। न यह हिन्दी है क्योंकि शब्द-भंडार सब अहिन्दी है। पद्मसिंह शर्मा तक ने लिखा है कि इसमें "क्रिया और कारक के दो-एक शब्दों ('से', 'मैं' और 'हुआ हूँ') को छोड़कर हमारी तो समझ में कुछ आया नहीं।" इसे हिन्दी की बोली कहेंगे क्योंकि बुनियादी ढाँचा हिन्दी का है। दो बोलियों में ध्वनि-भेद हो सकता है लेकिन ध्वनि-भेद होने से ही दो बोलियों की पृथक् सत्ता स्वीकार करना आवश्यक नहीं है। बनारस और पटना की तरफ लोग पहले को 'पहिले' कहते हैं : 'कहना' जैसे शब्द में 'क' का उच्चारण वह शुद्ध 'अ' के समान करते हैं; पछाँह के लोग पहिले को पहले, कुछ क्षेत्रों में 'ह' का प्राय: लोप हो जाता है, पहले का नया रूप बनता है पैले; कहना बोला जाता है—कॅहेना के समान। आगरे में 'क्या कही' सुनने में लगता है—'क्या कई'। लेकिन 'पहले' और 'कहना' शब्दों का द्विविध उच्चारण करनेवालों को हम दो बोलियाँ बोलनेवाला न कहेंगे।

कुछ लोगों का विचार है कि खड़ी बोली का सम्बन्ध जितना पंजाबी से है, ब्रज का जितना सम्बन्ध राजस्थानी और गुजराती से है, मैथिली का जितना सम्बन्ध बंगला से है, उतना आपस में एक-दूसरे से नहीं है। यह बात सही हो तो भी खड़ी बोली को पंजाबी की बोली, ब्रज को गुजराती की बोली और मैथिली को बंगला की बोली न कहा जाएगा। किसी समय असमिया और उड़िया को बंगला की बोली कहा जाता था किन्तु अब वे स्वतंत्र भाषाएँ मानी जाती हैं। जातीय विकास के प्रवाह में अक्सर वही लोग शामिल होते हैं जो भाषा और संस्कृति में एक दूसरे के निकट होते हैं। लेकिन यह नियम अटल नहीं है। जातीय भाषा का क्षेत्र सदा बोलियों के व्याकरण-रूपों का ध्यान रखकर नहीं बनता। उसके अन्य ऐतिहासिक कारण भी होते हैं।

यह सम्भव था कि मैथिली और भोजपुरी स्वतंत्र भाषाएँ होतीं या बंगला की बोलियाँ कहलातीं लेकिन ग्रियर्सन के शब्दों में : "बिहार का सूबा राजनीतिक रूप से शताब्दियों तक बंगाल की अपेक्षा उस प्रान्त से अधिक सम्बद्ध रहा है जिसे आगरा

और अवध का संयुक्त प्रान्त कहते हैं। रामायण के संस्कृत महाकाव्य की रचना के समय में ही अयोध्या (वर्तमान अवध) के राजा रामचन्द्र के बारे में कहा जाता था कि वह अपनी वधू सीता को मिथिला अर्थात् वर्तमान उत्तरी बिहार से लाए थे। बिहारी का मुँह उत्तर-पच्छिम की तरफ ही रहता है। बंगाल से उसे विरोधी आक्रमणों का ही अनुभव हुआ है। इन कारणों से अक्सर बिहार की भाषा को हिन्दी का ही एक रूप समझा गया है।"[1] यद्यपि बिहार-निवासियों का घनिष्ठ सम्पर्क उत्तर प्रदेश से रहा है, फिर भी ग्रियर्सन की निगाह में यह सम्पर्क काफी न था और बिहार की बोलियाँ हिन्दी की अपेक्षा बंगला के अधिक निकट हैं।

डॉ. उदयनारायण तिवारी ने बिहार-निवासियों और अन्य हिन्दी-भाषियों के आपसी सम्बन्ध पर यह मत प्रकट किया है : "वस्तुत: ऐतिहासिक दृष्टि से बिहारी भाषा बोलनेवालों का सम्बन्ध उत्तर प्रदेश से ही अधिक है। समय-समय पर उत्तर प्रदेश की विभिन्न जातियाँ ही बिहार में जाकर बस गईं और बिहारी भाषा-भाषी बन गईं। विवाहादि सम्बन्ध से भी बिहार का सम्बन्ध बंगाल की अपेक्षा उत्तर प्रदेश से ही अधिक रहा। उत्तर प्रदेश की ब्रजभाषा का, मध्य युग में, बिहार में पर्याप्त आदर था और आज की नागरी हिन्दी अथवा खड़ी बोली समस्त बिहार की शिक्षा का माध्यम है।"[2] यदि भोजपुरी और हिन्दी में और कोई भाषागत सम्बन्ध न होता, केवल ये ऐतिहासिक सम्बन्ध ही होते, तो भी सम्भावना यही होती कि शताब्दियों के दृढ़ सम्पर्क के कारण हिन्दी और भोजपुरी-भाषी घुल-मिलकर एक ही जाति के अंग बन जाएँ। लेकिन डॉ. तिवारी ग्रियर्सन के अनुयायी हैं। उनके विचार से बिहार की बोलियों का जितना सम्बन्ध बंगला से है, उतना हिन्दी से नहीं है। इस सम्बन्ध को सर्वमान्य कराने में केवल एक कठिनाई है; न तो भोजपुरिये बंगालियों को अपना भाई समझते हैं, न बंगाली इन्हें हिन्दुस्तानियों से अलग करके देखते हैं। बंगालियों और भोजपुरियों का प्रेम-सम्बन्ध इस प्रकार है : "सबसे अधिक भोजपुरी बंगाल में जाते हैं। वहाँ इन्हें बंगाली लोग 'हिन्दुस्थानी' अथवा 'पश्चिमी' तथा कभी-कभी 'देशवाली' अथवा 'खोट्टा' भी कहते हैं। 'खोट्टा' शब्द में तो स्पष्ट रूप से घृणा का भाव भी आ जाता है। अधिकांश भोजपुरी बंगाल तथा उसके मुख्य नगर कलकत्ते में दरबानी अथवा छोटा-मोटा काम करके ही जीविकोपार्जन करते हैं। इसी कारण इनके लिए 'खोट्टा' शब्द का प्रयोग किया होगा। वस्तुत: बंगाली तथा भोजपुरी, दोनों इससे अनभिज्ञ हैं कि उनकी भाषाएँ एक ही मागधी भाषा से प्रस्तुत हुई हैं। शिक्षित बंगाली भी इस तथ्य से अपरिचित ही हैं और वे भोजपुरी को हिन्दी अथवा हिन्दुस्तानी के अन्तर्गत ही मानते हैं।"[3]

---

1. 'लिंग्विस्टिक सर्वे' खंड 1, पृ. 148
2. 'भोजपुरी भाषा और साहित्य', पृ. 169
3. उप., पृ. 7

ग्रियर्सन ने बिहारी भाषा का बार-बार उल्लेख किया था। बिहारी नाम की कोई भाषा नहीं है। यदि साधारण बिहारी जन भोजपुरी या मैथिली को किसी बिहारी भाषा की बोली न मानें तो आश्चर्य नहीं। डॉ. तिवारी इस बात से दुखी जान पड़ते हैं कि "इन तीनों बोलियों के बोलनेवालों को इस बात की प्रतीति भी नहीं होती कि उनकी बोलियाँ बिहारी भाषा की उपभाषाएँ हैं। इस सम्बन्ध में यह भी कठिनाई है कि बिहारी भाषा का कोई साहित्यिक रूप भी उपलब्ध नहीं है। ऐसी दशा में इन बोलियों के बोलनेवाले यदि अपनी-अपनी बोली को एक-दूसरे से पृथक् मानें तो इसमें आश्चर्य ही क्या है?"[1]

बिहारी भाषा का साहित्यिक रूप कहाँ से उपलब्ध हो? पहले बिहारी भाषा का कोई बोलचाल का रूप तो हो! भोजपुरी, मगही, मैथिली या हिन्दी के अलावा बिहारी कौन-सी भाषा है? ग्रियर्सन जैसे विद्वान बिहारी भाषा की चर्चा करें तो करें लेकिन उत्तर भारत का निवासी भी बिहारी भाषा के अस्तित्व की कल्पना करे, यह महान् आश्चर्य की बात है।

ग्रियर्सन ने यह मत प्रतिपादित किया था कि बिहारी भाषा बंगला की सगी-बहन है। "यद्यपि बिहारी लोग बंगाल की हर चीज को शत्रु भाव से देखते हैं, फिर भी उनकी भाषा बंगाली की बहन है; पछाँह की भाषा से उसका सम्बन्ध दूर का है।" ग्रियर्सन ने उसे बंगला और उड़िया के साथ मागधी अपभ्रंश की पुत्री माना था। ग्रियर्सन ने लिखा है कि बिहारी भाषा मागधी के मूल क्षेत्र में अब भी बनी हुई है और मागधी की सब विशेषताएँ भी उसमें सुरक्षित हैं, मानो उन्होंने मगध की वास्तविक बोलचाल की प्राचीन भाषा के दर्शन किये हों! कठिनाई केवल एक है कि मागधी अपने शकार-प्रेम के लिए प्रसिद्ध थी लेकिन बिहारी बन्धु उत्तर-प्रदेशवासियों की तरह सकार-प्रेमी हैं। ग्रियर्सन ने इसका ऐतिहासिक कारण ढूँढ़ निकाला है। शकार की भरमार है बंगाल में। बिहारी लोग बंगाल की हर चीज को शत्रु भाव से देखते हैं। इसी लपेट में शकार भी आ गया। उन्होंने कहा—यह बंगालीपन की निशानी है; इसलिए शकार का नाश हो, सकार चिरंजीवी हो! लिखा है : "कई शताब्दियों से बिहारियों की जो आकांक्षा रही है कि पूरब से सब सम्बन्ध तोड़ लें, इसी से उन्होंने पछाँह के सकार को अपना लिया लेकिन यह अपेक्षाकृत आधुनिक आविष्कार है। यह बात इससे स्पष्ट सिद्ध होती है कि यद्यपि वे बोलते हैं 'स', किन्तु अपनी जातीय कैथी लिपि में उसे लिखते हैं 'श'। वे उसी अक्षर का प्रयोग करते हैं जिसका प्रयोग हिन्दू वैयाकरणों ने मगध के शकार-प्रेम के ज्ञापन के लिए किया था।" किसी पड़ोसी जाति से शत्रु-भाव के कारण बिहार जैसे बहुसंख्यक प्रान्त की सारी जनता अपना उच्चारण ही बदल दे, यह भाषाविज्ञानी क्रान्ति वास्तविक हो, तो इस पर बिहारी भाइयों को उचित गर्व होना चाहिए और उन्हें ग्रियर्सन का चिरकृतज्ञ होना

1. 'भोजपुरी भाषा और साहित्य', पृ. 3

चाहिए कि उन्होंने इस क्रान्ति का पता लगाया। किन्तु इसी न्याय से बंगाल को यह श्रेय दिया जा सकता है कि 'खोट्टा' लोगों को 'स' बोलते देखकर उन्होंने सभी सकार वर्ण वाले शब्दों को शकारमय कर दिया। और यह क्रान्ति भी अपेक्षाकृत आधुनिक ही कही जाएगी क्योंकि बंगाल की जातीय लिपि में संध्या, सुख, सब आदि शब्दों को दन्त्य 'स' से ही लिखा जाता है! बंगालियों और बिहारियों ने क, ख, ग, घ आदि अन्य अक्षरों को शत्रुपक्ष द्वारा उच्चरित होते देखकर उन्हें त्याग नहीं दिया, और केवल श-श-श या स-स-स का सीत्कार-फूत्कार बन्द कर दिया, इसे उनकी परम उदारता मानना चाहिए।

भोजपुरी बोली केवल बिहार में नहीं बोली जाती। वह उत्तर प्रदेश (ग्रियर्सन के समय के संयुक्त प्रान्त) के पूर्वी जिलों में भी बोली जाती है। फिर भी ग्रियर्सन ने उसे बिहारी भाषा के अन्तर्गत माना। ग्रियर्सन ने उर्दू को इस्लाम की भाषा बताया। हिन्दुओं-मुसलमानों के प्रेम-सम्बन्ध के लिए यह एक शिलान्यास हुआ। उनका विचार था कि आर्य भाषाएँ अधिक शक्तिशाली होती हैं; वे अनार्य-भाषाओं का स्थान बराबर छीन रही हैं। "भारत में आर्य भाषाएँ सभ्यता और जाति-प्रथा (कास्ट सिस्टम) की भाषाएँ हैं। जाति-प्रथा के अन्तर्गत रहनेवालों को जो शक्ति और गौरव प्राप्त होता है, वह इन भाषाओं को प्राप्त है। वे उन भाषाओं का स्थान निरन्तर छीन रही हैं जिन्हें हम संक्षेप में आदिवासी भाषाएँ कह सकते हैं, जैसे द्रविड़, मुंडा और तिब्बती-बर्मी भाषा-परिवार।"[1] भारत की एकता के लिए, विशेष कर दक्षिण को उत्तर से मिलाने के लिए ग्रियर्सन ने यह दूसरी शिला रखी। उन्होंने बिहारी नामक नवीन भाषा की कल्पना करके हिन्दी-भाषी जाति की एकता के लिए तीसरी शिला रखी। इसी से संतोष न करके उन्होंने भोजपुरियों तथा मैथिली-मगही-भाषियों के प्रेम-सम्बन्ध को दृढ़ करने के लिए दो-तीन छोटी-मोटी शिलाएँ और रख दीं। भाषाविज्ञान का यह भव्य भवन बड़ी पुख्ता नींव पर बनाया गया। उन्होंने भोजपुरी, मैथिली और मगही—तीनों के बोलनेवालों के लिए अलग-अलग नेशनैलिटी शब्द का प्रयोग किया है। बहस किसी शब्द विशेष के प्रयोग को लेकर नहीं है। बहस का विषय है—इन जातियों की चरित्रगत विशेषताएँ, जिनकी व्याख्या ग्रियर्सन ने काफी विस्तार से की है। उनके मत से भोजपुरिये भारत की लड़ाकू जातियों में से हैं। वे सारे आर्य भारत में फैले हुए हैं; मौके से लाभ उठाकर वे अपना भाग्य स्वयं निर्मित करते हैं। अंग्रेज़ी फौज में वे भर्ती होते रहे हैं और 1857 के ग़दर में उन्होंने प्रमुख भाग लिया था। उनमें पालकी ढोनेवाले, डाकू और बंगाल में दरबानगीरी करनेवाले मिलते हैं। उनकी भाषा रोजमर्रा के व्यवहार के लिए बनी है और उसमें व्याकरण की जटिलताएँ नहीं हैं। इसके विपरीत मैथिली में व्याकरण की बहुत-सी जटिलताएँ हैं। "मैथिली और मगही उन जातियों (नेशनैलिटीज़) की बोलियाँ हैं

1. 'लिंग्विस्टिक सर्वे', खंड 1, पृ. 29

जिनमें रूढ़िवाद का बीभत्स रूप देखने को मिलता है जबकि भोजपुरी एक शक्तिशाली नस्ल (race) की व्यावहारिक भाषा है। वह अपने को परिस्थितियों के अनुकूल ढाल लेती है और उसका प्रभाव सारे भारत में महसूस किया गया है।" उधर मिथिला सदा ब्राह्मणों के आधिपत्य में रहा है। "कहा जाता है कि मिथिला के ब्राह्मणों में जो असभ्य घमंड बीसवीं सदी में है, वही राम के विवाह के समय भी उन्होंने प्रदर्शित किया था।" प्राचीन काल से ही मिथिला के निवासी अगेय और रूढ़िवादी रहे हैं। उनका सबसे बड़ा दोष यह है कि वे "सन्तानोत्पत्ति द्वारा संख्यावृद्धि करते रहते हैं और धरती पर निर्धनता का भार बढ़ाते हैं। उन्हें केवल एक हुनर आता है, खेती। अन्य प्रदेशों में जाकर कोई धन्धा करने की बात वे सोचते नहीं हैं।"

इस प्रकार बिहार में एक प्रगतिशील जाति है भोजपुरियों की और दो पतनशील और रूढ़िवादी जातियाँ हैं मैथिलों और मगहियों की!

किसी समय—1925 ई. में—जब श्री उदयनारायण तिवारी बी.ए. के छात्र थे, उनसे डॉ. धीरेन्द्र वर्मा ने कहा था : "डॉ. ग्रियर्सन के अनुसार, भोजपुरी भाषा-क्षेत्र हिन्दी के बाहर पड़ता है; किन्तु मैं ऐसा नहीं मानता।" उस समय डॉ. वर्मा के विचार उन्हें रुचिकर लगे थे और "हिन्दी के क्षेत्र से भोजपुरी को अलग करना मुझे देशद्रोह-सा प्रतीत हुआ था।" परन्तु अब? "परन्तु आज भोजपुरी के अध्ययन में चौबीस वर्षों तक निरन्तर लगे रहने तथा भाषाशास्त्र के अधिकारी विद्वानों के सम्पर्क से भाषाविज्ञान के सिद्धान्तों को यत्किंचित् सम्यक् रूप में समझ लेने के पश्चात् मुझे अपने उस पूर्वग्रह पर खेद होता है, जो बी.ए. प्रथम वर्ष में, भाषाविज्ञान के गम्भीर परिशीलन के बिना ही मेरे हृदय में स्थान पा गया था। आज मुझे डॉ. ग्रियर्सन के परिश्रम, ज्ञान एवं पक्षपात-रहित विवेचना के गौरव का अनुभव होता है और इस विद्वान के प्रति हृदय श्रद्धा से परिपूर्ण हो जाता है।" अस्तु, देखना चाहिए कि तिवारी जी ने चौबीस वर्षों के अध्ययन के बाद भोजपुरी को हिन्दी क्षेत्र से बाहर रखने के लिए कौन-से तथ्यों का उद्घाटन किया है।

उन्होंने सबसे पहले ग्रियर्सन के पूर्वी और पश्चिमी हिन्दी के भेद को स्वीकार किया है, फिर पूर्वी हिन्दी से भी बिहारी को अलग किया है।

पूर्वी और पश्चिमी हिन्दी का अन्तर बतलाते हुए तिवारी जी ने लिखा है कि बंगला, उड़िया तथा असमिया में 'अ' का उच्चारण 'ओ' की तरह होता है। "किन्तु ज्यों-ज्यों हम पश्चिम (बिहारी बोलियों) की ओर बढ़ते जाते हैं, त्यों-त्यों 'अ' का विलम्बित उच्चारण कम होता जाता है और पश्चिमी भोजपुरी में तो यह विवृत हो जाता है। पूर्वी हिन्दी में भी 'अ' का उच्चारण पश्चिमी भोजपुरी की ही भाँति होता है।" यदि पूर्वी हिन्दी में 'अ' का वैसा ही उच्चारण होता है, जैसा पश्चिमी भोजपुरी में, तो इससे क्या सिद्ध हुआ? समग्र भोजपुरी को पूर्वी हिन्दी से अलग नहीं किया जा सकता। जिस क्षेत्र में पूर्वी हिन्दी होगी, उसी में पश्चिमी भोजपुरी गिनी जाएगी।

और ज्यों-ज्यों हम बिहार की बोलियों की ओर बढ़ते जाते हैं, त्यों-त्यों 'अ' का विलम्बित उच्चारण कम होता जाता है; इससे क्या सिद्ध हुआ? यही कि बिहार की बोलियाँ असमिया, बंगला, उड़िया के क्षेत्र से बाहर हट रही हैं और हिन्दी क्षेत्र की उच्चारण-पद्धति के निकट आ रही हैं! किन्तु यदि अवध, मिथिला, मगध, भोजपुर के निवासी 'अ' का उच्चारण बिलकुल बंगालियों की भाँति करते, तब भी शब्द-भंडार की समानता के आधार पर यहाँ की भाषाएँ हिन्दी की बोलियाँ ही कहलातीं, उन्हें बंगला की बोलियाँ न कहा जाता। रूसी भाषा के उत्तरी और दक्खिनी क्षेत्रों में 'अ' के उच्चारण का ऐसा ही भेद मिलता है, किन्तु इस कारण दक्किनी रूसी को कोई उत्तरी रूसी से स्वतंत्र भाषा नहीं मानता।

तिवारी जी ने ध्वनि-भेद का दूसरा उदाहरण दिया है—ड़ और ढ़ ध्वनियों का। 'पूर्वी हिन्दी तथा भोजपुरी, दोनों में' पश्चिमी हिन्दी की ये ध्वनियाँ 'र' और 'र्ह' में परिणत हो जाती हैं, जैसे 'तोड़े', पूर्वी हिन्दी और भोजपुरी में 'तोरे'। इस उदाहरण से भी सिद्ध हुआ कि पूर्वी हिन्दी भोजपुरी से भिन्न नहीं है। जहाँ तक पूर्वी और पश्चिमी हिन्दी के भेद का सम्बन्ध है, तिवारी जी ने स्वयं लिखा है : "किन्तु इसके अपवाद भी उपलब्ध हैं। यथा—पश्चिमी हिन्दी तथा पूर्वी हिन्दी बाढ़, भोजपुरी बाढ़ि।" यह भी पक्का भेद नहीं है। 'ढ़' की ध्वनि पूर्वी हिन्दी, पश्चिमी हिन्दी और भोजपुरी, तीनों में है। वास्तव में जिसे वह अपवाद कहते हैं, वह अपवाद नहीं है। 'ढ़' की ध्वनि अवधी के शब्दों में खूब मिलती है : लाढ़ी (गाड़ी), बाढ़ब, काढ़ब, चढ़ब, यढ़िब, (बातें बनाना), ब्याढ़ै (ब्याढ़ै जाय, नाश हो, स्त्रियों का विशेष प्रयोग), गढ़ब, पढ़ब, मढ़ब, दाढ़ी, पैढ़ी, कोढी, गाढ़, असाढ़, ठाढ़, इत्यादि। इसी प्रकार 'ड़' की ध्वनि वाले शब्द हैं : बड़ा, बड़ाई, जड़ाऊ, माड़ौ (मंडप), लोंहड़ी (कड़ाही), खोड़हा (जिसके दाँत टूटे हों), मड़नी (अनाज के पूलों को पशुओं से कुचलवाना जिससे भूसा और नाज अलग हो जाएँ), राँड़, चाँड़, साँड़, भाँड़, म्याड़ (मेड़), भ्यड़हा (भेड़िया), ग्वाँड़ा (पशु बाँधने का स्थान), कूँड़ा, डाँड़ु (दंड), कोंहड़ा (कुम्हड़ा), खाँड़ा (टुकड़ा), छाँड़ब, जड़ब, ताड़ब, पहुड़ब, लड़ब इत्यादि। इन शब्दों का और इन जैसे अन्य सैकड़ों शब्दों का प्रयोग अवध के किसान बराबर करते हैं। किन्तु ड़ और ढ़ की ध्वनियाँ पूर्वी हिन्दी में ही नहीं भरी पड़ी हैं। हिन्दी क्षेत्र से बाहर, पूर्वी हिन्दी से भिन्न, भोजपुरी में भी उनकी यथेष्ट प्रचुरता है। इसके प्रमाण ढूँढ़ने के लिए दूर जाने की आवश्यकता नहीं है। 'भोजपुरी भाषा और साहित्य' के ही पृष्ठ 135 पर दृष्टिपात कीजिए। यहाँ भोजपुरी शब्दों में मध्य तथा अन्त्य 'ड़' की उत्पत्ति या व्युत्पत्ति समझाई गई है। संस्कृत का 'ट' भी ड़ हो गया है, अखड़ा प्राकृत ड, ड्ड् ने इसी ध्वनि का रूप धारण किया है : हाड़, गोड़, पड़ल। संस्कृत ड्र से ड़—बड़, ओडिआ। संस्कृत ण्ड से ड़—कुँड़ि, हाँड़ी, पाँड़े, भाड़, माँड़, गँड़ेरी। संस्कृत न्द से भी ड़—सँड़सी (सन्दंशिका)। संस्कृत ल से ड़—ताड़ी। संस्कृत ट से ड़—कड़ाह।

जब संस्कृत के इतने विभिन्न व्यंजन बार-बार ड़कार रूप धारण करते हैं तब मानना होगा कि यह ध्वनि भोजपुरी-भाषियों को विशेष प्रिय है। भोजपुरी की एक प्रचलित क्रिया है—बाड़ै। कबीर ने कहा था : "सुर नर मुनि अरु पीर औलिया, सब भूलल बाड़ै नखरे में।" भोजपुरी के आधुनिक कवि दूधनाथ उपाध्याय ने लिखा : "बिना परिवार, बिना घर जे मरत बाड़ै।" श्री रामविचार पांडेय ने लिखा : "ओकरे में हमरा के राधिका खोजत बाड़ी।" ये सब उदाहरण 'भोजपुरी भाषा और साहित्य' के पृष्ठ 26, 42 और 46 पर मिल जाएँगे। यह ड़कारमय क्रिया भोजपुरी में इतनी प्रचलित है कि इसी ग्रंथ के क्रिया-प्रकरण में पृष्ठ 282 पर उसके विभिन्न रूप दिये हुए हैं। स्पष्ट ही ड़ के आधार पर भोजपुरी और हिन्दी में भेद न किया जा सकता; ड़ को पश्चिमी क्षेत्र की विशेष ध्वनि नहीं कहा जा सकता। तिवारी जी ने अपनी पूर्व स्थापना के विपरीत पृष्ठ 112 पर ड़ और ढ़ को पूरब की विशेष ध्वनियाँ कहा है। सुनिए : "साहित्यिक हिन्दी तथा पूरब में 'ड' तथा 'ढ' का उच्चारण 'ड़' तथा 'ढ़' हो जाता है। इस प्रकार हिन्दी में 'बड़ा' उच्चारण करते हैं, 'बडा' नहीं। ऊपरी दोआब में 'ड' का उच्चारण प्राय: सुरक्षित है। यहाँ गाड़ी को गाडी या गाड्डी एवं चढ़ना को चढ्ना रूप में उच्चरित करते हैं।" बात सही है। खड़ी बोली के मूल क्षेत्र में डकार-ढकार की भरमार है। साहित्यिक हिन्दी में ड़ और ढ़ ध्वनियों का चलन पूर्वी प्रभाव के कारण हुआ है। लेकिन पृष्ठ 175 पर उन्हें याद आता है कि एक भाषा बिहारी भी है और वह हिन्दी से भिन्न है। इसलिए फिर दोनों का भेद करते हुए लिखते हैं : "हिन्दी मूर्धन्य 'ड़' तथा 'ढ़' का उच्चारण, बिहारी में 'र्' तथा 'र्ह' हो जाता है।" तिवारी जी के पास ऐसा जादू है कि जब चाहते हैं, तब ड़ और ढ़ की ध्वनियाँ पूरबी हो जाती हैं, जब चाहते हैं, तब वे पश्चिमी हो जाती हैं। भोजपुरी में ड़ की लोकप्रियता हम देख चुके हैं। अपने ग्रंथ के पृष्ठ 136 पर ग्ध, ड्ड, र्ध, ढ, ण्ड, आदि ध्वनियों के ढ़ में परिवर्तित होने की ये मिसालें तिवारी जी ने दी हैं : डाढ़ा, उढ़री, अगबढ़ि, अढ़इया, डेढ़, बढ़नी, बढ़ई, गढ़, काढ़ा, पढ़ल, सुँढ़, बूढ़, काढ़ल। इनके अलावा इसी पृष्ठ पर अन्य शब्द दिये हुए हैं जिनकी व्युत्पत्ति का पता नहीं चला—कोढ़ी, खोढ़िला, ढुढ़िया, ड्योढ़ी, ढोंढ़ी, पीढ़ा, साँढ़। ढ़ की ध्वनि भोजपुरी में उतनी ही प्रचलित है जितनी ड़ की। सही बात वह है जो तिवारी जी ने पृष्ठ 112 पर लिखी है, यानी यह कि हिन्दी और उसकी पूर्वी बोलियों दोनों में ड़ और ढ़ की ध्वनियों का प्रयोग होता है। यह कहना अवश्य गलत है कि ड तथा ढ का उच्चारण ड़ तथा ढ़ हो जाता है मानो हिन्दी और अवधी, भोजपुरी आदि में ड, ढ, की ध्वनियाँ रही न गई हों! ड़ और ढ़ की ध्वनियाँ शब्द के आरम्भ में कभी नहीं आती। ड और ढ की ध्वनियाँ शब्द के आरम्भ और मध्य में कहीं भी आ सकती हैं—डमरू, बेडौल, डंडा, ठंढा, ढोना, बुड्ढा। ढ जितना शब्द के आरम्भ में मिलता है, उतना उसके मध्य में नहीं। यह नियम हिन्दी तथा उसकी पूर्वी बोलियों, दोनों पर लागू होता है।

इसके बाद तिवारी जी ने 'र-ल' की ध्वनियों का भेद किया है। यह हम पहले ही कह चुके हैं कि रकार बहुलता पूर्वी बोलियों की विशेषता है। ऋग्वेद की भाषा में ही र-ल के विकल्प से एक ही शब्द के दो-दो रूप मिलते हैं। प्राचीनकाल से इन बोलियों के सम्पर्क और मिश्रण के कारण अब ऐसी स्थिति नहीं है कि पूरब में केवल रकारयुक्त शब्द मिलें और लकार का बहिष्कार हो या पश्चिम में लकारवाले शब्द ही हों, रकार का बहिष्कार हो। तिवारी जी ने र-ल की ध्वनियों को पूर्वी-पश्चिमी हिन्दी का विभाजन-चिह्न मान लिया है। लिखा है : "इसी प्रकार (ड़ और ढ़ के समान) पश्चिमी हिन्दी तथा पूर्वी हिन्दी एवं भोजपुरी में 'र', 'ल' के परिवर्तन में पर्याप्त भेद है। यथा—पश्चिमी हिन्दी 'फल' किन्तु पूर्वी हिन्दी तथा भोजपुरी 'फर'।" यदि यह बात सही हो तो भोजपुरी और पूर्वी हिन्दी की एक ही ध्वनि-प्रकृति हुई। इस आधार पर आप भोजपुरी को पूर्वी हिन्दी से अलग नहीं कर सकते। लेकिन प्राचीन मागधी में लकार बाहुल्य है। 'राजा' 'लाजा' बन जाता है। यदि 'बिहारी' मागधी की पुत्री है तो उसमें 'फर' की जगह 'फल' ही होना चाहिए था। तब 'ल' की जगह 'र' क्यों हुआ? पश्चिमी हिन्दी के प्रभाव से। एक ही पैरा में रकार पूर्व की विशेष ध्वनि होने के बाद पश्चिम की विशेष ध्वनि भी हो जाती है। ऊपर उद्धृत किये हुए दोनों वाक्यों के बाद तिवारी जी ने लिखा है : "वास्तव में पूर्वी हिन्दी तथा भोजपुरी में मागधी के प्रभाव के कारण 'र' के स्थान पर सर्वत्र 'ल' ही होना चाहिए था; किन्तु पश्चिम की आदर्श भाषा तथा शिष्ट उच्चारण के कारण ऐसा नहीं हो पाया है और कहीं-कहीं तो पश्चिम का इतना अधिक प्रभाव पड़ा है कि जहाँ 'ल' सुरक्षित रहना चाहिए, वहाँ भी 'र' हो गया है।" होना चाहिए था ल, सो हो गया र। इसका कारण है पश्चिम का प्रभाव; पश्चिम की आदर्श भाषा और शिष्ट उच्चारण। मानो पश्चिम की बोलियों में ल का एकदम अभाव हो! उनमें र की इतनी भरमार हो कि पूरब में भी ल की जगह र हो गया! ऊपर की स्थापना के बाद तिवारी जी ने उदाहरण ये दिये हैं : "यथा—पश्चिमी हिन्दी 'हल', किन्तु पूर्वी हिन्दी तथा भोजपुरी 'हर'; पश्चिमी हिन्दी 'जले', किन्तु पूर्वी हिन्दी तथा भोजपुरी 'जरे'; संस्कृत रज्जु, पूर्वी हिन्दी लजुरी (लेजुरी), भोजपुरी रसरी।"

यदि पश्चिमी हिन्दी में हल रूप का चलन है, तो इस शिष्ट उच्चारण के प्रभाव से भोजपुरी में हर कैसे हो गया? यदि आदर्श भाषा में जले रूप का प्रयोग होता है, तो उसके प्रभाव से पूरब में जरे का चलन कैसे हो गया? संस्कृत रज्जु से लजुरी किसके प्रभाव से बना? उस लजुरी ने ही रसरी रूप कैसे धारण कर लिया (ल के साथ ज को भी स में कैसे बदल दिया)?

छोड़िए इन प्रश्नों को। पश्चिमी हिन्दी का प्रभाव न होगा तो उत्तर या दक्खिनी हिन्दी का होगा। मुख्य बात यह है कि भोजपुरी की विशेषता है ल के स्थान पर र का प्रयोग। यह बात सही हो तो हम मान लेंगे कि भोजपुरी हिन्दी क्षेत्र के बाहर की बोली है। भोजपुरी में भूतकाल के रूप बनाने की आसान तरकीब है, धातु में ल जोड़ना,

रहल, देखल, करल, धरल इत्यादि। भोजपुरी को ल ध्वनि इतनी प्रिय है कि वर्तमान काल के लिए भी उसमें करेला, जाला, आवेला आदि रूप प्रचलित हैं।[1] तिवारी जी ने आदर्श भोजपुरी के रूप में पृष्ठ 342-43 पर 'शंकर आ पार्बती जि के कहनी' दी है। इसकी चौदह पंक्तियों में चवालिस बार ल ध्वनि की आवृत्ति हुई है। इससे निष्कर्ष यह निकलता है कि कोई भोजपुरिया बन्धु एक पंक्ति बोलेगा तो कम-से-कम तीन बार ल-ल करेगा। सिद्ध हुआ कि भोजपुरी में लकार का बहिष्कार नहीं है। यही नहीं, ल-ध्वनि उसे विशेष प्रिय है। कल्पित रकार प्रेम के आधार पर उसे हिन्दी से अलग नहीं किया जा सकता। हाँ, आपने मिसाल दी है 'फल' और 'फर' की।

*फूलहिं फरहिं न बेत, जदपि सुधा बरसहिं जलद।*
*मूरख हृदय न चेत, जो गुरु मिलहिं बिरंचि सम।*

फरने के साथ फलना भी है, बरसने को कहीं भी बलसना नहीं कहते, न मूरख और गुरु मूलख और गुलु बने हैं। इससे पहचानिए कि हिन्दी की बोलियों में कितनी समानता है; हिन्दी और अहिन्दी भाषाओं में कितनी समानता है। अवधी में फरब क्रिया में ही र का प्रयोग होता है, संज्ञा फल में नहीं। इसीलिए तुलसीदास ने 'फूलहिं-फरहिं' लिखा और 'जो दायक फल चारि' भी लिखा; एक जगह फरहिं, दूसरी जगह फल। अवधी के समान भोजपुरी में भी 'फल' शब्द का चलन है। अपने ग्रंथ के पृष्ठ 353 पर तिवारी जी ने एक लोकगीत उद्धृत किया है जिसकी एक पंक्ति है :

*मधुरी-मधुरी फल तोरी खाब सखी, फल तोरी खाब।*

फल-फर वाली बात बेपर की रही!

तीसरा भेद 'ह' सम्बन्धी है। कहते हैं कि पश्चिमी हिन्दी में 'मध्यग' 'ह' का प्राय: लोप होता है किन्तु पूर्वी हिन्दी और भोजपुरी में यह संध्यक्षर रूप में आता है। उदाहरण दिये हैं—पश्चिमी हिन्दी दिया, पूर्वी हिन्दी देहेसि, भोजपुरी दिहलसि। पृष्ठ 292 पर तिवारी जी ने दे धातु के रूप दिये हैं। दीही—देई, दीहीं—देई, दीही—दी; भोजपुरी में हकारयुक्त और हकारहीन, दोनों तरह के रूप प्रचलित हैं।

चौथा भेद 'य-व' सम्बन्धी है। पश्चिमी हिन्दी (ब्रजभाषा) में होगा 'यामें', 'वामें'; पूर्वी हिन्दी और भोजपुरी में होगा 'एमें', 'ओमें', 'ओहमें'। यह मिसाल भी गलत है। अवधी में होगा—'यहि मां', 'वहि मां'। पूरबी हिन्दी में हर जगह एमें, ओमें नहीं होता। खड़ी बोली में यह-वह भी है, इस-उस भी। भोजपुरी में एह के साथ इह, एहन के साथ इहन जैसे रूप भी हैं, ओ के साथ उन्हन् जैसे रूप हैं। तिवारी जी के ग्रंथ में पृष्ठ 221 और 223 पर ये रूप दिये हुए हैं। य-ए और व-ओ वाला भेद भी गलत साबित हुआ। तिवारी जी को सम्भवत: यह भ्रम है कि भोजपुरी में य-व की ध्वनियाँ होती ही नहीं हैं। आगे लिखा है : "शब्द के मध्य तथा अन्त में

1. 'भोजपुरी भाषा और साहित्य', पृ. 288

'य' भोजपुरी 'ए' में परिवर्तित हो जाता है, यद्यपि लिखावट में 'य' ही रहता है।" परिशिष्ट में उन्होंने जो लोककथाएँ दी हैं, उनमें भयल, आयल, गयल जैसे रूप भरे पड़े हैं। सम्भव है कि इन सबमें य का उच्चारण ए-वत् हो! लेकिन 'रुपया गड़ल बाय' (पृ. 339), इस टुकड़े में रुपया का उच्चारण रुपेआ और बाय का उच्चारण बाए होना चाहिए क्या? 'बलिया' का उच्चारण क्या है? बलिएआ? तिवारी जी ने अपने ग्रंथ के पृष्ठ 6-7-8 पर मगहिया, भोजपुरिया, बक्सरिया, पुरबिया, छपरहिया आदि शब्दों का आ-वाला रूप दिया है। इसे बदलकर क्या आ-वाला रूप कर देना चाहिए? मजा यह कि भोजपुरी ने ऐ स्वर वाले उधार लिये हुए शब्दों में ऐ की जगह अय् ध्वनि का चलन किया है, यथा 'गैरहाजिर' के दो रूप हैं—गर् हा-जिर और गयरहाजिर। इसी तरह गैर-जगह को बोलेंगे गयर-जगह। (पृ. 174) भोजपुरी में एक 'इया' प्रत्यय है। इसी से भोजपुरिया, नगपुरिया आदि रूप बनते हैं। पृष्ठ 162 पर इन रूपों के साथ बढ़िया, घटिया, पुड़िया, डिबिया, घड़िया, धुनिया, लोहिया आदि शब्द भी दिये हुए हैं।

'व' के बारे में लिखा है कि पचास-साठ बरस पहले की भोजपुरी में स्वस्ति को श्वश्ति, श्वाश्ति और सोस्ति लिखा जाता था। इससे निष्कर्ष यह निकला कि बंगला के मध्ययुग के संस्कृत उच्चारण की भाँति "भोजपुरी में भी 'व' का उच्चारण 'ओ' होता है।" होता था नहीं, होता है। एक लोककथा में यह वाक्य आता है : "ढेलवा कहे हम बड़ा, पतवा कहे हम बड़ा।" (पृ. 333) व का ओ करके पढ़िए इस वाक्य को! अत्यन्त मधुर हो जाएगा। इँहवाँ, जँहवाँ, चरवाह, सवति, चोरवा, ली आवा, आदि को इसी ओकर वाले नियम से लिखना-बोलना चाहिए। भोजपुरी में एक प्रत्यय है आव; इससे चढ़ाव, बचाव, लगाव जैसे रूप बनते हैं; चलावा, भुलावा जैसे रूप भी। एक प्रत्यय है आवन्, जिससे डेरावन्, चुमावन् जैसे रूप बनते हैं। एक प्रत्यय है वार—रखवार, किनवार। भोजपुरी से 'व' के लोप होने की बात भ्रान्त सिद्ध होती है।

पाँचवाँ भेद यह बताया है कि पश्चिमी हिन्दी में दो स्वर प्राय: एक साथ नहीं आते। इसलिए पश्चिमी हिन्दी में जहाँ ऐ और औ होंगे, वहाँ पूर्वी हिन्दी और भोजपुरी में अइ और अउ आ बिराजेंगे। पश्चिमी हिन्दी में कहै, पूर्वी में कहइ; इसी तरह और, मौर के लिए पूरबी में अउर, मउर। 'आइए'—इसमें दो स्वर एक साथ आए या नहीं? भैया और कौआ को पश्चिम में कैसे बोलते हैं? कनकौवा पूरब ही में नहीं उड़ाते। लड़के पश्चिम में भी खेल में ढइया छूने जाते हैं। ब्रजभाषा में गैया, समैया, गवैया, मैया, रुपइया, गधैया आदि रूपों की भरमार है। एक लोककथा में यह पद आता है :

*अगन लिपैयौ अम्मा, चगन लिपैयौ अम्मा!*
*कुम्हार के ते मौंगरी मँगैयौ अम्मा!*[1]

1. 'ब्रज की लोक-कहानियाँ', सम्पादक सत्येन्द्र, ब्रज साहित्य मंडल, मथुरा, पृ. 116

यहाँ लिपैयौ, मँगैयौ का उच्चारण आगरे के प्रसिद्ध शब्द भैयो (भइयो) के समान ही होता है। पृष्ठ 75 पर तिवारी जी ने लिखा है कि पश्चिमी हिन्दी के जै, कैलास, ऐब जैसे शब्द भोजपुरी में जऍ, कऍलास अऍब हो जाते हैं; अर्थात् पश्चिमी हिन्दी के ऐ का उच्चारण भोजपुरी में हर जगह अइ के समान नहीं होता। कवि ने लिखा है :

*बनवा देईला अबकी देवारी में राम धै*
*जरदोजी जूता टोपी दुपट्टा तोरे बदे।*

यहाँ क्या राम धै को राम धइ पढ़ेंगे? आगे की पंक्ति है :

*चढ़ जालैं कौनो दाँव पै सारे तो लेईला।*

यहाँ क्या 'जालइँ' और 'दाँव पइ' पढ़ेंगे?

छठा भेद यह बताया है कि पश्चिमी हिन्दी के आकारान्त रूप भोजपुरी में अकारान्त या व्यंजनांत हो जाते हैं, जैसे बड़ा भोजपुरी में बड़ या बड़्; भला, भोजपुरी में भल या भल्। वही ढेला-पत्ता वाली कहानी देखिए : "ढेलवा कहे हम बड़ा, पतवा कहे हम बड़ा।" भोजपुरी का यह उदाहरण तिवारी जी का ही दिया हुआ है जिसमें बड़ की जगह बड़ा रूप का प्रयोग हुआ है। शब्दों के अन्त्य दीर्घ स्वर को ह्रस्व करने के बदले भोजपुरी की सहज प्रवृत्ति है शब्द के अन्तिम वर्ण पर बलाघात करने की। इसलिए हिन्दी में जहाँ अन्तिम वर्ण ह्रस्व होगा, वहाँ भोजपुरी-भाषी उसे दीर्घ वर्ण में परिणत कर लेंगे। जैसे :

*दिनवाँ न बीते रामा तोरी इन्तजरिया में,*
*रतवा नयनवा ना नींद रे बिदेसिया।*

सातवाँ भेद यह बताया है कि पश्चिमी हिन्दी में आकारान्त शब्द का रूप कर्ता में सुरक्षित रहता है किन्तु तिर्यक् में 'आ' 'ए' में परिणत हो जाता है। उधर पूर्वी हिन्दी और भोजपुरी में 'कर्ता तथा तिर्यक्, दोनों में' आकारान्त रूप सुरक्षित रहता है। यथा :

| | | | | |
|---|---|---|---|---|
| प. | हिन्दी कर्ता— | ए. ब. घोड़ा | पू. हिन्दी तथा | कर्ता—ए. ब. घोड़ा |
| | तिर्यक्— | " " घोड़े | भोजपुरी | तिर्यक्—ए. ब. घोड़ा। |

इस सम्बन्ध में निवेदन है कि घोड़े ने लात मारी—इस वाक्य में घोड़े शब्द कर्ता है और उसका सकारान्त रूप सुरक्षित नहीं रहा। यदि तिर्यक् रूप यही हो तो ब्रजभाषा से उदाहरण लीजिए : "जब कनास घोड़ा के पास आ गए तब घोड़ा में राजा के कुमर नैं एक चाबुक मार्यो...सो घोड़ा के प्रान बच गए।"[1] घोड़े के पास, घोड़े में, घोड़े के की जगह—इस पश्चिमी बोली ने घोड़ा रूप ही रखा है। घोड़ा रूप की सुरक्षा में पूर्वी-पश्चिमी का भेद होता हो तो ब्रज के समान भोजपुरी को पश्चिमी बोली मान लीजिए या भोजपुरी के समान ब्रज को भी पूरबी कहिए।

1. 'ब्रज की लोक-कहानियाँ', पृ. 71

आगे भेद किया है कि पश्चिम के जो, सो, कौन रूप पूर्वी हिन्दी और भोजपुरी में जे, जवन, से, तवन तथा के, कवन हो जाते हैं। इस सम्बन्ध में यह कहना है कि पूर्वी हिन्दी में जे, के, जवन, कवन आदि के प्रयोग सर्वत्र नहीं होते। जायसी ने 'अखरावट' में लिखा है :

*ना-निसता जो आपु न भयऊ। सो एहि रसहिं मारि विष किएऊ।*

इसी तरह तुलसीदास ने लिखा है :

*जो नहाय चह एहि सर भाई। सो सत्संग करउ मन लाई।*

पूर्वी हिन्दी में जो और सो का प्रयोग कैसे होता है, इसे स्पष्ट देख लीजिए। कौन के लिए 'को' रूप अवधी और ब्रज, दोनों में प्रचलित है। जहाँ तक कौन का सम्बन्ध है, वह खड़ी बोली में ही नहीं, भोजपुरी में भी प्रयुक्त होता है। 'भोजपुरी भाषा और साहित्य' के पृष्ठ 230-31 पर 'के' के साथ कौन वाले रूप भी दिये हुए हैं।

अन्त में मेरा और मोर के भेद का उल्लेख किया है। पूर्वी-पश्चिमी बोलियाँ न जाने कब से एक-दूसरे को प्रभावित करती आई हैं। पूर्वी बोलियों का मोर पश्चिमी बोलियों के सर्वनाम मो से ही बना है। इस सम्बन्ध में तिवारी जी ने अपने ग्रंथ के पृष्ठ 215 पर सूरदास की यह पंक्ति बहुत ठीक उद्धृत की है : 'मो सम कौन कुटिल खल कामी।' सर्वनामों के सम्बन्ध में तिवारी जी ने यह भी लिखा है कि खड़ी बोली में 'मैं' और 'हम' रूप होते हैं : "किन्तु पूर्वी हिन्दी तथा भोजपुरी में 'हम' वस्तुत: एकवचन में ही प्रयुक्त होता है और इसके बहुवचन का रूप 'लोग' संयुक्त करने से सिद्ध होता है।" पृष्ठ 212 और 214 पर तिवारी जी ने मैं और मयँ् रूप भी दिये हैं और पृष्ठ 215 पर लिखा है : "उत्तरी आदर्श तथा पश्चिमी भोजपुरी के रूप 'मयँ' का भी मूल वस्तुत: 'मैं' ही है।" इससे पूर्वी-पश्चिमी बोलियों का घनिष्ठ सम्बन्ध सिद्ध हुआ। यह बात असिद्ध हुई कि भोजपुरी में 'हम' का प्रयोग एक-वचन में ही होता है। 'लोग' जोड़े बिना या हमनिका जैसे रूप बनाए बिना भी 'हम' का प्रयोग बहुवचन में हो सकता है। जैसे 'नाऊ के कहनी' में जब नाई आधा खेत खोद चुका, तब "सात ठे चोर ऐलन और नउआ से कहे लगलन् कि ए खेते में सात हंडा रुपया गड़ल बाय, ली आव हम खनी।" यहाँ सातों चोर कह रहे हैं, हम खनी; उनमें से किसी एक ने हम का प्रयोग नहीं किया।

"संज्ञा तथा सर्वनामों के रूपों में पूर्वी हिन्दी तथा भोजपुरी में पूर्ण समता है।" इससे सिद्ध हुआ कि भोजपुरी पूर्वी हिन्दी से बहुत मिलती है। उसे हिन्दी से अलग न मानकर उसकी एक पूर्वी बोली मानना चाहिए। भोजपुरी और पूर्वी हिन्दी में कुछ विभक्ति चिह्नों या सम्बन्धवाचक शब्दों का भेद बताया गया है। पूर्वी हिन्दी में कर्म-कारक के साथ 'का' होगा तो भोजपुरी में 'के' होगा। अधिकरण के लिए पूर्वी हिन्दी में 'मा', 'या', 'मां' होगा तो भोजपुरी में 'में' होगा। इस सम्बन्ध में निवेदन है कि हिन्दी की पश्चिमी और पूर्वी बोलियों में विभक्ति चिह्न मिलते-जुलते हैं, यद्यपि उनका

प्रयोग समान कारकों के लिए नहीं होता। पूर्वी हिन्दी में 'का' कर्म के लिए है तो खड़ी बोली में वह सम्बन्ध के लिए है। किन्तु क्या यह सही है कि भोजपुरी में कर्म और सम्प्रदान के लिए 'के' या 'कें' का ही प्रयोग होता है और 'का' एकदम वर्जित है? परिशिष्ट में डॉ. तिवारी के दिये हुए उदाहरणों से ऐसा प्रतीत नहीं होता। पृष्ठ 320 पर : "एही पीआदा का जलद भेजल जाए।" पीआदा का अर्थात् प्यादे को। में और मां के सम्बन्ध में यह द्रष्टव्य है कि खड़ी बोली में भी अधिकरण के साथ—भोजपुरी के समान ही—'में' का प्रयोग होता है। इससे भोजपुरी और खड़ी बोली की समानता सिद्ध होती है; इसलिए उस पर जोर देना तिवारी जी ने उचित नहीं समझा।

अब 'ने' का प्रयोग लीजिए। "पश्चिमी हिन्दी की सबसे बड़ी विशेषता है 'ने' परसर्ग का प्रयोग। इसका पूर्वी हिन्दी तथा बिहारी (भोजपुरी तथा बिहारी की अन्य बोलियाँ—मैथिली, मगही) में सर्वथा अभाव है।" यदि 'ने' का प्रयोग 'न' करने पर भी अवधी पूर्वी हिन्दी ही रहती है, तो उसी 'ने' का प्रयोग न करने पर भोजपुरी भी हिदी की पूर्वी बोली क्यों नहीं कहला सकती? यदि खड़ी बोली में 'ने' का प्रयोग न हो तो उसे भोजपुरी की सह बोली माना जाएगा? दर्द ने लिखा था :

*लोग कहते हैं आशिक़ी जिसको*
*मैं जो देखा बड़ी मुसीबत है।*

*दीदे वादीद हुई दूर से मेरी उसकी*
*पर जो मैं चाहा था सो बात न होने पाई।*

*तिश्नगी और भी भड़कती गई*
*ज्यूँ-ज्यूँ मैं अपने आँसुओं को पिया।*

मैं देखा, मैं चाहा, मैं पिया—इस तरह के प्रयोगों को पूर्वी हिन्दी का नमूना मानें या पश्चिमी हिन्दी का? इसी तरह सौदा ने बहुत-से शेर कहे हैं जिनमें 'ने' गायब है :

*पूछा पयामबर से जो मैं यार का जवाब*
*कहने लगा, ख़ामोश कि है बात बेतरह।*

*मैं हज़रते सौदा को सुना बोलते यारो*
*अल्लाह रे अल्लाह है क्या नज़्मे-बयाँ है।*

*मैं जो पूछा सबब कहा मत पूछ*
*बात कहनी ये नामुनासिब है।*

मैं पूछा, मैं सुना—इस तरह के प्रयोग ठेठ दिल्ली के शायरों के यहाँ मिलते हैं, 'ने' के न रहने से उनकी भाषा पूरबी नहीं हो जाती। इसी तरह 'ने' के न रहने से भोजपुरी हिन्दी-क्षेत्र के बाहर नहीं चली जाती।

आगे लिखा है : "क्रिया-रूपों के सम्बन्ध में तो पूर्वी हिन्दी, पश्चिमी हिन्दी से और भी दूर है। 'मैं हूँ' के लिए पूर्वी हिन्दी में अहेउँ तथा आहेउँ होता है। अवध के पूर्वी भाग में यह बाटेउँ हो जाता है, जिसका सम्बन्ध स्पष्ट रूप से भोजपुरी के बाटों, बाटी से है।" भोजपुरी में बाटी के अलावा होना क्रिया का प्रयोग भी होता है, 'हम होईं' इत्यादि।[1] अवधी में 'हूँ' के लिए अहेउँ के अतिरिक्त हौं, हऊँ आदि का प्रयोग भी होता है। तुलसीदास ने लिखा था :

*कबि न होउँ नहिं बचन प्रबीनू।*
*सकल कला सब बिद्या हीनू॥*

यह होऊँ 'हूँ' का सगोती है।

क्रियाओं के अतीतकाल-सम्बन्धी पूर्वी और पश्चिमी रूप बहुत भिन्न बताए गए हैं। मारा रूप मारित से बना है; अर्थ है वही ग्रियर्सन वाला—वह मेरे द्वारा मारा गया। एक ही शब्द-ब्रह्म से दो प्रकार की सृष्टि कैसे होती है, इसका उदाहरण यह है : "शौरसेनी में मारित: तथा चलित: का 'त' पहले 'द' में परिणत हो जाता है और तत्पश्चात् इसका लोप हो जाता है। मागधी भाषाओं तथा बोलियों में उसके स्थान पर 'ल' हो जाता है।" मराठी और रूसी में भी अतीतकाल के रूपों में 'ल' का प्रयोग होता है; इसलिए उन्हें मागधी की पुत्रियाँ और भोजपुरी की सगी बहनें मानना चाहिए! एक कमाल यह और हुआ कि मागधी-प्रसूत भाषाओं के बोलनेवाले यह भूल चुके हैं कि मारल का अर्थ है—मारा गया, किन्तु "पूर्वी हिन्दी में इनके कर्मवाच्य के रूप को विस्मरण करने की प्रक्रिया अभी भी चल रही है।" मिसाल यह दी है कि पूर्वी अवध में कहेंगे ऊ मारिस, जहाँ 'ऊ' कर्ता है, किन्तु "पश्चिमी अवध में स्थित उन्नाव जिले में इसे 'उइ मारिस' कहते हैं। यहाँ पर उइ वास्तव में तिर्यक् रूप है और इसका अर्थ है—उसके द्वारा। उइ के कर्ताकारक एकवचन का रूप है 'वो'।" उन्नाव जिले की बोली से थोड़ा परिचय इन पंक्तियों के लेखकों का भी है। कर्ताकारक एकवचन का रूप 'वो' न होगा। पुल्लिंग एकवचन में होता है 'वहु' और स्त्रीलिंग एकवचन में होता है 'वह', यथा—वहु (मनई) जात है, वह (मेहरिया) जाति है। इसी का बहुवचन होता है उइ या वी; वी (मनई) जाति है; वी (मेहरिया) जाति है। मारिस रूप गलत है; होना चाहिए मारेसि (जैसाकि तुलसीदास ने लिखा था : 'मारेसि मोहिं कुठाँय')। वहु मारेसि, वह मारेसि किन्तु बहुवचन में 'वी' के साथ होगा मारेनि। मारेसि कर्मवाच्य रूप है, यह एक भ्रम है; उइ का अर्थ है उसके द्वारा—यह दूसरा भ्रम है।

भविष्यत् काल का भेद देखिए। चलिष्यति से चलिहइ बना। ब्रजभाषा में इसी के सम पर मारिहौं, मारिहैं आदि रूप चलते हैं। "इस प्रकार यह कहा जा सकता है कि शौरसेनी में ह-भविष्यत् के रूप में प्रयुक्त होते हैं तथा—ये—इह-प्रत्यय लगाकर सम्पन्न होते हैं।" किन्तु मागधी-प्रसूत बोलियों को चलिष्यति-चलिहइ की प्रक्रिया पसन्द नहीं आई।

1. 'भोजपुरी भाषा और साहित्य', पृ. 277

उन्होंने चलितव्यम् वाला रूप पसन्द किया। किन्तु अपने ग्रंथ के पृष्ठ 266 पर चलिहे, चलिहऽ आदि भविष्य काल के रूप देकर डॉ. तिवारी ने लिखा है : "जहाँ तक भोजपुरी का सम्बन्ध है, यहाँ भी स > ह भविष्यत् मध्यम पुरुष में मैथिली तथा बंगला की भाँति ही बनता है।" भोजपुरी तथा पश्चिमी बोलियों का सम्बन्ध उन्हीं के शब्दों में इस प्रकार है : "स्स् या स् का 'ह्' में परिवर्तन वस्तुत: पश्चिमी भाषाओं एवं बोलियों की विशेषता है, किन्तु इसकी छाप पूरब की भाषाओं एवं बोलियों पर स्पष्ट रूप से दीख पड़ती है।" जहाँ तक ब्रजभाषा में बकारान्त क्रिया-रूपों के व्यवहार की बात है : "एक बादशा के लरिका और बजीर के लरिका ते दोस्ती ई। बे दोऊ हरि बखत संग रहेंते और एकई सोइबौ, बैठिबौ, खाइबौ, खेलिबौ सबु संगई ओ।"[1] यही नहीं, बिहारी जैसा ब्रजभाषा का कवि भविष्य काल के ही लिए बकारान्त रूप का प्रयोग करता है :

*मोरचन्द्रिका स्याम सिर, चढ़ि कत करति गुमान।*
*लखिबी पायन पै लुठत, सुनियत राधा मान॥*

इसे ब्रजभाषा पर भोजपुरी का प्रभाव मानिए।

नलब रूप के लिए लिखा है : "भविष्य का यह रूप पुरुष तथा वचन के अनुसार परिवर्तित नहीं होता।" लेकिन पृष्ठ 272 पर आप 'हम देखबि, तें देखबे, तुँ देखब' आदि रूप मजे में देख सकते हैं। इन रूपों के बाद आप यह टिप्पणी भी पढ़ सकते हैं : "मूल शब्द देखब है और उसी में विभिन्न प्रत्यय जोड़कर रूप बनाए गए हैं।"

तिवारी जी को एक ओर जहाँ यह चिन्ता है कि भोजपुरी को हिन्दी क्षेत्र से बाहर की भाषा सिद्ध करें, वहाँ खड़ी बोली को पंजाबी से सम्बद्ध करने की भी उतनी ही तीव्र कामना है। उनके अनुसार : "खड़ी बोली को छोड़कर पश्चिमी हिन्दी की अन्य ग्रामीण बोलियों में क्रिया के तद्भव कृदन्तीय रूप, विशेषण तथा संज्ञापद ओकारान्त अथवा औकारान्त होते हैं।" उदाहरण दिया है कि भला, मारा, घोड़ा के बदले भलो-भलौ, मारो-मार्‍यौ, घोडो-घोड्यौ रूप इन बोलियों में मिलते हैं। खड़ी बोली में घोड़ा, भला, मारा आदि रूप पंजाबी की कृपा से होंगे। "इस विवेचना से यह सिद्ध हो जाता है कि खड़ी बोली में—'आ'-प्रत्यय वस्तुत: पंजाबी से ही आया है।" ब्रज का परिचित शब्द है कन्हैया। इसे होना चाहिए कन्हैयो। 'नंद बाबा की बात सुनौ हरि।'—बबा नहीं, बबो! 'तुम पै कौन दुहावै गैया।'...'नहिं आधीन तेरे बाबा के नहिं तुम हमरे नाथ गुसैयाँ।'

*कहन लगे मोहन मैया-मैया।*
*नंद महर सौं बाबा-बाबा अरु हलधर सौं भैया।*
*ऊँचे चढ़ि चढ़ि कहति यशोदा लै लै नाम कन्हैया।*
*दूरि खेलन जनि जाहु ललारे मारैगी काहु की गैया।*

1. 'ब्रज की लोक-कहानियाँ', पृ. 77

ब्रजभाषा में आकारान्त शब्दों की भरमार है। जहाँ तक घोड़ा शब्द का सम्बन्ध है, 'ब्रज की लोक-कहानियाँ' नामक पुस्तक में आप इसके अनेक प्रयोग देख सकते हैं : "एक घोड़ा सबारी के काजे लायौ।" (पृ. 68) "साहूकार जादौ घोड़ा की पीठि पै असबार भयौ।" (पृ. 160) घोड़ो रूप का प्रयोग नहीं हुआ। यह तो हुई ब्रजभाषा की बात। भोजपुरी की एक लोककथा में हम पढ़ते हैं : "एक रहे ढेला एक रहे पत्ता। दूनो में भयल झगरा। ढेलवा कहे हम बड़ा, पतवा कहे हम बड़ा।" यहाँ ढेला, पत्ता, झगड़ा, बड़ा आदि आकारान्त रूप क्या पंजाबी के प्रभाव का प्रमाण हैं? इस तरह कलकत्ता, लंका, मलाया, एशिया, अफ्रीका, अमरीका पर भी पंजाबी का असर दिखाया जा सकता है।

हिन्दी में सम्बन्धकारक हैं 'का'। यह भी पंजाबी 'दा' से प्रभावित है। "सम्बन्धकारक में, खड़ी बोली में (ने) पंजाबी के 'दा' अनुसर्ग को न अपनाकर उसके स्थान पर 'का' को ही ग्रहण किया है। यह 'का' भी वस्तुत: 'को' या 'कौ' का आकारान्त रूप ही है।" ब्रज का 'को' या 'कौ' पंजाबी के प्रभाव से 'का' हो गया। लेकिन यह प्रभाव किस तरह पड़ा, यह तिवारी जी ने शायद संकोचवश नहीं लिखा। संकोचवश इसलिए कि ग्रियर्सन यह रहस्योद्घाटन कर चुके थे। मूल व्याख्या इस प्रकार है : "बोलचाल की भाषा के रूप में हिन्दुस्तानी पश्चिमी हिन्दी की बोली है जो उसे पंजाबी में क्रमश: बदलते हुए दिखलाती है। उसका व्याकरण पश्चिमी हिन्दी का है लेकिन विभक्ति-चिह्न वे हैं, जो पंजाबी में मिलते हैं। उदाहरण के लिए, पश्चिमी हिन्दी का असली सम्बन्धकारक चिह्न है 'कौ'। पंजाबी में इसका समकक्ष रूप है 'दा'। पश्चिमी हिन्दी की हिन्दुस्तानी बोली 'कौ' से 'क' लेती है लेकिन अन्त्य स्वर 'आ' पंजाबी 'दा' से लेती है और इस तरह 'का' रूप बनता है।"[1] 'कहीं की ईंट कहीं का रोड़ा, भानमती ने कुनबा जोड़ा'। कितने विवेक से खड़ी बोली के निर्माताओं ने दा से आ ध्वनि अलग कर ली और उसे 'कौ' के 'क' से जोड़कर का रूप बना लिया। राजस्थानी रा, मराठी चा आदि के आविष्कर्ताओं ने भी यही पद्धति अपनाई न होगी? लेकिन 'ओ' या 'औ' से परहेज सम्बन्धकारक में ही क्यों था? हिन्दी निर्माताओं ने 'को' में कोई परिवर्तन करना आवश्यक न समझा।

हिन्दुस्तानी पर पंजाबी का असर पड़ा। पश्चिमी हिन्दी की विशेषताएँ सुरक्षित रही हैं ब्रजभाषा में। ग्रियर्सन के मत का अनुमोदन करते हुए तिवारी जी ने लिखा है : "व्याकरण-सम्बन्धी विशेषता की दृष्टि से भी इसका हिन्दुस्तानी से अधिक महत्त्व है। वस्तुत: हिन्दोस्तानी, पश्चिमी हिन्दी के उत्तरी-पश्चिमी कोने की बोली है और इस पर पंजाबी का पर्याप्त प्रभाव है। पंजाबी की भाँति ही हिन्दोस्तानी में भी तद्भव संज्ञापद ओकारान्त तथा औकारान्त न होकर अकारान्त होते हैं। यथा—घोड़ा (घोड़ो या घोड़ौ नहीं)। इसी प्रकार हिन्दोस्तानी का भविष्यकाल

---

1. 'लिंग्विस्टिक सर्वे ऑव इंडिया', खंड 1, पृ. 164

गा-प्रत्यय से सम्पन्न होता है।" अर्थात् ब्रजभाषा में गा का प्रयोग होता नहीं है, इसलिए वह शुद्ध पश्चिमी हिन्दी है; उसमें घोड़ो रूप चलता है जबकि हिन्दी ने गा और घोड़ा, दोनों पंजाबी के असर से पाए हैं। घोड़ो के बारे में तो हम देख चुके हैं कि यह रूप तिवारी जी के कल्पना-लोक में ही विचरता है। यहाँ यह भी कह दें कि राजस्थानी में भी आकारान्त शब्दों की भरमार है। महाराणा को कोई महोराणो नहीं कहता। राजस्थानी लोकगीतों में ढोला जी के सर्वत्र दर्शन होते हैं :

*कीर रा बेटा म्हारा भायला,*
*वीरा म्हारा, ढोला जी ने पार उतार।* [1]

(कीर—केवट के समान एक जाति—के बेटे, तू मेरा भाई है। ढोला जी को पार उतार दे।) यहाँ आकारान्त शब्दों का सौन्दर्य देखा जा सकता है। जहाँ तक भविष्यकाल के गा का सम्बन्ध है, उसका प्रयोग ब्रजभाषा में जोरों से होता है। "करती करार तौन पहिलै करौंगी सब, अपने पिया को फिरि पाछै अंक भरिहौं।"..."इन दुखियन को न चैन सपनेहू मिल्यौ तासों सदा व्याकुल विकल अकुलायँगी।"..."बोल्यौ—भाई, जब तुम मरौगे तौ मैं ऊमरि जाउँगो और तुम बचौगे तौ मैंउ बचि जाउँगो। परि अब तौ तिहारेई संग रहुँगो।"[2]

हिन्दी और ब्रज के सर्वनामों में "पर्याप्त भिन्नता परिलक्षित होती है।" हिन्दी 'मैं' के लिए ब्रजभाषा में "प्राय: 'हौं' सर्वनाम ही प्रयुक्त होता है।" 'हौं' का भी प्रयोग होता है लेकिन 'मैं' ने काफी समय से ब्रज में दखल जमा रखा है। "मैया मैं नहिं माखन खायौ।"..."मैया मैं तौ चन्द-खिलौना लैहों।"..."मैं तुम्हरे गुन जाने श्याम।"..."मैं मन बहुत भाँति समुझायौ।"

इधर तो हिन्दी (खड़ी बोली) शुद्ध पश्चिमी भाषा भी नहीं, पंजाब से अत्यधिक प्रभावित है; उधर 'बिहारी' भाषा पूर्वी हिन्दी से भी पृथक् है और बंगला, उड़िया, असमिया के अधिक निकट है। यद्यपि "बंगला भाषा-भाषियों ने बिहारियों को 'पश्चिम' तथा उनकी भाषा को सदैव पश्चिमी हिन्दी की ही एक विभाषा माना", तथापि "यह निर्विवाद सत्य है कि बिहारी पूर्वी हिन्दी से पृथक् भाषा है तथा इसका सम्बन्ध बंगला, उड़िया तथा असमिया से ही है।"

ध्वनि-भेद बताते हुए लिखा है कि हिन्दी मूर्धन्य ड़ तथा ढ़ का उच्चारण बिहारी में र तथा र्ह हो जाता है; यथा हिन्दी—पड़ना, बिहारी परल या परब। यहाँ यह बताना चाहिए था कि बंगला में ड़ का प्रयोग बखूबी होता है, पड़ेछे, पड़िल, गड़िते, गड़ाइ, गुड़गुड़ि, इत्यादि। आगे लिखा है कि "इसी प्रकार हिन्दी 'ल' बिहारी में 'र्' तथा 'न्' में परिणत हो जाता है। यथा—हिन्दी फल > बिहारी फर; हिन्दी गाली > भोजपुरी गारी; हिन्दी लंगोट > भोजपुरी लंगोट तथा नंगोट; हिन्दी लंगोटी > भोजपुरी

1. केसरी सिंह बारठ, 'राजस्थानी मुक्तक', 'प्रेरणा', सितम्बर, 1954
2. 'ब्रज की लोक-कहानियाँ', पृ. 35

लंगोटी, नंगोटी तथा निगोटी। बंगला में भी प्राय: यही प्रवृत्ति दृष्टिगोचर होती है। यथा—हिन्दी तथा संस्कृत लक्ष्मी > आदर्श बंगला लक्खी किन्तु ग्रामीण बंगला नक्खी एवं हिन्दी लंगोटी > बंगला नेंगटी।" 'ल' के 'र' में परिवर्तित होने का नियम नहीं है। भोजपुरी और बंगला में लकारवाले शब्दों की प्रचुरता है। इसी तरह 'ल' के 'न' में बदलने का कोई व्यापक नियम नहीं है। लक्ख, लक्खी, लाज, लम्बा, लागि, लाँगल, लाठि, लुकोचुरि आदि ढेरों लकारयुक्त शब्द बंगला में प्रचलित हैं।

अन्य भेद 'य' और 'व' के सम्बन्ध में बताया है। "बिहारी तथा बंगला में, विस्मयबोधक को छोड़कर शब्द के आदि में 'य' तथा 'व' नहीं आते किन्तु पश्चिमी हिन्दी की ब्रजभाषा में ये 'य' तथा 'व' आते हैं।" ब्रजभाषा वाले यमुना को जमुना कहते हैं और वैष्णव कवियों की कृपा में जमुना का यथेष्ट महत्त्व बंगला कविता में भी है। 'य' का 'ज' और 'वे' का 'ब' उच्चारण हो, यह तो ठीक लेकिन 'बिहारी' तथा बंगला में शब्दों के आदि में य-व का बहिष्कार हो, यह निराधार कल्पना है। उदाहरण देते हुए लिखा है : "खड़ी बोली में तो ये 'इ' तथा 'उ' में परिणत हो जाते हैं। (मानो यह और वह का अस्तित्व ही न हो!) यथा—बिहारी (भोजपुरी) एमे, ओमे > ब्रजभाषा यामें, वामें, किन्तु हिन्दी इसमें, उसमें।" जा, जाहा, जे आदि बंगला के परिचित सर्वनाम हैं। ये एआ, एआहा, ए नहीं हो गए।

"बिहारी तथा बंगला में ह्रस्व ए, ऐ, ओ एवं औ का प्रयोग होता है; किन्तु हिन्दी में इनका अभाव है।" एकदम अभाव तो नहीं है। देहात शब्द में ए का उच्चारण 'नेक' के ए के समान दीर्घ नहीं होता। इसी तरह मेहतर, बेहतर। चौहत्तर और चौंसठ के उच्चारण में ह्रस्व-दीर्घ औ का भेद देखिए।

"यह बात उल्लेखनीय है कि बिहारी तथा बंगला के सम्बन्धकारक के अनुसर्गों में पूर्ण साम्य है। यथा—उहार घोड़ा, उहार घोड़ाय, उहार घोड़ी, उहार घोड़ीते।" इस तरह तो हमारा, तुम्हारा, मेरा रूप हिन्दी में भी हैं, किन्तु क्या संज्ञा के साथ भी भोजपुरी, मैथिली आदि में 'र' चिह्न लगता है? तिवारी जी की पुस्तक के पृष्ठ 192 पर सम्बन्धकारक 'के' का विस्तृत वर्णन है और उदाहरण दिये गए हैं राम के, कुकुरन के। बंगला का सम्बन्ध चिह्न है 'र', हिन्दी और उसकी बोलियों का सम्बन्ध चिह्न है 'क'।

"बंगाली की भाँति ही बिहारी में भी भविष्यत् के रूप अब संयुक्त करके सम्पन्न होते हैं।" पश्चिम में बकारान्त रूपों के प्रयोग का उल्लेख हम पहले ही कर चुके हैं।

"क्रिया रूपों के सम्बन्ध में, केवल सम्भाव्य वर्तमान के एक-दो रूपों को छोड़कर, बिहारी तथा हिन्दी के क्रियापदों में किसी प्रकार की समानता नहीं है। इसके विपरीत बंगला तथा बिहारी के क्रियापदों के प्राय: सभी रूपों में निकट का सम्बन्ध स्पष्ट रूपों से दृष्टिगोचर होता है।" वर्तमान को तो छोड़ ही दीजिए। अतीत

और भविष्य के बारे में भ्रान्ति यह है कि भोजपुरी-बंगला में 'ल' और 'ब' चिह्नों का ही प्रयोग होता है, और पश्चिम में इनका अभाव है। मराठी और राजस्थानी में लकारान्त क्रियारूपों का उल्लेख पहले हो चुका है। इसी प्रकार ब्रजभाषा में बकारान्त रूपों की चर्चा हम कर चुके हैं। यह धारणा बिलकुल गलत है कि भोजपुरी आदि बोलियों में 'ल' और 'ब' के बिना भूत और भविष्यत् के रूप बनते ही नहीं हैं। पृष्ठ 267 पर अतीत-काल के बारे में तिवारी जी ने ठीक लिखा है कि "भोजपुरी में इसके दो रूप मिलते हैं : (अ) ल्-रहित अतीत तथा (आ) ल्-सहित अतीत।" देखुईं, देखुए, देखुअ आदि उस लकारहीन अतीत के रूप हैं। इसी तरह मैथिली में रही, रहै, रहिए, आदि रूप हैं। (पृ. 211) इसी प्रकार भविष्य के लिए बकारान्त रूप अनिवार्य नहीं हैं। भोजपुरी-मगही-मैथिली में होई, होताइ, होयत आदि रूपों का चलन भी है। (पृ. 201)

बिहारी तथा हिन्दी में 'एक तात्त्विक अन्तर' यह बताया गया है कि "हिन्दी की सकर्मक क्रियाओं में जहाँ कर्मणि प्रयोग चलता है", वहाँ बिहारी में कर्तरि प्रयोग का चलन है। हिन्दी की सकर्मक क्रियाओं के कर्मणि प्रयोग का उल्लेख यों किया गया है मानो प्रत्येक काल में कर्मणि प्रयोग सम्भव हो! लड़का पुस्तक पढ़ता है—पढ़ेगा, लड़की पुस्तक पढ़ती है—पढ़ेगी। यहाँ क्रिया का सम्बन्ध कर्ता से है, न कि कर्म से। केवल अतीतकाल में—जब क्रिया सम्पन्न हो चुकी है—उसमें कर्म का सम्बन्ध होता है : लड़की ने आम खाया; लड़के ने पुस्तक पढ़ी। हिन्दी के प्रभाव से भोजपुरी क्रियाओं के अतीत-रूपों में भी यह लिंग-भेद प्रकट होने लगा है। पृष्ठ 185 पर लिखा है : "कभी-कभी संज्ञा पदों का लिंग ज्ञान क्रियाओं द्वारा भी निर्धारित होता है। यथा—घर जरि गइल, घर जल गया; पोथी जरि गइलि; यहाँ 'घर' पुल्लिंग तथा पोथी स्त्रीलिंग है, यह गइल तथा गइलि क्रिया के द्वारा ही प्रतीत होता है।" हिन्दी वालों से भोजपुरियों की भिन्न प्रकृति होनी चाहिए, इसलिए "यहाँ इस बात को सदैव स्मरण रखना चाहिए कि खड़ी बोली बोलनेवालों की भाँति भोजपुरी भाषा-भाषियों के मन में यह स्पष्ट धारणा नहीं होती कि घर पुल्लिंग तथा पोथी स्त्रीलिंग हैं।" स्पष्ट धारणा न होने पर भी वे घर के साथ गइल और पोथी के साथ गइलि रूपों का प्रयोग कर लेते हैं, इससे सिद्ध होता है कि लिंग-भेद के संस्कार भोजपुरियों के अवचेतन में बद्धमूल हो चुके हैं। क्रियाओं के अतीत रूपों में हिन्दी के समान भोजपुरी में भी लिंग-भेद मिलता है : 'संकरजि कहलैं; गउरा पार्बती कहलीं।' (पृ. 343) सिद्धान्त यह स्थिर किया गया है कि "मागधी-प्रसूत, बंगला, उड़िया आदि भाषाओं में भी कर्तरि प्रयोग ही प्रचलित हैं।" लेकिन डॉ. चाटुर्ज्या के अनुसार बंगला, असमिया और उड़िया के प्राचीन रूपों में लिंग-भेद विद्यमान था। 'निअ धरिणी चण्डाली लेली—' इस तरह के प्रयोगों का हवाला देने के बाद उन्होंने लिखा है : "इनसे पता चलता है

कि लिंगभेद-सम्बन्धी ज्ञान भाषा में काफी तीव्र था।"[1] इससे क्या समझा जाए? जब भाषाएँ सद्य:प्रसूत थीं, तब लिंग-भेद था; जब विकसित और पल्लवित हुई, तब लिंग-भेद मिट गया? बंगला से लिंग-भेद मिटा; डॉ. चाटुर्ज्या के अनुसार : "व्याकरण की रूढ़ियों को विवेक के सामने झुकना पड़ा।" दुर्भाग्य से विवेक का पूर्ण प्रकाश भोजपुरी पर न पड़ा; अविवेक की छाया में लिंग-भेद बना ही रहा।

नकारात्मक रूपों के लिए लिखा है कि बिहारी में जिन, जनि और मति शब्दों का व्यवहार होता है; "हिन्दी में केवल मत का प्रयोग होता है।" एक शब्द और भी है 'न' या 'नहीं'। इस 'न' का प्रयोग भोजपुरी में भी होता है : "मैं भिंजब ना ओइसन केहुके न बीते।" (पृ. 335) जिन, जनि का प्रयोग ब्रज, बुंदेलखंडी आदि हिन्दी की अन्य पश्चिमी बोलियों में होता है। क्या जिन, जनि, मत का प्रयोग बंगला में होता है? तिवारी जी ने निष्कर्ष यह निकाला है : "सबसे महत्त्वपूर्ण बात तो यह है कि बिहारी—मैथिली, मगही तथा भोजपुरी—का जिन बातों में पश्चिमी हिन्दी से पार्थक्य है, उन्हीं बातों से इसका बंगला से साम्य है। बिहारी बोलियों की पारस्परिक एकता इस बात को स्पष्ट रूप से प्रमाणित करती है कि इनकी उत्पत्ति मागधी अपभ्रंश से हुई है।"

पहले तो इसी में सन्देह है कि मागधी अपभ्रंश नाम की कोई बोलचाल की भाषा थी। यदि हो भी तो सबसे पहले मगही, भोजपुरी और मैथिली के भेद की व्याख्या करनी होगी कि एक ही माता की इन पुत्रियों में 'तात्त्विक' भेद कैसे पैदा हो गए? ग्रियर्सन का मत था कि हिन्दी या बंगला की तुलना में मैथिली और मगही के क्रिया-रूप आश्चर्यजनक ढंग से पेचीदा हैं। क्रिया-रूपों के इसी भेद का उल्लेख डॉ. चाटुर्ज्या ने किया है।[2] डॉ. तिवारी ने भी उसी बात को दोहराया है : "भोजपुरी क्रियाओं के रूप में मैथिली तथा मगही क्रियाओं के रूप की जटिलता का सापेक्षिक दृष्टि से अभाव है।" (पृ. 3)

'हूँ' के लिए छी है, थिकहु भी है। बाटी, बाड़ी, बानी, हईं, हवीं भी सब 'हूँ' के लिए हैं। 'था' के लिए प्रथम पुरुष में हल, रहल, छल, रहै आदि अनेक रूप हैं, और ये सभी अपभ्रंश प्रसूत हैं। मैथिली और मगही की बात दरकिनार, भोजपुरी के ही सब रूपों को मागधी अपभ्रंश से सिद्ध करना कठिन होगा। वर्तमान काल में लकारान्त रूप हैं, लकारहीन रूप भी, भविष्य के लिए बकारान्त रूप हैं, बकारहीन भी। इसी प्रकार अतीत के लिए लकारान्त रूप हैं, लकारहीन भी। ये सब एक ही अपभ्रंश से कैसे उत्पन्न हुए, इसकी कोई कैफियत 'भोजपुरी भाषा और साहित्य' में नहीं दी गई। डॉ. चाटुर्ज्या ने बंगला भाषा के मूल उद्गम के बारे में ठीक लिखा है : "बंगला बोलियाँ एक ही आदि बंगला भाषा से उत्पन्न

1. 'ऑरिजिन एंड डिवेलपमेंट ऑव बेंगाली लैंग्वेज़', खंड 2, पृ. 720-21
2. उप., खंड 1, पृ. 91

नहीं मानी जा सकतीं। उन्हें उत्तरकालीन मागधी अपभ्रंश के विभिन्न स्थानीय रूपों से उत्पन्न मानना चाहिए।[1] इसी तरह भोजपुरी, मैथिली आदि को विभिन्न प्राचीन बोलियों से उत्पन्न मानना युक्तिसंगत है।

तिवारी जी ने भोजपुरी को हिन्दी क्षेत्र से बाहर की भाषा सिद्ध करने के लिए जो तर्क दिये हैं, वे या तो भ्रान्त हैं या काफी कमजोर हैं। उसे बंगला से सम्बद्ध करने के लिए उन्होंने जो आग्रह दिखाया है, वह अन्तर-जातीय भाईचारे की दृष्टि से श्लाघ्य हो सकता है, लेकिन भाषाविज्ञान की दृष्टि से सत्य सिद्ध नहीं होता। भोजपुरी और बंगला में अनेक महत्त्वपूर्ण समानताएँ हैं लेकिन वे मराठी, राजस्थानी, ब्रज, अवधी आदि में भी मिलती हैं। हिन्दी और हिन्दी की बोलियों से उसकी समानताएँ ऐसी भी हैं जो उसे बंगला से विलग करती हैं। भोजपुरी के क्रिया-रूपों में लिंग-भेद मिलता है; बंगला में इसका अभाव है। यह साधारण भेद नहीं है। भोजपुरी में है या हे क्रिया का व्यवहार होता है; बंगला में इसका अभाव है। भोजपुरी में मैं या मयँ, हम आदि सर्वनाम मिलते हैं। ये बंगला में नहीं हैं। भोजपुरी में सम्बन्धकारक के लिए 'क' या उसके किसी रूप का व्यवहार होता है। बंगला में इसका व्यवहार नहीं होता। भोजपुरी सकार प्रधान है, बंगला शकार प्रधान।

तिवारी जी ने कहीं यह सिद्ध नहीं किया कि भोजपुरी के धातु-प्रत्यय हिन्दी से भिन्न हैं। बात, बोल, चाल, मन, समुझ, जाँच आदि शब्द (पृ. 155) हिन्दी में भी प्रचलित हैं। समुझ का समझ रूप परिनिष्ठित हिन्दी में चलेगा, इतना ही अन्तर है। क्या यह समझ शब्द बंगला में प्रचलित हैं? बनइला, धरइला जैसे रूप अवधी में भी प्रचलित हैं; बनइला को बनैला कर दीजिए, हिन्दी का परिष्कृत रूप हो गया। बंगला में भी बनैला है? बुझक्कड़, पिअक्कड़, घुमक्कड़, भुलक्कड़—किसी से पूछिए, ये हिन्दी क्षेत्र के बाहर के शब्द हैं? चलता-फिरता, लौटती, बहता आदि शुद्ध हिन्दी के रूप हैं। इसी प्रकार उठती, घटती, चलन, झाड़न, ढकना, छानना, ओढ़ना; ढकनी, सोहनी, चटनी आदि-आदि रूप भोजपुरी की ही सम्पत्ति नहीं हैं। उन पर हिन्दी की अन्य बोलियों का हक भी है। इनसे कैसे सिद्ध हुआ कि भोजपुरी हिन्दी से दूर है और बंगला के अधिक निकट है? इसी प्रकार भोजपुरी की कस, कर, काढ़, काँप, काट, गूँज, घट, चुन, चढ़, चुल, छेद, टुट (टूट), ठग, डूब, डर, दे, नहा, पढ़, बोल, हट, हार आदि धातुएँ हिन्दी की भी हैं। इसी प्रकार 'उपसर्ग-संयुक्त धातुओं के उदाहरण' हैं : उपज (ना), उखार (उखाड़ना), उतर, निबाह, पोंछ, बइठ (बैठना), सउंप (सौंपना ) इत्यादि। प्रेरणार्थक क्रियाएँ : उखाड़ (पृ. 247 पर इसे प्रेरणार्थक कहा गया है), तार (तारना), नहा (नहाना), पसार, फाड़, मार, इत्यादि। 'अर्द्ध-तत्सम धातुएँ' : गरज (ना), तज (ना), बरज (ना), इत्यादि। ऐसी धातुएँ जो 'साधित रूप में नहीं प्रतीत होती हैं, और जिनकी उत्पत्ति संस्कृत से भी नहीं जान पड़ती'—अंट (अटना),

1. 'ऑरिजिन एंड डिवेलपमेंट ऑव बेंगाली लैंग्वेज़', खंड 1, पृ. 139

चिहुक, जुट (ना), झाँक, टाँग (ना), टोक (ना), पटक, इत्यादि। नाम धातुएँ : अंकुर (अंकुरित होना), उग (उगना), खाब (खोना), गाड़ (ना), थाम (थामना), दुखा (ना), पिरा, बखान, भूख आदि। 'अर्द्ध तत्सम नामधातु' : अकुला (ना), अलाप (ना ), असीस (ना)। 'फ़ारसी-अरबी शब्दों से बनी हुई नाम धातुएँ' गर्मा (ना), बकस (बख्शना), बदल (बदलना)। इसी तरह अन्य धातुएँ : अटक (ना), फूँक (ना), झगड़, पछड़ (पिछड़ना), पुकार, टहल, फुँक (फूँकना), छिंक (छींकना), खटखटा (ना), चुलबुला (ना)। ये सब क्रियाएँ इन्हीं या इनसे कुछ भिन्न रूपों में हिन्दी और उसकी अन्य बोलियों में मिलती हैं। ऐसी धातुएँ बहुत थोड़ी हैं जो भोजपुरी में व्यवहृत तो होती हों किन्तु हिन्दी के लिए अव्यवहार्य हों। ऐसी धातुएँ जो भोजपुरी और बंगला में सामान्य हों किन्तु हिन्दी तथा उसकी 'पूर्वी' बोलियों के लिए असामान्य हों, ढूँढ़ने से दो-चार ही मिलेंगी। इसके विपरीत बंगला में बहुत-सी धातुएँ, मूल शब्द-भंडार का बहुत बड़ा भाग ऐसा है जो न हिन्दी में है, न भोजपुरी आदि 'हिन्दी क्षेत्र से बाहर' समझ जानेवाली बोलियों में।

बंगला की वे क्रियाएँ जो भोजपुरी से मिलती हैं, अक्सर हिन्दी की अन्य बोलियों की क्रियाओं से भी मिलती-जुलती हैं। यह स्वाभाविक है क्योंकि अवध और बिहार के बहुत-से लोग प्राचीन काल से ही बंगाल जाकर बसते रहे हैं। डॉ. चाटुर्ज्या ने यह मत प्रकट किया है कि "भौगोलिक परिस्थिति, भाषा-सम्बन्धी प्रमाण, परम्परा, इतिहास—सभी से यह सिद्ध होता है कि बिहार से आर्य भाषा एक बाढ़ के रूप में बंगाल पहुँची।"[1] आगे लिखा है कि मगध और उसके आगे से (अर्थात् पश्चिम की ओर से) राज्य-कर्मचारी, सैनिक, ब्राह्मण, बौद्ध, जैन प्रचारक और पुरोहित, व्यापारी और कारीगर अपने साथ आर्य भाषा लाये।[2] बाद को संस्कृत की जो शब्दावली बंगला में गई, उसे छोड़ देने पर भी बंगला और हिन्दी में, विशेष कर हिन्दी की पूर्वी बोलियों में, बहुत बड़ी समानता है। फिर भी अवधी, भोजपुरी आदि तो हिन्दी की बोलियाँ बनीं—वे बंगला की बोलियाँ न बनीं—और उधर बंगला एक स्वतंत्र भाषा के रूप में विकसित हुई। इसका कारण यह है कि बंगला की अपनी क्रियाएँ हैं जो हिन्दी और उसकी सभी बोलियों से भिन्न हैं; उसकी अपनी मूल शब्द-भंडार की सामग्री है जो हिन्दी की बोलियों से उसका अलगाव स्पष्ट करती है। नित्य व्यवहार में आनेवाली हिन्दी और उसकी बोलियों से भिन्न बंगला की कुछ क्रियाएँ ये हैं : घुमानो—सोना (जब कबीरदास कहते हैं, सूतल रहलूँ मैं नींद भरी हो, गुरु दिहलैं जगाइ, तब हिन्दी-भाषी सोना क्रिया से परिचित होने के कारण सूतल का अर्थ समझ लेता है; किन्तु बिहार के हिन्दी-भाषी बन्धु भी बंगला की धातु विशेष से परिचित हुए बिना रवीन्द्रनाथ की पंक्ति 'घूम भाँगा आँखि फूटे थरे थरे'

1. 'ओरिजिन एंड डिवेलपमेंट ऑव बेंगाली लैंग्वेज़', खंड 2, पृ. 62
2. उप., पृ. 72-73

का अर्थ न समझेंगे। बंगला के 'आँखि फूटे' और हिन्दी की 'आँख फूटे' एक-दूसरे से बिलकुल उल्टे हैं।), दाँड़ानो—खड़े होना, बेड़ानो—घूमना, पुरानो—खत्म होना, भालोबासा—प्यार करना, पोडानो—जलाना, शुधानो—पूछना, आसा—आना, डाका—पुकारना, पोयानो—समाप्त होना, नड़ा—हिलाना, टाना—खींचना, इत्यादि।

क्रियाओं के अलावा बंगला के मूल शब्द-भंडार की काफी बड़ी सामग्री हिन्दी से भिन्न है : चाषी—किसान, लांगल—हल, बाड़ी—घर, खोका—लड़का, खुड़ो—काका, पल्ली—गाँव, टोला, दीघी—ताल, माँठ—चरागाह, टिकि—चोटी, छेले—बेटा, गा—शरीर, चोख—आँख, डान—दाहिना, आबार—फिर, आलो—प्रकाश, बोइ—पुस्तक, शुधू—केवल, बयान—चेहरा, काछे—पास, पाने—ओर, जानला—खिड़की, नाबोय—नीचे, चुल—बाल, इत्यादि। बंगला के अपने मुहावरे हैं जो हिन्दी और उसकी बोलियों से काफी भिन्न हैं। जाबार जो नेइ—जाने की गौं नहीं है; चोख बुजोले—आँखें बन्द होने पर; घाड़े पड़लो—सिर पड़ गया, इत्यादि। यही कारण है कि भोजपुरी, मगही और मैथिली क्षेत्रों के लेखक स्वभावतः हिन्दी में साहित्य-रचना की ओर प्रवृत्त होते हैं। उनमें किसी ने बंगला में साहित्य रचकर यश अर्जित किया हो, ऐसा सुनने में नहीं आया। बंगला तथा इन बोलियों में महत्त्वपूर्ण ध्वनि-भेद हैं। हिन्दी क्षेत्र की सभी पूर्वी बोलियाँ महाप्राण वर्णों का उच्चारण पूरी तरह करती हैं और उनमें इस तरह के वर्ण वाले शब्दों की भरमार है। उदाहरण के लिए, हाथ शब्द सभी पूर्वी बोलियों में बोला जाता है और उसका महाप्राण वर्ण पूरी तरह उच्चरित होता है। किन्तु शिष्ट बंगला में यह शब्द हो जाता है हात। इसी प्रकार हिन्दी क्रिया घुलना बंगला में हो जाती है गुलानो। जाइते छे—यह लिखित रूप बोलने में हो जाता है—जाच्चे। इसी प्रकार 'गाँठ' का प्रचलित बंगला रूप है 'गाँट', गाभिन का प्रचलित रूप है 'गाबिन'। ढ़ की ध्वनि अक्सर ड़ में परिवर्तित हो जाती है, बढ़ती—बाड़ति, अढ़ाइ—अड़ाइ, पढ़ाना—पड़ानो। मध्य और अन्त्य ह के लोप की प्रवृत्ति बंगला को हिन्दी की पूर्वी बोलियों से अलग करती है, यथा—पहला—पयला, दही—दइ, बारह—बारो। मध्य आ को बोलचाल में ए करके बोलते हैं—हिसाब—हिसेब (हिशेब), कन्यादाय—कन्येदाय। यह ए ध्वनि बंगला-भाषियों को इतनी प्रिय है कि वे अक्ल-अकिल-अक्किल को झोल बना देते हैं। विद्या बिद्ये (बिद्दे) और बिलायत बिलेत हो जाता है। हिन्दी की पूर्वी बोलियों के विपरीत बंगला में शब्द के प्रथम वर्ण पर बलाघात करने की बहुत स्पष्ट प्रवृत्ति है। यही कारण है कि हिन्दी-उर्दू के जो शब्द बंगला में पहुँचे हैं, उनका उच्चारण इस नियम के अनुकूल बदल गया है। हिन्दी में यदि पहला वर्ण ह्रस्व है और आघातहीन है तो बंगला में उसे दीर्घ करके आघातयुक्त कर दिया गया है, यथा—हिन्दी पहरा बंगला में पाहरा, अच्छा—आच्छा, हजार—हाजार, बगीचा—बागिचा, हवालात—हाओलात, अमानत—आमानत, हवेली—हाबेली, बराण्डा—बाराण्डा, हंगामा—हांगामा। इसी

बलाघात-भेद के कारण हिन्दी की सभी बोलियों के छन्द मुख्यत: मात्रिक हैं जब कि बंगला के छन्द वर्णिक हैं। इस सम्बन्ध में डॉ. चाटुर्ज्या ने एक मार्मिक बात कही है : "उत्तर भारत के मात्रिक छन्द स्पष्ट ही बंगला और पूर्व की दूसरी मागधी बोलियों में, उनके प्रारम्भिक निर्माण काल में, बाहर से लाये गए थे। वे इन बोलियों के साहित्य पर थोपे गए थे (लिटरेरी इम्पोजीशन), लेकिन पूर्व की बोलियों—बंगला, असमिया और उड़िया—के वे सहज अंग नहीं बन पाए।"[1] जो लोग हिन्दी की पूर्वी बोलियों—भोजपुरी, मगही और मैथिली—को हिन्दी की अपेक्षा बंगला के अधिक निकट समझते हैं, उन्हें डॉ. चाटुर्ज्या के उपर्युक्त मत पर गम्भीरता से विचार करना चाहिए। बंगला में जब मात्रिक छंदों का व्यवहार हुआ, तब इन छंदों में 'ब्रजबुलि' अपनाई गई। यह ब्रजबुलि न ब्रजभाषा थी, न बंगला, वरन मूलत: मैथिली थी जिसमें कुछ शब्द बंगला के भी थे।

*सीख हे की पुछसि अनुभव मोय*
*सोइ पिरीति अनुराग बखानिय*
*अनुखन नूतन होय।*

यहाँ न भाषा बंगला है, न छंद बंगला का है। भाषा और छंद, दोनों हिन्दी (मैथिली) के हैं। इसके विपरीत बंगला महाभारत का छंद इस प्रकार है :

*जय नरनारायण नृपति प्रधान।*
*जाहार समान राजा नाहिक जे आन॥*
*धर्म नीति पुराण भारत शास्त्र जत।*
*अहोरात्रि बिचारन्त बसिया सभात॥*

छन्दों का यह मौलिक भेद इस स्थापना को पुष्ट करता है कि बंगला हिन्दी क्षेत्र से बाहर की भाषा है जबकि भोजपुरी आदि बोलियाँ उस क्षेत्र के अन्तर्गत हैं। बंगला ने हिन्दी की पूर्वी बोलियों से बहुत-सी शब्द-सामग्री ली, व्याकरण-विशेषताएँ भी ली हैं किन्तु भयानक रूप से संस्कृत-गर्भित होने पर भी उसका बंगलापन खत्म नहीं हुआ। उसकी जातीयता सबसे अधिक सुरक्षित है—उसकी ध्वनि-प्रकृति में। इस आधारभूत ध्वनि-प्रकृति के कारण उसकी छन्द-व्यवस्था हिन्दी और उसकी सभी बोलियों की छंद व्यवस्था से भिन्न है। यही कारण है कि तुलसीदास का रामचरितमानस हिन्दी की सभी बोलियों के क्षेत्रों में—शहर के पढ़े-लिखे लोगों से भी ज्यादा गाँवों के पढ़े-अधपढ़े और बेपढ़े लोगों में—इतना लोकप्रिय है। उसके छन्दों में हिन्दी की सभी बोलियों की मूल ध्वनि-प्रकृति अपनी आन्तरिक रागात्मक एकता लिये हुए प्रतिबिंबित हुई है।

---

1. 'ऑरिजिन एंड डिवेलपमेंट ऑव बेंगाली लैंग्वेज़', खंड 1, पृ. 284

डॉ. उदयनारायण तिवारी ने भोजपुरी को हिन्दी क्षेत्र से बाहर किया; मैथिली साहित्य के इतिहास-लेखक डॉ. जयकान्त मिश्र ने भोजपुरी को हिन्दी क्षेत्र के भीतर और मैथिली को उसके बाहर रखा। एक चमत्कार उन्होंने यह किया कि भोजपुरी को मैथिली की बोली घोषित किया। उनके अनुसार, चम्पारन में कभी मैथिली बोली जाती थी लेकिन अब उसका स्थान भोजपुरी ने ले लिया है। इस प्रकार हिन्दी क्षेत्र के अन्दर रहनेवाली भोजपुरी उस क्षेत्र से बाहर की भाषा मैथिली की बोली हुई। भोजपुरी के अलावा मगही को भी वह मैथिली की बोली मानते हैं। यह जरूर है कि चम्पारन से बाहर पच्छिमी भोजपुरी प्रदेशों को वह यू.पी. में मिला देने के पक्ष में हैं। डॉ. चाटुर्ज्या ने डॉ. मिश्र के ग्रंथ की भूमिका में यह सुझाव दिया है कि मैथिली नाम छोड़कर इसे बिहारी कहना चाहिए। मगही इस बिहारी भाषा की बोली होगी और दोनों का सांस्कृतिक केन्द्र होगा पटना।

मैथिली का व्याकरण जितना भोजपुरी से भिन्न है, उससे ज्यादा बंगला से भिन्न है। मैथिली में कर्ता के अलावा कर्म के अनुसार भी क्रिया-रूप में परिवर्तन होती है। "मगही में भी यही प्रक्रिया चलती है, किन्तु भोजपुरी में थोड़ी भिन्न व्यवस्था है। मैथिली क्रियापदों की इस जटिलता का बंगला में भी अभाव है।"[1] इसी कारण वह हिन्दी की अपेक्षा बंगला के अधिक निकट है। क्रियाओं और शब्द-भंडार में वह भोजपुरी के समान ही हिन्दी के समीप नहीं है। कुछ मैथिली-प्रेमियों का एक विशेष तर्क यह है कि उनकी साहित्यिक परम्परा बहुत पुरानी है। इसलिए वे मैथिली को हिन्दी से स्वतंत्र भाषा मानेंगे, उसे हिन्दी की एक बोली का दर्जा कभी न देंगे। मैथिली की साहित्यिक परम्परा के महत्त्व को स्वीकार करने के बाद यह बिलकुल आवश्यक नहीं है कि उसे हिन्दी से स्वतंत्र भाषा माना जाए। ब्रजभाषा का साहित्य भी अत्यन्त समृद्ध रहा है, किन्तु आज ब्रज को हिन्दी से स्वतंत्र भाषा मानना गलत होगा। सामन्ती व्यवस्था में ब्रज, अवध, बुंदेलखंड, मिथिला आदि जनपद लघुजातियों के प्रदेश थे। सामन्ती व्यवस्था के विघटन और पूँजीवादी सम्बन्धों के प्रसार के साथ-साथ इन जनपदों का अलगाव कम हुआ, लघुजातियाँ टूटीं और वे हिन्दी-भाषी महाजाति में घुलने-मिलने लगीं। इस प्रक्रिया को न देखकर कुछ लोग मिथिला का अलग प्रान्त बनाने की माँग करते हैं। मिथिला ही नहीं, ब्रज और बुन्देलखंड के अलग प्रान्त बनाने की माँग भी उठ चुकी है। हिन्दी-भाषी प्रदेश को एक करने के बदले लोग वर्तमान उत्तर प्रदेश के भी विभाजन की चर्चा चला चुके हैं।

यदि ब्रज, अवध, बुन्देलखंड, मिथिला आदि स्वतंत्र जातियों के प्रदेश हैं, तो उनके जिन साहित्यकारों ने अपना सर्वाधिक साहित्य हिन्दी में रचा है, उन्होंने अपनी मातृभाषा का अहित किया है। आधुनिक हिन्दी के जन्मदाता भारतेन्दु हरिश्चन्द्र भोजपुरी क्षेत्र के थे। हिन्दी के और भारत के श्रेष्ठ उपन्यासकार प्रेमचन्द भोजपुरी क्षेत्र के थे।

1. 'भोजपुरी भाषा और साहित्य', पृ. 183

इन्हें भोजपुरी को सँवारना चाहिए था, न कि हिन्दी को। बिहार और भोजपुरी क्षेत्र के अन्य लेखकों में सर्वश्री शिवपूजन सहाय, दिनकर, हजारी प्रसाद द्विवेदी, जानकीवल्लभ शास्त्री, राहुल सांकृत्यायन, नागार्जुन, आदि के प्रसिद्ध नाम हिन्दी पाठकों को सहज ही याद आ जाएँगे। नागार्जुन ने मैथिली में भी रचनाएँ की हैं; 'बलचनमा' आदि उपन्यास हिन्दी में लिखे हैं। राहुल जी की भोजपुरी रचनाएँ संख्या में उनकी हिन्दी कृतियों का शतांश भी नहीं हैं। कवि रूप में दिनकर, आलोचक रूप में हजारी प्रसाद द्विवेदी हिन्दी के कारण विख्यात हैं। इसी प्रकार अवधी क्षेत्र में प्रतापनारायण मिश्र से लेकर निराला तक, ब्रज क्षेत्र में राधाचरण गोस्वामी से लेकर पद्मसिंह शर्मा तक, बुन्देलखंड में मैथिलीशरण गुप्त और वृन्दावनलाल वर्मा जैसे दिग्गज हिन्दी साहित्य को समृद्ध करते रहे हैं। हिन्दी में दिल्ली, मेरठ और मुरादाबाद के लेखक कितने हैं? उसे समृद्ध साहित्य की भाषा बनाया है, खड़ी 'बोली' क्षेत्र के बाहर, विशाल हिन्द प्रदेश की अन्य बोलियों के क्षेत्रों में रहने वाले साहित्यकारों ने। क्या बंगला और मैथिली के अलगाव पर जोर देनेवाले मित्र भारतेन्दु हरिश्चन्द्र, प्रतापनारायण मिश्र, प्रेमचन्द, वृन्दावनलाल वर्मा, प्रसाद, निराला, पंत, मैथिलीशरण गुप्त, रामचन्द्र शुक्ल, हजारी प्रसाद द्विवेदी, दिनकर आदि साहित्यकारों को अपनी 'भाषा' का साहित्यकार मानने से इनकार करेंगे? क्या वे इनके हिन्दी कृतित्व को उसी दृष्टि से देखेंगे जिस दृष्टि से मराठी या तेलगू-भाषी पाठक प्रेमचन्द या मैथिलीशरण गुप्त को देखते हैं या जिस दृष्टि से हम हिन्दी-भाषी पाठक रवीन्द्रनाथ ठाकुर को देखते हैं?

कलकत्ते में एक बार भोजपुरी-सम्मेलन हुआ। इसके सभापति प्रिंसिपल मनोरंजन प्रसाद सिन्हा ने भोजपुरी को मातृभाषा और हिन्दी को राष्ट्रभाषा बताया। उन्होंने पूछा : "का हिन्दी अउरी भोजपुरी में कवनो विरोध बा? मातृभासा के जे सेवा करेला ऊ का राष्ट्रभासा के सेवा ना करे?" तुलसीदास का हवाला देते हुए उन्होंने कहा : "रामचरितमानस अवधी में अउरी 'विनय-पत्रिका' वगैरह ब्रजभाषा में। हम पूछतानी कि का ऊ हिन्दी के सेवा ना कइलन? चन्दबरदाई, सूरदास, कबीर, दादू, रसखान, रहीम, मीरा इत्यादि का हिन्दी के कवि लोग ना रहे? का कबीर के भासा भोजपुरी ना हऽ? का तुलसीदास के भाषा में भोजपुरी के भरमार नइखे? मैथिली कोकिल विद्यापति के का हमनी हिन्दी के कवि ना मानी ले?" इन वाक्यों में भोजपुरी, अवधी, ब्रज—सभी भाषाओं में लिखनेवालों को हिन्दी का कवि माना गया है। यह बिलकुल सही है, क्योंकि ये सब हिन्दी की बोलियाँ हैं; किसी एक बोली की सेवा करना उस भाषा की सेवा करना ही है। भोजपुरी-प्रेमी कबीर को भोजपुरी का कवि कहते हैं; हिन्दी-प्रेमी उन्हें हिन्दी का कवि मानते हैं। खड़ी बोली, ब्रज, अवधी, भोजपुरी—इनमें किसी भी एक बोली में या उनके मिश्रित रूप में कबीर लिखते हैं, वह हिन्दी के ही कवि कहलाते हैं क्योंकि इन सबका आपसी सम्बन्ध सामान्य

शब्द-भंडार रखनेवाली बोलियों का है, स्वतंत्र भाषाओं का नहीं। इसीलिए कबीर, सूर, तुलसी, मीरा, आदि की रचनाएँ किसी एक जनपद में ही लोकप्रिय नहीं हैं, वे हिन्द प्रदेश के सभी जनपदों में लोकप्रिय हैं। प्रिंसिपल मनोरंजन ने विद्यापति आदि को हिन्दी का कवि कहकर इस बात का समर्थन किया है कि मैथिली आदि हिन्दी की बोलियाँ हैं। मैथिली स्वतंत्र भाषा होती तो उसके कवि को हिन्दी कवि कैसे कहते? किसी ने रवीद्रनाथ ठाकुर को हिन्दी कवि क्यों नहीं कह दिया?

हिन्दी की ये बोलियाँ कई शताब्दियों से एक-दूसरे को प्रभावित करती आ रही हैं। डॉ. उदयनारायण तिवारी कहते हैं कि भोजपुरी पर "कहीं-कहीं तो पश्चिम का इतना अधिक प्रभाव पड़ा है कि जहाँ 'ल' सुरक्षित रहना चाहिए, वहाँ भी 'र' हो गया है।" मिसाल गलत है, लेकिन स्थापना सही है कि भोजपुरी पर पश्चिमी हिन्दी बोलियों का प्रभाव पड़ा है। भोजपुरी में भविष्यकाल के अन्य पुरुष सम्बन्धी रूपों में इह प्रत्यय लगता है। "इस प्रकार भोजपुरी अन्य पुरुष के रूपों पर शौरसेनी की स्पष्ट छाप है।" ब्रजभाषा में करणकारक के लिए अन् प्रत्यय का प्रयोग होता है। "अवधी तथा भोजपुरी में भी ठीक इसी कारक में अन् तथा अनि प्रत्यय प्रयुक्त होते हैं।"..."भोजपुरी क्रियापदों में लिंग का पार्थक्य खड़ी बोली के ही प्रभाव से आया है।" आप् प्रत्यय के लिए लिखा है : "यह प्रत्यय भोजपुरी में हिन्दी से आया है और यह मिलाप (दक्षिण हिन्दी मेल-मिलाप) में वर्तमान है।" इस प्रकार डॉ. तिवारी के ही अनेक वाक्य इस सन्दर्भ में उद्धृत किये जा सकते हैं और उनसे सिद्ध होता है कि भोजपुरी तथा अन्य हिन्दी बोलियाँ एक-दूसरे को प्रभावित करती रही हैं। इन बोलियों का शब्द-भंडार इतना मिलता-जुलता है कि यह कहना सरल नहीं है कि कौन-सा शब्द किसी एक ही बोली में व्यवहृत होता है, दूसरी में नहीं। अपने ग्रंथ में तिवारी जी ने एक जगह बुंदेलखंडी के शब्द-भंडार की चर्चा की है। इस सिलसिले में उन्होंने यह घोषित करते हुए एक शब्द-सूची दी है कि "बुंदेली में अनेक ऐसे शब्द प्रचलित हैं जिनका हिन्दी में व्यवहार नहीं होता।" उस सूची के कुछ शब्द ये हैं : बाबा, दादा, बापू, दीदी, माई, भैया, भौजी, दुलहिन, लुगाई, मेहरिया, बिटिया, लाला, छीना, बुवा, जीजा, गेंडुवा, थरिया, टाठी, बटुवा, खोरवा, कलसा, करहिया (कड़ाही), पानडब्बा। अवश्य बुंदेलखंडी में ऐसे शब्द हैं जिनका प्रयोग उस बोली के क्षेत्र ही में होता है लेकिन यदि दादा-दीदी, भैया-भौजी को कोई विद्वान एक ही जनपद के शब्द समझता है, तो उससे त्राहिमाम् कहने के अलावा और कोई बहस नहीं की जा सकती।

डॉ. जयकान्त मिश्र ने मैथिली साहित्य के इतिहास में लिखा है कि शुद्ध मैथिली में वैष्णव भजन नहीं हैं। भक्तजन अवधी और ब्रज में रचे हुए भजन गाते हैं। मिथिला से ब्रज और अवध काफी दूर हैं; बंगाल बहुत पास है। यदि मैथिली हिन्दी की अपेक्षा बंगला के अधिक निकट होती तो उसके क्षेत्र में बंगला के वैष्णव-गीतों का प्रचार होता, न कि अवधी और ब्रज के गीतों का। हिन्दी के अन्य जनपदों की तरह

मिथिला में भी लोग ब्रजभाषा में कविता रचते थे। डॉ. मिश्र के अनुसार, लोचन लक्ष्मीनारायण मैथिल, हलधर दास, बलबीर, सीताराम, मैथिल रमापति, शंकरदत्त, गुमान, सोन, हेम, ईशा, गोपाल, कृष्ण, लच्छिराम, चिरंजीव, लालदास, रघुनंदनदास, हर्षनाथ झा, सोने, गोपीश्वर सिंह, बुद्धिलाल, फतुरालाल, साहेबराम, लक्ष्मीनाथ आदि बीसों कवियों के नाम दिये जा सकते हैं जो ब्रजभाषा में रचनाएँ करते रहे हैं। अनेक मैथिल कवियों की भाषा पर अर्थात् मैथिली पर ब्रजभाषा का प्रभाव पड़ा। बहुतों ने सूर और तुलसी के अनुकरण पर गीत लिखे।

तुलसीदास ने ब्रज और अवधी में रचनाएँ कीं। उनकी साहित्यिक भाषा पर हिन्दी को अन्य बोलियों का भी प्रभाव है। उनकी रचनाएँ ब्रज और अवध के बाहर भी लोकप्रिय हुईं। इन बातों से सिद्ध होता है कि विभिन्न जनपद एक-दूसरे के निकट आ रहे थे और वहाँ के निवासी अपना अलगाव दूर करके एक महाजाति के अंग बन रहे थे। महाजाति का निर्माण एक लम्बी प्रक्रिया है; सामन्ती अवशेषों और अवरुद्ध उद्योगीकरण के सबब से वह प्रक्रिया आज भी पूरी नहीं हुई। जो क्षेत्र हिन्दी केन्द्रों से यातायात के साधनों द्वारा जुड़े हुए थे, वहाँ अलगाव की भावना कम हुई। जहाँ यातायात के साधनों का अभाव रहा, सामन्ती सम्बन्ध ज्यादा दिनों तक कायम रहे, वहाँ अलगाव की भावना भी ज्यादा रही। डॉ. उदयनारायण तिवारी ने लिखा है कि "मैथिली अपने विशुद्ध रूप में उत्तरी दरभंगा के ब्राह्मणों की बोली है।" दरभंगा की सामन्ती शक्तियाँ ही मिथिला को अलग राज्य बनाने पर जोर देती रही हैं। इसी तरह बुन्देलखंड के आन्दोलन के पीछे सामन्ती शक्तियाँ रही हैं। ब्रज का अलग सूबा बनाने के लिए वे लोग उतावले हुए हैं जिन्हें उत्तर प्रदेश के मंत्रिमंडल में जगह नहीं मिली या जो उससे बाहर कर दिये गए थे। इन लोगों के साथ कभी-कभी कुछ ऐसे प्रगतिशील लोग भी मिल जाते हैं जो जातीय विकास की समस्या को समझते नहीं है, जो एक तरह के किसानवाद से पीड़ित हैं, जो समझते हैं कि प्रत्येक बोली को जातीय भाषा का दर्जा दिये बिना वास्तविक जनतंत्र कायम नहीं हो सकता। लेकिन ये बोलियाँ एक-दूसरे से इतनी ज्यादा मिलती-जुलती हैं कि भाषा-विज्ञानियों के लिए भी यह बताना कठिन होगा कि उनमें रचित कविताएँ किस बोली की हैं।

*बेला से पूछों चमेली से पूछों, पूछों मैं बन भटकोइयाँ।*
*ताल से पूछों, तलैया से पूछों, पूछों मैं पोखरा कुइँया।*

*सम्बत सत्रह सो चलि गयऊ। तेरह अधिक ताहि पर भयऊ॥*
*साहजहाँ छोड़ी दुनियाई। पसरी औरंगज़ेब दुहाई॥*

*बिजुरिया चमके रे आँगन में चितवन मार के।*

ये पंक्तियाँ डॉ. तिवारी द्वारा उद्धृत भोजपुरी के कवियों की हैं। प्रथम दो पंक्तियों में ब्रज और खड़ी बोली की तरह 'मैं' का बहुत साफ प्रयोग हुआ है। दूसरे उद्धरण

में गयऊ, भयऊ आदि रामायणी अवधी की याद दिलाते हैं। 'आँगन में चितवन मार के' जैसे टुकड़े खड़ी बोली में फब सकते हैं। हिन्दी की बोलियाँ एक-दूसरे के इतना नजदीक हैं कि एक में रचा हुआ साहित्य दूसरी के क्षेत्र में आसानी से समझ में आ जाता है। झाँसी में एक बार जनपदीय कवियों का सम्मेलन हुआ। उस बुन्देलखंडी क्षेत्र में भोजपुरी के जनकवि रामकेर ने अपनी रचनाएँ सुनाईं और वे खूब जमीं। नागार्जुन के उपन्यास 'रतिनाथ की चाची' का नायक रतिनाथ अपनी चाची को अक्षर-ज्ञान कराने के बाद उसे रामायण पढ़ने योग्य बना देता है। इस उपन्यास से पता चलता है कि मैथिल गृहस्थों के यहाँ तुलसीकृत 'रामायण' का पाठ आम बात है। लोग ब्रजभाषा के गीत भी गाते हैं—जागहु हो बृजराज, लाज मोर राखहु हो बृजराज। 'नयी पौध' में दिगम्बर के नाना अवधी और ब्रज में कविता करते थे; जहाँ तक दिगम्बर का सम्बन्ध है : "मीरा के वे अनमोल पद बहुधा दिगम्बर को अपनी लय में बहा ले जाते थे।" इन तथ्यों से यह निष्कर्ष निकलता है कि हमारे जातीय गठन में खड़ी बोली के अतिरिक्त ब्रज, अवधी आदि अन्य बोलियों का भी योग रहा है। जो भी बोली अपने क्षेत्र से बाहर के लोगों तक पहुँची है, वह दो या अधिक जनपदों को एक-दूसरे के पास लाई है और इस प्रकार हमारे जातीय निर्माण में सहायक हुई है। इस प्रक्रिया में अन्यतम महत्त्व गोस्वामी तुलसीदास का है। आज तक किसी भी साहित्यकार की रचनाएँ हिन्दी के सभी जनपदों में इतने व्यापक स्तर पर—गाँवों के जनसाधारण और नगरवासियों द्वारा—नहीं पढ़ी गईं, जैसे रामायण पढ़ी गई है। रामायण को लोग इस तरह बंगाल और महाराष्ट्र में नहीं पढ़ते यद्यपि मुक्ति पाने और स्वर्ग जाने की अकांक्षा वहाँ के लोगों में हिन्दी-भाषियों से कम नहीं है।

कुछ लोग इस बात पर आपत्ति करते हैं कि ब्रज, अवधी, मैथिली के साहित्य को हम हिन्दी का ही साहित्य मानते हैं। साहित्य और संस्कृति किसी मानव-समूह की होगी, हवा में तो विकसित न होगी। आधुनिक युग में ये मानव-समूह जातियों (नेशन) के रूप में गठित हैं। हम हिन्दी-भाषी एक महाजाति हैं। इस महाजाति के अन्तर्गत जितनी भी बोलियों के लोग आते हैं, उन सबका साहित्य एक ही जाति का साहित्य कहलाएगा। हमारी जाति हिन्दी है, हमारी भाषा हिन्दी है, इसलिए हिन्दी क्षेत्र की सभी बोलियों के साहित्य को हम हिन्दी साहित्य के अन्तर्गत लेते हैं। इसका अर्थ यह नहीं होता कि तुलसी, सूर, कबीर ने आज की हिन्दी में रचनाएँ की हैं। इसका अर्थ इतना ही है कि इन सब बोलियों में रचा हुआ साहित्य एक ही जाति की सम्पदा है। संसार में शायद ही कोई ऐसी भाषा हो जिसकी बोलियों का साहित्य इतना समृद्ध हो, साथ ही पुराना भी हो। खड़ी बोली हिन्दी का साहित्य अपेक्षाकृत नवीन है। इसके अनेक ऐतिहासिक कारण हैं जिनमें मुख्य है खड़ी बोली के मूल क्षेत्र में फ़ारसी का राजभाषा के रूप में आधिपत्य और अंग्रेज़ी राज में हिन्दी-भाषी प्रदेश का पिछड़ापन। किन्तु यह स्मरण रखना चाहिए कि 'बोलियों' में साहित्य-

रचना हिन्दी क्षेत्र की अद्‌भुत घटना नहीं है। बोली के हिसाब से बंगाल के तीन भाग किये जा सकते थे। डॉ. चाटुर्ज्या ने लिखा है कि "भाषा और संस्कृति के विचार से तीन बंगाल निर्मित हो सकते थे—राढ़, वरेन्द्र और बंग; उत्तरी बंगाल कामरूप (आसाम) में मिल जाता और डेल्टा राढ़ और बंग में बाँट लिया जाता। इनमें से प्रत्येक बंगाल अपने में लगभग उतना ही पूर्ण होता जितना कि उड़ीसा या असम हैं।"[1] तीन बंगाल न बने; बना एक ही बंगाल। यदि हमें इन तीनों क्षेत्रों की बोलियों में साहित्य मिले, तो क्या हम उसे बंगला साहित्य के अलावा किसी और नाम से पुकारेंगे? यदि पंजाब की पोठवारी बोली में किसी ने साहित्य रचा हो, तो क्या उसे पंजाबी साहित्य में न गिना जाएगा? दक्खिनी फ्रांस की बोली प्रोवांसाल में बहुत-सा साहित्य रचा गया था, उसे फ्रांसीसी साहित्य में ही तो गिना जाता है।

तीन बंगालों के प्रसंग में डॉ. चाटुर्ज्या ने एक बात बहुत मार्के की कही है : "बोलियों की विभिन्नता होते हुए भी राजनीतिक और सामाजिक कारणों से बंगाल में भाषा-सम्बन्धी एकता कायम हुई है।"[2] जिस प्रदेश में तीन बंगाल बन सकते थे, वहाँ जातीय एकता केवल भाषागत कारणों से उत्पन्न नहीं हुई। किसी भी प्रदेश में जातीय निर्माण केवल भाषागत कारणों से नहीं होता। सामाजिक कारणों की बहुत बड़ी भूमिका होती है। यदि यह मान भी लिया जाए कि भोजपुरी और बंगला एक ही मागधी से उत्पन्न हुई हैं, तो भी इस भाषागत तथ्य से एक महत्तर तथ्य है, वह यह कि "मगध का प्राचीन गौरव और संस्कृति समाप्त हुई और क्रमशः वह हिन्दुस्तान का एक भाग बन गया।"[3] भोजपुरी प्रदेश, मिथिला और मगध में ब्रज और अवधी ने ही प्रवेश न किया, वहाँ खड़ी बोली भी पहुँची और उसी तरह जातीय भाषा के रूप में विकसित होने लगी, जैसे ब्रज या अवध में। बिहार में हिन्दी और उसकी बोलियों के परस्पर सम्बन्ध के बारे में डॉ. उदयनारायण तिवारी ने लिखा है : "यद्यपि साहित्यिक भाषा के रूप में, बिहारी भाषा-भाषी क्षेत्र में आज हिन्दी की ही प्रतिष्ठा है तथापि बिहारी—मैथिली, मगही तथा भोजपुरी—बोलनेवालों की अपनी-अपनी बोलियों के प्रति अत्यधिक ममता है। बिहारी की इन बोलियों (अर्थात् हिन्दी की बोलियों) की जड़ें यहाँ की जनता के हृदय में बहुत दूर तक चली गई हैं और यह आशा करना कि निकट भविष्य में, बोलचाल में भी, हिन्दी इनका स्थान ले लेगी, दुराशा मात्र है।"[4] बिहार या उसके बाहर के लोगों को अपनी-अपनी 'बोलियों' पर खूब ममता हो, इस पर किसी को क्या आपत्ति हो सकती है? यह बिलकुल सही है कि इन बोलियों की जड़ें जनता में बहुत दूर तक चली गई हैं। इसलिए इन बोलियों

1. 'ऑरिजिन एंड डिवेलपमेंट ऑव बेंगाली लैंग्वेज़', खंड 1, पृ. 147
2. उप., पृ. 146
3. उप., पृ. 14
4. 'भोजपुरी भाषा और साहित्य', पृ. 175

में नाटक, गीत, व्यंग्य कविताएँ आदि लिखी जाएँ, यह ठीक है। किसान-आन्दोलन की प्रगति के लिए इस तरह के लोक-साहित्य की रचना आवश्यक है। किन्तु गद्य के लिए खड़ी बोली का सहारा लेना होगा। आप भोजपुरी में गद्य लिखेंगे तो उसकी 95 फीसदी शब्दावली हिन्दी की होगी। बोलियों की जड़ें जनता में बहुत गहरी होती हैं। हमारे देश में ही नहीं, फ्रांस और इंग्लैंड जैसे पूँजीवादी देशों में भी बोलियों का अस्तित्व है और लोग अपनी जातीय भाषा के अलावा उन्हें भी बोलते हैं। लेकिन अपनी बोली के साथ बिहार के लोग जातीय भाषा के रूप में हिन्दी बोलेंगे, या मैथिली को बिहारी भाषा बनाएँगे, या मगध, मिथिला, भोजपुरी प्रदेश में वहाँ की बोलियाँ अलग-अलग जातीय भाषाएँ बनेंगी, इसका फैसला अब होने को नहीं रह गया है।

भोजपुरी भाषा और साहित्य के परिशिष्ट में डॉ. तिवारी ने भोजपुरी के कुछ पुराने कागज-पत्र दिये हैं। इनमें रघुनंदन शर्मा को लिखा हुआ काशी-नरेश का एक पत्र दिलचस्प है। यह पत्र सम्वत् 1953 में लिखा गया था। उन्नीसवीं सदी की तुलना में आज भोजपुरी क्षेत्र में खड़ी बोली का प्रचार बहुत अधिक है। किन्तु आज से अर्द्ध शताब्दी पहले भी खड़ी बोली वहाँ काफी पैठ चुकी थी। इस कारण उक्त पत्र की भोजपुरी में खड़ी बोली के व्याकरण रूप मिल गए हैं। इसमें एक ओर विवाह का निमंत्रण-पत्र पाकर 'हर्ष भयल', दूसरी ओर रसम नेवता शिवकुमार उपाध्याय उपरोहित 'ले जाते हैं।'[1] इस तरह का मिश्रण अपवाद नहीं है। सम्वत् 1927 का लिखा हुआ एक अन्य पत्र देखिए। इसमें 'स्वस्ति श्री सर्वोपमा योग्य' के बाद लिखा है : "आगे बहुत दिनों से आपका कुशलानन्दजनित कोई कृपापत्र हमारे पास नहीं आया इसलिए चित्तवृत्ति निरन्तर लगा है इस वास्ते खत लिखा है कृपापूर्वक कुशलमंगल घटित पत्र से शीघ्रता में सानन्द करब जेते प्रमुदित होयँ और श्री बाबू रामगुलाम सिंह जीव सेंवतर के हैं उनको एक लड़का के तलास है सो आपके पास भी जिकर हुई थी सो टीपन देने में कुछ आपको तामुल है और आपने कहा भी था कि राजा साहब जी का पत्र आवै तो टीपन हम देयँ सो इस विषै में तो हमारे नजदीक टीपन देने में कुछ सन्देह की बात नहीं है मोनासिब हो तो टीपन दे दीजिए अगर गणना वगैरह शुद्ध बनि जायगी तो आइन्दे देखा जायगा अधिक समाचार इहा का सब यथास्थित है कोई नवीन बात नहीं जो लिखै आप कृपापूर्वक कुशल-मंगल घटित पत्र से हमेशा सानंद करत रहब जेते खुसी वो खातिर जमा रहै।"[2] इस पत्र के वाक्यों में 'करत रहब' और 'सानंद करब' के साथ 'नहीं आया', 'लगा है', 'खत लिखा है', 'हुई थी', 'कहा भी था' आदि खड़ी बोली के व्याकरण रूप जमे हुए हैं। वास्तव में ज्यादा तादाद खड़ी बोली के इन रूपों की है। डॉ. तिवारी ने इस पत्र को भोजपुरी के नमूने के तौर पर उद्धृत किया है; पर है वह खड़ी बोली का नमूना।

1. 'भोजपुरी भाषा और साहित्य', पृ. 321
2. उप., पृ. 319

पत्र की भाषा भोजपुरी से प्रभावित खड़ी बोली है। कानपुर, बनारस, या पटना में जब दूर-दूर के जिलों के मजदूर आपस में बातें करते हैं, तब वे भी खड़ी बोली में इसी तरह अपनी बोलियों के रूप मिला देते हैं। आधुनिक हिन्दी के कवियों ने जब ब्रजभाषा छोड़कर खड़ी बोली में कविता करना शुरू किया था, तब उनकी खड़ी बोली में भी इसी तरह ब्रजभाषा के रूप मिल जाया करते थे। यह एक स्वाभाविक प्रक्रिया है। उपर्युक्त पत्र यह सिद्ध करता है कि जिस समय भारतेन्दु हरिश्चन्द्र आधुनिक हिन्दी गद्य का सृजन करने की तैयारी में थे, उस समय अनेक भोजपुरी-भाषी अपनी निजी ख़त-किताबत में खड़ी बोली का प्रयोग करने लगे थे। तिवारी जी ने भोजपुरी गद्य की ऐसी मिसालें नहीं दीं जिनमें इसी प्रकार बंगला के व्याकरण रूप मिल गए हों। हिन्दी-क्षेत्र के हर सांस्कृतिक और औद्योगिक केन्द्र में भोजपुरी-भाषी बंधु मिलते हैं। उन्हें गैर-भोजपुरी हिन्दी-भाषियों से सम्पर्क कायम करना ही होता है। मैंने कलकत्ते में देखा है कि भोजपुरी और अवधी बोलने वाले मजदूर ही इमारत में रहते हैं। एक जिले के मजदूर तो आपस में अपनी बोली ही बरतेंगे, लेकिन भोजपुरी मजदूर अवध के साथी से बात करेगा तो भरसक खड़ी बोली का व्यवहार करेगा। इस प्रकार हिन्दी-क्षेत्र के विभिन्न जनपदों के बीच जातीय भाषा के रूप में हिन्दी का व्यवहार निरन्तर बढ़ता रहा है।

लेकिन डॉ. तिवारी का कहना है कि "बिहार की बोलियों का वस्तुत: बंगला से तथा हिन्दी का राजस्थानी एवं पंजाबी से ही अति निकट का सम्बन्ध है। इसमें अतिशयोक्ति भी नहीं है। एक अशिक्षित तथा निरक्षर बिहारी बंगाल में जाकर अल्प प्रयास से ही शुद्ध बंगला बोलने लगता है; किन्तु साधारण रूप में शिक्षित एवं साक्षर बिहारी के लिए भी शुद्ध हिन्दी बोलना सरल कार्य नहीं है। हाँ, यह बात दूसरी है कि अनेक कारणों से, बिहार में शिक्षा का माध्यम हिन्दी ही रहेगी।"[1] यदि यह बात सही होती कि बिहारी-बंधु हिन्दी की अपेक्षा बंगला आसानी से सीख लेते हैं, तो कलकत्ते जैसे शहर में वे परस्पर हिन्दी के बदले बंगला का व्यवहार ही करते। लेकिन बंगाली मित्र उन्हें पश्चिमा और हिन्दुस्तानी इसीलिए कहते हैं कि वे बंगला के बदले हिन्दी अपनाते हैं। इस बात पर यकीन न हो तो डॉ. सुनीति कुमार चाटुर्ज्या के अनुभव की बात सुनिए। उन्होंने अपने बचपन के अनुभव याद करते हुए लिखा है : "कलकत्ता में अपने बचपन में ही लेखक ने हाट-बजारों में तथा घर के बिहारी नौकरों से बंगाल में प्रयुक्त बाजारू हिन्दी कहलाने योग्य भाषा का ज्ञान प्राप्त कर लिया था।"[2] यदि इन बाजारू नौकरों के लिए हिन्दी की अपेक्षा बंगला सीखना सरल होता तो वे मालिक के बेटे से बंगला ही में बात करते और भावी भाषाविद् को उनसे बाजारू हिन्दी सीखने का अवसर ही न मिलता। इसलिए डॉ. चाटुर्ज्या ने

1. 'भोजपुरी भाषा और साहित्य', पृ. 175
2. 'भारतीय आर्य भाषा', पृ. 245

अन्यत्र ठीक लिखा है कि पूरबी और बिहारी बोलियों के बोलनेवालों ने हिन्दी या हिन्दुस्तानी को "अपनी साहित्यिक एवं सार्वजनिक जीवन की भाषा मान रखा है।"[1] केवल साहित्यिक भाषा नहीं, हिन्दी सार्वजनिक जीवन की भाषा भी बनी। इसीलिए हिन्दुस्तानी क्षेत्र में उन्होंने बिहार को भी गिना है। "पूरबी हिन्दी तथा बिहारी बोलनेवाला पूर्वी उत्तर प्रदेश तथा बिहार का भाग जो 'पूरब' कहलाता है, वह भी इसी 'हिन्दुस्तान या हिन्दुस्थान' का एक हिस्सा है। बंगाल में बंगला न बोलनेवाले तथा बिहार या उत्तर प्रदेश के लोगों को 'हिन्दुस्थानी' अथवा 'पश्चिम' कहा जाता है।"[2]

बिहार बंगाल प्रान्त से संयुक्त रह चुका है। असम की तरह बिहार में भी अधिकांश उच्च पदों पर बंगाली नियुक्त होते रहे हैं। फिर भी बिहार में बंगला के बदले हिन्दी का ही प्रसार होता रहा। जिन "अनेक कारणों से बिहार में शिक्षा का माध्यम हिन्दी ही रहेगी", वे कौन से हैं? "बिहार में, व्यावहारिक दृष्टि से, आज उच्च शिक्षा का माध्यम हिन्दी के अतिरिक्त कोई अन्य भाषा नहीं हो सकती।"[3] इस व्यावहारिक दृष्टि की विशेषता क्या है? यदि बिहार के निरक्षर लोग भी हिन्दी की तुलना में बंगला आसानी से सीख लेते हैं, तो 'व्यावहारिक' बात यही होगी कि उनकी शिक्षा का माध्यम बंगला हो! "पश्चिम की बलिष्ठ भाषा हिन्दी के माध्यम से अपने हृदय के भावों का प्रकाशन" करने के लिए उन्हें बाध्य क्यों किया जाए?

लेकिन बिहार और हिन्दी (खड़ी बोली) का सम्बन्ध बहुत पुराना है। श्री दुर्गाशंकर प्रसाद सिंह ने कुँअर सिंह पर अपनी पुस्तक में कुछ पँवारे उद्धृत किये हैं। ये पँवारे काफी पुराने हैं और उन्हें गानेवालों की पँवरिया जाति ही बन गई है। इन पँवारों की भाषा खड़ी बोली है जिनमें कहीं-कहीं भोजपुरी के रूप भी मिलते हैं :

*सुन अमर मेरी बात—सोने कलम हाथों ले*
*लिख परवाना भेजे का—जा टेकारी दाखिल हुआ*
*जा डुमराँव दाखिल हुआ—जादलीपपुर दाखिल हुआ*
*जा रामगढ़ दाखिल हुआ—सुन तू बाबू मेरी बात*
*गोतिया भाई आप कहाते—मेरी मदत पर आओ काम*
*मैं अँगरेज से बिगड़ा हूँ—मेरी मदत पर आओ काम*
*ई बाबू ने जोड़ किया—सुन तो बाबू मेरी बात*
*मेरे पास जोश ना—मेरे पास पल्टन ना*

1. 'भारतीय आर्य भाषा', पृ. 183
2. उप., पृ. 159
3. 'भोजपुरी भाषा और साहित्य', पृ. 175

*कहो बाबू क्या करें—अतना बात बाबू ने सुना*
*सुन अमर मेरी बात—जब जवानी मेरी थी*
*तब अँगरेज बिगड़ल ना—अब जयेफी बीती जाय*
*जीरा ऐसा दाँत हो जाय—आ सन ऐसा बार हो जाय*
*जुलजुल मास लटकत जाय—बाँह में कुबत मिले जाय*
*कैसै तेगा पकड़ूँ मैं—कैसे मनी[1] को मारूँ मैं।*

एक अन्य पँवारे की भाषा का नमूना देखिए :

*सुन जनरैल मेरी बात*
*तुम्हारा तोप माता है—मेरा जंगल पिता है*
*मैं जंगल छोड़ूँगा नहीं—रात दिन का धावा किया*
*जा नोनीडीह दाखिल हुआ—तब ले जरनैल जोड़ किया*
*दूरबीन लगाके देखे जाय—बाबू के पल्टन छिपा है।*

तीसरे पँवारे की भाषा :

*भोजपुरी माने बाबू है—हन हन तेगा मारता है*
*सोन नदी में धोता है—विक्टोरिया को मेरा सलाम*
*आन कलकत्ता दाखिल हुआ—सुना लाट मेरी बात*
*भोजपुर माने बाबू है—जरी रोब माने ना।*

"बिहार भर में ये पँवरिये कुँअर सिंह के पँवारे को खूब गाते थे" और आज भी तलवार चलाने की मुद्रा में गाते हैं तो "वीर रस सजीव हो उठता है।" इससे प्रमाणित हुआ कि बिहार में खड़ी बोली का इतना प्रसार हो चुका है कि उसमें न केवल उच्च साहित्य वरन् लोकगीत भी रचे जाते हैं और वे सारे प्रदेश में लोकप्रिय होते हैं। यही कारण है कि 1920 के असहयोग-आन्दोलन में भोजपुरी जनता को उत्साहित करने के लिए उसकी जनपदीय बोली में ही रचनाएँ न की गईं वरन् हिन्दी में भी लोकप्रिय कविताएँ रची गईं। ऐसी लोकप्रिय हिन्दी रचनाएँ करनेवालों में प्रिंसिपल मनोरंजन भी थे।

"डुमराँव के प्रिंसिपल मनोरंजन ने 'अस्सी बरस का वीर बाँकुरा कुँअर सिंह मरदाना था' की रचना की जो हिन्दी में थी और खूब जनप्रिय हुई। गांधी जी तक ने उसको पसन्द किया।"[2]

शेरशाह बिहार ही का था जिसने अपने राज्य के दफ्तरों में हिन्दी को स्थान दिया था। उसके समय की राजभाषा हिन्दी का कोई नमूना नहीं मिला लेकिन उसके कुछ ही समय बाद अकबर के समय की राजभाषा हिन्दी का नमूना मिला है।

1. श्री दुर्गाशंकर प्रसाद सिंह, 'बाबू कुँअर सिंह', पटना, पृ. 77; मनी—गया का कलक्टर
2. उप., पृ. 69

उस समय तक चाहे फ़ारसी राजभाषा बना दी गई हो, चाहे उसके साथ हिन्दी भी राजभाषा बनी रही हो, इसका प्रमाण है कि सोलहवीं सदी में राजकाज के लिए बिहार में खड़ी बोली हिन्दी का प्रयोग होता था। पटना के प्रोफेसर सैयद हसन अस्करी ने अपने एक लेख में मानसिंह की एक सनद उद्धृत की है। मानसिंह 1587 से 1594 तक बिहार के राज्यपाल थे। उन्होंने बिहार में मामू-भांजे के मजार की देखरेख करनेवाले शेखबख़्श को चौदह बीघा जमीन जीविका के लिए दी थी। वह सनद प्रो. अस्करी को प्राप्त हुई। सनद फ़ारसी में है लेकिन उसके साथ ही मूल सनद में उसका हिन्दी रूपान्तर भी दिया गया है। इसकी भाषा इस प्रकार की है : "हर साल परवाने तलब मत करो साल तमाम मे फी बीघे मजरू पिच्छे सुक्का एक खालिस लीजो अरु और कन्हु दखल गत करो।"[1] हिन्दी रूपान्तर की लिपि प्रो. अस्करी के अनुसार, कैथी और देवनागरी का मिश्रित रूप है। कई जगह अक्षर मिट गए हैं या कागज फट गया है। प्रो. अस्करी ने हिन्दी पाठ श्री धर्मेन्द्र ब्रह्मचारी की सहायता से पढ़कर रोमन में लिखा। उसी से ऊपर का उद्धरण देवनागरी में दिया गया है। हिन्दी रूपान्तर में 'मत करौ'—यह टुकड़ा तीन बार आया है। इससे स्पष्ट है कि सनद की भाषा मूलतः खड़ी बोली है। लीजो, कीजो जैसे क्रिया-रूप उस समय की—और बहुत दिन बाद की भी—खड़ी बोली में प्रयुक्त होते थे।

बिहार में खड़ी बोली के प्रसार की इस सुदीर्घ परम्परा को देखकर इस बात पर आश्चर्य न होना चाहिए कि आज साहित्य के अलावा वहाँ सार्वजनिक जीवन में उसका व्यवहार होता है। इसके प्रमाण मैथिली के परमभक्त नागार्जुन के हिन्दी उपन्यास 'बलचनमा' में मिलेंगे। दरभंगा मिथिला का सांस्कृतिक केन्द्र है। वहाँ स्टेशन पर पहुँचकर बलचनमा लोगों की बोली-बानी सुनकर कहता है : "रूप-रंग के साथ यहाँ लोगों की बोली भी बदली थी। यह काहे-कुहे सुनने का पहिला मौका था मेरे लिए।" काहे-कुहे बिहार की कोई बोली नहीं है। उपन्यास लेखक ने उसका अर्थ स्पष्ट कर दिया है : "का-को वाली बोली, हिन्दी-उर्दू।" मैथिली-भाषी बलचनमा अपने परिवार में खड़ी बोली के व्यवहार के बारे में कहता है : "अब तो मुझे भी इसी बोली की लत पड़ गई है। अपनी बोली भूलता जा रहा हूँ। बबुनी की तो बात छोड़ो, चार बरस का मेरा ननकिरबा परदिपवा फरफर बोलता है।" जब बलचनमा का बेटा परदिपवा भी फरफर हिन्दी बोलने लगा, तब यह कैसे कहा जा सकता है कि बिहार के लोग हिन्दी बोलेंगे, यह दुराशामात्र है?

1. सैयद हसन अस्करी, 'सम डॉक्यूमेंट्स रिलेटिंग टु दि मॉसोलियम ऑव मामू-भांजा एट जढुआ', बेंगाल पास्ट रोड प्रेजेंट, खंड 66,1946-47, कलकत्ता। प्रो. अस्करी के लेख का पता मुझे उन्हीं से लगा था जिसके लिए मैं उनका कृतज्ञ हूँ।

मिथिला की तरह मगध में भी खड़ी बोली का प्रचार है। गया के लोगों की बोली के बारे में बलचनमा कहता है : "कुली भी पक्की बोली बोलते हैं। सिगरेट बेचनेवाले भी काहे-कुहे करते हैं।" अनेक भाषाविदों की तुलना में नागार्जुन का बलचनमा बिहार की भाषा-स्थिति को ज्यादा बारीकी से देखता है। पटना की बोली के बारे में कहता है : "पटना की तरफ शहरूपन ज्यादा है। उधर जिसको रखना कहेंगे, इधर हम उसको धरना कहेंगे। उधर के लोग साफ ज़बान बोलते हैं। यहाँ गाड़ी में बाबू लोगों के मुँह से 'किहिस-दिहिस' निकलता है, तो उधर तुम लोगों के मुँह से 'किया-दिया' सुनोगे।" पटना बिहार का प्रमुख सांस्कृतिक केन्द्र है। बलचनमा वहाँ की हिन्दी को ठीक ही 'साफ जबान' कहता है। नागार्जुन के अन्य उपन्यास 'नयी पौध' से हमें यह सूचना मिलती है कि 'चुपके-चुपके बोल मैना', 'काली कमली वाले' तुमको लाखों पर्नाम' आदि गीत उधर भी प्रचलित हैं। मिथिला की अदालतों में बुकसेलर 'किस्सा तोता-मैना, किस्सा सवाचार यार' जैसी किताबें बेचते हैं। इस फुटपाथ साहित्य से भी हिन्दी बिहार में फैली है। डॉ. जयकान्त मिश्र ने इस बात पर खेद प्रकट किया है कि मैथिली भाषा के लिए देवनागरी लिपि का चलन हुआ। इसका कारण यह बताया है कि मिथिला में सरकारी और गैर-सरकारी तौर पर उपन्यास, पत्रिकाओं और मनोरंजक साहित्य का चलन हिन्दी में हुआ, मैथिली लिपि में उसका अभाव था। अब यह सिद्ध करने की जरूरत नहीं है कि मैथिली बंगला की अपेक्षा हिन्दी के अधिक निकट है। मिथिला में दरिद्र हिन्दी के उपन्यासों के बदले समृद्ध बंगला के मनोरंजक साहित्य का प्रचार क्यों न हुआ?

डॉ. जयकान्त मिश्र ने इस बात पर खेद प्रकट किया है कि आधुनिक मैथिली कवि रघुनंदन दास के काव्य 'सुभद्रा-हरण' पर हिन्दी का प्रभाव पड़ा है। मिथिला में हिन्दी नाटक खेले गए जो मैथिली-खड़ी बोली के निकट सम्बन्ध के बिना सम्भव न था। मिथिला के मित्रों ने मुझे बताया कि वहाँ के विद्यार्थी हाईस्कूल परीक्षा में हिन्दी या मैथिली में किसी एक को ले सकते हैं; अधिकांश विद्यार्थी मैथिली की तुलना में हिन्दी लेते हैं। हमारा जातीय गठन नित्य-प्रति दृढ़तर होता जाता है; भाषाविद् इस प्रगति पर अफसोस करें तो करते रहें।

बोली और भाषा का भेद सापेक्ष और व्यावहारिक है। सामाजिक विकास-क्रम की किन्हीं मंजिलों में किसी एक बोली के आधार पर, अनेक बोलियों के क्षेत्र में, परिनिष्ठित भाषा का निकास और प्रसार होता है। एक भाषा की बोलियाँ वही नहीं होतीं जो उस भाषा के परिवार की हों। भिन्न भाषा-परिवारों की बोलियों को सामाजिक कारणों से कभी-कभी समर्थ पड़ोसी जाति की भाषा की अधीनता स्वीकार करनी पड़ती है। बोलियों का भेद ध्वनि, व्याकरण और शब्द-भंडार—तीनों के कारण होता है; इनमें अन्तिम भेद मुख्य है। हिन्दी की पूर्वी बोलियाँ बोलनेवाले लोग सामाजिक कारणों से पश्चिमी हिन्दी वालों के साथ रहे हैं। इसलिए ये पूर्वी

बोलियाँ न तो स्वतंत्र भाषाएँ बनकर विकसित हो रही हैं, न बंगला की बोलियाँ बन गई हैं। इनके प्रदेशों को स्वाधीन राज्य बनाने की माँग जातीयता का विघटन करनेवाली है। बिहारी नाम की कोई भाषा नहीं है। बिहार में तीन बोलियाँ मुख्य हैं, इनमें भोजपुरी बिहार के बाहर उत्तर प्रदेश के काफी बड़े भाग में भी बोली जाती है। भाषाओं और बोलियों को प्रगतिशील और मरणशील बताना साम्राज्यवादी प्रचारकों का काम है। उन्होंने नस्ल और जाति-प्रथा के आधार पर यह भेद किया था। हिन्दी की पूर्वी और पश्चिमी बोलियों में भेद है, लेकिन इनके व्याकरण और ध्वनिगत भेद इतने स्पष्ट और निर्णायक नहीं हैं कि भोजपुरी या मैथिली को हिन्दी क्षेत्र से बाहर निकालकर बंगला के साथ अन्य वर्ग में रखा जाए। मूल समस्या है शब्द-भंडार की और इस विषय में हिन्दी की सभी बोलियों में बहुत बड़ी समानता है। यही कारण है कि मिथिला या भोजपुरी प्रदेश के लोग बंगला के बदले हिन्दी को अपनी सांस्कृतिक भाषा के रूप में अपनाते हैं। बिहार में खड़ी बोली का प्रवेश और प्रसार काफी पुराना है। वर्तमान काल में भोजपुरी, मैथिली आदि हिन्दी की बोलियाँ मात्र रह गई हैं। राजस्थानी और पंजाबी, मैथिली आदि की तुलना में, हिन्दी के अधिक निकट हैं—यह धारणा भी गलत है। मैथिली या भोजपुरी की तुलना में इन भाषाओं का शब्द-भंडार हिन्दी से काफी भिन्न है। इनकी भावी स्थिति क्या होगी, यह बहुत कुछ हमारी राज्यभाषा-सम्बन्धी नीति पर निर्भर है।

पन्द्रहवाँ अध्याय

# राज्यभाषा—राष्ट्रभाषा

अंग्रेज़ी विकसित भाषा है, भारतीय भाषाएँ अविकसित हैं। भारतीय भाषाओं में हिन्दी खास तौर से अविकसित है। अंग्रेज़ी का सहारा छूटा तो भारतवर्ष की एकता तो छिन्न-भिन्न हो ही जाएगी, विश्व संस्कृति से उसका सम्बन्ध भी एकबारगी टूट जाएगा। अंग्रेज़ी भारत की राष्ट्रभाषा रहे तो सबसे अच्छा। दूसरे देशों के सामने शर्म के मारे उसे राष्ट्रभाषा न कह सके और झख मारकर हिन्दी का व्यवहार करना पड़े, तो अंग्रेज़ी और हिन्दी, दोनों को राष्ट्रभाषा का दर्जा देना चाहिए। यदि हिन्दी को ही राष्ट्रभाषा रखने की प्रतिज्ञा करनी पड़े, तो भी जहाँ तक हो सके, सांस्कृतिक और राजकीय कार्यों के लिए अंग्रेज़ी का व्यवहार होना ही चाहिए। उदाहरण के लिए जब हम बाहर जाएँगे, किसी अन्तरराष्ट्रीय सम्मेलन में भाग लेंगे, तब (कभी-कभी, हमेशा नहीं) हम हिन्दी का व्यवहार करेंगे। लेकिन अपने घर में हमारे मुखपत्र अंग्रेज़ी में प्रकाशित होंगे, हमारी कार्यकारिणी का अधिवेशन होगा तो उसमें विचार-विनिमय अंग्रेज़ी में होगा, नेताओं का अन्य नेताओं और उपनेताओं से पत्र-व्यवहार अंग्रेज़ी में होगा। भारत को आजाद करने के लिए मुख्य प्रेरणा अंग्रेज़ी से ही मिली लेकिन आजादी पाने के लिए भी अंग्रेज़ी की उतनी आवश्यकता न थी जितनी अब समाजवादी भारत के निर्माण के लिए है।

स्वाधीनता-आन्दोलन के दिनों में महात्मा गांधी जीवित थे। अंग्रेज़ी में उन्होंने भी बहुत कुछ लिखा था किन्तु वे भारतीय भाषाओं के समर्थक थे। वे न इन भाषाओं पर हिन्दी लादना चाहते थे, न हिन्दी लादने का हौआ खड़ा करके अंग्रेज़ी बनाए रखने के पक्ष में थे। वह भारत के उन नेताओं में थे जो अहिन्दी-भाषी होते हुए भी देश में सर्वत्र, और उत्तर भारत में विशेष रूप से, अपने हिन्दी भाषणों द्वारा जनता को मोह लेते थे। स्तालिन की मातृभाषा रूसी नहीं थी, लेकिन ज़ारशाही रूस में रूसी के बिना बड़े पैमाने पर राजनीतिक कार्यवाही हो न सकती थी। भारत में हिन्दी का व्यवहार किये बिना कोई अखिल भारतीय नेता नहीं बन सकता। महात्मा गांधी, सुभाषचन्द्र बोस उस युग के नेता हैं जब अहिन्दी-भाषी राष्ट्रनायक हिन्दी में भाषण देने से यह न समझते थे कि उनकी अपनी भाषा की तौहीन हो रही है। स्वामी

दयानन्द सरस्वती ने हिन्दी को ही अपने आन्दोलन का माध्यम बनाया था : किसी भी अहिन्दी-भाषा में भाषण करके आप अपने प्रदेश में अवश्य नाम कमा सकते हैं, लेकिन सारे देश के नेता नहीं बन सकते। लोग कहते हैं, नेहरू के बाद कोई ऐसा नेता नहीं दिखाई देता जिसकी बात सारा देश ध्यान से सुने। इसका कारण जहाँ हिन्दी-भाषी प्रदेश का राजनीतिक पिछड़ापन है, वहाँ अहिन्दी-भाषी नेताओं द्वारा हिन्दी के प्रति उदासीनता भी है। वे हिन्दी के माध्यम से जनसाधारण में राजनीतिक कार्यवाही का महत्त्व नहीं समझ पाए।

कुछ लोग—विशेष कर कुछ हिन्दी-भाषी और साहित्य सम्मेलन के कर्णधार—हिन्दुस्तानी की समस्या को लेकर गांधी जी से रुष्ट थे। लेकिन दक्षिण भारत में गांधी जी और उनके अनुयायियों-सहयोगियों ने जितना हिन्दी प्रचार किया है, उतना और किसी नेता, राजनीतिक पार्टी या सांस्कृतिक संस्था ने नहीं किया। इसलिए आज के विभिन्न दलीय नेताओं के अंग्रेज़ी-प्रेम को देखकर कहना पड़ता है कि इन सबकी तुलना में गांधी जी देश की जनता के बहुत ज्यादा नजदीक थे।

भारत सरकार द्वारा नियुक्त ऑफिशियल लैंग्वेज़ कमीशन ने 1951 की जनगणना के आँकड़े देकर दिखाया है कि देश में पढ़े-लिखे लोगों की संख्या 16.6 प्रतिशत है। इनमें अंग्रेज़ी पढ़े-लिखे केवल एक फीसदी हैं। इन अंग्रेज़ी पढ़े-लिखों की गिनती हाईस्कूल परीक्षा को मानदंड मानकर की गई है। इसका मतलब है कि राजनीतिक और सांस्कृतिक कार्यों के लिए अंग्रेज़ी का व्यवहार करने की क्षमता वाले सज्जन और देवियाँ 0.25 प्रतिशत से अधिक नहीं हैं। इन एक बटा चार फीसदी के बल पर भारत में संसार के सबसे बड़े जनतंत्र का प्रयोग हो रहा! इन्हीं एक बटा चार की रीढ़ पर भारत की एकता स्थिर है! एक छोटा-सा वर्ग जो अंग्रेज़ी अखबार पढ़ता है, अंग्रेज़ी के माध्यम से नौकरी पाता है, अंग्रेज़ी के माध्यम से नेतागीरी करता है, अंग्रेज़ी के माध्यम से पार्लामेंटरी डिमोक्रेसी और सोशलिस्ट पैटर्न के प्रयोग करता है, वही नेहरू के बाद क्या होगा—यह समस्या उठाकर परेशान भी हो लेता है। यह छोटा-सा वर्ग भारत-भाग्य-विधाता है। अंग्रेज़ी में उसका निहित स्वार्थ है। विदेशी भाषा के बल पर वह साहब बना हुआ अपने देशवासियों पर राज करता है। उसकी पोशाक बदलती है—कभी बुश्शर्ट, कभी सूट और टाई और कभी शेरवानी या बन्द कॉलर का कोट लेकिन भाषा सर्वत्र अंग्रेज़ी। जनतंत्र का यह संकुचित वर्ग-आधार खुद तो नष्ट होगा ही, खतरा यह है कि अपने विनाश के साथ वह देश की बागडोर किसी अयूब खाँ को न सौंप दे!

अंग्रेज़ी के पक्ष में सबसे बड़ी दलील यह दी जाती है कि वह अन्तरराष्ट्रीय और विश्व-संस्कृति की भाषा है। इसके साथ एक छोटी दलील यह है कि हिन्दी राजभाषा के रूप में अहिन्दी-भाषियों पर लादी जा रही है। इसलिए जब लादी ही ढोना है, तो अंग्रेज़ी की लादी क्यों न ढोई जाए? मुख्य बात यह है कि नौकरियों में अहिन्दी-

भाषियों के मुकाबले में हिन्दी-भाषी बाजी मार ले जाएँगे। अंग्रेज़ी सीखने में दोनों के लिए कठिनाइयाँ बराबर हैं। हिन्दुस्तानी की गुलामी से अंग्रेज़ की गुलामी फिर अच्छी!

अंग्रेज़ी भाषा यहाँ साम्राज्यवादी व्यवस्था में जातीय उत्पीड़न का एक साधन थी। उसके द्वारा यहाँ की भाषाओं के अधिकारों को कुचला गया था। इसलिए अंग्रेज़ी का स्थान हिन्दी ले—यह नारा गलत था। हमारे नेताओं को स्पष्ट करना चाहिए था कि अंग्रेज़ी के स्थान पर सभी भारतीय भाषाएँ अपने उचित पद पर प्रतिष्ठित होंगी, अंग्रेज़ी का स्थान एक भाषा नहीं वरन् अपने-अपने क्षेत्र में सभी भाषाएँ लेंगी। इनमें परस्पर व्यवहार के लिए और सीमित क्षेत्र में केन्द्रीय राजकाज के लिए हिन्दी का व्यवहार होगा।

भय केवल हिन्दी से अहिन्दी-भाषियों को नहीं रहा; भय है बंगालियों को असमिया से, मराठी-भाषियों को गुजराती से, तेलगू-भाषियों को तमिल से, इत्यादि। और अंग्रेज़ी को गले लगाए रखने को सब तैयार हैं! इस परिस्थिति की जिम्मेदारी सबसे ज्यादा कांग्रेसी नेताओं पर है जो गांधी जी का नाम लेते नहीं थकते लेकिन काम बिलकुल उनसे उल्टे करते हैं। गांधी जी का कहना था कि सबसे पहला और जरूरी काम यह करना चाहिए कि भारत को जिन समृद्ध प्रान्तीय भाषाओं का वरदान मिला है, उन्हें फिर रायज़ किया जाए। यह दिमागी सुस्ती के अलावा और कुछ नहीं है कि हम यह दलील दें कि कचहरियों, स्कूलों और सेक्रेटेरियट में भी यह तब्दीली करने में कुछ समय, शायद कुछ वर्ष लग जाएँगे! बेशक बम्बई, मद्रास जैसे बहुभाषा-भाषी प्रान्तों में कुछ कठिनाई महसूस होगी जब तक भाषा के आधार पर प्रान्तों का पुनर्वितरण नहीं हो जाता। प्रान्तीय सरकारें ऐसा रास्ता निकाल सकती हैं जिससे कि इन सूबों की जनता यह अनुभव करने लगे कि अब जमाना उसका है।[1]

गांधी जी के लिए भाषावार प्रान्त बनाना आवश्यक था क्योंकि इसी तरह जनता राजकाज में भाग ले सकती थी। वह भाषावार प्रान्त-निर्माण को देश का विभाजन न समझते थे; वह उसे उचित ही 'री-डिस्ट्रीब्यूशन ऑव प्रॉविंसेज' कहते थे। इस प्रान्त-निर्माण का भरसक विरोध किया कांग्रेसी नेताओं ने। फिर लोगों को क्यों न भय होता कि उनकी भाषाएँ कभी अपने प्रदेश में राजभाषा न बनेगी और यदि अंग्रेज़ी गई तो उसका स्थान हिन्दी ले लेगी? इसके अलावा मारवाड़ी पूँजीपति सारे देश में फैले हुए हैं। ये हिन्दी-प्रचार के लिए तो पैसा देते हैं लेकिन जिस प्रदेश में धन्धा करते हैं, उसकी उपेक्षा करते हैं। कलकत्ते का बाजार मारवाड़ियों के कब्जे में होगा तो बंगाली पूँजीपति उससे टक्कर लेने के लिए बंगाली जातीयता की जरूर दुहाई देंगे और अपने इस 'बंगला भाषा-प्रेम' की लहर में वे अन्य वर्गों को भी बहा ले जाएँगे। बम्बई का बाजार गुजराती पूँजीपतियों के हाथ में होगा तो महागुजरात के आन्दोलन से गुजराती पूँजीपति को दिलचस्पी कम होगी लेकिन मराठी-भाषी पूँजीपति

1. 'हरिजन', 21 सितम्बर, 1947, 'रिपोर्ट ऑव दि ऑफ़िशियल लैंग्वेज़ कमीशन' में उद्धृत

गुजराती प्रतिद्वन्द्वी से टक्कर लेने के लिए महाराष्ट्र-जातीयता का झंडा जरूर ऊँचा करेगा। ऐसी स्थिति में केवल मजदूर वर्ग उसके हाथ से यह झंडा छीनकर अंध-राष्ट्रवाद के जहर से जनता को बचा सकता है, अपने सही जातीय अधिकारों के लिए न्यायोचित लड़ाई लड़ सकता है और मजदूर मात्र की एकता के आधार पर देश में अन्तर-जातीय एकता स्थापित कर सकता है।

भारत की जातीय और भाषा-समस्या प्रत्येक जाति को उसके प्रदेश में संविधान के अन्तर्गत, प्रशासन के पूर्ण अधिकार देकर ही हल की जा सकती है। हमारे देश की परिस्थिति में एक दृढ़ केन्द्रीय शासन के साथ-साथ प्रदेशों में यथासम्भव विकेन्द्रीकरण भी आवश्यक है। इसके लिए यह जरूरी है कि किसी भाषा पर दूसरी भाषा न लादी जाए और हर भाषा को अपने क्षेत्र में राजकाज तथा सांस्कृतिक कामों में इस्तेमाल किये जाने की सुविधा हो। इसके लिए यह आवश्यक नहीं है कि प्रत्येक भाषा का एक प्रान्त या राज्य बनाया ही जाए। सोवियत संघ में सौ से ऊपर भाषाएँ बोली जाती हैं लेकिन वहाँ सोलह प्रजातंत्र ही हैं। इन प्रजातंत्रों का संगठन वहाँ की प्रमुख जातियों को केन्द्र मानकर किया गया है। इन प्रमुख जातियों की भाषाओं को ही प्रजातंत्रों की राजभाषा बनाया गया है। शेष छोटी जातियाँ विभिन्न स्तरों के स्वायत्त शासन वाले इलाकों में अपनी भाषाओं के माध्यम से राजकाज करती हैं। योजनाओं के अनुकूल आर्थिक निर्माण करने के लिए बड़ी इकाइयाँ आवश्यक होती हैं। इसलिए बहुत छोटे राज्यों की स्थापना वांछनीय नहीं है। साथ ही जनता राजकाज में भाग ले, इसके लिए यह आवश्यक है कि उसे अपनी राजनीतिक-सांस्कृतिक कार्यवाही सम्पन्न करने के लिए अपनी भाषा का व्यवहार करने की सुविधा हो। ये दोनों उद्देश्य वृहत् राज्यों में स्वायत्त शासन वाले प्रदेश कायम करने से सिद्ध होते हैं। सोवियत संघ में स्वायत्त शासन वाले प्रदेशों के लोग अपनी भाषा के अलावा अपने प्रजातंत्र की भाषा भी सीखते हैं। भारत के हर जातीय प्रदेश में दूसरी जातियों के अल्पसंख्यक लोग रहते हैं। उन्हें अपनी भाषा में शिक्षा पाने की सुविधाएँ मिलनी चाहिए किन्तु उन्हें अपने प्रदेश की राजभाषा भी सीखनी होगी। असम में बंगाली जन अल्पसंख्यक हैं, आदिवासी भी वहाँ रहते हैं। इन्हें अपने निश्चित क्षेत्रों में राजकाज, शिक्षा आदि के लिए अपनी भाषाओं के व्यवहार की सुविधा मिलनी चाहिए। साथ ही उन्हें असमिया को राजभाषा के रूप में स्वीकार करना चाहिए और उसे राजभाषा बनाने के आन्दोलन का विरोध न करके आवश्यक संशोधनों के साथ उस आन्दोलन का समर्थन करना चाहिए। इसी प्रकार कलकत्ता, बम्बई जैसे केन्द्रों में अल्पसंख्यकों के अधिकार सुरक्षित रहने चाहिए। लेकिन वे इन केन्द्रों में तथा अन्यत्र वहाँ की प्रमुख जाति की भाषा को राजभाषा न मानेंगे तो कलह सदा बनी रहेगी और बड़ी इकाइयों का निर्माण असम्भव हो जाएगा।

पूँजीवादी जनतंत्र की विशेषता यह है कि जनता वोट ही देती है, राजकाज में हिस्सा नहीं लेती। समाजवादी जनतंत्र की विशेषता यह है कि जनता अपने प्रतिनिधि

ही नहीं चुनती वरन् शासन-कार्य में स्वयं भाग भी लेती है। इसीलिए सोवियत संघ में जनता की भाषाओं के व्यवहार पर इतना जोर है। मजदूर सभाओं, सोवियतों और अन्य जन-संस्थाओं द्वारा जनता—सबसे पहले किसान और मजदूर—साक्षर और शिक्षित होने के कारण देश के राजकाज, आर्थिक और सांस्कृतिक जीवन में सक्रिय भाग लेते हैं। हमारे देश में जनता की व्यापक निरक्षरता जनतंत्र को वास्तविक रूप में कारगर नहीं होने देती। यह निरक्षरता विभिन्न प्रदेशों की भाषाओं में शिक्षण व्यवस्था से ही दूर हो सकती है। जनतंत्र की दूसरी आवश्यकता है, उत्पादन और वितरण के साधनों पर जनता का अधिकार। बड़े-बड़े पूँजीवादी देशों में चुनाव लड़ते हैं बड़े-बड़े कार्पोरेशन, पूँजीपति-संघ। राजनीतिक पार्टियाँ साइनबोर्ड का काम करती हैं।

यदि जनतंत्र पूँजीपति-संघों के दंगल का नाम नहीं है तो उसके संचालन के लिए इन संघों को नियंत्रित करना होगा। यदि जनता अपनी मजदूर-सभाओं, पंचायतों, कर्मचारी-संघों आदि में संगठित हो, तो उसका काम पूँजीपतियों की पार्टियों के लिए वोट डालना न रहे। वह अपनी संस्थाओं से प्रतिनिधि खड़े करे और ग्राम-पंचायतों से लेकर लोकसभा तक के लिए अपने प्रतिनिधि भेजे। तब उसे अपनी आर्थिक और सांस्कृतिक प्रगति के लिए अपनी भाषा का व्यवहार करने के लिए भी पूर्ण अवसर और सुविधा मिलेगी। इस बहाने कि भारतीय भाषाएँ अविकसित हैं, विभिन्न राज्यों में उन्हें राजकाज की भाषा नहीं बनाया जा रहा है। कहीं बनाया गया है तो नाम-चारे के लिए; राज्य का ज्यादा काम अंग्रेज़ी में होता है। इसका कारण यह है कि देश के नेता लोग जनतंत्र को जनता के लिए जरूरी नहीं समझते। उनकी समझ में जनता जरूरी है जनतंत्र के लिए अर्थात् उन्हें वोट देने और शासन करने का अवसर देने के लिए! इसके विपरीत गांधी जी का मत था कि स्कूलों, अदालतों और सेक्रेटेरियटों में तुरन्त जातीय भाषा का चलन हो। वे कुछ साल रुकने के लिए भी तैयार न थे क्योंकि वे जानते थे कि जनता की आवश्यकताओं के विचार से उसकी भाषाएँ खूब विकसित हैं। सोवियत संघ में किसी भाषा के लिए नहीं कहा गया कि वह पिछड़ी हुई है, इसलिए उसे राजकाज के लिए इस्तेमाल न करना चाहिए। जब तक वह विकसित न हो जाए, तब तक उसकी जगह रूसी भाषा का व्यवहार करते जाना चाहिए। वहाँ लोग उच्च विज्ञान की शब्दावली गढ़ने न बैठ गए और इस बहाने जातीय भाषाओं के विकास पर उन्होंने रोक न लगा दी। जिसे उच्च विज्ञान की शिक्षा पाना हो, वह रूसी पढ़े, रूसी विद्यालयों में जाए, लेकिन वैज्ञानिक शब्दावली के अभाव में जातीय भाषाओं को राजभाषा बनने से रोका न जाएगा। भारत में हाईकोर्ट के फैसले कुछ दिन तक अंग्रेज़ी में ही लिखे जाएँ, कोई हर्ज नहीं। मेडिकल और इंजीनियरिंग कॉलेजों में कुछ दिन तक अंग्रेज़ी में पढ़ाई होती रहे, कोई नुकसान नहीं। जिन संस्थाओं से जनता को आये-दिन साबिका पड़ता है, उनमें उसकी भाषा का व्यवहार होता है या नहीं, मुख्य समस्या यह है। व्यापक पैमाने पर आज देश की जातीय भाषाएँ तुरन्त

राजभाषा बनाई जा सकती हैं, उन्हें विद्यालयों आदि में शिक्षा का माध्यम बनाया जा सकता है, उनके विकसित-अविकसित होने का सवाल नहीं उठता।

इस दृष्टिकोण से पंजाबी और राजस्थानी की समस्या पर विचार कीजिए। राजस्थान में राजनीतिक और सांस्कृतिक जीवन के उन स्तरों पर राजस्थानी का व्यवहार होना चाहिए जिनका घनिष्ठ सम्बन्ध साधारण जनता से है। यह बिलकुल सम्भव है कि राजस्थान के विश्वविद्यालयों का माध्यम हिन्दी हो क्योंकि दोनों के शब्द-भंडार में बहुत बड़ी समानता है। दर्शन, अर्थशास्त्र, विज्ञान आदि की पुस्तकें राजस्थानी में लिखी जाएँ तो निन्यानबे फीसदी शब्दावली वही होगी, जो हिन्दी की होगी। इसलिए राजस्थानी व्याकरण-रूपों को मिलाकर उस हिन्दी शब्दावली को दुबारा छापने में अर्थ और समय का अपव्यय ही होगा। राजस्थान के लोग हिन्दी आसानी से समझ लेते हैं, इसलिए सम्भावना यह है कि सामाजिक जीवन के निम्न स्तरों पर राजस्थानी का प्रयोग होगा और उच्च स्तरों पर हिन्दी का। पंजाबी हिन्दी से लगभग वैसे ही मिलती है, जैसे राजस्थानी। वहाँ भी सम्भवत: आगे चलकर यही स्थिति होगी कि निम्न स्तरीय राजनीतिक कार्य पंजाबी में हों; विश्वविद्यालयों, उच्च न्यायालयों आदि में हिन्दी का चलन हो।

कश्मीर में उर्दू को राजभाषा बनाया गया है। उर्दू (या हिन्दी) का कश्मीरी से वही सम्बन्ध नहीं है जो हिन्दी का मराठी या बंगला से है। हिन्दी-उर्दू जाननेवालों के लिए वह उतनी ही दूर है जितनी दूर तेलगू या तमिल हैं। ऐसी हालत में उर्दू को राजभाषा बनाए रखना कश्मीरी के प्रति घोर अन्याय करना है। कश्मीरी इतनी स्वतंत्र और समर्थ भाषा है कि उसमें निम्न स्तर से लेकर उच्चतम स्तर तक गद्य-पद्य का सारा काम हो सकता है। राजस्थान या पंजाब की तरह वहाँ यह आवश्यक न होगा कि उच्चस्तरीय कामकाज हिन्दी में हो। यदि बंगला उच्चतम शिक्षा का माध्यम बन सकती है, तो कश्मीरी भी बन सकती है। जम्मू की भाषा डोगरी है जो पंजाबी और हिन्दी से मिलती है। इस क्षेत्र में राजभाषा न उर्दू होनी चाहिए, न कश्मीरी वरन् यह स्थान मिलना चाहिए डोगरी को जिसकी हिन्दी के सम्बन्ध में वही स्थिति है जो राजस्थानी की है, अर्थात् निम्न स्तरीय कार्य डोगरी में होंगे, उच्च स्तरीय कार्य अधिकतर हिन्दी में होंगे।

भाषाओं की निरपेक्ष और पूर्ण स्वाधीनता किसी भी देश में सम्भव नहीं है। ज़ारशाही रूस में बोल्शेविक पार्टी ने उचित ही रूसी के अनिवार्य राजभाषा बनाए जाने का विरोध किया था। किन्तु सोवियत संघ की सभी भाषाओं में उच्चकोटि की वैज्ञानिक पुस्तकें नहीं हैं, न उन सभी का विश्वविद्यालयों में उपयोग होता है। सोवियत संघ की कम्यूनिस्ट पार्टी का मुखपत्र 'प्रावदा' रूसी में प्रकाशित होता है। ज़ारशाही रूस और अब की स्थिति में अन्तर यह है कि पहले ग़ैर-रूसी भाषाएँ दबाई जाती थीं और लोगों को रूसी सीखने के लिए मजबूर किया जाता था। अब उनकी भाषाओं

के व्यवहार में कोई रुकावट नहीं है और रूसी वे स्वेच्छा से सीखते हैं। सोवियत संघ की लगभग बीस करोड़ आबादी में आधे रूसी हैं। इसलिए यह स्वाभाविक था कि आपस में व्यवहार के लिए रूसी भाषा ही चुनी जाए। सोवियत संघ में यह सम्भव नहीं था कि सभी नागरिक देश की सौ से अधिक भाषाएँ सीखें! यह लक्ष्य रखना एक अराजकवादी मनोविकार मात्र होता। वर्तमान काल में राज्यसत्ता का गठन इस प्रकार होता है कि केन्द्रीय भाषा के बिना काम चलता नहीं।

भारत की स्थिति यह है कि यहाँ हिन्दी के अलावा अनेक पुरातन और समृद्ध भाषाएँ हैं। वे पुरातन और समृद्ध न भी होतीं तो भी देश के नव-निर्माण में उनका महत्त्वपूर्ण स्थान होता। इनके अलावा बहुत-सी आदिवासी जातियों की भाषाएँ हैं जिनमें कहीं-कहीं थोड़ा-बहुत शिक्षण-कार्य होता है लेकिन जिनमें आगे चलकर जनता की राजकीय और सांस्कृतिक कार्यवाही काफी बड़े पैमाने पर सम्पन्न होगी। यह सम्भव है कि उच्च शिक्षण और उच्च स्तरीय राजकाज वगैरह हिन्दी में या इन भाषाओं की पड़ोसी किसी बड़ी जाति की भाषा में हो! उदाहरण के लिए डाँग प्रदेश के निवासी अपनी भाषा के अलावा मराठी या गुजराती का व्यवहार करेंगे। असम के पहाड़ी इलाकों के लोग अपनी भाषाओं के अलावा उच्च शिक्षण आदि के लिए असमिया, बंगला या हिन्दी का उपयोग करेंगे।

यद्यपि स्वाधीन भारत ज़ारशाही रूस की तरह जातियों का कारागार नहीं है, फिर भी जातीय विद्वेष यहाँ तेजी से बढ़ रहा है और असम की घटनाओं से इस देश के अन्धराष्ट्रवाद ने अपना एक रिकॉर्ड कायम किया है। इसलिए नीति का तकाजा है कि छोटी-बड़ी जातियों को अपने-अपने प्रदेश में अपनी भाषाओं के व्यवहार करने की अधिकतम सुविधा दी जाए और उन जातियों के परस्पर व्यवहार तथा केन्द्रीय राजकाज के लिए हिन्दी का उपयोग किया जाए। वर्तमान अन्धराष्ट्रवाद की विशेषता यह है कि वह दूसरी भारतीय भाषाओं के प्रति घृणा फैलाता है और अंग्रेज़ी को गले लगाता। उसका एक तर्क यह है कि हिन्दी तथा भारत की अन्य सभी भाषाएँ दरिद्र हैं और अंग्रेज़ी विश्व-भाषा है। इसलिए 'सब तज, हरि भज'; अंग्रेज़ी को अपनाओ और हिन्दी से पीछा छुड़ाओ। अंग्रेज़ी के बिना हमारा काम नहीं है। इन स्थापनाओं की सिद्धि के लिए कुछ विद्वान एक वैज्ञानिक तर्क का सहारा लेते हैं। भारत पराधीन था; देश का उत्पादन पिछड़ा हुआ था। इसलिए उत्पादन-व्यवस्था के अनुपात से भाषाएँ भी पिछड़ी रह गईं।

यह तर्क ऊपर से देखने में वैज्ञानिक लगता है। भाषा उत्पादन और वितरण के विकास के साथ समाज की नई-नई आवश्यकताएँ पूरी करने का साधन बनती हैं। यह किसी देश में आधुनिक उद्योग-धन्धों का विकास नहीं हुआ, तो वहाँ की भाषा में औद्योगिक शब्दावली भी न होगी, क्योंकि उसकी आवश्यकता ही न पड़ी थी। इस तरह की शब्दावली भाषा का एक अंग है। वह समग्र भाषा नहीं है। भाषा

की अभिव्यंजना-शान्ति इस पारिभाषिक शब्दावली पर निर्भर नहीं होती जिसका उपयोग सीमित क्षेत्रों में विशेषज्ञ करते हैं; समस्त जनता को उससे साबिका पड़े, यह आवश्यक नहीं है। यह शब्दावली गढ़ी जाती है। भाषा गढ़ी नहीं जा सकती, लेकिन पारिभाषिक शब्दावली गढ़ी जा सकती है। चीन ने इस तरह की शब्दावली गढ़ ली है। औद्योगिक दृष्टि में चीन हमसे पिछड़ा हुआ था लेकिन अंग्रेज़ी के बिना उसका राजकीय और सांस्कृतिक काम चलता है। रूस विज्ञान और उद्योग-धन्धों में पिछड़ा हुआ था लेकिन उसने रूसी की जगह अंग्रेज़ी या जर्मन को राजभाषा नहीं बनाया। यूगोस्लाविया, बुल्गारिया, पोलैंड, रूमानिया आदि विज्ञान और उद्योग-धन्धों में भारत की तरह पिछड़े हुए थे लेकिन इन देशों की भाषाओं में राजकाज होता है। जापान ने जिस समय उद्योगीकरण आरम्भ किया था, उस समय उसने अंग्रेज़ी को राजभाषा न बना लिया था। ऐसी स्थिति में भारतीय भाषाओं में देश का राजकाज न हो, तो इसे नेताओं का प्रमाद ही मानना चाहिए।

किन्तु भाषा पारिभाषिक शब्दावली के अलावा भी बहुत कुछ है। वह मनुष्य के चिन्तन, भावनाओं और संवेदनाओं की अभिव्यंजना का माध्यम है। जब हम महान् बनना चाहते हैं तब वेद, उपनिषद्, गौतम बुद्ध, शंकर, रामानुज का नाम लेते हैं, रवीन्द्रनाथ और सुब्रह्मण्यम् भारती का नाम भी ले लेते हैं, तुलसीदास और प्रेमचन्द का नाम भी ले सकते हैं। लेकिन जब भारतीय भाषाओं की बात आती है तो उन्हें दरिद्र कह देते हैं। यह पारिभाषिक शब्दावली के बिना भाषा दरिद्र रहती है तो संस्कृत भी दरिद्र थी, ग्रीक और लैटिन भी दरिद्र थीं, आज की भारतीय भाषाएँ भी दरिद्र हैं। किन्तु यदि आधुनिक विज्ञान और उद्योग-धन्धों की शब्दावली के बिना भी संस्कृत, ग्रीक, लैटिन अमूढ़ भाषाएँ थीं तो मानना होगा कि आधुनिक भाषाएँ भी समृद्ध हैं। यदि भाषा की समृद्धि उत्पादन पर निर्भर होती, तो शेक्सपियर की भाषा को नितान्त दरिद्र होना चाहिए और मैकमिलन और आइज़नहावर की भाषा को बहुत समृद्ध होना चाहिए। दांते मध्ययुग का अन्तिम और यूरोपीय नवजागरण का प्रथम कवि था। इतालवी को उससे अधिक किसने समृद्ध किया है? आज रवीन्द्रनाथ, प्रेमचन्द और भारती की भाषाओं को समृद्ध करने की बात की जाती है।

अंग्रेज़ पहले तर्क करते थे, आज भी पचीसों उपनिवेशों में साम्राज्यवादी यही तर्क करते हैं कि वहाँ की जनता स्वाधीनता के लिए तैयार नहीं है। उसी तर्क को भारत के अनेक नेता भाषा के बारे में दोहराते हैं। उन अंग्रेज़ राजनीतिज्ञों के सामने श्रद्धा से सिर झुकाना चाहिए जिन्होंने अंग्रेज़ी के बदले यहाँ भारतीय भाषाओं में शिक्षण कार्यादि चलाने पर जोर दिया था। 1854 में सर चार्ल्स वुड ने अपने शिक्षा-सम्बन्धी विवरण में लिखा था : "यह न हमारी इच्छा है, न उद्देश्य है कि अंग्रेज़ी देशी भाषाओं का स्थान ले ले। विशाल आम जनता द्वारा समझी जानेवाली भाषाओं के व्यवहार और महत्त्व की ओर हम सदा सजग रहे हैं। न्याय-व्यवस्था में और

सरकारी हाकिमों तथा जनता के सम्पर्क में फ़ारसी के बदले हमने इन भाषाओं को प्रतिष्ठित किया है, न कि अंग्रेज़ी को। इसलिए यह अनिवार्य है कि शिक्षा की किसी भी सार्वजनिक व्यवस्था में इनके अध्ययन पर खूब ध्यान दिया जाए। यूरोप के समुन्नत ज्ञान का जो भी परिचय आम जनता को कराया जाए, वह इन्हीं देशी भाषाओं में किसी एक के माध्यम से सम्भव होगा। आम जनता अपने जीवन की परिस्थितियों के कारण उच्च शिक्षा नहीं पा सकती और उससे यह आशा नहीं की जा सकती कि विदेशी भाषा सीखने की कठिनाइयों पर वह विजय पाएगी।"[1] सौ वर्ष पहले ऐसे अंग्रेज़ थे जो न्याय-व्यवस्था और सरकारी कामों में भारतीय भाषाओं का व्यवहार उचित और आवश्यक समझते थे। स्वाधीन भारत के नेता उनके तर्क से सहमत नहीं हैं!

अंग्रेज़ी अवश्य एक समृद्ध भाषा है। शेक्सपियर, मिल्टन और डार्विन जैसे मनीषियों ने उसमें अपनी रचनाएँ की हैं। यही भाषा इंग्लैंड में बोली जाती है, संयुक्त राष्ट्र अमरीका, कनाडा और दक्षिण अफ्रीका में, न्यूजीलैंड और आस्ट्रेलिया में और भारत जैसे ब्रिटेन के भूतपूर्व उपनिवेशों में—कुछ शिक्षित जनों द्वारा—बोली जाती है। इन सब देशों की औद्योगिक और वैज्ञानिक प्रगति एक-सी नहीं है। मुख्य बात है सामाजिक संगठन, सामाजिक विकास की मंज़िल। नीचे से नींव पोली हो तो दीवाल पर अंग्रेज़ी पलस्तर लगाने से इमारत मजबूत थोड़े ही हो जाएगी।

अंग्रेज़ी समृद्ध भाषा है, लेकिन उसका प्रसार उसकी समृद्धि के कारण नहीं हुआ। उत्तरी अमरीका, अफ्रीका, आस्ट्रेलिया आदि में लाखों आदमियों को अपनी जान से हाथ धोना पड़ा है, उनकी जमीन छीन ली गई है, वहाँ की जनता को गुलाम बनाकर बेचा गया है और आज भी एक विशाल जनसंख्या गुलामी की जंजीरों में जकड़ी हुई है। इस तरह अंग्रेज़ी 'विश्व-भाषा' बनी है। यूरोप में फ्रांसीसी, जर्मन और रूसी भाषाओं का महत्त्व कम नहीं रहा। लैटिन अमरीका के अनेक देश स्पेनी बोलते हैं। लगभग साठ करोड़ चीनी अपनी भाषा का व्यवहार करते हैं। मारिओ पेइ नामक लेखक ने संसार की प्रमुख भाषाएँ बोलनेवालों की यह संख्या दी है :

| | | | | | |
|---|---|---|---|---|---|
| चीनी | : | 50 करोड़ | इंडोनेशियाई | : | 8 करोड़ |
| अंग्रेज़ी | : | 25 करोड़ | पुर्तगाली | : | 6 करोड़ |
| हिन्दुस्तानी | : | 16 करोड़ | बंगला | : | 6 करोड़ |
| रूसी | : | 15 करोड़ | इतालवी | : | 6 करोड़ |
| स्पेनी | : | 12 करोड़ | अरबी | : | 5 करोड़ |
| जर्मन | : | 10 करोड़ | जापानी | : | 10 करोड़ |
| फ्रांसीसी | : | 8 करोड़[2] | | | |

1. 'ऑफ़िशियल लैंग्वेज़ कमीशन रिपोर्ट' में उद्धृत, पृ. 25
2. मारिओ पेइ, 'लैंग्वेज़ फॉर एवरी बॉडी'; न्यूयॉर्क 1958, पृ. 34

पाठक देखेंगे कि चीनी बोलनेवालों की संख्या अंग्रेज़ी बोलनेवालों की संख्या से दुगनी है। अंग्रेज़ी के बाद तीसरे नम्बर पर है हिन्दी। मारिओ पेइ ने अपनी पुस्तक के पृष्ठ 155 पर भारत का जो मानचित्र दिया है, उसमें 'बिहारी' को हिन्दी से अलग दिखाया है। यदि भारत के उन सब लोगों को गिना जाए जो हिन्दी समझ लेते हैं, तो उनकी संख्या लगभग अंग्रेज़ी-भाषियों के बराबर निकलेगी, पाकिस्तान को मिलाकर ज्यादा भी हो तो ताज्जुब नहीं। अंग्रेज़ी विश्व-भाषा है, यह दलील उन देशों के नेता देते हैं जहाँ ब्रिटेन का राज था। जहाँ फ्रांस या हॉलैंड का राज्य था, वहाँ इस 'विश्व-भाषा' की पूछ नहीं है। भारत में अंग्रेजी की तरह वहाँ फ्रांसीसी और डच का आधिपत्य है। बात समृद्ध और विश्व-भाषा की नहीं है; बात है गुलामी की। आप जिसके गुलाम थे, उसी की भाषा को अपने गले का तौक़ बनाए हुए हैं, वह चाहे विश्व-भाषा हो, चाहे एक टापू की भाषा हो। फिलिपिन, इंडोनीशिया, वियतनाम आदि ने अपनी भाषाओं को राजभाषा बनाया है। मारिओ पेइ के शब्दों में : "जब मोरक्को, ट्यूनीशिया और अल्जीरिया फ्रांस से पूर्ण स्वाधीनता प्राप्त करेंगे, तब वहाँ लोकप्रिय अरबी राजभाषा बनेगी।"[1] जिस तरह इस युग की सामाजिक प्रगति का यह नियम है कि उपनिवेशों की जनता साम्राज्यवादी दासता से मुक्त होगी, उसी तरह यह भी इस युग का नियम है कि उपनिवेशों की जनता पर जो विदेशी भाषाएँ लादी गई थीं, उनके स्थान पर स्वाधीन होनेवाली जनता की अपनी भाषाएँ प्रतिष्ठित होंगी। जरा पचास साल आगे की तरफ देखिए। कहाँ होगा ब्रिटिश साम्राज्य या कॉमनवेल्थ? कहाँ होगा पूँजीवादी दुनिया का अमरीकी अधिनायकत्व? एशिया, अफ्रीका और दक्खिनी अमरीका की जातियाँ नई शक्ति से आगे बढ़ेंगी। यूरोप की भाषाओं से इनका नया सम्बन्ध कायम होगा। उस समय अंग्रेज़ी की वर्तमान स्थिति न रह जाएगी। लोग आश्चर्य करेंगे कि पाँच-छह हजार वर्ष की संस्कृति के देश भारत में कुछ ऐसे भी अन्धे-बहरे थे जो समझते थे कि अंग्रेज़ी के बिना देश का काम ही न चलेगा!

यूरोपीय भाषाओं के बारे में एक भ्रान्त धारणा यह है कि उन सभी में कोई अन्तरराष्ट्रीय शब्दावली प्रचलित है। पारिभाषिक शब्दावली गढ़ने के लिए इन भाषाओं के पास कोई एक निश्चित स्रोत नहीं है। वे लैटिन से शब्द गढ़ सकती हैं। फ्रांसीसी, इतालवी आदि के लिए यह स्वाभाविक है क्योंकि वे लैटिन-परिवार की हैं। यूरोप की भाषाएँ ग्रीक के आधार पर शब्द बनाती हैं क्योंकि यूरोप का प्राचीनतम साहित्य ग्रीक में है और वह बहुत सम्पन्न भाषा रही है। जर्मन, रूसी आदि भाषाएँ बहुत-से पारिभाषिक शब्द अपनी धातुओं या मूल शब्द-भंडार के आधार पर बनाती हैं। उदाहरण के लिए रूसी क्रिया रोदीत्स्या का अर्थ है—जन्म लेना। इससे 'रोद' शब्द सगे सम्बन्धियों, कबीले आदि के लिए प्रयुक्त होता है—ठीक हमारे 'जन' शब्द की तरह।

1. मारिओ पेइ, 'लैंग्वेज फॉर एवरी बॉडी'; न्यूयॉर्क, पृ. 156

रूसी में जल के लिए शब्द है—'वोदा', जो हमारे उदक का सगोती है। अपने मूल शब्द-भंडार के इस 'वोदा' को उन्होंने धातु 'रोद' से जोड़ा और पारिभाषिक शब्द बनाया 'वोदोरोद'। यह हुआ अंग्रेज़ी के हाइड्रोजन का पर्यायवाची। हाइड्रोजन में न 'हाइड्रो' अंग्रेज़ी का है, न 'जन' उसका है। लेकिन जिसके पास अपनी धातुएँ हैं और उपयुक्त मूल शब्द होंगे, वह ग्रीक या लैटिन से क्यों उधार लेने जाएगा? रूसियों ने अपना शब्द बनाया 'वोदोरोद'; उसी तरह जर्मनों ने अपना शब्द बनाया 'ह्वासेरस्टौफ'। 'भाषाविज्ञान' के लिए लैटिन के आधार पर अंग्रेज़ी में शब्द चला 'लिंग्विस्टिक्स'। रूसी में संस्कृत 'ज्ञान' के समकक्ष 'ज़्नानिये' शब्द को जोड़कर बना 'याज़िको-ज़्नानिये।' जर्मन ने अपना शब्द बनाया 'स्प्राखह्विसेन-शाफ्ट' (या स्प्राखेनकुंडे)। अंग्रेज़ी में अपने घर की पूँजी तो कुछ यों ही है; ग्रीक और लैटिन से उधार माल को उपनिवेशों में अंग्रेज़ी कहकर खपाया जाता है। यूरोप के लोग अंग्रेज़ी की इस पारिभाषिक शब्दावली को क्यों स्वीकार करने लगे?

धार्मिक कारणों से इंग्लैंड में ग्रीक की अपेक्षा लैटिन अधिक पढ़ी जाती रही है। इसलिए ग्रीक शब्दों के आधार पर बनी शब्दावली अधिक गौरवमय समझी जाती है। ग्रीक में 'ॲन्थ्रोपोस' (मनुष्य) से बनाया हुआ 'ऐन्थ्रोपोलॉजी', ग्रीक में जीव के समकक्ष शब्द जोओस से बनाया हुआ 'जुओलॉजी'। हमारे यहाँ मानव, जीव आदि शब्द विद्यमान हैं; हम उनसे शब्द क्यों न बनाएँ? ये क्या ग्रीक शब्दों से कम गरिमामय हैं? फिर जोओस ग्रीक होने से अधिक गौरवमय हो और जीव अधिक प्राचीन होने पर भी भारतीय होने से हीन हो—यह बात तो कुछ युक्तिसंगत नहीं है। पारिभाषिक शब्दावली निर्माण में अनेक खामियाँ हैं। ये खामियाँ भाषा की नहीं हैं; इनका सम्बन्ध है शब्दावली-निर्माण के संगठन से। इस तरह के निर्माण-कार्य में लगे हुए कुछ लोग समझते हैं कि जो शब्द लोकप्रिय हैं, वे पारिभाषिक नहीं हो सकते। प्रत्येक भाषा में ऐसे शब्द मिलते हैं जो जनसाधारण में प्रचलित है, साथ ही पारिभाषिक भी हैं। केन्द्रीय शिक्षा-मंत्रालय द्वारा चिकित्सा-शब्दावली में अंग्रेज़ी के ऐसे लोकप्रिय शब्द हैं : फिट, फ्री, डार्क, रूम, चाइल्डहुड, ब्रश, रिज़ल्ट, रिपोर्ट, जैम, लेडीज़, ओनली, इंस्पेक्टर, ईडियट, फार्म आदि। ये शब्द आमफहम हैं; इसलिए इन्हें कोई पारिभाषिक शब्दावली से निकाल नहीं देता। दूसरी खामी यह है कि हिन्दी की प्रवृत्ति, विशेष कर उसकी उच्चारण-पद्धति का ध्यान न रखकर णकार और संयुक्ताक्षर वाले लम्बे शब्द गढ़े जाते हैं जिनकी तुलना में अंग्रेज़ी शब्द भी बोलने में आसान होते हैं। यदि पारिभाषिक शब्द बोलने में सुगम हों—विशेष रूप से अंग्रेज़ी का प्रतिशब्द उनके मुकाबले में ज्यादा आसान न हो—तो वे जल्दी स्वीकृत हो जाएँगे। पारिभाषिक शब्दावली के निर्माण में यही बात महत्त्व की नहीं है कि संस्कृत में किसी धातु और उपसर्ग का क्या अर्थ था। यह भी देखना चाहिए कि हिन्दी में उनका क्या अर्थ लगाया जाएगा, वर्ना हिन्दी का

पारिभाषिक शब्द अंग्रेज़ी से भी कठिन हो जाएगा। यह स्पष्ट है कि किसी भी विषय के पारिभाषिक शब्द बनाना केवल वैयाकरणों और भाषाविदों का काम नहीं है। इस काम में उस विषय के पंडितों का सहयोग भी होना चाहिए। इन बातों पर ध्यान न देने के कारण हिन्दी के कुछ पारिभाषिक शब्द हँसी-मजाक की चीज बन गए हैं। लेकिन पारिभाषिक शब्दावली में ऐसे भी बहुत-से शब्द हैं जो बोलने में हिन्दी की प्रकृति का उल्लंघन नहीं करते और जिनके लिए विश्वास से कहा जा सकता है कि वे अवश्य लोकप्रिय होंगे। केन्द्रीय शिक्षा-मंत्रालय द्वारा प्रकाशित कृषि-सम्बन्धी शब्दावली से हम कुछ शब्द ले सकते हैं। अंग्रेज़ी के 'हनीड्यू' के लिए 'मधुरस' शब्द सार्थक और सरस, दोनों है। अंग्रेज़ी 'एपिएरी' उच्चारण में हिन्दी-भाषियों के लिए सुगम नहीं है; उसकी तुलना में 'मधुवाटिका' कहने-सुनने में अच्छा लगता है। 'ग्रेन्यूलेटेड' कठिन शब्द है; उसके लिए हिन्दी शब्द 'दानेदार' बोलचाल की हिन्दी के अनुकूल है। उसे लोकप्रिय होने के कारण पारिभाषिक शब्दों की पाँति से बाहर नहीं किया गया। अंग्रेज़ी के 'विनो' शब्द के लिए हिन्दी 'ओसाना' चुना गया है जिसे अधिकांश किसान समझते हैं। सूत, जुआ, जोत, हजारा, मोरपंखी, घोल, खलिहान, कोल्हू आदि प्रचलित शब्दों को पारिभाषिक शब्दावली में उचित स्थान दिया गया है। इसी तरह फिजिक्स (भौतिकी) में नल, ग्रह, डाट, धन, स्वर आदि प्रचलित शब्द रखे गए हैं। दोलक, परिमाप, आपात, तुषार, चालक, संपात, घटक आदि शब्द ऐसे हैं जो बोलने में सुगम हैं और जिन्हें विद्यार्थी अंग्रेज़ी प्रतिशब्दों की अपेक्षा आसानी से व्यवहार करेंगे। किन्तु 'कोस्पर्शज्या' अंग्रेज़ी के 'कोटैंजेंट' से उच्चारण में ज्यादा मुश्किल है। 'संख्यात्र' की तुलना में अंग्रेज़ी 'काउंटर' हिन्दी की ध्वनि-प्रकृति के अधिक अनुकूल है। आशा की जा सकती है कि इस तरह के शब्द छट जाएँगे और उनका स्थान कुछ अधिक सरल उच्चारण वाले शब्द लेंगे। यदि शब्द-निर्माण करते समय किसी विषय में पहले से प्रचलित शब्दों का ध्यान रखा जाए, तो कोश-निर्माताओं का काम इतना कठिन न रहे। साथ ही हिन्दी के अलावा अन्य भारतीय भाषाओं का ध्यान रखना चाहिए, उनके विद्वानों का सहयोग प्राप्त करना चाहिए, उनके पहले से प्रचलित पारिभाषिक शब्द हो तो उन पर विचार करना चाहिए और हिन्दी में खप सकें तो उन्हें वहाँ से ले लेना चाहिए। हिन्दी में काफी पारिभाषिक शब्दों का निर्माण हो चुका है। इनमें बहुत-से अपने-अपने विषय की हिन्दी पुस्तकों में व्यवहृत भी होते हैं। जहाँ तक राजकाज का सम्बन्ध है, इस विषय के शब्दों का निर्माण विज्ञान की शब्दावली बनाने से आसान है। इसलिए विज्ञान में चाहे हिन्दी का प्रयोग कुछ दिन रुका भी रहे, राजभाषा के रूप में हिन्दी का व्यवहार रुके, इसका कोई कारण नहीं है।

हिन्दी भाषा के अखिल भारतीय महत्त्व का पहला कारण यह है कि वह भारत की सबसे बड़ी जाति की भाषा है। दूसरा कारण यह है कि उत्तर भारत, बंगाल, गुजरात

और महाराष्ट्र तक की भाषाओं और हिन्दी के शब्द-भंडार में इतनी ज्यादा समानता है कि लोग उसे आसानी से समझ लेते हैं। तीसरा कारण यह है कि राजस्थान के व्यापारी और पूँजीपति भारत के विभिन्न प्रान्तों में फैले हुए हैं और साधारणत: वे हर जगह हिन्दी शिक्षा, प्रचार आदि में सहायता करते हैं। चौथा और सबसे महत्त्वपूर्ण कारण यह है कि हिन्दी-भाषी इलाके के मजदूर बम्बई, कलकत्ता जैसे बड़े-बड़े नगरों में भारी संख्या में मिलते हैं। अंग्रेज़ों ने जब 'बंगाल आर्मी' का संगठन किया था, तब बंगाल में उन्होंने रूहेलखंड और अवध के बहुत-से लोगों को उसमें भर्ती किया था जो जीविका की तलाश में वहाँ पहले से ही मौजूद थे। यहाँ के खत्री, अगरवाले और हिन्दी-भाषी गुजराती ढाका, मुर्शिदाबाद तक धावा मारते थे। इसी कारण लल्लूजी लाल फोर्ट विलियम कॉलेज से जा टकराए थे। मजदूर, व्यापारी, नौकरीपेशा मध्य वर्ग के लोग कई शताब्दियों से अपने प्रदेश के बाहर निकलकर देश के कोने-कोने में फैल रहे हैं। उनके कारण थोड़ी-बहुत हिन्दी से सभी बड़े शहरों के लोग परिचित हो गए हैं। अन्य प्रान्तों के लोग भी दूसरे प्रदेशों में गए हैं लेकिन उनमें श्रमिकों की उतनी बड़ी संख्या नहीं रही जितनी हमारे 'हिन्दुस्तानी' भाइयों की रही है। परसाल बालीगंज (कलकत्ता) में मैंने एक बंगाली सज्जन को मकान बनवाते देखा। मजदूर बिहारी थे। बंगाली सज्जन को उनसे वार्तालाप के लिए हिन्दी का व्यवहार करना पड़ता था। श्रमिकों की अपेक्षा उच्चवर्ग के लोग दूसरों की भाषा ज्यादा आसानी से अपनाते हैं। अंग्रेज़ अपने बाबू से भले अंग्रेज़ी में बात करता रहा हो, हिन्दुस्तानी जनता से बात करने के लिए उसे हिन्दुस्तानी सीखनी होगी, इसे वह खूब अच्छी तरह जानता था।

हिन्दी या हिन्दी क्षेत्र की बोलियाँ अन्य भाषाएँ बोलनेवालों को कैसे प्रभावित कर रही थीं, इसके प्रमाण ब्रिटिश राज्य कायम होने से पहले ही मिलते हैं। 'ब्रजबुलि' अर्थात् मैथिली का प्रभाव बंगला पर पड़ा और वह इतना सरस था कि उस परम्परा का अनुसरण करते हुए आधुनिक काल में रवीन्द्रनाथ ने 'भानुसिंह पदावली' की रचना की। श्री दिनेशचन्द्र सेन ने बंगला साहित्य के इतिहास में लिखा है कि अंग्रेज़ी राज से पहले बंगाल के कवि हिन्दुस्तानी सीखते थे; भारतचन्द्र राय गुणाकर संस्कृत के साथ फ़ारसी और हिन्दुस्तानी भी जानते थे। "दिल्ली के मुसलमान शहंशाह के एकच्छत्र शासन के नीचे हिन्दी सारे भारत की सामान्य भाषा (लिंगुआ फ्रांका) हो गई थी।"[1] इसी तरह महाराष्ट्र में हिन्दी का प्रवेश हुआ था। हिन्दी क्षेत्र में व्यापार के सबसे बड़े केन्द्र कायम होने के कारण विभिन्न प्रान्तों—और विदेश—के लोग हिन्दी सीखते थे। उर्दू में शिवाजी और मनुच्ची की परस्पर बातचीत का उल्लेख हम पहले कर चुके हैं। किंवदन्ती के अनुसार, भूषण ने शिवाजी को अपनी हिन्दी कविता सुनाई थी। कुछ लोगों ने शिवाजी की हिन्दी रचनाओं के उद्धरण भी दिये हैं।

1. दिनेशचन्द्र सेन, 'हिस्ट्री ऑव बेंगाली लैंग्वेज़ एंड लिटरेचर', पृ. 600

शिवाजी ने भूषण की रचनाएँ चाहे न सुनी हों और स्वयं भी चाहे हिन्दी की कविताएँ न रची हों, एक बात असन्दिग्ध है कि वह हिन्दी जानते थे और उनके समय में कम-से-कम उत्तर भारत में लोग अन्तरप्रान्तीय व्यवहार के लिए हिन्दी को अपना माध्यम बनाते थे। श्री विनयमोहन शर्मा ने एक लेख में महाराष्ट्र के लोक-नाट्यों की चर्चा की है और मराठी की 'ललित-संग्रह' नामक पुस्तक का हवाला देकर बताया है कि सत्रहवीं सदी में वहाँ मराठी नाटकों के बीच हिन्दी के ललित लोकप्रिय हो गए थे। "नवरात्र के समय जब कीर्तन आदि होते थे, तब श्रोताओं को आकर्षित करने के लिए वहीं ललित भी खेले जाते थे। भक्तों का स्वाँग धरकर अपने साम्प्रदायिक देवता से प्रसाद माँगा जाता था जिसे सभी श्रोता और दर्शक बाँट खाते थे।"[1] एक ललित की भाषा का नमूना—उसी लेख में उद्धृत अंश के आधार पर—इस प्रकार है : "छड़ीदार, जहाँ भगवान का द्वार, खड़ा रहूँ मैं छड़ीदार, पुकारूँ हरिनाम की ललकार, दीनों का दातार, वो ही है दीनों का दातार, लिया पंढरपुर में अवतार, करता अनाथ का उद्धार, वो ही मेहरबान सच्चा है, उस मेहरबान का गुलाम अज्ञान रामजी करते हैं सलाम, सब संत सज्जन कूं निगा रखो मेहरबान, किसे क्या लेना? हम महाराज के चरण पास नौकरी करते हैं।" पंजाब के सिख गुरुओं की हिन्दी रचनाएँ प्रसिद्ध ही हैं।

1816 में विलियम केरी ने लिखा था कि हिन्दी का कोई अपना प्रदेश नहीं है। उसकी यह धारणा इसलिए बनी थी कि अंग्रेज़ों को भारत में जहाँ भी मुसलमान नौकर मिलते थे, वे हिन्दी बोलनेवाले होते थे। इसलिए बहुत-से अंग्रेज़ों को—केरी के ही अनुसार—यह भ्रम हो जाता था कि अधिकांश देश में यही एक भाषा बोली जाती है।[2] ऑनरेवल कम्पनी के फर्मान हिन्दुस्तानी में छपते थे जिस पर अन्य भाषाएँ बोलनेवाले स्वभावत: आपत्ति करते थे कि वे उनकी समझ में नहीं आते। 12 अगस्त, 1807 को लेफ्टिनेंट टॉमस रोबक ने मद्रास से ईस्ट इंडिया कम्पनी के डायरेक्टरों की कॉलेज कमिटी को एक पत्र भेजा था जिसमें अस्वस्थ होने के कारण घर लौटने की चर्चा के बाद उसने लिखा था कि उसे हिन्दुस्तानी के ज्ञान से बहुत लाभ हुआ है, विशेष रूप से इसलिए कि आरकट के नवाब (जिसे अब पेंशन दी जा रही थी) के सभी भूतपूर्व अफसर उसके मातहत थे, जो "दरअसल और कोई भाषा बोलते ही न थे।" उसने यहाँ आने पर हिन्दुस्तानी पढ़ना शुरू किया था, जो "बोलचाल की बोली या भारत की महान् लोकप्रिय भाषा थी (दि कोलोकिअल डायलेक्ट और ग्रैंड पॉप्यूलर स्पीच ऑव इंडिया)।" रोबक ने कम्पनी डायरेक्टरों को हिन्दुस्तानी का महत्त्व समझाते हुए प्रार्थना की थी कि उसे हर्टफर्ड स्थित कॉलेज के हिन्दी विभाग में काम दिया जाए जिससे कि भारत आने से पहले ही अंग्रेज़ कुछ हिन्दुस्तानी सीख लें।

---

1. 'अजन्ता', अक्टूबर, 1955
2. 'लिंग्विस्टिक सर्वे', खंड 1, पृ. 12

उसकी प्रार्थना स्वीकृत न हुई लेकिन उसने यह बिलकुल ठीक लिखा था कि जैसे इंग्लैंड जानेवाले को लैटिन-सैक्सन या फ्रांसीसी के बदले अंग्रेज़ी सीखनी चाहिए, वैसे ही भारत आनेवाले को अरबी-फ़ारसी या संस्कृत के बदले हिन्दुस्तानी सीखनी चाहिए। उसने हिन्दुस्तानी और फ़ारसी के बारे में कुछ मार्के की बातें कही हैं :

1. देशी अदालतों की सामान्य भाषा हिन्दुस्तानी है यद्यपि कभी-कभी फ़ारसी का प्रयोग भी होता है।
2. हिन्दुस्तानी के सभी राजनीतिक मसलों पर विचार किया जाता है और अन्त में इससे उनका फ़ारसी में अनुवाद किया जाता है।
3. मालगुजारी का सारा काम (कुछ अपवाद छोड़कार) हिन्दुस्तानी में होता है।
4. देशी फौज की आम ज़बान हिन्दुस्तानी है।

जिस पुस्तक से[1] रोबक का पत्र उद्धृत किया गया है, उसी में एक पत्र मेटकाफ का दिया हुआ है। दिल्ली के असिस्टेंट रेजिडेंट सी.टी. मेटकाफ ने यह पत्र 29 अगस्त, 1806 को गिलक्राइस्ट के नाम लिखा था। उन्होंने हिन्दुस्तानी की शिक्षा गिलक्राइस्ट से ही पाई थी। इस भाषा के महत्त्व के बारे में अपने अनुभवों का वर्णन करते हुए उन्होंने लिखा था : "भारत के जिस भाग में भी मुझे काम करना पड़ा है—कलकत्ते से लेकर लाहौर तक, कुमाऊँ के पहाड़ों से लेकर नर्बदा तक—अफगानों, मराठों, राजपूतों, जाटों, सिखों और उन प्रदेशों के सभी कबीलों में जहाँ मैंने यात्रा की है, मैंने उस भाषा का आम व्यवहार देखा है जिसकी शिक्षा आपने मुझे दी। भाषा के बहुत-से रूप और बोलियाँ प्रचलित हैं। अपनी बात समझाने या दूसरे की समझने के लिए अक्सर बड़े धीरज की आवश्यकता होती है। जिस तरह की ध्वनियाँ हमें सुननी पड़ती हैं, हमारे कान उनके आदी नहीं होते। शुरू में यहाँ के लोग बात को बार-बार दोहराए बिना हमारे बोलने का तर्ज और ढंग समझ नहीं पाते। इस तरह की कठिनाइयों का सामना शायद ज्यादातर जगहों में करना पड़ेगा। लेकिन अपने अनुभव से और दूसरों से सुनी हुई बातों के बल पर मैं कन्याकुमारी से कश्मीर तक या आवा से सिन्धु के मुहाने तक इस विश्वास से यात्रा करने की हिम्मत कर सकता हूँ कि मुझे हर जगह ऐसे लोग मिल जाएँगे जो हिन्दुस्तानी बोल लेते होंगे। मेरे कहने का मतलब यह नहीं है कि मुझे ऐसे लोग न मिलेंगे जो हिन्दुस्तानी न बोल पाते हों। हर कोई जानता है कि जिस विशाल प्रदेश का मैंने जिक्र किया है, उसमें बहुत-सी भिन्न-भिन्न भाषाएँ बोली जाती हैं। इन भाषाओं का न बोला जाना एक ताज्जुब की बात होती लेकिन हिन्दुस्तानी एक ऐसी ज़बान है जो आम तौर से उपयोगी साबित होती है और मेरी समझ में संसार की किसी भी भाषा से उसका व्यवहार बहुत बड़े पैमाने पर होता है।"

1. जे.बी. गिलक्राइस्ट, 'ए वोकैबुलरी : हिन्दुस्तानी एंड इंग्लिश एंड हिन्दुस्तानी', एडिनबरा

यह बात 1806 की है। तब तक अंग्रेज़ सारे भारत के शासक न हुए थे। इसलिए अंग्रेज़ी भी तब तक विश्व-भाषा न बनी थी। इसके विपरीत हिन्दी या हिन्दुस्तानी संसार की ऐसी भाषा थी जिसका व्यवहार किसी भी और ज़बान के मुकाबले ज्यादा होता था; कम-से-कम ऐसा समझने और कहनेवाले अंग्रेज़ उस समय थे। गिलक्राइस्ट के उपर्युक्त कोश में यह भी दर्शनीय है कि हिन्दी-उर्दू के अलगाव का ध्यान नहीं रखा गया। 'डिक्शनरी' का अर्थ लुगत और कोश, दोनों दिया हुआ है। इसी तरह 'ग्राउंड' का अर्थ है : 'जमीन, भूमि, धरती, पिरथमी।'

1822 में राजा राममोहन राय ने कलकत्ते से 'जामेजहाँ' नाम का साप्ताहिक पत्र हिन्दुस्तानी में निकाला जो बाद को फ़ारसी में भी प्रकाशित होने लगा था। राजा राममोहन राय, द्वारकानाथ ठाकुर आदि के प्रयत्नों से मौंटगोमरी मार्टिन के सम्पादन में 'बंगदूत' नाम का साप्ताहिक पत्र प्रकाशित हुआ जो अंग्रेज़ी, बंगला, फ़ारसी और हिन्दी—चार भाषाओं में छपता था।[1] 1845 में जॉन शेक्सपियर नामक विद्वान ने हिन्दुस्तानी भाषा का व्याकरण और कोश प्रकाशित किया जो ऑनरेबल ईस्ट इंडिया कम्पनी के डायरेक्टरों को समर्पित है। इसके परिचय में कहा गया है कि हिन्दुस्तानी भारत की सबसे आमफहम और व्यवहार में उपयोगी बोली है। यह दो लिपियों में लिखी जाती है; इसलिए पाठक को दोनों लिपियों का परिचय दिया गया है। कोश में उर्दू-फ़ारसी के शब्द ज्यादा हैं लेकिन पौत्री, नापित, रक्त, बाराह, पूँजी, गुफा, उदाहरन, सराप (शाप), अपमान, ईशान-कोन, लाभ, मिर्तक (मृतक) अहंकार, उच्चार, निर्मलता जैसे शब्द भी हैं। अँगूछा (अँगोछा) ठिठराहट अपूछरा, बंस, आसरा, चाप, करतूत, सूल, जोत जैसे अतत्सम लोक प्रचलित रूप खूब दिये हुए हैं। पुस्तक के अन्त में कुछ कहानियाँ दी हुई हैं जिनमें अठारहवीं कहानी में इस तरह के शब्द भी आए हैं : मनुष, सूर्बीर (शूरवीर), कायर, लज्जावान, निर्लज्ज उपस्थित, निवेदन, आज्ञा, बखान, भाँति, स्वामी, प्रसन्न, पारितोषिक इत्यादि। अगली दो कहानियों में द्रव्य, निदान, संसर्ग, सिद्ध, कविता, दंडवत्, वस्तु, दया आदि शब्दों का प्रयोग हुआ है। अभी लिपि-भेद के बावजूद बोलचाल की भाषा का दो शैलियों में बँटवारा न हुआ था।

शेक्सपियर के इस कोश की एक विशेषता और उल्लेखनीय है। इसमें बहुत-से ऐसे शब्द दिये हुए हैं जिन्हें आज पारिभाषिक शब्द कहा जाएगा और यह मान लिया जाएगा कि उनके पर्यायवाची हिन्दी में नहीं हैं। यह कोश वैज्ञानिकों के लिए नहीं बना; उसका उद्देश्य भारत आनेवाले अंग्रेज़ सिविलियनों को बोलचाल की भाषा से परिचित कराना भर है। लेकिन पृथ्वी-सम्बन्धी शब्दों में ग्रैवेल, लोम, चाक, क्ले, क्लॉड, प्यूटर, जिंक, लैपिस, लजूली, मर्करी, साल्टपीटर, ऐलम, मैग्नेट, रूबी, एमेरैल्ड, सैफायर, टोपाज़, औरपीमेंट, ब्लू, विट्रिऑल, नैट्रॉन को हम साधारणत:

1. एल.एस.एस. ओ मैली, 'मॉडर्न इंडिया एंड दि वेस्ट', ऑक्सफर्ड यूनिवर्सिटी प्रेस, पृ. 202

पारिभाषिक शब्द कहेंगे। इनके लिए आपको पथरी, मिट्टी, खड़ी (खड़िया), चिकनी मिट्टी, ढेला, जस्त, दस्ता, लाजवर्द, पारा, शोरा, फिटकरी, चुम्बक, मानिक, पन्ना, नीलम, पुखराज, हरताल, तूतिया, सज्जी शब्द मिलेंगे। अब आप ठेठ लैटिन शब्द लीजिए जिनके लिए कोशकार को बोलचाल के अंग्रेज़ी शब्द नहीं मिले। बसिआ लतिफोलिया, मेसुआ फेरेआ, नौक्लिआ ओरिएंटालिस, बुटिआ फ्रोंडोसा, टैमैरिंडस इंडिका (तमर-ए-हिन्द के साथ फिर इंडिका लगा!), शोरेआ रोबुस्ता, फिकुसे गुलेरिआ—इन्हें आप अवश्य विशुद्ध पारिभाषिक शब्द मानेंगे। इनके लिए महुआ, नागकेसर, कदम्ब, पलास या ढाक, इमली, साल, गूलर आदि प्रचलित हिन्दी शब्दों को आप भले पारिभाषिक न मानें लेकिन यह तो मानना होगा कि यहाँ की धरती में जैसे वृक्षों की विविधता है, वैसे ही बोलचाल की भाषा में अंग्रेज़ी से ज्यादा उनके नाम भी हैं। इसी तरह फूलों और फलों के नाम हैं। धान्य, बीज आदि के नाम, पशु-पक्षियों व कीड़े-मकोड़ों के नाम, जो अब 'पारिभाषिक' हो गए हैं, इस कोश में मिलते हैं। शरीर-सम्बन्धी शब्द सेरम, बाइल, मैरो, टेंडन, नर्व, फाइबर, मेम्ब्रेन, आर्टरी, ग्लैंड, टिम्पैनम, लैरिंक्स, नेप ऑव दि नेक, स्प्लीन, किडनी, गाल-ब्लैडर, फिस्टुला, क्विन्सी, ड्रॉप्सी, आदि के लिए यहाँ ये शब्द मिलेंगे : पानी, पित, गूदा, पट्ठा, नस, रेशा, झिल्ली, रग, गिल्टी, कान का पर्दा, टेंटुआ, गुद्दी, तिल्ली, गुर्दा, पित्ता, नासूर, खुनक, जलंधर। पेशों के नाम, भोजनों के नाम (दही, सत्तू, घी, गुलगुला वगैरह के लिए अंग्रेज़ी में शब्द न होने से सम्पादक ने उनकी व्याख्या के लिए वाक्यांशों का सहारा लिया है), पोशाकों के नाम, इमारतों के नाम, सजावट के सामान, देहात, हुकूमत और फौज से सम्बन्धित शब्दों की लम्बी तालिका देखकर उस समय कोई न कहता कि हिन्दुस्तानी दरिद्र भाषा है। इसमें जल-सेना से सम्बन्धित जो शब्द दिये हुए हैं, उन्हें अधिकांश शिक्षित हिन्दी-भाषी भूल चुके हैं। समुद्र हमसे दूर है और हम कभी जहाज बनाते थे और हमारे मल्लाह दूर-दूर तक प्रसिद्ध थे, यह अब याद करने की बातें हैं। अंग्रेज़ी भाषा में इस विषय के शब्द बहुत हैं। शेक्सपियर ने दस पृष्ठों में इस विषय की शब्द-सूची दी है और अक्सर अंग्रेज़ी के एक शब्द के लिए यहाँ के दो या तीन-चार शब्द दिये हैं, जैसे मैस्ट के लिए मस्तूल और दोल, बोट के लिए किस्ती, नाव, तरनी, मछवा। कोई आश्चर्य नहीं कि संस्कृत की सहायता लिये बिना ही बोलचाल की भाषा विदेशियों को अंग्रेज़ी से कम समृद्ध न मालूम होती थी। ग्रियर्सन ने 'दैट ग्रेट लिंगुआ फ्रांका—हिन्दी और हिन्दुस्तानी' के व्यापक प्रसार की चर्चा की थी। उनके विचार से बोलचाल की हिन्दी में तत्सम शब्दों की भर्ती बिलकुल अनावश्यक थी क्योंकि "देशज शब्दों का एक विशाल शब्द-भंडार उसके पास है और सूक्ष्म विचार (ॲब्स्ट्रैक्ट टर्म्स) व्यक्त करने के लिए पूर्ण शब्दतंत्र है।" दर्शन और अलंकार-शास्त्र की हिन्दी पुस्तकों में उन्हें संस्कृत जैसा सूक्ष्म विवेचन मिला था। "यद्यपि हिन्दी

में ऐसा शब्द-भंडार है और ऐसी अभिव्यंजना शक्ति है जो अंग्रेज़ी से घटकर नहीं है", फिर भी लोग तत्सम शब्दों से भरी हुई भाषा लिखते हैं जो साधारण जनता की समझ में नहीं आती। 'लिंग्विस्टिक सर्वे' का प्रकाशन 1927 में हुआ था। बीसवीं सदी के आरम्भ तक ग्रियर्सन जैसे अंग्रेज़ हिन्दी को अंग्रेज़ी से घटकर न मानते थे। डॉ. चाटुर्ज्या, श्री फ्रैंक एंटनी जैसे महानुभावों से ग्रियर्सन की तुलना कीजिए। हिन्दी के पास 'एनार्मस नेटिव वोकैबुलरी' थी; उसके पास 'ए कम्प्लीट अपैरॅटस फॉर द एक्स्प्रेशन ऑव एब्स्ट्रैक्ट टर्म्स' था। यह 'वोकैबुलरी' और 'पावर ऑव एक्सप्रेशन' अंग्रेज़ी से घटकर नहीं थी, 'नॉट इन्फीरियर टु इंग्लिश!'[1]

हिन्दी की अन्तरजातीय लोकप्रियता का एक प्रमाण फिल्म जगत् से मिलता है। ऑफ़िशियल लैंग्वेज कमीशन ने इसके कुछ आँकड़े इकट्ठे किये थे। 1951 से 1955 तक पाँच वर्षों में 35 मिलीमीटर वाली कुल 2,835 फिल्में बनीं। इनमें 1,597 फिल्में अकेले हिन्दी में बनी थीं, शेष भारत की अन्य सभी भाषाओं में। इसी अवधि में 16 मिलीमीटर वाली 236 फिल्में बनीं जिनमें 129 अकेले हिन्दी की। आधी से ज्यादा फिल्में हिन्दी में बनती हैं। और फिल्म उद्योग के केन्द्र अहिन्दी राज्यों में हैं।

ये थोड़े-से तथ्य सिद्ध करते हैं कि हिन्दी का अन्तरप्रान्तीय व्यवहार एक लम्बे विकास का परिणाम है। राष्ट्रीय आन्दोलन के संगठन और प्रसार ने इस विकास-प्रक्रिया को और आगे बढ़ाया। किन्तु इस समय यह आन्दोलन भी चला कि हिन्दी एक नितान्त दरिद्र भाषा है। "इस समय कोई भी नागरी-हिन्दी अथवा उर्दू को अंग्रेज़ी का समकक्ष स्थान देने का स्वप्न भी नहीं देख सकता।" कहाँ ग्रियर्सन और कहाँ उनके अनुयायी ये भारतीय भाषाविद्! हिन्दी को अंग्रेज़ी के समकक्ष स्थान देने का स्वप्न देखना भी पाप है! फसाद को बढ़ाने के लिए हिन्दी-अंग्रेज़ी में कौन घट-बढ़कर है, यही प्रश्न उठाना काफी नहीं था; इसके साथ हिन्दी-अहिन्दी भाषाओं में श्रेष्ठता-अश्रेष्ठता का सवाल उठाया गया। "कोई भी महाराष्ट्रीय या बंगाली व्यक्ति इस बात का अनुभव नहीं करता कि अपनी मातृभाषा की अपेक्षा नागरी हिन्दी या उर्दू के माध्यम द्वारा उच्चतर संस्कृति की प्राप्ति हो सकती है।" जो लोग हिन्दी-उर्दू का व्यवहार करते हैं, वे "बंगला या गुजराती, पंजाबी या उड़िया, तमिल या तेलगू, कन्नड़ या मराठी का व्यवहार करनेवालों से अपनी किंचित् भी सांस्कृतिक या बौद्धिक श्रेष्ठता सिद्ध नहीं कर सकते।" इसकी एक प्रतिक्रिया होगी। हिन्दी भाषी अपनी श्रेष्ठता सिद्ध करेंगे और अन्य अहिन्दी-भाषी अपनी भाषा के गुन गाएँगे। इस कोलाहल में दो बातें हम भूल जाएँगे। पहली यह कि केन्द्रीय भाषा के इस विवाद से देश की वास्तविक भाषा-सम्बन्धी स्थिति पर पर्दा पड़ जाता है। केन्द्रीय भाषा के रूप में तो अंग्रेज़ी रहती ही है, विभिन्न प्रदेशों में भी वहाँ की भाषाओं के हक छीनकर राज्य-भाषाओं के रूप में अंग्रेज़ी जमी रहती है। सबसे पहली आवश्यकता यह है कि

1. 'लिंग्विस्टिक सर्वे', खंड 1, पृ. 130

भारतीय भाषाएँ अंग्रेज़ी की दासता से मुक्त हों। अभी कुछ महीने पहले (अगस्त, 1960 में) जब राष्ट्रपति डॉ. राजेन्द्र प्रसाद तमिलनाडु जानेवाले थे, तो वहाँ के कुछ लोगों ने काले झंडों से उनका स्वागत करने की धमकी दी थी। तमिलनाडु की कम्यूनिस्ट पार्टी ने इस तरह के प्रदर्शन का तीव्र विरोध करते हुए इस बात पर बहुत जोर दिया था कि तमिल भाषा को हिन्दी नहीं दबा रही वरन् इस समय उसका स्वत्व छीन रखा है अंग्रेज़ी ने। उसका यह विश्लेषण बिलकुल सही है कि तमिलनाडु में यदि तमिल को राजभाषा बना दिया गया होता, तो इस कटु विवाद की नौबत न आती। लेकिन मद्रास में "राज्य सरकार की इस घोषणा के बावजूद तमिल राजभाषा है, व्यवहार में विधान सभा के भाषणों को छोड़कर, अंग्रेज़ी ही राज्यभाषा बनी हुई है।" विद्यालयों के महन्त तमिल का प्रवेश निषिद्ध किये हुए हैं और अनेक कमीशनों की सिफारिशों पर ध्यान न देकर वे अंग्रेज़ी को ही शिक्षा का माध्यम बनाए हुए हैं। ऐसी स्थिति में हिन्दी-तमिल विवाद अंग्रेज़ी को कायम रखने का साधन हो जाता है।

कौन भाषा घटकर है और कौन बढ़कर है, इस बहस में हम दूसरी बात यह भूल जाते हैं कि इस देश की कोई भी भाषा—तमिल भी—नितान्त अलगाव की दशा में फली-फूली नहीं है। यूरोप की भाषाओं की तुलना में ये भाषाएँ एक-दूसरे के ज्यादा निकट रही हैं। शब्दावली से भी ज्यादा इनके साहित्य में जो भावराशि मिलती है, वह किसी एक जाति के ही प्रयत्नों का फल नहीं है। वैदिक काल और उससे पहले से लेकर आज तक किसी भी प्रदेश की संस्कृति दूसरों के प्रभाव से बिलकुल मुक्त होकर नहीं पनपी। बीसवीं सदी में स्वाधीनता-संग्राम के दौरान नये राष्ट्रीय और जनवादी विचारों से इन सभी भाषाओं का साहित्य समृद्ध हुआ है। इन सभी भाषाओं के साहित्य का एक प्रमुख भाग दिन-पर-दिन वैज्ञानिक समाजवाद की विचारधारा से प्रभावित होता जा रहा है। पुरानी विरासत और नई विचारधारा का असर सभी भाषाओं में विद्यमान है। इन सबके फलने-फूलने में ही भारत राष्ट्र का गौरव है। लेकिन यदि आपस का यह सम्बन्ध न देखकर एक-दूसरे की सहायता करने के बदले हम दूसरे सभी पौधे नोंच डालें और सबकी जगह सिर्फ अंग्रेज़ी का पौधा लगा दें तो हमारे बगीचे की शोभा क्या रह जाएगी? इसलिए इस श्रेष्ठता-अश्रेष्ठता के विवाद से ज़रा सावधान रहना चाहिए।

हिन्दी तथा अन्य भारतीय भाषाओं के बारे में एक प्रवाद यह फैलाया गया है कि वे केवल उधार लेना जानती हैं, उनमें अपनी रचना-क्षमता बिलकुल नहीं है। जिस तरह कुछ अंग्रेज़ी-भाषी भारतीय अपने दम्भ के आगे हिन्दी को कुछ नहीं समझते—यद्यपि अंग्रेज़ी न उनकी मातृभाषा है, न पितृभाषा—उसी तरह कुछ संस्कृत-प्रेमी जन हिन्दी को देववाणी की चेरी समझते हैं, बड़े गर्व से इस बात की घोषणा भी करते हैं और यह भूल जाते हैं कि उनके देव-तुल्य पितृगण भले कभी

देववाणी का व्यवहार करते रहे हों, आज मातृभाषा हिन्दी को चेरी कहकर वे अपने को ही चेरी-पुत्र घोषित करते हैं! यदि हिन्दी की बदौलत उनकी जीविका भी चलती हो तो उनके लिए यह और भी लज्जा की बात होगी। यदि हिन्दी तथा अन्य भारतीय भाषाएँ केवल उधार लेनेवाली भाषाएँ होतीं तो उनमें परस्पर कोई भेद न होता या नहीं के बराबर होता और उनमें तथा संस्कृत में भी बहुत कम भेद होता। किन्तु जहाँ भारतीय भाषाओं और संस्कृत में निकट का सम्बन्ध है, वहाँ उनमें यथेष्ट भेद भी है। इस भेद को ध्यान में रखना चाहिए। संस्कृत और हिन्दी की ध्वनि-प्रकृति, भाव-प्रकृति और शब्द-भंडार में जो अन्तर है, उसे भूल न जाना चाहिए। इसके अलावा हिन्दी में जो संस्कृत से मिलती-जुलती बहुत-सी सामग्री दिखाई देती है, वह सब संस्कृत से उधार नहीं ली गई वरन् हिन्दी और उस जैसी भाषाओं की स्वतंत्र सामग्री है। इस पर हम पहले विचार कर चुके हैं। संस्कृत ने सबको बाँटा ही नहीं है, दूसरों से लिया भी है। उत्तर-भारत की इस उर्वरा भूमि में न जाने कितने भाषा-कुलों का मिश्रण हुआ है; जीवन में जिन वस्तुओं का नाम हम बराबर लेते हैं, उनके लिए भी, अन्य भाषाओं के विपरीत, हमारे यहाँ पर्यायवाची मूल शब्दों की खान है। फिर संस्कृत में किसी एक प्रदेश के लोगों ने ही रचना नहीं की। केरल से कश्मीर तक के शिक्षित भारतीय जनों ने उसे समृद्ध किया है। वे उससे शब्द उधार लेते हैं तो क्या बुरा करते हैं? अंग्रेज़ी का वही सम्बन्ध ग्रीक और लैटिन से नहीं है जो हिन्दी का संस्कृत से रहा है। जिस प्रदेश में संस्कृत के मूल केन्द्र थे, वहीं हिन्दी के केन्द्र भी स्थापित हुए। लेकिन ये संस्कृत-प्रेमी विद्वान अंग्रेज़ी के लिए नहीं कहते कि वह ग्रीक और लैटिन की चेरी है और उनकी सरकारी फाइलों में उसका प्रयोग वर्जित होना चाहिए। प्राचीन गौरव का मूल्य यही होना चाहिए कि वह वर्तमान प्रगति में सहायता दे। इसलिए प्रत्येक संस्कृत-प्रेमी को—बालकृष्ण भट्ट, महावीर प्रसाद द्विवेदी, पद्मसिंह शर्मा, जयशंकर प्रसाद और किशोरीदास वाजपेयी के समान—हिन्दी-सेवी होना चाहिए। हिन्दी-सेवा का वर्तमान पवित्र कर्तव्य भुलाकर यदि कोई हिन्दी की निन्दा करने के लिए संस्कृत के गुण गाता है, तो वह श्मशानवासी अघोरी के समान केवल शव-पूजा करता है, उसे संस्कृत के प्राणों का स्पर्श हुआ ही नहीं है।

हमारे देश में जैसे अभी साम्राज्यवादी शासन और सामन्ती व्यवस्था के अवशेष मौजूद हैं, वैसे ही सांस्कृतिक क्षेत्र में भी हमें इन दोनों के प्रभाव दिखाई देते हैं। देश के विभिन्न वर्गों का जैसा सांस्कृतिक दृष्टिकोण है, उसी के अनुकूल वे भाषा-समस्या का समाधान भी प्रस्तुत करते हैं। इनमें सबसे पहले वह वर्ग है जो साम्राज्यवादी व्यवस्था में अंग्रेज़ी शिक्षा के कारण ऊँची नौकरियाँ पा सका था और अब स्वाधीन भारत में वह उसी शिक्षा के आधार पर अपने लिए उन नौकरियों को बरकरार रखना चाहता है। इसमें विभिन्न प्रदेशों के उच्च मध्यवर्गीय शिक्षित लोग हैं

जो समझते हैं कि अंग्रेज़ी के न रहने पर हिन्दी वाले बाजी मार ले जाएँगे। इनकी तो मातृभाषा हिन्दी है; दूसरों को उसे सीखना पड़ेगा। इस तरह के तर्क साम्राज्यवादी संस्कृति के अवशेषों को ज़ाहिर करते हैं। अंग्रेज़ चले गए लेकिन अपनी संस्कृति के प्रभाव कुछ लोगों के मन पर छोड़ गए हैं। सामन्ती व्यवस्था के अवशेषों के अनुरूप भाषा के प्रति उन पंडितों का जड़ दृष्टिकोण है जो संस्कृत में 'अमरकोश' और 'काव्य प्रकाश' के अलावा बहुत कम बातें जानते हैं, जो नायिका-भेद और अलंकारशास्त्र को भारतीय संस्कृति की चरम सिद्धि माने बैठे हैं, जो वर्तमान युग की आवश्यकताएँ न समझ सकने के कारण यह नहीं जान पाते कि प्राचीन रिक्थ से क्या लेना चाहिए और क्या छोड़ना चाहिए, अर्थात् अपनी विरासत का वैज्ञानिक मूल्यांकन करने में वे एकदम असमर्थ हैं। इन्हीं के साथ वे पंडित भी हैं जो हिन्दी के विकास से बिलकुल अपरिचित हैं और इसलिए हिन्दी की प्रकृति को पहचाने बिना संस्कृत के धातु-प्रत्ययों के आधार पर अनर्गल शब्द-सूची बनाने में जुटे हुए हैं। इनके लिए हिन्दी-सेवा अर्थ-लाभ का विषय है; वैसे न वे हिन्दी जानते हैं, न हिन्दी से उन्हें प्रेम है।

इन दोनों तरह के लोगों से (दोनों प्रवृत्तियाँ एक ही विद्वान में भी मिल सकती हैं) अंग्रेज़ी-भक्त अधिक मुखर हैं। अंग्रेज़ी-भक्तों की चिन्ता न करके डॉ. सुनीति कुमार चाटुर्ज्या ने 1948 के अन्तरराष्ट्रीय भाषाविद्-सम्मेलन (पेरिस) में यह प्रस्ताव रखा था कि संसार में किसी भाषा के समझने-बोलनेवालों के विचार से हिन्दी का नम्बर तीसरा है, इसलिए अंग्रेज़ी, फ्रांसीसी, स्पेनी, रूसी और चीनी के साथ हिन्दी को भी राष्ट्रसंघ की 'ऑफ़िशियल' भाषा मंजूर करना चाहिए। यह प्रस्ताव बहुत महत्त्वपूर्ण था। भारत जैसे देश की एक भाषा राष्ट्रसंघ में अवश्य होनी चाहिए। जब तक वह वहाँ ऑफ़िशियल लैंग्वेज़ घोषित न की जाए, तब तक हमारे प्रतिनिधि वहाँ उसका व्यवहार अवश्य कर सकते हैं। मिस्त्र देश के राष्ट्रपति नासर ने अभी उस दिन (27 सितम्बर, 1960 को) राष्ट्रसंघ में अपना भाषण अरबी में दिया। यदि मिस्त्र के प्रतिनिधि अरबी में बोल सकते हैं, तो भारत के प्रतिनिधि हिन्दी में क्यों नहीं बोल सकते? और जब तक भारत के प्रतिनिधि वहाँ हिन्दी में न बोलें, तब तक राष्ट्रसंघ को क्या पड़ी है कि वह हिन्दी को वहाँ की ऑफ़िशियल लैंग्वेज़ बनाए? यह तो वही बात हुई कि हिन्दी-भाषी प्रदेश में अभी हर स्तर पर राजभाषा के रूप में हिन्दी का चलन हुआ नहीं, लेकिन सारे भारत में उसे राष्ट्रभाषा के रूप में चलाने को हम बेताब हैं। इस प्रसंग में यह बात भी ध्यान देने योग्य है कि राष्ट्रसंघ में अंग्रेज़ी को विश्व-भाषा माना जाता तो अन्य भाषाओं को उसके समकक्ष स्थान देने का सवाल न उठता। इन अन्य भाषाओं में यूरोप की भाषाएँ ही नहीं हैं—जो उत्तरी दक्खिनी अमरीका में भी बोली जाती हैं—वरन् एशिया की एक भाषा चीनी भी है। चीनी भाषा को अपने विकास के लिए भारतीय भाषाओं की तुलना में कोई बहुत

अनुकूल परिस्थितियाँ सुलभ नहीं हुईं। लेकिन लिपि और टाइपराटर की कठिनाइयाँ सामने न आईं, विश्व-भाषा अंग्रेज़ी की श्रेष्ठता का प्रश्न सामने न आया; यह समस्या पेश न हुई कि वर्तमान परिस्थितियों में चीनी के विकसित हो जाने तक अंग्रेज़ी को ही चीन—और राष्ट्रसंघ में चीन के प्रतिनिधियों—की भाषा बने रहने दिया जाए।

डॉ. चाटुर्ज्या का प्रस्ताव उत्तम था और एक दिन वह अवश्य अमल में लाया जाएगा। भारतीय कम्यूनिस्ट पार्टी के प्रतिनिधि मॉस्को और पेकिंग के कम्यूनिस्ट-सम्मेलनों में हिन्दी भाषा का व्यवहार कर चुके हैं। राष्ट्रीयता और देशभक्ति के इजारेदार अन्तरराष्ट्रीय सम्मेलनों में अक्सर अंग्रेज़ी का ही व्यवहार करते हैं। रूसियों के हिन्दी-प्रेम के कारण ही वहाँ हिन्दी बोलनी पड़े तो बात दूसरी है; असली कसौटी है कॉमनवेल्थ और राष्ट्रसंघ—वहाँ हम किस भाषा को प्रयोग करते हैं? एक बात समझ में नहीं आती। डॉ. चाटुर्ज्या ने राष्ट्रसंघ में हिन्दी को ऑफ़िशियल लैंग्वेज़ बनाने का समर्थन किया[1] किन्तु भारत में उसे ऑफ़िशियल लैंग्वेज़ बनाने का विरोध किया। उनके तर्क ध्यान देने योग्य हैं और वे इस प्रकार हैं : अहिन्दी-भाषी क्षेत्रों के लोगों का विचार है कि हिन्दी अभी इतनी विकसित नहीं हुई कि अंग्रेज़ी की जगह ले ले। हिन्दी के कट्टर समर्थक भी उसकी खामियाँ महसूस करते हैं। उच्चस्तरीय शब्दावली के मामले में उसकी कोई निश्चित नीति नहीं है। अपने विकास में हिन्दी भारत की दूसरी भाषाओं से बढ़कर नहीं है। हिन्दी सीखनेवालों को लगता है कि उनकी भाषाएँ उससे श्रेष्ठ हैं। खड़ी बोली हिन्दी की उम्र बहुत कम है। 1850 से पहले खड़ी बोली हिन्दी नाम की चीज का प्राय: अस्तित्व ही न था। पिछली शताब्दी के उत्तरार्द्ध में उर्दू के आधार पर, ज्यादातर बंगला से उधार लिये हुए संस्कृत शब्दों को मिलाकर एक अनगढ़-सी भाषा रची जा रही थी। आर्यसमाज के आन्दोलन और राजनीतिक कारणों से हिन्दी-उर्दू का संघर्ष हुआ। महात्मा गांधी ने हिन्दी को बहुत महत्त्व दिया लेकिन 1920 के ज़माने तक भारत की साहित्यिक भाषाओं के अभियान में खड़ी बोली हिन्दी पीछे घिसटनेवाले खेमाबरदार की तरह थी। इस बीच खड़ी बोली हिन्दी ने चार-पाँच ज़बानों की साहित्य-सम्पदा भी हथिया ली। भाषाविज्ञान की दृष्टि से "वास्तव में ये भाषाएँ हैं, न कि बोलियाँ, जैसे—राजस्थानी, कोसली या अवधी और भोजपुरी, और मैथिली भी, जिसे पिछली दो पीढ़ियों में हिन्दी क्षेत्र के अन्तर्गत ले लिया गया है।" ब्रजभाषा और पछाहीं हिन्दी की दूसरी बोलियों की बात अलग है; साहित्य के लिए उन्होंने खड़ी बोली को अपनाया, यह स्वाभाविक था। पहले गद्य उर्दू में लिखा जाता था। 'हिन्दू या भारतीय राष्ट्रवाद' के प्रभाव से हिन्दी गद्य का विकास हुआ। "परिस्थिति यह थी : ब्रजभाषा, अवधी, भोजपुरी, राजस्थानी, गढ़वाली आदि भिन्न भाषाएँ बोलनेवाले उत्तर भारत के लोगों ने पहले

1. इसकी चर्चा 'ऑफ़िशियल लैंग्वेज़ कमीशन' की रिपोर्ट में प्रकाशित अपनी असहमति-टिप्पणी में उन्होंने स्वयं की है, पृ. 278

उर्दू को (जहाँ भी अंग्रेज़ी मदरसे पहले खुले) और आगे चलकर खड़ी बोली हिन्दी को मंजूर किया क्योंकि उनकी अपनी भाषाओं में विकसित गद्य न था। शहरों के आधुनिक स्कूलों ने उन्हें जो भाषा दी, उसे उन्होंने अंगीकार किया। अब उन्होंने अपने मन में यह विश्वास पैदा कर लिया है कि वे स्कूल में खड़ी बोली लिखते और बोलते हैं, इसलिए वे 'हिन्दी-भाषी लोग' हैं और उनकी घरेलू बोलियाँ 'हिन्दी की बोलियाँ' मात्र हैं। दरअसल वे हिन्दी के हित के लिए अपनी उन घरेलू भाषाओं का दमन कर रहे हैं जो उनकी सच्ची मातृभाषाएँ हैं। हिन्दी तो ठीक-ठीक पश्चिमी उत्तर प्रदेश और पूर्वी पंजाब और मध्य भारत, मध्य प्रदेश और राजस्थान के कुछ हिस्सों की भाषा है।" जो लोग घर में एक भाषा बोलते हैं और बाहर स्कूली भाषा का व्यवहार करते हैं, वे बंगला, मराठी आदि भाषाओं के प्रति उनके बोलनेवालों के प्रेम का अन्दाज नहीं कर सकते। इसलिए राहुल सांकृत्यायन और बनारसीदास चतुर्वेदी ने विकेन्द्रीकरण और तथाकथित बोलियों की भाषा का जो आन्दोलन चलाया, उसे विशेष समर्थन न मिला। जो लोग घर में खड़ी बोली का व्यवहार करते हैं, वे फ़ारसी-अरबी शब्दावली का प्रयोग ज्यादा करते हैं और उस संस्कृत-गर्भित हिन्दी से प्रसन्न नहीं हैं जिसे अब राज्यभाषा बनाया जा रहा है। अवधी, बघेली, भोजपुरी और मैथिली के भी बोलनेवाले अब हिन्दी को सँवारने में लगे हैं। न वे हिन्दी की वास्तविक परम्परा से परिचित हैं, न संस्कृत-परम्परा को पहचानते हैं। इससे हिन्दी का सहज विकास कुंठित हो जाता है। भाषा में अराजकता छा गई है और इसे विवादी स्वरों का समन्वय कहकर सारे भारत पर लादा जा रहा है। इसके जरिये अंग्रेज़ी को हटाया ही जा रहा है, शायद दूसरी भाषाओं के स्वच्छंद व्यवहार पर भी रोक लगाई जाएगी। जिन लोगों की भाषाओं में हजार साल की साहित्य-सम्पदा है, वे इस थोपी हुई हिन्दी को क्यों स्वीकार करने लगे? माना कि आधुनिक हिन्दी में कुछ कहानियाँ और उपन्यास अच्छे निकल गए हैं, इतिहास और दर्शन की भी कुछ मौलिक पुस्तकें निकली हैं, लेकिन वैज्ञानिक साहित्य उसमें बहुत कम हैं। लेकिन तमिल, बंगला, उड़िया, कन्नड़ आदि भाषाएँ बोलनेवालों के लिए हिन्दी का—या उर्दू का ही—कोई सांस्कृतिक या बौद्धिक महत्त्व नहीं है। पुरानी अवधी, ब्रज और राजस्थानी में तुलसी, सूर और मीरा के भक्तिकाव्य की बात दूसरी है। "अंग्रेज़ी में ज्ञानवर्द्धन और शक्ति का विराट् साहित्य है। उसके सामने हिन्दी को तरजीह नहीं दी जा सकती।" हिन्दी की अपेक्षा अंग्रेज़ी के ज्ञान से भारतवासी अपना बौद्धिक विकास ज्यादा अच्छी तरह कर सकते हैं!

यह तो हुआ हिन्दी-कीर्तन। जब अंग्रेज़ी-माहात्म्य सुनिए। अंग्रेज़ी वह खिड़की है जिससे बाहर की हवा और रोशनी भीतर पहुँचती है। विश्वविद्यालयों में अंग्रेज़ी कुछ वर्षों तक नहीं वरन् एक लम्बी अवधि तक रहेगी। विश्व-संस्कृति एक है; यदि अंग्रेज़ी को विश्वविद्यालयों से निकाल दिया जाए तो हम इस विश्व-संस्कृति

तक पहुँच नहीं सकते। "अंग्रेज़ी के माध्यम से समस्त मानवता के लिए हम बौद्धिक ही नहीं, आध्यात्मिक भोजन भी प्राप्त कर सकते हैं।" स्कूल जानेवाले सभी विद्यार्थी अंग्रेज़ी न पढ़ें लेकिन जो लोग भारत के विकास का नेतृत्व करेंगे, उनके पास अंग्रेज़ी का यह अस्त्र अवश्य रहना चाहिए जिससे वे बाकी दुनिया के स्तर तक पहुँच सकें। इस तरह के शिक्षित जन आबादी में आधे फीसदी भी न हों, तो भी प्रगति के मूल वाहक वही हैं। "आम जनता और मामूली आदमियों के लिए मातृभाषाएँ हैं जो अंग्रेज़ी के सम्पर्क से लाभान्वित होंगी।" अंग्रेज़ी सीखने से मेधा अनुशासित और तीक्ष्ण होती है; इस शिक्षा में ढिलाई होने से चारों ओर बौद्धिक ह्रास हो रहा है। समस्त जनता का बौद्धिक उन्नयन अंग्रेज़ी पढ़े लोगों ने किया है; उन्होंने स्वाधीनता-संग्राम का संचालन किया है। इसलिए यह समझना कि अंग्रेज़ी पढ़े लोग आम जनता से दूर जा पड़ते हैं, भ्रम है। "उच्च संस्कृति से जनता में हमेशा तीव्र विभाजन होता है। संस्कृत के विद्वान आम जनता से अपने को अलग और उनसे श्रेष्ठ समझते हैं। यदि कभी हिन्दी सारे भारत के श्रेष्ठ जनों की भाषा हो गई, तो अभी से लक्षण दिखाई दे रहे हैं कि हिन्दीदाँ लोगों में यही भावना उत्पन्न होगी और वे हिन्दी न जाननेवालों के सामने अपने को श्रेष्ठ साबित करने की कोशिश करेंगे। हिन्दी क्षेत्रों में अभी भी यह श्रेष्ठ बनने की भावना देखी जा सकती है।" रेल, तार और टेलीविजन की तरह अंग्रेज़ी आधुनिक सभ्यता की एक न्यामत है और उसके द्वारा देश की राजनीतिक और सांस्कृतिक एकता कायम हुई है और विज्ञान में प्रगति सम्भव हुई है। हमारी भारतीय भाषाओं में अन्तर्निहित शक्ति का विकास भी अंग्रेजी के माध्यम से हुआ है। "अब तक अंग्रेज़ी विश्व सभ्यता की सामान्य भाषा लगभग बन चुकी है।" अब वह अंग्रेज़ों या अमरीकियों की ही भाषा नहीं है। इंडोनेशिया, जापान, चीन, रूस आदि में अंग्रेज़ी सीखने को प्रमुखता दी जाती है। अफ्रीका का अधिकांश भाग अंग्रेज़ी के प्रभाव क्षेत्र में है। उत्तरी अमरीका के प्रभाव से लैटिन अमरीका अंग्रेज़ी की ओर झुक रहा है। "हम—खास कर अहिन्दी क्षेत्रों के लोग—चाहते हैं कि अंग्रेज़ी रहे क्योंकि हम अपनी भाषाओं को प्यार करते हैं।" हम ज्ञान के मूल स्रोतों तक अंग्रेज़ी के माध्यम से पहुँचना चाहते हैं। अंग्रेज़ी को भारतीयता-विरोधी समझना संकुचित राष्ट्रीयता का द्योतक है। अंग्रेज़ी से देशभक्ति बढ़ेगी, घटेगी नहीं। भारत में अंग्रेज़ी की परम्परा खुद भारतवासियों की कायम की हुई है। "अंग्रेज़ी भाषा भारत की जनता पर कभी जबर्दस्ती लादी या थोपी नहीं गई। (दि इंग्लिश लैंग्वेज़ वाज़ नेवर इम्पोज्ड ऑर फोर्स्ड अपॉन दि पीपुल ऑव इंडिया)।" भारतवासियों ने स्वयं उसका महत्त्व समझकर उसे सीखने पर जोर दिया। नौकरियाँ पाने का लालच भी था लेकिन अंग्रेज़ी शिक्षा के भारतीय प्रचारकों के सामने उस तरह की शिक्षा अपने में ही महत्त्वपूर्ण थी। "ज़बान उसकी है जो उसे सीख ले और अपने तथा दूसरों के फायदे के लिए इस्तेमाल कर सके।"

बुद्धिजीवियों ने उसे सीखा है; इसलिए उसे ठुकरा न देना चाहिए। जो लोग चाहते हैं, अंग्रेज़ी रहे, वे हठधर्मी नहीं करते, वरन् 'मानवतावादी आदर्श (ह्यू मैनिस्टिक आइडियलिज्म)' से प्रभावित है; विश्व-सभ्यता के उच्चतम भावों से अपने अन्तर (इनर बीइंग) को परिष्कृत करते हैं। यह आध्यात्मिक उन्नति का प्रश्न है। अंग्रेज़ी ने जो भूख जगाई है, उससे हमारी राष्ट्रीय संस्कृति की योग और क्षेम—इन दो धाराओं का संवर्द्धन हुआ है। हिन्दी या और किसी भी भाषा से यह भूख शान्त नहीं हो सकती। जैसाकि 'गीता' में कहा गया है : 'यत्र योगेश्वरो कृष्णो यत्र पार्थो धनुर्धर:; तत्र श्रीर्विजयो भूतिर्ध्रुव नीतिर्मतिर्मम।'

इसके अलावा एक बात और है—नौकरियों की। हिन्दी वाले मजे में रहेंगे; जिन्हें हिन्दी सीखनी पड़ेगी, वे उनके मुकाबले में नुकसान उठाएँगे। "अंग्रेज़ी एक तटस्थ (न्यूट्रल) भाषा है जो सबके लिए बराबर है।" वह विश्व-भाषा और भारत की अन्तरप्रान्तीय भाषा है, इसलिए किसी एक भारतीय भाषा के मुकाबले में किसी दूसरी भारतीय भाषा को तरजीह देने का सवाल ही नहीं उठता।

यहाँ तक डॉ. चाटुर्ज्या की बात।

हिन्दी के विरुद्ध जो तर्क दिये जाते हैं, उन्हें हमने विस्तार से—यद्यपि साररूप में ही—दे दिया है। हिन्दी के विरुद्ध और अंग्रेज़ी के पक्ष में कौन-कौन सी दलीलें दी जा सकती हैं, अक्सर हम उनकी कल्पना भी नहीं कर सकते। न केवल हिन्दी-भाषियों को वरन् उन सभी लोगों को जो अंग्रेज़ी के स्थान पर अपनी भाषाओं की उन्नति चाहते हैं, ऊपर की बातों पर गम्भीरता से विचार करना चाहिए। यह अंग्रेज़ी-प्रेम हिन्दी ही नहीं, सभी भारतीय भाषाओं के आड़े आता है; इसलिए उस पर सभी भारतीय भाषा-भाषियों को विचार करना चाहिए। ऊपर जिन बातों का सारांश दिया गया है, उनमें सबसे आश्चर्यजनक स्थापना यह है कि अंग्रेज़ी भाषा कभी जनता पर जबर्दस्ती लादी नहीं गई। भारत का कोई ऐसा प्रदेश नहीं है जहाँ इस बात के लिए आन्दोलन न हुआ हो कि स्कूलों-विद्यालयों में शिक्षा का माध्यम वहाँ की प्रादेशिक भाषा होनी चाहिए। यह आन्दोलन बंगाल में भी चला और बंगाल के सामाजिक और सांस्कृतिक जीवन में अंग्रेज़ी की जगह बंगला को प्रतिष्ठित करने के लिए रवीन्द्रनाथ ठाकुर जैसे मनीषियों ने भगीरथ प्रयत्न किया। अखिल भारतीय स्तर पर महात्मा गांधी ने इस बात का जोरदार आन्दोलन किया कि शिक्षा का माध्यम भारतीय भाषाएँ होनी चाहिए। उन्होंने जापान की मिसाल देकर बताया कि वहाँ के लोगों ने यूरोप की विद्या ग्रहण की है, अपनी भाषा के माध्यम से। उनका शिक्षण जापानी में होता है, न कि अंग्रेज़ी में। राष्ट्रीय आन्दोलन की यह माँग रही है कि शिक्षा संस्थाओं से लेकर न्यायालयों तक में जो सारा काम अंग्रेज़ी के माध्यम से होता है, वह बन्द होना चाहिए और अंग्रेज़ी ने भारतीय भाषाओं के जो हक छीने हैं, वे उन्हें वापस मिलने चाहिए। तब हम कैसे मान लें कि अंग्रेज़ी

यहाँ लादी न गई थी और उसे गौरव-स्थान देने के लिए यही के देशभक्तों ने प्रयास किया था? भारतीय भाषाओं के अविकसित रहने का एक कारण यह बताया जाता है कि यहाँ राजनीतिक और सांस्कृतिक कार्यों के लिए अंग्रेज़ी पत्र-व्यवहार होता था। दूसरी ओर यह भी दावा किया जाता है कि अंग्रेज़ी के इस सम्पर्क से भारतीय भाषाएँ समृद्ध हो गईं। अगर अंग्रेज़ी का यह स्वेच्छित सम्पर्क इतना लाभदायी था तो भारतीय भाषाओं की समृद्धि को स्वीकार कीजिए और निकालिए अंग्रेज़ी को विश्वविद्यालयों से। हिन्दी नहीं, बंगला को उच्च शिक्षा का माध्यम बनाइए। लेकिन आप इसके पक्ष में नहीं हैं; अंग्रेज़ी का दामन छूटा नहीं कि आध्यात्मिक प्रगति भी रुक जाएगी, वैज्ञानिक प्रगति का तो कहना ही क्या! अगर एक शताब्दी के निकट सम्पर्क से भारतीय भाषाएँ अब तक दरिद्र बनी हुई हैं, तो क्यों न इस सम्पर्क को जरा कम करें और, उनकी समृद्धि के लिए कोई और उपाय निकालें?

अंग्रेज़ी से कुछ सीखना एक बात है; अंग्रेज़ी को अपने सामाजिक और सांस्कृतिक कार्यों का माध्यम बना लेना दूसरी बात है। जापानियों, चीनियों आदि ने अंग्रेज़ी से सीखा है लेकिन अपनी भाषाओं को अविकसित मानकर उन्होंने अंग्रेज़ी को राजभाषा नहीं बनाया। यहाँ के समाज-सुधारक अंग्रेज़ी पढ़ने के विरुद्ध नहीं थे, अंग्रेज़ी को अपनी सांस्कृतिक भाषा बनाने के विरुद्ध थे। आज दलील क्या है? अंग्रेज़ी विश्व-संस्कृति की भाषा है; हमारी अन्तरप्रान्तीय भाषा है; हमारी सांस्कृतिक एकता अंग्रेज़ी के ही द्वारा सुरक्षित है और रह सकती है। यदि रवीन्द्रनाथ, भारती, प्रेमचन्द आदि का यही दृष्टिकोण होता, तो वे देश की इस 'सांस्कृतिक भाषा' को समृद्ध करने में अपना समय लगाते; उन्होंने भारतीय भाषाओं की जो सेवा की, वे न कर पाते। भारत में अंग्रेज़ विजयी हुए, इसलिए यूरोप का ज्ञान अंग्रेज़ी के माध्यम से आया। यदि यहाँ फ्रांसीसी या पुर्तगाली विजयी होते तो हम उनकी भाषा को बाहर की हवा और रोशनी के लिए खिड़की बनाते। क्लाइव के ज़माने में कम्पनी के गोरे नौकरों को पुर्तगाली भाषा सीखनी होती थी, क्योंकि वह अन्तरजातीय व्यापार में काम आती थी। फ्रांसीसी भाषा यूरोप में अन्तरजातीय व्यवहार के काम आती थी और यदि यहाँ फ्रांस की विजय होती, तो हम उसी भाषा के गीत गाते। यदि हम स्वाधीन रहते तो शायद यूरोप की संस्कृति और विज्ञान के बारे में ज्यादा अच्छी जानकारी हासिल करते। अंग्रेज़ी के अनिवार्य रहने के कारण हमने यूरोप को अंग्रेज़ी चश्मे से देखा है; इसलिए यूरोप की कला, साहित्य, दर्शन और विज्ञान की जानकारी एकांगी और अधूरी है। अपने देश की भाषाओं और उनके साहित्य के बारे में तो हम उतना भी नहीं जानते जितना यूरोप की भाषाओं के बारे में जानते हैं। एशिया के पड़ोसी देशों के साहित्य और संस्कृति में जानने लायक कुछ है, यह हमारे दिमाग़ में ही नहीं आया। अंग्रेज़ी के माध्यम से विश्व-संस्कृति तक पहुँचना तो दूर, हम यूरोप की संस्कृति को भी ठीक-ठीक नहीं पहचान पाए, अपने घर और

पड़ोसियों के बारे में गहरे अज्ञान-अंधकार में रहते हैं। यहाँ के लोगों ने अंग्रेज़ी से जो फायदा उठाया, वह अंग्रेज़ी लादने की नीति का प्रबल विरोध करके उठाया। उन्होंने अंग्रेज़ी साहित्य में अभिव्यक्त स्वाधीनता और जनतंत्र के विचारों से प्रेरणा पाई और अपनी भाषा की सेवा करने में लग गए। उन्होंने अंग्रेज़ी की उच्चता के सामने माथा टेककर उसे अपनी सांस्कृतिक भाषा स्वीकार नहीं कर लिया। अंग्रेज़ी के माध्यम से हम तक दो तरह की संस्कृतियाँ पहुँचीं। एक संस्कृति शेक्सपियर, मिल्टन, शेली, बायरन, डार्विन और शॉ की थी जो ब्रिटिश दासता के विरुद्ध और मानवीय मूल्यों के लिए हमें लड़ना सिखाती थी। इस संस्कृति से हमने यह भी सीखा कि जैसे अंग्रेज़ साहित्यकारों और मनीषियों ने लैटिन और फ्रांसीसी को अंग्रेज़ी से समृद्ध भाषा मानते हुए भी उन्हें अपने ऊपर हावी नहीं होने दिया वरन् अंग्रेज़ी के उत्कर्ष के लिए बराबर प्रयत्न करते रहे, वैसे ही हमें भी अंग्रेज़ी भाषा की गुलामी न करके अपनी भाषाओं की उन्नति के लिए लगातार प्रयत्न करना चाहिए। इसके विपरीत, अंग्रेज़ी के माध्यम से हम तक साम्राज्यवादी संस्कृति भी आई है। यह संस्कृति गौरांग जातियों की श्रेष्ठता और काली जातियों की हीनता घोषित करती है। इस नस्ल-सिद्धान्त के अनुरूप वह नेटिवों के रहन-सहन, रीति-रिवाज, भाषा, साहित्य सबसे घृणा करना सिखाती है। वह समाज-सुधार का मतलब भारतीय संस्कृति के आन्तरिक मूल तत्त्वों का विकास नहीं मानती; समाज-सुधार का मतलब है—अंग्रेज़ों की नकल! इस संस्कृति के जाने-माने प्रतिनिधि थे लॉर्ड मैकाले, कर्जन, किपलिंग जैसे लोग। यदि आप मैकाले का शिक्षा-सम्बन्धी निबन्ध उठाकर पढ़ें तो आपको यह देखकर आश्चर्य होगा कि जो बातें हम आये-दिन भाषा-विवाद के सिलसिले में सुना करते हैं, इन्हें विद्वान मैकाले सवा सौ वर्ष पहले ही लिख गया था। मैकाले कम-से-कम मौलिकता का दावा कर सकता था, पर उसके राग की प्रतिध्वनि जिन डफलियों में गूँजती है, वे यह दावा भी कर सकने की स्थिति में नहीं हैं।

मैकाले के शब्दों को फिर से याद करना शिक्षाप्रद होगा। 1835 में उसने लिखा था : "सब लोग इस बात से सहमत हैं कि भारत के इस भाग में नेटिव जो बोलियाँ बोलते हैं, उनमें साहित्यिक और वैज्ञानिक जानकारी की बातें नहीं हैं। इसके अलावा वे इतनी दरिद्र और अनगढ़ हैं कि जब तक उन्हें किसी और दिशा से समृद्ध न किया जाए, उनमें किसी महत्त्वपूर्ण ग्रंथ का अनुवाद करना भी सम्भव न होगा। सभी लोग इस बात से सहमत मालूम होते हैं कि जो लोग उच्च शिक्षा पा सकने की स्थिति में हैं, उनका बौद्धिक विकास किसी ऐसी भाषा द्वारा ही सम्भव है जो उनमें बोली न जाती हो।" आज भी तर्क यह दिया जाता है कि सभी भारतीय भाषाएँ अंग्रेज़ी की तुलना में हेठी हैं; इसलिए सांस्कृतिक स्तर ऊँचा करने के लिए उच्च शिक्षा का माध्यम कोई अभारतीय भाषा ही होनी चाहिए। मैकाले के जमाने में भी अंग्रेज़ी विश्व-संस्कृति की भाषा थी। लॉर्ड महोदय का विचार था कि "इसमें

अत्युक्ति नहीं है कि संस्कृत भाषा में लिखे हुए तमाम ग्रंथों से जो ऐतिहासिक ज्ञान प्राप्त हो सकता है, वह उस जानकारी से कम मूल्यवान है जो छोटे दर्जों की मामूली पाठ्य-पुस्तकों में मिल जाता है।" अरबी और सभी भारतीय भाषाओं को भी एक पलड़े में चढ़ा दीजिए। "प्राच्य विद्या-विशारदों में मुझे कोई ऐसा नहीं मिला जो यह न मानता हो कि किसी अच्छे यूरोपीय पुस्तकालय की एक अलमारी में अरबी और भारत के समूचे साहित्य से ज्यादा महत्त्वपूर्ण सामग्री आ जाएगी।" इससे आप यह न समझें कि यूरोप की दूसरी भाषाएँ अंग्रेज़ी के मुकाबले में कहीं ठहर भी सकती हैं। "यह विश्वास के साथ कहा जा सकता है कि उस भाषा (अंग्रेज़ी) में जो साहित्य सुलभ है, वह संसार के समूचे साहित्य से अधिक मूल्यवान् है।" यह हुई अंग्रेजी के विश्व संस्कृतिवाहन होने की बात। मैकाले यह भी मानता था कि भारत में हर किसी को अंग्रेज़ी नहीं पढ़ाई जा सकती। "अधिक-से-अधिक यह किया जा सकता है कि हम एक ऐसा वर्ग बनाएँ जो हमारे और करोड़ों शासित लोगों के बीच दुभाषिये का काम करे, यह वर्ग ऐसे लोगों का होगा जो खून और रंग में तो हिन्दुस्तानी होंगे लेकिन उनके शौक, उनके विचार, उनका नैतिक आचरण और बुद्धि—सब अंग्रेज़ी होंगे।" मैकाले ने बात साफ-साफ कही थी, इसलिए बेचारा बदनाम हो गया। उसके अनुयायी भी वही बात कहते हैं, लेकिन उतना साफ कहने की हिम्मत उन्हें नहीं होती। आम जनता को राजकाज, शिक्षा और संस्कृति से क्या लेना-देना है? सारे उच्चस्तरीय काम आधे फीसदी अंग्रेज़ी-दां लोग सँभालेंगे! और आप यह न समझें कि मैकाले को भारतीय भाषाओं के पुनर्जीवन की चिन्ता न थी। पुनर्जीवित करने का यह काम उसने इन्हीं मन के अंग्रेज़ और तन के हिन्दुस्तानियों को सौंपा था। "उस वर्ग पर हम यह भार छोड़ सकते हैं कि वह देश की बोलियों को परिष्कृत करे, पश्चिमी शब्दावली से विज्ञान के पारिभाषिक शब्द उधार लेकर इन बोलियों को समृद्ध करे और धीरे-धीरे उन्हें जनता तक ज्ञान पहुँचाने का योग्य साधन बनाए।" सवा सौ साल से मैकाले और उसके अनुयायी भारतीय भाषाओं को समृद्ध बनाने में लगे हैं लेकिन उनका यह काम अभी भी समाप्त नहीं हुआ। अंग्रेज़ों के चले जाने के तेरह साल बाद भी उनकी माँग है कि यहाँ अनन्त काल तक पहले की ही तरह अंग्रेज़ी का राज बना रहे! इस प्रसंग में वे मैकाले के तर्क दोहराते हैं लेकिन अपने गुरु का नाम भी नहीं लेते, यह उनकी परम कृतघ्नता है!

भारत के नवीन सांस्कृतिक जागरण में अंग्रेज़ी के महत्त्व को बहुत बढ़ा-चढ़ाकर आँका जाता है। अंग्रेज़ी के माध्यम से प्राप्त विचारधारा इस जागरण की प्रमुख धारा नहीं रही। प्रमुख धारा के तत्त्व भारतीय ही रहे हैं। यहाँ के कवियों और विचारकों पर शेली और ब्राउनिंग से अधिक प्रभाव उपनिषदों, रामायण, महाभारत, कालिदास, कबीर, चंडिदास, विद्यापति आदि का रहा है। इस प्रभाव के अलावा उन्होंने जातीय जीवन से साहित्य के लिए नये उपकरण प्राप्त किये हैं। रवीन्द्रनाथ ठाकुर का उदाहरण

लीजिए। बचपन में वे कृत्तिवास की 'रामायण', काशीराम की 'महाभारत', मधु कान के पद सुना करते थे। इससे उनकी रसवृत्ति जाग्रत हुई। कुछ बड़े होने पर उन्होंने कालिदास का 'मेघदूत' सुना और उसका प्रभाव उन पर आजीवन रहा। वाल्मीकि के काव्य पर 'भाषा औ छंद' नाम की उनकी रचना, 'मेघदूत' तथा कालिदास सम्बन्धी उनकी अनेक भावपूर्ण कविताएँ, वैष्णव कवियों का अनुकरण (भानुसिंहेर पदावली) और उन पर कविता यह स्पष्ट करती हैं कि भारतीय साहित्य की किन धाराओं ने उनके कवि-हृदय को सींचा था। देवेन्द्रकुमार ठाकुर उपनिषदों के परम भक्त थे। इस घरेलू प्रभाव के कारण रवीन्द्रनाथ आजीवन भारत और यूरोप के लिए भारतीय संस्कृति के सन्देशवाहक रहे। उन्होंने अंग्रेज़ कवियों से मूर्ति-विधान, काव्य-रूपों आदि के बारे में प्रेरणा पाई लेकिन उनकी भावधारा का मूल उत्स इस देश की धरती में था। वह शेली से अधिक लालन फकीर जैसे बाउल गायकों से प्रभावित हुए थे। इसके अलावा "उत्तर-पश्चिम के रहस्यवादी कवियों, कबीर, मीरा, दादू, ज्ञानदास आदि की रचनाओं से रवीन्द्रनाथ का परिचय हुआ।"[1] भारतीय संस्कृति की इन तमाम अन्तरधाराओं को समेटकर और उनमें अपनी मौलिक प्रतिभा का योग देकर उन्होंने बंगला और भारतीय काव्य को समृद्ध किया।

अंग्रेज़ी भाषा अपने में न प्रगतिशील है, न प्रतिक्रियावादी। उसमें भारत के पूँजीवादी अखबार भी निकलते हैं, कम्यूनिस्ट पार्टी के और साम्प्रदायिक दलों के पत्र भी निकलते हैं। यदि अंग्रेज़ी में कोई सांस्कृतिक एकता का जादू हो तो ये सब मिल जाएँ और एक-दूसरे की आलोचना करना छोड़ दें। रूसी भाषा का प्रयोग ज़ार और पूँजीपति करते थे, उसी का प्रयोग लेनिन और बोल्शेविकों ने भी किया। संस्कृत में वात्स्यायन का 'कामसूत्र' भी है और अध्यात्म रामायण भी। किसी भाषा को सीखने मात्र से मुक्ति नहीं मिल जाती। इसलिए यह समझना कि अंग्रेज़ी सीखने से—यानी टूटी-फूटी अंग्रेज़ी में कुछ लिख लेने से—हम ज्यादा प्रगतिशील हो जाएँगे, अपने को धोखा देना है। देश में जो संकट और ह्रास के लक्षण दिखाई देते हैं, उनका कारण सामाजिक परिस्थितियाँ हैं। अन्य देशों में भी ऐसे ही लक्षण दिखाई पड़ चुके हैं यद्यपि वहाँ अंग्रेज़ी शिक्षा में ढिलाई का सवाल न था। किसी समय रूस का अभिजात वर्ग रूसी भाषा से घृणा करता था और फ्रांसीसी को सांस्कृतिक भाषा की तरह इस्तेमाल करता था। यह वर्ग जनता से दूर जा पड़ा था और अन्त में वह मिट गया। अंग्रेज़ी सीखना और बात है; उसे सीखकर लाभ उठाया जा सकता है; उसके साथ और उसके अलावा यूरोप की अन्य भाषाएँ सीखकर और भी ज्यादा लाभ उठाया जा सकता है। लेकिन उसे सभी भारतीय भाषाओं के ऊपर केन्द्रीय और सांस्कृतिक भाषा बनाने से ऐसे वर्ग का ही सृजन होगा जो जनता से दूर होगा, जो अपने अंग्रेज़ी ज्ञान के बल पर—न कि ईमानदारी, देशभक्ति, कार्य-क्षमता के बल पर—

1. डॉ. सुकुमार सेन, 'हिस्ट्री ऑव बेंगाली लिटरेचर', पृ. 295

शासन-कार्य चलाएगा। इससे देश को अपार क्षति होगी और हो रही है। इस प्रसंग में रूस और चीन की मिसाल देकर अंग्रेज़ी का महत्त्व सिद्ध करना कमाल है। रूसियों और चीनियों ने क्या अंग्रेज़ी को अपनी राजभाषा बनाया है? क्या अंग्रेज़ी उनके विश्वविद्यालयों में शिक्षा का माध्यम है? क्या वे अपना वैज्ञानिक कार्य अंग्रेज़ी में करते हैं? रूस और चीन की मिसाल से बिलकुल उल्टा निष्कर्ष निकलता है। शिक्षा, राजकाज, संस्कृति—सभी क्षेत्रों में जनता की भाषा का व्यवहार होना चाहिए, न कि अंग्रेज़ी का। रूस और चीन में अंग्रेज़ी जिस ढंग और उद्‌देश्य से सीखी जाती है, यदि उसी ढंग और उद्‌देश्य से यहाँ उसे लोग सीखें तो किसे आपत्ति होगी?

तात्पर्य यह कि बाहर की हवा और रोशनी के लिए और खिड़कियाँ-दरवाजे भी हैं। आपके घर में भी कुछ रोशनी और हवा है जिससे आप बाहर भी उजाला कर सकते हैं। चारों तरफ घुटन और अँधेरा ही नहीं है। आध्यात्मिक भोजन के लिए भी भारत के लोग जिस दिन अंग्रेज़ी का मुँह देखेंगे, उस दिन उनके डूब मरने के लिए चुल्लू भर पानी काफी होगा। अंग्रेज़ी सीखिए-सिखाइए, लेकिन उसे विश्वविद्यालयों में शिक्षा का माध्यम क्यों बनाते हैं? विश्वविद्यालयों के बारे में अनेक विशेषज्ञ समितियाँ वर्षों से यह सिफारिश करती आ रही हैं कि शिक्षा का माध्यम प्रादेशिक भाषाएँ होनी चाहिए। वे दिन गए जब किसी देश के आधे फीसदी लोग बाकी जनता पर हुकूमत किया करते थे। अब जनता संगठित होकर अपना भाग्य-निर्माण खुद कर रही है। वह अपना राजकाज अपनी भाषाओं में चलाएगी। जनता का उन्नयन उन लोगों ने किया है जो देशी-विदेशी भाषाओं से विद्या न सीखकर जनता में घुलमिल गए हैं। अंग्रेज़ी से बहुत-से लेखकों को प्रेरणा मिली है; यह प्रेरणा गलत ढंग की भी रही है; प्रेरणा का व्यापार एकतरफा नहीं रहा। कुछ यूरोप ने भी यहाँ से पाया है। उच्च संस्कृति जनता का विभाजन नहीं करती, उसे संगठित और समर्थ बनाती है। अब विश्व मानवता के विकास की दिशा सामन्तवाद या पूँजीवाद नहीं है। विकास की दिशा है—समाजवाद। अब यह नियम नहीं चल सकता कि मुट्‌ठी भर पढ़े-लिखे लोग संस्कृति के ठेकेदार बने रहें और बाकी जनता निरक्षरता और अज्ञान के गर्त में पड़ी हुई उनकी सेवा करती रहे। और यह कौन-सा तर्क हुआ कि उच्च संस्कृति थोड़े-से लोगों में ही सीमित रहेगी? यह वर्ग जनता से अलग होगा, जैसे संस्कृत के कुछ विद्वान अपने को जनता से अलग समझते हैं। यह उच्च संस्कृति अंग्रेज़ी से प्राप्त होगी, फिर भी अंग्रेज़ी पढ़े-लिखे लोग आम जनता से दूर न रहेंगे? एक तरफ अंग्रेज़ी जनतंत्र का पाठ पढ़ाती है, दूसरी तरफ हमें उच्च संस्कृति देकर जनता से अलग करती है! असली बात यह है कि अंग्रेज़ी के सहारे आप एक विशेषाधिकारी वर्ग बनाना चाहते हैं जो जनता पर हुकूमत करे लेकिन लोगों की आँखों में धूल झोंकने के लिए आप जनतंत्र की दुहाई भी देते जाते हैं। यदि भारत में राज्यशक्ति किसी सीमित-संकुचित वर्ग के हाथ में न रहकर आम जनता के हाथ में आती है, तो हिन्दी पढ़े-लिखे लोगों में यह भावना पैदा न होगी कि वे औरों

से श्रेष्ठ हैं? हर प्रदेश का कारोबार वहाँ की भाषा में चलेगा; केन्द्रीय और परस्पर सम्पर्क का कार्य ही हिन्दी के माध्यम से होगा। किसी जमाने में यहाँ के अल्पसंख्यक समुदायों के नेता अंग्रेज़ों के विशेष कृपापात्र होते थे। कारण यह था कि वे हमेशा यह भय दिखाते थे कि अंग्रेज़ों के विदा होने पर बहुसंख्यक उन्हें खा जाएँगे। उसी तरह अब यह तर्क दिया जाता है—हिन्दी वाले हमें खा जाएँगे, इसलिए अंग्रेज़ी बनी रहे! नौकरियों में हिन्दी-भाषियों को विशेष सुविधा न मिले, इसका बहुत-सीधा उपाय है। 'थ्री लैंग्वेज़ फॉर्मूला' पहले से विद्यमान है। नौकरी के लिए जो परीक्षाएँ हों, उनमें परीक्षार्थी के लिए दो भारतीय भाषाओं और एक यूरोपीय भाषा का ज्ञान अनिवार्य कर दीजिए। रूस में यह नहीं होता लेकिन भारत में होना चाहिए। यह लज्जा की बात भी है कि भारत के शिक्षित जन मातृभाषा के अलावा देश की अन्य कोई भाषा न जाने।

कहा जाता है कि अंग्रेज़ी के द्वारा देश की राजनीतिक और सांस्कृतिक एकता कायम है। अंग्रेज़ी बोलनेवाले अंग्रेज़ों ने ही भारत का बँटवारा किया था न? अंग्रेज़ी पढ़े-लिखे लोगों ने ही उसे स्वीकार किया था? फिर कहाँ रही राजनीतिक एकता? दिन-पर-दिन यह अंग्रेज़ी पढ़ा-लिखा शासक वर्ग जनता और उसकी संस्कृति से दूर होता जा रहा है और भीतर से टूट रहा है। अहिन्दी क्षेत्रों के जो लोग अंग्रेज़ी से चिपके रहना चाहते हैं, वे मातृभाषाओं की सेवा नहीं करते। उन्हें हर बात में अंग्रेज़ी अपनी मातृभाषाओं से श्रेष्ठ लगती है। इसलिए उसे वे केन्द्र में ही नहीं, अपने यहाँ भी सबसे ऊँचे आसन पर बिठाए रखना चाहते हैं। आई.सी.एस. के अलावा पी.सी.एस. के लिए भी अंग्रेज़ी चलती थी न? इसीलिए यह दावा है कि अंग्रेज़ी हर भारतीय भाषा से बढ़कर है, उससे वैज्ञानिक और आध्यात्मिक भोजन मिलता है, उसे विश्वविद्यालयों से कभी न हटाना चाहिए। इस तरह वे केन्द्र में ही नहीं, अपने प्रदेश में भी अंग्रेज़ी का एकच्छत्र शासन चाहते हैं। अंग्रेज़ी के ये हिमायती हिन्दी से अधिक अपनी मातृभाषाओं का अहित कर रहे हैं। यदि वे अपने प्रदेशों के विद्यालयों आदि में अंग्रेज़ी के विशेषाधिकार रद्द कर दें, मातृभाषाओं को उचित स्वत्व दें, तो आम जनता उनको यह बहुत जल्दी सिखा दे कि अन्तरजातीय सम्पर्क के लिए अंग्रेज़ी की अपेक्षा हिन्दी का व्यवहार श्रेयस्कर है। मातृभाषाओं की दुहाई देकर अंग्रेज़ी का प्रभुत्व स्वीकार नहीं किया जा सकता। सबसे लचर दलील यह है कि अंग्रेज़ी भारतीय भाषाओं से अधिक समृद्ध है, इसलिए उसे स्वीकार करना चाहिए। बात इतनी आसान हो तो राष्ट्रसंघ भाषाविदों की एक समिति बना दे जो इस बात का फैसला करे कि विश्व की समृद्धतम भाषा कौन-सी है। बस, वही सब देशों की केन्द्रीय भाषा हो जाए। विश्व की एकता और दृढ़ हो जाए। मुश्किल यह है कि भाषा की समृद्धि भी परिवर्तनशील है। परसों तक जर्मनी के वैज्ञानिक सर्वश्रेष्ठ गिने जाते थे। आइंस्टाइन की भाषा जर्मन ही थी। कल अंग्रेज़ी-भाषी अमरीकी विज्ञान में नम्बर एक होने का दावा करने लगे। आज सोवियत संघ ने सबको पीछे छोड़

दिया है। इसलिए दस-दस साल में आप केन्द्रीय भाषा भी बदलते रहिए! इनसान की बोली की नकल तोता भी कर लेता है लेकिन उसका ज्ञान तोतारटंत ही कहलाता है। अंग्रेज़ी बोलने से दिल जरूर अंग्रेज़ हो जाता है लेकिन दिमाग जहाँ का तहाँ बना रहता है। फिर भारत जैसे देश की गरीबी-भुखमरी दूर करने, बाढ़ की समस्याओं का सामना करने, उद्योग-धन्धों का निर्माण करने, साझा खेती-आन्दोलन चलाने आदि के लिए हिन्दी तथा अन्य भाषाओं में जितनी समृद्धि की आवश्यकता है, उतनी उनमें खूब है। अणुशक्ति की प्रयोगशाला में आप कुछ दिन तक अंग्रेज़ी और चलाते रहें, कोई कुछ न कहेगा। और हम काले आदमी चाहे जितनी अंग्रेज़ी सीखें, अंग्रेज़ों की बराबरी तो कर नहीं सकते। तब समृद्धतम भाषा को विशुद्धतम ढंग से बोलनेवाले अंग्रेज़ों को ही अपने ऊपर शासन करने के लिए फिर से क्यों न बुला लिया जाए?

अन्तिम बात है खड़ी बोली के विकास के सम्बन्ध में। 1850 के पहले खड़ी बोली का अस्तित्व न था, तो क्या भारत के पराधीन होते ही वह आसमान से टपक पड़ी? उर्दू के आधार पर हिन्दी रची भी गई हो तो इसमें बेजा क्या है? उर्दू क्या खड़ी बोली से कोई भिन्न भाषा है? हिन्दी-उर्दू एक ही खड़ी बोली की दो साहित्यिक शैलियाँ हैं; वे एक-दूसरे को प्रभावित न करें तो आश्चर्य की बात होगी। लेकिन हिन्दी गद्य का विकास उर्दू के आधार पर हुआ है या नहीं, यह लल्लूजीलाल और मीर अम्मन के गद्य का अन्तर देखकर समझ लीजिए। जहाँ तक बंगला से संस्कृत शब्द उधार लेने का सवाल है, यह सच भी हो तो इसमें दोष नहीं है। संस्कृत हमारे प्रदेश की ही भाषा थी, आपने उससे शब्द लिये, हमने उन्हें वापस लिया, हिन्दी-बंगला एक-दूसरे के निकट आईं, इससे तो परस्पर प्रेम बढ़ना चाहिए, न कि हिन्दी को अनगढ़ और खेमाबरदार कहकर परस्पर द्वेष बढ़ाना चाहिए। हिन्दी ने चार-पाँच ज़बानों की सम्पदा हथिया ली, यह काम बेजा किया। शायद 'रामचरितमानस', 'सूरसागर', मीरा, कबीर और विद्यापति के पदों का हिन्दी में अनुवाद किया जाता तो ज्यादा अच्छा होता। लेकिन 1850 से बहुत पहले सूर, मीरा, तुलसी आदि की रचनाएँ ब्रज, अवध, मिथिला आदि जनपदों में लोकप्रिय हो गई थीं। अवधी की रचनाएँ अवध तक और ब्रज की रचनाएँ ब्रज तक सीमित नहीं रहीं, इसका एक कारण यह भी था कि इन जनपदों की बोलियों में शब्द-भंडार की बहुत बड़ी समानता थी। व्याकरण का भेद था और व्याकरण की समानता भी थी। व्याकरण और शब्द-भंडार की दृष्टि से इनमें प्रत्येक बोली बंगला, मराठी, सिन्धी आदि की तुलना में खड़ी बोली के ज्यादा निकट थी। शब्द-भंडार की समानता और आर्थिक विकास के केन्द्र उत्तर-पश्चिम में होने के कारण अन्य जनपदों ने खड़ी बोली को अपना लिया। हिन्दी की विशेष सेवा खड़ी बोली के मूल क्षेत्र से भिन्न बुन्देलखंड, ब्रज, अवध, भोजपुरी प्रदेश और मिथिला के जनपदों ने की है। इसका कारण इन जनपदवासियों में जातीय चेतना का अभाव न था, न स्कूली भाषा के रूप में खड़ी बोली का प्रसार था। ब्रजभाषा कब

स्कूलों की भाषा रही है? बनारस के हरिश्चन्द्र और अवध के रत्नाकर उसमें क्यों कविता करते थे? तुलसीदास ने किस स्कूल में अवधी या ब्रज पढ़ी थी कि एक ग्रंथ अवधी में, दूसरा ब्रज में लिखा था? इसके अलावा हिन्दी के अनेक संस्थापकों, महाकवियों आदि को स्कूल में उतने दिन भी शिक्षा पाने का सौभाग्य नहीं मिला जितने दिन महाकवि रवीन्द्रनाथ को मिला था। कौन भाषा है, कौन उसकी बोली है, यह फैसला करने में हिन्दी वाले चूक गए हो तो आश्चर्य नहीं।

बड़े-बड़े भाषाविद् इस सम्बन्ध में एक ही पृष्ठ पर विरोधी वक्तव्य दे जाते हैं। पहले कहा कि ब्रजभाषा बोलनेवालों ने खड़ी बोली को स्वीकार किया तो यह स्वाभाविक था क्योंकि वह पश्चिम की बोली थी। आगे चलकर अवधी, भोजपुरी के साथ ब्रज को स्वतंत्र भाषा मान लिया। डॉ. जयकान्त मिश्र की मैथिली साहित्य वाली पुस्तक की भूमिका में मैथिली को भाषा और भोजपुरी को उसकी बोली बताया। ऑफ़िशियल लैंग्वेज़ कमीशन की रिपोर्ट की असहमति-टिप्पणी में दोनों को समान अधिकार वाली स्वतंत्र भाषाएँ कहा। 'भारतीय आर्य भाषा और हिन्दी' में लिखा "आधुनिक खड़ी बोली (नागरी-हिन्दी) में अत्यन्त उच्चकोटि के कवियों की संख्या उत्तरोत्तर बढ़ती ही गई है; उनमें से कुछ तो वास्तव में विलक्षण प्रतिभासम्पन्न हैं। [साधुवाद! साधुवाद!!] अब भी ब्रज और अवधी के पूजक 'हिन्दी' कविता लिखनेवाले सज्जन निकल अवश्य आते हैं, परन्तु इन बोलियों का [ध्यान दीजिए, बोलियों का] साहित्यिक जीवन एक प्रकार से शेष हो चुका है। जिनके घर की ये भाषाएँ हैं, वे उस रूप में इनका थोड़ा-बहुत व्यवहार भले ही करते हैं।" अर्थात् जनपदीय बोलियों के रूप में इनका उपयोग हो सकता है, साहित्य का माध्यम अब वे नहीं हैं। अब देखिए, हिन्दी ने दूसरों की सम्पदा छीनी है या इन भाषाओं ने स्वयं हिन्दी को वह सम्पदा सौंपी है? उपर्युक्त वाक्य के आगे लिखा है : "पंजाबी बोलनेवालों ने (सिक्खों को छोड़कर, जोकि अपनी वंशज पंजाबी भाषा एवं गुरुमुखी लिपि को बराबर पकड़े हुए हैं), ब्रजभाषा, कनौजी, पूर्वी हिन्दी, बिहारी, राजस्थानी तथा अन्य कई भाषाएँ एवं बोलियाँ बोलनेवालों ने धीरे-धीरे शिक्षण के लिए एवं सार्वजनिक जीवन में अपनी मातृभाषाओं की जगह नागरी-हिन्दी या उर्दू को अपना लिया है।" हम उनसे क्या कहें, मत अपनाओ? हिन्दी-भाषियों के जातीय प्रदेश का नाम रहा है हिन्दुस्तान। बिहार और उत्तर प्रदेश के लोग हिन्दुस्तानी हैं अर्थात् एक जाति के हैं, इसे हमसें ज्यादा बंगाली जानते हैं। इनकी भाषा एक, प्रदेश एक—इस तथ्य को जिस खूबसूरती और सफाई से डॉ. चाटुर्ज्या ने पेश किया है उससे जी करता है कि उनके वाक्यों को फिर उद्धृत कर दें। लिखा है : "हिन्दुस्तानी शब्द का अर्थ होता हैं 'हिन्दुस्तान की (भाषा)'; और 'हिन्दुस्तान', यह शब्द, मुस्लिम काल में, अपने सीमित अर्थ में पंजाब तथा बंगाल के बीच के उत्तर-भारतीय मैदान के लिए प्रयुक्त होता था। पूरबी हिन्दी तथा बिहारी बोलनेवाला पूर्वी उत्तर प्रदेश तथा बिहार का भाग,

जो 'पूरब' कहलाता है, भी इसी 'हिन्दुस्तान या हिन्दुस्थान' का ही एक हिस्सा है। बंगाल में बंगला न बोलनेवाले तथा बिहार या उत्तर प्रदेश के लोगों को 'हिन्दुस्थानी' अथवा 'पश्चिमा' कहा जाता है। परन्तु 'पंजाबी' या राजस्थान के निवासी 'मारवाड़ी' इन हिन्दुस्तानियों (या हिन्दुस्थानियों) से भिन्न गिने जाते हैं।" हम बंगाली बंधुओं से बिलकुल सहमत हैं। राजस्थान और पंजाब के लोग हिन्दी जाति के बाहर हैं; पूरब बिहार से लेकर ब्रज तक के लोग इस जाति के अंग हैं। यह जाति-निर्माण-प्रक्रिया मुगलकाल से चली आ रही है। इस जातीय प्रदेश की सभी बोलियों के साहित्य को हम अपना जातीय साहित्य मानते हैं। उसे हिन्दी साहित्य कहते हैं तो यह उचित ही है।

असहमति-टिप्पणी में हमारी जातीय भाषा हिन्दुस्तानी (हिन्दी या खड़ी बोली) के लिए लिखा है कि 1850 से पहले उसका अस्तित्व न था। लेकिन 'भारतीय आर्य भाषा और हिन्दी' में तज़किरा कुछ दूसरा है। खुसरो "इस भाषा को बहुत अच्छी तरह जानते थे" और वह "हिन्दवी हिन्दी को अरबी एवं फ़ारसी तक की समकक्ष मानते थे।" उनके पद्य "14वीं शताब्दी के रचे हुए हैं, और इस दृष्टि से हिन्दी के कुछ प्राचीनतम नमूनों में से हैं।" यह तो हुई अस्तित्व की बात। अब साहित्य में उसके प्रयोग की बात देखिए। मुसलमानों को छोड़ दीजिए; "हिन्दू लोगों ने भी राजधानी एवं राज-दरबार में बढ़ती हुई बोली की उपेक्षा नहीं की। 15वीं शती में ही नवोदित हिन्दी ने काफी उन्नति कर ली थी और इसका प्रभाव अन्य प्रतिष्ठित उत्तर भारतीय साहित्यिक बोलियों पर पड़ चुका था।" उदाहरण के लिए, कबीर की भाषा "हिन्दी (हिन्दुस्थानी) तथा ब्रज का एक मिश्रित रूप है।" (इस मिश्रण के लिए क्या हम कबीर को दोष दें कि उन्होंने भोजपुरी जातीय चेतना का उचित परिचय न दिया और अपनी भाषा के रूपों को दूसरी भाषा के रूपों में घुलाने-मिलाने लगे?) पंजाब के कवियों और कबीर में इस तरह के मिश्रण से डॉ. चाटुर्ज्या ने यह निष्कर्ष निकाला है कि "हिन्दुस्थानी का साहित्य के लिए उपयोग पूर्णतया निश्चित हो चुका था।"

असहमति-टिप्पणी में डॉ. चाटुर्ज्या ने राजस्थानी को स्वतंत्र भाषा माना है लेकिन 'राजस्थानी भाषा' में लिखा है : "राजस्थानी की चर्चा चले, इसका अध्ययन अध्यापन राजस्थानियों में पुनः स्थपित होवे, यह सबों का काम्य है। पर हिन्दी के स्थान पर यदि राजस्थानी शिक्षा की भाषा बना दी जाए तो मेरे विचार में ठीक नहीं होगा।" और भी : "हिन्दी से मुक्त होकर पूर्ण रूप से स्वाधीन भाषा बनाना, मारवाड़ प्रान्त की एकमात्र साहित्यिक भाषा बनाना, इसके लिए अब असम्भव है।"

अवधी और मैथिली का प्राचीन साहित्य समृद्ध है, इसलिए उन्हें स्वतंत्र भाषाएँ होनी ही चाहिए, इस तर्क का खंडन करते हुए उन्होंने लिखा है : "विस्तृत पुराना साहित्य रहने से भी कभी-कभी भाषाएँ खड़ी हो नहीं पातीं! ऐसे दृष्टान्त भारत के बाहर भी नजर आते हैं। फ्रांस के दक्षिण में जो भाषा बोली जाती है, वह प्रवाँसाल भाषा व्याकरण की दृष्टि से उत्तर फ्रांस की फ्रेंच या फ्रांसीसी भाषा से पृथक् है।

प्रवाँसाल में एक बड़ा प्राचीन साहित्य था।" प्रवाँसाल के कवि मिस्त्राल (1830-1914) को नोबेल पुरस्कार भी मिला : "पर इतना साहित्य गौरव रहते ही (भी) प्रवाँसाल आज फ्रेंच के काबू में आ गई है; प्रवाँसाल बोलनेवाले घर में अपनी बोली बोल लेते हैं, कभी कुछ-कुछ इसमें लिखते भी हैं, अपना प्राचीन साहित्य इनके शिक्षित लोग पढ़ते भी हैं, पर इनकी शिक्षा की भाषा, बाहरी जीवन की भाषा फ्रेंच हो चुकी है।" इसी प्रकार अवधी में तुलसीदास ने साहित्य रचा, मैथिली में विद्यापति ने रचा : "पर अपना पुराना इतिहास इतना गौरवमय होते हुए भी ये दो भाषाएँ अपनी गिरी हुई अवस्था सोचकर एक साथ गा रही हैं : 'ते हि नो दिवसा गता:'—मानो कि वे दिवस नहीं लौटने के!" 'नहीं लौटने के', तो इसके लिए क्या हिन्दी-भाषियों पर दूसरों की सम्पदा हड़पने का आरोप लगाना उचित है?

हम डॉ. चाटुर्ज्या का यह मत पहले उद्धृत कर चुके हैं कि राढ़, वरेन्द्र और बंग, तीन बंगाल थे जो संस्कृति ही नहीं, भाषा की दृष्टि से भी एक-दूसरे से उतने ही भिन्न थे जितने असम और उड़ीसा हैं। लेकिन डॉ. चाटुर्ज्या ने ठीक ही लिखा है कि बोलियों के इस भेद के बावजूद राजनीतिक और सामाजिक कारणों से बंगाल में भाषागत एकता उत्पन्न हुई। इन बोलियों की अपनी साहित्य-सम्पदा थी और आधुनिक बंगला से उतनी ही भिन्न थी जितनी उड़िया और असमिया की साहित्य-सम्पदा। दिनेशचन्द्र सेन के शब्दों में : "चटगाँव, टिपरा और सिलहट की जनता का भी अपना प्राचीन साहित्य है जिस पर उसकी देहाती बोलियों की छाप है। वह अब हमारे साहित्य का मूल्यवान अंश है किन्तु वह शैली और रूप में बर्दवान और बाँकुरा के प्राचीन साहित्य से उसी प्रकार नहीं मिलता जिस प्रकार असमिया और उड़िया साहित्य नहीं मिलते।"[1] बर्दवान और चटगाँव के पुराने साहित्य को बंगला साहित्य के अन्तर्गत लेना दूसरे की सम्पदा हथियाना नहीं है। कोई विद्यापति को बंगला कवि कहे तो अवश्य अनुचित होगा। इसी तरह हम सूर, मीरा, तुलसी को हिन्दी कवि कहते हैं, वारिसशाह को हिन्दी कवि कहें तो अनुचित होगा। प्रत्येक बड़ी जाति के समान बंगाली जाति का निर्माण भी संस्कृति और बोली में यथेष्ट भिन्नता रखनेवाले कबीलों और लघुजातियों के विलयन से हुआ है। विजयचन्द्र मजूमदार के ये शब्द ध्यान देने योग्य हैं : "बंगला का विकास कैसे हुआ, अस्सी हजार वर्ग मीलों के विशाल प्रदेश में अलग रहकर अपनी इकाइयाँ बनाए रखने को उत्सुक कबीलों और जातियों में बंगला कैसे प्रमुख भाषा बनी, इसका इतिहास रोचक है।"[2] उस रोचक इतिहास को हिन्दी के सिलसिले में भी याद रखना चाहिए।

हिन्दी जनपदों के लोग एक-दूसरे की बातें आसानी से समझ लेते हैं। सूर-तुलसी ब्रज और अवध के बाहर लोकप्रिय रहे। ब्रिटेन में बर्न्स इस प्रकार स्कॉटलैंड के बाहर

1. दिनेशचन्द्र सेन, 'हिस्ट्री ऑव बेंगाली लिटरेचर', पृ. 112
2. विजयचन्द्र मजूमदार, 'द हिस्ट्री ऑव द बेंगाली लैंग्वेज़', पृ. 9

लोकप्रिय नहीं रहा; अंग्रेज़ काव्य-प्रेमी गेलिक शब्दकोश या पाद-टिप्पणियों के बिना उसकी भाषा नहीं समझ सकते। वेल्श के साहित्य को अंग्रेज़ विशेषज्ञ ही समझते हैं। वेल्श और अंग्रेज़ी, दो भिन्न प्रकृति और कुलों की भाषाएँ हैं। ब्रिटेन में जहाँ-जहाँ अंग्रेज़ी का प्रसार हुआ है, वहाँ बोलियों और भाषाओं का यह भेद अंग्रेज़ी-प्रेमियों को क्यों नहीं दिखाई देता? संयुक्त राष्ट्र अमरीका के लिए यह गलत दावा किया जाता है कि वहाँ सबकी मातृभाषा अंग्रेज़ी है। "उत्तरी और दक्खिनी अमरीका में लाखों जर्मन जाकर बस गए हैं; इसलिए यूनाइटेड स्टेट्स, अर्जेन्टीना, ब्राजील और चिली के बहुत-से समाजों में परम्परागत भाषा जर्मन का प्रयोग होता रहा है।"[1] लेकिन जर्मन को राज्य में कोई वैधानिक अधिकार प्राप्त नहीं है। अमरीका में इतालवी, स्पेनी, फ्रांसीसी भाषाएँ बोलनेवाले लाखों की संख्या में हैं। इन सबकी राज्यभाषा अंग्रेज़ी है! यदि ब्रज और अवधी को हम हिन्दी की बोली कहते हैं, तो यह स्वतंत्र भाषाओं का दमन हुआ और अमरीका में जर्मन, स्पेनी, फ्रांसीसी, इतालवी जैसी भाषाएँ अंग्रेज़ी के समुद्र में डूब जाएँ तो यह जनतंत्र का उद्धार हुआ! न्यूजीलैंड, ऑस्ट्रेलिया, अफ्रीका में तो पिछड़ी हुई जातियों की भाषाओं को सदा दबाया गया है और अनेक जातियों का नाश ही कर डाला गया है जिससे उनकी भाषाओं के बचे रहने का सवाल नहीं उठता।

ब्लूमफील्ड ने लिखा है कि यॉर्कशायर (इंग्लैंड) के आदमी की अंग्रेज़ी को अमरीकी न समझेगा।[2] अंग्रेज़ी के भारतीय प्रोफेसरों को हॉलीवुड की फिल्म दिखाइए और उनसे पूछिए, वे कितना समझे। अंग्रेज़ी बोलने के इतने भिन्न-भिन्न ढंग हैं कि परिष्कृत उच्चारण से अंग्रेज़ी बोलनेवाले भिन्न देशीय जन ही एक-दूसरे की बात आसानी से समझते हैं। इसके विपरीत, हिन्दी की सुबोधता को हर किसी ने माना है। भारत के अन्दर और बाहर जहाँ भी लोग हिन्दी समझते हैं, वे भिन्न प्रदेशों से आनेवालों की हिन्दी भी समझ लेते हैं। हिन्दी अपनी बोलियों के क्षेत्र में तो समझी ही जाती है; गुजरात, महाराष्ट्र, आदि निकटवर्ती प्रदेशों में भी उसे समझनेवाले करोड़ों लोग हैं। यूरोप में यह स्थिति अंग्रेज़ी की नहीं है। फ्रांस में अंग्रेज़ी-दाँ भारतवासी अंग्रेज़ी बोलते हैं और फ्रांसीसी लोग उनका मुँह देखते हैं या कन्धे उचकाकर जाहिर करते हैं कि कुछ नहीं समझे।[3] यूरोप में जर्मन और फ्रांसीसी अंग्रेज़ी की अपेक्षा अधिक सहायक होती हैं। जर्मनी और आस्ट्रिया की भाषा जर्मन है। स्विट्जरलैंड के 70 फीसदी लोगों की मातृभाषा जर्मन है। नॉर्वे, स्वीडेन, डेनमार्क, हॉलैंड आदि की भाषाएँ जर्मन के बहुत निकट हैं। चेकोस्लोवाकिया, हंगरी, यूगोस्लाविया और पोलैंड, जर्मन (या आस्ट्रियन) आधिपत्य में रहे हैं, इसलिए वहाँ के

1. मारिओ येइ, पृ. 37
2. ब्लूमफील्ड, पृ. 52
3. इस सम्बन्ध में आगरे के प्रोफेसर जे.वी. दोराब ने पिछले महीने (सितम्बर, 1960) यूरोप से लौटकर ये बातें अपने भाषणों में बताईं।

काफी लोग जर्मन समझते हैं। रूस के अनेक प्रदेशों में जर्मनों की बड़ी-बड़ी बस्तियाँ हैं। फ्रांसीसी के समान रूसी अभिजात वर्ग में कभी जर्मन का भी बड़ा मान रहा था। इसलिए जर्मन समझनेवाले बहुत-से लोग रूस में भी हैं। अंग्रेज़ी सीखना वहाँ विशेषज्ञों का काम है; इसके विपरीत जर्मन या फ्रांसीसी जानना साधारण सांस्कृतिक विकास के लिए भी आवश्यक समझा जाता है। यूरोप के देशों में प्रतिशत अंग्रेज़ी जाननेवाले लोग जितने मिलेंगे, उनसे बहुत ज्यादा संख्या में प्रतिशत हिन्दी समझनेवाले लोग भारत के अहिन्दी प्रदेशों में मिलेंगे। इसी कारण हमारी धारणा है कि संसार की कुल आबादी में अंग्रेज़ी समझनेवाले पच्चीस करोड़ होंगे तो हिन्दी समझनेवाले कम-से-कम पैंतीस करोड़ होंगे। यदि यह धारणा सही हो—आँकड़े देकर सिद्ध करना शायद अगली जनगणना के बाद सम्भव हो—तो अन्तरजातीय सम्पर्क के लिए हिन्दी संसार की अन्यतम भाषा ठहरती है। अंग्रेज़ी जाननेवालों का भौगोलिक विस्तार बड़ा है; हिन्दी-भाषी इस देश के बाहर भी हैं, लेकिन उतने बड़े भूभाग में नहीं हैं। किन्तु अंग्रेज़ी से हिन्दी समझनेवालों की संख्या ज्यादा है। जिन जातियों की मातृभाषा अंग्रेज़ी नहीं है, उनमें उच्च वर्गों के या शिक्षित जन ही अंग्रेज़ी समझते हैं। इसके विपरीत भारत के अपढ़ और अशिक्षित अहिन्दी-भाषी भी काफ़ी बड़ी संख्या में हिन्दी समझ लेते हैं।

संसार में जिस भाषा के बोलनेवालों की संख्या सबसे ज्यादा है, वह है चीनी। इसके बोलने-समझनेवाले पचास-साठ करोड़ बताए जाते हैं। चीन भी भारत की तरह बहुजातीय देश है किन्तु वहाँ इस देश की अहिन्दी जातियों की तरह बड़ी-बड़ी ग़ैर-चीनी (या ग़ैर-हान) जातियाँ नहीं हैं। इसलिए वहाँ चीनी को बड़े पैमाने पर देश की अन्तरजातीय भाषा बनाने का सवाल नहीं उठता। दूसरे शब्दों में चीनी के ग़ैर-चीनी बोलनेवाले हिन्दी के ग़ैर-हिन्दी बोलनेवालों की तुलना में बहुत कम हैं। अन्तरजातीय भाषा के रूप में चीनी का व्यवहार हिन्दी की अपेक्षा सीमित है। इस दृष्टि से हिन्दी की स्थिति रूसी से अधिक मिलती है। हिन्दी जैसे राजस्थानी, पंजाबी बोलनेवालों के लिए सुगम है, वैसे ही रूसी अन्य स्लाव भाषाएँ बोलनेवालों के लिए सुगम है। रूसी एक विशाल बहुजातीय देश की सामान्य भाषा है, वैसे ही हिन्दी इस देश की अन्तरजातीय भाषा है। किन्तु चीनी के साथ एक समस्या और है। समस्त चीनी-भाषी प्रदेश में परिनिष्ठित चीनी समझी नहीं जाती। इसका कारण यही नहीं है कि परिनिष्ठित चीनी की अनेक बोलियाँ हैं, वरन् यह भी है कि इन बोलियों के शब्द-भंडार में वैसी भिन्नता है, जैसी स्वतंत्र भाषाओं के शब्द-भंडार में मिलती है। हिन्दी की बोलियों के मूल शब्द-भंडार में बहुत बड़ी समानता है। इसके विपरीत चीनी की बोलियों के शब्द-भंडार में उतनी भिन्नता है जितनी मराठी और हिन्दी के शब्द-भंडार में होगी। इसी कारण कुछ लोग यह मानते हैं कि ये बोलियाँ नहीं, स्वतंत्र भाषाएँ हैं। हान जाति एक जाति नहीं, अनेक जातियों का समूह है। मारिओ पेइ ने लिखा है कि "चीन जैसे देशों में बोलियाँ एक-दूसरे से इतनी भिन्न हैं कि व्यवहार में परस्पर बोधगम्य न होने से वे

स्वतंत्र भाषाएँ ही हैं।"[1] ब्लूमफील्ड ने लिखा है कि चीनी भाषा का अर्थ है परस्पर दुर्बोध भाषाओं का परिवार; अन्य भाषाओं से उत्तरी चीनी के बोलनेवाले ज्यादा हैं लेकिन उनकी संख्या का ठीक-ठीक पता नहीं।[2] जो लोग भोजपुरी, मैथिली आदि को हिन्दी की बोली नहीं मानते, वे केवल व्याकरण-भेद और ध्वनि-भेद की चर्चा करते हैं। मूल शब्द-भंडार की समस्या का उल्लेख वे नहीं करते। उत्तरी और दक्खिनी (पेकिंग और कैन्तन की) चीनी के शब्द-भंडार पर ध्यान दें तो स्पष्ट हो जाएगा कि इनका वही सम्बन्ध नहीं है जो हिन्दी या उसकी बोलियों का है। कुछ उदाहरण नीचे दिये जाते हैं :

| **हिन्दी** | **उत्तरी (पेकिंग) चीनी** | **दक्खिनी (कैन्तन) चीनी** |
|---|---|---|
| हवा | कुंग ची | ते हे; हुंग चुंग |
| पशु | छु शेङ | कुन-शा |
| पूछना | वेन | मन |
| भाई | को-को; शिउङ्-ति | हिङ-तेइ |
| बच्चा | हाइ-त्सुइ | सेइ मन त्सेइ |
| गाय | मु निउ | गाव् |
| फसल | च्वाङ-चिआ | त्सोव् |
| दिन | ध्येन | यत् त्से |
| परिवार | चिआ | का कुने |
| आग | हुओ | फो |
| संध्या | वान शाङ | अइ मान |
| आँखें | येन चिङ | गन त्सेङ |
| फूल | हुआ | फा |
| पैर | चिआओ | कि ओक |
| बाल | माओ | ताव् फत |
| सिर | नाओ ताइ | ताव् शाव् |
| घर | चिआ | का |
| चावल | ताओ त्सु | मेइ |
| मैं | वो | गो |
| पूछना | वेन | मन |
| उत्तर देना | ता-पिएन | उइ-ताप्-सुन |
| पीना | हो | यम |
| खाना | चिह् | शिक |

1. मारिओ पेइ, पृ. 54
2. ब्लूमफील्ड, पृ. 44

| | | |
|---|---|---|
| खिलाना | वेइ | याओङ हाव् |
| लाना | ते | लो |
| देना | केइ, सुङ | पे |
| देखना | चिआओ | केन |
| सोना | शुइ | फुन[1] |

उत्तरी दक्खिनी चीनी के शब्द-भंडार में समानता भी है लेकिन वह इतनी ज्यादा नहीं है कि उत्तरी चीनी को सीखे बिना दक्खिन का आदमी उसे समझ ले। सभी हान-लोग चीनी जाति के हों, चाहे वे एक से अधिक जातियों के हों, एक बात निश्चित है कि चीनी भाषा अपने प्रदेश में उसी तरह बोली और समझी नहीं जाती, जैसे हिन्दी अपने प्रदेश में बोली और समझी जाती है। माओ-त्से-तुंग ने छन छाङ फङ से जो बात कही थी, उसे यहाँ दोहरा दें : "तुम च्याङशी के लोग हो और मैं हुनान का हूँ। तुम मेरी बोली नहीं समझ सकते, तो फिर ई लोग जो बोलते हैं, वह भला तुम कैसे समझ सकते हो?" आगे चलकर चीनी बोलने-समझनेवाले संसार में सबसे ज्यादा होंगे, यह बिलकुल सम्भव है। किन्तु अभी परिनिष्ठित चीनी को समझनेवाले पचास-साठ करोड़ के आधे ही होंगे। इस प्रकार जितने लोग हिन्दी के समझने-बोलनेवाले और अन्तरजातीय सम्पर्क के लिए उसका व्यवहार करनेवाले हैं, उतने चीनी के नहीं हैं। वास्तव में संसार की सभी भाषाओं में हिन्दी का व्यवहार करनेवालों की संख्या सबसे ज्यादा है। पर यह बात अनुमान पर आधारित है। चीन में इस बात की गणना नहीं हुई कि हान जाति में कितने लोग उत्तरी चीनी नहीं समझते। न भारत और पाकिस्तान में उन लोगों की गिनती हुई है जो हिन्दी-उर्दू समझ लेते हैं। न संयुक्त राज्य अमरीका में उनकी गिनती हुई है जिनकी भाषा अंग्रेज़ी नहीं है। इसलिए संसार में किस भाषा के बोलनेवालों की संख्या सबसे बड़ी है, यह अनुमान से ही कहा जा सकता है। अपने अनुमान का आधार हमने ऊपर बता दिया है। हिन्दी संसार की जातीय भाषाओं से सर्वप्रथम है, उसके बोलने-समझनेवालों की संख्या सबसे अधिक है—यह स्थापना प्रमाणसिद्ध न होने पर भी विचारणीय है, इतना तो मानना ही होगा। बोलनेवालों की संख्या की दृष्टि से संसार की भाषाओं में उसका नम्बर तीसरा है, इसे तो हर कोई स्वीकार करता है।

उत्तर भारत में तुर्क और मुगल राज्यों के केन्द्र रहने और फ़ारसी के राजभाषा बने रहने से हिन्दी (खड़ी बोली) का विकास अवरुद्ध रहा। दक्खिन में वह फूली-फली और उसमें महत्त्वपूर्ण साहित्य रचा गया। जातीय भाषा के रूप में उसका विकास बराबर होता रहा और पिछले सौ वर्षों में उसके साहित्य ने अदम्य वेग से प्रगति की है। हम अवधी, ब्रज और मैथिली के साहित्य को ही हिन्दी साहित्य नहीं मानते, उर्दू साहित्य की सम्पदा पर भी अधिकार जमाना उचित समझते हैं और उतने ही प्रेम से

1. ए.एन. जे. ह्वाइमैंट, कोलीकिअल चाइनीज़

हिन्दी की सम्पदा उर्दू वालों को भेंट करते हैं। हम उर्दू को हिन्दी की एक शैली कहते हैं। हिन्दी-उर्दू की क्रियाएँ, मूल व्याकरण रूप आदि एक हैं; साधारण जनों की बोलचाल में हिन्दी-उर्दू का भेद नहीं होता। विजयचन्द्र मजूमदार ने हिन्दी-उर्दू को एक भाषा मानते हुए बहुत पहले लिखा था : "इस तथाकथित उर्दू भाषा का सारा ढाँचा हिन्दी का है, हिन्दी नियमों के अनुसार क्रियाओं के रूप सभी कालों में सर्वनामों को जोड़कर बनाए जाते हैं। लोग यह भूल जाते हैं कि शब्द उधार लेने से कोई भाषा अपना रूप बदलकर दूसरी नहीं हो जाती। फिर भी वे उर्दू को दूसरी भाषा मान बैठते हैं।"[1]

आप कन्याकुमारी के समुद्र तट पर खड़े हों तो हिन्द महासागर की सुनील जलराशि अरब और बंगाल सागरों के श्वेत हरिताभ जलों को अपने में समेटती दिखाई देगी। दूर-दूर से आनेवाली विभिन्न रंगों की अन्तर्धाराएँ विराट् महासमुद्र में मिलकर एक हो जाती हैं। हिन्दी-भाषियों की जातीय संस्कृति भी ऐसी ही है। उसमें ब्रज, अवधी और मैथिली का समृद्ध प्राचीन साहित्य है। उसमें दकनी और समूचे उर्दू साहित्य की धारा आकर मिल जाती है। उसमें भारतेन्दु, प्रेमचन्द, प्रसाद, निराला आदि आधुनिक युग के साहित्यसर्जकों की प्रखर सरस्वती भी आकर मिली है। यह संगम प्रयाग और कन्याकुमारी से कम पवित्र नहीं है। इसकी विविधता और समृद्धि सर्वत्र सुलभ नहीं है। इससे अपरिचित रहने का अर्थ है, देश के कम-से-कम एक-तिहाई जनों को संस्कृति से अनभिज्ञ रहना। इसके प्रति विद्वेष फैलाना देश के लिए घातक होगा। देश की सभी अहिन्दी भाषाओं को अपने-अपने प्रदेशों में पूर्ण स्वत्व प्राप्त होने चाहिए। अहिन्दी जातियों के सन्तोष और समृद्धि के वातावरण में ही हिन्दी-भाषी जाति अपने साहित्य और संस्कृति की पूर्ण उन्नति कर सकती है।

किसी भी बहुजातीय देश में केन्द्रीय भाषा के लिए या तो कोई एक भाषा चुनी जाएगी या शिक्षित जनों को वे सभी भाषाएँ सीखनी होंगी जिनमें केन्द्रीय राज-काज होगा। छोटे देशों में एक से अधिक राज्य भाषाएँ रखना सम्भव है; भारत जैसे बहुजातीय देश में यह सम्भव नहीं है। हिन्दी विभिन्न प्रदेशों के बीच कई शताब्दियों से परस्पर सम्पर्क का माध्यम बनी हुई है। उस प्रक्रिया को आगे बढ़ाना चाहिए। भारतीय भाषाएँ समृद्ध नहीं हैं, इसलिए उनके स्थान पर अंग्रेज़ी ही बनी रहनी चाहिए—यह तर्क साम्राज्यवादियों की इस दलील से मिलता है कि उपनिवेशों की जनता आजादी के लिए तैयार नहीं है, इसलिए उसे समुन्नत और विकसित होने का अवसर देने के लिए वे उस पर शासन कर रहे हैं। सवा सौ साल पहले मैकाले ने अंग्रेज़ी पढ़कर यहाँ की भाषाओं को समृद्ध करने की बात कही थी; सवा सौ साल तक उन्हें और समृद्ध किया जाए तो भी अंग्रेज़ी-प्रेमी यही कहेंगे कि अभी अंग्रेज़ी की तुलना में ये भाषाएँ कम समृद्ध हैं। इस अन्याय का अन्त होना चाहिए।

1. 'हिस्ट्री ऑव द बेंगाली लैंग्वेज़', पृ. 15

यह धारणा गलत है कि आधुनिक साहित्य का उत्थान मूलत: अंग्रेज़ी की प्रेरणा से हुआ है। आधुनिक साहित्य के मूल रचनात्मक तत्त्व हमारे जीवन से उत्पन्न हुए हैं और भारतीय हैं। भाषा सीखने से ही कोई उसके साहित्य का स्वामी नहीं हो जाता। सामाजिक प्रगति अंग्रेज़ी के ज्ञान-अज्ञान पर निर्भर नहीं है; उसका आधार जनता की राजनीतिक चेतना, उसका संगठन और नेतृत्व है। हर भाषा की अपनी विशेषता होती है; कुछ बातों में भारतीय भाषाएँ अंग्रेज़ी से अधिक समृद्ध हैं। यह कहना गलत है कि हमारी भाषाएँ केवल उधार लेती हैं, रचती कुछ नहीं हैं। इन भाषाओं के व्यवहार द्वारा देश की विशाल जनता नये समाज का निर्माण करेगी। आधे फीसदी अंग्रेज़ी पढ़े लोग देश के भाग्यविधाता नहीं बने रह सकते। बोलनेवालों की संख्या के विचार से हिन्दी संसार की तीन सबसे बड़ी भाषाओं में है। केन्द्रीय राजकाज और अन्तरजातीय आदान-प्रदान के लिए उसका व्यवहार उचित है।

डॉ. सुनीति कुमार चाटुर्ज्या ने 'राजस्थानी भाषा' के प्रसंग में ये स्मरणीय शब्द लिखे थे : "समग्र भारत के सांस्कृतिक एके का प्रतीक हिन्दी ही है।...व्यवहार करनेवालों और बोलनेवालों की संख्या के क्रम के अनुसार उत्तरी चीनी और अंग्रेज़ी, इन दोनों के बाद हिन्दी आती है। हिन्दी के पीछे आती हैं रूसी, जर्मन, जापानी, हिस्पानी, बंगला, फ्रेंच। पन्द्रह करोड़ मानवों की शिक्षा और संस्कृति की भाषा हिन्दी है, चाहे अपने शुद्ध रूप में, चाहे अपने मुसलमानी रूप उर्दू में; जगत की जनता के एक पाँचवें अंश की राष्ट्रभाषा हिन्दी ही है। मैं अपनी ओर से चाहता हूँ कि मेरे बंग-भाषी भाई और बहन अपनी माँ बंग भाषा की सेवा करते हुए हिन्दी की सेवा में भी कुछ भाग लें और अखिल भारत की एकता को सुदृढ़ करने में सहायता दें।"

बुद्धिमत्ता का मार्ग यही है।

सोलहवाँ अध्याय

# सामाजिक अन्तर्विरोध और भाषा का विकास

भाषा संस्कृति के निर्माण में सहायक होती है। भाषा द्वारा हम अपनी संस्कृति व्यक्त करते हैं, भाषा स्वयं भी संस्कृति का महत्त्वपूर्ण अंग है। संस्कृति है क्या? उसका जन्म कैसे होता है? मनुष्य ने अपने सामाजिक विकास-क्रम में प्रकृति को अपने अनुकूल बनाने, उससे जीवन-यापन की सामग्री पाने, परिवेश पर हावी होने अथवा स्वयं को परिस्थितियों के अनुकूल ढालने के लिए अनेक भौतिक उपकरण जुटाए हैं, उसने अनेक अस्त्रों और आयुधों का आविष्कार किया है, जीवन-रक्षा के लिए उनका व्यवहार किया है। इन सब उपकरणों को हम भौतिक संस्कृति मानते हैं। इस प्रकार की भौतिक संस्कृति के बिना मनुष्य सामाजिक प्राणी नहीं बन सकता, वह उत्पादन और वितरण की नई व्यवस्थाओं से गुजरता हुआ विकास की नई मंजिलें पार नहीं कर सकता। संस्कृति सामाजिक और प्राकृतिक परिवेश पर विजय पाने का एक साधन है। उसमें मनुष्य के भाव, विचार, संस्कार, संवेदनाएँ—सभी शामिल हैं। भाषा भी ऐसी ही संस्कृति है। वह पत्थर, लकड़ी या धातुओं के बने हुए आयुधों जैसी स्थूल नहीं है, उसका स्तर अधिक सूक्ष्म है किन्तु वह कोई अतीन्द्रिय व्यापार नहीं है। भाषा बोली जाती है, सुनी जाती है, लिखी जाती है, वह मन और इन्द्रियों का व्यापार है। उसके अर्थ का आधार यह भौतिक जगत् है, मनुष्य की काल-सापेक्ष और देश-सापेक्ष चेतना है, मनुष्य का दूसरे मनुष्यों से, बाह्य जगत् से, सम्बन्ध है।

भौतिकवादी विचारधारा की एक स्थापना यह है कि किसी भी सामाजिक व्यवस्था का अर्थतंत्र उसका आधार है और संस्कृति उसका मानसिक प्रतिबिम्ब है, वह अर्थतंत्र के आधार पर बनी हुई ऊपरी इमारत है। जब आधार बदलता है, तब यह ऊपर की इमारत भी बदल जाती है। यदि भाषा संस्कृति का अंग हो तो आर्थिक व्यवस्था के बदलने पर वह भी बदल जाए। ऐसा होता नहीं है। रूस में पूँजीवादी व्यवस्था थी, तब भी रूसी बोली जाती थी, अब समाजवादी व्यवस्था है, तब भी रूसी बोली जाती है। दोनों युगों की भाषा मूलत: एक है यद्यपि संस्कृति में आमूल परिवर्तन हो गया है। इसलिए भाषा को ऐसी प्रक्रिया मानना चाहिए जो न आधार हो, न संस्कृति हो वरन् दोनों के बीच की वस्तु हो।

इस सम्बन्ध में हमारा वक्तव्य यह है। पूँजीवादी सभ्यता ने मशीनें बनाईं, रेल और हवाई जहाज बनाए। रूस में समाजवादी क्रान्ति होने के बाद पुराने कारखानों, रेलों और जहाजों का नाश नहीं कर दिया गया; नई व्यवस्था के अनुसार सभ्यता के इन भौतिक उपकरणों को जनता के लाभ के लिए—न कि पूँजीपतियों के मुनाफे के लिए—नये ढंग से इस्तेमाल किया गया। अणुबम अमरीका ने बनाया, रूस ने भी बनाया; आधुनिक सभ्यता का यह महान् प्रतीक दोनों देशों के पास है। उसके प्रयोग के बारे में दोनों देशों का दृष्टिकोण जुदा-जुदा हैं। इसी प्रकार रूसी भाषा ज़ार और करेंस्की के पास भी थी, लेनिन और गोर्की के पास भी थी। जिस तरह रेल, तार और अणु-बम संस्कृति के भौतिक उपकरण हैं, उसी तरह भाषा भी मानव संस्कृति का एक उपकरण है।

मान लीजिए, संस्कृति का अर्थ केवल विचारधारा है। विचारधारा के क्षेत्र में आर्थिक व्यवस्था बदलने पर बहुत बड़ा परिवर्तन दिखाई देता है किन्तु क्या नई विचारधारा में पुरानी विरासत के अंश नहीं होते? किसी कारखाने के मालिक पहले पूँजीपति थे, अब मजदूर हो गए—यह तो पुरातन सम्बन्धों से पूर्ण विच्छेद हुआ। लेकिन संस्कृति में यह पूर्ण विच्छेद नहीं दिखाई देता। अर्थतंत्र बदलने पर संस्कृति के सभी स्तरों पर एक साथ परिवर्तन नहीं होता, कहीं उसकी गति धीमी होती है, कहीं अधिक तीव्र होती है। नई विचारधारा पुरानी व्यवस्थाओं में पनपी हुई संस्कृति के अनेक तत्त्व समेटकर आगे बढ़ती है। स्वामित्व-परिवर्तन की अपेक्षाकृत सरल प्रक्रिया के मुकाबले में यह सांस्कृतिक परिवर्तन की प्रक्रिया अधिक पेचीदा और उलझी हुई होती है।

फिर संस्कृति केवल विचारधारा नहीं है। उसमें मनुष्य की भावधारा, संवेदनाएँ आदि भी सम्मिलित हैं। ताजमहल विचारधारा नहीं है। उसका सम्बन्ध भावों और संवेदनाओं से है। 'ताजमहल', 'शाकुन्तलम्', 'इलियड', 'हैमलेट' आदि कलाकृतियाँ मानव-संस्कृति की अन्यतम उपलब्धियाँ हैं। उनका मूल्य भूमि या कारखानों के स्वामित्व-परिवर्तन के साथ नहीं बदल गया।

इसलिए यह धारणा भ्रान्त सिद्ध होती है कि समस्त संस्कृति अर्थतंत्र के आधार पर बनी हुई ऊपरी इमारत है जो आधार के बदलने पर मूलत: बदल जाती है। उसके कुछ तत्त्व तेजी से बदलते हैं, जैसे लोगों का राजनीतिक दृष्टिकोण। कुछ तत्त्व बहुत धीरे या कम बदलते हैं, जैसे मनुष्य का सौन्दर्य-बोध। इसलिए व्यवस्था के बदलने पर भाषा में आमूल परिवर्तन न हो तो कोई आश्चर्य नहीं। संस्कृति के और बहुत-से तत्त्वों में भी परिवर्तन नहीं होता।

यह कहा जा सकता है कि भाषा स्वयं संस्कृति नहीं है, वह संस्कृति का वाहन मात्र है। हम देख चुके हैं कि प्रत्येक भाषा की अपनी ध्वनि-प्रकृति होती है। क्या यह संस्कृति नहीं है? हमारे स्वर-यंत्र किन्हीं विशेष ध्वनियों या ध्वनि-समूहों के आदी

हो जाते हैं। यह भी एक प्रकार की संस्कृति है। पूफेर्ड जैसे शब्द की कल्पना भी हिन्दी में नहीं की जा सकती यद्यपि प् और फ्, दोनों ध्वनियाँ हिन्दी में हैं। पूफेर्ड, प्फाके जैसे शब्द जर्मन ध्वनि-प्रकृति की विशेषता है। जिसे हमने पहले भाषाओं की ध्वनि-प्रकृति कहा है, वह एक तरह से उनके बोलनेवालों की स्थूल शारीरिक संस्कृति (फिजिकल कल्चर) प्रकट करती है। जब किसी भाषा की ध्वनियों के प्रयोग में हम कुछ विशेषताएँ पाते हैं, तो उन्हें हम ध्वनि-प्रकृति कहते हैं। जब ध्वनि-प्रतीकों—शब्दों—के वाक्य में प्रयोग की विशेषताएँ हमें दिखाई देती हैं, तो हम उन्हें भाव-प्रकृति कहते हैं। ये दोनों ही किसी समाज की सांस्कृतिक विशेषताएँ समझी जानी चाहिए। ये विशेषताएँ ऐसी बद्धमूल होती हैं कि हजारों साल तक कायम रहती हैं और कभी-कभी हर तरह के विरोधी प्रभावों के मुकाबले में कायम रहती हैं। इन्हीं सांस्कृतिक विशेषताओं के भेद के कारण भाषाओं में इतना अधिक भेद हमें दिखाई देता है।

कुछ लोग भाषाओं में परस्पर भेद और उनके विकास का कारण व्यक्तियों का रुचिभेद मानते हैं। व्यक्तियों में रुचिभेद होता है, हर व्यक्ति की आवाज की विशेषता होती है जिससे वह पहचाना जाता है। किन्तु भाषा व्यक्तिगत इकाई नहीं है। न किसी व्यक्ति ने अकेले भाषा रची है, न केवल अपने लिए वह भाषा का प्रयोग करता है। मनुष्य एक सामाजिक प्राणी है, यह सत्य सबसे ज्यादा स्पष्ट भाषा के क्षेत्र में दिखाई देता है। भाषा समाज के सभी सदस्यों के रुचिभेद, ध्वनि-भेद को समेटकर एक व्यापक स्तर पर समन्वय उपस्थित करती है। इस समन्वय के बिना मनुष्य आपस में विचारों का आदान-प्रदान नहीं कर सकते, एक-दूसरे की बात समझे बिना मिलकर श्रम नहीं कर सकते, वे एक समाज के सदस्य नहीं हो सकते। महत्त्वपूर्ण बात यह नहीं है कि कोई व्यक्ति मोटी आवाज में बोलता है या बारीक आवाज में, उसकी आवाज मन्द्र सप्तक के धैवत तक पहुँचती है या तार सप्तक के पंचम तक। ये सब बातें गौण हैं। मुख्य बात यह है कि उसकी बात दूसरे लोग समझते हैं या नहीं। यदि समझते हैं तो वह ध्वनि-क्रिया के किन्हीं स्थूल सामाजिक मानदंडों के अनुकूल बोलता है; उन मानदंडों से आवाज का भेद उसके श्रोताओं के लिए नगण्य है। शब्दों के चयन, उनकी सजावट और व्यवहार में मनुष्य अपनी व्यक्तिगत रुचि का परिचय देता है लेकिन इससे वह नई भाषा का सृजन नहीं करता। बहुत-से-बहुत अपने प्रयत्न से वह दस-पाँच नये शब्द भाषा को दे जाएगा; ये शब्द भी भाषा की उस ध्वनि-प्रकृति के अनुकूल होंगे जिसकी सृष्टि उसने स्वयं नहीं की।

भाषाओं में परिवर्तन और विकास के कारणों का पता व्यक्ति के रुचिभेद के अध्ययन से नहीं लग सकता। उसके कारण सामाजिक होते हैं और सामाजिक विकास के अध्ययन से ही उनका पता लगेगा। कहा जाता है कि भाषा के

परिवर्तन और विकास के अपने नियम हैं। ये नियम समाज-निरपेक्ष नहीं हैं। कौन-सी ध्वनियाँ कहाँ से, किस तरह के प्रयत्न से निकलती हैं, यह शरीर-विज्ञान का विषय है। भाषा की भाव-प्रकृति का सम्बन्ध मनुष्य की चिन्तन-प्रक्रिया से है, इसलिए वह दर्शन या मनोविज्ञान का विषय है। इसी प्रकार अर्थ-विचार आदि विषय भी विशुद्ध भाषाविज्ञान के विषय नहीं हैं। तात्पर्य यह नहीं है कि भाषाविज्ञान नाम का अलग विज्ञान नहीं है या हो नहीं सकता। जोर इस बात पर देना है कि भाषा के विभिन्न तत्त्वों का अध्ययन सामाजिक विकास के सन्दर्भ में ही हो सकता है।

भाषा-विकास के मूल कारणों में प्रयत्न-लाघव एक कारण बताया जाता है। सिद्धान्त यह है कि कम-से-कम शक्ति खर्च करके अपना काम निकाला जाए। राजनीतिक नेताओं के व्याख्यान सुनिए। 'निज कबित्त केहि लाग न नीका' के नियम को वे गद्य पर लागू करते हैं। जो बात पाँच मिनट में कही जा सकती है, उसके लिए पचास मिनट तक स्वर-यंत्र का संचालन करते हैं। बोलना भी एक तरह का व्यायाम है। कुछ स्त्रियाँ जब तक दो-तीन घंटे इस तरह का दैनिक व्यायाम नहीं कर लेतीं तब तक उनका भोजन नहीं पचता। प्रयत्न-लाघव के बदले प्रयत्न की दीर्घता ही उन्हें प्रिय होती है। माना कि कुछ लोग मास्टर साहब को मास्साब या माट्-साब कहते हैं। यह व्यक्तिगत प्रयत्न-लाघव का प्रश्न नहीं है। हिन्दी के पछाहीं क्षेत्रों में शब्द के बीच में आनेवाले ह् का उच्चारण बहुत हल्का होता है या उसका लोप हो जाता है। झाँसी-आगरे में 'क्या कहने हैं' लगभग 'क्या कैने ऐं' के रूप में सुनाई देता है। उधर पूरब में ह् पूरी तरह उच्चरित होता है। उधर आम तौर से आप 'मास्टर साहेब' सुनेंगे। इसी तरह बंगाल में धीरेन्द्र का धीरेन् हो जाता है तो पंजाब में धीरेन्दर भी सुनाई देगा। यह भेद समझ में आएगा दोनों प्रदेशों की भाषाओं की ध्वनि-प्रकृति का भेद जानने से। यदि प्रयत्न-लाघव का ही सवाल होता तो पंजाब और बंगाल, दोनों जगह धीरेन् ही सुनाई देता।

इसी प्रयत्न-लाघव के सिद्धान्त को आधार मानकर कुछ लोगों ने यह कल्पना की है कि आरम्भ में शब्द बड़े होते थे, पीछे घिसकर छोटे हो गए। प्रसिद्ध भाषाविद् यस्पर्सन भाषा के उद्भव के लिए श्रम से अधिक क्रीड़ा को महत्त्व देते हैं। उनके अनुसार, क्रीड़ा-वृत्ति से भाषा का जन्म हुआ। मनुष्य अपने फालतू समय में गाता था। काम-वृत्ति के कारण जैसे पक्षी रंगीन परों का प्रदर्शन करते हैं, वैसे ही मनुष्य स्वर-प्रदर्शन करता था। "आदिम भाषा में मुझे उल्लास के स्वर सुनाई देते हैं जब युवक-युवतियाँ एक-दूसरे को आकृष्ट करने के लिए एक-दूसरे से होड़ करते थे। हर कोई डटकर गाता था और जमकर नाचता था जिससे दो सुन्दर आँखें टुक उसकी ओर भी निहारें। भाषा मानव-जाति की कामक्रीड़ा के

युग में उत्पन्न हुई। मैं कल्पना करता हूँ कि मानव की आरम्भिक वाणी खपरैल पर बैठी बिल्ली के नैश-गायन और बुलबुल की मधुर कामगीति के बीच की चीज होगी।"[1] भाषाविज्ञान कितना सरस हो सकता है! आदिम मानव भावुक अधिक था, इसलिए उसकी भाषा संगीतमय अधिक होती थी। "एक समय ऐसा था, जब भाषा गायन थी अथवा भाषा और संगीत में भेद न हुआ था।" इसके प्रमाणस्वरूप यस्पर्सन ने संस्कृत और भारत-यूरोपीय परिवार की अन्य भाषाओं का उल्लेख किया है जिनमें लम्बे शब्द मिलते हैं। इसके लिए उन्होंने धर्म का प्रमाण दिया है। पहले बहुदेवोपासना होती थी, आगे चलकर एकेश्वरवाद चला, इसी प्रकार भाषा पहले बहुवर्णी थी, आगे चलकर एकवर्णी बनती गई। "आधुनिक शब्दों की तुलना में प्राचीन शब्द वैसे ही थे, जैसे आज के सरीसृपों की तुलना में प्राचीन महाकाय पर्वताकार पशु थे।"[2]

चीनी भाषा में एकवर्णी शब्दावली की प्रधानता प्रसिद्ध है। संस्कृत और अरबी की मूल धातुएँ एक-स्वरिक हैं, यह हम पहले देख चुके हैं। यदि पठामि में आमि सर्वनाम हो तो उससे सिद्ध यह होगा कि पठ् और आमि दो स्वतंत्र शब्द थे और उनसे मिलकर बड़ा शब्द पठामि बना है। मनुष्य ने उद्वेगजनित ध्वनियों को वस्तु-व्यापारों से सम्बद्ध किया—इस स्थापना के अनुसार सम्भावना इस बात की अधिक है कि भाषा के उत्पत्ति-काल में लघु ध्वनियों से काम लिया जाता था। जो भी हो, वैज्ञानिक शब्दावली में दो-दो, तीन-तीन इंच लम्बे शब्द देखकर कोई नहीं कह सकता कि आधुनिक मानव लघु शब्दों का विशेष प्रेमी है। संस्कृत के बहुत-से शब्द हिन्दी की ध्वनि-प्रकृति के अनुकूल नहीं हैं। उनका परिवर्तित रूप देखकर लोगों को यह भ्रम हो जाता है कि संस्कृत बोलनेवाले अधिक समर्थ स्वर-यंत्र वाले थे, इसलिए कठिन शब्द बोल लेते थे, हमने प्रयत्न-लाघव से उन्हें छोटा कर लिया है। वास्तव में स्वर-यंत्र के समर्थ-असमर्थ होने का प्रश्न नहीं है। संस्कृत-भाषियों ने भी स्पश्, श्चन्द्र जैसे शब्दों से स्, श् का लोप कर दिया था। उनकी वर्णमाला में ऌ की ध्वनि थी, प्रचलित शब्दों में उसका प्राय: अभाव था। इसे शायद कुछ लोग अनार्य प्रभाव का कल कहें किन्तु संस्कृत-भाषियों को महाप्राण सघोष ध्वनियों से काफी प्रेम था, द्रविड़ भाषाओं में अल्पप्राण अघोष ध्वनियों का महत्त्व अधिक है। इसका प्रभाव आर्यों पर क्यों न पड़ा? यदि वैदिक ऋषियों को आज की ब्रजभाषा बोलनी पड़ती तो निस्सन्देह उनके कंठ और तालू को काफी कष्ट होता। विश्वास न हो तो किसी दक्षिण-देशीय संस्कृतज्ञ को ब्रज के गाँव में ले जाकर वहाँ की ध्वनियों का अनुकरण कराके देखिए। स्वयं संस्कृत में पथ भी है, पंथ भी है, करोति है, कृणोति भी है। प्रयत्न-लाघव किस रूप में है? प्रयत्न-लाघव के सिद्धान्त से हम

1. ओटो यस्पर्सन, 'लैंग्वेज़, इट्स नेचर, डिवेलेपमेट एंड ऑरिजिन'; 1934, पृ. 434
2. उप., पृ. 421

इस तरह के भेदों की व्याख्या नहीं कर सकते। पंथ उस ध्वनि-प्रकृति की विरासत है जिसके अनुसार पंच, विंश, केन्तुम, समुन्दर जैसे रूप प्राचीन काल से आज तक बनते आए हैं; अर्थात् संस्कृत में भिन्न ध्वनि-प्रकृति वाली दो भाषाओं का मिश्रण हुआ है, इसलिए पथ और पंथ, दोनों रूप मिलते हैं। भेद का कारण प्रयत्न-लाघव नहीं है। हिन्दी के पूर्वी क्षेत्रों में नदी, बहू, लोटा के लिए नदिया, बहुरिया (या बहुरेवा), लोटवा जैसे रूप व्यवहृत होते हैं। इसमें प्रयत्न-लाघव की कौन-सी बात हुई? स्वसा का समकक्ष फ्रांसीसी शब्द है सॅर; इतालवी शब्द हैं सोरेल्ला। फ्रांसीसी में साधारणत: शब्द के अन्तिम व्यंजन का लोप हो जाता है जबकि स्पेनी में वह पूर्ण उच्चारित होता है। इससे क्या यह सिद्ध होगा कि स्पेन के लोग अधिक प्राणशक्ति खरचने में विश्वास करते हैं और फ्रांस के लोग ज्यादा कृपण हैं? यदि नदी का नद्‌दी या नदिया रूप भी प्रयत्न-लाघव का उदाहरण है, तो इसका अर्थ यह हुआ कि शब्द चाहे बढ़े चाहे घटे, है वह प्रयत्न-लाघव ही! लेकिन एक ही भाषा के बोलनेवाले पूरब में नदिया कहें और पच्छिम में नदी तो प्रयत्न-लाघव का निर्णय किस आधार पर होगा?

कहा गया है कि कॉपी-बुक, ब्लाटिंग-पेपर, मोटरकार की जगह केवल कॉपी, ब्लाटिंग और मोटर का प्रयोग प्रयत्न-लाघव के कारण है। इससे भाषा में परिवर्तन नहीं हो जाता। जो ब्लाटिंग पेपर का अर्थ समझते हैं, वे ब्लाटिंग का अर्थ समझ लेते हैं। फिर यह भाषा का कोई व्यापक नियम नहीं है जो हर भाषा में हर स्थान पर लागू हो। भाषाविज्ञान, अन्तरराष्ट्रीय, पृष्ठभूमि, पारिभाषिक शब्दावली को कोई भाषा, अन्तर, पृष्ठ, पारि नहीं कहता। विदेशी शब्दों का उच्चारण करने में अपनी ध्वनि-प्रकृति के अनुकूल हम एक-आधा स्वर-व्यंजन अपनी ओर से भी जोड़ देते हैं, यथा—स्कूल, स्टेशन को इस्कूल, इस्टेशन आदि कहते हैं। पंजाब के लोगों को स्टूल, स्कूल बोलने में कष्ट होता है, इसलिए वे उन्हें सटूल और सकूल कर देते हैं। नियम यह हुआ कि भाषा अपनी ध्वनि-प्रकृति के अनुकूल दूसरों की ध्वनियों में संशोधन कर लेती है। अरबी के थ्वाद की ध्वनि भारतीय ध्वनियों से इतनी भिन्न थी कि वह उर्दू में भी स्वाद हो गई। अंग्रेज़ी के थिंक में थ की ध्वनि भारतवासियों के लिए कठिन पड़ती है; इसलिए अधिकांश अंग्रेजी-शिक्षित जन उसे थ् ही कहते हैं। बंगला में शकार किन्तु हिन्दी क्षेत्र में सकार, ब्रज-अवधी में नकार किन्तु पंजाबी-राजस्थानी में णकार की भरमार इसी कारण है। सवाल प्रयत्न की लघुता और दीर्घता का न होकर अभ्यास और स्वभाव का है। संस्कृति के अन्य तत्त्व भी उच्चारण को प्रभावित करते हैं। बंगाल में दन्त्य स वाले संस्कृत-फ़ारसी शब्दों का शकारमय उच्चारण असंस्कृत नहीं माना जाता; हिन्दी क्षेत्रों में संस्कृत-फ़ारसी के शकारमय शब्दों का सकारोच्चार असंस्कृत माना जाता है। इसलिए पढ़े-लिखे लोगों को श-स, क्ष-छ, य-ज, ण-न आदि का भेद करना सिखाया जाता है। दूसरी ओर अकारान्त वर्णों का उच्चारण हम इस तरह करते हैं मानो वे हलन्त हों! हमारे

प्रदेश में यह असंस्कृत होने का लक्षण नहीं माना जाता; दक्षिण में इस तरह का उच्चारण भ्रष्ट माना जाएगा। सांस्कृतिक कारणों से इस तरह का उच्चारण-भेद होता है। प्रयत्न-लाघव से इसका वास्ता नहीं है।

एक सिद्धान्त वर्ण-विपर्यय का माना गया है। अवध के गाँवों के कुछ लोग मतलब को मतबल कहते हैं। यहाँ अनुसन्धान यह करना चाहिए कि 'लब' के बदले अवध का किसान 'बल' क्यों कहने लगता है? अवध का किसान अपने दैनिक जीवन में इस तरह के शब्दों का बराबर व्यवहार करता है : पानी, पूसु, पहिती (दाल), प्यारब (पेरना), ब्यार, बैल, बिगही, पगही, माह, फागु, भातु, भादों आदि। अवधी किसान की सहज वृत्ति यह है कि वह ओठों की क्रिया पहले सम्पन्न करना चाहता है; जिह्वा, तालू अपना काम बाद में करते हैं। संस्कृत के माता, पिता जैसे नित्य-व्यवहार के शब्द लीजिए। आरम्भ के व्यंजन ओष्ठ्य हैं। किसी हिन्दी-भाषी से कहिए कि वह जल्दी-जल्दी तप्-तप्-तप् कहे; फिर उससे पत्-पत् कहलाइए। आप देखेंगे कि उसे पत्-पत् कहने में सरलता होती है। किसी के भागने की आवाज अवध के किसान को भद्-भद् सुनाई देती है; दभ्-दभ् कहने में उसे महान् कष्ट होगा। जो बच्चे जलेबी की जबेली कहते हैं, वे उसी मतबल वाली ध्वनि-प्रकृति का अनुसरण करते हैं। यदि यह ध्वनि-प्रकृति का सवाल न होता तो मतलब को तमलब भी कहा जा सकता था। वर्ण-विपर्यय का कोई सामान्य नियम हो तो भाषा में अराजकता फैल जाए। जिसका मन चाहे, वह वर्णों का हेरफेर करता रहे। लेकिन सैकड़ों शब्दों में यह वर्ण-विपर्यय नहीं होता; इसका कारण क्या है? कारण यह है कि वे शब्द भाषा विशेष की ध्वनि-प्रकृति के अनुकूल पड़ते हैं अथवा असंस्कृत समझे जाने के भय से जिह्वा प्रतिकूल दिशा में भी घूमने का कष्ट करती है। नहाने को अवध में हनान या हनाब कहते हैं। स्नान में स के ह-रूप धारण करने पर हनान शब्द ही बनेगा। पूरब में महाप्राण ह के उच्चारण में लोगों को कोई कठिनाई नहीं होती। पश्चिम में ह को अल्प-प्राण करने या उसका लोप करने की प्रवृत्ति है। ह को शब्द के बीच में डालकर उसे अल्प-उच्चारित करने में सुविधा होती है। सम्भवत: हनाना में ना-ना की आवृत्ति भी कानों को अच्छी न लगती थी; इन वर्णों को ज़रा दूरी पर रखने के लिए बीच में ह रख दिया गया। अवधी के क्रियारूपों में 'न' का व्यवहार नहीं होता; संज्ञा हनान छोड़कर क्रियारूपों में 'न' की आवृत्ति का प्रश्न न था। अब खड़ी बोली हिन्दी के सांस्कृतिक प्रभाव के कारण नहाय जैसा रूप अवध में भी प्रचलित हो गया है। संस्कृतचिह्न, ब्राह्मण को हिन्दी-भाषी चिन्ह, ब्राम्हण बोलते हैं क्योंकि ह्न, ह्म जैसे ध्वनि-रूप हमारी भाषा में नहीं हैं। इसी प्रकार यास्क, वयस्क, कनिष्क, शुष्क जैसे रूप हिन्दी नें नहीं हैं। फलत: फ़ारसी में शुष्क ख़ुष्क हुआ और हिन्दी में हुआ सूखा। अंग्रेज़ी का डेस्क हिन्दी-भाषी बच्चों के उच्चारण में डेक्स हो जाता है, स्क जैसा ध्वनि-रूप उन्हें अपनी भाषा की प्रकृति के विपरीत लगता है।

ध्वनि-लोप का नियम यह है कि "जब दो ध्वनियाँ या समान अक्षर पास ही पास आते हैं तब प्रयत्न-लाघव में अनजान में ही उनमें से एक का लोप हो जाता है।"[1] हिन्दी में काका, मामा, दादा, चाचा जैसे शब्द खूब प्रचलित हैं। संस्कृत में शुश्रूषा, श्वशुर, ककुद, पिपीलिका जैसे शब्दों में; पपात, लुलुभे जैसे क्रिया-रूपों में; तात, पाप, नाना, लाल, शश जैसे द्विवर्ण शब्दों में हम एक वर्ण की आवृत्ति देख सकते हैं। खड़ी बोली के ठठेरा, ससुराल, कोशिश, पपीता, चचेरा, करार जैसे शब्दों में—जहाँ दो से अधिक वर्ण हैं—हम उसी तरह की आवृत्ति देखते हैं। लेकिन हिन्दी में दो णकार एक साथ न आएँगे; क्वणण जैसा रूप हिन्दी की ध्वनि-प्रकृति को असह्य होगा। इसी प्रकार ज्ञ, क्ष, ञ, ङ जैसे वर्णों की आवृत्ति भी हिन्दी में न मिलेगी। भाषा के स्वीकृत-अस्वीकृत ध्वनि-रूपों का अध्ययन किये बिना ध्वनि-लोप के सिद्धान्त से कोई सहायता नहीं मिलती।

समीकरण-सिद्धान्त यह है कि "जब दो किंचित् विभिन्न ध्वनियाँ पास-पास आती हैं तो प्रयत्न-लाघव से वे दोनों सम हो जाती हैं।"[2] लग्न से लग्ग बना; अन्तिम 'न' पुरोगमन करके ग-रूप हो गया। यह पुरोगामी समीकरण दुआ। भक्त से भत्त बना; यहाँ अन्त्य वर्ण त ने 'क' को अपनी ओर खींचा और वह त-रूप हो गया। यह पश्चगामी समीकरण हुआ। संस्कृत में यत्न, विघ्न, चक्र जैसे शब्दों में समीकरण क्यों नहीं होता? बोलचाल की हिन्दी में ये जतन, बिघन, चक्कर रूप क्यों धारण करते हैं? हिन्दी में लप्सी, मुग्दर, खम्भा, चन्दा, चल्ते, मल्ते जैसे रूपों में समीकरण क्यों नहीं होता? लट्ठा, इच्छा, बग्घी, पत्थर जैसे शब्दों पर ध्यान दें तो मालूम होगा कि दो महाप्राण अक्षरों के निकट आने की सम्भावना होने पर पहले को अल्पप्राण रूप में ही दूसरे महाप्राण के साथ संयुक्त करेंगे। समीकरण द्वारा पथ्थर, इछ्छा, बघ्घी जैसे रूप हिन्दी प्रकृति के अनुकूल नहीं होते। डॉ. बाबूराम सक्सेना ने समीकरण की एक मिसाल दी है—दश् और तम् से दष्टम्। यहाँ श तालव्य ध्वनि है और त दन्त्य है। यहाँ न श त बना, न त श बना। फिर यह समीकरण कैसे हुआ? वास्तव में यहाँ हमारे पूर्वजों की मूर्धन्यीकरण की वृत्ति ने श और त, दोनों को बदलकर ष्ट कर दिया। समीकरण से इस परिवर्तन का कोई सम्बन्ध नहीं है।

विषमीकरण नियम के अनुसार "कभी-कभी पार्श्ववर्ती सम ध्वनियों के उच्चारण में असुविधा जान पड़ती है तब प्रयत्न-लाघव के लिए उनको विषम (परस्पर विभिन्न) कर लेते हैं, यथा—सं. पक्व > प्रा. पिक्क, सं. मुकुट > प्रा. मउट्ठ, हिं. मौर सं. मुकुट > प्रा. मउल > बौर; श्रथ् धातु से सं. शब्द श्रिथिर बनना चाहिए पर उससे श्रिथिल के द्वारा शिथिल हुआ; सं. अष्टमी > हिं. अट्टिमी।" बात स्पष्ट नहीं हुई। पक्व में कौन-सी समध्वनियाँ पार्श्ववर्ती हैं? क्व में क कंठ्य ध्वनि है, व दन्त्योष्ठ्य है।

1. बाबूराम सक्सेना, 'सामान्य भाषाविज्ञान', पृ. 36
2. उप., पृ. 37

यदि पिक्क से पक्व बनता तो बात भी थी। मुकुट में भी दो समध्वनियाँ पास-पास नहीं हैं। यदि मु और कु के उ स्वरों को पार्श्ववर्ती मानें तो दोनों के बीच में क् तो आ जाता है। मुकुट के समान कुटुम्ब, पुरुष, कुसुम, मुकुर, कुमुद जैसे शब्द हैं। ये शब्द उस नियम के अपवाद क्यों हैं? श्रिथिर के दो रकारों के बीच स्वरयुक्त थ वर्ण बैठा है। विषमीकरण के नियम से श्रिथिर का श्रिथिल या शिलथिर होना चाहिए था लेकिन पहला 'र' गायब ही हो गया और दूसरे र के स्थान पर ल आ गया। ऐसी मिसालें हजारों हैं जहाँ समध्वनियों का पास-पास प्रयोग होता है। विषमीकरण को भाषा-परिवर्तन का नियम नहीं माना जा सकता।

इसी तरह और 'नियम' हैं। "संयुक्ताक्षरों के बोलने में विशेष प्रयत्नशील रहने की जरूरत होती है। इस असुविधा को हटाने के लिए मन अपने-आप इस संयोग को, बीच में और कोई ध्वनि लाकर, दूर कर देता है और दो व्यंजनों के संयोग को दूर करने के लिए एक छोटा-सा स्वर ला देता है।"[1] उदाहरण दिये हैं : संस्कृत रत्न से प्राकृत रदण, संस्कृत कृष्णा से प्राकृत कसण; भक्त से भगत, इन्द्र से इन्दर, प्रसाद से परसाद। संयुक्ताक्षरों का उच्चारण सहज है या श्रमसाध्य, इसका कोई अटल नियम नहीं है। अंग्रेज़ी में सैकड़ों शब्द संयुक्ताक्षर वाले हैं, हिन्दी-भाषी इस प्रवृत्ति की विपरीत दिशा में चलते हैं। भक्त से भगत रूप बनता है। प्रकट का प्रगट रूप भी प्रचलित है यद्यपि क्त की तरह ग-ट संयुक्त नहीं है। दो व्यंजनों के बीच स्वरागम की बात सामान्य नियम नहीं है। तैरना को यदि कुछ लोग तहेरना कहते हैं, तो यह ह-प्रेम के कारण। दर्शन का दस्सन पूरब में न सुनाई देगा; ब्रज में मध्यवर्ती र के लोप की प्रवृत्ति है। इसीलिए 'का कल्लओ' (का कर लओ) जैसे वाक्य सुनने को मिलते हैं। आरम्भ में ध्वनि लगाना—जैसे स्नान, स्कूल आदि के पहले—यह भी भाषा की प्रकृति पर निर्भर है। स्टेशन को लोग टेसन भी कहते हैं। पंजाब में स्वरहीन स को सस्वर कर देते हैं। इस 'अग्रागम' नियम के उदाहरणस्वरूप सकूल, सटेशन शब्द भी दिये गए हैं। किन्तु यहाँ मूल शब्द के पहले क्या जोड़ा गया? अ स्वर आया प्रथम व्यंजन के बाद। अन्य अनेक उदाहरणों के समान यह भी गलत है। एक अन्य नियम यह है कि "बोलते समय एक ही विचार के वाचक दो शब्द कभी-कभी एक साथ मस्तिष्क में उद्बोधित हो जाते हैं और परिणामस्वरूप दोनों के सम्मिश्रण से (जिसमें एक का अग्रांश और दूसरे का अन्तिमांश होता है) एक नया ही शब्द बन जाता है।" उदाहरण दिया है 'देक्ख' शब्द का, जो दिस्सई तथा पेक्खइ के मेल से बना बताया गया है। देख् और दिस् दो अलग धातुएँ हैं। उन्हें जबर्दस्ती मिलाया गया है। हिन्दी से एक मिसाल दी है : फिर और पुनि के मेल से शब्द बना फिन। श्री भोलानाथ तिवारी ने लिखा है कि (पूरब में) बच्चे कभी-कभी रुपया को नुपया कहते हैं। फिर का फिन रूप भी उसी प्रवृत्ति के कारण है।

1. बाबूराम सक्सेना, 'सामान्य भाषाविज्ञान', पृ. 38

एकार्थवाची दो शब्दों का साथ-साथ प्रयोग तो हिन्दी प्रवृत्ति के अनुकूल है। शादी-ब्याह, मान-मर्यादा, लड़ाई-झगड़ा, बोली-बानी, धरम-ईमान, पेड़-पौधे, बाजार-हाट, काम-काज—ये जोड़े साबित करते हैं कि समानार्थी शब्दों के दिमाग में आने पर यहाँ का सभ्य नागरिक प्रयत्नदीर्घता की चिन्ता न करके उन दोनों को शान्तिपूर्ण सह-अस्तित्व की अनुमति दे देता है।

भाषा के विकास का एक कारण वाक्-यंत्र की विभिन्नता बताई गई है। "किसी भी दो व्यक्ति का वाक्-यंत्र ठीक-ठीक एक ही प्रकार का नहीं होता, इस कारण किसी एक ध्वनि का उच्चारण भी दो व्यक्ति एक तरह नहीं कर सकते। एक से दूसरे में और दूसरे से तीसरे में कुछ-न-कुछ अन्तर अवश्य पड़ेगा। ये ही छोटे-छोटे अन्तर कुछ दिन में जब बड़े हो जाते हैं तो स्पष्ट हो जाते हैं। यह ठीक उसी प्रकार हैं, जैसे कोई बच्चा कल से आज कितना बड़ा हो गया या बढ़ गया, इसका अनुमान हम नहीं लगा सकते, पर एक-दो वर्ष बाद उस थोड़े-थोड़े बढ़ने का अनुभव हम कर लेते हैं।"[1] वाक्-यंत्र की विभिन्नता के कारण हम व्यक्ति विशेष की आवाज पहचान लेते हैं और दूसरे की आवाज से वह भिन्न है, यह भी समझ लेते हैं। किन्तु एक ही जाति के लोग लाखों प्रकार के भिन्न स्वर-यंत्र रखते हुए भी एक-दूसरे की बात समझ लेते हैं। बूढ़े और बच्चे एक-दूसरे की बात समझते हैं, विभिन्न प्रदेशों के लोग एक-दूसरे की बात समझते हैं। यदि शारीरिक गठन से भाषा में भिन्नता उत्पन्न हो तो समाज में अराजकता छा जाए, कोई किसी की बात न समझे या फिर समाज का गठन स्वर-यंत्रों के हिसाब से हो, लोग ऐसा साथी ढूँढ़ें जिसका स्वर-यंत्र उन्हीं के अनुकूल झंकृत होता हो। स्वर-यंत्रों की यह विभिन्नता सदा रही है किन्तु मानव जाति छोटे समूहों से वृहत्तर संगठनों की ओर बढ़ती रही है, स्वर-यंत्रों की भिन्नता इसमें बाधक नहीं हुई। जिस स्वर-यंत्र से अंग्रेज़ी बोली जा सकती है, उसी से हिन्दी-संस्कृत भी बोली जा सकती हैं। किन स्वर-यंत्रों से कौन-सी भाषा के बोल फूटते हैं, यह स्वर-यंत्रों के गठन पर नहीं, मनुष्य के सामाजिक परिवेश पर निर्भर होता है। यदि किसी समाज में न कोई आन्तरिक परिवर्तन हो, न कोई बाह्य प्रभाव पड़े, तो उसकी भाषा ज्यों-की-त्यों बनी रहे। जैसे अन्तरिक्ष में जानेवाला मानव बूढ़ा नहीं होता, वैसे ही धरती के आकर्षण से मुक्त भाषा भी कभी न बदले। भाषा बदलती है तो सामाजिक कारणों से, न कि इसलिए कि स्वर-यंत्रों में भिन्नता है। जिन पंडितों के पूर्वजों ने ग़ैन-ग़ाफ की ध्वनियाँ स्वप्न में भी न सुनी थीं, वे मुगल-काल में सांस्कृतिक कारणों से उनके उच्चारणों में अरबों और ईरानियों के कान काटने लगे थे। इसी प्रकार अंग्रेज़ी की अनेक ध्वनियों को सही निकाल लेने पर कुछ शिक्षाशास्त्री परम प्रसन्न होते हैं, इसलिए नहीं कि उनका स्वर-यंत्र अभारतीय बन जाता है बल्कि इसलिए कि सामाजिक-सांस्कृतिक कारणों से ऐसी

1. भोलानाथ तिवारी, 'भाषाविज्ञान', 1951, पृ. 187

ध्वनियों का उच्चारण उन्हें श्रेष्ठता प्रदान करता है। उदाहरण-रूप में बताया गया है कि "ऋ और री तथा श और ष के उच्चारण इसी प्रकार धीरे-धीरे एक हुए होंगे।" लेकिन बंगाल के शकार-प्रेम और बिहार के सकारवाद का भेद क्या इसलिए है कि दोनों प्रदेशों के निवासियों के स्वर-यंत्र भिन्न हैं? यदि ऐसा होता तो बंगाली कभी हिन्दी न बोल पाते, न बिहारी कभी बंगला का सही उच्चारण कर पाते। कहा गया है कि "वाक्-यंत्र की भाँति श्रवणेन्द्रिय की विभिन्नता भी धीरे-धीरे ध्वनि-परिवर्तन में सहायक होती है।"[1] वाक्-यंत्र सम्बन्धी स्थापना के समान यह भी निराधार है।

भाषा सुनकर सीखी जाती है। ठीक सुनाई न दिया, जो सुनाई दिया उसका सही उच्चारण न बन पड़ा : "इसका परिणाम यह होता है, हम ठीक उसी प्रकार नहीं बोलते, जैसे दूसरा बोलता है जिसका अनुकरण हम करते हैं।"[2] बच्चे रोटी को लोटी कहते हैं, या रुपया को नुपया कहते हैं तो इससे बच्चों की कोई नई भाषा नहीं बन जाती। बड़े होने पर वे रोटी और रुपये का सही उच्चारण सीख लेते हैं। अनुकरण की अपूर्णता को दूर करने के लिए समाज के वे तमाम लोग हैं जिनका अनुकरण करके कोई भाषा सीखता है।

"अज्ञान के कारण भी कभी-कभी ध्वनियों में परिवर्तन हो जाता है।"[3] यह अज्ञान शिक्षा द्वारा दूर किया जा सकता है। अंग्रेज़ी काफी कठिन भाषा है। उसकी ध्वनियाँ अन्य भाषाएँ बोलनेवालों के लिए सरल नहीं हैं। 'गलत' अंग्रेजी बोलनेवाले बहुसंख्यक हैं; सही अंग्रेज़ी बोलनेवाले इंग्लैंड में भी अल्प-संख्यक हैं, अमरीका की तो बात ही क्या, जहाँ अंग्रेज़ी की सही ध्वनियाँ क्या हैं, यही विवाद का विषय है। फिर भी अंग्रेज़ी भाषा बदल नहीं गई।

भ्रमपूर्ण व्युत्पति से भी नई भाषा नहीं बन जाती। लाइब्रेरी को रायबरेली या चेम्सफोर्ड को चिलमफोड़ कहने से न नई हिन्दी बनी, न अंग्रेज़ी का नाश हुआ। तर्क दिया गया है कि 'बोलने में शीघ्रता' के कारण शब्द बदल जाते हैं, पंडितजी का 'पंडीजी' हो जाता है। पहले तो शीघ्रता में सभी लोग पंडीजी नहीं कहते; अपने प्रदेश की बोली की ध्वनि-प्रकृति के अनुकूल वे पंडिज्जी, पंडतजी आदि भी कहते हैं। इसके सिवा जब तक श्रोता यह समझता है कि पंडित-पंडी एक हैं, तब तक भाषा भी एक ही रहती है।

"मुख को सुख देने के प्रयास में यथास्थान कभी हम किसी ध्वनि का कठिन होने के कारण शब्द विशेष में उच्चारण करना ही छोड़ देते हैं।"[4] कठिनाई यह है कि एक जाति के लिए जो मुख-सुख है, वही दूसरी जाति के लिए मुख-दुख हो सकता है। मुख-सुख का कोई निरपेक्ष नियम नहीं है।

1. भोलानाथ तिवारी, 'भाषाविज्ञान'
2. उप.
3. उप.
4. उप.

"भावुकता में भी कभी-कभी हम शब्दों को बिगाड़कर बोलते हैं।" बेटी का बिट्टी, चाची का चच्ची होने से भाषा नहीं बदलती। बिट्टी-चच्ची कहनेवाले बेटी-चाची भी बोलते हैं। "शीला का सिल्लो और कुमारी का कम्मो प्यार के ही प्रसाद हैं।" सौभाग्य से भाषाविज्ञान के प्रेमी प्यार के आवेश में भाषा को भस्सो और विज्ञान को बिग्गो नहीं कहते! कुछ लोग अपने को फुर्तीला दिखाने के प्रयास में 'केना (कहना), रेना (रहना)' आदि बोलते हैं। इस ध्वनि-भेद का कारण फुर्तीलापन नहीं है। हिन्दी-भाषी क्षेत्र में पछाँह के लोग हकार का अल्प उच्चारण करते हैं और पूरब के लोग उस पर यथेष्ट जोर देते हैं जिससे यह सिद्ध नहीं होता कि उनकी मनोवृत्तियाँ दूसरे ढंग की हैं।

"एक राष्ट्र जाति या संघ एक दूसरे के सम्पर्क में आता है तो विचार-विनिमय के साथ ध्वनि-विनिमय भी होता है।"[1] यह बात सही है लेकिन विनिमय किस ढंग का होता है, होता है या नहीं होता, यह सब सामाजिक परिस्थितियों पर निर्भर है। अमरीका में जो नीग्रो बसे हुए हैं, उनकी कितनी ध्वनियों ने अंग्रेज़ी में प्रवेश पाया है?

भाषा-विकास के जो भौगोलिक कारण बताए गए हैं, वे सर्वाधिक मनोरंजक हैं। "यदि कोई जाति किसी स्थान से हटकर अधिक ठंडे स्थान पर बस जाती है तो उसमें विवृत ध्वनियों का विकास नहीं होता और जो विवृत रहती हैं, उनका भी संवृत की ओर झुकाव होने लगता है। गर्म देश में जाने पर ठीक इसके उलटा घटित होता है।"[2] सर्दी के मारे शायद मुँह खुलता नहीं है, इसलिए झुकाव संवृत ध्वनियों की ओर होता है। गर्म देशों के लोग मुँह बाये घूमते हैं, इसलिए विवृत ध्वनियाँ निकालने में उनके मुख-विवर को विशेष कष्ट नहीं होता। भारत में सौभाग्य से हिमालय की चोटियाँ भी हैं और लू के झोंकों से झुलसे हुए मैदान भी। यदि भौगोलिक कारणों से ध्वनि-भेद निश्चित होते तो पहाड़ों के लोग 'ई-ई, ऊ-ऊ' करते और मैदानों के लोग 'आ-आ' करते। हिन्दी का उ स्वर संवृत है या विवृत? डॉ. धीरेन्द्र वर्मा के अनुसार : "यह संवृत ह्रस्व पश्च स्वर है। ऊ—यह संवृत दीर्घ पश्च स्वर है। ई—यह संवृत दीर्घ अग्र स्वर है। इ—यह संवृत ह्रस्व अग्र स्वर है।" मैदानी भाषा हिन्दी में संवृत स्वरों की कमी तो नहीं मालूम होती। भाषाओं के वर्गीकरण पर ध्यान देने से भी यह सिद्ध होता है कि भौगोलिक परिस्थितियों के अनुकूल यह विभाजन नहीं हुआ। फिनलैंड, नार्वे, उत्तरी रूस और साइबेरिया में बर्फ पड़ती है लेकिन भाषाएँ भिन्न परिवारों की हैं। 'आर्य' भाषा-परिवार यूरोप से एशिया तक फैला हुआ है। भारत का ही द्रविड़ परिवार उत्तरी आर्य-परिवार से काफी भिन्न है। भाषा के शब्द-भंडार आदि पर भौगोलिक परिस्थितियों का प्रभाव अवश्य पड़ता है किन्तु सर्दी-गर्मी से ध्वनियों का विभाजन हो तो भाषाओं का ध्वनिगत वर्गीकरण बड़ी सरलता से प्राकृतिक परिस्थितियों के अनुकूल किया जा सके।

1. भोलानाथ तिवारी, 'भाषाविज्ञान', पृ. 191
2. उप., पृ. 191-92

संवृत-विवृत स्वरों के लिए प्राकृतिक ही नहीं, मनोवैज्ञानिक परिस्थितियाँ भी जिम्मेदार जान पड़ती हैं। "यदि किसी कमी के कारण अप्रसन्नता और दु:खपूर्ण वातावरण रहा तो सामान्यत: लोग धीरे से बोलते हैं। ऐसी दशा में भी संवृत की ओर झुकाव रहता है।" यों भी कह सकते हैं कि ठंडे देशों के लोग गर्मी के लिए तरसते रहते हैं, इसलिए प्राकृतिक और मनोवैज्ञानिक कारणों के समन्वय से वे संवृत ध्वनियाँ ही करते हैं! "इसी प्रकार यदि समाज में युद्ध का वातावरण रहा तो बोलने की गति बढ़ जाती है। अधिकतर शब्दों के कुछ ही भाग पर जोर दिया जाता है। कुछ लोगों का कहना है कि युद्ध के समय भाषा के परिवर्तन की गति बहुत अधिक हो जाती है।" यूरोप में दो महायुद्ध हुए, फिर भी अंग्रेज़ी, जर्मन या रूसी में कोई मौलिक परिवर्तन हो गए हों, ऐसा देखने-सुनने में नहीं आया।

लिखने में गड़बड़ी होने से भी शायद भाषा में परिवर्तन हो जाता है। "मध्य युग में ख में 'र' 'व' का सन्देह होने से उसके स्थान पर ष का प्रयोग चला। कुछ दिन में ऐसा हुआ कि प का उच्चारण ही ख हो गया।" माना कि इस ष-लेखन के प्रभाव से वर्षा, भाषा, पाषंड आदि बरखा, भाखा, पाखंड बन गए लेकिन फ़ारसी में शुष्क का खुश्क कैसे हो गया? जो लोग वर्षा को बरखा कहते हैं, वे साधारणत: ऐसे हैं जिन्होंने पोथी में न ही ख के दर्शन किये हैं और न ही ष के। इस तरह के ध्वनि-परिवर्तनों के लिए कोई और सबल कारण खोजना चाहिए। होता अधिकतर यह है कि लिखावट एक होने पर भी लोग उसका उच्चारण अपनी भाषा या बोली की ध्वनि-प्रकृति के अनुसार करते हैं। हिन्दी कहना, रहना, पहले आदि का पूर्वी-पछाही उच्चारण-भेद—पढ़े-लिखे जनों में भी—इसी कारण है। विभिन्न प्रदेशों के संस्कृत-पंडितों का उच्चारण-भेद भी प्रसिद्ध है।

'शब्दों की असाधारण लम्बाई' भी परिवर्तन का एक कारण है। " 'उपाध्याय', 'झा' का रूप धारण करने को अपनी लम्बाई के कारण ही बाध्य हुए हैं। [और तिवारी?] जयरामजी की का, जैराम हो गया है। स्टेशनों पर चाय वाले 'चाय गरम' को 'चारम' कहते हैं। इसी कारण संक्षिप्त रूप भी चल पड़ते हैं।" उपाध्याय को संक्षिप्त करने के लिए अन्य ध्वनि झा की ओर जाने की जरूरत क्या थी? अध्याय, ध्याय, आय जैसे रूपों से भी काम चल सकता था। मध्य से माँझ जैसे रूप बने, यह भी देखिए। जहाँ तक चाय वालों का सम्बन्ध है, भाषा पर अभी उनका इतना प्रभाव नहीं पड़ा कि हिन्दी से गरम और चाय का लोप हो जाए और लोग चा के साथ रम पीने लगें। इसके अलावा चाय वालों की बिरादरी में काफी एका न होने से पछाँह में तो सघोष ग लुप्त-सा हो जाता है, किन्तु पूर्वी स्टेशनों पर 'चाह गरम' भी सुना जा सकता है। लेकिन यह मिसाल कुछ मौजूँ नहीं है। 'असाधारण लम्बाई' न चाय में है, न गरम में!

एक ही शब्द में कुछ व्यंजन बली माने जाते हैं, अन्य बलहीन। 'पंच वर्गों के प्रथम चार स्पर्श व्यंजन' बली हैं। 'पाँच अनुनासिक अन्तस्थ और ऊष्म' बलहीन

हैं। "जिन शब्दों में बलहीन व्यंजन अधिक हों, उनमें ध्वनि-परिवर्तन अधिक शीघ्रता से होता है। फ्रांसीसी विद्वान वेन्द्रिये के अनुसार तो शब्द विशेष में अपने स्थान विशेष के कारण कुछ ध्वनियाँ बलहीन हो जाती हैं। बली से उनका युद्ध आरम्भ होता है और अन्त में बली ध्वनि परास्त करके बलहीन को निकाल देती है। इसका कारण कदाचित् यह है कि बलहीन व्यंजनों का उच्चारण अधिक अनिश्चित होता है।"[1] डार्विन का जीवन-संघर्ष और समर्थ की विजय का सिद्धान्त इतना व्यापक है कि शब्द-शब्द में हम उसे घटित होते देख सकते हैं। जहाँ तक हिन्दी का सम्बन्ध है—य, र, ल, व अन्तस्थ ध्वनियाँ कहलाती हैं। म, न आदि अनुनासिक व्यंजन हैं। ऊष्म ध्वनियों में प्रसिद्ध हकार है। कितनी ध्वनियों ने परिवर्तित होकर ह रूप लिया है, यह हम पहले देख चुके हैं। श्री किशोरीदास बाजपेयी के शब्दों को फिर दोहरा दें : "भाषा के विकास में ह वर्ण का जो स्थान है, अन्य किसी वर्ण का नहीं।" ललकारना, ललचाना, ललात-बिललात (तुलसीदास), रुलाना, तमतमाना, मनाना, मनमाना, मामला, लहलहाना, बहलाना, उलाहना आदि सैकड़ों मिसालें दी जा सकती हैं जिनसे मालूम होता है कि ये तथाकथित बलहीन ध्वनियाँ अपने समर्थ पड़ोसियों की ज़रा भी परवाह न करके बड़ी आनबान से हिन्दी शब्दों में शताब्दियों से जमी हुई हैं। भाषाओं की अपनी-अपनी ध्वनि-प्रकृति होती है, इसलिए बलहीन व्यंजनों के घिसने और अन्तर्धान होने का कोई निरपेक्ष नियम नहीं है। जैसे ध्वनियों में बलहीन की पराजय का कोई नियम नहीं है, वैसे ही ध्वनियों के अपने-आप घिसने का कोई नियम नहीं है। यह कहना सही नहीं है कि "प्रयोग में आने पर जिस प्रकार प्रत्येक वस्तु घिसती है, उसी प्रकार शब्द भी।" इसका क्या कारण है कि ऋग्वेद के बहुत-से शब्द अब तक ज्यों-के-त्यों चले आते हैं जबकि अन्य बहुत-से शब्द बदल गए हैं या अब हम उनका सही उच्चारण भी नहीं कर सकते। ऋक् ऐसा ही शब्द है जिसकी आरम्भिक ऋ ध्वनि हमारी बोलियों में ग्रहण नहीं की गई। दूसरी ओर जन, रथ, पथ, देवी, वीर, इन्द्र, राजा, उषा, रक्षा, पुरोहित, नूतन, कवि, पिता, पुत्र, नर, मित्र, समुद्र, पशु, प्रजा, विश्व, स्वयं, द्वार, चन्द्र, सूर्य आदि सैकड़ों शब्द वैदिक काल—और उससे पहले—से अब तक हिन्दी तथा अन्य भारतीय भाषाओं में व्यवहृत होते चले आ रहे हैं। कहा जा सकता है कि सूर्य सूरज हो गया है। लेकिन सूर्य का प्रयोग वर्जित तो नहीं है। स्वयं, द्वार, सूर्य, आदि को शिक्षित जनों की भाषा का अंग मानें तो भी राजा, कवि, पिता, रथ आदि तो आम जनता के शब्द हैं। इनके न घिसे जाने का कारण क्या है? प्रत्येक भाषा में अनेक प्रकार की ध्वनि-प्रकृतियों के मिश्रण के चिह्न हम पहले देख चुके हैं। इनका विश्लेषण करना दुस्साध्य है। सरल समाधान है घिसाई का सिद्धान्त। घिसाई के बदले जो शब्द और भी वृहदाकार धारण करते हैं, उनकी बात अलग है।

1. भोलानाथ तिवारी, 'भाषाविज्ञान', पृ. 193

भाषा-विकास का एक कारण यह बताया गया है कि 'कविता में मात्रा या तुक के लिए' कवि लोग मनमाना ध्वनि-परिवर्तन कर देते हैं। ये परिवर्तन भाषा की ध्वनि-प्रकृति द्वारा नियंत्रित रहते हैं। ऐसा न हो तो पुरानी कविता 'नई कविता' बन जाए, साधारण लोगों की समझ में न आए। तुलसीदास ने रघुनाथ, परिनामा, अवलम्बा, चोरा, संसारू, समाजू, पहारू जैसे रूपों का प्रयोग किया है। इससे बोलचाल की भाषा में उनका चलन नहीं हो गया। सादृश्य वाला सिद्धान्त यह है। "कुछ शब्द किसी दूसरे के सादृश्य के कारण अपनी ध्वनियों का परिवर्तन कर लेते हैं। पैंतीस के सादृश्य पर सैंतीस में अनुनासिकता आ गई है। संस्कृत में द्वादश के सादृश्य पर एकदश भी एकादश हो गया।" विंश के अनुकरण पर दश का दंश नहीं हुआ। सैंतीस के सामान सैकड़ा ने अपना रूप नहीं बदला। द्वादश और एकादश के सादृश्य का एक कारण बलाघात की आवश्यकता है। इसी आवश्यकता से विश्वामित्र रूप प्रचलित हुआ था। आदि, मध्य, अन्त्य स्वरों और व्यंजनों के लोप का भी कोई सामान्य नियम नहीं है। अनेक भाषाओं में इस तरह के लोप का कोई सामान्य नियम मिलना तो कठिन है ही, एक ही भाषा में इस तरह के सर्वव्यापी नियम नहीं मिलते। इसका कारण यह है कि विभिन्न ध्वनि-प्रकृति वाली बोलियों ने एक-दूसरे को इतना अधिक प्रभावित किया है, उनका इतना अधिक सम्मिश्रण हुआ है कि एक ही भाषा में विरोधी ध्वनि-प्रकृतियों के तत्त्व शान्तिपूर्ण सद्-अस्तित्व में पाए जाते हैं। जैसे ध्वनि-लोप के कोई निश्चित नियम नहीं हैं, वैसे ही ध्वनियों के आगम के भी निश्चित नियम नहीं हैं। वर्ण-विपर्यय, समीकरण, विषमीकरण जैसे 'नियम' किसी भाषा-विशेष की ध्वनियों का वर्णन करने में सहायक भर होते हैं, वे भाषा-विकास के सिद्धान्त नहीं हैं।

अर्थ-विचार के प्रसंग में अर्थ का विकास तीन दिशाओं में बताया गया है : अर्थ-विस्तार, अर्थ-संकोच और अर्थादेश। तैल का अर्थ था तिल का सार, अब सरसों से लेकर मिट्टी के तेल तक उसका प्रयोग होता है।[1] अंग्रेज़ी के ओयल का सम्बन्ध ओलेआ (ओलिव) वृक्ष से है। अब हर तरह का तेल आयल है। स्याही शब्द स्याह से बना है। लोग अब लाल स्याही भी कहते हैं। शिक्षित उर्दू-भाषी लाल रोशनाई कहेंगे। कल्य शब्द आनेवाले कल के लिए था; हिन्दी में वह बीते हुए कल के लिए भी आता है। मराठी में हिन्दी कल के लिए संस्कृत के समान दो शब्द हैं—उद्यां और काल। अर्थ-विकास का यह नियम मराठी काल पर क्यों नहीं लागू हुआ, हिन्दी कल पर ही उसने अपना प्रभाव क्यों दिखाया? अर्थ-विस्तार जैसा कोई नियम नहीं है; भाषा के शब्द-भंडार और सामाजिक आवश्यकताओं पर निर्भर है कि अर्थ-विस्तार होता है या नहीं। अर्थ संकोच का उदाहरण है सर्प, जिसका अर्थ है रेंगनेवाला। इसी प्रकार मृग का अर्थ पशु विशेष हो गया है;

1. बाबूराम सक्सेना, 'सामान्य भाषाविज्ञान', पृ. 101

मलयालम में उसका मूल अर्थ पशु बना हुआ है। तमिल में पशु का अर्थ है गाय जबकि हिन्दी में उसका अर्थ व्यापक है। मलयालम के समान तमिल में भी पशु के लिए मिरुहम् (मृगम्) प्रचलित है। "अर्थादेश से मतलब अर्थ में इतना अधिक अन्तर होने से है कि मौलिक अर्थ खत्म हो जाए और दूसरा अर्थ उसकी जगह आ जाए।"[1] उदाहरण दिया है : मुनि से बना मौन—मुनियों का आचरण। हिन्दी में अर्थ है चुप रहना। एक बार श्री हरिशंकर शर्मा आगरे से हरदुआगंज जा रहे थे। खद्दर की टोपी लगाए थे। बस पर चढ़े तो एक किसान ने उन्हें कांग्रेसी नेता समझकर कहा—आओ पंत जी (त का पूर्ण उच्चारण कीजिए)। यहाँ 'पंत जी' शब्दों में अर्थादेश हुआ। उसने 'आओ चन्द्रभानु गुप्त जी' नहीं कहा; इसलिए दूसरे नाम में अर्थादेश नहीं हुआ। अर्थ-विस्तार की तरह अर्थ-संकोच और अर्थ-विस्तार का कोई नियम नहीं है। परिस्थिति, भाषा का शब्द-भंडार, सामाजिक आवश्यकताएँ—इन पर उपर्युक्त नियमों का लागू होना निर्भर है।

अर्थ-परिवर्तन का एक कारण बताया गया है : 'बल का अपसरण'। बलहीन ध्वनियों के दबाये जाने और लुप्त होने के समान "किसी शब्द के अर्थ के प्रधान पक्ष से हटकर बल यदि दूसरे पर आ जाता है तो धीरे-धीरे वही अर्थ प्रधान हो जाता है और प्रधान अर्थ बिलकुल लुप्त हो जाता है।"[2] उदाहरण दिया है गोस्वामी शब्द का। गो-स्वामी—बहुत-सी गायों का स्वामी—धनी और माननीय—अन्त में, माननीय धार्मिक व्यक्ति, गोस्वामी इस अर्थ का वाचक हुआ। इस अन्तिम अर्थ में न गो पर बल है, न स्वामित्व पर। प्रधान पक्ष छोड़कर अर्थ गौण पक्ष से सम्बद्ध नहीं हुआ। उसने एक नया अर्थ देना आरम्भ किया। स्वामित्व के जब नये रूप प्रकट हुए और गोस्वामित्व का विशेष महत्त्व न रह गया, तब गोस्वामी के मूल अर्थ से बिलकुल भिन्न अर्थ जनता की आवश्यकतानुसार उस पर आरोपित कर दिया गया। नवीन अर्थ एक संसर्ग-क्रम का ही परिणाम था—गायों का स्वामी, इसलिए धनी, फिर माननीय और धार्मिक (ईश्वर के लिए भी प्रयुक्त); स्वामित्व और ऐश्वर्य से उसका संसर्ग नहीं छूटा। सामाजिक कारणों से स्वामित्व के रूप बदले, शब्द का अर्थ भी बदला। दूसरा उदाहरण 'जुगुप्सा' शब्द का दिया गया है। गुप्-गाय का पालन करना—आगे चलकर केवल पालने के लिए उसका प्रयोग होने लगा; "पालन छिपाकर किया जाता है, अत: इसमें छिपाने का भाव आने लगा।" यह बात स्पष्ट नहीं है कि किस युग और प्रदेश में पालने की क्रिया गोपनीय समझी जाती थी जिससे गुप् में तो छिपाने और अन्त में घृणा का भाव उत्पन्न हुआ किन्तु लालन-पालन, पालनहार आदि से यह भाव बहुत दूर रहा।

---

1. बाबूराम सक्सेना, 'सामान्य भाषाविज्ञान', पृ. 102
2. भोलानाथ तिवारी, 'भाषाविज्ञान', पृ. 234

अब 'पीढ़ी-परिवर्तन' से अर्थ का परिवर्तित होना देखिए। "पीढ़ी-परिवर्तन के समय जब पुरानी पीढ़ी चिता की ओर चल पड़ती है और नई पीढ़ी मुकुलित होने लगती है तो प्रत्येक क्षेत्र में परिवर्तन होने लगता है।" दुर्भाग्य से नई पीढ़ी के अवतरण का कोई दिन निश्चित नहीं है, न पुरानी पीढ़ी के चितारोहण का ही मुहूर्त निश्चित है। मरने-जीने का क्रम नित्य ही चलता रहता है। नई-पुरानी पीढ़ियों में इस तरह की सीमा-रेखा नहीं बन पाती कि भाषा में परिवर्तन की नौबत आ जाए। "आवश्यक नहीं है कि नई पीढ़ी प्रत्येक शब्द को उतनी गहराई तक समझे। इसी न समझने में नया अर्थ विकसित हो जाता है।" समझ और नासमझी मनुष्य की सामाजिक स्थिति और उसकी संस्कृति पर भी निर्भर है। यदि बुढ़ापे और जवानी के हिसाब से अर्थ-परिवर्तन हो तो कुछ दिनों में भाषा बिलकुल ही बदल जाए और एक शताब्दी के लोग दूसरी शताब्दी के लोगों की भाषा कभी समझ ही न पाएँ।

दूसरी भाषाओं से शब्द ग्रहण करने पर उनमें अर्थ-परिवर्तन होता है, नहीं भी होता। एक ही भाषा के बोलनेवाले बिखर जाए तो उनकी शब्दावली अपना अर्थ कभी बदलती है, कभी नहीं भी बदलती। भौगोलिक और सामाजिक वातावरण बदलने पर कुछ शब्दों के अर्थ बदल जाते हैं, बहुतों के नहीं भी बदलते। इसी प्रकार प्रथाएँ बदलने, नई वस्तुओं का निर्माण होने से अर्थ-परिवर्तन हो सकता है, साथ ही नये शब्द भी गढ़े जा सकते हैं। नम्रता-प्रदर्शन, अशोभन के लिए शोभन भाषा के प्रयोग आदि से शैलीगत भेद उत्पन्न होते हैं, भाषा नहीं बदल जाती।

ध्वनि और अर्थ के नियमों से मिलते-जुलते सिद्धान्त रूप-परिवर्तन के सम्बन्ध में स्थिर किये गए हैं। एक सिद्धान्त यह माना गया है कि सादृश्य और सरलता के लिए हम एक रूप छोड़कर दूसरा अपना लेते हैं। पौरस्त के बदले पौर्वात्य बनाया गया जो पाश्चात्य से मिलता-जुलता है।[1] (अभी उत्तर से औत्तरात्य नहीं बना!) 'भूल या स्मरणशक्ति की कमजोरी के कारण' रूप बदल जाते हैं। "अज्ञान भी इसका एक प्रधान कारण है।" जैसे : "यहाँ के अंग्रेज़ी पढ़नेवाले आरम्भ में ox का oxes बना लेते हैं पर बाद में सुधार कर oxen का प्रयोग करने लगते हैं। हिन्दी में 'करा' और 'किया' की अशुद्धि भी इसी प्रकार की है।" अज्ञान से 'विकास' हुआ, ज्ञान ने उसे रोक दिया!

वाक्य-रचना के परिवर्तन में शायद वास्तविक विकास के दर्शन होते हैं। श्री भोलानाथ तिवारी ने भोजपुरी के तीन वाक्य दिये हैं और लिखा है कि "समुन्नत भाषाओं में अब यह प्रवृत्ति नहीं है। हमारा मस्तिष्क इतना संस्कृत हो गया है कि इस सम्बन्ध को स्पष्ट करने की आवश्यकता नहीं पड़ती।"[2] भोजपुरी-प्रेमी इस बाता को नोट कर लें कि उनकी भाषा समुन्नत भाषाओं में नहीं गिनी गई और

1. भोलानाथ तिवारी, 'भाषाविज्ञान', पृ. 155
2. उप., पृ. 141

उनका मस्तिष्क भी असंस्कृत माना गया है। हमारा मत इसके एकदम विपरीत है। भोजपुरी अत्यन्त सरस बोली है और उसके बोलनेवालों का मस्तिष्क उतना ही संस्कृत है जितना किसी अन्य भाषा के बोलनेवालों का। वे वाक्य इस प्रकार हैं : "हमके खाए जाए के रहल। जाए में देरी हो गइल। देरी हो गइला से ओइजों के ख्यकवे खतम हो गयल।" जाएके रहल, जाए में देरी; देरी हो गइल, देरी हो गइला से—इस प्रकार पदों की आवृत्ति की गई है। अब देखिए, खड़ी बोली में इसी प्रकार पदों की आवृत्ति कैसे की जा सकती है। हिन्दी में राम, धाम आदि का उच्चारण राम्, धाम् हो गया है, इसकी चर्चा करते हुए श्री भोलानाथ तिवारी ने लिखा है : "पर यदि भाषा में आज राम्, धाम्, आम् आदि लिखा जाए तो वैयाकरण लोग नाक-भौं सिकोड़ेंगे। हाँ, कुछ दिनों बाद अवश्य ही नाक-भौं सिकोड़ने का कोई काम नहीं रह जाएगा।"[1] प्रथम वाक्य में नाक सिकोड़ने की क्रिया दूसरे वाक्य के आरम्भिक अंश में दोहराई गई। इस प्रकार की आवृत्ति का सम्बन्ध चाहे संस्कृत होने से हो, चाहे असंस्कृत होने से, एक बात स्पष्ट है कि इस तरह के भेद से भाषा परिवर्तित नहीं होती। दूसरी भाषाओं के प्रभाव से वाक्य-रचना प्रभावित होती है, यह ठीक है। यह भी सम्भव है कि वह बिलकुल प्रभावित न हो। 'बल का प्रदर्शन' करने के लिए शायद ही कोई 'जाता हूँ मैं घर' कहता हो। हो सकता है कि उदाहरण गलत हो, सिद्धान्त सही हो। किन्तु इस तरह का हेरफेर शैलीगत भेद ही कहलाएगा, उससे भाषा का ढाँचा न बदलेगा। 'बोलनेवालों की मानसिक स्थिति में परिवर्तन' से वाक्य-रचना में भेद हो सकता है। किन्तु जब तक सारे समाज की ऐसी मनोदशा न हो जाए कि पुरानी वाक्य-रचना पद्धति से काम ही न चले, तब तक भाषा में परिवर्तन न होगा। यह कहना तो बिलकुल गलत है कि "युद्धकालीन व्याख्यानों में वाक्य घुमे-फिरे न होकर सीधे अधिक होते हैं।" सीधे वाक्य बोलनेवाले लोग अक्सर शान्ति-प्रेमी होते हैं। लच्छेदार वाक्यों से जनता को ठगने का काम जैसा युद्धकाल में होता है, वैसा दूसरे समय कम होता है। फिर सभी युद्ध एक-से नहीं होते; स्वाधीनता के लिए लड़नेवालों की वही मनोवृत्ति नहीं होती जो दूसरों को गुलाम बनानेवालों की होती है। पुन: प्रश्न यह है कि यूरोप के महायुद्धों से क्या वहाँ की भाषाओं ने अपनी वाक्य-रचना पद्धति बदल दी है?

अभी तक चर्चा हुई भाषा के विकास के कारणों की। इस विकास में बाधक कारणों पर भी दृष्टिपात कर लें। कहा गया है कि भौगोलिक कारणों से यदि किसी भाषा के बोलनेवालों तक बाहर के लोग पहुँच न सकें तो उसमें परिवर्तन कम होगा। यह नियम सही है किन्तु संसार की कोई भी भाषा नितान्त अकेलेपन में नहीं पनपी, इसलिए यह नियम अनावश्यक है। उदाहरण रूप में कहा गया है :

1. भोलानाथ तिवारी, 'भाषाविज्ञान', पृ. 5

"भारतीय परिवार की आइसलैंडिक भाषा इसी कारण अन्यों की अपेक्षा कम विकसित हुई है।"[1] आइसलैंडिक भाषा के लेखक को नोबेल पुरस्कार मिल चुका है। ऐसी भाषा के कम विकसित होने का कोई प्रमाण नहीं दिया गया। भाषा के विकास को रोकने का एक कारण खाद्याभाव बताया गया है जिससे "लोगों का अधिक समय भोजन के पीछे चला जाता है, अत: अन्य समस्याओं पर विचार करने का समय नहीं रहता।" मानो फुर्सत में सूत कातने की तरह लोग शब्द गढ़ते रहते हों! कामकाज बहुत रहता है तो उन्हें इसकी फुर्सत नहीं मिलती। भाषा में अटपटापन न आए, इसलिए लोग उसके सर्व-स्वीकृत रूप को ही अपनाते है। "यह भावना सभी भाषाओं के विकास में बाधक होती है।" मानो भाषा में यह सामाजिक नियंत्रण सदा अवांछनीय हो! यदि स्वीकृत रूपों को न माना जाए तो हरेक की डफली पर उसका अपना राग ही सुनाई दे! इसी प्रकार अशुद्ध प्रयोगों पर "समाज के हँसने के भय से भी लोग यथासाध्य भाषा के प्रचलित रूप पर ही चलने का प्रयास करते हैं, और इस प्रकार भाषा का विकास रुकता है।" भारतेन्दु हरिश्चन्द्र ने हिन्दी गद्य को व्यवस्थित किया। इससे हिन्दी का विकास हुआ या विकास रुक गया? यदि हिन्दी में जावे—जाय, करा—किया, वह—वे—वो आदि के रूपों में (बोलने और लिखने में) स्थिरता आ जाए, कुछ रूप शुद्ध और अन्य अशुद्ध मान लिये जाएँ तो इससे विकास रुकेगा नहीं, भाषा की उपयोगिता और बढ़ जाएगी।

भाषा का विकास क्यों होता है, यह जानने से पहले इस बात पर मत स्थिर करना चाहिए कि विकास होता भी है या नहीं। भाषा में परिवर्तन होता है, इस बात से सभी विद्वान सहमत हैं किन्तु इस परिवर्तन की कोई दिशा भी है या नहीं, इस बारे में मतभेद है। डॉ. बाबूराम सक्सेना ने यह दार्शनिक युक्ति दी है : "प्रति क्षण प्रति ऐहिक वस्तु में परिवर्तन होता रहता है, कोई चीज स्थिर नहीं है। यही भारतीय क्षणिकवाद का अटल सिद्धान्त है जो 'इदं सर्वं यत्किंच जगत्यां जगत्' द्वारा प्रकट है।" क्षणिकवाद भारतीय दर्शन की एक धारा है, एकमात्र धारा नहीं है। भारतीय विचारकों ने अनेकान्तवाद जैसे द्वन्द्वात्मक चिन्तन के भी अनेक तत्त्व दिये हैं। संसार स्थिर है, परिवर्तनशील भी। संसार को एक ही दृष्टिकोण से देखना गलत है। यदि संसार में कोई चीज स्थिर न हो तो समाज के सदस्य एक-दूसरे की बात न समझें, बाप-बेटे में बातचीत होना कठिन हो जाए। लेकिन कुछ शताब्दियों के बाद यद सम्भव है कि नवसन्तति अपने बाप-दादों की बात न समझे। संसार की अन्य प्रक्रियाओं की तरह भाषा को भी संश्लिष्ट प्रवाह के रूप में देखना चाहिए, उसकी सापेक्ष स्थिरता और प्रवहमानता के कारणों का पता लगाने का प्रयत्न करना चाहिए। डॉ. सक्सेना का मत है कि भाषा में परिवर्तन ही नहीं, विकास भी होता है किन्तु विकास को वे उन्नति-अवनति से परे मानते हैं। उनके अनुसार, भाषा के परिवर्तन को

1. भोलानाथ तिवारी, 'भाषाविज्ञान', पृ. 34

"कोई उन्नति, कोई अवनति के नाम से पुकारते हैं, कोई कहते हैं कि फलाँ रूप घिसकर ऐसा हो गया। कोई कहते हैं कि अमुक रूप ने बढ़कर ऐसी शक्ल ग्रहण कर ली। इन सारे परिवर्तनों को विकास कहना चाहिए—आदित्यवार विकसित होकर इतवार हुआ और एकादश ग्यारह। इसी प्रकार अलाबु से आल और लौकी का तथा भक्त से भगत का विकास हुआ। विकास में उन्नति और अवनति का सवाल नहीं उठता, वह अवश्यम्भाविता का परिचायक है।" यदि आदित्यवार की तुलना में इतवार हिन्दी की ध्वनि-प्रकृति के अधिक अनुकूल है, जनता के लिए अधिक सुबोध है या उसकी अर्थ-व्यंजकता पूर्ण रूप से बढ़ गई है तो भाषा के लिए यह परिवर्तन उन्नति का सूचक हुआ। भाषा भावों और विचारों के आदान-प्रदान का सामाजिक माध्यम है, इसलिए परिवर्तनों से उसकी माध्यमवाली क्षमता बढ़ती है या घटती है, यह जानकर हम निश्चय करते हैं कि उसका विकास हो रहा है या ह्रास अथवा विकास और ह्रास की संलग्न क्रियाओं में कुल मिलाकर विकास अधिक हो रहा है या ह्रास। किसी समय संस्कृत और लैटिन को विचार-वाहन का बहुत समर्थ माध्यम बनाया गया किन्तु उच्च वर्गों के हाथ में संस्कृति की निधि होने से इस माध्यम से आम जनता लाभ न उठा सकी। भारत और यूरोप में जब नवीन भाषाएँ साहित्य का माध्यम बनीं, तब संस्कृति को नया और अधिक व्यापक सामाजिक आधार मिला; साहित्य की भाषा पहले से अधिक विशाल मानव-समुदाय को सांस्कृतिक भोजन देने का माध्यम बनी। किन्तु उसमें चिन्तन की बारीकियों को अभिव्यक्त करने की वैसी ही क्षमता न थी, जैसी संस्कृत या लैटिन में थी। आगे चलकर उसने यह क्षमता भी प्राप्त की। इस तरह उन्नति और अवनति को संलग्न क्रियाएँ मानकर भिन्न कोणों से भाषा-प्रक्रिया का अध्ययन करना चाहिए जिससे हम प्रवाह की संश्लिष्ट समग्रता से परिचित हो सकें। ऐसा परिवर्तन जो उन्नति और अवनति से परे हो, विकास नहीं कहा जा सकता। डॉ. सक्सेना ने आगे लिखा है : "भाषाविज्ञानी यह मानने को तैयार नहीं कि आज जो भाषा एक समुदाय बोलता है, वह दो पीढ़ी पूर्व या उपरान्त बोली जानेवाली भाषा से अच्छी या बुरी है। अपने-अपने समय के लिए सभी अच्छी हैं।" यह सिद्धान्त बुरा नहीं है। भाषाओं की श्रेष्ठता या हीनता का विचार करने में समय का अपव्यय ही होता है। किन्तु 'कालो ह्ययं निरवधिविर्पुला च पृथ्वी'। देश-काल की छोटी इकाइयों में बँधा हुआ मनुष्य जीवन-यापन क्रम में प्रकृति को अधिकाधिक जानने, उसकी शक्ति का उपयोग अपने हित में करने के लिए प्रयत्नशील रहता है। मानव और प्रकृति का यह शाश्वत अन्तर्विरोध है। मानव प्रकृति का ही अंश है, उससे बँधा हुआ है, साथ ही निरन्तर उस पर विजय पाने का प्रयत्न भी करता है। यह अन्तर्विरोध सामाजिक विकास का एक कारण है। सामाजिक विकास से भाषा सम्बद्ध है, भाषा द्वारा ही मनुष्य अपने प्रयत्न संगठित करता है, अपने ज्ञान को एक पीढ़ी से दूसरी तक पहुँचाता है, इसलिए मानव और प्रकृति का अन्तर्विरोध भाषा के

विकास का भी कारण है। प्रकृति के अलावा मनुष्य सामाजिक सम्बन्ध कायम करता है और स्वयं उनके फंदे में फँस जाता है। जब उत्पादन बिलकुल पिछड़ा हुआ था, तब समाज के अपने अन्तर्विरोध नगण्य थे। सम्पत्ति थी ही नहीं, झगड़ा किसके लिए होता? उस समय बाह्य अन्तर्विरोध मुख्य थे। आखेट-भूमि, जलाशय, कन्दमूल आदि के प्राप्ति-स्थानों, वन-उपवन आदि के लिए विभिन्न मानव-समुदायों में संघर्ष होता था। श्रम द्वारा जब मनुष्य ने सम्पत्ति अर्जित की, तब छोटे-बड़े का भेद उत्पन्न हुआ। समस्त समाज के सामूहिक श्रम के बदले वर्ग-विशेष ने श्रम का भार सँभाला, एक वर्ग इस श्रम का फल भोगने लगा। इस प्रकार सामाजिक अन्तर्विरोध उत्पन्न हुए। यह विकास का दूसरा कारण हुआ। इस आन्तरिक संघर्ष से बाह्य अन्तर्विरोध खत्म नहीं हुए, वरन् और तीव्र हो गए। सम्पत्तिशाली वर्ग दूसरी जातियों का श्रमफल लूटने के लिए युद्ध करने लगे और वह क्रिया आज तक जारी है। भीतर और बाहर—दोनों तरह—के अन्तर्विरोधों का प्रभाव समाज के विकास पर पड़ता है। भाषा का विकास भी इन दोनों तरह के अन्तर्विरोधों को सामने रखकर समझा जा सकता है।

मनुष्य की आर्थिक-राजनीतिक-सांस्कृतिक आवश्यकताएँ बदलती रहती हैं, इसलिए यह बिलकुल सम्भव है किसी काल विशेष में कोई भाषा उनकी पूर्ति का माध्यम न बन सके। शिष्ट शब्दावली के लिए—उच्चस्तरीय संस्कृति के माध्यम के लिए—ब्रिटिश अभिजात-वर्ग फ्रांस का मुखापेक्षी रहा है। रूस में भी अभिजात वर्ग था। यह वर्ग अपने समय के लिए रूसी को अच्छी भाषा न मानकर अक्सर फ्रांसीसी भाषा का व्यवहार करता था। कुछ समाजशास्त्रियों का मत है कि "जिन जातियों का उत्पादन कौशल बिलकुल पिछड़ा हुआ है और लोग अशिक्षित हैं, उनकी भाषाएँ भी तथाकथित सभ्य जनों की भाषा से देखने में कम विकसित या ज्यादा पिछड़ी हुई नहीं मालूम होतीं।"[1] किसी जाति को दबाकर रखा जाए, उसे सामाजिक प्रगति का मौका न दिया जाए, तो इसका प्रभाव भाषा पर अवश्य पड़ेगा। सामाजिक दमन और बाधाओं का विरोध करते हुए प्रतिकूल परिस्थितियों में भी कोई जाति अपनी भाषा का विकास कर ले, यह बात दूसरी है।

भाषा सामाजिक विकास का एक साधन है, समाज के साथ भाषा भी विकसित होती है किन्तु उसके सभी तत्त्वों में बराबर परिवर्तन होता चले, यह आवश्यक नहीं है। भ्राता, ब्रात्, भाई, ब्रदर, बिरादर—ये अनेक ध्वनि-प्रतीक एक-दूसरे में मिलते-जुलते हैं। इनमें कौन रूप अधिक विकसित है, कौन कम, इसकी कोई निरपेक्ष कसौटी नहीं है। अधिक-से-अधिक हम यह कह सकते हैं कि अमुक रूप-भाषा की ध्वनि प्रकृति के अनुकूल है या प्रतिकूल। ध्वनि के अलावा व्याकरण-रूप हैं। हम पहले देख चुके हैं कि व्याकरण-रूपों का भी विकास हुआ है। कुछ भाषाविज्ञानी मानते हैं कि भाषाएँ पहले संश्लिष्ट थीं, उनका विकास विश्लेषणात्मक रूपों की ओर हुआ है। इस विश्वास

1. बील्स और होइयर, 'ॲन इंट्रोडक्शन टू ॲन्थ्रोपोलॉजी', पृ. 508

का कोई प्रामाणिक आधार नहीं है। न यह कहा जा सकता है कि विश्लेषणात्मक भाषाएँ अपनी अभिव्यंजना शक्ति में संश्लिष्ट भाषाओं से आगे बढ़ी हुई हैं। व्याकरण-रूपों में कौन पद्धति अधिक विकसित है, कौन कम, यह कहना कठिन है। किन्तु कुछ भाषाओं में अपने धातु प्रत्ययों से नये शब्द गढ़ने की क्षमता होती है, कुछ में नहीं होती, या कम होती है। फ्रान्ज बोआस ने ठीक लिखा है : "साफ-सुथरे व्युत्पत्ति-शास्त्र वाली भाषाएँ, जो आसानी से नये समास-पद बना सकती हों, शब्द उधार लेने नहीं दौड़तीं क्योंकि वे सरलता से व्याख्यात्मक शब्द बना लेती हैं।"[1] यह एक महत्त्वपूर्ण भेद है। इससे भाषा परमुखापेक्षी नहीं रहती। इस बारे में भी कुछ लोग तर्क कर सकते हैं कि उधार से काम चले तो धातु-प्रत्ययों की चिन्ता क्यों की जाए? उधार से काम चलाइए बशर्ते कि दूसरों के माल को अपना कहकर आप दूसरों पर रोब न जमाएँ।

व्याकरण-रूपों के विकसित होने में समय लगता है। सभी भाषाएँ अपने समस्त व्याकरण-रूप लेकर तुरन्त प्रकट नहीं हो गईं। बोआस का यह मत ठीक नहीं मालूम होता कि "व्याकरण-सम्बन्धी गठन के मूल तत्त्व सब भाषाओं में मिलते हैं। वक्ता, श्रोता और अन्य पुरुष के भेद तथा देश, काल और रूप की धारणाएँ सभी भाषाओं में मिलती हैं।"[2] वर्तमान काल में भाषाएँ देखकर ऐसा लगता है कि व्याकरण के मूल रूप सनातन और सर्वव्यापी हैं। मूल व्याकरण रूपों की आधुनिक व्याप्ति का कारण जातियों का परस्पर सम्पर्क और संस्कृति का प्रसार है। भविष्यकाल के लिए अस् धातु का कोई रूप नहीं होता। भू के रूपों से काम चलाया जाता है। अस् धातु का प्रयोग, और भिन्न मानव समूहों में उसका प्रसार उस समय हुआ जब भविष्य काल की धारणा मानव-मस्तिष्क में उत्पन्न न हुई थी। भारत और यूरोप की जो भाषाएँ आपस में मिलती-जुलती हैं, उनमें वर्तमान काल के रूपों की समानता सबसे ज्यादा है, भूत-काल की उससे कम है, भविष्य काल की सबसे कम है। इसके उदाहरण पहले दिये जा चुके हैं। बोआस ने ही लिखा है : "आदिम समाज का मनुष्य अपने साथियों से बातचीत करते समय सूक्ष्म विचारों को लेकर वार्तालाप करने का आदी नहीं होता।"[3] काल-सम्बन्धी धारणाएँ काफी सूक्ष्म होती हैं, इसलिए उनसे सम्बन्धित व्याकरण-रूपों का विकास भी मनुष्य की चिन्तन-क्षमता के विकास के साथ क्रमशः हुआ होगा, यह सहज ही अनुमेय है। ध्वनि-रूपों के परिवर्तन की तुलना में यह व्याकरण-रूपों का विकास अधिक महत्त्वपूर्ण है। फिर भी व्याकरण-रूपों का विकास इतना पहले हो चुकता है कि सभ्यता के इतिहास में, लगता है, नये व्याकरण-रूप रचे ही नहीं गए। भाषा में ज्ञात परिवर्तन सबसे अधिक दिखाई देता है—शब्दावली के क्षेत्र में।

---

1. बोआस, 'जेनेरल ॲन्थ्रोपॉलोजी', पृ. 136
2. बोआस, 'दि माइंड ऑव प्रिमिटिव मैन', पृ. 165
3. उप., पृ. 216

संसार की वस्तुएँ एक-दूसरे से नितान्त अलगाव की दशा में नहीं हैं। इनमें परस्पर सहयोग है और संघर्ष भी। सामाजिक विकास की आरम्भिक मंजिलों में मानव समूह अपने अथवा पालतू पशुओं के आहार की खोज में दूर-दूर तक घूमते रहे हैं। एशिया और यूरोप की भाषाओं में जिन अनेक समानताओं के दर्शन हम पहले कर चुके हैं, वे सम्भवत: इस अवस्था के सम्पर्क का फल है। एंगेल्स ने ऐसे कबीले की चर्चा की थी जिसमें दो भाषाएँ बोली जाती थीं। भारत में जो गणसंघ बने थे, उनमें अवश्य ही अनेक बोलियों का मिश्रण हुआ होगा। सहयोग के अलावा कबीले आपस में लड़ते भी थे। दूसरों को गुलाम बनाकर बेचते थे, शत्रु की आखेट भूमि पर अधिकार कर लेते थे, स्त्रियों का अपहरण करते थे, अपनी शक्ति क्षीण होने पर दूसरे कबीले के लोगों को अपना भाई बना लेते थे। भारतीय गणों ने मध्यपूर्व और काकेशस की ओर अभियान किये। उधर के लोग भी इस ओर आए। इससे अनेक महत्त्वपूर्ण सामाजिक परिवर्तन हुए। इनमें एक महत्त्वपूर्ण परिवर्तन यह था कि यूनान आदि देशों में पितृसत्ताक व्यवस्था कायम हुई। उस परिवर्तन के सूचक अनेक भारतीय शब्द वहाँ की भाषाओं में अब भी बने हुए हैं। यूरोपीय भाषाओं और संस्कृत की ध्वनि-प्रकृति और व्याकरण में महत्त्वपूर्ण अन्तर है। संस्कृत के समानान्तर बोली जानेवाली उसी के परिवार की भाषाओं के प्रभाव से ग्रीक या लैटिन की वाक्य-रचना, रूप-विकार आदि पूरी तरह बदल नहीं गए। यदि आप मानते हों, कि यूरोप से आनेवाले आर्यों का प्रभाव भारतीय भाषाओं पर पड़ा, तो भी स्वीकार करना होगा कि इस प्रभाव से भारतीय भाषाओं की भाव-प्रकृति बदल नहीं गई। ज्यादा-से-ज्यादा कुछ शब्द ही हमारी भाषाओं में आ मिले होंगे। इस प्रकार हम देखते हैं कि बाह्य अन्तर्विरोधों से भाषा के सभी तत्त्व समान गति से नहीं बदलते, सबसे ज्यादा परिवर्तन शब्द-भंडार में होता है।

भाषा का कोई भी तत्त्व अपरिवर्तनशील नहीं है। भाषा परिवर्तित ही नहीं, पूरी तरह नष्ट भी हो सकती है। अमरीका के अधिकांश नीग्रो इसका प्रमाण हैं। उनमें से कुछ अब भी अपने थोड़े-से प्राचीन शब्द बचाए हैं और उन्हें अंग्रेज़ी में मिलाकर बोलते हैं लेकिन ये अपवाद हैं। किसी समाज की भाषा में बाह्य प्रभावों से कितना परिवर्तन होता है, यह उस प्रभाव की शक्ति पर निर्भर है, साथ ही समाज के गठन, उसके प्रतिरोध, उसके सदस्यों के भाषा-प्रेम पर भी निर्भर है। स्वाधीनता-प्रेमी समर्थ जातियाँ पराधीन होने पर भी संघर्ष करती रहती हैं और अपनी भाषा की रक्षा करती हैं। संसार की जातियाँ एक-दूसरे की संस्कृति से लाभ उठाएँ, इससे अच्छा और क्या होगा? इसी तरह उनकी भाषाओं में सम्पर्क बढ़े, शब्दों का आदान-प्रदान हो, वे उन्नत और समृद्ध हों, यह वांछनीय है। किन्तु सामन्तवाद और पूँजीवाद के अन्तर्गत जातियों में समानता और भाईचारा कम रहता है, दूसरों को गुलाम बनाने और उन पर शासन करने की प्रवृत्ति अधिक रहती है। ऐसी स्थिति में भाषाओं का आदान-प्रदान समानता और सहयोग के आधार पर नहीं होता; उसका आधार होता है शोषण, दमन और

पराजय। इस तरह का सम्पर्क अवांछनीय है और उससे भाषा को समृद्ध न होने देना ही अच्छा है। कहा जाता है कि ब्रिटेन के आदि निवासी केल्ट थे। इन पर जर्मन-भाषी ऐंगल और सैक्सन जनों ने विजय पाई। अब अंग्रेज़ी में इन आदिवासियों के केवल एक दर्जन के लगभग शब्द मिलते हैं। इनमें गधे का पर्यायवाची 'ऐस' शब्द है जो अपने स्थान से टस से मस नहीं हुआ। भाषाविद् यस्पर्सन के अनुसार : "ब्रिटेन जनों (आदिवासियों) का समूल नाश नहीं किया गया वरन् वे सैक्सन विजेताओं में घुल गए। उनकी सभ्यता और भाषा गायब हो गई लेकिन नस्ल बनी रही।"[1] यस्पर्सन का मत है कि विजित जाति प्रयत्न करती थी कि विजेताओं की भाषा ही बोले। इसलिए उसने अंग्रेज़ी अपनाई और अपने शब्द छोड़ दिये। आगे चलकर डेनमार्क के लोगों ने इंग्लैंड पर आधिपत्य जमाया। उनकी कृपा से बहुत-से न्याय-सम्बन्धी शब्द अंग्रेज़ी में प्रचलित हुए। तत्पश्चात् फ्रांसवासियों ने इंग्लैंड पर राज्य किया। "भाषा से ये डेनिश शब्द गायब हो गए हैं। इसका सीधा कारण यह है कि नॉर्मन विजेताओं ने न्यायालय और आम तौर से सारा कानूनी काम अपने हाथ में ले लिया।[2] फ्रांसीसियों के पास 'उच्चतर संस्कृति' थी। फ्रांसीसी भाषा के जो शब्द अंग्रेज़ी में आए, वे 'अभिजात-वर्गीय' थे। किंग और क्वीन तो बच गए लेकिन शासन-व्यवस्था के प्राय: सभी शब्द फ्रांस की देन हैं : स्टेट, गवर्नमेंट, कंट्री, पावर, मिनिस्टर, कौंसिल पार्लमेंट, पीपुल, नेशन, आदि। फ्रांसीसियों के हाथ में राज्यसत्ता थी। अभिजात वर्ग शासन करता था। कुछ अंग्रेज़ भी शासक वर्ग में शामिल थे। लॉर्ड और लेडी अंग्रेज़ी के शब्दों में बच रहे। लेकिन प्रिंस, ड्यूक, काउंट, नोबल आदि फ्रांस की देन हैं। युद्ध के शब्द—वार, पीस, बैटल, आर्मर, लांस, ॲसॉल्ट, सीज, लेफ्टिनेंट, सार्जेंट, सोल्जर, नेवी; कानून के शब्द—जज, जूरी, कोर्ट, क्राइम, प्रॉपर्टी; धर्म-सम्बन्धी शब्द—रिलीजन, वर्जिन, एंजेल, सेंट, क्लर्जी; नैतिक शब्दावली—वर्चू, वाइस, ड्यूटी, पिटी, मर्सी आदि; इसी प्रकार आखेट, खेल-कूद, आमोद-प्रमोद, फैशन, कला आदि के शब्द भी अंग्रेज़ी में फ्रांसीसी भाषा से आए हैं। यह आदान-प्रदान समानता और सहयोग के धरातल पर न हो रहा था; उसका आधार था, शासक और शासित का सम्बन्ध। बारहवीं सदी के एक लेखक जॉन ऑव साल्सबरी ने लिखा था कि अपनी भाषा में अधिकाधिक फ्रांसीसी शब्द भरना उस समय का फैशन था। इसी कारण फ्रांसीसी से ढेरों गैर-पारिभाषिक शब्द लिये गए—एयर, एज, बीस्ट, चेंज, क्राइ, लार्ज, प्लेस, ज्वाइंट, प्राइस, रीजन आदि। इंग्लैंड राजनीतिक रूप से ही पराधीन न था, उसका उच्च वर्ग मानसिक रूप से फ्रांस का गुलाम था। यस्पर्सन ने लिखा है : "यदि अपने से 'बड़ों' की हर तरह से नकल करना फैशन था, जिससे अंग्रेज़ी में इतने ज्यादा फ्रांसीसी शब्द आ गए, तो गैर-पारिभाषिक शब्दों की इस आमद का सम्बन्ध अंग्रेज़ों के चरित्र

1. यस्पर्सन, 'ग्रोथ एंड स्ट्रक्चर ऑव दि इंग्लिश लैंग्वेज़', 1945, पृ. 35
2. उप., पृ. 68

की एक विशेषता से जोड़ा जा सकता है, जिसके अतिरंजित रूप को वर्तमान काल में स्नॉबिज़्म या टोडीइज़्म कहा गया है। इस विशेषता के कारण अंग्रेज़ों में कुछ लोग ड्यूक और मार्क्विस परिवारों में किसी के जन्म, मरण, खास कर शादी-ब्याह में जितना रस लेते हैं, उतना अपने छोटे-से घरेलू दायरे के बाहर और किसी चीज में नहीं लेते।"[1] शब्दों का आदान-प्रदान कोई विशुद्ध भाषागत हवाई चीज नहीं है। उसमें सांस्कृतिक मूल्य निहित होते हैं। आदान-प्रदान दोनों पक्षों के सामाजिक सम्बन्धों पर निर्भर होता है। कोई अंग्रेज़ इस बात पर गर्व नहीं कर सकता कि पशुओं के नाम—ऑक्स, काउ, काफ, शीप, स्वाइन, बोर, डीअर—तो अंग्रेज़ी हैं लेकिन उनके मांस के नाम—बीफ, वील, मटन, पोर्क, बेकन, ब्रॉन, वेनीसन—फ्रांसीसी हैं। इसका कारण यह हो सकता है कि गाय-बैल चराने का काम अंग्रेज़ करते थे, उनका मांस भक्षण करते थे फ्रांसीसी अथवा यह कि फ्रांस के लोग पाकशास्त्र में अधिक निपुण थे, इसलिए डिनर और सपर की तरह खाद्य-पदार्थों के नाम भी फ्रांसीसी रखे गए। जो भी कारण हो, इन शब्दों का व्यवहार अंग्रेज़ों की सांस्कृतिक पराधीनता ही सिद्ध करता है। यदि इसी तरह के अंग्रेज़ी शब्द भी फ्रांस पहुँच गए होते तो इस आदान-प्रदान को सराहनीय कहा जाता।

इस पराधीनता के लिए इंग्लैंड के सभी लोग जिम्मेदार न थे। शासन की बागडोर सामन्तों के हाथ में थी। ये लोग जनसाधारण से अपने को ऊँचा साबित करने के लिए फ्रांसीसी शब्दों का अन्धाधुन्ध प्रयोग करते थे। "लेकिन निम्न वर्ग अंग्रेज़ी और अपनी भाषा को मजबूती से पकड़े हुए हैं।"[2] अंग्रेज़ी भाषा के जो पुराने तत्त्व अब तक सुरक्षित हैं, उनके लिए श्रेय मिलना चाहिए इंग्लैंड की गरीब अशिक्षित जनता को। भद्र जन फ्रांसीसी शब्दों के साथ उनके विदेशी उच्चारण की भी नकल करते थे। साधारण अंग्रेज़ जनता ने इन शब्दों का रूप बदल डाला। आज भी शिक्षित लोग मोटर रखने के स्थान को—फ्रांसीसी उच्चारण की नकल करते हुए—गराज़ कहते हैं; मोटर ड्राइवरों ने उसे गैरिज कर दिया है लेकिन जहाँ तक सम्पत्तिशाली वर्गों का सम्बन्ध है; उन्होंने अंग्रेज़ी भाषा के तन और मन, दोनों को फ्रांसीसी बनाने में, कुछ भी उठा नहीं रखा। जर्मनी फ्रांस का पड़ोसी है किन्तु जर्मन भाषा में इतने फ्रांसीसी शब्द क्यों नहीं आए? इसलिए कि जर्मन शासक वर्ग इतना जातीयता-भ्रष्ट और चरित्रहीन नहीं था जितना अंग्रेज़ शासक वर्ग। वैसे वहाँ के राजा भी फ्रांसीसी बोलने में कभी गर्व का अनुभव करते थे किन्तु जर्मन जनता ने फ्रांसीसी शब्दों को भीतर घुस-पैठने की पूरी छूट न दी थी। जर्मन में जो फ्रांसीसी शब्द आए, उनका अनुपात अंग्रेज़ी में आए हुए फ्रांसीसी शब्दों से बहुत कम है। इस प्रकार किसी भाषा का शब्द-भंडार उसे बोलनेवालों के जातीय चरित्र का द्योतक होता है।

1. यस्पर्सन, 'ग्रोथ एंड स्ट्रक्चर ऑव दि इंग्लिश लैंग्वेज़', पृ. 85
2. तेरहवीं-चौदहवीं सदी के लेखक राबर्ट ऑव ग्लॉस्टर के शब्द, यस्पर्सन द्वारा उद्धृत, पृ. 87

दांते और चौसर के युग में यूरोपीय नवजागरण आरम्भ हुआ। नई जातियाँ, नई भाषाएँ रंगमंच पर आईं। इस समय लैटिन शब्द उधार लेने में अंग्रेज़ी ने यूरोप की सभी भाषाओं को मात कर दिया। इतालवी और फ्रांसीसी लैटिन की पुत्रियाँ कहलाती हैं। लैटिन से शब्द लेना उनके लिए स्वाभाविक था किन्तु अंग्रेज़ी इनसे पीछे रहने के लिए तैयार न थी। इस समय इंग्लैंड राजनीतिक रूप से पराधीन न था। फिर भी उसकी सांस्कृतिक पराधीनता खत्म न हुई थी। अंग्रेज़ी के अपने शब्दों, शब्द-निर्माण करनेवाले तत्त्वों को धता बताई गई। फ्रांसीसी से प्रत्यय तक उधार लिये गए। कुछ मूल शब्दों के तो इतने नये-नये रूप इंग्लैंड में गढ़े गए जितने फ्रांस में भी प्रचलित न थे। इसी मनोवृत्ति के कारण अंग्रेज़ियत कम करके भाषा को लैटिनियत के साँचे में ढाला गया। इसका कारण यह न था कि यूरोप की अन्य जातियों की तुलना में अंग्रेज़ों को लैटिन साहित्य से विशेष प्रेम था। कारण था जातीय आत्म-सम्मान का अभाव, भाषा-प्रेम की कमी। यस्पर्सन ने साफ लिखा है : "कारण यह मालूम होता है कि जर्मन कुल की भाषाओं में विदेशी शब्दों का विरोध करने की जो सहज शक्ति है, वह फ्रांसीसी शब्दों की थोक-आमद से पहले ही अंग्रेज़ी में खत्म हो गई थी। फ्रांसीसी शब्दों ने लैटिन शब्दों की आमद के लिए रास्ता साफ कर दिया था। लैटिन शब्द फ्रांसीसी शब्दों से अनेक बातों में मिलते-जुलते थे, अंग्रेज़ों के मन में विदेशी शब्दों के प्रति एक मोह पैदा हो गया था। इस कारण देशी तत्त्वों से नये शब्द गढ़ने में लोग जान-बूझकर संकोच करते थे। यदि अंग्रेज़ी शब्दों की तुलना में फ्रांसीसी शब्द अधिक 'सुसंस्कृत' थे, तो लैटिन शब्द और भी 'सुसंस्कृत' थे। फ्रांसीसियों ने भी अपना भंडार लैटिन से ही भरा था न?"[1]

अंग्रेज़ी के अन्ध प्रशंसकों को ये शब्द ध्यान से पढ़ने चाहिए। जब हिन्दी-भाषी जनता अंग्रेज़ी या अरबी से आँखें मूँदकर शब्द उधार लेने का विरोध करती हैं, तब वे अंग्रेज़ी की मिसाल देते हैं और कहते हैं—देखिए, अंग्रेज़ी कितनी समृद्ध भाषा है, और उसने हर तरफ से शब्द उधार लिये हैं! यदि अंग्रेज़ी अपने तत्त्वों से शब्द बनाती तो वह दरिद्र न हो जाती? हम पूछ सकते हैं, क्या जर्मन भाषा अंग्रेज़ी से कम समृद्ध है? उसमें भी फ्रांसीसी के शब्द आए हैं लेकिन अंग्रेज़ी की तरह भाषा की जातीय मर्यादा तोड़कर भीतर नहीं घुस आए। अंग्रेज़ कहते हैं कि उनके कोश में जर्मन और फ्रांसीसी भाषाओं से ज्यादा शब्द हैं, इसलिए वह सबसे समृद्ध भाषा है। इस पर यूरोप के विद्वान हँसते हैं। यस्पर्सन ने अंग्रेज़ लेखक सेल्डन की यह उक्ति उद्धृत की है : "हमारे पास जितने शब्द हैं, उतने विचार नहीं हैं। एक ही बात के लिए आधे दर्जन शब्द हैं।" यस्पर्सन की टिप्पणी है : "शब्द ऐसी भौतिक वस्तु नहीं हैं जिनका अन्न, वस्त्र या रुपये-पैसों की तरह ढेर लगा दिया जाए और जब जरूरत पड़े तब उसमें से माल निकाल लिया जाए। शब्द को अपना बनाने के लिए

1. यस्पर्सन, 'ग्रोथ एंड स्ट्रक्चर ऑव दि इंग्लिश लैंग्वेज़', पृ. 107

उसे सीखना होता है; अपना बनाने का अर्थ है उसका व्यवहार कर सकना। उसे सीखने और उसका व्यवहार करने में मेहनत पड़ती है। कुछ शब्दों का व्यवहार सरल होता है, कुछ का कठिन होता है। इसलिए महत्त्व इसी बात का नहीं है कि तुम्हारी भाषा में शब्दों की संख्या कितनी है। उनके गुणों पर भी विचार करना चाहिए, विशेष कर इस बात पर ध्यान देना चाहिए कि वे जिन विचारों के प्रतीक हैं, उन्हें वे सरलता से व्यक्त कर सकते हैं या नहीं और दूसरे शब्दों से उनकी पटरी बैठती है या नहीं। इस दृष्टि से विचार करने पर बहुत-से लैटिन शब्दों में खामियाँ दिखाई देती हैं। इससे अंग्रेज़ी-भाषियों के सामने अन्य असुविधाएँ भी आती हैं, जैसाकि आगे हम देखेंगे। क्लासिकल भाषाओं के पक्ष में यह दलील दी जा सकती है कि उनसे देशी भाषाओं के शब्द-भंडार की दरारें भरी जाती हैं। उनके बिना कुछ विचार प्रकट ही नहीं किये जा सकते। इसके विरोध में यह कहा जा सकता है कि मूल भाषा की अपनी रचना-क्षमता को कम करके न आँकना चाहिए। बाहर से आए हुए अधिकांश, शायद सभी, शब्दों के लिए देशी भाषा में उचित पर्यायवाची मिल जाते या नये शब्द गढ़ लिये जाते। प्राचीन अंग्रेज़ी में मितव्ययिता का रुझान था; नये विचारों के लिए देशी भाषा-तत्त्वों के आधार पर कितनी आसानी से नये शब्द गढ़ लिये जाते थे, यह हम देख चुके हैं। लेकिन धीरे-धीरे अंग्रेज़ी-भाषियों की यह आदत ही छूट गई कि पहले अपनी भाषा की तरफ देखें और नये शब्दों की खोज में विदेश-यात्रा करने से पहले भरसक अपनी भाषा का उपयोग करें। जिन लोगों को सारी शिक्षा लैटिन के माध्यम से मिली थी और जिनका चिन्तन-मनन इतना अधिक लैटिन में होता था कि आज हम उसकी कल्पना भी नहीं कर सकते, उन्हें विद्वत्तापूर्ण या सूक्ष्म विषयों पर अपनी भाषा की अपेक्षा लैटिन में लिखना सरल मालूम होता था। जब वे इन्हीं विषयों पर अंग्रेज़ी में लिखने की कोशिश करते थे, तब सबसे पहले लैटिन शब्द ही उनके दिमाग में आते थे। मानसिक आलस्य और अपनी क्षणिक सुविधा के विचार से वे लैटिन शब्दों को बनाए रखते थे, केवल उनका रूप-विकार अंग्रेज़ी के ढंग पर कर देते थे। उन्हें न अपने पाठकों की सुविधा का ध्यान था, जो क्लासिक भाषाओं से अपरिचित थे, न आनेवाली पीढ़ियों की चिन्ता थी, जिन्हें अपनी भाषा का निरादर करके उन्होंने विदेशी शब्द और मुहावरे रटने के लिए बाध्य किया। वे भाषा के सहज स्रोतों को भले ही न सुखा पाए हों—वे स्रोत सदा की तरह आज भी सजल-तरल हैं—फिर भी एक डेनिश कहावत के अनुसार उन्होंने अपने देशवासियों को पानी की तलाश में नदी पार करना सिखा दिया।"[1]

यही सीख हमें दी जाती है। अपनी नदी का पानी न पियो, विदेश जाकर पानी लाओ। जिस तरह कभी इंग्लैंड के भद्रजन लैटिन में चिन्तन-मनन करते थे, उसी तरह भारत के बहुत-से भद्रजन आज अंग्रेज़ी में चिन्तन-मनन के आदी हो गए हैं।

1. यस्पर्सन, 'ग्रोथ एंड स्ट्रक्चर ऑव दि इंग्लिश लैंग्वेज़', पृ. 121-22

इंग्लैंड के भद्रजन लैटिन शब्दों को मिलाकर अंग्रेज़ी लिखते थे, ये भारतीय भद्रजन ज्यादातर लिखने का काम अंग्रेज़ी में ही करते हैं। बोलने में अवश्य अंग्रेज़ी शब्दावली को हिन्दी पैमाने में ढालते रहते हैं। कुछ दिन बाद इस देश के लोगों को भी आश्चर्य होगा कि उनके कुछ लायक पुरखे सोचने-विचारने का इतना काम अंग्रेज़ी में कर लेते थे। भारत के इन अंग्रेज़ी-प्रेमियों को न अपने पाठकों की सुविधा की चिन्ता है, न आनेवाली पीढ़ियों का ध्यान है। उनका बस चले तो देशी भाषाओं के स्रोत सदा के लिए बन्द कर दें। लेकिन ये स्रोत काफी शक्तिशाली हैं। भद्रजनों को अपनी चिन्ता करनी चाहिए; इस प्रवाह में डूबकर कहीं वे स्वयं रसातल न पहुँच जाएँ।

अंग्रेज़ी के जिन पारिभाषिक शब्दों को हिन्दी में ज्यों-का-त्यों उतार लेने की बात कही जाती है, उनसे स्वयं अंग्रेज़ी को बहुत लाभ पहुँचा हो, ऐसा नहीं मालूम होता। "विद्वत्तापूर्ण शब्दों की भरमार से भाषा अप्राकृतिक हो गई है। इसका एक प्रमाण यह भी है कि इनमें अधिकांश का कोई स्थिर उच्चारण नहीं है। ये शब्द देखने भर के हैं, दरअसल भाषा में उनका अस्तित्व नहीं है। शिक्षित-जन उन्हें खूब लिखते हैं और लिखा देखकर उन्हें खूब समझ भी लेते हैं लेकिन जब उन्हें बोलना पड़ता है, तो जरा परेशान हो जाते हैं। डॉ. मरे (कोशकार) ने लिखा है कि उन्होंने एक विद्वत्-समाज में देखा कि विवाद-प्रसंग में उच्चकोटि के छह भौतिकशास्त्रियों ने गैसियस शब्द का उच्चारण छह अलग-अलग ढंगों से किया। मरे और सेंचुरी डिक्शनरी के अनुसार डायट्राइ-बिस्ट शब्द में बलाघात पहले वर्ण पर है, वेब्स्टर के अनुसार दूसरे वर्ण पर है। यही उलझन फोनोटाइपी और फोटोक्रॉमी शब्दों में देखी जाती है। लेकिन हिजीमनी और थाइसिस जैसे दो प्रचलित शब्दों ने सबको मात दे दी है; इनमें प्रत्येक के लिए कोशकारों ने कम-से-कम नौ उच्चारण दिये हैं और फिर भी यह नहीं बताया कि इनमें ज्यादा प्रचलित कौन-सा है या किसे सही माना जाए! मैं समझता हूँ कि शायद ही किसी दूसरी भाषा में इस तरह की उलझन दिखाई देगी।"[1]

आपकी इच्छा हो तो इन सारी उलझनों को हिन्दी में उतार लीजिए और उनसे भाषा को समृद्ध कर डालिए।

यस्पर्सन ने इस तरह के शब्दों के प्रयोग को जनतंत्र-विरोधी कहा है। भाषा-शास्त्री को मजबूर होकर राजनीतिक शब्दावली का सहारा लेना पड़ा है। लिखा है : "जिन शब्दों की हम चर्चा कर रहे हैं, उनके बारे में सबसे खराब बात यह कही जा सकती है कि वे कठिन हैं। इस कठिनता से उनकी जनतंत्र-विरोधी विशेषता उत्पन्न होती है। इनमें बहुत-से शब्द न व्यवहार में आएँगे, न समझे जाएँगे; उनका व्यवहार करेंगे तो वही लोग जिन्हें क्लासिक भाषाओं की शिक्षा मिली है। (यहाँ पाद-टिप्पणी में लिखा है : 'कभी-कभी विद्वान स्वयं उनका अर्थ नहीं समझते।' उदाहरण के लिए कुछ शब्द दिये हैं जिनका अर्थ कोशों में गलत दिया हुआ है।)

1. यस्पर्सन, 'ग्रोथ एंड स्ट्रक्चर ऑव दि इंग्लिश लैंग्वेज़', पृ. 133

साधारण शब्द-भंडार और इन शब्दों में आम तौर में कोई विचार-संसर्ग नहीं रहता, न स्मृति की सहायता करने के लिए धातु-प्रत्ययों आदि में कोई समानता होती है। यहाँ वे अदृश्य मूल नहीं हैं जिनसे विभिन्न शब्द मानव-मन में गूँथ दिये जाते हैं। भाषा में इन शब्दों की बड़ी संख्या होने से वर्ग-भेद उत्पन्न होते हैं, अथवा कहना चाहिए कि और बढ़ जाते हैं जिससे कि मनुष्य की संस्कृति का मूल्यांकन बहुत कुछ इस मानदंड के अनुसार होता है कि वह भाषण-लेखन में कहाँ तक इन कठिन शब्दों का सही प्रयोग कर सकता है। अवश्य ही मनुष्य का मूल्य आँकने के लिए यही वह सर्वोच्च मानदंड नहीं है जिसकी हम कल्पना कर सकें। संसार की किसी भाषा के साहित्य में हास्य के इतने ज्यादा आलम्बन केवल इस कारण नहीं रचे गए कि ते 'बड़े' शब्दों का ग़लत प्रयोग करते हैं या उनका उच्चारण ग़लत करते हैं जितने अंग्रेज़ी में रचे गए हैं। शेक्सपियर के डॉगबेरी और मिसेज क्विकली, फील्डिंग की मिसेज स्लिपस्लॉप, स्मोलेट की विनिफ्रेड जेन्किन्स, शेरिडन की मिसेज मैलाप्रॉप, डिकेन्स का वेलर (बड़ावाला), शिलाबेर की मिसेज पार्टिंगटन, और तमाम चाकर-मजदूर वगैरह, जिनका उपन्यासों और नाटकों में मजाक उड़ाया गया है, मुकदमे में गवाह बनकर मुद्दई की तरफ से अदालत के सामने यह कह सकते हैं कि इंग्लैंड के शिक्षित-वर्ग ने भाषा को जरूरत से ज्यादा उलझा दिया है और इस प्रकार जनता के सभी वर्गों में उसने शिक्षा-प्रसार को रोका है।"[1]

समाज में वर्ग पहले से ही होते हैं। भाषा में कठिन और अस्वाभाविक शब्दों के प्रयोग से वे नहीं बनते किन्तु इन शब्दों को गढ़ने और उनका व्यवहार करने के बारे में वर्गों की अपनी नीति होती है। इंग्लैंड के उच्च वर्ग पर-मुखापेक्षी रहे। अपनी जातीय सम्पत्ति को ठुकराकर मँगनी के रंग-रोगन से घर सजाते रहे। इस प्रवृत्ति को जनतंत्र-विरोधी कहना बिलकुल सही है। यह आदान-प्रदान अस्वाभाविक और हानिकारक है; दरअसल उसमें आदान ही अधिक है, प्रदान कम है। कोई आश्चर्य नहीं कि मिल्टन के शिक्षक को कहना पड़ा था कि क्लासिक भाषाओं (ग्रीक और लैटिन, विशेष कर लैटिन) की शिक्षा ने अंग्रेज़ी का जितना अहित किया है, उतना डेन और नॉर्मन आक्रमणकारियों के ध्वंस और क्रूरता ने भी न किया था।[2]

अंग्रेज़ी ने लैटिन और ग्रीक से जो शब्द लिये, उन्हें सम्मानप्रद आसन दिया। 'हाउस' अगर मामूली घर है तो 'मैन्शन' प्रासाद है। किन्तु अपने उपनिवेशों से उसने जो शब्द लिये, वे अधिकतर निम्न स्थान के हकदार हुए। इनमें एक है पंडित। जब कोई विद्वत्ता के नाम पर मूर्खता का प्रदर्शन करता है, तभी इस शब्द का प्रयोग होता है। बाबू शब्द इतना लोकप्रिय हुआ कि भोंडी, ग़ैर-मुहावरेदार अंग्रेज़ी का नाम ही बाबू इंग्लिश पड़ गया। 'ठग' ने भी यथेष्ट प्रसिद्धि पाई। मूल शब्द ही निम्नस्तर का था;

---

1. यस्पर्सन, 'ग्रोथ एंड स्ट्रक्चर ऑव दि इंग्लिश लैंग्वेज़', पृ. 133-34
2. उप., पृ. 139

अंग्रेज़ी में पहुँचकर उससे भी नीचे गिर गया। अंग्रेजी ठगों का मुकाबला हिन्दुस्तानी ठग भला कब कर सकते हैं? पक्का, कुली, दरबार, महाराजा, पर्दा, जनाना, आदि शब्द जो भारत से अंग्रेज़ी में गए हैं, वे अक्सर उपनिवेशों के सन्दर्भ में ही प्रयुक्त होते हैं। ब्रिटेन की महारानी के 'दरबार' के लिए इस शब्द का प्रयोग न होगा, न ब्रिटेन के सम्राट् को कोई 'महाराजा' कहेगा। लेकिन फ्रांसीसी शब्द सौवरेन का प्रयोग करके अंग्रेज़ी-भाषी जन गौरव का अनुभव करेंगे। उपनिवेशों की जनता और उसकी भाषा को अंग्रेज़ हेठी निगाह से देखते थे, यह उधार लिये हुए शब्दों का प्रयोग सूचित करता है। इस प्रकार सामाजिक सम्बन्ध शब्दों के आदान-प्रदान पर, गौरव या घृणा के सन्दर्भ में उनके प्रयोग पर असर डालते हैं।

किसी समाज के बाह्य अन्तर्विरोध भाषा की स्थिति पर किस तरह का प्रभाव डालते हैं, यह उस समाज की आन्तरिक स्थिति पर निर्भर है। यदि ब्रिटेन का सामन्त-वर्ग अधिक दृढ़ता से नॉर्मन आक्रमणकारियों का सामना करता या उसे अपनी जातीय संस्कृति और भाषा से अधिक प्रेम होता, तो वह इस आत्मघाती ढंग से अंग्रेज़ी का फ्रांसीसीकरण न होने देता। यदि भारत का सामन्त वर्ग अधिक संगठित होता और आपस में न लड़कर सारी शक्ति तुर्क-आक्रमणकारियों का विरोध करनें में लगाता, तो यहाँ फ़ारसी राजभाषा न बनती और सम्भवत: साहित्यिक हिन्दी के विकास में उतनी बाधाएँ न पड़तीं। इंग्लैंड पर नॉर्मन प्रभुत्व एक शताब्दी से भी कम समय तक रहा। यहाँ फ़ारसी लगभग छह सौ साल तक राजभाषा रही; उसके बाद अंग्रेज़ी आ धमकी। फिर भी अंग्रेज़ी या फ़ारसी के शब्द उस तरह हिन्दी में नहीं घुस आए जिस तरह अंग्रेज़ी में फ्रांसीसी शब्द भर गए थे। इसका कारण यह है कि जातीय या सांस्कृतिक उत्पीड़न के खिलाफ यहाँ की जनता ज्यादा जम कर लड़ी और उसमें अपनी जातीय संस्कृति के लिए प्रबल अभिमान था। तुर्की में एक प्रत्यय है 'ची'। इससे मशालची, अफ़ीमची जैसे शब्द बने हैं। किसी सम्मानसूचक सन्दर्भ में इस प्रत्यय का उपयोग नहीं होता। तुर्की भाषा का शब्द 'उर्दू' हमारे यहाँ एक भाषा के लिए प्रयुक्त होने लगा। इस नये रूप में वह अलगाव का सूचक रहा। तुर्क हिन्दुस्तानियों में घुल-मिलकर एक हो गए। यहाँ की राजभाषा फ़ारसी रही। भारतीय भाषाओं पर विशेष प्रभाव पड़ा फ़ारसी का। फ़ारसी के माध्यम से बहुत-से अरबी शब्द आए। आगे चलकर अरबी के भाषा-तत्त्वों से उर्दू में नये शब्द भी रचे जाने लगे। फ़ारसी से ऐसे शब्द भी आए जो संस्कृत के थे; वे अपने फ़ारसी रूप में प्रचलित हुए। चौसर और शेक्सपियर की अंग्रेज़ी में लैटिन और फ्रांसीसी स्रोतों से आए हुए शब्दों की तुलना में सूर, तुलसी, कबीर और जायसी की रचनाओं में फ़ारसी-अरबी शब्दों की संख्या बहुत ही कम है।

हिन्दी में अरबी-फ़ारसी की ध्वनियाँ बदल गई हैं। थ्वाद का उच्चारण स-रूप में होता है। अलिफ और ऐन की ध्वनियों में भेद नहीं किया जाता। ग़ैन, ग़ाफ, क़ाफ आदि की ध्वनियाँ हिन्दी में प्रचलित नहीं हुईं। ज़ और ख़ की ध्वनियाँ पढ़े-लिखे

लोगों की भाषा में सुनाई देती हैं, जनपदीय बोलियों में कहीं उनका अस्तित्व नहीं है। इसका अर्थ यह हुआ कि फ़ारसी-अरबी के ध्वनि-तंत्र का प्रभाव जनसाधारण की बोलचाल पर प्राय: नहीं पड़ा। जहाँ तक शब्द-रचना का सम्बन्ध है, दार, ख़ाना, बाज़ आदि कुछ तत्त्व हिन्दी में प्रयुक्त होते हैं। इनमें बाज़ के साथ घृणा-सूचक भाव जुड़ गया है—पतंगबाज़, जंगबाज़, रंडीबाज़ इत्यादि। सम्मानसूचक शब्दों के साथ फ़ारसी प्रत्ययों का व्यवहार कम होता है। शब्द-निर्माण के लिए हिन्दी अपने और संस्कृत के तत्त्वों का सहारा अधिक लेती है। वाक्य-रचना में उर्दू लेखक कहीं-कहीं फ़ारसी-पद्धति का अनुसरण करते हैं। हिन्दी पर वह प्रभाव बिलकुल नहीं है। इसके विपरीत अंग्रेज़ी भाषा समय-समय पर लैटिन वाक्य-विन्यास से काफी प्रभावित होती रही है। अंग्रेज़ी शब्दों के अक्षर-विन्यास (स्पेलिंग) में जो अराजकता दिखाई देती है, उसका बहुत कुछ श्रेय फ्रांसीसी प्रभाव को है। यूरोप की किसी भाषा में ऐसी अराजकता नहीं है। हिन्दी में स्थिति बिलकुल उल्टी है। जो लिखा जाता है, वही—या लगभग वैसा ही—पढ़ा जाता है। जिन लोगों ने फ़ारसी लिपि अपनाई है, वे भारतीय शब्दों को सही लिख नहीं पाते और इस तरह अपने को एक बहुत बड़ी विरासत से अलग कर लेते हैं। पद्मसिंह शर्मा ने फ़ारसी लिपि की कठिनाइयों के अनेक उदाहरण दिये हैं। वली की रचना में दाड़िम शब्द को 'वाड़म' पढ़कर एक सम्पादक ने लिखा था : "ग़ालिबन दकनी ज़बान में अनार को कहते हैं।" वाड़म का सम्बन्ध बौड़म से हो सकता है; दाड़िम की बात दूसरी है। मौलाना शिबली उन संस्कृत ग्रंथों की सूची बना रहे थे जिनका अनुवाद दूसरी भाषाओं में हुआ है लेकिन संस्कृत नामों को उर्दू लिपि में न लिख पाने के कारण उन्होंने सूची अधूरी छोड़ दी। शेख मुहम्मद इस्माइल ने अरबी-फ़ारसी में अनुवादित संस्कृत ग्रंथों की सूची बनाई जिसमें सांख्य का संखिया, बृहत् संहिता का बरी हम हत्या जैसे रूप मिलते हैं। 'उर्दू' नामक पत्रिका में प्रकाशित एक लेख में कुछ भारतीय शब्दों के जो विचित्र रूप बन गए थे, उनके नमूने पद्मसिंह शर्मा ने ये दिये हैं : सवारसोता, इतकाला, अथालीका, सरावती देवी, चतनिया, दनियादेव आदि, जिनके मूल रूप क्रमश: इस प्रकार हैं : सारस्वत, उत्कल, अट्टालिका, सावित्री देवी, चैतन्य, ज्ञानदेव। अंग्रेज़ी ने रोमन लिपि अपना ली, बहुत अच्छा किया। हिन्दी-भाषियों ने उर्दू लिपि नहीं अपनाई। एक छोटी जमात ने उसे अपनाया और बहुसंख्यक जनता से अलगाव की दशा में रहने लगी। यदि सूर, तुलसी, भारतेन्दु, प्रसाद ने फ़ारसी लिपि को अपनाया होता तो उसका व्यापक प्रभाव उनके शब्द-चयन पर भी पड़ता। सारस्वत और चैतन्य जैसे शब्दों को लिखने से उनका जी भी ऊब उठता। अंग्रेज़ी में छन्द-रचना की मूल पद्धति ही खत्म हो गई; उसके स्थान पर फ्रांसीसी प्रभाव से नई छन्द-रचना का चलन हुआ। हिन्दी के अपने छन्द सुरक्षित हैं। उसकी छन्द-रचना में कोई मौलिक परिवर्तन नहीं हुआ। उर्दू कवियों ने फ़ारसी की बहरें अपनाईं, गीत हिन्दी छन्दों के अनुरूप लिखे।

कुछ हिन्दी कवियों ने भी फ़ारसी छन्दों में रचना की। इतना आदान-प्रदान बुरा नहीं है क्योंकि हमारी मूल सम्पत्ति सुरक्षित है। बाह्य अन्तर्विरोधों के प्रति अंग्रेज़ी और हिन्दी भाषाओं की नीति दो जातियों के सांस्कृतिक स्तरों की और जातीय चरित्र की भिन्नता सूचित करती है। यहाँ जो आक्रमणकारी आए, वे यहाँ के होकर रहे या बाहर निकाल दिये गए। इसके विपरीत, इंग्लैंड में जो आक्रमणकारी आए, उन्होंने मूल निवासियों को अपने साँचे में ढाला और जब आक्रमणकारी न भी रहे, तब भी उच्च वर्ग दूसरों की नकल करने, अपनी भाषा के शब्दों को ठुकराने और दूसरी भाषाओं के शब्दों को अपनाने में गर्व का अनुभव करते रहे। सांस्कृतिक विरासत पर गर्व, जातीयता का भाव, अपनी भाषा से प्रेम ब्रिटेन की तुलना में यहाँ ज्यादा था, इसीलिए दो तरह की नीतियाँ और उनके दो तरह के परिणाम दिखाई देते हैं।

फ़ारसी का अधिक प्रभाव पड़ा है हमारे शब्द-भंडार पर। फ़ारसी स्वयं अरबी से बहुत प्रभावित थी। इस कारण अरबी के बहुत-से शब्द हिन्दी में प्रचलित हो गए हैं। इनमें संज्ञा, विशेषण, क्रिया-विशेषण, सभी तरह के शब्द हैं। सबसे कम हैं क्रियाएँ जो उँगलियों पर गिनी जा सकती हैं। सर्वनाम यहीं के रहे। फिर भी अरबी और फ़ारसी के सैकड़ों शब्द हमारे मूल शब्द-भंडार का अंग बन गए हैं। आदमी, जानवर, इशारा, आसान, लेकिन, बिलकुल, अगर, अलबत्ता, असल, बाद, इजारा, आसामी, अस्तबल, अदालत, बालिग, कतल, फिदा, गजब, गुलाम, गल्ला, सलाह, तरह, तरीका, कफन, लायक जैसे काफी शब्द हिन्दी और उसकी बोलियों में प्रचलित हैं। इनमें कुछ शब्द ऐसे हैं जिनके हिन्दी पर्यायवाची नहीं हैं या हैं तो उनका व्यवहार नहीं होता। कुछ शब्द ऐसे हैं जिनका व्यवहार शहरों में होता है, गाँवों में नहीं होता। अधिकांश फ़ारसी के शब्द ऐसे हैं जिनके पर्यायवाची हिन्दी शब्द भी हैं। कहीं-कहीं अब भी यह होड़ देखी जाती है कि फ़ारसी का शब्द अधिक प्रचलित होगा या उसका समकक्ष हिन्दी शब्द। हिन्दी की विशेषता यह है कि उसके अपने शब्द बहुत कम अपदस्थ हुए हैं। साधारणत: उसके अपने शब्द फ़ारसी बिरादरान से कम गौरवपूर्ण नहीं हैं। धरती, आकाश, मनुष्य, देश, भाषा, सम्राट् जैसे शब्द जमीन, आसमान, इनसान, मुल्क, जबान, बादशाह से कम गौरवास्पद नहीं हैं। उर्दू के वे लेखक जो हिन्दी शब्दों से घृणा करते थे, उनके व्यवहार को देहातीपन की निशानी समझते थे; स्वयं एक संकुचित दायरे में बन्द होकर रह गए। वे हिन्दी भाषा के मूल प्रवाह को रोकने या बदलने में बिलकुल असमर्थ रहे। बहुत कम ऐसे शब्द हैं जो फ़ारसी से आए हैं और यहाँ के शब्दों से अधिक सम्मानप्रद आसन पा गए हैं। फिर भी ऐसे शब्द हैं और वे यहाँ फ़ारसी के पूर्व आधिपत्य की सूचना देते हैं। दिल्ली 'शहर' है; 'नगर' उसके मुहल्लों के नाम के साथ लगता है। 'घर' तो गरीब का भी होता है, 'मकान' खाते-पीते लोगों के ही होते हैं। इसी तरह हुजूर और साहब को अतिशय सम्मान मिला है। अंग्रेज़ों के जाने के बाद हुजूर का रिवाज कम होता

जा रहा है। साहब की जगह संक्षिप्त 'जी'—मास्टर जी, सरदार जी—अधिक सुनने में आता है। इसका कारण प्रयत्न-लाघव नहीं, बदले हुए सामाजिक सम्बन्ध हैं।

हमारे यहाँ अंग्रेज़ी के बहुत-से शब्द आए हैं। इनमें अधिकतर शब्द ऐसे हैं जिनके लिए यहाँ शब्द न थे—स्टेशन, रेल, मोटर, फुट, इंच, मील (पहले अंग्रेज़ भी यहाँ आकर कोस ही लिखते थे लेकिन अब यह नाप गाँवों में ही रह गई है। इसलिए मील का प्रचार है। अब उसे किलोमीटर हटा दे तो दूसरी बात है।) कॉपी, कॉलेज, जज, कलट्टर इत्यादि। इनमें भी कुछ के लिए हिन्दी शब्दों का व्यवहार होता है, जैसे कॉलेज—विद्यालय, क्लास—कक्षा। अंग्रेज़ी पढ़े-लिखे लोगों में यह प्रवृत्ति जरूर देखी जाती है कि वे हिन्दी वाक्यों में अंग्रेज़ी शब्द डालकर अपनी विद्वत्ता प्रदर्शित करते हैं। लेकिन इस प्रवृत्ति को प्रशंसनीय नहीं माना जाता। हिन्दी लेखक अपने को इस प्रवृत्ति से बचाते हैं। हिन्दी ने अपने मूल शब्द-भंडार की जिस तरह रक्षा की है, उसे देखते हुए इस बात पर आश्चर्य न होना चाहिए कि निकट पारिभाषिक शब्दावली के लिए अंग्रेज़ी की शरण में न जाकर अपने ही (या संस्कृत के) भाषा-तत्त्वों से उसका निर्माण कर रही है।

स्तालिन ने लिखा है कि जब दो भाषाओं की टक्कर होती है, तो उनसे एक तीसरी नई भाषा नहीं बनती : "वास्तव में आम तौर से कोई एक भाषा इस टक्कर में जीत जाती है, अपनी व्याकरण-व्यवस्था और मूल शब्द-भंडार सुरक्षित रखती है और उन्हें अपने आन्तरिक विकास के नियमों के अनुकूल संवर्धित करती रहती है तथा दूसरी भाषा क्रमश: अपना मूल्य खो देती है और धीरे-धीरे मर जाती है।" यदि यह नियम सही है तो बाह्य कारणों से किसी भाषा के व्यवहार और मूल शब्द-भंडार में कोई भी मौलिक परिवर्तन न होगा। लेकिन अंग्रेज़ी में क्या हुआ है? साधारण शब्द भी फ्रांसीसी से आ गए हैं। प्रत्यय-उपसर्ग आदि की काफी सामग्री भी बाहर से आई है। परिणाम यह हुआ है कि अंग्रेज़ी भाषा कुल मिलाकर जर्मन से अधिक लैटिन कुल के निकट हैं। प्राचीन काल में गणों के मिश्रण से अनेक भाषाओं के व्याकरण-तत्त्व भी आपस में घुलमिल गए थे। रूसी भाषा में विभक्ति-चिह्न मूल शब्द के अन्त में लगते हैं; यह संस्कृत-परिवार की भाव-प्रकृति है। साथ ही अन्य यूरोपीय भाषाओं के समान सम्बन्धवाचक शब्द प्रकृति के पहले आते हैं। यह यूरोपीय भाषाओं की व्याकरण-व्यवस्था है। प्रत्येक भाषा में इसी प्रकार की ध्वनि-प्रकृतियों, भाव-प्रकृतियों के दर्शन होते हैं कि हमें मानना पड़ता है कि उनमें—अर्थात् उनके बुनियादी तत्त्वों में—अनेक भाषाओं के उपकरण घुलमिल गए हैं। भाषा जड़ इकाई न होकर प्रवहमान धारा है जो अपने विकास-नियमों का पालन करने के अलावा बाह्य अन्तर्विरोधों को भी प्रतिबिम्बित करती है। दो भाषाओं का युद्ध हो और उनमें एक जीते या हारे, यह अनिवार्य नहीं है। यदि दो गण मिलकर एक संघ बनाएँ तो दोनों की भाषाएँ एक-दूसरे को प्रभावित करेंगी, उनमें हार-जीत का प्रश्न न उठेगा। अवधी में मो सर्वनाम नहीं है,

लेकिन मोर या म्वार रूप बना हुआ है। ब्रज में मो सर्वनाम है लेकिन मोर का अभाव है। यह पड़ोसी बोलियों के मूल तत्त्वों के आदान-प्रदान (न कि हार-जीत) का प्रमाण है।

व्यक्तिगत सम्पत्ति और वर्ग-भेद के जन्म के बाद जातियों और उनकी भाषाओं में परस्पर संघर्ष होना साधारण नियम-सा रहा है। अंग्रेज़ी ने उत्तरी अमरीका पर अधिकार किया, वहाँ के आदिवासियों से उनकी भूमि छीनी। आदिवासियों की भाषाओं से उन्होंने कुछ वृक्षों, झाड़ियों, सागपात, भोजन आदि के नाम ग्रहण किये। सबसे अधिक आदिवासी भाषाओं के चिह्न रह गए हैं स्थानों के नाम पर, जो यह सूचित करते हैं कि उनके असली मालिक कौन थे। अमरीकी आदिवासी विजित थे; उनकी भाषाओं का प्रभाव भी अमरीकी अंग्रेज़ी पर कम पड़ा। टॉमस पाइल्स नामक लेखक ने अमरीकी अंग्रेज़ी पर आदिवासी प्रभाव का उल्लेख करते हुए लिखा है : "यदि हम इस बात पर ध्यान दें कि अन्त में अमरीकन इंडियनों की स्थिति एक विजित जाति की हो गई तो हमें आश्चर्य न होना चाहिए कि अमरीकी अंग्रेज़ी में इंडियन शब्द इससे अधिक नहीं हैं। यदि हम स्थानों के नाम छोड़ दें—जिनकी संख्या बहुत ज्यादा है, संयुक्त राज्य के आधे से ज्यादा राज्यों के नाम इंडियन हैं और नदियों, झीलों, पहाड़ों, शहरों और नगरों में भी एक बहुत बड़ी संख्या के नाम इंडियन हैं—तो हमारे शब्द-भंडार पर इंडियन प्रभाव बहुत क्षुद्र माना जाएगा।"[1] इस प्रक्रिया के विपरीत ग्रीक, लैटिन, संस्कृत, रूसी आदि में हमें काफी समानता और उससे भी अधिक भिन्नता दिखाई देती है जिससे सिद्ध होता है कि इन भाषाओं में कभी बड़े पैमाने पर मिश्रण हुआ था।

अमरीका के गौरांग आक्रामक अफ्रीका से गुलाम लाए या उन्होंने ऐसे गुलाम खरीदे। इन दासों की भाषाएँ खत्म हो गईं; उन्होंने दस्युओं की भाषा सीखी। भाषा के आन्तरिक विकास के नियमों का क्या हुआ? भाषा के बोलनेवालों का समाज छिन्न-भिन्न हो गया, तब भाषा भी खत्म हो गई। विभिन्न कबीलों के नीग्रो आपस में किसी एक सामान्य भाषा का विकास न कर सके जो उन्हें मिलाती और गौरांग प्रभुओं की भाषा के मुकाबले में उनकी जातीय एकता का प्रतीक बनती। पाइल्स के अनुसार, जॉर्जिया और दक्खिनी कैरोलीना के समुद्रतटवासी नीग्रो ऐसी अंग्रेज़ी बोलते हैं जो मूल अफ्रीकी भाषाओं से इतनी ज्यादा प्रभावित है कि अमरीका के अन्य भागों के काले या गोरे उनकी भाषा समझ ही नहीं पाते। इसका कारण यह है कि वे यातायात के साधनों से दूर भौगोलिक अलगाव की दशा में रहते आए हैं। "उनमें से अधिकांश का गौरांग जनों से कोई सम्पर्क नहीं रहा; उनमें से कुछ ने गोरों की शक्ल भी जब-तब ही देखी है।"[2] इनकी भाषा की ध्वनियाँ अमरीकी अंग्रेज़ी की ध्वनियों से भिन्न हैं। उसकी वाक्य-रचना, रूप-विकार, शब्द-भंडार,

1. टामस पाइल्स, 'वर्ड्स एंड वेज़ ऑव अमेरिकन इंग्लिश', पृ. 37
2. उप., पृ. 39

शब्द-निर्माण-प्रक्रिया—सब अंग्रेज़ी से भिन्न हैं। अमरीका के काले-गोरे लोग इस भाषा (गल्ला या गीची) को समझ नहीं पाते, इसलिए उसे दो भाषाओं के मिलने से बनी हुई तीसरी भाषा ही मानना चाहिए। गोरी बस्तियों से दूर रहने के कारण कुछ हजार शब्द गीची भाषा में बच रहे। इसके बोलनेवाले ढाई लाख बताए गए हैं। (इनकी भाषा को अमरीकी गोरे-काले समझ नहीं पाते, फिर भी पूरा संयुक्त राज्य अमरीका अंग्रेज़ी-भाषी ही है!) यदि भारत के लोग अंग्रेज़ी शासन का प्रतिरोध न करते, तो वे भी या तो अधिकांश नीग्रोजनों की तरह अपनी भाषा खो बैठते या अंग्रेज़ी से प्रभावित कोई गीची भाषा बोलते होते।

यदि दूसरी भाषाओं से हम उचित मात्रा में शब्द लें, उनका रूप-विकार अपने नियमों के अनुसार करें, उन्हें अपने मूल शब्दों का स्थान न लेने दें तो इससे भाषा समृद्ध होती है। हिन्दी में 'पवन चलै पुरवाई', 'शीतल मन्द समीर', 'हवा खाने चलें' जैसे टुकड़ों में पवन, समीर और हवा का प्रयोग निश्चित-सा हो गया है। कोई पवन या वायु खाने नहीं चलता। हम 'धरती माता' की जै बोलते हैं, शोर से 'जमीन-आसमान' एक कर देते हैं। शादी-ब्याह, हँसी-खुशी, धरम-ईमान जैसे जोड़ों से हम अपनी एक विशेष रागवृत्ति तुष्ट करते हैं। इस तरह का आदान-प्रदान भाषा को समृद्ध करता है। इस युग में पुराने सामाजिक सम्बन्ध नष्ट हो रहे हैं। उत्पीड़न और संघर्ष के बदले सहयोग और भाईचारे के सम्बन्ध कायम हो रहे हैं। भाषाओं का सम्पर्क और परस्पर सहयोग दूसरे धरातल पर सम्पन्न होगा। किन्तु जब तक यह नहीं होता, तब तक किसी भी स्वाभिमानी जाति के लिए यह सम्भव न होगा कि वह दूसरों से उधार माल लेकर ठसक दिखाए और कहे कि हम बहुत समृद्ध हैं। अपनी सम्पत्ति को ठुकराना, दूसरों की जूठन बटोरना—यह कभी भी उचित नहीं है—न पूँजीवाद में, न समाजवाद में। आदान-प्रदान बराबरी के स्तर पर ही ठीक है; एकतरफा आमद हानिकर होती है।

भाषा-विकास का अध्ययन करने के लिए बाह्य अन्तर्विरोध नगण्य नहीं हैं। न सामाजिक विकास के लिए नगण्य हैं, न भाषा-विकास के लिए। इनका प्रभाव मुख्यत: भाषा के रूप पर पड़ता है—उसकी शब्दावली और व्याकरण-व्यवस्था आदि के तत्त्व इस भाव से बदल सकते हैं या समृद्ध हो सकते हैं। यह सम्भव है कि बाह्य अन्तर्विरोध इतने तीव्र हों कि कोई भाषा निर्मूल ही हो जाए, या दूसरी भाषा से बहुत अधिक प्रभावित हो या दोनों के मिश्रण से एक नये ढंग की भाषा का निर्माण हो। शब्द-भंडार में बहुत बड़े परिवर्तन, अक्सर इन बाह्य अन्तर्विरोधों के कारण होते हैं। दो भाषाओं में परस्पर आदान-प्रदान उन्हें बोलनेवालों के सामाजिक सम्बन्धों पर निर्भर रहता है। ये बाह्य अन्तर्विरोध अनेक पेचीदा सामाजिक कारणों के परिणाम होते हैं। तुर्क या अंग्रेज़ अकारण भारत नहीं आए। किन्तु सामाजिक विकास के किसी नियम से यह सिद्ध नहीं किया जा सकता कि उनका यहाँ आना अनिवार्य

था। अंग्रेज़ी पर लैटिन और फ्रांसीसी का असर पड़े, हिन्दी पर अरबी-फ़ारसी का असर पड़े, यह भी अनिवार्य नहीं था। किन्तु सामन्ती समाज की भाषा—चाहे वह शुद्ध हो, चाहे मिश्रित और प्रभावित हो—उस व्यवस्था की सीमाओं के भीतर ही किसी संस्कृति का वाहन होगी, यह नियम निश्चित है।

आदिम साम्यवादी व्यवस्था में सामूहिक श्रम की प्रथा के अनुकूल श्रमफल का स्वामित्व भी सामूहिक होता है। ऐसी स्थिति में समाज का मुख्य अन्तर्विरोध प्रकृति से होता है या अन्य मानव-समूहों से। उत्पादन का तरीका विकसित न होने से समाज के आन्तरिक संघर्ष के लिए व्यक्तिगत सम्पत्ति के रूप में कोई विशेष सामग्री नहीं होती। किन्तु सामूहिक श्रम के लिए सामाजिक संगठन आवश्यक होता है; आहार-प्राप्ति, रक्षा, सन्तानोत्पत्ति आदि के आवश्यक कार्यों के लिए मनुष्य ध्वनि-प्रतीकों का उपयोग करता है। इससे दो परिणाम निकलते हैं : पहला यह कि मनुष्य का आपसी संघर्ष विकास के लिए अनिवार्य नहीं है। कम-से-कम एक ही आदिम समाज में यह आन्तरिक संघर्ष नहीं होता, दो आदिम समाजों में हो तो हो। समाज का जन्म सहयोग से हुआ है, न कि संघर्ष से। साथ ही यदि प्रकृति से मानव का संघर्ष न होता तो परस्पर सहयोग भी अनिवार्य न होता। इस प्रकार सहयोग और संघर्ष, इन दो विरोधी और परस्पर सम्बद्ध ध्रुवों के सहारे सामाजिक विकास होता है। वर्गयुक्त समाज का इतिहास जितना वर्गों के संघर्ष का इतिहास है, उतना ही उनके सहयोग का इतिहास भी है। भले ही यह सहयोग जोर-जबर्दस्ती से प्राप्त किया गया हो, लेकिन इसी सहयोग के बल पर सम्पत्तिशाली वर्ग सभ्यता का निर्माण करते हैं। इस समूचे विकास-क्रम में प्रकृति से मानव का अन्तर्विरोध कम नहीं होता वरन् सामाजिक अन्तर्विरोधों को हल करने के लिए वह इस प्रकृति पर और भी विजय पाने के लिए प्रयत्नशील होता है। तीर-कमान और तलवार से काम चलते न देखकर वह बारूद का नुस्खा ढूँढ़ निकालता है और जब बारूद से आतिशबाजी का लुत्फ उठा लेता है, तब अणु को विच्छिन्न करके उसमें निहित शक्ति को निकाल लाता है। दो समाजों के अन्तर्विरोधों को हल करने के लिए वह इस शक्ति को काम में ला चुका है और फिर उसे काम में लाने की तैयारी में है। इस प्रकार बाह्य अन्तर्विरोध दो तरह के हुए : पहला प्रकृति से अन्तर्विरोध; दूसरा, दो समाजों का अन्तर्विरोध। ये दोनों ही भाषा के विकास को अब तक प्रभावित करते रहे हैं।

व्यक्तिगत सम्पत्ति और वर्ग-व्यवस्था के अभ्युदय से पहले ही मनुष्य ने भाषा के मूल तत्त्वों की सृष्टि कर ली थी। सभ्यता से पहले के सामाजिक विकास की यह अवधि बहुत लम्बी रही है। सभ्यता का इतिहास यदि कुछ हजार वर्षों का है तो प्राक्-सभ्य समाज का इतिहास लाखों वर्ष का है। सभ्यता के इतिहास में मनुष्य ने जितनी भी भाषा-सम्पत्ति अर्जित की है, उससे कहीं अधिक चमत्कारी वह भाषा-सम्पत्ति है जो उसने सभ्यता के पूर्व अर्जित की थी। आदिम समाज की विभिन्न अवस्थाओं में

भाषा-रचना का वही महत्त्व है जो मानव-विकास के लिए अग्नि के आविष्कार या धातुओं के आयुध-निर्माण का है। अग्नि के आविष्कार से ही अणुशक्ति का प्रयोग सम्भव हुआ है। क्या अग्नि की तुलना में अणु शक्ति का प्रयोग अधिक चमत्कारी है या वह समाज के लिए अधिक कल्याणकारी सिद्ध हुआ है? सभ्य समाज के साहित्यकारों, दार्शनिकों और वैज्ञानिकों का चिन्तन भाषा के उसी मूलाधार पर टिका है जिसका निर्माण प्रकृति से निरन्तर युद्ध करते हुए आदिम समाज-व्यवस्था के मानव ने किया था। सभ्यता के युग में मनुष्य ने शब्द-रचना की, पुराने तत्त्वों के आधार पर नये शब्द गढ़े, बाहर से शब्द उधार लिये, अपने पुराने शब्दों को नया अर्थ दिया किन्तु उसने भाषा की सृष्टि नहीं की। आदिम मानव-समाज ने भाषा की सृष्टि की, पशु-जगत् से भिन्न नये प्राकृतिक और सामाजिक सन्दर्भों में ध्वनि-संकेतों का प्रयोग करना सीखा। उसने जिन मुख्य ध्वनियों का उच्चारण करना सीखा था, वे आज तक चली आ रही हैं। उसने भाव-प्रकृति के जो साँचे गढ़े थे, उनमें भाषा आज भी ढाली जा रही है। यदि किसी देश या समाज के लोग कर्ता पहले, क्रिया बाद में; मूल शब्द पहले, सम्बन्धसूचक चिह्न बाद में; विशेषण पहले, विशेष्य बाद में रखने की राह पर चलते थे तो वह राह उस समाज के उत्तराधिकारी मानवों के उपचेतन में आज भी बनी हुई है। भाषा के इन स्थायी सनातन तत्त्वों के आगे पारिभाषिक शब्दावली का निर्माण क्या कोई ऐतिहासिक कार्य है? आदिम समाज-व्यवस्था में ही मनुष्य ने धरती और आकाश के सैकड़ों पदार्थों का नामकरण किया, प्रकृति के रूपों से परिचय बढ़ाते हुए उनका नाम रखकर उसने ज्ञान को जन्म दिया, अनेक मानव-सम्बन्धों के लिए उसने ध्वनि-संकेत निश्चित किये, पशु और मनुष्य के कार्यों के लिए, अवस्थाओं और परिस्थितियों के लिए, आहार-रक्षा-प्रजनन के लिए, श्रम, उसके संगठन, आयुध-निर्माण, उनके व्यवहार, श्रमफल-विभाजन, तन ढँकने, वर्षा-शीत आदि से रक्षार्थ गृह-निर्माण के लिए उसने हजारों ध्वनि-संकेत निश्चित किये, भिन्न समाजों के सम्पर्क और संघर्ष से ये ध्वनि-संकेत एक प्रदेश से दूसरे प्रदेश तक फैले, प्रत्येक समाज ने अपनी आन्तरिक क्षमता में उत्पन्न किये हुए शब्दों के अलावा दूसरों से प्राप्त या सीखे हुए ध्वनि-संकेतों का बराबर व्यवहार किया और इस तरह सभ्यता के आगमन के पहले उसने ध्वनि, व्याकरण और शब्द-भंडार की दृष्टि से इतनी समृद्ध भाषा-सम्पत्ति अर्जित कर ली थी कि उसके बाद का सारा भाषा-विकास चमत्कार-शून्य और एक अति साधारण मानव-क्रिया जैसा लगता है।

हम पिछले अध्यायों में देख चुके हैं कि मनुष्य जो भी ध्वनि करता है, उसकी सभी विशेषताएँ महत्त्वपूर्ण नहीं होतीं। ब्लूमफ़ील्ड ने निपीव् शब्द की मिसाल दी थी जिसमें प का उच्चारण ब-वत् हो जाता था किन्तु इस शब्द का व्यवहार करनेवाले अमरीकी आदिवासियों के लिए ब-प का भेद गौण था; मुख्य बात थी ओठों के बन्द होने और खुलने की क्रिया। जर्मन कवि गेटे ने अभिनेताओं की आलोचना की थी

कि वे कुछ अघोष और सघोष ध्वनियों का भेद न कर पाते थे। आज भी प्रत्येक सभ्य देश में ध्वनि की गौण विशेषताएँ खत्म नहीं हुईं। इन गौण विशेषताओं में बड़ी तरलता है। ध्वनि की जो विशेषता महत्त्वपूर्ण नहीं है, उसका चाहे जैसे प्रयोग कीजिए, भाषा के व्यवहार में कोई रुकावट नहीं पड़ती। किन्तु ध्वनि की मुख्य विशेषताएँ स्पष्ट और निश्चित होनी चाहिए। छोटे-छोटे समूहों में जब तक मानव विभक्त रहा, वह ध्वनि-विशेषताओं में कोई मानदंड स्थिर न कर सका। लेकिन जब वह गणों, गणसंघों, लघुजातियों और महाजातियों में संगठित हुआ, तब उसे परिनिष्ठित भाषा की आवश्यकता पड़ी और वह ध्वनियों के स्पष्ट और निश्चित रूपों की ओर बढ़ा। अनिश्चित या भिन्न रूप खत्म नहीं हो गए लेकिन विकास की एक दिशा दिखाई देने लगी। ध्वनियों के उच्चारण में मनुष्य अव्यक्त से व्यक्त, अस्पष्ट से स्पष्ट, अनिश्चित से निश्चित रूपों की ओर बढ़ा है। इसे भाषा-विकास का व्यापक सिद्धान्त मानना चाहिए। यह विकास है, परिवर्तन मात्र नहीं।

ध्वनि की तरलता के समान हम अनेक शब्दों में अर्थ की तरलता भी पाते हैं। तात का अर्थ क्या है? पिता और पुत्र, दोनों। तात की तुलना में पिता और पुत्र शब्दों के अर्थ निश्चित हैं। गंगा शब्द नदीवाचक है। कश्मीर से लेकर बंगाल तक और चीन से लेकर दक्खिन एशियाई देशों तक यह शब्द मिलता है। उत्तर भारत में गंगा कहने से एक नदी विशेष का ज्ञान होता है। सिन्धु शब्द नदियों के लिए प्रयुक्त होता था, समुद्र के लिए भी। अब वह एक नदी विशेष के लिए ही—तथा सामान्य अर्थ में समुद्र मात्र के लिए—प्रयुक्त होता है। पशु किसी भी जानवर को कह सकते हैं। तमिल में उसका विशेष अर्थ है गाय। मृग का मूल अर्थ था पशु, जो मलयालम में सुरक्षित है; हिन्दी और संस्कृत में उसका अर्थ है पशु विशेष। बाइबल का अर्थ है पुस्तक। आगे चलकर कुछ भाषाओं में वह पुस्तक विशेष के लिए सीमित हो गया। देव, देवी, देवता शब्द सभी प्रकाशमान जीवों-पदार्थों के लिए प्रयुक्त न होकर अमरों के लिए प्रयुक्त होने लगे। ईश्वर प्रत्येक ऐश्वर्यशाली के लिए प्रयुक्त न होकर परम पिता के लिए सीमित हुआ। सामान्य से विशेष अर्थ की ओर, अनिश्चित और व्यापक अर्थ से निश्चित और सीमित अर्थ की ओर प्रगति—इसे हम भाषा-विकास का दूसरा नियम कह सकते हैं।

हम यह भी देखते हैं कि विशेष वस्तु का नाम सामान्य अर्थ में प्रयुक्त होने लगता है। मीरजाफ़र, क्विज़लिंग आदि शब्द विश्वासघाती के लिए प्रयुक्त होते हैं। मनुष्य सादृश्य खोजता है, उपमा और रूपक के बिना उसका काम नहीं चलता। अपने साथी मानवों के गुणों का वर्णन करने के लिए वह उल्लू, गधा जैसे पशु-पक्षियों के नाम भी लेता है। वास्तव में यहाँ अर्थ की तरलता नहीं है। अर्थ निश्चित है। गधे के गुण या मीरजाफ़र और क्विज़लिंग के गुणों को अन्य व्यक्तियों में देखकर उन्हें भी उन नामों से अभिहित किया गया है। प्रसार वस्तुओं में हुआ—उनकी संख्या

बढ़ी—न कि अर्थ में। इसके विपरीत पशु, मृग, गंगा आदि शब्द के अर्थ में ही परिवर्तन हुआ है। इसलिए हम कह सकते हैं कि सामान्य की तुलना में विशेष के लिए अर्थ का सीमित होना भाषा-विकास का एक नियम है।

मनुष्य ज्ञानी है, चिन्तनशील है, बुद्धिमान है। उसके ज्ञान, बुद्धि और चिन्तन का ठोस आधार है इन्द्रिय-बोध। चिन्तन की मंजिल आगे की है, उसके पहले अनिवार्य रूप से आवश्यक है इन्द्रिय-बोध। दर्शन क्या है? देखने की क्रिया। वही सूक्ष्म अर्थ-बोधक शब्द भी बना। अंग्रेज़ी 'फिलॉसफी' के विपरीत भारतीय दर्शन में स्थूल और सूक्ष्म अर्थ, दोनों निहित हैं। अनेक भाषाओं में जीभ के लिए जो शब्द है, वह भाषा के लिए भी व्यवहृत होता है। ज़बान या टंग बोलने के काम आती है; इस स्थूल वस्तु के संसर्ग से उत्पन्न वस्तु भाषा भी उसी नाम से पुकारी जाने लगी। 'शब्द' का अर्थ है आवाज; अब वह वाक्य की न्यूनतम इकाई भी है। 'विचार' का सम्बन्ध मूलत: चलने से है। कुल का मूल अर्थ वृक्ष कश्मीरी में सुरक्षित है। वंश में स्थूल-सूक्ष्म अर्थ, दोनों निहित हैं। यह असम्भव नहीं है कि अमूर्त अर्थ के बोधक शब्द मूर्त पदार्थों के लिए व्यवहृत हों किन्तु भाषा का यह सामान्य नियम नहीं है। भाषा-विकास का सामान्य नियम है मूर्त पदार्थों और व्यापारों के बोधक शब्दों का अमूर्त धारणाओं के लिए प्रयोग। मानव-चिन्तन इन्द्रिय-बोध के आधार पर विकसित हुआ है। इसलिए भाषा के विकास में भी मूर्त से अमूर्त की ओर यह प्रगति देखी जा सकती है। अनेक आदिम या पिछड़े हुए समाजों के बारे में यह मत प्रकट किया गया है कि उनके यहाँ गुणवाचक संज्ञाओं की कमी होती है। वे वस्तु से अलग उसके गुण की कल्पना नहीं कर पाते। यह बात सही है। अनेक वस्तुओं में उनकी सामान्य विशेषता देखकर उसके लिए गुणवाचक संज्ञा का निर्माण मूर्त से अमूर्त की ओर उसी प्रगति द्वारा सम्भव होता है।

हम देखते हैं कि भाषा में कुछ शब्द एक ही अर्थ के वाचक हैं, जैसे—आँख, नयन, नेत्र, चक्षु; कुछ शब्द एक से अधिक अर्थों के बोधक हैं, जैसे—दर्शन, वंश, ज़बान। कुछ शब्द अपना मूल अर्थ खो देते हैं और नया अर्थ ग्रहण कर लेते हैं, जैसे कुल। इसका कारण क्या है? भाषा सीमित है। ध्वनि-संकेतों की संख्या असीम नहीं है। मनुष्य की तुलना में संसार असीम है। किसी भी अवस्था के मानवीय ज्ञान की तुलना में भावी अर्जनीय ज्ञान का विस्तार अधिक होता है। इस प्रकार हम भाषा को ज्ञात और ज्ञातव्य के सतत अन्तर्विरोध की स्थिति में पाते हैं। भाषा की प्रगति का यह चिरन्तन कारण है। यदि मनुष्य को पूर्ण ज्ञान प्राप्त हो जाए, वह अपने अन्तर्जगत् और बाह्य जगत का पूर्ण स्वामी बन जाए, वह यह कहने की स्थिति में हो जाए कि 'पाकर तुम्हें फिर और कुछ पाना न रहता शेष है', तो फिर भाषा का विकास भी रुक जाए। समाधिलीन योगियों को भाषा की आवश्यकता नहीं होती। आवश्यकता होती है साधारण श्रमरत मानवों को। उनकी आवश्यकताएँ बदलती हैं, उनका ज्ञानक्षेत्र विस्तृत होता है, इसलिए भाषा में भी विकास होता है।

विकास-प्रक्रिया किसी भी क्षेत्र में सीधी और अविच्छिन्न नहीं होती। भाषा-क्षेत्र में भी विकास का मार्ग विषम होता है। पूर्वकाल के बहुत-से अच्छे गुण छूट जाते हैं। जो नये गुण उत्पन्न होते हैं, वे सभी लाभकारी नहीं होते। अनेक युगों में भाषा के परिवर्तन देखकर ही हम उन्हें विकास का नाम देते हैं। विकास का अर्थ यह न लगाना चाहिए कि भाषा में प्रत्येक परिवर्तन हर अवस्था में प्रगति का बोधक होता है। नितान्त ह्रासशून्य विशुद्ध विकास किसी क्षेत्र में नहीं होता, भाषा के क्षेत्र में भी नहीं होता।

एक ही शब्द अनेक अर्थों का बोधक इसलिए होता है कि कहने को बहुत है, शब्द कम हैं। आप दर्शन के पंडित हैं; आपके दर्शन से चित्त प्रसन्न होता है। दोनों वाक्यों में दर्शन का अर्थ वाक्य के सन्दर्भ से मालूम होता है। शब्द और अर्थ का सम्बन्ध जड़ और अपरिवर्तनशील होता तो एक शब्द के दो अर्थ न होते। वाक्य से अलग शब्द का अर्थ पूर्ण रूप से निश्चित नहीं होता। वाक्य के सन्दर्भ में वह सूक्ष्म अर्थ-भेद का द्योतक होता है। शब्द की सार्थकता वाक्य में ही है। जिसे हम शब्द कहते हैं, चीनी भाषा में उसके दो, तीन, चार अर्थ तक स्वर-भेद से किये जा सकते हैं। धैवत में बोले तो एक अर्थ, पंचम में बोले तो दूसरा अर्थ। इस पद्धति से ध्वनि-संकेतों में किफायत होती है। परिस्थितियाँ बदलने पर जो शब्द अनावश्यक हो जाते हैं, उन्हें हम नया अर्थ प्रदान करते हैं। एक ही अर्थ के वाचक दो शब्द मिल गए तो उनमें हम अर्थ-भेद कर देते हैं। आँख, नयन, नेत्र का अर्थ एक है; इनका प्रयोग भिन्न सन्दर्भों में होता है। नेत्र-चिकित्सक, गिरा अनैन नैन बिनु बानी, आँखें चार होना—ये भिन्न सन्दर्भों की मिसालें हैं। मनुष्य शब्द को प्रतिमा बनाकर उसे पूजता नहीं है। पहले किसी शब्द का अर्थ क्या था, इसकी चिन्ता न करके आवश्यकता पड़ने पर वह उसे नये अर्थ से जोड़ देता है। ये अर्थ परिवर्तनशील बाह्य जगत् और मनुष्य के अन्तर्जगत् से उत्पन्न होते हैं। हम समझते हैं कि अर्थ शब्द से उत्पन्न होता है। वास्तव में अर्थ की सत्ता है जीवन में, जीवन के परिवेश में; उससे हम शब्द—ध्वनि-संकेत विशेष—का सम्बन्ध स्थापित किया करते हैं। यह सम्बन्ध परिवर्तनशील है। भाषा का अर्थ-बोध निरन्तर बढ़ता रहता है क्योंकि मनुष्य का ज्ञान-क्षेत्र विस्तृत होता जाता है, उसकी सामाजिक और सांस्कृतिक आवश्यकताएँ बदलती और बढ़ती हैं। अमरीकी भाषाविद् एडवर्ड सपीर ने यह मत प्रकट किया है कि भाषा के साँचे हमारे देखने-समझने और व्यवहार करने के तरीके पहले से निश्चित कर देते हैं।[1] मनुष्य अपने देखने-समझने का ढंग एक ही रखे तो इस परिवर्तनशील संसार में वह मिट जाए। उसे मजबूर होकर अपने व्यवहार के तरीके बदलने पड़ते हैं, अपने देखने-समझने का ढंग बदलना पड़ता है। इस मजबूरी का असर उसकी भाषा के साँचों पर भी पड़ता है। उसे वे साँचे बदलने पड़ते हैं। भाषा-विकास का यह एक सनातन और अटल कारण है।

1. 'सेलेक्टेड राइटिंग्स ऑव एडवर्ड सपीर इन लैंग्वेज़, कल्चर एंड पर्सनैलिटी'; डैविड जी. मैंडेल बॉम द्वारा सम्पादित, पृ. 10

आदिम समाज-व्यवस्था के मानव के लिए जितना महत्त्व चन्द्रमा का था, उतना सूर्य का नहीं। मनुष्य का जन्म कैसे होता है, मनुष्य और वनस्पतियों के जीवन का स्रोत क्या है, इन प्रश्नों का उत्तर देने में चन्द्रमा मुख्य सूत्र बना। शुक्ल और कृष्ण पक्षों में चन्द्रमा के घटने-बढ़ने की क्रिया अट्ठाइस दिन में समाप्त होती है। टॉमसन ने इस बात की ओर ध्यान दिलाया है कि लगभग इसी अवधि में स्त्रियों के मासिक धर्म का समय भी आता है। आदिम व्यवस्था का मानव रक्तस्राव को जीवनीशक्ति का चिह्न मानता था। अनेक देशों में यह प्रथा रही है कि कीड़े-मकोड़ों से खेती की रक्षा करने के लिए नग्न रजस्वलाएँ खेतों को पार करें। मासिक धर्म की अवधि से सम्बद्ध होने के कारण चन्द्रमा प्रजनन-क्रिया का देवता भी बना। टॉमसन ने लिखा है कि आदिम समाज व्यवस्था में बोली जानेवाली भाषाओं में चन्द्रमा साधारणतः पुल्लिंग होता है; स्लाव और जर्मन भाषाओं और एक समय लैटिन तथा ग्रीक में वह पुल्लिंग था। संस्कृत में वह नपुंसक लिंग है। सम्भव है, पितृसत्ताक व्यवस्था कायम होने के समय इस प्रतिद्वन्द्वी के प्रति ईर्ष्या-भाव से पितरों ने उसे क्षयग्रस्त होने का शाप दे दिया हो! चन्द्रमा औषधियों का स्वामी है; वह प्राणि-जगत् में पुनर्जीवन का प्रतीक है। "सभी आदिम समाजों में मृत्यु के बाद पुनर्जीवन के विश्वास के साथ चन्द्रमा जुड़ा हुआ है। इस प्रकार उसका संसर्ग इसी कोटि के अन्य प्रतीकों—जैसे सर्प—के साथ होता है!"[1] नाग लिंगोपासना से सम्बद्ध होता है। उसने पैराडाइज़ में ईव को बहकाया; अनेक प्रजनन-सम्बन्धी लोक-रीतियों में उसकी उपासना की जाती है। जल भी प्रजनन से सम्बद्ध किया गया है। मैंने सुना है कि ब्रज में अनेक ऐसे पोखर हैं जिनके बारे में यह प्रचार है कि उनमें स्नान करने से गर्भ रह जाता है और यहाँ गर्भ रहने के लिए 'पानी रहना'—इस मुहावरे का इस्तेमाल भी किया जाता है। टॉमसन का कहना है कि नाग अक्सर पोखरों और झरनों के पास पाए जाते हैं, इसलिए वे झरनों से सम्बद्ध हो गए हैं। हमारे यहाँ शेषनाग सहस्र फनों पर पृथ्वी को धारण किये हैं। अब जरा कश्मीर के वेरीनाग जैसे स्थानों का स्मरण कीजिए। नाग शब्द झरनों के लिए प्रयुक्त होता था; जल से सर्पों का सम्बन्ध कायम हुआ। चन्द्रमा, सर्प, जल—तीनों का सम्बन्ध जुड़ा प्रजनन-क्रिया से। स्वभावतः शिव जी के मस्तक पर चन्द्रमा है, जटाओं में गंगा और गले में सर्प हैं! वे लिंग रूप में पूजे जाते हैं!

सामाजिक परिस्थितियाँ चिन्तन की सीमाएँ निश्चित करती हैं, लेकिन चिन्तन स्वयं प्रत्येक अवस्था में सामाजिक परिस्थितियों का प्रतिबिम्ब नहीं होता। कौशल और विज्ञान में पिछड़े होने से मनुष्य ने चन्द्रमा से प्रजनन का सम्बन्ध जोड़ा। सामाजिक परिस्थितियों के प्रभाव से मनुष्य, अपने चिन्तन की सीमाओं में, भाषा कैसे रचता है, इसके उदाहरण चन्द्रमा से सम्बन्धित शब्द हैं। सपीर का कहना था कि भाषा के साँचे हमारे देखने-समझने और व्यवहार करने के तरीके पहले से निश्चित कर देते हैं।

1. टॉमसन, 'स्टडीज इन एंशेन्ट ग्रीक सोसाइटी', पृ. 213

ऊपर के उदाहरणों में हम इससे ठीक उल्टी क्रिया होते देखते हैं—हमारे देखने-समझने और व्यवहार करने के तरीके ही भाषा के साँचों को बनाते-बिगाड़ते और बदलते हैं। प्रजनन-सम्बन्धी धारणाओं से मास, मेन्सिस, मंथ आदि शब्दों का निर्माण हुआ। ये शब्द मनुष्य के चिन्तन के लिए बेड़ियाँ नहीं बन गए। ऐसा होता तो वह सौर मास की कल्पना ही न कर पाता। मनुष्य ने समय विभाजन के लिए नये तरीके अपनाए। इसके लिए उसने नये ध्वनि-संकेत गढ़ना अनावश्यक समझा। पुराने साँचों में नई सामग्री ढालकर शब्द को नया अर्थ दे दिया।

जन शब्द रक्त-सम्बन्ध पर आधारित कबीले के लिए प्रयुक्त होता था। अब वह रक्त-सम्बन्ध से बहुत दूर नये आर्थिक सम्बन्धों द्वारा संगठित जनता के लिए प्रयुक्त होता है। उसके सहोदर गण का उपयोग बहुवचन बनाने के लिए होता रहा। आधुनिक युग में जनतंत्र और गणतंत्र जैसे शब्दों में जन और गण को एक नई व्यंजना प्रदान की गई। मातृसत्ताक व्यवस्था से पितृसत्ताक व्यवस्था की ओर संक्रमण करते समय संस्कृति के नये मानदंडों के अनुकूल नये शब्द बनते हैं या पुराने शब्दों के अर्थ में परिवर्तन होता है। पितृसत्ताक से सामन्ती व्यवस्था की ओर संक्रमण करने में, सामन्ती व्यवस्था की ओर बढ़ने में इसी तरह की प्रक्रिया दोहराई जाती है। समाज की प्रत्येक अवस्था में भाषा उसकी संस्कृति को प्रतिबिम्बित करती है। संस्कृति में परिवर्तन के साथ भाषा में भी परिवर्तन होता है क्योंकि वह संस्कृति का अंग है। भाषा के कुछ तत्त्व बदलते हैं, उसमें आमूल परिवर्तन नहीं होता—जैसे संस्कृति के भी कुछ ही तत्त्व बदलते हैं, उसमें आमूल परिवर्तन नहीं होता। भाषा किस स्तर की संस्कृति को प्रतिबिम्बित करती है, यह उसके बोलनेवालों की समाज-व्यवस्था पर निर्भर होता है।

भाषा में परिवर्तन धीरे-धीरे होता है, इस बात को सभी स्वीकार करते हैं। इस परिवर्तन की गति सदा एक-सी नहीं रहती। बाह्य अन्तर्विरोध के कारण उत्तर भारत में तुर्क छा गए। उनके शासन की भाषा फ़ारसी थी। इससे बहुत-से शब्द हिन्दी में आए। इंग्लैंड पर नॉर्मन प्रभुत्व हुआ। बाह्य अन्तर्विरोध से अंग्रेज़ी भाषा में फ्रांसीसी शब्दों की बाढ़ आ गई। बाहरी भाषाओं से शब्दों के आने की रफ्तार का कोई नियम नहीं था; आक्रमण और पराजय की विशेष परिस्थितियों में यह रफ्तार तेज हो गई। यूरोपीय नवजागरण के युग में लैटिन के अध्ययन पर बहुत बल दिया गया। अंग्रेज़ी में लैटिन शब्दों के आने की रफ्तार बढ़ी। इस तेज रफ्तार का कारण किसी बाहरी शक्ति का आक्रमण—अर्थात् बाह्य अन्तर्विरोध—न था। उन्नीसवीं-बीसवीं सदी में नई सामाजिक-सांस्कृतिक आवश्यकताओं के कारण हमारी भाषाओं में बहुत-से नये तत्सम शब्दों का व्यवहार होने लगा। इतने नये शब्दों का व्यवहार पिछले दो-चार सौ वर्षों में न हुआ था। इस प्रकार आन्तरिक और बाह्य, दोनों ही तरह के कारणों से भाषा में परिवर्तन की गति तीव्र हो सकती

है। जब न किसी बाहर के देश से निकट सम्पर्क हो, न समाज की आन्तरिक स्थिति में कोई विशेष परिवर्तन हो, तब भाषा में भी परिवर्तन की गति अत्यन्त धीमी होगी।

आदिम समाज-व्यवस्था में अपनी चेतना के अनुरूप मनुष्य ने संसार को जैसा समझा, उसकी छाया उसकी भाषा पर पड़ी। वह इन्द्रिय-बोध के स्तर से क्रमश: सूक्ष्म चिन्तन की ओर आया। जब रक्त-सम्बन्धों का बहुत महत्त्व था, तब नाते-रिश्तेदारी के शब्दों की संख्या बहुत बड़ी थी। व्यवस्था बदलने पर इनकी संख्या कम हो गई या उनमें बहुतों के अर्थ बदले गए। जब व्यवस्था के अन्दर व्यक्तिगत सम्पत्ति, राज्यसत्ता, भूस्वामी वर्ग आदि का उद्भव और विकास हुआ, तब इन सामन्ती सम्बन्धों के साथ पनपनेवाली भाषा सूक्ष्म चिन्तन के लिए अधिक सबल माध्यम बनी। समाज में यह रीति कायम हुई कि बेटा बाप का धन्धा अपनाए; विद्वानों का एक विशेष वर्ग बन गया। विशेष योग्यता के इस युग में हर पेशे के लोगों ने कुछ अपनी शब्दावली गढ़ी जिसका प्रयोग अन्य वर्ग न करते थे। दार्शनिकों और वैयाकरणों ने भाषा का व्यवहार चिन्तन के ऐसे क्षेत्रों में किया जिसकी कल्पना भी पहले सम्भव न थी। पूँजीवादी सम्बन्धों के साथ साहित्य, कला और विशेष कर विज्ञान के क्षेत्रों में नई प्रगति का मार्ग खुला। इस सांस्कृतिक प्रगति के अनुरूप भाषा की अभिव्यंजना-क्षमता को भी विकसित करना आवश्यक हुआ। इस प्रकार व्यवस्था के बदलने के साथ भाषा का अन्तस भी बदलता है। सारा विकास-क्रम विलम्बित और तीव्र, विच्छिन्न और अविच्छिन्न, दोनों प्रकार से होता है।

प्रसिद्ध है कि किसी भी विशाल देश में आप एक सिरे से दूसरे छोर तक चलें तो हर दस या बारह कोस पर बोली बदलती जाएगी। यह पता न चलेगा कि कहाँ एक भाषा खत्म हुई और दूसरी आरम्भ हुई। भौगोलिक दूरी तै करने पर ही ऐसा नहीं लगता; इतिहास की दूरी तै करने पर भी ऐसा ही लगे, यदि भाषाओं का सही इतिहास हमारे सामने हो। संस्कृत-प्राकृत-अपभ्रंश-हिन्दी—भाषा का इतिहास इन कल्पित और भ्रान्त मंजिलों से नहीं जाना जा सकता। हिन्दी प्राचीन संस्कृत का आधुनिक रूप नहीं है, न फ्रांसीसी लैटिन का आधुनिक रूप है। लेकिन ग्रीक, लैटिन, रूसी, कश्मीरी, संस्कृत और हिन्दी के तुलनात्मक अध्ययन से यह पता चल जाता है कि आधुनिक भाषाओं के मूल तत्त्व कितने पुराने हैं। बरसाती पानी की तरह ये तत्त्व अनेक सर-सरिताओं में भर जाते हैं; जब कोई महाजाति संगठित होती है, तब एक विशाल नद के समान उसकी भाषा में ये बहुत-से तत्त्व सिमट आते हैं। यदि बाह्य अन्तर्विरोधों से अछूता किसी भाषा का इतिहास मिल सके तो हम देखें कि सामाजिक सम्बन्धों के बदले बिना उसमें कोई भी मौलिक परिवर्तन नहीं होता। ऐसा इतिहास न किसी भाषा का है, न मिल सकता है। कारण यह है कि भाषा के विकास की प्रक्रिया ही अनेक भाषाओं के तत्त्वों के मिश्रण से सम्पन्न होती है।

भाषा का विकास दो स्तरों पर होता है। एक स्तर पर अन्य भाषाओं के तत्त्व मिलते हैं, शब्द-भंडार घटता-बढ़ता है, भाषा के प्रयोग की परिधि विस्तृत होती है। इसे हम भाषा का रूप-सम्बन्धी विकास कह सकते हैं। दूसरी ओर सामाजिक-सांस्कृतिक आवश्यकताओं के अनुरूप उसकी अभिव्यंजना-क्षमता बदलती है, वह एक नये स्तर की संस्कृति को प्रतिबिम्बित करती है। इसे हम भाषा का विषयवस्तु सम्बन्धी विकास कह सकते हैं। दोनों ही तरह का विकास सामाजिक कारणों से होता है। बाह्य अन्तर्विरोधों से साधारणत: रूप-सम्बन्धी परिवर्तन होते हैं। समाज के अपने अन्तर्विरोधों से विषयवस्तु सम्बन्धी परिवर्तन होते हैं। ये दोनों तरह के अन्तर्विरोध परस्पर सम्बद्ध हैं, इसलिए भाषा का रूप-सम्बन्धी परिवर्तन उसकी अभिव्यंजना क्षमता से विलग नहीं होता। विकास की दोनों धाराएँ कभी विच्छिन्न और कभी मिली हुई प्रवाहित होती हैं।

क्या भाषा के विकास की मंजिलें निश्चित की जा सकती हैं? यदि हम यह समझ लें कि भाषा जड़ इकाई न होकर तरल प्रवाह है, तो उसके विकास की मंजिलें हम निश्चित कर सकते हैं। ये मंजिलें देश-काल की दृष्टि से एकदम नपी-तुली न होकर नदी की बाढ़ की तरह होंगी जिसमें नदी तो दिखाई देती है लेकिन उसके किनारे पानी में डूबे रहते हैं। हम कह सकते हैं कि उत्तर भारत में लगभग छह हजार साल पहले संस्कृत से मिलती-जुलती भाषाएँ बोली जाती थीं। इनके अलावा अन्य कुलों की भाषाएँ यहाँ बोली जाती थीं, यह भी निश्चयपूर्वक कहा जा सकता है। ईसा के जन्म से लगभग ढाई हजार वर्ष पहले गणों का विघटन और सामन्ती सम्बन्धों का निर्माण आरम्भ हुआ। गौतम बुद्ध के समय यहाँ अनेक गण थे, उनकी भाषाएँ थीं, उनमें परस्पर व्यवहार के लिए संस्कृत का उपयोग होता था। मगध-सम्राटों के समय ब्रज प्रदेश आदि में लघुजातियों का निर्माण आरम्भ हो गया था। गुप्त-सम्राटों के युग में भारतीय सामन्तवाद अपने पूर्ण उत्कर्ष पर था। उस समय सामाजिक संगठन का मुख्य रूप थीं लघुजातियाँ। चौदहवीं-पन्द्रहवीं सदी में सामन्ती व्यवस्था का ह्रास और पूँजीवादी सम्बन्धों का निर्माण होता है। इस दीर्घ प्रक्रिया में अवधी और ब्रज, दोनों ही वर्तमान हिन्दी क्षेत्र के जनपदों को एक-दूसरे के निकट लाती हैं। अठारहवीं सदी तक खड़ी बोली हिन्दी अपने क्षेत्र से बाहर निकलकर हमारे जातीय प्रदेश की भाषा बन चुकती है। उन्नीसवीं-बीसवीं सदी में पूँजीवादी विकास के साथ उसका रूप परिष्कृत होता है और शब्द-भंडार समृद्ध होता है। विकास की यह बहुत मोटी रूपरेखा है। इससे अधिक निश्चित रेखाएँ खींचकर आदि, मध्यम और आधुनिक काल निश्चित करना खतरनाक है।

भाषा समूचे समाज की सम्पत्ति है। स्तालिन ने भाषा का वर्ग-आधार माननेवालों, वर्ग-प्रभुत्व बदलने के साथ भाषा में आमूल परिवर्तन माननेवालों का सही खंडन किया था। इसका यह अर्थ नहीं है कि भाषा के विकास में वर्गों की महत्त्वपूर्ण भूमिका नहीं

होती। सामन्तों, व्यापारियों, विद्वानों की सामाजिक-सांस्कृतिक आवश्यकताओं के कारण ही संस्कृत और लैटिन का परिनिष्ठित रूप सम्भव हुआ था और इन भाषाओं का अखिल भारतीय और अखिल यूरोपीय व्यवहार होता था। सामन्ती व्यवस्था के ह्रास और व्यापारियों द्वारा नये पूँजीवादी सम्बन्धों के प्रसार के साथ मॉस्को, लन्दन, पेरिस और दिल्ली की बोलियों के आधार पर रूसी, अंग्रेज़ी, फ्रांसीसी और हिन्दी भाषाओं का जातीय भाषाओं के रूप में गठन और प्रसार हुआ था। इस प्रक्रिया में पूँजीपति वर्ग की भूमिका महत्त्वपूर्ण होती है। साथ ही मजदूर वर्ग, मध्य वर्ग और शहरों के सम्पर्क में आनेवाले किसान भी इस जातीय भाषा को अपनी बोलियों के साथ काम में लाकर उसके प्रसार में सहायता करते हैं और बहुधा अपनी बोलियों के तत्त्व मिलाकर उसे समृद्ध करते हैं। कहाँ की बोली को परिनिष्ठित माना जाए, किस प्रदेश के लोगों का उच्चारण आदर्श है, यह सब किसी विशुद्ध भाषागत कसौटी से निश्चित नहीं होता। हिन्दी क्षेत्र में पश्चिम के नगर व्यापार के केन्द्र थे; इसलिए उनकी भाषा और प्रयोगों को आदर्श माना गया। हिन्दी के अधिकांश साहित्यकार भले ही लखनऊ, इलाहाबाद और बनारस के रहे हों, उन्हें भाषा-सम्बन्धी आदर्श के लिए पछाँह के नगरों का ही मुँह देखना पड़ा है। पारिभाषिक शब्दों के निर्माण में पूँजीवादी वर्ग जनता की सुविधा का ध्यान कम रखता है; वह कठिन और अस्वाभाविक शब्दावली भी गढ़ डालता है। देश की जनता के हितों का ध्यान रखनेवाले विचारक इससे भिन्न नीति पर चलते हैं। बाह्य विरोध का सामना होने पर समाज के उच्च वर्ग जल्दी कन्धा डाल देते हैं; अपनी जातीय सम्पत्ति की रक्षा करती हैं स्त्रियाँ और निम्न वर्ग। बहुजातीय देश में राजकाज की भाषा की समस्या उठने पर विभिन्न प्रदेशों के पूँजीपति और सामन्ती विचारधारा के लोग आपस में झगड़े करते हैं, भाषा और जातीयता के अहंकार में चूर होकर गरीबों का गला कटवा देते हैं। मजदूर वर्ग और जनसाधारण के अन्य वर्ग समानता, सहयोग और परस्पर सम्मान की नीति का अनुसरण करते हुए यह समस्या हल करते हैं। इस प्रकार भाषा के विकास में और भाषा-सम्बन्धी समस्याओं का समाधान प्रस्तुत करने में भिन्न-भिन्न जन अपनी सामाजिक स्थिति के अनुसार वर्ग-नीति अपनाते हैं।

सारांश यह कि भाषा संस्कृति का वाहन है और उसका अंग भी। संस्कृति के लिए आवश्यक नहीं है कि आर्थिक व्यवस्था बदलने पर उसमें आमूल परिवर्तन हो जाएँ। प्रत्येक भाषा की अपनी ध्वनि-प्रकृति और भाव-प्रकृति होती है। इन्हें उसकी सांस्कृतिक विशेषताएँ मानना चाहिए। समीकरण, वर्ण-विपर्यय, ध्वनि-लोप, अर्थादेश, अर्थ-संकोच आदि भाषा-विकास के नियम नहीं हैं; भाषा में होनेवाले परिवर्तनों के वे नाम मात्र हैं। परिवर्तनों के कारण मूलत: सामाजिक होते हैं। भाषा में विकास ही होता है, परिवर्तन नहीं। इसके दो कारण हैं : बाह्य अन्तर्विरोध और समाज की आन्तरिक स्थिति। ये दो कारण अलग भी हैं, सम्बद्ध भी। वैसे ही उनका

प्रभाव मिला-जुला और अलग भी होता है। बाह्य अन्तर्विरोध से अधिकतर भाषा में रूप-सम्बन्धी परिवर्तन होता है। जब कोई विजित जाति अपनी भाषा के शब्दों को ठुकराए और विजेता की भाषा के व्यवहार पर गर्व करे, तो इसे गुलामी का चिह्न मानना चाहिए। सहज आदान-प्रदान समानता के आधार पर होना चाहिए। भाषा स्थूल अर्थबोधक शब्दों से सूक्ष्म अर्थबोधक शब्दों की ओर प्रगति करती है। वह सामान्य और व्यापक अर्थवाले शब्दों से निश्चित और विशेष अर्थवाले शब्दों की ओर बढ़ती है। उसका अन्तस आन्तरिक समाज-व्यवस्था के परिवर्तित होने पर बदलता है। भाषा समग्र समाज की वस्तु है किन्तु उसके गठन और विकास में वर्गों की महत्त्वपूर्ण भूमिका होती है। विकास-प्रक्रिया सामाजिक परिवर्तनों के अनुसार कभी द्रुत होती है, कभी धीमी। भाषा-विकास की मंज़िलें मोटे रूप से निश्चित की जा सकती हैं। गण, लघुजाति और महाजाति के निर्माण के साथ भाषा-क्षेत्र में भी महत्त्वपूर्ण परिवर्तन होते हैं।

परिशिष्ट

# बंगाल में हिन्दी

## [डॉ. सुनीति कुमार चाटुर्ज्या का विवेचन]

बहुत समय हुआ, डॉ. सुनीति कुमार चाटुर्ज्या ने 'इंडियन लिंग्विस्टिक्स' (1931, खंड 1, भाग 2-4) में कलकत्ते की हिन्दुस्तानी पर एक लेख लिखा था : 'कैलकटा हिन्दुस्तानी—ए स्टडी ऑफ़ ए जार्गन डायलेक्ट'। लेख के अन्त में उसका लेखनकाल दिसम्बर, 1928 दिया हुआ है। लेख कलकत्ते की हिन्दुस्तानी पर है किन्तु इसमें ऐतिहासिक दृष्टि से अखिल भारतीय सन्दर्भ में हिन्दी भाषा के प्रसार पर विचार किया गया है। जिसे आजकल समाजी भाषाविज्ञान (सोशियोलिंग्विस्टिक्स) कहा जाता है, उसका यह बहुत अच्छा उदाहरण है। विशेषता यह है कि समाजी भाषाविज्ञान की समस्या पर ऐतिहासिक दृष्टि से विचार किया गया है। भारत सरकार ने जो भाषा-सम्बन्धी समिति बनाई थी, उसका ऐतिहासिक महत्त्व यह है कि उसके एक समिति के सदस्य डॉ. चाटुर्ज्या ने अपनी पुरानी मान्यताओं को एकदम उलट दिया था। उसके गठन से पहले उन्होंने भारत की भाषा-समस्या पर सामाजिक-ऐतिहासिक दृष्टि से जो विचार प्रकट किये थे, उनका महत्त्व निर्विवाद है और उन पर ध्यान देना भाषा-समस्या पर विचार करनेवालों का कर्तव्य है।

डॉ. सुनीति कुमार चाटुर्ज्या जब स्कूल में पढ़ते थे, तब नागरी लिपि भली भाँति सीखे बिना, उन्होंने काफी हिन्दुस्तानी सीख ली थी। लेख के आरम्भ में उन्होंने बताया है कि कलकत्ते का हर लड़का—यानी बंगला-भाषी लड़का—इतनी हिन्दुस्तानी जानता है कि शहर में काम चला सके। उसी तरह बिना किसी से सीखे हुए कलकत्ते में रहने के कारण ही डॉ. चाटुर्ज्या ने काफी हिन्दुस्तानी सीख ली थी। एक दिन उन्होंने देखा कि कुछ बिहारी और पछाँही मजदूर पाइप डालने के लिए सड़क खोद रहे हैं और दो साहब उनसे हिन्दुस्तानी में बातें कर रहे हैं। इनमें एक लाल मुँह का अंग्रेज़ था और दूसरा अधगोरा था (यह बात बीसवीं सदी के प्रथम दशक की है)। जब डॉ. चाटुर्ज्या को हिन्दुस्तानी भाषा का व्याकरण पढ़ने को मिला, तब उन्होंने—उन्हीं लड़कपन के दिनों में—अनुभव किया कि बाजार में जो हिन्दुस्तानी बोली जाती है, वह शुद्ध भाषा नहीं है, किन्तु वह कलकत्ते के गली-कूचों

में भद्र लोगों, साहबों और मजदूरों की भाषा है, हर आदमी उसका व्यवहार करता है, और वह बड़ी सजीव भाषा है।

इसके बाद, भाषाविज्ञान का यथेष्ट अध्ययन करने के बाद, डॉ. चाटुर्ज्या ने कलकत्ते से बाहर की स्थिति पर विचार करते हुए यह मत प्रकट किया कि गली-कूचों और बाजारों की हिन्दुस्तानी बड़ी जीवन्त भाषा है और अधिकांश आर्य भारत में जीवन का बहुत-सा कामकाज इसी भाषा के माध्यम से किया जाता है। यहाँ डॉ. चाटुर्ज्या ने आर्य भारत को आर्येतर से अलग करके देखा है। फिर इस हिन्दुस्तानी को आर्येतर मुगलों की देन माना है। फ़ारसी-अरबी से लदी हुई उर्दू को अलग रखते हुए उन्होंने हिन्दुस्तानी को देश में एकता कायम करनेवाला अपूर्व माध्यम कहा है, उसे जनसाधारण के काम-काज की भाषा कहा है। इस भाषा का विकास उन्होंने तेरहवीं शताब्दी से माना है। उत्तर भारत की विभिन्न जनपदीय उपभाषाओं से इसका जो सम्बन्ध रहा है, उसके बारे में उन्होंने रोचक बातें कही हैं। उनके अनुसार हिन्दुस्तानी का आधार पंजाबी और पछाँही हिन्दी हैं। (पछाँही हिन्दी में अनेक बोलियाँ आ जाती हैं।) राजधानी दिल्ली में अनेक बोलियाँ बोलनेवाले लोग एकत्र होते थे और उनकी बोलियों के शब्द इस भाषा में आ गए हैं। इसका निर्माण करनेवालों में बाँगरू (हरियाणा की बोली) बोलनेवाले लोग थे; पश्चिमी, पूर्वी और मध्य पंजाब के लोग थे; ऐसे लोग थे, जो सम्बन्धकारक चिह्न 'का' के बदले 'दा' कहते थे। संयुक्त प्रान्त (उत्तर प्रदेश) और सेंट्रल इंडिया एजेंसी (मध्य प्रदेश) के लोग थे जो ब्रजभाषा, कनौजी और बुन्देलखंडी बोलते थे। उनमें राजस्थानी समुदाय की अनेक बोलियाँ—यथा जयपुरी और मारवाड़ी—बोलनेवाले मेवाती और राजपूत थे, और इनके अतिरिक्त कुछ पुरबिये भी थे जो अवधी, बघेली और भोजपुरी बोलते थे।

हिन्दुस्तानी को मुगलों ने जन्म दिया या नहीं दिया, यह अलग प्रश्न है। विभिन्न बोलियाँ बोलनेवाले लोगों ने ब्रजभाषा के प्रभाव से हिन्दुस्तानी का विकास आगरे में किया या दिल्ली में, यह भी अलग प्रश्न है। डॉ. चाटुर्ज्या के विवरण में तत्त्व की बात यह है कि विभिन्न बोलियाँ बोलनेवालों के परस्पर सम्मिलन से हिन्दुस्तानी का विकास हुआ; इसका मुख्य आधार बाँगरू थी, पर जिन बोलियों से अनेक तत्त्व इसमें आए और जिनके बीच यह सम्पर्क भाषा बनी, वे बोलियाँ पंजाब, राजस्थान, बिहार, मध्य प्रदेश और उत्तर प्रदेश में बोली जाती थीं। इन बोलियों में पछाँही समुदाय की बोलियाँ और पूर्वी समुदाय की बोलियाँ भी थीं। विभिन्न जनपदों के बीच सम्पर्क की सामाजिक आवश्यकता को इस भाषा ने पूरा किया। क्या यह कहा जा सकता है कि यह हिन्दुस्तानी भाषा ब्रज, अवधी, भोजपुरी, मारवाड़ी आदि उप-भाषाओं पर लादी गई थी? जो लोग ऐसा कहें, उन्हें 1928 में डॉ. सुनीति कुमार चाटुर्ज्या का दिया हुआ उक्त ऐतिहासिक वृत्तान्त, ईर्ष्या-द्वेष भुलाकर, ध्यानपूर्वक पढ़ना और घोखना चाहिए।

डॉ. चाटुर्ज्या आगे कहते हैं कि तुर्क और पठान शासन की प्रारम्भिक शताब्दियों में हिन्दुस्तानी का रूप काफी अस्थिर था किन्तु पन्द्रहवीं शताब्दी में उत्तर भारत में उसका रूप काफी निश्चित हो गया। कहते हैं कि चौदहवीं शताब्दी में ही अपने पुराने रूप में, ब्रजभाषा और अवधी के साथ-साथ, पंजाब से लेकर बिहार तक वह साहित्य में प्रयुक्त होने लगी थी। कबीर की भाषा पुरानी हिन्दुस्तानी है और कुल मिलाकर यही आदिग्रंथ की भाषा है। डॉ. चाटुर्ज्या कहते हैं कि उत्तर भारत के सिपाही दक्षिण भारत जाते थे और वहाँ वे स्वयं को एक अजनबी प्रदेश में पाते थे जहाँ मराठी, तेलगू, कन्नड़ और तमिल भाषाएँ बोली जाती थीं। जो लोग उत्तर से जाकर दक्खिन में बस गए, उन्होंने सोलहवीं सदी के मुसलमान-प्रेरित हिन्दुस्तानी साहित्य की नींव डाली। गोलकुंडा के सुल्तान कुतुबशाह आदि ने उर्दू साहित्य को जन्म दिया, और दिल्ली के अमीर ख़ुसरो की अपेक्षा, ये लोग उर्दू के वास्तविक आदि-निर्माता थे। दकनी कवियों ने पहली बार हिन्दी के माध्यम से फ़ारसी के भाव व्यक्त किये। यह दकनी बाद की हिन्दुस्तानी नहीं है। यह दिन्दुस्तानी से मिलती-जुलती बोली है। उसका झुकाव कहीं-कहीं पंजाबी की तरफ है, और उस पर देशी या हिन्दी प्रभाव, विशेष कर शब्दावली पर, यथेष्ट प्रबल है।

उत्तर और दक्षिण भारत का आपसी सम्पर्क कितना पुराना है और इस सम्पर्क का माध्यम कौन-सी भाषा या भाषाएँ थीं, यह प्रश्न पुन: अलग रखना चाहिए। डॉ. चाटुर्ज्या मुगलकाल में उत्तर-दक्षिण भारत के आपसी सम्पर्क और हिन्दुस्तानी के प्रसार के बारे में आगे कहते हैं कि सत्रहवीं सदी में, खास तौर से औरंगज़ेब के सैनिक अभियानों के समय, उत्तर-दक्षिण भारत में घनिष्ठ सम्पर्क कायम हुआ। कुतुबशाह की पंजाबी-प्रभावित भाषा के बदले वली की टकसाली भाषा का व्यवहार होने लगा। वली की रेख़्ता, दिल्ली दरबार की भाषा को औरंगज़ेब के सिपाहियों और सरदारों ने दक्खिन में नये सिरे से कायम किया। दक्खिन में जो बोलियाँ (यानी हिन्दी या उसके अनेक रूप) उत्तर भारतीयों के उपनिवेशों में पहले से चालू थीं और फल-फूल रही थीं, उनसे राजधानी, दरबार और शाही फौज की भाषा ने लाभ उठाया। मुगल राजधानी की भाषा के दक्खिन पहुँचने से पहले जो बोलियाँ वहाँ बोली जाने लगी थीं, वे हैदराबाद, उत्तरी कर्णाटक, सावन्तवाड़ी में अब भी हिन्दुस्तानी के दकनी रूपों में बोली जाती हैं। वे तेलगू और तमिल जिलों में भी बोली जाती हैं और उनके पंजाबी से मिलते-जुलते रूप पर पुरानेपन की छाप है। उर्दू-ए-मुअल्ला नाम का व्यवहार, सम्भव है, पहले दक्खिन में हुआ हो! शाही ज़बान को दकनी बोलियों से अलग दिखाने के लिए उसका व्यवहार किया गया हो! उत्तर भारत में इस भाषा को हिन्दी या हिन्दवी कहते थे।

डॉ. चाटुर्ज्या ने अपने लेख में इस हिन्दी या हिन्दवी शब्द का प्रयोग न करके हिन्दुस्तानी शब्द का प्रयोग किया है। हिन्दुस्तानी शब्द का प्रयोग कब से और क्यों

किया जाने लगा, यह प्रश्न फिर अलग कर देना चाहिए। मुख्य बात यह है कि हिन्दुओं और मुसलमानों की दो अलग भाषाएँ नहीं थीं, यह हिन्दी या हिन्दवी भाषा एक ओर जहाँ उत्तर भारतीय जनपदों को एक-दूसरे से मिला रही थी, अर्थात् जातीय भाषा के रूप में विकसित हो रही थी, वहाँ दूसरी ओर वह उत्तर-दक्षिण भारत के सम्पर्क को सुदृढ़ बना रही थी, अर्थात् राष्ट्रभाषा के रूप में उसका प्रसार हो रहा था।

डॉ. चाटुर्ज्या आगे कहते हैं : मध्य एशिया और अफगानिस्तान से आनेवाले तुर्क, पठान, ईरानी और मुगल लोगों ने भारत में जब पहले अपनी छावनियाँ कायम की थीं, उस समय को बीते बहुत दिन हो गए थे। कुछ शताब्दियों से मध्यकालीन हिन्दुस्तान की मुसलमान-संस्कृति का केन्द्र विदेशी हमलावर की छावनी नहीं थी वरन् इस देश में कायम किया हुआ मुसलमान बादशाह का स्थायी दरबार था। हिन्दुस्तानी का प्रसार वास्तव में सत्रहवीं सदी के अन्त में हुआ, ऐसा जान पड़ता है।

डॉ. चाटुर्ज्या जिसे मुसलमान-संस्कृति कहते हैं, वह किसी जाति विशेष की संस्कृति है या दुनिया में कहीं के भी मुसलमान हों, उन सबकी संस्कृति है, यह प्रश्न अलग रखें। मूल बात यह है कि तुर्कों, पठानों, ईरानियों की अपनी-अपनी भाषाएँ थीं। भारत में इनमें से किसी भी भाषा का चलन नहीं हुआ। इन विभिन्न जातियों के मुसलमानों ने दिल्ली में उसी भाषा को अपनाया जिसे यहाँ के विभिन्न जनपदों के हिन्दू अपने काम-काज के लिए अपना रहे थे। इस तरह अनेक भाषाएँ बोलनेवाले जो मुसलमान हिन्दी प्रदेश में बस गए, वे हिन्दी जाति के अंग बने। मुगल बादशाह का दरबार विदेशी हमलावरों का दरबार नहीं था, वह इस देश में बस जानेवाले, हिन्दी जाति का अंग बन जानेवाले मुसलमानों, हिन्दू सामन्तों और व्यापारियों का दरबार था। ऐसे दरबार में विदेशी आक्रमणकारियों और देशी प्रजा को मिलानेवाली उर्दू नाम की किसी सम्पर्क भाषा का जन्म नहीं हुआ क्योंकि विदेशी आक्रमणकारियों को भारत में आए सैकड़ों साल बीत चुके थे। इन सैकड़ों सालों में वे विदेशी आक्रमणकारी कुछ गूँगे-बहरे नहीं थे कि सम्पर्क भाषा के बिना ही अपना राजकाज चलाते रहते। जब फ़ारसी राजभाषा बनाई गई, तब इसका कारण यह नहीं था कि भारत पर ईरानियों ने हमला किया है और दिल्ली के सिंहासन पर ईरानियों के वंशज बैठे हुए हैं। हिन्दी को हटाकर उसका स्थान फ़ारसी को दिया गया।

डॉ. चाटुर्ज्या सत्रहवीं सदी में हिन्दुस्तानी भाषा के माध्यम से कायम की जानेवाली एकता के बारे में कहते हैं : "मुगलों के अतिकेन्द्रित शासनकाल में, विशेषत: औरंगज़ेब के शासन में, लगभग सारे भारत में, एक प्रकार की एकता कायम हो गई। उत्तर भारत में इस भाषा की प्रतिद्वन्द्वी कोई दूसरी बोली न थी जिसे वही रुतबा हासिल होता जो दरबार की ज़बान को हासिल था, जिसे राजधानी के अधिकारी सर्वत्र पहुँचा रहे थे। टोडरमल ने हिन्दी के स्थान पर शासन के सभी विभागों में जब से फ़ारसी चलाई, तब से सरकारी काग़ज़ात, हुक्मनामों, रिपोर्टों,

अदालत की कार्रवाई और आम कानूनी दस्तावेजों की भाषा फ़ारसी हुई; औपचारिक रूप से वही राज्यभाषा थी। इसके अलावा मुसलमान उच्च वर्गों, हिन्दू अधिकारियों और फ़ारसी में दीक्षित अन्य जनों की वह भाषा थी। किन्तु आये-दिन के व्यवहार के लिए फ़ारसी के प्रयोग की ज्यादा गुंजाइश न थी, क्योंकि वह थी तो आखिर विदेशी भाषा। अन्य बोलियों का व्यवहार स्थानीय था, केवल ब्रजभाषा, अवधी और डिंगल (मारवाड़ी) जैसी कुछ बोलियों को साहित्यिक महत्त्व प्राप्त हुआ था। किन्तु ये सब हिन्दू साहित्य का माध्यम थीं और मुसलमानों के लिए अजनबी बोलियाँ भी थीं, इसलिए दिल्ली दरबार के मुसलमानों को उनसे दिलचस्पी न थी, सिवा इसके कि कभी कोई शहजादा या सरदार हिन्दू साहित्य पर मुग्ध होकर उन बोलियों में लिखता था या उनमें लिखनेवालों को प्रोत्साहन देता था।"

डॉ. चाटर्ज्या भाषा-समस्या को हिन्दुओं और मुसलमानों की समस्या बना देते हैं। किसी भाषा को बोलनेवाला पूरा समुदाय, जिसे हम जाति कहते हैं, उनके सामने कम रहता है। सिन्ध और कश्मीर की भाषाएँ अलग-अलग हैं। दोनों जगह मुसलमान बहुसंख्यक हैं। इस तथ्य की व्याख्या कैसे की जाएगी? दरबारी सरदार और शहजादे भले ही दो-चार कवियों को प्रोत्साहन देते रहे हों, मलिक मोहम्मद जायसी ने किस दरबार के प्रोत्साहन से 'पद्‌मावत' लिखा था? दरबारों में और दरबारों के बाहर संगीत की बन्दिशें ब्रजभाषा में थीं और उन्हें समझनेवालों की संख्या हजारों में थी। उनमें हिन्दू और मुसलमान, दोनों थे। उनके लिए ब्रजभाषा अजनबी बोली कैसे हो सकती थी?

आधुनिक भाषाओं का विकास अपभ्रंश से मानने के कारण डॉ. चाटुर्ज्या विश्वास करते हैं कि मध्य देश की भाषा, शौरसेनी अपभ्रंश, जो अब पछाँही हिन्दी है, तुर्क-अभियान से पहले उत्तर भारत के लोगों की एकता का माध्यम थी। इसके आधार पर साहित्यिक भाषाएँ गढ़ी गईं जो कृत्रिम थीं। इनके समानान्तर नई बोलियाँ विकसित हो रही थीं। ब्रजभाषा, कनौजी, बुन्देली और कुछ राजस्थानी बोलियाँ—ये सब शौरसेनी प्राकृत से उत्पन्न हुई थीं। इनमें किसी को भी शौरसेनी अपभ्रंश का महत्त्व प्राप्त न हुआ। (यहाँ डॉ. चाटुर्ज्या ने ब्रजभाषा की भूमिका को आँखों से ओझल हो जाने दिया है।) दिल्ली की बोली, अनेक मिलती-जुलती बोलियों के आधार पर विकसित हुई और उसका महत्त्व निरन्तर बढ़ता गया। वह हिन्दुस्तान की—अर्थात् हिन्दी-भाषी प्रदेश की—प्रमुख भाषा बन गई। उसे देशी और विदेशी, दोनों तरह के मुसलमान बोलते थे। सोलहवीं सदी के बाद से गुरु नानक और सिख गुरुओं की भाषा को इसने अधिकाधिक प्रभावित किया। (सिख गुरुओं की भाषा अधिकतर ब्रजभाषा है।) सत्रहवीं और अठारहवीं सदियों में राज्य कर्मचारी और फौजी सरदार पंजाब में अपने साथ दिल्ली की बोली ले गए। लाहौर, लखनऊ, बनारस, पटना, अहमदाबाद, दौलताबाद, मुर्शिदाबाद, ढाका—हर जगह दिल्ली की बोली बोलना

फैशन हो गया। दौलताबाद और गोलकुंडा की दकनी बोलियों ने दिल्ली की रेख़्ता की श्रेष्ठता स्वीकार की। अठारहवीं सदी में बहुत-से मुगल सूबे जब दिल्ली के मातहत न रहे, तब भी अनेक मुसलमान दरबारों में—अवध, हैदराबाद, पटना और बंगाल में—दिल्ली की भाषा का व्यवहार होता रहा।

हिन्दुस्तानी के प्रसार में डॉ. चाटुर्ज्या ने मुसलमान दरबारों, मुसलमान राज्य-कर्मचारियों की भूमिका को बढ़ा-बढ़ाकर दिखाया है। इसका कारण यह है कि जिन सामाजिक परिवर्तनों के कारण जातीय भाषा का विकास होता है, वे उनके सामने अस्पष्ट है। सबसे अधिक भ्रम की बात उन्होंने बंगाल के ही बारे में कही है। बंगाल के मुसलमान शासकों ने बंगला साहित्य के विकास को उल्लेखनीय प्रोत्साहन दिया। उनकी भाषा बंगला थी, न कि हिन्दुस्तानी। वे हिन्दुस्तानी भी जानते थे, वैसे ही, जैसे बंगाल के बहुत-से अन्य लोग, विशेष कर व्यापारी, उसे जानते थे। बंगाल की जातीय भाषा बंगला थी। बंगाली जाति लगभग आधी हिन्दू, आधी मुसलमान थी और है। इस कारण यह नहीं हुआ कि एक भाग की भाषा बंगला हो और दूसरे भाग की भाषा हिन्दुस्तानी हो। बंगाल में हिन्दुस्तानी भाषा सम्पर्क-भाषा के रूप में फैली, अंग्रेज़ी राज कायम होने से पहले फैली, अंग्रेज़ी राज कायम होने पर यह प्रक्रिया जारी रही। बंगाल को शेष भारत से मिलानेवाली भाषा अंग्रेज़ी नहीं थी, हिन्दुस्तानी थी, यह तथ्य निर्विवाद है। कारणों के बारे में मतभेद हो, वह अलग बात है।

बंगाल में हिन्दुस्तानी भाषा के प्रसार के बारे में डॉ. चाटुर्ज्या कहते हैं : दरबारों से यह भाषा साधारण लोगों में फैली, जो सरकार के सम्पर्क में आते थे। इस तरह बंगाल जैसे सूबे में इस भाषा को पैर जमाने का मौका मिला। जो बंगाली जन सरकारी नौकरी करना चाहते थे, उन्हें सबसे पहले फ़ारसी सीखनी होती थी। उन्हें हिन्दुस्तानी भी सीखनी होती थी, खास तौर से अठारहवीं सदी में। फ़ारसी भाषा मुंशी सिखाता था पर हिन्दुस्तानी आसपास के बोलनेवालों से सीखी जाती थी। राजनीति में अंग्रेज़ हिस्सा ले रहे थे; आखिर अठारहवीं सदी में वे बंगाल के शासक बन गए। बंगाल की जनता और सरकार से व्यवहार करने में, फ़ारसी और बंगला के अलावा, उन्हें हिन्दुस्तानी का ध्यान रखना होता था। बंगाल के मुसलमान अफ़सर उत्तर भारत की यही भाषा बोलते थे।

इसके बाद आर्थिक सम्बन्धों की महत्त्वपूर्ण भूमिका पर ध्यान देते हुए डॉ. चाटुर्ज्या ने जो कुछ कहा है, उससे उनकी पूर्व मान्यताएँ यदि पूरी तरह खंडित नहीं हो जातीं, तो उनमें काफी परिवर्तन अवश्य हो जाता है। कहते हैं कि बंगाल की राजधानी मुर्शिदाबाद में व्यापारियों की बड़ी-बड़ी कोठियाँ थीं। इनका सम्बन्ध उत्तर-भारत से था और बंगाल की बैंक-व्यवस्था पर उनका नियंत्रण था। इन कोठियों के मालिक पंजाब, राजपूताना और दूसरी जगहों के लोग थे जो प्राय: सभी हिन्दुस्तानी बोलते थे। बंगाल में बहुत-से हिन्दू कर्मचारी उत्तर भारत से आकर बस गए थे और वे अभी बंगाली न बने थे। इस प्रकार अनेक कारणों से बंगाल में हिन्दुस्तानी को

जगह मिल गई थी। यह हिन्दुस्तानी कौन-सी जनपदीय उपभाषाएँ बोलनेवालों को एक-दूसरे से मिला रही थी, इस बारे में डॉ. चाटुर्ज्या ने लिखा है : "उत्तर भारत के जो लोग घर में लहँदी, पंजाबी, राजस्थानी, ब्रजभाखा, कनौजी, बुन्देली, अवधी, भोजपुरी और मगही बोलते थे, उन्हें हिन्दुस्तानी एक सम्पर्क भाषा के रूप में प्राप्त हो चुकी थी और उसे वे स्वीकार करते थे।"

इस प्रकार सामाजिक आवश्यकताओं के कारण ब्रज, अवधी, बुन्देली आदि उपभाषाएँ बोलनेवालों ने हिन्दी भाषा को अपनी जातीय भाषा के रूप में स्वीकार किया था। उन पर हिन्दी भाषा कहीं बाहर से लाकर लादी न गई थी। व्यापारियों के अलावा और बहुत-से साधारण लोग उत्तर भारत से जाकर बंगाल में बस गए थे। इस बारे में डॉ. चाटुर्ज्या ने लिखा है कि उत्तर भारत से छोटे-मोटे व्यापारी, सिपाही, दरबान, नौकर-चाकर, साधू-संन्यासी उत्तर भारत से निरन्तर बंगाल आते रहे थे। इन लोगों ने बंगाल में हिन्दुस्तानी की स्थिति को मजबूत किया। यही कारण है कि सन् 1800 में अंग्रेज़ों ने जब कलकत्ते में फोर्ट विलियम कॉलेज की स्थापना की, तो बंगाल के लिए हिन्दुस्तानी को अनिवार्य भाषा मानकर, उन्होंने हिन्दुस्तानी का प्रोफेसर नियुक्त करने की व्यवस्था की। इससे पहले अन्य यूरोपियन लोग इस भाषा का महत्त्व समझ चुके थे और उन्होंने उसके व्याकरण लिखे थे। डॉ. चाटुर्ज्या के अनुसार, केटलेर ने अपना हिन्दुस्तानी व्याकरण सन् 1715 में लिखा और वह 1743 में प्रकाशित हुआ। इसमें उन्होंने उस हिन्दुस्तानी को आधार बनाया जो सूरत में तथा मुगल-साम्राज्य के भीतरी नगरों में बोली जाती थी। केटलेर के बाद अंग्रेज़ हेडले ने 1772 में हिन्दुस्तानी पर अपनी पुस्तक प्रकाशित की। 1779 में फर्गुसन ने हिन्दुस्तानी का व्याकरण और कोश प्रकाशित किया।

हिन्दुस्तानी के प्रसार के बारे में डॉ. चाटुर्ज्या ने आगे लिखा है कि राजपूताना, पंजाब और दोआब से लोग बंगाल में बराबर आते रहे। जब रेल चालू हुई, तब इनकी संख्या और भी बढ़ी। इन हिन्दुस्तानी बोलनेवालों में मजदूर थे और छोटे व्यापारी थे, इसलिए बंगाल के बड़े शहरों में, खास तौर से कलकत्ते में, बंगालियों को हिन्दुस्तानी से परिचित होना ही पड़ता था। दिल्ली की ज़बान को बिहारी, पुरबिये, मारवाड़ी अपने-अपने ढंग से बोलते थे; जब उसे बंगाली बोलते थे, तब उस पर अपना अलग रंग चढ़ाते थे। जो हिन्दुस्तानी बोलनेवाले बंगला भाषा से परिचित हो गए थे, वे बंगला का वह रंग अपनी हिन्दुस्तानी पर चढ़ाते थे। इस तरह का हिन्दुस्तानी का एक बंगाली संस्करण चालू हुआ।

1921 की जनगणना के आधार पर डॉ. चाटुर्ज्या ने लिखा है कि पौने पाँच करोड़ की आबादी में बंगला-भाषी जन चार करोड़ सैंतीस लाख से कुछ ऊपर थे। हिन्दी-उर्दू बोलनेवाले बीस लाख थे। इनके अलावा पैंतीस हजार राजस्थानी, गुजराती, मराठी और पंजाबी बोलनेवाले थे, और ये प्राय: सभी हिन्दुस्तानी का व्यवहार करते

थे। पूरे बंगाल को देखते हुए बंगला भाषा के समुद्र में हिन्दुस्तानी एक टापू जैसी थी किन्तु कलकत्ते में बंगला भाषा बोलनेवाले केवल 53.3 फीसदी थे। बंगाल के आर्थिक और सांस्कृतिक जीवन की धुरी है कलकत्ता। इसकी आधी आबादी गैर-बंगाली थी। इन गैर-बंगालियों में 37.2 फीसदी लोग बिहार और संयुक्त प्रान्त के थे। डॉ. चाटुर्ज्या ने कलकत्ते को द्विभाषी नगर कहा है, जिसकी दो मुख्य देशी भाषाएँ बंगला और हिन्दुस्तानी हैं। दरबानों, मजदूरों आदि के मुँह से काफी भोजपुरी भी सुनने को मिलती है किन्तु प्रधान भाषाएँ वही हैं। डॉ. चाटुर्ज्या कहते हैं : "शहर के बहुत-से भागों में, उसके गढ़ में, व्यापार-व्यवसाय के मोहल्लों में, हाट-बाजारों में (बंगाली दुकानें छोड़कर) बंगला की अपेक्षा हिन्दुस्तानी ही ज्यादा चलती है। उत्तर भारत से आनेवाले बहुत-से लोग बंगला बोल नहीं पाते, समझ उसे चाहे लें, किन्तु शहर में रहनेवाले प्राय: सभी बंगाली थोड़ी-बहुत बाज़ार-हिन्दुस्तानी जानते हैं।

इस तरह सामाजिक कारणों से कलकत्ते में हिन्दी को जगह मिली। व्यापार-व्यवसाय में बंगला की अपेक्षा उसका अधिक व्यवहार होने से स्वभावत: सारे बंगाल का सामाजिक जीवन उससे प्रभावित हुआ।

अब मगही-मैथिली बोलनेवालों का व्यवहार देखिए। बंगला और उड़िया बोलनेवाले मिलेंगे तो बंगला बोलेंगे : "किन्तु जब कोई बंगला बोलनेवाला मगही या मैथिली बोलनेवाले से मिलेगा, तो आम तौर से बाज़ार-हिन्दुस्तानी में बोलेगा। दिल्ली की भाषा ही कलकत्ते के लोगों तथा भागलपुर, गया, पटना, दरभंगा और बनारस के लोगों के बीच सम्पर्क-भाषा बनेगी, और इस तथ्य के बावजूद बनेगी कि बंगाली और बिहारी बोलियाँ, संरचना की दृष्टि से, एक-दूसरे से अधिक मिलती हैं, हिन्दुस्तानी से कम मिलती हैं, वे ऐसी शाखा या भाषा-समुदाय से सम्बद्ध हैं जिससे हिन्दुस्तानी अलग है।" संरचना की दृष्टि से कौन किससे ज्यादा मिलती है, यह बात यहाँ छोड़ दें। निर्विवाद सामाजिक तथ्य यह है कि न केवल भोजपुरी बोलने वालों, वरन् मगही और मैथिली बोलनेवालों के लिए भी बंगला की अपेक्षा हिन्दी सुगम पड़ती है। स्वभावत: वे बंगालियों में ही हिन्दी नहीं बोलते, आपस में भी हिन्दी बोलते हैं। सामाजिक विकास की यह सारी प्रक्रिया उलटकर अब डॉ. चाटुर्ज्या जैसे विद्वान मैथिली, मगही, भोजपुरी आदि को हिन्दी से भिन्न स्वतंत्र भाषाएँ बनाने पर तुले हुए हैं; इसके साथ यह घोपणा करते हैं कि बंगाल तथा भारत की सम्पर्क-भाषा अब अंग्रेज़ी ही हो सकती है। इस नीति का एक परिणाम यह होता है कि स्वयं बंगाल में बंगला के सिंहासन पर अंग्रेज़ी विराजमान रहती है। जातीय विघटन और राष्ट्रीय विघटन, दोनों की आधारभूत नीति एक है।

पराधीन भारत में स्थिति दूसरी थी। डॉ. चाटुर्ज्या के अनुसार : समृद्ध बंगाली परिवार में कर्ता महाशय कलकत्ते की बंगला बोलेंगे। उनका मैनेजर और क्लर्क पूर्वी बंगाल के होंगे, दासियाँ मिदनापुर या बाँकुरा जिले की होंगी, नौकर बिहारी या

उड़िया होंगे, रसोइया मैथिल हो सकता है; सईस, कोचवान बिहार या पूर्वी संयुक्त प्रान्त के हो सकते हैं; ड्राइवर बंगाली हिन्दू या सिख होगा, और दरबान, चौकीदार भोजपुरिये, सिख या गुरखे होंगे। बंगला और उड़िया बोलनेवालों को छोड़कर ये सभी लोग हिन्दुस्तानी बोलेंगे। और सुनिए। देशी लोगों के अलावा "विदेशियों को कलकत्ते में बाजार की हिन्दुस्तानी सीखनी ही होती है और वे उसे सहज आवश्यकता मानकर सीख लेते हैं। बंगाली, गुजराती, सिख, पठान, चीनी, तमिल, आर्मीनियन, बगदाद का यहूदी, एंग्लो-इंडियन—ये सब लोग फुटबॉल या घुड़दौड़ के मैदान में, ट्राम और बस में, कलकत्ते की भीड़भाड़ में एक दूसरे से मिलेंगे और तब वे आपस में बाजार की हिन्दुस्तानी बोलेंगे, उसी में मजाक करेंगे और झगड़ा करेंगे।"

विशुद्ध हिन्दी या उर्दू के विचार से हाट-बाजार की इस हिन्दुस्तानी में व्याकरण और उच्चारण की अशुद्धियाँ थीं। इसमें कोई आश्चर्य की बात नहीं क्योंकि जिस अंग्रेज़ी को मानक रूप में चलाने का ठेका ब्रिटिश साम्राज्य के शिक्षा-विशारदों ने ले रखा था, वह अनेक स्थानीय रूपों में, खास इंग्लैंड में ही बोली जाती थी। इंग्लैंड के बाहर तो उसके रूपों का ठिकाना न था। हिन्दुस्तानी भाषा का व्यवहार भारत के लोग ही न करते थे, अंग्रेज़ तथा अन्य यूरोपियन लोग भी उससे काम लेते थे। तब ऐसी 'अशुद्धियाँ' होना स्वाभाविक था। डॉ. चाटुर्ज्या ने लिखा है कि जो यूरोपियन शहरों में रहते हैं, वे बंगाल में कहीं भी थोड़ी-सी बोलचाल की हिन्दुस्तानी से अपना काम चला सकते हैं। उनके नौकर बंगाली मुसलमान, अराकान या चटगाँव के बौद्ध, उड़िया या पछाँही लोग—सभी बाजार की हिन्दुस्तानी समझते और बोलते हैं; केवल मद्रास के नौकर अपने मालिकों से अंग्रेज़ी बोलते हैं, पर वे भी बाजार की हिन्दुस्तानी बहुत जल्दी सीख लेते हैं।

अंग्रेज़ों ने, हिन्दी-भाषी प्रदेश से पहले, बंगाल पर विजय प्राप्त की। बंगाल में जिस देशी भाषा से वे काम लेते थे, वह बंगला नहीं थी, हिन्दुस्तानी थी। इसका कारण यह था कि अंग्रेज़ी राज कायम होने से पहले, बंगाल तथा भारत के अन्य प्रदेशों में, हिन्दी सम्पर्क भाषा के रूप में बहुत बड़े पैमाने पर फैल चुकी थी।

अब इस हिन्दुस्तानी भाषा के अन्तरराष्ट्रीय व्यवहार पर विचार कीजिए। डॉ. चाटुर्ज्या कहते हैं : "यह भाषा भाँति-भाँति के स्थानों में बोली जाती है—जहाँ भी ऐसे लोग हों जिनका भारत से कुछ भी सम्बन्ध रहा हो। एक बार पेनांग में स्टीमर पर कैन्तन और शांघाई के दो चीनी थे। एक अंग्रेज़ी जानता था, दूसरा थोड़ी-सी हिन्दुस्तानी। मुझे इनके बीच दुभाषिये का काम करना पड़ा।" कैन्तन और शांघाई की चीनी बोलियाँ इतनी भिन्न रही होंगी कि वे दोनों चीनी एक-दूसरे की बात समझ न पाते होंगे। उनमें एक को तो विश्व-भाषा अंग्रेज़ी आती थी पर दूसरे को केवल हिन्दुस्तानी आती थी। जैसाकि भारत में होता है, उच्च वर्गों के तमिल-तेलगू-भाषी जन आपस में एक-दूसरे से तमिल या तेलगू में वार्तालाप नहीं करते, वे अंग्रेज़ी का सहारा लेंगे, पर इन भाषाओं

के बोलनेवाले साधारण जन हिन्दुस्तानी का व्यवहार करेंगे, वैसे ही यह दूसरा चीनी व्यक्ति अंग्रेज़ी की जगह हिन्दुस्तानी से काम चलाता था। अपने अनुभवों के बारे में डॉ. चाटुर्ज्या आगे कहते हैं : "लन्दन की सड़कों में एक ब्रिटिश सैनिक और एक मलय नाविक, स्कॉटलैंड के पहाड़ी में ओबान स्थान पर एक स्कॉट ओवरसियर, स्वयं यूनान में कुछ यूनानी जो कलकत्ते की राली ब्रदर्स नामक फर्म में काम कर चुके थे, मुझसे हिन्दुस्तानी में बोले। भारत के बाहर जहाँ भी मुझे कोई भारतीय मिला, मैंने उससे पूछा, क्या भाई, हिन्दुस्तानी हो? यदि वह उत्तर भारत का हुआ तो जवाब हमेशा हिन्दुस्तानी में मिला। कभी-कभी दक्षिण भारतीय भी हिन्दुस्तानी में जवाब देगा किन्तु साधारणत: दक्षिण भारतीय अथवा भारतीय-सा लगनेवाला श्रीलंका का निवासी, उस भाषा को न बोल पाने के लिए क्षमा-याचना करेगा।"

जो लोग व्यापार, उच्च शिक्षा आदि के कामों में लगे हुए हैं, उनमें हिन्दी का व्यवहार अपेक्षाकृत कम होगा किन्तु गरीबों की सम्पर्क भाषा, और कभी-कभी उनकी एक मात्र भाषा हिन्दी है—केवल हिन्दी प्रदेश में नहीं, उसके बाहर भी है। केवल भारत में नहीं, भारत के बाहर भी है। इस सन्दर्भ में डॉ. चाटुर्ज्या का बयान इस प्रकार है : "कलकत्ते की झुग्गी-झोंपड़ी वाली बस्तियों में, पटसन मिलों के मजदूर-मोहल्लों में, रेल-मजदूरों के अहातों में, अंडमान द्वीपों के कैदियों के आवासों में, फिजी, ट्रिनिडाड, ब्रिटिश, गियाना तथा अन्यत्र के भारतीय प्रवासियों में ऐसे मानव-समुदाय बढ़ रहे हैं जिनकी घर की भाषा और कभी-कभी जिनकी एकमात्र भाषा यह बाजार-हिन्दुस्तानी है।" पिछले दिनों हिन्दी को विश्व-भाषा बनाने की बात काफी जोरों से कही जाती रही है। पचास वर्ष पहले हिन्दी विश्व-भाषा बन चुकी थी, यह डॉ. चाटुर्ज्या के उक्त विवरण से स्पष्ट है। उसे विश्व-भाषा कुछ थोड़े-से नेताओं और भाषाशास्त्रियों ने नहीं बनाया। उसे मुख्यत: कुलियों और मजदूरों ने अन्तरराष्ट्रीय व्यवहार की भाषा बनाया है। नेताओं और भाषाशास्त्रियों को दिशा-निर्देश नहीं करना है—मेहनत से रोटी-रोजी कमानेवाले लोग जो पहले से कर चुके हैं, उसे समझना है। इन लोगों का अनुसरण करना है। वह बात अन्तरराष्ट्रीय स्तर पर ही नहीं, राष्ट्रीय स्तर पर भी लागू होती है।

राष्ट्रीय स्तर पर हिन्दी का प्रसार अनेक कारणों से हुआ है। डॉ. चाटुर्ज्या ने लिखा है कि मेसोपोटामिया के यहूदी और आर्मीनिया के प्रवासी, कलकत्ते में बस जाने पर, दूसरी-तीसरी पीढ़ी में हिन्दुस्तानी बोलने के आदी हो जाते हैं। बिहार या पूर्वी हिन्दी प्रदेश से मूलत: आए हुए कुछ मुसलमान मजदूरों की आम बोलचाल की भाषा हिन्दुस्तानी हो जाती है। (ऐसा बंगाल में ही नहीं होता, हिन्दी प्रदेश के औद्योगिक केन्द्रों में भी होता है। डॉ. चाटुर्ज्या ने जातीय भाषा के प्रसार की प्रक्रिया का ही वर्णन करते हुए लिखा है : "दरअसल पछाँह से आनेवाले हिन्दू और मुसलमान, दोनों को ही जब अपनी बोली छोड़नी पड़ती है, तब वे सहज भाव से इस बाजार-हिन्दुस्तानी को ही अपनाते हैं।"

हिन्दुओं और मुसलमानों की बोलचाल की भाषा एक है। औद्योगिक केन्द्रों में हिन्दू और मुसलमान मजदूर, उनकी बोली कोई भी रही हो, हिन्दुस्तानी भाषा अपनाते हैं। ऐसा करना उनके लिए स्वाभाविक इसलिए होता है कि उनकी बोलियाँ हिन्दी से ज्यादा मिलती-जुलती हैं, किसी अन्य भाषा से नहीं, और इस हिन्दी का प्रसार शताब्दियों से होता चला आ रहा है। डॉ. चाटुर्ज्या ने लिखा है कि कलकत्ते के बंगाली मुसलमान अपने देहाती परिवेश से अलग-थलग जा पड़े हैं। वे बंगला भाषा छोड़कर यह हिन्दुस्तानी बोली बोलते हैं : "और अब वे एक निरन्तर बढ़ता हुआ शहरी सर्वहारा वर्ग निर्मित कर रहे हैं जो संस्कृतिविहीन है और जो अक्सर झगड़ा-फसाद करनेवाला होता है।"

मजदूर जहाँ भी अपनी माँगों के लिए संघर्ष करते हैं, वे उच्चवर्गों को असंस्कृत और दंगा-फसाद करनेवाले प्रतीत होते हैं। कलकत्ते का मजदूर वर्ग मुख्यत: हिन्दी-भाषी है। बंगाल के बहुत-से वामपक्षी नेता भी बहुधा इस तथ्य को पूरी तरह समझ नहीं पाते, उसके अनुसार अपनी भाषा-नीति स्थिर नहीं कर पाते। कलकत्ते के मजदूरों का संगठन हिन्दी भाषा के व्यवहार के बिना असम्भव है। यह स्थिति केवल कलकत्ते में नहीं है। बम्बई भारत का दूसरा बड़ा औद्योगिक केन्द्र है। वहाँ के मजदूर मराठी या गुजराती के मुकाबले हिन्दी का व्यवहार वैसे ही ज्यादा करते हैं, जैसे कलकत्ते के मजदूर; केवल बंगला-भाषी मजदूरों से मराठी-भाषी मजदूरों का अनुपात अधिक होगा। यदि सारे भारत के मजदूर वर्ग को लिया जाए तो यह तथ्य उजागर होगा कि भारत के बहुसंख्यक मजदूर हिन्दी भाषा का व्यवहार करते हैं; जिनकी मातृभाषा बंगला, मराठी, तेलगू आदि कोई अन्य भाषा है, जो अंग्रेज़ी नहीं जानते, वे सम्पर्क भाषा के रूप में हिन्दी का ही व्यवहार करते हैं। इससे सिद्ध हुआ कि मजदूर नेता जब तक अखिल भारतीय कामकाज में अंग्रेज़ी नहीं छोड़ते, तब तक मजदूर-आन्दोलन पूरी शक्ति से प्रगति नहीं कर सकता, न स्वयं मजदूर इस आन्दोलन की, और अपने संगठनों की, बागडोर अपने हाथ में ले सकते हैं।

अक्सर यह कहा जाता है कि साधारण लोग जो हिन्दी बोलते हैं, वह साहित्यिक हिन्दी नहीं है। सही बात है, पर साधारण लोग जो भाषा बोलते हैं, वह साहित्यिक उर्दू कब है? किन्तु अनेक वामपक्षी नेता उर्दू की सुरक्षा के लिए बहुत चिन्तित दिखाई देते हैं। पुराने जमाने में, यानी जब भारत पराधीन था, तब ये नेता कहते थे कि साहित्यिक उर्दू बोलचाल की भाषा से बहुत दूर जा पड़ी है। पिछले पच्चीस वर्षों में उनका यह आलोचनात्मक स्वर मंद ही नहीं, बन्द हो गया है। कारण यह है कि वे अंग्रेज़ी छोड़ नहीं सकते और अंग्रेज़ी को मुख्य चुनौती हिन्दी दे रही है, न कि उर्दू। इसीलिए हिन्दी कृत्रिम भाषा है, जनसाधारण की बोलचाल से दूर है, यह कहने में लाभ है।

कोई भी भाषा बड़े पैमाने पर व्यवहार में आएगी तो उसके अनेक स्थानीय भेद होंगे ही। डॉ. चाटुर्ज्या ने बाजार-हिन्दुस्तानी के नाम पर केवल कलकत्ते की

हिन्दुस्तानी को सामने रखा है। कलकतिया हिन्दी की तरह एक बम्बइया हिन्दी है। हर शहर में एक ही बाजार-हिन्दुस्तानी नहीं है। बहुत-से शहर हैं, बहुत-से बाजार हैं, उनमें बहुत तरह की हिन्दी बोली जाती है। हिन्दी का विरोध करनेवाले लोग एक तर्क यह भी देते हैं कि हिन्दी का कोई सर्वमान्य रूप स्थिर नहीं हुआ। यदि स्थिर रूपवाली मानक हिन्दी की बात कीजिए तो कहेंगे, यह भाषा नकली है, बोलचाल की भाषा से दूर है। यदि बोलचाल की हिन्दी के अनेक रूप दिखाइए तो कहेंगे, यह भाषा स्थिर नहीं है। इसका कोई मानक रूप नहीं है। मतलब यह कि हर हालत में उन्हें अंग्रेज़ी कायम रखनी है। वह भाषा भारत के लिए बिलकुल कृत्रिम नहीं है, मजदूरों के संगठन और समाजवादी भारत के निर्माण का अनिवार्य माध्यम अंग्रेज़ी है।

इस तरह की समस्याओं पर किसी समय बहुत ही सुलझे हुए विचार डॉ. चाटुर्ज्या ने व्यक्त किये थे। उन्होंने अपने उक्त लेख में कहा था : "जब कोई भाषा दरअसल आम जनता की भाषा होती है, गली-कूचों और हाट-बाज़ार की बोली होती है, जो अपनी जनतांत्रिक प्रकृति के कारण विशुद्ध संस्कृति का आग्रह नहीं करती और जो कम-से-कम दो शताब्दियों से प्रचलित रही है, ऐसी भाषा से यह अपेक्षा नहीं की जा सकती कि वह उच्चारण में, रूपों में, शब्दावली में, या मुहावरों में एकरूपता अथवा मानक रूप दिखाए। उनमें केवल यह गुण होना चाहिए कि मूल भाषा से अपना सम्बन्ध बनाए रहे। तत्त्व की बात यही है। कलकत्ते की बाजार-हिन्दुस्तानी बहुत कुछ बंगला की पृष्ठभूमि पर जीवित रही है। कभी-कभी उसके लिए कहा जा सकता है कि वह बंगला और हिन्दुस्तानी के बीच एक समझौते की भाषा है। बात यों शुरू होती है कि वह बिहार और पूर्वी उत्तर प्रदेश से आनेवाले, अधिकतर अशिक्षित, जनसाधारण की व्याकरणविहीन भाषा है, जिस पर पूर्वी हिन्दी और बिहारी का रंग पहले से ही चढ़ा है, और जिस पर, इसके बाद, बंगला शब्दावली और मुहावरों के प्रभाव से एक नया रंग और चढ़ा है। पूर्वी हिन्दी और बिहारी के तत्त्व अधिकतर रूप-तंत्र और शब्द-भंडार में पाए जाते हैं, बंगला का प्रभाव शब्द-भंडार पर अधिक है। बाज़ार-हिन्दुस्तानी मानक भाषा से किस रूप में और कितना हट गई है, वह इस पर निर्भर है कि उसके बोलनेवालों की मातृभाषा या बोली कौन-सी है और उसमें [हिन्दुस्तानी में] उन्हें कितनी योग्यता प्राप्त है। बंगाली, अंग्रेज़, चीनी, तमिल—हरेक इस आम बोली पर अपने ढंग से रंग चढ़ाता है। किन्तु एक सूत्र ऐसा है जिससे इस भाषा का व्यवहार करते समय ये सभी बँधे रहते हैं, इसी से वे एक दूसरे की बात समझते हैं; वह सूत्र सभी के लिए एक सामान्य आधार है, इस कारण ऐसे चरम-पंथी रूपों का व्यवहार नहीं किया जाता कि भाषा के प्रयोग का उद्‌देश्य ही नष्ट हो जाए। यह सूत्र अथवा एकता का बन्धन है : व्याकरण-रूपों का नितान्त अल्पतम अस्तित्व, गैर-पारिभाषिक कोटि के साधारण स्तरवाले शब्दों, मुहावरों और शब्द-बन्धों की नितान्त अल्पतम संख्या का अस्तित्व।"

डॉ. चाटुर्ज्या के लेख में एकता के सूत्र का उक्त लक्षण खूब मोटे-मोटे अक्षरों में छापा गया है। उस पर जोर देना उचित है। तथाकथित बाजार-हिन्दुस्तानी हिन्दी का ही एक रूप है। कारण यह कि सामान्य शब्दावली और व्याकरण की मूल विशेषताएँ दोनों की एक हैं। जो बात हिन्दी-उर्दू को मिलाती है, वही हिन्दी को उसके स्थानीय रूपों से मिलाती है। डॉ. चाटुर्ज्या का यह कहना सही है कि हिन्दुस्तानी भाषा का एक सरल पूर्वी मानक रूप विद्यमान है। यद्यपि इस तरह की भाषा लिखना उनके अनुसार शुद्ध हिन्दी-उर्दू के प्रति अपराध होगा, फिर भी बिहार और पूर्वी संयुक्त प्रान्त के शिक्षित जन इस भाषा का व्यवहार करते हैं। इस भाषा में गम्भीर साहित्य नहीं लिखा गया, जहाँ-तहाँ गद्य और पद्य में उसका उपयोग किया गया है।

इस सम्बन्ध में मेरा निवेदन है कि स्थानीय भेदों वाली हिन्दी का सबसे अधिक प्रयोग 1800 से पहले किया गया है। 1800 से पहले लिखा हुआ गद्य और पद्य—लिपि चाहे फ़ारसी हो, चाहे नागरी—ब्रजभाषा से प्रभावित है। दकनी की अपनी विशेषताएँ हैं यद्यपि इस भाषा पर भी ब्रजभाषा का प्रभाव दिखाई देता है। 1800 के बाद मानक हिन्दी-उर्दू, साहित्य में, केवल दकनी को विस्थापित नहीं करतीं, वे ब्रजभाषा-प्रभावित पुरानी हिन्दी को भी विस्थापित करती हैं। परिनिष्ठित भाषा के प्रसार का यह अनिवार्य परिणाम था। पिछले तीस वर्षों में स्थानीय रंग वाली हिन्दी का यथेष्ट प्रयोग कथा-साहित्य में हुआ है। जब जातीय भाषा का मानक रूप सुनिश्चित हो जाता है, तब स्थानीय रंग वाली भाषा साहित्य और सामाजिक कार्यवाही का मुख्य माध्यम नहीं रहती। यही बात बंगला के साथ हुई है, भारत के बाहर अंग्रेज़ी भाषा के साथ हुई है। इसलिए पुरबिया रूप में हिन्दुस्तानी भाषा साहित्य का माध्यम नहीं बनी, तो इसमें कोई आश्चर्य की बात नहीं है।

जो लोग समझते हैं कि अनेक बोलियों का होना हिन्दी प्रदेश की विशेषता है, वे बंगाल की बोलियों पर भी ध्यान दें। बोलियों को भाषा से अलग करके उन्हें स्वतंत्र भाषा घोषित करके, किसी जाति के सामाजिक-सांस्कृतिक जीवन को भीतर से छिन्न-भिन्न करना उतना ही बड़ा अपराध है जितना दूसरे की भाषा का दमन करके उस पर अपनी भाषा लादना। बंगला साहित्य में बंगाल की बोलियों का वैसे ही उपयोग होता रहा है, जैसे हिन्दी साहित्य में हिन्दी प्रदेश की बोलियों का। जातीय अहंकार से ग्रस्त और हिन्दी की प्रगति से क्षुब्ध होकर कुछ बुद्धिजीवी हिन्दी प्रदेश के लिए एक नियम बनाते हैं, अन्य प्रदेशों के लिए दूसरा नियम।

बंगाल में वहाँ की बोलियों के अलावा हिन्दी का भी व्यवहार व्यापक रूप से होता था। अत: बंगला साहित्य में उन बोलियों के साथ हिन्दी का व्यवहार भी अनिवार्य था। डॉ. चाटुर्ज्या ने इस सन्दर्भ में बताया है कि बंगला नाटकों में कलकत्ते की बोलचाल की मानक बंगला के अलावा राढ अथवा पश्चिमी बंगाल की बोली, पूर्वी बंगला, उड़िया और हिन्दुस्तानी का व्यवहार आम बात है। ढाका की बोली

के अनुकरण के प्रयत्न से एक तरह से रंगमंच की पूर्वी बंगला का विकास हो चुका है [जैसे हरियाणा, पंजाब, राजस्थान आदि प्रदेशों के निवासियों के उच्चारण की नकल करने के प्रयत्न से संस्कृत नाटकों की प्राकृतों का निर्माण हुआ था।] छोटानागपुर के आदिवासी मूल के मजदूर, मेहतर आदि हिन्दी, बंगला और बिहार की बोलियाँ मिलाकर अपना काम चलाते हैं। उसके आधार पर बंगला नाटकों में जंगली कबीलों का चित्रण करते समय इस भाषा का व्यवहार किया जाता है। डॉ. चाटुर्ज्या कहते हैं कि बंगला लेखक बाजार की हिन्दुस्तानी से परिचित होते हैं। नाटकों में वे उसका उपयोग करते हैं और उन्हें इसका ज्ञान नहीं होता कि इसका शुद्ध रूप और कहीं प्रचलित है। हास्य रस के लोकप्रिय बंगला नाटकों में गीत, और कभी-कभी पूरे दृश्य, इस बोली में लिखे जाते हैं, अथवा बंगला और हिन्दुस्तानी के एक कृत्रिम मिश्रण में लिखे जाते हैं। बंगाल के प्रसिद्ध नाटककारों—गिरीशचन्द्र घोष और अमृतलाल बोस—ने ऐसे अनेक दृश्य लिखे थे। किन्तु इस परम्परा की शुरुआत इन नाटककारों से नहीं होती।

यह बात बहुत महत्त्वपूर्ण है कि उच्च साहित्य से भिन्न लोक-साहित्य में यह परम्परा बहुत पहले से विद्यमान थी। डॉ. चाटुर्ज्या ने बताया है कि आधुनिक बंगला नाटकों में इस तरह के दृश्य लिखने की प्रथा लोकप्रिय यात्रा-नाटकों से आई। इन नाटकों में स्वांग, तमाशे होते थे जिनमें कुछ पात्र हिन्दुस्तानी भाषा का व्यवहार करते थे। रामायण, महाभारत या पुराणों के आधार पर रचे हुए नाटकों में बहुधा एक दृश्य प्रस्तावना का होता था। उसमें झाड़ू लगानेवाले कलुआ और भुलुआ, दो पात्र राज-कर्मचारियों से हँसी-मज़ाक करते थे, नाच-गाना होता था, और संवाद हिन्दुस्तानी तथा बंगला में होते थे।

बंगला साहित्य में हिन्दी का प्रयोग मजदूरों, दरबानों, मेहतरों आदि से कराया जाता रहा है। इस कारण बंगाली भद्र जन स्वयं को द्विज और हिन्दी-भाषियों को शूद्र समझने लगे हों, तो आश्चर्य नहीं। किन्तु इस स्थिति का एक दूसरा पक्ष है। हिन्दी-भाषी द्विजों ने बंगाली भद्रजनों को शूद्र बनाकर उन पर हिन्दी भाषा लादी नहीं है। वह बंगाल में श्रमिक जनता के एक भाग की भाषा रही है। एक दिन यह श्रमिक जनता सम्मानित होगी, मानवोचित जीवन बिताएगी, तब उसकी भाषा भी सम्मानित होगी। जो भाषा श्रमिक जनता के एक बहुत बड़े भाग में जड़ जमाये हुए है, उसके विरुद्ध भद्रजन चाहे जितना हल्ला मचाएँ, वे उसे उखाड़ नहीं सकते। यात्रा-नाटकों में कलुआ और भुलुआ हिन्दी बोलें, यह आदेश उन्हें या नाटककारों को मुसलमान बादशाहों या नवाबों से प्राप्त न हुआ था। यह भारत राष्ट्र के विकास का अनिवार्य परिणाम है।

डॉ. चाटुर्ज्या ने बताया है कि कलकत्ते के ठठेरे, साल में एक बार, स्वाँग करते थे। यह प्रथा बन्द कर दी गई, पर सन् '20 के आस-पास मछेरों ने उसे फिर चालू

किया। बंगला वर्ष के अन्तिम दिन ये लोग जुलूस निकालते हैं, साल की घटनाओं पर व्यंग्यपूर्ण पद्य, कलकत्ते के सामाजिक जीवन के विभिन्न पहलुओं पर अपनी रचनाएँ सुनाते हैं। पछाँही मोची, मारवाड़ी व्यापारी, धोबी, काबुली सूदखोर आदि इन स्वाँगों में खुलकर हिन्दुस्तानी भाषा का प्रयोग करते हैं। इससे पता चलेगा कि हिन्दी की जड़ें बंगाल के जीवन में कितने गहरे पैठी हुई हैं। भारत के दूसरे छोर पर महाराष्ट्र में जो नाटक खेले जाते रहे हैं, उनमें हिन्दी के व्यवहार की स्थिति इससे मिलती-जुलती है। अन्तर यह है कि मराठी नाटकों में हिन्दी का व्यवहार केवल हँसी-मज़ाक के लिए या उसे बोलनेवालों को असंस्कृत दिखाने के लिए न होता था।

डॉ. चाटुर्ज्या ने लिखा है कि बाजार-हिन्दुस्तानी को सम्पर्क भाषा के रूप में स्वीकार किया जाए। राष्ट्रीय हित के विचार से हिन्दी-भाषियों को थोड़ा त्याग करना चाहिए अर्थात् मानक हिन्दी में साहित्य रचने का हठ न करना चाहिए। उनकी इस नेक सलाह पर किसी ने ध्यान नहीं दिया। पूर्वी और पश्चिमी बंगाल को संयुक्त रखने का अथवा पुन: संयुक्त करने का एक तरीका यह हो सकता था कि बंगला लेखक मानक भाषा छोड़कर उस पूर्वी बंगला में साहित्य रचते जो ढाका की बोली के अनुकरण के प्रयत्न में पश्चिमी बंगाल के नाटकों में प्रयुक्त होती थी। भारत को ब्रिटिश-साम्राज्य में मिलाए रखने का एक बहुत अच्छा तरीका यह हो सकता था कि इंग्लैंड के साहित्यकार अपनी मानक भाषा छोड़कर हिन्दुस्तानी की बाबू-अंग्रेज़ी या इंडियन-इंग्लिश में अपना साहित्य रचते। अमरीकी उपन्यासों में साधारण नीग्रो लोग एक खास ढंग की अंग्रेज़ी बोलते हैं। काले-गोरे का भेद मिटाकर संयुक्त राज्य को अधिक संयुक्त करने का एक तरीका यह हो सकता है कि वहाँ के साहित्यकार थोड़ा त्याग करें, मानक भाषा छोड़कर नीग्रो-अंग्रेज़ी का व्यवहार करें। अंग्रेज़ी विश्व-भाषा है। विश्व में काले-पीले आदमी ज्यादा हैं, गोरे कम हैं। ये काले-पीले आदमी बाजार-अंग्रेज़ी का व्यवहार करते हैं। उचित है कि भारत में विश्व-भाषा के समर्थक इस बाजार-अंग्रेज़ी का समर्थन करें, यानी भाषाविज्ञान पर अपने निबन्ध इस बाजार-अंग्रेज़ी में लिखें। पर अंग्रेज़ी और बंगला के लिए एक कानून है, हिन्दी के लिए दूसरा कानून है। ऐसे कानून की परवाह न करके हिन्दी अपनी राह पर आगे बढ़ रही है। मानक भाषा में लिखा जानेवाला साहित्य तेज़ी से प्रगति कर रहा है। बोलचाल के स्तर पर अनेक स्थानीय प्रभाव ग्रहण करती हुई हमारी भाषा राष्ट्रीय और अन्तरराष्ट्रीय स्तरों पर अधिकाधिक मानव समुदायों की सम्पर्क-भाषा बनती जा रही है। यह प्रक्रिया अंग्रेज़ी राज कायम होने से पहले शुरू हुई थी। उस राज्य के दौरान वह चालू रही, और उस राज्य के खत्म होने पर वह अब भी चालू है। साम्राज्यवाद के अवशेषों में अंग्रेज़ी की वर्तमान स्थिति भी है। उन अवशेषों के खत्म होने पर यह स्थिति भी समाप्त हो जाएगी।

# संक्षिप्त पुस्तक-सूची


अग्रवाल, वासुदेवशरण; पाणिनि-कालीन भारतवर्ष (बनारस)
अग्रवाल, सरयूप्रसाद; प्राकृत विमर्श (लखनऊ)
आज का भारतीय साहित्य (दिल्ली)
अस्करी, सैयद हसन; सम डॉक्यूमेंट्स रिलेटिंग टु द मॉसोलियम ऑफ़ मामू-भांजा ऐट जदुआ; बेंगाल पास्ट एंड प्रेजेंट (कलकत्ता, 1946-47)
उपाध्याय, भरतसिंह; पालि साहित्य का इतिहास (प्रयाग)
एहतिशाम हुसेन, सैयद; उर्दू साहित्य का इतिहास (अलीगढ़, 1954)
एडकिन्स, जोज़फ; चायनाज़ प्लेस इन फिलोलॉजी (1871)
काल्डवेल, रॉबर्ट; ए कम्परेटिव ग्रामर ऑफ़ द द्रैवीडियन् ऑर साउथ इंडियन फैमिली ऑव लैंग्वेज़ेज़ (1913)
कुलकर्णी, कृष्णाजी पांडुरंग; मराठी भाषा : उद्‌गम व विकास (1950)
कोस्मिंस्की; दि फॉर्मेशन ऑव दि इंग्लिश नेशन (एंग्लो-सोवियत जर्नल, ग्रीष्म, 1952)
ग्रियर्सन; लिंग्विस्टिक सर्वे ऑफ़ इंडिया
ग्रोटे; (ए हिस्ट्री ऑफ़ ग्रीस
गिलक्राइस्ट, जॉन; द ओरिएंटल लिंग्विस्ट (कलकत्ता, 1798)
"—ए. वोकैबुलरी, हिन्दुस्तानी एंड इंग्लिश, इंग्लिश एंड हिन्दुस्तानी (एडिनबरा)
गांगुली, श्यामाचरन; एसेज़ एंड क्रिटिसिज़्म (लन्दन, 1927)
गुणे, पांडुरंग वामन; एन इंट्रोडक्शन टु कम्पैरेटिव फिलोलॉजी (1950)
गुलेरी, चन्द्रधर शर्मा; पुरानी हिन्दी (काशी)
चाइल्ड; एर्यन्स (1926)
चाटुर्ज्या, सु. कु.; भारतीय आर्य भाषा और हिन्दी (दिल्ली)
,, ऑरिजिन एंड डिवेलपमेंट ऑफ़ बेंगाली लैंग्वेज़
,, राजस्थानी भाषा (उदयपुर)
चेर्निख, प: य.; इस्तोरिचेस्काया ग्रामातीका रूस्कोवो याज़ीका (मास्को, 1952)
जायसवाल, काशीप्रसाद; हिन्दू पॉलिटी (1943)
जेकब्स और स्टर्न; जेनरल ऐंथ्रोपोलॉजी (न्यूयॉर्क, 1952)
टॉमसन, जार्ज; द फर्स्ट फिलॉसफर्स (लन्दन, 1955)
,, —स्टडीज इन एंशेन्ट ग्रीक सोसाइटी
तिवारी, उदयनारायण; भोजपुरी भाषा और साहित्य (पटना)

तिवारी, भोलानाथ; भाषाविज्ञान (इलाहाबाद, 1951)
द क्लासिकल एज (बम्बई)
द एज ऑव इम्पीरियल यूनिटी (बम्बई)
द वेदिक एज (बम्बई)
द ग्रैमेटिकल स्ट्रक्चर ऑफ़ द्रैविडियन लैंग्वेज़ेज़
दिवाटिया, एन.बी.; गुजराती लैंग्वेज़ एंड लिटरेचर (बम्बई, 1932)
निराला; प्रबन्ध पद्य (लखनऊ, सं. 1991)
नीगस; वी.ई; द कम्पैरेटिव अनैटोमी एंड फिज़ियोलॉजी ऑफ़ द लैरिन्क्स (लन्दन, 1949)
प्रेमचन्द; कुछ विचार (1939)
पावलोव; सेलेक्टेड वर्क्स
पेनफील्ड और रास्समुसेन; द सेरेब्रल कोर्टेक्स ऑफ़ मैन (1955)
पेइ, मारिओ; लैंग्वेज़ फॉर एवरी बॉडी (1958)
पाइल्स, टॉमस; वड्र्स एंड वेज़ ऑफ़ अमरीकन इंग्लिश (न्यूयॉर्क, 1952)
गुप्त, बालमुकुन्द; निबन्धावली
ब्लूमफ़ील्ड; लैंग्वेज़ (1955)
बायकोव; टेक्स्ट बुक ऑफ़ फिज़ियोलॉजी (1958)
बरो, टी; द संस्कृत लैंग्वेज़ (लन्दन)
बील्स और होइयर; एन इंट्रोडक्शन टु ऐंथ्रोपोलॉजी (न्यूयॉर्क, 1957)
बोआस, फ्रान्ज़; रेस, लैंग्वेज़ एंड कल्चर (1948)
ब्रैडले, हेनरी; द मेकिंग ऑफ़ इंग्लिश (1925)
ब्लॉख, ज़्युल; ला फार्मासिओ द ला लांग मराठ (पेरिस, 1920)
बोआस; जनरल ऐंथ्रोपोलॉजी
,, —दि माइंड ऑव प्रिमिटिव मैन
मैकडनल; एर वेदिक ग्रामर फॉर स्टुडेंट्स
मजूमदार, विजयचन्द्र; द हिस्ट्री ऑफ़ द बेंगाली लैंग्वेज़
मॉडर्न चाइनीज रीडर (1958)
मामसेन; द हिस्ट्री ऑफ़ रोम (1868)
मोतीचन्द; सार्थवाह (पटना)
यर्क्स और लर्नेड; चिम्पाञ्जी इंटेलिजेंस एंड इट्स वोकल एक्सप्रेशंस (बाल्टिमोर, 1925)
यस्पर्सन; लैंग्वेज़, इट्स नेचर, डिवेलेपमेंट एंड ऑरिजिन (1934)
,, —ग्रोथ एंड स्ट्रक्चर ऑफ़ द इंग्लिश लैंग्वेज़ (1945)
रिपोर्ट ऑफ़ द ऑफिशियल लैंग्वेज़ कमीशन
रेनॉ; इस्त्वार जेनेराल ए सिस्तेम कोम्पारे दे लांग सेमीतीक (1855)
रैन्सन और क्लार्क; अनैटोमी ऑफ़ द नर्वस सिस्टम (1957)
लॉ, बिमलाचरन; ट्राइब्स इन एंशेन्ट इंडिया (1943)
वर्मा, धीरेन्द्र; मध्यदेश (पटना)
वाजपेयी, किशोरीदास; हिन्दी शब्दानुशासन (वाराणसी)
वाजपेयी, कृष्णदत्त; ब्रज का इतिहास (मथुरा)
वाइल्ड; द हिस्टॉरिकल स्टडी ऑव दि मदर टंग (1906)

शर्मा, श्रीराम; दक्खिनी का गद्य और पद्य (हैदराबाद)
शर्मा, पद्मसिंह; हिन्दी, उर्दू और हिन्दुस्तानी (1933)
शुक्ल, रामचन्द्र; हिन्दी साहित्य का इतिहास (सं. 1997)
सक्सेना, बाबूराम; सामान्य भाषाविज्ञान
सपीर; सेलेक्टेड राइटिंग्स ऑफ़ एडवर्ड सपीर इन लैंग्वेज़, कल्चर एंड पर्सनैलिटी।
सिंह, नामवर; हिन्दी के विकास में अपभ्रंश का योग (इलाहाबाद, 1954)
स्तालिन; मार्क्सिज़्म एंड दि नेशनल एंड कोलोनियल क्वेश्चन
सेन, सुकुमार; हिस्ट्री ऑफ़ बेंगाली लिटरेचर (दिल्ली, 1960)
सेन, दिनेशचन्द्र; हिस्ट्री ऑफ़ बेंगाली लैंग्वेज़ एंड लिटरेचर (कलकत्ता, 1911)
सिंह, शिवप्रसाद; सूरपूर्व ब्रजभाषा और उसका साहित्य (वाराणसी)
हार्नले; ए ग्रामर ऑफ़ द ईस्टर्न हिन्दी (1880)

# रामविलास शर्मा रचनावली

भाग : दो

भाषा और भाषाविज्ञान

खंड : 21

• भारत की भाषा-समस्या

# रामविलास शर्मा रचनावली

भाग : दो

**भाषा और भाषाविज्ञान**

खंड : 21


सम्पादक

**कृष्णदत्त शर्मा**

**विजय मोहन शर्मा**



राजकमल प्रकाशन

ISBN : 978-93-60861-436-1

**मूल्य :** ₹7,500 [5 खंडों का सम्पूर्ण सेट]



**पहला संस्करण :** 2024

**प्रकाशक :** राजकमल प्रकाशन प्रा. लि.
1-बी, नेताजी सुभाष मार्ग, दरियागंज
नई दिल्ली-110 002

**शाखाएँ :** अशोक राजपथ, साइंस कॉलेज के सामने, पटना-800 006
पहली मंजिल, दरबारी बिल्डिंग, महात्मा गांधी मार्ग, प्रयागराज-211 001
1, अनमोल सोराबजी सन्तुक लेन, धोबी तलाव, मरीन लाइंस, मुम्बई-400 002
वेबसाइट : www.rajkamalprakashan.com
ई-मेल : info@rajkamalprakashan.com

**मुद्रक :** बी.के. ऑफसेट
नवीन शाहदरा, दिल्ली-110 032

RAMVILAS SHARMA RACHANAWALI (Vol. 21)
*Edited by* Krishna Dutt Sharma, Vijay Mohan Sharma

# अनुक्रम

# भारत की भाषा समस्या

[प्रकाशन वर्ष : 1965]

# प्रथम संस्करण की भूमिका

भाषा की समस्या मूलत: जातीय समस्या का ही एक अंग है। इस देश में अनेक भाषाएँ बोलनेवाली जातियाँ रहती हैं। इनसे मिलकर भारत राष्ट्र बना है। इस राष्ट्र में जातियों की सम्पर्क-भाषा क्या हो, एक ही सम्पर्क-भाषा हो या अनेक हों—यह समस्या का एक पक्ष है। कुछ लोग इस देश को उपमहाद्वीप कहते हैं; उनका मत है कि राष्ट्रीयता का भाव अंग्रेज़ों का विरोध करने से पैदा हुआ; वास्तव में यह देश राष्ट्र नहीं है क्योंकि यहाँ एक भाषा के बदले अनेक भाषाएँ बोली जाती हैं। इस तरह राष्ट्रभाषा की समस्या का विवेचन करते हुए राष्ट्र की व्याख्या करना आवश्यक हो जाता है, विशेष कर भारतीय राष्ट्रीयता के ऐतिहासिक विकास पर कुछ कहना आवश्यक हो जाता है। राष्ट्रभाषा की समस्या विशुद्ध भाषाविज्ञान की समस्या न होकर बहुजातीय राष्ट्र के गठन और विकास की ऐतिहासिक-राजनीतिक समस्या बन जाती है।

भारत की जातियों में हिन्दी-भाषी जाति संख्या की दृष्टि से सबसे बड़ी है। कुछ लोग इस जाति के अस्तित्व से ही इनकार करते हैं। वे कहते हैं कि उत्तर भारत के पुराने जनपदों में रहनेवाले लोग स्वतंत्र जातियाँ हैं; बुन्देलखंडी, अवधी, ब्रजभाषा आदि हिन्दी की बोलियाँ नहीं हैं, वे हिन्दी से स्वतंत्र भाषाएँ हैं। हिन्दी क्षेत्र में भाषा और बोलियों की यह समस्या हिन्दी-भाषी जाति के विकास की समस्या बन जाती है। इस विकास को समझे बिना भाषा और बोली के प्रश्नों का उत्तर नहीं दिया जा सकता। भाषा-समस्या का यह दूसरा पक्ष है।

इसी हिन्दी प्रदेश में बोलचाल की भाषा के आधार पर साहित्यिक भाषा के दो रूप—हिन्दी और उर्दू—विकसित हुए। उर्दू मुसलमानों की भाषा है या हिन्दुओं और मुसलमानों के मिलने से बनी? भारत में जो मुसलमान आए? वे एक क़ौम के थे या कई क़ौमों के? उनकी एक भाषा थी या वे कई भाषाएँ बोलते थे? क्या हिन्दी का विकास हिन्दू राष्ट्रवाद के अभ्युत्थान के कारण हुआ? क्या मुसलमानों की अलग क़ौम है? उर्दू को क्षेत्रीय भाषा बनाया जाए या नहीं?—ये सभी प्रश्न हिन्दी-भाषी जाति के सामाजिक और सांस्कृतिक विकास के साथ जुड़े हुए हैं। भाषा-समस्या का यह तीसरा पक्ष हुआ।

भारतीय जनता के सामाजिक और सांस्कृतिक विकास के लिए यह आवश्यक है कि हम अपने बहुजातीय राष्ट्र की विशेषताएँ पहचानें; इस राष्ट्र में हिन्दी-भाषी जाति की भूमिका पहचानें। इस दृष्टि से भारत की भाषा-समस्या का व्यापक महत्त्व है, इसमें किसी को सन्देह न होना चाहिए।

इस पुस्तक में पिछले तीस वर्षों में भाषा-समस्या पर लिखे हुए मेरे अधिकांश निबन्धों का संग्रह है। इससे पाठक देख सकेंगे कि इस अवधि में भाषा-समस्या के कौन से पक्ष, किस समय एक हिन्दी लेखक के मन को आन्दोलित करते रहे। इन वर्षों में मेरे विचार बदले हैं। लेखों में समस्या के विभिन्न पक्षों पर, अलग-अलग समय पर कम-ज़्यादा ज़ोर दिया गया है किन्तु मेरी तीन बुनियादी मान्यताओं में कोई अन्तर नहीं आया। पहली यह कि अंग्रेज़ी भारत की सभी भाषाओं पर साम्राज्यवादियों द्वारा लादी हुई भाषा है और उसका प्रभुत्व जल्दी-से-जल्दी खत्म करना चाहिए। दूसरी यह कि हिन्दी और उर्दू मूलत: एक ही भाषा हैं और आगे चलकर दोनों घुल-मिलकर एक होंगी, बोलचाल की भाषा के आधार पर एक ही साहित्यिक भाषा का विकास होगा। तीसरी यह कि बुन्देलखंडी, ब्रज, अवधी आदि हिन्दी की बोलियाँ हैं, स्वतंत्र भाषाएँ नहीं हैं।

भारत की बहुजातीय राष्ट्रीयता के बारे में, हिन्दी-भाषी जाति के विकास के बारे में, हिन्दी-उर्दू की बुनियादी एकता और हिन्दी की जनपदीय बोलियों के परस्पर सम्बन्ध के बारे में मेरी मान्यताओं में कोई परिवर्तन नहीं हुआ।

भारतीय संविधान के अनुसार सन् '65 में केन्द्र के राजकीय काम-काज में अंग्रेज़ी का व्यवहार समाप्त हो जाना चाहिए था। स्वभावत: इस वर्ष मैंने जो लेख लिखे हैं, उनका सम्बन्ध अंग्रेज़ी-हिन्दी अथवा अंग्रेज़ी बनाम भारतीय भाषाओं वाले विषाद से अधिक है। मेरे कुछ मित्रों ने मुझे याद दिलाया है कि सन् '49 में मैं अनिवार्य राजभाषा का विरोधी था; अब हिन्दी को राष्ट्रभाषा बनवाने के लिए अन्ध राष्ट्रवादियों की तरह दूसरों पर ज़ोर-ज़बर्दस्ती से हिन्दी लादने का आन्दोलन कर रहा हूँ।

इन मित्रों की सेवा में निवेदन है कि जैसे मैं अनिवार्य राजभाषा का विरोधी सन् '49 में था, वैसे ही आज भी हूँ। मैं किसी भी भाषा पर हिन्दी लादने का विरोध करता हूँ। मैं हिन्दी को सम्पर्क-भाषा बनाने के पक्ष हूँ, दूसरी भाषाओं के क्षेत्र में राजकीय और शिक्षा-सम्बन्धी कार्यों में हिन्दी के व्यवहार के पक्ष में नहीं हूँ। सम्पर्क-भाषा को भी कुछ लोग हिन्दी का लादा जाना समझते हैं। मैं किसी भी प्रदेश की इच्छा के विरुद्ध उसके लिए हिन्दी को सम्पर्क भाषा बनाने का भी समर्थन नहीं करता। लेकिन मैं यह भी कहता हूँ, अंग्रेज़ी-प्रेमियों को हिन्दी-भाषी प्रदेशों पर अंग्रेज़ी लादने का कोई अधिकार नहीं है। अहिन्दी-भाषी प्रदेशों के नेता नहीं चाहते कि केन्द्र में अंग्रेज़ी की जगह हिन्दी का चलन हो, उनकी इच्छा। वे केन्द्र में हिन्दी

के अलावा अन्य भाषापों का चलन कर सकते हैं। इसमें उन्हें अराजकता दिखाई देती हो तो अंग्रेज़ी ही चलाएँ लेकिन वे हिन्दी-भाषियों को बाध्य नहीं कर सकते कि लोक सभा, राज्य सभा तथा केन्द्रीय राजकाज में वे भी अंग्रेज़ी का व्यवहार करें।

हिन्दी-भाषी जाति भारत की सबसे बड़ी जाति है। वह केन्द्र में अपने प्रतिनिधियों को हिन्दी लिखने-बोलने के लिए बाध्य करके अंग्रेज़ी का प्रभुत्व खत्म कर सकती है। 14 मार्च, सन् '65 के 'धर्मयुग' में इस आशय का मुझाव देखकर कम्युनिस्ट नेता श्री योगीन्द्र शर्मा ने लिखा था कि यह गृहयुद्ध की ललकार है।

मई, सन् '58 के 'समालोचक' में मैंने लिखा था : "यदि हिन्दी-भाषी जनता संगठित हो, यदि वह अपने प्रदेश में हिन्दी को पूर्ण रूप से राजकाज की भाषा बनाए तो यह असम्भव है कि यह विशाल प्रदेश और बहुसंख्यक जनता सारे देश को अपने साथ खींचकर न ले चल सके।"

6 जनवरी, सन् '63 के 'धर्मयुग' में मैंने लिखा था : "यदि समस्त हिन्दी-भाषी प्रदेश में शिक्षा-संस्थाओं, न्यायालयों, राजकीय कार्यों में हर स्तर पर हिन्दी का व्यवहार होने लगे, यदि विधान-परिषदों के सदस्य प्रतिज्ञा करें कि वे अपना सार्वजनिक कार्य हिन्दी में ही करेंगे, यदि लोक सभा के सदस्य तय कर लें कि वे राजभाषा के रूप में हिन्दी का ही व्यवहार करेंगे, तो क्या इसमें किसी को सन्देह हो सकता है कि समूचे राष्ट्र का वातावरण बदल जाएगा और हिन्दी को राष्ट्रभाषा बनाते ज़रा भी देर न लगेगी?"

योगीन्द्र शर्मा जी नोट कर लें, जिसे वह गृहयुद्ध की ललकार कहते हैं, वह बात काफ़ी पुरानी है।

इस संग्रह में काफ़ी लेख ऐसे हैं जो कम्युनिस्ट पार्टी के सदस्यों और मार्क्सवादी लेखकों में आपसी बहस के लिए लिखे गए थे। सन् '49 में जो लेख 'कम्युनिस्ट' पत्रिका में छपा था, उसके ऊपर लिखा था : 'बहस के लिए लेख'। सितम्बर, '64 के 'न्यू एज' (मासिक) में हिन्दी और राष्ट्रीय एकता पर मेरा जो लेख छपा था, उस पर भी लिखा था : 'बहस के लिए लेख'। यह बताना इसलिए आवश्यक है कि पाठकों को यह भ्रम न हो कि मैंने अपने लेखों में जो बातें कही हैं, वे कम्युनिस्ट पार्टी की स्वीकृत मान्यताएँ हैं।

यद्यपि मैंने हिन्दी-उर्दू समस्या तथा हिन्दी क्षेत्र में भाषा और बोलियों के प्रश्न पर अनेक बार और काफ़ी विस्तार से लिखा है, किन्तु मेरी स्थापनाओं का विरोध करनेवालों ने कहीं भी मेरे तर्कों का खंडन नहीं किया। इसके बदले वे मुँहज़बानी मेरे बारे में अफवाहें फैलाते रहे हैं। इधर जब से अंग्रेज़ी को लेकर संघर्ष तेज़ हुआ है, वे उन अफवाहों को छापे के हरूफ़ों में प्रकाशित भी करने लगे हैं। इन मित्रों से निवेदन है कि फतवे देने से भाषा-समस्या का समाधान नहीं हो सकता। तर्क का उत्तर तर्क से ही दीजिए।

भाषा-समस्या का घनिष्ठ सम्बन्ध राष्ट्रीय एकता से है, यह बात किसी से छिपी नहीं है। जिस राष्ट्र में जितनी ही आन्तरिक दृढ़ता होगी, उतना ही वह हर तरह का तनाव और बोझ सह लेने की स्थिति में होगा। जिस देश की फ़ौज और जनता में दृढ़ भाईचारा होता है, जिस फ़ौज में नायकों और सैनिकों के बीच दृढ़ भाईचारा होता है, जिस देश की राज्यसत्ता के पीछे संगठित जनता की शक्ति होती है, वह देश अपराजेय होता है। भाषा-समस्या का सही समाधान राष्ट्रीय एकता को दृढ़ करके उसे अजेय बना सकता है; भाषा-समस्या का ग़लत समाधान लोगों में असन्तोष पैदा करके राष्ट्रीय एकता को कमज़ोर कर सकता है। इस तरह का असन्तोष हर अवस्था में विघटनकारी होता है; दीर्घकालीन युद्ध की परिस्थितियों में वह विशेष रूप से खतरनाक साबित हो सकता है। हमारी राष्ट्रीय एकता हर परिस्थिति में हर तरह का तनाव बर्दाश्त करके अटूट बनी रहे, हमें यही प्रयत्न करना चाहिए।

इस संग्रह के कुछ लेख अंग्रेज़ी में प्रकाशित हुए थे; उनका यहाँ अनुवाद दिया गया है। 'भाषा और साहित्य में पाकिस्तान' लखनऊ की एक बंगला पत्रिका में प्रकाशित हुआ था; उसका भी अनुवाद दिया गया है। अधिकांश लेख हिन्दी पत्र-पत्रिकाओं में प्रकाशित हो चुके हैं और यहाँ पहली बार संकलित किये गए हैं। कुछ लेख मेरे अन्य निबन्ध-संग्रहों में आ चुके हैं। अन्तिम तीन लेख इस संग्रह में पहली बार प्रकाशित हो रहे हैं। कुछ लेखों के अनावश्यक अंश काट दिये गए हैं, किन्तु उनकी कोई मुख्य स्थापना न बदले, मेरी दृष्टि में आज वह सही हो या ग़लत, इसका मैंने ध्यान रखा है। सन् '49 वाले निबन्ध में मैंने अनिवार्य केन्द्रीय राजभाषा का विरोध किया था और कहा था कि हिन्दी को केन्द्रीय राजभाषा बनाने से बड़े पूँजीपतियों को लाभ होगा। यह स्थापना उस निबन्ध में रहने दी है, यद्यपि बड़े पूँजीपतियों की भूमिका और केन्द्रीय राजभाषा के बारे में मेरे विचार वही नहीं हैं। मैं केन्द्रीय राजभाषा को अनिवार्य बना देने, यानी दूसरों की इच्छा के विरुद्ध उन पर लादने का विरोधी हूँ किन्तु इस बात को आवश्यक और वांछनीय समझता हूँ कि भारत के विभिन्न दल हिन्दी को केन्द्रीय राजभाषा बनाने के लिए प्रयत्न करें; इन दलों के नेता ही जनमत के प्रतिनिधि बनते हैं, वे अपनी पार्टियों के केन्द्रीय दफ्तरों से अंग्रेज़ी निकालें तो उन्हें अखिल भारतीय सम्पर्क के लिए पहले अपनी पार्टी में, फिर शासन-व्यवस्था में हिन्दी के व्यवहार की उपयोगिता दिखाई देने लगे।

भारत की राजनीतिक पार्टियों में मेरा सम्बन्ध कम्युनिस्ट पार्टी से रहा है। मैंने यह आवश्यक समझा कि खुद कम्युनिस्ट पार्टी के अन्दर अंग्रेज़ी का व्यवहार खत्म करने के लिए आन्दोलन किया जाए। इस आशय से कुछ बातें मैंने सितम्बर, सन् '64 की 'न्यू एज' पत्रिका में लिखी थीं। यह पत्रिका भारतीय कम्युनिस्ट पार्टी का

मुखपत्र है। 'भाषा की समस्या—अति आवश्यक' और 'भाषा की समस्या और राष्ट्रीय विघटन' लेख 'जनशक्ति' में प्रकाशित हुए। 'जनशक्ति' भारतीय कम्युनिस्ट पार्टी की बिहार शाखा का मुखपत्र है। इसमें श्री योगीन्द्र शर्मा ने मेरी मान्यताओं का खंडन करते हुए दो लेख लिखे। 'भाषा की समस्या और मज़दूर वर्ग' तथा 'भारत की राजभाषा अंग्रेज़ी और राष्ट्रीय जनतांत्रिक मोर्चा' उनके लेखों के प्रत्युत्तर हैं। ये भी 'जनशक्ति' में प्रकाशित हुए थे।

मैं 'जनशक्ति' के सम्पादकों का कृतज्ञ हूँ कि उन्होंने कम्युनिस्ट पार्टी के एक अखिल भारतीय नेता के विरुद्ध मेरे तीव्र खंडनात्मक लेख छापे।

मेरे अनेक भाषा-सम्बन्धी लेख 'धर्मयुग' में प्रकाशित हुए हैं जिससे मेरी बात हज़ारों ऐसे पाठकों तक पहुँची है जो मेरी पुस्तकों और लेखों से एकदम अपरिचित थे। इसके लिए मैं 'धर्मयुग' के सम्पादकों का कृतज्ञ हूँ। 'धर्मयुग' ने अंग्रेज़ी-विरोधी आन्दोलन में सक्रिय भाग लेकर सराहनीय कार्य किया है। उसका बीटनिक-प्रेम थोड़ा कम हो जाए तो वह हिन्दी भाषा और साहित्य की और भी सेवा करे।

5 अक्टूबर, '65

**—रामविलास शर्मा**

# दूसरे संस्करण की भूमिका

1965 में 'राष्ट्रभाषा की समस्या' नाम से मेरी एक पुस्तक छपी थी। बहुत दिन से यह अप्राप्य है। उसी का दूसरा संस्करण 'भारत की भाषा-समस्या' नाम से अब प्रकाशित हो रहा है। पुस्तक में भाषा-समस्या के अनेक पक्ष हैं। राष्ट्रभाषा की समस्या वाला पक्ष उनमें से एक है। पुस्तक का पुराना नाम प्रकाशक का दिया हुआ था। उसे बदलना मैंने ज़रूरी समझा।

भारत में विभिन्न भाषाएँ बोलनेवाले आपस में सम्पर्क के लिए किसी एक भाषा का व्यवहार करें, यह समस्या का एक पक्ष है। हिन्दी-भाषी प्रदेश में हिन्दी और उर्दू दो भाषाओं के रूप में स्वीकृत न की जाएँ, हिन्दी प्रदेश की एक ही जातीय भाषा स्वीकार की जाए; विभिन्न जनपदों की उपभाषाएँ जातीय भाषा हिन्दी की तुलना में गौण स्थान पाएँगी, यह भाषा-समस्या का दूसरा पक्ष है। सारे देश के लिए हिन्दी को ही सम्पर्क-भाषा बनाने की बात होती है और यही हमारी—हिन्दी प्रदेशवासियों की—जातीय भाषा भी है, इसलिए समस्या के ये दोनों पक्ष एक दूसरे से जुड़े हुए हैं। इन्हीं दो पक्षों पर इस पुस्तक के अधिकांश निबन्ध लिखे गए हैं। इन दो पक्षों के अलावा तीसरा पक्ष उन भाषाओं का है जिन्हें जातीय भाषाओं के रूप में मान्यता प्राप्त नहीं हुई अथवा जो राजनीतिक और सांस्कृतिक कार्यों के लिए व्यवहार में नहीं आतीं। भारत में चार मुख्य भाषा-परिवार हैं : आर्य, द्रविड़, कोल और नाग। सभी परिवारों में कुछ भाषाएँ ऐसी हैं जिन्हें अपना उपयुक्त स्थान नहीं मिला। आर्य भाषा-परिवार में ऐसी भाषाओं की संख्या कम है। इससे अधिक संख्या द्रविड़ भाषाओं की है और इनमें से अधिकांश द्रविड़ भाषाएँ ऐसी हैं जो अन्य द्रविड़ भाषा-क्षेत्रों से ही घिरी हुई हैं। ऊपर से देखने में लगता है कि विंध्याचल के दक्षिण में चार मुख्य द्रविड़ भाषाएँ हैं : तमिल, मलयालम, तेलगू और कन्नड़। प्रचार यह किया जाता है कि आर्यों ने उत्तर भारत जीतकर द्रविड़ों को दक्षिण भारत में ठेल दिया; द्रविड़ भाषाओं के क्षेत्र में इन भाषाओं की कोई अपनी समस्या नहीं है। किन्तु अधिकांश पिछड़ी हुई जातियों और कबीलों की द्रविड़ भाषाएँ आर्य भाषा-क्षेत्रों में नहीं हैं, वे द्रविड़ भाषा-क्षेत्रों में हैं। दक्षिण भारत

के चार द्रविड़ भाषा-भाषी राज्यों में पच्चीसों द्रविड़ भाषाएँ ऐसी हैं, जो चार प्रमुख द्रविड़ भाषाओं से भिन्न हैं। भाषाविज्ञानी इनका अस्तित्व स्वीकार करते हैं, उनपर शोध-कार्य किया जाता है, किन्तु उन्हें राजनीतिक और सांस्कृतिक कार्यों के लिए मान्यता प्रदान नहीं की जाती। इन भाषाओं का व्यवहार करनेवालों का जातीय जीवन पुनर्गठित करना आवश्यक है। जहाँ आर्थिक दृष्टि से आत्मनिर्भर इकाई बन सके, वहाँ उनका राज्य बनाना चाहिए। जहाँ ऐसा सम्भव न हो, वहाँ बृहद् राज्यों के अन्तर्गत उनके स्वायत्त क्षेत्र क़ायम करने चाहिए।

कोल भाषा परिवार भारत का अत्यन्त प्राचीन भाषा परिवार है। यही एक ऐसा परिवार है जिसकी भाषाएँ बोलनेवालों का भारत में कोई अपना राज्य नहीं है। इस परिवार की भाषाएँ बोलनेवाले अंग्रेज़ों के विरुद्ध स्वाधीनता-संग्राम में लड़ चुके हैं। इनमें सन्थालों का वीरतापूर्ण संग्राम विशेष रूप से स्मरणीय है। ये लोग पश्चिम से पूर्व तक पूरे मध्यभारत में फैले हुए हैं। यदि आर्थिक दृष्टि से आत्मनिर्भर इनका राज्य बन सके तो उसे अवश्य बनाना चाहिए, न बन सके तो बिहार, उड़ीसा और मध्य प्रदेश जैसे राज्यों में इनके स्वायत्त क्षेत्र क़ायम करने चाहिए। कोल भाषाएँ बोलनेवाले लोग जातीय निर्माण की विभिन्न मंज़िलों में हैं। इनके सामाजिक विकास की विविधता का विस्तृत अध्ययन करके इनकी भाषा-समस्या सुलझाने का प्रयत्न करना चाहिए। यहाँ 'कोल' शब्द के व्यवहार के बारे में दो बातें कहना आवश्यक है। इस शब्द का एक अर्थ 'सूअर' होता है। इस कारण कुछ लोग इस शब्द को अपमानजनक समझते हैं। इसके बदले वे 'मुंडा' शब्द का व्यवहार करना पसन्द करते हैं। जिस कोल शब्द का अर्थ सूअर है, वह कोल भाषा परिवार का ही है, इसमें मुझे सन्देह है। यह शब्द यूरोप की लिथुआनियन भाषा में भी है और वहाँ भी उसका अर्थ सूअर है। इस लिथुआनियन भाषा के लिए कहा जाता है कि इसमें इंडो-यूरोपियन परिवार के प्राचीन लक्षण अधिक सुरक्षित हैं। अत: सूअर के पर्यायवाची कोल शब्द को इंडो-यूरोपियन परिवार का प्राचीन शब्द माना जा सकता है। इससे भिन्न है दूसरा कोल शब्द, जिसका अर्थ है : वीर पुरुष या नौजवान। गण-समाजों की यह परम्परा रही है कि उनकी भाषा में जो शब्द पुरुषत्व-सूचक होता है, उसी को गण-समाज का नाम मान लेते हैं। उत्तर भारत का पुरु वंश प्रसिद्ध है। पुरुष शब्द उसी पुरु से बना है। नाग-भाषा परिवार में नाग या नगा मूलत: 'नग' शब्द है, जिसका अर्थ है : पुरुष। कश्मीरी, हिन्दी आदि भाषाओं में अब भी एक नग, दो नग का अर्थ होगा : एक आदमी, दो आदमी। कबीले का नाम बतानेवाले कोल शब्द का अर्थ गौरवपूर्ण है। उसे हीन समझकर छोड़ना न चाहिए। पर कोल शब्द के लिए मेरे आग्रह का मुख्य कारण दूसरा है। अवध से लेकर छोटानागपुर तक जहाँ भी कोल जनों की बस्तियाँ रही हैं, वहाँ स्थानों के साथ यह नाम जुड़ गया है और उसका ऐतिहासिक महत्त्व है। बैसवाड़े में एक गाँव कुलहा है। स्पष्ट ही

इसका सम्बन्ध कोल जनों से है। छोटानागपुर में इससे ठीक मिलता-जुलता एक स्थान है—कोलहा। मेरा अनुमान है कि गढ़ा-कोला जैसे स्थानवाचक नामों में भी गढ़ के साथ दूसरा शब्द विशेष जनसमुदाय अर्थात् कोल जनों का सूचक है। कोल शब्द के सहारे भाषाविज्ञान, समाजशास्त्र और इतिहास की अनेक गुत्थियाँ सुलझाई जा सकती हैं। अत: मैं इसी शब्द का व्यवहार करता हूँ।

भारत में नाग-भाषा परिवार ही एक ऐसा परिवार है जिसकी भाषाएँ बोलनेवाले लोगों ने अपने राज्य की भाषा को अंग्रेज़ी बताया है। अंगामि, सेमा आदि गण अपने दैनिक जीवन में अपनी-अपनी गण-भाषाओं का व्यवहार करते हैं। आपस में और दूसरों से सम्पर्क में आने पर वे एक प्रकार की हिन्दी का व्यवहार करते हैं जिसमें अनेक भाषाओं के तत्त्व आकर घुल-मिल गए हैं। अंग्रेज़ी बहुत थोड़े लोग जानते हैं किन्तु ईसाई धर्म-प्रचारकों के प्रभाव से इनके राज्य का नाम नागालैंड है और इस राज्य की भाषा अंग्रेज़ी है। अन्य प्रदेशों की तरह यहाँ भी यह सत्य है कि जब नाग भाषाओं को अपना स्वत्व प्राप्त होगा, तब अंग्रेज़ी की स्थिति कमज़ोर होगी और वे लोग जो टूटी-फूटी मिश्रित हिन्दी का व्यवहार करते हैं, उन्हें इस सम्पर्क भाषा को सुदृढ़ करने का अवसर मिलेगा। यहाँ यह भी उल्लेखनीय है कि छोटानागपुर में कोल और द्रविड़ जन इसी प्रकार की टूटी-फूटी मिश्रित हिन्दी का व्यवहार करते हैं। कोल भाषाओं को उनका स्वत्व प्राप्त होने के साथ-साथ यह टूटी-फूटी हिन्दी भी सुदृढ़ सम्पर्क-भाषा के रूप में प्रयुक्त होगी।

यहाँ परिनिष्ठित भाषा और उसके अपरिनिष्ठित रूपों की चर्चा करना आवश्यक है। नागालैंड और छोटानागपुर केवल दो ऐसे प्रदेश नहीं हैं जहाँ हिन्दी के अपरिनिष्ठित रूपों का चलन है। डॉ. सुनीतिकुमार चाटुर्ज्या सन् 1928 से कलकत्ते की हिन्दी की वकालत करते रहे हैं। 18वीं सदी के अन्त में अंग्रेज़ तथा यूरोप के अन्य व्यापारी, उत्तर भारत और बंगाल के विभिन्न पेशों के लोग, इसी हिन्दी से काम चलाते थे। दक्षिण भारत में दकनी नाम से हिन्दी का एक रूप विख्यात है। वहाँ शिक्षित लोग साहित्य में परिनिष्ठित उर्दू या हिन्दी का व्यवहार करते हैं किन्तु सामान्य जन उस अपरिनिष्ठित दकनी से काम चलाते हैं। अंग्रेज़ों ने दक्षिण भारत में अपना राज्य-प्रसार करते समय गोरे फ़ौजी अफ़सरों के लिए दकनी की जानकारी अनिवार्य कर दी थी। इससे परिणाम यह निकलता है कि राष्ट्रभाषा या सम्पर्क-भाषा के रूप में विभिन्न क्षेत्रों में साधारण जनजीवन के स्तर पर जो हिन्दी स्वीकार की जाती है, वह परिनिष्ठित नहीं होती। यह उसकी शक्ति का बहुत बड़ा लक्षण है और इस बात का भी प्रमाण है कि हिन्दी दूसरों पर लादी हुई भाषा नहीं है। हैदराबाद और कलकत्ते की तरह बम्बई की अपनी हिन्दी है और उसका अपना रस है। हिन्दी प्रदेश के बाहर ही नहीं, इस प्रदेश के भीतर भी हिन्दी के स्थानीय रूप हैं। इससे सिद्ध होता है कि हिन्दी प्रदेश के जनपदों पर हिन्दी भाषा लादी नहीं गई। उच्चस्तरीय राजकाज,

सांस्कृतिक कार्यवाही आदि में परिनिष्ठित भाषा की उपयोगिता स्वयंसिद्ध है। इनसे भिन्न, जीवन के अनेक क्षेत्रों में और साहित्य में भी—यथा उपन्यासों और नाटकों में—हिन्दी के अपरिनिष्ठित स्थानीय रूपों की बहुत बड़ी उपयोगिता है। जो लोग समझते हैं कि अपरिनिष्ठित रूपों का ही व्यवहार होना चाहिए, वे परिनिष्ठित भाषा की आवश्यक उपयोगिता अस्वीकार करते हैं तथा जो लोग परिनिष्ठित भाषा का ही व्यवहार सर्वत्र देखना चाहते हैं, वे हिन्दी की शक्ति के एक बहुत बड़े स्रोत को बन्द कर देना चाहते हैं।

यह आश्चर्य की बात है कि अंग्रेज़ी को अनिवार्य राज्यभाषा के पद पर प्रतिष्ठित रखने के लिए आज जो तर्क दिये जाते हैं, वे काफ़ी पुराने हैं। इनमें पहला तर्क यह है कि दूसरों पर उनकी इच्छा के विरुद्ध हिन्दी भाषा लादना अनुचित है। इस तर्क के पीछे एक प्रच्छन्न मान्यता यह रहती है कि अंग्रेज़ी को राजभाषा बनाए रखने का काम सबकी इच्छाओं के अनुसार हो रहा है। विभिन्न प्रदेशों में हिन्दी के जो स्थानीय रूप बने हैं, वे हिन्दी लादने से बने हैं या सामान्य जनता द्वारा स्वेच्छा से उसका व्यवहार करने से बने हैं? हिन्दी के स्थानीय रूपों पर ध्यान न देकर अंग्रेज़ी-प्रेमी हिन्दी-प्रचारक—हिन्दी प्रचार के नाम पर—हिन्दी को लादने और न लादने की समस्या का विवेचन करते रहे हैं। इनका दूसरा तर्क यह है कि हिन्दी को राष्ट्रभाषा बनाना है, इसलिए उसमें सभी भारतीय भाषाओं के शब्द होने चाहिए। यह राष्ट्रभाषा हिन्दी जातीय भाषा हिन्दी से भिन्न होगी। ऐसी राष्ट्रभाषा अभी बनी नहीं है, अत: अंग्रेज़ी अपनी जगह क़ायम रहेगी। अंग्रेज़ी को विश्वभाषा बनाने से पहले उसमें विश्व की कितनी भाषाओं के कितने तत्त्व समेट लिये गए हैं? कुछ लोग बड़े गर्व से कहते हैं कि अंग्रेज़ी ने अनेक भाषाओं से शब्द लिये हैं इसलिए वह अत्यन्त समृद्ध हो गई है और विश्वभाषा का दर्जा भी पा गई। जितने विदेशी शब्द अंग्रेज़ी में हैं, उतने हिन्दी में भी हैं, पर यह तो स्पष्ट है कि ब्रिटेन या अमरीका की राजभाषा अंग्रेज़ी और विश्वभाषा अंग्रेज़ी एक ही हैं, दो अलग भाषाएँ नहीं हैं। यह अद्‌भुत प्रचार केवल भारत में होता है कि जातीय भाषा के रूप में जिस हिन्दी का व्यवहार होता है, वह राष्ट्रभाषा के रूप में काम न आएगी। उसके बदले एक नई स्वदेशी भाषा गढ़ना आवश्यक होगा। इसके साथ ही यह भी ध्यान देने की बात है कि छोटानागपुर या नागालैंड जैसे प्रदेशों में जिस मिश्रित हिन्दी का व्यवहार होता है, जिसमें सहज भाव से अनेक भाषाओं के शब्द आ गए हैं, उसकी ओर ये स्वदेशी भाषा के निर्मातागण ध्यान भी नहीं देते।

पिछले दिनों एक नई समस्या की चर्चा होती रही है, वह है हिन्दी को विश्वभाषा बनाने की समस्या। नागपुर में होनेवाले विश्व हिन्दी सम्मेलन (जनवरी, 1975) के बारे में 'प्रतिवेदन' नाम से जो पुस्तक छपी है, उसमें विश्वभाषा वाली समस्या की यथेष्ट चर्चा है। भूतपूर्व केन्द्रीय स्वास्थ्य मंत्री डॉक्टर कर्णसिंह के बारे में लिखा है :

"विशाल जनसमूह को हर्षित एवं उल्लसित करते हुए उन्होंने हिन्दी को संयुक्त राष्ट्रसंघ की भाषा बनाने का प्रस्ताव सम्मेलन के विचारार्थ सुझाया और कहा कि करोड़ों व्यक्तियों की यह भाषा विश्वभाषा के रूप में काम आए, इसके लिए मैं माँग करूँगा कि जिस प्रकार यूनेस्को ने अपने यहाँ हिन्दी को स्थान दिया है, उसी प्रकार संयुक्त राष्ट्रसंघ में जहाँ छह अन्य विश्वभाषाओं को स्थान मिला है, वहाँ हिन्दी को भी अन्तरराष्ट्रीय भाषा के रूप में स्थान मिले" (पृ. 16-17)। इसी सम्मेलन में मॉरीशस के प्रधानमंत्री सर शिवसागर रामगुलाम ने कहा : "हिन्दी भारत की राष्ट्रभाषा तो है, लेकिन हमारे लिए इस बात का अधिक महत्त्व है कि यह एक अन्तरराष्ट्रीय भाषा है। मॉरीशस, सुरीनाम, गियाना, फीजी, अफ्रीका के कई देश इस बात का मान करते हैं कि भारत की राष्ट्रभाषा को अन्तरराष्ट्रीय भाषा बनाने में उनका हाथ रहा है। आज हिन्दी अनेक देशों में बोली जाती है। अनेक देशों में हिन्दी की पत्र-पत्रिकाएँ प्रकाशित होती हैं। बोलनेवालों की संख्या को देखते हुए आज हिन्दी विश्व की चार प्रमुख भाषाओं में से एक है।" (पृ. 15)

यह सब पढ़कर हृदय में बड़ा आनन्द उत्पन्न होता है। 19वीं सदी में अंग्रेज़ व्यापारी सस्ती मज़दूरी कराने के लिए भारत से जिन हज़ारों मज़दूरों को बाहर ले गए, उन्होंने आज हिन्दी को विश्वभाषा बना दिया है। इनमें अपनी भाषा के प्रति ममता उन भारतवासियों की अपेक्षा कहीं अधिक है जो ब्रिटेन और अमरीका में बस गए हैं और अपनी भाषा बोलने में असमर्थता प्रकट करते हैं। मज़दूरों द्वारा फैलाई हुई हिन्दी के अलावा नेपाल और श्रीलंका जैसे पड़ोसी देश आर्य भाषा परिवार की भाषाएँ ही बोलते हैं। यहाँ की सामान्य जनता के लिए अंग्रेज़ी की अपेक्षा हिन्दी अन्तरराष्ट्रीय भाषा के रूप में सुगम पड़ती है। इन देशों में हिन्दी फ़िल्मों की लोकप्रियता इस तथ्य की पुष्टि करती है। किन्तु मूल प्रश्न यह है कि अन्तरराष्ट्रीय भाषा हिन्दी राष्ट्रीय स्तर पर अंग्रेज़ी का स्थान लेती है या नहीं। 1948 में पेरिस की एक सभा में डॉक्टर सुनीतिकुमार चाटुर्ज्या ने भी हिन्दी को राष्ट्रसंघ में स्थान देने की बात कही थी। किन्तु जब हिन्दी को केन्द्रीय राज्यभाषा बनाने का प्रश्न सामने आया, तो उन्होंने भाषा-आयोग के बहुमत से अलग अपनी विरोधी राय प्रकट की। यदि भारत के प्रतिनिधि राष्ट्रसंघ में हिन्दी का व्यवहार करें या किसी अन्य भारतीय भाषा में अपने विचार प्रकट करें तो संसार को पता चल जाए कि भारत अब अंग्रेज़ी और अंग्रेज़ों का अर्द्ध-उपनिवेश नहीं रहा। तब राष्ट्रसंघ की एक भाषा हिन्दी हो, यह माँग करते हुए अच्छा भी लगेगा। पर अभी तो भारत की लोक सभा में अंग्रेज़ी का बोलबाला है। जब भारत की लोक सभा में अंग्रेज़ी छाई हुई है, तब विश्व-संस्था राष्ट्रसंघ में हिन्दी को स्थान देने की माँग हम किस मुँह से कर सकते हैं? ऐसा प्रतीत होता है कि हिन्दी को विश्व-भाषा बनाने के प्रति राजनीतिज्ञों में जो गहरी दिलचस्पी पैदा हो गई है, उसका कारण

ही यह है कि लोग यह न पूछें कि लोक सभा में और अखिल भारतीय सेवाओं में अंग्रेज़ी का चलन क्यों है।

भाषा की समस्या मात्र प्रशासन-सम्बन्धी समस्या नहीं है। इसका गहरा सम्बन्ध देश के जनतांत्रिक आन्दोलन और देश की सुरक्षा से है। जनतंत्र से जितना लाभ या हानि सम्पत्तिशाली लोगों को होती है, उससे अधिक लाभ या हानि श्रमिक जनता को होती है। भारत के सामाजिक विकास का यह अकाट्य तथ्य है कि हिन्दी प्रदेश से अलग, भिन्न प्रदेशों में, हिन्दी-भाषी मज़दूरों की संख्या बहुत बड़ी है। जिन कारणों से हिन्दी प्रदेश के गरीब और मुफ़लिस किसान अपना देश छोड़कर अफ्रीका, फीजी, मॉरीशस आदि द्वीपों, महाद्वीपों में कुलीगीरी करने गए थे, उन्हीं कारणों से इनके भाई-बन्धु अपना प्रदेश छोड़कर बम्बई-कलकत्ता जैसे बड़े नगरों में मज़दूरी करने गए थे। कलकत्ते के मज़दूरों में आधे से कुछ ज़्यादा ही हिन्दी-भाषी होंगे। इसी तरह बम्बई के मज़दूरों में एक बहुत बड़ा हिस्सा हिन्दी मज़दूरों का है। जिस तरह देश छोड़कर जानेवाले हिन्दी मज़दूरों ने अपनी भाषा को विश्व-भाषा बनाया है, उसी तरह अपना प्रदेश छोड़कर जानेवाले, बंगाल-महाराष्ट्र आदि में मज़दूरी करनेवाले, हिन्दी श्रमिकों ने अपनी भाषा को राष्ट्रभाषा बनाया है। हिन्दी के बिना अखिल भारतीय स्तर पर मज़दूरों का संगठन हो ही नहीं सकता। जनतंत्र की एक अत्यन्त जागरूक शक्ति मज़दूर है, इसलिए जो लोग जनतंत्र की रक्षा की बातें करते हैं, उन्हें अविलम्ब भारत के सामाजिक जीवन से अंग्रेज़ी के व्यवहार को निकाल बाहर करना चाहिए।

दूसरी बात सुरक्षा की है। स्वाधीन भारत ने अभी किसी बड़े युद्ध का सामना नहीं किया, पर हो सकता है, निकट भविष्य में उसे ऐसे युद्ध का सामना करना पड़े। आधुनिक युद्ध की विशेषता यह है कि वह सैनिकों और असैनिक जनता में विशेष भेद नहीं करता। सैनिकों और असैनिक जनता के सहयोग से ही युद्ध में सफलता मिलती है। युद्ध के मोर्चे पर चाहे आगे बढ़ना हो, चाहे सैनिक कारणों से पीछे हटना हो, दोनों स्थितियों में परस्पर सहयोग अपेक्षित होता है। यदि युद्ध दीर्घकाल तक चला या छापेमार लड़ाई चलाने की नौबत आई, तो जनता का सम्पर्क और सहयोग और भी अधिक अपेक्षित होगा। इसके लिए बहुत ज़रूरी है कि जनता और सेना, दोनों किसी एक भाषा का व्यवहार करके एक-दूसरे की बात समझ सकें—भले ही यह भाषा टूटी-फूटी हो, अपरिनिष्ठित हो, पर उसका कामचलाऊ होना बहुत ज़रूरी है। जनता के अलावा स्वयं सेना के भीतर अफ़सर और सिपाही के बीच जितना फ़ासला कम होता है, उतना ही फ़ौज भीतर से मज़बूत होती है। यदि अफ़सर अंग्रेज़ी के रंग में रँगे होंगे तो उनके और साधारण सैनिकों के बीच में फ़ासला ज़्यादा होगा और उतना ही सेना की जुझारू शक्ति कम होगी। इसलिए अंग्रेज़ी का प्रभुत्व समाप्त करना और उसकी जगह कामचलाऊ हिन्दी का व्यापक प्रसार करना राष्ट्र के जीवन-मरण का प्रश्न है।

निस्सन्देह जो लोग अंग्रेज़ी के व्यवहार के आदी हैं, उन्हें इस भाषा का मोह छोड़ते थोड़ा कष्ट होगा। अपने दिल को हिम्मत बँधाने के लिए उन्हें यह बात याद कर लेनी चाहिए कि 19वीं सदी में 'राजपूताना' में स्थित अंग्रेज़ अफ़सर वहाँ के राजाओं से हिन्दी में ही पत्र-व्यवहार करते थे। राजा बलवन्तसिंह कॉलेज के हिन्दी अध्यापक डॉ. श्री मोहन द्विवेदी की देख-रेख में महेशचन्द्र गुप्त राजस्थान के प्रशासनिक 'कार्यों में हिन्दी का प्रयोग' (1857-1974) विषय पर शोध-कार्य कर रहे हैं। उन्होंने 1857 से पहले के और उसके बाद के भी काफ़ी दस्तावेज़ इकट्ठे किये हैं। इन दस्तावेज़ों में वे पत्र हैं जो अंग्रेज़ों ने राजाओं को लिखे; इनके अतिरिक्त वे पत्र हैं जो राजाओं ने अंग्रेज़ों को लिखे; साथ ही ऐसे पत्र हैं जो राजाओं ने एक दूसरे को लिखे। यदि राजस्थान में 19वीं सदी में हिन्दी राजभाषा के रूप में काम आती थी और उसका व्यवहार हिन्दुस्तान के लोग ही नहीं, अंग्रेज़ भी करते थे, तो कोई कारण नहीं कि 20वीं सदी के अन्तिम चरण में अंग्रेज़ी-प्रेमी भारतवासी अपना अंग्रेज़ी मोह त्यागकर हिन्दी का उपयोग न कर सकें।

राष्ट्रीय सुरक्षा के साथ राष्ट्रीय एकता का प्रश्न जुड़ा हुआ है। राष्ट्रीय एकता केवल हिन्दुओं और मुसलमानों की एकता नहीं है। पश्चिमी पाकिस्तान के धर्मान्ध लोगों ने पूर्वी बंगाल के लोगों की भाषा और जातीय संस्कृति की अवहेलना करके धर्म के नाम पर उन्हें दबाकर रखने का प्रयत्न किया। इसमें उन्हें सफलता न मिली। बचे हुए पाकिस्तान में आन्तरिक संघर्ष विकट रूप धारण कर रहा है और धर्म के नाम पर अपीलें जारी करके उसे शान्त करना असम्भव हो गया है। यदि भारत में मूल सामाजिक समस्याएँ हल न की गईं, तो यहाँ भी भयानक अशान्ति फैल सकती है। राष्ट्रीय एकता विभिन्न भाषाएँ बोलनेवाले समुदायों की एकता भी है। इंग्लैंड की अंग्रेज़ी-भाषी जाति को दो राज्यों में बाँट दीजिए तो क्या इससे इंग्लैंड की राष्ट्रीय एकता मज़बूत होगी? विभिन्न भाषाएँ बोलनेवाले मिलकर राष्ट्रीय एकता मज़बूत करें, इसके लिए ज़रूरी है कि कोई एक भाषा बोलनेवाला समुदाय भी विभाजित न हो, वरन् आन्तरिक रूप से मज़बूत हो। महाराष्ट्र, आन्ध्र प्रदेश, केरल, गुजरात आदि प्रदेशों के लोगों ने भाषा के आधार पर राज्यों के पुनर्गठन की माँग की। केन्द्रीय सत्ता ने पहले विरोध किया, फिर वही माँग स्वीकार की। अंग्रेज़ों ने बम्बई और मद्रास प्रेसीडेंसी नाम से जो बड़े-बड़े सूबे बनाए थे, उन्हें तोड़कर नये राज्य गठित किये गए। हिन्दी प्रदेश में इससे उल्टी स्थिति है। यहाँ प्रश्न बड़े राज्यों को तोड़कर छोटे राज्य बनाने का नहीं है। प्रश्न है : अनेक हिन्दी-भाषी राज्यों को मिलाकर एक बड़ा राज्य बनाने का। अनेक प्रशासन विशारद आपत्ति करते हैं कि इतने बड़े राज्य का शासन चलाना बहुत कठिन होगा, इसलिए उत्तर प्रदेश जैसे बड़े राज्य को भी दो-तीन टुकड़ों में बाँटना उचित होगा। जहाँ तक शासन चलाने का सम्बन्ध है, आगरा नगर महापालिका एक शहर की नालियों की ही सफाई नहीं करा पाती; यदि हर

मुहल्ले की एक-एक पालिका बना दी जाए, तो शायद यह शहर आदमियों के रहने लायक हो जाए। पर विश्वास नहीं है कि मुहल्ला पालिका भी मुहल्ले की सफाई करा सकेगी क्योंकि आदत यह है कि अपने घर का कूड़ा दूसरे के घर के सामने डालो और हाजत रफा करने के लिए नालियाँ हैं—जिनमें गहराई बहुत ही कम है क्योंकि ठेकेदार कहता था, नालियाँ गहरी करें तो इंजीनियर को पैसा कहाँ से देंगे! जनतंत्र की रक्षा करना, शासन-तंत्र चलाना नये सिरे से सीखना है। प्रश्न छोटे-बड़े राज्य का नहीं है। प्रश्न है : शासन चलाने की योग्यता का। आजकल विकेन्द्रीकरण की काफ़ी चर्चा है। केन्द्रबद्ध शक्ति और शक्ति का विकेन्द्रीकरण परस्पर-विरोधी बातें नहीं हैं, वे एक-दूसरे की पूरक हैं। भारत जैसे विशाल देश में राष्ट्रीय योजनाएँ बनाना, राष्ट्रीय नीति निर्धारित करना केन्द्रीय शक्ति का काम है। इस राष्ट्रीय ढाँचे के भीतर नीतियों को कार्यरूप में परिणत करना, आवश्यकतानुसार उनमें परिवर्तन करना राज्यों का काम है। विकेन्द्रीकरण का एक स्तर राज्य है। पर विकेन्द्रीकरण की प्रक्रिया इसी स्तर पर समाप्त नहीं हो जाती। लोग गाँव, ताल्लुका, तहसील, ब्लॉक आदि की बातें करते हैं। राज्य के बाद वाला स्तर जनपद का है। हिन्दी-भाषी प्रदेश में ब्रज, अवध, बुन्देलखंड, मिथिला, मगध आदि जनपद साफ़ पहचाने जाते हैं। मुख्य बोलियों के ऐसे विशेष क्षेत्र महाराष्ट्र, बंगाल, तमिलनाडु आदि प्रदेशों में भी हैं। इन्हीं को शासन का मूलाधार बनाना चाहिए; यही विकेन्द्रीकरण का दूसरा स्तर है। हमारे यहाँ जो कमिश्नरियाँ बनी हैं, उनमें जनपदों की सीमाओं का ध्यान नहीं रखा गया। जैसे भोजपुरी क्षेत्र आधा बिहार में है और आधा उत्तर प्रदेश में; जैसे ब्रज क्षेत्र कुछ उत्तर प्रदेश में है और कुछ राजस्थान में; जैसे बुन्देलखंड मध्य प्रदेश और उत्तर प्रदेश में विभाजित है, वैसे ही कमिश्नरियाँ जनपदों की सीमाएँ तोड़ती हैं। जब कोई एक जनपद दो अलग राज्यों में विभाजित होगा, तब किसी एक ही कमिश्नरी के अन्तर्गत वह संयुक्त कैसे होगा?

बिहार, उत्तर प्रदेश, मध्य प्रदेश, दिल्ली, हरियाणा आदि हिन्दी राज्यों को मिलाकर एक विशाल राज्य बनाना चाहिए। इस राज्य की इकाइयाँ उसके जनपद होंगे; विशेष बोलियों के क्षेत्र होंगे। प्रत्येक जनपद में कम-से-कम एक विश्वविद्यालय, एक आकाशवाणी केन्द्र और उच्च न्यायालय की एक शाखा होनी चाहिए। तब हिन्दी प्रदेश का—देशी-विदेशी राजनीतिज्ञों द्वारा उलझाया हुआ—गोरखधन्धा कुछ सुलझ सकता है। अनेक राज्यों की विधान सभाओं पर जो करोड़ों रुपया ख़र्च होता है, वह बचाकर विकास-कार्यों में लगाया जा सकेगा। व्यापार के प्रसार में राज्य स्तर की चुंगी आदि की रुकावटें दूर की जा सकेंगी। हिन्दी-भाषी जनता अपनी शक्ति पहचानेगी और राष्ट्र के जीवन में अपनी भूमिका निबाहेगी। विभिन्न राज्यों में बँटे होने से उसकी सांस्कृतिक एकता छिन्न-भिन्न हो गई है, वह फिर सूत्रबद्ध होगी। जनपद को राजकीय और सांस्कृतिक कार्यवाही की मूल इकाई बनाने से

इस प्रदेश के राजनीतिक और सांस्कृतिक जीवन को पुष्ट जनतांत्रिक आधार प्राप्त होगा। केन्द्रबद्ध शक्ति और विकेन्द्रीकरण के सिद्धान्तों का समन्वय होगा। अभी जहाँ सिद्धान्तहीनता और नियमविहीन अव्यवस्था है, वहाँ सैद्धान्तिक आधार पर जातीय प्रदेश का पुनर्गठन होगा।

यह हिन्दी प्रदेश काफ़ी बड़ा होगा किन्तु सोवियत संघ के रूसी क्षेत्र से और चीनी गणतंत्र के चीनी क्षेत्र से वह बड़ा न होगा।

अशोक, समुद्रगुप्त, अकबर और औरंगजेब के समय में इस देश के भीतर जितनी भी राजनीतिक एकता क़ायम हुई है, उसका आधार हिन्दी प्रदेश की एकता रही है। हिन्दी प्रदेश को विभाजित रखकर राष्ट्रीय एकता की बातें करना प्रलाप मात्र है। हिन्दी प्रदेश की एकता सबसे पहले राष्ट्रीय एकता को सुदृढ़ करने के लिए आवश्यक है।

इस पुस्तक के दूसरे संस्करण में दो निबन्ध और जोड़ दिये हैं। एक निबन्ध हिन्दी के आधुनिक विकास-सदर्भ में ब्रजभाषा की भूमिका है, दूसरा निबन्ध हिन्दी-भाषी प्रदेश के बहुभाषा-भाषी होने की समस्या से सम्बन्धित है।

**—रामविलास शर्मा**

14 जून, 1977

1

# स्वदेशी भाषा और अहिंसावादी साहित्य

हिन्दी साहित्य-सम्मेलन के अनेक पदाधिकारी इस बार अपनी असाहित्यिकता के कारण एक विशेषता लिये हैं। साहित्य में जितने भी जन अधिक संख्या में दिलचस्पी लें, हमें उससे प्रसन्न होना चाहिए। परन्तु ये मेधावी हिन्दी साहित्य के पास विद्यार्थी के रूप में नहीं आए। उसे जानने-पहचानने की उन्होंने चेष्टा नहीं की। राजनीतिक क्षेत्र में कार्य करनेवाली अपनी प्रकृति के अनुसार उन्होंने हिन्दी साहित्यिकों को तरह-तरह के उपदेश दिये हैं। यदि वे हमारे साहित्य का सहृदयतापूर्वक अनुशीलन कर उसकी त्रुटियाँ साहित्यिकों को बताते तो उनके कार्य पर सबको हर्ष होता। पर उनकी असाहित्यिकता और साहित्य के अज्ञान का घोष उनके उपदेश की मधुर वाणी से मेल नहीं खाता।

सम्मेलन के सभापति ने, शायद अपने पूर्व राष्ट्रपति होने का स्मरण कर, कहा है : "सुविधा के विचार से हिन्दी को राष्ट्रभाषा हमने माना है।" फिर इस सुविधा के मार्ग में जो अड़चनें आएँ, उन्हें क्यों न हटाया जाए? आप कहते हैं : "हिन्दुस्तान में हिन्दू, मुसलमान, पारसी, ईसाई, सिख बसते हैं और तो भी वह हिन्दुस्तान है। उसी प्रकार हिन्दी में सभी भाषाओं से उत्तम शब्द हम लेंगे और तो भी वह हिन्दी ही रहेगी।" जैसे कांग्रेस, राष्ट्र की एकता का प्रतीक, अपने भीतर सभी प्रान्तों के प्रतिनिधि रखती है, वैसे हिन्दी तब तक राष्ट्रभाषा न होगी, जब तक उसमें सभी भाषाओं के प्रतिनिधि शब्द न होंगे। सम्मेलन के स्वागताध्यक्ष श्री ब्रजलाल बियाणी ने इस बात को भली भाँति समझा है और उसे सबसे अधिक स्पष्ट रूप में कहा है : "हिन्दी भाषा के प्रचार तथा सर्वप्रियता के लिए आवश्यक है कि उसका शब्द-भंडार सब भाषाओं से लिये हुए शब्दों से भरा हो। हरेक प्रान्तवासी में हिन्दी के लिए ममत्व पैदा होने के लिए हिन्दी के शब्दकोश में उसका भी हिस्सा होना आवश्यक है।" जब तक यह शब्दकोश न बने, तब तक इस भाषा की कल्पना करना कठिन है। अभी अन्य प्रान्तों के भिन्न भाषा-भाषी हिन्दी ही सीखते थे, अब वे उसके साथ थोड़ी-थोड़ी सभी प्रान्तीय भाषाएँ सीखेंगे। हिन्दी बोलनेवाले, जिन्हें तमिल, कन्नड़, बंगला, मराठी, गुजराती आदि का ज्ञान नहीं—कोश देखकर शुद्ध

हिन्दी बोलेंगे। यह भाषा हिन्दी होगी या और कुछ, इसे काका साहब श्री कालेलकर ने अच्छी तरह समझा है। इस भाषा का अपना नामकरण करते हुए उन्होंने कहा है : "स्वदेशी भाषा में हम बोलेंगे।"

भाषा-संस्कार के साथ इन हिन्दी के शुभेच्छुकों को हमारे साहित्य की उन्नति का भी ध्यान है। राजनीतिक सुविधाओं के लिए हिन्दी की आवश्यकता नहीं। बाबू राजेन्द्र प्रसाद के अनुसार : "राष्ट्र का प्राण साहित्य होता है और उस साहित्य का निर्माणकर्ता समाज का बहुत बड़ा सेवक होता है।" तब हिन्दी साहित्य की त्रुटियाँ दूर होनी ही चाहिए। काका कालेलकर के अनुसार : आधुनिक साहित्य का पूर्व भाग दूसरों की नकल का फल है। "इस ज़माने का हमारा प्रारम्भिक साहित्य अनुकरणरूप ही था और अनुकरण तो निष्प्राण ही हो सकता है।" 'हमारे साहित्य' में किन-किन साहित्यों की गणना है, नहीं मालूम; यदि हिन्दी की है तो उसके साथ अन्याय है। 'इस ज़माने का हमारा प्रारम्भिक साहित्य' एक ऐसा गोल वाक्य है कि समय ठीक से निर्धारित नहीं हो सकता। फिर भी भारतेन्दु से लेकर आज तक जो नये युग का जीवन है, उसमें उत्पन्न किसी भाग के साहित्य पर ऊपर का आक्षेप लागू नहीं होता। अन्य साहित्यिक जागृतियों की भाँति हमारे यहाँ बाहरी साहित्यों के सम्पर्क से विचारों में नवीनता आई है, पुरानी रूढ़ियों का ध्वंस और नई धाराओं का निर्माण हुआ है। यदि यह अनुकरण है तो कोई भी जीवित साहित्य उससे नहीं बचा।

"पिछले थोड़े वर्षों में हिन्दी ने बंगला, मराठी, गुजराती आदि प्रान्तीय साहित्यों से अपना साहित्य कम समृद्ध नहीं किया है। आदान-प्रदान में हिन्दी सिद्ध हो चुकी है। हम हिन्दी को जो कुछ देते हैं, वह उसे संशोधित कर देश के कोने-कोने में पहुँचा देती है।" किसी नवजाग्रत भाषा के साहित्य की ऊँचाई जल्दी आँकना आसान नहीं। जो कृतियाँ शीघ्र प्रसिद्धि पाती हैं, वे बहुधा पाठकों की पूर्व-निश्चित धारणाओं के बहुत-कुछ अनुकूल तथा कुछ-कुछ पुरानी रूढ़ियों का अवलम्ब लिये होती हैं। हिन्दी में अब भी इतने रूढ़िवादी हैं कि पक्के क्रान्तिकारियों को उचित श्रेय या विज्ञापन नहीं मिला। जो हमारे यहाँ का वास्तविक मौलिक साहित्य है, उसकी समुचित छानबीन धीरे-धीरे ही सम्भव है। परन्तु वैसा करना उसकी ओर से आँख मूँदकर राय देने से सम्भव नहीं, उसके लिए अध्ययन करना पड़ेगा।

हिन्दी-भाषा में अरबी-फ़ारसी के प्रचलित शब्दों के बहिष्कार के समान हमारे नेताओं ने हिन्दी साहित्य में अश्लीलता का दुःस्वप्न भी देखा है। गांधी जी का वश चले तो वह साहित्य-सम्मेलन से उस रस को त्याज्य ही मनवा दें। वश चले तो गांधी जी ब्रह्मचर्य द्वारा सबसे सन्तति-निग्रह करवा दें। परन्तु वश चले तो भी यह हानिकर होगा। समयानुकूल प्रकृति की पुकारों को न मानने से बुरा फल मिलता है। असाधारणों का नियम सब पर लागू नहीं हो सकता। यदि साहित्य का सम्पर्क जीवन से रहेगा तो उसमें श्रृंगारी वर्णन अवश्य आएँगे। क्या हिन्दी, क्या संस्कृत,

बड़े-बड़े संतों ने अपने साहित्य में जीवन का पूर्ण चित्र उतारने के लिए श्रृंगार का बहिष्कार नहीं किया। देखना केवल यह होता है कि यह श्रृंगार पतित मनोभावों का परिचायक तो नहीं है? हिन्दी के गुज़रे साहित्य के लिए यह आक्षेप सही हो सकता है। तब कवि जिस रस का वर्णन करता था, चाहता था कि उसी के अनुकूल आचरण करने के भाव पाठक या श्रोता के मन में उत्पन्न हों। आधुनिक साहित्य में कलात्मक आनन्द की ओर अधिक ध्यान है। किसी ख़ूनी का चित्रण करके कवि हमें ख़ूनी बनने के लिए नहीं कहता। संसार के बड़े-से-बड़े साहित्यिकों ने पाप को अपना विषय बनाकर अद्भुत कृतियों को जन्म दिया है। अस्तु, यदि पुरुष के पारस्परिक मनोभावों और आकर्षण-प्रत्याकर्षण का स्वस्थ वर्णन हो तो वह साहित्य भी समाज को उठानेवाला होगा।

काका कालेलकर को साहित्य-नियंत्रण के सम्बन्ध में और किसी से कम चिन्ता नहीं। आज साहित्य पर न राजसत्ता का नियंत्रण है, न धर्माचार्यों का। "जो लोग साहित्य का रस जानते हैं और समाज का हित चाहते हैं, इतिहास और आदर्श, दोनों की दृष्टि रखकर जो लोग समाज की प्रगति में मदद कर सकते हैं, ऐसे पुरुषों का ही नियंत्रण साहित्य पर रहना चाहिए। दु:ख के साथ कहना पड़ता है कि हमारे साहित्य-जगत् ने मनमानी मचाने की ठान ली है।" हमें काका साहब से सहानुभूति प्रकट करने की आवश्यकता नहीं, हमारे यहाँ आचार्य लोग अब भी अधिकांश प्यूरिटन प्रवृत्ति के हैं। यह सभी जानते हैं कि अश्लीलता का कहीं आभास पाते ही वे धरती सिर पर उठा लेते हैं। परन्तु काका साहब को इन पर विशवास नहीं। उन्हें आशा है, एक दिन साहित्यिक शासन की बागडोर उनके हाथों में आएगी; तब वह इन उच्छृंखल व्यक्तियों को गिन-गिनकर फाँसी पर लटकाएँगे। ..."भारतीय साहित्य परिषद् जब पूर्ण रूप से विकसित होगी, तब साहित्य-शुद्धि सँभालने की ज़िम्मेवारी क़ानून या धर्मतंत्र के हाथों में नहीं रहेगी, साहित्य ही अपने क्षेत्र को सँभाल लेगा।"

आदर्श साहित्य-निर्माण के लिए गांधी जी, बाबू राजेन्द्र प्रसाद, काका साहब आदि सभी ने उपदेश दिये हैं। इन्हें देखकर कोई अपरिचित यही समझेगा कि हिन्दी में एकदम पतित और समाज का अहित करनेवाला साहित्य रचा जा रहा है। इसका उत्तर एक लेख में देना सम्भव नहीं। साहित्यिकों के नाम गिनाने की अपेक्षा उनको कृतियों का सुचारु विवेचन अधिक श्रेयस्कर होगा। तब तक अपने नेताओं की शुभकामनाओं के लिए अनुगृहीत होते हुए हम यही आशा करते हैं कि यदि उनका हमारे साहित्य से कुछ दिन और सम्पर्क रहा तो वे उसमें अपने अनेक सिद्धान्तों को कार्य-रूप में परिणत पाएँगे।

[1936]

## 2

# राजनीतिक नेता और हिन्दी

राजनीतिक नेता लोग साहित्य पढ़ेंगे, इसकी आशा करना व्यर्थ जान पड़ता है। फिर भी साहित्य राजनीति से अलग नहीं किया जा सकता। नेताओं की राजनीति गँदली होने पर उसका प्रभाव साहित्य पर भी पड़ सकता है, विशेष कर जब थोड़ा-बहुत शासनाधिकार हाथ में होने से वे बालकों और नवयुवकों की शिक्षा के लिए उत्तरदायी भी हों। ऐसी दशा में शिक्षा और भाषा में हस्तक्षेप करने के पहले उन्हें साहित्य के विकास और उसकी मूलधारा का ज्ञान होना आवश्यक है। आज की भारतीय राजनीति समझौते पर निर्भर है। यह समझौता कभी 'इंडिया एक्ट' के लिए अंग्रेज़ सरकार से कुछ शर्तें मनवाकर होता है, कभी केन्द्रीय तथा प्रान्तीय शासन में बँटवारा करने के लिए श्री जिन्ना से महात्मा गांधी और श्री जवाहरलाल नेहरू की बातचीत के रूप में प्रकट होता है। हमने हिन्दी साहित्य में समझौता करना नहीं सीखा। हम समझौता नहीं, एका करने में विश्वास रखते हैं और यह एका एक स्वतंत्र अविभाजित राष्ट्र की भूमि पर ही हो सकता है। जो प्रान्तीयता और साम्प्रदायिकता लेकर आगे बढ़ता है, वह राष्ट्रीयता का द्रोही है। उससे एक राष्ट्र-प्रेमी समझौता कैसे कर सकता है? इस उग्र राष्ट्रीयता की भावना में राजनीतिज्ञ हिन्दी साहित्य से शिक्षा ले सकते हैं। हमारे साहित्य का उद्भव ही एक विदेशी साम्राज्यवाद के प्रतिरोध से हुआ था और सदियों तक देश की भाषा और संस्कृति की रक्षा के लिए हमारे साहित्यिकों ने इस विदेशी साम्राज्यवाद से मोर्चा लिया है। यह मोर्चा नये ब्रिटिश साम्राज्यवाद के विरुद्ध भी जारी रहा है। इस दासता में भी हमने अंग्रेज़ी को क्यों नहीं अपनाया? इसलिए कि हमारी भाषा हमारी राष्ट्रीय चेतना की प्रतीक है! अरबी और फ़ारसी के विरुद्ध इसी तरह तुलसीदास और भूषण ने हिन्दी की पताका ऊँची रखी, इसलिए कि समाज के जीवित रहने का अर्थ हिन्दी का जीवित रहना भी था। यद्यपि हिन्दी का रूप बदलता रहा है, लेकिन उसकी एकता नष्ट नहीं हुई। गुलाम देशों की यह मनोवृत्ति रही है कि वे विदेशी संस्कृति और भाषा को जल्दी अपना लेते हैं क्योंकि उनका अपना सामाजिक जीवन नहीं के बराबर होता है। क्रान्ति के पूर्व के रूस में वहाँ के शिक्षित और धनी वर्गों में इसी प्रकार फ्रेंच भाषा का बोलबाला था। रूसी

भाषा को लोग गँवारू और अर्थगाम्भीर्य से हीन समझते थे। यदि वहाँ के साहित्यिक इस कुत्सित मनोवृत्ति के सामने सिर झुका देते तो आज का रूसी साहित्य कहाँ होता? हमारे देश में भी अंग्रेज़ी के शब्दों का प्रयोग करके लोग अपनी शिक्षा का परिचय देना आवश्यक समझते हैं। जो बाबू वर्ग इंग्लिस्तानी में बातचीत करता है, वह इसलिए कि अपनी भाषा में विचार करने की उसमें अक्षमता है। उसकी भाषा तीन कौड़ी की होती है और भाव दो कौड़ी के। हिन्दी को राष्ट्रभाषा बनाने के लिए कुछ लोगों ने अंग्रेज़ी, अरबी, फ़ारसी—सभी से शब्द भर लेने की सलाह दी है। जहाँ नये-नये अर्थों के शब्द खोजने पड़ें, वहाँ संस्कृत से न लेकर उन्होंने अंग्रेज़ी से लेने को कहा है। माना अंग्रेज़ी के पारिभाषिक शब्द खुद उसके घर के हों, उसने उन्हें लैटिन और ग्रीक से उधार न लिया हो। ग्रीक और लैटिन के शब्द अंग्रेज़ी की चलनी में छनते हुए हिन्दी में आएँ, उन्हें स्वीकार है; संस्कृत से हम शब्द लें, उन्हें स्वीकार नहीं।

जो भारत की जलवायु में पला है, उसे भारत की भाषा और संस्कृति अपनानी होगी, उसे भारत की ही महत्ता का स्वप्न देखना पड़ेगा। भारतीय भाषाओं को अभारतीय ढाँचे में ढालने की चेष्टा पुरानी साम्राज्यवादी मनोवृत्ति का एक अवशिष्ट चिह्न है, हम उससे किसी प्रकार समझौता नहीं कर सकते। जिस तरह हम भारत की भूमि से अन्न-जल ग्रहण करते हैं, उसी तरह उसकी भाषा भी। जब हम देश से प्रेम करना सीखेंगे, तब उसकी भाषा से भी प्रेम करेंगे। न हम देश-प्रेम में किसी से समझौता करना चाहते हैं, न भाषा-प्रेम में। देश-प्रेम और भाषा-प्रेम, दो अलग वस्तुएँ नहीं, एक हैं।

[1939]

3

# भाषा और राष्ट्रीयता

इसी साल अभी अगस्त के महीने में श्री रवीन्द्रनाथ ठाकुर ने कलकत्ता में महाजाति भवन का शिलान्यास करते हुए बताया है कि बंगाल ने भारतवर्ष के नये अभ्युत्थान में किस प्रकार योग दिया है। बंगाली भाषा, साहित्य, कला और संगीत—सभी का उन्होंने उल्लेख किया। इसके साथ ही उन्होंने इस बात पर भी अभिमान प्रकट किया कि विदेशी सभ्यता का स्वागत करने में बंगाल सर्वप्रथम था। अंग्रेज़ी समाचार-पत्रों में उनका वाक्य इस प्रकार छपा था : "Bengal led India in welcoming European culture to her heart." यूरोप की सभ्यता अपनाने में बंगाल भारत का अग्रणी था। विदेशी सभ्यता विदेशी शासन के ही साथ हमारे देश में आई है। स्वाभाविक था कि राष्ट्र-प्रेमी व्यक्तियों ने विदेशी शासन के समान उस सभ्यता से भी अपने-आपको दूर रखा। परन्तु बंगाल में ऐसे ख्यातनामा व्यक्ति थे, जिन्होंने अपने उत्थान के लिए अंग्रेज़ी शिक्षा को आवश्यक समझा। उस शिक्षा के प्रसार के साथ बंगाल के नये साहित्य का उद्भव भी हुआ। इसलिए अनेक बंगाली अपने साहित्य पर गर्व करते हुए उस शिक्षा पर भी गर्व करते हैं। फिर भी गुलामी गुलामी है, उस पर अभिमान करना किसी को शोभा नहीं देता।

बंगाली विद्वानों के हृदय में विदेशी शिक्षा और सभ्यता के प्रति यह भावना कितनी दृढ़ता से घर कर गई है, इसका एक और प्रमाण देखिए। बंग-साहित्य-सम्मेलन के सभापति सुप्रसिद्ध विद्वान् डॉ. सुनीतिकुमार चाटुर्ज्या ने इसी बात का उल्लेख कर कहा था : "ऊनविंश शतके इंग्रेजेर अनुगामी बंगाली इंग्रेजी शिक्षाय भारतेर गुरुस्थानीय छिल।" और यही नहीं कि केवल घटनाचक्र में पड़कर अंग्रेज़ के अनुगामी बंगाली को अंग्रेज़ी-शिक्षा लेनी पड़ी हो, बंगाल के अन्यतम भाषातत्त्वविद् डॉ. चटर्जी ने उसी शिक्षा की आवश्यकता बतलाते हुए कहा है : "इंग्रेजी के बाद दिया अन्य कोन भाषा के ताहार स्थाने बसाइते गेले आमादेर मानसिक क्षति घटिबे।" इतना बढ़ा-चढ़ा अंग्रेज़ी के प्रति इनका प्रेम है कि उसके स्थान पर अन्य किसी भाषा को रखने से मानसिक क्षति की सम्भावना है। ऐसे शब्द उसी व्यक्ति के मुँह से निकल सकते हैं जिसकी परमुखापेक्षिता चरम सीमा को पहुँच चुकी हो।

[1939]

4

# भाषा और साहित्य में पाकिस्तान

राष्ट्रभाषा को लेकर बहुत दिनों से विवाद चल रहा है। हिन्दी-भाषी कहते हैं कि हिन्दी राष्ट्रभाषा होगी। बंगाली लोग बंगला को राष्ट्रभाषा बनाने में लगे हुए हैं। उर्दू-भाषी लोग उर्दू को भारत की 'आमफहम' और 'मुश्तर्का ज़बान' मानते हैं। कांग्रेस के नेता कहते हैं, देश की 'कॉमन लैंग्वेज़' हिन्दुस्तानी है। हिन्दुस्तानी नाम की कोई भाषा है या उस भाषा को अभी जन्म लेना है, यह स्पष्ट नहीं है।

राष्ट्रभाषा के बारे में इतनी बातें सुनकर लगता है कि हमारा भी एक राष्ट्र है। राष्ट्र के गठन के रास्ते में कोई अड़चन नहीं है, इसीलिए राष्ट्रभाषा की समस्या इतनी महत्त्वपूर्ण हो गई है। किन्तु कुछ दिन से देश में एक 'पाकिस्तान' की चर्चा होने लगी है। अख़बारों को देखने से लगता है कि 'पाकिस्तान' हास-परिहास का विषय बना हुआ है। आश्चर्य की बात यह है कि जिन्होंने देश के अन्दर एक नये पाकिस्तान की कल्पना की है, वे उर्दू को भी राष्ट्रभाषा के रूप में स्वीकार करने को तैयार नहीं हैं।

मुस्लिम लीग के नेता यह आन्दोलन करते हैं कि कांग्रेसी नेता उर्दू के शत्रु हैं और उनका उद्‌देश्य केवल हिन्दी-प्रचार करना है। इससे पहले मुस्लिम लीग के यही नेता कहते थे कि देश की राष्ट्रभाषा उर्दू है। अब उर्दू-प्रचार में अड़चनें देखकर या अड़चनों की कल्पना करके उन्होंने तय कर लिया है कि उनकी भाषा राष्ट्रभाषा न होगी, इसलिए राष्ट्र भी क़ायम न रहेगा! तब यह पाकिस्तान की चर्चा कोरा राजनीतिक आन्दोलन है या उसका और भी कोई आन्तरिक महत्त्व है? पाकिस्तान का 'गुल' खिलते देखकर अनेक मुसलमानों का चित्त चंचल हो उठा है। इस भारत-उद्यान में यह 'गुल' क्या अत्यन्त तुच्छ और निकृष्ट खाद्य पाकर ही नहीं खिला है? साहित्य और भाषा में मुसलमानों ने जो आन्दोलन छेड़ दिया है, उसे देखकर लगता है कि इस विषवृक्ष की जड़ें धरती में बहुत गहरी चली गई हैं।

मध्य भारत में बहुत दिनों से हिन्दी और उर्दू का विवाद चलता रहा है। लखनऊ और दिल्ली को मुस्लिम संस्कृति का केन्द्र कहा जाता है। इस कारण देश के इस भाग में दरबारी संस्कृति के साथ भारत की एक अन्य व्यापक और अधिक प्राचीन

संस्कृति का संघर्ष स्वाभाविक हो गया। किन्तु हिन्दी-भाषी समझते हैं कि इस तरह का संघर्ष उन्हीं के साहित्य में पाया जाता है; अन्य प्रान्तों में भाषा-सम्बन्धी कोई समस्या है, ऐसा उन्हें नहीं मालूम होता। किन्तु वर्तमान काल में अन्य प्रान्तों में भी भाषा को लेकर संघर्ष चल रहा है; वह संघर्ष चाहे तेज़ हो, चाहे धीमा हो, उसके अस्तित्व से इनकार नहीं किया जा सकता। बंगला के हास्य-रसात्मक पत्रों में भाषा को उर्दू का नया लिबास पहनाने की बात लेकर अनेक व्यंग्य प्रकाशित हुए हैं। किन्तु मौलवी फजलुलहक़ का मंत्रिमंडल क़ायम होने के बाद बंगला भाषा को विकृत करने की चेष्टा और ज़ोरों से होने लगी है। अब वह चर्चा हास-परिहास का विषय नहीं रह गई। देश में आन्दोलन द्वारा उसका प्रतिकार आवश्यक हो गया है।

बंगीय-साहित्य-सम्मेलन में डॉ. सुनीतिकुमार चाटुर्ज्या ने इस बारे में कई बातें कही हैं। उन सब पर विचार करने से भाषा-समस्या की गम्भीरता समझ में आ जाती है। आजकल के अरबी-फ़ारसी-प्रेमी अनेक मुस्लिम नेताओं की तुलना में भारत के आदि-मुस्लिम आक्रमणकारी भी इतने साम्प्रदायिक नहीं थे। डॉ. चाटुर्ज्या ने कहा है : "वे बुतशिकन या मूर्तिध्वंसी थे, किन्तु ज़बान-शिकन या भाषा-ध्वंसी वे नहीं थे।" उन्होंने कलमा मूल भाषा में प्रकाशित न करके उसका अनुवाद देशी भाषाओं में प्रकाशित किया था। किन्तु आज साम्प्रदायिकता इतनी प्रबल हो गई है कि कलमा तो दरकिनार, साहित्य को कलमे की भाषा में लिखने का प्रयत्न हो रहा है।

तुर्की से अरबी-फ़ारसी शब्दों का बहिष्कार हुआ, फ़ारसी से अरबी शब्दों का बहिष्कार हुआ, यह सब साम्प्रदायिक मुस्लिम नेताओं को दिखाई नहीं देता। वे 'पैन इस्लामिज़्म' की बातें करते हैं। किन्तु अन्य मुस्लिम देशों की राह छोड़कर उन्होंने अपनी नई राह पकड़ी है, यह बात वे भूल जाते हैं। भाषा के अलावा भावों में भी साम्य होता है। भारत के साम्प्रदायिक नेता, भाव और भाषा, दोनों ही क्षेत्रों में, अन्य स्वाधीन मुस्लिम राष्ट्रों से एकदम अपरिचित हैं। डॉ. चाटुर्ज्या ने बंगाल में यह भाषा-ध्वंसी कुचेष्टा देखकर सखेद कहा है : "पश्चिम के मुसलमान लेखकों में अन्धाधुन्ध भाषा में अरबी-फ़ारसी शब्द भरने की प्रवृत्ति को रोकने की बात चली है। क्या केवल बंगला भाषा में उस रीति को नया रूप देकर ग्रहण किया जाएगा और पाँच करोड़ से ऊपर जनता की दुर्लभ भाषागत एकता को स्वेच्छा से विनष्ट कर दिया जाएगा?"

मध्य भारत में उर्दू को सहज और सरल बनाने के लिए उसे अरबी-फ़ारसी के शब्द-जाल से मुक्त करने के लिए आन्दोलन हो रहा है। इस आन्दोलन के सुधारों में अनेक प्रगतिशील लेखक हैं। वे कोशिश कर रहे हैं कि साहित्य यथासम्भव जनसाधारण के लिए बोधगम्य हो। लोकप्रिय सुबोध साहित्य रचने के लिए उसे अरबी-फ़ारसी के कठिन शब्द-जाल से मुक्त करना ही होगा। सभी लोग प्रयत्न

करते हैं कि उनकी भाषा का प्रसार हो। किन्तु अन्ध साम्प्रदायिकता का जाल अरबी-फ़ारसी के शब्द समेटकर बहुसंख्यक जनता के लिए भाषा को दुर्बोध बना देता है। इस तरह का प्रयत्न मुस्लिम साम्राज्य के वैभव के दिनों में न हुआ था। आज वह प्रयत्न इतना समर्थ क्यों हो गया है?

मुस्लिम साम्राज्य में पुराने हिन्दी साहित्य का चरम विकास हुआ था। तुलसीदास, सूरदास आदि कवि उसी युग में हुए थे। और उस युग के साहित्यिक थे रहीम, रसखान जैसे मुसलमान कवि। वे हमारे देश के, हमारी भाषा के कवि हैं। क्या उनकी ख्याति किसी भी मुसलमान लेखक के चाहने योग्य नहीं है? सर इक़बाल का हम नाम सुनते हैं। रहीम के दोहे और रसखान के छंद गाँवों के हिन्दू और मुसलमान, दोनों के ही कंठ में बसे हुए हैं। क्या वह लोकप्रियता पाकिस्तान के जन्मदाता के लिए दुष्प्राय नहीं है? मुस्लिम साम्राज्यकाल में मुस्लिम साहित्यकार अपनी भाषा में अपना कोई स्मृतिचिह्न न चाहते थे। साम्राज्य का नाश होने पर अनेक लोगों के हृदय में यह इच्छा हुई कि बीते वैभव का एक सांस्कृतिक चिह्न सुरक्षित कर लिया जाए। उर्दू भाषा का विकास तभी सम्भव हुआ जब मुस्लिम साम्राज्य का अध:पतन आरम्भ हो गया। उस युग के साहित्य में सामाजिक और राजनीतिक पतन के अनेक लक्षण स्पष्ट दिखाई देते हैं। जनसाधारण की भाषा छोड़कर दरबारी साहित्यकारों ने एक नई दरबारी भाषा का आविष्कार किया। उसे खूब मार्जित करके उन्होंने उसे अपना सांस्कृतिक चिह्न मान लिया। भाषा में ऊपरी चमक-दमक थी। किन्तु उस भाषा में देश के प्राणों की गूँज नहीं थी। कविता का प्रधान गुण हो गया चमत्कार-प्रदर्शन। उस चमत्कार-प्रदर्शन की भाषा हुई उर्दू। इस चमत्कारप्रियता ने ही सर्वनाश की राह दिखाई। इस सर्वनाश से कोई भी 'चमत्कार' उनका उद्धार न करेगा, यह बात उनके दिमाग में नहीं आई। ईरान की पतनकालीन साहित्यिक परम्परा को अपनाकर मुसलमान दरबारी कवियों ने अपने साहित्य का विकास किया। आज अरबी-फ़ारसी शब्दों का मोह त्यागने की बात आने पर उन्हें लगता है कि उनके गौरव का इतिहास नष्ट हो जाएगा। मुस्लिम साम्राज्य के वैभवकाल में मुसलमान साहित्यकारों ने लोकभाषा का व्यवहार करके कितनी शक्ति प्राप्त की, यह बात इनके दिमाग में बैठती ही नहीं।

देश में जो लोग पाकिस्तान चाहते हैं, वे पाकिस्तान लेकर भी सन्तुष्ट न होंगे। वे अब भी विगत साम्राज्य की मधुर स्मृति में निमग्न हैं। उनकी समझ में उस स्मृति के साथ अरबी-फ़ारसी शब्दों से लदी हुई भाषा का कोई आध्यात्मिक सम्बन्ध है। इसलिए राजनीति में जो पाकिस्तान के समर्थक हैं, वे भाषा का भी विभाजन करने को तैयार हैं। वे सोचते हैं कि उनकी नई भाषा समय बीतने पर देश की अन्य भाषाओं पर अपना आधिपत्य क़ायम कर लेगी। इसीलिए अरबी-फ़ारसी संस्कृति को आधार बनाकर उन्होंने भारत की अनेक भाषाओं में विध्वंस-कार्य आरम्भ कर दिया है।

हमने अरबी, फ़ारसी या अन्य विदेशी शब्दों का बहिष्कार किया हो, ऐसा नहीं है। हिन्दी साहित्य की लोकप्रिय और धर्मग्रंथ के समान पूजनीय पुस्तक 'रामायण' में अनेक विदेशी शब्द हैं। हिन्दी के किसी भी उत्तरदायी साहित्यकार ने कभी यह नहीं कहा कि हमारी भाषा केवल संस्कृत शब्द लेकर समर्थ बनेगी। लेकिन अस्वाभाविक रूप से हिन्दी में अपरिचित शब्द भरने से विकास-क्रम भंग होगा, यह बात भूलना न चाहिए। भारत की अधिकांश भाषाओं का एक सामान्य सांस्कृतिक आधार है। थोड़े परिश्रम से लोग हिन्दी, बंगला, मराठी आदि भाषाएँ समझ लेते हैं, कारण यह कि इन भाषाओं में बहुत-से शब्द सामान्य हैं। देश को एकता के सूत्र में बाँधने के लिए भाषा की यह एकता प्रधान साधन है। अपनी कुचेष्टा से अनेक जन इस एकता पर आघात कर रहे हैं किन्तु जितना आघात करेंगे, उतना ही देश की भाषाओं का परस्पर साम्य-बोध और भी दृढ़ होगा। तभी देशवासी इस राष्ट्रघातक प्रयत्न को समूल नष्ट कर देंगे।

[1941]

5

# हिन्दी गद्य-शैली पर कुछ विचार

आज से लगभग सत्तर वर्ष पहले भारतेन्दु हरिश्चन्द्र ने नये हिन्दी गद्य की नींव डाली थी। वैसे ब्रजभाषा से भिन्न नई हिन्दी लिखने का प्रयास और भी पहले आरम्भ हो गया था। इसलिए हम कह सकते हैं कि अब तक नये हिन्दी गद्य के सौ वर्ष बीत चुके हैं और अब इस बात पर विचार करना आवश्यक है कि साधारण गद्य के लिए हम एक साफ़-सुथरी शैली बना सके हैं या नहीं। हिन्दी गद्य के विकास में जो दो-तीन मार्ग-चिह्न स्पष्ट दिखाई देते हैं, उनमें सबसे पहले तो आधुनिक हिन्दी के जन्मदाता भारतेन्दु बाबू हरिश्चन्द्र और उनके सहयोगियों ने ही हिन्दी गद्य-शैली पर एक अमिट छाप डाली है। इस शैली पर विचार करते हुए दो बातें सभी आलोचक मानते हैं। पहली तो यह कि इसमें एक ऐसी ज़िन्दादिली है जो बाद के गद्य में प्राय: नहीं मिलती। दूसरी यह कि इस भाषा में परिष्कार की ज़रूरत है और अपने तात्कालिक रूप में वह शैली आज ग्रहण नहीं की जा सकती।

इन दोनों बातों पर कुछ ठहरकर विचार करना आवश्यक है। भारतेन्दु-युग के लेखकों की शैली में ज़िन्दादिली क्यों है और बाद के गद्य से वह लोप क्यों हो गई? इसका कारण कुछ लोग यह बतलाते हैं कि भारतेन्दु और उनके सहयोगी बहुत गम्भीर चीज़ें न लिखते थे। इसलिए उनकी शैली में हँसी-मजाक की गुंजाइश ज़्यादा रहती थी। आगे चलकर हमारी शैली में भाव-गाम्भीर्य आया और इसलिए यह ज़रूरी हो गया कि इस गहराई में ज़िन्दादिली डूब जाए। एक बात ध्यान देने की यह है कि भारतेन्दु-युग के लेखक इस पीढ़ी के लेखकों की तुलना में संस्कृत के अधिक निकट थे। उनके सामने हिन्दी गद्य की कोई विकसित परम्परा न थी और इसलिए होना तो यह चाहिए था कि संस्कृत के शब्दों की भरमार से उनकी शैली बोझिल बन जाती, लेकिन हुआ इसका उल्टा ही। इसके सिवा यह बात भी सही नहीं है कि उस युग में गम्भीर आलोचना नहीं लिखी गई। उस युग के मासिक पत्रों की जिल्दों में सैकड़ों सुन्दर आलोचनात्मक निबन्ध आज भी सुरक्षित हैं। (यानी जहाँ उन्हें रद्दी में बेच नहीं डाला गया या जिल्दों में दीमक नहीं लग गया।) उनका संकलन करके अब तक किसी ने उन्हें प्रकाशित नहीं किया, इसका बहुत बड़ा श्रेय हमारे

प्रकाशकों को है। उन निबन्धों से आज के बहुत ही मामूली आलोचनात्मक निबन्धों की तुलना की जाए तो दोनों की शैली का भेद मालूम हो जाएगा। उस समय के अधिकतर लेखक यह कोशिश करते थे कि कठिन और दुरूह बातों को भी आसानी से समझा दें। आज के काफ़ी लेखकों की यह कोशिश होती है कि साधारण बातों को भी असाधारण शब्दावली में प्रकट करके अपने निबन्धों को गम्भीर बना दें।

यह सही है कि भारतेन्दु-युग की गद्य-शैली में परिष्कार की ज़रूरत थी। लेकिन यह ज़रूरत इतनी बड़ी न थी, जितनी कि लोग समझते हैं। बालकृष्ण भट्ट के निबन्ध, भारतेन्दु के नाटकों में वार्तालाप, राधाचरण गोस्वामी के प्रहसन—इनमें बहुत परिष्कार की गुंजाइश नहीं है। इसके अलावा जो परिष्कार आप करेंगे, वह कुछ शब्दों को लेकर होगा। वाक्य-रचना, शब्दों के चुनाव, शैली के प्रवाह आदि में इससे ज़्यादा अन्तर न पड़ेगा यानी भारतेन्दु-युग का कोई सचेत लेखक व्याकरण की दो-चार अशुद्धियाँ बताता हुआ गद्य लिखता तो उसकी ज़िन्दादिली में ज़्यादा फ़र्क़ न पड़ता। इसलिए ज़िन्दादिली का सबब साहित्य का हल्कापन नहीं है। अगर ऐसा हो तो हल्केपन के डर से कोई भी ज़िन्दादिल लेखक साहित्य की दुनिया में पैर ही न रखे।

भारतेन्दु-युग की गद्य-शैली पर थोड़ा और विचार करने से उसकी कुछ ऐसी विशेषताएँ सामने आती हैं जो बाद के गद्य में, विशेष कर सन् '20 से सन् '40 तक के गद्य में, कम मिलती हैं। पहली विशेषता यह है कि इन लेखकों के मन में शब्दों का चुनाव करते हुए किसी तरह के निषेध का विचार आड़े नहीं आता। द्विवेदी-युग में हमारे भीतर एक निषेध-भावना घर कर गई थी—एक शब्द को हम जानते हैं, बातचीत में उसका प्रयोग भी करते हैं लेकिन गद्य में उसे लिखें या न लिखें, यह प्रश्न बार-बार लेखकों के सामने आता था। भारतेन्दु-युग के लेखकों ने नई हिन्दी का रूप सँवारते हुए बंगला और संस्कृत की ओर भी ध्यान दिया, लेकिन सबसे ज़्यादा ध्यान उन्होंने उस बोलचाल की भाषा पर दिया जो नित्य ही उनके कानों में पड़ती थी। भारतेन्दु-युग की गद्य-शैली का आधार बोलचाल की भाषा है। उस समय के निबन्धों को पढ़िए तो यह नहीं लगता कि उन्हें किसी ने लिखा है। ऐसा मालूम होता है कि लेखक हमसे बातें कर रहा है और हम छापे के अक्षरों में भी उसकी आवाज़ सुनते जाते हैं। द्विवेदी-युग में परिष्कार के बहाने गद्य-शैली का आधार बदल दिया गया। अनेक लेखकों ने बोलचाल की भाषा से बार-बार बचने की कोशिश करते हुए शुद्ध साहित्यिक हिन्दी को अपनी शैली का आधार बनाया।

बोलचाल की भाषा को आधार बनाने से ही भारतेन्दु-युग के लेखक अपनी शैली में एक बहुत ही बलवती ग्राहिका शक्ति पैदा कर सके थे। वे जिस शब्द को भी चाहते थे, उसे हिन्दी में पचा लेते थे। इस तरह वे फ़ारसी, अरबी और अंग्रेज़ी के शब्दों का ही रूपान्तर न कर लेते थे बल्कि हिन्दी और संस्कृत का भेद मानते

हुए संस्कृत शब्दों का रूपान्तर भी कर लेते थे। हमारी ग्रामीण भाषाओं में यह प्रवृत्ति है कि संस्कृत के शब्द अपने सरल तद्भव रूप में काम में लाये जाते हैं। भारतेन्दु-युग के लेखकों ने अपनी शैली में इस प्रवृत्ति को उभारा। उन्होंने तद्भव शब्दों का बहुतायत से प्रयोग किया, इसके अलावा ग्राम-भाषाओं से भी जहाँ तक हो सका, शब्द खींचे और इस तरह नई हिन्दी को समृद्ध किया। आगे चलकर यह प्रवृत्ति बदल गई। संस्कृत शब्दों के तद्भव रूप पर ज़ोर देने के बदले हम तद्भव शब्दों को भी तत्सम रूप देने लगे।

यहाँ पर हिन्दी भाषा के मौलिक विकास पर दो शब्द कहना असंगत न होगा। पं. अमरनाथ झा अक्सर कहते सुने जाते हैं : "मेरी मातृभाषा हिन्दी नहीं है पर संस्कृत-गर्भित होने के कारण हिन्दी देश के अधिकांश भाग में बोली और समझी जाती है।" इस तरह की बातें सभा-समाज में आये-दिन हम दूसरों के मुँह से भी सुना करते हैं। यह बिलकुल सही है कि हिन्दुस्तान के अधिकांश भाग में हिन्दी बोली और समझी जाती है। देश की और किसी भाषा को यह गौरव प्राप्त नहीं है। लेकिन 'हाथ कंगन को आरसी क्या!' कलकत्ता की हरीसन रोड या बम्बई के परेल में उन लोगों की बोली सुनिए जिन्होंने हिन्दी को वास्तव में यह गौरव दिया है। इनकी बोली हुई हिन्दी का रूप पं. अमरनाथ झा की संस्कृत-गर्भित अ-मातृभाषा हिन्दी से बहुत भिन्न है। झा महोदय के लिए क्षम्य है कि मातृभाषा न होते हुए भी वह हिन्दी को उसके किसी भी रूप में बोल लेते हैं लेकिन जो लोग हिन्दी को मातृभाषा मानते हैं, उन्हें तो अपनी भाषा के उस रूप की रक्षा करनी चाहिए, जो सचमुच उनके आये-दिन के व्यवहार में प्रकट होता है।

संवत् 900 से लेकर संवत् 2000 तक हिन्दी का विकास किस ओर हुआ है? हिन्दी भाषा की भागीरथी हिमालय से समुद्र की ओर बही है या समुद्र से हिमालय की ओर? गोस्वामी तुलसीदास, भारतेन्दु और प्रेमचन्द ने हिन्दी के संस्कृत रूप को सँवारा है या उसके प्राकृत रूप को? यदि यह दावा सच होता कि भारतीय भाषाओं की एकता का आधार संस्कृत के तत्सम शब्दों का समान रूप से प्रयोग है तो बंगला, गुजराती, हिन्दी, मराठी आदि-आदि भाषाओं का अलग-अलग विकास बिलकुल अस्वाभाविक होता। इतिहास की माँग कुछ और थी, भाषाविज्ञान के आचार्यों की माँग कुछ दूसरी है। गुजराती, मराठी, बंगला, हिन्दी आदि भाषाओं का अलग-अलग विकास इसलिए हुआ है कि इन भाषाओं ने अपने प्राकृत रूप को सँवारा है। उन्होंने तत्सम शब्द भी लिये हैं और साहित्य-रचना में विशेष रूप से लिये हैं लेकिन बंगला, हिन्दी या मराठी की जातीयता, उसका विशेष रूप, उसका बाँकपन या वह भदेसपन जिसका उल्लेख गोस्वामी तुलसीदास ने किया था, संस्कृत शब्दों के प्रयोग के कारण नहीं है। भाषा की भागीरथी प्राकृत रूप समुद्र की ओर ही बह रही है, संस्कृत रूप हिमालय की ओर नहीं। हिमालय की बर्फ घुल-घुलकर जड़

से जल बन गई है और उसमें जनपदों के ऊसर और खेतों का बरसाती पानी भी मिल गया है। हिन्दी के इस समृद्ध रूप को छोड़कर संस्कृत के आधार पर उसे समूचे भारत में लोकप्रिय बनाने का प्रयत्न काशी और प्रयाग की गंगा को छोड़कर हिमालय की चट्टानें पूजने के समान है।

हिन्दी लेखकों की नई पीढ़ी देश में एक महान् परिवर्तन देख रही है और इस परिवर्तन से भाषा और साहित्य के क्षेत्र में लाभ उठाना इस नई पीढ़ी का ही काम होगा। भाषाविज्ञान के आचार्य हिन्दी के चाहे जिस रूप की कल्पना करें, भारत के इतिहास ने उसके दूसरे ही रूप को रचना और सँवारना शुरू कर दिया है। अभी तक हम हिन्दी को जनता की भाषा कहते आए थे, लेकिन जनता का 90 फीसदी भाग हमारी इस हिन्दी से अपरिचित था। अब समय आ गया है कि 90 फीसदी जनता शिक्षित होकर अपनी भाषा को पहचाने और उसका रूप सँवारने में हाथ बँटाए। शिक्षा का प्रसार एक ऐसी बाढ़ होगी जो हमारी भाषा और साहित्य के उद्यान पर एक बार छा जाएगी और यहाँ की तमाम विनाशकारी घास-पात को बहा ले जाएगी। वे दरिद्रनारायण, जिनका नाम लेकर हम हिन्दी को राष्ट्रभाषा मानते आए हैं, हिन्दी बोलेंगे और लिखेंगे भी। भाषाविज्ञान के आचार्यों ने चौका लगाकर, छूत-पाक का बड़ा विचार करते हुए, जो तत्सम खिचड़ी पकाई थी, उसमें अब दरिद्रनारायण भी हिस्सा बटाएँगे। यह मानी हुई बात है कि ऐसा होने पर आचार्य लोग यह विवाद करेंगे कि इन असंस्कृत और अशिक्षित व्यक्तियों ने हमारे शुद्ध साहित्य और शुद्ध संस्कृति के चौके को छूत कर डाला। दरिद्रनारायण को बहुत दिन तक भूखा रखा गया है। साम्राज्यवाद ने उनके पेट को ही नहीं मारा, संस्कृति के नाम पर भी उन्हें यथाशक्ति भूखा मारने की कोशिश की है। शिक्षित और जाग्रत होने पर जनता लकीर खींचकर चौके से बाहर नहीं रखी जा सकेगी। वास्तव में वही संस्कृति की निर्माता है, वही तद्भव और तत्सम रूपों का, संस्कृत और प्राकृत रूपों का, मातृभाषा और राष्ट्रभाषा के प्रश्नों का समाधान करनेवाली है। उस समय देखना होगा कि हिन्दी की गद्य-शैली आज की-सी ही रहती है या उसमें बहुत बड़ा परिवर्तन होता है।

ऊपर जो कुछ कहा गया है, उसका यह अर्थ नहीं है कि हिन्दी के बड़े लेखकों ने बोलचाल की भाषा को आधार मानकर अपनी शैली को रचा ही नहीं है। प्रेमचन्द के उपन्यास इस बात की जीती-जागती मिसाल हैं कि बोलचाल की भाषा को आधार मानने से कितनी लोकप्रिय रचनाएँ की जा सकती हैं। कविता के क्षेत्र में श्री मैथिलीशरण गुप्त, दिनकर, नरेन्द्र, सुमन, गिरिजाकुमार, केदारनाथ, नेपाली आदि ने सरल और सुबोध शैली अपनाने की चेष्टा की है। युद्धकाल में और उसके बाद कुछ लेखकों ने सचेत होकर इस तरफ ध्यान दिया है और उन्होंने छायावाद के उत्तरकाल की शैली को बदला है। कोई नहीं कह सकता कि इस प्रयत्न से उनकी व्यंजना-शक्ति कम हो गई है। वास्तव में यह शक्ति कम होने के बदले और बढ़ गई है।

पुरानी शैली की जड़ता सबसे ज़्यादा नाटकों में अखरती है। नाटक की सफलता सबसे अधिक बातचीत की स्वाभाविकता पर निर्भर है। हिन्दी में जिन लोगों ने नाटक लिखने का रिकॉर्ड तोड़ा है, उन्होंने भी इस स्वाभाविकता को बार-बार ठुकराया है। यदि नाटक की कथावस्तु ऐतिहासिक या पौराणिक हुई, तब तो लेखक अपने लिए छूट मानता है कि वह अधिक-से-अधिक अस्वाभाविक शैली अपना सकता है। बात संस्कृत शब्दों की नहीं है; तत्सम रूप नाटकों में भी खपाये जा सकते हैं। अस्वाभाविकता की जड़ लम्बे-लम्बे उलझे हुए वाक्यों की रचना है। जिस लेखक को रंगमंच का थोड़ा भी ज्ञान होगा, वह तुरन्त परख लेगा कि जिस नाटक के वाक्य बोलने में अभिनेता हाँफ जाए और दर्शक उसके आदि-अन्त का ही पता लगाता रह जाए, वह नाटक कभी सफल नहीं हो सकता। दुर्भाग्य से अस्वाभाविक वाक्य-रचना को कठिन समझकर उससे पाठ्यक्रम की शोभा भी बढ़ाई जाती है। एक नाटक इंटरमीडिएट के विद्यार्थियों को पढ़ाया जाता है। इसको अचानक बीच से खोलने पर विक्रममित्र नाम का पात्र यह कहते देखा जाता है :

"यवनों के आक्रमण से जब मालव और शिविगण मूल स्थान के निकट नहीं ठहर सके और मगध की केन्द्रीय मौर्यशक्ति ने भी अपने कर्तव्य का पालन जब नहीं किया तब उन्हें सिन्धु के दक्षिण मध्यनिका और कर्कोटक में शरण लेनी पड़ी। मेघवाहन क्षारवलि और पितामह वसुमित्र ने सेना-साधन में उनकी सहायता कर उन्हें उन्हीं स्थानों में स्थिर किया और आगे बढ़कर यवनों के उस पार शाकल तक पहुँचा दिया।"

इन वाक्यों में 'उन्हें, उन्हीं' और 'स्थान, स्थिर' के जोड़े दर्शनीय हैं। यदि नाटककार आँख खोलकर लिखने के साथ कान खोलकर अपने वाक्य सुनते भी जाएँ तो विक्रममित्र से ऐसे अनगढ़ वाक्य न कहलाएँ। उसी पृष्ठ पर विक्रममित्र महाशय पुन: कहते सुने जाते हैं :

"इन मालवों की सनातन वैदिक विधान में जो आस्था थी, उसने पितामह वसुमित्र को तो प्रभावित किया ही, जैन क्षारवलि तो उससे इतना प्रभावित हुआ कि उसने मालव महेन्द्रादित्य के साथ अपनी पुत्री सौम्यदर्शना का विवाह कर दिया।" इस वाक्य में 'आस्था' शब्द पर ध्यान दीजिए। यह 'आस्था' कर्ता है, उसने वसुमित्र को प्रभावित किया। लेकिन आगे कर्ता से बदलकर करण बन गई और जैन क्षारवलि उससे प्रभावित हो गया। कर्ता-करण के उलझाव में वाक्य अशुद्ध और अस्वाभाविक बन गया। छपने पर उसने चार पंक्तियाँ घेरी हैं, यह अलग से।

एक सामाजिक नाटक लीजिए। इसमें नीतिराज 'एक समाजवादी युवक; उम्र चौबीस वर्ष' और 'विमला एक युवती, उम्र बाईस वर्ष' आधुनिक विज्ञान पर बहस कर रहे हैं। नीतिराज कहता है :

"आख़िर आप रमणी हैं न? जिस दिन आप कमल-कुसुम के समान वर्तमान सामाजिक पानी की तह से ऊपर उठ आएँगी, उस दिन यह कह देंगी कि त्यागवाद

महान् नहीं हो सकता। जिस त्याग का ढिंढोरा पीटा जा रहा है, वह या तो समाज में इस समय जो धर्म प्रचलित है, उस धर्म के भय से किया जा रहा है या वह समाज में प्रतिष्ठित स्थान प्राप्त करने के लिए किया जाता है। सारे दान-पुण्य, सत्कर्म कहे जानेवाले कार्य इन्हीं दो कारणों के परिणाम हैं। सारा सामाजिक संगठन अवैज्ञानिक नहीं है। जो चीज़ वैज्ञानिक नहीं है, वह महान् हो ही नहीं सकती। मिस विमला, इस युग के दो सबसे बड़े तत्त्ववेत्ता हैं—डार्विन और कार्ल मार्क्स। दोनों ग्रहणवादी हैं।"

बाईस साल की लड़की के धीरज की प्रशंसा करनी होगी। लगभग पूरा पृष्ठ सुन जाती है और एक बार भी उस चौबीस साल के युवक को नहीं टोकती। नीतिराज ने भी, मालूम होता है, कॉलेज में हिन्दी के नाटक ही पढ़े हैं। इसलिए विमला से कहता है : "आख़िर आप रमणी हैं न!" क्या ही अच्छा हो कि कॉलेज के लड़के सहपाठिनी विद्यार्थियों के लिए ऐसे ही सुन्दर शब्दों का प्रयोग किया करें। 'सामाजिक पानी की तह' से ऊपर उठाना भी कमाल है। एक वाक्य में नीतिराज सर्वनामों का प्रयोग भूल गया है, इसलिए 'जो धर्म प्रचलित है उस धर्म के भय से'—बार-बार धर्म की दुहाई देने लगता है। 'समाज में प्रतिष्ठित स्थान प्राप्त करना' आदि ऐसे टुकड़े हैं जो नाटक की वाक्य-रचना में ठूँठ-जैसे खड़े हैं। नीतिराज ने डार्विन और कार्ल मार्क्स को ही पानी नहीं दिया, बोलचाल की हिन्दी पर भी पानी फेर दिया है।

नाटकों में इस तरह की शैली ज़्यादा दिन नहीं चल सकती। पाठ्यक्रम में शामिल करने पर भी इस तरह के नाटक हिन्दी के रंगमंच का उद्धार नहीं कर सकते।

आलोचना में गम्भीर चिन्तन के नाम पर हर तरह की वाक्य-रचना क्षम्य समझी जाती है। एक उदाहरण देना ही काफ़ी होगा। "सामाजिक शक्ति के संगठन में परस्पर-विरोधी शक्तियों का संघर्ष होता है, साहित्य उसका सजीव चित्रण कर यह स्पष्ट कर देता है कि उसमें वह सक्रिय रूप से भाग ले रहा है और यह कि वह सामाजिक संगठन एक स्थिर वस्तु नहीं है, बल्कि गतिमान और परिवर्तनशील है।" इस बात को और भी सरल ढंग से कहा जा सकता था और इस तरह का वाक्य रचने के लिए गम्भीर चिन्तन की दुहाई नहीं दी जा सकती। वाक्य के बेढंगेपन का कारण गम्भीर चिन्तन नहीं, अंग्रेज़ी के 'that' का भद्दा अनुवाद है, 'यह कि वह।'

संक्षेप में हिन्दी की गद्य-शैली को सँवारने के लिए वाक्य-रचना पर ध्यान देना सबसे ज़्यादा ज़रूरी है। लिखते समय हम वाक्यों को सुनते भी जाएँ या लिख लेने पर उन्हें ज़ोर से पढ़कर सुनें-सुनाएँ जिससे कि उनका अस्वाभाविक प्रवाह तुरन्त मालूम हो जाए और हम उनमें आवश्यक सुधार कर सकें। इसके अलावा संसार की हर भाषा के पुष्ट गद्य का आधार आम जनता की बोलचाल की भाषा रही है। हमें अपनी गद्य-शैली को सबल और समर्थ बनाने के लिए फिर यही आधार क़ायम करना है। ऐसा करने से हिन्दी भारत की दूसरी भाषाओं से दूर न

जा पड़ेगी। यह भय इसलिए पैदा होता है कि हम भारतीय भाषाओं के विकास को ही ग़लत समझ बैठते हैं। यह विकास संस्कृत की ओर नहीं लौट रहा है बल्कि तद्भव रूपों को अपनाता हुआ भाषा के प्राकृत रूप की ओर बढ़ रहा है—प्राकृत, अपने मौलिक और व्यापक अर्थ में। भारतेन्दु और प्रेमचन्द की शैली इसी विकास की ओर संकेत करती है। हिन्दुस्तान की अधिकांश जनता हिन्दी बोलती है या उसे समझती है। लेकिन हम अपनी गद्य-शैली को उस जनता के बोलने-समझनेवाले रूप से बहुत दूर ले आए हैं। इस तरह हिन्दी लोकप्रिय नहीं बन सकती। साक्षरता फैलने पर यह गद्य-शैली बदलेगी। नई पीढ़ी के लेखकों पर विशेष रूप से यह भार है कि वे अपनी शैली को इस तरह गढ़ें कि शिक्षा-प्रसार में उससे सहायता मिले और देश की कोटि-कोटि जनता के सम्पर्क से वे स्वयं भी अपनी भाषा और साहित्य को समृद्ध बनाएँ।

[1947]

6

# राष्ट्रभाषा हिन्दी और हिन्दू राष्ट्रवाद

हिन्दी को राष्ट्रभाषा बनाने की माँग कुछ नई नहीं है। भारतेन्दु से लेकर अब तक इस माँग का आधार यही रहा है कि हिन्दी जनता की भाषा है; बोलने, लिखने और समझने में वह सरल है; हिन्दुस्तान की अधिकांश जनता अभी भी उसे बोलती और समझती है। अपनी माँग को पुष्ट करने के लिए हिन्दी-भाषियों ने जनता को अपनी कसौटी बनाया था। उन्होंने राष्ट्रभाषा की समस्या को जनतांत्रिक ढंग से ही सुलझाने का प्रयत्न किया था। लेकिन इधर कुछ वर्षों से यह परिस्थिति बदल रही है। साहित्य-सम्मेलन के मंच से हिन्दी-हिन्दुस्तान का नारा लगाकर अपनी भाषा के प्रसार को संकुचित करने और उसके सहज विकास को रोकने का प्रयास किया गया है। एक तरफ तो हम गर्व के साथ कहते रहे हैं कि हिन्दी आम जनता की भाषा है जिसके बोलनेवाले सभी जातियों और धर्म के लोग हैं, दूसरी तरफ राष्ट्रीयता के नाम पर साम्प्रदायिकता का जहर फैलानेवाला यह नया हिन्दू राष्ट्रवादी दल भाषा को धर्म के साथ जोड़कर हिन्दी को जनता की भाषा के पद से हटा देना चाहता है। ऊपर से देखने में मालूम होता है कि ये हिन्दू राष्ट्रवादी हिन्दी के समर्थक हैं, जो उसका प्रसार और विकास चाहते हैं, वास्तव में इनसे बड़ा शत्रु हिन्दी का कोई दूसरा नहीं हो सकता। राष्ट्रों की तरह भाषा का विकास भी जनतांत्रिक आधार पर होता है, जनता की उपेक्षा करके फासिज़्म को आधार बनाने पर राष्ट्र की तरह भाषा का भी सत्यानाश होना अनिवार्य है। हिन्दी का सत्यानाश करना तो विधाता के लिए भी कठिन होगा। विधाता की इच्छाओं के एकमात्र टीकाकार ये हिन्दू राष्ट्रवादी उसके विकास में कुछ देर के लिए बाधा ज़रूर डाल सकते हैं।

राष्ट्रभाषा के साथ हिन्दू राष्ट्रवाद के गठबन्धन को सबसे ताजी मिसाल श्री रविशंकर शुक्ल की लिखी हुई एक पुस्तक है, जिसका नाम है : 'हिन्दीवालो, सावधान'! 'इस्लाम खतरे में है' की तरह लेखक ने 'हिन्दू धर्म खतरे में है' कहकर हिन्दीवालों को सावधान करने की चेष्टा की है। जहाँ-जहाँ 'इस्लाम खतरे में है' का नारा लगाया गया है, वहाँ-वहाँ साबित हो चुका है कि इस्लाम के बदले किसी की ज़मीन-जायदाद ही खतरे में थी जिसे बचाने के लिए यह खतरे की घंटी बजाई

गई थी। इस बहाने जायदाद की हिफाजत हो नहीं पाती और जनता इस ठग-विद्या को पहचानकर जायदाद को जब्त करके ही दम लेती है। लेखक ने इतिहास को साक्षी न मानकर खुलेआम धर्मान्धता को आदर्श मानकर उसके पीछे चलने की सिफारिश की है। प्रत्येक हिन्दू राष्ट्रवादी ऊपर से जिन्ना का विरोधी होते हुए भी हृदय से उन्हीं को अपना आदर्श मानता है। कांग्रेस और देश के स्वाधीनता संग्राम के बारे में वह लीग के प्रतिक्रियावादी नेताओं के समान ही झूठा प्रचार करता है। रविशंकर शुक्ल का अभियोग है कि कांग्रेस ने हिन्दुओं के साथ 'घोर विश्वासघात किया है।' ('हिन्दीवालो, सावधान'; परिशिष्ट, पृ. 67) हिन्दुओं का विश्वासपात्र तो कोई हिन्दू जिन्ना ही हो सकता था लेकिन लेखक के दुर्भाग्य से 'हिन्दुओं का ऐसा कोई नेता नहीं है जो मि. जिन्ना से टक्कर ले सके।' (उप.) हिन्दुओं में ऐसा नेता पैदा करने के लिए ज़रूरी है कि हर हिन्दू के हृदय में राष्ट्रीयता की परम्परा को निर्मल कर दिया जाए। इसलिए कांग्रेसी नेताओं के लिए लेखक ने यह दावा किया है कि उन्होंने 'जन्म-भर मनसा, वाचा और कर्मणा—यह सिद्ध करने की चेष्टा की है, और अब भी कर रहे हैं, कि वे हिन्दू नहीं हैं।' (उप.) कांग्रेस पर अहिन्दू होने का अभियोग लगाने का एकमात्र उद्देश्य यह है कि कांग्रेस की प्रेरणा से जो जनवादी परम्परा क़ायम हुई है, उससे निहित स्वार्थों की रक्षा की जाए। इस हिन्दू-प्रेम के पीछे पूँजीवाद और ज़मींदारी प्रथा का प्रेम छिपा हुआ है जो लेखक से इस तरह की दलीलें पेश कराता है—पं. नेहरू को हिन्दुस्तान के नाम से चिढ़ है क्योंकि उसमें हिन्दू नाम जुड़ा हुआ है। इसलिए वह चाहते हैं कि देश को 'इंडिया' ही कहा जाए और इस मामले में गांधी जी 'उनकी पीठ थपथपा रहे हैं।' (परिशिष्ट, पृ. 68) पं. नेहरू के भाषणों को जनता भी सुनती है और वह अच्छी तरह जानती है कि वे इंडिया शब्द का प्रयोग करते हैं या हिन्दुस्तान का। लेकिन फासिज़्म का आधार झूठ होता है और हिन्दू राष्ट्रवाद एक फासिस्ट विचारधारा है।

हिन्दू और मुस्लिम प्रतिक्रियावादी एक-दूसरे के कितने निकट हैं, इसकी एक मिसाल देखिए। दोनों ही नेहरू सरकार की एक हिन्दू सम्प्रदायवादी सरकार के रूप में कल्पना करते हैं। फ़र्क़ इतना ही है कि मुस्लिम प्रतिक्रियावादी उसे हिन्दू सरकार पहले से ही मानते हैं और उनके हिन्दू भाई उसे ऐसी बनाना चाहते हैं। शुक्ल जी कहते हैं कि 'हमारा संसार नेहरू सरकार को हिन्दू सरकार बनाना और समझता है—जबकि वास्तव में अर्थात् अमल में वह हिन्दू सरकार नहीं है। रोमी भ्रांति का कारण नहीं रहने या भविष्य में उत्पन्न होने दिया जा सकता। (उप.) सारे संसार में चर्चिल और उनके पिट्ठू ही ऐसा प्रचार करते हैं और बी.बी.सी. दुनिया-भर में विज्ञापित करती है कि पं. नेहरू की हिन्दू सरकार मुसलमानों का नाश कर देना चाहती है। लेकिन संसार में सब चर्चिल, फ़ीरोज़ ख़ाँ नून या उनके हिन्दू नक्काल (रविशंकर शुक्ल जैसे) ही नहीं हैं। दुनिया का

हर जनतंत्रवादी न तो नेहरू सरकार को एक हिन्दू सम्प्रदायवादी सरकार मानता है और न उसे होने देना चाहता है।

हिन्दू राष्ट्रवाद की खुली घोपणा इस प्रकार है :

"हिन्दुस्तान एक हिन्दू राष्ट्र हो जिसका राज-धर्म हिन्दू धर्म हो और जिसमें सब प्रमुख पदों पर हिन्दुओं और अमुस्लिमों की नियुक्ति हो! ऐसा कोई व्यक्ति जो स्पष्ट रूप से हिन्दू धर्म न मानता हो, हिन्दुस्तान सरकार का प्रधान नहीं हो सकता।" (उप.) स्पष्ट रूप से हिन्दू धर्म मानने का मतलब क्या है? यह कि जो मुसलमानों को हिन्दुस्तान में रहने दे, वह पूरा हिन्दू नहीं है। "इस्लाम धर्म के किसी अनुयायी को हिन्दुस्तान में नागरिकता के अधिकार नहीं मिल सकते" और "अल्पसंख्यक के किसी झूठे नाम पर पाकिस्तान के फ़िफ़्थ कॉलम को स्वच्छंद नहीं छोड़ा जा सकता।" (पृ. ९९) यह है सच्चे हिन्दूपन की कसौटी! अगर लीगी नीति धर्मान्ध है तो क्या हम नहीं हो सकते? अगर वे एक बार कुएँ में गिरे हैं तो हम सौ बार गिरेंगे! हिन्दू राष्ट्रवाद की वीरता इसी प्रकार की है।

इस हिन्दू राष्ट्रवाद को भाषा के क्षेत्र में लागू करना मुश्किल नहीं है। जैसे हिन्दुस्तान का हर मुसलमान पाकिस्तान का फ़िफ़्थ कॉलम है, वैसे ही हिन्दी में आया हुआ अरबी-फ़ारसी का हर शब्द फ़िफ़्थ कॉलम है, जिसे निकाल बाहर करना चाहिए। बात कुछ बहुत मौलिक नहीं है क्योंकि मराठी में वीर सावरकर भी यह काम कर चुके हैं। उन्हें सफलता कितनी मिली है, यह मराठी का कोई अख़बार उठाकर देख लीजिए।

कठिनाई तब पैदा होती है जब जनता के व्यवहार का प्रश्न सामने आ जाता है। हिन्दू राष्ट्रवादियों के दुर्भाग्य से इस देश की जनता हिन्दू-मुसलमान शब्दों की पहचान नहीं कर पाती। फल यह होता है कि इस जनता से प्रेरणा पानेवाले कवि और लेखक भी हिन्दू-मुस्लिम शब्दों का भेदभाव भूल जाते हैं। इसलिए हिन्दू राष्ट्रवाद के इन आचार्य ने जनता का झगड़ा ही खत्म कर दिया है। आपने लिखा है : "जनता तो भेड़ों के झुंड के समान है। उसे नेताओं ने जिधर हाँक दिया, उधर चल दी...जनता को पेट-भर खाने और तन-भर कपड़े के सिवाय किसी और चीज़ की चिन्ता नहीं होती।" (मूल पुस्तक, पृ. 85)

यह तर्क भी अधिक मौलिक नहीं है। जब हिन्दुस्तान में आज़ादी का आन्दोलन चला, तब अंग्रेज़ साम्राज्यवादियों ने भी यही दलील पेश की थी कि हिन्दुस्तान की आम जनता को तो खाने-पहनने से मतलब है; कुछ थोड़े-से असन्तुष्ट लोगों ने उसे आज़ादी का नाम लेना सिखा दिया है। अगर उन्हें पकड़कर जेल में बन्द कर दिया जाए तो वह आज़ादी का हल्ला भी एक दिन में खत्म हो जाएगा। इस विचार के अनुसार : जनता को भेड़ और अपने को भेड़िया समझनेवालों ने काम भी किया लेकिन उसका फल क्या हुआ, इसे सारी दुनिया जानती है। श्रीमान् रविशंकर शुक्ल जनता को 'लैंग्वेज़ कांशस' करने के फेर में स्वयं जनता की शक्ति से 'अनकांशस'

हो गए हैं! लेकिन अंग्रेज़ बहादुर की शक्ति पर आपका विश्वास अडिग है! भारतीय जनता तो अपनी भाषा के प्रति कभी जागरूक नहीं रही लेकिन 'भला हो अंग्रेज़ बहादुर का जिसने फ़ारसी को हटाकर प्रान्तीय भाषाओं को प्रतिष्ठित किया।' (पृ. 58) गोया लॉर्ड मैकाले ने हिन्दी का सर्वनाश करने के लिए कुछ उठा रखा था और उनकी चलाई हुई शिक्षा-प्रणाली के लिए हिन्दुस्तानियों को उनका कृतज्ञ होना चाहिए! अपनी जनता को गाली कि वह भेड़ है और अंग्रेज़ के उठा लिये शाबाशी कि वह इन्साफ़पसन्द है—यह है हिन्दू राष्ट्रवाद का सच्चा रूप!

हिन्दी-भाषी जनता को भेड़ियाधसान बनाकर इस लेखक ने हिन्दी के बड़े-से-बड़े साहित्यिकों को भी उसमें शामिल कर लिया है। यह हिन्दी के लिए गर्व की बात है कि उसके बड़े-बड़े साहित्यकारों ने बोलचाल की भाषा को अपना आधार बनाया है। रविशंकर शुक्ल की समझ में इस बोलचाल की भाषा को अपनाने का मतलब है : उर्दू कोश को अपनाना। लिखा है : "उर्दू कोश केवल 'हिन्दी शब्द-सागर' में ही नहीं समाया हुआ है, वह व्यवहार में भी बहुत हद तक हिन्दी पत्रों और पुस्तकों के पन्नों पर विद्यमान है, और हिन्दी के बड़े-से-बड़े साहित्यिकों की बोलचाल में भी विद्यमान है, बल्कि यों कहिए, बोलचाल में और भी अधिक प्रबल रूप से विद्यमान है।" (पृ. 3) इस बोलचाल के खतरे से बचने के लिए आपने यह बाबा-वाक्य प्रमाण रूप में रखा है—'कण्ठगतेऽपि प्राणे यावनीं न वदेत्।' और टीका की है : "संस्कृत की इस अखंड पीढ़ी में आज हिन्दी है। आज हिन्दी को वही काम करना है जो संस्कृत ने, पालि ने और अपभ्रंश ने किया है।" (पृ. 9) संस्कृत की अखंडता से अपभ्रंश कैसे पैदा हो गई, अपने अद्भुत भाषाविज्ञान का प्रकाश इस प्रश्न पर भी डाल देते तो हिन्दीवाले और सावधान हो जाते।

लेखक को हर जगह हिन्दी हारती हुई और उर्दू जीतती हुई दिखाई देती है। उर्दू की जीत का कारण उसका विशुद्धतावाद यानी हिन्दी शब्दों के बहिष्कार की प्रवृत्ति बताई गई है। अब उस विशुद्धतावाद को हिन्दी में लागू करने का हठ किया गया है। वास्तव में हार न हिन्दी रही है, न उर्दू, हार रहे हैं दोनों तरफ के विशुद्धतावादी, जो दोनों को बोलचाल के अस्सी फीसदी शब्दों के आधार पर नज़दीक आते देखकर हाय-हाय करके छाती पीट रहे हैं। उनका यह काम उचित भी है क्योंकि दोनों के पास आने को वे बिलकुल नहीं रोक पाते! लेखक ने कई जगह ऐसे शब्दों की सूची बनाई है जिन्हें वह हिन्दी से निकाल देना चाहता है। पृ. 22-23 पर ऐसे शब्दों की सूची देखने लायक है। इसमें तलाश, सूराख, वजन, शोरगुल, पैदावार, दाग, दर्द, रोशनी, हजम करना, सख्त, नज़दीक, मेहमान, कमरबन्द, बीवी, दिल, किताब, अन्दर, तरफ़, इनकार, खरीदना, आवाज़ देना, ख़ून जैसे शब्द हैं जिन्हें हिन्दू संस्कृति के लिए घातक बताया गया है। पाठक स्वयं सोचें कि हिन्दी भाषा को इन शब्दों से ख़तरा है या रविशंकर शुक्ल जैसे उसके समर्थकों से।

इन शब्दों के हिन्दी पर्यायवाची तो और भी मनोहर हैं! किताब के लिए केवल 'पोथी' लिखना चाहिए और बीवी के लिए 'बहू!'

हिन्दीवालों को सावधान करनेवाले इन सज्जन से अगर कोई पूछे कि क्या आपने यह 'पोथी' अफ़ीम खाकर लिखी थी तो कोई बेजा सवाल न होगा? ऐसे एक-दो नहीं, पच्चीसों शब्द हैं जिन्हें आपने हिन्दी से निकालने की सलाह दी है लेकिन जो दूसरी जगह आपके 'लैंग्वेज कांशस' दिमाग पर भी सवार हो गए हैं। मिसाल के लिए पृ. 33 पर आप 'किला' शब्द निकाल देने की सलाह देते हैं लेकिन पृ. 156 पर हिन्दी शत्रुओं का मुक़ाबला करने के लिए 'किले' की शरण ले बैठे हैं।

इसी सूची में आपने 'बच्चा' शब्द भी रखा है जिसे हिन्दी से आप विदेशी समझकर निकालना चाहते हैं! पाठकों को ऐसी अपार मूर्खता पर विश्वास न हो तो इस पुस्तक के पृ. 34 की दूसरी लाइन देख लें। लेकिन वाह रे बच्चो, शाबाश! पृ. 176 पर जब लेखक महाशय हिन्दी रक्षा संघ स्थापित करने में लगे थे, तभी आठवीं पंक्ति में तुम भी आ कूदे ('हिन्दी जनता में प्रबल आन्दोलन किया जाए कि वह अपने बच्चों को...' इत्यादि)। इसी तरह 'आबादी' का आप विरोध करते हैं लेकिन पृ. 25 पर अवध को 'आबाद' करते हैं। आदत आपको पसन्द नहीं लेकिन पृ. 27 पर आप खुद उसके 'आदी' दिखाई देते हैं। जादू वह, जो सिर पर चढ़कर बोले और वह आपके ही नहीं, हिन्दी-उर्दू, दोनों के विशुद्धतावादियों के सिर पर चढ़कर बोलता है। जितना ही बोलचाल के शब्दों से पर झाड़ते हैं, उतना ही वे चिपकते जाते हैं!

पृ. 40-41 पर एक दूसरी सूची है—उन शब्दों की, जो बोलचाल में प्रचलित नहीं हैं। इनमें बगावत, कुर्बानी, गद्दार, हिमायत, उस्ताद, हमदर्दी, नाराज, नाख़ुश, सर्दी जैसे शब्द भी हैं। पूछना चाहिए कि आप किस देश के रहनेवाले हैं जो इन शब्दों को बोलचाल का नहीं समझते? आपका दुराग्रह कितना बढ़ा हुआ है, यह इस बात से ज़ाहिर है कि आपने 'देशदूत' जैसे पत्र और बेढब बनारसी जैसे लेखक को भी—जिन पर हिन्दी-उर्दू के मामले में उदार होने का कलंक कभी नहीं लगाया जा सकता—उर्दू-परस्तों की पंक्ति में बिठा दिया है!

आप पर प्रतिक्रियावादी होने का आरोप लगाया जाएगा, यह आप पहले से ही जानते हैं। इसलिए पृ. 83 पर आपने गर्व से घोषणा की है : 'हमें एक बार नहीं, सौ बार प्रतिक्रियावादी कहलाना स्वीकार है।' उसके बाद यह भी मुक्तकंठ से स्वीकार किया है कि 'ये सब बातें पुनरुत्थान की भावना से प्रेरित हैं।' (उप.) बोलचाल के शब्दों के आने से आप भाषा को कृत्रिम मानते हैं; अधिक संस्कृतनिष्ठ होने से हिन्दी स्वाभाविक हो जाएगी! (पृ. 88-89)

एक सुझाव मार्के का है। अगले प्रान्तीय चुनाव के लिए हिन्दी जनता को अभी से तैयार करना चाहिए। (पृ. 176) राष्ट्रवादी मुसलमानों और कांग्रेस के नेताओं पर

यह विषवमन उस चुनाव की तैयारी का ही एक अंग है। ऐसे लोगों की कमी नहीं है जो देश को जनतंत्र की तरफ बढ़ने से रोककर साम्राज्यवाद की पाली-पोसी हुई व्यवस्था क़ायम रखना चाहते हैं। इनके प्रचार में एक ऐसी हिन्दी को स्थान दिया गया है जिसका भारत की जनता से यथासम्भव कम सम्बन्ध है! जितना सम्बन्ध हिन्दू राष्ट्रवाद का हिन्दू जनता से है, उतना ही हिन्दी के इन समर्थकों का हिन्दी से है। कलम पकड़ते चार दिन नहीं हुए कि तुलसीदास, भारतेन्दु और प्रेमचन्द—सभी की परम्पराएँ उलटने को तैयार हैं। मानो ईश्वर के यहाँ से हिन्दी की जायदाद का बैनामा कराके लौटे हैं! हिन्दी के उस एक बड़े लेखक का नाम बताइए जिसने इन सिद्धान्तों को मानकर रचना की हो? भाषा के निर्माता कुछ अन्धे प्रतिक्रियावादी नहीं हो सकते। उसके निर्माता हिन्दुस्तान के करोड़ों किसान, मज़दूर और साधारण लोग हैं जिनकी बोलचाल की भाषा से आपको असली खतरा दिखाई देता है। हिन्दी बोलनेवालों ने जिन शब्दों को अपना लिया है, उन्हें तमाम मुसलमानों को क़त्ल करके भी हिन्दी से नहीं निकाला जा सकता। यह संस्कृति की राम-दुहाई जनता के भय से उत्पन्न हुई है क्योंकि एक बार अंग्रेज़ी से टक्कर लेने के बाद यह जनता उनके देसी नक्कालों से डरकर चुप रहनेवाली नहीं है! जिस समय हिन्दी-उर्दू के कथित हिमायती एक-दूसरे को कोसते रहे हैं, उस समय यही जनता खेतों, खलिहानों और कारख़ानों में एक मिली-जुली भाषा गढ़ती रही है जिसकी उपेक्षा करना दोनों में से किसी के लिए भी सम्भव नहीं है। हिन्दी अमर है, इसलिए कि वह अपनी स्वाधीनता के लिए लड़नेवाली जनता की सजीव भाषा है।

[1948]

7

# हिन्दी का 'संस्कृतीकरण'

बहुत-से लोगों का विचार है कि संस्कृत ने मृत भाषा का रूप इसलिए ले लिया कि पंडितों ने उसे व्याकरण के नियमों से जकड़ दिया था। परन्तु व्याकरण और भाषा की सजीवता में कोई ऐसा अन्तर्विरोध नहीं दिखाई देता कि संस्कृत की मृत्यु के लिए व्याकरण को दोषी ठहराया जाए। अगर आज की जीवित भाषाओं को लें तो देखेंगे कि वे व्याकरण से कम अनुशासित नहीं हैं और किसी हद तक तो उनके व्याकरण में ऐसी विशेषताएँ मौजूद हैं जो तर्कबुद्धि को स्वीकार ही नहीं होतीं। कौन नहीं जानता कि अंग्रेज़ी-व्याकरण बारह साल पढ़ने के बाद भी भाषा में अशुद्धियाँ रह जाना एक साधारण बात है! फिर भी अंग्रेज़ी संसार की सबसे सजीव भाषाओं में है। संस्कृत की अपेक्षा उसमें स्वच्छंदता कहीं कम है। संस्कृत वाक्य-रचना में आप शब्दों का हेर-फेर कर सकते हैं—'एतद् मम पुस्तकम्' को मम, पुस्तकम् एतद्—किसी भी शब्द से प्रारम्भ करके लिख सकते हैं। लेकिन अंग्रेज़ी में 'दिस इज़ माई बुक' को 'इज़ दिस माई बुक' लिखकर देखिए, कितना अन्तर हो जाता है! और कहीं 'बुक माई इज़ दिस' लिख दीजिए, तब तो वाक्य का कचूमर ही निकल जाएगा! छोटे बच्चे अंग्रेज़ी सीखते हुए अक्सर इस तरह की वाक्य-रचना करते हैं। और बच्चे ही क्या, बालिग भी हिन्दी से अंग्रेज़ी शुरू करते हैं, तो आरम्भ में यही ग़लती करते हैं। अगर कोई समझे कि 'राम: रामौ रामा:' की रटन्त से अंग्रेज़ी ही अच्छी, तो उसे हिन्दी के 'राम से, राम में, राम पर' आदि रूप याद रखने चाहिए और बिहारी भाइयों की 'ने' सम्बन्धी कठिनाई को न भूल जाना चाहिए।

इसका यह मतलब नहीं है कि संस्कृत, हिन्दी और अंग्रेज़ी, दोनों से सरल है और इसलिए उसे राष्ट्रभाषा बना देना चाहिए। ऊपर की बातें कहने का उद्देश्य यह है कि संस्कृत के मृत भाषा बनने का कारण व्याकरण नहीं, कुछ और है। दरअसल संस्कृत कुछ गिने-चुने शिक्षितों की भाषा रह गई थी और लोक-प्रचलित भाषा से इतनी दूर चली गई थी कि आम जनता के लिए वह दुरूह हो गई थी। उसका व्याकरण कितना भी सरल किया जाता, वह 'जीवित' भाषा का पद न पा सकती थी। अक्सर अनेक ग्राम-भाषाओं का व्याकरण संस्कृत से कम कठिन नहीं

होता, बल्कि उससे भी अधिक गहन और विस्तृत होता है, फिर भी ग्रामीण बच्चे बिना सूत्र धोखे हुए ही व्याकरण के अनुसार नित्य वाक्य-रचना करते रहते हैं। फ्रांस और स्पेन के कुछ भागों में 'बास्क' नाम की ऐसी बोली आज भी प्रचलित है। उनका व्याकरण लैटिन से भी दुरूह बताया जाता है लेकिन लैटिन संस्कृत के पद को प्राप्त हुई और बास्क अब भी जीवित है। बास्क के लिए एक कहानी प्रचलित है कि खुदा ने शैतान पर खफा होकर उसे बास्क-व्याकरण याद करने के लिए भेजा। सात साल तक परिश्रम करने के बाद भी शैतान कोरा-का-कोरा ही वापस लौटा।

व्याकरण की कठिनाई नई भाषा सीखनेवालों को महसूस होती है। जो उसे नित्य-प्रति बोलते हैं, उनके लिए व्याकरण 'सीखने' का प्रश्न नहीं उठता।

इसी प्रकार कोश देखकर भी कोई हिन्दी, उर्दू या हिन्दुस्तानी में बातें नहीं करता। काफ़ी दिन तक कोश-निर्माण में परिश्रम करने के बाद अधिकांश लोग यह समझ गए हैं कि हिन्दी, उर्दू, हिन्दुस्तानी की समस्या का चाहे जो हल हो, वह कम-से-कम कोश-निर्माण से हल नहीं हो सकती।

लेकिन कोशकार भला यह कब माननेवाले हैं! उनके लिए अमर-कोश पहले है, कालिदास बाद को। उनके लिए भाषा के बोलनेवाले बाद को हैं, उनकी कोश-रचना पहले है। जनता क्या बोलेगी; वैज्ञानिक, डॉक्टर, वकील, राजनीतिक नेता, आदि-आदि किन शब्दों का प्रयोग करेंगे, इस अन्देशे से दुबले कोशकार मोटे-मोटे कोशों का निर्माण करने में लगे हैं। कोश-रचना में ऐसे शब्द नहीं रखे जाते जो व्यवहार में आते हैं बल्कि ऐसे शब्द गढ़कर रखे जाते हैं जो व्यवहार में लाये जाएँगे। अगर 'जनता' की समझ और व्यवहार का जिक्र कीजिए तो जनता को मूर्ख और अशिक्षित कहकर भाषा के क्षेत्र से उसे निकाल बाहर किया जा सकता है और कोशकार दत्तचित्त होकर फिर अपने शब्द-निर्माण में लग जाते हैं।

छोटे से बड़े तक अनेक पंडित-महापंडित कई वर्षों से इस कार्य में लगे हैं। हिन्दी में लगे हैं और उर्दू में लगे हैं और इनके साथ बंगला जैसी अन्य भाषाओं में भी लगे हैं। इस हिसाब से हम इसे 'भारतीय साहित्य का कोश-युग' कह सकते हैं।

कोशकार अपने निर्दोष कार्य में लगे रहते और उनके एकान्त चिन्तन में बाधा देने की कोई ज़रूरत न थी, अगर उनकी कोश-रचना आम जनता पर लादी जाने को न होती। जब उनके इस कार्य को सरकारी या अर्द्ध-सरकारी संरक्षण मिल जाता है, तब यह खतरा पैदा हो जाता है कि कचहरी-डाकखाने में हमें ऐसे काग़ज़-पत्र पढ़ने को मिलेंगे जिन्हें समझने के लिए भारी-भरकम कोश साथ लेकर चलना पड़ेगा।

कल्पना कीजिए, एक 'अपसर्जित' व्यक्ति अपने 'अपसर्जक' पर अभियोग लगाता है और 'अपसर्जक' का मित्र 'अपचय' करता है। आप अदालत में 'प्रत्याख्यान' करते हैं। वकील 'अत्यय की अभ्युक्ति' करता है। इतने ही में एक 'अपनयन' का मुकदमा और पेश होता है लेकिन मुकदमे का 'लम्बन' हो जाता है

या वह 'विकृष्ट' हो जाता है। आपका 'अभिकर्ता' 'शपथ-पत्रक' देता है जिससे फिर 'व्यक्त विकर्षण' होता है। इसके बाद 'पुनर्वाद के अत्यय' की नौबत आती है और तब 'अपचारक' से कहा जाता है कि 'इस वाद का व्यय बाद के परिणाम का अनुसरण करेगा।'

यदि आप हिन्दी-प्रेमी हैं, तो इन शब्दों पर कुछ देर तक विचार कीजिए। यदि अंग्रेज़ी और हिन्दी पर्यायवाची शब्दों के बिना आप इनका मतलब समझ लेंगे तो 'वीर सराहौं तोहिं' हमें कहना पड़ेगा। ऊपर के शब्द उस कोश से लिये गए हैं जिसे उत्तर प्रदेश की सरकार और टिहरी राज्य की सहायता से नागरी प्रचारिणी सभा तैयार कर रही है। बानगी के तौर पर कुछ शब्द 2 जून, 1948 की 'अमृत बाज़ार पत्रिका' में छपे हैं। यदि नागरी प्रचारिणी सभा ऐसी ही हिन्दी का प्रचार करना चाहती है तो उसे लोगों को धोखे में न डालकर अपना नाम बदल डालना चाहिए।

इसमें संशय है कि ये शब्द संस्कृत में भी उसी अर्थ में प्रयुक्त होते हैं जो कोशकारों को अंग्रेज़ी के आधार पर अभीष्ट हैं। यह संस्कृत और हिन्दी, दोनों के साथ अन्याय है। इस तरह की भाषा को यू.पी. सरकार, टिहरी राज्य और नागरी प्रचारिणी सभा—तीनों मिलकर और उन-जैसे दस-पाँच नहीं चला सकते; क्योंकि ये शब्द जनता के गले से उतरेंगे नहीं। कोशकार भले ही आज जनता को अशिक्षित कहकर उसकी बोलचाल की भाषा की उपेक्षा करें, लेकिन यह कोश-भाषा आख़िर बुलवाना तो उसी जनता से है!

हिन्दी के इस 'संस्कृतीकरण' से हिन्दी का राष्ट्रभाषा बनना तो दूर, उसका प्रान्तीय भाषा के रूप में भी लोकप्रिय रहना कठिन हो जाएगा। यह हिन्दी की सेवा करना नहीं, उसका गला घोंटना है। हर हिन्दी-प्रेमी को इसका विरोध करना चाहिए।

यह बात नहीं है कि संस्कृत से शब्द लेना एकदम बन्द कर देना चाहिए। लेकिन शब्द लेना एक बात है, भाषा को संस्कृतमय बना देना दूसरी बात। इन कोशकारों की नज़र में हिन्दी का कोई स्वतंत्र अस्तित्व नहीं है। उसमें जो कुछ है और होना चाहिए, वह केवल संस्कृत का! इनके लिए मध्यकाल से लेकर अब तक केवल सांस्कृतिक पतन ही होता आया है और जितनी जल्दी सतयुग की ओर लौट चलें, उतना ही अच्छा। यह हठधर्म कुछ नया नहीं है। जब गोस्वामी तुलसीदास ने 'रामचरितमानस' रचा था और पंडितगण उनकी रचना को 'भदेस' कहकर हँसते थे, तब से यह क्रम चला आ रहा है। यूरोप में इस प्रकार लैटिन के आगे 'वल्गर टंग' का मजाक उड़ाया जाता था, लेकिन वही 'भदेस' भाषा संसार की सबसे समृद्ध भाषाएँ बन गईं। वह पद हिन्दी भी प्राप्त करेगी, लेकिन कोश-रचना और संस्कृतीकरण के रास्ते पर चलकर नहीं।

ऊपर की कोश-निर्मित शब्दावली सरल शब्दों में भी लिखी जा सकती है। लेकिन कोश-प्रेमियों का कहना है कि सरल शब्दावली पारिभाषिक कहाँ हुई! इस

तरह हिन्दी को इतना पारिभाषिक बनाया जाएगा कि वह 'भाषा' न रहकर केवल 'परिभाषा' रह जाएगी!

हैदराबाद के स्वनामधन्य निज़ाम साहब उर्दू के लिए ऐसे ही कोश बनवा चुके हैं। उनसे उर्दू कितनी लोकप्रिय हुई है, इस बात पर हिन्दी-प्रेमियों को विचार करना चाहिए।

'सारे देश में समझी जाए'—इस बहाने हर भाषा के कठमुल्ले अपनी भाषा की जान लेने पर तुले हुए हैं।

पश्चिमी बंगाल की अत्यन्त प्रगतिशील सरकार के 'स्वराष्ट्र विभाग' ने सरकारी कामों के लिए 'व्यवहार्य परिभाषा' का पहला भाग प्रकाशित किया है। सरकार की तरफ़ से छपी हुई चीज़ है, इसलिए उसमें नुक्ताचीनी की गुंजाइश भी कम है। आप 'परिभाषा' का जो मतलब लगाते हों, बंग सरकार ने उसका अर्थ 'शब्दावली' किया है, यह याद रखें।

इसके रचयिताओं में डॉ. सुनीतिकुमार चाटुर्ज्या का प्रसिद्ध नाम भी है। भूमिका में बताया गया है कि 'हिसाब' शब्द प्रचलित होते हुए भी उसकी जगह 'गणन' और 'गणन' से 'गाणनिक' और 'महागाणनिक' शब्द रचे गए हैं! रवीन्द्रनाथ के बंगाल में यह ललित पदावली रची जा रही है। इसी प्रकार 'अदालत' शब्द काफ़ी सम्मानपूर्ण नहीं, 'not dignified enough' समझा गया है, इसलिए उसकी जगह 'धर्माधिकरण' सजाया गया है, जिसका नाम सुनते ही अपराधियों के छक्के छूट जाएँ।

'भूमिका' में भाषाविज्ञान की यह अपूर्व बात भी कही गई है : 'Bengali, Hindi, Marathi and the rest now depend upon Sanskrit—they are not free to utilise their own basic elements.' यानी बंगला, हिन्दी, मराठी वगैरह को खुद अपने भीतर से शब्द-निर्माण करने की छूट नहीं है। उन्हें संस्कृत का ही मुँह जोहना पड़ेगा।

हिन्दुस्तान में भाषाविज्ञान ने कितनी प्रगति की है, यह ऊपर के इस एक वाक्य से प्रकट है, जिस पर डॉ. सुनीतिकुमार चाटुर्ज्या के हस्ताक्षर हैं।

नागरी प्रचारिणी के कोशकारों की सेवा में हम इस बंगीय 'परिभाषा' से कुछ शब्द पेश करते हैं। आप लोग अलग-अलग न जाने क्यों परिश्रम कर रहे हैं; हिन्दी-बंगला जब दोनों संस्कृत से लेती हैं, तब उनमें भेद कहाँ रहा? आप्टे के शब्दकोश पर हिन्दी, बंगला लिखकर क्यों नहीं चालू कर देते? बानगी देखिए :

न्यासपाल, महा-व्यावहारिक (संज्ञा है, विशेषण न समझ लीजिएगा), स्थपति, भाचित्रकार, कूपी धावक (यह बोतल धोनेवाला है!), आत्ययिक, वक्रचर नियामक, दोहवर्धन आधिकारिक (डेरी से सम्बन्ध), दुष्कृति विमर्श विभाग, उप-आयुक्तक, उप-प्रादेशिक परिवहन महाध्यक्ष, उप-आराक्ष्याध्यक्ष, उप-अधिकर्ता, ताड़ित-उपदेष्टा, धूमोत्पात परिदर्शक, साधित्र रक्षक, लेख्य-प्रापक, राजस्व-करणिक,

विक्रयिक, विशिष्ट-मुद्रितक-उपदेष्टा, परियाण-करणिक अवर, अन्त: शुक्ल कृत्यक, शिल्प व संभरण मंत्रक, राष्ट्रभृत्यानियोगाधिकार, कन्या प्रणिधि, तूर्ण पत्र (एक्सप्रेस चिट्ठी) इत्यादि।

इस शब्दावली के निर्माण, जानते हैं कि उसे बंगाल में कोई न समझेगा। इसलिए नौजवानों को आदेश दिया गया है कि जितना समय अंग्रेज़ी सीखने में लगाते हो, उसका चौथाई भी मातृभाषा (यानी संस्कृत) सीखने में लगाओ तो वे अपरिचित शब्द उतने अपरिचित न रह जाएँगे!

इन कोशकारों के लिए सबसे अच्छी सज़ा यही है कि इनसे इन्हीं के बनाए हुए कोश याद कराए जाएँ। जहाँ भूलें, वहाँ फिर याद करने की ताकीद कर दी जाए। जब हिन्दी, बंगला आदि के कोशकार अपने-अपने कोश या सम्मिलित महाकोश याद कर डालें तभी वह कोश जनता तक पहुँचे, उसके पहले नहीं।

हिन्दी का संस्कृतीकरण पारिभाषिक शब्दों को लेकर ही नहीं है। साधारण साहित्य में, दैनिक और मासिक पत्रों आदि में भी तत्सम शब्दों को इसलिए भरा जाता है कि इससे हिन्दी सुबोध हो जाएगी—खुद हिन्दी बोलनेवालों के लिए नहीं बल्कि दूसरी भाषाओं के बोलनेवालों के लिए। मिसाल के लिए, शायद बंगाल के लोग संस्कृत-बहुल हिन्दी को बोलचाल की खिचड़ी भाषा से ज़्यादा अच्छी तरह समझ सकेंगे। देखना चाहिए कि बोलचाल की बंगला में तत्सम शब्दों का अनुपात कैसा रहता है। इस पर डॉ. सुनीतिकुमार चाटुर्ज्या से ज़्यादा कौन अधिकारी विद्वान राय दे सकता है? बंगला भाषा की उत्पत्ति और विकास पर लिखे हुए अपने प्रसिद्ध ग्रंथ के पहले भाग में उन्होंने यह मत प्रकट किया है :

"In Modern Bengali, the colloquial has a surprisingly small 'percentage of Sanskrit words' (The Origin and Development of the Bengali Language, Vol. 1, p. 221)" यानी बोलचाल की बंगला में संस्कृत शब्दों की तादाद असाधारण रूप से कम है!

हिन्दी पाठक इस वाक्य पर कुछ देर तक विचार करें। जिन अन्य भाषा-भाषियों की दुहाई देकर हिन्दी को बिगाड़कर उसे संस्कृतमयी बनाया जा रहा है, वे स्वयं बंगाल जैसे प्रान्त में भी संस्कृत शब्दों का कम-से-कम प्रयोग करते हैं।

पारिभाषिक शब्दों की समस्या बोलचाल की भाषा के नियमों को तोड़कर हल नहीं की जा सकती। बोलचाल की भाषा में अंग्रेज़ी और फ़ारसी के शब्द भी आते हैं और संस्कृत से भी आते हैं। लेकिन आर्य संस्कृति के जोश में शुद्धतावादी केवल संस्कृत के तत्सम शब्दों को लेने पर तुले हुए हैं। वे यह भूल जाते हैं कि स्वयं संस्कृत दूसरी भाषाओं से शब्द लेकर समृद्ध होती रही थी। इस बात को सुनीति बाबू भी मानते हैं। उपर्युक्त पुस्तक में लिखा है : "The Aryan speech has been borrowing words from the Dravidian ever since the former came to

India"—(Ib., p. 178) अर्थात् "आर्यों की भाषा हिन्दुस्तान में आने के बाद से ही द्रविड़ भाषाओं से बराबर शब्द उधार लेती रही है।" लेकिन 'देववाणी' भले शब्द लेती रही हो, देशवाणी के कलजुगी समर्थक ज़ोरों से हृदय-कपाट बन्द किये हैं कि कहीं विदेशी हवा लगने से उनका देवत्व खंडित न हो जाए!

अगर कोई कहे कि इनकम टैक्स इंस्पेक्टर, वारंट, करेंसी, गार्जियन, रिपोर्ट, रिसीवर, समन, सब-जज आदि अंग्रेज़ी के प्रचलित शब्दों को ग्रहण कर लेना चाहिए और उनकी जगह नये शब्द न गढ़ने चाहिए तो यह राष्ट्रभाषा के प्रति द्रोह कहा जाएगा। लेकिन इन्हीं शब्दों को सुनीति बाबू ने अपनी पुस्तक में 'typical naturalised English Words' (पृ. 645-48) कहा है। ये शब्द बंगला के अपने शब्द मान लिये गए हैं और यही नहीं, इनके साथ एग्जिबीशन, वेटिंग-रूम, कौंसिल, गिरीमेंट (एग्रीमेंट), नोटिस, बर्ज्जाइस (बुर्जुआ), मरगिज, रजिस्ट्री, लिवर, हाफ साइड आदि शब्द भी बंगला की स्वीकृत सम्पत्ति माने गए हैं। लेकिन बंगला की 'व्यवहार्य परिभाषा' उठाकर देखिए तो इन्हीं शब्दों या इन जैसों के बदले डॉ. सुनीतिकुमार और उनके सहयोगी नये-नये भारी-भरकम शब्द गढ़ते दिखाई देंगे और खुद बंगालियों की समझ में न आने पर उनसे कहेंगे कि अपनी मातृभाषा सीखने में कुछ समय लगाओ।

इसी तरह अपनी पुस्तक के पृ. 217 (खंड 1) पर उन्होंने बैलेट, सेक्रेटरी, प्रिंटर, गजट, टाइमटेबल, रोमांस, रोमांटिक, क्लासिक, ट्रैजिक, कॉमिक, आर्ट, फ्यूचरिज़्म, साइंस, प्रोटोप्लाज़्म, प्लीस्टोसीन, लॉ, प्लॉट, केमिस्ट्री, फिज़िक्स आदि शब्दों के लिए लिखा है कि वे 'are being bodily adopted at the present day' यानी वे जैसे-के-तैसे बंगला में अवतार ले रहे हैं। लेकिन मजाल क्या कि वही सुनीति बाबू अब इनके लिए संस्कृत की किसी धातु से नया शब्द न गढ़ लें!

अपनी पुस्तक के पृ. 212 (खंड 1) पर उन्होंने यह भी लिखा था कि बंगला के मुसलमान लेखक ज़्यादा संख्या में आगे आ रहे हैं, इसलिए फ़ारसी, अरबी के शब्दों का बंगला में आना बिलकुल स्वाभाविक होगा ('will be in the nature of things') लेकिन 'व्यवहार्य परिभाषा' में इन स्वाभाविक रूप से आए हुए शब्दों को ढूँढ़ने के लिए अब आपको खुर्दबीन की ज़रूरत पड़ेगी।

जिस तरह पूँजीवादी नेता चुनाव में किये हुए वादों को मंत्री बनने पर भूल जाते हैं, वैसे ही 'रिवाइवलिज़्म' के जोश में (आर्य संस्कृति के मोह में) सुनीति बाबू जैसे भाषा-वैज्ञानिक खुद अपने बनाए हुए सिद्धान्तों को भूल गए हैं। यह पूँजीवादी संस्कृति के ह्रास का चिह्न है, उसके उत्थान का नहीं। यह रास्ता बंगला और हिन्दी की उन्नति का नहीं, उनकी अवनति का है।

[1948]

8

# उर्दू साहित्य की सांस्कृतिक परम्परा

हिन्दी-उर्दू की समस्या का एक पहलू उनके साहित्य की परम्परा का भी है। हिन्दी और उर्दू एक भाषा हैं, या एक भाषा की दो शैलियाँ हैं, वे आगे चलकर मिलेंगी या उनमें से एक ही रह जाएँगी, आदि मसलों को पेश करते हुए और उनका हल खोजते हुए इन दोनों की सांस्कृतिक परम्परा का सवाल भी उठाया जाता है।

उर्दू की साहित्यिक और सांस्कृतिक परम्परा क्या है? यह परम्परा हिन्दी की साहित्यिक और सांस्कृतिक परम्परा से कहाँ तक अलग है? क्या दोनों की कोई सामान्य परम्परा भी है जिसे आगे विकसित किया जा सकता है?

इन प्रश्नों का जवाब देने से हिन्दी-उर्दू की समस्या को सही तौर से पेश करने और उसे हल करने में सहायता मिलेगी।

## 1

उर्दू की सांस्कृतिक परम्परा के बारे में एक मत यह है कि वह विदेशी है; उसी की वजह से देश के बँटवारे की नौबत आई (या वह परम्परा भी बँटवारे का एक कारण है); इस परम्परा से हिन्दी का कोई समझौता नहीं हो सकता और दरअसल उस परम्परा को, चूँकि वह राष्ट्रद्रोही है, जल्दी-से-जल्दी खत्म कर देना चाहिए।

इस मत को हिन्दी साहित्य-सम्मेलन के नये सभापति सेठ गोविन्ददास ने बड़ी धूमधाम से पेश किया है। इसी मत को श्री राहुल सांकृत्यायन, श्री सम्पूर्णानन्द, श्री पुरुषोत्तमदास टंडन आदि सज्जन भी पेश कर चुके हैं। सेठ गोविन्ददास ने उसे पेश करने में धूमधाम के अलावा किसी मौलिकता का परिचय नहीं दिया, इसलिए यहाँ पर श्री पुरुषोत्तमदास टंडन के शब्दों को उद्धृत करना ज़्यादा अच्छा होगा। टंडन जी सम्मेलन के प्राण हैं। सम्मेलन के सालाना सभापति जो मत प्रकट करते हैं, उनमें इन प्राणों की ध्वनि ही गूँजती रहती है।

सम्मेलन के पैंतीसवें अधिवेशन में टंडन जी ने उर्दू की सांस्कृतिक परम्परा पर ये विचार प्रकट किए थे :

"उर्दू कवियों की जो कविताएँ हुईं, वे अरब और ईरान के तहजीब की प्रतीक थीं। उर्दू कविताएँ हमें अपने नगर, अपने देश, अपने गली-कूचों की ओर ले जाने के बजाए, ईरान और अरब के नगर तथा गली-कूचों की ओर ले जाती हैं। उसकी सांस्कृतिक परम्परा हमारे देश की, हमारी मिट्टी से निकली हुई जो संस्कृति है, उसके विपरीत है।

"उर्दू कवियों के रूपकों में उर्दू कविता का सांस्कृतिक प्रयत्न स्पष्ट दिखाई पड़ता है। उनकी कविताओं में यदि वीर की उपमा दी जाती है तो रुस्तम, सोहराब, अफ्रासियाब को याद किया जाता है; कहीं पर आपको भीम, अर्जुन, आदि की उपमा नहीं मिलेगी। नदी की उपमा जब आती है तो उन्हें अरब की, मेसोपोटामिया की और ईरान की नदियाँ याद आती हैं। पर्वत की याद होती है तो उन्हें ईरान के पहाड़ों की याद आती है, हिमालय पर्वत की याद नहीं आती। फलों में उनको 'नर्गिस' की याद आती है। पक्षियों में उनको बुलबुल दिखाई पड़ता है। अपने देश के जो सुन्दर और अच्छे पक्षी हैं, उनकी चर्चा नहीं करते। उनका यह प्रयत्न था कि लखनऊ की गलियाँ 'अश्वाँ' बन जाएँ। 'अश्वाँ' ईरान का एक नगर है। सरूर जो कि लखनऊ का कवि था, उसका एक शेर 'फसाना अजाएब' में यह है—'बुलबुले शीराज को है रश्क नासिख़ का शुरू। अश्वाँ इसने किये है, लखनऊ के कूचे और गलियाँ'। कहने का तात्पर्य यह है कि उर्दू का सांस्कृतिक क्रम पृथक्वाद है और उसका परिणाम यह हुआ है कि जैसे-जैसे उर्दू का विकास हुआ, वैसे-वैसे सांस्कृतिक पृथक्ता बढ़ती गई। जहाँ-जहाँ उर्दू का साम्राज्य था, वहाँ-वहाँ पृथक्वाद का विशेष बल था, जैसे उत्तर प्रदेश और पंजाब में।"

[हिन्दी साहित्य सम्मेलन, पैंतीसवें अधिवेशन का विवरण, प्रयाग, पृ. 79-80]

यह सब कहने का सीधा मतलब यह है कि उर्दू की सांस्कृतिक परम्परा अलगाव पैदा करती रही है, इसलिए उसे खत्म कर देना चाहिए। आगे जब टंडन जी कहते हैं कि "मुझे उर्दू कविता अच्छी लगती है", तब उनसे पूछा जा सकता है कि इस राष्ट्र-विरोधी कविता के अच्छा लगने का पाप आप जैसे विशुद्ध भारतीयता-प्रेमी से कैसे हो गया? अगर उर्दू की सांस्कृतिक परम्परा हिन्दुओं और मुसलमानों में फूट डालती है तो इस बारे में दो मत नहीं हो सकते कि ऐसी परम्परा को खत्म कर देना चाहिए। ऐसी परम्परा तो फूटपरस्तों को ही अच्छी लग सकती है।

## 2

उर्दू साहित्य के इतिहास पर दृष्टि डालने से पहली चीज़ यह दिखाई देती है कि उर्दू की सांस्कृतिक परम्परा परिवर्तनशील रही है। जो परम्परा ज़ौक या दास की

थी, वही परम्परा ज्यों-की-त्यों जोश या कृश्न चन्दर की नहीं है। हमें देखना चाहिए कि यह परम्परा पहले क्या थी और उसमें कौन-कौन-सी खास तब्दीलियाँ हुई हैं।

जिस तरह हम भारतेन्दु के पहले की हिन्दी कविता को मोटे तौर पर रीतिकालीन कविता कहते हैं, उसी तरह हाली के पहले की उर्दू कविता को मोटे तौर पर हम रीतिकालीन कविता कह सकते हैं।

इस ज़माने की उर्दू कविता पर दरबारी संस्कृति की ज़बर्दस्त छाप है। उसके भावों और भाषा पर सामन्ती संस्कृति की छाप है। यह सामन्ती संस्कृति साहित्य में ईरानी साहित्य की परम्परा को अपनाती थी। उसने ईरानी साहित्य में प्रचलित उपमाओं, रूपकों वगैरह को अपने साहित्य में सजाने की कोशिश की।

हर देश के रीतिकालीन साहित्य में—उस समय के साहित्य में जब उद्योग-धन्धों के विकास से सामन्ती ढाँचा खत्म नहीं हुआ—बात कहने के ढंग पर ज़्यादा ज़ोर दिया जाता है, भावों और विचारों की मौलिकता पर कम ज़ोर दिया जाता है। हिन्दी की रीतिकालीन कविता, बिहारी और देव की रचनाओं में यह शैली हम देख सकते हैं। यही बात उर्दू की रीतिकालीन कविता पर भी लागू होती है। आगे चलकर रीतिकालीन परम्परा ज़्यादा साथ नहीं देती। उसमें चाहे भीम और अर्जुन का गुणगान हो, चाहे सोहराब और अफ़्रासियाब का, उस परम्परा से नाता तोड़ना ही होता है। हिन्दी की रीतिकालीन परम्परा में 'रामायण' और 'महाभारत' के वीरों की कमी नहीं थी, फिर भी खड़ी बोली के कवियों ने उस परम्परा का ज़ोरों से विरोध किया और छायावादी कवियों ने उससे नाता तोड़कर एक नई परम्परा को जन्म दिया। उर्दू साहित्य में भी उसकी रीतिकालीन परम्परा एक निर्जीव परम्परा हो गई है। उर्दू साहित्य उससे बहुत आगे बढ़ चुका है। रीतिकालीन परम्परा का विरोध करने और उससे नाता तोड़ने पर खुद उर्दू के लेखकों और कवियों ने ज़ोर दिया है।

जैसे हिन्दी में भारतेन्दु से पहले की सभी रीतिकालीन कविता ऐसी नहीं है, जिसे उठाकर रद्दी की टोकरी में फेंक दिया जाए, उसी तरह उर्दू की रीतिकालीन कविताओं में बहुत-सा हिस्सा सांस्कृतिक परम्परा का अंग बनकर सुरक्षित रहेगा। उर्दू के बहुत-से पुराने कवियों की ऐसी सैकड़ों पंक्तियाँ हैं जो अपनी उक्ति-चातुरी की वजह से बार-बार उद्धृत की जाती हैं और अब उन्होंने बोलचाल में कहावतों की जगह ले ली है। मसलन :

*बड़ा शोर सुनते थे पहलू में दिल का,*
*जो चीरा तो इक क़तर-ए-ख़ूँ न निकला।*

× × ×

*ज़मीने चमन गुल खिलाती है क्या-क्या,*
*बदलता है रंग आस्माँ कैसे-कैसे!*

× × ×

*न ज़ोरे सिकन्दर न है क़ब्रे दारा,*
*मिटे नामियों के निशाँ कैसे-कैसे!*

× × ×

*अब तो घबरा के ये कहते हैं कि मर जाएँगे,*
*मर के भी चैन न पाया तो किधर जाएँगे?*

× × ×

*हज़रते दाग़ जहाँ बैठ गए बैठ गए*
*और होंगे तेरी महफ़िल से उभरनेवाले।*

इस तरह की पंक्तियाँ बोलचाल में इस तरह आती हैं कि उन्हें हिन्दुस्तानी (खड़ी बोली) बोलनेवाली जनता की सांस्कृतिक परम्परा का एक अंग कहा जा सकता है।

हाली से पहले की उर्दू कविता की देन इतनी ही नहीं है। हाली से पहले भी बहुत-से कवियों ने रीतिकालीन परम्परा से बँधे न रहकर अपना नया रास्ता बनाया था। इन कवियों में ग़ालिब का नाम सबसे पहले आता है जिनके व्यक्तित्व की छाप उनकी रचनाओं पर इस तरह पड़ी है जिस तरह अपने व्यक्तित्व की छाप डालना किसी भी रीतिकालीन कवि के लिए मुमकिन नहीं है। ग़ालिब ने अपने जीवन के बारे में बड़े दर्द से लिखा है। इस तरह का दर्द दूसरों की रचनाओं की नकल करने से नहीं पैदा होता। इटली के महान् कवि दांते ने जिस तरह अपने जीवन की अपार वेदना अपने महाकाव्य में उड़ेल दी थी, उसी तरह ग़ालिब के शेर उस ज़माने के वातावरण के प्रति क्षोभ, ग्लानि और वेदना में डूबे हुए हैं।

ग़ालिब के ज़माने में बहुत-से लोग इल्म की शायरी करते थे। वे फ़ारसी साहित्य की उपमाएँ और रूपक लेकर अपनी रचनाओं को सँवारने की कोशिश करते थे। इन सब में फ़ारसी साहित्य से प्रभावित होते हुए भी ग़ालिब एक महान् प्रतिभाशाली कवि के रूप में हमारे सामने आते हैं।

ग़ालिब की पचीसों पंक्तियाँ साधारण बोलचाल में बराबर उद्धृत की जाती हैं। मिसाल के लिए :

*हमको मालूम है जन्नत की हक़ीक़त लेकिन,*
*दिल के ख़ुश करने को ग़ालिब य' ख़याल अच्छा है।*

× × ×

*उनको देखे से जो आ जाती है मुँह पर रौनक़,*
*वो समझते हैं कि बीमार का हाल अच्छा है।*

× × ×

*कर्ज़ की पीते थे मय लेकिन समझते थे कि हाँ,*
*रंग लायेगी हमारी फ़ाक़ामस्ती एक दिन।*

× × ×

*रगों में दौड़ने फिरने के हम नहीं क़ायल*
*जो आँख ही से न टपका तो फिर लहू क्या है!*

× × ×

*न था कुछ तो ख़ुदा था, कुछ न होता तो ख़ुदा होता,*
*डुबोया मुझको होने ने, न होता मैं तो क्या होता!*

× × ×

*मुश्किलें मुझ पर पड़ीं इतनी कि आसाँ हो गईं।*

× × ×

*दर्द का हद से गुज़रना है दवा हो जाना।*

× × ×

*है कुछ ऐसी ही बात जो चुप हूँ,*
*वरना क्या बात कर नहीं आती।*

अनेक हिन्दी लेखकों की रचनाओं में ग़ालिब के शेर उद्धृत किये जाते हैं। उग्र जी की शायद ही कोई पुस्तक, शायद ही कोई लेख हो जिसमें ग़ालिब के शेर उद्धृत न किये गए हों। निराला जी ने जहाँ-तहाँ ग़ालिब के शेर उद्धृत ही नहीं किये, उन पर 'प्रबन्ध पद्य' में लिखा भी है। ग़ालिब की रचनाएँ किस तरह हिन्दी लेखकों की सांस्कृतिक परम्परा बन गई है, इसकी एक मिसाल निराला जी के जीवन में मिलती है। निराला जी को अपने जीवन में जो मुसीबतें उठानी पड़ी हैं, जो अपमान सहने पड़े हैं और जिस तरह विरोधियों के मुक़ाबले में अपने आत्मविश्वास को अडिग रखना पड़ा है, उससे ग़ालिब की रचनाओं से उन्हें एक आन्तरिक सहानुभूति पैदा हो गई थी। मैंने उन्हें पचीसों बार इन पंक्तियों को गाते सुना है और आख़िरी बार अभी पिछले साल बनारस में जब वह काफ़ी अस्वस्थ थे, उन्हें फिर ग़ालिब के शेर गुनगुनाते सुनकर काफ़ी ताज्जुब भी हुआ कि इनके मन की दुनिया में और बहुत-से उलट-फेर हुए, लेकिन ग़ालिब, रवीन्द्रनाथ और तुलसीदास—ये तीन महाकवि अपनी जगह अब भी क़ायम हैं।

*रहिये अब ऐसी जगह चलकर जहाँ कोई न हो,*
*हमसुख़न कोई न हो और हमज़बाँ कोई न हो।*

*बेदरो-दीवार-सा इक घर बनाना चाहिए,*
*कोई हमसाया न हो और पासबाँ कोई न हो।*

*पड़िये गर बीमार तो कोई न हो तीमारदार*
*और अगर मर जाइये तो नौहख़्वाँ कोई न हो।*

जब श्री पुरुषोत्तमदास टंडन उर्दू की सांस्कृतिक परम्परा को विदेशी और राष्ट्र-विरोधी कहकर उस पर हमला करते हैं, तब हम यह सोचने पर मजबूर होते हैं कि हिन्दी की सांस्कृतिक परम्परा को 'निराला' की देन महान् है या श्री टंडन की? निराला की देन महान् है और इसीलिए महान् है कि उनके हृदय में वह संकीर्ण साम्प्रदायिकता नहीं थी जिसका परिचय श्री टंडन ने बार-बार दिया है। संकीर्ण हृदय से महान् सांस्कृतिक परम्परा का कोई सम्बन्ध नहीं हो सकता।

ग़ालिब के बाद पुरानी उर्दू कविता के दूसरे महान् रचनाकार मीर हैं। मीर की बहुत-सी रचनाओं में रीतिकालीन परम्परा से साफ़ नाता टूटा हुआ दखाई देता है। कौन-सा रीतिकालीन कवि अपने घर का इस यथार्थ ढंग से वर्णन करेगा! :

*लोनी लग लग के झड़ती है माटी,*
*आह क्या उम्र बेमज़ा काटी।*

*झाड़ बाँधा है मेह ने दिन-रात,*
*घर की दीवारें हैंगी जैसे पात।*

*बाउ में काँपते हैं जो थरथर,*
*उन पै रद्‌दा रखे कोई क्योंकर।*

मीर की भी अनेक पंक्तियाँ कहावतों का दर्जा पा चुकी हैं, जैसे ये :

*शाम से कुछ बुझा-सा रहता है,*
*दिल हुआ है चिराग़ मुफ़लिस का।*

हाली से पहले जिन लोगों ने रीतिकालीन परम्परा से नाता तोड़ा, उनमें नज़ीर का नाम महत्त्वपूर्ण है। नज़ीर के काव्य में लोकगीतों, कहावतों और लोकसंस्कृति को जो स्थान दिया गया है, उससे आज भी हम बहुत-कुछ सीख सकते हैं। नज़ीर जनता के कवि थे। इन्होंने आम जनता की ज़िन्दगी के बारे में बड़ी सजीव रचनाएँ की हैं। इनकी भाषा के बारे में श्री ब्रजरत्नदास ने लिखा है :

'इनकी भाषा देशी थी और उसे विलायती बनाने का कभी इन्होंने प्रयत्न नहीं किया। इनका चलती भाषा पर पूरा अधिकार था और फ़ारसी तथा अरबी के कोशों से चुन-चुनकर अपनी भाषा को लद्‌दू बनाने की आवश्यकता नहीं पड़ी। जैसा विषय चुना, वैसी ही भाषा ली और वैसे ही वास्तविकता से उसका चित्रण भी कर डाला।'

['उर्दू साहित्य का इतिहास', बनारस, सं. 1991, पृ. 182]

नज़ीर की बहुत-सी रचनाओं पर सूफ़ीपन का रंग है। दरअसल उनकी कविता की जड़ें उस ज़माने के समाज में दूर तक चली गई थीं। वह आदर्शवादी कवियों

की तरह ग़रीबी का गुणगान नहीं करते बल्कि इनसान की वे मुसीबतें बयान करते हैं जो ग़रीबी के सबब से उस पर आती हैं। लिखा है :

*जब आदमी के हाल पै आती है मुफ़लिसी,*
*किस-किस तरह से उसको सताती है मुफ़लिसी*
*प्यासा तमाम रोज़ बिठाती है मुफ़लिसी*
*भूखा तमाम रात सुलाती है मुफ़लिसी,*
*ये दुख वो जाने जिस पै कि आती है मुफ़लिसी।*

उन्नीसवीं सदी के उत्तरार्द्ध में देश के अन्दर नई राष्ट्रीय चेतना विकसित होने लगी। हिन्दी साहित्य में भारतेन्दु बाबू हरिश्चन्द्र ने किस तरह देशभक्तिपूर्ण कविताओं की परम्परा चलाई, इसे सभी लोग जानते हैं। उस समय की राष्ट्रीय चेतना पर पुनरुत्थानवाद का भी रंग चढ़ा हुआ था। भारतेन्दु बाबू ने आर्य जाति के प्राचीन गौरव के गीत गाये। हाली ने मुसलमानों के बीते वैभव के स्वप्न देखे। फिर भी हाली और भारतेन्दु—दोनों ने ही यह अनुभव कर लिया था कि देश की उन्नति हिन्दू-मुसलमानों के मेल से और उनकी मिली-जुली राष्ट्रीय चेतना से ही हो सकती है। हाली ने देश पर लिखा था :

*ऐ वतन ऐ मेरे बहिश्ते बरीं*
*क्या हुए तेरे आसमाँ औ' जमीं*
*रात और दिन का वो समाँ न रहा*
*वो ज़मीं और वो आसमाँ न रहा।*

हिन्दू-मुस्लिम-एकता पर लिखा था :

*तुम अगर चाहते हो मुल्क की ख़ैर,*
*न किसी हमवतन को समझो ग़ैर।*
*हों मुसल्माँ इसमें या हिन्दू*
*बौद्ध मज़हब हो कि या ब्राह्मी,*
*सबको मीठी निगाह से देखो।*
*समझो आँखों की पुतलियाँ सबको।*
*हिन्द में इत्तफाक होता अगर*
*खाते ग़ैरों की ठोकरें क्योंकर?*

आधुनिक हिन्दी साहित्य के आरम्भ काल में जैसे सामाजिक कुरीतियों पर बहुत-सी रचनाएँ की गईं, उसी तरह उर्दू साहित्य में भी समाज-सुधार पर बहुत-सी चीज़ें लिखी गईं। बीसवीं सदी में आकर साहित्य का मतलब मुख्य रूप से कविता नहीं रहता; उसके दूसरे रूप कहानी, उपन्यास, आलोचना वगैरह भी फलने-फूलने

लगते हैं। इस नये ज़माने का हिन्दी-उर्दू साहित्य और भी नज़दीकी सांस्कृतिक परम्पराएँ बनाता हुआ चलता है।

हिन्दी उपन्यासों में देवकीनन्दन खत्री के ऐयारी उपन्यासों के बाद हम प्रेमचन्द के सामाजिक समस्याओं वाले उपन्यासों तक पहुँचते हैं। उर्दू में पं. रतननाथ सरशार के 'फिसान-ए-आज़ाद' से आगे बढ़ते हुए हम फिर प्रेमचन्द तक पहुँचते हैं। प्रेमचन्द ने उर्दू और हिन्दी में सामाजिक समस्याओं वाले उपन्यासों की नींव डाली। प्रेमचन्द में हिन्दी-उर्दू की सांस्कृतिक परम्पराओं का मिलकर एक होना साहित्य की बड़ी महत्त्वपूर्ण घटना है। उससे ज़ाहिर होता है कि सांस्कृतिक परम्परा की जड़ें सामन्ती साहित्य से ज़्यादा मौजूदा सामाजिक ज़िन्दगी में धँसी होती हैं। प्रेमचन्द के ज़माने में एक नई परम्परा गढ़ी जा रही थी जिसके तत्त्व इस्लाम या हिन्दू धर्म से न लिये जाकर देश के सामाजिक और राजनीतिक आन्दोलनों से, समाज की नई प्रगति में, वर्गों के नये सम्बन्धों से लिये जा रहे थे। प्रेमचन्द ने हिन्दी और उर्दू में जो नई परम्परा डाली, वह गुणात्मक रूप से साहित्य की पुरानी परम्परा से भिन्न थी। वह दाग़, जौक़, बिहारी, पद्माकर की परम्परा से ही भिन्न न थी, वह हाली और भारतेन्दु की परम्परा से भी काफ़ी अलग थी। प्रेमचन्द साहित्य के विकास की वह मंज़िल थे जो अपने में सुधारवादी राष्ट्रीयता ख़त्म करके नये प्रगतिशील साहित्य की तरफ इशारा करती है।

प्रेमचन्द एक नई परम्परा को इसलिए जन्म दे सके कि हमारे समाज में नये परिवर्तन हो रहे थे, उसमें नई आशाएँ, नये उद्‌देश्य लेकर नये आन्दोलन चल रहे थे।

हिन्दी-उर्दू साहित्य में प्रेमचन्द की परम्परा इस बात का सबसे बड़ा सबूत है कि संस्कृति रचने का काम मनुष्य का सामाजिक जीवन करता है। यह सामाजिक जीवन बदलता रहता है, इसलिए संस्कृति की धारा भी बदलती रहती है। सामाजिक जीवन के मुक़ाबले में धर्म-सम्प्रदाय, मत-मतान्तरों के संस्कार बहुत ही कमज़ोर साबित होते हैं, और संस्कृति पर उनका असर कम-से-कम होता जाता है।

प्रेमचन्द खुद इस बात को बहुत अच्छी तरह जानते थे कि सामन्त-काल की सांस्कृतिक परम्परा खत्म हो रही है और नये ज़माने की एक नई परम्परा क़ायम हो रही है। वह जानते थे कि दोनों के उद्‌देश्य, दोनों के साहित्यिक रूप, दोनों के सौन्दर्य-सम्बन्धी मानदंड अलग-अलग हैं।

पुरानी साहित्यिक परम्परा के बारे में उन्होंने लिखा था :

"हमारे साहित्यकार कल्पना की एक सृष्टि खड़ी करके उसमें मनमाने तिलिस्म बाँधा करते थे। कहीं फिसान-ए-अजाएब की दास्तान थी, कहीं बोस्ताने ख़याल की और कहीं चन्द्रकान्ता सन्तति की। इन आख्यानों का उद्‌देश्य केवल मनोरंजन था और हमारे अद्‌भुत रस—प्रेम की तृप्ति...।

"क्या हिन्दी और क्या उर्दू—कविता में दोनों की एक ही हालत थी।...ऐसे पतन के काल में लोग या तो आशिकी करते हैं या अध्यात्म और वैराग्य में मन रमाते हैं।

"कला का नाम था और अब भी है, संकुचित रूप-पूजा का, शब्द-योजना का, भाव-निबन्धन का। उसके लिए कोई आदर्श नहीं है, जीवन का कोई ऊँचा उद्‌देश्य नहीं है—भक्ति, वैराग्य, अध्यात्म और दुनिया से किनाराकशी उसकी सबसे ऊँची कल्पनाएँ हैं। हमारे उस कलाकार के विचार से जीवन का चरम लक्ष्य वही है। उसकी दृष्टि अभी इतनी व्यापक नहीं कि जीवन-संग्राम में वह सौन्दर्य का परमोत्कर्ष देखे।"

[लखनऊ, प्रगतिशील लेखक सम्मेलन में सभापति पद से दिये गए भाषण से]

इस परम्परा को प्रेमचन्द खत्म कर रहे थे। उन्होंने साफ़ माँग की थी कि साहित्य के पुराने मानदंडों को बदला जाए। उन्होंने कहा था :

"हमें सुन्दरता की कसौटी बदलनी होगी। अभी तक यह कसौटी अमीरी और विलासिता के ढंग की थी। हमारा कलाकार अमीरों का पल्ला पकड़े रहना चाहता था...उसकी निगाह अन्त:पुर और बँगलों की ओर उठती थी। झोंपड़े और खँडहर उसके ध्यान के अधिकारी न थे। उन्हें वह मनुष्यता की परिधि के बाहर समझता था। कभी उनकी चर्चा करता भी था तो उनका मजाक उड़ाने के लिए।" (उप.)

प्रेमचन्द का हर शब्द उनके सच्चे जनवादी हृदय से निकला है जो समाज के नये विकास के लिए, साहित्य की परम्परा बदलने के लिए ज़ोर से ललकारता है।

"यदि साहित्य ने अमीरों के याचक बनने को जीवन का सहारा बना लिया हो, और उन आन्दोलनों, हलचलों और क्रान्तियों से बेख़बर हो, जो समाज में हो रही हैं—अपनी ही दुनिया बनाकर उसमें रोता और हँसता हो तो इस दुनिया में उसके लिए जगह न होने में कोई अन्याय नहीं है।" (उप.)

प्रेमचन्द के ये प्रभावशाली शब्द—उनके हृदय के ये सच्चे उद्‌गार—बतलाते हैं कि साहित्य की जो परम्परा धार्मिक अन्धविश्वासों, साम्प्रदायिक विद्वेष और भेदभाव, सामन्ती रूढ़ियों और प्राचीनतावाद को अपना आधार बनाती है, वह खत्म हो जाती है। साहित्य की वह परम्परा जो समाज के गतिशील जीवन को, उसके क्रान्तिकारी वर्ग को, जनता के संघर्ष को अपना आधार बनाती है, वह जीवित रहती है और वही परम्परा जीवित रह सकती है। प्रेमचन्द ने हिन्दी-उर्दू में इसी परम्परा को जन्म दिया था।

कुछ लोगों के मन में शंका पैदा हो सकती है कि प्रेमचन्द ने तो यह सब काम हिन्दी में किया था, उसका जिक्र उर्दू साहित्य के सिलसिले में क्यों किया जा रहा है? ऐसे पाठकों की सेवा में प्रेमचन्द के ये शब्द अर्पित हैं :

"मेरा सारा जीवन उर्दू की सेवकाई करते गुजरा है और आज भी मैं जितनी उर्दू लिखता हूँ, उतनी हिन्दी नहीं लिखता।"

['प्रेमचन्द : कुछ विचार', पृ. 191]

हिन्दी-उर्दू के लिखनेवालों का सामाजिक वातावरण आम तौर से एक-सा रहा है, इसलिए उनकी साहित्यिक परम्परा के उतार-चढ़ाव, उसके मोड़ और नई दिशा

में प्रवाह भी मिलते-जुलते रहे हैं। हिन्दी में रीतिकालीन परम्परा का विरोध किया गया। उर्दू में भी उस परम्परा का विरोध किया गया। हिन्दी में राष्ट्रीय कविता का युग आया, चकबस्त और इक़बाल, यह युग उर्दू कविता में भी लाये।

हिन्दी कविता में छायावाद के नाम से नई रोमांटिक कविता का युग आया। इस तरह की रोमांटिक कविता का युग उर्दू में भी आया।

*गुलज़ार में कोयल की सदा गूँज रही है,*
*कोहसार में पुरशोर हवा गूँज रही है,*
*कुलकुल से जुनूँखेज़ फज़ा गूँज रही है,*
*मैदान में घनघोर घटा गूँज रही है;*
*बरसात है, बरसात है, बरसात है,*
*बरसात!*

छायावादी कविता के उत्तरकाल में जैसे हिन्दी के कुछ कवियों ने निराशा, ऊब और अकेलेपन के गीत गाये, वैसे ही उर्दू में :

*शहर की रात और मैं नाशाद ओ नाकारा फिरूँ,*
*जगमगाती जागती सड़कों पै आवारा फिरूँ,*
*ग़ैर की बस्ती है कब तक दर-ब-दर मारा फिरूँ,*
*ऐ ग़मे दिल, क्या करूँ, ऐ वहशते दिल, क्या करूँ।*
*यह रुपहली छाँव यह आकाश पर तारों का जाल,*
*जैसे सूफ़ी का तसव्वर, जैसे आशिक़ का ख़याल,*
*आह लेकिन कौन जाने कौन समझे जी का हाल,*
*ऐ ग़मे दिल, क्या करूँ! ऐ वहशते दिल, क्या करूँ।*

हिन्दी में जैसे कुछ कवियों ने प्राचीनतावाद को ऐसा साधन बनाया है कि साहित्य का पानी उतर जाए, उसी तरह उर्दू में भी अलगाव और फूट पैदा करनेवाले, इस्लाम से उर्दू का नाता जोड़नेवाले, मुसलमानों को अलग जाति और उर्दू को अरब और ईरान की संस्कृति से मिलानेवाले शायर भी हुए हैं। लेकिन उनकी वजह से उर्दू साहित्य को साम्प्रदायिक समझना उतनी ही बड़ी अक्लमन्दी होगी, जितनी किप्लिंग की वजह से अंग्रेज़ी साहित्य को साम्राज्यवादी समझना।

श्री पुरुषोत्तमदास टंडन का कहना है कि उर्दूवाले राम, कृष्ण, अर्जुन वगैरह का नाम लेना अपनी संस्कृति के ख़िलाफ़ समझते हैं। अगर ऐसा है तो नज़ीर ने 'कन्हैया का बालपन' क्यों लिखा? और लिखा तो ऐसों को जाति-बाहर क्यों नहीं कर दिया गया? नज़ीर ने लिखा है :

*यारो सुनो ये दधि के लुटैया का बालपन,*
*औ मधुपुरी नगर के बसैया का बालपन,*

*मोहन-स्वरूप नृत्य करैया का बालपन,*
*बन-बन के ग्वाल गौएँ चरैया का बालपन,*
*क्या-क्या कहूँ मैं कृष्ण कन्हैया का बालपन।*

नज़ीर ने दीवाली पर लिखा था :

*हर इक मकान में जला फिर दिया दिवाली का,*
*हर इक तरफ़ को उजाला हुआ दिवाली का,*
*सभी के दिल में समा भा गया दिवाली का,*
*किसी के दिल को मज़ा ख़ुश लगा दिवाली का,*
*अजब बहार का है दिन बना दिवाली का।*

होली पर दूसरे सुर-ताल में लिखा था :

*जब फागुन रंग झमकते हों तब देख बहारें होली की,*
*और डफ़ के शोर खड़कते हों तब देख बहारें होली की।*

नये युग के कवियों में सागर निज़ामी ने कृष्ण के बाँसुरी बजाने इत्यादि पर लिखा है :

*अय गोपाल झूमकर बंसरी बजाओ फिर।*
*बंसरी के कैफ़ से दिल को गुदगुदाओ फिर,*
*प्रेम और प्रीति की, रीति को जगाओ फिर*

× × ×

*ख़ुद ही तुम कमल बनो, ख़ुद ही मुसकराओ फिर,*
*बूयेगुल के रूप में, सबके पास जाओ फिर,*
*बंसरी बजाओ फिर दो जहाँ पै छाओ फिर,*
*अय गोपाल झूमकर बंसरी बजाओ फिर।*

यहाँ पर अकबर इलाहाबादी का जिक्र करना उचित होगा, जिनके ढेरों शेर अनेक हिन्दी लेखकों की रचनाओं में उद्धृत किये हुए मिलेंगे। उनके बहुत-से शेर कहावतों का दर्जा पा गए हैं :

*खींचो न कमानों को न तलवार निकालो,*
*जब तोप मुक़ाबिल हो तो अख़बार निकालो।*

× × ×

*क़ौम के ग़म में डिनर खाते हैं हुक्काम के साथ,*
*रंज लीडर को बहुत है मगर आराम के साथ।*

अकबर को नज़र अक्सर धार्मिक आस्था और पुरानी तहजीब पर रहती है। वह अंग्रेज़ियत के ख़िलाफ़ हैं लेकिन उसके बदले एक नई जनवादी संस्कृति का नक्शा उनके सामने नहीं है। उनके ज़माने की सीमाएँ भी थीं। फिर भी प्राचीनतावादियों पर कैसा व्यंग्य किया है! :

*पेट मसरूफ़ है किलर्की में*
*दिल है ईरान और टर्की में।*

प्राचीनतावाद और कट्टरतावाद के ख़िलाफ़ बहुत-से उर्दू कवियों ने लिखा है। सही सबब है कि वह अपने यहाँ एक जनवादी और प्रगतिशील परम्परा क़ायम कर सके हैं।

मुस्लिम प्राचीनतावादिगों पर व्यंग्य करते हुए जोश ने लिखा है :

*आ ही नहीं सकता मेरे मुँह लालाए बुज़दिल।*

[यानी बुज़दिल लाला मेरी बराबरी नहीं कर सकता।]

*मैं पाक, वो नापाक, मैं गोरा हूँ, वो काला,*
*क्या उसका मेरा ज़िक्र, वो देशी मैं विदेशी,*
*मैं मिस्र की मस्जिद, वो बनारस का शिवाला,*
*गंगा की हर इक लहर में गल्तीदा है पस्ती,*
*दजले की हर एक मौज में रक्साँ है हिमाला।*

[प्राचीनतावादी मौलाना फर्माते हैं कि गंगा की लहरों में पस्ती है और दजला की मौजों में हिमालय का नज्जारा है!]

जोश ने लिखा है कि शैतान मौलवी को यों फँसा लेता है :

*यही कह-कह के राह करता है गुम*
*कि ख़ुदा के हो ख़ानदान से तुम।*

प्राचीनतावाद के विरोध के फलस्वरूप हिन्दू-मुस्लिम एकता पर उर्दू कवियों ने बहुत सुन्दर रचनाएँ की हैं।

इक़बाल ने लिखा था :

*आ ग़ैरियत के पर्दे इक बार फिर उठा दें,*
*बिछुड़ों को फिर मिला दें, नक्शे दुई मिटा दें।*
*सूनी पड़ी हुई है मुद्दत से दिल की बस्ती,*
*आ इक नया शिवाला, इस देश में बसा दें।*
*दुनिया के तीरथों में ऊँचा हो अपना तीरथ,*

*दामाने आसमाँ में उसका कलस मिला दें।*
*हर सुबह उठके गाएँ मंतर वो मीठे-मीठे,*
*सारे पुजारियों को मय पीत की पिला दें।*
*शक्ती भी शान्ती भी भक्तों के गीत में है*
*धरती के बासियों की मुक्ती पिरीत में है।*

यह याद रखना चाहिए कि हिन्दू-मुस्लिम एकता की अडिग और पक्की नींव जनतंत्र ही है; भावुकता के आधार पर क़ायम की हुई एकता, सिर्फ़ ईश्वर-अल्ला का नाम लेकर क़ायम की हुई एकता टिकाऊ नहीं हो सकती। बहुत कांग्रेसी नेता एकता का दम भरते थे; आज वे प्राचीनतावाद और हिन्दू सम्प्रदायवाद के भक्त नज़र आते हैं। कारण यह है कि किसान-मज़दूरों के आन्दोलन का विरोध करके, उनके संघर्ष को अपने लिए काल समझकर कोई भी एकता का हिमायती नहीं हो सकता। उसे एकता अपने लिए एक खतरा मालूम होने लगती है। इक़बाल भी इस एकता को छोड़कर सम्प्रदायवाद की तरफ झुक गए थे।

उर्दू में अंग्रेज़ी साम्राज्यवाद के ख़िलाफ़ बहुत काफ़ी और बहुत जोरदार कविताएँ लिखी गई हैं। इन पर एक नज़र डालने से ही ज़ाहिर हो जाता है कि यह आरोप कितना झूठा है कि उर्दू के कवियों को अपने देश से प्रेम नहीं है। जोश ने ख़ास तौर से साम्राज्य-विरोधी आन्दोलन पर बहुत सुन्दर पंक्तियाँ लिखी हैं।

लन्दन में बादशाह सलामत के राजगद्दी पाने पर जोश ने हिन्दुस्तान के बारे में लिखा था :

*किश्वरे हिन्दोस्ताँ में रात को हंगामे खाब,*
*करवटें रह-रह के लेता है फ़ज़ा में इनक़लाब,*
*गर्म है सोज़े बग़ावत से जवानों का दिमाग़,*
*आँधियाँ आने को हैं ऐ बादशाही के चिराग़*

× × ×

*आपके ऐवान में रक्साँ हैं लपटें ऊद की,*
*हिन्दियों की साँस से आती है बू बारूद की।*

साम्राज्य-विरोधी आन्दोलन पर जोश ने लिखा था :

*क्या हिन्द का ज़िन्दाँ काँप रहा है गूँज रही हैं तकबीरें,*
*उकताए हैं शायद कुछ क़ैदी और तोड़ रहे हैं ज़ंजीरें।*

× × ×

*क्या उनको ख़बर थी, ओठों पर जो क़ुफ़्ल लगाया करते थे,*
*एक रोज़ इसी ख़ामोशी से टपकेंगी दहकती तक़रीरें,*

*सँभलो कि वो ज़िन्दा गूँज उठा, झपटो कि वो क़ैदी छूट गए,*
*उट्ठो कि वो बैठी दीवारें, दौड़ो कि वो टूटी ज़ंजीरें।*

ईस्ट इंडिया कम्पनी के फ़र्जन्दों से कहा था :

*इक कहानी वक़्त लिक्खेगा नये मज़मून की*
*जिसकी सुर्ख़ी को ज़रूरत है तुम्हारे ख़ून की।*

जोश का साम्राज्य-विरोध 15 अगस्त, सन् '47 के बाद गुमराह हो गया है। आजकल वह 'आजकल' के सम्पादक हैं। वह उन लोगों में हैं जो अपनी जनता का साथ छोड़कर उस दल के साथ जा मिले हैं जो हिन्दुस्तान को साम्राज्यवादी खेमे के साथ बाँधे हुए हैं।

## 3

उर्दू पर यह दोष लगाया जाता है कि उसमें फ़ारसी की दस-पाँच बहरें ही काम में लाई जाती हैं और हिन्दी के हज़ारों छंदों के भंडार को अछूता छोड़ दिया गया है।

यहाँ पर पहले तो यह याद रखना चाहिए कि उर्दू की बहरें अब सिर्फ़ उर्दू तक सीमित नहीं रहीं। हिन्दी में बहुत-से कवियों ने उन्हें अपना लिया है और उनमें बेरोक रचनाएँ करते हैं। इस तरह की रचनाएँ वे कवि भी करते हैं, जो प्राचीनतावाद के उपासक हैं, जैसे दिनकर।

*धुँधली हुईं दिशाएँ, छाने लगा कुहासा,*
*कुचली हुई शिखा से, आने लगा धुआँ-सा,*
*कोई मुझे बता दे, क्या आज हो रहा है*
*मुँह को छिपा तिमिर में, क्यों तेज़ रो रहा है।*

इसके अलावा फ़ारसी की बहरों और हिन्दी के छंदों में उतना फ़र्क़ नहीं है जितना कुछ लोग समझते हैं। श्री हरिशंकर शर्मा ने अपने 'उर्दू साहित्य के इतिहास' (पृ. 19) में लिखा है : "उर्दू में इस्तेमाल होनेवाले कुछ छंदों के नाम ये हैं—सुमेरु, विधाता, विहारी, शास्त्र, पीयूषवर्षा, भुजंगप्रयात, खरारी, हरिगीतिका, आनन्दवर्द्धक, दिग्पाल, भुजंगी, चौपाई आदि।" इससे यह तो ज़ाहिर ही होता है कि छंदों के लिहाज़ से हिन्दी-उर्दू की सांस्कृतिक परम्पराओं के बीच कोई गहरी न पट सकनेवाली खाई नहीं है।

छायावादी कवियों ने—खास कर निराला जी ने—जिस तरह मुक्त छंद लिखने की प्रथा डाली थी, उसी तरह उर्दू में बहुत-से कवियों ने भी मुक्त छंद में रचनाएँ

कीं। लेकिन जो चीज़ हिन्दी-उर्दू कवियों को सबसे ज़्यादा नज़दीक लाती है, वह उनके गीत हैं। उर्दू कवि एक अरसे से गीत लिखते आए हैं। प्रगतिशील कवियों ने जो गीत लिखे हैं, वे रोमांटिक गीतों के तंग दायरे से निकलकर आम जनता के गले में रम चुके हैं। ऐसे गीत एक-दो नहीं, सैकड़ों हैं। उर्दू साहित्य का यह पहलू उसका सबसे लोकप्रिय और जनवादी रूप हमारे सामने लाता है। इन गीतों की सांस्कृतिक परम्परा एक ऐसी शक्तिशाली और प्रगतिशील परम्परा है जो हिन्दी-उर्दू के बाकी भेदभाव को दूर करने में बहुत बड़ी मदद करेगी। इन गीतों को देखने से पता चलता है कि जब हम जनता के संघर्ष, उसकी मुसीबतों, आशाओं और आदर्शों को लेकर साहित्य रचते हैं, तब प्राचीनतावाद के तमाम अलगाव पैदा करनेवाले रूप आप-से-आप खत्म हो जाते हैं। हमारी जनता की संस्कृति एक है। हमारा साहित्य जितना ही जनता के नज़दीक आता है, उतना ही उसकी सांस्कृतिक परम्परा प्राचीनता से मुँह मोड़कर अपने लिए मौजूदा ज़माने से तत्त्व चुनती है। जनता की यह सबल सांस्कृतिक परम्परा पुराने ज़माने की संस्कृति से सिर्फ़ वे चीज़ें लेती हैं जो उसमें धार्मिक अन्धविश्वास और भेदभाव पैदा करने के बदले उसे एकता, आज़ादी और जनतंत्र के नज़दीक ले जाती हैं और जनवादी भावनाओं को मज़बूत करती हैं।

उर्दू के कवियों ने हमारे जन-आन्दोलन को जो गीत दिये हैं, उनमें मखदूम मुहीउद्दीन का गीत : 'यह जंग है जंगे आज़ादी आज़ादी के परचम के तले' मज़दूर वर्ग का अपना गीत है। बंगाल के अकाल पर वामिक का यह गीत लोकप्रिय हो चुका है :

*पूरब देस में डुग्गी बाजी फैला दुख का जाल,*
*दुख की अगनी कौन बुझाये सूख गए सब ताल,*
*जिन हाथों ने मोती रोले आज वही कंगाल,*
*रे साथी आज वही कंगाल!*
*भूखा है बंगाल!*
*भूखा है बंगाल रे साथी, भूखा है बंगाल!*

इसी तरह मजाज़ का गीत 'बोल अरी ओ धरती, बोल, राजसिंहासन डाँवाँडोल', अली सरदार जाफरी के कई गीत, प्रेम धवन का 'अरे अब भागो, लन्दन जाओ' उर्दू में एक ऐसी परम्परा की नींव डाल चुके हैं जिसे हम हिन्दी-उर्दू की मिली-जुली परम्परा कह सकते हैं।

आधुनिक उर्दू-कविता उन तमाम रूपकों और कल्पनाओं से पीछा छुड़ा चुकी है जिन्हें श्री रघुपतिसहाय फ़िराक़ ने 'सदा बहार और सदा सोहाग' कहा था। उन्होंने भारतेन्दु से लेकर निराला तक हिन्दी साहित्य के तमाम विकास पर जो बुहारी फेर दी थी, उससे हिन्दी को उर्दू के नज़दीक लाने में मदद न मिल सकती थी। इसके

अलावा हिन्दी के तमाम विकास पर कीचड़ उछालने के बाद उन्होंने आदर्श रूप से जो शेर पेश किये थे और पुराने रूपकों के शाश्वत सौन्दर्य की जो व्याख्या की थी, वह एक प्रतिक्रियावादी काम था, जिसका विरोध करना ज़रूरी था। पुराने रूपकों और प्राचीनतावाद का विरोध जिस तरह उर्दू के नये कवियों ने—खास तौर से प्रगतिशील कवियों ने—किया है, उसके लिए उनकी जितनी तारीफ की जाए, थोड़ी है। इस सिलसिले में सिब्ते हसन का लेख विशेष ध्यान देने योग्य है जिसमें उन्होंने इक़बाल की जनतंत्र-विरोधी धारणाओं की आलोचना की थी। यह लेख 'नया अदब' में छपा था (जब 'नया अदब' लखनऊ से निकलता था)। जिस तरह हिन्दी की प्रगतिशील कविता पर यह तोहमत लगाई जाती है कि उसने प्राचीन संस्कृति से नाता तोड़ लिया है, वह छिछली राजनीतिक और प्रचारात्मक हो गई है वगैरह, उसी तरह उर्दू की प्रगतिशील कविता पर भी आरोप लगाये जाते रहे हैं। इनका जवाब देते हुए एहतेशाम हुसेन ने बहुत-कुछ लिखा है और उन्होंने उर्दू में नई तरह की आलोचना को आगे बढ़ाया है। उर्दू की आलोचना, उसके नाटक, कहानियाँ, उपन्यास आज उसी तरह नये रास्ते पर चल रहे हैं जिस तरह हिन्दी साहित्य के ये रूप। उपन्यासों और कहानियों का सम्बन्ध अवाम की ज़िन्दगी से होता है, इसलिए इनमें प्राचीन रूपकों, अलंकारों वगैरह का असर नहीं के बराबर होता है। हिन्दी के बहुत-से पाठक 'हंस' में कृश्न चन्दर की कहानियाँ, स्केच पढ़ चुके होंगे। खास तौर से रुद्रदत्त भारद्वाज पर उनका स्केच, 'तीन गुंडे' नाम की कहानी यह ज़ाहिर करती है कि उर्दू साहित्य मौजूदा ज़िन्दगी से अपनी विषयवस्तु चुनकर एक मिली-जुली जनवादी परम्परा गढ़ रहा है।

उर्दू की नई कविता में पुरानी व्यवस्था का विरोध और जनतंत्र की तरफ बढ़ने की ख्वाहिश पग-पग पर मिलती है। उर्दू कविता में देश-विदेश की महत्त्वपूर्ण घटनाओं, जन-आन्दोलनों की गहरी छाप है। रूस पर हिटलरी हमला, लाल फ़ौज का वीरतापूर्ण संग्राम, बर्लिन की जीत, हिन्दुतान में क्रिप्स-मिशन का आना, देश का बँटवारा, साम्प्रदायिक दंगे, गांधी जी की हत्या, आज़ाद हिन्दुस्तान में जनता के आन्दोलनों का दमन, नये जनसंघर्ष—इन सभी की तसवीरें उर्दू कविता में मिलेंगी। इनसे स्पष्ट हो जाता है कि उर्दू की सांस्कृतिक परम्परा को आज वही घटनाक्रम, वही सामाजिक परिस्थितियाँ, वही जनसंघर्ष रच रहे हैं जो हिन्दी की सांस्कृतिक परम्परा रच रहे हैं।

[1949]

9

# भारत की भाषा-समस्या

## भाषा-समस्या का सामान्य महत्त्व

भाषा-समस्या मज़दूर वर्ग, उसकी पार्टी, तमाम श्रमिक जनता और प्रगतिशील बुद्धिजीवियों के लिए महत्त्वपूर्ण है क्योंकि लेनिन के शब्दों में : "भाषा मानवीय सम्पर्क का सबसे महत्त्वपूर्ण साधन है" (जातियों के आत्मनिर्णय का अधिकार)।

भाषा-समस्या का महत्त्व सामाजिक विकास की मंज़िलों में अलग-अलग होता है।

पूँजीवाद से पहले सामन्ती और क़बीलाई सामाजिक सम्बन्ध विभिन्न जनसमूहों को एक ही जाति (नेशन) में संगठित होने से रोकते हैं; इसलिए वे आधुनिक भाषाओं के विकास में भी बाधा डालते हैं। वस्तुगत रूप से पूँजीवाद किसी जाति के गठन में प्रगतिशील भूमिका पूरी करता है, इस तरह वह आधुनिक भाषाओं के विकास में भी प्रगतिशील भूमिका पूरी करता है।

इससे स्पष्ट हो जाता है कि जातीय समस्या और भाषा-समस्या में बड़ा गहरा सम्बन्ध है, किसी जाति के सामाजिक विकाम तथा उस विकास के सांस्कृतिक प्रतिबिम्ब में गहरा सम्बन्ध है। यह सांस्कृतिक प्रतिबिम्ब सामाजिक विकास को भी प्रभावित करता है।

लेनिन के अनुसार : "समस्त संसार में सामन्तवाद पर पूँजीवाद की अन्तिम विजय का युग जातीय आन्दोलनों के साथ जुड़ा रहा है। इन आन्दोलनों का आर्थिक आधार यह है कि बिकाऊ माल की पैदावार को पूर्ण विजयी बनाने के लिए पूँजीपतियों के हाथ में घरेलू बाज़ार आ जाना चाहिए, उनके अधिकार में राजनीतिक रूप से एकताबद्ध प्रदेश होने चाहिए जहाँ के लोग एक ही भाषा बोलते हों; इस भाषा के विकास में और साहित्य में उसके व्यवहार को सुनिश्चित करने में जो भी अड़चनें आती हैं, उन्हें दूर करना होता है।"

पूँजीवादी सामाजिक विकास की आवश्यकताएँ, बड़े पैमाने पर जातियों के आत्मनिर्णय का अधिकार, व्यापार-सम्बन्ध क़ायम करने की आवश्यकताएँ, घरेलू बाज़ार को सुव्यवस्थित करने की आवश्यकताएँ, संक्षेप में यह कि जातीय पैमाने

पर पूँजीवादी सामाजिक सम्बन्धों के गठन की आवश्यकताएँ भाषा की एकसूत्रता और उसके विकास की प्रक्रिया को आगे बढ़ाती हैं। भाषा की एकता और विकास के बिना आधुनिक जातियों का विकास असम्भव है।

'मार्क्सवाद तथा जातीय और औपनिवेशिक समस्या' नाम की पुस्तक में स्तालिन ने बताया है कि जो जातियाँ पूँजीवादी विकास में पिछड़ गईं, जिन्हें बहुजातीय पूँजीवादी राष्ट्र में राज्य बनाने के अधिकार नहीं मिले, उनका उत्पीड़न उन बड़ी जातियों के पूँजीपतियों ने किया, जो पूँजीवादी विकास में आगे रही थीं। ज़ारशाही रूस में ग़ैर-रूसी जातियों की भाषाओं का दमन किया गया। अपनी भाषा का व्यवहार करने के लिए संघर्ष जातीय आन्दोलन का मुख्य अंग बन गया। उत्पीड़ित जाति के पूँजीपति सभी वर्गों को अपने हितों के लिए एकजुट करने का प्रयत्न करते हैं। भाषा-समस्या को लेकर भी उनकी यही नीति रहती है। किन्तु भाषा की समस्या उत्पीड़ित जाति के मज़दूर वर्ग के लिए भी महत्त्वपूर्ण है। स्तालिन के अनुसार : "तातार या यहूदी मज़दूर को सभा और भाषाओं में अपनी भाषा का व्यवहार करने की सुविधा न दी जाए। यदि उसके स्कूल बन्द कर दिये जाएँ तो उसके बौद्धिक विकास की कोई सम्भावना न रहेगी।" ('मार्क्सवाद तथा जातीय और औपनिवेशिक समस्या') मज़दूर वर्ग के हित में है कि वह स्कूलों, भाषणों, अख़बारों आदि में अपनी भाषा के व्यवहार के लिए लड़े।

स्तालिन ने यह भी बताया है कि उत्पीड़न से पूँजीपतियों के लिए यह आसान हो जाता है कि मज़दूर वर्ग को यह भुलावा दें कि उसके और पूँजीपतियों के हित एक हैं। जातीय समस्या मुख्य सामाजिक प्रश्नों से लोगों का ध्यान हटा देती है। भाषा-समस्या से भी पूँजीपति इस प्रकार लाभ उठाते हैं और लोगों को क्रान्ति के रास्ते से हटा देते हैं।

समाजवादी क्रान्ति के बाद जातियों का नया स्वाधीन विकास आरम्भ हुआ। सोवियत संघ में जातियाँ स्वायत्त सत्ता के अधिकार को व्यवहार में ला सकें, इसके लिए अपनी भाषा के विकास और व्यवहार का प्रश्न फिर सामने आया। स्कूलों, अदालतों, सरकारी संस्थाओं आदि में अपनी भाषा के व्यवहार के बिना कोई भी जाति सोवियत स्वायत्त शासन को अमली रूप नहीं दे सकती।

समाजवादी क्रान्ति के बाद भी सोवियत संघ में पूँजीवाद के अवशेष बने रहे। ये अवशेष इस बात से ज़ाहिर हुए कि जातीय समस्या को लेकर छोटी और बड़ी, दोनों ही तरह की जातियों में अन्ध-राष्ट्रवाद के रुझान दिखाई दिये। एक तरफ तो सोवियत संघ में ऐसे लोग थे जो कहते थे कि उक्रैनी नाम की कोई जाति ही नहीं है; इन लोगों का विचार था कि बोल्शेविक पार्टी कृत्रिम रूप से इस जाति को गढ़कर खड़ा कर रही है। दूसरी तरफ ऐसे लोग थे जो कहते थे कि समाजवाद की जीत के बाद सब जातियाँ मिलकर एक हो जाएँगी, उनकी भाषाएँ आपस में घुल-मिल जाएँगी और सबकी एक ही सामान्य भाषा होगी। ग़ैर-रूसी जातियों में कुछ लोग

ऐसे थे जो यह माँग करते थे कि उनकी जाति के मज़दूरों की संस्कृति को रूसी मज़दूर वर्ग की संस्कृति के प्रभाव से मुक्त रखा जाए। इस प्रकार समाजवादी क्रान्ति के बाद भी विभिन्न रूपों में अन्ध-राष्ट्रवाद का खतरा बना रहा।

मज़दूर वर्ग को भाषा-समस्या का दोहरा महत्त्व समझना चाहिए। मज़दूर वर्ग के अपने राजनीतिक और सांस्कृतिक विकास के लिए भाषा-समस्या का महत्त्व है; साथ ही क्रान्ति के विरुद्ध पूँजीपति वर्ग उसका उपयोग मज़दूरों को भटकाने के लिए भी करता है।

पूँजीवाद से पहले के समाज में मुख्य कर्तव्य यह होता है कि सामन्ती विघटन के ख़िलाफ़ भाषा की एकता के लिए संघर्ष किया जाए। आगे बढ़ी हुई जातियों के सर्वहारा वर्ग का कर्तव्य है कि वह पिछड़े लोगों को जाति-रूप में सुगठित होने में मदद दे।

जहाँ जातियाँ औद्योगिक विकास की मंज़िलें पार कर चुकी हैं लेकिन जिन्हें अपनी भाषा का व्यवहार करने की आज़ादी नहीं है, वहाँ उत्पीड़क और उत्पीड़ित, दोनों ही तरह की जातियों के मज़दूर वर्ग का कर्तव्य यह है कि जनवादी क्रान्ति की आवश्यकताओं को ध्यान में रखते हुए जातीय भाषा के व्यवहार के अधिकार के लिए संघर्ष करें। पूँजीवाद पर मज़दूर वर्ग की विजय के पहले और बाद को—दोनों ही स्थितियों में—इस बात का ध्यान रखना चाहिए कि भाषा-समस्या को लेकर छोटी और बड़ी—दोनों ही तरह की—जातियों में अन्ध-राष्ट्रवादी रुझान पैदा न हों।

यह हुआ भाषा-समस्या का सामान्य महत्त्व।

## भारत में भाषा-समस्या का विशेष महत्त्व

ब्रिटिश साम्राज्यवाद के ख़िलाफ़ भारत की तमाम जनता संघर्ष करती रही है—सबसे पहले भाषा-समस्या का महत्त्व इस संघर्ष के सन्दर्भ में है।

ब्रिटिश साम्राज्यवाद ने अंग्रेज़ी को अनिवार्य राजभाषा के रूप में भारत पर इसलिए लादा कि वह जनता का शोषण कर सके। इस प्रकार उसने भारत की अनेक जातियों की भाषाओं की प्रगति में बाधा डाली। स्वाधीनता-संग्राम के दौरान भारतीय जनता ने यह माँग बराबर पेश की कि शिक्षा संस्थाओं, अदालतों, शासनतंत्र आदि में अंग्रेज़ी की जगह उसकी भाषा का चलन हो। जातीय प्रदेशों में अंग्रेज़ी की जगह वहाँ की भाषाओं का व्यवहार हो, जनता के लिए यह अब भी ज्वलन्त प्रश्न बना हुआ है और अगस्त, सन् 1947 के राजनीतिक परिवर्तनों के बाद यह समस्या अभी कहीं हल होती नहीं दिखाई देती।

हिन्दुस्तानी क्षेत्र तथा समस्त भारत की राजभाषा हिन्दी, उर्दू अथवा हिन्दुस्तानी हो—इस सन्दर्भ में भारत की भाषा-समस्या विशेष महत्त्वपूर्ण हो गई है। सबसे कटु विवाद समस्या के इसी पक्ष को लेकर हुए हैं। प्रमुख सामाजिक समस्याओं से

जनता का ध्यान हटाने में उच्च वर्गों के पास हिन्दी-उर्दू समस्या सबसे महत्त्वपूर्ण सांस्कृतिक साधन रही है। साम्प्रदायिक विद्वेष पैदा करने के लिए इस समस्या का उपयोग विशेष रूप से किया जाता है। भारत और पाकिस्तान में चरम प्रतिक्रियावादी अपने हित साधने के लिए इस समस्या का उपयोग करते हैं।

भारत-जैसे बहुजातीय देश में अनिवार्य राजभाषा का प्रश्न महत्त्वपूर्ण है क्योंकि बहुजातीय पूँजीवादी राज्यों में देखा जाता है कि इस तरह की अनिवार्य राजभाषा राजनीतिक-सांस्कृतिक क्षेत्रों में दूसरी भाषाओं के व्यवहार पर रोग लगाती है और कभी-कभी उनके इस अधिकारों को एकदम अस्वीकार करती है। भारत के बड़े पूँजीपतियों से अन्य जातियों और जनसमूहों का जो सम्बन्ध है, उसे देखते हुए राष्ट्रभाषा का प्रश्न अपना वर्ग-महत्त्व रखता है।

कुछ प्रदेश ऐसे हैं जहाँ लोग मिली-जुली बोलियाँ बोलते हैं। वहाँ सामन्ती सम्बन्ध अब भी क़ायम है। वहाँ के जातीय प्रदेश में टकसाली जातीय भाषा का विकास अभी तक नहीं हो पाया। राजस्थान, हिमाचल प्रदेश जहाँ पहाड़ी बोलियाँ बोली जाती हैं, ऐसे ही इलाके हैं।

भाषा-समस्या क़बीलों और पिछड़े हुए जातीय गुटों के लिए महत्त्वपूर्ण है। विभिन्न पूँजीवादी गुट इनका शोषण करते हैं। उन्हें अपनी भाषाओं के व्यवहार करने का अधिकार नहीं है। उनकी भाषाओं का अस्तित्व ही अस्वीकृत कर दिया जाता है।

इतनी बातों से ही स्पष्ट हो जाता है कि मज़दूर वर्ग और उसकी पार्टी को भाषा-समस्या पर क्यों ध्यान देना चाहिए।

## ब्रिटिश साम्राज्यवाद और राजभाषा के रूप में अंग्रेज़ी की भूमिका

शिक्षा और संस्कृति के मामलों में ब्रिटिश साम्राज्यवाद की नीति यह रही है कि आम जनता को अज्ञान और पिछड़ेपन की दशा में रखा जाए। शासन-व्यवस्था के लिए क्लर्कों की फ़ौज तैयार करने के लिए साम्राज्यवाद ने अंग्रेज़ी की पढ़ाई अनिवार्य कर दी और उसे शिक्षा का अनिवार्य माध्यम बनाया। पाश्चात्य विचारधारा के सम्पर्क से भारतीय भाषाओं और साहित्य को जो भी लाभ हुआ, वह अप्रत्यक्ष रूप से हुआ; वह लाभ साम्राज्यवादियों की आशाओं के विपरीत था। इस बात का प्रचार वे बराबर करते रहे कि भारत भाषाओं का अजाएबघर है और उसमें जो भी एकता है, वह इसलिए कि अंग्रेज़ी ने 'लिंगुआ फ्रांका' की भूमिका पूरी की है। यूरोप के अनेक प्रसिद्ध भाषाशास्त्रियों ने ब्रिटिश साम्राज्यवादियों की यह स्थापना मान ली, इसलिए भी कि अपने उपनिवेशों में वे भी यही खेल खेल रहे थे।

भारतीय जनता ने माँग की कि शिक्षा, अदालत, कचहरी, शासन इत्यादि में अंग्रेज़ी की जगह उसकी अपनी भाषा चले। यह बिलकुल न्यायपूर्ण माँग थी। राष्ट्रीय

नेताओं से आशा की जाती थी कि सन् 1947 में आज़ादी पाने के बाद इस माँग को वे पूरा करेंगे। लेकिन विभिन्न कारणों से वे उसे पूरा नहीं कर सके। सबसे पहला कारण तो यह है कि अक्सर ये नेता स्वयं अंग्रेज़ी में डूबे होते हैं। उन्होंने भारतीय भाषाओं के विकास के लिए प्राय: कुछ भी नहीं किया। दूसरा कारण यह है कि वे विभिन्न जातीय भाषाओं में संस्कृत के शब्द ठूँसने की नीति पर चल रहे हैं, जिससे कि आम जनता देश के राजनीतिक और सांस्कृतिक जीवन में भाग न ले सके। जब इस संस्कृत-गर्भित भाषा पर लोग हँसते हैं और उनकी हँसी उचित ही है, तब वे एक सर्द आह भरकर अंग्रेज़ी की शरण में लौट आते हैं और कहते हैं कि अंग्रेज़ी अभी पाँच या दस साल और चलने दी जाए। दस साल तक उद्योग-धन्धों का राष्ट्रीयकरण न होगा, वैसे ही पाँच या दस साल तक आम जनता की उच्च शिक्षा, राजनीतिक और सांस्कृतिक कार्यवाही उसकी अपनी भाषा में न होगी।

कुछ विद्वान् हिन्दी के ही संस्कृतीकरण की माँग नहीं कर रहे हैं। बंगला जैसी भाषा में भी वही विद्वान उसी संस्कृतीकरण की माँग कर रहे हैं और उनका उद्देश्य भी वही है। कुछ समय पहले पश्चिम बंगाल की सरकार ने उच्चकोटि के विद्वानों की एक समिति बनाई जिसमें प्रसिद्ध भाषाविद् डॉ. सुनीतिकुमार चाटुर्ज्या भी थे। इस समिति को यह काम सौंपा गया था कि वह शासन में व्यवहार के लिए बंगला में पारिभाषिक शब्दावली बनाए। इस शब्दावली की भूमिका में उन उच्चकोटि के विद्वानों ने कुछ प्रचलित शब्दों को अस्वीकृत कर दिया क्योंकि उनकी समझ में वे शब्द काफ़ी गरिमायुक्त नहीं हैं। उनके बदले उन्होंने ऐसे शब्द रखे हैं जो जनसाधारण की समझ में नहीं आते, जो कभी-कभी असाधारण जनों की समझ में नहीं आते। इसलिए पारिभाषिकी-निर्माताओं ने बंगाली जनता के देश-प्रेम को ललकारा है कि जैसे वे अंग्रेज़ी का अध्ययन करते रहे हैं, वैसे ही मातृभाषा के अध्ययन को भी अधिक समय दें।

केन्द्रीय और प्रान्तीय सरकारें जनता की इस माँग को पूरा नहीं कर पा रही कि शिक्षा-संस्थाओं, कचहरी, अदालत, सरकारी दफ्तरों आदि में जनता की भाषाओं का व्यवहार हो। शिक्षा और संस्कृति के क्षेत्र में ब्रिटिश साम्राज्यवाद की विरासत क़ायम है।

पूँजीवादी सामन्ती औपनिवेशिक व्यवस्था भारतीय भाषाओं के पूर्ण विकास को रोकती है। शासक वर्ग जनता को या तो अंग्रेज़ी की शरण लेने को कहते हैं या भारतीय भाषाओं का ऐसा संस्कृतीकरण करते हैं कि वे लोगों को दुर्बोध हो जाएँ।

## अनिवार्य राजभाषा का सवाल

विभिन्न प्रदेशों में अंग्रेज़ी की जगह भारतीय भाषाओं का व्यवहार हो, यह सही माँग है और मज़दूर वर्ग को इसका समर्थन करना चाहिए। लेकिन अंग्रेज़ी की जगह

सारे देश में एक ही भाषा का चलन हो, यह माँग उस जनतांत्रिक माँग से भिन्न है। अंग्रेज़ों ने सारे भारत पर अंग्रेज़ी लादी—यह साम्राज्यवादी कार्य था। उसका स्थान एक भारतीय भाषा ले ले, यह बात जनतांत्रिक और न्यायपूर्ण न होगी। फिर भी पूँजीवादी नेता हिन्दी-उर्दू या हिन्दुस्तानी और अंग्रेज़ी को भी अनिवार्य राजभाषा बनाने का कार्य करते रहे हैं।

भारत की कम्युनिस्ट पार्टी के राजनीतिक प्रस्ताव में कहा गया है कि बड़े पूँजीपति महाराष्ट्र, केरल, तमिलनाडु आदि प्रदेशों के आत्मनिर्णय के अधिकार को नहीं मान रहे। 'हिन्दुस्तान टाइम्स' ने 9 दिसम्बर, 1948 के अंक में लिखा है कि ब्रिटिश 'सम्पर्क' की कुछ विरासत सुरक्षित रहनी चाहिए, जैसेकि हाईकोर्टों में केन्द्रीय भाषा का ही चलन होना चाहिए और विभिन्न प्रान्तों में एक ही केन्द्रीय भाषा का चलन न होने से उच्च शिक्षा की प्रगति में बाधा पड़ेगी। इस प्रकार विभिन्न प्रदेशों के हाईकोर्टों और उच्च शिक्षा-संस्थाओं में एक ही केन्द्रीय भाषा के चलन की माँग करके बड़े पूँजीपति जातियों के पूर्ण राजनीतिक और सांस्कृतिक विकास में बाधा डालते हैं।

भारत के बड़े पूँजीपति चाहते हैं कि अंग्रेज़ों की जगह देश के शोषक बन जाएँ; यह सम्भव न हो तो विदेशी मालिकों के साथ मिलकर शोषण में हिस्सा बँटाएँ। जब तक साम्राज्यवाद में समझौता नहीं हुआ था, तब तक वे भाषायी इलाकों—अर्थात वहाँ के पूँजीपतियों—के आत्मनिर्णय का अधिकार मानते थे। विदेशी मालिकों की छत्रच्छाया में जहाँ एक बार उनका अधिकार राज्यसत्ता पर हो गया, वहाँ उन्होंने राष्ट्रवाद, एकता, केन्द्र आदि के नाम पर अपने वादे तोड़ना आरम्भ कर दिया। भारत के बड़े व्यापारी सारे भारत के लिए एक राष्ट्रभाषा या राजभाषा की चर्चा बराबर करते रहे हैं क्योंकि इसके द्वारा वे अपने हित में बाज़ार को सुदृढ़ कर सकेंगे और दूसरी जातियों के पूँजीपतियों को निकाल सकेंगे।

जो लोग हिन्दी, उर्दू या हिन्दुस्तानी बोलते या लिखते हैं, उन्हें बड़े पूँजीपतियों की महत्त्वाकांक्षाओं से दिलचस्पी नहीं हो सकती। वे बिलकुल न चाहेंगे कि किसी भारतीय भाषा के पूर्ण और स्वतंत्र विकास में बाधा डाली जाए। बड़े पूँजीपति उनकी साम्राज्य-विरोधी भावना से लाभ उठाना चाहते हैं। वे पूछते हैं : अंग्रेज़ी जाए, उसकी जगह कौन-सी भाषा ले?

आम जनता अवश्य चाहती है कि अंग्रेज़ी उन पर न लदी रहे, जैसे वह अब तक लदी रही है। बड़े पूँजीपति इस बात को जानते हैं। इसलिए वे कहते हैं कि अंग्रेज़ी जाए। लेकिन वे लोगों को यह सोचने का मौका नहीं देते कि उसकी जगह कौन लेगा? बजाए यह कहने के कि जब अंग्रेज़ी जाएगी, तब प्रत्येक भारतीय भाषा को अपने स्वत्व प्राप्त होंगे। वे पूछते हैं, कौन-सी एक भाषा अंग्रेज़ी की जगह लेगी? इस तरह सवाल को पेश करके वे जनता को गुमराह करते हैं।

जो लोग चाहते हैं कि इस तरह के सवाल जनतांत्रिक ढंग से हल किये जाएँ, वे सबसे पहले हर जाति का यह हक मानेंगे कि हर स्तर पर वह अपने राजनीतिक और सांस्कृतिक कार्यों में अपनी भाषा का व्यवहार कर सके और इस अधिकार पर कोई भी रोक न लगनी चाहिए।

रूस के पूँजीवादी-सामन्ती राज्य में बोल्शेविक पार्टी ने माँग की थी कि अनिवार्य राजभाषा का चलन बन्द किया जाए। उसने हर जाति को राजनीतिक और सांस्कृतिक क्षेत्रों में अपनी भाषा के व्यवहार की पूरी छूट दी। बोल्शेविक पार्टी पर यह आरोप लगाया गया कि उसकी नीति अव्यावहारिक है। लेनिन ने इस आरोप का उत्तर देते हुए लिखा : "हर जाति के राष्ट्रवादी पूँजीपतियों की दृष्टि में सर्वहारा का सारा काम जातीय समस्या के सन्दर्भ में हवाई होता है। सर्वहारा जन हर तरह के राष्ट्रवाद का विरोध करते हैं, इसलिए वे 'हवाई' समानता की माँग करते हैं। वे माँग करते हैं कि सिद्धान्ततः किसी को थोड़े-से भी विशेषाधिकार न मिलें।"

पूँजीपति भाषा-समस्या का व्यावहारिक समाधान पेश करते हैं। वे कहते हैं कि इतनी भाषाओं में पाठ्य-पुस्तकें छपवाने से व्यर्थ का ख़र्च होता है। तमाम उच्च न्यायालयों और विश्वविद्यालयों में एक ही केन्द्रीय भाषा का चलन होना चाहिए। मज़दूर वर्ग इस तरह की व्यावहारिकता को स्वीकार नहीं कर सकता।

सोवियत संघ में रूसी अनिवार्य राजभाषा नहीं है। प्रधान सोवियत में हरेक को अपनी भाषा में बोलने का अधिकार है और सदस्य ग़ैर-रूसी भाषाओं में दिये हुए भाषणों के अनुवाद की माँग कर सकते हैं। सोवियत संघ के प्रजातंत्रों में रूसी की पढ़ाई स्कूलों और कॉलेजों में अनिवार्य है। इसमें कोई बुराई नहीं है। जातियों की मर्जी के ख़िलाफ़ रूसी की पढ़ाई अनिवार्य नहीं की गई। भारत में यदि सभी जातियों से बराबर संख्या में जनवादी ढंग से चुने हुए प्रतिनिधि शिक्षाक्रम में किसी स्तर पर किसी एक भारतीय भाषा का अध्ययन अनिवार्य करना चाहें और किसी जाति के प्रतिनिधि इसका विरोध न करें तो इस तरह की अनिवार्य शिक्षा में कोई दोष नहीं है। मुख्य बात यह है कि कोई भाषा किसी जाति पर उसकी इच्छा के विरुद्ध लादी न जानी चाहिए।

बहुजातीय पूँजीवादी राष्ट्र में जातियों का उत्पीड़न होता है; उसमें अनिवार्य राजभाषा बड़े पूँजीपतियों के हित-साधन का कारण बनती है। उससे विभिन्न जातियों की श्रमिक जनता में एकता नहीं पैदा होती वरन् परस्पर विग्रह उत्पन्न होता है। हम नहीं चाहते कि कोई एक भाषा अंग्रेज़ी की जगह ले। विदेशी साम्राज्यवाद ने हमारे ऊपर अंग्रेज़ी लादी थी। हम नहीं चाहते कि किसी भारतीय भाषा के पूर्ण विकास पर कोई देशी साम्राज्यवादी रोक लगाएँ। बड़े पूँजीपति उन जातियों के अधिकार नियंत्रित करते हैं जो कमोबेश आर्थिक विकास कर चुकी हैं; जो जातियाँ पिछड़ी हुई हैं, उनके राजनीतिक और सांस्कृतिक विकास को ये बड़े पूँजीपति अवरुद्ध कर

देते हैं। वे उनसे कहते हैं : तुम्हारी अपनी कोई भाषा नहीं है; जो भाषा हम तुम पर लादें, वही तुम्हारी भाषा होगी। इस नीति का हम विरोध करेंगे।

बहुजातीय देश में समाजवादी सत्ता स्थापित होने पर उत्पीड़ित जातियों की भाषाओं को नया जीवन प्राप्त होता है। उनकी भाषाएँ और संस्कृतियाँ नई शक्ति पाकर लहलहा उठती हैं। समाजवाद आने पर विभिन्न जातियों की भाषाएँ मुरझाकर खत्म न हो जाएँगी और बड़ी जाति की भाषा उनकी जगह न ले लेगी। इसलिए बहुजातीय समाजवादी राज्य में भी एकमात्र अनिवार्य राजभाषा का चलन न होगा।

सोवियत संघ में रूसी भाषा सबसे ज़्यादा बोली और समझी जाती है। वह ग़ैर-रूसी जातियों की मातृभाषा तभी बन सकती है, जब उनका रूसीकरण हो जाए। स्तालिन ने बताया है कि तमाम दुनिया में समाजवादी क्रान्ति की विजय हो जाने के बाद भी भाषा और संस्कृति के भेद रहेंगे। इससे स्पष्ट है कि भविष्य में जनता का राज क़ायम होने पर भी सारे देश में केवल एक ही भाषा बोली जाए, ऐसा न होगा। देश में जनता का राज क़ायम नहीं हुआ। इसलिए खतरा यह है कि जातियों की समानता का सिद्धान्त ऊपर से मान लिया जाए और अमल में उसका उल्लंघन किया जाए। इसलिए भारत में अनिवार्य राजभाषा के रूप में या सारे देश की एकमात्र सामान्य भाषा के रूप में हिन्दी स्वीकार न की जाएगी।

भारत की कम्युनिस्ट पार्टी के राजनीतिक प्रस्ताव में दूसरों पर हावी होनेवाले बड़े पूँजीपतियों का उल्लेख है जो केरल, महाराष्ट्र, आन्ध्र आदि के आत्मनिर्णय के अधिकार का विरोध करते हैं। ये बड़े पूँजीपति मुख्यत: मारवाड़ी हैं। बिड़ला, डालमिया, सिंघानिया, गोयनका आदि जिन्होंने भारत में अपना जाल बिछा रखा है, इसी जाति के हैं। इनमें अन्य पूँजीपति भी शामिल हैं जो मारवाड़ी नहीं हैं। बिड़ला, गोयनका आदि की मातृभाषा हिन्दी नहीं, राजस्थानी है। ब्रिटिश साम्राज्यवाद ने सामन्तवाद को सुरक्षित रखा। ये सज्जन अपने घरेलू बाज़ार को सुगठित करके पूँजीपति नहीं बने; आरम्भ से ही अपने व्यापार और उद्योग-धन्धों का प्रसार वे अन्य प्रदेशों में करते रहे, यही कारण है कि इन्होंने राजस्थानी के लिए कुछ नहीं किया लेकिन हिन्दी पत्र निकालने में वे पूँजी लगाते हैं। उनकी नीति से दक्षिण तथा अन्यत्र लोग हिन्दी को अपने ऊपर हावी होनेवाली जाति की भाषा समझने लगे हैं। अंग्रेज़ और उनके हाली-मवाली भाषा-समस्या को लेकर विभिन्न जातियों में द्वेष फैलाने के लिए ज़िम्मेदार हैं। जातीय विद्वेष की जो अग्नि वे भड़का रहे हैं, उससे इन भाषाओं में परस्पर आदान-प्रदान का क्रम भंग होता है और बहुत-से अन्ध हिन्दी राष्ट्रवादी यह समझने लगे हैं कि और सब उनकी भाषा सीखेंगे, वे किसी की भाषा न सीखेंगे।

बड़े पूँजीपतियों की नीति हिन्दी को अनिवार्य राजभाषा बनाने की है। इसके विपरीत प्रान्तीय पूँजीपति कहते हैं कि उनके विरोधी भाषायी साम्राज्यवाद क़ायम करना चाहते हैं। और वे अपनी जाति को आत्मनिर्णय का पूरा अधिकार देने की

बात कहते हैं, बशर्ते कि इस प्रश्न पर मज़दूर वर्ग उनके झंडे के नीचे आ जाए। प्रान्तीय पूँजीपति जब इस तरह के दावे करते हैं, तब उनका पर्दाफाश करना चाहिए।

प्रान्तीय पूँजीपतियों की नज़र पड़ोसी इलाकों पर है। बिहार के आदिवासी इलाकों के लिए बंगाल और बिहार के पूँजीपतियों में झगड़ा है। बम्बई और मद्रास किसके हिस्से में होंगे, इसको लेकर झगड़े हैं। श्री पट्टाभि सीतारमैया श्री क.मा. मुंशी के भाषायी साम्राज्यवाद का विरोध कर रहे हैं। लेकिन हैं दोनों एक ही थैली के चट्टे-बट्टे।

सभी जातियों की श्रमिक जनता मज़दूर वर्ग के नेतृत्व में केन्द्रीय और प्रान्तीय, दोनों तरह के पूँजीपतियों तथा ज़मींदारों के ख़िलाफ़ संघर्ष करके हर जाति के लिए स्वतंत्रतापूर्वक राजनीतिक और सांस्कृतिक विकास का अधिकार सुनिश्चित कर सकती है। यही तरीका है कि बड़े पूँजीपति दूसरों पर अनिवार्य राजभाषा न लाद सकेंगे और सभी जातियों की भाषाओं को विकसित होने का पूरा अवसर मिलेगा।

## हिन्दी-उर्दू-हिन्दुस्तानी समस्या

समस्या यह है कि हिन्दुस्तानी प्रदेश की भाषा हिन्दी, उर्दू या हिन्दुस्तानी में कौन-सी है या तीनों हैं या इनमें कोई दो हैं?

हिन्दी केवल हिन्दुओं की भाषा नहीं है, मुस्लिम जनता भी हिन्दी बोलती है। उर्दू भी केवल मुसलमानों की भाषा नहीं है। बुनियादी तौर से हिन्दी-उर्दू एक ही भाषा हैं। दोनों का आधार जनसाधारण की बोलचाल की भाषा है। इस बोलचाल की भाषा के सहारे के बिना न तो हिन्दी का एक वाक्य लिखा जा सकता है, न उर्दू का। उर्दूवाले कहते हैं, उनकी भाषा आम जनता की ज़बान है। वे ठीक कहते हैं, इस अर्थ में कि जनता की भाषा के बिना उर्दू का एक वाक्य नहीं लिखा जा सकता। हिन्दी-उर्दू में भेद उनके बोलचाल के रूप में नहीं है; भेद है उनकी उच्च स्तरीय शब्दावली में। बोलचाल की एक ही भाषा की दो शैलियाँ हैं। उनके भेद का कारण यह है कि ब्रिटिश साम्राज्यवाद के अन्तर्गत हमारे देश की जातियों का विकास विषम रूप में हुआ है।

विदेशी पूँजी ने भारतीय सामन्तवाद को अपना दोस्त बनाया। उसने भारतीय उद्योग-धन्धों का विकास रोका, आम जनता का बुरी तरह शोषण किया और उसे अशिक्षित रखा। ज़मींदारों का वर्ग बनाकर अपने लिए सहायक तैयार किये, यहाँ की भाषाओं के विकास को भरसक रोका और जनता पर विदेशी भाषा लादी और बड़े पूँजीपतियों से सौदा पक्का किया कि मिलकर देश का शोषण करें।

इस कारण आम जनता संस्कृति के क्षेत्र में अपनी एकता का प्रभाव पूरी तरह न डाल सकी। पाश्चात्य शिक्षा, भाषा और साहित्य से बुद्धिजीवियों को जो भी

प्रेरणा मिली हो, आम जनता अपने साम्राज्य-विरोधी, सामन्त-विरोधी, पूँजीवाद-विरोधी दृष्टिकोण का प्रभाव संस्कृति पर नहीं डाल पाई। ब्रिटिश साम्राज्यवादियों ने रायसाहबों, रायबहादुरों, खानबहादुरों आदि की सेना तैयार कर ली और ये हिन्दी-उर्दू के नेता बन गए। इनके साम्राज्य-परस्त दृष्टिकोण का प्रभाव भाषा के विकास पर भी पड़ा। ब्रिटिश साम्राज्यवाद प्रत्यक्ष रूप से तथा अपने सहायकों के ज़रिये अप्रत्यक्ष रूप से भाषा और संस्कृति के मामलों में दख़ल देता रहा। भाषा और साहित्य में वह धार्मिक विद्वेष भड़काता रहा। ग्रियर्सन का मत था कि इस्लाम के साथ उर्दू दूर-दूर तक फैली; उन्हें इस बात का ध्यान न रहा कि भारत में इस्लाम के प्रवेश के बहुत दिनों बाद उर्दू का विकास आरम्भ हुआ। ग्रियर्सन ने यह नहीं बताया कि इस्लाम के साथ उर्दू भारत में ही क्यों आई; मिस्र, अलजीरिया, तुर्की या इस्लाम के घर अरब में क्यों नहीं पहुँची?

ब्रिटिश साम्राज्यवाद ने सामन्तवाद का पोषण किया। सामन्ती वर्ग की विशेष विचारधारा है पुनरुत्थानवाद। इसके प्रभाव से धार्मिक और साम्प्रदायिक रुझान मज़बूत हुए हैं। ब्रिटिश साम्राज्यवाद ने भारत की हर जाति को ब्रिटिश सूबों और देशी राज्यों में बाँट दिया। इस कारण जातियों की सांस्कृतिक और राजनीतिक एकता दृढ़ करने में रुकावट हुई।

भारत के नेता जब ढुलमुल तरीके से साम्राज्यवाद का विरोध कर रहे थे, तब वे भाषा और संस्कृति को धर्म से परे मानते थे। वे कहते थे कि नागरी और फ़ारसी लिपि में लिखी जानेवाली हिन्दुस्तानी राष्ट्रभाषा होगी। वे साम्राज्यवाद से समझौता करने और जनवादी क्रान्ति के विरोध के रास्ते पर चले। साम्राज्यवाद के ख़िलाफ़ जनता में जहाँ क्रान्तिकारी उभार आया, उन्होंने उसे दबाया। उन्हें भय था कि विदेश साम्राज्य के खात्मे के साथ कहीं उनकी शोषण-व्यवस्था भी खत्म न हो जाए। कांग्रेस के भीतर और बाहर उन्होंने किसानों और मज़दूरों के वर्ग-संगठन बनाने का विरोध किया। किसानों और मज़दूरों की एकता ही राष्ट्र की एकता को मज़बूत कर सकती है, देश की हर जाति की भाषा और संस्कृति की एकता को मज़बूत कर सकती है।

इस नीति के कारण राष्ट्रीय नेता राष्ट्र के साम्राज्यवादी विभाजन में ही साझीदार नहीं हुए, वे अपने अन्दर भी अन्ध राष्ट्रवादी रुझान पालते रहे हैं। राष्ट्रीय स्वयंसेवक संघ जैसी फासिस्ट संस्थाओं से संघर्ष करने का दिखावा करते हुए वे उस तरह की प्रवृत्तियों को कांग्रेस के अन्दर ही पुष्ट करते रहे हैं। वे सामान्य संस्कृति और सामान्य भाषा की मीठी-मीठी बातें भूल गए और चरम साम्प्रदायिक रुझानों का समर्थन करने लगे हैं। वे भाषा-विवाद जैसी चीज़ों का उपयोग इसलिए कर रहे हैं कि जनता जनतंत्र और समाजवाद के लिए संघर्ष करना बन्द कर दे। भाषा-विवाद और प्रान्तों के विभाजन से सम्बन्धित झगड़े उनके हाथ में ऐसे अस्त्र हैं जिनसे जनता का ध्यान मुख्य सामाजिक समस्याओं से हटा दिया जाए। सामन्ती-पूँजीवादी

शोषण क़ायम रखने के लिए वे जनता में फूट डालनेवाले साम्राज्यवाद के तमाम दाँवपेंच इस्तेमाल कर रहे हैं। इसलिए यह आशा करना व्यर्थ है कि वे इन समस्याओं को हल करने में रत्ती-भर सहायता करेंगे। भारत में मज़दूर वर्ग और उसके साथी किसान और मध्य वर्ग के लोग हर जाति की सामान्य संस्कृति और सामान्य भाषा का निर्माण करेंगे।

कानपुर या आगरा की एक ही मिल में काम करनेवाले हिन्दू और मुसलमान मज़दूर क्या दो भाषाएँ बोलते हैं? उनकी भाषा एक है। उत्तर प्रदेश के किसान भी एक ही भाषा बोलते हैं और एक-दूसरे की बात समझते हैं। अपने दफ्तरों और मुहल्लों में मध्यवर्गी कामकाजी लोग आपस में एक ही भाषा बोलते हैं। हर प्रदेश में हिन्दू और मुसलमान मज़दूरों की भाषा एक है, हिन्दू और मुसलमान किसानों की भाषा एक है, मध्यवर्ग के कामकाजी हिन्दुओं और मुसलमानों की भाषा एक है। इस भाषा में स्थानीय भेद होते हैं किन्तु धर्म के आधार पर भेद नहीं पैदा होता। जब बोलचाल की भाषा साहित्य और उच्च सांस्कृतिक कार्यों के लिए प्रयुक्त होती है, तब उसकी शब्दावली में भेद पैदा हो जाता है।

हिन्दी-उर्दू बुनियादी तौर से एक हैं किन्तु अपने साहित्यिक रूपों से भिन्न हैं। यह अन्तर्विरोध सामाजिक अन्तर्विरोध का ही परिणाम है। साम्राज्यवाद ने सामन्तवाद क़ायम रखा और पूँजीवादी वर्ग में हिन्दू-मुस्लिम आधार पर भेद डाला। पूँजीवादी नेताओं की समझौतापरस्ती के कारण साम्राज्यवादी नीति सफल हुई। यह कहना कि बोलचाल की भाषा से उच्च शिक्षा और संस्कृति के सभी कार्य सम्पन्न किये जा सकते हैं, सामाजिक विकास के वास्तविक अन्तर्विरोध से आँखें मूँद लेना है।

हिन्दी और उर्दू को हिन्दू धर्म और इस्लाम से सम्बद्ध नहीं किया जा सकता। उर्दू में ईरान और अरब की साहित्यिक परम्परा का अनुसरण है। उसकी साहित्यिक शब्दावली अरबी और फ़ारसी के आधार पर रची गई है। हिन्दी की साहित्यिक शब्दावली का आधार संस्कृत है और वह भारत की साहित्यिक परम्परा का अनुसरण करती है। दोनों की ही साहित्यिक परम्परा में सामान्य जनवादी तत्त्व विद्यमान हैं और इन्हीं के आधार पर भविष्य में सामान्य साहित्यिक भाषा का विकास होगा। जो विशुद्ध धार्मिक तत्त्व हैं, वे विलीन हो जाएँगे; पुरानी गाथाएँ, वेद-कथाएँ आदि सामान्य सांस्कृतिक परम्परा का अंग बन जाएँगी? हिन्दी और उर्दू में आज जो परस्पर-भिन्न साहित्यिक परम्पराएँ दिखाई देती हैं, वे एक ही साहित्यिक भाषा और सामान्य साहित्यिक परम्परा के विकास में दुर्लंघ्य बाधा नहीं हैं। जनसाधारण की उच्च सांस्कृतिक आवश्यकताएँ पूरी करने के लिए (अर्थात् उन्हें दर्शन, राजनीति, अर्थशास्त्र आदि की शिक्षा देने के लिए) जनवादी आन्दोलन की बढ़ती के साथ दोनों के बीच का फासला दूर होगा।

बोलचाल की भाषा में केवल संस्कृत के या केवल अरबी-फ़ारसी के शब्द नहीं होते। साहित्यिक शब्दावली में शुद्धता की रक्षा न की जा सकेगी। राहुल जी ने संविधान का 'मसौदा' लिखा है जबकि डॉ. रघुवीर ने मसौदे के लिए 'प्रारूप' लिखा है। कुछ लोग कहते हैं कि साहित्य की भाषा और जनता की भाषा में सदा अन्तर रहेगा। यह भेद उच्च वर्गों और जनसाधारण की संस्कृति का भेद प्रकट करता है। जनतंत्र और समाजवाद की ओर प्रगति के साथ यह भेद भी मिट जाएगा। प्रगतिशील लेखक जब जन-संघर्षों को आगे बढ़ाने के लिए साहित्य रचते हैं, तब यह भेद खत्म हो जाता है या कम हो जाता है।

उदारपंथी पूँजीवादी नेता हिन्दी-उर्दू को मिलाने में असफल हुए। वे यह न जानते थे कि दोनों में भेद क्यों है। उन्होंने इस समस्या का सम्बन्ध आम जनता की सांस्कृतिक और राजनीतिक प्रगति से नहीं जोड़ा। उन्होंने यह नहीं देखा कि इस समस्या का सम्बन्ध जनता की निरक्षरता दूर करने से है; जनसाधारण के लिए साहित्य और संस्कृति सुलभ करने से है। ब्रिटिश साम्राज्यवादियों के सहयोगियों ने बुद्धिजीवियों में जो पुनरुत्थानवादी रुझान पैदा किये हैं, उनसे संघर्ष करने से है।

साम्प्रदायिक अनुपात लागू करने से (अर्थात् मुसलमानों आदि के कितने एम.एल.ए. होंगे, यह निश्चित करने से) हिन्दू-मुस्लिम समस्या हल न हो सकती थी। इसी तरह फ़ारसी और संस्कृत के कोशों से किसी निश्चित अनुपात के अनुसार शब्द लेकर मिलाने से सामान्य साहित्यिक भाषा का विकास न हो सकता था।

दो लिपियों में लिखी जानेवाली हिन्दुस्तानी भाषा-समस्या का कोई हल प्रस्तुत नहीं करती। दोनों लिपियों में यदि शब्दावली भिन्न है, तो हिन्दुस्तानी नाम देने से बेहिसाब झगड़े बढ़ते हैं। हिन्दी और उर्दू में आज वास्तविक भेद है। यह भेद खत्म करके तुरन्त हिन्दुस्तानी नहीं गढ़ी जा सकती। इसलिए अभी कुछ समय तक हिन्दी और उर्दू, दोनों का चलन स्वीकार करना चाहिए जिससे कि स्वाभाविक रीति से दोनों मिलकर एक हो जाएँ।

## पारिभाषिक शब्दावली की समस्या

लोग कहते हैं कि भारतीय भाषाएँ संस्कृत से उत्पन्न हुई हैं। इसलिए हिन्दी का जितना ही संस्कृतीकरण होगा, वह सारे भारत में उतनी ही सुबोध और लोकप्रिय होगी। पिछले पाँच सौ वर्षों का इतिहास बतलाता है कि भारतीय भाषाओं में असंस्कृत रूप निरन्तर विकसित होते गए हैं। ये रूप लोकप्रिय हैं, इसमें ज़रा भी सन्देह नहीं। कहा जाता है कि बंगला में संस्कृत शब्द सबसे ज़्यादा हैं। 'बंगला भाषा का उद्भव और विकास' नामक ग्रंथ में डॉ. सुनीतिकुमार चाटुर्ज्या ने लिखा था : "आधुनिक बंगला के बोलचाल वाले रूप में संस्कृत शब्दों का अनुपात आश्चर्यजनक रूप से

कम है।" (खंड 1, पृ. 221) कारण यह है कि "तद्भव शब्दों का सम्बन्ध आये-दिन के जीवन से है और भाषा में, कहना चाहिए, सबसे ज़्यादा श्रम इन्हीं को करना पड़ता है।" (उप., पृ. 197-98)

संस्कृत के शब्द अपने तद्भव रूप में सुरक्षित रहते हैं। शुद्धतावादी के लिए ये शब्द अशुद्ध हो जाते हैं। न केवल बंगला में वरन् उन तमाम भारतीय भाषाओं में, जो संस्कृत से सम्बद्ध हैं, तत्सम शब्दों की संख्या आश्चर्यजनक रूप से कम है। संस्कृतीकरण द्वारा हिन्दी को लोकप्रिय बनाने की माँग ग़लत है और लोगों को उसका विरोध करना चाहिए। उर्दू को फ़ारसी-गर्भित करना उर्दू के लिए हानिकारक है और उर्दू-प्रेमियों को उसका विरोध करना चाहिए।

इसका यह अर्थ नहीं है कि हिन्दी-उर्दू संस्कृत-फ़ारसी से शब्द न लें। यह कार्य विवेक से, बोलचाल की भाषा की प्रकृति पहचानते हुए करना चाहिए। इससे भाषा समृद्ध होगी और उसका लोकप्रिय रूप नष्ट न होगा। नये शब्द गढ़ने और उधार लेने के अलावा, बोलचाल की भाषा की रचनात्मक क्षमता को भूल न जाना चाहिए। हिन्दी-उर्दू की उच्च शब्दावली में अंग्रेज़ी शब्दों का प्रवेश भी बिलकुल बन्द न करना चाहिए।

कई लोग पारिभाषिक शब्दों के छोटे-बड़े कोश बना रहे हैं। वे कहते हैं कि जो शब्द प्रचलित है, वह पारिभाषिक नहीं हो सकता। संविधान के अनुवादक श्री घनश्याम सिंह गुप्त में लिखा है : "सभी भाषाओं में लोक-प्रचलित शब्द अर्थ की दृष्टि से शिथिल और अनिश्चित होते हैं...हर विशेष विषय की अपनी विशेष शब्दावली होती है और लोक-प्रचलित भाषा से यह उद्देश्य सिद्ध नहीं लेता।" ('भारतीय संविधान का प्रारूप', 1948)

अज्ञानी हिन्दी पाठक की सहायता के लिए डॉ. रघुवीर ने संविधान के मसौदे के अन्त में शब्द-सूची दे दी है। इस सूची से बहुत अच्छी तरह पता चल जाता है कि पारिभाषिक तथा लोक-प्रचलित शब्दावली में किस तरह का सम्बन्ध है। शब्द-सूची के पहले तीन पृष्ठों में इस तरह के अंग्रेज़ी शब्द दिये हुए हैं :

ओपन, फायर-आर्म, ऑडिट, अलाउंस, एक्ट वारंट, एडवोकेट, मीटिंग, सीट, क्लेम, आर्डिनेंस, आर्टिकल, लाइसेंस, ग्रांट, प्रैक्टिस, की, सेफ्टी, एजेंट, इंजीनियरिंग, रेलवे, माइनर इत्यादि। ये शब्द अंग्रेज़ी में ही लोक-प्रचलित नहीं, उनमें से बहुतों को इस देश के अशिक्षित लोग भी समझते हैं। अधिपत्र, अधिष्ठान, अयोमार्ग क्या हैं? वारंट, सीट और रेलवे!

यदि अंग्रेज़ी के लोक-प्रचलित शब्द उस भाषा में पारिभाषिक माने जा सकते हैं तो कोई कारण नहीं कि उस नियम का पालन हिन्दी में न किया जाए। कठिन शब्दावली का फल यह होगा कि जनसाधारण शिक्षा और संस्कृति से दूर रहेंगे। दुख की बात यह है कि डॉ. रघुवीर के बनाए हुए बहुत-से शब्दों को उच्च शिक्षा

पाये हुए लोग भी नहीं समझते। इस जड़ता को भारत के प्राचीन गौरव और राष्ट्रीय एकता के नाम पर न्यायपूर्ण नहीं ठहराया जा सकता। अपनी शब्द-सूची की भूमिका में डॉ. रघुवीर ने लिखा था : "हमने भौगोलिक ही नहीं, ऐतिहासिक दृष्टि से भी भारत की एकता का ध्यान रखा है। भारत के दीर्घकालीन गौरवमय अतीत में जो कुछ उपयोग्य था, उसे हमने आत्मसात् कर लिया है।"

वास्तव में उन्होंने जो कुछ किया है, वह इसका ठीक उलटा है। उन्होंने वे तमाम शब्द छोड़ दिये हैं, जो न केवल हिन्दी-भाषी प्रान्तों में वरन् दक्षिण भारत तथा अन्यत्र समझे जाते हैं। ये शब्द उनके लिए पारिभाषिक नहीं हो सकते क्योंकि इनमें लोकप्रियता का दाग लग गया है! उन्होंने वे तमाम शब्द छोड़ दिये हैं जो अतीत में जनता के परस्पर सम्पर्क के कारण प्रचलित हो गए हैं। महापंडित राहुल सांकृत्यायन ने डॉ. रघुवीर की आलोचना की है और उनके अनुवाद के बदले अपना अनुवाद प्रस्तुत किया है।

इसमें कोई सन्देह नहीं कि नये शब्द आवश्यक हैं और वे या तो दूसरी भाषाओं से लिये जाएँगे या प्राचीन भाषाओं के शब्दों, धातुओं के आधार पर गढ़े जाएँगे। जो लोग इन शब्दों का व्यवहार करेंगे, उनकी आवश्यकताएँ ध्यान में रखी जाएँ तो यह कार्य ज़्यादा सन्तोषजनक ढंग से सम्पन्न होगा। सबसे पहले उन शब्दों का संग्रह करना चाहिए जिनका व्यवहार विभिन्न पेशों के लोग पहले से ही कर रहे हैं। इसके बाद संस्कृत, फ़ारसी या अंग्रेज़ी से आँख मूँदकर शब्द न लेने चाहिए वरन् इस बात का ध्यान रखना चाहिए कि वे बोलचाल की भाषा की प्रकृति के अनुकूल हैं या नहीं। ग्रीक और लैटिन के आधार पर बनाए हुए जो अंग्रेज़ी के शब्द यूरोप की अन्य भाषाओं में प्रचलित हैं, उन्हें विदेशी होने के कारण ही न छोड़ देना चाहिए। आवश्यकतानुसार उनकी जगह लोकप्रिय हिन्दुस्तानी शब्दों को दी जा सकती है।

हिन्दी-उर्दू की उच्च स्तरीय सांस्कृतिक शब्दावली देर में घुल-मिलकर एक होगी, लेकिन सामान्य बोलचाल की भाषा की तरह हिन्दी-उर्दू की पारिभाषिक शब्दावली भी एक दिन मिलकर एक होगी, इसमें ज़रा भी सन्देह नहीं है।

## लिपि का प्रश्न

लिपि भाषा का अभिन्न अंग नहीं है। यूरोप की अनेक भाषाएँ लैटिन वर्णमाला का व्यवहार करती हैं। किन्तु इससे वे मिलकर एक नहीं हो जातीं। भारत में हिन्दी और मराठी की लिपि प्राय: एक-सी है, फिर भी दोनों भाषाओं में बहुत अन्तर है। इस दृष्टि से लिपि का प्रश्न गौण है। फिर भी लिपि-भेद होने से हिन्दी-उर्दू के बीच का फासला बढ़ा है। यदि हिन्दी के पाठक उर्दू से और उर्दू के पाठक हिन्दी से परिचित

होते तो यह फासला इतना न बढ़ा होता। एक लिपि होने से उन्हें निकट लाने और मिलाने में सुविधा होगी।

एक लिपि की स्वीकृति स्वेच्छा से ही हो सकती है। फिर भी मज़दूर वर्ग को आन्दोलन करना चाहिए कि एक ही लिपि का चलन हो जिससे हिन्दी-उर्दू जल्दी-से-जल्दी घुल-मिलकर एक हो सकें। यह लिपि कुछ संशोधनों के साथ देवनागरी ही हो सकती है।

## पिछड़ी हुई जातियों की भाषाओं का प्रश्न

भारत में मराठी, बंगला, तमिल, तेलगू आदि सुविकसित भाषाओं के अलावा बोलियों के अनेक ऐसे क्षेत्र हैं जहाँ किसी बोली ने विकसित होकर अभी भाषा का रूप नहीं लिया। इस तरह के क्षेत्रों में राजस्थान है। कुछ इलाके ऐसे भी हैं जिनके लिए पड़ोसी प्रान्तों के पूँजीपतियों में आपस में झगड़ा है। बिहार के आदिवासी इलाकों के लिए बंगाली और बिहारी पूँजीपतियों में झगड़ा है। कुछ प्रदेश ऐसे हैं जहाँ लोग अभी आदिम समाज-व्यवस्था में ही रह रहे हैं। मध्य प्रदेश और राजस्थान के आदिवासी न अपना, न अपनी भाषाओं का विकास कर पा रहे हैं। इनकी भाषाओं के विकास की बात कोई हवाई सैद्धान्तिक प्रश्न नहीं है। यह उनके सामाजिक और सांस्कृतिक विकास का प्रश्न है। जनवादी आन्दोलन और मज़दूर वर्ग को उनके राजनीतिक और सांस्कृतिक अधिकारों के लिए लड़ना चाहिए।

## हर बोली या भाषा के लिए एक प्रजातंत्र का सवाल

महापंडित राहुल सांकृत्यायन कुछ समय पहले तक यह माँग करते रहे हैं कि उन प्रदेशों में प्रजातंत्र क़ायम किया जाए जहाँ अवधी, ब्रजभाषा, बुन्देलखंडी आदि का चलन है। उनके चरणचिह्नों पर श्री शिवदानसिंह चले (देखिए उनकी पुस्तक 'प्रगतिवाद' में 'जनपद-आन्दोलन' नामक निबन्ध), श्री व्योहार राजेन्द्र सिंह, श्री बनारसीदास चतुर्वेदी आदि जनपद-आन्दोलनों में योग देते रहे हैं। प्रश्न यह है कि अवधी, ब्रजभाषा, बुन्देलखंडी आदि बोलियाँ हैं या भाषाएँ; उनके बोलनेवाले हिन्दुस्तानी जाति के अन्तर्गत हैं या भिन्न-भिन्न स्वतंत्र जातियों के रूप में विकसित होंगे। दूसरा प्रश्न यह है कि क्या इनमें से हरेक के लिए प्रजातंत्र या प्रान्त बनना चाहिए?

गाँवों में किसान अवधी, ब्रज आदि का व्यवहार करते हैं। शहरों के मज़दूर, खास तौर से मिलों और कारख़ानों के श्रमिक आपस में खड़ी बोली का व्यवहार करते हैं। कानपुर में उन्नाव, रायबरेली, सीतापुर, गोंडा और छपरा तक से मज़दूर

आते हैं। लखनऊ, आगरा और झाँसी के लोको वर्कशॉप, कारखानों आदि में इसी तरह विभिन्न क्षेत्रों के मज़दूर काम करते हैं। जो किसान सीधा गाँव से आकर मज़दूर बना है, वह अपनी गाँव की बोली बोलता है और उसके साथी उसकी बात समझ लेते हैं। कुछ समय बाद वह शहर की बोली—खड़ी बोली—सीख लेता है और अपने साथियों से इसी में बात करता है, यद्यपि घर पर वह अपनी गाँव की बोली का ही व्यवहार करता है।

हिन्दुस्तानी प्रदेश के मज़दूर वर्ग में अवधी, ब्रज आदि बोलनेवाले लोग हैं। इनका सामान्य परिवेश और सामान्य आर्थिक सम्बन्ध उन्हें एक सामान्य भाषा बोलने पर मजबूर करते हैं। यह भाषा खड़ी बोली या हिन्दुस्तानी होती है। अख़बारों में अर्ज़ी लिखने के लिए, इश्तहारों के लिए झाँसी, आगरा, कानपुर और लखनऊ के मज़दूर बुन्देलखंडी, ब्रजभाषा या अवधी का व्यवहार नहीं करते। ये मज़दूर हिन्दी-उर्दू का ही व्यवहार करते हैं और उनकी बोलचाल में कोई भेद नहीं होता। शहरों के मध्यवर्ग का भी यही हाल है।

खड़ी बोली और फ़ारसी के संघर्ष में खड़ी बोली (उर्दू) की विजय हुई। कविता में ब्रजभाषा का व्यवहार हो या खड़ी बोली का, इस संघर्ष में खड़ी बोली (हिन्दी) की विजय हुई। भारतेन्दु भोजपुरी क्षेत्र के थे, प्रतापनारायण मिश्र अवध के, राधाचरण गोस्वामी ब्रज के—इन सबने गद्य के लिए खड़ी बोली को अपनाया। यह विकास उन्नीसवीं सदी में हुआ किन्तु उसका आरम्भ पहले हो चुका था। इस विकास का कारण था पूँजीवाद का विकास। भारत में पूँजीवाद उन्नीसवीं सदी से आरम्भ नहीं हुआ। व्यापारी पूँजीवाद उन सौदागरों के साथ शुरू हुआ जो अपने साथ खड़ी बोली सुदूर हैदराबाद ले गए। ब्रिटिश पूँजीवाद से टक्कर होने पर भारतीय पूँजीवाद के सहज विकास में बाधा पड़ी लेकिन वह रुक नहीं गया। पूँजीवाद के विकास के साथ हम मिलों और कारख़ानों में मज़दूरों को खड़ी बोली बोलते देखते हैं। देहात में जहाँ सामन्ती सम्बन्ध अब भी दृढ़ हैं, वहाँ भाषायी एकीकरण का यह काम पूरा नहीं हुआ। मध्यवर्ग पूँजीवादी विकास का ही परिणाम है और किसानों की अपेक्षा यह वर्ग खड़ी बोली को अधिक अपनाता है। इसी कारण हिन्दी-उर्दू लेखकों में ऐसे लोग हैं जो घर में खड़ी बोली से अलग अन्य कोई बोली भी बोलते हैं। श्री मैथिलीशरण गुप्त घर में बुन्देलखंडी, श्री राहुल सांकृत्यायन भोजपुरी, श्री शिवमंगलसिंह 'सुमन' और अली सरदार जाफरी अवधी बोलते हैं, या पहले बोलते थे।

इसका अर्थ यह है कि उपर्युक्त बोलियों के बोलनेवाले पूँजीवाद के विकास के साथ एक ही जाति में संगठित हुए हैं—एक ऐसे स्थायी जन-समुदाय के रूप में गठित हुए हैं जिसकी सामान्य भाषा है और सामान्य आर्थिक जीवन है। यह विकास पूरा नहीं हुआ। सामन्ती सम्बन्ध अभी बने हुए हैं। इसीलिए हिन्दुस्तानी प्रदेश में भाषा और बोली का प्रश्न भी हमारे सामने आता है। खड़ी बोली 'भाषा'

बनी; ब्रज, अवधी आदि 'बोलियाँ' रहीं। यह प्रक्रिया अनोखी नहीं है। जिन देशों में भी सामन्ती सम्बन्धों की जगह पूँजीवादी सम्बन्ध विकसित हुए हैं, वहाँ इससे मिलती-जुलती प्रक्रिया देखने को मिली है। लन्दन के आसपास की अंग्रेज़ी, पेरिस के आसपास की फ्रांसीसी, मास्को के आसपास की रूसी सामाजिक सम्पर्क और साहित्य की भाषा बनी। ब्रिटेन में वेल्श जैसी भाषा अंग्रेज़ी के मुक़ाबले और फ्रांस में प्रोवाँसाल जैसी समृद्ध साहित्यिक भाषा फ्रांसीसी के मुक़ाबले बोली की हैसियत ही पा सकी।

समाज में किसान या मज़दूर वर्ग के कुछ हिस्से अपनी बोली छोड़ते नहीं हैं या टकसाली भाषा के साथ उसका भी व्यवहार करते हैं, तो यह भारत में होनेवाली कोई अद्भुत क्रिया नहीं है। फ्रांस जैसे विकसित पूँजीवादी देश में भी बोलियों का अस्तित्व है। भाषाविद् वान्द्राई ने ब्रेतों बोली के बारे में लिखा है : "मछुओं में, तराई के नमक बनानेवालों में, स्लेट-मज़दूरों और घुमन्तू सौदागरों में ब्रेतों का व्यवहार अब भी होता है और कोई नहीं कह सकता कि कब तक होता रहेगा।" (वान्द्राई, 'भाषा', लन्दन, 1931, पृ. 286) मेइये के अनुसार : इसी प्रकार फ्रांस और स्पेन में बास्क का व्यवहार होता है। इसलिए इसमें आश्चर्य न होना चाहिए कि हिन्दुस्तानी प्रदेश में टकसाली भाषा के अलावा अनेक बोलियों का भी चलन बना हुआ है।

भाषा और बोली का भेद केवल भाषागत भेद नहीं है; वह सामाजिक भेद भी है। किसी समय हमारे यहाँ ब्रजभाषा और फ्रांस में प्रोवाँसाल समृद्ध साहित्यिक भाषाएँ थीं। पूँजीवाद के विकास के साथ दिल्ली, मेरठ तया पेरिस के आसपास की बोलियों को व्यापारी दूर-दूर तक ले गए। बोलियों ने भाषा का रूप लिया। जिन क्षेत्रों में अवधी, ब्रज आदि बोलियाँ अभी बोली जाती हैं, उनकी टकसाली भाषा खड़ी बोली है। इस टकसाली भाषा के कारण—साम्राज्यवाद और पूँजीवाद के बावजूद—यहाँ की जनता सीमित विकास कर सकी है। इन क्षेत्रों के मज़दूर टकसाली भाषा यानी खड़ी बोली के ज़रिये एक-दूसरे के निकट आते हैं। इस तरह इस टकसाली भाषा का विकास जनवादी क्रान्ति की विजय के लिए अत्यन्त महत्त्वपूर्ण है। 'जनयुग' और 'नया ज़माना' अवधी, ब्रजभाषा आदि में निकाले जाएँ तो इससे मज़दूरों की एकता दृढ़ न होगी। मैंने 'जनयुग' के लेख अवधी में उल्था करके उन्नाव और रायबरेली के किसानों को सुनाये हैं, यह देखने के लिए कि उनकी शब्दावली में कितना परिवर्तन करना पड़ता है। व्याकरण-रूपों को छोड़कर 98 फीसदी शब्दावली वही रहती है। ये बोलियाँ एक-दूसरे के इतना निकट हैं कि यदि एक ही लेख—खास तौर से अख़बारी लेख—का उल्था उनमें करें तो 98 फीसदी इबारत एक-सी होगी। ये बोलियाँ मुहावरों, सुन्दर अर्थ-व्यंजक शब्दावली और अलंकृत वचनों से समृद्ध हैं। टकसाली भाषा के लेखक इनसे बहुत-कुछ सीख सकते हैं। इनमें अछूता

खजाना है जिसे अपनाने से टकसाली भाषा की व्यंजना-शक्ति बहुत ज़्यादा बढ़ेगी। लेकिन इसका यह अर्थ बिलकुल नहीं है कि इनका व्यवहार करनेवालों को हम स्वतंत्र जातियाँ मान लें।

श्री राहुल सांकृत्यायन तथा अन्य लोगों की यह माँग कि अवधी, ब्रज, बुन्देलखंडी आदि को विभिन्न जातियों की टकसाली भाषा माना जाए, प्रतिक्रियावादी माँग है। यह माँग केवल सामन्ती वर्गों के हित में है जो इस तरह एक पतनशील व्यवस्था की रक्षा करना चाहते हैं। इस माँग से हिन्दुस्तानी प्रदेश के मज़दूरों की एकता में बाधा पड़ती है।

हर बोली के लिए एक प्रजातंत्र या प्रान्त बनाने का सवाल नहीं है। सोवियत संघ में 60 से ऊपर भाषाएँ हैं; प्रजातंत्र इनसे बहुत कम हैं। अवधी, ब्रज आदि विभिन्न जातियों की भाषाएँ होतीं, तो भी उनके लिए हर जगह प्रजातंत्र क़ायम न किये जाते। वे बोलियाँ हैं, इसलिए उनमें से हरेक के लिए प्रजातंत्र बनाने की माँग विशेष रूप से हास्यास्पद है। ओरछा के महाराज जनपद आन्दोलन में खास दिलचस्पी लेते रहे हैं, यह बात आकस्मिक नहीं है।

भारत में भाषा-समस्या के ये कुछ मुख्य पहलू हैं।

[1949]

10

# जातीय भाषा के रूप में हिन्दी का प्रसार

जातीय भाषा बनने से पहले हिन्दी या खड़ी बोली एक जनपद की भाषा थी। ब्रज, अवध, बुन्देलखंड आदि जनपदों में ब्रज, अवधी, बुन्देलखंडी आदि भाषाएँ बोली जाती थीं। इन जनपदों में रहनेवाले छोटी-बड़ी रियासतों में बँटे हुए थे। वे सब किसी जाति में संगठित न हुए थे और इसीलिए एक जातीय भाषा के रूप में उनके पास आपसी व्यवहार की कोई भाषा न थी। कुछ पढ़े-लिखे लोग संस्कृत से काम चलाते थे लेकिन उसे आम जनता न तो समझती थी, न बोलती थी।

तब के समाज की दो विशेषताएँ ध्यान देने योग्य हैं। एक तो यह कि समाज चार वर्णों में बँटा हुआ था, जिनके अन्तर्गत सैकड़ों जात-बिरादरियाँ थीं। दूसरी यह कि गाँव बहुत-कुछ खुदमुख्तार थे; ऊपर से आँधी-तूफान निकलते रहें, ये छोटे-छोटे पंचायती राज अपनी जगह बदस्तूर क़ायम रहते थे।

तेरहवीं-चौदहवीं सदी में सामन्ती समाज का यह ढाँचा ढीला पड़ने लगा था, वर्ण-व्यवस्था शिथिल हो रही थी और लोग अपने खानदानी पेशे छोड़कर नये पेशे अपनाने लगे थे। तुर्कों के हमलों से यह ढाँचा और कमज़ोर पड़ा हालाँकि उसे तोड़नेवाली ताक़तें उसके भीतर ही पैदा हो रही थीं। तिलक, जो हिन्दी और फ़ारसी दोनों जानता था और अबुलहसन और महमूद गजनवी की सेवा में रहा था, एक नाई का लड़का था। रहूप नाम का एक बनिया परिहार राजा से क़िला छीनकर इल्तमश से लड़ा था। ('कैम्ब्रिज हिस्ट्री ऑफ़ इंडिया', खंड 3, पृ. 53) गुजरात में तगी चमार ने दिल्ली के बादशाह के ख़िलाफ़ विद्रोह की अगुआई की। हेमू, जिसने अकबर का मुक़ाबला किया था, बनिया था। अकबर का चित्रकार दसवन्त कहार था। रामानन्द के शिष्यों में कबीर जुलाहा, रैदास चमार और सेना नाई थे। कबीर के उत्तराधिकारी धरमदास बनिया थे। दादू के लिए कहा जाता है कि वह मोची थे। उनके शिष्य सुन्दरदास बनिया थे और मलूकदास खत्री थे। इस तरह की और भी मिसालें दी जा सकती हैं। इससे नतीजा यही निकलता है कि संस्कृति पर अब ब्राह्मण-पुरोहितों का इजारा टूट रहा था; राज्य और धरती पर क्षत्रियों का अधिकार ढीला पड़ रहा था।

तुर्क बादशाहों ने बाज़ार, तोलने के बाट, सिक्कों आदि के बारे में जो सुधार किये, उनसे सौदागरों को फायदा पहुँचा। इस ज़माने में नई-नई मंडियाँ और नये-नये शहर आबाद हुए। फ़ीरोज़ तुग़लक के लिए कहा जाता है कि उसने फ़ीरोज़ाबाद, फ़तहाबाद, फ़ीरोज़पुर, बदायूँ, जौनपुर आदि शहर बसाये। शेरशाह के ज़माने में पटना शहर फिर व्यापार का केन्द्र बना। उसके समय में जो सड़कें और नहरें तैयार हुईं, उनसे व्यापार बढ़ा। शेरशाह ने साराएँ बनवाईं, धार्मिक उदारता की नीति बरती, और खास बात यह कि राज्य और किसान के बीच सीधा सम्बन्ध क़ायम किया। पहले गाँव का मुखिया मालगुज़ारी तय करता था, उसका वह हक छिन गया। इस तरह एक तरफ तो सौदागरी और व्यापार के केन्द्रों के तौर पर शहर बढ़ती पर थे, दूसरी तरफ गाँवों की खुदमुख्तारी पर पाबन्दी लगी। अकबर ने बारूद का महत्त्व समझा। राज्य में शान्ति क़ायम रखने के लिए उसने खास तौर से बारूद का भरोसा किया। सामन्ती युग के तीर-कमान और तलवार पुरानी चीज़ें बनते जा रहे थे। अकबर ने सारे राज्य में एक-सी मुद्रा-व्यवस्था चलाकर व्यापार की बढ़ती में मदद की। तनख्वाह के लिए जागीरें दीं लेकिन मालगुजारी वगैरह तय करने का हक़ जागीरदारों को नहीं दिया। कभी-कभी उन्हें जागीर से दूर भी तैनात कर दिया जाता था। इस तरह सामन्तों और जागीरदारों की ताक़त कम हुई। धार्मिक मामलों में अकबर ने उदार नीति बरती।

मुग़ल बादशाहों को खुद भी व्यापार से दिलचस्पी थी। अकबर खुद व्यापार करता था। लखनऊ यूनिवर्सिटी के डॉ. पंत के अनुसार : गुजरात, आगरा और कश्मीर के बढ़िया उद्योगों का इजारा उसके हाथ में था। शाहजहाँ ने नील का व्यापार अपने हाथ में रखा था और मनोहरदास को राज्य में उधार रकम देकर व्यापार करने की आज्ञा दी थी और मुनाफे में हिस्सा लेता था। नूरजहाँ को भी नील और जरी के वस्त्रों के व्यापार से दिलचस्पी थी। बादशाहों के भाई-भतीजे सौदागरी से धन कमाते थे। मुग़ल राज्यसत्ता की आमदनी का जरिया सिर्फ ज़मीन न थी, बल्कि व्यापार भी था।

व्यापार की उन्नति से पुराने जनपदों का अलगाव दूर हुआ। पटना, बनारस, इलाहाबाद, आगरा और दिल्ली ऐसे केन्द्र बन गए जिनके चारों तरफ एक क़ौमी बाज़ार क़ायम हुआ। यात्री मानरीके के अनुसार सन् 1640 में आगरा की आबादी छह लाख थी। मार्क्स ने भारतीय इतिहास पर अपनी पुस्तक में लिखा है कि अकबर के ज़माने में दिल्ली दुनिया का सबसे बड़ा शहर था। जो नया बाज़ार क़ायम हुआ, उसके सबसे बड़े केन्द्र आगरा और दिल्ली ही थे।

बिटेन में हिन्दुस्तानी कपड़े की माँग बढ़ने से यहाँ का रोज़गार और चमका। सत्रहवीं सदी के पहले हिस्से में आगरा से विलायत कपड़ा भेजा जाता था और यह कपड़ा अवध से बनकर आता था। इस तरह ब्रज और अवध एक बाज़ार में संगठित

हुए। खुद अवध में दरियाबाद और खैराबाद अपने उद्योगों के लिए मशहूर हुए। इसी तरह पटना, बनारस, लखनऊ वगैरह ने आसपास के देहात को अपनी तरफ समेटा और उनका पुराना अलगाव बहुत-कुछ दूर किया। फ्रांसीसी यात्री बर्नियर ने जिन मुग़ल कारख़ानों का जिक्र किया है, मुमकिन है कि वे पूँजीवादी पैदावार की पहली मंज़िल रहे हों। बहरहाल जुलाहों को सौदागर पेशगी रुपया देते थे और उनसे तैयार माल लेते थे। पेशगी लेने पर जुलाहा अपने माल पर अधिकार खो देता था। पेशगी के ज़रिये सौदागर उसकी श्रमशक्ति खरीद लेता था। यह पैदावार का पूँजीवादी तरीका था। सन् 1844 में एंगेल्स ने अपनी पुस्तक 'इंग्लैंड के मज़दूर वर्ग की दशा' में लिखा था : "मशीनें चालू होने से पहले कच्चे माल को कातने और बुनने का काम मज़दूर के घर पर होता था।" सत्रहवीं सदी में यह सिलसिला यहाँ भी क़ायम था। लेनिन ने मिखाइलोव्स्की को जवाब देते हुए बतलाया था कि सत्रहवीं सदी में आपसी विनिमय की बढ़ती से, बिकाऊ माल के चलन के धीरे-धीरे तेज़ होने से, और छोटे-छोटे बाज़ारों के एक बड़े बाज़ार में सिमटने से रूसी जाति का निर्माण हुआ। सत्रहवीं सदी में इसी तरह हमारे यहाँ भी हिन्दुस्तानी जाति का निर्माण शुरू हुआ था।

भाषा और साहित्य के क्षेत्र में हम जनपदों का एक-दूसरे के नज़दीक आना और उनका अलगाव दूर होना देखते हैं। 'रामचरितमानस' अवधी में लिखा गया है, लेकिन ब्रज, भोजपुरी आदि के इलाकों में भी वह अपनाया जाता है। यही नहीं, गोस्वामी जी ब्रज और अवधी, दोनों में कविता करते हैं और उनकी भाषा में एक से अधिक बोलियों के शब्द और प्रयोग देखे जा सकते हैं। उधर ब्रजभाषा की कविताएँ—मीरा, सूर, रसखान और रहीम की रचनाएँ दूर देहात तक पहुँच रही थीं। खड़ी बोली में भी खुसरो, कबीर आदि रचनाएँ करने लगे थे। रहीम ने किसी को खड़ी बोली में ही गाते सुनकर लिखा था—झुक-झुक मतवाला गावता रेखता था।

दक्खिन में खड़ी बोली का अलग विकास हुआ। गद्य और पद्य, दोनों में यह प्रदेश मुख्यत: तेलगूभाषी था और खड़ी बोली वहाँ कम तादाद के लोगों की भाषा थी। उत्तर की भाषा पर उसका असर कुछ देर से पड़ा।

शहरों में व्यापार और विनिमय के लिए जिस भाषा का उपयोग होता था, वह भाषा खड़ी बोली या हिन्दी थी। इसका सबसे बड़ा सबूत यह है कि देश-विदेश के जो लोग काम-काज के लिए दिल्ली या आगरा आते थे, वे यही भाषा सीखते थे। ग्रियर्सन ने लिखा है : "उन दिनों के कुछ अंग्रेज़ सौदागर नि:सन्देह धड़ल्ले से हिन्दुस्तानी बोल सकते थे...।" ('लिंग्विस्टिक सर्वे ऑफ़ इंडिया', खंड 1, पृ. 2) और इतिहासकार सरदेसाई ने लिखा है कि इतालवी यात्री मनुच्ची ने शिवाजी से, बिना किसी दुभाषिये की मदद के, उर्दू में बातचीत की। फ़ारसी के दबाव की वजह से यह भाषा पहले-पहल दक्खिन में फूली-फली।

हिन्दुस्तान में जो तुर्क, पठान, ईरानी, उजबक आदि जातियों के लोग आए, वे यहाँ किसी नई भाषा को जन्म न दे सके। उनके बहुत-से शब्द यहाँ वालों ने ले लिये। उनके प्रत्यय लगाकर कुछ नये शब्द भी गढ़े—जैसे पागलखाना, अफीमची (और पिछले दिनों जंगबाज़) वगैरह। लेकिन हमारी भाषा की व्याकरण-व्यवस्था, उसके मूल शब्द-भंडार में कोई भारी तब्दीली नहीं हुई। तुर्कों, पठानों, ईरानियों, उजबकों आदि के आने से पहले भी हिन्दी भाषा थी, उनके हिन्दुस्तानी बन जाने के बाद भी रही। इसलिए बादशाहों के लश्करों में नई ज़बानें गढ़ने की कल्पना भ्रामक है।

बाहर से आनेवाले लोगों के शब्दों से हमारी भाषा और समृद्ध हुई लेकिन उसने अपने जातीय रूप की रक्षा की। भाषा के बारे में शेरशाह और अकबर की नीति अंग्रेज़ों की तरह अनुदार नहीं थी। शेरशाह ने तो फ़ारसी के साथ हिन्दी में काम-काज करने की हिदायत दे रखी थी।

ब्रजभाषा, अवधी, खड़ी बोली आदि सभी ने हिन्दुस्तानी जाति के निर्माण में मदद दी। हमारी जाति का चरित्र संघर्षों द्वारा और पक्का हुआ। इन संघर्षों के दो पहलू थे : एक तो जातीय, दूसरा जनवादी। यानी एक तरफ तो यहाँ के लोग विदेशी आततायियों के ख़िलाफ़ लड़े, दूसरी तरफ वे सामन्ती उत्पीड़न के ख़िलाफ़, वर्ण-व्यवस्था और पुरोहितों-सामन्तों के विशेष अधिकारों के ख़िलाफ़ भी लड़े। भक्ति-आन्दोलन में ये दोनों पहलू मौजूद हैं। जुलाहे और किसान इस आन्दोलन को शक्ति देनेवाले हैं। सौदागर उसके सहायक हैं। हिन्दू और मुसलमान, सूफी और संत, दोनों उसमें शामिल हैं। भक्ति-आन्दोलन एक जातीय और जनवादी आन्दोलन है। क्या उस समय हिन्दुओं और मुसलमानों की दो संस्कृतियाँ थीं? कुछ धार्मिक भेदभाव ज़रूर था लेकिन दो संस्कृतियाँ नहीं थीं। जायसी, रसखान, रहीम, आलम, शेख, पजनेस वगैरह की वही संस्कृति थी जो सूर, मीरा, तुलसी, नन्ददास, दादू, रैदास आदि की थी। यह संस्कृति जातीय और जनवादी थी, इसीलिए कबीर को हिन्दू और मुसलमान, दोनों अपनाने के लिए तैयार थे। दरबारों की संस्कृति अलग थी। मुग़ल राज्यसत्ता इस जनवादी संस्कृति को आश्रय देनेवाली न थी।

हिन्दुस्तान के लोग सामन्ती ढाँचा खत्म करके अपनी जातीय राज्यसत्ता क़ायम कर लेते लेकिन तभी अंग्रेज़ों की दख़लअन्दाजी से उनकी ऐतिहासिक प्रगति में बाधा पड़ी।

उन्नीसवीं सदी में अंग्रेज़ों ने हिन्द प्रदेश को अपने अधिकार में किया। हिन्दुस्तान में ऐसी परिस्थितियाँ थीं जिनसे फायदा उठाकर उन्होंने भाषा और संस्कृति के मामलों में दख़ल देना और यहाँ के लोगों में फूट डालना शुरू किया।

महाराष्ट्र, आन्ध्र, बंगाल, पंजाब आदि में वे परिस्थितियाँ न थीं, जो हिन्दी-भाषी इलाके में थीं। महाराष्ट्र में शिवाजी एक जातीय रियासत क़ायम कर चुके थे। वैसी कोई कोशिश यहाँ न हुई थी। शिक्षा का कोई मिला-जुला जातीय क्रम

निश्चित न था, मुल्ला-पंडितों के हाथ में अब भी शिक्षा की ज़िम्मेदारी थी। इस धार्मिक शिक्षा की वजह से दो लिपियों का प्रयोग होता था और भाषा की एकता के हिसाब से सब जगह एक ही लिपि का चलन न था। मुग़ल साम्राज्य के उखड़ने के बाद नवाबों के अड्डे ज़्यादातर हमारे इलाके में रहे। बंगाल, महाराष्ट्र, आन्ध्र, वगैरह इनसे अपेक्षाकृत मुक्त रहे। हैदराबाद में उर्दू के असर से तेलगू भाषा में कुछ तब्दीली हुई, लेकिन उस हद तक नहीं कि तेलगू में हिन्दी-उर्दू की तरह दो धाराएँ चल पड़ें।

अंग्रेज़ों ने जिस अलगाव से फायदा उठाया और उसे गहरा बनाया, वह यहाँ की धार्मिक शिक्षा और सामन्ती पिछड़ेपन की वजह से था। बहुत-से राज-दरबारों में ब्रज भाषा के आगे नई जातीय भाषा हिन्दी की पूछ न थी; नवाबों के यहाँ खड़ी बोली के लोकप्रिय रूप और जनवादी कविता की क़द्र न थी। इस तरह खड़ी बोली में दो धाराएँ चल निकलीं—एक तो लोकप्रिय धारा, दूसरी सामन्तों के आश्रयवाली धारा। कुछ कवियों ने साधारण भाषा के शब्दों के बहिष्कार की नीति अपनाई जिससे उनकी शैली बोलचाल की भाषा से अलग मालूम होने लगी।

अंग्रेज़ी ने इस भेद को और गहरा किया। गिलक्राइस्ट ने हिन्दुओं और मुसलमानों की अलग भाषाओं के सिद्धान्त की रचना की। रिज़ले ने धर्म के आधार पर दो क़ौमें गढ़ीं और ग्रियर्सन ने भाषा और संस्कृति के क्षेत्र में फूट के उसूल को धार्मिक रूप दिया। सर सैयद ने लश्करों में नई भाषा बनने की तजवीज़ पेश की। इक़बाल ने मुस्लिम क़ौम और मुस्लिम संस्कृति का नारा लगाया। ये सब साम्राज्यवादी विषवृक्ष के फल थे।

अंग्रेज़ों के राज में गाँवों की पुरानी व्यवस्था तो टूटी लेकिन उन्होंने सामन्तवाद और सामन्ती संस्कृति को मज़बूत भी किया। इसी जर्जर सामन्ती संस्कृति पर उन्होंने अपनी तहज़ीब का ताज रखा। हिन्दी-भाषी इलाके को उन्होंने कई सूबों में बाँटा, यहाँ ताल्लुकेदारों और नवाबों को पाला-पोसा, और भाषा के मामले में जातीय उत्पीड़न का एक नया तरीका निकाला। कभी हिन्दुओं को दबाया, मुसलमानों को उभारा, कभी हिन्दुओं को उभारा और मुसलमानों को दबाया। कचहरी, अदालत और पुलिस में वह ज़बान चलाई कि किसान कभी समझ ही न सके और उसे ठगने और लूटने में उन्हें आसानी हो। इस तरह एक तरफ़ उर्दू की धारा बही, दूसरी तरफ़ हिन्दी की। फिर भी भाषा के बुनियादी शब्दों और मूल व्याकरण-व्यवस्था के बिना कोई भी धारा आगे न बढ़ सकती थी।

हिन्दी उर्दू का भेद उन्नीसवीं सदी से पहले नगण्य है। उन्नीसवीं सदी में अंग्रेज़ी राज क़ायम होता है और तभी यह भेद गहरा होता है। इसलिए उस भेद के लिए सबसे ज़्यादा अंग्रेज़ ही ज़िम्मेदार हैं। अगर सूफियों और संतों की परम्परा ज़िम्मेदार होती तो इस तरह की दो धाराएँ बंगाल, महाराष्ट्र, गुजरात वगैरह में भी बहती दिखाई

देतीं। वहाँ नहीं दिखाई देतीं, यह इस बात का प्रमाण है कि हिन्दी-उर्दू का भेद अस्थायी है, जो जनता के स्वाधीनता-आन्दोलन की बढ़ती के साथ कम होते-होते मिट जाएगा। आख़िर अभी सौ साल भी तो इस खाई को नहीं हुए।

हिन्दी-भाषी इलाके में सामन्ती अवशेष क़ायम रखकर, हिन्दी-उर्दू के सवाल से साम्प्रदायिकता उभारकर, एक ही भाषा की दो धाराएँ बहाकर और दोनों पर अंग्रेज़ी लादकर, आम जनता को अशिक्षित रखकर अंग्रेज़ों ने हमारे सामाजिक और सांस्कृतिक विकास को भारी नुक़सान पहुँचाया है।

फिर भी हर जगह उनकी मनचीती नहीं हुई। हिन्दुस्तानी जनता ने आसानी से उनका जुआ स्वीकार नहीं किया। 1857 में दिल्ली, मेरठ, कानपुर, झाँसी आदि शहरों के और अवध, भोजपुरी, बुन्देलखंड आदि जनपदों के वीरों ने अंग्रेज़ों के दाँत खट्टे कर दिये। अगर अंग्रेज़ों को हिन्दुस्तानियों से ही मदद न मिलती तो देश का इतिहास ही दूसरा होता। हमारे साहित्यकारों ने जनवादी संस्कृति की परम्परा को निबाहा। हिन्दी-उर्दू के लेखकों के सहयोग को अंग्रेज़ खत्म नहीं कर पाए। भारतेन्दु, प्रतापनारायण मिश्र, बालमुकुन्द गुप्त, जो आधुनिक हिन्दी के निर्माता हैं, उर्दू के भी लेखक थे। प्रेमचन्द ने उस परम्परा को और आगे बढ़ाया।

कांग्रेस और लीग के नेताओं ने क्रान्तिकारी जन-आन्दोलन का तो विरोध किया, लेकिन साम्राज्यवादियों की स्वाधीनता-योजना स्वीकार की। भारतीय जनता से भय खाकर अंग्रेज़ों ने अपना झंडा और अपनी फ़ौज तो हटा ली लेकिन अपने पूँजीवादी पंजे देश में और भी गड़ा दिये।

अंग्रेज़ी पूँजी का हित इस बात में है कि बँटवारे के बाद क़ायम की हुई दोनों रियासतें आपस में लड़ें या उनमें तनातनी रहे जिससे कि लोगों का ध्यान छिपे हुए लुटेरों की तरफ न जाए। इसके लिए उन्होंने दंगे कराये, कश्मीर की लड़ाई कराई और साम्प्रदायिक दलों के ज़रिये तनातनी क़ायम रखी।

साम्प्रदायिकता से फ़ायदा उठाकर पाकिस्तान के शासकों ने वहाँ की भाषाओं को दबाया और उन पर उर्दू लादी। हिन्दुस्तान के साम्प्रदायिकों ने कहा कि अब तो उर्दू पाकिस्तान गई और यहाँ उसकी बात करना भी राष्ट्रद्रोह है। राजर्षि टंडन और महापंडित राहुल ने इस विषैले प्रचार का नेतृत्व किया। उत्तर भारत के सूबों में हिन्दी ठीक ही राजभाषा घोषित की गई, लेकिन उर्दू के व्यवहार और शिक्षा आदि में तरह-तरह के अड़ंगे लगाये गए।

हिन्दी के कुछ लेखक इस परिस्थिति को सन्तोषजनक समझते हैं। लेकिन उर्दू को दबाने से हमारी जातीय भाषा के विकास में बाधा पड़ती है, इसलिए इस परिस्थिति को सन्तोषजनक कैसे कहा जा सकता है? उर्दू में लोकप्रिय साहित्य का बहुत बड़ा हिस्सा मौजूद है। उसमें बोलचाल के मुहावरों का निखरा हुआ रूप ही नहीं है, हमारी भाषा और साहित्य का इतिहास उसके बिना अधूरा रहेगा। इसलिए

अपनी जाति के सांस्कृतिक इतिहास के लिए, अपनी जातीय भाषा के विकास के लिए मैं उर्दू के दबाने का विरोध करता हूँ।

कांग्रेसी नीति के ख़िलाफ़ उर्दू के कुछ लेखकों ने विधान की सहायता लेते हुए इलाकाई ज़बान का सवाल उठाया है। हिन्दी से अलग उर्दू का कोई अलग इलाका नहीं है हालाँकि उर्दू या हिन्दी को अपनी एकमात्र साहित्यिक भाषा समझनेवाले लोग हैं। इसलिए उर्दू के पढ़ने-पढ़ाने और उसे व्यवहार में लाने में जो भी बाधाएँ आती हैं, उन्हें दूर करने के लिए आवाज़ बुलन्द करना सभी जनवादियों का कर्तव्य है। उसे अलग इलाकाई ज़बान मानना ग़लत है।

हिन्दी-भाषी इलाके की जनता के लिए किसानों में शिक्षा का सवाल भाषा की समस्या के साथ जुड़ा है। किसानों को आम शिक्षा किस लिपि में दी जाए? अगर किसानों को एकजुट करना है, उनकी राजनीतिक चेतना को विकसित करना है, उनके आन्दोलन को राष्ट्रीय आन्दोलन की धुरी बना देना है तो आम शिक्षा के लिए दो लिपियाँ रखना हानिकारक होगा। इसलिए मेरी राय है कि देवनागरी लिपि के ज़रिये आम जनता में शिक्षा के प्रचार पर ज़ोर देना चाहिए।

अंग्रेज़ों ने 1857 से सबक़ लेकर हमारे इलाके को सबसे ज़्यादा टुकड़ों में बाँटा है। सदियों से एक साथ रहनेवाले आगरा और दिल्ली भी अलग हो गए। हिन्दी-भाषी इलाका एक होना चाहिए। इसके बारे में यह बहाना भी नहीं चल सकता कि बड़े सूबे को छोटे सूबों में हम बाँटना चाहते हैं। यहाँ सवाल छोटे टुकड़ों को मिलाकर बड़ा सूबा बनाने का है। अलग-अलग प्रान्तीय सभाएँ और हुकूमतें चलाने का ख़र्च बचेगा, व्यापार और उद्योग-धन्धों की तरक़्क़ी में मदद मिलेगी। हमारा सांस्कृतिक आन्दोलन पूरे प्रदेश में जातीय पैमाने पर चलेगा और भाषा भी अपना जातीय रूप निखार सकेगी।

किसान-आन्दोलन की बढ़ती के लिए यह आवश्यक है कि बोलियों में साहित्य रचा जाए। अभी भी वह रचा जा रहा है। लेकिन हर जनपद के लिए अलग सूबा या प्रजातंत्र बनाने की माँग करना जातीय प्रदेश के बँटवारे को दूसरे रूप से क़ायम रखना है। इससे सावधान रहना चाहिए।

हिन्दी-भाषी लेखकों का हित इस बात में है कि वे भाषावार प्रान्त-निर्माण के आन्दोलन का समर्थन करें, दूसरों की मर्ज़ी के ख़िलाफ़ उन पर हिन्दी भाषा लादने का विरोध करें। इससे दूसरी भाषाओं के लोग उनकी जातीय एकता के आन्दोलन का समर्थन करेंगे। उन्हें इस भ्रम में कि संस्कृत-गर्भित होने से हिन्दी दक्षिण में ज़्यादा समझी जाएगी, अपनी भाषा को बिगड़ने न देना चाहिए। संस्कृत-गर्भित हिन्दी के पक्षपाती साहित्य-सम्मेलन ने दक्षिण भारत में हिन्दी-प्रचार का काफ़ी अहित किया है। वहाँ पर हिन्दी का प्रचार किया है 'दक्षिण भारत हिन्दी प्रचार सभा' ने, जिसकी नीति सम्मेलन से भिन्न है।

हिन्दी-भाषी इलाका भारत का सबसे बड़ा जातीय इलाका है। संख्या के विचार से हिन्दुस्तानी जाति दुनिया की तीन-चार सबसे बड़ी जातियों में गिनी जाएगी। ऋग्वेद और महाभारत की रचना इसी प्रदेश में हुई है। यहीं की नदियों के किनारे वाल्मीकि और तुलसी ने अपने अनुष्टुप और चौपाइयाँ गाई हैं। तानसेन और फैयाज़ खाँ, हाली, मीर, अकबर, ग़ालिब, भारतेन्दु, प्रेमचन्द, निराला यहीं के रत्न हैं। ताजमहल और विश्वनाथ के मन्दिर यहीं के हाथों ने गढ़े हैं। आल्हा और कजली ने सैकड़ों साल तक यहीं का आकाश गुँजाया है। अठारह सौ सत्तावन में यहीं की धरती हिन्दुओं और मुसलमानों के ख़ून से सींची गई है। जिस दिन यह विशाल हिन्दी प्रदेश एक होकर नये स्वाधीन जनजीवन का निर्माण करेगा, उस दिन इसकी संस्कृति एशिया का मुख उज्ज्वल करेगी। किसानों और मज़दूरों की एकता जो जनता की एकता की धुरी है, वह दिन निकट लाएगी। हिन्दी और उर्दू के लेखकों को इस जनता के हितों को ध्यान में रखकर अपनी जातीय परम्परा के अनुसार लोकप्रिय भाषा और जनवादी साहित्य के विकास में आगे बढ़ना चाहिए।

[1953]

11

# हिन्दी-उर्दू समस्या

अन्तरराष्ट्रीय परिस्थिति का तनाव दूर करने के लिए शान्ति-प्रेमी जनता ज़ोर-ज़बर्दस्ती के बदले समझौते की बातचीत का रास्ता पसन्द करती है। भारतीय शान्ति-आन्दोलन के नेताओं ने भी तीसरे महायुद्ध की तैयारियाँ रोकने के लिए समझौते की बातचीत चलाने पर ज़ोर दिया है।

मेरा विचार है, हिन्दी-उर्दू समस्या को लेकर जो तनाव पैदा किया गया है, उसे दूर करने के लिए भी समझौते की बातचीत चलाना और छुरेबाजी को प्रोत्साहन न देना श्रेयस्कर हो सकता है।

पिछले दिनों उर्दू-प्रेमियों की तरफ से उर्दू को क्षेत्रीय भाषा के रूप में मानने और उसके लिए क्षेत्रीय भाषा के अधिकार माँगने के बारे में आन्दोलन हुआ था। उस आन्दोलन के जवाब में कुछ हिन्दी-प्रेमियों की तरफ से भी आन्दोलन हुआ और लखनऊ में उर्दू-प्रेमियों के सम्मेलन के अवसर पर एक उर्दू-प्रेमी को एक हिन्दी-प्रेमी ने छुरा मारकर उसे अस्पताल भेज दिया।

आप मानेंगे कि टैंक और एटम बम का खतरा न होने पर भी लखनऊ जैसे शान्ति-प्रेमी नगर में यह कांड होना ज़ाहिर करता है कि जैसे अन्तरराष्ट्रीय तनाव दूर करने के लिए बमबाज़ी का रास्ता बुरा बताया जाता है, वैसे ही भाषा की समस्या हल करने के लिए छुरेबाज़ी का रास्ता भी बुरा समझा जाना चाहिए।

उकसावा पैदा करनेवाले आन्दोलन अक्सर अर्द्धसत्यों को लेकर चलते हैं। इसमें शक नहीं कि बहुत-से उर्दू-प्रेमियों में सम्प्रदायवादी भी हैं, और पहले भी रहे हैं। लेकिन इस बात को लेकर अर्द्ध-सत्यप्रेमी सज्जन यह नतीजा निकालते हैं कि सभी उर्दूवाले सम्प्रदायवादी हैं, उर्दू का जन्म ही सम्प्रदायवाद से हुआ है, पाकिस्तान का जन्म भी उर्दू के कारण हुआ है (भले ही पूर्वी पाकिस्तान के लोग उर्दू को राजभाषा बनाने के ख़िलाफ़ लड़े हों) और इसलिए जितना ही जल्दी उर्दू को मिटाया जाए, उतना ही अच्छा!

इसमें भी शक नहीं कि हिन्दी-प्रेमियों में बहुत-से सम्प्रदायवादी हैं और पहले भी रहे हैं। लेकिन इस बात से उर्दू-खेमे के अर्द्ध-सत्यप्रेमी यह नतीजा निकालते हैं कि

सभी हिन्दी-प्रेमी सम्प्रदायवादी हैं, हिन्दी का जन्म ही सम्प्रदायवाद से उर्दू के मीठे सरल शब्दों को निकालकर उनकी जगह संस्कृत के कंकड़-पत्थर भरकर हुआ है। हिन्दी को बिहार या उत्तर प्रदेश की राजभाषा बना दिया गया है, यह हिन्दी-प्रेमियों की साम्प्रदायिकता का सबसे बड़ा प्रमाण है!

इसी तरह हिन्दी-खेमे के अर्द्ध-सत्यप्रेमी उर्दू-विरोध को राष्ट्रीयता की पहली शर्त मानते हैं। यह उर्दू-विरोध जल्द ही मुस्लिम-विरोध का रूप ले लेता है और उकसावा पैदा करनेवाली 'दलीलें' दी जाती हैं जिन्हें सुनकर मालूम होने लगता है कि जनता की भुखमरी, अशिक्षा, अकाल और महामारी का एकमात्र कारण उर्दू है!

उधर उर्दू-खेमे के अर्द्ध-सत्यप्रेमी उर्दू को हिन्दी से और दूर खींचकर, हिन्दुस्तानी जनता के सांस्कृतिक इतिहास से और दूर ले जाकर, इस्लाम से उर्दू का सम्बन्ध अपनी समझ में और पक्का करके, अलगाव की भावना को और मज़बूत करते हैं। समूची हिन्दुस्तानी जनता कैसे साक्षर होकर अपनी मिली-जुली संस्कृति, अपना मिला-जुला लिखित साहित्य आगे बढ़ाएगी; अवधी, ब्रज, बुन्देलखंडी, भोजपुरी आदि से हम अपनी भाषा के लिए क्या लेंगे, कैसे उसे सोलह करोड़ के लिए सुलभ बनाएँगे—ये समस्याएँ उनके लिए हैं ही नहीं। उल्टा वे किसी महाअश्लील पत्रिका की बिक्री का हवाला देकर पूछेंगे : 'कहिए, आपके यहाँ कोई पत्रिका इतनी बिकती है?' या अपने बड़प्पन की डींग हाँकेंगे : 'हमने जितना कमाल हासिल किया है उतना किसी ने किया ही नहीं है।'

उर्दू-खेमे के ये अर्द्ध-सत्यप्रेमी आशा और निराशा के बीच झकोले खाते हैं। कभी तो वे उर्दू के अजर-अमर होने की बात सोचकर गद्गद हो उठते हैं और कभी उसका विनाश निश्चित समझकर वैसे ही उदास और परेशान हो जाते हैं।

किसी ज़िले या सूबे को ध्यान में रखकर हिन्दी-उर्दू की समस्या स्थायी रूप से हल नहीं की जा सकती। यह समस्या तभी हल होगी जब हम हिन्दी-प्रेमी और उर्दू-प्रेमी, दोनों समूची हिन्दुस्तानी जाति के राजनीतिक और सांस्कृतिक पुनर्गठन की समस्या के सन्दर्भ में उस पर विचार करेंगे। सवाल यह है कि जैसे तेलगू, मराठी, तमिल या कन्नड़ भाषाएँ बोलनेवाले अपने-अपने प्रदेश में अपना राजनीतिक और सांस्कृतिक पुनर्गठन करने के लिए उठ खड़े हुए हैं या उठ खड़े हो रहे हैं, वैसे ही क्या हिन्दुस्तानी लोग भी मुग़ल और ब्रिटिश राज के अपने अलगाव को खत्म करके एक जातीय प्रदेश में अपने राजनीतिक और सांस्कृतिक पुनर्गठन के लिए उठेंगे; या वे अपनी सामान्य समस्याएँ अलग-अलग अपने ज़िलों और सूबों में ही उलझाते-सुलझाते रहेंगे?

अभी पिछले दिनों भाषावार प्रान्त बनाने के सिलसिले में जो सम्मेलन हुआ, उसमें और भाषाओं के प्रतिनिधियों ने तो अपने जातीय इलाकों के पुनर्गठन की बात उठाई लेकिन हिन्दुस्तानी प्रदेश का सवाल वहाँ उठा ही नहीं। इसका सबब यह है

कि हिन्दुस्तानी जनता का प्रदेश और जातियों के प्रदेश से कहीं ज़्यादा बँटा हुआ है, यहाँ की जातीय चेतना की कभी हिन्दी-उर्दू विवाद से, कभी भोजपुरी या मैथिली प्रान्त के आन्दोलन से, कभी बिहारी-बंगाली फसाद से सही रूप में विकसित होने नहीं दिया गया।

हिन्दी-उर्दू समस्या को लेकर जो लोग साम्प्रदायिक प्रचार करते हैं, वे हिन्दुस्तानी जनता की जातीय चेतना पर सबसे पहले प्रहार करते हैं।

हिन्दी-उर्दू के अर्द्ध-सत्यप्रेमी हिन्दुस्तानी जाति के प्रदेश का सवाल, उसके राजनीतिक और सांस्कृतिक पुनर्गठन का सवाल नहीं उठाते, यह बात आकस्मिक नहीं है। वे सारे हिन्दुस्तान में हिन्दी फैलाने के लिए कटिबद्ध हैं, लेकिन जब दक्षिण के लोग उनसे पूछते हैं—हिन्दी किस प्रदेश की भाषा है तो वे बगलें झाँकने लगते हैं।

यह बात आकस्मिक नहीं है कि हिन्दी खेमे के कुछ अर्द्ध-सत्यप्रेमी हिन्दुस्तानी जाति के इलाके को 'बोलियों' के आधार पर ग्यारह हिस्सों में बाँट देने का प्रचार करते हैं। 'भाषा' के आधार पर वे प्रान्त-निर्माण की बात नहीं करते वरन् 'बोली' के आधार पर एक जातीय प्रदेश के बहुत-से टुकड़े करने की बात करते हैं।

समूचे हिन्दुस्तानी प्रदेश को ध्यान में रखते हुए हिन्दी-उर्दू समस्या पर विचार किया जाए, तो ये परिणाम निकलते हैं :

1. जहाँ तक साधारण जनता की बोलचाल का सम्बन्ध है, हिन्दी-उर्दू का कोई भेद नहीं है।
2. हिन्दी-उर्दू का भेद लिखित भाषा के सिलसिले में उठता है।
3. उर्दू को लिखित भाषा के रूप में काम में लानेवाले लोग आम तौर से सम्प्रदायवादी नहीं हैं। वास्तव में कुछ हिन्दू सम्प्रदायवादी भी लिखित भाषा के रूप में उर्दू का प्रयोग करते हैं। उर्दू का प्रयोग करनेवाले सब मुसलमान ही नहीं, ग़ैर-मुसलमान भी हैं।
4. लिखित भाषा के लिए जो लोग हिन्दी का प्रयोग करते हैं, उनकी संख्या उर्दू का प्रयोग करनेवालों से ज़्यादा है। इससे नतीजा यह निकलता है कि हिन्दुस्तानी प्रदेश में एक 'सांस्कृतिक अल्पमत' लिखित उर्दू का प्रयोग करता है।
5. व्यवहार में इस सांस्कृतिक अल्पमत की ज़रूरतों का ध्यान रखा जाता रहा है, जैसे फ़िल्मों में हिन्दी लिपि के माथ उर्दू का प्रयोग, अनेक ग़ैर-साम्प्रदायिक संगठनों का उर्दू पत्र निकालना (जिनमें कम्युनिस्ट पार्टी भी शामिल है)।

हिन्दी-खेमे के अर्द्ध-सत्यप्रेमी यह मानने के लिए तैयार नहीं हैं कि उर्दू एक सांस्कृतिक अल्पमत के काम में आनेवाली लिखित भाषा है। वे इस सत्य को दोहराकर कि जनता की भाषा यानी 'बोलचान की भाषा' एक है, इस बात से इनकार

करते हैं कि लिखित भाषा में आज भेद है और उर्दू एक सांस्कृतिक अल्पमत की ज़रूरतें पूरी करती है।

इसलिए वे हिन्दी को राजभाषा बनाकर उर्दू के साथ ऐसा व्यवहार करना चाहते हैं जिससे लिखित भाषा के एकीकरण का सवाल एक-दूसरे से सीखकर, कुछ आपस में आदान-प्रदान करके हल न हो, बल्कि एक लिखित रूप को दबाकर हो।

उर्दू-खेमे के अर्द्ध-सत्यप्रेमी यह मानने से इनकार करते हैं कि समूचे हिन्दुस्तानी प्रदेश में उर्दू का व्यवहार एक लिखित भाषा के रूप में एक सांस्कृतिक अल्पमत करता है। वे यह मानने से इनकार करते हैं कि सवाल सांस्कृतिक अल्पमत की लिखित भाषा की रक्षा करने, उसके उपयोग की सुविधाएँ देने का है। वे कभी राजकाज के लिए दोनों लिपियों के चलन की बात कहते हैं, कभी उसे क्षेत्रीय भाषा मानकर उसके लिए दिल्ली, भोपाल और लखनऊ का 'क्षेत्र' ढूँढ़ने लगते हैं।

उर्दू-खेमे के ये दोस्त हकीकत पहचानने में ग़लती करते हैं, जिससे हिन्दी-खेमे के सम्प्रदायवादी ही मज़बूत होते हैं, उर्दू की रक्षा और उसके व्यवहार की सुविधा देने का असली प्रश्न टल जाता है।

लिखित भाषा के रूप में हिन्दी का प्रयोग हमारे प्रदेश के बहुसंख्यक लोग करते हैं। इसलिए उनकी ज़िम्मेदारी सबसे ज़्यादा है कि एक ही लिखित भाषा के विकास के लिए अनुकूल परिस्थितियाँ तैयार करने में मदद दें। इस काम में एक बाधा यह प्रचार है कि लिखित भाषा के रूप में उर्दू को दबाने से हमारी भाषा-समस्या सुलझ जाएगी। जो लोग इस तरह का प्रचार करते हैं, वे अर्द्ध-सत्य का सहारा लेकर लिखित उर्दू के सामन्ती साहित्य, उसकी ईरानी परम्पराओं का हवाला तो देते हैं लेकिन लिखित उर्दू के जनवादी और लोकप्रिय साहित्य के बारे में खामोश रहते हैं या सरासर झूठा प्रचार करते हैं।

सन् '47 के बाद हिन्दी-खेमे के सम्प्रदायवादियों ने नये सिरे से ज़ोर मारा है। राजनीतिक जीवन से उखड़े होने पर कुछ सज्जन भाषा को लेकर सम्प्रदायवाद का प्रचार करने लगे। कुछ मित्रों को यह भ्रम है कि ऐसे लोग केवल भाषा के मामले में सम्प्रदायवादी हैं, बाकी मामलों में असाम्प्रदायिक और जनवादी हैं।

इस तरह की धारणा बनाते हुए बहुत सतर्क रहना ज़रूरी है।

सन् '47 में—भारत-विभाजन के बाद—राहुल जी ने हिन्दी-उर्दू समस्या के सिलसिले में ही कहा था :

"इस्लाम को भारतीय बनना चाहिए—उनका भारतीयता के प्रति यह विद्वेष सदियों से चला आया है सही, किन्तु नवीन भारत में कोई भी धर्म भारतीयता को पूर्णतया स्वीकार किये बिना फल-फूल नहीं सकता।"

बात थी उर्दू की, नतीजा निकला कि "उनका भारतीयता के प्रति यह विद्वेष सदियों से चला आया है," यानी मुसलमान मूलतः राष्ट्र-विरोधी हैं।

और 'आज की राजनीति' (1960) में राहुल जी ने हिन्दी-उर्दू समस्या के सिलसिले में ही लिखा था :

"इस्लाम ने जो भी कहा हो, किन्तु मुसलमानों ने अपने को देश की धारा का अंग मानने से सदा इनकार किया।"

बात थी उर्दू की, नतीजा निकला कि मुसलमानों ने अपने को इस देश की धारा का अंग ही न समझा!

और भी, उसी पुस्तक में राहुल जी कहते हैं :

"इस्लाम का भारतीयकरण करना ही हितकर होगा। मौलाना आज़ाद की यह मनोवृत्ति यदि भारतीय मुसलमानों में रही, तो उनकी भक्ति तथा सहानुभूति हमेशा भारत की अपेक्षा पाकिस्तान के साथ रहेगी। यह भावना भारतीय मुसलमानों को छिपा पंचमाँगी बनाकर छोड़ेगी।"

यदि मुसलमान पंचमाँगी बन रहे हैं, तो उनके साथ व्यवहार भी वही होगा जो देशद्रोहियों के साथ होता है! हिन्दू-मुस्लिम दंगे कराने के लिए इससे ज़्यादा क्या कहा जा सकता है? आप कहेंगे, यह तो भाषा-सम्बन्धी मनोवृत्ति को लेकर लिखा गया है।

मान लिया, भाषा-सम्बन्धी मनोवृत्ति को लेकर लिखा गया है, लेकिन इस किताब में युधिष्ठिर नाम का पात्र—जो राहुल उवाच की जगह सूत्रधार का काम करता है—कहता है : "आप कुरान को उठाकर किसी धर्म के प्रमुख ग्रंथ से मिलाकर देख लीजिए, वह हर तरह से निम्नकोटि का जँचेगा।"

अब आप पता लगाइए कि दुनिया के तमाम मुसलमानों के धर्मग्रंथ से हिन्दी-उर्दू समस्या का क्या सम्बन्ध है?

देखिए, राहुल जी का केवल भाषा के सवाल पर सम्प्रदायवादी होना अकल ठीक करने के कैसे सुन्दर नतीजे तक पहुँचता है!

हमारे अनेक शुभ विचार रखनेवाले भाइयों ने राहुल जी का विरोध करना तो दूर, उनकी पीठ थपथपाई कि आप वास्तव में प्रगतिशील विचारक हैं! उनका खयाल था कि राहुल जी का पर्दाफाश करने से 'संयुक्त मोर्चा' टूट जाएगा (राहुल जी की नीति से उन्हें संयुक्त मोर्चे के लिए कोई भय न था!), इसलिए कभी तो वे उनके 'भाषा-सम्बन्धी' प्रचार को 'आदर्श' कहते रहे, कभी चुप रहे और कभी घेरे जाने पर बोले कि राहुल जी को सम्प्रदायवादी कहने से क्या होता है, सभी हिन्दी लेखक वैसा ही सोचते हैं!

इस अवसरवादी नीति को, साम्प्रदायिकता को, तरह देने का नतीजा यह हुआ कि राहुल जी के चरणचिह्नों पर चलनेवाले और 'प्रगतिशील' लेखक भी आगे आ रहे हैं।

उत्तर प्रदेश में उर्दू को क्षेत्रीय भाषा बनाने के आन्दोलन के सिलसिले में 'उत्तर प्रदेश भाषा समिति, लखनऊ' ने अखिल भारतीय कांग्रेस कमेटी और उत्तर

प्रदेश कांग्रेस कमेटी के अध्यक्षों के नाम एक आवेदन-पत्र छपवाया था। इसमें कहा गया था :

"हम इस प्रदेश की भाषा के बँटवारे और भाषा को बाँटकर जनता में फूट डालने की विषैली साम्प्रदायिक नीति का घोर विरोध करते हैं। यह प्रवृत्ति जन-विरोधी, राष्ट्रीयता-विरोधी और देशद्रोही है।"

जब कोई प्रवृत्ति 'देशद्रोही' करार दी जाएगी, तो उसके साथ कैसा व्यवहार किया जाएगा? आवेदन-पत्र ने ऐसा वातावरण तैयार करने की कोशिश न की जिसमें हिन्दी-उर्दू लेखक बैठकर समस्या पर विचार करते और उसे सुलझाने की कोशिश करते। उर्दू-प्रेमियों ने क्षेत्रीय भाषा के लिए जैसे हिन्दी लेखकों से सलाह-मशविरा किये बिना आन्दोलन छेड़ दिया था और उर्दू की रक्षा की सही माँग को क्षेत्रीय भाषा की ग़लत माँग से उलझा दिया था, वैसे ही और उससे पचास कदम आगे बढ़कर उत्तर प्रदेश भाषा समिति ने इन उर्दू-प्रेमियों की कोशिश को देशद्रोह करार दे दिया!

इससे खुले सम्प्रदायवादियों ने फायदा उठाया और छुरेबाजी के लिए वातावरण पैदा कर लिया।

अब यह स्पष्ट हो गया होगा कि अन्तरराष्ट्रीय मामलों की तरह भाषा-सम्बन्धी मामलों में भी उकसावे की नीति के बदले सुलह-समझौते की बातचीत चलाना क्यों ज़रूरी है।

आवेदन-पत्र पर भाषा समिति के मंत्री की हैसियत से सुप्रसिद्ध प्रगतिशील कलाकार यशपाल के दस्तख़त हैं!

यशपाल जी यह अर्द्ध-सत्य मानकर कि हिन्दुस्तानी जनता की एक भाषा है, उसके दो लिखित रूपों की आज की आवश्यकता को सिर्फ एक लिखित रूप रखकर तुरन्त खत्म कर देना चाहते हैं। उनके विचार से हिन्दी-उर्दू के आदान-प्रदान का सवाल नहीं है। समझा-बुझाकर एक लिपि चलाने का सवाल नहीं है। सवाल है दो में से एक ही रूप रखकर समस्या को हल करने का। हिन्दी-उर्दू की समस्या को ज़ोर-ज़बर्दस्ती से हल करने का समर्थन करते हुए यशपाल कहते हैं :

"दमन और जब्र बड़े अप्रिय शब्द हैं। हम इन शब्दों को सदा ही अपने विरोधियों के गले मढ़ते हैं। लेकिन किसी भी नियम या अनुशासन को दमन और जब्र कह दिया जा सकता है। अनिवार्य शिक्षा भी एक प्रकार का दमन और जब्र है और पैदावार के साधनों का राष्ट्रीयकरण तो बहुत बड़ा दमन और जब्र बताया जाएगा।" ('नया पथ', सितम्बर, 1953)

कहाँ राष्ट्रीयकरण, कहाँ हिन्दी-उर्दू समस्या! पहले तो भारत में पैदावार के साधनों के राष्ट्रीयकरण का सवाल ही नहीं उठता और जहाँ उठता है या उठा है, वहाँ कामचोर वर्गों की मिल्कियत खत्म करने को उठा है। क्या जो लोग लिखित भाषा के लिए उर्दू काम में लाते हैं, कामचोर वर्गों के लोग हैं? यशपाल जी की उपमा ही

ज़ाहिर करती है कि उन्होंने कामचोर वर्गों की वास्तविक समस्या भुलाकर (और ये वर्ग लिखित भाषा के लिए हिन्दी-उर्दू, दोनों का प्रयोग करते हैं!) तमाम उर्दू-प्रेमियों को—या लिखित भाषा के लिए उर्दू-प्रयोग की सुविधा चाहनेवालों को—कामचोर-वर्ग बना दिया है और उन्हें अधिकारहीन करने का फैसला कर लिया है।

अनिवार्य शिक्षा का चलन करने पर दमन और जब्र जनता पर नहीं होता बल्कि उन कामचोर वर्गों पर होता है जो जनता को निरक्षर रखते हैं। राष्ट्रीयकरण में जो व्यवहार कामचोर वर्गों के साथ होता है, उसकी तुलना जनता को अनिवार्य शिक्षा देने से करके यशपाल जी ने जनता और शोषक वर्गों का भेद भुला दिया है।

जब तक हमारे कुछ लेखक यह प्रचार करते रहेंगे कि ज़ोर-ज़बर्दस्ती से हल करने पर लिखित भाषा की एकता क़ायम हो जाएगी, तब तक वह एकता उतनी ही दूर चली जाएगी, जनता में फूट डालनेवाले भाषा के सवाल को प्रेम से इस्तेमाल करेंगे और इस सबसे हिन्दुस्तानी जनता के राजनीतिक और सांस्कृतिक पुनर्गठन का सवाल—हिन्दी प्रदेश के एकीकरण का सवाल—खटाई में पड़ा रहेगा।

यह समझना भूल होगी कि सभी हिन्दी लेखक राहुल जी या यशपाल जी की तरह सोचते हैं।

अगस्त, 1953 की 'अवन्तिका' ने सम्पादकीय नोट में इस बारे में लिखा है।

'अवन्तिका' उर्दू को किसी क्षेत्र की अलग भाषा नहीं मानती। लेकिन वह उसे स्वदेशी भाषा मानती है, राहुल जी की तरह अरब जेहादियों का कीर्ति-स्तम्भ नहीं। वह उसके विकास में बाधा देने का विरोध करती है, ज़ोर-ज़बर्दस्ती से राष्ट्रीयकरण या इस्लाम के भारतीयकरण का सवाल नहीं उठाती।

इससे यह परिणाम निकलता है कि उकसावा पैदा करनेवाला वातावरण खत्म करके अगर हिन्दी-उर्दू के जनवादी लेखक इस समस्या को सुलझाने बैठें तो ऐसा हल निकल सकता है, जिसमें किसी के साथ जब्र भी न हो और क्रमश: हमारे हिन्दुस्तानी प्रदेश में एक लिखित भाषा के विकास के लिए अनुकूल परिस्थितियाँ भी तैयार हो जाएँ।

[1953]

12

# भाषा और प्रान्तीयत

इस बार गर्मियों में जब कलकत्ता गया तो लगा, शहर कुछ बदला-सा है। बंगला-भाषी मित्र बंगला छोड़कर आम तौर से दूसरी भाषा में बात न करते थे। कुछ लोगों ने यह शिकायत भी की कि बस या ट्राम में किसी बंगाली कंडक्टर से हिन्दी में टिकट माँगो तो वह टिकट न देगा या उपेक्षा दिखलाएगा। दफ्तरों में हिन्दी बोलकर काम कराने जाओ तो बीस बिसुवे काम होगा नहीं। एकाध साहित्य-प्रेमी ने कहा : "आप जो कुछ हिन्दी भाषण में कहते हैं, उसे अंग्रेज़ी में भी कहें, हम उसमें बंगला साहित्यकारों और प्रोफेसरों को भी बुलाएँगे। उन्हें भी मालूम होना चाहिए कि हिन्दी में क्या है।"

एक बंगला-भाषी हिन्दी-प्रचारक मित्र ने कहा : "आपके यहाँ से कुछ लोग आकर हमारा काम चौपट कर जाते हैं। यहाँ आकर कहते हैं—बंगला में है क्या? रवीन्द्रनाथ ने जो कुछ लिया है, कबीर से।' अरे बाबा, आप लोग हिन्दी-हिन्दी क्या चिल्लाते हो? है क्या आपकी हिन्दी में? और हिन्दी-प्रचार तो हम राजा राममोहन राय के समय से कर रहे हैं जब आपके यहाँ लोग हिन्दी-प्रचार का नाम भी न जानते थे।"

एक चौहत्तर वर्ष के क्रान्तिकारी, विचारक और लेखक ने पूछा : "हिन्दुस्तान के भविष्य के बारे में क्या सोचते हो?" मैंने कहा : "इस प्रश्न का उत्तर तो मुझसे अच्छा आप दे सकते हैं। मेरी समझ में हमारा भविष्य उज्ज्वल है।" उन्होंने कहा : "गृह-युद्ध होनेवाला है।" पूछा : "किसमें?" मेरे मन में आया, शायद मज़दूर-पूँजीपतियों की लड़ाई की बात सोचते होंगे। लेकिन वह बोले : "हिन्दुस्तानियों और बंगालियों में युद्ध होगा।" सुना था, कुछ दिन पहले बंगाली और हिन्दुस्तानी ट्राम-मज़दूरों में झगड़ा हो चुका था। अख़बारों में असमियों और बंगालियों के दंगों की बात भी पढ़ चुका था। इसलिए गृह-युद्धवाली बात मैं हँसकर टाल न सका।

कलकत्ता की लगभग आधी जनता हिन्दुस्तानी है। यहाँ के मारवाड़ी व्यापारी आपस में राजस्थानी बोलते हैं लेकिन शिक्षा, भाषण, प्रकाशन आदि के लिए हिन्दी ही काम में लाते हैं। एक ओर तो ये बड़े-बड़े व्यापारी हैं, दूसरी ओर अवधी, भोजपुरी, मैथिली आदि बोलनेवाले पूर्वी हिन्दी-भाषी प्रदेश के लोग हैं जो ज़्यादातर मेहनत-

मज़ूरी के सहारे ज़िन्दगी बसर करते हैं। शाम को अपने डेरों पर ढोल-मँजीरा या खँजरी या हुड़ुक लेकर ये अपने लोकगीत गाते हैं। बंगला और हिन्दी-भाषी भद्रजन समान रूप से इन्हें असभ्य और असंस्कृत समझकर इनसे प्राय: घृणा करते हैं। इनके अलावा बहुत-से अध्यापक और लेखक हैं, जिनमें से अधिकांश का उद्देश्य कलकत्ता आकर पैसा कमाना है, साहित्य-सेवा करना नहीं।

ऐसी स्थिति में कौन बड़ा है, कौन छोटा है, यह भाव लोगों के मन में बड़ी जल्दी पैदा होता है। इसका नतीजा यह होता है कि देश की विभिन्न जातियाँ आपस में मित्रता बरतने के बदले एक-दूसरे से बैर मानने लगती हैं। एक-दूसरे से सीखने के बदले अपने बड़प्पन की डींग हाँकने में सारा समय लगा देती हैं। जहाँ तक साहित्य का सम्बन्ध है, यहाँ की जातियाँ एक-दूसरे से सहयोग करके ही उसे सँवारती रही हैं और आगे भी उसे सँवार सकती हैं। सूर और तुलसी के युग में यहाँ के सांस्कृतिक आन्दोलन बराबर एक प्रदेश के बाहर के लोगों को भी प्रभावित करते रहे हैं। यदि ये व्यापक आन्दोलन न होते तो न सूर के पद रचे जाते, न चंडीदास के। इसी तरह आधुनिक काल में देशभक्ति की जो लहर सारे देश में फैल गई, उसमें अनेक जातियों के लेखकों का हाथ था। इसलिए किसी भी भाषा के साहित्य पर गर्व करते हुए उसके प्रेमियों को यह न भूल जाना चाहिए कि उसका विकास दूसरों के सहयोग से ही सम्भव हुआ है और उससे मिलती-जुलती विशेषताएँ दूसरों के साहित्य में भी हैं।

जहाँ तक भाषा का सम्बन्ध है, वास्तविक स्थिति यह है कि बंगाल आदि राज्यों में बंगला-जैसी समृद्ध भाषाएँ भी वहाँ के राजकाज की भाषाएँ नहीं बनीं। अंग्रेज़ी का बोलबाला अब भी है और तनाव अंग्रेज़ी और देशी भाषाओं के बीच नहीं, हिन्दी और यहीं की दूसरी भाषाओं के बीच है। हिन्दी-प्रेमियों का हित इस बात में है कि बंगला आदि भाषाएँ राजकाज के लिए अपने देश में पूरी तरह काम में लाई जाएँ। जब तक अहिन्दी-भाषी प्रदेशों में वहाँ की भाषाएँ अपने पूर्ण अधिकार नहीं पातीं, तब तक उनके बीच हिन्दी भी पूरी तरह परस्पर व्यवहार का माध्यम नहीं बन सकती। इसके विपरीत उन्हें डर रहेगा कि हिन्दी हमारी जगह छीनना चाहती है।

इधर शिक्षा के माध्यम को लेकर जो विवाद चल पड़े हैं, उनसे परिस्थिति और बिगड़ गई है। कई जगह यह प्रचार किया गया है कि किसी भाषा-विशेष के बदले हिन्दी ही शिक्षा का माध्यम बनेगी। तर्क यह होता है, हर जगह हिन्दी शिक्षा का माध्यम न होगी तो विश्वविद्यालय आपस में ज्ञान-विनिमय न कर सकेंगे, विज्ञान की उन्नति न हो सकेगी, देश की सांस्कृतिक एकता टूट जाएगी, इत्यादि। इस स्थिति से लाभ उठाकर अंग्रेज़ी-भक्त कहते हैं : "यह सब बहस बेकार है, सबसे भली अंग्रेज़ी; इससे नया ज्ञान भी मिलेगा, पारिभाषिक शब्द गढ़ने की समस्या भी न रहेगी और भारत की एकता भी बनी रहेगी।" इधर कुछ विश्वविद्यालय इस ओर काफ़ी

सरगर्मी दिखा रहे हैं। विभिन्न भाषा-क्षेत्रों में जितना ही वहाँ की भाषाओं के हक मारे जाएँगे, उतना ही अंग्रेज़ी उनके सिर पर सवार रहेगी, यह बात असन्दिग्ध है। आवश्यकता इस बात की है कि देश की भाषाएँ समान अधिकार पाकर विकसित हों और इनके बोलनेवाले अन्तर्जातीय व्यवहार के लिए हिन्दी अपनाएँ; साहित्य के क्षेत्र में बड़प्पन की होड़ लगाने के बदले भारतीय साहित्य की सामान्य विशेषताओं को भी पहचानें और एक-दूसरे से सीखने की बात सोचें। यद्यपि कुछ पढ़े-लिखे लोगों और धनी जनों में जातीय द्वेषभाव काफ़ी बढ़ा हुआ है, तथापि जनसाधारण में परस्पर प्रेम और देशभक्ति के भाव कितने दृढ़ हैं, इसका एक प्रमाण गोवा का सत्याग्रह है। इस छोटे-से प्रदेश को मुक्त कराने के लिए बंगला, मराठी, पंजाबी, हिन्दी आदि अनेक भाषाएँ बोलनेवाले नौजवानों ने अपने प्राणों की बाजी लगा दी। किसी ने यह सोचकर आगा-पीछा नहीं किया कि गोवा के लोगों की भाषा तो कोंकणी या मराठी है, हम उनके लिए क्यों जान दें! पन्द्रह अगस्त के बाद देश में जो व्यापक प्रदर्शन हुए, वे भी इसी जातीय सहयोग और देश-प्रेम के सूचक हैं। जनसाधारण में यह भाईचारे का भाव देश की बहुत बड़ी सांस्कृतिक निधि है। यही वह शक्ति है जो देश को जातीय द्वेष के मार्ग से हटाकर प्रेम, समानता और सहयोग के मार्ग पर ले जाएगी। इसके बिना न तो समूचे देश का विकास सम्भव है, न किसी जाति-विशेष का।

[1955]

13

# अनिवार्य राजभाषा का सवाल

भारत के संविधान में राजभाषा से सम्बन्धित धाराओं को स्वीकृत हुए चार वर्ष से ऊपर हो गए। जो कमीशन हिन्दी के व्यवहार के बारे में राष्ट्रपति के सामने अपने सुझाव रखेगा, वह भविष्य में बनेगा। किन्तु कुछ विद्वान् राजनीतिज्ञ उस भाषायी क्रान्ति की सम्भावना से घबरा उठे हैं जिसके जनक वे स्वयं थे। उत्तर प्रदेश के राज्यपाल ने पटना में भारतीय हिन्दी परिषद् के अधिवेशन में कहा था : "अगर अंग्रेज़ी हटाने पर बहुत ज़ोर दिया जाएगा तो इससे हिन्दी को लाभ नहीं, हानि होगी; राष्ट्रीयता लुप्त हो जाएगी, प्रादेशिक भावनाएँ प्रबल होंगी, भारत के टुकड़े-टुकड़े हो जाएँगे।" ऐसा लगता है कि अंग्रेज़ी की स्थिति को ज़रा-सा भी धक्का लगने पर देश की सुरक्षा खतरे में पड़ जाती है। एक अन्य राज्यपाल, मद्रास में श्री श्रीप्रकाश ने संस्कृत को भारत की राजभाषा बनाने की बात कही है।

स्पष्ट है कि संविधान की भाषा-सम्बन्धी धाराएँ स्वीकृत करने के बाद भी कांग्रेसी नेता भाषा-समस्या का अन्तिम समाधान पेश नहीं कर चुके।

सामाजिक और सांस्कृतिक जीवन में जनता की भाषाओं के व्यवहार के लिए संघर्ष स्वाधीनता और जनतंत्र के लिए होनेवाले संघर्ष का ही एक अंग है। रवीन्द्रनाथ और भारती जैसे कवियों ने बंगला और तमिल के गौरव-गीत गाये। जनता ने मैकाले की भाषा-नीति का विरोध किया, जिसका उद्देश्य विदेशी साम्राज्यवादियों की चाकरी करनेवाले बुद्धिजीवी तैयार करना था। ब्रिटिश शासकों ने कोशिश की कि जनता की भाषाएँ दबाई जाएँ, उन पर अंग्रेज़ी लादी जाए, और जनता की एकता नष्ट कर दी जाए। साम्राज्यवादियों का स्वप्न रिज़ले की पुस्तक 'द पीपुल ऑफ़ इंडिया' में इस तरह प्रकट हुआ है : "यह सम्भव है—यद्यपि सम्भावना दूर भविष्य की है—कि शायद अंग्रेज़ी ही भारत की राष्ट्रभाषा बनेगी।"

प्रारम्भिक दिनों में कांग्रेस के नेताओं की भाषा अंग्रेज़ी थी। किन्तु 1920 के बाद राष्ट्रीय स्वाधीनता-आन्दोलन की प्रगति के बाद भारतीय भाषाएँ राजनीतिक मंच पर अग्रसर होने लगीं। लेकिन भारतीय भाषाओं की यह प्रगति नेताओं को हमेशा अच्छी नहीं लगी। उनमें से कुछ चक्रवर्ती सम्राटों के गौरवमय इतिहास का स्वप्न

देखते हैं जब पुरोहितों की सहायता से वर्ण-व्यवस्था वाले समाज में संस्कृत का बोलबाला था। कुछ अन्य नेता 'डूबते को तिनके का सहारा' की मसल चरितार्थ करते हुए अंग्रेज़ी का दामन थामे हुए हैं।

कांग्रेसी नेताओं ने जब हिन्दी को राजभाषा के लिए मान्य किया, तब तक सत्ता प्राप्त किये उन्हें चार वर्ष हो गए थे। लेकिन इस फैसले के साथ उन्होंने यह भी सुनिश्चित कर लिया कि सभी सरकारी कामों के लिए अगले पन्द्रह साल तक अंग्रेज़ी का व्यवहार होगा। इस प्रकार अंग्रेज़ी का चलन उन्होंने बीस साल के लिए पक्का कर लिया। संविधान को लागू हुए पाँच साल भी नहीं बीते कि हमें उपदेश सुनने को मिलने लगे हैं कि अंग्रेज़ी को हटाना खतरनाक है। पन्द्रह साल के बाद पार्लियामेंट कानून बनाकर अंग्रेज़ी का चलन बनाए रह सकती है। कांग्रेसी नेताओं की यह मंशा नहीं थी कि अंग्रेज़ी हटाने के लिए जमकर कोशिश करें। उन्होंने स्पष्ट ही अपने सामने यह सम्भावना रखी थी कि पन्द्रह साल के बाद भी अंग्रेज़ी जारी रहेगी, शायद उसके अगले पन्द्रह साल तक भी जारी रहेगी। हो सकता है कि इसके आगे भी जारी रहे। संविधान-सभा में बहस की तमाम सरगर्मियों के पीछे यह निर्मम निश्चय साफ़ दिखाई देता है कि समस्त भारतीय भाषाओं की हानि करते हुए अंग्रेज़ी का अनिवार्य राजभाषा के रूप में चालू रखा जाए। श्री नेहरू ने बड़ी स्पष्टता से कहा है कि "आप इस बात को प्रस्ताव में चाहे लिखें, चाहे न लिखें, अंग्रेज़ी लाजमी तौर से भारत में बहुत महत्त्वपूर्ण भाषा बनकर रहेगी जिसे बहुत लोग सीखेंगे और शायद उन्हें उसे जबरन सीखना होगा।" लोग इन तमाम वर्षों में अंग्रेज़ी जबरन सीखते आए हैं। अब उनके सामने एकमात्र यह सम्भावना पेश की गई है कि अंग्रेज़ी के बिना हमारी कला और विज्ञान का पतन हो जाएगा और देश का विघटन होगा, उसका नाश हो जाएगा।

अंग्रेज़ी की विशेषाधिकार वाली स्थिति इस बात से और दृढ़ हो गई है कि उसका व्यवहार सुप्रीम कोर्ट और प्रत्येक हाईकोर्ट की कार्यवाही में, पार्लियामेंट या विधान सभाओं में पेश होनेवाले हर बिल के लिए होगा और बिल का अंग्रेज़ी रूप ही अधिकारी रूप माना जाएगा। यदि राज्यपाल या राज्यप्रमुख की आज्ञा से किसी बिल, एक्ट या आर्डिनेंस के लिए हिन्दी का व्यवहार किया जाएगा तो अंग्रेज़ी रूप ही अधिकारी रूप माना जाएगा। भारतीय जनता के लिए इससे अधिक अपमानजनक दूसरी बात हो नहीं सकती। अंग्रेज़ी के मुक़ाबले में तमाम भारतीय भाषाओं को नीचा दर्जा संविधान ने ही दे रखा है।

संविधान में यह लिख दिया गया है कि पन्द्रह वर्ष तक भारत की भाषा-नीति में कोई भी परिवर्तन न होगा। संविधान ने राज्यों को इसके लिए भी बाध्य किया है कि वे एक-दूसरे से केवल हिन्दी या अंग्रेज़ी में ही पत्र-व्यवहार करें। अपनी सरकारी कार्यवाही में विशेष कानून बनाए बिना कोई राज्य अंग्रेज़ी की जगह अपनी भाषा का व्यवहार नहीं कर सकता। नतीजा यह है कि लगभग सभी राज्यों में सारा

सरकारी काम अंग्रेज़ी में होता है। इस प्रकार यह विदेशी भाषा न केवल अखिल भारतीय स्तर पर अनिवार्य राजभाषा बनी हुई है वरन् विभिन्न राज्यों में भी अनिवार्य राजभाषा बनी हुई है।

भारत के कुछ बुद्धिजीवी अनिवार्य राजभाषा के रूप में हिन्दी का तो विरोध करते हैं लेकिन अंग्रेज़ी जो सब पर हावी है और जिसे खास अधिकार मिले हुए हैं, उसके बारे में चुप रहते हैं। ये लोग समझते हैं कि आम जनता पिछड़ी हुई है, इसलिए अंग्रेज़ी पढ़े लोगों का काम है उस पर शासन करना और जनता का काम है शासित होना। कहा जाता है कि अंग्रेज़ी के बिना देश की आर्थिक और सांस्कृतिक प्रगति बन्द हो जाएगी। लेकिन आम जनता के सहयोग के बिना किसी तरह की प्रगति नहीं हो सकती : न आर्थिक, न सांस्कृतिक।

भाषा के आधार पर राज्यों के पुनर्गठन का विरोध करने से अंग्रेज़ी का प्रभुत्व क़ायम रखने में मदद मिलती है। एक ही राज्य में अनेक जातियों के रहने से उनमें से कोई भी अपना राजकाज अपनी भाषा में नहीं कर सकती। जातीयता के आधार पर जब तक लोग अपने राज्यों में पुनर्गठित न होंगे, तब तक अंग्रेज़ी का प्रभुत्व समाप्त न होगा।

ब्रिटिश साम्राज्यवादियों के मुखपत्र लन्दन के 'इकॉनोमिस्ट' ने लिखा था : "भारत की संविधान सभा ने गरम बहस के बाद तय किया है कि हिन्दी के राजभाषा बनने से पहले अभी पन्द्रह साल तक अंग्रेज़ी राजभाषा और बनी रहेगी। इससे पता चलता है कि भारत के राजनीतिज्ञ यथार्थ का सामना करने को तैयार हैं और समझौता स्वीकार करते हैं। उनके इस रवैये की बहुत-सी मिसालें आज़ादी के बाद मिल चुकी हैं।"

इस साम्राज्यवादी पत्र और राज्यपाल श्री के.एम. मुंशी के यथार्थ-दर्शन में काफ़ी समानता मालूम होती है।

जहाँ तक अंग्रेज़ी के प्रभुत्व का सवाल है, हम वहीं हैं, जहाँ सन् '47 में थे। यह प्रभुत्व और दृढ़ ही हुआ है। असली यथार्थ यही है जिसका दर्शन आम जनता आये-दिन करती है; इस यथार्थ को बदलना है। भारतेन्दु हरिश्चन्द्र, सुब्रह्मण्य भारती, वीरेश लिंगम्, वल्लत्तोल आदि महान् साहित्यकारों ने जो संघर्ष आरम्भ किया था, उसे तब तक जारी रखना चाहिए जब तक अंग्रेज़ी को हटाकर भारतीय भाषाओं को उनके उचित अधिकार न दिला दिये जाएँ। यह संघर्ष हमारे राष्ट्रीय चरित्र, राष्ट्रीय गौरव और आत्मसम्मान की सुरक्षा के लिए संघर्ष है; यह समानता और परस्पर सहयोग के आधार पर भारतीय जनता की एकता को दृढ़ करने के लिए संघर्ष है।

भारत में पूँजीवादी राष्ट्रवाद की लपटें उठ रही हैं। उत्तर-दक्षिण के लोग भीम और दुर्योधन के समान एक-दूसरे पर प्रहार करने को उद्यत दिखाई देते हैं। संविधान-सभा की बहस में श्री एल.के. मैत्र, श्री गाडगिल, श्री रामलिंगम् चेट्टियार, श्री श्यामाप्रसाद मुखर्जी, श्री शंकरराव देव आदि ने हिन्दी के प्रभुत्व से भय की बात की। श्री श्यामाप्रसाद मुखर्जी ने कहा था : "भारतीय संविधान में एक धारा बना देने से आप सब लोगों को

बाध्य नहीं कर सकते कि वे एक ही भाषा को स्वीकार कर लें।" उन्होंने यह भी कहा था : "दुर्भाग्य से लोगों में यह भय है और कई जगह उस भय का अमली रूप भी दिखाई देता है। इन जगहों में लोगों को अपनी भाषाओं के व्यवहार की उतनी सुविधा भी नहीं दी गई जितनी घृणित विदेशी राज्य में भी उन्हें प्राप्त थी।"

संविधान में हिन्दी को राजभाषा का पद दिया गया है, किन्तु इस राजभाषा का कार्यक्षेत्र क्या है? अंग्रेज़ी ने राजभाषा बनकर प्रादेशिक भाषाओं के बहुत-से अधिकार छीन लिये थे। विभिन्न राज्यों को स्वायत्त शासन के काफ़ी अधिकार दिये बिना अंग्रेज़ी की जगह हिन्दी को देने का मतलब है, दूसरी भाषाओं के अधिकार नियंत्रित करना। संविधान में हिन्दी के विकास की बात कही गई है; अन्य भाषाओं का उल्लेख नहीं है। इस तरह की मनोवृत्ति से भारत की विभिन्न जातियों में मैत्री और भाईचारा न बढ़ेगा।

भारत की कम्युनिस्ट पार्टी के कार्यक्रम में कहा गया है : "देश की एकता के नाम पर एक प्रदेश की भाषा 'हिन्दी' को सभी जातियों और राज्यों के लिए उनकी भाषाओं का अहित करते हुए, अनिवार्य राजभाषा बना दिया गया है, इसलिए अहिन्दी जातियाँ अनिवार्य राजभाषा के रूप में हिन्दी का विरोध करती हैं और माँग करती हैं कि उनकी भाषाओं को सभी सरकारी कामों में इस्तेमाल किये जाने की सुविधा दी जाए।"

भाषावार राज्य-निर्माण का आन्दोलन ज़ोर पकड़ रहा है। यह स्पष्ट है कि जातीयता के आधार पर जो नये राज्य गठित होंगे, उनमें राजकाज की भाषाएँ प्रादेशिक भाषाएँ होंगी। जो लोग दक्षिण भारत में हिन्दी-प्रचार करते रहे हैं, वे इस बात को समझते हैं। उन्होंने कहा है कि अपने-अपने प्रान्तों में प्रादेशिक भाषाएँ ज्ञान-विज्ञान और राजकाज की भाषाएँ बन जाएँगी, तभी हिन्दी सचमुच राष्ट्रभाषा बनेगी।

मार्क्सवाद दूसरों की इच्छा के विरुद्ध किसी भाषा को अनिवार्य राजभाषा बनाने का विरोध हमेशा करता रहा है। लेकिन वह एक या अधिक भाषाओं के माध्यम द्वारा विभिन्न जातियों के परस्पर सम्पर्क क़ायम करने का समर्थक भी रहा है। लेनिन ने इस बात की ओर ध्यान दिलाया था कि स्विट्जरलैंड की पार्लियामेंट में इटालियन-भाषी प्रतिनिधि फ्रेंच बोलते हैं और कहा था : "ऐसा वे किसी बर्बर पुलिस कानून के कारण डंडे के भय से नहीं करते (स्विट्जरलैंड में ऐसा कोई कानून नहीं है) वरन् केवल इसलिए कि किसी भी जनतंत्र के सभ्य नागरिक उस भाषा का व्यवहार करना उचित समझते हैं जिसे वह संख्यक जनता समझती हो।"

सोवियत संघ के राष्ट्रपति कालीनिन ने ग़ैर-रूसी जातियों में राजनीतिक प्रचारकों से कहा था : "यह बहुत ज़रूरी है कि ग़ैर-रूसी जातियों के सैनिक रूसी भाषा सीखें। रूसी भाषा सीखे बिना फ़ौज में काम नहीं चल सकता। हमारे फ़ौजी क़ायदे-कानून रूसी में होते हैं। इसी भाषा में फ़ौजी हुक्मनामे जारी किये जाते हैं और रूसी में ही सिपाहियों की कमान होती है। सोवियत संघ में रूसी सभी जनों की सम्पर्क-भाषा है।"

लेनिन ने जातीय समस्या पर लिखते हुए कहा था : "आर्थिक सम्पर्क की आवश्यकताएँ स्वयं बता देंगी कि किसी देश में बहुसंख्यक लोगों को किस भाषा के सीखने से व्यापार आदि में सुविधा होगी।" अंग्रेज़ों के आने से पहले भारत में व्यापार का अभाव न था। अनुभव से साबित हो गया है कि कौन-सी भाषा सीखने से बहुसंख्यक जनता को लाभ होता है। यह हिन्दुस्तानी जाति की भाषा है। सोलहवीं-सत्रहवीं सदियों में ही व्यापार की उन्नति होने पर यह भाषा देश के विभिन्न और सुदूर प्रदेशों तक पहुँच रही थी। न केवल भारत के व्यापारी यह भाषा सीखते थे वरन् विदेशी सौदागर भी, अंग्रेज़ी की श्रेष्ठता पर ध्यान न देकर, यही भाषा सीखते थे। यही कारण है कि इटली के यात्री मनुच्ची ने शिवाजी से हिन्दुस्तानी में बातचीत की थी। महाराष्ट्र और तंजौर में हिन्दी में कविता रचनेवालों का अस्तित्व इस भाषा की लोकप्रियता का प्रमाण है। इसलिए यह समझना ग़लत है कि अंग्रेज़ी के बिना न राष्ट्रीय आन्दोलन होता, न राष्ट्रीय एकता होती। अंग्रेज़ों ने देश के एकीकरण में बाधा डाली; इस एकीकरण में हिन्दुस्तानी जाति की भाषा महत्त्वपूर्ण भूमिका पूरी कर रही थी। वैष्णव कवियों ने सांस्कृतिक स्तर पर जनता की एकता को दृढ़ किया। उन्नीसवीं सदी के समाज-सुधारकों और धर्म-प्रचारकों ने अपने कार्य के लिए इस भाषा को अपनाया। यह स्वाभाविक था; क्योंकि संख्या की दृष्टि से सम्भवत: चीनी जाति को छोड़कर हिन्दुस्तानी जाति संसार की सबसे बड़ी जाति है। इस कारण भारत की विभिन्न जातियों में आर्थिक और सांस्कृतिक सम्पर्क के लिए उसका व्यापक व्यवहार हुआ।

भारत की कम्युनिस्ट पार्टी अनिवार्य राजभाषा का विरोध करती है। इसका यह अर्थ नहीं है कि वह राष्ट्रीय एकता का मूल्य नहीं समझती, या उस एकता को दृढ़ नहीं करना चाहती। कम्युनिस्ट पार्टी पूरी तरह अनुभव करती है कि राष्ट्रीय स्वाधीनता की सुरक्षा और देश की आर्थिक प्रगति के लिए यह आवश्यक है कि विभिन्न राज्यों और प्रदेशों की जनता की एकता और परस्पर भाईचारा दृढ़ किया जाए। स्वभावत: प्रश्न उठता है कि जिन लोगों की मातृभाषाएँ अलग-अलग हैं, वे किस भाषा में परस्पर बातचीत करें? भारत की ठोस परिस्थितियों को ध्यान में रखते हुए कहा जाएगा कि यह भाषा हिन्दी ही हो सकती है। यह प्रक्रिया अभी भी चालू है। इसलिए अपनी मदुरा कांग्रेस में कम्युनिस्ट पार्टी ने यह स्पष्ट कहा है कि अनिवार्य राजभाषा को लादने का विरोध करते हुए भी पार्टी चाहती है कि हिन्दी विभिन्न राज्यों की जनता तथा उनकी सरकारों के बीच परस्पर सम्पर्क का साधन अधिकाधिक बने।

[1954-55]

14

# अंग्रेज़ी के हिमायती

अंग्रेज़ी अन्तरराष्ट्रीय भाषा है और उसे इस पद पर बनाए रखने में भारत के राष्ट्रीय लेखकों ने काफ़ी योग दिया है। उपन्यास, कविता, राजनीति, विज्ञान—किस पर वे नहीं लिखते? किस पर वे नहीं बोलते? अभी तक साहित्य और संस्कृति का अन्तरराष्ट्रीय इतिहास नहीं लिखा गया; लिखे गए हैं विश्व, महाद्वीपों, राष्ट्रों या जातियों के इतिहास। यदि कभी अंग्रेज़ों ने अपनी भाषा का महत्त्व पहचाना और उसका अन्तरराष्ट्रीय सांस्कृतिक इतिहास लिखा तो उन्हें इन भारत के अंग्रेज़ अदीबों को महत्त्वपूर्ण स्थान देना होगा।

पिछले दिनों एक अंग्रेज़ी पत्र के 'कॉलमनिस्ट'—'अदीब'—ने भारतीय भाषाओं के बारे में रोचक विचार प्रकट किये हैं। उनका कहना है कि अंग्रेज़ी की-सी व्यंजक शक्ति किसी भारतीय भाषा में नहीं है; इसलिए भावुकता छोड़कर अंग्रेज़ी की शरण जाना ही उचित है। यह बात कितनी सही है, इसे 'अदीब' के साथ इन पंक्तियों का लेखक भी अनुभव कर रहा है। 'कॉलमनिस्ट' का पर्यायवाची हिन्दी में मिलता नहीं है; उधर अंग्रेज़ी शब्द को ज्यों-का-त्यों लिखने में खतरा यह है कि अपढ़ हिन्दी-भाषी उसे अपभ्रंश बनाकर 'कलमनष्ट' न कर दें। हिन्दी के पाठक ऐसे जाहिल हैं कि उनमें से कुछ 'अदीब' का अर्थ 'अदब' लगा लें, तो भी आश्चर्य नहीं। लेकिन इतना तो उन्हें मालूम ही होना चाहिए कि अदीब अंग्रेज़ी का शब्द नहीं है; हिन्दुस्तान का न सही, एशिया का तो है। अंग्रेज़ी के लेखक होते हुए भी 'अदीब' ने अपने लिए एशियाई उपनाम चुना, इस पर दो महीने बाद दिल्ली में होनेवाले एशियाई लेखक-सम्मेलन को उन्हें बधाई देनी चाहिए।

हिन्दी की व्यंजना-शक्ति कितनी सीमित है, इसके उदाहरणस्वरूप 'अदीब' ने इलियट की दो पंक्तियों का अनुवाद दिया है :

*हम खोखले हैं!*
*हमारे अन्दर भूसा भरा हुआ है!*

महाकवि इलियट को नोबेल पुरस्कार मिल चुका है। अब हिन्दी के पाठक उनकी रचनाओं में ऐसे महान् विचार प्रकट होते देखकर आधुनिक अंग्रेज़ी कविता

के बारे में क्या सोचेंगे, जो सोचेंगे, उससे भारत-ब्रिटेन-मैत्री कैसे दृढ़ होगी और भारत में अंग्रेज़ी साहित्य-रचना का भविष्य क्या होगा, इस तरह की समस्याएँ सभी चिन्तकों को चिन्तित कर सकती हैं। इलियट की महान् कल्पना—हम खोखले हैं; हमारे अन्दर भूसा भरा हुआ है!—'अदीब' के अनुसार हिन्दी के अनुवाद में सत्य बात कहते हुए भी हास्यास्पद हो जाती है। वास्तव में सत्य कभी-कभी हास्यास्पद हो ही जाता है, यद्यपि हिन्दी में हास्य-रस को उतना ही उच्च स्थान दिया गया है जितना अन्य रसों को। सहृदयों को तो साधारणीकरण द्वारा यहाँ भी रस-निष्पत्ति में आपत्ति न होगी!

इलियट-जैसे कवियों का उल्लेख करते हुए 'अदीब' ने पूछा है कि इनसे हिन्दी, बंगला या तमिल कैसे बुलवाएँ? बहुत ही अदब से कहना चाहता हूँ कि बंगला या तमिल में बुलवाने की ज़रूरत क्या है। राष्ट्रभाषा हिन्दी ही उन सबकी बोलियों का प्रतिनिधित्व करने के लिए काफ़ी है। फिर आपने हमारे प्रयोगवादियों की बोली नहीं सुनी? इतने दिन इलियट के भूसे में हिस्सा बँटाकर जो वत्स आनन्दमय स्वर में रँभाते रहे हैं, उनकी रागिनी पर आपने कान नहीं दिया? माना कि 'हम खोखले हैं' और अंग्रेज़ी की मूल पंक्तियों का अनुवाद करना कठिन है, लेकिन उसी काव्य-परम्परा की इस एक पंक्ति का आप ही अंग्रेज़ी में अनुवाद कर डालिए : "मैं ही मरघट का वह रिरियाता कुत्ता।"

'अदीब' ने क्या ही सुन्दर विचार प्रकट किया है :

A language is not a donkey! भाषा गधा नहीं है। गधे तो भाषा के बोलने और लिखनेवालों में होते हैं। भाषा को ठोकर मारो, चाहे पुचकारो, कोई लाभ न होगा। लेकिन यह क्रिया भाषा के बोलने या लिखनेवालों के साथ करो, अवश्य फल देगी। मेरी समझ में भारत में अंग्रेज़ी के लेखकों के प्रति हमारी राष्ट्रीय नीति पुचकारने की है और भारतीय भाषाओं के लेखकों को ठोकर मारने की। मैं इस नीति की सफलता चाहता हूँ।

और इस नीति में बुरा क्या है? भारत के लोगों ने अपनी भाषाएँ छोड़कर अभी तक अंग्रेज़ी नहीं अपना ली—जैसेकि ज़ारशाही रूस के अभिजात वर्ग ने फ्रांसीसी भाषा अपना ली थी—इस संकीर्णता को क्या कभी क्षमा किया जा सकता है? रूसी लेखक गोगल ने एक नगर की सम्भ्रान्त महिलाओं के बारे में लिखा था : "रूसी भाषा का संस्कार करने और उसे ऊँचा उठाने के लिए उन्होंने अपने शब्द-भंडार के आधे शब्द बहिष्कृत करके उनकी जगह फ्रांसीसी शब्द रख लिये थे।"

आप स्वीकार करेंगे कि दिल्ली और बम्बई-जैसे नगरों के सज्जन—अर्थात् वास्तव में शिक्षित सज्जन—उन रूसी महिलाओं से बाज़ी मार ले गए हैं।

सम्भ्रान्त रूसी समाज के पाठकों के लिए गोगल ने लिखा था : "इनके मुँह से कभी कोई सभ्य रूसी शब्द सुनने को नहीं मिलता। फ्रांसीसी, जर्मन और अंग्रेज़ी

शब्दावली का प्रवाह उनके मुँह से फूट पड़ता है। उनका उच्चारण भी तरह-तरह का होता है। वे फ्रांसीसी बोलते हैं तो नाक से, और थोड़ा तुतलाते हुए। अंग्रेज़ी बोलते हैं तो चिड़ियों की तरह, दुरुस्त चहचहाते हुए। और जब बोलते हैं तब चिड़ियों-जैसे दिखाई भी देते हैं। वे उन पर हँसते हैं, जो चिड़ियों-जैसा मुँह नहीं बना पाते। वे रूसी में कुछ नहीं लिखते। उनकी देशभक्ति इसमें प्रकट होती है कि वे ग्रीष्म-निवास के लिए रूसी शैली में झोंपड़ी बनवा लें।"

लेकिन अब शिमला, मसूरी, नैनीताल आदि में अंग्रेज़ी शैली के 'कॉटेज' होने के कारण भारत के अन्तरराष्ट्रीयतावादियों के लिए हिन्दुस्तानी ढंग की झोंपड़ी बनाना भी आवश्यक नहीं। यहाँ भी वे रूसियों से आगे हैं।

गोगल की शिकायत है कि उस समय के सम्भ्रान्त विद्वान् रूसी भाषा के लिए स्वयं तो कुछ न करते थे, लेकिन यह माँग अवश्य करते थे कि रूसी भाषा परिष्कृत और समृद्ध हो जाए, वह अपने परिष्कृत और समृद्ध रूप में आसमान से उतरे और उनका काम इतना ही हो कि जीभ निकालकर उसे गप कर लें।

लेकिन 'अदीब' की यह माँग नहीं है कि हिन्दी या अन्य भारतीय भाषाओं को समृद्ध किया जाए। उनकी माँग यह है कि भारतीय भाषाओं के बदले अंग्रेज़ी में ही सारा काम होता रहे। यहाँ भी भारत के सम्भ्रान्त विद्वानों ने ज़ारशाही रूस के सम्भ्रान्त विद्वानों को पीछे छोड़ दिया है।

'अदीब' ने चेतावनी दी है कि अंग्रेज़ी का सहारा न लिया तो पुल टूटने लगेंगे और दूसरी-तीसरी-चौथी पंचवर्षीय योजनाएँ असफल हो जाएँगी। यह चेतावनी एकदम सामयिक है। अभी हिन्दी को केन्द्रीय राजकाज की भाषा बनाने की बात ही चली है कि हैदराबाद राज्य में दो बार पुल टूट चुके हैं और जनता की भारी क्षति हुई है। जब चर्चा का ही यह फल है, तब व्यवहार में आने पर हिन्दी से कौन-सी क्षति न होगी, आप स्वयं अनुभव कर सकते हैं! इसी तरह योजनाओं के सम्बन्ध में भी। घूस और रिश्वत का बाज़ार गर्म है। योजना पूरी हो नहीं पाती कि घूस-गबन की जाँच के लिए समिति बैठाना आवश्यक हो जाता है। जब तक हिन्दी का पूर्ण बहिष्कार नहीं हो जाता, तब तक हर योजना को व्यवहार में लाने के साथ-साथ घूस और रिश्वत की जाँच के लिए पहले से ही एक समिति बना देनी चाहिए। इससे सिद्ध हो जाएगा कि योजनाओं द्वारा पैसा खानेवालों का हिन्दी से कितना गहरा सम्बन्ध है।

अन्तरराष्ट्रीय क्षेत्र में भारत का सम्मान बढ़ रहा है। राष्ट्रीय जीवन में भी अंग्रेज़ी का वैसा ही प्रभुत्व रहे तो अशिक्षा, बेकारी, बाढ़, भुखमरी आदि की समस्याएँ तुरन्त हल हो जाएँ और पं. नेहरू की गृहनीति में भी चार चाँद लग जाएँ। अन्तरराष्ट्रीय राजनीति में 'पंचशील' का शब्द ज़रूर चल पड़ा है। यह 'पंचशील' या और किसी तरह का शील उन अंग्रेज़ों-अमरीकियों को पसन्द नहीं है, जिनकी अपनी भाषा अंग्रेज़ी है। इस शब्द को त्याग देना चाहिए। इसके सिवा आपने ध्यान दिया होगा

कि रूस के प्रधानमंत्री आए थे तो अपने साथ हिन्दी बोलनेवाला दुभाषिया लाए थे। स्पष्ट है कि साम्यवादी देशों के राजनीतिज्ञ अंग्रेज़ी के बदले हिन्दी को प्रश्रय देते हैं। इसलिए जो लोग राष्ट्रीय और अन्तरराष्ट्रीय क्षेत्र में भारत द्वारा अंग्रेज़ी के बदले हिन्दी के व्यवहार पर ज़ोर देते हैं, वे जान में या अनजान में रूसी षड्यंत्र के सहायक बन जाते हैं।

'अदीब' की घ्राण-शक्ति सराहनीय है कि उन्हें हिन्दी में मध्यकालीनता की गंध मिल गई। जिनकी घ्राण-शक्ति क्षीण हो गई है, वे हिन्दी को आधुनिक भाषा समझने लगे हैं। यद्यपि विज्ञान-सम्बन्धी पुस्तकें हिन्दी में काफ़ी निकली हैं, लेकिन वैज्ञानिकों ने उसमें मौलिक पुस्तकें तो नहीं ही लिखीं। इसलिए हिन्दी और उसी की तरह अन्य भारतीय भाषाओं में भी मध्यकालीनता मिले, तो आश्चर्य क्या? अब अंग्रेज़ी को देखिए। उसके द्वारा अणु बम बनाए जाते हैं जिनसे विश्वशान्ति क़ायम है और भंग भी होगी तो जनसंख्या की समस्या हल हो जाएगी। हमारा विचार है कि प्राचीन भारत में गणित ने जो प्रगति की थी, वह भी अंग्रेज़ी के कारण। आर्यभट ने अवश्य नेसफील्ड ग्रामर पढ़ी होगी। दशमलव-ज्ञान का श्रेय भारत को दिया जाता है, लेकिन उस श्रेय में नेसफील्ड का भी हाथ है, यह बहुतों को नहीं मालूम। पाणिनि ने अपना व्याकरण लिखा और आधुनिक भाषाविज्ञान के विकास में उस व्याकरण की महत्त्वपूर्ण भूमिका स्वीकार की जाती है। दुर्भाग्य से पाणिनि पर नेसफील्ड के प्रभाव की खोज किसी भी डॉक्टरेट के उम्मीदवार ने अभी तक नहीं की। जर्मनी, इटली, फ्रांस, रूस आदि देशों में जो वैज्ञानिक प्रगति हुई है, उसका कारण यह है कि वहाँ की भाषाएँ अंग्रेज़ी से उत्पन्न हुई हैं। न उत्पन्न हुई होंगी, तो वहाँ का सारा वैज्ञानिक कार्य अंग्रेज़ी के माध्यम से होता होगा। न होता होगा, तो वह विशुद्ध वैज्ञानिक कार्य भी न होगा। जिस तरह भी विचार करें, आप यह स्वीकार किये बिना न रहेंगे कि संसार में वैज्ञानिक प्रगति अंग्रेज़ी द्वारा ही हुई है। सुना है कि मंगल नक्षत्र में जो प्राणी रहते हैं, वे भी अंग्रेज़ी बोलते हैं। अमरीकी खगोल-विशारदों ने रेडियो पर उनसे बातचीत की है। इस प्रकार अंग्रेज़ी का महत्त्व विश्वव्यापी ही नहीं, सृष्टिव्यापी है।

अस्तु! 'अदीब' के इस निष्कर्ष से सहमत होना ही होगा कि किसी राष्ट्र के जीवन में दस, सौ या हज़ार वर्ष भी क्या हैं, सोचने-विचारने और आगा-पीछा देखने के लिए समय की कमी नहीं है। तब तक आइए, हम इस मंत्र का जप करें :

हम खोखले हैं!<br>
हममें भूसा भरा हुआ है!

[1956]

15

# सोवियत क्रान्ति और भाषा-समस्या

आज से चालीस साल पहले संसार की महान् समाजवादी क्रान्ति की विजय ने पिछड़े हुए बहुजातीय देशों के सामने सामाजिक और सांस्कृतिक विकास का एक नया आदर्श रखा। यह विकास पिछड़ी हुई जातियों की भाषाओं के माध्यम से ही सम्भव था। इसलिए सामाजिक विकास की समस्याओं के साथ समाजवादी क्रान्ति ने भाषा-समस्या हल करने का भी एक नया मार्ग हमें दिखलाया।

अभी सौ साल न बीते थे जब रूस का अभिजात वर्ग रूसी को पिछड़ी हुई भाषा मानता था; वह अपने सांस्कृतिक जीवन में अधिकतर फ्रांसीसी भाषा का व्यवहार करता था। हमारे देश में भी अनेक विद्वान् हिन्दी ही नहीं, भारत की सभी भाषाओं को पिछड़ी हुई मानते हैं। इसलिए केन्द्रीय राजकाज के लिए वे बहुत दिनों तक अंग्रेज़ी का व्यवहार उचित समझते हैं। रूस के नेताओं ने अपने राजनीतिक पत्र फ्रांसीसी के बदले रूसी में ही प्रकाशित किये थे; रूसी उनके राजनीतिक जीवन की भाषा थी। ग़ैर-रूसी इलाकों के नेता वहाँ की भाषाओं का व्यवहार करते थे। इसलिए रूसी को पिछड़ी हुई भाषा मानकर संक्रमण काल के लिए अनेक वर्षों तक फ्रांसीसी भाषा के व्यवहार का प्रस्ताव उन्होंने नहीं रखा। रूसी जनता के लिए उन्होंने तुरन्त रूसी भाषा को राजकाज की भाषा घोषित कर दिया। आज तो लोग मानते हैं कि रूसी संसार की समृद्ध भाषाओं में है लेकिन यह स्थिति 1917 में न थी। तोल्स्तोय, चेख़व, गोर्की आदि कुछ उपन्यासकार अवश्य हो गए थे, जैसे भारत में रवीन्द्रनाथ, भारती, प्रेमचन्द, शरत्चन्द्र, इक़बाल आदि कवि और कथाकार हो गए हैं। लेकिन फ्रांस, जर्मनी और ब्रिटेन की तुलना में वैज्ञानिक शिक्षा की पुस्तकें उसमें कहाँ थीं? यह तर्क दिया जा सकता था कि किसी भी विषय की समुचित शिक्षा के लिए रूसी भाषा पर्याप्त नहीं है; इसलिए जब तक वह समृद्ध न हो जाए, तब तक केन्द्रीय राजकाज फ्रांसीसी में होना चाहिए। लेनिन के नेतृत्व में स्वाभिमानी रूसी जनता ने अपनी पिछड़ी कहलानेवाली, अभिजात वर्ग द्वारा उपेक्षित भाषा में ही अपना सारा राजनीतिक और सांस्कृतिक कार्य आरम्भ किया।

भारत में जहाँ भाषा और शिक्षा की हज़ारों वर्ष पुरानी परम्परा है (सिन्धु घाटी के जन भी लिखना-पढ़ना जानते थे), वहाँ आज यह दयनीय स्थिति है कि देश की सभी भाषाओं को पिछड़ा हुआ मानकर अनेक वर्षों के लिए अंग्रेज़ी के व्यवहार का समर्थन किया जाता है!

खैर, रूसी में तो रवीन्द्रनाथ, प्रेमचन्द की तरह तोल्स्तोय और गोर्की जैसे विश्वविख्यात लेखक थे। वैज्ञानिक शब्दावली में फ्रेंच के मुक़ाबले में रूसी भले ही पिछड़ी रही हो, कथा-साहित्य में हिन्दी और बंगला की तरह रूसी समृद्ध थी। किन्तु बेलोरूसी, उक्रैनी, जार्जियाई आदि भाषाओं में तो इतने बड़े नाम न थे। सोवियत राज्यसत्ता ने उन्हें भी अपने-अपने क्षेत्र में राजकाज की भाषा बनाया। इनसे भी गई-गुजरी अज़रबैजानी, ताजिक, कज़ाक आदि भाषाएँ थीं जिनमें मौखिक साहित्य ही अधिक प्रचुर था। ये भी राजकाज की भाषा बनीं। इनसे भी 'पिछड़ी हुई' चुकची, बुर्यात, मंगोल, चेरकास, समोयेद आदि भाषाएँ थीं जिनकी स्थिति भारत के अनेक आदिवासी जनों की भाषाओं से भी गई-बीती थी। इनको भी विकसित होने का मौक़ा मिला। आज उनमें व्याकरण, कोश, विज्ञान, कथा-साहित्य, काव्य—सभी-कुछ है। हमारे देश में भाषा-समस्या के विवेचन में आदिवासियों की भाषाओं की चर्चा करने का अभी चलन नहीं है।

सोवियत संघ में कहीं भी यह दलील नहीं दी गई कि भाषाएँ पिछड़ी हुई हैं, इसलिए चालीस साल तक, उनके व्याकरण और शब्दकोश तैयार होने तक, उनकी जगह रूसी भाषा का व्यवहार होगा। भाषा जनता के लिए है, जनता भाषा के लिए नहीं है। हमारे देश में जनता की आवश्यकताओं को देखकर भाषा-समस्या हल नहीं की जाती; अंग्रेज़ी से हमारे जो काम हो जाते हैं, वे भारतीय भाषाओं से होंगे या नहीं, यह समस्या पहले आती है। पारिभाषिक शब्दावली इस तरह गढ़ी जाती है मानो वह जनता के काम आने के लिए नहीं, उसकी जीभ और तालू का व्यायाम कराने के लिए है! पूँजीवादी और समाजवादी दृष्टिकोणों में यही अन्तर है। यदि भारत में साधारण जनता शासन के कामों में भाग ले, यदि उसके अपने जन-संगठन राज्यसत्ता का वास्तविक आधार हों, अर्थात् यदि इस जनवादी देश में जनता का राज सचमुच हो तो क्या यह कल्पना की जा सकती है कि एक दिन भी यहाँ अंग्रेज़ी से काम चलेगा?

'नवम्बर क्रान्ति' ने मानवता के उद्धार और विकास का नया मार्ग दिखलाया; उस मार्ग पर चलकर नवनिर्माण का आदर्श हमारे सामने रखा। इस निर्माण में एक वर्ग दूसरे का शोषण और उत्पीड़न नहीं करता; उसमें एक जाति 'फ्री वर्ल्ड' के लुटेरों की तरह दूसरी जाति को दबाकर उसकी भाषा और संस्कृति को पैरों तले नहीं रौंदती। मानव-समाज जाति और वर्गों के रूप में ही संगठित हुआ है। वर्ग मिट जाने पर भी जाति बनी रहती है; इसलिए वर्ग-शोषण मिट जाने पर किसी सीमा तक

जातीय उत्पीड़न की सम्भावना रहती है। सोवियत संघ ने सभी जातियों में परस्पर समानता, दूसरे की स्वाधीनता की रक्षा, उसके घरेलू मामलों में दख़ल न देने और एक-दूसरे की सहायता करने का आदर्श हमारे सामने रखा है। समाजवादी देशों की भाषा-सम्बन्धी नीति इसी मानववादी दृष्टिकोण का परिणाम है। भारत में इस दृष्टिकोण को अपनाकर हम अपनी भाषा-समस्या हल कर सकते हैं और अंग्रेज़ी की गुलामी से छुटकारा पा सकते हैं।

[1957]

16

# अंग्रेज़ी-प्रेमी भारतवासी

अंग्रेज़ी भाषा के आदिकवि चौसर की प्रसिद्ध पुस्तक 'कैंटरबरी टेल्स' के 'प्रोलोग' (भूमिका) में एक पेशकार ('समनर') है जिसे लैटिन से बहुत प्रेम है। अदालत की कार्यवाही के सिलसिले में वह लैटिन के शब्द सुना करता है। इसलिए कुछ लैटिन शब्द उसे भी याद हो गए हैं। वैसे तो वह लोगों से अंग्रेज़ी में बातें करता है लेकिन जब शराब के नशे में होता है तब लैटिन छोड़कर बात नहीं करता।

अंग्रेज़ी राज की कृपा से कुछ लोगों ने अंग्रेज़ी भाषा सीखी है। वैसे तो वे अपनी भाषा में भी बात कर लेते हैं लेकिन जब हिन्दी को केन्द्रीय राजभाषा बनाने का सवाल उठता है, तब वे अंग्रेज़ी छोड़कर बात नहीं करते।

ये अंग्रेज़ी-प्रेमी भारतवासी अंग्रेज़ों से, विशेष कर अंग्रेज़ी साहित्य से, यह सीख सकते थे कि अपने देश और अपनी भाषा से कैसे प्रेम करना चाहिए। इनका मुख्य तर्क है कि अंग्रेज़ी समृद्ध है, विश्वभाषा है, हिन्दी दरिद्र है, चालीस फीसदी या उससे भी कम की भाषा है। थोड़ी देर के लिए हम यह तर्क स्वीकार कर लेते हैं। यदि इस मनोवृत्ति के लोग इंग्लैंड में होते तो शायद आज वहाँ अंग्रेज़ी को भी राजभाषा का पद न मिला होता, लोग 'समनर' की तरह लैटिन में ही राजकाज करते होते।

एक युग ऐसा भी था जब अंग्रेज़ी आज की हिन्दी से कहीं अधिक दरिद्र थी और अंग्रेज़ी जितना हिन्दी से बढ़कर आज है, उससे कहीं ज़्यादा अंग्रेज़ी के मुक़ाबले में लैटिन बढ़कर थी। लैटिन यूरोप की अन्तरराष्ट्रीय भाषा थी; वह ईसाइयों के संगठित धर्म-संघ की भाषा थी। सत्रहवीं सदी तक यूरोप और इंग्लैंड के लोगों में लैटिन द्वारा परस्पर कूटनीतिक सम्पर्क क़ायम रखा जाता था और अन्तरराष्ट्रीय वाद-विवाद लैटिन में होता था। इंग्लैंड में ऐसे लोगों की कमी नहीं थी जो अंग्रेज़ी को क्षणभंगुर और लैटिन को स्थायी भाषा मानकर उसी में, अथवा उसमें भी, अपने शाश्वत मूल्योंवाले ग्रंथ रचते थे। लैटिन ही नहीं, चौदहवीं-पन्द्रहवीं सदी में फ्रांसीसी भाषा अंग्रेज़ी से अधिक विकसित और समृद्ध थी। इंग्लैंड में ऐसे साहित्यकार भी थे जो फ्रांसीसी में रचना करके अमर होना चाहते थे। किन्तु इतिहास ने लैटिन और

फ्रांसीसी में लिखे हुए इनके ग्रंथों को कूड़े के ढेर में फेंक दिया जहाँ वे अब केवल अनुसन्धानकर्ताओं के काम आते हैं।

अंग्रेज़ों ने हिन्दुस्तान पर शासन किया; अंग्रेज़ों के देश पर भी रोमनों और फ्रांसीसियों ने शासन किया था। किसी समय इंग्लैंड के अभिजात वर्ग पर फ्रांसीसी भाषा का वैसा ही रौब ग़ालिब था, जैसा आज के समनर-गोत्रीय भारतवासियों पर अंग्रेज़ी का है। किन्तु लैटिन या फ्रांसीसी को अधिक समृद्ध मानकर अंग्रेज़ जनता ने उसे राष्ट्रभाषा न मान लिया। उसके साहित्यकारों ने अपनी भाषा को समृद्ध किया और उसे यूरोप की नवीन और प्राचीन भाषाओं की पाँति में सम्मानप्रद आसन दिलाया। अंग्रेज़ी समृद्ध होने के बाद राजभाषा नहीं बनी; राजभाषा होने के बाद वह समृद्ध हुई। वह लैटिन और फ्रांसीसी भाषाओं की तुलना में समृद्ध हुई जिनके हिमायती उसके उचित आसन से उसे हटाना चाहते थे।

अंग्रेज़ शासकों ने यहाँ की जनता के आर्थिक, राजनीतिक और सांस्कृतिक विकास को रोका। उन्होंने यहाँ की भाषा के ऊपर सम्राज्ञी की तरह अंग्रेज़ी को प्रतिष्ठित किया। अंग्रेज़ी भाषा को अंग्रेज़-प्रेमी भारतवासियों के पूर्वजों ने विधान सभा में प्रस्ताव पास करके स्वीकार न किया था। वह अंग्रेज़ आततायियों द्वारा लादी हुई भाषा थी। संसार में अंग्रेज़ी का बोलबाला मिल्टन और शेली के कारण नहीं हुआ, उसका प्रसार करनेवाले क्लाइव और डलहौजी की बिरादरी के थे। उत्तरी अमरीका, आस्ट्रेलिया, न्यूजीलैंड आदि देशों में अंग्रेज़ी का प्रसार करनेवाले वे आक्रमणकारी थे जिन्होंने वहाँ के आदिवासियों के नरमेध रचाये थे, जिनका मिल्टन और शेली से इतना ही सम्बन्ध था कि दोनों ही अंग्रेज़ी बोलते थे (कैसी अंग्रेज़ी बोलते थे, यह प्रश्न छोड़ दीजिए)। यदि समृद्धि के बल पर कोई भाषा अंग्रेज़ी की तरह 'विश्वभाषा' बनती तो पाणिनि और कालिदास की भाषा मृत भाषा न कहलाती; दांते, गेटे, तोल्स्तोय की भाषाएँ भी विश्वभाषा बन जातीं। अंग्रेज़ी के समर्थक उसके प्रसार के लिए मिल्टन और शेली का नाम लेते हैं; उस ब्रिटिश साम्राज्य की कहानी भूल जाते हैं जिसमें कभी सूर्यास्त न होता था और अर्नेस्ट जोन्स के शब्दों में जिसकी धरती पर कभी रक्त न सूखता था।

अंग्रेज़ी-प्रेमी भारतवासी अपनी प्रिय विश्वभाषा के पक्ष में जितना दलील देते हैं, उनमें एक भी ऐसी नहीं है जो पहले 'लिबरल' राजनीति-विशारदों ने न दी हो। ये 'लिबरल' भद्रजन अंग्रेज़ी राज और अंग्रेज़ी भाषा के मामले में अत्यन्त उदार थे, हिन्दुस्तानी जनता के राज और हिन्दी भाषा के बारे में अत्यन्त अनुदार थे। वे अंग्रेज़ी राज को प्रगतिशील मानते थे। अंग्रेज़ों को भारतीय अराजकता दूर करके यहाँ न्याय और शान्ति की व्यवस्था क़ायम करनेवाला मानते थे। कमी इतनी ही थी कि अंग्रेज़ उच्च पदों पर इन्हें नियुक्त न करते थे। भारतीय जनता के क्रान्तिकारी आन्दोलन से त्रस्त ये उदारपंथी महानुभाव नौकरियों में रियायतें पाने

के लिए परम प्रगतिशील अंग्रेज़ शासकों के सामने प्रार्थना-पत्र पेश करने में महान् गौरव अनुभव करते थे। उन्हीं की परम्परा निबाहनेवाले ये वर्तमान 'लिबरल' हैं जिनके लिए अंग्रेज़ी के राजभाषा न रहने से राष्ट्र छिन्न-भिन्न हो जाएगा, देश में गृहयुद्ध छिड़ जाएगा, हिन्दीवाले सब नौकरियाँ हथिया लेंगे, विश्व-संस्कृति से आदान-प्रदान के द्वार बन्द हो जाएँगे, इत्यादि। अंग्रेज़ों के चले जाने से बहुसंख्यक हिन्दू अल्पसंख्यक मुसलमानों और अछूतों को खा डालेंगे—राउंड टेबुल कॉन्फ्रेंसों में जैसे ब्रिटिश प्रधानमंत्री यह दलील पेश करते थे, वैसे ही स्वाधीन भारत के ये 'लिबरल' अंग्रेज़ी के बारे में कहते हैं, अंग्रेज़ी गई नहीं कि हिन्दीवाले सारी नौकरियाँ हथिया लेंगे, उत्तरवाले दक्षिण पर अपना साम्राज्य स्थापित कर लेंगे, अहिन्दी भाषाओं का नाम-निशान मिट जाएगा। यह बात नहीं है कि राउंड टेबुल कॉन्फ्रेंसों के दिनों में सम्प्रदायवादी रूढ़िवादी हिन्दू नहीं थे जो अछूतों को गुलाम बनाकर रखना चाहते, जो मुसलमानों को अपना शत्रु समझते थे। किन्तु इनसे अछूतों और मुसलमानों की रक्षा करने के लिए यह आवश्यक न था कि हिन्दू-अहिन्दू सभी अंग्रेज़ों की शरण जाते। आज भी ऐसे हिन्दी-प्रेमी हैं जो अहिन्दी भाषाओं को दबाकर हिन्दी को वही स्थान देना चाहते हैं जो अंग्रेज़ी को प्राप्त था। इनसे अहिन्दी भाषाओं की रक्षा करने का मार्ग यह नहीं है कि हम अंग्रेज़ी की शरण में जाएँ।

अंग्रेज़ी को राजभाषा बनाए रखने के पक्ष में उदारपंथियों की दलीलों का खंडन देशभक्त भारतवासियों ने ही न किया था, वरन् उनका खंडन भारत-प्रेमी अंग्रेज़ों ने भी किया था। उदाहरण के लिए उदार-हृदय सी.एफ. एंड्रूज़ ने 'द ट्रू इंडिया' नाम की अपनी पुस्तक में लिखा था : "अभी तक अंग्रेज़ी भाषा को समझनेवाले मुट्ठी-भर बुद्धिजीवी ही हैं किन्तु यह उभरती हुई साधारण भाषा जो हिन्दुस्तानी कहलाती है, उत्तर और मध्य भारत में पचीस करोड़ जनता द्वारा आसानी से समझी जाती है, दक्षिण में भी जहाँ द्रविड़ भाषाएँ बोली जाती हैं, उत्तर की इस भाषा से लोग थोड़ा-थोड़ा परिचित हो गए हैं। यहाँ मद्रास प्रेसीडेंसी के इस तिरुपत्तुर आश्रम में जब मैं लोगों की बातचीत सुनता हूँ तो उत्तर के उन संस्कृत शब्दों को पहचान लेता हूँ जो तमिल में घुल-मिल गए हैं। कल एक व्यक्ति मुझसे मिलने आया था; उससे जब मैंने अंग्रेज़ी में बातचीत करने की कोशिश की तो उसने कहा, 'कृपा करके हिन्दुस्तानी में बातचीत कीजिए'। और जब मैं उस भाषा में बोला तो वह मेरी बात आसानी से समझ गया।"

सी.एफ. एंड्रूज़ की यह पुस्तक 1939 में प्रकाशित हुई थी; तब से दक्षिण में हिन्दी पढ़नेवालों और हिन्दी समझनेवालों की संख्या बहुत बढ़ गई है। अंग्रेज़ी पढ़नेवालों और अंग्रेज़ी समझनेवालों की संख्या उसी अनुपात में नहीं बढ़ी। अंग्रेज़ी के समर्थक अब भी मुट्ठी-भर बुद्धिजीवी ही हैं।

भारत-प्रेमी ब्रिटिश महिला एनी बेसेंट ने 'इंडिया : बाउंड ऑर फ्री' में राजभाषा अंग्रेज़ी के विरुद्ध अपनी अन्य किसी रचना से यह कथन उद्धृत किया था : "जब मैकाले ने अंग्रेज़ी शिक्षा पर ज़ोर दिया था, तब वह भारत के महान् साहित्य को घृणा की दृष्टि से देख रहा था। उसने यह न अनुभव किया था कि अंग्रेज़ी शिक्षा पर ज़ोर देकर वह विशाल जनता को अज्ञान के हवाले कर रहा था। रोटी के बदले वह पत्थर दे रहा था। लड़के शिक्षा पाते थे और अपने देश की श्रेष्ठ कृतियों से अपरिचित रहते थे। वे अंग्रेज़ी में वक्तृता झाड़ सकते थे, अपनी मातृभाषा में नहीं। किसी देश में राष्ट्रीयता के भाव नष्ट करने का इससे अधिक कुशल उपाय नहीं है कि एक विदेशी भाषा को उच्च वर्गों की भाषा, कानून और अदालतों की, कॉलेजों की भाषा बना दिया जाए और सरकारी नौकरियों के लिए उस विदेशी भाषा की जानकारी आवश्यक कर दी जाए।"

एनी बेसेंट का कथन जितना युक्तिपूर्ण तब था, उतना ही आज भी है। अंग्रेज़ों के जाने के बाद साम्राज्यवाद से भारतीय जनता का अन्तर्विरोध समाप्त नहीं हो गया। इंडोनेशिया, पाकिस्तान, मिस्र, सीरिया आदि एशिया के देशों में साम्राज्यवाद अपने मित्रों की तलाश में है जिनकी सहायता से वह इन देशों के आन्तरिक जीवन में हस्तक्षेप करे। इसलिए भारतीय जनता की राष्ट्रीय एकता को दृढ़ करने की ओर हमें सचेत रहना चाहिए।

एनी बेसेंट ने 'इंडिया : बाउंड ऑर फ्री' में उपर्युक्त कथन उद्धृत करने के बाद लिखा था : "मैं यही कहना चाहूँगी कि इंग्लैंड ने बहुत-कुछ, यद्यपि पूरी तरह नहीं, उसी शिक्षा-नीति का अनुसरण किया था जिसे पोलैंड में रूस ने लागू किया था। स्कूलों में पोलिश भाषा में शिक्षा देना बन्द करा दिया गया था और वहाँ रूसी का वैसे ही प्रयोग होता था, जैसे यहाँ अंग्रेज़ी का। सभी देशों के तानाशाह एक-दूसरे से मिलते-जुलते हैं।"

आज उसी तरह कुछ अंग्रेज़ी-प्रेमी सज्जन शिक्षा-संस्थाओं में भारतीय भाषाओं की तुलना में अंग्रेज़ी को उच्चतर स्थान देना चाहते हैं। इससे भारतीय भाषाओं की कितनी क्षति होती है, इसकी ओर वे ध्यान नहीं देते। अंग्रेज़ी भाषा के आधुनिक 'लिबरल' हिमायतियों से एंड्रूज और बेसेंट के विचारों की तुलना कीजिए तो पता चल जाएगा कि इन भद्रजनों का दृष्टिकोण कितना प्रतिक्रियावादी है। राज्यसत्ता जनता के लिए है, जनता राज्यसत्ता के लिए नहीं है यह सत्य उनकी समझ से परे है। वे राज्यतंत्र को उसी पुराने नौकरशाही ढंग से चलाना चाहते हैं जिसमें नौकरशाह जनता के नौकर न होकर उसके शाह होते थे। यह युग जनतंत्र का है; जनता अधिक-से-अधिक शासन-तंत्र में भाग लेगी। शासनतंत्र जनता के उत्पीड़न का यंत्र न होकर उसकी सेवा का माध्यम बनेगा। इस शासनतंत्र में जनता अपनी भाषाओं द्वारा और केन्द्रीय राजकाज में हिन्दी द्वारा

ही भाग ले सकती है। अंग्रेज़ी चाहे जितनी समृद्ध हो और हिन्दी चाहे जितनी दरिद्र हो, राजभाषा के रूप में अंग्रेज़ी का भविष्य अन्धकारमय है, हिन्दी का भविष्य अत्यन्त उज्ज्वल। अंग्रेज़ी के समर्थक इतिहास की प्रगति से युद्ध कर रहे हैं; इसलिए उनकी पराजय निश्चित है।

राजभाषा की समस्या किसी भाषा के समृद्ध होने की कसौटी पर न तो अन्यत्र हल हुई है, न यहाँ होगी। सामाजिक और सांस्कृतिक जीवन की आवश्यकताओं ने अनेक बुद्धिजीवियों को भारतीय भाषाएँ अपनाने पर पहले भी बाध्य किया था, आगे भी करेंगी। इन आवश्यकताओं में कुछ अन्तरराष्ट्रीय समस्याओं ने इजाफा किया है। राष्ट्रीय आत्मसम्मान का निर्वाह शायद देश में इतना आवश्यक नहीं होता, जितना विदेश में। अख़बारों के अनुसार, स्वाधीन भारत के प्रधानमंत्री श्री जवाहरलाल नेहरू ने जनवरी में प्राग्ज्योतिषपुर में कहा था : "मैं अंग्रेज़ी का पक्षपाती हूँ। मैं चाहता हूँ कि न केवल भारत में अंग्रेज़ी पढ़ी जाए वरन् उसकी शिक्षा का और भी प्रसार हो। लेकिन मैं इसकी कल्पना नहीं कर सकता कि कोई अंग्रेज़ी को भारत की राष्ट्रभाषा कहे। मैं चाहता हूँ कि लोग इस बात पर ध्यान दें। यह कहना कि अंग्रेज़ी एक राष्ट्रीय भाषा है, सत्य के विरुद्ध है। यह झूठ है। मैं नहीं समझता कि यह दलील कैसे दी जा सकती है। यह बात विचारणीय है कि हम कब तक अंग्रेज़ी का व्यवहार करते हैं या व्यावहारिक कारणों से अंग्रेज़ी और हिन्दी दोनों को काम में लाते हैं।"

इसके बाद अख़बारी विवरण के अनुसार : "श्री नेहरू ने कहा कि विदेश मंत्री की हैसियत से अन्य देशों को काग़ज़-पत्र भेजते हुए वह बड़े असमंजस में पड़े कि जिन देशों में अंग्रेज़ी नहीं बोली जाती, उन्हें अंग्रेज़ी में लिखे हुए काग़ज़ पत्र कैसे भेजे जाएँ। दुनिया अंग्रेज़ी बोलनेवाले देशों से बड़ी है। बड़े असमंजस की बात थी। उन्होंने अंग्रेज़ी में काग़ज़ भेजना बन्द कर दिया। अब वह सदा उन्हें हिन्दी में भेजते थे; उनकी सुविधा के लिए अंग्रेज़ी में अनुवाद साथ रहता था लेकिन मूल हिन्दी में होता था। जब उन्हें रूस या चीन से कोई खरीता मिलता था, तो वह हमेशा रूसी या चीनी में होता था। हो सकता है, साथ में अंग्रेज़ी में अनुवाद भी रहता हो। कुछ भी हो, वह कह यह रहे थे कि दुनिया के सामने भारत में यह घोषित करना बड़ी अजीब बात थी कि भारत की राष्ट्रभाषा अंग्रेज़ी है। इस 'कल्पना से ही मेरा सिर चकरा उठता है'।"

अंग्रेज़ी-प्रेमियों के दुर्भाग्य से दुनिया अंग्रेज़ी-भाषी देशों से बहुत बड़ी है। इस अंग्रेज़ी-विहीन दुनिया में साठ करोड़ आबादी का महादेश चीन है। इसमें संसार के छठे भाग में फैला हुआ समाजवादी सोवियत देश है। सोवियत संघ, चीन और भारत में जो भाषा न चले, उसे विश्वभाषा नहीं कहा जा सकता। इन तीन देशों से एशिया और यूरोप का अधिकांश भाग घिरा हुआ है। इनके साथ अफ्रीका और

दक्षिण अमरीका को मिला लीजिए; यूरोप से जर्मनी, इटली, फ्रांस, स्पेन और पूर्वी यूरोप के देशों को भी गिन लीजिए तो पता चल जाएगा कि अंग्रेज़ी का विश्वभाषा होना कितना सार्थक है।

अस्तु, राष्ट्रीय और अन्तरराष्ट्रीय, दोनों ही कारणों से अंग्रेज़ी को राजभाषा का पद छोड़ना होगा। जो लोग भारतीय जीवन के कल्पित या वास्तविक अन्तर्विरोधों के कारण अंग्रेज़ी को राजभाषा के पद पर प्रतिष्ठित रखना चाहते हैं, वे लिबरलों, अंग्रेज़-भक्तों, अल्पसंख्यकों के उन तथाकथित प्रतिनिधियों का अनुसरण करते हैं जो अंग्रेज़ी राज को आवश्यक बताकर, अंग्रेज़ों को न्यायकर्ता बनाकर पराधीनता के बन्धनों को दृढ़ करते रहे थे। भारतीय जनता की राष्ट्रीय भावना इन भारतवासियों के अंग्रेज़ी-प्रेम पर अवश्य विजय पाएगी।

[1958]

17

# बहुजातीय राष्ट्रीयता और राष्ट्रभाषा हिन्दी

विश्वविद्यालयों की शिक्षा और राष्ट्रीय एकता के सम्बन्ध में भाषण करते हुए समाचार-पत्रों के अनुसार दिल्ली में श्री हमायूँ कबीर ने कहा कि हिन्दी-भाषी लोग जब हिन्दी को राजभाषा बनाने पर ज़ोर देते हैं, तब कम-से-कम अंशत: उनके मन में यह कामना रहती है कि वे सार्वजनिक जीवन और नौकरियों के मामले में अहिन्दी-भाषियों के मुक़ाबले में फायदे में रहेंगे।

देश ने अब इतनी प्रगति कर ली है कि कोई भी माँग जातीय स्वार्थ से परे नहीं समझी जा सकती! हिन्दी-भाषी जनता हिन्दी को राजभाषा बनाने की माँग करती है तो यह भी नौकरियाँ पाने के लिए! अहिन्दी क्षेत्रों में हिन्दी के एक प्रचारक महात्मा गांधी भी थे। पता नहीं, नौकरी पाने की किस छिपी हुई कामना से उन्होंने हिन्दी को राष्ट्रभाषा बनाने के लिए प्रचार किया था।

श्री कबीर ने कहा कि देश की सभी मुख्य भाषाओं को समानता का दर्जा मिले तो परस्पर शंका और संघर्ष की भावना दूर हो जाए। यह बहुत नेक सलाह है और हम उसका समर्थन करते हैं। किन्तु विभिन्न भाषाओं के बोलनेवालों में जो संघर्ष और मतभेद दिखाई देता है, उसका कारण भाषा ही नहीं है, हिन्दी भाषा तो और भी नहीं। पिछले दिनों आन्ध्र प्रदेश में जातीय एकीकरण के लिए प्रबल आन्दोलन उठा। इसका कारण भाषा न थी; हिन्दी भाषा और भी नहीं। बम्बई को लेकर गुजरात-महाराष्ट्र में, अलग राज्य (अथवा प्रान्त) बनाने की माँग को लेकर केन्द्रीय सत्ता और इन प्रदेशों की जनता में जो तनातनी अभी तक बनी हुई है, उसका कारण हिन्दी नहीं है। इस तरह के और बहुत-से झगड़े हैं जिनका सम्बन्ध जातीय प्रदेशों के एकीकरण, सीमा-निर्धारण, उद्योगीकरण आदि से है। इन सारे मतभेदों को भाषा-सम्बन्धी विवाद के खाते में नहीं डाला जा सकता। इनसे स्पष्ट है कि देश में राष्ट्रीय एकता को कमज़ोर करनेवाले जातीय मतभेद के जो चक्र चल रहे हैं, उनसे हिन्दी का बहुत कम सम्बन्ध हैं। राष्ट्रीय एकता के लिए खतरा हिन्दी से नहीं है वरन् इस जातीय विद्वेष और अलगाव की भावना से है। तमिलनाडु में तमिल राजभाषा है किन्तु वहाँ का एक दल इस प्रदेश को भारत से अलग करने की माँग

करता है। उत्तर में कश्मीर और दक्षिण में तमिलनाडु—इन दो प्रदेशों में कुछ दलों का भारत से अलगाव के नारे लगाना परिस्थिति की गम्भीरता की सूचना देता है।

यह बात सही है कि एक आदर्श जनतंत्र में किसी भाषा को विशेषाधिकार न मिलने चाहिए। किन्तु यह बात सही नहीं है कि हिन्दी को राजभाषा बनाने के विरोधी अंग्रेज़ी के विशेषाधिकारों के बारे में चुप रहें, उन्हें सिर झुकाकर स्वीकार कर ले, अंग्रेज़ी को अन्तरराष्ट्रीय और विश्व-भाषा कहकर उन विशेषाधिकारों की रक्षा करें, इससे उनके जनवादी अन्त:करण को ज़रा भी कष्ट न हो, किन्तु हिन्दी के विशेषाधिकार प्राप्त करने की सम्भावना मात्र से वे आसमान सिर पर उठा लें। यह मनोवृत्ति मुस्लिम लीग के उन नेताओं की याद दिलाती है जो बहुसंख्यक हिन्दुओं के शासन-भय से अंग्रेज़ी राज की शरण लेते थे।

भारत एक बहुजातीय राष्ट्र है। राष्ट्रीयता और बहुजातीयता—इन दो पक्षों में से एक को भी भुलाना घातक होगा। जो लोग राष्ट्र का यह अर्थ लगाते हैं कि उसमें एक ही भाषा बोलनेवाले रहते हों, वे भारतीय राष्ट्रीयता के विकास को आँखों से ओझल कर देते हैं। शताब्दियों से यहाँ विभिन्न भाषाएँ बोलनेवाले लोग रहते आए हैं। आज यह तथ्य और भी स्पष्ट है—प्राचीन अतीत की समस्याओं की तरह अस्पष्ट और विवादास्पद नहीं, वर्तमान के ज्वलन्त सत्य के समान असन्दिग्ध है। इन जातियों की सीमा-रेखाएँ कोई मिटाना भी चाहे तो वह सफल न होगा। उनकी समानता, भाईचारे, परस्पर सहयोग और एकता के बल पर ही राष्ट्रीय एकता दृढ़ हो सकती है।

साथ ही भारत देश एक राष्ट्र है, 'सब कॉन्टीनेंट' (उप-महाद्वीप) नहीं है। यहाँ सोवियत देश की तरह मज़दूर वर्ग द्वारा सत्ता प्राप्त करने के बाद विभिन्न जातियों द्वारा स्वेच्छा से संघ बनाने का प्रश्न नहीं उठता। भारत विभिन्न जातियों द्वारा निर्मित संघ नहीं है, वह ऐतिहासिक विकासक्रम में संगठित एक राष्ट्र है। भारतीय जनता में राष्ट्रीय एकता की भावना का विकास विश्व-इतिहास की अभूतपूर्व घटना है। समाजवादी सत्ता क़ायम होने से पहले इस तरह की बहुजातीय राष्ट्रीयता का विकास किसी देश में नहीं देखा गया। चीन में ग़ैर-चीनी जातियों की स्थिति हमारे यहाँ के कोल-भीलों की दशा से मिलती-जुलती थी। वहाँ उस तरह की बहुसंख्यक और विकसित ग़ैर-चीनी जातियाँ नहीं रहीं, जैसी भारत में ग़ैर-हिन्दी जातियाँ हैं। यूरोप के पूँजीवादी देशों ने जो बहुजातीय राष्ट्र क़ायम किये, उनमें शासक जाति से भिन्न सभी जातियाँ दासों की स्थिति में होती थीं।

भारतीय राष्ट्र की एकता की भावना अंग्रेज़ों की देन नहीं है; वह अंग्रेज़ों के आने से बहुत पहले की है। यह धार्मिक भावना मात्र नहीं है क्योंकि इसका सम्बन्ध एक ही धर्म से नहीं रहा। धार्मिक सहनशीलता और उदारता के कारण यहाँ प्राचीन काल से अनेक धर्म—अनीश्वरवादी धर्म तक—पल्लवित होते रहे किन्तु यह देश

बौद्धों, जैनों या हिन्दुओं का राष्ट्र नहीं माना गया। यह एकता केवल भौगोलिक नहीं है। यहाँ के राज्यों की, विशेष कर उत्तर भारत के राज्यों की सीमाएँ देश से बाहर उत्तर-पश्चिम में दूर तक फैली रही हैं। यदि भौगोलिक एकता नियामक कारण होती तो भारत-विभाजन की नौबत न आती। भौगोलिक और धार्मिक कारण भी रहे हैं किन्तु मुख्य कारण है यहाँ की जातियों का सामान्य इतिहास, उनकी सांस्कृतिक समानताएँ, आर्थिक और राजनीतिक क्षेत्रों में उनका परस्पर सम्बद्ध और मिला-जुला विकास। इस ऐतिहासिक आधार पर ही यहाँ की राष्ट्रीय चेतना का विकास हुआ है।

मार्क्सवाद ने जातियों के विकास पर वैज्ञानिक दृष्टि से विचार किया है। लेनिन और स्तालिन के अनुसार जातियाँ पूँजीवाद के अभ्युदय-काल की देन हैं। किन्तु मार्क्सवाद की किसी पुस्तक में भारत-जैसी बहुजातीय राष्ट्रीयता के विकास की व्याख्या नहीं मिलती। कुछ लोग यांत्रिक ढंग से यहाँ की परिस्थितियों पर मार्क्सवाद लागू करते हुए इस परिणाम पर पहुँचे थे कि यहाँ हर जाति अपनी सम्पूर्ण प्रभुत्व-सम्पन्न विधान सभा बनाए, फिर ये विधान सभाएँ यहाँ अपना संघ निर्मित करें। इस तरह के विचारकों के अनुसार : सन् सत्तावन की राज्यक्रान्ति में राष्ट्रीय चेतना का अभाव था; कारण यह कि राष्ट्रीयता का आधार रेल-तार थे जिनका पूरी तरह चलन न हुआ था! भारतीय इतिहास की वास्तविकता पर ध्यान दिये बिना यह कभी समझ में न आएगा कि माधवजी सिन्धिया ने पेशवा को मुग़ल बादशाह का नायब क्यों घोषित किया, 1857-58 में देश के विशाल भाग की जनता शाही झंडे के नीचे क्यों लड़ी, झाँसी में 'मुल्क बादशाह का, अमल रानी लक्ष्मीबाई का' की डुग्गी क्यों पीटी गई। सी.एफ. एंड्रूज़ जैसे विदेशी लेखकों ने ज़्यादा सचाई से लिखा था कि अंग्रेज़ों के आने के बाद राष्ट्रीय चेतना दृढ़ भले हुई हो, वह विद्यमान पहले से थी।

वर्तमान काल में जातियों की एकता और समानता की जो समस्या हमारे सामने है, उसका घनिष्ठ सम्बन्ध इस राष्ट्रीय चेतना के ऐतिहासिक विकास से है। हम जातीय समस्या और भाषा की समस्या को अपना इतिहास भुलाकर हल करेंगे या उसे राष्ट्रीयता के सन्दर्भ में हल करेंगे? राष्ट्रीयता के सन्दर्भ को भुलाकर जब हम उसे हल करते हैं, तब सीमान्त पर साम्राज्यवादी अड्डे क़ायम होते हैं। दस साल में एक बार भी आम चुनाव नहीं होता, जनतंत्र के बदले धर्म-विशेष का राज्य क़ायम किया जाता है। लाखों की तादाद में नर-नारी बेघर-बार होकर खुद तबाह होते हैं और देश के अर्थतंत्र को संकट में डाल देते हैं। यह जातीय अलगाव बहुत जल्दी साम्राज्यवादी षड्यंत्र का अंग बन जाता है। जिन उपनिवेशों पर साम्राज्यवाद ने शासन किया है, उन्हें वह स्वाधीन नहीं देखना चाहता। एक साम्राज्यवादी ताक़त गई तो दूसरी उसे हड़पने को तैयार रहती है। अलगाव का

नारा राष्ट्रीय एकता को कमज़ोर करनेवाला और साम्राज्यवाद तथा युद्ध की ताक़तों को शहज़ोर करनेवाला है।

इसलिए जातीय समस्या और भाषाओं के समान अधिकारों की समस्या राष्ट्रीय एकता के सन्दर्भ में हल करनी होगी।

भारत में प्रत्येक भाषा को अपने क्षेत्र में राजकीय और सांस्कृतिक कार्यों में पूर्ण अधिकार प्राप्त होने चाहिए। साधारण हिन्दी जनता, हिन्दी का शिक्षित वर्ग और लेखक इस स्थिति के पक्ष में हैं। हिन्दी-पत्रों में यह बार-बार कहा गया है कि हिन्दी किसी भाषा के अधिकार नहीं छीनना चाहती; अहिन्दी-भाषी जातियों के परस्पर व्यवहार के लिए अंग्रेज़ी की जगह हिन्दी होनी चाहिए।

कई शताब्दियों से देश की विशेष परिस्थितियों के कारण हिन्दी अन्तर्जातीय व्यवहार की भाषा बनती रही है। उत्तर भारत में केन्द्रबद्ध मुग़ल शासन का होना, यहाँ आगरा जैसे व्यापार के बड़े-बड़े केन्द्रों का निर्माण, उन्नीसवीं सदी से पूर्व ही यहाँ के लोगों का विभिन्न प्रदेशों में फैलना ऐसे ही कारण थे। अंग्रेज़ व्यापारी भी उस समय अपनी सुविधा के लिए हिन्दी सीखते थे। वर्तमान काल में दक्षिण, पूर्व, पश्चिम—सर्वत्र ऐसे व्यापारी और पूँजीपति मिलेंगे जिनकी सांस्कृतिक भाषा हिन्दी है। हिन्दी के प्रसार का एक बहुत बड़ा कारण कलकत्ता-बम्बई जैसे केन्द्रों में लाखों 'हिन्दुस्तानी' मज़दूरों का निवास है। इन बड़े-बड़े नगरों के अतिरिक्त प्रत्येक जातीय प्रदेश में अल्पसंख्यकों के रूप में हिन्दुस्तानी मिलेंगे। विशाल आन्ध्र में हैदराबाद और उसके आसपास हिन्दुस्तानियों का भारी जमघट है। अहिन्दी प्रदेशों में इस प्रकार हिन्दी को अन्तर्जातीय व्यवहार की भाषा बनाने में सुविधा मिली है।

इसके अतिरिक्त सीलोन रेडियो और विविध भारती (और पाकिस्तान रेडियो भी) की कृपा से फ़िल्मी संगीत द्वारा देश के चारों कोनों तक रोज़ शाम-सबेरे हिन्दी गूँजती रहती है। कभी इन फ़िल्मी गानों की फरमाइश करनेवालों के नाम सुनिए। जितने हिन्दी-भाषी प्रदेश के होते हैं, उतने ही अहिन्दी-भाषी प्रदेशों के। स्वयं गायकों और गायिकाओं में एक अच्छी संख्या अहिन्दी कलाकारों की रहती है। विशाल हिन्दी-भाषी प्रदेश फ़िल्मों के लिए सबसे अच्छा बाज़ार है। ये व्यावसायिक परिस्थितियाँ बहुतों के न चाहने पर—और शायद उनके न जानने पर भी—हिन्दी को राष्ट्रभाषा बना रही हैं।

इनके सिवा हिन्दी भाषा, लिपि और साहित्य की कुछ विशेषताएँ हैं जो इस कार्य में सहायता करती हैं। हम यहाँ उनका उल्लेख नहीं करते।

हिन्दी अन्तर्जातीय व्यवहार की भाषा बन रही है; जनसाधारण के लिए अभी भी वह ऐसी भाषा है। वह केन्द्रीय राजकाज की भाषा भी जल्दी बन सकती है। इसमें एक बाधा है हिन्दी-भाषियों का असंगठन, उनमें जातीय चेतना की कमी। हिन्दी-भाषी प्रदेश के राज्यों में भी हिन्दी अभी पूरी तरह राजकाज की भाषा नहीं

बनी है। दक्षिण के लोगों की यह आपत्ति अनुचित नहीं है कि पहले अपने घर में हिन्दी को राजभाषा बना लो, फिर उसे सारे देश की राष्ट्रभाषा बनाना! यदि हिन्दी-भाषी जनता संगठित हो, यदि वह अपने प्रदेश में हिन्दी को पूर्ण रूप से राजकाज की भाषा बनाए तो यह असम्भव है कि यह विशाल प्रदेश और उसकी बहुसंख्यक जनता सारे देश को अपने साथ खींचकर न ले चल सके।

इस दृष्टि से भारतीय एकता के लिए हिन्दी-भाषी जनता की एकता आवश्यक है। देश की भाषागत समस्याएँ सुलझाने के लिए हिन्दी भाषा के लेखकों का संगठन आवश्यक है। हिन्दी को केन्द्रीय राजकाज की भाषा बनाने के लिए उसे अपने प्रदेश में पूर्ण रूप से शासन और संस्कृति की भाषा बनाना आवश्यक है। हिन्दी-भाषी जनता और उसके लेखक अपना यह उत्तरदायित्व दूसरों पर नहीं डाल सकते।

[1958]

18

# हिन्दी की व्याकरण-सम्बन्धी कठिनाइयाँ

हिन्दी की व्याकरण-सम्बन्धी कठिनाइयों से कुछ अंग्रेज़ी-प्रेमी भारतवासी इतना परेशान हैं कि वे कभी-कभी उसके कलकत्ता-बम्बई जैसे नगरों में कुछ अहिन्दी-भाषियों द्वारा व्यवहृत रूप को राष्ट्रभाषा के रूप में स्वीकार करने की बात करते हैं। इनमें राजनीतिक नेताओं के अलावा कुछ प्रसिद्ध भाषावैज्ञानिक भी हैं जिन्होंने यथेष्ट गम्भीरता से यह प्रस्ताव रखा है। अंग्रेज़ों के सम्पर्क में आनेवाले हिन्दुस्तानी खानसामा भी अंग्रेज़ी का एक सरल रूप काम में लाते थे जो साहब और उनके बीच की सांस्कृतिक आवश्यकताएँ पूरी करने के लिए पर्याप्त होता था। कुछ देशों के कुलियों आदि ने इसी तरह अंग्रेज़ी को सरल करके अपना काम निकाला है। लेकिन इस देश में न तो हिन्दी-भाषी जनता अंग्रेज़ साहबों की स्थिति में है, न अहिन्दी-भाषी जनता कुलियों और खानसामाओं की। इस कारण जो लोग हिन्दी के तथाकथित सरल व्याकरण-विहीन रूप को अपनाने की बात करते हैं, वे अपने और हिन्दी-भाषियों के प्रति अन्याय ही करते हैं। कहना न होगा कि खानसामा-अंग्रेज़ी को भारत की लिंगुआ-फ्रांका या विश्वभाषा बनाने की बात नहीं की जाती। इसके विपरीत इस कोटि के राष्ट्रभाषा-प्रेमी अंग्रेज़ी-शिक्षा का स्तर गिरने से नितान्त व्यथित रहते हैं और आये-दिन इस स्तर को उठाने के लिए नये-नये उपाय भी सुझाया करते हैं। यह बात भी कम मनोरंजक नहीं है कि एक ओर वे हिन्दी के दरिद्र होने की, उसमें उच्चकोटि के साहित्य के अभाव की घोषणा करते हैं, दूसरी ओर व्याकरण की कठिनाइयों से मुक्त हिन्दुस्तानी को राष्ट्रभाषा बनाने का 'जनतांत्रिक' सुझाव भी देते हैं।

अंग्रेज़ी भाषा में व्याकरण-सम्बन्धी कठिनाइयाँ कम नहीं हैं। डेढ़ सौ साल से लगातार अंग्रेज़ी पढ़ने के बाद भी इस भाषा को सीखने का स्तर जो गिरता नज़र आ रहा है, उसका कारण विद्यार्थियों और शिक्षकों की प्रतिभा के अलावा उस भाषा की ख़ूबियाँ भी हैं। किन्तु अंग्रेज़ी-प्रेमी देशभक्त अपनी प्रिय भाषा की व्याकरणगत कठिनाइयों से ज़रा भी विचलित नहीं होते; उन्हें शिकायत है हिन्दी की कठिनाइयों से। इनमें भी सारे फसाद की जड़ उनकी समझ में हिन्दी का लिंग-भेद है।

हिन्दी शब्दों की लिंग-सम्बन्धी कठिनाई वास्तविक है। यह कठिनाई अहिन्दी-भाषियों के लिए ही नहीं है, भोजपुरी आदि पूर्वी बोलियों के क्षेत्रों में हिन्दी बोलने-वालों के लिए भी यह कठिनाई विद्यमान है। इतिहासकारों का कहना है कि एक बार दिल्ली के क़त्लेआम में 'खारा पानी' कहनेवालों को पछाँह का समझकर छोड़ दिया गया; 'खारी पानी' कहनेवालों को पूरब का मानकर उन्हें तलवार के घाट उतार दिया गया। इस कठिनाई से ऐसे नतीजे भी निकल सकते हैं!

भाषा का निर्माण किसी अकादमी में नहीं होता, न उसका व्याकरण बनाने का काम राजनीति-विशारद करते हैं, वरना यह कठिनाई दूर हो जाती। संस्कृत के महान् वैयाकरण भी, जो भाषा को व्यवस्थित करने में अपना सानी नहीं रखते, इस कठिनाई से पार न पा सके। शत्रु पुल्लिंग, मित्र नपुंसक लिंग! वृक्ष जैसा जड़ पदार्थ पुल्लिंग, हृदय जैसा तरल और गतिशील पदार्थ नपुंसक लिंग! पांसु (धूल), परशु, इषु (बाण) जैसे निर्जीव पदार्थ पुल्लिंग हैं; शरीर और शीर्ष जैसे सजीव पदार्थ नपुंसक लिंग हैं।

इस देश के सांस्कृतिक इतिहास में संस्कृत का जो महत्त्व रहा है, उसे सभी लोग जानते हैं। भारत की भाषाओं पर उसका जो व्यापक प्रभाव पड़ा है, वह भी किसी से छिपा नहीं है। संस्कृत शब्दों की लिंग-सम्बन्धी कठिनाई से उसके प्रसार में कोई बाधा नहीं पड़ी। सम्भव है, कुछ सज्जन कहें कि इस कठिनाई के कारण ही वह मृत भाषा हुई। यदि ऐसा होता तो संस्कृत-भाषी प्रदेश की भाषाएँ—जिनमें हिन्दी सर्वोपरि है—इस कठिनाई से मुक्त होतीं।

संस्कृत के समान यूरोप की भाषाओं और संस्कृति पर प्राचीन यूनान की भाषा—वहाँ अनेक भाषाएँ थीं, हमारा तात्पर्य एथेंस की भाषा से है—का प्रभाव पड़ा। किसी समय वह भूमध्य सागर के तट पर फैले हुए अनेक यूनानी उपनिवेशों के कारण एक विशाल भूभाग में फैल गई थी। इस भाषा में अरस्तू और अफलातून जैसे विचारकों ने, सोफ़ोक्लीज़, यूरिपिदीज़ जैसे नाटककारों ने, हेराक्लितस जैसे दार्शनिकों ने अपनी रचनाएँ कीं जिनके आधार पर यूरोप की संस्कृति का प्रासाद निर्मित हुआ। इस भाषा में गेनौस (संस्कृत जन) नपुंसक है किन्तु दिमौस (जनता) पुल्लिंग है! थूरा (द्वार), माखइरा (तलवार), अकन्था (काँटा) जैसी बेजान चीज़ें स्त्रीलिंग हैं। यदि आप कहें, ये आकारान्त हैं, इसलिए स्त्रीलिंग हैं तो देखिए म्नीमा (समाधि), ओइको-दोइमा (भवन) आदि नपुंसक लिंग हैं। नेक्रौस् (शव) तो पुल्लिंग है, पाइदिऔन् (शिशु) नपुंसक लिंग है!

प्राचीन यूनानी के समान और भी बड़े पैमाने पर लैटिन व्यवहार में आई। वह शताब्दियों तक इटली ही नहीं, यूरोप की धार्मिक और सांस्कृतिक भाषा रही। इसमें भी यूनानी भाषा की तरह लिंगभेद वर्तमान था। अग्नि के लिए दो शब्द हैं : 'इंकेडियम्' और 'इग्निस्'। पहला नपुंसक, दूसरा पुल्लिंग है। जनता के लिए दो शब्द हैं : गेन्स् (जन) और पोपूलुस्। पहला स्त्रीलिंग है, दूसरा पुल्लिंग। इम्बेर

(वर्षा), टूरिस् (मीनार), मारे (समुद्र)—तीनों को स्वभावत: नपुंसक लिंग होना चाहिए किन्तु ये क्रमश: पुल्लिंग, स्त्रीलिंग और नपुंसक लिंग हैं। अकीला (बाज़) और अग्रिकोला (कृषक) देखने में एक-से आकारान्त शब्द हैं किन्तु पहला स्त्रीलिंग है, दूसरा पुल्लिंग।

लैटिन की उत्तराधिकारिणी भाषाओं में फ्रांसीसी भाषा भी है। वह यूरोप में अन्तर्जातीय व्यवहार की भाषा रही है। उसमें घर के लिए दो शब्द हैं : मैजों और बातीमाँ। पहला स्त्रीलिंग है, दूसरा पुल्लिंग। इसी प्रकार धरती के लिए तेयर और पेयी; मार्ग के लिए रूत और शमैं शब्दों में पहला स्त्रीलिंग है, दूसरा पुल्लिंग। फ्रांसीसी लोग पर्वत जैसी विशाल वस्तु (मोतान) को स्त्रीलिंग विज्ञापित करते हैं, पुस्तक जैसी छोटी चीज़ (लीव) को पुल्लिंग।

यूरोप के एक विशाल प्रदेश में व्यवहृत फ्रांसीसी की तरह एक हद तक अन्तर्जातीय व्यवहार की भाषा जर्मन है। उसमें संस्कृत के समान ही लिंगभेद है। पत्थर (श्टाइन), वृक्ष (बाउम), जूता (शू) जैसे निर्जीव पदार्थ पुल्लिंग हैं, जनता (फोल्क), नारी (इसके लिए एक शब्द ह्वाइप भी है), लड़की (मैडखेन) आदि सजीव वस्तुएँ नपुंसक लिंग हैं। संस्कृत के समान जर्मन में तीनों लिंग विद्यमान हैं और शब्द के अर्थ या रूप से उन्हें पहचानना आसान नहीं है।

संसार के छठे भाग में फैले हुए सोवियत संघ की अन्तर्जातीय व्यवहार की भाषा रूसी है। इसमें भी संस्कृत और जर्मन की तरह तीनों ही लिंग हैं। अधिकतर निर्जीव पदार्थ नपुंसक लिंग होते हैं किन्तु पुस्तक (क्नीगा), होटल (गस्ती-नित्सा), पुस्तकालय (बिब्लियोतेका) आदि शब्द स्त्रीलिंग हैं। यद्यपि शब्दों के रूप से उनका लिंग पहचाना जा सकता है, फिर भी इस विषय में नियमों के अनेक अपवाद हैं।

प्राचीनकाल से आज तक संसार की अनेक और प्रमुख भाषाएँ शब्दों में लिंगभेद करती रही हैं। यह भेद वास्तविक न होकर—शब्दों द्वारा विज्ञापित वस्तु के लिंग का अनुसरण न करके—बहुधा शब्दों के रूप के अनुसार होता है। शब्दों का रूप देरवकर उसका लिंग निश्चित करना सदा सरल नहीं होता। इस सम्बन्ध में कुछ मोटे नियमों का पालन किया जाता है किन्तु उनके अपवादों की संख्या कम नहीं है! भाषा संसार के पदार्थों, मनुष्य के व्यवहार और चिन्तन की अभिव्यंजना के लिए ही विकसित हुई है। वह इस भौतिक जगत और मनुष्य के भौतिक जीवन से विलग होकर विकसित नहीं हुई। उसकी जड़ें इसी भौतिक जीवन और जगत् में हैं। किन्तु भाषा भौतिक जगत् से मनुष्य का सम्बन्ध विज्ञापित करने का साधन ही नहीं है। जैसे संगीत में विभिन्न प्रदेशों की जातियों को स्वरों का विशेष सामंजस्य, उनका विशेष आरोह-अवरोह पसन्द आता है, वैसे ही भाषा के क्षेत्र में विभिन्न जातियाँ शब्दों के साथ विशिष्ट रागात्मक सम्बन्ध स्थापित करती हैं। एक ही वस्तु के लिए विभिन्न भाषाओं के पर्यायवाची शब्दों में लिंग-सम्बन्धी अन्तर होता है।

एक ही भाषा में किसी वस्तु के लिए भिन्न लिंगवाले पर्यायवाची शब्दों का प्रयोग देखा जा सकता है। दूसरों के लिए इस वैचित्र्य के कारण भाषा कठिन हो जाती है किन्तु उसके बोलनेवालों के लिए इस वैचित्र्य का रागात्मक मूल्य है। भाषा के समस्त ऐतिहासिक विकास के फलस्वरूप यह विभिन्नता उत्पन्न होती है। वह भाषा की सजीव परम्परा का अंग होती है। उसे समाप्त करना वैसे ही असम्भव है, जैसे मुहावरों को समाप्त करना। मुहावरों की तरह लिंग-भेद सीखना होता है। अन्तर्जातीय व्यवहार की कठिनाइयाँ दूर करने के लिए भाषा के रूप को न तो आज तक कहीं बदला गया है, न अब बदला जा सकता है। अन्य भाषाओं और जातियों के सम्पर्क में आने से भाषा में परिवर्तन होते हैं। किन्तु इन परिवर्तनों का सम्बन्ध व्याकरण से सबसे कम होता है। अंग्रेज़ी ने संसार की अनेक भाषाओं से शब्द लिये हैं—वास्तव में जर्मन या रूसी की तुलना में उसकी अपनी पूँजी नगण्य है—किन्तु उसके व्याकरण में कितना परिवर्तन हुआ है! उसने शब्द दूसरों के लिये किन्तु व्याकरण के रूप अपने रखे। उसका शब्द-भंडार जितना मिश्रित है, उसका व्याकरण उतना ही अपेक्षाकृत विशुद्ध।

खड़ी बोली ने अरबी-फ़ारसी से सैकड़ों शब्द लिये, उसका उर्दू रूप विकसित हुआ। कुछ विद्वानों का विचार है कि बाहर से आनेवाले मुसलमान यहाँ की भाषा समझते न थे, उनकी अपनी भाषाओं और यहाँ की बोलियों—अथवा खड़ी बोली और फ़ारसी—के मिश्रण से फ़ौजी खेमों और बाज़ारों में उर्दू का जन्म हुआ। बाहर से आनेवाले मुसलमानों की भाषा क्या थी? एक थी या एक से अधिक थी? बंगाल, कश्मीर, पंजाब, केरल आदि प्रदेशों में मुसलमान वहाँ की भाषा कैसे समझने लगे? —इन प्रश्नों का विवेचन न करके हम केवल इस बात की ओर ध्यान आकर्षित करेंगे कि उर्दू को जन्म देनेवाले मुसलमानों को यहाँ का शब्द-भंडार स्वीकार करने में चाहे जो कठिनाई हुई हो, खड़ी बोली के व्याकरण-रूपों को उन्होंने सप्रेम स्वीकर कर लिया। इन रूपों में लिंग-भेद भी है। ऐसा नहीं हुआ कि लिंग-सम्बन्धी कठिनाई दूर करके बाहर से आनेवाले मुसलमानों ने खड़ी बोली को अपनाया हो। उन्होंने यहाँ की व्याकरण-परम्परा को—जिसे सीखना शब्दों को ग्रहण करने से ज़्यादा कठिन था—स्वीकार किया। भारत की अनेक भाषाएँ—जैसे बंगला—शब्द-भंडार की दृष्टि से हिन्दी के जितना निकट हैं, उतना उर्दू नहीं है। यदि बाहर से आनेवाले मुसलमान यहाँ के लिंग-सम्बन्धी भेद सीख सकते थे तो शब्द-भंडार की इतनी समानता रहने पर बंगाली मित्र उनसें क्यों पार नहीं पा सकते? इस कारण 'भारतीय आर्यभाषा और हिन्दी' में डॉ. सुनीतिकुमार चाटुर्ज्या द्वारा प्रस्तुत निम्नलिखित सुझाव अभी तक अग्राह्य रहा है : "परन्तु यदि ये व्याकरण-विषयक विशिष्टताएँ, जो बाकी के भारतवासियों के लिए वास्तविक कठिनाइयाँ बन रही हैं, कम कर दी जाएँ, जैसाकि पूर्वी हिन्दीवालों तथा बिहारियों ने किया है (?!), तो

संस्कृतनिष्ठ प्रचलित हिन्दुस्थानी, एक अत्यन्त सहज, सुबोध तथा ओजपूर्ण भाषा बन जाती है। इस सहज बनी हुई हिन्दुस्थानी का सारा व्याकरण एक पोस्टकार्ड पर लिखा जा सकता है। 'बाज़ारू हिन्दुस्थानी' के सदृश सुगठित तथा ओजपूर्ण भाषा को हाट-बाज़ार से, जहाँ पर कि उसका स्वतंत्र, अनवरुद्ध जीवन-प्रवाह पंडितों की घृणा की परवाह न करते हुए अनवरत रूप से बहा चला जा रहा है, उठाने की आवश्यकता है। हमें उसे आदरपूर्ण आन्तर्जातिक या आन्तर्देशिक भाषा के इतने उच्च स्तर तक उठाना होगा कि वह कम-से-कम सार्वजनिक सभा-सम्मेलनों आदि में प्रयुक्त होने योग्य बन जाए। इसमें साहित्य का सृजन बाद में हो सकता है—आगे चलकर होगा ही(!)। परन्तु वह सारी भविष्य की बात है। अभी हाल के लिए इसे एक द्वितीय भाषा के रूप में स्वीकृत किया जा सकता है, जिससे सर्वसाधारण को परिचित हो जाने के लिए कहा जा सकता है। यह उसी भाँति फ़ारसी-युक्त उर्दू तथा नागरी-हिन्दी के साथ-साथ प्रयुक्त होती रहेगी, जैसे आज होती है।"

अस्तु, परिणाम यह निकला कि हिन्दी की लिंग-सम्बन्धी कठिनाइयाँ दूर करके उसे सरल नहीं बनाया जा सकता। जिस तरह खानसामा-अंग्रेज़ी को राष्ट्रीय या अन्तरराष्ट्रीय भाषा का दर्जा नहीं मिला, उसी तरह अहिन्दी-भाषी प्रदेशों में लोगों द्वारा व्यवहृत हिन्दी के टूटे-फूटे रूप को देश के राजनीतिक और सांस्कृतिक व्यवहार की भाषा नहीं बनाया जा सकता। यह सही है कि हिन्दी-भाषियों को दूसरों की त्रुटियों पर हँसना न चाहिए, वरन् भाषा-सम्बन्धी अपने प्रयोगों के प्रति उन्हें अधिक सचेत होना चाहिए। साथ ही यह भी सही है कि कुछ अहिन्दी-भाषी मित्र हिन्दी की व्याकरण-सम्बन्धी कठिनाइयों को दुर्लंघ्य बतलाकर, उन्हें दूर करके भाषा को सरल करने का सुझाव देकर अन्तर्जातीय व्यवहार की भाषा-समस्या हल नहीं कर सकते। धैर्य, उदारता और परिश्रम से ही इस कठिनाई पर विजय प्राप्त हो सकती है।

[1958]

19

# उर्दू की समस्या

प्रधानमंत्री श्री जवाहरलाल नेहरू, कांग्रेस की कार्यकारिणी तथा अन्य राजनीतिक संस्थाओं ने पिछले दिनों उर्दू के संरक्षण की समस्या की ओर जनता का ध्यान आकर्षित किया है। उनके वक्तव्यों का यह मूल्य है कि उन्होंने एक महत्त्वपूर्ण समस्या पर ध्यान केन्द्रित किया है जिसके प्रति साधारणत: हिन्दी-भाषी जनता उदासीन हो गई थी। इससे सिद्ध यह होता है कि भारत के साम्राज्यवादी विभाजन से जो अनेक समस्याएँ नहीं सुलझीं, उनमें उर्दू की भी एक समस्या है। दुर्भाग्य से इन वक्तव्यों में यह नहीं बतलाया गया कि उर्दू के आरक्षण या दमन के लिए उत्तरदायी कौन है, विभाजन के बाद यह समस्या अब भी क्यों बनी हुई है, उर्दू के संरक्षण के लिए कौन-से उपाय किए जानेवाले हैं, इत्यादि। संक्षेप में स्थिति यह है कि भावुकता के अलावा वैज्ञानिक स्तर पर इस समस्या के बारे में इन वक्तव्यों में कुछ नहीं कहा गया।

एक समय था जब कांग्रेस का नेतृत्व हिन्दी-उर्दू को मूलत: एक भाषा मानता था, उनमें अनावश्यक संस्कृत और अरबी शब्द भरने का विरोधी था, हिन्दुओं और मुसलमानों की मिली-जुली भाषा को क़ौमी ज़बान कहता था और उसे राजभाषा बनाने पर ज़ोर देता था। आज स्थिति बदल गई है। क़ौमी ज़बान की बात करना तो महापाप है; जो सबसे प्रगतिशील बात कही जा सकती है, वह यह कि उर्दू को दबाया न जाए। और क़ौमी ज़बान के राष्ट्रभाषा बनने का सवाल नहीं, शुद्ध राष्ट्रभाषा हिन्दी भी राजभाषा नहीं बन पाई; सारे देश में नहीं बन पाई, और अपनी जन्मभूमि उत्तर प्रदेश—तथा अन्य हिन्दी-भाषी राज्यों—में भी वह राजभाषा नहीं बन पाई।

देश के राष्ट्रीय नेताओं ने साम्प्रदायिक समस्या को हल किया साम्प्रदायिक माँगों को स्वीकार करके। साम्प्रदायिकता के आधार पर किये हुए समझौते के वृक्ष में राष्ट्रीयता के फल न लगें तो इसमें आश्चर्य क्या? उर्दू का नाम सुनते ही बहुत-से हिन्दी-प्रेमी स्वभावत: परेशान हो उठते हैं : आख़िर इन्हीं समस्याओं को हल करने के लिए तो पाकिस्तान बना और यह उर्दू का बखेड़ा अब भी बना हुआ है!

उर्दू-प्रेमियों ने अलग परेशान होकर क़ौमी ज़बान को इलाकाई ज़बान बनाने के लिए दस्तख़त इकट्ठे किये। उन्होंने उत्तर प्रदेश या अन्य राज्यों में अंग्रेज़ी

को हटाने के लिए आन्दोलन करना ज़रूरी नहीं समझा। न उन्होंने इस आन्दोलन की नीति निर्धारित करने के लिए हिन्दी-प्रेमियों से सलाह-मशविरा किया। इसलिए वैधानिकता का जामा पहनने पर भी यह एक सीमित साम्प्रदायिक आन्दोलन ही रहा।

उर्दू के सम्बन्ध में अनेक ग़लत धारणाएँ हिन्दी-प्रेमियों और उर्दू-प्रेमियों, दोनों के मन में बनी हुई हैं। इन पर संक्षेप में विचार करना आवश्यक है।

एक धारणा यह है कि मुसलमानों ने यहाँ आकर उर्दू नाम की एक नई भाषा को जन्म दिया। बहुत-से मुसलमानों को उर्दू से एक प्रकार का धार्मिक प्रेम है; वे उसे अपने धर्म और विशेष संस्कृति की भाषा समझते हैं। बहुत-से हिन्दू इस धारणा को स्वीकार करते हैं। उनकी दृष्टि में मुसलमान कभी हिन्दुस्तानी नहीं बना; इसलिए उर्दू भी 'अरब जेहादियों का कीर्तिस्तम्भ' है! हिन्दुओं और मुसलमानों में जो चरम साम्प्रदायिकतावादी हैं, वे उसके प्रति एक-सा ही प्रतिक्रियावादी दृष्टिकोण अपनाते हैं। यहाँ इस बात का उल्लेख करना आवश्यक है कि अनेक साम्राज्यवादी भाषावैज्ञानिकों का भी यह मत रहा है कि उर्दू इस्लाम की भाषा है।

यदि उर्दू इस्लाम की भाषा है तो पूर्वी बंगाल के मुसलमान बंगला क्यों बोलते हैं? उन्होंने उर्दू के एकमात्र राजभाषा बनाए जाने के विरुद्ध संघर्ष क्यों किया? बंगाल के अलावा केरल, तमिलनाडु, महाराष्ट्र, गुजरात, कश्मीर आदि प्रदेशों के मुसलमान घर में उर्दू क्यों नहीं बोलते? और हिन्दुस्तान-पाकिस्तान से बाहर तुर्की, ईरान, इराक आदि राष्ट्रों में उर्दू क्यों नहीं बोली जाती?

स्पष्ट है कि संसार में एक हिन्दुओं की भाषा, एक मुसलमानों की भाषा, एक बौद्धों या ईसाइयों की भाषा नहीं है। भाषाओं का निर्माण और विकास धर्म के आधार पर नहीं हुआ। धार्मिक विचारधाराओं के कारण उनके लिखने-बोलनेवालों ने उनमें कुछ नई विशेषताएँ पैदा की हों, वह दूसरी बात है। भाषा का सम्बन्ध जातीयता से है, किसी जाति के सामाजिक और सांस्कृतिक विकास से है। जाति और धर्म एक वस्तु नहीं हैं। ईरानी, इराकी, तुर्की जातियाँ इस्लाम धर्म मानती हैं किन्तु इनकी भाषाएँ अलग-अलग हैं। इसी प्रकार भारत की विभिन्न जातियों की अपनी-अपनी भाषाएँ हैं। उन जातियों के प्रदेशों में हिन्दू-मुसलमान, दोनों ही उन भाषाओं को बोलते हैं। उनमें अपना सांस्कृतिक काम-काज करते हैं। उर्दू का व्यवहार कहाँ के मुसलमान करते हैं? सबसे पहले हिन्दी-भाषी प्रदेश के, उत्तर प्रदेश, बिहार, दिल्ली, मध्य प्रदेश आदि के। कारण यह कि उर्दू यदि कहीं की जातीय भाषा है तो हिन्दी-भाषी प्रदेश की है। इसके बाद कलकत्ता, हैदराबाद, बम्बई जैसे नगरों में मुसलमानों की बस्तियाँ हैं जो अपने मूल प्रदेश से वहाँ पहुँचे हैं या जिनके पुरखे पहले कभी पहुँचे थे। इनके बाद कश्मीर आदि प्रदेशों के मुसलमान हैं जिनकी मातृभाषा कश्मीरी है या अन्य कोई भाषा है और जो उर्दू भी जानते हैं और उसे काम में लाते हैं।

धर्म के आधार पर उर्दू की रक्षा की बात करना या उसे इस्लाम की भाषा समझकर उसका नाश करने की बात सोचना एक अवैज्ञानिक और प्रतिक्रियावादी कार्य है।

उर्दू इस्लाम की भाषा है, इस धारणा से भिन्न एक दूसरी स्थापना है जो प्रगतिशील और राष्ट्रीय समझी जाती है। वह यह है कि उर्दू हिन्दुओं और मुसलमानों के मेल से बनी है। दूसरे शब्दों में उर्दू केवल इस्लाम की भाषा नहीं, वह इस्लाम और हिन्दू धर्म, दोनों की भाषा है। यह स्थापना देखने में प्रगतिशील मालूम होती है क्योंकि वह राष्ट्रीयता के लिए आवश्यक हिन्दू-मुस्लिम एकता की ओर संकेत करती है। इस स्थापना का सहारा लेकर ही अनेक राष्ट्रीय नेताओं और विचारकों ने भाषा-समस्या को हल करने का प्रयत्न किया था और उसमें असफल भी हुए थे।

यदि हिन्दुओं और मुसलमानों के मिलने से उर्दू बनी होती तो बम्बई से कलकत्ता तक और कश्मीर से कन्याकुमारी तक हर जातीय प्रदेश में उर्दू ही बोली जाती; बंगला, मराठी, कश्मीरी, मलयालम आदि भाषाओं का अस्तित्व ही न होता। उर्दू एक विशेष जातीय प्रदेश की भाषा है, भारत के सभी जातीय प्रदेशों की नहीं। उसे मातृभाषा के रूप में काम में लानेवाले वही लोग हैं जो हिन्दी-भाषी प्रदेश के निवासी हैं या यहाँ से जाकर दूसरे प्ररेशों में बस गए हैं। हिन्दी-उर्दू एक ही जातीय प्रदेश की भाषा हैं, इसीलिए उनका बोलचाल का रूप एक-सा है या प्राय: एक-सा है।

भारत में जो मुसलमान आए, उनमें कोई पश्तो बोलता था, कोई तुर्की, कोई अरबी, कोई फ़ारसी। उनकी भाषाएँ कम-से-कम तीन भिन्न परिवारों की हैं। तुर्की, अरबी, फ़ारसी एक-दूसरे से भिन्न भाषा-परिवारों की हैं। यदि उर्दू का निर्माण हिन्दुओं-मुसलमानों के मिलने से होता तो उसमें तुर्की के उतने ही शब्द होते जितने फ़ारसी के। या इस्लाम धर्म का सम्बन्ध विशेष रूप से अरबी से जोड़ा जाए तो उर्दू में तुर्की-फ़ारसी का बहिष्कार और अरबी-संस्कृत का बराबर सम्मिश्रण होना चाहिए था। बाहर से आनेवाले मुसलमानों ने राजभाषा के लिए अरबी नहीं, फ़ारसी को चुना। उनका धर्मग्रंथ अरबी में है, फ़ारसी में नहीं। फ़ारसी पर अरबी का प्रभाव है, फिर भी वह मूलत: भारत-यूरोपीय परिवार की भाषा है और अरबी की अपेक्षा वह संस्कृत के अधिक निकट है। मुसलमान सामन्तों ने अरबी को राजभाषा क्यों न बनाया? इस पद के लिए उन्होंने फ़ारसी को क्यों चुना? इसलिए कि वे सामन्त अनेक बर्बरताओं के बावजूद मुस्लिम लीग के नेताओं से अधिक उदार थे। फ़ारसी को चुनने में धार्मिक नहीं, सांस्कृतिक कारण प्रधान थे। सांस्कृतिक दृष्टि से ईरान समृद्ध राष्ट्र था; मध्य एशिया और मध्यपूर्व के देशों पर ईरानी संस्कृति की छाप थी। बाहर से आनेवाले मुसलमान यह छाप अपने साथ लाए थे। मुग़ल सम्राटों के यहाँ दरबारियों में काफ़ी ईरानी होते थे; फ़ारसी बोलचाल की भाषा थी। इस कारण मुग़ल राज्यसत्ता में फ़ारसी का बोलबाला रहा।

मुसलमान सामन्तों ने ब्रजभाषा में रचनाएँ कीं, अनेक सूफियों ने अवधी में काव्य लिखे, रसखान और रहीम जैसे कवियों ने ऐसी सरस कविताएँ लिखीं कि वे आज भी गाँवों में लोगों की ज़बान पर हैं। हिन्दी-भाषी प्रदेश से बाहर कश्मीरी, पंजाबी, बंगला आदि भाषाओं और उनके काव्य-साहित्य के उत्थान और विकास में मुसलमानों ने महत्त्वपूर्ण योग दिया। आजकल बहुत-से हिन्दू-मुसलमान इन बातों को याद करना पसन्द नहीं करते। उनसे एक अनचाहा परिणाम निकलता है कि मुग़ल शासनकाल में फ़ारसी के राजभाषा रहते हुए भी यहाँ की जातीय भाषाओं ने अभूतपूर्व उन्नति की और इस उन्नति में मुसलमानों का बहुत बड़ा हाथ था। हिन्दू साम्प्रदायिकों को यह निष्कर्ष पसन्द नहीं है क्योंकि उनके अनुसार मुसलमानों ने भारत को कभी अपना देश नहीं समझा; फिर वे यहाँ की भाषाओं और उसके साहित्य की उन्नति में योग कैसे दे सकते थे? मुस्लिम साम्प्रदायिकों को यह निष्कर्ष पसन्द नहीं क्योंकि जातीय भाषाओं के विकास के इस चौखटे में उनकी उर्दू-सम्बन्धी धारणाएँ फिट नहीं होतीं।

तब उर्दू का विकास क्या साम्प्रदायिक कारणों से हुआ? या उर्दू हमारी जातीय भाषा थी और उसके मुक़ाबले में हिन्दी का विकास साम्प्रदायिक कारणों से हुआ?

उर्दू का बोलचालवाला रूप वही या प्राय: वही है जो हिन्दी का है। इस रूप का एक नाम खड़ी बोली है। इसे बोलनेवाले हिन्दू, मुसलमान, जैन, बौद्ध, ईसाई—अनेक धर्मों के लोग हैं। इस रूप को न तो मुसलमानों ने जन्म दिया, न उसे अवध और बिहार में फैलाने में एकमात्र उन्होंने भाग लिया। फ़ारसी के राजभाषा रहने के कारण इस खड़ी बोली में फ़ारसी के सैकड़ों शब्द आए। फ़ारसी के माध्यम से सैकड़ों अरबी शब्द भी खड़ी बोली में आए। उर्दू के समर्थकों का कहना है कि उर्दू को सँवारने और निखारनेवाले हिन्दू भी थे। यह बात सही है। इन मित्रों को इस प्रश्न पर विचार करना चाहिए कि उर्दू को सँवारने में हिन्दुओं और मुसलमानों, दोनों ने हिस्सा लिया, फिर भी खड़ी बोली का एक दूसरा रूप हिन्दी क्यों विकसित हुआ? प्रेमचन्द जैसे देशभक्त उर्दू-प्रेमी लेखकों ने हिन्दी-सेवा क्यों की?

बहुत-से उर्दू-प्रेमियों की यह धारणा है कि एक अच्छी-खासी मुश्तर्का ज़बान बन गई थी, हिन्दीवालों ने एक साम्प्रदायिक आन्दोलन चलाया और अरबी-फ़ारसी के मीठे शब्दों की जगह संस्कृत के भारी-भरकम शब्द रखकर एक नकली ज़बान गढ़ ली। उसी साम्प्रदायिक भाषा को अब लोग राष्ट्रभाषा कहने लगे हैं! हिन्दुओं की साम्प्रदायिकता और विश्वासघात के कारण उर्दू का गला घोंटा जा रहा है!

ये मित्र दो-तीन बातें भूल जाते हैं। खड़ी बोली में अरबी-फ़ारसी के शब्दों की आमद हिन्दुओं और मुसलमानों के मिलन का परिणाम नहीं वरन् यहाँ फ़ारसी के राजभाषा बनाए जाने का परिणाम है। फ़ारसी यहाँ के किसी प्रदेश की भाषा न थी, न वह बाहर से आनेवाले सभी मुसलमानों की भाषा थी, न वह भारत के हिन्दुओं और मुसलमानों के मेल से बनी हुई भाषा थी। ईरान के प्रति अपनी सांस्कृतिक

गुलामी के कारण उन सामन्तों ने उसे राजभाषा बनाया जिनकी मातृभाषा तुर्की या कोई अन्य ग़ैर-फ़ारसी भाषा थी। फ़ारसी को राजभाषा बनाना यहाँ की भाषाओं के साथ अन्याय करना था। इस अन्याय में मुसलमानों के साथ अनेक हिन्दू सामन्त और उनके आश्रित कर्मचारी भी शामिल थे। किसी विदेशी भाषा को राजभाषा बनाना जातीय उत्पीड़न का एक रूप है। इस तरह के जातीय उत्पीड़न में पूँजीपति ही नहीं, उनसे पहले सामन्त भी भाग ले चुके हैं। इस उत्पीड़न में बहुत-से हिन्दू शामिल हुए किन्तु इनके विपरीत बहुत-से हिन्दू अपनी पहले से चली आती हुई भाषा या भाषाओं के लिए लड़े भी। उन्होंने फ़ारसी के बदले ब्रज या अवधी में रचनाएँ कीं। इन हिन्दुओं के साथ बहुत-से मुसलमान भी थे। सामन्त-वर्ग और जनसाधारण—इन दोनों की सांस्कृतिक नीति अलग-अलग थी। सामन्त वर्ग मुख्यत: ईरानी संस्कृति का मुँह जोहता था; जनसाधारण अपनी भाषा और लोक-संस्कृति के विकास में लगा हुआ था।

अंग्रेज़ों ने अंग्रेज़ी लादकर जातीय उत्पीड़न को और तीव्र किया। अंग्रेज़ी और फ़ारसी राजभाषाएँ रहीं लेकिन दोनों के उत्पीड़न में अन्तर था। फ़ारसी एशिया की ही और हमारे पड़ोस की एक भाषा थी। उसे राजभाषा बनानेवाले हिन्दी या ब्रज में कविताएँ करते थे, यहाँ की भाषाओं को प्रोत्साहन देते थे, विशेष रूप से संगीत में उन्होंने यहाँ की समूची परम्परा को अपना लिया। उर्दू की तरह संगीत में अरबी-फ़ारसी तानों से लदी हुई शैली का चलन न हुआ। राजभाषा अंग्रेज़ी की तुलना में राजभाषा फ़ारसी का उत्पीड़न बहुत सीमित था।

सामन्तकाल में शिक्षा का काम पुरोहित वर्ग के हाथ में रहता है। इसलिए शिक्षा के नाम पर संस्कृत या अरबी-फ़ारसी की पढ़ाई होती रही। इस कारण शिक्षित वर्ग में फ़ारसी पढ़े लोग दर्शन, साहित्य आदि की विशिष्ट शब्दावली के लिए फ़ारसी से शब्द लेने लगे। नौकरी के लिए फ़ारसी या उर्दू की जानकारी आवश्यक होती थी, इसलिए हिन्दू-मुसलमान, दोनों काफ़ी संख्या में फ़ारसी-उर्दू सीखते थे। किन्तु यह हिन्दू-मुस्लिम एकता विशेष आर्थिक और सामाजिक कारणों से पैदा हुई थी, इसलिए वह टिकाऊ न हुई।

उर्दू ने दर्शन, साहित्य, राजनीति आदि के लिए, या सभ्य व्यवहार के लिए केवल अरबी-फ़ारसी से शब्द लिये। उसके बोलचाल के रूप में तो हिन्दी-शब्दों की भरमार थी लेकिन सभ्य व्यवहार के रूपों में—'तशरीफ लाइए, नोश फ़रमाइए' वाले रूपों में—और साहित्य में जो नये शब्द आए, वे सब-के-सब अरबी-फ़ारसी से। इस तरह उर्दू के बोलचाल के रूप में तो भाषा की जातीय परम्परा क़ायम रही लेकिन उसके सांस्कृतिक रूप में वह नष्ट हो गई।

उर्दू ने अपने इस नये विकसित रूप को दो धाराओं से अलग कर लिया। एक तो वह हिन्दी की बोलियों—अवधी, ब्रज, बुन्देलखंडी, भोजपुरी और खड़ी बोली

के ही ग्रामीण रूप—से बहुत दूर चली गई। दूसरे, वह भारत की अन्य भाषाओं—बंगला, मराठी, गुजराती आदि—की सामान्य विशेषताओं से दूर जा पड़ी। संस्कृत के कठिन शब्दों के नाम पर उसने उन तमाम शब्दों का बहिष्कार करना शुरू किया जो भारत की अन्य सभी भाषाओं की सामान्य निधि हैं। इस तरह उर्दू-प्रेमियों ने यहाँ के हिन्दी-भाषियों से ही अलगाव पैदा नहीं किया वरन् बंगला आदि भाषाएँ बोलनेवाले मुमलमानों से भी अलगाव पैदा कर लिया।

इसीलिए हिन्दी का आन्दोलन ज़ोर पकड़ता गया, हिन्दू-मुस्लिम एकता का सीमित आधार रहने पर भी उर्दू अपना स्थान सुरक्षित रखने में सफल न हुई और प्रेमचन्द, बालमुकुन्द गुप्त, प्रतापनारायण मिश्र, भारतेन्दु हरिश्चन्द्र, पद्मसिंह शर्मा आदि अनेक लेखकों ने उर्दू से परिचय और प्रेम होते हुए भी हिन्दी की सेवा की। हिन्दी के प्रति ग़लत धारणाओं के कारण उर्दू-प्रेमी सज्जन हिन्दी के सहयोग में कोई आन्दोलन नहीं चला सके। देश के विभाजन के बाद अब उनमें उर्दू को क़ौमी ज़बान बनाने का साहस नहीं रहा; उन्होंने पस्ती के कारण उसे इलाकाई ज़बान बनाने का नारा दिया। उर्दू को पढ़ने-पढ़ाने और उसके व्यवहार के लिए सुविधाएँ होनी चाहिए, हम इस माँग का समर्थन करते हैं। किन्तु अपने बोलचाल के रूप में वह किसी विशेष इलाके की ज़बान नहीं है, इलाकाई ज़बान का नारा जातीय अलगाव और विघटन का नारा है, इसलिए हम उसका विरोध करते हैं। उत्तर प्रदेश और अन्य हिन्दी-भाषी राज्यों से अंग्रेज़ी जाए, उसकी जगह हिन्दी को राज्यभाषा बनाया जाए, हिन्दी के साथ अल्पसंख्यकों—जिनमें मुसलमानों के साथ कुछ हिन्दू भी गिने जाएँगे—की भाषा के रूप में उर्दू का संरक्षण किया जाए, इस आधार पर हिन्दी-उर्दू-प्रेमी अब भी एक मंच पर संयुक्त आन्दोलन कर सकते हैं।

आगे चलकर क्या होगा? उर्दू रहेगी या मिट जाएगी? उर्दू का बोलचाल वाला रूप मिट नहीं सकता; क्योंकि वह कुछ शिक्षित व्यक्तियों तक सीमित नहीं है। यह रूप हिन्दी के बोलचाल वाले रूप जैसा है और हिन्दी लेखक उसे अपनाकर हिन्दी को समर्थ बना सकते हैं। उर्दू का साहित्यिक रूप हिन्दी को काफ़ी प्रभावित कर सकता है, अभी भी कर रहा है। अनेक हिन्दी-कवियों की छंद-योजना और शैली पर उर्दू का प्रभाव देखा जा सकता है। यह प्रभाव कितना अधिक पड़ता है, यह उर्दू वालों पर भी निर्भर है। उर्दू-लेखक जितना ही अपना सीमित दायरा छोड़कर अपना साहित्य जनता के लिए लिखेंगे और देवनागरी के माध्यम से उस तक पहुँचाएँगे, उतना ही वे हिन्दी के विकास को प्रभावित कर सकेंगे।

हमारी समझ में उर्दू से प्रभावित होकर हिन्दी का बोलचालवाला रूप पुष्ट होगा और हिन्दी से प्रभावित होकर उर्दू के 'सभ्य' अरबी-फ़ारसीवाले रूप में काफ़ी परिवर्तन होगा। यह कहना आवश्यक है कि उर्दू में काफ़ी देशभक्तिपूर्ण और जनतांत्रिक साहित्य है। शब्दावली के कारण साहित्य की विषयवस्तु नहीं बदल

जाती। हिन्दी-प्रेमी काफ़ी उर्दू साहित्य पढ़ते हैं; उर्दू-प्रेमियों को इस विषय में उनसे होड़ करनी चाहिए।

उर्दू की रक्षा करना और उसकी स्वस्थ विशेषताओं से सीखना हिन्दी के हित में है। उसकी बोलचाल का रूप, कहावतें और मुहावरे हमारी भाषा की सम्पत्ति हैं। सैकड़ों शेर या उनके टुकड़े कहावतों का रूप ले चुके हैं। वे हमारी सांस्कृतिक सम्पत्ति का अंग हैं। उर्दू में अरबी-फ़ारसी के शब्द होने से उसके लिखने-बोलनेवाले देशद्रोही नहीं हो जाते।

*दरो-दीवार पै हसरत से नज़र करते हैं,*
*ख़ुश रहो अहलेवतन हम तो सफ़र करते हैं।*

इस तरह के शेर उन लोगों ने गुनगुनाए थे जिन्होंने अपना रक्त देकर अपनी देशभक्ति प्रमाणित की थी। हमारा उद्देश्य हिन्दी-भाषी प्रदेश की सांस्कृतिक एकता को दृढ़ करना, उसके साहित्य को जनता के हित में विकसित करना है। इसीलिए हम चाहते हैं कि हिन्दी-उर्दू-प्रेमी एक-दूसरे के निकट आएँ, यहाँ अंग्रेज़ी की जगह अपनी भाषा प्रतिष्ठित करें और उसके विकास में मिल-जुलकर योग दें।

स्वर्गीय पद्मसिंह शर्मा ने अपने 'हिन्दी, उर्दू, हिन्दुस्तानी' वाले प्रसिद्ध भाषण में हिन्दी-उर्दू की एकता के सम्बन्ध में कहा था : "कुटुम्ब के बँटवारे की तरह भाषा का यह बँटवारा भी कुटुम्ब-कलह और सम्पत्ति-विनाश का कारण है। बहुत-से सम्पन्न घराने बँटवारे की बदौलत टुकड़े-टुकड़े होकर बिखर गए, राज-परिवार भिखारी बन गए। यदि हिन्दी-उर्दू, दोनों संयुक्त परिवार की दशा में आ जाएँ, तो फिर इसकी साहित्य-सम्पत्ति का संसार की कोई भाषा मुक़ाबला न कर सके।" इसमें सन्देह नहीं कि हमारे प्रदेश के हिन्दुओं, मुसलमानों तथा अन्य धर्मवालों में रचनात्मक प्रतिभा की कमी नहीं है। उर्दू किसकी सेवा करेगी—पाकिस्तान के पंजाबियों, बंगालियों, पठानों और सिंधियों की या अपने प्रदेश के लोगों की? यह युग जनतंत्र का है। हिन्दी-उर्दू एक ही जनता की सेवा करेंगी, इसलिए उनका संयुक्त परिवार बनना अनिवार्य है।

[1958]

20

# जातीय प्रतिद्वन्द्विता और हिन्दी

देश के स्वाधीन होने के बाद जातीयता का भाव तेज़ी से बढ़ा है। हम गुजराती हैं, बंगाली हैं, मलयाली या आन्ध्र हैं—अपने प्रदेश, भाषा और संस्कृति से सम्बन्धित इस भाव को हम जातीयता का भाव कहते हैं। कुछ वर्ष पहले पढ़े-लिखे लोगों की बातचीत में एक शब्द अक्सर सुनाई देता था : 'प्रोविंशल'। जब हम किसी को अपनी भाषा और साहित्य की बेहद बड़ाई करते देखते थे तो कहते थे—ये लोग बड़े प्रोविंशल होते हैं।

अपनी भाषा, जाति, प्रदेश, उसकी संस्कृति आदि पर गर्व करना बुरी बात नहीं है। इन अनेक जातियों से ही भारत राष्ट्र की रचना हुई है। इन प्रदेशों की विभिन्न संस्कृतियों से मिलकर ही भारतीय संस्कृति का निर्माण होता है। इसलिए अपने प्रदेश और उसकी संस्कृति को भुलाकर राष्ट्रीयता और भारतीय संस्कृति की बात करना सम्भव नहीं है।

इससे एक परिणाम यह भी निकलता है कि अपनी भाषा और उसके साहित्य को ही श्रेष्ठ समझने का फल देश की प्रगति के लिए हानिकर हो सकता है। हम एक-दूसरे से सीखकर, मिल-जुलकर आगे बढ़ने के बदले जातीय प्रतिद्वन्द्विता में फँस जाएँगे और अपनी शक्ति का काफ़ी भाग अपनी जातीय श्रेष्ठता सिद्ध करने में व्यय करेंगे। अन्ध जातीयता के इस खतरे को स्वीकार करते हुए यह मानना होगा कि उचित मात्रा में जातीयता की चेतना विकास के लिए आवश्यक है। यहाँ प्रश्न यह उठता है कि हिन्दी-भाषियों में—विशेष कर पढ़े-लिखे मध्यवर्ग के लोगों में—यह जातीयता का भाव उचित मात्रा में विद्यमान है या नहीं?

जातीयता की बात चलने पर कुछ मित्र कहते हैं : हिन्दी राष्ट्रभाषा है, हम सारे राष्ट्र की बात सोचते हैं; किसी प्रदेश के बारे में सोचने की संकीर्णता क्यों दिखाएँ?

देश की परिस्थितियाँ ऐसी हैं जो हिन्दी-भाषियों में न चाहने पर भी जातीयता का भाव उभार रही हैं। इनमें एक उल्लेखनीय परिस्थिति अहिन्दी-भाषियों से हमारा सम्पर्क है। यातायात के साधनों के विकसित होने और आर्थिक कारणों से हज़ारों

आदमियों को एक प्रदेश से दूसरे प्रदेश जाना पड़ता है या अपने प्रदेश में ही अन्य भाषाएँ बोलनेवालों से मिलना पड़ता है। इस जातीय प्रतिद्वन्द्विता का एक बहुत बड़ा केन्द्र कलकत्ता है। इस नगर से हिन्दी का घनिष्ठ सम्बन्ध रहा है। 'भारत-मित्र' और 'मतवाला' जैसे पत्र यहीं से निकले हैं। निराला और उग्र जैसे लेखक यहाँ अपनी साहित्य-साधना कर चुके हैं। आज भी हिन्दी भाषा और साहित्य की प्रगति में कलकत्ता की भूमिका नगण्य नहीं है। यहाँ आकर हिन्दी-भाषी व्यक्ति को यह बार-बार सुनने को मिलता है कि वह हिन्दुस्तानी है। हिन्दी-भाषी प्रदेश के लिए 'हिन्दुस्तान' शब्द का प्रयोग काफ़ी पुराना है। हिन्दी-भाषियों की चेतना में यह शब्द सारे देश का वाचक ही रहा है। हिन्दी-भाषी प्रदेश का कोई विशेष नाम प्रचलित नहीं है। इस नाम के अभाव में हिन्दी-भाषी जाति का अस्तित्व मिट नहीं जाता। अन्य जातियों के सम्पर्क में आने से हिन्दी-भाषी व्यक्ति को विवश होकर सोचना पड़ता है कि उसकी जाति क्या है। ऐसी परिस्थिति में अपनी जातीयता से सम्बन्धित कुछ बातें स्मरण रखना आवश्यक है।

सबसे पहले हिन्दी-भाषी जनता में जातीय चेतना के अपेक्षाकृत अभाव पर ध्यान देना चाहिए। जिस समय सारे देश में भाषा के आधार पर प्रान्त अथवा राज्य-निर्माण की चर्चा चलती रही है, हमारे प्रदेश में अनेक राज्यों को मिलाकर विशाल हिन्द प्रदेश के गठन का आन्दोलन नहीं चला। इसके विपरीत उत्तर प्रदेश को ही विभाजित करने की बात कुछ राजनीतिज्ञों में सुनाई दी। अन्यत्र भाषाओं के आधार पर प्रान्त-निर्माण करने से—विशेष कर दक्षिण में—छोटे राज्यों का चित्र सामने आता था। किन्तु हिन्दी-भाषियों को एक प्रदेश में संगठित करने से अनेक राज्यों में एक बड़ा राज्य बनता था। विभाजन के बदले स्पष्ट ही देश की एकता दृढ़ होती थी। किन्तु इस ओर किसी राजनीतिक दल ने ध्यान नहीं दिया। यह स्थिति हमारे प्रदेश में जातीय चेतना के अपेक्षाकृत अभाव का प्रमाण है।

इस स्थिति के अनेक कारण हैं। हिन्दी-भाषी प्रदेश असाधारण रूप से विशाल है। उसमें भारत के किसी भी भाषा-क्षेत्र की तुलना में बोलियों की संख्या अधिक है। इस क्षेत्र में ब्रज, अवधी और मैथिली जैसी बोलियाँ हैं जिनका अपना विशाल साहित्य-भंडार है। अनेक लोगों के मन में अब भी यह दुविधा है कि ये बोलियाँ दरअसल बोलियाँ हैं या हिन्दी से स्वतंत्र भाषाएँ हैं? यातायात के साधनों का समुचित विकास न होने और उद्योग-धन्धों और व्यापार में हमारे प्रदेश के अनेक भागों के पिछड़े रहने से यह जातीय एकता का भाव विशृंखल-सा रहा है। इन बोलियों की समस्या के अलावा हमारे यहाँ हिन्दी-उर्दू की विशेष समस्या रही है। बोलचाल की भाषा के दो शिष्ट या साहित्यिक रूप होने से जातीय गठन में बाधा पड़ती रही है। एक ही दिशा में बढ़ने के बदले सांस्कृतिक शक्तियाँ दो दिशाओं में बँट गई थीं। ये परिस्थितियाँ अब धीरे-धीरे बदल रही हैं।

इस प्रदेश के इतिहास के बारे में दो-चार बातें उल्लेखनीय हैं। संस्कृत भाषा और साहित्य से हमारे प्रदेश का घनिष्ठ जातीय सम्बन्ध है। भाषाशास्त्र की दृष्टि से संस्कृत से जितना सम्बन्ध हिन्दी और उसकी बोलियों का है, उतना अन्य भारतीय भाषाओं और उसकी बोलियों का नहीं। संस्कृत साहित्य के विशाल भंडार में भारत के सभी प्रदेशों के विद्वानों ने अपनी ज्ञानराशि संचित की है। फिर भी इस साहित्य के अधिकांश भाग की रचना उन लोगों ने की है, जो वर्तमान हिन्दी देश के निवासी थे। पालि, प्राकृत और अपभ्रंश के साहित्य के सम्बन्ध में भी यही बात कही जा सकती है।

आगे चलकर तुर्की बोलनेवाली अनेक जातियाँ यहाँ आईं। पश्तो, फ़ारसी आदि अन्य विदेशी भाषाएँ बोलनेवाले जन भी यहाँ आए। एक-दो पीढ़ी के बाद वे अपनी पूर्व जातीयता खोकर यहाँ के लोगों में घुल-मिल गए। इसका एक रोचक प्रमाण बाबर-वंश से तुर्की भाषा का गायब होना है! बाबर की मातृभाषा तुर्की थी किन्तु उसके वंशज घर में तुर्की न बोलते थे। फ़ारसी उनकी मातृभाषा न थी; सांस्कृतिक और राजनीतिक क्षेत्र में व्यवहार के लिए स्वीकार की हुई वह एक विदेशी भाषा थी—यद्यपि यह एशिया की ही भाषा थी और संस्कृत से उसका घनिष्ठ सम्बन्ध था। सभी मुसलमानों की भाषा फ़ारसी नहीं थी—यह तथ्य स्मरण रखना चाहिए। भारत के विभिन्न भाषा-क्षेत्रों में मुसलमानों की वही भाषा थी जो वहाँ के हिन्दुओं या अन्य धर्मवालों की थी। इसलिए यह समझना कि हिन्द प्रदेश के मुसलमान किसी फ़ारसी बोलनेवाली जाति के थे अथवा उनकी अलग जातीयता आज तक सुरक्षित है, सही नहीं है।

तीसरा महत्त्वपूर्ण ऐतिहासिक तथ्य 1857 के स्वाधीनता-संग्राम से सम्बन्धित है। भारतीय जातियों का परस्पर सम्बन्ध सौ वर्ष पहले आज से भिन्न था। 1857 में आर्थिक और राजनीतिक दृष्टि से हिन्द प्रदेश भारतीय जीवन की धुरी था। सन् सत्तावन का स्वाधीनता-संग्राम हिन्द प्रदेश तक सीमित नहीं था। पंजाब, राजस्थान, महाराष्ट्र, हैदराबाद आदि प्रदेशों में भी संघर्ष हुए किन्तु मुख्य समरभूमि दिल्ली, झाँसी और शाहाबाद के विशाल त्रिकोण से सम्बद्ध थी, इसमें सन्देह नहीं। सन् सत्तावन के संग्राम की मुख्य शक्ति हिन्द प्रदेश की हिन्दू-मुसलमान जनता थी। अंग्रेज़ साम्राज्यवादियों ने यहाँ के नगरों को उजाड़ डाला, यहाँ का व्यापार नष्ट कर दिया, भयंकर नरसंहार द्वारा उन्होंने यहाँ की जनता को त्रस्त और आतंकित करने में कुछ उठा न रखा। तब से जातीय सन्तुलन बदल गया। संख्या में विशाल होने पर भी आर्थिक और सांस्कृतिक दृष्टि से हमारी जाति बहुत-कुछ पिछड़ी रही। यह स्थिति धीरे-धीरे बदल रही है।

भारत की अनेक समृद्ध भाषाओं की तुलना में हिन्दी गद्य का विकास विलम्ब से हुआ। खड़ी बोली का शिष्ट और सुसंस्कृत रूप पहले उर्दू के माध्यम से सामने

आया। यदि हिन्दी गद्य का स्वतंत्र विकास न होता, यदि उर्दू वास्तव में हमारी जातीय भाषा की भूमिका पूरी कर पाती तो हमारा गद्य-साहित्य आज बहुत समृद्ध होता। किन्तु हिन्दी शब्दों के बहिष्कार और फ़ारसी-अरबी से ज़्यादा शब्द उधार लेने के कारण उर्दू का विकास भारत की अन्य भाषाओं से अलग एक निराली दिशा में हुआ। उर्दू में केवल दरबारी साहित्य नहीं है; खड़ी बोली के इस साहित्यिक रूप में राष्ट्रीय भावना और नये युग की चेतना प्रचुर मात्रा में विद्यमान है। फिर भी शब्द-भंडार की विशिष्टता के कारण वह हमारे जनपदों की बोलियों से दूर होती गई और हिन्दी गद्य का विकास अनिवार्य हो गया। यह प्रसन्नता की बात है कि उर्दू की बहुत-सी पुस्तकें देवनागरी अक्षरों में छप रही हैं और हिन्दी साहित्य से सम्बन्धित बहुत-सी पुस्तकें उर्दू में निकली हैं। इससे हमारी भाषा के दोनों साहित्यिक रूप एक-दूसरे के निकट आते हैं और एक मिली-जुली साहित्यिक भाषा की ओर बढ़ने की सम्भावनाएँ उत्पन्न होती हैं।

जातीय प्रतिद्वन्द्विता का सामना करने के लिए यह आवश्यक है कि हिन्दी के सरल और मुहावरेदार रूप को ज़्यादा-से-ज़्यादा काम में लाया जाए। विशेष रूप से कथा-साहित्य में भाषा का साफ़-सुथरा रूप आना ज़रूरी है। हिन्दी कथाकार जान-बूझकर कठिन भाषा नहीं लिखते। लेकिन सरलता ही काफ़ी नहीं है। बालमुकुन्द गुप्त और प्रेमचन्द की शैली ही की तरह भाषा इतनी आकर्षक होनी चाहिए कि पाठक स्वत: उसकी ओर खिंचे। संस्कृत शब्दावली का प्रयोग करने से सारे भारत में हिन्दी लोकप्रिय हो जाएगी—यह धारणा कथा-साहित्य पर निगाह डालने से मिथ्या साबित होती है। हिन्दी और अहिन्दी प्रदेशों में उन्हीं कथाकारों की रचनाएँ अधिक पढ़ी जाती हैं जो सरल और मुहावरेदार भाषा लिखने में सबसे आगे हैं।

आधुनिक हिन्दी साहित्य का विकास विलम्ब से हुआ, फिर भी यह विकास असाधारण वेग से हुआ है। पिछले साठ-सत्तर वर्षों में हिन्दी ने प्रेमचन्द जैसे उपन्यासकार, निराला जैसे कवि, प्रसाद जैसे विचारक, कवि और नाटककार, बालमुकुन्द गुप्त जैसे व्यंग्य-लेखक, हरिश्चन्द्र और बालकृष्ण भट्ट जैसे पत्रकार, महावीरप्रसाद द्विवेदी जैसे आलोचक और सम्पादक, वृन्दावनलाल वर्मा जैसे ऐतिहासिक उपन्यासकार उत्पन्न किये हैं। इन सबकी रचनाएँ न केवल हिन्दी साहित्य वरन् भारतीय साहित्य के इतिहास में उल्लेखनीय रहेंगी। साठ-सत्तर वर्ष की छोटी अवधि में हिन्दी साहित्य की कुछ जातीय विशेषताएँ उभरकर सामने आती हैं। इनमें प्रमुख विशेषता है : ज़िन्दादिली। भारतेन्दु-युग के साहित्यकारों की ज़िन्दादिली का कहना ही क्या! भयानक कठिनाइयों का सामना करने पर भी वे अपनी विनोदप्रियता और उत्साह की रक्षा कर सके। कुछ लोग कहते हैं कि हिन्दी में हास्यरस का अभाव है लेकिन हिन्दी का शायद ही कोई लेखक हो जो व्यंग्य-विनोद से पूरी तरह बचकर सदा गम्भीर बना रहा हो। गम्भीर आलोचक रामचन्द्र शुक्ल तक रीतिकालीन कवियों

की चर्चा होने पर अपनी विनोदप्रियता का दमन न कर पाते थे। छायावादी लेखक निराला जी के रेखाचित्रों—'देवी', 'चतुरी चमार' आदि—और अनेक आलोचनात्मक निबन्धों—'कला के विरह में जोशी बन्धु' आदि—में उनका व्यंग्य-विनोद देखते ही बनता है। प्रेमचन्द के कथा-साहित्य में—विशेष कर उनकी कहानियों में—उनका व्यंग्य अन्तर्धारा के समान प्रवाहित है। हम कह सकते हैं कि ज़िन्दादिली हिन्दी साहित्य की एक जातीय विशेषता है।

दूसरी महत्त्वपूर्ण विशेषता हिन्दी लेखकों का राष्ट्रीय और सामाजिक जीवन से सम्बन्ध, विशेष कर ग्रामीण जीवन से उनका गहरा सम्बन्ध है। भारतेन्दु हरिश्चन्द्र और उनके युग के अधिकांश लेखक देश में स्वाधीनता-प्रेम और नई राष्ट्रीय चेतना का प्रसार करनेवाले थे। किसान-जीवन से प्रेमचन्द का कितना गहरा सम्बन्ध था, इसे सभी लोग जानते हैं। इसी कारण वे भारतीय साहित्य में एक नये यथार्थवाद की प्रतिष्ठा कर सके। प्रसाद जैसे साहित्यकार ने भी 'तितली' में प्रेमचन्द के समान किसानों का चित्रण किया। ऐतिहासिक उपन्यासकार वृन्दावनलाल वर्मा की रचनाओं में बुन्देलखंड की लोक-संस्कृति का वैभव देखने को मिलता है। नागार्जुन जैसे लेखकों ने इस परम्परा को सुरक्षित रखा है। अमृतलाल नागर ने निम्न मध्यवर्ग और ध्वस्त होती हुई सामन्ती संस्कृति के अनुपम चित्र देकर इस यथार्थवाद को व्यापक और प्रशस्त बनाया है। हिन्दी साहित्य की मुख्यधारा समाज निरपेक्ष न होकर समाज से पूर्णत: सम्बद्ध है। हिन्दी साहित्य का यह यथार्थवादी पक्ष उसका सबल पक्ष है और हम उस पर उचित अभिमान कर सकते हैं।

हिन्दी साहित्य की इस प्रगति और जातीय प्रतिद्वन्द्विता में हिन्दी की स्थिति को ध्यान में रखते हुए नई कविता से सन्तोष नहीं किया जा सकता। यह धारा अन्तर्मुखी, सामाजिक जीवन की उपेक्षा करनेवाली और कलात्मक सौन्दर्य से हीन है। हिन्दी को हास्यास्पद बनाने के लिए पारिभाषिक शब्दावली के कुछ नमूने और नई कविता की कुछ खंडित पंक्तियाँ उद्धृत करना काफ़ी होता है। नई कविता के समर्थक वर्तमान काल में हिन्दी के जातीय और राष्ट्रीय दायित्व को पहचानते हैं, यह नहीं कहा जा सकता। आधुनिक हिन्दी कविता को समृद्ध करनेवाले ऐसे बहुत-से कवि हैं जो नई कविता के रंग-ढंग से दूर हैं। फिर भी यह मानना होगा कि दिनकर, सुमन, नरेन्द्र के बाद के कवियों की पीढ़ी उतनी समर्थ नहीं है। आधुनिक हिन्दी कविता की तुलना में हिन्दी कथा-साहित्य आगे बढ़ा हुआ है।

हिन्दी पढ़ने-लिखनेवाले अहिन्दी-भाषियों की संख्या तेज़ी से बढ़ रही है। वे जब हिन्दी पढ़ते हैं, तब अपनी भाषा के साहित्य से हठात् उसकी तुलना भी करते हैं। उनका दृष्टिकोण हमसे अधिक आलोचनात्मक होता है। ऐसे लोगों की संख्या निकट भविष्य में और भी बढ़ेगी। इसीलिए जातीय प्रतिद्वन्द्विता के इस युग में हिन्दी लेखकों का दायित्व बहुत बढ़ गया है। साहित्य के हर क्षेत्र में उनसे असाधारण

परिश्रम की अपेक्षा है। आधुनिक साहित्य के विकास में हम कुछ देर से शामिल हुए हैं। विलम्ब से होनेवाली क्षति पूरी करनी है। हमारी जाति संख्या में भारत की सभी जातियों से बड़ी है और विश्व की तीन-चार भाषाओं में—जिनके बोलनेवालों की संख्या सबसे अधिक है—हिन्दी भी है। परिमाण से सन्तोष न करके उसे गुणात्मक रूप से समृद्ध करना हमारा कर्तव्य है। व्यापार के प्रसार से हिन्दी में पुस्तक-प्रकाशन खूब बढ़ा है। शोध-प्रबन्धों से लेकर उपन्यासों तक सैकड़ों पुस्तकें हर साल प्रकाशित होती हैं। जल्दी लिखने और पुस्तकें छापने का मोह अनेक लेखकों को खींचता है। साधना के बिना साहित्य का स्तर ऊँचा नहीं हो सकता। पुस्तकों की भारी संख्या साहित्य की गरिमा का प्रमाण नहीं है। यदि सम्भव हो तो प्रत्येक हिन्दी लेखक को कुछ दिन के लिए अपना प्रदेश छोड़कर किसी अन्य भाषा-क्षेत्र में जाना चाहिए। वहाँ की साहित्यिक गतिविधि से परिचित होना चाहिए। छिद्रान्वेषण के बदले वहाँ की अच्छी बातें सीखने का प्रयत्न करना चाहिए और धैर्य से हिन्दी के सम्बन्ध में अहिन्दी-भाषियों की राय सुननी चाहिए। इससे आत्मसन्तोष की ग़लत भावना कम होगी और नई लगन से साहित्य-साधना करने की प्रेरणा मिलेगी। देश की वर्तमान परिस्थितियों में केवल हिन्दी-भाषी प्रदेशों तक—उनमें भी केवल बिहार या उत्तर प्रदेश तक, और इनमें भी अक्सर इलाहाबाद, बनारस या पटना तक—अपना दृष्टिकोण सीमित करके साहित्यकार विशेष प्रगति नहीं कर सकते। अपनी जातीय संस्कृति पर उचित गर्व करते हुए उस गर्व को अहंकार और दम्भ में परिवर्तित होने से बचाते हुए, भारत की सभी जातियों में सद्‌भावना और मैत्री को बढ़ाते हुए एक उदार दृष्टिकोण के आधार पर हम अपने प्रदेश के साथ समग्र देश की प्रगति में सहायक हो सकते हैं।

[1959]

21

# राष्ट्रभाषा अंग्रेज़ी

सर्व-प्रभुत्व-सम्पन्न भारतीय गणराज्य की लोक सभा में पिछले महीने इस प्रश्न पर दिलचस्प बहस हुई कि अंग्रेज़ी को भारत की एक राष्ट्रभाषा माना जाए या नहीं। हिन्दी में जब हम राष्ट्रभाषा की बात करते हैं तब उसका अर्थ यह होता है कि सारे राष्ट्र के विभिन्न प्रदेशों में परस्पर-व्यवहार की भाषा। पहले अंग्रेज़ी भाषा के माध्यम से भारतीय समस्याओं पर विचार करनेवाले विद्वान् इसी अर्थ में (अथवा प्राय: इस अर्थ में) 'द नैशनल लैंग्वेज़' की चर्चा करते थे। लेकिन अब वही या उनमें से अनेक विद्वान् 'ए नैशनल लैंग्वेज' की बात करने लगे हैं अर्थात् भारत राष्ट्र में जितनी भाषाएँ बोली जाती हैं, वे सभी राष्ट्र के अन्दर ही बोली जाने से राष्ट्रभाषाएँ हैं।

एक विश्वविद्यालय के पुस्तकालय में पुस्तकें मँगाने का काम अर्थशास्त्र के एक आचार्य को सौंपा गया। वह अंग्रेज़ी के लिए निर्धारित रकम भी अर्थशास्त्र की पुस्तकों के लिए ख़र्च कर देते थे। आपत्ति करने पर उन्होंने उत्तर दिया—आप देखते नहीं, ये अर्थशास्त्र की पुस्तकें भी तो अंग्रेज़ी में लिखी हुई हैं!

उसी तरह राष्ट्र में जो भाषा भी कहीं बोली जाए, वह राष्ट्रभाषा है!

वस्तुत: राष्ट्र के लिए अंग्रेज़ी में कोई पर्यायवाची शब्द नहीं है। 'नेशन' और 'नैशनल' के लिए राष्ट्र और राष्ट्रीय शब्दों का प्रयोग होता है किन्तु इस प्रयोग को उचित मानें तो 'मल्टीनैशनल कंट्री' का अनुवाद बहुराष्ट्रीय राष्ट्र होगा (अर्थात् एक देश में अनेक राष्ट्र हैं!)। हिन्दी में 'राष्ट्र' शब्द देश के समकक्ष है, उससे घटकर नहीं है। यह भी हिन्दी का दोष है कि अंग्रेज़ी जैसी समृद्ध भाषा में हिन्दी जैसी दरिद्र भाषा के राष्ट्र शब्द का कोई नपा-तुला पर्याय नहीं है। और हो भी क्यों? राष्ट्र कहते ही कुछ दकियानूसीपन की गंध नहीं आती क्या, जैसे हिन्दी कहते ही देहातीपन की बू आने लगती है?

अंग्रेज़ी! इंग्लिश! नेशन! —कितने साफ़-सुथरे शब्द हैं! मुँह से निकलते ही चेहरा खिल उठता है! इसलिए अंग्रेजी 'ए नैशनल लैंग्वेज़' भी है, 'द नैशनल लैंग्वेज़' भी है। वह भारत राष्ट्र में बोली जानेवाली अनेक भाषाओं में एक है और इन अनेक में एकमात्र नेक भाषा है।

एंग्लो-इंडियन-कुल-कमल-दिवाकर श्री फ्रैंक एंटनी एम.पी. ने लोक सभा में कहा कि कुछ लोग अंग्रेज़ी का नाश करने पर तुले हुए हैं। इनमें अग्रगण्य वे हैं जिनकी मातृभाषा हिन्दी है। ये हिन्दी-प्रेमी समझते हैं कि हिन्दी तब तक राज-काज की भाषा न बनेगी, जब तक अंग्रेज़ी का नाश न किया जाएगा।

श्री एंटनी ने यह नहीं कहा कि अंग्रेज़ी को राजभाषा बनाए रखने के लिए हिन्दी का नाश करना ज़रूरी है। किन्तु इससे पहले अनेक अवसरों पर वह हिन्दी के लिए लोक सभा में जिन विशेषणों का प्रयोग कर चुके हैं, उनसे यही ध्वनि निकलती है।

श्री एंटनी इतिहास में भी दख़ल रखते हैं। उन्होंने राष्ट्रभाषा-समस्या के दायरे से बाहर निकलकर भारतीय इतिहास का विहंगावलोकन करते हुए घोषित किया : "द हिस्ट्री ऑफ़ इंडिया बिफोर द एडवेंट ऑफ़ इंग्लिश वाज़ द हिस्ट्री ऑफ़ ट्राइबलिज़्म" (9 अगस्त, 1959 के 'टाइम्स ऑफ़ इंडिया' में प्रकाशित विवरण)। अर्थात् अंग्रेज़ों के आने से पहले भारत का इतिहास कबीलों का इतिहास था।

कबीलों को शिक्षित करने, उन्हें राष्ट्रीय एकता का पाठ पढ़ाने, उनकी आदिम बर्बरता को दूर करने का काम अंग्रेज़ों ने किया। अंग्रेज़ी शासकों को राष्ट्रीयता से इतना प्रेम था कि यहाँ से विदा होते समय वे एक के बदले दो राष्ट्र बना गए!

श्री फ्रैंक एंटनी ने अपनी महज विनम्रता से यह नहीं कहा कि सभ्यता के वाहन अंग्रेज़ शासकों के नामलेवा और पानीदेवा एंग्लो-इंडियन सम्प्रदाय के एंटनी जैसे नेता अभी बचे रह गए हैं।

लेकिन एंटनी महोदय देशभक्ति में किसी से पीछे नहीं। आज जब देश के अनेक कर्णधार जनता को यह समझाते नहीं थकते कि अंग्रेज़ों की पुरानी अत्याचार-गाथा भूल जाओ, नये सिरे से सत्य और अहिंसा के आधार पर उनसे मैत्री-सम्बन्ध क़ायम करो, तब भारतीय गणतंत्र की लोक सभा में श्री फ्रैंक एंटनी ने माननीय सदस्यों को सूचित किया कि वह एंग्लो-इंडियन सम्प्रदाय का इतिहास लिख रहे हैं और वे ही जानते हैं (उनका दिल जानता है!) कि अंग्रेज़ी राज ने जितना नुक़सान 'एंग्लो-इंडियन कम्यूनिटी' का किया है, उतना और किसी का नहीं! उन्होंने सखेद निवेदन किया कि 1806 से पहले एंग्लो-इंडियन कम्यूनिटी के सदस्य सैनिक और श्रेष्ठी (मर्चेंट-प्रिंसेज) होते थे (और इस रूप में भारत राष्ट्र की सेवा करते थे!) किन्तु 1806 के बाद वे उस गौरवशाली स्थान से हटा दिये गए। श्री एंटनी के अनुसार : अंग्रेज़ शासकों को सन्देह था कि वे हिन्दुस्तानियों से मिलकर किसी दिन विद्रोह कर देंगे।

उदारमना, सुसंस्कृत अंग्रेज़ शासकों की राज्यसत्ता का आधार शायद इतना व्यापक था कि उन्हें भारतीय जनता से ही भय नहीं था वरन् उनसे भी संकट की आशंका थी, जो अपने को अंग्रेज़ों का वंशज मानने में गर्व और गौरव का अनुभव करते थे—भले ही वे अंग्रेज़ रक्त-सम्मिश्रण का सन्देह करके घृणा से मुँह फेर लेते

हों। एंग्लो-इंडियनों से विद्रोह की शंका निर्मूल थी। 1806 के पचास साल बाद, सन् अठारह सौ सत्तावन के साल अनेक एंग्लो-इंडियन देशभक्तों ने, हैदराबाद के निजाम और नेपाल के राना जंगबहादुर जैसे दूरदर्शी राजनीतिज्ञों के समान ही, प्रगतिशील अंग्रेज़ों की राज्यसत्ता फिर से स्थापित कराने में एड़ी-चोटी का पसीना एक कर दिया। 1932 में हर्बर्ट एलिक स्टार्क नाम के एक एंग्लो-इंडियन सज्जन ने 'द काल ऑफ़ द ब्लड' (ख़ून की पुकार) नाम की पुस्तक लिखी थी। उसमें उन्होंने 1857 में एंग्लो-इंडियनों की राष्ट्र-सेवा का चित्रण किया था। इसकी भूमिका में उन्होंने इस बात पर खेद प्रकट किया था कि 1786 के बाद (श्री एंटनी के दिये हुए सन् से कुछ वर्ष पहले) एंग्लो-इंडियनों को इस बात की मनाही कर दी गई थी कि वे ज़मीन खरीदें या फ़ौज और सिविल सर्विस में ऊँची जगह पाएँ। फिर भी ख़ून की पुकार तो ख़ून की ही है, विशुद्ध अंग्रेज़ उसे कैसा भी ख़ून समझें। स्टार्क ने गर्व से लिखा है कि लामार्टीनियर कॉलेज, लखनऊ के एंग्लो-इंडियन) छात्रों ने रेज़ीडेंसी के घेरे के समय अंग्रेज़ सैनिकों के साथ रहकर उनकी अनुपम सेवा की, उनकी जूठी रकाबियाँ और गन्दे कपड़े धोये, चक्की पीसी, खाना पकाया और पंखा खींचा। इस सेवा का पुरस्कार छात्रों को क्या मिला, मालूम नहीं; लामार्टीनियर कॉलेज के प्रिंसिपल महोदय को ताल्लुकेदार अवश्य बना दिया गया।

1857 में भारतीय सेना के साथ मिलकर अंग्रेज़ों के विरुद्ध लड़नेवाले कुछ गोरे अफ़सर भी थे। उनका उल्लेख करते हुए स्टार्क ने सगर्व लिखा है—अंग्रेज़ों से अंग्रेज़ तक लड़े, नहीं लड़े तो केवल—एंग्लो-इंडियन!

श्री फ्रैंक एंटनी भी कह सकते हैं—अंग्रेज़ों ने भी चाहे हिन्दी को राजभाषा स्वीकार कर लिया हो, नहीं स्वीकार किया तो उन-जैसे एंग्लो-इंडियनों ने!

श्री एंटनी के भाषण के समय चारों ओर से सदस्यों ने उस पर आपत्ति की और अपना तीव्र विरोध प्रकट किया। किन्तु प्रधानमंत्री श्री जवाहरलाल नेहरू ने अंग्रेज़ी के भविष्य के सम्बन्ध में श्री एंटनी को यथेष्ट आश्वासन दिया। कहना चाहिए, आश्वासन यथेष्ट से भी अधिक था क्योंकि प्रधानमंत्री के भाषण के बाद श्री एंटनी ने सन्तोष प्रकट करते हुए कहा कि उन्होंने जितने की आशा की थी, उससे भी अधिक प्रधानमंत्री से उन्होंने पाया।

प्रधानमंत्री अत्यन्त उदारचेता व्यक्ति हैं। संकीर्णता उनके स्वभाव के प्रतिकूल है। उनका अन्तरराष्ट्रीय दृष्टिकोण जितना व्यापक है, उतना ही और उससे कुछ अधिक ही व्यापक उनका राष्ट्रीय दृष्टिकोण है। विशेष रूप से उनका हिन्दी-सम्बन्धी दृष्टिकोण इतना व्यापक हो गया है कि अब वह कोण न रहकर रेखा बन गया है जिसमें चौड़ाई क्षीण होकर लम्बाई में परिवर्तित हो गई है।

भारत में कुछ लोग हिन्दी के हिमायती हैं, कुछ लोग अंग्रेज़ी के। पंचशील का तकाज़ा है कि दोनों का शान्तिपूर्ण सह-अस्तित्व क़ायम रहे। जैसे भारत की

स्वाधीनता-रक्षा के साथ राष्ट्रीय सरकार ने देश में ब्रिटिश पूँजी के मुनाफे की रक्षा का भार भी लिया है, उसी तरह क्या अंग्रेज़ी का राजभाषा बना रहना हिन्दी के राष्ट्रभाषा बनने में सहायक नहीं हो सकता? असली चीज़ है, दोनों के अलग-अलग क्षेत्रों को पहचानना। यह पहचान हासिल हो तो संघर्ष की नौबत ही न आए। भाषाएँ 'ओवरलैप' करती हैं; ओवरलैप करने से प्रधानमंत्री का आशय क्या है, यह जितना हम समझते हैं, उतना अख़बार पढ़कर आप भी समझ सकते हैं। 'लैंग्वेजेज़ डू ओवरलैप'—प्रधानमंत्री के इस भाषाविज्ञानी सूत्र की व्याख्या करना हमारा काम नहीं।

प्रधानमंत्री ने बताया कि पहले अंग्रेज़ी एक लादी हुई भाषा थी। फिर भी उसने आधुनिक ज्ञान के द्वार खोल दिये।

इससे निष्कर्ष निकाला जा सकता है कि वर्तमान समय में जो लोग उस लादी हुई भाषा का लदाव अस्वीकार करके स्वेच्छा से उसे ढोते हैं, वे और भी जल्दी आधुनिक ज्ञान-भंडार तक पहुँच जाएँगे। उनके लिए द्वार खोलने का सवाल भी न उठेगा; वे खिड़की या रौशनदान से ज्ञान-मन्दिर के आँगन में कूद पड़ेंगे!

प्रधानमंत्री ने कहा कि एंग्लो-इंडियन सम्प्रदाय को पूर्ण अधिकार है कि वह अंग्रेज़ी के माध्यम से शिक्षा पाए। इसके सिवा उन्होंने एक बात मार्के की और कही : "एंग्लो-इंडियंस शुड बी गिविन एवरी फ़ैसिलिटी टु डिवेलप इंग्लिश लैंग्वेज़।" एंग्लो-इंडियनों को यह पूर्ण अधिकार मिलना चाहिए कि वे अंग्रेज़ी भाषा को विकसित कर सकें। अभी तक हम सुनते थे कि हिन्दी को ही भाषा-रूप में विकसित करना आवश्यक है, वह पिछड़ी हुई भाषा है। उसका भाषागत अथवा साहित्यिक महत्त्व नहीं है। महज सुविधा के लिए, बोलनेवालों की विशाल संख्या के ही कारण उसे राष्ट्रभाषा या राजभाषा बनाना है, इसलिए उसे विकसित करना होगा। किन्तु सर्वज्ञान-समृद्ध, आधुनिकता की खान, राष्ट्रीय और अन्तरराष्ट्रीय महाभाषा अंग्रेज़ी को 'डिवेलप' कराना ज़रूरी है, और वह भी भारत के एंग्लो-इंडियन सम्प्रदाय द्वारा—इससे बड़ी सूझ-बूझ की बात लोक सभा में स्वयं प्रधानमंत्री भी आगे कहेंगे, इसमें सन्देह है।

प्रधानमंत्री ने अपनी नीति के समर्थन में कहा कि पांडिचेरी प्रदेश (पांडिचेरी-टेरीटरी) की भाषा फ्रांसीसी है।

भले ही इस पांडिचेरी प्रदेश की भारतीय जनता की भाषा फ्रांसीसी न हो, लेकिन अगर एक यूरोपीय भाषा होने के नाते वहाँ उसे राजभाषा का पद मिल सकता है, तो सारे भारत में अंग्रेज़ी को राजभाषा—अथवा हिन्दी के साथ अतिरिक्त राजभाषा (और व्यवहार में एकमात्र राजभाषा)—का पद क्यों नहीं दिया जा सकता?

प्रधानमंत्री ने कहा कि जो प्रदेश पुर्तगालियों के अधिकार में हैं, एक दिन वह भी भारत राज्य में मिल जाएगा। तब पुर्तगाली भी 'ए लैंग्वेज़ ऑफ़ इंडिया' (भारत की एक भाषा) होगी।

इससे स्पष्ट परिणाम निकला कि संविधान में उल्लिखित भारतीय भाषाओं में अंग्रेज़ी का नाम न होने पर भी वह है भारतीय भाषा ही!

लोक सभा के एक दक्षिण भारतीय सदस्य ने श्री एंटनी के समर्थन में कहा कि दो शताब्दियों से भारत का बुद्धिजीवी वर्ग अंग्रेज़ी को अपनी भाषा के रूप में अपनाए हुए है। देश की एकता के लिए यह आवश्यक है कि विश्वविद्यालयों में शिक्षा का माध्यम एक ही भाषा अर्थात् अंग्रेज़ी हो। प्रधानमंत्री ने माननीय सदस्य की बात की चर्चा करते हुए कहा कि वह स्वयं भी चाहते हैं कि विश्वविद्यालयों में शिक्षा का माध्यम एक ही भाषा अर्थात् अंग्रेज़ी रहे लेकिन उन्हें किसी तरह के दबाव से नफ़रत है; इन सब चीज़ों का सहज विकास ही वांछनीय है। उन्होंने कहा कि हिन्दी के हिमायती जब दूसरों पर हिन्दी लादना चाहते हैं, तो वह भी नापसन्द है।

नतीजा यह कि इन दो नापसन्दगियों के बीच अंग्रेज़ी हमारी पसन्द से, बिना किसी पर लदे हुए, राजभाषा बनी रहती है।

अंग्रेज़ी के राजभाषा न रहने से क्या होगा? प्रधानमंत्री के अनुसार अंग्रेज़ी आधुनिक संसार की ओर खुलनेवाली बड़ी खिड़की है। 'वी डेयर नॉट क्लोज दैट विंडो। इफ वी क्लोज़ इट, इट इज़ पेट द पेरिल ऑफ़ अवर फ्यूचर।' (यह खड़की हमें हर्गिज बन्द न करनी चाहिए। उसे बन्द किया तो हमारा भविष्य संकट में पड़ जाएगा।)

भारत का भविष्य यहाँ की निन्यानवे फीसदी जनता पर निर्भर नहीं है। भविष्य निर्भर है डेढ़ फीसदी अंग्रेज़ी जाननेवालों पर, जो इस खिड़की से आधुनिक संसार की ओर झाँकते हैं। इन डेढ़ फीसदी में भी बहुतों को खिड़की तक पहुँचने और बाहर झाँकने का सौभाग्य नहीं मिलता। अंग्रेज़ी व्याकरण, उसके बाद उच्चारण और उससे भी बढ़कर शब्दों के लेखन की ऐसी बाधाएँ हैं जो उन्हें झाँकने से रोकती हैं। इसी कारण कुछ प्रदेशों के मंत्री और उपमंत्री तक बहुधा अपने अंग्रेज़ीदाँ सेक्रेटरियों की पीठ का सहारा लेकर ही खिड़की से झाँकते हैं। झाँककर वे क्या पाते हैं, यह कहना कठिन है क्योंकि जनता से अधिक भाग्य-नक्षत्रों पर भरोसा होने के कारण वे ज्योतिष-शास्त्र को आधुनिक विज्ञान की चरम उपलब्धि मानते हैं।

प्रधानमंत्री की युक्तिपूर्ण बातें कुछ समाचार-पत्रों की समझ में नहीं आईं। इनमें ऐसे पत्र भी हैं जो हिन्दी के समर्थकों की आलोचना करते हैं और जिनकी भाषा अंग्रेज़ी है। उदाहरण के लिए, 'टाइम्स ऑफ़ इंडिया' ने 14 अगस्त की सम्पादकीय टिप्पणी में लिखा था : "राजभाषा के सम्बन्ध में लोक सभा की समिति ने अपने अत्यन्त तर्कसंगत विवरण में 'हिन्दी साम्राज्यवाद' के भय को निर्मूल कर दिया था। उसके बाद प्रधानमंत्री द्वारा अधिक आश्वासन की अपेक्षा न थी। जो भय दूर हो चुके थे, उन्हें फिर से दूर करने के प्रयास में श्री नेहरू ने ऐसी बातें कहीं जो उन चरमपंथियों के हाथ मज़बूत करती हैं जो इस स्थिति को अस्वीकार करते हैं कि हिन्दी देश की राजभाषा हो।"

यह अख़बार मानता है कि आधुनिक संसार को देखने के लिए अंग्रेज़ी खिड़की आवश्यक है लेकिन उसे खेद है कि श्री नेहरू आवश्यकता से अधिक आश्वासन दे गए। और हमें खेद है, प्रेमचन्द की बुद्धि पर जो अंग्रेज़ी का राष्ट्रीय और अन्तरराष्ट्रीय महत्त्व न समझकर उसे राष्ट्रभाषा माननेवाले देशभक्तों के लिए कह गए थे : "वे इतनी बुलन्दी पर पहुँच गए हैं कि नीचे की धूल और गर्मी उन पर कोई असर नहीं कर सकती। वे मुअल्लक हवा में लटके रह सकते हैं। लेकिन हम सब तो हज़ार कोशिश करने पर भी वहाँ तक नहीं पहुँच सकते। हमें तो इसी धूल और गर्मी में जीना और मरना है। इंटेलीजेंशिया में जो कुछ शक्ति और प्रभाव है, वह जनता ही से आता है। उससे अलग रहकर वे हाकिम की सूरत में ही रह सकते हैं, खादिम की सूरत में जनता के होकर नहीं रह सकते। उनके अरमान और मंसूबे उनके हैं, जनता के नहीं। उनकी आवाज़ उनकी है, उसमें जनसमूह की आवाज़ की गहराई और गरिमा और गम्भीरता नहीं है। वे अपने प्रतिनिधि हैं, जनता के प्रतिनिधि नहीं।"

[1959]

22

# सोवियत संघ में भाषा-समस्या-समाधान

तोल्स्तोय ने अपने प्रसिद्ध उपन्यास 'युद्ध और शान्ति' में एक क्लब की चर्चा की है जिसकी स्थापना इस उद्‌देश्य से की गई थी कि उसके सदस्य रूसी बोलें। जो रूसी न बोले, वह जुर्माना दे। यह संस्था राष्ट्रीयता के आवेश में तब क़ायम की गई थी जब नेपोलियन मास्को के निकट पहुँच गया था। एक महिला सदस्य बीच में फ्रांसीसी बोलने लगती है और फिर भूल सुधारकर कहती है, आख़िर इस बात को रूसी में कैसे व्यक्त करे! रूस के अभिजात वर्ग की यह फ्रांसीसी-भक्ति भारत के बहुत-से नौकरी-पेशा, नेता-पेशा भद्रजनों की अंग्रेज़ी-भक्ति से तुलनीय है। समाजवादी क्रान्ति ने यह विदेशी भाषा-भक्ति खत्म कर दी।

समाजवादी क्रान्ति के बाद साम्यवादी नेता इस बात का इन्तज़ार नहीं करते रहे कि रूसी भाषा विकसित होकर फ्रांसीसी या जर्मन के बराबर हो जाए, तब उसे राजभाषा बनाएँगे। उन्होंने रूसी को ही राजभाषा नहीं बनाया, उक्रैनी, जार्जियाई, बेलोरूसी आदि भाषाओं को भी राजभाषा बनाया। सोवियत संघ गणराज्यों का संघ है और प्रत्येक गणराज्य की अपनी राजभाषा है। जो जातियाँ पिछड़ी हुई थीं, जिनकी भाषाओं की लिपि नहीं थी, उन्हें भी लिपि-व्याकरण आदि से दुरुस्त करके स्वायत्त शासन के कार्यों के लिए चालू किया गया। जैसाकि गांधी जी ने कहा था, भारतीय भाषाओं के पिछड़ेपन की दुहाई देकर अंग्रेज़ी को बरकरार रखना आलस्य की निशानी है।

विभिन्न जातियों के बीच आपसी व्यवहार और केन्द्रीय राजकाज के लिए कोई भाषा हो या न हो? रूस में जातीय उत्पीड़न तीव्र था, इसलिए लेनिन ने यह नारा दिया कि कोई भी अनिवार्य केन्द्रीय राजभाषा न होनी चाहिए। साथ ही लेनिन ने अपने भाषा-सम्बन्धी लेखों में यह भी कहा कि सभ्य देश में लोग उस जाति की भाषा को आपसी व्यवहार के लिए स्वीकार करेंगे जिसके बोलनेवालों की संख्या ज़्यादा होगी। इस तरह केन्द्रीय पार्टी-कार्यों और केन्द्रीय राजकाज के लिए रूसी भाषा का व्यवहार बराबर होता रहा।

पूँजीवादी बहुजातीय देशों और सोवियत संघ में केन्द्रीय भाषा की स्थिति में अन्तर है। सोवियत संघ में कानून से रूसी को केन्द्रीय भाषा नहीं बनाया गया; वह स्वेच्छा से स्वीकृत हुई है। स्वेच्छा से स्वीकृत होने का सामाजिक आधार यह है कि किसी जाति के पूँजीपति दूसरी जाति के अधिकारों का दमन करने को नहीं बचे। इसके अलावा रूस में ग़ैर-केन्द्रीय भाषाओं को जितने अधिकार प्राप्त हैं, उतने किसी भी बहुजातीय पूँजीवादी देश में ग़ैर-केन्द्रीय भाषाओं को प्राप्त नहीं हैं। प्रत्येक गणराज्य (या रिपब्लिक) में उसकी अपनी राजभाषा है। स्वायत्त शासन-क्षेत्रों में अन्य छोटी जातियों की भाषाओं में राजकाज होता है। युद्धकाल में कालीनिन ने राजनीतिक कार्यकर्ताओं से कहा था कि वे सैनिकों से उन्हीं की भाषा में बातचीत करें, तभी उनका प्रचार-कार्य सफल होगा। यू.एन.ओ. तक में उक्रैनी सदस्य अपनी भाषा का व्यवहार कर चुके हैं।

सोवियत संघ बहुजातीय देश है किन्तु वहाँ गणराज्यों की सरकारों के अलावा केन्द्रीय सरकार भी है। देश के राजकाज का संचालन करनेवाली पार्टी है जिसका संगठन-सिद्धान्त है जनवादी केन्द्रीयता। स्तालिन जार्जिया के थे लेकिन केन्द्रीय शासन और पार्टी-कार्य के लिए रूसी बोलते और लिखते थे। ख्रुश्चेव उक्रैनी हैं लेकिन पार्टी-कांग्रेसों आदि में रूसी बोलते हैं। मिकोयान आर्मीनियन हैं। उनकी स्थिति भी वही है। रूसी जाने और उसका व्यवहार किये बिना वहाँ कोई राष्ट्रीय नेता नहीं बन सकता। इससे जो निष्कर्ष निकलते हैं, वे भारत के प्रगतिशील नेताओं के ध्यान देने योग्य हैं।

सोवियत संघ में सौ से ऊपर जातियाँ हैं लेकिन इनके सोलह प्रजातंत्र या गणराज्य ही हैं। प्रत्येक भाषा को लेकर एक राज्य क्यों नहीं बना? इसका कारण यह है कि रूसी नेताओं ने भाषा-समस्या को मूल सामाजिक समस्या के अधीन माना है, उससे स्वतंत्र नहीं। मूल समस्या है, किसान-मज़दूरों की मुक्ति की, समाजवाद के विकास की। आर्थिक और राजनीतिक दृष्टि से यदि किसी जाति का गणराज्य निर्बल पड़ता है तो उसे दूसरे के साथ मिलकर रहना होगा, अलबत्ता उसका अपना स्वायत्त शासन-क्षेत्र होगा जिसमें उसकी अपनी भाषा का व्यवहार जाएज़ होगा। भारत में प्रत्येक भाषा को लेकर एक राज्य बने या न बने—यह प्रश्न मूल सामाजिक समस्या से अलग रखकर हल नहीं किया जा सकता।

सोवियत संघ में प्रत्येक जाति की भाषा को विकास की सुविधाएँ प्राप्त हैं। फिर भी ये अधिकार और जातीय समानता हर जगह सौ फीसदी एक-से नहीं हैं। रूसी भाषा हर नागरिक को सीखनी होती है; रूसी-भाषियों को दूसरी भाषाएँ उसी तरह नहीं सीखनी पड़तीं। गणराज्य की भाषा वहाँ के प्रत्येक नागरिक को सीखनी होती है। जिनकी वह मातृभाषा नहीं है, उन्हें भी वह सीखनी होती है। यथा उक्रैनी गणराज्य में उक्रैनी-भाषियों को मातृभाषा के अलावा रूसी सीखनी होगी; वहाँ

उज़बेक हों तो वे उज़बेक के अलावा रूसी और उक्रैनी सीखेंगे। इस तरह हर नागरिक को एक, किसी को दो, किसी को तीन या अधिक भाषाएँ परिस्थिति के अनुसार सीखनी होती हैं।

सोवियत संघ में हर भाषा विश्वविद्यालय में शिक्षा का माध्यम नहीं है। निम्नस्तर के राजकाज और सांस्कृतिक कार्यवाही के लिए मातृभाषा का ही व्यवहार किया जाता है। उच्च शिक्षा का माध्यम बनानेवाली भाषाओं की संख्या सीमित है और इनमें भी जितना उच्च अनुसन्धान और शिक्षा-कार्य रूसी में होता है, उतना अन्य भाषाओं में नहीं। इस बात को ध्यान में रखने से राजस्थानी, पंजाबी आदि भाषाओं के प्रति न्याय करने की समस्या हल की जा सकती है। साथ ही इस बात पर ज़ोर देना आवश्यक है कि सभी सोवियत विश्वविद्यालयों में शिक्षा का माध्यम रूसी नहीं है। उक्रैन की विज्ञान-अकादमी अपना विवरण आदि उक्रैनी में ही प्रकाशित करती है।

मुख्य बात यह है कि सोवियत-विज्ञान जनता की सेवा के लिए है, सोवियत शिक्षा जनता को सुसंस्कृत करके उसे साम्यवाद की ओर ले जाने के लिए है। पूँजीवादी शोषण को समाप्त कर देने से सोवियत संघ में भाषा और धर्म को लेकर दंगे नहीं होते, सभी जातियाँ परस्पर सहायता और सहयोग का जीवन बिताती हैं। इसलिए वहाँ भाषा-समस्या भी सन्तोषजनक ढंग से हल कर ली गई है।

[1961]

23

# हिन्दी-उर्दू की बुनियादी एकता

किसी जाति की भाषा-समस्या पर विचार करते हुए हमें सबसे पहले उसके बोलचाल के रूप पर ध्यान देना चाहिए। क्या बोलचाल के रूप में भी हिन्दी-उर्दू दो भाषाएँ हैं? इसमें सन्देह नहीं कि बहुत कठिन हिन्दी और बहुत कठिन उर्दू बोली जा सकती है; लेकिन आम लोग उन्हें बोलते नहीं। इसलिए प्रेमचन्द का यह कहना ठीक था कि "बोलचाल की हिन्दी और उर्दू प्राय: एक-सी हैं।" उर्दू-हिन्दी के सर्वनाम एक हैं—वह, मैं, तू, हम इत्यादि। हिन्दी-उर्दू की क्रियाएँ एक ही हैं—जाना, सोना, खाना, पीना, करना, मरना, जीना, लिखना, पढ़ना इत्यादि। आजमाना, गुज़रना, लरजना जैसी क्रियाएँ बहुत थोड़ी हैं। कुल मिलाकर एक दर्जन से ज़्यादा नहीं, जो फ़ारसी-अरबी शब्दों के आधार पर बनी हैं। वे हिन्दी में मतरूक (उपेक्षित) नहीं हैं। बोलचाल में उनका प्रयोग बराबर होता है। हिन्दी-उर्दू के सम्बन्धवाचक शब्द—में, पर, से, का आदि—वही हैं जो हिन्दी के। दोनों का मूल शब्द-भंडार भी एक है; लेकिन यहाँ बहुत दिनों तक फ़ारसी के राजभाषा रहने से हिन्दी शब्दों के फ़ारसी या अरबी पर्यायवाची शब्द प्रचलित हो गए हैं—जैसे देश-मुल्क, आकाश-आसमान, धरती-ज़मीन, भाषा-ज़बान, किसान-काश्तकार, नदी-दरिया, रोगी-बीमार इत्यादि।

इन शब्दों का व्यवहार बोलचाल की हिन्दी-उर्दू में बिना किसी भेदभाव के होता है। देश, आकाश, धरती जैसे शब्द उर्दू साहित्यकारों की रचनाओं में मिलेंगे और मुल्क, आसमान, ज़मीन जैसे शब्द हिन्दी साहित्यकारों की रचना में। इसके सिवा हल, बैल, खेत, खलिहान, बीज, जुताई, बुवाई, कारख़ाना, मज़दूर, काम, छुट्टी आदि हज़ारों ऐसे शब्द हैं जिनके पर्यायवाची शब्द बोलचाल की भाषा में व्यवहृत नहीं होते, साहित्यिक भाषा में भले होते हों। लखनऊ और हैदराबाद के हिन्दू-मुसलमान बोलचाल की भाषा में फ़ारसी शब्दों का व्यवहार ज़्यादा करेंगे, उन्हीं फ़ारसी शब्दों की जगह बिहार और मध्य प्रदेश के मुसलमान हिन्दी या संस्कृत शब्दों का प्रयोग करेंगे। यह स्थानीय भेद हुआ, इससे दो भाषाओं का निर्माण नहीं होता। हिन्दी-उर्दू का व्याकरण एक, वाक्य-रचना एक-सी, शब्द-

भंडार और क्रियाएँ एक-सी—इसीलिए हिन्दी-उर्दू-भाषियों की दो क़ौमें नहीं हैं। उनकी जाति एक है और बोलचाल की भाषा एक है।

हिन्दी-उर्दू में सबसे पहला भेद लिपि का है। लिपि लिखने के काम आती है, न कि बोलने के। इसलिए लिपि-भेद को हम बुनियादी भेद नहीं मानते। हिन्दी-उर्दू में दूसरा भेद है शब्द-भंडार का। यह भेद साधारण लोगों की बोलचाल में बिलकुल नहीं है, पढ़े-लिखे लोगों में बहुत थोड़ा है और भाषा के लिखित रूपों में बहुत ज़्यादा है। बोलचाल में जो शब्द सामान्य सम्पत्ति हैं, लिखते समय उनमें भी अलगाव करने की प्रवृत्ति देखी जाती है। धरती, आकाश, किसान, नदी, भाषा, रोगी, देश जैसे शब्द उर्दू में कम मिलेंगे; काश्तकार, दरिया, आसमान, ज़बान जैसे शब्द साहित्यिक हिन्दी में कम मिलेंगे।

लेकिन मूल भेद दूसरा है। दर्शन, राजनीति, साहित्य आदि में जब हमें ऐसे शब्दों की ज़रूरत होती है, जो किसानों-मज़दूरों की बोलचाल में नहीं हैं, तब उर्दू लेखक अरबी-फ़ारसी से उधार लेते हैं, हिन्दी लेखक संस्कृत से। राजनीति-सियासत, साहित्य-अदब, लिपि-रस्मुल्खत, भाषाविज्ञान-लसानियात, आलोचना-तनकीद, अन्तरराष्ट्रीय-बैनुलअकवामी, इतिहास-तारीख, जनतंत्र-जम्हूरियत, कोश-लुगत—मुख्यत: इस तरह की शब्दावली हिन्द-उर्दू में अलगाव उत्पन्न करती है।

पहले यह समझ लेना आवश्यक है कि हिन्दी-उर्दू का यह अलगाव हमारे जातीय विकास के लिए घातक है। पढ़े-लिखे लोगों की शक्ति एक जगह सिमटकर पूरी जाति को आगे बढ़ाने के बदले बिखर जाती है और लिपि के आधार पर पाठक-वर्ग दो हिस्सों में बँट जाता है। यदि भाषा और साहित्य उच्च वर्गों के थोड़े-से पढ़े-लिखे आदमियों के लिए ही हों, तो वे चाहे उर्दू में मनोरंजन करें, चाहे हिन्दी में, बाकी जनता इस मनोरंजन से दूर रहेगी। लेकिन सवाल है देश के साधारण लोगों का, मेहनत से अन्न पैदा करनेवालों और पंचवर्षीय योजनाएँ पूरी करनेवालों का। भाषा और साहित्य इनके लिए हैं। समाजवादी व्यवस्था में सबसे पहले इन्हीं के लिए परिवर्तन होंगे। तब यह भाषा और लिपि का बँटवारा कब तक चलेगा?

समाजवादी व्यवस्था के निर्माण के लिए जनता का संगठन, उसकी शिक्षा और आन्दोलन ज़रूरी हैं। यदि एक ही कारख़ाने के मज़दूर दो लिपियों से काम लेते हैं, तो इससे उनकी शक्ति कम होगी, उनकी संस्कृति में दरारें पड़ेंगी। इसके सिवा हिन्दुस्तानी जाति दुनिया की सबसे बड़ी जातियों में है। अंग्रेज़ी बोलनेवाले बहुत हैं; लेकिन वे अनेक जातियों के हैं। एक ही भाषा बोलनेवाली कोई जाति हमसे संख्या में बड़ी हो सकती है, तो चीनी है। भारत की सभी जातियों में हमारी जाति सबसे बड़ी है, यह निर्विवाद है। ऐसी स्थिति में हमारी भाषा का राष्ट्रीय और अन्तरराष्ट्रीय महत्त्व है। स्पष्ट है कि हमारी भाषा अपनी पूरी ताक़त से तभी प्रगति कर सकती है, जब उसमें जाति के सभी तत्त्वों का सहयोग हो।

हिन्दी-उर्दू को एक होना चाहिए—यह हमारे ऐतिहासिक विकास की माँग है। इसके लिए आवश्यक सांस्कृतिक आधार यह है कि साधारण जनता की बोलचाल की भाषा एक है। हमें इस एकता की ओर बढ़ने के लिए मजबूर करनेवाला सामाजिक कारण देश का पिछड़ापन, जनता की गरीबी, समाजवादी निर्माण की आवश्यकता है। इसके सिवा यह भी याद रखना चाहिए कि भारत के हर प्रदेश का सामाजिक और सांस्कृतिक जीवन अलग-अलग रहकर विकसित नहीं होता, वह अखिल भारतीय जीवन-प्रवाह की एक धारा है। और उस प्रवाह के साथ ही आगे बढ़ता है। यहाँ की भाषाएँ भी एक-दूसरे को प्रभावित करती रही हैं और करेंगी। भारत के हर जातीय प्रदेश की भाषा और लिपि एक हो, लेकिन हिन्द प्रदेश की दो लिपियाँ और दो भाषाएँ हों, यह सम्भव नहीं है।

उर्दू अलग किसी क़ौम की भाषा नहीं है, इसलिए उसे इलाकाई ज़बान मनवाने के आन्दोलन का विरोध करना उचित है। किन्तु वह सांस्कृतिक अल्पसंख्यकों की साहित्यिक भाषा है, इसलिए उसे पढ़ने-पढ़ाने और उसका व्यवहार करने की सुविधा मिलनी चाहिए। राजभाषा के रूप में हिन्दी होनी चाहिए, राजकाज के लिए दो लिपियाँ और उनमें लिखी हुई दो भाषाएँ नहीं हो सकतीं। हिन्दी-उर्दू के शब्द-भंडार में काफ़ी आदान-प्रदान की गुंजाइश है। हिन्दी में बोलचाल के बहुत-से शब्द साहित्यिक कृतियों में छोड़ दिये जाते हैं। बहुत-से मुहावरे, कहावतें, बोलचाल के शब्द ऐसे हैं जो उर्दू में हैं, लेकिन जिनका प्रयोग हिन्दी में नहीं होता, कम होता है या ग़लत भी होता है। यह सब उर्दू से हिन्दी में आएगा। हमारी साहित्यिक भाषा ज़्यादा सरल और मुहावरेदार होगी।

उर्दू में संस्कृत शब्दों से जो परहेज है, उसे कम होना है। भारत की भाषाओं के लिए अरबी-फ़ारसी का वही महत्त्व नहीं है, जो संस्कृत का है। व्याकरण और मूल शब्द-भंडार की दृष्टि से उर्दू संस्कृत-परिवार की भाषा है, न कि अरबी-परिवार की। इसलिए अरबी से पारिभाषिक शब्द लेने की नीति ग़लत है, केवल अरबी से शब्द लेने और संस्कृत शब्दों को मतरूक समझने की नीति और भी ग़लत है। भारत की भाषाएँ प्राय: संस्कृत के आधार पर पारिभाषिक शब्दावली बनाती हैं। उर्दू इन सब भाषाओं से न्यारी रहकर अपनी उन्नति नहीं कर सकती। जहाँ तक पाकिस्तान का सम्बन्ध है, यह याद रखना चाहिए कि वहाँ की भाषाएँ सिंधी, पंजाबी, पश्तो, बंगला आदि हैं। उर्दू उनके अधिकार छीननेवाली राजभाषा है। पाकिस्तान में उर्दू का सामाजिक आधार बहुत ही संकुचित है। इसमें ज़रा भी सन्देह न होना चाहिए कि सिन्ध, पंजाब, पूर्वी बंगाल आदि प्रदेशों की जनता अपनी भाषाओं की रक्षा करेगी और उन्हीं के माध्यम से अपनी सामाजिक और सांस्कृतिक उन्नति करेगी। इसलिए यदि कोई यह सोचे कि पाकिस्तान उर्दू की रक्षा करेगा, तो यह उसका भ्रम है। पाकिस्तान बनने से उत्तर प्रदेश के मुसलमानों

की न सामाजिक समस्याएँ हल हुईं, न उनकी भाषा-समस्या हल हो सकती है। इसीलिए उर्दू की समस्या का हल कहीं है, तो इसी हिन्द प्रदेश में है, जहाँ की जनता में उसका बोलचाल का रूप क़ायम है।

शब्द-भंडार में आदान-प्रदान सम्भव है लेकिन लिपि में इसकी सम्भावना बिलकुल नहीं है। उर्दू से अलिफ और हिन्दी से 'इ' लेकर कोई नई लिपि नहीं बनाई जा सकती। रोमन लिपि का सवाल नहीं है। हम अपनी लिपि छोड़कर रोमन लिपि न अपनाएँगे। यदि रोमन लिपि कोई बहुत पूर्ण और वैज्ञानिक लिपि होती, तो उस पर विचार भी किया जाता। हिन्दी-उर्दू के लिपि-भेद को दूर करने के लिए रोमन लिपि को अपनाना वैसे ही है, जैसे हिन्दी-तमिल, मराठी-गुजराती या बंगला-असमिया के झगड़ों को दूर करने के लिए अंग्रेज़ी को यहाँ राजभाषा बनाए रखना।

उर्दू लिपि के व्यवहार के लिए पूर्ण स्वाधीनता देते हुए प्रगतिशील विचारकों को चाहिए कि उर्दू-भाषियों को देवनागरी लिपि सिखाएँ। देवनागरी लिपि में उर्दू की जितनी किताबें छप रही हैं, उन्हें देखते हुए यह अनुमान होता है कि आगे चलकर देवनागरी लिपि में ही उर्दू के लेखकों की रचनाएँ छपेंगी। साक्षरता-प्रसार के साथ और दक्षिण में हिन्दी-प्रचार के साथ हिन्दी पुस्तकों के लिए एक बहुत बड़ा बाज़ार तैयार हो गया है। यह नामुमकिन है कि उर्दू के होशियार पंजाबी लेखक इस स्थिति से फायदा न उठाएँ। सीधी मुनाफे की बात है। उर्दू में किताब छपेगी, कम बिकेगी; हिन्दी में छपेगी, ज़्यादा बिकेगी। यह एक तरह का आर्थिक दबाव है जिससे देवनागरी लिपि को उर्दू लेखक अपनाएँगे।

इस प्रकार सामाजिक जीवन की परिस्थितियाँ हिन्दी-उर्दू को बराबर एक-दूसरे के नज़दीक लाती रही हैं। सिनेमा और रंगमंच के लिए लिखनेवाले शुद्ध हिन्दी-उर्दू का खयाल रखें तो उनकी रचनाएँ असफल हों। किसानों और मज़दूरों में राजनीतिक काम करनेवालों को मजबूरन ऐसी सरल भाषा का प्रयोग करना पड़ता है जिसे हिन्दू-मुसलमान, दोनों समझें। जन-आन्दोलन की एकता हिन्दी-उर्दू के रूपों पर बराबर असर डाल रही है, और इसीलिए हमें यह दृढ़ विश्वास है कि ये दोनों रूप अपने अच्छे तत्त्वों से एक ही साहित्यिक भाषा के विकास में सहायता करेंगे।

[1961]

24

# राष्ट्रीय एकता और अंग्रेज़ी

राष्ट्रभाषा ऐसी होनी चाहिए, जिसे देश की बहुसंख्यक जनता जानती हो और जो लोग उसे न जानते हों, वे उसे आसानी से सीख सकें। यह दृष्टिकोण राष्ट्रीय ही नहीं, जनतांत्रिक भी है क्योंकि बहुसंख्यक जनता द्वारा बोली-समझी जानेवाली भाषा के पक्ष में दिये जानेवाले तर्क के पीछे भावना यह है कि राष्ट्रीयता मुट्ठी-भर अंग्रेज़ी पढ़े-लिखे लोगों की बपौती नहीं है, उसका सम्बन्ध देश की बहुसंख्यक जनता से है।

पं. जवाहरलाल नेहरू ने बीस-बाईस साल पहले लिखा था : "प्रान्तीय भाषाओं के अधिकार-क्षेत्र की सीमाओं का ज़रा भी उल्लंघन किये बिना हमारे लिए आवश्यक है कि अखिल भारतीय व्यवहार की एक सामान्य भाषा हो। कुछ लोग सोचते हैं कि अंग्रेज़ी ऐसी भाषा बन सकती है; एक हद तक हमारे उच्च वर्गों के लिए और अखिल भारतीय राजनीतिक कार्यों के लिए अंग्रेज़ी ऐसी भाषा बनी भी है। किन्तु यदि हम आम जनता को ध्यान में रखकर सोचें तो यह बात स्पष्ट ही असम्भव प्रतीत होगी। हम करोड़ों लोगों को एक नितान्त विदेशी भाषा द्वारा शिक्षित नहीं कर सकते" (नैशलन लैंग्वेज़ फॉर इंडिया—ए सिम्पोज़ियम, इलाहाबाद, 1941; पृ. 49-50)।

यदि राष्ट्रीयता उच्च वर्गों तक सीमित कर दी जाए, यदि जनतंत्र का उद्‌देश्य मुट्ठी-भर लोगों का ऊँची सरकारी नौकरियाँ पाना हो, तो अवश्य अंग्रेज़ी ही राष्ट्रभाषा रहेगी, जैसेकि वह पिछले पन्द्रह वर्षों (या और भी पहले से) रही है। अंग्रेज़ी को हटाने और हिन्दी को व्यवहार में राष्ट्रभाषा बनाने का प्रश्न राष्ट्रीयता को व्यापक बनाने, राज्यसत्ता को जनतांत्रिक रूप देने का प्रश्न है। जितने ही दिन अंग्रेज़ी अमली राष्ट्रभाषा के पद पर प्रतिष्ठित रहती है, उतने ही दिन राष्ट्रीयता का आधार क्रमश: संकुचित होता जाएगा, राज्य-सत्ता जनता का विशद सम्पर्क और समर्थन खोती जाएगी। अनिश्चित काल के लिए अंग्रेज़ी को राष्ट्रभाषा बनाए रखने का अर्थ है, निश्चित रूप से जनतंत्र के आधार को संकुचित करते जाना और अन्त में उसे निर्मूल कर देना।

पराधीन भारत में ऊँची सरकारी नौकरियाँ पाने का अर्थ होता था, जनता पर हुकूमत करना। स्वाधीन भारत में सरकारी नौकरियों का अर्थ होना चाहिए—जनता

की सेवा करना। जिस भाषा को देश की जनता का एक प्रतिशत भाग समझता है, उससे विशाल जनता की सेवा कैसे हो सकती है? आज भी बंगाल, महाराष्ट्र और दक्षिण भारत में—पंजाब और कश्मीर की तो बात ही क्या—जितने लोग हिन्दी समझते हैं, उतने अंग्रेज़ी नहीं। अंग्रेज़ी न जाननेवाले इन करोड़ों अहिन्दी-भाषियों की सेवा ऊँची सरकारी नौकरियाँ पानेवाले सज्जन हिन्दी के माध्यम से अधिक कर सकते हैं या अंग्रेज़ी द्वारा?

कुछ लोग राष्ट्रीय एकता—या भावात्मक एकता—अंग्रेज़ी के माध्यम से दृढ़ करने का स्वप्न देखते हैं। यदि राष्ट्रीय एकता का अर्थ मुट्ठी-भर अंग्रेज़ी पढ़े-लिखे लोगों की एकता है तो सम्भव है, वह अंग्रेज़ी से दृढ़ हो यद्यपि अंग्रेज़ीदाँ नेताओं की कलह देखकर यह सम्भावना भी बहुत विश्वसनीय नहीं जान पड़ती। किन्तु यदि राष्ट्रीय एकता का अर्थ जनसाधारण की एकता है तो उसे दृढ़ करने में अंग्रेज़ी बाधक ही हो सकती है, साधक नहीं।

राष्ट्रीय गौरव की भावना के बिना भावात्मक एकता की कल्पना नहीं की जा सकती। जिस राष्ट्र की अपनी भाषा न हो, जो राष्ट्र भाषा के पद पर एक विदेशी भाषा को बिठाए हो, उसके नागरिकों में राष्ट्रीय गौरव की भावना कैसे दृढ़ हो सकती है?

अंग्रेज़ी के पक्ष में जो मुख्य तर्क दिया जाता है कि अंग्रेज़ी एक विकसित और समृद्ध भाषा है किन्तु हिन्दी तथा अन्य सभी भारतीय भाषाएँ अविकसित और दरिद्र हैं—वह राष्ट्रीय गौरव की भावना पर कुठाराघात है। अंग्रेज़ी के विकास और समृद्धि के गीत गाकर राष्ट्रीय गौरव को जगाने और भावात्मक एकता दृढ़ करनेवाले मेधावी लोग विषपान करके अमर होने का स्वप्न देख रहे हैं। यदि सुब्रह्मण्य भारती, रवीन्द्रनाथ ठाकुर, वल्लत्तोल, प्रेमचन्द आदि साहित्यकार अंग्रेज़ी की समृद्धि से इसी तरह आतंकित होते तो भारतीय साहित्य का बेड़ा मँझधार में कभी का डूब चुका होता।

हम न दूसरों की तुलना में अपने को अकारण बड़ा बताकर डींग हाँकते हैं, न दीनभाव से अकारण अपने को सबसे पिछड़ा हुआ मानने को तैयार हैं। पश्चिमी यूरोप ने विज्ञान में अधिक उन्नति की है किन्तु साहित्य में हम यूरोप से बढ़कर नहीं तो घटकर भी नहीं हैं। विशेष कर पिछले सौ वर्षों में भारतीय साहित्य ने जो उन्नति की है, वह पश्चिमी यूरोप के किसी भी देश के लिए स्पृहणीय हो सकती है।

वास्तव में समस्या साहित्यिक समृद्धि की नहीं है, समस्या है राष्ट्रीय आत्मसम्मान और जनता की सेवा-भावना की। मिस्र देश हमसे अधिक विकसित नहीं हैं किन्तु वहाँ की राष्ट्रभाषा अरबी है। सोवियत संघ में कज़ाक, उज़बेक, ताजिक आदि भी अपनी भाषाओं को शिक्षा, राजनीतिक कार्यों आदि के लिए प्रयुक्त करते हैं। चीन तक ने चीनी को राष्ट्रभाषा बना रखा है। संसार में सबसे प्राचीन संस्कृति का धनी भारत स्वाधीन होने पर भी अंग्रेज़ी को राष्ट्रभाषा बनाए रहे, इससे अधिक लज्जास्पद बात और क्या हो सकती है?

यह ध्यान देने की बात है कि जो लोग अंग्रेज़ी को विकसित और समृद्ध कहकर उसे राष्ट्रभाषा बनाए रखना चाहते हैं, वे न केवल हिन्दी को, वरन् सभी भारतीय भाषाओं को न्यूनाधिक दरिद्र और अविकसित मानते हैं। हिन्दी के लिए हमारा संघर्ष, अंग्रेज़ी के विरुद्ध, सभी भारतीय भाषाओं के अधिकारों के लिए संघर्ष है। अंग्रेज़ी भारत में साम्राज्यवादी ढंग से प्रतिष्ठित है। वह प्रत्येक प्रदेश में वहाँ की भाषा के अधिकार छीनती है, उसे उच्च शिक्षा का माध्यम बनने से रोकती है; राजकाज में, उच्च न्यायालयों में वहाँ की भारतीय भाषा को अपदस्थ करती है। अंग्रेज़ी की यह साम्राज्यवादी स्थिति सारे देश में देखी जा सकती है; काग़ज़ पर कुछ भी लिखा हो, व्यवहार की बात दूसरी ही है।

इसके विपरीत हिन्दी के समर्थकों का कहना है कि प्रत्येक प्रदेश में वहाँ की भाषा को उचित अधिकार मिले, वहाँ के समस्त राजकाज में, शिक्षा-केन्द्रों, न्यायालयों आदि में वह प्रयुक्त हो, केवल विभिन्न प्रदेशों में आपसी व्यवहार के लिए, केन्द्रीय राज्यसत्ता और उसकी संस्थाओं के लिए हिन्दी का व्यवहार हो। यह स्थिति साम्राज्यवादी नहीं है, वरन् जनतांत्रिक और राष्ट्रीय है। प्रत्येक प्रदेश की भाषा को अंग्रेज़ी के स्थान पर राजनीतिक-सांस्कृतिक कार्यवाही का माध्यम बनाना जनतंत्र की भावना के अनुकूल है। इन विभिन्न प्रदेशों के बीच तथा केन्द्र में हिन्दी का व्यवहार करना राष्ट्रीयता की भावना के अनुकूल है। भाषागत साम्राज्यवाद अंग्रेज़ी का है, न कि हिन्दी का। विभिन्न भारतीय भाषाओं के अधिकारों को इस समय पददलित कर रही है अंग्रेज़ी, न कि हिन्दी। अंग्रेज़ी की वास्तविक साम्राज्यवादी स्थिति को भुलाकर जो लोग कल्पित हिन्दी-साम्राज्यवाद से जनता को आतंकित करते हैं, वे राष्ट्रीय एकता दृढ़ करने के बदले राष्ट्रीय विघटन को ज़बर्दस्त प्रोत्साहन देते हैं।

अंग्रेज़ी से सभी भारतीय भाषाओं के हित टकराते हैं, हिन्दी से किसी भी भारतीय भाषा के हित नहीं टकराते; अंग्रेज़ी के जानने-समझनेवाले मुट्ठी-भर हैं, हिन्दी बोलने-समझनेवाले करोड़ों हैं; अंग्रेज़ी क़ायम रखने में जनता पर हुकूमत करनेवालों का निहित स्वार्थ है; हिन्दी को राष्ट्रभाषा बनाने से विशाल जनता की सेवा करने का अवसर मिलता है; अंग्रेज़ी राष्ट्रीय गौरव की भावना पर कुठाराघात करती है, हिन्दी राष्ट्रीय आत्मसम्मान को जाग्रत् और पुष्ट करती है। इसलिए हमें दृढ़ विश्वास होना चाहिए कि अंग्रेज़ी अनिश्चित काल के लिए एकमात्र या सह-राष्ट्रभाषा नहीं रहेगी, निश्चित और सीमित अवधि में ही उसे अपना स्थान छोड़ना होगा।

राष्ट्रभाषा हिन्दी के विरुद्ध जितने तर्क दिये जाते हैं, उनमें ज़रा भी मौलिकता नहीं है। वे पराधीन भारत में भी दिये जाते थे। अन्तर केवल इतना है कि तब ऐसे तर्क देनेवालों को अराष्ट्रीय कहा जाता था। अंग्रेज़ों के चले जाने पर मुसलमानों और अछूतों को सवर्ण हिन्दू खा जाएँगे, दक्षिणवालों पर उत्तरवाले अपना आतंक फैलाएँगे, हिन्दी को राष्ट्रभाषा बनाने से भारत की सांस्कृतिक उन्नति रुक जाएगी—ये

सब तर्क ऊँची सरकारी नौकरियों के अंग्रेज़-भक्त उम्मीदवार पहले भी दिया करते थे। अब इस तरह के तर्क अंग्रेज़ी-भक्त शासक या शासकपद के उम्मीदवार दिया करते हैं। इन सब तर्कों का सारतत्त्व यह है कि साहब का बेटा भी साहब होगा, कॉन्वेंट में पढ़ेगा और अंग्रेज़ों की तरह अंग्रेज़ी बोलेगा, वर्नाक्युलर बोलनेवालों पर हुकूमत करेगा।

अंग्रेज़ी-प्रेमी शासकों को भय है कि अंग्रेज़ी के राजभाषा न रहने पर राज्य-सत्ता उनके हाथ में न रहेगी! यह वर्ग इस समय काफ़ी प्रभावशाली है किन्तु देश की विशाल जनता के सामने उसकी शक्ति नगण्य है। जो लोग भी अपनी मातृभाषा से प्रेम करते हैं, उनकी मातृभाषा चाहे हिन्दी हो, चाहे कोई अहिन्दी-भाषा, उनका कर्तव्य है कि विभिन्न प्रदेशों में अंग्रेज़ी की जगह वहाँ की प्रादेशिक भाषाओं को प्रतिष्ठित करें और केन्द्रीय भाषा के रूप में अंग्रेज़ी की जगह हिन्दी का व्यवहार करें।

हिन्दी पिछड़ी हुई भाषा है इसलिए उसे विकसित होने का अवसर देना चाहिए, यह आलसियों का तर्क है। हिन्दी में कितने आवश्यक शब्द हैं तथा कितने और होने चाहिए—इस समस्या की कोई वैज्ञानिक जाँच-पड़ताल अभी तक नहीं हुई। यदि भारत की किसी भी भाषा को समृद्ध माना जाए तो हम उससे पारिभाषिक शब्द लेने को तैयार हैं क्योंकि जो स्रोत हमारे पारिभाषिक शब्दों का है, वही उसके शब्दों का होगा—अर्थात् संस्कृत (उर्दू को छोड़कर)।

हिन्दी पिछड़ी हुई भाषा है, यह तर्क वे लोग देते हैं, जो भारत की प्रत्येक भाषा को पिछड़ा हुआ मानते हैं। राष्ट्र के लिए इससे अधिक अपमानजनक दूसरा दृष्टिकोण हो नहीं सकता। आज से पैंतीस वर्ष पहले अंग्रेज़ भाषाविद् ग्रियर्सन ने हिन्दी के बारे में अपने प्रसिद्ध ग्रंथ 'लिंग्विस्टिक सर्वे' की भूमिका में लिखा था : "इट हैज़ ऐन एनारमस नेटिव वकैबुलरी एंड ए कम्प्लीट अपैरेटस फॉर द एक्स्प्रेशन ऑफ़ एब्स्ट्रैक्ट टर्म्स" (देशी शब्दों का उसका विशाल शब्द-भंडार है और सूक्ष्म धारणाएँ प्रकट करने के लिए पूर्ण पारिभाषिक शब्दावली है)। ग्रियर्सन ने उन लोगों की आलोचना की थी, जो हिन्दी शब्द छोड़कर संस्कृत के कठिन और दुरूह शब्दों की ओर भागते थे और इसी प्रसंग में लिखा था : "यट इन्स्पाइट ऑफ़ हिन्दी पज़ेसिंग सच ए वकैबुलरी एंड ए पावर ऑफ़ एक्स्प्रेशन नॉट इन्फीरियर टु इंग्लिश, इट हैज़ बिकम द फैशन..." (यद्यपि हिन्दी के पास ऐसा शब्द-भंडार है और व्यंजना-शक्ति में वह अंग्रेज़ी से घटकर नहीं है, फिर भी यह फैशन हो गया है...)। जो लोग अंग्रेज़ियत में अंग्रेज़ों के कान काटते हैं, वे यह कभी न मानेंगे कि व्यंजना-शक्ति में हिन्दी अंग्रेज़ी से घटकर नहीं है।

यूरोप और अमरीका में भारतीय संस्कृति के अग्रदूत महाकवि रवीन्द्रनाथ ठाकुर ने गुजराती साहित्य परिषद् के छठे अधिवेशन में भाषण देते हुए कहा था : "आपकी सेवा में खड़ा होकर विदेशीय भाषा कहूँ, यह हम चाहते नहीं। पर जिस

प्रान्त में मेरा घर है, वहाँ सभा में कहने लायक हिन्दी का व्यवहार है नहीं। महात्मा गांधी महाराज की भी आज्ञा है : हिन्दी में कहने के लिए यदि हम समर्थ होते तब इससे बड़ा आनन्द और कुछ होता नहीं। असमर्थ होने पर भी आपकी सेवा में दो बात हिन्दी में बोलूँगा।" ('प्रभा', कानपुर, मार्च, 1925)

जो लोग उठते-बैठते गांधी जी के नाम की माला जपते हैं और जिन्होंने अखिल भारतीय पैमाने पर रवीन्द्र-जयन्ती-समारोह संगठित किया था, वे कृपया विचार करें कि वे अपने व्यवहार में गांधी-रवीन्द्रनाथ के मार्ग से कितनी दूर आ पड़े हैं। महाकवि ने अपनी असमर्थता प्रकट की, किसी भाषा को असमर्थ नहीं कहा; गांधी जी ने गुजरातियों के बीच उनसे अंग्रेज़ी में ही नहीं, हिन्दी में बोलने को कहा।

राष्ट्रीय एकता को दृढ़ करने का यही एक मार्ग सन् '25 में था, वही मार्ग अब सन् '62 में भी है। और दूसरे रास्ते सब ग़लत हैं।

[1962]

25

# राष्ट्रभाषा और राष्ट्रीय प्रभुसत्ता

सन् '65 में हिन्दी केन्द्रीय राजकाज की भाषा न बनेगी। कब बनेगी, यह अंग्रेज़ी-प्रेमी भारतवासियों की इच्छा पर निर्भर है। इस पर भी कुछ सज्जन असन्तुष्ट हैं। असन्तुष्ट इस बात पर हैं कि अंग्रेज़ी सदा-सर्वदा के लिए भारत की एकमात्र राष्ट्रभाषा घोषित नहीं की गई। हो सकता है, दो-चार शताब्दियों बाद लोग हिन्दी को राष्ट्रभाषा बना दें। इस सम्भावना को रहने ही क्यों दिया जाए?

ऐसा सोचनेवाले सज्जन अंग्रेज़ी के माध्यम से शासनतंत्र पर अपना इजारा हमेशा के लिए पक्का कर लेना चाहते हैं। वे और उनके भाई-भतीजे तो इस युग में शासन की बागडोर सँभाले ही हुए हैं, वे चाहते हैं कि युगों-युगों तक उन्हीं की तरह उनके वंशज भी—यानी मुट्ठी-भर विदेशी भाषा के उपासक—शासन की बाग़डोर इसी तरह मज़बूती से थामे रहें। कुछ दिन हुए, ऐसे लोगों को लक्ष्य करके मद्रास में प्रधानमंत्री ने प्रश्न किया था—क्या उनमें राष्ट्रीय आत्मसम्मान की भावना का एकदम लोप हो गया है?

इस प्रश्न से नतीजा यह निकलता है कि जो लोग थोड़े समय के लिए अंग्रेज़ी को राष्ट्रभाषा मानते हैं, उनमें उतने ही समय के लिए आत्मसम्मान का लोप होता है; जो लोग सदा के लिए अंग्रेज़ी को राष्ट्रभाषा बनाए रखना चाहते हैं, उनमें सदा के लिए आत्मसम्मान का लोप हो जाता है। सदा के लिए आत्मसम्मान खोने से अच्छा है, उसे थोड़े समय के लिए खोया जाए। भले ही इस थोड़े समय की अवधि का क्रमश: विस्तार होता जाए—सन् '49 से '65 तक, '65 से बीसवीं सदी के अन्त तक, बीसवीं सदी के बाद इक्कीसवीं सदी के अन्त तक, और इसी तरह अनिश्चित काल के लिए आगे भी। मुख्य बात यह है कि अनिश्चित काल को निश्चित न किया जाए, वरना राष्ट्रीय आत्मसम्मान का सापेक्ष अभाव शाश्वत और निरपेक्ष हो जाएगा।

एक बहुत दिलचस्प सवाल यह पैदा होता है कि राष्ट्रीय आत्मसम्मान का यह अभाव भाषा के क्षेत्र तक सीमित है या वह देश के राजनीतिक, आर्थिक आदि अन्य क्षेत्रों में भी है? क्या आपने संसार के इतिहास में किसी ऐसे देश का नाम सुना है जो आर्थिक और राजनीतिक रूप से पूर्ण स्वाधीन रहा हो किन्तु जो भाषा के क्षेत्र

में परमुखापेक्षी हो? क्या वर्तमान काल में कोई ऐसा देश है, जो स्वाधीन होते हुए भी अपनी भाषा छोड़कर विदेशी भाषा का व्यवहार करता हो? इन स्वाधीन देशों में इस बात को लेकर पंचायत नहीं जुड़ती कि विश्व की सबसे समृद्ध भाषा कौन-सी है, देश की भाषा को हटाकर उसके बदले विश्व-भाषा का व्यवहार कब तक किया जाए! आख़िर जर्मन, फ्रांसीसी, अंग्रेज़ी, इतालवी, स्पेनी आदि भाषाएँ समान रूप से तो समृद्ध हो नहीं सकतीं। किन्तु जहाँ ये भाषाएँ बोली जाती हैं, वहाँ यह प्रश्न कोई नहीं करता कि सबसे समृद्ध विश्व-भाषा को राजकाज की भाषा क्यों न बनाया जाए? यह प्रश्न केवल उन देशों के सामने आता है जो पश्चिमी राष्ट्रों के उपनिवेश हैं, या रह चुके हैं। कुछ लोग कहते हैं कि हिन्दी से चिपके रहना और अंग्रेज़ी का विरोध करना कूप-मंडूकता है। मालूम होता है कि अपनी भाषा से प्रेम करनेवाले तो कुओं में पड़े हैं, केवल भारत के अंग्रेज़ी-प्रेमी मंडूक कुएँ से बाहर निकलकर अपनी अनोखी अंग्रेज़-ध्वनि से दशों दिशाएँ गुँजरित कर रहे हैं।

आर्थिक स्वाधीनता प्राप्त करने के लिए तो पैसा-कौड़ी दरकार होता है, स्वर्ण की आवश्यकता होती है। किन्तु शब्द-ब्रह्म तो अमूल्य है। बात करने में क्या ख़र्च होता है? फिर भारत में संस्कृत की कृपा से किसी भी भाषा के शब्द-भंडार को यथेच्छ भरने में विलम्ब नहीं होता। भाषा के क्षेत्र में परमुखापेक्षी होना परले सिरे की गुलामी है। जो भाषा के क्षेत्र में स्वाधीन नहीं हो सकता, वह अन्य क्षेत्रों में क्या स्वाधीन होगा? भारतेन्दु हरिश्चन्द्र, रवीन्द्रनाथ ठाकुर, सुब्रह्मण्य भारती, निराला, प्रेमचन्द आदि साहित्यकारों ने देश के पराधीन रहते हुए भी भाषा के क्षेत्र में अपनी प्रभुसत्ता की रक्षा की। भाषा के क्षेत्र में भारतीय साहित्यकारों ने अंग्रेज़ी का प्रभुत्व कभी स्वीकार नहीं किया। स्वाधीनता-सूर्य की किरणों ने सबसे पहले भाषा के क्षेत्र को प्रकाशित किया। आर्थिक और राजनीतिक क्षेत्रों के नेता साहित्यकारों के अनुगामी रहे हैं, उनके पथ-निर्देशक नहीं।

आये-दिन जो राजनीतिज्ञ हिन्दी-प्रेमियों को संकीर्ण और संकुचित विचारवाला कहते हैं, जो हिन्दी से विमुख और अंग्रेज़ी के मुखापेक्षी वसुधैव कुटुम्बकम् का उपदेश देते नहीं थकते, उनसे पूछा जा सकता है—देश में अन्न का क्या हाल है? भुखमरी से बचने के लिए आपको अन्य राष्ट्रों का दरवाज़ा तो खटखटाना नहीं पड़ता? अपनी पंचवर्षीय योजनाओं की पूर्ति के लिए आपको विदेशी बहीखातों में कर्ज़दार बनकर नाम लिखाना तो नहीं पड़ता? देश-रक्षा के लिए आप विदेशी अस्त्र-शस्त्रों के मोहताज तो नहीं हैं? आपके आयात-निर्यात व्यापार में विदेशी पूँजी का ताना-बाना बुना हुआ तो नहीं है? आप विदेशी दबाव के कारण कश्मीर-जैसे किसी प्रदेश की भूमि का विनिमय करने की ओर तो नहीं बढ़े?

पुराने ज़माने में लोग कहते थे—अंग्रेज़ी हमारी गुलामी की निशानी है। ऊपर के प्रश्न पढ़कर बताइए, वह बात सही है या नहीं? क्या आप समझते हैं कि दासता

की मनोवृत्ति केवल भाषा के क्षेत्र में प्रतिफलित होती है, अंग्रेज़ी को हटाने का प्रश्न केवल एक भाषागत समस्या है? गुलाम तो गुलाम। उसकी गुलामी न केवल उसके बोलने से प्रकट होगी वरन् उसके हर तरह के आर्थिक और राजनीतिक व्यवहार से प्रकट होगी।

राष्ट्रभाषा की समस्या कोई विशुद्ध भाषाविज्ञान की समस्या नहीं है। वह मूलत: देश की प्रभुसत्ता की समस्या है। यह तो सम्भव है कि केन्द्रीय राजकाज के लिए एक से अधिक भाषाओं का व्यवहार किया जाए, किन्तु देश की प्रभुसत्ता के लिए यह असह्य है कि सभी भारतीय भाषाओं के अधिकारों को पैरों तले रौंदकर अंग्रेज़ी उन सबके ऊपर प्रतिष्ठित हो। जो लोग यह कहते हैं कि हिन्दी के माध्यम से बड़े-बड़े पूँजीपति छोटी-छोटी अहिन्दी-भाषी जातियों को दबाते हैं, वे यह कभी नहीं कहते कि अंग्रेज़ी के माध्यम से साम्राज्यवाद भारत की सभी जातियों को दबाता है, यहाँ की सभी भाषाओं के स्वत्वों का अपहरण करता है।

हिन्दी को केन्द्रीय भाषा बनाने में कुछ बड़े पूँजीपतियों का स्वार्थ हो सकता है, यद्यपि देखा यही जाता है कि अंग्रेज़ी के दैनिक पत्रों की शृंखलाएँ इन्हीं बड़े पूँजपतियों के हाथ में हैं। महत्त्वपूर्ण बात यह है कि हिन्दी को केन्द्रीय भाषा बनाने में छोटे पूँजीपतियों तथा श्रमिक जनता का हित सबसे ज़्यादा है। हिन्दी के बिना सामान्य जनता शासनतंत्र, केन्द्रीय राजकाज में भाग नहीं ले सकती। वह राजनीतिक और सांस्कृतिक कार्यवाही से अन्त्यजों के समान दूर रखी जाती है। इस तरह हमारे जनतंत्र का आधार संकुचित रहता है, हमारी राष्ट्रीयता मुट्ठी-भर अंग्रेज़ी पढ़े लोगों के हाथ का खिलौना बनी रहती है।

जो लोग अंग्रेज़ी को हटाना चाहते हैं, हिन्दी को केन्द्रीय भाषा बनाने के लिए जल्दी करते हैं, उन्हें 'हिन्दी-एंथूज़िएस्ट' आदि उपाधियों से विभूषित किया जाता है। मानो अपनी भाषा का समर्थन करना गुनाह हो, 'अंग्रेज़ी एंथूज़िएस्ट' होना कोई बहुत बड़ा पुण्य हो! केन्द्रीय भाषा के पद से अंग्रेज़ को हटाने में किसी एक भारतीय भाषा का स्वार्थ नहीं है। अंग्रेज़ी की वर्तमान स्थिति से सभी भारतीय भाषाओं की प्रतिष्ठा को धक्का लगता है, उनकी अधिकार-मर्यादा नष्ट होती है। इसलिए अंग्रेज़ी के विरुद्ध संघर्ष आज सभी भारतीय भाषाओं की अधिकार-रक्षा का संघर्ष है। इन भाषाओं के बीच परस्पर आदान-प्रदान के लिए हम हिन्दी का व्यवहार चाहते हैं, उनके अधिकारों की रक्षा करते हुए, न कि उनके अधिकारों को रौंदकर। अधिकारों को रौंदने का काम अंग्रेज़ी कर रही है, न कि हिन्दी।

प्रत्येक जाति का यह जन्मसिद्ध अधिकार है कि वह अपनी सांस्कृतिक, राजनीतिक, हर तरह की सामाजिक कार्यवाही अपनी भाषा के माध्यम से सम्पन्न करे। हर तरह के राष्ट्रीय और अन्तरराष्ट्रीय व्यवहार में अपनी भाषा का प्रयोग उसकी प्रभुसत्ता की उन्मुक्त घोषणा है। जातीय भाषा का व्यवहार राष्ट्र के स्वाधीन

होने की पहचान है। भाषा के समृद्ध या दरिद्र होने से इसका कोई सम्बन्ध नहीं है। संसार के किसी देश ने किसी समय यह नियम स्वीकार नहीं किया कि विश्व की सबसे समृद्ध भाषा को वह राष्ट्रभाषा बनाएगा। ऐसा नियम होता तो सारे संसार में संस्कृत, ग्रीक या लैटिन का ही प्रभुत्व होता।

हिन्दी समृद्ध है या दरिद्र है, यह तय करने के लिए कोई वैज्ञानिक कसौटी नहीं अपनाई गई। उदाहरण के लिए, हिन्दी में राजनीतिक शब्दावली कम है या पर्याप्त है, यह जानने के लिए कोई शब्द-गणना नहीं की गई। एक प्रवाद फैला दीजिए, दस राजनीतिज्ञ उस प्रवाद को दोहरा दें, अंग्रेज़ी अख़बारों में वह प्रवाद छप जाए—बस, उसे प्रमाणित सत्य मान लिया जाएगा। देश में प्रचार के साधनों का इतना केन्द्रीकरण है कि नक्कारख़ाने में हिन्दी-सम्बन्धी सत्य की पुकार तूती की आवाज़ से अधिक कारगर साबित नहीं होती।

शासनतंत्र चलानेवाले बुद्धिजीवी अंग्रेज़ी में अथवा किसी देशी भाषा में अंग्रेज़ी शब्दों की मिलावट करके चिन्तन का काम पूरा करते हैं। उनकी अभिव्यंजना का माध्यम अंग्रेज़ी या यह खिचड़ी भाषा होती है। आप यह न समझें कि पारिभाषिक शब्दों के अभाव के कारण वे ऐसा करते हैं। उनके बच्चे बोलना सीखते हैं—पापा, डैडी, मम्मी, अंकल, आंटी जैसे पारिभाषिक शब्दों के ज्ञान के साथ। "ज़रा फादर को रिसीव करने जा रहा हूँ"; "उसका रिमार्क ऐसा सिली था कि माई ब्लड बिगैन टु बॉयल"; "आजकल आप पोलिटिकल एक्टिविटी से इतने इंडिफरेंट क्यों रहते हैं"; "एजूकेशन का स्टैंडर्ड इतना गिर गया है कि आर्डिनरी एप्लीकेशन लिखने में एम.ए. पास लोग मिस्टेक करते हैं"—इस तरह के वाक्य उत्तर भारत के अनेक शहरों में आप सुन सकते हैं। इन वाक्यों में अंग्रेज़ी शब्दों का प्रयोग पारिभाषिक शब्दों की कमी के कारण नहीं है। मानसिक शिथिलता, अंग्रेज़ी शब्दों का मोह, अपनी भाषा के प्रति अवज्ञासूचक दृष्टिकोण—इन कारणों से उस तरह के भोंडे वाक्यों की रचना होती है। इन्हीं कारणों से अंग्रेज़ी-प्रेमी बुद्धिजीवियों को यह तय करने में देर नहीं लगती कि अंग्रेज़ी समृद्ध है, हिन्दी दरिद्र है।

एक समिति में लोग आलोचना-सम्बन्धी शब्द-सूची एकत्र कर रहे थे। समिति के अधिकांश सदस्य न हिन्दी के आलोचक थे, न हिन्दी-आलोचना से परिचित थे। फिर भी वे इस काम में लगे हुए थे क्योंकि वे समिति के सदस्य बना दिये गए थे। शब्द-संग्रह करने का तरीका क्या था? आप शायद सोचें कि हिन्दी की आलोचना-पुस्तकों से अथवा संस्कृत के सिद्धान्त-ग्रंथों से ऐसी शब्द-सूची संकलित की जा रही थी। समिति के सामने काम दूसरा था। काम हिन्दी-शब्दों की सूची बनाना न था, काम था अंग्रेज़ी शब्दों के हिन्दी पर्याय निश्चित करना। इस तरह की सूची बनाने की ज़रूरत क्यों हुई? इसलिए कि अंग्रेज़ी का आलोचना-शास्त्र अधिक समृद्ध है, उसके शब्द-भंडार के अनुरूप हिन्दी पर्याय स्थिर करके ही राष्ट्रभाषा को समृद्ध

किया जा सकता है। आप समझ सकते हैं, समिति में इस पद्धति का विरोध करनेवाले को किसी का समर्थन प्राप्त न हुआ होगा।

प्राकृतिक परिवेश, सामाजिक परिस्थितियाँ, दैनिक जीवन की आवश्यकताएँ विभिन्न देशों में बहुत-कुछ समान हैं। इसलिए उनके शब्द-भंडार में अर्थ-सम्बन्धी बहुत बड़ी समानता है। किसी भी भाषा के हज़ारों शब्दों के लिए दूसरी भाषा में उन्हीं के समानार्थी शब्द मिल जाते हैं। यातायात के साधनों में प्रगति होने से, व्यापार, उद्योग-धन्धों और विज्ञान में उन्नति होने से (और उन्नति करने के लिए) अनेक देश एक-दूसरे के अधिक निकट आए हैं। इसलिए ऐसे शब्दों की संख्या बहुत बड़ी है, जो रूप में भिन्न होते हुए भी अर्थ में समान हैं। हिन्दी में भी उद्योग, व्यापार, राजनीति आदि से सम्बन्धित हज़ारों शब्द प्रचलित हैं जो उसी कोटि के अंग्रेज़ी या जर्मन शब्दों के समानार्थी हैं।

इसके साथ यह भी सही है कि प्रत्येक देश के प्राकृतिक परिवेश, सामाजिक परिस्थितियों, दैनिक जीवन की आवश्यकताओं की अपनी विशेषताएँ हैं। इसलिए प्रत्येक भाषा में हज़ारों शब्द ऐसे मिलेंगे जिनके ठीक समानार्थी शब्द दूसरी भाषाओं में दुर्लभ होंगे। किन्तु भाषा प्राकृतिक या सामाजिक परिवेश का दर्पण मात्र नहीं है। भाषा प्रत्येक जाति की विशिष्ट चिन्तन-प्रक्रिया, उसके रसबोध, भाव-सम्बन्धी प्रतिक्रिया का दर्पण भी होती है; इस दृष्टि से विचार करने पर पता चलेगा कि कोई भी भाषा किसी से घटकर नहीं है, प्राणि-जगत् की प्रत्येक जीव-योनि के समान संसार की प्रत्येक भाषा की अपनी विशेषता है।

इस देश के लोगों ने अनेक शताब्दियों तक मनुष्य के मन पर, उसकी चेतना पर अपना ध्यान केन्द्रित किया है। दर्शन और मनोविज्ञान के क्षेत्रों में अनेक धारणाओं का जैसा सूक्ष्म भेद संस्कृत शब्द प्रकट करते हैं, वैसा संसार की कोई भाषा प्रकट नहीं करती, कम-से-कम ग्रीक, लैटिन और इनसे प्रभावित यूरोप की भाषाएँ तो अवश्य नहीं करतीं। संस्कृत की वह शब्द-सम्पदा भारत की समस्त भाषाओं की सामान्य सम्पत्ति है। उन लोगों के सांस्कृतिक पतन का अनुमान कीजिए जो 'मेडिटेशन' के लिए अपनी शब्द-सूची में 'ध्यान' शब्द बिठाकर यह समझ लेते हैं और दूसरों को समझाते भी हैं कि 'ध्यान' अब 'स्टैंडर्ड' शब्द हो गया, 'मेडिटेशन' का पर्याय बनकर! इसके बाद वे कहते हैं कि जो पुस्तकें लिखी जाएँ या अनुवादित की जाएँ, उनमें 'ध्यान' शब्द उसी अर्थ में प्रयुक्त होना चाहिए जिसमें अंग्रेज़ी का 'मेडिटेशन' शब्द प्रयुक्त होता है। और 'समाधि' के लिए अंग्रेज़ी का कोई पर्याय न हुआ तो वह बेचारा स्टैंडर्ड-च्युत होकर शब्द-संग्रह के बाहर पड़ा रह गया।

भारतीय शब्द 'राष्ट्र' का ठीक समानार्थी अंग्रेज़ी शब्द 'नेशन' नहीं है। सोवियत संघ में एक से अधिक 'नेशन' हैं किन्तु वह 'राष्ट्र' एक है, अनेक नहीं। 'राष्ट्र' से केवल मनुष्यों का बोध नहीं होता, जैसाकि 'नेशन' से होता है। 'नेशन' किसी देश

की भूमि को नहीं कह सकते, किन्तु 'राष्ट्र' से भूमि का बोध भी होता है। जे.डी. बेट की 'ए डिक्शनरी ऑफ़ द हिन्दी लैंग्वेज़' में राष्ट्र का भूमि वाला अर्थ दिया है : 'ऐन इनहैबिटेड कंट्री, ए रेल्म, किंगडम, एम्पायर, रीजन।" अन्त में मनुष्यों से भी सम्बन्धित एक शब्द जोड़ दिया गया है : 'पब्लिक'। इससे उन कोशकारों की कठिनाइयों का अनुमान किया जा सकता है जिन्हें हिन्दी शब्दों के अंग्रेज़ी पर्याय ढूँढ़ने पड़ते हैं। बेचारे 'राष्ट्र' के लिए 'पब्लिक' लिखकर सन्तोष कर लेते हैं। प्रसिद्ध कोशकार मोनियर विलियम्स को अपने महान् संस्कृत-अंग्रेज़ी कोश की भूमिका में कैफियत देनी पड़ी थी कि उन्होंने एक-एक संस्कृत शब्द के अनेक अंग्रेज़ी पर्याय क्यों दिये हैं। इसका एक कारण और भी था जिसका उल्लेख उन्होंने नहीं किया। वह यह कि किसी एक संस्कृत शब्द का ठीक समानार्थी शब्द अंग्रेज़ी में मिलता न था; इसलिए उसके अर्थ के निकट पहुँचनेवाले अनेक शब्द देने पड़ते थे, जिससे अंग्रेज़ी जाननेवाला विद्यार्थी उन सभी की सहायता से अर्थ-बोध कर सके। यथा : 'समाधि' के लिए 'इंटेन्स ॲप्लीकेशन ऑर फिक्सिंग द माइंड ऑन, इंटेंटनेस, अटेंशन; कंसन्ट्रेशन ऑफ़ द थॉट्स, प्रोफाउंड ऑर ऍब्सट्रक्ट मेडिटेशन, इंटेन्स कंटेम्प्लेशन ऑफ़ एनी पर्टीकुलर ऑब्जेक्ट (सो ऍज टु आइडेंटीफाई द कंटेम्प्लेटर विद द ऑब्जेक्ट मेडिटेटेड अपॉन)।' 'समाधि' का समानार्थी शब्द अंग्रेज़ी में है नहीं। यह भी स्पष्ट है कि 'अटेंशन', 'कंटेम्प्लेशन', 'मेडिटेशन' आदि शब्द समाधि के निश्चित अर्थ के निकट पहुँचते हैं किन्तु उसे प्रकट नहीं कर पाते। वास्तव में 'समाधि' की अपेक्षा वे 'ध्यान' के अधिक निकट हैं।

मोनियर विलियम्स ने भारतीय वाङ्मय के बारे में लिखा था : "कुछ विषयों में, विशेष कर प्रकृति और पारिवारिक प्रेम के कवित्वमय वर्णनों में वह यूनान और रोम की सर्वश्रेष्ठ कृतियों के मुक़ाबले हेठा नहीं सिद्ध होता और ज्ञान की गरिमा और नैतिक विचारों की सूझ-बूझ में वह अद्वितीय है।" वैज्ञानिक विषयों का उल्लेख करते हुए उन्होंने आगे उसी भूमिका में लिखा था : "इससे भी बढ़कर यह कि हिन्दुओं ने खगोल-विज्ञान, गणित, बीजगणित, वनस्पति-विज्ञान और औषध में काफ़ी प्रगति की थी; व्याकरण में उनकी श्रेष्ठता का उल्लेख करना अनावश्यक है; और यह सब उस समय जब यूरोप की प्राचीनतम जातियों में भी इनमें से कुछ विज्ञान विकसित न हुए थे।" मोनियर विलियम्स ने संस्कृत के शब्द-भंडार की बहुविषयक समृद्धि को लक्ष्य करके लिखा है कि उसका कोश बनानेवाले को लगभग सर्वज्ञ होना चाहिए। उनके अनुसार इंग्लैंड में यूनिवर्सिटी-शिक्षा प्राप्त तरुण संस्कृत की "वैज्ञानिक शब्दावली की सही-सही व्याख्या नहीं कर सकते।" मोनियर विलियम्स ने यह और जोड़ दिया है कि यदा-कदा यह वैज्ञानिक शब्दावली संस्कृत में यूनानियों से उधार ली गई है। किन्तु यहाँ इस पर विवाद नहीं करना कि भारत में यूनान से पहले अनेक विज्ञान विकसित हुए, फिर भी वहाँ के शब्द यहाँ वालों

ने क्यों उधार लिये। मुख्य बात यह है कि यूरोप की नवीन और प्राचीन भाषाओं के महापंडित कोशकार मोनियर विलियम्स को यह स्वीकार करना पड़ा था कि इंग्लैंड की प्रसिद्ध यूनिवर्सिटियों के तरुण ग्रेजुएट—भारत में जिनके रोबदाब की सीमा नहीं है—संस्कृत की वैज्ञानिक शब्दावली ('द साइंटीफिक एक्सप्रेशन') की बारीकियों को समझने में असमर्थ थे। आज मालूम होता है, मोनियर विलियम्स प्रभृति विद्वानों द्वारा अभिनन्दित हमारा वह महान् रिक्थ कहीं खो गया है। सरकारी कोशकार हिन्दी में यूरोप की अन्तरराष्ट्रीय शब्दावली से पारिभाषिक शब्द उधार लेने की बात करते हैं यद्यपि वे जो विदेशी शब्द लेते हैं, वे निरपवाद रूप से अंग्रेज़ी के ही होते हैं (अर्थात् ऐसे शब्द होते हैं जो ग्रीक लैटिन के आधार पर गढ़कर अंग्रेज़ी में चलाए गए हैं)। ये सम्मान्य सरकारी कोशकार वह अन्तरराष्ट्रीय शब्दावली प्रकाशित कर दें तो यूरोप के भावात्मक एकीकरण में बड़ी सहायता मिले।

एक समय था जब स्वामी विवेकानन्द जैसे भारतीय संस्कृति के प्रतिनिधि गरजकर मदान्ध यूरोप से कहते थे : स्वार्थ-लिप्सा ने तुम्हें पतन के गर्त में ढकेल दिया है; आओ, इस गर्त से बाहर निकलो, ज्ञान की दीक्षा भारत से लो।

विवेकानन्द और रवीन्द्रनाथ का वह भारत आज परमुखापेक्षी है—न केवल आर्थिक सहायता के लिए वह पश्चिमी राष्ट्रों का द्वार खटखटाता है वरन् शब्दावली के लिए भी वह उनका मुँह जोहता है। वह अंग्रेज़ी के बिना अपनी भाषा-समस्या हल नहीं कर सकता।

[1962]

# 26

# हिन्दी-भाषी प्रदेश में हिन्दी-प्रचार की आवश्यकता

हम हिन्दी-भाषियों में अधिकांश जनों की धारणा यही है कि हिन्दी यदि अभी तक राष्ट्रभाषा नहीं हो पाई तो इसका मुख्य कारण अहिन्दी-भाषियों का अंग्रेज़ी-प्रेम अथवा हिन्दी-विरोध है। हिन्दी पत्र-पत्रिकाओं में इस विषय पर जो लेख निकलते हैं, उनसे यह प्रकट नहीं होता कि हिन्दी को राष्ट्रभाषा बनाने का सर्वाधिक उत्तरदायित्व हमारा है और हम उसे निबाह नहीं रहे हैं।

हमारे देश में एक पूरा वर्ग है, जो राष्ट्रभाषा के पद पर अंग्रेज़ी को प्रतिष्ठित रखना चाहता है। यह वर्ग किसी प्रदेश-विशेष में सीमित नहीं है वरन् सारे देश में फैला हुआ है; अमर-बेल की तरह वह विशाल हिन्दी-भाषी प्रदेश में भी फैला है। आये-दिन अपने प्रदेश के शिक्षित जनों के व्यवहार में हम अंग्रेज़ी का यह महत्त्व देख सकते हैं। हिन्दी-भाषी प्रदेश में इस वर्ग के लोग उतने मुखर नहीं हैं जितने उनके सहयोगी अन्य प्रदेशों में हैं। फिर भी प्रत्यक्ष या अप्रत्यक्ष रूप में सभी प्रदेशों के अंग्रेज़ी-प्रेमी एक-दूसरे की सहायता करते हैं।

पिछले दिनों उत्तर प्रदेश के अनेक नगरों में भावात्मक एकता पर राजनीतिक और सांस्कृतिक क्षेत्रों के नेताओं ने भाषण किये, अनेक शिक्षा-संस्थाओं में परिसंवाद आयोजित किये गए। आगरा और मेरठ की दो ऐसी गोष्ठिमों में मैंने देखा कि अधिकांश भाषण अंग्रेज़ी में हुए। ये नेतागण अवश्य ही मन में सोचते होंगे कि अंग्रेज़ी ही उनके उच्च विचारों का वाहन हो सकती है अंग्रेज़ी द्वारा ही वे देश में राष्ट्रीय एकता दृढ़ कर सकते हैं। अभी पिछले महीने चीनी आक्रमण के विरोध में विद्यार्थियों की सभाओं में अध्यापकों के प्रोत्साहन-प्रद भाषण भी अंग्रेज़ी में हुए! यदि हमारे प्रदेश के शिक्षा-विशारद भी नवयुवकों को देश-रक्षा का महत्त्व समझाने के लिए अंग्रेज़ी का प्रयोग करते हैं, तब अन्य प्रदेशों से हिन्दी को राष्ट्रभाषा बनाने की माँग हम किस मुँह से कर सकते हैं? सभी शिक्षित जनों का व्यवहार ऐसा नहीं होता, काफ़ी लोग ऐसे हैं, जो ऐसे अवसरों पर सचेत ढंग से हिन्दी का ही व्यवहार करते हैं। फिर भी यह मानना होगा कि हिन्दी क्षेत्र के शिक्षित जनों में अंग्रेज़ी का चलन आवश्यकता से अधिक है।

हिन्दी क्षेत्र के विश्वविद्यालयों में शिक्षा का सामान्य माध्यम अंग्रेज़ी है। कुछ विषयों में जहाँ-तहाँ हिन्दी द्वारा शिक्षण भी होता है किन्तु कुल मिलाकर शिक्षा के माध्यम के रूप में हिन्दी का स्थान गौण है, अंग्रेज़ी का स्थान प्रमुख है। इसी प्रकार शासन-संस्थाओं की कार्यवाही के लिए अंग्रेज़ी का व्यवहार प्रचुर मात्रा में होता है। जब तक उत्तर प्रदेश, बिहार और मध्य प्रदेश की शासन-संस्थाओं में अमली रूप से हिन्दी राजभाषा नहीं बन जाती, तब तक समूचे देश में उसका राष्ट्रभाषा बनना स्वप्नवत् ही रहेगा।

हिन्दी-भाषी प्रदेश के शिक्षित जन बंगाल या तमिलनाडु के लोगों पर अक्सर भाषागत संकीर्णता या प्रान्तीयता का दोष लगाते हैं। वास्तविकता यह है कि बंगाल या तमिलनाडु के शिक्षित जन अपनी भाषा से जितना प्रेम करते हैं, अपने सामाजिक जीवन में उसका जितना प्रयोग करते हैं, उतना हम नहीं करते। अन्य प्रदेशों के शिक्षित-जन यदि अपने यहाँ के साहित्य से अपरिचित हों तो उन्हें शर्म आएगी। हमारे प्रदेश के शिक्षित जन हिन्दी साहित्य से अपरिचित होने में गर्व का अनुभव करते हैं। अपने अज्ञान पर गर्व करते हुए वे पिछले तीस वर्षों से लगातार एक ही प्रश्न दोहराते चले आए हैं—हिन्दी में है ही क्या?

हिन्दी-भाषी प्रदेश की जनता से वोट लेना और उसकी भाषा और साहित्य को गालियाँ देना कुछ नेताओं का दैनिक व्यवसाय है। हमारे प्रदेश के शिक्षित जनों में जातीय भावना की कमी है। वे हिन्दी के प्रति उदासीन हैं, इसीलिए वे कुछ राजनीतिज्ञों की अपमानजनक बातों का समुचित उत्तर नहीं दे पाते। यहाँ का राजनीतिज्ञ राजनीति के अलावा अंग्रेज़ी-भक्ति में जनता का नेतृत्व करता है। अंग्रेज़ी में जितनी पुस्तकें केवल उत्तर प्रदेश के राजनीतिज्ञों ने लिखी हैं, उतनी शेष भारत के सारे राजनीतिज्ञों ने नहीं लिखीं। अन्य प्रदेशों के नेताओं ने एक पुस्तक अंग्रेज़ी में लिखी तो दो अपनी भाषा में भी लिखीं। यहाँ का राजनीतिज्ञ यदि देवनागरी में हस्ताक्षर कर दे तो समझता है कि उसने हिन्दी को कृतार्थ कर दिया।

यह किसी नेता-विशेष का प्रश्न नहीं है, प्रश्न है एक समूचे अंग्रेज़ी-प्रेमी वर्ग का, जो प्रदेश का शासक है या शासक बनना चाहता है। राजनीतिज्ञ इसी वर्ग का प्रतिनिधि है। एक नेता हट जाएगा तो दूसरा आ जाएगा क्योंकि उसे जन्म देनेवाला वर्ग मौजूद है। इसीलिए हिन्दी-भाषी प्रदेश में हिन्दी-प्रचार की आवश्यकता है। हिन्दी-प्रचार द्वारा शिक्षित जनों का दृष्टिकोण बदलने की आवश्यकता है। उनके सामाजिक व्यवहार में, सांस्कृतिक जीवन में, शिक्षा-संस्थाओं के अन्तर्गत उनकी कार्यवाही में अंग्रेज़ी की जगह हिन्दी को प्रतिष्ठित कराने की आवश्यकता है।

मिथ्या जातीय अहंकार हानिकर होता है। अपनी भाषा और साहित्य को ही श्रेष्ठ समझना और दूसरों की भाषा और साहित्य को सदा हीन समझना मूर्खता है। किन्तु जातीय भावना से हीन होकर 'वसुधैव कुटुम्बकम्' का मंत्र जपना भी कोई बहुत

बड़ी बुद्धिमत्ता का चिह्न नहीं है। हमारा राष्ट्र अनेक भाषाएँ बोलनेवाली जातियों से मिलकर बना है। राष्ट्रीय एकता के लिए इन जातियों की एकता आवश्यक है। सभी जातियाँ मिलकर राष्ट्र को दृढ़ करें, इसके लिए आवश्यक है कि प्रत्येक जाति अपने भीतर दृढ़ हो, अपने-आपमें एकताबद्ध हो। कोई भी जाति अपने भीतर शिथिल होकर राष्ट्र को शक्तिशाली बनाने में उचित योग नहीं दे सकती।

हिन्दी-भाषी जाति विभिन्न राज्यों में बँटी हुई है। हिन्दी-भाषी प्रदेश की सीमाएँ अनिश्चित हैं। यही नहीं, भाषागत विवाद जितने यहाँ हैं, उतने किसी अन्य प्रदेश में नहीं हैं। दूसरी जगह विवाद होगा तो बंगला-असमिया या गुजराती-मराठी जैसी दो भिन्न भाषाओं को लेकर। यहाँ के विवाद एक ही भाषा-क्षेत्र के अन्तर्गत हैं।

मिथिला के कुछ राजनीतिज्ञ हिन्दी को अपनी जातीय भाषा नहीं मानते। पिछले चुनाव में उन्होंने अपने राजनीतिक प्रचार के पर्चे मैथिली और उर्दू में छपवाए। हिन्दी का बहिष्कार किया! भोजपुरी क्षेत्र में जन्म लेनेवाले कुछ हिन्दी के आचार्य भाषाविज्ञान पर ग्रंथ लिखकर यह सिद्ध करते हैं कि भोजपुरी हिन्दी से स्वतंत्र भाषा है। जिन्हें हम हिन्दी की बोलियाँ कहते हैं, उनके क्षेत्रों में हिन्दी-प्रचार आवश्यक है, जिससे वहाँ के शिक्षित-जनों का वह भाग, जो अपनी बोली को स्वतंत्र भाषा मानता है, जातीय भाषा के रूप में हिन्दी को स्वीकार करे। जब तक साधारण जनता के सामने यह स्पष्ट नहीं हो जाता कि हिन्दी-प्रदेश की सीमाएँ कौन-सी हैं, उसमें कौन-सी बोलियों का चलन है, उन्हें अब स्वतंत्र भाषा न मानना चाहिए, तब तक समूचे देश में तथा अपने ही प्रदेश में हिन्दी को उसका उचित स्थान दिलाने के लिए यह विशाल जनता सक्रिय नहीं हो सकती। हिन्दी-प्रचार का एक लक्ष्य होना चाहिए : जातीय प्रदेश का गठन। उसमें सर्वत्र जातीय भाषा के रूप में हिन्दी का चलन।

जातीय भाषा और राष्ट्रभाषा में अन्तर है। महाराष्ट्र, बंगाल या तमिलनाडु के लोगों की जातीय भाषा मराठी, बंगला या तमिल है, हिन्दी नहीं। हिन्दी इन लोगों की राष्ट्रभाषा है, जो पारस्परिक आदान-प्रदान का माध्यम बनती है। हिन्दी-भाषियों के लिए हिन्दी जातीय भाषा है, जैसे महाराष्ट्र के लोगों के लिए मराठी जातीय भाषा है। जातीय भाषा होने के साथ-साथ हम हिन्दी-भाषियों के लिए हिन्दी राष्ट्रभाषा भी है। मिथिला के कुछ शिक्षित-जन हिन्दी को राष्ट्रभाषा तो मानते हैं किन्तु अपनी जातीय भाषा नहीं मानते। मराठी के समान वे मैथिली को हिन्दी से स्वतंत्र भाषा मानते हैं।

अनेक अहिन्दी-भाषी अंग्रेज़ी-प्रेमी विद्वान् इसी तर्क का आश्रय लेते हैं और कहते हैं कि हिन्दी अपने ही क्षेत्र में दूसरों पर लादी गई भाषा है। वे प्रचार करते हैं कि ब्रज, अवधी, बुन्देलखंडी, भोजपुरी आदि सब स्वतंत्र भाषाएँ हैं जिन पर कृत्रिम साहित्यिक हिन्दी जबरदस्ती लादी गई है। ये लोग भूल जाते हैं कि इंग्लैंड, रूस,

फ्रांस, जर्मनी आदि देशों में अंग्रेज़ी, रूसी, फ्रांसीसी, जर्मन आदि भाषाओं की वैसी ही बोलियाँ हैं, जैसी हिन्दी की। इन सब भ्रान्तियों के निवारण के लिए हिन्दी-भाषी प्रदेश में हिन्दी-प्रचार आवश्यक है।

हिन्दी-उर्दू समस्या को अधिकांश हिन्दी-प्रेमी भूल-से गए थे। रेडियो द्वारा हिन्दी के सरलीकरण ने उन्हें नींद से जगा दिया। भारतेन्दु से लेकर प्रेमचन्द तक हिन्दी के तमाम लेखक अपनी भाषा को कठिन बनाते रहे, जिससे जनता उनका साहित्य समझ न पाए, अब उस हिन्दी को सरल बनाने का बीड़ा उठाया है आकाशवाणी ने। यह सरलीकरण का प्रश्न उस समय उठाया गया जिस समय अंग्रेज़ी को अनिश्चित काल के लिए राजभाषा घोषित किया गया। हिन्दी-उर्दू के झगड़े में फिर से जान डालकर राष्ट्रभाषा के रूप में अंग्रेज़ी को नवजीवन दिया गया!

हिन्दी के कुछ विद्वान् मानते हैं कि मुसलमानों की भाषा उर्दू है, जो हिन्दी से स्वतंत्र है। बंगाल के मुसलमानों की बंगला से स्वतंत्र कोई भाषा क्यों नहीं है, इस प्रश्न का उत्तर वे नहीं देते। सबसे महत्त्वपूर्ण बात यह कि हमारे देश की श्रमिक जनता में कहीं भी धर्म के आधार पर भाषागत विभाजन नहीं दिखाई देता। कानपुर, लखनऊ, पटना आदि के हिन्दू-मुसलमान मज़दूर आपस में एक ही सामान्य भाषा का व्यवहार करते हैं। जो लोग हिन्दुओं और मुसलमानों की दो भाषाएँ मानते हैं, जो हिन्दी और उर्दू को मूलत: दो भाषाएँ मानते हैं, उन्हें यह समझाना चाहिए कि भाषा की आधारभूमि कोटि-कोटि श्रमिक जनता है, न कि मुट्ठी-भर पढ़े-लिखे लोग।

उर्दू-प्रेमियों में इस बात का प्रचार करना आवश्यक है कि उनकी अलग क़ौम नहीं है, वे विशाल हिन्दी-भाषी जाति का अंग हैं। प्रत्येक जाति की एक ही भाषा होती है, दो नहीं। हिन्दी-उर्दू मूलत: एक ही भाषा हैं, इसलिए उनका साहित्यिक रूप दो न होकर एक ही होगा। हिन्दी-उर्दू के अलगाव से हमारी जातीय संस्कृति पूरी शक्ति से विकसित नहीं हो पाती। उर्दू-प्रेमी कबीर, जायसी, रसखान, रहीम आदि की साहित्यिक परम्परा से अपना सम्बन्ध जोड़ें, भारत की अन्य भाषाओं के विकास के अनुकूल उर्दू को मोड़ें, इससे तुरन्त नहीं किन्तु कुछ समय बाद हमारी सामान्य साहित्यिक परम्परा विकसित होगी। उर्दू-प्रेमियों के साथ इस तरह का प्रचार उन हिन्दी-प्रेमियों में भी करना आवश्यक है, जो हिन्दुओं और मुसलमानों को दो भिन्न जातियाँ मानते हैं।

हिन्दी-भाषी जनता की शक्ति अपार है किन्तु वह असंगठित और बिखरी हुई है। हिन्दी-भाषियों के जातीय हित में इस शक्ति को संगठित करना आवश्यक है। समूचे राष्ट्र को एकताबद्ध और दृढ़ करने के लिए हिन्दी-भाषी जाति की एकता आवश्यक है। इस एकता के मार्ग में पहली बाधा है अंग्रेज़ी-प्रेम। दूसरी बाधा है आंचलिक बोलियों को स्वतंत्र भाषा मानने की भ्रान्ति। तीसरी बाधा है हिन्दी-उर्दू-प्रेमियों का दो खेमों में बँटकर जातीय संस्कृति को कमज़ोर करना। इन तीनों बाधाओं

के फलस्वरूप अपनी जातीय शक्ति के उपयोग द्वारा हिन्दी को राष्ट्रभाषा बनाने के अपने उत्तरदायित्व को हम निबाह नहीं पाते।

यदि समस्त हिन्दी-भाषी प्रदेश में शिक्षा-संस्थाओं, न्यायालयों, राजकीय कार्यों में हर स्तर पर हिन्दी का व्यवहार होने लगे, यदि विधान-परिषदों के सदस्य प्रतिज्ञा करें कि वे अपना सार्वजनिक कार्य हिन्दी में ही करेंगे, यदि लोक सभा के सदस्य तय कर लें कि वे राजभाषा के रूप में हिन्दी का ही व्यवहार करेंगे तो क्या इसमें किसी को सन्देह हो सकता है कि समूचे राष्ट्र का वातावरण बदल जाएगा और हिन्दी को राष्ट्रभाषा बनते ज़रा भी देर न लगेगी?

हम हिन्दी-भाषी किसी पर हिन्दी लादना नहीं चाहते। जो अंग्रेज़ी ही बोलना पसन्द करे, उससे ज़बरदस्ती हिन्दी बुलवाना नहीं चाहते। किन्तु हमें भी अंग्रेज़ी बोलने के लिए कोई बाध्य नहीं कर सकता। लोक सभा और राज्य सभा के वे सदस्य और मंत्री, जो हिन्दी-भाषी प्रदेश से चुने गए हैं, जिस दिन तय कर लेंगे कि अंग्रेज़ी के बदले हिन्दी का ही प्रयोग करेंगे, उसी दिन हिन्दी व्यवहारत: राष्ट्रभाषा बन जाएगी। यदि ऐसा नहीं होता तो कमज़ोरी हमारी है। हमें हिन्दी-प्रचार द्वारा स्वयं अपने प्रदेश की जनता को जाग्रत करना है, अपने प्रदेश के नेताओं में हिन्दी की उपेक्षा दूर करनी है, स्वयं अपने प्रतिनिधियों को बाध्य करना है कि वे राजकाज में और सर्वत्र हिन्दी का व्यवहार करें। इस तरह के प्रचार और संगठन द्वारा ही अपनी जातीय शक्ति के अनुरूप हम हिन्दी को राष्ट्रभाषा बनाने का अपना गहन उत्तरदायित्व पूरा कर सकते हैं।

[1962]

# 27

# सरकारी कोशकार और राष्ट्रभाषा

तीस से अधिक वर्ष हुए, जनवरी, 1932 की 'सुधा' में अंग्रेज़ी-हिन्दी कोश-सम्बन्धी एक टिप्पणी प्रकाशित हुई थी। टिप्पणी के अनुसार श्री सुखसम्पतिराय भंडारी ने 'विद्वान् और विशेषज्ञों की सहायता से' लगभग बीस हज़ार रुपये ख़र्च करके प्रायः डेढ़ लाख शब्दों का यह कोश तैयार किया था जिसकी प्रशंसा प्रयाग विश्वविद्यालय के वाइस चांसलर डॉ. गंगानाथ झा, पंजाब विश्वविद्यालय के वाइस चांसलर डॉ. ए.सी. वूलनर, डॉ. राधाकुमुद मुकर्जी, डॉ. बेनीप्रसाद, डॉ. सुनीतिकुमार चाटुर्ज्या आदि विद्वानों ने की थी और सर पी.सी. राय ने इसे महान् प्रशंसनीय साहित्यिक कार्य कहते हुए, बंगाली, मराठी और गुजराती भाषा-भाषियों के लिए भी अत्यन्त उपयोगी बतलाया था।

हिन्दी-भाषी विद्वान् इस बात की ओर बहुत पहले से सचेत रहे हैं कि हमारी भाषा आधुनिक विज्ञान तथा संस्कृति से सम्बन्धित विचारों को प्रकट करने में सक्षम हो। सरकारी सहायता के अभाव में, अक्सर प्रच्छन्न सरकारी विरोध का सामना करते हुए सुखसम्पतिराय भंडारी जैसे विद्वानों ने घोर परिश्रम करके पारिभाषिक शब्दों की कमी को पूरा किया। नागरी प्रचारिणी सभा जैसी संस्थाओं ने इस कार्य को आगे बढ़ाया। डॉ. सत्यप्रकाश जैसे विद्वानों ने वैज्ञानिक विषयों पर लेख लिखकर और दूसरों से लिखाकर पारिभाषिक शब्दों के प्रचार में सहायता की। भारत के स्वाधीन होने पर जब अंग्रेज़ी को हटाने, भारतीय भाषाओं को उनका स्वत्व देने और परस्पर व्यवहार तथा केन्द्रीय राजकाज के लिए हिन्दी को राष्ट्रभाषा बनाने का सवाल सामने आया तब हिन्दी से नितान्त अनभिज्ञ, देवनागरी में कठिनाई से हस्ताक्षर कर पानेवाले देश के अनेक सम्मान्य राजनीतिज्ञों ने घोषित किया कि हिन्दी को विकसित होने, आधुनिक विचारों की अभिव्यंजना के योग्य बनने के लिए अभी और समय देना चाहिए। संविधान में इस बात को दर्ज कर दिया गया कि हिन्दी को विकसित किया जाए और संस्कृत तथा अन्य भाषाओं से आवश्यकतानुसार शब्द लेकर (या नये शब्द गढ़कर) उसे समृद्ध किया जाए।

भारत सरकार ने 1950 में विज्ञान-सम्बन्धी पारिभाषिक शब्द-संग्रह के लिए एक समिति स्थापित की। शिक्षा मंत्रालय के तत्त्वावधान में हिन्दी को विकासमान और

समृद्ध करने का बृहत् कार्य बारह साल तक चलता रहा और 1962 में 'पारिभाषिक शब्द-संग्रह' नामक सरकारी कोश प्रकाशित हो गया।

भूमिका में सरकारी नीति स्पष्ट कर दी गई है। शिक्षा मंत्रालय के तत्त्वावधान में दस वर्षों की अवधि में जितने पारिभाषिक शब्द रचे गए, उन्हें कोशबद्ध किया गया। अंग्रेज़ी में श्री आर.पी. नायक लिखित इस भूमिका में 'इवौल्व' और 'इवोल्यूशन' शब्दों का अनेक बार प्रयोग किया गया है। इन शब्दों का आशय यही है कि हिन्दी में पारिभाषिक शब्दों का अभाव था, इसलिए शिक्षा मंत्रालय द्वारा संचालित हिन्दी निदेशालय में नवीन शब्दावली रची गई। एक जगह यह स्पष्ट लिखा है कि 1961 के मध्य तक विशेषज्ञ-समितियों की संख्या 26 हो गई थी और 'नव-निर्मित' शब्दों की संख्या लगभग तीन लाख तक पहुँच गई थी (द टर्म्स क्वायंड केम टु नियरली थ्री लैक्स)। ये शब्द 'क्वायन' किये गए थे। हिन्दी में थे नहीं, उसे विकसित करने के लिए निदेशालय में ये तीन लाख शब्द ढाले गए थे।

अधिकांश भारतीय राजनीतिज्ञों के लिए जीवन के अनेक स्वीकृत मूल्यों के समान हिन्दी की दरिद्रता भी स्वयंसिद्ध सत्य है जिसे प्रमाणित करने के लिए किसी आयोग या समिति की ज़रूरत नहीं है। अंग्रेज़ी की समृद्धि उसी प्रकार दूसरा ध्रुव सत्य है जिसकी प्रामाणिकता असन्दिग्ध है। इन दो ध्रुवों की धुरी पर भारतीय जनतंत्र की राजनीति अनवरत आवर्तन करती है।

यदि इस सरकारी कोश के सभी या अधिकांश शब्द नये सिरे से गढ़े गए हों, तो वे हिन्दी-भाषी बुद्धिजीवियों के लिए अपरिचित होंगे। कोश के पन्ने पलटने पर ऐसा लगेगा कि हम शब्दों की नई दुनिया में आ गए हैं, जिनके रूप और अर्थ से हमारा पहली बार साक्षात्कार हो रहा है। वैसे तो किसी अपारिभाषिक कोश में भी साधारण पाठकों को हज़ारों शब्द मिल जाएँगे जिनसे वे परिचित न होंगे। इसलिए पारिभाषिक कोश में अजनबी लगनेवाले शब्दों का होना आश्चर्यजनक नहीं है। आश्चर्यजनक बात यह है कि हर पृष्ठ पर अनेक ऐसे शब्द मिल जाते हैं जिनसे साधारण पाठक अच्छी तरह परिचित है और जिन्हें नायक साहब के अनुसार 'क्वायन' किया गया है।

एक निगाह इन शब्दों पर डालिए : वायुमंडल, उपलब्धि, आक्रमण, ध्यान, प्रायश्चित्त, मंत्रिमंडल, नैतिक, उपहास, त्वचा, बुद्धि, आशय, अभिप्राय, सौन्दर्यशास्त्र, रसायन, विनिमय, द्रव्य, पदार्थ, विषयवस्तु, मनोविज्ञान, मनोविश्लेषण, सापेक्ष, नीतिशास्त्र, पुरातत्त्व, प्रतियोगिता, घनत्व, प्रत्याख्यान, प्रत्यक्ष, परोक्ष, उद्योग, संक्रमण, आकर्षण, विकर्षण इत्यादि। इस तरह के हज़ारों शब्द इस कोश में हैं जो हिन्दी में वर्षों से प्रचलित हैं और जिनके लिए कोई यह दावा भी नहीं कर सकता कि उन्हें नये सिरे से गढ़ा गया है। इनके लिए यह दावा भी नहीं किया जा सकता कि वे अन्य कोशों में नहीं हैं! किन्तु हिन्दी को समृद्ध करने, उसे राष्ट्रभाषा-पद

के योग्य बनाने के लिए शिक्षा मंत्रालय और विशेषज्ञ-समितियों ने जो घोर परिश्रम किया, उसमें इस तरह के शब्दों का संग्रह भी शामिल है।

इनके अलावा इस कोश में हिन्दी के ऐसे हज़ारों अतिप्रचलित शब्द हैं जिन्हें साधारण बुद्धि के लोग पारिभाषिक स्वीकार ही न करेंगे। प्रचलित शब्द भी पारिभाषिक हों, इस पर आपत्ति नहीं है। प्रश्न दूसरा है। क्या ये शब्द गढ़े गए हैं? क्या ये पहले से हिन्दी में या हिन्दी कोशों में थे नहीं? कपूर, अलाप, डेरा, कमरा, खरीदारी, सदी, शताब्दी, खतरा, निश्चित, जादू-टोना, जादूगर, छपाई, जुड़ाई, उपाय, रोष, याद, माफी, क्षमा, पुनर्विवाह, प्रभावित, विनाश, अजवायन, सौंफ, सुपारी, उधार, शोरा, मदिरा, अर्दली, चपरासी, किराया, रोज़गार, कार्यालय, दफ़्तर, मुठभेड़, तैरना, आधुनिक, वेश्यालय, चकला, छिलका, मामले, छितराना, मरम्मत करना, प्रयत्न करना, चिपकाना, पर्याप्त, काम रोकना, शपथ दिलाना, स्तन, साँस, से, परे, ठीक है, धर्म, छूट देना, छुट्टी पाना, ज़रा हट के, गिर गया, दौड़ते हुए, इस हालत में, इत्यादि। इस तरह के शब्दों को देखकर यह प्रस्ताव करने की इच्छा होती है कि कोश के द्वितीय संस्करण में खाना, पीना, उठना, बैठना, चलना, सोना, धरती, आकाश, पानी, हवा, धूल, आलू, मटर, टमाटर, बैंगन, गाजर, मकान, छत, फर्श, दरवाज़ा, खिड़की, पिता, पुत्र, बहन, भाई, चाचा, ताऊ आदि-आदि शब्दों को भी पारिभाषिकों में गिन लेना चाहिए और भूमिका में अगले दस वर्षों के समृद्धीकरण-प्रोग्राम की सफलता के रूप में उन्हें पेश कर देना चाहिए! किन्तु सम्भव है, इनमें और इन-जैसे अनेक शब्द इस कोश में पहले से ही हों और मैंने उन पर ध्यान न दिया हो! जो भी हो, जब तक ये शब्द सरकारी कोश में दर्ज नहीं हुए, तब तक हिन्दी दरिद्र थी! दर्ज होने के बाद भी हिन्दी समृद्ध होकर राष्ट्रभाषा नहीं बनी—वह प्रश्न अलग है।

यह कहा जा सकता है कि ऊपर जिस तरह के शब्दों का उल्लेख किया गया है, वे हिन्दी में थे ज़रूर किन्तु अर्थ निश्चित नहीं था; पारिभाषिक शब्द-संग्रह करनेवालों ने हिन्दी की यह सेवा की है कि अस्थिर अर्थवाले शब्दों को अंग्रेज़ी पर्यायों के साथ निश्चित ढंग से नत्थी कर दिया है। भूमिका में भारतीय कोशकारों के प्रयत्नों का उल्लेख करते हुए शब्दों के अरण्य की चर्चा की गई है, जहाँ लेखकों और साधारण जनों को रास्ता नहीं सूझता। किन्तु इस कोश के पन्ने पलटने पर यह समझने में किसी को देर न लगेगी कि यहाँ हज़ारों अंग्रेज़ी शब्द ऐसे हैं जिनके एक से अधिक हिन्दी-पर्याय दिये गए हैं। उदाहरण के लिए, न्याय-क्षेत्र में 'एप्लाई' शब्द के लिए—विनियोग करना, प्रयोग करना, लागू करना, आवेदन करना, प्रार्थना पत्र देना; जीव-विज्ञान के अन्तर्गत 'लैरिंक्स' के लिए—कंठ, स्वरयंत्र! 'डस्क' शब्द के आगे यह नहीं लिखा कि वह किस क्षेत्र का पारिभाषिक शब्द है, किन्तु उसके तीन पर्याय दिये गए हैं—गोधूलि, धुरी (?), साँझ। अर्थशास्त्र के प्रचलित शब्द 'मर्चेंट' के लिए—सौदागर, सार्थवाह, व्यापारी,

वणिक्। प्रचलित शब्द 'रिलीव' के लिए—छुट्टी देना, छुट्टी पाना (!), छुट्टी मिलना (नौकरी से), भारमुक्त करना, अवमुक्त करना। 'यूनिट' शब्द के आगे भी संकेत नहीं है कि वह किस क्षेत्र का पारिभाषिक है। उसके पर्याय—मात्रक, एकक, (इ) काई, दल, एकांग, एकांश, यूनिट, एकांक!

सरकारी कोश के संरक्षक गण स्वयं देख सकते हैं कि शब्दों की बहुलता कम नहीं हुई, उसमें कुछ इजाफा ही हुआ है। पाठक प्रश्न कर सकते हैं कि इस शब्द-संग्रह में गोधूलि, साँझ, सौदागर जैसे शब्द ही हैं तो उनके संग्रह के लिए इतना परिश्रम क्यों? नहीं, साँझ, गोधूलि और सौदागार तो सरकारी संस्पर्श से पारिभाषिक बन गए हैं। इनके अलावा ऐसे भी हज़ारों शब्द हैं जिन्हें देखते ही कोई कह देगा कि वे पारिभाषिक हैं। उदाहरण के लिए, संसक्ति, नम्यता, अविलेयता, गलनांक, वाष्पायन, ऊष्मा, संघनन, विकिरण, प्रच्छाया, उपच्छाया, परावर्तन, अवतल, उत्तल, अक्ष, अंडाशय, अपचय, अम्ल, क्षार, अणु, परमाणु, चाप, समीकरण, समायवी, अवक्षेपण, द्रव, ज्वलनशील, औतिकी, भौतिकी इत्यादि—ये सब शब्द आपको इस कोश में मिलेंगे। किन्तु आप यदि थोड़ा-सा परिश्रम करें तो आप देखेंगे कि ये शब्द विद्यार्थियों की उन पाठ्य-पुस्तकों में भी प्रयुक्त हुए हैं जो इस कोश-निर्माण से पहले प्रकाशित हुई थीं! इन्हें 'इवौल्व' करने या 'क्वायन' करने का दावा इस कोश के सम्पादक लोग नहीं कर सकते।

इस सरकारी कोश में ऐसे भी हज़ारों शब्द हैं जिन्हें तीस वर्ष पहले ही श्री सुखसम्पतिराय भंडारी और उनके सहयोगियों ने 'क्वायन' या 'इवौल्व' कर लिया था। इनमें अणु, परमाणु, धूमकेतु, निरपेक्ष, अमूर्त, सूत्र, मताधिकार, निर्वाचन-क्षेत्र, राष्ट्रीयकरण, समाजवाद, लोकतंत्र जैसे शब्द हैं। ऐसे शब्द साधारण हिन्दी गद्य में बराबर प्रयुक्त होते रहे हैं। इनके अतिरिक्त विज्ञान-सम्बन्धी शब्द भी हैं, जिनका व्यवहार वैज्ञानिक पुस्तकों में होता है। 'डिफरेंशल इक्वेशन'—अवकल समीकरण; 'डिफ्रैक्शन'—विवर्तन; 'आइसोमेरिज़्म'—समावयवता; 'लेटरल'—पार्श्विक; 'वेन'—शिरा; 'वर्टीब्रा'—कशेरुका; 'यूटेरस'—गर्भाशय; 'लैरिंक्स'—स्वर-यंत्र; 'अपेंडिक्स'—परिशिष्ट; 'कार्टिलेज'—उपास्थि; 'क्लैविकल'—अक्षक; 'कौर्टेक्स'—वल्क; 'डक्ट'—वाहिनी; 'कोन'—शंकु; 'कौर्पस कैलोसम'—महासंयोजक; 'रैडिएशन'—विकिरण; 'मैग्नेटिज़्म'—चुम्बकत्व; 'लौगैरिथम'—लघुगणक; 'कैलकुलस'—कलन; 'हिप्नौटिज़्म'—सम्मोहन; 'इनहिबिशन'—अवरोध; 'साइको-एनैलिसिस'—मनोविश्लेषण; 'एनालौजी'—सादृश्य;—'एल्ट्रूइज़्म'—परार्थवाद; 'एनाबोलिज़्म'—चय; 'ऑकल्टिज़्म'—गुह्यविद्या; 'स्प्लीन'—प्लीहा; 'डेंसिटी'—घनत्व इत्यादि।

इस तरह के हज़ारों शब्द भंडारी-कोश और उसके तीस साल बाद के सरकारी कोश में ज्यों-के-त्यों विद्यमान हैं। इनके सिवा ऐसे भी सैकड़ों शब्द हैं जिनमें

सरकारी कोश ने नाममात्र का परिवर्तन किया है। 'डायलेटेशन' के लिए भंडारी के 'विस्तारन' को यहाँ 'विस्तारण' कर दिया गया है—'न' का 'ण'! अथवा 'सिस्टोल' के लिए भंडारी-कृत 'आकुंचन' सरकारी कोश में 'प्रकुंचन' हो गया! 'थोरैसिक' के लिए भंडारी ने लिखा : 'वक्ष-सम्बन्धी'; सरकारी कोश में उसे 'वक्षीय' कर दिया गया! 'आइसोटोप' के लिए भंडारी ने लिखा : 'समस्थानीय'; सरकारी कोश ने उसे किया : 'समस्थानिक'!

इस सरकारी कोश के सम्पादकों-संरक्षकों से यह पूछना अनुचित न होगा कि आख़िर वे शब्द कौन-से हैं जिन्हें दस साल में आप लोगों ने 'इवौल्व' किया है, या 'क्वायन' किया है, जिनके अभाव में हिन्दी राष्ट्रभाषा न बन सकती थी, दरिद्र थी, आधुनिक जीवन से सम्बन्धित विचारों को प्रकट करने में अक्षम थी? प्रत्येक हिन्दी-प्रेमी को सरकार और उसके मुलाजिमों से यह प्रश्न करना चाहिए कि दस साल से लगातार हिन्दी के जिन अभावों की आप घोषणा कर रहे थे, वे कौन-से हैं? किन शब्दों की रचना करके आपने उन अभावों की पूर्ति की है? अपार धन व्यय करके आपने जिस कोश की रचना की है, स्पष्ट बताइए कि इसमें कितने शब्द ऐसे हैं जो हिन्दी में पहले से विद्यमान न थे?

मेरा अनुमान है कि कोश में नये गढ़े हुए शब्दों को बहुत परिश्रम से ढूँढ़ निकाला जाए तो छपने पर वे पन्द्रह-बीस पृष्ठों से ज़्यादा जगह न घेरेंगे। यह बात सही हो तो सरकार ने फी साल केवल डेढ़ या दो पृष्ठों की नवीन सामग्री प्रस्तुत की।

यदि किसी को विश्वास हो कि नवनिर्मित शब्दों की संख्या पन्द्रह-बीस पृष्ठों से अधिक परिमाण की होगी, तो उससे प्रार्थना है कि वह ऐसे शब्दों का संग्रह कर डाले, उसे प्रकाशित कर दे, यह हिन्दी की बहुत बड़ी सेवा होगी। एकदम वैज्ञानिक ढंग से पता चल जाएगा कि हिन्दी की भाषागत समृद्धि में ठीक-ठीक कितने शब्दों का इजाफा किया गया है।

इस कोश-निर्माण के लिए आई.सी.एस. ऑफिसर, शिक्षा मंत्रालय के स्पेशल ऑफिसर ऑन ड्यूटी; मद्रास, मैसूर, बंगलोर, पूना, कलकत्ता, बम्बई, दिल्ली से निकट और दूर के, नगरों से बीसियों विशेषज्ञों का पचासों बार आवागमन, उनके टी.ए. बिल, दिल्ली में ठहरने का भत्ता, एक स्थायी कार्यालय और उसके कर्मचारी—आप हिसाब लगाएँ, फी शब्द सौ टके से कम नहीं पड़ा। पहले तीन लाख शब्द गढ़े या इकट्ठे किये गए। उनमें बहुत-से शब्द दुहराये-तिहराये गए थे। मनोविज्ञान के शब्द दर्शन में भी आ गए और भौतिकी के शब्द रसायन में। इन फालतू शब्दों की छँटाई के बाद इस कोश में एक लाख से कुछ ऊपर शब्द बच रहे हैं। कोश पर करोड़ों रुपये ख़र्च हुए। इतना धन व्यय करने के बाद भी पता नहीं चलता कि नवनिर्मित शब्द दरअसल कितने हैं। शिक्षा मंत्रालय के उच्च अधिकारियों ने सम्भवत: कोश को पन्ने पलटकर देखा भी नहीं है, वरना श्री आर.पी.

नायक तीन लाख 'नये शब्द गढ़ने' की बात न लिखते। कोश में प्रकाशित एक अन्य अंग्रेज़ी लेख में उन सिद्धान्तों का विवेचन किया गया है जिनके अनुसार शब्द-संग्रह का कार्य सम्पादित किया गया है। इस लेख में बताया गया है कि सम्पादकों ने हिन्दी में पहले से प्रचलित शब्द-राशि से लाभ उठाया है। इस लेख में लाखों नये शब्द गढ़ने का दावा नहीं किया गया। इसमें प्राचीन और मध्यकालीन भारतीय साहित्य से शब्द लेने की बात भी कही गई है। सरकारी भूमिका में नये शब्द गढ़कर हिन्दी की दरिद्रता दूर करने का जो दावा किया गया है, वह इस लेख की बातों से कट जाता है।

इस लेख में शब्दों के अर्थ निश्चित करने के बारे में कुछ बातें कही गई हैं, जो ग़लत हैं। जिन प्राचीन शब्दों को खोज निकालने का दावा किया गया है, उनमें 'कैलकुलस' का पर्याय 'कलन' भी है। यह शब्द भंडारी जी के कोश में विद्यमान है। इसी तरह 'हीट' के लिए 'ऊष्मा' को निश्चित करने की जो बात कही गई है, वह सही नहीं है। भौतिकी पुस्तकों में 'हीट' के लिए ऊष्मा का प्रयोग काफ़ी पहले से होने लगा था। कोश में कुछ प्रचलित शब्दों को छोड़कर नये शब्द गढ़े गए हैं। यह गढ़न्त अक्सर भोंडी हो गई है। 'नर्व' के पर्याय-रूप में 'स्नायु' हिन्दी का प्रचलित शब्द था। उसे हटाकर 'तंत्रिका' शब्द स्थापित किया गया है। 'स्नायु-तंत्र' सुनने में अच्छा लगता है। उसके बदले इस कोश के अनुसार 'तंत्रिका-तंत्र' का चलन होना चाहिए! 'डिप्लोमैसी' के लिए हिन्दी में 'कूटनीति' शब्द प्रचलित है। इस कोश में उसके लिए नया शब्द दिया है : 'राजनय'! 'अग्नौस्टीसिज़्म' का पर्याय दिया गया है : 'अनीश्वरवाद', जो ग़लत है। इसके विपरीत भंडारी जी के कोश में सही शब्द दिया गया है : 'अज्ञेयवाद'। 'स्पेस' या 'आउटर स्पेस' का समानार्थी हमारा प्राचीन शब्द है : 'अन्तरिक्ष'। उसे कोश में जगह नहीं मिली। 'नेशनैलिटी' का समानार्थी प्रचलित शब्द है : 'जाति'। सरकारी कोश ने भोंडी गढ़न्त की है : 'राष्ट्रिकता'।

एक विचित्र बात यह है कि एक ही शब्द से सम्बन्धित शब्द-समूह में पर्यायों की यथेष्ट भिन्नता दिखाई देगी। 'स्पेस टाइम' के लिए 'दिक् काल' किन्तु 'स्पेस टाइम कर्व' के लिए 'अवकाश-समय-वक्र'। ऐसे भी सैकड़ों शब्द हैं जो कोश में नहीं आए—यथा : 'एग्जॉल्टेशन', 'पैन्थीइज़्म', 'ईस्थेसिया', 'कौस्मोनॉट', 'जनरल स्ट्राइक' इत्यादि।

ज़्यादा अच्छा होता कि सरकार ज्ञान-विज्ञान के समस्त क्षेत्रों में हिन्दी का समृद्ध करने का ठेका न लेती। वह शासन-व्यवस्था, न्याय, व्यापार आदि उन क्षेत्रों के शब्दों का ही संग्रह कराती जिससे उसे आये-दिन साबिका पड़ता है। आख़िर लोक सभा के सदस्य या मंत्रिगण अपनी राजनीतिक हैसियत से भौतिकी, रसायन या जीवविज्ञान पर तो ग्रंथ रचेंगे नहीं। हिन्दी को केन्द्रीय राजकाज की

भाषा बनाने के लिए देखना यह चाहिए था कि उसमें राजकाज के शब्द हैं या नहीं। यह सीधा-सादा छह महीने में खत्म होनेवाला काम न करके सरकार ने दो पंचवर्षीय योजनाओं का समय लगा दिया—समस्त विषयों के इस शब्द-संग्रह में।

शब्द-संग्रह तैयार हो गया। धन, समय और शक्ति के अपव्यय के बावजूद यह लाख से ऊपर शब्दों का संग्रह प्रस्तुत है। भारत के डेढ़ फीसदी अंग्रेज़ीदाँ बुद्धिजीवी जो पहले अंग्रेज़ी में सोचते हैं, फिर अपने सोचने का फल किसी भारतीय भाषा में प्रकट करते हैं, इस कोश की सहायता से हिन्दी में अब अपने अमूल्य विचार प्रकट कर सकते हैं। क्या अब केन्द्रीय राजकाज अंग्रेज़ी के बदले हिन्दी में होने लगा है? नहीं, इसके विपरीत अनिश्चित काल के लिए अंग्रेज़ी हमारी राष्ट्रभाषा घोषित कर दी गई है।

दो निष्कर्ष स्पष्ट हैं :

(1) हिन्दी में पारिभाषिक शब्दों के अभाव की बात राजनीतिज्ञों का झूठा प्रचार है। सरकारी शब्द-संग्रह के 99 फीसदी शब्द हिन्दी-पुस्तकों और कोश में पहले से विद्यमान हैं।

(2) कोश-निर्माण द्वारा हिन्दी को समृद्ध करने, उसे राजभाषा पद के योग्य बनाने की सारी प्रक्रिया एक राजनीतिक चाल है, जिसका उद्देश्य है : हिन्दी-भाषियों तथा समस्त राष्ट्रभाषा-प्रेमियों की आँखों में धूल झोंकना।

राष्ट्रीयता और जनतंत्र का आधार संकुचित करके अंग्रेज़ी पढ़े-लिखे मुट्ठी-भर लोग जो भारत के शासन-तंत्र का संचालन करते हैं, वे अपना निहित स्वार्थ छोड़ने को तैयार नहीं हैं। उनकी धारणा है कि अंग्रेज़ी के बिदा होने पर उन्हें भी भारतीय रंगमंच से बिदा लेनी होगी। हिन्दी-भाषी तथा समस्त भारतीय जनता का हित इसी में है कि अंग्रेज़ीदाँ नौकरशाहों का यह वर्ग जल्दी-से-जल्दी शासन-तंत्र से दूर हो, तभी देश की समस्त भाषाएँ जनता की सामाजिक और सांस्कृतिक उन्नति का साधन बनेंगी और भारत अपनी प्रभुसत्ता को पूरी तरह चरितार्थ करेगा।

[1963]

28

# वामपंथी कम्युनिस्ट पार्टी के कार्यक्रम का मसौदा

## [भाषा-सम्बन्धी नीति की आलोचना]

वामपंथियों के कार्यक्रम के मसौदे में भारतीय भाषाओं की समानता के बारे में बहुत-सी और बहुत अच्छी-अच्छी बातें कही गई हैं। लेकिन कहीं यह नहीं बताया गया कि भारत की सभी भाषाओं पर अपना आधिपत्य जमाये हुए जो अंग्रेज़ी बैठी हुई है, उसके बारे में वामपंथी कम्युनिस्ट क्या करने जा रहे हैं। मसौदे में यह सराहनीय बात कही गई है कि विभिन्न राज्यों तथा वहाँ की जनता के बीच आर्थिक, राजनीतिक और सांस्कृतिक सहयोग को बढ़ावा देकर भविष्य में क़ायम होनेवाली जनता की जनवादी सरकार भारत की एकता को दृढ़ करेगी। यह एकता दृढ़ करने का काम अंग्रेज़ी के द्वारा होगा या किसी भारतीय भाषा के द्वारा?

जहाँ तक हिन्दी का सम्बन्ध है, मसौदे में कहा गया है कि अखिल भारतीय स्तर पर हिन्दी का व्यवहार अनिवार्य न होगा लेकिन विभिन्न राज्यों की सरकारों के बीच सम्पर्क भाषा बनने के लिए हिन्दी को प्रोत्साहन दिया जाएगा।

हिन्दी का व्यवहार अनिवार्य न होगा, बहुत अच्छी बात है, क्योंकि हिन्दी के व्यवहार को अनिवार्य बनाना जनतंत्र-विरोधी कार्य होगा। लेकिन अंग्रेज़ी को हटाना अनिवार्य क्यों न कर दिया जाए? मातृभाषाओं के व्यवहार पर सही ज़ोर, लेकिन अखिल भारतीय स्तर पर हिन्दी के व्यवहार को लेकर आगा-पीछा—ऐसा क्यों? जनता की जनवादी सरकार हिन्दी के व्यवहार को प्रोत्साहन देगी! मानो विभिन्न प्रदेशों की जनता ने अभी तक परस्पर आदान-प्रदान की आवश्यकता का अनुभव ही न किया हो! मानो वह अभी तक राह देख रही हो कि जनता की जनवादी सरकार बन जाए, तब वह आपसी सम्पर्क का काम शुरू करे! और विभिन्न राज्यों की सरकारों के ही परस्पर सम्पर्क के लिए हिन्दी को प्रोत्साहन क्यों दिया जाएगा? क्या अन्तर्प्रादेशिक सम्पर्क की आवश्यकता केवल सरकारों को पड़ती है? जनता की जनवादी सरकार क़ायम होने पर जनता को इस सम्पर्क की आवश्यकता पड़ेगी या नहीं? भारत की सांस्कृतिक, राजनीतिक और आर्थिक एकता दृढ़ करने में जनता का भी कुछ हिस्सा होगा या नहीं?

जनता के बाएँ और साम्राज्यवाद के दाएँ—वामपंथी मसौदे का सारतत्त्व यही है। ज़ोरों से हिन्दी की अस्वीकृति और अंग्रेज़ी की स्वीकृति, आज के लिए भी और कल के लिए भी—यह है मसौदे की नीति। सत्रह साल से कांग्रेस जिस नीति पर चलती आई है, उससे इस वामपंथी नीति में कुछ ज़्यादा फ़र्क़ नहीं दिखाई देता।

साम्राज्यवादी अंग्रेज़ी के प्रसार और शिक्षण पर करोड़ों रुपये ख़र्च कर रहे हैं। भारत के सबसे बड़े 'राष्ट्रीय' अख़बार अंग्रेज़ी में निकलते हैं और उनके मालिक बड़े पूँजीपति हैं। इनमें अहिन्दी और हिन्दी, दोनों तरह के पूँजीपति हैं। मध्यवर्ग के पढ़े-लिखे लोग नौकरशाही मशीन चलाते हैं और उन्हीं में से भारत की राजनीतिक पार्टियों के नेता भी बनते हैं। इन पार्टियों का राजनीतिक काम अंग्रेज़ी में होता है। इनमें से अनेक पार्टियाँ चाहती हैं कि अंग्रेज़ी जाए लेकिन वे अपना अन्तर्प्रादेशिक काम करती हैं अंग्रेज़ी में! सरकार से यह कहना कि यह करो, वह करो, तब तक बिलकुल फिजूल है जब तक राजनीतिक पार्टियाँ अखिल भारतीय कामों के लिए अंग्रेज़ी का सहारा लेना नहीं छोड़तीं। वामपंथी कार्यक्रम के मसौदे में कहा गया है कि पार्लियामेंट के सदस्य अपनी-अपनी भाषा में बोल सकेंगे और भाषणों के सभी भाषाओं में अनुवादित होने की व्यवस्था होगी। वामपंथी कम्युनिस्ट अपनी पार्टी कांग्रेस में इस प्रस्ताव पर अमल करके खुद अपने अन्दर अंग्रेज़ी का व्यवहार खत्म क्यों नहीं कर देते? भारतीय जनता के किसी भी हिस्से को अंग्रेज़ी के क़ायम रहने से लाभ नहीं है। श्रमिक आन्दोलन में विभिन्न जातियों के मज़दूर परस्पर सम्पर्क के लिए हिन्दी का व्यवहार करते हैं।

आज भारतीय जीवन में मुख्य अन्तर्विरोध हिन्दी और अहिन्दी भाषाओं में नहीं, अंग्रेज़ी तथा समस्त भारतीय भाषाओं में है। हिन्दी-अहिन्दी भाषाओं में जो भी अन्तर्विरोध हो, उसे गौण मानकर पहले मुख्य अन्तर्विरोध को हल करने की कोशिश करनी चाहिए। बड़े समाचार-पत्रों की भाषा अंग्रेज़ी, विभिन्न राजनीतिक पार्टियों में अंग्रेज़ी, विश्वविद्यालयों में अंग्रेज़ी, विज्ञान-सम्बन्धी प्रकाशन के लिए अंग्रेज़ी, राष्ट्रीय और अन्तरराष्ट्रीय स्तरों पर केन्द्रीय सरकार की व्यवहार-भाषा अंग्रेज़ी, राज्यों में सरकारी भाषा अंग्रेज़ी! अब बताइए, अहिन्दी जातियों की प्रगति के लिए खतरा हिन्दी साम्राज्यवाद से है या अंग्रेज़ी साम्राज्यवाद से?

अहिन्दी जातियों के अधिकारों के लिए लड़ना और इस बात को भूल जाना कि अंग्रेज़ी सब पर हावी है, इस नीति का एक ही कारण है—अलगाव की भावना। आप प्रादेशिक स्तर पर जातियों के गठन की माँग करते हैं, उनकी भाषाओं के लिए समस्त अधिकारों की माँग करते हैं। लेकिन अखिल भारतीय स्तर पर राष्ट्रीय एकता को सुदृढ़ करने के लिए आप किसी भारतीय भाषा के लिए अधिकार नहीं माँगते। आप सहारा लेते हैं अंग्रेज़ी का, जिसका मतलब है : डेढ़ फीसदी भारतवासियों की एकता को सुदृढ़ करना। इसका मतलब है : सामाजिक और सांस्कृतिक विकास

की अखिल भारतीय धारा से तटस्थ हो जाना। आप इस विकास को अंग्रेज़ी तक सीमित कर देते हैं। आप अपने प्रदेश की ही भाषा और संस्कृति के विकास की बात सोचते हैं। यही है अलगाव की भावना। अंग्रेज़ी का सूत्र बहुत कमज़ोर है और ज़रा से झटके से टूट सकता है। आपके लिए मज़बूत सूत्र हैं प्रादेशिक भाषा, जो आपको प्रदेश से बाँधती है। लेकिन दूसरे प्रदेशों से जो आपको बाँधे, वह सूत्र कौन-सा है? तब क्या आश्चर्य कि द्रविड़ कषगम अलग तमिल राज्य बनाने की माँग करता रहा है, नागा जनों के लिए फ़िजो महाशय अलग राज्य चाहते हैं, शेख अब्दुल्ला कश्मीर के लिए आत्मनिर्णय का अधिकार चाहते हैं। राजाजी, फील्ड-मार्शल अय्यूब खाँ, चाऊ-एन-लाई और अंग्रेज़ी-भाषी जनतंत्रों के ब्रिटिश-अमरीकी नेता—सभी आत्मनिर्णय के अधिकार का समर्थन करते हैं।

भारत की वर्तमान राजनीतिक परिस्थिति में अलगाव से केवल साम्राज्यवाद का हित होता है। इसीलिए राष्ट्रीय एकता को सुदृढ़ करना सभी देश-प्रेमियों का सर्वोपरि कर्तव्य है।

आत्मनिर्णय की माँग सार्थक तब होती है जब साम्राज्यवाद के विरुद्ध संघर्ष करती हुई जनता अपनी स्वाधीनता के लिए आत्मनिर्णय की माँग करे। ज़ारशाही रूस में यह माँग सार्थक थी क्योंकि रूसी पूँजीपति ग़ैर-रूसी जातियों का उत्पीड़न करते थे। भारत में यह माँग निरर्थक है। जो लोग शेख अब्दुल्ला को प्रोत्साहन देते हैं या जमकर उसका विरोध नहीं करते, वे देश के प्रति विश्वासघात कर रहे हैं।

अंग्रेज़ी के क़ायम रहने से प्रादेशिक भाषाओं को ही नुक़सान होता है। फिर किसी भी प्रदेश की भाषा और संस्कृति का विकास अलगाव की हालत में नहीं हुआ। प्रत्येक भाषा में उसके साहित्य की विषयवस्तु का आधार है देशभक्ति, न कि अलगाव-पंथी प्रादेशिकता। इसलिए अपने प्रदेश और उसकी भाषा पर ही ज़ोर देना और राष्ट्रीय एकता की बात भूल जाना हानिकर है।

वामपंथी कम्युनिस्ट राष्ट्र के अस्तित्व को स्वीकार करते हैं। मसौदे में कहा गया है कि छुटपुट संघर्ष बढ़ते-बढ़ते राष्ट्रीय (नेशनल) विद्रोह का रूप ले लेते; मसौदे में राष्ट्रीय स्वाधीनता-आन्दोलन, राष्ट्रीय संयुक्त मोर्चे आदि का उल्लेख है। इस राष्ट्र की एकता अंग्रेज़ी से दृढ़ नहीं हो सकती।

वामपंथी मसौदे में यह माँग की गई है कि भाषावार राज्यों के पुनर्गठन की प्रक्रिया पूरी की जाए। राज्य का गठन इस बात को ध्यान में रखते हुए करना चाहिए कि जनता के सामाजिक और सांस्कृतिक विकास में सुविधा हो। हर भाषा को लेकर केवल राज्य के लिए राज्य बनाना बचकानापन है।

कुछ लोग कहते हैं, अंग्रेज़ों का विरोध करने के कारण राष्ट्रीयता का जन्म हुआ। ऐसा हो तो भी मानना होगा कि साम्राज्यवाद का दबाव अभी बना हुआ है। वामपंथी मसौदे में कहा गया है कि एक ओर साम्राज्यवाद और सामन्तवाद, दूसरी

ओर पूँजीपतियों समेत तमाम जनता—इनका अन्तर्विरोध बना हुआ है। इसके अलावा मसौदे में ब्रिटिश-अमरीकी पूँजी की आमद की बात भी की गई है। तब तो राष्ट्रीय एकता को दृढ़ करना और भी आवश्यक है। प्रादेशिक अलगाव की भावना को दूर करना और भी महत्त्वपूर्ण है। लेकिन वामपंथी मसौदे में केवल हिन्दी को प्रोत्साहन देने की बात है—वह भी भविष्य में, जब जनता की जनवादी सरकार बनेगी। उसमें यह नहीं कहा गया कि अंग्रेज़ी को उसके वर्तमान पद से हटाना—कल नहीं—आज आवश्यक है। सभी राष्ट्रीय नेता एक समय कहते थे कि आम जनता की एकता अंग्रेज़ी के द्वारा कभी क़ायम नहीं हो सकती। इसलिए जो लोग भविष्य में हिन्दी को प्रोत्साहन देने और वर्तमान काल में अंग्रेज़ी क़ायम रखने की बातें करते हैं, वे विघटनकारी शक्तियों को प्रश्रय देते हैं।

[1964]

29

# राष्ट्र, जाति और मार्क्सवाद

कुछ ऐसे भी विद्वान् इस देश में हैं जो कहते हैं कि भारत राष्ट्र नहीं है। उनके विचार से वह उप-महाद्वीप है। अंग्रेज़ों के आने से कुछ एकता उत्पन्न हो गई थी; अंग्रेज़ गए तो साथ में एकता भी ले गए।

1957 में जब लोग अठारह सौ सत्तावन की शताब्दी मना रहे थे, तब अनेक इतिहासकारों ने यह सिद्ध कर दिया कि उस समय न राष्ट्र था, न राष्ट्रीय चेतना। फिर वह राष्ट्रीय स्वाधीनता-संग्राम कैसे होता? इस कार्य में श्री रमेशचन्द्र मजूमदार ने विशेष प्रसिद्धि पाई। लेकिन इन्हीं श्रद्धेय इतिहासकार ने 'द क्लासिकल एज' नामक पुस्तक में 'मौर्यों के विशाल राज्य और उससे उत्पन्न राजनीतिक एकता' की चर्चा की थी। लिखा था कि "एक शताब्दी तक गुप्त-साम्राज्य आर्यावर्त की एकता और स्वाधीनता का प्रतीक बना रहा।" संस्कृत के आधार पर जो सांस्कृतिक एकता क़ायम हुई, उसके बारे में लिखा था कि विदेशी सत्ता और अनेक परिवर्तनों के बावजूद "वह आज भी भारतीय प्रजातंत्र की एकता और राष्ट्रीयता का एकमात्र सुदृढ़ आधार है।"

गुप्त-काल में 'रामायण' और 'महाभारत' को उनका वर्तमान रूप दिया गया। उस समय की राष्ट्रीय एकता की भावना इन महाकाव्यों में प्रकट होती है। भीष्म-पर्व के नवें अध्याय में धृतराष्ट्र संजय से कहते हैं कि उस भारतवर्ष का वर्णन करो जिसके लिए पांडवों और कौरवों ने अपनी सेनाएँ एकत्र की हैं। संजय ने जिस भारतवर्ष का वर्णन किया है, वह श्री मजूमदार के विशुद्ध आर्यावर्त से थोड़ा भिन्न है क्योंकि उसमें म्लेच्छ भी रहते हैं।

भारतवर्ष की नदियों में सिन्धु, गंगा, नर्मदा, गोदावरी, कृष्णा, कावेरी आदि हैं। जनपदों में कश्मीर, आन्ध्र, केरल, कर्नाटक, अंग, बंग, कलिंग आदि हैं। कहनेवाले कह सकते हैं कि कवि ने गुप्त सम्राटों को प्रसन्न करने के लिए इन तमाम जनपदों को भारतवर्ष में गिना दिया है। ऐसा हो भी तो इसमें अनुचित क्या है? शेक्सपियर ने इंग्लैंड के लिए लिखा था :

*यह सम्राटों द्वारा शासित द्वीप...*
*यह भव्य प्रदेश, यह धरती, यह राज्य, यह इंग्लैंड,*

*यह महाराजाओं का गर्भस्थल, यह उनकी धरित्री,*
*उनके जन्म लेने से प्रसिद्ध, उनके वंश के कारण शत्रु में भय उत्पन्न करनेवाला।*

फिर कोई भारतीय कवि किसी गुप्त-सम्राट् की प्रशस्ति के गीत क्यों न गाये? किन्तु महाभारत के कवि ने भारतवर्ष की प्रशस्ति लिखी है, राजाओं और सम्राटों की नहीं। राजाओं और सम्राटों के लिए लिखा है कि वे भूमि के लिए वैसे ही लड़ते हैं, जैसे मांस के लिए कुत्ते!

*देवमानुषकायानां कामं भूमिः परायणम्।*
*अन्योन्यस्यावलुम्पंति सारमेया यथामिषम्॥*
*राजानो भरतश्रेष्ठ भोक्तुकामा वसुन्धराम्।*
*न चापि तृप्तिः कामानां विद्यतेऽद्यापि कस्यचित्॥*
*तस्मात् परिग्रहे भूमेर्यतन्ते कुरुपाण्डवाः।*
*साम्ना भेदेन दानेन दण्डेनैव च भारत॥*
*पिता भ्राता च पुत्राश्च खंद्यौश्च नरपुंगव।*
*भूमिर्भवति भूतानां सम्यगच्छिद्रदर्शना॥*

[देव-शरीरधारी प्राणियों के लिए और मानव-शरीरधारी जीवों के लिए यथेष्ट फल देनेवाली यह भूमि उनका परम आश्रय होती है। जैसे कुत्ते मांस के टुकड़े के लिए परस्पर लड़ते और एक-दूसरे को नोचते हैं, उसी प्रकार राजा लोग इस वसुधा को भोगने की इच्छा रखकर आपस में लड़ते और लूटमार करते हैं किन्तु आज तक किसी को अपनी कामनाओं से तृप्ति नहीं हुई। इस अतृप्ति के ही कारण कौरव और पांडव साम, दाम, भेद और दंड के द्वारा सम्पूर्ण वसुधा पर अधिकार करने के लिए यज्ञ करते हैं। यदि भूमि के यथार्थ स्वरूप का सम्पूर्ण रूप से ज्ञान हो जाए तो वह परमात्मा से अभिन्न होने के कारण प्राणियों के लिए पिता, भ्राता, पुत्र, आकाशवर्ती पुण्यलोक तथा स्वर्ग भी बन जाती है।]

यूरोप के प्राचीन साहित्य में इस मानवतावाद का जवाब नहीं है। शेक्सपियर की राष्ट्रीय गौरव-भावना से यह धरती-प्रेम बहुत ऊँचा है। इसलिए भारतवर्ष की प्रशस्ति सम्राटों की वन्दना नहीं, भारतभूमि और उसकी जनता की वन्दना है। वह हमारी प्राचीन राष्ट्रीय भावना की द्योतक है। 'रामायण', 'मेघदूत' और 'कुमारसम्भव' में इसी प्रकार राष्ट्रीय चेतना के दर्शन होते हैं।

मार्क्सवाद के अनुसार जातियाँ (नेशन) पूँजीवादी युग की देन हैं। लेकिन पूँजीवाद हैं क्या? पूँजीवाद उत्पादन की एक पद्धति है। तब क्या शेक्सपियर के समय में उत्पादन की पद्धति बदल चुकी थी? यदि हाँ, तो पगार पानेवाला सर्वहारा वर्ग कहाँ था? 1844 में एंगेल्स ने अपने समय के इंग्लैंड के बारे में—'इंग्लैंड के मज़दूर-वर्ग की दशा' नामक पुस्तक में—लिखा था : "इंग्लैंड के सर्वहारा-वर्ग का इतिहास पिछली शताब्दी के उत्तरार्द्ध से आरम्भ होता है।"

अठारहवीं सदी से पहले इंग्लैंड में सर्वहारा-वर्ग नहीं था। उत्पादन की पद्धति में कोई बुनियादी परिवर्तन न हुआ था। जुलाहे खेती भी करते थे। धरती से उनका सम्बन्ध टूटा न था। वे घुमन्तू सौदागरों को अपना माल बेचते थे। लेकिन वे अभी बाज़ार में अपनी श्रमशक्ति बेचने को बाध्य न थे। यदि पूँजीवाद केवल उत्पादन की पद्धति है, तो सोलहवीं-सत्रहवीं सदी के अंग्रेज़ जाति के रूप में संगठित न हो सकते थे। लेकिन मिल्टन ने 1644 ई. में क्रौमवेल की विजय के बाद लिखा था : "मुझे अपने मनोलोक में दिखाई दे रहा है कि एक शक्तिशाली जाति (नेशन) नींद से उठे हुए सबल मानव के समान अपने केश झटक रही है।"

रूस में पूँजीवादी उत्पादन उन्नीसवीं सदी के उत्तरार्द्ध में आरम्भ हुआ, किन्तु लेनिन के अनुसार : रूसी जाति का निर्माण सत्रहवीं सदी में हुआ। लेनिन ने रूस के सामाजिक विकास का विश्लेषण करके दिखाया था कि व्यापारियों ने रूस में एक देशव्यापी बाज़ार क़ायम किया था। यह समझना चाहिए कि पूँजीवाद केवल उत्पादन की पद्धति नहीं, वितरण की पद्धति भी है। मार्क्सवादी भारतीय इतिहास को तब तक सही तौर से न समझ सकेंगे जब तक वे सामाजिक विकास में वितरण की भूमिका का महत्त्व स्वीकार न करेंगे।

एंगेल्स ने एंटी-डूयरिंग में लिखा था कि उत्पादन और विनिमय अर्थतंत्र की दो धुरी हैं। दोनों के नियम बहुत-कुछ स्वतंत्र हैं और वे दोनों एक-दूसरे को प्रभावित करते हैं। एंगेल्स ने इस बात पर ज़ोर दिया था कि प्रत्येक समाज-व्यवस्था का आधार उत्पादन और वितरण, दोनों हैं। पूँजी के तीसरे खंड में मार्क्स (अथवा एंगेल्स) ने बताया था कि औद्योगिक पूँजी का निर्माण तभी होता है जब उससे पहले सौदागरी पूँजी का निर्माण हो चुका हो। मार्क्स ने लिखा था कि सोलहवीं-सत्रहवीं सदी में सौदागरी पूँजीवाद के विकास के साथ भारी क्रान्तियाँ हुईं और सामन्ती उत्पादन से पूँजीवादी उत्पादन के बीच संक्रमण की यह सबसे महत्त्वपूर्ण कड़ी थी। मार्क्स ने लिखा था कि व्यापार में क्रान्ति होने से विश्व-बाज़ार क़ायम हुआ। आश्चर्य की बात होगी, विश्व-बाज़ार तो क़ायम हो जाए, जातीय बाज़ार (नेशनल मार्केट) क़ायम न हो।

सोलहवीं-सत्रहवीं सदियों में भारत विश्व-बाज़ार का बहुत महत्त्वपूर्ण अंग था। हमारे यहाँ यूरोप का माल बिकने आता था, यहाँ का माल वहाँ बिकने जाता था। एडम स्मिथ ने लिखा था कि उन दिनों यूरोप का मुख्य व्यापार यह था कि पश्चिमी देश अपनी अनगढ़ चीज़ें देकर अधिक सभ्य देशों का बढ़िया माल लाते थे। आश्चर्य की बात होगी, यदि असभ्य देशों में तो राष्ट्रीय या जातीय चेतना फैल गई हो और सभ्य देशों में उसका अभाव रहा हो।

मार्क्स ने लिखा था कि "प्राचीन काल की व्यापारी जातियाँ एपीक्यूरस के देवताओं की तरह ब्रह्मांड के मध्यलोक में रहती थीं; अथवा यों कहें, जैसे पोलैंड

के समाज में यहूदी भीतर पैठ गए थे।" मार्क्स ने व्यापारी जातियों (ट्रेडिंग नेशंस) का उल्लेख किया है। इसका अर्थ यह है कि व्यापारी पूँजीवाद का विकास सोलहवीं-सत्रहवीं सदी से पहले प्राचीन काल में भी हुआ था। जातियों का उद्भव आधुनिक पूँजीवाद के जन्म से बहुत पहले हो चुका था। 'अर्थशास्त्र की आलोचना' नामक ग्रंथ में मार्क्स ने प्राचीन काल की जातियों की चर्चा की थी। उन्होंने लिखा था कि प्राचीन काल की व्यापारी जातियों में धन (मनी) की भूमिका महत्त्वपूर्ण होती है।

गुप्त-युग में भारत के जनपदों में परस्पर आर्थिक विनिमय बढ़ा। उस समय के व्यापारी भारतवर्ष से बाहर निकलकर दक्षिण-पूर्वी एशिया और यूरोप तक अपना व्यापार करते रहे। जनपदों में परस्पर सांस्कृतिक सम्पर्क बढ़ा। संस्कृत द्वारा वे एक-दूसरे से विचारों का आदान प्रदान करते रहे। तब क्या आश्चर्य कि भारतवर्ष में राष्ट्रीय चेतना का उदय हुआ और 'महाभारत' में उसे अभिव्यक्ति मिली?

प्राचीन यूनान का उदाहरण लीजिए। यह देश छोटे-छोटे राज्यों (जनपदों) में बँटा हुआ था। एथेंस के लोगों में बड़े-बड़े व्यापारी थे। इन्होंने यूनानी लोगों में राष्ट्रीय चेतना उभारने में बड़ा योगदान किया। यूनान के प्राचीन नाटकों—विशेष कर ईरानियों से सम्बन्धित ईस्किलस के नाटक में—यह चेतना उभरकर आई है। एथेंस का नेता पेरिक्लीज़ अपने नगर को हेलास (यूनान) का शिक्षक कहता था। प्रसिद्ध इतिहासकार थ्यूसीडाइडीज़ ने पेलोपनीसस के युद्ध पर अपने ग्रंथ में बारम्बार राष्ट्रीय भावना का उल्लेख किया है। ग्रंथ के दूसरे खंड के छठे अध्याय में उसने लिखा है : "पेलोपनीसस और एथेंस, दोनों में ऐसे नौजवान भरे हुए थे जो भावहीनता के कारण हथियार उठाने को बड़े उतावले थे। बाकी हेलास अपने प्रमुख नगरों के संघर्ष को देखकर आश्चर्यचकित हो रहा था।" यहाँ पेलोपनीसस और एथेंस को एक ही राष्ट्र हेलास का अंग माना गया है। ये दोनों राज्य हैं, परस्पर स्वतंत्र हैं, फिर भी जनता की चेतना में—विनिमय की बढ़ती के कारण और अन्य महत्त्वपूर्ण सांस्कृतिक और भाषागत तत्त्वों के कारण—वे अपने से बड़ी इकाई के भाग हैं। लैकेडिमोन (पेलोपनीसस) का राजदूत मेलेसिप्पस पेरिक्लीज़ से मिलने की अनुमति न पाकर कहता है : "यह दिन हेलास के महादुर्भाग्य के आरम्भ का दिन है।" ईसा से चार सौ साल पहले यूनान में यह राष्ट्रीय चेतना फैल सकती थी तो क्या ईसा से चार सौ साल बाद भारत में राष्ट्रीय चेतना का प्रसार असम्भव माना जाएगा?

बहस करनेवाले कह सकते हैं कि प्राचीन यूनानियों में राष्ट्रीय चेतना इसलिए फैली कि उन्हें ईरानियों से मुक़ाबला करना था। ऐसा ही सही। तब प्राचीन भारत में राष्ट्रीय चेतना शकों और हूणों का मुक़ाबला करने के लिए पैदा हुई। कारण चाहे जो बताया जाए, प्राचीन यूनान और प्राचीन भारत में राष्ट्रीय चेतना के अस्तित्व से इनकार नहीं किया जा सकता।

फिर भी रूढ़िवादी मार्क्सवादी कहेंगे, 'नेशन' उसे कहते हैं जिसकी भाषा एक हो। यूनान में मिलती-जुलती बोलियाँ बोली जाती थीं। लेकिन यहाँ तो आर्य और द्रविड़ एकदम भिन्न भाषा-परिवार थे। फिर भारत राष्ट्र कैसे हुआ?

प्राचीन भारत में अनेक भाषाएँ थीं किन्तु शिक्षित-जन संस्कृत द्वारा अखिल भारतीय स्तर पर आपस में सम्पर्क बनाए हुए थे। आर्यावर्त से सबसे ज़्यादा दूर बंगाल और केरल थे, फिर भी इनकी भाषाओं में संस्कृत के शब्द अपेक्षाकृत अधिक हैं। इससे संस्कृत के देशव्यापी प्रभाव का पता चलता है। प्रकांड पंडित शंकराचार्य केरल ही के थे। बंगाल के न्यायशास्त्री दूर-दूर तक विख्यात हुए। फिर भी प्रश्न बना रहता है कि क्या एक से अधिक भाषाएँ बोलनेवालों को राष्ट्र की संज्ञा दी जा सकती है?

स्तालिन ने 'नेशन' की जो प्रसिद्ध व्याख्या की थी, उसमें एक से अधिक भाषा की गुंजाइश नहीं है। ब्रिटिश जाति और फ्रांसीसी जातियों की एक-एक भाषा है : अंग्रेज़ी और फ्रांसीसी। फिर भी मार्क्सवादी लेखक 'नेशनल फ्रीडम मूवमेंट' की बात करते हैं, सौभाग्य से वे उसे 'इंटरनेशनल फ्रीडम मूवमेंट' नहीं कहते।

अंग्रेज़ी का 'नेशन' शब्द बड़ा भ्रामक है। भारतीय भाषाओं में दो शब्द हैं—'राष्ट्र' और 'जाति'। भारत राष्ट्र, हिन्दी-भाषी जाति। ब्रिटेन राष्ट्र, ब्रिटिश जाति। ब्रिटेन राष्ट्र में एक ही भाषा है। भारत में अनेक भाषाएँ हैं। जाति की भाषा एक ही होती है। राष्ट्र में एक जाति, एक भाषा तथा अनेक जातियाँ, अनेक भाषाएँ हो सकती हैं। भारतेन्दु हरिश्चन्द्र ने 'जातीय संगीत' में 'जाति' शब्द का प्रयोग इसी अर्थ में किया था।

अंग्रेज़ी का 'पेट्रियोटिज्म' शब्द राष्ट्रीयता के बहुत निकट है किन्तु उसके मूल लैटिन शब्द 'पात्रिआ' का अंग्रेज़ी में चलन नहीं है। राष्ट्र को 'पात्रिआ' कह सकते हैं, 'नेशन' नहीं। राष्ट्र के लिए 'नेशन' को पर्यायवाची मानें तो 'भारत बहुजातीय राष्ट्र है'। इस वाक्य का अनुवाद होगा : 'इंडिया इज ए मल्टीनेशनल नेशन'!

बहुजातीय राष्ट्र में राष्ट्रीयता का आधार क्या है? उदाहरण के लिए, सोवियत राष्ट्रीयता (सोवियत पेट्रियोटिज्म) का आधार क्या है? यह राष्ट्रीयता केवल भावजगत् की वस्तु नहीं है। मार्क्सवाद के अनुसार : जाति की तरह बहुजातीय राष्ट्रीयता का भी आर्थिक आधार होना चाहिए। क्या इसका आधार समाजवाद है? सोवियत संघ के अनेक समाजवादी पड़ोसी हैं किन्तु उनकी राष्ट्रीयता या देशभक्ति सोवियत राष्ट्रीयता या सोवियत देशभक्ति से भिन्न है। राष्ट्र की अनेक जातियाँ सामान्य आर्थिक सम्बन्धों, सामान्य देश में निवास, सामान्य ऐतिहासिक परम्पराओं और सामान्य सांस्कृतिक सूत्रों के कारण परस्पर सम्बद्ध होती हैं। भारत देश में निवास करनेवाली जातियों की भाषाएँ, प्रदेश, आर्थिक सम्बन्ध, साहित्य और संस्कृति अलग-अलग हैं। फिर भी उन सबका देश एक है; उन सबका राष्ट्रीय इतिहास एक है; उनकी मिली-जुली परस्पर सम्बद्ध साहित्यिक परम्परा है; उनके आर्थिक सम्बन्ध पहले की

अपेक्षा आज और भी दृढ़ हैं। इसलिए जो लोग भारत की तुलना यूरोप से करते हैं, जो देश को उप-महाद्वीप कहते हैं, वे एक ऐतिहासिक सत्य से इनकार करते हैं। राष्ट्रीयता के विकास में केवल आर्थिक सम्बन्धों की भूमिका महत्त्वपूर्ण नहीं होती। ऐसा होता तो चेकोस्लोवाकिया, रूमानिया और पोलैंड सोवियत राष्ट्र के अन्तर्गत होते। उनकी अपनी ऐतिहासिक और सांस्कृतिक परम्पराएँ हैं जो उनकी राष्ट्रीयता निर्धारित करती हैं।

कहा जा सकता है कि इस तरह की बहुजातीय राष्ट्रीयता समाजवाद के अन्तर्गत ही सम्भव है। पूँजीवाद में तो जातियाँ, पूँजीपतियों के प्रभाव के कारण, परस्पर लड़ा करती हैं। यह बात सही नहीं है। पूँजीवाद के अन्तर्गत 'जाति' का निर्माण होता है या नहीं? यह जाति सर्वहारा-वर्ग और पूँजीपतियों के बीच संघर्ष के कारण विभाजित रहती है या नहीं? विभाजित रहती है किन्तु पूँजीपति और मज़दूर एक ही उत्पादन-वितरण व्यवस्था में काम करते हैं, इसलिए जाति सम्बद्ध भी रहती है। इसी तरह पूँजीवाद के अन्तर्गत एक ही राष्ट्र की अनेक जातियाँ आपस में स्पर्धा करती हैं, साथ ही राष्ट्र की आर्थिक व्यवस्था में एक-दूसरे से सम्बद्ध भी रहती हैं। इसके अलावा सभी लोग मानते हैं कि देश की विभिन्न जातियों ने अंग्रेज़ों के विरुद्ध 'राष्ट्रीय' आन्दोलन चलाया था। इसका अर्थ यह है कि विशेष परिस्थितियों में जातियों का आपसी तनाव कम हो जाता है और उनकी राष्ट्रीय एकता उभरकर सामने आ जाती है। यह भी ध्यान देने योग्य बात है कि समाजवादी व्यवस्था में जातीय और राष्ट्रीय अलगाव की भावनाएँ कभी-कभी बड़ा उग्र रूप धारण करती हैं। सोवियत संघ से यूगोस्लाविया, रूमानिया और चीन के सम्बन्ध इस सत्य को उजागर करते हैं।

भारत एक राष्ट्र है। हमारी राष्ट्रीयता केवल अंग्रेज़ों का विरोध करने के लिए—नकारात्मक रूप से—किन्हीं विशेष परिस्थितियों में उत्पन्न नहीं हो गई। उसकी जड़ें हमारी ऐतिहासिक और आर्थिक परस्पराओं में बहुत गहरी पैठी हुई हैं। आज की परिस्थिति में लोग चाहे जिस प्रदेश में रहते हों, उनकी आर्थिक, राजनीतिक और सांस्कृतिक प्रगति राष्ट्रीय एकता के बिना असम्भव है। किसी एक प्रदेश की उन्नति सारे देश की उन्नति पर निर्भर है।

भारत राष्ट्र से प्रेम है तो अंग्रेज़ी का मोह छोड़ना होगा। अंग्रेज़ी का प्रभुत्व राष्ट्र के लिए अपमानजनक है। विदेशी भाषाओं के साथ अंग्रेज़ी का अध्ययन भी किया जाएगा किन्तु वह भारतीय भाषाओं के हक मारकर यहाँ नहीं रह सकती। सभी प्रदेशों की जनता को अंग्रेज़ी हटाने के लिए मिलकर प्रयत्न करना चाहिए। जो लोग हिन्दी साम्राज्यवाद का भय दिखाते हैं, वे अंग्रेज़ी का साम्राज्यवाद सुरक्षित रखते हैं।

[1964]

30

# 'अन्तरराष्ट्रीय' वैज्ञानिक शब्दावली

बुद्धिजीवियों में, वे चाहे मार्क्सवादी हों चाहे ग़ैर-मार्क्सवादी, ऐसे लोगों की कमी नहीं है जो समझते हैं कि विज्ञान में कोई अन्तरराष्ट्रीय शब्दावली प्रचलित है। उनका तर्क यह है कि वर्तमान युग में विज्ञान अन्तरराष्ट्रीय हो गया है, इसलिए उसकी शब्दावली भी अन्तरराष्ट्रीय हो गई है। हिन्दी में यदि यह अन्तरराष्ट्रीय शब्दावली अपना ली जाए, तो पारिभाषिक शब्दावली की समस्या हल हो जाए!

स्थिति यह है कि यूरोप की भाषाओं में बहुत-से पारिभाषिक शब्द सामान्य हैं। लैटिन-ग्रीक के आधार पर बनाए हुए ये शब्द एक ही रूप में या थोड़े-से रूप-परिवर्तन के बाद विभिन्न यूरोपीय भाषाओं में प्रयुक्त होते हैं। ऐसे शब्दों को अपनाने में कोई हानि नहीं है। भारत सरकार की ओर से 1962 में जो पारिभाषिक शब्दकोश प्रकाशित हुआ है, उसमें लगभग हर पृष्ठ पर इस श्रेणी के कुछ शब्द दिये हुए हैं। कोबाल्ट, उरेनियम, उरेनस, उरेडियम, उरेआ, ऑक्सीजन, ऑक्सीनाइट्रेट, यूक्लिप्टस, अलकोहल, एथीलीन आदि ऐसे ही शब्द हैं।

इस तरह की सामान्य शब्दावली सीमित है। सीमित संख्या में ही उससे शब्द लिये जा सकते हैं। यूरोप की भाषाओं में प्रयुक्त होनेवाले सभी वैज्ञानिक शब्द अन्तरराष्ट्रीय नहीं हैं। मास्को से वैज्ञानिक और तकनीकी शब्दों के कई कोश प्रकाशित हुए हैं। जो लोग वैज्ञानिक शब्दावली की अन्तरराष्ट्रीयता पर बड़ी दृढ़ता से विश्वास करते हैं, उन्हें यह कोश अवश्य देखने चाहिए।

उदाहरण के लिए, हवाई जहाज़ों की उड़ान से सम्बन्धित एक अंग्रेज़ी-रूसी कोश है। जीवन का शायद ही कोई ऐसा क्षेत्र हो जिसमें सामान्य अन्तरराष्ट्रीय शब्दावली की आवश्यकता अधिक हो। लेकिन अंग्रेज़ी के पारिभाषिक शब्द अक्सर प्रचलित शब्दों के आधार पर बनाए गए हैं और रूसी से भिन्न हैं। अंग्रेज़ी में एक प्रचलित शब्द है : 'कौक'। इसको आधार मानकर एयर कौक, एयर एस्केप कौक, बैलेंस कौक, कंट्रोल कौक, ड्रेन कौक, फ्यूएल कौक, थ्रौट-लिंग कौक, आदि पारिभाषिक शब्दावली बनाई गई है। रूसी 'कौक' शब्द का प्रयोग नहीं करते। इसलिए वे दूसरी तरह के शब्दों का व्यवहार करते हैं। अंग्रेज़ी में प्रचलित शब्द है : 'कंट्रोल'। इसे

आधार मानकर सर्कुलेशन कंट्रोल, डेप्थ कंट्रोल, डिस्टेंस कंट्रोल, इलेक्ट्रिक फ्लाइट कंट्रोल, एलिवेटर कंट्रोल, इमर्जेंसी कंट्रोल, फ्लाइट कंट्रोल, ग्राउंड कंट्रोल, आदि शब्दावली बनाई गई है। इसी तरह 'लैंडिंग' के आधार पर क्रौसविंड लैंडिंग, डेड-एंजिन लैंडिंग, फोर्स्ड लैंडिंग, रनअवे लैंडिंग आदि। 'एयरक्राफ्ट' के आधार पर कम्बैट एयरक्राफ्ट, फाइटर एयरक्राफ्ट, सिविल एयरक्राफ्ट, जेट एयरक्राफ्ट आदि शब्दावली निर्मित हुई है। इनके रूसी पर्यायवाची बिलकुल भिन्न हैं, जैसे 'कंट्रोल' के लिए रूसी शब्द है उप्रावलेनिय, 'एयरक्राफ्ट' के लिए सामल्योत इत्यादि।

मास्को से कुछ पारिभाषिक शब्दकोश ऐसे प्रकाशित हुए हैं जिनमें सात भाषाओं के पर्यायवाची शब्द एक साथ दिये हुए हैं। इस तरह के कोशों का प्रकाशन ही सिद्ध करता है कि यूरोप में कोई सर्वमान्य अन्तरराष्ट्रीय वैज्ञानिक शब्दावली नहीं है। अंग्रेज़ी में प्रयुक्त जो शब्द कुछ लोगों को बहुत अन्तरराष्ट्रीय लग सकते हैं, उनके लिए भी यूरोप की भाषाओं में अलग शब्द हैं। 'जेट' के लिए रूसी में स्त्रूया शब्द है; कार्बन, कार्बन-डाईऑक्साइड, टेंडन, थोरैक्स, लेबियम, गैस्ट्रिक, ओवरी, ग्लैंड, एल्कली, और न्यूक्लिअर के लिए रूसी में क्रमशः उल्गेरोद, उल्गेकीस्लुइ गाज़, सुखोझीलिये, ग्रूदा, गबा, झेउदोन्चुइ, याइन्चिक, झेलेज़ा, श्चेलोच और यादेर्नाया शब्द हैं। 'ऑक्सीजन' के लिए रूसी और जर्मन के अपने शब्द किसेलरोद और ज़ावर स्टौफ हैं। 'नाइट्रोजन' के लिए इतालवी, फ्रांसीसी और रूसी में अज़ोत शब्द का प्रयोग होता है। 'फोस्फोर' के लिए ल्यूमिनोफोर सुब्सतान्तिसया, लायख्टस्टौफ आदि शब्द हैं। डच और जर्मन भाषाएँ एक-दूसरे से बहुत मिलती हैं। 'ग्रिड' के लिए उनके भिन्न शब्द हैं : रोस्टर और गिटर। 'इग्नाइटर' के लिए डच में ओंटस्टेकर, जर्मन में ल्यूंटस्टिफ्ट शब्द हैं।

इस विवरण से स्पष्ट है कि भारतीय भाषाओं को अपने पारिभाषिक शब्दों का निर्माण और व्यवहार करने की पूर्ण स्वाधीनता है। वे सीमित संख्या में यूरोपीय भाषाओं से शब्द ले सकती हैं। सर्वमान्य वैज्ञानिक और तकनीकी शब्दावली का अस्तित्व कहीं नहीं है।

[1964]

31

# संस्कृति और भाषा

भाषा को आप चाहे संस्कृति का ही अंग मानें, चाहे उससे भिन्न, दोनों के घनिष्ठ सम्बन्ध को अस्वीकार नहीं किया जा सकता। वाक्य-रचना की पद्धति हमारी चिन्तन-पद्धति पर निर्भर होती है। आप अपनी भाषा में कर्म को क्रिया के पहले बिठाते हैं या बाद को, यह आपकी परम्परागत जातीय चिन्तन-प्रक्रिया पर निर्भर है। आप अपनी भाषा में किस तरह के विदेशी शब्द कितने परिमाण में ग्रहण करते हैं, यह आपके जातीय चरित्र पर निर्भर है। आप अपनी भाषा का सम्मान करते हैं, दैनिक जीवन में उसका व्यवहार करते हैं अथवा उसे पैरों तले रौंदते हैं और किसी अन्य भाषा को सिर चढ़ाते हैं, यह आपकी राष्ट्रीय सम्मान की भावना पर निर्भर है।

किसी भी देश में उसकी भाषा या भाषाओं की स्थिति विशुद्ध भाषाविज्ञान के नियमों से समझ में नहीं आ सकती। वह स्थिति देश की आन्तरिक और बाह्य परिस्थितियों पर निर्भर है। आज संसार के बहुत बड़े हिस्से में अंग्रेज़ी का बोलबाला है। ब्रिटेन और संयुक्त राष्ट्र अमरीका दो देश ऐसे हैं जो अन्य देशों को पूँजी का निर्यात करते हैं, जो प्रच्छन्न और प्रकट रूप से उपनिवेशवाद का पोषण करते हैं, जो अपने प्रभाव को साम-दाम-दंड-भेद की बहुरंगी नीति से सुरक्षित करके और व्यापक बनाने में लगे हुए हैं। राजनीति से लेकर शिक्षा और संस्कृति तक जिस देश में जैसे बन पड़ता है, ये घुसने-पैठने, अपनी जड़ ज़माने की कोशिश करते हैं। इनकी एक भाषा-सम्बन्धी स्पष्ट नीति है : पहले के समान यहाँ की भाषाओं को दबाकर रखना, उन सबके ऊपर शीर्ष स्थान पर अंग्रेज़ी को जमाकर रखना। इससे लाभ यह होता है कि आपके मर्मस्थल पर प्रहार करके आपको कमज़ोर बनाकर वे आपको अपनी स्वार्थ-नीति की ओर आसानी से खींच सकते हैं। मर्मस्थल है : जातीय भाषा के प्रेम का स्थल, जातीय संस्कृति के प्रेम का स्थल, राष्ट्रीय आत्मगौरव का स्थल। आदमी को इस स्थल पर मारिए, उसे भीतर से निर्वीर्य कर दीजिए, फिर उस बलि-पशु को चाहे जिस खूँटे से बाँधकर उसका वध कर दीजिए।

आप उस देश की दशा पर विचार कीजिए जो अन्न से लेकर अस्त्र-शस्त्र तक परमुखापेक्षी है, जो अपनी स्वाधीनता की रक्षा के लिए उन्हीं लोगों का मुँह जोहता

है जो अब तक उसे गुलाम बनाए हुए थे। इसी नीति के अनुरूप भाषा क्षेत्र में भी हमारे देश के नेता परमुखापेक्षी हैं। जिस अंग्रेज़ी भाषा ने विदेशी राज्यकाल में यहाँ की भाषाओं को पदमर्दित किया, यहाँ की संस्कृति और साहित्य के सहज विकास को कुंठित किया, अंग्रेज़ी के जिस आधिपत्य के विरुद्ध भारतीय मनीषियों ने सतत संघर्ष किया, उस अंग्रेज़ी को हटाकर भारतीय भाषाओं को उनका स्वत्व देने में शासक और शिक्षामंत्री हिचकिचा रहे हैं।

हमारी सांस्कृतिक पराधीनता भाषा के क्षेत्र में अनेक रूपों में प्रकट होती है।

हमारे संविधान में लिखा है कि हिन्दी भाषा को विकसित होने के लिए समय दिया जाए। हिन्दी को विकसित करने के लिए एक विशाल निदेशालय चालू है। हिन्दी में क्या कमी है, कमी है या नहीं, है तो उसे कैसे पूरा किया जाए; हिन्दी और भारतीय भाषाओं को देखते 'विश्वभाषा' अंग्रेज़ी में भी कोई कमी है या नहीं, है तो उसे कैसे दूर किया जाए—इस सबका निदान करने के लिए कोई आयोग नहीं बनाया गया, भाषा की सिद्धि-समृद्धि जाँचने का योग सत्रह साल में नहीं आया। करोड़ों रुपये इस स्वत:सिद्ध सत्य पर ख़र्च हो गए हैं कि 'विश्वभाषा' अंग्रेज़ी विकसित और समृद्ध है और भावी राष्ट्रभाषा हिन्दी अविकसित और दरिद्र है।

समृद्धि का कार्य कोश-निर्माण द्वारा सम्पादित होता है। कोश-निर्माण के लिए अंग्रेज़ी शब्द पहले हैं, हिन्दी बाद को। हमारी सामाजिक-सांस्कृतिक आवश्यकता के लिए कौन-से शब्द आवश्यक हैं, यह विषय अगोचर ही रहता है। कोश-निर्माताओं में अनेक जन अंग्रेज़ी से जितना आतंकित रहते हैं, उतना ही हिन्दी की प्रकृति से अनभिज्ञ भी। वे ऐसे 'स्थितित' और 'गतित' ऊर्जा वाले शब्द गढ़ते हैं कि 'तंत्रिका-तंत्र' झंकृत हो उठता है और उनकी 'राष्ट्रिकता' को देखकर साधारण पठित जन यही सोचते हैं कि इससे तो अंग्रेज़ी भली। हिन्दी को समृद्ध करने के नाम पर अस्वाभाविक, उच्चारण में दुष्कर शब्दों का निर्माण भाषा के प्रति अवज्ञा का परिचायक है, अज्ञान का तो है ही।

सांस्कृतिक, सामाजिक, राष्ट्रीय-अन्तरराष्ट्रीय व्यवहार में जहाँ हिन्दी बोलना चाहिए, वहाँ हम अंग्रेज़ी से काम लेते हैं। परिवार के भीतर बचपन से अपनी सन्तान को हम डैडी, मम्मी, अंकल कहना सिखाते हैं मानो यहाँ भी पारिभाषिक शब्दों की कमी हो! हमारे उच्च मध्यवर्ग के लोगों की बहुत बड़ी आकांक्षा यह रहती है कि बेटा कॉन्वेंट में पढ़े, फर्राटे से अंग्रेज़ी बोले, मजिस्ट्रेट बनकर लोगों पर हुकूमत करे। किसका सेवाभाव, किसके गांधी और बुद्ध! खाने के दाँत और, दिखाने के और!

जहाँ तक मुझे मालूम है, इस देश की राजनीतिक पार्टियाँ अपना केन्द्रीय राजनीतिक कार्य, अपने केन्द्रीय मुखपत्र अंग्रेज़ी में चलाती हैं। हम विश्वभाषा के नाम पर अंग्रेज़ी पढ़ने पर ज़ोर देते हैं। जहाँ फ्रांस का राज्य था या है, वहाँ विश्वभाषा का दर्जा फ्रांसीसी को मिला है। किस पिछड़े हुए देश ने यूरोप की किस भाषा को विश्वभाषा माना है, यह इस पर निर्भर है कि उस पर यूरोप के किस देश का आधिपत्य था या है।

हमारे अनेक युगान्तरकारी साहित्यकार अपनी वाक्य-रचना में अंग्रेज़ी शब्दों की ऐसी भरमार करते हैं मानो हिन्दी में सोचना उन्होंने बन्द कर दिया है। वे न हिन्दी में सोचते हैं, न अंग्रेज़ी में वरन् इन दोनों से मिली हुई एक नई इंग्लिस्तानी भाषा में, जो उनके लिए बहुत स्वाभाविक है किन्तु जो देश की जनता के लिए, हमारे समग्र सामाजिक विकास के लिए घातक है। अनेक लेखक अंग्रेज़ी मुहावरों का अनुवाद करके अपनी जातीय भाषा को सजाते हैं। अंग्रेज़ी के शब्दों, उद्धरणों और अनुवादित मुहावरों से वे अपनी—भाव-विचार-अनुभव की—दरिद्रता छिपाते हैं। अपनी सांस्कृतिक परम्परा के लिए, भारतीय भाषाओं और उनके साहित्य के लिए उनके हृदय में अनादर की भावना है। उनमें बड़ी उत्सुकता होती है कि नई अंग्रेज़ी पुस्तकों की चर्चा करके अपने सुसंस्कृत होने का परिचय दें। वे साधारणत: यूरोप की भाषाओं से अपरिचित होते हैं और यूरोप के साहित्य को अंग्रेज़ी निगाहों से ही देखते हैं।

हिन्दी के अनेक समर्थ साहित्यकार इस भाषा-सम्बन्धी पराधीनता से मुक्त हैं। कुल मिलाकर हिन्दी साहित्य अपने स्वस्थ जातीय मार्ग पर आगे बढ़ रहा है। किन्तु इसमें सन्देह नहीं कि छापे की सुविधा से लाभ उठाकर बहुत-से लेखक ऐसी भाषा का प्रयोग करने लगे हैं जो हिन्दी के सहज विकास के लिए घातक है।

इनसे भिन्न श्रेणी का एक लेखक समुदाय और है जो अंग्रेज़ी के माध्यम से ही अपनी कलात्मक प्रतिभा का परिचय देता है। वे किसान-देश की संस्कृति का उद्धार कर रहे हैं : अंग्रेज़ी में उपन्यास, कहानियाँ, कविताएँ लिखकर। माना कि अंग्रेज़ी विश्वभाषा है और उसमें लिखने से अन्तरराष्ट्रीय ख्याति जल्दी मिलती है किन्तु नार्वे, डेनमार्क, इटली, स्पेन जैसे छोटे देशों के लेखक इस विश्वभाषा को नहीं अपनाते, उसे अपनाने का ठेका हमारे महान् देश के लेखकों ने लिया है।

हमें अपनी भाषा के जातीय रूप की रक्षा करनी चाहिए। उसमें अन्धाधुन्ध अंग्रेज़ी शब्दों की भर्ती हमारे राष्ट्रीय सम्मान के विपरीत है। हिन्दी की शक्ति उसे अपनाने, प्यार करनेवाली जनता की शक्ति है। दुर्बोध, उच्चारण के लिए विकट शब्दावली से उसे भरसक बचाना चाहिए अर्थात् हमें भरसक अपनी शैली सुगम बनानी चाहिए और वैज्ञानिक शब्दावली में भी भरसक हिन्दी की प्रकृति का ध्यान रखना चाहिए। हमारा साहित्य इस देश की जनता के लिए है। इसलिए इंग्लिस्तानी के बदले हिन्दी का ही प्रयोग करना चाहिए। अंग्रेज़ी के माध्यम से प्राप्त अन्तरराष्ट्रीय ख्याति अस्थायी है। रवीन्द्रनाथ और प्रेमचन्द ने अपनी भाषाओं के माध्यम से जो ख्याति पाई, वही स्थायी है। जातीय संस्कृति से भाषा का घनिष्ठ सम्बन्ध है, यह ध्यान में रखकर हमें अपने व्यवहार में सतर्क रहना चाहिए।

[1964]

32

# भाषा की समस्या—अति आवश्यक

देश की राजनीतिक परिस्थिति की एक विशेषता यह है कि कांग्रेस को मिलनेवाले वोट दिन-पर-दिन कम होते जा रहे हैं और उसी परिणाम में वामपक्षी पार्टियाँ और उनका संयुक्त मोर्चा समर्थ होकर जनता के सामने नहीं आ रहे। पिछले दिनों कम्युनिस्ट पार्टी में विघटन के कारण वामपक्ष और भी कमज़ोर हो गया है। हिन्दी-भाषी प्रदेश में विशेष रूप से दक्षिणपंथी दल शहजोर हैं। चूँकि भारत में हर समस्या अन्तरराष्ट्रीय परिस्थितियों के अनुकूल ही हल नहीं होती, इसलिए हर जागरूक नागरिक को फासिस्ट तानाशाही की सम्भावना के प्रति सतर्क रहना चाहिए।

जर्मनी के अनुभव से हमें मालूम है और अपने देश का अनुभव भी यही बतलाता है कि फासिस्ट दल संस्कृति के प्रश्न लेकर जनता को गुमराह करते हैं। हिटलर मध्यवर्ग ही नहीं, मज़दूर वर्ग के भी एक भाग को गुमराह करने में सफल हुआ था। हमारे देश में, साम्प्रदायिक दल संस्कृति के प्रश्न विशेष रूप से जनता के सामने रखते हैं। वे अपने को भारतीय संस्कृति का एकमात्र रक्षक मानते हैं। संस्कृति को ढाल बनाकर वे अपनी ग़लत राजनीति के अस्त्र जनता पर चलाते हैं।

कुछ प्रगतिशील लोग समझते हैं कि यदि वे भी संस्कृति की बात करेंगे तो उनमें और साम्प्रदायिक दलों में कोई अन्तर न रह जाएगा। आजकल हिन्दी भाषा के सवाल को लेकर हिन्दी-भाषी क्षेत्रों में बड़ी सरगर्मी है। कुछ प्रगतिशील नेता समझते है कि अंग्रेज़ी को व्यवहार में लाना, अंग्रेज़ी में अपने दस्तावेज़ तैयार करना, अंग्रेज़ी में अपने राजनीतिक सम्मेलनों की कार्यवाही सम्पन्न करना, व्यावहारिक राष्ट्रभाषा के रूप में अंग्रेज़ी को प्रतिष्ठित रखना बहुत बड़ा साम्राज्यवाद-विरोध है, राष्ट्रीयता और जनतंत्र के हित में है और साम्यवाद के अनुकूल है! इसके विपरीत अखिल भारतीय स्तर से अंग्रेज़ी को हटाने की माँग करना, हिन्दी को केन्द्रीय राजकाज की भाषा बनाने के लिए आन्दोलन करना साम्प्रदायिकता को प्रोत्साहन देना है!

कोई भी प्रगतिशील दल भाषा और संस्कृति के मामलों में कितना दख़ल देता है, यह उसके व्यवहार से जाना जाता है। मिसाल के लिए यह विचारणीय है कि मैथिलीशरण गुप्त के निधन पर किन राजनीतिक दलों ने कहाँ-कहाँ शोक-प्रस्ताव

पास किये। व्यवहार के अलावा विभिन्न दलों के कार्यक्रम-प्रस्ताव आदि दर्शनीय हैं, यह जानने के लिए कि उन्होंने सांस्कृतिक समस्याओं पर कितना विचार किया है।

माना कि सांस्कृतिक समस्याएँ बहुत उलझी हुई हैं। यह भी माना कि राजनीतिक समस्याएँ सुलझाने में ही बहुत-से नेताओं की सारी ताक़त ख़र्च हो जाती है। किन्तु भाषा की समस्या करोड़ों आदमियों को प्रभावित करती है। यह व्यापक सामाजिक समस्या बन गई है। उस पर सही दृष्टिकोण अपनाना और सही नीति के अनुसार आन्दोलन करना प्रगतिशील जनों का कर्तव्य है।

सवाल यह नहीं है कि जब कांग्रेसी सरकार के बदले हमारे मन-मुताबिक दूसरी हुकूमत बनेगी तब हम अंग्रेज़ी को जल्दी हटाएँगे या धीरे-धीरे, देर में हटाएँगे। सवाल यह है कि अभी हम क्या करने जा रहे हैं। और अभी जो कुछ करते हैं, उस पर बहुत-कुछ निर्भर है कि भविष्य में यहाँ जनता की सरकार बनेगी या फासिस्ट तानाशाहों की।

जब अंग्रेज़ी राज क़ायम था तब भाषा की समस्या सभी साम्राज्य-विरोधी दलों और उनके नेताओं के सामने उलझी हुई नहीं थी। एक बात पर सभी सहमत थे कि अंग्रेज़ी जाए; उसके बने रहने से देश की शक्ति और धन का नाश होता है। आजकल अनेक साम्राज्य-विरोधी योद्धा इस बात पर एकमत दिखाई देते हैं कि काग़ज़ पर चाहे जो छपा रहे, व्यवहार में अंग्रेज़ी ही राष्ट्रभाषा बनी रहे!

हिन्दी-भाषी प्रदेश में कोई भी दल भाषा के सवाल को नज़रअन्दाज करके शक्तिशाली नहीं बन सकता। अंग्रेज़ी को हटाने और हिन्दी को राष्ट्रभाषा बनाने की माँग जनता की न्यायपूर्ण साम्राज्य-विरोधी राष्ट्रीय माँग है। प्रगतिशील नेताओं को उसका समर्थन ही न करना चाहिए, आगे बढ़कर उसके लिए आन्दोलन करना चाहिए। वे लोग ही विभिन्न भाषाओं के उचित अधिकारों की रक्षा करते हुए हिन्दी के लिए सही आन्दोलन कर सकते हैं। वे अपना उत्तरदायित्व न निबाहेंगे तो दक्षिणपंथी ताक़तों को अवसर मिलेगा कि वे सही माँग के लिए ग़लत ढंग से आन्दोलन चलाएँ, जातीय और साम्प्रदायिक विद्वेष फैलाएँ और जनवादी पार्टियों के दमन के लिए, आवश्यक तैयारी करें। जो प्रगतिशील नेता अब भी बेख़बर रहते हैं, वे वस्तुगत रूप से जनतंत्र का नाश करने और तानाशाही को लाने के लिए ज़िम्मेदार होंगे।

[1965]

33

# अंग्रेज़ी की सुरक्षा के लिए संघर्ष

पिछले दिनों तमिलनाडु में जैसा विराट और उग्र संघर्ष हिन्दी के विरोध में हुआ, वैसा अंग्रेज़ों को हटाने के लिए भी वहाँ न हुआ था। लगता है, अचानक तमिल भाषा पर ऐसी विपत्ति आ गई, जैसी उसके सुदीर्घ इतिहास में पहले कभी न आई थी। यदि तमिल पर कोई विपत्ति आए तो हम हिन्दी-भाषियों का यह कर्तव्य है कि प्राणपण से तमिल-भाषियों की सहायता करें।

तमिल भाषा को वह कौन-सा अधिकार प्राप्त था, जो इस वर्ष 26 जनवरी से छिन गया? तमिलनाडु में क्या उसके व्यवहार पर किसी तरह का प्रतिबन्ध लगा है? क्या अखिल भारतीय स्तर पर कहीं उसका व्यवहार होता था, जो अब बन्द कर दिया गया है?

किसी वक्तव्य से, किसी लेख से यह प्रकट नहीं होता कि तमिल भाषा का कहीं दमन किया गया है। यदि कोई भी यह सिद्ध कर दे कि तमिल भाषा पर ज़रा भी आँच आई है, तो इस अन्याय का विरोध करना मैं अपना कर्तव्य समझूँगा।

तमिल-सम्बन्धी स्थिति वास्तव में दूसरी है। अंग्रेज़ी राज में अंग्रेज़ी के राजभाषा होने के कारण तमिल के अधिकार छीन लिये गए थे। वह विद्यालयों में शिक्षा का माध्यम नहीं थी। अब उसे तमिलनाडु के सामाजिक जीवन में हर स्तर पर व्यवहार में आने का अवसर मिला है। अंग्रेज़ों के बिदा होने से भारत की प्रत्येक भाषा की तरह तमिल को भी फलने-फूलने और विकसित होने का अवसर मिला है।

इस अवसर से तमिलभाषी जनता के नेताओं ने लाभ नहीं उठाया। मद्रास राज्य में तमिल को उच्च शिक्षा का माध्यम नहीं बनाया गया। एक समाचार के अनुसार पिछले साल विद्यार्थियों के अभाव में तमिल माध्यमवाला विद्यालय सरकार को बन्द करना पड़ा। ('हिन्दी ब्लिट्ज', 6 फरवरी, '65)

यदि तमिलनाडु में इस आन्दोलन के नेता वास्तव में मातृभाषा से प्रेम करते थे, तो उन्हें सबसे पहले तमिल को शिक्षा का माध्यम बनाने के लिए संघर्ष करना चाहिए था। ऐसा उन्होंने नहीं किया। तमिल के बदले वहाँ हिन्दी को शिक्षा का माध्यम बनाने की बात होती, तो भी उनके आन्दोलन को न्यायपूर्ण कहा जा सकता

था। किन्तु ऐसी कोई बात नहीं थी। इससे निष्कर्ष यह निकलता है कि तमिल पर कोई विपत्ति नहीं आई; तमिल-प्रेम की दुहाई देकर वहाँ की जनता को भ्रम में डाला गया है; तमिलनाडु में तमिल के व्यवहार के लिए जो सुविधाएँ प्राप्त हैं, उनका उपयोग वहाँ के हिन्दी-विरोधी नेता नहीं करते।

संघर्ष हिन्दी-तमिल के बीच नहीं है। संघर्ष है हिन्दी-अंग्रेज़ी के बीच, अंग्रेज़ी और समस्त भारतीय भाषाओं के बीच, अंग्रेज़ी और तमिल के बीच।

इस संघर्ष को भारतीय भाषाओं के पक्ष में हल किया जा सकता है, यह एक तरीका हुआ। इस संघर्ष को अंग्रेज़ी के पक्ष में हल किया जा सकता है, यह दूसरा तरीका हुआ। तमिलनाडु के हिन्दी-विरोधी नेताओं ने दूसरा तरीका चुना है; अर्थात् उनका आन्दोलन तमिल की सुरक्षा के लिए नहीं है, वह अंग्रेज़ी की सुरक्षा के लिए है। गालियाँ हिन्दी भाषा को दी जाती हैं, साइनबोर्ड हिन्दी के मिटाये जाते हैं, किताबें हिन्दी की जलाई जाती हैं। हित होता है अंग्रेज़ी का। इन कार्यों से तमिल की स्थिति अधिक सुरक्षित नहीं होती। स्थिति सुरक्षित होती है अंग्रेज़ी की।

यह बात तमिलनाडु के लोगों को ही नहीं, हिन्दी-भाषी प्रदेश की जनता को भी अच्छी तरह समझ लेनी चाहिए कि यह संघर्ष हिन्दी-तमिल का नहीं है, वरन् अंग्रेज़ी और समस्त भारतीय भाषाओं का है। हिन्दी-तमिल-विरोध के बड़े घातक परिणाम हो सकते हैं। एक बार गृहयुद्ध की आग भड़कने पर उसे रोकना असम्भव हो जाएगा।

इस समय देश में अंग्रेज़ी की स्थिति क्या है?

वैधानिक रूप से हिन्दी के साथ अंग्रेज़ी भी राष्ट्रभाषा है। व्यावहारिक रूप में भारत की एकमात्र राष्ट्रभाषा अंग्रेज़ी है। स्वाधीनता-आन्दोलन के दौरान सभी साम्राज्य-विरोधी पार्टियाँ इस बारे में एकमत थीं कि राष्ट्रभाषा का स्थान अंग्रेज़ी को नहीं, किसी भारतीय भाषा को मिलना चाहिए। सन् '47 में अंग्रेज़ी को हटाने का अवसर आया। अंग्रेज़ी को हटाने का काम सन् '65 तक के लिए स्थगित कर दिया गया। जब सन् '65 नज़दीक आया तब वैधानिक परिवर्तन द्वारा अंग्रेज़ी को भविष्य में अनिश्चित काल के लिए सहायक राजभाषा बना दिया गया।

तब अंग्रेज़ी पर अचानक कौन-सा संकट आ गया? अंग्रेज़ी के साथ अब हिन्दी भी राजभाषा है, यह संकट है। कम-से-कम कहने को हिन्दी भी राजभाषा है। अहिन्दी प्रदेशों को अंग्रेज़ी के व्यवहार की पूरी छूट है। किन्तु इससे अंग्रेज़ी-प्रेमियों को सन्तोष नहीं है। 4 फरवरी को नई दिल्ली में अखिल भारतीय प्राविधिक शिक्षा समिति (ऑल इंडिया कौंसिल फॉर टेक्निकल एजुकेशन) ने प्रस्ताव पास किया कि हर राज्य में वैज्ञानिक और प्राविधिक शिक्षा का माध्यम अंग्रेज़ी ही रहेगी। क्या यह भारतीय भाषाओं पर अंग्रेज़ी लादना नहीं है? अंग्रेज़ी को लादना तो राष्ट्रीय एकता के लिए हितकर बताया जाता है; अंग्रेज़ी की जगह हिन्दी के चलन की बात भी करना साम्राज्यवाद है! तमिल की जगह तमिलनाडु में ही अंग्रेज़ी शिक्षा का माध्यम बनी

रहे, तो इससे राष्ट्र का विकास होता है; यदि केन्द्रीय राजकाज के लिए—तमिलनाडु में नहीं, केवल केन्द्रीय राजकाज के किसी अत्यन्त सीमित दायरे में—हिन्दी के चलन की बात की जाए तो साम्राज्यवाद हो जाता है।

देश का भला चाहनेवाले अनेक नेताओं और पत्रकारों ने लिखा है, वक्तव्य दिये हैं कि दक्षिणवालों का भय जाएज़ है और उसे दूर करने का प्रयत्न करना चाहिए। यह भय क्या है? भय यह है कि हिन्दी के राजभाषा होने से अखिल भारतीय सरकारी नौकरियाँ हिन्दीवाले हथिया लेंगे, दक्षिण वाले टापते रह जाएँगे। राष्ट्रीय एकता और तमिल-प्रेम का सम टूटता है नौकरियों के मसले पर। किसी समय भारत का उच्च वर्ग अंग्रेज़ों से माँग करता था कि सरकारी नौकरियाँ उसे भी दी जाएँ, अंग्रेज़ों के लिए सुरक्षित न रहें। इस उच्च-वर्ग को भारत की स्वाधीनता की चिन्ता न थी, उसकी लड़ाई थी सरकारी नौकरियों के लिए। तमिलनाडु और अन्य प्रदेशों के अंग्रेज़ी-प्रेमी नेताओं को रोटी-रोजी का मसला हल करने की, देश के आर्थिक विकास की चिन्ता नहीं है। उन्हें सबसे बड़ी चिन्ता है सरकारी नौकरियों की। ठीक है। सरकारी नौकरियों की चिन्ता कीजिए। लेकिन राष्ट्रीय एकता के लबादे से इस स्वार्थ को मत ढँकिए। मातृभाषा-प्रेम की पवित्र भावना जगाकर नौकरियों के इस संघर्ष में भोली-भाली जनता को पुलिस-फ़ौज की गोलियों का शिकार न बनाइए।

अखिल भारतीय नौकरियों के लिए जो परीक्षाएँ होती हैं, उनमें अंग्रेज़ी और हिन्दी की स्थिति क्या है? स्थिति यह है कि अभी तक इन परीक्षाओं का एकमात्र माध्यम है अंग्रेज़ी। इस माध्यम को हटाने की कोई भी योजना नहीं है, काग़ज़ी तौर पर भी नहीं है। संकट केवल यह है कि केन्द्रीय सरकार ने विभिन्न प्रदेशों के मुख्य मंत्रियों की राय से एक प्रयोग करने का निश्चय किया है। वह प्रयोग यह है कि यदि हिन्दी को भी अंग्रेज़ी के साथ—अंग्रेज़ी की जगह नहीं—कुछ विषयों में (सभी विषयों में नहीं) परीक्षा का माध्यम बनाया जाए तो इससे अंग्रेज़ी माध्यम वाले घाटे में तो नहीं रहेंगे? यह प्रयोग हुआ नहीं है। उसके होने की बात है। उस प्रयोग से जब अहिन्दी-भाषी भी सन्तुष्ट हो जाएँगे कि अंग्रेज़ी का व्यवहार करने पर उन्हें घाटा न होगा, तब उनके सहमत होने पर कुछ विषयों में अंग्रेज़ी के साथ हिन्दी भी एक ऐच्छिक माध्यम हो सकती है। अंग्रेज़ी के लिए इतना ही संकट उत्पन्न हुआ है!

प्रधानमंत्री ने कहा है कि हिन्दी-प्रेमियों को अंग्रेज़ी हटाने में जल्दी न करनी चाहिए। स्वराष्ट्र-मंत्री ने कहा है, हमें इस मामले में जल्दी न करनी चाहिए। कम्युनिस्ट पार्टी के नेताओं ने सरकार को सलाह दी है कि हिन्दी को राजभाषा बनाने में जल्दी न करनी चाहिए। आख़िर वह कौन-सी तेज़ रफ्तार थी और किस क्षेत्र में थी, जिससे हिन्दी राजभाषा बनी जा रही थी? आज़ादी पाने के अठारह साल बाद जो सरकार अखिल भारतीय नौकरियों के लिए हिन्दी को केवल ऐच्छिक माध्यम बनाने के प्रयोग की बात करती है, उससे भी कुछ बुद्धिमानों को तेज़ रफ्तार की शिकायत होती है।

हिन्दी तो एक दिन राजभाषा होगी, लेकिन धीरे-धीरे—ऐसा कहनेवाले वास्तव में अंग्रेज़ी की हिमायत करते हैं। इसका प्रमाण यह है कि अपना अखिल भारतीय राजनीतिक कार्य ये नेता और उनकी पार्टियाँ अंग्रेज़ी में करती हैं। व्यवहार में अंग्रेज़ी; हिन्दी-भाषी जनता के वोट लेने के लिए भविष्य में हिन्दी को राजभाषा बनाने के वादे! यह दुरंगी नीति ज़्यादा दिन नहीं चलेगी।

कुछ दूसरे लोग हैं जो माँग करते हैं कि स्वर्गीय प्रधानमंत्री ने अंग्रेज़ी के सम्बन्ध में जो वादे किये थे, वे संविधान में दर्ज हो जाने चाहिए। यद्यपि वर्तमान प्रधानमंत्री ने उन आश्वासनों को दुहराया है, किन्तु बहुत-से देशभक्तों के लिए इतना काफ़ी नहीं है। वे चाहते हैं कि संविधान में उन आश्वासनों को दर्ज कर दिया जाए।

अनेक स्थानों में यह नया नारा सुनने को मिला है : 'हिन्दी नेवर, इंग्लिश एवर।' हिन्दी कभी न आए, अंग्रेज़ी हमेशा बनी रहे! दक्षिण में जो उच्चकोटि के प्रतिक्रियावादी नेता हैं, वे यही नारा दे रहे हैं कि भारत की एकमात्र राजभाषा अंग्रेज़ी हो। अपने आन्दोलन के ज़रिये वे सबसे पहले तमिल की जड़ काट रहे हैं, क्योंकि उन्हीं की कृपा से तमिलनाडु में तमिल उच्चशिक्षा का माध्यम नहीं बनी। इसके बाद वे विशाल हिन्दी-भाषी प्रदेश पर—तथा अन्य अहिन्दी राष्ट्रभाषा-प्रेमी जनता पर—सदा के लिए अंग्रेज़ी का प्रभुत्व क़ायम रखने का षड्यंत्र कर रहे हैं। अंग्रेज़ी के इस वास्तविक साम्राज्यवाद को देश की जनता कभी सहन न करेगी।

यह ध्यान देने की बात है, हिन्दी-विरोधी आन्दोलन ने भयानक उत्पात का रूप केवल तमिलनाडु में लिया है। अंग्रेज़ी-प्रेमी नेता अन्य प्रदेशों में भी हैं, किन्तु उन्होंने कोई उग्र आन्दोलन नहीं चलाया। इसके दो कारण हैं। पहला यह कि अंग्रेज़ी-प्रेमी नेता जानते हैं कि वास्तव में अंग्रेज़ी के लिए कोई खतरा नहीं है, हिन्दी को व्यावहारिक राजभाषा होने में बहुत देर है। इसलिए गर्म या नर्म, किसी तरह के आन्दोलन को वे अनावश्यक समझते हैं। दूसरा कारण यह है कि तमिलनाडु को भारत से अलग करने के लिए जैसा आन्दोलन उस प्रदेश में हुआ है, वैसा आन्दोलन अन्य किसी प्रदेश को अलग करने के लिए नहीं हुआ। विघटन के इस प्रचार को राजनीतिक दलों ने संगठित किया। भाषाशास्त्र और इतिहास की झूठी गवाही से उस विघटन की भावना को वर्षों तक फैलाया। केन्द्रीय या तमिलनाडु का शासन अथवा कोई भी राजनीतिक दल उसका समर्थ प्रतिवाद नहीं कर पाया। यही कारण है कि हिन्दी-विरोधी आन्दोलन ऐसा विनाशक रूप केवल तमिलनाडु में ले सका।

इसका अर्थ यह है कि हिन्दी-विरोध एक नकाब है, जिसके नीचे विघटन का देव छिपा हुआ है। नौकरी न मिलेगी, यह भय दिखलाकर स्वार्थी नेताओं ने छात्रों को उभारा है और स्वतंत्र द्रविड़ राज्य क़ायम करने के लक्ष्य के लिए उनका उपयोग किया है। देश की स्थिति ऐसी है कि कश्मीर, नागालैंड या तमिलनाडु, कोई भी प्रदेश अलग होता है, तो उसकी हिमायत के लिए साम्राज्यवादी आगे आते हैं। वे

अपने फ़ौजी अड्डों का स्वप्न देखते हैं। भारत का जो हिस्सा मिले, उसका उपयोग अपनी समर-योजनाओं के लिए करना चाहते हैं। कुछ विदेशी पत्रों ने तमिलनाडु के हिन्दी-विरोधी आन्दोलन को लेकर तमिल की लिपि, तमिल भाषा की व्यंजना-शक्ति की बड़ी प्रशंसा की है और हिन्दी को तमिल से नीचा ठहराया है। इस प्रचार का उद्देश्य भारत में गृहयुद्ध की आग सुलगाना है।

भारत से अलग होकर तमिलनाडु या कोई भी प्रदेश न तो साम्राज्यवाद से मुक्त रह सकता है, न अपना आर्थिक और सांस्कृतिक विकास कर सकता है। विग्रहकारी आन्दोलन से सर्वप्रथम उस प्रदेश का अहित होता है, जहाँ ऐसा आन्दोलन चलाया जाता है। उसके बाद समूचे देश का अहित होता है। अंग्रेज़ी की सुरक्षा का यह आन्दोलन देश के विघटन का आन्दोलन है। समस्या हिन्दी और तमिल की नहीं है, समस्या तमिलनाडु को भारत का अभिन्न अंग बनाए रखने की है।

यह सम्भव है कि भारत सरकार अंग्रेज़ी-प्रेमियों के दबाव से अंग्रेज़ी की सुरक्षा के लिए कुछ और नियम-कायदे बना दे या संविधान में तब्दीली कर दे। इससे अंग्रेज़ी की वास्तविक स्थिति में कोई अन्तर न पड़ेगा। अंग्रेज़ी तो राजभाषा के रूप में सुरक्षित है ही। भारतीय भाषाओं को उनके उचित अधिकार दिलाने के लिए यह ज़रूरी है कि सबसे पहले हिन्दी-भाषी प्रदेश में अंग्रेज़ी को राजभाषा और सांस्कृतिक भाषा के पद से पूर्णत: हटा दिया जाए। विश्वविद्यालयों में पूर्णत: हिन्दी को शिक्षा का माध्यम बनाया जाए। यहाँ के न्यायालयों का सारा काम हिन्दी में हो। सामाजिक-सांस्कृतिक जीवन में अंग्रेज़ी का व्यवहार खत्म किया जाए। इसके बाद जिस दिन हिन्दी-भाषी जनता संगठित होकर अपने लोक सभा के प्रतिनिधियों को हिन्दी में बोलने और सारा राजकाज हिन्दी में करने के लिए बाध्य करेगी, उस दिन अंग्रेज़ी का साम्राज्यवाद खत्म हो जाएगा। उस दिन तमिलनाडु में तमिल भी अपना पूर्ण स्वत्व प्राप्त करेगी और राष्ट्रीय एकता को दृढ़ करने में हिन्दी-भाषी जनता अपनी भूमिका पूरी करेगी। अंग्रेज़ी को हटाने और राष्ट्रीय एकता को दृढ़ करने का भार अब हिन्दी-भाषी प्रदेश पर है।

[1965]

34

# भाषा की समस्या और राष्ट्रीय विघटन

जिस समय भारत की संविधान सभा ने यह निश्चय किया कि राष्ट्रभाषा हिन्दी हो और तुरन्त नहीं, पन्द्रह साल बाद सन् '65 में हो, उस समय इस फैसले के पक्ष में वोट देनेवाले उत्तर के लोग भी थे, दक्षिण के भी; हिन्दी-भाषी इलाकों के नेता भी थे और अहिन्दी-भाषी प्रदेशों के भी। इसलिए यह नहीं कहा जा सकता कि यह फैसला हिन्दीवालों ने दक्षिण या बंगाल पर लादा था।

जैसे-जैसे सन् '65 निकट आता गया, वैसे-वैसे उस फैसले को टालने के लिए भी कोशिशें होने लगीं। संसद ने एक कानून बना दिया जिसके अनुसार सन् '65 के बाद भी अंग्रेज़ी सह-राजभाषा बनी रह सकती है। इस फैसले से हिन्दी को धक्का लगा, यह माना जा सकता है। किन्तु उससे किसी अहिन्दी भाषा को हानि हुई, यह दावा कोई नहीं करता।

इसके बाद भी स्वर्गीय प्रधानमंत्री ने आश्वासन दिया कि अहिन्दी-भाषियों की मर्ज़ी के बिना अंग्रेज़ी को नहीं हटाया जाएगा। इस साल 26 जनवरी से दिल्ली सरकार ने अपना राजकाज हिन्दी में नहीं शुरू किया, किसी अफ़सर को हिन्दी न जानने के कारण निकाला नहीं गया; अखिल भारतीय नौकरियों के लिए परीक्षाएँ हिन्दी में नहीं होने लगीं, न अंग्रेज़ी को हटाकर उन परीक्षाओं के लिए हिन्दी को एकमात्र माध्यम बनाने का फैसला किया गया; उत्तर-दक्षिण के विद्यालयों में शिक्षा का माध्यम हिन्दी नहीं बनी; किसी भी केन्द्रीय मंत्रालय ने अपने काग़ज़-पत्तर हिन्दी में तैयार करना नहीं शुरू किया, न इस तरह के काग़ज़-पत्तर केन्द्र से राज्यों को भेजे गए; तमिलनाडु या बंगाल से अंग्रेज़ी में लिखकर भेजा हुआ कोई काग़ज़ दिल्ली से वापस नहीं किया गया; कांग्रेस के प्रधान श्री कामराज के तमिल में ही बोलने पर कहीं हिन्दी-जनता ने प्रदर्शन नहीं किया, फिर भी तमिलनाडु में उत्पात खड़ा हो गया!

केन्द्रीय सरकार में उत्तर-दक्षिण, हिन्दी-अहिन्दी—सभी प्रदेशों के लोग हैं। इस सरकार का कोई भी काम सिर्फ हिन्दी-भाषी जनता का काम नहीं माना जाता। फिर भी अगर कोई ऐसा काम हुआ हो जिससे अंग्रेज़ी की गौरवमय स्थिति को

धक्का लगा हो तो मैं जानना चाहता हूँ कि वह काम कौन-सा है? सन् '65 में हिन्दी को—काग़ज़ पर दिखावे के लिए—राष्ट्रभाषा बनाने का फैसला सोलह साल पहले किया गया था। फैसला करनेवाले उत्तर-दक्षिण वाले, दोनों थे। फिर अचानक अहिन्दी-भाषियों पर हिन्दी आज कैसे लाद दी गई?

कुछ लोगों का कहना है कि भारत के सभी राज्यों की भाषाओं को बराबरी का दर्जा दे दिया जाए। मैं कहता हूँ, शौक से दीजिए। लेकिन आप जिस पार्टी में भी हों, उसका राजनीतिक काम दस-बारह भाषाओं में करके दिखाइए। जो पार्टियाँ अपना केन्द्रीय काम एक भाषा में करती हों, उन्हें कोई हक नहीं है कि वे केन्द्र में दस भाषाएँ चलाने की बात करें।

कुछ बुद्धिमान नेता यह राय देते हैं कि राज्यों में वहीं की भाषाएँ चलें लेकिन केन्द्र में अंग्रेज़ी चले क्योंकि हिन्दी को अभी और विकसित होना है। इसका मतलब यह हुआ कि उत्तर प्रदेश, बिहार, मध्य प्रदेश आदि के राजकाज के लिए तो हिन्दी विकसित है, केवल केन्द्रीय राजकाज के लिए वह अविकसित है। मैं जानना चाहता हूँ कि उत्तर प्रदेश और केन्द्र के राजकाज में वह कौन-सा गुणात्मक अन्तर है जिससे हिन्दी एक जगह विकसित मानी जाती है और दूसरी जगह अविकसित?

असलियत यह है कि अंग्रेज़ी को देश में क़ायम रखने के लिए हर दलील जाएज़ है। अंग्रेज़ी के ज़रिये हमारा अफ़सर वर्ग साहब बनकर जनता पर हुकूमत करता है। और हर पार्टी के अन्दर अंग्रेज़ी के कारण एक ऊँचे पाये का नेता है जिसे अपने महान् विचार प्रकट करने में किसी भारतीय भाषा को माध्यम बनाते हुए बड़ी कठिनाई होती है। दूसरा नेता छोटे दर्जे का केवल भारतीय भाषाएँ जाननेवाला है। अंग्रेज़ी के ज़रिये अफ़सर और जनता, साहब और गुलाम, बड़ा आदमी और छोटा आदमी—दो वर्गों में सारे देश को बाँटने में सहूलियत होती है। जो लोग कहते हैं कि अंग्रेज़ी के रहने से राष्ट्रीय एकता क़ायम रहती है, उनका मतलब यही होता है कि उसके ज़रिये काले साहबों की एकता क़ायम रहती है। इस एकता के कारण आम जनता और हुकूमत के बीच कितना बड़ा फासला क़ायम रहता है, इसकी चिन्ता उन्हें नहीं होती।

अब यह बिलकुल स्पष्ट है कि लड़ाई तमिल या बंगला के अधिकारों के लिए नहीं है। लड़ाई है अंग्रेज़ी के बेजा अधिकारों की रक्षा के लिए। तमिलनाडु के जिन विद्यालयों में तमिल को शिक्षा का माध्यम बनाया गया, उन्हें बन्द कर देना पड़ा। आन्ध्र के शासकों का कहना है कि तेलगू को राजभाषा बनाने में दस साल लगेंगे। इससे क्या साबित होता है? क्या हिन्दी राष्ट्रभाषा बनकर तमिल और तेलगू के अधिकार छीने ले रही है? हकीकत यह है कि आन्ध्र और तमिलनाडु में राजभाषा अंग्रेज़ी है और उसे हटाने के बदले प्रदेश-प्रेमी सज्जन हिन्दी-विरोधी आन्दोलन चला रहे हैं!

केन्द्र में अंग्रेज़ी और प्रदेश में अंग्रेज़ी—दोनों जगह के तार आपस में जुड़े हुए हैं। जो केन्द्र में अंग्रेज़ी हटाने का विरोधी है, वह प्रदेश में भी उसे नहीं हटाना चाहता। बात बिलकुल स्वाभाविक है। तमिलनाडु में रहनेवाला जो गृहस्थ अपने बेटे को ऑल इंडिया सर्विस में अफ़सर बनाना चाहता है, वह उसके लिए तमिल को शिक्षा का माध्यम क्यों बनाए? प्रदेश में हर स्तर पर वहीं की भाषा चालू हो जाए तो होनहार नौजवानों को अंग्रेज़ी लिखने-बोलने में कठिनाई न होगी? अंग्रेज़ी कौन ज़्यादा अच्छी बोलेगा—वह, जिसकी शिक्षा का माध्यम अंग्रेज़ी रही है या वह, जो शिक्षा प्रादेशिक भाषा में पाता रहा है? इसीलिए गुजरात में आन्दोलन हो रहा है कि अंग्रेज़ी की शिक्षा को वही दर्जा दिया जाए जो और राज्यों में उसे प्राप्त है।

जब तक केन्द्र की राजभाषा अंग्रेज़ी है तब तक प्रदेशों में वहाँ की भाषाएँ पूरी तरह राजभाषा बन नहीं सकतीं। बेटा इंजीनियर बनेगा, लोक सभा का सदस्य बनेगा, कहीं का राज्यपाल बनेगा, कलक्टर या कमिश्नर बनेगा। यह सब बनने-बनाने का काम अंग्रेज़ी से होगा या तमिल और मराठी से? होनहार नौजवानों के माता-पिता क्या मूर्ख हैं जो प्रादेशिक भाषा में शिक्षा देकर उनका अखिल भारतीय भविष्य नष्ट करेंगे?

इसलिए वे नेकदिल नेता, जो भाषा-समस्या सुलझाने के लिए यह सुझाव पेश करते हैं कि राज्यों में तुरन्त वहाँ की भाषाओं को राजभाषा बनाया जाए और केन्द्र में अंग्रेज़ी को बहुत धीरे-धीरे हटाया जाए, बहुत भारी भ्रम में हैं। स्वाधीन भारत में शिक्षा का महान् उद्देश्य अब भी अखिल भारतीय नौकरियाँ प्राप्त करना है। बेटी का ब्याह आई.ए.एस. अफ़सर से हो, मध्यवर्गीय बाप की यह सबसे बड़ी तमन्ना होती है। प्रदेशों में शिक्षा का संगठन इन्हीं अखिल भारतीय नौकरियों को लक्ष्य बनाकर होता है। इसलिए जब तक केन्द्र में अंग्रेज़ी रहेगी, जब तक अखिल भारतीय स्तर पर अंग्रेज़ी का मौजूदा रोबदाब रहेगा, तब तक प्रदेशों में भी अंग्रेज़ी हटाई न जाएगी। जो सचमुच अंग्रेज़ी हटाकर प्रादेशिक भाषाओं को राजभाषा बनाना चाहते हैं, वे केन्द्र में अंग्रेज़ी के समर्थक हो ही नहीं सकते।

सरकार की बात जाने दीजिए। मैं उस अखिल भारतीय पार्टी का नाम जानना चाहता हूँ जिसकी प्रादेशिक शाखाएँ अपना सारा काम भारतीय भाषाओं में करती हैं और जो केन्द्र में अंग्रेज़ी हटाकर धीरे-धीरे हिन्दी लाने के लिए प्रयत्नशील हैं।

भाषावार राज्यों के पुनर्गठन का आन्दोलन चला। इस आन्दोलन में यह ज़ोरदार आवाज़ नहीं सुनाई दी कि प्रदेशों में अंग्रेज़ी हटाई जाए, प्रादेशिक भाषा को राजभाषा बनाया जाए। इसका क्या कारण है? कारण यह है कि भाषावार राज्य बनाने में प्रादेशिक पूँजीपतियों का भी स्वार्थ था। वे अपने लिए अलग बाज़ार क़ायम करना चाहते थे। उन्हें प्रादेशिक भाषाओं से कोई खास मोहब्बत न थी। प्रगतिशील नेताओं ने उनका साथ दिया, ठीक किया। लेकिन प्रादेशिक भाषाओं को शिक्षा का माध्यम

बनाया जाए, इसके लिए वे कोई सशक्त आन्दोलन नहीं कर सके, क्यों? आज भी प्रस्ताव पास करने के अलावा प्रदेशों में अंग्रेज़ी हटाने के लिए कोई आन्दोलन नहीं चलाया जा रहा, न कोई आन्दोलन चलाने का कार्यक्रम है, क्यों? प्रदेशों में अंग्रेज़ी हटाने के लिए भाषावार प्रान्त आन्दोलन जैसी कोई चीज़ सामने क्यों नहीं है? इसलिए कि प्रादेशिक पूँजीपतियों का साथ देते हुए बहुत-से प्रगतिशील नेता भी भटकाव के शिकार हो गए हैं। उन्होंने प्रादेशिक भाषाओं के लिए आन्दोलन नहीं किया, राज्यों की भौगोलिक सीमाओं के लिए मरे-खपे। उन्होंने प्रादेशिकता के आन्दोलन में राष्ट्रीय एकता की आवाज़ बुलन्द नहीं की। उसी का नतीजा है कि आज वे प्रदेशों में तो अंग्रेज़ी हटाने की बात करते हैं लेकिन केन्द्र में काफ़ी दिन तक अंग्रेज़ी क़ायम रखने की बात सोचते हैं। नतीजा यह होता है कि अंग्रेज़ी न केन्द्र से हटती है, न प्रदेशों से! हिन्दी के लिए जो सही माँगें हैं, उन्हें पेश करने का काम उन्होंने श्री मुरारजी भाई और जनसंघ के नेताओं को सौंप दिया है। उनकी ढिलाई से प्रतिक्रियावादी नेता फायदा उठा रहे हैं, यह देखने के बदले वे प्रसन्न होकर फतवा देते हैं—तुरन्त अंग्रेज़ी हटाने का नारा मुरारजी और संघियों का है। आश्चर्य की बात है कि संयुक्त महाराष्ट्र आन्दोलन में जनसंघ के साथ काम करते हुए अनेक प्रगतिशील नेताओं को ज़रा भी तकलीफ़ नहीं हुई। अब केन्द्र से अंग्रेज़ी हटाने के सवाल पर वे जनसंघ का हौवा खड़ा करते हैं।

कुछ दिन पहले बंगाल में प्रगतिशील और अप्रगतिशील, सभी दलों ने हिन्दी चालू न करने के लिए एकमत होकर प्रस्ताव पास किया। तमिलनाडु में द्रविड़ मुन्नेत्र कषगम से लेकर केन्द्र-मंत्रियों तक अंग्रेज़ी की सुरक्षा के लिए एकमत हैं। केरल में 'राइवल कम्युनिस्ट' श्री नम्बूदरीपाद मुस्लिम लीग से साँठ-गाँठ करने में दत्तचित्त हैं। भाषा के प्रश्न पर ज़हर उगलनेवाले श्री फ्रैंक एंटनी के साथ कुछ प्रगतिशील नेताओं ने एक ही बयान पर हस्ताक्षर किये हैं। प्रदेशों में अंग्रेज़ी के पक्ष में प्रगतिशील-अप्रगतिशील एक हो सकते हैं। केवल केन्द्र में अंग्रेज़ी हटाने के सवाल पर मुरारजी भाई और जनसंघ से सावधान रहना चाहिए!

तमिलनाडु में भाषा का आन्दोलन प्रतिक्रियावादियों के हाथ में था। उन्होंने जनता के तमिल-प्रेम से लाभ उठाकर पुस्तकालयों, स्टेशनों और डाकखानों में आग लगाई। खूब समझ लीजिए, यह गृहयुद्ध की आग है। उत्तर में मुरारजी भाई आदि अंग्रेज़ी हटाने का आन्दोलन अपने हाथ में ले रहे हैं। प्रगतिशील नेता टुकुर-टुकुर देख रहे हैं। अंग्रेज़ी हटाने का आन्दोलन अपने हाथ में न लेकर वे उसे प्रतिक्रियावादियों को सौंप रहे हैं।

प्रगतिशील नेता बहुत नेक सलाह देते हैं कि हिन्दी-भाषी जनता को अन्ध-राष्ट्रवाद का शिकार न होना चाहिए। सही बात है। हिन्दी-जनता का राष्ट्रवाद कैसे ज़ाहिर होता है? जो लोग समझते हैं कि सारे देश में हिन्दी वैसे ही चलेगी, जैसे

ब्रिटेन में अंग्रेज़ी चलती है, यानी जो भारतीय भाषाओं को मिटाना चाहते हैं और राष्ट्रीय एकता का मतलब यह लगाते हैं कि और सब भारतीय भाषाएँ मिट जाएँ, उनकी जगह हिन्दी ही रहे, वे अन्ध-राष्ट्रवादी हैं। किन्तु हिन्दी प्रदेशों में किसी ने यह माँग नहीं की कि तमिलनाडु में तमिल को शिक्षा का माध्यम न बनाया जाए, यह माँग नहीं की कि वहाँ या बंगाल या महाराष्ट्र में हर स्तर पर हिन्दी चलाई जाए। इसके विपरीत हुआ यह है कि सभी दलों के नेता प्रादेशिक भाषाओं को उनके पूर्ण अधिकार देने के पक्ष में हैं। माँग है अंग्रेज़ी को हटाने की, न कि अहिन्दी भाषाओं को दबाने की। इसलिए केन्द्र से अंग्रेज़ी को हटाने के सवाल पर हिन्दी साम्राज्यवाद का भय दिखाना वास्तव में अंग्रेज़ी की सुरक्षा के लिए बहुत घटिया क़िस्म की वकालत करना है।

सरकार क्या करेगी और दूसरी पार्टियाँ क्या करेंगी, ये बड़ी-बड़ी बातें हैं जिन पर इस लेख में कुछ नहीं कहना। मेरी माँग भारत की कम्युनिस्ट पार्टी के नेताओं से है। आप अपना सारा प्रादेशिक काम भारतीय भाषाओं में कीजिए। एक महीने के अन्दर प्रदेशों में अंग्रेज़ी की जड़ काट दीजिए। केन्द्र में अपना काम चाहे हिन्दी में कीजिए, चाहे हिन्दी को बिलकुल न रखिए बल्कि वह काम दस-बारह-चौदह अहिन्दी भाषाओं में कीजिए। अगले छह महीनों में अपने केन्द्र से अंग्रेज़ी का पूर्ण बहिष्कार कीजिए। ऐसा आप कर लें तो मैं समझूँगा कि भारत की भाषा-समस्या हल करने में आपने बहुत बड़ी सक्रिय सहायता दी है। वरना देश जिस विघटन की ओर बढ़ रहा है, उसमें सबसे पहली चोट आप पर होगी और आप यह कहने की हालत में भी न होंगे कि चोट ग़लत पड़ी।

मध्यवर्ग का सहारा लेने के लिए फासिस्टवाद भाषा और संस्कृति का रक्षक बनकर सामने आता है। हिटलर जर्मन भाषा और जर्मन संस्कृति का बहुत बड़ा समर्थक बनकर रंगमंच पर आया था। तमिलनाडु में तमिल-रक्षा का भार द्रविड़ मुन्नेत्र कषगम पर, उत्तर में हिन्दी-रक्षा का भार जनसंघ पर और दोनों की रक्षा का भार महान् गणराज्य संयुक्त राष्ट्र अमरीका पर! भारत का भावी मानचित्र आपको कैसा दिखाई देता है?

पहले एक देश में दो देश बने : भारत और पाकिस्तान। अब भारत में दो नये राष्ट्रों का निर्माण होगा, एक हिन्दी-राज्य, दूसरा अहिन्दी-राज्य। लेकिन विघटन यहीं समाप्त न होगा। असम में दंगे हिन्दी-भाषियों के ख़िलाफ़ न हुए थे। बम्बई में संयुक्त महाराष्ट्र आन्दोलन के दौरान अन्ध-राष्ट्रवादियों का क्रोध हिन्दी-भाषियों पर न बरसा था। मारे गए थे बंगाली और गुजराती—दोनों अहिन्दी भाषी। तमिलनाडु और आन्ध्र के अनेक शिक्षित जनों में एक-दूसरे के प्रति वही भाव है, जो असमी-बंगालियों, गुजराती-मराठी-भाषियों में है। कश्मीर और नागा प्रदेश में अलगाव के आन्दोलन से सभी लोग परिचित हैं। द्रविड़ मुन्नेत्र कषगम मूलत: तमिलनाडु को अलग करने

का आन्दोलन करता रहा है, हिन्दी-विरोध को भड़काने और उससे लाभ उठाने की सूझ बाद की है। मुस्लिम लीग के 'डायरेक्ट एक्शन' से त्रस्त होकर देश-प्रेमी नेताओं ने देश का विभाजन स्वीकार किया। उससे साम्प्रदायिक समस्या सुलझ गई? साम्राज्यवाद को अपने फ़ौजी अड्डे बनाने का मौका नहीं मिला? दीजिए तमिलनाडु को आत्मनिर्णय का अधिकार! कीजिए कश्मीर और नागा प्रदेश को भारत से अलग! कहिए कि भारत की अखंडता का नारा जनसंघ का नारा है! आपके आत्मनिर्णय के अधिकार से साम्राज्यवाद को लाभ होता है या भारत की जनता को?

भारत के मज़दूर वर्ग का संगठन प्रदेशों में बँटेगा नहीं, वह अखिल भारतीय स्तर पर होगा। विकास की पंचवर्षीय योजनाएँ अखिल भारतीय स्तर पर बनेंगी और उसी पर सफल होंगी। केरल में अन्न की कमी या बेकारी अन्य राज्यों और केन्द्र के सहयोग से ही दूर होगी। राष्ट्रीय विघटन का अर्थ है : सबकी हानि, साम्राज्यवाद का लाभ। राष्ट्रीय एकता का अर्थ है : सबका लाभ, साम्राज्यवाद की हानि।

यह राष्ट्रीय एकता अब अंग्रेज़ी जाननेवाले डेढ़ फीसदी लोगों के सहारे क़ायम नहीं रह सकती। अगर केन्द्र में हिन्दी चलाना साम्राज्यवाद है तो अंग्रेज़ी क़ायम रखना और भी बड़ा अन्याय है। हिन्दी-भाषी जनता इसे कभी सहन न करेगी। स्वर्गीय जवाहरलाल नेहरू के चाहे जितने आश्वासनों को कानून का रूप दे दीजिए, वे अंग्रेज़ी की रक्षा नहीं कर सकते।

हिन्दी को राष्ट्रभाषा बनाने का आन्दोलन यहाँ उन्नीसवीं सदी से हो रहा है। गांधी जी ने हिन्दी-प्रचार को राष्ट्रीय आन्दोलन का अभिन्न अंग बनाया। भारत को स्वाधीन हुए अठारह साल हो गए। अब और कितने धीरे? कुछ रफ्तार निश्चित कर दीजिए। मालूम तो हो जाए कि अढ़ाई कोस नौ दिन में तै करने हैं या अठारह दिन में?

एक अजीब बात हिन्दी के पिछड़ेपन के बारे में है। लेनिन ने ज़ारशाही रूस की भाषाओं को पिछड़ा हुआ न पाया। उन्होंने ग़ैर-रूसी भाषाओं को राजकाज के लिए माध्यम बनने दिया। चीनी भाषा पिछड़ी हुई नहीं है, माओत्से-तुंग और चीनी सरकार के काम आती है। सिर्फ हिन्दी ऐसी पिछड़ी हुई भाषा है और भारत के बुद्धिजीवी ऐसे महान् चिन्तक हैं कि अंग्रेज़ी के बिना न तो केन्द्रीय सरकार का काम चल सकता है, न किसी पार्टी का अपना राजनीतिक कार्य, विशेष कर उसका केन्द्रीय राजनीतिक कार्य! यह पिछड़ेपन की दलील न केवल हिन्दी-भाषी जाति का अपमान है वरन् अंग्रेज़ी की गुलामी का सजीव प्रमाणपत्र है।

राज्यों में प्रादेशिक भाषाएँ और केन्द्र में हिन्दी—ये दोनों लक्ष्य एक ही साथ सिद्ध होंगे। ये दोनों लक्ष्य आज सिद्ध हो सकते हैं यदि राजनीतिक पार्टियाँ अपने व्यवहार में इस नीति को अपना लें। कथनी और करनी में भेद होने से कोई समस्या हल नहीं हो सकती। जितना ही विलम्ब होगा, उतना ही विघटन बढ़ेगा। इसलिए सही नीति के लिए हिम्मत से आन्दोलन करने का समय अभी है, कल न रहेगा।

हिन्दी के लिए धीरे चलो, यह ग़लत है। कहना चाहिए, और तेज़ चलो। केन्द्र और राज्यों से एक साथ अंग्रेज़ी हटाओ—यही नारा सही है।

केन्द्र में आप हिन्दी नहीं चाहते, न रखिए। लेकिन अंग्रेज़ी न चलेगी। उसकी जगह भारत की एक भाषा चलाइए, चाहे दस भाषाएँ। केन्द्रीय सरकार में जो भाषा-नीति आप चलाना चाहते हों, उसे अपनी पार्टी के व्यवहार में लाइए। इसी से हमें विश्वास होगा कि आप ईमानदारी से भाषा-समस्या हल करना चाहते हैं, वरना बातें बनानेवाले नेताओं की इस देश में कमी नहीं है।

[1965]

35

# भाषा की समस्या और मज़दूर वर्ग

समाज की और दूसरी समस्याओं की तरह भाषा की समस्या पर भी साम्राज्यवादियों, भारतीय पूँजीपतियों और मज़दूर वर्ग के विचार अलग-अलग हैं।

अंग्रेज़ों ने इस देश को जीता। लोगों की इच्छा के विरुद्ध शिक्षा और शासन में अंग्रेज़ी चलाई। भारतीय भाषाएँ पिछड़ी हुई हैं, वे न शासनतंत्र के योग्य हैं, न उनमें आधुनिक शिक्षा दी जा सकती है—यह स्थापना ब्रिटिश उपनिवेशवादियों के प्रतिनिधि लॉर्ड मैकाले ने शिक्षा-सम्बन्धी अपने प्रसिद्ध लेख में की। अंग्रेज़ों ने विभिन्न भाषाएँ बोलनेवाली जातियों को आपस में लड़ाया। इस लड़ाई से लाभ उठाकर उन्होंने सभी के ऊपर अंग्रेज़ी का प्रभुत्व क़ायम रखा। अंग्रेज़ी की यह गुलामी राजनीतिक पराधीनता का ही एक हिस्सा थी।

राष्ट्रीय आन्दोलन के आरम्भ-काल से अंग्रेज़ी हटाने की माँग स्वाधीनता-आन्दोलन का अभिन्न अंग बन गई। गांधी जी ने सितम्बर, 1921 के 'यंग इंडिया' में लिखा था कि उनके हाथ में तानाशाह की ताक़त होती तो वह उसी दिन अंग्रेज़ी में शिक्षा देना बन्द करा देते और जो अध्यापक इस हुक्म को न मानता, उसे वह नौकरी से हटा देते।

अंग्रेज़ी से किसी एक भाषा का नहीं, सारे राष्ट्र का अहित होता है। इस बारे में गांधी जी ने 5 जुलाई, 1928 के 'यंग इंडिया' में लिखा था कि अंग्रेज़ी ने राष्ट्र की शक्ति का नाश कर दिया है और अंग्रेज़ी बनी रही तो राष्ट्र की आत्मा का नाश हो जाएगा।

भारत में प्रगतिशील साहित्यिक आन्दोलन के जन्मदाता महान् उपन्यासकार प्रेमचन्द ने भाषा की गुलामी के बारे में लिखा था : "ज़बान की गुलामी ही असली गुलामी है।" ('प्रेमचन्द : कुछ विचार', पृ. 221)

भारत विभाजित हुआ और स्वाधीन हुआ। आज़ादी मिले एक ही महीना हुआ था कि गांधी जी ने केन्द्र और प्रान्तों से एक साथ अंग्रेज़ी हटाने की माँग की। 21 सितम्बर, 1947 के 'हरिजन' में उन्होंने लिखा : "प्रान्तीय सरकारों के लिए ऐसे कर्मचारी रखना बिलकुल आसान होना चाहिए जो प्रान्तीय भाषाओं और नागरी या उर्दू लिपि में लिखी जानेवाली अन्तर्प्रान्तीय भाषा हिन्दुस्तानी में सारा काम कर सकें।"

गांधी जी की नीति थी कि केन्द्र और राज्यों से तुरन्त और एक साथ अंग्रेज़ी हटाई जाए। इसलिए उन्होंने प्रान्तीय सरकारों को सलाह दी थी कि वे ऐसे कर्मचारी रखें जो प्रान्तीय भाषा के साथ हिन्दुस्तानी में भी काम कर सकें।

अंग्रेज़ी हटाने का काम पन्द्रह साल के लिए टाल दिया जाए, इस नीति के वह विरुद्ध थे। जब अंग्रेज़ी से नुक़सान होता है, तब उसे क्यों सालभर भी चलने दिया जाए? उनकी राय थी : "इस आवश्यक तब्दीली में, जो एक-एक दिन बीतता है, उससे राष्ट्र की सांस्कृतिक हानि होती है।"

जो लोग कहते थे कि तुरन्त परिवर्तन असम्भव है, उनके बारे में गांधी जी का मत यह था : "हमारे सेक्रेटेरियटों में भी, कुछ समय बीतने पर तब्दीली होगी, दिमागी काहिली के अलावा और कुछ नहीं है।"

गांधी जी की ललकार थी—दिमागी काहिली खत्म करो, प्रान्तों और दिल्ली से अंग्रेज़ी को निकालो, भारतीय भाषाओं का व्यवहार करो।

प्रान्तीय सरकारें केन्द्र से अंग्रेज़ी द्वारा सम्पर्क क़ायम न रखेंगी, इस बारे में उन्होंने लिखा था : "प्रान्तों का केन्द्र से काम पड़ेगा। यह काम वे अंग्रेज़ी में करने की हिम्मत न करेंगे। केन्द्र में यह जल्द समझने की बुद्धि होनी चाहिए कि वह सांस्कृतिक रूप में राष्ट्र पर मुट्ठी-भर भारतवासियों का बोझ न डालेगा। ये लोग इतने आलसी हैं कि उस भाषा को सीखते नहीं जो आसानी से सारे भारत की आम भाषा बन सकती है और जिससे जनता के किसी हिस्से या पार्टी को नाख़ुशी न होगी।"

गांधी जी की भाषा-सम्बन्धी नीति का निचोड़ यह था : "अंग्रेज़ी ने जो सांस्कृतिक डकैती की है, उसे खत्म किया जाए।"

केन्द्र और प्रान्तों से तुरन्त अंग्रेज़ी हटाने के बारे में गांधी जी की ज़ोरदार आवाज़ हमारे राष्ट्रीय आन्दोलन की सच्ची और सही आवाज़ थी। वह मज़दूर वर्ग के हित में थी।

लेकिन सांस्कृतिक डकैती जारी तभी रह सकती थी जब एक ओर जनता को तसल्ली दी जाए कि अंग्रेज़ी हटा दी जाएगी, दूसरी ओर कुछ ऐसे कारण ढूँढ़ निकाले जाएँ जिससे अंग्रेज़ी क़ायम रहे। भारतीय पूँजीवाद एक ओर ब्रिटिश साम्राज्यवाद के आर्थिक और राजनीतिक दबाव का विरोध करता था, दूसरी ओर अपने विकास के लिए उससे सहायता भी चाहता था। भारत में ब्रिटिश पूँजी की आमद और ज़्यादा हुई, मुनाफा गया विलायत को; साथ ही देश में उद्योग-धन्धों का निर्माण भी हुआ। पूँजीवाद की इस दुरंगी नीति के अनुरूप उसकी भाषा-नीति थी। भारतीय पूँजीवाद की प्रमुख पार्टी—कांग्रेस—ने यह नीति निकाली कि अंग्रेज़ी हटाने का बराबर दम भरते रहो लेकिन अमल में किसी-न-किसी बहाने अंग्रेज़ी क़ायम रखो।

पहला बहाना यह था कि हिन्दी पिछड़ी हुई भाषा है। वह अंग्रेज़ी की जगह ले, इसके लिए उसे विकसित होने का अवसर देना चाहिए। विकास के लिए पन्द्रह साल का अवसर दिया गया।

यह शुद्ध बहाना था। लोक सभा में सदस्यों को जीव-विज्ञान या भौतिकी पर बहस न करनी थी। लेकिन हिन्दी को समृद्ध करने के लिए बड़े-बड़े कोश रचे जाने लगे। किसी ने यह न देखा कि इन कोशों में कितने पुराने ऐसे शब्द दोहराए जा रहे हैं जो हिन्दी में सन् '47 से पहले ही प्रचलित थे। किसी ने लोक सभा में यह माँग न की कि हिन्दी कितनी पिछड़ी हुई है, इसकी जाँच के लिए कम-से-कम एक कमीशन तो बिठा दिया जाए।

अंग्रेज़ी क़ायम रखने के लिए दूसरा कारण यह खोज निकाला गया कि वह आधुनिक ज्ञान-विज्ञान की भाषा है। अंग्रेज़ी चली गई तो देश आर्थिक और वैज्ञानिक प्रगति में पिछड़ जाएगा।

अंग्रेज़ी क़ायम रखने के पीछे एक जानी-बूझी वर्ग-नीति थी। इसे जनता के गले उतारने का काम किया भारत के लोकप्रिय नेता स्वर्गीय पं. जवाहरलाल नेहरू ने। अंग्रेज़ी को निकालने और साथ ही क़ायम रखने की नीति उन्होंने सितम्बर, 1949 में संविधान सभा में इस तरह पेश की :

"अंग्रेज़ी चाहे जितनी महत्त्वपूर्ण भाषा हो, हम यह बर्दाश्त नहीं कर सकते कि हमारे देश में कुछ तो अंग्रेज़ी पढ़े-लिखे शरीफ लोग हों और आम जनता अंग्रेज़ी से महरूम रहे। इसलिए हमारी अपनी भाषा होनी चाहिए। लेकिन आप इस बात को प्रस्ताव में चाहे लिखें, चाहे न लिखें, अंग्रेज़ी लाजमी तौर से भारत में बहुत महत्त्वपूर्ण भाषा बनकर रहेगी जिसे बहुत-से लोग सीखेंगे और शायद उन्हें उसे जबरन सीखना होगा।"

पाठक 15 सितम्बर, 1949 के अख़बारों में नेहरू जी का यह भाषण पढ़ सकते हैं।

नेहरू जी ने अपने भाषण में राष्ट्रपिता महात्मा गांधी के भाषा-सम्बन्धी विचारों की भूरि-भूरि प्रशंसा की। फिर अंग्रेज़ी हटाने की गांधी-नीति से ठीक उल्टी दिशा में चल दिये।

नेहरू जी भारी जनतंत्रवादी थे। केरल की जनतांत्रिक साम्यवादी सरकार के ख़िलाफ़ जेहाद की शुरुआत भी उन्होंने ही की थी।

नेहरूवाद और मार्क्सवाद पर्यायवाची शब्द नहीं हैं।

भारतीय पूँजीवाद की पार्टी—कांग्रेस—न तो राज्यों से, और न केन्द्र से अंग्रेज़ी हटाने में समर्थ हुई। उल्टा उसकी नीति से अंग्रेज़ी और अंग्रेज़ियत की जड़ें पहले से भी ज़्यादा मज़बूत हो गईं।

भारत में भाषावार राज्य बनाने का आन्दोलन चला। हर प्रदेश में उसकी शिक्षा और संस्कृति का विकास उसकी भाषा के माध्यम से हो, यह माँग सही थी। लेकिन आन्दोलन में जितना ज़ोर राज्यों की सीमाओं और क्षेत्रफल पर दिया गया, उतना प्रादेशिक भाषाओं पर नहीं। यह भी पूँजीवादी नीति का ही फल था। नतीजा यह हुआ कि भाषावार राज्य बन गए और इन राज्यों में अंग्रेज़ी क़ायम रही।

भाषावार राज्यों का आन्दोलन इस तरह चला कि लोगों के सामने प्रादेशिकता मुख्य और राष्ट्रीय एकता गौण हो गई। इस अलगाव की भावना से लाभ हुआ अंग्रेज़ी को। गुजराती और मराठी-भाषी आपस में लड़े; अंग्रेज़ी के समर्थन में दोनों के नेता—विशेष रूप से वामपक्षी नेता—एक साथ रहे। असम में भाषा के सवाल को लेकर भयानक दंगे हुए। लड़ाई हुई असमिया-बंगला में। दोनों के ऊपर क़ायम रही अंग्रेज़ी!

अंग्रेज़ी क़ायम रखने के लिए एक नया बहाना और मिला : हिन्दीवाले अहिन्दी वालों को दबाना चाहते हैं। द्रविड़ कषगम ने नारा दिया कि तमिलनाडु भारत से अलग हो। उसने प्रचार किया कि 26 जनवरी, 1965 से हिन्दी राष्ट्रभाषा हो जाएगी और तमिल का नाश कर देगी। तमिलनाडु के प्रतिक्रियावादी नेताओं ने जनता के सहज तमिल-प्रेम से लाभ उठाकर आफत बरपा कर दी। जनतंत्र और राष्ट्रीय एकता की रक्षा के लिए अंग्रेज़ी को क़ायम रखना आवश्यक हो गया।

सन् '65 में अंग्रेज़ी हट न जाए, इसलिए दिल्ली सरकार ने यह कानून बना दिया था कि अंग्रेज़ी का भी चलन रहेगा। व्यवहार में देखा यह गया कि अंग्रेज़ी का ही चलन रहेगा। इस तरह भारत की संविधान सभा के फैसले को बड़े वैधानिक ढंग से भारत के जनतंत्र-प्रेमियों ने पैरों तले रौंदा!

पूँजीपतियों से अलग, अपने आर्थिक और राजनीतिक हितों के अनुकूल, भाषा-समस्या पर मज़दूर वर्ग का अपना दृष्टिकोण होना चाहिए। मज़दूर वर्ग समाज का सबसे क्रान्तिकारी वर्ग है। उसे साम्राज्यवादी विरासत और हमारी गुलामी की प्रतीक अंग्रेज़ी के ख़िलाफ़ सबसे आगे बढ़कर लड़ना चाहिए। अंग्रेज़ी को हटाने के मामले में वह पूँजीपतियों की टालमटोल नीति का अनुसरण नहीं कर सकता। वह इस दुरंगी नीति पर नहीं चल सकता कि मुँह से कहे, 'अंग्रेज़ी हटाओ', अमल में उसे क़ायम रखे। वह इस दलील को नहीं मान सकता कि भारत की भाषाएँ पिछड़ी हुई हैं, इसलिए अंग्रेज़ी क़ायम रहनी चाहिए। उसके सामने लेनिन की मिसाल है जिन्होंने रूसी साम्राज्यवाद का दबाव खत्म करने के लिए खुद अपनी मातृभाषा रूसी को राजभाषा पद से हटा दिया था। फिर विदेशी भाषा अंग्रेज़ी को हटाने में किसी को संकोच क्यों हो?

सोवियत संघ की कम्युनिस्ट पार्टी ने किसी जाति की भाषा को पिछड़ा हुआ न माना। उसने सोवियत प्रजातंत्रों में ग़ैर-रूसी भाषाओं को राजभाषा बनाया। हिन्दी पिछड़ी हुई है, उसे अभी विकसित होना है या जनता के निकट पहुँचना है, यह मार्क्सवादियों का तर्क नहीं हो सकता।

मज़दूर वर्ग अखिल भारतीय स्तर पर अपनी एकता अंग्रेज़ी के माध्यम से क़ायम नहीं कर सकता। यह एकता किसी भारतीय भाषा के द्वारा ही क़ायम हो सकती है। वह भारतीय भाषा मज़दूर वर्ग के नेताओं के अनुसार हिन्दी है। मज़दूर वर्ग की

एकता खुद उसके लिए ही नहीं, सारे राष्ट्र के लिए ज़रूरी है। बंगाल-असम में झगड़े कराते हैं पूँजीपति। उनमें एकता स्थापित करता है मज़दूर वर्ग। हिन्दी-अहिन्दी के संघर्ष को रोकने की ताक़त मज़दूर वर्ग में ही है।

मज़दूर वर्ग के साथी हैं किसान। किसान-मज़दूर एकता ही वह क्रान्तिकारी शक्ति है जो देश को सामाजिक प्रगति की राह पर आगे बढ़ा सकती है। किसान अपना अखिल भारतीय संगठन अंग्रेज़ी के द्वारा मज़बूत नहीं कर सकते। कम्युनिस्ट पार्टी खुद अपने अन्दर बहुत-से किसान-मज़दूरों को जगह नहीं दे सकती, क्योंकि अंग्रेज़ी का प्रभुत्व रहने पर वे न तो पार्टी की ऊँची समितियों के सदस्य हो सकेंगे, न उनकी बहस में ठीक से भाग ले सकेंगे।

इसीलिए मज़दूर वर्ग के हित में एक ही भाषा-नीति हो सकती है—राज्यों से और केन्द्र से, दोनों जगह से एक साथ अंग्रेज़ी हटाओ।

इस नीति पर मज़दूर वर्ग सारे देश को तभी चला सकता है, जब उसकी अपनी पार्टी—कम्युनिस्ट पार्टी—के दफ्तरों से अंग्रेज़ी निकले। अंग्रेज़ी का जुआ खुद अपने कन्धों पर लादकर कम्युनिस्ट पार्टी देश को अंग्रेज़ी की गुलामी से आज़ाद नहीं करा सकती।

अब देखना चाहिए कि मज़दूर वर्ग की पार्टी और उसके द्वारा संचालित जन-सगठनों में अंग्रेज़ी की हैसियत क्या है।

स्वर्गीय कामरेड अजय घोष ने सरकारी भाषा-आयोग की रिपोर्ट पर एक नोट लिखा था। उसमें उन्होंने अंग्रेज़ी की हैसियत के बारे में ये बातें लिखी थीं :

"आज अधिकांश अखिल भारतीय संगठनों का काम अंग्रेज़ी में होता है। इनमें किसानों और मज़दूरों के संगठन भी शामिल हैं। इसका लाजमी नतीजा यह होता है कि मध्यवर्ग और उच्च मध्यवर्ग के सुशिक्षित लोग ही अखिल भारतीय स्तर पर इन संगठनों के बहस-मुबाहसे में भाग ले सकते हैं। अमल में यही लोग इन संगठनों की अखिल भारतीय कार्य-समितियों के सदस्य बन सकते हैं। जिस किसी को भी जन-आन्दोलन का ज़रा भी तजुर्बा होगा, वह जानता होगा, इससे कितनी कठिनाई पैदा होती है।"

इससे स्पष्ट है कि अंग्रेज़ी के रहते न तो मज़दूर संगठन शक्तिशाली हो सकते हैं, न किसान-मज़दूर एकता दृढ़ की जा सकती है।

सांस्कृतिक क्षेत्र में पार्टी के कर्तव्य बतलाते हुए अजय घोष ने लिखा था : "देश के सभी भागों में जनता को किसी एक भारतीय भाषा का अल्पतम आवश्यक ज्ञान कराना होगा जिससे वह भाषा जल्दी-से-जल्दी केन्द्र (यूनियन) की भाषा बन सके और विभिन्न प्रदेशों की जनता के बीच भी परस्पर आदान-प्रदान का साधन बने। भारत की भाषाओं में जो भाषा सबसे अधिक बोली और समझी जाती है, वह हिन्दी है और इसी के द्वारा यह काम हो सकता है।"

मज़दूर वर्ग और उसकी पार्टी का हित इस बात में है कि केन्द्र और प्रदेशों से अंग्रेज़ी को निकाला जाए। जल्दी-से-जल्दी हिन्दी को भारत सरकार की भाषा तथा पार्टी द्वारा संचालित अखिल भारतीय जन-संगठनों की भाषा बनाया जाए।

दो वर्ग, दो उद्‌देश्य, दो भाषा-नीतियाँ स्पष्ट हो जाती हैं। उनका भेद आसानी से देखा जा सकता है।

इस समय कम्युनिस्ट पार्टी की नीति क्या है? राज्यों से अंग्रेज़ी हटाओ, केन्द्र में आगे चलकर हिन्दी होगी लेकिन फिलहाल वहाँ अंग्रेज़ी चलने दो।

लालबहादुर शास्त्री जी और गुलजारीलाल नन्दा जी क्या कहते हैं? वे भी यही कहते हैं! हिन्दी धीरे-धीरे आएगी। आएगी ज़रूर लेकिन अभी तो अंग्रेज़ी चलने दो। राज्यों में प्रादेशिक भाषाओं के व्यवहार के लिए उन्होंने संविधान बनने के समय से ही पूरी छूट दे रखी है। अब राज्य उस सुविधा का उपयोग न करे तो इसमें शास्त्री जी और नन्दा जी का क्या दोष!

इस समय भाषा के सवाल पर कम्युनिस्ट पार्टी की अपनी कोई स्वतंत्र नीति नहीं है। वह पूँजीवादी पार्टी—कांग्रेस—का पिछलगुआ बनकर चल रही है। योगीन्द्र शर्मा जी जैसे कम्युनिस्ट नेता इस पिछलगुएपन की नीति को पार्टी की स्वतंत्र नीति कहकर हमसे उस पर गर्व करने को कहते हैं। मुझे तो अंग्रेज़ी क़ायम रखने की इस मज़दूर-विरोधी, राष्ट्र-विरोधी नीति पर शर्म आती है। उसमें गर्व करने की कोई बात नहीं दिखाई देती।

इसके विपरीत अपने एक लेख में मैंने यह नीति रखी है कि पार्टी को केन्द्र और राज्य, दोनों से अंग्रेज़ी हटाने का आन्दोलन करना चाहिए।

योगीन्द्र शर्मा जी का कहना है कि यह ज़ोर-ज़बर्दस्ती वाला हिन्दी राष्ट्रवादी नारा है। वह कहते हैं कि भाषा की समस्या का जनतांत्रिक समाधान होना चाहिए।

जनतांत्रिक समाधान वही है जिसे सन् '49 से भारत सरकार अमल में लाती रही है। यानी भविष्य में हिन्दी, वर्तमान में अंग्रेज़ी! योगीन्द्र जी भी कहते हैं, भविष्य में हिन्दी ही केन्द्रीय राजभाषा होगी लेकिन अभी अंग्रेज़ी चलने दो। वह पं. जवाहरलाल नेहरू की तरह अंग्रेज़ी की निन्दा भी करते हैं। कहते हैं : अंग्रेज़ी के ज़रिये जो राष्ट्रीय एकता क़ायम की जाती है, वह अंग्रेज़ी के समय की औपनिवेशिक एकता से बढ़कर नहीं है। लेकिन उनका अमली नारा है : अंग्रेज़ी के ज़रिये अभी यह एकता क़ायम रहने दो।

जैसे सन् '47 से पहले सर तेजबहादुर सप्रू कहते थे कि अंग्रेज़ी राज तो खत्म होना चाहिए लेकिन राजे-महाराजे नहीं मानते, अछूत और मुसलमान नहीं मानते, एंग्लो-इंडियन नहीं मानते, इसलिए फिलहाल तो अंग्रेज़ी राज रहेगा ही—वैसे ही सन् '65 में यह 'फिलहाल' अंग्रेज़ी चलाने की नीति है।

यदि यह मान लें कि अहिन्दी-भाषी जनता अंग्रेज़ी को नहीं छोड़ना चाहती, तो भी अंग्रेज़ी का क़ायम रहना जनतांत्रिक नहीं कहा जा सकता। यदि अंग्रेज़ी को

हटाना अहिन्दी-भाषियों के साथ अन्याय है, तो उसे क़ायम रखना हिन्दी-भाषियों के साथ अन्याय है। जनतंत्र का मतलब यह नहीं है कि अहिन्दी-भाषियों की राय ली जाए और हिन्दी-भाषियों को पूछा ही न जाए।

अहिन्दी-भाषियों की राय भी किस जनतांत्रिक उपाय से मालूम की गई? क्या बसें तोड़ना और स्टेशन जलाना लोकमत-संग्रह का बहुत कारगर तरीका है?

द्रविड़ कषगम और स्वतंत्र पार्टी के लोगों ने धुआँधार प्रचार किया कि देश के लिए सबसे बड़ा खतरा हिन्दी से है। हिन्दी-साम्राज्यवाद का हौवा खड़ा करके कौशल से उन्होंने अंग्रेज़ी के साम्राज्यवाद की रक्षा की। लेकिन भारतीय भाषाओं को दबानेवाली भाषा हिन्दी नहीं, अंग्रेज़ी है।

इस सम्बन्ध में अजय घोष ने अपने उसी नोट में लिखा था : "आज जब लोग कहते हैं कि इस या उस भाषा से खतरा पैदा हो गया है, तब वे भूल जाते हैं कि देश में जिस भाषा का सचमुच प्रभुत्व रहा है, वह अंग्रेज़ी है। यह प्रभुत्व न केवल राजनीतिक क्षेत्र में रहा है, वरन् सांस्कृतिक क्षेत्र में भी रहा है। वे भूल जाते हैं कि सांस्कृतिक क्षेत्र में यह प्रभुत्व अब भी बना हुआ है। वे भूल जाते हैं कि भारत के सांस्कृतिक विकास में, हर भारतीय भाषा के विकास में यह प्रभुत्व ही सबसे बड़ी बाधा है और इसलिए उसे दूर करना ही सबसे बड़ा कर्तव्य है।"

इससे ठीक उल्टी राय योगीन्द्र शर्मा जी की है। उनकी दलील है कि अंग्रेज़ी की जगह हिन्दी आई तो भारतीय भाषाओं का दमन होगा। उन्होंने जोशीले ढंग से अपने लेख में पूछा है :

"क्या कोई भी सच्चा देशभक्त, सच्चा जनतंत्र-प्रेमी इसको स्वीकार कर सकता है जिस तरह अभी तक—अंग्रेज़ी भारत की तमाम भाषाओं का दमन और दहन करती रही, उसी तरह उस काम को अब हिन्दी करे?"

उन्होंने यह नहीं बताया कि संविधान की किस धारा के अनुसार हिन्दी तमिलनाडु से तमिल को बाहर कर देगी।

उनकी राय है कि अंग्रेज़ी की तरह हिन्दी भी तमाम भाषाओं का दमन न करे, इसलिए अंग्रेज़ी को ही यह दमन करने दिया जाए!

हिन्दी से भारतीय भाषाओं को खतरा है, यह साबित करने के लिए उन्होंने 'कम्युनिस्ट' में प्रकाशित सन् '49 वाले मेरे पुराने लेख को ढूँढ़ निकाला है। इस लेख को उन्होंने अतिवादी और अराजकतावादी कहा है और उसी से उन्होंने हिन्दी का खतरा भी साबित कर दिया है!

सन् '48 में कम्युनिस्ट पार्टी की दूसरी कांग्रेस ने अपने राजनीतिक प्रस्ताव में भारत के बड़े पूँजीपतियों को उत्पीड़क वर्ग कहा था। उस स्थापना से यही नतीजा निकलता था कि बड़े पूँजीपतियों की सरकार केन्द्रीय राजभाषा के ज़रिये प्रदेशों को दबाना चाहती है। कम्युनिस्ट पार्टी ने यह मान्यता बदल दी है। क्या योगीन्द्र

शर्मा जी अभी भी समझते हैं कि सरकार बड़े पूँजीपतियों की सरकार है और ये बड़े पूँजीपति साम्राज्यवादी हैं? यदि नहीं तो बतलाएँ कि हिन्दी के खतरे का ठोस सामाजिक आधार क्या है?

अंग्रेज़ी हटाने का विरोध साम्राज्यवाद के खुले और छिपे समर्थक स्वतंत्र पार्टी और द्रविड़ कषगम के नेता करते हैं। हिन्दी द्वारा अहिन्दी भाषाओं के दमन का हौवा वे खड़ा करते हैं। योगीन्द्र शर्मा जी भी उनके प्रचार में शामिल हो गए हैं।

अंग्रेज़ी क़ायम रखने के लिए एक विचित्र ढंग से विशाल राष्ट्रीय संयुक्त मोर्चा बन गया है। इस मोर्चे में स्वतंत्र दल के नेता हैं, द्रविड़ कषगम वाले हैं। कांग्रेस और कम्युनिस्ट पार्टी के अनेक नेता भी इसमें हैं। लेकिन यह मोर्चा बना है बालू की भीत पर। उसके पीछे भारत के किसानों और मज़दूरों की ताक़त नहीं है। वह ज़्यादातर बाबू लोगों का संयुक्त मोर्चा है। इनमें कुछ तो अंग्रेज़ी पढ़े हैं और बाकी बिना पढ़े ही उसका समर्थन करते हैं। खास बात यह है कि कम्युनिस्ट पार्टी की दोनों शाखाएँ इस संयुक्त मोर्चे में शामिल हैं।

अहिन्दी-भाषी क्षेत्र के बाबुओं को डर है कि अंग्रेज़ी चली गई तो अखिल भारतीय नौकरियाँ हिन्दीवाले हथिया लेंगे। अखिल भारतीय नौकरियों की समस्या पूरे मध्यवर्ग की समस्या नहीं है। कुछ थोड़े-से तेज़ लोग—जो हर मानी में तेज़ होते हैं—ये नौकरियाँ पाते हैं। बाकी उम्मीदवार नाउम्मीद होकर कहीं मास्टरी या क्लर्की करते हैं या बेकारी में चप्पलें चटकाते हुए घूमते हैं। कम्युनिस्ट पार्टी अपनी भाषा-नीति इन मुट्ठी-भर पढ़े-लिखे बाबुओं की राय से निर्धारित नहीं करती। उसके सामने होना चाहिए किसानों और मज़दूरों का हित।

वास्तव में मध्यवर्ग का हित भी अंग्रेज़ी क़ायम रखने में नहीं है। निन्यानवे फीसदी अंग्रेज़ी-पढ़े बाबुओं को छोटी-मोटी नौकरियों से ही सन्तोष करना पड़ता है। लाखों की तादाद में वे हर साल अंग्रेज़ी के कारण फेल होते हैं। अंग्रेज़ी के कारण शिक्षा उनके लिए हर तरह से महँगी पड़ती है। अखिल भारतीय नौकरियों के लिए अंग्रेज़ी आवश्यक है, इसलिए राज्यों में भी अंग्रेज़ी चलती है। फल भुगतना पड़ता है तमाम निम्न मध्यवर्ग की गरीब जनता को।

जब तक केन्द्र में अंग्रेज़ी चलती है, तब तक राज्यों से अंग्रेज़ी की जड़ नहीं कट सकती। राज्यों में अंग्रेज़ी की पत्तियाँ नोचने से उसकी केन्द्रीय जड़ पर कोई असर न पड़ेगा। पिछले सोलह साल का अनुभव यही सिद्ध करता है। केन्द्र के कारण ही राज्यों में अंग्रेज़ी का प्रभुत्व है। इससे तमिलनाडु में अभी तक तमिल उच्च शिक्षा का माध्यम नहीं बन पाई।

जो लोग अखिल भारतीय नौकरियों के उम्मीदवार हैं, उनका भय आसानी से दूर किया जा सकता है। यह नियम बनाना चाहिए कि अखिल भारतीय नौकरियों के लिए एक अहिन्दी भाषा सीखना अनिवार्य होगा। अहिन्दी भाषा का समुचित ज्ञान

अनिवार्य कर देने से हिन्दीवालों को कोई विशेष सुविधा न मिलेगी। पार्टी इस नियम के लिए और अंग्रेज़ी हटाने के लिए एक साथ आन्दोलन कर सकती है। लेकिन नौकरियों की समस्या हल न कर पाने के कारण केन्द्र में अंग्रेज़ी क़ायम रखने की बात करना मार्क्सवाद को ठुकराकर मध्यवर्ग के बाबुओं का दृष्टिकोण अपनाना है।

अंग्रेज़ी क़ायम रखने में भारत के किसी वर्ग का हित नहीं है—न मज़दूर वर्ग का, न किसानों का, न शहरों के मध्यवर्ग का। अंग्रेज़ी से न अहिन्दी प्रदेश का हित होता है, न हिन्दी प्रदेश का। उससे केवल साम्राज्यवादियों का हित होता है। ब्रिटिश और अमरीकी पूँजीपति हमारे अर्थतंत्र पर हर तरह से प्रभाव डालते हैं। उनके आर्थिक, राजनीतिक और सांस्कृतिक प्रभाव को दृढ़ करने का साधन है—अंग्रेज़ी का प्रभुत्व। वे करोड़ों रुपये तरह-तरह से यहाँ अंग्रेज़ी के प्रचार और प्रसार पर ख़र्च करते हैं। अंग्रेज़ी को क़ायम रखना 'जनतंत्र' के नाम पर साम्राज्यवाद की सेवा करना है।

अंग्रेज़ी हटाने का सवाल राष्ट्रीय एकता के प्रश्न के साथ जुड़ा हुआ है। भारत बहुजातीय राष्ट्र है। भारतीय भाषाएँ बोलनेवाली विभिन्न जातियाँ ब्रिटेन और फ्रांस की तरह एक-दूसरे से अलग स्वतंत्र जातियाँ नहीं हैं। ऐतिहासिक, सांस्कृतिक, आर्थिक और राजनीतिक सूत्रों से बँधी हुई वे एक ही राष्ट्र का अविभाज्य अंग हैं। जिस तरह हर प्रदेश में उसकी अपनी भाषा को सभी अधिकार मिलने चाहिए, वैसे ही इन सबको जोड़नेवाली राष्ट्रभाषा हिन्दी को भी केन्द्र में पूर्ण अधिकार मिलने चाहिए।

जो लोग अंग्रेज़ी हटाने का विरोध करते हैं, वे राष्ट्रीय एकता का विरोध करते हैं। विभिन्न प्रदेशों की जनता एक-दूसरे के नज़दीक हिन्दी के ज़रिये ही आ सकती है। अंग्रेज़ी के ज़रिये पढ़ा-लिखा बाबू वर्ग दिन-पर-दिन साधारण जनता से दूर होता जा रहा है।

पिछले पन्द्रह साल में अंग्रेज़ियत बढ़ी है और उसके साथ भारतीय भाषाओं की उपेक्षा आम तौर से, और हिन्दी की उपेक्षा खास तौर से, बढ़ी है। यह उपेक्षा हिन्दी और अहिन्दी, दोनों क्षेत्रों में है। डैडी, मम्मी और अंकल जी का चलन हिन्दी बाबुओं के घर में पिछले वर्षों ज़्यादा हुआ है। अमरीकी साहित्य के नक्कालों की हिन्दी में अंग्रेज़ी के अपच शब्दों की बाढ़ आ गई है।

हिन्दी की उपेक्षा कांग्रेस में ही नहीं है, कम्युनिस्ट पार्टी में भी है—हमें इस कटु सत्य का सामना करना चाहिए। आज से इकतीस साल पहले प्रेमचन्द ने हमारे नेताओं के अंग्रेज़ी-प्रेम को अच्छी तरह परखा था और उसकी तीखी आलोचना की थी। बम्बई के राष्ट्रभाषा-सम्मेलन में उन्होंने कहा था :

"हमारी क़ौमी सभाओं में सारी कार्यवाही अंग्रेज़ी में होती है, अंग्रेज़ी में भाषण दिये जाते हैं, लेख लिखे जाते हैं, प्रस्ताव पेश किये जाते हैं, सारी लिखा-पढ़ी अंग्रेज़ी में होती है—उस संस्था में भी, जो अपने को जनता की संस्था कहती है। यहाँ तक कि सोशलिस्ट और कम्युनिस्ट भी, जो जनता के खासुलखास झंडे-बरदार हैं, सभी कार्यवाही अंग्रेज़ी में करते हैं।"

प्रेमचन्द की आलोचना का कोई असर कम्युनिस्ट पार्टी के नेताओं पर नहीं हुआ। वे जहाँ सन् '34 में थे, वहीं सन् '65 में हैं। इस स्थिति पर कौन गर्व कर सकता है?

प्रेमचन्द ने बहुत सही सवाल उठाया था कि पार्टियाँ अपनी कार्यवाही किस भाषा में करती हैं। यही सवाल अपने एक लेख में मैंने भी उठाया था।

मेरा अनुभव है कि राज्यों में कम्युनिस्ट पार्टी के बड़े नेता अपने मसौदे अंग्रेज़ी में तैयार करते हैं। अक्सर राज्यों के पत्रों में उनके अंग्रेज़ी लेखों के अनुवाद छपते हैं। योगीन्द्र शर्मा जी का कहना है कि राज्यों में पार्टी का सारा काम प्रादेशिक भाषाओं में होता है। उसका स्वागत करता हूँ। पार्टी के नेताओं को बधाई देता हूँ कि कम-से-कम राज्यों में उन्होंने पहल की और दूसरी पार्टियों के सामने एक आदर्श रखा।

लेकिन कम्युनिस्ट पार्टी अपने केन्द्रीय दफ्तर से अंग्रेज़ी क्यों नहीं निकाल पाती? इसका मूल कारण है, स्वयं पार्टी के नेताओं में हिन्दी के प्रति उपेक्षा का भाव।

यदि अखिल भारतीय स्तर पर मज़दूर वर्ग की एकता हिन्दी के ज़रिये ही क़ायम हो सकती है, तो हिन्दी की यह उपेक्षा मज़दूर वर्ग की ही उपेक्षा है।

कामरेड गोपालन लोक सभा से बाहर चले गए क्योंकि कोई मंत्री हिन्दी में बोला था! उनका मज़दूर-प्रेम हिन्दी से चिढ़ता है, अंग्रेज़ी को सिर चढ़ाता है। बंगाल में कम्युनिस्ट पार्टी की दोनों शाखाओं ने विधान सभा में कांग्रेस के साथ मिलकर हिन्दी के विरुद्ध प्रस्ताव पास किया, केन्द्र में अंग्रेज़ी उन्हें सप्रेम स्वीकार है!

पार्टी के नेता जो सिर्फ राज्यों से अंग्रेज़ी हटाने की बात करते हैं, इसका कारण हिन्दी के प्रति यही उपेक्षा-भाव है। मराठी, बंगला, तमिल के चलन की बात तो वे कर सकते हैं; हिन्दी के चलन की बात कैसे करें?

कहा जा सकता है कि हिन्दी-भाषी क्षेत्र में कम्युनिस्ट आन्दोलन कमज़ोर है, इसलिए पार्टी-केन्द्र में हिन्दी का चलन नहीं है।

लेकिन भारत का वह अंग्रेज़ी-भाषी क्षेत्र कौन-सा है जहाँ कम्युनिस्ट आन्दोलन मज़बूत होने से पार्टी-केन्द्र में अंग्रेज़ी चलती है? वह अंग्रेज़ी-भाषी क्षेत्र ऊपर के कुछ नेताओं तक सीमित है। भारत की धरती से उखड़ा हुआ यह क्षेत्र त्रिशंकु की तरह आसमान में लटका हुआ है। इस हवाई क्षेत्र की भाषा—अंग्रेज़ी—पार्टी-केन्द्र में चल सकती है। भारत की एक-तिहाई जनता की भाषा हिन्दी नहीं चल सकती!

कम्युनिस्ट पार्टी के वोटरों में जो पिछत्तर फीसदी अहिन्दी-भाषी हैं, उनमें अंग्रेज़ी जाननेवाली एक फीसदी भी नहीं हैं। फिर भी पार्टी-केन्द्र में चलेगी अंग्रेज़ी।

हमारे आन्दोलन के विकास और फैलाव की वह कौन-सी विशेषता है जिससे अंग्रेज़ी-भाषी न होते हुए भी हमारे नेता बंदरिया के मुर्दे बच्चे की तरह अंग्रेज़ी को छाती से चिपकाये हुए हैं? वह विशेष अवस्था है, हिन्दी की उपेक्षा।

इस स्थिति से लाभ उठाते हैं जनसंघ के नेता। वे जनता की सही माँगों का समर्थन करके अपनी जन-विरोधी नीति के लिए लोकप्रियता हासिल करते हैं। उनका

उद्‌देश्य होता है, पूँजीवाद को मज़बूत करना, तटस्थता की नीति खत्म करके भारत को साम्राज्यवादी खेमे में ढकेल देना।

केन्द्र में अंग्रेज़ी कायम रखना समस्त भारतीय जनता के साथ अन्याय है, हिन्दी-भाषी जनता के साथ विशेष अन्याय है। अंग्रेज़ी चालू रखने की नीति का समर्थन करके कम्युनिस्ट पार्टी हिन्दी-भाषी जनता में अपना अलगाव बढ़ाएगी, कम्युनिस्ट आन्दोलन को आवश्यकतानुसार शक्तिशाली नहीं बना सकती।

पिछले वर्षों का अनुभव बतलाता है कि जनता के असन्तोष से लाभ उठाकर प्रतिक्रियावादी दलों ने अपनी ताक़त जितनी बढ़ाई है, उतना कम्युनिस्ट पार्टी ने नहीं। तब कम्युनिस्ट पार्टी संयुक्त थी; अब विभक्त है। सोच लीजिए, क्या नतीजा होगा।

अंग्रेज़ी के विरुद्ध हिन्दी जनता के असन्तोष को दक्षिण और बंगाल की ओर मोड़ना बहुत आसान है। जैसे कुछ लोग तमिल-प्रेमी को हिन्दी-विरोध का रूप देते हैं, वैसे ही हिन्दी-प्रेम को तमिल-विरोध का रूप देना मुश्किल नहीं है। गृहयुद्ध की इस परिस्थिति में अंग्रेज़ी के बल पर राष्ट्रीय एकता की रक्षा नहीं की जा सकती।

समस्या का एक ही हल है : केन्द्र में हिन्दी हो, राज्यों में प्रादेशिक भाषाएँ।

इस पर भी यदि कोई कहे कि अंग्रेज़ी हटाने से अहिन्दी भाषाओं का दमन होता है तो निवेदन है, लोक सभा में सभी भाषाएँ चलाइए। हमें इस बात का मोह नहीं है कि भारत सरकार का काम हिन्दी में हो। घृणा इस बात से है कि उसका काम अंग्रेज़ी में होता है। केन्द्र में चाहे एक भारतीय भाषा चलाइए, चाहे दस; विदेशी भाषा अंग्रेज़ी को निकालिए।

मैंने योगीन्द्र शर्मा जी से पूछा था : "पार्टी-दफ्तर में सभी भारतीय भाषाओं का चलन करने में क्या व्यावहारिक कठिनाइयाँ हैं?"

उन्होंने उत्तर दिया है : "पार्टी के केन्द्रीय-दफ्तर में अंग्रेज़ी की जगह सभी भारतीय भाषाओं को बराबर जगह देने में व्यावहारिक कठिनाइयाँ अवश्य हैं। व्यावहारिक कठिनाइयों में मुख्य कठिनाई है बहुभाषी स्टाफ क़ायम करने की—तमाम भारतीय भाषाओं से अनुवाद करने की व्यवस्था की।"

पार्टी-केन्द्र में हिन्दी इसलिए नहीं चलती कि हिन्दी प्रदेश में कम्युनिस्ट आन्दोलन कमज़ोर है। अनेक भारतीय भाषाएँ इसलिए नहीं चल सकतीं कि उपयुक्त स्टाफ नहीं है! इसलिए अंग्रेज़ी की गुलामी से पार्टी-केन्द्र मुक्त नहीं हो सकता!

योगीन्द्र जी ने मुझे आश्वासन दिया है कि लोगों को तमाम भाषाओं में बोलने की आज़ादी है। केन्द्रीय दफ्तर में तमाम भाषाओं में चिट्ठियाँ, रिपोर्टें आदि आती हैं। भविष्य में पार्टी-केन्द्र की भाषा हिन्दी ही होगी लेकिन जहाँ तक वर्तमान का सम्बन्ध है, उन्हीं के शब्दों में : "तमाम भारतीय भाषाओं की इस आज़ादी और बराबरी के बावजूद 'फिलहाल' अंग्रेज़ी प्रधान और सम्पर्क-भाषा है।"

असली समस्या इसी 'फिलहाल' की है।

पार्टी के जो नेता अपने केन्द्र से अंग्रेज़ी निकालने में असमर्थ हैं, वे भारत में अंग्रेज़ी का प्रभुत्व कभी खत्म नहीं कर सकते।

हिन्दी-भाषी जनता से भड़कानेवाले कहते हैं, यह उत्तर और दक्षिण की लड़ाई है। दक्षिण वाले हिन्दी नहीं चाहते तो उन्हें उत्तर भारत से निकाल दो।

इस गृहयुद्ध की नीति के ख़िलाफ़ 'धर्मयुग' के अपने लेखों में मैंने हिन्दी-भाषी जनता के सामने यह कार्यक्रम रखा है : लड़ाई तमिल-हिन्दी की नहीं है, लड़ाई तमाम भारतीय भाषाओं और अंग्रेज़ी की है। इस संघर्ष में हम हिन्दी-भाषियों को पहल करनी चाहिए। हमें अपने हिन्दी-भाषी राज्यों में हर जगह, हर स्तर पर हिन्दी को अमल में राजभाषा बनाना चाहिए। हमें अपने नेताओं को बाध्य करना चाहिए कि वे लोक सभा में हिन्दी में बोलें। भारत की एक-तिहाई जनता के प्रतिनिधि केन्द्र और राज्यों में अपना सारा काम हिन्दी में करेंगे तो हिन्दी बहुत जल्दी राष्ट्रभाषा बन जाएगी।

इस कार्यक्रम के विपरीत हिन्दी-भाषी जनता से कहना कि केन्द्र में अंग्रेज़ी क़ायम रहने दो, उसे तमिल-विरोध की ओर बढ़ने की शह देना है। कांग्रेस सरकार की भाषा-नीति से क्षुब्ध हिन्दी-भाषी जनता के सामने जब अंग्रेज़ी से लड़ने की नीति न रहेगी, तब वह अहिन्दी-भाषियों के ख़िलाफ़ ज़रूर भड़काई जाएगी।

मैं हिन्दी-क्षेत्र के नेताओं से भी लोक सभा में हिन्दी बोलने को कहता हूँ तो योगीन्द्र शर्मा जी को लगता है कि मैं अहिन्दी-भाषियों पर हिन्दी लादने की बात कर रहा हूँ! अंग्रेज़ी को हटाने की ललकार उन्हें गृहयुद्ध की ललकार मालूम होती है!

लोक सभा में अहिन्दी-भाषी नेता शौक से अपनी-अपनी भाषाएँ बोलें। हिन्दी-भाषी नेता हिन्दी में बोलें। कम्युनिस्ट सदस्य लोक सभा में अपने व्यवहार से इस नीति की मिसाल क़ायम करें।

लेकिन हमारे पार्टी-नेता अंग्रेज़ी में बोलना पसन्द करते हैं। लोक सभा में सभी भारतीय भाषाओं में बोलने की सुविधा के लिए नहीं लड़ते। लड़ें कैसे, जब उनके अपने केन्द्र में अंग्रेज़ी चलती है?

साम्राज्यवादी प्रचारक कहते थे कि भारतीय भाषाएँ पिछड़ी हुई हैं, इसलिए अंग्रेज़ी चलेगी। इस प्रचार का नया रूप यह है : हिन्दी जनता से दूर चली गई है, पंडिताऊ हो गई है, रघुवीरी है, इसलिए अंग्रेज़ी चलेगी।

यदि मान भी लें कि डॉ. रघुवीर इतने बड़े सूरमा थे कि भारतेन्दु से लेकर अमृतलाल नागर तक चली आती हिन्दी की प्रशस्त धारा को मोड़कर उन्होंने उसे पंडिताऊ बना दिया तो क्या इससे अंग्रेज़ी का क़ायम रहना उचित हो जाएगा?

मज़े की बात यह है कि राज्यों में हिन्दी चल सकती है! कठिनाई पैदा होती है उसके दिल्लीवाले दफ्तरों में घुसने पर!

साम्राज्यवादी प्रचारक हिन्दी-उर्दू को लड़ाकर अंग्रेज़ी का पाया मज़बूत करते थे। उस नीति का नया रूप यह है : हिन्दी ने अपनी बहन और सहेली उर्दू का दमन किया है, उसे अपने ही घर से निकाल दिया है। इसलिए केन्द्र में अंग्रेज़ी चलनी चाहिए!

'जनशक्ति' और 'जनयुग' के उर्दू-संस्करण निकालिए। इच्छा हो तो दोनों में एक ही भाषा 'हिन्दुस्तानी' चलाइए। पटना और लखनऊ के पार्टी-दफ्तरों में हिन्दी-उर्दू, दोनों को बराबर जगह दीजिए। लेकिन उर्दू-दमन के विरोध के नाम पर अंग्रेज़ी चलाने की कोशिश मत कीजिए।

केन्द्र और राज्यों से एक साथ अंग्रेज़ी हटाने की माँग करना उग्र हिन्दी राष्ट्रवाद के उन्माद में आत्मविभोर होना नहीं है। उग्र हिन्दी राष्ट्रवाद का नारा है : एक भाषा, एक राष्ट्र। मेरी नीति इससे बिलकुल उल्टी है। उस नीति का मूल सूत्र यह है : भारत बहुजातीय राष्ट्र है। बहुजातीय है, इसलिए राज्यों में वहीं की भाषाएँ राजभाषा होंगी। राष्ट्र है, इसलिए सब जातियों को मिलानेवाली केन्द्रीय भाषा हिन्दी होगी। इन दोनों बातों में किसी एक को भूल जाना राष्ट्रीय विघटन को बुलावा देना होगा।

[1965]

# 36

# भारत की राजभाषा अंग्रेज़ी और राष्ट्रीय जनतांत्रिक मोर्चा

योगीन्द्र शर्मा जी ने ठीक लिखा है कि सिद्धान्त और नीति की जो बातें मैंने उठाई हैं, उनकी अवहेलना नहीं की जा सकती और वे बातें अपने-आपमें भी महत्त्वपूर्ण हैं। इस विषय पर मैं जो कुछ आगे लिख रहा हूँ, पाठक उसे नीति और सिद्धान्त का आवश्यक विवेचन समझकर पढ़ेंगे।

## अंग्रेज़ी के प्रभुत्व से हानियाँ

योगीन्द्र शर्मा जी मानते हैं कि अंग्रेज़ी का प्रभुत्व क़ायम रहने से हानि होती है। इस हानि से देश को कितने बड़े संकट का सामना करना पड़ सकता है, मज़दूर वर्ग और कनिष्ठ पार्टी से इस हानि का सम्बन्ध क्या है, इस बारे में उनका और मेरा विश्लेषण एक-सा नहीं है।

उनका कहना है : "अंग्रेज़ी के आधार पर भारत की एकता वैसी ही होगी, जैसी अंग्रेज़ी शासन के मातहत थी।"

इतना कहना काफ़ी नहीं है। अंग्रेज़ी के आधार पर आज भारतीय पूँजीवाद औपनिवेशिक एकता भी क़ायम नहीं रख सकता।

साम्राज्यवाद फ़ौज, पुलिस और अंग्रेज़ी जाननेवाले नौकरशाह वर्ग के द्वारा जनता का शोषण करने के लिए उपनिवेश भारत की एकता क़ायम किये हुए था। अब नौकरशाह वर्ग का मालिक है भारतीय पूँजीवाद जिसमें बाज़ारों के लिए लड़नेवाले विभिन्न प्रदेशों के पूँजीपति हैं तथा इनमें कुछ इजारेदार हैं, शेष ग़ैर-इजारेदार पूँजीपति हैं। इन अन्तर्विरोधों से पीड़ित पूँजीवाद औपनिवेशिक एकता की रक्षा नहीं कर पा रहा है। उसकी अखिल भारतीय पार्टी में भयानक गुटबन्दी है और उसका सामाजिक आधार दिन-पर-दिन संकुचित होता जा रहा है।

योगीन्द्र शर्मा जी जानते हैं कि भारत का पूँजीपति वर्ग "विभिन्न भाषा-समूहों में बँटा हुआ है, विभिन्न जातियों में विभक्त है। वह एक-दूसरे की कीमत पर अपने स्वार्थ को सिद्ध करना चाहता है।" इसीलिए वह अंग्रेज़ी के सहारे देश की पुरानी औपनिवेशिक एकता को भी बचा नहीं पा रहा।

देश की एकता पूँजीपति वर्ग के हित में है। योगीन्द्र जी का कहना है : "पूरे देश के बाज़ार और राजशक्ति की आवश्यकता उनको राष्ट्रीय एकता का हिमायती बनाती है।" भारतीय इतिहास के अनुभव को सभी लोग जानते हैं कि यहाँ के पूँजीपति वर्ग ने साम्राज्यवादी योजना स्वीकार की और 'पूरे देश के बाज़ार' को अपने वर्ग-हितों के विरुद्ध, बँट जाने दिया।

देश की एकता की रक्षा के लिए पूँजीपति वर्ग की एकता का भरोसा न करके श्रमिक जनता की एकता दृढ़ करनी चाहिए। यह एकता अंग्रेज़ी के ज़रिये दृढ़ नहीं की जा सकती। अंग्रेज़ी का प्रभुत्व इस एकता के मार्ग में बहुत बड़ी बाधा है। अंग्रेज़ी के क़ायम रहने से भारतीय जनतंत्र का आधार संकुचित होता है और फासिस्टवाद का खतरा बढ़ता है।

'भाषा और समाज' में मैंने लिखा था :

"एक छोटा-सा वर्ग जो अंग्रेज़ी अख़बार पढ़ता है, अंग्रेज़ी के माध्यम से नौकरी पाता है अंग्रेज़ी के माध्यम से पार्लमेंटरी डिमोक्रेसी और सोशलिस्ट पैटर्न के प्रयोग करता है, वही 'नेहरू के बाद क्या होगा'—यह समस्या उठाकर परेशान भी हो लेता है। जनतंत्र का यह संकुचित वर्ग-आधार खुद तो नष्ट होगा ही, खतरा यह है कि अपने विनाश के साथ वह देश की बागडोर किसी अय्यूब खाँ को न सौंप दे!" (पृ. 415)

इस देश में हर चीज़ के लिए आन्दोलन होते हैं। भाषावार राज्यों के आन्दोलन में कम्युनिस्ट पार्टी के नेताओं ने पूरी ताक़त लगा दी। केवल केन्द्र से अंग्रेज़ी हटाने का आन्दोलन नहीं होता, केवल इस तरह का आन्दोलन पार्टी के नेताओं को पसन्द नहीं है। इसका कारण यह है कि संयुक्त महाराष्ट्र या विशाल आन्ध्र के निर्माण को वे जितना आवश्यक समझते थे, उतना अंग्रेज़ी के प्रभुत्व को खत्म करना नहीं।

मैंने लिखा था : "अंग्रेज़ी सीखना और बात है; उसे सीखकर लाभ उठाया जा सकता है, लेकिन उसे सभी भारतीय भाषाओं के ऊपर केन्द्रीय और सांस्कृतिक भाषा बनाने से ऐसे वर्ग का ही सृजन होगा जो जनता से दूर होगा, जो अंग्रेज़ी ज्ञान के बल पर—न कि ईमानदारी, देशभक्ति, कार्यक्षमता के बल पर—शासन-कार्य चलाएगा। इससे देश की अपार क्षति होगी और हो रही है।" (उप., पृ. 453)

स्पष्ट है, अंग्रेज़ी से होनेवाली हानि के बारे में योगीन्द्र जी के और मेरे विचारों में अन्तर है।

## कांग्रेस और अंग्रेज़ी

देश में जो भाषा-सम्बन्धी द्वेषभाव फैला है, उसके लिए सबसे पहले कांग्रेसी नेता ज़िम्मेदार हैं। उन्होंने भाषावार राज्यों का विरोध किया और अपने वक्तव्यों

में प्रादेशिक भाषाओं को उचित महत्त्व नहीं दिया—यह स्थिति का एक पहलू है। दूसरा पहलू यह है कि सन् '49 से अब तक तरह-तरह के बहाने करके वे अंग्रेज़ी का प्रभुत्व क़ायम किये हुए हैं। इस दूसरे पहलू पर योगीन्द्र जी का ध्यान कम जाता है।

मुख्य अन्तर्विरोध हिन्दी और अहिन्दी भाषाओं में नहीं, अंग्रेज़ी तथा समस्त भारतीय भाषाओं में है। कांग्रेसी नेताओं ने जहाँ भी केन्द्र में हिन्दी चलाने की बात की, योगीन्द्र जी उनकी सख्त आलोचना करते हैं। वे अठारह साल से अंग्रेज़ी चला रहे हैं, इसकी सख्त आलोचना वह नहीं करते।

उन्होंने लिखा है : "केन्द्रीय सरकार ने 26 जनवरी से हिन्दी को 'राष्ट्रभाषा' बनाने की जो पाखंड और उकसावे की घोषणा की, उससे ग़ैर-हिन्दी-भाषी लोगों में, विशेष कर तमिलनाडु में विरोध का तूफान पैदा हो गया।"

कांग्रेस के कर्णधार चाहते हैं कि अंग्रेज़ी न आज हटे, न कल। हिन्दी-भाषी जनता से ही कांग्रेस को सबसे ज़्यादा वोट मिलते हैं। उसे ख़ुश करने के लिए वे राष्ट्रभाषा की बातें करते हैं, हिन्दी को समृद्ध करने के लिए लाखों रुपये खर्च करते हैं। उनके इस पाखंड पर योगीन्द्र जी को विशेष क्रोध नहीं आता।

योगीन्द्र शर्मा जी के विपरीत हर मंज़िल पर मैंने कांग्रेसी नेताओं के इस पाखंड की बराबर आलोचना की है।

सन् '49 में मैंने लिखा था :

"भारतीय जनता ने माँग की थी कि शिक्षा, अदालत-कचहरी-शासन इत्यादि में अंग्रेज़ी की जगह उसकी अपनी भाषा चले, यह बिलकुल न्यायपूर्ण माँग थी। राष्ट्रीय नेताओं से आशा की जाती थी कि सन् '47 में आज़ादी पाने के बाद इस माँग को वे पूरा करेंगे! लेकिन विभिन्न कारणों से वे उसे पूरा नहीं कर सके...दस साल तक उद्योग-धन्धों का राष्ट्रीयकरण न होगा। वैसे ही पाँच या दस साल तक आम जनता की उच्च शिक्षा, राजनीतिक और सांस्कृतिक कार्यवाही उसकी अपनी भाषा में न होगी।" ('कम्युनिस्ट')

पाँच साल बाद राजभाषा के सवाल पर मैंने एक पुस्तिका लिखी जो पीपुल्स पब्लिशिंग हाउस द्वारा प्रकाशित हुई। उसमें कांग्रेसी नेताओं की दुरंगी नीति के बारे में मैंने लिखा था : "कांग्रेसी नेताओं की कोई मंशा नहीं थी कि अंग्रेज़ी हटाने के लिए जमकर कोशिश करें। उन्होंने सपाट ही अपने सामने यह सम्भावना रखी थी कि पन्द्रह साल के बाद भी अंग्रेज़ी जारी रहेगी, शायद उसके अगले पन्द्रह साल तक जारी रहेगी। हो सकता है, इसके आगे भी जारी रहे।"

सन् '65 में बिलकुल यही स्थिति हमारे सामने है।

नेहरू जी के अंग्रेज़ी-समर्थन की चर्चा करते हुए उसी पुस्तिका में लिखा था : "संविधान सभा में बहस की तमाम सरगर्मी के पीछे यह निर्मम निश्चय साफ़

दिखाई देता है कि समस्त भारतीय भाषाओं की हानि करते हुए अंग्रेज़ी को अनिवार्य राजभाषा के रूप में चालू रखा जाए। श्री नेहरू ने बड़ी स्पष्टता से कहा है कि 'आप इस बात को प्रस्ताव में लिखें, चाहे न लिखें, अंग्रेज़ी लाजमी तौर से भारत में बहुत महत्त्वपूर्ण भाषा बनकर रहेगी जिसे बहुत लोग सीखेंगे और शायद उन्हें उसे जबरन सीखना होगा।' लोग इन तमाम वर्षों में अंग्रेज़ी जबरन सीखते आए हैं। अब उनके सामने एकमात्र यह सम्भावना पेश की गई है कि अंग्रेज़ी के बिना हमारी कला और विज्ञान का पतन हो जाएगा और देश का विघटन होगा, उसका नाश हो जाएगा।"

'भाषा और समाज' में मैंने जहाँ भाषावार राज्य-आन्दोलन के दमन की निन्दा की है, वहाँ अंग्रेज़ी को राष्ट्रभाषा बनाए रखने की कांग्रेसी नीति की आलोचना भी की है। लिखा था :

"अंग्रेज़ी भारत की राष्ट्रभाषा रहे तो सबसे अच्छा। दूसरे देशों के सामने शर्म के मारे उसे राष्ट्रभाषा न कह सकें और झख मारकर हिन्दी का व्यवहार करना पड़े तो अंग्रेज़ी और हिन्दी, दोनों को राष्ट्रभाषा का दर्जा देना चाहिए। यदि हिन्दी को ही राष्ट्रभाषा रखने की प्रतिज्ञा करनी पड़े, तो भी जहाँ तक हो सके, सांस्कृतिक और राजनीतिक कार्यों के लिए अंग्रेज़ी का व्यवहार होना ही चाहिए...। भारत को आज़ाद करने की मुख्य प्रेरणा अंग्रेज़ी से ही मिली लेकिन आज़ादी पाने के लिए भी अंग्रेज़ी की उतनी आवश्यकता न थी, जितनी अब समाजवादी भारत के निर्माण के लिए है।" (पृ. 413)

पिछले अठारह साल में कांग्रेस की जो नीति रही है, उसी का अनुसरण करते हुए उसके नेताओं ने नया प्रस्ताव पास किया है। इस प्रस्ताव के अनुसार : प्रादेशिक भाषाएँ पब्लिक सर्विस कमीशन की परीक्षाओं का ऐच्छिक माध्यम बनेंगी, अखिल भारतीय नौकरियों का अनिवार्य माध्यम रहेगी अंग्रेज़ी।

गांधी जी भाषाओं के आधार पर प्रान्तों के नवनिर्माण के पक्ष में थे। नेहरू जी भाषावार राज्य बनाने के प्रबल विरोधी थे। गांधी जी केन्द्र से अंग्रेज़ी हटाने के पक्ष में थे, नेहरू जी उसे वहाँ जमाये रखने के पक्ष में थे। केन्द्र और राज्य—दोनों जगह गांधी जी और नेहरू जी की भाषा-नीति में अन्तर था। नेहरू जी ने देश के लिए बहुत-से अच्छे काम किये लेकिन उनकी अंग्रेज़ी क़ायम रखने की नीति ग़लत थी। देश में अंग्रेज़ी क़ायम रखने के लिए ज़िम्मेदार है कांग्रेस।

## भाषागत द्वेष और गृहयुद्ध की सम्भावना

ज़ारशाही के रूप में रूसी पूँजीवाद ने साम्राज्यवाद का रूप ले लिया था। रूसी पूँजीपति ग़ैर-रूसी इलाकों का शोषण करते थे। वहाँ की भाषाओं का दमन करते

थे। सन् '48 में कम्युनिस्ट पार्टी की दूसरी कांग्रेस ने अपने राजनीतिक प्रस्ताव में भारत को भी ज़ारशाही रूस की तरह जातियों का कारागार मान लिया था। इसीलिए उत्पीड़क पूँजीवादी गुट के विरुद्ध केरल, महाराष्ट्र आदि प्रदेशों के लिए आत्मनिर्णय की माँग की गई थी।

प्रस्ताव में कहा गया था : "कांग्रेसी नेतृत्व ने अपनी समझौतावादी नीति के कारण आत्मनिर्णय के अधिकार का विरोध करने की वजह से देश का घातक विभाजन करा दिया है। आज इंडियन यूनियन में वह फिर वही अपराध कर रहा है। उत्पीड़क पूँजीपति वर्ग के हित में वह महाराष्ट्र, केरल, तमिलनाडु आदि जातीय प्रदेशों के आत्मनिर्णय का अधिकार अस्वीकार करता है।"

भारतीय परिस्थितियों में आत्मनिर्णय की यह बात ग़लत थी और आज भी है। आत्मनिर्णय की माँग की जाती है साम्राज्यवाद के ख़िलाफ़—उन प्रदेशों के लिए, जहाँ विदेशी पूँजीपतियों ने अपने उपनिवेश क़ायम किये हों।

भारत में अहिन्दी भाषाओं के दमन की आशंका कुछ लोगों के मन में है, लेकिन दमन का कोई ठोस सामाजिक आधार नहीं है। यदि हिन्दी-भाषी क्षेत्र का पूँजीवाद साम्राज्यवाद का रूप ले रहा हो, यदि किसी एक प्रदेश के पूँजीपतियों ने अन्य प्रदेशों को अपना उपनिवेश बनाना आरम्भ कर दिया हो तो मानना होगा कि अहिन्दी भाषाओं के दमन का वास्तविक खतरा है। ऐसी स्थिति नहीं है, इसलिए शक-शुबहे की बात की जा सकती है; भाषाओं के दमन की बात करना जनता में हिन्दी के प्रति द्वेष फैलाना है।

योगीन्द्र जी ने शक-शुबहे और वास्तविक खतरे को मिलाकर एक कर दिया है। उन्होंने ज़ारशाही रूस और भारत के पूँजीवाद का फ़र्क़ नहीं देखा। वह अहिन्दी भाषाओं के दमन की बात इस तरह करते हैं मानो दिल्ली सरकार केवल हिन्दी क्षेत्र के पूँजीपतियों की सरकार हो। उन्होंने पूछा है : "1949 में दक्षिण भारत की जनता हिन्दी को एक दबानेवाली भाषा के रूप में देखती थी या नहीं?" इसका उत्तर है कि कुछ लोग दक्षिण में हिन्दी को दबानेवाली भाषा के रूप में देखते थे। यह उनकी आशंका थी। उस आशंका के कारण थे। लेकिन हिन्दी दबानेवाली भाषा न तब थी, न आज है। दबानेवाली भाषा वास्तव में अंग्रेज़ी थी, आज भी है।

योगीन्द्र जी ने पूछा है कि पार्टी ने अपनी ग़लत नीति सुधार ली, तब सन् '61 में मैंने वही ग़लत बात क्यों दुहराई?

उन्हें भ्रम है कि सन् '61 में मैंने सन् '49 की बातें दुहराई हैं। सन् '49 में मैंने केन्द्रीय राजभाषा का विरोध किया था, सन् '61 में उसका समर्थन किया था। सन् '49 में जातीय उत्पीड़न का वास्तविक खतरा है, मैं यह मानता था। सन् '61 में शक-शुबहे की बात थी, भाषाओं के वास्तविक दमन की बात नहीं थी। इन

शक-शुबहों का सम्बन्ध मुख्यत: नौकरीपेशा मध्यवर्ग के लोगों से है। इनके बारे में 'भाषा और समाज' में मैंने लिखा था :

"देश के विभिन्न वर्गों का जैसा सांस्कृतिक दृष्टिकोण हैं, उसी के अनुकूल वे भाषा-समस्या का समाधान भी प्रस्तुत करते हैं। इनमें सबसे पहले वह वर्ग है जो साम्राज्यवादी व्यवस्था में शिक्षा के कारण ऊँची नौकरियाँ पा सका था और अब स्वाधीन भारत में वह उसी शिक्षा के आधार पर अपने लिए उन नौकरियों को बरकरार रखना चाहता है। इनमें विभिन्न प्रदेशों के उच्च मध्यवर्गीय शिक्षित लोग हैं जो समझते हैं कि अंग्रेज़ी के न रहने से हिन्दीवाले बाज़ी मार ले जाएँगे। इनकी तो मातृभाषा हिन्दी है; दूसरों को उसी को सीखना पड़ेगा। इस तरह के तर्क साम्राज्यवादी अवशेषों को ज़ाहिर करते हैं।" (पृ. 443)

इस भय को दूर करने का उपाय मैंने यह बताया था : "ऊँची नौकरियों के लिए हिन्दी-भाषियों को तभी लेना चाहिए जब उन्हें एक अहिन्दी भाषा का अच्छा ज्ञान हो।" (पृ. 457)

'जनशक्ति' में यही प्रस्ताव मैंने दोहराया था : "अहिन्द भाषा का समुचित ज्ञान अनिवार्य कर देने से हिन्दीवालों को कोई विशेष सुविधा न मिलेगी।"

जो लोग सचमुच अंग्रेज़ी का प्रभुत्व खत्म करना चाहते हैं, वे इस प्रस्ताव पर गम्भीरता से विचार करेंगे। जो हठधर्मी से केन्द्र में अंग्रेज़ी चलाते रहने के पक्ष में हैं, वे उसके बारे में चुप रहेंगे।

तमिलनाडु में जो आन्दोलन चला, उसमें शक-शुबहों से लाभ उठाया गया, तिल का ताड़ बनाकर जनता को गुमराह किया गया। आन्दोलन के सूत्रधार वे द्रविड़ थे, जो भारत या तमिलनाडु का अलगाव चाहते हैं, जो कश्मीर से लेकर नागालैंड तक अलगाव के हर आन्दोलन का साथ देते हैं।

भारत में गृहयुद्ध का खतरा पैदा होता है उन लोगों से, जो देश के नये विभाजन के लिए प्रयत्नशील हैं। भाषाओं के दमन की बात वे अपना असली उद्देश्य छिपाने के लिए करते हैं। उनकी इस नीति का पर्दाफाश करके जनता को उनके प्रभाव से निकालना चाहिए, न कि उनके सुर में सुर मिलाकर कहना चाहिए कि हिन्दी भाषा अहिन्दी भाषाओं का दमन कर रही है।

अपने धर्म से प्रेम करना बुरा नहीं है। मुस्लिम लीग ने कहा—इस्लाम खतरे में है। मुसलमानों को हिन्दू खा जाएँगे। लीग ने 'डायरेक्ट एक्शन' का रास्ता अपनाया। आत्मनिर्णय के नाम पर देश का विभाजन हुआ।

अपनी भाषा से प्रेम करना बुरा नहीं है। द्रविड़ मुन्नेत्र कषगम ने कहा—तमिल खतरे में है; तमिल-भाषियों को हिन्दीवाले गुलाम बना लेंगे। कषगम ने 'डायरेक्ट एक्शन' का रास्ता अपनाया। हिन्दी तमिल का दमन न करे इसलिए केन्द्र में अनिश्चित काल के लिए अंग्रेज़ी क़ायम रहेगी!

## केन्द्र और राज्य—पहले और बाद का सवाल

योगीन्द्र जी ने इस बात पर बहुत ज़ोर दिया है कि पहले राज्यों से अंग्रेज़ी हटाना ज़रूरी है। राज्यों के विश्वविद्यालयों, सरकारी दफ्तरों आदि में पूरी तरह प्रादेशिक भाषाओं का चलन हो जाने के बाद ही केन्द्र से अंग्रेज़ी हटाने की बात की जा सकेगी। उन्होंने गांधी जी का यह कथन उद्धृत किया है : "सबसे पहले उन समृद्ध प्रादेशिक भाषाओं को पुनर्जीवित करना है, जो भारत को सुलभ हैं।"

इसका अर्थ उन्होंने यह लगाया है कि जब तक राज्यों से अंग्रेज़ी निकल न जाए, तब तक केन्द्र में अंग्रेज़ी चलती रहे! इसके विपरीत गांधी जी ने प्रस्ताव किया था कि प्रान्तों में ऐसे कर्मचारी रखे जाएँ, जो प्रान्तीय भाषा के साथ केन्द्रीय भाषा भी जानते हों। इसीलिए उन्होंने लिखा था कि "प्रान्तों को केन्द्र से काम पड़ेगा। यह काम वे अंग्रेज़ी में करने की हिम्मत न करेंगे।"

'भाषा और समाज' में गांधी जी के बारे में मैंने लिखा था : "वह भारतीय भाषाओं के समर्थक थे। वह न इन भाषाओं पर हिन्दी लादना चाहते थे, न हिन्दी लादने का हौवा खड़ा करके अंग्रेज़ी बनाए रखने के पक्ष में थे।" (पृ. 413) गांधी जी की भाषा-नीति की यही व्याख्या मैं अब भी करता हूँ।

योगीन्द्र जी ने 'भाषा और समाज' से वे अंश उद्धृत किये हैं जहाँ भाषावार राज्यों के विरोध की निन्दा की गई है, जहाँ इस विरोध के कारण कुछ अहिन्दी-भाषी लोगों में हिन्दी के प्रति भय उत्पन्न होने की बात कही गई है, जहाँ राज्यों से अंग्रेज़ी हटाकर इस भय को दूर करने की बात की गई है। उन्होंने वे अंश छोड़ दिये हैं जहाँ मैंने लिखा था कि इस भय को बहाना बनाकर केन्द्र में अंग्रेज़ी क़ायम रखना ग़लत है।

मैंने स्पष्ट लिखा था : "भाषावार राज्यों के निर्माण का विरोध करके कांग्रेसी नेतृत्व ने काफ़ी हद तक यह भय उत्पन्न किया है। इसका यह अर्थ नहीं कि अहिन्दी-भाषी अंग्रेज़ी की शरण लें।" (पृ. 466-67)

मातृभाषाओं की दुहाई देकर अंग्रेज़ी की शरण लेनेवालों के बारे में मैंने लिखा था : "अहिन्दी क्षेत्रों के लोग अंग्रेज़ी से चिपके रहना चाहते हैं, वे मातृभाषाओं की सेवा नहीं करते। उन्हें हर बात में अंग्रेज़ी अपनी मातृभाषाओं से श्रेष्ठ लगती है। इसलिए उसे वे केन्द्र में ही नहीं, अपने यहाँ भी सबसे ऊँचे आसन पर बिठाये रखना चाहते हैं...मातृभाषाओं की दुहाई देकर अंग्रेज़ी का प्रभुत्व स्वीकार नहीं किया जा सकता। (पृ. 455)

गांधी जी के लेख को प्रकाशित हुए अठारह साल हो गए। योगीन्द्र जी के लिए अभी 'समृद्ध' प्रादेशिक भाषाओं को 'पुनर्जीवित' करने का सवाल बना हुआ है! तमिल, तेलगू, मराठी आदि भाषाओं के आधार पर तमिलनाडु, आन्ध्र,

महाराष्ट्र आदि राज्य कभी के बन गए। योगीन्द्र जी समझते हैं कि भाषावार राज्यों के विरोध से जो भय उत्पन्न हुआ था, उसे दूर करना अभी बाकी है! तमिलनाडु में तमिल माध्यम वाले विद्यालय खोले गए। छात्रों के अभाव में उन्हें बन्द कर देना पड़ा। इसलिए कि दिल्ली सरकार हिन्दी को राष्ट्रभाषा बनाना चाहती थी!

ध्यान देने की बात है कि तमिलनाडु में भाषावार राज्य बनाने के लिए कोई आन्दोलन नहीं हुआ। आन्दोलन हुआ आन्ध्र और केरल में जहाँ तमिलनाडु की तरह तोड़-फोड़ की कोई कार्यवाही नहीं हुई। भाषावार राज्य-आन्दोलन का दमन किया गया महाराष्ट्र और गुजरात में जहाँ हिन्दी-विरोधी आन्दोलन का अभाव है। अहिन्दी-भाषी प्रदेशों में महाराष्ट्र और गुजरात ऐसे राज्य हैं जहाँ हिन्दी को राजभाषा बनाने के लिए ज़ोरदार आवाज़ उठी है। भाषावार राज्यों के आन्दोलन में कम्युनिस्ट पार्टी ने सक्रिय भाग लिया था। तमिलनाडु के हिन्दी-विरोधी आन्दोलन को प्रेरणा देनेवाले दो मुख्य दल थे—स्वतंत्र पार्टी और द्रविड़ कषगम। भाषावार राज्यों के आन्दोलन के दमन से अहिन्दी-भाषियों में हिन्दी के प्रति भय उत्पन्न हुआ है, इस सूत्र का आज की परिस्थिति से कोई भी सम्बन्ध नहीं है।

आज यह बिलकुल स्पष्ट है कि राज्यों की सरकारों के सामने प्रादेशिक भाषाओं के व्यवहार को रोकनेवाली कोई भी वैधानिक कठिनाई नहीं है। केन्द्रीय नौकरियों में अंग्रेज़ी चलती है। इनके प्रभाव से राज्यों के शिक्षाक्रम में अंग्रेज़ी की पढ़ाई अनिवार्य हो जाती है।

'हिन्दुस्तान टाइम्स' के विशेष संवाददाता ने उस पत्र के 7 जुलाई के अंक में लिखा है कि राजस्थान सरकार ने अनेक विभागों में हिन्दी के व्यवहार का निर्देश किया है किन्तु योजना सेक्रेटेरियट जैसे विभागों को छोड़ दिया गया है। "जब तक योजना आयोग (प्लानिंग कमीशन) ही हिन्दी के व्यवहार का फैसला नहीं करता, तब तक राज्य को मजबूर होकर अंग्रेज़ी का व्यवहार जारी रखना पड़ेगा। इस पृष्ठभूमि में यह महसूस किया जा रहा है कि यदि अंग्रेज़ी की पढ़ाई पर ज़ोर कम दिया जाएगा तो राजस्थान और उसके नौजवानों के हितों की हानि होगी।"

जब राजस्थान का यह हाल है तब अहिन्दी-भाषी राज्यों की स्थिति की कल्पना की जा सकती है। कौन राज्य नहीं चाहता कि उसके नौजवान ज़्यादा-से-ज़्यादा संख्या में केन्द्रीय सेवाओं में लिये जाएँ? इन केन्द्रीय सेवाओं के लिए अंग्रेज़ी का ज्ञान अनिवार्य है। इसलिए केन्द्रीय सेवाओं का मेवा लूटने के लिए राज्य एक-दूसरे से होड़ करते हैं कि कौन अंग्रेज़ी ज़्यादा पढ़ाता है।

इसीलिए आज की परिस्थिति में केन्द्र से अंग्रेज़ी हटाये बिना राज्यों में अंग्रेज़ी का प्रभुत्व खत्म नहीं किया जा सकता।

यद्यपि योगीन्द्र शर्मा जी ने अपने लेख में राज्यों में पहले अंग्रेज़ी हटाने पर बहुत ज़ोर दिया है किन्तु केन्द्र में उतने परिवर्तन की बात उन्होंने मान ली है जितना कांग्रेस को स्वीकार है। कांग्रेस का कहना है कि केन्द्रीय सेवाओं की परीक्षाओं में प्रादेशिक भाषाओं को ऐच्छिक माध्यम बनाया जाए। योगीन्द्र जी इसे स्वीकार करते हैं। जब तक राज्यों से अंग्रेज़ी हट न जाए, तब तक केन्द्र में कोई परिवर्तन न हो—यह सिद्धान्त उन्होंने खुद काट दिया। मेरा भी कहना है, केन्द्र और राज्य—दोनों जगह से अंग्रेज़ी हटाई जाए।

योगीन्द्र जी जब केन्द्र में इतना परिवर्तन मान लेते हैं कि परीक्षाओं में प्रादेशिक भाषाएँ ऐच्छिक माध्यम हों, तब दो कदम आगे और बढ़ें और यह माँग करें—केन्द्र में अंग्रेज़ी की जगह भारतीय भाषाओं का व्यवहार हो, अंग्रेज़ी का चलन खत्म करने की अवधि निश्चित हो।

केन्द्र में अंग्रेज़ी चलती है, इस कारण राज्यों में भी उसकी जड़ जमी हुई है। जो भी प्रादेशिक भाषाओं का हित चाहता है, वह केन्द्र से अंग्रेज़ी हटाने की माँग का समर्थन करेगा।

## कम्युनिस्ट पार्टी और अंग्रेज़ी

कम्युनिस्ट पार्टी के नेताओं को कोई लालच नहीं है कि केन्द्रीय सरकारी नौकरियाँ उन्हें भी मिल जाएँ। उन्हें कोई भय नहीं है कि पार्टी-केन्द्र में हिन्दी का चलन हुआ तो राज्यों में पार्टी-कार्य के लिए प्रादेशिक भाषाओं का व्यवहार न हो पाएगा। फिर भी पार्टी-केन्द्र की भाषा अंग्रेज़ी है!

योगीन्द्र शर्मा जी के अनुसार राज्यों का सारा पार्टी-कार्य प्रादेशिक भाषाओं में होता है। जहाँ तक पार्टी का सम्बन्ध है, राज्यों से अंग्रेज़ी हटाने का कार्यक्रम पूरा हो गया है। फिर भी पार्टी-केन्द्र से अंग्रेज़ी नहीं निकाली जा रही। इसके कारण ज़रूर होंगे लेकिन जो कारण कम्युनिस्ट पार्टी के सामने हैं, उनसे तगड़े कारण कांग्रेस ढूँढ़ लेगी। राज्यों में अंग्रेज़ी-विरोधी क्रान्ति आप पूरी कर लेंगे और उसके बाद उस क्रान्ति का झंडा केन्द्र में गाड़ेंगे—यह बात मैं कैसे मान लूँ?

ब्रिटिश राज में कम्युनिस्ट पार्टी पर यह पाबन्दी न थी कि वह अपना काम अंग्रेज़ी में करे। कांग्रेसी राज में भी उस पर कोई ऐसी पाबन्दी नहीं रही। उसका जन्म हुए चालीस वर्ष हो गए, कानूनी जीवन बिताते हुए बीस साल से ऊपर हुए। वह गरीब जनता की पार्टी है, श्रमिकवर्ग की पार्टी है। योगीन्द्र शर्मा जी के अनुसार : वह सांस्कृतिक क्रान्ति की पार्टी है। लेकिन पार्टी के नेता अभी तक अपनी केन्द्रभूमि में इस सांस्कृतिक क्रान्ति का बीजारोपण नहीं कर सके। वे पार्टी-केन्द्र से अंग्रेज़ी की विष-लता की जड़ नहीं खोद पाये। तब पूँजीवादी पार्टियों से क्या आशा की जाए?

भारत की राजभाषा हिन्दी और राष्ट्रीय जनतांत्रिक मोर्चा! सुनने में बहुत अच्छा लगता है। लेकिन सोचने की बात है, जब पार्टी के नेता खुद अपने लिए हिन्दी को सम्पर्क-भाषा नहीं बना पाये, तब राष्ट्रीय जनतांत्रिक मोर्चे में उसका प्रवेश वे किस द्वार से कराएँगे? मोर्चा घोषित करेगा कि भविष्य में भारत की राजभाषा होगी हिन्दी लेकिन वर्तमान काल में खुद मोर्चे की भाषा होगी—अंग्रेज़ी!

अंग्रेज़ों ने अपनी हुकूमत चलाने के लिए आई.सी.एस. अफ़सरों के लिए हिन्दुस्तानी सीखना अनिवार्य कर दिया था। मेरा प्रस्ताव है कि देश की सेवा के लिए—मज़दूर वर्ग की एकता दृढ़ करने के लिए—कम्युनिस्ट पार्टी की नेशनल कौंसिल के सदस्य हिन्दी सीखें। यह नियम बना दिया जाए कि जिसे हिन्दी का व्यावहारिक ज्ञान न होगा, वह राष्ट्रीय कौंसिल का सदस्य न हो सकेगा।

योगीन्द्र जी ने 'भाषा और समाज' से एक वाक्य उद्धृत किया है जिसमें पार्टी के नेताओं द्वारा हिन्दी बोलने की तारीफ है। वाक्य है : "भारतीय कम्युनिस्ट पार्टी के प्रतिनिधि मास्को और पेकिंग के कम्युनिस्ट सम्मेलनों में हिन्दी का व्यवहार कर चुके हैं।"

यह तारीफ मैं वापस नहीं ले रहा हूँ। निवेदन यह है कि मास्को और पेकिंग में ही नहीं, पार्टी के नेता दिल्ली में भी हिन्दी बोलें।

योगीन्द्र शर्मा जी 'भाषा और समाज' के इन वाक्यों पर विचार करें : "जब हम बाहर जाएँगे, किसी अन्य राष्ट्रीय सम्मेलन में भाग लेंगे, तब (कभी-कभी, हमेशा नहीं) हम हिन्दी का व्यवहार करेंगे। लेकिन अपने घर में हमारे मुखपत्र अंग्रेज़ी में प्रकाशित होंगे, हमारी कार्यकारिणी का अधिवेशन होगा तो उसमें विचार-विनिमय अंग्रेज़ी में होगा, नेताओं का अन्य नेताओं और उपनेताओं से पत्र-व्यवहार अंग्रेज़ी में होगा।" (पृ. 413)

यह आलोचना कांग्रेसी नेताओं पर ही नहीं, कम्युनिस्ट नेताओं पर भी लागू होती है।

स्तालिन, ख्रुश्चेव और मिकोयान की मातृभाषा रूसी नहीं थी। फिर भी सारे देश में राजनीतिक कार्यवाही के प्रसार और संगठन के लिए उन्होंने रूसी भाषा को अपनाया, इस तथ्य का उल्लेख करते हुए मैंने 'भाषा और समाज' में लिखा था : "भारत में हिन्दी का व्यवहार किये बिना कोई अखिल भारतीय नेता नहीं बन सकता।" (पृ. 414)

और भी : "लोग कहते हैं, नेहरू के बाद कोई ऐसा नेता नहीं दिखाई देता जिसकी बात सारा देश ध्यान से सुने। इसका कारण जहाँ हिन्दी-भाषी प्रदेश का राजनीतिक पिछड़ापन है, वहाँ हिन्दी-भाषी नेताओं द्वारा हिन्दी के प्रति उदासीनता भी है। वे हिन्दी के माध्यम से जनसाधारण में राजनीतिक कार्यवाही का महत्त्व नहीं समझ पाये।" (पृ. 414)

यही उदासीनता का भाव अनेक अहिन्दी-भाषी नेताओं में तीव्र उपेक्षा का भाव बन जाता है। इसी उपेक्षा की निन्दा मैंने अपने एक लेख में की थी।

कम्युनिस्ट पार्टी के सामने सबसे बड़ा सवाल श्रमिक जनता की एकता का है। यह एकता अंग्रेज़ी के माध्यम से दृढ़ नहीं हो सकती। अंग्रेज़ी की प्रधानता होने से खुद कम्युनिस्ट पार्टी के अन्दर गरीब किसान और मज़दूर ज़िम्मेदारी के पद नहीं सँभाल सकते। यह इतिहास का व्यंग्य है कि कुछ समय के लिए केन्द्र में अंग्रेज़ी क़ायम रखकर योगीन्द्र जी देश को गृहयुद्ध से बचाना चाहते हैं। लेकिन गृहयुद्ध की-सी परिस्थिति उत्पन्न हो गई स्वयं कम्युनिस्ट पार्टी के अन्दर। पार्टी बीच में टूटी; उसके दो हिस्से हो गए। इस परिस्थिति के लिए एक हद तक पार्टी के अन्दर वे मध्यवर्गी तत्त्व भी ज़िम्मेदार हैं जो अपनी अंग्रेज़ियत के कारण पार्टी-नेतृत्व का दरवाज़ा मज़दूरों के लिए बन्द किये हैं।

यह परिस्थिति अब बदलनी चाहिए।

कांग्रेस सरकार ने केन्द्र से अंग्रेज़ी हटाने के लिए पन्द्रह साल की मियाद रखी थी। उसने अपना वादा तोड़ दिया। कम्युनिस्ट पार्टी के नेताओं ने अपने केन्द्र से अंग्रेज़ी हटाने के लिए कोई मियाद नहीं रखी थी। इसलिए उन पर वादा तोड़ने का आरोप भी नहीं लगाया जा सकता।

नेहरू जी ने कहा—हिन्दी अविकसित भाषा है, पहले उसे विकसित करो। फिर वह राजभाषा बनेगी। पार्टी के नेताओं ने कहा—ठीक। हिन्दी को विकसित होने दो। दूसरी प्रादेशिक भाषाएँ हैं, उनके विकास पर भी रुपये ख़र्च होने दो। नेहरू जी ने कहा—अहिन्दी-भाषी नहीं चाहते कि अंग्रेज़ी हटाई जाए। पार्टी के नेताओं ने कहा—ठीक। चारा ही क्या है? फिलहाल केन्द्र में अंग्रेज़ी ही चले!

कांग्रेस कार्यसमिति ने प्रस्ताव पास किया कि पब्लिक सर्विस कमीशन की परीक्षाओं के लिए प्रादेशिक भाषाओं का व्यवहार भी हो सकता है। पार्टी के नेताओं ने कहा—बहुत अच्छा, यही तो हम भी चाहते थे।

इन अखिल भारतीय सेवाओं में अंग्रेज़ी का व्यवहार अनिवार्य होगा—इस बारे में वे चुप रहे। अपने पिछले लेख में इस प्रस्ताव की कैफियत देते हुए योगीन्द्र जी ने अंग्रेज़ी का नाम ही नहीं लिया, मानो अंग्रेज़ी से उसका कोई सम्बन्ध ही न हो!

हमें माँग करनी चाहिए कि हर स्वाधीन देश की तरह भारत के शिक्षाक्रम में भी अंग्रेज़ी की पढ़ाई वैकल्पिक हो। हमें माँग करनी चाहिए कि सरकार केन्द्र और राज्यों सें अंग्रेज़ी हटाने की अवधि निश्चित करे। हिन्दी को अभी और समद्ध करने, प्रादेशिक भाषाओं को समृद्ध करने के बाद अंग्रेज़ी हटाने के कांग्रेसी पाखंड का तीव्र खंडन करना चाहिए। यह न करके योगीन्द्र जी उसका समर्थन करते हैं। उनकी स्वतंत्र नीति केवल इस बात में प्रकट होती है कि वे इस ग़लत प्रस्ताव को सही-सही अमल में लाने पर ज़ोर देंगे!

पार्टी-केन्द्र से अंग्रेज़ी हटाने का सवाल अत्यन्त महत्त्वपूर्ण है। इस सवाल के जवाब से ही मालूम होगा कि क्रान्तिकारी लफ़्फ़ाजी और क्रान्तिकारी अमल में क्या फ़र्क़ है।

## लेनिन की सीख—फिलहाल अंग्रेज़ी

लेनिनवाद के अनेक भाष्य, अनेक व्याख्याएँ संसार में प्रचलित हैं। स्तालिन ने जो कुछ किया लेनिनवाद के नाम पर, ख़ुश्चेव ने उनकी क़ब्र खोदी—लेनिनवादी नीति की रक्षा के नाम पर। ब्रेझनेव और कोसीगन ने ख़ुश्चेव को हटाया—लेनिनवाद को ही अमल में लाने के लिए। पेकिंग के नेता सोवियत संघ को अमरीकी साम्राज्यवाद का समर्थक कहते हैं—महान क्रान्तिकारी लेनिन की विरासत की रक्षा करने के नाम पर। इसलिए यदि कोई भारत में कहे कि लेनिन की यह सीख है कि फिलहाल केन्द्र में अंग्रेज़ी क़ायम रहे तो इसमें आश्चर्य की कोई बात नहीं है।

ज़ारशाही रूस के अभिजात वर्ग में फ्रांसीसी भाषा का बहुत व्यवहार होता था। यूरोप की अन्तर्जातीय भाषा फ्रांसीसी थी। लेनिन ने यह नहीं कहा कि लोग केन्द्र में रूसी भाषा नहीं चाहते, इसलिए फिलहाल वहाँ फ्रांसीसी भाषा चलने दी जाए।

लेनिन का समाधान यह था कि किसी भी भाषा को अनिवार्य केन्द्रीय राजभाषा का पद न दिया जाए। इस समाधान को यदि भारत में लागू किया जाए तो अंग्रेज़ी को हटाकर उसकी जगह सभी प्रादेशिक भाषाओं को बराबरी जगह देनी होगी।

योगीन्द्र जी इस बात की कल्पना ही नहीं करते कि केन्द्रीय राजभाषा के बिना भी काम चल सकता है। इसीलिए उन्होंने मेरे बारे में लिखा है : "किसी भाषा के ज़ोर-ज़बर्दस्ती लादे जाने के वे ऐसे कट्टर विरोधी थे कि उस समय वे क़ानूनी राजभाषा के सिद्धान्त का ही विरोध करते थे...वे 1950-55 में भाषा के सवाल पर अराजकतावादी छोर पर थे..."

केन्द्र में अनेक राजभाषाएँ चलाने का सिद्धान्त अराजकतावादी नहीं है। लेनिन ने समाजवादी क्रान्ति के बाद न तो रूसी को केन्द्रीय राजभाषा बनाया, न और किसी भाषा को। यह अराजकतावाद नहीं था।

यदि भारत के लिए हम कहें कि केन्द्रीय राजकर्मचारियों को समस्त प्रादेशिक भाषाएँ सीखनी होंगी तो यह अराजकतावादी बात होगी। किन्तु केन्द्र में सभी भारतीय भाषाओं को समानता के अधिकार देने के और भी उपाय हैं। इनमें मुख्य उपाय है अनुवाद की व्यवस्था का।

4 जुलाई के 'जनयुग' में श्री राही मासूम रजा ने यह प्रस्ताव रखा है : "केन्द्रीय सरकार के पास एक अनुवाद-विभाग हो। अन्य प्रान्तों से होनेवाले पत्र-व्यवहार की भाषा तो हिन्दी हो जाए और प्रान्तीय सरकारों की भाषा उस समय तक उस क्षेत्र की भाषा बनी रहे जब तक कि वह क्षेत्र हिन्दी को स्वीकार न कर ले।"

यदि कम्युनिस्ट पार्टी के नेता एक बार यह तय कर लें कि अंग्रेज़ी की जगह केन्द्र में भारतीय भाषाएँ चलानी हैं तो अनुवाद की समुचित व्यवस्था क्या हो, वे यह तय कर लेंगे। केन्द्र में सभी भाषाओं को बराबरी का दर्जा देने से वे शक-शुबहे बहुत जल्दी दूर हो जाएँगे जिनके मारे योगीन्द्र जी परेशान हैं। अभी उनके पास कोई ऐसा कार्यक्रम नहीं है जिससे हिन्दी भाषा को केन्द्र में चालू करने की 'स्वेच्छा' अहिन्दी-भाषी नेताओं में उत्पन्न हो। मेरा प्रस्ताव उस 'स्वेच्छा' को उत्पन्न करने में सहायक होगा।

केन्द्र में अनेक भाषाओं के चलन का सिद्धान्त बीजरूप में कांग्रेस ने स्वीकार किया है। उसने केन्द्रीय सेवाओं की परीक्षाओं के लिए प्रादेशिक भाषाओं को माध्यम रूप में मान्यता दी है। योगीन्द्र जी कांग्रेस के प्रस्ताव का समर्थन करते हैं। बीजरूप में अनेक राजभाषाओं के चलन की बात वह भी मानते हैं। इसलिए अंग्रेज़ी को हटाकर प्रादेशिक भाषाओं को केन्द्र में जगह देने की बात उन्हें अमान्य न होनी चाहिए।

इस समय अनेक दलों के नेताओं ने यह प्रचार कर रखा है कि केन्द्र से अंग्रेज़ी हटाते ही गृहयुद्ध छिड़ जाएगा। इनमें कुछ लोग कहते हैं, अंग्रेज़ी अनन्त काल तक रहनी चाहिए। दूसरे कहते हैं, अनन्त काल तक नहीं, अनिश्चित काल तक रहनी चाहिए यानी तब तक, जब तक अहिन्दी-भाषी लोग हिन्दी को स्वीकार न कर लें।

आन्ध्र के मंत्री श्री अलपति वेंकटरामैया ने कहा है कि "हिन्दी को अंग्रेज़ी की जगह लेने में पचास साल लगेंगे।" (नार्दर्न इंडिया पत्रिका, 16 फरवरी, 1965)

ये औरों से फिर अच्छे हैं। पचास साल की निश्चित अवधि की बात तो करते हैं। अनिश्चित काल वालों का राम ही मालिक है!

जनतांत्रिक समाधान ऐसा होना चाहिए जो हिन्दी-भाषियों को भी स्वीकार हो। कुछ लोगों को हिन्दी पसन्द नहीं है, औरों को अंग्रेज़ी पसन्द नहीं है। हिन्दी-अंग्रेज़ी के इस संघर्ष में लेनिनवाद का फैसला अंग्रेज़ी के पक्ष में न होना चाहिए। फैसला होना चाहिए भारतीय भाषाओं के पक्ष में।

योगीन्द्र शर्मा जी की निगाह गृहयुद्ध की सम्भावना के एक पक्ष पर है। वह यह कि हिन्दी को राजभाषा बनाने से अहिन्दी-भाषी विद्रोह कर देंगे। उन्होंने गृहयुद्ध की सम्भावना के दूसरे पक्ष पर विचार नहीं किया। हिन्दी-भाषियों की इच्छा के विरुद्ध केन्द्र में अंग्रेज़ी चलाते रहना अन्याय है। वे भी अंग्रेज़ी के चलने के विरुद्ध विद्रोह कर सकते हैं।

स्थिति यह है कि अंग्रेज़ी के प्रभुत्व के कारण दक्षिण में द्रविड़ कषगम और उत्तर में जनसंघ शक्तिशाली होते जा रहे हैं। इनके शक्तिशाली होने के कारण अलग-अलग हैं लेकिन भाषा-समस्या से उनका गहरा सम्बन्ध है। यदि केन्द्र में तमिल को हिन्दी के बराबर जगह दी जाए तो द्रविड़ कषगम को तमिल-प्रेम का झंडा उठाने का मौका न मिले।

कांग्रेसी और कम्युनिस्ट नेता जितने दिन केन्द्र में अंग्रेज़ी चालू रखने की नीति का समर्थन करते हैं, उतने ही दिन वे द्रविड़ कषगम और जनसंघ को भाषा-विवाद

से फायदा उठाकर शक्तिशाली बनने का मौका देते हैं। जनता में इन प्रतिक्रियावादी दलों के प्रभाव को खत्म करने का एक अचूक उपाय है—केन्द्र में अंग्रेज़ी की जगह प्रादेशिक भाषाओं का व्यवहार।

यह अस्थायी समाधान है। जब तक अहिन्दी-भाषी नेता केन्द्र में हिन्दी का चलन स्वीकार न करें, तब तक यह समाधान लागू करना चाहिए।

## तर्क-पद्धति और निष्कर्ष

मैं समझता हूँ कि कांग्रेस, कम्युनिस्ट पार्टी और अन्य जनवादी पार्टियाँ मिलकर प्रयत्न करें तो अगले पाँच वर्षों में वे हिन्दी को केन्द्रीय राजभाषा बना सकती हैं। द्रविड़ कषगम और स्वतंत्र पार्टी इतनी समर्थ नहीं हैं जितनी वे मालूम होती हैं। उन्होंने जनता के मातृभाषा-प्रेम से लाभ उठाकर उसे बरगलाया है। यदि उस जनता को बताया जाए कि केन्द्रीय सेवाओं के लिए अहिन्दी-भाषियों को हिन्दी सीखनी होगी और हिन्दी-भाषी अफ़सरों को वैसे ही एक अहिन्दी-भाषी का ज्ञान प्राप्त करना होगा, तो जनता के गुमराह अंशों को राह पर लाया जा सकता है।

लेकिन केन्द्रीय सेवाओं के हिन्दी-भाषी उम्मीदवार एक अहिन्दी-भाषा का ज्ञान प्राप्त करें—मेरे इस प्रस्ताव पर योगीन्द्र जी ने ध्यान ही नहीं दिया, उस पर एक शब्द भी नहीं कहा। तब कांग्रेसी नेताओं से मैं क्या आशा करूँ?

इसलिए मैंने अपने लेख में यह विकल्प रखा है कि केन्द्र में हिन्दी के साथ अन्य भाषाओं का व्यवहार भी हो। इससे पहले भी मैंने 'जनशक्ति' में लिखा था : "समस्या का एक ही हल है—केन्द्र में हिन्दी हो, राज्यों में प्रादेशिक भाषाएँ। इस पर भी यदि कोई कहे कि अंग्रेज़ी हटाने से अहिन्दी भाषाओं का दमन हुआ तो निवेदन है, लोक सभा में सभी भाषाएँ चलाइए। हमें इस बात का मोह नहीं है कि भारत सरकार का काम हिन्दी में हो। घृणा इस बात से है कि उसका काम अंग्रेज़ी में होता है। केन्द्र में चाहे एक भारतीय भाषा चलाइए, चाहे दस, विदेशी भाषा अंग्रेज़ी को निकालिए।"

लोक सभा के लिए मैंने विशेष रूप से लिखा था : "लोक सभा में अहिन्दी-भाषी नेता शौक से अपनी-अपनी भाषाएँ बोलें। हिन्दी-भाषी नेता हिन्दी में बोलें। कम्युनिस्ट सदस्य अपने व्यवहार से इस नीति की मिसाल क़ायम करें।"

मेरे यह सब लिखने पर भी योगीन्द्र शर्मा जी ने बड़े आग्रह से यही सिद्ध करने का प्रयत्न किया है कि मैं अहिन्दी भाषाओं को दबाना और केन्द्र में ज़बर्दस्ती हिन्दी चलाना चाहता हूँ।

उन्होंने 14 मार्च के 'धर्मयुग' में प्रकाशित मेरे लेख का दो बार हवाला दिया है। यह लेख उन्हें विशेष उपयोगी जान पड़ता है; उसमें गृहयद्ध की ललकार उन्हें ज़्यादा स्पष्ट सुनाई पड़ती है।

मैंने लिखा था : "यह संघर्ष हिन्दी-तमिल का नहीं है, अंग्रेज़ी और समस्त भारतीय भाषाओं का है। हिन्दी-तमिल-विरोध के बड़े घातक परिणाम हो सकते हैं। एक बार गुहयुद्ध की आग भड़कने पर उसे रोकना असम्भव हो जाएगा।"

गृहयुद्ध की ललकार का इससे अधिक पुष्ट प्रमाण और क्या होगा?

मैंने लिखा था : "भारतीय भाषाओं को उनके उचित अधिकार दिलाने के लिए ज़रूरी है कि सबसे पहले हिन्दी-भाषी प्रदेश में अंग्रेज़ी के राजभाषा और सांस्कृतिक भाषा के पद में हटा दिया जाए।"

योगीन्द्र जी का विचार है कि मैं भारतीय भाषाओं के अधिकारों को कुचलकर हिन्दी को राजभाषा बनाने के पक्ष में हूँ!

मैंने लिखा था : "इसके बाद जिस दिन हिन्दी-भाषी जनता संगठित होकर अपने लोक सभा के प्रतिनिधियों को हिन्दी में बोलने और सारा राजकाज हिन्दी में करने के लिए बाध्य करेगी, उस दिन अंग्रेज़ी का साम्राज्यवाद खत्म होगा। उस दिन तमिलनाडु में तमिल भी अपना पूर्ण स्वत्व प्राप्त करेगी और राष्ट्रीय एकता को दृढ़ करने में हिन्दी-भाषी जनता अपनी भूमिका पूरी करेगी।"

यह वाक्य उन्होंने उद्धृत किया है लेकिन उसका वह टुकड़ा निकालकर, जिसमें तमिल के पूर्ण स्वत्व प्राप्त करने की बात है। कारण स्पष्ट है। पूरा वाक्य उद्धृत करने से मुझ पर तमिल-दमन का आरोप लगाने में असुविधा होती।

वह अंश निकाल देने पर भी गृहयुद्ध की ललकार का आरोप लगाना सरल नहीं था। इसलिए उन्होंने 'लेकिन यदि' का सहारा लिया : "लेकिन यदि यही बात पूरे देश के लिए कही जाए तो..." इस तरह 'लेकिन यदि' लगाकर किसी भी वाक्य से कोई भी नतीजा निकाला जा सकता है।

योगीन्द्र जी ने मुझ पर यह आरोप लगाया है कि अजय घोष के लेख में मैंने वे बातें छोड़ दी हैं जो मेरी नीतियों के विरुद्ध हैं। ये कौन-सी बातें हैं? अजय घोष के लेख से उन्होंने जो अंश उद्धृत किया है, उसमें कहा गया है : भाषा-आयोग के सदस्य प्रादेशिक भाषाओं को एक अभिशाप के रूप में देखते हैं। वे नहीं मानते कि भारत बहुभाषी देश है। उन्होंने जनतंत्र के इस प्रारम्भिक सिद्धान्त को विचार से बाहर रखा है कि शासन, विधि, न्याय की भाषा—प्रत्येक क्षेत्र में सभी स्तरों पर वह भाषा होनी चाहिए जिसको जनता आम तौर पर बोलती और समझती है।

योगीन्द्र जी का विचार है कि मैं अजय घोष की उपर्युक्त नीति का विरोधी हूँ यानी प्रदेशों में वहाँ की भाषाओं के बदले हिन्दी का ही चलन करना चाहता हूँ।

'जनशक्ति' में मैंने लिखा था :

(क) "भारत में भाषावार राज्य बनाने का आन्दोलन चला। हर प्रदेश में उसकी शिक्षा और संस्कृति का विकास उसकी भाषा के माध्यम से हो, यह माँग सही थी।"

(ख) "जिस तरह हर प्रदेश में उसकी अपनी भाषा को सभी अधिकार मिलने चाहिए, वैसे ही इन सबको जोड़नेवाली राष्ट्रभाषा हिन्दी को भी केन्द्र में पूर्ण अधिकार मिलने चाहिए।"

(ग) "इस पर भी यदि कोई कहे कि अंग्रेज़ी हटाने से अहिन्दी भाषाओं का दमन होता है तो निवेदन है, लोक सभा में सभी भाषाएँ चलाइए।"

अजय घोष ने अहिन्दी भाषाओं को केवल प्रदेशों में पूर्ण अधिकार देने की बात कही थी। मैं उन्हें केन्द्र में हिन्दी के बराबर स्थान देने की बात कहता हूँ। लेकिन विरोधी आलोचकों का मुँह बन्द करने के लिए योगीन्द्र शर्मा जी ने सीधी रणनीति निकाली है। उन पर अन्ध हिन्दी राष्ट्रवाद का आरोप लगा दो, केन्द्र में फिलहाल अंग्रेज़ी चलाने की नीति अपने-आप सही साबित हो जाएगी।

मैंने लिखा था : "अंग्रेज़ी क़ायम रखने के लिए जो विशाल संयुक्त मोर्चा बना है, उसमें स्वतंत्र दल के नेता हैं, द्रविड़ कषगम वाले हैं। कांग्रेस और कम्युनिस्ट पार्टी के अनेक नेता भी इसमें हैं।" योगीन्द्र जी ने अनेक का अर्थ किया सम्पूर्ण और नाराज होकर लिखा : "इन्हीं की पंक्ति में सम्पूर्ण कांग्रेस और कम्युनिस्ट पार्टी को खड़ा कर देना भारतीय राष्ट्रीयता और जनतंत्र को कलंकित करना है, सच्चाई के मुँह पर तमाचा मारना है।"

17 फरवरी, '65 को पी.टी.आई. द्वारा नई दिल्ली से प्रसारित समाचार के अनुसार 34 संसद-सदस्यों ने एक बयान जारी किया। उसमें कहा गया था कि संविधान की वह धारा बदल देनी चाहिए जिसमें हिन्दी को राजभाषा घोषित किया गया है। पी.टी.आई. के अनुसार : इन संसद-सदस्यों में कम्युनिस्ट पार्टी, द्रविड़ कषगम, स्वतंत्र पार्टी, आर.एस.पी. तथा मुस्लिम लीग के नेता थे।

योगीन्द्र शर्मा जी विचार करें, भारतीय राष्ट्रीयता और जनतंत्र को कौन कलंकित करता है, सच्चाई के मुँह पर तमाचा कौन मारता है।

मैंने कम्युनिस्ट पार्टी के नेताओं की भाषा-नीति की आलोचना की थी। इसे उन्होंने 'हिन्दी भाषा और भारत देश को शाप' देना कहा है।

गद्य में अतिशयोक्ति अलंकार उन्हें बहुत प्रिय है और उसके व्यवहार पर वह कोई भी प्रतिबन्ध लगाना अनुचित समझते हैं।

'भाषा और समाज' से लम्बा उद्धरण देकर उन्होंने यह नतीजा निकाला है कि पहले मैं पंडिताऊ हिन्दी का विरोधी था, अब उसका समर्थक हो गया हूँ। अपनी रणनीति के अनुसार मेरी पुस्तक के वे अंश उन्होंने छोड़ दिये हैं जहाँ मैंने सुगढ़ पारिभाषिक शब्दों के निर्माण की प्रशंसा की थी। मैंने लिखा था : "लेकिन पारिभाषिक शब्दावली में ऐसे भी बहुत-से शब्द हैं जो बोलने में हिन्दी प्रवृत्ति का उल्लंघन नहीं करते और जिनके लिए विश्वास से कहा जा सकता है कि वे अवश्य लोकप्रिय होंगे। केन्द्रीय शिक्षा मंत्रालय द्वारा प्रकाशित कृषि-सम्बन्धी शब्दावली से हम कुछ शब्द ले सकते हैं।" (पृ. 433)

खास बात यह है कि मैंने उन लोगों का विरोध किया था जो पारिभाषिक शब्दावली को असन्तोषजनक बताकर केन्द्र में अंग्रेज़ी चलाते रहने का समर्थन करते थे। मैंने लिखा था :

"हिन्दी में काफ़ी पारिभाषिक शब्दों का निर्माण हो चुका है। इनमें बहुत-से अपने-अपने विषय की हिन्दी पुस्तकों में व्यवहृत भी होते हैं। जहाँ तक राजकाज का सम्बन्ध है, इस विषय के शब्दों का निर्माण विज्ञान की शब्दावली बनाने से आसान है। इसलिए विज्ञान में चाहे हिन्दी का प्रयोग कुछ दिन रुका भी रहे, राजभाषा के रूप में हिन्दी का व्यवहार रुके, इसका कोई कारण नहीं है।" (पृ. 433)

योगीन्द्र जी ने इससे उल्टा निष्कर्ष निकाला है।

इस तरह की तर्क-पद्धति वे अपनाते हैं जो हठधर्मी से ग़लत नीति को भी सही साबित करने के लिए कमर कस लेते हैं। इस तरह विरोधी आलोचकों की बातों को तोड़-मरोड़कर पेश करने से जनवादी तत्त्वों में एकता स्थापित नहीं की जा सकती।

योगीन्द्र जी ने अन्ध-राष्ट्रवाद की बात बहुत बार की है। 'भाषा और समाज' के इस वाक्य पर भी गौर करें :

"वर्तमान अन्ध-राष्ट्रवाद की विशेषता यह है कि वह दूसरी भारतीय भाषाओं के प्रति घृणा फैलाता है और अंग्रेज़ी को गले लगाता है।" (पृ. 425)

मैं चाहता हूँ कि पार्टी के नेताओं में हिन्दी के प्रति जो उपेक्षा-भाव है, वह खत्म हो। वे अपने सिद्धान्त और व्यवहार में एकता स्थापित करें। शासन-केन्द्र में चाहे एक भाषा चलाएँ, चाहे अनेक, निश्चित अवधि में अंग्रेज़ी का चलन बन्द हो—यह माँग करें। अंग्रेज़ी को अनिश्चित काल के लिए भारत की राजभाषा बनाकर राष्ट्रीय जनतांत्रिक मोर्चे का निर्माण नहीं हो सकता।

[1665]

37

# देश का विघटन और अंग्रेज़ी

एक ज़माना था, जब लोग समझते थे कि अंग्रेज़ी सभी भारतीय भाषाओं पर साम्राज्यवादियों द्वारा लादी हुई भाषा है। राष्ट्रीय आन्दोलन के दौरान किसी भी देशभक्त को इस बारे में शक नहीं था कि अंग्रेज़ी की गुलामी अंग्रेज़ों की ही गुलामी का एक अंग है। उस समय राष्ट्रीय नेता मानते थे कि अंग्रेज़ी का प्रभुत्व राष्ट्रों के लिए अपमानजनक है। वे जानते थे कि अंग्रेज़ी शिक्षा के कारण देश की शक्ति और धन का अपार अपव्यय होता है। वे कहते थे कि देश पर मुट्ठी-भर अंग्रेज़ी-पढ़े हूकूमत करें, यह जनतंत्र का मजाक है। उस ज़माने में राष्ट्र के नेता भाषा की समस्या पर आम जनता के दृष्टिकोण से विचार करते थे। वे घोषित करते थे कि राष्ट्रीय एकता का अर्थ है : भारत के करोड़ों श्रमिक जनों की एकता। यह एकता हिन्दी और केवल हिन्दी के द्वारा क़ायम हो सकती है।

स्वाधीनता-प्राप्ति के बाद वे बातें अब पुरानी हो गईं। जो अंग्रेज़ी की हिमायत करता है, वह उदार और प्रगतिशील माना जाता है। जो अंग्रेज़ी हटाने की बात करता है, वह पुराणपंथी और हिन्दी-उन्मादी कहलाता है। राष्ट्रीय एकता के लिए सबसे आवश्यक है अंग्रेज़ी! अन्तरराष्ट्रीय सम्पर्क के लिए एकमात्र विश्वभाषा है अंग्रेज़ी! ज्ञान-विज्ञान के लिए अनिवार्य माध्यम है अंग्रेज़ी!

अब राष्ट्रीय एकता का अर्थ जनसाधारण की एकता नहीं है। राष्ट्रीय एकता का अर्थ है : अंग्रेज़ी-पढ़े नेताओं और नौकरशाहों की एकता। अब राष्ट्रीय एकता का प्रश्न जुड़ा हुआ है अखिल भारतीय नौकरियों के साथ।

तमिलनाडु में इतना उत्पात हुआ, तमिल की रक्षा के लिए? नहीं; लोगों को भय दिखाया गया कि सरकारी नौकरियाँ हथिया लेंगे हिन्दीवाले, दक्षिणवाले टापते रह जाएँगे। हिन्दी के अत्याचार से बचने के लिए कुछ लोगों ने सुझाव दिया कि हर राज्य के लिए नौकरियों का 'कोटा' निश्चित कर दिया जाए।

पिछले छह महीने से यह नौकरियों का सवाल अंग्रेज़ी-पढ़े बाबुओं के सामने है। उनके लिए यह सबसे महत्त्वपूर्ण राष्ट्रीय समस्या है। अंग्रेज़ी-पढ़ा नौकरशाह

वर्ग आम जनता से कितनी दूर है, इसका सबसे बड़ा प्रमाण यह है कि इस समुदाय के सामने भाषा-समस्या का सबसे महत्त्वपूर्ण पहलू है—नौकरी!

देश की राष्ट्रीय संस्था कांग्रेस के नेता भाषा-समस्या पर विचार करते हैं तो उनके सामने मुख्य प्रश्न होता है : अखिल भारतीय नौकरियों की परीक्षाएँ कितनी भाषाओं में होंगी!

यह मानते हुए कि अपनी जगह नौकरियों की समस्या का भी महत्त्व है, हमें राष्ट्रीय एकता के प्रश्न को सरकारी नौकरियों के दायरे में बन्द न कर देना चाहिए। विभिन्न प्रदेशों की श्रमिक जनता की एकता किस तरह क़ायम की जाए, शासन-तंत्र में आम जनता किस तरह भाग ले, राज्यसत्ता कुछ ऊपरवाले निहित स्वार्थों के हाथ में कठपुतली बनकर न रह जाए—भाषा की समस्या पर विचार करते हुए इन प्रश्नों को हमेशा सामने रखना चाहिए।

कांग्रेस कार्यसमिति ने फैसला किया है कि अखिल भारतीय नौकरियों की परीक्षाएँ अंग्रेज़ी, हिन्दी तथा अन्य प्रादेशिक भाषाओं में होंगी। कुछ पर्चे अंग्रेज़ी और हिन्दी में अनिवार्य होंगे। जिन उम्मीदवारों की भाषा हिन्दी होगी, उनके लिए एक पर्चा किसी अहिन्दी भाषा में होगा। इस उद्देश्य की पूर्ति के लिए प्रत्येक राज्य की भाषा शासन और शिक्षा का माध्यम बनेगी। हिन्दी-शिक्षण के स्तर को ऊँचा किया जाएगा। "अंग्रेज़ी ऐसी भाषा के रूप में पढ़ाई जाती रहेगी, जिसकी महत्त्वपूर्ण भूमिका है।" तीन भाषाएँ सीखने की नीति दृढ़ता से लागू की जाएगी। हिन्दी और प्रादेशिक भाषाओं का विकास किया जाएगा।

जिन लोगों ने कांग्रेस कार्यसमिति के फैसले का स्वागत किया है, उनका विचार है कि अब अंग्रेज़ी की जगह प्रादेशिक भाषाओं का चलन हो जाएगा। इस आशा का आधार क्या है?

प्रादेशिक भाषाएँ केवल परीक्षाओं का माध्यम बनेंगी, केन्द्रीय राजकाज का माध्यम नहीं। राजकाज होगा अंग्रेज़ी में। अखिल भारतीय सेवाओं में यह तो होगा नहीं कि परीक्षा में जिसका माध्यम तमिल है, उसे नौकरी तमिलनाडु में ही करनी होगी। अखिल भारतीय नौकरियों का मतलब ही यह है कि किसी भी अफ़सर को एक राज्य से दूसरे राज्य में भेजा जा सकता है। तब यह विभिन्न प्रदेशों का कार्य किस भाषा में होगा? क्या तमिलभाषी अफ़सर दिल्ली में अपना दफ्तर तमिल में चलाएगा? या बंगलाभाषी अफ़सर मद्रास में अपना काम बंगला में करेगा?

स्पष्ट है कि अखिल भारतीय नौकरियों का माध्यम अंग्रेज़ी ही रहेगी।

कांग्रेस कार्यसमिति ने यह फैसला नहीं किया कि केन्द्रीय सरकारी नौकरियों में अंग्रेज़ी की जगह प्रादेशिक भाषाओं का व्यवहार होगा। फैसला यह किया है कि परीक्षाओं में अंग्रेज़ी के साथ प्रादेशिक भाषाएँ भी माध्यम बन सकती हैं।

इसलिए यह आशा लगाना व्यर्थ है कि केन्द्रीय राजकाज में अंग्रेज़ी की जगह प्रादेशिक भाषाओं का व्यवहार होने लगेगा, या अंग्रेज़ी के साथ उन्हें कहीं बालिश्त-भर जगह भी मिल जाएगी।

परीक्षाओं के लिए भी प्रादेशिक भाषाओं को अनिवार्य माध्यम नहीं बनाया गया। माध्यम बनने के लिए उन्हें विकसित होना है, अपने प्रदेश में राजभाषा बनना है, विश्वविद्यालयों में उच्चतम शिक्षा का माध्यम बनना है। बनने-बनाने का यह सारा क्रम कब समाप्त होगा, इसकी कोई अवधि निश्चित नहीं की गई।

भारत सरकार पन्द्रह साल से हिन्दी के विकास में लगी है, लेकिन अभी कहीं उस विकास का छोर नहीं दिखाई देता। बड़े-बड़े कोश बन जाने के बाद भी कार्यसमिति के प्रस्ताव में हिन्दी को अभी और विकसित करने की बात कही गई है।

यह अद्‌भुत राष्ट्रभाषा-प्रेम है! हिन्दी के विकास से वह कभी सन्तुष्ट नहीं होता! विकास के अपूर्ण होने से वह अंग्रेज़ी को ही राष्ट्रभाषा बनाए रहता है!

प्रादेशिक भाषाओं के प्रेमी समझ लें, उन्हें अपनी भाषाओं के विकास के लिए कितनी लम्बी प्रतीक्षा करनी होगी।

प्रादेशिक भाषाओं को पन्द्रह साल से यह अधिकार प्राप्त है कि वे उच्च शिक्षा का माध्यम बनें, प्रदेशों की राजभाषा बनें। लेकिन इस अधिकार का उपयोग क्यों नहीं हुआ? कांग्रेस के प्रस्ताव में कहीं इस बात की कैफियत नहीं दी गई कि हर राज्य में शासन की बागडोर कांग्रेस के हाथ में होने पर भी, उस अधिकार का पूरी तरह उपयोग क्यों नहीं किया गया।

जिस अधिकार का उपयोग पन्द्रह साल में नहीं हुआ, इस प्रस्ताव के बाद उसका उपयोग होगा ही, इसका क्या प्रमाण है? इसके विपरीत उसका उपयोग आगे भी न होगा, इसका प्रमाण है।

केन्द्र में जब तक अंग्रेज़ी का बोलबाला रहेगा, तब तक राज्यों में प्रादेशिक भाषाओं को पूर्ण अधिकार प्राप्त नहीं हो सकते। अंग्रेज़ी-पढ़ा उम्मीदवार पहले अखिल भारतीय अफ़सर बनने की कोशिश करता है। इस कोशिश में असफल होता है तब प्रादेशिक अफ़सर बनने का प्रयत्न करता है। यहाँ भी नाकामयाब रहा तो मास्टरी या क्लर्की करता है। स्थिति यह है कि रेल, बैंक, डाक, तार, फ़ौज, पुलिस, प्राइवेट फर्म—कहीं भी मामूली क्लर्की अंग्रेज़ी के बिना नहीं मिलती। लाखों नौजवान हर साल फेल होते हैं—अंग्रेज़ी की वजह से। देश में शिक्षा बेहद महँगी है—अंग्रेज़ी के कारण।

इसलिए जो लोग धन और श्रम-शक्ति के इस अपव्यय को बन्द करना चाहते हैं, जो राज्यों में प्रादेशिक भाषाओं को उनके पूर्ण अधिकार दिलाना चाहते हैं, उनके सामने एक ही कर्तव्य हो सकता है—केन्द्र में अंग्रेज़ी के प्रभुत्व को खत्म करना।

जो लोग सोचते हैं कि केन्द्र में अंग्रेज़ी के हटने से नौकरियाँ हिन्दीवालों को ज़्यादा मिल जाएँगी, उनका भय दूर करना कठिन नहीं है। हिन्दी-भाषी उम्मीदवारों के लिए एक आधुनिक अहिन्दी भाषा का ज्ञान अनिवार्य कर देना चाहिए। कांग्रेस कार्यसमिति के प्रस्ताव में यह नियम शामिल किया गया है कि हिन्दी-भाषियों के लिए एक पर्चा अहिन्दी भाषा का होगा। देश की भावात्मक एकता के लिए मुख्य ज़ोर आधुनिक प्रादेशिक भाषाएँ सीखने पर होना चाहिए।

किन्तु कांग्रेस के तीन भाषा वाले सूत्र में मुख्य ज़ोर है अंग्रेज़ी पर। इसीलिए उस सूत्र को अमल में लाना कठिन होता है। वह जिस तरह अमल में लाया गया है, उससे किसी को सन्तोष नहीं है। सन्तोष इसलिए नहीं है कि अमल में लानेवालों की निगाह अंग्रेज़ी पर पहले है, हिन्दी और भारतीय भाषाओं पर बाद को।

श्री सादिक अली कांग्रेस के जाने-माने नेता हैं। कांग्रेस के संगठन-कार्य से उनका विशेष सम्बन्ध रहा है। उन्होंने कार्यसमिति के प्रस्ताव की व्याख्या करते हुए 7 जून के 'हिन्दुस्तान टाइम्स' में एक लेख लिखा है। उसमें उन्होंने स्पष्ट कहा है कि तीन भाषाओं वाला फार्मूला लागू करने से अंग्रेज़ी शिक्षा का प्रसार और भी अधिक होगा।

लिखा है : "सन्देहवादी लोग कह सकते हैं कि तीन भाषाओं वाले फार्मूले को कारगर तरीके से लागू करने की गुंजाइश कम है। इसके बारे में मैं कुछ नहीं कह सकता। लेकिन मैं यह जानता हूँ कि तीन भाषाओं वाले फार्मूले में अंग्रेज़ी वाला हिस्सा कारगर तरीके से ज़रूर लागू किया जाएगा।"

अंग्रेज़ी, और अधिक अंग्रेज़ी—यह है हमारे राष्ट्रीय नेताओं का दृष्टिकोण।

श्री सादिक अली का विचार है : "यह अच्छी बात है कि हमारे विद्यार्थियों में अंग्रेज़ी जानने की व्यापक इच्छा है।"

ऐसा है तो अंग्रेज़ी वैकल्पिक कर दीजिए। फिर देखिए, कितने लोग अंग्रेज़ी पढ़ते हैं। आगरा विश्वविद्यालय ने जब से बी.एस-सी. की परीक्षाओं में अंग्रेज़ी को वैकल्पिक कर दिया है, तब से लगभग नब्बे फीसदी विद्यार्थियों ने 'जनरल इंग्लिश' की परीक्षा देना बन्द कर दिया है।

श्री सादिक अली का मत है : "सही दृष्टिकोण यह है कि अंग्रेज़ी को उसका न्यायोचित स्थान (राइटफुल प्लेस) दिया जाए जिससे देश की सम्मिलित इच्छा-शक्ति के सहारे वह फले-फूले। इस तरह उसके सामने ज़्यादा सुन्दर, ज़्यादा महान, ज़्यादा रचनात्मक भविष्य होगा।"

न्यायोचित स्थान देना है अंग्रेज़ी को! रचनात्मक भविष्य है अंग्रेज़ी का! देश की सम्मिलित इच्छाशक्ति सहारा देगी अंग्रेज़ी को!

शासक वर्ग अपनी भाषा-नीति किस उद्देश्य से निर्धारित कर रहा है, यह श्री सादिक अली के वक्तव्य से स्पष्ट हो जाता है।

सार्वभौम सत्ता होगी अंग्रेज़ी की। प्रादेशिक भाषाएँ होंगी उसकी दासियाँ!

उद्देश्य और इच्छाओं के अलावा हिन्दी-अहिन्दी-भाषी राज्यों को यह अधिकार प्राप्त है कि जब तक विधान सभा, लोक सभा तथा राज्य सभा में उनके प्रतिनिधि अपने भारी बहुमत से अंग्रेज़ी हटाने का प्रस्ताव पास न करें, तब तक—यानी अनिश्चित काल के लिए—अंग्रेज़ी ही भारत की राष्ट्रभाषा रहेगी।

इस पर भी कुछ लोगों को यह दुःस्वप्न होता है कि कांग्रेस के प्रस्ताव से हिन्दी साम्राज्यवाद के लिए रास्ता साफ़ हो गया है। यदि लोक सभा यह प्रस्ताव पास कर दे कि भारत में सदा-सर्वदा के लिए अंग्रेज़ी एकमात्र राजभाषा रहेगी, तब भी ये लोग कहेंगे, उत्तरवाले दक्षिणवालों पर राज्य कर रहे हैं। जिन लोगों की नीति है कि हर बहाने 'द्रविड़-भारत' को 'आर्य-भारत' से अलग कर दिया जाए, वे अंग्रेज़ी के बारे में किसी भी आश्वासन से सन्तुष्ट नहीं हो सकते।

अंग्रेज़ी की जड़ मज़बूती से जमी है। कांग्रेस कार्यसमिति के प्रस्ताव को कानूनी रूप देने से वह और भी पुख्ता हो जाएगी। किसी को यह भय न होना चाहिए कि प्रादेशिक भाषाओं को नये अधिकार मिल गए हैं और अब अंग्रेज़ी के अभाव में राष्ट्रीय एकता छिन्न-भिन्न हो जाएगी।

यदि अंग्रेज़ी से राष्ट्रीय एकता दृढ़ होती थी तो भविष्य में वह और भी सुदृढ़ हो जाएगी।

किन्तु क्या सचमुच अंग्रेज़ी से राष्ट्रीय एकता दृढ़ होती है?

सन् '47 में जब एक राष्ट्र से दो राष्ट्र बने, तब अंग्रेज़ी-पढ़े लोग ही विघटनकारी प्रचार के अगुआ थे। बम्बई में संयुक्त महाराष्ट्र आन्दोलन के दौरान गुजरातियों और मराठी-भाषियों में संघर्ष हुआ। इसके नेता भी अंग्रेज़ी-पढ़े लोग थे। असम में बंगालियों और असमियों के बीच दंगे हुए। यहाँ भी भाषा-सम्बन्धी आन्दोलन के नेता थे अंग्रेज़ी-पढ़े भद्र लोग। तमिलनाडु में जो उत्पात हुआ, उसके सूत्रधार अंग्रेज़ी-प्रेमी सज्जन थे। कश्मीर में अलगाव के नेता विलायत जाकर अंग्रेज़ी में भाषण देनेवाले लोग हैं। नागालैंड के अलगाव-पंथी नेता विलायत ही में निवास करते हैं।

अंग्रेज़ी-पढ़ा वर्ग भारत में विघटन-प्रक्रिया रोकने में असमर्थ है। दिवालिये राजनीतिज्ञ राष्ट्रीय एकता क़ायम रखने के लिए जितना ही इस समुदाय का भरोसा करते हैं, उतना ही विघटनकारी शक्तियाँ प्रबल होती जाती हैं।

राष्ट्रीय एकता को दृढ़ करने का दूसरा तरीका है जनसाधारण का भरोसा करना, फौलाद ढालनेवालों और अन्न पैदा करनेवालों की एकता के बल पर राष्ट्र को मज़बूत करना। इस तरह की स्थायी और अपराजेय एकता हिन्दी से क़ायम हो सकती है, अंग्रेज़ी से नहीं।

कांग्रेस कार्यसमिति के प्रस्ताव में इस तरह की एकता पर ध्यान नहीं दिया गया। उसमें भरोसा किया गया है अखिल भारतीय सेवाओं में लगे हुए नौकरशाहों,

का। प्रस्ताव में एकता का माध्यम हिन्दी नहीं, अंग्रेज़ी है। अंग्रेज़ी को हटाने के लिए कोई अवधि निश्चित नहीं की गई। इसलिए इस प्रस्ताव का विरोध ही किया जा सकता है, स्वागत नहीं।

तमाम प्रादेशिक भाषाओं को अंग्रेज़ी की गुलामी से मुक्त करने के दो उपाय हैं :

(1) केन्द्र में अंग्रेज़ी की जगह हिन्दी हो, राज्यों में प्रादेशिक भाषाएँ राजभाषा हों;

(2) राज्यों में तो प्रादेशिक भाषाएँ राजभाषा हो ही, केन्द्र में भी अंग्रेज़ी की जगह उन सबका व्यवहार हो।

पहला उपाय ज़्यादा व्यावहारिक है, संविधान के अनुकूल है। अनेक राजनीतिक दल उसका समर्थन भी करते हैं। किन्तु जब प्रश्न उठता है, कब तक अंग्रेज़ी हटाई जाएगी, तब परिवर्तन की अवधि अनिश्चित हो जाती है। नेताओं के सामने सीधा-सा बहाना है। अहिन्दी-भाषी नहीं चाहते कि हिन्दी केन्द्रीय राजभाषा हो, इसलिए फिलहाल अंग्रेज़ी ही चलेगी।

ऐसी स्थिति में अंग्रेज़ी हटाने के दूसरे उपाय पर भी विचार कर लेना चाहिए। यह उपाय कठिन है, व्यय-साध्य है, किन्तु असम्भव नहीं है। स्विट्जरलैंड में जर्मन, फ्रांसीसी और इतालवी को समान अधिकार प्राप्त हैं। हमारे यहाँ भी केन्द्र में सभी भारतीय भाषाओं का चलन हो सकता है।

कांग्रेस के नेता कहते हैं, जब तक अहिन्दी-भाषी राज्य हिन्दी को स्वीकार नहीं करते, तब तक केन्द्र में अंग्रेज़ी चलेगी।

हिन्दी-भाषी जनता उनसे कह सकती है : जब तक अहिन्दी-भाषी राज्य हिन्दी को स्वीकार नहीं करते, तब तक केन्द्र में सभी भारतीय भाषाओं का व्यवहार होने दीजिए।

यदि देश के नेताओं को प्रादेशिक भाषाओं से सच्चा प्रेम है तो वे केन्द्र में अंग्रेज़ी की जगह उनका व्यवहार क्यों नहीं करते?

यदि भाषाओं के अविकसित होने का सवाल हो, तो कमीशन बिठाकर इस बात की जाँच कराएँ कि भारतीय भाषाओं के विकास में कौन-सी कमी रह गई है।

जो नेता भारतीय भाषाओं के अविकसित होने से परेशान हैं, उन्हें अपनी शिक्षा के स्तर पर भी ध्यान देना चाहिए।

विज्ञान और तकनीक के क्षेत्र में पारिभाषिक शब्दों से सम्बन्धित कठिनाई हो सकती है। लेकिन यहाँ सवाल राजकाज के लिए भारतीय भाषाओं के व्यवहार का है। क्या लोक सभा में आज तक कोई ऐसा भाषण हुआ है जिसके लिए अंग्रेज़ी ही माध्यम बन सकती थी, जिसकी विषयवस्तु प्रकट करने की क्षमता भारतीय भाषाओं में नहीं थी? क्या इस बात पर विश्वास किया जा सकता है कि जिन भाषाओं में रवीन्द्रनाथ ठाकुर, सुब्रह्मण्य भारती, वल्लत्तोल, प्रेमचन्द आदि ने अपनी महान्

साहित्यिक रचनाएँ की हैं, उनमें श्री लालबहादुर शास्त्री या श्री हीरेन मुकर्जी या अन्य राजनीतिज्ञ अपना मन्तव्य प्रकट नहीं कर सकते?

असल में बात यह है कि अधिकांश राजनीतिक पार्टियाँ अपने जन्मकाल से अब तक अपना अखिल भारतीय राजनीतिक कार्य अंग्रेज़ी में ही करती रही हैं। इनके नेता तरह-तरह के बहाने करते हैं, अपने अनुयायियों को तरह-तरह से बहकाते हैं। वे अपने दफ्तरों से अंग्रेज़ी निकाल नहीं पाते। जब तक जनता इनके दफ्तरों के सामने प्रदर्शन न करेगी, इनके केन्द्रीय भवनों से अंग्रेज़ी निकालने के लिए इन पर दबाव न डालेगी, तब तक ये नेता अपनी नीति से बाज़ न आएँगे। भारतीय जनतंत्र के संचालक ये ही लोग हैं। वे अपने पार्टी-कार्यों में अंग्रेज़ी से चिपके हुए हैं। तब सरकारी दफ्तरों और विश्वविद्यालयों से अंग्रेज़ी क्या खाकर निकालेंगे?

इस समय नेता लोग देश में हवा बाँधे हैं कि अंग्रेज़ी के बिना न राष्ट्रीय काम चल सकता है, न अन्तरराष्ट्रीय। यह हवा सिर्फ ऊपर-ऊपर है। ग़रीब जनता का काम तो अंग्रेज़ी के बिना ही चलता है। ऐसी हालत में जो राजनीतिक पार्टी अपने केन्द्रीय राजकाज में अंग्रेज़ी का चलन खत्म करती है, वह देश की बहुत बड़ी सेवा करती है। वह लोगों में आत्मनिर्भरता की चेतना दृढ़ करती है। वह अंग्रेज़ी-प्रेमियों को दिखला देती है कि अंग्रेज़ी के बिना भी काम चल सकता है।

श्री कामराज नाडार कांग्रेस के अध्यक्ष होते हुए भी तमिल में भाषण करते हैं। इससे देश में विघटन पैदा नहीं हो गया। क्या ही अच्छा हो, यदि राष्ट्रसंघ में भारतीय प्रतिनिधि मंडल के नेता एक बार श्री कामराज हों और वहाँ जाकर तमिल में भाषण करें।

सोवियत संघ के प्रतिनिधि मन्यूल्स्की ने एक बार राष्ट्रसंघ के सामने उक्रैनी में भाषण किया था। तब श्री कामराज वहाँ तमिल में भाषण क्यों नहीं कर सकते? मिस्र के अध्यक्ष श्री नासिर राष्ट्रसंघ के सामने अरबी में भाषण कर सकते हैं तो हमारे सम्मान्य प्रधानमंत्री अफ्रीकी एशियाई सम्मेलन के सामने हिन्दी में भाषण क्यों नहीं कर सकते? भारतीय भाषाओं के व्यवहार से अन्तरराष्ट्रीय भाईचारा कमज़ोर नहीं होता, वरन् मित्र-देशों में हमारी प्रतिष्ठा बढ़ती है। पिछले दिनों जब प्रधानमंत्री सोवियत संघ गए, तब जगह-जगह हिन्दी वाक्यों से सजे हुए बन्दनवारों से उनका स्वागत किया गया। इससे सोवियत-भारत-मैत्री कमज़ोर नहीं हो गई।

क्या ही अच्छा होता, यदि कांग्रेस कार्यसमिति स्वयं अपने लिए एक प्रस्ताव पास करती कि भविष्य में उसका काम अंग्रेज़ी में न होगा, भारतीय भाषाओं में ही होगा!

भारतीय जनतंत्र के कर्णधार हमारे सीमित साहित्यिक अनुभव की ओर भी दृष्टिपात कर लें।

भारतीय भाषाओं ने एक-दूसरे को प्रभावित किया है, विभिन्न प्रदेश सांस्कृतिक स्तर पर एक-दूसरे के निकट आए हैं; रवीद्रनाथ ठाकुर से लगभग सभी आधुनिक

भाषाओं के लेखक न्यूनाधिक प्रभावित हुए हैं, शरत्चन्द्र और प्रेमचन्द की रचनाओं से करोड़ों पाठक परिचित हैं—यह सब अंग्रेज़ी के कारण सम्भव नहीं हुआ। जो गीत श्रीनगर से कन्याकुमारी तक—और देश की सीमाएँ पार करके पेशावर से सिंहल तक—गूँजे हैं, वे अंग्रेज़ी के सम्पर्क-भाषा होने के कारण नहीं।

अंग्रेज़ी के बिना भी काम चल सकता है। अंग्रेज़ी के बिना ही काम चलेगा। स्वाधीन भारत में अंग्रेज़ी नहीं चलेगी।

भारत सरकार लोक सभा में सभी भाषाओं में बोलने और भाषणों के अनुवाद की व्यवस्था करे। लोक सभा, राज्य सभा की कार्यवाही, कानून, मसौदे—सभी भारतीय भाषाओं में प्रकाशित हों, अखिल भारतीय सेवाओं में भारतीय भाषाओं का व्यवहार हो। कांग्रेस की यह नैतिक ज़िम्मेदारी है कि इस सारे परिवर्तन का भार उठाए। अहिन्दी-भाषी जनता हिन्दी नहीं चाहती, यह कहकर वह अपनी ज़िम्मेदारी से बच नहीं सकती।

एक बार लोक सभा में जब हमारे प्रतिनिधि भारतीय भाषाओं में बोलेंगे, तब उनका अंग्रेज़ी-मोह कम होगा। तब उन्हें बोध होगा कि हिन्दी से अन्य भाषाओं का दमन नहीं होता, वरन् उससे राष्ट्रीय एकता दृढ़ होती है। एक बार जब उन्हें विश्वास हो जाएगा कि उनकी भाषा को वही अधिकार प्राप्त हैं, जो हिन्दी को हैं, तब वे स्वेच्छा से हिन्दी बोलेंगे। जब तक अंग्रेज़ी अनिवार्य राजभाषा बनी हुई है, तब तक स्वेच्छा से हिन्दी बोलने की बात उनकी समझ में न आएगी।

जो लोग सचमुच चाहते हैं कि अहिन्दी-भाषी राजनीतिज्ञ स्वेच्छा से हिन्दी को केन्द्रीय भाषा मानें, वे अब तक जनता के सामने कोई ऐसा कार्यक्रम नहीं रख सके जिससे इस उद्देश्य की पूर्ति हो। वे समझते हैं कि 'फिलहाल' अंग्रेज़ी क़ायम रखने से अपने-आप अहिन्दी-भाषियों में 'स्वेच्छा' उत्पन्न हो जाएगी। पिछले पन्द्रह साल का अनुभव कुछ दूसरा है। अंग्रेज़ी की जड़ें और मज़बूत हुई हैं। शिक्षित वर्ग के सामने से स्वेच्छापूर्वक हिन्दी अपनाने की बात दूर चली गई है। इस स्थिति का मूल कारण है : अंग्रेज़ी को पाल-पोसकर मज़बूत करने की नीति। अहिन्दी-भाषी राजनीतिज्ञों के हिन्दी-विरोध का कारण यह नहीं है कि उन पर ज़बर्दस्ती हिन्दी लादी गई है। हिन्दी-विरोध का कारण यह है कि वे 'स्वेच्छा' से अपने ऊपर अंग्रेज़ी लादे रखना चाहते हैं।

इसी समझ को बदलना है।

सभी भारतीय भाषाओं को केन्द्र में समान अधिकार प्राप्त हों—इस आधार पर अंग्रेज़ी के विरुद्ध सभी सच्चे भारतीय भाषा-प्रेमियों की एकता स्थापित की जा सकती है।

राष्ट्र के नेताओं से निवेदन है : जब तक अहिन्दी-भाषी नेता केन्द्रीय राजभाषा के रूप में हिन्दी को स्वीकार नहीं करते, तब तक सभी भारतीय भाषाओं को

केन्द्रीय राजभाषा बनाए रहिए। अंग्रेज़ी हटाने का यह कार्यक्रम अगले पाँच वर्ष में पूरा कीजिए। पूर्व-निश्चित अवधि के पन्द्रह वर्ष पहले ही बीत चुके हैं। पाँच वर्ष की अतिरिक्त अवधि काफ़ी है। शिक्षाक्रम में अंग्रेज़ी को वैकल्पिक बनाइए। केन्द्रीय सेवाओं तथा विश्वविद्यालयों में अंग्रेज़ी की अनिवार्यता पाँच साल में खत्म कीजिए।

अंग्रेज़ी की दासता से भारतीय भाषाओं को मुक्त करना हर देशभक्त का पवित्र कर्तव्य है। इस कर्तव्य को पूरा करके राष्ट्र के नेता जनता के श्रद्धाभाजन बनेंगे। इसके विपरीत यदि उन्होंने अंग्रेज़ी को राजभाषा बने रहने दिया तो भावी विघटन के लिए उन्हीं को ज़िम्मेदार ठहराया जाएगा।

[1965]

38

# प्रगतिशील साहित्यकार और भाषा-समस्या के जनतांत्रिक समाधान

प्रगतिशील साहित्यिक आन्दोलन के आरम्भ में उसकी भाषा-सम्बन्धी मान्यताएँ वही थीं, जो गांधी जी के नेतृत्व में चलनेवाले राष्ट्रीय आन्दोलन की थीं। अंग्रेज़ी की जगह हिन्दी या हिन्दुस्तानी राष्ट्रभाषा होगी; हिन्दी-उर्दू मूलत: एक ही भाषा हैं और उन्हें मिलाना प्रगतिशील लेखकों का कर्तव्य है, ये मान्यताएँ प्रेमचन्द के भाषणों में थीं। उस समय हिन्दी-उर्दू-हिन्दुस्तानी को लेकर ज़ोरदार बहस होती थी। हिन्दी-उर्दू बुनियादी तौर से एक ही भाषा हैं, इस बात को प्राय: सभी लेखक मानते थे। यह मान्यता नई नहीं थी। बालमुकुन्द गुप्त जैसे लेखक बहुत पहले इस मान्यता को स्पष्ट शब्दों में प्रकट कर चुके थे। बहस इस चीज़ को लेकर थी कि हिन्दुस्तानी भाषा बन चुकी है या बनाई जाए? उसका रूप उर्दू के अधिक निकट है या हिन्दी के? हिन्दी-उर्दू को मिलाने के लिए लिपि कौन-सी हो?

हिन्दी-भाषी प्रदेश में उस समय प्रगतिशील साहित्यिक अन्दोलन के संगठनकर्ता और संयोजक ज़्यादातर उर्दू के लेखक थे। प्रेमचन्द हिन्दी-उर्दू, दोनों के लेखक माने जाते थे। सन् '36 में, इस नये साहित्यिक आन्दोलन के आरम्भ में ही, उनका देहान्त हो गया। अब इसके नेताओं में ऐसे लोग रह गए जो या तो उदीयमान साहित्यकार थे, जैसे : श्री अली सरदार जाफरी या साहित्यकार कम और आन्दोलनकारी ज़्यादा थे, जैसे डॉ. अब्दुल अलीम और श्री सैयद सज्जाद ज़हीर।

1938 में कलकत्ते में दूसरा अखिल भारतीय प्रगतिशील लेखक-सम्मेलन हुआ। इसमें. डॉ. अब्दुल अलीम ने 'हिन्दुस्तानी की समस्या' नाम से अंग्रेज़ी में एक निबन्ध पढ़ा। इसमें उन्होंने कहा कि हिन्दी-उर्दू दो भाषाएँ नहीं हैं वरन् वे एक ही भाषा के दो साहित्यिक रूप हैं। हिन्दुस्तानी उस प्रदेश की भाषा है जिसे पुराने ज़माने में लोग हिन्दुस्तान कहते थे। इस प्रदेश के उत्तर में हिमालय है, दक्षिण में विन्ध्याचल, पश्चिम में पंजाब और पूर्व में बंगाल है। मुग़ल छावनियों की ज़बान को ज़बान-ए-उर्दू-ए-मुअल्ला, संक्षेप में उर्दू कहा जाता था।

"इसका प्रचलित नाम हिन्दी था जो प्रारम्भिक मुस्लिम विद्वानों का दिया हुआ था और जिसका अर्थ था हिन्द की भाषा।" अकबर के ज़माने में प्राकृतों पर फ़ारसी का असर पड़ने लगा। "यह असर डालनेवाले खत्री और कायस्थ थे जिन्होंने फ़ारसी सीखी। फ़ारसी राजभाषा थी। वे अपनी आम बोलचाल में फ़ारसी के लफ़्ज़ वैसे ही इस्तेमाल करने लगे, जैसेकि ज़्यादातर पढ़े-लिखे लोग आजकल अंग्रेज़ी के शब्द इस्तेमाल करते हैं।" 1719 ई. में दक्खिन के शायर वली का काव्य-संग्रह दिल्ली पहुँचा। उत्तर के प्रारम्भिक मुस्लिम कवियों ने ज़्यादातर पुराने भारतीय छंदों का प्रयोग किया था। दक्खिन के कवि फ़ारसी की बहरें इस्तेमाल करते थे। "आश्चर्य की बात है कि उत्तर के शायरों को कविता का यह नया ढंग इतना अच्छा लगा कि वे दिल्ली की ज़्यादा शुद्ध भाषा में (यानी उस भाषा में जो ज़्यादा फ़ारसी-मिश्रित नहीं थी) वली के रंग-ढंग की नकल करने लगे। तभी से दोनों में भेद शुरू हुआ जो अब बढ़ते-बढ़ते बहुत चौड़ी खाई बन गया है।"

डॉ. अलीम की ये स्थापनाएँ बहुत महत्त्वपूर्ण थीं। वह एक खास प्रदेश की भाषा को हिन्दुस्तानी कहते थे। इस प्रदेश का पुराना नाम हिन्दुस्तान था, यह उन्होंने ठीक कहा था। तुर्क लेखकों-शासक-इतिहासकारों ने हिन्दुस्तान शब्द का बराबर प्रयोग किया है। डॉ. अलीम ने भाषा का सम्बन्ध किसी धर्म से नहीं जोड़ा। उन्होंने बोलचाल की भाषा में फ़ारसी शब्दों की आमद का बहुत सही कारण बतलाया। उन्होंने हिन्दू-मुस्लिम संस्कृतियों के मेल से नई भाषा बनने की बात नहीं की। फ़ारसी के शब्द बोलचाल की भाषा में इसलिए नहीं आ गए कि वे हिन्दू-मुस्लिम-मिलन के लिए आवश्यक थे। वे इसलिए आए कि फ़ारसी राजभाषा थी और इस राजनीतिक-सांस्कृतिक प्रभाव के कारण बोलचाल की भाषा में बहुत-से फ़ारसी शब्द घुल-मिल गए। लेकिन बोलचाल की भाषा का साहित्यिक रूप एक ही था। उसके दो रूप तब हुए जब वली की नकल करनेवाले उत्तर के कवियों की रचनाओं में फ़ारसीयत का रंग गाढ़ा होने लगा। उर्दू का यह साहित्यिक विकास अठारहवीं सदी की घटना है और मुसलमानों के भारत आने से, भारत में हिन्दू-मुस्लिम संस्कृतियों के मिलन से या इस्लाम से उसका कोई सम्बन्ध न था।

यह एक सही वैज्ञानिक और साम्राज्य-विरोधी दृष्टिकोण था। गिलक्रिस्ट और ग्रियर्सन उर्दू-हिन्दी का सम्बन्ध धर्म से जोड़ चुके थे। डॉ. अलीम ने उस सम्बन्ध को अस्वीकार करके भाषा-समस्या के वैज्ञानिक विवेचन और सही समाधान की ओर महत्त्वपूर्ण कदम उठाया था। धर्म को आधार मानकर कोई समस्या हल नहीं की जा सकती—न लिपि की, न शब्दों के चुनाव की। हिन्दी-उर्दू समस्या पर जो भी विचार करे, उसे शुरुआत इस सूत्र से करना चाहिए कि वे एक ही जाति की भाषा हैं। धर्म के आधार पर हिन्दू-मुस्लिम दो क़ौमें नहीं हैं, उर्दू और हिन्दी का बुनियादी बोलचाल का रूप एक है।

हिन्दी-उर्दू में भेद होते हुए भी उनके साहित्य में बहुत बड़ी समानता है। डॉ. अलीम के लेख में इस समानता पर ज़ोर नहीं है। उन्होंने हिन्दी और उर्दू को कृत्रिम रूप कहकर धता बता दी। इससे हिन्दी और उर्दू के प्रगतिशील लेखक हिन्दी-उर्दू साहित्य को प्रभावित करने के बदले उससे अपने को अलग कर सकते थे। उन्होंने मीर अम्मन और लल्लूजी लाल के बाद तमाम साहित्यिक विकास को हिन्दुस्तान के विकास के लिए घातक बताया। उन्होंने कांग्रेस को फटकारा कि इतने दिन से हिन्दुस्तानी की माला जपने के बाद भी उसके विकास के लिए उसने कुछ नहीं किया। उन्होंने इलाहाबाद की हिन्दुस्तानी अकादमी को सुझाया कि वह हिन्दुस्तानी के विकास की योजना बनाए। उन्होंने 'हिन्दी अथवा हिन्दुस्तानी' शब्दों का व्यवहार हानिकारक बताया (क्योंकि इससे हिन्दुस्तानी का सम्बन्ध हिन्दी से जुड़ता था)। प्रगतिशील लेखकों से उन्होंने कहा—मुख्य समस्या यह है कि हिन्दुस्तानी अभी विकसित साहित्यिक भाषा नहीं है; आप लोगों को उसे विकसित कर देना चाहिए। पारिभाषिक शब्द अंग्रेज़ी से लेने की सलाह दी, जो उनकी समझ में अधिकांश सभ्य देशों की भाषाओं में सामान्य थे। लिपि की समस्या, डॉ. सुनीतिकुमार चाटुर्ज्या की राय का समर्थन करते हुए, उन्होंने रोमन लिपि अपनाकर हल करने की सलाह दी।

रोमन लिपि अपनाने में उन्हें सबसे बड़ा लाभ यह दिखाई दिया : "इसमें कुछ भी सन्देह नहीं कि अपनी लिपियों को छोड़ देने से अपने बहुत-से पुराने साहित्य से हमारा सम्बन्ध अपने-आप टूट जाएगा। धार्मिक पुनरुत्थानवादी इसे बर्दाश्त नहीं कर सकते। हम लोग अपनी सांस्कृतिक मान्यताओं के आमूल परिवर्तन में विश्वास करते हैं। हम अपने साहित्य को बुद्धिसंगत बनाने में (इन रैशनलाइज़िंग अवर लिटरेचर) विश्वास करते हैं। इसलिए यह हमारा कर्तव्य है कि हम ऐसी लिपि अपनाएँ जो सबसे ज़्यादा वैज्ञानिक हो और जिसे अपनाकर हम आधुनिक संसार की आवश्यकताएँ पूरी कर सकें।"

इस प्रकार डॉ. अलीम का दृष्टिकोण पुरानी साहित्यिक विरासत की तरफ बिलकुल अस्वीकृति का था। यह दृष्टिकोण वास्तव में साम्राज्यवादी लेखकों का रहा है जो भारत की सांस्कृतिक उपलब्धियों को हमेशा अमान्य करते रहे हैं। लॉर्ड मैकाले ने कुछ ऐसी ही बातें अपने प्रसिद्ध निबन्ध में कही थीं। डॉ. अलीम भारत की अन्य भाषाओं के साहित्य से अपरिचित थे; वह हिन्दी पढ़ लेते हैं लेकिन कम-से-कम सन् '38 में जब उन्होंने यह निबन्ध लिखा था, तब वह हिन्दी साहित्य के विकास से अपरिचित थे। उनके मुख्य सलाहकार श्री मुल्कराज आनन्द भारतीय साहित्य की प्रगति से और भी कोरे थे। प्रेमचन्द के अभाव में ऐसा कोई लेखक नहीं था जो इन्हें संकीर्णतावाद से बचाता। राष्ट्रीय आन्दोलन से आधुनिक साहित्य का सम्बन्ध न समझने के कारण उन्होंने हिन्दी-उर्दू के साहित्य के प्रति यह संकीर्ण दृष्टिकोण अपनाया। राष्ट्रीय आन्दोलन और भारतीय साहित्य में नवजागरण को न

समझने के कारण वे बहुत जल्दी ऐसे नेताओं के प्रभाव में आ गए जो आत्मनिर्णय के नाम पर मुस्लिम लीग और पाकिस्तान का समर्थन करते थे।

इस नये नेताओं में श्री सैयद सज्जाद ज़हीर मुख्य थे। सन् '38 में अखिल भारतीय प्रगतिशील लेखक संघ के मंत्री डॉ. अब्दुल अलीम थे; द्वितीय महायुद्ध के दौरान उसके मंत्री हुए सज्जाद ज़हीर साहब। डॉ. अलीम की तुलना में वह साहित्यकार कुछ ज़्यादा थे। उनका 'लन्दन की एक रात' उपन्यास सन् '38 के आसपास छप चुका था। सन् '43 से सन् '49 तक वह कम्युनिस्ट पार्टी के भूतपूर्व नेता श्री पूरन जोशी के दाहिने हाथ रहे। मुस्लिम-समस्या पर उन्हें सलाह देने के अलावा श्री जोशी की आत्मनिर्णय वाली नीति को वह मुसलमानों में लागू भी करते थे। उस समय कम्युनिस्ट पार्टी का नारा था : कांग्रेम-लीग एक हो। यह नारा इस समझ के आधार पर दिया गया था कि भारत में दो राष्ट्र या दो तरह की राष्ट्रीयता विकसित होती रही है : एक हिन्दुओं की, दूसरी मुसलमानों की। इन दोनों को मिलकर अंग्रेज़ों से सत्ता देने की माँग करनी चाहिए।

मुसलमानों की अलग क़ौम है, उसे आत्मनिर्णय का अधिकार यानी देश से अलग होकर अपना राज्य बनाने का हक मिलना चाहिए, इस सिद्धान्त को भाषा-क्षेत्र में लागू किया जाए तो यह नतीजा निकलेगा ही कि हिन्दुओं की भाषा हिन्दी है, मुसलमानों की भाषा उर्दू है।

हिन्दी-उर्दू में भेद क्यों हुआ? इसलिए कि हिन्दुओं ने उर्दू का ढाँचा लेकर उसमें उन शब्दों को भरा जिनका सम्बन्ध हिन्दू संस्कृति से था।

'हिन्दी-उर्दू-हिन्दुस्तानी समस्या का हल' नाम के निबन्ध में श्री सज्जाद ज़हीर ने लिखा : "आधुनिक हिन्दी ने बड़ी बोली का ढाँचा उर्दू से लिया और उसमें उसने उन शब्द-योजनाओं और परम्पराओं से उसे अनुप्राणित किया, जो हिन्दू संस्कृति के अभिन्न अंग थे।"

आधनिक युग में राष्ट्रीयता का अभ्युदय कैसे हुआ? राजा राममोहन राय ने 'अंग्रेज़ ईसाई मिशनरियों के हमले से हिन्दू धर्म को बचाने के लिए' ब्राह्मसमाज की नींव डाली। इसका प्रभाव आधुनिक बंगाली संस्कृति के विकास पर पड़ा और बंगाल के 'इसी आन्दोलन से प्रभावित होकर हिन्दी साहित्य के प्रथम महारथी भारतेन्दु हरिश्चन्द्र' ने अपना आन्दोलन शुरू किया। उनकी रचनाओं ने 'मध्यवर्ग के शिक्षित हिन्दुओं के हृदय से वह नैराश्य और विषाद दूर कर दिया जो पराधीनता के कारण देश में छा गया था।' भारतेन्दु ने 'प्राचीन हिन्दू महापुरुषों और देवताओं को रंगमंच पर लाकर हिन्दी को उनके विगत वैभव' की याद दिलाई, 'हिन्दू-समाज की बुराइयों' की आलोचना की।

इस प्रकार "हिन्दी उत्तर भारत में (विशेष कर युक्त प्रान्त, बिहार, राजस्थान और मध्य प्रान्त के हिन्दुस्तानी भाग में) हिन्दू राष्ट्रीय जागरण का—जिसके विभिन्न पक्ष

अथवा रूप धर्मोद्धार, धर्म-सुधार, समाज-सुधार और नवीन शिक्षा-प्रचार हैं—एक शक्तिशाली माध्यम बन गई।"

श्री सज्जाद ज़हीर ने भारतेन्दु-युग के साहित्य में जो साम्राज्य-विरोधी तत्त्व थे, जिनका सम्बन्ध हिन्दू-समाज से ही नहीं, सारे भारत से था, उन्हें नज़रअन्दाज किया। उन्होंने इस बात पर ध्यान नहीं दिया कि भारतेन्दु, प्रतापनारायण मिश्र और बालमुकुन्द गुप्त जैसे हिन्दी लेखक उर्दू में भी लिखते थे। उन्होंने गिलक्रिस्ट और ग्रियर्सन से दो कदम आगे बढ़कर धर्म के आधार पर साहित्य और भाषा का बँटवारा कर दिया। जो धार्मिक भावनाएँ पुराने साहित्य में रही हैं, उन्हें उस साहित्य का एक पक्ष न मानकर, उन्होंने उन भावनाओं को राष्ट्रीय जागरण का मुख्य चिह्न मान लिया।

कहीं उनके दिमाग में एक पुराना कीड़ा भी रेंग रहा था। यह मुश्तर्का ज़बान का कीड़ा था। हिन्दुओं और मुसलमानों के मेल-जोल से उर्दू का जन्म और विकास हुआ। इस सम्मिलित विकास को खत्म कर दिया सम्प्रदायवादी हिन्दुओं ने!

"उर्दू अठारहवीं और उन्नीसवीं शताब्दी में उत्तर और मध्य भारत के सम्मिलित सामाजिक जीवन के सांस्कृतिक आदान-प्रदान की स्वाभाविक माध्यम बन गई थी।" उर्दू लेखकों में रतननाथ सरशार जैसे हिन्दू थे। पुराने पश्चिमोत्तर प्रान्त—आज के उत्तर प्रदेश—में 1869 में चौबीस पत्र निकलते थे : उन्नीस उर्दू में, तीन हिन्दी-उर्दू, दोनों में। इनमें अधिकांश के मालिक और सम्पादक हिन्दू थे। 1871 में अवध में जो विद्यार्थी उर्दू पढ़ते थे, उनमें ज़्यादातर हिन्दू थे। "अत: उर्दू भाषा और उसकी लिपि के विरोध और बहिष्कार को लेकर जो हिन्दी नागरी आन्दोलन आरम्भ हुआ, इसको अपने समाज और संस्कृति पर हिन्दुओं की ओर से अन्यायपूर्ण, संकुचित, साम्प्रदायिक प्रहार समझना मुसलमानों के लिए स्वाभाविक था।"

हिन्दुओं और मुसलमानों के सांस्कृतिक आदान-प्रदान का माध्यम उर्दू बनी। यह कार्य भी स्वाभाविक था। हिन्दी-आन्दोलन को मुसलमानों ने अन्यायपूर्ण समझा, यह भी स्वाभाविक था। हिन्दी हिन्दुओं की सांस्कृतिक भाषा बनी, यह भी स्वाभाविक था।

ये तीन स्वाभाविक क्रियाएँ एक साथ कैसे हो गईं? ज़हीर साहब के अनुसार : हिन्दुओं और मुसलमानों की मूलत: दो संस्कृतियाँ हैं। इनको आगे अलग-अलग विकसित होना ही था। "आरम्भ से ही मुसलमानों के निकट हिन्दी और देवनागरी लिपि आन्दोलन हिन्दुओं की कट्टर साम्प्रदायिकता और मुस्लिम संस्कृति-विरोध का द्योतक रहा है।" इसलिए : "1900 में जब देवनागरी भी उर्दू के समान अदालतों में जारी हो गई, तो सर सैयद को विश्वास हो गया कि 'अब हिन्दुओं और मुसलमानों का एक राष्ट्र होकर अपने अभ्युत्थान के लिए सम्मिलित प्रयत्न करना असम्भव हो गया है।' उसी समय उर्दू-रक्षा-समिति सर सैयद के तत्त्वावधान में क़ायम हुई।"

मुसलमानों का अलग राष्ट्र हो, उर्दू की रक्षा का प्रयत्न किया जाए—दोनों बातों का उल्लेख साथ-साथ किया गया है। श्री सज्जाद ज़हीर के पास हिन्दी-उर्दू विरोध

का हल क्या है? या अठारह साल पहले उनके पास कौन-सा हल था? उनके पास वही हल था—जो सर सैयद अहमद खाँ ने बताया था और जिसका सर मुहम्मद इक़बाल ने नये सिरे से प्रचार किया था।

उर्दू हिन्दुओं और मुसलमानों की एकमात्र मिली-जुली भाषा न रह सकी। कारण था हिन्दुओं की साम्प्रदायिक कट्टरता। इसलिए हिन्दू अलग, मुसलमान अलग; एक राष्ट्र की भाषा हिन्दी, दूसरे की उर्दू।

जिसे राष्ट्रीय आन्दोलन के दौरान साम्प्रदायिकता कहा जाता था, उसी को श्री सज्जाद ज़हीर और उनके सहयोगी श्री पूरनचन्द जोशी राष्ट्रीयता कहने लगे। हिन्दू राष्ट्रवाद, मुस्लिम राष्ट्रवाद—ये दो नये ढंग के राष्ट्रवाद सामने आए। एक का प्रचार मुस्लिम लीग ने किया; दूसरे का, उससे पीछे, उसके चरणचिह्नों पर चलकर, हिन्दू महासभा और जनसंघ ने। इन्हें मार्क्सवाद के नाम पर वैज्ञानिक ठहराया श्री सज्जाद ज़हीर ने।

मुसलमानों ने हिन्दी-आन्दोलन का विरोध किया। "इस व्यापक विरोध को समझने के लिए हमें यह जानना चाहिए कि मुसलमानों के लिए उस समय यह समझना कठिन था कि हिन्दी नागरी आन्दोलन हिन्दुओं के देशव्यापी सांस्कृतिक नवोत्थान का ही एक अंग था।" यह हिन्दुओं का नवोत्थान जारी रहा और उसे आगे बढ़ाया महात्मा गांधी ने।

चौंकने की बात नहीं है। गांधी जी के राष्ट्रीय आन्दोलन को जिन्ना साहब हिन्दू आन्दोलन कहते थे या नहीं? फील्ड मार्शल अय्यूब खाँ हिन्दू भारत से मुस्लिम कश्मीर को आज़ाद कराने का जेहाद शुरू कर चुके हैं या नहीं? ब्रिटिश प्रचारक कहते हैं या नहीं कि श्री लालबहादुर शास्त्री पाकिस्तान से इसलिए लड़ रहे हैं कि वह हिन्दू हैं?

ज़हीर साहब के वैज्ञानिक विवेचन के अनुसार : "सन् 1920 में जब राष्ट्रीय जागरण की एक नई लहर कांग्रेस और महात्मा गांधी के नेतृत्व में उठी, तो इसके बाद हिन्दुओं में हिन्दी को और भी अधिक प्रात्सोहन मिला। बाबू मैथिलीशरण गुप्त ने अपना सुप्रसिद्ध काव्य 'भारत-भारती' इसी युग के आसपास (सन् 1913) में लिखा। यह कविता उन गांधीवादी भावनाओं का प्रतिनिधित्व करती है जो इस समय उत्तरी भारत के हिन्दुओं को आन्दोलित कर रही थीं।"

सन् '20 में जो राष्ट्रीय जागरण की नई लहर उठी, उसने सात साल पहले की रचना 'भारत-भारती' को प्रभावित किया और इसमें वे गांधीवादी भावनाएँ हैं जो उस समय के हिन्दुओं को आन्दोलित कर रही थीं!

उधर 'हिन्दुओं के ही समान उत्तरी भारत के मुसलमानों में राष्ट्रीय जागरण' की लहर उठ रही थी। इस राष्ट्रीय जागरण का सम्बन्ध गांधी जी के आन्दोलन से नहीं है। बीसवीं सदी के आरम्भ में "राजनीतिक जागरण के साथ-साथ स्वतंत्रता का भाव भी मुसलमानों में जागने लगा।" राजनीतिक जागरण? क्या यह गांधी जी के आन्दोलन

से बाहर कोई जागरण था? स्वतंत्रता का भाव? किससे? अंग्रेज़ों से या हिन्दुओं से या दोनों से? उर्दू साहित्य ने नई करवट ली : "और शिबली जफर अली खाँ, अबुल कलाम और अन्त में इक़बाल ने मुसलमानों के नवीन जागरण को व्यक्त किया।"

अबुल कलाम आज़ाद मुसलमानों के 'राष्ट्रीय' जागरण के नेता कैसे बने, यह नहीं बताया गया। मुझे याद है, सन् '47 के आसपास इस तरह के 'राष्ट्रीय' जागरण की चर्चा करनेवाले समझते थे कि कांग्रेस और गांधी जी का साथ देनेवाले मुसलमान गुमराह हैं, वे मुस्लिम इत्तहाद को तोड़नेवाले लोग हैं। मुसलमानों के असली नेता कायदे आज़म जिन्ना और अन्य मुस्लिम लीगी हैं। किन्तु इक़बाल ने राष्ट्रीयता के साथ गद्दारी करके साम्प्रदायिकता को अपनाया, स्वभावत: उसकी आलोचना श्री ज़हीर के लेख में नहीं है यद्यपि बहुत-से उर्दू लेखकों ने इसके लिए इक़बाल की आलोचना की थी।

नतीजा यह कि "आधुनिक उर्दू की तरक़्क़ी हिन्दुस्तानी मुसलमानों के विगत सौ वर्षों के राष्ट्रीय जागरण से सम्बद्ध है।" राष्ट्रीय जागरण से सम्बद्ध है तो नया राष्ट्र बनेगा ही; ज़हीर साहब के अनुसार उर्दू का सारा विकास पाकिस्तान की ओर—भारत के विभाजन की ओर—संकेत करता था। हिन्दू सम्प्रदायवादी भी उर्दू के दमन के पक्ष में यही तर्क देते थे। मुश्किल यह थी कि उर्दू के लेखकों में प्रेमचन्द भी थे; वह दोनों राष्ट्रीय जागरणों में हिस्सा बँटा रहे थे। क्या कारण है कि किसान-जीवन के अमर चित्रकार प्रेमचन्द के सामने होते हुए श्री सज्जाद ज़हीर जैसे मार्क्सवादी हिन्दी-उर्दू साहित्य का सम्बन्ध हिन्दू और मुस्लिम राष्ट्रवाद यानी सम्प्रदायवाद से जोड़ने लगे? कारण है : आम जनता से अलगाव। उनका जन्म अभिजात वर्ग में हुआ। अपने वर्ग के संस्कार मिटाने के लिए—उन्हें आप जनता से जैसा सम्पर्क क़ायम करना चाहिए था, उन्होंने नहीं किया। आम जनता में काम किये बिना ही वह बहुत जल्दी कम्युनिस्ट पार्टी के नेता बन गए। श्री पूरनचन्द जोशी हमेशा ऐसे लोगों की तलाश में रहे हैं जो आला खानदान के हों, विलायत जाकर पढ़े हों, दिमाग के कच्चे हों जिससे कि उनकी नई-नई स्थापनाएँ आसानी से मान लें। श्री सज्जाद ज़हीर बहुत अच्छे लेखक, बहुत अच्छे राजनीतिक कार्यकर्ता बन सकते थे यदि श्रीमान् पूरनचन्द जोशी ने उन्हें बिगाड़ा न होता।

इसलिए 'गोदान' की तारीफ करने के बाद इस सम्प्रदाय के तरक़्क़ीपसन्द अदीब कहते थे कि जब प्रेमचन्द तरक़्क़ीपसन्द बन रहे थे, तभी वह स्वर्गवासी हो गए। प्रेमचन्द के विकास को वे बिलकुल न समझते थे। उनका साहित्य हर तरह के सम्प्रदायवाद पर कितना ज़बर्दस्त प्रहार है, यह उन्हें बिलकुल दिखाई न देता था। एक मित्र ने छह-सात साल पहले अपने एक भाषण में कहा था कि प्रेमचन्द हिन्दुओं की आलोचना तो कर लेते थे, मुसलमानों की आलोचना करते जैसे उन्हें डर लगता था। मैंने 'समालोचक' में इन हिन्दी लेखक मित्र के आरोप का विस्तार

से जवाब दिया था। उन्हीं की तरह '43-'47 में बम्बई के कुछ राजनीतिज्ञ प्रेमचन्द के बारे में कहते थे कि वह महज हिन्दू समाज-सुधारक थे।

दिलचस्प बात है कि 'भारत-भारती' पर ज़हीर साहब ने स्वर्गीय रामचन्द्र शुक्ल की सम्मति उद्धृत की है। इस सम्मति में कहा गया है : "सत्याग्रह, अहिंसा, मनुष्यतावाद, विश्वप्रेम, किसानों और श्रमजीवियों के प्रति प्रेम और सम्मान, सबकी झलक हम पाते हैं।"

इसे भी उन्होंने हिन्दुओं को आन्दोलित करनेवाली गांधीवादी भावनाओं के प्रमाणस्वरूप पेश किया है।

आधुनिक उर्दू साहित्य में फ़िराक़ गोरखपुरी, कृश्न चन्दर, राजेन्द्रसिंह बेदी जैसे ग़ैर-मुसलमान लेखक भी हैं। सम्प्रदायवादी कहते हैं कि ये आधे मुसलमान हैं। ज़हीर साहब की राय यह थी कि "उर्दू साहित्य का अधिकांश पहले भी, और आज और भी अधिकतर मुसलमानों से सम्बन्ध रखता है, और इसी कारण उर्दू साहित्य के अधिकांश भाग पर मुसलमानों की सभ्यता और संस्कृति की छाप है। बिलकुल ऐसे ही हिन्दी के अधिकांश भाग पर हिन्दू सभ्यता के प्रभाव स्पष्ट हैं।" इस तरह प्रेमचन्द, फ़िराक़, बेदी, कृश्न चन्दर वगैरह-वगैरह के बावजूद श्री सज्जाद ज़हीर ने साहित्य को हिन्दू-मुस्लिम सभ्यता के आधार पर दो हिस्सों में बाँट दिया।

उनके दिमाग पर धार्मिक पुनरुत्थानवाद का इतना गहरा रंग चढ़ा हुआ था कि हिन्दी-उर्दू साहित्य में उन्हें हिन्दू-मुस्लिम सभ्यता के अलावा और कुछ दिखाई ही न देता था।

हिन्दू सम्प्रदायवादियों से जब कोई कहता है कि आप हिन्दू धर्म का प्रचार करते हैं, धार्मिक संकीर्णता फैलाते हैं, तो वे जवाब देते हैं कि हमारा तात्पर्य धर्म से नहीं है। हिन्दुत्व एक जीवन-पद्धति है। वह इस देश की जीवन-पद्धति है। जो उसे माने, वह हिन्दू।

जहीर साहब ने लिखा था : "जब मैं हिन्दू संस्कृति या मुस्लिम संस्कृति का नाम लेता हूँ तो मेरा तात्पर्य उनके धार्मिक भेदों से नहीं है। भारतीय सभ्यता को हम देश के विभिन्न भागों में विभिन्न रूप से देखते हैं, और इनमें हमें अनगिनत समानताएँ मिलती हैं। फिर भी उन इलाकों में जहाँ उर्दू या हिन्दी आम तौर से बोली जाती है, हिन्दू और मुस्लिम संस्कृति का भेद, हमें उर्दू और हिन्दी के साहित्यिक रूपों में स्पष्ट दिखाई देता है।"

हिन्दू सम्प्रदायवादी कहते हैं कि सारे भारत में एक ही संस्कृति है : हिन्दू संस्कृति। ज़हीर साहब कहते हैं : एक नहीं, दो संस्कृतियाँ हैं। हिन्दू संस्कृति तो है ही, एक मुस्लिम संस्कृति भी है।

मुस्लिम संस्कृति किन इलाकों में है? उन इलाकों में, जहाँ उर्दू बोली जाती है। क्या सिन्ध और पूर्वी बंगाल की भाषा उर्दू है? नहीं। फिर भी मुस्लिम संस्कृति के

नाम पर भारत का वह सारा हिस्सा अलग किया गया, जहाँ किसी की भी मातृभाषा उर्दू नहीं है। जिनकी मातृभाषा उर्दू है, वे भारत में ही हैं, इसलिए इलाकाई ज़बान की समस्या फिर भी बनी रह गई।

उर्दू में अब भी बहुत-से अख़बार निकलते हैं जिनमें धुआँधार हिन्दू सम्प्रदायवाद का प्रचार होता है। जो उर्दू में लिखे, वह आधा मुसलमान हो जाए, यह आवश्यक नहीं है। एक ही भाषा में हर तरह के विचार व्यक्त किये जा सकते हैं। भाषा और धर्म दो अलग चीज़ें हैं। उर्दू में फ़ारसी के जो शब्द आए हैं, वे ईरान के सांस्कृतिक प्रभाव के कारण, धर्म के कारण नहीं। फ़ारसी मुसलमानों की धार्मिक भाषा नहीं है। उनका धर्मग्रंथ अरबी में है। यह अरबी इस्लाम से पहले भी थी, उसका जन्म इस्लाम के साथ नहीं हुआ। घोर धर्मान्ध व्यक्ति ही धर्म के साथ भाषा का सम्बन्ध जोड़ सकता है। उर्दू के इन रक्षकों को यह नहीं दिखाई देता कि कश्मीरी, सिन्धी, बंगला आदि भाषाएँ बोलनेवाले लाखों मुसलमान हैं जिनका उर्दू से कोई सम्बन्ध नहीं है।

और भारतेन्दु हरिश्चन्द्र, जिन्होंने हिन्दी-आन्दोलन और हिन्दू राष्ट्रवाद को जन्म दिया, कैसी हिन्दी लिखते थे? क्या उनकी भाषा में सभी शब्द हिन्दू होते थे?

ज़हीर साहब ने भारतेन्दु की भाषा-शैली का बहुत सही वर्णन किया है। लिखा है : "भारतेन्दु जी की भाषा पर जब हम दृष्टि डालते हैं तो उसमें प्रवाह और ओज के साथ-साथ यह भी देखते हैं कि वह अपनी हिन्दी में अरबी और फ़ारसी के प्रचलित शब्द निस्संकोच प्रयोग करते हैं। उनकी रचना हिन्दी होती है, उसमें संस्कृत का मिश्रण होता है, और वह ब्रज और अवधी की परम्पराओं का भी दामन नहीं छोड़ती। इस दृष्टि से इसमें और सम्प्रति प्रचलित उर्दू गद्य की शैली में काफ़ी अन्तर है।"

भारतेन्दु हरिश्चन्द्र ने अरबी-फ़ारसी के प्रचलित शब्दों को छोड़ा नहीं, उनकी भाषा में संस्कृत शब्द भी होते हैं; ब्रज, अवधी आदि की जनपदीय और साहित्यिक परम्पराएँ उससे जुड़ी हुई हैं—क्या हिन्दी-उर्दू की मिली-जुली साहित्यिक परम्परा इसमें भिन्न किसी और तरह की भाषा अपना सकती है? इस तरह की भाषा पर हिन्दू राष्ट्रवाद का कौन-सा ठप्पा लगा हुआ है? इस भाषा से उर्दू की रक्षा का मतलब क्या होता है? संस्कृत शब्दों का बहिष्कार, सांस्कृतिक शब्दावली केवल अरबी-फ़ारसी से ली जाए, जनपदीय बोलियों और हिन्दी की पुरानी साहित्यिक परम्परा से अलगाव—यह उर्दू की रक्षा का नहीं, उसके विनाश का मार्ग है।

दो तरह की संस्कृतियों, दो तरह के 'राष्ट्रीय' जागरणों की मान्यताएँ प्रस्तुत करने के बाद भी ज़हीर साहब ने फ़िल्मों में और मज़दूर नेताओं के भाषणों में हिन्दी-उर्दू का मिला-जुला रूप देखा, यह उनकी शराफत थी। जब संस्कृतियाँ हिन्दू और मुस्लिम खेमों में विभाजित थीं, तब यह मिली-जुली भाषा कौन-सी संस्कृति को प्रतिबिम्बित करती थी, जो न हिन्दू थी, न मुसलमान—यह उन्होंने नहीं बताया।

कांग्रेस-लीग एक हो, यह नारा भाषा के क्षेत्र में लागू करते हुए उन्होंने राय दी : "भारत की राष्ट्रभाषा हिन्दी और उर्दू, दोनों हों।"

उन्होंने उदारता से लिखा : "उर्दू और हिन्दी के आज के पार्थक्य को स्वीकार करते हुए हमें प्रयत्न करना चाहिए कि यह पार्थक्य कम हो।

"इसलिए आवश्यक है कि इस समय हिन्दी और उर्दू का यह भाषा-क्षेत्र जो समान रूप से दोनों का एक है, जिसे सरल उर्दू, सरल हिन्दी या हिन्दुस्तानी का नाम दिया जाता है, क़ायम रहे और उसकी सीमा बराबर बढ़ाने का प्रयत्न किया जाए।"

हिन्दी और उर्दू बुनियादी रूप में एक हैं; उनके साहित्यिक, शिष्ट रूप में आज भेद है, उसे दूर करना चाहिए। दोनों का भाषा-क्षेत्र एक है। दोनों का सामाजिक परिवेश एक है। इन बातों को ध्यान में रखते हुए यदि श्री ज़हीर ने जाति की मार्क्सवादी व्याख्या पर विचार किया होता तो वह इस नतीजे पर अवश्य पहुँचते कि हिन्दी-उर्दू एक ही जाति की भाषा है। दोनों का साहित्य एक ही जाति का साहित्य है। उनमें एक ही राष्ट्रीय जागरण की झलक है, दो राष्ट्रों के जागरण की नहीं। मार्क्सवाद में कहीं भी इसका प्रमाण नहीं है कि धर्म के आधार पर भाषा या जाति का निर्माण स्वीकार किया गया हो। यदि हिन्दी-उर्दू का इलाका एक था, तो बंगाल और सिन्ध में आत्मनिर्णय का अधिकार किसके लिए? फिर पाकिस्तान का समर्थन क्यों?

इन प्रश्नों का उत्तर यह है : इलाका तो एक है लेकिन "उसकी सीमा बराबर बढ़ाने का प्रयत्न किया जाए।"

ज़हीर साहब के दिमाग में नक्शा यह है कि मुसलमानों की एक भाषा है उर्दू। जो मुसलमान उर्दू नहीं बोलते, वे भी आगे चलकर उर्दू बोलने लगेंगे। मुस्लिम संस्कृति से उर्दू का सम्बन्ध जोड़ने का एक ही नतीजा होगा : भारत के सभी मुसलमानों की भाषा उर्दू हो। इसीलिए धीरे-धीरे इलाका बढ़ाते जाओ; एक दिन सब मुसलमान उसमें सिमट आएँगे। उधर हिन्दुओं की राष्ट्रभाषा होगी हिन्दी। हिन्दू संस्कृति से हिन्दी का सम्बन्ध है, इसलिए हिन्दू मात्र की एक भाषा होगी हिन्दी। हिन्दू राष्ट्र में बंगला, मराठी, तमिल आदि भाषाएँ क़ायम रहीं तो वे राष्ट्र को खंडित करेंगी—यही सम्प्रदायवादियों का दृष्टिकोण रहा है।

श्री सज्जाद ज़हीर की मान्यताओं को श्री शिवदानसिंह चौहान ने और भी पुष्पित और पल्लवित किया।

'राष्ट्रभाषा : विवाद और समाधान' नाम के निबन्ध में शिवदान सिंह जी ने पहले तो सम्प्रदायवादियों को फटकार बताई, कहा कि 140 साल से यह हिन्दी-उर्दू की बहस राजनीतिक उत्तेजना और 'धार्मिक-साम्प्रदायिक उन्माद के वातावरण में अविराम चलती आई है', 'प्रतिपक्षियों ने अपनी तर्कावली को रूढ़ बना रखा है'। उन्होंने सावधान किया कि वे दिन गए जब " 'आर्य-भाषा हिन्दी के समर्थक उसे हिन्दुओं की परम्परागत भाषा कहकर' उसका चलन कचहरियों और दफ्तरों में

कराना चाहते थे। उन्होंने किंचित् खेद प्रकट किया कि "हिन्दी का नेतृत्व विशेष कर हिन्दू राष्ट्रवादियों के हाथ में है", उधर "उर्दू का नेतृत्व विशेष कर मुस्लिम राष्ट्रवादियों के हाथ में है।" इसके बाद उन्होंने प्रगतिवादियों की ख़बर ली जिन्होंने मिली-जुली भाषा हिन्दुस्तानी का समर्थन किया : "इससे उन्हें राष्ट्रभाषा के प्रश्न पर गहराई से सोचने से जैसे छुट्टी मिल गई और सरल समाधानों को ही स्वीकार कर उन्होंने अपनी इतिकर्तव्यता मान ली।"

भाषा-समस्या पर गहराई से विचार करके, सरल समाधानों को रास्ते से हटाकर संश्लिष्ट समाधानों की ओर साहस से कदम उठाते हुए श्री चौहान ने अपनी ये मान्यताएँ प्रस्तुत कीं :

— "सर्वप्रथम यह स्वीकार करने की आवश्यकता है कि हिन्दी और उर्दू दो भिन्न भाषाएँ हैं।"

— "हिन्दी और उर्दूवालों को यह स्वीकार कर लेना चाहिए कि ये दोनों अलग-अलग स्वतंत्र भाषाएँ हैं।"

— "ये दोनों पृथक् भाषाएँ खड़ी बोली की ज़मीन पर संस्कृत और फ़ारसी के खाद-बीज से उत्पन्न दो पौधों के समान हैं, अत: दो भिन्न संस्कृतियाँ हिन्दू और मुस्लिम की प्रतीक हैं।"

ये मान्यताएँ नई नहीं हैं। हिन्दू और मुस्लिम सम्प्रदायवादी यही बातें कहते रहे हैं। लेकिन यह श्री शिवदानसिंह चौहान का ही बूता था कि वह हिन्दू राष्ट्रवादियों की निन्दा करते हुए उन्हीं की स्थापनाओं को अपने जनवाद के नाम पर दोहराते चलें।

उनका जनवाद धन्य है क्योंकि "हम जनवाद के उन सिद्धान्तों के आधार पर इस प्रश्न का समाधान करना चाहते हैं जिनका आधार अखंड हिन्दुस्तान अथवा विभाजित हिन्दुस्तान की केन्द्रीय सरकारों को भी लेना पड़ेगा।"

श्री चौहान ने जनवाद पर इतनी गहराई से विचार किया था कि उन्होंने अखंड और खंडित, दोनों तरह के देश के लिए अपना अचूक समाधान प्रस्तुत किया था :

"इस समय देश में 'पाकिस्तान' और 'अखंड हिन्दुस्तान' का विवाद छिड़ा हुआ है। हमने अपने विवेचन में अखंड अथवा विभाजित भारत को लक्ष्य में रखकर कोई समाधान निकालने की चेष्टा नहीं की, क्योंकि हमारी दृष्टि में अखंड हिन्दुस्तान हो अथवा पाकिस्तान और हिन्दुस्तान अलग-अलग हों, दोनों दशाओं में राष्ट्रभाषा का वही समाधान होगा जिस पर हम अभी विचार करेंगे।"

असली चीज़ है जनवादी दृष्टि प्राप्त करना। गुरु-कृपा से जिसे यह दृष्टि प्राप्त हो जाती है, उसके लिए जैसे पाकिस्तान, वैसे अखंड भारत। गुरु श्री सज्जाद ज़हीर की कृपा से यह दृष्टि मुरीद श्री चौहान को प्राप्त हो गई।

"इस जनवादी उदार दृष्टि को प्राप्त करने पर राष्ट्रभाषा के प्रश्न का समाधान स्वत: स्पष्ट हो जाता है।"

अब देखिए इस उदार दृष्टि के प्राप्त होने से भूत, भविष्यत् और वर्तमान—तीनों कालों में सत्य कैसा स्पष्ट दिखाई देने लगता है।

पहले अतीत के दृश्य देखिए। भारत में मुसलमान आए। जब ताज़े थे, तब तो हिन्दू-मुस्लिम संस्कृतियों का मेल हो गया। जब यहाँ रहते-रहते यहीं के हो गए, तब उनकी संस्कृतियों में भेद हो गया। और यह भेद करनेवाले थे ब्रज और अवधी के दो कवि—सूरदास और तुलसीदास!

सुनिए हिन्दी साहित्य के विकास का यह अभिनव जनवादी विश्लेषण।

"इसमें सन्देह नहीं कि भारत में मुसलमानों के आगमन के पश्चात् हिन्दू-मुस्लिम संस्कृतियों में एक लम्बी अवधि तक मुक्त आदान-प्रदान और मिश्रण होता रहा।"

ईरानियों की संस्कृति, अरबों, पठानों, उजबकों की संस्कृति—सब एक-सी, सब इस्लामी संस्कृति!

निर्गुणपंथियों और प्रेम-मार्गियों ने हिन्दू और मुस्लिम संस्कृतियों को मिलाया। "इस संयुक्त विचार-परम्परा की कविताएँ यद्यपि सत्रहवीं शताब्दी तक होती रहीं परन्तु स्वामी रामानुजाचार्य के अनुयायी रामानन्द और श्री वल्लभाचार्य ने राम और कृष्ण की सगुणोपासना की जो परिपाटी चलाई, उसने तुलसी और सूर जैसे महाकवियों को जन्म दिया जिन्होंने अवधी और ब्रज की काव्यधारा को कबीर और जायसी की हिन्दू-मुस्लिम संस्कृतियों की सम्मिलित परम्परा से एकदम अलग कर दिया। अवधी और ब्रज की काव्य-परम्परा हिन्दू संस्कृति की प्राचीन काव्य-परम्पराओं की उत्तराधिकारिणी बन गई। यह हिन्दू जातीयता की नवचेतना का परिणाम था।"

मुसलमानों के आने पर पहले तो सम्मिलित संस्कृति की धारा चली; फिर उसे सूरदास और तुलसीदास ने तोड़ दिया। यह भी अच्छा हुआ क्योंकि सत्रहवीं सदी से हिन्दू जातीयता का अभ्युत्थान आरम्भ हो गया था। इन महाकवियों ने उसे पहचाना और उसे अपने साहित्य में अभिव्यक्त किया।

रीति और भक्ति की काव्यधाराओं में भले ही बहुत-से मुसलमानों ने योग दिया हो, श्री चौहान के अनुसार : "ये काव्यधाराएँ हिन्दू जातीयता के नवोन्मेष की प्रतीक हैं।" इनके भाव-विचार ही नहीं, "सौन्दर्य-मूल्य, छंद-रचना, ध्वनि-योजना, अलंकार-विधान" भी "संस्कृत साहित्य और हिन्दू-आर्य संस्कृति से प्रभावित और निरूपित हैं।" चौहान ने यह नहीं बताया कि जिन कवियों ने हिन्दू-मुस्लिम संस्कृतियों का मेल किया था, उन्होंने हिन्दू-मुस्लिम छंदों का मेल कैसे किया था।

आधुनिक हिन्दी के युग में आइए। हिन्दू संस्कृति की वह परम्परा आगे भी क़ायम रही। लिखा है : "सूरदास और तुलसीदास के समय से भारतेन्दु काल तक ब्रज और अवधी की काव्य-परम्परा में वह विचारधारा ही सर्वप्रथम बनी रही।"

आधुनिक खड़ी बोली ने अपने से पहले की सांस्कृतिक परम्पराओं से सम्बन्ध यों जोड़ा : "खड़ी बोली हिन्दी ने संस्कृत, प्राकृत और अपभ्रंशों से अपना सीधा

सम्बन्ध जोड़कर शौरसेनी, मागधी आदि अपभ्रंशों की अन्य भाषाओं के प्राचीन साहित्य को अपना प्राचीन साहित्य घोषित करके अपने को आर्य-हिन्दू परम्परा का उत्तराधिकारी सिद्ध किया। इस प्रकार हिन्दू जातीयता और तदनन्तर हिन्दू राष्ट्रीयता ने अपनी जाग्रति, संगठन और विकास के लिए खड़ी बोली हिन्दी के द्वारा अपना मार्ग प्रशस्त किया अथवा कहें कि इस पुनरुत्थान और राष्ट्रीय चेतना में हिन्दुओं के लिए खड़ी बोली हिन्दी माध्यम और वाहक बनी। हिन्दी साहित्य के इतिहासकारों ने इस तथ्य को मुक्त कंठ से स्वीकार किया है।"

शिवदानसिंह जी ने उदारतावश हिन्दी साहित्य के इतिहासकारों का उल्लेख कर दिया है, वरना पहले हिन्दू जातीयता, तदनन्तर हिन्दू राष्ट्रीयता के विकास का सूक्ष्म भेद किसने किया है? साधारण पाठक इस भेद को समझ भी नहीं सकते। हिन्दू जातीयता हिन्दी-भाषी क्षेत्र तक सीमित थी; इसके प्रचारक-प्रसारक सूरदास और तुलसीदास थे। खड़ी बोली सारे भारत में फैल गई; वह हिन्दुओं की नई भारतव्यापी राष्ट्रीयता का द्योतक हुई। इसलिए लिखा कि पहले हिन्दू जातीयता, तदनन्तर हिन्दू राष्ट्रीयता का विकास हुआ। यदि यह व्याख्या ग़लत हो तो भाई शिवदानसिंह उसे दुरुस्त करके अपनी व्याख्या प्रस्तुत कर दें।

लेकिन 'अपभ्रंशों की अन्य भाषाओं' से उनका क्या तात्पर्य है, यह मैं बहुत कोशिश करने पर भी नहीं समझ पाया। खैर, अर्थ जो कुछ भी हो, 'अपभ्रंशों की अन्य भाषाओं के प्राचीन साहित्य को अपना प्राचीन साहित्य'—यह टुकड़ा अपनी 'ध्वनि-योजना' में निश्चय ही हिन्दू राष्ट्रवादी है!

हिन्दी साहित्य के इतिहासकारों ने ज़्यादातर भारतीय साहित्य, भारतीय संस्कृति की बात की है। चौहान ने भारतीय शब्द की व्याख्या करके उसका तात्त्विक अर्थ स्पष्ट कर दिया है। उन्होंने लिखा है : "आधुनिक हिन्दी के साहित्य के यदि सभी अंग-उपांगों का निरीक्षण करें (कितना धैर्य चाहिए इस कार्य के लिए! सराहिए उस मर्मभेदी दृष्टि को, जो अंगों ही नहीं, उपांगों तक का निरीक्षण कर लेती है!) तो उससे निर्विवाद सिद्ध हो जाएगा कि हिन्दी साहित्य में भारतीय साहित्य, संस्कृति, विचारधारा तथा राष्ट्रीयता आदि जिन शब्दों के आगे 'भारतीय' विशेषण निर्बाध प्रयोग होता है, वह वास्तव में मुसलमानों के योग से विकसित एक संयुक्त अखिल भारतीय संस्कृति अथवा विचारधारा का द्योतन नहीं करता। इन प्रयोगों में 'भारतीय' केवल हिन्दू-आर्य संस्कृति और हिन्दू राष्ट्रीयता का अर्थवाची है।"

भाषाविज्ञान और समाजशास्त्र, दोनों ही की दृष्टि से श्री चौहान की यह खोज अत्यन्त महत्त्वपूर्ण है कि हिन्दी लेखक भारतीय शब्द का प्रयोग उसी अर्थ में करते हैं जिसमें भारतीय जनसंघ के नेता करते हैं।

जिन निर्गुणपंथी संतों के बारे में चौहान जी की राय है कि उन्होंने हिन्दू-मुस्लिम संस्कृतियों का मेल किया था, उनके लिए हज़ारीप्रसाद द्विवेदीजी ने लिखा है कि उनके

काव्य की बाहरी रूपरेखा 'सम्पूर्णत: भारतीय' है। ('हिन्दी साहित्य की भूमिका', पृ. 31) शायद उनका मतलब है कि बाहर से पूरे हिन्दू हैं, भीतर से आधे मुसलमान। लेकिन उसी वाक्य में बौद्धों को भी लाकर 'भारतीय' के विशुद्ध अर्थ को खंडित कर दिया है : "बौद्ध धर्म के अन्तिम सिद्धों और नाथपंथी योगियों के पदादि से उसका सीधा सम्बन्ध है।"

'काव्य में प्राकृतिक दृश्य' नाम के अपने निबन्ध में आचार्य रामचन्द्र शुक्ल ने लिखा था : "आजकल के पार्कों में हम भारतीय आदर्श की छाया देखते हैं।" अर्थात् ये पार्क हिन्दू हैं, मुस्लिम नहीं।

श्री हरिशंकर शर्मा ने उर्दू साहित्य के इतिहास में जोश मलीहाबादी की राष्ट्रीय कविताओं का उल्लेख किया है; श्री गोपीनाथ अमन ने 'उर्दू और उसका साहित्य' में चकबस्त की राष्ट्रीय कविताओं की चर्चा की है। चकबस्त तो हिन्दू थे ही, जोश भी कुछ समय के लिए हिन्दू राष्ट्रीयता के गीत गाने लगे, वरना आर्यसमाजी विद्वान् श्री हरिशंकर शर्मा उनकी राष्ट्रीयता की प्रशंसा कैसे करते?

फ़िराक़ साहब ने उर्दू की प्रगतिशील कविताओं के संग्रह 'ज़ंजीरें टूटती हैं' की भूमिका में इनके रचयिताओं के लिए दावा किया है कि "आदिकाल से अब तक की भारतीय संस्कृति उनकी जागीर है।" चूँकि यह जागीर हिन्दुओं की है, इसलिए फ़िराक़ गोरखपुरी का तो उसमें थोड़ा-बहुत हिस्सा हो भी सकता है, लेकिन मख़दूम मुहीउद्दीन, राही मासूम रज़ा, वामिक जौनपुरी, अली सरदार जाफ़री वगैरह भी हिस्सेदार हो जाएँ, यह बात बर्दाश्त नहीं की जा सकती।

बंगालियों ने शब्दों का अर्थ अलग भ्रष्ट कर दिया है। प्राचीन संस्कृति के सबसे बड़े जागीरदार श्री रवीन्द्रनाथ ठाकुर ने कबीर, नानक, दादू आदि को पहले तो भारतीय साधक कहा, फिर उनका सम्बन्ध राममोहन राय से जोड़ा। राममोहन राय का सम्बन्ध आधुनिक साहित्य से जोड़कर हिन्दू-मुस्लिम विकास के तमाम इतिहास का ही सत्यानाश कर दिया। (देखिए : 'दादू ग्रंथावली' की भूमिका)

भारत के आधुनिक विकास की विशेषता क्या है? श्री चौहान कहते हैं : "वस्तुत: हमारे देश के ऐतिहासिक विकास-क्रम की ही यह विशिष्टता है कि राष्ट्रीय चेतना ने हिन्दू राष्ट्रीयता और मुस्लिम राष्ट्रवादिता का रूप ग्रहण किया।"

जिसे राष्ट्रवादी लोग साम्प्रदायिकता कहते थे, वही सच्ची राष्ट्रीयता है; जिसे वे राष्ट्रीयता कहते थे, वह "पाँच-सात सौ वर्ष के ऐतिहासिक जीवन की स्मृतियों तक को उन्मूलन करने की असम्भव चेष्टा" है।

हिन्दुओं और मुसलमानों की एक राष्ट्रीयता? असम्भव! यह सम्प्रदायवाद है, जनतंत्र की हत्या है। उदार जनवादी दृष्टि से विचार कीजिए तो पता चल जाएगा कि इस 'द्वैत को स्थायित्व प्रदान' करने में अंग्रेज़ी शासन का भी हाथ भले रहा हो, "राष्ट्रीय जागरण ने इस भेद चैतन्य को और भी निखारा है।" चैतन्य महाप्रभु के बाद गौरांग महाप्रभु की कृपा से ये नये भेद चैतन्य जी प्रकट हुए।

इन भेद चैतन्य जी के प्रकट होने का फल यह हुआ कि एक ओर हिन्दू संस्कृति को प्रतिबिम्बित करनेवाला हिन्दी साहित्य विकसित हुआ, उसी तरह मुस्लिम संस्कृति को प्रतिबिम्बित करनेवाला उर्दू साहित्य भी संवर्धित हुआ।

"हिन्दी (संस्कृतनिष्ठ साहित्यिक बोली) के समानान्तर (अरबी-फ़ारसी-निष्ठ) साहित्यिक खड़ी बोली का विकास मुस्लिम संस्कृति के प्रभाव में हुआ।"

संस्कृत के शब्द आर्य हिन्दू हैं, फ़ारसी के शब्द मुसलमान हैं, इसलिए जहाँ संस्कृत के शब्द ज़्यादा हों, वहाँ हिन्दू संस्कृति जीती। जहाँ अरबी-फ़ारसी के शब्द ज़्यादा हों वहाँ इस्लाम जीता।

"राष्ट्रीय जाग्रति के साथ-साथ हिन्दी और उर्दू का भेद और भी बढ़ गया।" पहले प्रगतिशील लेखक यह भेद देखकर परेशान होते थे, उसे दूर करने की कोशिश करते थे। चौहान ने बताया कि परेशानी की कोई बात नहीं है : "दोनों भाषाओं ने अपनी प्रकृति के अनुकूल पर्याप्त विकास किया" और "राष्ट्रीय जाग्रति के बिना इन दोनों भाषाओं का ऐसा अपूर्व विकास असम्भव होता।" इस राष्ट्रीय जाग्रति से शायद गांधी जी का भी कुछ सम्बन्ध था। उन्होंने जीवन-भर प्रयत्न किया कि यह भेद मिटे और हिन्दी-उर्दू एक-दूसरे के नज़दीक आएँ। वे हिन्दू-मुसलमानों तथा हिन्दी-उर्दू के भेदभाव से क्षुब्ध थे। इसका कारण यह था कि उन्होंने वैज्ञानिक दृष्टिकोण से आधुनिक इतिहास को समझा न था, उसका निर्माण भले ही किया हो। श्री चौहान के शब्दों में : "हिन्दी और उर्दू के स्वतंत्र विकास से केवल ऐसे ही लोग विक्षुब्ध हैं जो अपने अनैतिहासिक दृष्टिकोण और इस बद्धमूल धारणा के कारण कि हिन्दू-मुस्लिम एकता अथवा समस्त भारत की अखंडता के लिए एक ही राष्ट्रभाषा का होना अनिवार्य है, भारत की विशिष्ट वस्तुस्थिति को समझ नहीं पाते।"

यह हुई विशुद्ध समाजशास्त्र की बात। आप पूछ सकते हैं, किसी भाषा के शब्द-भंडार या व्याकरण-व्यवस्था से धर्म का क्या सम्बन्ध है। आप न जानते होंगे कि संसार के तमाम ईसाइयों की भाषाओं का व्याकरण एक-सा है। तमाम मुसलमानों की भाषाओं का व्याकरण एक-सा है। जब इस्लाम भारत में आया तब उसने न केवल यहाँ की भाषाओं के शब्द-भंडार में भारी उथल-पुथल की, उसने इन भाषाओं के व्याकरण में भी राष्ट्रीय और जनवादी क्रान्ति कर दी।

चौहान ने लिखा : "हिन्दी और उर्दू की भिन्नता केवल शब्दों के संस्कृत या फ़ारसी प्रयोग तक ही सीमित नहीं है। उनके व्याकरण, पिंगल वाक्य-विन्यास आदि में भी मौलिक भेद उत्पन्न हो गया है।" क्लिष्ट शब्द तो दोनों में होते ही हैं : "परन्तु इससे भी अधिक खड़ी बोली के व्याकरण का शुद्ध पालन न हिन्दी में किया जाता है, न उर्दू में। हिन्दी व्याकरण पर संस्कृत व्याकरण का प्रभाव स्पष्ट लक्षित है और उर्दू व्याकरण पर फ़ारसी और अरबी व्याकरण की गहरी छाप पड़ गई है।"

सम्भवत: अरबी और फ़ारसी—दो भिन्न कुलों की भाषाओं—का व्याकरण एक-सा है क्योंकि दोनों का प्रभाव मुसलमानों की खड़ी बोली पर पड़ा है। आश्चर्य की बात है कि मराठी, हिन्दी और बंगला—तीनों के व्याकरण पर संस्कृत का प्रभाव पड़ा लेकिन मराठी में तीन लिंग हैं, हिन्दी में दो, बंगला में एक भी नहीं। गम्भीरता से विचार कीजिए तो आपको ज्ञात हो जाएगा कि मराठी पर संस्कृत का प्रभाव सबसे ज़्यादा है, इसलिए उसके बोलनेवाले सब हिन्दू हैं या हिन्दू राष्ट्रवादी हैं; हिन्दी में दो ही लिंग हैं, इसलिए यहाँ हिन्दुत्व कमज़ोर रहा, मुसलमान हिन्दू राष्ट्रवादी न हुए, उल्टा अपना राष्ट्रवाद विकसित करते रहे। बंगला में एक भी लिंग नहीं, संस्कृत का प्रभाव सबसे कम, इसलिए बंगाल के दो टुकड़े हो गए!

यहाँ तक तो हुई भूत और वर्तमान की बात।

अब लीजिए भविष्य की बात। चौहान जी ने गुरुजी को समझाया कि आप यह भ्रम त्याग दीजिए कि भविष्य में कभी हिन्दी-उर्दू मिलकर एक हो जाएँगी। "यह कहना कि राष्ट्रीय भावना ज्यों-ज्यों व्यापक होती जाएगी, त्यों-त्यों हिन्दी-उर्दू का भेद कम होता जाएगा, केवल भ्रान्त धारणा है। यथार्थ सत्य तो यह है कि ज्यों-ज्यों राष्ट्रीय भावना व्यापक होती गई है, दोनों भाषाओं के पृथक् विकास की गति भी उतनी ही तीव्र होती गई है।"

अन्त में समाधान यह रहा कि "मुस्लिम-प्रधान प्रान्तों में, राजकीय कार्यों में उर्दू भाषा का प्रयोग होगा", इसी प्रकार "मध्यदेश (हिन्दू-प्रधान प्रान्तों) में राजकीय कार्यों में हिन्दी भाषा का प्रयोग होगा।" दोनों इलाकों के अल्पसंख्यक अपनी-अपनी भाषा का व्यवहार भी कर सकेंगे। चौहान जी यह मानकर चले थे कि पूर्वी बंगाल के मुसलमान उर्दू का व्यवहार करने को बहुत उत्सुक हैं। हिन्दू भारत में एक द्रविड़ प्रदेश है। उसके बारे में वह अधिक सतर्क थे। उन्होंने जबरन राष्ट्रभाषा लादने का विरोध करते हुए सुझाया : "सम्भव है कि वे अपनी ही किसी भाषा को अपने प्रान्तों की राष्ट्रभाषा बनाना चाहें।" इस तरह भाषा-समस्या का जनवादी समाधान यह हुआ कि द्रविड़ प्रान्तों की अपनी राष्ट्रभाषा, मुस्लिम प्रान्तों की राष्ट्रभाषा उर्दू द्रविड़ों से भिन्न आर्य-हिन्दू भारत की राष्ट्रभाषा हिन्दी! तीन राष्ट्र और राष्ट्रभाषाएँ!

यह तो राष्ट्रभाषा की समस्या का समाधान हुआ। हिन्दी प्रान्तों की एक विशेष समस्या की ओर भी उन्होंने ध्यान आकृष्ट किया। हिन्दी प्रान्तों में "लगभग बीस भाषाएँ और बड़ी बोलियाँ बोली जाती हैं।" उनके आधार पर "हिन्दी प्रान्तों का भी पुनर्विभाजन करना होगा।" इस तरह हिन्दी-भाषी प्रदेश को मिलाने के बदले चौहान जी ने बीस नये प्रान्त बनाने की सलाह दी।

'जनपदीय भाषाओं का प्रश्न' नाम के लम्बे निबन्ध में उन्होंने राहुल जी की मातृभाषा-सम्बन्धी मान्यताओं को और भी सँवारकर पेश किया। ब्रिटिश साम्राज्यवाद

ने अंग्रेज़ी को अनिवार्य राजभाषा बनाकर यहाँ की भाषाओं का दमन किस तरह किया, इसका विवेचन न करके, साम्राज्यवाद की भूमिका को भुलाकर श्री शिवदानसिंह ने खड़ी बोली हिन्दी के साम्राज्यवाद पर आक्रमण किया। यह साम्राज्यवाद हिन्दी क्षेत्र की बोलियों का दमन कर रहा था।

उन्होंने लिखा : "अकेली खड़ी (हिन्दी-उर्दू) ने लगभग पन्द्रह करोड़ बयासी लाख व्यक्तियों को अपनी मातृभाषाओं में शिक्षा पाने से वंचित कर रखा है। इससे सिद्ध है कि भारत भी 'भाषाओं का विशाल कारागार' है।"

भारत कारागार ब्रिटिश साम्राज्य के कारण नहीं है, यहाँ की भाषाएँ अंग्रेज़ी के कारण कारागार में बन्दी नहीं हैं, उन्हें कारागार में डाला है खड़ी बोली ने।

भारत को उपनिवेश ब्रिटिश साम्राज्यवाद ने नहीं बनाया, यहाँ उपनिवेश क़ायम किये हैं हिन्दी साम्राज्य ने।

चौहान अपने अद्‌भुत् भाषाशास्त्र की दृष्टि " 'हिन्दी-साम्राज्य' के विभिन्न 'भाषा-उपनिवेशों' की आन्तरिक परिस्थिति पर" डालते हैं। वह इस नतीजे पर पहुँचते हैं कि "हिन्दी का वर्तमान साम्राज्य 'ताश के घर' से अधिक मज़बूत नहीं है।" बोलियों के उपनिवेश टूट जाएँगे, "फिर खड़ी बोली को अपने साम्राज्य का पश्चिमी हिन्दी के क्षेत्र में भी विघटन करके अपने जनपद से ही सन्तोष करना पड़ेगा।"

चौहान का विचार था कि अंग्रेज़ों और अंग्रेज़ी का साम्राज्य चाहे बाद में खत्म हो, हिन्दी का साम्राज्य पराधीन भारत में ही खत्म हो जाना चाहिए। "यदि वर्तमान आधार को हटाकर न्याय, समानता और स्वतंत्रता का नया आधार न प्रदान किया गया तो भारत के स्वतंत्र होने पर हिन्दी के साम्राज्य को ढहते देर न लगेगी।"

भारत स्वतंत्र हो गया; हिन्दी का 'साम्राज्य' न ढहा। बोलियों के उपनिवेश न टूटे। हिन्दी प्रान्तों में नये बीस प्रान्त न बने। इसलिए अठारह साल तक हिन्दी-साम्राज्य के ढहने की राह देखने के बाद चौहान जी ने स्वयं शस्त्र उठाये और आलोचना नं. 34 (जुलाई, '65; सितम्बर में प्रकाशित) में भारत की एकता के नाम पर इस साम्राज्य पर हल्ला बोल दिया।

चौहान के पहले के लेखों में जैसे अंग्रेज़ी का प्रभुत्व खत्म करने पर ज़ोर नहीं है, वैसे ही इस लेख में अंग्रेज़ी को अनिवार्य राजभाषा के पद से हटाने का आग्रह नहीं है। श्री सज्जाद ज़हीर ने आत्मनिर्णय के सिद्धान्त को ब्रिटिश साम्राज्यवाद के विरुद्ध, सारे देश की स्वाधीनता के लिए न लागू करके, उसे राष्ट्रीय एकता के विरुद्ध, जनतंत्र के नाम पर, ब्रिटिश साम्राज्यवाद के हित में लागू किया था। इस समय उन्हें उर्दू के संरक्षण की जितनी चिन्ता है, उतनी अंग्रेज़ी हटाने की नहीं। उन्हीं की तरह श्री चौहान ने उर्दू की रक्षा का नारा लगाया है लेकिन वह दूसरों की स्थापनाओं को दोहराते-भर नहीं हैं। वह योग्य शिष्य हैं, इस नाते उन्होंने आत्मनिर्णय का अधिकार हिन्दी के उपनिवेशों पर लागू किया है!

अवध, बुन्देलखंड, ब्रज, भोजपुरी क्षेत्रों के जो लेखक हिन्दी को अपनी मातृभाषा कहते हैं, उनकी निन्दा करते हुए श्री चौहान ने प्रश्न किया है कि जब अंग्रेज़ी में साहित्य रचनेवाले मुल्कराज आनन्द, भवानी भट्टाचार्य, और के. नारायणन अंग्रेज़ी को अपनी मातृभाषा नहीं कहते, तब प्रेमचन्द, प्रसाद, निराला, वृन्दावनलाल वर्मा, रामचन्द्र शुक्ल ही हिन्दी को अपनी मातृभाषा क्यों कहें? हिन्दी साहित्य का सारा इतिहास चौहान जी को विकृत दिखाई देता है; इसके रचनेवालों की मातृभाषा हिन्दी थी ही नहीं, जैसे मुल्कराज आनन्द और भवानी भट्टाचार्य की मातृभाषा अंग्रेज़ी नहीं है। यशपाल जी की मातृभाषा हिन्दी नहीं है। "इस दृष्टि से उनकी और डॉ. मुल्कराज आनन्द की स्थिति में विशेष फ़र्क़ नहीं है। यह बात भारतेन्दु से लेकर मोहन राकेश तक की नई पीढ़ी के निन्यानवे फीसदी हिन्दी लेखकों और हिन्दी-आन्दोलन के सुभट योद्धाओं के बारे में भी सच है।"

मुल्कराज और यशपाल की स्थिति में विशेष फ़र्क़ न हो, थोड़ा-बहुत फ़र्क़ तो है ही। चौहान हिन्दी के निन्यानवे फीसदी लेखकों को मातृघाती कहते हैं क्योंकि उनकी समझ में इन लेखकों की मातृभाषा हिन्दी नहीं है। लेकिन अंग्रेज़ी में उपन्यास-कहानियाँ लिखनेवाले मुल्कराज आनन्द को मातृघाती कहने का साहस उनमें नहीं है। कारण, इससे विश्वभाषा अंग्रेज़ी के प्रति संकीर्णता प्रकट होती है और 'एफ्रो-एशियन-सौलिडैरिटी' को धक्का लगता है। भारत में इस सौलिडैरिटी के तीन स्तम्भ हैं—मुल्कराज आनन्द, सैयद सज्जाद ज़हीर और शिवदानसिंह चौहान!

भारतेन्दु से लेकर मोहन राकेश तक हिन्दी के निन्यानवे फीसदी लेखक अपनी मातृभाषाएँ छोड़कर हिन्दी की सेवा क्यों करते रहे हैं? अर्थ और यश-लाभ के लिए! देशभक्त बनने का सुख अलग से! इन मातृघातियों से मातृभाषाओं की रक्षा करने के लिए खड्ग लेकर उठ खड़े हुए हैं, श्री शिवदानसिंह चौहान।

जनतांत्रिकता की होड़ में सभी भारतीय लेखकों को पछाड़ते हुए उन्होंने लिखा है : "आज की 'हिन्दी' हम सबने अपनी मातृभाषाओं को त्यागकर स्कूलों में किताबों से ही सीखी-पढ़ी है, जिस तरह अंग्रेज़ी स्कूलों में किताबों से सीखी-पढ़ी है। इसे आप क्या कहेंगे, मातृघात या कुछ और, मैं यह तो नहीं जानता, क्योंकि जब हम लोगों ने शिक्षालयों में प्रवेश किया, उस समय हिन्दी या उर्दू के अलावा अपनी मातृभाषाओं में पढ़ने का कोई विकल्प ही नहीं था। आज भी नहीं है। लेकिन यह सच है कि एक समय जो विवशता थी, वह बालिग होने पर अर्थ और यशलाभ और देशभक्ति के रूप में प्रसिद्धि पाने का नुस्खा साबित हुई, इसलिए अपनी मातृभाषाओं के प्रति अपना कर्तव्य भुला देना ही हम सबके आगे सबसे सुविधाजनक मार्ग था।"

सुबह का भूला शाम को घर लौट आए तो उसे भूला हुआ नहीं कहते। चौहान अब समझ गए हैं कि अर्थ और यश के लिए हिन्दी-सेवा करना अनुचित है। उन्होंने स्वयं काफ़ी यश अर्जित कर लिया है; अर्थ भी 'आलोचना' से ऐसा क्या मिलता

होगा? उन्हें चाहिए कि वह हिन्दी के मातृघाती लेखकों के सामने अपने त्याग से एक मिसाल क़ायम करें। अब उन्हें हिन्दी लिखना बन्द कर देना चाहिए और ज़िन्दगी के बाकी दिन मातृभाषा की सेवा में लगाने चाहिए। सम्भवत: उनकी मातृभाषा ब्रज है, उसकी सेवा करें। अभी तक उनका कोई लेख, कोई पुस्तक ब्रजभाषा में लिखी हुई देखने को नहीं मिली! ब्रजभाषा में अपनी साहित्यिक प्रतिभा का परिचय देकर वह ब्रज और हिन्दी, दोनों का उपकार करेंगे। मातृभाषा ब्रज न हो तो जो भी मातृभाषा हो, उसकी सेवा करें। उनके पिता जी ने एक बार आगरे में दर्शन दिये थे। पुलिस के आदमी थे। उन्होंने अपने पुत्रों की चर्चा करते हुए बहुत मुहावरेदार खड़ी बोली का व्यवहार किया था। उनके धाराप्रवाह वाक्य मुझे अभी तक याद हैं यद्यपि उन्हें लिखकर प्रकाशित करने का साहस मुझमें नहीं है। बहरहाल सवाल मातृभाषा का है, पितृभाषा का नहीं।

फ्रायड ने ईडीपस कॉम्प्लेक्स ईजाद करके सभी किशोरों और शिशुओं को सम्भाव्य पितृघाती सिद्ध कर दिया था। शिवदानसिंह जी ने पितृघात की बात पुरानी पड़ जाने से उसे त्यागकर अधिक वैज्ञानिक इस मातृघाती कॉम्प्लेक्स का आविष्कार किया है। अब देखिए, इससे कैसी जटिल ग्रंथियाँ लोगों के मन में पड़ जाती हैं!

कहते हैं : "अपनी मातृभाषाओं के प्रति अपनी उपेक्षा को हम मातृघात कहें या नहीं, यह तो मैं नहीं जानता, लेकिन इतना जानता हूँ कि हिन्दी के लेखक और आन्दोलनकारी नेताओं के अन्तर्मन में कहीं कोई अपराध-भावना की ग्रंथि ज़रूर पड़ गई है जिसके कारण वे अपने अपराध पर परदा डालने के लिए इतिहास को तोड़-मोड़कर यह सिद्ध करने की कोशिश करते रहते हैं कि मैथिली, राजस्थानी, अवधी, ब्रज आदि वस्तुत: स्वतंत्र भाषाएँ नहीं हैं, 'हिन्दी' (संस्कृतनिष्ठ साहित्यिक खड़ी बोली) की ही स्थानीय बोलियाँ हैं और जनगणना आदि के मौकों पर हिन्दी-प्रचारक और जनसंघ के अन्ध-हिन्दू राष्ट्रवाद से प्रभावित सरकारी अमला इन भाषाओं को बोलनेवाली जनता पर दबाव डालते हैं कि वे मातृभाषा के खाने में राजस्थानी या मैथिली न लिखवाकर 'हिन्दी' लिखवाएँ, यानी वे उत्तर भारत की समूची जनता को अपने 'अपराध' में साझीदार बना लेना चाहते हैं।"

इस अपराध-भावना से वे लेखक मुक्त हैं जिन्होंने खड़ी बोली के उर्दू रूप को अपनाया है। खड़ी बोली यदि मातृभाषा है तो उर्दू-रूप में, हिन्दी-रूप में नहीं! यह नई मान्यता है जो श्री चौहान के पुराने निबन्धों की मान्यता से बहुत आगे बढ़ गई है। अब उन्होंने सीधे-सीधे उर्दू को मुस्लिम राष्ट्रवाद की भाषा कहना छोड़ दिया है; अब वे हिन्दी का ही सम्बन्ध हिन्दू राष्ट्रवाद से जोड़ते हैं। उर्दू हिन्दुओं और मुसलमानों की मुश्तर्का ज़बान है!

लिखा है : "माँ के घुटनों पर बैठकर : हममें से किसी ने 'हिन्दी' नहीं सीखी जिस तरह कि अधिक पुरानी 'शैली' (!) उर्दू को दिल्ली, लखनऊ, हैदराबाद—अनेक

सांस्कृतिक केन्द्रों के बच्चे, हज़ारों हिन्दू और मुसलमान परिवारों में पुश्त-दर-पुश्त से अपनी माताओं की गोद में ही सीखते आए हैं।"

क्या कारण है कि दिल्ली, लखनऊ और हैदराबाद के हिन्दू-मुसलमान तो पुश्त-दर-पुश्त अपनी माताओं की गोद में ही उर्दू सीखते आए हैं लेकिन इलाहाबाद, बनारस और पटना के हिन्दू-मुसलमान अपनी माँ की गोद में हिन्दी नहीं सीख पाए? कारण यह है कि चौहान की समझ में उर्दू मुख्यत: मुसलमानों की भाषा है; दिल्ली, लखनऊ और हैदराबाद में मुसलमान काफ़ी बड़ी संख्या में हैं; बनारस, पटना और इलाहाबाद में वे इतनी बड़ी संख्या में नहीं हैं, इसलिए खड़ी बोली के प्रसार का एक नियम लागू होता है मुस्लिम-प्रधान शहरों में, दूसरा नियम लागू होता है हिन्दू-प्रधान शहरों में—इस कारण खड़ी बोली का उर्दू-रूप तो मातृभाषा है, उसका हिन्दी-रूप नहीं है! शिवदानसिंह चौहान ने भाषाओं का विभाजन फिर उसी पुराने साम्प्रदायिक आधार पर किया है। उनके जनतांत्रिक आडम्बर के नीचे वही साम्प्रदायिकता का चोर छिपा हुआ है।

यदि यह मान भी लें कि दिल्ली, लखनऊ और हैदराबाद के हिन्दुओं और मुसलमानों की मातृभाषा उर्दू है, तो भी यह बात साफ़ नहीं होती कि चौहान उर्दू के उन तमाम लेखकों को मातृघाती क्यों नहीं कहते, जो इन शहरों से दूर ब्रज, अवध, पंजाब या भोजपुरी क्षेत्रों के रहनेवाले थे? उर्दू के दो सबसे बड़े शायर ग़ालिब और मीर आगरे में पैदा हुए थे। सौदा के बाप ईरानी थे। इक़बाल पंजाबी थे। साहिर लुधियानवी, हफ़ीज़ जालंधरी, जोश मलसियानी, जगन्नाथ आज़ाद अहमद नदीम कासिमी, फ़ैज़, राजेन्द्रसिंह बेदी, कृश्न चन्दर आदि पंजाबी हैं। ये सब मातृघाती हैं या नहीं? जोश मलीहाबादी, फ़िराक़ गोरखपुरी, मजरूह सुल्तानपुरी, फ़ानी बदायूनी, शाद अज़ीमाबादी, अकबर इलाहाबादी वग़ैरह मातृघाती क्यों नहीं हैं?

दरअसल चौहान अंग्रेज़ी और उर्दूवालों के सामने खीसें निपोरते हैं, अर्थ और यशलाभ के लिए नहीं, विशुद्ध जनतंत्र की रक्षा के लिए; हिन्दीवालों पर गुर्राते हैं क्योंकि जिस पत्तल में खाना, उसी में छेद करना उनकी न्यायप्रियता का सबसे बड़ा प्रमाण होगा। इसलिए भारतेन्दु से लेकर मोहन राकेश तक के हिन्दी लेखकों को कोसने में उन्हें ज़रा भी झिझक नहीं होती, लेकिन उर्दू भाषा और साहित्य के लिए वह नियम-क़ायदे दूसरे बना लेते हैं।

उन्हें यह नहीं मालूम कि उर्दू के बहुत-से लेखक आज भी अपने घरों में अवधी या भोजपुरी बोलते हैं। उन्हें नहीं मालूम कि उर्दू के बहुत-से कवियों की भाषा पर स्थानीय बोलियों का प्रभाव पड़ा है। यह प्रभाव नज़ीर की कविताओं में सबसे ज़्यादा स्पष्ट है। उन्हें यह तो ज़रूर मालूम होगा कि उर्दू के पंजाबी लेखक आपस में पंजाबी बोलते हैं। पंजाब, अवध और ब्रज के उर्दू लेखकों को निकाल दीजिए, तीन-चौथाई उर्दू साहित्य का सफ़ाया हो जाएगा। चौहान को यह नहीं मालूम कि

हैदराबाद में हिन्दुओं और मुसलमानों की जो बोलचाल की भाषा है, वह पुरानी खड़ी बोली का वह रूप है जिसे उत्तर भारत के लोग यहाँ से अपने साथ ले गए थे और जिस पर मराठी-तेलगू आदि भाषाओं का प्रभाव पड़ा है।

बोलचाल की दकनी में 'भूलना नको', 'नामईच नहीं लेते', 'साढ़े नौ बजने कूँ आए' जैसे प्रयोग होते हैं। (देखिए, श्रीराम शर्मा का संकलन : 'दक्खिनी का गद्य और पद्य', पृ. 459)। हैदराबादी बन्धु 'क' या 'क़' की जगह 'ख' कैसे बोलते हैं, इसके बहुत-से लतीफे मशहूर हैं। चौहान जी इन सब बातों से बेख़बर हैं। 'उल्टा चोर कोतवाल को डाँटे' की मसल चरितार्थ करते हुए फर्माते हैं : "जब कोई व्यक्ति, वर्ग या समुदाय जीवन की वास्तविक परिस्थिति को खुली आँखों से देखने में असमर्थ हो जाता है और इस तरह की अमूर्त मिथक परिकल्पनाएँ गढ़कर उनके चश्मे से जीवन-वास्तव को देखने लगता है, तब उससे तर्क, विवेक और औदार्य की अपेक्षा नहीं की जा सकती।"

वास्तविक परिस्थिति क्या है? हैदराबाद में लोगों की बोलचाल की ज़बान दिल्ली की उर्दू है या उससे भिन्न दकनी? उर्दू के पंजाबी लेखकों की घर की भाषा उर्दू है? मलीहाबाद, अज़ीमाबाद, गोरखपुर, इलाहाबाद के लोगों की बोलचाल की भाषा साहित्यिक उर्दू है? तथ्यों से कौन आँखें चुराता है?

वास्तविक स्थिति यह है कि हर भाषा की अपनी बोलियाँ होती हैं। अंग्रेज़ी, फ्रांसीसी, रूसी की तरह बंगला, मराठी, हिन्दी, तमिल आदि भाषाओं की भी अपनी बोलियाँ हैं। इस बारे में बहस हो सकती है कि कोई बोली स्वतंत्र भाषा है या बोली, लेकिन किसी भाषा की बोलियाँ ही न हों, ऐसा नहीं होता। पूँजीवाद के विकास के साथ जब विनिमय के बड़े-बड़े केन्द्र नगरों के रूप में स्थापित होते हैं, तब उनमें अनेक बोलियों के क्षेत्रों—अनेक जनपदों—से सिमटकर लोग आते हैं। दिल्ली और आगरा में बहुत-से परिवार पूरब से आकर बस गए। इनके यहाँ लोग अब भी घर में अवधी बोलते हैं। इनमें मुस्लिम परिवार भी हैं।

हिन्दी-भाषी जाति के विकास और गठन में दिल्ली, आगरा, लखनऊ, इलाहाबाद और पटना मुख्य सांस्कृतिक केन्द्र बने। यहाँ खड़ी बोली का प्रसार हिन्दुओं और मुसलमानों, दोनों ने किया। इनकी बोलचाल की भाषा में धार्मिक आधार पर कोई फ़र्क़ नहीं है। साथ ही इन शहरों के बहुत-से हिन्दू और मुसलमान अपने घरों में खड़ी बोली से भिन्न अपनी पुरानी बोली का भी व्यवहार करते रहे हैं। इसलिए यह कहना कि उर्दू तो मातृभाषा है, हिन्दी नहीं है, ग़लत है। दिल्ली, आगरा, लखनऊ आदि शहरों में हज़ारों लोग ऐसे हैं जिन्होंने माँ की गोद में खड़ी बोली सीखी है और हज़ारों ऐसे हैं जिन्होंने मोहल्ले के दोस्तों से खड़ी बोली सीखी है। कुछ ऐसे भी हैं जो बहुत कोशिश करने पर भी खड़ी बोली नहीं सीख पाए—न उसका हिन्दी रूप, न उर्दू रूप।

कानपुर, लखनऊ, पटना आदि शहरों में मज़दूरी और नौकरी के लिए जो अवधी, भोजपुरी, बुन्देलखंडी आदि बोलियों का व्यवहार करनेवाले लोग एकत्र होते हैं, अपने मामाजिक कार्यों के लिए वे खड़ी बोली अपनाते हैं। इसे हम जातीय निर्माण की प्रक्रिया समझें या बोलियों के दमन की प्रक्रिया! दिल्ली से पटना तक और पटना से भोपाल-उज्जैन तक कोई ऐसा शहर नहीं है जिसमें विभिन्न जनपदों के लोग एकत्र न हुए हों। इन लोगों ने अपने राजनीतिक-सांस्कृतिक कार्यों के लिए खड़ी बोली को अपनाया है। अब छोटे-छोटे कस्बों तक में एक ही देहाती बोलनेवाले नहीं रह गए हैं। लेकिन जातीय निर्माण की यह सारी प्रक्रिया न समझकर, बोली और भाषा का भेद न समझकर, जातीय प्रदेश और सामन्ती युग के जनपदों का भेद न समझकर, स्तालिन की 'नेशन' की परिभाषा आँख मूँदकर जनपदों पर लागू करके, भाषावार प्रान्त-निर्माण की माँग को हास्यास्पद बनाते हुए श्री चौहान ने माँग की है कि हिन्दी क्षेत्र में 'दस-पन्द्रह नये राज्यों का निर्माण' कर दिया जाए। "सोलह-सत्रह तो इस समय भी हैं। और इससे देश का विघटन नहीं हुआ तो दस-पन्द्रह और भाषावार राज्य बना देने से...आसमान नहीं फट पड़ेगा।"

अहिन्दी प्रदेशों में जो लोग हिन्दी के विरोधी हैं, वे यह तर्क देते हैं कि हिन्दी कृत्रिम भाषा है। उसकी कृत्रिमता सिद्ध करने के लिए वे हिन्दी की बोलियों का हवाला देते हैं, उन्हें स्वतंत्र भाषाएँ कहकर हिन्दी को साम्राज्यवादी उत्पीड़क भाषा मानते हैं। यदि कोई हिन्दी-प्रेमी मराठी, बंगला या तमिल के लिए कहे कि वे हिन्दी की बोलियाँ हैं, या यह कि भारत में एक राष्ट्रभाषा रहेगी, और सब भाषाएँ मिटा दी जाएँगी, तो यह ज़रूर साम्राज्यवादी उत्पीड़न की बात होगी। लेकिन लखनऊ, कानपुर, इलाहाबाद, आगरा, दिल्ली में जो लोग मेहनत-मज़दूरी करने आते हैं, वे खड़ी बोली का व्यवहार न करें तो बेमौत मरें। दिल्ली और कानपुर के सूती मिल-मज़दूर खड़ी बोली का व्यवहार न करें तो उनका ट्रेड यूनियन आन्दोलन ठप हो जाए। मज़दूर वर्ग को अपने संगठन के लिए जातीय भाषा की ज़रूरत होती है जो अलग-अलग बोलियाँ बोलनेवाले मज़दूरों को एकजुट करे। चौहान के मार्क्सवाद में मज़दूर वर्ग को स्थान नहीं है। यदि हो तो एक भी मिल, एक भी कारख़ाने, एक भी उद्योग का नाम बताने की कृपा करें जहाँ सिर्फ मैथिली, सिर्फ भोजपुरी, सिर्फ अवधी या अन्य कोई जनपदीय बोली बोलनेवाले ही काम करते हों?

चौहान ने कुत्सित समाजशास्त्र की काफ़ी निन्दा की है। लेकिन उनके कुत्साहीन विशुद्ध समाजशास्त्र में कहीं पूँजीवादी विकास के अन्तर्गत नये विनिमय केन्द्रों में विभिन्न जनपदों से एकत्र होनेवाले मध्यम और श्रमिक वर्गों का उल्लेख नहीं है।

जातीय भाषा का प्रसार सामाजिक विकास का परिणाम है, इसलिए उसका विभाजन धर्म के आधार पर नहीं होता। भारतीय बुद्धिजीवियों पर अंग्रेज़ी का प्रभाव है, वे 'मिथिक' परिकल्पनाओं की बात करते हैं, अंग्रेज़ी शब्दों और मुहावरों का

ग़लत अनुवाद करके अपनी हिन्दी को सजाते हैं (जैसे 'कौस्टली' के लिए 'कीमती' शब्द का व्यवहार : 'कीमती किन्तु अनुपयोगी प्रयोग', 'यह प्रयोग शायद बहुत कीमती भी साबित हो।') तो इसका अर्थ यह नहीं होता कि वे ईसाई हो गए हैं या उन पर ईसाइयत का प्रभाव है। बोलचाल की खड़ी बोली में हिन्दू और मुसलमान साधारणजन अरबी-फ़ारसी या संस्कृत के कठिन शब्दों का व्यवहार नहीं करते। यह है बुनियादी बात। यहाँ धर्म के आधार पर कोई विभाजन नहीं है। लोग फ़ारसी या संस्कृत के शब्दों का ज़्यादा प्रयोग करते हैं तो इसका प्रधान कारण सांस्कृतिक है, धार्मिक नहीं।

उस विशाल क्षेत्र में, जिसके नगरों के हिन्दू और मुसलमान, विभिन्न जनपदों से आए हुए मज़दूर और नौकरीपेशा लोग, शिष्ट भाषा के रूप में खड़ी बोली का व्यवहार करते हैं; सभी की जाति, क़ौम या नेशन एक है; वहाँ दस या पन्द्रह प्रान्त बनाने की बात करना हिन्दी-भाषी जनता की जातीय एकता को तोड़ने का प्रयास करना है। इस क्षेत्र की बोलचाल की भाषा में हिन्दी-उर्दू का भेद नहीं है, इसलिए उर्दू को क्षेत्रीय भाषा कहना ग़लत है। यदि बोलचाल की उर्दू और हिन्दी में एक ही कल-कारख़ाने में काम करनेवाले मज़दूर भेद करते तो उर्दू को क्षेत्रीय भाषा मानना उचित होता। लेकिन आम जनता बोलचाल में ऐसा कोई भेद नहीं करती। यह भेद शिष्ट भाषा के रूप और लिपि को लेकर है। अधिकांश जनता देवनागरी लिपि का व्यवहार करती है और शिष्ट भाषा के लिए अधिकतर शब्द संस्कृत से लेती है। एक अल्पसंख्यक समुदाय ऐसा है जो फ़ारसी लिपि का व्यवहार करता है और अपनी शिष्ट भाषा में अरबी-फ़ारसी से शब्द लेता है। इस समुदाय में मुसलमानों के साथ हिन्दू भी हैं, इसलिए उसे सांस्कृतिक अल्पमत कहना चाहिए। इन सांस्कृतिक अल्पसंख्यकों की भावनाओं का आदर करते हुए उनकी लिपि और शिष्ट भाषा की रक्षा करनी चाहिए लेकिन इसका यह अर्थ नहीं है कि हम दो क़ौमों के सिद्धान्त के आधार पर दो भाषाएँ स्वीकार कर लें। ऐसा कोई क्षेत्र नहीं है जहाँ साहित्यिक उर्दू बोलचाल की भाषा हो या जहाँ उर्दू की बोलचाल का रूप वहीं की हिन्दी के बोलचाल के रूप से भिन्न हो। बोलचाल की खड़ी बोली के दो साहित्यिक रूप हैं—हिन्दी और उर्दू। उर्दू को हिन्दी की शैली कहने से बुरा लगता हो तो उसे खड़ी बोली की शैली कहिए, हिन्दी को भी खड़ी बोली की एक शैली कहिए। लेकिन सांस्कृतिक बहुसंख्यकों और अल्पसंख्यकों का भेद याद रखिए। यह जान लीजिए कि बहुत-से उर्दू लेखक और लेखिकाएँ—जिनमें श्रीमती रजिया सज्जाद ज़हीर भी हैं—अपनी रचनाएँ उर्दू की इबारत में कोई फेरबदल किये बिना, देवनागरी में छपवाती हैं। यह रिवाज बढ़ता जा रहा है कि प्रसिद्ध उर्दू लेखकों की रचनाएँ देवनागरी लिपि में पहले छपे, फ़ारसी लिपि में बाद को। इससे हिन्दी-उर्दू साहित्य के देवनागरी के माध्यम से पढ़नेवालों की एक मिली-जुली जमात बनती

है। यह जमात अपनी एकता, अपनी रुचि का असर लेखकों पर, उनकी हिन्दी-उर्दू शैली पर डालकर एक ही शैली के विकास में सहायक होती है। जो लोग दो क़ौमों के सिद्धान्त पर विश्वास नहीं करते, वे इस एकता के नये सिलसिले से ख़ुश होंगे।

राजपाल एंड संस ने लोकप्रिय उर्दू शायरों की सीरीज़ निकालकर लाखों हिन्दी-भाषियों तक इनकी रचनाएँ पहुँचाईं, उन्हें दरअसल लोकप्रिय शायर बनाया। इससे उर्दू का नाश नहीं हो गया। देवनागरी लिपि में 'उर्दू साहित्य', 'डगर' जैसे पत्र निकलते हैं जिनमें उर्दू की रचनाएँ देवनागरी लिपि में छपती हैं। ख़्वाजा अहमद अब्बास और उनके साथियों ने 'सरगम' निकाला था जिसमें देवनागरी लिपि सरल उर्दू रचनाएँ छपती थीं। हिन्दी 'ब्लिट्ज' की भाषा, 'जनयुग' और 'आलोचना' से भिन्न, आसान उर्दू होती है जिसमें बहुत थोड़े पारिभाषिक शब्द संस्कृत के होते हैं। इस तरह हिन्दी-भाषियों ने उर्दू को अपनाया है, उसका दमन नहीं किया। देवनागरी के माध्यम से उन लोगों तक उर्दू साहित्य पहुँचा है जो पहले उससे कोसों दूर थे। जो लोग अपने को मार्क्सवादी कहते हैं, बोलचाल की भाषा और उसके साहित्यिक रूप में बुनियादी भेद नहीं मानते, उन्हें सांस्कृतिक विकास के इस सिलसिले से ख़ुश होना चाहिए। लेकिन सबसे ज़्यादा मुहर्रमी सूरतें वही लोग बनाए हुए हैं जो अपने को मार्क्सवादी लेखकों का रहनुमा समझते हैं। कोई भूख-हड़ताल की धमकी देता है तो कोई नक्शे देखकर वह इलाका तय करने में लगा है जहाँ हिन्दी से अलग लोगों की मातृभाषा उर्दू है। कुछ अन्य मित्र सांस्कृतिक बहुसंख्यक-अल्पसंख्यक का भेद न समझकर दिल्ली में या अन्य राज्यों में हिन्दी के बराबर उर्दू को राजभाषा बनाने का ख़्वाब देख रहे हैं। और इन सबमें कोई भी यह माँग नहीं करता कि भारत की सभी भाषाओं का दमन करनेवाली विदेशी भाषा अंग्रेज़ी का प्रभुत्व खत्म हो!

जहाँ तक राजस्थानी और पंजाबी का सम्बन्ध है, उनके लिखने-बोलनेवाले तय करें कि वे हिन्दी अपनाएँगे या पंजाबी-राजस्थानी का स्वतंत्र विकास करेंगे। यदि उत्तर प्रदेश की सरकार या दिल्ली सरकार उन पर किसी तरह का दबाव डालेगी कि वे हिन्दी का ही व्यवहार करें, तो मैं इसका विरोध करूँगा। साथ ही उपेन्द्रनाथ अश्क और यशपाल हिन्दी लिखते हैं तो मैं इसे मातृघात न कहूँगा।

हिन्दी भाषा जातीय विकास के परिणामस्वरूप विशाल हिन्दी क्षेत्र की भाषा बनी है। इस विकास को न समझने से भारतेन्दु से लेकर मोहन राकेश तक हिन्दी के सैकड़ों लेखक साम्राज्यवादी या अवसरवादी दिखाई देते हैं। इस विशाल क्षेत्र में बोलियों के दमन की बात वे कहते हैं जो भारत में अंग्रेज़ी को राजभाषा बनाए रखना चाहते हैं। अंग्रेज़ी की रक्षा उसे 'जनतंत्र' का यह बुर्का पहनाकर नहीं की जा सकती।

जैसे-जैसे अंग्रेज़ी को हटाने का समय नज़दीक आया, वैसे-वैसे उर्दू के संरक्षण की माँग भी ज़ोर पकड़ती गई। खेद की बात है कि कुछ गुमराह मार्क्सवादी नेता

हिन्दी पर उर्दू के दमन का अपराध लगाकर 'फिलहाल' अंग्रेज़ी क़ायम रखने की नीति का प्रचार करते हैं। उर्दू के लेखक और उर्दू साहित्य के प्रेमी पाठक उसकी रक्षा हिन्दी लेखकों और हिन्दी-भाषी जनता के सहयोग से ही कर सकते हैं। उन्हें इस हिन्दी-भाषी जनता के साथ मिलकर अंग्रेज़ी को हटाने और सभी भारतीय भाषाओं को अंग्रेज़ी की दासता से मुक्त कराने के लिए संघर्ष करना चाहिए। वस्तुस्थिति को पहचानते हुए वे सांस्कृतिक अल्पसंख्यकों के रूप में अधिकारों के लिए लड़ें, हिन्दी-भाषी जनता उनका साथ देगी। उनका अलगाव का रवैया सम्प्रदायवाद की उपज है और उन्हीं के लिए हानिकर है।

चौहान ने 'फासिज़्म और हिटलर की उच्चतर आर्य जाति-सम्बन्धी परिकल्पना' की निन्दा की है। वह कृपा करके अपने पुराने राष्ट्रभाषा वाले निबन्ध में देख जाएँ, उन्होंने कितनी बार आर्य हिन्दुओं और हिन्दू राष्ट्रवाद की चर्चा की है और उसके आधार पर हिन्दी के विकास का विश्लेषण किया है। उन्होंने अब हिन्दू राष्ट्रवाद का नाम लेना बन्द कर दिया है लेकिन हिन्दू-मुस्लिम संस्कृतियाँ अभी बरकरार हैं। उन्होंने लिखा है कि "विभिन्न क़ौमों की जनता (विशेष कर उत्तर भारत की जनता) ने हिन्दू और मुस्लिम संस्कृतियों के योगदान से दिल्ली के आसपास बोली जानेवाली खड़ी बोली की भूमि पर एक अपनी ही सम्पर्क भाषा उर्दू का विकास किया।"

चौहान ने यह नहीं बताया कि बंगाल, कश्मीर, सिन्ध आदि में हिन्दू-मुस्लिम संस्कृतियों के योगदान से किसी नई सम्पर्क भाषा का विकास क्यों नहीं हुआ। वह यह नहीं जानते कि ईरानी, अरब, पठान, उजबक मुसलमानों की संस्कृति एक नहीं है, न तमिलनाडु, बंगाल और गुजरात की संस्कृति एक है। और सारे हिन्दुओं की एक संस्कृति हो भी तो उनकी एक भाषा कैसे हो जाएगी? भारत में आनेवाले तुर्क, पठान और ईरानी मुसलमानों की भाषा कैसे एक हो जाएगी?

गुत्थी वही पुरानी है। वह समझते हैं कि संस्कृत के शब्द हिन्दू हैं और फ़ारसी के शब्द मुसलमान। दोनों के मिलने से उर्दू का विकास हुआ।

और हिन्दी का विकास कैसे हुआ?

"हिन्दू समाज में उठे सुधार-आन्दोलनों और कई दूसरी ऐतिहासिक परिस्थितियों के प्रभाव से उन्नीसवीं शताब्दी के उत्तरार्द्ध में खड़ी बोली की ही ज़मीन पर उर्दू के मुक़ाबले में एक संस्कृतनिष्ठ साहित्यिक रूप हिन्दी का विकास हुआ।"

वही बात है जो श्री सज्जाद ज़हीर ने अपने निबन्ध में लिखी थी और जिसे चौहान जी ने अपने पुराने निबन्ध में पल्लवित किया था। हिन्दी का विकास हिन्दू-समाज में उठे सुधार आन्दोलनों के कारण हुआ। वह हिन्दुओं की भाषा है। उर्दू मुख्यत: मुसलमानों की भाषा है जिनके साथ कुछ शरीफ हिन्दू भी हैं।

चौहान को यह नहीं मालूम कि जितनी संस्कृतनिष्ठ हिन्दी (उन्हें छोड़कर) हिन्दी के औसत लेखक लिखते हैं, उससे ज़्यादा संस्कृतनिष्ठ बंगला पूर्वी पाकिस्तान के

ढाका रेडियो से बोली जाती है, वैसी ही संस्कृतनिष्ठ मलयालम केरल के ईसाई लिखते और बोलते हैं। भाषा से धर्म का अटूट सम्बन्ध होता तो हर प्रदेश में नई-नई सम्पर्क भाषाएँ बन गई होतीं।

चौहान के विचार से "संस्कृतनिष्ठ होने के कारण...हिन्दी ने उर्दू के मुक़ाबले में...राष्ट्रीय आन्दोलन को एकजुट करने में अधिक व्यापक योग दिया।" होना यह चाहिए था कि जो सहज सम्पर्क भाषा बनी थी, वही राष्ट्रीय आन्दोलन को एकजुट करती। लेकिन यह काम किया संस्कृतनिष्ठ—हिन्दू समाज की भाषा—हिन्दी ने। यह भी उसी पुरानी स्थापना का नया रूप है; गांधी जी ने जो राष्ट्रीय आन्दोलन चलाया, वह मूलत: हिन्दू राष्ट्रवाद का आन्दोलन था।

अब बच गए मुसलमान। वे अलग राष्ट्र की माँग तो कर चुके। अब उर्दू को क्षेत्रीय भाषा बनाने के अलावा और किस चीज़ की माँग करें?

इस प्रकार चौहान का यह नया लेख भी उनकी पुरानी हिन्दू-मुस्लिम संस्कृति की सम्प्रदायवादी—मार्क्सवाद-विरोधी—समझ के आधार पर लिखा गया है। वह वस्तुगत रूप से अंग्रेज़ी का समर्थन करता है, अंग्रेज़ी को राजभाषा बनाए रखनेवालों के तर्क दोहराता है। उनकी एक भी स्थापना हिन्दी के लेखक और पाठक न मानें तो यह स्वाभाविक है; इस पर उन्हें खफ़ा न होना चाहिए।

[1965]

39

# हिन्दी के आधुनिक विकास-सन्दर्भ में ब्रजभाषा की भूमिका

भारत की अन्य भाषाओं की तरह हिन्दी भी विकासमान भाषा है।

पिछले पच्चीस वर्षों में हिन्दी-भाषी प्रदेश के नगरों का रूप काफ़ी बदल गया है। अवध के प्रसिद्ध नगर लखनऊ पर भोजपुरी छाप है। दिल्ली तीन-चौथाई पंजाबी शहर है। फरीदाबाद जैसे व्यापार और उद्योग-धन्धों के नये केन्द्र क़ायम हो गए हैं। कलकत्ता और बम्बई जैसे महानगरों में लाखों नये आदमी सिमटकर इकट्ठा हो गए हैं। इन सब केन्द्रों में जिस भाषा का व्यवहार होता है, वह छापे की परिनिष्ठित हिन्दी नहीं है।

इस हिन्दी की विशेषता है, उस पर जनपदीय बोलियों अथवा हिन्दी की पड़ोसी भाषाओं का प्रभाव। दिल्ली की हिन्दी पंजाबी-प्रभावित है, बनारस की हिन्दी भोजपुरी-प्रभावित, कलकत्ते की हिन्दी बंगला-प्रभावित, बम्बई की हिन्दी मराठी-प्रभावित। ध्यान देने की बात है कि हिन्दी दूसरों पर लादी गई होती तो दूसरों का प्रभाव ग्रहण करके नये-नये स्थानीय रूप धारण न करती। उसका प्रसार और विकास सहज है, इसीलिए वह स्थानीय प्रभाव से अपना रूप बदल लेती है। यह भी ध्यान देने की बात है कि इस विकासमान भाषा को हिन्दी-उर्दू की विभाजन रेखा खींचकर दो हिस्सों में बाँटा नहीं जा सकता।

हिन्दी प्रदेश में ब्रज एक प्रसिद्ध जनपद की बोली है। ब्रजभाषा का ध्वनि-तंत्र इस ढंग का है कि आगरे से पटना तक उसके शब्दों को मुँह से निकालने में किसी को कठिनाई नहीं होती। कोई भाषा अपने क्षेत्र में और पड़ोसी प्रदेशों में लोकप्रिय हो, इसके लिए पहली और सबसे महत्त्वपूर्ण शर्त यह है कि वह लोगों को बोलने में सुगम जान पड़े। जिन कवियों ने शताब्दियों तक ब्रजभाषा को सँवारा; उसे गुजरात से बंगाल तक, पंजाब से केरल तक संगीत और साहित्य के माध्यम से लोकप्रिय बनाया, वे इस बात को अच्छी तरह समझत थे। वे ब्रजभाषा का स्वभाव पहचानते थे। उन्हें यह भ्रम न था कि ब्रजभाषा संस्कृत की बेटी है, इसलिए उसमें जितना ही तत्सम शब्द ठूँसेंगे, उतना ही लोकप्रिय होकर वह सारे भारत की राष्ट्रभाषा बन जाएगी। उन्होंने ब्रजभाषा में वैसे शब्द लिये, जैसे उसमें खप जाते थे। इसलिए

रेडियो और समाचार-पत्रों की सहायता के बिना, किसी केन्द्रीय निदेशालय द्वारा सूत्र-संचालन के बिना, विश्वविद्यालयों में पाठ्यक्रम का अंग हुए बिना यह हमारी प्रिय ब्रजभाषा जनता का कंठहार बन गई। आज का हिन्दी लेखक उस सारे विकास को देखकर विनम्रता से सिर झुका ले तो अच्छा है, स्पर्धा-भाव से उस विकास को तुच्छ ठहराने का फल उसी के लिए अहितकर होगा।

पिछले पच्चीस वर्षों में हिन्दी का तेज़ी से प्रसार हुआ है। इस प्रसार के साथ उस पर जनपदीय बोलियों और पड़ोसी भाषाओं का गहरा असर पड़ा है। बोलचाल की हिन्दी का यह प्रसार, उस पर जनपदीय बोलियों और पड़ोसी भाषाओं का गहरा प्रभाव उसका विकास है, उसका ह्रास या उसके रूप का बिगड़ना नहीं है। यह बोलचाल की हिन्दी हमारी जातीय भाषा है। वही सारे देश के लोगों की राष्ट्रभाषा है। उसके विकास और प्रसार को रोकना किसी राजनीतिज्ञ के वश में नहीं है। उसे हिन्दी-उर्दू के दो रूपों में बाँटना किसी सम्प्रदायवादी के हाथ में नहीं है।

हिन्दी का यह आधुनिक विकास उसे ब्रजभाषा के समीप लाता है और संस्कृत-गर्भित परिनिष्ठित हिन्दी (तथा फ़ारसी-अरबी-गर्भित उर्दू) से दूर ले जाता है। ऐसा होना स्वाभाविक है। अवधी, भोजपुरी, बुंदेलखंडी, मैथिली आदि ब्रजभाषा की तरह तद्भव रूप अपनाती है—संयुक्त वर्णों वाले, उच्चारण में क्लिष्ट, तत्सम रूप नहीं। जनपदीय बोलियों के तद्भव रूपों से आज की हिन्दी जितना ही प्रभावित होगी, उतना ही वह ब्रजभाषा के अनुरूप बनेगी; क्योंकि यह ब्रजभाषा भी तद्भव-प्रधान है। अब ब्रजभाषा चाहे साहित्य की हो, चाहे बोलचाल की, उसके रूप में विशेष अन्तर नहीं पड़ता। कुछ विद्वान् कहते हैं, साहित्य की भाषा और बोलचाल की भाषा में हमेशा बड़ा अन्तर रहता है। वे ब्रजभाषा का विशाल साहित्य देखें और बताएँ कि वह बोलचाल की ब्रजभाषा से मूलत: कहाँ भिन्न है। आज की हिन्दी अंग्रेज़ी मुहावरों, अंग्रेज़ी वाक्य-विन्यास से निरन्तर प्रभावित होकर अपना रूप बिगाड़ रही है, फ़ारसी से प्रभावित होकर ब्रजभाषा ने अपना रूप नहीं बिगड़ने दिया। अपनी शिष्टता और विद्वत्ता प्रकट करने के लिए हम आज की हिन्दी में जिस ढंग से नये गढ़े हुए शब्द भरते हैं, उस तरह ब्रजभाषा के कवियों ने नहीं भरे। ब्रजभाषा की ध्वनियाँ, उनके शब्द रचने का ढंग बोलचाल में वही है, जो साहित्य में है। साहित्य की ब्रजभाषा और बोलचाल की ब्रजभाषा में वैसा अन्तर नहीं है, जैसा बोलचाल की हिन्दी और साहित्य की हिन्दी में आज है।

यह दुर्भाग्य की बात है कि जनभाषा और खड़ी बोली के विवाद में पड़कर बहुत-से लेखकों ने अपनी हिन्दी को ब्रजभाषा की राह से हटाकर संस्कृत की ओर मोड़ा। यदि हम भारतेन्दु, प्रतापनारायण मिश्र, बालकृष्ण भट्ट, बालमुकुन्द गुप्त जैसे पुराने लेखकों के गद्य पर ध्यान दें तो विदित होगा कि उनका खड़ी बोली-गद्य ब्रजभाषा से प्रभावित है, या उसके अनुरूप है। उसकी सरसता और सजीवता का यह बहुत बड़ा

कारण है। प्रेमचन्द या अमृतलाल नागर का बहुत-सा गद्य-लेखन जनपदीय बोलियों से प्रभावित होने के कारण उसी परम्परा से जुड़ा हुआ है। हिन्दी लेखकों के लिए भाषा और साहित्य की सबसे बड़ी विरासत ब्रजभाषा में सुरक्षित है। वह विरासत घर बैठे सुलभ है। उसे अपनाकर हम अपनी भाषा को समर्थ बनाएँ, कमज़ोर नहीं। अनेक क्रियापद जनपदीय बोलियों के नित व्यवहार की चीज़ हैं; अपनी परिनिष्ठित हिन्दी से हमने उन्हें निकाल दिया है। वे सब ब्रज साहित्य में सुरक्षित हैं। उनके लिए हिन्दी का द्वार खोल देना चाहिए। हिन्दी में नये तद्भव रूपों का बनना बन्द हो गया है; नये रूप बनाना दूर, पुराने तद्भवों से हम अपने को भरसक बचाते हैं। उर्दू की सबसे बड़ी कमज़ोरी यह थी कि वह जनपदीय बोलियों से दूर होती गई; इस बात में हिन्दी उसका अनुसरण क्यों करे? हिन्दी की शक्ति इस बात में थी कि वह जनपदीय बोलियों से जुड़ी हुई थी। उसे अपनी शक्ति का यह आधार न छोड़ना चाहिए।

जनपदीय बोलियों में ब्रजभाषा पर ही विशेष ध्यान क्यों दिया जाए, इसके कई कारण हैं। पहला कारण यह कि भाषा को निखारने, सँवारने का काम जितना ब्रज में हुआ है, उतना अन्य किसी बोली में नहीं। यहाँ लेखकों के लिए वे आदर्श रूप तैयार कर दिये गए हैं, जिनके अनुकरण से वे खड़ी बोली को अधिक लोकप्रिय बना सकते हैं। दूसरा कारण यह है कि साहित्य की ब्रजभाषा ने सीमित ब्रज क्षेत्र की भाषा-सम्पदा से ही अपना ठाठ नहीं रचा है, उसमें अनेक जनपदों के महत्त्वपूर्ण भाषा-तत्त्व भी समेट लिये गए हैं। ऐसा होना अनिवार्य था क्योंकि ब्रजभाषा के अधिकांश कवि ब्रज प्रदेश के रहनेवाले नहीं थे। नये सिरे से मेहनत करके विभिन्न जनपदों से भाषा-तत्त्व समेटकर अपनी जातीय भाषा को पुष्ट करने के बदले हिन्दी लेखक ब्रजभाषा साहित्य के अध्ययन से ही अपनी खड़ी बोली में उन बहुत-से भाषा-तत्त्वों का समावेश कर सकते हैं। तीसरा और सबसे महत्त्वपूर्ण कारण यह है कि हरियाणा की खड़ी बोली ने आधुनिक हिन्दी-उर्दू का रूप ही ब्रजभाषा के प्रभाव से ग्रहण किया है। ब्रजभाषा का रस उसकी घुट्टी में उसे पिलाया गया था। इसलिए ब्रजभाषा की अनुकूलता हिन्दी के विकास का ऐसा नियम है जो निसर्ग-सिद्ध है और उसके आधुनिक रूप की कसौटी है।

इस तीसरे कारण पर थोड़ा और विचार करना उचित होगा।

कहते हैं कि उर्दू देहली की ज़बान है। इस ज़बान का देहली के आसपास के गाँवों से क्या सम्बन्ध है?

कहते हैं कि हिन्दी दिल्ली और मेरठ की भाषा है। दिल्ली और मेरठ के जनपद अर्थात् हरियाणा से इस भाषा का क्या सम्बन्ध है?

हिन्दी और उर्दू का व्याकरण तंत्र मूलत: वही है जो हरियाणा की बोली का है। ब्रजभाषा की तरह 'खाऊँगो' या अवधी की तरह 'खाब', 'खइबे' रूप हिन्दी में नहीं चलते। 'खाऊँगा' रूप हरियाणा की देन है। हिन्दी-उर्दू ने अपना व्याकरण-तंत्र

हरियाणा की जनपदीय खड़ी बोली (अथवा बाँगरू) से पाया है, उसका ध्वनि-तंत्र ब्रजभाषा की देन है। दीर्घ स्वर के बाद संयुक्त व्यंजनों का प्रयोग बाँगरू की विशेषता है। रोट्टी, टेस्सण, बेल्लण (बेलन) जैसे ध्वनिबंध हिन्दी-उर्दू के लिए (और ब्रज से लेकर मैथिली तक जनपदीय बोलियों के लिए) अस्वाभाविक हैं। बाँगरू में ळकार की भरमार है : थाळी, हथेळी, बाळक; हिन्दी-उर्दू (तथा ब्रज से लेकर मैथिली तक जनपदीय बोलियों) में इसका पूर्ण बहिष्कार है। बाँगरू के ध्वनि-तंत्र की ऐसी अनेक विशेषताएँ हैं जिनका हिन्दी में अभाव है। उन सबकी चर्चा करना यहाँ अनावश्यक है। एक अन्य विशेषता की ओर ध्यान दिलाना काफ़ी होगा। अपणापण, निणाणवैं, दाणा, पाणी, जाणा, आणा, कितणा, सुणना जैसे रूपों में मूर्धन्य अनुनासिकों की बहुतायत ब्रज तथा अन्य पूर्वी जनपदीय बोलियों को अग्राह्य है। हिन्दी में तो संस्कृत के प्रभाव से तत्सम रूपों में णकार लिखा भी जाता है (बोलने में उसकी निरन्तर अवहेलना होती है) किन्तु उर्दू में तो उसे पैठने की अनुमति ही नहीं मिली। है न आश्चर्य की बात! बाँगरू जनपद का मुख्य नगर दिल्ली और उसकी भाषा में णकार का अभाव! दिल्ली के उत्तर और पश्चिम में, णकार प्रेमी पंजाबी और राजस्थानी बोलियों का प्रसार, पूरब और दक्खिन में बाँगरू, फिर भी णकार का अभाव! अपने चारों ओर विरोधी ध्वनि-तंत्र के समुद्र में दिल्ली शहर एक द्वीप के समान था जिस पर ब्रजभाषा के ध्वनि-तंत्र की पताका फहराती थी। जातीय भाषा के रूप में हिन्दी के प्रसार का एक प्रमुख कारण उसमें हरियाणा के व्याकरण तंत्र और ब्रजभाषा के ध्वनि-तंत्र का चमत्कारी समन्वय है। व्याकरण-तंत्र से हिन्दी पछाही बोलियों को अपनी ओर खींचती है, ध्वनि-तंत्र से (बुन्देलखंडी-बघेली आदि के साथ) पूर्वी बोलियों को। यूरोप और भारत की आधुनिक भाषाओं ने प्राय: किसी एक बोली के आधार पर ही अपना आधुनिक रूप विकसित किया है। व्याकरण-तंत्र एक बोली का, ध्वनि-तंत्र दूसरी बोली का, ऐसा सामंजस्य अन्यत्र दुर्लभ है। हिन्दी जो पूर्वी और उत्तर पश्चिमी जनपदों को सामान्य जातीय जीवन में बाँध सकी है, उसका एक ऐतिहासिक कारण यह अनुपम सामंजस्य है।

दिल्ली से भिन्न आगरा नगर ब्रज जनपद का प्रमुख केन्द्र है। इस नगर के उत्तर, दक्खिन, पूरब, पच्छिम—चारों ओर ब्रजभाषा को छोड़कर दूसरी बोली की पैठ नहीं है। खड़ी बोली की एक टकसाल आगरे में भी थी। अकबर और शाहजहाँ के ज़माने में आगरा एशिया में व्यापार की सबसे बड़ी मंडी था। दिल्ली और हरियाणा समेत अनेक नगरों और जनपदों के व्यापारी और कारीगर यहाँ इकट्ठे हुए थे। ब्रजभाषा के परिवेश में ये खड़ी बोली का व्यवहार करते थे; इसलिए यह स्वाभाविक था कि वे रोट्टी को रोटी कहें, टेस्सण को टेसन, बाळक को बालक, आणा-जाणा को आना-जाना।

1600 से 1800 ई. तक खड़ी बोली के विकास का वह स्वर्ण युग है जब उस पर ब्रजभाषा का गहरा असर पड़ा। इस खड़ी बोली पर आगरे की छाप है। आगरे की खड़ी बोली का एक खास सर्वनाम रूप है—विस; इसका बहुवचन हुआ—विन।

लल्लूजी लाल आगरे के; उनकी खड़ी बोली में 'विस' का आना लाजमी था। "विसका सार ले, यामनी भाषा छोड़, दिल्ली-आगरे की खड़ी बोली में कह नाम प्रेमसागर धरा" (दिल्ली मेरठ की खड़ी बोली नहीं, दिल्ली आगरे की खड़ी बोली!), "विन्हें देख परीछित मन में कहने लगे"। राजा शिवप्रसाद ने 'गुटका' में 'लल्लूजी की बोली' के जो नमूने इकट्ठे किये, उनमें 'विस' और 'विन' भी थे। किन्तु इनका सम्बन्ध लल्लूजी की किसी व्यक्तिगत बोली से नहीं, आगरे की बोली से था। ये रूप सदल मिश्र के नासिकेतोपाख्यान में भी हैं; 'और वेद की आज्ञा से संतान के लिए पत्नी सों भोग करना उचित है, नहीं तो विस विन क्या कभी क्रिया सिद्ध होती है', 'और जिस जिस के लाने को धर्म्मराज विन को बरजते हैं"। गिलक्रिस्ट के हिन्दुस्तानी भाषा के व्याकरण (सन् 1796) में एक मर्सिया है जिसमें 'विस' और 'विन' का प्रयोग किया गया है :

*दिखला के विन बच्चों को विस के लहू की नाली*
*तेग़ को लाके विन पर कब्जे को फिर सँभाला।*

यह मर्सिया गोपीचंद नारंग ने अपनी छोटी किन्तु सारगर्भित पुस्तक 'करखन्दारी डायलेक्ट ऑव डेल्ही' में उद्धृत किया है। करखन्दारी डायलेक्ट यानी कारख़ाने के मज़दूरों की बोली। इन मज़दूरों की बोली में—दिल्ली की परिनिष्ठित उर्दू से भिन्न—आगरे की खड़ी बोली के वे रूप आज भी क़ायम हैं जिन्हें उनके बाप-दादे अपने साथ दिल्ली ले गए थे। 'विसी की तो बात कर रिया हूँ', 'विनो ने लुटिया भर के विन के आगे करी'—यह दिल्ली के जनसाधारण की खड़ी बोली है और यह आगरे की खड़ी बोली भी है। अमृतलाल नागर ने आगरे के लोगों से सुनकर और सीखकर इस बोली का प्रयोग 'सेठ बाँकेमल' में किया है : "विन्ने रो-रो के कही कि प्यारी, रो मती। हाय, तेरी आँखों का सुरमा बहा जाए है। जे कहके विसे कलेजे से लगा लीना", "इत्ता कहना था भैयो कि विसकी आँखें उलटने लगीं। विन्ने दो बार अल्ला-अल्ला करके चोला छोड़ दीना।"

हिन्दी के पुराने व्याकरणों और कोशों में ये रूप बराबर मिलते हैं। हिन्दी-उर्दू के विकास में आगरे के महत्त्वपूर्ण योगदान का यह प्रमाण है।

पुरानी हिन्दी में देखियो, करियो, लाइयो जैसे क्रिया-रूपों की भरमार है। ये कविता में, भाषा को आकर्षक बनाने के लिए ब्रजभाषा से उधार लेकर नहीं रख दिये गए। ये दिल्ली और आगरे की ब्रजभाषा प्रभावित खड़ी बोली के अपने रूप हैं। नज़ीर अकबराबादी ने कन्हैया जी के जन्म का वर्णन करते हुए लिखा :

*ये सोच हुआ मन बीच उन्हें पैर इस जल में कैसे धरिये,*
*है रैन अँधेरी सँग बालक इस बिपता में अब क्या करिये।*

मीर का शेर है :

*दादो फ़रियाद जाबजा करिये,*
*शायद उसके भी दिल में जा करिये।*

और ग़ालिब :

*पड़िये गर बीमार तो कोई न हो तीमारदार,*
*और अगर मर जाइये तो नौहख्वां कोई न हो।*

ग़ालिब और मीर, दोनों आगरे के थे, आगरे से जाकर दिल्ली में बसे थे।

फोर्ट विलियम कॉलेज की स्थापना के बाद अंग्रेज़ों ने शिक्षा-विभाग के माध्यम से हिन्दी-उर्दू को दो दिशाओं में विकसित करने का संगठित प्रयास किया। हिन्दुओं के बच्चे चाहे एक बार उर्दू पढ़ लें, मुसलमानों के बच्चे हिन्दी नहीं पढ़ेंगे; इतिहास और भूगोल की स्कूली किताबों में हिन्दी की पारिभाषिक शब्दावली अलग, उर्दू की अलग। फोर्ट विलियम कॉलेज से पहले मुसलमानों ने चाहे पंजाबी लिखी हो, चाहे ब्रजभाषा या बंगला, उसमें अरबी-फ़ारसी के लिए वह आग्रह नहीं है, जो उर्दू में है। फोर्ट विलियम कॉलेज की स्थापना से पहले खड़ी बोली में जो भी साहित्य लिखा गया है, वह शब्दावली के आधार पर हिन्दी-उर्दू के दो भिन्न रूपों में नहीं बाँटा जा सकता। दिल्ली और आगरे के मुसलमानों की इस पुरानी खड़ी बोली पर ब्रज 'भाषा' का ही नहीं, उसकी साहित्यिक परम्परा का भी गहरा असर है। मेरठ-निवासी मुहम्मद अफ़ज़ल उर्फ शाह अफ़ज़ल ने 'बिकट कहानी बारह मासा' में जिस भाषा का प्रयोग किया है, उसे डॉ. मसूद हुसैन खाँ और डॉ. विद्यासागर ने अपनी भूमिका में उचित ही सोलहवीं सदी की खड़ी बोली हिन्दी का नमूना स्वीकार किया है :

*किनारे लग रही पिउ बिन अकेली,*
*भई है ज़िन्दगी मुझ पर दुहेली।*
*तुम्हीं टुक कर पकड़ समझाय कहियो,*
*पगन पर सीस धर कर लाय कहियो।*
*अगर मैं जानती यह बेवफाई,*
*खुदा की सौं न करती आशनाई।*
*अरे ऊधो सुनो यह दुख हमन सूँ,*
*कहो टुक जाए परदेसी सजन सूँ।*

सोलहवीं सदी में—फ़ारसी के राजभाषा बने रहने पर भी—हिन्दुओं और मुसलमानों की जातीय भाषा को साहित्य में जो सहज सरस रूप मिला था, वह ऐसा था। मुग़ल साम्राज्य के विघटन के समय, और फोर्ट विलियम कॉलेज की स्थापना

के बाद विकास का यह सहज क्रम टूट गया। जहाँ से यह क्रम टूटा था, सन् '47 में फिर से उसे जोड़ना था। किन्तु राजनीतिज्ञों ने स्वराज्य आन्दोलन के समय किये हुए और वादों की तरह हिन्दी-उर्दू की एकता वाली पुरानी बात भी उठाकर ताक पर रख दी। वे कहते हैं, हिन्दी वाले एक ओर उर्दू को दबाते हैं, दूसरी ओर हिन्दी को राष्ट्रभाषा बनाने के उत्साह में दक्षिण के लोगों के मन में भय उत्पन्न करते हैं। एक राजनीतिज्ञ ने पिछले महीने लखनऊ की एक सभा में यहाँ तक कहा—याहिया खाँ ने पाकिस्तान में उर्दू को राष्ट्रभाषा बनाना चाहा; क्या नतीजा हुआ? पाकिस्तान के दो टुकड़े हो गए। क्या आप चाहते हैं कि हिन्दी को राष्ट्रभाषा बनाने के लिए हम दक्षिण में फ़ौज भेजें और भारत के दो टुकड़े हो जाने दें?

सुना है, स्वाधीन बंगला देश में वहाँ की राजभाषा बंगला है। पश्चिमी बंगाल की राजभाषा अंग्रेज़ी है। यदि कोई कहे कि पूर्वी बंगाल की तरह पश्चिमी बंगाल में भी बंगला को राजभाषा बनाइए तो राजनीतिज्ञ कहेंगे, पूर्वी बंगाल जैसे पाकिस्तान से अलग हुआ, वैसे ही पश्चिमी बंगाल को तुम भारत से अलग करना चाहते हो?

यानी हर परिस्थिति में, हर तर्क-योजना के अन्त में आप पहुँचेंगे एक ही लक्ष्य तक—भारत में अंग्रेज़ी क़ायम रहनी चाहिए!

इस लक्ष्य-सिद्धि के लिए इनके पास तीन दाँव हैं।

पहला : हिन्दी और अहिन्दी-भाषियों को एक-दूसरे से लड़ाना, इनके परस्पर भय और रागद्वेष से लाभ उठाकर समस्त भारतीय भाषाओं को दबाकर रखना।

दूसरा : हिन्दी और उर्दू के भेद को गहरा करना; हिन्दी उर्दू को दबाये है; एक महत्त्वपूर्ण भाषा नेस्तनाबूद होने को है; इसलिए हिन्दी-भाषी प्रदेश में भी हिन्दी को अपना स्वत्व न मिलना चाहिए।

तीसरा : हिन्दी और उसकी जनपदीय बोलियों को एक-दूसरे से लड़ाना; साहित्य अकादमी द्वारा अनेक बोलियों को मान्यता दिलाकर उनको हिन्दी से स्वतंत्र भाषा करार देना; क्षेत्रीयता की भावना को बढ़ावा देकर पहले से ही बँटे हुए हिन्दी प्रदेश को और भी छोटे-छोटे टुकड़ों में बाँटना।

दिवालिया शासक वर्ग इस कूटनीति द्वारा जनता को ठगने के अलावा और कर ही क्या सकता है?

किसे फुर्सत है यह देखने की कि फोर्ट विलियम कॉलेज की स्थापना से पहले हिन्दी-उर्दू का भेद था या नहीं और उस समय की खड़ी बोली पर ब्रजभाषा का प्रभाव गहरा था या उथला?

हिन्दी लेखकों का कोई जातीय मंच नहीं है। इसलिए उपर्युक्त कूटनीति का कोई उत्तर हिन्दी की ओर से नहीं दिया जा रहा है। किन्तु भारत की जनता अपने ढंग से, परिस्थितियों को साफ़-साफ़ न पहचानते हुए, फिर भी निरन्तर उनसे प्रेरित और प्रभावित होकर, इस कूटनीति का उत्तर दे रही है।

पहले दाँव का उत्तर यह है कि अहिन्दी प्रदेशों में हिन्दी का प्रसार ही नहीं हो रहा, वह अहिन्दी भाषाओं से प्रभावित होकर नये-नये स्थानीय रूप भी ग्रहण कर रही है। अंग्रेज़ों ने अठारहवीं सदी में मद्रास की सेना के अंग्रेज़ अफ़सरों के लिए दकनी हिन्दी का ज्ञान अनिवार्य कर दिया था। उस समय हैदराबाद की हिन्दी दक्षिण भारत में प्रचलित हिन्दी का एक मात्र रूप थी। इस समय हैदराबादी दकनी के अलावा, चार प्रमुख द्रविड़ भाषाओं का प्रभाव ग्रहण करती हुई हैदराबाद के दक्षिण में कन्याकुमारी तक, हिन्दी के एक नये रूप का चलन हो रहा है, जिसे हम द्राविड़ी हिन्दी कह सकते हैं। इसका व्यवहार द्रविड़ भाषा-भाषी सामान्य जन उत्तर भारत के आर्य भाषा-भाषियों से सम्पर्क होने पर ही करें, यह आवश्यक नहीं है; स्वयं आपस में एक-दूसरे की बात समझ पाने के लिए, अंग्रेज़ी का ज्ञान न होने पर, उन्हें हिन्दी का सहारा लेना पड़ता है। हिन्दी का व्यवहार सबसे पहले और सबसे अधिक अहिन्दी-भाषियों के आपसी सम्पर्क के लिए ज़रूरी है। हिन्दी के प्रसार का यह वस्तुगत कारण है। इसके लिए हिन्दी-भाषी उत्तरदायी नहीं है। दरअसल पिछले बीस वर्षों में हिन्दी की प्रसार कार्य बिलकुल ढीला हो गया है। जनता का पैसा सरकार के माध्यम से चाहे जितना बाँटा गया हो, पर यह सच है कि प्रचार जितना ही कम हुआ, प्रसार उतना ही ज़्यादा हुआ। कारण वही है, स्वाधीन भारत की अहिन्दी भाषी जनता के आपसी सम्पर्क की उत्कट आवश्यकता। विदेशी राज्यों द्वारा करोड़ों रुपये (भारतीय शासन द्वारा लाखों रुपये) अंग्रेज़ी पढ़ने-पढ़ाने पर ख़र्च किये जाने पर भी सम्पर्क की इस आवश्यकता को अंग्रेज़ी पूरा नहीं कर सकती।

द्राविड़ी हिन्दी हमारी राष्ट्रभाषा का दक्षिणी रूप है, नये स्वाधीन भारत का अकाट्य यथार्थ है। इस यथार्थ को देखने के लिए मद्रास जाना आवश्यक नहीं है; दिल्ली या आगरे में भी उसके दर्शन हो सकते हैं।

दूसरे दाँव का उत्तर यह है कि हिन्दी-भाषी प्रदेश के हिन्दू और मुसलमान, गाँवों के करोड़ों किसान और नये औद्योगिक विकास के साथ नये-नये लाखों मज़दूर—हिन्दू और मुसलमान—एक-सा जातीय जीवन बिता रहे हैं। उन्हें आपसी व्यवहार के लिए दुभाषिये की ज़रूरत नहीं पड़ती, न वे राष्ट्र के सूत्रधारों की तरह देश-जनता-राजनीति जैसे शब्द कहकर मुल्क-अवाम-सियासत के द्वारा अपनी बात का अनुवाद करते हैं। बंगला और तमिल फ़िल्म बंगाल और तमिलनाडु के बाहर दिखाना हो तो उसके संवादों का हिन्दी रूपान्तर ज़रूरी होता है। किसी हिन्दी फ़िल्म का उर्दू रूपान्तर या उर्दू फ़िल्म का हिन्दी रूपान्तर अभी तक देखने-सुनने में नहीं आया। जनता की इस सामान्य भाषायी एकता का आधार छोड़कर जो भी अलगाव का हवामहल बनाएगा, वह उस हवामहल की तरह खुद भी एक दिन इस धरती से हवा हो जाएगा।

तीसरे दाँव के उत्तर में हिन्दी प्रदेश के जनपदों ने आपसी एकता को और दृढ़ किया है। जयपुर, मथुरा, फरीदाबाद, झाँसी, पटना—कहीं कोई ऐसा कारख़ाना,

कोई भी औद्योगिक प्रतिष्ठान ऐसा नहीं है जिसमें एक ही जनपद के लोग काम करते हों, जिसमें वे आपस में किसी एक जनपदीय बोली का ही व्यवहार करते हों। श्रमिक जनता की यह एकता हमारी जातीय एकता की धुरी है। जो लोग जनपदीय अलगाव को बढ़ावा देते हैं, वे इस धुरी पर ही प्रहार करते हैं। इससे उन्हीं के सर में चोट लगेगी। जनपदीय बोलियाँ हिन्दी को निरन्तर प्रभावित करती हुई उसे क्षेत्रीय रूप देकर उसे स्थानीय जनता के अनुरूप बना रही हैं।

इस परिस्थिति में—हिन्दी के इस आधुनिक विकास-सन्दर्भ में—हमें ब्रजभाषा की भूमिका पर विचार करना चाहिए। हिन्दी प्रदेश के सभी जनपदों में ब्रजभाषा का साहित्य ही सबसे विशद है। अन्य जनपदों में यह साहित्य आज भी लोकप्रिय है। नये तद्भव गढ़ने और तद्भवों में तत्समों को खपाने की कला के श्रेष्ठ उदाहरण इसके साहित्य में हैं। अन्य जनपदों की बहुत-सी भाषा-सम्पदा साहित्यिक ब्रजभाषा में पहले ही सिमट आई है। हरियाणा की खड़ी बोली को हिन्दी-उर्दू का सरस सामान्य रूप देने का श्रेय ब्रजभाषा को है। हिन्दी से उसका सम्बन्ध जन्मजात है, तब उसके विकास में ब्रजभाषा का योगदान ऐतिहासिक रूप से आवश्यक है। आज की लिखित हिन्दी के स्वभाव को ब्रजभाषा के अनुकूल बनाना विकास की उन कड़ियों को फिर से जोड़ना है जो फोर्ट विलियम कॉलेज की स्थापना के बाद टूट गई थीं।

आज की लिखित हिन्दी जितना ही ब्रजभाषा के अनुकूल होगी, उतना ही वह हिन्दी जनपदों में लोकप्रिय होगी, उतना ही वह हिन्दी-उर्दू का भेद मिटाने में समर्थ होगी। उतना ही नहीं, अहिन्दी प्रदेशों, विशेष कर दक्षिण भारत में लोकप्रिय होगी। याद रखना चाहिए कि द्रविड़ भाषाएँ सैकड़ों संस्कृत रूपों को निरन्तर तद्भव बनाती रही हैं। तमिल 'कच्चाइ' हिन्दी 'कच्छा' के अनुरूप है, संस्कृत 'कक्ष्या' के नहीं; कन्नड़ 'बट्टि' हिन्दी 'भट्टा' के अनुरूप है, संस्कृत 'भ्राष्ट्र' के नहीं; 'श्री' का तत्सम उच्चारण द्रविड़-भाषियों के लिए वैसा ही कठिन है, जैसा ब्रजवासियों के लिए; 'तिरुपति' से लेकर 'तिरुअनन्तपुरम्' (ट्रिवेंद्रम्!) तक सब कहीं 'श्री' के तद्भव रूप 'तिरु' की ही शोभा है। वर्ण नहीं, वरुणम्; आचार्य नहीं, आचिरियर; अर्हत नहीं, अरुहन; क्षेप नहीं, चेमम्; स्थान नहीं, तानम्—ऐसी सैकड़ों मिसाले हैं जिनसे यह समझते देर न लगेगी कि औसत तमिल-भाषी के लिए ब्रजभाषा के तद्भव रूप ही सुगम हैं, लिखित हिन्दी (खास तौर से सरकारी हिन्दी) के तत्सम रूप नहीं।

चाहे जनपदीय स्तर पर विचार करें, चाहे प्रादेशिक स्तर पर, यह निष्कर्ष अनिवार्य है कि आज की लिखित हिन्दी निज को ब्रजभाषा के अनुरूप ढालकर ही अपने ऐतिहासिक विकास की मंज़िल तक पहुँच सकती है।

[1975]

40

# हिन्दी-भाषी प्रदेश—बहुभाषा-भाषी प्रदेश?

कुछ दिन पहले एक भारत-मित्र विदेशी विद्वान् क.मु. विद्यापीठ आगरा पधारे थे। वह भारत में काफ़ी दिन रह चुके हैं, बहुत अच्छी हिन्दी बोलते हैं और हिन्दी भाषा के सम्बन्ध में बहुत कुछ लिख भी चुके हैं। इस समय वह हिन्दी-भाषी प्रदेश की भाषायी स्थिति पर शोध-कार्य कर रहे थे। उनकी धारणा यह थी कि हिन्दी प्रदेश बहुभाषा-भाषी प्रदेश है और इस प्रकार भारत या यूरोप के भाषायी क्षेत्रों से इसकी स्थिति भिन्न है। अपनी धारणा के प्रमाणस्वरूप उन्होंने इन तथ्यों का हवाला दिया। हिन्दी प्रदेश में काफ़ी लोग सामाजिक और पारिवारिक जीवन में अंग्रेज़ी भाषा का व्यवहार करते हैं। आपस में हिन्दी बोलते हुए भी बीच-बीच में अंग्रेज़ी का व्यवहार करते हैं। इसके अतिरिक्त हिन्दी और उर्दू दो भिन्न भाषाएँ हैं, इसमें सन्देह ही क्या है, और इन दोनों का मुख्य व्यवहार-क्षेत्र एक ही प्रदेश यानी हिन्दी-भाषी प्रदेश है। उर्दू के अलावा अनेक सांस्कृतिक कार्यों में, विशेष अवसरों पर धार्मिक कृत्यों में, संस्कृत का व्यवहार होता है। मुसलमान लोग अरबी का व्यवहार करते हैं। सम्भव है, कुछ लोग फ़ारसी का व्यवहार भी करते हों! धर्म-विशेष के लोग पालि और प्राकृत में पवित्र वचनों का पाठ करते हैं। हिन्दी प्रदेश में जहाँ भी जाते हैं, वहाँ देहात में हिन्दी से अलग बोली सुनाई देती है। कहीं लोग भोजपुरी बोलते हैं, कहीं मैथिली, कहीं ब्रजभाषा, कहीं कोई अन्य बोली। व्याकरण, उच्चारण आदि के विचार से ये बोलियाँ एक-दूसरे से बहुत भिन्न हैं और स्वतंत्र भाषाओं जैसी लगती हैं। देहात के अलावा शहरों में भी अलग-अलग ढंग की हिन्दी सुनाई देती है। कलकत्ता, बम्बई, हैदराबाद, पटना और दिल्ली की हिन्दी में काफ़ी अन्तर है। हिन्दी प्रदेश में ऐसे अनेक क्षेत्र हैं जहाँ द्रविड़ और मुंडा परिवारों की भाषाएँ बोली जाती हैं। इन सारे तथ्यों को देखने से यह प्रमाणित होता है कि हिन्दी-भाषी प्रदेश एक भाषा का प्रदेश नहीं है, यहाँ अनेक भाषाओं का व्यवहार होता है। उसे बहुभाषा-भाषी प्रदेश कहना अधिक युक्तिसंगत है।

उस गोष्ठी में उक्त स्थापना के सम्बन्ध में मैंने जो कुछ कहा, उसका सारांश इस प्रकार है :

आदरणीय विद्वान् ने हिन्दी प्रदेश की भाषायी स्थिति के बारे में जो कुछ कहा है, वह सभी लोगों के ध्यान देने योग्य है। उन्होंने हिन्दी-भाषी प्रदेश की चर्चा करके हिन्दी के जातीय क्षेत्र को स्वीकार किया है। जहाँ की भाषा-समस्या का अध्ययन वह कर रहे हैं, वह हिन्दी प्रदेश है। वह हिन्दी भाषा का जातीय क्षेत्र है। हिन्दी जाति का अपना प्रदेश है। वह हिन्दी-उर्दू-अंग्रेज़ी-संस्कृत-अरबी प्रदेश नहीं कहलाता। मूल बात यह है कि हिन्दी बोलनेवालों की एक जाति है। यह जाति अनेक भाषाओं के व्यवहार के कारण विभाजित नहीं है। इस जाति के सदस्यों को जोड़नेवाली भाषा हिन्दी है। हिन्दी छोड़कर अन्य कोई भाषा यह कार्य नहीं करती। मुख्य स्थान इसी हिन्दी भाषा का है। अन्य भाषाएँ, उपभाषाएँ, बोलियाँ, विदेशी भाषाएँ, प्राचीन भाषाएँ आदि गौण स्थान पर हैं। वे विभाजित भले करती हों, जोड़ती नहीं हैं। जोड़ने का काम केवल हिन्दी करती है। यह भी स्पष्ट है कि जोड़ने की प्रक्रिया ऊपर है, अधिक शक्तिशाली है; तोड़ने की प्रक्रिया नीचे है और निर्बल है। ऐसी बात न हो तो हिन्दी-भाषी प्रदेश जैसे किसी प्रदेश की कल्पना ही न की जाए, उसकी भाषायी स्थिति की चर्चा का अवसर ही न आए। हिन्दी प्रदेश वैसे ही यथार्थ इकाई है, जैसे अंग्रेज़ी भाषा या रूसी भाषा का प्रदेश यथार्थ इकाई है। राजनीतिक रूप से यह प्रदेश अनेक राज्यों में बँटा हुआ है। जर्मनी, कोरिया, वियतनाम, बंगाल दो राज्यों में बँटे हुए हैं, इससे जर्मन, कोरियाई, वियतनामी, बंगाली जातियाँ और भाषाएँ विभाजित नहीं हो जातीं। आदरणीय विद्वान् हिन्दी प्रदेश का अस्तित्व स्वीकार करते हैं, उनकी और मेरी स्थापनाओं की यह सामान्य आधारभूमि है।

अब देखना चाहिए कि इस तरह की स्थिति केवल हिन्दी प्रदेश में उत्पन्न हुई है या इससे मिलती-जुलती स्थिति अन्य देशों में भी है अथवा कभी रही है।

विदेश से जो भी विद्वान् हमारे प्रदेश में आता है, उसे यहाँ के पढ़े-लिखे लोगों में अंग्रेज़ी का व्यापक व्यवहार देखकर आश्चर्य होता है। अंग्रेज़ी का व्यवहार इसलिए नहीं होता कि यहाँ तमिल या तेलगू बोलनेवालों से हिन्दी-भाषियों को सम्पर्क क़ायम करना है, और वे हिन्दी नहीं जानते, इसलिए अंग्रेज़ी का व्यवहार करना है। हिन्दी-भाषी लोग ही आपस में अंग्रेज़ी का व्पवहार करते हैं। विश्वविद्यालयों में इसी प्रदेश के अध्यापक इसी प्रदेश के छात्रों को अंग्रेज़ी के माध्यम से शिक्षा देते हैं। यहाँ के राजकीय-अराजकीय कार्यालयों में अंग्रेज़ी का काफ़ी व्यवहार होता है। इसका कारण हमारी राजनीतिक और सांस्कृतिक पराधीनता के अवशेष हैं। किन्तु इस तरह की स्थिति हमारे प्रदेश अथवा समस्त भारत देश के लिए अनोखी नहीं है। किसी समय इंग्लैंड पर नार्मन लोगों का प्रभुत्व था। उस समय इंग्लैंड का अभिजात वर्ग सामाजिक और पारिवारिक जीवन में व्यापक रूप से फ्रांसीसी भाषा का व्यवहार करता था। 19वीं सदी में रूस का अभिजात वर्ग इसी फ्रांसीसी भाषा का व्यवहार करता था। यद्यपि नेपोलियन और उसकी फ्रांसीसी सेना को रूसियों ने

पराजित किया था, फिर भी सांस्कृतिक रूप से रूसी अभिजात वर्ग पर फ्रांस की भाषा और संस्कृति का बड़ा गहरा प्रभाव था। यह स्थिति तोल्स्तोय के उपन्यासों में बहुत अच्छी तरह चित्रित की गई है। फ्रांसीसी भाषा के अलावा रूसी अभिजात वर्ग जर्मन भाषा का व्यवहार भी करता था। मध्य यूरोप के देशों में जर्मन का व्यवहार और भी व्यापक था, जैसेकि चेकोस्लोवाकिया में। मार्क्स के समय में यह प्रभाव इतना अधिक था कि मार्क्स समझते थे कि चेक और स्लोवाक भाषाओं का अस्तित्व न रहेगा और उनकी जगह जर्मन भाषा का ही व्यवहार होगा। इन तथ्यों पर ध्यान देने से विदित होता है कि विशेष सामाजिक कारणों से अनेक देशों में जातीय भाषा के साथ उच्चवर्गों में विजातीय भाषा का व्यवहार भी हो सकता है और हुआ है। जब कोई जाति अपना सामाजिक-सांस्कृतिक विकास करती है, अपनी आन्तरिक एकता सुदृढ़ करती है, तब वह विजातीय भाषा का प्रभाव उतार फेंकती है। ऐसा इंग्लैंड और रूस में हुआ है, चेकोस्लोवाकिया में हुआ है। हिन्दी प्रदेश और भारत में अंग्रेज़ी का जो व्यवहार दिखाई देता है, वह अस्थायी है। जब हिन्दी जाति सुगठित होगी, अपना सामाजिक-सांस्कृतिक विकास करेगी, तब अंग्रेज़ी का व्यापक व्यवहार बन्द हो जाएगा। जब सारा देश राष्ट्रीय स्तर पर सुगठित होगा, तब अंग्रेज़ी का यह अखिल भारतीय महत्त्व समाप्त होगा। अभी यह अखिल भारतीय महत्त्व अन्य प्रदेशों की तरह हमारे प्रदेश को भी प्रभावित करता है। यह बात याद रखनी चाहिए कि अंग्रेज़ी का व्यापक प्रभाव भारत के बहुत थोड़े-से पढ़े-लिखे लोगों के समुदाय में सीमित है, उसकी व्यापकता अत्यन्त सापेक्ष है। हिन्दी प्रदेश में जनसाधारण के बीच व्यापक रूप से हिन्दी का ही व्यवहार होता है।

हिन्दी के साथ उर्दू का व्यवहार हमारे यहाँ का एक अनोखा व्यापार प्रतीत होता है। किन्तु हिन्दी-उर्दू दो भिन्न भाषाएँ नहीं हैं, वे मूलत: एक ही भाषा हैं। इनके सर्वनाम, क्रियापद, मूल शब्द-भंडार एक ही हैं। संसार में कोई दो भाषाएँ ऐसी नहीं हैं जिनके सर्वनाम और क्रियापद सौ फीसदी सामान्य हो। रूसी और उक्रैनी भाषाएँ एक-दूसरे से बहुत मिलती-जुलती हैं पर उनमें भी ऐसी समानता नहीं है। उर्दू की भिन्नता का कारण उसकी संरचना, उसकी मूल भाषायी सम्पदा नहीं है। उसकी भिन्नता का कारण अरबी-फ़ारसी शब्दावली का विशिष्ट व्यवहार है।

बहुत समय से जर्मनी में यहूदी लोग रहते आए हैं। इनकी धर्मभाषा हीब्रू है। हीब्रू उनकी बोलचाल की भाषा नहीं है, वह उनकी धार्मिक अथवा सांस्कृतिक भाषा है। जर्मन भाषा में यहूदियों ने हीब्रू शब्दावली मिलाकर एक भाषा गढ़ी जो यिद्दिश कहलाई। आइंस्टाइन और फ्रायड जैसे यहूदियों ने अपनी जातीय भाषा जर्मन का ही व्यवहार किया, फिर भी बहुत-से यहूदी अपने धर्म से हीब्रू भाषा का विशेष सम्बन्ध जोड़ने के कारण यिद्दिश को अपनाए रहे। बहुत-से जर्मन यहूदी रूस में जा बसे। वहाँ भी उन्होंने यिद्दिश चलाई। इस भाषा में उन्होंने अपने समाचार-पत्र निकाले।

मास्को में इस भाषा में रचे जानेवाले नाटक खेलने के लिए एक विशेष नाट्यशाला बनाई गई। रूसी भाषा के विशाल जातीय प्रदेश में यिद्दिश का व्यवहार करनेवाले यहूदियों का एक स्वायत्त क्षेत्र भी है। पर यहूदियों की कोई जाति नहीं है। रूसी, फ्रांसीसी, जर्मन आदि की तरह कोई यहूदी जाति नहीं है। धर्म अलग-अलग हैं पर ईसाई और यहूदी जर्मनों, ईसाई और यहूदी अंग्रेज़ों, ईसाई-यहूदी-ला-मज़हब—सभी तरह के रूसियों की जाति एक ही है। यिद्दिश में जैसे हीब्रू के बहुत-से शब्द मिला दिये गए हैं, वैसे ही उर्दू में बहुत-से अरबी-फ़ारसी शब्द मिला देने से उर्दू का अलगाव पैदा हुआ है। जैसे बंगाल के हिन्दुओं और मुसलमानों की एक ही भाषा बंगला है, वैसे ही हिन्दी प्रदेश के हिन्दुओं और मुसलमानों की एक ही भाषा हिन्दी है। फोर्ट विलियम कॉलेज की स्थापना होने तक हमारे प्रदेश के मुसलमान अपनी भाषा को हिन्दी ही कहते थे। दोनों के बीच का फासला अंग्रेज़ी राज्य में ही बढ़ा है। उस राज्य के खत्म होने पर वह फासला कम हो गया है। जब हिन्दी प्रदेश की बहुसंख्यक किसान जनता साक्षर होगी, उसमें शिक्षा-प्रसार होगा, तब यह फासला पूरी तरह समाप्त हो जाएगा। कबीर, मलिक मुहम्मद जायसी, दादू, रज्जब, रहीम, रसखान की परम्परा फिर जीवित होगी और यहाँ के हिन्दू और मुसलमान एक ही साहित्यिक भाषा के माध्यम से अपनी जातीय संस्कृति और साहित्य को समृद्ध करेंगे। जनसाधारण के निरक्षर और पिछड़े होने से, पुरानी रूढ़ियों के प्रभाव से, धर्म-विशेष के लोग अपनी जातीयता न पहचानकर उस धर्म-विशेष की भाषा से अपना सम्बन्ध जोड़ लेते हैं; उस भाषा का व्यवहार दैनिक जीवन में सम्भव नहीं होता, अत: उसके अधिक से अधिक शब्द जातीय भाषा में ठूँसकर वे अपना अलगाव क़ायम रखना चाहते हैं। हिन्दी-उर्दू का मुख्य भेद फ़ारसी शब्दों के कारण नहीं है, अरबी शब्दों को लेकर है। फ़ारसी आर्य-परिवार की भाषा है। इसके सैकड़ों शब्द संस्कृत के तद्भव रूपों जैसे हैं। किन्तु अरबी सामी परिवार की भाषा है। इसके बहुत-से शब्द तुर्की में आ गए थे। कमाल पाशा के समय में, और उसके बाद, तुर्कों ने अपनी भाषा को अरबी प्रभाव से मुक्त किया। उसी प्रकार नवजाग्रत ईरान के लोग आधुनिक फ़ारसी को अरबी प्रभाव से मुक्त कर रहे हैं। इसलिए मेरा विश्वास है कि हिन्दी प्रदेश में भी अरबी प्रभाव के कारण हिन्दी-उर्दू में जो भेद पैदा हुआ है, वह अस्थायी है और कुछ दिनों में समाप्त हो जाएगा।

हिन्दी प्रदेश में विशेष अवसरों पर धार्मिक या सांस्कृतिक कार्यों में संस्कृत अरबी आदि प्राचीन भाषाओं का व्यवहार होता है। यह व्यवहार-क्षेत्र अत्यन्त सीमित है और इससे जातीय भाषा का अस्तित्व खंडित नहीं होता। यूरोप के देशों में जहाँ ईसाइयों का रोमन कैथलिक सम्प्रदाय है, वहाँ गिरजाघर में लैटिन का व्यवहार होता है। आगरे के एक गिरजाघर में अपने एक हिन्दी-भाषी रोमन कैथलिक बन्धु की बहन के विवाह में मैं उपस्थित था। वहाँ मैंने देखा कि जैसे हिन्दू विवाह में संस्कृत

मंत्र पढ़े जाते हैं, वैसे ही यहाँ प्रार्थना या मंत्र-पाठ लैटिन में हो रहा है। इंग्लैंड में ईसाइयों का प्रोटेस्टेंट मत फैलने पर अंग्रेज़ी का व्यवहार होने लगा, फिर भी अनेक पवित्र कार्यों के लिए लैटिन का स्थान सुरक्षित रहा। लन्दन का वेस्टमिनिस्टर गिरजाघर बड़ा पवित्र स्थान है। वहाँ देश के महान् पुरुष दफ़नाए जाते हैं। 18वीं सदी के प्रसिद्ध अंग्रेज़ लेखक डॉ. जानसन से उनके मित्रों ने मज़ाक किया; उनके सामने एक प्रार्थना-पत्र रखा कि वह कवि गोल्डस्मिथ का समाधि-लेख अंग्रेज़ी में लिख दें तो उसे उनकी कब्र पर पत्थर में अंकित कराया जाए। डॉ. जानसन ने रुष्ट होकर कहा कि समाधि-लेख लैटिन में ही होगा, वेस्टमिनिस्टर गिरजाघर को अंग्रेज़ी के व्यवहार से अपवित्र नहीं किया जा सकता।

अंग्रेज़ कवि चौसर ने एक पादरी का वर्णन किया है कि जब वह होश में होता था, तब अंग्रेज़ी बोलता था। जब नशे में होता था तब केवल लैटिन बोलता था। नशा कई तरह का होता है। बहुत-से लोग अब भी समझते हैं, ईश्वर उनके धर्म-विशेष की भाषा बोलता था और उसका व्यवहार न करने पर धार्मिक-सांस्कृतिक अनुष्ठानों की पवित्रता नष्ट हो जाएगी। जहाँ धर्म में ईश्वर को जगह नहीं मिली, वहाँ उसकी जगह कोई सिद्ध पुरुष प्रतिष्ठित हुआ। उसकी यथार्थ या कल्पित वाणी को लोग धर्म की पवित्र भाषा मानने लगे। स्पष्ट है कि धर्म-भाषाओं का व्यवहार हिन्दी प्रदेश की विशेषता नहीं है। अन्यत्र भी ऐसा होता है और हुआ है किन्तु जातीय भाषाओं से भिन्न ऐसी धर्म-भाषाओं का व्यवहार-क्षेत्र निरन्तर संकुचित होता गया है।

यह बात सही है कि हिन्दी प्रदेश में बहुत-सी बोलियों का व्यवहार होता है। यह स्थिति हिन्दी प्रदेश के लिए अनोखी नहीं है। भारत या यूरोप की कोई भाषा ऐसी नहीं है जिनकी अनेक बोलियाँ न हों। इंग्लैंड में उत्तर और दक्खिन के गाँवों की बोलियों में बड़ा अन्तर है। लन्दन शहर की अपनी बोली है जो परिनिष्ठित अंग्रेज़ी से भिन्न है। कुछ लोग वेल्स और स्कॉटलैंड की भषाओं को अंग्रेज़ी की बोली मानते हैं पर वे अंग्रेज़ी से उतना ही भिन्न हैं जितना हिन्दी से तमिल। आधुनिक जातीय प्रदेश पुराने जनपदों के आधार पर बनते हैं। जातीय भाषा का निर्माण और प्रसार इन्हीं जनपदों की भाषाओं के बीच होता है। इस विकास की यह विशेषता होती है कि उद्योग-धन्धों और व्यापार के केन्द्रों में जातीय भाषा का व्यवहार होता है; विभिन्न जनपदों के लोग परस्पर सपर्क के लिए उसी जातीय भाषा का व्यवहार करते हैं। हिन्दी प्रदेश में कोई ऐसा नगर नहीं है जहाँ हिन्दी में अलग किसी जनपदीय भाषा का ही व्यवहार होता हो। कानपुर एक बड़ा औद्योगिक नगर है। यहाँ दूर-दूर के जनपदों से आकर मज़दूर काम करते हैं। इनकी सम्पर्क-भाषा हिन्दी है—अपने घर में वे चाहे कन्नौजी बोलें, चाहे बुन्देलखंडी। ब्रज प्रदेश के नगर आगरे की सामान्य भाषा ब्रज नहीं है, बुन्देलखंड के नगर झाँसी की सामान्य भाषा बुन्देलखंडी नहीं है, भोजपुरी क्षेत्र के नगर बनारस की सामान्य भाषा भोजपुरी

नहीं है। हर जगह मज़दूरों, व्यापारियों, नौकरीपेशा लोगों की भाषा हिन्दी है। अब मान लीजिए, बनारस के किसी कारख़ाने में केवल भोजपुरी का व्यवहार हो, कानपुर में केवल कन्नौजी का व्यवहार हो, दिल्ली में बाँगरू का व्यवहार हो, तो सामाजिक विकास की सारी प्रक्रिया ठप हो जाएगी। सामाजिक विकास-प्रक्रिया के अनुरूप सारे प्रदेश में शिक्षा का माध्यम हिन्दी है। यदि शिक्षा के जनपदीय माध्यम बनाए जाएँ, झाँसी में शिक्षा का माध्यम बुन्देलखंडी हो, बनारस हिन्दू विश्वविद्यालय में शिक्षा का माध्यम भोजपुरी हो, अलीगढ़ विश्वविद्यालय में शिक्षा ब्रजभाषा के माध्यम से दी जाए, लखनऊ-विश्वविद्यालय में अवधी के माध्यम से दी जाए, तो यह समझते देर न लगेगी कि सारा सांस्कृतिक विकास तहस-नहस हो जाएगा। इसके अलावा यथार्थ जीवन में भाषाओं की जो स्थिति है, यह कार्य उससे बिलकुल उल्टा होगा।

हिन्दी प्रदेश की एकता, इस प्रदेश में हिन्दी के व्यवहार का प्रश्न, राष्ट्रीय एकता के प्रश्न के साथ जुड़ा हुआ है। जो लोग यह चाहते हैं कि भारत में अंग्रेज़ी का पुराना गौरवपूर्ण स्थान बना रहे, वे हिन्दी के कृत्रिम होने का शोर सबसे ज़्यादा मचाते हैं। वे कहते हैं, देखो, हिन्दी ने ब्रजभाषा, अवधी, भोजपुरी आदि-आदि स्वतंत्र भाषाओं को दबा रखा है। उत्तर भारत में ही हिन्दी ने अपना साम्राज्यवाद क़ायम कर रखा है, उसी का प्रसार हिन्दी वाले बंगाल, महाराष्ट्र, दक्षिण के प्रदेशों में भी करना चाहते हैं। इसलिए अंग्रेज़ी का व्यवहार निरन्तर करते जाना चाहिए।

हिन्दी प्रदेश वैसे ही अनेक राज्यों में बँटा हुआ है। अन्य प्रदेशों में भारत के राजनीतिक दल भाषावार राज्य बनाने का आन्दोलन चला चुके हैं। हिन्दी प्रदेश में राज्य न तो जनपदीय भाषाओं के आधार पर बने हैं और न जातीय भाषा के आधार पर। यहाँ राज्य-निर्माण का कोई भी सिद्धान्त लागू नहीं होता और राजनीति-विशारद इस समस्या की चर्चा भी नहीं करते। इसलिए जनपद की भाषाएँ हिन्दी से स्वतंत्र भाषाएँ हैं, यह स्थापना हमारी जातीय एकता को खंडित करती है, वह राष्ट्रीय एकता को कमज़ोर करती है, और अंग्रेज़ी के प्रभुत्व को क़ायम रखती है। इस स्थापना को दोहराते समय बहुत सतर्क रहना आवश्यक है।

हिन्दी में लिखा हुआ बहुत-सा साहित्य अब गाँवों में किसान पढ़ते हैं। कचहरी-अदालत में उनका काम हिन्दी से चलता है। पाठशालाओं में उनके बच्चे हिन्दी पढ़ते हैं। बहुत-से किसान गरीबी के कारण गाँव छोड़कर शहर में मज़दूरी करने आते हैं। उनका काम हिन्दी से चलता है। इस तरह जिन आर्थिक और सांस्कृतिक सूत्रों से शहर के लोग बँधे हुए हैं, उनसे पूर्णतः नहीं, तो अंशतः किसान भी बँधे हुए हैं। हम लोग अभी आर्थिक दृष्टि से पिछड़े हुए हैं। यूरोप के देशों की तुलना में ही नहीं, भारत में महाराष्ट्र और बंगाल की तुलना में, हिन्दी प्रदेश आर्थिक दृष्टि से पिछड़ा हुआ है। जब यह पिछड़ापन दूर होगा, इस प्रदेश का औद्योगिक विकास होगा, तब

ये सूत्र और भी मज़बूत होंगे। जनपदों का अलगाव, शहरों से गाँवों का अलगाव, मज़दूरों से किसानों का अलगाव, हिन्दी से जनपदीय भाषाओं का अलगाव और भी कम होगा। सामाजिक विकास की दिशा पहचानने से सन्देह नहीं रह जाता कि यह अलगाव विनाशमान है। जो चीज़ विकासमान है, वह हिन्दी के माध्यम से जातीय एकता को सुदृढ़ करने की प्रक्रिया है।

हिन्दी-भाषी प्रदेश भारत का सबसे बड़ा जातीय प्रदेश है। स्वभावत: इस प्रदेश में अन्य किसी जातीय प्रदेश की अपेक्षा जनपदों की संख्या अधिक हैं। इसी प्रदेश में फ़ारसी राजभाषा रही है, इसी प्रदेश की साहित्यिक या शिष्ट भाषा के दो रूप हैं : हिन्दी और उर्दू। इसलिए जातीय निर्माण और जातीय भाषा के विकास की प्रक्रिया अन्य प्रदेशों की अपेक्षा जहाँ ज़्यादा पेचीदा है। साथ ही जनपदीय भाषाएँ, उनमें रचा हुआ साहित्य, विभिन्न जनपदों की लोक-संस्कृति हमारे जातीय विकास में बाधक नहीं हैं; इसके विपरीत वे इस विकास को नई शक्ति देनेवाला बहुत बड़ा स्रोत हैं। जाति का निर्माण जनपदीय तत्त्वों से होता है, जातीय भाषाओं से जनपदीय भाषाओं अथवा उपभाषाओं के तत्त्व निरन्तर शामिल होते हैं। जातीय संस्कृति का आधार विभिन्न जनपदों की लोक-संस्कृति है। जातीय भाषा और जनजातीय उपभाषा एक-दूसरे की पूरक हैं, विरोधी नहीं हैं। बहुत अच्छा हो, यदि हिन्दी प्रदेश के प्रत्येक विश्वविद्यालय में एक लोक-संस्कृति विभाग हो, जहाँ जनपद-विशेष की भाषा और लोक-संस्कृति पर संगठित रूप से शोध-कार्य हो, उससे सम्बन्धित सामग्री संकलित की जाए और प्रकाशित की जाए। हमसे हिन्दी भाषा ही नहीं, हिन्दी साहित्य के विकास को बहुत बड़ी प्रेरणा मिलेगी। इस तरह का काम अभी बहुत बिखरे रूप में हो रहा है। उसे योजनाबद्ध ढंग से सम्पन्न करना आवश्यक है।

विशाल हिन्दी प्रदेश में अनेक जनपद हैं, अनेक जनपदीय उपभाषाएँ हैं। बहुतों का पुराना समृद्ध साहित्य है। सभी के पास समृद्ध लोक-संस्कृति के भंडार हैं। यह स्थिति कुछ लोगों को विघटनकारी जान पड़ती है। वास्तव में वह हिन्दी प्रदेश की भाषायी और सांस्कृतिक समृद्धि का अक्षय स्रोत है। जहाँ तक सामान्य सामाजिक विकास-प्रक्रिया का सम्बन्ध है, जातीय भाषा के साथ अनेक बोलियों का सहअस्तित्व भारत और यूरोप के अन्य प्रदेशों में भी देखा जाता है।

जनपदीय उपभाषाओं के अलावा जातीय भाषा हिन्दी के भी अनेक बोली रूप हैं। ये बोली रूप कैसे बनते हैं? जातीय भाषा जब जनपदीय उपभाषा से प्रभावित होती है, तब ऐसे रूप बनते हैं। बनारस में जातीय भाषा हिन्दी जनपदीय उपभाषा भोजपुरी से प्रभावित होती है, तब उसका बनारसी रूप बनता है। यही जातीय भाषा जब ब्रजभाषा से प्रभावित होती है, तब आगरे की अपनी खड़ी बोली का निर्माण होता है। जनपदीय उपभाषाओं के अलावा हिन्दी अन्य जातीय भाषाओं से भी प्रभावित होती है। कलकत्ते की हिन्दी बंगला से प्रभावित है, बम्बई की हिन्दी मराठी से

प्रभावित है। ये नगर बंगला और मराठी के जातीय क्षेत्रों में स्थित हैं। इसलिए वहाँ की भाषाओं से हिन्दी का प्रभावित होना स्वाभाविक है। हैदराबाद मराठी और तेलगू क्षेत्रों से घिरा हुआ है, इसलिए दकनी पर इन भाषाओं का प्रभाव पड़ा है। दिल्ली पंजाब में नहीं है पर पंजाबी लोग दिल्ली में हैं, और इतने हैं कि पुरानी दिल्ली नई दिल्ली में खो गई है। नतीजा यह कि ज़बाने-देहली की जगह अब पंजाबी प्रभावित हिन्दी ही सुनाई देती है। अंग्रेज़ी भाषा को देखें तो जनपदीय उपभाषाओं से प्रभावित उसके भी अनेक रूप हैं। जो लोग परिनिष्ठित अंग्रेज़ी का प्रचार करना चाहते हैं, उनके लिए एक बड़ी समस्या यह रही है कि स्कूलों में बच्चों को अंग्रेज़ी का सही उच्चारण सिखाने के बाद उन्हें स्थानीय प्रभाव से दूषित होने से कैसे बचाया जाए। इसके लिए यह प्रस्ताव किया गया था कि छात्रों को स्कूल के बोर्डिंग हाउस में रखा जाए, शहर में उनका रहना बन्द कर दिया जाए। शहर में रहेंगे तो घर और पड़ोस में जैसी अंग्रेज़ी सुनेंगे, वैसी बोलेंगे या उससे प्रभावित होंगे। स्कूल में उच्चारण की जितनी कवायद कराई जाएगी, वह सब बेकार हो जाएगी। फिर भी विभिन्न स्थानों के अंग्रेज़ अपने-अपने ढंग से अंग्रेज़ी बोलते हैं। बर्नार्ड शॉ के नाटक 'पिगमेलियन' में एक पात्र यह चमत्कार दिखाता है कि लोगों की अंग्रेज़ी सुनकर वह बता देता है कि वे कहाँ के रहनेवाले हैं। इसका कारण यह है कि जनपदीय उपभाषाएँ पूरी तरह मिट नहीं गईं, उनके अवशेष जातीय भाषा अंग्रेज़ी को प्रभावित करते हैं, उसके बोली रूपों का निर्माण करते हैं। रूसी लेखक गोर्की के बारे में सुना है कि वह दक्खिनी रूस के थे जहाँ के लोग बंगालियों और भोजपुरियों के समान 'अ' स्वर का गोलाकार उच्चारण करते हैं। मॉस्को की परिनिष्ठित रूसी में अकार का उच्चारण वैसे होता है, जैसे परिनिष्ठित हिन्दी में होता है। मास्को वाला कहेगा—निकग्दा, दक्खिनी रूसी कहेगा—निकौग्दा (= कहीं नहीं)। इस तरह विकसित देशों की जातीय भाषा में बोली रूप विद्यमान है। अब अंग्रेज़ी विश्व भाषा है। अमरीकी अंग्रेज़ी और ब्रिटिश अंग्रेज़ी का भेद प्रसिद्ध है। इस भेद के कारण कोई यह नहीं कहता कि अंग्रेज़ी विश्वभाषा नहीं है। तब हिन्दी के बोलीरूप होने से उसका जातीय भाषा या राष्ट्र भाषा होना कैसे रोका जा सकता है?

अब रह गया प्रश्न हिन्दी प्रदेश में अन्य परिवारों की भाषाओं का। बिहार और मध्य प्रदेश में आदिवासियों के इलाके हैं। यहाँ द्रविड़ और कोल परिवारों की भाषाएँ बोली जाती हैं। इन्हें बोलनेवाले हिन्दी जाति का अंग नहीं हैं। उनकी भाषाएँ हिन्दी से स्वतंत्र हैं; उन्हें अपनी भाषाओं के माध्यम से अपना सामाजिक और सांस्कृतिक विकास करने की पूरी स्वाधीनता होनी चाहिए। बड़े जातीय क्षेत्रों में जहाँ पुराने कबीले या लघुसंख्यक जातियाँ रहती हैं, वहाँ उनके सामाजिक विकास की समस्याएँ हल करने में दो तरीके सहायक होते हैं। एक तरीका यह है कि बड़े जातीय क्षेत्रों के अन्तर्गत इन्हें स्वायत्त शासन की सुविधा प्रदान की जाए। दूसरा तरीका यह है कि

जहाँ आर्थिक रूप से इनका राज्य आत्मनिर्भर हो सके, वहाँ उनका राज्य बना दिया जाए। मध्य प्रदेश से लेकर बिहार तक आदिवासियों के क्षेत्र फैले हुए हैं। ये लोग सामाजिक विकास की विभिन्न मंज़िलों में हैं। इनका प्रदेश किसी एक ही जाति या एक ही भाषा का प्रदेश नहीं है। यहाँ द्रविड़ और कोल परिवारों की अनेक भाषाएँ बोली जाती हैं। इनके अलावा छोटानागपुर में आदिवासियों की भाषा से प्रभावित हिन्दी का व्यवहार भी व्यापक रूप से होता है। जैसे शहरों में हिन्दी के अनेक रूप हैं, वैसे ही छोटानागपुर के आदिवासी क्षेत्र में हिन्दी का अपना बोली-रूप है। इससे मिलती-जुलती स्थिति भारत के अन्य प्रदेशों में भी है। केरल, तमिलनाडु आदि के द्रविड़ प्रदेशों में तो अन्य द्रविड़ भाषाएँ बोलनेवालों के ही विशेष क्षेत्र हैं। इन्हें स्वायत्त शासन का अधिकार मिलना चाहिए। सोवियत संघ में सौ से अधिक भाषाएँ बोली जाती हैं, वहाँ सौ से अधिक जातियाँ निवास करती हैं। वहाँ केवल सोलह प्रजातंत्र हैं। सोवियत संघ इन्हीं राज्यों का संघ है। प्रत्येक राज्य में अनेक स्वायत्त-शासन के क्षेत्र हैं, सबसे अधिक रूसी प्रजातंत्र में हैं। ब्रिटेन में एक ही राज्य है परन्तु यहाँ भी वेल्श और गेलिक के अलग क्षेत्र हैं।

हिन्दी प्रदेश की भाषायी स्थिति के बारे में जो विशेषताएँ बताई गई हैं, उनमें कुछ ऐसी हैं जो सभी भाषा-क्षेत्रों में पाई जाती हैं। कुछ ऐसी हैं, जो थोड़े-से भाषा-क्षेत्रों में मिलती हैं पर ऐसी कोई विशेषता नहीं है जो कहीं भी न मिलती हो। कहा जा सकता है, दो-चार विशेषताएँ इधर-उधर मिल सकती हैं पर ऐसा भाषा-क्षेत्र कौन-सा है जहाँ ये सभी विशेषताएँ एक साथ मिलती हों? मेरा उत्तर है, ऐसा भाषा-क्षेत्र रूस है। वहाँ तथाकथित बहुभाषा-भाषी हिन्दी प्रदेश की सभी विशेषताएँ प्राप्त हुई हैं।

सबसे पहले विजातीय भाषा का व्यवहार। हिन्दी प्रदेश में अंग्रेज़ी का व्यवहार होता है, रूस में फ्रांसीसी भाषा का व्यवहार होता था। अब वहाँ नहीं होता क्योंकि समाजवाद की एक उपलब्धि विजातीय भाषा का प्रभाव समाप्त करना है। पूँजीवादी रूस में बीसवीं सदी के प्रथम चरण तक फ्रांसीसी भाषा को गौरव का स्थान प्राप्त था। भाषायी स्थिति का सम्बन्ध समाज-व्यवस्था से बड़ा गहरा है। जब हिन्दी प्रदेश में समाजवादी व्यवस्था क़ायम होगी, तब अंग्रेज़ी का यह गौरवपूर्ण स्थान भी समाप्त हो जाएगा। विजातीय भाषा का प्रभाव एक विरल विशेषता है क्योंकि इसका कारण किसी अन्य जाति का राजनीतिक अथवा सांस्कृतिक प्रभाव है। विरल होने पर भी यह विशेषता बहुत-से देशों में मिलती है क्योंकि विश्व-साम्राज्यवादी व्यवस्था के अन्तर्गत एशिया और अफ्रीका के बीसियों देश इस तरह के प्रभाव में रहे हैं। इससे यह भी समझना चाहिए कि हिन्दी प्रदेश की यह विशेषता अस्थायी है, जैसेकि वह रूस में अस्थायी सिद्ध हो चुकी है। एशिया के देशों में वियतनाम फ्रांस का उपनिवेश रह चुका है। वहाँ कभी फ्रांसीसी भाषा का वैसे ही व्यवहार होता था, जैसे भारत में अंग्रेज़ी का होता है। अब यहाँ सर्वोपरि स्थान वियतनामी भाषा का है।

हिन्दी-उर्दू का भेद हिन्दी प्रदेश की अपनी विशेषता माना जाता है। रूस में यिद्दिश भाषा का व्यवहार वैसे ही होता है, जैसे यहाँ उर्दू का। यहूदी एक धर्म है, जाति नहीं है; जैसेकि ईसाई एक धर्म है, जाति नहीं है। रूस में यहूदी हीब्रू को अपनी धर्मभाषा मानते हैं, हीब्रू-मिश्रित भाषा को अपनी खास भाषा मानते हैं। इस भाषा में जर्मन-भाषातत्त्व इसलिए हैं कि रूस के यहूदी वहाँ जर्मनी से पहुँचे हैं। जैसे आगरे का कोई मुसलमान कलकत्ते में जाकर उर्दू बोले, वैसे ही जर्मनी के यहूदी रूस में जाकर हीब्रू-मिश्रित जर्मन अर्थात् यिद्दिश का व्यवहार करते हैं। न तो रूस में सभी यहूदी यिद्दिश का व्यवहार करते हैं, न हिन्दी प्रदेश में सभी मुसलमान उर्दू का व्यवहार करते हैं। कुछ शहरों को छोड़कर गाँवों के मुसलमान, खास कर बिहार और मध्य प्रदेश के मुसलमान, हिन्दी या स्थानीय जनपदीय बोली का व्यवहार करते हैं। रूस के बाहर यिद्दिश का व्यवहार बहुत कम होता है, यद्यपि ब्रिटेन और अमरीका में यहूदी भरे पड़े हैं। वैसे ही हिन्दी प्रदेश के बाहर, कश्मीर, बंगाल या सिन्ध में, धर्म के कारण हिन्दुओं से मुसलमानों की कोई अलग भाषा नहीं है। अत: हिन्दी प्रदेश की इस विशेषता को भी अस्थायी मानना चाहिए।

अब रही परिनिष्ठित भाषा के साथ जनपदीय उपभाषाओं के व्यवहार की बात। यह एक व्यापक विशेषता है जो हर भाषा-क्षेत्र में मिलती है। इसका कारण यह है कि जनपदों का अलगाव खत्म होने पर जातीय प्रदेश निर्मित होता है, कोई एक जनपदीय भाषा जातीय भाषा बनती है और अन्य जनपदीय भाषाओं के तत्त्व अपने भीतर समेटती है। आधुनिक उद्योग-धन्धों के विकास के साथ, साक्षरता और शिक्षा-प्रसार के कारण, जनपदीय भाषाओं का व्यवहार निरन्तर कम होता जाता है परन्तु पूरी तरह समाप्त नहीं होता। परिनिष्ठित रूसी भाषा की बोलियाँ पूँजीवादी व्यवस्था में थीं, समाजवादी व्यवस्था में भी हैं। हिन्दी प्रदेश में अनेक जनपदीय भाषाओं में विपुल साहित्य-राशि है। ऐसा रूस में नहीं है, पर इससे वहाँ जनपदीय भाषाओं का अस्तित्व असिद्ध नहीं होता।

जनपदीय उपभाषाओं के अलावा परिनिष्ठित भाषा के ही बोली-रूप होते हैं। जनपदीय उपभाषाएँ सामन्ती व्यवस्था के युग की स्वतंत्र भाषाएँ हैं, परिनिष्ठित भाषा के बोली-रूप उन स्वतंत्र भाषाओं के अवशेष नहीं हैं। ये रूप जातीय भाषा पर जनपदीय उपभाषाओं अथवा अन्य जातीय भाषाओं का प्रभाव पड़ने से बनते हैं। जनपदीय उपभाषाओं का मुख्य व्यवहार-क्षेत्र गाँव होते हैं; परिनिष्ठित भाषा के मुख्य व्यवहार-क्षेत्र शहर होते हैं। ऊपर दिल्ली, बम्बई, कलकत्ता आदि शहरों की जिस हिन्दी का उल्लेख है, उससे यह तथ्य प्रमाणित होता है। परिनिष्ठित भाषा के बोली-रूपों के व्यवहार के व्यापक सामाजिक कारण हैं। अत: यह विशेषता चाहे रूसी हो, चाहे अंग्रेज़ी, चाहे तमिल हो, चाहे बंगला—सर्वत्र दिखाई देती है।

अनेक भाषा-क्षेत्रों में विशेष धार्मिक और सांस्कृतिक कार्यों में किसी धर्म-भाषा का व्यवहार होता है अथवा ऐसी रिक्थ भाषा का व्यवहार होता है जिसे लोग अपनी सांस्कृतिक विरासत से विशेष रूप में सम्बद्ध मानते हैं। हिन्दी प्रदेश में इस स्तर पर संस्कृत का व्यवहार होता है। रूस में एक धर्मभाषा का व्यवहार होता था जिसे पश्चिम के भाषा-वैज्ञानिक चर्चस्लावोनिक कहते हैं। यह गिरजाघरों की पुरोहित-भाषा है, जो अब ऐतिहासिक भाषाविज्ञान के लिए महत्त्वपूर्ण तथ्यों का स्रोत है। वास्तव में यह पुरानी बुल्गर भाषा है। वह रूसी से भिन्न है। आधुनिक रूस में उसका व्यवहार बहुत कम हो गया है किन्तु पुरानी धार्मिक रूढ़ियाँ माननेवाले लोग वहाँ अब भी हैं, इसलिए उसका थोड़ा-बहुत व्यवहार अब भी होता होगा। पहले होता था, इसमें सन्देह नहीं। रूस में ईसाइयों के अनेक सम्प्रदाय हैं। इनमें एक ग्रीक ऑर्थोडौक्स चर्च अथवा सनातनपंथी यूनानी सम्प्रदाय है जो शायद ग्रीक भाषा का व्यवहार करता होगा। ईसाइयों के अलावा रूस में लाखों मुसलमान हैं। इनमें काफ़ी लोग अभी नमाज़ पढ़ते हैं और उनकी नमाज़ अरबी में ही होती है। यहूदियों के अपने उपासना-स्थान हैं। उनमें निःसन्देह हीब्रू का व्यवहार होता होगा। कुछ बौद्ध मन्दिर भी हैं। अवश्य ही ये लोग पालि भाषा में धम्मपद का पाठ करते होंगे। कुल मिलाकर धर्मभाषाओं या रिक्थ भाषाओं की स्थिति रूस में वैसी ही है, जैसी हिन्दी प्रदेश में। यह विशेषता सर्वत्र समान रूप से व्यापक नहीं है। इसका एक कारण यह है कि सामाजिक जीवन में धार्मिक रूढ़ियों का स्थान निरन्तर गौण होता जाता है। दूसरा कारण यह है कि अनेक देशों में समाज-सुधारकों ने धार्मिक कार्यों में जातीय भाषा के व्यवहार पर ज़ोर दिया और इस जातीय भाषा ने पुरानी धर्मभाषा का स्थान ले लिया। धर्म से भिन्न अन्य सांस्कृतिक कार्यों में रिक्थ भाषा का व्यवहार निरन्तर क्षीण होता गया है। कुल मिलाकर जातीय भाषा का स्थान सर्वोपरि होता है। अन्य सभी भाषाएँ गौण स्थान प्राप्त करती हैं। यही स्थिति हिन्दी प्रदेश की है।

जातीय भाषा के साथ विजातीय भाषा का व्यवहार केवल उच्चवर्गों और शिक्षित जनों में होता है, जनसाधारण में नहीं। जातीय भाषा के साथ रिक्थ भाषा या धर्म-भाषा का व्यवहार पुरोहित वर्ग के लोग विशेष अवसरों पर ही करते हैं। इसका व्यवहार क्षेत्र विजातीय भाषा की तुलना में और भी संकुचित होता है। रिक्थ भाषा या धर्म भाषा के कुछ तत्त्व जातीय भाषा में मिला कर उर्दू या यिद्दिश जैसी मिश्रित भाषा बनती है। इसे जातीय भाषा की एक बोली विशेष कह सकते हैं। इसका व्यवहार अधिकतर धार्मिक अल्पसंख्यक समुदाय करते हैं। जातीय गठन और विकास के साथ इसके व्यवहार का अल्पसंख्यक क्षेत्र क्रमशः जातीय भाषा के बृहत्तर व्यवहार क्षेत्र में विलीन हो जाता है।

जातीय भाषा के साथ जनपदीय उपभाषाओं का व्यवहार शहरों की अपेक्षा गाँवों में अधिक होता है। उक्त तीन कोटि की भाषाओं की तुलना में इनका व्यवहार

क्षेत्र अधिक टिकाऊ और व्यापक होता है। साथ ही ये उपभाषाएँ जातीय भाषा को समृद्ध करने का साधन भी हैं। जातीय भाषा के परिनिष्ठित रूपों के साथ उसके बोली-रूपों का व्यवहार और भी टिकाऊ, और भी व्यापक होता है। ये बोली रूप जातीय भाषा के प्रसार के अनिवार्य परिणाम होते हैं।

हिन्दी प्रदेश में अनेक भाषाओं का प्रयोग इस प्रदेश की विलक्षणता नहीं है। ऐसा अन्यत्र भी हुआ है और हो रहा है। मुख्य बात यह है कि हिन्दी के माध्यम से एक विशाल प्रदेश में भारत की एक महान् जाति सुगठित हो गई है और उसके आर्थिक-सांस्कृतिक विकास को रोक रखना सम्भव नहीं है। बहुभाषावाद की समस्या पर इसी परिप्रेक्ष्य में विचार करना उचित है।

[1977]

# परिशिष्ट-1

1

# भारतेन्दु हरिश्चन्द्र और उन्नीसवीं सदी में हिन्दी-आन्दोलन

"हिन्दी नई चाल में ढली, सन् 1873 ई.।"

इस नई चाल की हिन्दी ने एक ऐतिहासिक आवश्यकता की पूर्ति की। उसने हिन्द प्रदेश की जनता को राजनीतिक और सांस्कृतिक जागरण की वाणी दी।

गिलक्राइस्ट और ग्रियर्सन आदि अंग्रेज़ विद्वानों की फैलाई हुई एक भ्रान्त धारणा अब भी लोगों में मिल जाती है कि उर्दू से अरबी-फ़ारसी के शब्द निकालकर और उनकी जगह संस्कृत शब्द डालकर इस भाषा का निर्माण हुआ। भारतेन्दु का गद्य देखने से यह धारणा निर्मूल सिद्ध होती है। उनके निबन्धों में हुज्जत, ज़माना, बयान, सफ़र, मुर्दे, कलम, रिवाज़, तलाश, दरख़्त, सबूत, गरज़ आदि जैसे शब्द निहायत बेतकल्लुफ़ी से इस्तेमाल किये गए हैं। यही हाल बालकृष्ण भट्ट, बालमुकुन्द गुप्त, राधाचरण गोस्वामी आदि लेखकों का भी है। कुछ लेखक ऐसे ज़रूर थे जो प्रचलित अरबी-फ़ारसी के शब्द निकालकर उनकी जगह संस्कृत-शब्दावली रखकर शुद्ध हिन्दी लिखने के पक्षपाती थे। लेकिन भाषा की समस्या प्रचलित शब्दों की न थी।

समस्या यह थी कि जहाँ अप्रचलित शब्दों की ज़रूरत पड़े, यानी साधारण बोलचाल से अलग जहाँ ग़ैर-बुनियादी शब्द-भंडार की ज़रूरत पड़े, वहाँ अरबी-फ़ारसी से शब्द लिये जाएँ या संस्कृत से? बोलचाल की भाषा के आधार पर जिस साहित्यिक उर्दू का विकास हुआ, उसका रुझान ग़ैर-बुनियादी शब्द-भंडार के लिए संस्कृत के बदले अरबी फ़ारसी की तरफ जाने का था। उर्दू की भी दो शैलियाँ थीं : एक वह, जिसमें बोलचाल की हिन्दी के शब्द निकालकर उनकी जगह भी अरबी-फ़ारसी के शब्द डाले जाते थे, ग़ैर-बुनियादी हिस्से में तो उनकी भरमार रहती ही थी। दूसरी शैली वह थी, जिसमें बोलचाल की हिन्दी के शब्दों का बायकाट न किया जाता था और ग़ैर-बुनियादी हिस्से में भी अरबी-फ़ारसी की बेजा भरमार न की जाती थी।

बोलचाल की भाषा एक ही थी, हिन्दी-उर्दू का बुनियादी शब्द-भंडार एक ही था। लेकिन साहित्यिक शैली का निर्माण उन लोगों के हाथों हुआ, जो अरबी-फ़ारसी के विद्वान् थे ही, संस्कृत के भी विद्वान् थे। इन लोगों ने ग़ैर-बुनियादी शब्द-भंडार के लिए अरबी-फ़ारसी या संस्कृत का सहारा लिया।

यदि ग़ैर-बुनियादी शब्द-भंडार के लिए अरबी-फ़ारसी का सहारा लेने की नीति हमारे जातीय विकास की ऐतिहासिक आवश्यकताएँ पूरी कर सकती तो 'नई हिन्दी' के चलन का सवाल न उठता; सवाल उठने पर भी उसमें सफलता न मिलती। कचहरियों, पुलिस-विभाग आदि में उर्दू चालू थी। जनता का समर्थन मिलने पर उसका प्रचार इतना व्यापक हो जाता कि कोई भाषा-शैली उससे होड़ करने की जुर्रत न करती। लेकिन ग़ैर-बुनियादी शब्द-भंडार के लिए सिर्फ अरबी-फ़ारसी का सहारा लेने की नीति भारत की किसी भाषा ने न अपनाई थी। कारण यह था कि यहाँ की भाषाओं का जो सम्बन्ध संस्कृत से था, वह अरबी-फ़ारसी से न था। हिन्दी की क्रियाएँ—चलना, लिखना, हँसना, रोना, खाना, पीना, मरना, जीना, आदि-आदि—संस्कृत की क्रियाएँ भी हैं। इस तरह अरबी-फ़ारसी की क्रियाएँ बोलचाल की हिन्दी में बहुत कम हैं। इसलिए इस तरह की क्रियाओं से बननेवाले शब्द भी अरबी-फ़ारसी की क्रियाओं से बननेवाले शब्दों की अपेक्षा बोलचाल की हिन्दी में कहीं ज़्यादा हैं। बोलचाल की हिन्दी में तद्भवों की भरमार है। उतने तद्भव अरबी-फ़ारसी से नहीं बने, यद्यपि बोलचाल की भाषा में आए हुए अरबी-फ़ारसी के शब्दों का रूप और कभी-कभी अर्थ भी एक हद तक बदला है।

बोलचाल की हिन्दी की तरह भारत की अन्य भाषाओं में भी अरबी-फ़ारसी के सैकड़ों शब्द घुल-मिल गए। इसका सबब यह नहीं था कि मुसलमानों की भाषा अरबी-फ़ारसी थी और हिन्दुओं की भाषा संस्कृत, प्राकृत या अपभ्रंश थी। बाबर वग़ैरह की ज़बान दरअसल तुर्की थी। कुछ ईरानियों के अलावा उच्च वर्ग के मुसलमानों के घरों में भी फ़ारसी न बोली जाती थी। लेकिन सैकड़ों साल तक फ़ारसी उत्तर भारत की राजभाषा रही थी। सैकड़ों अरबी के शब्द फ़ारसी के ज़रिये यहाँ आए। इसके अलावा शिक्षित मुसलमानों के लिए धर्मग्रंथ की भाषा अरबी थी। बोलचाल की हिन्दी में फ़ारसी शब्दों के घुलने-मिलने का मुख्य कारण फ़ारसी का राजभाषा होना था।

फिर भी हिन्दी-भाषी प्रदेश की-सी समस्या कश्मीरी, बंगला, मराठी आदि भाषाओं में नहीं पैदा हुई। इसके कई कारण थे। राजभाषा फ़ारसी के केन्द्र हिन्द प्रदेश ही में थे। आगरा और दिल्ली मुग़लों की राजधानी रह चुके थे। यहाँ के शिक्षित वर्ग में फ़ारसी का प्रचार भारत के दूसरे नगरों और प्रान्तों के मुक़ाबले में ज़्यादा था। 1836 ई. तक यहाँ राजभाषा फ़ारसी रही और उसके बाद कचहरियों, पुलिस विभाग आदि में जो भाषा चली, वह अरबी-फ़ारसी शब्दों से लदी हुई थी।

अंग्रेज़ों ने यहाँ की सामन्तशाही को अपना मित्र और चाकर बनाया। नवाबों के दरबार जन-संस्कृति के केन्द्र न थे। जनता से उनका अलगाव उनके संरक्षण में चलनेवाली भाषा-नीति पर भी पड़ा। लखनऊ, रामपुर, हैदराबाद के दरबार एक खास तरह की शैली और कविता के केन्द्र बन गए। अंग्रेज़ों ने दो लिपियों और दो

शैलियों के चलन को प्रोत्साहन दिया और भाषा-सम्बन्धी विवाद उनकी 'फूट डालो और राज करो' नीति का ज़रूरी हिस्सा बन गया। लेकिन यह समझना बहुत बड़ी भूल होगी कि समूचा उर्दू साहित्य सामन्ती संस्कृति से प्रभावित है। उर्दू का एक बहुत बड़ा हिस्सा सामन्त-विरोधी और राष्ट्रीय है। उससे हिन्दी के लेखक बहुत कुछ सीख सकते हैं और पिछले हिन्दी लेखकों ने बहुत कुछ सीखा है। उसमें बोलचाल की हिन्दी का बहुत ही सुन्दर और सँवारा हुआ रूप मिलता है।

भारतेन्दु के समय तक—और एक हद तक अब भी—शिक्षा पर पंडितों और मौलवियों का इजारा था। इसका एक फल यह हुआ कि हिन्दी-उर्दू की दो लिपियों का चलन हुआ। इससे साहित्य के पाठक दो हिस्सों में बँट गए और अक्सर उन्हें पता न रहता था कि दूसरी लिपि में क्या लिखा जा रहा है। जनसाधारण की भाषागत एकता साहित्य की शैली पर अपना असर न डाल पाई। फिर भी लिपि-भेद से ही हिन्दी-उर्दू का भेद इस हद तक नहीं बढ़ा। जायसी के 'पद्मावत' के फ़ारसी लिपि में लिखे जाने से वह उर्दू का ग्रंथ नहीं हो गया। मूल प्रश्न ग़ैर-बुनियादी शब्द-भंडार का था। उन्नीसवीं सदी के अनेक उर्दू-लेखक अपनी भाषा को सरल करने का प्रयत्न कर रहे थे और उसमें अरबी-फ़ारसी की अनावश्यक भरमार कम कर रहे थे। फिर भी ज़रूरत पड़ने पर बोलचाल की शब्दावली से बाहर वे अरबी-फ़ारसी का ही सहारा लेते थे।

भारतेन्दु ने कोई नई भाषा नहीं चलाई। उन्होंने प्रचलित खड़ी बोली को साहित्यिक रूप दिया। उनके पक्ष में तीन बातें महत्त्वपूर्ण थीं। उनकी भाषा-सम्बन्धी नीति वही थी, जो अवधी और ब्रज के पुराने हिन्दू-मुसलमान कवियों की थी। उर्दू के कवि—कुछ अपवाद छोड़कर—तुलसी, सूर, मीरा, रहीम, रसखान, आलम, शेख, पजनेस, जायसी, पद्माकर, भूषण आदि की परम्परा से अपरिचित थे। इस परम्परा और उसकी भाषा-नीति को भारतेन्दु ने अपनाया। यह भाषा-नीति यह थी कि तत्सम संस्कृत के मुक़ाबले में तद्भव शब्दों का प्रयोग करना, बोलचाल के अरबी-फ़ारसी शब्दों का बहिष्कार न करना, ग़ैर-बुनियादी शब्द-भंडार के लिए संस्कृत का सहारा लेना। दूसरी बात उनके पक्ष में यह थी कि उन्होंने ग्रामीण या जनपदीय बोलियों का स्वभाव पहचाना और अपनी हिन्दी को गाँव के साधारण पढ़े-लिखे लोगों के लिए सुलभ बनाने की कोशिश की। तीसरी बात उनके पक्ष में नागरी लिपि थी। सैकड़ों साल तक फ़ारसी के राजभाषा बने रहने पर भी नागरी का लोप न हुआ। गाँव के लोग ज़्यादातर नागरी ही काम में लाते थे। इस लिपि के ज़रिये भारतेन्दु जनता के उस तमाम हिस्से को बटोर सके जो उर्दू न जानता था या जिसकी जातीय आवश्यकताएँ उर्दू से पूरी न होती थीं।

उन्नीसवीं सदी के उत्तरार्द्ध में भाषा-सम्बन्धी बहस में हिस्सा लेनेवालों ने यह सब विकास-क्रम न समझा था। उर्दू के समर्थकों को हिन्दी प्रतिद्वन्द्वी के रूप में दिखाई दी। कुछ मुसलमान लेखकों को यह अपनी संस्कृति पर ही हमला दिखाई

दिया। अंग्रेज़ों ने अपनी भाषा-नीति से बहस को बढ़ावा दिया और उसमें दोनों तरफ से ऐसी बातें कही गईं, जो उचित न थीं। इसी बहस की गर्मी में भारतेन्दु ने 'उर्दू का स्यापा' लिखा था :

*है है उर्दू हाय हाय! कहाँ सिधारी हाय हाय॥*

और आगे चलकर बालमुकुन्द गुप्त ने 'उर्दू को उत्तर' लिखा था :

*न बीबी बहुत जी में घबराइये,*
*सम्हलिये ज़रा होश में आइये।*

लेकिन उर्दू सिधारी नहीं। इसका कारण उसका बुनियादी शब्द-भंडार था जो बोलचाल की हिन्दी का ही था। वह दूसरी लिपि के माध्यम से—दरबारों और दरबारी साहित्य के अलावा—साधारण जनता के एक हिस्से की सेवा करती रही। इसलिए प्रेमचन्द, पद्मसिंह शर्मा आदि लेखकों का मत था कि क्रमशः साहित्य में एक मिली-जुली शैली का विकास होगा और वह उर्दू को हटाकर या दबाकर न होगा बल्कि उससे बहुत कुछ लेकर होगा।

भारतेन्दु ने बहस के दौरान कुछ तेज़ बातें ज़रूर लिखीं, लेकिन वह न उर्दू से नफ़रत करते थे, न उर्दू के प्रचलित शब्दों का बहिष्कार करते थे। यही नहीं, वह उर्दू में गद्य-पद्य खुद भी लिखते थे। भारतेन्दु को जब व्याख्यान देने के लिए बलिया बुलाया गया था, तब विज्ञापन में उन्हें 'शायरे मारूफ़ बुलबुले हिन्दुस्तान' कहा गया था। वाजिद अली शाह के शायर मिर्ज़ा आबिद ने 'बागे आलम में मोतदिल है हवा' आदि उन पर क़सीदा लिखकर भेजा था।[1] श्री रामशंकर व्यास ने लिखा था कि उन्हें वज़ीर और अनीस का काव्य विशेष प्रिय था। 17 सितम्बर, 1872 की 'कविवचन-सुधा' में एक दिलचस्प विज्ञापन छपा था। यह विज्ञापन उर्दू के साप्ताहिक पत्र 'कासिद' के बारे में था, जिसे भारतेन्दु निकालने वाले थे :

'कासिद!
सातएँ दिन आवैगा!!
नये हितकारी और विचित्र समाचार कहैगा!!!

यह एक साप्ताहिक उर्दू पत्र निकलैगा इस्में अनेक हित की, नये उद्‌गार की, साम्प्रत समयानुसार लोक वृद्धि की और अनेक शुभ समाचार की बातैं रहैंगी—यह पत्र बहुत उत्तम बड़े-बड़े पृष्ठों में स्वच्छ अक्षरों में छपैगा मूल्य—10) वार्षिक।

हरिश्चन्द्र
उद्यमकर्त्ता।'

1. ब्रजरत्नदास : 'भारतेन्दु हरिश्चन्द्र', पृ. 83

भारतेन्दु में उर्दू के प्रति द्वेषभाव होता तो वह 'क़ासिद' निकालने की बात कभी न सोचते।

भारतेन्दु ने हिन्दी के माध्यम से जिस जातीय संगठन में योग दिया, उसमें अवध, ब्रज, बुन्देलखंड, भोजपुर आदि जनपदों की जनता शामिल थी। यदि महापंडित राहुल सांकृत्यायन की यह स्थापना सच मानी जाए कि अवधी, ब्रज, बुन्देलखंडी, भोजपुरी बोलनेवाले अलग-अलग जातियों के लोग हैं, तो भारतेन्दु का यह काम इतिहास-विरोधी ठहरेगा। भारतेन्दु भोजपुरी क्षेत्र के निवासी थे। भोजपुरी जानते भी अच्छी तरह थे। लेकिन उन्होंने भोजपुरी में न लिखकर हिन्दी को अपना साहित्यिक माध्यम बनाया, जैसेकि आगे प्रेमचन्द और प्रसाद ने किया। इतिहास-विरोधी काम भारतेन्दु का नहीं था; इतिहास-विरोधी स्थापना महापंडित राहुल और उन जैसे विचारकों की है। यद्यपि राहुल जी स्वयं हिन्दी के लेखक हैं—और अपना जीवन-चरित उन्होंने भोजपुरी में लिखना उचित नहीं समझा—फिर भी वह हिन्दी-भाषी जनता का एक प्रान्त बनाने की माँग करने के बदले बोलियों के आधार पर हिन्द प्रदेश के तेरह टुकड़े करने का सुझाव पेश करते हैं। सन् 1953 की 'आलोचना' (दिल्ली) में इस आशय का उनका एक लेख छपा था। सोलहवीं सदी के आसपास ही व्यापार के प्रसार के साथ भोजपुरी आदि के क्षेत्रों में खड़ी बोली फैलने लगी थी। व्यापार के केन्द्रों में एक ही बोली बोलनेवाले लोग इकट्ठा हों, ऐसा नहीं होता। उद्योग-धन्धे और व्यापार शहरों में विभिन्न बोलियाँ बोलनेवाले लोगों को बटोरते हैं और उनमें किसी एक बोली का व्यवहार 'शिष्ट' लोग करते हैं। बनारस आदि पूर्वी नगरों में खड़ी बोली व्यापारी क़ौमों के साथ आई। 2 अक्टूबर, 1872 की 'कविवचन-सुधा' में भारतेन्दु का 'हिन्दी भाषा' नाम का निबन्ध छपा था। यह निबन्ध ऐतिहासिक महत्त्व का है। इसमें भारतेन्दु ने बनारस की बोलियों का अध्ययन किया है और यह दिखाया है कि शिष्टजनों की भाषा हिन्दी है।

बनारस के लोगों की बोली के बारे में वह कहते हैं : "इसी बनारस में जो बनारस के पुराने रहवासी हैं उनके घर में विचित्र-विचित्र बोलियाँ बोली जाती हैं जैसा पुरबियों की बोली तो आइला जाइला प्रसिद्ध ही है परन्तु यहाँ के पुराने निवासी कसेरे लोग 'बाट:' शब्द का बहुत प्रयोग करते हैं जैसा 'आवत हइ' के स्थान पर 'आवत बाटी', 'का करत हौव:' वा 'का करल:' के स्थान पर 'का करत बाट्य:' वा 'बाटो' वा 'बाट:'।"

बनारस में इन बोलियों के एकत्र होने और उन सबके ऊपर हिन्दी के चलन का कारण क्या है? इसका कारण व्यापार का प्रसार, औद्योगिक और व्यापारी केन्द्रों का निर्माण, सामन्ती सम्बन्धों के भीतर पूँजीवादी सम्बन्धों का पनपना और विभिन्न बोलियाँ बोलनेवालों का जातीय गठन है। 'प्रेमजोगिनी' में झपटिया 'मिसरो नहीं आए' कहता है लेकिन जलधरिया 'सुत्तल थोड़े रहली' और 'कंधा छिला जाला' कहता है। और शिष्ट लोग खड़ी बोली का व्यवहार करते हैं।

बनारस की विभिन्न बोलियों का उल्लेख करने के बाद भारतेन्दु 'हिन्दी भाषा' वाले निबन्ध में कहते हैं : "जो हो यह तो सिद्धान्त है कि जो यहाँ के शिष्ट लोग बोलते हैं यह परदेसी भाषा है और यहाँ पश्चिम से आई है।"

पछाँह से यह बोली किसके साथ आई, इस प्रश्न का उत्तर भारतेन्दु के इस वाक्य से मिलता है : "अब पश्चिमोत्तर देश में घर में बोलने की भाषा कौन है यह निश्चय नहीं होता क्योंकि दिल्ली प्रान्त के वा अन्य नगरों में भी खत्रियों वा पछाँहीं अगरवालों वा और पछाँही जातियों के अतिरिक्त घर में हिन्दी कोई नहीं बोलते वरंच यहाँ तो कोस-कोस पर भाषा बदलती है।" दिल्ली के अलावा अन्य नगरों में भी बड़ी बोली खत्रियों, पछाँही अग्रवालों आदि के ज़रिये फैली जिनका मुख्य पेशा व्यापार था। आचार्य शुक्ल ने लिखा है कि मुग़ल-साम्राज्य के ध्वंस के बाद "दिल्ली के आसपास के प्रदेशों की हिन्दू व्यापारी जातियाँ (अगरवाले, खत्री आदि) जीविका के लिए लखनऊ, फैजाबाद, प्रयाग, काशी, पटना आदि पूरबी शहरों में फैलने लगीं। उनके साथ-साथ उनकी बोलचाल की भाषा खड़ी बोली भी लगी चलती थी।"[1]

वास्तव में यह क्रम मुग़ल-साम्राज्य के ध्वंस से पहले ही शुरू हो चुका था। शुक्ल जी ने व्यापारियों द्वारा खड़ी बोली के प्रसार का तथ्य बहुत सही दिया है। इन व्यापारियों में मुसलमान भी थे। इसके सिवा सोलहवीं से उन्नीसवीं सदी तक एक बोली बोलनेवालों का दूसरी बोली के क्षेत्र में जाकर बसने का क्रम बराबर चलता रहा। अवध के जो मुसलमान मिथिला में जाकर बस गए और वहाँ एक नये ढंग की हिन्दुस्तानी का व्यवहार करने लगे, वह कार्य भी इसी क्रम के अन्तर्गत हुआ।

जो लोग समझते हैं कि खड़ी बोली केवल सभ्य व्यवहार या साहित्य की भाषा है, उन्हें इस तथ्य पर ध्यान देना चाहिए कि दिल्ली के अलावा अन्य नगरों में वह बहुत-से लोगों की मातृभाषा थी और है। इस सिलसिले में भारतेन्दु ने लिखा था : "ऐसे ही पश्चिमोत्तर देश में अनेक भाषा हैं पर उनमें ऐसे नगर थोड़े हैं जिनमें अबाल-वृद्ध-वनिता सब खड़ी भाषा बोलते हों अतएव यद्यपि काशी ऐसे पूर्व्व प्रदेशों की मातृभाषा वा घर के बोलचाल की भाषा हिन्दी है यह तो हम नहीं कह सकते पर हाँ यह कह सकते हैं कि इसी पश्चिमोत्तर देश में कई नगर ऐसे हैं जहाँ यही खड़ी बोली मातृभाषा है।"

इस बोलचाल की भाषा में हिन्दी-उर्दू का भेद न था। यह विभिन्न बोलियाँ बोलनेवाली जनता की नई जातीय भाषा थी जो उसे एक सूत्र में बाँध रही थी। गिलक्राइस्ट से ही इस बात का सूत्रपात हो चुका था कि मुसलमानों की शिष्ट बोली और होगी और हिन्दुओं की और। लेकिन भारतेन्दु बोलचाल की भाषा में भेद न मानते थे। हिन्दी-उर्दू का भेद अरबी-फ़ारसी या संस्कृत से शब्द लेने के कारण था। 8 सितम्बर, 1873 की 'कविवचन-सुधा' में हिन्दी-उर्दू के बारे में एक लेख छपा था

1. रामचन्द्र शुक्ल : 'हिन्दी साहित्य का इतिहास', पृ. 484

जिसका अंग्रेज़ी में शीर्षक है : 'Hindi Versus Urdu, Philologically।' हिन्दी और उर्दू—इसमें हिन्दी-उर्दू के भेद के बारे में यह स्थापना है : "हिन्दी और उर्दू में अन्तर क्या है, हम बिना संकोच के उत्तर देते हैं कि भाषाओं में कुछ अन्तर नहीं है क्योंकि व्याकरण की विभक्तियाँ और नियम, दोनों के एक हैं पर इतना ही अन्तर है कि हिन्दी में जिसके लिए हिन्दी शब्द नहीं मिलता, वहाँ संस्कृत शब्द काम में आते हैं और उर्दू में सहज हिन्दी शब्द होने पर भी और जहाँ शब्द नहीं मिलते हैं, वहाँ तो अवश्य ही अरबी और फ़ारसी के शब्द लिखे जाते हैं, यही दोनों में अन्तर है।"

भारतेन्दु ने हिन्दी के नई चाल में ढलने का वर्ष 1873 लिखा था। वास्तव में 1868 में ही 'विद्यासुन्दर' के प्रकाशन और 'कविवचन-सुधा' के निकलने से हरिश्चन्द्री हिन्दी का चलन शुरू हो गया था। लेकिन हरिश्चन्द्र ने न तो कोई नई भाषा चलाई थी, न व्याकरण आदि में ही कोई क्रान्तिकारी परिवर्तन किया था। उनकी हिन्दी की विशेषता उनकी शैली थी। 'विद्यासुन्दर' में 'समाचार लेने के हेतु', 'यह पौन हमारी प्राणप्यारी त्रिभुवनमोहनी का अंग स्पर्श करके आता है', 'पुरस्कार के हेतु', 'बस अब बहुत भई', 'सब काम सिद्ध भया', 'बिना कुछ भए', 'ऐसी दशा शत्रु की होय', 'और जो वह संन्यासी हमीं होयँ', 'जो यह बात सच्च होय' आदि प्रयोग मिलते हैं। 'कर्पूरमंजरी' में : 'महाराज, कहिये और क्या होय?', 'मुद्राराक्षस' में : 'जो कोई सुननेवाला और समझनेवाला होय', 'वैदिकी हिंसा' में : 'बड़ा आनन्द भया', 'सत्य हरिश्चन्द्र' में : 'बेटा, साँझ भई', 'ठीक है, लेव सोना', 'विषस्य विषमौषधम्' में : 'तो क्या हुआ है, होय', 'वैष्णवता और भारतवर्ष' में : 'स्नान आदि भी वहीं तक रहैं', 'भारतवर्षोन्नति कैसे हो सकती है' में : 'खराबी जो बीच में भई है'।

भाषा के परिष्कार की दृष्टि से भारतेन्दु का काम युगान्तरकारी नहीं कहा जा सकता। उनके पढ़ने—उर्दू गद्य को छोड़ भी दें तो—रामप्रसाद निरंजनी, सदासुखलाल, राजा लक्ष्मण सिंह आदि समर्थ हिन्दी लेखक हो चुके थे। लल्लूजी लाल की भाषा की तुलना में भारतेन्दु की भाषा युगान्तरकारी मालूम हो सकती है लेकिन हिन्दी गद्य के विकाम में लल्लूजी लाल का जो महत्त्व ग्रियर्सन ने घोषित किया है, वह इतिहास से सिद्ध नहीं होता।

भारतेन्दु अनेक शब्दों में पूर्वी बोलचाल के अनुकूल 'ह' का इकारान्त प्रयोग भी करते हैं। 'पहिचानना', 'पहिले' ('विद्यासुन्दर') ही नहीं, 'गहिना पहिनाओ', 'पहिरने लगे' ('कर्पूरमंजरी'), 'कवच पहिराया' ('मुद्राराक्षस') आदि प्रयोग भी उनके यहाँ हैं। ब्रजभाषा का भी काफ़ी असर उनके गद्य पर है। आछत, बेर, तैं, कै आदि शब्द नाटकों के गद्य में मिलते हैं। विराम चिह्न आदि के मामले में उन्होंने पूरी स्वच्छंदता बरती है। शब्दों के हिज्जे में भी जहाँ-तहाँ स्वतंत्र प्रयोग मिलते हैं।

भारतेन्दु का युगान्तरकारी महत्त्व इस बात में है कि उन्होंने हिन्दी भाषा की सरसता पहचानी। अपने गद्य में उन्होंने अमल से दिखा दिया कि यह भाषा कितनी

मीठी है। उनके हाथ में गद्य एक कला बन गया। वह सभी तरह के भावों और विचारों के लिए गद्य को लचीले माध्यम की तरह काम में लाने लगे। 'विद्यासुन्दर' ही में उन्होंने कुशल शिल्पी की प्रतिभा दिखा दी। "हाय हाय ऐसा सुन्दर रूप तो न कभी आँखों देखा न कानों सुना इसकी दोनों हाथ से बलैया लेने को जी चाहता है लोग सच कहते हैं कि चन्द्रमा को सिंगार न चाहिए हमको जान पड़ता है कि चन्द्रमा ही पृथ्वी पर उतर के बैठा है क्या कामदेव इस रूप की बराबरी कर सकता है? ऐसी कौन स्त्री है जो इसको देख के धीरज धरेगी?" इस स्वर पर हम मुग्ध हो जाते हैं, उसे बार-बार सुनना चाहते हैं। वह स्वर उनके नाटकों में बार-बार सुनाई देता है और हिन्दी नाटकों में वह स्वर तो क्या, उसके कहीं नज़दीक पहुँचनेवाला स्वर भी अब तक नहीं सुनाई दिया।

इस गद्य की सरसता का कारण तद्भव शब्दों और बोलचाल के साधारण शब्दों का चतुराई से प्रयोग है। चन्द्रमा को श्रृंगार नहीं, सिंगार। रूप की समानता नहीं, बराबरी। धैर्य धारण करेगी नहीं, धीरज धरेगी। और बलैया लेने की बात पर तो शुद्ध हिन्दीवादियों का हार्ट फेल हो जाएगा।

'विद्यासुन्दर' के गद्य का लेखक कहावतों और मुहावरों का धनी है। 'देखकर भी बहाली दिए जाती है'—ठेठ बनारसी मुहावरा इस्तेमाल किया है। कहावतें विशेष रूप से ब्रजभाषा से ली गई हैं।

'कर्पूरमंजरी' में एक दोहा है :

*कठिन संस्कृत, अति मधुर, भाषा सरस सुनाय।*
*पुरुष नारि अन्तर सरिस, इनमें बीच लखाय॥*

संस्कृत और भाषा का यह भेद भारतेन्दु की गद्य-रचना से सही साबित होता है। यदि उन्होंने संस्कृत-शब्दावली को अपनी शैली का मुख्य आधार बनाया होता, तो उसमें वैसी सरसता न पैदा होती। उनके समय तक ब्रजभाषा के प्रति निरादर भावना न पैदा हुई थी। आगे चलकर कुछ हिन्दी साहित्यकारों ने ब्रजभाषा के तद्भव शब्दों को छोड़कर उनके तत्सम रूप अपनाने की जो शैली अपनाई, उससे हिन्दी की अपनी विशेषता को काफ़ी धक्का लगा। इस अवैज्ञानिक धारणा को सही ठहराने के लिए यह सिद्धान्त गढ़ा गया कि ब्रजभाषा तुतलाती थी और खड़ी बोली स्पष्ट बोलने लगी है! दूसरा सिद्धान्त यह गढ़ा गया कि संस्कृत शब्दों की बहुतायत होने से हिन्दी भारत के दूसरे हिस्सों में ज़्यादा समझी जाएगी। ये दोनों ही तथाकथित सिद्धान्त हिन्दी की जातीयता के आड़े आते थे।

'हिन्दी भाषा' नाम के निबन्ध में भारतेन्दु ने लिखने की भाषा की विभिन्न शैलियों के उदाहरण दिये हैं। इनमें एक शैली वह है जिसमें 'संस्कृत के शब्द बहुत हैं', दूसरी वह है जिसमें 'संस्कृत के शब्द थोड़े हैं', तीसरी वह है जो 'शुद्ध हिन्दी है'।

शुद्ध हिन्दी किससे शुद्ध है? यह हिन्दी फ़ारसी शब्दों से शुद्ध नहीं है, वह संस्कृत से भी बहुत कुछ शुद्ध है। इसीलिए जिस शैली में 'संस्कृत के शब्द थोड़े हैं', उससे भी उसे अलग श्रेणी में रखा गया। चौथी शैली वह है जिसमें 'किसी भाषा के शब्द मिलने का नेम नहीं है'; पाँचवीं वह है जिसमें 'फ़ारसी शब्द विशेष हैं' इत्यादि। इन शैलियों पर अपना मत देते हुए भारतेन्दु ने लिखा है कि "नम्बर 2 और 3 लिखने के योग्य हैं।" भारतेन्दु ने उन शैलियों को पसन्द किया है जिनमें संस्कृत के शब्द थोड़े हैं या नहीं के बराबर हैं। इसके विरुद्ध भारतेन्दु के नामलेवा और पानीदेवा बहुत-से शुद्ध हिन्दीवादियों ने अच्छी शैली उसे समझा है जिसमें भरसक संस्कृत के शब्द हों (और जितना ही निरर्थक हो, शैली उतना ही सार्थक समझी जाए!)।

भारतेन्दु की शुद्ध हिन्दी का नमूना यह है :

"पर मेरे प्रीतम अब तक घर न आए क्या उस देश में बरसात नहीं होती या किसी सौत के फेर में पड़ गए कि इधर की सुध ही भूल गए। कहाँ तो वह प्यार की बातें कहाँ एक संग ऐसा भूल जाना कि चिट्ठी भी न भिजवाना। हा! मैं कहाँ जाऊँ कैसी करूँ मेरी तो ऐसी कोई मुँहबोली सहेली नहीं कि उससे दुखड़ा रो सुनाऊँ कुछ इधर-उधर की बातों ही से जी बहलाऊँ।"

ब्रजभाषा से इस गद्यशैली का कितना नज़दीकी सम्बन्ध है, यह सहज ही देखा जा सकता है। खास तौर से अपने नाटकों की भाषा में भारतेन्दु ब्रजभाषा की तद्भव-प्रधान शैली का ज़्यादा प्रयोग करते हैं। 'कर्पूरमंजरी' में उनकी सरस शैली गद्यकाव्य की तरह प्रभावशाली हो गई है। यथा : "इसकी चितवन कलेजे में से चित्त को जोराजोरी निकाले लेती है। इसकी सहज शोभा इस समय कैसी भली मालूम पड़ती है। अहा! इस कपड़े से जो पानी की बूँदें टपकती हैं वे ऐसी मालूम होती हैं मानो भावी वियोग के भय से वस्त्र रोते हैं। काजल आँखों से धो जाने से नेत्र कैसे सुहाने हो रहे हैं, और बहुत देर तक पानी में रहने से कुछ लाल भी हो गए हैं।"

भारतेन्दु ने गद्य के लिए तो खड़ी बोली को माध्यम बनाया लेकिन पद्य के लिए उनका विचार था कि ब्रजभाषा को ही माध्यम बना रहना चाहिए। इस तरह गद्य और पद्य में एक असंगति रही और भारतेन्दु के बाद पद्य में खड़ी बोली को माध्यम बनाने के लिए एक लम्बा संघर्ष चला। 'हिन्दी भाषा' वाले निबन्ध में उन्होंने अपना यह मत प्रकट किया है कि "पश्चिमोत्तर देश की कविता की भाषा ब्रजभाषा है यह निर्णीत हो चुकी है।" अपने अनुभव के बारे में लिखा है : "मैंने आप कई बेर परिश्रम किया कि खड़ी बोली में कुछ कविता बनाऊँ पर वह मेरे चित्तानुसार नहीं बनी, इससे यह निश्चय होता है कि ब्रजभाषा में ही कविता करना उत्तम होता है और इसी से सब कविता ब्रजभाषा में ही उत्तम होती हैं।" खड़ी बोली में कविता मीठी क्यों नहीं होती, इसका "सबसे बड़ा कारण यह जान पड़ा कि इसमें क्रिया इत्यादि में प्राय: दीर्घ मात्रा होती है इससे कविता अच्छी नहीं बनती।"

वास्तव में खड़ी बोली की कविता में मिठास के अभाव के लिए कोई वैज्ञानिक कारण नहीं है। कारण कवियों में अभ्यास की कमी ही हो सकता है। ब्रजभाषा में पद्य का एक बना-बनाया रास्ता था; कविता की अपनी शब्दावली थी। खड़ी बोली में यह सब गढ़ना था।

खड़ी बोली बनारस और दूसरे पूर्वी ज़िलों में शिष्ट लोगों की बोलचाल की भाषा के रूप में फैल रही थी। इसलिए भारतेन्दु जैसे कवि का उससे प्रभावित न होना असम्भव था। उनकी एक तरह की शैली वह है जिसमें ब्रजभाषा खड़ी बोली के साथ घुलती-मिलती दिखाई देती है। जैसे 'प्रेमतरंग' के इस गीत में :

*किन बे रुठाया मेरा यार।*
*कहाँ गया, क्यों छोड़ गया मोहिं, तोड़ गया क्यों प्यार।*

या

*नशीली आँखों वालो सोए रहो अभी है बड़ी रात।*
*सगरी रैन मेरे संग जागत रहे करत रंगीली बात॥*

दूसरी तरह की शैली उनकी लावनियों की है जिसमें प्रचलित फ़ारसी के शब्द भी आते हैं और जिसकी भाषा आम तौर से शुद्ध खड़ी बोली होती है। सूफ़ी कवियों के रंग में भारतेन्दु खड़ी बोली की कितनी सरस कविता कर सकते थे, इसका सबूत इन पंक्तियों में मिलेगा :

*श्री राधा-माधव जुगल चरन रस का अपने को मस्त बना।*
*पी प्रेम पियाला भर भर कर कुछ इस मै का भी देख मज़ा॥*
*यह वह मै है जिसके पीने से और ध्यान छुट जाता है।*
*अपने में औ दिलवर में फिर कुछ भेद नहीं दिखलाता है॥*
*इसके सुरूर से मस्त हरेक अपने को नज़र बस आता है।*
*फिर और हवस रहती न ज़रा कुछ ऐसा मज़ा दिखाता है॥*
*टुक मान मेरा कहना दिल को इस मैख़ाने की तर्फ झुका।*
*पी प्रेम पियाला भर भर कर कुछ इस मै का भी देख मज़ा॥*

लावनीबाज़ों ने खड़ी बोली कविता की एक सजीव परम्परा क़ायम की थी। उनके लिए दीर्घ ह्रस्व मात्राओं से खड़ी बोली के मीठे, कड़वे बनाने का सवाल न था। उनके यहाँ खड़ी बोली एक बहुत ही लचीला माध्यम बन गई थी और भारतेन्दु ने जब उस परम्परा का सहारा लिया, तब उन्होंने खड़ी बोली में बहुत ही सरस कविता की। यह सही है कि यह कविता पंत-प्रसाद की शैली से बहुत दूर है लेकिन वह जन-काव्य की परम्परा के बहुत निकट है।

जनसाधारण के कवियों ने पद्य में खड़ी बोली की परम्परा बहुत दिन से चला रखी थी। उन्हें यह विश्वास दिलाने की ज़रूरत न थी कि ब्रजभाषा छोड़कर खड़ी बोली में लिखने से साहित्य और जल्दी उन्नति करेगा। कवियों के सामने प्रश्न यह था कि वे इस सजीव परम्परा से नाता जोड़ेंगे या नहीं। भारतेन्दु के नाटकों में खड़ी बोली के गीतों आदि का आना यह साबित करता है कि जनता में खड़ी बोली के पद्य प्रचलित थे। 'वैदिकी हिंसा' में राजा गाता है : 'पीले अवधू के मतवाले प्याला प्रेम हरी रस का रे।' 'सत्य हरिश्चन्द्र' में धर्म कहता है :

*हम चौधरी डोम सरदार! अमल हमारा दोनों पार।*

और पिशाचों-डाकिनियों का गीत :

*हम सजसे बजके बजके चलेंगे चमकेंगे चम चम चम।*

'भारत-दुर्दशा' में आलस्य का गीत है :

*दुनिया में हाथ-पैर हिलाना नहीं अच्छा।*

'अंधेर-नगरी' में घासीराम का 'चने ज़ोर गरम' खड़ी बोली की अपनी चना-ज़ोर शैली में है। ऐसे ही चूरन वाले का लटका है :

*चूरन अमलबेद का भारी। जिसको खाते कृष्णमुरारी।*
*मेरा पाचक है पचलोना। जिसको खाता श्यामसलोना॥*

आम जनता में खड़ी बोली के पद्यों के चलन का मतलब यह था कि कविता में भी खड़ी बोली को माध्यम बनाने की ऐतिहासिक आवश्यकता पैदा हो गई थी।

भारतेन्दु की उपर्युक्त शैलियों के अलावा उनकी उर्दू शैली की रचनाएँ हैं। 'रसा' नाम से वह शायरी करते थे और आम तौर से उनकी भाषा सरल उर्दू होती है। यथा :

*दिल मेरा ले गया दग़ा करके।*
*बेवफ़ा हो गया वफ़ा करके॥*

× × ×

*दोस्तो कौन मेरी तुर्बत पर,*
*रो रहा है 'रसा रसा' करके।*

भारतेन्दु की समूची खड़ी बोली की कविता परिमाण में कम नहीं हैं। उन्होंने खड़ी बोली की सरल लोकप्रिय कविता से सहायता पाई थी। लेकिन ब्रजभाषा में जिस पुरानी शैली पर वह श्रृंगार-रस के पद्य बनाते थे, उस शैली पर उन्होंने खड़ी बोली में पद्य नहीं बनाए। खड़ी बोली बनाम ब्रजभाषा विवाद में भारतेन्दु के अपने प्रयोग यह साबित नहीं करते कि खड़ी बोली में सरस कविता न लिखी जा सकती थी।

भारतेन्दु ने खड़ी बोली को—उसके हिन्दी रूप में—नाटक, निबन्ध, पत्रकारिता, उपन्यास और एक हद तक कविता का भी माध्यम बनाया। उनके सामने हिन्दी में वैज्ञानिक साहित्य रचने की समस्या भी थी। उनका यह स्वप्न था कि एक हिन्दी विश्वविद्यालय खोला जाए। शिल्प की उन्नति के लिए वह बराबर ज़ोर देते रहे थे। इसलिए विज्ञान के लिए पारिभाषिक शब्दावली की समस्या का उठ खड़ा होना स्वाभाविक था। उस समय भी ऐसे लोग थे जो हिन्दी में वैज्ञानिक पुस्तकों का अभाव दिखाकर हिन्दी माध्यम से विज्ञान की शिक्षा देने का विरोध करते थे। भारतेन्दु के समय में ही हिन्दी-प्रेमी विद्वान् वैज्ञानिक पुस्तकें तैयार करने की तरफ ध्यान देने लगे थे। उन्हें भारतेन्दु से इस काम में प्रोत्साहन मिला।

23 अगस्त, 1873 की 'कविवचन-सुधा' में भारतेन्दु ने 'हिन्दी की उन्नति' नाम के निबन्ध में उन लोगों को जवाब दिया था जो कहते थे कि हिन्दी में वैज्ञानिक पुस्तकें लिखी ही नहीं जा सकतीं। ऐसे 'विद्वानों' का मज़ाक उड़ाते हुए उन्होंने लिखा था : "बहुत से लोग बिना समझे-बूझे दाढ़ी हिला-हिलाकर कहा करते थे कि हिन्दी में वैज्ञानिक ग्रंथ (Scientific Works) नहीं लिखे जा सकते और भाषा में इतने शब्द नहीं कि वैज्ञानिक भावना प्रकाश की जाए पर हम लोग यह जल्पने वाले लोगों को सचेत करते हैं कि वे इस निद्रा से जागें और टुक आँख खोलकर देखें कि अब हिन्दी भाषा की उन्नति चाहनेवाले लोग जो कहते थे सो कर दिखाते हैं... काशिस्थ राजकीय पाठशाला के गणित-विद्या के मुख्य अध्यापक पंडित लक्ष्मीशंकर मिश्र एम.ए. ने हिन्दी भाषा में गणित-विद्या की पूरी श्रेणी (Mathematical Series) बनाने का संकल्प किया है तथाच उक्त महाशय ने सरल त्रिकोणमिति (Plane Trignometry) हिन्दी भाषा में प्रस्तुत कर ली।"

29 सितम्बर, 1873 की 'कविवचन-सुधा' में इस विषय की चर्चा करते हुए उन्होंने फिर लिखा था : "बहुत लोग गाल बजाकर कहते हैं कि हिन्दी हो जाने से विज्ञान के पढ़ने-पढ़ाने में विघ्न हो जाएगा क्योंकि हिन्दी भाषा में इतने थोड़े शब्द हैं कि वैज्ञानी भावना उसके द्वारा प्रकाश नहीं हो सकती है पर हम उसका यही उत्तर देते हैं कि कोई बात बिना युक्ति के प्रामाणिक नहीं हो सकती है हिन्दी के शत्रु बरबस यह भी कह सकते हैं कि इस संसार में ऐसे भी मनुष्य होते हैं जिनके चार सींग होते हैं पर इसको कोई बुद्धिमान न मानेगा क्यौंकि इसका कुछ प्रमाण नहीं है पर उनके इस कहने पर भी हिन्दी में वैज्ञानी शिक्षा नहीं हो सकती है कोई नहीं मानेगा जब तक कि अपने साध्य के लिए प्रबल प्रमाण न देंगे यों तो अपनी कलम है और अपना कागज़।"

ऐसे लोगों की आज भी कमी नहीं है जो समझते हैं कि हिन्दी (या अन्य किसी देशी भाषा) के माध्यम से विज्ञान की शिक्षा नहीं दी जा सकती। यही नहीं, कहनेवाले यहाँ तक कहते हैं कि हिन्दी में शिक्षा देने से शिक्षा का स्तर गिर जाएगा, देश का

सांस्कृतिक पतन हो जाएगा। ऐसे लोग शिक्षा और विज्ञान को थोड़े-से अंग्रेज़ी पढ़े-लिखे लोगों की जागीर समझते हैं। हिन्दी के माध्यम से लोग विज्ञान पढ़ने लगे तो इनकी जागीरदारी ख़त्म हो जाएगी। भारतेन्दु अंग्रेज़ी पढ़ने और अंग्रेज़ी द्वारा आधुनिक विज्ञान की शिक्षा पाने के विरुद्ध न थे। लेकिन उनके सामने समस्या यह थी कि इस शिक्षा और ज्ञान को तमाम देशवासियों के लिए सुलभ कैसे बनाया जाए। वह शिक्षा को जनवादी और लोकप्रिय रूप देना चाहते थे। उसे थोड़े-से अंग्रेज़ी-भक्त विद्वानों की जागीर न बना देना चाहते थे। इसीलिए 'हिन्दी की उन्नति' में उन्होंने कहा था :

*बिबिध कला शिक्षा अमित, ज्ञान अनेक प्रकार।*<br>
*सब देसन से लै करहु, भाषा माहिं प्रचार॥*

भारतेन्दु की यह नीति देश में शिक्षा, विज्ञान और संस्कृति की उन्नति के लिए एकमात्र सही नीति है। हिन्दी को तुच्छ समझना, उसे विज्ञान की शिक्षा के अयोग्य समझना वास्तव में अपनी अशिक्षा और विज्ञान में अपनी अयोग्यता का परिचय देना है। दोष भाषा का नहीं है, शिक्षा के कर्णधारों का है। जिस दिन शिक्षा का उद्‌देश्य जनता की वास्तविक उन्नति करना होगा, उस दिन अंग्रेज़ी के माध्यम का मोह छोड़ना ही होगा और हिन्दी में विज्ञान की शिक्षा के लिए भरपूर कोशिश करनी ही होगी।

रामप्रसाद निरंजनी, सदासुखलाल, राजा लक्ष्मणसिंह के युग के बाद भारतेन्दु ने हिन्दी नई चाल में ढाली। उन्होंने बोलचाल की भाषा का यह साहित्यिक रूप अरबी-फ़ारसी के प्रचलित शब्दों को निकालकर नहीं सँवारा। उन्होंने बोलचाल की शब्दावली के अलावा ग़ैर-बुनियादी शब्द-भंडार के लिए संस्कृत का सहारा लिया। उनकी भाषा यहाँ की ग्रामीण बोलियों के निकट थी। वह ब्रज-अवधी की पुरानी साहित्यिक परम्परा की भाषा-नीति के अनुकूल थी। नागरी लिपि के सहारे वह जनता में लोकप्रिय हुई।

हिन्दी का विकास हिन्द प्रदेश की जनता के जातीय विकास के साथ जुड़ा हुआ था। साहित्यिक हिन्दी का विकास हमारे जातीय विकास की ज़रूरत पूरा करता था। हिन्द प्रदेश के पूर्वी ज़िलों में भी व्यापारी लोगों के ज़रिये खड़ी बोली का प्रसार हुआ था। भोजपुर, अवध, ब्रज आदि जनपदों का अलगाव बहुत पहले कम होना शुरू हो गया था। भारतेन्दु के समय में वह और कम हो रहा था। शहरों में विभिन्न बोलियों का एकत्र होना देखा जा सकता था। उन सबके ऊपर जातीय भाषा के रूप में हिन्दी का प्रसार हो रहा था। इस बोलचाल की हिन्दी में साहित्यिक हिन्दी-उर्दू वाला भेद न था। हिन्दी जाति की भाषा एक थी। उसके साहित्यिक रूप दो हुए।

भाषा के परिष्कार की दृष्टि से भारतेन्दु के गद्य में बहुत-सी खामियाँ थीं, लेकिन उनका युगान्तरकारी काम यह था कि उन्होंने बोलचाल की भाषा की प्रकृति पहचानी, उसकी मिठास को साहित्य में जगह दी। उस भाषा को सभी तरह के साहित्य का

समर्थ माध्यम बनाया। वह समझते थे कि पद्य के लिए ब्रजभाषा ही उपयुक्त है, फिर भी उन्होंने स्वयं खड़ी बोली में कम पद्य नहीं रचा जो उनके ब्रजभाषा में लिखे हुए पद्य से बढ़कर है। जनता में खड़ी बोली कविता की अपनी एक परम्परा क़ायम हो चुकी थी। भारतेन्दु ने इसे पहचाना और उसके अनुकूल पद्य भी रचे। वास्तव में खड़ी बोली (हिन्दी) में पद्य-रचना के लिए ऐतिहासिक आवश्यकता कभी की पैदा हो चुकी थी।

भारतेन्दु ने उन लोगों का विरोध किया जो यह दावा करते थे कि हिन्दी में विज्ञान की किताबें लिखी ही नहीं जा सकतीं या हिन्दी में विज्ञान की शिक्षा न देनी चाहिए। उनके सामने शिक्षा और विज्ञान का उद्देश्य समूचे देश की उन्नति करना था और यह काम देशी भाषाओं द्वारा ही हो सकता था।

इस तरह भारतेन्दु ने हिन्दी को नई चाल में ही नहीं ढाला वरन् उसके चौमुखी विकास के लिए संघर्ष भी किया।

[1953]

2

# गांधी जी और भाषा-समस्या

अपने राजनीतिक जीवन के आरम्भ से ही गांधी जी ने भाषा-समस्या पर सोचना और लिखना आरम्भ कर दिया था। सत्य, अहिंसा, स्वराज्य, सर्वोदय—किसी भी अन्य विषय पर उनके विचार आज के लिए इतने उपादेय नहीं है, जितने भाषा-समस्या पर। अंग्रेज़ी, भारतीय भाषाओं, राष्ट्रभाषा हिन्दी और हिन्दी-उर्दू की समस्या पर उन्होंने जितनी बातें कही हैं, वे बहुत ही मूल्यवान हैं। किसी राजनीतिक नेता ने इन समस्याओं पर इतनी गहराई से नहीं सोचा, किसी पार्टी और उसके नेताओं ने भाषा-समस्या के सैद्धान्तिक समाधान को अपनी नित्यप्रति की कार्यवाही में इस तरह अमली जामा नहीं पहनाया, जैसे गांधी जी ने। उनकी नीति के मूल सूत्र छोड़ देने से यह समस्या दिन-पर-दिन उलझती जा रही है। जो लोग उसे उलझा रहे हैं, वे गांधी जी की जय बोलते हुए, गांधीवाद की दुहाई देते हुए ऐसा कर रहे हैं।

गांधी जी का भाषा-नीति का पहला सूत्र है : भाषा-समस्या का समाधान जनता के हित में हो।

नेता अंग्रेज़ी में भाषण दें, जनता समझे नहीं। ऐसे नेता न तो देश में कोई बड़ा परिवर्तन कर सकते थे, न उनकी राजनीति जनता की राजनीति बन सकती थी। जो नेता अंग्रेज़ी में ही बोलने की ज़िद करते थे और हिन्दी सीखने से इनकार करते थे, उनके लिए गांधी जी ने सन् '27 में लिखा था : "वास्तव में ये अंग्रेज़ी में बोलनेवाले नेता हैं जो आम जनता में हमारा काम जल्दी आगे बढ़ने नहीं देते। वे हिन्दी सीखने से इनकार करते हैं जबकि हिन्दी द्रविड़ प्रदेश में भी तीन महीने के अन्दर सीखी जा सकती है, अगर सीखनेवाले इसके लिए तीन घंटे हर रोज़ दें।" ('थॉट्स ऑन नेशनल लैंग्वेज', नवजीवन पब्लिशिंग हाउस, अहमदाबाद, पृ. 23)

गांधी जी ने नेताओं का अंग्रेज़ी बोलना छुड़ाया। उनके संघर्ष के फलस्वरूप कम-से-कम अब अपने प्रदेशों में वे जनता के सामने अंग्रेज़ी में भाषण नहीं करते। लेकिन उनका राजनीतिक-सांस्कृतिक कार्य अब भी बहुत कुछ अंग्रेज़ी में होता है। अब राज्यसत्ता कांग्रेसी नेताओं के हाथ में है। यह राज्यसत्ता, उसे चलानेवाला

नौकरशाही वर्ग किसके लिए है? स्वराज्य किसके लिए है? सन् '31 में गांधी जी ने लिखा था : "यदि स्वराज्य अंग्रेज़ी-पढ़े भारतवासियों का है और केवल उनके लिए है, तो सम्पर्क भाषा अवश्य अंग्रेज़ी होगी। यदि वह करोड़ों भूखे लोगों, करोड़ों निरक्षर लोगों, निरक्षर स्त्रियों, सताये हुए अछूतों के लिए है तो सम्पर्क भाषा केवल हिन्दी हो सकती है।" ('थॉट्स ऑन नेशनल लैंग्वेज', पृ. 31)

इसलिए यदि जनतंत्र जनता का है और जनता के लिए है तो उसमें अंग्रेज़ी के लिए जगह न होनी चाहिए। अंग्रेज़ी को अपनानेवाले वे लोग हैं जो भाषा-समस्या पर जनता के हितों को ध्यान में रखकर विचार नहीं करते। उन्होंने लिखा था : "कुछ लोग जो अपने दिमाग से जनता की बात एकदम निकाल देते हैं, वे यही नहीं कहते कि अंग्रेज़ी भी सम्पर्क भाषा हो सकती है, वे कहते हैं कि अंग्रेज़ी ही एकमात्र सम्पर्क भाषा हो सकती है।" (उप., पृ. 30)

जो राजनीतिज्ञ जनता-जनता सबसे ज़्यादा चिल्लाते हैं, वे अपनी राजनीतिक कार्यवाही में इसी जनता की उपेक्षा करते हैं। गांधी जी मार्क्सवादी-लेनिनवादी नहीं थे लेकिन लेनिन की भाषा-सम्बन्धी नीति का सारतत्त्व उन्होंने ग्रहण कर लिया था। उन्होंने भारतीय वैज्ञानिकों द्वारा अंग्रेज़ी के व्यवहार की आलोचना करते हुए सन् '37 में लिखा था : "उनके लेख अंग्रेज़ी न जाननेवालों के लिए गुप्त खजाना (सील्ड बुक) हैं। लेकिन रूस का हाल देखिए। वहाँ क्रान्ति से पहले ही तमाम पाठ्य-पुस्तकें (वैज्ञानिक पुस्तकों समेत) रूसी में छपती थीं। दरअसल इसी बात ने लेनिन की क्रान्ति के लिए मार्ग तैयार किया। हम आम जनता से सच्चा सम्पर्क तब तक क़ायम नहीं कर सकते, जब तक कांग्रेस यह फैसला नहीं करती कि उसका सारा विचार-विमर्श हिन्दी में होगा और उसके प्रान्तीय संगठनों का काम प्रान्तीय भाषाओं में होगा।" (उप., पृ. 53)

विभिन्न प्रदेशों के बीच विदेशी भाषा को अपनी सम्पर्क-भाषा बनाकर कोई भी देश जन-क्रान्ति नहीं कर सकता। क्रान्ति का अर्थ मुट्ठी-भर आदमियों द्वारा ख़ूनख़राबी करना नहीं होता। क्रान्ति का अर्थ है : समाज-व्यवस्था में व्यापक परिवर्तन लाना। इस तरह के परिवर्तन आम जनता के सहयोग के बिना कभी नहीं लाये जा सकते। जो देश पराधीन हैं, वे आम जनता के संघर्ष के बिना स्वाधीन नहीं हो सकते; और जो देश स्वाधीन हैं, वे आम जनता की दृढ़ एकता और समर्थ राजनीतिक कार्यवाही के बिना अपनी स्वाधीनता की रक्षा नहीं कर सकते।

कुछ लोग समझते हैं कि सम्पर्क भाषा तो मंत्रियों, नेताओं, बड़े-बड़े अफ़सरों वगैरह के लिए ही ज़रूरी है। आम जनता अपनी प्रादेशिक भाषाएँ बोलती ही हैं; उसे सम्पर्क भाषा से क्या लेना-देना है? ऐसा सोचनेवाले अपने को शासक और जनता को शासित समझते हैं। उनके लिए नौकरशाह जनता के नौकर नहीं हैं, वे उसके बादशाह हैं। जिन पार्टियों के हाथ में राज्य-सत्ता नहीं है, जिनके नेता निकट

भविष्य में मंत्री बनने के उम्मीदवार हैं, वे भी अनजाने अपने को जनता का सेवक नहीं, हुक्मरान समझने लगे हैं। इसलिए वे अंग्रेज़ी को सम्पर्क भाषा बनाकर चैन से अपनी गद्दियों पर बैठे हुए हैं।

इन सबसे भिन्न गांधी जी का मत था कि सम्पर्क नेताओं में ही नहीं, विभिन्न प्रदेशों की आम जनता में होना चाहिए। उन्होंने लिखा था : "आप और हम चाहते हैं कि करोड़ों आदमी अन्तर्प्रान्तीय सम्पर्क क़ायम करें। स्पष्ट है कि अंग्रेज़ी के द्वारा, कई पीढ़ियाँ गुजर जाने पर भी, वे परस्पर सम्पर्क स्थापित न कर सकेंगे।" (1927; 'थॉट्स ऑन नेशनल लैंग्वेज', पृ. 48) यदि हमारे देश के जनवादी, समाजवादी, मार्क्सवादी-लेनिनवादी राजनीतिज्ञ गांधी जी की इस बात को मानें कि करोड़ों जनता को आपस में राष्ट्रीय स्तर पर सम्पर्क क़ायम करना है, तो वे सबसे आगे बढ़कर हिन्दी-प्रचार के काम में हिस्सा बँटाएँ। वे अंग्रेज़ी की छतरी के नीचे बैठकर दूर से हिन्दी की नुक्ताचीनी न करते रहें।

देशव्यापी सम्पर्क जनता का, स्वराज्य करोड़ों अशिक्षित और निर्धन लोगों के लिए, नेता और जनता के बीच सबसे बड़ी दीवार अंग्रेज़ी—यह हुआ गांधी जी की भाषानीति का पहला सूत्र।

गांधी जी के लिए भाषा-समस्या कोई शुद्ध भाषाविज्ञान की समस्या नहीं थी। उन्होंने राष्ट्रीय स्वाधीनता-आन्दोलन के सन्दर्भ में ही उस पर विचार किया था। अंग्रेज़ों ने भारतीय जनता को गुलाम बनाने के साथ उसकी भाषाओं का दमन किया, उस पर अंग्रेज़ी लादी। अंग्रेज़ों का चलन राजनीतिक-सांस्कृतिक पराधीनता का अंग था; उसे सम्पर्क भाषा के पद से हटाना राजनीतिक-सांस्कृतिक स्वाधीनता के लिए आवश्यक था। अंग्रेज़ी की जगह भारतीय भाषाओं का व्यवहार राष्ट्रीय आत्मसम्मान की रक्षा का प्रश्न था।

उनकी भाषा-नीति का दूसरा सूत्र है : राष्ट्रीय आत्मसम्मान की रक्षा के लिए अंग्रेज़ी का प्रभुत्व खत्म करो।

1909 में गांधी जी ने लिखा था : "क्या वे लोग जो अपनी मातृभाषा का अपमान करते हैं, कभी देश का भला कर सकते हैं? मैं इसकी कल्पना नहीं कर सकता कि गुजरात के लोग अपनी मातृभाषा छोड़कर अन्य कोई भाषा अपना लें। ऐसा हो तो यह कहने में ज़रा भी अतिशयोक्ति न होगी कि जो लोग अपनी भाषा छोड़ देते हैं, वे देशद्रोही हैं और जनता के प्रति विश्वासघात करते हैं।" (उप., पृ. 189)

जो लोग अंग्रेज़ी में उपन्यास और कहानियाँ लिखकर अन्तरराष्ट्रीय ख्याति अर्जित करते रहे हैं, वे गांधी जी के इन वाक्यों पर गम्भीरता से विचार करें।

गांधी जी ने गुजराती-भाषी शिक्षित जनों में मातृभाषा का प्रेम जगाया, अंग्रेज़ी बोलने पर उनकी लानत-मलामत की। गुजरात के नवीन साहित्यिक अभ्युत्थान में उनका योगदान अनुपम है। दिसम्बर, 1915 में संग्रामपुर, सूरत के जैन विद्यार्थियों

ने गांधी जी को अपने पुस्तकालय का उद्‌घाटन करने के लिए बुलाया। गांधी जी के बोलने की बात सुनकर वहाँ बड़ा जन-समुदाय एकत्र हो गया। एक विद्यार्थी ने अंग्रेज़ी में भाषण किया। दूसरा खड़ा हुआ। उसने अंग्रेज़ी में निबन्ध पढ़ा। गांधी जी ने इन अंग्रेज़ी बोलनेवालों को लक्ष्य करके कहा : "यदि अंग्रेज़ी जाननेवाले मुट्‌ठी-भर लोगों को हम देश मान लें तो कहना होगा कि देश शब्द का अर्थ नहीं समझा।" उन्होंने उन लोगों को फटकारा जो कहते थे कि वे मातृभाषा में अपने विचार अच्छी तरह प्रकट नहीं कर सकते। उन्होंने कहा : "जो युवक यह कहते हैं कि हम अपने विचार मातृभाषा द्वारा नहीं प्रकट कर सकते, उनसे मैं यही निवेदन करूँगा कि आप मातृभाषा के लिए भार-रूप हैं। मातृभाषा की अपूर्णता दूर करने के बदले उसका अनादर करना—उससे हाथ ही धो बैठना—किसी सच्चे सपूत को शोभादायक नहीं।"

यह फैशन अभी तक बना हुआ है कि जिनके पास कहने को कुछ नहीं है, वे भी करुण कंठ से क्षमा-याचना करते हुए जनता से कहते हैं, हम हिन्दी में अपने विचार 'फ्लुएंटली' प्रकट नहीं कर सकते! मातृभाषा की अपूर्णता दूर करना इनके वश की बात नहीं; वे अंग्रेज़ी के भारवाही बनकर मातृभाषा और मातृभूमि के लिए केवल भार-रूप हैं!

गांधी जी गुजराती के, समस्त भारतीय भाषाओं के सम्मान के लिए लड़े। उनके इस संघर्ष का आदर करनेवालों में आचार्य महावीरप्रसाद द्विवेदी भी थे। उन्होंने गांधी जी का उपर्युक्त भाषण मार्च, 1916 की 'सरस्वती' में छापा था। भाषण को हिन्दी में अनुवादित करके भेजा था गुजराती सज्जन श्री मणिभाई व्यास ने।

दिसम्बर, 1916 में गांधी जी ने देवनागरी लिपि और हिन्दी भाषा के प्रचार पर लखनऊ में भाषण दिया। आठ-दस हज़ार श्रोताओं के बीच उन्होंने यह भाषण हिन्दी में दिया। अपने हिन्दी सीखने और हिन्दी के लिए अपमानित होने के बारे में उन्होंने ये मर्मस्पर्शी शब्द कहे थे :

"जिन प्रान्तों में हिन्दी का प्रचार कम है, वहाँ हिन्दी पढ़नेवालों की बड़ी कमी हैं। मैं स्वयं हिन्दी सीखना चाहता था, पर अहमदाबाद में कोई हिन्दी-ज्ञाता शिक्षक न मिला। मिला बेचारा एक गुजराती-भाषाभाषी, जिसने पन्द्रह-बीस वर्ष काशी में रहकर टूटी-फूटी हिन्दी सीखी थी। उसी से मैंने हिन्दी सीखी। सम्मेलन यदि अन्य भाषा-भाषी प्रान्तों में आदमी भेजे तो बहुत-से लोग हिन्दी सीख जाएँ।"

हिन्दी की दरिद्रता के गीत गाते अंग्रेज़ी-प्रेमी भारतवासी थकते नहीं हैं। पता नहीं, इनकी संख्या पहले ज़्यादा थी या अब है। गांधी जी ने इन लोगों को लक्ष्य करके कहा था : "लोग कहते हैं कि हिन्दी में कुछ नहीं हैं—हिन्दी साहित्य खोखला है—अतएव अंग्रेज़ी के बिना काम नहीं चल सकता। कभी-कभी तो अंग्रेज़ी न जानने के कारण लोगों को वृथा ही बहुत कष्ट उठाना पड़ता है। यह मैं भी मानता हूँ। यहाँ

तक कि मुझ-जैसे लोगों को, हिन्दी का व्यवहार करने के कारण—हिन्दी बोलने के कारण—रेलवे इत्यादि में धक्के भी खाने पड़ते हैं। अंग्रेज़ी से हिन्दी कितना ही पीछे क्यों न हो, हमें उसका गौरव बढ़ाना ही पड़ेगा।"

राष्ट्र के जो नेता आज हवाई जहाज़ों और 'एयर कंडीशंड' गाड़ियों में सफर करते हुए अंग्रेज़ी को सम्पर्क भाषा का गौरव प्रदान करते हैं, क्या वे कभी याद करते हैं कि अंग्रेज़ी रेलों के यात्री मोहनदास कर्मचन्द गांधी को हिन्दी बोलने के कारण धक्के खाने पड़े थे? वे राष्ट्रपति की जय बोलते हैं, राष्ट्रपिता के नाम पर जनता को अध्यात्मवाद के उपदेश देते हैं, राष्ट्र के नाम पर सन्देश प्रसारित करते हैं—उस भाषा में, जिसका व्यवहार गांधी जी राष्ट्र-सम्मान के प्रतिकूल समझते थे।

गांधी जी ने अंग्रेज़ों के सामने, उच्चतम अंग्रेज़ पदाधिकारियों के सामने, महाप्रतापी ब्रिटिश साम्राज्य के प्रतिनिधि वाइसराय के सामने भारतीय भाषाओं के गौरव की रक्षा की। उसी भाषण में उन्होंने कहा था : "सरकारी कौंसिलों में अंग्रेज़ी की पूछ है—उसी का विशेष आदर है। लोग कहते हैं कि वाइसराय इत्यादि अंग्रेज़ी के अतिरिक्त और कोई भाषा नहीं समझते। अतएव अंग्रेज़ी का ही उपयोग करना आवश्यक है। पर मैं कहता हूँ कि यदि मैं बोलना जानता हूँ और मेरे कथन में कोई बात ऐसी है जिससे वाइसराय लाभ उठा सकें तो अवश्य मेरी बातें, हिन्दी में होने पर भी, सुनेंगे। आपको ज़रा दृढ़ता और मनोयोग से काम लेना चाहिए। आत्मावलम्ब किये बिना कोई काम सिद्ध नहीं होता।"

अब अंग्रेज़ वाइसराय नहीं हैं। लेकिन मनोवृत्ति वही है। अंग्रेज़ी बोलने में लोग गौरव का अनुभव करते हैं। इससे राष्ट्रीय आत्मसम्मान की भावना क्षीण होती है। अंग्रेज़ वाइसराय एक बार किसी को हिन्दी में बोलने की अनुमति भी दे दे लेकिन यदि स्वाधीन भारत की लोक सभा में कोई मंत्री हिन्दी में बोले तो महाक्रान्तिकारी कामरेड गोपालन 'वाक आउट' कर देते हैं! गांधी जी ने केवल दूसरों को वाइसराय के सामने हिन्दी बोलने का उपदेश न दिया था; उन्होंने साहस से अपने उपदेश के अनुसार आचरण भी किया था।

1931 में संयुक्त भारत के चेम्बर ऑफ़ कॉमर्स का अधिवेशन कराची में हुआ। उसमें विभिन्न प्रान्तों के सेठ और व्यापारी मौजूद थे। अंग्रेज़ भी थे। किन्तु गांधी जी ने अपना भाषण हिन्दी में दिया। इस भाषण में उन्होंने बताया कि सन् '18 में वाइसराय के सामने वह हिन्दी में बोले थे। सन् '18! अंग्रेज़ वाइसराय! अंग्रेज़ और अंग्रेज़ियत का वह आतंक! उस वातावरण में वाइसराय के सामने हिन्दी बोलने खड़े हुए कर्मवीर गांधी।

करांचीवाले भाषण में उन्होंने कहा था : "मेरे अंग्रेज़ मित्र मुझे क्षमा करेंगे कि जो कुछ मुझे कहना है, वह मैं राष्ट्रभाषा में कहूँगा। इस अवसर पर मुझे उस सभा की याद आती है जो यहीं 1918 में बुलाई गई थी। बहुत बहस-मुबाहसे के बाद

जब मैं इस सभा में आने को तैयार हुआ तो मैंने उनसे प्रार्थना की कि मुझे हिन्दी या हिन्दुस्तानी में बोलने की अनुमति दी जाए। मैं जानता हूँ कि इसके लिए प्रार्थना करना ज़रूरी नहीं था, फिर भी सभ्यता का तकाज़ा था; वरना वाइसराय को बुरा लगता। उन्होंने तुरन्त मुझे अनुमति दे दी और तब से इस मामले में मेरी हिम्मत और खुल गई है। और आज फिर मैं उसी जगह अपने उस अमल को दोहराने जा रहा हूँ। और इस चेम्बर के सदस्यों से मैं विनय करूँगा कि आपका यह कर्तव्य है कि अपना सारा काम राष्ट्रभाषा में करें। इस संगठन में आपको अपनी जनता से ही वास्ता पड़ता है। देश का वातावरण भी इस समय ऐसा है कि उसका प्रभाव आप पर भी ज़रूर पड़ेगा।" ('थॉट्स ऑन नेशनल लैंग्वेज', पृ. 24)

आज किसी अखिल भारतीय संगठन में लोगों से कहा जाए कि अपना काम राष्ट्रभाषा में कीजिए तो बहुत-से देशभक्त कह उठेंगे—हम पर हिन्दी लादी जा रही है! उन पर अंग्रेज़ी पहले से लदी हुई है, यह वे भूल जाते हैं। अंग्रेज़ी के लिए स्वेच्छा, हिन्दी के लिए अनिच्छा—यह है उनकी देशभक्ति!

5 जुलाई, 1928 के 'यंग इंडिया' में गांधी जी ने अंग्रेजी के प्रभुत्व से होनेवाली देश की हानि के बारे में लिखा था, हज़ारों नवयुवक अपना कीमती समय इस विदेशी भाषा को सीखने में नष्ट करते हैं : "जबकि उनके दैनिक जीवन में उसकी कोई उपयोगिता नहीं है। अंग्रेजी सीखने में समय लगाते हुए वे मातृभाषा की उपेक्षा करते हैं। वे इस अन्धविश्वास के शिकार होते हैं कि ऊँचे दर्जे के विचार अंग्रेज़ी ही में प्रकट किये जा सकते हैं, अंग्रेज़ी के लादे जाने से राष्ट्र की शक्ति सूख गई है, विद्यार्थियों की आयु क्षीण हो गई है। आम जनता से वे दूर जा पड़े हैं। शिक्षा पाना बड़े ख़र्चे का काम हो गया है। यदि यही सिलसिला जारी रहा तो बहुत सम्भव है कि राष्ट्र की आत्मा का नाश हो जाए।"

और सब तरह की हानि तो होती ही है, ख़र्च ज़्यादा होता है, उम्र कम होती है, मातृभाषा की उपेक्षा होती है; गांधी जी के लिए सबसे बड़ा खतरा यह था कि अंग्रेज़ी का प्रभुत्व राष्ट्र की आत्मा का नाश कर देगा। वह ऐसा क्यों सोचते थे? इसलिए सोचते थे कि वह स्वाधीनता-आन्दोलन के सन्दर्भ में भाषा-समस्या पर विचार करते थे। उनके लिए प्रश्न यह नहीं था कि अंग्रेज़ी विश्व-भाषा है और हिन्दी दरिद्र है; प्रश्न यह था कि विदेशी भाषा के व्यवहार से राष्ट्रीय चरित्र पर असर क्या पड़ता है। इसलिए वह तुरन्त अंग्रेज़ी को विदा करने के पक्ष में थे। लेकिन जिसे गांधी जी राष्ट्र की आत्मा कहते थे, उसे अंग्रेज़ी-प्रेमी नेता मानसिक संकीर्णता कहते हैं!

गांधी जी अंग्रेज़ी पढ़ने के विरुद्ध नहीं थे। वह उसे वाणिज्य और कूटनीति की भाषा मानते थे। किन्तु वह यह सहन न कर सकते थे कि वह किसी भारतीय भाषा के हक मारे। वह बहुत अच्छी तरह जानते थे कि अंग्रेज़ी का विश्व-महत्त्व ब्रिटिश

साम्राज्य के कारण है। उन्होंने 1918 में ही घोषित किया था : "हमें ऐसी हालत पैदा कर देनी चाहिए कि हमारे राजनीतिक या सामाजिक सम्मेलनों में, कांग्रेस तथा प्रान्तीय सभाओं आदि में अंग्रेज़ी का एक शब्द भी न सुना जाए। अंग्रेज़ी का व्यवहार हमें पूरी तरह बन्द कर देना चाहिए। अंग्रेज़ी ने विश्वभाषा की जगह पा ली है लेकिन यह इसलिए कि अंग्रेज़ सारी दुनिया में फैल गए है और हर जगह अपने पैर उन्होंने जमा लिये हैं। जब उनकी यह स्थिति नहीं रहेगी, तब अंग्रेज़ी का प्रसार भी संकुचित हो जाएगा।" ('थॉट्स ऑन नेशनल लैंग्वेज', पृ. 9)

साम्राज्यवाद के पतन के साथ अंग्रेज़ी के प्रसार का दायरा कम हो गया है। अन्य भाषाएँ विश्व-स्तर पर अंग्रेज़ी में स्पर्धा करती हैं। बोलनेवालों की संख्या की दृष्टि से संसार की तीसरी भाषा हिन्दी भी विश्वभाषा के रूप में अंग्रेज़ी का महत्त्व कम कर सकती है, विश्वभाषा के रूप में उससे स्पर्धा कर सकती है यदि अंग्रेज़ी-प्रेमी भारतवासी अपने देश को अंग्रेज़ी की गुलामी से आज़ाद कर दें।

सन् '47 से पहले हर देशभक्त मानता था कि शिक्षा-संस्थाओं, राजनीतिक संगठनों आदि में अंग्रेज़ी का चलन मानसिक पराधीनता का लक्षण है। राजा राममोहन राय जैसे समाज-सुधारक समझते थे कि भारत की राष्ट्रभाषा अंग्रेज़ी हो जाएगी। 6 जून, 1965 के 'न्यू एज' (साप्ताहिक) में डी.सी. होम नाम के सज्जन ने लिखा है कि उन्नीसवीं सदी के मध्य में जब भारत में नया औद्योगिक युग शुरू हो रहा था, तब भारत के प्रमुख नागरिकों ने अंग्रेज़ी को शिक्षा का माध्यम बनाने के लिए खूब ज़ोरदार आन्दोलन किया। राजा राममोहन राय ने इनका नेतृत्व किया।

दिलचस्प बात है कि जो भी अंग्रेज़ी को भारत की अमली राष्ट्रभाषा मानता है, वह किसी-न-किसी रूप में ब्रिटिश साम्राज्यवाद की प्रगतिशील भूमिका भी मानता है। डी.सी. होम के अनुसार : "प्लासी के सतहत्तर वर्ष बाद, यानी जब ब्रिटिश साम्राज्यवाद की वस्तुगत रूप से प्रगतिशील भूमिका का एक चक्कर पूरा हो गया था, तब क्या इससे यह पता नहीं चलता कि समाज में नये कार्य पूरा करने की उत्सुकता पैदा हो गई थी?"

जैसे कुछ लोग कहते हैं कि हर देश में समाजवाद अपने ढंग से आता है और उसका अपना रूप होता है, वैसे ही क्या अजब जो हर देश में पूँजीवाद भी अपने ढंग से आए और उसका अपना रूप हो! भारतीय पूँजीवाद की विशेषताएँ क्या हैं? इसकी सबसे बड़ी विशेषता यह है कि यह आरम्भ से ही अंग्रेज़ी बोलता रहा है! आख़िर देश की एकता तो क़ायम रखनी ही थी; यहाँ संस्कृत राष्ट्रभाषा बन न सकती थी। प्रादेशिक भाषाएँ बोलियाँ थीं नहीं कि वे किसी एक राष्ट्रभाषा के नीचे दब जातीं। द्रविड़ और संस्कृत भाषा-परिवारों का भेद अलग! अंग्रेज़ी के सिवा भारतीय पूँजीवाद कौन-सी भाषा बोलता? इसलिए जिन लोगों ने लॉर्ड मैकाले के लिए रास्ता साफ़ किया, जिन्होंने मैकाले की भाषा-नीति का समर्थन

किया, वे सब प्रगतिशील थे! जिन्होंने अंग्रेज़ी का विरोध किया, वे सब दक़ियानूसी और प्रतिक्रियावादी थे!

संस्कृत और द्रविड़-परिवारों में ऐसी भयानक शत्रुता है तो मलयालम, तेलगू आदि भाषाओं में संस्कृत के इतने शब्द कैसे पहुँच गए? द्रविड़ देश के शंकराचार्य ने संस्कृत में अपने विचार क्यों प्रकट किये? क्या उस समय तक कोई द्रविड़ भाषा उत्पन्न ही न हुई थी? वह तमिल कहाँ थी जो प्राचीनता में समकक्ष कही जाती है?

वास्तव में यहाँ तमिल भी थी, अनेक द्रविड़ और ग़ैर-द्रविड़ भाषाएँ भी थीं। फिर भी शिक्षितजन संस्कृत का व्यवहार करते थे क्योंकि सामन्ती व्यवस्था के बावजूद, डी.सी. होम सम्प्रदाय की अपेक्षा, उनमें राष्ट्रीयता का बोध ज़्यादा था।

जनता के दृष्टिकोण से न सोचने पर आज के गुमराह प्रगतिशील विचारक को पूँजीवाद और समाजवाद, दोनों के विकास के लिए अंग्रेज़ी आवश्यक दिखाई देती है।

श्री मोहनकुमार मंगलम ने 'भारत का भाषा-संकट' नामक पुस्तक में लिखा है : "हम यह याद किये बिना नहीं रह सकते कि महान राजा राममोहन राय उस दिन का स्वप्न देखते थे, जब भारत की भाषाएँ रंगमंच से हट जाएँगी और अंग्रेज़ी यहाँ की करोड़ों जनता की सामान्य भाषा हो जाएगी।" (पृ. 4)

लॉर्ड मैकाले और इन महान् समाज-सुधारकों का सम्बन्ध इस प्रकार है : "इस तरह इन प्रारम्भिक समाज-सुधारकों ने भी अंग्रेज़ी को उठाने और भारतीय भाषाओं का विकास रोकने में लॉर्ड मैकाले के प्रयत्न में मदद दी।" (पृ. 5)

भारत की भाषाओं और संस्कृति की हालत उस समय क्या थी? "भारत और पूर्व की संस्कृति अधिक प्राचीन थी परन्तु इस समय वह ठहराव की हालत में (स्टग्नैंट) थी। वह पश्चिम के शक्तिशाली सांस्कृतिक उभार के सम्पर्क में आई।"

भले ही शेली, मैथ्यू आर्नल्ड, येट्स आदि लेखक भारतीय संस्कृति से प्रभावित रहे हों, श्री मोहनकुमार मंगलम के लिए यहाँ की संस्कृति गतिरुद्ध ही थी। इसलिए आज राजभाषा के पद के लिए तमिल को योग्य बनाना उन्हें हिमालय पहाड़ उठाने जैसा लगता है (उप., पृ. 98)।

होम और मोहनकुमार मंगलम, दोनों का मत है कि भारत में संस्कृत के बाद कोई भी सम्पर्क भाषा न थी। इसलिए अंग्रेज़ी सम्पर्क भाषा के रूप में स्वाधीनता-प्राप्ति के पहले भी ज़रूरी थी और आज भी ज़रूरी है। भारतीय इतिहास के ये विशेषज्ञ भूल जाते हैं कि अंग्रेज़ों का राज क़ायम होने से पहले यहाँ सम्पर्क भाषा के रूप में हिन्दी का प्रचार और प्रसार सर्वत्र था। इसीलिए अंग्रेज़ों ने अपने अफ़सरों के लिए हिन्दुस्तानी का ज्ञान अनिवार्य कर दिया था।

दिल्ली के असिस्टेंट रेजिडेंट मेटकाफ ने 29 अगस्त, 1806 को हिन्दुस्तानी के अपने शिक्षक गिलक्रिस्ट के नाम एक पत्र में लिखा था : "भारत के जिस भाग में भी मुझे काम करना पड़ा है, कलकत्ता से लेकर लाहौर तक, कुमाऊँ के पहाड़ों से नर्मदा तक; अफगानों, मराठों, राजपूतों, जाटों, सिखों और उन प्रदेशों के सभी कबीलों में जहाँ मैंने यात्रा की है, मैंने उस भाषा का आम व्यवहार देखा है जिसकी शिक्षा आपने मुझे दी थी। अपने अनुभव से और दूसरों से सुनी हुई बातों के बल पर मैं कन्याकुमारी से कश्मीर तक या आवा से सिंधु के मुहाने तक इस विश्वास से यात्रा करने की हिम्मत कर सकता हूँ कि मुझे हर जगह ऐसे लोग मिल जाएँगे जो हिन्दुस्तानी बोल लेते होंगे।" (जे.बी. गिलक्रिस्ट, ए वोकेबुलरी, हिन्दुस्तानी एंड इंग्लिश, इंग्लिश एंड हिन्दुस्तानी, एडिनबरा में उद्धृत)

राजा राममोहन राय ने अंग्रेज़ी को शिक्षा का माध्यम बनाने के लिए मेमोरेंडम पेश किया, होम-सम्प्रदाय को यह तो दिखाई देता है लेकिन जिस भाषा को कश्मीर से कन्याकुमारी तक भारत की करोड़ों जनता अपनी सम्पर्क भाषा बना रही थी, वह उन्हें बहुत आँखें गड़ाकर देखने पर भी नहीं दिखाई देती।

गांधी जी न लॉर्ड मैकाले के रौब में थे, न राजा राममोहन राय के। उन्होंने सन् '20 में लिखा था : "हम अपने विचार से अपने राष्ट्रीय जीवन में प्रादेशिक भाषाओं (वर्नाक्यूलर्स) को उनका उचित स्थान दे रहे हैं। भाग्य राजा राममोहन राय की इस भविष्यवाणी का साथ नहीं दे रहा कि भारत एक दिन अंग्रेज़ी-भाषी देश हो जाएगा। लेकिन उन महान समाज-सुधारक का भूत अब भी कुछ लोगों पर सवार है। कुछ प्रसिद्ध आदमी बहुत जल्दी यह फैसला दे देते हैं कि राष्ट्र की सम्पर्क भाषा अंग्रेज़ी होगी।" ('थॉट्स ऑन नेशनल लैंग्वेज़', पृ. 17)

गांधी जी का सम्बन्ध भी भारतीय पूँजीवाद के विकास से रहा है। उनके स्वदेशी आन्दोलन से भारतीय पूँजीपतियों को अपने उद्योग-धन्धे विकसित करने में सहायता मिली। बिड़ला जैसे उद्योगपति गांधी जी के नज़दीकी लोगों में थे। होम महाशय को सन् बीस के बाद का पूँजीवादी विकास नहीं दिखाई देता क्योंकि तब अंग्रेज़ी का विरोध और भारतीय भाषाओं का समर्थन होने लगा था!

गांधी जी को ज़रूर मैकाले-भक्तों से बराबर साबका पड़ा होगा। ये लोग सीधे मैकाले का नाम न लेकर राजा राममोहन राय की दुहाई देते रहे होंगे। इसीलिए राममोहन राय का नाम अक्सर उनके लेखों में आता है। सन् '21 में उन्होंने इस बात पर दुःख प्रकट किया था कि अंग्रेज़ी ने प्रान्तीय भाषाओं की जगह ले ली है। उन्होंने कहा था कि राजा राममोहन राय और भी बड़े समाज-सुधारक होते यदि उन्हें अंग्रेज़ी में सोचने और उसी में अपने विचार प्रकट करने की अस्वाभाविक क्रिया न करनी पड़ती। (उप., पृ. 201)

अंग्रेज़ों ने आस्ट्रेलिया, न्यूजीलैंड, दक्षिणी अफ्रीका, उत्तरी अमरीका आदि में भरसक वहाँ की भाषा का नाश किया। लाखों नीग्रोजन अपनी भाषाएँ छोड़कर—

गुलाम बनाए जाकर—अंग्रेज़ी-भाषी हो गए। भारतीय जनता ने 1857 में अंग्रेज़ों को इस जन-घाती, भाषा-घाती नीति पर चलने का मजा चखा दिया। सन् 1857 से पहले भी महाराष्ट्र के शिक्षा-शास्त्रियों ने जमकर मैकाले की भाषा-नीति का विरोध किया। वहाँ के समाज-सुधारक डी.सी. होम एंड कम्पनी को नहीं दिखाई देते। 'दिये लोभ चसमा चखनि लघु पुनि बड़ी दिखाय'। अंग्रेज़ियत के चश्मे से अंग्रेज़ी-परस्त तो बहुत बड़े समाज-सुधारक मालूम होते हैं, अंग्रेज़ी के विरोधी इतने छोटे हो जाते हैं कि उनके अस्तित्व का उल्लेख भी आवश्यक नहीं होता।

गांधी जी ने राजा राममोहन राय के साथ लोकमान्य तिलक का नाम भी लिया था और कहा था कि यदि उनकी शिक्षा-दीक्षा कम अस्वाभाविक व्यवस्था में हुई होती तो जनता पर उनका प्रभाव और भी गहरा पड़ा होता।

लोकमान्य तिलक मराठी के समर्थ लेखक थे। वह भारतीय भाषाओं का स्थान अंग्रेज़ी को देने के पक्ष में नहीं थे। इसके अलावा राजा राममोहन राय के विपरीत वह हिन्दी को राष्ट्रभाषा मानते थे। कानपुर में जनता ने उनका स्वागत किया तो उन्होंने इस बात पर खेद प्रकट किया कि वह हिन्दी में भाषण नहीं कर सकते। "यद्यपि मैं उन लोगों में से हूँ जो चाहते हैं और जिनका विचार है कि हिन्दी ही भारत की राष्ट्रभाषा हो सकती है। मैं हिन्दी समझ सकता हूँ और टूटी-फूटी बोल भी सकता हूँ, व्याख्यान नहीं दे सकता।" ('सरस्वती', फरवरी, 1917)

इस विचार को अमली रूप देने के लिए उन्होंने 'केसरी' का एक हिस्सा हिन्दी में प्रकाशित करना शुरू कर दिया था।

लोकमान्य तिलक-जैसे समाज-सुधारक होम-जैसे अंग्रेज़ी-प्रेमियों की दृष्टि से ओझल रहते हैं।

स्वाधीनता-प्राप्ति से साल-भर पहले गांधी जी ने उस दिमागी गुलामी की निन्दा की थी जो अंग्रेज़ी को अपनी राजभाषा बनाने के लिए नेताओं को मजबूर करती है। सोवियत संघ की मिसाल देते हुए उन्होंने लिखा था : "रूस ने अपनी सारी वैज्ञानिक प्रगति अंग्रेज़ी के बिना ही की है। यह हमारी दिमागी गुलामी है जो हम कहते हैं कि अंग्रेज़ी के बिना काम नहीं चल सकता। मैं इस पराजयवादी मत को कभी स्वीकार नहीं कर सकता।" ('थॉट्स ऑन नेशनल लैंग्वेज़', पृ. 201)

स्वाधीनता-प्राप्ति के बाद गांधी जी ने 21 सितम्बर, 1947 के 'हरिजन' में 'दिमागी काहिली' की निन्दा की जिससे प्रेरित होकर अफ़सर और नेता कहते थे कि शिक्षा और शासन में अंग्रेज़ी ही चलेगी।

गांधी जी ने अपने राजनीतिक जीवन के आरम्भ से लेकर भारत के स्वाधीन होने के बाद तक, अपने जीवन की आख़िरी घड़ियों तक अंग्रेज़ी का विरोध किया, अंग्रेज़ी के ऊपर निर्भर रहने की आदत को राष्ट्र के लिए हानिकर बताया, अंग्रेज़ी

की हिमायत को राष्ट्रीय चरित्र के लिए घातक बताया। जो लोग अंग्रेज़ी क़ायम रखकर भाषा-समस्या का समाधान खोजते रहे हैं, उनमें राष्ट्रीय आत्मसम्मान की कमी है।

राष्ट्रभाषा की समस्या राष्ट्रीय चेतना के आधार पर ही हल हो सकती है। जो लोग भाषा-समस्या को साम्राज्य-विरोधी संघर्ष के सन्दर्भ से अलग हटाकर हल करना चाहते हैं, वे समस्या को बराबर उलझाते जाएँगे। उसे सुलझाना उनके लिए सम्भव न होगा। यह गांधी जी का दूसरा सूत्र हुआ।

गांधी जी का तीसरा सूत्र है—भारतीय जनता की अमली राष्ट्रभाषा हिन्दी है।

यदि राजनीतिज्ञ जनता के व्यवहार को देखें, इस बात को समझें कि अंग्रेज़ी न जाननेवाले साधारण जनों को भी परस्पर सम्पर्क के लिए एक सामान्य भाषा की ज़रूरत होती है, तो उन्हें यह दिखाई देने लगे कि जनता के अन्तर्प्रादेशिक सम्पर्क की भाषा कौन-सी है। महाराष्ट्र-गुजरात-पंजाब के लोग आपस में हिन्दी को सम्पर्क भाषा के तौर पर इस्तेमाल करते हैं, इसे बहुत-से लोग मानते हैं। सवाल है, दक्षिण भारत का। क्या वहाँ के साधारण लोग भी हिन्दी को सम्पर्क-भाषा के रूप में अपनाते हैं?

गांधी जी ने दक्षिण अफ्रीका के अपने इस अनुभव का उल्लेख किया था कि वहाँ तमिल और तेलगू बोलनेवाले लोग परस्पर सम्पर्क के लिए हिन्दी काम में लाते हैं। जो कार्य वे दक्षिण अफ्रीका में करते थे, उसे वे दक्षिण भारत में भी अवश्य करते रहे होंगे। वास्तव में तमिल-तेलगू-भाषियों को उत्तर भारत से सम्पर्क क़ायम करने के लिए ही हिन्दी की ज़रूरत नहीं होती, उन्हें आपस में सम्पर्क-भाषा के लिए भी ज़रूरत हिन्दी की होती है।

एक मित्र ने अंडमान से मुझे वहाँ की भाषा-स्थिति के बारे में यह लिखा है : "अधिकतर यहाँ बंगला, तमिल, तेलगू, कन्नड़ और मलयालम बोली जाती हैं। आपस में व्यवहार की भाषा हिन्दी है जो 'हम बोलता है, आप करना माँगता है' पद्धति से बोली जाती है। हिन्दी ही राष्ट्रभाषा है, यहाँ स्वत: सिद्ध हो जाता है। तमिल तेलगू से हिन्दी में ही बात कर पाता है। इसी प्रकार अन्य भाषा-भाषी।"

दक्षिण भारत में गांधी जी का अनुभव ऐसा ही था : "यह कहना सही नहीं है कि मद्रास में अंग्रेज़ी के बिना काम नहीं चलता। मैंने अपने सारे कामों के लिए वहाँ सफलतापूर्वक हिन्दी का व्यवहार किया है। मैंने रेल में मद्रासी मुसाफ़िरों को दूसरों से हिन्दी में बातें करते सुना है।" ('थॉट्स ऑन नेशनल लैंग्वेज़', पृ. 6)।

सी.एफ. एंड्रूज़ का अनुभव भी यही था। उनकी मातृभाषा अंग्रेज़ी थी लेकिन उन्हें हिन्दी बोलने में उतना कष्ट न होता था जितना राज्य सभा या लोक सभा के कुछ भारतीय सदस्यों को। 'द ट्रू इंडिया' (1939) पुस्तक में उन्होंने लिखा था : "कल एक व्यक्ति मुझसे मिलने आया था; उससे जब मैंने अंग्रेज़ी

में बातचीत करने की कोशिश की तो उसने कहा, 'कृपा करके हिन्दुस्तानी में बातचीत कीजिए।' और जब मैं उस भाषा में बोला तो वह मेरी बात आसानी से समझ गया।"

राजनीतिज्ञों को उत्तर-दक्षिण में सम्पर्क के लिए नई भाषा गढ़ना नहीं है; वह भाषा जनता में पहले से प्रचलित है; उसे केवल सरकारी स्तर पर सम्पर्क-भाषा के रूप में स्वीकार करना है। जहाँ तक बंगाल का सम्बन्ध है, वहाँ की भाषा हिन्दी के बहुत ही नज़दीक है। इस नज़दीकीपन के अलावा कलकत्ता की लगभग आधी आबादी हिन्दुस्तानी है। इस आबादी में ज़्यादातर लोग मेहनत-मजूरी करके गुज़र करनेवाले हैं। उनके मालिकों को उनसे हिन्दी में ही बात करनी होती है। गांधी जी ने लिखा था कि "उत्तर भारत का जो भैया बम्बई के सेठ के यहाँ दरबानगीरी करता है, वह गुजराती नहीं बोलता। उसका मालिक सेठ ही मजबूर होकर उससे टूटी-फूटी हिन्दी में बातचीत करता है।" ('थॉट्स ऑन नेशनल लैंग्वेज़', पृ. 6) यही स्थिति बंगाल की है। वहाँ न जाने कितने 'हिन्दुस्तानी' दरबान का काम करते रहे हैं। उनके मालिक उनसे टूटी-फूटी हिन्दी में ही बातें करने को बाध्य हुए हैं।

डॉ. सुनीतिकुमार चाटुर्ज्या ने पहले हिन्दी इसी तरह के लोगों से सीखी थी। "कलकत्ता में अपने बचपन में ही लेखक ने हाट-बाज़ारों में तथा घर के बिहारी नौकरों से बंगाल में प्रयुक्त 'बाज़ारू हिन्दी' कहलाने योग्य भाषा का ज्ञान प्राप्त कर लिया था।" ('भारतीय आर्य-भाषा और हिन्दी', पृ. 244) यद्यपि डॉ. सुनीतिकुमार भाषा को धर्म से और धर्म को संस्कृति से जोड़कर यह नतीजा निकालते हैं कि "हिन्दी के संस्कृत उपादान को क्रमशः कम करने की प्रवृत्ति भारतीय परम्परा एवं भारतीय संस्कृति पर प्रत्यक्ष आघात-सा है।" (उप., पृ. 238) फिर भी वह मानते हैं कि "हिन्दी (हिन्दुस्तानी) के साढ़े चौबीस करोड़ बोलने या समझनेवालों में से लगभग बीस करोड़ हिन्दुस्तानी का यही सहज रूप बोलते हैं" (उप., पृ. 209); मौलवी, मुंशी और मुल्ला लोग "फ़ारसी-भरी उर्दू का निर्माण एवं वर्द्धन करते रहे। उसी प्रकार पंडित लोग तथा अन्य लोग संस्कृत-भरी हिन्दी का निर्माण करते रहे। परन्तु साधारण जनों का हिन्दुस्थानी के विषय में एक ही रुख रहा; इनमें पश्चिमी पंजाब से लगाकर पूर्वी बंगाल तक के हिन्दू-मुसलमान सभी थे। वे अब भी, साधारण जीवन में अपने से भिन्न भाषावालों से बातचीत करना चाहते हैं तो प्रचलित हिन्दुस्थानी का ही व्यवहार करते हैं।" (उप., पृ. 206)

पश्चिमी पंजाब से पूर्वी बंगाल तक, जैसे कश्मीर से कन्याकुमारी तक, जन-सम्पर्क की भाषा बोलचाल की हिन्दी है। व्याकरण के अनुसार शुद्ध रूप में, संस्कृत शब्दों से सजाकर जनता इसे नहीं बोलती। उसके स्थानीय भेद हैं, जैसे ब्रिटेन, अमरीका और आस्ट्रेलिया की अंग्रेज़ी में भेद हैं। बोलचाल की हिन्दी बंगाल में

भी समझी जाती है और जनता के व्यवहार में आती है। फिर भी बंगाल में हिन्दी का तीव्र विरोध है—सभी लोगों में नहीं किन्तु मध्यवर्ग और पढ़े-लिखे लोगों में है, इसमें कोई सन्देह नहीं।

गांधी जी ने सन् '21 में 'यंग इंडिया' में लिखा था कि बंगाल के लोग अपने पूर्वग्रह के कारण भारत की और कोई भाषा सीखना नहीं चाहते। ('थॉट्स ऑन नेशनल लैंग्वेज़', पृ. 19) हिन्दी-प्रचार के काम में बंगाली विद्वानों ने महत्त्वपूर्ण योग दिया है। हिन्दी के समर्थकों में डॉ. सुनीतिकुमार चाटुर्ज्या जैसे भाषाविद् रहे हैं। उन्होंने भारतीय भाषाओं के लिए—विशेष कर बंगला और हिन्दी के लिए—बहुत काम किया है। आज वह हिन्दी और अन्य भारतीय भाषाओं के विरुद्ध अंग्रेज़ी का समर्थन करते हैं, इससे उनका पहले किया हुआ काम निरर्थक नहीं हो जाता। उसके लिए कृतज्ञता प्रकट करना धर्म है। उनसे पहले बंकिमचन्द्र चटर्जी के समय में 'बंगदर्शन' पत्र ने लिखा था : "हिन्दी भाषार साहाय्ये भारतवर्षेर विभिन्न प्रदेशेर मध्ये जांहारा ऐक्यबन्धन संस्थापन करिते पारिबेन ताहाराईप्रकृत भारतबन्धु नामे अभिहित हइबार योग्य।" (बालमुकुन्द गुप्त द्वारा उद्धृत, 'बालमुकुन्द गुप्त निबन्धावली', कलकत्ता, पृ. 159)

फिर भी बंगाल में ऐसे बुद्धिजीवी बहुतायत से हैं जो किसी भी भारतीय भाषा को सीखना अपने लिए हेठी की बात समझते हैं। डॉ. सुनीतिकुमार चाटुर्ज्या ने ही लिखा है : "कोई भी महाराष्ट्रीय या बंगाली व्यक्ति इस बात का अनुभव नहीं करता कि अपनी मातृभाषा की अपेक्षा नागरी-हिन्दी या उर्दू के माध्यम द्वारा उच्चतर संस्कृति की प्राप्ति हो सकती है; बाज़ारू हिन्दी का तो प्रश्न ही दूर है।" ('भारतीय आर्यभाषा और हिन्दी', पृ. 215)

इसी तरह तमिलनाडु के श्री मोहनकुमार मंगलम ने यह राय ज़ाहिर की है कि "स्वाधीनता-प्राप्ति के समय हिन्दी शायद सबसे कम विकसित भाषा थी।" ('भारत का भाषा-संकट', पृ. 31) वाक्य में 'शायद' उन्होंने शालीनतावश लगा दिया है, वरना हिन्दी को पिछड़ी हुई भाषा कहना प्रत्येक भारतवासी का संवैधानिक अधिकार है।

तमिलनाडु और बंगाल के अंग्रेज़ी-प्रेमी बुद्धिजीवियों को एक विशेष ऐतिहासिक परिस्थिति ध्यान में रखनी चाहिए। किसी समय असम, उड़ीसा, बिहार आदि प्रदेश संयुक्त बंगाल के अन्तर्गत थे। इसी प्रकार केरल और आन्ध्र तमिलनाडु के साथ जुड़े हुए थे। इन बड़े-बड़े प्रान्तों में तमिल और बंगाली बुद्धिजीवी अंग्रेज़ी के कारण सरकारी नौकरियाँ पाते थे, अफ़सर बनकर दूसरों पर हुकूमत करते थे; वकील, डॉक्टर, इंजीनियर आदि के पेशों में इन्हीं का बोलबाला था। मद्रास प्रेसीडेंसी टूट गई, रह गया तमिलनाडु। उड़ीसा, असम और बिहार अलग हो गए, रह गया विभाजित बंगाल। असम में बंगालियों और असमियों के बीच दंगे हुए। फ़ौरी कारणों के

अलावा दंगों के पीछे दोनों जातियों के बीच पुराना तनाव भी काम कर रहा था। तमिलनाडु और आन्ध्र के शिक्षितजनों में उससे मिलता-जुलता तनाव है। तमिलनाडु में भाषावार प्रान्त बनाने का आन्दोलन नहीं चला। यह आन्दोलन चलाया उन्होंने, जो तमिल पूँजीपतियों या तमिल बुद्धिजीवियों के संग से परेशान हो चुके थे। बंगाल वैसे ही कटा-छँटा था; वहाँ भाषावार प्रान्त बनाने के आन्दोलन का सवाल नहीं था। इन दो प्रदेशों में हिन्दी-विरोध सबसे ज़्यादा है। तमिलनाडु में इस विरोध ने हिंसात्मक रूप लिया।

यह विरोध मध्यवर्ग के कुछ लोगों और पूँजीपतियों तक सीमित है। ये लोग आम जनता को यह भय दिखलाकर कि उनकी भाषा ख़त्म कर दी जाएगी, उसे भड़काते हैं। लेकिन तमिलनाडु में तमिल राजभाषा बन गई हो, विद्यालयों में शिक्षा का माध्यम हो, ऐसा नहीं है। सरकारी नौकरियाँ पाने के लिए लोग वहाँ अपने बच्चों को अंग्रेज़ी के माध्यम से ही शिक्षा देना पसन्द करते हैं। श्री मोहनकुमार मंगलम के अनुसार मद्रास सरकार के श्रम-विभाग का कार्य भी अंग्रेज़ी में होता है। श्रमिक संघों और कारख़ानों के इंस्पेक्टरों के बीच पत्र-व्यवहार अंग्रेज़ी में होता है। राज्य सेक्रेटेरियट का सारा काम केवल अंग्रेज़ी में होता है। छोटे-मोटे व्यापार और धन्धों तक में अंग्रेज़ी चलती है : "इसमें अतिशयोक्ति नहीं है कि मद्रास में तमिल का एक शब्द सीखे बिना भी आदमी वर्षों तक रह सकता है, नौकरों के मामले में थोड़ी परेशानी ज़रूर होगी।" ('भारत का भाषा-संकट', पृ. 69-70)

हिन्दी-विरोध का कारण मातृभाषा-प्रेम नहीं है, अंग्रेज़ी-प्रेम है।

बंगाल की तरह तमिलनाडु में अनेक विद्वान् और नेता हिन्दी प्रचार में योग देते रहे हैं। इनमें श्री चक्रवर्ती राजगोपालाचारी मुख्य हैं। डॉ. सुनीतिकुमार चाटुर्ज्या की तरह वह भी अब अंग्रेज़ी के प्रबल समर्थक बन गए हैं। सर टी. विजयराघवाचारी ने सन् '28 में हिन्दी को भारतीय शिक्षा-व्यवस्था में अनिवार्य बना देने पर ज़ोर दिया था। श्री राजगोपालाचारी ने दस साल बाद उसी सुझाव पर अमल किया था। दिसम्बर, 1916 में लखनऊ की एक सभा में गांधी जी के निर्देश से हिन्दी और देवनागरी को लेकर जो प्रस्ताव पास हुआ, उसके समर्थकों में श्री रामस्वामी अय्यर और श्री रंगस्वामी आयंगर थे। ('सरस्वती', फरवरी, 1917)

भारत की राष्ट्रभाषा देवनागरी लिपि में लिखी जानेवाली हिन्दी होगी—यह प्रस्ताव संविधान सभा में श्री गोपालस्वामी आयंगर ने पेश किया था।

तमिलनाडु के हिन्दी-प्रचारकों ने राष्ट्रीय एकता और हिन्दी-प्रचार के लिए जो काम किया है, उसकी जितनी भी प्रशंसा की जाए, थोड़ी है। परिस्थितियाँ अक्सर उनके प्रतिकूल रही हैं। यह न समझना चाहिए कि आज से तीस साल पहले हिन्दी-प्रचार के लिए परिस्थितियाँ ज़्यादा अनुकूल थीं।

दिसम्बर, 1916 में कांग्रेस का इकतीसवाँ अधिवेशन लखनऊ में हुआ। भारतीय कुलियों का विदेश भेजना बन्द करने के विषय में गांधी जी ने एक प्रस्ताव कांग्रेस में उपस्थित किया। "आपकी हार्दिक इच्छा थी कि आप हिन्दी में भाषण करें। आपने हिन्दी में भाषण आरम्भ भी कर दिया था। इतने में मद्रासी प्रतिनिधियों की ओर से आवाज़ आई—'English, Please' अर्थात् अंग्रेज़ी में बोलिए। उत्तर में गांधी जी बोले : "आपकी आज्ञा मुझे स्वीकार है, पर एक शर्त है—अगले साल की कांग्रेस तक आपको यह Lingua Franca (अर्थात् राष्ट्रभाषा हिन्दी) अवश्य सीख लेना चाहिए। देखिए, इसमें ग़लती या लापरवाही न हो!" उस समय जान पड़ता था मानो कोई 'देवदूत—ईश्वर का कोई प्रतिनिधि—आकर हमें ईश्वरीय आज्ञा सुना रहा है।" ('सरस्वती', फरवरी, 1917) गांधी जी ने हिन्दी और राष्ट्रीय एकता के लिए कितना भगीरथ प्रयत्न किया, उनके इस प्रयत्न का कैसा प्रभाव हिन्दी-भाषियों पर पड़ा, यह द्विवेदी जी के उपर्युक्त विवरण से मालूम हो ज़ाता है।

गांधी जी चाहते थे, साल-भर में लोग हिन्दी सीख लें और कांग्रेस के अधिवेशनों में अंग्रेज़ी के बदले हिन्दी बोलें। अब भारत को स्वाधीन हुए अठारह साल हो गए; फिर भी नेता कहते हैं, हिन्दी के मामले में जल्दी न करना चाहिए। ध्यान देने की बात है कि पराधीन भारत में हिन्दी के प्रचार-कार्य से ही कुछ लोग यह शोर करने लगे थे कि उनकी भाषाओं का दमन किया जा रहा है! उस समय गांधी जी मौजूद थे; हिन्दी प्रचार-कार्य उन्हीं की देख-रेख में चल रहा था। केन्द्र में सत्ता कांग्रेस के हाथ में न थी; मद्रास में राजाजी का मंत्रिमंडल भी क़ायम न हुआ था। फिर भी आवाज़ यह उठी कि हिन्दी-प्रचारक दक्षिण की भाषाओं का नाश कर देना चाहते हैं!

गांधी जी ने सन् '35 में इन्दौर साहित्य-सम्मेलन के सभापति-पद से भाषण देते हुए कहा था : "अपनी यात्रा (दक्षिण-यात्रा) के दौरान काका साहब (काका कालेलकर) ने देखा कि कुछ लोग समझते हैं कि हम उनकी प्रादेशिक भाषाओं का नाश कर देना चाहते हैं और सारे देश में एक ही भाषा चलाना चाहते हैं। कहीं-कहीं हमारा उद्देश्य न समझकर लोगों ने हमारे हिन्दी-प्रचारक कार्य का विरोध किया है।" ('थॉट्स ऑन नेशनल लैंग्वेज़', पृ. 35)

आश्चर्य की बात है कि कांग्रेसी मंत्रिमंडल बनने से पहले ही, केन्द्र में सत्ता-परिवर्तन से बहुत पहले, जो लोग हिन्दी से अहिन्दी भाषाओं के लिए खतरा पैदा होने की बात कहते थे, वे अंग्रेज़ी के बारे में चुप रहते थे। अंग्रेज़ी उन्हें लादी हुई भाषा न मालूम होती थी। उससे उन्हें अपनी भाषाओं के लिए खतरा न दिखाई देता था!

सरकारी नौकरियों के उम्मीदवारों के लिए राजभाषा अंग्रेज़ी, आम जनता की सम्पर्क भाषा हिन्दी—देश की भाषा-सम्बन्धी स्थिति तब भी यह थी, आज भी है।

गांधी जी का मत यह था कि भारत की अमली राष्ट्रभाषा हिन्दी है; सरकारी तौर पर उसी को राजभाषा बनाना चाहिए।

गांधी जी की भाषा-नीति का चौथा सूत्र है—कांग्रेस की अपनी राजनीतिक कार्यवाही की भाषा हिन्दी होनी चाहिए।

यह बात देखने में बहुत साधारण मालूम होती है लेकिन वास्तव में है सबसे महत्त्वपूर्ण। भारत की राजनीतिक पार्टियाँ भाषा-समस्या पर प्रस्ताव करके दूसरों को सिखाती रही हैं कि उन्हें क्या करना चाहिए। वे स्वयं अंग्रेज़ी हटाने के लिए क्या करने जा रही हैं, इसकी सूचना वे दूसरों को कम देती हैं। आप कल्पना कीजिए, यदि कांग्रेस का सारा राजकाज हिन्दी में हुआ करता तो क्या हुकूमत की बागडोर सँभालते ही अंग्रेज़ी हटाने में कांग्रेसी नेताओं को साल-भर से ज़्यादा देर लगती? ये कम्युनिस्ट और सोशलिस्ट नेता जो पहले कांग्रेस के ही सदस्य थे, स्वाधीनता-प्राप्ति के दो साल पहले तक जो कांग्रेस में थे, क्या उससे अलग होने पर अपने यहाँ भी हिन्दी का व्यवहार न करते? यदि ये विभिन्न पार्टियों के नेता अंग्रेज़ी के बिना अपना काम चलाने के आदी होते, तो क्या संविधान सभा में हिन्दी अंग्रेज़ी को लेकर इतनी बहस होती? क्या संविधान सभा हिन्दी को राष्ट्रभाषा स्वीकार करने के बाद पन्द्रह साल तक अंग्रेज़ी को चालू रखने का नियम बनाती? क्या पन्द्रह साल बीतने से पहले अंग्रेज़ी को आगे भी सह-राजभाषा—अमल में एकमात्र केन्द्रीय राजभाषा—बनाए रखने का कानून पास होता? क्या पन्द्रह साल बीतने पर अंग्रेज़ी को अनिश्चित काल तक क़ायम रखने की नौबत आती?

इससे आप समझ लीजिए कि कांग्रेस के अन्दर से अंग्रेज़ी हटाने का संघर्ष कितना महत्त्वपूर्ण था और यह संघर्ष चलाकर गांधी जी ने कितनी बड़ी वीरता और बुद्धिमत्ता का परिचय दिया था। उन्हें अपने संघर्ष में सफलता नहीं मिली, इससे यह भी समझ लीजिए कि अंग्रेज़ी के हिमायती इस देश में कितने शक्तिशाली हैं। गांधी जी को हिन्दू-मुस्लिम सम्प्रदायवाद खत्म करने में सफलता नहीं मिली, उन्हें देश का विभाजन रोकने में सफलता नहीं मिली, उन्हें सरकार और कांग्रेस के अन्दर से अंग्रेज़ी हटाने में सफलता नहीं मिली। इन तमाम असफलताओं को लिए हुए वह भारतीय प्रतिक्रियावाद की गोली खाकर संसार से चले गए। लेकिन रास्ता वही है जिस पर वह चले थे और उस रास्ते पर चलकर भारत एक दिन अवश्य विजयी होगा।

दिसम्बर, 1916। लखनऊ में कांग्रेस का इकतीसवाँ अधिवेशन। गांधी जी हिन्दी में बोलना शुरू करते हैं। 'इंग्लिश, प्लीज़!' की आवाज़ें आती हैं। वह सदस्यों से कहते हैं—साल-भर में हिन्दी अवश्य सीख लीजिए। अगले साल की कांग्रेस में अंग्रेज़ी न चलनी चाहिए।

1918 : वह कहते हैं : "हमारी राष्ट्रीय संस्थाओं में हिन्दी का ही व्यवहार होना चाहिए। कांग्रेस के नेता और कार्यकर्ता इस दिशा में बहुत-कुछ कर सकते हैं और उन्हें करना चाहिए। मैं चाहता हूँ कि यह सम्मेलन (हिन्दी साहित्य-सम्मेलन) कांग्रेस के दूसरे अधिवेशन के समय उसके सामने इस आशय का प्रस्ताव रखे।" ('थॉट्स ऑन नेशनल लैंग्वेज़', पृ. 12)

1921 : वह बंगाल और दक्षिण के लोगों से खास तौर से कहते हैं : "मैं आशा करता हूँ कि बंगाली और द्रविड़ लोग दूसरी कांग्रेस में (यानी कांग्रेस के अगले अधिवेशन में) काम लायक हिन्दी सीखकर आएँगे। हमारी यह महान् सभा जनता की शिक्षक तब तक नहीं बन सकती, जब तक वह ऐसी भाषा में न बोले, जिसे ज़्यादा-से-ज़्यादा जनता समझती हो।" (उप., पृ. 19)

1925 : कांग्रेस का नया विधान, धारा 33 : "जहाँ तक सम्भव होगा, कांग्रेस की कार्यवाही हिन्दुस्तानी में होगी। यदि कोई हिन्दुस्तानी न बोल सके या ज़रूरत पड़े तो अंग्रेज़ी तथा प्रान्तीय भाषा का व्यवहार भी किया जा सकेगा।" इस प्रस्ताव में अंग्रेज़ी-प्रेमियों पर तगड़ी पाबन्दी न लगाई गई थी, फिर भी जो लोग हिन्दी-हिन्दुस्तानी का व्यवहार करना चाहें, उनके लिए छूट थी।

1928 : गांधी जी ने श्री विजयराघवाचारी के इस कथन का उल्लेख किया कि "हम लोग उत्सुकता से उस दिन की राह देख रहे हैं जब हम हिन्दुस्तानी पहले होंगे, मद्रासी या बंगाली बाद को। वह दिन जल्दी आएगा यदि मद्रासी, जो इस मामले में सबसे ज़्यादा गाफिल हैं, बड़ी तादाद में हिन्दी सीखने लगें।" इसके बाद गांधी जी ने 'यंग इंडिया' में लिखा : "दक्षिण के लोगों को हिन्दी प्रचार-सभा के कारण हिन्दी सीखने के लिए हर तरह की सुविधा है। यदि भारत के लिए हमारे हृदय में वैसे ही सच्चा प्यार है, जैसे अपने प्रान्तों के लिए है तो हम अवश्य ही जल्दी सीख लेंगे और हमें यह अपमानजनक दृश्य न देखना पड़ेगा कि अखिल भारतीय कांग्रेस कमेटी की कार्यवाही—पूरी-की-पूरी नहीं तो अधिकांश—अंग्रेज़ी में हो रही है।" ('थॉट्स ऑन नेशनल लैंग्वेज़', पृ. 29)

1931 : "दक्षिण के लोग वादा कर चुके हैं कि अगले साल की कांग्रेस के लिए वे ऐसे प्रतिनिधि भेजेंगे जो हिन्दी में बोलेंगे और हिन्दी समझेंगे। हम अस्वाभाविक परिस्थितियों में न रहते होते तो दक्षिण के लोगों को हिन्दी सीखना बोझ न मालूम होता, व्यर्थ की बात तो और भी नहीं।" (उप., पृ. 30)

1937 : मद्रास में हिन्दी साहित्य-सम्मेलन के मंच से उन्होंने यह प्रस्ताव पेश किया कि सम्मेलन कांग्रेस से हिन्दी का व्यवहार करने की प्रार्थना करता है। उन्होंने प्रस्ताव पर बोलते हुए कहा : "हम राष्ट्रभाषा हिन्दी के समर्थन में प्रस्ताव पास करते रहें और कांग्रेस पुरानी लीक पर चलती रहे तो हमारे काम की रफ्तार बहुत धीमी होगी। इस प्रस्ताव में कांग्रेस से अपील की गई है कि यह अन्तर्प्रान्तीय भाषा

के रूप में अंग्रेज़ी का बहिष्कार करे। इसके अनुसार : अंग्रेज़ी को न तो प्रान्तीय भाषा, न हिन्दी की जगह देनी चाहिए।" (उप., पृ. 52)

अन्त में अपने और अन्य सहयोगियों के सुदीर्घ प्रयत्नों का विहंगावलोकन करते हुए उन्होंने अपने जीवन के अन्तिम चरण में लिखा : "1925 में कांग्रेस ने अपने कानपुर-अधिवेशन के प्रसिद्ध प्रस्ताव में इस अखिल भारतीय भाषा को हिन्दुस्तानी कहा। तब से कम-से-कम कहने-भर को हिन्दुस्तानी राष्ट्रभाषा हो गई है। कहने-भर को इसलिए कि कांग्रेसियों ने भी उस प्रस्ताव पर उस तरह अमल नहीं किया, जैसे उन्हें करना चाहिए था। 1920 में जमकर यह कोशिश शुरू हुई कि आम जनता की राजनीतिक शिक्षा के लिए भारतीय भाषाओं का महत्त्व पहचाना जाए, साथ ही एक अखिल भारतीय सामान्य भाषा का महत्त्व पहचाना जाए, जिसे राजनीति में प्रबुद्ध भारत आसानी से बोल सके और जिसे विभिन्न प्रान्तों के सदस्य कांग्रेस के अखिल भारतीय अधिवेशनों में समझ सकें। मुझे यह कहते हुए दुःख होता है कि बहुत-से कांग्रेसी जनों ने उस प्रस्ताव पर अमल नहीं किया। और इसलिए यह दृश्य उपस्थित होता है जो मेरी समझ में शर्मनाक है कि कंग्रेसमैन अंग्रेज़ी बोलने की ज़िद करते हैं और दूसरों को भी अपनी खातिर अंग्रेज़ी बोलने पर मजबूर करते हैं। अंग्रेज़ी का जादू अभी खत्म नहीं हुआ। उस जादू के असर से हम देश को अपने लक्ष्य की ओर बढ़ने से रोकते हैं। जनता के लिए हमारा प्रेम एकदम सतही है, यदि हम हिन्दुस्तानी सीखने के लिए उतने महीने भी नहीं देना चाहते जितने साल हम अंग्रेज़ी सीखने में लगाते हैं।" ('थॉट्स ऑन नेशनल लैंग्वेज़', पृ. 92)

भारत स्वाधीन हुआ। गांधी जी ने चेतावनी दी कि "सरकार और सेक्रेटेरियट सावधान न रहे तो सम्भव है कि अंग्रेज़ी हिन्दुस्तानी की जगह ले ले। इससे भारत की करोड़ों जनता का बेहद नुक़सान होगा जो अंग्रेज़ी समझ न पाएगी।" (उप., पृ. 168) उन्होंने प्रान्तीय भाषाओं को पुनर्जीवित करने की सलाह दी; साथ ही यह सुझाव रखा कि प्रान्तीय सरकारें ऐसे कर्मचारी रखें जो प्रान्तीय भाषा के साथ अन्तर्प्रान्तीय भाषा हिन्दुस्तानी भी जानते हों।

यह सब न हुआ क्योंकि जिन लोगों के हाथ में शासन की बागडोर थी, वे अपने राजनीतिक संगठन में अंग्रेज़ी का व्यवहार करते थे। जो विरोधी दल संसद में भारतीय लोकतंत्र के संचालन में शामिल हुए, वे भी अखिल भारतीय सम्पर्क के लिए अंग्रेज़ी का ही व्यवहार करते थे।

इसलिए जो लोग चाहते हैं कि स्वाधीन भारत में अंग्रेज़ी का प्रभुत्व खत्म हो, उन्हें पहला कदम यह उठाना चाहिए कि भारत के राजनीतिक दलों के केन्द्रीय दफ्तरों से अंग्रेज़ी निकालें, इनके अखिल भारतीय अधिवेशनों में अंग्रेज़ी का व्यवहार बन्द कराएँ, उनका अखिल भारतीय प्रचार-कार्य अंग्रेज़ी के माध्यम से

बन्द कराएँ। सबसे मुश्किल यह पहला कदम ही है। यदि एक बार भारतीय जनता यह कदम उठाने के लिए पार्टियों के नेताओं को बाध्य करे तो दूसरे कदम उठाना बहुत आसान हो जाएगा।

पहले पार्टियों के अन्दर से अंग्रेज़ी की जड़ काटिए।

फिर लोक सभा में अपने प्रतिनिधियों को भारतीय भाषाओं में बोलने—और अंग्रेज़ी छोड़ने—पर मजबूर कीजिए।

इसके बाद नौकरशाहों पर दबाव डालिए कि वे दफ्तरों से अंग्रेज़ी निकालें। जब नेता लोग अंग्रेज़ी का बहिष्कार कर देंगे तब मंत्री जी के सामने कोई फाइल अंग्रेज़ी में न आएगी। अफ़सर लोग लोक सभा का अनुसरण करेंगे। इस समय विश्वविद्यालय अखिल भारतीय सेवाओं से नत्थी हैं। शिक्षा का एक उद्‌देश्य और मुख्य उद्‌देश्य अफ़सर तैयार करना है। जब आई.ए.एस. में अंग्रेज़ी का चलन न होगा, तब विश्वविद्यालयों में भी अंग्रेज़ी का प्रभुत्व न रहेगा।

पार्टी—लोक सभा—नौकरशाही—यूनिवर्सिटियाँ, इस क्रम से अंग्रेज़ी के किलों पर हमला करना चाहिए।

गांधी जी की भाषा-नीति का पाँचवाँ सूत्र है—भारत का विकास और राष्ट्रीय एकता की रक्षा प्रादेशिक भाषाओं को दबाकर नहीं, उनके पूर्ण विकास से ही सम्भव है।

गांधी जी ने अपने राजनीतिक जीवन के आरम्भ से ही अंग्रेज़ी का विरोध किया और प्रान्तीय भाषाओं की हिमायत की। 1909 में ही उन्होंने प्रान्तीय भाषाओं और राष्ट्रभाषा का सम्बन्ध अच्छी तरह समझ लिया था। उन्होंने लिखा था : "हिन्दुस्तान में आजकल हिन्दू, मुसलमान, पारसी वगैरह 'अपने देश' की बात करने लगे हैं। इस समय मैं इस बात पर राजनीतिक दृष्टि से विचार नहीं कर रहा हूँ। भाषा की दृष्टि से यह ज़रूरी है कि इसके पहले कि हम अपने देश को अपना कहें, हमारे दिलों में अपनी भाषाओं के लिए प्रेम और आदर पैदा होना चाहिए। ऐसा मालूम होता है कि सारे भारत में लोग अपनी भाषाओं की ओर ध्यान देने लगे हैं। यह प्रसन्नता की बात है।" ('थॉट्स ऑन नेशनल लैंग्वेज', पृ. 188)

इस लेख में गुजरातियों को अंग्रेज़ी बोलने पर उन्होंने फटकारा। उन्होंने इस बात पर हर्ष प्रकट किया कि लोग गुजराती, मराठी, बंगला, उर्दू आदि की प्रगति के लिए संस्थाएँ बना रहे हैं।

सन् '15 में संग्रामपुर के विद्यार्थियों के सामने भाषण (जिसका उल्लेख पहले हो चुका है) करते हुए उन्होंने मातृभाषा की अवज्ञा करनेवालों की निन्दा की।

सन् '27 में जब हिन्दी प्रचार-आन्दोलन शक्तिशाली होने लगा था, उन्होंने स्पष्ट कर दिया कि "हिन्दी या हिन्दुस्तानी का उद्‌देश्य यह नहीं है कि वह प्रान्तीय भाषाओं की जगह ले ले। वह अतिरिक्त भाषा होगी और अन्तर्प्रान्तीय सम्पर्क के काम आएगी।" (उप., पृ. 26)

1935 में जब काका कालेलकर ने गांधी जी को बताया कि लोग यह कहते हैं कि हिन्दी-प्रचार का उद्देश्य प्रान्तीय भाषाओं का दमन है तब गांधी जी ने साहित्य-सम्मेलन के मंच से घोषित किया : "मेरा कहना बराबर यही रहा है कि प्रान्तीय भाषाओं का ज़रा भी अहित हम नहीं करना चाहते, उनका दमन या नाश करना तो दूर की बात है।" (उप., पृ. 38)

गांधी जी स्वयं गुजराती के श्रेष्ठ लेखक थे। उनकी प्रेरणा से गुजराती बुद्धिजीवियों ने अंग्रेज़ी का मोह छोड़ा और मातृभाषा की सेवा की। गुजराती भाषा के सेवक अंग्रेज़ी की गुलामी से मुक्त होने के कारण हिन्दी के समर्थक हुए। हिन्दी-भाषी प्रदेशों के नेता, विशेष कर उत्तर प्रदेश (भूतपूर्व संयुक्त प्रान्त) के अधिकांश कांग्रेसी और कम्युनिस्ट नेता गांधी जी की तरह मातृभाषा के सेवक नहीं थे। अंग्रेज़ी का प्रभुत्व क़ायम रखने में उनका बहुत हाथ रहा है। गांधी जी स्वयं गुजराती के समर्थ लेखक थे, इसलिए वह प्रान्तीय भाषाओं और हिन्दी का सम्बन्ध अच्छी तरह समझते थे।

सन् '36 में उन्होंने बंगलोर में कहा था : "लोगों ने एक हौवा खड़ा कर रखा है जिसे मैं आप लोगों के दिमाग से निकाल देना चाहता हूँ। क्या हिन्दी की शिक्षा कन्नड़ को हटाकर दी जाएगी? क्या यह सम्भावना है कि वह कन्नड़ की जगह ले ले? इसके विपरीत मेरा कहना है कि हम जितना ही हिन्दी-प्रचार करेंगे, उतना ही अपनी मातृभाषाओं के अध्ययन को और सशक्त बनाएँगे। इन भाषाओं की शक्ति और सामर्थ्य को और भी बढ़ा सकेंगे। मैं विभिन्न प्रान्तों में अपने अनुभव के आधार पर यह कहता हूँ।" ('थॉट्स ऑन नेशनल लैंग्वेज़', पृ. 50) गांधी जी खूब जानते थे कि प्रादेशिक भाषाओं का मुख्य अन्तर्विरोध अंग्रेज़ी से है, न कि हिन्दी से। उन्होंने मद्रास में कहा था : "अगर अंग्रेज़ी ने जनता की भाषाओं की जगह न ले ली होती तो आज वे अत्यन्त समृद्ध अवस्था में होतीं।" (1937; पृ. 52)

गांधी जी की नीति स्पष्ट थी किन्तु कांग्रेस के कुछ नेता, विशेष कर उत्तर प्रदेश के नेता, यह कहते थे कि उच्च शिक्षा और शासन-व्यवस्था में अंग्रेज़ी की तरह हिन्दी भी प्रादेशिक भाषाओं की जगह लेगी। इससे अंग्रेज़ी और भारतीय भाषाओं का मुख्य अन्तर्विरोध गौण हो जाता था, और हिन्दी-अहिन्दी भाषाओं का नया अन्तर्विरोध सामने आ जाता था। हिन्दी को राष्ट्रभाषा बनाने के जो हिमायती प्रादेशिक भाषाओं के हक मारकर उसे अंग्रेज़ी की जगह देने की बात कहते रहे हैं, वे हिन्दी के मार्ग में काँटे बिछाते रहे हैं और इससे लाभ हुआ है अंग्रेज़ी को।

गांधी जी जानते थे कि भारत ऐसा राष्ट्र है जिसमें अनेक भाषाएँ बोली जाती हैं। वह ब्रिटेन या फ्रांस की तरह एक भाषावाला राष्ट्र नहीं है। इसलिए वह इस पक्ष में थे कि भाषाओं के आधार पर राज्यों का पुनर्गठन हो जिससे प्रदेशों का राजकाज वहाँ की भाषाओं में हो सके। गांधी जी के कहने से जातीय इलाकों के आधार पर

कांग्रेस कमेटियों का संगठन किया गया था। स्वाधीनता-प्राप्ति के बाद गांधी जी ने लिखा : "प्रान्तीय भाषाओं को अपना पूर्ण विकास करना है तो भाषा के आधार पर प्रान्तों का पुनर्गठन आवश्यक है। हिन्दुस्तानी राष्ट्रभाषा होगी लेकिन वह प्रान्तीय भाषाओं की जगह न लेगी। वह प्रान्तों में शिक्षा का माध्यम न होगी—अंग्रेज़ी शिक्षा का माध्यम हो, इसका सवाल नहीं है। हिन्दुस्तानी का उद्देश्य यह होगा कि वह लोगों को महसूस कराए कि वे भारत के अभिन्न अंग हैं। बाहर के लोग हमें गुजराती, महाराष्ट्री, तमिल आदि कहकर नहीं जानते हैं। उनके लिए हम सब हिन्दुस्तानी हैं। इसलिए हमें सभी विघटनकारी प्रवृत्तियों को दृढ़ता से रोकना चाहिए। इस मुख्य बात को ध्यान में रखते हुए हम मानेंगे कि भाषावार प्रान्त बनाने से शिक्षा और व्यापार को प्रोत्साहन मिलेगा।" (1948; उप., पृ. 202)

केन्द्रीय सरकार ने भाषावार प्रान्त बनाने का प्रबल विरोध किया। तमिलनाडु और गुजरात के बड़े पूँजीपति यह नहीं चाहते थे कि उनके विशाल प्रान्त खंडित हों। इनके अंग्रेज़ी अख़बारों ने भाषावार प्रान्त-निर्माण का ज़ोरों से विरोध किया। गांधी जी ने कहा था कि भाषावार प्रान्त बनाने से शिक्षा और व्यापार को प्रोत्साहन मिलेगा। गांधी जी की निगाह छोटे व्यापारियों और पूँजीपतियों पर थी, जो बड़े प्रान्तों में उदीयमान इजारेदारों से पीड़ित थे। लेकिन दिल्ली की सरकार इन इजारेदारों की बात ज़्यादा सुनती थी, गांधी जी और मध्यम पूँजीपतियों की कम। यही कारण है कि उसने प्राणपण से महाराष्ट्र और आन्ध्र के नये प्रान्त बनाने के आन्दोलन का विरोध किया।

गांधी जी के नाम पर जनता से वोट लेनेवाला, गांधीवाद-विरोधी दिल्ली का सरकारी कांग्रेस-नेतृत्व भाषावार प्रान्त-निर्माण का विरोध करके हिन्दी का अहित और अंग्रेज़ी का हित कर रहा था। कुछ अहिन्दी-भाषियों में यह भय उत्पन्न हुआ कि उनकी भाषाओं का दमन किया जाएगा और उन पर हिन्दी लादी जाएगी। इधर दिल्ली सरकार के नेता जानते थे कि अंग्रेज़ी न आज जानेवाली है, न कल। फिर भी वे बराबर हिन्दी को राष्ट्रभाषा बनाने का दावा करते जाते थे क्योंकि इसके बिना विशाल हिन्दी-भाषी क्षेत्र से उन्हें वोट न मिल सकते थे।

इसमें कोई सन्देह नहीं कि भाषावार प्रान्त-निर्माण का विरोध करने में दिल्ली सरकार ने बड़े पूँजीपतियों के दबाव में आकर अपनी नीति निर्धारित की। इन बड़े पूँजीपतियों की साँठ-गाँठ ब्रिटेन के इजारेदारों से भी थी। दिल्ली सरकार भारत के बड़े पूँजीपतियों के अलावा जब-तब ब्रिटेन के इजारेदारों का रुख़ देखकर भी काम करती थी। ब्रिटिश पूँजीपति चाहते थे कि भारत में अंग्रेज़ी रहे। इससे एक तो भारत सांस्कृतिक रूप से ब्रिटेन के साथ नत्थी रहता है; दूसरे, अंग्रेज़ी किताबों की बिक्री के लिए इतना बड़ा बाज़ार ब्रिटिश प्रकाशकों के हाथ में बना रहता है! इसीलिए जो लोग भाषावार प्रान्त बनाने के विरोधी थे, वे अंग्रेज़ी के बहुत बड़े

समर्थक थे। दिल्ली सरकार न तो ब्रिटिश साम्राज्यवाद की दलाल थी, न वह केवल भारत के बड़े पूँजीपतियों की प्रतिनिधि थी। उसने भारत के उद्योगीकरण में, विशेष कर सरकारी उद्योग-धन्धों के निर्माण में, भारत की स्वतंत्र विदेश-नीति निर्धारित करने में और समाजवादी देशों से मैत्री-सम्बन्ध क़ायम करने में बहुत बड़ा योग दिया। फिर भी उसने भारत और ब्रिटेन के बड़े पूँजीपतिपों के हित में कुछ ग़लत कदम उठाए।

कुछ प्रगतिशील विचारक भाषावार प्रान्त-निर्माण के पक्ष में गांधी जी के विचार बड़े गर्व से उद्धृत करते हैं किन्तु गांधी जी ने अंग्रेज़ी हटाने के बारे में जो कुछ कहा था, उसे वे बड़े प्रेम से नज़रअन्दाज कर देते हैं। ये विचारक उन मध्यवर्गी बुद्धिजीवियों के प्रतिनिधि हैं जो केन्द्र में अंग्रेज़ी चालू रखकर अखिल भारतीय नौकरियों के उम्मीदवार हैं।

गांधी जी के नाम की दुहाई देकर केन्द्र में 'फिलहाल' अंग्रेज़ी चलाते रहने की बात करना हास्यास्पद है।

प्रान्तीय भाषाओं के सम्बन्ध में गांधी जी का यह उदार दृष्टिकोण ध्यान देने योग्य है कि अंग्रेज़ी की जगह जहाँ अन्तर्प्रान्तीय सम्पर्क के लिए लोग हिन्दी न बोल सकें, वहाँ वे प्रान्तीय भाषा का ही व्यवहार करें।

1942 में बनारस विश्वविद्यालय में गांधी जी ने हिन्दी में भाषण करते हुए कहा था : "यहाँ मंच पर एक के बाद दूसरा वक्ता आया और मैं अधीरता से राह देखता रहा कि कोई हिन्दी या उर्दू या हिन्दुस्तानी में, या संस्कृत में ही भाषण करे, यह न सही तो मराठी में या और किसी भारतीय भाषा में बोले। लेकिन मुझे यह सौभाग्य प्राप्त न हुआ। क्यों? इसलिए कि हम गुलाम हैं और उन्हीं की भाषा को छाती से चिपकाये हुए हैं जिन्होंने हमें गुलाम बना रखा है।"

विद्यार्थियों को लक्ष्य करके उन्होंने कहा : "ये ज़रा-जरा-सी बात पर हड़ताल कर देते हैं, भूख-हड़ताल कर देते हैं। ये राष्ट्रभाषा में शिक्षा पाने के लिए क्यों नहीं लड़ते? मुझे बताया गया है कि आन्ध्र प्रदेश के ढाई सौ विद्यार्थी हैं। उन्हें सर राधाकृष्णन् के पास जाना चाहिए और कहना चाहिए कि विश्वविद्यालय में एक आन्ध्र विभाग खोला जाए। वे राष्ट्रभाषा नहीं सीखना चाहते तो तेलगू के माध्यम से शिक्षा पाने की माँग करें।" ('थॉट्स ऑन नेशनल लैंग्वेज़', पृ. 92-93)

"राष्ट्रभाषा नहीं सीखना चाहते तो तेलगू के माध्यम से शिक्षा पाने की माँग करें"—इस सूत्र को आज की परिस्थितियों में लागू करें तो हम नेताओं से कहेंगे कि आप हिन्दी नहीं बोल सकते तो अपनी मातृभाषा में भाषण कीजिए। श्री कामराज नाडार इसी नीति का पालन करते हैं और तमिल में बोलते हैं। अनुवाद की व्यवस्था करके उन लोगों की कठिनाई दूर की जा सकती है जो हिन्दी का व्यवहार नहीं कर सकते या जान-बूझकर नहीं करना चाहते।

गांधी जी झरिया गए। सभा में हज़ारों मज़दूर थे। गांधी जी का अभिनन्दन अंग्रेज़ी में किया गया! इस पर उन्होंने 'यंग इंडिया' में लिखा : "अधिकांश श्रोता आसानी से हिन्दी समझ लेते और काफ़ी लोग बंगला समझ लेते। उस संघ के पदाधिकारी बंगाली थे। अगर उन्होंने अंग्रेज़ी का व्यवहार मेरे लिए किया तो बिलकुल अनावश्यक था। वे अभिनन्दन (या भाषण) बंगला में लिख सकते थे और मुझे उसका हिन्दी-अनुवाद दे देते। अंग्रेज़ी में भी अनुवाद करके दे सकते थे। लेकिन उतनी बड़ी सभा पर अंग्रेज़ी थोपना उसका अपमान करना था।"

इसके आगे दक्षिण भारत को लक्ष्य करके उन्होंने लिखा : "यह घटना सभाएँ संगठित करनेवालों के लिए हर जगह चेतावनी का काम करे, खास तौर से आन्ध्र, तमिलनाडु, केरल और कर्नाटक के सभा-संयोजकों को सावधान कर दे, यह मैं चाहता हूँ। मैं उनकी कठिनाई समझता हूँ। लेकिन छह साल से उनके बीच हिन्दी-प्रचार-सभा ज़ोरों से काम कर रही है। उनके भाषण प्रान्तीय भाषाओं में होने चाहिए और मेरी सुविधा के लिए उनके हिन्दी-अनुवाद दे देने चाहिए।" ('थॉट्स ऑन नेशनल लैंग्वेज़', पृ. 22-23)

गांधी जी ने यह सब सन् '27 में लिखा। तब से अब तक हिन्दी-प्रचार-सभा लाखों आदमियों को हिन्दी सिखा चुकी है। फिर भी वे या अन्य अहिन्दी-भाषी राष्ट्रभाषा का व्यवहार न कर सकें या न करना चाहें तो उन्हें अपनी मातृभाषा में बोलना चाहिए और उनके भाषण के अनुवाद की व्यवस्था होनी चाहिए।

27-28 जून को इस साल बरेली में साहित्य-सम्मेलन का जो अधिवेशन हुआ, उसके प्रस्ताव में कहा गया है : "केन्द्रीय सरकार और हिन्दी-भाषी राज्य सरकारों से उत्तर प्रदेश सरकार केवल हिन्दी में सम्पूर्ण पत्र-व्यवहार करे तथा इतर भाषी राज्य सरकारों से पत्र-व्यवहार मूल रूप से हिन्दी में करे और साथ में तत्क्षेत्रीय भाषा में रूपान्तर संलग्न कर दिया करे।" ('राष्ट्रभाषा सन्देश', इलाहाबाद; 8 जुलाई, 1965)

गांधी जी की नीति को वर्तमान परिस्थिति में कैसे अमली रूप दिया जाए, सम्मेलन का सुझाव इसकी बहुत अच्छी मिसाल है। प्रस्ताव में यह नहीं कहा गया कि उत्तर प्रदेश की सरकार अन्य प्रदेशों की सरकार से केवल हिन्दी में पत्र-व्यवहार करे, या हिन्दी के साथ अंग्रेज़ी में अनुवाद भेजे। प्रस्ताव में अंग्रेज़ी के मुक़ाबले प्रान्तीय भाषाओं को ऊँचा आसन दिया गया है। इस प्रकार अनुवाद की व्यवस्था करके अन्य प्रदेशों की सुविधा का ध्यान रखते हुए अंग्रेज़ी को हटाया जा सकता है।

गांधी जी ने कहा था कि आन्ध्र के विद्यार्थी राष्ट्रभाषा के माध्यम से शिक्षा पाना नहीं चाहते तो वे तेलगू में शिक्षा पाने की माँग करें। वे उत्तर प्रदेश के सांस्कृतिक केन्द्र काशी में प्रादेशिक-भाषा तेलगू और हिन्दी को समान अधिकार

देने के लिए तैयार थे। पाठक विचार करें, संयुक्त राष्ट्रसंघ का काम कैसे चलता है। वह विश्व-संस्था है। उसके सेक्रेटेरियट में न जाने कितनी भाषाओं में बोलनेवालों की बातों का हिसाब-किताब रखना पड़ता है। सेक्रेटेरियट में दुनिया की सभी भाषाओं में कार्यवाही नहीं दर्ज की जाती; न संयुक्त राष्ट्रसंघ ने अंग्रेज़ी को विश्व-भाषा मानकर केवल उसी में दफ्तर चलाने का नियम बनाया है। उसने अंग्रेज़ी, फ्रांसीसी, रूसी, चीनी और स्पेनी को बराबर अधिकार देकर उन्हें अपने काम-काज की भाषा बनाया है। हर भाषण का अनुवाद इन भाषाओं में एक साथ किया जाता है।

भारत में जब तक अहिन्दी प्रदेशों के नेता स्वेच्छा से हिन्दी स्वीकार नहीं करते, तब तक यदि हिन्दी, बंगला, तमिल, तेलगू और मराठी को समान रूप से केन्द्रीय भाषा मान लिया जाए, तो क्या यह समाधान हिन्दी-अहिन्दी नेताओं को मान्य न होना चाहिए?

यदि विश्व-संस्था का दफ्तर एक से अधिक भाषाओं में चल सकता है तो क्या हम लोक सभा में एक से अधिक भाषाओं में बोलने और पाँच स्वीकृत भाषाओं में भाषण के अनुवाद की व्यवस्था नहीं कर सकते? इसी तरह केन्द्रीय सरकारी दफ्तरों का काम एक से अधिक भाषाओं में हो सकता है।

गांधी जी ने लिखा था : "दक्षिण अफीका जैसे देश में अंग्रेज़ी और डच भाषाओं की टक्कर थी। अन्त में फैसला यह हुआ कि दोनों भाषाओं को बराबरी का दर्जा देना चाहिए।" ('थॉट्स ऑन नेशनल लैंग्वेज़', पृ. 24)

इसी तरह कनाडा में अंग्रेज़ी-फ्रांसीसी, बेल्जियम में फ्रांसीसी-फ्लेमिश, पाकिस्तान में उर्दू-बंगला, लंका में सिंहली-तमिल भाषाओं की टक्कर है। इन देशों में भाषा-समस्या का एक ही समाधान है कि दो भाषाओं को बराबर अधिकार देकर उन्हें केन्द्रीय भाषाएँ माना जाए।

जो लोग यह समझते हैं कि अंग्रेज़ी हटाने की माँग दूसरी भाषाओं पर ज़बर्दस्ती हिन्दी लादने की माँग है, उनके विचार और चिन्तन के लिए मेरा उपर्युक्त प्रस्ताव है। इसमें न तो केन्द्रीय सेवाओं के लिए सभी से एक भाषा सीखने का आग्रह है, न भारत की सभी भाषाओं को केन्द्रीय भाषा बना देने की माँग है। यह मध्यमार्गी प्रस्ताव है और अमल में लाया जा सकता है बशर्ते कि पहले कांग्रेस, कम्युनिस्ट पार्टी तथा अन्य दल अपने केन्द्रीय दफ्तरों से अंग्रेज़ी निकाल दें।

गांधी जी की भाषा-नीति का अन्तिम सूत्र है—हिन्दी-उर्दू बुनियादी तौर से एक ही भाषा हैं और आगे चलकर उनका एक ही सम्मिलित साहित्यिक रूप होगा।

हिन्दी-उर्दू की बुनियादी एकता के बारे में उन्होंने लिखा था : "हिन्दी और उर्दू या हिन्दुस्तानी में कोई भी फ़र्क़ नहीं है। दोनों का व्याकरण एक है। फ़र्क़ केवल लिपि का है। विचार कीजिए तो मालूम होगा कि हिन्दी, उर्दू और हिन्दुस्तानी—इन

तीन शब्दों से एक ही भाषा का बोध होता है। इनके शब्दकोश देखें तो पता चलेगा कि अधिकांश शब्द एक से हैं।" ('थॉट्स ऑन नेशनल लैंग्वेज़', पृ. 50)

गांधी जी ने जो कुछ लिखा था, वह बोलचाल की भाषा की दृष्टि से सही था। हिन्दी-उर्दू मूलत: एक ही भाषा हैं और आम जनता उनके व्यवहार में कोई भेद नहीं करती।

गांधी जी ने यह भी स्पष्ट कर दिया था कि उर्दू भाषा और लिपि केवल मुसलमानों की सम्पत्ति नहीं है। "ऐसे काफ़ी हिन्दू और अन्य धर्मों के लोग भी हैं जिनकी मातृभाषा उर्दू है और जो केवल उर्दू लिपि जानते हैं।" ('थॉट्स ऑन नेशनल लैंग्वेज़', पृ. 175)

इससे जो नतीजा निकलता है, वह यह कि उर्दू धार्मिक अल्पसंख्यकों की भाषा न होकर सांस्कृतिक अल्पसंख्यकों की भाषा है। वह स्वतंत्र भाषा नहीं, इसलिए उसकी तब तक रक्षा करनी चाहिए जब तक एक ही बोलचाल की भाषा के दोनों शिष्ट रूप घुल-मिलकर एक न हो जाएँ।

देश में हिन्दू-मुस्लिम समस्या अंग्रेज़ों के हाथ में बहुत बड़ा हथियार थी जिसे वे राष्ट्रीय आन्दोलन को तोड़ने के लिए इस्तेमाल करते थे। उर्दू का सम्बन्ध मुसलमानों के विशेषाधिकारों से जुड़ गया। उर्दू की रक्षा का प्रश्न—विशेष रूप से उसकी लिपि की रक्षा का प्रश्न—धार्मिक अल्पसंख्यकों की रक्षा का प्रश्न बन गया। गांधी जी ने हिन्दी-हिदुस्तानी का नारा देकर हिन्दुओं और मुसलमानों को मिलाने का भगीरथ प्रयत्न किया। किन्तु भाषा केवल बहाना थी; अलगाव के कारण दूसरे थे। बंगाल में उर्दू लिपि की रक्षा का प्रश्न न था; फिर उसका विभाजन हुआ। सिन्धी भाषा के लिए फ़ारसी लिपि का ही संशोधित रूप काम में आता था। फिर भी सिन्ध पाकिस्तान में गया। जिनकी भाषा उर्दू थी, वे यहीं रहे। उर्दू के दमन का नारा लगाकर मुस्लिम जनता को भड़काया गया; साम्राज्यवादियों और उनके साम्प्रदायिक सहायकों ने भाषा-समस्या से लाभ उठाकर राष्ट्रीय आन्दोलन को कमज़ोर किया।

इस परिस्थिति को बदलने का एक ही तरीका था, साम्राज्यवाद के ख़िलाफ़ आम जनता का संगठन किया जाए। उत्तर भारत में किसान-सभाओं और मज़दूर-संघों में एक ही भाषा का व्यवहार किया जाए, इन जन-संगठनों में फ़ारसी संस्कृत शब्दों के व्यवहार पर रोक न लगाकर एक ही लिपि देवनागरी के व्यवहार पर ज़ोर दिया जाए। एक लिपि के माध्यम से जो किसान-मज़दूर अपना राजनीतिक-सांस्कृतिक काम करते, वे अरबी-संस्कृत के शब्दों की छँटाई खुद कर लेते। वे लेखक जो मार्क्सवाद से प्रभावित थे, हिन्दी-उर्दू साहित्य का प्रकाशन एक ही लिपि देवनागरी में करके दोनों के बीच का फासला कम करने में मदद दे सकते थे। गांधी जी गुजराती थे। वह आधुनिक हिन्दी साहित्य से बहुत कम परिचित थे। उर्दू साहित्य के

विकास से और भी कम परिचित थे। उत्तर प्रदेश के प्रगतिशील लेखक गांधी जी की बहुत बड़ी मदद कर सकते थे। लेकिन इन लेखकों की भाषा-नीति में ख़ामियाँ थीं जिनकी चर्चा अन्य निबन्ध में है।

हिन्दी-उर्दू का भेद नगण्य नहीं था। पंडिताऊ हिन्दी और मौलवियाना उर्दू की निन्दा करके यह भेद समाप्त न किया जा सकता था। कोशों से शब्द चुनकर साल-दो साल में एक सामान्य शिष्ट भाषा गढ़ी न जा सकती थी। गांधी जी भारत की तमाम भाषाओं के लिए एक लिपि के व्यवहार पर ज़ोर देते थे। किन्तु राष्ट्रभाषा हिन्दुस्तानी के लिए वह दोनों लिपियों का व्यवहार आवश्यक बतलाते थे। वह जानते थे और कहते थे कि देवनागरी लिपि अधिक वैज्ञानिक है और आगे चलकर वही रहेगी। उर्दू लिपि और उर्दू साहित्य को सुरक्षित रखने की बात सही थी। किन्तु यदि एक ही किसान-सभा में पचास आदमी हिन्दी में अपना काम करते हैं और दस आदमी उर्दू में, तो इससे किसानों का वर्ग-संगठन कमज़ोर होता है। सारे देश में राष्ट्रभाषा की दो लिपियाँ हों, तो इससे सारे देश का काम कठिन हो जाता है। सारे देश के शिक्षित लोग दोनों लिपियाँ सीखें, राष्ट्रभाषा दोनों ही लिपियों में लिखी जाए, यह बात अव्यावहारिक थी।

व्यावहारिक बात यह थी कि हिन्दी-उर्दू की लिपियों को बराबरी का दर्जा न देकर एक को प्रधान और प्रादेशिक व्यवहार के लिए स्वीकार किया जाए और दूसरी को अल्पसंख्यकों के लिए आवश्यक मानकर संरक्षण प्रदान किया जाए। यदि उर्दू को मुसलमानों की लिपि मान ही लिया जाए तो भी वह अल्पसंख्यकों की लिपि होगी; उसे देवनागरी का दर्जा देना ग़लत था।

हिन्दू और मुस्लिम सम्प्रदायवादियों से भिन्न गांधी जी हिन्दी-उर्दू की बुनियादी एकता में विश्वास करते थे और समझते थे कि जब साम्प्रदायिक तनाव कम हो जाएगा, तब दोनों शैलियाँ घुल-मिलकर एक हो जाएँगी। उन्होंने सन् '27 में लिखा था : "जब तक हिन्दू-मुस्लिम तनाव बना हुआ है, तब तक वह कभी फ़ारसी-अरबी शब्दों से लदी हुई फ़ारसी लिपि में लिखी जानेवाली उर्दू का रूप लेता है, कभी संस्कृत शब्दों से लदी हुई देवनागरी लिपि में लिखी जानेवाली हिन्दी का रूप लेता है। जब दोनों के दिल मिलेंगे तब एक ही भाषा के ये दो रूप घुल-मिलकर एक हो जाएँगे और इस भाषा में संस्कृत, फ़ारसी, अरबी या अन्य भाषाओं के उतने ही शब्द होंगे जितने उसके पूर्ण विकास और पूर्ण व्यंजना-शक्ति के लिए दरकार होंगे।" ('थॉट्स ऑन नेशनल लैंग्वेज़', पृ. 26-27)

इन वाक्यों में ज़ोर भाषा की मूल प्रकृति पर है। कितने शब्द किस भाषा से लिये जाएँगे, यह भाषा के अपने विकास पर, उसके बोलनेवालों के विकास पर निर्भर है; इसका फैसला कोशकार नहीं कर सकते। लेकिन दोनों मिलेंगी ज़रूर, गांधी जी का यह दृढ़ विश्वास था। उनका यह विश्वास बिलकुल सही था। बंगाल

के विभाजन से बंगला के दो रूप नहीं हो गए, पंजाब के बँटवारे से दो पंजाबी भाषाएँ नहीं बन गईं। भाषाओं के विकास के नियम साम्राज्यवादी योजनाओं से ज़्यादा शक्तिशाली हैं। उर्दू पाकिस्तान की नहीं, हिन्दुस्तान की भाषा है। हम उसका संरक्षण करेंगे, साथ ही हिन्दी-उर्दू का भेद मिटाने का प्रयत्न भी करेंगे। हिन्दी-उर्दू लिखने-बोलनेवालों का प्रदेश एक, जाति एक, आर्थिक सम्बन्ध एक। बोलचाल की भाषा के दोनों साहित्यिक रूपों को एक दिन मिलना ही होगा।

गांधी जी की भाषा-नीति के ये छह महत्त्वपूर्ण सूत्र हैं जिन्हें आज की परिस्थितियों में विवेक से लागू करके हम भाषा-समस्या के सही समाधान की ओर बढ़ सकते हैं।

[1965]

# परिशिष्ट-2

1

# प्रेमचन्द और भाषा-समस्या

प्रेमचन्द ने भाषा के सम्बन्ध में काफ़ी विचार किया था और उसके सम्बन्ध में लिखा भी काफ़ी है। जब उन्होंने उर्दू छोड़कर हिन्दी में लिखना शुरू किया था तब भी उनके सामने भाषा का प्रश्न महत्त्वपूर्ण होकर आया था। इसीलिए 'सेवासदन' में भी हम उन्हें इस विषय पर सोचते-विचारते देखते हैं। डॉ. श्यामाचरण मोटर से उतरकर अंग्रेज़ी में अपने देर होने की क्षमा चाहते हैं, तब कुँवर साहब उन्हें याद दिलाते हैं : "डॉक्टर साहब, आप भूलते हैं, यह काले आदमियों का समाज है।" डॉक्टर साहब अंग्रेज़ी को देश की लिंगुआ फ्रांका मानते हैं, परन्तु कुँवर साहब इसका कारण देश के कुछ अंग्रेज़ी-भक्तों को बताते हैं। अंग्रेज़ी से कुँवर साहब को "ऐसी ही घृणा होती है, जैसी किसी अंग्रेज़ के उतारे कपड़े पहनने से।"

उर्दू और हिन्दी का प्रश्न प्रेमचन्द के सामने ताज़ा था। उसके बारे में कुँवर साहब कहते हैं : "फारस और काबुल के मूर्ख सिपाहियों और हिन्दू व्यापारियों के समागम से उर्दू जैसी भाषा का प्रादुर्भाव हो गया। अगर हमारे देश के भिन्न-भिन्न प्रान्तों के विद्वज्जन अपनी ही भाषा में सम्भाषण करते तो अब तक कभी एक सार्वदेशिक भाषा बन गई होती।"

दिसम्बर, 1931 के 'हंस' में एक पुस्तक की आलोचना करते हुए प्रेमचन्द ने लिखा था : "साहित्य-मंडल ने उर्दू के केन्द्र दिल्ली में हिन्दी प्रकाशन का भार उठाया है, यह उद्योग प्रशंसनीय है।" प्रेमचन्द हिन्दी-उर्दू का भेद मिटाने के पक्ष में थे क्योंकि वास्तव में भाषाएँ दोनों एक हैं। इसके लिए वह काफ़ी उदारता से काम लेना चाहते थे। भाषा शुद्ध ही हो, इसके वह कायल न थे। परन्तु राष्ट्रभाषा को कुछ गिने-चुने आदमियों की न होकर देश के समूह की समझ में आनेवाली होना चाहिए, जैसा उन्होंने 'हंस' में लिखा था : "राष्ट्रभाषा केवल रईसों और अमीरों की भाषा नहीं हो सकती। उसे किसानों और मज़दूरों की भाषा बनना पड़ेगा।" कौन-सी भाषा किसानों और मज़दूरों की भाषा बन सकती है, यह उनकी कहानियों और उपन्यासों के ही किसान-मज़दूरों की भाषा देखकर बताया जा सकता है।

अन्य भाषा-भाषियों की सुगमता के लिए वह हिन्दी का शब्दकोश बढ़ाना चाहते थे परन्तु वह ऐसे शब्द लेने के पक्ष में न थे जिनसे हिन्दी हिन्दी न रहे। नवम्बर, '35 के 'हंस' में उन्होंने लिखा था : "इसका ध्यान रखना पड़ेगा कि अपना कोश बढ़ाने की धुन में वह अपना रूप ही न खो बैठे...हिन्दी की एक मर्यादा है, और उसका चाहे जितना भी विस्तार हो, उसकी इस मर्यादा की रक्षा होनी आवश्यक है।" इन शब्दों में उन्होंने अपने जीवन-पर्यन्त के अनुभव और चिन्तन का सार रख दिया है।

सरल भाषा लिखने के पक्षपाती होते हुए भी प्रेमचन्द साहित्यिक की कठिनाइयों को जानते थे। उन्होंने स्वीकार किया है : दर्शन, विज्ञान आदि में और कथा-साहित्य में भी जहाँ वह विवेचनात्मक हो जाता है, जनसाधारण की भाषा से अलग कठिन शब्द अपनाने पड़ते हैं। भाषा-काठिन्य के विरुद्ध कुछ लोगों की तरह आवाज़ न उठाकर प्रेमचन्द ने जनसाधारण में ही अधिकाधिक भाषा और साहित्य के प्रचार पर ज़ोर दिया है। जो लोग उच्चकोटि का गम्भीर साहित्य रचनेवालों की भाषा-सम्बन्धी कठिनाइयों को न समझकर उस पर तुरन्त ही दुरूहता, अस्वाभाविकता आदि का आक्षेप कर बैठते हैं, उन्हें प्रेमचन्द के इन शब्दों को ध्यान में रखना चाहिए : "जब तक जनता में शिक्षा का अच्छा प्रचार नहीं हो जाता, उसकी व्यावहारिक शब्दावली बढ़ नहीं जाती, हम उसके समझने लायक भाषा में तात्त्विक विवेचनाएँ नहीं लिख सकते।" शिक्षा का प्रचार होने पर वही कठिन शब्द "जिन्हें देखकर आज हम भयभीत हो जाते हैं, जब अभ्यास में आ जाएँगे तो उनका हौवापन जाता रहेगा।" ('हंस', जनवरी, 1935)

राष्ट्रभाषा के राजनीतिक महत्त्व को वह पूरी तरह स्वीकार करते थे और इसके लिए उन्होंने नेताओं पर यह दोष भी लगाया है कि वे इस सम्बन्ध में अधिक सचेष्ट नहीं रहे। "जब हमारे नेता हिन्दी साहित्य से बेख़बर-से हैं, जब हम लोग थोड़ी-सी अंग्रेज़ी लिखने की सामर्थ्य होते ही हिन्दी को तुच्छ और ग्रामीणों की भाषा समझने लगते हैं, तब यह कैसे आशा की जा सकती है कि हिन्दी में ऊँचे दर्जे के साहित्य का निर्माण हो?" ('हंस', जनवरी, 1936)

फिर भी उनका विचार था : देश का साहित्य यदि उन्नति कर सकता है तो राष्ट्रभाषा के द्वारा ही, अन्य उपभाषाओं से नहीं। राष्ट्रभाषा का साहित्य अन्तरराष्ट्रीय प्रतिद्वन्द्विता में ठहर सकेगा, दूसरा नहीं। "यह स्वप्न देखना कि भारत की सभी प्रान्तीय भाषाएँ संसार की समुन्नत भाषाओं के बराबर हो सकती हैं, भूल है। एक राष्ट्र एक ही भाषा को लेकर अन्तरराष्ट्रीय संघों के सामने खड़ा हो सकता है।" ('हंस', नवम्बर, 1935)

इससे मालूम होता है, राष्ट्रभाषा के प्रश्न को प्रेमचन्द कितना महत्त्वपूर्ण समझते थे और उसके साहित्य की उन्नति के लिए उनमें कैसी उत्कट अभिलाषा थी। उसी लगन से साहित्य रचकर उन्होंने राष्ट्रभाषा का मस्तक भी ऊँचा किया है।

लिपि के सम्बन्ध में उन्होंने विशेष कुछ विवेचनात्मक नहीं लिखा, परन्तु जैसे भाषा के सम्बन्ध में उनकी पहली कसौटी बोधगम्यता की है, उसी प्रकार लिपि के लिए उन्होंने पहले-पहल उसका सरल और सुबोध होना आवश्यक समझा है। इसलिए उन्होंने देवनागरी लिपि का ही समर्थन किया था : "हिन्दुस्तानी भाषा के लिए हिन्दी लिपि रखना ही सुविधा की बात है।" ('हंस', नवम्बर, 1935)

[1940]

## 2

प्रेमचन्द ने साहित्यकारों के लिए लिखा था कि उन्होंने क़ौम की तारीख़ बनाई है, उसकी संस्कृति बनाई है। प्रेमचन्द किस क़ौम की तारीख़ बनानेवाले साहित्यकार थे? वैसे तो उनके साहित्य का आदर सारे हिन्दुस्तान में हुआ है लेकिन वह ख़ास तौर से हिन्दी-भाषी जाति के लेखक थे। वह हिन्दुस्तानी क़ौम की तारीख़ बनानेवाले साहित्यकार थे। उन्होंने हिन्दी और उर्दू, दोनों ही में रचनाएँ कीं। हिन्दी और उर्दू के लेखकों को नज़दीक लाने में, हिन्दी और उर्दू के सामन्ती साहित्य का मुक़ाबला करने में, हिन्दी और उर्दू के नये साहित्य में आज़ादी और जनतंत्र के भाव और विचार भरने में प्रेमचन्द ने हमारी जाति की अद्वितीय सेवा की है। तुलसीदास के बाद हिन्दी के वह सबसे बड़े साहित्यकार थे जिन्हें हमारी किसान-जनता ने अपनाया। जहाँ-जहाँ हिन्दी-उर्दू पढ़नेवालों ने प्रेमचन्द की रचनाओं में रस लिया, वहाँ-वहाँ जातीय एकता का भाव और मज़बूत हुआ।

हिन्दुस्तानी क़ौम की एकता में हिन्दी-उर्दू का विवाद एक बहुत बड़ी बाधा बना हुआ था। प्रेमचन्द इसके लिखनेवालों को दो क़ौमों का लेखक न मानते थे। वह उन्हें नज़दीक लाना चाहते थे जिससे कि एक मिली-जुली साहित्यिक भाषा का चलन हो सके। दिल्ली में हिन्दुस्तानी सभा के स्थापित होने पर उन्होंने उसका स्वागत किया था क्योंकि उसमें हिन्दी और उर्दू के लेखक एक साथ बैठते और बहस करते थे। हिन्दी-उर्दू के लेखकों का परस्पर मिलना-जुलना और एक साथ भाषा और साहित्य की समस्याओं पर विचार करना उनकी नज़र में कितना ज़रूरी था, यह 'हिन्दुस्तानी सभा' पर उनकी टिप्पणी से ज़ाहिर होता है। इसमें उन्होंने लिखा था : "जब उर्दू का अदीब अपनी कोई रचना ऐसे समाज के सामने पढ़ेगा, जिसमें हिन्दी के लेखक भी शरीक हैं, तो वह ऐसी भाषा लिखने की कोशिश करेगा जो हिन्दीवालों की समझ में आए। इसी तरह हिन्दी का लेखक उर्दू के अदीबों की मंडली में अपनी भाषा को सुबोध रखने पर मजबूर होगा।" इस तरह के परस्पर प्रभाव और आदान-प्रदान से वह एक मिली-जुली साहित्यिक शैली के विकास की आशा करते थे।

इस तरह के प्रयोग की सफलता एक दूसरी बात पर भी निर्भर है और वह यह कि इस तरह की सभाओं में शामिल होनेवाले लेखक किस हद तक जनता के लिए लिखते हैं और किस हद तक अपने जीवन में जनता के नज़दीक हैं। जनता के लिए न लिखने पर साहित्यकार उसी पुरानी लफ़्फ़ाजी और उन्हीं पुराने अलंकारों की दुनिया में चक्कर लगाता रहता है और तब हिन्दी और उर्दू के लेखक एक-दूसरे से सीखने के बदले एक-दूसरे के कठिन शब्दों को ढूँढ़ने में लग जाते हैं। एक मिली-जुली साहित्यिक भाषा के ज़रिये क़ौम की सेवा करने और उसको संगठित करने का सवाल पीछे पड़ जाता है। जहाँ पर हिन्दी-उर्दू लेखकों के मिलकर काम करने और सभाएँ चलाने के काम पूरी तरह सफल नहीं हुए, वहाँ असफलता का मुख्य कारण जनता से लेखकों के अलगाव को समझना चाहिए।

एक साहित्यिक शैली गढ़ने के पक्ष में होते हुए भी प्रेमचन्द उसे गढ़ने की कठिनाइयों को जानते थे। 'भारतीय साहित्य परिषद्' में हिन्दुस्तानी को जगह न देने पर मौलाना अब्दुल हक़ की आलोचना का जवाब देते हुए उन्होंने जून, सन् '36 के 'हंस' में लिखा था : "और जो हिन्दुस्तानी अभी व्यवहार में नहीं आई, उसके और ज़्यादा हिमायती नहीं निकले तो कोई ताज्जुब नहीं। जो लोग हिन्दुस्तानी का वकालतनामा लिये हुए हैं, और उनमें एक इन पंक्तियों का लेखक भी है। वे भी अभी तक हिन्दुस्तानी का कोई रूप खड़ा नहीं कर सके। केवल उसकी कल्पना-मात्र कर सके हैं यानी वह ऐसी भाषा हो, जो उर्दू और हिन्दी, दोनों ही के संगम की सूरत में हो; जो सुबोध हो और आम बोलचाल की हो।"

इससे नतीजा यही निकलता था कि एक मिली-जुली साहित्यिक शैली के लिए वक्त की ज़रूरत थी। हिन्दी को बहुत ज़्यादा संस्कृतमय और उर्दू को फ़ारसी-अरबीमय बनाने का विरोध करना सही था लेकिन हिन्दी और उर्दू की जो दो शैलियाँ चल रही थीं, उन्हें एकाएक छोड़ा नहीं जा सकता था। प्रेमचन्द हिन्दी और उर्दू, दोनों में लिखते थे और उनकी हिन्दी-उर्दू में भेद भी रहता था। इस पर कुछ लोगों ने उन पर यह तोहमत लगाई कि वह मुँह से तो हिन्दुस्तानी की हिमायत करते हैं, अमल से हिन्दी का प्रचार करते हैं।

'हंस' के 'प्रेमचन्द-स्मृति अंक' में श्री अशफ़ाक़ हुसेन ने एक दिलचस्प घटना का जिक्र किया है। "अलीगढ़ से 'सुहैल' नाम का एक उर्दू अख़बार निकलता है। उसमें छापने के लिए प्रेमचन्द जी ने अपनी दो रचनाएँ भेजी थीं, जिनमें एक तो हिन्दी में थी और दूसरी उर्दू में। इसके लिए एक साहब ने प्रेमचन्द के बारे में बहुत-सी उल्टी-सीधी बातें लिख डाली थीं। उनकी हिन्दीवाली रचना में तो संस्कृत के कई शब्द थे और उर्दूवाली रचना में उससे भी अधिक फ़ारसी के शब्द थे। इसकी आलोचना जिस तरह के लोगों को करनी चाहिए थी, उसी

तरह के लोगों ने की थी और कहा था कि 'प्रेमचन्द जी दोरुखी चालें चलते हैं, दोनों तरफ मिले रहना चाहते हैं और दोनों तरफ से अच्छे बने रहना चाहते हैं।"

अगर प्रेमचन्द का यह दावा होता कि हिन्दी-उर्दू का बायकाट करके, तुरन्त हिन्दुस्तानी रायज़ की जा सकती है, तो शायद इस आलोचना में कुछ तथ्य होता। लेकिन जैसाकि हम देख चुके हैं, प्रेमचन्द हवाई सिद्धान्तकार नहीं थे; वह अमल में तुरन्त एक मिली-जुली भाषा-शैली ईजाद करने की कठिनाइयों को जानते थे। इसलिए हिन्दी और उर्दू, दोनों में कुछ हेर-फेर के साथ लिखने की उनकी नीति सही थी; बोलचाल की क़ौमी ज़बान हिन्दुस्तानी का समर्थन करना भी ठीक था।

'प्रेमचन्द-स्मृति अंक' में श्री मोहम्मद आक़िल ने इस तरह की दूसरी घटना का जिक्र किया है। "इस सिलसिले में देहली के रिसाले 'साक़ी' ने जो तनक़ीद की थी कि प्रेमचन्द जी उर्दू के लिए मरहूम हो चुके हैं, उसके बारे में हँसकर कहने लगे कि 'साक़ी' के एडीटर को मैंने लिखा है कि मैं उर्दू के लिए न सिर्फ ज़िन्दा हूँ बल्कि ज़्यादा ज़ोरों से जी रहा हूँ।" प्रेमचन्द उन थोड़े-से लेखकों में थे जिनमें हिन्दी-उर्दू को लेकर बढ़ा-चढ़ी का भाव नहीं था। यह भाव तब पैदा होता है जब लेखक के दिमाग में हिन्दी-उर्दू के पीछे हिन्दुस्तानी क़ौम नहीं होती बल्कि हिन्दू धर्म और इस्लाम होता है। प्रेमचन्द ने अपने अमल से दिखलाया कि साहित्य का जातीय रूप समृद्ध करने से, उसमें जनवादी विचारों का समावेश करने से भाषा की समस्या हल करने में मदद मिलती है। प्रेमचन्द के जल्दबाज़ आलोचक, जो तुरन्त हिन्दुस्तानी रायज़ करना चाहते थे, इस दिशा में ऐसा कोई बड़ा काम नहीं कर पाए।

प्रेमचन्द ने राष्ट्रभाषा और हिन्दुस्तान के सम्बन्ध में जो भाषण दिये थे, उनमें एक तरफ तो साम्राज्यवादियों की गुलामी के हर रूप से बेहद नफ़रत ज़ाहिर होती है, दूसरी तरफ हर जगह उनका यह दृढ़ विश्वास भी ज़ाहिर होता है कि हिन्दी और उर्दू एक ही क़ौम की ज़बान हैं और इनका एक होना लाज़मी है।

प्रेमचन्द को देश के सामाजिक और सांस्कृतिक जीवन में अंग्रेज़ी भाषा की प्रभुता खलती थी। यह उनकी साम्राज्य-विरोधी राष्ट्रीय चेतना, उनके आत्मसम्मान की भावना का ज़बर्दस्त सबूत था। किसी ने साम्राज्यवादियों की अंग्रेज़ी लादने की नीति के ख़िलाफ़, बुद्धिजीवियों ने इस नीति के सामने सिर झुकाने की नीति के ख़िलाफ़ इतने रोष और तर्क के साथ बग़ावत की थी, जैसे प्रेमचन्द ने। सन् '34 में बम्बई के राष्ट्रभाषा-सम्मेलन में उन्होंने पशुओं और मनुष्यों में यह भेद बतलाया कि मनुष्य भाषा इस्तेमाल करते हैं, पशु नहीं करते। "समाज की बुनियाद भाषा है।"—इस महत्त्व की जगह से अंग्रेज़ी यहाँ की भाषाओं को हटाने की कोशिश करती रही थी। सारे देश के लोग आपस में किस भाषा का व्यवहार करें, इस बारे में नेताओं वगैरह की उदासीनता का जिक्र करते हुए उन्होंने इस सम्मेलन में कहा

था : "इस लापरवाही का ख़ास सबब है—अंग्रेज़ी ज़बान का बढ़ता हुआ प्रचार और हममें आत्मसम्मान की वह कमी, जो गुलामी की शर्म को नहीं महसूस करती।"

किसी भी देश और जाति की उन्नति में वह आत्मसम्मान की भावना जनता में जोश भर देती है, उसे संगठित होकर नये-नये मोर्चे फतह करने में बेहद मदद देती है। प्रेमचन्द का स्वाभिमान यह देखकर तिलमिला उठता था कि गुलाम देश के बुद्धिजीवी अपने मालिकों की भाषा पर अभिमान करते हैं। अंग्रेज़ी भाषा के प्रभुत्व को उन्होंने साम्राज्यवादी प्रभुत्व का ही अटूट हिस्सा बतलाते हुए कहा था : "अंग्रेज़ी राजनीति का, व्यापार का, साम्राज्यवाद का हमारे ऊपर जैसा आतंक है, उससे कहीं ज़्यादा अंग्रेज़ी भाषा का है। अंग्रेज़ी राजनीति से, व्यापार से, साम्राज्यवाद से तो आप बग़ावत करते हैं, लेकिन अंग्रेज़ी भाषा को आप ग़ुलामी के तौक़ की तरह गर्दन में डाले हुए हैं।"

प्रेमचन्द के इन उचित क्रोध से भरे हुए वाक्यों के सामने कोई दलील कारगर नहीं हो सकती। सवाल है राष्ट्रीय आत्मसम्मान का। कौन-सा देश, जो स्वाधीन है या स्वाधीनता के लिए लड़ रहा है, हमारी तरह दूसरों की ज़बान को अपने राजकाज की ज़बान बनाए हुए है? प्रेमचन्द ने उन लोगों को कड़ी फटकार बताई जो इस ग़ुलामी पर नाज़ करते थे। उन्होंने तमाम अंग्रेज़ी-भक्तों पर घड़ों पानी उड़ेलते हुए कहा था : "अंग्रेज़ी राज्य की जगह आप स्वराज्य चाहते हैं। उनके व्यापार की जगह अपना व्यापार चाहते हैं; लेकिन अंग्रेज़ी भाषा का सिक्का हमारे दिलों पर बैठ गया है, उसके बिना हमारा पढ़ा-लिखा समाज अनाथ हो जाएगा! पुराने समय में आर्य और अनार्य का भेद था, आज अंग्रेज़ीदाँ और ग़ैर-अंग्रेज़ीदाँ का भेद है। अंग्रेज़ीदाँ आर्य है। उसके हाथ में, अपने स्वामियों की कृपा-दृष्टि की बदौलत कुछ अख़्तियार हैं, रौब है, सम्मान है; ग़ैर-अंग्रेज़ीदाँ अनार्य है और उसका काम केवल आर्यों की सेवा-टहल करना है और उनके भोग-विलास और भोजन के लिए सामग्री जुटाना है।" प्रेमचन्द ने भारत के अंग्रेज़ी-प्रेमी आर्यों के लिए ये शब्द अठारह साल पहले कहे थे। उनका महत्त्व आज भी कम नहीं हुआ।

प्रेमचन्द हिन्दी-उर्दू को एक ज़बान मानते थे। राष्ट्रभाषा सम्मेलन वाले भाषण में उन्होंने हिन्दी-उर्दू का भेद संस्कृत और फ़ारसी शब्दों के प्रयोग पर निर्भर बतलाया था। इस भाषण में उन्होंने हिन्दी की बोलियों के स्वभाव की तरफ ध्यान दिलाया था कि किस तरह वे संस्कृत शब्दों को ज्यों-का-त्यों नहीं लेतीं। उन्होंने इस कुतर्क का ज़ोरों से खंडन किया कि हिन्दी में संस्कृत शब्दों की भरमार करने से वह सभी प्रान्तों के लोगों के लिए आसान हो जाएगी।

हिन्दी-उर्दू की बुनियादी एकता के बारे में प्रेमचन्द कहते हैं : "हमारे सूबे के देहातों में रहनेवाले मुसलमान प्राय: देहातियों की भाषा ही बोलते हैं। जो बहुत-से मुसलमान देहातों से जाकर शहरों में आबाद हो गए हैं, वे भी अपने घरों में देहाती

ज़बान ही बोलते हैं। बोलचाल की हिन्दी समझने में न तो साधारण मुसलमानों को ही कोई कठिनाई होती है और न बोलचाल की उर्दू समझने में साधारण हिन्दुओं को ही। बोलचाल की हिन्दी और उर्दू प्राय: एक-सी हैं।"

यहाँ पर प्रेमचन्द ने इस अवैज्ञानिक सिद्धान्त का खंडन किया है कि भाषा का आधार धर्म है और इसलिए हिन्दुओं की भाषा हिन्दी है और मुसलमानों की भाषा उर्दू है। उन्होंने धर्म के नाम पर भाषा और क़ौम का बँटवारा करनेवाले साम्राज्यवादी और सामन्ती भाषा-वैज्ञानिकों का खंडन किया और हिन्दुस्तानी जाति की भाषा और संस्कृति के विकास में बहुत बड़ी मदद की। इस जाति की भाषा की लिपि के लिए वह देवनागरी लिपि के पक्षपाती थे। राष्ट्रभाषा-सम्मेलन में उन्होंने कहा था : "प्रान्तीय भाषाओं को हम प्रान्तीय लिपियों में लिखते जाएँ, कोई एतराज नहीं; लेकिन हिन्दुस्तानी भाषा के लिए हिन्दी लिपि रखना ही सुविधा की बात है, इसलिए नहीं कि हमें हिन्दी लिपि से ख़ास मोह है; बल्कि हिन्दी लिपि का प्रचार बहुत ज़्यादा है और उसके सीखने में भी किसी को दिक़्क़त नहीं हो सकती। और जो लोग उर्दू लिपि के आदी हैं, उन्हें हिन्दी लिपि का व्यवहार करने के लिए मजबूर नहीं किया जा सकता। अगर ज़बान एक हो जाए, तो लिपि का भेद कोई महत्त्व नहीं रखता।"

हिन्दी-उर्दू को एक करने, क़ौमी भाषा और संस्कृति का नया विकास करने की ज़िम्मेदारी प्रेमचन्द अगली पीढ़ी पर छोड़ गए थे। उनके बताये हुए रास्ते पर चलकर ही हम उस ज़िम्मेदारी को पूरा कर सकते हैं।

[1952]

2

# उत्तर प्रदेश की सरकार और हिन्दी

15 अगस्त, 1965 की 'उत्तर प्रदेश पंचायती राज्य' नामक पत्रिका में श्रीमती सुचेता कृपलानी का एक लेख छपा है : 'उत्तर प्रदेश और राष्ट्रभाषा'। इसमें उन्होंने हिन्दी को राष्ट्रभाषा बनाने के सिलसिले में जो बातें कही हैं, उनका सम्बन्ध राजनीतिज्ञों से अधिक साहित्यकारों से है। आशा है, हिन्दी लेखक उन पर उचित ध्यान देंगे।

पहले तो उन्होंने यह बताया कि हिन्दी का प्रचार ग़लत ढंग से किया गया और वह ग़लत ढंग छोड़ देना चाहिए। फिर उन्होंने बताया कि हिन्दी को राष्ट्रभाषा बनाने का सही तरीका क्या है।

जिस तरीके से हिन्दी का प्रचार हुआ, उससे अहिन्दी जनता के मन में यह प्रतिक्रिया पैदा हुई : 'हम क्यों हिन्दी सीखें?'

'भाषा का प्रचार तलवार से नहीं होता।'

बिलकुल सही बात है। राज्यसत्ता कांग्रेस के हाथ में है। तलवार का किसी ने प्रयोग किया होगा तो वह कांग्रेसी नेता ही होगा। उत्तर भारत में तमिल के विरोध में या अंग्रेज़ी के विरोध में स्टेशनों, डाकखानों वग़ैरह पर हमला नहीं हुआ। इस तरह की कार्यवाही तमिलनाडु में हुई। इसे तलवार का प्रयोग कहा जाए या प्रेम-प्रदर्शन, यह कांग्रेसी नेता तय करें। एक बात निश्चित है कि तलवार का प्रयोग हिन्दी जनता या हिन्दी प्रचारकों ने नहीं किया।

हिन्दी को राष्ट्रभाषा बनाने का सही तरीका उन्होंने यह बताया :

'हिन्दी भाषा को प्रगति पर लाएँ। हिन्दी को उस स्तर पर लाएँ कि हरेक हिन्दी को ख़ुशी से सीखे।

'अगर भाषा उन्नत हो, भाषा मधुर हो, भाषा सुन्दर हो, भाषा में इतने शब्द हों या भाषा इस स्तर में पहुँची हो कि हमारी हरेक ज़रूरियात को पूरी कर सके तब लोग आप-से-आप भाषा को सीख लेते हैं।

'हिन्दी को अगर भारत की भाषा बनाना है, भारत की राष्ट्रभाषा बनाना है तो हिन्दी-प्रेमी बैठकर खोज करें, अनुसन्धान करें, किताबें लिखें, लोगों को बैठकर

हिन्दी सिखाएँ। ऐसी सुन्दर किताबें लिखी जाएँ, ऐसी भाषा में किताबें लिखी जाएँ कि लोग उसे ग्रहण करने के लिए आग्रह करें।

'हिन्दी को लोगों द्वारा ग्राह्य बनाने के लिए तलवार से नहीं बल्कि साहित्य के महत्त्व से, साहित्य की उच्चता और सुन्दरता से और प्रचार और प्रसार करने के सुन्दर तरीके से यह होगा।'

जहाँ तक भाषा के सुन्दर और मधुर होने का सम्बन्ध है, हिन्दी जैसी है, वैसी है। हर व्यक्ति को अपनी भाषा सबसे ज़्यादा मीठी लगती है। यदि वह कहे कि दूसरे की भाषा ज़्यादा मीठी है तो समझना चाहिए कि उसके संस्कारों में कहीं कोई दोष है। मिठास के कारण कोई अपनी भाषा के मुक़ाबले दूसरी भाषा को महत्त्व नहीं देता।

जहाँ तक भाषा में 'हरेक ज़रूरियात' के शब्द होने का सवाल है, दस साल तक कांग्रेसी सरकार का शिक्षा-मंत्रालय और उसके विशेषज्ञ यह काम करते रहे हैं। यदि हिन्दी अभी तक आवश्यक शब्द इकट्ठे न कर पाई, तो इसमें दोष सुचेताजी की पार्टी के नेताओं का है। लेकिन राजकाज के लिए उन तमाम शब्दों की ज़रूरत नहीं होती जिन्हें गढ़ने या इकट्ठा करने में दस साल से विशेषज्ञ लग रहे हैं। राजकाज की ज़रूरियात-भर को तो हिन्दी में शब्द हैं, भले ही हरेक ज़रूरियात के लिए न हों।

जहाँ तक साहित्य की उच्चता का सम्बन्ध है, अंग्रेज़ी काफ़ी उच्च भाषा है। लेकिन आगरा विश्वविद्यालय की बी.एस-सी. परीक्षाओं में जब से अंग्रेज़ी ऐच्छिक विषय हो गई है, तब से अंग्रेज़ी लेनेवाले छात्रों की संख्या लगभग अस्सी फीसदी कम हो गई है। जो बी.ए. में अंग्रेज़ी पढ़ते हैं, उनका हाल मत पूछिए। किताबें पढ़े बिना ही बाज़ार से या प्रोफेसर के लिखाये हुए नोट पढ़कर पास होना चाहते हैं। जो छात्र एम.ए. में अंग्रेज़ी पढ़ते हैं, उनमें निन्यानवे फीसदी ऐसे होते हैं जो किसी तरह पास होना चाहते हैं या डिवीजन बनाना चाहते हैं। साहित्य-प्रेम से उन्हें कोई वास्ता नहीं है।

अंग्रेज़ी के अलावा भारत की जो दूसरी मधुर भाषाएँ हैं, उनके साहित्य को वे फूटी आँखों भी नहीं देखते। आगरा और लखनऊ में ऐसे हिन्दी-भाषी छात्र कम मिलेंगे जिन्होंने रवीन्द्रनाथ की रचनाएँ बंगला में पढ़ी हों। कलकत्ता के बंगलाभाषी युवक सुब्रह्मण्य भारती या वल्लत्तोल की रचनाएँ बड़े चाव से पढ़ते हों, ऐसा भी मेरे देखने में नहीं आया।

भारत की शिक्षा-व्यवस्था नौकरियों से जुड़ी है और नौकरियों भी भाषा है अंग्रेज़ी। इसके लिए सुचेताजी की पार्टी के नेता ज़िम्मेदार हैं, हिन्दी साहित्यकार नहीं।

मान लिया कि हिन्दी भाषा सुन्दर नहीं है और उसका साहित्य घटिया क़िस्म का है। भारत की किन भाषाओं का साहित्य—अनुवादित हुए बिना—अन्य प्रदेशों

में बहुतायत से पढ़ा जाता है? अंग्रेज़ी को भारतीय जीवन में जो महत्त्व दिया गया है, उससे समस्त भारतीय भाषाओं के पठन-पाठन में बाधा पड़ती है, हिन्दी के प्रचार-प्रसार में ही नहीं।

मान लिया, हिन्दी-प्रचारकों के ग़लत उत्साह के कारण लोग अहिन्दी प्रान्तों में हिन्दी से नाख़ुश हो गए। बंगाल में बंगला राजभाषा क्यों नहीं है? वहाँ बंगला के व्यवहार पर किन लोगों ने प्रतिबन्ध लगाया है? तमिलनाडु में तमिल के व्यवहार पर किसने रोक लगाई है?

हिन्दी-प्रचारकों को दोष देना एक बहाना है जिससे केन्द्र और प्रान्तों में अंग्रेज़ी का चलन बना रहे।

ख़ुद उत्तर प्रदेश में राजभाषा हिन्दी का क्या हाल है?

'राष्ट्रभाषा सन्देश' (प्रयाग) ने 2 सितम्बर, 1965 के अंक में लिखा है : "वास्तविक स्थिति कम-से-कम उत्तर प्रदेश में यह है कि यहाँ निन्यानवे प्रतिशत से अधिक सरकारी काम अंग्रेज़ी में किया जाता है।"

उत्तर प्रदेश भारत का सबसे बड़ा हिन्दी-भाषी राज्य है। सारे देश में हिन्दी की स्थिति क्या होती है, यह बहुत कुछ उत्तर प्रदेश में हिन्दी की स्थिति पर निर्भर है।

उत्तर प्रदेश की मुख्यमंत्री श्रीमती सुचेता कृपलानी ने हिन्दी भाषा में उच्च साहित्य की आवश्यकता पर जो विचार प्रकट किये हैं, वैसे विचार सन् '36-'40 में कांग्रेसी नेता पहले भी प्रकट किया करते थे। लेकिन वे हिन्दी लिख-पढ़ लेते थे। सुचेता जी ने अपने उपर्युक्त लेख में बताया है कि उन्होंने 'मर-मरकर रोज़ सुबह एक घंटा लगाकर' 'रामचरितमानस' पढ़ा। उसमें उन्हें कोई चीज़ मिली। लेकिन मालूम होता है, लिखने में उन्हें अब भी कठिनाई होती है।

'मैं हिन्दी लिख नहीं सकती'—श्रीमती सुचेता कृपलानी का यह वाक्य पढ़कर किसे दु:ख न होगा? आशा है, अगले चुनाव तक वह अपनी यह कठिनाई भी दूर कर लेंगी। तब शायद हिन्दी साहित्यकारों को वह जो उपदेश देंगी, वे और भी मधुर और लाभप्रद होंगे।

[1965]

3

# भारत का भाषा-संकट

श्री मोहनकुमार मंगलम ने अंग्रेज़ी में एक बहुत सुन्दर पुस्तक लिखी है जिसका नाम है : 'भारत का भाषा-संकट'।[1] जो लोग चाहते हैं कि भारत में अंग्रेज़ी का प्रभुत्व ख़त्म हो, उन्हें यह पुस्तक ज़रूर पढ़नी चाहिए। उत्तर भारत में लाखों आदमी ऐसे हैं जो चाहते हैं कि हिन्दी राष्ट्रभाषा हो। वे चाहते हैं कि विभिन्न प्रदेशों में वहाँ की भाषाएँ राजभाषा के गौरवमय आसन पर प्रतिष्ठित हों। प्रश्न यह है कि वे राजभाषा क्यों नहीं बन पातीं? कौन-सी शक्ति उन्हें अपने उचित आसन पर बैठने से रोकती है?

श्री मोहनकुमार मंगलम की पुस्तक के छठे अध्याय में इस विषय का विवेचन किया गया है कि तमिलनाडु में तमिल अभी तक क्यों राजभाषा नहीं बन पाई। तमिल को सरकारी तौर पर सन् '57-'58 में राजभाषा बना दिया गया था किन्तु इसके बाद मद्रास में अंग्रेज़ी का रुतबा बढ़ा है, कम नहीं हुआ। अधिकांश विद्यालयों में शिक्षा का माध्यम अंग्रेज़ी है। कुछ साल पहले अंग्रेज़ी की शिक्षा छठे दर्जे से शुरू होती थी, अब वह तीसरे दर्जे से शुरू होती है। शिक्षा-केन्द्रों में अंग्रेज़ी का प्रभुत्व अटल है। "माता-पिता सोचते हैं कि बेटे को तरक़्क़ी करनी है तो बढ़िया अंग्रेज़ी सीखकर ही वह आगे बढ़ सकता है। इसलिए जिन स्कूलों में शिक्षा का माध्यम तमिल थी, उनमें छात्रों की संख्या लगातार कम होती गई और वे अंग्रेज़ी के माध्यम से शिक्षा पाने लगे।"

तमिलनाडु की जनता अपने मातृभाषा-प्रेम के लिए प्रसिद्ध है। उसे अपनी भाषा की प्राचीनता और साहित्य की समृद्धि पर उचित गर्व है। फिर क्या कारण है कि स्कूलों और कॉलेजों में तमिल शिक्षा का माध्यम नहीं हो पाती?

इस प्रश्न का उत्तर श्री मोहनकुमार मंगलम ने बहुत स्पष्ट शब्दों में दिया है। उन्होंने लिखा है : "ऐसा इसलिए होता है कि सरकार और यूनिवर्सिटी-अधिकारियों ने छात्रों के सामने लक्ष्य यह रखा है : 'अंग्रेज़ी खूब अच्छी तरह सीखो जिससे

---

1. इंडियाज लैंग्वेज़ क्राइसिस : मोहनकुमार मंगलम, प्रकाशक : न्यू सेंच्यूरी बुक हाउस, मद्रास, पृ. 122

अखिल भारतीय स्तर पर ऊँची नौकरियों के लिए होड़ कर सको और यूनिवर्सिटी में भी कारगर ढंग से शिक्षा प्राप्त कर सको।"

हमारे देश में शिक्षा-संस्थाएँ नौकरियों से जुड़ी हुई हैं। अंग्रेज़ों ने शासन-तंत्र चलाने के लिए क्लर्क से लेकर कमिश्नर तक के लिए अंग्रेज़ी की शिक्षा अनिवार्य कर दी थी। वही स्थिति आज भी है।

श्री मोहनकुमार मंगलम ने दो साल पहले दिया हुआ श्री भक्तवत्सलता का भाषण उद्धृत किया है। इसमें उन्होंने कहा था : "माता-पिता चाहते हैं कि उनके बच्चे सरकारी नौकरियाँ पाएँ। राज्य की नौकरियों के मुक़ाबले में केन्द्रीय नौकरियाँ ज़्यादा आकर्षक होती हैं। इसलिए माता-पिता और छात्रों की भी पहली तमन्ना यह होती है कि वे आई.ए.एस. और आई.पी.एस. जैसी केन्द्रीय सेवाओं की परीक्षा में बैठें।" यही कारण है कि तमिलनाडु में तमिल राजभाषा नहीं बन पाती। उसे काग़ज़ी तौर पर राजभाषा बना दिया जाता है लेकिन वास्तविक प्रभुसत्ता रहती है अंग्रेज़ी के हाथ में। श्री मोहनकुमार मंगलम के शब्दों में : "अंग्रेज़ी की शिक्षा पाये बिना किसी भी तमिलभाषी के लिए केन्द्रीय नौकरी पाने का सवाल नहीं उठता।"

कांग्रेसी नेताओं ने केन्द्र में अंग्रेज़ी का प्रभुत्व क़ायम रखकर राज्यों में वहाँ की भाषाओं को पददलित कर रखा है। तमिल-जैसी प्राचीन और सम्पन्न भाषा अंग्रेज़ी की दासी बनी हुई है। मद्रास में तमिल राजभाषा नहीं बन पाई, इसका कारण यह नहीं है कि हिन्दी उसका दमन कर रही है, इसका कारण यह है कि कांग्रेसी नेताओं ने साम्राज्यवादियों की चलाई हुई—शासन-तंत्र और शिक्षा के बारे में अंग्रेज़ी के व्यवहार की—नीति को बरकरार रखा है। इस नीति के लिए केवल हिन्दी-क्षेत्र के नेता ज़िम्मेदार नहीं हैं—यद्यपि उन्हें ज़्यादा शर्म आनी चाहिए क्योंकि वे हिन्दी को राष्ट्रभाषा बनाने का दावा भी करते हैं—अहिन्दी क्षेत्रों के नेता भी उतने ही ज़िम्मेदार हैं।

भारतीय भाषाओं में मुख्य अन्तर्विरोध हिन्दी-अहिन्दी का नहीं है, मुख्य अन्तर्विरोध अंग्रेज़ी और समस्त भारतीय भाषाओं का है। राज्यों में अंग्रेज़ी के प्रभुत्व का कारण है—केन्द्रीय सेवाओं में उसका व्यवहार।

ऊपर के विवेचन से यह स्पष्ट हो जाता है कि जब तक केन्द्रीय सेवाओं से अंग्रेज़ी न हटेगी, तब तक तमिल भी मद्रास में व्यावहारिक रूप में राजभाषा न बनेगी। इसलिए समाधान ऐसा होना चाहिए जिससे केन्द्रीय सेवाओं में अंग्रेज़ी का चलन खत्म हो।

श्री मोहनकुमार मंगलम ने कांग्रेस के पुराने प्रस्ताव का हवाला देते हुए सभी भारतीय भाषाओं को अखिल भारतीय परीक्षाओं का माध्यम बनाने की बात कही है। उनका सुझाव सही है। कमी इतनी है कि उन्होंने केन्द्रीय सेवाओं में केवल परीक्षाओं के लिए भारतीय भाषाओं के ऐच्छिक माध्यम होने का सवाल उठाया है। जब मद्रास के छात्र तमिल में परीक्षा देकर अफ़सर बनेंगे, तब वे अंग्रेज़ी का व्यवहार करेंगे,

या भारतीय भाषाओं का—इस प्रश्न पर उन्होंने विचार नहीं किया। अखिल भारतीय सेवाओं का माध्यम अंग्रेज़ी ही रहेगी—इसलिए संकट ज्यों-का-त्यों बना रहता है। परीक्षा आप चाहे जिसमें दे लें, काम अंग्रेज़ी में ही करना पड़ेगा।

श्री मोहनकुमार मंगलम ने तीन भाषाओं वाले फार्मूले का समर्थन किया है। इस फार्मूले में अंग्रेज़ी का स्थान सुरक्षित है। अंग्रेज़ी का स्थान सुरक्षित रखकर अंग्रेज़ी का प्रभुत्व नहीं खत्म किया जा सकता। फलत: तमिलनाडु में भी तमिल को राजभाषा और उच्च शिक्षा का माध्यम नहीं बनाया जा सकता।

अंग्रेज़ी की शिक्षा वैकल्पिक हो—यह माँग करनी चाहिए। किसी भी स्वाधीन देश के विद्यालयों में किसी विशेष विदेशी भाषा का अध्ययन सभी छात्रों के लिए अनिवार्य नहीं होता। केन्द्र में अंग्रेज़ी का प्रभुत्व खत्म करना चाहिए। उसकी जगह हिन्दी चले या अनेक भारतीय भाषाओं का व्यवहार हो—श्री मोहनकुमार मंगलम जो फैसला करेंगे, मैं उसका समर्थन करूँगा। लेकिन केन्द्र में अंग्रेज़ी चलाते रहने से भारत का भाषा-संकट हल न होगा, उल्टे वह और गहरा होगा और इससे तमिल की उतनी ही हानि होगी, जितनी हिन्दी की।

भारतीय भाषाओं को प्रदेशों में राजभाषा का पद न दिया जाए—इसके लिए अंग्रेज़ी-प्रेमी विद्वान तर्क देते हैं कि वे भाषाएँ पिछड़ी हुई हैं। यद्यपि किसी ने भारतीय भाषाओं में एक भाषा लेकर वैज्ञानिक परीक्षा करके यह नहीं दिखाया कि पिछड़ापन किस बात में है—फिर भी यह सर्वमान्य सत्य बन गया है कि अंग्रेज़ी के मुक़ाबले में भारतीय भाषाएँ आम तौर से—और हिन्दी ख़ास तौर से—पिछड़ी हुई हैं।

तमिल विकसित भाषा है या नहीं? उसमें मद्रास राज्य का सरकारी काम हो सकता है या नहीं? उसमें उच्च शिक्षा दी जा सकती है या नहीं?

श्री मोहनकुमार मंगलम ने इन प्रश्नों के परस्पर-विरोधी उत्तर दिये हैं। उनकी समझ में भारत के भाषा-संकट का मुख्य कारण यह है कि सरकारी परवरिश के कारण हिन्दी को विकसित होने का मौक़ा मिला लेकिन अहिन्दी भाषाएँ अविकसित रह गईं। इसलिए समस्या का समाधान यह है कि पहले इन भाषाओं को राजभाषा बना दिया जाए, उन्हें विकसित होने दिया जाए, इसके बाद ही केन्द्र से अंग्रेज़ी हटाने का सवाल उठेगा।

उन्होंने लिखा है : "हमें यह न भूलना चाहिए कि अपनी प्राचीनता, अपनी देन, अपने उत्कृष्ट साहित्य आदि गुणों के बावजूद वे किसी भी समय, बहुत-से-बहुत, एक संकुचित गुट के विचारों का वाहन ही रही हैं।"

इसका अर्थ है कि वे वर्तमान सभ्य समाज की शिक्षा-संस्कृति-राजनीति का माध्यम बनने के योग्य नहीं हैं।

उनके विचार से अंग्रेज़ों के आने से पहले भारत की संस्कृति प्राचीन होते हुए भी गतिरुद्ध (स्टैग्नेंट कल्चर ऑफ़ इंडिया) हो चुकी थी। अंग्रेज़ी के प्रभुत्व से भारतीय

भाषाओं की प्रगति रुक गई थी : "अर्थात् आधुनिक भाषाओं के रूप में, आधुनिक विचारों को प्रकट करनेवाले माध्यम के रूप में विकसित होने से रोका गया।"

मैं नहीं जानता कि वे आधुनिक विचार कौन-से हैं जो तमिल या हिन्दी के माध्यम से प्रकट नहीं किये जा सकते। इतना ज़रूर कह सकता हूँ कि आदरणीय बन्धु मोहनकुमार मंगलम ने जो विचार इस पुस्तक में प्रकट किये हैं, वे किसी भी भारतीय भाषा में बखूबी प्रकट किये जा सकते हैं।

मोहनकुमार मंगलम जी ने यह मत भी बड़ी स्पष्टता से प्रकट किया है कि भारतीय भाषाएँ सामाजिक आवश्यकताओं के अनुरूप पूर्णत: विकसित हैं। उन्होंने पुस्तक के पृष्ठ 40 पर लिखा है :

"हक़ीक़त यह है कि (आठवीं अनुसूची में उल्लिखित) सभी भाषाएँ विकसित भाषाएँ हैं। इन्हें करोड़ों आदमी बोलते हैं और मानते हैं कि उच्च शिक्षा का माध्यम बनने के लिए वे पूरी तरह विकसित हैं।"

यदि भारतीय भाषाएँ विकसित हैं तो भाषा-संकट इसलिए नहीं पैदा हो गया कि सरकार ने हिन्दी को ज़्यादा विकसित कर दिया है और तमिल पीछे रह गई है। भाषाएँ अविकसित हैं—यह एक बहाना है जो हिन्दी और तमिल, सभी भारतीय भाषाओं के ख़िलाफ़ इस्तेमाल किया जाता है। संकट का असली कारण है केन्द्र में अंग्रेज़ी का प्रभुत्व। इसी प्रभुत्व के कारण तमिल अपने प्रदेश में राजभाषा नहीं बनी। इसी कारण वह शिक्षा का माध्यम नहीं बनी। जो भी केन्द्र में अंग्रेज़ी क़ायम रखकर राज्यों से अंग्रेज़ी हटाने का सपना देखता है, वह अपने को और दूसरों को धोखा देता है। जब तक केन्द्रीय सेवाओं में अंग्रेज़ी का चलन रहेगा, तब तक मद्रास का विद्यार्थी कभी अंग्रेज़ी छोड़ने को राज़ी न होगा।

श्री मोहनकुमार मंगलम कम्युनिस्ट पार्टी के पुराने कार्यकर्ता हैं। श्रमिक जनता के आन्दोलन से उनका गहरा सम्बन्ध रहा है। उनसे हम आशा कर सकते हैं कि वे मज़दूर वर्ग की एकता और भाषा-समस्या पर भी कुछ कहेंगे। लेकिन उन्होंने इस पर कुछ नहीं कहा।

अखिल भारतीय स्तर पर मज़दूरों के संगठन की भाषा अंग्रेज़ी क्यों है? अखिल भारतीय किसान-सभा के केन्द्रीय दफ्तर की कार्यवाही अंग्रेज़ी में क्यों होती है (या होती थी)? कम्युनिस्ट पार्टी के नेता सम्पर्क-भाषा के रूप में अंग्रेज़ी का व्यवहार क्यों करते हैं? कम्युनिस्ट पार्टी के केन्द्रीय दफ्तर में अंग्रेज़ी का व्यवहार क्यों होता है? पार्टी और जन-संगठनों में अंग्रेज़ी के इस प्रभुत्व से हानि होती है या लाभ? श्री मोहनकुमार मंगलम ने ऐसा एक भी सवाल अपनी पुस्तक में नहीं उठाया। यह उसकी सबसे बड़ी कमज़ोरी है।

इस देश में जब अंग्रेज़ आए, तब यहाँ के राजा और नवाब, मिलकर उनसे लड़ने के बजाए, आपस में लड़ते रहे। आपस में लड़ने के लिए वे बारी-बारी से अंग्रेज़ों की

मदद लेते रहे और अंग्रेज़ बारी-बारी से उन्हें ख़त्म करके उनका राज्य हड़पते रहे।

वर्तमान काल में जातीय विद्वेष ज़ोर से बढ़ा है। गोवा को लेकर मैसूर के मुख्यमंत्री ने जितनी सरगर्मी महाराष्ट्र के विरुद्ध दिखाई है, उतनी सरगर्मी पुर्तगाल के ख़िलाफ़ न दिखाई थी। भाषा की समस्या जातीय समस्या का अंग है। भारतीय भाषाओं के हिमायती आपस में लड़ते हैं और अंग्रेज़ी की जय बोलते हैं। जातीय विद्वेष का एक रूप भाषागत विद्वेष है। इस तरह का द्वेष पूँजीपतियों के लिए स्वाभाविक है; पूँजीवादी विचारधारा से प्रभावित मध्यवित्त श्रेणी के बुद्धिजीवियों के लिए यह विद्वेष बहुत कुछ सुखकर और जीवन की मुख्य प्रेरणा है। केवल मज़दूर वर्ग में यह क्षमता है कि वह इस विद्वेष से ऊपर उठकर अन्तर्जातीय भाईचारे के आधार पर राष्ट्रीय एकता दृढ़ करे। इसीलिए अंग्रेज़ी और मज़दूर वर्ग की अखिल भारतीय एकता का प्रश्न अत्यन्त महत्त्वपूर्ण है।

भाषा-संकट क्यों पैदा हुआ, मद्रास में अंग्रेज़ी क्यों क़ायम रहती है, संविधान के निर्माताओं की किन ग़लतियों से प्रादेशिक भाषाओं का चलन न हुआ, यह समस्त सूक्ष्म विश्लेषण, कम्युनिस्ट पार्टी के अन्दर अंग्रेज़ी के व्यवहार पर नज़र डालते ही, वकीलों की जिरह की तरह क़ानूनी तौर पर सही परन्तु न्याय के प्रतिकूल मालूम होने लगता है। भला भाषाओं के विकास में 'इम्बैलेंस' पैदा हो जाने से कम्युनिस्ट पार्टी में अंग्रेज़ी का चलन क्यों हो?

भारतीय जनतंत्र को चलाने के लिए आसमान से फ़रिश्ते नहीं आते। वर्तमान युग में जनतंत्र को चलाती हैं पाटियाँ और पार्टियों के नेता। जब तक देश की राजनीतिक पार्टियाँ अपना अखिल भारतीय काम अंग्रेज़ी में करती हैं, तब तक न तो वे देश की भाषा-समस्या हल कर सकती हैं, न दरअसल उन्हें इस समस्या पर बोलने का नैतिक अधिकार है।

श्री मोहनकुमार मंगलम ने लिखा है कि हर नागरिक को यह अधिकार होना चाहिए कि वह लोक सभा में अपनी मातृभाषा में बोल सके।

मैं इस माँग का समर्थन करता हूँ। हमारे साथी बोलें तो भारतीय भाषाओं में। फिर देखें, हिन्दी और अहिन्दी-भाषियों का कैसा ज़बर्दस्त अंग्रेज़ी-विरोधी मोर्चा बनता है! लेकिन वे खुद बोलेंगे अंग्रेज़ी में; दूसरों के लिए मातृभाषा में बोलने का अधिकार माँगेंगे! इस तरह सात जन्म में भी अंग्रेज़ी का प्रभुत्व दूर न होगा।

लोक सभा में भारतीय भाषाओं का व्यवहार कीजिए। जन-संगठनों का अखिल भारतीय काम देशी भाषाओं में कीजिए। अपने केन्द्रीय दफ्तर से अंग्रेज़ी निकालिए। भारत का भाषा-संकट हल करने का यही कारगर तरीका है।

[1935]

# रामविलास शर्मा रचनावली

भाग : दो

भाषा और भाषाविज्ञान

खंड : 22

- आर्य और द्रविड़ भाषा-परिवारों का सम्बन्ध
- भारत के प्राचीन भाषा-परिवार और हिन्दी-I

  [खंड-1 : आर्य भाषा-केन्द्र और हिन्दी जनपद]

# रामविलास शर्मा रचनावली

भाग : दो

## भाषा और भाषाविज्ञान

खंड : 22

सम्पादक

**कृष्णदत्त शर्मा**

**विजय मोहन शर्मा**

राजकमल प्रकाशन

ISBN : 978-93-60861-436-1

**मूल्य :** ₹7,500 [5 खंडों का सम्पूर्ण सेट]



**पहला संस्करण :** 2024

**प्रकाशक :** राजकमल प्रकाशन प्रा. लि.
1-बी, नेताजी सुभाष मार्ग, दरियागंज
नई दिल्ली-110 002

**शाखाएँ :** अशोक राजपथ, साइंस कॉलेज के सामने, पटना-800 006
पहली मंजिल, दरबारी बिल्डिंग, महात्मा गांधी मार्ग, प्रयागराज-211 001
1, अनमोल सोराबजी सन्तुक लेन, धोबी तलाव, मरीन लाइंस, मुम्बई-400 002
वेबसाइट : www.rajkamalprakashan.com
ई-मेल : info@rajkamalprakashan.com

**मुद्रक :** बी.के. ऑफसेट
नवीन शाहदरा, दिल्ली-110 032

RAMVILAS SHARMA RACHANAWALI (Vol. 22)
*Edited by* Krishna Dutt Sharma, Vijay Mohan Sharma

# क्रम

## आर्य और द्रविड़ भाषा-परिवारों का सम्बन्ध



## भारत के प्राचीन भाषा-परिवार और हिन्दी-I

# आर्य और द्रविड़ भाषा-परिवारों का सम्बन्ध

[प्रकाशन वर्ष : 1979]

भारत के सन्दर्भ में ऐतिहासिक भाषाविज्ञान की मुख्य स्थापना यह है कि यहाँ जितने भाषा-परिवार हैं, वे सब बाहर से आए हैं। इनमें आर्य भाषा-परिवार—संस्कृत तथा उसकी पुत्री भाषाओं—का स्रोत तो वह आदि इंडो-यूरोपियन भाषा है ही जिससे ग्रीक, लैटिन, जर्मन आदि भाषाओं का विकास हुआ; द्रविड़ भाषा-परिवार—तमिल, तेलगू, कन्नड़, मलयालम आदि भाषाओं का सम्बन्ध भी अब फ़िनो-उग्रियन से जोड़ा जाता है जिसका अर्थ यह हुआ कि आर्य तो यूरोप से आए ही थे, द्रविड़ों का आगमन भी वहीं से हुआ और उनके बन्धु-बान्धव फिनलैंड, आदि प्रदेशों में अब भी उसी कुल की भाषाएँ बोलते हैं। तीसरा भाषा-परिवार कोल या मुंडा कहलाता है; इसका एक नाम ऑस्ट्रो-एशियाटिक है और इस नाम से ही सिद्ध है कि इसका सम्बन्ध ऑस्ट्रेलिया और एशिया के द्वीपों और देशों से है, भारत से मूलतः नहीं है। इस तरह भारत के तीनों प्रमुख भाषा-परिवार बाहर से आए और अब यह कहना बहुत कठिन है कि यहाँ के आदिवासी कौन थे और किस भाषा-परिवार के लोगों ने आकर सबसे पहले उनकी ज़मीन छीनकर यहाँ अपने उपनिवेश बनाए।

भारत के पूर्वांचल में नाग भाषा-परिवार की अनेक भाषाएँ बोली जाती हैं, यथा : नागालैंड और असम में; किन्तु ऐतिहासिक भाषाविज्ञान ने इन भाषाओं को भारतीय माना ही नहीं है। इस परिवार का वैज्ञानिक नाम है—साइनो-टिबटन, चीनी-तिब्बती भाषा-परिवार। न चीन भारत का हिस्सा है, न तिब्बत; इस भाषा-परिवार के मूल केन्द्र हिमालय के उस पार हैं, इसलिए नाग भाषा बोलने वाले भारत में बाहर से ही आए होंगे; जिन प्रदेशों में वे रहते हैं, वे कभी भारत के अंग न रहे होंगे, इसमें किसे सन्देह हो सकता है?

निष्कर्ष यह निकलता है कि भारत ऐसा दरिद्र देश है कि इसकी अपनी कोई भाषाई सम्पदा है ही नहीं। यदि संस्कृत पर विचार करना हो तो यह देखना चाहिए कि इसके कितने और कौन-से तत्त्व यूरोप की नई-पुरानी भाषाओं में उपलब्ध हैं। शुद्ध आर्य तत्त्व वही हैं, शेष अनार्य हैं; और, जो तत्त्व आर्य हैं, वे मूलतः अभारतीय हैं। इसी तरह बिलोचिस्तान की ब्राहूइ से लेकर दक्षिण भारत और लंका की तमिल

तक द्रविड़ भाषाओं में वही तत्त्व विशुद्ध द्रविड़ हैं जो फिनलैंड आदि की भाषाओं में मिलते हैं; जो न मिलें, उन्हें मुंडा अथवा किसी अन्य खानदान का मानना चाहिए। इसी तरह मुंडा-परिवार की भारतीय भाषाओं में वही विशुद्ध मुंडा तत्त्व हैं जो भारत के बाहर इस परिवार की भाषाओं में पाए जाते हैं। इन तीनों परिवारों से नाग भाषा-परिवार की स्थिति भिन्न है। इन तीनों की भाषाओं को तो भारतीय मान लिया गया है, संस्कृत को भारतीय आर्य-इंडो-एर्यन कहा जाता है, किन्तु नाग भाषा-परिवार साइनो-टिबटन ही है; इंडो-नाग या इंडो-साइनो-टिबटन जैसा नाम किसी नाग भाषा को नहीं दिया गया।

इन चारों भाषा-परिवारों में सबसे ज्यादा काम आर्य भाषा-परिवार पर हुआ है, उससे कुछ ही कम द्रविड़ भाषा-परिवार पर, उससे बहुत कम मुंडा-परिवार पर और बहुत ही कम नाग भाषा-परिवार पर। स्वभावतः इन भाषा-परिवारों के आपसी सम्बन्धों पर भी बहुत कम विचार किया गया है। जो काम हुआ है, उसकी एक मात्र दिशा यह रही है कि संस्कृत तथा उस परिवार की आधुनिक भाषाओं में वे तत्त्व ढूँढ़े जाएँ जो इन भाषाओं को द्रविड़-मुंडा-परिवारों से प्राप्त हुए हैं। इस बात की विशेष खोजबीन हुई है कि मूल इंडो-यूरोपियन भाषा की विशेषताएँ छोड़कर अपभ्रंश-हिन्दी आदि का जो विकास हुआ, उसमें द्रविड़ भाषाओं की भूमिका क्या है। द्रविड़ भाषाओं पर भी संस्कृत, हिन्दी आदि के प्रभाव का अध्ययन किया गया है, किन्तु इसका सम्बन्ध अधिकतर द्रविड़ भाषाओं में पाए जानेवाले संस्कृत शब्दों से है—उनका रूप चाहे तत्सम हो, चाहे तद्भव। विद्वान् इस बात को मानते हैं कि कई हज़ार साल तक निरन्तर सम्पर्क में रहने से आर्य-द्रविड़-परिवारों में ऐसी विशेषताएँ उत्पन्न हुई हैं जो इन परिवारों से सम्बद्ध यूरोप की भाषाओं में नहीं हैं, जो विशुद्ध भारतीय कही जा सकती हैं। अमरीकी विद्वान् एमेनो और सोवियत विद्वान् आन्द्रोनोव—दोनों की ही यह मान्यता है। आन्द्रोनोव तो यहाँ तक कहते हैं कि आर्य-द्रविड़ भाषा-परिवारों का मूल रूप इतना बदल गया है और इनकी सामान्य विशेषताएँ इतनी ज़्यादा हो गई हैं अथवा परस्पर आदान-प्रदान इतना बढ़ रहा है कि आर्य-द्रविड़-परिवारों की जगह एक ही भारतीय भाषा-परिवार की कल्पना करना उचित होगा—अभी नहीं तो कुछ दिन बाद यह भारतीय भाषा-परिवार ऐतिहासिक भाषाविज्ञान की अकाट्य सच्चाई बन जाएगा। आदान-प्रदान के मामले में उनकी स्थापना यह है कि द्रविड़ों ने आर्यों से मुख्यतः शब्द उधार लिये हैं और आर्यों ने द्रविड़ भाषाओं से संरचनात्मक तत्त्व लिये हैं।

आन्द्रोनोव, एमेनो, इनके समकालीन और इनसे पहले के अमरीकी, यूरोपीय और भारतीय अधिकांश विद्वानों का यह मत रहा है कि आर्यों ने आकर द्रविड़ों को परास्त किया और उनके सम्पर्क से भारतीय आर्य भाषा संस्कृत का विकास हुआ। इस धारणा से प्रभावित होकर ही उन्होंने आर्य-द्रविड़ भाषा-परिवारों के परस्पर

सम्बन्ध पर विचार किया है। पिछले बीस-पच्चीस वर्षों में देशी-विदेशी विद्वानों ने द्रविड़ भाषाओं पर बहुत काम किया है। इनमें ब्रिटिश विद्वान् बरो और अमरीकी विद्वान् एमेनो का कार्य विशेष उल्लेखनीय है। ये दोनों संस्कृत के पंडित हैं, द्रविड़ भाषाओं के विशेषज्ञ हैं। बहुत-सा काम इन्होंने अलग-अलग किया है; कुछ बहुत ही महत्त्वपूर्ण काम मिलकर किया है, यथा : द्रविड़ भाषाओं का व्युत्पत्तिमूलक कोश-निर्माण। ड्रैवीडियन एटिमोलॉजिकल डिक्शनरी (डी.ई.डी.) नाम के ग्रंथ में इन्होंने ऐतिहासिक भाषाविज्ञान के लिए आधारभूत सामग्री प्रस्तुत की है। इस तरह के ग्रंथों से आर्य-द्रविड़ भाषा-परिवारों के सम्बन्धों पर विचार करने के लिए नवीन और बहुमूल्य सामग्री प्राप्त हुई है। इन परिवारों के परस्पर सम्बन्धों पर विचार करना अत्यन्त आवश्यक भी है।

साहित्य के विचार से आर्य और द्रविड़-परिवारों की भाषाएँ भारत की सबसे समृद्ध भाषाएँ हैं। संस्कृत के अलावा सबसे प्राचीन भारतीय साहित्य तमिल का है; संस्कृत के अलावा भारतीय भाषाओं में सबसे प्राचीन व्याकरण भी तमिल का है। अन्य आधुनिक भारतीय भाषाओं की तुलना में सबसे प्राचीन शिलालेख तमिल के हैं; आधुनिक भारतीय भाषाओं में लिखित साहित्य की सर्वाधिक प्राचीन परम्परा तमिल की है। तमिल-भाषियों का अपनी भाषा और साहित्य पर गर्व करना उचित है। इस उचित गर्व का अनुचित राजनीतिक उपयोग भी किया जा सकता है। उस अनुचित राजनीतिक उपयोग के लिए द्रविड़-भाषियों के मन में यह धारणा निरन्तर पुष्ट की गई है कि आर्यों ने आकर उनकी भाषाओं का दमन किया और उनकी संस्कृति का नाश किया।

इस सारे चिन्तन से यह साफ़ नतीजा निकलता है कि हज़ारों साल से उत्तर भारत के आर्य-द्रविड़ों पर अत्याचार करते रहे हैं; वैदिक काल में उन्होंने द्रविड़ों को उत्तर भारत से खदेड़ दिया या उन्हें दास बना लिया। जहाँ तक बना, उनकी भाषाएँ नष्ट कर दीं। संस्कृत के वैभवकाल में उनकी भाषाओं में सैकड़ों अपने शब्द ठूँस दिये; दक्षिण के ब्राह्मणों ने उत्तर भारतीय आर्यों के दलालों का काम किया और भारत के स्वाधीन होने पर अब उन पर हिन्दी लाद रहे हैं। क्यों न द्रविड़ भाषा-भाषी सहस्राब्दियों का अत्याचार ख़त्म करके अपना स्वतंत्र राष्ट्र बनाएँ?

वर्तमान राजनीतिक सन्दर्भ में इस प्रश्न का उत्तर देने के लिए आवश्यक है कि हिन्दी-भाषी विद्वान् आर्य-द्रविड़ भाषा-परिवारों के परस्पर सम्बन्ध पर अधिक ध्यान दें। भाषाविज्ञानियों ने इस दिशा में जो कार्य किया है, वह साम्प्रदायिक या राजनीतिक पूर्वग्रहों और दुराग्रहों से मुक्त नहीं है। पिछली शताब्दी में जब काल्डवेल ने द्रविड़ भाषाओं पर अपना प्रसिद्ध ग्रंथ 'ए कम्पैरेटिव ग्रामर ऑव ड्रैवीडियन ऑर साउथ इंडियन फ़ैमिली ऑव लैंग्वेजेज़' लिखा, तब उन्होंने इस बात पर विशेष बल दिया कि संस्कृत उत्तर भारत के ब्राह्मणों की भाषा है; द्रविड़ भाषाओं के बोलने वाले

अधिकतर अब्राह्मण हैं, संस्कृत से इनकी भाषाओं का कोई भी मौलिक सम्बन्ध नहीं है। काल्डवेल के दिमाग में द्रविड़ प्रदेश को अलग करके भारत के राजनीतिक विभाजन की कल्पना नहीं थी, किन्तु उन्हें यह आशा अवश्य थी कि द्रविड़ जन ईसाई हो जाएँ तो वे संस्कृत और ब्राह्मणों के आधिपत्य से मुक्त हो जाएँगे।

उन्नीसवीं सदी के अन्त में और बीसवीं सदी के आरम्भ में ग्रियर्सन ने भारतीय भाषाओं से सम्बन्धित जो बहुत-सा महत्त्वपूर्ण काम किया, उसका एक पक्ष भारत के विभाजन से सम्बन्धित है। इस विभाजन की राजनीति में आर्यों और द्रविड़ों का भेद गौण है, हिन्दुओं और मुसलमानों का भेद मुख्य है। हिन्दुओं की भाषा हिन्दी है; बंगला, मराठी आदि अन्य भाषाएँ भी हिन्दुओं की भाषाएँ हैं; मुसलमानों की मुख्य भाषा एक ही है—उर्दू। ग्रियर्सन के भाषाविज्ञान में कभी इस बात पर जोर नहीं दिया गया कि भारत के 90 फीसदी मुसलमान कश्मीरी, सिन्धी, पंजाबी, बंगला और मलयालम बोलते हैं, उर्दू नहीं। किन्तु ग्रियर्सन के भाषाविज्ञान को आधार बनाकर जो राजनीति चलाई गई, उसका निश्चित उद्देश्य साम्प्रदायिक आधार पर भारत का विभाजन था।

सन् '47 के बाद भी उस विभाजन को इतिहास और भाषाविज्ञान की दुहाई देकर पुष्टि करना आवश्यक बना हुआ है। 1953 ई. में हार्वर्ड यूनिवर्सिटी प्रेस से डब्ल्यू. नॉर्मन ब्रॉउन की एक पुस्तक छपी—नाम था : 'दि यूनाइटेड स्टेट्स एंड इंडिया एंड पाकिस्तान'। इसमें यह प्रतिपादित किया गया है कि सिन्धु-घाटी की सभ्यता का सम्बन्ध मुख्यतः पश्चिमी एशिया की सभ्यता से था, भारत के अन्य प्रदेशों की सभ्यता से नहीं। जब वेदमंत्र रचनेवाले आर्य पंजाब में आकर बसे, तब उनका सम्बन्ध ईरानियों से अधिक था, शेष भारतवासियों से कम। भाषा और संस्कृति में वे ईरानियों से मिलते-जुलते थे, द्रविड़ों से नहीं। जब भारत में इस्लाम का प्रवेश हुआ, तब यहाँ के उत्तर-पश्चिमी प्रदेशों का सम्बन्ध ईरान, बुखारा और मध्य एशिया से अधिक था, शेष भारत से कम। इस तरह आज का पाकिस्तान कभी भी भारत का अंग नहीं रहा।

ये सब स्थापनाएँ एमेनो ने आर्य-द्रविड़ भाषाविज्ञान से सम्बन्धित अपने एक लेख में उद्धृत की हैं। जिस निबन्ध संग्रह में उनका यह लेख संकलित है, वह भारत की अन्नामलइ यूनिवर्सिटी द्वारा प्रकाशित किया गया है। भाषाविज्ञान और राजनीति का सम्बन्ध अब स्पष्ट हो गया होगा।

सन् '47 के बाद हिन्दुओं और मुसलमानों में भेदभाव उत्पन्न करना काफ़ी नहीं था; नये विभाजन के लिए नये आधार की आवश्यकता थी और यह आधार आर्य-द्रविड़ भाषाविज्ञान से प्राप्त होता था। किन्तु पुरानी भेदनीति से इसका गहरा सम्बन्ध है। इसीलिए एमेनो भाषाविज्ञान के प्रसंग में उत्तर-पश्चिमी प्रदेश को भारत से अलग करने के ऐतिहासिक कारण बतलाते हैं। वैसे एमेनो पाणिनि के परम

प्रशंसक हैं और अच्छी तरह जानते हैं कि उत्तर-पश्चिमी प्रदेश में ही पाणिनि का जन्म हुआ था और उनके व्याकरण का प्रभाव ईरान पर नहीं, भारत पर पड़ा है जिस भारत में कभी वह उत्तर-पश्चिमी प्रदेश भी शामिल था।

भारत के स्वाधीन होने के बाद पिछले पच्चीस वर्षों में द्रविड़ भाषाओं पर बहुत-सा नया काम किया गया है। यह काम बहुत महत्त्वपूर्ण है, किन्तु उसमें यह मान्यता सुदृढ़ रूप से निहित है कि आर्य परिवार विजेता भाषा-परिवार है और द्रविड़-परिवार विजित भाषा-परिवार है; इन दोनों में जो भी सम्बन्ध है, वह विजेता और विजित जातियों की भाषाओं का सम्बन्ध है। भारत में जो द्रविड़ भाषाएँ बोली जाती हैं, उनका सम्बन्ध भी यूरोप की आर्य भाषाओं से हो सकता है, यह बात भाषाविज्ञानियों के लिए मानो कल्पनातीत है।

आर्य-द्रविड़ भाषा-परिवारों के ध्वनितंत्र पर विचार करें तो उनकी एक विशेषता जो सबसे पहले उजागर होती है, वह यह है कि आर्य परिवार में सघोष महाप्राण स्पर्श-ध्वनियों का व्यवहार होता है और द्रविड़-परिवार में उनका नितान्त अभाव है। यदि संस्कृत से इंडो-यूरोपियन परिवार की अन्य भाषाओं की तुलना करें तो वैसा ही अन्तर फिर दिखाई देगा—संस्कृत में इन ध्वनियों का व्यवहार होता है, यूरोप की आर्य भाषाओं में इनका नितान्त अभाव है। यूरोप की आर्य भाषाओं और भारत की द्रविड़ भाषाओं में यह आश्चर्यजनक समानता है। कि दोनों में **घ्-ध-स्** ध्वनियों का अभाव है। द्रविड़ भाषाओं में उनका अभाव उतना आश्चर्यजनक नहीं है जितना यूरोप की आर्य भाषाओं में क्योंकि आदि इंडो-यूरोपियन भाषा में उनका व्यवहार होता था, आदि द्रविड़ भाषा में नहीं। जो ध्वनियाँ आदि इंडो-यूरोपियन भाषा की मूल ध्वनियाँ थीं, वे अचानक ग्रीक, लैटिन, जर्मन, रूसी आदि भाषाओं से गायब कैसे हो गईं? इससे भी आश्चर्यजनक बात यह है कि वे संस्कृत में सुरक्षित रहीं जिसका द्रविड़ भाषाई परिवेश इन ध्वनियों का विरोधी था। आर्यों ने जहाँ द्रविड़ों को जीता, वहाँ तो **घ्-ध्-भ्** का व्यवहार होता रहा और जहाँ द्रविड़ नहीं थे, आर्य जहाँ के निवासी थे, वहाँ इनका लोप हो गया!

जहाँ से इन ध्वनियों का लोप हुआ, वह भूखंड यूरोप तक सीमित नहीं है। यूरोप के धुर उत्तर में आइसलैंड और ब्रिटेन से लेकर भारत के उत्तर-पश्चिमी सीमान्त पर ईरान और अफगानिस्तान तक इस विशाल भूखंड में जहाँ भी आर्यों का आदि देश रहा हो और जिन प्रदेशों में भी उनकी शाखाएँ घूमती रही हों और बस गई हों, कहीं भी **घ्-ध्-म्** की सघोष महाप्राण स्पर्श-ध्वनियाँ सुनने को नहीं मिलतीं।

यूरोप और ईरान की आर्य भाषाओं में सघोष महाप्राण स्पर्श-ध्वनियों के अभाव से भी अधिक आश्चर्यजनक बात यह है कि भाषाविज्ञानियों ने इस अभाव के कारणों का पता नहीं लगाया, पता लगाने का प्रयत्न भी नहीं किया; उन्होंने यह सोचने का कष्ट ही नहीं उठाया कि आखिर ये आदि इंडो-यूरोपियन ध्वनियाँ संस्कृत में ही

क्यों सुरक्षित हैं, यूरोप और ईरान में इनका अभाव क्यों हो गया, खास कर जब संस्कृत का द्रविड़ परिवेश सघोष महाप्राणता का ऐसा विकट विरोधी हो। औरों ने विचार न किया हो तो न किया हो, द्रविड़ भाषाओं के विशेषज्ञ बरो ने भी विचार नहीं किया, यह आश्चर्य ही नहीं, दुख की बात है। वैदिक भाषा बोलने वालों को उन्होंने 'दि संस्कृत लैंग्वेज' में 'इनवेडिंग पीपुल्स' (पृ. 1) कहा है और उनकी भाषा पर आर्येतर भाषाओं के प्रभाव को लेकर पूरा एक अध्याय लिखा है किन्तु उन्होंने इस बात को समस्या रूप में भी स्वीकार नहीं किया कि सघोष महाप्राण ध्वनियाँ संस्कृत में क्यों हैं, यूरोप और ईरान की भाषाओं में क्यों नहीं हैं, मानो विवेचना के लिए उनकी दृष्टि में इस समस्या का कोई महत्त्व ही न हो। उन्होंने इस सम्बन्ध में तथ्य का उल्लेख मात्र कर देना यथेष्ट माना।

इंडो-यूरोपियन भाषा-परिवार की यूरोपीय और ईरानी शाखाओं में **घ्-ध्-भ्** ध्वनियों का लोप कब हुआ? अवश्य ही अत्यन्त प्राचीन काल में, भारत में वैदिक भाषा के विकास से भी पहले। यूरोप की प्राचीन भाषाओं ग्रीक और लैटिन में ही इनका अभाव नहीं है, एशिया की प्राचीन ईरानी भाषा में भी इनका अभाव है। इनके अलावा मध्य पूर्व की एक प्राचीन भाषा हित्ती है। जहाँ आजकल तुर्की बोली जाती है, वहाँ कभी अनातोलिया की भूमि पर संस्कृत की समानान्तर भाषा हित्ती बोली जाती थी। इसके प्राचीनतम लेख ईसापूर्व उन्नीसवीं शताब्दी के हैं। जो लोग ऋग्वेद का रचना-काल ईसापूर्व बारहवीं शताब्दी के आस-पास मानते हैं, उनके लिए हित्ती भाषा का विकास उस समय हुआ, जिस समय भारत में वैदिक भाषा का विकास न हुआ था। किन्तु वैदिक भाषा में तो **घ्-ध्-भ्** ध्वनियों का व्यवहार हुआ, पर भारत में आर्यों के प्रवेश से पहले ही हित्ती भाषा से इन ध्वनियों का लोप हो गया! जब तक आर्य लोग सिन्धु नदी के उस पार रहे, तब तक उनके मुँह से न **घ्** निकला, न **ध्**, न **भ्**। जैसे ही सिन्धु नदी पार की, वैसे ही उनके कंठ से सघोष महाप्रण ध्वनियाँ फूट निकलीं और ऐसी फूटीं कि महाराष्ट्र से मगध तक उनका घोष आज भी सुनाई देता है।

यदि कोई तमिल-भाषी संस्कृत के **धरा** शब्द का उच्चारण अपनी भाषा की ध्वनि-प्रवृत्ति के अनुसार करे तो कहेगा—**तरा** अथवा **तेरइ**। लैटिन में इस शब्द का ऐसा ही प्रतिरूप है—**तेरा**। फ्रांसीसी **तअर**, ईरानी **तरा**, और अंग्रेज़ी **टेरेस्ट्रियल** आदि शब्दों में **ध्** की सघोषता और महाप्राणता का लोप वैसे ही हुआ है, जैसे तमिल में होता है या हो सकता है। किन्तु भाषाविज्ञानी लैटिन **तेरा** को संस्कृत **धरा** का प्रतिरूप नहीं मानते। दोनों का अर्थ एक है किन्तु उनका सिद्धान्त है कि संस्कृत में जहाँ **ध्** होगा, वहाँ लैटिन प्रतिरूप में **फ़्** होगा; तब **तेरा** का सम्बन्ध **धरा** से कैसे हो सकता है? किन्तु संस्कृत **ध्वन्** क्रिया का लैटिन प्रतिरूप है **तोनो** (गरजना); संस्कृत **भक्ष्** क्रिया का लैटिन प्रतिरूप है—**पस्को** (भोजन करना); संस्कृत क्रिया **घुर्** का लैटिन प्रतिरूप है **कुर्वो** (झुकना या टेढ़ा होना); संस्कृत क्रिया **भी** का

लैटिन प्रतिरूप है **पवेओ** (डरना); संस्कृत शब्द **घर्म** में क्रिया है **घर**, इसका लैटिन प्रतिरूप है **कलेओ** (गर्म होना)। लैटिन तथा यूरोप की अन्य भाषाओं से ऐसे और शब्द भी दिये जा सकते हैं जिनके आरम्भ में अघोष अल्पप्राण ध्वनियाँ हैं किन्तु जिनके संस्कृत प्रतिरूपों के आरम्भ में सघोष महाप्राण ध्वनियाँ हैं। ध्वनि-परिवर्तन की यही प्रक्रिया तमिल में देखी जाती है। संस्कृत **भाष्**, तमिल **पेचु** (बोलना), संस्कृत **भज्**, तमिल **पगु** (बाँटना), संस्कृत **भग्न** की **भज्** क्रिया का तमिल प्रतिरूप पुनः **पगु** (टूटना), भूषण भनत सिवराज बीर तेरे वास वाली **भनत** क्रिया का मूल रूप **भण**, उसका तमिल प्रतिरूप **पणि** (बोलना) है।

यूरोप की आर्य भाषाओं और भारत की द्रविड़ भाषाओं के अनेक शब्दों में यह सामान्य विशेषता पाई जाती है कि संस्कृत की **घ्-ध-भ्** ध्वनियों के समानान्तर शब्द के आरम्भ में वहाँ **क्-त्-प्** का व्यवहार होता है। ध्वनि परिवर्तन की यह एक रीति है।

तमिल भाषा शब्दों के आरम्भ में सघोष स्पर्श-ध्वनि स्वीकार नहीं करती, किन्तु तमिलनाडु के उत्तर में बोली जानेवाली अन्य द्रविड़ भाषाएँ—कन्नड़ और तेलगू—में ऐसी निषेध-भावना नहीं है। संस्कृत **भज्** (बाँटना) का तमिल प्रतिरूप **पगु** है तो कन्नड़ में **बगि** अथवा **बगरु** है। संस्कृत **भंडि** (गाड़ी) का तमिल प्रतिरूप **पंडि** अथवा **वंडि** है; कन्नड़ प्रतिरूप है—**बण्डि**। संस्कृत **भंड** (लम्पट) का तमिल प्रतिरूप **वंडर**, कन्नड़ रूप **बंड** है। संस्कृत क्रिया **भी** अथवा **भे** से तमिल रूप मिला **वेरु**, कन्नड़ रूप **बेर्चु** (डरना)। (इन उदाहरणों में तमिल **व् प्** का विकास है और **प् भ्** का)। इससे तुलनीय है संस्कृत **धाम** का ग्रीक प्रति-रूप **दोमोस**, लैटिन रूप **दोमुस्**; संस्कृत **भ्राता** का रूसी प्रतिरूप **ब्रात्**, फ़ारसी **बिरादर**, अंग्रेज़ी **ब्रदर**; संस्कृत **भरति** का अवेस्ता वाला रूप **बरैति**; संस्कृत **घर्म** का फ़ारसी प्रतिरूप **गर्म** आदि।

ध्वनि-परिवर्तन की यह दूसरी रीति है। **घ्-ध्-भ्** ध्वनियाँ शब्द के आरम्भ में सघोष बनी रहती हैं, केवल महाप्राणता का लोप होता है। महाप्राणता के इस लोप का कारण द्रविड़-प्रभाव हो सकता है।

तमिल-मलयालम की तरह कन्नड़-तेलगू भाषाएँ भी **ख्-थ्-फ्**—इन अघोष महाप्राण ध्वनियों का व्यवहार सामान्यतः नहीं करतीं। किन्तु इनके उत्तर में जो द्रविड़ भाषाएँ बोली जाती हैं और जो आर्य भाषाओं की पड़ोसी हैं, उनमें इन ध्वनियों का व्यवहार होता है। संस्कृत—**काक**, ब्राहूइ—**ख़ाख़ो**, कुरुख—**ख़ाख़ा** (डी.ई.डी. शब्द संख्या-1197)। संस्कृत—**क्षार**, तमिल—**कार**, ब्राहूइ—**खारेन**। (उप.-1227) तमिल—**कण** (आँख), ब्राहूइ—**खन्**, कुरुख—**ख़न्न** (उप.—973)। द्रविड़ भाषाओं के ध्वनि परिवर्तन पर अपने ग्रंथ 'कम्पैरेटिव ड्रैवीडियन फोनोलॉजी' में चेक विद्वान् कामिल ज़्वेलेबिल ने लिखा है कि लंका में जो तमिल बोली जाती है, उसमें शब्द के आरम्भ की **क्**-ध्वनि महाप्राणता के संयोग से **ख्**-वत् सुनी जाती है। (पृ. 119)

संस्कृत—**पिता**, लैटिन—**पतेर**, जर्मन—**फातेर**, अंग्रेज़ी—**फ़ादर**; संस्कृत—**पशु**, लैटिन—**पेंकु**, जर्मन—**फ़ीह**, अंग्रेज़ी—**फ़ी**; संस्कृत—**त्रि**, लैटिन—**त्रेस्**, अंग्रेज़ी—**थ्री**, लैटिन—**पेलिस्** (चमड़ा), जर्मन—**फ़ेल्** आदि उदाहरणों में महाप्राणता का संयोग वैसा ही है, जैसा कुरुख और ब्राहूइ में। यह ध्वनि-परिवर्तन जर्मन कुल की भाषाओं की ही विशेषता नहीं है। लैटिन और ग्रीक भाषाओं में जहाँ-तहाँ एक ही शब्द के दो प्रतिरूप मिलते हैं : एक की आरम्भिक ध्वनि अल्पप्राण है, दूसरे की महाप्राण। संस्कृत **भर्** क्रिया के लैटिन और ग्रीक में दो-दो प्रतिरूप हैं : लैटिन—**परिओ** और **फ़ेरो**; ग्रीक—**पोरेउओ** और **फ़ेरो**। इनका अर्थ है—ले जाना। लैटिन **पबुलोर** और **फब** पशुओं के चारे या दाने के लिए प्रयुक्त होनेवाले शब्द हैं। कहीं अल्पप्राण रूप ग्रीक में है तो महाप्राण रूप लैटिन में। ग्रीक क्रिया **पिग्** का लैटिन प्रतिरूप है **फ़िगो** (कील या खूँटी जैसी चीज़ गाड़ना)। **पारसी** और **फ़ारसी**, **परशु** और **फरसा** ध्वनि-परिवर्तन की उसी रीति की ओर संकेत करते हैं। उल्लेखनीय है कि यूरोप और ईरान की आर्य भाषाओं में सघोष महाप्राण **घ्-ध्-भ्** का अभाव तो है ही, इनमें **ख्-थ्-फ्** का विकास भी विषम और भिन्न स्तरों पर हुआ है। लैटिन में **थ्** का नितान्त अभाव है; उसकी अघोष महाप्राण स्पर्श-ध्वनि **फ्** है। यह संघर्षी रूप में सुलभ है किन्तु इसकी समकक्ष **ख्** ध्वनि का जैसा महत्त्व ग्रीक में है, वैसा यहाँ नहीं है। ग्रीक में **थ्** और **फ्** भी हैं—असंघर्षी रूपों में; बाद में ये सब संघर्षी हुईं। **ख्-थ्-फ्**—इन तीनों अघोष महाप्राण ध्वनियों का विकास केवल संस्कृत और भारतीय आर्य परिवार की भाषाओं में हुआ है। ग्रीक-लैटिन तथा यूरोप-एशिया की अन्य आर्य भाषाओं में महाप्राण ध्वनियों के विकास में कोई आन्तरिक संगति नहीं है। वहाँ इनके विकास में जैसा वैषम्य देखा जाता है, वैसा ही वैषम्य द्रविड़ भाषाओं में भी स्पष्ट दिखाई देता है।

**घ्-ध्-भ्** और **ख्-थ्-फ्** के समान यूरोप और भारत की भाषाओं में महाप्राण ध्वनि **ह्** की स्थिति महत्त्वपूर्ण है। इस ध्वनि का जैसा विकास और प्रचुर व्यवहार भारतीय आर्य भाषाओं में हुआ है, वैसा यूरोप की आर्य और भारत की द्रविड़ भाषाओं में नहीं। तमिल और मलयालम में कोई भी शब्द हकार से आरम्भ नहीं होता जब तक कि वह उधार लिया हुआ शब्द न हो। किन्तु इनके उत्तर में कन्नड़ ऐसी द्रविड़ भाषा है जो आरम्भिक **प्** के स्थान पर अक्सर **ह्**, का प्रयोग करती है, यथा : **पाल, हाल** (दूध)। और उत्तर में गोंडी भाषा अनेक शब्दों के आरम्भ में **ह्** का व्यवहार करती है। (देखें, डी.ई.डी., पृ. 544) इस **ह्** का विकास कहीं **घ्-घ्-भ** से होता है, कहीं **ख-थ्-फ्** से, कहीं **क्-त्-प्** से और कहीं **श्-ष्-स्** से; कहीं उसका अस्तित्व किसी अन्य ध्वनि का विकास नहीं, स्वतंत्र है।

इंडो-यूरोपियन परिवार की एक भाषा आर्मीनियन है। कन्नड़ की तरह यह भी शब्द के आरम्भ में आनेवाले **प्** को अक्सर बदलकर **ह्**, कर देती है। संस्कृत—**पिता**, ग्रीक—**पतेर्**, आर्मीनियन—**हेइर**; संस्कृत—**पद**, आर्मी—**हेत**; संस्कृत—**प्रछ्**,

आर्मी.—**हर्च्**; संस्कृत—**पंच**, आर्मी.—**हिंग्**; ग्रीक—**पेरुति**, आर्मी.—**हेरु** (पर साल); संस्कृत—**पू**, आर्मी.—**हु** (पस); संस्कृत—**पंथ**, आर्मी.—**हुन्** (नदी-नाले पार करने की उथली भूमि)।

कन्नड़ और आर्मीनियन से मिलती-जुलती प्रक्रिया जर्मन कुल की भाषाओं में देखी जाती है। संस्कृत—**कुब्ज**, गौथिक—**हुप्स** (कूबड़); संस्कृत—**कुम्भ**, नौरवीजियन—**हुम्प**, अंग्रेज़ी—**हम्प** (कूबड़); संस्कृत—**कूप**, आइसलैंडिक—**हूफ़**, संस्कृत—**कक्षा**, जर्मन—**हैख़्से**; संस्कृत—**कुटी**, जर्मन—**खुट्टे**, अंग्रेज़ी—**हट्**। अन्तर इतना है कि कन्नड़-आर्मीनियन में परिवर्तित होनेवाली शब्द की आरम्भिक ध्वनि **प्** है, यहाँ **क्** है। अघोष अल्पप्राण, स्पर्श-ध्वनियाँ, दोनों हैं। इससे तुलनीय है तमिल की स्थिति जिसमें **क्** अथवा **ग्**—दो स्वरों के बीच में आने पर—बहुत-से शिक्षित जनों द्वारा **ह्** रूप में बोला जाता है। यथा—**मगन** (लड़का) कुछ शिक्षित जनों की बोली में **महन** सुना जाता है। ज़्वेलेबिल ने इस तथ्य का उल्लेख किया है कि ब्राह्मणों की बोली में मध्यवर्ती **क्/ग्** का उच्चारण **ह्** रूप में होता है, अब्राह्मणों की बोली में **क्/ग्** रूप में। (कम्पैरेटिव., पृ. 121) तमिल वर्णमाला में **ह्** वर्ण के लिए कोई चिह्न नहीं था, **हारम्** आदि संस्कृत शब्द लिखने के लिए बाद में नया चिह्न जोड़ा गया। **ह्** का उच्चारण और लेखन तमिलनाडु में शिक्षित होने का चिह्न माना गया।

प्राचीन यूनान में यही स्थिति थी। शिक्षित होने का प्रमाण था—हकार का लेखन और उच्चारण। तमिल की तरह ग्रीक वर्णमाला में भी हकार के लिए कोई चिह्न न था। यूनानियों ने स्वर के ऊपर उल्टा कौमा लगाकर यह कमी पूरी की। किन्तु बहुत-से लिखित शब्दों का **ह्** बोला जाता था, इसमें सन्देह है। संस्कृत—**स्वप्न** का ग्रीक प्रतिरूप है **हुप्नोस्**, किन्तु नकारात्मक उपसर्ग **अ** जुड़ने पर इसका रूप बनता है—**अउप्नोस्**। **ह्** का लोप हो गया जबकि आशा की जा सकती थी कि दो स्वरों की टक्कर बचाने के लिए **ह्** बना रहेगा। कार्ल डार्लिंग बक ने ग्रीक और लैटिन भाषाओं के अपने व्याकरण में लिखा है कि जहाँ **ह्**-ध्वनि अनावश्यक थी, यूनानी लोग अक्सर उसे जोड़ देते थे। संस्कृत **अश्व**, लैटिन **एक्वुउस्** का ग्रीक प्रतिरूप है **हिप्पोस**; संस्कृत-लैटिन शब्दों की आरम्भिक ध्वनि विशुद्ध स्वर है; ग्रीक में हकार है। इस पद्धति की पराकाष्ठा **उ**-स्वर से आरम्भ होनेवाले शब्दों में दिखाई देती है। ग्रीक भाषा के कोश में ऐसा एक भी शब्द नहीं है जिसकी आदि ध्वनि विशुद्ध उकार हो; सर्वत्र उकार के स्थान पर हुकार स्थापित है। यह अपने को शिक्षित दिखाने का प्रयास था; इससे यह निष्कर्ष निकालना ग़लत होगा कि यूनान के जनसाधारण के लिए हकार का उच्चारण सुगम और सुखद था। बक ने लिखा है कि यूनान की आयोनिक, लेस्बियन आदि अनेक बोलियों में **ह्**-ध्वनि का उच्चारण प्राचीन काल में समाप्त हो गया था; आधुनिक यूनानी भाषा में उसका सर्वथा अभाव है। इससे ग्रीक भाषा की सामान्य ध्वनि-प्रवृत्ति का पता चलता है।

ऐसी ही स्थिति लैटिन की थी। बक का कहना है कि उसमें **ह्** का उच्चारण बहुत हल्का होता था और बोलचाल की लैटिन में उसका उच्चारण शायद बिलकुल नहीं होता था। एल.आर. पामर ने 'दि लैटिन लैंग्वेज' में बताया है कि इस भाषा में हकार ध्वनि मूलत: अस्थिर थी और क्रमश: उसका लोप होता गया; बहुत जगह लिखने में उसका प्रयोग होता रहा यद्यपि व्युत्पत्ति-विचार से ऐसा करना अनावश्यक था। अनेक ग्रामीण बोलियों में इस ध्वनि का लोप हो गया। इसकी प्रतिक्रिया यह हुई कि **ह्** के उच्चारण को नागरिकता का लक्षण मानकर लोगों ने बहुत जगह उसे स्वर के साथ जोड़ दिया यद्यपि वहाँ विशुद्ध स्वर ही दरकार था। (पृ. 229-30)

अवश्य ही यूनान और रोम के लोग अपने अभ्युदय-काल में किसी ऐसे भाषा-वर्ग के सम्पर्क में आए होंगे जिसमें **ह्** का उच्चारण स्पष्ट रूप में और बारम्बार सुना जाता था। संस्कृत से इन भाषाओं का जैसा सम्बन्ध है, उसे देखते हुए इसी बात की सम्भावना अधिक है कि ग्रीक और रोमन जनों ने **ह्** की ध्वनि स्पष्ट रूप में और बारम्बार भारतीय आर्य भाषा-वर्ग के सम्पर्क में आने पर सुनी। किन्तु ग्रीक और लैटिन भाषाओं की मूल प्रवृत्ति महाप्राणता की विरोधी है। फ्रांसीसी, इतालवी जैसी भाषाओं से इस ध्वनि का प्राय: लोप हो चुका है और अंग्रेज़ी में यह ध्वनि या तो लुप्त हो गई है या क्षीण है। जर्मन भाषा में हकार की स्थिति बहुत भिन्न नहीं है। प्रीब्श और कॉलिन्सन ने 'दि जर्मन लैंग्वेज' में लिखा है कि जर्मन कुल भाषाओं में **ह्** का विकास **ख़्** से हुआ और उसके उच्चारण में स्पष्ट ही क्षीणता का आभास होता है; **ह्ल, ह्र, ह्न, ह्व** जैसे व्यंजन-युग्मों से **ह्** का लोप हो गया, स्वरों के बीच में आनेवाले **ह्**, की भी यही दशा हुई। जिन भाषाओं की ध्वनितंत्रीय व्यवस्था मूलत: महाप्राणता की विरोधी है, उनमें **ह्** ध्वनि की यह स्थिति स्वाभाविक है।

यह भी स्वाभाविक है कि भारत की द्रविड़ तथा यूरोप की आर्य भाषाओं में **ह्** का लोप होने पर केवल स्वर का व्यवहार हो। अनेक केल्टिक भाषाएँ कन्नड़ और आर्मीनियन की तरह पहले शब्द के आरम्भिक **प्** का विकास हकार में करती हैं, फिर उसका लोप करके केवल स्वर को बचाए रखती हैं। संस्कृत—**पिता**, ग्रीक—**पतिर्**, आर्मीनियन—**हइर** और प्राचीन आइरिश में **अथिर**। संस्कृत—**पद**, आर्मीनियन—**हेत**, प्राचीन आइरिश—**एद्**; ग्रीक—**पोर्कोस्** (सुअर), आइरिश—**ओर्च**; लैटिन—**पेन्न** (पंख, उड़ान), आइरिश—**एन** (चिड़िया)। इंडो-यूरोपियन परिवार की दो भाषाएँ ठीक कन्नड़ की तरह **प्** ध्वनि का विकास **ह्** में करती हैं और इनमें आइरिश हकार का लोप करके अनेक शब्दों के आरम्भ में केवल स्वर को बचा रखती है।

**पाग, पगड़ी, पगही** में **पग्** क्रिया का अर्थ बाँधना है। कन्नड़ में इससे बना हुआ एक रूप है—**हग्ग** (रस्सा), दूसरा रूप है—**अग्ग**, तमिल प्रतिरूप है—**अक्कम** (डी.ई.डी. शब्द संख्या-27); कन्नड़ में एक शब्द के तीन रूप हैं—**परिवाण, हरिवाण, अरिवाण** (तश्तरी); तमिल में इनका प्रतिरूप है—**अरुवाणम्** (डी.ई.डी.-3276);

तेलगू—**पेञ्चु,** कन्नड़ में **हेञ्चु, हञ्चु** और **अञ्चु** (= खपड़ा, उप. 3597); तुलू में कन्नड़ की तरह एक शब्द के तीन रूप—**परियुनि, हरियुनि, अर्युनि** (बहना, दौड़ना; उप. 3268)। इन उदाहरणों से **प्-ह्-अ** वाली ध्वनि-विकास-प्रक्रिया स्पष्ट हो जाती है।

इसी तरह **घ्-ध्-भ्** की ध्वनियाँ हकार की मंज़िल पार करती हुई अनेक शब्दों में केवल स्वर रूप में बच रहती हैं। संस्कृत—**हंस,** मूल रूप—**घंस,** जर्मन प्रतिरूप **गंज़**। संस्कृत **हंस** के **ह्** का लोप होने पर लैटिन रूप सुलभ हुआ—**अन्सेर**। **धरा** का एक प्रतिरूप लैटिन **तेरा** है। किसी समय इसके अन्य प्रतिरूप **हरा** का चलन भी रहा होगा। इस **हेरा** से ग्रीक रूप बना—**एरा** (धरती)। लिडेल और स्कॉट ने अपने शब्दकोश में उचित ही **एरा** के आगे उसका लैटिन प्रतिशब्द **तेरा** दिया है। किन्तु इस **एरा** का विकास **तेरा** से नहीं, **हेरा** से हुआ था, यह बात **हंस** और **अन्सेर** के उदाहरण से सिद्ध होती है। **भण्** क्रिया से कन्नड़ **अन्,** तेलगू **अनु** (कहना) इसी रीति से प्राप्त होते हैं।

**घ्-ध्-भ्** में **भ्** का विकास **प्-व्-अ** की दिशा में भी होता है। **भज्, भुज्** या **भोज्** क्रियाओं का अर्थ है—मुड़ना, टेढ़ा होना। **भ्रू, भौंह**—जो टेढ़ी है। **भुजा** मनुष्य की बाँह है जो मोड़ी जाती है, **भुजग** या **भुजंग** सर्प है जो वक्र गति से चलता है। **भोग** शब्द का एक अर्थ है मोड़, दूसरा—साँप। **भंग, भंगिमा** शब्दों में यही वक्रता का भाव है। **भंग** से **पंग** (**पंगु**—जिसका पैर या कोई अन्य अंग टेढ़ा हो)—**पंग** से नया शब्द बना **वंग**। तमिल **वंगि** का अर्थ है अंकुश। कन्नड़ में इसके दो रूप हैं—**वङ्गि** और **ओङ्गि** (डी.ई.डी.—4260)। यहाँ हम अर्द्ध स्वर **व्** को पूर्ण स्वर **ओ** में विकसित होते हुए देखते हैं। इसी रीति से संस्कृत में **वंक** और **अंक** दो रूप सुलभ होते हैं। **वंक**—टेढ़ा; **अंक**—अंकुश। **वंक** और **वक्र** एक ही गोत्र के दो शब्द हैं। इन सबका स्रोत सघोष महाप्राण **भ्** ध्वनिवाली क्रिया है। ग्रीक शब्द **अंकि**—बाँह, **अंकलि**—मोड़ी हुई बाँह, **अङ्कोन्**—बाहँ का मोड़ या कोख, **अङ्कोस्**—मोड़ या गह्वर, विशेष रूप से बाँह का (यह शब्द घाटी के लिए भी प्रयुक्त होता था)। इन ग्रीक शब्दों का मूलांश **अंक** मुड़ने या मोड़ने की क्रिया से सम्बद्ध है और यह क्रिया मनुष्य की बाँह से। सम्भव है, पहले संस्कृत **अंक** और **अंग** का प्रयोग बाँह के लिए ही होता रहा हो। संस्कृत **अंकुश** का लैटिन प्रतिरूप है—**उङ्कुस**। संस्कृत **अंगुलि,** अंग्रेज़ी **ऐंगल** (कोण) आदि में वही वक्रता का भाव है। मूल ध्वनि **भ्** का विकास स्वर रूप में हुआ, ये उदाहरण उसके प्रमाण हैं।

**घ्-ध्-भ्** की तरह आर्य-द्रविड़ भाषाओं के अनेक शब्दों में **स्** ध्वनि का विकास हकार वाली मंजिल पार करते हुए **अ** स्वर की ओर होता है। बरो ने 'ड्रैवीडियन स्टडीज़' नाम की लेखमाला में ऐसे बहुत-से शब्द दिये हैं जिनमें संस्कृत शब्दों के **स्/श्** के स्थान पर तमिल प्रतिरूपों में केवल स्वर रह गया है। **श्रेणी—एणि** (सीढ़ी); **श्रावण—आवणि, ओणम्; सन्धि—अन्दि; सभा—अवइ; सिन्धु—इन्दु;**

**सूचि—ऊचि**। यहाँ **सिन्धु** और **इन्दु** का जोड़ा ध्यान देने योग्य है। यदि **सिन्धु** का **हिन्दु** रूप ईरानियों की कृपा का फल हो तो मानना चाहिए कि रूसियों, यूनानियों और अंग्रेज़ों को **इन्दुस, इंडस, इंडिया** आदि रूप द्रविड़ों की कृपा से प्राप्त हुए।

संस्कृत **उषस्** का ग्रीक प्रतिरूप **इओस्** है। यहाँ मध्यवर्ती षकार का विकास स्वर-रूप में हुआ। संस्कृत **सूर्य** का एक प्रति-रूप ग्रीक भाषा में **हिलिओस्** है, दूसरा **इएलिओस्**। यहाँ शब्द की आरम्भिक ध्वनि **स्** का विकास **ह्—अ** दो रूपों में दिखाई देता है। संस्कृत—**स्वतः**, ग्रीक—**अउतोस्**; संस्कृत—**श्रुत**, लैटिन **अउदिओ**, संस्कृत—**सर**, लैटिन—**एरो** (अंग्रेज़ी—err—भटकना) का सम्बन्ध अनेक भाषाविज्ञानी स्वीकार न करेंगे। किन्तु चेक विद्वान् पकोर्नी ने अपने इंडो-यूरोपियन शब्दकोश ('इंडो-गेर्मानिशेस् एटीमोलोगीशेस् वर्टेरबुख') में संस्कृत **शोष्**, मूल रूप **सौस्**, इनका ग्रीक प्रतिरूप **अउओस्** दिया है। यह **स्** के **अ** में विकास की स्वीकृति है। बरो ने अपनी उपर्युक्त लेखमाला में—द्रविड़ भाषाओं के सन्दर्भ में—ध्वनि-परिवर्तन की इस रीति के बारे में लिखा है कि "दक्षिणी द्रविड़ भाषाओं में शब्द के आरम्भ में आनेवाले सकार का बहुधा लोप हो जाता है" और "इसके बीच की मंज़िल सम्भवतः हकार की थी"। **सूर्य, हिलिओस्, इएलिओस्** से सिद्ध है कि यह रीति द्रविड़ भाषाओं के समान यूरोप की कुछ आर्य भाषाओं में भी चालू थी।

**स्/श्** का एक विकास **त्** रूप में भी होता है। इसका एक लोकप्रिय और प्रचलित उदाहरण संस्कृत **श्री** का द्रविड़ प्रतिरूप **तिरु** है। एमेनो ने लिखा है कि इस **तिरु** के मूल द्रविड़ शब्द होने की सम्भावना नहीं है क्योंकि इसके सारे अर्थ संस्कृत **श्री** से सम्बद्ध हैं और द्रविड़ भाषाओं में इसके गोत्र के अन्य शब्द नहीं हैं। ('कलेक्टेड पेपर्स', पृ. 54) एमेनो ने संस्कृत शब्दों के सकार को तमिल में **त्** रूप देने के अनेक उदाहरण प्रस्तुत किये हैं : **सत्वम्—तत्तुवम्; संतति—तन्दति; सेना—तानइ; दास—तादन्; तापस—ताबदन्**। इस सन्दर्भ में एमेनो ने एल.वी. रामस्वामी अइयर का हवाला दिया है जिनके अनुसार दक्षिण की बोलियों में संस्कृत शब्दों के आदि सकार के स्थान पर तकार का प्रयोग होता है, यथा : समयम् के लिए तमयम्।

लैटिन **तेम्पुस्** और अंग्रेज़ी **टाइम** संस्कृत **समय** से सम्बद्ध जान पड़ते हैं। जैसे संस्कृत **समय** से तमिल रूप **तमयम्** प्राप्त है, वैसे ही **तेम्पुस्** और **टाइम** भी प्राप्त हो सकते हैं।

सकार-शकार सम्भवतः द्रविड़ भाषाओं की मूल ध्वनि नहीं हैं। एमेनो और बरो ने अपने शब्दकोश में तमिल का एक भी शब्द नहीं दिया जो **स्** से आरम्भ होता हो। इसके विपरीत कन्नड़ में **स्** से आरम्भ होनेवाले शब्दों की काफ़ी लम्बी सूची है। इससे यही निष्कर्ष निकलता है कि जो द्रविड़ भाषाएँ आर्य भाषाओं के अधिक समीप हैं, उनमें इस ध्वनि का विकास और व्यवहार अधिक हुआ है।

द्रविड़ भाषाओं में मूलतः सकार/शकार का अभाव रहा हो तो उसके स्थान पर किसी अन्य स्पर्श-ध्वनि का व्यवहार उनके लिए अत्यन्त स्वाभाविक होगा। **श्-स्** के स्थान पर **च्** का व्यवहार बहुत सामान्य है, किन्तु बहुत-से विद्वान् मानते हैं कि द्रविड़-परिवार में इस ध्वनि का विकास बाद में हुआ है। इसलिए ऐसी परिस्थिति में जब द्रविड़ भाषाओं के पास स्पर्श-ध्वनियों की संख्या और भी सीमित हो, उनके लिए यह और भी स्वाभाविक था कि **स्/श्** के स्थान **त्** या **क्** का व्यवहार करें। इस परिस्थिति का परिणाम यह है कि द्रविड़ भाषाओं में अक्सर एक ही शब्द के जितने प्रतिरूप मिलते हैं, उतने आर्य भाषाओं में नहीं, और यह आवश्यक नहीं कि ये प्रतिरूप अनेक भाषाओं के हों, एक ही भाषा में अनेक प्रतिरूपों के दर्शन हो सकते हैं। तुलू भाषा में **तट्टु, शेट्टु, हेट्टु** और **कट्ट** (बुरा, सड़ा हुआ)—चार प्रतिरूप एकसाथ मिलते हैं। शकार द्रविड़ भाषाओं की मूल ध्वनि नहीं है, इसलिए सम्भावना इसी बात की अधिक है कि **श्** वाले रूप का विकास **त्** या **क्** वाले रूपों से नहीं हुआ, वरन् **श्** वाले रूप से ही **त्** और **क्** वाले प्रतिरूप बने हैं। **श्** वाले रूप से **ह्** वाला रूप सुलभ हुआ, यह बात सहज ही बोधगम्य है। तुलू ऐसी विरली द्रविड़ भाषा है जिसमें काफ़ी शब्द **श्-स्-ह्**—इन तीनों ध्वनियों से आरम्भ होते हैं। एमेनो और बरो ने कन्नड़ में **स्** और **ह्** से आरम्भ होनेवाले शब्द दिये हैं, **श्** से आरम्भ होनेवाला एक भी शब्द नहीं दिया। इसी तरह उन्होंने तेलगू में **स्** से आरम्भ होनेवाले काफ़ी शब्द दिये हैं, फिर भी वे कन्नड़ से आधे होंगे; **ह्** से आरम्भ होनेवाले और भी कम हैं; **श्** से आरम्भ होनेवाला केवल एक शब्द दिया है। तोद में भी **स्** से आरम्भ होनेवाले अनेक शब्द हैं। बरो और एमेनो ने तमिल में **स्** से आरम्भ होनेवाले शब्दों का नितान्त अभाव दिखाया है। सम्भव है, तमिल में द्रविड़ भाषा-परिवार की ध्वनितंत्रीय विशेषताएँ अधिक सुरक्षित रही हों; अन्य भाषाओं ने शब्द के आरम्भ में **श्-स्-ह्** स्वीकार किया, तमिल ने सामान्यतः इसे स्वीकार नहीं किया। इससे यह बात और भी समझ में आ जाती है कि द्रविड़ भाषाओं में कुछ रूप **स्** से और उन्हीं के कुछ प्रतिरूप **क्** से क्यों आरम्भ होते हैं।

कन्नड़, तुलू, तोद, कोण्ड, गोंडी, कुइ—इन छह द्रविड़ भाषाओं में मरने के लिए जिस क्रिया का व्यवहार होता है, वह **स्** से आरम्भ होती है—**साय्, सैपिनि, सोय्, सा, सइआना, साव्**। तमिल में इसका प्रतिरूप **च्** है किन्तु ब्राहूइ और माल्तो में **क्** से आरम्भ होनेवाले रूप हैं—**कहिंग्** और **केये** (केच्)। कुरुख में महाप्राणतासहित **क्** वाला प्रतिरूप है—**खेअेना**। बरो और एमेनो ने अपने कोश (शब्द-संख्या 2002) में उचित ही इस सन्दर्भ में संस्कृत शब्द **शव** का स्मरण किया है। **शे/शो/शा** जैसी क्रिया से **शव** शब्द बना। सम्भव है, इस क्रिया का मूल अर्थ सोना ही रहा हो, किन्तु मरने के लिए निःसन्देह कभी उसका व्यापक व्यवहार होता था, वर्ना **शव** का अर्थ होता सोता हुआ, न कि मरा हुआ। छह द्रविड़ भाषाओं में इसका **स्** वाला

प्रतिरूप है, तीन में **क्/ख्** वाला और शेष में **च्** वाला। इससे यह सिद्ध होता है कि **श्** से आरम्भ होनेवाली उस प्राचीन क्रिया का व्यवहार द्रविड़ भाषाओं में ही होता रहा है, आर्य भाषाओं के पास संज्ञा रूप में **शव** ही बच रहा। द्रविड़ भाषाओं में **सा, सो, सइ** वाले रूपों के साथ **क, के, खे** वाले रूप देखकर **केन्तुम्** और **शतम्** भाषावर्गों की बात याद आना स्वाभाविक है। हिन्दी—**सौ**, फ़ारसी—**सद्**, रूसी—**सोत**, संस्कृत—**शत**, लैटिन—**केन्तुम्**; उसी तरह कन्नड़—**साथ**, कोण्ड—**सो**, कुइ—**साव**, संस्कृत—**शो/शे/शा** (जिससे **शव**) और माल्तो—**केये**, ब्राहूइ—**कहिंग्**। **स्/क्** वाले प्रतिरूपों की कुछ और मिसालें देखें :

| भाषा | स्-वाला रूप | अर्थ | भाषा | क्-वाला रूप | डी.ई.डी. में शब्द-संख्या |
|---|---|---|---|---|---|
| कोण्ड | सिसु | आग | तमिल | किच्चु | 1272 |
| कोण्ड | सिप | झाड़ू | तोद | किप | 2139 |
| कन्नड़ | सुडु | जलाना | माल्तो | कुजे (कुट्) | 2183 |
| कन्नड़ | सुरुटु | लपेटना | कुरुख | कूरना | 2211 |
| | | | माल्तो | कुनगे | |
| | | | ब्राहूइ | कूरिंग | |
| गोंडी | सर्पुम् | जूता, चप्पल | कन्नड़ | केर | 1933 |
| कुवि | सेप्पु | | | केर्पु | |
| नाइकी | शेट्ट | पेड़ | तोद | किड्फ | 1913 |
| कोलामि | शेट्ट | | कन्नड़ | गिड, गिडु | |
| तुलू | शेट्टुनि | नष्ट होना | तुलू | केड्गुनि | 1914 |
| | | | तमिल | केडु | |

बरो ने 'ड्रैवीडियन स्टडीज़' वाली लेखमाला में लिखा है कि जंगली खजूर के लिए संस्कृत शब्द **हिन्ताल** है; मूल शब्द का सकार प्राकृत रूप **सिन्दी** में सुरक्षित है किन्तु कुरुख भाषा में इसका रूप है **कीन्दा**। बरो कहते हैं कि **कीन्दा** में आरम्भिक ध्वनि **क्** है, इसका कारण समझ में नहीं आता। एमेनो के साथ मिलकर बरो ने द्रविड़ भाषाओं का जो शब्दकोश बनाया है, उसमें **श/स्-क्** वाले वैकल्पिक रूपों पर विचार करने से कारण समझ में आ जाता है।

अंग्रेज़ी में एक शब्द है सेंटर, फ्रांसीसी प्रतिरूप है **सान्त्र**, इतालवी—**चेन्त्रो**। संस्कृत में इसी अर्थ का द्योतक शब्द है—**केन्द्र**। क्या संस्कृत शब्द **केन्द्र** आर्यों की **केन्तुम्** शाखा का शब्द है और **सेंटर शतम्** शाखा का? **दिश्, दिक्; दृश्, दृग्; स्वन, क्वण; श्रान्त, क्लान्त**—इन रूपों में क्या **केन्तुम्** और **शतम्** शाखाओं की विशेषताएँ मिल गई हैं?

संस्कृत **सम्** के समानान्तर ग्रीक भाषा में दो उपसर्ग हैं—**सुम्** और **सुन्**। **सुम्-बइनो**—एकसाथ खड़े होना; **सुम्मखेओ**—एकसाथ युद्ध करना; **सुम् प्नेओ**—एकसाथ साँस लेना; **सुन्-अगेइरो**—एकसाथ बटोरना; **सुन्-देओ**—एकसाथ बाँधना; **सुन्-थाकेओ**—एकसाथ बैठना। ग्रीक **सुम्** और **सुन्** के लैटिन प्रतिरूप हैं **कोम्** और **कोन्**। **कोम्-मित्तो**—एकसाथ मिलाना; **कोम्-पिंगो**—एकसाथ रखना; **कोम-पेन्सो**—एकसाथ तौलना; **कोन् किलिओ**—एकसाथ मिलाना; **कोन् कुरो**—एकसाथ दौड़ना; **कोन्-सीदो**—एकसाथ बैठना।

लैटिन **कोम्** और **कोन्** ग्रीक **सुम्** और **सुन्** के प्रतिरूप हैं—इसमें सन्देह नहीं। तब क्या लैटिन रूप **केन्तुम्** शाखा के हैं, ग्रीक रूप **शतम्** शाखा के?

संस्कृत **नासा** को **शतम्** शाखा का शब्द मानें, हिन्दी **नाक** को **केन्तुम्** शाखा का?

भारत के उत्तर में किसी समय तोख़ारी भाषा का व्यवहार होता था। इसका व्यवहार-क्षेत्र चीनी तुर्किस्तान था और इसके जो अभिलेख मिले हैं, वे ईसवी छठी से दशवीं शताब्दी तक के हैं। जब तक इस भाषा का पता न चला था, तब तक आर्यों के **केन्तुम्-शतम्** विभाजन में कोई विशेष कठिनाई न थी किन्तु दुर्भाग्य से यह तोख़ारी भाषा **केन्तुम्** शाखा वाली निकली! **केन्तुम्** शाखावाले पछाहीं आर्य छठी शताब्दी में **शतम्** प्रदेश भारत के उत्तर में क्या कर रहे थे—यह प्रश्न भाषाविज्ञानियों को उलझन में डालनेवाला था।

तोख़ारी की दो बोलियाँ हैं—ए और बी; दोनों ही **केन्तुम्** शाखा की विशेषताएँ लिये हुए हैं। इनमें **शतम्** के प्रतिरूप हैं **कैन्त्, कैन्ते**। **विंशति** के प्रतिरूप हैं—**विकि, इक**। **श्रवण-क्लोत्स/क्लउत्सो; श्वा** (कुत्ता)—**कु**। (ये सब प्रतिरूप पकोर्नी के कोश में हैं)।

इससे भी दिलचस्प बात यह है कि तमिल की तरह तोख़ारी शब्दों की आदि स्पर्श-ध्वनि सदैव अघोष रहती है। संस्कृत **धाम** के तोख़ारी प्रतिरूप हैं **तम्, तेम्**। संस्कृत में **दारु** का प्रतिरूप **तरु** क्यों है, यह तोख़ारी **तरु** को देखकर समझ में आता है। संस्कृत **गौ** का अंग्रेज़ी प्रतिरूप **काऊ** क्यों है, यह तोख़ारी **को/कउ** (गाय) को देखकर समझ में आता है। अंग्रेज़ी **कम** (आना), जर्मन **कौमेन** (आना) संस्कृत **गम्** के प्रतिरूप हैं, यह तोख़ारी (ए) **कैम्, कुम्,** (बी) **कैम, कम्** रूप देखकर समझ में आता है। इनका अर्थ भी है—आना और पकोर्नी ने अपने कोश में इन्हें उचित ही संस्कृत **गम्** का प्रतिरूप माना है। संस्कृत **ज्ञा** का ग्रीक प्रतिरूप **ग्नो**, तोख़ारी **क्ना**, उसी अघोष रूप के अनुसार अंग्रेज़ी **नो** (know)।

इंडो-यूरोपियन परिवार की भाषाओं में तोख़ारी ही एक ऐसी भाषा है जो शब्द की आदि ध्वनि को अघोष रखने में पूरी तरह तमिल की ध्वनि-प्रकृति का अनुसरण करती है। किन्तु यह प्रवृत्ति आर्य-परिवार की अन्य भाषाओं में भी मिलती है। चीनी तुर्किस्तान में ही ऑरेल स्टाइन को खरोष्ठी लिपि के अभिलेख मिले थे जो तीसरी शताब्दी ईसवी के हैं। बरो ने इन अभिलेखों की भाषा पर एक पुस्तक लिखी है और

उसमें इस बात की ओर संकेत किया है कि उसमें सघोष ध्वनियों का प्राय: अभाव है। ('The Language of the Kharosthi Documents from Chinese Turkestan', पृ.13) इस भाषा में—हम उसे खोतानी नाम से अभिहित कर सकते हैं—संस्कृत-प्राकृत की सघोष ध्वनियों वाले शब्दों के ऐसे प्रतिरूप मिलते हैं : **द्वि-त्वी; दुर्भिक्ष-त्रुभिछ; दृष्ट-त्रिष्ठ; दीठि-तिठि; दोष-तोष; दृष्ट्वा-त्रित्व; दत्त-तित/तिद; दिवसे-तिवषे।** ('Kharosthi Inscriptions discovered' by Sir Aurel Stein in Chinese Turkestan, ऑक्सफ़ोर्ड, 162, की शब्द-सूची में ये शब्द दिये हुए हैं।)

खोतानी और तोख़ारी भारतीय भाषाएँ हैं। तोख़ारी के अभिलेख कालक्रमानुसार इतने बाद के हैं कि कोई यह दावा नहीं करता कि वेदमंत्रों की रचना से पहले **केन्तुम्** शाखा वाले आर्य उन्हें वहाँ छोड़ गए थे। तोख़ारी के भारतीय होने का एक प्रमाण यह भी है कि ग्रीक और लैटिन के प्रतिकूल उसमें **श्** ध्वनि है। तोख़ारी **केन्तुम्** शाखा की; खोतानी **शतम्** शाखा की—दोनों में शब्द के आरम्भ में अघोष ध्वनियों के व्यवहार की सामान्य प्रवृत्ति है, तोख़ारी में अधिक, खोतानी में कम। इसका कारण द्रविड़ भाषाओं का प्रभाव ही हो सकता है।

लैटिन—**गेनु**, जर्मन—**क्नी**, अंग्रेज़ी—**नी** (knee = घुटना); लैटिन—**गेनुस्**, गौथिक—**कुनि**, अंग्रेज़ी—**किन** (सम्बन्धी); लैटिन—**गेन्**, जर्मन—**किन्**, अंग्रेज़ी—**चिन्** (ठोढ़ी); लैटिन—**देन्तु**, अंग्रेज़ी—**टूथ;** लैटिन—**दुओ**, अंग्रेज़ी—**टू;** लैटिन—**देक्रेम्**, अंग्रेज़ी—**टेन**। यहाँ अघोषता की वही प्रवृत्ति देखी जा सकती है जो तोख़ारी और खोतानी में है। फ्रांस के पश्चिम और स्विट्ज़रलैंड के उत्तर में अलेमनिक बोली का क्षेत्र है। इस जर्मन बोली में सघोषता-अघोषता सम्बन्धी लगभग वही व्यवस्था है जो तमिल में है। प्रीब्श और कौलिन्सन ने 'दि जर्मन लैंग्वेज' में लिखा है कि "अले-मनिक **में प्** की ध्वनि अधिकांशत: शब्दों के आरम्भ में होगी, किन्तु **ब्** का व्यवहार मध्यवर्ती ध्वनि के रूप में नवीं शताब्दी से ही नियमित रूप में होने लगता है।" (पृ. 116) शब्दों की आदि स्पर्श-ध्वनि अघोष, मध्यवर्ती ध्वनि सघोष, यही प्रवृत्ति तमिल की है। इसी प्रवृत्ति के अनुसार संस्कृत **दन्त** तमिल में **तन्दम्** हो जाता है।

तमिल भाषा की एक दूसरी प्रवृत्ति उल्लेखनीय है : यह है **र्/ल्** से आरम्भ होनेवाले शब्दों के पहले एक स्वर जोड़ देने की प्रवृत्ति। संस्कृत शब्दों के तमिल प्रतिरूपों में **र्/ल्** से पहले इस जोड़े हुए स्वर के निरन्तर दर्शन होते हैं : **रंग—अरंगु; लक्ष्य—इलक्कम्; लक्षण—इलक्कणम्; राजा—अरैचु; रूप—उरुवु; राक्षस—अरक्कन्; रोहिणी—उरोगिणि** (अथवा **उरोहिणि**)।

तमिल की यह सुपरिचित विशेषता संस्कृत शब्दों के ग्रीक प्रतिरूपों में भी देखी जाती है। संस्कृत—**लघु**, ग्रीक—**एलखुस्** (छोटा); संस्कृत—**रुधिर, रोहित,** ग्रीक—**एरेउथोस्** (लालिमा); संस्कृत—**ऋक्ष**, ग्रीक—**अक्तोस्** (भालू); संस्कृत—**ऋत**, ग्रीक—**अरेतो** (श्रेष्ठता); संस्कृत—**लोपाश**, ग्रीक—**अलोपेक्स** (लोमड़ी)।

बरो ने **अलस** शब्द के लिए कहा है कि यह द्रविड़ शब्द है और संस्कृत में द्रविड़-परिवार से आया है, इंडो-यूरोपियन भाषा-परिवार में इसके सम्बन्धी शब्द नहीं हैं।

**अलस** द्रविड़-परिवार का शब्द हो सकता है किन्तु वह संस्कृत के अलावा यूरोप की भाषाओं में भी है। लिथुआनियन में **अल् सिनमस्** क्रिया का अर्थ है—थकना। वैसे अंग्रेज़ी के **लेज़ी** (आलसी) शब्द का सम्बन्ध **लस्/लेस्** जैसे किसी शब्द से हो तो उससे **अलस** का विकास आसानी से समझ में आ जाता है। जो भी हो, एक बात निश्चित है कि संस्कृत के अनेक ग्रीक प्रतिरूपों में, तमिल की तरह, **र्/ल्** के पहले एक स्वर जोड़ दिया गया है।

यहाँ **शतम्-केन्तुम्** शाखाओं के बारे में एक बात और कहनी है। **केन्तुम्** की अनुनासिक ध्वनि **शतम्** से कैसे गायब हो गई, या **शतम्** में नहीं थी तो **केन्तुम्** में जुड़ कैसे गई? संस्कृत में **पथ** और **पंथ** जैसे जोड़े बहुत हैं। इनमें कहीं अर्थभेद है, कहीं नहीं है। **पंथ** शब्द अब सम्प्रदाय के अर्थ में भी प्रयुक्त होता है, **पथ** की व्यंजना वह नहीं है।

नीचे संस्कृत क्रियाओं के दो-दो रूप दिये जाते हैं, एक में अनुनासिक ध्वनि जोड़ी गई है, दूसरे में नहीं जोड़ी गई :

| अननुनासिक रूप | सानुनासिक रूप | अर्थ |
|---|---|---|
| अच् | अञ्च् | झुकना |
| कुच् | कुञ्च् | टेढ़ा होना |
| चित् | चिन्त् | देखना, विचारना |
| ग्रथ् | ग्रंथ् | बाँधना |
| मथ् | मंथ् | मथना |
| उद् | उन्द् | भिगोना |
| निद् | निन्द् | निन्दा करना |
| मद् | मन्द् | मत्त होना |
| इध् | इन्ध् | जलाना |
| शुध् | शुन्ध् | शुद्ध करना |
| गुफ् | गुम्फ् | लपेटना |
| दभ् | दम्भ् | नुकसान पहुँचाना |
| शुभ् | शुम्भ् | विभूषित करना |
| स्कभ्, स्तभ् | स्कम्भ्, स्तम्भ् | सहारा देना |
| दश् | दंश् | काटना |
| भ्रश् | भ्रंश् | गिरना |
| स्रस् | स्रंस् | गिरना |
| ध्वस् | ध्वंस् | नाश करना |
| लुठ् | लुंठ् | लूटना |

इन रूपों को देखने से विदित होगा कि अनुनासिक ध्वनि जोड़ने की यह प्रवृत्ति संस्कृत में कितना व्यापक रूप धारण कर चुकी थी। किन्तु ऐसे वैकल्पिक रूपों की जैसी बहुलता द्रविड़ भाषाओं में है, वैसी संस्कृत में भी नहीं है। कभी ये दो रूप दो भिन्न भाषाओं में मिलते हैं, कभी एक ही भाषा में। एमेनो और बरो के शब्दकोश से कुछ शब्द छाँटकर उनके भिन्न रूप नीचे दिये जाते हैं :

| भाषा | अननुनासिक रूप | भाषा | सानुनासिक रूप | अर्थ | शब्द-संख्या |
|---|---|---|---|---|---|
| तमिल | अच्चु | तमिल | अञ्जु | भय | 51 |
| ,, | चूप्पु | ,, | चूम्बु | चूसना | 2154 |
| ,, | तूक्कु | ,, | तूङ्गु | लटकाना | 2777 |
| ,, | ऊक्कु | ,, | ऊङ्गु | झूलना | 629 |
| ,, | कोतु | ,, | कोन्दु | चोंच मारना | 1740 |
| ,, | तक्कु | ,, | तङ्गु | रहना, बसना | 2443 |
| ,, | तीट्टु | ,, | तीण्डु | छू लेना | 2680 |
| ,, | पोक्कम् | ,, | पोङ्गम् | बहुतायत | 3658 |
| कन्नड़ | हागे | कन्नड़ | हाङ्गे | उस प्रकार | 1 |
| ,, | गड्डे | ,, | गण्टे | कन्दमूल | 37 |
| ,, | कुग्गु | ,, | कुंगु | डूबना | 1472 |
| ,, | कोप्प | ,, | कोम्पे | गाँव | 1441 |
| ,, | कोग्ग | ,, | कोङ्ग | वक्रता | 1689 |
| ,, | दिट्ट | ,, | दीण्डु | पहाड़ी, भीट | 2633 |
| ,, | अयिदु | तमिल | अइन्दु | पाँच | 2318 |
| ,, | गुद्दालि | ,, | कुन्दालि | कुदाली | 1432 |
| ,, | कूदल | ,, | कून्दल | केश | 1572 |
| ,, | नेगल् | ,, | नाञ्जिल् | हल | 2368 |
| मलयालम | कूप्पुक | मल. | कूम्बुक | (फूल की तरह) बन्द होना | 1574 |
| तुलू | तीडुनि | तुलू | तीण्डुनि | घिसना | 2678 |
| कुई | जूप | कुई | जूम्ब | चूसना | 2154 |

अनुनासिक ध्वनि जोड़ने की प्रवृत्ति संस्कृत से कम नहीं है, कुछ अधिक ही होगी। **शतम्** में **न्** जोड़ने का श्रेय द्रविड़भाषियों को दिया जा सकता है, संस्कृत-भाषियों को भी। किन्तु **शतम्** के **श्** का विकास **क्** रूप में द्रविड़ों द्वारा हुआ, इसी की सम्भावना अधिक है। लैटिन **केन्तुम्** में दीर्घ एकार नहीं है; द्रविड़ भाषाओं की

ह्रस्व अेकार की तरह उसे **केन्तुम्** कहना उचित है। यह **अ/अे** में हेर-फेर करनेवाली प्रवृत्ति संस्कृत में नहीं है। संस्कृत के **जन्तु** का द्रविड़ रूप **चेन्दु** ध्यान में रखें, तो **केन्तुम्** के अकार का रहस्य प्रकट हो जाता है। संस्कृत से भिन्न **अ/अे** के वैकल्पिक रूप देनेवाली द्रविड़ भाषाओं के ऐसे कुछ शब्दों की सूची यहाँ प्रस्तुत है। यहाँ भी वैकल्पिक रूप कभी एक ही भाषा में मिलते हैं, कभी भिन्न भाषाओं में।

| भाषा | अकार वाला रूप | भाषा | अेकार वाला रूप | अर्थ | शब्द-संख्या |
|---|---|---|---|---|---|
| कन्नड़ | अरिके | तेलगू | अेरुक | ज्ञान | 265 |
| तमिल | कट्टु | मलयालम् | केट्टुक | बाँधना, बनाना | 961 |
| ,, | केवि | कन्नड़ | गेवि | गुफा | 1119 |
| कन्नड़ | चन्द | ,, | चेन्द | सुन्दर | 1921 |
| ,, | चन्नु | ,, | चेन्नु | सौन्दर्य | 1999 |
| ,, | तक्वे | ,, | तेक्वे | आलिंगन | 2543 |
| मलयालम् | तरेक्क | मल. | तेरुक्क | अंकुरित होना | 2545 |
| ,, | नण्णुक | ,, | नेण्णुक | सप्रेम स्मरण करना | 2962 |
| तमिल | पगल् | गोंडी | पेयल् | दिन | 3151 |
| नाइकी | पटि | पर्जी | पेट्टि | पटिया, धन्नी | 3204 |
| तुलू | दब्बे | तुलू | देब्बे | खपच्ची | 2504 |
| गोंडी | मस्सितन | गोंडी | मेसीतान | पालिश करना | 3779 |
| तुलू | अलियुनि | तुलू | अेलियुनि | पिघलना | 213 |
| ,, | गट्टे | ,, | गेट्टि | ढेला | 962 |
| ,, | गज्जे | ,, | गेज्जे | गेंद, घंटी | 1610 |
| ,, | जडे | ,, | जेडे | जटा | 1897 |
| तुलू | मंडि | कुइ | मंड | घुटना | 3828 |
| तमिल | मरम् | पर्जी | मेरि | पेड़ | 3856 |
| गड्ब | मरिब् | ,, | मेरुद् | दवा | 3863 |
| ,, | मर् | ,, | मेर् | सीखता | 3865 |

**श्** के स्थान पर **क्** का व्यवहार, **क** के **अ** स्वर के स्थान पर ह्रस्व **अ** का प्रयोग, **क** और **त** के बीच में अनुनासिक ध्वनि का प्रवेश—ये तीनों बातें ऐसी हैं जो द्रविड़ भाषा-परिवार की विशेषताओं के अनुरूप हैं। इसलिए **कन्तुम्** को मूल शब्द **शतम्/सतम्** का द्रविड़-प्रभावित इंडो-यूरोपियन रूप मानना चाहिए।

अब आर्य और द्रविड़ भाषा-परिवारों की एक अन्य विशेषता—मूर्धन्य ध्वनियों के व्यवहार—पर विचार करें।

ऐतिहासिक भाषाविज्ञान में यह बहुत ही लोकप्रिय धारणा है कि आर्य लोग जब अपनी विशुद्ध इंडो-यूरोपियन ध्वनियाँ लिये हुए भारत में आए, तब मूर्धन्य ध्वनियों के प्रेमी द्रविड़ों से उनका सम्पर्क हुआ और इस प्रकार इन नवीन ध्वनियों से संयुक्त होकर संस्कृत भाषा का विकास हुआ। अब एक तथ्य यह भी है कि जर्मन कुल की भाषाओं—विशेष कर अंग्रेज़ी—में उन ध्वनियों का व्यवहार होता है जो बहुत-से भारतवासियों को मूर्धन्य जान पड़ती हैं। दक्षिण यूरोप में सर्वत्र **त्-द्** का एकाधिपत्य है; उत्तरी यूरोप की जर्मन तथा ब्रिटेन की अंग्रेज़ी में **त्-द्** का व्यवहार अपवाद है, नियम है—**त्̱-द्̱** का व्यवहार। ऐतिहासिक भाषाविज्ञान के लिए यह परम दुखद स्थिति है कि जर्मन कुल की भाषाएँ दक्षिणी यूरोप की भाषाओं से तो कट जाएँ और भारतीय आर्य ही नहीं, भारतीय द्रविड़ों से जुड़ जाएँ। इस स्थिति से बचने का उपाय यह निकाला गया है कि जर्मन-अंग्रेज़ी आदि की **त्̱-द्̱** ध्वनियों को मूर्धन्य न मानकर वर्त्स्य (ऐलविओलर) बताया गया है। वैसे कुछ लोगों को मूर्धन्य शब्द (सेरीब्रल) का व्यवहार पसन्द नहीं है। उसकी जगह वे 'रिट्रोफ्लेक्स' शब्द का व्यवहार अधिक वैज्ञानिक मानते हैं।

जहाँ से **त्̱-द्̱** का उच्चारण करते हैं, वहाँ से जीभ ऊपर को उठी तो वर्त्स्य **त्̱-द्̱** ध्वनियाँ निकलीं, उससे और ऊपर उठी और मुड़ी तो 'रिट्रोफ्लेक्स' (परिवेष्टित) ध्वनियाँ निकलीं, और ऊपर को उठी और मुड़ी तो परिवेष्टित ध्वनियाँ स्पष्ट ही मूर्धन्य होंगी। वर्त्स्य और मूर्धन्य ध्वनियों के उच्चारण-स्थान बहुत पास हैं। यह स्वाभाविक है कि जो लोग दन्तमूलीय ध्वनियों के अभ्यस्त हैं, वे यदि मूर्धन्य ध्वनियाँ सुनकर उनकी नकल करना चाहें, तो पूरी तरह जीभ न मोड़ पाने पर उनका उच्चारण वर्त्स्य ध्वनियों के रूप में ही करेंगे।

मूल समस्या यह है कि अंग्रेज़ी और जर्मन में **त्̱-द्̱** के स्थान पर **त्̱-द्̱** का व्यवहार क्यों होने लगा। इन ध्वनियों का नामकरण जैसे भी हो, यह तो सभी जानते हैं कि रूसी, इतालवी या फ्रांसीसी की समानान्तर स्पर्श-ध्वनियों से ये भिन्न हैं। हिन्दुस्तान के लोग जब अंग्रेज़ों का मजाक उड़ाने के लिए उच्चारण की नक़ल करते थे तो अपनी भाषा के **जाता है, माँगता है** को बदलकर **जाटा है, माँगटा है** कर देते थे। यह उनके लिए स्वाभाविक प्रक्रिया थी।

किसी समय अंग्रेज़ यह समझते थे कि **त्-द्** जैसी ध्वनियाँ बोलने वालों की कमज़ोरी की निशानी हैं। जो शक्तिशाली जातियाँ हैं, वे उन्हें त्याग कर **ट्-ड्** बोलती हैं। बीम्स ने भारतीय आर्य भाषाओं के अपने व्याकरण में गर्व से लिखा था : "We Teutons have no dental sounds at all." (प्रथम भाग, पृ. 233) बीम्स यह बात जानते थे कि **ट्-ड्** के उच्चारण में अंग्रेज़ों की जीभ जितना ऊपर को उठती है, भारतवासियों की जीभ उससे कुछ ज़्यादा उठती है। किन्तु यूरोपवासियों की तुलना में तो ट्यूटन जनों की जीभ ही मुँह के भीतर सबसे ऊँचा उच्चारण-स्थान छूती थी।

बीम्स ने उसका कारण यह बताया कि ठंडे मुल्कों में रहनेवाली नस्ल (रेस) वह स्नायविक शक्ति बनाए रही जिससे ऐसा उच्चारण सम्भव होता है। दक्षिणी यूरोप में ठंडक कम होने से उच्चारण में शिथिलता आ गई और उच्चारण-स्थान ऊपर से खिसककर नीचे आ गया।

इस तर्क से यह निष्कर्ष निकाला जा सकता था कि भारत में **ट्-ड्** के उच्चारण का स्थान और भी ऊँचा है, इसलिए यहाँ के लोगों में रूसियों, फ्रांसीसियों से ही नहीं, जर्मनों और अंग्रेज़ों की तुलना में भी स्नायविक शक्ति ज्यादा है। किन्तु यह निष्कर्ष बीम्स को स्वीकार न था। इसलिए उन्होंने अपनी तर्क-योजना में अन्तर्विरोध का विचार किये बिना लिखा कि ईरान और भारत में दक्षिणी यूरोप को देखते और भी ज़्यादा गर्मी पड़ती है, इसलिए जीभ और भी ढीली हो गई। एक तो वह पहले से ही लम्बी और मुलायम थी ('The member itself is long and soft'), उस पर यह गर्मी का असर, वह स्वभावत: सबसे नीचे वाला उच्चारण-स्थान ढूँढ़ती है। इसका परिणाम यह हुआ कि ट्यूटन जिन शब्दों में **ट्-ड्** बोलते हैं, हिन्दुस्तानी उनमें **त्-द्** बोलते हैं।

बीम्स कहते हैं कि अंग्रेज़ी के **daughter** शब्द को हिन्दुस्तानी लोग अब **डॉटर** लिखेंगे, किन्तु एक समय ऐसा था जब वे उसे **दुहिता** बोलते थे; यदि इस बात का पता लगाया जाए कि भारत के मैदानों में आने से पहले आर्य लोग इस शब्द को कैसे बोलते थे, तो शायद हम उसे यों लिखेंगे—**डुइटा** अथवा यह कहना भी ठीक होगा कि उन दिनों **त्-द्** ध्वनियों का अस्तित्व ही न था। (उप., पृ. 233)

बीम्स अपना व्याकरण उन दिनों लिख रहे थे जब इंडो-यूरोपियन की जगह इंडो-जर्मेनिक शब्द का व्यवहार अधिक होता था। जर्मन कुल की भाषाओं में ही आदि आर्य ध्वनियाँ सुरक्षित हैं अथवा अन्य भाषाओं की अपेक्षा अधिक सुरक्षित हैं—यह धारणा अनेक जर्मन और अंग्रेज़ विद्वानों की थी। बीम्स का विचार था कि इंडो-जर्मेनिक परिवार की मूल आर्य ध्वनियाँ **ट्-ड्** ही हैं, इन्हीं का ह्रास भारत और दक्षिण यूरोप में हुआ और तब **त्-द्** ध्वनियों का विकास हुआ। उन्होंने यह नहीं बताया कि **डॉटर** या **डुइटर** का विशुद्ध रूप छोड़कर भारतवासियों ने जब **दुहितर** कहना शुरू किया, तब ब्रिटेन से आर्य अंग्रेज़ों ने आकर उन्हें फिर एक बार **ट्-ड्** बोलना सिखाया।

बीम्स की धारणा से मिलती-जुलती बातें इधर हरियाणा की भाषा के सम्बन्ध में वहाँ के भाषाविज्ञानियों ने कही हैं। इनका विचार है कि आर्य लोग सबसे पहले भारत में आकर हरियाणा में ही बसे थे। स्वभावत: उनकी बोली में आज भी जो शक्ति है, वह भारत में अन्यत्र बसनेवाले आर्यों की ध्वनियों में नहीं है। उनका विचार है : "हरियाणा प्रदेश की शक्ति-सम्पन्न जातियों का बलिष्ठ उच्चारण उनकी वाणी के प्रत्येक स्वर और व्यंजन से फूट पड़ता है जो अपनी कर्कशता में भी आकर्षक एवं

दीर्घता में भी मधुर है।" (शंकरलाल यादव : 'हरियाणा प्रदेश का लोक-साहित्य', नानकचन्द शर्मा द्वारा उद्धृत; इनका उल्लेख अगले वाक्य में।)

इस धारणा को स्थूल मानकर एक अन्य विद्वान् ने सूक्ष्म रूप से ध्वनियों का विश्लेषण करते हुए लिखा : "हमारे विचार में किसी भाषा के बलिष्ठ अथवा गरिष्ठ उच्चारण का कारण सामान्यतः उस भाषा में हकार ध्वनि और मूर्धन्य ध्वनियों का बाहुल्य हुआ करता है।" (नानकचन्द शर्मा : 'हरियाणी भाषा का उद्गम तथा विकास', होशियारपुर, 1968, पृ. 12) हरियाणा की भाषा में हकार की तरह णकार का बाहुल्य है; इसलिए विदेशी शब्दों के नकार को बदलकर वह णकार के साथ उनका उच्चारण करती है; यथा—टेस्सण, लाल्टण, बटण, फोरण, इत्यादि। यह उसकी बलिष्ठता का प्रमाण हुआ।

जो लोग यह मानते हैं कि संस्कृत में **ट्-ड्-ण्** ध्वनियों का आगम द्रविड़ों के सम्पर्क का फल है, वे यह भी मानें कि द्रविड़ों की सबसे ज़्यादा घनी बस्ती हरियाणा में थी। कुछ ऐसी ही बात एमेनो और बरो ने कही भी हैं; केवल वे हरियाणा की जगह पंजाब का नाम लेते हैं, शायद इसलिए कि जब वे यह सब अनुसंधान कर रहे थे, तब पंजाब से अलग हरियाणा का राज्य बना न था। किन्तु एमेनो को नहीं तो बरो को अब इस बात पर सन्देह होने लगा है कि संस्कृत में मूर्धन्य व्यंजनों का विकास द्रविड़ों के सम्पर्क का फल है। उनसे पहले ब्रिटिश विद्वान् एच्.डब्ल्यू. बेली ने यह स्थापना की थी कि संस्कृत में इन ध्वनियों का विकास अपने-आप और स्वतंत्र रूप से हुआ है। मेयरहौफर जैसे कुछ अन्य विद्वान् पूर्णतः नहीं तो अंशतः इस तरह की स्थापनाओं से सहमत हैं। पर आन्द्रोनोव और एमेनो जैसे द्रविड़ भाषा-विशेषज्ञ यह धारणा दोहराते रहे हैं कि संस्कृत पर द्रविड़ प्रभाव का बहुत पुष्ट प्रमाण उसमें मूर्धन्य व्यंजनों का व्यवहार है। बरो ने अपनी और अपने जैसे इन विद्वानों की मान्यताओं का खंडन करते हुए 'बुलेटिन ऑव दि स्कूल ऑव ओरिएंटल एंड एफ्रीकन स्टडीज़' (लन्दन, खंड-34, भाग-3, 1971) में लेख लिखा : 'स्पौंटेनियस सेरीब्रल्स इन संस्कृत'। इस लेख के बाद भाषाविज्ञानियों के लिए पुरानी धारणाओं को दोहराना आसान न होगा।

किन्तु बरो यह मानते हैं कि द्रविड़ जन पहले उत्तर भारत में अथवा भारत के उत्तर-पश्चिम में रहते थे। यह बड़े आश्चर्य की बात होगी कि दो पड़ोसी समाज एक-सी ध्वनियों का विकास—निरन्तर सम्पर्क में आते हुए भी—स्वतंत्र रूप से करें। आर्यों ने इन ध्वनियों का स्वतंत्र विकास कब किया? ईरान से भारत आते हुए रास्ते में या पंजाब में बस जाने के बाद? यदि पंजाब में बस जाने के बाद किया तो आर्य विजेताओं की बहुसंख्यक दास जनता पहले ही मूर्धन्य ध्वनियों के व्यवहार से उनके स्वागत को तैयार थी। स्वतंत्र विकास की आवश्यकता ही क्यों पड़ी? यदि पंजाब में बसने से पहले किया तो कम आश्चर्य की बात नहीं है कि सैकड़ों

मील इधर-उधर घूमते रहने पर जो काम वह नहीं कर पाए, वह सिन्धु नदी पार करते ही सम्पन्न हो गया!

संस्कृत के शब्द-भंडार पर दृष्टि डालें तो ज्ञात होगा कि जिन क्रियापदों में **ट्-ड्-ण्** का व्यवहार होता है, उनकी संख्या नगण्य है। सर्वनामों में इनका अभाव और भी स्पष्ट है। यह तथ्य इस धारणा का खंडन करने के लिए काफ़ी है कि संस्कृत में इन ध्वनियों का स्वतंत्र विकास हुआ है। स्वतंत्र विकास हुआ होता तो संस्कृत के मूल शब्द-भंडार में इन ध्वनियों की भूमिका अधिक महत्त्वपूर्ण होती। कहा जा सकता है कि संस्कृत का मूल शब्द-भंडार तो आदि इंडो-यूरोपियन भाषा का है; उसमें ये ध्वनियाँ थीं नहीं तो संस्कृत के मूल शब्द-भंडार में कहाँ से होतीं? किन्तु संस्कृत क्रियापदों में इन ध्वनियों का जितना अभाव है, उन क्रियापदों से बने हुए शब्दों में उनकी उतनी ही प्रचुरता है। नष्ट, भ्रष्ट, पुष्ट, कारण, मरण, हरण आदि शब्दों में **ट्-ण्** ध्वनियों का व्यवहार सिद्ध करता है कि संस्कृत की ध्वनि-व्यवस्था के दो स्तर हैं : एक वह जिसके दर्शन क्रियापदों के मूलांशों में होते हैं; दूसरा वह, जो क्रियापदों से बने हुए शब्दों में प्राप्त होता है। यदि संस्कृत ने **ट्-ण्** आदि का स्वतंत्र विकास करके मूल इंडो-यूरोपियन की दन्त्य ध्वनियों के स्थान पर इनका व्यवहार करना शुरू कर दिया, तब क्रियापदों में ही कौन-सी निषेध-भावना इनके व्यवहार पर रोक लगाए हुए थी?

इसके सिवा यह बात सही नहीं है कि संस्कृत का मूल शब्द-भंडार वही है जो यूरोप की अन्य भाषाओं में भी प्राप्त है। ऐसे सैकड़ों शब्द हैं जिनके प्रतिरूप यूरोप की भाषाओं में नहीं हैं। इनमें मूर्धन्य ध्वनियों की कमी संस्कृत की मूल ध्वनि-प्रकृति की ओर संकेत करती है।

अब हम द्रविड़ भाषाओं में **ट्-ड्-ण्** की स्थिति पर विचार करें।

उत्तर भारत का हिन्दी-प्रेमी जब दक्षिण की भाषाएँ सुनता है तो उसे सबसे पहले यही लगता है कि इनमें **ट्-ड्** ध्वनियों की आवृत्ति बेहिसाब होती है। उसे यह जानकर आश्चर्य होना चाहिए कि हिन्दी में जहाँ सैकड़ों शब्द **ट्-ठ्-ड्-ढ्** से शुरू होते हैं, वहाँ **ठ्** और **ढ्** की महाप्राण ध्वनियों का तो सवाल ही क्या, सघोष ध्वनि **ड्** को भी छोड़ें, तमिल का अपना एक भी शब्द **ट्** से आरम्भ नहीं होता। यह तथ्य काफ़ी रोचक है।

तमिल की अन्य अघोष अल्पप्राण स्पर्श-ध्वनियाँ शब्दों के आरम्भ में निरन्तर आती हैं, **क्-त्-प्** ही नहीं, **च्**—जिसका विकास बाद की प्रक्रिया माना गया है—शब्दों के आरम्भ में वैसे ही आता है, जैसे **क्** या **त्**। फिर **ट्** ने क्या अपराध किया था कि शब्द के आदि स्थान से उसे वंचित कर दिया गया?

काल्डवेल ने यह विचार प्रकट किया है कि टकार की ध्वनि इतनी कठोर और कर्कश होती है कि शब्द के आरम्भ में उसका व्यवहार नहीं होता।

('ए कम्पैरेटिव ग्रामर ऑव दि ड्रैवीडियन एंड साउथ इंडियन फ़ैमिली ऑव लैंग्वेजेज़', तीसरा संस्करण, मद्रास, पृ. 142)

काल्डवेल तमिल भाषा के बड़े प्रेमी थे; उनका भाषा-वैज्ञानिक व्यक्तित्व तमिलमय था। जब वह कहते हैं कि टकार ध्वनि कठोर और कर्कश है, तब यह मानना चाहिए कि वे तमिल-भाषियों के मूलभूत संस्कार की बात कर रहे हैं। टकार ध्वनि हिन्दी-भाषियों के लिए भी कर्कश है, किन्तु इससे आरम्भ होनेवाले बीसों हिन्दी शब्द सहज ही याद आ जाएँगे। तमिल में यह ध्वनि तभी सुनने को मिलती है जब इस व्यंजन का द्वित्व होता है; यथा—**केट्टि** (चतुराई), **कट्टु** (बाँधना), **किट्टु** (पास आना), **कुट्टू** (घूँसा मारना), **कोट्टु** (डंक मारना)। मध्यवर्ती टकार सघोष होता है; यथा—**कड्** (पार करना), **किड्** (लपेटना), **कुडि** (पीना), **केडु** (नष्ट होना), **कोडु** (टेढ़ा)। (कुछ तमिल-भाषियों के उच्चारण में यह ध्वनि मुझे हिन्दी ड़कार से बहुत मिलती-जुलती मालूम होती है, हल्के उत्क्षेप का आभास होता है।)

तमिल के बारे में कहा जा सकता है कि यह भाषा अपनी ध्वनितंत्रीय व्यवस्था के प्रति आवश्यकता से अधिक सजग है, अथवा यह कि शिक्षित जनों की भाषा पर साहित्यिक भाषा का प्रभाव बहुत अधिक है, इसलिए द्रविड़ भाषा-परिवार में टकार की सही स्थिति का पता तमिल से न लगेगा। कृष्णमूर्ति ने 1236 तेलगू क्रियापदों का विवेचन किया है, उनमें टकार से आरम्भ होनेवाली एक भी क्रिया नहीं है। यह स्थिति तमिल की सी है और इससे द्रविड़ भाषा-परिवार की मूल ध्वनि-प्रवृत्ति का पता चल जाता है। किन्तु तमिल के विपरीत तेलगू में 24 क्रियाएँ **ड्** से आरम्भ होती हैं। इनमें कुछ तो हिन्दी परिवार के किसी **ढ्** से आरम्भ होनेवाले शब्द का तेलगू रूप है; यथा—**ढीला, ढीलना** से तेलगू **डीलु** (शिथिल होना); कुछ पुराने ग्रंथों या शिलालेखों से ली गई हैं जिनका व्यवहार अब तेलगू में नहीं होता; कुछ ऐसी हैं जिनका वैकल्पिक **द्** वाला रूप भी दिया हुआ है; यथा—**डिग्गु, दिग्गु** (उतरना), **डोल्लु, दोल्लु** (लुढ़कना)। निष्कर्ष यह कि इन चौबीस क्रियाओं से तेलगू की ध्वनि-प्रकृति तमिल की **ट्-ड्** सम्बन्धी व्यवस्था से भिन्न सिद्ध नहीं होती।

द्रविड़-परिवार की एक भाषा कुवि है जिसमें **ट्-ड्** के स्थान पर **त्-द्** की प्रधानता है। अपने कोश के आरम्भ में बरो और एमेनो ने ध्वनि-परिवर्तन-सम्बन्धी जो नक्शा दिया है, उसमें अन्य भाषाओं के मध्यवर्ती **ट्-ड्** के स्थान पर कुवि में केवल **त्-द्** दिखाया है। तमिल—**इडु** (रखना), कुवि—**इत्तलि, इत्तनि** (डी.ई.डी., श. सं. 375), तमिल—**ओट्टु**, कुवि—**ओत्तिनइ** (कसम खाना)। (उप., श. सं. 808) किन्तु बरो और एमेनो ने कुवि-सम्बन्धी सामग्री फिट्ज़जेराल्ड से ली है, इसलिए यह दृढ़तापूर्वक नहीं कहा जा सकता कि कुवि **ट्-ड्** के मुक़ाबले मुख्यतः **त्-द्**

का व्यवहार ही करती है। किन्तु बरो और एमेनो के नक्शे के अनुसार दस द्रविड़ भाषाएँ मध्यवर्ती **ट्-ड्** के स्थान पर **र्** का व्यवहार करती हैं। कहा जा सकता है कि यह **र्** मूर्धन्य है, इसीलिए **ट्-ड्** का स्थान ग्रहण करता है। किन्तु नक्शे में चार भाषाएँ ऐसी दिखाई गई हैं जिनमें सामान्य **र्** ही **ट्-ड्** का स्थानपन्न है। इससे तो यही प्रतीत होता है कि कुछ द्रविड़ भाषाएँ बोलने वाले लोग जीभ के नीचेवाले हिस्से को उलटकर उच्चारण-स्थान से लगाने के अभ्यस्त नहीं थे, इसलिए प्रतिवेष्टित ध्वनियों के बदले सीधे रेफ से काम चलाते थे।

द्रविड़ भाषाओं में **ण्** के व्यवहार पर ध्यान दें तो स्थिति और स्पष्ट हो जाती है। बरो और एमेनो ने जिन बीस भाषाओं के ध्वनि-सम्बन्धों का नक्शा बनाया है, उनमें दस ऐसी हैं जो **ण्** के स्थान पर **न्** का ही व्यवहार करती हैं। इनमें एक भाषा तेलगू भी है जो निरन्तर तमिल शब्दों के **ण्** के स्थान पर उनके प्रतिरूपों में न को स्थान देती है।

| **तमिल** | **तेलगू** | **अर्थ** | **डी.ई.डी. में शब्द-संख्या** |
|---|---|---|---|
| अणइ | अन | बाँध या मेंड़ | 102 |
| अण्णा | अन्न | बड़े भाई | 112 |
| इणइ | ऐनियु | मिलना | 387 |
| ऐण्णु | ऐन्नु | गिनना | 678 |
| कण् | कनु | आँख | 973 |
| कणवाय | कनुम | दर्रा | 976 |
| पणि | पनुपु | आदेश | 3212 |
| पिणई | पेन | बाँधना, लपेटना | 3423 |
| विण् | विनु | आकाश | 4422 |

तेलगू इतना अवश्य करती है कि **ड्** के साथ **ण्** का संयोग होने पर **ण्ड्** को बदलकर **न्द्** रूप नहीं देती।

इस स्थिति से हरियाणा की बोली की तुलना की जाए तो ज्ञात होगा कि किसी भी द्रविड़ भाषा की तुलना में **ण्** की आवृत्ति इस बोली में अधिक होती है। पंजाबी, सिन्धी, राजस्थानी, गुजराती और मराठी में इससे मिलती-जुलती स्थिति है। ब्रज प्रदेश से मिथिला और बंगाल तक स्थिति एकदम भिन्न है; हिन्दी-भाषी प्रदेश की अधिकांश बोलियाँ **ण्** ध्वनि को स्वीकार नहीं करतीं। किन्तु ये सब बोलियाँ शब्द के आरम्भ में **ट्-ड्** की ध्वनियाँ स्वीकार करती हैं। बीम्स ने अपने व्याकरण में इस बात की ओर ध्यान दिलाया है कि सिन्धी भाषा को मूर्धन्य ध्वनियों से विशेष प्रेम है। हिन्दी-संस्कृत में आदि वर्ण **द्** है तो सिन्धी में **ड्—डंदु—दंत,**

**दाँत; डिणु—दिन; डखिणु—दक्खिन; डया—दया; डह—दस; डाणु—दान; डिओ—दिया; डुखु—दुख।** कुछ गुजराती बन्धुओं ने बताया है कि उत्तरी गुजरात के क्षेत्रों में लोग **त्** के स्थान पर **ट्** का उच्चारण ही करते हैं। यह प्रवृत्ति असमिया में भी साफ़ देखी जाती है। शब्द के आरम्भ में आर्य भाषाएँ **ट्-ड्** ध्वनियों का अधिक व्यवहार करती हैं, द्रविड़ भाषाएँ नहीं। **ण्** ध्वनि शब्द के आरम्भ में न द्रविड़ भाषाओं में आती है, न संस्कृत अथवा आधुनिक आर्य भाषाओं में। प्राकृतों में इस ध्वनि की भरमार है और शब्दों के आरम्भ में इसका व्यवहार प्राकृतों को भारत की नई, पुरानी और हर परिवार की भाषाओं से अलग करता है और मन में सन्देह होने लगता है कि प्राकृतों के णकार से आरम्भ होनेवाले शब्द कभी बोले भी जाते थे या नहीं।

द्रविड़-परिवार में मूर्धन्य **ळ्** का व्यवहार **ण्** की ही तरह कुछ भाषाओं में होता है, कुछ में नहीं होता। वैदिक भाषा में जहाँ-तहाँ अपवाद-रूप में इसके दर्शन होते हैं, संस्कृत में इसका व्यवहार नहीं होता। हरियाणा, महाराष्ट्र आदि **ण्**-बहुल प्रदेशों में **ळ्** का व्यवहार भी होता है और यह **ळ्** हिन्दी के **ड्** से भिन्न है। इस **ळ्** के साथी **तमिल्, पलम्** वाले **ल्** व्यवहार तमिल और मलयालम तक सीमित है; अन्य भाषाओं में उसका स्थान **ल्, र्** या **ड्** ने ले लिया है।

एक मूर्धन्य ध्वनि षकार की है। संस्कृत के मूल शब्द-भंडार में **ण्** की अपेक्षा इसका व्यवहार अधिक होता है, कुछ शब्दों के आरम्भ में भी इसे प्रतिष्ठा प्राप्त है। किन्तु तत्सम शब्दों को छोड़कर आधुनिक आर्य भाषाओं में इसका व्यवहार नहीं होता। ब्रज के शिक्षित जन—संस्कृत के आचार्य और भाषाविज्ञान के पंडित भी—भाषा को भासा कहते ही सुने जाते हैं। द्रविड़ भाषा-परिवार में इस ध्वनि का अभाव है (तोद भाषा अपवाद हो सकती है)। संस्कृत में बहुत-से शब्द षकार के संसर्ग से ही **राष्ट्र, सृष्टि, नष्ट, क्लिष्ट** जैसे रूप धारण करते हैं अथवा **ट्** की सबलता **स्-श्** को मूर्धन्य **ष्** का रूप देती है। जो भी हो, **ष्** और **ट्** का जोड़ा है, वैसे ही जैसे **ष्** और **ण्** का जोड़ा है। **वृष्णि, विष्णु, सहिष्णु, कृष्ण** आदि शब्दों में इन ध्वनियों की मैत्री देखी जा सकती है। संस्कृत में **स्/श्** और **ट्** का योग, **स्/श्** और **ण्** का योग दुर्लभ है। **ष्-ट्-ण्** की ऐसी मैत्री द्रविड़ भाषाओं में नहीं देखी जाती। तब उनकी मूर्धन्य ध्वनितंत्रीय व्यवस्था संस्कृत को कैसे प्रभावित कर सकती थी?

संस्कृत के मूल शब्द-भंडार में—उसके सर्वनामों और क्रियापदों में—मूर्धन्य ध्वनियों का व्यवहार इतना कम हुआ है कि उन्हें संस्कृत की स्वत: विकसित मूल ध्वनियाँ मानने का कोई कारण नहीं है।

द्रविड़ भाषा-परिवार में **ट्-ड्** से आरम्भ होनेवाले शब्द नगण्य हैं, इस परिवार की लगभग आधी भाषाएँ **ण्** के व्यवहार से बचती हैं, इनमें **ष्** का अभाव है—

इसलिए मूर्धन्य ध्वनियाँ इस परिवार की मूल ध्वनियाँ हैं, इस स्थापना को मानने में कठिनाई है। द्रविड़-परिवार में जो स्थिति **क्-त्-प्** की है अथवा संस्कृत-हिन्दी में जो स्थिति **घ्-ध्-भ्** की है, वह स्थिति द्रविड़ भाषाओं में मूर्धन्य ध्वनियों की नहीं है। इसीलिए दोनों भाषा-परिवारों में इनका व्यवहार अव्यवस्थित है। आर्यों ने द्रविड़ों के सम्पर्क से इन ध्वनियों को पाया, यह धारणा मिथ्या है और इसके अनेक भूतपूर्व प्रचारक इसका अब खंडन करने लगे हैं। आर्यों ने इन ध्वनियों का विकास भारत में आने पर—यहाँ के द्रविड़ परिवेश में—स्वतंत्र रूप से किया है, यह धारणा भी अग्राह्य है। द्रविड़ भाषा-परिवार की ये मूल ध्वनियाँ हैं, इसे भी स्वयंसिद्ध सत्य नहीं माना जा सकता। एक ही सम्भावना बच रहती है : आर्य और द्रविड़, दोनों ही भाषा-परिवारों पर किसी और तीसरे परिवार का प्रभाव पड़ा था और बड़ा गहरा प्रभाव पड़ा था, किन्तु इतिहास में उसका स्वतंत्र अस्तित्व बहुत पहले समाप्त हो गया था।

मूर्धन्य ध्वनियों के सन्दर्भ में आर्य-द्रविड़ भाषा-परिवारों का यह सम्बन्ध नहीं है कि यूरोप और ईरान की विशुद्ध आर्य ध्वनियाँ भारत में द्रविड़ों के सम्पर्क से विकृत हो गईं; इनका सम्बन्ध यह है कि दोनों ने इन्हें किसी तीसरे परिवार से पाया है और उसका प्रभाव भिन्न-भिन्न रूपों से ग्रहण किया है।

जर्मन कुल की भाषाओं में वर्त्स्य ध्वनियों का स्वतंत्र विकास हुआ, यह धारणा सन्दिग्ध है। संस्कृत के अनेक शब्दों में जहाँ **त्-द्** हैं, वहाँ कई भारतीय भाषाओं में **ट् ड्** हैं। ऐसा ही परिवर्तन संस्कृत के जर्मन-अंग्रेज़ी प्रतिशब्दों में दिखाई देता है। यदि यह मान लिया जाए कि जर्मन कुल की वर्त्स्य ध्वनियाँ आर्य-द्रविड़-परिवारों की ध्वनियों से मूलतः भिन्न हैं, तो पहले तो यह सिद्ध करना कठिन है कि उठना, बैठना, पटिया, चटाई जैसे शब्दों में जीभ का सचमुच प्रतिवेष्टन होता है (अर्थात् हिन्दी की ये मध्यवर्ती ध्वनियाँ मूर्धन्य ही हैं), दूसरे द्रविड़-परिवार में वर्त्स्य ध्वनियों का अभाव नहीं है। आदि द्रविड़ भाषा में तो इनके अस्तित्व की कल्पना की ही गई है, तोद लोगों की भाषा में इनका व्यवहार अब भी होता है और शब्द-निर्माण में दन्त्य **त्/द्** और मूर्धन्य **ट्/ड्** से उनका स्वतंत्र व्यवहार होता है। **पित्** यानी हिन्दी-संस्कृत **पित्त**; यह दन्त्य ध्वनि हुई। **पिट्**—मूर्ख; यह मूर्धन्य ध्वनि हुई। **पित्**—ले जाकर; यहाँ वर्त्स्य ध्वनि का व्यवहार है। इसी तरह **मोद्**—मथानी (दन्त्य); **मोड्**—बछड़े को दूध पिला (मूर्धन्य); **मोद्**—तोद लोगों का गाँव। दन्त्य, वर्त्स्य और मूर्धन्य अक्षर-ध्वनियों के विवेचन का श्रेय एमेनो को है। (देखें, 'कलेक्टेड पेपर्स', पृ. 4)

एमेनो ने अपने एक लेख में ब्राहूइ भाषा की दन्त्य और वर्त्स्य ध्वनियों का भेद किया है। दन्त्य **त्** और **द्** के उच्चारण में जीभ की नोक ऊपर वाले दाँतों के पश्चभाग को छूती है।

वर्त्स्य **त्, द्** के उच्चारण में जीभ की नोक वर्त्स्य रेखा (alveolar ridge) को छूती है। एमेनो ने इन्हें स्पष्ट रूप से वर्त्स्य ध्वनि की संज्ञा नहीं दी किन्तु दन्त्य **त्-द्** से **त्, द्** का भेद करने में उनका आशय स्पष्ट है। क्या ये वर्त्स्य ध्वनियाँ वैसी ही हैं जैसी अंग्रेज़ी में? एमेनो का विचार है कि नहीं, दोनों में भेद है। भेद यह है कि अंग्रेज़ी की वर्त्स्य ध्वनियों में वर्त्स्य रेखा से जिह्वा फलक का सम्पर्क होता है जब कि ब्राहूइ में वर्त्स्य रेखा से जीभ की नोक का सम्पर्क होता है ("[t],[d], and the groups [nt] and [nd] are formed by contact of the tongue-tip with the alveolar ridge, not, as in the English sounds, by contact of the blade with the alveolar ridge."—M.B. Emeneau's 'Phonetic Observations on the Brahui Language'; Bulletin of the School of Oriental Studies, London, Vol. VIII, Part 4, 1937, p. 982)

यह तो सिद्ध हुआ ही कि द्रविड़ भाषा-परिवार में कम-से-कम दो भाषाएँ ऐसी हैं जिनमें वर्त्स्य **त्, द्** का व्यवहार होता है। इनमें एक धुर दक्षिण में नीलगिरि की उपत्यकाओं में बोली जाती है; दूसरी, धुर उत्तर-पश्चिम बिलोचिस्तान की पहाड़ियों में। अब देखना यह है कि द्रविड़ भाषाओं की ये वर्त्स्य ध्वनियाँ अंग्रेज़ी की वर्त्स्य ध्वनियों से कितना भिन्न हैं। तोद भाषा की ध्वनियों के विवरण में एमेनो ने यह नहीं लिखा कि वर्त्स्य रेखा से सम्पर्क जीभ की नोक का होता है या जिह्वा-फलक का। यह भेद उन्होंने ब्राहूइ की ध्वनियों के विवरण में प्रस्तुत किया है। प्रश्न यह है कि अंग्रेज़ी की वर्त्स्य ध्वनियों में क्या जीभ की नोक के बदले सचमुच जिह्वा फलक से ही काम लिया जाता है?

क्लॉड मर्टन वाइज़ ने 'एप्लाइड फोनेटिक्स' (1957) नाम के प्रसिद्ध ग्रंथ में अंग्रेज़ी ध्वनियों का विवरण देते हुए बताया है कि वर्त्स्य **त्** के उच्चारण में "जीभ की नोक व रेखा का स्पर्श करती है।" ('placing the tip of the tongue against the alveolar ridge', पृ. 124) इससे इतना तो स्पष्ट है कि जिह्वा फलक वाली बात हर ध्वनिविज्ञानी मानने को तैयार नहीं है। 'एप्लाइड फोनेटिक्स' की लेखिका की बात मानी जाए तो अंग्रेज़ी की वर्त्स्य **त्, द्** ध्वनियों तथा एमेनो द्वारा विवेचित ब्राहूइ की ध्वनियों में कोई अन्तर नहीं है।

वर्त्स्य और मूर्धन्य ध्वनियाँ एक-दूसरे के कितना पास हैं, इसका अनुमान पश्तो की ध्वनि-व्यवस्था देखने से होता है। पश्तो बोलने वाले जब ऐसा भारतीय शब्द सुनते हैं जिसके आरम्भ में मूर्धन्य स्पर्श-ध्वनि है, तो वे उसे बदलकर वर्त्स्य कर देते हैं और उसके उच्चारण में जीभ का प्रतिवेष्टन नहीं होता। जैसे उन्होंने सुना **ठग,** तो कहा **तुग**। किन्तु जब मूर्धन्य स्पर्श-ध्वनि मध्यवर्ती होती है या अन्त में आती है, तब वह प्रतिवेष्टित वर्त्स्य-तालव्य (retroflex alveolo-palatal) होती है। हज़ारा जिले के एक पठान की भाषा में ध्वनियों का विश्लेषण करते

हुए मॉर्गेन्स्टीर्न तथा लायड-जेम्स नाम के दो विद्वानों ने उपर्युक्त बात लिखी है। इनमें मॉर्गेन्स्टीर्न ईरानी भाषा-परिवार के विशेषज्ञ थे और लायड-जेम्स पश्तो से अपरिचित, ध्वनिविज्ञानी थे। इन दोनों के सम्मिलित प्रयत्न से उनका विवेचन और भी महत्त्वपूर्ण हो गया है।

यहाँ एक बात ध्यान देने की यह है कि द्रविड़ भाषाओं की तरह आर्य भाषा पश्तो को शब्द के आरम्भ में मूर्धन्य स्पर्श-ध्वनि पसन्द नहीं है। इसलिए मूर्धन्य की जगह वह वर्त्स्य ध्वनि से काम चलाती है। दूसरी बात यह है कि मध्यवर्ती और अन्त्य ध्वनियों में पश्तो जिह्वा का प्रतिवेष्टन द्रविड़ भाषाओं की तरह स्वीकार करती है, यथा : **खाट** के लिए **कट**। हिन्दी **ढेर** का रूप होगा **देर**, किन्तु **गड़बड़** का रूप होगा **गडवड** जिसमें प्रतिवेष्टित ध्वनि स्पष्ट होगी। तीसरी बात यह है कि **ट्, ड्,** आदि ध्वनियों में जिह्वा का प्रतिवेष्टन मूर्धा तक हो, यह आवश्यक नहीं, प्रतिवेष्टित ध्वनियाँ वर्त्स्य-तालव्य भी हो सकती हैं। (देखें—G. Morgenstierne and A. Lloyd-James : 'Notes on the Pronunciation of Pashto (Dialect of Hazara Distict), Bulletin of the School of Oriental Studies', Vol. V, Part-I, 1928, p. 53)

दो बातें असन्दिग्ध हैं : तोद-ब्राहूइ की तरह अंग्रेज़ी में वर्त्स्य **त्, द्** का व्यवहार होता है। यूरोप की आर्य भाषाओं तथा भारत की द्रविड़ भाषाओं में जो ध्वनि-सम्बन्धी अनेक समानताएँ हैं, उनमें एक यह वर्त्स्य ध्वनियों का व्यवहार भी है।* दूसरी बात यह है कि हिन्दी की मूर्धन्य ध्वनियों की जगह शब्द के आरम्भ में पश्तो वर्त्स्य ध्वनियों का व्यवहार करती है, यद्यपि शब्द के मध्य या अन्त में उसे जिह्वा के प्रतिवेष्टन से परहेज़ नहीं है। इससे यह सम्भावना विचारणीय जान पड़ती है कि द्रविड़ भाषाओं की अथवा इन भाषाओं को प्रभावित करनेवाले किसी अन्य भाषा-परिवार की मूर्धन्य स्पर्श-ध्वनियों के सम्पर्क से अंग्रेज़ी में दन्त्य ध्वनियों के स्थान पर वर्त्स्य ध्वनियों का विकास हुआ।

आर्य-द्रविड़ भाषाओं की ध्वनितंत्रीय विशेषताओं को देखने से ऐसा ज्ञात होता है कि भारत के उत्तर-पश्चिमी सीमान्त पर किसी समय द्रविड़ भाषाभाषियों का काफ़ी बड़ा जमाव था। सिन्धु नदी के इस पार **घ्-ध्-भ्** के चलन और उस पार सर्वत्र इनके लोप होने का यही रहस्य जान पड़ता है। अनेक आर्य भाषाओं में शब्द का आरम्भ करनेवाली ध्वनि अघोष हो, यह व्यवस्था भी द्रविड़ प्रभाव के कारण उत्पन्न हुई जान पड़ती है। दक्षिणी यूरोप की भाषाओं में दन्त्य स्पर्श-ध्वनियों की प्रधानता और जर्मन-अंग्रेज़ी में वर्त्स्य ध्वनियों के व्यवहार का कारण द्रविड़ भाषाओं अथवा इन भाषाओं को प्रभावित करनेवाले किसी अन्य भाषा-परिवार से

* डॉ. रमेशचन्द्र महरोत्रा (रीडर, भाषाविज्ञान विभाग, रविशंकर वि.वि., रायपुर) ने मुझे सूचित किया है कि नॉर्वीजियन और स्वीडिश में **ट्, ड्, ण्, ष्** की प्रतिवेष्टित स्पर्श-ध्वनियाँ हैं।

उनका सम्पर्क हो सकता है। मूर्धन्य ध्वनियाँ संस्कृत की मूल ध्वनियाँ नहीं हैं, यह निश्चित है; सम्भावना इसकी भी है कि वे द्रविड़ भाषाओं की भी मूल ध्वनियाँ न हों। द्रविड़ भाषाओं की तरह यूरोप की आर्य भाषाओं में **प्** और **क्** ध्वनियों का काकल्य महाप्राण ध्वनि में विकास, फिर इस हकार के स्थान पर केवल स्वर का व्यवहार, संस्कृत के **स्-श्** के स्थान पर प्रतिशब्दों में तकार का प्रयोग, शब्द के आरम्भ में **र्/ल्** होने पर अतिरिक्त स्वर का जोड़ा जाना—ऐसी अनेक विशेषताएँ हैं जो इस बात का संकेत करती हैं कि यूरोप की आर्य भाषाओं के विकास में द्रविड़ भाषाओं का महत्त्वपूर्ण योगदान रहा है। द्रविड़ भाषाओं की वे विशेषताएँ जो यूरोप की भाषाओं में मिलती हैं, वहाँ पूरब से जाकर पहुँची हैं, पच्छिम से आकर द्रविड़ भाषाओं में नहीं मिल गईं। तोख़ारी, खोतानी भाषाएँ भारत के उत्तरी सीमान्त पर बोली जाती थीं या लिखी-पढ़ी जाती थीं, द्रविड़ भाषा ब्राहूइ भारत के पश्चिमी सीमान्त पर है। ऐसा प्रतीत होता है कि पूरब से जो भारतीय भाषा-तत्त्व यूरोप—और ईरान तथा मध्यपूर्व—की नवीन-प्राचीन भाषाओं में पहुँचे, वे एक सघन द्रविड़ क्षेत्र पार करके वहाँ पहुँचे। इसलिए भारतीय आर्य भाषा-तत्त्वों से तुलना करने पर यूरोप के उन आर्य भाषा-तत्त्वों पर पुष्ट द्रविड़ प्रभाव दिखाई देता है। स्वभावतः भारत के उत्तर-पश्चिमी भागों में जो भाषाएँ बोली जाती रही हैं, उन पर मध्यदेश और पूर्वांचल की भाषाओं की अपेक्षा द्रविड़ प्रभाव अधिक है। किन्तु इस धारणा की पुष्टि और व्याख्या के लिए स्वतंत्र और विस्तृत विवेचन आवश्यक है और वह यहाँ सम्भव नहीं है।

आर्य-द्रविड़ भाषा-परिवारों के शब्द-भंडार पर ध्यान देने से, इनकी शब्द-निर्माण-प्रक्रिया पर विचार करने से उपर्युक्त धारणा की पुष्टि तो होती ही है, यह भी संकेत मिलता है कि भारत में आर्य-द्रविड़ भाषा-परिवारों का विकास परस्पर एक दूसरे के सम्पर्क से ही हुआ है। समस्या यही नहीं है कि आर्य-द्रविड़ भाषाओं ने एक-दूसरे को कितना प्रभावित किया, वरन् यह भी कि आर्य-द्रविड़ भाषा-परिवारों का निर्माण परस्पर सम्पर्क से हुआ या नहीं। मूल शब्द-भंडार को दृष्टि में रखते हुए भारत और यूरोप की आर्य भाषाओं को भारतीय द्रविड़ भाषाओं से मिलानेवाले कुछ भाषा-तत्त्वों का उल्लेख यहाँ किया जाता है।

संस्कृत—**पद/पाद**, ग्रीक—**पेज्/पोद्** (समासों में), लैटिन—**पेस्/पेद्** (**पेदेस=पदाति** जैसे शब्दों में), अंग्रेज़ी—**फूट**, हिन्दी—**पग/पैर/पाँव**—इस वर्ग के इन शब्दों का सम्बन्ध क्या किसी क्रिया-पद से है? आर्य भाषा-परिवार में ऐसे क्रियापद का पता नहीं है, किन्तु द्रविड़ भाषाओं में चलने के लिए एक क्रियापद का व्यापक रूप से व्यवहार होता है। यह क्रियापद है—**पो**।

तमिल—**काल्**, तोद—**कोल्**, कोडगु—**कालि**, तुलू—**कारु**, तेलगू—**कालु**, पर्जी—**केल्**, कुइ—**काडु**—इन सभी शब्दों का अर्थ है—पैर। (डी.ई.डी., श. सं. 1238)

क्या इस वर्ग के शब्दों का सम्बन्ध किसी क्रियापद से है? द्रविड़ भाषा-परिवार में ऐसे क्रियापद का पता नहीं है, किन्तु आर्य भाषाओं में संस्कृत—**गा** (जाना यथा—**अगात्** में—मोनियर विलियम्स), **गम्, गच्छ्** (मूलरूप **गश्**), जर्मन—**गेहेन**, अंग्रेज़ी—**गो** आदि में क्रिया का भूलांश **गो/गे/गा** स्पष्ट हैं। यदि **पो** से **पद** बना हो तो उसी तरह **गो/गे/गा** से **कोल, केल, काल** शब्द बन सकते हैं। सघोष ध्वनि **ग्** से आरम्भ होनेवाले शब्द का सहज द्रविड़ उच्चारण **क्** से होगा।

द्रविड़ क्रियापद—**पो**; आर्य संज्ञा शब्द—**पद, पग, पेद्, पोद्**। आर्य क्रियापद—**गो/गे/गा**; द्रविड़ संज्ञा शब्द—**कोल्, केल्, काल्**।

संस्कृत—**पथ/पंथ**, अंग्रेज़ी—**पाथ**, जर्मन—**प्फद**, रूसी—**पूत्**—इन सभी का अर्थ है मार्ग और इनका सम्बन्ध **पो** क्रिया से जोड़ा जा सकता है। ग्रीक भाषा में **पतोस्** उस मार्ग को कहते हैं जो निरन्तर चलने से बन जाए। यहाँ हमें वह शब्द-निर्माण-प्रक्रिया साफ़ दिखाई देती है जिसमें निरन्तर चलने की क्रिया का सम्बन्ध उसके परिणाम मार्ग से जोड़ा गया है। चलने के उपकरण का नाम **पद**, उस उपकरण के व्यवहार का फल—**पथ/पंथ**। इन आर्य शब्दों से तुलनीय हैं **पो** क्रिया से सम्बद्ध मार्गवाचक द्रविड़ शब्द : तमिल—**पोक्कु** (डी.ई.डी., श. सं. 3774), कन्नड़—**पादि/हादि** (उप., श. सं. 3362), कोलामि—**पत्र**, नाइकी—**पाव्**, पर्जी—**पाव्**, गोंडी—**पाव्/पावु**, कुरुख—**पाब्**, माल्तो—**पवु** (उप., श. सं. 3380), तेलगू—**पुन्त**। (उप., श. सं. 3542)

द्रविड़ भाषाओं में **पो** की समकक्ष क्रिया है—**वा/वरु**। इससे भी मार्गवाचक शब्द सम्बद्ध हैं, यथा : तमिल—**वरवु**। तुलनीय है लैटिन—**विआ**, अंग्रेज़ी—**वे**, संस्कृत—**वीथी**, तमिल—**वीदि**। लैटिन—**वेनिओ**, फ्रांसीसी—**वेनीर** (आना) इसी वर्ग के शब्द हैं। सम्भव है, **पो** और **वा** क्रियाएँ मूलतः एक ही रूप से—आर्य भाषा-परिवार के **गम्** और **कम्** (आना) की तरह—विकसित हुई हों। तमिल **वा/वरु** का तोद प्रतिशब्द **पो/पोद्/पोर्** (आने के अर्थ में) इस धारणा की पुष्टि करता है। (देखें—डी.ई.डी., श. सं. 4311) संस्कृत में **वायु, वात, पवन**—**वा** और **पो** क्रियाओं से विकसित होनेवाले रूप जान पड़ते हैं। लैटिन—**वेन्तुस्**, अंग्रेज़ी—**विन्ड** उसी **वा/वे** क्रिया सिद्ध होनेवाले **वायु** के प्रतिरूप हैं। इनसे तुलनीय है तमिल—**विण्डु** (आकाश, हवा; डी.ई.डी., श. सं. 4422) तथा **वळि** (डी.ई.डी. श. सं. 4347)। **गा** क्रिया से तमिल में जैसे पैर के लिए **काल्** शब्द बना है, वैसे ही इसी क्रिया से हवा के लिए कन्नड़ **गाल/गालि**, तेलगू—**गालि** (डी.ई.डी., श. सं. 1258), तमिल—**काल्**, तोद—**कोत्**, कोडगु—**कति** (उप., श. सं. 1240) शब्द बने हैं।

चलने से जैसे हवा का सम्बन्ध है, वैसे ही पानी का। **वा** क्रिया से एक शब्द बना **वायु** तो दूसरा बना **वारि**। तुलनीय हैं तमिल—**वार्** (बहना), **वारि** (पानी निकालने की नाली), तेलगू—**वारु** (बहना), कुइ—**वारु** (धारा) (डी.ई.डी., श. सं. 4387),

तमिल—**वळि** (बहना) (उप., श. सं. 4334), तेलगू—**वन्त** (नाला), कोलामि—**वन्ता** (नदी) (उप., श. सं. 4281)। संस्कृत **वरुण** और **वर्षा** का सम्बन्ध उसी **वा/वरु** क्रिया से हो सकता है।

ग्रीक **ओउरिआ, ओउरोस्** (अनुकूल वायु), **अइर** (हवा), लैटिन—**आएर** (हवा), अंग्रेज़ी—**एयर** उसी वर्ग के शब्द हैं जिसके **वायु** और **बयार** हैं। **व्** का स्थान यहाँ स्वर अथवा स्वरों ने वैसे ही लियां है, जैसे तमिल **वडि** के समकक्ष कन्नड़ **ओडि** (बहना) में **व्** का स्थान स्वर ने लिया है।

संस्कृत **वरुण** का सम्बन्ध जल से है और ग्रीक—**ओउरानोस्** का आकाश (वायुमंडल) से। **वारि** और **वायु** की तरह इन दोनों शब्दों का गोत्र एक है। **वा** क्रिया से बने हुए शब्द प्रवाह की ओर संकेत करते हैं; इसलिए **वारि** और **वायु** की तरह दो अर्थों के द्योतक हैं **वरुण** और **ओउरानोस्**। तमिल **वार्** (बहना) से तुलनीय है तमिल—**बान्**, कन्नड़—**बान** (आकाश) और तेलगू—**वान** (वर्षा) (डी.ई.डी., श. सं. 4410)। **वर्षा, वायु, आकाश** और **वा** क्रिया का सम्बन्ध यहाँ स्पष्ट देखा जा सकता है। भारतीय पौराणिक गाथाओं में प्रसिद्ध बाणासुर को द्रविड़ **वान्/बान** से जोड़कर आकाश का देवता मानना चाहिए। ग्रीक **ओउरानिआ** आकाश की देवी—इसलिए खगोल विद्या की अधिष्ठात्री—है।

संस्कृत—**उद**, लैटिन—**उन्द**, ग्रीक—**हुदोर**, रूसी—**वोद**, अंग्रेज़ी—**वाटर**—सभी जलवाचक शब्द हैं। इनमें **व्** अथवा उसके स्थान पर किसी स्वर का व्यवहार वैसे ही हुआ है, जैसे तमिल **वडि** और कन्नड़ **ओडि** में।

**वा** क्रिया का प्रतिरूप है **या**। चलने के अर्थ में **या** का व्यवहार द्रविड़ भाषाओं में नहीं होता, किन्तु **यारु** का अर्थ है नदी और इस शब्द का **या** से वैसा ही सम्बन्ध है, जैसा **वारि** का **वा** से। **व्** के स्थान पर कन्नड़ **ओडि** में जैसे स्वर का व्यवहार हुआ है, वैसे ही तमिल में **यारु** का प्रतिरूप है **आरु**, तगु—**एरु** (नदी, डी.ई.डी. श. सं. 4233)।

संस्कृत **उर्वर** और द्रविड़ क्रिया **उर् उळ्** का गहरा सम्बन्ध है। कोलामि—**उर्**, नाइकी—**उर्**, पर्जि—**उळ्**, तमिल—**उळु** का अर्थ है जोतना, हल चलाना। इस तरह **उर्वर** का अर्थ हुआ, वह भूमि जो हल चलाने के योग्य हो या जिस पर हल चलाया गया हो। **उळु** से तमिल **उऴवन्**—किसान; तमिल—**उऴि/उऴइ** का अर्थ है स्थान। **उऴि** से तुलनीय है कश्मीर का नगर **वुड़ि** और **उऴइ** से उत्तर प्रदेश का नगर **उरई**। **ऊर** द्रविड़ भाषाओं का प्रचलित ग्रामवाचक शब्द है और यह ग्रामवाचक शब्द इसलिए है कि वहाँ की भूमि जोती जाती है। एमेनो और बरो ने अपने कोश में इसकी तुलना की है प्राकृत **ऊर** से जिसका अर्थ है गाँव। **ऊर** सम्भवत: भारत और एशिया का सबसे प्राचीन ग्रामवाचक शब्द है। कालान्तर में **पुर** ने इसे अपदस्थ कर दिया, किन्तु उत्तर से दक्षिण तक अब भी **पुर** के साथ इसका व्यापक रूप से व्यवहार

देखा जा सकता है। **पुर** वह स्थान है जहाँ दुर्ग बनाकर सुरक्षा का प्रबन्ध किया गया हो। इसलिए दुर्गों का ध्वंस करनेवाले का नाम रखा गया **पुरन्दर**, किन्तु लैटिन में **पुर** के इसी अर्थ में **उर्ब्स** का व्यवहार होता था। **उर्ब्स**—नगर, कोट से घिरा हुआ जनस्थान। सभ्यतासूचक अंग्रेज़ी के **अर्बन** जैसे शब्द उसी **उर/ऊर** से सम्बन्धित हैं। जर्मन में **उर** का अर्थ है प्राचीन, आदिम; **उरस्प्राख़े** मूल भाषा। खेती-किसानी से आरम्भ होनेवाली सभ्यता का इतिहास इस **उर/ऊर** शब्द में छिपा हुआ है। संस्कृत **उर्वर** से तुलनीय है जर्मन **उर्बर** (जोतने योग्य) और अंग्रेज़ी **अरेबल**। इस **अरेबल** का सम्बन्ध लैटिन **अरो** (हल चलाना, जोतना) से है। इसका ग्रीक प्रतिशब्द है **अरोओ**। द्रविड़ भाषाओं के **उर/उऴि** के ही अर्थ में लैटिन-ग्रीक **अरो/अरोओ** का व्यवहार आश्चर्यजनक है।

संस्कृत क्रिया **मा** का अर्थ है—बनाना, निर्माण करना। वैदिक **मान** का अर्थ है घर, जो बनाया जाता है। जर्मन माउएर (mauer) का अर्थ है दीवाल। जर्मन क्रियापद **माख़ेन**, अंग्रेज़ी—**मेक** संस्कृत **मा** से सम्बद्ध हैं। जो घर में रहता है, वह मानुष है। घरवाली के लिए एक संस्कृत शब्द **मेना** है; **अमेन** वह है जिसके घरवाली नहीं है। **मठ, मन्दिर, मंडप** आदि शब्द उसी **मा** क्रिया के आधार पर बने हैं। दार्शनिकों की **माया** और पौराणिक गाथाओं में **मय** दानव की कथाएँ उसी क्रियापद का चमत्कार हैं। तमिल—**मनइ**, मलयालम—**मन**, कन्नड़—**मने** का वही अर्थ है जो वैदिक **मान** का है। **मनइ** (घर) में रहनेवाली **मनैवि** अथवा **मनैयाळ्**, तुलू—**मनेदन** (कुटुम्ब), कोलामि—**मन्दि** (पुरुष) (डी.ई.डी., श. सं. 3847), तमिल—**मन्, मन्नन्** (राजा, पति) (उप. श. सं. 3909) एक ही वर्ग के शब्द हैं। निर्माण-क्रिया, घर, पति या पत्नी—इन अर्थों का बोध करानेवाले शब्दों का स्रोत एक ही है।

अंग्रेज़ी मैंशन का अर्थ है भवन। लैटिन क्रिया **मनेओ, मन्तो, मन्सितो** का अर्थ है निवास करना। **मन्सिओ** वह स्थान है जहाँ लोग रहते हैं। **मन्सोर्** गृहस्थ अथवा अतिथि है। ग्रीक-लैटिन **मन्द्र** वह स्थान है जहाँ पशु बाँधे जाते हैं, किन्तु ग्रीक-लैटिन **मन्द्रोपोलिस** का अर्थ है नगर। लैटिन **मनुस्** पुरुषत्व, वीरता का बोधक है, जैसे तमिल **मन्, मन्नन्** राजत्व का सूचक है। दोनों भाषाओं में एक ही शब्द-मूल से अर्थ-विकास की समान प्रक्रिया देखी जाती है। लैटिन **मनुस्** का अर्थ **हाथ** भी है जिससे अंग्रेज़ी **मैनुअल** शब्द बनता है। हाथ से बनाने, निवास-स्थान और निवास करने के भाव सम्बद्ध हैं।

**ऋक्, ऋचा, ऋषि** शब्दों में **ऋ** क्रिया आधारभूत है; अर्थ है बोलना, ध्वनि करना। ग्रीक—**र्हेतोस** (जो बोला गया हो), **र्हेत्रा** (शब्द), **र्हेतोर** (वक्ता), लैटिन—**ओरातिओ** (वक्तृता, भाषा), **ओरातुस्** (प्रार्थना), रूसी—**रेच्** (वाणी), चेक—**रिकत्** (बोलना), **रिचि** (कहना) एक ही वर्ग के शब्द हैं। द्रविड़-भाषी इस शब्द का व्यवहार करेगा

तो **र्** के पहले स्वर जोड़ेगा, जैसे द्रविड़ प्रभाव से लैटिन **ओरातिओ** में जोड़ा गया। तमिल—**उरइ** (बोलना, शब्द), कन्नड़—**ओरे** (बोलना, शब्द) **ऋ** क्रिया में **उ/ओ** स्वर जोड़ने से बने हैं। ज्ञान, प्रार्थना और स्तुति के भावों से यह प्राचीन क्रिया सम्बद्ध है। तमिल **अरि** का अर्थ है—ज्ञान, जानना। उत्तर भारत की बहुत-सी सांस्कृतिक निधि जैसे दक्षिण में सुरक्षित है, वैसे ही भारत की बहुत-सी भाषा-सम्पदा द्रविड़ भाषाओं में सुलभ है। आश्चर्यजनक बात यह है कि **अरि** जैसी क्रियाओं का व्यवहार द्रविड़ भाषाओं में व्यापक रूप से होता है। द्रविड़-परिवार की जो भाषाएँ साहित्यिक दृष्टि से समृद्ध हैं, उनके अतिरिक्त जिन भाषाओं को लोग अविकसित और पिछड़ा हुआ मानते हैं, उनमें **ऋ/अरि** जैसे शब्दों का व्यवहार होता है जबकि संस्कृत में ही ज्ञान और बोध जैसे शब्दों के आगे **ऋ**-आधारित शब्दों का व्यवहार कम होने लगा था और आधुनिक भारतीय भाषाओं में उनका लोप हो गया है। किन्तु कोलामि—**अय्र्** (जानना), **अर्व्** (ज्ञान), तोद—**अर्थ्, अर्स्** (जानना), कोडगु—**अरि** (पता लगाना), **अरिवि** (ज्ञान), तुलू—**अरुपु, अरुहु** (ज्ञान) द्रविड़-परिवार में इस शब्द-मूल के व्यापक व्यवहार के साक्षी हैं। **ऋ** के पहले कहीं **अ** स्वर जोड़ा गया है, कहीं **ए**। तमिल **अरि** और **अरिवु** के तेलगू प्रतिशब्द हैं—**एरूगु** (जानना), **एरुक** (ज्ञान) (डी.ई.डी., श. सं. 265)। ग्रीक—**अर/अरि** (प्रार्थना), **अरितीर्** (पुरोहित) में **अ**-स्वर जोड़ा गया है, लैटिन—**एरुदिओ** (शिक्षा देना), **एरुदितिओ** (ज्ञान) में **ए**-स्वर जोड़ा गया है। बेली ने अपने लेख में बताया है कि बौद्धकाल में भारतीय शब्द **ऋषि** मध्य एशिया की जिन भाषाओं में पहुँचा (यथा : तुर्की में), वहाँ उसके पहले किसी स्वर को जोड़कर ही उसका व्यवहार किया गया। (बुलेटिन ऑव दि स्कूल ऑव ओरियंटल एंड ॲफ्रीकन स्टडीज़, खंड 13, पृ. 405) इससे एक बात तो यह सिद्ध होती है कि भारतीय भाषा-तत्त्वों के प्रसार में आर्यों के साथ द्रविड़ों का योगदान रहा है, दूसरी यह कि स्वयं संस्कृत में **ऋषि** से **आर्ष** शब्द का विकास आर्यों पर द्रविड़ों के प्रभाव का सूचक है। यूरोप की आर्य तथा भारत की द्रविड़ भाषाओं में इस एक वर्ग के शब्दों का व्यवहार सिद्ध करता है कि इन भाषा-परिवारों का विकास परस्पर सम्पर्क की दशा में हुआ है, अलगाव की दशा में नहीं।

एमेनो और बरो ने तमिल **उरई** का अर्थ दिया है बोलना, गरजना। वास्तव में दो भिन्न वर्गों से आए हुए शब्दों ने तमिल में एक-सा रूप धारण किया है। तमिल—**उर** (ज़ोर से शब्द करना), **उरप्पु** (गर्जन), **उररु** (गरजना), **उरई** (ज़ोर की आवाज़), कन्नड़—**उरुवणि** (चिल्लाहट), तमिल—**इरइ** (गर्जन), मलयालम—**इरेप्पु** (शोरगुल) (डी.ई.डी., श. सं. 414), कन्नड़—**अरचु, अरिचु** (डी.ई.डी., श. सं. 269) उस वर्ग के शब्द हैं जिनका सम्बन्ध संस्कृत—**रव**, ग्रीक—**र्होथेओ** (गरजना), लैटिन—**रउकुस्** (कर्कश), अंग्रेज़ी—**रोर** (गरजना) से है।

संस्कृत—**पण्** (खरीदना), **पणाय** (बेचना), **पणि** (भाव-तौल करनेवाला),

**पणस** (क्रय वस्तु), **पणग्रंथि** (बाज़ार)—व्यापार से सम्बन्धित इन सारे शब्दों का आधार **पण्** है। इससे मिलता-जुलता शब्द **पाणि** है जिसका अर्थ है हाथ। लेने-देने की क्रिया से हाथ का निकट सम्बन्ध है। यथा—**कर**—हाथ, **कर**—टैक्स, **क्री**—खरीदना। जो शब्द हाथ का सूचक है, वह करना क्रिया के लिए भी प्रयुक्त होता है। संस्कृत में **पण्** और **पाणि** वर्ग के शब्दों में करने का अर्थ लुप्त हो गया है, किन्तु द्रविड़ भाषा-परिवार में यह अर्थबोध सुरक्षित है। तमिल—**पण्** (सेवा), **पणि** (कार्य), **पणिक्कन्** (कारीगर), तेलगू—**पनि** (श्रम, कार्य), तोद—**पोण्य्** (काम), कोलामि—**पन्नी** (काम) (डी.ई.डी., श. सं. 3209) और तमिल में **पणम्** का अर्थ है पैसा, **पोन्** का अर्थ है धन, सम्पत्ति। **बणिक्, बणिज्, बनिया** इसी **पणम्** या **पोन** की औलाद हैं। लैटिन में **पोनो** का अर्थ है बनाना, खर्च करना, गिनना, पूँजी लगाना, सूद पर धन देना। यहाँ हमें धन और कर्म, दोनों से सम्बन्धित अर्थ प्राप्त हैं। ग्रीक—**पोनेओ** (श्रम करना), **पोरु** (देना), **प्रास्सो/प्रात्तो** (काम करना), **प्राक्सिस्** (कार्य), **प्राक्तिकोस्** (करने योग्य काम)—इसी से अंग्रेज़ी शब्द **प्रैक्टिस** आदि। ग्रीक—**पेर्निमि** (बेचना, निर्यात करना), लैटिन—**प्रेतिउम्** (मूल्य, धन), इसी से अंग्रेज़ी शब्द—**प्रेशस्** (मूल्यवान)। ग्रीक **पोइएओ** (बनाना) इसी वर्ग का शब्द है।

तमिल—**कइ** (हाथ), तेलगू—**चेयि** (उप.), पर्जि—**केय्** (उप.); इनके साथ करना क्रिया के लिए—तमिल—**चेय**, कन्नड़—**केय्, कइ**, तोद—**किय्**, कोलामि—**केय्/गेय**, कोडगु—**केय्**, तेलगू—**चेयु**। स्पष्ट है कि तमिल **कइ** (हाथ) और **चय्** (करना) सम्बद्ध शब्द हैं। जहाँ मूलध्वनि का तालव्यीकरण नहीं हुआ, वहाँ **कर** (हाथ) और **करना** क्रिया में विशेष अन्तर नहीं है। इसी से सम्बद्ध शब्दों का दूसरा वर्ग है जिसका सम्बन्ध देना क्रिया से है। तमिल—**कोडु** (देना), **कोडइ** (दान), कन्नड़—**कोडु** (देना), **कोडगे** (दान)। (डी.ई.डी. श. सं. 1708) तोद **क्वळ्** का वही अर्थ है जो **कर** (दंड, टैक्स) का है (उप.)। तमिल—**कोळ्** (खरीदना), **कोळ्वोन्** (ख़रीददार), **कोळि** (पानेवाला), **कोडल्** (ख़रीददारी)। (डी.ई.डी., श. सं. 1788) हाथ और करने का सम्बन्ध संस्कृत **कर** में तो स्पष्ट है ही। द्रविड़-परिवार में प्राप्त **कइ, चेयि** का समानधर्मा ग्रीक शब्द **ख़ेइर्** (हाथ) है; **ख़ेइरोओ** (हाथ में लेना, अधिकार करना), **ख़ेइरोम** (हाथ से किया काम)। यहाँ ग्रीक शब्द में **क्** के स्थान पर **ख्** वैसे ही है, जैसे—तमिल **कइ** के कुरुख प्रतिरूप **ख़ेक्ख** में है।

संस्कृत **हस्त** का फ़ारसी प्रतिरूप **दस्त** है। न **दस्त** से **हस्त** के विकास की सम्भावना है, न **हस्त** से **दस्त** की। इनका मूल रूप **धस्त** होना चाहिए। इस **धस्त** की **धा** क्रिया का अर्थ करना रहा होगा। हिन्दी शब्द **धन्धा** वैसे ही बना है, जैसे **कर्** से कर्म। अंग्रेज़ी **डू** इसी प्राचीन **धा** का वैकल्पिक रूप है। **डू** से **डीड**

(कार्य), इसी तरह रूसी **देलात्** (करना), **देलो** (कार्य)। **ध्** की महाप्राणता का लोप होने से फ़ारसी का **दस्त** रूप प्राप्त हुआ; **द्** के अघोष होने पर द्रविड़-परिवार के **त्** वाले रूप सुलभ हुए। कन्नड़—**तळे** (पाना, लेना), मलयालम—**तेंडुक** (पाना), तमिल—**तण्डु** (टैक्स जमा करना)। **तेलगू** में **त्** और **द्** वाले, दोनों रूप हैं : **तण्डु** और **दण्डु** (टैक्स वसूल करना), **दण्डुवु** (दंड भरना)। (कृष्णमूर्ति : 'तेलगू वर्बल बेसेज़', शब्द-संख्या 529) इन शब्दों का सम्बन्ध संस्कृत **दण्ड** से होना चाहिए; किन्तु हाथ से सम्बद्ध जो अन्य अर्थ **दण्ड** से प्राप्त होने चाहिए, वे द्रविड़ भाषाओं में सुलभ हैं, संस्कृत में नहीं। मलयालम—**तण्ड**, कोलामि नाइकी-गोंडी—**दण्ड** का अर्थ है—बाँह। (डी.ई.डी., श. सं. 2476) जैसे **कर** (हाथ) से **कर** (टैक्स) के अर्थ का विकास हुआ, वैसे ही **तण्ड/दण्ड** का मूल अर्थ है हाथ जिससे पाने, कर इकट्ठा करने के अर्थ सम्बद्ध हुए। मलयालम—**तेण्डुक** (पाना), तुलू—**दण्डियुनि**—कुछ पाने को हाथ फैलाना, कोलाम—**तण्ड्** (कर्ज़ अदा करना) (उप., श. सं. 2482)—यहाँ हाथ से लेने-देने की क्रियाओं का सम्बन्ध देखा जा सकता है। संस्कृत **दंडी** का मूल अर्थ होना चाहिए—हाथ फैलाकर लेनेवाला अथवा माँगनेवाला।

स्वाभाविक है कि संस्कृत की **दा** (हिन्दी **देना**) क्रिया द्रविड़ भाषाओं में भी हो। एमेनो ने बताया है कि प्रथम या मध्यम पुरुष का सन्दर्भ होने पर तोद, कोत, मलयालम और प्राचीन तमिल में **ता** क्रिया का व्यवहार होता है और अन्य पुरुष का सन्दर्भ होने पर **कोडु** क्रिया का। कन्नड़ में ऐसा भेद नहीं है। (एमेनो : 'कलेक्टेड पेपर्स', पृ. 13) उल्लेखनीय है कि तोद, मलयालम आदि में **ता** का अर्थ है देना और कन्नड़ में लेना। तेलगू—**दोरकु**, कन्नड़—**दोरे**, तुलू—**दोरकुनि** का अर्थ है पाना (कृष्णमूर्ति, श. सं. 674); ये भी उसी वर्ग के शब्द हैं।

अब **पुत्र** और **पिल्ला** का सम्बन्ध देखें। तमिल—**पेरु** (पैदा करना), **पिर्** (पैदा होना), मलयालम—**पेरु** (जन्म), तोद—**पैद्** (पैदा होना), नाइकी—**पेट्ट्** (जन्म देना) (डी.ई.डी., श. सं. 3622), तोद—**पुट्** (पैदा होना), कन्नड़—**पुट्टु/हुट्टु/ उट्टू** (उप.), तुलू—**पुट्टुनि** (उप.) (डी.ई.डी., श. सं. 3501), तमिल—**पैयम्, पैयल्, पइदल** (लड़का), तुलू—**पइय** (बच्चा), तेलगू—**पइद** (लड़का), गोंडी—**पेंदा** (लड़का) (डी.ई.डी., श. सं. 3248), कुवि—**पोद** (लड़की) (डी.ई.डी., श. सं. 3748), तमिल—**पेण** (लड़की, स्त्री), कन्नड़—**पेण/पेण्णु/पेन्ड** (नारी) (डी.ई.डी., श. सं. 3608), तमिल—**पिळ्ळइ** (बच्चा, बेटा), नाइकी—**पिल्ल** (लड़की), गोंडी—**पिला** (बच्चा)। (डी.ई.डी., श. सं. 3449) इन सारे शब्दों में **वि/पो/पे** शब्दमूल से **पुत्र** की उत्पत्ति माननी चाहिए।

इस वर्ग के शब्दों से तुलनीय हैं लैटिन—**पुएर** (बच्चा), **पुएल्ला** (लड़की), **पुल्लुस्** (छौना), **फिलिउस्** (बेटा), **फिलिया** (बेटी), ग्रीक—**पैइदेइआ** (बच्चा),

अंग्रेज़ी—**ब्वाय** (लड़का)। हिन्दी क्रिया **पैदा** होना इसी वर्ग से सम्बद्ध है। भारतीय भाषाओं में इस श्रृंखला के शब्दों की एक विशेषता यह है कि वे पशु, वनस्पति तथा मनुष्य—तीनों के लिए प्रयुक्त होते हैं। मोनियर विलियम्स ने संस्कृत **पोत** शब्द का अर्थ दिया है—पौधा, तरुण पशु। ब्रज में **पोया** शब्द का व्यवहार पशु-शावकों के लिए होता है, अवधी में **प्वावा** छोटे पेड़ को कहते हैं। हिन्दी **पेड़** और **पौधा** शब्द उसी **पे/पो** क्रिया के आधार पर बने हैं। तेलगू **पेय्या, पेया** ब्रज **पोये** का प्रतिशब्द है; अर्थ है—बछिया, बछवा। पर्जी, गोंडी आदि अन्य भाषाओं में भी इस शब्द का व्यवहार होता है। (डी.ई.डी., श. सं. 3248) तमिल **पोत्तु**, कुइ **पोदेलि** छोटे पौधे या वृक्ष की कोमल शाखा के लिए प्रयुक्त होनेवाले शब्द हैं। (उप., श. सं. 3748) तमिल **पेण्** (लड़की या स्त्री) का व्यवहार मादा जानवरों के लिए भी होता है और उन वनस्पतियों के लिए जिन्हें मादा वर्ग में रखा गया है। (डी.ई.डी., श. सं. 3608) इसी तरह तमिल—**पिळ् ळइ** (बच्चा, पशु-शावक), मलयालम—**पिळ्ळा** (बच्चा, पशु-शावक, छोटा फल), कोलामि—**पय् ल्** (छोटा पौधा, बच्चा), कन्नड़—**पिळ् ळे** (बच्चा, पशु-शावक)—ये शब्द उस युग की यादगार हैं जब मनुष्य ने पशुओं और वनस्पतियों से भिन्न अपने बच्चों के लिए कुछ शब्द आरक्षित न कर लिये थे।

संस्कृत—**तृष्** (प्यास लगना), अंग्रेज़ी—**थर्स्ट** (प्यास) तथा जर्मन—**त्रिङ्केन्** (पीना), अंग्रेज़ी—**ड्रिङ्क** से तुलनीय है तेलगू—**त्रागु** (पीना); संस्कृत **त्वक्** और **त्वचा** तथा अंग्रेज़ी **टच्** (छूना) से तुलनीय है तमिल—**तोडु** (छूना)। तेलगू **चोंकु** (सोंकु) का अर्थ है छू जाना, प्रेत लगना (कृष्णमूर्ति, श. सं. 481); इससे तुलनीय है अंग्रेज़ी **टोटम** और हिन्दी **टोटका**। संस्कृत **नासा**, अंग्रेज़ी **नोज** और हिन्दी **नाक** का गहरा सम्बन्ध होना चाहिए तमिल **नारु/त्रारु** से जिसका अर्थ है गंध या गंधाना। (डी.ई.डी., श. सं. 2379) तमिल—**नीन्दु** (तैरना), **नीत्तम्** (समुद्र, सैलाब) और ग्रीक—**नउस्** (जहाज़), संस्कृत—**नौका**, लैटिन—**नाविस** (जहाज), अंग्रेज़ी—**नेवी** (जहाज़ी बेड़ा) परस्पर सम्बद्ध हैं। (डी.ई.डी., श. सं. 3054)

अंग्रेज़ी शब्द **पोएट** की व्युत्पत्ति ग्रीक क्रिया **पोइएओ** के आधार पर की जाती है। अर्थ है बनाना, निर्माण करना। वास्तव में यह क्रिया **पणि-पाणि** वाले वर्ग की है। किन्तु तमिल **पाडु** से **पोएट** और **पोएम** का और नज़दीकी सम्बन्ध है। **पाडु** (गाना) क्रिया प्राय: सभी द्रविड़ भाषाओं में प्रयुक्त होती है। संस्कृत—**पद** (जो गाया जाए), ग्रीक—**पइओन्/पइओन्** (गीत), रूसी **पेस्न्या** (गीत, क्रिया **पेत्** = गाना) द्रविड़ कुल के **पाडु** और **पाट्टु** (गीत) के सम्बन्धी हैं। इसी क्रम में स्मरणीय हैं तमिल—**पाण्** (गीत), **पाणन्** (गायक, चारण), **पाणि** (संगीत)। (डी.ई.डी., श. सं. 3351)

तमिल **पर** (उड़ना), **परल्** (चिड़िया), **परइ** (पंख, पक्षी) (डी.ई.डी., श. सं. 3311) और इसी गोत्र के अन्य शब्द सभी द्रविड़ भाषाओं में सुलभ हैं। शब्दमूल

**पर** को द्रविड़ भाषा-परिवार का आदिम तत्त्व मानने में संकोच न होना चाहिए। फ़ारसी—**पर** (पंख), **परवाज़** (उड़ान), **परवाना** (पतंग), **परी, परिन्दे**, हिन्दी—**परेवा**, संस्कृत—**पारावत** (कबूतर) और **पर्ण** (पत्ता, पंख), रूसी—**पेरो** (पंख), **परीत्** (उड़ना), **परेनिये** (उड़ान), **पेर्नातिए** (पक्षी) से आर्य-द्रविड़-परिवारों का घनिष्ठ सम्बन्ध सिद्ध होता है।

तमिल—**कनल्** (जलना), **कनलि** (अग्नि, सूर्य), **कनरु** (चमकना), **कानल्** (चमक) (डी.ई.डी., श. सं. 1183) उसी वर्ग के शब्द हैं जिसके **कनक** और **कञ्चन** हैं। एमेनो और बरो ने संस्कृत **कनल** (प्रकाशमान) को द्रविड़ शब्दों से तुलनीय बताया है। **कनक** शब्द भी लिखा है, किन्तु दुविधासहित—प्रश्नवाचक चिह्न के साथ। मोनियर विलियम्स ने वैदिक **कन्** का एक अर्थ दिया है चमकना। लैटिन **कन्देओ** (चमकना), **कन्दिदुस्** (चमकदार), **कानेओ** (श्वेत) उसी भारतीय **कन्** के विकास हैं। **कन्त, कान्त, काम, कन्दर्प** उसी तरह **कन्** से जुड़े हुए हैं, जैसे तमिल **कनि** (प्रेम से पिघलना), **कनिवु** (प्रेम) (डी.ई.डी., श. सं. 1183), **कादल** (आसक्ति, कामेच्छा)। (उप., श. सं. 1211) संस्कृत **कञ्चन** से तुलनीय है तमिल **काचु** (सोना)। (उप., श. सं. 1200) जो लोग **केन्तुम्** को पूर्वरूप मानते हैं, **शतम्** को उत्तर रूप, वे **कन्** से जर्मन **शाइनेन**, अंग्रेज़ी **शाइन्** (चमकना), संस्कृत **शशि** का सम्बन्ध जोड़ सकते हैं और **कन्द** से **चन्द्र** की उत्पत्ति सिद्ध कर सकते हैं।

तमिल—**पोरि** (भुनना, सूखना) (डी.ई.डी., श. सं. 3705), **पुरुङ्ग** (गरम होना), कन्नड़—**पुळ्गु** (जलाना) (उप., श. सं. 3540) से तुलनीय है ग्रीक—**पुर्** (अग्नि), अंग्रेज़ी—**फायर**, बंगला—**पोड़ामुखी** (मुँहजली)।

अंग्रेज़ी **मिल्क** (दूध) और उसके यूरोपीय प्रतिरूपों का स्रोत तमिल **मुलइ**, कन्नड़ **मोले** (स्तन) (डी.ई.डी., श. सं. 4087) हो सकता है। रूसी **बेलुइ** (श्वेत) से तुलनीय है तमिल **वेळ** (श्वेत प्रकाशमान)। रूसी **पोले** (खेत) से तुलनीय है कन्नड़—**पोल**, तेलगू—**पोलमु** और तमिल—**पुलम्** (खेत)। (उप. श. सं. 3529) फ़ारसी **पुलाव** से तुलनीय है तमिल—**पुलइ** (मांस), तेलगू—**पोल, पोलसु** (मांस); एमेनो और बरो ने इसके आगे संस्कृत **पल, पलल** (मांस) का उल्लेख किया है (उप., श. सं. 3718) किन्तु **पुलाव** और अंग्रेज़ी **फ्लेश** को भी तुलनीय शब्द मानना चाहिए। ज़्वेलेबिल ने बोलचाल की तमिल के **मेगवन्** शब्द (अधिक, बहुतायत से) का उल्लेख किया है (कम्पैरेटिव., पृ. 66) जो **मघवन्** और **महान्** का प्रतिरूप तो है ही, ग्रीक **मेगस्** (विशाल) और लैटिन **मग्नुस्** (महान्, विशद) की याद भी दिलाता है। तमिल—**पल** (अनेक) और ग्रीक—**पोलूस** (अनेक), संस्कृत—**पुरु** (अनेक, बहुत-से); ग्रीक—**अत्ता** (माँ), तमिल **अत्तन्** (पिता), **अत्तइ** (मौसी, सास) (बरो और एमेनो ने शब्द-संख्या 121 के आगे लिखा है, तुलनीय है, संस्कृत और प्राकृत **अत्ता**—माँ, मौसी) को परस्पर सम्बद्ध मानना चाहिए।

द्रविड़ भाषा-परिवार में समीपता का बोध कराने के लिए नामों और सर्वनामों में **इ** शब्दमूल जोड़ दिया जाता है। तमिल **इदु** (यह व्यक्ति या वस्तु) से तुलनीय है संस्कृत **इदम्** और लैटिन **इदेम्** (वही), इसी तरह तमिल **इंगे** (यहाँ) से तुलनीय है लैटिन **हिक** (यह, यहाँ) और **इल्ले** (यह, वह)।

आर्य-द्रविड़ भाषा-परिवारों के शब्द-भंडार की तुलना करने से पहला निष्कर्ष यह निकलता है कि इन परिवारों ने पूरी तरह विकसित हो जाने के बाद एक-दूसरे पर प्रभाव डालना आरम्भ नहीं किया, वरन् परिवार रूप में इनका विकास ही एक-दूसरे के सम्पर्क से हुआ है। दूसरा निष्कर्ष यह कि दोनों परिवारों के समानार्थक शब्दों में केवल ध्वनि-साम्य नहीं है वरन् उनके अर्थ-विकास की प्रक्रिया भी मिलती-जुलती है और यह प्रक्रिया उनके परस्पर सम्पर्क की धारणा को पुष्ट करती है। तीसरा निष्कर्ष यह है कि द्रविड़ भाषाओं से सम्पर्क का प्रमाण केवल भारतीय आर्य भाषाओं में नहीं है, वरन् यूरोप की भाषाओं में भी है और कहीं-कहीं वह सम्पर्क केवल यूरोप की आर्य भाषाओं से है, भारत की आर्य भाषाओं से नहीं। चौथा निष्कर्ष यह कि सम्पर्क सिद्ध करनेवाले अनेक शब्द जितने व्यापक रूप में द्रविड़-परिवार में बोले या लिखे जाते हैं, उतने व्यापक रूप में आर्य भाषाओं में नहीं, इससे उनके मूलतः द्रविड़-परिवार के शब्द होने की सम्भावना दृढ़ होती है। पाँचवाँ निष्कर्ष यह कि शब्द-भंडार में कोई भी ऐसा तत्त्व नहीं है जिससे यह सिद्ध हो कि आर्यों ने द्रविड़ों को परास्त करके उन्हें अपना दास बनाया। इस निबन्ध में जो शब्द दिये गए हैं, उन्हें प्रमाण न मानें तो बरो ने अपनी संस्कृत भाषा वाली पुस्तक में द्रविड़-प्रभाव सिद्ध करनेवाले जो शब्द दिये हैं, उनसे भी यह स्थापना असिद्ध होती है कि आर्यों ने द्रविड़ों को गुलाम बनाया।

बरो के अनुसार **अनल, कानन, कुन्तल, कुवलय, तामरस, महिला** जैसे शब्द आर्यों ने द्रविड़ों से पाए। संस्कृत और आधुनिक आर्य भाषाओं में ये सभी शब्द कवित्वपूर्ण सन्दर्भों में प्रयुक्त होते हैं। सामान्य शब्द है **अग्नि**, कवित्वपूर्ण शब्द है **अनल**। इसी तरह **केश** और **कुन्तल, कमल** और **कुवलय** या **तामरस**, **स्त्री** और **महिला** में जिसे द्रविड़ शब्द कहा गया है, वही ज्यादा रुतबे वाला है। **मल्लिका, मुकुट, मुक्ता, वलय** जैसे शब्द अभिजात संस्कृति से सम्बद्ध हैं, उनसे दासत्व का बोध नहीं होता। इसके विपरीत ब्रिटेन पर नौर्मन-प्रभुत्व के समय अंग्रेज़ी शब्दों को जो दशा हुई, वह विचारणीय है। अनेक लेखकों ने इस बात की ओर संकेत किया है कि अंग्रेज़ गाय-भेड़ें चराते थे, इसलिए **काऊ** और **शीप** तो अंग्रेज़ी के शब्द क़ायम रहे, इनका मांस खाते थे फ्रांसीसी शासक, इसलिए **बीफ** और **मटन** शब्द अंग्रेज़ों को फ्रांसीसी भाषा से प्राप्त हुए। दिल्ली में जब फ़ारसी राजभाषा थी, तब सैकड़ों अरबी-फ़ारसी शब्दों ने इसी तरह हिन्दी शब्दों को अपदस्थ किया। **पुर** और **नगर** छोटे कस्बों और गाँवों के लिए—अब मुहल्लों के लिए—रह गए,

तुगलकाबाद से इलाहाबाद तक और इलाहाबाद से दौलताबाद तक उनका स्थान लिया **आबाद** ने। इस तरह का सम्बन्ध आर्य-द्रविड़-परिवारों के शब्द-भंडार का अध्ययन करने से किसी प्रकार सिद्ध नहीं होता।

आर्यों की **केन्तुम्-शतम्** शाखाओं के विवरण से जाना जाता है कि वे चाहे पूर्वी शाखा के हों, चाहे पश्चिमी शाखा के, उन्हें सौ तक गिनती आती थी, किन्तु यह स्पष्ट नहीं है कि गिनती गिनने में वे दहाई की संख्या पहले बोलते थे, या इकाई को। ग्रीक, लैटिन, अंग्रेज़ी आदि यूरोप की अनेक आर्य भाषाओं में गिनती के दो क्रम हैं: एक आर्य, दूसरा द्रविड़। बीस तक या उससे कुछ पहले तक यूरोप की ये भाषाएँ संस्कृत तथा अन्य भारतीय आर्य भाषाओं की तरह पहले इकाई, फिर दहाई की संख्या रखती हैं। किन्तु बीस के बाद दहाई पहले, इकाई बाद को—यह क्रम चलने लगता है। द्रविड़ भाषाओं की पद्धति भी यही है—दहाई पहले, इकाई बाद को। भारतीय आर्य भाषाओं की विशेषता यह है कि जो क्रम दस से बीस तक है, वही क्रम बीस से सौ तक है। इसी तरह द्रविड़ भाषाओं में ग्यारह से निन्यानबे तक एक ही पद्धति है। दोनों का गँठ-जोड़ केवल यूरोप की अनेक आर्य भाषाओं में है। ग्रीक **दोदेका** (दो और दस = बारह) किन्तु **एइकोसी पेन्ते** (बीस और पाँच = पच्चीस); लैटिन **दुओ देकिम्** (दो और दस = बारह) किन्तु **विगिन्ती दुओ** (बीस और दो—बाईस)। यही स्थिति फ़ारसी की है : **चहार दह** (चौदह) किन्तु **बीस्त ओ यक** (इक्कीस)।

भारतीय आर्य और द्रविड़ भाषाएँ बोलने वाले हज़ारों साल तक साथ रहने पर भी एक दूसरे की गणना-पद्धति को बदल नहीं पाए, किन्तु यूरोप की अनेक आर्यभाषओं तथा पड़ोस की फ़ारसी में भी दो पद्धतियों का संगम दिखाई देता है। इसका कारण यह हो सकता है कि यूरोप की भाषाओं पर भारतीय आर्य भाषाओं के अलावा भारतीय द्रविड़ भाषाओं का प्रभाव भी पड़ा है।

किन्तु भारतीय आर्य और द्रविड़-परिवारों की कुछ व्याकरणगत विशेषताएँ समान हैं जो उनके दीर्घकालीन सम्पर्क की साक्षी हैं। भारतीय आर्य भाषाओं की तरह द्रविड़ भाषाओं में सम्बन्धसूचक चिह्न शब्द के बाद में आता है, पहले नहीं। **राम का**—यह क्रम होगा, **ऑव राम**—यह क्रम नहीं। इस भिन्नता का कारण सामी प्रभाव है जिसके बारे में यूरोप के आर्यत्वप्रेमी भाषाविद् सामान्यत: चुप रहते हैं। यूरोप की आर्य भाषाओं में यदि विभक्तिचिह्न आएँगे तो शब्द के अन्त में, जैसे संस्कृत में; किन्तु 'प्रिपोज़ीशन' का व्यवहार होगा तो वह शब्द के पहले आएगा, इसीलिए उसका नाम 'प्रिपोज़ीशन' रखा गया है। उसकी खपत फ़ारसी में है, भारत की आर्य-द्रविड़ भाषाओं में नहीं। विभक्तिचिह्न शब्द के आगे, 'प्रिपोज़ीशन' शब्द से पहले, फ़ारसी-अंग्रेज़ी में यों दो पद्धतियों का यह मेल गिनती के दो क्रमों की तरह है। अन्तर यह है कि गिनती में दो क्रमों का कारण यूरोप के आर्यों पर भारतीय

द्रविड़ों का प्रभाव है और विभक्तिचिह्न 'प्रिपोज़ीशन' वाली स्थिति का कारण यूरोप-ईरान की आर्य भाषाओं पर सामी प्रभाव है। (किन्तु अरबी में भी विभक्ति-चिह्न संस्कृत की तरह शब्द के अन्त में ही लगते हैं—यह सामी-आर्य परिवारों के परस्पर सम्बन्ध की अलग समस्या है।)

इस निबन्ध का उद्देश्य आर्य-द्रविड़ भाषा-परिवारों के परस्पर सम्बन्ध का सर्वांगीण विवेचन करना नहीं है। जो कुछ ऊपर कहा गया है, वह भी अनेक सम्बद्ध समस्याओं को अविवेचित छोड़ते हुए कहा गया है। इसलिए ऊपर कही हुई बातें मान ली जाएँ, यह आग्रह नहीं है। इस निबन्ध का सीमित उद्देश्य है कि आर्य-द्रविड़-परिवारों के सम्बन्ध का विवेचन जिस लीक पर होता रहा है, उसे छोड़कर इस समस्या पर नये सिरे से विचार किया जाए। यहाँ जो सामग्री प्रस्तुत की गई है, उससे यूरोप की आर्य भाषाओं पर द्रविड़ प्रभाव सिद्ध होता है और सिद्ध होता है कि आर्य-द्रविड़-परिवारों का विकास उनके सम्पर्क का परिणाम है, अलगाव का नहीं। आर्यों ने भारत में आकर द्रविड़ों की सभ्यता का नाश किया, उन्हें दास बनाया और उनकी भाषाओं का दमन किया—इन धारणाओं की पुष्टि ऐतिहासिक भाषाविज्ञान से नहीं होती।

भारत में आर्य-द्रविड़ भाषा-परिवारों के घनिष्ठ सम्पर्क का एक प्रमाण बाइबल में है। यहूदियों के राजा सुलेमान के यहाँ भारत से हाथी दाँत, बन्दर और तोते ले जाए गए थे। इनके जो नाम भारत में सुने गए थे, वे हीब्रू में लिख लिये गए थे : **सेन-हबिम्** (हाथी दाँत), **कोफिम्** (बंदर) और **तुकुम्** (तोते)। इनमें **कोफिम्** का सम्बन्ध स्पष्ट ही **कपि** से है; **सेन-हबिम्** का सम्बन्ध **इभ** (हाथी) से है या नहीं, इस पर यहाँ बहस नहीं करना। सबसे दिलचस्प शब्द है **तुकुम्**। यह **शुक** के द्रविड़ रूप **तुक** का हीब्रू व्याकरण-सम्मत बहुवचन है। **शुक** शब्द को **तुक** वही कहते थे जो **समय** को **तमय** कहते थे। अलेग्जेंडर कनिंघम ने अपनी पुस्तक 'दि एंशेंट जिओग्राफी ऑव इंडिया' में इस धारणा का खंडन किया है कि ये चीजें लंका से इजरायल भेजी गई थीं। उनका तर्क यह है कि यदि शाह सुलेमान के जहाज़ी बेड़े ने ये चीजें लंका से प्राप्त कीं तो मानना पड़ेगा कि आर्य लोग ईसा-पूर्व 1200 या 1500 दक्षिण भारत के छोर तक पहुँच गए थे, किन्तु उस समय तो उन्होंने नर्मदा भी पार न की थी, फिर लंका कैसे पहुँचते?

यहाँ महत्त्वपूर्ण बात यह नहीं है कि तोते लंका से भेजे गए, या दक्षिण भारत से या उत्तर भारत से; महत्त्वपूर्ण बात यह है कि 1200 ई. पू. के आसपास आर्यों और द्रविड़ों में इतना सम्पर्क हो चुका था कि **शुक** का **तुक** रूप भारत में प्रचलित होकर इजरायल पहुँच गया था। और 1200 ई. पू. ऋग्वेद का रचना-काल माना जाता है !

जे. डबल्यू. मैक्रिंडल नाम के विद्वान् ने एक पुस्तक लिखी है : 'एंशेंट इंडिया एज़ डिस्क्राइब्ड बाई मेगस्थनेस एंड अरिअन' (कलकत्ता, 1926)। इसकी भूमिका

में उन्होंने भारत और प्राचीन यूनान के सम्बन्धों के बारे में लिखा है : होमर के काव्य में उन वस्तुओं का उल्लेख है जिन्हें व्यापारी भारत से यूनान ले जाते थे और यह उल्लेख भारतीय नामों के रूप में ही हुआ है। संस्कृत **कस्तीर** (टीन) होमर में **कस्सीते-शेस्** है और संस्कृत **इभ** ग्रीक में **एलेफोस** हो गया है।

बाइबिल और होमर, दोनों इस बात की पुष्टि करते हैं कि भारत की वस्तुएँ प्राचीनकाल में मध्यपूर्व को भेजी जाती थीं। वस्तुओं के निर्यात की यह परम्परा बहुत पुरानी थी; वस्तुओं के साथ भाषा-तत्त्वों का भी निर्यात होता था, इस सम्भावना पर विचार करना चाहिए।

'दि केम्ब्रिज हिस्ट्री ऑव इंडिया' (खंड-1) में इस मान्यता का खंडन किया गया है कि भारतीय वस्तुएँ यूनान भेजी जाती थीं। यद्यपि होमर का काव्य एशिया में—आधुनिक तुर्की के समुद्र तटवर्ती प्रदेश में—रचा गया था, यूरोप में नहीं, फिर भी ब्रिटिश विद्वान् को यह सह्य नहीं था कि होमर के समकालीन यूनानी भारत से कुछ ग्रहण करते। **कस्तीर** के लिए कहा कि यह यूनानी शब्द है जिसे भारत ने यूनान से पाया और **इभ** में अरबी का **एल्** जोड़कर **एलेफोस** बना, इसे कपोल-कल्पना बताया। बाइबिल वाले उल्लेख के बारे में कहा कि उससे कोई निश्चित निष्कर्ष नहीं निकाला जा सकता।

किन्तु यूनानियों को अपनी लिपि सामी परिवार की भाषा बोलने वालों से मिली थी। उन्हें निश्चयबोधक **अल्** या **एल्** शब्द सामी परिवार से प्राप्त हुआ हो, तो आश्चर्य क्या? संस्कृत तथा यूरोप की पूर्वी भाषाओं में 'डेफिनिट आर्टिकल' जैसी चीज़ नहीं है, लैटिन में भी नहीं है, फिर यूरोप की अन्य आर्य भाषाओं में इसका चलन कैसे हुआ? आवश्यक नहीं कि यूनानियों या होमर ने **इभ** का रूपान्तरण **एलेफोस्** स्वयं किया हो, यह बिलकुल सम्भव है कि यह शब्द उन्हें फिनीशियन व्यापारियों से प्राप्त हुआ हो!

यूनान और मध्य पूर्व से भारत के सम्बन्ध बाइबिल और होमर के उल्लेखों के समय शुरू नहीं होते; वे एक अत्यन्त प्राचीन परम्परा की कड़ी हैं जिसे हम भूल गए हैं। उस परम्परा को ध्यान में रखते हुए एशिया और भारत के सन्दर्भ में आर्य-द्रविड़ भाषा-परिवारों के विकास का अध्ययन करना आवश्यक है।

निबन्ध के परिशिष्ट रूप में कुछ शब्दों का उल्लेख करना चाहता हूँ जो द्रविड़ भाषाओं में व्यवहृत हैं और जिनके प्रतिरूप हिन्दी—विशेष रूप से अवधी—में पाए जाते हैं।

**औगी—** बाँस या लकड़ी के दो हाथ के टुकड़े में चमड़े की पट्टी बाँधकर इससे गाड़ी में बैलों को हाँकते हैं। तुलनीय है : तेलगू **उग्गनु** (छड़ी जैसी चीज़ में बँधी हुई रस्सी); कन्नड़—**उग्ग**, तुलू—**उग्गि** उसी अर्थ के द्योतक हैं। (कृष्णमूर्ति, श.सं. 94)

**ढेकुलो—** बाँस या लट्ठ पर एक तरफ वज़न रख देते हैं, दूसरी तरफ़ रस्सी में पानी खींचने का पात्र बाँधकर कुएँ से पानी निकालते हैं (जो बहुत गहरा न हो)। तु. मलयालम्—**तेकुक/तेवुक** (पानी खींचना); तुलू—**तेपुनि** (बाल्टी आदि से पानी गिराना, सींचना)। (उप., श. सं. 672)

**कोया—** फल का बीज (जैसे कटहल के कोये)। तु. तेलगू—**कायु** (फल लगाना), **काय** (कच्चा फल); तोद—**कोय्/कोच्** (फल लगाना); तमिल—**काय्** (कच्चा फल); कुइ—**काउ** (गुठली, बीज)।

**गुठली—** तु. तमिल—**कोट्टइ** (फल का भीतरी तत्त्व); कुरुख—**गोट** (गुठली)।

**हल सेरावनि—** तु. गोंडी—**सेर्** (हल); कुइ—**सेरु** (हल जोतनेवाले बैलों की गोईं); कुवि—**हेरु** (हल); कोलामि—**चेर्** (हल और बैलों की गोईं); तमिल—**एर** (उप.)। (डी.ई.डी., श. सं. 2313) सम्भव है, इसी शब्दमूल से **सेरावनि** शब्द का सम्बन्ध हो! **सेरावनि** से जोते हुए खेत की भूमि हमवार करते हैं।

**पैरा, पुयाल—** तु. तमिल—**पयिर्** (हरा चारा, हरे पौधे), (डी.ई.डी., श.सं. 3250); तमिल—**पयरु** (हरे चने); मलया. **पयरु** (साग-सब्ज़ी); पर्जी—**पयरि, पयल** (हरे चने)। (डी.ई.डी., श. सं. 325.) यह शब्द द्रविड़ भाषाओं में हरियाली और चारा तथा साग से सम्बद्ध है। हिन्दी में हरियाली वाला अर्थबोध छूट गया है, अब यह धान के सूखे पौधों के लिए इस्तेमाल होता है जो पशुओं के खिलाने और मनुष्यों के बिछाने के काम आते हैं।

**करबी**—ज्वार के पौधे जो पशुओं को काटकर खिलाए जाते हैं। तु. मलया. **करि, करिव, करुवि** (ऊसर, धान के खेतों में उगनेवाली घास)। (डी.ई.डी., श. सं. 1080)

**घुघुरी—** गेहूँ को उबालकर बनाते हैं। तु. कन्नड़—**गुग्गरि, गुग्गुरि, गुग्रि** (उबाला हुआ अनाज); तुलू—**गुग्गुरि** (भिगोया हुआ अनाज); तेलगू—**गुग्गिळ्ळु** (उबाला हुआ अनाज)। (डी.ई.डी., श. सं. 1361)

**कोल्हू—** कोण्ड—**कोल्** (बड़ा मूसर); कुवि—**कोलू** (धान कूटने का मूसर); तमिल-कन्नड़—**कोल** (डंडा, शाखा)। (डी.ई.डी., श. सं. 1852) **कोल्** का मूल अर्थ हुआ शाखा, डंडा; वह धान कूटने के काम आया तो कुवि भाषा में **कोलू** हुआ, सरसों पेरने के काम आया तो हिन्दी **कोल्हू** बना।

**सेल्ला—** सनई निकाल लेने पर उसके सूखे सफेद पतले पेड़ जो छप्पर छाने या जलाने के काम आते हैं। तु. कन्नड़—**सेळे** (छड़ी, टहनी); तेलगू—**सल** (टहनी); कोलामि—**चेळ्** (लम्बी छड़ी)। (डी.ई.डी., श. सं. 2294)

**जोंढरी—** (जुवार)—तु. तमिल—**चोळम्** (मक्का); कन्नड़—**जोळ**; तेलगू—**जोन्न**; कोलामि—**सोन्न**; पर्जि—**जेन्न** (जुवार)। (डी.ई.डी., श. सं. 2365)

**पतोई—** उबलते हुए गन्ने के रस का अंश। आशय है पतली और नर्म चीज़ से। पसीने में भीगे हुए ठंडे बदन को (विशेष कर बुखार उतरने के बाद) अवधी में

पतोई जैसा कहेंगे (देहीं पतोई ह्वइगै)। तु. तमिल—**पद** (गीला होना); कुइ—**पेते** (नम और नर्म); तेलगू—**पदनु** (नमी)। (डी.ई.डी., श. सं. 3227)

**पतावरि—** जंगली घासफूस; पशुओं के लिए हरा चारा। तु. तमिल—**पच** (हरा होना), **पचु** (हरा), **पइदु** (हरियाली); कोलामि—**पत्य्** (हरी काई); कन्नड़—**पसि, पचे, पञ्चने** (हरियाली)। (डी.ई.डी., श. सं. 3161) मूल शब्द सम्भवत: **पत्** था जिसका अर्थ था हरा। हरियाली के सम्बन्ध से **पतावरि** शब्द बना। चारा के संसर्ग से **पैरा, पुयाल**। तमिल **पच** का एक अर्थ हरे के साथ पीला भी है। पैरा पीला होता है, इसलिए भी उसे **पयिर** और **पच** वाले वर्ग से जोड़ा जा सकता है। **पतावरि** से तुलनीय है हिन्दी **खर-पतवार**।

**भेली—** गुड़ का गोल पिंड (गेंद बराबर)। तु. तमिल—**वेल्लम्** (कच्ची शक्कर, गुड़); मलया.—**वेल्लम्** (गुड़, गन्ने का रस); कन्नड़—**बेल्ल** (गुड़)। इसी अर्थ में कोड्गु और तुलू **बेल्ल** तथा तेलगू **बेल्लमु** का प्रयोग होता है। (डी.ई.डी., श. सं. 4523) द्रविड़ शब्दों का आधार निश्चय ही उत्तर भारतीय **भेल्** शब्द था जिसका मूल अर्थ गुड़ द्रविड़ भाषाओं में सुरक्षित है, हिन्दी में गुड़ का संसर्गजन्य अर्थ ही बच रहा है।

**मोटरी—** काम-काज की तरह गठरी-मोटरी। तु. तमिल—**मुडि** (बाँधना); कन्नड़—**मुडि** (बाल बाँधना); तुलू—**मुडि** (धान आदि का पूला); तेलगू—**मुडि** (गाँठ); तमिल—**मुडिच्चु** (छोटी गठरी); **मुडिप्पु** (उप.); मलयालम्—**मुडिप्पु** (कपड़े में बाँधे हुए पैसे); कन्नड़—**मुडिपु** (बंडल, थैला) (डी.ई.डी., श. सं. 4.3.); तुजू—**मुडेयुनि, मुडेवुनि** (लपेटना); तेलगू—**मुड्डत** (लपेट)। (उप., श. सं. 4036)

**परई—** मिट्टी की तश्तरी। तु. तमिल—**पर** (फैलाना, पीट-पाटकर चिपटा करना), **परवु** (फैलाना) (उप., श. सं. 3255); कन्नड़—**परवि** (पानी भरने का पात्र); कोत—**पय्र्व** (अन्न रखने का पात्र)। (उप., श. सं. 3266) शब्दमूल **पर** है जिसका अर्थ है फैलाना, पीटकर चिपटा करना। इसी से हिन्दी **परई,** जिसे कुम्हार पीटकर चिपटा करता है; उसी **पर** से पानी या नाज के पात्रों का बोध करानेवाले अन्य द्रविड़ शब्द बने।

**उत्तू**—मुहावरा है मारते-मारते उत्तू कर देंगे। तु.—तेलगू—**ओत्तु** (दबाना, निचोड़ना); कन्नड़—**ओत्तु,** तुलू—**ओत्तुनि** का भी अर्थ है दबाना, पीड़ित करना। (कृष्णमूर्ति, श. सं. 201) इसका संज्ञारूप हिन्दी में बना हुआ है।

**उदगरत—** बढ़ना, पनपना। खिलाने-पिलाने पर बच्चे बढ़ते और पुष्ट नहीं होते तो अवधी में कहते हैं—उदगरत नहिंन। तु. कन्नड़—**ओदगु, ओदवु** (बढ़ना, समृद्ध होना); तुलू—**ओदगुनि** (फलना-फूलना); तोद—**उत्** (बढ़ना); मलया.—**उदवुक** (फलना-फूलना)। (उप., श. सं. 204)

**ओरवब—** किसी चीज़ को नीचे डालना, जैसे कुएँ में रस्सा डालना। तु. तेलगू—**ओरँगु** (झुकना); कन्नड़—**ओरगु,** तुलू—**ओर्दुनि** का वही अर्थ है।

(उप., श. सं. 214) झुकने से किसी अन्य वस्तु को झुकाने या लटकाने का भाव सम्बद्ध हुआ।

**कौर**—अवधी में **कौरु** (जो एक बार में खाया जाए)। संस्कृत **कवल** के अलावा इसका सम्बन्ध इन द्रविड़ क्रियाओं से देखना चाहिए : तेलगू—**कोरुकु** (काटना, चबाना), कन्नड़—**कुरुकु**, तमिल—**कोरि**, पर्जि—**कोर्क** (इनका भी अर्थ दाँत से काटना है)। (उप., श. सं. 326)

**गुफ्फा**—दो हाथों की उँगलियाँ फँसा कर गुफ्फा (या गोफ्फा) बनाया जाता है। अवधी में मुहावरा है गोफ्फा मारब। उँगलियों को फँसाने से जो आकार बनता है, उसी से मिलता-जुलता **गुफना** (या **गोफना**) होता है जिसमें दोनों तरफ़ रस्सी बाँध दी जाती है, फिर उसमें ढेला, ईंट या पत्थर का टुकड़ा रखकर सर पर घुमाते हुए फेंकते हैं (सामान्यत: खेतों से चिड़िया भगाने के लिए इसका उपयोग करते हैं)। तु. तेलगू—**गुप्पु** (मुट्ठी में रखी हुई चीज़ फेंकना); **गुप्पिलि** (मुट्ठी)। (उप., श. सं. 384)

**हुड़कना**—किसी की याद करके दुखी होना (खास तौर से बच्चों के लिए यह शब्द प्रयुक्त होता है)। तु. कुइ—**सूळ** (देखना); गोंडी—**सूर्** (आशा करना); **हुळ्** (देखना, आशा करना); कन्नड़—**चूटि, सूटि** (लक्ष्य); तुलू—**सूपुनि, तूपुनि, हूपुनि** (देखना)। (उप., श. सं. 451) मूल शब्द सकार से आरम्भ होता है, उसी से तकार और हकार वाले रूप बने। गोंडी **हुळ्** ध्वनि और अर्थ, दोनों के विचार से हिन्दी हुड़कना का प्रतिरूप है।

**लुकना**—छिपना। परिनिष्ठित हिन्दी में कम लिखा और बोला जाता है; जनपदीय बोलियों में इसका व्यापक चलन है। तु. कुवि—**लुग्** (छिपना); तमिल—**ओळि** (छिपना), तेलगू—**लोंगु** (दबाया जाना) (उप., 1193) मूल शब्द लकार से आरम्भ होनेवाला जाना पड़ता है, यथा : कुवि में; तमिल में, उसकी ध्वनि-प्रकृति के अनुसार, लकार से पहले स्वर जोड़ा गया है। (कृष्णमूर्ति ने दबाने, दबाये जाने का अर्थ देनेवाले तेलगू शब्दों के साथ उसे जोड़ा है जो सन्दिग्ध है)।

**बचुका**—गठरी; बचुका ले जाने के लिए बाँधा जाता है, गठरी कहीं रखी रहने के लिए भी बाँधी जा सकती है। तु. कन्नड़—**बाचु** (हाथ से छीलना और बटोरना; बटोरना और ले जाना)। (उप., श. सं. 1155)

**गर्री**—जिस पर रस्सा डाल कर पानी भरते हैं। तु. तेलगू—**गिरक, गिलक, गिर्र, गिल्ल, गीर** (गर्री, चक्र) (ज़्वेलेबिल—'कम्पैरेटिव ड्रैवीडियन फोनोलॉजी', पृ. 144)

**फरेंदा**—पका हुआ बड़ा जामुन। तु. तमिल—**पळु** (पकना); **पळम्** (पका फल); तुलू—**पर्न्दुनि** (पकना), **पर्न्दु** (परिपक्वता, पका फल), कोलामि—**पण्ड्** (पकना), **पण्डुड्** (पका फल)। (डी.ई.डी., श. सं. 3299) फरेंदे का सम्बन्ध **पर्न्दु** जैसे किसी रूप से है।

**पलुहत—** उदगरत की तरह अवधी में पलुहत का अर्थ है बढ़ना, पुष्ट होना। ऊपर दिये हुए तमिल **पळु** का अर्थ पकने के साथ बढ़ना भी है और उसी वर्ग के शब्दों में तुलनीय है तुलू—**पलु** (पकना)। (उप.)

**कलार—** तु. **कळ्** (ताड़ी); **कळि** (नशा, नशे में होना); **कळियन्** (नशेबाज़); तेलगू—**कल्लु** (ताड़ी), गोंडी—**कल्** (महुए की शराब)। द्रविड़ भाषाओं में ताड़ी या शराब के लिए इसका व्यवहार व्यापक है। बरो और एमेनो ने इससे तुलनीय बताया है संस्कृत **कल्या**, प्राकृत **कल्ला** (शराब), **कल्लाल**, हिन्दी **कलवार, कलार** इत्यादि को। (उप., श. सं. 1158) शराब के लिए इस शब्द का चलन उत्तर भारत से उठ गया है। अनेक प्राचीन शब्दों की तरह वह किसी सम्बद्ध शब्द में ही अवशिष्ट है। निश्चय ही **कलार, कलवार** और संस्कृत **कल्या** का आधार **कल** अथवा **कळ्** है।

**बांबी—** यहाँ भी सर्पवाचक मूल शब्द से सम्बद्ध **बांबी** बच रहा है किन्तु सर्प के लिए तमिल—**पाम्बु**, कोड्गु—**पाम्बि**, तेलगू—**पामु**, पर्जि—**बाम** उल्लेखनीय हैं। बरो और ऐमेनो ने प्राकृत **पाव** (सर्प) शब्द दिया है जो कन्नड़ **पावु** से बिलकुल मिलता-जुलता है! (उप., श. सं. 3361) किन्तु हिन्दी शब्द **बांबी** का सम्बन्ध **पाव/पावु** की अपेक्षा **पाम्बु, पाम्बि** रूपों से अधिक है।

**पाँसि—** सड़ा हुआ कूड़ा, गोबर आदि जो खाद के रूप में खेतों में डाला जाता है । तु. तेलगू—**पाँचु, पासु** (सड़ना) ( डी.ई.डी., श. सं. 3341)।

**चिड़िया—** तु. तमिल—**चिर्̱इ, चिर्̱कु, चिर्̱कर** (पंख)। (उप., श. सं. 2133)

**चीलर, चिलुआ—** गन्दे कपड़ों में बसने वाले छोटे कीड़े। तु. तमिल—**चिल्लर्̱इ** (छोटी-मोटी चीजें ); मलया.—**चिल्लर्̱** (छोटी चीज़); तेलगू-कन्नड़ में भी इस शब्द का इसी अर्थ में प्रयोग होता है। (उप., श. सं. 2122)

**चुन्नू—** अक्सर छोटे बच्चों के लिए प्रयुक्त होता है। तु. तमिल—**चिन्न**, तेलगू—**चिन्̱न** (छोटा)। (उप., श. सं. 2135)

**मुन्नू, मुन्ना—** चुन्नू से मुन्नू और मुन्ना का घनिष्ठ सम्बन्ध है। जो बच्चा पहले हो वह **मुन्नू**, उससे छोटा **चुन्नू**। द्रविड़ मुन्नेत्र कषगम में यही **मुन्** है जिसका अर्थ है पहले, आगे।

**मन्ना—** अवध में अक्सर प्यार से लोगों को **मन्ना** कहकर बुलाया जाता है (खास कर जब वे उम्र में छोटे हों) । तुलनीय है तमिल—**मन्̱नन्**, मलया.—**मन्नन्**, तेलगू—**मन्ने** (राजा, सरदार)। (उप., श. सं. 3909)

**अजिया—** दादी। तु. मलयालम्—**अच्च/अच्चि** (माँ); तमिल—**अच्चन्̱** (पिता); कन्नड़—**अज्ज** (दादा), **अच्चि, अज्जि** (दादी)। तुलू और कुरुख में **अज्जे, अज्जि** तथा **अज्जोस्** और **अज्जी** (दादा, दादी) का व्यवहार द्रविड़-परिवार में शब्दमूल की व्यापकता सिद्ध करता है। (उप., श. सं. 46) **अजिया** का हिन्दी पुंल्लिंग रूप

है **आजा**, किन्तु सम्बोधन में उसका व्यवहार नहीं होता। तमिल का **आच्चि** (माँ, दादी) (उप., श. सं. 308) भी स्मरणीय है।

**अम्मा**—हिन्दी प्रदेश का सर्वाधिक प्रचलित मातृवाचक शब्द जिसका सार्वजनिक व्यवहार करने में पढ़े-लिखे लोग अब शरमाते हैं। तु. तमिल—**अम्मा, अम्माळ्, अम्मइ**, मलया.-तेलगू-कन्नड़—**अम्म**, इत्यादि। हिन्दी क्षेत्र की तरह द्रविड़ प्रदेशों में इस शब्द का व्यवहार व्यापक है। उल्लेखनीय यह है कि **अच्चन्** और **अच्चि** की तरह यह शब्द-मूल कुछ द्रविड़ भाषाओं में माता के सिवा पिता के लिए भी प्रयुक्त होता है, यथा : तुलू में **अम्म** (माँ), **अम्मे** (पिता), तमिल में **अम्मान्** का प्रयोग फूफा, ससुर और मामा के लिए होता है। (उप., श. सं. 154)

**ताई, माई**—अनेक भारतीय आर्य भाषाओं में **आई** शब्द माँ, दादी, नानी आदि के लिए प्रयुक्त होता है। तमिल—**आय, आयि**, कन्नड़—**आयि** और इस वर्ग के शब्द अनेक द्रविड़ भाषाओं में प्राप्त हैं। तमिल **अइयन्**, कन्नड़—**अय्य** (पिता) को **आयि** का पुंल्लिंग रूप मानना चाहिए। इसी **आय्, आयि** से सम्बन्ध है **ताई** का। तमिल—**ताय्**, मलया.—**तायि**, कन्नड़ **तायि, ताये**, तुलू—**तायि**, तेलगू—**तायि**—सब माँ के लिए प्रयुक्त होनेवाले शब्द हैं। द्रविड़ भाषाओं में **त** वर्ण अनेक शब्दों के साथ विशेष सम्बन्धसूचक मानकर, जोड़ा जाता है। तमिल—**तमर्** (सम्बन्धी), **तमन्** (पुरुष सम्बन्धी या मित्र), **तमळ्** (नारी मित्र या सम्बन्धी), **ताम, तम्** (वे, तुम) शब्द इस सन्दर्भ में उल्लेखनीय हैं। (उप., श. सं. 2582) तमिल तथा अन्य द्रविड़ भाषाओं में परिवार-सम्बन्धी शब्दों के साथ कोई सर्वनाम चिह्न अक्सर जोड़ दिया जाता है, यथा : तमिल—**तम्बि** (छोटा भाई), **एम्बि** (मेरा छोटा भाई), **नुम्बि/उम्बि** (तुम्हारा छोटा भाई) (उप., श. सं. 2513), **तङ्गइ** (छोटी बहन), **एङ्गइ** (मेरी छोटी बहन), **नुङ्गइ/उङ्गइ** (तुम्हारी छोटी बहन) (उप., श. सं. 2445), **तन्दइ** (पिता) **एन्दर्** (मेरे पिता), **नुन्दइ/उन्दइ** (तुम्हारे पिता)। (उप., श. सं. 2494)

इसी क्रम में **ताई, माई** शब्दों पर विचार करना चाहिए। द्रविड़ भाषाओं में **ताय्, तायि** का व्यवहार वैसे ही होता है, जैसे **तम्बि, तङ्गइ** और **तन्दइ** का। यहाँ शब्द निर्माण की एक निश्चित व्यवस्था है जो हिन्दी में **ताई** के लिए नहीं है। कुवि में **ताय्** की तरह **माय** शब्द है, **माय** है तुम्हारी माँ किन्तु **माइय** है मेरी माँ। इस भाषा में माँ के लिए अन्य शब्द है **ईज**; इससे **मीज**—तुम्हारी माँ, **माइज** मेरी या हमारी माँ। (उप., श. सं. 308) हिन्दी **माय, माई** शब्द **आई** से **ताई** की तरह बना हुआ माना जा सकता है।

**मामा**—जैसा व्यापक प्रचार द्रविड़-हिन्दी परिवारों में अम्मा का है, वैसा ही मामा का। तमिल—**मामा, मामन्**, मलया.—**मामन्**, तुलू—**मामे**, तेलगू—**माम**; नाइकी, पर्जि, कोण्डु, कुइ, कुवि, कुरुख, माल्तो—सभी में मामा के लिए माम शब्द का व्यवहार होता है, यहाँ तक कि ब्राहूइ में भी उसी अर्थ में **मामा** शब्द के

व्यवहार का उल्लेख है। (उप., श. सं. 3945) अनेक द्रविड़ भाषाओं में हिन्दी **मामी** की तरह **मामा** या **माम** के स्त्रीलिंग **मामि** रूप का चलन भी है। उत्तर भारतीय आर्य और दक्षिण भारतीय द्रविड़ भाषाओं के इस शीर्ष-स्थानीय शब्द **मामा** के व्यवहार में एक अन्तर यह है कि अनेक द्रविड़ भाषाओं में उसका अर्थ पत्नी का पिता भी है। जो माँ का भाई है, वह पत्नी का पिता भी है। इस अर्थबोध का कारण द्रविड़-भाषी जातियों की पारिवारिक व्यवस्था है।

अस्तु, खेती-किसानी के शब्दों से लेकर घर-गृहस्थी और पारिवारिक सम्बन्धों वाले शब्दों तक भारत के आर्य-द्रविड़-परिवार अपना घनिष्ठ प्राचीन सम्बन्ध बनाए हुए हैं। केवल द्रविड़-परिवार पर ध्यान केन्द्रित करने से द्रविड़ भाषाओं का विकास समझ में नहीं आ सकता; केवल आर्य परिवार पर ध्यान केन्द्रित करने से आर्य भाषाओं का विकास समझ में नहीं आ सकता। अखिल भारतीय सन्दर्भ में दोनों के सम्बन्ध पहचानने से उनके विकास का सही ज्ञान हो सकता है। तभी यूरोप की भाषाओं का विकास और उनसे अपना सम्बन्ध भी समझ में आएगा।

# भारत के प्राचीन भाषा-परिवार और हिन्दी-I

## [खंड-1 : आर्य भाषा-केन्द्र और हिन्दी जनपद]

[प्रकाशन वर्ष : 1979]

बारहवीं सदी में अवधी का व्याकरण लिखकर आधुनिक आर्य भाषाओं का विवेचन आरम्भ करनेवाले उक्ति-व्यक्ति-प्रकरणकार दामोदर पंडित की स्मृति को 'भारत के प्राचीन भाषा-परिवार और हिन्दी' पुस्तक समर्पित है।

# भूमिका

यह पुस्तक आर्य, द्रविड़ आदि भारत के प्राचीन भाषा-परिवारों के आपसी सम्बन्धों को ध्यान में रखते हुए, ऐतिहासिक भाषाविज्ञान की लीक से अलग हटकर, हिन्दी का विवेचन प्रस्तुत करती है।

पिछले कुछ वर्षों में भारत को एक भाषाई क्षेत्र मानकर आर्य-द्रविड़ परिवारों के आपसी सम्बन्धों पर विचार किया गया है। ऐतिहासिक भाषाविज्ञान के लिए यह दृष्टिकोण अपेक्षाकृत नया है। इस दृष्टिकोण के अनुसार एक ही भाषाई क्षेत्र में सैकड़ों साल तक एक साथ रहते-रहते आर्य-द्रविड़-परिवारों ने कुछ ऐसी सामान्य विशेषताओं का विकास किया है जो उनमें मूलत: नहीं थीं। ये विशेषताएँ आर्य-द्रविड़ के अतिरिक्त कोल (या मुंडा) और नाग (या तिब्बती-बर्मी अथवा तिब्बती-चीनी) भाषा-परिवारों में भी मिल सकती हैं।

यह दृष्टिकोण भाषाविज्ञानी को प्रेरित करता है कि वह किसी एक भाषा-परिवार पर ध्यान केन्द्रित न करके पूरे भाषाई क्षेत्र पर ध्यान दे। उसमें यह मान्यता निहित है कि भाषा-परिवार स्थिर, जड़ इकाई नहीं है, वह गतिशील है; वह अन्य भाषा-परिवारों से अलग-थलग शून्य में अपना विकास नहीं करता, उसका विकास अन्य भाषा-परिवारों के सम्पर्क में होता है। भारत को भाषाई क्षेत्र मानकर, आर्य-द्रविड़-परिवारों के परस्पर सम्बन्धों का अध्ययन करते हुए, ऐतिहासिक भाषाविज्ञान के विकास के लिए नये तथ्यों का पता लगाया जा सकता है, भाषा-परिवारों के विकास और उनके सम्बन्धों के बारे में नई जानकारी प्राप्त की जा सकती है, नई स्थापनाएँ प्रस्तुत की जा सकती हैं—न केवल भाषा-परिवारों के बारे में वरन् इन परिवारों की भाषाएँ बोलने वाले मानव-समुदायों के बारे में पुरानी मान्यताएँ बदली जा सकती हैं, ऐतिहासिक भाषाविज्ञान के सैद्धान्तिक आधार में मूलभूत परिवर्तन किया जा सकता है।

किन्तु भारत को भाषाई क्षेत्र मान लेने के बाद विद्वानों ने जो खोजबीन की, उससे उन्नीसवीं सदी की ऐतिहासिक भाषाविज्ञान सम्बन्धी मान्यताओं में कोई उल्लेखनीय परिवर्तन नहीं हुआ। ऐतिहासिक भाषाविज्ञान के सिद्धान्त अपनी जगह

कायम हैं; इंडो-यूरोपियन परिवार के निर्माण और विकास की जो रूपरेखा बनाई गई थी, वह अपरिवर्तित है; द्रविड़-परिवार का अध्ययन करने के लिए जो पद्धति अपनाई गई है, वह इंडो-यूरोपियन परिवार का ही विवेचन करते हुए विकसित की गई थी। एक नया दृष्टिकोण प्राप्त होने पर भी पुरानी मान्यताओं में कोई उल्लेखनीय परिवर्तन नहीं हुआ, इसका मुख्य कारण यह है कि इस दृष्टिकोण को अपनाने वाले विद्वान् यह मानकर चलते हैं कि भाषाई क्षेत्र में परस्पर सम्पर्क होने से पहले ही उस क्षेत्र के भाषा-परिवार अपनी मूल विशेषताओं का विकास कर चुके हैं, किन्हीं निश्चित लक्षणोंवाले भाषा-समुदायों के रूप में उनका निर्माण हो चुका है, ये लक्षण उनके अपने हैं, कोई अन्य भाषा-परिवार न तो उन पर अपना हक जता सकता है, न उनकी रचना में उसका योगदान हो सकता है। इस प्रकार भाषाई क्षेत्र के सिद्धान्त में जो क्रान्तिकारी सम्भावनाएँ हैं, वे इस पूर्वग्रह से निरस्त हो जाती हैं। भाषा-परिवार स्थिर और जड़ इकाई नहीं है, उसका विकास दूसरे परिवारों के साथ रहकर होता है, इस मान्यता के आड़े आती है अन्य धारणा कि दूसरों के सम्पर्क में आने से पहले ही भाषा-परिवार का निर्माण हो चुका है। भाषाई क्षेत्र के सिद्धान्त में यह अन्तर्विरोध है; जब तक इसे दूर न किया जाएगा, तब तक भाषाई विवेचन के लिए उसमें निहित सम्भावनाओं से लाभ न उठाया जा सकेगा।

आर्य और द्रविड़ भाषाएँ बोलने वाले जन-समुदाय सहस्राब्दियों से भारत नाम के भाषाई क्षेत्र में रहते आए हैं। उनका आपसी और पुराना सम्बन्ध वह मुख्य कारण है जिससे भारत को 'एक' भाषाई क्षेत्र माना गया है। इन परिवारों के मूल तत्त्वों की छानबीन करते हुए यदि यह सिद्ध हो जाए कि ये परिवार अपने मूल तत्त्व रच लेने के बाद ही एक दूसरे से मिले, तो क्षेत्रीयता के सिद्धान्त के बारे में प्रचलित धारणा को सत्य मान लेना चाहिए। यह स्वीकार करना चाहिए कि भाषा-परिवार नाम का प्रपंच एकान्त शून्य में ही विकसित होता है। किन्तु यदि उस तरह की छानबीन से यह सिद्ध हो कि इन परिवारों के मूल तत्त्व परस्पर सम्पर्क से विकसित हुए हैं, विकास की प्राचीनतम मंजिलों में परस्पर सम्पर्क के प्रमाण मिलते हैं, तो उक्त पूर्वग्रह छोड़ देना चाहिए। तब यह मानना चाहिए कि जैसे निर्मित हो जाने पर भाषा-परिवार एक दूसरे को प्रभावित करते हैं, वैसे ही निर्माणकाल में वे एक दूसरे को प्रभावित करते हैं। किसी भाषा-परिवार का निर्माण सुदीर्घ प्रक्रिया है। निर्माण-क्रिया समाप्त होने का कोई दिन, मास या वर्ष निश्चित नहीं किया जा सकता। अत: यह अत्यन्त स्वाभाविक है कि अपनी मूल विशेषताओं का विकास करते समय विभिन्न भाषा-समुदाय एक दूसरे के सम्पर्क में आएँ। यह बात तब और भी स्वाभाविक लगेगी जब हम यह जानने का प्रयत्न करेंगे कि भाषा-परिवार के निर्माणकाल में उस परिवार की भाषाएँ बोलने वाले मानव-समुदाय किस रूप में संगठित थे, सामाजिक विकास की किस मंजिल से गुजर रहे थे।

भाषा-परिवार के निर्माणकाल में उस परिवार की भाषाएँ बोलने वाले मानव-समुदाय गण-समाजों में संगठित होते हैं। ये गण, कबीले, 'ट्राइब' हजारों साल तक घुमन्तू जीवन बिताते हैं; सामाजिक विकास-क्रम में कृषि-सभ्यता की मंजिल काफी देर से आती है। कृषि-सभ्यता का आरम्भ होने से पहले अपने घुमन्तू जीवन के कारण विभिन्न गण-समाज एक दूसरे के सम्पर्क में आते हैं। भाषा-परिवारों के मूल तत्त्वों का निर्माण गण-व्यवस्था की इस पहली मंजिल में होता है जब कबीले अधिकतर घुमन्तू जीवन वाले हैं। स्वभावत: ये 'मूल' तत्त्व किसी एक कबीले के नहीं होते, अनेक कबीलों के होते हैं। उन्हें ये कबीले अनेक स्रोतों से प्राप्त करते हैं। किन्तु भाषाविज्ञानी गण-समाजों के घुमन्तू जीवन, उनकी भाषाई विविधता, उनके आपसी सम्पर्क को भाषाई विवेचन से बाहर रखते हैं। इसके बदले वे मानते हैं कि एक आदिम मानव-समुदाय कोई स्वत: विकसित भाषा बोलता था; वह मानव-समुदाय अनेक शाखाओं में विभाजित हुआ : आदिम मानव-समुदाय की जननीभाषा से इन शाखा-समुदायों को पुत्री-भाषाओं की उत्पत्ति हुई। वे मानते हैं कि भाषा-परिवार का निर्माण विभिन्न गण-भाषाओं के मिलने से नहीं होता; उसका निर्माण होता है किसी आदिम जननीभाषा के शाखाओं में विभाजित हो जाने से। ऐतिहासिक भाषाविज्ञान के गतिरोध का यह प्रबल कारण है, किसी आदिजननी भाषा से पुत्री-भाषाओं की उत्पत्ति का सिद्धान्त। आप भाषाई क्षेत्र की बात करते रहिए किन्तु जननीभाषा स्वयम्भू है; वह जिस क्षेत्र में अवतरित होती है, उसमें या उसके आसपास कोई दूसरी जननीभाषा नहीं होती। अपने निर्माणकाल में भाषा-परिवार एक दूसरे के सम्पर्क में आए होंगे, इस बात की छानबीन की आवश्यकता ही नहीं रह जाती। उन गण-समाजों की भाषाओं में कैसी विविधता थी जिनके एकत्र होने से भाषा-परिवार बना, इसकी छानबीन अनावश्यक ठहरती है। गण-समाजों के सुदीर्घ भाषाई विकास की प्रक्रिया के स्थान पर जननीभाषा और उसकी पुत्री-भाषाओं की उत्पत्ति का सिद्धान्त स्थापित कर दिया जाता है।

कृषि सभ्यता का विकास आरम्भ होने पर गण-समाजों का आपसी सम्पर्क समाप्त नहीं हो जाता वरन् और बढ़ता है, सुदृढ़ होता है। मिले और चल दिये की स्थिति से निकलकर निश्चित आवास भूमि में रहनेवाले गण-समाज आपस में अधिक टिकाऊ सम्बन्ध कायम करते हैं। ये सम्बन्ध चाहे मित्र-भाव से कायम किये गए हों, चाहे शत्रु-भाव से—वे गण-समाजों के सम्पर्क को टिकाऊ अवश्य बनाते हैं। भाषा-परिवारों की रूपरेखाएँ इस काल में और भी निखरती और पुष्ट होती हैं। कृषि-सभ्यता का विकास काफी लम्बी प्रक्रिया है। उत्पादन-कौशल में सुधार होने से, विनिमय की बढ़ती से गण-समाजों के जीवन में भारी परिवर्तन होता है, मानव-समुदायों का सम्पर्क शिथिल होने के बदले और बढ़ता है, भाषाओं के विकास में विशेष प्रगति होती है। कृषि-सभ्यता के मुख्य केन्द्र सामाजिक विकास में पिछड़े हुए अन्य केन्द्रों को प्रभावित करते हैं।

किन्तु ऐतिहासिक भाषाविज्ञान में गण-समाजों के घुमन्तू जीवन को तथा उनके उत्तरकालीन कृषि-सभ्यतावाले जीवन को मिलाकर एक कर दिया जाता है। एक परिवार की भाषाओं में जो कुछ सामान्य है, वह आदिभाषा की देन माना जाता है। यदि कृषि-सभ्यता की शब्दावली सामान्य हो तो आदिभाषा बोलने वाले समुदाय, घुमन्तू कबीलों में विभाजित होने से पहले, कृषि-सभ्यता में दाखिल हो जाता है। यदि घुमन्तू जीवन की सामान्य शब्दावली मिले तो वह भी आदिभाषा की देन है। कृषि-सभ्यता के केन्द्र अन्य क्षेत्रों को प्रभावित कर सकते हैं, इस तरह कृषि-कौशल के साथ कृषि-शब्दावली का प्रसार हो सकता है, यह धारणा अभी ऐतिहासिक भाषाविज्ञान की परिधि के बाहर है।

क्षेत्रीयता के सिद्धान्त की परख के लिए भारत बहुत अच्छी प्रयोग-भूमि है। कृषि-सभ्यता के प्राचीनतम केन्द्र जिन क्षेत्रों में निर्मित हुए, उनमें भारत का स्थान प्रमुख है। यहाँ चार भाषा-परिवार ज्ञात इतिहास के आरम्भ से विद्यमान हैं : आर्य, द्रविड़, कोल और नाग। इनका गहरा सम्बन्ध यूरोप और एशिया की भाषाओं से है। आर्य भाषा-परिवार का सम्बन्ध यूरोप की भाषाओं से ऐसा घनिष्ठ है कि परिवार विशेष का नाम चाहे इंडो-जर्मेनिक रखा जाए, चाहे इंडो-यूरोपियन, चाहे इंडो-हित्ताइत, उसमें भारत-सूचक 'इंडो' अवश्य होगा। भारत की आर्य भाषाओं को इंडो-यूरोपियन आदिभाषा की एक शाखा के अन्तर्गत गिना जाता है। एशिया और यूरोप की भाषाओं का एक समुदाय फिनोउग्रियन कहलाता है। इससे द्रविड़ भाषाओं का सम्बन्ध है। कुछ विद्वान् द्रविड़ भाषा-समुदाय को इसी फिनोउग्रियन परिवार की शाखा मानते हैं। कोल भाषाएँ आस्ट्रिक परिवार से सम्बद्ध हैं और नागभाषाएँ तिब्बती-चीनी परिवार से। इंडो-यूरोपियन, फिनोउग्रियन, आस्ट्रिक और तिब्बती-चीनी परिवारों की भाषाएँ बोलने वाले जन-समुदाय विश्वमानवता का बहुसंख्यक अंश हैं; इन परिवारों का भाषाक्षेत्र भी संसार के कुल क्षेत्रफल का विशद भाग है। भारत से इन परिवारों का निकट सम्बन्ध है। इस कारण क्षेत्रीयता का सिद्धान्त परखने के लिए भारत बहुत अच्छी प्रयोगभूमि है। उक्त चार परिवारों के अतिरिक्त तुर्क-मंगोल और सामी भाषा-परिवार हमारे पड़ोसी हैं। तुर्क-मंगोल और फिनोउग्रियन परिवारों में इतनी समानता है कि कुछ लोग इन्हें एक परिवार मानकर यूराल-अल्ताई नाम देते हैं; काल्डवेल उसे शक-परिवार कहते थे। प्राचीन मिस्र और सुमेर की भाषाएँ पश्चिमी एशिया की सामी और इंडो-यूरोपियन भाषाओं की पड़ोसी रही हैं; सिन्धु नदी से लेकर नील नदी तक का भाषाक्षेत्र सिन्धु और गंगा के भाषाक्षेत्र से सम्बद्ध रहा है। एशिया और यूरोप के भाषाई विकास में किस भाषाक्षेत्र की देन प्रमुख है, यह जानने के लिए भारत बहुत अच्छी अनुसन्धान भूमि है। यहाँ एक अन्य पूर्वग्रह बाधक होता है। पूर्वग्रह यह है कि भारत में सदा बाहर से लोग आकर बसते रहे हैं, यहाँ के आदमी बाहर निकलकर कहीं बसने नहीं गए; भारत में जो भी आकर बस गया, वह नये आक्रमणकारियों से पराजित हुआ;

भारत का इतिहास यहाँ के जन-समुदायों की अटूट पराजय-शृंखला का इतिहास है। भाषाविज्ञान के लिए इससे निष्कर्ष यह निकलता है कि भारत प्राचीन काल से अब तक भाषा-तत्त्वों का आयात-केन्द्र रहा है, भाषा-तत्त्वों का निर्यात-केन्द्र कभी नहीं रहा। भारत का अपना भाषाई रिक्थ कुछ भी नहीं है; केवल आर्य नहीं, द्रविड़-कोल-नाग भी अपने भाषा-तत्त्व बाहर से लाए। संसार के सभी भाषा-परिवारों का निर्माण भारत से बाहर हुआ है, यहाँ किसी भाषा-परिवार का निर्माण नहीं हुआ। आर्य, द्रविड़, कोल, नाग—इन चार परिवारों की भाषाएँ बोलने वाले जनसमुदायों में कोई भी भारत का मूल निवासी नहीं है। आदिवासी, मूल निवासी—ये शब्द सापेक्ष अर्थ में सही हैं, निरपेक्ष दृष्टि से निरर्थक हैं। किसने किसको जीता, यह विवादास्पद है। जीते सब गए, यह निर्विवाद है। ऐतिहासिक भाषाविज्ञान के लिए विजेता और विजित के सम्बन्धों के बिना भाषाओं का प्रसार नहीं होता। डार्विन का वन्य नियम भाषाक्षेत्र पर लागू होता है; जो योग्य होगा, वह दूसरों को जीतकर अपनी भाषा का प्रसार करेगा। जिसकी लाठी उसकी भैंस, अर्थात् जिसकी लाठी चलेगी, उसी की भाषा चलेगी।

किसी ने यह पता लगाने का प्रयत्न नहीं किया कि दक्षिण-पूर्वी एशिया में जो सामान्य आस्ट्रिक-कोल भाषा-तत्त्व मिलते हैं, उन पर कहीं कोई आर्य-द्रविड़ सम्पर्क का चिन्ह तो नहीं है। यदि ऐसा चिन्ह मिले तो उक्त पूर्वग्रह पर पुनर्विचार आवश्यक होगा। यदि भारतीय भाषा-तत्त्व प्रशान्त महासागर के द्वीपों में पहुँचे होंगे तो कोल-चिन्हों के अलावा उन पर आर्य-द्रविड़-नाग चिन्ह भी अंकित होंगे। इसी प्रकार जहाँ भारतीय नाग भाषाओं तथा तिब्बती-चीनी परिवार की भाषाओं में सामान्य तत्त्व मिलते हैं, वहाँ ध्यान से देखना चाहिए कि इन पर कोल-द्रविड़-आर्य भाषाओं के चिन्ह तो अंकित नहीं हैं। यदि इंडो-यूरोपियन परिवार में आर्येतर भारतीय भाषा-तत्त्व हों, यदि आस्ट्रो-एशियाटिक परिवार में कोलेतर भारतीय भाषा-तत्त्व हों, यदि तिब्बती-चीनी परिवार में नागेतर भारतीय भाषा-तत्त्व हों, यदि शक परिवार में द्रविड़ेतर भारतीय भाषा-तत्त्व हों, तो यह स्थापना स्वीकार करनी होगी कि भारत के चार भाषा-परिवार अत्यन्त प्राचीन हैं, इनका परस्पर सम्पर्क बहुत पुराना है, भारत भाषा-तत्त्वों का निर्यात केन्द्र भी है, और जहाँ भी मुख्यत: एक भारतीय परिवार के भाषा-तत्त्व बाहर जाते हैं, वहाँ कुछ-न-कुछ अन्य परिवारों के भाषा-तत्त्व भी उनके साथ होते हैं।

जब हम भारत को भाषाई क्षेत्र कहते हैं, तब आशय वर्तमान भौगोलिक सीमाओं वाले भारत से नहीं होता। आशय होता है बृहत्तर भारत से, जिसमें पाकिस्तान का भूभाग शामिल है, बंगला देश और बर्मा शामिल हैं। जिसे किसी समय उत्तराखंड कहते थे, उसमें पख्तो भाषा का क्षेत्र आता है। दक्षिण-पूर्वी एशिया के जिस भाग में आस्ट्रिक भाषाएँ बोली जाती हैं, उसे अनेक भाषाविज्ञानियों ने बृहत्तर भारत के अन्तर्गत माना है। एशिया और यूरोप का कोई भाषा-परिवार नहीं है जिसका विवेचन इस बृहत्तर भारत को ध्यान में रखे बिना किया जा सके।

यद्यपि ऐतिहासिक भाषाविज्ञान की स्थापनाएँ भारत में प्रचलित रूढ़िबद्ध धारणाआ से भिन्न मानी जाती हैं किन्तु यह भिन्नता दिखाऊ है। वास्तव में दोनों की एक ही सामान्य भूमि है कि समस्त आधुनिक आर्य भाषाओं का उद्भव और विकास उस आदि आर्य भाषा से हुआ है जो वैदिक भाषा के रूप में उपलब्ध है। ऐतहासिक भाषाविज्ञानी मानते हैं कि यह वैदिक भाषा भारत-ईरानी शाखा की एक टहनी थी; भारतीय रूढ़िवादी पंडित ऐसा नहीं मानते। इतना ही अन्तर है। जहाँ तक आधुनिक आर्य भाषाओं के विकास का सम्बन्ध है, भारत के पुरानपंथी पंडित और यूरोप के आधुनिकता बोधवाले विद्वान्, दोनों मानते हैं कि इनका स्रोत वैदिक भाषा है। यही नहीं, वैदिक भाषा के बाद संस्कृत-पालि-प्राकृत-अपभ्रंशवाली परम्परा भी दोनों कोटि के विद्वानों को स्वीकार है। वैदिक भाषा से भिन्न यहाँ एक या अनेक आर्य भाषाएँ थीं, यह उनके लिए कल्पनातीत है; वैदिक भाषा से पहले भी यहाँ कोई प्राचीनतर आर्य भाषा थी, ऐसा सोचने का पाप न तो प्राचीनता प्रेमी भारतीय पंडितों ने किया है, न आधुनिकता-प्रेमी पाश्चात्य विद्वानों ने। ऐसी स्थिति में ऐतिहासिक भाषाविज्ञान के विकास के लिए आचार्य किशोरीदास वाजपेयी की स्थापनाओं का महत्त्व स्वतः स्पष्ट हो जाता है।

वैदिक भाषा एक सुदीर्घ विकास का परिणाम है। "जब वेदों की रचना हुई, उससे पहले ही भाषा का वैसा पूर्ण विकास हो चुका होगा।" ('भारतीय भाषाविज्ञान', वाराणसी, पृ. 113) वैदिक भाषा का आधार एक जनभाषा थी। उसमें बहुत-सा साहित्य रचा गया जो नष्ट हो गया। वेदों की रचना से पहले "छोटा-मोटा और हलका-भारी न जाने कितना साहित्य बना होगा, तब वेदों का नम्बर आया होगा। वह सब काल-कवलित हो गया!" (उप.) उस जनभाषा के अनेक प्रादेशिक भेद थे; "उन प्रादेशिक भेदों में से जो कुछ साहित्यिक रूप प्राप्त कर चुका होगा, उसी में वेदों की रचना हुई होगी; परन्तु अन्य प्रादेशिक रूपों के भी शब्द प्रयोग गृहीत हुए होंगे।" (उप., पृ. 114) हिन्दी का विकास समझने के लिए प्राचीन आर्य जनभाषा के उन रूपों पर ध्यान देना होगा जो न वैदिक भाषा में हैं, न संस्कृत में। उदाहरण : "पालि में 'इध' है और संस्कृत में 'इह' है। ऐसा जान पड़ता है कि 'मूल भाषा' में 'इध' ही था... हिन्दी का 'इधर' पालि के 'इध' से जान पड़ता है।" (उप. पृ. 126)

इन स्थापनाओं से निष्कर्ष यह निकलता है कि वैदिक भाषा से पहले जो जनभाषा परम्परा रही है, उसे पहचानना जरूरी है, उसके प्रदेशगत भेदों को ध्यान में रखना जरूरी है। ये प्रदेशगत भेद 'ऋग्वेद' की रचना के समय विद्यमान थे, उससे पहले भी थे। **इह** का पूर्वरूप **इध** था, इसकी पुष्टि पालिरूप के अतिरिक्त हिन्दी **इधर** से होती है। संस्कृत के ज्ञान से तो हिन्दी का विकास समझ में आता ही है, इसके विपरीत हिन्दी का ज्ञान भी संस्कृत का विकास समझने में सहायक होता है। हिन्दी प्रदेश की जनपदीय भाषाओं का विवेचन किया जाए तो पुरानी जनभाषा के प्रदेशगत भेदों

को समझने में सहायता मिलेगी। वाजपेयी जी ने जिन्हें प्रादेशिक भेद कहा है, उन्हें इस पुस्तक में प्राचीन गण-भाषाएँ कहा गया है। एक बार प्राचीन भारत की भाषाई स्थिति समझ में आ जाए तो इंडो-यूरोपियन परिवार के विवेचन में सहायता मिलेगी।

ऐतिहासिक भाषाविज्ञान की सबसे बड़ी उपलब्धि यह मानी जाती है कि उसने ध्वनि-परिवर्तन के अटल नियम निश्चित किये हैं। इन नियमों के अनुसार एक भाषा के शब्द दूसरी भाषा में अपना ध्वनि-रूप बदलते हैं; इन्हीं नियमों के सहारे हम उस अप्राप्त आदि-भाषा की ध्वनि-व्यवस्था पहचानते हैं जिससे प्राप्त भाषाओं की शाखाएँ फूटी हैं। वास्तव में ऐतिहासिक भाषाविज्ञान प्राप्त भाषाओं के सामान्य तत्त्वों से अप्राप्त भाषा की जो ध्वनि-व्यवस्था रचता है, वह निराधार और काल्पनिक है। जो ध्वनियाँ एक विकास-प्रक्रिया के अन्त में किसी भाषा के तंत्र में व्यवस्थित हुई हैं, उन्हें यह विज्ञान प्रक्रिया के आरम्भ में ही विकसित, और किसी भाषातंत्र में व्यवस्थित, मान लेता है। आज भी यूरोप में ऐसी भाषाएँ हैं और इंडो-यूरोपियन परिवार की भाषाएँ हैं जिनमें **क्, त्, प्** जैसी तीनों सामान्य ध्वनियाँ नहीं हैं। तीन में दो हैं, एक का अभाव है। जब सघोषता और महाप्राणता के लक्षणों पर विचार करते हैं, तब ध्वनियों का प्रसार और वितरण और भी विषम हो जाता है। जहाँ ये दोनों लक्षण मिल जाते हैं, वहाँ ध्वनियाँ और भी विरल हो जाती हैं। **घ्, ध्, भ्**—ये सघोष महाप्राण स्पर्श-ध्वनियाँ हैं। इनका व्यवहार भारत के बाहर न तो किसी प्राचीन भाषा में मिलता है, न आधुनिक भाषा में। ईरान की प्राचीन और नवीन भाषाओं की भी यही स्थिति है। इसका कारण यह है कि विशिष्ट ध्वनियों के विकास-केन्द्र अलग-अलग रहे हैं; उनके परस्पर सम्पर्क से प्राचीन भाषाओं की ध्वनि-व्यवस्था निर्मित हुई थी। वैदिक भाषा गण-समाजों के सुदीर्घ सम्पर्क के फलस्वरूप बहुत कुछ मानक रूप प्राप्त कर चुकी थी और विभिन्न गणक्षेत्रों की सामान्य व्यवहार-भाषा बन चुकी थी। फिर भी उसमें विभिन्न आर्य भाषा-केन्द्रों का अस्तित्व प्रमाणित करने के लिए पर्याप्त सामग्री है। प्रसिद्ध जर्मन वैयाकरण ब्रुमन ने **स्कम्भ** और **स्तम्भ**, दो समानार्थी संस्कृत रूप देखकर मान लिया था कि इनमें कौन पूर्वरूप है, यह कहना असभव है। किसी ध्वनि नियम से इनमें एक को दूसरे का परिवर्तित रूप सिद्ध नहीं किया जा सकता। यूनान में भारत की अपेक्षा उत्पादन और विनिमय का विकास विलम्ब से हुआ, फलत: वहाँ सामान्य अखिल यूनानी भाषा का चलन देर से हुआ। यूनान की पुरानी गण-भाषाओं का अस्तित्व बहुत दिन तक बना रहा, उनका व्यवहार होता रहा। एक यूनानी गण-भाषा के शब्द में **क्** है तो दूसरी गण-भाषा के प्रतिरूप में **त्** और तीसरी के प्रतिरूप में **प्** है। किसी ने अभी तक यह प्रयत्न नहीं किया कि अकेले यूनान की गण-भाषाओं में जो ध्वनि-परिवर्तन होते हैं, उनके नियमों को पहचाने। तब ग्रीक-संस्कृत में ध्वनि-परिवर्तन के कौन-से नियम हैं, उनका पता लगाना तो और भी कठिन कार्य है। वास्तव में ध्वनि-परिवर्तन जैसी

कोई प्रक्रिया घटित नहीं होती। एक भाषा में **क्** है, दूसरी में **त्**। पहली भाषा बोलने वाला जब कहेगा **स्कंभ**, तब दूसरी भाषा बोलने वाला दोहराएगा—**स्तंभ**। वह **क्** ध्वनि को **त्** रूप में ही ग्रहण करता है। व्यंजनों की अपेक्षा स्वरों की विविधता नियमों की अवहेलना और भी करती है। स्वरों की ह्रस्वता और दीर्घता से शब्द के अर्थ में भेद हो, यह व्यवस्था कायम होते-होते होती है। जिन भाषाओं में शब्द के किसी विशेष वर्ण पर बल देना सार्थक होता है, उनमें स्वर की ह्रस्वता और दीर्घता आज भी महत्त्वपूर्ण नहीं है।

प्राचीन लिखित भाषाओं की ध्वनि-व्यस्स्था में अनेक स्रोतों से भिन्न ध्वनि-प्रवृत्तियाँ आकर शामिल हुई हैं। अत: भाषा की ध्वनि-व्यवस्था में परस्पर विरोधी ध्वनि-प्रवृत्तियाँ मिलती हैं। बोलचाल के स्तर पर जहाँ भाषाओं का विवरण प्राप्त किया जाता है, वहाँ ध्वनि-प्रवृत्तियों की विविधता और भी विकट होती है। प्रत्येक भाषा-बोलियों का समुदाय दिखाई देती है और प्रत्येक बोली के पचीसों भेद हैं। बारह कोस पर बोली बदलती जो है। अत: भाषाओं में 'ध्वनि-परिवर्तन' के अटल नियम स्थापित करने के बदले ध्वनि-प्रवृत्तियों को पहचानने का प्रयत्न करना चाहिए; जहाँ उनमें सामंजस्य है, उसे देखना चाहिए; जहाँ वैषम्य है, उस पर भी ध्यान देना चाहिए।

सामंजस्य और वैषम्य भाषा के हर स्तर पर देखा जाता है। ऐतिहासिक भाषाविज्ञान में रूपतंत्र के लिए दावा नहीं किया गया कि यहाँ भी कोई निश्चित नियम लागू होते हैं। आवश्यक तथ्यों के प्राप्त न होने की शिकायत बार-बार की जाती है और अटकल से काम लेना पड़ रहा है, यह स्वीकार किया जाता है। इंडो-यूरोपियन भाषा-परिवार के रूपतंत्र पर तो काम भी हुआ है, अन्य परिवारों के रूपतंत्र अपेक्षाकृत अछूते हैं। द्रविड़ भाषाओं के अनेक विशेषज्ञ इस स्थिति पर क्षोभ व्यक्त कर चुके हैं कि ऐतिहासिक दृष्टि से इन भाषाओं के रूपतंत्र का विवेचन नहीं हुआ। कोल और नाग भाषाओं के रूपतंत्र के ऐतिहासिक विकास की बात भी करना बेकार है। संसार के प्रमुख भाषा-परिवारों को लें तो ऐतिहासिक और तुलनात्मक भाषाविज्ञान अभी ध्वनितंत्र के दायरे से बाहर नहीं निकला।

जहाँ तक वाक्यतंत्र का सम्बन्ध है, ऐतिहासिक भाषाविज्ञान में वह उपेक्षित है। कुछ विद्वान् यह भी मानते हैं कि वाक्यतंत्र का विवेचन ऐतिहासिक भाषाविज्ञान के लिए विशेष लाभदायक नहीं होता। यह भ्रान्त धारणा है। वाक्य में उद्‍देश्य पहले आता है या विधेय, वाक्य क्रिया से आरम्भ होता है या कर्ता से, क्रियापद रचना कृदन्त प्रधान है (यानी उसमें संज्ञा-तत्त्व भी है) या तिङन्त प्रधान (यानी उसमें संज्ञा तत्त्व का अभाव है), कारक और क्रियापद परस्पर कितना सम्बद्ध हैं, कितना असम्बद्ध, आदि-आदि बातें भाषा-समुदायों के विकास और उनके परस्पर सम्बन्धों को पहचानने में सहायक होती हैं। अंग्रेज़ी वाक्यतंत्र में उद्‌देश्य का स्थान पहले है, विधेय का स्थान बाद को है। उसी की पड़ोसी स्कॉटलैंड की गेलिक भाषा में विधेय

का स्थान पहले है, उद्देश्य का स्थान बाद को है। ऐतिहासिक भाषाविज्ञान के लिए यह तथ्य असाधारण महत्त्व का है। कारक-रचना, क्रियापद रचना, समास रचना आदि को वाक्यतंत्र प्रभावित करता है, अत: रूपतंत्र को वाक्यतंत्र का अंश मानकर उस पर विचार करना चाहिए। जो भाषाविज्ञानी किसी भाषा विशेष का ऐतिहासिक व्याकरण लिखते हुए उसके रूपतंत्र का विवरण प्रस्तुत करने के बाद उसके वाक्यतंत्र का विवेचन करते हैं, वे रूपतंत्र के बारे में कही हुई अधिकांश बातें दोहराते हैं। ऐसा होना अनिवार्य है क्योंकि उनकी धारणा के रूपतंत्र का अधिक अंश वाक्यतंत्र से अभिन्न है। रूपतंत्र से शब्दतंत्र को अलग कर लेना लाभदायी होगा। शब्दतंत्र में शब्द निर्माण-प्रक्रिया के विश्लेषण पर बल देना आवश्यक है। इस प्रक्रिया में शब्दों का रूपात्मक गठन, उपसर्ग-प्रत्यय आदि का व्यवहार महत्त्वपूर्ण हैं; इससे भी अधिक महत्त्वपूर्ण हैं अर्थ-संसर्ग की प्रवृत्तियाँ जिनसे एक ही शब्द-मूल अपने चारों ओर अर्थ की विशद परिधि बना लेता है। यदि **पो** शब्दमूल का अर्थ चलना है तो **पवन, पद, पथ** आदि शब्द अर्थप्रसार की एक ही परिधि में सिमट आते हैं। शब्द निर्माण-प्रक्रिया के अन्तर्गत अर्थप्रसार के इस व्यापार में कृषि सभ्यता के विकास से कितना बड़ा परिवर्तन हुआ, इसका विवेचन भी होना चाहिए।

ऐतिहासिक भाषाविज्ञान में भाषा के रूप-तत्त्व पर अधिक जोर दिया गया, अर्थ-तत्त्व की उपेक्षा की गई। भाषा के माध्यम से लोग दूसरों की बात सुनते-समझते हैं। उन्हें अपनी बात सुनाते-समझाते हैं। अत: ध्वनितंत्र, शब्दतंत्र, विन्यासतंत्र (रूपतंत्र+ वाक्यतंत्र), इनमें किसी भी स्तर पर भाषा का विवेचन अर्थतत्त्व को ध्यान में रखे बिना सम्भव नहीं है। किन्तु अर्थतत्त्व अरूप नहीं होता, वह रूप से सम्बद्ध होता है। **गिरा अरथ जल बीचि सम कहियत भिन्न न भिन्न**; अर्थ और रूप का ऐसा ही सम्बन्ध है। रूपात्मक भाषा-चिन्तन से क्षुब्ध होकर जो भाषाविज्ञानी अरूप अर्थतत्त्व का अनुसन्धान कर रहे हैं, वे भाषा की निसर्गसिद्ध द्वंद्वात्मक प्रकृति की अवहेलना करते हैं।

इस पुस्तक के प्रथम खंड—**आर्य भाषा-केन्द्र और हिन्दी जनपद**—में हिन्दी के ध्वनितंत्र; शब्दतंत्र और रूपतंत्र का विवेचन है। मानक हिन्दी के साथ हिन्दी प्रदेश की जनपदीय भाषाओं को ध्यान में रखा गया है; मगही, मैथिली, अवधी आदि पर एक स्वतंत्र अध्याय में अलग से भी विचार किया गया है। हिन्दी के साथ आवश्यकतानुसार अन्य आधुनिक आर्य भाषाओं की विशेषताओं का उल्लेख है।

वैदिक भाषा से पहले की आर्य भाषा-विकास-परम्परा पहचानने के लिए मध्यदेश को विवेचन की केन्द्र भूमि बनाना होगा। इस मध्यदेश में एक कोसल गण-भाषा-समुदाय था, दूसरा वह भाषा-समुदाय था जो शूरसेन नाम से प्रसिद्ध होनेवाले जनपद में व्यवहृत था। पूर्व में मगध गण-भाषा-समुदाय और उत्तर में कुरु गण-भाषा-समुदाय थे। इनके ध्वनितंत्र और वाक्यतंत्र में यथेष्ट भेद था। यह भेद

वर्तमान जनपदीय भाषाओं में ही अंशतः विद्यमान नहीं है, वह यूरोप की भाषाओं में भी पाया जाता है। वैदिक भाषा का विकास मध्यदेशीय भाषा या भाषाओं के आधार पर हुआ है। वैदिक भाषा का ध्वनितंत्र प्राचीन मध्यदेशीय भाषा के ध्वनितंत्र से बहुत भिन्न है; बाँगरू को छोड़कर ब्रज से लेकर मैथिली तक हिन्दी जनपदीय भाषाओं का ध्वनितंत्र वैदिक भाषा—और संस्कृत—के ध्वनितंत्र की अपेक्षा प्राचीन मध्यदेशीय भाषा के ध्वनितंत्र से अधिक मिलता-जुलता है। शब्दतंत्र की अनेक प्रक्रियाएँ संस्कृत के अनुरूप हैं, अनेक भिन्न हैं, और अत्यन्त प्राचीन हैं। इसकी पुष्टि इंडो-यूरोपियन और द्रविड़-परिवारों में प्राप्त उदाहरणों से हो जाती है। रूपतंत्र की अनेक विशेषताएँ वैदिक काल में पुरानी पड़ने लगी हैं; बहुधा वे अवधी, मगही, मैथिली आदि में अब भी मिलती हैं।

आर्य भाषा-परिवार के निर्माण में उक्त चार गण-भाषा-समुदायों की भूमिका निर्णायक है। ये समुदाय अन्य आर्य भाषा-समुदायों से प्रभावित भी हुए, विशेषतः ध्वनितंत्र के स्तर पर, किन्तु कुल मिलाकर भारतीय आर्य भाषाओं के ताने-बाने के केन्द्र में है मध्यदेश। वह कुरु और मगध, दोनों ओर के क्षेत्रों को प्रभावित करता है; पुनः कुरु समुदाय उत्तरी भाषाओं को, शूरसेन समुदाय पश्चिमी आर्य भाषाओं को और मगध समुदाय पूर्वी भाषाओं को प्रभावित करते हैं। ये भाषा-समुदाय स्वयं भी गहराई से एक दूसरे को प्रभावित करते हैं, परस्पर सम्पर्क से अपना भाषाई विकास निर्धारित करते हैं। यह क्रम प्राग्वैदिक काल से चला आ रहा है। मानक हिन्दी के निर्माण में एक ओर तो ब्रज, अवधी जैसी जनपदीय भाषाओं का योगदान है, दूसरी ओर आधुनिक आर्य भाषाओं के विकास में इन जनपदीय भाषाओं का योग है। पूर्वी आर्य भाषाओं के विकास में केवल पूर्वी हिन्दी बोलियों का योगदान नहीं है, पश्चिमी हिन्दी बोलियों का योगदान भी है। सिन्धी और कश्मीरी दो भाषाएँ ऐसी हैं जो मध्यदेश से सर्वाधिक दूर हैं; ग्रियर्सन आदि विद्वान इन्हें दरद भाषा-समुदाय से प्रभावित मानते हैं। मैंने इन पर अलग एक अध्याय लिखा है जिससे आर्य भाषा-परिवार के निर्माण में मध्यदेश की भूमिका स्पष्ट हो सके।

बारहवीं सदी में अवधी जाननेवालों को संस्कृत सिखाने के लिए जब दामोदर पंडित 'उक्ति-व्यक्ति-प्रकरण' लिख रहे थे, तब तक मध्यदेश एक भाषिक इकाई के रूप में अपनी प्राचीन ख्याति बनाए हुए था। द्रविड़ भाषा क्षेत्र से यह मध्यदेश अलग है, यह जताते हुए उन्होंने मध्यदेशवासी द्रविड़ों को लक्ष्य करके लिखा था : 'दृश्यते ही द्रविड़ देशजातस्य मध्यदेशे वसतस्तद्भाषाज्ञानं संकेतग्रहणे।' जिन लोगों को मध्यदेश की चर्चा अटपटी लगे, वे इस प्राचीन ख्याति का स्मरण करें।

आर्यों, दासों, दस्युओं, राक्षसों, दैत्यों आदि को लेकर विद्वानों ने जो नई पुराण-कथाएँ रची हैं, वे भारत में उपलब्ध पुराण कथाओं से कुछ भिन्न हैं। इन नई कथाओं की तुलना में पुरानी कथाएँ अधिक सारगर्भित हैं। ऐतिहासिक भाषाविज्ञान बार-बार

ऐसी कथाओं का सहारा लेता है, नई कथाएँ रचता है और उनके चौखटे में पुराने कथातत्त्वों को जड़ देता है, अत: एक अध्याय इन पुराण कथाओं के विवेचन पर भी है।

पुस्तक के दूसरे खंड—**इंडो-यूरोपियन परिवार की भारतीय पृष्ठभूमि**—में इंडो-यूरोपियन परिवार के ध्वनितंत्र, शब्दतंत्र तथा रूपतंत्र पर भारतीय भाषाई परिवेश को ध्यान में रखते हुए विचार किया गया है। यहाँ भारतीय भाषाई परिवेश में आर्य भाषाएँ तो हैं ही, नाग-द्रविड़ आदि परिवारों को भी इस परिवेश का अभिन्न अंग माना गया है। संस्कृत और यूरोप की भाषाओं के सामान्य शब्दों में जो ध्वनि-भिन्नता दिखाई देती है, वह अकारण नहीं है। 'ध्वनि-परिवर्तन' अकारण नहीं होता; **भ्रातर्** को कुछ भाषाओं ने **फ्रातेर्**, अन्य ने **ब्रदर्** रूप में ग्रहण किया, तो यह इन भाषाओं के बोलने वालों की सनक के कारण नहीं था। भारतीय भाषाई परिवेश पर ध्यान देने से विदित होगा, ऐसे ध्वनि-परिवर्तन आर्येतर भारतीय भाषाओं में होते रहे हैं, कभी-कभी इस आर्येतर प्रभाव से संस्कृत में भी हुए हैं। ग्रीक, लैटिन आदि भाषाओं का ध्वनितंत्र इस सिद्धान्त की पुष्टि करता है कि विभिन्न केन्द्रों में विकसित होनेवाली ध्वनियों के मेल से भाषा विशेष की ध्वनि-व्यवस्था निर्मित होती है। भारत से बाहर इंडो-यूरोपियन परिवार की भाषाओं पर भारतीय आर्य भाषाओं का गहरा प्रभाव है किन्तु इन भाषाओं के निर्माण में आर्येतर भाषाओं का योगदान भी है। इसके सिवा उक्त भाषाओं के अपने केन्द्र रहे हैं। इस तरह कम-से-कम तीन स्रोतों से भाषा-तत्त्व ग्रहण करके इन भाषाओं ने अपना रूप सँवारा है। प्रत्येक स्रोत में गण-भाषाओं की विविधता और बहुलता है। इस जटिल प्रक्रिया के स्थान पर विद्वानों ने कल्पित आदि-भाषा की प्रतिष्ठा करके ऐतिहासिक भाषाविज्ञान में विसंगतियों का विशाल ताना-बाना प्रस्तुत किया है। उक्त जटिल प्रक्रिया भाषा के हर स्तर पर—ध्वनितंत्र, शब्दतंत्र और रूपतंत्र पर—घटित होती है।

भारतीय भाषा-परिवेश में, अपनी असाधारण विविधता के बावजूद, प्राचीन काल में ही यहाँ के भाषा-परिवार कुछ सामान्य विशेषताओं का विकास कर चुके थे। ये विशेषताएँ केवल आर्य नहीं, अखिल भारतीय हैं, और वे यूरोप की भाषाओं के विकास को प्रभावित करती हैं। इस प्रक्रिया में आर्य-द्रविड़ भाषा-समवाय धुरी के समान है। इतर प्राचीन भारतीय भाषा-परिवार इस धुरी के चारों ओर गतिशील होते हैं। इंडो-यूरोपियन परिवार का निर्माण विश्व के भाषाई इतिहास का प्राचीनतम अध्याय नहीं है। इंडो-यूरोपियन भाषाओं के निर्माणकाल से पहले, बृहत्तर भारत में, आर्य-द्रविड़ भाषा-धुरी की रचना आरम्भ हो चुकी है। आर्य और द्रविड़-परिवार स्वयं परिवर्तनशील इकाइयाँ हैं। इन परिवर्तनों की छाया यूरोप की भाषाओं में दिखाई देती है। किसी ने यह दावा नहीं किया कि इंडो-यूरोपियन आदिभाषा बोलने वाला समुदाय, यूरोप अथवा एशिया के अज्ञात प्रदेश में, कृषि सभ्यता का यथेष्ट विकास कर चुका था, तब वह शाखाओं में विभाजित हुआ! किन्तु भारत और यूरोप की

भाषाओं में कृषि-सम्बन्धी शब्दावली के अनेक स्तर सामान्य हैं। इसका अर्थ यह है कि भारतीय आर्यों की गण-व्यवस्था जब अपनी अन्तिम मंजिल में प्रवेश करती है, तब तक यूरोप की भाषाओं का निर्माण-क्रम समाप्त नहीं हुआ। आर्य-अभियान-कथा सुनानेवालों को चाहिए कि एक अध्याय कृषि सभ्यता पर जोड़ लें, यह कहें कि शीतप्रधान भूमि में कृषि-कौशल का विकास कर लेने के बाद इंडो-यूरोपियन जन भारत में इस कौशल का बीजारोपण करने आए!

पश्चिमी एशिया में हिन्दी भाषा के दस्तावेज मिलने से ऐतिहासिक भाषाविज्ञान के पुराने मानचित्र में परिवर्तन करना आवश्यक हो गया। यूरोप और अमरीका में हित्ती भाषा और उससे उत्पन्न नई परिस्थिति पर काफी विचार किया गया किन्तु भारत के विद्वानों ने इस ओर सबसे कम ध्यान दिया। संस्कृत और द्रविड़ भाषाओं के विशेषज्ञ बरो ने पुरानी मान्यताओं में थोड़ी-बहुत तब्दीली की। एक उल्लेखनीय बात यह हुई कि बरो ने भारत-ईरानी शाखा के क्षेत्र को इंडो-यूरोपियन परिवार की केन्द्रीय भूमि माना। यह भूमि भारत के बाहर है किन्तु भारत के पड़ोस में है और यूरोप के बाहर है। एक समय था जब भाषाविज्ञानी द्रविड़ और इंडो-यूरोपियन परिवारों के आपसी सम्बन्धों पर विचार करते थे। अनुसन्धान का यह सही मार्ग छोड़कर उन्होंने आर्यों द्वारा द्रविड़ों की पराजय को आधारभूत तथ्य मानकर यूरोप की भाषाओं को द्रविड़ सम्पर्क से एकदम अलग कर दिया। हित्ती भाषा के महत्त्व को ध्यान में रखते हुए दूसरे खंड में एक अध्याय मैंने **ऐतिहासिक भाषाविज्ञान के परिवर्तित परिप्रेक्ष्य और हित्ती** लिखा है।

ईरानी भाषा क्षेत्र से भारत का सम्बन्ध सर्वविदित है। कहा जाता है कि भारत पर आक्रमण करनेवाले आर्य ईरान से ही आए थे। अत: एक अध्याय मैंने **ईरानी भाषा क्षेत्र और भारत** लिखा है। यह ईरानी भाषा क्षेत्र वर्तमान ईरान की सीमाओं से बहुत बड़ा है। इस समूचे क्षेत्र को ध्यान में रखने से भारत-ईरान के भाषाई सम्बन्धों का सम्यक् विवेचन हो सकेगा। सिन्धु-घाटी की सभ्यता को पुरातत्त्वज्ञ और भाषाविज्ञानी, दोनों ही भारत-ईरान के भाषाई सम्बन्धों से जोड़ देते हैं। संक्षेप में इस विषय पर कुछ विद्वानों के मतों की आलोचना उक्त अध्याय में है। ईरानी क्षेत्र की एक महत्त्वपूर्ण भाषा पश्तो है। पश्तो-भाषियों और उनकी निवासभूमि से भारतीय जनों का बहुत पुराना सम्बन्ध है; अत: इस भाषा पर किंचित् विस्तार से विचार किया गया है।

इंडो-यूरोपियन परिवार की भाषाओं से भारतीय भाषा-परिवारों का सम्बन्ध एक ही मंजिल में समाप्त नहीं हो जाता, वह अनेक मंजिलों में बँटा हुआ है। इंडो-यूरोपियन परिवार के सभी भाषा-समुदायों से हमारी—आर्य और आर्येतर—भाषाओं का सम्बन्ध एक-सा नहीं है। हमारी ओर से यह सम्बन्ध कहीं मध्यदेशीय आर्य भाषाओं की ओर संकेत करता है, तो कहीं कौरवी या मागधी आर्य भाषाओं की ओर; कहीं कन्नड़ भाषा-समुदाय से सम्पर्क के चिन्ह हैं तो कहीं तमिल-समुदाय से सम्पर्क के; कहीं

ऐसे स्रोतों से सम्पर्क के जिनका प्रभाव आर्य-द्रविड़, दोनों भाषा-परिवारों पर पड़ा है। यूरोप की ओर ग्रीक भाषा-समुदाय से सम्पर्क एक प्रकार का है, बाल्तिक स्लाव समुदाय से दूसरी प्रकार का, केल्त समुदाय से तीसरी प्रकार का।

इंडो-यूरोपियन परिवार के विवेचन में जर्मन समुदाय पर ज्यादा ध्यान दिया गया है। इसका एक कारण यह है कि ऐतिहासिक भाषाविज्ञान का विकास मुख्य रूप से जर्मनी में हुआ है। बाल्तिक-स्लाव भाषाओं पर अपेक्षाकृत कम ध्यान दिया गया है; केल्त भाषा-समुदाय अभी तक उपेक्षित है। किसी समय इटली से लेकर आयरलैंड तक केल्त भाषाओं का प्रसार था। इनकी अधिकांश भूमि पर लैटिन-जर्मन समुदायों की भाषाएँ बोलने वालों ने अधिकार कर लिया। केल्त भाषाओं की चर्चा से इंडो-यूरोपियन परिवार के निर्माण का रूमानी सपना चकनाचूर हो जाता है। एक अध्याय में केल्त भाषा-समुदाय पर विशेष बल देते हुए मैंने इंडो-यूरोपियन भाषाओं से भारतीय भाषा-समुदायों के विविध और विशिष्ट सम्बन्धों पर संक्षेप में विचार किया है। यूरोप की भाषाओं के लिए भारत के अतिरिक्त एशिया की अन्य प्राचीन-अर्वाचीन भाषाएँ स्रोत-भाषाएँ रही हैं, इसका उल्लेख भी किया है। इस समस्त विवेचन में पाठक में विभिन्न भाषा-समुदायों को किसी-न-किसी रूप में हिन्दी प्रदेश से सम्बद्ध पाएँगे।

पुस्तक के तीसरे खंड—**नाग-द्रविड़-कोल और हिन्दी प्रदेश**—में भारत के आर्येतर परिवारों का विवेचन है, इनसे आर्य भाषाओं के सम्बन्धों का विश्लेषण है। यह विश्लेषण ध्वनितंत्र, शब्दतंत्र और रूपतंत्र के स्तरों पर किया गया है। आर्य भाषाओं से आर्येतर भाषाओं का सम्बन्ध सर्वत्र एक-सा नहीं है। द्रविड़ भाषाओं का जैसा घनिष्ठ सम्बन्ध कौरवी भाषाओं से है, वैसा मध्यदेशीय भाषाओं से नहीं। इन द्रविड़ भाषाओं में तमिल समुदाय को उक्त सम्बन्ध कायम करने में जो महत्त्व प्राप्त है, वह अन्य द्रविड़ भाषाओं को नहीं। इसी प्रकार मध्यदेशीय आर्य भाषाओं से कन्नड़-तेलगू समुदाय का विशेष सम्बन्ध है। आर्य-द्रविड़ धुरी बहुत पुरानी है, अत: यह स्वाभाविक है कि आर्य-द्रविड़-परिवारों के मूल तत्त्वों में बहुत बड़ी समानता हो। द्रविड़ भाषाओं ने संस्कृत से जो शब्द उधार लिये हैं, मैं उनके आधार पर समानता की बात नहीं कह रहा हूँ। यह उस तरह की समानता है कि संज्ञारूप द्रविड़ भाषाओं में है तो क्रियामूल आर्य भाषाओं में, संज्ञा शब्द संस्कृत में है तो क्रियामूल द्रविड़ भाषाओं में। बहुत-से संस्कृत शब्दों के मूल अर्थ की व्याख्या द्रविड़ भाषाओं में उनके प्रतिरूपों का अर्थ-प्रसार देखकर ही की जा सकती है। भाषाओं के निर्माण की इस मंजिल में कौन-से भाषा-तत्त्व आर्य हैं, कौन-से द्रविड़, यह निर्धारित करना सरल नहीं होता। वे भाषा-तत्त्व भारतीय हैं, इतना निर्धारित हो जाए तो काफी है। संक्षेप में कोल-द्रविड़ नाग-परिवारों के आपसी सम्बन्धों का उल्लेख भी मैंने किया है। इन आर्येतर भाषा-समुदायों के ज्ञान के बिना आर्य भाषाओं का विवेचन सम्भव नहीं है, यह बात तो परम्परागत ऐतिहासिक भाषाविज्ञानी मान लेंगे। किन्तु इसके अलावा यह

भी देखने में आएगा कि उक्त आर्येतर भाषाओं के ज्ञान के बिना यूरोप की भाषाओं का वैज्ञानिक विवेचन सम्भव नहीं है। इन आर्येतर भाषाओं के—विशेषत: द्रविड़ भाषाओं के—विवेचन में इंडो-यूरोपियन परिवार का ज्ञान सहायक होता है, हिन्दी प्रदेश की प्राचीन और नवीन भाषाओं के विवेचन में तो वह सहायक होता ही है।

उक्त आर्येतर भाषाओं के साथ मैंने पश्चिम और मध्य एशिया के सुमेरियन-सामी, तूर्क मंगोल आदि भाषा-समुदायों पर विचार किया है। यह चर्चा संक्षिप्त है और उसका उद्देश्य भाषा-परिवारों के निर्माण में बृहत् क्षेत्रीय भाषाई परिवेश के महत्त्व की ओर संकेत करना भर है। मध्य एशिया, पश्चिमी एशिया, दक्षिण पूर्वी एशिया, प्रशान्त महासागर के द्वीप समूह और यूरोप की भाषाओं से, विभिन्न युगों में, हमारे देश के भाषा-परिवारों का सम्बन्ध रहा है। यह पुस्तक एशिया और यूरोप के भाषाई मानचित्र में भारत की स्थिति को पहचानने का प्रयत्न है। वह उक्त मानचित्र में, स्वयं भारत के भाषाई विकास में, हिन्दी प्रदेश की भूमिका को पहचानने का प्रयत्न है।

**भारत के प्राचीन भाषा-परिवार और हिन्दी**—इस अध्याय में तीनों खंडों के विवेचन-सूत्रों को एक जगह मिलाकर, जहाँ-तहाँ नये तथ्यों का समावेश करते हुए, पूरी पुस्तक के निष्कर्षों को मैंने संकलित कर दिया है।

ऐतिहासिक भाषाविज्ञान की कोई भी पुस्तक हो, वह भाषाविज्ञान के मूल सिद्धान्तों का विवेचन भले न करे, किन्हीं मूल सिद्धान्तों के आधार के बिना वह लिखी नहीं जा सकती। यूरोप में ऐतिहासिक भाषाविज्ञान का जो विकास हुआ, उस पर भारतीय व्याकरण-परम्परा की छाप है। विवरणात्मक भाषाविज्ञान के संस्थापक ब्लूमफील्ड और द्रविड़ भाषाओं के विशेषज्ञ एमेनो, दोनों ही उक्त व्याकरण परम्परा से—विशेषत: पाणिनि से—प्रभावित हैं। अत: इस पुस्तक में एक अध्याय **भारतीय व्याकरण परम्परा और ऐतिहासिक भाषाविज्ञान** पर है। समाजी भाषाविज्ञान, ऐतिहासिक भाषाविज्ञान और विवरणात्मक भाषाविज्ञान परस्पर सम्बद्ध हैं। इन तीनों के मेल से बृहत्तर भाषाशास्त्र की इकाई निर्मित होती है; ध्वनितंत्र, विन्यासतंत्र (रूपतंत्र + वाक्यतंत्र) परस्पर सम्बद्ध हैं। इन तीनों के मेल से भाषातंत्र की बृहत्तर इकाई निर्मित होती है; इस इकाई में अर्थतत्त्व प्राण की तरह प्रतिष्ठित है; इस दृष्टिकोण का उल्लेख भी उक्त अध्याय में है। इस अध्याय में समस्त भारतीय व्याकरण परम्परा के मूल्यांकन का प्रयत्न नहीं किया गया; मैंने यह दिखाने का प्रयास किया है कि पाणिनि ने जो नियम बनाए हैं, उनके आधारभूत कारणों का ज्ञान उस ऐतिहासिक भाषाई परिस्थिति से होता है जिनका विवेचन इस पुस्तक में है।

अन्त में एक शब्द-सूची है। इसके एक अंश में 'ध्वनि परिवर्तन' के ऐसे उदाहरण हैं जो एक से अधिक भाषा-परिवारों में प्राप्त होते हैं। इन पर दृष्टिपात करने से ध्वनि परिवर्तन सम्बन्धी नियमों के बदले, प्रवृत्तियों का बोध होगा; बृहत्तर भारत के भाषाई परिवेश को ध्यान में रखते हुए विभिन्न भाषा-परिवारों का विवेचन

करना उचित है, यह सत्य उजगार होगा। शब्द-सूची के दूसरे अंश में वे शब्द हैं जो पहले भारतीय भाषाओं में व्यवहृत थे किन्तु जो लुप्त हो गए थे, या जिनका ध्वनि-रूप बदल गया था या जिनका मूल अर्थ परिवर्तित हो गया था; इनके साथ वे शब्द हैं जो इंडो-यूरोपियन परिवार की अभारतीय भाषाओं तथा आर्येतर भारतीय भाषाओं—विशेषत: द्रविड़ भाषाओं—में सामान्य हैं। इनके साथ कुछ अन्य वर्गों के शब्द हैं जो हिन्दी प्रदेश का भाषाई विकास समझने में सहायक होते हैं।

भाषाई विवेचन एक कौशल है; यह कौशल यंत्रवत् निश्चित किया जा सकता है। जैसे उद्योग-धन्धों की एक टेक्नोलॉजी है, वैसे ही भाषावैज्ञानिक धन्धे की एक टेक्नोलॉजी है। टेक्नोलॉजी स्वयं विज्ञान नहीं है; वैसे ही भाषाई विवेचन का कौशल भाषाविज्ञान नहीं है। जब भाषाई टेक्नोलॉजी में टेक्निकल शब्दावली की भरमार हो तो उसे विज्ञान समझने के भ्रम से बचना और भी जरूरी है। प्रत्येक विज्ञान में अनुसन्धानकर्ता का संवेदनशील होना उस विज्ञान के विकास की पहली शर्त है। भाषाविज्ञान के विकास के लिए यह संवेदनशीलता और भी आवश्यक है। कारण यह कि भाषा निसर्गत: संवेदनाओं के निखार और उन्हें दूसरों तक पहुँचाने का माध्यम है। साहित्यिक-बोध यहाँ सहायक होता है। कौशल की उपयोगिता असन्दिग्ध है। भाषाओं के विवेचन के लिए जितना कौशल आवश्यक और उपयोगी है, उतना अवश्य स्वीकार करना चाहिए। किन्तु बहुत-सी भाषाई टेक्नोलॉजी ऐसी है जिसकी उपयोगिता प्रमाणित नहीं हुई। कला के लिए कला—जैसे यह सिद्धान्त अमान्य है, वैसे ही कौशल के लिए कौशल—यह सिद्धान्त भी अमान्य है।

भारत में ऐतिहासिक भाषाविज्ञान की समस्याएँ इतिहास की पुरानी पड़ चुकी, वर्तमान युग से असम्बद्ध, समस्याएँ नहीं हैं। वर्तमान भारत की अनेक राजनीतिक, सामाजिक, सांस्कृतिक समस्याओं की जड़ में ऐसी मान्यताएँ हैं जिनका सम्बन्ध यहाँ की भाषाओं के विकास से है, यहाँ के भाषा-समुदायों के आपसी सम्बन्धों से है। ये मान्यताएँ मुख्यत: उन्नीसवीं सदी के ऐतिहासिक भाषाविज्ञान द्वारा, अंशत: रूढ़िवादी भारतीय पुरोहित वर्ग द्वारा स्थिर की गई हैं। दोनों की मान्यताओं में जो समानता है, उसका उल्लेख पहले हो चुका है। इसीलिए भारत के भाषाई विकास पर नये आलोचनात्मक दृष्टिकोण से विचार की गुंजाइश है और उसकी आवश्यकता है। जो लोग भारत की वर्तमान स्थिति से असन्तुष्ट हैं, उस स्थिति में मौलिक परिवर्तन करना चाहते हैं, उनके लिए अनिवार्य है कि वे इस स्थिति को अच्छी तरह पहचानें। भारत के बारे में बहुत-सी ऐसी बातें हैं जिनका ज्ञान भाषा-समुदायों के तुलनात्मक और ऐतिहासिक विवेचन से ही हो सकता है। जो लोग मानते हैं कि सामाजिक विकास का वैज्ञानिक दर्शन ऐतिहासिक भौतिकवाद है, उन्हें यह भी मानना चाहिए कि ऐतिहासिक भाषाविज्ञान के बिना मानव-समाज के इतिहास का ज्ञान अधूरा है, ऐतिहासिक भौतिकवाद का ज्ञान अधूरा है।

इस पुस्तक में अनेक त्रुटियाँ हों, यह सम्भव है। मैंने भरसक प्रयास किया है कि वे न हों। इस पुस्तक की स्थापनाओं से विद्वान् असहमत हों तो यह स्वाभाविक बात होगी। विशेष रूप से शब्दों के प्रतिरूप निश्चित करने में, उनके व्युत्पत्ति और अर्थ-प्रसार दिखाने में मतभेद की बहुत गुंजाइश है। पाठकों से निवेदन है कि वे इधर-उधर शब्दों की व्युत्पत्ति, व्याख्या आदि में न उलझकर विवेचन के मूल ढाँचे पर निगाह जमाये रहें। यदि वे सहमत हों कि ऐतिहासिक भाषाविज्ञान का पुराना पंथ छोड़ना आवश्यक है तो मैं समझूँगा, मुझे आंशिक सफलता मिल गई। यदि उन्हें यह बात तर्कसंगत लगे कि इंडो-यूरोपियन आदिभाषा जैसी कोई आदिभाषा नहीं थी, यूरोप की भाषाओं के निर्माण में भारतीय आर्य भाषाओं के अलावा आर्येतर भाषाओं की भूमिका भी महत्त्वपूर्ण थी, तो मैं समझूँगा मुझे पूर्ण सफलता मिल गई। अन्य स्थापनाओं के बारे में चाहे जितना मतभेद हो, आपके लिए तब यह अनिवार्य हो जाएगा कि आप किसी-न-किसी रूप में विवेचन की वह पद्धति अपनाएँ जिसका निदर्शन इस पुस्तक में है।

मैं भाषाओं की समानता, उनका व्यवहार करनेवाले मानव-समुदायों की समानता के सिद्धान्त में विश्वास करता हूँ। साथ ही मैं मानता हूँ कि यह समानता कभी पूर्ण और निरपेक्ष नहीं होती। विश्व के पूँजीवादी विकास में इंग्लैंड की भूमिका सर्वाधिक महत्त्वपूर्ण है, इस ऐतिहासिक तथ्य के प्रतिपादन से राष्ट्रों की समानता का सिद्धान्त खंडित नहीं हो जाता। विश्व के समाजवादी विकास में सोवियत संघ की भूमिका प्रमुख है और सोवियत संघ में रूसी जाति की भूमिका सर्वाधिक महत्त्वपूर्ण है, इस ऐतिहासिक तथ्य की घोषणा से जातीय समानता के सिद्धान्त का उल्लंघन नहीं होता। इसी प्रकार एशिया और यूरोप के भाषाई विकास में भारत की भूमिका प्रमुख है और स्वयं भारत के भाषाई विकास में हिन्दी प्रदेश की भूमिका सर्वाधिक महत्त्वपूर्ण है, यह कहने से भाषाओं की समानता के सिद्धान्त का खंडन नहीं हो जाता।

मेरी पुस्तक **भाषा और समाज** में जिन सिद्धान्तों का प्रतिपादन है, उनका यहाँ संवर्धन और विस्तार है; उनमें कहीं मौलिक परिवर्तन करना आवश्यक प्रतीत नहीं हुआ। कुछ शब्दों की व्युत्पत्ति में फेर-बदल सम्भव है। जहाँ उस पुरानी पुस्तक को देखते किसी शब्द की व्युत्पत्ति के बारे में यहाँ भिन्न मत प्रकट किया गया हो, वहाँ इस पुस्तक में व्यक्त मत को मेरी वर्तमान धारणा का सूचक मानना चाहिए। जिस विवेचन में अटल नियमों की अस्वीकृति हो, उसमें किसी भी स्थापना के लिए पूर्ण सत्य का दावा करना हास्यास्पद होगा। जो लोग अटल नियमों का प्रतिपादन करते हैं, उनके ग्रंथों में भी 'सम्भव है, ऐसा हुआ होगा', 'शायद ऐसा हो', 'हो सकता है कि' इत्यादि की खपत काफी होती है। इस पुस्तक में कोई भी स्थापना चाहे जितने आत्मविश्वास से प्रस्तुत की गई हो, आप अपनी ओर से उसके आगे-पीछे 'सम्भव' और 'शायद' जोड़ लें। मेरा प्रयत्न यह है कि प्रत्येक स्थापना के विरोध में जो तर्क दिया जा सके, उस पर विचार करने के बाद अपनी स्थापना प्रस्तुत करूँ।

अंग्रेज़ी में भाषाविज्ञान की जो पुस्तकें प्रकाशित होती हैं, उन सभी में सामान्य ध्वनिचिन्हों का व्यवहार नहीं होता। हिन्दी में सामान्य ध्वनिचिन्हों के व्यवहार पर अभी गहराई से विचार-विमर्श आरम्भ नहीं हुआ। ऐसी स्थिति में इस पुस्तक के लिए मैंने कुछ कामचलाऊ ध्वनिचिन्हों का सहारा लिया है। इनमें सुधार और परिष्कार की बहुत गुंजाइश है। हिन्दी समेत विभिन्न भाषाओं के शब्दों को ठीक-ठीक जैसे वे बोले जाते हैं, वैसे ही लिखूँ, यह कोशिश मैंने नहीं की। विवेचन के विशेष सन्दर्भ में उनका भाषा तात्त्विक महत्त्व स्पष्ट हो जाए, शब्दों के लेखन में यह ध्येय मुख्य है। कुछ भाषाओं के शब्द लिखते समय स्वरों के ह्रस्व दीर्घ होने की ओर मैंने विशेष ध्यान नहीं दिया; कुछ भाषाओं में स्वर ह्रस्व है या दीर्घ, यह निर्णय करना सरल नहीं है। जहाँ स्वर की लघुता-गुरुता विवेचन के सन्दर्भ में महत्त्वपूर्ण है, वहाँ मैंने उस पर अवश्य ध्यान दिया है। कुछ भाषाओं की लिपि में **ऱ्, ऩ्, स्** आदि ध्वनियों के लिए एक से अधिक चिन्ह हैं यद्यपि बोलने में कोई भेद नहीं है। ऐसी स्थिति में मैंने एक ही ध्वनिचिन्ह से काम लिया है। शब्दों पर बलाघात के चिन्ह मैंने नहीं लगाए क्योंकि सामान्यत: विवेचन के लिए यह आवश्यक न था।

**ऐ** और **औ**, ये संयुक्त स्वर संस्कृत शब्दों में **अइ** और **अउ** वत् बोले जाएँगे। अन्यत्र जहाँ ऐसे संयुक्त स्वरों का व्यवहार दिखाना अभीष्ट है, वहाँ **अइ** और **अउ** से काम लिया गया है। संस्कृत शब्दों को छोड़कर **ऐ-औ** का ध्वनिमूल्य वही है जो मानक हिन्दी के **पैसा** तथा **और** शब्दों में इन संयुक्त स्वरों का है। ह्रस्व एकार-ओकार के लिए **अ‍ॅ, ऑ** चिन्हों का उपयोग किया गया है; ह्रस्व ऐकार-ओकार लिखना हो तो **ऐ, औ** चिन्ह होंगे। हिन्दी शब्दों के दीर्घ स्वर जहाँ अनुनासिक हैं, वहाँ पूर्ण बिन्दु का व्यवहार हुआ है। जहाँ ह्रस्व स्वर अनुनासिक हैं, वहाँ चन्द्रबिन्दु का व्यवहार किया गया है। संस्कृत शब्दों में दीर्घ स्वर के साथ पूर्ण बिन्दु का मूल्य नासिक्य व्यंजन के बराबर है, यथा : **आंशिक** में। हिन्दी **आँसू** में पूर्ण बिन्दु दीर्घ स्वर का अनुनासिक होना सूचित करती है। संघर्षी व्यंजनों के लिए नीचे बिन्दी लगाई गई है, यथा : काग़ज़ में। एक अन्य संघर्षी ध्वनि—फ़ारसी के **मिझ़गां**, अंग्रेज़ी के **प्लेझ़र** की संघर्षी ध्वनि—**झ़** चिन्ह द्वारा व्यक्त है। इस संघर्षी **झ़** से संघोष महाप्राण स्पर्श **झ्** का कोई सम्बन्ध नहीं है। तमिल, मराठी आदि के मूर्धन्य पार्श्विक **ल्** के लिए **ळ्** चिन्ह है; इसी के पश्चमूर्धन्य रूप—**तमिऴ्** के **ळ** के लिए **ऴ्** चिन्ह का व्यवहार किया है। कुछ अन्य ध्वनि-चिन्ह हैं जिनका सीमित उपयोग पुस्तक के विशेष स्थानों पर हुआ है। उनकी व्याख्या वहीं कर दी गई है।

अंग्रेज़ी के **फोनीम** शब्द के लिए मैंने **अक्षर-ध्वनि** और **सिलेबल्** के लिए **वर्ण** शब्दों का प्रयोग किया है। जो शब्द संज्ञा, क्रिया, किसी भी वर्ग के शब्द की विशेषता बताए, उसे मैंने **विशेषक** कहा है; जो शब्द सम्बन्धसूचक है—चाहे वह अंग्रेज़ी का प्रिपोज़ीशन हो, चाहे पोस्टपोज़ीशन—उसे मैंने **सम्बन्धक** कहा

है। **कृदन्त, तिङन्त** शब्दों का व्यवहार व्यापक अर्थ में हुआ है जो सन्दर्भ से स्पष्ट हो जाएगा।

इस पुस्तक में जहाँ-जहाँ आधुनिक अवधी के उदाहरण दिये गए हैं, वहाँ आशय अवधी की उस बोली से है जो बैसवाड़ी नाम से विख्यात है। कुछ उदाहरण अवधी की अन्य बोलियों से भी लिये गए हैं।

यह पुस्तक मैंने उन सभी हिन्दी-अहिन्दी-भाषी पाठकों को ध्यान में रखकर लिखी है जिन्हें इस देश की भाषाओं से प्रेम है और जो उनका आपसी सम्बन्ध तथा ऐतिहासिक विकास समझना चाहते हैं। वे विशेषज्ञ हैं कि नहीं, यह प्रश्न मेरे लिए गौण है। मुख्य प्रश्न यह है कि ऐतिहासिक भाषाविज्ञान का विवेचन, अपनी समस्त उलझी हुई समस्याओं सहित, सामान्य शिक्षित जनों के मन में पैठ सकता है या नहीं। यदि विशेषज्ञ भी मेरी पुस्तक पढ़ें तो मैं अपना भाग्य सराहूँगा। मैं यह अवश्य चाहता हूँ कि शिक्षा केन्द्रों में भाषाविज्ञान की वर्तमान उपेक्षा का अन्त हो। दुर्भाग्य से इस उपेक्षा के लिए अंशतः 'विशेषज्ञ' ही उत्तरदायी हैं।

मुझे कुछ समय तक कन्हैयालाल माणिकलाल मुंशी हिन्दी तथा भाषाविज्ञान विद्यापीठ में काम करने का अवसर मिला था। पुस्तक के लिए अधिकांश सामग्री मैंने विद्यापीठ के ग्रंथालय से संग्रह की है। कुछ पत्रिकाएँ और पुस्तकें जुटाने में विद्यापीठ के मेरे सहयोगियों—डॉ. जगन्नाथ पार्थसारथी, डॉ. रामेश्वर प्रसाद अग्रवाल, डॉ. मुरारिलाल उप्रेति, डॉ. कैलाशचन्द्र अग्रवाल, डॉ. विश्वजीत तथा श्री उदयशंकर शास्त्री—ने मेरी सहायता की है। कुछ पुस्तकें दकन कॉलेज, पूना के अधिकारियों ने मेरे उपयोग के लिए विद्यापीठ-ग्रंथालय को भेज दी थीं। मैंने केन्द्रीय हिन्दी संस्थान, आगरा के ग्रंथालय से भी लाभ उठाया है और इस कार्य में संस्थान के श्री मदनलाल वर्मा ने मेरी सहायता की है। कुछ मूल्यवान सामग्री जीवविज्ञान के क्षेत्र में शोध करनेवाले डॉ. विद्यासागर शर्मा ने मेरे लिए आस्ट्रेलिया से भेजी थी। इन सबके प्रति मैं आभार व्यक्त करता हूँ। केल्त भाषाओं के विशेषज्ञों से आवश्यक जानकारी प्राप्त करके इन भाषाओं से सम्बन्धित सामग्री इंग्लैंड से मेरे पुत्र विजय मोहन लाए थे। पुस्तक लिखने की तैयारी करते और उसे लिखते समय मुझे अनेक तमिल-भाषी और हिन्दी-भाषी विद्वानों से अपनी धारणाओं को लेकर चर्चा का सुयोग मिला है और उससे मुझे लाभ हुआ है। इसके लिए मैं इन बन्धुओं को धन्यवाद देता हूँ।

**—रामविलास शर्मा**

30, नई राजामंडी<br>आगरा-2<br>8 जनवरी, 1979

1

# आर्य भाषा-केन्द्र और हिन्दी ध्वनितंत्र

## 1. प्रस्तावना

संस्कृत और हिन्दी के कुछ वाक्य मिलाकर एक साथ पढ़े जाएँ तो यह तथ्य तुरत स्पष्ट हो जाएगा कि संस्कृत में कुछ ध्वनियाँ ऐसी हैं, जैसी बोलचाल की हिन्दी में नहीं हैं या बहुत कम सुनने को मिलती हैं। संस्कृत का मूर्धन्य **ष्, ऋ, क्ष्** ऐसी ध्वनियाँ हैं जो किसी भी आधुनिक आर्य भाषा के बोलचाल वाले रूप में प्रयुक्त नहीं होतीं। नये शब्दों के निर्माण में—पुन: बोलचाल के स्तर पर—इनकी भूमिका शून्य है। इनका व्यवहार केवल तत्सम रूपों में होता है या उन रूपों के आधार पर गढ़े हुए नये विशिष्ट शब्दों में होता है। ये सभी ध्वनियाँ मूर्धन्य हैं। इस वर्ग की ध्वनियों में एक महत्त्वपूर्ण नासिक्य ध्वनि है—**ण्**। उत्तर-पश्चिमी आर्य भाषाओं में इसका व्यवहार प्रचुर रूप से होता है किन्तु ब्रज प्रदेश से लेकर असम तक बोलचाल के स्तर पर आर्य भाषाओं में यह ध्वनि बहिष्कृत है। मध्य भारत में जहाँ अवधी समुदाय की उपभाषाओं का चलन है, वहाँ भी इस ध्वनि का व्यवहार नहीं होता। कह सकते हैं कि हिन्दी और संस्कृत के ध्वनितंत्रों में एक प्रमुख भेद मूर्धन्य ध्वनियों को लेकर है। जहाँ तक **ष्, ऋ** और **क्ष्** का सम्बन्ध है, यह भेद व्यापक है, संस्कृत तथा सभी आधुनिक आर्य भाषाओं में है। जहाँ तक मूर्धन्य नासिक्य का सम्बन्ध है, यह भेद आंशिक है। कश्मीरी को छोड़कर उत्तर-पश्चिमी भाषा-समुदाय में इसका चलन है और मध्य तथा पूर्वी भाषा-समुदाय में इसका व्यवहार प्राय: नहीं होता।

विचारणीय समस्या यह है कि **ष्, ऋ, क्ष्** ध्वनियाँ संस्कृत की मूल ध्वनियाँ हैं या विकास की किसी अवस्था में उनका व्यवहार होने लगा था। आधुनिक आर्य भाषाओं में इनका व्यवहार नहीं होता तो क्या इसका कारण यह है कि इन्हें बोलने वालों की ध्वनि-पद्धति अथवा उच्चारण-क्षमता में परिवर्तन हो गया है या प्राचीन आर्य भाषाओं के एक समुदाय में कभी इनका चलन ही न था। जो लोग यह मानते हैं कि प्राचीन काल में केवल एक आर्य भाषा संस्कृत का व्यवहार होता था, उनके लिए इस समस्या का निदान सरल है। जैसे प्राचीन संस्कृति के अनेक तत्त्व नष्ट हो गए, वैसे ही इन ध्वनियों का व्यवहार भी क्षीण होता गया। पर आश्चर्य की बात यह

है कि मूर्धन्य ध्वनियों में नासिक्य विद्यमान है; और इस तरह विद्यमान है—यथा : बाँगरू में—कि जहाँ संस्कृत में भी उसका व्यवहार न होता था, वहाँ 'तत्सम' और तद्भव रूपों में उसका व्यवहार होता है। तत्सम **वन** हो गया **वण**; तद्भव **नहान** हुआ **न्हाण**। और इसका कारण क्या है कि उत्तर-पश्चिमी क्षेत्र में णकार-संकुल भाषाएँ बोली जाती हैं और मध्य तथा पूर्वी क्षेत्रों में, उड़िया को छोड़कर, मूर्धन्य नासिक्य का व्यवहार नहीं होता। प्राकृतों में इस ध्वनि की बहुलता है। जिन प्राकृतों को शूरसेन आदि जनपदों से जोड़ा जाता है, उन प्राकृतों की प्रिय नासिक्य ध्वनि उन्हीं जनपदों की आधुनिक भाषाओं से गायब है। अपभ्रंशों से आधुनिक भाषाओं का सम्बन्ध और भी गहरा है, ऐसा माना जाता है। इनमें शूरसेनी अपभ्रंश का चलन सबसे ज्यादा था और इसी के क्षेत्र, शूरसेन जनपद के वर्तमान संस्करण, ब्रज प्रदेश में इसका चलन नहीं है। जिसे पूर्वी अपभ्रंश कहा जाता है, उसमें भी णकार की बहुलता है। विद्वानों ने कल्पना की है कि मध्य और पूर्वी क्षेत्रों में पहले इस ध्वनि का व्यवहार होता था, फिर उसका लोप हो गया। एक विशाल प्रदेश में एक साथ एक ही समय में किसी ध्वनि विशेष का लोप हो जाए, यह आश्चर्यजनक घटना है। पड़ोस के एक विशाल क्षेत्र में उसी ध्वनि का व्यवहार होता रहे, यह चमत्कार है। पंजाबी या बाँगरू का वह सम्बन्ध शूरसेन जनपद की अपभ्रंश से नहीं हो सकता जो ब्रजभाषा का होगा। तब इस अपभ्रंश की मूर्धन्य नासिक्य ध्वनि बाँगरू और पंजाबी में कैसे बच गई और ब्रज प्रदेश से उसका लोप कैसे हो गया?

संस्कृत और हिन्दी के ध्वनितंत्रों में एक भेद तालव्य **श्** को लेकर है। बाँगरू समेत हिन्दी प्रदेश की सभी बोलियों में दन्त्य सकार का व्यवहार होता है। पूर्वी समुदाय की आर्य भाषाओं में केवल बंगला, अपने परिनिष्ठित रूप में, तालव्य **श** का व्यवहार करती है और इतना करती है कि तत्सम रूपों के दन्त्य सकार को भी वह तालव्य बना देती है। क्या अधिकांश आर्य भाषा-क्षेत्र में ध्वनि-प्रकृति-सम्बन्धी ऐसा मौलिक परिवर्तन हुआ कि तालव्य **श** का लोप हो गया? या इस सम्भावना को स्वीकार करें कि आर्य भाषाओं के एक समुदाय में तालव्य **श्** का व्यवहार होता ही न था? **क्ष्** और **ण्** के समान **श्** सुसंस्कृत उच्चारण की विशेषता माना जाता है। यदि लोग **श्** नहीं बोल पाते तो यह उनके अशिक्षित और असंस्कृत होने का प्रमाण है। परिनिष्ठित बंगला में तत्सम शब्दों के दन्त्य **स्** का उच्चारण नहीं होता, तो इसे कोई बंगाली भद्रजनों के असंस्कृत होने का प्रमाण नहीं मानता।

संस्कृत और हिन्दी के कुछ वाक्यों पर दृष्टिपात करते हुए एक अन्य तथ्य जो उजागर होता है, वह यह कि संस्कृत में संयुक्त ध्वनियों की भरमार है। दो व्यंजन ही नहीं, तीन-तीन व्यंजन भी संयुक्त हो सकते हैं। एक ही व्यंजन की आवृत्ति तो आधुनिक आर्य भाषाओं में सामान्य है, जैसे—**चक्कर, खच्चर, चम्मच** शब्दों में। समवर्गीय ध्वनियाँ भी संयुक्त होती हैं, जैसे : **पत्थर, लिद्धड़, बग्घी**। किन्तु

विषमवर्गीय ध्वनियों का जैसा संयोग संस्कृत में होता है, वैसा हिन्दी या अन्य आर्य भाषाओं में नहीं होता। **ऋ** को स्वर मानें चाहे व्यंजन, यह ध्वनि जिस तरह संस्कृत में व्यंजनों से संयुक्त होती है, उस तरह आधुनिक आर्य भाषाओं में नहीं होती। और यह स्वाभाविक है क्योंकि **ऋ** ध्वनि जब स्वतंत्र रूप से आधुनिक आर्य भाषाओं में नहीं है, तब अन्य व्यंजनों के साथ वह संयुक्त कैसे होगी? कृतित्व, व्यक्तित्व, परिपक्व, लावण्य, गृद्ध, स्पर्धा आदि-आदि शब्दों में जिस तरह का ध्वनि-संयोग है, वह आधुनिक आर्य भाषाओं की ध्वनि-प्रकृति के विपरीत है। प्रश्न यह है : संस्कृत की कितनी धातुओं में, उसके शब्द-मूलों में व्यंजनों का संयोग दिखाई देता है? यह संयोग किस प्रकार के व्यंजनों का है—समवर्गीय व्यंजनों का, पूर्ण स्पर्श व्यंजनों का, एक पूर्ण स्पर्श व्यंजन से अन्तस्थ अथवा नासिक्य व्यंजन का?

आधुनिक आर्य भाषाओं के ध्वनितंत्र पर विचार करते हुए यह बात निरन्तर ध्यान में रखनी चाहिए कि वैदिक भाषा एक सुदीर्घ विकास-परम्परा का परिणाम है। वह उस परम्परा का कारण नहीं है। जिस समय इस भाषा का व्यापक व्यवहार होता है, उस समय विभिन्न आर्य गण-भाषाओं के बीच यथेष्ट सम्पर्क कायम हो चुका है। इन आर्य गण-भाषाओं के अनेक तत्त्व वैदिक भाषा में समाहित हैं। लौकिक संस्कृत के समान यह भाषा परिनिष्ठित नहीं है, वह अभी 'भाषा' है, 'संस्कृत' नहीं बनी। इसके अतिरिक्त वैदिक भाषा के विश्लेषण से ही उसके विकास की अनेक मंजिलों का पता लगाया जा सकता है। यहाँ एक उदाहरण पर्याप्त होगा। वैदिक भाषा में मूर्धन्य नासिक्य ध्वनि का व्यवहार प्रचुर मात्रा में होता है किन्तु इस भाषा की धातुओं में उसका उपयोग अति अल्प है। इससे यह प्रमाणित होता है कि वैदिक भाषा के शब्द-मूलों की रचना में **ण्** की भूमिका नगण्य है। इस भाषा की एक अवस्था में इस ध्वनि का व्यवहार होता ही न था, अन्य अवस्था में उसका प्रचुर व्यवहार होने लगा।

संस्कृत के विकास की अनेक मंजिलें हैं, संस्कृत के समानान्तर अनेक आर्य गण-भाषाएँ बोली जाती थीं। इन गण-भाषाओं की सामग्री जहाँ-तहाँ पालि-प्राकृत-अपभ्रंश में मिलती है। आधुनिक आर्य भाषाओं का विकास समझने के लिए संस्कृत का विवेचन आवश्यक है, साथ ही संस्कृत का विवेचन करने के लिए, उसका ऐतिहासिक विकास समझने के लिए, आधुनिक आर्य भाषाओं से सहायता ली जा सकती है। इस समस्त विवेचन को अखिल भारतीय भाषाई सन्दर्भ में प्रस्तुत करना चाहिए।

इस दृष्टि से आधुनिक आर्य भाषा—विशेषत: हिन्दी—की कुछ विशेषताओं पर आगे विचार किया जाएगा।

## 2. मूर्धन्य ध्वनियों के केन्द्र

इंडो-यूरोपियन भाषा-परिवार का ऐतिहासिक विवेचन करनेवाले विद्वान यह मानते हैं कि आदि इंडो-यूरोपियन भाषा में मूर्धन्य ध्वनियाँ नहीं थीं। इस आदि भाषा की

भारत-ईरानी शाखा में भी ये ध्वनियाँ नहीं थीं। इनका विकास भारत में आर्यों के आने के बाद द्रविड़ जनों के सम्पर्क से हुआ अथवा स्वत:स्फूर्त ढंग से हुआ। मेरी मान्यता भी है कि संस्कृत के मूल रूप में ये ध्वनियाँ नहीं थीं। ऊपर से देखने में इस मान्यता तथा ऐतिहासिक भाषाविज्ञान की परम्परागत स्थापना में कोई अन्तर नहीं है। वास्तव में दोनों में बहुत बड़ा अन्तर है और यहाँ उसे स्पष्ट कर देना उचित है।

अंग्रेज़ी और जर्मन आदि उत्तरी यूरोप की जिन भाषाओं में भारतीय **ट्, ड्** जैसी ध्वनियाँ सुनाई देती हैं, उन्हें अनेक भाषाशास्त्री मूर्धन्य से भिन्न वर्त्स्य मानते हैं। इस प्रकार वे यूरोप की भाषाओं को मूर्धन्य-वृत्ति से मुक्त रखते हैं। किन्तु अनेक ध्वनिशास्त्री हिन्दी की टवर्गीय ध्वनियों को वर्त्स्य मानते हैं; तब अंग्रेज़ी और हिन्दी की एक जैसी लगनेवाली ध्वनियों में मौलिक अन्तर नहीं रह जाता। कुछ विद्वानों के अनुसार ऐसी ध्वनियों की पहचान जीभ की नोक को ऊपर की ओर उलटने से होती है। इसलिए मूर्धन्य के बदले वे ऐसी ध्वनियों को प्रतिवेष्टित कहना पसन्द करते हैं। उनकी यह बात मान लेने पर भी इस धारणा की पुष्टि नहीं होती कि प्रतिवेष्टित ध्वनियाँ केवल भारत में हैं, यूरोप में नहीं हैं। इंग्लैंड के उत्तर में नौर्थम्बरलैंड, और यूरोप के उत्तर में नॉर्वे तथा स्वीडन, की भाषाओं में **ट्, ण्** का प्रतिवेष्टित उच्चारण होता है। यदि भारत में मूर्धन्य ध्वनियाँ स्वत:स्फूर्त ढंग से विकसित हुईं तो ऐसी ही क्रिया यूरोप के एक भाग में भी सम्पन्न हुई। इस बात के प्रमाण हैं कि यूरोप की प्राचीन भाषाओं में अनेक शब्द ऐसे हैं जो मूर्धन्य ध्वनियों वाले भारतीय शब्दों के प्रतिरूप हैं—प्रतिरूप ही नहीं, वे भारतीय शब्दों के तद्भव रूप हैं। ग्रीक भाषा में एक शब्द **तेखने** है जो **तक्षन्** का सम्बन्धी है। ग्रीक शब्द का अर्थ है कौशल। यहाँ **क्ष्** का रूपान्तर **ख्** वैसे ही हुआ है, जैसे, मागधी वृत्ति के अनुरूप, **क्षेत्र** का रूपान्तर **खेत** है। इसलिए मेरी मान्यता यह है कि प्राचीन ग्रीक जैसी भाषाओं का शब्द-भंडार उस समय निर्मित हो रहा था जिस समय भारत में मूर्धन्य ध्वनियों का विकास हो चुका था।

मेरी मान्यता यह भी है कि मूर्धन्य ध्वनियों के विकास केन्द्र भारत में ही थे। भारत के आसपास कोई ऐसा क्षेत्र नहीं है जहाँ दन्त्य **त्** का उच्चारण **ट्** (वर्त्स्य, मूर्धन्य या प्रतिवेष्टित) होता हो यानी ऐसा कोई भाषा-क्षेत्र मध्य या पश्चिमी एशिया में नहीं है जिसमें **त्, द्** का नितान्त अभाव हो। न ऐसा क्षेत्र दक्षिण भारत में है। किन्तु भारत के पश्चिम में सौराष्ट्र और पूर्व में असम ऐसे प्रदेश हैं जिनमें **त्, द्** का अभाव है। इसलिए यह मानना युक्तिसंगत है कि किसी अज्ञातनाम भाषा-परिवार ने आर्य और द्रविड़, दोनों परिवारों को प्रभावित किया है। तमिल में उसका कोई भी अपना शब्द **ट्** से आरम्भ नहीं होता। संस्कृत में थोड़े से शब्द **ट् ठ् ड् ढ्** से आरम्भ होते हैं। तमिल और संस्कृत से भिन्न हिन्दी में **ट् ठ् ड् ढ्** से आरम्भ होनेवाले शब्द पचीसों हैं। असम और सौराष्ट्र, दोनों क्षेत्र हिन्दी प्रदेश के दो छोरों पर हैं। इसलिए यह अनुमान तर्कसंगत है कि इन क्षेत्रों की भाषाओं के प्रभाव से, संस्कृत और तमिल

की तुलना में, हिन्दी तथा अन्य आर्य भाषाएँ शब्द के आदि स्थान में **ट् ठ् ड् ढ्** का व्यवहार अधिक करती हैं। यह तथ्य उल्लेखनीय है कि ईरानी क्षेत्र में ये ध्वनियाँ नहीं हैं किन्तु पश्तो में **ट्** के अलावा उत्क्षिप्त मूर्धन्य **ड़** की ध्वनि भी है। कश्मीरी, सिन्धी, पश्चिमी पंजाबी भाषाएँ दरद-समुदाय में गिनी जाती हैं। इस समुदाय का विशेष लक्षण ईरानी प्रभाव माना गया है किन्तु इस तथाकथित दरद-समुदाय में मूर्धन्य ध्वनियों का व्यवहार होता है और फ़ारसी में नहीं होता। कश्मीरी में **ढ्** और **ण्** की ध्वनियाँ नहीं हैं पर **ट्** और **ठ्** का व्यवहार खूब होता है। पंजाबी में **ण्** की भरमार है, **ट्** और **ड्** का प्रयोग भी खूब होता है। सिन्धी में जैसे दो तरह के **ब्** हैं, वैसे ही दो तरह के **ड्** हैं। एक में वायु का विस्फोट बाहर को होता है और दूसरे में वायु भीतर को खींची जाती है। सौराष्ट्र में **ण्** की बहुलता है, असम में इसका अभाव है। आर्य भाषा-क्षेत्र में मूर्धन्य ध्वनियों का विकास विषम रूप में हुआ है, संस्कृत की अपेक्षा अधिक हुआ है, आदि स्थानीय व्यवहार को देखते हुए द्रविड़ भाषाओं की अपेक्षा आधुनिक आर्य भाषाओं में ऐसी ध्वनियों का प्रयोग अधिक हुआ है। **ढ़** और **ड़** का व्यवहार संस्कृत से हिन्दी की अलग ध्वनितंत्रीय विशेषता सूचित करता है। किन्तु वैदिक भाषा में सम्भवत: इनका व्यवहार होता था। 'ऋग्वेद' के पहले ही मंत्र में **ईडे** और उसका प्रतिरूप **ईळे**, दोनों प्रयुक्त होते हैं। सायण ने इस मंत्र के भाष्य में यह प्रचलित स्थापना उद्धृत की है : **अज्मध्यस्थ डकारस्य ळकारं बह्वृचा जगुः। अज्मध्यस्थ ढकारस्य ळ्हकारं वै यथा क्रमम्॥** दो स्वरों के बीच **ड्** और **ढ्** का उच्चारण उत्क्षिप्त होता है।

संस्कृत के मूल रूप में मूर्धन्य ध्वनियाँ नहीं थीं। संस्कृत के विकास की एक अवस्था में जब इन ध्वनियों का व्यवहार होने लगा, तब यूरोप की अनेक भाषाओं ने ऐसे भारतीय भाषा-तत्त्व ग्रहण किये जो मूर्धन्यीकरण वृत्ति के साक्षी हैं। आर्य और द्रविड़, दोनों भाषा-परिवारों को किसी टवर्ग प्रेमी भाषा-परिवार ने प्रभावित किया। यह असम्भव नहीं कि यह टवर्ग प्रेमी परिवार भी भारतीय आर्य परिवार के अन्तर्गत हो, उसकी एक शाखा हो! शाखा कहने से यह आशय नहीं है कि उसका उद्भव किसी आदि आर्य भाषा से हुआ। आशय यह है कि यहाँ भिन्न प्रकार की ध्वनियों के अनेक विकास-केन्द्र रहे हैं। उनके परस्पर सम्पर्क और भाषा-तत्त्वों के परस्पर आदान-प्रदान से आर्य भाषा-परिवार के ध्वनितंत्र का निर्माण हुआ। किसी भाषा-परिवार का ध्वनितंत्र स्थिर इकाई नहीं होता। आधुनिक आर्य भाषाओं का ध्वनितंत्र एक-सा नहीं है। यह सहज अनुमेय है कि प्राचीन काल में विभिन्न आर्य गण-भाषाओं का ध्वनितंत्र भी एक-सा नहीं था। संस्कृत में मूर्धन्यीकरण की कुछ प्रवृत्तियाँ व्यापक हैं किन्तु आधुनिक आर्य भाषाओं में उनका अभाव है। दूसरी ओर आधुनिक आर्य भाषाओं में मूर्धन्य ध्वनियों के व्यवहार की कुछ प्रवृत्तियाँ ऐसी हैं जो संस्कृत में अपेक्षाकृत विरल हैं या वहाँ उनका अभाव है। यह बिलकुल सम्भव

है कि मध्य देश की आर्य भाषा में पहले टवर्गीय ध्वनियों का व्यवहार बिलकुल न होता हो, उसके पूर्व और पश्चिम की कुछ आर्य गण-भाषाओं में इनका व्यवहार यथेष्ट रूप में होता हो। आर्य गण-भाषाओं में जो भाषा संस्कृत नाम से विख्यात हुई, वह मूलतः मध्यदेश की भाषा थी। अपने मूल रूप में वह मूर्धन्य ध्वनियों का व्यवहार न करती थी। 'संस्कृत' रूप में इन ध्वनियों का व्यवहार वह पर्याप्त रूप में करने लगी। इसका कारण अन्य आर्य गण-भाषाओं का प्रभाव हो सकता है।

भारत में और भारत के बाहर इंडो-यूरोपियन परिवार की कोई ऐसी भाषा नहीं है जिसमें मूर्धन्य **ष्** का व्यवहार अब बोलचाल के स्तर पर होता हो। संस्कृत से चले आते हुए शब्दों में ही इस ध्वनि का प्रयोग होता है, वह भी लिखित रूपों में अधिक, उच्चारण में बहुत कम। द्रविड़ भाषा-परिवार में एक भाषा अब भी ऐसी है जिसमें तीनों सकार बोले जाते हैं और वे अर्थ-विच्छेदक भी हैं। यह नीलगिरि पर्वतमाला में रहनेवाली तोद नाम की अल्पसंख्यक द्रविड़ जाति है। इसका अध्ययन और विवेचन संस्कृत तथा द्रविड़ भाषाओं के विशेषज्ञ एमेनो ने किया है। उनका कथन प्रामाणिक माना जाएगा।

द्रविड़ भाषा-परिवार के ध्वनितंत्र का ऐतिहासिक विवेचन करनेवाले विद्वान् मूल द्रविड़ भाषा में किसी सकार का अस्तित्व नहीं मानते। तोद तथा अन्य द्रविड़ भाषाओं के ध्वनितंत्रों में अनेक विलक्षणताएँ हैं जिनकी व्याख्या किसी आदि द्रविड़ भाषा के आधार पर नहीं की जा सकती। जहाँ तक तोद भाषा का सम्बन्ध है, उसका ध्वनितंत्र अनेक बातों में पड़ोसी द्रविड़ भाषाओं के ध्वनितंत्र से भिन्न है। ऐतिहासिक भाषाविज्ञान के विशेषज्ञ मानते हैं कि द्रविड़ों ने भारत में उत्तर-पश्चिम से प्रवेश किया। ऐतिहासिक भाषाविज्ञानी यह भी मानते हैं कि उत्तर-पश्चिम भारत के बहुत-से द्रविड़, आर्यों से सम्पर्क होने पर, दो भाषाएँ बोलने लगे थे। आर्यों ने द्रविड़ों को पराजित किया, इसलिए कल्पना यह की जाती है कि द्रविड़ों ने ही आर्य भाषा सीखी होगी। पर जैसे आज भी विभिन्न द्रविड़ भाषाएँ बोलने वाले समाज विकास की विभिन्न अवस्थाओं में हैं, वैसे ही प्राचीन आर्य गण-समाज भी विकास की विभिन्न अवस्थाओं में थे। सम्भव है कि इनमें से अनेक ने द्रविड़ भाषाएँ बोलना शुरू किया हो! जैसे भारत में कुछ कोल-समुदाय अपनी भाषा छोड़कर अब कोई द्रविड़ भाषा ही बोलते हैं, वैसे ही यह सम्भव है कि कुछ आर्य गण, अपनी भाषा छोड़कर, द्रविड़ भाषा बोलने लगे हों! मेरा अनुमान है कि तोद समुदाय ऐसा ही एक प्राचीन आर्य गण था। इस सन्दर्भ में उनके शारीरिक गठन की विशेषताएँ उल्लेखनीय हैं।

भाषाशास्त्र में नस्ल के सिद्धान्त को विवेचन से दूर रखना चाहिए, यह बात सही है। आर्य भाषाएँ बोलने वाले गोरे थे या काले, इस विवाद से दूर रहना उचित है। किन्तु एक प्राकृतिक परिवेश में रहते-रहते लोगों का रंग-रूप एक दूसरे से मिलने-जुलने लगता है, भले ही वे अलग नस्लों के हों। अमरीका में अनेक देशों के लोग जाकर

बस गए हैं। यूरोप के गोरे लोगों से इन्हें अलग पहचाना जा सकता है। अफ्रीका के काले आदमियों से अमरीका के काले आदमियों को भी अलग पहचाना जा सकता है। बंगाल में यदि तिब्बत और मंगोलिया के निवासियों की सामान्य आकृति से मिलते-जुलते रूप-रंग वाले लोग मिलें तो यह कल्पना की जा सकती है कि नाग (चीनी-तिब्बती) भाषाएँ बोलने वालों ने बंगला नाम की आर्य भाषा स्वीकार कर ली है। तोद लोगों का रूप-रंग उन्हें देखनेवालों के लिए आश्चर्य का विषय रहा है। आसपास के द्रविड़ों से उनकी आकृति भिन्न है। उनकी नाक लम्बी और रंग गोरा होता है। इस तरह के लोग भारत के उत्तर-पश्चिमी भागों में अधिक दिखाई देते हैं। इस तोद जन-समुदाय ने द्रविड़ भाषा स्वीकार की, साथ ही उसने अपनी मूल आर्य भाषा के ध्वनितंत्र की एक ऐसी विशेषता कायम रखी जो अब किसी आधुनिक आर्य भाषा में नहीं है, अन्य द्रविड़ भाषाओं में तो उसका अभाव है ही। यह विशेषता मूर्धन्य **ष्** का व्यवहार है। यह ध्वनि किन्हीं संस्कृत शब्दों तक सीमित नहीं है, वह अर्थ-विच्छेदक ध्वनि है और उसका व्यवहार उन शब्दों में होता है जो संस्कृत में नहीं हैं। नीलगिरि पर्वतमाला में अलग-थलग शताब्दियों तक एकान्त जीवन बिताने के कारण तोद-समाज इस ध्वनि की रक्षा कर सका। यदि भारत के उत्तर-पश्चिम में काफिर कहलानेवाले इस्लाम धर्मानुयायी जनों की भाषा का अध्ययन करें तो यह देखकर आश्चर्य होगा कि उनमें संस्कृत के ऐसे शब्दों का व्यवहार अपढ़ लोग करते हैं, जैसे—शब्दों का व्यवहार शिक्षित हिन्दी भाषी अपनी बोलचाल में नहीं करते। इसी प्रदेश का कोई पुराना कबीला अब द्रविड़ भाषा बोलता हो, फिर भी कुछ प्राचीन आर्य ध्वनियों की रक्षा किये हो, तो इसमें आश्चर्य की बात नहीं है। ऐसे अनेक आर्य गण-समाजों ने मध्यदेश की भाषा को प्रभावित किया होगा, यह अनुमान तर्कसंगत है।

तोद भाषा में मूर्धन्य **ष्** की महिमा केवल आधुनिक आर्य भाषाओं को देखते अधिक है। संस्कृत में उसका व्यवहार तोद की अपेक्षा अधिक है। फिर भी संस्कृत के शब्द-निर्माण में उसकी भूमिका गौण है और यह धारणा पुष्ट होती है कि अनेक स्थितियों में वह ध्वनि तालव्य और दन्त्य सकारों का स्थान लेती है। संस्कृत में बहुत थोडे शब्द हैं जिनके आदि स्थान में **व्** का प्रयोग होता है। इनमें सामान्य शब्दावली का बहुत महत्त्वपूर्ण शब्द **षष्** है। जिस समय दशमलव पद्धति की गणना का निर्माण हुआ, उस समय **ष्** ध्वनि का विशेष प्रयोग करनेवाला यह गण काफी प्रभावशाली रहा होगा। रूसी में **षष्** का प्रतिरूप **शेस्त** है। मूर्धन्य के स्थान पर तालव्य **श्** का व्यवहार कुछ लोगों के लिए सहज है किन्तु अंग्रेज़ी में **सिक्स** के आदि स्थान में दन्त्य **स्** है और यही स्थिति लैटिन रूप **सेक्स** की है। ग्रीक प्रतिरूप **हेक्स** मूर्धन्य **ष्** वाले रूप के आधार पर नहीं बना, वह दन्त्य **स्** वाले रूप के आधार पर बना है। **ह्** वहाँ **स्** का रूपान्तर है। इसलिए इस बात की पूर्ण सम्भावना है कि इस शब्द

के आदि स्थान में मूलतः दन्त्य **स्** था। मान लीजिए, हिन्दी **छठे** के लिए प्राचीन **सस्थ** जैसा कोई रूप प्रचलित था। जैसे स्थान क्रिया का एक रूप **तिस्थति** के बदले **तिष्ठति** होता है, वैसे ही **सस्थ** परिवर्तित होकर **सष्ठ** बन सकता है, पुनः अन्तिम वर्ण के मूर्धन्य व्यंजनों के संसर्ग से आदि स्थानीय **स्** भी **ष्** हो गया। फिर **षष्ठ** का शब्द मूल **षष्** कल्पित किया गया।

संस्कृत में ऐसे शब्द बहुत नहीं हैं जिनमें **ष्**, अन्य सकारों से भिन्न, अर्थ-विच्छेदक भूमिका पूरी करता हो। **भाषते, भासते** जैसे रूपों में इसकी अर्थ-विच्छेदक भूमिका है पर मुख्य अन्तर तालव्य और दन्त्य सकारों में है। **विस, विश, विष**—तीन भिन्न शब्द हैं। पहला शब्द कमलनाल का अर्थ देता है, दूसरा जन-समुदाय का सूचक है। यह सम्भव है कि ऐसे शब्द पहले और भी रहे हों, वैदिक काल तक इनकी संख्या कम हो गई हो!

ऐसे अनेक शब्द हैं जिनमें **स्** और **ष्** का वैकल्पिक प्रयोग होता है। **यस्** और **येष्**, दोनों का अर्थ प्रयास करना है। जैसे वैदिक भाषा में **र्** और **ल्** ध्वनियों वाले शब्दों के वैकल्पिक रूप मिलते हैं, वैसे ही उक्त दोनों रूप हैं, और वे दो गण-भाषाओं के सम्पर्क की ओर संकेत करते हैं। इसी प्रकार **कसेरु, कशेरु, कषेरु**—तीनों रूपों का चलन था और तीनों का ही अर्थ मेरु दंड था। एक ही अर्थ देनेवाले ऐसे वैकल्पिक रूप भिन्न ध्वनि-प्रकृति वाली भाषाओं के संगम का प्रमाण हैं। वैदिक भाषा और उत्तरकालीन संस्कृत में **उषा** शब्द खूब प्रचलित हुआ। **ऊष्मा, उष्ण** आदि शब्द **उष्** क्रिया से निष्पन्न हुए। किन्तु इसके मूल रूप में दन्त्य **स्** का व्यवहार होता था। **वस्** (प्रकाशित होना) का विकास **उष्** है, **उष्** का विकास **वस्** नहीं है। **वस्** क्रिया से **वासर, वसन्त** आदि शब्द बनते हैं। मूर्धन्य **ष्** ने दन्त्य सकार का स्थान कैसे लिया है, इसका बहुत अच्छा उदाहरण **उषा** शब्द है। यदि अब कोई **उसा** कहे तो लोग अशुद्ध कहकर उस पर हँसेंगे पर **वस्** ही नहीं, **वस्** के प्रतिरूप **उस्** में भी दन्त्य सकार है। **उस्र** शुद्ध 'संस्कृत' शब्द है और इसका अर्थ भी प्रभात है।

उकार के संसर्ग से **वस्** के दन्त्य सकार का मूर्धन्यीकरण हुआ हो, ऐसा नहीं कहा जा सकता। ऐसा होता तो **उस्र** जैसा रूप सम्भव न होता किन्तु संस्कृत में अनेक रूप ऐसे हैं जिनमें किसी ध्वनि विशेष के संसर्ग से मूल दन्त्य **स्** अथवा तालव्य **श्** का मूर्धन्यीकरण हुआ है। क्रिया है **नश्**; इससे कृदन्त-रूप बनता है **नष्ट**। क्रिया है **भ्रंश्** (अथवा **भ्रश्**); इससे कृदन्त-रूप बना **भ्रष्ट**। (कोश में इसका वैकल्पिक रूप **भ्रंस्** भी दिया हुआ है।) क्रिया है **दंश्**, इससे संज्ञा रूप बना **दंष्ट्र**। ऐसे रूपों में तालव्य **श्** का स्थान मूर्धन्य **ष्** लेता स्पष्ट दिखाई देता है। संस्कृत में फ़ारसी के **गश्त, पुश्त** जैसे रूप हैं ही नहीं। इसका अर्थ यह हुआ कि अनेक शब्दों में **श्** और **ष्** का प्रयोग सन्दर्भगत है, अर्थगत नहीं। किन्तु तालव्य **श्** के साथ दन्त्य **त्** का संयोग होता क्यों नहीं है? **स्त** जैसे रूप तो संस्कृत में बहुत हैं पर **श्त**

जैसे रूप नहीं हैं, इसका कारण यह हो सकता है कि तालव्य **श्** का उच्चारण भी मूर्धन्य जैसा होता था; उसके संसर्ग से **त्** दन्त्य न होकर मूर्धन्य या वर्त्स्य होता था।

संस्कृत में अनेक ऐसे शब्द हैं जिनमें **न्** के संसर्ग से **स्** मूर्धन्य रूप ग्रहण करता दिखाई देता है। **सिध्** क्रिया से **सिद्ध** रूप बना पर जहाँ **नि** उपसर्ग लगा, वहीं **स्** **निषिद्ध** हो गया! **उपनिषद्** में **सद्** (बैठना) क्रिया है। **नि** के संसर्ग से **ष्** का व्यवहार हुआ। इसी प्रकार **स्था** क्रिया से **निष्ठा** रूप बना। **सेव्** (सेवा करना, रहना) का **नि**-उपसर्गयुक्त प्रतिरूप **निषेव्** बना, **सूद्** से इसी प्रकार **निषूद्** (मारना) रूप बना। इस परिवर्तन का कारण क्या है? या तो यह **न्** मूर्धन्य था, भले ही उसके लिए उपयुक्त लिखित चिह्न का व्यवहार न किया गया हो, या वह मूर्धन्य नासिक्य के बहुत निकट उच्चरित होता था। संस्कृत में एक भी शब्द **ण्** से आरम्भ नहीं होता, प्राकृतों में ऐसे शब्दों की भरमार है। ऐसे प्राकृत शब्दों को उचित ही अप्राकृतिक माना गया है। किन्तु **निषिद्ध, निष्ठा** जैसे रूप इस सम्भावना की ओर प्रबल संकेत करते हैं कि वैदिक भाषा में एक समय मूर्धन्य नासिक्य का आदि स्थानीय व्यवहार होता था। जिस समय सारा वैदिक वाङ्मय लिपिबद्ध किया गया, उस समय आदि स्थानीय **ण्** का व्यवहार नित्य प्रयोग से लुप्त हो चुका था। इसके सिवा लौकिक संस्कृत का विकास करनेवाले और वैदिक वाङ्मय का सम्पादन करनेवाले लोग मुख्यत: मध्यदेश के थे जिनके यहाँ आदि स्थानीय **ण्** का व्यवहार होता न था। आधुनिक आर्य भाषाएँ बोलने वाले **ण्** का उच्चारण उत्क्षिप्त ध्वनि जैसा करते हैं, इसलिए वह **ड़** जैसा सुनाई देता है। इस कारण प्राकृतों में आदि स्थानीय **ण्** आवश्यकता से अधिक अप्राकृतिक लगता है। एक बात असन्दिग्ध है कि **नि** जैसे उपसर्ग का साथ होने पर किसी भी आधुनिक आर्य भाषा में दन्त्य सकार का मूर्धन्यीकरण नहीं होता। संस्कृत और इन भाषाओं के ध्वनितंत्र में यह मौलिक भेद है।

संस्कृत में **क्** और **स्**, दोनों ध्वनियाँ हैं किन्तु **क्स्** जैसी संयुक्त ध्वनियों वाला रूप एक भी न मिलेगा। अरबी के **अक्स, अक्सर** शब्दों जैसा कोई रूप संस्कृत में नहीं है। **दक्ष, तक्षन्, शिक्षा, पक्षी, चक्षु** आदि में जो संयुक्त ध्वनि **क्ष्** दिखाई देती है, उसमें पहला तत्त्व **क्** है और दूसरा **ष्**। यह दूसरा तत्त्व दन्त्य सकार का रूपान्तरण है। हिन्दी की ध्वनि-प्रकृति के लिए **क्** और **स्** का संयोग सहज ग्राह्य है। **अक्सर, बक्सर, बक्सा, सक्सेना** जैसे रूप खूब प्रचलित हैं, चाहे घर के हों चाहे बाहर के। अंग्रेज़ी डेस्क छात्रों के सामान्य उच्चारण में **डेक्स** हो जाता है। **रिक्शा** को **रिक्सा** कहना आम बात है। आधुनिक आर्य भाषाओं में उनके ऐसे अपने शब्द बहुत ढूँढ़ने पर मिलेंगे जिनमें **क्स्** संयुक्त ध्वनि का प्रयोग हुआ हो पर ऐसा प्रयोग किसी समय होता था, यह प्रमाणित किया जा सकता है।

लेटिन में एक शब्द है **देक्सतेर्** जिसका अर्थ है दाहने हाथ की ओर। इसी श्रेणी में **देक्सतेरे** (दक्षतापूर्वक), **देक्सतेरितस्** (दक्षता) आदि शब्द हैं। इन शब्दों

का सम्बन्ध ग्रीक **तेखने** (कौशल) से है जिसका उल्लेख पहले हो चुका है। संस्कृत के **क्ष्** वाले रूप से ग्रीक शब्द बना, इसलिए उसमें **ख्** ध्वनि है, लैटिन रूप का विकास मूल मध्यदेशीय **क्स्** ध्वनि वाले रूप से हुआ, इसलिए यह मूल ध्वनि, मूर्धन्यीकरण से पूर्व ध्वनि-सम्बन्धी स्थिति की सूचना देती हुई वहाँ प्रतिष्ठित है। पर यह लैटिन शब्द-मूल **देक्स** भारतीय स्रोत का है, इसका प्रमाण क्या है?

**दक्ष, तक्षन्, देक्सतेर, तेख्ने** आदि रूप बहुत दिलचस्प हैं और इस गोत्र की पूरी नामावली पर ध्यान देने से अर्थ-विकास की प्रक्रिया ही स्पष्ट नहीं हो जाती, वरन ध्वनि-परिवर्तन की मंजिलें भी बहुत साफ दिखाई देने लगती हैं। प्राचीन आर्यजनों के लिए **करना** क्रिया का बड़ा महत्त्व था और इस क्रिया का सम्बन्ध मनुष्य को पशुओं से भिन्न करनेवाले उसके अंग हाथ से था। हाथ से काम लेने के कारण मनुष्य कौशल का विकास कर सका, पशुओं से भिन्न सामाजिक प्राणी का जीवन बिता सका। **कर** शब्द संज्ञा हाथ और क्रिया करना के अभिन्न सम्बन्ध का प्रमाण है। हाथ का पूर्वरूप **हस्त** था, फ़ारसी प्रतिरूप **दस्त** है। इन दोनों का जनक **धस्त** रूप था जिसका अवशेष केवल हिन्दी **धन्धा** में देखा जा सकता है। **धन्धा** में **न्** वैसे ही है, जैसे—**हस्त** के अंग्रेज़ी प्रतिरूप **हैन्ड** में है। पहली मंजिल वह है जिसमें **धस्त** का प्रयोग होता था। दूसरी मंजिल वह जब **धस्त हस्त** बना। **धस्** क्रिया कहीं भी करने के लिए प्रयुक्त नहीं होती किन्तु **दस्** क्रिया होती थी। **दास** का मूल अर्थ है काम करनेवाला। अंग्रेज़ी **डू**, रूसी **देलात्** (करना) उसी **दस्** के वंशज हैं। **हस्त** के समानान्तर **दस्त** विकास की तीसरी मंजिल है। **दस** का अर्थ हाथ भी रहा होगा; इसी से संख्या सूचक **दस** की कल्पना की गई। इस **दस** के सकार का तालव्यीकरण हुआ और संस्कृत **दश** शब्द बना। रूसी में **देस्यत्** शब्द दन्त्य सकार बचाये हुए है। संख्यासूचक **दश** का सम्बन्ध हाथ का अर्थ देनेवाले **दस्त** या **दस** से है, इसका प्रमाण पश्तो भाषा का **लस** शब्द है। इसका एक अर्थ है हाथ, दूसरा अर्थ है दस। संस्कृत **दश** मध्य देशीय मूल रूप **दस** का विकास है।

जैसे **दिश्** का एक प्रतिरूप **दिक्** है, वैसे ही **दश** का एक विकास और हुआ **दक**। यह विकास उन नाग लोगों ने किया जो भारत के एक भाग में अब भी **शुक्रवार** को **कुक्रवार** कहते हैं। **दक्** में **स** प्रत्यय लगने पर **दक्स** रूप बना। यही रूप लैटिन में पहुँचा। फिर विकास की एक और नई मंजिल आई। इसे लानेवाले सम्भवत: ऐसे लोग थे जिनकी भाषा में मूर्धन्य छोड़कर अन्य सकार था ही नहीं। **क्** का उच्चारण भी ये लोग मूर्धन्य जैसा करते थे। यदि दन्त्य **स् क्** से पहले आए तो वह सुरक्षित रहता था, यथा : **तस्कर, भास्कर** आदि रूपों में। किन्तु यदि **क्** पहले आया, तो अनुगामी दन्त्य सकार की खैर नहीं, उसका मूर्धन्यीकरण होकर रहेगा। इस क्रम में **क्** की भूमिका नियामक है; वह अनुगामी ध्वनि को अपने अनुकूल परिवर्तित कर लेता है। भाषाशास्त्रियों ने एक तालव्य **क्** की कल्पना की

है, आदि इंडो-यूरोपियन भाषा का तालव्य **क्** जो **शतम्** शाखा में तालव्य **श्** बना। उन्होंने मूर्धन्य **क्** की कल्पना नहीं की। वैदिक भाषा के निर्माणकाल में एक आर्य गण-भाषा अवश्य ऐसी थी जिसमें मूर्धन्य ध्वनियों की प्रबलता थी। ऐसी ध्वनियों के प्रसंग में सामान्यत: लोग टवर्गीय ध्वनियों का स्मरण करते हैं। प्रस्तुत सन्दर्भ में जिस गण-भाषा के अस्तित्व की कल्पना की गई है, उसमें **ण्** को छोड़कर अन्य टवर्गीय ध्वनियों का अपेक्षाकृत अभाव था। उसकी विशेषता थी **क्** जैसी ध्वनि का मूर्धन्य उच्चारण, आदि स्थानीय **न्** का मूर्धन्य उच्चारण, और ह्रस्व-दीर्घ **अ आ** को छोड़कर सम्भवत: सभी स्वरों का मूर्धन्य उच्चारण। स्वरों की चर्चा आगे होगी। यहाँ **दक्ष** वाला प्रसंग है। मूर्धन्य **क्** के प्रभाव से दन्त्य सकार मूर्धन्य हुआ, संयुक्त ध्वनि **क्ष्**—संस्कृत की खास पहचान—का उद्‌भव हुआ, **दक्स** रूपान्तरित होकर **दक्ष** बना। हाथ से हर तरह के काम करने से यह **दक्ष** कौशल का सूचक हुआ। और ये आर्य गण सारे काम अधिकतर दाहिने हाथ से करते थे, इसलिए जो हाथ अधिक कुशल था, वह **दक्षिण** कहलाया। **दक्षिणा** लेने-देने का काम भी इसी से सम्पन्न हुआ, इसलिए इस कौशल का सूचक शब्द भी **दक्ष** गोत्र में आ मिला। सूर्योपासक आर्यगण उदय होते हुए सूर्य की ओर मुँह करके खड़े हुए, तो उन्होंने सामने की दिशा को **पूर्व** कहा, जो दिशा पीठ पीछे थी उसे **पश्चिम** कहा और जो दाहिने हाथ की ओर थी, उसे **दक्षिण** कहा। जिन मैदानों में खड़े होकर वे सूर्योपासना करते थे, उनसे हिमालय की पर्वत माला बाईं ओर थी, काफी दूर थी, मैदानों को देखते बहुत ऊँची थी, इसलिए वह दिशा **उत्तर** कहलाई।

भारत के उत्तर-पश्चिमी प्रदेशों में द्रविड़ों से घनिष्ठ सम्पर्क होने पर आदि स्थानीय **द्** अघोष हो गया और **दक्ष** ने **तक्ष** रूप धारण किया। इसी **तक्ष** के प्रभाव से गन्धार प्रदेश की **तक्षशिला** नगरी विश्वप्रसिद्ध हुई। रथ बनाना कौशल का एक महत्त्वपूर्ण काम था। ऐसे कारीगर तक्षक कहलाए, तमिल में **तक्षन्** का प्रतिरूप **तट्चन्** अब भी बढ़ई के लिए प्रयुक्त होता है। इसी **तक्ष** या **तक्षन्** से ग्रीक रूप **तेख़्ने** बना जिसकी सन्तान **तकनीक, टेक्निकल** आदि सारी दुनिया में छाए हुए हैं।

**धस्त, हस्त, दस्त, दस, दश, दक्स, दक्ष, तक्ष** आदि रूप भाषा के विकास की अनेक मंजिलें प्रमाणित करते हैं। इनमें एक मंज़िल वह है जिसमें दन्त्य सकार का मूर्धन्यीकरण होता है। वह भाषा के विकास-क्रम की आदिम मंज़िल नहीं है।

तालव्य **श्** के अतिरिक्त अन्य ध्वनियाँ भी **क्** में परिवर्तित होती हैं और **स्** से संयुक्त होने पर **क्ष्** रूप में व्यक्त होती हैं। **शिक्षा**–यहाँ **शिष्य** के **शिष्** का षकार **क्** में परिवर्तित हुआ है। यह मर्धन्य **ष्** पहले तालव्य रहा हो तो आश्चर्य नहीं। **पक्षी** में मूल क्रिया **पक्** नहीं है। **पक्ष** और **पक्षी** की व्याख्या के लिए **पक्ष्** जैसी एक क्रिया कल्पित हुई है। **पक्ष** और **पक्षी** का सीधा सम्बन्ध उड़ने का अर्थ देनेवाली **पत्** क्रिया से है। इस रूप का अन्तिम व्यंजन **त् च्** में बदलता है और **च्** पुन: **क्**

में। इस प्रकार **पक्** शब्दमूल में **स** प्रत्यय लगने पर पक्ष शब्द बना। **पत्** से **पक्ष** के निर्माण की तरह **सृज्** से **सृष्टि** की रचना भी यथेष्ट रोचक है। मूल क्रिया की **ज्** ध्वनि (नाग प्रभाव से) **ज़्** बनी अर्थात् **ज्** व्यंजन-तत्त्व के स्थान पर सघोष सकार का व्यवहार हुआ, जैसे संस्कृत **अस्** के समानान्तर अंग्रेज़ी की **इज़** क्रिया है। पुनः सघोष सकार में रूपान्तरण हुआ और उसने अघोष सकार का रूप लिया। **त** अथवा **ति** प्रत्यय से संयुक्त होने पर दो मूर्धन्य ध्वनियों का प्रादुर्भाव हुआ, **ष्** और **ट्** का। इस प्रकार **सृष्टि** रूप की रचना हुई। ऐसी रचना मध्य देशीय भाषा के विकास की बहुत बाद की ही मंज़िल में सम्भव हुई, यह मानना होगा। निष्कर्ष यह कि **ष्, क्ष** आदि ध्वनियों के अनेक अमूर्धन्य स्रोत हैं।

**क्ष्** का एक स्रोत कंठ्य **घ्** है। इसका सघोष **ग्** तत्त्व जब अघोष हुआ तब रह गया **क्**; **घ्** की महाप्राणता का रूपान्तर हुआ **ह्**, फिर महाप्राण **ह्**, **स्** में परिवर्तित हुआ, पुनः **क्** के संसर्ग से **ष्** बना। इस प्रकार **घ्** **क्ष्** में रूपान्तरित होगा। मोनियर विलियम्स ने **क्षम्** (पृथ्वी) के अन्तर्गत उसके सम्बन्धकारक एक वचन के ये रूप दिये हैं; **ग्मस्, ज्मस्, क्ष्मस्**। तीन वैकल्पिक रूप तीन तरह के ध्वनि परिवर्तनों को वैदिक भाषा में सुरक्षित किये हैं। **ग्म** से **क्ष्म** कैसे बनेगा या **क्ष्म** से **ग्म** कैसे बनेगा, किसी ऐतिहासिक भाषाविज्ञानी ने इसकी व्याख्या नहीं की। पर ये तीनों रूप **घ्म** के आधार पर आसानी से समझ में आ जाते हैं। एक प्रवृत्ति सघोष महाप्राण ध्वनि को अल्पप्राण रूप में ग्रहण करने की; इससे **ग्म** रूप मिला। दूसरी प्रवृत्ति कंठ्य ध्वनि को तालव्य करने की (इसकी चर्चा थोड़ी ही देर में आगे होगी), इससे **ज्म** रूप मिला। तीसरी प्रवृत्ति मूर्धन्यीकरण की जिसमें सघोष महाप्राण ध्वनि को अल्पप्राण ही नहीं, अघोष करने की प्रवृत्ति भी शामिल है, इससे **क्ष्म** रूप मिला। ये सारे परिवर्तन, भिन्न गण-भाषाओं के प्रभाव से, एक ही भाषा में हो रहे हैं। ध्वनि परिवर्तन के 'अटल' नियम इन गण-भाषाओं की विरोधी प्रवृत्तियों के कारण काफी लचीले साबित होते हैं।

संस्कृत **नक्त** (रात्रि) ग्रीक भाषा में **नुक्स**, लैटिन में **नोक्स्** है। संयुक्त ध्वनि **क्त्** बदलकर **क्स्** हुई। **नक्त** का भारतीय प्रतिरूप नक्स भी यहाँ प्रचलित था, इसका पता **नक्षत्र** के **नक्ष** से चलता है। **नक्ष**—रात्रि; **तर**—जो चमके (तारा; वर्णसंकोच से **त्र**); इस प्रकार **नक्षत्र** रूप बना। यहाँ संयुक्त मूर्धन्य ध्वनि **क्ष्** का स्रोत है **क्त्**। जैसे **घ्** से **ज्** और **क्ष्** वाले (**घ्म** से **ज्म** और **क्ष्म**) दो रूप मिलते हैं, वैसे ही यदि **झर्** और **क्षर** का एक ही अर्थ हो तो मूल रूप **घर्** मान लेना चाहिए।

संस्कृत में **इस, ईस, कीस, उस, ऊस, कस, एस, केस, प्रोस, कोस** जैसे रूप कठिनाई से मिलते हैं। ह्रस्व और दीर्घ अकार के पड़ोस में दन्त्य **स्** अधिकतर सुरक्षित रहता है। अन्यत्र या तो उसका तालव्यीकरण होता है या मूर्धन्यीकरण। **केसर, केसरी, कोसल** जैसे शब्द संस्कृत में बहुत थोड़े हैं। इससे यह अनुमान होता है कि अकार को छोड़कर शेष स्वरों का उच्चारण तालव्य अथवा मूर्धन्य होता

था। वैदिक भाषा या संस्कृत का व्यवहार करनेवाले सभी आर्यजनों का उच्चारण ऐसा था, यह स्थापना नहीं है। कुछ गण-समाज अधिकांश स्वरों का मूर्धन्य किंवा तालव्य उच्चारण करते थे। वे मध्यदेश की मूल भाषा पर अपनी ध्वनि-प्रकृति की अमिट छाप छोड़ गए हैं। इनमें तालव्यीकरण की वृत्ति का सम्बन्ध मगधगण से हो सकता है, मूर्धन्यीकरण किसी उत्तर-पश्चिमी गण-समाज की वृत्ति थी। इसी ने **अ इ उ** आदि के अतिरिक्त एक नये स्वर **ऋ** को जन्म दिया।

**ऋ** स्वर मूर्धन्य है, इसमें किसी को सन्देह नहीं। इंडो-यूरोपियन परिवार की भाषाओं में इसका प्रचुर व्यवहार केवल संस्कृत में है। इसे आदि इंडो-यूरोपियन भाषा की मूल ध्वनि भी माना गया है। फिर भी ऐतिहासिक भाषाविज्ञान की मान्यता है कि मूर्धन्य ध्वनियों का विकास आर्यों के भारत में प्रवेश करने के बाद ही हुआ। व्यंजन ही नहीं, स्वर भी मूर्धन्य हो सकते हैं। ऐसे मूर्धन्य स्वरों में **ऋ** है। भारत का कोई आर्येतर भाषा-परिवार **ऋ** स्वर का व्यवहार नहीं करता; पहले करता था, इसका प्रमाण नहीं है। स्वर और व्यंजन दिन और रात की तरह एक दूसरे से पूर्णत: भिन्न प्रतीत होते हैं, पर दिन और रात के बीच संध्या की संक्रमण बेला भी होती है, वैसे ही इस **ऋ** स्वर में **र्** व्यंजन तत्त्व विद्यमान है। यह **र्** स्वयं अन्तस्थ है, उसकी स्थिति स्वरों और व्यंजनों के बीच की है। अत: उसे स्वर का अंश बनने में कठिनाई नहीं होती। **ऋ** का अन्तस्थ **र्** तत्त्व मूर्धन्य है। मध्यदेशीय दन्त्य **र्** से यह भिन्न है। पाणिनि के समय में इसका आर्ष मूर्धन्य उच्चारण लुप्त हो गया था और मूल दन्त्य **र्** का व्यापक चलन था। पर वैदिक भाषा के निर्माण-काल में यह स्थिति नहीं थी। संस्कृत में **वर्स हर्स उत्कर्ष** जैसे रूप असम्भव हैं। **वर्ष** शब्द **वर्** क्रिया से बना है, उसी से **वारि** व्युत्पन्न है। जैसे संस्कृत में **क्** व्यंजन के साथ दन्त्य **स्** संयुक्त दिखाई नहीं देता, वैसे ही **र्** के साथ इस सकार का संयोग दुर्लभ है। **स्** को ही नहीं, आसपास दन्त्य **न्** हुआ तो यह उसे भी मूर्धन्य रूप दे देता है। **नमस्कार** और **प्रणाम**, दोनों रूप **नम्** क्रिया से बने हैं। पहले रूप में **र्** और **न्** के बीच काफी फासला है। दूसरे रूप में दोनों पड़ोसी हैं। इसलिए दूसरे रूप में **र्** के बाद **ण्** का व्यवहार हुआ है। **ऋ** स्वर में इसी मूर्धन्य अन्तस्थ **र्** का तत्त्व है।

**ऋ** का उच्चारण इकार-उकारवत्, दोनों प्रकार होता है। उत्तर-पश्चिम और दक्षिण भारत के शिक्षित जन उकारवत् उच्चारण करते हैं। मेरा अनुमान है कि यह उकार पश्च स्वर था और गोलाकार नहीं था। तमिल में इस स्वर का उच्चारण अब भी सुनने को मिलता है, हिन्दी ध्वनियों के अभ्यस्त कानों को वह कभी इकारवत् लगता है और कभी उकारवत्। **ऋ** के अलावा ऐसे मूर्धन्य उकार का व्यवहार पहले आर्य भाषा क्षेत्र में होता रहा होगा। अवधी में आज्ञार्थी क्रिया-रूप **सुनु** होगा, **सुनि** रूप पूर्व कालिक माना जाएगा किन्तु ब्रजभाषा में **सुनि** आज्ञार्थी रूप भी होता है। दोनों का विकास मूर्धन्य उकार वाले रूप से सम्भव है।

**ऋ** स्वर का व्यवहार स्वतंत्र रूप से हो, चाहे किसी व्यंजन के साथ, जिन शब्दों में इसका व्यवहार होता है, उनमें वर्ण-संकोच की प्रक्रिया सम्पन्न होती दिखाई देती है। संस्कृत में **कर्—करोति** रूप का **कर्**—आज्ञार्थी **कुरु** रूप प्रदर्शित करता है। **सुनु** के समान यह **कुरु** कोसली रूप है। संस्कृत में बहुत कम क्रियाओं के मध्यम पुरुष एकवचन आज्ञार्थी रूप उकारान्त होते हैं। इनमें एक विरल बहुमूल्य रूप **कुरु** है। अब मान लीजिए, प्रथम वर्ण के बदले दूसरे वर्ण पर बलाघात होता है। इससे प्रथम वर्ण का स्वर क्षीण होगा। तब **कुरु** से **ऋ** जैसा रूप बनेगा। अब यदि इस **क्** के साथ जुड़नेवाला **र्** मूर्धन्य है तो **कृ** रूप से मूर्धन्य **र्** और मूर्धन्य **उ**, दोनों का बोध होगा। इसलिए जो लोग **कृ** का उच्चारण उकारवादी ढंग से करते हैं, वे प्राचीन मूर्धन्य उच्चारण का अनुसरण करते हैं (यद्यपि उनके उच्चारण में उकार काफी स्पष्ट रूप से गोलाकार होता है)। संस्कृत में **कृ, धृ, हृ, भृ** आदि के बाद दन्त्य **स्** और **न्** का प्रयोग कभी नहीं होता। **कृणोति** रूप होगा, **कृनोति** नहीं, जैसे **ऋ** के साथ **ऋण** रूप हो बनेगा, **ऋन** नहीं।

क्रिया-रूपों के अलावा **पितृन्, मातृन्, भ्रातृ न्** आदि रूपों में दीर्घ **ऋ** स्वर वर्णसंकोच का परिणाम है। **भ्रातर्, मातर्, पितर्** आदि का अन्तस्थ व्यंजन **र् अ** स्वर में बदलता है, तथा **भ्राता, पिता, माता** जैसे रूप बनते हैं।

जब इसका संयोग दीर्घ **आ** से होता है, तब वह इस **आ** को प्रभावित करता है, अपनी मूर्धन्यवृत्ति से **आ** को **ऊ** बनाता है, **र्** व्यंजन के संयोग से **ऊ** दीर्घ **ॠ** का रूप लेता है। **पित् + अर् + आन्** से पित **न्** रूप बना, एक पूरा वर्ण **अर्** संकुचित हुआ, **ॠन्** में समाहित हुआ।

**उकार, आकार** के अतिरिक्त **र्** अपने संसर्ग से **इ** को भी **ऋ** रूप देता है। उत्तराधिकारियों के लिए सम्पत्ति छोड़ने का अर्थ देनेवाली एक क्रिया है **रिच्**। इससे संज्ञा शब्द बनता है **ऋक्थ**। क्रिया के रूप में मूल ध्वनि बनी हुई है, उसका मूर्धन्य रूप संज्ञा में है। **रि, री** क्रिया का अर्थ है दौड़ना, प्रभावित होना। **ऋ** क्रिया का अर्थ है चलना। स्पष्ट ही सामान्य **रि** का मूर्धन्यीकरण हुआ और मूल रूप के साथ नया वैकल्पिक रूप **ऋ** भी चालू हुआ। **रित, ऋति**—दोनों शब्दों का अर्थ है गतिशीलता। **रीति** और **ऋतु**—दोनों शब्दों का मूल अर्थ एक ही है। संस्कृत के जितने शब्दों के आदि वर्ण में व्यंजन के साथ **ऋ** स्वर का संयोग है, उन सबमें मूल ध्वनि दन्त्य **र्** हो सकती है जो वर्ण संकोच की प्रवृत्ति के कारण अन्तस्थ **र्** को समेट कर मूर्धन्य **ऋ** स्वर रह गई है। एक शब्द है **कर्म**, दूसरा शब्द है **कृति**। स्पष्ट ही **कर्** में वर्ण-संकोच की प्रक्रिया घटित हुई है और इसलिए **कृ** रूप बना। यहाँ यह भी दर्शनीय है कि **कर्** में **क्** व्यंजन के साथ **इ** या **उ** स्वर नहीं है वरन् **अ** स्वर है। **अर्** संकुचित होकर **ऋ** स्वर बना। यह स्वाभाविक है कि **ऋषि** से जब **आर्ष** विशेषण बनता है तब वर्ण-संकोच से उद्भूत स्वर पुनः अन्तस्थ **र्** के साथ

मूल अकार रूप में प्रकट हो जाता है। **अर्, इर्, उर्**—तीनों ही वर्ण संकुचित होने पर **ऋ** स्वरूप धारण कर लेते हैं। इससे सिद्ध होता है कि मध्यदेशीय आर्य भाषा में—संस्कृत के आदिम रूप में—**ऋ** जैसा स्वर नहीं था। यह वर्ण-संकोच वृत्ति का परिणाम है जो मूर्धन्यीकरण की समानान्तर प्रवृत्ति के साथ क्रियाशील होती है। संस्कृत धातुओं और मूल शब्द-भंडार की रचना में इसकी भूमिका अतिसाधारण है।

**र्** की जोड़ीदार अन्य अन्तस्थ ध्वनि **ल्** है। जिन असुरों के लिए कहा गया है कि **र्** के स्थान पर **ल्** ही बोलते थे, उनके प्रभाव से **ऋ** के समानान्तर **लृ** स्वर की कल्पना की गई। इसकी भूमिका वैदिक भाषा में भी नगण्य है। यह मूर्धन्य **ऋ** का मागधीकरण है, **राजा** के **लाजा** रूप की तरह। संस्कृत उस क्षेत्र की मूल भाषा है जिसमें **र्** की प्रधानता थी। इसका एक प्रमाण यह है कि संस्कृत धातुओं में अन्य व्यंजनों के साथ जितना **र्** का संयोग होता है, उतना **ल्** का नहीं। जहाँ **र्** के स्थान पर **ऋ** का व्यवहार होता है, वहाँ वर्ण-संकोच की वृत्ति काम करती है। **अर्चना** की **अर्च** धातु का वैकल्पिक रूप **ऋच्** है। यहाँ वर्ण-संकोच की प्रक्रिया स्पष्ट देखी जा सकती है। पर यह प्रक्रिया **र्** के सन्दर्भ में ही घटित होती है, **ल्** के सन्दर्भ में नहीं, क्योंकि मध्यदेश में **र्** ध्वनि की प्रधानता थी और यह स्थिति बहुत कुछ अब भी बनी हुई है।

**र्** के मूर्धन्य उच्चारण के कारण अनेक संस्कृत शब्दों में **त्** परिवर्तित होकर **ट्** बनता है, यह स्थापना सुपरिचित है। **नर्त** और **नट** का सम्बन्ध इसी प्रवृत्ति को ध्यान में रखने से पहचाना जाता है। यहाँ इतना कहना यथेष्ट है कि **ष्** और **ण्** की तुलना में **ट् ठ् ड् ढ्** की भूमिका संस्कृत के ध्वनितंत्र में अति अल्प है। यह भी उल्लेखनीय है कि **कर्ता, भर्ता, हर्ता** जैसे बीसियों शब्दों में **र्** का संयोग होने पर भी **त्** ध्वनि परिवर्तित नहीं होती। **र्** का मूर्धन्य उच्चारण जितनी आसानी से दन्त्य **न्** को प्रभावित कर लेता है, उतनी आसानी से दन्त्य **त्** को नहीं। **त् थ् द् ध्** ध्वनियाँ बड़ी दृढ़ता से मध्यदेश में जमी हुई हैं। **ट् ठ् ड् ढ्** ध्वनियों का समानान्तर प्रयोग होता है पर ये मूर्धन्य या वर्त्स्य ध्वनियाँ अंशत: ही मूल दन्त्य ध्वनियों को विस्थापित कर सकी हैं। हिन्दी में **थाना, थानेदार** जैसे रूपों का चलन है। **ठाणे** और **ठाणेदार** रूप मराठी की विशेषताएँ हैं।

## 3. तालव्य ध्वनियों के केन्द्र

मूर्धन्यीकरण के साथ तालव्यीकरण-प्रक्रिया का अध्ययन करना चाहिए। तालव्य ध्वनियों में सबसे पहले तालव्य **श्** पर विचार करना चाहिए। इस ध्वनि के कारण ही इंडो-यूरोपियन परिवार की **शतम्** शाखा की कल्पना की गई। इस **शतम्** को हिन्दी वाले सौ कहते हैं। **शतम्** शाखा की एक महत्त्वपूर्ण उपशाखा **स्लाव** है। रूसी में **श्, श्च्,** जैसी ध्वनियों की भरमार है पर उनके यहाँ भी सौ के लिए **सोत्**

शब्द है। भारत-ईरानी शाखा की महत्त्वपूर्ण फ़ारसी भाषा में **सद** शब्द है जिससे बीसवीं सदी का **सदी** शब्द बनता है। उर्दू में **फ़ीसद** कहने का चलन है। यह माना जा सकता है कि हिन्दी-भाषियों को **श्** के उच्चारण में कठिनाई होती है, इसलिए वे अपभ्रंश रूप सौ बोलते हैं, किन्तु रूसी और फ़ारसी में **श्** के अभाव का कारण क्या है? आधुनिक आर्य भाषाओं में सौ रूप ही अधिक प्रचलित है, अवधी में **सै** (सैकड़ा वाला सै) रूप भी प्रचलित है। जैसे **धस्त** की **धस्** क्रिया-रूपान्तरित होती हुई **दश्** बनी, वैसे ही **शत** का पूर्व रूप **सत** था। **विंश** का हिन्दी रूप **बीस** है। सम्भव है, मूल शब्द में दन्त्य **स्** रहा हो। **दश** का **श** अकेले ही **दस** की संख्या का बोध कराने लगा था। **विंश** का मूल अर्थ हुआ दो दस। यदि **दश** पहले **दस** रूप में प्रचलित था तो **विंश** का **श्** भी **स्** रहा होगा।

हिन्दी क्रिया **सोना** से मिलती-जुलती संस्कृत क्रिया **स्वप्** है। एक दूसरी क्रिया, **शयन** और **शैया** वाली, **शी** भी है। ये दोनों क्रियाएँ एक ही उद्‌भव की हो सकती हैं। ओकार के साथ दन्त्य **स्** अधिक सुरक्षित रहता है, इकार-एकार के साथ उसमें परिवर्तन जल्दी होता है। **सो** का एक प्रतिरूप **से** रहा होगा। यहाँ एकार के तालव्य उच्चारण के प्रभाव से दन्त्य **स्** भी तालव्य हो गया।

संस्कृत में सोने के लिए **शे** या **शी** क्रिया है। इसका प्रतिरूप **शो** भी रहा होगा जिससे **शव** बना है। द्रविड़ भाषाओं में **शव** रूप नहीं है किन्तु मरने का अर्थ देनेवाली तमिल **चा,** मल्तो **केये** क्रिया का पूर्वरूप स्पष्ट ही **शे, शा** जैसा था। **सो, से** जैसी एक क्रिया और थी जिसका अर्थ था बोना, बीज डालना, जन्म देना। अंग्रेज़ी में **सो** रूप अब भी प्रचलित है। **सीड** (बीज) में इसी का प्रतिरूप **सी** क्रिया है। **सी** क्रिया से **सीता** शब्द बनता है। **सीता** का अर्थ है हल जोतने से बनी हुई नाली। मोनियर विलियम्स के अनुसार, **सीता** को अशुद्ध रूप में **शीता** भी लिखा जाता था। यह **शीता** रूप मराठी **शेत** (खेत) से ज्यादा दूर नहीं है। **से** क्रिया मराठी में **शे** हुई। जो भूमि जोती-बोई जाए, वह **शेत**। इस **शेत** का प्रतिरूप है **क्षेत्र**।

तालव्यीकरण का घनिष्ठ सम्बन्ध लकार के प्रसार से है। संस्कृत में दन्त्य **स्** के साथ **ल्** का प्रयोग दुष्प्राप्य है। **स्लाव** जैसा शब्द संस्कृत में सम्भव नहीं है। **ल्** के पहले जिस सकार का संयोग होगा, वह अनिवार्यत: तालव्य होगा। मागधी प्राकृत में शकार और लकार, दोनों के बाहुल्य की परम्परा बनी हुई थी। संस्कृत में अनेक नामों के अन्त में **श्राव** शब्द आता है। हो सकता है कि **श्राव** नाम का कोई गण रहा हो जिसने **श्रावस्ती** नगरी बसाई हो! यह नगरी कोसल प्रदेश में थी, इसलिए बहुत सम्भव है कि **श्राव** गण का नाम **स्राव** रहा हो! इस **स्राव** का प्रतिरूप **स्लाव** हुआ। (रूसी भाषा में **स्लावा** शब्द का अर्थ है कीर्ति।)

जिसे बहुत-से लोग सुनें, वह कीर्ति है। प्राचीन कोसली शब्द **स्राव** का सम्बन्ध **स्रु** क्रिया से होगा, रूसी **स्लाव** का सम्बन्ध **स्लु** से। संस्कृत **श्रु** (सुनना) के रूसी

प्रतिरूप **स्लूशात, स्लीशात्** हैं (एक रूप **स्लीखात्** भी है।) इन सभी रूपों में दन्त्य **स्** का व्यवहार इस धारणा की पुष्टि करता है कि मूल रूप में दन्त्य **स्** ही था। जो सुना जाए, वह शब्द। शब्द के लिए रूसी **स्लोवो** का सम्बन्ध उसी **स्लू** क्रिया मूल से है। कान सुनता है, वह रूसी में **स्लुख़्** है। इन सभी सम्बद्ध शब्दों में दन्त्य **स्** का व्यवहार हुआ है। **स्लाव** भाषाओं और भारतीय आर्य भाषाओं का सम्बन्ध बहुत पुराना है। इस सम्बन्ध के विकास और प्रसार की अनेक मंजिलें हैं। इनमें एक मंजिल वह है जब मध्यदेशीय आर्य भाषाओं पर, मागधी प्रभाव पड़ने से पहले, दन्त्य **स्** वाले शब्द **स्लाव** समुदाय में पहुँचे थे। संस्कृत और रूसी भाषा की शब्दावली की तुलना करने पर, यदि हिन्दी और रूसी में दन्त्य **स्** हो, और संस्कृत में तालव्य **श्** हो, तो इसी की सम्भावना अधिक है कि मूल शब्द में दन्त्य **स्** ही था।

संस्कृत में तालव्य **श्** की अपेक्षा दन्त्य **स्** ही ऊष्म ध्वनि **ह्** में अधिक रूपान्तरित होता है। यदि हृदय शब्द के मूल रूप में सकार था, तो वह दन्त्य ही रहा होगा। रूसी भाषा में **हृदय** के लिए **सेर्द्त्से** शब्द है। संस्कृत **श्रद्धा** में **श्रद्** रूप सिद्ध करता है कि दन्त्य ध्वनि का तालव्यीकरण हुआ है। संस्कृत विश्व का प्रतिरूप रूसी **वेस्** (सब) है। **शर्करा** (परिनिष्ठित हिन्दी का **शक्कर**, अवधी की **सक्कर**) रूसी में **सखर** है। संस्कृत **श्वेत** का मूल अर्थ प्रकाश अथवा प्रकाशमय था। रूसी **स्वेत** का अर्थ प्रकाश, संसार (लोक के समान) है। अंग्रेज़ी **ह्वाइट** (सफ़ेद) दन्त्य **स्** वाले रूप से बना है, वही ध्वनि **सफ़ेद** में है। नीले रंग के लिए रूसी में **सिनेव्** शब्द है। **शनि** का मूल अर्थ सम्भवत: नीलवर्ण ही था। **शनि** को **नीलवास** कहा भी गया है। **शनि** का आदि स्थानीय सकार भी सम्भवत: दन्त्य था। रूसी भाषा में बहुत-से शब्द आदि वर्ण में दन्त्य **स्** के साथ **च्** का संयोग करते हैं, यथा : **स्चास्ते** (सुख), **स्चितात्** (गिनना)। संस्कृत में ऐसे रूप असम्भव हैं।

तालव्यीकरण का एक उदाहरण **शक** शब्द का विकास है। यह शब्द मध्य एशिया के लड़ाकू कबीलों के लिए प्रयुक्त हुआ है। **शक्** क्रिया का अर्थ है शक्तिशाली होना। **शक्ति** शब्द का आधार यही **शक्** क्रिया है। बहुत्व सूचक **र्** जोड़कर **शक्र** रूप बनता है जो विभिन्न देवों के लिए, विशेषत: इन्द्र के लिए, प्रयुक्त होता था। जो शब्द किसी गण-समाज के लिए प्रयुक्त होते हैं, वे बहुधा वीरता और बहुलता, दोनों भाव व्यंजित करते हैं, जैसे—पुरुष शब्द वीरता का सूचक है, साथ ही बहुलता का भी। यह एक गण का नाम भी था। उसी प्रकार **शक** शब्द भी बहुलता का सूचक था, पर इसकी यह व्यंजना तालव्य **श्** वाले रूप में नहीं है, यह व्यंजना दन्त्य **स्** वाले **सकल** शब्द में है। मूल शब्द **सक** है, **ल** उसमें बहुत्व-सूचक अतिरिक्त प्रत्यय जुड़ा है, **शक्र** में **शक्** के साथ **र** के समान। **सगर** नाम के जो राजा हुए, उनका नाम गणवाचक है। ब्रजभाषा में **सिगरे** के अलावा केवल **सिग** का प्रयोग भी होता है। यह **सिगरे सकल** का ही प्रतिरूप है। मध्य एशिया में जो भूमि **सीस्तान**

कहलाती है, वह प्राचीन **शकस्थान** है। **सीस्तान** में जो आदि स्थानीय दन्त्य **स्** है, वह **सक** का अवशेष हो सकता है; तालव्य ध्वनि दन्त्य हो गई हो, यह आवश्यक नहीं। **शक** मूलतः दन्त्य **स्** वाला शब्द था, इसका और प्रमाण भी है। संस्कृत **सह** शब्द का अर्थ है शक्तिशाली; **सह्** क्रिया का अर्थ है विजयी होना। यदि **मघ, मग** रूपों के विकास पर ध्यान दें, तो यह बात सहज ही समझ में आ जाएगी कि **सह** का मूलरूप **सघ** है। इसी **सह** से साहस शब्द बनता है। **मघ**-मूल के शब्द कार्य कर सकने की क्षमता सूचित करते हैं। रूसी में **मोगु** क्रिया का वही अर्थ है जो हिन्दी में **सकना** का है। अंग्रेज़ी के **मे** और **माइट्** शब्द इसी शृंखला के हैं। **माइट्** का अर्थ शक्ति है और क्रिया-रूप में कोई काम कर सकने की व्यंजना भी उसमें है। उसी प्रकार **शक्नोति** जैसे रूप में **शक्** क्रिया का व्यवहार होता है। हिन्दी **सकना** में **सघ्** मूल रूप का दन्त्य **स्** विद्यमान है। संस्कृत में एक सर्वनाम **सक** भी है जिसका अर्थ है वह जन (स्त्री अथवा पुरुष)। जैसे जन शब्द बहुत्व सूचक होता है, वैसे ही यह **सक** है जो संज्ञा से सर्वनाम बना है। **सकल** में यही **सक** है। नाग समुदाय की गारो भाषा में जन शब्द का अर्थ देनेवाला **सक** अब भी प्रचलित है। **ब-सिक्-सक्-को निकह**—तुमने कितने आदमी (**सक**) देखे? (बर्लिंग—**ए गारो ग्रामर**; पूना; 1961, पृ. 59)। तालव्य **श्** वाले संस्कृत रूप परिनिष्ठित ही नहीं, ऐसे प्रतिष्ठित माने गए कि उनके दन्त्य **स्** वाले पूर्वजों का पता लगाना सरल नहीं है। फिर भी अनुसन्धान करने पर कहीं-न-कहीं, बहुधा संस्कृत में ही, उनके अस्तित्व के प्रमाण मिल जाते हैं।

संस्कृत में तालव्यीकरण की प्रवृत्ति इस सीमा तक बढ़ी कि **ए, के, खे, गे, घे, चे, छे जे, ते, थे, ने, पे के** बाद, कुछ अपवादों को छोड़कर, दन्त्य **स्** का व्यवहार हुआ ही नहीं। **केसर, केसरी, पेस्** (चलना) थोड़े-से अपवाद हैं। **रे** के बाद दन्त्य **स्** हो, ऐसा कोई शब्द नहीं है। **लेसक** (हाथी सवार), **वेस्** (चलना), **वेसर** (खच्चर) अन्य अपवाद हैं, वर्ना **ल्** और **व्** के बाद दन्त्य **स्** का व्यवहार नहीं होता। इसी प्रकार ओकार के बाद दन्त्य **स्** का प्रयोग विरल है। **कोसल, कोसार** (हल चलाने पर बना हुआ कूँड़ा), **तोसल** (एक गण का नाम) आदि कुछ शब्दों में दन्त्य **स्** का व्यवहार हुआ है। एकार के साथ तालव्य **श्** के व्यवहार की बात समझ में आ सकती है किन्तु ओकार के बाद यदि **श्, ष्** का व्यवहार होता है, तो यह अतिशय मूर्धन्यीकरण अथवा तालव्यीकरण की प्रक्रिया मानी जाएगी।

जैसे आर्य भाषाओं के एक क्षेत्र में अब भी दन्त्य **स्** की प्रधानता है, वैसे ही एक अन्य क्षेत्र में तालव्य **श्** का बाहुल्य है। यहाँ आशय परिनिष्ठित बंगला से ही नहीं है; यह प्रवृत्ति मराठी में भी है जो अनेक बातों में बंगला से मिलती है। बंगला से भिन्न, परिनिष्ठित मराठी दन्त्य **स्** का व्यवहार भी करती है, इसलिए यहाँ तालव्यीकरण की प्रवृत्ति अध्ययन के लिए विशेष महत्त्वपूर्ण है। हिन्दी **सींग**

का मराठी प्रतिरूप **शिंग** है; कहा जा सकता है कि यहाँ संस्कृत के **श्रृंग** की मूल ध्वनि सुरक्षित है किन्तु संस्कृत **सिन्दूर** का मराठी तद्भव रूप **शेंदुर** है जो स्पष्ट ही **सिन्दूर** से नहीं, हिन्दी **सेंदुर** से सम्बन्धित है। हिन्दी **सोखना** के मराठी प्रतिरूप **शोकणे** को शुष्क से जोड़ा जा सकता है पर हिन्दी **सेंकना** का मराठी प्रतिरूप **शेकणें** है। **सीढ़ी, सिंघाड़ा, सीटी, सीसा, सिरका** क्रमश: **शिडी, शिंगाड़ा, शिटी, शिसें, शिरका** हैं। **सख्त, स्याही, सिपाही, सिफारिश** आदि नवागन्तुकों का तालव्यीकरण से वेश-परिवर्तन किया जाता है। हिन्दी से भिन्न मराठी में इनका रूप है **शक्त, शाइ, शिपाई, शिफारस**। आधुनिक आर्य भाषाओं की ये ध्वनि-प्रवृत्तियाँ अत्यन्त प्राचीन हैं। दन्त्य और तालव्य सकारों के दो भिन्न केन्द्र रहे हैं। **मृच्छकटिक** के लेखक ने शकारवादियों को अमर कर दिया; मागधी प्राकृत की विशेषता इस तालव्य ध्वनि का व्यवहार है। **मृच्छकटिक** में, और मागधी प्राकृत के नमूनों में, तो यह साफ दिखाई देता है कि सकार का तालव्यीकरण हो रहा है किन्तु यह प्रक्रिया कभी प्राचीन काल में, संस्कृत के विकासकाल में भी घटित हुई होगी, यह बहुतों के लिए कल्पनातीत है। भाषाशास्त्री एक कल्पित तालव्य **क्** को **श्** रूप धारण करते हुए देखते हैं किन्तु दन्त्य **स्** के तालव्यीकरण की ओर उनका ध्यान कम जाता हैं। संस्कृत में वशिष्ठ तालव्यीकरण का माना हुआ उदाहरण है। यह शब्द **वसु** से बना है और इसका सही रूप **वसिष्ठ** है। वास्तव में यह रूप भी मूर्धन्यीकरण द्वारा बदला गया है, **वसिस्थ** का नया रूप **वसिष्ठ** हुआ। जब **वसिष्ठ** की जगह **वशिष्ठ** लिखा जाने लगा, तब तालव्यीकरण की प्रक्रिया और जुड़ गई। इसलिए संस्कृत में जहाँ **पासयति** और **पाशयति** (बाँधता है) दो वैकल्पिक रूप मिलें, वहाँ दन्त्य **स्** वाले रूप को ही मूल रूप मानना चाहिए। जो बाँधा जाए, वह पशु है। **पशु** का मूल मध्यदेशीय रूप **पसु** था।

जैसे संस्कृत में **ण्** की भरमार है किन्तु धातुओं में उसकी संख्या नगण्य है, वैसे ही संस्कृत के सर्वनामों में **स्**-मूल के शब्दों की बहुलता है और **श्** का नितान्त अभाव है। इसी प्रकार संस्कृत के उपसर्गों में तालव्य **श्** का अभाव है, दन्त्य **स्** की बहुलता है। इससे ज्ञात होता है कि संस्कृत के मूल मध्यदेशीय रूप में तालव्य **श्** का अभाव था। संस्कृत की बहुत-सी धातुओं के अन्त में **श्** का व्यवहार होता है, **अश्** (खाना), **दंश्** (काटना), **नश्** (नष्ट होना), **पश्** (देखना) इत्यादि। यह कहना कठिन है कि इनमें से कितनी धातुओं में पहले दन्त्य **स्** था जो तालव्य रूप में लिखा और बोला जाने लगा। यह भी स्वाभाविक है कि जिन्होंने मध्यदेशीय भाषा को **शकार**-वृत्ति से प्रभावित किया, उन्होंने उसे अपने शब्द भी दिये, जिनमें मूलत: **श्** ध्वनि थी। पर यह एक रोचक तथ्य है कि धातुओं के आरम्भ में किसी व्यंजन के साथ दन्त्य **स्** ही अधिक जुड़ता है। **श्लाघ्** (प्रशंसा करना), **श्वंच्** (फैलाना, फैलना), **श्चुत्** (टपकना), **श्वित्** (चमकना), **श्नथ्** (प्रविष्ट करना),

**श्लथ्** (शिथिल होना) आदि रूप ढूँढ़ने से मिल जाते हैं। इनकी तुलना में **स्फुट्** (कूटना), **स्कन्द्** (कूदना), **स्पन्द्** (कम्पित होना), **स्यन्द्** (गतिशील होना), **स्वाद्** (मधुर करना), **स्विद्** (पसीना आना), **स्पर्ध्** (स्पर्धा करना), **स्तन्** (गरजना), **स्वन्** (ध्वनि करना), **स्वप्** (सोना), **स्तम्भ्** और **स्कम्भ्** (सहारा देना), **स्तुभ** (प्रशंसा करना), **स्वर्** (चमकना), **स्खल्** (स्खलित होना), **स्पृश्** (छूना), **स्रंस्** (गिरना), **स्निह्** (स्नेह युक्त होना) इत्यादि उदाहरणों में किसी व्यंजन के साथ आदि स्थानीय दन्त्य **स्** का संयोग दर्शनीय है। जिन धातुओं में इसी प्रकार तालव्य **श्** का संयोग है, उनकी संख्या कम है; **स्** वाली धातुओं की तुलना में उनका व्यवहार भी कम हुआ है। सम्भवत: शब्द के अन्त में दन्त्य **स्** का तालव्यीकरण सरल था किन्तु जहाँ वह आदि स्थान में पहले से किसी व्यंजन के साथ संयुक्त चला आ रहा था, वहाँ उसकी स्थिति को बदलना कठिन था।

पालि भाषा अपने शब्द-भंडार और व्याकरण रूपों में अधिकतर संस्कृत का अनुसरण करती है। प्राकृतों के समान संस्कृत से उसका मौलिक भेद ध्वनितंत्र को लेकर है। पालि ध्वनितंत्र की एक महत्त्वपूर्ण विशेषता यह है कि उसमें केवल दन्त्य **स्** का व्यवहार होता है। मध्यदेश की आर्य भाषा को वैदिक रूप धारण किये, और उस रूप के आधार पर 'संस्कृत' बने, जब हजार साल से ऊपर हो गए, तब उसी मध्यदेश के निवासियों ने अपनी भाषाओं के आदिम ध्वनितंत्र के अनुरूप संस्कृत को नया रूप दिया जो वास्तव में बहुत कुछ पुराना था। यह पालिभाषा मगध की भाषा नहीं हो सकती क्योंकि इसमें शकार की बहुलता नहीं है, बहुलता की जगह उसका अभाव है। इसका सम्बन्ध कोसल, शूरसेन आदि जनपदों से होना चाहिए। सांस्कृतिक कार्यों के लिए इसका व्यवहार होता था, उसका सारा ध्वनितंत्र तत्कालीन बोलचाल की भाषा का नहीं है। किन्तु जिस समय उसका यह सीमित व्यवहार होता था, उस समय मध्यदेश की भाषा में दन्त्य **स्** की ही प्रधानता थी। यह प्रवृत्ति उसमें बहुत स्पष्ट रूप से प्रतिबिम्बित हुई है। अशोक के शिलालेखों की भाषा पालि नहीं है, यह तथ्य उल्लेखनीय है। अशोक मगध के थे। उन्होंने जिस सांस्कृतिक भाषा का व्यवहार किया, उसकी विशेषताएँ पालि के लक्षणों से भिन्न हैं। गौतम बुद्ध पालि बोलते थे, इसका कोई प्रमाण नहीं है, पर वह कोसल के थे, इसलिए उनकी भाषा में दन्त्य **स्** की प्रधानता अवश्य रही होगी। यह विशेषता पालि को गौतम बुद्ध से अवश्य जोड़ती है।

प्राकृत भाषाओं में दन्त्य **स्** की प्रधानता है। पिशल के अनुसार ढक्की और मागधी में संस्कृत का **श्** कायम रहा। ढक्की का एक उदाहरण **शलणम्** है, इसका मूल रूप **शरणम्** है। उदाहरण **मृच्छकटिक** से दिया गया है। ढक्की में यह प्रवृत्ति रही हो चाहे न रही हो, मागधी में अवश्य थी। **शलणम्** में **श्** ही सुरक्षित नहीं है, उसके साथ **र्** भी परिवर्तित होकर **ल्** हो गया है। मागधी और गैर-मागधी प्राकृतों में

सकार-सम्बन्धी मुख्य भेद तालव्य और दन्त्य उच्चारण का है। यह स्थिति वर्तमान आर्य भाषाओं के ध्वनितंत्र की स्थिति से मिलती-जुलती है। ऐसी ही स्थिति संस्कृत के विकास की किसी अवस्था में रही होगी, यह कल्पना करना विद्वानों के लिए इस कारण कठिन है कि वे मागधी और गैर-मागधी प्राकृतों के सकार भेद को अकारण उत्पन्न मानते हैं। एक क्षेत्र में संस्कृत का तालव्य **श्** बना रहा, दूसरे क्षेत्र में वह परिवर्तित होकर **स्** बन गया। ध्वनि-परिवर्तन मानो प्रकृति की लीला है; कोई उसका कारण क्या बताए? पर मागधी प्राकृत में दन्त्य **स्** को तालव्य रूप देने की प्रवृत्ति थी, और यह प्रवृत्ति परिनिष्ठित बंगला में पूरी तरह विद्यमान है; अत: उक्त भेद प्रकृति की लीला नहीं है, वह **स्** और **श्** ध्वनियों के दो भिन्न प्राचीन क्षेत्रों की सूचना देता है।

प्राकृतों के बाद अपभ्रंशों का युग आया। इनमें भी दन्त्य **स्** की प्रधानता है। विद्वानों ने इन्हें दक्षिणी, पश्चिमी और पूर्वी अपभ्रंश कहा है। गजानन वासुदेव तागरे ने अपभ्रंश-व्याकरण पर अपने ग्रंथ में दक्षिणी अपभ्रंश के जो उदाहरण दिये हैं, उनमें **संख, सिरि, सुक्किल, सुण्ण, सेणी, सोस** रूप हैं। इनके संस्कृत रूप क्रमश: **शंख, श्री, शुक्ल, शून्य, श्रेणी, शोष** हैं। यदि **सिपाही** के रूपान्तर **शिपाई** को याद करें तो स्पष्ट हो जाएगा कि इस तथाकथित दक्षिणी अपभ्रंश से मराठी के ध्वनितंत्र का—कम-से-कम सकार के मामले में—कोई सम्बन्ध नहीं है।

पूर्वी अपभ्रंश के लिए कहा गया है कि इसमें तालव्य **श्** सुरक्षित रहा है। आदि स्थानीय **श्** के व्यवहार के कुल आठ उदाहरण बताए गए हैं। किन्तु **सिरि, सुण्ण, सोस** रूप पूर्वी अपभ्रंश के भी हैं। वास्तव में प्राकृतों के समान अपभ्रंश में भी दन्त्य **स्** की प्रधानता है और अपभ्रंश के ध्वनितंत्र की रूढ़िप्रियता और कृत्रिमता के बावजूद यह तथ्य मध्यदेशीय भाषाओं की वास्तविक विशेषता का प्रतिबिम्ब है, अन्तर केवल इतना है कि मागधी प्राकृत प्राचीन मगध की भाषाई स्थिति की झलक ज्यादा अच्छी तरह दिखाती है किन्तु तथाकथित पूर्वी अपभ्रंश अवधी की ध्वनि-प्रकृति के अनुरूप अधिक है। उसे मगही की प्रकृति के अनुरूप भी कह सकते हैं क्योंकि मगध क्षेत्र की भाषा अब तक मध्यदेशीय दन्त्य **स्** से इतना प्रभावित हो चुकी है कि बोलचाल के स्तर पर तालव्य **श्** का लोप ही हो गया है। मागधी की प्राचीन प्रवृत्ति ठेलकर गौड़ क्षेत्र में पहुँचा दी गई। प्राचीन काल में मध्यदेशीय भाषा का जो तालव्यीकरण घटित होता है, उसका कारण मगधजनों का प्रभाव है। अशोक और चन्द्रगुप्त के समय में इन्होंने भारत में विशाल साम्राज्य स्थापित किये। इन साम्राज्यों का अस्तित्व इतिहास में प्रमाणित है। आर्यों ने उत्तर-पश्चिम से आकर पूर्व तक समस्त उत्तर भारत पर अधिकार किया, इस धारणा का इतना प्रचार किया गया है कि शिक्षित जनों के लिए यह कल्पना करना कठिन है कि किसी समय पूर्व की ओर से आर्य-अभियान ने मध्यदेश तथा उत्तर-पश्चिम की भाषाओं को प्रभावित किया होगा। यदि

अशोक के शिलालेख न होते, केवल पुराणों में उनके राज्य विस्तार की चर्चा होती, तो कुछ विद्वान् मान लेते कि अशोक का जन्म मध्य एशिया में हुआ था, उनकी राजधानी तक्षशिला थी, वहाँ से चलकर उन्होंने क्रमशः पंजाब, कोसल और मगध पर आधिपत्य जमाया। पर भारत के बाहर, और भारत में भी, मगध को छोड़कर कोई ऐसा केन्द्र नहीं है जहाँ तालव्य **श्** का ऐसा प्रचुर व्यवहार होता हो। मध्यदेश की भाषा में अनेक शब्दों के दन्त्य सकार का तालव्यीकरण हुआ, यह मानना होगा। इसका कारण मागध प्रभाव ही हो सकता है। किन्तु मध्यदेश की आर्य भाषाओं का मूल ध्वनितंत्र, बोलचाल के स्तर पर, अपनी विशेषताओं के साथ सुरक्षित रहा। यह बात आकस्मिक नहीं है कि तेरहवीं सदी के बाद जब ब्रज और अवधी में नया साहित्य रचा जाने लगा, तब इन भाषाओं में केवल दन्त्य **स्** का व्यवहार हुआ, **श्** का प्रयोग वर्जित माना गया। लोक साहित्य के आधार पर विकसित होनेवाला ब्रज और अवधी का उच्चस्तरीय काव्य जनभाषा की ध्वनि-प्रकृति प्रतिबिम्बित करता है। अधिकांश हिन्दी प्रदेश में केवल दन्त्य **स्** के व्यवहार की प्राचीन प्रवृत्ति आज भी विद्यमान है। निष्कर्ष यह है कि संस्कृत का विकास समझने पर मध्यदेश की प्राचीन आर्य भाषाओं के स्वरूप की जो झलक हमें मिलती है, उसी से आधुनिक हिन्दी का ध्वनितंत्र अधिक मिलता-जुलता है।

## 4. सघोष महाप्राण ध्वनियों के केन्द्र

प्राचीन आर्य गण-भाषाओं के ध्वनितंत्र में विविधता और भिन्नता थी, इसे ध्यान में रखने से आधुनिक आर्य भाषाओं के विकास की मंज़िलें, उनके ध्वनितंत्र की विशेषताएँ ज्यादा अच्छी तरह समझ में आती हैं। संस्कृत में दो शब्द हैं **स्कम्भ** और **स्तम्भ**। एक में क्रियामूल **स्क** है, दूसरे में **स्त**। हिन्दी में **खम्भ** और **थम्भ**, दोनों रूपों का व्यवहार हुआ है। परिनिष्ठित हिन्दी के क्रिया पद **खड़े होना** का सम्बन्ध **स्क** वाले क्रिया-मूल से है। इसके समानान्तर **ठाढ़, ठड़े** आदि रूपों का सम्बन्ध **स्त** वाले क्रिया-मूल से है। **खड़ा रूप** उत्तर-पश्चिमी है, खड़ी बोली का है। ब्रज, बुन्देलखंडी, अवधी आदि जनपदीय भाषाओं में कहीं भी **खड़े** रूप का व्यवहार नहीं होता। क्या इससे यह प्रमाणित नहीं होता कि **स्क** वाला रूप उत्तर-पश्चिम में प्रचलित था और **स्त** (संस्कृत का **स्था**) वाला रूप मध्यदेश में प्रचलित था? फ़ारसी में **स्थान** का प्रतिरूप **खाना** है, जैसे—**कारखाना**। बंगला में जो अनेक उत्तर-पश्चिमी भाषा-तत्त्व हैं, उनमें एक **खाना** का प्रयोग भी है, यथा : **एइखाने**—इस जगह। हिन्दुस्तान से लेकर अफ़गानिस्तान, उज़बेकिस्तान, तुर्किस्तान, सीस्तान तक **स्तान** है, **खान** नहीं। **खान** की जगह **स्तान** मध्यदेशीय प्रभाव का सूचक है। संस्कृत में भी व्यापक व्यवहार **स्था** क्रिया का ही होता था। **स्क** रूप **स्कम्भ** जैसे कुछ संज्ञा शब्दों में बना हुआ है। क्रिया-रूप में कुछ गण-भाषाओं में इसका व्यवहार

अवश्य होता होगा, वर्ना आगे चलकर **खड़े** रूप का ऐसा प्रसार न होता। यह सिद्ध नहीं किया जा सकता कि **स्क** मूल रूप है, किसी ध्वनि-नियम से **स्त** बन गया। दो समानार्थी रूपों के चलन का एक ही कारण हो सकता है कि **क्** और **त्** दो अक्षर—ध्वनियों का विकास दो भिन्न केन्द्रों में हुआ। इन केन्द्रों में परस्पर इतना सम्पर्क था कि इनकी शब्द-निर्माण प्रक्रिया भी एक-सी थी। एक ने मूल क्रिया में **भ** प्रत्यय जोड़ा तो दूसरे ने भी वही काम किया। दोनों केन्द्रों के भाषा-तत्त्व संस्कृत में समाहित हुए, अत: **स्कम्भ** और **स्तम्भ**, दोनों रूपों को संस्कृत में स्थान मिला।

शब्द-निर्माण की प्रक्रिया में केवल **भ** प्रत्यय न जोड़ा जाता था, **ध** का भी उसी प्रकार व्यवहार होता था। **स्कम्भ** के अर्थ से मिलता-जुलता अर्थ **स्कन्ध** का है। इसका एक प्रतिरूप **स्तन्ध** भी था, इसका पता हमें अंग्रेज़ी स्टैंड से लग जाता है। **भ** और **ध** का विकास दो पड़ोसी केन्द्रों में हुआ, ऐसा मानना चाहिए। उत्तम पुरुष सर्वनाम के एकवचन रूप **अघम्** और **अधम्** थे। इनमें **अघम्** वाले रूप से लैटिन का एगो रूप बना है। पुरानी फ़ारसी में **अदम्** रूप है जो **अधम्** से बना है। यहाँ भी यह स्पष्ट प्रतीत होता है कि **घ्** और **ध्** वाले रूप दो पड़ोसी बोलियों के हैं और उनकी निर्माण-प्रक्रिया एक ही है। लैटिन में **घ्** वाले रूप का विकास हुआ है, इससे माना जा सकता है कि वह रूप पश्चिमी है। संस्कृत में **अभि** और **अधि** निकटता का अर्थ देनेवाले दो उपसर्ग हैं। एक ही अर्थ, एक ही रचना-विधि, पर एक रूप में **भ्** दूसरे में **ध्।** कारण—**भ्** और **ध्** ध्वनियों का दो पड़ोसी केन्द्रों में विकास। संस्कृत **यदा, तदा** के आधार पर **जद, तद** रूप पछाहीं बोलियों में अब भी प्रयुक्त होते हैं, पुरानी हिन्दी (खड़ी बोली) के लिखित रूप में इनका काफी व्यवहार होता था। **जब, तब** इन शब्दों के पर्याय हैं; वे अब परिनिष्ठित हिन्दी में प्रयुक्त होते हैं। **जब** और **तब** के लिए मान लिया जाता है कि **द्** किसी प्रकार **ब्** में बदल गया होगा। पर **स्कम्भ** और **स्तम्भ** के लिए क्या कहा जाए? **क्** ध्वनि **त्** में बदल गई या **त्** ध्वनि **क्** में बदल गई?

**घ् ध् भ्**—आर्य भाषाओं की शब्द निर्माण-प्रक्रिया में इन ध्वनियों की भूमिका महत्त्वपूर्ण है। देशकाल के निर्देश के लिए इन ध्वनियों से काम लिया जाता है। यथा—बाँगरू में **इड्घे** (यहाँ), हिन्दी में **इधर, उधर**; एक जगह **घ्,** दूसरी जगह **ध्।** यहाँ छानबीन इस बात की करनी है कि आर्य भाषाओं के, **घ् ध् भ्** वाले, अलग केन्द्र थे या नहीं। इतना तो स्पष्ट है कि अनेक शब्दों में **घ् ध् भ्** का स्वच्छन्द संचरण दिखाई देता है। चाहे **स्कम्भ** कहो और चाहे **स्तम्भ**, चाहे **अभि** कहो चाहे **अधि,** चाहे **अधम्** कहो, चाहे **अघम्,** मतलब समझ लिया जाएगा। स्वच्छन्द संचरण की स्थिति तब उत्पन्न होती है जब दो मिलती-जुलती ध्वनियाँ, व्यवहार में, अर्थ-विच्छेदक नहीं होतीं। संस्कृत में **क् त् प्** और **घ् ध् भ्** अर्थ-विच्छेदक हैं। **घन** और **धन** शब्दों का एक ही अर्थ नहीं है, **पुत्र** और **कुत्र** दो भिन्न शब्द

हैं। पर यह स्थिति बाद की है, तब की जब भाषा के ध्वनि-तंत्र में समान लक्षणों वाली ध्वनियाँ अर्थ-विच्छेदक रूप में पूरी तरह प्रतिष्ठित हो गई थीं। उससे पहले ये ध्वनियाँ अर्थ-विच्छेदक नहीं थीं, वे स्वच्छन्द संचरण की अवस्था में थीं, उनका विकास भिन्न किन्तु पड़ोसी केन्द्रों में हुआ था।

बाँगरू में **इड्घे** और तमिल में **इड्गे** रूपों से यह अनुमान दृढ़ होता है कि **क्** और **घ्** उत्तर-पश्चिमी केन्द्रों में विकसित होनेवाली ध्वनियाँ हैं। **खड़े** और **ठाढ़े** के प्रसार क्षेत्र देखकर इस अनुमान की पुष्टि होती है। **अघम्** और लैटिन **एगो** के सम्बन्ध से इसी धारणा को और समर्थन प्राप्त होता है। संस्कृत की उन धातुओं पर ध्यान दिया जाए जो हकारान्त हैं तो कुछ रोचक परिणाम निकलेंगे। इनमें अधिकांश धातुएँ ऐसी हैं जिनके अन्त में पहले **घ्** ध्वनि थी, यथा : **दुह्** क्रिया से **दुग्ध** रूप बनता है और ऐसा रूप तभी बन सकता है जब मूल क्रिया **दुघ्** हो। दो महाप्राण ध्वनियाँ एक साथ न आएँगी, इस कारण **ध्** के पूर्व **घ्** ध्वनि अल्पप्राण हो गई है। इसी प्रकार **दह्** क्रिया के आधार पर बननेवाले **दुग्ध** रूप से **दघ्** के अस्तित्व का ज्ञान होता है। जिन क्रियाओं के अन्त में **ध** है, उनमें **घ** की तरह यह **ध्** प्राय: **ह्** में परिवर्तित नहीं होता। **दुग्ध, दग्ध, मुग्ध** रूपों की **दुह् दह् मुह्** क्रियाओं से **बुद्ध, सिद्ध, क्रुद्ध** आदि रूपों की **बुध्, सिध्, क्रुध्** धातुओं की तुलना करें तो विदित होगा कि **घ्** के समान मूल रूप का **ध्** परिवर्तित नहीं हुआ। **लब्ध, क्षुब्ध, स्तब्ध** आदि रूपों की **लभ्, क्षुभ्, स्तभ्** धातुओं का अन्तिम व्यंजन **भ्** भी **ह्** का रूप नहीं लेता। संस्कृत में **घ्** जिन धातुओं के अन्त में आता है, उनकी संख्या बहुत ही कम है। **जघ्** (खाना), **लघ्** (लाँघना), **श्लाघ्** (प्रशंसा करना) आदि थोड़ी-सी क्रियाएँ हैं जिनमें यह अन्तिम व्यंजन सुरक्षित है। इसका यह अर्थ नहीं कि **ध्** और **भ्** की तुलना में **घ्** वाली धातुओं की संख्या सदा ही कम थी। संख्या की कमी का कारण यह है कि जिन उत्तर-पश्चिमी गण-भाषाओं में **घ्** का व्यवहार अधिक होता था, उन पर वह प्रभाव पहले पड़ा और अधिक पड़ा जिससे **घ्** का संघर्षीकरण हुआ और सर्वाधिक प्रचलित क्रिया-रूपों में **घ्** के बदले **ह्** का व्यवहार होने लगा।

**घ्** की तुलना में ऐसी धातुओं की संख्या बहुत अधिक है जिनके अन्त में **ध्** व्यंजन का प्रयोग होता है : **क्रुध्, गृध्, बन्ध्, बुध्, युध्, वध्, वृध्, शुध्, सिध्** आदि। ये क्रियाएँ इतना प्रचलित थीं कि इनका व्यवहार किसी-न-किसी रूप में आधुनिक आर्य भाषाओं में अब भी होता है। **घ्** के समानान्तर अन्त्य व्यंजन **ग्** और **क्** वाली क्रियाओं की संख्या भी सीमित है; इसके विपरीत **त्** और **द्** अन्त्य व्यंजनों वाली धातुओं की संख्या बहुत अधिक है। जिन धातुओं के अन्त में **भ्** या **प्** है, उनकी संख्या काफी है, यद्यपि **ध्** और **त्** अन्त्य व्यंजनों वाली धातुओं से कम है। जिन धातुओं के अन्त में **ब्** है, उनकी संख्या और भी कम है। मेरा अनुमान है कि **ध्, द्, त्** ध्वनियों का मूल केन्द्र मध्यदेश था, **भ् ब् प्** का केन्द्र काशी, मगध

और पड़ोसी पूर्वी क्षेत्र थे। **जाएगा** पछाहीं रूप है, **जाइब** पूर्वी रूप है—यह बात आकस्मिक नहीं है, भाषाशास्त्री इन रूपों के **ग्** और **ब्** का स्रोत जहाँ भी ढूँढ़ें।

कहीं-कहीं धातु का अन्त्य **घ्** तो परिवर्तित होता ही है, शब्द का आदि स्थानीय **घ्** भी उसी प्रकार बदलता है। **घन्** क्रिया के एकवचन रूप में **ह्** है : **हन्ति**। बहुवचन रूप में **घ्** विद्यमान है : **घ्नन्ति**। हत्या और घात जैसे शब्दों में मूल और परिवर्तित ध्वनियाँ, दोनों विद्यमान हैं। संस्कृत में ऐसी बहुत-सी क्रियाएँ हैं जिनके आदि स्थान में **ह्** है किन्तु जिनके किसी-न-किसी रूप में **ज्** ध्वनि का व्यवहार होता है। मूल ध्वनि **घ्** की आवृत्ति होने पर **ज्** का व्यवहार होता है। **हन्** धातु का मूल रूप **घन्** है। एक क्रिया-रूप बनता है **जघान**। यहाँ **घ्** की आवृत्ति हुई; प्रथम **घ्** के अल्प प्राण होने पर **गघान** रूप बनता। तालव्यीकरण की प्रवृत्ति से गघान के बदले **जघान** रूप बना जैसे **गगाम** के बदले **जगाम, ककार** के बदले **चकार**। संस्कृत की जिन धातुओं में आदि स्थानीय **ह्** है किन्तु आवृत्तिमूलक क्रिया-रूप में **ज्** है, वहाँ धातुओं के मूल रूप में **घ्** का अस्तित्व मानना चाहिए। **जहाति (हा**—छोड़ना), **जिहीते (हा**—जाना), **जिघाय (हि**—प्रेरित करना) **जुहोमि (हु**—यज्ञ करना), **जहार (हृ**—लेना); इस तरह की क्रियाओं की संख्या काफी है। इनके मूल **घ्** वाले रूपों पर ध्यान देने से विदित होगा कि अन्त्य **घ्** के समान आदि **ध्** वाली धातुओं की संख्या भी काफी थी। प्राचीन आर्य भाषाओं के **घ्** वाले मूल रूप आगे चलकर परिवर्तित हो गए।

अनेक शब्द ऐसे हैं जिनके संस्कृत रूपों में **ह्** है किन्तु यूरोप की किन्हीं भाषाओं के प्रतिरूपों में कवर्गीय ध्वनि है। **हंस** का जर्मन प्रतिरूप **गंस** है। **ग्** के अस्तित्व से मूल **घ्** का बोध होता है। संस्कृत **हनु** का ग्रीक प्रतिरूप **गेनुस्** (दाढ़ें, ठोढ़ी); **हेमन्त** का ग्रीक प्रतिरूप **खेइम; हिम** का ग्रीक प्रतिरूप **खिओन**, ऐसे बहुत रूप हैं जिनसे आदि स्थानीय **घ्** का बोध होता है। ये शब्द उन उत्तर-पश्चिमी भारतीय आर्य गण-समाजों की सम्पदा हैं जिनमें इस **घ्** ध्वनि का विकास हुआ था, जिनमें **ध्** और **भ्** की अपेक्षा **घ्** की प्रधानता थी।

दो स्वरों के मध्य में आनेवाला **घ्** भी इसी तरह बदलता है। संस्कृत **बाहु**, ग्रीक प्रतिरूप **पेखुस्**, मूल रूप **बाघु**; संस्कृत **बहु**, ग्रीक प्रतिरूप **पखुस्** (विशद), मूल रूप **बघु**; संस्कृत **जिह्वा**, लैटिन **लिगुमा**, अंग्रेज़ी **टंग**, मूलरूप **विघुआ** अथवा **विघ्वा**। आदि स्थानीय **द्** जब **ल्** में परिवर्तित हुआ तब **लिह्**, (चाटना) रूप बना। संस्कृत में ही इस **लिह्** का **लिघ्** प्रतिरूप विद्यमान है। इसी **लिघ्** का अंग्रेज़ी प्रतिरूप **लिक्** (चाटना) है। **टंग** में **द्** अघोष हुआ, फिर वर्त्स्य या मूर्धन्य। कहीं-कहीं संस्कृत में आदि स्थानीय **घ्** बना हुआ है और यूरोप की भाषाओं में उसका लोप हो गया है, यथा : **घुष्** या **घोष्** क्रिया का लैटिन रूप **वोकारे** (बुलाना) है (इसी का तमिल रूप **ओचइ** है)। संस्कृत में आदि स्थानीय **क्** अधिकतर सुरक्षित रहता है किन्तु **अस्थि** के मूल रूप में **क्** था, यह रूसी **कोस्त्** से ज्ञात होता है। लैटिन

**कोस्त** (पसली) इसी से सम्बद्ध हो सकता है। हड्डी के लिए लैटिन का प्रचलित शब्द **ओस्** है। इसका ग्रीक प्रतिरूप है **ओस्तेओन**। सम्भव है, ढूँढ़ने से एक आध उदाहरण संस्कृत में मध्यवर्ती **क्** या **द्** के लोप का भी मिल जाए। तमिल भाषा में मध्यवर्ती **क्** का उच्चारण या तो संघर्षी **ग्** के समान होता है या **ह्** के समान। प्राकृतों में मध्यवर्ती **क्** और **ग्** का **व्** में परिवर्तन सुपरिचित है।

ऐसा परिवर्तन कवर्गीय ध्वनियों में क्यों होता है? क्या ये ध्वनियाँ तवर्गीय, पवर्गीय ध्वनियों की अपेक्षा संघर्षी रूप अधिक सरलता से स्वीकार करती हैं? कन्नड़ शब्दों के **प्** की स्थिति देखें। सामान्य उच्चारण में यह निरन्तर **ह्** में बदलता है और फिर बहुधा **ह्** का भी लोप हो जाता है। संस्कृत में आदि, मध्य और अन्त्य **प्** की स्थिति बहुत सुरक्षित है। **वधू** के **बहू** रूप पर विचार करें तो ज्ञात होगा, जैसा परिवर्तन **घ्** में होता है, वैसा **ध्** में भी होता है। पुरानी अवधी में **लाहु** (लाभ), **लहहि** (लभहि) में **भ्** की स्थिति सुरक्षित नहीं रही। इसलिए यह नहीं कहा जा सकता कि कवर्गीय ध्वनियों का संघर्षीकरण, उनका हकार में रूपान्तरण, अधिक स्वाभाविक है। **बहू, लाहु** जैसे रूप संस्कृत में नहीं हैं। **बाहु** आदि रूपों में मूल ध्वनि **घ्** परिवर्तित हुई है। **घ्** ध्वनि का केन्द्र उत्तर-पश्चिमी क्षेत्र था। नाग-भाषाओं का प्रभाव उत्तर-पश्चिमी सीमान्त पर अधिक था, अत: कवर्गीय ध्वनियों के क्षेत्र में उनका प्रभाव पहले पड़ा और **ध्** वाले मध्य देशीय क्षेत्र में बाद को पड़ा। संघर्षीकरण की प्रवृत्ति नाग भाषाओं की विशेषता है, इसका विवेचन दूसरे खंड में है।

संस्कृत की शब्द निर्माण-प्रक्रिया में **ध्** की भूमिका उल्लेखनीय है। क्रिया मूलों से कृदन्त गढ़ने में **घ्** और **भ्** की अपेक्षा **ध्** से अधिक काम लिया जाता है। **स्तम्भ, स्कम्भ, शलभ, वृषभ, रासभ, गर्दभ** आदि थोड़े से शब्दों में **भ** का व्यवहार होता है। इनमें कृदन्त-रूप **स्कम्भ, स्तम्भ** ही हैं। मनुष्येतर प्राणियों के नामों के साथ **भ** प्रत्यय जोड़कर शब्द-रचना-प्रक्रिया में उसे निम्न स्थान दिया गया है। **स्कन्ध** शब्द मनुष्य के अंगों के लिए प्रयुक्त होता है और उसमें **ध्** है, **भ्** नहीं। यदि यह माना जाए कि **ध्** मूलत: मध्यदेशीय ध्वनि है तो अंग्रेज़ी **स्टैंड** का पूर्व रूप **स्तन्ध** मध्यदेशीय सिद्ध होगा। अंग्रेज़ी के **स्टॉप, स्टब, स्टम्प** आदि शब्द पूर्वी क्षेत्र से आए हुए माने जाएँगे। मगध, अवध जैसे शब्दों में **ध** स्थानवाचक प्रत्यय का काम करता है, अत: पृथ्वी के लिए **धरा, धरती** शब्दों का प्रयोग स्वाभाविक है। **ध** शब्द-मूल स्थिरता का सूचक है। खड़े होने के लिए **स्थ, स्त** क्रियाएँ **ध** से उत्पन्न हुई हैं। इस न्याय से **स्कम्भ** की आधार क्रिया **स्क** पहले **घ** रही होगी। इस तर्क-शृंखला से यह निष्कर्ष भी निकलता है कि आर्य भाषा क्षेत्रों में सघोष महाप्राण ध्वनियों का व्यवहार अधिक होता था। अन्य प्रभावों से **घम्म, धम्भ,** के बदले **स्कम्भ, स्तम्भ** रूपों का चलन हुआ। **धरा, आधार, धारणा** आदि स्थिरता सूचक शब्दों में मूल ध्वनि **ध्** बनी रही। पृथ्वी के ऊपर धरा से भिन्न तत्त्व प्रधर कहलाया।

संस्कृत में **ध** के समान जहाँ **त** प्रत्यय का व्यवहार होता है, वहाँ इस **त्** को पूर्व रूप **ध** का विकास मानना चाहिए। **त्यक्त, शक्त, भक्त** आदि **रूप दग्ध, बद्ध, लब्ध** वाली प्रक्रिया से बने हैं। जैसे **शक्** क्रिया पहले **सघ्** थी, वैसे ही **त** प्रत्यय पहले **ध** था। **त** के अतिरिक्त **ध** भी **द** में रूपान्तरित होता है। **बहुधा** शब्द से **सर्वदा** की तुलना करें। दोनों में **धा** और **दा** का कार्य एक ही कोटि का है। **सर्वतः** और **सर्वत्र** में वही मूल ध्वनि अल्पप्राण और अघोष हो गई है।

**घ्** प्रत्यय से बननेवाले शब्द कम दिखाई देते हैं। सम्भव है, **दीर्घ** शब्द का क्रिया मूल **दीर्** रहा हो जो **दूर** से मिलता-जुलता है। मोनियर विलियम्स के कोश में **द्राघ्** धातु का उल्लेख है। **शुष्क** रूप में **शुष्** धातु के बाद **क** प्रत्यय **घ** का रूपान्तर है। मार्ग में मूल क्रिया **मर्** अथवा **मार्** है। संस्कृत में यह क्रिया अप्रयुक्त है। इसलिए **मार्ग्** अथवा **मृग्** को क्रिया मूल माना गया है। अंग्रेज़ी **मार्च्** में वही **मार्** धातु है। **मरुत** शब्द वायु का अर्थ देता है। जैसे **वायु में वा** क्रिया गति सूचक है, वैसे ही **मरुत** में **मर** क्रिया गति सूचक है। जैसे पवन की मूल क्रिया **पो** या **पव** का सम्बन्ध **पथ** से है, वैसे ही **मर्** या **मार्** से मार्ग शब्द का सम्बन्ध है। संस्कृत में **घ** प्रत्यय से बननेवाले शब्द बहुत कम हैं। इस सन्दर्भ में हिन्दी का **करघा** शब्द उल्लेखनीय है जो हाथ से चलाया जाए, वह **करघा**। **करघा** और **चरखा**, दोनों एक दूसरे के साथी हैं। **चरखा** भी पहले **करघा** था। **क्** का तालव्यीकरण हुआ और **घ्** की सघोषता का लोप हुआ।

**करघा** के समान अवधी का **बगउधा** शब्द उल्लेखनीय है। यह **बग** क्रिया से बना है जिसका अर्थ चलना, घूमना है। ब्रजभाषा में इसका व्यवहार अब भी होता है। अवधी में क्रिया का व्यवहार नहीं होता किन्तु उसके आधार पर रचा हुआ शब्द प्रचलित है। जो लड़कियाँ घर के बाहर बहुत घूमती फिरती हैं, बैसवाड़े में उन्हें **बगउधा** कहा जाता है। इसका एक प्रतिरूप **बजिन्दा** भी प्रचलित है जिसमें **ध्** प्रत्यय अल्प प्राण रूप में है और **ग्, इ** स्वर के संसर्ग से, तालव्य बन गया है। **बगउधा** की तरह **चमरउधा** (चमड़े से बना हुआ यानी जूता) शब्द है। अवधी के ये शब्द उन प्राचीन मध्य देशीय आर्य गण-भाषा ध्वनितंत्रों के अनुरूप हैं जिनमें मूल सघोष महाप्राण ध्वनियाँ अभी अल्पप्राण और अघोष न बनी थीं। इन प्राचीन ध्वनितंत्रों की विशेषताएँ जानकर ही संस्कृत का विकास पहचाना जा सकता है। **बहुधा** और **सर्वदा** में **दा** या **धा** कौन-सा प्रत्यय अधिक प्राचीन है, यह जाना जा सकता है। आधुनिक आर्य भाषाओं में प्राचीन ध्वनितंत्रों की विशेषताएँ कहाँ बनी हुई हैं, इसका विवेचन किया जा सकता है। **घ् ध् भ्** का विकास तीन आर्य भाषा-केन्द्रों में हुआ, इनमें **ध्** मध्यदेशीय केन्द्र की देन है।

**घ्** का विकास केन्द्र उत्तर-पश्चिम में था, **भ्** का पूर्व में, और **ध्** का इनके बीच में, इस अनुमान को सिद्ध करने के लिए अभी और छानबीन आवश्यक है।

फिर भी जो विवेचन ऊपर प्रस्तुत किया गया है, उससे इतना अवश्य प्रमाणित होता है कि इन ध्वनियों के विकास केन्द्र अलग-अलग थे और उनके परस्पर सम्पर्क से ये तीनों ध्वनियाँ एक ही सामान्य ध्वनितंत्र का अंग बनीं। इसी तरह **क्, त्, प्** के भी अलग केन्द्र थे और उनके आपसी सम्पर्क से ये ध्वनियाँ तथा सघोष रूप **ग्, द्, ब्** सामान्य ध्वनितंत्र में सम्मिलित हुईं। यह भी स्पष्ट है कि संस्कृत में इन ध्वनियों की मूल स्थिति काफी बदली हुई है। शब्द-निर्माण प्रक्रिया में **क्-ग्-घ्** और **प्-ब्-भ्** केन्द्रों की तुलना में **त्-द्-ध्** केन्द्र की भूमिका अधिक महत्त्वपूर्ण रही है। इंडो-यूरोपियन परिवार में भारतीय आर्य भाषाओं की भूमिका पहचानने के लिए, **घ्, ध्, भ्**—इन सघोष महाप्राण ध्वनियों पर ध्यान केन्द्रित करना आवश्यक होगा। इंडो-यूरोपियन परिवार के सन्दर्भ में इन ध्वनियों का विवेचन करते हुए इनके विकास केन्द्रों पर फिर विचार करेंगे। **घ्, ध्, भ्** ध्वनियों की भूमि पर उत्तर-पश्चिमी और पूर्वी छोरों से किस प्रकार के दबाव पड़ते रहे हैं जिनसे इन ध्वनियों में परिवर्तन हुआ, इसका विवेचन भी द्रविड़ भाषाओं के सन्दर्भ में आवश्यक होगा, उससे आर्य-द्रविड़ भाषा-समुदायों के सम्पर्क को समझने में सहायता मिलेगी। यहाँ इतना कहना काफी है कि संस्कृत में जहाँ दो महाप्राण ध्वनियों का एकसाथ होना अपवाद-सा है, वहाँ हिन्दी में ऐसी स्थिति साधारण है, यथा : संस्कृत में **भभूव** तो **बभूव** हो जाएगा पर हिन्दी में **भभकना, धधकना** जैसे रूप सहज ग्राह्य हैं।

## 5. विशिष्ट ध्वनिकेन्द्र और हिन्दी जनपद

संस्कृत और आधुनिक आर्य भाषाओं के ध्वनि-तंत्रों की तुलना की जाए तो एक तथ्य यह सामने आता है कि **च्** और **ज्** की तुलना में **झ्** का व्यवहार संस्कृत में बहुत कम होता है जबकि आधुनिक आर्य भाषाओं में **च्** और **ज्** के साथ **झ्** का व्यवहार भी खूब होता है, विशेषत: हिन्दी और मराठी में। इसका कारण यह हो सकता है कि **च्-ज्-झ्** के केन्द्र मूलत: मध्यदेश में नहीं थे वरन् पश्चिम में या उत्तर-पश्चिम में थे। जिस समय इन केन्द्रों ने संस्कृत के विकास को प्रभावित करना शुरू किया, उस समय संस्कृत पर अल्पप्राण ध्वनि-प्रकृति वाली भाषाओं का प्रभाव भी बढ़ रहा था। इसलिए संस्कृत में **च्-ज्** का व्यवहार अधिक हुआ, **झ्** का कम। आधुनिक आर्य भाषाओं पर जहाँ यह अल्पप्राणता वाला प्रभाव कम था, वहाँ संस्कृत की अपेक्षा, **झ्** का व्यवहार अधिक हुआ।

ऐतिहासिक भाषाविज्ञान में संस्कृत की **च्, ज्** ध्वनियों को कल्पित तालव्य **क्, ग्** ध्वनियों का विकास माना गया है। यह कल्पना इसलिए की गई है कि संस्कृत **पञ्च** और लिथुआनियन **पेन्कि** (पाँच) जैसे शब्दों का एक ही स्रोत सिद्ध किया जा सके। मूल ध्वनि तालव्य **क्**; वह यूरोप की भाषाओं में कंठ्य **क्** में घुल-मिल गई, भारत में **च्** बनी। इस कल्पना से इस तथ्य की व्याख्या नहीं होती कि संस्कृत

में **च्** और **ज्** का व्यवहार अधिक क्यों है, आधुनिक आर्य भाषाओं में **झ्** का व्यवहार संस्कृत से अधिक क्यों है। बरो ने संस्कृत पर अपने ग्रंथ में यूरोप की भाषाओं से **क्** और **ग्** वाले ऐसे रूप दिये हैं जिनके संस्कृत प्रतिरूपों में **च्** और **ज्** हैं पर उन्होंने **घ्** ध्वनि वाला एक रूप भी नहीं दिया जिसके संस्कृत प्रतिरूप में **झ्** हो। यूरोप की भाषाओं में **घ्** जैसी सघोष महाप्राण ध्वनि है ही नहीं, उदाहरण कहाँ से देते? पर कोई आदि इंडो-यूरोपियन शब्द-रूप कल्पित करके उसका **झ्** वाला संस्कृत प्रतिरूप दे सकते थे। ऐसा **झ्** वाला उदाहरण इस सन्दर्भ में उन्हें मिला नहीं। उन्होंने यह मान्यता प्रस्तुत की है कि तालव्य **घ्** पहले **झ्** में बदलता है, फिर यह **झ्** संस्कृत में **ह्** बन जाता है। मान लीजिए, यह धारणा सही है। पर इसका कारण क्या है कि **हन्ति** में तो **झ् ह्** बन गया पर **जघान** में वह **झ्** फिर **घ्** बन गया। **अर्हति** में तो **ह्** है पर **अर्घ** में **झ्** के बदले फिर **घ्** है। इन रूपों में या तो **घ्** है या **ह्** है, **झ्** का पता नहीं है। इससे बरो की उक्त मान्यता निराधार सिद्ध होती है। **घ्** ही संघर्षी बनकर **ह्** में परिणत होता है, जैसे : मध्यवर्ती **क्** तमिल में अब भी अनेक व्यक्तियों द्वारा **ह्** बोला जाता है; **झ्** बदलकर **ह्** नहीं बनता।

**क्, ग्, घ्** के समान भारत में भी **च्, ज्, झ्** के स्वतंत्र केन्द्र थे। इन केन्द्रों ने संस्कृत के ध्वनि-केन्द्रों को प्रभावित किया। कल्पित तालव्य **क् ग्** नहीं, वास्तविक कंठ्य **क्, ग्** संस्कृत में—कुछ ध्वनि-परिवेशों में—**च्, ज्,** रूप धारण करते हैं, यथा : क्रिया की आवृत्ति में **ककार** के बदले **चकार, गगाम** के बदले **जगाम** रूपों का व्यवहार होता था। कंठ्य **क्** ही नहीं, दन्त्य **त्** ध्वनि भी **च्** में बदलती है। **तुद्** और **चुद्** क्रियाओं का एक ही अर्थ है प्रेरित करना। **चतुर्थ** के समानान्तर संस्कृत **तुरीय** शब्द पुन: **त्-च्** के समीकरण की ओर संकेत करता है। हिन्दी के **तेंतालीस, पैंतालीस** रूपों में **चालीस** की जगह **तालीस** है। यहाँ चाहे चालीस को पूर्व रूप मानें चाहे **तालीस** को, एक बात सिद्ध हो जाती है कि **क्** और **त्** के समानान्तर **च्** के भी अपने केन्द्र थे।

हिन्दी के **मुझे-तुझे** रूपों का व्यवहार ब्रजभाषा से लेकर बंगला तक कहीं नहीं होता; ये पछाहीं रूप केवल परिनिष्ठित हिन्दी में प्रयुक्त होते हैं। मराठी के **माझा** (मेरा), **झाला** (हुआ) जैसे रूप किसी अन्य आधुनिक आर्य भाषा में नहीं हैं। इससे यह अनुमान दृढ़ होता है कि **च्-ज्-झ्** के केन्द्र पश्चिमी भारत में थे।

**मध्य** से **माँझ** और **संध्या** से **साँझ** जैसे अनेक रूप **झ** के पूर्व रूप **ध्** की ओर संकेत करते हैं। **ध्** ध्वनि **झ** में वहीं बदलेगी जहाँ सघोष महाप्राण ध्वनियाँ ग्राह्य होंगी। ऐसा परिवर्तन आर्येतर भाषाओं में—या उनके प्रभाव से—सम्भव नहीं है, क्योंकि सघोष महाप्राण ध्वनियों का व्यवहार उनकी प्रकृति के अनुकूल नहीं है। **घ्, ध्, भ्** के समान **झ्** का केन्द्र भी आर्य भाषाओं के प्राचीन केन्द्रों में एक है क्योंकि ऐसी सघोष महाप्राण ध्वनियों का व्यवहार केवल भारतीय आर्य भाषाओं

की विशेषता है। निस्सन्देह ये **झ्** ध्वनि वाले केन्द्र बहुत समय से **ध्** ध्वनि को बदलकर **झ्** रूप देते रहे हैं।

किसी समय यहाँ जलने-जलाने के अर्थ में **ध्वर्** क्रिया प्रयुक्त होती थी। संस्कृत में इसके प्रतिरूप **ज्वल्** का चलन हुआ; संस्कृत के **अध्वर** (यज्ञ), **अध्वर्यु** (पुरोहित) शब्दों में वही प्राचीन **ध्वर्** क्रिया है। अवधी की **झुर्** धातु—**झूर** (सूखा), **झुरान** (उप.)—उसी **ध्वर्** का प्रतिरूप है किन्तु जैसे **क्** और **ग्, च्** और **ज्** में बदलते हैं, वैसे ही **घ्** भी **झ्** में बदलता है। धर्म की **घर्** क्रिया—वैकल्पिक रूप **घा**—से पालि में **झान** (आग लगना), **झाम** (प्रज्वलित), **झायति** (जलाता है), **झायन** (दाह) आदि रूप बने हैं। इसी प्रकार प्राकृत **झाय** (भस्म हो चुकी वस्तु), **झाम** (प्रज्वलित), **झापेति** (जलाता है), **झापण** (दाह) आदि रूप हैं। टर्नर ने अपने आधुनिक आर्य भाषाओं के कोश में ये शब्द दिये हैं। इनके साथ पंजाबी का **झाणी** (मसान), बंगला, उड़िया आदि के **झामा** (जली हुई ईंट), **झाल** (गर्मी) रूप दिये हैं। हिन्दी में **झाँवा, झार** जैसे रूप प्रचलित हैं। इन सबका स्रोत **घर** अथवा **घा** क्रिया थी। संस्कृत के समानान्तर अन्य आर्य भाषाओं में **झ्** वाले क्रिया-रूप का व्यापक व्यवहार होता था, यह पालि-प्राकृत से लेकर आधुनिक आर्य भाषाओं तक के ऊपर दिये हुए उदाहरणों से सिद्ध है।

यदि संस्कृत के समानान्तर ऐसी आर्य भाषाओं का व्यवहार होता था जिनमें **झ्** एक स्वतंत्र अक्षर ध्वनि थी—किसी अन्य ध्वनि का रूपान्तर मात्र नहीं—तो इन भाषाओं के कुछ शब्द अपनी **झ्** ध्वनि के साथ संस्कृत में अवश्य आए होंगे। ऐसे शब्दों में एक है **झष** जिसका व्यापक व्यवहार **झख** मारने के मुहावरे से प्रमाणित है। **झूड़ा, जूड़ा, चूड़ा**—ये तीन शब्द एक साथ रखे जाएँ तो यह पता लगाते देर न लगेगी कि **झ** वाला रूप ही अधिक प्राचीन है। टर्नर ने अपने कोश में हिन्दी **झोंटा** के साथ सिन्धी **झूड़ो**, पंजाबी **झूड़ा**, गुजराती **झुड़ो** दिये हैं। संस्कृत **चूड़ा** हिन्दी **जूड़ा** का रूपान्तर है और **जूड़ा** पंजाबी **झूड़ा** का। **झोंटा** के साथ अवधी **झ्वांथर** स्मरणीय है। **झूड़ा, झूड़ो** आदि का पूर्व रूप **झोथ** प्रतीत होता है, **थ्→त्→ट्→ड्→ड़**—ऐसा विकास हुआ होगा। **झबरा, झंडूले, झाँट** आदि शब्दों में, झोंटा के समान, बालों वाला अर्थ विद्यमान है। टर्नर ने इस सन्दर्भ में संस्कृत **चूल** शब्द भी दिया है जो बालों के लिए बंगला में अभी प्रयुक्त होता है। **चूड़ा** के समान **चूल** के मूलरूप में **झ्** ध्वनि थी। हिन्दी जंगल संस्कृत में भी है; पंजाबी **झंग**, सिन्धी **झंगु**, हिन्दी **झाँखर झ्** ध्वनि वाले मूल रूप की ओर संकेत करते हैं। हिन्दी **झाड़ झंखाड़** में दो समानार्थी शब्दों को एक साथ रखा गया है। किसी पर **झक्** सवार होती है, यानी उस पर हवा का असर होता है, तब वह **झक्की** कहलाता है। हिन्दी **झक्कड़**—सिन्धी **झक** (तूफानी हवा) आपस में सम्बद्ध हैं। सम्भव है, **झंझावात** में **झंझा** और **वात** समानार्थी हों।

**झाँकना, झरोखा, झंगा, झंडा, झउवा, झगड़ा, झप** (झपताल का झप), **भाऊ, झाग, झाड़ना, झिल्ली, झींगुर, झील, झुंड, झुकना, झूठ, झेलना, झोंकना**—ऐसे बहुत-से शब्द हैं जो संस्कृत की तुलना में हिन्दी तथा अन्य आधुनिक आर्य भाषाओं में **झ्** ध्वनि का बहुल प्रयोग सिद्ध करते हैं। स्थानवाचक शब्दों में **झूँसी** और **झाँसी** से लेकर नदीवाचक **झेलम** तक **झ** का व्यवहारक्षेत्र दर्शनीय है। ये सारे शब्द वहाँ बोले जाते हैं जहाँ **ध्** का व्यवहार भी काफी होता है। इसलिए **घ्, ध्, भ्** के समान **झ** के स्वतंत्र केन्द्र की कल्पना तर्कसंगत है।

संस्कृत में **च्** का प्रयोग काफी होता है किन्तु **झ्** का व्यवहार बहुत कम होता है। इसी तरह **ट्** का व्यवहार तो काफी होता है किन्तु **ढ्** का व्यवहार बहुत कम होता है। आदि स्थान में **ट्** विरल है किन्तु शब्दों के अन्तिम वर्ण में उसका व्यवहार काफी होता है। जो बातें **झ्** के विरल व्यवहार के बारे में कही गई हैं, वे संस्कृत में **ढ्** के व्यवहार के बारे में भी कही जा सकती हैं। मूर्धन्य और तालव्य क्षेत्र मध्य देश के आर्य परिवर्तन में हैं। मध्य देश की मूल भाषा जिस समय संस्कृत रूप ग्रहण करती है, उस समय उसका ध्वनितंत्र इन दोनों क्षेत्रों से प्रभावित हो रहा है। जिस क्षेत्र में वह संस्कृत रूप धारण कर रही है, वह उत्तर-पश्चिम में है और अल्पप्राण अघोष ध्वनियों वाले क्षेत्रों से प्रभावित है। इस कारण तालव्य और मूर्धन्य प्रवृत्तियाँ अल्पप्राण और अघोष रूपों में अधिक दिखाई देती हैं, महाप्राण सघोष रूपों में कम दिखाई देती हैं। संस्कृत में **ट्** बहुत जगह, विशेषध्वनि-परिवेश में, **त्** का विकास है किन्तु इसका यह अर्थ नहीं कि संस्कृत में उसका स्वतंत्र अस्तित्व नहीं है। यदि स्वतंत्र अस्तित्व न होता तो जो भाषाविज्ञानी मूर्धन्य ध्वनियों को पहले द्रविड़ प्रभाव का परिणाम मानते थे, वे अब उन्हें संस्कृत में स्वत:स्फूर्त विकास का परिणाम न मानने लगते। प्राचीन भारत में आर्य भाषाओं के एक से अधिक केन्द्र मानने से यह समस्या दूसरे रूप में दिखाई देती है।

भारत के पूर्वी-उत्तरी और पश्चिमी सीमान्तों पर कोई ऐसा क्षेत्र नहीं है जहाँ मूर्धन्य ध्वनियों का ही व्यवहार होता हो। यदि बाहर से आनेवाले अपने साथ ये ध्वनियाँ लाते तो अपने मूल निवास में या उसके आस-पास इनका कोई चिन्ह अवश्य छोड़ आते। काल्डवेल ने **शक** परिवार से द्रविड़ समुदाय का सम्बन्ध जोड़ा था पर इस **शक** परिवार में इन ध्वनियों का अभाव है। वे न फिनोउग्रियन समुदाय में हैं, न तुर्कमंगोल समुदाय में। यूरोप में जहाँ ऐसी ध्वनियाँ प्रयुक्त होती हैं, वहाँ **शक** परिवार की भाषाएँ नहीं बोली जातीं, इंडो-यूरोपियन परिवार की भाषाएँ बोली जाती हैं। इन भाषाओं में मूर्धन्य ध्वनियों का व्यवहार भारतीय भाषाओं की तुलना में अल्प है। वह भारतीय पद्धति का अवशेष मात्र है। यह तथ्य महत्त्वपूर्ण है कि इन ध्वनियों का विशेष व्यवहार आर्य और द्रविड़, दो ही परिवारों में विशेष होता है। यदि आधुनिक आर्य भाषाओं को देखें तो उनमें द्रविड़ भाषाओं की तुलना में

ऐसी ध्वनियों की भूमिका शब्द-निर्माण में कहीं अधिक महत्त्वपूर्ण है। तमिल में जहाँ आदि स्थानीय **ट्** का अभाव है, वहाँ हिन्दी आदि भाषाओं में ऐसे बहुत-से शब्द हैं जो **ट्** से आरम्भ होते हैं और जिनमें यह ध्वनि **त्** का रूपान्तर प्रतीत नहीं होती। **टका, टाँग, टाँगना, टाँट, टाँड़ा, टापू, टीका, टिकुली, टिकिया, टीस, टेंट, टेंव, टेसू, टोकरी, टोह, टोली, टालना, टरकाना, टिकाना, टोपना, टेरना, टोकना** आदि शब्द संस्कृत से भिन्न उद्भव के प्रतीत होते हैं। संस्कृत के बहुत-से शब्दों के प्रतिरूप द्रविड़ भाषाओं में मिल जाते हैं किन्तु जिन आर्य शब्दों के आदि स्थान में **ट् ठ् ड् ढ्** ध्वनियाँ हों, उनके द्रविड़ प्रतिरूप ढूँढ़ने से भी नहीं मिलते। यदि टवर्गीय ध्वनियों का व्यवहार संस्कृत की अपेक्षा हिन्दी में, द्रविड़ प्रभाव के कारण, अधिक होता तो टकार से आरम्भ होनेवाले हिन्दी शब्दों के प्रतिरूप द्रविड़ भाषाओं में अवश्य मिलते। वैसे शब्द कोल और नाग भाषाओं में भी उनके मूल शब्द-भंडार का अंश नहीं है। इससे यह स्थापना तर्कसंगत है कि कवर्ग और चवर्ग के समान टवर्ग का भी एक स्वतंत्र आर्य भाषा-केन्द्र था। ये सारे केन्द्र एक दूसरे को प्रभावित कर रहे थे। संस्कृत में **टिट्टिभ, टिप्पण** जैसे शब्दों में आदि स्थानीय **ट्** का प्रवेश हो चुका है। जनपदीय आर्य भाषाओं के विकासकाल में विभिन्न केन्द्रों का परस्पर आदान-प्रदान और अधिक होगा।

यह कह देना पुनः आवश्यक है कि टवर्ग की सभी ध्वनियों का विकास एक ही केन्द्र में हुआ हो, यह आवश्यक नहीं है। संस्कृत में मूर्धन्य नासिक्य का जितना व्यवहार होता है, उसकी तुलना में शेष सभी टवर्गीय ध्वनियों का व्यवहार अल्प है। **ठक्कुर, डाकिनी** आदि कुछ शब्दों में आदि स्थानीय **ठ्** और **ड्** दिखाई देते हैं। हिन्दी तथा अन्य आर्य भाषाओं में **ठग, ठंढ, ठर्रा, ठसक, ठुमरी, ठिंगना, ठूठ, ठेंगा, ठेठ, ठोकर, ठोंकना, और डग, डगर, डफला, डर, डलिया, डांग** (जंगल, अवधी में लाठी), **डाँगर, डाल, डीलडोल, डेरा, डोकरा** आदि में मूर्धन्य ध्वनियों की भूमिका देखी जा सकती है। जहाँ तक इस वर्ग की सघोष महाप्राण ध्वनि का सम्बन्ध है, संस्कृत में वह आषाढ़ जैसे कुछ शब्दों को छोड़कर अधिकतर कृदन्त-रूपों में दिखाई देती है, जैसे—**गुह्** से **गूढ, मुह्** से **मूढ, वह** से **ऊढ**। हिन्दी में **ढकना, ढाँपना, ढरकना, ढूँढ़ना, ढोर, ढेर, ढोल, ढिग, ढाक, ढर्रा** जैसे रूपों की भरमार है। बहुत जगह संस्कृत **स्थ्** की संयुक्त ध्वनि हिन्दी में **ठ्** हो जाती है, जैसे : स्थान से **ठाँव**। इसी प्रकार **डाह** का सम्बन्ध **दाह** से है, **ढीला** का **शिथिल** से। संस्कृत में **गूढ, मूढ** आदि शब्दों में **ढ्** मूल ध्वनि नहीं है, वह किसी अन्य ध्वनि का रूपान्तरण है। इसके विपरीत आधुनिक आर्य भाषाओं की शब्द निर्माण-प्रक्रिया में इसकी स्वतंत्र भूमिका है। परतंत्र भूमिका, संस्कृत और हिन्दी, दोनों में मूर्धन्य नासिक्य की है। संस्कृत में वह अधिकतर, विशेष ध्वनि-परिवेश में, दन्त्य **न्** का स्थान लेता है। हिन्दी के

जिन क्षेत्रों में उसका व्यवहार होता है, वहाँ वह मुख्य नासिक्य ध्वनि है। यही स्थिति अन्य उत्तर-पश्चिमी भाषाओं की है।

संस्कृत में **प्** और **भ्** का यथेष्ट व्यवहार होता है। **फ्** का व्यवहार वैसे ही होता है, जैसे : अन्य वर्गों की अघोष महाप्राण ध्वनियों का। किन्तु संस्कृत में जहाँ **ग् ज् द्** की प्रचुरता है, शब्द निर्माण-प्रक्रिया में इनकी निर्णायक भूमिका है, वहाँ पवर्गीय सघोष अल्पप्राण ध्वनि **ब्** का व्यवहार अत्यन्त विरल है। यूरोप की भाषाओं में इस ध्वनि का यथेष्ट व्यवहार होता है किन्तु वैसे शब्दों के प्रतिरूप संस्कृत में बहुत ही कम हैं। इस कारण अनेक भाषाविज्ञानियों ने सन्देह प्रकट किया है कि शायद आदि इंडो-यूरोपियन भाषा में यह ध्वनि थी ही नहीं। भारतीय आर्य भाषा क्षेत्र में, ब्रज से लेकर बंगाल तक, **ब्** की प्रधानता है। परिनिष्ठित बंगला में इसने अन्तस्थ **व्** को अपदस्थ कर दिया है। ब्रज की तुलना में **व्** का व्यवहार अवधी में अधिक होता है। रोचक तथ्य है कि बंगला में तालव्य **श्** के साथ **व्** का व्यवहार नहीं होता जब कि संस्कृत में इन दोनों की स्थिति सूदृढ़ है, उनका शुद्ध उच्चारण सुसंस्कृत होने का चिन्ह है।

**ब्** ध्वनि मध्यदेशीय आर्य भाषाओं में थी या नहीं? प्राचीन कोसल गण-भाषा में थी या नहीं? मेरा मत है कि यह ध्वनि इन भाषाओं में थी। मध्यदेश के पूर्व में मगध ऐसा क्षेत्र था जिसमें अन्तस्थ **व्** की जगह **ब्** का व्यवहार ही अधिक होता था। मध्यदेश के उत्तर-पश्चिमी छोर पर ऐसी भाषाएँ हैं जिनमें **व्** की प्रधानता है और जो **प्** और **ब्** को भी अन्तस्थ **व्** का रूप देती हैं। तमिल में यह प्रवृत्ति काफी शक्तिशाली है। वह अनेक शब्दों में **प्** को **व्** में बदल देती है। तमिल में जहाँ ऐसी प्रवृत्ति दिखाई देती है, वहाँ उसका सम्बन्ध उत्तर-पश्चिमी आर्य भाषाओं से प्रमाणित होता है। संस्कृत का **भंडि** जब तमिल में **वंडि** (गाड़ी) हो जाता है, तब सघोष महाप्राण ध्वनि **भ्** अघोष अल्पप्राण **ब्** में रूपान्तरित न होकर अर्द्ध स्वर **व्** बनती है। संस्कृत **वंक** इसी प्रकार **भंग** का विकास है। **वणिज** का **वणि** पूर्व रूप में **पणि** है जिससे **पण्य** आदि रूप बनते हैं। आर्यों पर चाहे द्रविड़ प्रभाव के कारण हो, चाहे आर्य भाषाओं के केन्द्र-विशेष की शक्ति के कारण हो, **व्** ध्वनि शिष्ट उच्चारण का चिन्ह मानी गई।

संस्कृत में यह स्थिति रोचक है कि अनेक शब्दों के दो वैकल्पिक रूप हैं : एक में **ब्** है, दूसरे में **द्**। **बक, वक; बकुल, वकुल; बटु, वटु; बत, वत** (आश्चर्यसूचक शब्द); **बध, वध; बर्ह, वर्ह** (मोर आदि पक्षियों की पूँछ); **बाण, वाण; बीज, वीज; बृहत, वृहत;** इत्यादि। संस्कृत के **ब्रह्म** और सामन्ती समाज के पवित्र वर्ण **ब्राह्मण** में **ब्** इतनी दृढ़तापूर्वक प्रतिष्ठित था कि उसे **व्** अपदस्थ न कर सका। वैकल्पिक रूपों में **व्** का व्यवहार उत्तरकालीन संस्कृत में अधिक दिखाई देता है। जैसे **वसिष्ठ** के दन्त्य **स्** को तालव्य **श** करके कुछ लोगों ने **वशिष्ठ** को अधिक

श्रेष्ठ कर दिया, वैसे ही अनेक शब्दों में **ब्** को अपदस्थ करके, **व्** के वैकल्पिक रूप द्वारा, कुछ लोगों ने संस्कृत को और सुसंस्कृत बनाया। कोई आश्चर्य नहीं कि **बिदा** शब्द को **विदा** लिखकर विद्वज्जन उसे संस्कृत बनाते हैं। संस्कृत में **बुद्धि, बुध, बन्धु, बल, बलि, बाहु, बहु, ब्रू, बन्धु** आदि शब्द-भंडार का महत्त्वपूर्ण अंग है। टवर्गीय ध्वनियों की अपेक्षा शब्द निर्माण में **ब्** की भूमिका अवश्य ही अधिक महत्त्वपूर्ण थी। हिन्दी के कुछ शब्द जो **ब्** से आरम्भ होते हैं, संस्कृत में नहीं हैं पर इससे यह सिद्ध नहीं होता कि प्राचीन काल में उनका अस्तित्व नहीं था। बंगाल से लेकर हरियाणा तक **बोल्** क्रिया का व्यवहार होता है। बहुत ज्यादा बोलने के लिए रूसी में क्रिया है **बोलतात्**। इसका कोई प्रतिरूप संस्कृत में नहीं है। अशोक के समय से उत्तर भारत का श्रृंखलाबद्ध इतिहास मिलता है। इस बीच स्लावजनों से ऐसे सम्पर्क का कोई प्रमाण नहीं है जिससे **बोलना** जैसी क्रिया हिन्दी से रूसी में जाती या रूसी से हिन्दी में आती। यह शब्द भारतीय आर्य भाषाओं में कम-से-कम 300 ई.पू. से प्रयुक्त होता रहा है। **बनाना, बरहा, बनरा, बट्टा, बरोठा, बाना, बिहान, बटोरना, बुझना** आदि शब्द इस सन्दर्भ में विचारणीय हैं। हो सकता है, ये शब्द काफी पुराने हों और इनके साथी दूसरे ऐसे शब्द लुप्त हो गए हों!

हिन्दी में ऐसे बहुत कम शब्द होंगे जिनमें **ब्** के स्थान पर **व्** कर देने से अर्थ-भेद उत्पन्न हो। अवधी में **वार नहिंन** का अर्थ होगा समय नहीं है और **बार नहिंन** का अर्थ होगा बाल नहीं हैं। हिन्दी में **यह वही है**। इस वाक्य में **वही** किसी वस्तु या पुरुष की ओर संकेत करता है, **यह बही है** का अर्थ बही-खाते वाली **बही** है। अवधी में **वारत** है का अर्थ हुआ निछावर करता है, **बारत** है का अर्थ होगा जलाता है। कुल मिलाकर हिन्दी और उसकी जनपदीय उपभाषाओं में **व्** से आरम्भ होनेवाले शब्द बहुत कम हैं, जो हैं वे अधिकतर तत्सम हैं। संस्कृत में जो अनुपात **ब्** के व्यवहार का है, लगभग वही अनुपात हिन्दी में **व्** के व्यवहार का है। संस्कृत में भी ऐसे शब्द कठिनाई से मिलेंगे जिनमें **व्** की जगह **ब्** कहने से अर्थ-भेद पैदा हो। **कुबेर, कूबर** (गाड़ी का जुँआ), **कबन्ध** आदि थोड़े शब्दों में मध्यवर्ती **ब्** दिखाई देता है। हिन्दी और संस्कृत के ध्वनि-तंत्र में यह मौलिक भेद है कि संस्कृत में **व्** की प्रधानता है और हिन्दी में **ब्** की। इस स्थिति से यह निष्कर्ष बहुत जल्दी निकाला जा सकता है कि संस्कृत का **व्** भ्रष्ट उच्चारण से हिन्दी में **ब्** हो गया है। किन्तु अखिल भारतीय परिवेश में इस समस्या पर विचार करें तो एक तथ्य सामने यह आता है कि तमिल, संस्कृत के समान, **व्**-प्रधान भाषा है और कन्नड़ हिन्दी के समान **ब्**-प्रधान। तमिल **वड, वयल्, वीचु, वॅट्टु, वॅतिर्** के कन्नड़ रूप क्रमशः **बड** (उत्तरी), **बयल्** (खेत), **बीसु** (फेंकना), **बॅट्टु** (काटना), **बिदिर** (बाँस) हैं। यह कहना अनुचित होगा कि शुद्ध तमिल रूपों को बोल न पाने से कन्नड़-भाषियों ने **व्** के स्थान पर **ब्** को प्रतिष्ठित कर दिया है। कन्नड़ में काफी शब्द **व्** से आरम्भ होते हैं और ये

द्रविड़ समुदाय के शब्द हैं। अत: सम्भावना इसी की अधिक है कि तमिल शब्दों के जिन प्रतिरूपों में **ब्** का व्यवहार हुआ है, वे अधिक पुराने हैं, जैसे कि यह माना जाता है कि तमिल शब्दों में जहाँ **च्** ध्वनि है, वहाँ यदि कन्नड़ प्रतिरूपों में **क्** है, तो ये कन्नड़ रूप ही पुराने हैं। हिन्दी **बिरुद** तमिल में **विरुदु** और कन्नड़ में **बिरुदु** है। **बिरुद** रूप पुराना है। संस्कृत में **विरुद** और **बिरुद**—दोनों रूप स्वीकार किये गए हैं। यदि तमिलभाषी जन मध्यदेश में रहते होते तो उनके प्रभाव से हिन्दी में **ब्** की अपेक्षा व् का चलन अधिक होता। पर यह **व्** मूलत: उत्तर-पश्चिमी ध्वनि है और हिन्दी की अपेक्षा **ब्** और **व्** का अर्थ-विच्छेदक व्यवहार अंग्रेज़ी में अधिक होता है। **बॅड्** (बिस्तर), **वॅड्** (ब्याह करना); **बॅस्ट** (श्रेष्ठ), **वॅस्ट** (पश्चिम); **बॅट** (शर्त लगाना), **वॅट** (भीगा), ऐसे पचीसों जोड़े आसानी से मिल जाएँगे। ऐसे जोड़े हिन्दी में नहीं हैं क्योंकि हिन्दी **ब्** क्षेत्र की भाषा है, ऐसे जोड़े संस्कृत में इसलिए कम होंगे कि दन्त्य **स्** के तालव्यीकरण के समान बहुत-से शब्दों के मूल **ब्** को **व्** में परिवर्तित कर दिया गया था।

संस्कृत में ऐसे अनेक शब्द हैं जिनके क्रिया-रूपों में **च् ज्** का व्यवहार होता है और संज्ञा रूपों में **क्** और **ग्** का : **त्यज्** और **त्याग, भज्** और **भाग, भुज** और **भोग, युज** और **योग, रंज** और **रंग, अर्च्** और **अर्क, पच्** और **पाक**। **वाक्य, वाच्य भोग्य, भोज्य** जैसे जोड़े भी मिलेंगे। यहाँ इस समस्या पर विचार करना है कि मूल ध्वनि कंठ्य थी जिसका तालव्यीकरण हुआ या तालव्य थी जिसे कंठ्य रूप दिया गया। इतना तो विशेष तर्क-वितर्क के बिना माना जा सकता है कि तालव्य और कंठ्य स्पर्श-ध्वनियों के केन्द्र आसपास हैं और एक दूसरे को प्रभावित करते हैं। आधुनिक आर्य भाषाओं के ध्वनितंत्र पर विचार करें तो कभी-कभी तालव्य और कंठ्य ध्वनियों वाले ऐसे प्रतिरूप मिलेंगे जिनमें एक किसी क्षेत्र विशेष में बोला जाता है और दूसरा अन्य क्षेत्र में। ब्रजभाषा में **भाजत** क्रिया-रूप का व्यवहार होता है; अवधी में इसका प्रतिरूप **भागत** और परिनिष्ठित हिन्दी में **भागता** का चलन है। **भीजत** क्रिया-रूप ब्रज तथा अवधी में प्रयुक्त होता है, परिनिष्ठित हिन्दी में **भीगता** रूप ही स्वीकृत है। परिनिष्ठित हिन्दी का **क्यों** ब्रजभाषा में **चों** बोला जाता है, ब्रज के प्रभाव से इसका चलन कनौजी में भी है। ब्रजभाषा के उक्त रूपों को देखने से ऐसा लगता है कि संस्कृत में भी अनेक शब्दों की मूल ध्वनि कंठ्य रही होगी और उसका तालव्यीकरण हुआ होगा। संस्कृत क्रिया **भुज्** का प्रयोग हिन्दी में न होगा पर **भोगना** क्रिया चलेगी। **रंज्** क्रिया का व्यवहार नहीं होता, **रँगना** का चलन है। **लोच** क्रिया **लोचन** में तो है पर तुलसीदास ने **बिलोकत** रूप का व्यवहार किया है, **लोचत** या **बिलोचत** का नहीं। **पच्** क्रिया का हिन्दी प्रतिरूप **पकाना** है, पचना-पचाना क्रियाएँ भिन्न अर्थ में प्रयुक्त होती हैं। ऐसा लगता है कि संस्कृत की अपेक्षा हिन्दी **च् ज्** और **क् ग्** वाले वैकल्पिक क्रिया-रूप सामने होने

पर कंठ्य ध्वनियों वाले रूपों को ज्यादा पसन्द करती है। संस्कृत के निर्माण में विभिन्न जनपदीय भाषा-तत्त्वों के सन्तुलन और समन्वय का प्रयत्न स्पष्ट है—यह कार्य चाहे जानबूझकर किया गया हो, चाहे अपने-आप हुआ हो।

यह आवश्यक नहीं है कि हर स्थिति में मूल ध्वनि कंठ्य ही हो। अनेक शब्दों में तालव्य ध्वनि को कंठ्य में बदला गया है। **पत** क्रिया से **पक्षी** रूप **त्→च्→क्** विकास-क्रम से सम्भव होता है। पर भारत के उत्तर-पश्चिमी प्रदेश में ऐसा केन्द्र अवश्य था जो कंठ्य ध्वनियों को तालव्य रूप देता था। संस्कृत में क्रिया तालव्य ध्वनि वाली है तो संज्ञा रूप बहुधा कंठ्य ध्वनि वाला होता है। रूसी भाषा में इसके विपरीत कहीं-कहीं क्रिया अथवा मूल शब्द में कंठ्य ध्वनि होती है और उसके आधार पर बने हुए शब्द में तालव्य ध्वनि होती है, यथा : **रुक्** (हाथ), **रुच्का** (हत्था, हैंडिल), **रुच्नोइ** (हाथ से सम्बन्धित), **दोल्ग्** (ऋण), **दोल्झेन्** (आभारी), **वेक्** (युग), **वेच्नुइ** (शाश्वत)। कभी-कभी एक ही क्रिया के दो रूप होते हैं, यथा : **बेगात् बेझात्** (दौड़ना)। यहाँ लैटिन और इटालियन भाषाओं का भेद भी उल्लेखनीय है। लैटिन में **च् ज्** ध्वनियों का अभाव है। इटालियन भाषा तालव्य स्वरों के परिवेश में लैटिन शब्दों के **क् ग्** को **च् ज्** में बदलती है। लैटिन का प्रसिद्ध **केन्तुम्** (सौ) इटालियन में **चेन्तो** है; लेटिन **गेनितोर** (जनक-जननी) इटालियन में **जेनितोरे** है। यहाँ **क्यों** और **चों, भीजत** और **भीगत** को याद करें तो विदित होगा कि ब्रजभाषा से मिलती-जुलती प्रवृत्ति इटालियन में है। इन दोनों भाषाओं में ओकारान्त शब्द भी काफी हैं, इसलिए तालव्यीकरण की प्रवृत्ति का एक सामान्य उद्गम हो सकता है। कुरुक्षेत्र और मध्य देश की प्राचीन भाषाओं की मुख्य प्रवृत्ति कंठ्य ध्वनियों का व्यवहार करने की थी। जब **त्, द्,** क्रमशः **च्, ज्** में बदलते हैं, तब **क्, ग्,** भी क्रमशः **च्, ज्** में बदलते हैं। तालव्यीकरण का प्रभाव **क्-ग्** तथा **त्-द्,** दोनों ध्वनियों के केन्द्रों पर पड़ता है।

विभिन्न व्यंजनों का संयोग संस्कृत ध्वनितंत्र की विशेषता है, जैसे : **वक्ता, दग्ध, क्रुद्ध** आदि रूपों में भिन्न व्यंजन संयुक्त हैं। इन रूपों में कहीं तो दो व्यंजन भिन्न वर्गों के हैं, जैसे—**वक्ता** में **क्** और **त्,** और कहीं एक ही वर्ग के हैं, जैसे—दग्ध में। संस्कृत में ऐसे शब्द काफी हैं जिनमें किसी स्पर्श व्यंजन के साथ अन्तस्थ ध्वनि का संयोग होता है, जैसे : **क्रम**। इन्हीं के साथ ऐसे रूप हैं जिनमें दो अन्तस्थ ध्वनियों का संयोग होता है, यथा : **श्री**। संस्कृत धातुओं पर दृष्टिपात किया जाए तो एक तथ्य यह स्पष्ट होता है कि इनमें दो स्पर्श व्यंजनों का संयोग बहुत कम होता है। जैसे : एक क्रिया है **उब्ज़** (बलपूर्वक कोई कार्य करना)। इसमें **ब्** और **ज्,** दोनों स्पर्श-ध्वनियाँ हैं। इसे अपवाद मानना चाहिए। अधिकतर क्रियाएँ ऐसी हैं जिनमें कोई व्यंजन किसी अन्तस्थ ध्वनि से संयुक्त होता है, जैसे : **भ्राज** (चमकना)। कुछ क्रियाएँ ऐसी हैं जिनमें नासिक्य ध्वनि के साथ **ऋ** स्वर संयुक्त होता है, जैसे : **मृज्** (पोंछना)।

यहाँ अन्तस्थ व्यंजन **र्** की छाया मात्र है। **व्रज्** (आगे बढ़ना) में दो अन्तस्थ व्यंजन संयुक्त हुए हैं। **कुट्ट** (कूटना) जैसा रूप अपवाद है, जहाँ एक ही वर्ग के दो व्यंजन संयुक्त हैं। बहुधा एक स्वर और व्यंजन के बीच में अन्तस्थ ध्वनि का व्यवहार होता है, यथा : **गर्ज्** (गरजना), **तर्ज्** (धमकाना)। नासिक्य ध्वनियाँ पूर्ण स्पर्श व्यंजन नहीं होतीं, वे अन्तस्थ ध्वनियों के समान हैं। इसलिए **भ्रुच्, म्लुच्** जैसे रूपों में दो ऐसे व्यंजन संयुक्त हुए हैं जो पूर्ण स्पर्श नहीं हैं। संस्कृत का मूल ध्वनितंत्र धातुओं में व्यंजनों के संयोग की उक्त विशेषताओं को ध्यान में रखने से समझ में आता है। इन धातुओं के आधार पर बने हुए शब्दों में दो स्पर्श व्यंजनों का संयोग साधारण बात है किन्तु धातुओं में वैसा संयोग अपवाद-रूप में होता है। धातुओं में एक स्पर्श व्यंजन के साथ या तो अन्तस्थ ध्वनि जुड़ेगी या नासिक्य; दो पूर्ण स्पर्श-ध्वनियाँ कम ही संयुक्त होती हैं। इसके अलावा संस्कृत की बहुत-सी धातुएँ, हिन्दी धातुओं के समान, संयुक्त व्यंजनों के बिना रची गई हैं। **विद्** (देखना), **लिख्** (लिखना, खरोंचना), **शक्** (योग्य होना), **पश्** (देखना), **याच्** (माँगना), **पूज्** (पूजना), **यज्** (यज्ञ करना), **युज्** (मिलाना), **भाष्** (बोलना), **पत्** (उड़ना), **अद्** (खाना), **गद्** (कहना), **दा** या **दद्** (देना), **वद्** (बोलना), **पठ्** (पढ़ना), **बुध्** (जानना) आदि संस्कृत के मूल शब्द-भंडार के **वन, नदी, धरा, नभ, जन, गण, धन, नर, पुरुष** आदि के समान संयुक्त व्यंजनों से मुक्त हैं। इनकी संरचना से जिस ध्वनितंत्र का परिचय मिलता है, वह हिन्दी तथा अन्य आधुनिक आर्य भाषाओं की ध्वनि-प्रकृति से मिलता-जुलता है।

संस्कृत के अनेक शब्द-रूपों में वर्ग-संकोच के कारण संयुक्त व्यंजन दिखाई देते हैं किन्तु उनका पूर्व रूप ऐसा नहीं था। संस्कृत में एक क्रिया है **पुर्** जिसका अर्थ है आगे जाना। इससे सम्बद्ध शब्द **पुरस्** का अर्थ है आगे। **पुरा** अर्थात् पहले समय में; इसी से **पुराण, पुरातन** आदि शब्द बने हैं। **पुर** शब्द संज्ञा, क्रिया और क्रिया-विशेषण, तीनों तरह के अर्थ देता है। इस **पुर** का लैटिन रूप है **पोरों** (आगे, पूर्वकाल में)। लैटिन में ही इसके प्रतिरूप हैं **प्रो, प्रए**। दोनों का अर्थ वही है—आगे। वर्ण-संकोच के परिणामस्वरूप संयुक्त व्यंजनों वाले, और उससे पहले के अलग व्यंजनों वाले, दोनों रूप लैटिन में हैं। इसी प्रकार संस्कृत में **पुर** आदि के साथ **प्र** वाला रूप है। **प्रकृति** में यह **प्र** पूर्वकाल का अर्थ देता है। जिसकी रचना पहले हुई, वह प्रकृति है। **प्र** से **पुर** का विकास मानने का कोई कारण नहीं है। **पुर** से **प्र** का विकास, वर्ण-संकोच के कारण, स्वाभाविक है। **पुर** जैसे स्वतंत्र शब्द, वर्ण-संकोच की प्रक्रिया के बाद, उपसर्ग मात्र रह गए। ध्वनि-तंत्र के विचार से **प्र** का पूर्व रूप **पुर** हिन्दी की ध्वनि-प्रकृति के अनुकूल है। एक दूसरा **प्र** पूर्णता का अर्थ देता है। इसका सम्बन्ध **पृ** क्रिया से है जो स्वयं **पूर्** का रूपान्तर है।

संस्कृत और आधुनिक आर्य भाषाओं के ध्वनितंत्रों को लेकर बहुत-सी बातें कही जा सकती हैं। इन पर यथाप्रसंग आगे विचार किया जाएगा। यहाँ जो कुछ

कहा गया है, उससे इतना स्पष्ट हो जाता है कि संस्कृत और हिन्दी के कुछ वाक्यों को मिलाकर पढ़ने से इनके ध्वनि-तंत्रों में जितना मौलिक भेद ऊपर से दिखाई देता है, ऐतिहासिक विकास की दृष्टि से वह उतना मौलिक है नहीं। संस्कृत की धातुओं और शब्द-मूलों की संरचना पर विचार करने से विदित होता है कि इस संरचना का आधारभूत ध्वनि-तंत्र हिन्दी के ध्वनि-तंत्र से—विशेषतः ब्रज, अवधी आदि जनपदीय भाषाओं के ध्वनि-तंत्र से मिलता-जलता है। संस्कृत अपने मूल मध्यदेशीय रूप में **स्-त् न्-र्** ध्वनियों वाली भाषा है। इन ध्वनियों के तालव्यीकरण और मूर्धन्यीकरण की प्रक्रिया बाद में घटित हुई है, इस प्रक्रिया से संस्कृत के मूल ध्वनि-तंत्र में भारी परिवर्तन हुआ किन्तु यह परिवर्तन धातुओं और मूल शब्द-भंडार को बहुत कम स्पर्श कर सका। वर्ण-संकोच के कारण बहुत-से शब्दों में जो दो व्यंजनों का संयोग दिखाई देता है, वह पहले नहीं था। समवर्गीय व्यंजनों का संयोग हिन्दी की ध्वनि-प्रकृति के विपरीत नहीं है।

सघोष महाप्राण **घ्, ध्, भ्** ध्वनियों के स्वतंत्र केन्द्र थे, इसी प्रकार **च्, ज्** आदि तालव्य ध्वनियों के, **ट्, ड्** आदि मूर्धन्य ध्वनियों के स्वतंत्र केन्द्र थे। इन केन्द्रों को आर्य भाषा-केन्द्र कहना उचित है। इन विभिन्न केन्द्रों के घनिष्ठ और सुदीर्घ सम्पर्क के फलस्वरूप संस्कृत के ध्वनि-तंत्र का निर्माण हुआ। मध्यदेशीय आर्य भाषा अपने मूल रूप में तालव्य और मूर्धन्य ध्वनि-केन्द्रों के प्रभाव से मुक्त थी। बाँगरू, ब्रज, अवधी आदि जनपदीय भाषाओं के ध्वनि-तंत्रों के विवेचन से जो तथ्य सामने आते हैं, उनकी पुष्टि स्वयं संस्कृत के ध्वनि-तंत्र के विकास-विश्लेषण से होती है। इस विकास-विश्लेषण की पद्धति यह है कि संस्कृत शब्द-भंडार के मूल तत्त्वों को हम एक ओर रखें, इन तत्त्वों के आधार पर बने हुए शब्द रूपों को दूसरी ओर रखें; फिर दोनों की तुलना करके मूल और गौण का भेद पहचानें, भाषा की मूल ध्वनि-प्रकृति और बाद की अर्जित ध्वनि-प्रकृति का भेद जानें। यह मूल ध्वनि-प्रकृति हिन्दी तथा जनपदीय भाषाओं की प्रकृति के अनुकूल है। यह निष्कर्ष प्राकृत-अपभ्रंश के साथ हिन्दी का सम्बन्ध जोड़ने से, हिन्दी को उनके विकास-क्रम की एक कड़ी मानने से नहीं निकलता; यह निष्कर्ष संस्कृत के मूल रूप को पहचानने से निकलता है।

बोलचाल के स्तर पर हिन्दी तथा ब्रज से लेकर मैथिली तक की जनपदीय भाषाओं का सम्बन्ध संस्कृत से उतना नहीं है जितना उसके मध्यदेशीय प्राचीन रूप से है। इस प्राचीन रूप की विशेषताएँ पहचानकर ही हिन्दी तथा अन्य आधुनिक आर्य भाषाओं के 'उद्‌भव और विकास' का वैज्ञानिक विवेचन किया जा सकता है।

2

# आर्य भाषा-केन्द्र और हिन्दी शब्दतंत्र

## 1. प्रस्तावना

आधुनिक आर्य भाषाओं के शब्दतंत्र पर विचार करते हुए अनेक समस्याएँ हमारे सामने आती हैं। संस्कृत भाषा एक विकासमान प्रक्रिया का परिणाम है। इस परिणाम से पहले भाषा की जो स्थिति थी, क्या उसकी झलक आधुनिक आर्य भाषाओं के शब्दतंत्र में कहीं मिलती है? संस्कृत के जो शब्द अपना ध्वनिरूप बदलकर आधुनिक आर्य भाषाओं में प्रयुक्त होते हैं, उन्हें तद्भव कहा जाता है। यदि संस्कृत के अनेक शब्द अपने पूर्वरूपों का विकास हैं, तो उन पूर्वरूपों को देखते हुए 'संस्कृत' रूप भी तद्भव हुए। तब हिन्दी आदि भाषाओं के तद्भवों को क्या कहा जाए, तद्भवों के तद्भव? तद्भवीकरण की प्रक्रियाएँ क्या हैं, क्या इनका सम्बन्ध प्राचीन गण-भाषाओं या जनपदीय भाषाओं की ध्वनि-प्रकृति से जोड़ा जा सकता है? तद्भवीकरण की इस प्रक्रिया में पालि, प्राकृत, अपभ्रंश की भूमिका क्या है? क्या जैसा तद्भवीकरण प्राकृतों में है, वैसा यूरोप की नवीन और प्राचीन भाषाओं में भी है? ध्वनि-परिवर्तन से जो तद्भव रूप बनते हैं, उनका सम्बन्ध क्या नाग, द्रविड़, कोल आदि आर्येतर भाषा-परिवारों से भी है? शब्द-निर्माण-प्रक्रिया की विशेषताएँ कौन-सी हैं? और ये देशज शब्द किस कोटि के हैं? ये न तद्भव हैं, न तत्सम। इन्हें आर्य भाषा-परिवार की शब्द-सम्पदा माना जाए या नहीं? इन समस्याओं के निराकरण पर यह निर्भर है कि हम इन भाषाओं का ऐतिहासिक विकास किस प्रकार प्रस्तुत करते हैं और उनकी भावी विकास की दिशा किस प्रकार निर्धारित करते हैं।

## 2. हिन्दी शब्द रूपों की प्राचीनता

पालि और प्राकृतों में कुछ शब्द ऐसे हैं जो उनका वह पूर्व रूप प्रस्तुत करते हैं जो संस्कृत में नहीं है, इस बात की ओर विद्वानों का ध्यान गया है। पालि में **गरु** शब्द है और जनपदीय भाषाओं में अब भी **गरू** बोला जाता है किन्तु संस्कृत में **गुरु** शब्द है। **गाइगर** ने पालि भाषा और साहित्य पर अपनी प्रसिद्ध पुस्तक में लिखा

है : "अनेक शब्दों में पालि की स्वर-संरचना संस्कृत से अधिक प्राचीन है।" ('पालि लिटरेचर एंड लैंग्वेज़'; अनुवादक : बटकृष्ण घोष; कलकत्ता, 1956, पृ. 80) इस प्रकार **गरु** शब्द **गुरु** से प्राचीनतर रूप माना गया है। पालि में और अशोक के शिलालेखों में स्थानवाचक **इध** शब्द मिलता है। संस्कृत में इसका तद्भव रूप **इह** है। **इह** से **इध** का विकास सम्भव नहीं है किन्तु **इध** से **इत्थ, इत, इह** आदि रूपों का विकास सहज है। हिन्दी का इधर सीधे प्राचीन **इध** से सम्बन्धित है, वह **इह** का तद्भव रूप नहीं है। पूर्वी क्षेत्र में **इहर** बोला जाता है जो **इधर** का तद्भव रूप है, अर्थात् तद्भव रूप केवल संस्कृत के आधार पर नहीं बनते, वे किसी एक आधुनिक आर्य भाषा के शब्द रूपों के आधार पर भी बनते हैं। अशोक के शिलालेखों में **इध** का प्रतिरूप **हिद** भी है। यह अंग्रेज़ी के **हिदर** (यहाँ) की याद दिलाता है। जैसे **इध** से **इधर** बना, वैसे ही **हिद** से **हिदर** रूप बना। **हिद** शब्द मूल रूप **सिध** की ओर संकेत करता है; **सि** निकटवर्ती वस्तु का सूचक सर्वनाम है, **ध** वस्तु या स्थान का बोध कराता है। इस प्रकार **सिध** मूल रूप के दो तद्भव हुए—**इध** और **हिद**। **इह** रूप **इध** से बना यानी तद्भव का तद्भव है। अशोक के शिलालेखों में **हेदिश, हेडिस** शब्द है जो संस्कृत के **ईदृश्** का प्रतिरूप है। **हेडिस, हेदिश** का मूलरूप होगा **सेदृश**। **से** सर्वनाम है, **दृश्** का तद्भव रूप **दिश, डिस** है। इस प्रकार प्राकृत रूप आधा तो संस्कृत के आधार पर बना और आधा संस्कृत से भी पहले के मूलरूप के आधार पर। अशोक के शिलालेखों में **अतः, अत्र** के प्रतिरूप **हेता, हेत** से सर्वनाम जोड़कर बनाये गए हैं।

पालि भाषा में एक क्रिया **घस्** है जिसके समानान्तर संस्कृत रूप **ग्रस्** है। भक्षण करने के अर्थ में इन क्रिया-रूपों का व्यवहार होता था। पशु जिसे खाते हैं, वह **घास** है। **घास** शब्द **घस्** क्रिया से बनेगा, **ग्रस्** से नहीं। संस्कृत **ग्रस्** के आधार पर **ग्रास** (भोजन) शब्द बना। अंग्रेज़ी में यह **घास** के अर्थ में प्रचलित है। हिन्दी **घास** का सम्बन्ध **घस्** से है। **ग्रस्** से **घस्** का विकास अस्वाभाविक है। प्राकृतों में अघोष महाप्राण ध्वनियाँ तो सघोष महाप्राण हो जाती हैं किन्तु सघोष अल्पप्राण ध्वनियाँ सघोष महाप्राण नहीं बनतीं। प्राकृतों में प्रवृत्ति है मध्यवर्ती अघोष ध्वनि को सघोष करने की, सघोष ध्वनि में महाप्राणता जोड़ने की प्रवृत्ति उनमें नहीं है। इस प्रकार **धस्** क्रिया से तो **ग्रस्** रूप बन सकता है किन्तु **ग्रस्** से **घस्** जैसा रूप नहीं बन सकता। प्राकृत में एक शब्द **णिघस** था जो संस्कृत **निकष** का प्रतिरूप है। यहाँ भी **क्** बदलकर **घ्** हो जाए, इसकी सम्भावना नहीं है; महाप्राणता और सघोषता के लोप से **निकष** रूप अवश्य बन सकता है। अवधी में एक शब्द है **नींघस**। यह विशेषण उस आदमी के लिए प्रयुक्त होता है जिस पर बात का असर न होता हो यानी खूब घिसा हुआ हो। इसका सम्बन्ध **निकष** से नहीं **निघस** जैसे रूप से होगा।

हिन्दी का सुपरिचित शब्द **घर** बहुत पुराना है। **घर** का मूल अर्थ है अग्नि। जिस स्थान में अग्नि रखते थे, उसे भी **घर** कहने लगे। संस्कृत में **हर्म्य** शब्द **घर्म्य**

का रूपान्तर है। इसका अर्थ है **घर** और इसकी व्याख्या उसी तरह की जा सकती है; **घर्म्य** वह स्थान है जहाँ **घर्** अथवा **अग्नि** रखी जाती थी। **घर** शब्द निवासस्थान के अर्थ में अग्नि-पूजक कुरुजनों का शब्द होना चाहिए। संस्कृत शब्द **हर्ष** मूल रूप **घर्ष** का विकास है; ऊष्मा प्रसन्नता का बोध कराती है। **हर** नाम के देवता ऊष्मा के देवता भी हैं। फ़ारसी **गर्म** प्राचीन भारतीय **घर्म** का प्रतिरूप है। **घर्म** का तद्भव रूप **घाम** हिन्दी में अब भी प्रचलित है। प्राकृत में ग्रीष्म के लिए **घिंसु** शब्द है, वह इसी ऊष्मा-सूचक **घर** की शृंखला में आता है। **घर** में **घ्** की महाप्राणता का लोप होने पर **गर** रूप बनेगा, वर्ण संकोच से **ग्र** रह जाएगा। इस **ग्र** के आधार पर संस्कृत शब्द **ग्रीष्म** की रचना हुई है, रूसी भाषा में **ग्रेअत्** क्रिया गरमी **पड़ने** के लिए प्रयुक्त होती है। **ग्रेअत, ग्रीष्म, गर्म**—इन सभी शब्दों का आदि रूप अग्निवाचक **घर** है। जैसे **घाम** का एक प्रतिरूप **घोम** था जिससे रूसी **दोम** बना, अंग्रेज़ी **डामेस्टिक** (घरेलू) में वही **दोम** है, वैसे ही **घर** का प्रतिरूप **घोर** था जो भयंकर का अर्थ देने लगा। एक प्रतिरूप **घोम** था जिससे निवास सूचक अंग्रेज़ी का **होम** शब्द बना। संस्कृत **होम** का सम्बन्ध **अग्नि** से है। संस्कृत **होम** और अंग्रेज़ी **होम** में केवल ध्वनि-साम्य दिखाई देता है, दोनों शब्द एक दूसरे से नितान्त पृथक् जान पड़ते हैं। हिन्दी का **घर** भी **घाम** से बहुत दूर जान पड़ता है किन्तु **घाम** का विकास **धर्म** से हुआ है, यह सहज बोधगम्य है। **घर्म** और **घर्म्य** एक दूसरे के बहुत पास हैं। निवासस्थान के लिए **घर्म्य** शब्द का प्रयोग इसलिए होता था कि उसमें **अग्नि** रखी जाती थी और लोग उसकी पूजा करते थे। **घर्म्य** से **हर्म्य** रूप बना, यह सहज बोधगम्य है। संस्कृत और अंग्रेज़ी के **होम** एक दूसरे से जितनी दूर दिखाई देते हैं, उतनी दूर हैं नहीं। अग्निवाचक एक ही शब्द में अर्थ का विभाजन हुआ। संस्कृत **होम** में **अग्नि** वाला मूल अर्थ बना हुआ है, अंग्रेज़ी **होम** में निवास वाला गौण अर्थ निहित है। अंग्रेज़ी में **हर्थ** और **होम** का जोड़ा है, दोनों शब्द एक दूसरे के अर्थ का संवर्धन करते हैं। **हर्थ** घर के अग्नि-स्थान को कहते हैं। **हर्थ** उसी घर शब्दमूल से बना है। **हर्थ** और **होम**, दोनों का मूल अर्थ अग्नि या अग्निस्थान होगा।

संस्कृत **अहो** का प्राकृत रूप **अघो** है; यहाँ प्राकृत रूप ही मूल रूप है। संस्कृत **क्षिप्त** का प्राकृत रूप **घित्त** है। मूल रूप था **घिप्त**; संस्कृत में **घ्** का रूपान्तर **क्ष्** है। संस्कृत **हस्त**, फ़ारसी **दस्त** का मूल रूप **धस्त** था। हाथ से **देने, करने** आदि क्रियाओं का गहरा सम्बन्ध है। **द्** ध्वनि वाले शब्द रूप तो संस्कृत में हैं पर **ध्** वाले नहीं हैं। हिन्दी धन्धा मूल ध्वनि **ध्** वाली क्रिया से बना है। **धस्** के रूपान्तर **दस्** से संस्कृत **दक्ष** और **दक्षिण** बने; हाथ से काम करने में जो कुशल हो, वह **दक्ष**, जो हाथ कौशल के लिए अधिक प्रयुक्त हो, वह दक्षिण। **द्** के अल्पप्राण रूप से कारीगर के लिए **तक्षन्** शब्द बना। इस प्रकार **ध्** के **ह्, द्, त्**—तीनों रूपान्तर संस्कृत में हैं; अंग्रेज़ी के **हैन्ड** (हाथ) और **डू** (करना) में **ह्** और **द्** वाले रूपान्तर

हैं, ग्रीक **तेख्ने** (कौशल) में **त्** वाला रूपान्तर है किन्तु **ध्** वाला मूलरूप हिन्दी का **धन्धा** शब्द छोड़कर और कहीं नहीं है। अंग्रेज़ी में **डीड** और रूसी में **द्येलो** का वही अर्थ है जो **धन्धा** का है। जो किया जाए वह कार्य है, **धन्धा** है। हिन्दी शब्द धन्धा की व्याख्या संस्कृत को इंडो-यूरोपियन परिवार की शाखा मानकर या हिन्दी को संस्कृत की पुत्री मानकर नहीं की जा सकती।

**घूँट** शब्द **घु** जैसी क्रिया से बना है जिसका अर्थ होगा पीना। फ़ारसी में **गुसार** पीनेवाले को कहते हैं। यहाँ **घु** क्रिया की महाप्राणता का लोप हुआ है। क्रिया के मूल रूप की सघोष महाप्राण ध्वनि हिन्दी में है। हिन्दी शब्द **भूरा** पहले **झुर** या **झुरु** था। प्रथम वर्ण की आवृत्ति से **भभरु** रूप बनेगा। वर्ण संकोच से **अभ्रु,** फिर आदि स्थानीय **भ्** को अल्पप्राण बनाकर संस्कृत का **बभ्रु** रूप निश्चित हुआ। संस्कृत **बभ्रु** के आधार पर हिन्दी **भूरा** का विकास दिखाना सम्भव नहीं है। **बभ्रु** रूप में प्रथम वर्ण की आवृत्ति हुई है, यह अंग्रेज़ी के **ब्राउन** रूप से भी ज्ञात होता है जिसमें आदि वर्ण की आवृत्ति नहीं है। इस प्रकार हिन्दी में अनेक शब्द हैं जो प्राचीन मध्यदेशीय भाषा के मूल रूपों से सीधे जुड़े हैं।

हिन्दी तथा आधुनिक आर्य भाषाओं में अनेक ऐसे शब्द हैं जिनके प्रतिरूप यूरोप और मध्य एशिया की प्राचीन और नवीन भाषाओं में मिलते हैं। प्राय: देखा जाता है कि ऐसे शब्दों के प्रतिरूप संस्कृत में नहीं हैं। तुलसीदास **अकनि** क्रिया का प्रयोग करते हैं। अन्य आधुनिक आर्य भाषाओं में भी सुनने का अर्थ देनेवाली इस क्रिया का व्यवहार होता है। ग्रीक भाषा में एक क्रिया है **अकोउओ** जिसका अर्थ है सुनना। **अकनि** और **अकोउओ** परस्पर सम्बद्ध हैं यद्यपि संस्कृत में **अक्** जैसी क्रिया नहीं है। माना जाता है कि आर्यों के भारत में आने से पहले ग्रीक शाखा आदि इंडो-यूरोपियन भाषा से अलग हो गई थी। **अकोउओ** प्राचीन ग्रीक शब्द है, आधुनिक ग्रीक नहीं। इस तरह के शब्दों के साम्य से सिद्ध होता है कि इंडो-यूरोपियन परिवार की भाषाओं का विकास समझने के लिए उनका तुलनात्मक अध्ययन केवल संस्कृत से नहीं, आधुनिक आर्य भाषाओं से भी करना चाहिए। अनेक ग्रीक शब्द आर्य भाषाओं में भी नहीं मिलते किन्तु आर्येतर भारतीय भाषाओं में मिलते हैं, इसलिए ऐसे अध्ययन में समस्त भारतीय भाषायी परिवेश को ध्यान में रखना उचित है। ग्रीक भाषा में एक शब्द है **नरोस्** (प्रवहमान)। कन्नड़ में स्नायु के लिए **नर, नरवु** शब्द है। अनुनासिक ध्वनि जोड़कर तमिल में **नरम्बु** रूप बना। पर्जि में **नॅरुव** अनुनासिक हीन रूप है और कोत भाषा का **नर्ब्** रूप अंग्रेज़ी के **नर्व** से बिलकुल मिलता-जुलता है। कुडुख **नरी** शब्द संस्कृत **नाड़ी** का प्रतिरूप है और मल्तो में **नरु** शिराओं का अर्थ देता है। स्पष्ट ही ये सारे शब्द ग्रीक **नरोस्** से जुड़े हुए हैं। हिन्दी **नाली** अवधी रूप में **नारी** या **नरिया,** पुंल्लिंग रूप **नरवा,** ब्रजभाषा का **नार** या **नारो** इसी शृंखला में आते हैं। स्नायुओं, शिराओं में रक्त प्रवाहित है, इसलिए उनका ऐसा नामकरण हुआ। जहाँ

पानी बहता है, उसके लिए भी वैसे ही शब्द का प्रयोग हुआ। क्या **नदी** और **नरी** शब्द परस्पर सम्बद्ध हैं? **नद्** से **नदी**। **नद्** का अर्थ शब्द करना है जिससे **नाद** शब्द बनता है किन्तु एक अन्य क्रिया **नद्** भी थी जिसका अर्थ था बहना। इसी के परिवर्तित रूप **नर्** से ग्रीक, द्रविड़ और हिन्दी जनपदीय भाषाओं के शब्द बने। **नारी, नरी, नाड़ी,** आदि शब्द उस प्राचीन काल की ओर संकेत करते हैं जब भारतीय आर्य, ग्रीक और द्रविड़ परस्पर सम्पर्क से भाषा-तत्त्वों का आदान-प्रदान कर रहे थे। इस तुलनात्मक अध्ययन से **नदी** शब्द की व्युत्पत्ति का ज्ञान होता है, **नदी** और **नाड़ी** के परस्पर सम्बन्ध का पता चलता है। अवधी में एक शब्द है **नधाव**। **नधाव** उस स्थान को कहते हैं जहाँ किसी ताल से नाली खोदकर पानी इकट्ठा करते हैं, फिर बेड़ी से उसे खेत में उलीचते हैं। दो बहुत बड़े सूपों को जोड़ दिया जाए तो उससे बेड़ी जैसी चीज बनेगी। दोनों तरफ रस्सी बाँध देते हैं, **नधाव** से पानी भरकर दोनों तरफ खड़े हुए आदमी उसे खींचते हैं और खेत की नाली में पानी बहा देते हैं। **नधाव** वह स्थान नहीं है जिसमें पानी बहता है, उसमें पानी बहकर आता है और फिर उससे बहाया जाता है। प्रवहमानता से उसका सम्बन्ध है यद्यपि नदी के समान सीधा सम्बन्ध नहीं है। सम्भव है, मूल क्रिया **नध्** रही हो जिसका अर्थ था बहना। इसका एक रूपान्तर **नद्** हुआ जिससे **नद, नदी** शब्द बने, दूसरा रूपान्तर **नह्** हुआ जिससे अरबी का शब्द **नहर** बना। **नदी** और **नहर** आपस में सम्बन्धित हैं, इसका ज्ञान अवधी शब्द **नधाव** में स्थित **नध्** क्रिया से होता है।

**पेंदा, पेंदी** जैसे शब्द संस्कृत में नहीं हैं किन्तु ग्रीक भाषा में **पेज** शब्द का वही अर्थ है जो इन हिन्दी शब्दों का है। ग्रीक भाषा में **द्→ज्→ज़्** रूपान्तर हुआ है। लैटिन में गुदा के लिए **पोदेक्स** शब्द है जो हिन्दी **पोंद** से मिलता-जुलता है। लैटिन **पेदो** हिन्दी **पादना** क्रिया का प्रतिरूप है। ग्रीक भाषा में **पेर्दो, पोर्दी** रूप हैं। अंग्रेज़ी में इन्हीं से **फार्ट्** रूप बनता है। ग्रीक भाषा में कुएँ के लिए एक शब्द **पिगी** है और झरने के लिए **पिगाजो** शब्द है। ये हिन्दी **भीग** या **भीगा** से सम्बद्ध जान पड़ते हैं। **भीग** शब्द, संस्कृत में न मिलने पर, देशज कहा जाएगा किन्तु ग्रीक प्रतिरूप उसे प्राचीन सिद्ध करता है। **बाट** और **बटोही** का सम्बन्ध संस्कृत **वर्त्म** से नहीं, **वर्त** से है; जैसे **पो** से **पथ,** वैसे **वर्** से **वर्त**। ग्रीक भाषा में **बाट** से मिलता-जुलता **बातोस्** शब्द है। जिस स्थान से होकर मनुष्य आ-जा सके, उसे **बातोस्** कहते थे। **वर्त** और **बातोस्,** दोनों का ही सम्बन्ध गतिसूचक **वर्** क्रिया से है। **वर्** और **वा,** दोनों रूपों में यह क्रिया द्रविड़ भाषाओं में प्रयुक्त होती है। अत: **वा** के रूपान्तर **बा** से भी **बाट** और **बातोस** की रचना हो सकती है।

जानवरों को जिस रस्सी से बाँधते हैं, उसे **पगही** कहते हैं। सिर पर जो बाँधी जाए, वह **पाग** या **पगड़ी** होती है। इन शब्दों का सम्बन्ध **पश्** क्रिया से है जिससे संस्कृत शब्द **पाश** बनता है। जो बाँधा जाए, वह **पशु** है। यह **श् क्** में परिवर्तित

हुआ और फिर सघोष हुआ। तब **पग्** क्रिया से **पाग, पगही** शब्द बने। लैटिन में एक क्रिया है **पंगो** जिसका अर्थ है **बाँधना**, निश्चित करना। क्रिया मूल **पग्** में नासिक्य ध्वनि जुड़ने पर **पंगो** रूप बना। **पागुस्** शब्द का अर्थ हुआ देहात का निश्चित भाग, गाँव या जिला, फिर गाँव के रहनेवालों को **पागानुस्** कहने लगे। ये **ग्** वाले रूप या तो आधुनिक आर्य भाषाओं में हैं या लैटिन और ग्रीक में हैं। ग्रीक क्रिया **पेग्नुमि** का अर्थ है गाड़ना, बाँधना, निश्चित करना। इसी से अंग्रेज़ी का **पेग** शब्द बना है, **पेग** अर्थात् खूँटा जिससे कोई बाँधा जाए या जिसे धरती में गाड़ा जाए। इन सारे शब्दों का मूलरूप **पश्** (पस्) है जो संस्कृत **पशु** और **पाश** में विद्यमान है। दिलचस्प बात यह है कि केन्तुम् भाषाओं के समान आधुनिक आर्य भाषाओं में कंठ्य ध्वनि वाला रूप है और संस्कृत में तालव्य **श्** वाला। धान से दाने अलग करने पर जो सूखे पौधे बचते हैं, उन्हें अवधी में **पैरा** कहते हैं। लैटिन में **भूसे** के लिए इससे ठीक मिलता-जुलता शब्द **पलेअ** है। इसका ग्रीक प्रतिरूप **पलूनो** है जिसका अर्थ बिखेरना है। इससे अधिक मिलता-जुलता ग्रीक शब्द **पुरोस्** है जिसका अर्थ है गेहूँ। लिथुआनियन भाषा में भी गेहूँ के लिए **पुरइ** शब्द है। संस्कृत में **पल** शब्द का एक अर्थ **भूसा** बताया गया है। ये सारे शब्द परस्पर सम्बद्ध जान पड़ते हैं। लैटिन और संस्कृत के लकार वाले रूप **र्** वाले भारतीय रूपों के आधार पर बने हैं।

मोची जिस चीज से चमड़ा काटते हैं, उसे **राँपी** कहते हैं। यह ग्रीक भाषा के **र्हफिस्** शब्द से मिलता है। इसका अर्थ है **सुई**। डोरिक बोली में इसका रूप **र्हपिस्** है। **र्** के साथ **ह्** का संयोग अतिरिक्त महाप्राणता के कारण है। **रपि, रापि** जैसा शब्द काटने या सीने के उपकरण के लिए प्रयुक्त होता था। ग्रीक भाषा में **डंडे** के लिए एक शब्द **र्हब्बोस्** है। अवधी **लब्दा** की व्युत्पत्ति जब तक संस्कृत से सिद्ध न हो तब तक उसे ग्रीक शब्द का जोड़ीदार मान लेना चाहिए। ब्रजभाषा में इसे **लबेदा** कहते हैं। तुलसीदास ने **सुअर** नाम के जन्तु के लिए **कोल** शब्द का प्रयोग किया है। यह शब्द लिथुआनियन भाषा में भी है और उसका वही अर्थ है। रूसी में **कोल** नुकीले डंडे को कहते हैं। सम्भव है, सुअर की छाती में नुकीला डंडा गाड़कर उसे मारने की पुरानी प्रथा के कारण सुअर और पैने डंडे के लिए एक ही शब्द का प्रयोग हुआ हो। रूसी भाषा में **चायात्** क्रिया का अर्थ आशा करना है। **तुम क्या चाहते हो**, इस हिन्दी वाक्य में **चाह** क्रिया का मिलता-जुलता अर्थ है। **चाह** का एक अर्थ देखना भी है। सम्भव है, यही मूल अर्थ हो। रूसी भाषा में एक क्रिया है **बोल्तात्** जिसका अर्थ है बहुत बोलना। इससे बातूनी के लिए शब्द **बोल्तून** बना। इसका सम्बन्ध हिन्दी की **बोलना** क्रिया से है। रूसी क्रिया **झ़ेवात्** का अर्थ है चबाना, जुगाली करना; संज्ञा शब्द **झ़ेवानिये** है। इसका सम्बन्ध मराठी **जेवणें**, हिन्दी **जीमना, ज्योनार** आदि से है। **टीन** के लिए रूसी शब्द **झ़ेस्त्** हिन्दी **जस्ता** से सम्बन्धित है। **चेर्नेत्, चेर्नोत्** क्रियाओं का अर्थ है काला करना। हिन्दी

**काला**, अवधी रूप **कार**, तमिल **करु** (काला), इनके किसी प्रतिरूप **केर्** से, तालव्यीकरण वाली प्रवृत्ति के प्रभाव से, रूसी रूप बना है। रस या शर्बत के लिए रूसी **पतोका** अवधी **पतोई** की याद दिलाता है। गन्ने के रस को गर्म करते समय **पतोई** निकलती है। रूसी क्रिया **पलीत** का अर्थ जलाना है। इसका सम्बन्ध **पलीता** से है। **झ़र** शब्द ऊष्मा का सूचक है, गर्म करने या भूनने के लिए रूसी में **झ़रीत्** क्रिया है। हिन्दी **झरसत, झार**, रूसी **झ़र** का एक ही स्रोत है **घर्**।

जर्मन भाषा के **जागेन्** का अर्थ है कहना। इसी से अंग्रेज़ी क्रिया से (कहना) बनी है। मराठी में **साँगणें** क्रिया इसी गोत्र की है। अंग्रेज़ी शब्द **सागा**, गाथा के अर्थ में, इसी वर्ग का है। भारत के उत्तर में किसी समय तुखारी भाषा का व्यवहार होता था, हित्ती के समान यह भी काफी प्राचीन भाषा मानी जाती है। इसमें एक शब्द है **तर्क** जो कान की बाली के लिए प्रयुक्त होता था। अवध के गाँवों की स्त्रियाँ कानों में एक सस्ता आभूषण पहनती हैं जिसे **तर्की** कहते हैं। इस शब्द का चलन ब्रज में भी है। सम्भव है, **तर्की** शब्द तुखारी **तर्क** का स्त्रीलिंग रूप हो। पुरानी आयरिश भाषा में **बेल्** शब्द **कुल्हाड़ी** के लिए प्रयुक्त होता था। **बेल्चा बेल्** जैसे शब्द से निर्मित हुआ है। लिथुआनियन में **तूलस्** बड़ी संख्या की सूचना देता है। हिन्दी में किसी चीज को **तूल** देने का जो मुहावरा है, वह इस **तूलस्** से सम्बन्धित है।

हेमचन्द्र ने उन देशी शब्दों की सूची बनाई जिनके संस्कृत मूल रूप वह खोज न पाए थे। ऐसे शब्दों में एक है **उब्भम्**। इसका अर्थ वही है जो संस्कृत **ऊर्ध्वम्** का है। **उब्भम्** रूप **ऊर्भ्वम्** जैसे मूल शब्द से बना है। **ऊर्ध्वम्** का प्रतिरूप **ऊर्भ्वम्** उस समय रहा होगा जब **ध्** और **भ्** सघोष महाप्राण ध्वनियाँ स्वच्छन्द संचरण की अवस्था में थीं। जिस केन्द्र में **भ्** ध्वनि का विकास हुआ, उसकी भाषा में **ऊर्भ्भम्** रूप था और जिस केन्द्र में **ध्** ध्वनि का विकास हुआ उसमें **ऊर्ध्वम्** बोलते थे। देशी नाममाला में नींद आने के लिए **उँघ** शब्द है। हिन्दी **ऊँघना** इसी **उँघ** की सन्तान है। यह उन शब्दों में है जिनका व्यवहार संस्कृत में नहीं हुआ और इसलिए जो देशज कहलाए। देशी नाम माला में कहने, बोलने के लिए **चव** क्रिया दी हुई है। इससे **चवाव** शब्द बना। देशी नाम माला के शब्द तेरहवीं सदी में एकत्र किये गए थे। ये तो देशज थे, जो तद्भव कहलाते हैं, वे भी काफी पुराने हैं। अशोक के शिलालेखों में **होति, होतु** क्रिया-रूप आए हैं। हिन्दी जनपदों की **हो** क्रिया सम्राट अशोक के समय में प्रयुक्त होती थी। इसी प्रकार अशोक के शिलालेखों के **देखति** रूप में हिन्दी की **देख** क्रिया विद्यमान है। संस्कृत **न्यग्रोध** का तद्भव रूप निगोह अशोक के शिलालेखों में है। इस शब्द का अब व्यवहार कम होता है किन्तु लखनऊ जिले में **निगोहाँ** नामक स्थान उस समय की याद दिलाता है जब अवध के गाँवों में तद्भव रूप **निगोह** का चलन था। **बंभन, सेठ** जैसे तद्भव रूप अब भी प्रयुक्त होते हैं, और ये अशोक के शिलालेखों में हैं, अतः कम-से-कम दो हजार साल पुराने हैं।

पालि में उत्तम पुरुष सर्वनाम का कर्ताकारक बहुवचन रूप **मयम्** है। जो लोग हिन्दी **मैं** को संस्कृत **मया** से उत्पन्न करते हैं, वे पालि रूप **मयम्** पर विचार करें। यहाँ शब्द मूल **मय** है जो **मघ→मह** का रूपान्तर है। इस **मय** का कारणकारक में एकवचन रूप संस्कृत **मया** होगा। वही मूल **मय** पालि **मयम्** में है। **मया** से **मयम्** रूप नहीं बना, **मय** से **मया** बना है। उसी प्राचीन **मय** का रूपान्तर हिन्दी में है।

पालि में बहुत-से शब्द ऐसे हैं जो हिन्दी तथा अन्य आधुनिक आर्य भाषाओं में ज्यों-के-त्यों प्रयुक्त होते हैं। **मोर** शब्द पालि में है और भरतमुनि के नाट्यशास्त्र में आया है। **तेरस, नहान** (स्नान), **साहु, डाह, सत्तरि, झाम** (जला हुआ) ऐसे ही प्राचीन शब्द हैं। मानक भाषाओं में तत्सम या अर्द्ध-तत्सम रूपों का चलन अधिक होता है। जनपदीय भाषाओं में पालि के **तइस** (तैसा), **पहिल** (पहला) जैसे रूप अब भी प्रयुक्त होते हैं। **कित्तक, एत्तक** जैसे पालि शब्द, **कित्ता, इत्ता** आदि रूपों में अब भी बोले जाते हैं। पालि में बरसात के लिए **पावुस** शब्द मराठी में ऐसा ही प्रयुक्त होता है। समास-रचना में प्रथम शब्द का अन्तिम ह्रस्व स्वर दीर्घ कर दिया जाता है। इस तरह **सखि + भाव = सखीभाव** शब्द बना। इसी प्रवृत्ति के कारण **विश्व** और **मित्र** का समास रूप **विश्वामित्र** हुआ। प्राकृत का **अन्धयार** रूप अवधी **अँध्यार**, हिन्दी **अँधेरा** से सम्बद्ध है। **तइस** और **पहिल** जैसे रूप भी अवधी में बोले जाते हैं। पालि और प्राकृत में बोल-चाल की भाषाओं के अनेक भाषा-तत्त्व समाहित हैं यद्यपि वे बोलचाल की भाषाएँ नहीं थीं। पालि में शब्दों के ओकारान्त रूप ब्रज, राजस्थान आदि पश्चिमी क्षेत्र से उसके सम्बन्ध की ओर संकेत करते हैं। प्राकृतों में इससे भिन्न प्रवृत्ति है। इसके सिवा, पालि से भिन्न, प्राकृतों में णकार की भरमार है। ऐसा लगता है कि प्राकृतों में पंजाब और हरियाणा की बोलियों की नकल की गई है। यद्यपि पालि और प्राकृत बोलचाल की भाषाएँ नहीं थीं, फिर भी उनमें समकालीन भाषाओं के बहुत-से तत्त्व आ गए हैं। इनमें वे अनेक तद्भव रूप हैं जो आधुनिक भाषाओं में अब भी प्रयुक्त होते हैं। इनके सिवा अनेक शब्द ऐसे हैं जो संस्कृत में प्रयुक्त नहीं हुए किन्तु पालि और प्राकृतों में हैं और आधुनिक भाषाओं में भी हैं। इनसे ज्ञात होता है कि इन आधुनिक भाषाओं के शब्द रूप कितने पुराने हैं। इसका यह अर्थ नहीं है कि आधुनिक भाषाएँ अपने वर्तमान रूप में बहुत पहले गठित हो गई थीं; इससे केवल इतना सिद्ध होता है कि आधुनिक आर्य भाषाओं का गठन जिन उपकरणों से हुआ है, वे काफी पुराने हैं।

तद्भवीकरण की प्रक्रिया में अधिकतर ध्वनि-परिवर्तन की ओर ध्यान दिया जाता है। यह उस प्रक्रिया का एक पक्ष है। दूसरा पक्ष अर्थ से सम्बन्धित है। हिन्दी में ऐसे अनेक शब्द हैं जिनमें ध्वनि-परिवर्तन के साथ अर्थ-परिवर्तन भी हुआ है। अर्थ-परिवर्तन की प्रक्रिया के उदाहरण संस्कृत में भी हैं। **स्तम्भित** और **स्तम्भ**, दोनों रूप **स्तम्भ्** क्रिया से बने हैं। **स्तम्भ** खम्भे के लिए प्रयुक्त होता है। वैसे जो चीज भी

खड़ी हो, वह **स्तम्भ** है। **स्तम्भित** में चकित रह जाने का भाव है, खम्भे से उसका कोई सम्बन्ध नहीं है। **स्तम्भ** का नासिक्य ध्वनिहीन रूप **स्तभ्** है। इससे **स्तब्ध** शब्द बना जिसमें चकित, नि:शब्द होने का भाव है। किसी समय **स्तब्ध** के समानान्तर **स्तन्ध** शब्द का भी चलन था। **स्तब्ध** के समान **स्तन्ध** का मूल अर्थ था खड़ा हुआ। अंग्रेज़ी **स्टैंड** में खड़े होनेवाला अर्थ बना हुआ है। किन्तु प्राचीन आर्य भाषाओं में **स्तन्ध** का अर्थ-विकास हुआ, जैसे **स्तब्ध** में नि:शब्दता का भाव जुड़ा, वैसे ही **स्तन्ध** में शीत का, जड़ता का भाव जुड़ गया। आदमी चकित हो जाए, किसी भाव से अभिभूत हो जाए, तो उससे बोला न जाएगा। वह जहाँ का तहाँ खड़ा रह जाएगा। ज्यादा सर्दी में ठिठुरने लगा, तो भी जहाँ का तहाँ खड़ा रह जाएगा। एक प्रकार की स्थिरता या जड़ता से इन तीनों भावों का सम्बन्ध है, इसलिए एक ही अर्थ देनेवाली एक ही मूल क्रिया से इन तीन रूपों का विकास हुआ। अब **स्तब्ध, स्तम्भ** और **स्तम्भित** तो संस्कृत में हैं पर **स्तन्ध** नहीं है और शीत का भाव व्यक्त करनेवाला उसका कोई रूप इंडो-यूरोपियन भाषाओं में नहीं है। हिन्दी शब्द ठंढ इसी **स्तन्ध** का तद्भव रूप है। केवल ध्वनि परिवर्तन नहीं हुआ, **स्तन्ध** शब्द का खड़े होनेवाला मूल अर्थ भी बदल गया। **स्तन्ध** शब्द भारत में प्रचलित ही नहीं था वरन् शीत का भाव अर्जित कर चुका था, इसका प्रमाण तमिल भाषा का **तन्नीर** शब्द है। **तन्नीर** अर्थात् ठंढा पानी; बोलचाल में हर तरह के पानी को **तन्नी** कहने लगे हैं, वैसे **नीर** शब्द स्वतंत्र रूप में भी तमिल में प्रचलित है। **तन्नीर** का **तन्** **स्तन्ध** का अवशेष है। मूर्धन्यीकरण प्रवृत्ति का प्रभाव पड़ने से पहले **स्तन्ध** और **नीर** ने मिलकर तमिल **तन्नीर** को जन्म दिया। मूर्धन्य ध्वनियों वाला ठंढ रूप बाद को बना और वैसे ही बना, जैसे **ठाढ़**।

## 3. तद्भवीकरण की प्रक्रिया

तद्भवीकरण की प्रक्रिया का अध्ययन करते हुए भाषाविज्ञानी संस्कृत प्राकृत, अपभ्रंश की मंजिलें पार करते हुए आधुनिक भाषाओं तक आते हैं। जिस तरह के ध्वनि-परिवर्तन प्राकृतों में मिलते हैं, वे तद्भवों की विशेषता माने जाते हैं। जिन ध्वनि-परिवर्तनों से प्राकृतों के तद्भव रूप बनते हैं, उनका कारण द्रविड़ या कोई अस्पष्ट आर्येतर प्रभाव मान लिया जाता है। जो विशुद्ध इंडो-यूरोपियन भाषा थी, वह पहले ही आर्येतर प्रभाव से संस्कृत बनी, अपनी पूर्व शुद्धता उसने खो दी, और जब अधिक आर्य-अनार्य रक्त सम्मिश्रण हुआ, तब प्राकृतों का जन्म हुआ और भाषा में तद्भव ही तद्भव रह गए। पुन: प्राकृत के काफी तद्भव-रूप गायब हो गए और आधुनिक आर्य भाषाओं में तत्समों को प्रतिष्ठा मिली। इस बात पर जोर देना आवश्यक है कि प्राकृतों में जिस तरह के ध्वनि-परिवर्तन दिखाई देते हैं, वे प्राकृतों के लिए अनोखे नहीं हैं, वे केवल भारतीय भाषाओं में नहीं होते, वैसे अधिकांश परिवर्तन इंडो-यूरोपियन परिवार की भाषाओं में अन्यत्र भी होते हैं। प्राकृतों की कृत्रिमता इस

बात में नहीं है कि वैसे ध्वनि-परिवर्तन भाषाओं में होते नहीं हैं या भारतीय भाषाओं में हुए नहीं हैं। कृत्रिमता इस बात में है कि इन परिवर्तनों को रूढ़िबद्ध किया गया और फिर, साहित्यिक स्तर पर, अन्य बहुत-से शब्दों में वैसे ही रूढ़िगत परिवर्तन किए गए। प्राकृतों में जैसा ध्वनि-परिवर्तन दिखाई देता है, वैसा परिवर्तन यूरोप की भाषाओं में भी हुआ है, इस बात पर ध्यान देने से तद्भवीकरण की प्रक्रिया समझने में सहायता मिलेगी। पिशल ने प्राकृत भाषाओं का जो व्याकरण लिखा है, उसके आधार पर ध्वनि-परिवर्तन सम्बन्धी कुछ विशेषताओं का उल्लेख यहाँ किया जाता है।

संस्कृत में एक **ऋ** स्वर माना गया है। इंडो-यूरोपियन भाषाओं के विशेषज्ञ इसे आदि इंडो-यूरोपियन भाषा का स्वर भी मानते हैं। ब्रुगमन ने अपने ग्रंथ में इस स्वर का व्यवहार केवल संस्कृत में होते बताया है, अन्य भाषाओं में या तो **अर्, इर्, उर्** जैसे रूपान्तर हैं या केवल **र्** रह गया है। प्राकृतों की एक विशेषता यह बताई गई है कि इनमें **ऋ** स्वर का अभाव है; तो यह विशेषता संस्कृत छोड़कर इंडो-यूरोपियन परिवार की अन्य सभी भाषाओं में विद्यमान है। प्राकृतों में संस्कृत का **ऋ** स्वर बदलकर कभी-कभी **उ** हो जाता है, जैसे संस्कृत **पृथ्वी** प्राकृत **पुहवि** बना। संस्कृत शब्द **वृक** पुरानी जर्मन में **वुल्फस्** है, **पितृ** शब्द का सम्प्रदानकारक में बहुवचन रूप **फद्रुम्** था; **ब्रोथ्रुलवो** भी पुरानी जर्मन का शब्द है जिसका अर्थ है भ्रातृ-प्रेम। इसमें **ब्रोथ्रु** तो **भ्रातृ** का प्रतिरूप है और **लुवो** का सम्बन्ध **लुभ्** क्रिया से है। **ऋ** स्वर **उ** में बदलता है, केवल प्राकृतों में नहीं, पुरानी जर्मन में भी। उस भाषा के उद्धृत उदाहरण **ब्रुगमन** के ग्रंथ से लिये गए हैं।

प्राकृत में **ऋ** स्वर कभी **इ** में बदलता है, जैसे : **शृगाल** से **सियाल, हृदय** से **हिअअ**। संस्कृत **मृत्यु** का लिथुआनियन प्रतिरूप **मिर्तिस्** है, **कृमि** का प्रतिरूप उसी भाषा में **किर्मिस्** है। यहाँ प्राकृतों के समान **ऋ** स्वर **इ** में परिवर्तित हुआ है। प्राकृतों में संस्कृत **ऋ** के स्थान पर **अ** स्वर का व्यवहार भी होता है, यथा : **कृत** से **कड, वृषभ** से **वसभ, वसह**। संस्कृत हृदय के ग्रीक प्रतिरूप **कर्दिअ, क्रदिअ** हैं; संस्कृत **तृप्यामि** का ग्रीक प्रतिरूप **तर्पोमेथ** है। यहाँ ग्रीक भाषा में स्वर-परिवर्तन प्राकृतों के समान हुआ है।

कहा गया है कि प्राकृतों में **अइ, अउ** संयुक्त स्वरों के स्थान पर **ए, ओ** का चलन हुआ; इस प्रकार **ऐतिहासिक** का रूपान्तर **एदिहासिअ, कौशिक** का रूपान्तर **कोसिक** हुआ। यूरोप की प्राचीन भाषाओं में ऐसे वैकल्पिक रूप एक ही भाषा में मिलते हैं, यथा : लैटिन में **कउपो—कोपो** (छोटा दुकानदार), **कउदा—कोदा** (पूँछ), **कउदेक्स—कोदेक्स** (पेड़ का तना), **अउरीकुला—ओरीकुला** (कान)। ग्रीक भाषा का **दइमोन्** (देव) अंग्रेज़ी में **डेमन्** (दैत्य) हो गया है। संयुक्त स्वरों का एक स्वर में बदलना केवल प्राकृतों की विशेषता नहीं है। संस्कृत **कुष्ठ** प्राकृत में **कोढ** हुआ, **उ** स्वर विवृत होकर **ओ** में परिवर्तित हुआ। लैटिन शब्द **कुर्मुस्**

अंग्रेज़ी में **कोर्स** (दौड़, दौड़ने का मार्ग) बना। लैटिन **कूर्** (क्यों) का पुराना रूप **क्वोर्** था। **नितम्ब** के लिए लैटिन **क्लूनिस्** का ग्रीक प्रतिरूप **क्लोनिस्** है। प्राकृतों में शब्द का अन्तिम स्वर दीर्घ कर दिया जाता है, संस्कृत के विसर्गों का लोप होने पर स्वर की दीर्घता से क्षतिपूर्ति होती है। **अग्निः** से **अग्गी**, **विष्णुः** से **विण्हू**; इसी प्रकार ग्रीक **पोएसिस्** से अंग्रेज़ी **पोएज़ी** बना। ग्रीक शब्द में विसर्गों के स्थान पर सकार है, अंग्रेज़ी में उसका लोप हुआ और अन्तिम स्वर दीर्घ हुआ। लैटिन **क्विस्** (कौन) अंग्रेज़ी में **हू** है; उसी प्रकार सकार-लोप के बाद स्वर दीर्घ हुआ है। अंग्रेज़ी **शू** जर्मन **शुह्** का प्रतिरूप है। जर्मन शब्द का अन्तिम व्यंजन विसर्गवत् है। कहते हैं कि ह्रस्व स्वर के साथ अनुनासिक ध्वनि हो तो प्राकृत में इस ध्वनि का लोप हो जाएगा और क्षतिपूर्ति के लिए स्वर दीर्घ होगा। संस्कृत **विंश** प्राकृत में **वीस** बना; माना जा सकता है कि इसी प्रकार संस्कृत **पंथ** का अंग्रेज़ी प्रतिरूप **पाथ** बना। संस्कृत में जहाँ संयुक्त व्यंजन होते हैं, प्राकृत में वहाँ उन्हें अलग कर दिया जाता है और एक अतिरिक्त स्वर जोड़ दिया जाता है। **अग्नि** से प्राकृत **अगणि**; तुलनीय है रूसी रूप **अगोन्**। इसी प्रकार **श्रद्धा** के **श्रद्** का रूसी प्रतिरूप **सेर्द्त्से** (हृदय) है।

प्राकृतों की एक महत्त्वपूर्ण विशेषता यह है कि दो स्वरों के बीच जो स्पर्श व्यंजन आता है, उसका लोप हो जाता है, कभी लुप्त व्यंजन के स्थान पर **य्, व्** श्रुति का आगम होता है और कभी केवल स्वर का व्यवहार होता है। कंठ्य ध्वनि **क्** बदलकर अ **हुई**, तब **शुक** ने **सुअ** रूप धारण किया। अंग्रेज़ी शब्द **डेय्** अथवा **डे** (दिन) का जर्मन रूप **डॉग** है जो भारतीय **दाघ** का रूपान्तर है। अंग्रेज़ी की क्षमता सूचक क्रिया **मेय्** अथवा **मे** जर्मन **माग्** का रूपान्तर है और जर्मन शब्द भारतीय **मघ** से बना है। जर्मन **फोगेल**, अंग्रेज़ी **फाउल** (पक्षी), जर्मन **आइगॅन्**, अंग्रेज़ी **ओन्** (अपना, निजी), पुरानी अंग्रेज़ी का **लगु**, आधुनिक अंग्रेज़ी का **लाव्** अथवा **लौ** (कानून)। दन्त्य ध्वनियों में ऐसा ही परिवर्तन होता है। संस्कृत **मदन**, प्राकृत **मअण**, फिर हिन्दी **मयन, मैन**; संस्कृत **हृदय**, प्राकृत **हिअअ**, फिर हिन्दी **हिया**। **पितृ, मातृ, भ्रातृ** के फ्रांसीसी प्रतिरूप **पेयर्, मेयर्, फेयर्** हैं। यहाँ भी दन्त्य स्पर्श-ध्वनि के लोप की वही प्रवृत्ति है। संस्कृत **निपुण** का प्राकृत रूप **णिउण**, संस्कृत **रूप** का प्राकृत रूपान्तर **रुअ** ओष्ठ्य ध्वनियों में वैसा ही परिवर्तन दिखलाता है। अंग्रेज़ी **हैव** (रखना) का जर्मन रूप **हाबॅन्** है, **लव** (प्रेम) का जर्मन रूप **लीबन्** है, अंग्रेज़ी **नेव** (बदमाश छोकरा) का जर्मन मूल रूप **क्नाबे** है, **लीव** (छोड़ना) का पुरानी जर्मन में **लाइबॅन्** रूप है। सर्वत्र मूल जर्मन की ओष्ठ्य ध्वनि अंग्रेज़ी में अन्तस्थ व्यंजन अथवा अर्द्ध स्वर का रूप लेती है।

**घ् ध् भ्** भारत की पुरानी सघोष महाप्राण ध्वनियाँ हैं। प्राकृतों में ये परिवर्तित होकर **ह्** बनती हैं। यह प्रवृत्ति संस्कृत में भी है। संस्कृत **लघुक**, प्राकृत में **लहुअ** बनता है। इससे पहले प्राचीन मध्यदेशीय **घंस** शब्द संस्कृत में **हंस** बना था। **घंस**

की सत्ता का ज्ञान जर्मन रूप **गंस** से होता है। **हंस** का **ह्** उड़ जाता है तब लैटिन का **अंसेर्** रूप बनता है। संस्कृत **ह्लाद** का पूर्व रूप **घ्लाद** था, इसका पता अंग्रेज़ी **ग्लैड** से लगता है। ग्रीक भाषा में **हादिओस** इसका प्रतिरूप है। संस्कृत **रभस** प्राकृत **रहस** बना। यहाँ ओष्ठ्य ध्वनि में परिवर्तन हुआ। संस्कृत **भूमि** का लैटिन प्रतिरूप **हुमुस्** है, अधिकरणकारक में इसका रूप **हुमि** होता है जो **भूमि** से मिलता-जुलता है। संस्कृत **अधर** प्राकृत में **अहर** है। संस्कृत **द्राक्षा** का मूल रूप **ध्राक्षा** था, इसका ज्ञान ग्रीक **हंगोस, हक्स** रूपों से होता है। संस्कृत रूप में सघोषता बनी रही है, महाप्राणता का लोप हुआ है; ग्रीक रूप में महाप्राणता बनी है, सघोष स्पर्श तत्त्व का लोप हुआ है। **द्राक्षा** के लैटिन प्रतिरूप **रकेमुस्** में महाप्राणता का लोप हो गया है।

प्राकृतों में एक चूलिकापैशाची है जो सघोष महाप्राण ध्वनियों की सघोषता का लोप करती है किन्तु महाप्राणता बनाए रहती है। इस प्रकार संस्कृत के **मेघ, मधुर** और **भूत** शब्द इस प्राकृत में **मेख, मथुर** और **फूत** हो जाते हैं। यह परिवर्तन बहुत दिलचस्प है क्योंकि संस्कृत की सघोष महाप्राण ध्वनियाँ अधिकतर इसी प्रवृत्ति के अनुरूप ग्रीक भाषा में बदलती हैं। मूल शब्द **बाघु** संस्कृत में **बाहु** किन्तु ग्रीक में **पाखुस्** हुआ। मूल शब्द **घर्ष** संस्कृत में **हर्ष** बना; ग्रीक भाषा में प्रसन्न होने के लिए **खइरो** क्रिया है, जिससे फ़ारसी **ख़ैर** का सम्बन्ध है। **हर्ष** के लिए ग्रीक भाषा में **खर** शब्द है। संस्कृत **धर्ष्** क्रिया साहस सचित करती है, इसी से **धृष्ट** शब्द बना है। ग्रीक **थर्सेओ** (साहसी होना), **थर्सलेओस्** (धृष्ट, संस्कृत के समान ही यहाँ अर्थ की दृष्टि से शब्द का अवमूल्यन हुआ है) उसी **थर्ष** क्रिया से सम्बद्ध हैं। संस्कृत **धाव्, धूम** ग्रीक भाषा में **एओ, थूमोस्** हैं। इसी प्रकार ओष्ठ्य ध्वनियों की सघोषता का लोप होता है और महाप्राणता बनी रहती है। **भ्रातृ** का ग्रीक प्रतिरूप **फ्रातेर्** इसका सुपरिचित उदाहरण है। संस्कृत **भूति** ग्रीक **फूसिस्** रूप धारण करता है। **फूसिस्** का अर्थ है जन्मजात गुण जो **भूति** के अर्थ से मिलता-जुलता है। संस्कृत क्रिया **भर्** का अर्थ है भरण करना, इसका ग्रीक प्रतिरूप है **फेरो**। एक अन्य संस्कृत क्रिया **भर्** का अर्थ है वहन करना। इसका ग्रीक प्रतिरूप है **फोरेओ**। दोनों रूपों में, चूलिकापैशाची के समान, **सघोषता** का लोप होता है। **शीत** के लिए लैटिन शब्द **फ्रिगुस्** का ग्रीक प्रतिरूप **हिंगोस्** इस बात की ओर संकेत करता है कि इन शब्दों का मूल रूप **भृगुस्** था और सम्भवत: **भृगु** शब्द **शीतवाचक** था। यूनान में **फ़ुगिया** नाम का जनपद भी था जो डॉ. सुनीतिकुमार चाटुर्ज्या के अनुसार **भृगु** का रूपान्तर है।

संस्कृत **देव** का ग्रीक प्रतिरूप **थओस्** है। **द्** ध्वनि **थ्** में बदल गई होगी, इसका कोई कारण नहीं जान पड़ता। मूल शब्द **धेव** होगा और **धे** क्रिया जलने, प्रकाश करने के लिए प्रयुक्त होती थी। **अध्वर्यु** और **अथर्वन्** में जैसा सम्बन्ध है, वैसा सम्बन्ध प्राचीन मध्यदेशीय **धेवस्** और ग्रीक **थेओस** में है। इस विवेचन से यह निष्कर्ष न निकालना चाहिए कि ग्रीक भाषा की सारी विशेषताएँ चूलिकापैशाची की विशेषताओं

से मिलती हैं। निष्कर्ष यह निकलता है कि चूलिकापैशाची और ग्रीक भाषा में एक सामान्य प्रवृत्ति है जिससे सघोष महाप्राण ध्वनियों की सघोषता का लोप होता है। इस सामान्य प्रवृत्ति का कारण ऐसी गण-भाषाओं का प्रभाव है जो संस्कृत के समानान्तर बोली जाती थीं; उस प्रभाव से चूलिकापैशाची और ग्रीक, दोनों के रूप परिवर्तित हुए हैं। ग्रीक भाषा की अपेक्षा चूलिकापैशाची अधिक सुसंगत ढंग से सघोषता, का लोप करती है। जहाँ महाप्राणता नहीं होती, वहाँ भी वह सघोष ध्वनि को अघोष बना देती है। पिशल ने उदाहरण दिये हैं : **गगन—ककन, जात—चात, जीमूत—चीमूत, दामोदर—तामोतर, बालक—पाळक, बिस—पिस, नगर—नकर, राजन्—राच, तडाग—तटाक, मदन—मतन, भगवती—फकवती**। यदि कोई तमिल-भाषी संस्कृत के प्राचीन रूप अपनाता तो शायद उन्हें यही रूप देता। आधुनिक तमिल में मध्यवर्ती अघोष ध्वनियों को भी सघोष बोलने की प्रवृत्ति है पर यह प्रवृत्ति बाद में विकसित हुई। ध्वनियों का त्याग तमिल पहले भी करती थी, अब भी करती है। चूलिकापैशाची महाप्राण की उक्त प्रवृत्ति केवल इस प्राकृत तक सीमित नहीं है। उसके अनुरूप ग्रीक भाषा में ध्वनि परिवर्तन होते हैं और उत्तर भारत में इस प्रवृत्ति का पुराना स्मारक **मथुरा** नगर है। मूल रूप **मधुरा** से **मथुरा** नाम चूलिकापैशाची की ध्वनि-प्रकृति के अनुसार ही पड़ा। तमिल में सघोष ध्वनि युक्त **मदुरइ** नगर प्रसिद्ध है।

प्राकृतों में एक प्रबल प्रवृत्ति मध्यवर्ती अघोष स्पर्श-ध्वनि को सघोष करने की है। यह प्रवृत्ति आधुनिक तमिल में प्रबल है। प्राकृत में **आगतः—आगदो, मति—मदि, मदकल—मदगल, नायकः—णाअगु** आदि उक्त ध्वनि-परिवर्तन के उदाहरण हैं। हिन्दी में **लोक—लोग, काक—काग** आदि इसी तरह के परिवर्तन के सूचक हैं। फ़ारसी में **पितृ, मातृ, भ्रातृ, पिदर, मादर, बिरादर** हैं। इनसे तुलनीय हैं अंग्रेज़ी के **फादर, मदर, ब्रदर**। मध्यवर्ती अघोष स्पर्श-ध्वनि को सघोष करने की प्रवृत्ति प्राकृतों में ही नहीं है। इंडो-यूरोपियन परिवार की फ़ारसी और अंग्रेज़ी जैसी भाषाओं को छोड़कर वह द्रविड़-परिवार में भी है और सबसे सुसंगत रूप में तमिल में है। तमिल में सघोषता अर्थभेदक नहीं होती, इसलिए यह विश्वास करना कठिन है कि सघोष ध्वनियों का व्यवहार तमिल ने किसी बाह्य प्रभाव के बिना किया होगा। आर्य भाषाओं में यह प्रवृत्ति पंजाबी में अधिक है और सम्भव है, प्राकृतों में मध्यवर्ती अघोष ध्वनियों को सघोष करने का केन्द्र पंजाब रहा हो। प्राकृतों में **ण्** की भरमार से यह धारणा पुष्ट होती है।

प्राकृतों की जो विशेषता सबसे अधिक ध्यान आकर्षित करती है, वह **ण्** का व्यवहार है। जिन भारतीय भाषाओं में इस ध्वनि का व्यवहार होता है, उनमें कहीं भी शब्द के आदि स्थान पर इसका प्रयोग नहीं होता। नगरों, नदियों, पर्वतों, देवताओं का कोई भी नाम इस ध्वनि से आरम्भ नहीं होता। तमिल में यह ध्वनि अर्थभेदक है किन्तु उसमें भी आदि स्थान पर इसका व्यवहार नहीं होता। इससे विदित होता है कि प्राकृत लिखनेवालों ने उत्तर-पश्चिमी भाषाओं के ध्वनि-तंत्र की नकल की

है यद्यपि यह माना जा सकता है कि संस्कृत शब्दों में जहाँ सामान्य **न्** लिखा जाता है, वहाँ उसका उच्चारण मूर्धन्य भी होता था। **सेवते** क्रिया-रूप के पहले **नि** उपसर्ग लगाने पर दन्त्य सकार मूर्धन्य हो जाता है। **निषेवते** रूप निर्माण का कारण **न्** का मूर्धन्य उच्चारण ही हो सकता है। संस्कृत में जितनी खपत **ण्** की है, उतनी टवर्गीय अन्य ध्वनियों की नहीं। प्राकृतों में इन ध्वनियों का व्यवहार अधिक होता है। इस प्रकार **दोला** से **डोला, दर्भ** से **डब्भ** रूप बनते हैं। मूर्धन्य ध्वनियों के केन्द्रों ने आर्य-द्रविड़ भाषाओं को विभिन्न परिमाण में प्रभावित किया है। यूरोप की भाषाएँ भी इनसे प्रभावित हुई हैं। लैटिन समुदाय की भाषाएँ, केल्त और **स्लाव** भाषाओं के समान, उक्त प्रभाव से मुक्त हैं किन्तु जर्मन समुदाय की भाषाओं पर मूर्धन्यीकरण की प्रक्रिया ने गहरा असर डाला है। अंग्रेज़ी में **द्** और **ड्** तो अर्थभेदक ध्वनियाँ हैं किन्तु **त्** और **ट्** में अर्थभेद नहीं है। **देयर** (वहाँ) और **डेयर** (साहस करना) में भेद है किन्तु ऐसा भेद **ट्** से आरम्भ होनेवाले शब्दों में नहीं होता। वास्तव में **त्** ध्वनि अंग्रेज़ी में है ही नहीं। जैसे संस्कृत **दोला** से प्राकृत तद्भव **डोला** बना, वैसे ही **धर्ष** क्रिया के **धर्** से अंग्रेज़ी **डेयर** बना, **दाघ** पूर्व रूप से **डे** (दिन) बना, ग्रीक **दइमोन्** अंग्रेज़ी में **डेमन्** हुआ, ग्रीक **देमोक्रातिआ** से अंग्रेज़ी रूप **डिमोक्रेसी** बना। यदि मूर्धन्य ध्वनियों के व्यवहार से संस्कृत रूप प्राकृत हुए तो ग्रीक रूप भी अंग्रेज़ी में प्राकृत हुए। यह तर्क व्यर्थ है कि अंग्रेज़ी में वर्त्स्य ध्वनियों का व्यवहार होता है क्योंकि भारतीय आर्य-द्रविड़ भाषाओं में बहुत-सी कल्पित मूर्धन्य ध्वनियाँ वर्त्स्य बोली जाती हैं; उधर मानक अंग्रेजी से भिन्न उत्तरी इंग्लैंड की कुछ बोलियों में, तथा नॉर्वे और स्वीडन की भाषाओं में, मूर्धन्य ध्वनियों का स्पष्ट व्यवहार होता है तथा इन ध्वनियों में **ट्** ही नहीं, **ण्** भी है।

प्राकृतों के लिए कहा गया है कि इनमें **श्** और **ष्** के स्थान पर **स्** का ही व्यवहार होता है। यूरोप की भाषाओं में **ष्** नहीं है, इसलिए संस्कृत के **षष्** का अंग्रेज़ी प्रतिरूप **सिक्स**, संस्कृत **चषक** का रूसी प्रतिरूप **चाश्का**, सब प्राकृत रूप हैं। संस्कृत **शत** का फ़ारसी प्रतिरूप **सद**, संस्कृत **श्रु** का रूसी प्रतिरूप **स्लू** तद्भव हैं। किन्तु मागधी प्राकृत दन्त्य **स्** को तालव्य में बदलती है, **सलिल—शलिल, सहस्त्र—शहश्श।** जर्मन भाषा में **ल्** के साथ शब्द के आदि स्थान में **श्** का व्यवहार ही होता है। अंग्रेज़ी **स्लीप** (सोना) का जर्मन प्रतिरूप **श्लाप़ॅन्** है। इस प्रकार **स्** का परिवर्तन **श्** में और **श्** का परिवर्तन **स्** में, ये दोनों प्रवृत्तियाँ प्राकृतों में ही नहीं, पुराने समय में इंडो-यूरोपियन परिवार की भाषाओं में भी हैं।

**स्, ष्, श्**—इन तीनों सकारों के भिन्न केन्द्र रहे हैं और इनकी स्थिति प्राकृतों तथा अन्य भाषाओं में विभिन्न प्रकार की है। मूर्धन्य **ष्** से मुक्ति पाने में आधुनिक आर्य भाषाएँ, प्राकृतें, प्राचीन और नवीन संस्कृतेतर इंडो-यूरोपियन भाषाएँ एक ही स्तर पर हैं। प्राकृतों में **श्** और **स् ह्** में भी बदलते हैं। इस प्रकार **दश** से **दह,**

**दिवस** से **दिवह** प्राकृत रूप बनते हैं। संस्कृत **श्रद्धा** का **श्रद्** वाला भाग संस्कृत में ही **हृदय** और अंग्रेज़ी में **हार्ट** है, और संस्कृत **श्रु** का अंग्रेज़ी प्रतिरूप **हियर** (सुनना) है। संस्कृत **सूर्य**, लैटिन **सोल** का ग्रीक प्रतिरूप **हेलिओस्** है। इस प्रकार जैसे प्राकृत में तत्सम शब्दों के **श्, स्** के स्थान पर **ह्** मिलता है, वैसे ही प्राकृत रूप यूरोप की भाषाओं में हैं। प्राकृतों में मूर्धन्य **ष् ख्** में बदलता है, इस कारण संयुक्त व्यंजन-ध्वनि **क्ष्** भी **ख्** अथवा **क्ख्** में बदलती है। इस प्रकार **क्षीर** का प्राकृत रूपान्तर **खीर** होगा, **क्षुण्ण** का प्राकृत रूप **खुण्ण** होगा। यह भी बहुत पुरानी प्रवृत्ति है। **तक्षन्** की **तक्ष** क्रिया से ग्रीक **तेख्ने** शब्द बना था। जैसे **वर्षा** का तद्भव रूप **बरखा** होता है, वैसे ही संस्कृत **तृषा** की **तृष्** क्रिया जर्मन भाषा की कुछ बोलियों में **त्रिख्** रूप में प्रचलित है।

प्राकृतों में **क्** ध्वनि कहीं-कहीं **च्** में बदलती है। **किरात** का प्राकृत रूप **चिलाअ** हुआ। यह प्रवृत्ति इतालवी भाषा में भी है। लैटिन **केन्तुम्** यहाँ **चेन्तो** है। कुछ शब्दों में **ग्** के स्थान पर **व्** का व्यवहार होता है। **अवगाहते** से **ओगाहइ**, पुनः **ओवाहइ;** यदि फ्रांसीसी भाषा का **गेर** (युद्ध) मूल रूप माना जाए, तो अंग्रेज़ी **वार** उसका प्राकृत रूपान्तर हुआ। अंग्रेज़ी भाषा का **लाव्** या **लौ** (कानून) शब्द **व** ध्वनि-चिन्ह से लिखा जाता है। पुरानी अंग्रेज़ी में **लगु** रूप था। यहाँ निश्चय ही **ग्** ध्वनि **व्** में परिवर्तित हुई है। ऐसे ही अंग्रेज़ी **ओन्** (अपना, निजी) शब्द **व्** ध्वनि से लिखा जाता है, पुरानी अंग्रेज़ी में इसका रूप **ऐगेन्** था। यहाँ भी **ग्** ध्वनि **व्** में परिवर्तित हुई है यानी आधुनिक अंग्रेज़ी ने पुरानी अंग्रेज़ी को प्राकृत रूप दिया है। झुकने का अर्थ देनेवाली **बावु** क्रिया के उच्चारण में **व्** ध्वनि की झलक रहती है। संस्कृत **भुज्** के प्रतिरूप पुरानी अंग्रेज़ी के **बुगन्** से आधुनिक अंग्रेज़ी का **बाव** बना है।

प्राकृतों में **य्** ध्वनि बहुधा **ज्** में बदलती है, **यदि** से **जदि, यथा** से **जधा** रूप बनते हैं। आधुनिक आर्य भाषाओं में इसी प्रवृत्ति के कारण **यमुना** को **जमुना** कहते हैं और बंगला में यह प्रवृत्ति सर्वाधिक प्रबल है। अंग्रेज़ी में **याकूब** नाम **जेकब** और **जैक** हुआ, **यूसुफ जोज़फ** हो गए, **यरूशलम** नगर **जेरूसलम** बोला जाने लगा। लैटिन और ग्रीक में यह ध्वनि नहीं थी, इसलिए **याकूब** को ग्रीक भाषा में **इआकोबोस्** कहा गया। अंग्रेज़ी में लैटिन-ग्रीक के **इआ** को **या** मानकर **जा** में परिवर्तित किया गया। जनवरी का महीना लैटिन में **इआनुआरिउस्** है, अंग्रेज़ी में **जैनुऐरी** है। **जुबिली** शब्द मूलतः हीब्रू भाषा का है। लोग मेढे का सींग बजाते थे, उसे **योबेल** कहते थे। लैटिन में उच्च स्वर में नाद करने के लिए **इउबिलुम** शब्द था। लैटिन और हीब्रू के दोनों शब्दों की मिलावट से अंग्रेज़ी का **जुबिली** शब्द बना।

प्राकृतों में **त्, द्** ध्वनियाँ **ल्** में बदलती है, इस प्रकार **अतसी** से **अलसी** और **द्वादश दुवालस** रूप बने। यह प्रवृत्ति भी बहुत पुरानी है। संस्कृत **देवर** का लैटिन प्रतिरूप **लेविर** है। **दामिनी** में चमकने का अर्थ देनेवाली **दम्** क्रिया से ग्रीक भाषा

में **लम्पस्** (मशाल) शब्द बनता है जो अंग्रेज़ी का परिचित **लैम्प** है। संस्कृत **अश्रु** का मूल रूप **धश्रु** रहा होगा जिससे आँसू का अर्थ देनेवाला ग्रीक शब्द **दक्रु** बना। लैटिन में इसका प्रतिरूप **लक्रिमा** है। अंग्रेज़ी के कुछ शब्द **ल्** से आरम्भ होते हैं पर उनके संस्कृत प्रतिरूपों में **य्** अथवा **ज्** ध्वनि है। संस्कृत **जीव**, अंग्रेज़ी **लिव**; संस्कृत **यकृत**, फ़ारसी **जिगर**, अंग्रेज़ी **लिवर** है। यहाँ **ज्** ध्वनि पहले **द्** में परिवर्तित हुई जैसा कि प्राकृतों में कभी-कभी होता है, फिर **द्** **ल्** में परिवर्तित हुआ।

प्राकृतों में **प्** ध्वनि **व्** में बदलती है, **दीप** से **दीव**, **कोप** से **कोंव** रूप बनते हैं। संस्कृत की **पण्य** शृंखला में लैटिन **वेन्दो** (बेचना), **वेनेओ** (बिकना), **वेनुम्** (बिक्री) **व्** ध्वनि वाले रूप हैं। **पीना** क्रिया से सम्बद्ध रूसी **प्यानुइ** (पिये हुए, नशे में) का लैटिन प्रतिरूप **वीनोसुस्** है। अंग्रेज़ी **कवर** (ढाँकना) का फ्रांसीसी **कूव्रीर्** रूप को उपसर्ग जोड़कर लैटिन की **ओपेरीरे** क्रिया के आधार पर बना है। प्राकृतों में **प्** ध्वनि **म्** में भी बदलती है, **भिंडिपाल** का रूपान्तर **भिंडिमाल** होता है। संस्कृत **स्वप्न** अर्द्ध-मागधी में **सुमिण** हुआ। इसी प्रकार संस्कृत **स्वप्न** के लैटिन प्रतिरूप **सोम्नुस्** (नींद), **सोम्निओ** (स्वप्न देखना) हैं। पुरानी मानक ग्रीक भाषा और उसकी उपभाषाओं में भी ऐसा फेरबदल मिलता है। इओलिअन का **ओघ** मानक भाषा में **ओम्म** (आँख) है, उसी बोली का **पेदा** मानक भाषा में **मेता** (साथ) है।

तत्सम शब्दों में जहाँ दो व्यंजन एक साथ आए हों, वहाँ प्राकृतों में एक व्यंजन हटाकर दूसरे की आवृत्ति करने की पद्धति है। इस प्रकार **रुद्र, शब्द, आवर्त** आदि **रुद्द, सद्द, आवत्त** हो जाते हैं। संस्कृत रूप **तुरुष्क** प्राकृत में **तुरुक्क** है। (विचारणीय है कि **तुर्क** शब्द प्राकृत **तुरुक्क** का ही विकास है अथवा नहीं)। **शुष्क** का लैटिन प्रतिरूप **सिक्कुस्** है। जैसे **तुरुष्क** में **ष्** का लोप हुआ और **क्** व्यंजन की आवृत्ति हुई, वैसे ही **शुष्क** के **ष्** का लोप हुआ, **क्** की आवृत्ति हुई और लैटिन का तद्भव रूप **सिक्कुस्** बना। पालि में **पुत्र** से **पुत्तो** (मागधी में **पुत्ते**) रूप बना। इतालवी भाषा में भी एक शब्द **पुत्तो** है, अर्थ है बच्चा, लड़का। लैटिन में **पुत्र** शब्द नहीं है, **पुसिओ** है जिसका अर्थ है बालक। **पुसिओ** का सम्बन्ध पुत्र से वैसे ही है, जैसे—फ़ारसी **पिसर** का है। **पुसिओ** से **पुत्तो** रूप बन नहीं सकता। मान लेना चाहिए कि इतालवी **पुत्तो** संस्कृत **पुत्र** का प्राकृत रूप है। संस्कृत **अष्ट** लैटिन में **ओक्तो** है, इतालवी में **ओत्तो**; संस्कृत **सप्तम** लैटिन में **सेप्तेम्** है। इतालवी में **सेत्ते**। अंग्रेज़ी के बहुत-से शब्दों में, लैटिन के आधार पर, दो भिन्न व्यंजन एक साथ आते हैं किन्तु इतालवी में एक ही व्यंजन की आवृत्ति होती है। अंग्रेज़ी **डिक्टेटर** का इतालवी प्रतिरूप **दित्तातोरे** है, अंग्रेज़ी **सेक्ट** (सम्प्रदाय) का इतालवी प्रतिरूप **सेत्ता** है। अंग्रेज़ी ने लैटिन के तत्सम रूपों को अधिक अपनाया है, तद्भव रूप इतालवी में अधिक हैं।

प्राकृतों की एक विशेषता अनेक स्वरों का एक साथ व्यवहार है। भारतीय आर्य भाषा और यूरोप की भाषाओं में दो स्वरों को टकराने से बचाने के लिए बहुधा

**य्, व्** श्रुति का आगम होता है। प्राकृत में इस तरह के शब्द मिलते हैं : **उअअ, आअअ, उऊ**—ये क्रमशः इन शब्दों के रूपान्तर हैं : **उदक, आगत, ऋतवः, अवपात**। प्राकृतों में ऐसे रूप किसी रूढ़ के अन्तर्गत रचे गए हैं। मुख्य बात यह है कि प्राकृतों की और आधुनिक आर्य भाषाओं की तद्भवीकरण-प्रक्रिया में अन्तर है। इनमें मुख्य है स्पर्श व्यंजनों का लोप। यूरोप और भारत, दोनों की भाषाओं में यह प्रवृत्ति अंशतः रही है; फिर उसका अन्त हो जाता है। इसका कारण यही हो सकता है कि इंडो-यूरोपियन परिवार की भारतीय तथा यूरोपीय भाषाएँ किसी समय ऐसी भाषाओं से प्रभावित हुई हैं जिनमें व्यंजन-लोप की यह प्रवृत्ति व्यापक थी। फिर इस तरह का प्रभाव समाप्त हो गया, भाषायी परिवेश बदल गया किन्तु तद्भवीकरण की अन्य प्रक्रियाएँ चालू रहीं। ऐसी प्रक्रियाएँ भारतीय आर्य भाषाओं और जनपदीय उपभाषाओं में अब भी देखने को मिलती हैं। प्राकृतों की ध्वनि-परिवर्तन सम्बन्धी बहुत-सी विशेषताएँ यूरोप की भाषाओं में मिलती हैं, यह तथ्य इन विशेषताओं के प्राचीन होने का प्रमाण है। भारत में उनका घनीभूत रूप, रूढ़िबद्ध रूप भी देखने को मिलता है, इससे यह सूचित होता है कि तद्भवीकरण के ऐसे मूल केन्द्र भारत में थे। यह कहा जा सकता है कि प्राकृतों में तो सभी विशेषताएँ एक ही भाषातंत्र में हैं किन्तु यूरोप की भाषाओं में ये सारी विशेषताएँ किसी एक भाषातंत्र में एक साथ नहीं मिलतीं। वास्तव में सभी प्राकृतें एक भाषातंत्र के अन्तर्गत नहीं हैं। **ण्** ध्वनि के व्यवहार का प्रमुख लक्षण पैशाची नाम की प्राकृत में नहीं है। अधिकांश प्राकृतों में मध्यवर्ती स्पर्श-ध्वनि सघोष होती है, चूलिकापैशाची में मूल सघोष ध्वनि को भी अघोष कर देते हैं। यदि आधुनिक आर्य भाषाओं के तद्भवों का अध्ययन किया जाए, तो विदित होगा कि यूरोप की भाषाओं की तरह यहाँ भी प्राकृत रूपों की विशेषताएँ एक ही भाषातंत्र में नहीं मिलतीं। यदि रूढ़ियों के कृत्रिम अनुसरण से उत्पन्न होनेवाले रूप छोड़ दिए जाएँ, तो प्राकृतों में ध्वनि-परिवर्तन की ऐसी विशेषताएँ मिलेंगी जो बोलचाल की भाषाओं की विविधता प्रदर्शित करती हैं। पालि और प्राकृत, दोनों से वास्तविक भाषाओं के ध्वनितंत्र के भेद का कुछ-कुछ अनुमान हो सकता है। तद्भवीकरण की प्रक्रिया किसी युग विशेष की घटना नहीं है, वह भाषाओं की निरन्तर परिवर्तनशीलता की प्रक्रिया है। पहले कोई शुद्ध रूप थे, फिर वे युग विशेष में तद्भव बन गए, यह धारणा मिथ्या है। पुराने शब्द रूपों में परिवर्तन ग्रीक और लैटिन में हुआ है, संस्कृत में हुआ है, आधुनिक आर्य भाषाओं में हुआ है, यूरोप की भाषाओं में हुआ है। तद्भवीकरण-प्रक्रिया को इस व्यापक सन्दर्भ में देखना चाहिए।

इस पुस्तक में सघोष महाप्राण स्पर्श-ध्वनियों के ऐतिहासिक महत्त्व पर बल दिया गया है। इंडो-यूरोपियन परिवार की भाषाओं के विवेचन में यह धारणा सही साबित होती है कि संस्कृत शब्दों में सघोष महाप्राण ध्वनि हो और बाहर की भाषाओं के प्रतिरूप में न हो तो संस्कृत रूप प्राचीन होगा। यह भी सामान्यतः

सही है कि आधुनिक आर्य भाषाओं में जहाँ सघोष महाप्राण ध्वनि हो और संस्कृत में न हो, वहाँ आधुनिक रूप प्राचीन ध्वनि सुरक्षित किए होगा। संस्कृत **इह** के समानान्तर **इधर** का **इध** प्राचीन ध्वनि बनाए हुए है। किन्तु यहाँ भारतीय सन्दर्भ में बहुत सावधानी बरतने की आवश्यकता है। जिन प्राकृतों में मध्यवर्ती स्पर्श व्यंजन को सघोष करने की प्रवृत्ति रही है, वे अल्पप्राण ही नहीं, महाप्राण अघोष ध्वनियों को भी सघोष करती रही हैं। **लोक** से **लोग** रूप बना तो अल्पप्राण ध्वनि सघोष हुई किन्तु **पठ्** से **पढ़्** रूप बना तो यहाँ महाप्राण ध्वनि सघोष हुई। इसके अतिरिक्त **ह्** के आसपास जो व्यंजन होता है, वह कभी-कभी वर्णसंकोच के कारण **ह्** से मिलकर सघोष महाप्राण रूप धारण कर लेता है। **महिषी** से **भैंस** तद्भव रूप बना, जैसे **बहन** को कुछ लोग **भैण** कहते हैं। **भैंस** मूल रूप नहीं है यद्यपि उसमें सघोष महाप्राण स्पर्श-ध्वनि है। संस्कृत **निर्वाह** का तद्भव रूप हुआ **निबाह**, इससे फिर एक नया तद्भव बना **निभाव**। इसमें सघोष महाप्राण **भ्** है। इससे यह सिद्ध नहीं होता कि **निर्वाह** और **निबाह** का मूल रूप **निभाव** है। कभी-कभी विदेशी शब्द आर्य भाषाओं में आकर, इनकी ध्वनि-प्रकृति के अनुरूप, सघोष महाप्राण ध्वनि की सृष्टि कर लेते हैं। पुर्तगाली भाषा का **चाबी** शब्द हिन्दी में **चाभी** बोला जाता है। मूल रूप में **भ्** नहीं है। यही स्थिति गोभी की है।

### 4. जनपदीय आदान-प्रदान

तद्भवीकरण के अध्ययन में लोगों के सामने अधिकतर संस्कृत रूप रहते हैं या फिर विदेशी शब्द जो रूप बदलते हैं, उनका विवेचन किया जाता है यद्यपि ऐसे विदेशी शब्दों को तद्भव नहीं कहा जाता। तद्भवीकरण का एक महत्त्वपूर्ण पक्ष एक आर्य भाषा से दूसरी आर्य भाषा तक पहुँचनेवाले शब्दों का रूपान्तर है। किसी भी आर्य भाषा के तद्भवों का अध्ययन करते समय यह मान लिया जाता है कि ये शब्द उसमें सीधे संस्कृत-प्राकृत-अपभ्रंश मार्ग से आए हैं। इस विवेचन-पद्धति का एक परिणाम यह होता है कि जनपदीय आर्य भाषाओं और आधुनिक जातीय आर्य भाषाओं ने एक दूसरे के विकास में जो योगदान किया है, वह आँखों से ओझल रहता है। इस पद्धति के अनुसार जो सबसे महत्त्वपूर्ण ग्रंथ लिखा गया और जिसने विद्वानों को सबसे अधिक प्रभावित किया है, वह डॉ. सुनीतिकुमार चाटुर्ज्या का बंगला भाषा के उद्भव और विकास पर ग्रंथ है। इसका मूल ढाँचा वही है जो ब्लौख के मराठी पर प्रसिद्ध ग्रंथ का है। दोनों ही ग्रंथों में संस्कृत-प्राकृत-अपभ्रंश मार्ग का अनुसरण किया गया है। मराठी और बंगला, दोनों से हिन्दी जनपदीय भाषाओं का जो सम्बन्ध रहा है, वह इन ग्रंथों में अविवेचित है। डॉ. चाटुर्ज्या ने कहीं-कहीं हिन्दी प्रभाव स्वीकार किया है, दो-एक जगह तुलना के लिए उन्होंने हिन्दी का उल्लेख किया है किन्तु इससे वस्तुस्थिति का ठीक-ठीक बोध नहीं होता। बंगला में **पितेम** और **पुरुत** रूप

सीधे **पितामह** और **पुरोहित** से बने हैं किन्तु **घोम्टा घूँघट** का प्रतिरूप है और उसी का तद्भव रूप है। **ओढ़नी** का बंगला रूपान्तर **उड़नि** है। उसका विकास सीधे किसी प्राकृत रूप से नहीं हुआ। डॉ. चाटुर्ज्या ने अपनी पुस्तक में बहुत-से ऐसे शब्द दिये हैं जो हिन्दी जनपदों की ओर संकेत करते हैं, उनमें कुछ का उल्लेख यहाँ किया जाता है। **पाकड़ी** बलाघात के कारण **पगड़ी** के आदि वर्ण को दीर्घ दिखलाता है। **ठाउरा** (ठहर कर सोचना) **ठहर** क्रिया का रूपान्तर है, महाप्राण ध्वनि का लोप हुआ और आदि वर्ण दीर्घ हुआ। **साँझुड़ा, साँझड़ा** का **ड़ा** उसके मूल राजस्थानी रूप होने का प्रमाण है। एक शब्द **सेंजुति** संध्या के अर्थ में अवधी **सँझवतिया** का रूपान्तर है। **सेंजारु, सोंजारु** हिन्दी **सेजरिया** के तद्भव हैं। बंगाल की दक्षिण-पूर्वी बोलियों में, **स्** के **ह्** में बदलने पर, इसका एक रूप **हेंज़ा** भी है। **नेई** ब्रजभाषा के **नेह** से बना है और **छोंड़ा छोरा** का रूपान्तर है। **शालाज** हिन्दी **सलहज** का बंगला रूप है। **बेओड़ा** का सम्बन्ध **व्यापार** से नहीं, हिन्दी रूप **ब्यौरा** से है। **बौहारी** (पत्नी) का विकास **व्यवहारिका** की अपेक्षा ब्रजभाषा के **बोहरेजी** से अधिक सम्भव है। **व्यवहारिका** शब्द में हीन भाव है, उसका अर्थ दासी है; **बोहरेजी** प्रतिष्ठित व्यक्ति हैं और **बोहरे** का स्त्रीलिंग रूप होगा **बोहरी**। ब्रज में **बोहरी** शब्द का चलन नहीं है किन्तु स्त्री के लिए **बैयरबानी** का प्रयोग होता है। **बैयर** और **बोहरे** का उद्गम एक है। बंगाल के एक भाग का नाम **राठ** है। यह **रट्ठ** का विकास है। मेरठ के **रठ** के अलावा हिन्दी प्रदेश में **राठ** जैसे स्थान भी हैं। इस **राढ** से दूसरे वर्ण के व्यंजन को सघोष करके बंगला का **राढ** रूप बना है। **रट्ठ, राढ** का मूल रूप है **राष्ट्र**।

हिन्दी प्रदेश के अनेक जनपदों से समय-समय पर लोग जाकर बंगाल में बसते रहे हैं। बंगला भाषा के शब्दों में यह मूल जनपदीय विविधता दिखाई देती है। बंगला के **कान्हाइ, कानाइ, कान्हाञि** ब्रजभाषा के **कन्हाई** का रूपान्तर हैं। **नैहर** शब्द हिन्दी के अनेक जनपदों में बोला जाता है। बंगला के **नाइहर, नाइयर, नायर, नायेर** रूप हिन्दी नैहर के आधार पर बने हैं। **जैसन, तैसन** रूप अवधी के हैं। डॉ. चाटुर्ज्या ने लिखा है : "पश्चिमी हिन्दी के **जैसा-तैसा, जैसन-तैसन** आदि शब्द मध्यकालीन बंगला में **छ्** से लिखे जाते थे (और शायद वैसे बोले भी जाते थे)।" (पृ. 473) यहाँ हिन्दी रूपों के प्रवेश को स्पष्ट स्वीकार किया गया है। पुरानी बंगला के **जैछे, जैछन** आदि रूप अवधी के योगदान का स्पष्ट प्रमाण हैं। बंगला का **हेन** अथवा **हेनो** शब्द मध्यकालीन **एहेन** से बना बताया गया है। इस **एहेन** का पूर्व रूप **ऐसन** था। हिन्दी के **जैसा, कैसा, तैसा** पुरानी मराठी में भी प्रयुक्त होते थे। ब्लौख़ ने मराठी पर अपने ग्रंथ में इन शब्दों का उल्लेख किया है। संत ज्ञानेश्वर ने लिखा था : **जैसा आपलाचि बोल किरीटी...तैसा समस्ती याँ भजना।** (अ.मो. कुंटे द्वारा सम्पादित 'ज्ञानेश्वरी', पृ. 88) संत नामदेव ने लिखा था : **ऐसे भक्त जेवुनि धाले...कैसा पांडुरंगा करावा विचार।** (क.अ. जोशी द्वारा सम्पादित 'श्री सकल संत गाथा', खंड पहला, पृ. 166, 249) एकनाथ महाराज ने **भागवत** में लिखा

था : **गारुड्याचें वानर जैसें। स्त्रियाँ संगे नाचे तैसें।** (रा.कृ. कामत, चन्दगडकर द्वारा सम्पादित 'श्री एकनाथी भागवत', पृ. 303)

ब्लौख़ ने अपनी पुस्तक में मराठी तद्भव रूपों की जो व्याख्या की है, उसमें ओष्ठ्य स्पर्श-ध्वनियों का वृत्ताकार उच्चारण उल्लेखनीय है। हिन्दी **भँवर** मराठी में **भोंवर,** हिन्दी **पँवाड़ा** मराठी में **पोंवाड़ा** है। प्रश्न यह है कि **भ्रमर** से **भँवर** और **भोंवर** रूप अलग-अलग बने या **भँवर** से **भोंवर** बना। **पँवाड़ा** का मूलरूप **प्रवाद** बताया गया है। **प्रवाद** से **पँवाड़ा** और **पोवाड़ा** स्वतंत्र रूप से बने या **पोवाड़ा** से **पँवाड़ा** बना अथवा **पँवाड़ा** से **पोवाड़ा** बना। मूल शब्द में अकार है, हिन्दी रूपों में उस अकार की स्थिति ज्यों-की-त्यों है। यदि ओकार वाले रूप से हिन्दी शब्द का विकास होता तो **बोलना-बुलाना** की तरह **पोवाड़ा पुवाड़ा** होता, **पँवाड़ा** नहीं। इसलिए सम्भावना यही है कि हिन्दी तद्भव के आधार पर मराठी रूप बना है। मराठी के पुराने शिलालेखों में ब्लौख ने **दिन्हाला** रूप का उल्लेख किया है। यह अवधी कृदन्त **दीन्ह** के आधार पर बना है अर्थात् कृदन्त का पुनः कृदन्तीकरण हुआ है। **दिध** और **दिन्ध** मूल रूपों से **दिह, दीन्ह** का विकास हुआ है, इसका प्रमाण ब्लौख द्वारा उल्लिखित मराठी के **दिधला, दिन्नला, दोन्हणें** क्रिया-रूप हैं। अन्तिम रूप में कृदन्त से क्रियार्थी संज्ञा बनाई गई है। मराठी के **पाहिजे, म्हणिजे** आदि रूप **पाहिय** (चाहिय), **भणिय** का विकास हैं। अवधी में अन्तिम वर्ण दीर्घ नहीं है, यथा : **कहँ लगि सहिय रहिय रिस मारे। सहिय, रहिय** रूप क्रियामूल में **इय** प्रत्यय लगा कर बने हैं। ब्रजभाषा के **कीजै, दीजै** के समान मराठी में **य्** ध्वनि **ज्** में परिवर्तित हुई; खड़ी बोली के **कीजिए, दीजिए, कहिए, चाहिए** के अनुरूप अन्तिम वर्ण दीर्घ किया गया है। मराठी में अनेक तिङन्त रूप हैं जिनका आधार अवधी रूप हैं। ब्लौख ने **ज्ञानेश्वरी** से दो पंक्तियाँ उद्धृत की हैं : जो स्वधर्म **आचरे**, तो मोक्षा **पावे**। यहाँ **आचरे** और **पावे** के पूर्व रूप **आचरइ, पावइ** हैं। बाँगरू और मराठी में एक सामान्य प्रवृत्ति है, दोनों भाषाएँ तत्सम शब्दों के **न्** को भी बहुधा मूर्धन्य कर देती हैं। ब्लौख ने उदाहरण दिये हैं : **हानि, विना, धन, जन** शब्द क्रमशः **हाण, विणें, धण, जण** हो गए हैं। इस सन्दर्भ में मराठी का **बहीण** रूप ध्यान देने योग्य है। **भगिनी** से **बहिणी** रूप बनेगा, **बहीण** नहीं। **बहीण**, खड़ी बोली के **बहन** के समान, अन्तिम वर्ण में इकार का लोप किए है। मराठी शब्द **बहिणी, बहिणि** जैसे रूप के आधार पर बना है, सीधे **भगिनी** से नहीं।

## 5. शब्द निर्माण-प्रक्रिया

हिन्दी में उपसर्गों का प्रयोग बहुत कम होता है। संस्कृत में, स्लाव भाषाओं में उपसर्गों का प्रयोग बहुत होता है। फिर भी कुछ उपसर्ग अब भी प्रयुक्त होते हैं और ये काफी पुराने हैं। डॉ. सुनीतिकुमार चाटुर्ज्या ने **उक्तिव्यक्ति प्रकरण** की भूमिका

में लिखा है कि **अ** उपसर्ग अर्थ को घनत्व प्रदान करता है। **अध्वर्यु** में क्रियामूल **ध्वर** है, उसमें **अ** उपसर्ग लगा है। फ़ारसी में **अफ़्रोज** का आधार **भ्राज्** क्रिया है। **अ** घनत्व सूचक उपसर्ग है। पर फ़ारसी में कभी-कभी ओष्ठ्य ध्वनियों के पहले **अ** स्वर जोड़ देते हैं। **फिरंगी** का फ़ारसी रूप **अफरंजी** है, संस्कृत **भ्रू** का फ़ारसी प्रतिरूप **अब्रू** है। ऐसा लगता है कि निषेध-भावना अर्थ-घनत्व से सम्बन्धित थी। **अ** के समान **नि, वि** उपसर्ग निषेध के लिए प्रयुक्त होते थे। **निगलना** क्रिया में **नि** उपसर्ग निषेधार्थी नहीं है। ऐसे ही **विगलित** में **वि** उपसर्ग **गलित** को विशेष **गलित** बना देता है किन्तु **विफल** में फल हीनता का भाव है, फल की समृद्धि का नहीं। गाँव के लोग जब **निखालिस** और **बेफजल** शब्दों का व्यवहार करते हैं, तब वे शेक्सपियर के जमाने की अंग्रेज़ी की तरह दोहरे निषेध से काम लेते हैं। निषेधार्थी **अ** उपसर्ग तमिल में वाक्य या शब्द के अन्त में आता है। हिन्दी में कम-से-कम एक शब्द है जिसमें निषेधसूचक **अ** मूल शब्द के बाद आया है। यह शब्द है **काना**। यह **कन्** क्रिया मूल से बना है जिसका अर्थ है चमकना। **कनक** शब्द इसी **कन्** से बना है। चमकने, प्रकाशित होनेवाली क्रियाओं का उपयोग देखने के अर्थ में हुआ है। इस प्रकार तमिल में **कण्** का अर्थ आँख हुआ। **काना** वह जिसमें आँख का अभाव हो। **काना** का अर्थ, उड़िया भाषा में, अन्धा भी है। दोनों आँखों का अभाव हो तो अर्थ होगा अन्धा, एक आँख का अभाव हो तो अर्थ होगा एक आँख वाला।

हिन्दी में कुछ उपसर्ग पुराने रूप में बने रहे हैं और कुछ का तद्भवीकरण हुआ है। अपढ़ में **अ** उपसर्ग अपरिवर्तित है किन्तु **अनहित** का **अन** संस्कृत उपसर्ग **अन्** का तद्भव रूप कहा जा सकता है। मेरा अनुमान है कि उपसर्ग का मूल रूप **अन** ही था; उत्तर-पश्चिमी क्षेत्र में आदि वर्ण पर बलाघात की प्रवृत्ति के कारण दूसरे वर्ण का स्वर लुप्त हो गया। **निडर** जैसे शब्द में जो **नि** उपसर्ग है, वह मूलत: **नि:** था, इसमें सन्देह है। **निदेश, निवेश** आदि में **नि** उपसर्ग घनत्व सूचक भूमिका निबाहता है और **नि:** से भिन्न नहीं है। हिन्दी में पुराने उपसर्ग तत्सम, तद्भव और उधार लिये शब्दों में स्वतंत्रतापूर्वक प्रयुक्त होते हैं। **बेमन** शब्द का **बे** वास्तव में **वि** का परिवर्तित रूप है, भले ही वह हिन्दी में फ़ारसी से आया हो। हिन्दी में **बेमन** वैसा ही सहज रूप है, जैसा **निखालिस**। अवधी में **नि** उपसर्ग से, **फिक्र** को तद्भव बनाकर, **निफिक्किरि** शब्द रचा जाता है। **नि** तत्सम और **फिक्किरि** फ़ारसी से तद्भव, **बेफिक्र** से अधिक अर्थ व्यंजक है, यानी निश्चिन्तता का भाव अवधी रूप में अधिक है। और **बेमन** में **बे** उपसर्ग के साथ तत्सम **मन** जोड़ा गया है।

डॉ. चाटुर्ज्या ने **उक्तिव्यक्ति प्रकरण** की भूमिका में पूर्णता का अर्थ देनेवाले **वि** उपसर्ग का उल्लेख किया है और उसे निषेधसूचक भी बताया है। इससे उक्त धारणा की पुष्टि होती है कि निषेध-भावना अर्थ-घनत्व से सम्बन्धित है। **वि** उपसर्ग से अवधी का **बि** रूप बना जिसका व्यवहार **उक्तिव्यक्ति** में हुआ है। इस **बि**

का एक परिवर्तित रूप **बॅ** भी है। **विदग्ध** का पुराना अवधी रूप **बॅदह** बना। इससे फ़ारसी **बे** संस्कृत **वि** का तद्भव रूप सिद्ध होता है। एक पुराना उपसर्ग **प्र** था। डॉ. चाटुर्ज्या ने अवधी के **प** उपसर्ग को इस **प्र** का विकास माना है। **प्रसवति** से **पसुव, प्रभणति** से **पहण** रूप बने। **प्र** उपसर्ग स्वयम् **पर** या **पुर** का विकास था। **पुरोगामी** में **पुर** अग्रता सूचक है। वर्ण संकोच से **प्रु** या **प्र** रूप बनेगा। **नि** उपसर्ग के लिए डॉ. चाटुर्ज्या ने निषेध और पूर्णता, दोनों भावों का उल्लेख किया है।

उपसर्गों की अपेक्षा प्रत्ययों का व्यवहार आधुनिक आर्य भाषाओं में अधिक होता है। इनमें एक प्रत्यय **अ** माना जाता है। **पढ़्** क्रिया में **अ** प्रत्यय लगा तो **पढ़** संज्ञा रूप बना। ब्रुगमन ने संस्कृत में **अ** प्रत्यय का व्यवहार भाववाचक संज्ञा बनाने के लिए बताया है। **जन्** क्रिया में **अ** प्रत्यय जोड़कर **जन्** शब्द बना। **जनम्** रूप का अर्थ हुआ जन्म लेने का कार्य। हिन्दी में **बाढ़, मार, सोच** ऐसे ही संज्ञा रूप हैं। हिन्दी में, संस्कृत से भिन्न, **आ** प्रत्यय का व्यवहार कृदन्त-रूप बनाने के लिए होता है। यह कृदन्त भूतकालिक क्रिया का अर्थ देता है और क्रियार्थी संज्ञा का भी। **वह आया, यहाँ आया** रूप का अन्तिम **आ** भूतकाल की सूचना देता है। अवधी में आ**वत** है और **आवा** के उदाहरण से बात स्पष्ट हो जाएगी। **आवत** में **आव्** क्रियामूल स्पष्ट है; उसमें **आ** प्रत्यय जोड़ने से **आवा** रूप बना। इसी प्रकार **आया** में **आय्** क्रिया मूल है जिसमें **आ** प्रत्यय जोड़ने से **आया** रूप बना। **आया** और **आवा** कृदन्त-रूप भूतकालिक क्रिया की सूचना देते हैं किन्तु **वह आया चाहता है**, अवधी में—**वहु आवा चहत है**, इन वाक्यों में **आया** और **आवा** क्रियार्थी संज्ञा हैं। हिन्दी में **देखादेखी, मारामारी**, जैसे शब्द **देख** और **मार** क्रियार्थी संज्ञा रूपों के आधार पर बने हैं।

**उक्तिव्यक्ति प्रकरण** में **करण, जेंवण** जैसे क्रियार्थी संज्ञा रूपों का व्यवहार हुआ है। 'रामचरितमानस' में ऐसे क्रियार्थी संज्ञा रूप बहुत हैं। खड़ी बोली के **करना, चलना** आदि **करन चलन** के प्रतिरूप हैं। यह **न** अथवा **अन** वाला प्रत्यय काफी पुराना है। **यज्** क्रिया में **अन** प्रत्यय जोड़ने से **यजन** रूप बना था। **शयन, चेतन, तपन, हवन** आदि कृदन्त इसी प्रक्रिया से बने थे। **स्वप्न** में **न** प्रत्यय **स्वप्** क्रिया में जोड़ा गया है। **स्वपन** रूप उतना ही पुराना हो सकता है जितना **स्वप्न** क्योंकि **यज्ञ** के समानान्तर **यजन** शब्द की प्राचीनता सिद्ध है। **यज्ञ** रूप में **ज्** ने **न्** को समवर्गीय **ञ्** बना लिया। **स्वप्न** और **यज्ञ** की निर्माण-प्रक्रिया एक ही है।

हिन्दी का एक बहुप्रयुक्त प्रत्यय **आर** है। **सोनार, लोहार** आदि शब्दों में इसका व्यवहार हुआ है। इससे मिलता-जुलता **हार** प्रत्यय है, जैसे—**सिरजनहार** में। डॉ. चाटुर्ज्या ने **आर** का सम्बन्ध **कार** से जोड़ा है। अन्य भाषाविज्ञानियों ने भी ऐसा ही मत प्रकट किया है। इन सबसे पहले दामोदर पंडित ने अपने ग्रंथ **उक्तिव्यक्ति प्रकरण** में **सोनार, कमार, सुआर** शब्दों के मूल रूप **स्वर्णकार, कर्मकार, सूपकार** दिये थे। **कार** से अवधी का **आर** प्रत्यय बना है, दामोदर पंडित

जानते थे। किन्तु डॉ. चाटुर्ज्या ने **गँवार** का मूल रूप भी **ग्रामकार** माना है। गँवार गाँव करनेवाला नहीं होता, उसका गाँव से संसर्ग मात्र होता है। दामोदर पंडित ने अवधी का वाक्य लिखा है : **धूतु गमारहि अकल**; इसका संस्कृत रूपान्तर दिया है : **धूर्तो ग्राम्यम् आकलयति**। उन्होंने **गमार** का मूल रूप **ग्रामकार** नहीं दिया वरन् संस्कृत में उसका अर्थ **ग्राम्य** शब्द से सूचित कर दिया है। हिन्दी के कुछ शब्दों में **आर** से मिलता-जुलता प्रत्यय **हार** प्रयुक्त होता है, जैसे—**सिरजनहार** में। डॉ. चाटुर्ज्या ने **हार** का अर्थ **करने वाला** बताया है किन्तु उसका मूल रूप **धार** माना है। जिन शब्दों में **हार** प्रत्यय लगता है और **अर्थ** करनेवाला होता है, उनमें **हार** से **धार** की संगति बिठाना कठिन है। **कहार** शब्द के लिए डॉ. चाटुर्ज्या ने सुझाव दिया है कि इसका मूल रूप **स्कन्धभार** हो सकता है। इस प्रकार **आर** प्रत्यय के तीन मूल रूप हुए : **कार, धार** तथा **भार**। इन तीनों से ही पहले **हार** रूप बनेगा, **ह्** का लोप होने पर **आर** की प्राप्ति होगी। इस प्रकार **सिरजनहार** का **हार आर** से पुराना है। **उक्तिव्यक्ति प्रकरण** की भूमिका में तथा बंगला भाषा के उद्भव और विकास वाले ग्रंथ में, दोनों जगह डॉ. चाटुर्ज्या ने वैदिक **कर्मार** शब्द का उल्लेख किया है और उसका मूल रूप **कर्मकार** बताया है। इससे दो बातें सिद्ध होती हैं। पहली यह कि वैदिक काल में ही कुछ आर्य बोलियों में **कार** प्रत्यय के **क्** का लोप हो गया था, उसके रूपान्तर **ह्** का भी लोप हो गया था। **हार** प्रत्यय वैदिक **आर** की अपेक्षा पुराना है। दूसरी बात यह कि **कार, धार, भार** आदि स्वतंत्र शब्द हैं; मानना होगा कि प्रत्ययों का विकास स्वतंत्र शब्दों के आधार पर हुआ है। ऐसा प्रतीत होता है कि **आर** प्रत्यय का उद्भव किसी रूप से हो, वह प्राचीन काल में ही अपने मूल रूपों से भिन्न, केवल संसर्ग-बोध व्यक्त करने लगा था। **हार** दो स्वरों की टक्कर से बचने के लिए अतिरिक्त **ह्** जोड़कर भी बन सकता है। **सिरजनआर** में दो अकार टकराते हैं, इसलिए दोनों के बीच में अन्तस्थ **ह्** जोड़ दिया। अवधी शब्द **भिखियारि** में यही होता है। **भीखआर** में दो स्वरों की टक्कर से बचने के लिए **य्** श्रुति का आगम हुआ है। जिन शब्दों में **आर, यार, हार** के स्थान पर **वार** दिखाई देता है, वहाँ भी यदि **पाल** से सम्बन्ध न हो, तो **व्** श्रुति का आगम विचारणीय होगा।

उक्त विवेचन से एक बात यह सामने आती है कि जैसे **आर** का आधार **कार** है, वैसे ही **अर** का आधार **कर** हो सकता है। यह **अर** बहुत पुराना प्रत्यय है यद्यपि मैकडनल ने लिखा है कि यह **उषर्, देवर्, ननान्दर्** जैसे थोड़े वैदिक शब्दों में मिलता है। इनमें **उषर्** (उषा) और **ननान्दर्** (ननद) स्त्रीलिंग हैं, **देवर्** पुंल्लिंग है। शायद **अर** प्रत्यय लगाते समय लिंगभेद का ध्यान न रखा जाता था। इससे मिलती-जुलती स्थिति कुछ अन्य वैदिक प्रत्ययों की भी है। पर प्रत्यय वैदिक भाषा में भले ही विरल हो, यूरोप की भाषाओं में इसका बहुल प्रयोग होता है। अंग्रेज़ी में **वर्कर**—जो काम करे, **ग्रामर**—जिसका सम्बन्ध लेखन विज्ञान से हो। **आर** के समान **अर** के व्यवहार

के लिए भी किसी क्रिया अथवा वस्तु से संसर्ग मात्र पर्याप्त है। जैसे **अर** और **आर** परस्पर सम्बन्धित हैं, वैसे ही अनेक वैदिक प्रत्यय, ह्रस्व और दीर्घ स्वरों वाले, दो रूप प्रस्तुत करते हैं। **अ** प्रत्यय वेद शब्द में देखा जाता है, **आ** प्रत्यय **निन्दा, भिक्षा** जैसे शब्दों में। **निन्दा** और **भिक्षा** स्त्रीलिंग हैं। सम्भव है, पहले **आ** प्रत्यय का व्यवहार, लिंगभेद के बिना होता हो! **रुचि** शब्द स्त्रीलिंग है, **दधि** नपुंसक लिंग है, **पाणि** पुंल्लिंग है। इनमें **इ** प्रत्यय लगा है। इसके साथ दूसरा प्रत्यय **ई** है। **नदी** में यही प्रत्यय है; **नदी** शब्द स्त्रीलिंग है। इसी प्रत्यय से बना **रथी** शब्द पुंल्लिंग है। कर्ताभाव व्यक्त करनेवाले **गृहु** (भिखारी), **रिपु** (धोखा देनेवाला) वैदिक शब्दों में **उ** प्रत्यय लगा है किन्तु **वधू, तनू** (शरीफ) जैसे शब्दों में **ऊ** प्रत्यय है। **उ** प्रत्यय वाले शब्द स्त्रीलिंग हैं। पावक में **अक** प्रत्यय है, **इक्ष्वाकु** में आ**कु** है जो **आक** का ही कोसली उकारान्त रूप है। **चार्वाक** जैसे शब्द में आ**क** प्रत्यय देखा जा सकता है। **कृपण** में कर्ता भाव व्यक्त करनेवाला **अन** प्रत्यय है, **भृगवान** (प्रकाशमान), **वसवान** (धनवान) में **आन** प्रत्यय लगाया गया है। **भृगवन** में **व्** श्रुति का आगम हुआ है। हिन्दी शब्द **धनवान** की व्याख्या भी इसी प्रकार सम्भव है। एक शब्द **ऊर्ध्वसान** (सीधे खड़े हुए) है जिसमें मैकडनल ने **ऊर्ध्व** और **आन** के बीच अन्तस्थ **स्** का आगम बताया है। यह भी सम्भव है कि **अन** और **आन**, दोनों **मन** और **मान** का रूपान्तर हों, जैसे **अर** और **आर, कर** तथा **कार** के रूपान्तर हैं। **कर** और **कार** के प्रथम रूपान्तर **हर** और **हार** थे, वैसे ही **मन** और **मान** के प्रथम रूपान्तर **वन** और **वान** होंगे। इस प्रकार **धनवान** और **गाड़ीवान**, दोनों शब्द क्रमश: **धन** और **गाड़ी** का संसर्ग बोध कराते हुए सीधे **वान** प्रत्यय से बन सकते हैं और **आन** प्रत्यय के पहले **व्** श्रुति के आगम से भी। **ब्रह्मन्** में **मन्** प्रत्यय है जिसका अर्थ है प्रार्थना करने वाला। इसी प्रकार दाता के अर्थ में **दामन्** शब्द है। किन्तु यह प्रत्यय केवल कर्ता भाव व्यक्त करने के लिए प्रयुक्त नहीं होता। **ब्रह्मन्** का एक अर्थ प्रार्थना, **दामन्** का एक अर्थ दान भी है। **जन्मन्** का अर्थ जन्म है और एक वैकल्पिक रूप **जनिमन** भी है, जहाँ अतिरिक्त **इ** स्वर जोड़ा गया है। **मन्** के साथ दूसरा प्रत्यय **मान** भी है। **मन्** का अन्तिम व्यंजन स्वर के बिना प्रयुक्त है, **मान्** का **न्** स्वर सहित है। सम्भवत: **मन्** भी पहले **मन** था। कृदन्त-रूपों के निर्माण में **मान** प्रत्यय का व्यवहार होता था।

मैकडनल ने **पितर्, भ्रातर्, मातर्** में **तर्** प्रत्यय माना है जो सन्दिग्ध है। **पित्** क्रिया का अर्थ जन्म देना था, उसी से हिन्दी शब्द **पैदा** बना है किन्तु **कर्तर्** में **तर्** असन्दिग्ध है, वह **कर्** क्रिया में जोड़ा गया है। मैकडनल ने **तर्** के साथ **तार** प्रत्यय नहीं दिया किन्तु हिन्दी में **कर्तार, दातार** जैसे रूपों का व्यवहार होता रहा है। इनमें लगा हुआ **तार** प्रत्यय उतना ही पुराना होगा जितना **तर्**। **कर्तर्** से हिन्दी में **कर्ता** रूप सहज ही बनेगा। **र्** के लोप से जो क्षति हुई है, उसकी पूर्ति **अ** स्वर जोड़कर कर दी गई। फिर **कर्तार** के लिए अतिरिक्त **र्** की आवश्यकता क्यों हो? इसलिए

**तर** के समानान्तर **तार** प्रत्यय मानना चाहिए और **तर्** का पूर्वरूप **तर** मानना चाहिए, जैसे **मन्** के समानान्तर **मान** प्रत्यय था और **मन्** का पूर्वरूप **मन** था।

मैकडनल ने **ईक** प्रत्यय दिया है जिससे **वृधीक** (वृद्धि करने वाला) शब्द बनता है। **वृश्चिक** में उन्होंने **क** प्रत्यय माना है और **इ** को अतिरिक्त जोड़े हुए स्वर के रूप में देखा है। किन्तु **वृश्चिक** की व्याख्या **इक** प्रत्यय के आधार पर भी हो सकती है। **वधिक** शब्द भी इसी प्रकार बना होगा। **इक** और **ईक** दो साथी प्रत्यय थे। एक प्रत्यय **उक** है जिससे **घातुक** (घात करता हुआ), **विकसुक** (विकसित होता हुआ) रूप बने थे। इसके समानान्तर **जागरूक** का **ऊक** प्रत्यय है। **ऊक** के लिए मैकडनल ने बिलकुल ठीक लिखा है कि **उक** के उकार को दीर्घ करके बनाया हुआ यह उसी का प्रतिरूप है। यह बात ह्रस्व दीर्घ स्वरों वाले अन्य प्रत्ययों के बारे में भी सही है। **शुष्** क्रिया से **शुष्क** रूप बना, **स्तु** क्रिया से **स्तुका** (ऊन या बालों की लच्छी) बना जिसमें **का** प्रत्यय है। **शुष्क** से तद्भव रूप **सूख** बनेगा जो अवधी में प्रयुक्त होता है किन्तु खड़ी बोली में **सूखा** रूप बोला जाएगा। यह सम्भव है कि अवधी से भिन्न जहाँ खड़ी बोली में आकारान्त रूप मिलते हैं, वहाँ वे **क, अ,** आदि के समानान्तर दीर्घ स्वरों वाले **का, आ** जैसे प्रत्यय लगने से बने हों। यानी **सूखा** का मूल रूप **शुष्का** रहा हो, यह सम्भव है। मैकडनल ने **स्तुका** में स्वतंत्र का प्रत्यय नहीं माना; **क** प्रत्यय लगा कर, स्त्रीलिंग रूप के लिए, उसे आकारान्त किया गया, यह माना है। पर अवधी **सूख** और खड़ी बोली **सूखा** के भेद से विदित होता है कि आकारान्त रूप केवल स्त्रीलिंग की व्यंजना के लिए न रचे जाते थे। अवधी **आवत, जात** और खड़ी बोली **आता, जाता** में **सूख** और **सूखा** जैसा भेद है। मैकडनल ने **जीवित, सूत** (सारथी) में **त** प्रत्यय माना है, उसके साथी **ता** का उल्लेख नहीं किया। पर यह सम्भव है कि **जीवित** और **सूत** के साथ **जीविता** और **सूता** रूपों का व्यवहार भी होता रहा हो।

इस सन्दर्भ में कुछ वैदिक शब्दों पर ध्यान देना चाहिए जिनके अकारान्त और आकारान्त, दोनों प्रकार के रूप प्रचलित थे। ह्विटने ने संस्कृत व्याकरण पर अपनी पुस्तक में बताया है कि क्रिया-रूप, कारक रूप, निपात, सभी में ऐसे वैकल्पिक रूप देखे जाते हैं। आज्ञार्थी मध्यम पुरुष एकवचन **पिब** के साथ **पिबा**; अतीत कालीन अन्य पुरुष, एकवचन **वेद** के साथ **वेदा**; करणकारक, एकवचन **एन, तेन, येन** के साथ **एना, तेना, येना**; **अथ, एव, इव, अत्र, तत्र, कुत्र** के साथ **अथा, एवा, इवा, अत्रा, तत्रा, कुत्रा** रूप भी वैदिक भाषा में मिलते हैं। इसमें सन्देह नहीं हो सकता कि वैदिक भाषा में ये दो तरह के रूप दो गण-भाषाओं से आए थे और उस तरह का भेद हिन्दी प्रदेश में अब भी विद्यमान है।

इस पुस्तक में उकारान्त रूपों को कोसल गण-भाषा की विशेषता कहा गया है। इस स्थापना का आधार यह है कि खड़ी बोली में जहाँ शब्द का सामान्य कर्ता एकवचन रूप अकारान्त है, वहाँ अवधी का प्रतिरूप उकरान्त है। इसकी पुष्टि वैदिक

भाषा के प्रत्ययों से होती है। एक प्रत्यय **अ** है, जैसे—**वेद, श्रम, तर,** (स्तरण) आदि में; वैसे ही **उ** प्रत्यय है **जायु** (विजेता), **दारु** (विच्छिन्न करनेवाला), **शायु** (लेटा हुआ) में। मैकडनल ने **उरु** (चौड़ा), **ऋजु** (सीधा), **मृदु** आदि में यही **उ** प्रत्यय माना है। इसी प्रकार **प्रिय, शुच** (प्रकाशमान), **कृश** (दुबला-पतला) आदि विशेषणों में **अ** प्रत्यय स्वीकार किया है। इससे विदित होता है कि **उ** और **अ,** दोनों प्रत्यय एक-सी प्रक्रिया द्वारा शब्दों की संरचना में प्रयुक्त होते थे और ये शब्द संज्ञा, विशेषण आदि अनेक वर्गों के होते थे। अकारान्त रूप कौरव हो सकते हैं, कोसली भी। उकारान्त रूपों के कोसली होने में सन्देह नहीं है। इसी प्रकार ब्रज प्रदेश के प्राचीन शब्द ओकारान्त होते थे। पालि के ओकारान्त रूपों में इसी प्रवृत्ति की झलक है किन्तु पालि के इन रूपों से अवधी के उकारान्त रूपों का विकास मानना उचित नहीं है क्योंकि ऐसे उकारान्त रूप वैदिक काल में प्रचलित थे। **दाव** (जलाने वाला), **नाय** (आगे ले चलने वाला), **ग्राभ** (पकड़ने या हड़पने वाला) के साथ **जायु, शायु, गृहु, रिपु** जैसे रूपों का चलन था। **स्तेन, नग्न, पर्ण** (जो उड़े वह पर्ण अर्थात् पत्ता) में **न** प्रत्यय माना गया है। **धेनु** (जो दूध दे), **भान** (जो चमके), **स्थाणु** (जो स्थिर रहे) में **नु** प्रत्यय माना है। ये **न** और **नु,** दोनों प्रत्यय मूलतः एक हैं, अकार उकार का भेद दो प्राचीन गण-भाषाओं के ध्वनितंत्र का भेद है।

डॉ. चाटुर्ज्या ने **उक्ति-व्यक्ति-प्रकरण** की भूमिका में पुरानी अवधी के **आ** प्रत्यय का सम्बन्ध प्राचीन **आक** से जोड़ा है। **सूआ, कउआ** जैसे शब्दों के उदाहरण दिये हैं। उनके चिन्तन के अनुसार यह तभी सम्भव है जब **शुकाक, काकाक** जैसे रूप कभी प्रचलित रहे हों। **आक** प्रत्यय के लिए उन्होंने कहा है कि इसमें मूलत: किंचित् अनादर भाव था। यदि इस समस्या पर इस दृष्टि से विचार करें कि ह्रस्व और दीर्घ स्वरों वाले दो तरह के प्रत्ययों का चलन था, तो **सुआ, कउवा** के अलावा और बहुत-से शब्दों की व्याख्या भी हो जाती है। **भगिनी** से **बहिनी** रूप बनेगा किन्तु **भगिनि** का चलन भी रहा हो तो उससे सीधे अवधी के **बहिनि** एकवचन रूप की व्युत्पत्ति समझ में आ जाएगी। इसी प्रकार **भ्रातृ** शब्द का अन्तिम स्वर ह्रस्व और दीर्घ दो प्रकार से बोला जाता था, यह मान लेने पर **भाय, भाइ** तथा दूसरी ओर खड़ी बोली का **भाई,** दोनों तरह **के रूपों की** व्याख्या हो जाती है। **आक** से व्युत्पन्न **आ** प्रत्यय का विवेचन करते हुए डॉ. चाटुर्ज्या ने लिखा है कि **सूआ, कउआ** के विपरीत **घोड़, बलद, भल** रूप पुरानी अवधी में हैं, **घोड़ा, बलदा, भला** रूप नहीं। इससे **आक** वाली व्याख्या कमजोर पड़ जाती है। पुरानी अवधी में **पाता, बाछा** आदि रूप कुरु प्रभाव के द्योतक हैं। **तुम डाल डाल हम पात पात** और सूर की पंक्ति **ता दिन तेरे तन तरुवर के सबै पात झरि जैहैं** में अकारान्त **पात** का प्रयोग ही हुआ है। **पात** में आ प्रत्यय लगने से तो **पाता** रूप बना किन्तु **गत** में आ लगने से **गा** ही रह गया! वास्तव में **गत** के दो प्रतिरूप थे : **गय** और **गया**। **गय** से ही बघेलखंडी के

**गयॅसि** जैसे रूप बने। खड़ी बोली में **गया** रूप हुआ। इसी प्रकार **गवा, भवा** जैसे रूप जो पश्चिमी अवधी में कहीं-कहीं बोले जाते हैं, पुरानी अवधी के रूप नहीं है, पश्चिमी प्रभाव के द्योतक हैं। **हाथी** जैसे शब्द की व्युत्पत्ति दिखाने में कठिनाई हुई, इसलिए डॉ. चाटुर्ज्या ने **हस्ति** और **हस्तिन** के बदले **हस्तिक** रूप की कल्पना की। यह कल्पना अनावश्यक है। **हस्ति** और **हस्ती**, दोनों रूपों का चलन था, **हस्ती** रूप से हाथी व्युत्पन्न हुआ। अवधी में **सखिया, दुखिया, बिटिया** जैसे रूप प्रचलित हैं। यहाँ डॉ. चाटुर्ज्या ने **इक** के साथ **आक** प्रत्यय जोड़कर **इआ** प्रत्यय का विकास बताया है। यदि **सुखिकाक, दुखिकाक** जैसे रूप कभी बोले जाते रहे हों, तो यह व्युत्पत्ति सही होगी। **सुखी, दुखी** शब्दों में **आ** (अथवा **या, वा**) प्रत्यय जोड़ने से **सुखिया, दुखिया, भइया, बॅटवा** जैसे रूप बन जाते हैं। कुछ शब्दों में **या** और **वा** लिंग-भेद सूचित करते हैं, जैसे—**बिटिया** और **बँटवा**। **सुखिया, दुखिया** लिंगभेद से मुक्त हैं क्योंकि मूल प्रत्यय भी लिंगभेद सूचित न करता था। अवधी **आगि** के लिए डॉ. चाटुर्ज्या ने **अग्निका** मूल रूप बताया है। **अग्नि** से **आगि** शब्द सहज व्यत्पन्न होता है। संस्कृत में **अग्नि** स्त्रीलिंग नहीं है, इसलिए **आगि** रूप को **अग्निका** से सिद्ध करना चाहिए, यह कल्पना अनावश्यक है। संस्कृत के अनेक शब्द, रूप बदले बिना ही, हिन्दी में भिन्न लिंग में प्रयुक्त होते हैं। **देवता** शब्द संस्कृत-पद्धति से स्त्रीलिंग है किन्तु हिन्दी में पुंल्लिंग है; वैसे ही **अग्नि** संस्कृत में पुंल्लिंग है, **आगि** अवधी में स्त्रीलिंग है। तत्सम रूप **अग्नि** का व्यवहार भी जब हिन्दी में होता है, तो हिन्दी व्याकरण के अनुसार स्त्रीलिंग में होता है।

अवधी **दीन** का पूर्व रूप प्राकृत **दिण्ण** माना है और **दिण्ण** का पूर्व रूप **दत्त** है। इस व्युत्पत्ति के साथ डॉ. चाटुर्ज्या ने कल्पित मूल इंडो-यूरोपियन **दद्नो** भी लिखा है। **दद्नो** जैसा अप्राप्य रूप प्रचलित भी रहा हो तो **दत्त** इससे बिलकुल भिन्न है और यह मानना होगा कि प्राकृत **दिण्ण** भी संस्कृत **दत्त** से बिलकुल अलग है। डॉ. चाटुर्ज्या ऐसा मानते भी हैं। वे **दत्त** को **दिण्ण** का मूल रूप नहीं कहते, इसलिए उसकी व्युत्पत्ति के लिए **दद्नो** की कल्पना करते हैं। किन्तु **दीन** का पूर्वरूप **दीन्ह** है जो **दीन्हँसि** में अब भी दिखाई देता है। जायसी और तुलसीदास की रचनाओं में **दीन** और **दीन्ह**, दोनों रूप मिलते हैं। **ध** और **न्ध** दो तरह के प्रत्यय क्रियामूल में लगाये जाते थे। क्रिया मूल **दि** में **ध** प्रत्यय लगने पर **दिध** शब्द बना। **ध** का परिवर्तन **ह्** में हुआ, तब **दिह** रूप बना। **दिह** के दूसरे वर्ण में महाप्राणता का लोप होने पर **दिय** रूप का विकास हुआ। मानक हिन्दी के **दिया** का आधार **दिय** है, अवधी के **दिहॅसि** का आधार **दिह** है। इसी प्रकार **ग** क्रियामूल में **ध** प्रत्यय लगने से **गध—गह—गय—गव** रूपों का विकास हुआ। **गह** वाला रूप, **गय, गव** के प्रभाव से, अवधी में अप्राप्य है। **गत** का विकास **गध** मूल रूप से हुआ है, **ध** की सघोषता और महाप्राणता का लोप होने पर। जैसे **इध** से **इह** और **इत** रूप बने, वैसे ही **गध** से **गह** और **गत** रूप

बने थे। **इध** का एक विकास **इत्थ** भी है। उसी तरह **दिध** और **दध** का एक विकास **दित्थ** और **दत्थ** हुआ। संस्कृत में **दत्त** है, पंजाबी में **दित्त** अब भी बोला जाता है।

हिन्दी के **प, पा** और **पन** प्रत्यय ऐतिहासिक विकास की दृष्टि से रोचक हैं। **मिलना** क्रिया से **मिलाप** संज्ञा रूप **प** प्रत्यय की सहायता से बनता है। वैदिक भाषा में **पुष्प, स्तूप, शिल्प** आदि शब्द इसी प्रत्यय की सहायता से बने हैं यद्यपि मैकडनल ने ऐसे शब्दों की व्युत्पत्ति को अस्पष्ट कहा है। सम्भव है, **दर्प, सर्प** जैसे रूप **दर्, सर्** क्रियाओं से बने हों। भाववाचक और वस्तुवाचक संज्ञा शब्दों, कृदन्तों विशेषणों आदि के निर्माण में इस प्रत्यय की बहुविध भूमिका थी। इस **प** के समानान्तर **व** प्रत्यय था जो, सम्भव है, **प** का रूपान्तर हो। **ऊर्ध्व, ध्रुव, पक्व, विश्व** आदि में **व** प्रत्यय का योग है। **व** के साथ **वन** प्रत्यय भी था; **वग्वन** (वाचाल), **सत्वन** (योद्धा) आदि में उसकी सहायता से विशेषण रूप बनाए गए हैं। जैसे **व** के साथ **वन** था, वैसे ही सम्भव है, **प** के साथ **पन** प्रत्यय रहा हो जो हिन्दी के **बचपन, अपनापन** आदि में विद्यमान है। वैदिक भाषा में ऐसे अनेक समरूप प्रत्यय हैं जिनमें एक रूप का स्वर ह्रस्व है, दूसरे का दीर्घ। इसलिए यह अनुमान असंगत नहीं है कि **प** के साथ **पा** प्रत्यय का चलन भी था। **बुढ़ापा, मुटापा, जलापा** आदि में **प** का जोड़ीदार **पा** प्रत्यय है। हिन्दी में **प, पा** और **पन** का व्यवहार भाववाचक संज्ञारूप बनाने के लिए वैसे ही होता है, जैसे : संस्कृत में **त्व** और **त्वन** प्रत्ययों का। **पुरुषत्व, भ्रातृत्व** की तरह **पतित्वनम्** (पति होने की अवस्था), **मर्त्यत्वनम्** (मर्त्य जनों की रीति) जैसे रूप भी यहाँ प्रचलित थे। ब्रुगमन ने लिखा है कि **त्वन** प्रत्यय का वही कार्य है जो **त्व** का है। ठीक यही बात **प-पा** और **पन** के बारे में कही जा सकती है। सम्भव है, **प** और **पन त्व** और **त्वन** से कभी सम्बद्ध रहे हों!

हिन्दी के प्रत्यय नये हों चाहे पुराने, वे संस्कृत से आए हों, चाहे 'देशज' हों, उनका व्यवहार व्यापक स्तर पर होता रहा है और वे केवल हिन्दी में नहीं, अन्य आर्य भाषाओं में भी प्रयुक्त होते रहे हैं। **बंगला** भाषा से हिन्दी के सम्बन्ध का उल्लेख पहले हो चुका है। हिन्दी और बंगला का बहुत गहरा सम्बन्ध प्रत्ययों में दिखाई देता है। बंगला भाषा के उद्भव और विकास पर अपने ग्रंथ में डॉ. सुनीतिकुमार चाटुर्ज्या ने बंगला भाषा की शब्द-रचना का विवेचन करते हुए जो प्रत्यय बताए हैं, वे हिन्दी और बंगला, विशेषत: अवधी और बंगला के सम्बन्ध की पुष्टि करते हैं। हिन्दी शब्द **घटती, बढ़ती** बंगला में प्रथम वर्ण पर बलाघात होने से **घाट्ति, बाड़्ति** बोले जाते हैं। यहाँ डॉ. चाटुर्ज्या के अनुसार संज्ञा रूप बनाने के लिए **ति** अथवा **अती** प्रत्यय का व्यवहार हुआ है। दीर्घ स्वरान्त प्रत्यय हिन्दी में है। **कम्ति, गुन्ति, भर्ति** हिन्दी के **कमती, गिनती, भरती** शब्द हैं। यहाँ बंगला रूपों में प्रथम वर्ण दीर्घ नहीं हुआ किन्तु बलाघात उसी पर है, इसलिए अन्तिम वर्ण ह्रस्व हो गया है। डॉ. चाटुर्ज्या के **मत** से **अत** प्रत्यय में **इ** स्वर जोड़ा गया है और **भक्ति,**

**युक्ति** शब्दों के ह्रस्व वर्ण **ति** के प्रभाव से **कम्ति भर्ति** का अन्तिम वर्ण ह्रस्व हो गया है। यह व्याख्या युक्तिसंगत नहीं जान पड़ती। **घाट्ति, बाड्ति** में भी ह्रस्व **ति** वर्ण है। भक्ति के **ति** का प्रभाव **भर्ति** पर ही क्यों माना जाए? फिर हिन्दी रूप **घटती, बढ़ती** के समान **कमती, गिनती, भरती** विद्यमान हैं। **जानत** कृदन्त-रूप में **अत** प्रत्यय है जिसका मूल रूप **अन्त** माना गया है। **पथ** और **पन्थ** के समान **अत** और **अन्त** वैकल्पिक रूप हैं। बंगला **आमार जानत** अर्थात् मेरे जानते हुए अवधी में होगा—**हमरे जानत**। **जानते** उत्तर-पश्चिमी रूप है, **जानत** मध्यदेशीय।

एक प्रत्यय **अन** है जो सीधे संस्कृत से आया है। **झाड़न** बंगला का शब्द उतना ही है जितना हिन्दी का। **कांदन, गायन, छाड़न** (जो वस्तु छोड़ दी जाए, अवधी क्रिया छाँड़ से बना हुआ रूप) ऐसे ही शब्द हैं। डॉ. चाटुर्ज्या ने लिखा है कि बोलचाल की परिनिष्ठित बंगला में ऐसे रूप पुराने पड़ते जा रहे हैं किन्तु पूर्वी बंगाल में उनका व्यवहार खूब होता है। पुरानी अवधी और वर्तमान कनौजी तथा बाँगरू में भी **अन** प्रत्यय का व्यवहार क्रियार्थी संज्ञा बनाने के लिए होता है। हिन्दी के अनेक रूप परिनिष्ठित बंगला में समाप्त हो चले हैं, वे पूर्वी बंगाल में सुरक्षित हैं और हिन्दी बंगला के पुराने सम्बन्धों के प्रमाण हैं। **अन** प्रत्यय का दूसरा रूप होगा **अना**, जैसे कि वैदिक प्रत्ययों में ह्रस्व-दीर्घ स्वरों वाले वैकल्पिक रूप मिलते हैं। डॉ. चाटुर्ज्या ने **अना** की व्याख्या की है कि **अन** प्रत्यय में **आ** जोड़ा गया है। **ढाकना** (हिन्दी **ढकना**, अवधी क्रिया **ढाक** ही है जिससे **ढाकना** रूप बना है), **पाओना, रान्ना** (राँधना), **कान्ना** (काँदना, क्रन्दन करना) आदि रूप खड़ी बोली कृदन्तों के समान बने हैं जो अवधी के ह्रस्व स्वरान्त प्रत्ययों से भिन्न हैं। **छेनी, छाउनी** शब्दों में डॉ. चाटुर्ज्या ने **नी, उनी** प्रत्यय माने हैं। **नी** प्रत्यय ही काफी था क्योंकि **छाउनी** में अवधी क्रिया **छाव्** है। **छाव्** का बंगला रूपान्तर **छाउ** (अथवा **छाआ**) होगा। **नी** का विकास भी **अन** प्रत्यय में **इ** जोड़कर माना गया है। प्रत्ययों की कल्पित व्युत्पत्ति के बारे में अधिक कुछ कहना अनावश्यक है।

यहाँ केवल यह देखना चाहिए कि व्यवहार में बंगला के प्रत्ययों का सम्बन्ध हिन्दी प्रत्ययों से किस प्रकार का है। **कूआ, गोरा, बाघा, खाँडा, बकरा, धुँआ, लोना, सफेंदा** आदि शब्द हिन्दी-बंगला, दोनों में प्रयुक्त होते हैं। इनमें **आ** प्रत्यय लगा है। डॉ. चाटुर्ज्या ने मध्यकालीन बंगला का नेहा रूप भी दिया है। हिन्दी लोकगीतों में **नेह** का **नेहा** रूप सुनने को मिलता है। **जावा, करा** आदि कृदन्त-रूपों में आ प्रत्यय है। यहाँ डॉ. चाटुर्ज्या ने पुरानी हिन्दी के **चल्या**, आधुनिक हिन्दी के **चला, देखा** आदि को याद किया है। बाँगरू में राजस्थानी के समान **चल्या** (अथवा **चाल्या**) जैसे रूपों का व्यवहार अब भी होता है। **लड़ाई, खुदाई, ढलाई, मिठाई, भलाई, सचाई, बड़ाई, सफाई, चढ़ाई, उतराई, सिलाई, धुलाई** बंगला में क्रमशः **लड़ाइ, खोदाइ, ढालाइ, मिठाइ, भालाइ, साँचाइ, बड़ाइ, साफाइ, चड़ाइ, उतराइ,**

**सेलाइ, धोलाइ** हैं। इनमें डॉ. चाटुर्ज्या ने **आइ** प्रत्यय माना है। उनके लिखने से ऐसा लगता है कि **आइ** तो मूल प्रत्यय है और हिन्दी का **आई** उसका रूपान्तर है। किन्तु **भालाइ, साँचाइ, साफाइ** में आदि वर्ण पर बलाघात की आवश्यकता के कारण अन्तिम दीर्घ स्वर को ह्रस्व किया गया है। डॉ. चाटुर्ज्या ने उदारतापूर्वक लिखा है कि ऐसे कुछ शब्द हिन्दी से भी बंगला में उधार लिये गए हैं। इनमें **बामनाइ** भी है जो अवधी **बँभनई** का रूपान्तर है। ब्राह्मण की-सी जिद को **बँभनई** कहते हैं।

**कानाइ, रामाइ** बंगला नाम अवधी के **कन्हई, रमई** का रूपान्तर हैं। डॉ. चाटुर्ज्या के अनुसार इनमें बंगला का **आइ** प्रत्यय लगा है; मूलरूप **कृष्णकिक**, अथवा **कृष्णाकिक;** इनसे उत्पन्न हुए **कन्हइअ, कन्हाइअ;** तब व्युत्पन्न हुए **कानाइ**। डॉ. चाटुर्ज्या कहते हैं कि हिन्दुस्तानी और पूर्वी हिन्दी में भी ऐसे रूपों का व्यवहार होता है!

**डकैत** शब्द का सम्बन्ध शायद चिल्लाने से है जिसके लिए बंगला में **डाक** शब्द है। **डाकू** चाहे न चिल्लाता हो, चिट्ठीरसा जरूर चिल्लाकर चिट्ठी बाँटता है इसलिए **डाकिया** कहलाया और चिट्ठियाँ ले जानेवाली गाड़ी **डाक गाड़ी** हो गई। **डकैत** का बंगला रूप **डाकात**, इसका पूर्वरूप **डकाइत**, प्रत्यय **आ, आइत**। डॉ. चाटुर्ज्या ने हिन्दुस्तानी शब्द **ढलैत** (**ढाल** ले चलनेवाला) दिया है। (हिन्दी के स्थान पर डॉ. चाटुर्ज्या ने अपने ग्रंथ में सामान्यत: हिन्दुस्तानी शब्द का प्रयोग किया है)। हिन्दी में **लठैत** जैसे शब्द सुपरिचित हैं।

बंगला में **घाबड़ाओ, चड़ाओ, बनाओ** आदि संज्ञा रूप प्रचलित हैं। **फालाओ** के लिए डॉ. चाटुर्ज्या ने लिखा है कि यह हिन्दुस्तानी **फइलाव्** से बना है। हिन्दी **बनावसिंगार** में **बनाव** संज्ञा रूप है। **चढ़ाव, फइलाव** जैसे संज्ञा-रूप अवधी में सामान्य हैं। मानक हिन्दी के **बनाव-सिंगार, चढ़ाव-उतार** जैसे शब्द-युग्मों में उनका व्यवहार अब भी होता है। **चालान, उड़ान** में **आन** प्रत्यय है। **पूजारी** (पुजारी), **चामार** (चमार), **बानिजार** (बनिज करनेवाला, बनजारा) में **आर** प्रत्यय है। हिन्दी **महरी** का बंगला प्रतिरूप **मेहारी** है जो संस्कृत **महागारिका** से व्युत्पन्न बताया गया है। **वाचाल, छिनाल** आदि में **आल** प्रत्यय है जो **आर** का ही रूपान्तर है। **गोयाला** (ग्वाला), **बाडीयाला** (**बाड़ी** वाला) शब्दों का विवेचन करते हुए लिखा है कि पिछले दिनों ये रूप हिन्दी शब्दों से प्रभावित हुए हैं। **वाला** को बंगला में **ओला** रूप में बोला गया, तब **कापड़ओला, गाड़ीओला** रूप बने। **ओला** रूप के अतिरिक्त **वाला** प्रत्यय बंगला में **आरा** भी बोला जाता है। **मतवाला** शब्द का रूपान्तर **मातोआरा** है, **व्** का लोप होने पर **माताल** रूप का भी चलन हुआ। दोनों रूपों में बलाघात की आवश्यकता के कारण प्रथम वर्ण दीर्घ हुआ। **आरा** का पूर्वरूप **आयोरा** मानकर डॉ. चाटुर्ज्या ने लिखा है कि 'बिहारी अथवा हिन्दी प्रभाव से' (पृ. 670) यह **आयोरा** (वाला) रूप भी प्राप्त है। **ओला** का स्त्रीलिंग रूप **उली** बनता है। **बाड़ीओला** का स्त्रीलिंग रूप हुआ **बाड़ीउली**।

हिन्दी का एक शब्द **कड़ियल** है जो **कड़ा** से बना है। **कड़ियलपन** के अर्थ में **केड़ेली** शब्द बंगला में प्रयुक्त होता है। डॉ. चाटुर्ज्या ने इसका पूर्वरूप **कांड़ियल** मानकर एक प्रश्नवाचक चिन्ह के साथ इसका सम्बन्ध **कांड** (तीर) से सुझाया है। दीर्घ **ई** से ह्रस्व **इ** वाले प्रत्यय का विकास मानकर डॉ. चाटुर्ज्या ने बताया है कि इसका उपयोग संज्ञा और विशेषण बनाने के लिए होता है। यद्यपि बंगला लिंगभेद से मुक्त है किन्तु उसमें बहुत-से शब्द लिंगभेद के सूचक हो गए हैं। **मालिन** और **माली** में भेद किया जाता है। **देशी** शब्द में **ईय** प्रत्यय मानकर उसका पूर्व रूप **देशीय** बताते हैं। **गुनी, बेनारसी** (बनारसी) में **ई** प्रत्यय फ़ारसी प्रभाव से मानते हैं। **गुणी** सीधा संस्कृत में कर्ता रूप होगा। **स्वामिन्** की तरह इसका अविकारी रूप **गुणिन्** कहा जाएगा। **बढ़ई** का पर्वरूप **वर्द्धकिन्** मानते हैं किन्तु **बढ़ई** रूप की मंजिल स्वीकार किए बिना **वर्द्धकिन्** से सीधे बंगला **बाड़इ, बाड़ुइ** की व्युत्पत्ति दिखाते हैं। **बूढ़ा** शब्द का स्त्रीलिंग रूप **बूढ़ी** है। बंगला **बुड़ी** का विकास कल्पित रूप **वृद्धिका** से दिखाया है। हिन्दी के ईकारान्त रूपों का प्रभाव इतना गहरा है कि मूल रूप स्त्रीलिंग होने पर भी उसे दुबारा स्त्रीलिंग बनाया गया है, जैसे : **अप्सरा** से **अप्सरी**। **बोली, रोटी, धोती, डकैती, रखवाली** आदि शब्द बंगला में क्रमशः **बुली, रुटी, धुती, डाकाती, राखाली** हैं। बंगला मूलतः लिंगभेद से मुक्त भाषा है, इसलिए इन रूपों का मूल स्त्रीलिंग वाला भाव क्षीण हो गया है। डॉ. चाटुर्ज्या मानते हैं कि निर्जीव वस्तुओं के नामों में मूल स्त्रीलिंग-भाव लुप्त हो गया है किन्तु पश्चिमी हिन्दी, राजस्थानी, पंजाबी आदि में व्याकरणगत लिंगभेद बना हुआ है। पश्चिमी हिन्दी ही नहीं, अवधी में भी ये सारे शब्द स्त्रीलिंग का लक्षण सूचित करते हैं। डॉ. चाटुर्ज्या ने हिन्दी के **लाली, हरियाली, रखवाली** जैसे शब्द तुलना के लिए ठीक ही उद्धृत किए हैं किन्तु प्रश्न केवल तुलना का नहीं है। प्रश्न है लिंगभेद मुक्त बंगला में लिंगभेद युक्त शब्दों के प्रवेश का। इनका स्रोत हिन्दी और हिन्दी जनपदों की बोलियाँ हैं। **रोटी, धोती, डकैती** का **ई** प्रत्यय फ़ारसी से प्रभावित है कि नहीं, यह मूल प्रश्न नहीं है। मूल प्रश्न यह है कि ये सारे स्त्रीलिंग रूप बंगला में हिन्दी क्षेत्र से पहुँचे हैं या नहीं। इस प्रश्न को ध्यान में रखते हुए उन प्रत्ययों के स्रोत पर विचार करना चाहिए जो हिन्दी और बंगला में सामान्य है।

हिन्दी में **खा, गा, कह** क्रियाओं से बनाए हुए संज्ञा रूप **खवइया, गवइया कहइया** प्रचलित हैं, विशेषतः अवधी में। बंगला में मध्यवर्ती वर्ण पर बलाघात स्वीकृत न हुआ, इसलिए **बॉलइया, कहइया** से **बॉलिये, कॉहिये** रूप बने। दोनों शब्दों का अर्थ है बोलने वाला। बंगला शब्दों में **इए** प्रत्यय मानकर डॉ. चाटुर्ज्या ने लिखा है कि हिन्दी के **अइया, अवइया** प्रत्यय तथा आधुनिक बंगला का **इए** अथवा **इये** एक ही प्रतीत होते हैं। फिर कहा है कि बंगला प्रत्यय अधिकतर बोलचाल में मिलता है, इसलिए असम्भव नहीं कि वह कुछ ही दिन पहले हिन्दी से उधार लिया

गया हो और पश्चिमी बंगला की सामान्य प्रवृत्ति के अनुसार उसमें वर्ण-संकोचन हुआ हो; उड़िया और असमिया में वैसा प्रत्यय नहीं है। कारण यह कि उड़िया और असमिया की अपेक्षा बंगला पर हिन्दी प्रभाव अधिक है।

**करत-करत अभ्यास के, जड़मति होत सुजान**— यहाँ **करत** कृदन्त का बंगला रूप होगा **करिते**। खड़ी बोली में भी **अभ्यास करते-करते**, इस तरह की शब्दावली होगी। यहाँ बंगला रूप अवधी और ब्रजभाषा की अपेक्षा खड़ी बोली के रूप से मिलता है। छुटपन या प्यार जताने के लिए बंगला में **पाँचू, कानू** जैसे **ऊ** प्रत्यय वाले रूप होते हैं और **उ** प्रत्यय वाले **नीचु, ऊँचु** रूप भी होते हैं। हिन्दी का **बहुत** अवधी में **बहुतु** भी बोला जाता है। **पाँचू** और **कानू** हिन्दी के **बैजू, नत्थू** आदि की तरह हैं। जिस खेत में धान बोया जाए, उसे अवधी में धनहा कहते हैं। प्रथम वर्ण के दीर्घ होने पर इसका पहला रूपान्तर होगा **धानुया**, फिर **धेनो** रूप बनेगा। इस प्रकार बंगला में **कलुआ** से **केलो** और **मछुआ** से **मेछो, कठुवा** से **केठो** रूप बने हैं। **क, अक, इक, उक** प्रत्ययों के प्रसंग में **सड़क, फाटक, झलक, बैठक** शब्द दिये हैं। इस शृंखला में हिन्दी **हुचकी** और **सिटकनी** बंगला में **हेंचकि, छिटकनी** हैं। जनपदीय बोलियों की तरह, **छोटी, बड़ी,** इन विशेषणों के प्यार वाले रूप **बड़की, छोटकी** बंगला में प्रचलित हैं। ये शब्द स्त्रीलिंग सूचित करनेवाले रूप हैं। बंगला शब्दों में **टा** और **टि** अथवा **टी** प्रत्यय शब्दों के साथ जोड़े जाते हैं। डॉ. चाटुर्ज्या ने लिखा है कि **टा** प्रत्यय मूलतः पुंल्लिंग भाव व्यक्त करता था और किसी वस्तु का बड़ा या अनगढ़ होना सूचित करता था। उसी प्रकार **टि** और **टी** मूलतः स्त्रीलिंग भाव व्यक्त करते थे और किसी वस्तु की लघुता या कोमलता सूचित करने के लिए प्रयुक्त होते थे। बंगला में यह भेद नष्ट हो गया है और ये प्रत्यय वस्तु की निश्चयात्मक स्थिति सूचित करते हैं। राम के साथ **टा** और **टि**, दोनों का व्यवहार हो सकता है। **रामटि** कहने में आत्मीयता का भाव है, **रामटा** कहने से राम के भारी-भरकम होने का बोध होगा। इसी प्रकार **गाछटा** और **गाछटि** दोनों रूप, लिंगभेद से तटस्थ, केवल एक निश्चित वृक्ष का बड़ा छोटा होना सूचित करेंगे। ये **टा, टी** राजस्थानी के **डा, डी** मालूम होते हैं। डॉ. चाटुर्ज्या ने बताया है कि बंगाल की जनपदीय बोलियों में **डा, डी** भी बोले जाते हैं। किसी वस्तु से संसर्ग सूचित करने के लिए **ड़** प्रत्यय का उपयोग होता है। उदाहरण दिया है **घेसेड़ा** जो हिन्दी **घसियारा** का रूपान्तर है। बाँगरू के समान बंगला भाषा **र्** की अपेक्षा **ड़्** से अधिक **नेह** दरसाती है, इसीलिए बंगला में **घसियारा—घेसेड़ा, जुआरी—जुयाड़ी, सपेरा—सापुड़े** हुए। **बाँकुरा** का बंगला रूपान्तर **बाँकुड़ा** है। अवधी के **खेॅलवार** का बंगला रूपान्तर **खेलोयाड़** (खिलाड़ी) है। हिन्दी **लुटेरा** बंगला में **लुठेरा** है; डॉ. चाटुर्ज्या ने इसका कल्पित पूर्वरूप **लुठियाड़ा** माना है, मानो मूल **ड़** बदलकर हिन्दी और बंगला में **र्** हो गया हो। हिन्दी **भंगड़** बंगला **भाँगड़**, दोनों में **ड़्** है।

हिन्दी **अखाड़ा** और बंगला **भाखड़ा** की भी यही स्थिति है किन्तु हिन्दी **बटमार** पहले **बाटपाड़** हुआ (यह रूप डॉ. चाटुर्ज्या के अनुसार उत्तरी बंगाल में अब भी बोला जाता है), फिर उसका रूपान्तर हुआ **बाटोयाड़**।

**ट्-मूलक** प्रत्ययों की चर्चा करते हुए डॉ. चाटुर्ज्या ने एक महत्त्वपूर्ण बात कही है। वह यह कि **ट्** वाला प्रत्यय वैदिक भाषा में नहीं है और इसका उद्‌भव द्रविड़ या कोल प्रभाव से सिद्ध नहीं किया जा सकता, पर वह सभी आधुनिक आर्य भाषाओं में जड़ जमाए हुए है। इस स्थापना का महत्त्व यह है कि डॉ. चाटुर्ज्या ने जो तत्त्व संस्कृत में न मिले, उसे द्रविड़-कोल प्रभाव से उत्पन्न नहीं मान लिया। आधुनिक आर्य भाषाओं में किसी एक तत्त्व की व्यापकता देखकर उन्होंने कल्पना की है कि उसका स्रोत प्राचीन आर्य भाषा में अवश्य रहा होगा अर्थात् उन्होंने माना है कि आधुनिक आर्य भाषाओं के अध्ययन से प्राचीन आर्य भाषा-तत्त्वों का पता लगाया जा सकता है। टवर्गीय ध्वनियों के दो केन्द्र सौराष्ट्र और असम अब भी विद्यमान हैं। बंगला असमिया की पड़ोसी भाषा है, इसलिए **ट** वाले रूपों से उसके लिए **ड** और **ड़** का विकास करना स्वाभाविक है।

कहीं-कहीं अवधी के स्त्रीलिंग इकारान्त रूप, खड़ी बोली की तरह, बंगला में अकारान्त हो गए हैं। जैसे **बहिनि** शब्द खड़ी बोली में **बहन** है, वैसे ही अवधी **नातिनि** बंगला में **नातिन** है। जैसे हिन्दी में **बचपन** और **बचपना** दोनों तरह के रूप प्रचलित हैं, वैसे ही बंगला में **गिन्नीपन** (गृहिणीपन), **ढीटपना** (ढिठाई) हैं। हिन्दी **गभरू गर्भरूप** से और **गोरू गोरूप** से विकसित माने गए हैं। बंगला में **गोरु, गाभरु** रूप हैं। **दूसरा, तीसरा** के बंगला प्रतिरूप **दोसर, तेसर** हैं, इनमें **सर** प्रत्यय बताया गया है जिसका अर्थ है चलना। **दूसरा, तीसरा** के **सर** से चलनेवाले **सर** का कोई सम्बन्ध नहीं है। बंगला रूप अवधी के **दूसर, तीसर** से बने हैं। इसी तरह बंगला शब्द **दोहारा, तेहारा** अवधी के **बॉहरा, तॅहरा** का रूपान्तर हैं।

बंगला में **एमन** और **केमन** का अर्थ है इस तरह, किस तरह। **मन** प्रत्यय **तरह** का अर्थ देता है। जब यह **तरह** शब्द बंगाल पहुँचा, तब वह भी **मन** के साथ जुड़ गया। महाप्राण ध्वनि का लोप होने पर रूप बने **एमनतर, केमनतर**। डॉ. चाटुर्ज्या ने माना है कि हिन्दी में **इस तरह, किस तरह** आदि के समान बंगला के इन रूपों का निर्माण हुआ है। पुराने आर्य भाषा-तत्त्व बंगाल में किस रास्ते से पहुँचे, वह तो पुरानी बात है; फ़ारसी का प्रभाव हिन्दी प्रदेश को लाँघकर सीधे बंगाल पहुँच न सकता था। ईरानी प्रभाव के मुख्य केन्द्र दिल्ली, आगरा, लखनऊ आदि हिन्दी प्रदेश के नगर थे। डॉ. चाटुर्ज्या ने फ़ारसी प्रत्ययों का विवेचन भी किया है। **दरबान** में **बान, छापाखाना** में **खाना, कारीगर** (बंगला रूप **कारिगर**) में **गर, बाबूगीरी** (बंगला रूप **बाबूगिरि**) में **गिरि, कलमदान** में **दान, चौकीदार** में **दार** प्रत्यय बंगला में वैसे ही प्रयुक्त हुए हैं, जैसे हिन्दी में। हिन्दी का एक बहुत अर्थ-व्यंजक

शब्द **धड़ीबाज** बंगला में भी प्रचलित है। यहाँ **बाज** प्रत्यय फ़ारसी का है। **बगीचा** और **चमचा** बंगला में **बागिचा, चामचा** हैं।

तुर्क आक्रमणों के बाद और उनसे पहले हिन्दी प्रदेश के भाषा-तत्त्व निरन्तर बंगाल पहुँचते रहे हैं। इनमें प्रत्ययों का स्थान महत्त्वपूर्ण है। इन प्रत्ययों के कल्पित पूर्वरूपों की चर्चा इस ढंग से की गई है कि पढ़नेवाले को लगता है कि वे सीधे संस्कृत से, प्राकृत-अपभ्रंश मंजिलें तै करते हुए, बंगला में पहुँच रहे हैं। परिणाम यह कि हिन्दी और बंगला का घनिष्ठ सम्बन्ध आँखों से ओझल हो जाता है।

शब्द-रचना-प्रक्रिया के अन्तर्गत दो शब्दों को मिलाकर नये अर्थ वाला रूप गढ़ने अथवा एक ही शब्द की आवृत्ति द्वारा नया रूप रचने की प्रवृत्ति बहुत पुरानी है और भारत के अनेक भाषा-परिवारों में मिलती है। कोल भाषाओं में क्रियापद रचना संस्कृत क्रिया-रूपों की याद दिलाती है। संथाली में **दल**—मारना, **ददल**—ज्यादा मारना। संस्कृत के **ददाति, पिबति** से ये रूप तुलनीय हैं। कोल भाषाओं में प्रत्यय लगाकर क्रिया को नया अर्थ दिया जाता है। मुंडारी में **नेल**—देखना, **नेपेल**—एक दूसरे को देखना। संस्कृत के **चल** और **चपल** इस सन्दर्भ में विचारणीय हैं। पूर्वी अंचल में नाग भाषा मोन्पा बोली जाती है। इससे शब्द की आवृत्ति का उदाहरण देते हैं। **रि लेम् लेम्** अर्थात् पानी पूरी तरह भरा हुआ है। **रि** का अर्थ है जल, नदी। नदी के लिए एक अन्य शब्द गोङ्रि है। इसमें **रि** नदी वाचक है ही, **गोङ्, गाङ्,** अर्थात् गंगा का प्रतिरूप है। जैसे बंगला में **एमन** माने इस तरह, फिर **एमन** में **तरह** जोड़कर **एमनतर** रूप बना, वैसे ही मोन्पा में दो जलसूचक शब्द मिलाकर एक नया शब्द बना। इसी भाषा में मनुष्य के लिए **सोङ्** शब्द है। इसका बहुवचन बनाने के लिए **बग** या **बाग** शब्द जोड़ा जाता है। यह वही शब्द है जो हिन्दी के **लोग-बाग** में सुनने को मिलता है। हिन्दी में **बाग** शब्द का अलग से प्रयोग नहीं होता किन्तु यह अवश्य ही हिन्दी जनपदों का पुराना शब्द है। मोन्पा के अतिरिक्त अन्य किसी नाग भाषा में यह शब्द मुझे नहीं मिला, न द्रविड़ भाषाओं में दिखाई दिया। इसलिए सम्भावना यह है कि यह हिन्दी जनपदों का पुराना शब्द है जो मोन्पा में यहाँ से पहुँचा है। हिन्दी जनपदों में उसकी स्वतंत्र सत्ता नहीं है किन्तु मुहावरे में अन्य शब्दों से वह ऐसा अटूट जुड़ा है कि तुलनात्मक भाषाविज्ञान के लिए वह जितना ही बिरल है, उतना ही अनमोल है। **नाप-जोख** का **जोख** मानक हिन्दी में अलग से प्रयुक्त नहीं होता किन्तु जनपदीय भाषाओं में तौलने के लिए **जोख** क्रिया का व्यवहार अब भी होता है। **नाप-जोख** उस रूप की मिसाल है जिसका एक अंश हमारे देखते-देखते पुराना पड़ता जा रहा है। जैसे **बाग** शब्द एक नाग भाषा में पहुँचा है, वैसे ही संस्कृत के अनेक शब्द पुराने समय में ऐसी द्रविड़ भाषाओं में पहुँच गए हैं जिनके बोलने वाले आज सामाजिक दृष्टि से बहुत ही पिछड़े हुए हैं। नीलगिरि पर्वतमाला में रहने वाले तोद लोग परस्पर मिलने पर एक दूसरे से पूछते हैं : **सुद् साँद् विळ्त**। जैसे

बंगला में **की खबर** कहने का चलन है, वैसे ही तोद भाषा में यह कहने का चलन है कि खबर अच्छी है। **सुद् सॉद्** दो शब्दों का जोड़ा है, जैसे **लोगबाग** दो शब्दों का जोड़ा है। इसमें **सॉद्** संस्कृत **शब्द** का रूपान्तर है और **सुद् शुद्ध** का। कहाँ नीलगिरि की पिछड़ी हुई द्रविड़ जाति तोद, कहाँ संस्कृत के **शुद्ध** और **शब्द!** इनके तद्भव रूपों का व्यवहार ये द्रविड़ जन नित्य-प्रति करते हैं, इस पर किसे विश्वास होगा? पर इस व्यवहार के प्रमाण हैं तोद भाषा के विशेषज्ञ एमेनो। ('एमेनो : कलेक्टेड पेपर्स', अन्नामलइ यूनिवर्सिटी; 1967; पृ. 38) **शब्द-शुद्ध** का अर्थ हुआ अच्छी खबर।

हिन्दी में दो शब्दों को मिलाकर दोनों के अर्थ से मिलता-जुलता किन्तु अधिक व्यापक अर्थ उत्पन्न किया जाता है। अंग्रेज़ी शब्द क्लाइमेट के अर्थ में **जलवायु** का प्रयोग होता है। **जलवायु** रूप जल और वायु के अर्थ को समाप्त नहीं करता, उस अर्थ को कायम रखते हुए वह अधिक व्यापक अर्थ की सृष्टि करता है। लोग कहते हैं : **अभी तो मेरे हाथ-पैर चलते हैं** जिसका अर्थ है, शरीर अपना काम कर रहा है। गाँवों में **घरदुआर** इसी तरह सम्पत्ति के अर्थ में प्रयुक्त होता है। **हलमाची** का अर्थ होगा खेती के उपकरण। माची के अन्दर बैलों के सिर होते हैं और हल उससे बँधा रहता है। माची के बिना हल नहीं खींचा जा सकता और हल के बिना माची बेकार है। हल माची का अभिन्न भौतिक सम्बन्ध किसान ने हलमाची के जोड़े में कायम रखा है। **बैल बधिया, बियाबँसार** (बीज)—इन जोड़ों में पर्यायवाची शब्दों का व्यवहार हुआ है, किसी नये अर्थ का सृजन नहीं हुआ किन्तु अर्थ को घनत्व अवश्य प्रदान किया गया है।

हिन्दी में शब्दों के अनेक ऐसे जोड़े हैं जिनमें क्रिया और संज्ञा का भेद मिट-सा गया है। **मारपीट** में **मार** क्रिया है, संज्ञा भी है। **मार** और **पीट**, दोनों का एक ही अर्थ है, किन्तु **मारपीट** का अर्थ दोनों से भिन्न, फिर भी मिलता-जुलता, और अधिक व्यापक है। **मारामारी, देखादेखी, तनातनी** जैसे रूपों में एक ही शब्द की आवृत्ति है किन्तु ध्वनि-सौन्दर्य के लिए मूल शब्द के अन्तिम स्वर को आवृत्ति करते समय बदल दिया गया है। **तना, देखा, मारा** कृदन्त हैं किन्तु यहाँ न तो विशेषण का भाव है, न क्रिया का; उनका व्यवहार संज्ञा शब्दों के समान हुआ है। **चिलचिलाती धूप, साँप की फुफकार, बूढ़े आदमी का बरबराना** (व्यर्थ की बातें करना), यहाँ कुछ ध्वनियों की आवृत्ति हुई है और उससे अर्थ घनत्व पैदा किया गया है। **पानी झमाझम बरसा, हॉल खचाखच भरा था**—यहाँ अनुकरण मूलक **झम** और **खच** शब्दों की आवृत्ति हुई है किन्तु भाषा की लय को ध्यान में रखते हुए बीच में अतिरिक्त स्वर जोड़ दिया गया है। यह प्रवृत्ति अत्यन्त प्राचीन है और हिन्दी प्रदेश की भाषाओं की विशेषता है। वैदिक भाषा में **गनीगम्, पनीपद्, घनीघन्, पिबापिब** जैसे रूप मिलते हैं। ह्विटने ने ऐसे रूपों का विवरण अपनी संस्कृत व्याकरण पुस्तक में दिया है। लौकिक संस्कृत में ऐसे रूप नहीं के बराबर

हैं। वैदिक भाषा की अलौकिकता इसी में है कि बोलचाल की लय के अनुसार जो रूप गढ़े जाते हैं, वे उसके लिए असंस्कृत नहीं हैं। **एक** और **दश**, इन दो शब्दों को मिलाते समय जो अतिरिक्त स्वर जोड़कर **एकादश** रूप बनाया गया, वह इसी प्रवृत्ति का द्योतक है। क्रिया के एक वर्ण की आवृत्ति वैदिक भाषा में अत्यन्त सामान्य थी, आवृत्ति करते समय बहुधा मूल वर्ण के स्वर में थोड़ा परिवर्तन कर दिया जाता था। **चल्** से **चाचल्**, **लप्** (बोलना) से **लालप्**, **पत्** (गिरना) से **पापत्**, **नी** (ले चलना) से **नेनी**, **भू** (होना) से **बोभू**, **रु** (रोना) से **रोरु**, **नम्** से **नन्नम्**, **स्तन्** से **तंस्तन्** (गरजना) इत्यादि, ये रूप मैकडनल ने वैदिक भाषा वाले व्याकरण में दिये हैं और आवृत्ति का उद्‌देश्य यह बताया है कि अर्थ को घनत्व प्रदान किया जाए।

हिन्दी में ऐसे बहुत-से शब्द हैं जिनमें आदिस्थानीय व्यंजन की आवृत्ति हुई है, यथा : **पपीहा, गगरी, घाघरा, ठठेरा, ककहरा, ठिठोली, ठिठकना, ठिठुरना, पोपला** (जिसके दाँत न हों), **फफोला, तीतर** इत्यादि। कुछ शब्दों में एक ही शब्दांश की आवृत्ति से नया रूप रचा गया है, यथा : **दलदल**। संस्कृत में **हलाहल** जैसे शब्द इसी प्रवृत्ति के अनुरूप रचे गए थे। दो भिन्न शब्दों को जोड़कर **उखाड़-पछाड़, उठना-बैठना, धक्का-मुक्की** जैसे व्यापक अर्थ वाले बहुत-से रूप हिन्दी में रचे गए हैं। समानार्थी शब्दों के जोड़े—**काम-काज, धरम-ईमान** की तरह—पचासों हैं। आधुनिक आर्य भाषाएँ नये शब्द ही नहीं गढ़तीं, पुराने शब्द-रूपों को नये ढंग से मिलाकर उन्हें नया अर्थ भी देती हैं।

परिनिष्ठित हिन्दी की अपेक्षा जनपदीय भाषाओं में नई शब्द-रचना का कार्य अधिक स्वच्छन्दता से होता है। **गवैया, बजवैया, अनवैया** (जो किसी व्यक्ति को ले जाने के लिए आए), **दॅवैया** (जो कोई वस्तु देने को हो), **दॅवार** (उप.), **लॅवार** (जो कोई वस्तु लेने को हो), **जवार** (जो व्यक्ति जाने को हो), **अवार** (जो व्यक्ति आने को हो), **बकरिहा** (बकरियों से सम्बद्ध), **गुलरिहा** (गूलर के वृक्षों से सम्बद्ध), **अँबिलिहा** (इमलियों से सम्बद्ध) जैसे रूप परिनिष्ठित हिन्दी की अपेक्षा अवधी में ही अधिक प्रयुक्त होते हैं। जनपदीय भाषाओं की यह शब्द-रचना-क्षमता संस्कृत से अधिक वैदिक भाषा की प्रवृत्ति के अनुरूप है।

संस्कृत हिन्दी क्षेत्र की भाषा थी, अत: उसके प्रत्यय हिन्दी में भी प्रयुक्त होते हैं तो कोई आश्चर्य नहीं। इनमें दो वर्ग हैं। एक वर्ग उन प्रत्ययों का है जो परिनिष्ठित हिन्दी में संस्कृत से उधार लिये गए हैं, यथा : **पुरुषत्व** का **त्व**। ऐसे प्रत्यय अधिकतर तत्सम रूपों के साथ ही प्रयुक्त होते हैं। दूसरे वर्ग में वे हैं जो संस्कृत के समानान्तर जनपदीय भाषाओं में प्रयुक्त होते थे और आज भी होते हैं, जैसे—वैदिक भाषा का **अत्** प्रत्यय : **ददत्** (देते हुए), वैसे ही अवधी में **जियत्** (जीते हुए)। इनके अलावा **पा** और **पन** जैसे प्रत्यय हैं जिनके प्राचीन अस्तित्व के बारे में वैदिक भाषा के प्रत्यय-विश्लेषण से हम तर्कसंगत अनुमान कर सकते हैं। अनेक साहित्यशास्त्रियों,

भाषाविज्ञानियों ने यह भ्रम फैलाया है कि 12वीं-13वीं सदी की वास्तविक भाषाई स्थिति अपभ्रंश रूपों में व्यक्त है, उससे पहले की स्थिति प्राकृत रूपों में। 13वीं सदी के बाद संस्कृत-प्रेम की ऐसी लहर आई कि प्राकृत अपभ्रंश रूप विस्थापित हो गए और उनकी जगह संस्कृत रूप स्थापित हो गए। यह धारणा इन विद्वानों को वैदिक काल से चली आती निरन्तर विकासमान, परिवर्तनशील फिर भी अविच्छिन्न, जनपदीय आर्य भाषाओं की शब्द-रचना-प्रक्रिया देखने नहीं देती। उनके लिए शब्द-रचना-विश्लेषण का अर्थ है तत्सम, तद्भव और देशज, तीन वर्गों में शब्द सम्पदा को बाँट देना। **मुटापा, बुढ़ापा** जैसे शब्द न तो तत्सम हैं, न प्राकृत-अपभ्रंश तंत्र के अनुरूप हैं। अपभ्रंश की प्रतिक्रिया में ये रूप अचानक कैसे अवतरित हो गए? हिन्दी ही नहीं, बंगला, मराठी आदि अन्य आर्य भाषाओं की जनपदीय शब्दावली की जितना ही छानबीन की जाएगी, उतना ही अपभ्रंशों की प्रतिक्रिया में तत्सम रूपों की प्रतिष्ठा का सिद्धान्त झूठा साबित होगा। वास्तव में तत्सम रूपों से भाषा को शिष्ट और परिनिष्ठित बनाने की बीमारी इन विद्वानों को है; अपना वह रोग अपने पूर्वजों पर आरोपित करके वे हिन्दी को उधार लेनेवाली भाषा घोषित कर देते हैं। जनपदीय भाषाओं की सम्पदा की अनदेखी करके वे भदेसपन से अपनी संस्कृति की रक्षा करते हैं। किन्तु प्राकृत-अपभ्रंश और संस्कृत, इन दोनों से अलग जहाँ जनपदीय भाषाओं की शब्द-निर्माण-प्रक्रिया अबाध चलती रही है, उसकी उपेक्षा करके भाषा के विकास की व्याख्या नहीं की जा सकती। हिन्दी तथा अन्य आर्य भाषाएँ विद्वानों की शैली विशेष में उधार लेनेवाली भाषाएँ हैं; सामान्य जनता की बोलचाल में, क्या मानक भाषाएँ, क्या उनकी जनपदीय बोलियाँ, शब्द-रचना में और शब्दों को नया अर्थ देने में अपनी अपूर्व क्षमता का परिचय देती हैं।

हिन्दी शब्द-भंडार के अनेक स्रोत हैं, हिन्दी शब्द-रचना-प्रक्रिया की अनेक पद्धतियाँ हैं, अनेक युगों में इनका विकास हुआ है। इनमें बाहर से आए हुए तत्त्व अति अल्प हैं। समस्त आर्य भाषाओं की जनपदीय बोलियों में शब्द-रचना-प्रक्रिया का मार्ग मिलता-जुलता है, अपभ्रंश के अनुरूप वह कहीं नहीं है, जैसा कि बंगला शब्द-रूपों के अध्ययन से सिद्ध होता है। उत्तर भारत के समस्त आर्य भाषाई विकास में हिन्दी जनपदों का योगदान महत्त्वपूर्ण रहा है। यह योगदान प्राकृत-अपभ्रंश वाला विकास मार्ग अपनाने से समझ में नहीं आता। शब्दतंत्र का विश्लेषण ध्वनितंत्र के विश्लेषण से जुड़ा हुआ है। शब्दतंत्र का जो विवेचन यहाँ प्रस्तुत किया गया है, उससे ध्वनितंत्र की कुछ समस्याएँ भी विवेचित हैं, विशेष कर तद्भवीकरण-प्रक्रिया के विश्लेषण-सन्दर्भ में। दूसरी ओर शब्दतंत्र का विश्लेषण रूपतंत्र (और वाक्यतंत्र) के विवेचन से जुड़ा हुआ है। आगे रूपतंत्र के प्रसंग में शब्दतंत्र की अनेक समस्याओं पर फिर विचार करना आवश्यक होगा।

3

# आर्य भाषा-केन्द्र और हिन्दी रूपतंत्र

## 1. संश्लिष्ट-विश्लिष्ट-भेद

संस्कृत और आधुनिक आर्य भाषाओं में सबसे बड़ा भेद रूपतंत्र को लेकर बताया गया है। संस्कृत संश्लिष्ट भाषा है, हिन्दी तथा आधुनिक आर्य भाषाएँ विश्लिष्ट हैं, पूरी तरह विश्लिष्ट हैं अथवा उनमें पुराने संश्लिष्ट रूपों के अवशेष मात्र रह गए हैं। यहाँ रूपतंत्र में नाम शब्द और क्रियापद, दोनों के विकार शामिल हैं। संस्कृत के समान ग्रीक और लैटिन संश्लिष्ट हैं, हिन्दी और बंगला के समान अंग्रेज़ी और फ्रेंच विश्लिष्ट हैं या उनमें पुराने संश्लिष्ट रूपों के अवशेष मात्र हैं। विभिन्न कारकों में नाम शब्दों के प्रयोग के अनुसार उनके रूप बदलते हैं। कारक नाम शब्द का सम्बन्ध क्रियापद से व्यक्त करता है। इसलिए यह स्वाभाविक है कि यदि भाषा नाम शब्दों के मामले में संश्लिष्ट है तो वह क्रियापदों के मामले में भी संश्लिष्ट होगी। यदि वह नाम शब्दों के मामले में विश्लिष्ट होगी तो वैसी ही स्थिति क्रियापदों के मामले में भी होगी।

जहाँ तक अंग्रेज़ी जैसी भाषा का सम्बन्ध है, वह यदि आदि जर्मन के संश्लिष्ट रूप छोड़कर विश्लिष्ट हो गई है तो यह प्रगति का चिन्ह है। उसने संश्लिष्ट रूपों का अनावश्यक बोझ उतार फेंका, विश्लिष्ट होकर वह सरल और अधिक शक्तिशाली हो गई, विश्वभाषा बन गई। भारतीय भाषाएँ संस्कृत का सतयुग छोड़कर क्रमशः आधुनिक भाषाओं के कलियुग की ओर बढ़ती गईं, और इस प्रकार उनका आधुनिक विश्लिष्ट रूप ह्रास का परिणाम है। जहाँ-तहाँ जो थोड़े-से संश्लिष्ट रूप बचे हैं, वे इनके गौरवशाली उद्‌भव की याद दिलाते हैं। संस्कृत ने जब प्राकृतों का रूप ग्रहण किया तब ध्वनितंत्र में भारी परिवर्तन हुआ किन्तु रूपतंत्र लगभग वैसा ही रहा, जैसा वह संस्कृत में था। यह बात अपने में काफी आश्चर्यजनक है। ध्वनितंत्र में ऐसा मौलिक परिवर्तन हो कि शब्द पहचान में न आएँ और रूपतंत्र ज्यों-का-त्यों बना रहे, ऐसा ज़रा कम होता है। सामान्य प्रक्रिया यह है कि भाषा के एक स्तर पर भारी परिवर्तन होता है तो उसके साथ, उतना नहीं तो थोड़ा-बहुत, परिवर्तन अन्य

स्तरों पर अवश्य होता है। जो लोग हिन्दुस्तानी ढंग से अंग्रेज़ी बोलते हैं, वे अंग्रेज़ी के ध्वनितंत्र को बदलने के साथ थोड़ा-बहुत परिवर्तन अंग्रेजी के मुहावरों, उसकी व्याकरण-व्यवस्था में भी करते हैं। कलकत्ते में या कलकत्ते के बाहर बंगला-भाषी भद्रजन जब अपने ढंग से हिन्दी बोलते हैं तब व उसकी वाक्य-रचना भी काफी बदल देते हैं। कलकत्ते के बाजार में बंगालियों द्वारा बोली जानेवाली हिन्दुस्तानी डॉ. सुनीतिकुमार चाटुर्ज्या को व्याकरण की दृष्टि से इतनी सरल प्रतीत होती थी कि वह उसे कभी-कभी राष्ट्र भाषा ही नहीं, हिन्दी साहित्य की भाषा भी बनाने की बात करते थे। किन्तु पुराने जमाने में प्राकृतों ने संस्कृत के ध्वनितंत्र में भारी उलटफेर किया, और रूपतंत्र लगभग पहले जैसा बना रहा।

उसके बाद अपभ्रंश का समय आया। भाषा अचानक विश्लिष्ट होने लगी। कुछ पुराने रूप बचे रहे पर उनके समानान्तर दूसरे रूपों का भी प्रयोग होने लगा। विद्वानों का कहना है कि इस समय कारकों के व्यवहार में बड़ा झमेला पैदा हो गया। किस कारक का प्रयोग कहाँ करना चाहिए, लोगों को इसका ज्ञान ही न रहा। कर्ता और कर्म का भेद मिटा दिया; सम्प्रदान, अपादान, सम्बन्ध, अधिकरण, जहाँ जैसी इच्छा हुई, किसी भी कारक का प्रयोग कर दिया। इससे कारकों की संख्या घट गई और आगे चलकर दो ही कारक रह गए, एक शब्द का सीधा रूप और दूसरा शब्द का तिर्यक् रूप। फिर भी अपभ्रंश में कारक-चिन्ह बहुत हैं; कारकों की संख्या में भले कमी हुई हो, उनके चिन्हों में तो वृद्धि ही हुई। संस्कृत में शब्दों के अनेक वर्ग होते थे, किसी के अन्त में ह्रस्व **अ**, किसी के अन्त में दीर्घ **आ**, कोई इकारान्त, कोई उकारान्त, और कोई मात्र हलन्त। इन विभिन्न वर्गों के शब्दों के साथ अलग-अलग तरह के कारक-चिन्ह लगते थे। अपभ्रंश में शब्दों के वर्ग कम हो गए किन्तु कारक-चिन्हों की संख्या बढ़ गई, यह आश्चर्य की बात है।

इस समय एक नये भाषा-तत्त्व का जन्म हुआ जिसे कुछ आधुनिक वैयाकरण परसर्ग कहते हैं। यह परसर्ग कारक-चिन्हों से भिन्न माना गया है। कारक-चिन्ह परतंत्र भाषा-तत्त्व है; किसी स्वतंत्र शब्द के साथ जुड़कर ही सार्थक होता है। इसके विपरीत परसर्ग अपेक्षाकृत स्वतंत्र है। उक्तकोटि के वैयाकरणों का कहना है कि कारकों के व्यवहार में झमेला होने से, कारकों की संख्या घट जाने से, कारक-चिन्हों के घिस जाने से परसर्गों का व्यवहार अनिवार्य हो गया।

यहाँ पहले नाम शब्दों को लेकर ही रूपतंत्र की समस्याओं पर विचार करेंगे। इस समस्या का विवेचन करते हुए यह बात ध्यान में रखना उचित है कि संस्कृत की तुलना में जैसा परिवर्तन आधुनिक आर्य भाषाओं में दिखाई देता है—वैसा परिवर्तन ग्रीक और लैटिन को देखते हुए यूरोप की भाषाओं में भी हुआ है, कहीं कम हुआ है, कहीं अधिक हुआ है। इसके सिवा भारत में अन्य भाषा-परिवारों की भाषाएँ भी बोली जाती रही हैं, उनके रूपतंत्र को भी ध्यान में रखना चाहिए।

## 2. कारक-रचना

कारक संस्कृत में हैं, कारक हिन्दी में हैं। दोनों के व्यवहार में अन्तर यह है कि संस्कृत में एकवचन का कारक-चिन्ह द्विवचन और बहुवचन के कारक-चिन्ह से भिन्न होता है। इसके सिवा पुंल्लिंग, नपुंसकलिंग और स्त्रीलिंग के कारक-चिन्ह एक सीमा तक भिन्न होते हैं। इनमें पुंल्लिंग और नपुंसकलिंग को लेकर इतना भेद नहीं है जितना स्त्रीलिंग तथा इन दोनों को लेकर है। कह सकते हैं कि संस्कृत नाम-शब्दों की रूप-रचना में कारक के साथ लिंग और वचन का बोध भी होता है। स्वभावत: यह प्रश्न सामने आता है कि कारक का प्रयोजन क्या है। क्या उसका प्रयोजन लिंग और वचन का निर्देश करना है? क्रिया से नाम शब्द का कैसा सम्बन्ध है, यह दिखाना कारक का उद्देश्य है। क्रिया में न तो लिंग का महत्त्व है, न वचन का। अत: कारक में भी लिंगवचन का महत्त्व नहीं है। जैसे अधिकरणकारक का उद्देश्य यह बताना है कि क्रिया के सम्पन्न होने का क्षेत्र कौन-सा है; अधिकरणकारक का चिन्ह क्रियापद के प्रभावी क्षेत्र को सूचित करेगा, नाम शब्द की क्षेत्रीयता सूचित करेगा, उस क्षेत्रीयता के एक या अनेक होने का प्रश्न नहीं है। **पेड़ पर** और **पेड़ों पर**—इन दो पदों में **पर** क्षेत्रीयता का सूचक है, उसमें एकवचन या बहुवचन का भेद अनावश्यक है। **पेड़** और **पेड़ों** में वचन-भेद आवश्यक है पर यह वचन-भेद बताना कारक-चिन्ह का कार्य नहीं है। संस्कृत में कारक-चिन्ह के साथ यदि मुख्यत: वचनबोध, और अंशत: लिंगबोध होता है तो ऐसा बोध कराना कारक का मुख्य कार्य नहीं है।

नाम शब्द के साथ कारक-चिन्ह किस तरह जोड़ा जाता है, यह विन्यास (वाक्यतंत्र) का विषय है। वाक्य-विन्यास से अलग, चाहें तो, इसे रूप-विन्यास कह सकते हैं। कारक का अस्तित्व क्रिया के सन्दर्भ में ही सार्थक है, क्रिया के साथ कारक का अस्तित्व वाक्य में ही सम्भव है। अत: रूप-विन्यास (रूपतंत्र) वाक्य-विन्यास (वाक्यतंत्र) से अलग करके नहीं देखा जा सकता; रूपतंत्र वाक्यतंत्र के अन्तर्गत है, उसी तंत्र का एक अंश है। वाक्यतंत्र में ध्यान देने की एक बात शब्दों का क्रम होता है। कारकचिन्ह नाम शब्द के पहले आता है या उसके पीछे, यह विन्यास का विषय है। संस्कृत में कारक-चिन्ह सदा मूल नाम शब्द का अनुगामी होता है, उससे पहले कभी नहीं आता। यह कारक-चिन्ह चाहे लिंग-वचन-बोध के साथ जुड़ा हो, चाहे उससे मुक्त हो, उसकी स्थिति सदा मूल शब्द के पीछे है। जिन्हें लोग परसर्ग कहते हैं, वे भी मूल शब्द के पीछे ही रहते हैं। वाक्य में उसके आविर्भाव के पहले ही उसके आगे आकर खड़े नहीं हो जाते। संस्कृत, प्राकृत, अपभ्रंश, आधुनिक आर्य भाषाओं की यह सामान्य प्रवृत्ति है कि कारक-चिन्ह—वह किसी भी कोटि का हो, घिसा, बेघिसा, स्वतंत्र, परतंत्र, पूर्ण शब्द या शब्द-कण, प्रत्यय या परसर्ग—वह सदा मूल शब्द के पीछे रहता है। आर्य भाषा-परिवार ही

नहीं, कोल, द्रविड़ और नाग-परिवारों की भाषाएँ भी इसी प्रवृत्ति के अनुरूप आचरण करती हैं। केवल कम्बोज समुदाय की भाषाएँ इसका अपवाद हैं। यूरोप की संश्लिष्ट भाषाएँ, संस्कृत के समान, कारक-चिन्ह मूल शब्द के पीछे जोड़ती हैं, किन्तु जो सम्बन्धसूचक शब्द अपेक्षाकृत स्वतंत्र हैं, वे मूल शब्द से पहले आते हैं। इसीलिए उन्हें 'प्रिपोजीशन' (अग्र सम्बन्धक) कहा जाता है। 'प्रिपोजीशन' यूरोप की आधुनिक भाषाओं में ही नहीं हैं, इंडो-यूरोपियन परिवार की ग्रीक और लैटिन जैसी प्राचीन भाषाओं में भी है। इंडो-यरोपियन परिवार की इन भाषाओं के अलावा सामी भाषाओं में भी 'प्रिपोजीशन' होते हैं। इंडो-यूरोपियन भाषाओं की तरह सामी भाषाओं में जहाँ विश्लिष्ट रूप हैं, वहाँ कारक-चिन्ह, संस्कृत-पद्धति के अनुरूप, मूल शब्द के पीछे जोड़ा जाता है। यूरोप की भाषाओं तथा सामी और कम्बोज समुदाय की भाषाओं में 'प्रिपोजीशनों' के व्यवहार को लेकर बहुत बड़ी समानता है। अन्तर यह है कि कम्बोज समुदाय की भाषाएँ मूल शब्द के बाद कारक-चिन्ह नहीं जोड़तीं। उनकी पद्धति, संस्कृत के समान सुसंगत है; संस्कृत में कारक-चिन्ह मूल शब्द के पीछे, इनमें मूल शब्द के आगे। ग्रीक, लैटिन, हीब्रू, अरबी समेत सामी और भारत से बाहर की इंडो-यूरोपियन भाषाओं में रूप-विन्यास की दो विरोधी प्रवृत्तियाँ देखी जाती हैं : एक, भारतीय आर्य पद्धति; दूसरी, कम्बोज पद्धति। 'प्रिपोजीशनों' का व्यवहार वहाँ या तो स्वतंत्र विकास का परिणाम है या कम्बोज पद्धति के प्रभाव का फल है। भारत के उत्तराखंड में सामी, आर्य, कम्बोज भाषाएँ बोलने वाले कभी पड़ोसी थे, यह स्मरणीय है।

कारक का मूल प्रयोजन क्या है और रूप-विन्यास की किस पद्धति से कारक-रचना होती है, ये दोनों बातें भारतीय भाषाओं के विकास को समझने में सहायता देती हैं। संस्कृत और आधुनिक आर्य भाषाओं में कारक-रचना-पद्धति और कारक के प्रयोजन को लेकर कोई मौलिक भेद नहीं है। जहाँ तक 'प्रिपोजीशनों' का सम्बन्ध है, इनका प्रयोजन भी वही है जो भारतीय भाषाओं में पश्चगामी सम्बन्धकों—'पोस्ट पोजीशनों'—का है। इसी कारण कारक विधि से किसी भी भाषा का विवेचन किया जा सकता है—वह संश्लिष्ट हो चाहे विश्लिष्ट। किन्तु रूप-विन्यास की दृष्टि से भारत और यूरोप की भाषाओं में भेद है। भारतीय भाषाओं में विन्यास की एक ही पद्धति है। यह बात हिन्दी ही नहीं, संस्कृत का विकास समझने में सहायक होती है। संस्कृत की तरह ग्रीक, लैटिन, हीब्रू, अरबी आदि में जहाँ संश्लिष्ट रूपों का चलन है, जहाँ कारक-चिन्ह मूल शब्द के बाद जुड़कर संश्लिष्ट रूप बनाता है, वहाँ भी इस विकास को समझन में सहायता मिलती है।

मूल समस्या यह है : संस्कृत के कारक-चिन्ह कभी स्वतंत्र शब्द थे या नहीं। यदि ये स्वतंत्र शब्द थे तो कारक-चिन्हों के निर्माण की प्रक्रिया समझ में आ जाती है। कारक-चिन्ह स्वतंत्र शब्दों के अवशेष हैं; जिनकी कभी स्वतंत्र सत्ता थी, वे

अब चिन्ह मात्र रह गए हैं। स्वतंत्र शब्द थे, तब भी मूल शब्द के पीछे चलते थे; जब चिन्ह रह गए, तब भी मूल शब्द के अनुगामी रहे। स्वतंत्र शब्द की अपेक्षा उसका चिन्ह मूल शब्द से संयुक्त हो गया। इस प्रकार संश्लिष्ट रूप का जन्म हुआ। संश्लिष्ट और विश्लिष्ट, ये शब्द सापेक्ष हैं। इनमें कोई निरपेक्ष भेद नहीं है। कारक-चिन्हों के विकास के बारे में आचार्य किशोरीदास वाजपेयी ने 'हिन्दी शब्दानुशासन' में लिखा है : "कहते हैं—ये 'को' 'ने' आदि विभक्तियाँ नहीं, 'परसर्ग' हैं; क्योंकि किन्हीं शब्दों के ये घिसे हुए रूप हैं—मूलतः विभक्ति नहीं। परन्तु संस्कृत की विभक्तियाँ भी किन्हीं शब्दों के घिसे हुए रूप कही जा सकती हैं न?" (पृ. 171) विभक्तियाँ शब्दों के घिसे हुए रूप हों तो हिन्दी कारक-रचना और संस्कृत कारक-रचना में मौलिक अन्तर न होगा। हिन्दी और संस्कृत में बहुत बड़ा भेद वचन और विभक्ति को लेकर दिखाई देता है। ऐसा लगता है कि हिन्दी में विभक्तियाँ बदलती नहीं हैं, संस्कृत में बदलती हैं। इस सन्दर्भ में वाजपेयीजी की यह स्थापना अत्यन्त सारगर्भित है : "विभक्ति का रूप बदलता नहीं है। हिन्दी की **ने को में से** आदि विभक्तियाँ सदा एक रूप रहती हैं।" (उप., पृ. 128) क्रिया का सारतत्त्व जैसे लिंग-वचन-भेद से मुक्त है, वैसे ही क्रिया के साथ कारक का सीधा सम्बन्ध होने से वह भी लिंग-वचन-भेद से मुक्त होगा। "शुद्ध क्रिया में लिंग, वचन आदि कुछ है ही नहीं!" (उप., पृ. 138) और भी : "क्रिया के साथ जिसका सीधा सम्बन्ध हो, उसे 'कारक' कहते हैं—'क्रियान्वयित्वं कारकत्वम्'।" (उप., पृ. 136) वैदिक भाषा सुदीर्घ विकास का परिणाम है। वैदिक काल में बालकेभिः, रामेभिः जैसे रूप प्रचलित थे जो आगे चलकर बालकै, रामै रह गए; प्राकृत में रामेहिं जैसे रूप मिलते हैं। यह **हिं** अवधी, ब्रजभाषा आदि में अवतरित हुआ। अतः शोधकर्ता को यह बात सदा ध्यान में रखनी चाहिए कि "हिन्दी में 'मूल भाषा' के (तथा वैदिक संस्कृत के) और भी कितने ही अवशेष विद्यमान हैं।" (उप., पृ. 135)

वाजपेयी जी ने मूल भाषा तथा वैदिक संस्कृत की चर्चा की है। वैदिक संस्कृत एक मात्र मूल भाषा नहीं है। वैदिक भाषा के समानान्तर कौन-सी भाषाएँ बोली जाती थीं, उनका कुछ ज्ञान तुलनात्मक भाषाविज्ञान से हो सकता है। इस पुस्तक में मध्यदेश की आर्य भाषा अथवा आर्य गण-भाषाओं के बारे में जो कुछ कहा गया है, वह 'हिन्दी शब्दानुशासन' के इस मूल भाषा वाले सूत्र का विस्तार है।

कौन-से शब्द घिसकर विभक्तियाँ बने, यह जानने के लिए मूल भाषा वाले सूत्र का सहारा लेते हुए अनघिसे रूपों की खोज करना चाहिए। कारक-रचना-प्रक्रिया के सिलसिले में ब्रुगमन ने अपने तुलनात्मक व्याकरण में कुछ दिलचस्प बातें कही हैं। उन्होंने कल्पना की है कि आदि इंडो-यूरोपियन भाषा **एकुओस्, एकुओम्** (अर्थात् **अश्वः, अश्वम्**) एक शब्द नहीं, समास थे, 'फ्रेज' थे (शब्दबंध थे)। फिर कहते हैं, प्रत्येक शब्द का अन्तिम अंश विभक्ति-चिन्ह बनने से पहले क्या था, इसका पता

लगाना व्युत्पत्तिशास्त्रीय खोज से सम्भव नहीं है। कर्मकारक के एकवचन में जो **म्** लगता है, वह कर्ता के लिए भी प्रयुक्त होता है। इसलिए इस **म्** से कर्मकारक का अर्थ पहले निकलता होगा, यह सम्भव प्रतीत नहीं होता। विभक्तियाँ पहले स्वतंत्र शब्द थीं, इस बारे में उन्होंने लिखा है : "विभिन्न भाषाओं में विशेषक शब्द (पोस्टपोजीशन आदि) पूर्ण विरचित कारकों से बहुधा ऐसे सम्बद्ध हो गए थे कि वे कारक-चिन्हों में विलीन हो गए थे।" (ब्रुगमन : 'ए कम्पैरेटिव ग्रामर ऑफ द इंडो-जर्मैनिक लैंग्वेजेज', खंड 3; पृ. 62) यहाँ कारक-चिन्ह बन जाने के बाद भी उनमें सम्बन्धक शब्दों के विलीन होने की बात कही गई है। अत: कारक-रचना से पहले सम्बन्धक शब्द मूल शब्द से जुड़ता रहा हो तो इसमें आश्चर्य की बात न होगी।

**रामात, तस्मात्** के **आत्** अथवा **अत्** पर विचार करें। अपादानकारक के एकवचन रूप में एक वर्ग के पुंल्लिंग शब्दों के साथ इसका प्रयोग होता था। रूसी भाषा में **अत्** अथवा **आत्** का स्वतंत्र प्रयोग होता है। किसी स्थान से गति आरम्भ हो तो उसकी ओर संकेत करने के लिए इसका प्रयोग होता है। **मुइ एखालि अत् वक् जाल न अवतो मोबीले** (हम स्टेशन से मोटर गाड़ी में आए।) यहाँ चलने का काम स्टेशन से आरम्भ होता है। स्टेशन (**वक्जाल**) से पहले इस सम्बन्धक शब्द **अत्** का प्रयोग हुआ है। ठीक इसी प्रकार संस्कृत में इसका प्रयोग होता है; संस्कृत में मूल शब्द से सम्बद्ध होकर उसने संश्लिष्ट रूप को जन्म दिया है, रूसी में वह विश्लिष्ट और स्वतंत्र है। किन्तु रूसी में जिस शब्द के पहले वह आया है, वह शब्द स्वयं कारक के बन्धन में है। **वक्जाल** सम्बन्धकारक का एकवचन रूप है। अर्थ की दृष्टि से **अत्** अपादानकारक का कार्य कर रहा है किन्तु रूप-रचना के विचार से वह सम्बन्धकारक से जोड़ा गया है। रूसी तथा अन्य इंडो-यूरोपियन भाषाओं में कारक-रचना बार-बार, इस प्रकार, अर्थ के दायरे से मुक्त हो जाती है। इसका कारण यह है कि एक सम्बन्धक शब्द सीमित अर्थवृत्त में बन्द नहीं रहता। विभिन्न शब्दों के साथ जुड़कर वह नये अर्थ देता है, नये मुहावरों की रचना करता है। कारक-व्यवस्था बाद की है, सम्बन्धक शब्दों की बहुविध भूमिका पहले की है। यही कारण है कि संस्कृत में एक कारक अपनी मुख्य भूमिका छोड़कर दूसरे कारकों के काम करता दिखाई देता है। अपभ्रंश में तो कारक-सम्बन्धी अव्यवस्था की बात कही जाती है किन्तु संस्कृत में किसी कारक का एक ही कार्य अटल नहीं है, यह न भूलना चाहिए।

अपभ्रंश में अपादानकारक का एक चिन्ह **अदु** है (देखें तागरे : 'हिस्टॉरिकल ग्रामर ऑफ अपभ्रंश', पृ. 128) तागरे ने इस पर शूरसेनी प्राकृत का प्रभाव माना है। अर्द्धमागधी में **आदु, आदो** रूप होते हैं। मागधी में **आदो**, पैशाची में **आतो, आतु** रूप हैं। (उप., पृ. 126) पैशाची उत्तरी सीमान्त की प्राकृत मानी गई है। सघोष ध्वनि **द्** वहाँ अघोष हो गई है। महाराष्ट्री प्राकृत में इसके समानान्तर **आहि, आउ, आओ**

रूप हैं। अपभ्रंश में, और उससे पहले प्राकृत में भी, ऐसे रूप हैं जो सीधे संस्कृत की छाया नहीं हैं। इनमें **आदु, आहु** या **आहि** जैसे रूप हैं। ये स्वतंत्र शब्द नहीं हैं, विभक्तियाँ हैं। संस्कृत **आत्** से इनका सम्बन्ध स्पष्ट दिखाई देता है। दोनों एक ही कारक की भूमिका निबाहते हैं। संस्कृत में, सम्भवत: बलाघात् की आवश्यकता के कारण, विभक्ति का अन्तिम अंश हलन्त है। **आदु** रूप उकारान्त है, और अनेक उकारान्त नाम शब्दों के समान, वह पूर्व जन्म के अपने स्वतंत्र अस्तित्व की घोषणा करता है। उसके समानान्तर जो **ह्** वाला रूप है, वह या तो इस **आदु** से बिलकुल भिन्न है या फिर ये दोनों रूप किसी तीसरे मूल रूप का विकास हैं। **द्** ध्वनि **ह्** में कठिनाई से बदलती है। जैसे **हस्त** और **दस्त** का एक पूर्वरूप **धस्त** कभी प्रयुक्त होता था, वैसे ही यहाँ **द्** और **ह्** का पूर्व रूप **ध्** था। **ध्** या **द्** देशकाल वाचक ध्वनि-संकेत है; उसके पहले **इ** निर्देशक सर्वनाम जुड़ता है, तब **इध, इदम्** जैसा रूप बनता है। **इ** सर्वनाम उस पदार्थ की ओर संकेत करता है जो वक्ता के निकट है। यह पदार्थ देश और काल हो सकता है। **इध-इद** अर्थात् यहाँ, अब; वह पदार्थ व्यक्ति हो सकता है तब **इध-इद** अर्थात् यह। इस प्रकार **इ** सर्वनाम से बना हुआ शब्द विशेषक है जो पुनः सर्वनाम बन जाता है। जो पदार्थ दूर है, उसके लिए **अ** सर्वनाम का प्रयोग होगा, तब **अदु** जैसा रूप बनेगा। तमिल में **अदु** नपुंसकलिंग का निर्देशक सर्वनाम अब भी है।

आर्य-द्रविड़ भाषाओं में निर्देशक सर्वनामों, सम्बन्धक शब्दों और अनेक विशेषकों की रचना-प्रक्रिया एक ही है। जो सम्बन्धक शब्द है, वह मूलतः विशेषक है। देशकाल सूचक **त** या **द** के पहले कोई सर्वनाम-मूल जुड़ जाता है। संस्कृत का **अत्** सर्वनाम है, विशेषक है; जो रचना-प्रक्रिया **इदम्** की है, वही **इदानीम्, इह, इतः** आदि की है। **द** और **त्** शब्द की मूल ध्वनियाँ नहीं हैं; **अध, अधु, अधि, बहुधा, मगध** जैसे रूपों में देशकाल-सूचक **ध्** ध्वनि दिखाई देगी। रूसी में **अत्** के अलावा एक रूप है **इज़्**। इसका कार्य वही है जो **अत्** का है। **मुइ एदेम इज़् गोरोद** (हम शहर से **आ** रहे हैं)। जिस स्थान से गति आरम्भ हुई है, उसके साथ सम्बन्धक **इज़्** का प्रयोग हुआ है। कार्य अपादान का है पर **गोरोद** सम्बन्धकारक का रूप है। यदि **अत्** और **इज़** का कोई सम्बन्ध है, तो वह **अध्, इध्** रूप से स्पष्ट हो जाता है। **त् द्** वाले भारतीय आर्य शब्दों के रूसी प्रतिरूपों में **ज़्** न दिखाई देगा; **ध्** या **घ्** वाले शब्दों के प्रतिरूपों में वह इनका स्थान लेता है। रूसी **इज़् इध्** जैसे रूप का विकास है। फ़ारसी में इसी के समान **अज़** है जिसका सीधा सम्बन्ध **अध्** से होना चाहिए।

अंग्रेज़ी में स्थान की ओर निर्देश करनेवाला एक सम्बन्धक शब्द **ऐट्** है। इसे **अत्** का प्रतिरूप मानना चाहिए। रूसी में जिस स्थान तक गति पूरी हो, उसके साथ **द्** या **दॉ** शब्द का व्यवहार होता है; अंग्रेज़ी का सम्बन्धक **टु** इसी का प्रतिरूप

है। रूसी **दॉ** और अंग्रेज़ी **टु** का सम्बन्ध **अदु** के **दु** से हो सकता है। या तो यह **दु,** निर्देशक सर्वनाम के बिना, सम्बन्धक-रूप में प्रयुक्त होता था, या फिर **अ** का लोप हो गया।

संस्कृत में एक उपसर्ग **अधि** है। उपसर्ग के अलावा यह स्वतंत्र सम्बन्धक और विशेषक भी है। इसका अर्थ ऊपर, ऊपर से, आदि है। इसका व्यवहार अपादान, अधिकरण और कर्म—तीनों कारकों में (मोनियर-विलियम्स के अनुसार) होता था। (**अधिकरण** में यही **अधि** है)। यह स्वतंत्र सम्बन्धक था, इसलिए विभिन्न कारकों के साथ प्रयुक्त होता था। ये कारक, रूप-रचना के विचार से, अलग-अलग थे; इन अलग कारकों के साथ प्रयुक्त होने से **अधि** के मूल अर्थ में कोई अन्तर नहीं आया। अपादानकारक के **अत्** से ऊपर जिस **अध्** का सम्बन्ध जोड़ा गया है, वह इसी **अधि** के गोत्र का है। यहाँ सुपरिचित **अथ** शब्द का उल्लेख भी करना चाहिए। कोई प्रसंग आरम्भ करने से पहले **अथ** लिखने की पद्धति रही है। इसका मूल अर्थ कालसूचक अब है। **अथ** का एक प्रति रूप **अध, अधा** भी है। **ध** का व्यवहार देश, काल—दोनों की ओर संकेत करने के लिए होता है। **अध,** काल के अलावा, स्थान की ओर भी संकेत करता था, जैसे कि **अधः** (नीचे की ओर) से प्रकट है। यह **अध** संस्कृत के अपादानकारक-चिन्ह **अत्** का पूर्वरूप है।

**अधि** का एक संस्कृत प्रतिरूप **अभि** है। यह भी उपसर्ग है, स्वतंत्र विशेषक और सम्बन्धक भी है। किसी पदार्थ की ओर गति हो तो वहाँ **अभि** का प्रयोग होता है। इसका अर्थ ऊपर और सामने है। **अधि** और **अभि,** दोनों गति की दशा का संकेत करने के लिए प्रयुक्त होते थे। जैसे **जब** और **तब** के हिन्दी प्रतिरूप **जद** और **तद** हैं, वैसे ही **अभि अधि** का ही प्रतिरूप है। संस्कृत में नाम शब्दों की रूप-रचना में **भि, अभि, भिस्, भ्यस्, भ्याम्** आदि के दर्शन खूब होते हैं। एकवचन में **अभि** या उससे मिलता-जुलता रूप दिखाई नहीं देता, वह द्विवचन और बहुवचन रूपों में ही काम आता है।

वास्तव में **अभि** और **भि** का सम्बन्ध किसी वचन विशेष से नहीं था। **अभि** एक स्वतंत्र विशेषक था जो किसी स्थान या देश की ओर संकेत करता था। **भि** उसी का संक्षिप्त रूप है। ग्रीक भाषा में उसका प्रतिरूप **फि** एकवचन और बहुवचन, दोनों तरह के रूपों में प्रयुक्त होता था। ये सम्बन्धक शब्द स्वतंत्र थे, अतः वचन-भेद से मुक्त होने के अलावा वे किसी कारक विशेष के बन्धन से भी मुक्त थे। ग्रीक भाषा में **फि** अधिकरणकारक का अर्थ देता था, साथ ही करण और अपादानकारकों का अर्थ भी देता था। इस प्रकार **अभि** या **भि** की स्वतंत्र विशेषक-सत्ता के बारे में सन्देह नहीं रह जाता।

**अधि** के साथी **अध** के समान **अभि** का साथी **अभ** भी था। **अभ** का लैटिन प्रतिरूप **अब्** है जो उपसर्ग और स्वतंत्र सम्बन्धक, दोनों की भूमिका निबाहता है।

संस्कृत में **अधः** के समान **अभः** जैसा रूप नहीं है किन्तु हिन्दी **अब** उसके पूर्व अस्तित्व का प्रमाण है। हिन्दी **अब** के अलावा संस्कृत उपसर्ग **अप** उसी **अभ** का विकास है। लैटिन में **अब्** का व्यवहार अपादानकारक के साथ होता है। जिस देश और काल में क्रिया आरम्भ होती है, उसकी ओर लैटिन सम्बन्धक **अब्** संकेत करता है। स्थान, काल आदि से दूर हटने की व्यंजना संस्कृत उपसर्ग **अप** की है। क्रिया की गति जिस ओर को हो, उसकी व्यंजना **उप** से होती है। समीपता का भाव, ऊपर या नीचे का भाव इससे व्यक्त होता है। उपसर्ग का कार्य वही है जो विशेषक का है। उपसर्गों की रचना और विशेषकों की रचना—एक ही बात है। दोनों में पहला तत्त्व सर्वनाम होता है। विशेषक—अंग्रेज़ी के देशकाल-सूचक 'ऐडवर्ब', सम्बन्धक—अंग्रेज़ी के 'प्रिपोज़ीशन' और 'पोस्टपोज़ीशन', निर्देशक सर्वनाम—अंग्रेज़ी के 'डिमौंस्ट्रेटिव प्रोनाउन'—इन सबकी रचना-पद्धति एक ही है। यही कारक-चिन्ह बनते हैं।

बाँगरू के **इंघे**, अवधी के **इँघे**, तमिल के **इंगे** (यहाँ, इधर) रूप देखकर हम कल्पना करते हैं कि **अध** और **अभ** के समान **अघ, इघ** जैसे रूप भी प्रचलित थे। कन्नड़ में **आग** और **अक्क** शब्द ऐसे काल की सूचना देते हैं जो वक्ता से दूर है। तमिल में इनका प्रतिरूप **अंगे** है। लैटिन में **अक्** उपसर्ग समीपता का बोध कराता है। प्राकृतों में **हके, हग्गे, हक्के, हगे** अन्य पुरुष सर्वनाम के एकवचन रूप हैं; वे कन्नड़ के **आके** सर्वनाम की याद दिलाते हैं जो दूरस्थ व्यक्ति के लिए प्रयुक्त होता है। प्राकृत रूपों का ऐतिहासिक महत्त्व यह है कि उनमें **ह्** ध्वनि सुरक्षित है। **हके** का पूर्व रूप **सके** होगा; उधर **इंघे, इँघे** बता रहे हैं कि **क्** का पूर्वरूप **घ्** था। इस प्रकार लैटिन **अक्** का मूल रूप **सघ** हुआ, कन्नड़ भाग का मूल रूप **साघ** हुआ। लैटिन **अक्** में आदिस्थानीय **ह्** लुप्त हो गया है, पर समीपवर्ती व्यक्ति और देशकाल की सूचना देनेवाले लैटिन के **हिक्, हक्, होक्** सर्वनामों में वह विद्यमान है।

### 3. सर्वनाम और कारक-चिन्ह

संस्कृत में निर्देशक सर्वनामों, सम्बन्धकों, देशकाल-सूचक विशेषकों की रचना-प्रक्रिया ही मिलती-जुलती नहीं है, बहुधा उनका आधार भी एक ही होता है। **क्, त्, प्, म्, न्, य्, स् अ, इ, उ** आदि ध्वनियाँ उक्त कोटि के शब्दों के निर्माण में प्रयुक्त होती हैं। विभक्तियों से इनका सम्बन्ध पहचानने पर संस्कृत शब्दों की रूप-रचना अधिक स्पष्ट होती है, आर्य भाषाओं का विकास भी समझ में आने लगता है।

सबसे पहले **क** सर्वनाम लेते हैं। संस्कृत **कः** के अतिरिक्त भोजपुरी-अवधी **के, को** आदि रूपों में यह सर्वनाम अब भी प्रयुक्त होता है। इस श्रृंखला के सभी सर्वनाम विभिन्न स्वरों के साथ प्रयुक्त होते हैं और इससे उनमें अर्थ-भेद भी उत्पन्न होता है, जैसे—संस्कृत **कः** व्यक्तिवाचक है और **किम्** वस्तुवाचक है अथवा उसकी

व्यंजना हिन्दी **क्यों** से मिलती-जुलती है। यह **क** सर्वनाम मूलतः प्रश्वाचक न था। हिन्दी के **कुछ** और **कोई** इसी शृंखला में हैं पर इन शब्दों में प्रश्न का भाव नहीं है। **कु** उपसर्ग हीनता के अर्थ से सम्बद्ध हो गया। यह उसका मूल अर्थ न रहा होगा।

उक्त सभी सर्वनामों में देशकाल-व्यक्तिसूचक **ध** जोड़ा जाता है। हिन्दी शब्द **किधर** और संस्कृत **कदा** मूलरूप **कध** या **किध** के आधार पर बने हैं। यह **ध** जब अल्पप्राण होता है तब **कद** रूप मिलता है जो संस्कृत में, **कु** के समान, हीनता का भाव व्यक्त करता है, जैसे—**कदर्थ**। जब **ध** स्पर्श गुण खोकर **ह्** में परिवर्तित होता है तब **कह** या **कहँ** रूप मिलते हैं जो पुरानी अवधी में कर्म या सम्प्रदान की विभक्ति का काम देते हैं। **का, के, को** इसी **कह** का विकास हैं। भिन्न जनपदों में **ह्** ध्वनि पूर्ववर्ती स्वर को एकार, इकार, ओकार, उकार रूप में बदलती है। अन्य सर्वनामों की रचना-प्रक्रिया पर ध्यान देने से ऐसा लगता है कि सर्वनाम-मूल **क** में **ध** जोड़ा गया है और तभी **का के को** आदि का विकास हुआ है। अवधी में **का कहत है**—इस वाक्य में **का** परिनिष्ठित हिन्दी के **क्या** का अर्थ देता है। **वहि का बॉलाव्**—इस वाक्य में **का** परिनिष्ठित हिन्दी **के को** की जगह है। उसको बुलाओ, यह भाव है। **कहिका लरिका आय**—अर्थात किसका लड़का है? यहाँ **का** सम्बन्धसूचक विभक्ति है। कुछ लोग **कह** के विकास की कल्पना **कर** के आधार पर करते हैं। **कर** से **का** का विकास हो सकता है पर अन्य सर्वनामों में हम देखेंगे कि ऐसी कल्पना अनावश्यक है। स्वयं **कर** उसी **कध** के आधार पर बना है। **ध** के अल्पप्राण होने पर **कद** रूप मिला और **द** पुनः **र** में परिवर्तित हुआ। इस प्रकार **कध** के आधार पर विकसित **कर** रूप का करना क्रिया से कोई सम्बन्ध नहीं है। **कार्य** का अपभ्रंश रूप **कर** हो, यह भी निराधार कल्पना है। **क** सर्वनाम बहुत पुराना है, इसमें तो किसी को कोई सन्देह नहीं। बहुत-से बहुत उसे प्रश्नवाचक मानकर उसके अर्थ को सीमित किया जा सकता है। यह **क** सम्बन्धक भी है और काफी पुराना है, इसका प्रमाण यह है कि रूसी भाषा में यह समीपता-सूचक सम्बन्धक है और सम्प्रदानकारक के साथ इसका व्यवहार होता है। **मैं अध्यापक के पास जाता हूँ**, यहाँ '**के पास**' के लिए रूसी में **क** सम्बन्धक प्रयुक्त होगा। **क उचीतेल नित्से** अर्थात् अध्यापक के पास। इसी प्रकार **शाम तक मैं आऊँगा**, यहाँ **क वेचेरु** कहकर **क** द्वारा समीपता का भाव व्यक्त किया गया। रूसी **क** स्वतंत्र सम्बन्धक या सर्वनाम हो सकता है, **कध** का विकास भी हो सकता है। इतना निश्चित है कि **कर** या **कार्य** के आधार पर उसकी व्याख्या नहीं की जा सकती। रूसी **क** अवधी **कहँ** से मिलता-जुलता है और सम्भव है, वह **कध्-कह-क** की विकास-प्रक्रिया से प्राचीन **कध** का अवशेष हो। अवधी के **कर, को** आदि 'परसर्गों' की रचना-प्रक्रिया वही है जो संस्कृत **अभि, अधि** की है। **क** सर्वनाम से बने 'परसर्ग' संस्कृत में न मिलें तो इससे यह सिद्ध नहीं होता कि पहले उनका व्यवहार न होता था।

**त** सर्वनाम मूल में **ध** जोड़कर **तध** रूप बना। **ध** के अल्पप्राण होने पर **तद** और उससे, अन्त्य स्वर के लोप के बाद, **तद्** रूप निश्चित हुआ। यह संस्कृत का सुपरिचित सर्वनाम है। **तद्** रूप नपुंसक लिंग में रखा गया। पुंल्लिंग रूप **सः** माना गया। **सः** से **तद्** का विकास सम्भव नहीं है। वास्तव में एक अन्य सर्वनाम **तद्** के साथ जोड़ दिया गया। दो भिन्न सर्वनाम एक ही शब्द की रूप-रचना के अन्तर्गत स्वीकृत हुए। बहुवचन रूप **ते** सीधा **तध—तह** का विकास है, जैसे कि **कध—कह** का विकास **के** है। संस्कृत में संज्ञा-सर्वनाम शब्दों के बाद **तः** लगाकर जो अपादानकारक जैसा दूर हटने का भाव व्यक्त किया जाता है, वह तध के आधार पर निश्चित हुआ है। अवधी आदि में ठीक इसी **तः** के अनुरूप जो **ते** का व्यवहार होता है, वह **तध—तह** का विकास है। **कहँ** के समान **तहँ** में अनुनासिकता वैसे ही है, जैसे : **को** के समानान्तर **कू** का व्यवहार ब्रजभाषा में होता है। **ते** के साथ **तें** का व्यवहार होता है। संस्कृत **तदा** और हिन्दी **तहाँ** में **त** सर्वनाम मूल है। सम्भव है कि तुलना करने के लिए संस्कृत में विशेषणों के साथ जो **तर** लगाया जाता है, वह **तद** का परिवर्तित रूप हो! यह **तर** विशेषण की विशेषता बताता है, अत: स्वयं विशेषक है। अन्य विशेषकों की तरह वह भी रचा गया होगा। हिन्दी में वाक्य आरम्भ करते हुए जिस **तो** का बहुत प्रयोग होता है, वह भी **तध—तह** का विकास हो सकता है।

जैसे **कध—कद** से **कर** रूप प्राप्त होता है, वैसे ही **पध—पद** से **पर** रूप मिलता है। प्राचीन इंडो-यूरोपियन भाषाओं का यह सुपरिचित सम्बन्धक है। **सु** या **उ** सर्वनाम जोड़कर **सुपर, उपरि** जैसे रूप बने। संस्कृत में **पद** का अर्थ स्थान भी है। जो **पद** बोला जाता है या गाया जाता है, वह इससे भिन्न शब्द है। जिस **पद** का सम्बन्ध चलने से है, वह शब्द भी अलग है। स्थानसूचक पद की रचना वैसे ही हुई है, जैसे—हिन्दी के कालसूचक **जद, तद** की। आधुनिक आर्य भाषाओं और यूरोप की भाषाओं में लैटिन **सुपर**, ग्रीक **हुपेर** आदि में—**पर** किसी वस्तु या स्थान की ओर संकेत करता है। रूसी भाषा में **पॉद्** नीचे का अर्थ देता है। दोनों शब्द एक ही हैं, रूसी शब्द **पध** के अधिक समीप है। ऊपर और नीचे का अर्थभेद बाद का है। **पर** में **ऊ** जोड़ने से दूर की चीज का बोध हुआ, फिर **पर ऊपर** का पर्याय बन गया।

जैसे **को** का विकास **कर** से माना जा सकता है, वैसे ही **पो** का विकास **पर** से सम्भव है। **ह्** और **र्**—दोनों अन्तस्थ ध्वनियाँ हैं, दोनों ही व्यंजन तत्त्व का लोप होने पर पूर्ववर्ती अकार को एकार-ओकार में परिवर्तित कर सकती हैं। दक्खिनी हिन्दी में **पर** की जगह **पो** का प्रयोग होता है, हिन्दी क्षेत्र की पछाहीं बोलियों में **पै** और **पे** का व्यवहार होता है। भारत में **पर** शब्द का चलन रहा है इसलिए **पो, पै** आदि को **पर** से जोड़ना स्वाभाविक है। किन्तु **पो** से मिलता-जुलता रूप **पॉ** रूसी में भी प्रयुक्त होता है। कोई आदमी काम पर है। रूसी में **पॉ रबोतॅ** कहने से ठीक वही व्यंजना होगी जो हिन्दी में 'काम पर' कहने से होती है। आसमान में बादल छाए

हैं। रूसी कहते हैं **पॉ नेबू**, नभ पर। इसी प्रकार गली में **पॉ ऊलित्सॅ**। सम्बन्धक **क** के समान **पा** का व्यवहार भी सम्प्रदानकारक के साथ होता है। **क** के समान **पॉ** भी समीपता सूचित करता है। इस **पाँ** का विकास **पर** से हुआ है, यह मानने का कोई कारण नहीं है। वह रूसी **पॉद्** का जोड़ीदार है और दोनों का आधार **पध** है। रूसी भाषा में **पॉ** क्रियाओं के साथ प्रयुक्त होनेवाला प्रत्यय भी है। पुरानी हिन्दी में समीपता सूचित करने के लिए **पहँ** शब्द का व्यवहार होता था। **कहँ** के समान **पहँ** का आधार **पध** है। **पध** के आधार पर **पह** रूप का व्यवहार प्राचीन काल में यहाँ होता था, यह मानना चाहिए। दक्खिनी हिन्दी का **पो** और पछाहीं हिन्दी का **पै** उसी **पह** के आधार पर विकसित हुए हैं, यह सम्भव है।

हिन्दी का **पर** अनेक अर्थों में प्रयुक्त होता है। संस्कृत में **पर, अपर** सर्वनाम हैं जो अन्य पुरुष की ओर संकेत करते हैं। हिन्दी में बोलचाल के स्तर पर सर्वनामवत् इसका प्रयोग नहीं होता किन्तु अवधी में **परार, परारि** (दूसरे का, दूसरे की) रूपों में सर्वनाम **पर** अभी बना हुआ है। सम्बन्धक रूप में तो इसका व्यवहार होता ही है; दो वाक्यों का अन्तर दिखाने के लिए भी इसका प्रयोग होता है। **मैंने उसे बुलाया पर वह आया नहीं;** 'परन्तु' के अर्थ में **पर** का प्रयोग होता है और स्वयं **परन्तु पर** के सहयोग से बना है। संस्कृत में **क** जैसे प्रश्नवाचक सर्वनाम बना, वैसे ही गोंडी जैसी द्रविड़ भाषा में **प** सर्वनाम—अपने सघोष ध्वनिरूप में—प्रश्नवाचक बना : **बद्, बउ** (कौन व्यक्ति) ('द्रविड़ व्युत्पत्ति कोश', शब्द-संख्या 4, 228) **बद्** सीधा **पध** का रूपान्तर है।

**म** और **न** दो अन्य महत्त्वपूर्ण सर्वनाम हैं। **पध** के समान **मध** रूप निर्मित हुआ था। **मध्य** इसी का रूपान्तर है। मराठी **मधे** इसका प्रतिरूप है। यह रूप, सर्वनाम से भिन्न, देशकाल-सूचक विशेषक या सम्बन्धक का काम करता है। **मध** के समानान्तर **मिष** भी प्रचलित था, इसका प्रमाण अंग्रेज़ी का **मिड्** है जो इस भाषा में लैटिन **मेदिउस्** का विकास माना जाता है। लैटिन में इकारवाला रूप भी प्रचलित था, यह **दीमीदीउस्** जैसे शब्द से विदित होता है। इस शब्द का अर्थ है : मध्य से विभाजित। जर्मन समुदाय की भाषाओं में **मित्ति, मिट्टे** जैसे रूप प्रचलित थे। **मिद्** का **द्** जब **न्** में परिवर्तित हुआ तब **मिन्** रूप बना। संस्कृत के **तस्मिन्** का अर्थ होगा उसके भीतर। संस्कृत में मूल सर्वनाम के बाद **म** का व्यवहार **तस्मिन्** के अलावा **तस्मै, तस्मात्** आदि में भी है। मानना चाहिए कि **मैं, मात्, मिन्** आदि **म** सर्वनाम के रूप हैं और किसी समय उनका इतना अधिक प्रयोग होता था कि अन्य सर्वनामों के साथ उन्हें जोड़कर रूप-रचना की जाने लगी।

**कहँ** और **पहँ** के समान पुरानी हिन्दी में **महँ** या **मह** का व्यवहार होता था। इसी **मह** के आधार पर आधुनिक हिन्दी के **में** रूप की रचना हुई है। **गली में, आकाश में,** अर्थात् गली के मध्य, आकाश के मध्य। जैसे **कह** से **का** रूप बना

और सम्बन्धकारक की व्यंजना के लिए उसका व्यवहार हुआ, वैसे ही **मा** या **म** का व्यवहार भी सम्बन्ध प्रदर्शित करने के लिए होता था। संस्कृत **मम** में पहला **म** उत्तम पुरुष सर्वनाम का एकवचन रूप है; दूसरा **म** सम्बन्धकारक का चिन्ह है। संस्कृत में अपादानकारक एकवचन **मत्**, सम्बन्धकारक एकवचन **मम** और सम्प्रदानकारक तथा सम्बन्धकारक एकवचन **मे** का आधार यही **म** है। उत्तम पुरुष **अस्** सर्वनाम अन्य स्रोत से आया है। संस्कृत में उत्तम पुरुष सर्वनाम के एकवचन रूप **मत्, मम, मे, मया** इसी **म** सर्वनाम के आधार पर बने हैं। यह बात कुछ आश्चर्यजनक लगेगी कि **म** सर्वनाममूल एक ओर अन्य पुरुष का निर्देश करता है, दूसरी ओर उत्तम पुरुष का भी। सर्वनामों की रचना ही इस तरह हुई है कि पहले उत्तम और अन्य पुरुषों का भेद नहीं था। **अस्मद्** के **अस्** पर ध्यान दें तो देखेंगे कि अन्य पुरुष **असौ** में यही उत्तम पुरुष का **अस्** विद्यमान है। **अस्मै, अस्मात्** आदि का सम्बन्ध **इदम्** से जोड़ा जाता है। वास्तव में ये **इदम्** से भिन्न **अस्** के आधार पर बने हुए रूप हैं। इससे मिलती-जुलती स्थिति अन्य उत्तम पुरुष सर्वनामों के सन्दर्भ में दिखाई देगी। उत्तम पुरुष **मद्** से **मदीय** आदि रूप बने हैं। इसी **मद्** का प्रतिरूप फ़ारसी का **मन्** (उत्तम पुरुष, एकवचन) सर्वनाम है।

हिन्दी का उत्तम पुरुष एकवचन सर्वनाम **मैं** और अधिकरणकारक का सम्बन्धक **में** एक दूसरे से बहुत मिलते-जुलते हैं। इसका कारण यह है कि दोनों का आधार **मध** है। जनपदीय प्रवृत्तियों के अनुरूप सर्वनाम और सम्बन्धक के उच्चारण में भिन्नता है। बुन्देलखंड और उससे आगे पश्चिम की ओर **मैं** सर्वनाम का उच्चारण **में** सुनाई देता है। अवधी तथा कुछ अन्य भाषाओं में परिनिष्ठित हिन्दी के सम्बन्धक **में** का उच्चारण **माँ** होता है। **मध** के आधार पर बने **माँ** और **में** दो जनपदीय रूप हैं।

**म** के समानान्तर दूसरा सर्वनाम **न** है। यह एक स्वतंत्र सर्वनाम था, इसका प्रमाण संस्कृत के दो शब्द **अक्तम्** और **नक्तम्** हैं। **अक्ता, अक्तु** शब्द रात्रि के लिए प्रयुक्त हुए हैं। स्पष्ट ही **नक्त** का सम्बन्ध इन शब्दों से है। या तो यह माना जाए कि **न्** का लोप हो गया और **अक्तु** रूप बच रहा या फिर यह कहा जाए कि **अक्तु** में **न्** जोड़ दिया गया और इसका कोई प्रयोजन नहीं था। आर्य भाषाओं के प्राचीन लुप्त रूप बहुधा आर्येतर भाषाओं में मिल जाते हैं। संथाली भाषा का बहुप्रयुक्त निर्देशक सर्वनाम **न, नॅ** है। यह निकटवर्ती वस्तु की ओर संकेत करता है। **न्डॅ, नॅडॅ** (यहाँ), इस रूप में **ड** पूर्व परिचित **ध** का रूपान्तर है। **नॅतॅ** (इस ओर), यहाँ **ध्** अघोष अल्पप्राण रूप में है। संथाली में **न** के समकक्ष **नि** वाले रूप भी हैं। अब अंग्रेज़ी के कालवाचक **नाउ** शब्द पर विचार करें। इसका सम्बन्ध पुरानी अंग्रेज़ी के **नु**, ग्रीक **नुन्**, लैटिन **नुन्क्** से जोड़ा जाता है। ग्रीक **नुन्** का वही अर्थ है जो अंग्रेज़ी **नाउ** (अब, अभी) का है। इसी **नुन्** के आधार पर लैटिन **नुन्क्** रूप बना है और उसका वही अर्थ है जो ग्रीक शब्द का है। इनके अतिरिक्त संस्कृत

**नू** शब्द है और वह भी निकटवर्ती काल की सूचना देता है। संस्कृत में **नेद** जैसा शब्द कभी प्रचलित था; इसी से बने **नेदिष्ठ** (सर्वाधिक समीप), **नेदीयस्** (अधिक समीप)। सर्वनाम **ने** में **द** (मूल रूप **ध**) जोड़कर यह शब्द बनाया गया है। इसी **नेद** के आधार पर पंजाबी **नेड़े**, हिन्दी **नेरे**, अंग्रेज़ी **नियर** शब्द बने हैं और सभी समीपता सूचित करते हैं। फ़ारसी **नज़दीक** में शब्द मूल **नज़** का आधार प्राचीन रूप **नध** है। **उप** के साथ जैसे **ऊपर** का भाव जुड़ गया, वैसे ही **नीच** शब्द में निम्नता का भाव जुड़ गया, इस शब्द का आधार है **नीध**।

बहुत-से संस्कृत शब्दों में **नि** उपसर्ग लगा रहता है। वह किसी वस्तु के मध्य, उसके पीछे या नीचे की ओर संकेत करता है। कहीं वह अभाव की व्यंजना करता है, कहीं वह अर्थ को घनत्व प्रदान करता दिखाई देता है, यथा : **सद्** माने बैठना और **निषद्** (जैसे उपनिषद् में), विशेष उद्देश्य से बैठना। अभाव-सूचक शब्द बहुधा अर्थ को घनत्व भी प्रदान करते हैं। विष मृत्यु का कारण है और औषधि रूप में जीवनदायी भी हो सकता है। वही स्थिति भाव और अभाव, दोनों की सूचना देनेवाले **नि** की है जो मूलत: सर्वनाम है और उपसर्ग रूप में विशेषक का काम करता है।

संस्कृत में उत्तम पुरुष सर्वनाम के रूपों में **नौ, न:** रूप भी हैं; एक से अधिक कारकों में द्विवचन, बहुवचन के लिए प्रयुक्त होते हैं। जैसे **म** के आधार पर बने मे, **मम** आदि रूप हैं, वैसे ही **न** के आधार पर बने **नौ, न:** रूप हैं। जैसे **मम** रूप में दूसरा **म** सम्बन्धकारक का चिन्ह है, वैसे ही **नदीनाम्, आत्मनाम्, रामाणाम्** का **न** या **ण** सम्बन्धकारक का चिन्ह है। **ना, नो, नी** 'परसर्ग' सम्बन्धकारक का भाव बताने के लिए गुजराती में आज भी प्रयुक्त होते हैं। करणकारक में संस्कृत के **रामेण, ज्ञानेन, अमुना, वारिणा** आदि को इस **न** से जोड़ा जा सकता है। संस्कृत **केन** (बंगला **केनो**) के समानान्तर गुजराती **केम** है। यहाँ **म** और **न** की भूमिका एक-सी है।

**मध** के आधार पर जैसे सम्बन्धक **में** का विकास हुआ है, वैसे ही **नष** के आधार पर कारक-चिन्ह **ने** का विकास हुआ। गुजराती, पंजाबी आदि में कर्म और परिनिष्ठित हिन्दी में कर्ताकारक के साथ इसका व्यवहार होता है। पंजाबी का कारक-चिन्ह **नु** भी इसी कुल का है।

रूसी भाषा में, संस्कृत के समान, उत्तम पुरुष सर्वनाम के रूप तो **न** के आधार पर बनते ही हैं, वहाँ सम्बन्धक **नाद्** (ऊपर) का व्यवहार भी होता है। संस्कृत में करणकारक के **न** के समान **नाद्** का व्यवहार भी रूसी में करणकारक के साथ होता है। इसके अतिरिक्त गति की दिशा बताने के लिए स्वतंत्र सम्बन्धक रूप में भी **न** का व्यवहार होता है। और करणकारक के साथ होता है। संस्कृत करणकारक की **न** विभक्ति स्वतंत्र सम्बन्धक थी, इसका प्रमाण रूसी भाषा में **न**

सम्बन्धक का व्यवहार है। यूरोप की अनेक भाषाओं के समान रूसी में भी यह पूर्वगामी है, मूल शब्द से पहले जो आता है, 'प्रिपोज़ीशन' है। संस्कृत में वह मूल शब्द का अनुगामी है और एक ही स्थिति में निरन्तर प्रयुक्त होने से स्वतंत्र न रहकर विभक्ति बन गया है। संस्कृत की संश्लिष्ट रूप-रचना का विकास कैसे हुआ, उसका यह उदाहरण है।

संस्कृत का सर्वाधिक प्रयुक्त सर्वनाम **स** है। यहाँ दन्त्य **स्** है, तालव्य या मूर्धन्य नहीं, यह तथ्य मध्यदेशीय आर्य भाषा में इस सकार की भूमिका सिद्ध करता है। अन्य सर्वनामों की तरह **स** में **ध** जोड़कर **सध** रूप बना। सम्बन्धक **सह** इसका रूपान्तर है।

संस्कृत, रूसी आदि भाषाओं में जो **स** उपसर्ग प्रयुक्त होता है और किसी वस्तु के साथ होने का अर्थ देता है, वह **सह** का संक्षिप्त रूप है। हिन्दी में विभिन्न कारकों के लिए जिस **से** का व्यवहार होता है, वह **सध—सह** के आधार पर बना है। हिन्दी का अन्य पुरुष सर्वनाम **सो**, इसका बंगला प्रतिरूप **से** (या **शे**) उसी आधार पर बने हैं। हिन्दी में तो के समान वाक्य या वाक्यांश के आरम्भ में जिस **सो** का व्यवहार होता है, उसका आधार भी यही है। संस्कृत में जैसे **कद्** का व्यवहार निम्न भाव की व्यंजना के लिए हुआ, वैसे ही **सद्** का व्यवहार गरिमा दिखाने के लिए होने लगा। **कु** के समान, उसका विरोधी अर्थ देते हुए, **सु** को नई व्यंजना दी गई। वास्तव में **सु** सर्वनाम है और सम्बन्धक का कार्य भी करता है। लैटिन के **सुपर** में **पर** के पहले यही सर्वनाम **सु है**। संस्कृत में अधिकरणकारक के बहुवचन रूपों के लिए वह सुरक्षित **सा** हो गया। **सि** से भिन्न **सु** दूरस्थ वस्तु की सूचना देता था। क्रिया जहाँ सम्पन्न हो रही है, उस स्थान का निर्देश करने के लिए **सु** का प्रयोग होने लगा। **स-सि-सु ह-हि-हु** में परिवर्तित हुए और अनेक भाषाओं में इनका व्यवहार हुआ। फिर हकार का लोप हुआ और **अ इ उ** सर्वनाम बच रहे जिनका अत्यन्त कुशल और संगत उपयोग तमिल तथा अन्य द्रविड़ भाषाओं में दिखाई देता है। उनकी चर्चा करने से पहले संस्कृत **सह** पर विचार कर लें।

संस्कृत में **न** के अलावा करणकारक के एकवचन में जिस **आ** विभक्ति का व्यवहार होता है, सम्भवत: उसका आधार **सह** है। वास्तव में **आ** विभक्ति पुरानी है और **न** विभक्ति अपेक्षाकृत पीछे की है। इसका एक प्रमाण यह भी है कि रूसी में **न** स्वतंत्र सम्बन्धक है, विभक्ति नहीं बन पाया किन्तु **आ**, संस्कृत के समान, वहाँ शब्दानुगामी विभक्ति है। ब्रुगमन ने इस बात का उल्लेख किया है कि **आ** वाले रूप वैदिक भाषा में अधिक हैं और **न** वाले रूप संस्कृत में। **भ्रात्रा, मत्या, मरुता, वाचा** में यही **आ** विभक्ति है। इस **आ** का पूर्वरूप **सा** था जो कुछ प्राकृत भाषाओं में मिलता है। **मनसा** का अनुकरण करके प्राकृत में **कायसा** रूप का चलन हुआ हो, यह सम्भव है किन्तु पिशल ने **बलसा, पओगसा (प्रयोगसा),**

**णियमसा (नियमसा), जोगसा (योगसा), भयसा** आदि अनेक रूप दिये हैं, और यह विश्वास नहीं होता कि ये सभी **भ्रामक अनुकरण** का परिणाम हैं। इनमें **सा** विभक्ति का आधार **सह** है।

संस्कृत की विभक्तियाँ स्वतंत्र सम्बन्धक हैं और उनका एक से अधिक कारकों में प्रयोग होता था, इसके अनेक प्रमाण हैं। **न, ना** संस्कृत में करणकारक की विभक्ति है। संस्कृत **एन** के साथ वैदिक रूप **एना** भी था। **रामाणाम्** में वही **ना** विभक्ति सम्बन्धकारक के लिए प्रयुक्त हुई। **रामाणाम्** का **णा** वही विभक्ति है जो करणकारक **एना** में है, इसकी पुष्टि इस बात से होती है कि लिथुआनियन भाषा में **केनो** रूप करण का नहीं, सम्बन्धकारक का है। इसका उल्लेख ब्रुगमन ने किया है। **न** या **ना** में एकवचन या बहुवचन का भाव नहीं है। **न** का व्यवहार करणकारक के बहुवचन रूपों में भी होता था, यह प्राकृत भाषाओं के कुछ रूपों से स्पष्ट है।

**भि** विभक्ति का व्यवहार संस्कृत में करणकारक के बहुवचन रूप में होता है। अपभ्रंश के एकवचन रूपों में इसी करणकारक के अन्तर्गत जहाँ **हि** विभक्ति मिलती है, वहाँ उसका विकास **भि** से माना जा सकता है। तागरे ने **अप्पहि, बिसहि** आदि रूप करणकारक के एकवचन के अन्तर्गत दिये हैं। **भि** सम्बन्धक है, उसका वचन-बोध से सम्बन्ध नहीं है, इसलिए एकवचन में भी उसका व्यवहार होता रहा होगा। **भ्याम** और **भिस्** के **स्** और **म्** का कोई सम्बन्ध बहुवचन या द्विवचन से नहीं है, इस धारणा की पुष्टि इस बात से होती है कि अपभ्रंश में करणकारक के एकवचन में **एहि** और **एहिं**, दोनों का व्यवहार होता था। इसी प्रकार संस्कृत में **रामाभ्याम्** तो होता है, **रामेणम्** नहीं होता किन्तु अपभ्रंश में करणकारक के एकवचन रूप में **एण** के अलावा **एणं** विभक्ति भी लगाते थे।

**सध** और **सह** के समानान्तर एक दूसरा सर्वनाम **सम, सन** था। **सम**, सिम जैसे सर्वनाम वैदिक भाषा में प्रयुक्त होते थे। जैसे **मध-मद्-मन्** की विकास-प्रक्रिया सम्पन्न हुई, वैसे ही **सध-सद-सन** की सम्पन्न हुई। **सन्मार्ग** का **सन् सद** का रूपान्तर है, इस बारे में किसी को शंका नहीं है। जैसे **कद्** निम्न भाव सूचित करता है, वैसे ही **सद्** उसका विरोधी उच्च भाव। संस्कृत **सम** और **सम् सध** के आधार पर निर्मित **सन** और **सन्** का प्रतिरूप हैं (उनका आधार **सम** हो, यह भी सम्भव है)। संस्कृत का **सम्** उपसर्ग किसी के साथ कार्य सम्पन्न करने का भाव व्यक्त करता है। ठीक यही भाव सम्बन्धक **सह** का है। **सह** और **सम्** का उद्गम एक है या मिलता-जुलता है, अर्थ साम्य होना ही चाहिए। अवधी **सन**, ब्रजभाषा **सौ** संस्कृत के **सह, सम्** के अर्थ से मिलता-जुलता भाव व्यक्त करते हैं।

**सम** विशेषक भी है, समानता का भाव दिखाता है। अवधी के **अइसन, जइसन** में **सन** स्पष्ट यह समानता का भाव दिखाता है, वह **सम** का प्रतिरूप है। **अइसन—अइसें—ऐसे,** मानक हिन्दी के **ऐसे-जैसे** की यह विकास-प्रक्रिया है।

जैसे **स-सि-सु** सर्वनाम **ह-हि-हु** का मार्ग पार करके **अ-इ-उ** रूप में प्रयुक्त हुए, वैसे ही **सध-सह-सा-हा-आ** का मार्ग पार करके संस्कृत के करणकारक की **आ** विभक्ति बनी। स्वरों के ह्रस्व-दीर्घ भेद, संवृत-विवृत भेद के अनुरूप **से-सो-सी-सू** आदि और उनके रूपान्तर भी प्रचलित हुए।

संस्कृत में **अ-इ-उ** का प्रयोग स्वतंत्र सर्वनामों के रूप में होता दिखाई नहीं देता किन्तु देशकाल व्यक्तिसूचक **घ-ध-भ** के साथ इनका व्यवहार होना रहा। **अध** निम्न स्थान सूचित करने के लिए प्रयुक्त हुआ। इसका मूल अर्थ है अपने से दूर वह स्थान या व्यक्ति। यही **अध** उत्तम पुरुष (एकवचन) सर्वनाम बना। पुरानी फ़ारसी का **अदम्** (मैं) इसका रूपान्तर है। **अद** अन्य पुरुष-सूचक (एकवचन) सर्वनाम भी है। **असौ** का मूल आधार **अदस्** माना जाता है। **इदम्** के समान **अदम्** और **अदस्** का व्यवहार अन्य पुरुष के लिए अवश्य होता रहा होगा। **असौ** में सर्वनाम मूल **अस्** है। **अस्मै, अस्य** रूपों में **अस्** मूल शब्द है। **इध-इज़-इस,** विकास की यह प्रक्रिया रही है। **मध-मज़-मस** में यही प्रक्रिया है। संस्कृत मध्य, कश्मीरी **मज़,** ग्रीक **मेसोस्**—तीनों का मूल रूप **मध**।

**अद** के समानान्तर **इद** का व्यवहार तमिल से लेकर लैटिन तक हुआ। इसका मूलाधार **इध** है, इसका प्रमाण संस्कृत **इह** है। **इह** अर्थात् यह समीपवर्ती स्थान। जैसे **अद** से **असौ** का **अस्** शब्दमूल बना, वैसे ही **इद** से **इस** रूप बनेगा। यदि **असौ** और **अस्मात्** रूप पुराने हैं तो इस शब्द मूल को पुराना मानना अनुचित नहीं है। **इद** का ही प्रतिरूप **इन** है जिसका व्यवहार अब बहुवचन के लिए होता है। **इदम्** शब्द के रूप **इमे, इमाः** आदि स्वीकृत हैं। **इने, इनाः** जैसे रूप भी होते होंगे। जो लोग **इस साल** की जगह **इम् साल** कहते हैं, वे **इम्** का व्यवहार एकवचन में करते हैं और यह बहुत पुराना **इम्** है। वह फ़ारसी के **इम्रोज़** में विद्यमान है। **इम्रोज़** का तमिल प्रतिरूप **इन्रु** है। **रोज़** का प्रतिरूप **रु** और **इम्** का प्रतिरूप **इन्**। **इन्रु** अर्थात् यह दिन, आज। (आज के पूर्व रूप **अद्य** में **अ** सर्वनाम है और **द्य दिव** या **दिवस** का सूचक है।)

**इन्** सर्वनाम के अतिरिक्त स्वतंत्र सम्बन्धक भी है। अंग्रेज़ी में भीतर का **अर्थ** प्रकट करने के लिए **इन्** का व्यवहार होता है। तमिल भाषा में इसी सम्बन्धक का उपयोग अधिकरण के अलावा सम्बन्धकारक के लिए भी किया गया है। रूसी नामों के अन्त में जहाँ **इन्** लगा दिखाई देता है, वहाँ वह सम्बन्धसूचक प्रत्यय का काम करता है, यथा : स्ताल् माने इस्पात, **स्तालिन्** अर्थात् इस्पात का, लौह पुरुष। **इद** में **द्** के मूर्धन्यीकरण से जो **इड** रूप मिलता है, वह तमिल में **घर** के लिए प्रयुक्त होता है। यहाँ घर का अर्थ 'बाहर' से भिन्न 'भीतर' है। **द्** जहाँ **ल्** में बदलता है, वहाँ **इल** शब्द का **अर्थ** भी तमिल में घर है। अन्तिम वर्ण के स्वर का लोप होने पर यही **इल्** अधिकरणकारक का चिह्न बनकर तमिल में प्रयुक्त होता है, ठीक

अंग्रेज़ी के **इन्** की तरह! **इड** (घर) में जो निवास का भाव है, उसी के कारण **नि** उपसर्ग लगाकर **नीड** शब्द बना है। इस शब्द को लेकर ऐतिहासिक भाषाविज्ञान में काफी ऊहापोह किया गया है। **इड** का मूल रूप **इध** भी घर, बसेरे के लिए प्रयुक्त होता होगा। **नीड** से पहले **नीध, नेध** जैसे शब्द प्रचलित थे। इन्हीं का एक अपभ्रंश रूप अंग्रेज़ी का **नेस्ट** (घोंसला) है।

**इल** के **ल** का मूर्धन्यीकरण होने पर **इळ** जैसा रूप मिलेगा। इसका व्यवहार तमिल में नहीं होता किन्तु उस भाषा में **उ** सर्वनाम से बना हुआ **उळ्** रूप है। इसका अर्थ है भीतर। यह ऐसा 'भीतर' है जो वक्ता के निकट नहीं, उससे कुछ दूर है। **उळ्** के निर्माण की वही प्रक्रिया है जो **इल्** की है। हिन्दी की बोलियों में **इत, उत, इतै, उतै, उरे** आदि इसी शृंखला के शब्द हैं।

**इध-इद** से जैसे **इस** और **इन** रूपों का विकास हुआ, वैसे ही **उध-उद** से उस और **उन** रूपों का विकास हुआ। **इमे** के समान संस्कृत में **उमे** रूप नहीं है किन्तु **इम** के समान **उम** का व्यवहार कुछ गण-भाषाओं में होता था, यह कल्पना की जा सकती है। उसी का प्रतिरूप है **उन**। **उद्** रूप दूरी के अलावा ऊँचाई का भाव व्यक्त करने लगा, जैसे **अध** के साथ निचाई का भाव जुड़ गया था।

**अ-इ-उ** के अतिरिक्त **व** और **य**, ये दो सर्वनाम भी महत्त्वपूर्ण थे। भीतर के अर्थ की व्यंजना के लिए इसका व्यवहार रूसी में होता है। इसी के प्रतिरूप **ब** में साथ होने का भाव है और उसका व्यवहार फ़ारसी में होता है। जिस प्रवृत्ति से अन्तस्थ **य्** अधिक स्पर्श तत्त्व प्राप्त करके **ज्** बनता है, उसी से **व्** अन्तस्थ न रहकर स्पर्श व्यंजन **ब्** रूप ग्रहण करता है। इंडो-यूरोपियन परिवार के **ब** और **व**—दोनों मूलतः एक ही शब्द हैं। यह **व** उकार में बदलकर लैटिन में प्रश्नसूचक सर्वनाम बनता है। लैटिन **उबी** का अर्थ है—कहाँ। ऐसा ही अर्थ **य** के परिवर्तित रूप **ऑ** में भी आगे दिखाई देगा। जैसे **अ** के साथ **इ** सर्वनाम है, वैसे ही **व** के साथ **वि** सर्वनाम है। संस्कृत में **विधि** शब्द इसी **वि** के सहारे बना है। अंग्रेज़ी **विद्** (साथ) की भी यही रचना-प्रक्रिया है।

संस्कृत में **यद्** सर्वनाम **यध** का विकास है। **य** के प्रतिरूप **ऑ** के आधार पर द्रविड़ भाषाओं में प्रश्नसूचक सर्वनाम रूप बने हैं। जैसे **क** सर्वनाम (**किम्, कः** आदि) मूलतः प्रश्नवाचक नहीं हैं, वैसे ही द्रविड़ भाषाओं का **ऑ** भी मूलतः प्रश्नवाचक नहीं है। हिन्दी क्षेत्र के **जो, जे, जॅहि** आदि इसी **यध्** के रूपान्तर हैं।

संस्कृत में विभक्तियाँ दो प्रकार की हैं : एक वे, जो सर्वनाम के साथ कोई वस्तुवाचक ध्वनि-चिन्ह जोड़कर बनी हैं, जो मूलतः स्वतंत्र सम्बन्धक थीं, निरन्तर व्यवहार से अपनी स्वतंत्रता खोकर कारक-चिह्न रह गईं; दूसरी वे, जो केवल सर्वनाम हैं या सर्वनामों का अवशेष हैं, जिनकी भूमिका सम्बन्धकों की भूमिका से मिलती-जुलती है। सम्बन्धकों के निर्माण में सर्वनामों की भूमिका अपरिहार्य है,

इसलिए सम्बन्धकों के स्थान में कहीं कहीं सर्वनामों का ही प्रयोग होने लगा, तो यह आश्चर्य की बात नहीं है।

अधिकरणकारक के बहुवचन रूपों में **सु** विभक्ति का व्यवहार होता था। **सु** सर्वनाम था। कारक-चिन्ह **सु** और सर्वनाम **सु** में कोई सम्बन्ध है या नहीं? **सु** में उकार दूरस्थ वस्तु का सूचक है, यह बात ब्रुगमन को मालूम थी। उन्होंने इंडो-यूरोपियन परिवार के व्यापक सन्दर्भ में लिखा है कि अधिकरणकारक के बहुवचन में, बहुत सम्भव है, **सु** और **सि** के अलावा **स्** का व्यवहार भी होता था; ऐसा हो तो सही विभक्ति चिन्ह होगा **स्** और उसमें विशेषक चिन्ह **उ** लगा, तो शायद अर्थ होगा—वहाँ; और शायद **इ** का अर्थ था यहाँ, और हो सकता है कि यही अधिकरणकारक के एकवचन में प्रयुक्त **इ** हो; कुछ भाषाओं में **इ, उ** जोड़े बिना ही **स्** का व्यवहार होता है। ('कम्पैरेटिव ग्रामर', खंड 3, पृ. 256-57)

ब्रुगमन ने **उ** और **इ** को दूरस्थ और निकटस्थ वस्तुओं की ओर संकेत करनेवाले चिन्ह ठीक माना है। इंडो-यूरोपियन और द्रविड़, दोनों परिवारों में उनकी यह भूमिका है। किन्तु ये **उ** और **इ, सु** और **सि** का विकास हैं, यह बात उनके ध्यान में नहीं है; अतः वे **स्** को मूल विभक्ति मान लेते हैं। अधिकरणकारक क्रिया के स्थान की सूचना देता है, इसलिए स्थानसूचक **उ** और **इ** चिन्ह विभक्ति का अभिन्न अंश हैं, **स्** नहीं। **स्** से किसी स्थान की सूचना नहीं मिलती। ऐसी सूचना **सुध-सिध, उध-इध** जैसे विशेषकों से मिल सकती है, और वह केवल निर्देशक सर्वनाम **सु-सि, उ-इ** से भी मिल सकती है। यही कारण है कि अधिकरणकारक के बहुवचन में विशेषक की जगह केवल सर्वनाम **सु** से काम लिया गया। इसी कारक के एकवचन में प्रयुक्त **इ** अवश्य ही **सि-हि** का रूपान्तर है। विभक्तियों का मूल उद्देश्य शब्द के लिंग की सूचना देना नहीं है। संस्कृत रूप-रचना में एक ही विभक्ति अनेक बार विभिन्न लिंगों वाले शब्दों के साथ प्रयुक्त होती है। **रामेषु, गुरुसु**—पुंल्लिंग हैं; **वारिषु, नामसु**—नपुंसक लिंग हैं; **मालासु, मतिसु**—स्त्रीलिंग हैं। तीनों लिंगों में एक ही विभक्ति **सु** है। लिंगभेद यहाँ **राम, वारि, माला** शब्दों के मूल रूपों से सूचित है, विभक्ति से नहीं। अधिकरणकारक के एकवचन में **चन्द्रमसि** पुंल्लिंग, **नामनि** नपुंसक लिंग, **मातरि** स्त्रीलिंग हैं। सबमें **इ** विभक्ति का व्यवहार हुआ है। सम्प्रदानकारक के एकवचन में **हरये, गुरवे, भ्रात्रे** पुंल्लिंग हैं; **मतये, धेनवे, मात्रे** स्त्रीलिंग हैं; **वारिणे, मधुने, नाम्ने** नपुंसक लिंग हैं। करणकारक के एकवचन रूप **चन्द्रमसा, अर्चिषा, नाम्ना** क्रमशः पुंल्लिंग, स्त्रीलिंग और नपुंसक लिंग हैं। ऐसे और बहुत-से उदाहरण दिये जा सकते हैं जिनसे विभक्ति का लिंगभेद से मुक्त होना सिद्ध होगा। कुछ विभक्तियाँ कुछ लिंगों के साथ अधिक प्रयुक्त होने लगीं; इस संसर्ग के कारण उनसे लिंगबोध होने लगा। किन्तु संस्कृत रूप-रचना में यह विभक्ति की मुख्य भूमिका नहीं है। इसी प्रकार वचन-बोध कराना भी विभक्ति

की मुख्य भूमिका नहीं है। उत्तम पुरुष सर्वनाम के अपादान रूप, एकवचन और बहुवचन में, **मत्** और **अस्मत्** हैं। दोनों में एक ही विभक्ति **त्** हैं। इसी कारक में मध्यम पुरुष सर्वनाम के एकवचन-बहुवचन रूप **त्वत्** और **युष्मत्** हैं। **भि** विभक्ति, ग्रीक भाषा के **फि** प्रतिरूप में, एकवचन और बहुवचन, दोनों में प्रयुक्त होती थी, इसका उल्लेख पहले हो चुका है। कुछ विभक्तियों का व्यवहार किन्हीं विशेष वचनों में अधिक होने लगा, इस प्रकार संसर्ग से वे वचन-भेद सूचित करने लगीं। यह उनकी मूल या मुख्य भूमिका नहीं है।

**भ्याम्, भ्यस्, भिस्** जैसी विभक्तियों में मूल तत्त्व **भि** है। उसके बाद **आम्, अस्, स्** सर्वनाम-चिन्ह हैं। इनकी भूमिका वही है जो **रामस्** या **मानम्** में सर्वनाम-चिन्हों **स्** और **म्** की है। इन रूपों की रचना वाक्यतंत्र की उस पद्धति के अनुसार हुई है जिसमें विशेषक मूल शब्द के बाद आता है। **स्** और **म्** निर्देशक सर्वनामों के चिन्ह हैं, वे शब्द से जुड़कर उसकी निश्चित स्थिति का बोध कराते हैं। इनकी भूमिका वही है जो अंग्रेज़ी में 'डे फिनिट् आर्टिकल' की है। कर्ताकारक के अलावा जिस कारक में भी इनका विभक्ति के बाद व्यवहार होता है, उसमें उनका प्रयोजन वचन-भेद सूचित करना नहीं वरन् शब्द को निश्चयात्मकता प्रदान करना है। **पितामह** जैसे रूप में मूल शब्द **पिता** के बाद विशेषक **मह** लगा है। इसी पद्धति से **रामस्, ज्ञानम्** रूप बने थे।

संस्कृत में दो भिन्न और विरोधी प्रवृत्तियाँ काम करती दिखाई देती हैं। एक प्रवृत्ति नाम शब्द के बाद सर्वनाम-चिन्ह लगाती है, दूसरी नहीं लगाती। **माता, पिता, भ्राता, चन्द्रमा, नदी, रमा, मधु, नाम** आदि शब्द कर्ताकारक के एकवचन में सर्वनाम-चिन्ह लगाए बिना प्रयुक्त होते थे। **रामात्** जैसे रूपों में जहाँ **अत्** सम्बन्धक लगाया गया है, वहाँ भी कोई निश्चयार्थी सर्वनाम नहीं है। **रामेषु** जैसे रूपों में जहाँ **सु** सर्वनाम विभक्ति बन गया है, वहाँ वह निर्देशक सर्वनाम तो है, स्थान की सूचना तो देता है, पर वह निश्चयार्थी सर्वनाम नहीं है। सर्वनाम-चिन्हों का व्यवहार करें या न करें, जैसे ये दो प्रवृत्तियाँ हैं, वैसे ही किसी शब्द को कारक-रचना में बाँधा जाए या नहीं, ऐसी भी दो प्रवृत्तियाँ हैं। संस्कृत पर अपनी पुस्तक में बरो ने लिखा है कि अधिकरणकारक का सबसे प्राचीन रूप वह है जिसमें कारक-चिन्ह था ही नहीं। **अहन्, मूर्धन्, शीर्षन्** आदि रूप अधिकरणकारक का बोध कराते हैं और उनमें इस कारक का कोई चिन्ह नहीं है। **ऊधर्, मधु, नाम** नपुंसक लिंग हैं। कर्ता और कर्मकारकों में इनका एक-सा रूप रहता है।

संस्कृत में कारक-चिन्हों का गहरा सम्बन्ध सर्वनामों से है। यदि भाषा में सर्वनाम-चिन्ह जोड़ने और न जोड़ने की दो प्रवृत्तियाँ होंगी तो शब्द से कारक-चिन्हों को भी जोड़ने और न जोड़ने की दो प्रवृत्तियाँ होंगी। निष्कर्ष यह कि संस्कृत के भीतर संश्लिष्ट और विश्लिष्ट रूप-रचना की दोनों पद्धतियाँ काम करती हैं। **अहन्** और **मूर्धन्** जैसे रूप कारक-चिन्ह के बिना ही अधिकरण में हैं, यह वाक्य में उनकी

स्थिति से, कथ्य के पूरे सन्दर्भ से, पहचाना जाएगा। क्रियापद-रचना पर भी ध्यान दें तो विदित होगा कि सर्वनाम-चिन्ह जोड़नेवाली पद्धति ही पुरानी है। वह नाम शब्दों तक सीमित नहीं है; क्रिया-पद-रचना में उसका प्रसार और भी व्यापक है। वैदिक भाषा से लेकर आधुनिक आर्य भाषाओं तक का विकास यह तथ्य उजागर करता है कि सर्वनाम-संयोजक-पद्धति निरन्तर क्षीण होती गई है। इस समय हिन्दी तथा अन्य आर्य भाषाएँ कारक-रचना में सर्वनाम-संयोजन से मुक्त हो चुकी हैं किन्तु क्रिया पद रचना में उस पद्धति के अवशेष काफी हैं। अपभ्रंश-काल में जो कारक-रचना-सम्बन्धी 'अराजकता' दिखाई देती है, वह अंशतः संस्कृत में भी है, संस्कृत की अपेक्षा वैदिक भाषा में अधिक है। इस 'अराजकता' का कारण यह है कि वैदिक भाषा के निर्माणकाल में विभिन्न आर्य गण-भाषाओं की प्रवृत्तियाँ एक दूसरे से टकरा रही हैं। संस्कृत में ऐसी टक्कर को सीमित करने का प्रयास किया गया है पर बोलचाल के स्तर पर वैदिक काल की भिन्न प्रवृत्तियाँ निरन्तर सक्रिय बनी रहीं। सर्वनाम-संयोजक-पद्धति के मुख्य केन्द्र मध्यदेश और पूर्वी प्रदेश में थे; सर्वनाम-वियोजक-पद्धति का मुख्य केन्द्र कुरुगण का क्षेत्र था। उदीच्य जन कृदन्त-प्रिय थे; कृदन्त क्रियाएँ सर्वनामी बन्धनों से मुक्त थीं। यही उदीच्य जन कारक-रचना को सर्वनाम-चिन्हों से मुक्त कर रहे थे। उनका राजनीतिक-सांस्कृतिक प्रभाव जितना ही बढ़ा, उतना ही वे भाषा को विश्लिष्ट पद-रचना की ओर प्रेरित करते रहे। **अहन्** और **शीर्षन्** कारक-चिन्ह के बिना ही, अधिकरण-भाव व्यंजित करते हैं, यह स्थिति अपभ्रंश और आधुनिक आर्य भाषाओं में प्रतिफलित हुई है। हिन्दी के 'परसर्ग' मूलतः विशेषक हैं जिनका एक अंश सर्वनाम है या वे विशेषक का कार्य करनेवाले सर्वनाम हैं। उनकी रचना-प्रक्रिया वही है जो संस्कृत की विभक्तियों की है। हिन्दी तथा अन्य आर्य भाषाओं में सर्वनामों की वह प्राचीन भूमिका कभी समाप्त नहीं हुई; इसलिए यह स्वाभाविक है कि ये भाषाएँ पूर्णतः विश्लिष्ट नहीं हुईं। न अंग्रेज़ी जैसी भाषा पूर्णतः विश्लिष्ट है। जो परस्पर विरोधी प्रवृत्तियाँ हिन्दी के आदि स्रोतों में काम करती रही हैं, वही अंग्रेज़ी के आदिस्रोतों को भी प्रभावित करती रही हैं। अतः आधुनिक आर्य भाषाओं की कारक-रचना-सम्बन्धी स्थिति अपभ्रंश काल में अकस्मात् प्रस्फुटित होनेवाली किसी अराजकता का परिणाम नहीं है।

वाक्य में कारक की स्थिति क्रिया पर निर्भर है; क्रिया के सन्दर्भ में ही वह अपना कारक नाम सार्थक करता है। अतः अब क्रियापद-रचना पर विचार करना चाहिए।

### 4. क्रियापद-रचना : तिङन्त और कृदन्त

आधुनिक आर्य भाषाओं तथा हिन्दी में संस्कृत के समान दो तरह के क्रियापदों का व्यवहार होता है। एक हैं तिङन्त, दूसरे हैं कृदन्त। "तिङ् प्रत्यय जिनके अन्त में हो, वे (पतति आदि) तिङ्न्त और कृत् जिनके अन्त में हों, वे (पत्र आदि) कृदन्त

शब्द। तिङन्तों से क्रिया का आख्यान होता रहा, कृदन्तों से सिद्ध जीवों या वस्तुओं का बोध। बहुत आगे चलकर कृदन्त शब्दों से भी क्रियाओं का आख्यान होने लगा। तब क्रिया शब्दों के तिङन्त और कृदन्त ये दो भेद किये गए।" ('हिन्दी शब्दानुशासन', पृ. 399)। संस्कृत में कृदन्त और तिङन्त, क्रिया के व्यवहार की दो भिन्न पद्धतियाँ हैं। इनमें कृदन्त पद्धति क्रमशः बलवती होती गई। दोनों प्रवृत्तियों में मूल भेद यह है कि तिङन्त क्रियाओं के अन्त में पुरुष-सूचक सर्वनाम-चिन्ह लगते हैं और कृदन्त-रूपों में ऐसे चिन्ह नहीं जोड़े जाते। जैसे **अगच्छत्** और **गतः**, दोनों से वह गया, ऐसा भाव प्रकट होता है। **अगच्छत्** रूप के अन्त में **त्** अन्य पुरुष सर्वनाम का चिन्ह है और कर्ता या कर्म के लिंग के अनुसार ऐसे रूप में कोई परिवर्तन न होगा। किन्तु कृदन्त-रूपों में लिंगभेद व्यंजित होता है। दो प्रवृत्तियों में जो भेद है, उसका सम्बन्ध वाक्य-रचना की दो पद्धतियों से है।

**पठामि**—यह केवल क्रियापद नहीं है, पूरा वाक्य है। आरम्भ में क्रिया है और क्रिया के बाद सर्वनाम-चिन्ह है जो कर्ता की भूमिका निबाहता है। हिन्दी में **पढ़ता हूँ** कहने से विदित हो जाएगा **कि** पढ़नेवाला मैं हूँ। वाक्य के आरम्भ में कर्ता **मैं** जोड़े बिना भी अर्थ स्पष्ट हो जाएगा। संस्कृत में पुरानी पद्धति **पठामि** कहने की है, **अहम् पठामि**—इस तरह का वाक्य-विन्यास बाद का है। संस्कृत समेत भारतीय भाषाओं के वाक्यतंत्र की विशेषता यह है कि वाक्य के आरम्भ में कर्ता होता है और अन्त में क्रिया। पहले उद्देश्य, फिर विधेय, वाक्य-रचना की यही पद्धति भारत के विभिन्न भाषा-परिवारों में प्रचलित है। कोल-परिवार की क्रिया पद रचना में **पठामि** वाली पद्धति की छाया अब भी दिखाई देती है। कोल भाषा-विशेषज्ञ पिनोव् का विचार है कि प्राचीन काल में कोल भाषाओं के वाक्य के आरम्भ में क्रिया रहती थी। यदि ऐसी ही स्थिति आर्य भाषाओं की न होती तो **पठामि** जैसे रूप की रचना न होती। कृदन्त-पद्धति उन आर्य भाषाओं की देन है जो वाक्य-रचना में पहले उद्देश्य, फिर विधेय, यह क्रम रखती थीं। परम्परा से यह प्रसिद्धि रही है कि उदीच्य लोग कृदन्त-प्रिय रहे हैं। जो लोग यह मानते हैं कि आर्य गण उत्तर-पश्चिम से भारत में आए, वे इस बात की व्याख्या नहीं करते कि तिङन्त-प्रेमी आर्यों में यह कृदन्त-प्रेमियों का दल कहाँ से पैदा हो गया। तिङन्त और कृदन्त का भेद दो वाक्य-तंत्रों का भेद है, इस पर उन्होंने विचार नहीं किया। इंडो-यूरोपियन परिवार में ऐसी भाषाएँ अब भी हैं जो वाक्य क्रिया से आरम्भ करती हैं, इस तथ्य का उनके लिए मानो कोई महत्त्व ही नहीं है। स्कॉटलैंड में जो गेलिक भाषा बोली जाती है, वह केल्त समुदाय की है, अंग्रेज़ी भाषा जर्मन समुदाय की है। गेलिक की वाक्य-रचना अंग्रेज़ी से नितान्त भिन्न रूप में होती है। उसमें क्रिया पहले आती है और कर्ता, कर्म आदि उसके बाद आते हैं। भारतीय कोल और आर्य भाषाओं में अनेक समानताएँ हैं। यदि कोई कहे कि स्कॉटलैंड की गेलिक भाषा पर कोल भाषाओं का प्रभाव है तो मुझे कोई आपत्ति न

होगी। स्मरण यह रखना चाहिए कि ग्रीक और संस्कृत की क्रिया पद रचना उसी पद्धति से सम्भव है जो गेलिक में दिखाई देती है। इंडो-यूरोपियन भाषाओं, इनके प्रमुख समुदायों, के विकास की अनेक मंजिलें हैं और यह विकास हजारों साल की दीर्घ अवधि में सम्पन्न हुआ है। भारतीय सन्दर्भ में आर्य भाषाओं का एक समुदाय कृदन्त-प्रिय है, दूसरा तिङन्त-प्रिय। पहला समुदाय उदीच्य है, यह बात प्रसिद्ध है। दूसरा समुदाय मध्यदेशीय होना चाहिए, यह निष्कर्ष स्वाभाविक है किन्तु इसका उल्लेख नहीं होता। कारण यह कि वैदिक भाषा बोलने वाले आर्य मध्यदेशीय थे, यह कोई नहीं कहता। वैदिक आर्य उदीच्य हैं और कृदन्त-प्रिय आर्य भी उदीच्य हैं! इसलिए यह माना जाता है कि संस्कृत एक ही प्रदेश और एक ही समाज की भाषा है; परिवर्तन होता ही है, यहाँ भी कुछ परिवर्तन हो गया!

यदि आधुनिक आर्य भाषाओं की ओर ध्यान दें तो विदित होगा कि कृदन्त-तिङन्त वाला भेद अब भी बना हुआ है और यह भेद एक ही समाज, एक ही प्रदेश का आन्तरिक भेद नहीं है। वह दो प्रदेशों, दो समाजों, दो भाषा-समुदायों के बीच का भेद है। उदाहरण के लिए **उसने किताब पढ़ी**, यहाँ **पढ़ी** कृदन्त-रूप है, कर्म के अनुसार उसका लिंग निर्धारित हुआ, **पढ़ी** में कहीं पुरुष वाचक सर्वनाम-चिन्ह नहीं है जिससे अन्य पुरुष या उत्तम पुरुष का बोध हो। अवधी में कहेंगे **वहु किताब पढ़ॅसि।** यहाँ **पढ़ॅसि** क्रिया कर्म के अनुसार लिंग-भेद सूचित नहीं करती, उसमें अन्य पुरुष का सर्वनाम-चिन्ह है, **वहु** कर्ता न भी लगाया जाए, तो भी उसका बोध हो जाएगा। **वहु पढ़ॅसि**—ऐसा प्रयोग ब्रजभाषा, बाँगरू या परिनिष्ठित हिन्दी में नहीं होता। जो लोग आधुनिक भाषाओं की स्थिति की छानबीन करते हुए प्राचीन भाषाओं की स्थिति पहचानने का प्रयत्न करते हैं, उनके लिए यह भेद महत्त्वपूर्ण है। वर्तमान स्थिति यह है कि एक क्षेत्र में भूतकालीन क्रिया-रूप अब भी तिङन्त है, दूसरे में वह कृदन्त है।

भाषा के अन्य स्तरों—जैसे ध्वनितंत्र—का विश्लेषण करते हुए यह निष्कर्ष निकलता है कि संस्कृत मूलतः मध्यदेश की भाषा थी; उसका जो रूप मिलता है, वह बाद का परिवर्तित रूप है। उसी प्रकार वाक्यतंत्र—और वाक्यतंत्र के अन्तर्गत रूपतंत्र—का विश्लेषण करते हुए इस बात का आभास मिलता है कि तिङन्त क्रिया-रूपों का व्यवहार मध्यदेशीय आर्य भाषाओं की विशेषता थी। तिङन्त-रूपों का सम्बन्ध क्रियापदों में सर्वनाम-चिन्हों के व्यवहार से है। ये सर्वनाम-चिन्ह क्रिया के बाद आते हैं और वे उस विन्यास-पद्धति की याद दिलाते हैं जिसमें वाक्य क्रिया से आरम्भ होता था। संस्कृत में जहाँ लोककथाएँ लिखी गई हैं—उनकी मूल भाषा कोई भी हो—वहाँ बहुधा वाक्य **अस्ति** क्रिया से आरम्भ होता है। **पंचतंत्र** की कथाओं में यह बात देखी जा सकती है। **अस्ति दाक्षिणात्ये जनपदे पाटलिपुत्रं नाम नगरम्**। इसी प्रकार 'कथा सरितसागर' में कथा **अस्ति** से आरम्भ होती है—**अस्ति किन्नर-**

**गन्धर्व-विद्याधर निषेवितः** इत्यादि। 'कुमारसम्भव' के आरम्भ में जो **अस्ति** का व्यवहार हुआ है—**प्रस्त्युत्तरस्यां दिशिदेव माल्याम्**—सम्भव है, वह लोककथाओं की शैली के प्रभाव के कारण हो। इससे यह निष्कर्ष नहीं निकलता कि कालिदास के समय में लोग संस्कृत वाक्य क्रिया से ही आरम्भ करते थे। वाक्य के आरम्भ में **अस्ति** का आना पुरानी पद्धति का अवशेष मात्र है और वह पद्धति लोककथाओं में प्रचलित थी। लोकगीत, लोककथाएँ, कहावतें, मुहावरे भाषा के ऐसे रूप बनाए रखते हैं जो सामान्य व्यवहार से उठ जाते हैं।

तुलसीदास और जायसी अवधी के दो ऐसे कवि हैं जो लोक-संस्कृति में रँगे-पगे हैं। यद्यपि वे अवधी का व्यवहार काव्य में कर रहे हैं और काव्य में, शब्दों के रूप की तरह, वाक्यतंत्र में बहुत तरह के परिवर्तन किये जा सकते हैं, फिर भी इनके वाक्य-विन्यास का अध्ययन इस दृष्टि से किया जा सकता है कि वाक्य क्रिया से आरम्भ होते हैं या नहीं, होते हैं तो पद्य-रचना की सुविधा के लिए, या शैली-चमत्कार के लिए, अथवा इन दोनों से भिन्न वाक्यतंत्र की किसी पद्धति का अनुसरण करते हुए वे ऐसा करते हैं। जायसी 'पद्‌मावत' इस प्रकार आरम्भ करते हैं : **सुमिरौं आदि एक करतारू, जेहि जिउ दीन्ह कीन्ह संसारू**। इसके बाद **कीन्ह** क्रिया की आवृत्ति-सी करते हुए : **कीन्हेसि प्रथम ज्योति परकासू**। और हर अर्धाली का आरम्भ इसी **कीन्हेसि** क्रिया-रूप से करते चले जाते हैं। पहली पंक्ति के **कीन्ह** की प्रतिध्वनि आगे दोहे में सुनाई देती है : **कीन्ह सबै अस जाकर दूसर छाज न काहि**। इस दोहे के बाद फिर **कीन्हेसि** रूप वाली पंक्तियों का सिलसिला शुरू हो जाता है। जायसी निस्सन्देह कलाकार थे और यहाँ **कीन्हेसि** क्रिया की आवृत्ति उनकी वक्तृत्व कला का उपकरण है। पर आवृत्ति के अलावा भी वह **कीन्हेसि** क्रिया वाक्य के आरम्भ में रखते हैं। कर्ता की आवश्यकता नहीं, क्रिया के बाद कर्मों की शृंखला है; जो कर्ता है, वह प्रारम्भिक क्रिया **सुमिरौं** का कर्म है।

वन्दना में एक ही क्रिया की आवृत्ति के अलावा क्रिया से आरम्भ होनेवाले वाक्य उनकी रचना में भरे पड़े हैं। 'सिंहलद्वीप' वर्णन खंड में उनकी कुछ पंक्तियाँ इस प्रकार हैं : **फरे आब अति सघन सोहाये। लाग सबै जस अमृत साखा। रहै लोभाइ सोइ खो चाखा। बसहिं पंखि बोलहिं चुहचूही। बोलहिं पंडुक एकै तूही। चमकहिं दसन बीजु कै नाईं। उतरहिं मेघ चढहिं लेइ पानी। चमकहिं मच्छ बीजु कै बानी। साजा राजमँदिर कैलासू। छिपि गए चाँद सुरुज औ तारा। बरनौं राजमँदिर रनिवासू।**

इसके बाद जन्म खंड में **भै, भये, भा** क्रिया-रूपों का व्यवहार देखने लायक है : **भै चाहै प्रसि कथा सलोनी। भये दस मास पूरि भइ घरी। भा निसि महँ दिनकर परकासू। भै छठि राति छठीं सुखमानी। भा बिहान पंडित सब आए। भै पद्‌मावत पंडित गुनी। भै उनन्त पद्‌मावत बारी। भएउ रजायसु मारहु सूआ।** इसमें

सन्देह नहीं कि बहुत-सी पंक्तियाँ इससे भिन्न वाक्य-विन्यास के उदाहरण-स्वरूप प्रस्तुत की जा सकती हैं। पुराना वाक्यतंत्र भिन्न पद्धति के विन्यास द्वारा कई हजार साल तक प्रभावित होता रहा था। ध्यान देने की बात यह है कि अवधी में क्रिया से आरम्भ होनेवाली वाक्य-रचना अस्वाभाविक नहीं लगती और वह सामान्य प्रसंगों में प्रयुक्त होती है। 'रामचरितमानस' के आरम्भ में तुलसीदास ने सोरठा की एक पंक्ति क्रिया से आरम्भ की : **बन्दउँ गुरुपद कंज कृपा सिन्धु नर रूप हरि।** इसके बाद चौपाई उसी क्रिया से आरम्भ की : **बन्दउँ गुरुपद पदुम परागा।** फिर—**बन्दउँ प्रथम महीसुर चरना।** पुनः—**बन्दउँ सन्त समानचित हित अनहित नहिं कोइ।** और—**हुरि बन्दि खलगन सति भाएँ, जे बिनु काज दाहिनेहु बाएँ। बन्दउँ** के पर्याय रूप में **प्रनवउँ** का भी उन्होंने काफी प्रयोग किया। **प्रनवउँ प्रथम भरत के चरना। प्रनवउँ पवन कुमार खलबन पावक ग्यानघन।** इसी वन्दना प्रसंग में अनेक वाक्य अन्य क्रियाओं से आरम्भ होते हैं : **उघरहिं बिमल बिलोचन ही के। मिटहिं दोष दुख भव रजनी के। सूझहिं रामचरित मनि मानिक, गुपुत प्रगट जहँ जो जेहि खानिक। कीन्हे प्राकृत जन गुनगाना। पहिरहिं सज्जन बिमल उर सोभा अति अनुराग। प्रगटेउ जहँ रघुपति ससि चारू। करउँ प्रनाम करम मन बानी।**

अयोध्या कांड में कुछ पंक्तियों का वाक्य-विन्यास इसी कोटि का है : **जनमे एक संग सब भाई। बाहिं बाजने बिबिध बिधाना। दीख मन्थरा नगरु बनाया। पूछेसि लोगन्ह काह उछाहू। करइ बिचारु कुबुद्धि कुजाती। होइ अकाजु कवनि बिधि राती। हँसि कह रानि गालु बड़ तोरें। दोन्ह लखन सिख अस मन मोरें। तबहुँ न बोल चेरि बड़ि पापिनि। छाड़इ स्वास कारि जनु सापिनि। भयउ कौसिलहि बिधि अति दाहिन। कहहिं झूठि फुरि बात बनाई।**

'रामचरितमानस' के अतिरिक्त 'कवितावली' में इस तरह का विन्यास दर्शनीय है : **पुरतें निकसी रघुबीर बधू; झलकीं भरिभाल कनी जल की; फिरि बूझति हैं चलनो अब केतिक; ठाढ़े हैं नौ द्रुम डार गहे; पूछति ग्राम बधू सियसों; कहि है जग पोच न सोच कछु; राजत राम कुरंग के संग; व्हैं हैं सिला सब चन्द्रमुखी; कीन्ही भली रघुनायक जू,** इत्यादि। 'कवितावली' ब्रजभाषा में है। यदि ब्रजभाषा के अन्य किसी कवि की भाषा से तुलसीदास की इस भाषा की तुलना की जाए तो विदित होगा कि क्रिया से आरम्भ होनेवाले वाक्य तुलसीदास की रचनाओं में अधिक हैं। यहाँ क्रिया का स्थान पहले है, कर्ता और कर्म उसके बाद आते हैं। सूरदास के पदों में ऐसे वाक्य मिल जाते हैं जिनमें क्रिया कर्ता या कर्म से पहले है, जैसे इस प्रसिद्ध पद में : **निसिदिन बरसत नैन हमारे।** किन्तु यदि कहीं से सौ पंक्तियाँ लेकर क्रियामुख वाक्यों का औसत निकाला जाए तो तुलसीदास की अपेक्षा सूरदास के यहाँ यह औसत कम होगा। उनकी ब्रजभाषा अवधी के वाक्य-विन्यास से प्रभावित है, इस कारण, अन्य ब्रजभाषा कवियों की तुलना में, उनके यहाँ क्रियामुख वाक्य

अधिक हैं। यदि सूर की भाषा की तुलना रीतिवादी कवियों की ब्रजभाषा से की जाए तो उनके यहाँ, सूर की अपेक्षा, क्रियामुख वाक्यों की संख्या और भी कम होगी। कारण यह है कि रीतिवादी रचनाओं पर लोकसंस्कृति से भिन्न नागरिकता की छाप है। हिन्दी प्रदेश में जो भाषा नागरिक संस्कृति का वाहन बनी, उस पर उत्तर-पश्चिमी कर्तामुखी वाक्य-पद्धति का प्रभाव अधिक है। 1800 ई. से पहले खड़ी बोली की रचनाओं की तुलना बाद की हिन्दी-उर्दू रचनाओं से करें तो प्रतीत होगा कि क्रमशः पुरानी पद्धति का व्यवहार कम होता गया है—गद्य में ही नहीं, पद्य में भी। यह एक लम्बी प्रक्रिया है और इस पर ध्यान देने से तिङन्त-कृदन्त क्रिया रचनाओं का विकास-भेद समझ में आने लगता है।

कृदन्त-रूपों का व्यवहार अकर्मक और सकर्मक, दोनों प्रकार की क्रियाओं में होता है। ग्रियर्सन ने यह माना था कि सकर्मक क्रियाओं के भूतकालीन कृदन्त-रूपों का व्यवहार जहाँ होता है, वहाँ रचना कर्मवाच्य होती है। जहाँ अकर्मक क्रिया में ऐसे रूपों का व्यवहार होता है, वहाँ वाक्य-पद्धति कर्तृवाच्य होती है। ('लिंग्विस्टिक सर्वे', खंड 5, भाग 2)—इसमें बिहार की भाषाओं की चर्चा करते हुए उन्होंने लिखा था कि हिन्दी में सकर्मक क्रियाओं का भूतकालीन कृदन्त-रूप कर्मवाच्य ही होता है। **मैंने उसे मारा** का वास्तविक अर्थ है : वह मेरे द्वारा मारा गया। ग्रियर्सन ने दो तरह के वाक्यों को उलझा दिया है। **मैंने पुरुष को मारा, मैंने स्त्री को मारा**; कर्म चाहे जिस लिंग में हो, **मारा** रूप अपरिवर्तित रहता है। **स्त्री ने मुझे मारा, पुरुष ने मुझे मारा**; यहाँ भी कर्ता के लिंग-भेद से क्रिया में परिवर्तन नहीं होता। **उसने, तुमने, मैंने, हमने, उन्होंने, किसी को मारा**; यहाँ भी पुरुष-वचन-भेद से क्रिया नहीं बदलती। क्रिया का यह शुद्ध रूप है, वह तिङन्त है या कृदन्त, यह बात गौण है। वह भाववाच्य है या कर्तवाच्य, या कर्मवाच्य, यह बात भी गौण है। आचार्य किशोरीदास वाजपेयी के शब्दों में : "शुद्ध क्रिया में लिंग, वचन आदि कुछ हैं ही नहीं!" ('हिन्दी शब्दानुशासन', पृ. 138) जहाँ क्रिया 'सर्वथा स्वतंत्र' है, उसके उदाहरण उक्त ग्रंथ में इस प्रकार हैं : **हमने तुमको देखा; तुमने हमको देखा; लड़के ने माँ को देखा; माँ ने लड़के को देखा**। यहाँ **देखा** में कोई परिवर्तन नहीं होता। ग्रियर्सन ने जिसे 'पैसिव कंस्ट्रक्शन' कहा है, वह वास्तव में स्वतंत्र रूप है। **मैंने उसे मारा** वाक्य को बदलकर कहा जाए, **मैंने उसे लाठी मारी**, तो क्रिया की स्वतंत्रता नियंत्रित हो जाती है। संस्कृत में कृदन्त-रूप लिंग-वचन-भेद से मक्त नहीं होता : यह भेद कर्ता के लिंग-वचन के अनुसार होगा या कर्म के लिंग-वचन के अनुसार। हिन्दी में कृदन्त जहाँ स्वतंत्र क्रिया-रूप हैं, वहाँ वे संस्कृत-पद्धति का अनुसरण नहीं करते।

**उसने लाठी मारी** में क्रिया दूसरे ढंग से प्रयुक्त हुई है। लाठी चाहे करण-कारक हो, चाहे कर्म, क्रिया—उसके लिंगानुसार बदलती है (और पंजाबी में वचन का अनुसरण भी करेगी यानी हिन्दी की अपेक्षा पंजाबी संस्कृत की कृदन्त पद्धति के

अधिक समीप है।) बंगला में लिंगभेद होता ही नहीं है किन्तु कृदन्तों का प्रयोग होता है। **उसने लाठी मारी** जैसा प्रयोग बंगला में असम्भव है। शायद इसीलिए ग्रियर्सन ने लिखा है कि कृदन्त-रूपों का हिन्दी जैसा भेद बंगला में नहीं है और बंगला तथा बिहारी भाषाओं में सकर्मक-अकर्मक, दोनों तरह की क्रियाओं का रूप-विन्यास एक ही ढंग का होता है।

प्रश्न बंगाल और बिहार की भाषाओं का ही नहीं है। अवधी में भी **उसने लाठी मारी, उसने किताब पढ़ी** जैसे प्रयोग सम्भव नहीं हैं। **वहु लाठी मारेसि वहु किताब पढ़सि**, यहाँ क्रिया में लिंग-भेद नहीं है। किन्तु **मारेसि** का मूल अंश **मार** कृदन्त है। बंगला के **मारिलाम्, गेलाम्** में कृदन्त-रूपों का व्यवहार स्पष्ट है। फिर भी **लाठी मारी** जैसे क्रिया-रूप से ये भिन्न हैं। इसका अर्थ यह हुआ कि कृदन्तों के व्यवहार की अनेक पद्धतियाँ हैं, इनका सम्बन्ध अलग-अलग क्षेत्रों की आर्य भाषाओं से है, तिङन्त-कृदन्त भेद काफी नहीं हैं।

अवधी के **कीन्हॅसि, दीन्हॅसि में कीन्हॅ, दीन्हॅ** कृदन्त-रूप हैं; कृदन्त-रूप के पश्चात् पुरुष-सूचक चिन्ह लगा है। जैसे तिङन्त क्रियाओं में पुरुष-सूचक चिन्ह लगता है, वैसे ही कृदन्त क्रियाओं में, मानो कृदन्त-रूपों का पुन: तिङन्तीकरण हुआ हो! इसका कारण भाषा में अन्तर्निहित वाक्यतंत्र की वह प्राचीन पद्धति है जो क्रिया के बाद पुरुष-सूचक कर्ता चिन्ह जोड़ती है। तुलसीदास ने कृदन्तों का तिङन्तीकरण किया है और कृदन्तों का विशेषणवत् प्रयोग भी किया है। **मैं पुनि निज गुरु सन सुनी कथा सो सूकर खेत; तदपि कही गुरु बारहिं बारा; चलत मोहि चूड़ामनि दीन्हीं; कही बिभीषन नीति बखानी।** यहाँ क्रिया, कर्म के अनुसार, लिंग-भेद सूचित करती है। ये प्रयोग अवधी के नहीं हैं। अवधी की प्रवृत्ति इस प्रकार है : **रचि पचि कोटिक कुटिलपन, कीन्हेसि कपट प्रबोध; कहिसि कथा सत सवति कै जेहि बिधि बाढ़ बिरोधु।** यहाँ **कीन्हेसि** और **कहिसि** क्रियाओं की कर्ता एक स्त्री है; **कीन्हेसि** का कर्म **कपट प्रबोध** पुंल्लिंग है, **कहिसि** का कर्म **कथा** स्त्रीलिंग है। किन्तु **कीन्हेसि** और **कहिसि**, दोनों रूप, तिङन्त क्रियाओं के समान, कर्ता के पुरुष और वचन की सूचना देते हैं, कर्म के अनुसार उनमें लिंग-परिवर्तन नहीं होता। तुलसीदास की अवधी पर जहाँ-तहाँ कनौजी, ब्रज, बुन्देलखंडी, बाँगरु आदि पछाहीं बोलियों का प्रभाव भी है। इसलिए 'रामचरितमानस' के क्रिया-रूपों को सर्वत्र पुरानी अवधी के रूप न मान लेना चाहिए।

कृदन्त-रूपों का एक सुपरिचित और व्यापक प्रत्यय **ल** है। इसका व्यवहार भोजपुरी क्षेत्र से लेकर असमिया और उड़िया के प्रदेशों तक होता है। डॉ. सुनीतिकुमार चाटुर्ज्या ने बंगला भाषा पर अपने ग्रंथ में लिखा है कि यह प्रत्यय काफी पुराना है और मागधी अपभ्रंश में प्रयुक्त होता होगा यद्यपि इस अपभ्रंश के उदाहरण नहीं हैं। यदि यह प्रत्यय मागधी अपभ्रंश में प्रयुक्त होता था तो मानना होगा कि इस अपभ्रंश

से न केवल बंगला, उड़िया, मैथिली आदि का जन्म हुआ वरन् मराठी जैसी भाषा का जन्म भी उसी से हुआ। अपने ग्रंथ के पृ. 940 पर डॉ. चाटुर्ज्या ने इस सन्दर्भ में गुजराती, राजस्थानी और सिन्धी का हवाला दिया है और अगले पृ. 941 पर मराठी का उल्लेख भी किया है। जैसे अनेक बातों में बंगला मराठी से मिलती है, वैसे ही कृदन्त-रूपों के **ल** प्रत्यय को लेकर भी दोनों में समानता है। यहाँ मध्यदेश की स्थिति पूर्वी और पछाहीं बोलियों से भिन्न है। डॉ. चाटुर्ज्या कहते हैं कि पूर्वी और पछाँहीं हिन्दी तथा पूर्वी तथा पछाँहीं पंजाबी का जन्म जिन बोलियों से हुआ है; उनमें कर्मवाच्य कृदन्त के साथ इसका व्यवहार न होता था। मध्यदेश लकारान्त रूपों से घिरा हुआ है; यद्यपि मध्यदेश में कृदन्त-रूपों का व्यवहार होता है, फिर भी इस विशेष कृदन्त-रूप का व्यवहार अवधी, ब्रज, बाँगरू, पंजाबी और परिनिष्ठित हिन्दी में नहीं होता। साथ ही अवधी में सकर्मक क्रियाओं के भूतकालीन कृदन्तों का कर्मवाच्य प्रयोग नहीं होता। इसका अर्थ यह है कि अवधी का क्षेत्र कृदन्तों से कम प्रभावित हुआ है। आचार्य किशोरीदास वाजपेयी ने लिखा है : "हिन्दी में कृदन्त क्रियाएँ ही अधिक हैं। वर्तमान काल की सब-की-सब क्रियाएँ कृदन्त हैं; सहायक क्रिया केवल 'है' ही तिङन्त है—**लड़का पढ़ता है—लड़की पढ़ती है**। भूतकाल की भी सब क्रियाएँ कृदन्त हैं—**लड़का गया और लड़की गई**।" ('हिन्दी शब्दानुशासन', पृ. 420) परिनिष्ठित हिन्दी के लिए यह बात सही है। आधुनिक अवधी में **लड़का पढ़ता है** की तरह **लरिका पढ़त है**, और **लड़की पढ़ती है** की तरह **बिटिया पढ़ति है** प्रयोग होते हैं। किन्तु ये अपेक्षाकृत आधुनिक हैं। तुलसीदास की अवधी में वर्तमानकालीन क्रिया-रूप मुख्यत: तिङन्त हैं, कृदन्त नहीं, यथा : **सुनि समुझहिं जन मुक्ति मन मज्जहिं अति अनुराग, लहहिं चारि फल प्रछत तनु साधु समाज प्रयाग**। यहाँ **समुझहि, मज्जहिं** आदि तिङन्त रूप हैं।

पश्चिमी और पूर्वी भाषाओं में कृदन्त-रूपों का जो व्यवहार हुआ, उसमें भेद यह है कि पूर्वी भाषाएँ कृदन्तों के अन्त में पुरुष-सूचक चिन्ह लगाती हैं। मगही में **उसने रोटी खाई**, इस वाक्य को कहेंगे, **उ रोटी खलकइ**। यहाँ **खल** कृदन्त-रूप है। **खलकइ** के अन्त में जो **इ** है, उसका स्त्रीलिंग से कोई सम्बन्ध नहीं है। **वह चला गया**; मगही में **उ चल गेलइ**। यहाँ भी इकारान्त रूप है और उसका स्त्रीलिंग से कोई सम्बन्ध नहीं है। (ये उदाहरण डॉ. विश्वनाथ प्रसाद कृत 'लिंग्विस्टिक सर्वे ऑफ सदर सब डिवीजन ऑफ मानभूम एंड ढलभूम', बिहार राष्ट्रभाषा परिषद्, पटना, में हैं।)

भोजपुरी से भिन्न मगही और मैथिली भाषाओं के क्रिया-रूप न केवल कर्ता की और वरन् कर्म की ओर भी संकेत करते हैं और यह संकेत क्रिया के बाद प्रत्यय लगाकर किया जाता है। ग्रियर्सन ने उदाहरण दिये हैं : **देखलथिन** अर्थात् उसने उस मान्य व्यक्ति को देखा; **देखलथुन्** अर्थात् उसने आपको देखा। कर्ता अन्य पुरुष या मध्यम पुरुष में है, तो यह सूचना क्रिया-रूप देगा। **ओकर भाय**

**अइलथी हइ**—उसका भाई आया है; **तोहर भाय अइलथु हइ**—तुम्हारा भाई आया है। यहाँ भी कृदन्त-रूप हैं किन्तु उनके व्यवहार की पद्धति न केवल परिनिष्ठित हिन्दी से भिन्न है वरन् बंगला और भोजपुरी की पद्धति से भी भिन्न है। कृदन्तों के बाद सर्वनाम-चिन्ह जुड़े हैं।

अवधी में अकर्मक क्रिया-रूप परिनिष्ठित हिन्दी के रूपों से काफी मिलते-जुलते हैं। **हम गये, वे गये,** हिन्दी के इन वाक्यों में **गये** रूप वचन और लिंग सूचित करता है, पुरुष-भेद नहीं बताता। अवधी में **हम गैन, बी गे**—इन वाक्यों में पुरुष-भेद सूचित है। **बी गे** पुंल्लिंग रूप है, **बी गईं** कहें तो स्त्रीलिंग का बोध होगा। अवधी भाषा कृदन्त-रूपों के बाद पुरुष-सूचक चिन्ह लगाती है और जहाँ-तहाँ पश्चिमी बोलियों के समान लिंग-भेद भी सूचित करती है।

मुख्य भेद दो तरह की क्रिया पद-रचना का है। एक में पुरुष-सूचक चिन्ह लगते हैं, दूसरी में नहीं लगते। इस दूसरी पद्धति में लिंग-भेद भी सूचित किया जाता है और इस तरह का लिंग-भेद उन भाषाओं के क्रिया-रूपों में भी कहीं-कहीं झलकता है जिनमें पुरुष-सूचक चिन्ह लगाए जाते हैं। गौण भेद कृदन्त प्रत्ययों के व्यवहार, को लेकर है। मध्यदेश के उत्तर-पश्चिमी और पूर्वी क्षेत्रों में इन प्रत्ययों का व्यवहार अधिक होता है। अवधी भाषा का क्षेत्र कृदन्त प्रभाव से अपेक्षाकृत मुक्त है।

परिनिष्ठित हिन्दी में भी कृदन्त-रूपों का व्यवहार काफी नियंत्रित है। **लड़का पढ़ता है** में **पढ़ता** पूर्ण क्रिया नहीं है, उसके साथ **है** क्रिया भी है। आचार्य किशोरीदास वाजपेयी ने कृदन्त और तिङन्त के अलावा दोनों के संयुक्त रूपों के व्यवहार की बात कही है। **है**—यह रूप तिङन्त है, **पढ़ता** कृदन्त है। कृदन्तों का जोर भूतकालीन रूपों में अधिक है। इसका कारण यह है कि जिन रूपों को अब काल विशेष से जोड़ा जाता है, वे पहले क्रिया की अवस्था मात्र सूचित करते थे। क्रिया की पूर्णता, अपूर्णता, निरन्तरता आदि का बोध इन अवस्थाओं से होता था। ये अधिकांश अवस्थाएँ आगे चलकर वर्तमान काल से सम्बद्ध हो गई, अतीतकाल से इनका वैषम्य दिखाने के लिए कृदन्त-रूपों का व्यवहार होने लगा। अतीतकाल के लिए कृदन्त-रूपों के व्यवहार में भेद है। **हमने लड़की देखी** या **देखी थी,** यहाँ कृदन्त-रूप, विशेषण के समान, कर्म के अनुरूप लिंग-भेद सूचित करता है, किन्तु **हमने लड़की को देखा** या **देखा था** में कृदन्त-रूप लिंग-निरपेक्ष है। **देखा था** रूप पुंल्लिंग लगता है किन्तु यदि कहें कि **लड़की ने लड़के को देखा** या **देखा था** तो भी क्रिया-रूप में परिवर्तन नहीं होता। यह कृदन्त का भाववाच्य प्रयोग है जो संस्कृत में नहीं है। एक तिङन्त पद्धति, दूसरी कृदन्त पद्धति, तीसरी संयुक्त पद्धति, और चौथी वह जिसमें क्रिया स्वतंत्र है। यह पद्धति भी काफी पुरानी होनी चाहिए। क्रिया-रूप द्वारा लिंग-भेद सूचित करने की प्रवृत्ति संस्कृत में प्रबल है; इस चौथी पद्धति में उसके प्रभाव से मुक्ति है। यहाँ वाजपेयी जी का यह कथन संस्कृत और हिन्दी का अन्तर

समझने के लिए महत्त्वपूर्ण है : "संस्कृत से हिन्दी में यहाँ एक मौलिक प्रयोग-भेद है। संस्कृत में सकर्मक क्रियाओं के—कर्म की उपस्थिति में—भाववाच्य प्रयोग नहीं होते हैं। वहाँ कृदन्त सकर्मक क्रियाएँ (भूतकाल की) कभी भी भाववाच्य न होंगी। उपस्थित कर्म के अनुसार ही उनके लिंगवचन होंगे। परन्तु हिन्दी में स्थिति भिन्न है।...**हमने लड़की देखी** और **हमने लड़की को देखा**—ये उसी क्रिया के कर्मवाच्य और भाववाच्य, दोनों तरह के प्रयोग होते हैं। और **हमने तुमको देखा** या **तुमने हमको देखा**—केवल भाववाच्य। **तुम** और **हम**—कर्ता और कर्म—दोनों ही बहुवचन हैं; परन्तु क्रिया एकवचन है—**देखा**। यह भाववाच्य क्रिया कभी भी कर्मवाच्य नहीं बनाई जा सकती।" ('हिन्दी शब्दानुशासन', पृ. 424) जैसे कारक-रचना में अनेक पद्धतियों का मिश्रण है, वैसे ही क्रियापद रचना में अनेक पद्धतियाँ कार्य करती दिखाई देती हैं।

## 5. हिन्दी जनपदों के प्राचीन क्रिया-रूप

'रामचरितमानस' और 'पद्मावत' में भूत और भविष्य के जो क्रिया-रूप तिङन्त जैसे प्रतीत होते हैं, वे वास्तव में कृदन्त हैं। वर्तमान काल में अन्य पुरुष के एकवचन रूप **कहइ** की तुलना भूतकाल अन्य पुरुष के एकवचन रूप **कहॅसि** से करें तो विदित होगा कि वर्तमान काल में यदि **इ** प्रत्यय **कह** में लगाया गया है तो भूतकालीन रूप में **सि** प्रत्यय **कहॅ** में लगाया गया है। यह एकारान्त क्रिया-रूप कृदन्त है, परिनिष्ठित हिन्दी के **कहा** का यह अर्द्ध मागधी परम्परा वाला **कहे** रूप है। इसी प्रकार भविष्य काल में अन्य पुरुष के बहुवचन रूप **करिहहिं** की तुलना वर्तमान काल में, अन्य पुरुष के बहुवचन रूप **करहिं** से करें तो यह भेद दिखाई देगा कि भविष्य काल में क्रिया **कर** के बाद **ह** अथवा **इह** प्रत्यय जुड़ा हुआ है। यह प्रत्यय कृदन्त का है। वर्तमान काल में सीधी तिङन्त क्रिया का व्यवहार होता है। पुरानी पद्धति क्रिया के जिन रूपों में सबसे ज्यादा काम में आती है, उनका सम्बन्ध वर्तमान काल से जोड़ा गया है। **सम्भावना, आज्ञा** आदि के रूपों की तुलना वर्तमानकालीन रूपों से की जाए तो उनमें बहुत बड़ी समानता दिखाई देगी। जायसी और तुलसीदास के समय तक कृदन्त-पद्धति का व्यवहार इतना बढ़ चुका है कि विशेषण रूप में ही नहीं, विशुद्ध क्रिया-रूप में भी **त** प्रत्यय वाले कृदन्तों का व्यवहार होने लगा है, यथा : 'रामचरितमानस' में—**बारहिंबार लेति उरलाई**। कर्ता स्त्रीलिंग है, उसी के अनुरूप क्रिया भी इकारान्त है। **जानत प्रिया एकु मन मोरा**; यहाँ कर्ता **मन** पुंल्लिंग है, उसी के अनुरूप क्रिया अकारान्त है। फिर भी 'रामचरितमानस' और 'पद्मावत' के वर्तमानकालीन रूपों में कृदन्त की अपेक्षा तिङन्त-पद्धति ही प्रधान है।

अवधी के क्रिया-रूप अपभ्रंश से बहुत मिलते-जुलते हैं और इनका सम्बन्ध अनेक आधुनिक आर्य भाषाओं से है। हिन्दी क्षेत्र के पश्चिमी भाग में **करे है,**

**जाय है** जैसे प्रयोग अब भी काफी प्रचलित हैं। पुरानी खड़ी बोली (हिन्दी या उर्दू) के साहित्य में उनका व्यवहार काफी होता है। ये **करे, जाय** पुरानी अवधी के **करइ, जाइ** का परिवर्तित रूप हैं। **करे है** की तरह **करे था** रूप का भी चलन है। परिनिष्ठित हिन्दी के **करेगा, जायगा** रूपों में वही वर्तमानकालीन **करे** और **जाय** हैं। ये वर्तमानकालीन रूप ही, भूत और भविष्य के लिए, अन्य काल-चिन्हों के साथ प्रयुक्त हुए। **करे है** में **है** अनावश्यक है किन्तु जब **करे** रूप का व्यवहार भूत और भविष्य के लिए होगा, तो वर्तमान काल का अलग संकेत देने के लिए **है** का प्रयोग अनिवार्य होगा। इससे वर्तमानकालीन रूपों के व्यापक प्रयोग का ज्ञान होता है। अवधी में भविष्य और भूत के चिन्ह **गा** और **था** नहीं हैं; अतः **करइ** के बाद **है** जैसी क्रिया का व्यवहार आवश्यक नहीं है। **करे था** के समानान्तर **किया था** वाला रूप भी विद्यमान था किन्तु भविष्य के लिए भूतकालीन **किया** से काम न चल सकता था। उसके लिए पुराने रूप **करे** से ही काम लिया जा सकता था। **करइ** का संस्कृत प्रतिरूप **करोति** है। प्राकृत में क्रिया के साथ **ति**, उसके सघोष रूप **दि**, और **इ** प्रत्ययों का व्यवहार हुआ है। अपभ्रंश में भी अन्य पुरुष के साथ क्रिया के एकवचन रूप में **इ, दि** दिखाई देते हैं। इसका अर्थ यह है कि **करइ** जैसा अवधी का रूप उतना पुराना है, जितना कोई भी प्राकृत का ऐसा ही रूप। बहुवचन में प्राकृत तो, संस्कृत का अनुसरण करते हुए, **न्ति** वाले रूपों से काम लेती है, अपभ्रंश में **न्ति** वाले रूपों का लोप हो जाता है, उनके स्थान पर **हिं** वाले रूप **आ** जाते हैं। अपभ्रंश में जहाँ प्राकृत का अनुसरण किया जाता है, वहाँ **न्ति** वाले रूप कायम रहते हैं। समस्या यह है कि यदि संस्कृत के **ति** और **न्ति** वाले रूप मूल हैं, तो एकवचन में **त्** का पूर्ण लोप हो जाता है और **ति** के स्थान पर केवल **इ** ध्वनि बच रहती है किन्तु बहुवचन में **त्** का लोप नहीं होता वरन् वह **ह्** में बदल जाता है। **त्** का **ह्** में परिवर्तन अत्यन्त अस्वाभाविक है। अस्वाभाविक न हो तो भी एक जगह **ह्** के बने रहने और दूसरी जगह उसके लोप हो जाने का कोई कारण होना चाहिए।

'रामचरितमानस' और 'पद्मावत' में वर्तमान काल में अन्य पुरुष के लिए क्रिया के एकवचन और बहुवचन रूपों को मिलाकर देखा जाए तो यह स्पष्ट हो जाएगा कि बहुवचन का **हिं** एकवचन के **हि** रूप का अनुस्वारयुक्त प्रयोग है। एकवचन रूपों का व्यवहार बहुवचन रूपों की तुलना में अधिक हुआ, इसलिए अल्पप्राणता के भाषाई परिवेश में **ह्** का लोप हुआ। भविष्य काल के अन्य पुरुष एकवचन रूपों में सामान्यतः **हि** सुरक्षित है। इसी काल और पुरुष के बहुवचन रूपों में **हिं** का व्यवहार होता है। यहाँ **हि** और **हिं** का सम्बन्ध स्पष्ट है। यदि एकवचन में **इ** हो और बहुवचन में **हि**, तो यह मान लेना चाहिए कि एकवचन में **हि** रूप का चलन था। अवधी के कुछ क्षेत्रों में अब भी **हि** वाले क्रिया-रूपों का व्यवहार होता है जिनके

समानान्तर अन्य क्षेत्रों के रूपों में **ह्** का लोप हो गया है। बघेली का एक वाक्य है : "ते कर ल्ये वह मोर सहाव निह होही।" (धीरेन्द्र वर्मा : 'ग्रामीण हिन्दी', पृ. 46) यहाँ **होही** भविष्यकालीन क्रिया-रूप है; बैसवाड़ी में इसका **होई** प्रतिरूप प्रचलित है। इसी प्रकार बघेली का **चलही** भविष्य काल में अन्य पुरुष का एकवचन रूप है (उप.), उसके स्थान पर बैसवाड़ी में **चली** रूप होगा।

बहुवचन और एकवचन, दोनों रूपों में **ह्** ध्वनि विद्यमान थी। अवधी के लिए **त्** का **ह्** में परिवर्तन अस्वाभाविक है किन्तु यदि **त्** के स्थान पर **ध्** हो, तो उसका एक क्षेत्र में **ह्** रूप धारण करना और दूसरे क्षेत्र में **त्** या **द्** रूप धारण करना अत्यन्त स्वाभाविक होगा। **इधर, इहर** और **इतः** रूपों पर ध्यान दें तो ध्वनि-परिवर्तन का उक्त क्रम समझ में आ जाएगा। जो क्षेत्र सघोष महाप्राण ध्वनियों में स्पर्श तत्त्व की रक्षा करता है, केवल महाप्राणता या उसके साथ सघोषता का लोप करता है, वह **गच्छदि, गच्छति** रूपों का व्यवहार करता है। जो क्षेत्र स्पर्श तत्त्व का लोप करता है, केवल महाप्राणता की रक्षा करता है, वह **गच्छहि** जैसा रूप अपनाएगा।

मूल रूप **गच्छधि** में **धि** की भूमिका क्या है? इसकी भूमिका वही है जो **गच्छामि** में **आमि** की है अर्थात् वह क्रिया के बाद आनेवाला कर्ता रूप सर्वनाम है। **गच्छामि** का **मि, अमि** या **आमि** अनेक उत्तम पुरुष सर्वनाम रूपों से मिलता-जुलता है, किन्तु **गच्छधि** का वह **धि** कहीं दिखाई नहीं देता। कभी-कभी पुराने रूप मूल क्षेत्र से दूर की भाषाओं में सुरक्षित रहते हैं। ऐसे ही एक भाषा अंग्रेज़ी है। इसके अन्य पुरुष सर्वनाम का बहुवचन कर्ता रूप **दे** होता है। कर्म कारक में **देम** रूप प्रचलित है। एकवचन कर्ता रूप ही है, उसी का कर्म रूप **हिम** है। **हि** और **हिम**; इनके समानान्तर **दे** और **देम**। यदि सर्वनाम के मूल रूप में **ध्** की कल्पना की जाए तो अंग्रेज़ी के इन रूपों की व्याख्या बहुत अच्छी तरह हो जाती है। **ही** और **हिम** एक क्षेत्र के रूप हैं, **वे** और **देम** अन्य क्षेत्र के। दोनों का आधार **धि** सर्वनाम है। दो तरह के रूप सुलभ होने पर एक तरह के रूप एकवचन के लिए सुरक्षित हो गए, दूसरी तरह के रूप बहुवचन के लिए। **ही** के अलावा अंग्रेज़ी में एक सर्वनाम **दि** और है जो अब किसी संज्ञा के पहले आनेवाला विशेष संकेतक ('डेफीनिट् आर्टीकिल्') बन गया है। व्युत्पत्ति-विशेषज्ञों को इस **दि** की व्याख्या करने में कठिनाई न होनी चाहिए। वह सीधे प्राचीन आर्य सर्वनाम **धि** का अल्पप्राण रूप है। शिलालेखों की पुरानी फ़ारसी में अन्य पुरुष सर्वनाम का कर्मकारक रूप **दिम्** (अंग्रेज़ी **हिम्**) इसी **दि** से बना है। फ्रांसीसी भाषा में यही **दि** या **द ल** में परिवर्तित होकर वैसी ही भूमिका निबाहता है। भारत के पूर्वी क्षेत्र की भाषाओं में कृदन्तीय **त** इसी प्रकार **ल** में बदलकर **कहिल, गेल** आदि रूपों को जन्म देता है।

आचार्य किशोरीदास वाजपेयी ने जिस मूल भाषा का उल्लेख 'हिन्दी शब्दानुशासन' में अनेक बार किया है, उसमें **गच्छधि—गच्छन्धि, याधि—यान्धि**

जैसे रूप किसी समय अवश्य प्रचलित रहे होंगे। **याधि** और **यान्धि** के 'संस्कृत' रूप **याति** और **यान्ति** हैं, अवधी प्रतिरूप **जाहि** और **जाहिं** हैं। इन्हीं रूपों में जब **ह्** का लोप होता है तो **जाइ, जाय, जायँ** आदि रूप प्राप्त होते हैं।

एक क्रिया है **दुह्**। इसका वर्तमान काल में अन्य पुरुष का एकवचन रूप होता है **दोग्धि**। यहाँ **ध्** स्पष्ट दिखाई दे रहा है। एक क्रिया है **लिह्**। इसका अन्य पुरुष में एकवचन रूप होता है **लेढि**। इसका प्रतिरूप **रिह्** भी है जिससे वर्तमानकालीन अन्य पुरुष का **रेढि** रूप बनता है। यहाँ भी **दि** के पूर्व रूप **धि** के अस्तित्व का बोध होता है। वैयाकरण कहते हैं कि वर्तमानकालीन अन्य पुरुष के इन एकवचन रूपों में मूलत: **ति** चिन्ह था जो **धि** में बदल गया है। संस्कृत के सारे विकास को देखते हुए **ध्** ध्वनि **त्** में परिवर्तित हुई, इसकी सम्भावना अधिक है; **त्** ध्वनि सघोष महाप्राण **ध्** बन जाए, इसका कोई तर्कसंगत कारण प्रतीत नहीं होता।

ऐसे नियमों की कल्पना की गई कि **ति** बदलकर **ढि** हो जाए। यदि अधिकांश रूपों में **धि** के दर्शन होते तो ऐसे नियमों की कल्पना की जाती कि, विशेष सन्दर्भों में, **ध्** की महाप्राणता और सघोषता का लोप हो जाता है। **ति** वाले रूपों के समानान्तर **धि** और **हि** वाले रूप प्रचलित थे, इसका प्रमाण वर्तमान काल में अन्य पुरुष के वे एकवचन रूप हैं जो प्राकृत, अपभ्रंश और पुरानी अवधी में प्राप्त हैं और जिनके अवशेष परिनिष्ठित हिन्दी समेत अनेक आधुनिक आर्य भाषाओं में अब भी विद्यमान हैं। उनकी व्याख्या **गच्छति** के **ति** चिह्न के बदले **दोग्धि** के **धि** चिन्ह द्वारा ज्यादा अच्छी तरह हो जाती है।

**लिह्** क्रिया मूलत: **लिघ्** या **रिघ्** थी, इसका ज्ञान अंग्रेज़ी के **लिक्** (चाटना) रूप से होता है। कहा जा सकता है कि बहुत-से शब्दों में **ध्** और **घ्** स्वच्छन्द संचरण की स्थिति में दिखाई देते हैं, इसलिए यह सम्भव है कि **लिह्, रिह्** क्रिया के मूल रूप **लिघ्, लिध्** दोनों हों। इसमें असम्भव कुछ नहीं किन्तु **लिह्** क्रिया का वर्तमान काल में मध्यम पुरुष एकवचन रूप **लेक्षि** होता है। जब हम क्रिया का मूल रूप **लिघ्** मानते हैं तब **घ्** का अपने ही वर्ग के अघोष अल्पप्राण **क्** में परिवर्तित होना स्वाभाविक लगता है। **लिह् (लिक्)** के साथ **धि्** का संयोग होने पर मूर्धन्यीकरण की जिस प्रक्रिया से **धि** के स्थान पर **ढि** का अवतरण होता है, उसी से **लेक्षि में, क्** के संसर्ग से, दन्त्य **स्** मूर्धन्य **ष्** में बदल जाता है। **घ्** ध्वनि पड़ोस के तवर्गीय व्यंजन को प्रभावित करती है, इसका एक उदाहरण **मूढ** शब्द है। यहाँ **मुह्**, क्रिया का मूल रूप **मुघ्** है, **लिघ्** के समान। **मूढ** का वैकल्पिक रूप **मुग्ध** है। जब **घ्** के अस्तित्व का बोध बना रहता है, तब **मुग्ध** रूप बनता है; **घ्** ध्वनि अल्पप्राण हो जाती है क्योंकि दो महाप्राण व्यंजनों को संस्कृत एक साथ स्वीकार नहीं करती। जब केवल **ह्** का बोध रहता है तब यह व्यंजन (अन्तस्थ) सामने की तवर्गीय ध्वनि को मूर्धन्य कर देता है और **ह्** पूर्व स्वर को दीर्घ करके उसी में लीन

हो जाता है। **मुह्** से मिलती-जुलती क्रिया **मिह्** है। **मूढ** के समान इसका **मीढ** रूप बनता है। यह क्रिया मूलत: **मिघ्** है, इसका प्रमाण **मिह्** का एक रूप **मेघमान** है।

ऐसा प्रतीत होता है कि अन्य पुरुष और मध्यम पुरुष, दोनों के अनेक सर्वनाम रूप **ध्** के आधार पर रचे गए हैं। वर्तमान काल में **अस्** का मध्यम पुरुष एकवचन रूप **एधि** है। **धि** यहाँ मध्यम पुरुष सर्वनाम का एकवचन रूप है। **शास्** क्रिया का मध्यम पुरुष एकवचन रूप शाधि होता है। **चकास्** क्रिया का ऐसा ही **चकाधि** रूप होता है। मध्यम पुरुष के **मोदध्वम्, अलभध्वम्, युध्येध्वम्** जैसे बहुवचन क्रिया-रूप देखते हैं तो उक्त कल्पना पुष्ट होती है। आत्मनेपद में **ध्वम्** के स्थान पर **ध्वे** दिखाई देता है (जो सम्भवत: **ध्वस्** का 'अर्द्ध-मागधी' **ध्वे** रूप है)। मध्यम पुरुष में क्रिया के एकवचन रूपों में **स्व** के दर्शन भी होते हैं, **लभस्व, मोदस्व** आदि। ऐसा प्रतीत होता है कि **ध्व, त्व, स्व,** इन मध्यम पुरुष सर्वनाम् रूपों का एक ही आधार है। विभिन्न वचनों में **थ** का व्यवहार भी होता है, यथा : द्विवचन में **मोदेथाम्। अलभथ** मध्यम पुरुष में क्रिया का एकवचन रूप है; **बोधथ, भवथ**—ये मध्यम पुरुष के बहुवचन रूप हैं। मध्यम पुरुष सर्वनाम के चिन्ह विभिन्न लकारों और वचनों में बाँट दिये गए हैं किन्तु इन सबका आधारभूत रूप **ध्व** पहचान में आता है। और यह सर्वनाम रूप **ध्** पर आधारित अन्य पुरुष सर्वनाम **धि** से सम्बद्ध है।

यह उल्लेखनीय है कि संस्कृत में मध्यम पुरुष के एकवचन रूपों में **धि** के अलावा **सि** और **हि,** दोनों दिखाई देते हैं। **या** क्रिया का वर्तमान काल में **यासि** रूप है और आज्ञा में **याहि**। **हि** का विकास **सि** से हो सकता है और सीधे **धि** से भी। अपभ्रंश और पुरानी अवधी में मध्यम पुरुष के जो **हि** वाले रूप मिलते हैं, उनका निर्माण संस्कृत काल में हो चुका था। **हि** के साथ अपभ्रंश और अवधी में जहाँ **हु** दिखाई देता है, उसका आधार **ध्व, स्व** अथवा **धु, सु** होना चाहिए।

यहाँ संस्कृत के **गच्छामि पठामि** रूपों के **मि, अमि** या **आमि** पर विचार करना चाहिए। बंगला में **आमि** सर्वनाम रूप प्रचलित है किन्तु मराठी में उत्तम पुरुष का बहुवचन रूप **आम्हीं** प्राप्त है। या तो इसमें महाप्राण ध्वनि जोड़ी गई है या बंगला में महाप्राण ध्वनि का लोप हुआ है। यहाँ केवल संस्कृत रूप देखने से समस्या हल नहीं होती। प्राकृतों में जो रूप मिलते हैं, उनसे सहायता मिलती है। पिशल ने अपने प्राकृत व्याकरण में उत्तम पुरुष सर्वनाम का बहुवचन रूप **अम्हे** दिया। मराठी **आम्हीं** का सम्बन्ध **अम्हे** से दिखाई देता है। इस रूप में **ह्** मूलध्वनि नहीं है। वह किस ध्वनि का परिवर्तित रूप है, इसका अनुमान पिशल द्वारा दिये हुए पैशाची प्राकृत के रूप **अम्फ** से होता है। इस रूप से विदित होता है कि मूल सर्वनाम **अम्भ** था जिसके परिवर्तित रूप **अम्ह, अम्हे** आदि थे। मराठी **आम्हीं,** बंगला **आमि** और संस्कृत के **पठामि** का **अमि** या **आमि** तथा पैशाची प्राकृत का **अम्फ** एक ही मूल सर्वनाम **अम्भ** के परिवर्तित रूप हैं। सर्वनामों के निर्माण में

**घ, ध, भ,** देशकाल-व्यक्ति-वस्तुसूचक संकेत चिन्हों की जिस भूमिका का उल्लेख पहले किया गया है, यहाँ उसकी पुष्टि होती है।

संस्कृत के क्रिया-रूपों में जो सर्वनाम-चिन्ह दिखाई देते हैं, वे बहुधा परिवर्तित रूप में हैं। कहीं तो **धि, ध्वम्** जैसे रूपों में सघोष महाप्राण ध्वनि स्पष्ट है, कहीं वह **स्, ह्, त्** आदि में बदल गई है। **ध्** के साथ **भ्** ध्वनि का व्यवहार भी सर्वनाम रचना में होता था। अपभ्रंश और आधुनिक आर्य भाषाओं के सर्वनामों का सम्बन्ध संस्कृत रूपों से उतना नहीं है जितना प्राचीन मध्यदेशीय गण-भाषाओं के रूपों से। **आम्हीं** का आधार **अम्भ, अम्भॅ** जैसा रूप है; इसी तरह अवधी क्रियापद **जाहि** का पूर्वरूप **याधि** है, और यह **याधि** संस्कृत **याति** का भी मूलरूप है।

संस्कृत के क्रिया-रूपों के बारे में एक रोचक तथ्य यह है कि इनमें अनेक संज्ञा-रूप हैं। संज्ञा-रूप होने से वे किसी-न-किसी कारक-चिन्ह के साथ दिखाई देते हैं। मैकडनल ने पूर्वकालिक क्रिया **पीत्वा, भूत्वा, हत्वा** आदि के लिए लिखा है कि ये करणकारक में उस संज्ञा का एकवचन रूप हैं जिसके अन्त में **तु** चिन्ह था अर्थात् **पी + तु + आ = पीत्वा**। यह उकारान्त **पीतु** संज्ञा का मध्यदेशीय कर्ता रूप है। इसमें करणकारक की **आ** विभक्ति जोड़ी गई है। यदि करणकारक का यह प्रयोजन माना जाए कि किसी वस्तु के कारण कार्य विशेष होता है, तो इससे क्रिया में पूर्वकाल का भाव उत्पन्न नहीं होता। मैकडनल ने, **गत्वा** आदि क्रिया-रूपों की व्याख्या करते हुए, लिखा है कि मूल क्रिया जिस कार्य की ओर संकेत करती है, उसके साथ होनेवाले कार्य या उससे पहले होनेवाले कार्य की ओर यह पूर्वकालिक रूप संकेत करता है। इस व्याख्या से करणकारक सम्बन्धी सामान्य धारणा मेल नहीं खाती। किन्तु कारक पर ध्यान न देकर विभक्ति पर विचार करें तो **गतु** संज्ञा के साथ **आ** सम्बन्धक का संयोग सार्थक है। पहले कहा गया है कि **सह** सम्बन्धक का विकास यह **आ** है। यह कल्पना **गत्वा** में **आ** की भूमिका से पुष्ट होती है। जाने की क्रिया के साथ वाक्य की मूल क्रिया सम्पन्न होती है। दोनों क्रियाएँ एक साथ पूरी तरह सम्पन्न नहीं होतीं, कुछ अन्तराल रहता है, इसलिए गौण क्रिया पूर्वकालिक हो गई।

ऐसे उकारान्त रूप अनेक क्रिया-रूपों में प्रयुक्त होते हैं। **गत्वा** के साथ एक वैदिक रूप **गत्वी** है जिसमें, मैकडनल के अनुसार, अधिकरणकारक की विभक्ति लगी है। इस तरह के रूपों में कारक का, वैयाकरणों द्वारा निर्धारित, कार्य छोड़कर विभक्तियों, अर्थात् सम्बन्धकों, की भूमिका पर विचार करना चाहिए। **तुम्हारी बात सुनने पर मैं कुछ कहूँगा**; इस वाक्य को यों भी कह सकते हैं : **तुम्हारी बात सुनकर मैं कुछ कहूँगा**। **सुनने पर** से मिलता-जुलता प्रयोग **गत्वी** का है। उसी **गतु** में **आय** जोड़कर **गत्वाय** रूप बनता है। यह सम्प्रदानकारक का रूप है। क्रियार्थी संज्ञाओं में **पातु** जैसे उकारान्त रूप से **पातवे, पातवै** (पीना) शब्द सिद्ध होते हैं।

क्रियार्थी संज्ञाओं के बारे में मैकडनल ने लिखा है कि क्रिया के आधार पर बने हुए संज्ञा शब्दों के ये सब कारक रूप हैं। कर्म, सम्प्रदान, अपादान, सम्बन्ध या अधिकरण, किसी-न-किसी कारक रूप में क्रियार्थी संज्ञाओं का व्यवहार होता है। मैकडनल के अनुसार ऐसे क्रियार्थी संज्ञा रूप 'ऋग्वेद' में लगभग 700 बार आए हैं। इससे विदित होगा कि 'ऋग्वेद' की रचना के समय क्रियार्थी संज्ञा रूपों का व्यवहार कितना व्यापक था। यह प्रवृत्ति मध्यदेशीय विन्यास तंत्र से भिन्न है जहाँ क्रिया की प्रधानता है। विशुद्ध क्रियाएँ अपने साथ पुरुष संकेत लिये रहती हैं; कृदन्तवादी पद्धति में क्रिया—संज्ञा रूप में—पुरुष सूचना से मुक्त है। कृदन्तों का व्यवहार उस पद्धति के अनुकूल है जिसमें वाक्य के पूर्व भाग में उद्देश्य होता है और उत्तर भाग में विधेय। 'ऋग्वेद' में कर्म की अपेक्षा सम्प्रदानकारक वाले क्रियार्थी संज्ञा रूप अधिक हैं। आगे चलकर इस रूप का व्यवहार कम होता जाता है और कर्मकारक वाले रूप का चलन अधिक होता है। उत्तर भारत की आर्य भाषाओं में सम्प्रदान का कार्य अधिकतर कर्म की विभक्ति करती है, इस प्रवृत्ति की शुरुआत उत्तर वैदिक काल में हो जाती है।

उकारान्त रूपों में भविष्यकालीन कृदन्त **कर्त्व (कर्तु + अ), वक्त्व (वक्तु + अ)** का उल्लेख यहाँ कर देना चाहिए। इन रूपों की रचना उसी करणकारक की **अ** विभक्ति से हुई है। **कर्त्व** वह जो निर्मित किया जाएगा; **वक्त्व** वह जो कहा जाएगा। भविष्य का भाव इस रूप पर आरोपित है, एक ही सन्दर्भ में निरन्तर प्रयुक्त होने से इस संज्ञा रूप ने वैसा भाव अजित किया है। ये जितनेवाले रूप हैं, उनके बारे में इस बात की जाँच-पड़ताल के लिए निरन्तर सचेत रहना चाहिए कि ये **ध्** वाले रूपों का विकास तो नहीं है। एक क्रिया है **जक्ष्** (हड़पना, भक्षण करना)। **पीत्वा, गत्वा** के समान इसका पूर्वकालिक रूप बनता है **जग्ध्वा**। इसी तरह **बन्ध्** (बाँधना) से **बद्ध्वा** रूप बनता है। **रुह्**, (ऊपर चढ़ना) से **रूढ्वा** रूप बनता है। जैसे **गत्वा** के समानान्तर **गत्वी** है, वैसे ही **गुह्** (छिपाना) से **गूढ्वी** रूप बनता है। सम्भव है, **गत्वा, पीत्वा** आदि में पहले **ध्वा** चिन्ह रहा हो, संज्ञा रूप **गधु, पीधु** से **गतु, पीतु** रूपों का विकास हुआ हो। क्रियार्थी संज्ञाओं में कुछ रूप ऐसे हैं जिनमें स्पष्टत: **ध्** विद्यमान है, उसे किसी अन्य ध्वनि का रूपान्तरण नहीं कहा जा सकता। सम्प्रदानकारक में प्रयुक्त होनेवाली क्रियार्थी संज्ञा का एक रूप **गमध्यै** (जाना), **चरध्यै** (चलना) जैसा होता है। मैकडनल के अनुसार ऐसे रूप अधिकतर 'ऋग्वेद' में हैं। इसका अर्थ यह है कि 'ऋग्वेद' की रचना के समय **ध्** वाले कुछ मूल रूप बचे हुए थे, अन्यत्र अल्पप्राण अघोष **त्** का ही साम्राज्य है। विभिन्न लकारों में क्रिया के साथ संयुक्त होने वाले अन्य और मध्यम पुरुष सर्वनामों के बारे में पहले जो कुछ कहा गया है, उसकी यहाँ पुष्टि होती है। यदि **गमध्यै** से **गन्तवै** जैसे रूप की तुलना की जाए तो दोनों की रचना-विधि समान है, यह विदित

होगा। दोनों ही क्रियार्थी संज्ञारूप हैं और सम्प्रदानकारक में हैं। **ध्** के साथ अन्तस्थ **य्** है जिसका व्यवहार मध्यदेश में अधिक होता है और **त्** वाले रूप में अन्तस्थ **व्** है जिसका व्यवहार उत्तर-पश्चिमी क्षेत्र में अधिक होता है। इसी उत्तर-पश्चिमी क्षेत्र में अल्पप्राणता का जोर अधिक है। **गन्तवै** की तुलना में **गमध्यै** रूप प्राचीन है।

उकारान्त रूपों के साथ इकारान्त संज्ञा रूपों का भी चलन था। **सद्** (बैठना) से संज्ञा रूप **निषदि** बना; उसमें करणकारक की विभक्ति **आ** अथवा **अ** लगाने पर **निषद्या, निषद्य** रूप बने। इसी प्रकार **नमस्कृति** में **अ** लगाने पर **नमस्कृत्य** जैसा रूप बना।

पूर्वकालिक क्रिया का एक रूप कर्मकारक में होता है। मैकडनल ने उदाहरण दिया है : **महानागम अभिसंसारम्** (महानाग के चारों ओर साथ दौड़ते हुए)। ऐसे प्रयोगों के बारे में मैकडनल ने लिखा है कि संहिताकाल में ऐसे संज्ञारूप पूर्वकालिक क्रिया का भाव व्यक्त न करते थे किन्तु आगे चलकर ब्राह्मणों और सूत्र ग्रंथों में उनसे बहुधा वैसा भाव व्यक्त किया जाने लगा। इससे विदित होता है कि क्रिया के स्थान पर संज्ञा रूपों का व्यवहार करने की प्रवृत्ति निरन्तर बढ़ रही थी।

**भुजे** (भोग करना), **भुवे** (होना) **दृशे** (देखना) क्रियार्थी संज्ञा रूप हैं और सम्प्रदानकारक में हैं। **दृशये, पीतये, पातवे** (पीना), **पातवइ,** ये रूप भी उसी कारक में हैं। **इत्यै** (जाना), **इयद्यै** (जाना) की तरह **सह्** (विजय प्राप्त करना) से **साढ्यै** रूप बनता है। **मन्, मान्** जैसे चिन्ह जोड़कर शुद्ध संज्ञा शब्द बनते हैं। **दा** क्रिया से **दामन्** रूप बना और फिर सम्प्रदानकारक में **दामिने** क्रियार्थी संज्ञा रूप रचा गया। इसके ग्रीक प्रतिरूप **दोमेनइ** (देना) में सम्प्रदानकारक की विभक्ति **अइ** विद्यमान है और वह **अय** का वैकल्पिक रूप है।

क्रियार्थी संज्ञाओं में कर्मकारक (या नपुंसक लिंग के कर्ताकारक) रूपों का चलन काफी है। **समिधम्** अर्थात् **जलाना, शुभम्** (अर्थात् चमकना)। **दातु, कर्तु** जैसे उकारान्त रूपों से **दातुम्** (देना), **कर्तुम्** (करना) जैसे क्रियार्थी संज्ञा रूप बने। **कर्तोः** (करना), **दातोः** (देना) सम्बन्धकारक में है। क्रियार्थी संज्ञा रूपों की इतनी माँग है कि किसी भी कारक का संज्ञा-रूप क्रिया-भाव की पूर्ति करता है।

संस्कृत में ऐसे कृदन्त-रूपों का बहुत चलन है जिनमें क्रिया भाव की प्रधानता है। इनमें अनेक का निर्माण **अत्, अन्त्** जैसे प्रत्यय लगाकर होता है, जैसे **भू** क्रिया से **भवन्त्**। यहाँ वर्तमानकाल की व्यंजना है। इसके साथ **भविष्यन्त्** रूप है जिसमें भविष्य काल की व्यंजना है। **पान्त्** (पीने वाली **पा** क्रिया से) अतीत काल की व्यंजना करता है। क्रियार्थी संज्ञा रूपों से काल व्यंजना नहीं होती; किन्तु विशेषण की भूमिका वाले कृदन्तों से काल-व्यंजना होती है। ऐसे क्रियार्थी विशेषकों की समृद्धि हिन्दी में नहीं है, तमिल में है। इसका कारण यह है कि जिस मूल भाषा से तमिल का विकास हुआ है, वह संस्कृत क्षेत्र के पड़ोस में बोली जाती थी और दोनों में एक

ही प्रवृत्ति काम कर रही थी। कालसूचक विशेषण भाव वाले कृदन्तों के सन्दर्भ में तमिल संस्कृत के बहुत समीप है; हिन्दी तिङन्त प्रधान प्राचीन मध्यदेशीय भाषा की प्रवृत्ति व्यंजित करती है। काल भेद सूचित करने के लिए हिन्दी में साधारणतः पूर्ण क्रिया का व्यवहार करना होगा, विशेषक से काम न चलेगा। इसी तरह पूर्वकालिक क्रिया के लिए हिन्दी में कारक रूपों का व्यवहार नहीं होता। **पढ़कर, लिखकर** जैसे पूर्वकालिक रूपों में **कर** विशुद्ध क्रिया है, कारक बन्धन से मुक्त। **करना, जाना** संज्ञा रूप हैं, यथा : उसका **जाना न होगा**; साथ ही वे आज्ञाभाव व्यक्त करनेवाले क्रिया-रूप हैं : **तुम जाना, तुम यह काम करना**। इस तरह के आज्ञा रूपों में भविष्य काल का बोध भी है। संस्कृत के क्रियार्थी संज्ञा रूपों से काल बोध नहीं होता। **करना, जाना** आदि रूपों में भविष्यकालीन भाव, संस्कृत से भिन्न, हिन्दी की अर्जित सम्पत्ति है।

कृदन्त-रूप बनाने में तमिल तथा आर्य भाषाओं में एक समानता यह है कि संस्कृत जैसे भूतकालिक कृदन्तों में **त** प्रत्यय का उपयोग करती है, वैसे ही तमिल क्रिया के भूतकालीन रूपों में इसी **त** या **द** प्रत्यय से काम लेती है। जैसे तमिल क्रिया **पार्** माने देखना। इसका अन्य पुरुष में भूतकालीन एकवचन रूप हुआ **पार्त्तान्**। **चॅय्** (करना) क्रिया का ऐसा ही रूप **चॅय्दान्**। यहाँ जो प्रक्रिया घटित हुई है, वह यह है कि मूल क्रिया के बाद **त** प्रत्यय लगाकर पुरुष-सूचक सर्वनाम-चिन्ह जोड़ा गया है। जब पूर्ण क्रिया के बदले केवल कृदन्त का व्यवहार करना हो तो सर्वनाम-चिन्ह की आवश्यकता न होगी, **चॅयद्** (क्रिया) काफी होगा। या तो तमिल और संस्कृत में कृदन्त प्रत्यय **त** का व्यवहार आकस्मिक समानता है या अन्य लक्षणों के समान इससे भी दो समुदायों की भाषाओं का सम्पर्क प्रमाणित होता है। आश्चर्य की बात यह है कि हिन्दी में **गतः** के स्थान पर **गया** का चलन हो गया किन्तु तमिल में **त** बना रहा।

अवधी तथा पूर्वी क्षेत्र की अन्य भाषाएँ कृदन्त-रूपों को, तिङन्त क्रियाओं के समान, पुरुष-सूचक चिन्हों के साथ मिलाकर कैसे काम में लाती हैं, इस बात पर ध्यान दें तो **त** के समानान्तर दो अन्य कृदन्त प्रत्ययों का ज्ञान होगा। ये प्रत्यय हैं **ह्** और **न्ह**। जायसी ने **कीन्ह, कीन्हेसि** रूपों का प्रयोग किया है। इनमें करने का अर्थ देनेवाली **की** क्रिया है। **कीन्हेसि** के साथ **किहिसि** रूप भी होता है। इसी प्रकार **दिहिसि** (दिया), **लिहिसि** (लिया) रूप हैं। अवधी में **लिहे** जैसे कृदन्त-रूप प्रचलित हैं। **लिहे जात है, लीन्हे जात है,** अर्थात् लिये जाता है। परिनिष्ठित हिन्दी का **लिये** इसी **लिहे** का रूपान्तर है। जैसे **गच्छति** से **गच्छहि** रूप सिद्ध नहीं होता, वैसे ही **लिहे, दिहे, किहे** आदि रूप **त** प्रत्यय जोड़कर बनाये गए शब्दों से सिद्ध नहीं होते। **कीन्हे, दीन्हे, लीन्हे रूप** भी न तो **त** प्रत्यय वाले शब्दों से, और न **न्त** प्रत्यय वाले शब्दों से, सिद्ध होते हैं। इनके लिए **त, न्त** के पूर्व रूपों **ध** और **न्ध** की कल्पना

करनी होगी। एक ओर संस्कृत और तमिल के **त** वाले रूप और दूसरी ओर अवधी के **ह्** और मानक हिन्दी के **य** वाले रूप—ये सब एक ही मूल प्रत्यय **ध** वाले रूपों से विकसित हुए हैं। रूप-रचना के विभिन्न क्षेत्रों में **ध्** की जो भूमिका है, उससे यही विदित होता है कि **ध** प्रत्यय मध्यदेशीय है, और **त** उसका उत्तर-पश्चिमी रूपान्तरण।

आधुनिक अवधी में पुराने **कीन्ह** रूप के **ह्** का लोप हो गया है और केवल **न** रह गया है। **हमार कीन न होई** अर्थात् **हमारे किए न होगा**। अनेक रूपों में इसी प्रकार महाप्राणता का लोप हुआ है। विचारणीय है कि संस्कृत में **पीन** रूप क्रिया में सीधे **न** प्रत्यय जोड़कर बना है या **पि** (फलना, स्थूल होना) में **न्ध** जोड़कर **पिन्ध,** उससे **पिन्ह** और फिर **पीन** रूप बना है। यदि अवधी के **कीन** (किया), **दीन** (दिया) आदि से उक्त कोटि के संस्कृत रूपों की कोई समानता है तो इनका सामान्य स्रोत होना चाहिए यह **न्ध** प्रत्यय।

तमिल में एक कृदन्त प्रत्यय **प** या **ब** है। इसका व्यवहार भविष्यकाल के लिए होता है। **पार्प्पान्** (उसने देखा), **चॅय्वान्** (वह करेगा)। मूल प्रत्यय **प** है जो कुछ क्रियाओं के साथ **व** रूप धारण करता है। जहाँ दो **प्** व्यंजन साथ होंगे, वहाँ उनका अघोष उच्चारण होगा। जहाँ अकेला **प्** होगा, वहाँ उसका उच्चारण सघोष होगा। जैसे **उण्** (भोजन करना), इसका भविष्यकाल हुआ **उण्बान्** (वह खाएगा)। **प** या **ब,** इस विषय-सूचक कृदन्त प्रत्यय को देखकर पूर्वी क्षेत्र की आर्य भाषाओं के भविष्य-सूचक **ब** प्रत्यय की याद आती है। या तो आर्य और द्रविड़ भाषाओं में यह समानता आकस्मिक है या उसका सामान्य स्रोत है। **करब, जाब** जैसे रूपों में **ब** का उद्गम संस्कृत का **तव्य** प्रत्यय माना गया है। जो **कर्तव्य** है, वह अवधी में **करब** हो गया है। यदि **करब** के **ब** का उद्भव **तव्य** से हो सकता है, तो तमिल के भविष्य-सूचक **प** का उद्भव इसी **तव्य** से क्यों न माना जाए? किन्तु अवधी में **ब** भविष्य-सूचक प्रत्यय ही नहीं है, वह क्रियार्थी संज्ञा बनाने का साधन भी है। **करबु, जाबु** क्रियार्थी संज्ञा रूप हैं। जैसे **करना, जाना** क्रियार्थी संज्ञा हैं और इनका व्यवहार भविष्यकाल की सूचना के लिए भी हो सकता है, वैसे ही **जाब, करब** भविष्यकालीन रूप हैं, संज्ञा सूचक **उ** जोड़ देने पर **जाबु, करबु** रूप में वे क्रियार्थी संज्ञा का काम करते हैं। यदि तमिल और आर्य भाषाओं के **प, ब** मूलतः एक हैं तो मूल प्रत्यय **तव्य** नहीं, **भ** होगा। संस्कृत में इस **भ** प्रत्यय का व्यवहार **ध** की अपेक्षा कम हुआ है, फिर भी कुछ शब्दों में उसे पहचाना जा सकता है। **प्रगल्भ** उसे कहते हैं जो बहुत बोलता है। इस शब्द में **प्र** उपसर्ग के बाद **गल्** क्रिया है जो **गद्** का रूपान्तर है। (इसी **गद्** से **गद्य** शब्द बना है। जो बोला जाए, वह **गद्य**।) **गल्भ** के समानान्तर सुपरिचित **गल्प** शब्द है। जो कहा जाए, वह **गल्प**। जहाँ **ग्** का तालव्यीकरण हुआ, वहाँ **जल्प** संज्ञा रूप बना जो क्रिया की तरह प्रयुक्त होने लगा। **प्रगल्भ** और **गल्प** के बीच की कड़ी **ब** वाली है जो पूर्वी आर्य भाषाओं में विद्यमान है।

तमिल में एक प्रत्यय **क** या **ग** भी है। इसका व्यवहार वर्तमान काल के रूपों में होता है। **पार्क्किरान्** (वह देखता है), **चॅय्गिरान्** (वह करता है); इन रूपों में पुरुष-सूचक प्रत्यय लगा है। पुरुष-सूचक चिन्ह लगाए बिना भी कृदन्त-रूपों का व्यवहार होता है, यथा : **पार्क्क** (देखना) क्रियार्थी संज्ञा रूप है। इसी प्रकार **पोग** (जाना), **चाग** (मरना), **वेग** (जलना, जलाना) क्रियार्थी संज्ञा रूप हैं। तमिल में **क** या **ग** कृदन्त प्रत्यय है, इसमें तो कोई सन्देह नहीं। प्रश्न यह है कि परिनिष्ठित हिन्दी के **जायगा, करेगा** का **गा** कृदन्त प्रत्यय है या नहीं। जो लोग आधुनिक आर्य भाषाओं का हर रूप संस्कृत से सिद्ध करते हैं, उन्होंने इस **गा** का आदि रूप **गतः** ढूँढ़ लिया है तो कोई आश्चर्य नहीं। **गा** और **गतः** में **ग** वर्ण सामान्य है, इसलिए **गा** से **गतः** को जोड़ देना कठिन कार्य नहीं है। थोड़ा-सा अर्थ-भेद है। **गतः** भूतकालीन रूप है और **जायगा** भविष्यकालीन। **गतः** से **गया** रूप बना, तब केवल **त्** का स्पर्श तत्त्व तिरोहित हुआ; जब **गतः** से **गा** बना, तब अन्तस्थ **य** भी तटस्थ हो गया! वह **गया** कहने से पूरा वाक्य बनता है, पूर्ण क्रिया का बोध होता है किन्तु वह **गा** कहने से जाने की क्रिया का बोध नहीं होता, न भविष्यकाल में जाने का, न भूत और वर्तमान में जाने का। ऐसी शंकाएँ आचार्य किशोरीदास वाजपेयी किया करते हैं, विश्वविद्यालयों के प्राध्यापकों ने बड़े परिश्रम से आर्य भाषाओं के विकास की जो सीढ़ियाँ बनाई हैं, उन्हें वे उलट-पुलट देते हैं। जैसे **गतः** का **त** कृदन्त प्रत्यय है, जैसे **करब** का **ब** कृदन्त प्रत्यय है, वैसे ही **जाऊँगा** का **गा** कृदन्त प्रत्यय है। 'हिन्दी शब्दानुशासन' में आचार्य वाजपेयी कहते हैं : "आज यह 'ग' एक कृदन्त प्रत्यय ही है—भविष्यत् प्रकट करने के लिए; वस्तुत: भविष्यत्—क्रिया की निष्पत्ति में निश्चिति प्रकट करने के लिए, 'गत:' भूतकाल की क्रिया से भविष्यत् के 'ग' प्रत्यय का क्या मेल?" (पृ. 429-430)

कहा जा सकता है कि हिन्दी का **ग** कृदन्त प्रत्यय मान लिया जाए, तो भी वह तमिल के **क** या **ग** से भिन्न है क्योंकि तमिल में वह वर्तमान काल का सूचक है, हिन्दी में भविष्य काल का। यहाँ क्रिया पद रचना से सम्बन्धित कुछ बातों की याद दिलाना प्रासंगिक होगा। संस्कृत में लकार भेद मूलत: काल-भेद व्यक्त नहीं करता, वह क्रिया की अवस्था व्यक्त करता है। कालभेद का विकास काफी बाद में हुआ है। जब यह विकास हुआ, तब मूल-भेद भूत और अभूत में किया गया। इस अभूत के अन्तर्गत वर्तमान और भविष्य, दोनों हैं। अंग्रेज़ी समेत अनेक भाषाओं में भविष्यकाल का अर्थबोध क्रिया के वर्तमान काल वाले रूप से भी होता है। द्रविड़ भाषा विशेषज्ञों का कहना है कि इन भाषाओं में क्रिया-रूपों द्वारा कालभेद की व्यंजना बहुत स्पष्ट नहीं होती और कुछ रूप ऐसे हैं जिनका उपयोग किसी भी काल के लिए हो सकता है। कृदन्त प्रत्यय पहले किसी काल विशेष से सम्बद्ध नहीं थे। विशेष सन्दर्भों में प्रयुक्त होने से उनके साथ काल विशेष का बोध जुड़ गया।

इन सब बातों के अलावा हिन्दी में **गा** प्रत्यय क्रिया के अर्थ को बल प्रदान करने के लिए भी होता है। जैसे आपने किसी से पूछा—**बाबूजी हैंगे?** और उत्तर मिला : **हैंगे।** यहाँ **गे** हैं की व्यंजना को पुष्ट कर रहा है, भविष्य से उसका कोई सम्बन्ध नहीं है। और कुछ लोग **हैगा** की तरह **थागा** जैसा प्रयोग भी करते हैं। वास्तव में यह **गा** निश्चिति-सूचक है, जैसा कि वाजपेयी जी ने कहा है। उसका प्रयोग भविष्य के लिए होता है और भविष्य से भिन्न अन्य प्रसंगों में भी होता है।

परिनिष्ठित हिन्दी के **गा** और पूर्वी क्षेत्र की आर्य भाषाओं के **ब**, दोनों कृदन्त प्रत्यय हैं किन्तु दोनों के व्यवहार में थोड़ा अन्तर है जिसका उल्लेख कर देना यहाँ उचित है। अवधी के **हम करिबे** वाक्य में **करिबे** क्रिया-रूप पुरुष-सूचक **ए** चिन्ह साथ लिये है। इसी तरह भोजपुरी में **देखबि** और **देखबे** क्रमशः उत्तम पुरुष और मध्यम पुरुष के एकवचन रूप हैं। **देखब** कृदन्त-रूप में पुरुष-सूचक चिन्ह जोड़े गए हैं। क्रिया में विशेषण भाव नहीं है, कृदन्त-रूप का उपयोग तिङन्त रूप के समान किया गया है। इसके विपरीत **जाऊँगा** और **जायगा**, परिनिष्ठित हिन्दी के इन उत्तम मध्यम पुरुषों के एकवचन रूपों में **गा** अपरिवर्तित रहता है, उससे पुरुष-बोध नहीं होता। यदि **गी** रूप हो तो लिंगभेद सूचित होगा। **जाऊँ** और **जाय** पूर्ण क्रिया-रूप हैं। उनका सम्बन्ध वर्तमान काल से था। **जाऊँ हूँ** के वजन पर **जाऊँगा, जाय है** के वजन पर **जायगा** रूप रचे गए। जैसे पूर्वी क्षेत्र की भाषाओं में कृदन्त-रूपों का तिङन्तीकरण होता है, वैसे ही पश्चिमी क्षेत्र की भाषाओं में तिङन्त रूप का कृदन्तीकरण हुआ है।

**ध** और **भ** के समान क्या यह कृदन्त प्रत्यय भी सघोष महाप्राण था? मेरा अनुमान है कि आर्य-द्रविड़ भाषाओं का कृदन्त प्रत्यय **ग** मूलतः **घ** था। जैसे तमिल **इंगे** (यहाँ) का पूर्व रूप **इंघे** बाँगरू में मिलता है, वैसे ही इस बात की पूर्ण सम्भावना है कि तमिल के **पोग** जैसे कृदन्त का पूर्व रूप **पोघ** रहा हो। संस्कृत **स्तम्भ** से हिन्दी क्रिया **थमना** का विकास हुआ, **स्तम्भ** के पूर्व रूप **स्तभ** से अंग्रेज़ी शब्द **स्टॉप्** बना जिसका अर्थ थमना, रोकना है। उसी **स्थ** या **स्त** धातु से तमिल-कन्नड़ **तंगु** क्रिया बनी जिसका अर्थ रुकना, ठहरना है। इसी का वैकल्पिक रूप कन्नड़ में **तग, तगॅ** है, तमिल में **तगइ** है; अर्थ है रोकना। **स्तम्भ** रूप के समानान्तर यहाँ **स्तंघ** रूप का चलन था; **स्तभ** के समानान्तर **स्तघ** का चलन था। **तग** और **तंगु** **स्तघ** और **स्तंघ** के रूपान्तर हैं। **पोग** का पूर्वरूप **पोघ** ही रहा हो, यह अनिवार्य नहीं है किन्तु सघोष महाप्राण ध्वनियों वाले प्रत्ययों की जैसी भूमिका प्राचीन आर्य भाषाओं में रही है, उसे देखते हुए इसकी सम्भावना काफी है।

भविष्य-सूचक कृदन्त-रूपों में **ग** और **ब** दो मुख्य प्रत्यय दिखाई देते हैं। जिन क्षेत्रों में इनका व्यवहार होता है, वे प्राचीन आर्य भाषाओं के भिन्न समुदायों की ओर संकेत करते हैं। **ग** का व्यवहार-क्षेत्र कोसल के उत्तर-पश्चिम में है। पंजाबी,

बाँगरू, ब्रज, बुन्देलखंडी तक इसका प्रसार है। कनौजी में इसका प्रवेश नहीं हो पाया। अवधी और उसकी छत्तीसगढ़ी, बघेली, बैसवाड़ी आदि शाखाओं से लेकर मगही और मैथिली तक कहीं इसका व्यवहार नहीं होता। प्राचीन काल में **घ्, ध्, भ्** के जिन तीन विकास क्षेत्रों की यहाँ कल्पना की गई है, वह **ग** (मूलतः **घ**) प्रत्यय के व्यवहार-क्षेत्र से पुष्ट होती है। उधर **ब** वाले कृदन्त का व्यवहार-क्षेत्र देखें तो वह पंजाबी, बाँगरू और परिनिष्ठित हिन्दी में अप्राप्य है। ब्रजभाषा के कुछ रूपों में उसके दर्शन होते हैं। अवधी के बैसवाड़ी रूप में क्रियार्थी संज्ञा के अलावा भविष्य काल की सूचना के लिए उसका प्रयोग केवल उत्तम पुरुष के बहुवचन रूप में होता है : **हम जाब, हम पढ़ब,** किन्तु **मैं जइहौं, मैं पढ़िहौं**। **ब** वाले रूपों का ऐसा ही सीमित व्यवहार छत्तीस गढ़ी में होता है किन्तु बघेली में उसका बिलकुल व्यवहार नहीं होता। ध्वनितंत्र और रूपतंत्र, दोनों की दृष्टि से अवधी के पुराने रूप बघेली में अधिक सुरक्षित हैं। भविष्य काल में उत्तम, मध्यम या अन्य, किसी भी पुरुष के लिए **ब** वाले रूप का प्रयोग उसमें नहीं होता। इससे अनुमान होता है कि कोसल की पुरानी भाषा में **ब** वाले कृदन्त प्रत्यय का व्यवहार न होता था। अवधी के प्रभाव से ब्रज, बुन्देलखंडी आदि में इसका आंशिक चलन है। पहले वहाँ इसका चलन न था। अवधी की अपेक्षा भोजपुरी में इसका व्यवहार अधिक होता है। उत्तम और मध्यम, दोनों पुरुषों के लिए भविष्य-सूचक क्रिया-रूपों में इसका चलन है। अन्य पुरुष में इसका प्रवेश नहीं हुआ। ऐसा बहुधा देखने में आया है कि अन्य पुरुष वाले क्रिया-रूप ही भाषा की प्राचीन प्रवृत्ति सर्वाधिक दरसाते हैं। भोजपुरी में अन्य पुरुष के अलावा उत्तम मध्यम पुरुषों में जहाँ **ब** वाले कृदन्त-रूपों का व्यवहार होता है, वहाँ दूसरे रूपों का भी चलन है जिनमें इस **ब** का अभाव है। मेरी समझ में ये दूसरे रूप अधिक प्राचीन हैं किन्तु यदि उन्हें अधिक प्राचीन न माना जाए तो भी यह स्पष्ट है कि भोजपुरी के क्रिया-रूपों में **ब** वाले कृदन्त-रूपों का एकच्छत्र आधिपत्य नहीं है। यही स्थिति मगही और मैथिली की है। इससे भिन्न स्थिति बंगला, असमिया और उड़िया की है। क्रियार्थी संज्ञा के अलावा भविष्य काल के लिए तीनों पुरुषों में इस **ब** वाले रूपों का व्यवहार होता है। ब्रज से अवध होते हुए जैसे-जैसे पूरब को बढ़ते हैं, वैसे-वैसे **ब** वाले कृदन्त अधिक प्रयोग में आते दिखाई देते हैं। आश्चर्य की बात है कि **तव्य** प्रत्यय का उपयोग पंजाबी और बाँगरू के क्षेत्रों में न हुआ और पूर्वी क्षेत्रों में अधिक हुआ! यह **ब** मगध की देन है जो सघोष महाप्राण **भ्** की मूल भूमि था। पुरानी मागधी भाषा की अनेक विशेषताएँ वर्तमान मगध से हटकर बंगाल में पहुँच गई हैं। मगध में पहले तालव्य **श्** की प्रधानता थी, अब यह प्रधानता बंगाल में है (किन्तु असम और उड़ीसा में नहीं है)। उसी तरह **ब** वाला कृदन्त प्रत्यय पहले मगही में प्रयुक्त होता था, फिर वहाँ उसका प्रयोग सीमित हुआ और उसकी प्रधानता बंगाल में बच रही।

हिन्दी की एक विशेषता संयुक्त क्रियाओं का प्रयोग है। क्रिया-भाव-प्रधान कृदन्त-रूपों पर विचार करते हुए इन संयुक्त क्रियाओं की चर्चा प्रासंगिक है। कारण यह है कि संयुक्त क्रियाएँ दो समानधर्मा क्रियाओं का मेल नहीं है वरन् उनमें पहली हमेशा कृदन्त होती है और दूसरी क्रिया कृदन्त हो सकती है, नहीं भी हो सकती है। **उसने किताब पढ़ डाली**, इस वाक्य में **पढ़** रूप पूर्वकालिक कृदन्त है और **डालो** भूतकालिक कृदन्त। यह वाक्य अवधी में होगा—**वहु किताब पढ़ि डारॅसि**; यहाँ **पढ़ि** रूप पूर्वकालिक कृदन्त है, यह तथ्य और भी स्पष्ट है। **डारॅसि** रूप कृदन्त-रूप का तिङन्तीकरण है। पूर्वकालिक के अलावा अन्य कृदन्त-रूपों का व्यवहार भी संयुक्त क्रियाओं में होता है, यथा : **कहे जाओ, सुने जाओ**, और **कहते जाओ, सुनते जाओ**। इस तरह की संयुक्त क्रियाओं की एक विशेषता यह है कि जो क्रिया बाद में आती है, वह रूप-रचना की दृष्टि से प्रधान दिखाई देती है किन्तु अर्थ की दृष्टि से पहली क्रिया प्रधान होती है। **बैठ जाओ** में बैठने का भाव प्रधान है, जाने का नहीं। ये बाद वाली क्रियाएँ प्रायः अपना मूल अर्थ खोकर सहायक क्रियाओं का काम करती हैं और पहली क्रिया की अवस्था बताती हैं, कहीं उसकी निरन्तरता—**वह खाता चला गया**, कहीं उसका अकस्मात् घटित होना—**वह हँस पड़ा** कहीं उसकी पूर्णता—**उसने किताब पढ़ डाली**। पहली क्रिया सदा कृदन्त-रूप होती है। कृदन्तों के निरन्तर बढ़ते हुए व्यवहार का यह आवश्यक परिणाम था कि जिस कृदन्त का व्यवहार पहले हो, वह पूरी क्रियापद-रचना पर हावी हो जाए।

हिन्दी और संस्कृत में रूपतंत्र को लेकर जैसा अन्तर ऊपर से दिखाई देता है, वैसा वह वास्तव में है नहीं। अति प्राचीन काल से आर्य भाषाओं में वाक्यतंत्र की दो भिन्न पद्धतियाँ क्रियाशील रही हैं : एक वह जिसमें विधेय प्रधान होता है, वाक्य में पहले आता है। दूसरी वह जिसमें उद्देश्य प्रधान होता है और वाक्य में पहले आता है। वाक्यतंत्र की इन पद्धतियों का गहरा सम्बन्धकारक-रचना और क्रियापद रचना, दोनों से है। पहली पद्धति अधिक प्राचीन है, इस अर्थ में अधिक प्राचीन है कि वैदिक भाषा के निर्माण में पहली निर्णायक भूमिका उसी की है। इस पद्धति का मूल केन्द्र मध्यदेश तथा मागधी भाषाओं का क्षेत्र था। दूसरी पद्धति ने संस्कृत तथा अन्य आर्य भाषाओं का बाद में प्रभावित करना शुरू किया किन्तु यह प्रभाव निरन्तर शक्तिशाली होता गया। इसका मुख्य केन्द्र कौरवी भाषा-समुदाय का क्षेत्र था। पहली पद्धति में सर्वनामों का भूमिका अतिशय महत्त्वपूर्ण थी, नाम शब्द के पीछे सर्वनाम-चिन्ह लगाकर उसकी निश्चित स्थिति का बोध कराया जाता था। सर्वनाम-मूलों में वस्तु-व्यक्ति-देशकालवाचक प्रत्यय जोड़कर सम्बन्धक शब्द बनाए गए। ऐसे शब्द स्वतंत्र थे और कारक-रचना में मूल नाम शब्द के पीछे आते थे। लिंग-वचन-भेद से इनका कोई सम्बन्धन था। यही स्वतंत्र सम्बन्धक शब्द और उनके अवशिष्ट चिन्ह संस्कृत की विभक्तियाँ बने। सम्बन्धकों के अलावा सर्वनामों

अथवा सर्वनाम-चिन्हों से भी विभक्तियों का काम लिया गया। इसके साथ दूसरी पद्धति भी सक्रिय थी। यह पद्धति मूल शब्द के बाद निर्देशक सर्वनाम न जोड़ती थी, वह उक्ति के पूरे सन्दर्भ से कारक रूप पहचानती थी, शब्द के साथ कारक-चिन्ह **न** जोड़ती थी। यह दूसरी पद्धति निरन्तर शक्तिशाली होती गई। इसलिए आधुनिक आर्य भाषाएँ संस्कृत की अपेक्षा कारक-रचना में विभक्तियों के बन्धन से अधिक मुक्त हैं। किन्तु संस्कृत कभी भी पूर्णत: विभक्तियों से बँधी हुई नहीं थी, अत: वह कभी भी पूर्णत: संश्लिष्ट भाषा नहीं थी। इसी प्रकार आधुनिक आर्य भाषाएँ पूर्णत: विभक्तियों के बन्धन से मुक्त नहीं हैं, अत: वे पूर्णत: विश्लिष्ट नहीं हैं।

क्रियापद रचना में पुरुषभेद सूचित करने के लिए सर्वनाम-चिन्ह जोड़े जाते थे। यह मध्यदेशीय भाषा-समुदाय की पुरानी पद्धति थी। क्रिया-रूप न कालभेद सूचित करते थे, न लिंग-भेद; वे मुख्यत: क्रिया की अवस्था सूचित करते थे। कृदन्तों के प्रसार का केन्द्र कौरवी भाषा-समुदाय का क्षेत्र था। जब भूत और अभूत का मुख्य काल-भेद स्थापित हुआ, तब क्रिया-रूप वर्तमान, भविष्य आदि अनेक प्रकार के काल-भेद सूचित करने लगे। कृदन्त-रूप पुरुष भेद से मुक्त थे; वे लिंग-वचन-काल भेद सूचित करते थे। भूतकाल की सूचना के लिए कृदन्तों का व्यवहार अधिक हुआ क्योंकि तिङन्त रूप भूत-अभूत का भेद प्रकट न करते थे। पुराने तिङन्त रूपों का उपयोग भूत से इतर कालों की व्यंजना के लिए अधिक किया जाने लगा। कारक-रचना की तरह क्रियापद रचना में भी सर्वनाम-चिन्हों से मुक्त, पुरुष-भेद-ज्ञापन की अनिवार्यता से स्वतंत्र, क्रिया-रूप प्राचीन काल से यहाँ व्यवहार में आते रहे हैं। आधुनिक आर्य भाषाओं में न तो सर्वत्र कृदन्तों का व्यवहार है, न सर्वत्र तिङन्तों का। उत्तर-पश्चिमी क्षेत्र में तिङन्तों का कृदन्तीकरण हुआ है और मध्यदेशीय तथा पूर्वी क्षेत्र में कृदन्तों का तिङन्तीकरण। इसके साथ इन आर्य भाषाओं ने क्रियापद रचना में नई अभिव्यंजना क्षमता का विकास भी किया है।

यह सारी विकास-प्रक्रिया मूलत: प्राचीन आर्य भाषाओं की अपनी विकास-प्रक्रिया है, वैसी प्रक्रिया इंडो-यूरोपियन परिवार की आधुनिक अभारतीय भाषाओं में भी घटित हुई है। यह प्रक्रिया अपभ्रंश के आधार पर विवेचित नहीं हो सकती, न आधुनिक आर्य भाषाओं के मानक रूपों पर ध्यान केन्द्रित कर लेने से उसका विवेचन सम्भव है। जनपदीय भाषाओं में उक्त ऐतिहासिक विकास-प्रक्रिया के अनेक तत्त्व सुरक्षित हैं। रूपतंत्र के विवेचन में इनका उल्लेख जहाँ-तहाँ हो चुका है। यहाँ कुछ जनपदीय भाषाओं पर अलग से विचार करना लाभदायी होगा।

## 4

# आर्य भाषा-केन्द्र और हिन्दी जनपद

### 1. मगध

#### *(क) मगही और मागधी भाषा-समुदाय*

हिन्दी प्रदेश की जनपदीय भाषाओं पर अलग से विचार करने पर प्राचीन भाषा-परिवारों के बारे में कुछ नवीन सामग्री प्राप्त हो सकती है तथा इनके और हिन्दी के विकास के बारे में कुछ नई बातें मालूम हो सकती हैं। ये जनपदीय भाषाएँ शताब्दियों से एक दूसरे को प्रभावित करती रही हैं। जिस रूप में वे आज हैं, उसी रूप में वे सदा से नहीं रही हैं। प्राचीन गण-भाषाओं से इनका सम्बन्ध रहा है। ये गण-भाषाएँ सैकड़ों वर्ष तक एक दूसरे को प्रभावित करती रही हैं, परिवर्तित और विकसित होती रही हैं, अन्य भाषा-परिवारों से तत्त्व लेती रही हैं, उन्हें देती रही हैं। इस प्रकार भाषाओं के विकास की प्रक्रिया बहुत पेचीदा है और यह प्रक्रिया तब और भी उलझन में डालनेवाली हो जाती है जब हम इस बात पर ध्यान देते हैं कि कोई भी जनपदीय भाषा अनेक बोलियों का समूह है, और इन बोलियों में शब्द-भंडार की ही नहीं, व्याकरण और ध्वनि-तंत्र की भी काफी विभिन्नता है। जब हम प्राचीन गण-भाषाओं की बात करते हैं, तब हमें यह न भूलना चाहिए कि ये गण-भाषाएँ भी बोलियों का समूह थीं, भले ही तब बोलियों की वैसी विविधता न रही हो, जैसी आज है। तब गण-समाज बाद के जनपदीय समाजों की अपेक्षा छोटे होते थे। फिर भी भारत के पूर्वी अंचल में जहाँ नाग भाषाएँ बोली जाती हैं, वहाँ एक गाँव से दूसरे गाँव में बोली की जो भिन्नता आज भी दिखाई देती है, उसे ध्यान में रखना चाहिए। कभी-कभी एक गण-समाज अपनी भाषा के अलावा किसी दूसरे प्रमुख गण-समाज की भाषा सीख लेता है, उसके तत्त्व अपनी भाषा में मिलाता है या अपनी भाषा छोड़कर वह दूसरी गण-भाषा ही स्वीकार कर लेता है। ऐसी स्थिति भारत के गण-समाजों या आर्थिक दृष्टि से पिछड़ी हुई जातियों में आज भी दिखाई देती है। ऐसी बातें पुराने समय में भी हुई थीं, इसके अनेक संकेत मिलते हैं। इतना सब होने पर भी प्राचीन गण-समाजों की भाषाओं की कुछ विशेषताएँ पहचानी जा

सकती हैं। जनपदीय भाषाओं से उन प्राचीन भाषाओं का सम्बन्ध जोड़ा जा सकता है। स्थिति की पेचीदगी के बारे में जो कुछ कहा गया है, उसका आशय केवल इतना है कि तथ्यों और निष्कर्षों को निरपेक्ष रूप से सत्य न माना जाए, वे सापेक्ष रूप में ही सही हो सकते हैं; जहाँ किसी एक भाषा का उल्लेख है, वहाँ भाषाओं या बोलियों का समुदाय है—और यह समुदाय स्थिर और जड़ नहीं है, प्रवहमान और परिवर्तनशील है—ऐसा समझना चाहिए।

सबसे पहले मगही के बारे में विचार करेंगे।

प्राचीन मगध भारत का एक शक्तिशाली गण-राज्य था, यह पौराणिक परम्परा का विख्यात तथ्य है। अशोक और उनके बाद मगध का जो अभ्युदय हुआ, वह आकस्मिक नहीं था, उसके पहले एक सुदीर्घ ऐतिहासिक विकास-प्रक्रिया पूरी हो चुकी थी। वैदिक संस्कृति का केन्द्र उत्तर-पश्चिमी भारत में था और भारतीय समाज के विकास में इस संस्कृति के वाहकों का अन्यतम योगदान था। संस्कृत भाषा मूलत: इसी संस्कृति का माध्यम थी। इस कारण मगध की प्राचीन गण-भाषा के अलग से न तो कोई अभिलेख प्राप्त हैं और न उसका संस्कृत के समानान्तर स्वतंत्र भाषा के रूप में अलग से उल्लेख है। इससे यह न समझना चाहिए कि उसका अस्तित्व ही न था। जिसे मागधी प्राकृत कहते हैं, वह प्राचीन गण-भाषा की कुछ विशेषताओं की झलक भर दिखाती है; अशोक के शिला-लेखों में भाषा के जो रूप मिलते हैं, वे भी प्राचीन गण-भाषा के रूप नहीं हैं। अन्य प्राकृतों के समान मागधी प्राकृत भी संस्कृत का रूपान्तर है और यह रूपान्तर सबसे अधिक ध्वनितंत्र को लेकर है। सौभाग्य से संस्कृत ऐसी भाषा है जिसने अनेक गण-भाषाओं के विविध तत्त्व अपने भीतर समेट लिये हैं, अपनी क्षेत्रीय विशेषता की रक्षा करते हुए वह अनेक आर्य गण-भाषाओं के तत्त्वों का समन्वय प्रस्तुत करती है और इन तत्त्वों को पहचाना जा सकता है। इस कार्य में हिन्दी प्रदेश की जनपदीय भाषाओं की वर्तमान स्थिति से सहायता मिलती है।

बनारस से लेकर असम तक ह्रस्व **अ** का उच्चारण वृत्ताकार होता है। जितना ही पूर्व की ओर चलते हैं, उतना ही यह प्रवृत्ति और स्पष्ट होती जाती है। बहुत-से लोग समझते हैं कि इस समूचे पूर्वी प्रदेश में पहले ह्रस्व **अ** का वैसा ही उच्चारण होता था जैसा संस्कृत-पद्धति से शुद्ध माना जाता है। किसी ने इस बात की व्याख्या नहीं की कि इतने विशाल प्रदेश में वह शुद्ध उच्चारण अचानक गायब क्यों हो गया और उसकी जगह वृत्ताकार उच्चारण का चलन क्यों हो गया। किसी भी भाषा-समुदाय के ध्वनि-तंत्र में ऐसे परिवर्तन अकारण अकस्मात् नहीं होते। मेरा कहना है कि इस प्रदेश की भाषाओं में कभी ह्रस्व **अ** का उच्चारण संस्कृत-पद्धति से होता ही न था, यहाँ की गण-भाषाओं में ह्रस्व ओकार अथवा औकार का ही प्राधान्य था। भारत की प्राचीन गण-भाषाओं की विशेषताएँ भारत के बाहर भी मिलती हैं। यह वृत्ताकार उच्चारण ईरान में बोली जानेवाली आधुनिक फ़ारसी में है। भारत में जो लोग फ़ारसी

लिखते पढ़ते आए हैं, वे इस मामले में संस्कृत-पद्धति का अनुसरण करते हैं; ईरान में फ़ारसी बोलचाल की भाषा है, वहाँ अति प्राचीन काल से चली आती हुई वृत्ताकार उच्चारण-पद्धति अभी तक बनी हुई है। दक्षिणी **स्लाव** भाषाएँ फ़ारसी की पड़ोसी हैं और उनमें भी उच्चारण की यह विशेषता विद्यमान है। संस्कृत के लिए जो अकार है, वह भारतीय प्राच्य भाषाओं, फ़ारसी और दक्षिणी स्लाव भाषाओं के लिए ओकार-औकार है। भारत के पश्चिमी क्षेत्र में ऐसी ही प्रवृत्ति कोंकण की भाषा में है। यह नहीं कहा जा सकता कि अकस्मात् भारत के भीतर और बाहर ह्रस्व **अ** का लोप हो गया और लोगों ने उस स्वर को वृत्ताकार रूप दे दिया। इंडो-यूरोपियन आदि-भाषा में कहीं इस वृत्ताकार उच्चारण का अस्तित्व नहीं माना गया पर यह अवश्य कहा गया है कि यूरोप की भाषाओं में जहाँ मूल ओकार-एकार हैं, वहाँ संस्कृत में अकार है। इससे इतना तो सिद्ध होता ही है कि इंडो-यूरोपियन समुदाय में **अ, अॅ, ऑ**—इन तीन स्वरों के उच्चारण को लेकर भेद था। यह भेद भारत में आज भी विद्यमान है। अवधी शब्द **बहिनी** का गुजराती रूप **बेन** और बंगला रूप **बोन** इस तथ्य के साक्षी हैं। जैसे यह कहा जाता है कि इंडो-यूरोपियन एकार-ओकार संस्कृत में अकार हो गए, वैसे ही यह भी कहा जा सकता है कि संस्कृत का अकार यूरोप की भाषाओं में जहाँ-तहाँ एकार-ओकार हो गया। जो लोग यह मानते हैं कि समस्त आधुनिक आर्य भाषाएँ संस्कृत से उत्पन्न हुई हैं, उन्हें इस प्रश्न का उत्तर देना चाहिए कि प्राच्य भाषाओं में अकार का उच्चारण वृत्ताकार कैसे हो गया? बहुत-सी समस्याओं का समाधान कोल, द्रविड़ आदि आर्येतर भाषाओं के प्रभाव के उल्लेख से कर दिया जाता है किन्तु दुर्भाग्य से यह ओकारवादी पद्धति न तो कोल भाषाओं की विशेषता है, न द्रविड़ भाषाओं की। इन्हीं दो समुदायों को आदिवासी माना जाता है। नाग-भाषा-समुदाय में भी यह विशेषता नहीं है। जहाँ इन भाषाओं में ऐसा उच्चारण मिलता है, वहाँ उसकी परिधि सीमित है; वह उधार लिये हुए शब्दों में देखा जाता है और पड़ोसी प्राच्य समुदाय की आर्य भाषाओं के प्रभाव का स्पष्ट परिणाम है। अत: यह स्वीकार करना होगा कि प्राचीन काल से यहाँ दो आर्य भाषा-समुदाय ऐसे थे जिनमें अकार-ओकार का उच्चारण-भेद था। यह मान लेने पर न केवल भारतीय भाषाओं की स्थिति स्पष्ट हो जाती है वरन् इंडो-यूरोपियन समुदाय में **अ, अॅ, ऑ** स्वरों का समीकरण भी समझ में आने लगता है।

ओकार के अलावा एकार की भी समस्या है। मागधी प्राकृत की परम्परा में इस विशेषता का उल्लेख है। संस्कृत शब्दों के अकार के स्थान पर मागधी में बहुधा एकार दिखाई देता है। वास्तव में यह प्राच्य भाषाओं की मूल पद्धति नहीं है। मूल पद्धति ओकार-औकार बोलने की है। एकार-ऐकार बोलने की प्रणाली पश्चिमी प्रदेश की है। ककहरा पढ़ते समय पछाँह के लोग **कै-खै-गै-घै** बोलते हैं, पूरब के लोग **कौ-खौ-गौ-घौ** बोलते हैं, मध्यदेश या कोसल के लोग **का-खा-गा-घा**

बोलते हैं। संस्कृत **शत** का हिन्दी प्रतिरूप **सौ** प्राच्य पद्धति वाला रूप है; **सैकड़ा** का **सै** पश्चिमी पद्धति वाला रूप है, अवधी में **सौ** और **सै** दोनों रूपों का चलन है। संस्कृत **षष** का प्रतिरूप **छह** पूरब में **छौ**, पछाँह में **छै**, अवध में **छा** बोला जाता है। परिनिष्ठित हिन्दी में ऐकार वाला **छै** उच्चारुण स्वीकृत है, भले ही लिखित रूप **छह** हो। परिनिष्ठित हिन्दी में **शत** का प्रतिरूप **सौ** ही स्वीकृत है, यह प्राच्य भाषा-समुदाय के प्रभाव का परिणाम है।

देखना चाहिए कि मागधी में एकार संस्कृत अकार का स्थान क्यों लेने लगा। यह एक कल्पित और कृत्रिम ध्वनि परिवर्तन नहीं है। बंगला के बहुत-से शब्दों में यह एकारवादी प्रवृत्ति झलकती है। मगही, अवधी आदि भाषाओं में बहुत जगह इसी प्रवृत्ति के दर्शन होते हैं। कभी-कभी तो परिनिष्ठित हिन्दी में अकार है किन्तु पूर्वी बोलियों में एकार है, यथा : हिन्दी वाक्य **डरता है** का अवधी रूप होगा **डॅरात है**। एकार का यह व्यवहार पूर्वी भाषाओं पर पश्चिमी भाषाओं के प्रभाव के कारण है। मागधी प्राकृत के सन्दर्भ में उसका उल्लेख होने से यह भ्रम न होना चाहिए कि वह पूर्वी भाषाओं की मूल प्रवृत्ति का द्योतक है। प्राकृतों में कहाँ वास्तविक प्रादेशिक ध्वनि-प्रवृत्तियाँ झलकती हैं, इसे परखने में एक सीमा तक आधुनिक भाषाओं से सहायता मिलती है। **छह** के तीन प्रकार के उच्चारण आज भी तीन क्षेत्रों में मिलते हैं। इनमें वृत्ताकार उच्चारण पूर्वी क्षेत्र की विशेषता है। प्राचीन गण-भाषाओं और उनके बाद जनपदीय भाषाओं ने एक दूसरे को इतना प्रभावित किया है कि एक क्षेत्र की मूल प्रवृत्ति अंशत: दूसरे में स्वीकृत हो गई है। संस्कृत में मगध की गण-भाषा का प्रभाव सन्धि रूपों में स्वीकृत है। **रामः** के बाद **अपि** आए तो विसर्ग ओकार में बदल जाएँगे और अकार का लोप हो जाएगा। दोनों शब्दों की सन्धि होने पर **रामोपि** रूप बनेगा। इसी प्रकार **कः** और **अपि** का संयोग होने पर **कोपि** रूप बनता है। यदि हिन्दी **कोई** इसी **कोपि** का विकास है तो यह शब्द हिन्दी को मागधी परम्परा की देन है। **रामोपि, कोपि** आदि रूपों के निर्माण में वही प्रक्रिया घटित होती है जो **बहन** के **बोन** रूप धारण करने में घटित होती है। सघोष महाप्राण **ह्** जब अघोष बनता है तब लिखित रूप में उसकी ध्वनि विसर्गों द्वारा व्यक्त की जाती है। **बोन** रूप में महाप्राणता और भी क्षीण हो जाती है, वह पूर्ववर्ती अकार को ओकार रूप देने के बाद तिरोहित हो जाती है, और अपने साथ **ह्** वर्ण के अकार को भी ले जाती है। इसके समानान्तर गुजराती के **बेन** रूप में मिलती-जुलती प्रक्रिया घटित होती है। यहाँ **ह्** की महाप्राणता पूर्ववर्ती अकार को एकार में बदलती है। इससे विदित होता है कि संस्कृत में सन्धि के नियम वैयाकरणों की कल्पना नहीं हैं, वे गण-भाषाओं की वास्तविक ध्वनि-प्रवृत्तियों के आधार पर बने हैं।

संस्कृत में ऐसे अनेक शब्द हैं जिनके एक रूप में स्वर ह्रस्व है और दूसरे में दीर्घ है, यथा : **उषा** और **ऊषा**। इसका कारण यह प्रतीत होता है कि कुछ गण-

भाषाओं में स्वर की लघुता और गुरुता अर्थ-विच्छेदक नहीं थी। यदि वर्तमान पूर्वी आर्य भाषाओं के ध्वनितंत्र पर ध्यान दिया जाए तो विदित होगा कि वहाँ परिनिष्ठित हिन्दी या संस्कृत शब्दों के उच्चारण में भी स्वर के ह्रस्व-दीर्घ भेद का बहुत ध्यान नहीं रखा जाता। मिथिला तक की पूर्वी भाषाओं पर कोसल तथा पश्चिमी जनपदों की भाषाओं का बड़ा गहरा प्रभाव पड़ा है। इस कारण ध्वनि-तंत्र की अनेक मूल विशेषताएँ बंगला आदि पूर्वी छोर की भाषाओं में सुरक्षित हैं। ह्रस्व -दीर्घ स्वरों का भेद कोसल-कुरु जनपदों की देन है। वह अब बंगला आदि धुर पूर्वी भाषाओं को भी प्रभावित करता है। फिर भी सामान्य उच्चारण में ह्रस्व-दीर्घ का बहुत ध्यान नहीं रखा जाता। इसका एक महत्त्वपूर्ण कारण यह है कि मैथिली, मगही आदि की अपेक्षा बंगला में बलाघात अधिक स्पष्ट सुनाई देता है। वाक्य की लय से भिन्न यह शब्द पर आधारित है और शब्दों के रूप को ही बदल देता है, जैसे—**हवालात** बंगला में **हाओलात** हो जाता है। शब्द के आदि वर्ण पर बलाघात की प्रवृत्ति भोजपुरी, मगही, मैथिली में भी है किन्तु बंगला की अपेक्षा वह क्षीण है। जो लोग कोसल की भाषा को मागधी या अर्द्ध-मागधी से जोड़ते हैं, वे बलाघात की भिन्नता पर ध्यान दें। अवधी आदि-वर्ण पर बलाघात पसन्द नहीं करती, इसलिए आदि-वर्ण का दीर्घ स्वर ह्रस्व हो जाता है और कभी-कभी उसका लोप भी हो जाता है। **एक** से विशेषण बनता है **एकला,** ठीक **पहला** की तरह। मराठी और बंगला, दोनों में आदि वर्ण पर आघात के कारण दीर्घ एकार सुरक्षित है। (बंगला में ऐकार रूप में), किन्तु हिन्दी में इसका रूप है—**अकेला**। दूसरे वर्ण पर आघात होने से प्रथम वर्ण की दीर्घता दूसरे वर्ण में आ गई। इसी प्रकार **एकादश** का विकास **एगारह** रूप में हुआ। भोजपुरी से लेकर बंगला तक एकार सुरक्षित है किन्तु परिनिष्ठित हिन्दी में **ग्यारह** रूप स्वीकृत हुआ। यहाँ आदि वर्ण का दीर्घ स्वर ह्रस्व ही नहीं हुआ वरन् उसका लोप हो गया। बंगला रूप में अन्तिम वर्ण **ओ** में बदल गया, अवधी रूप में **ह्** के स्थान पर **आ** बोला गया, **एगारो** के समानान्तर **ग्यारा** रूप का चलन हुआ। कोसली और अन्य पूर्वी बोलियों के ध्वनि-तंत्र का भेद यहाँ स्पष्ट हो जाता है।

जो भाषाएँ ह्रस्व-दीर्घ स्वरों के भेद को महत्त्वपूर्ण नहीं मानतीं, उनकी छन्द रचना में मात्रा की अपेक्षा वर्णों का महत्त्व होता है। संस्कृत-छन्दरचना वर्णप्रधान है। इसके विपरीत अवधी, ब्रजभाषा, आधुनिक हिन्दी की छन्द-रचना में मात्रा-विचार मुख्य है। बंगला आदि पूर्वी भाषाओं में अब भी वर्णप्रधान छन्द-रचना का चलन है। उस प्रवृत्ति का एक स्मारक हिन्दी में लोकप्रिय कवित्त है। वैदिक छन्दों में वर्णगणना प्रधान है। बाद के गणात्मक छन्दों में वर्ण-महत्त्व के साथ मात्रा-महत्त्व स्वीकार किया गया है। गणात्मक छन्द दो भिन्न प्रवृत्तियों का समन्वय प्रस्तुत करते हैं। संस्कृत महाकाव्यों के अनुष्टुप् में वर्णगणना प्रधान है, वर्णों की लघुता-दीर्घता की भूमिका गौण है। गीतों के लिए मात्रिक छन्दों का व्यवहार बहुत समय से होता

रहा था। अपभ्रंश पदों के अलावा उसी परम्परा से प्रभावित होकर जयदेव ने संस्कृत में 'गीत-गोविन्द' की रचना मात्रिक छन्दों में की। ऐसे गीतों की प्रमुख भूमि शूरसेन जनपद था। ब्रज गीतों की परम्परा मिथिला तक प्रबल रही और मैथिली ने पड़ोसी भाषाओं को प्रभावित किया। इस प्रकार पूर्वी और मध्यदेशीय भाषाएँ शब्द-रचना से लेकर छन्द-रचना तक भाषा के विभिन्न स्तरों पर एक दूसरे को प्रभावित करती रही हैं।

यूरोप की भाषाओं में एक समुदाय ऐसा है जो शब्दबद्ध बलाघात को अधिक महत्त्व देता है। इस समुदाय में जर्मन, स्लाव समुदायों की भाषाएँ हैं। इनकी यह प्रवृत्ति बंगला आदि आधुनिक आर्य भाषाओं से मिलती-जुलती है। दूसरा समुदाय फ्रांसीसी, स्पेनी, इतालवी आदि भाषाओं का है। यह वर्ग अवधी, ब्रज, आधुनिक हिन्दी आदि के समान बलाघात को उतना महत्त्वपूर्ण नहीं मानता। यूरोप की भाषाओं का उक्त भेद मगध और मध्यदेश की प्राचीन भाषाओं के भेद से मिलता-जुलता है। भारत में मध्य देश के ध्वनितंत्र ने पड़ोसी भाषाओं को अधिक प्रभावित किया है, यूरोप में दोनों समुदायों के बीच ध्वनितंत्र वाला फासला ज्यादा बड़ा है। अंग्रेज़ी ने लैटिन और फ्रांसीसी, इनके बाद इतालवी से भी काफी शब्द-सम्पदा प्राप्त की है किन्तु वह उन शब्दों को अपनी ध्वनि-प्रकृति के अनुरूप बलाघात के साँचे में ढालती रही है। एक सीमा तक हिन्दी तद्भवों के साथ भी ऐसी ही प्रक्रिया घटित होती है किन्तु यहाँ मुख्य भेद बलाघात को लेकर नहीं है। बलाघात के अतिरिक्त वैदिक भाषा में स्वरतान का महत्त्व भी था। यूरोप की भाषाओं में नॉर्वे, स्वीडन और लिथुआनिया की भाषाएँ स्वरतान द्वारा शब्द में एक से अधिक अर्थ उत्पन्न करती हैं। वैदिक भाषा में स्वरतान का व्यवहार अर्थ-विच्छेदक नहीं था। यह प्रवृत्ति पूर्वी आर्य भाषाओं में नहीं है। स्वरतान का अर्थ-विच्छेदक व्यवहार नाग-भाषाओं की विशेषता है। असमिया, बंगला आदि पूर्वी भाषाएँ नाग-भाषा क्षेत्रों से घिरी हुई हैं, वे क्षेत्र इन भाषाओं के प्रदेशों के भीतर भी हैं। किन्त स्वरतानों का आंशिक व्यवहार पंजाबी में होता है, बंगला में नहीं। या तो पंजाबी और वैदिक भाषा में स्वरतानों का व्यवहार आर्य भाषाओं के पश्चिमी समुदाय की अपनी विशेषता है, या फिर यह मानना चाहिए कि नाग-भाषाओं ने बंगाल की अपेक्षा पंजाब को अधिक प्रभावित किया है। पूर्वी क्षेत्र में गारो जैसी नागभाषा में स्वरतान का अर्थ-विच्छेदक महत्त्व क्षीण हो गया है। इसका कारण पड़ोसी आर्य भाषाओं का प्रभाव है। पंजाबी और वैदिक भाषा में स्वरतानों के व्यवहार को लेकर भेद है, यह बात ध्यान में रखना चाहिए। पंजाबी में स्वरतान अंशत: अर्थ-विच्छेदक है, वैदिक भाषा में वह नहीं है। वैदिक भाषा में स्वरतानों का व्यवहार संगीत की एक पद्धति का परिणाम था। उधर नॉर्वे, स्वीडन आदि की भाषाओं में स्वरतानों का जो अर्थ-विच्छेदक व्यवहार होता है, वह वैदिक भाषा की अपेक्षा पंजाबी के अधिक अनुरूप है। वैदिक भाषा मूलत: मध्यदेश की भाषा है, इसलिए उसमें स्वरतान का महत्त्व क्षीण होना ही चाहिए।

पूर्वी भाषाओं की एक विशेषता **ब्** व्यंजन का व्यापक व्यवहार है। इस सन्दर्भ में भी बंगला भाषा प्राचीन मागधी प्रवृत्ति को बनाए हुए है। उसमें **व्** ध्वनि **या** तो **ब** में बदल जाएगी या फिर विघटित होकर **ओ** और **य्** में बदल जाएगी। **वन बन** बोला जाएगा, **हवा** का रूपान्तर **हाओया** होगा। प्रश्न यह है कि संस्कृत में **ब्** ध्वनि वाले कोई मूल शब्द हैं या नहीं। संस्कृत में ऐसे अनेक शब्द हैं जिनके **ब्** और **व्**, दोनों ध्वनियों वाले दो रूप स्वीकृत हैं। यहाँ सम्भावना यह है कि **ब्** वाला रूप मौलिक है। संस्कृत में **ब्** ध्वनि शिष्ट उच्चारण का प्रतीक बन गई थी। इस कारण बहुत-से **ब्**-मूलक शब्दों को **व्**-मूलक किया गया। वैकल्पिक रूपों का चलन दो भिन्न ध्वनि-प्रकृतियों के संगम का प्रमाण है। संस्कृत में **ब्** ध्वनि वाले अनेक शब्द हैं, प्राचीन ग्रीक में भी **ब्**-मूलक अनेक शब्द हैं। फिर भी ऐतिहासिक भाषाविज्ञानी **ब्** ध्वनि को आदि इंडो-यूरोपियन भाषा के ध्वनितंत्र में महत्त्वपूर्ण स्थान नहीं देते; देते हैं तो संकोच के साथ, यह मानते हुए कि इसका व्यापक व्यवहार न होता था। इस ऊहापोह का कारण यह है कि **ब्** मूलत: मगध समुदाय की ध्वनि है और संस्कृत में उसका सीमित व्यवहार होता है। अब जैसे कुछ शब्द असन्दिग्ध रूप से **ब्** ध्वनि का मौलिक व्यवहार सिद्ध करते हैं। ब्रज, अवधी आदि में **ब्** और **व**, दोनों ध्वनियों का व्यवहार होता है। जहाँ भी इन भाषाओं में **ब्** हो और संस्कृत में **व्** हो, वहाँ संस्कृत रूप मौलिक होगा ही, ऐसा मानना आवश्यक नहीं है।

मागधी प्राकृत के लिए प्रसिद्ध है कि इसमें दन्त्य **स्** के स्थान पर तालव्य **श्** का। व्यवहार होता था। **मृच्छकटिक** में शूद्रक ने इस प्रवृत्ति को अमर कर दिया है। मगही में ब्रज और अवधी के समान, अब दन्त्य **स्** की प्रधानता है। इस कारण इस बात पर सन्देह न करना चाहिए कि मगध की प्राचीन जनपदीय भाषा में तालव्य **श्** का ही व्यवहार होता था। पश्चिम में भोजपुरी और पूर्व में बंगला, दोनों के बीच में मगही का क्षेत्र है। ऐसे केन्द्रीय क्षेत्र जब अन्य भाषाओं से प्रभावित होते हैं तब उनकी अनेक प्रवृत्तियाँ प्रान्तीय प्रदेशों में सुरक्षित रहती हैं। इन विशेषताओं में एक **ब्** ध्वनि का निर्बाध व्यवहार है, दूसरी तालव्य **श्** का व्यवहार है। **स्** और **श्** की विभाजन रेखा कुछ सामी क्षेत्रों में रही है और जर्मन भाषा क्षेत्र में भी एक सीमा तक दिखाई देती है। इंडो-यूरोपियन परिवार में इस समय परिनिष्ठित बंगला ही एक मात्र ऐसी भाषा है जो तीन सकारों में केवल तालव्य **श्** का व्यवहार करती है। मगही पर जो मध्यदेशीय प्रभाव पड़ा है, उसका एक परिणाम इस भाषा में दन्त्य **स्** की वर्तमान प्रधानता है। मध्य देश दन्त्य **स्** के उद्भव, विकास और प्रसार का मुख्य केन्द्र रहा है।

संस्कृत में ऐसे अनेक शब्द हैं जिनमें पहले दन्त्य **स्** का व्यवहार होता था, अन्य प्रभाव से उसका तालव्यीकरण हुआ। यह प्रभाव किस भाषा-समुदाय का था? भारतीय जनपदों की भाषायी स्थिति पर ध्यान देने से प्रतीत होता है कि ऐसा केन्द्र जिसमें तालव्य **श्** के प्रति एकान्त आग्रह हो, पूर्व में था। इस कारण यह मानना

समीचीन है कि मध्यदेशीय दन्त्य **स्** वाले शब्दों में तालव्य **श्** की प्रतिष्ठा मागधी प्रभाव का परिणाम है। फ़ारसी और संस्कृत, दोनों में दन्त्य और तालव्य सकारों में विवेक शिष्ट उच्चारण का लक्षण माना जाता था। ऐसा विवेक मागध समाज में होता हो, यह आवश्यक नहीं। (उस समाज के प्रभाव से उत्तर-पश्चिमी आर्य गण-समाजों ने एक नई ध्वनि—तालव्य **श्**—प्राप्त की, उसे अपने ध्वनितंत्र में शामिल किया और दन्त्य **स्** से उसकी भिन्नता का उपयोग किया।) संस्कृत में बहुत-से शब्द ऐसे हैं जिनमें **श्** के बाद **व्** का प्रयोग होता है : **अश्व, श्वान, श्वः** इत्यादि। मागध-वृत्ति **ब्** को प्रधानता देती है। ऐसे शब्द प्राचीन मागध गण-भाषा के अपने शब्द नहीं हैं। (उनकी रचना उत्तर-पश्चिमी गण-समाजों ने मागध समाज से प्राप्त **श्** ध्वनि के आधार पर की है।) कुछ शब्द ऐसे हैं जिनमें **श्** ध्वनि शब्दमूल में विद्यमान है और **व्** का संसर्ग नहीं है। सम्भव है, ऐसे शब्द मूल मागध गण-भाषा के अपने शब्द हों। इनमें **शे, शो, शा** जैसी एक क्रिया थी जिसका अर्थ सोना था और जो मरने के लिए भी प्रयुक्त होती थी। किसी समय इस क्रिया का समस्त उत्तर भारत में व्यवहार होता था। **शयन, शैया, शव** इसी क्रिया से व्युत्पन्न होते हैं। **शव** शब्द उत्तर-पश्चिमी है किन्तु मूल क्रिया मागधी हो सकती है। द्रविड़ भाषाओं में **मरने** के लिए **चा** आदि जो शब्द प्रचलित हैं, उनका आधार यही क्रिया है। आधुनिक आर्य भाषाओं में बंगला के बाद शकार वाली प्रवृत्ति मराठी में अधिक है और वह मागध प्रभाव का परिणाम है।

यह सम्भव है कि **र्** का विकास केन्द्र मध्यदेश रहा हो और **ल्** का विकास मगध में हुआ हो। जो परम्परा **श्** को मागधी प्राकृत की प्रधान ध्वनि मानती है, वह उसमें **र्** के स्थान पर **ल्** के व्यवहार पर भी बल देती है। जैसे संस्कृत के अनेक शब्दों के **स्, श्** वाले दो रूप हैं, वैसे ही **रभ्-लभ्, रघु-लघु** आदि **र्-ल्** ध्वनियों वाले वैकल्पिक रूप हैं। जैसे मागध प्रभाव से तालव्य **श्** का प्रसार हुआ, वैसे ही अन्य गण-भाषाओं के ध्वनितंत्र ने **ल्** ध्वनि को स्वीकार किया। ऐसे अनेक शब्द हैं जिनमें **ल्** ने **र्** का स्थान लिया है, **रभ्-लभ्, रघु-लघु** के वैकल्पिक रूप इस प्रकार बने थे। फिर भी कुछ शब्द ऐसे प्रतीत होते हैं जिनमें **ल्** ही मूल ध्वनि थी। **कुल, कला** जैसे शब्द इनमें गिने जा सकते हैं। संस्कृत में **जल, कलश** जैसे शब्दों को जो सम्मानप्रद स्थान प्राप्त है, उसका कारण मागध प्रभाव हो सकता है। **बलि, बालि** आदि शब्दों में जहाँ **ल्** के निकट **ब्** ध्वनि है, वहाँ अधिक दृढ़ता से कहा जा सकता है कि ये पुराने मागधी शब्द हैं। इसी प्रकार जहाँ **श** और **ल्** का संयोग है, **श्लथ** जैसे शब्दों में, वहाँ मागधी शब्द-सम्पदा की कल्पना की जा सकती है। इस सम्पदा का एक देदीप्यमान रत्न है **श्लोक**।

आर्य गण-भाषाओं के ध्वनि-तंत्र का विवेचन करते हुए इस पुस्तक में यह धारणा प्रस्तुत की गई है कि **घ्, ध्, भ्**—इन तीन ध्वनियों के विकास केन्द्र क्रमशः

उत्तर-पश्चिमी क्षेत्र, मध्यदेश और पूर्वी प्रदेश थे। इस धारणा के अनुसार **भ्** ध्वनि का विकास केन्द्र प्राचीन मगध और उसका पड़ोसी क्षेत्र रहा होगा। संस्कृत में प्रकाश सूचक अनेक शब्द **भ्** ध्वनि वाले हैं। **अस्** के समानान्तर अत्यन्त व्यवहृत होनेवाली **भू** क्रिया में यही व्यंजन है। संस्कृत शब्दों की रूप-रचना में **भ्याम्, भिस्** आदि **भ्** मूलक प्रत्यय महत्त्वपूर्ण हैं। पारिवारिक शब्दावली में **भ्राता** शब्द इसी श्रेणी का है। वैदिक भाषा में ऐसे शब्दों का महत्त्व इतना स्पष्ट है कि लोग सहज ही आपत्ति कर सकते हैं कि आर्य लोग तो अभी पंजाब में थे, उन पर इतनी दूर से मगध की भाषा का प्रभाव कैसे पड़ गया? ऐसी आपत्ति करनेवाले आसानी से मान लेते हैं कि आर्य लोग भारत में आने से पहले **घ्, ध्, भ्** ध्वनियों का विकास कर चुके थे। किसी कारणवश इन ध्वनियों का व्यवहार सिन्धु नदी के उस पार नहीं होता, न किसी प्राचीन भाषा में और न किसी आधुनिक भाषा में। इनका व्यवहार केवल भारत में होता है, प्राचीन भाषाओं में होता था, आधुनिक भाषाओं में होता है। वैदिक भाषा और लौकिक संस्कृत में इन ध्वनियों के व्यवहार के प्रमाण हैं। ऐसी आपत्ति करनेवालों के लिए आदि इंडो-यूरोपियन भाषा का कल्पित ध्वनितंत्र अनेक गण-भाषाओं के संयोग से विकसित नहीं हुआ वरन् पूर्व विकसित इंडो-यूरोपियन भाषा के खंडित होने से विभिन्न गण-भाषाओं के ध्वनितंत्रों का निर्माण हुआ है। जो लोग इंडो-यूरोपियन भाषा की कल्पना स्वीकार नहीं करते किन्तु वैसी ही कल्पना वैदिक भाषा के बारे में करते हैं, वे भी वैदिक भाषा की एक सुदीर्घ विकास परम्परा अस्वीकार करते हैं। उनके लिए वैदिक भाषा में **श्, ष्, स्** विभिन्न सकारों का जो समन्वय हुआ है, उसका कोई महत्त्व नहीं है। मध्यदेश में केवल दन्त्य **स्** का व्यवहार होता है और परिनिष्ठित बंगला में केवल तालव्य **श्** का, हरियाणा तक **ण्** का क्षेत्र है और ब्रज से लेकर असम तक **न्** का, ऐसे तथ्यों का कोई ऐतिहासिक मूल्य नहीं है।

जिन ऋषियों ने वेद मंत्रों की रचना की, उन्होंने उसी समय वैदिक भाषा की भी रचना न कर डाली थी। वह भाषा एक सुदीर्घ विकास-परम्परा का परिणाम है। इस सम्बन्ध में आचार्य किशोरीदास वाजपेयी का निम्नलिखित तर्क विचारणीय है : "वेदों की भाषा का प्रकृत रूप क्या था, यह जानने के लिए निराधार कल्पना की जरूरत नहीं। वेदों की जो भाषा है, उससे मिलती-जुलती ही वह 'प्रकृत-भाषा' होगी, जिसे हम 'भारतीय मूल भाषा' कह सकते हैं। उस 'मूल भाषा' को 'पहली प्राकृत' भाषा समझिए। 'प्राकृत भाषा' का मतलब है 'जनभाषा'।...जब वेदों की रचना हुई, उससे पहले ही भाषा का वैसा पूर्ण विकास हो चुका होगा। तभी तो वेद जैसे साहित्य को वह वहन कर सकी। भाषा के इस विकास में कितना समय लगा होगा! फिर, वेद जैसा उत्कृष्ट साहित्य तो देखिए!...क्या उस मूल भाषा या 'पहली प्राकृत' की पहली रचना ही वेद है? सम्भव नहीं! इससे पहले छोटा-मोटा और हल्का-भारी

न जाने कितना साहित्य बना होगा, तब वेदों का नम्बर आया होगा...सो, वेदों की रचना के समय तक वह मूल भाषा पूरी तरह विकसित हो चुकी होगी और देश-भेद से या प्रदेश-भेद से उसके रूप-भेद भी हो गए होंगे। उन प्रादेशिक भेदों में से जो कुछ साहित्यिक रूप प्राप्त कर चुका होगा, उसी में वेदों की रचना हुई होगी; परन्तु अन्य प्रादेशिक रूपों के भी शब्द प्रयोग गृहीत हुए होंगे। सभी साहित्यिक भाषाओं की यही स्थिति है। बंगाल भर में जो भाषा चलती है—'बंगला'—वह कितने क्षेत्रीय रूपों में विभक्त है?...बंगाल भर के लोग बंगला में साहित्य-रचना करते हैं, परन्तु वे अपने क्षेत्र की 'बोली' से प्रभावित होते हैं। यों विभिन्न बोलियों के कुछ शब्द-प्रयोग साहित्यिक भाषा में आ जाते हैं, यद्यपि उसका कलेवर किसी एक ही क्षेत्रीय बोली से बनता है।" ('भारतीय भाषाविज्ञान', पृ. 113-114)

यहाँ वाजपेयी जी ने उस भाषा के अस्तित्व पर बल दिया है जो वेदों की रचना से पहले विकसित होती आई थी। वेदों से पहले भी बहुत-सा साहित्य रचा गया होगा जो नष्ट हो गया, उन्होंने यह तर्कसम्मत धारणा प्रस्तुत की है। वैदिक भाषा के साथ अनेक प्रादेशिक भेद थे, इन प्रादेशिक रूपों से अनेक प्रकार की शब्द-सम्पदा वैदिक भाषा में स्वीकार की गई, उन्होंने यह निर्धान्त मत प्रतिपादित किया है। भाषा और साहित्य, दोनों ही उनके लिए एक अत्यन्त दीर्घकालीन विकास-परम्परा का परिणाम हैं। वाजपेयी जी की यह मान्यता रूढ़िवादी स्थापनाओं के विपरीत है। यदि उसे भाषा के विभिन्न स्तरों पर लागू किया जाए तो बहुत कुछ वैसी ही विश्लेषण-पद्धति विकसित होगी, जैसी यहाँ प्रतिपादित की गई है। जो लोग वैदिक भाषा को एक सुदीर्घ विकास-परम्परा का परिणाम नहीं मानते, वे इंडो-यूरोपियनवादियों के समान तर्क करते हैं कि एक आदि भाषा, विकास-पथ पार किए बिना ही, अपने पूर्ण रूप में उत्पन्न हो गई। विकास-प्रक्रिया का एक अनिवार्य पक्ष है प्रादेशिक भाषाओं से अनेक तत्त्व ग्रहण करना। जिन विद्वानों के लिए कहीं कोई विकास-प्रक्रिया नहीं है, उनके लिए कल्पित आदि भाषा के साथ प्रादेशिक भेद भी नहीं हैं। किन्तु यदि वैदिक भाषा सुदीर्घ विकास-परम्परा का परिणाम है तो यह विकास-क्रम शब्द-भंडार, वाक्यतंत्र और इनके साथ ध्वनितंत्र में भी परिलक्षित होगा। मागधी समुदाय की कुछ विशेषताएँ परम्परागत उल्लेखों से प्राप्त हैं, उनकी पुष्टि पूर्वी आर्य भाषाओं की वर्तमान स्थिति से होती है। मान लीजिए, वैदिक भाषा का विकास एक हजार साल में हुआ। तब क्या एक क्षेत्र का गण-समाज इतने समय तक उसी में बन्द रहा और अन्य गण-समाजों से उसका सम्पर्क ही न हुआ? मगध गण पहले पूर्व में रहता रहा हो चाहे उत्तर-पश्चिम में, उसकी भाषा से कुरु गण-समाज का सम्पर्क हुआ, इसमें असम्भव कुछ नहीं है। जो लोग यह मानते हैं कि भारत ईरानी शाखा से टूटकर संस्कृत का विकास हुआ, वे कहीं इस 'विकास' का तर्कसम्मत विवेचन प्रस्तुत नहीं करते।

## *(ख) मगही शब्दतंत्र*

भारतीय आर्य भाषाओं में लिंगभेद का विकास विषम रूप में हुआ है। इस विकास का केन्द्र उत्तर-पश्चिम के गण-समाज रहे हैं। इन केन्द्रों से बंगाल सबसे दूर है और लिंगभेद से सर्वाधिक मुक्त है। द्रविड़ भाषाओं में यही स्थिति केरल की है। भाषा की अन्य विशेषताओं के समान लिंगभेद का अभाव मगध क्षेत्र से हटकर अब बंगाल में केन्द्रित है। कोसल, ब्रज और कुरु जनपदों का प्रभाव मगध और मिथिला पर जितना पड़ा है, उतना बंगाल, उड़ीसा या असम पर नहीं। मगध की प्राचीन गण-भाषा अवश्य लिंगभेद से मुक्त रही होगी। जिसे लोग पुरानी बंगला कहते हैं, वह अनेक स्थानों पर लिंगभेद स्वीकार करती है। इस कारण कुछ भाषाविज्ञानी मानते हैं कि पुरानी बंगला में लिंगभेद था और आगे चलकर वह समाप्त हो गया। कभी-कभी वह इसका कारण भी बतलाते हैं। लिंगभेद के झमेले से भाषा के व्यवहार में कठिनाई होती थी, इसलिए उसे सरल, सुबोध बनाने के लिए वह झमेला दूर कर दिया गया! यह बात उतनी ही तर्कसंगत है जितनी तर्कसंगत संस्कृत अकार को हटाकर उसके स्थान पर वृत्ताकार उच्चारण का चलन कर देने की बात है। अन्तर इतना ही है कि वृत्ताकार उच्चारण चालू करने से कौन-सा झमेला दूर हुआ, यह किसी भाषाविज्ञानी ने नहीं बताया। वास्तव में मागध भाषा-समुदाय में न तो पहले संस्कृत अकार का चलन था, न उसमें लिंगभेद था। जिसे पुरानी बंगला कहते हैं, वह या तो पुरानी मैथिली है या मैथिली का अनुकरण है। भोजपुरी, मैथिली और मगही में अवधी, ब्रज और बाँगरू की अपेक्षा लिंगभेद निर्बल है। पूर्वी क्षेत्रों के शिक्षित जनों को भी परिनिष्ठित हिन्दी का व्यवहार करते समय शब्दों का लिंग-निर्णय करने में कठिनाई होती है। ऐसा होना भाविक है क्योंकि पूर्वी क्षेत्रों की भाषाई परम्परा लिंगभेद से मुक्त थी।

मगही में अब कुछ शब्द ऐसे हैं जिनमें लिंगभेद करना आवश्यक होता है। छोटका, छोटकी, नन्हका, नन्हकी, पियरा, पियरी, भुतहा, भुतही आदि विशेषण लिंगभेद सूचित करते हैं। (सम्पत्ति अर्याणी ने 'मगही व्याकरण-कोश' में ऐसे शब्दों की सूची दी है) इसी प्रकार सम्बन्धकारक में कुछ सर्वनाम, लिंगभेद जताने के लिए, रूप बदलते हैं। **मोरा सामी** (मेरा स्वामी), **मोरी बिटिया**। अर्याणी ने ऐसे रूपों का व्यवहार लोकगीतों में होता बताया है और इससे भिन्न **हम्मर बेटा, हम्मर बेटी** के प्रयोग की ओर ध्यान दिलाया है जो लिंगभेद से मुक्त हैं। इससे विदित होता है कि कोसल का प्रभाव एक समय मगध पर इतना अधिक पड़ा कि वह लोकगीतों में प्रतिबिम्बित है। सम्बन्धकारक के प्रत्यय **केरा** और **केरी** में वैसा ही भेद दिखाई देता है। अर्याणी ने दो रोचक उदाहरण दिये हैं जिनसे ज्ञात होता है कि **लिंगयुक्त** और **लिंगमुक्त**, दोनों तरह के रूप मगही में स्वीकृत हैं; **(1) ऊ गाँव केरी जनी सब काँदते चल गेलथीन; (2) ऊ गाँव के मेहररुअन काँदते चल गेलथीन** (उस गाँव की स्त्रियाँ रोती हुई गईं)। भूतकालिक कृदन्तों में, हिन्दी

के प्रभाव से, पूर्वी भाषाएँ जहाँ-तहाँ लिंगभेद सूचित करती हैं। हिन्दी की तुलना में ऐसा भेद वहाँ कम है।

अनेक भाषाविज्ञानियों ने लिखा है कि संस्कृत में शब्द के बहुवचन रूपों का चलन था, हिन्दी में द्रविड़ प्रभाव से शब्द का एक ही रूप एकवचन और बहुवचन में काम आता है। मगही में संज्ञा शब्द के बाद **न** प्रत्यय जोड़कर बहुवचन रूप वैसे ही बनाए जाते हैं, जैसे—अवधी में, यथा : **बैल—बैलन, घर—घरन**। अवधी में बहुवचन के अन्य रूप भी होते हैं। कर्ताकारक एक वचन में **घरु** रूप होगा (यही स्थिति कर्मकारक एकवचन में है) **घर** रूप कर्ताकारक के बहुवचन में प्रयुक्त होगा। करण आदि कारकों में बहुवचन रूप **घरन** होगा।

मगही का शब्दतंत्र अन्य पश्चिमी आर्य भाषाओं के शब्दतंत्र से मिलता-जुलता हैं। कुछ तथ्य इस सन्दर्भ में महत्त्वपूर्ण हैं। **मोरा** रूप सम्बन्धकारक में ही नहीं, कर्ताकारक में भी प्रयुक्त होता है। ('अर्याणी', उप., पृ. 20 ) आधुनिक आर्य भाषाओं के विकास में एक मंज़िल वह है जिसमें कुछ सर्वनाम, अपने कारक-चिन्ह के साथ, आधारभूत सर्वनाम मान लिये गए हैं। **मोरा** का आधार **मो** है किन्तु **मो** का स्वतंत्र व्यवहार न अवधी में होता है, न मगही में। **मोरा** को आधार मानकर **मोरा के, मोरा में, मोरा से** आदि रूपों का व्यवहार होता है। मूल सर्वनाम **मध** से एक रूप **मो** बना, दूसरा **मे, मैं**। वास्तव में **मध—मह** से **मो** रूप का निर्माण मागध प्रवृत्ति का ही परिणाम है किन्तु यह रूप कर्ता पद से विस्थापित कर दिया गया है, अब केवल **मोर, मोरा** रूप में ही वह प्रतिष्ठित है। इससे संस्कृत कर्तारूप **अहम्** तथा सम्बन्धकारक रूप **मम** की तुलना की जा सकती है। **मम** का आधार वही **म** सर्वनाम मूल है जो **मो** और **मैं** का है। **अहम्** ने उसे कर्तापद से हटा दिया। वैसे ही मैं ने **मो** को कर्तापद से हटाया। **मैं** वाला रूप पूर्वी मगही में प्रयुक्त होता है। **म** के आधार पर **मके** (मुझको) **मर** (मेरा) आदि रूप भी प्रचलित हैं। **मोरा** के समानान्तर एकवचन में **हम** का प्रयोग होता है। इस **हम** से बहुवचन रूप **हमनी** बनता है। यह **नी** सम्बन्धकारक का प्रत्यय है जिसका मूल क्षेत्र पश्चिम में है। **नी** और **रा**, दोनों सम्बन्धकारक में प्रयुक्त होते हैं; **नी** का व्यवहार सिन्धी, गुजराती में होता है, **रा** का व्यवहार राजस्थानी में। बहुवचन और सम्बन्धकारक के लिए एक ही चिन्ह का प्रयोग होता है। अनेक इंडो-यूरोपियन भाषाओं में इसी प्रकार **स्** चिन्ह का व्यवहार बहुवचन तथा सम्बन्धकारक के लिए होता है। मगही, **मोरा** के समान, **हमनी** को आधार रूप मान लेती है और **हमनी** के अतिरिक्त **हमरनी** रूप का भी व्यवहार करती है। आधार रूप **हम**; उससे बहुत्वसूचक, सम्बन्धसूचक **हमर**; पुन: उसमें इन्हीं भावों के सूचक **नी** का योग। मध्यम पुरुष सर्वनाम में **तु, तोरा, तोहनी** जैसे रूप स्वीकृत हैं। मगही में पूर्वी पश्चिमी, दोनों तरह की ध्वनि-प्रवृत्तियाँ मिलती हैं, इसलिए उसमें हिन्दी **कौन** सर्वनाम के प्रतिरूप **को** तथा **के** दोनों हैं। इनके साथ

**कौन** भी चलता है। **मध** के समान **कध** से **को, के** रूपों का विकास हुआ। मगही में **कॅह** रूप का व्यवहार भी होता है। इसके समानान्तर **जॅह, तॅह, यध, तध** मूल रूपों से विकसित हैं। बहुवचन में **जिन्ह, किन्ह, तिन्ह** आदि का विकास उन मूल रूपों से हुआ है जिनमें सर्वनाम-मूल के बाद **न्ध** का योग होता था। **तिन्ह, तैसा** जैसे रूप अब कम प्रयुक्त होते हैं। **तैसा** की जगह **वैसा, तिन्ह** की जगह **उन** का व्यवहार अधिक होता है। संस्कृत में एकवचन पुंल्लिंग, कर्तारूप **सः** सर्वनाम का व्यवहार होता है। अवधी में, और परिनिष्ठित हिन्दी में भी, **सः** के मागधी रूप **सो** का चलन है किन्तु मगही में **जे** और **के** रूपों के समान कौरवी **से** का चलन है। **तउन** अन्य पुरुष सर्वनाम है, इसका वैकल्पिक रूप **से** है और एकवचन तथा बहुवचन, दोनों में प्रयुक्त होता है। ठीक संस्कृत के समान इसका प्रयोग कर्ताकारक तक सीमित है किन्तु संस्कृत के विपरीत इसका व्यवहार बहुवचन में भी हो सकता है। यही कौरवी से बंगला में भी प्रयुक्त होता है। हिन्दी **यह-वह** निकट और दूर की वस्तुओं के लिए प्रयुक्त होनेवाले सर्वनाम हैं। इनके मूल रूप **इध-उध** थे। इनसे एक ओर **ॲह-ऑह** रूप बनते हैं जहाँ **इ, उ** को विवृत रूप दिया गया है, दूसरी ओर **ई, ऊ** रूप बनते हैं जहाँ अन्तिम वर्ण का स्वर लुप्त हुआ है और महाप्राण ध्वनि ने पूर्व स्वर को दीर्घ किया है। भिन्न ध्वनि-प्रवृत्तियों के मेल के कारण मगही में **केऊ** और **कोई,** दोनों रूप स्वीकृत हैं। जो लोग **कोई** का विकास **कोपि** से मानते हैं, उन्हें **केऊ** का विकास **केपु** से मानना चाहिए। कठिनाई यह है कि **अपि** के साथ **अपु** जैसे रूप का प्रयोग नहीं मिलता। **केऊ** के साथ मगही में **केहू** रूप भी है। इसे **केपु** से सिद्ध करना कठिन होगा। हिन्दी **क्या** के लिए मगही में **का, की** के अलावा एक रूप **कउची** भी है। इन सब रूपों में **क** आधारभूत है, उसमें वस्तुसूचक विभिन्न प्रत्यय जोड़े जाते रहे हैं। यह **क** सर्वनाम पहले प्रश्नवाचक न होकर किसी वस्तु या व्यक्ति की ओर संकेत करनेवाला सामान्य सर्वनाम था, इसलिए **कोई** और **केऊ** प्रश्नसूचक और सामान्य संकेतक, दोनों प्रकार का अर्थ देते हैं। **के** सर्वनाम से सम्बन्धकारक में **केकर, केकरा** आदि रूप बनते हैं जहाँ **कर** सम्बन्धकारक का चिन्ह है।

मगही के कारक-चिन्ह अवधी और परिनिष्ठित हिन्दी के कारक-चिन्हों से मिलते हैं, कहीं-कहीं अवधी की अपेक्षा परिनिष्ठित हिन्दी के कारक-चिन्हों से अधिक समानता है। अधिकरणकारक जताने के लिए **में** का व्यवहार होता है : **मोरा में, तोर में, अपने में, ॲह में, इन्ह में**। अवधी में सर्वत्र **मा** का व्यवहार होगा। **मध** सर्वनाम के आधार पर यह सम्बन्धसूचक प्रत्यय बना है। अवधी में जैसे **छह** का उच्चारण **छा** है, वैसे ही **मध-मह** से **मा** रूप बना है। **में** रूप उत्तर-पश्चिमी है। एक रोचक तथ्य यह है कि बघेली के समान मगही में सम्प्रदानकारक के लिए **ला** प्रत्यय का व्यवहार होता है—**मोराला, हमराला, हमनीला, तोराला, अपनेला, ॲहला** इत्यादि। जो लोग समझते हैं कि आधुनिक आर्य भाषाओं में सम्प्रदानकारक का लोप हो गया

और द्रविड़ भाषाओं में कर्म से भिन्न सम्प्रदान का अस्तित्व बना हुआ है, वे मगही में कर्मकारक के लिए **मोराके, हमराके, हमनीके** तथा सम्प्रदानकारक के लिए **मोराला, हमराला, हमनीला** का भेद देखें। अनेक विद्वान मानते हैं कि अपभ्रंश में कारक भेद मिट गया, केवल संज्ञा का सामान्य रूप और उसका तिर्यक् रूप, ये दो रूप रह गए। इन विद्वानों को विचार करना चाहिए कि जब मागधी अपभ्रंश से मगही का जन्म हुआ, तब यह कर्म और सम्प्रदान का नया भेद कैसे उत्पन्न हो गया। संज्ञा और सर्वनाम, दोनों तरह के नाम शब्दों के सम्प्रदान रूपों में **ला** प्रत्यय का व्यवहार होता है, कर्म या किसी अन्य कारक के लिए नहीं। और **घोड़ा** का तिर्यक् रूप क्या है? एकवचन रूपों में सर्वत्र **घोड़ा** ही रहता है : कर्ता के अलावा करण, सम्प्रदान, अधिकरण आदि में **घोड़ा** रूप ही चलता है। यदि हिन्दी में **घोड़े से, घोड़े पर** आदि रूप होते हैं जो कर्ता के एकवचन रूप से भिन्न हैं, तो इसका यह अर्थ नहीं कि आधुनिक आर्य भाषाओं में सर्वत्र ऐसा होता है। **घोड़ा** का बहुवचन रूप बनाने के लिए कोई बहुत्वसूचक शब्द जोड़ा नहीं जाता, जैसे कि बहुधा बंगला में होता है, वरन् अन्तिम वर्ण के दीर्घ स्वर को ह्रस्व करने के बाद **न** प्रत्यय जोड़ दिया जाता है। इस प्रकार **घोड़ा** का बहुवचन **घोड़न**, जैसे **घर** का बहुवचन **घरन**। अवधी में **घरन** रूप कर्ताकारक में प्रयुक्त न होगा; अर्याणी ने **घरन, राजन, पोथिन, बातन** आदि रूपों को कर्ताकारक में दिखाया है। स्पष्ट है कि आधुनिक आर्य भाषाओं का विकास एक से नियमों के अनुसार समतल भूमि पर नहीं हुआ और अपभ्रंश की उपलब्ध सामग्री के आधार पर इनके विकास की व्याख्या नहीं की जा सकती।

मगही सर्वनाम **ई**—जो हिन्दी **यह** का प्रतिरूप है—कर्ता से भिन्न अन्य कारकों में प्रयुक्त नहीं होता; एकवचन रूपों में **ॲह** का व्यवहार होता है। कह सकते हैं कि **ॲह ई** का तिर्यक रूप है। (इस प्रकार संस्कृत **मम** के **म** को **अहम्** का तिर्यक रूप क्यों न कहा जाए? और **मम** के अतिरिक्त **वयम्, नः** आदि को ध्यान में रखें तो **अहम्** के अनेक तिर्यक् रूप क्यों न माने जाएँ?) **मोरा, हमनी,** कर्ता से लेकर अधिकरण तक, सर्वत्र एकवचन में अपरिवर्तित रहते हैं। यही स्थिति **अपने** सर्वनाम की है। इससे यह विदित होता है कि अनेक कारकों में 'तिर्यक्' और 'अतिर्यक्', दोनों तरह के रूपों के व्यवहार की पद्धति मगही में है।

### *(ग) मगही क्रियापद-रचना*

मगही और मैथिली, दोनों मागधी अपभ्रंश से उत्पन्न मानी जाती हैं। जो लोग इनसे बंगला का सम्बन्ध जोड़ते हैं, उनका ध्यान सबसे पहले क्रिया-रूप **छि** की ओर जाता है। यह महत्त्वपूर्ण बात है कि इस क्रिया का व्यवहार **मगही** में नहीं होता, उसमें **छ्**-मूलक क्रिया के बदले **ह्**-मूलक क्रिया का व्यवहार होता है। इस तथ्य

की ओर डॉ. विश्वनाथ प्रसाद ने ध्यान दिया है। 'मगही संस्कार गीत' (पटना, 1962) पुस्तक में मगही की विशेषताओं की चर्चा करते हुए लिखा है : "मगही की वर्तमान कालिक अन्य पुरुष सहायक क्रिया का रूप 'हे' है, जो मागधी समुदाय की अन्य बोलियों के 'बाटे' या 'बा' या 'बॉटे' और 'अछि', 'छै' से भिन्न हिन्दी 'है' के अनुरूप है। जैसे—'ऊ कर सकऽहे, एक्कर ई कारन हे, ई बुझा हे, हमनीके इहे बतावल जाहे',**—लगऽहे, होवऽहे।** यह 'हे' भारत-यूरोपीय 'अस' से व्युत्पन्न है; जबकि भोजपुरी—'बाटे' या 'बा' और बंगला 'बाँटे' √ वृत्—वर्त्तते से तथा उड़िया 'अछ', मैथिली 'अछि', 'छै' √ **क्षि** से।" (पृ. 18) मागधी समुदाय की तीन महत्त्वपूर्ण भाषाओं—मगही, भोजपुरी और मैथिली में—एक ही अर्थ वाली क्रिया के तीन रूप हैं। यह क्रिया भी ऐसी है जिसका व्यवहार भाषा में सर्वाधिक होता है। वास्तव में एक त्रिया के तीन रूप न होकर ये तीन क्रियाएँ हैं जिनका प्रयोग एक से सन्दर्भों में होता है। डॉ. विश्वनाथ प्रसाद ने उनके तीन स्रोत बतलाए हैं। ये तीन स्रोत सही हों, चाहे न हों, पर वे तीन हैं और एक दूसरे से भिन्न हैं, इसमें सन्देह नहीं। यह इस बात का अतिरिक्त प्रमाण है कि जिन्हें मागधी समुदाय की भाषाएँ कहते हैं, उनका जन्म किसी कल्पित मागधी अपभ्रंश से नहीं हुआ।

मगही में एक क्रिया **हथ** है। डॉ. विश्वनाथ प्रसाद ने इसे भी **अस्** से व्युत्पन्न माना है। **कहोहथिन्** अर्थात् कहते हैं। **हथिन्** का प्रतिरूप **हथुन्** भी प्रयुक्त होता है और एकरूप **हखुन्** भी है। **हथिन्, हथुन्, हखुन्** से ही छुट्टी नहीं मिल जाती। डॉ. विश्वनाथ प्रसाद ने लिखा है : "केवल पटना जिले में मगही के कम-से-कम पाँच भेद व्यवहृत हैं।" (उप., पृ. 18) किन्तु कुछ विद्वानों का विचार है कि सर्वत्र मगही के एक ही रूप का चलन है। डॉ. उदयनारायण तिवारी 'भोजपुरी भाषा और साहित्य' (पटना, 1954) में कहते हैं : "आधुनिक मगही का क्षेत्र वही नहीं है जो प्राचीन मगध का था। यह गया के शेष भाग तथा हजारीबाग जिले की बोली है। इसके अतिरिक्त यह पालामऊ के पश्चिमी भाग तथा पूरब में मुँगेर और भागलपुर जिलों के कुछ भाग में बोली जाती है। इस समस्त क्षेत्र में मगही का रूप एक ही है और इसमें कहीं भी अन्तर नहीं पड़ता। केवल पटना के आस-पास उर्दू-भाषी मुसलमानों के प्रभाव के कारण इसके मुहावरों में अवश्य कुछ अन्तर आ गया है।" (पृ. 217) प्रश्न कुछ मुहावरों या शब्दों का नहीं है, प्रश्न भाषा की संरचना, क्रियापदों की रचना, मूल शब्द मंडार का है। एकरूपता वाली धारणा का खंडन करते हुए डॉ. विश्वनाथ प्रसाद ने लिखा है : "अन्य बोलियों के समान मगही के भी अनेक रूप हैं। यह समझना भूल है कि समस्त मगही क्षेत्र में मगही का एक ही रूप प्रचलित है और इसमें कहीं अन्तर नहीं पड़ता है।" ('मगही संस्कार गीत', पृ. 18) **हथिन्, हथुन्, हखुन्** के उदाहरण देने के बाद **कहऽ होबऽ कहित हियो, कहऽ हियो** वाक्य उद्धृत करते हैं। इन सबका अर्थ है—कहता हूँ।

जो भी बोलचाल के स्तर पर आधुनिक भाषाओं की विविधरूपता की ओर ध्यान देगा, वह किसी प्राचीन परिनिष्ठित भाषा से इनकी उत्पत्ति मानने में हिचकेगा। प्राकृतों और अपभ्रंशों से आधुनिक भाषाओं का उद्‌भव मानने में डॉ. विश्वनाथ प्रसाद को संकोच होता था। आचार्य किशोरीदास वाजपेयी विश्वविद्यालय की परिधि से बाहर रहनेवाले विद्वान् हैं किन्तु डॉ. विश्वनाथ प्रसाद भारत और इंग्लैंड के विश्वविद्यालयों में प्रशिक्षित भाषाशास्त्री थे। उन्होंने आधुनिक आर्य भाषाओं के विकास के बारे में जो मत प्रकट किया है, वह आचार्य वाजपेयी की स्थापनाओं का समर्थन करता है। उन्होंने व्याकरण ग्रंथों, नाटकों आदि में दिये हुए उदाहरणों के बारे में लिखा है कि वे "कल्पित या कृत्रिम रूप मात्र ही हैं"; वे "प्रादेशिक बोलियों के प्रचलित तथा वास्तविक रूपभेदों के परिचायक नहीं थे।" उनसे प्रादेशिक भाषाओं के सम्बन्ध में तत्कालीन मतों का कुछ आभास मिलता है किन्तु वे "बोलचाल की भाषाओं के हूबहू नमूने नहीं हैं।" अत: डॉ. विश्वनाथ प्रसाद ने यह महत्त्वपूर्ण निष्कर्ष निकाला है : "उनके आधार पर आधुनिक बोलियों के ऐतिहासिक विकास-क्रम का निरूपण करना कठिन ही नहीं, एक प्रकार से असम्भव-सा है।" किन्तु डॉ. सुनीतिकुमार चाटुर्ज्या के पथ का अनुसरण करनेवाले डॉ. उदयनारायण तिवारी प्रभृति विद्वान् इसी असम्भव क्रिया में संलग्न रहे हैं। डॉ. विश्वनाथ प्रसाद विभिन्न जनपदों के आपसी सम्पर्क पर ध्यान देते हैं, इसलिए इस तथ्य पर जोर देते हैं कि "प्रादेशिक बोलियों में मिश्रण की प्रक्रिया भी शताब्दियों से चलती रही है।" स्वभावत: ऐसी स्थिति में प्राचीन भाषाओं से जितना ज्ञान आधुनिक भाषाओं के विकास का हो सकता है, उतना ज्ञान प्राचीन भाषाओं की स्थिति के बारे में आधुनिक भाषाओं के अध्ययन से भी हो सकता है। परम्परागत ऐतिहासिक भाषाविज्ञान से उल्टी दिशा में चलते हुए डॉ. विश्वनाथ प्रसाद ने लिखा है : "साहित्यिक प्राकृतों से आधुनिक प्रादेशिक अथवा जनपदीय बोलियों के विकास को समझने के बजाय, यदि हम बोलियों का ही सूक्ष्म अध्ययन करके प्राचीन प्राकृतों के स्वरूपों की रूपरेखाएँ निर्धारित करने का प्रयास करें, तो वह अधिक सार्थक होगा।" ('मगही संस्कार गीत', पृ. 8-9)

मगही में विभिन्न जनपदीय भाषा-तत्त्वों के मिश्रण का एक प्रमाण **हो** और **भे** क्रियाओं का समानान्तर प्रयोग है। **हम होली, हम भेली,** दोनों रूपों का चलन है। अवधी में **हो** क्रिया भूतकाल में प्रयुक्त नहीं होती, **भे** क्रिया वर्तमान और भविष्य में प्रयुक्त नहीं होती। भविष्यकाल के लिए **ब** वाले क्रिया-रूप मागधी भाषाओं की विशेषता है। मगही में उत्तम और मध्यम पुरुषों के लिए **ब** वाले क्रिया-रूपों का व्यवहार होता है किन्तु अन्य पुरुष के सन्दर्भ में उनका नितान्त अभाव है। इससे भिन्न बंगला क्रिया-रूपों में तीनों पुरुषों के साथ **ब** का व्यवहार होता है। और भी महत्त्वपूर्ण बात यह है कि मगही के उत्तम और मध्यम पुरुषों में भविष्यकाल के ऐसे वैकल्पिक रूप हैं जिनमें **ब** का व्यवहार होता ही नहीं है। इसका अर्थ यह है

कि **ब** चिन्ह के बिना मगही में भविष्यकाल सूचक क्रिया-रूपों का व्यवहार हो सकता है। सम्भव है कि किसी समय मगही के सभी भविष्य-सूचक क्रिया-रूपों में **ब** का व्यवहार होता हो किन्तु कोसल के प्रभाव से यह व्यवहार सीमित हो गया हो। उत्तम पुरुष के **होब, होबई** आदि रूपों के साथ **होअम** रूप का भी चलन है। ऐसा लगता है कि इस रूप की रचना ठीक **पठामि** के ढंग पर हुई है। **हो** क्रिया के बाद कर्ता सर्वनाम **हम** जोड़ा गया है। **हम** के आदि वर्ण की महाप्राणता का क्षय होने पर **होअम** रूप बना। **अम** या **हम** का कोई विशेष सम्बन्ध भविष्यकाल से नहीं है। **ब** का सम्बन्ध भी भविष्य से हो, ऐसा नहीं है। **हम हिबऽ** अर्थात् **मैं हूँ**, वर्तमान काल का रूप है। भविष्यकाल के मध्यम पुरुष रूपों में **होब, होबी** के साथ **होमही** रूप है। निःसन्देह **मही** प्राचीन सर्वनाम है और संस्कृत के **महे** का जोड़ीदार है। संस्कृत में **महे** क्रिया-रूपों के साथ उत्तम पुरुष का बोध कराता है, मगही में **मही** मध्यम पुरुष का। **होमही** एकवचन रूप है, बहुवचन में **होमहू** रूप होगा। भविष्यकाल के अन्यपुरुष बहुवचन रूप **होथ, होथिन्, होथुन्, होखिन्** इस दृष्टि से महत्त्वपूर्ण हैं कि वे **स्**-मूलक अन्य पुरुष सर्वनाम रूप की ओर संकेत करते हैं। यह **स्, थ्** और **ख्** में परिवर्तित होता है। भूतकालीन रूपों में **होलथिन, होलखिन** और **होलहिन**—तीनों प्रकार के रूप हैं। ऐसी ध्वनि जो **ख, थ, ह** तीन ध्वनिरूप ग्रहण करती हो, **स** ही हो सकती है। संस्कृत में **सिम** सर्वनाम का **सिन** प्रतिरूप रहा होगा, उससे मगही के ये रूप सम्बद्ध हैं।

मगही के क्रिया-रूप, कर्ता के अतिरिक्त, कर्म की ओर भी संकेत करते हैं, और इन दो के अलावा, श्रोता के सामाजिक स्तर के अनुरूप आदर या अनादर का भाव भी व्यक्त करते हैं। इस कारण मगही की क्रियापद रचना, बंगला या भोजपुरी से भिन्न, बहुत पेचीदा है। ऐसे रूपभेद कृदन्त क्रियापदों में मिलते हैं, वे कृदन्तों के तिङन्तीकरण के उदाहरण हैं। ऐसे रूपों का विकास बाद में हुआ। हिन्दी प्रदेश की अन्य भाषाओं के समान मागधी समुदाय में भी क्रियापद रचना पहले क्रिया की अवस्था सूचित करती थी, कालभेद नहीं। कालभेद के लिए कृदन्त-रूपों का सहारा लिया गया। कृदन्त प्रधान वाक्य-रचना कौरवी समुदाय की विशेषता थी। मागधी समुदाय ने जब कृदन्त-पद्धति अपनाई, तब कृदन्तों का व्यवहार लिंगभेद युक्त विशेषणवत् न करके तिङन्तवत् पुरुषभेद सहित किया। अवधी की अपेक्षा मगही में कृदन्तों का व्यवहार अधिक होता है। अन्य बातों के साथ इससे भी मागधी-कौरवी के पुराने सम्बन्धों का ज्ञान होता है। यद्यपि कोसल क्षेत्र कुरुक्षेत्र के अधिक समीप है, मगध बहुत दूर है, फिर भी अधिक साम्य कौरवी और मागधी में है। भाषाओं की वर्तमान भौगोलिक स्थिति से भ्रम में पड़कर यह न सोचना चाहिए कि इनके बीच सदा ऐसी दूरी रही होगी।

आदर और अनादरसूचक क्रियापद कृदन्त-रूपों के आधार पर ज्यादा बने हैं। स्वभावतः भूतकालिक कृदन्त का व्यवहार अधिक होता है। उदाहरण के लिए

**देखल**—यह मूल कृदन्त-रूप बना। अब उत्तम पुरुष के एकवचन में **दॅखलिक्**—अर्थात् **मैंने उसे देखा**—रूप बना। इसका वैकल्पिक रूप **देखॅलिअइ** है। इन दोनों रूपों में जो कुछ जोड़ा गया है, वह मूल कृदन्त के बाद प्रत्ययवत् है, उससे पहले उपसर्गवत् नहीं। ये दोनों रूप उत्तम पुरुष सर्वनाम के साथ ही प्रयुक्त होंगे। **पठामि** शब्द जैसे पूरा वाक्य है, वैसे ही ये रूप पूरे वाक्य हैं। कर्ता-सर्वनाम का बोध क्रियापद से हो जाता है, कर्ताबोधक तत्त्व क्रिया से पहले नहीं, बाद को आता है। यह पुरानी मध्यदेशीय विन्यास पद्धति है। मगही की विशेषता यह है कि उक्त रूपों से कर्म के सामाजिक स्तर का बोध भी होता है। जो कुछ देखा, वह क्षुद्र है, तब इन रूपों का व्यवहार होगा। जो देखा, वह गौरवपूर्ण है, तब क्रिया-रूप होंगे—**दॅखलिन्, दॅखलिअइन्**। स्पष्ट ही **न्** और **क्** से कर्म के सामाजिक स्तर का भेद व्यक्त किया गया है। मगही में इस तरह का भेद सम्भव इसलिए है कि क्रियापद रचना की पुरानी परम्परा में कर्ता और कर्म क्रिया के बाद आते थे। जब कौरवी प्रभाव से यह पद्धति उलट गई, तब भी मगही में पुरानी पद्धति जीवित रही। कर्म के अलावा जब श्रोता की क्षुद्रता सूचित करनी हो तब **दॅखलिक्** काफी न होगा, उसकी जगह **दॅखलुक्** रूप का व्यवहार होगा। इसी प्रकार **दॅखलिअइ** के बदले **दॅखलिअउ** का प्रयोग होगा। **इ, उ** के भेद से श्रोता के सामाजिक स्तर का भेद व्यंजित हुआ। यदि कर्म गौरवपूर्ण हो और श्रोता क्षुद्र हो तो **दॅखलिअउन्** रूप चलेगा। यदि कर्म और श्रोता, दोनों गौरवपूर्ण हों तो **दॅखलियो** रूप प्रयुक्त होगा। यदि श्रोता गौरवपूर्ण हो और कर्म क्षुद्र हो, तो क्रिया-रूप **दॅखलिवऽ** रूप का व्यवहार होगा। (जो लोग समझते हैं कि मागधी भाषाओं में **व्** का अस्तित्व है ही नहीं, वे इस क्रिया-रूप में **व्** के प्रयोग पर ध्यान दें।)

कुछ लोग मैथिली-मगही भाषाओं के सर्वनामों और वाक्यतंत्र पर कोल भाषाओं का प्रभाव देखते हैं। सर्वनामों का गहरा सम्बन्ध क्रियापद रचना से है, अत: उनकी मान्यता यह भी हुई कि मगही की क्रियापद रचना कोल भाषाओं से प्रभावित है। यहाँ पहली बात देखने की यह है कि मगही में मूल क्रिया के बाद प्रत्ययों का सीधा संयोग नहीं होता; कृदन्त-रूप के बाद प्रत्यय जोड़े जाते हैं। इसके अतिरिक्त कर्म और श्रोता के स्तरभेद का ज्ञापन उस समाज के लिए आवश्यक होता है जिसमें सामन्ती सम्बन्ध काफी पुराने और रूढ़ हो चुके हों। जिस समय मगही में ऐसे रूपों का विकास हुआ, उस समय कोल भाषाएँ बोलने वाले समाज प्राक्सामन्ती गण-व्यवस्था में जीवन बिता रहे थे। इसलिए उनकी भाषाओं में ऐसे स्तरभेद सूचित करने के लिए अब भी क्रिया-रूप नहीं हैं, न उनकी आवश्यकता है। मगध और मिथिला प्राचीन काल से पूर्व में सामन्ती सम्बन्धों के मुख्य प्रसार केन्द्र रहे हैं। इनके बाद कोसल, शूरसेन और कुरु जनपद आते हैं। यह स्थिति भाषा के कुछ स्तरों पर प्रतिबिम्बित होती है।

यद्यपि कर्म और श्रोता के स्तरभेद भूतकालीन क्रिया-रूपों में अधिक व्यंजित होते हैं किन्तु अन्यकाल सूचित करनेवाले क्रिया-रूपों में उनका नितान्त अभाव नहीं है। यथा : मध्यम पुरुष के **हे, है, हही** रूप कर्ता की साधारण स्थिति सूचित करते हैं। इसके विपरीत **हहू, हहिन्** आदि उसके गौरव की सूचना देते हैं। पर ये भेद एकवचन और बहुवचन के भेद हैं—**तू है, तुम हो** के भेद के अनुरूप। ऐसे भेद भूतकाल, भविष्यकाल, वर्तमानकाल, सभी में हैं। कर्म और श्रोता के स्तर की भिन्नता पूरी तरह भूतकालीन रूपों में ही व्यक्त होती है।

कुछ क्रिया-रूप मध्यम पुरुष और अन्यपुरुष में मिलते-जुलते हैं। **ह्** क्रियामूल से वर्तमानकाल में मध्यम और अन्य पुरुषों का एकवचन रूप **हे** बनता है। मध्यम पुरुष का एकवचन रूप **हहि** और अन्यपुरुष का एकवचन रूप **हइ** मूलतः एक हैं। इसी **हइ** का रूपान्तर मध्यम पुरुष एकवचन है भी है। **हहि** जैसे रूप से इन सबका विकास हुआ है। ध्यान देने की बात यह है कि **हइ** रूप मगही और अवधी की मूल ध्वनि-प्रकृति के अनुरूप है। **है** रूप वर्तमान परिनिष्ठित हिन्दी की प्रकृति के अनुरूप है और अवधी में प्रयुक्त है किन्तु **हे** हिन्दी प्रदेश का ठेठ पछाही रूप है जैसा कि वह बुंदेलखंड और उसके पश्चिम में सुनने को मिलता है। **हे** जैसा क्रिया-रूप अवधी में सम्भव नहीं है—न मध्यम पुरुष में, न अन्य पुरुष में। इससे विदित होगा कि मगही पर पश्चिमी प्रभाव यथेष्ट है।

आधुनिक अवधी और परिनिष्ठित हिन्दी के समान मगही में क्रिया के वर्तमानकालीन रूप कृदन्त के आधार पर बनते हैं। **देखइत ही**—अर्थात् **देख रहा हूँ; देखऽ ही** अर्थात् **देखता हूँ**। इस दूसरे रूप में **ख** के बाद अकार संकेत कृदन्त-रूप की व्यंजना करता है। इसलिए **खाहइ**—इस क्रियापद को तिङन्त न समझना चाहिए। **खाता है के है** के समान **हइ** स्वतंत्र क्रिया है। उसके पहले अन्य क्रिया **खा** है। किन्तु लोकगीतों में तिङन्त क्रिया-रूप मिलते हैं और ये रूप अवधी ही नहीं, पुरानी हिन्दी (खड़ी बोली) के रूपों से भी मिलते हैं। डॉ. विश्वनाथ प्रसाद के मगही संस्कार गीत संग्रह में इस तरह के उदाहरण हैं :

1. *कउन बन उपजे हे नरियर, कउन बन उपजे अनार हे।*
   *ललन, कउन बन उपजे गुलाब, तो चुनरी रँगायब हे।* (पृ. 8)
2. *हम तोंही पूछही दुलारी धनी, अउरो अलारी धनी हे।*
   *ललन, कउन कउन रँग तोरा भावे, तकहिके सुनावहु हे।* (पृ. 23)
3. *मलिया के बाग में बेलिया फूले हे फुलवा, चमेलिया फूले हे फुलवा।*
   *तहँवा हे कवन सुगइ झारे लामी केसिया।* (पृ. 199)
4. *कोइ सखि माथा बन्हावे, कोइ सखि उबटन हे।*
   *कोइ सखि चीर सम्हारे, कोइ रे समुझावत हे।* (पृ. 232)

दूसरे उदाहरण में **पूछही** क्रिया विशुद्ध पुराना तिङन्त रूप है। इसका व्यवहार उत्तम पुरुष के साथ हुआ है किन्तु ऐसे ही रूप से अन्य पुरुष के लिए **पूछइ, पूछै, पूछे** रूपों का विकास हुआ है। इस उदाहरण की दूसरी पंक्ति में **सुनावहु** रूप से इसी प्रकार **सुनावउ, सुनावो** रूपों का विकास हुआ है; **भावे** क्रिया पद **भावइ** और **भावहि** के आधार पर रचा गया है। अवधी में **भावै** जैसे रूपों का व्यवहार होगा, एकार वाला **भावे** रूप पश्चिमी प्रभाव का परिणाम है। पहले उदाहरण में **उपजे हे** क्रियापद में **उपजे** और **हे,** दोनों एकारान्त रूप हैं। पहली पंक्ति में **उपजेहे** पूरी क्रिया है, दूसरी पंक्ति में केवल **उपजे** रूप है जिसके साथ पहले कभी **हे** या **है** जैसी क्रिया लगाना आवश्यक नहीं था। तीसरे उदाहरण में **फूलेहे** पूरी क्रिया है। **झारे** अर्थात् **झारती है** रूप का प्रयोग भी है। चौथे उदाहरण में **बन्हावे** (बँधावे), **सम्हारे** वर्तमानकाल में अन्य पुरुष के एकवचन तिङन्त क्रिया-रूप हैं। जैसा कि विदित है, ऐसे प्रयोग अवधी की अपेक्षा पुरानी हिन्दी में अधिक हैं।

इस प्रसंग में इस बात का उल्लेख करना उचित होगा कि मगही क्षेत्र के लोकगीतों में मगही के साथ खड़ी बोली के रूप बहुत जगह घुल-मिल गए हैं।

*आँगन में बतासे लुटा दूँगी, आँगन में।*
*सासुजी अइहें, चरुआ चढ़इहें।*
*भला उनको चुनरिया पेन्हा दूँगी, आँगन में।* (पृ. 88)

इस उदाहरण में **दूँगी** क्रिया-रूप शुद्ध खड़ी बोली का रूप है किन्तु **अइहें, चढ़इहें** मगही रूप हैं। अवधी में **चढ़इहैं, अइहैं** रूप होंगे। ऐकार पश्चिमी प्रभाव से मगही में एकार हो गया। ऐसे लोकगीत मगही, अवधी और खड़ी बोली के क्रिया-रूपों को घुलते मिलते दिखाते हैं और ऐसी मिश्रण-प्रक्रिया काफी पुरानी है। भाषा-तत्त्व ही नहीं, लोकगीत एक जनपद से दूसरे जनपद में पहुँचते रहे हैं। कुछ गीत ऐसे हैं जिनमें खड़ी बोली का ही प्रयोग है पर वे मगध में गाए जाते रहे हैं, इसलिए मगही संस्कार गीतों में उन्हें स्थान मिला है।

*रँगीला टोना दुलहे को लगेगा,*
*छबीला टोना दुलहे को लगेगा।* (पृ. 257)
*तेरे दुलहे ने लाया सोहाग,*
*सोहागिन तेरे लिए।* (पृ. 260)

दूसरे उदाहरण में **दुलहे ने सोहाग लाया,** ऐसी वाक्य-रचना उन्हीं के लिए सम्भव थी जिनके लिए **ने** का व्यवहार अपेक्षाकृत अपरिचित और नया था। इस तरह खड़ी बोली के रूपों का मिश्रण अन्य जनपदों में भी देखा जाता है।

मगही भाषा, विशेष रूप से उसकी क्रियापद रचना, के बारे में डॉ. विश्वनाथ प्रसाद ने 'मगही संस्कार गीत' की भूमिका में कुछ महत्त्वपूर्ण बातें कही हैं। इनमें

एक बात कृदन्तों के व्यवहार के बारे में है। मगही के साथ मैथिली-भोजपुरी को ध्यान में रखते हुए उन्होंने लिखा है : "बिहारी भाषाओं में भूत, भविष्यत्, वर्तमान, सम्भाव्य भूत और सम्भाव्य वर्तमान—ये पाँच काल ऐसे हैं, जो कृदन्तीय रूप से बनते हैं। हिन्दी में केवल सम्भाव्य वर्तमान तथा उसी का एक भेद विधि के रूप में मिलता है, जो कृदन्तीय है और जिसमें 'गा' जोड़कर भविष्यत् का रूप बनता है।" (पृ. 12) यह बात महत्त्वपूर्ण है क्योंकि इसमें मगही क्रिया-रूपों में कृदन्तों की भूमिका पर बल दिया गया है। हिन्दी में क्रिया-रूपों का आधार कृदन्त किस सीमा तक है, इसका ज्ञान आचार्य किशोरीदास वाजपेयी के इस कथन से होगा : "हिन्दी में कृदन्त क्रियाएँ ही अधिक हैं। वर्तमान काल की सब-की-सब क्रियाएँ कृदन्त हैं; सहायक क्रिया केवल 'है' ही तिङन्त है—'लड़का पढ़ता है', 'लड़की पढ़ती है। भूतकाल की भी सब क्रियाएँ कृदन्त हैं—'लड़का गया' और 'लड़की गई'।" ('हिन्दी शब्दानुशासन', पृ. 420) ऐसा होना स्वाभाविक है क्योंकि कृदन्तों का मूल क्षेत्र कुरु जनपद ही है, वहीं से इनका व्यवहार मगध की ओर फैला है।

डॉ. विश्वनाथ प्रसाद ने कर्तरि-कर्मणि प्रयोगों के बारे में लिखा है : "हिन्दी में जहाँ सकर्मक क्रियाओं के लिंग और वचन कर्ता के अनुसार बदलते हैं, वहाँ बिहारी में बंगला, उड़िया के समान सर्वत्र कर्तरि प्रयोग ही चलते हैं, कर्मणि प्रयोग नहीं।" (पृ. 12) कर्मणि प्रयोग कहीं-कहीं पश्चिमी प्रभाव से प्रचलित हो गए हैं। डॉ. विश्वनाथ प्रसाद ने सिंहभूम का जो भाषा-सर्वेक्षण किया था, उसमें मगही से एक उदाहरण यह दिया है। **छौंड़ा कहलकव**—लड़के ने कहा; **छौंड़ी कहलकइ**—लड़की ने कहा। यहाँ **छौंड़ा** और **छौंड़ी** में तो लिंगभेद है ही, क्रिया-रूप में भी अकार-इकार का भेद है। स्पष्ट ही यह भेद लिंग के आधार पर किया गया है। इस तरह के रूप भोजपुरी में भी प्रचलित हैं। डॉ. उदयनारायण तिवारी ने 'भोजपुरी भाषा और साहित्य' पुस्तक में क्रिया-रूपों के जो उदाहरण दिये हैं, उनमें कुछ केवल स्त्रीलिंग के लिए आरक्षित हैं। मध्यम पुरुष के, आदररहित तथा साधारण, बहुवचन-रूप **देखबु सन्हि, देखबू** केवल स्त्रियों द्वारा प्रयुक्त होते हैं। इसी प्रकार **दॅखलुसन्हि, दॅखलू** रूप हैं जो स्त्रियों के लिए सुरक्षित हैं। इनके अतिरिक्त भूतकालीन कृदन्तों में भी पश्चिमी प्रभाव से जहाँ-तहाँ लिंगभेद होता है।

इसका कारण यह है कि बंगला की अपेक्षा मगही, और मगही की अपेक्षा भोजपुरी पर अवधी तथा अन्य पश्चिमी भाषाओं का प्रभाव अधिक है। ऊपर डॉ. विश्वनाथ प्रसाद की भाषा सर्वेक्षण पुस्तक से मगही के जो दो वाक्य उद्धृत किये गए हैं, उनके बंगला प्रतिरूप इस प्रकार हैं : **छेलेटा बोललो, मेयेटी बोललो**। यहाँ क्रिया-रूप में कोई परिवर्तन नहीं होता, मूल संज्ञा शब्द प्राकृतिक लिंगभेद सूचित करते हैं। किन्तु पश्चिमी प्रभाव से व्याकरणगत लिंगभेद **टा-टी** के भेद द्वारा व्यक्त किया गया है। मूल संज्ञा शब्द के साथ प्रयुक्त होनेवाले इस प्रत्यय में

लिंगभेद किया जाए, यह आवश्यक नहीं था। पर पश्चिमी प्रभाव से भाषा की प्रकृति में थोड़ा-सा परिवर्तन हुआ है। यहाँ यह कहना भी उचित होगा कि यह भेद अभी अस्थिर है। बंगला के उक्त उदाहरण के साथ डॉ. विश्वनाथ प्रसाद ने इसी भाषा के तीन उदाहरण और दिये हैं। इनमें **मेयेटी** तो सर्वत्र इसी रूप में है किन्तु **छेलेटा** दो उदाहरणों में **छेलेटि** है। **अ-इ** वाला लिंगभेद पूरी तरह स्थापित नहीं हुआ। सिंहभूम की कुर्माली भाषा में, मगही और बंगला, दोनों की अपेक्षा लिंगभेद अधिक स्पष्ट है। **छोआटा आवइसॉही**—लड़का आता है; **छोआटी आवती**—लड़की आती है; **छोआटा आइलॉक**—लड़का आया; **छोआटी आइलीनी**—लड़की आई। **छोआटा आवतॉक**—लड़का आएगा; **छोआटी आवती**—लड़की आएगी। इन उदाहरणों में मूल संज्ञा रूप, बंगला से भिन्न, एक ही है किन्तु **टा-टी** प्रत्ययों द्वारा लिंगभेद सूचित किया गया है। इसके अतिरिक्त तीनों कालों में क्रिया-रूप लिंगभेद सूचित करते हैं। कुर्माली के लिए डॉ. विश्वनाथ प्रसाद ने अपने उक्त ग्रंथ में लिखा है कि वह मगही का ही एक रूप है (पृ. 16)। उनकी यह बात मानी जाए तो कहना होगा कि मगही का एक रूप क्रियापदों में हिन्दी के समान लिंगभेद सूचित करता है। न मानी जाए तो यह तथ्य स्वीकार करना होगा कि मगही के भाषायी परिवेश में लिंगभेद भली भाँति प्रतिष्ठित हो चुका है। इसमें आश्चर्य की बात नहीं क्योंकि बिहार में अवधी बोलने वाले भी काफी हैं और डॉ. विश्वनाथ प्रसाद ने सिंहभूम के सर्वेक्षण में ही इस भाषा के उदाहरण दिये हैं। इन उदाहरणों में उन्होंने खड़ी बोली के रूपों के मिश्रण की ओर भी संकेत किया है। इसके अलावा गाँवों से उन्होंने खड़ी बोली हिन्दी के नमूने इकट्ठे किए हैं। **एक आदमी के चार लड़िका रहैं**—यह अवधी का नमूना हुआ। **एक आदमी के चार लड़के थे**—यह गाँव की हिन्दी है जो मानक हिन्दी से भिन्न नहीं है। **एक लोग के चार बेटे थे**—यहाँ थोड़ी-सी भिन्नता है। **एक आदमी को चारि लड़का था**—यहाँ भिन्नता और अधिक है। **एक आदमी के चार लड़का छिलो**—यहाँ आधारभूत भाषा हिन्दी को बंगला प्रभावित कर रही है। ये सब नमूने गाँवों से एकत्र किये गए हैं और इन्हें देखने से विदित होता है कि खड़ी बोली हिन्दी शहरों तक सीमित न रहकर बिहार के गाँवों में प्रवेश कर चुकी है। जो आज हमारी आँखों के सामने होता दिखाई दे रहा है, उससे मिलती-जुलती प्रक्रिया पूर्वकाल में घटित हो चुकी है। अन्तर यह है कि आज यदि मगही पश्चिमी प्रभाव अधिक ग्रहण करती दिखाई देती है, तो पूर्वकाल में मागधी समुदाय की भाषाओं ने पश्चिमी भाषाओं को भी प्रभावित किया था।

हिन्दी प्रदेश की जनपदीय भाषाओं के आन्तरिक साम्य के बारे में डॉ. विश्वनाथ प्रसाद का यह कथन बिलकुल सही है : "विचार किया जाए तो बिहारी बोलियों का व्याकरण तथा उनकी रूप-रचना के अनेक मौलिक तत्त्व हिन्दी के एकरूपी न होते हुए भी समरूपी हैं। अभी हिन्दी के परिनिष्ठित व्यापक रूपों के साथ उनके

विभिन्न स्थानीय रूपों का सम्बन्ध निर्दिष्ट किया जा सकता है। पारस्परिक सुबोधता का सम्बन्ध हिन्दी तथा हिन्दी क्षेत्र की अन्यान्य बोलियों से उनका इतना अधिक है कि एक दूसरे की जनपदीय बोली को न जानते हुए भी आसानी से समझ जाते हैं। यही बात बंगला, असमिया या उड़िया के सम्बन्ध में नहीं कही जा सकती। इसी पारस्परिक सुबोधता के कारण सूर, तुलसी, मीराँ, कबीर, विद्यापति—इन सबकी रचनाएँ एक समान रुचि और अवबोध के साथ बिहारी क्षेत्र में पढ़ी जाती हैं।" ('मगही संस्कार गीत', पृ. 15) मगही का ऐतिहासिक विवेचन हिन्दी प्रदेश की पछाँही बोलियों को छोड़कर नहीं किया जा सकता। न केवल मगही, मैथिली और भोजपुरी, वरन् बंगला, उड़िया और असमिया का भी ऐतिहासिक विवेचन करते हुए उक्त बोलियों को ध्यान में रखना चाहिए।

प्राचीन मागधी नाम की कोई मानक भाषा नहीं थी जिससे आधुनिक मागधी समुदाय की सभी भाषाओं का जन्म हुआ हो, यह ऐतिहासिक तथ्य मगही के विवेचन से स्पष्ट होता है। प्राचीन मागधी भाषाएँ ओकार-औकारवादी थीं, उनमें संस्कृत अकार के मानक उच्चारण का अभाव था, यह बात भी मगही और उसकी पड़ोसी भाषाओं की वर्तमान स्थिति से ज्ञात होती है। मगही आधुनिक काल में—यानी पिछले पाँच सौ वर्षों में—पछाहीं भाषाओं से बहुत प्रभावित हुई है। उसके ध्वनितंत्र के अनेक प्राचीन तत्त्व अब बंगला में सुरक्षित हैं। मगही के शब्दतंत्र में **म, स** जैसे सर्वनाम मूल हिन्दी की अपेक्षा अधिक सुरक्षित हैं, मागधी समुदाय की अन्य सभी भाषाओं से भिन्न इसमें **ह्** क्रियामूल का व्यवहार उसे अवधी तथा उत्तर-पश्चिमी भाषाओं से जोड़ता है। ऐतिहासिक दृष्टि से मगही की क्रियापद रचना बहुत महत्त्वपूर्ण है। वह एक ओर भोजपुरी और दूसरी ओर बंगला की क्रियापद रचना से भिन्न है। उसमें प्राचीन सर्वनामी पद्धति सुरक्षित ही नहीं है वरन् उत्तर सामन्तकाल में वह और पल्लवित हुई है। क्रियापद पुरुष-भेद व्यक्त करता है, कर्ता और कर्म की ओर संकेत करता है और कर्ता-कर्म की सामाजिक स्थिति भी व्यंजित करता है। कृदन्तों का तिङन्तीकरण कैसे होता है, इसकी विशद प्रक्रिया मगही में परिलक्षित है।

यद्यपि मिथिला जनपद वेदान्त के लिए प्रसिद्ध रहा है और मगध जनपद कट्टर ब्राह्मणों के लिए त्याज्य रहा है, फिर भी समग्र मागधी समुदाय में मगध और मिथिला की भाषाएँ ही, संरचना की दृष्टि से, परस्पर सर्वाधिक समीप हैं। मगही के बाद मैथिली की कुछ विशेषताओं पर ध्यान देना उचित होगा।

## 2. मिथिला

### *(क) मागधी समुदाय और मैथिली*

पूर्वी अंचल की एक महत्त्वपूर्ण भाषा मैथिली है। मगही और मैथिली के क्षेत्रों के बीच गंगा बहती है किन्तु विभाजित करने के बदले वह इन क्षेत्रों की भाषाओं को

एक दूसरे के निकट लाई है। मगही और मैथिली में जितनी समानता है, उतनी मगही भोजपुरी या मैथिली-भोजपुरी में नहीं है। डॉ. सुभद्र झा ने मैथिली भाषा के निर्माण पर अपने ग्रंथ 'दि फॉर्मेशन ऑफ दि मैथिली लैंग्वेज' में मगही को मैथिली की बोलियों के अन्तर्गत गिना है, साथ ही मगही को भिन्न माननेवाले विद्वानों के मत का आदर करते हुए उन्होंने मैथिली के अन्तर्गत मगही का विवेचन करना उचित नहीं समझा। उन्होंने मगही और मैथिली की समानताओं का उल्लेख करने के बाद ग्रियर्सन का यह मत उद्धृत किया है कि मगही को अलग बोली न मानकर उसे मैथिली की बोली मजे से कहा जा सकता है।

मगही और मैथिली में एक महत्त्वपूर्ण भेद **छि** क्रिया-रूप को लेकर है। मगही में **ह**-मूलक रूपों का चलन है। डॉ. सुभद्र झा ने लिखा है कि **होना** क्रिया के मैथिली रूपों में जहाँ **छ्** है, वहाँ **ह्** कर दिया जाए तो मगही के रूप बन जाएँगे। इसका अर्थ यह हुआ कि रूपतंत्र के विचार से दोनों की क्रियापद-रचना में बहुत बड़ी समानता है, भेद ध्वनितंत्र को लेकर है। बंगला और मैथिली की क्रियापद रचना में रूपात्मक भेद है जिसका सम्बन्ध भाषा की संरचना से है। जो लोग केवल **छि** देखकर मैथिली को हिन्दी की अपेक्षा बंगला के अधिक निकट पाते हैं, वे रूपात्मक समानता के महत्त्व को अनदेखा करते हैं। गुजराती, नेपाली और अनेक पहाड़ी भाषाओं में **छ्**-मूलक क्रिया का व्यवहार होता है। तब मैथिली ही क्या, इन सभी का, पड़ोसी भाषाओं की अपेक्षा, **बंगला** से अधिक सामीप्य होना चाहिए। वैसे **अछत, आछे** आदि रूप पुरानी अवधी में प्रयुक्त होते थे। **छ** और **अछ** क्रियाएँ एक ही हैं या भिन्न हैं? संस्कृत में **अस्ति** और **सन्ति** एक ही क्रिया के दो रूप हैं। मूल क्रिया **अस्** मानी गई है। वैसे ही **छ** और **अछ** का आधार एक है।

इसमें सन्देह नहीं कि **अस्** भारतीय आर्य भाषाओं की अत्यन्त व्यापक रूप से व्यवहृत होनेवाली प्राचीन क्रिया है। इसका मूल रूप **अस्** ही था, इसमें सन्देह है। **सन्ति** और द्विवचन रूप **स्तः** को देखने से ज्ञात होता है कि या तो **अस्** क्रिया के **अ** का लोप हो गया है या फिर एक ही क्रिया की रूप-रचना के अन्तर्गत दो क्रियामूलों को समेट लिया गया है—एक **अस्**, दूसरा **स**। यह **स** क्रियामूल बाँगरू के **सै** रूप में अब भी दिखाई देता है। **स** क्रिया के **छ** और **ह**, दो रूपान्तर सहज ही बोधगम्य हैं। इसी प्रकार **अस्** क्रिया के **अछ** और **अह** रूपान्तर भी बोधगम्य हैं। **अस्** और **स** धातुओं का मूल रूप एक हो चाहे वे मूलत: दो भिन्न क्रियाएँ हों, इसमें सन्देह नहीं कि आर्य भाषाओं में दोनों का व्यवहार प्राचीन काल से होता आया है।

यह **अस्** क्रिया संस्कृत के भविष्यकाल में प्रयुक्त नहीं होती और इंडो-यूरोपियन परिवार की जिन भाषाओं में इसका व्यवहार होता है, उनमें भी भविष्यकाल के लिए इसका प्रयोग नहीं होता। **अस्** के आधार पर जब क्रियापद रचना हुई, तब भविष्यकालीन रूपों का विकास ही न हुआ था। इतनी पुरानी है यह क्रिया। **स** क्रिया

बाँगरू में अब भी प्रयुक्त होती है। भारत से बाहर किसी इंडो-यूरोपियन भाषा में इस रूप का व्यवहार नहीं होता। संस्कृत रूप **सन्ति स** क्रिया के आधार पर बना है। जैसे किसी सर्वनाम की रूप-रचना के अन्तर्गत—**अहम्, मम, नः** इत्यादि—विभिन्न सर्वनाम एक साथ रख दिये गए हैं, वैसे ही जहाँ-तहाँ क्रियापद रचना में एक से अधिक क्रियाएँ एक साथ प्रतिष्ठित हो गई हैं। यही स्थिति **अस्** और **स** की है। **सन्ति** रूप **असन्ति** का संक्षेपीकरण नहीं है। इसी **स** क्रिया से **सत्** रूप बनता है। **सत्व** वह जिसका अस्तित्व है। **य्** वाले क्षेत्र में, **व्** के बदले **य्** के प्रयोग से, **सत्य** शब्द सिद्ध हुआ। **सत्य** वह जिसका अस्तित्व है। जो लोग **स्** ध्वनि **त्** रूप में ग्रहण करते थे, उन्होंने **सत्व** को **तत्व** रूप में ग्रहण किया, **सत्य** अपनी जगह स्थिर रहा।

मध्यदेशीय दन्त्य सकार अनेक प्रकार से भारतीय भाषाओं में परिवर्तित होकर ग्रहण किया जाता है, ये रूपान्तरण भिन्न भाषाओं की ध्वनि-प्रकृति को पहचानने में सहायता देते हैं। द्रविड़ भाषाओं में यह **स्** कहीं **त्** और कहीं **च्** रूपों में ग्रहण किया जाता है। आर्य भाषाओं में अधिकतर इसका रूपान्तरण **छ्** में होता है। यह **छ्** महाप्राणध्वनि है। उसकी महाप्राणता यह सिद्ध करती है कि ऐसा परिवर्तन द्रविड़ भाषाओं के प्रभाव से नहीं हुआ। उस प्रभाव से ऐसा परिवर्तन होता तो **स्** का स्थान अल्पप्राण **च्** ध्वनि ही लेती। हमें यह मानना होगा कि प्राचीन आर्य भाषाओं में एक वर्ग ऐसा था जिसमें **स्** ध्वनि का अभाव था, पड़ोसी भाषाओं से **स्** ध्वनि वाले शब्दों को वह **छ्** रूप में ग्रहण करता था। साथ ही उसने **च** वर्गीय ध्वनियों का विकास किया था और इसीलिए ऐसा रूपान्तर उसके लिए स्वाभाविक था। आर्य-द्रविड़ भाषाओं में **च** वर्गीय ध्वनियों की स्थिति पर विचार करने पर ऐसा प्रतीत होता है कि इन ध्वनियों के विकास केन्द्र उत्तर-पश्चिमी प्रदेशों में थे। यह **छ्** ध्वनि जनपदीय भाषाओं के अन्तस्तल में ऐसी व्यापी है कि बच्चे **स्** का उच्चारण न कर पाने पर **छ्** बोलते हैं। डॉ. सुभद्र झा ने मिथिला के बच्चों में इस प्रवृत्ति को लक्ष्य किया है पर वह प्रवृत्ति हिन्दी प्रदेश के प्रायः सभी जनपदों में पाई जाती है। बच्चों के अलावा जहाँ वयस्क जन **स्** की जगह **छ्** बोलते हैं, वहाँ वे उच्चारण की एक प्राचीन परम्परा का अनुसरण करते हैं। गुजराती, राजस्थानी, बंगला, मैथिली, पहाड़ी भाषाएँ मध्यदेश को घेरे हुए हैं। **च** वर्गीय ध्वनियाँ उन आर्य भाषाओं की देन हैं जो मध्यदेश के परिवृत्त में बोली जाती हैं।

डॉ. सुभद्र झा ने **श्-ष्-स्** के **छ्** में बदलने के जो उदाहरण दिये हैं, उनमें अनेक ऐसे हैं जो अवधी के क्षेत्र में नहीं सुने जाते। **सप्तपर्ण** से **छतबन, शौच** से **छौंच, शावक** से **छौंड़ा, सूतक** से **छुतका, श्रम** से **छरम**। इस प्रवृत्ति ने हिन्दी प्रदेश की जनपदीय भाषाओं को कितना प्रभावित किया है, इसका प्रमाण यह है कि संस्कृत **षष** का **छ** वाला रूपान्तरण सर्वत्र प्रचलित है और हिन्दी प्रदेश से बाहर बंगला आदि में **छ** वाले रूपों का चलन है। इस प्रसंग में **क्ष् (क् + ष्)** के रूपान्तर भी

दर्शनीय हैं। मागधी भाषाओं की यह विशेषता है कि संस्कृत के जिन शब्दों में **क्ष्** है, उनके तद्‌भव रूपों में **ख्** या **क्ख्** बोला जाता है। यह प्रवृत्ति सर्वाधिक संगत रूप में बंगला में पाई जाती है। संस्कृत **क्षेत्र** के तद्‌भव रूप **खेत** का जो व्यापक व्यवहार होता है, वह पश्चिमी भाषाओं पर मागधी प्रभाव का पुष्ट प्रमाण है। मैथिली और बंगला में यह अन्तर है कि मैथिली में बहुत जगह **क्ष्** ध्वनि, अवधी के समान, **छ्** रूप में ग्रहण की जाती है। डॉ. सुभद्र झा ने लिखा है कि मैथिली के तद्‌भव शब्दों में तो **क्ष्** के स्थान पर **ख्** प्रतिष्ठित हुआ है किन्तु अर्द्ध-तत्सम शब्दों में उसकी जगह **छ्** का व्यवहार होता है। इस प्रकार **क्षेत्र** का तद्‌भव रूप तो हुआ **खेत** किन्तु उसका अर्ध-तत्सम रूप हुआ **छेत्र**। तद्‌भव रूप पुराने हैं, वे मूल मागधी प्रकृति की ओर संकेत करते हैं। अर्द्ध-तत्सम रूपों का व्यवहार वे लोग करते हैं जो संस्कृत उच्चारण के और समीप पहुँचना चाहते हैं किन्तु भाषा की ध्वनि-प्रकृति से विवश होकर अर्द्ध-तत्सम अवस्था में रह जाते हैं। **पक्ष** से **पच्छ, वृक्ष** से **बिरिछ, रक्षपाल** से **रछपाल** अर्ध-तत्सम रूप कहे गए हैं। इसी प्रकार **छमा, रच्छा** आदि शब्द हैं। अवधी में ये सब शुद्ध तद्‌भव रूप माने जाएँगे। अशुद्ध अर्ध-तत्सम रूप वे हैं जहाँ पंडित जी **इच्छा** को **इक्षा**, और आगरे के बहुत-से विद्यार्थी छात्र शब्द को बोलते तो **छात्र** ही हैं पर लिखते हैं **क्षात्र**।

**क्ष्** दो ध्वनियों का संयुक्त रूप है। **क्** और **ष्** में दूसरी ध्वनि **ख्** में बदलती है। इसीलिए **क्ष्** के स्थान में **क्ख्** का भी व्यवहार होता है। हिन्दी भाषा-समुदाय में व्यंजन द्वित्व हटाकर बहुधा एक व्यंजन से काम लिया जाता है। जहाँ **क्ष्** नहीं है, केवल **ष्** है, वहाँ भी **ख्** का व्यवहार मागधी प्रवृत्ति का परिणाम है। इस प्रकार **भाषा** के लिए **भाखा** व्यापक व्यवहार हुआ, **भाछा** जैसे रूप का चलन कहीं दिखाई नहीं देता। संख्यासूचक **छह** शब्द का व्यवहार **ष्-छ्** समीकरण का अन्यतम उदाहरण है।

मगही और मैथिली में मुख्य भेद **हे** और **छि** क्रिया-रूपों को लेकर है। दोनों ही रूप मूल मागधी प्रवृत्ति से बाहर के हैं। जैसे **क्ष्** से **क्ख्, ष्** से **ख्,** वैसे ही यदि दन्त्य **स** को बदलना है, तो उसकी जगह **ख्, ख़्** या फिर उससे मिलती-जुलती ध्वनि **श्** का व्यवहार होना चाहिए। तब प्राचीन मागधी के ध्वनितंत्र की आन्तरिक संगति प्रमाणित होगी। ऐसा परिवर्तन असमिया भाषा में होता है। जो लोग **ह्** ध्वनि का व्यवहार करने के आदी हैं, उन्हें **स्** ध्वनि वाले संस्कृत शब्दों के असमिया रूपों में **ह्** सुनाई देगा। डॉ. सुभद्र झा ने असमिया के लिए लिखा है कि उसमें **स्** ध्वनि सर्वत्र **ह्** में बदल जाती है, पर असमिया में **स्** के स्थान पर संघर्षी **ख्** का व्यवहार होता है जो **ह्** से भिन्न है। सम्भव है, मूल मागधी प्रवृत्ति **स्** को **ख़्** में बदलने की हो, पश्चिमी प्रभाव से स्पर्श **ख्** ने संघर्षी **ख़्** का स्थान लिया हो। इतना ध्यान रखना है कि असमिया में तालव्य **श्** का अभाव है पर यह ध्वनि प्राचीन मागधी में अवश्य थी। पुनः हम इस परिणाम पर पहुँचते हैं कि प्राचीन मागधी भाषा-समुदाय में एक

वर्ग **श्** ध्वनि वाला था, दूसरे में इस ध्वनि का अभाव था; एक वर्ग किसी शब्द में **स्** सुनकर उसे **श्** बना लेता था, दूसरा वर्ग उसे **ख्** बोलता था।

मैथिली में **छ** क्रिया के बदले **ह्** क्रिया का व्यवहार भी होता है, यह तथ्य महत्त्वपूर्ण है। डॉ. सुभद्र झा ने लिखा है कि बोलियों के स्तर पर मैथिली में **ह** वाले क्रिया-रूप मिलते हैं यद्यपि वे बिलकुल मगही रूपों जैसे नहीं होते। यह बात उन्होंने होना क्रिया के प्रसंग में कही है। **ह्** क्रिया का व्यवहार मैथिली में मगही प्रभाव का परिणाम है। बंगला में इस क्रिया का व्यवहार नहीं होता। यह भी उल्लेखनीय है कि मगही में **स** क्रिया सर्वत्र **ह्** रूप में विद्यमान नहीं है। इसका एक रूपान्तर **थ** है। उड़िया और बंगला में इस क्रिया का व्यवहार अधिक होता है। डॉ. सुभद्र झा ने दक्षिणी भागलपुर, दक्षिणी मुँगेर की **छिका-छिकी** बोली के बारे में लिखा है कि इसमें मानक भाषा का **थीक** रूप **छीक, छिका** आदि बोला जाता है। **छीक** और **थीक,** दोनों रूपों का आधार **सीक** है। जैसे **स्** ध्वनि का एक रूपान्तर महाप्राण तालव्य **छ्** है, वैसे ही दूसरा दन्त्य रूपान्तर **थ्** भी महाप्राण है। जैसे द्रविड़ भाषाएँ **स्** को **च्** रूप में ग्रहण करती हैं, वैसे ही वे **स्** को **त्** रूप में भी ग्रहण करती हैं। दोनों रूपान्तर अल्पप्राण हैं। इसलिए **थ्** वाला रूपान्तर भी द्रविड़ नहीं है। **स्** ध्वनि को आर्य भाषाओं का एक वर्ग **छ्** रूप में, दूसरा **ख़्** रूप में, तीसरा **ह्** रूप में, चौथा **थ्** रूप में ग्रहण करता है। इन सभी रूपान्तरों में महाप्राणता विद्यमान है। इसका कारण यह है कि आर्य भाषाओं के विभिन्न वर्गों की सामान्य विशेषता है महाप्राणता। सभी रूपान्तरों महाप्राणता का होना कोल-द्रविड़ भाषाओं से इन वर्गों को अलग करता है और इस कारण हम इन प्राचीन भाषाओं को आर्य समुदाय के अन्तर्गत मानते हैं।

यहाँ **ह्** ध्वनि के बारे में कुछ देर और विचार करना चाहिए। यद्यपि इंडो-यूरोपियन परिवार की बहुत-सी प्राचीन और नवीन भाषाओं में इस ध्वनि का व्यवहार होता है, फिर भी ऐतिहासिक भाषाविज्ञान में इसे आदि इंडो-यूरोपियन भाषा की मूल ध्वनि नहीं माना गया। इसका एक कारण यह हो सकता है कि संस्कृत के जिन शब्दों में इस ध्वनि का व्यवहार होता है, वह बहुधा किसी अन्य मूल ध्वनि का परिवर्तित रूप सिद्ध होती है। **घ्-ध्-भ्-स्** ध्वनियाँ सर्वाधिक **ह्** में बदलती हैं, विशेष रूप से जब वे दो स्वरों के बीच में प्रयुक्त होती हैं। यह व्यंजनों के स्पर्श तत्त्व को लोप करने और उसे संघर्षी रूप देने का परिणाम है। यह प्रवृत्ति कुछ द्रविड़ भाषाओं में भी है और हो सकता है, इसका कारण नागभाषाओं का प्रभाव हो। किन्तु जब कोई भाषा किसी इतर ध्वनि को अपनाती है तो उसका रूप-परिवर्तन अपनी ध्वनि-प्रकृति के अनुकूल करती है। यह असम्भव है कि जो प्राचीन आर्य भाषाएँ **घ्-ध्-भ्-स्** को **ह्** में बदलती रही हैं, उनके ध्वनितंत्र की एक मूलभूत ध्वनि **ह्** न रही हो। वे **स्** को **ह्** में इसलिए बदलती थीं कि **ह्** उनके लिए सुगम ध्वनि थी। इन भाषाओं के बोलने वाले **ह्** ध्वनि के उच्चारण के अभ्यस्त थे। यह सम्भव है कि मध्य देश की

जिस भाषा के आधार पर संस्कृत का निर्माण हुआ है, उसके ध्वनितंत्र में मूलतः **ह्** ध्वनि न रही हो। किन्तु अवेस्ता की भाषा में जो **ह्** की भरमार है, ग्रीक, लैटिन, जर्मन आदि में जो **ह्** का व्यवहार होता है, और बहुधा मूल **स्** ध्वनि के स्थान पर होता है, उससे इंडो-यूरोपियन परिवार में **ह्** के प्राचीन और व्यापक प्रसार के बारे में सन्देह नहीं रह जाता। राजस्थान, पंजाब, कश्मीर, गुजरात आदि प्रदेशों की अनेक बोलियों में बहुत-से शब्द ऐसे हैं जिनमें **स्** की जगह **ह्** बोला जाता है। यह आर्येतर भाषाओं के प्रभाव का परिणाम है, यह मानने का कोई कारण नहीं है। द्रविड़, कोल और नाग-भाषाओं में **ह्** ध्वनि का सीमित व्यवहार होता है और विश्लेषण से विदित होता है कि उनमें इस ध्वनि का प्रवेश आर्य भाषाओं के प्रभाव के कारण हुआ है। संस्कृत तथा आधुनिक आर्य भाषाओं में जहाँ **ह्** ध्वनि का लोप होता है, वहाँ इसका कारण आर्येतर प्रभाव है, ऐसा जरूर माना जा सकता है।

बंगला और मैथिली-मगही में एक महत्त्वपूर्ण भेद महाप्राणता को लेकर है। **ह्**, के अतिरिक्त अनेक स्थितियों में सघोष या अघोष महाप्राण ध्वनियों की महाप्राणता का लोप हो जाता है। इसका कारण मिथिला-मगध की अपेक्षा बंगाल पर द्रविड़ प्रभाव की अधिकता है। इसमें सन्देह नहीं कि प्राचीन मागधी में महाप्राण ध्वनियाँ अन्य आर्य भाषाओं के समान ही थीं। बंगला ने मागधी की कुछ विशेषताओं की रक्षा की है तो कुछ वहाँ लुप्त हो गई हैं। मध्यवर्ती **ड़्** हिन्दी में उत्क्षिप्त बोला जाता है। यही स्थिति बंगला की है। मैथिली की अपेक्षा अवधी में इसका व्यवहार कम होता है। डॉ. सुभद्र झा ने **कड़ाही, फाड़व, बाड़ी, बड़** (बरगद), **कपड़ा**, शब्दों को मैथिली शब्दावली में गिना है। ये रूप परिनिष्ठित हिन्दी की प्रकृति के अधिक अनुकूल हैं, अवधी में इन सभी शब्दों के **ड़्** के स्थान पर **र्** का व्यवहार होगा। **ड़्** ध्वनि अवधी शब्दों में प्रयुक्त होती है किन्तु मानक हिन्दी की अपेक्षा कम होती है। इस सन्दर्भ में बंगला, अवधी की अपेक्षा, मानक सदी से अधिक मिलती-जुलती है। **ड़्** के समान मध्यवर्ती **ढ़्** भी मानक हिन्दी, अवधी और मैथिली में उत्क्षिप्त बोला जाता है किन्तु बंगला में उसकी महाप्राणता का लोप हो जाता है। यथा : **पढ़ना** क्रिया का **ढ़्** बंगला में **ड़्** बोला जाता है। डॉ. सुभद्र झा ने **पढ़ब, गढ़ब, काढ़ब, काढ़ा, बाढ़ी, दाढ़, कोढ़ी, साढ़े** आदि रूप मैथिली शब्दावली में गिनाए हैं। ये सभी शब्द मानक हिन्दी और अवधी आदि जनपदीय उपभाषाओं में बोले जाते हैं। **पढ़ब** की जगह मानक हिन्दी में **पढ़ना** होगा, इतना ही अन्तर है; क्रियामूल **पढ़्** का **ढ़्** ज्यों-का-त्यों रहता है। पर ये रूप बंगला में नहीं मिलते। इसका कारण यही है कि महाप्राणता के मूल केन्द्रों से बंगला का क्षेत्र दूर है। डॉ. सुभद्र झा ने उचित लिखा है कि बंगला, मराठी, गुजराती, असमिया और नेपाली की तुलना में महाप्राणता का लोप मैथिली में कम हुआ है। मैथिली **माँझ** (मध्य), बंगला **मेजो**; मैथिली **साँझ**, गुजराती **साँज**; मैथिली **बूझ**, नेपाली **बुजवुँ**; मैथिली **चीखब** (चखना), असमिया

**चाके**। जिन भाषाओं में महाप्राणता का लोप दिखाई देता है, वे सब हिन्दी परिवृत्त की भाषाएँ हैं। उनमें महाप्राणता के लोप का कारण यह है कि हिन्दी प्रदेश द्रविड़ मंडल से घिरा हुआ है और हिन्दी परिवृत्त पर इस मंडल का प्रभाव है।

अवधी की अपेक्षा मैथिली में महाप्राणता क्षीण होती है और कुछ शब्द इस तरह बोले जाते हैं जिस तरह उनका उच्चारण मानक हिन्दी के पछाँहीं रूपों में होता है। **हाथ** को **हात** कहना मैथिली और इन पछाँही रूपों में सामान्य वृत्ति का परिचायक है। डॉ. सुभद्र झा ने **हेठा, हाथी** जैसे शब्दों को मैथिली में **हेट, हाती** रूप में बोला जाता माना है। उनका कहना है कि आधुनिक मैथिली में शब्द के अन्तिम वर्ण की महाप्राण ध्वनि को त्यागने की प्रवृत्ति बढ़ रही है किन्तु वह बहुत सीमित है। ऐसी प्रवृत्ति हिन्दी के पछाँहीं रूपों तथा बुन्देलखंडी आदि पश्चिमी जनपदीय उपभाषाओं में भी दिखाई देती है।

मैथिली भाषा के ध्वनितंत्र के बारे में डॉ. सुभद्र झा ने एक महत्त्वपूर्ण तथ्य की ओर संकेत किया है। इसका सम्बन्ध कुछ शब्दों में ध्वनियों के स्वच्छन्द संचरण से है। ऐसा कुछ ही शब्दों में होता है पर यह उस युग की प्रवृत्ति का अवशेष है जब विभिन्न केन्द्रों में विभिन्न ध्वनियों का विकास हो रहा था और इनका अर्थ-विच्छेदक व्यवहार अभी निश्चित न हुआ था। उन्होंने उदाहरणस्वरूप जो शब्द दिए हैं, उनमें ऐसा स्वच्छन्द विनिमय ओष्ठ्य और कंठ्य ध्वनियों के बीच होता है, जैसे एक रूप **उबरा**, दूसरा रूप **उगरा**। दोनों का एक ही अर्थ है—**उर्वर**। मैथिली रूपों का मूलाधार **उबर** शब्द माना गया है। **व्** का **ब्** में परिणत होना सहज है किन्तु **ब्** के स्थान पर **ग्** का व्यवहार आश्चर्यजनक है। इसका कारण यह हो सकता है कि मैथिली भाषा समवाय में एक बोली ऐसी शामिल है जिसका सम्बन्ध कंठ्य ध्वनियों के विकास केन्द्र से था। इस कारण पुराने तद्भव रूपों में ही नहीं, उधार लिये हुए कुछ नये शब्दों में भी ओष्ठ्य ध्वनिय के बदले कंठ्य ध्वनि का व्यवहार होता है, यथा : **मजबूत** के बदले **मजगूत** रूप का **व्यवहार**। इस **मजगूत** रूप को यह कहकर टाला जा सकता है कि गाँव के लोगों ने मूल शब्द का सही उच्चारण सुना न होगा, उसका अनुकरण न कर पाए होंगे। किन्तु यह परम्परा काफी पुरानी है। डॉ. झा ने संस्कृत **वृक** के गौथिक प्रतिरूप **वुल्फोस्** (अंग्रेज़ी **वुल्फ**) का उल्लेख उचित ही किया है। भाषाशास्त्री वाकरनॉगल के आधार पर उन्होंने एक ही भाषा—संस्कृत—में स्वच्छन्द संचरण के उदाहरण दिए हैं : **कुलिका—पुलिका** (एक चिड़िया), **कर्कदु—कर्पदु** (एक जलचर)। इस सन्दर्भ में **स्तम्भ** और **स्कम्भ** का उदाहरण भी स्मरण करें जिसने ब्रुगमन के लिए यह समस्या खड़ी की थी कि इनमें मूलरूप किसे माना जाए। इस प्रकार **मजबूत** और **मजगूत** की समस्या देहातियों के अज्ञान का सहारा लेकर टाली नहीं जा सकती। उसका एक ही समाधान समझ में आता है और वह यह कि विभिन्न ध्वनियों का विकास विभिन्न केन्द्रों में हुआ।

इन केन्द्रों के परस्पर सम्पर्क से आगे चलकर भाषाओं के ऐसे ध्वनितंत्रों का निर्माण हुआ जिनमें विभिन्न केन्द्रों के कंठ्य, ओष्ठ्य, दन्त्य तथा महाप्राण, अल्पप्राण, सघोष, अघोष, ध्वनिरूप समेट लिये गए। मैथिली के उदाहरणों से ऐसा लगता है कि पहले जो भेद स्थापित किया गया, वह दन्त्य और अदन्त्य ध्वनियों के बीच था। इसी कारण **क** वर्गीय और **प** वर्गीय ध्वनियाँ स्वच्छन्द संचरण की स्थिति में दिखाई देती हैं किन्तु **त** वर्गीय ध्वनियाँ इस व्यापार से बाहर रहती हैं। उधर संस्कृत के **स्कम्भ** और **स्तम्भ** रूपों को देखें तो **त** वर्गीय और **क** वर्गीय ध्वनियाँ स्वच्छन्द संचरण में हैं, **प** वर्गीय ध्वनियाँ इस व्यापार से बाहर हैं। किन्तु संस्कृत में ही **स्कम्भ** के साथ **स्कन्ध** रूप भी है और मूलत: दोनों का अर्थ एक ही है। **स्तम्भ** के साथ **स्तन्ध** रूप भी यहाँ कभी प्रचलित था। खड़े होने के लिए अंग्रेज़ी क्रिया स्टैंड उसी **स्तन्ध** का प्रतिरूप है, जैसे—**स्तम्भ** का अंग्रेज़ी प्रतिरूप **स्टम्प** है। इसलिए यह मानना होगा कि कंठ्य, ओष्ठ्य और दन्त्य, तीनों वर्गों की ध्वनियों में स्वच्छन्द संचरण की अवस्था कभी थी, उनका विकास भिन्न केन्द्रों में हुआ, क्रमशः एक ही ध्वनितंत्र में उनका अर्थ-विच्छेदक व्यवहार होने लगा।

मैथिली के कुछ और उदाहरण देखें। संस्कृत **स्खलयति** से **खोलब** और **फोलब; उद्धहति** से **उघब** और **उभव; उद्घटते** से **उघरब** और **उभरब**; संस्कृत में ही **उत्कटति** और **उत्पटति**, दो रूपों से मैथिली में **उकटब** और **उपटब; उत्खनति** से **उखरब** और **उफरब, उद्धर्तन** से **उबटन, उकटन**। इनके अतिरिक्त **ढेप** (ढेर), **ढेकुरी** (ढेरी); **चेकी चेपी** (स्तूप); **उब्भी, उग्घी** (छेदवाले बाँस)। जैसा कि अन्य प्रसंगों में बताया गया है, ध्वनियों का ऐसा स्वच्छन्द संचरण उन भाषाओं में सबसे अधिक पाया जाता है जिन्हें मानक रूप प्राप्त नहीं हुआ या मानक रूप में जिनका व्यवहार कम हुआ अथवा जो अन्य मानक भाषाओं से कम प्रभावित हुईं। ध्वनियों के स्वच्छन्द संचरण का तथ्य ऐतिहासिक भाषाविज्ञान की शास्त्रीय रूढ़ियों का खंडन करता है। किसी आदि भाषा के विकसित और पूर्ण प्रतिष्ठित ध्वनितंत्र से उसकी शाखाओं-प्रशाखाओं के ध्वनितंत्रों का निर्माण नहीं हुआ। ध्वनियों के स्वच्छन्द संचरण का तथ्य भाषाओं की विकास-प्रक्रिया समझने में सहायक होता है। अनेक केन्द्रों में विकसित होने वाली ध्वनियाँ, विभिन्न गण-समाजों के परस्पर सम्पर्क में आने पर मिले-जुले ध्वनितंत्रों का निर्माण करती हैं। ध्वनितंत्रों के विकास की उस आदिम अवस्था की झलक मैथिली में विद्यमान है।

**क-त-प** वर्गों की भाषाओं को आगे चलकर **च** वर्ग केन्द्रित भाषाओं ने प्रभावित किया। इस कारण मैथिली में कुछ ऐसे शब्द मिलते हैं जिनमें **झ्** ध्वनि प्रयुक्त है किन्तु इन शब्दों के मूल संस्कृत रूप नहीं मिलते, केवल प्राकृत रूप मिलते हैं। सामान्यत: यह माना जाता है कि आधुनिक आर्य भाषाओं में जहाँ **झ्** ध्वनि है, वहाँ मूलरूप में **ध्** ध्वनि थी। संस्कृत में ही कुछ शब्द **झ्** ध्वनि वाले हैं जिनके मूल

**ध्** वाले रूप नहीं मिलते। यदि आधुनिक आर्य भाषाओं में **झ्** ध्वनि वाले शब्द गिने जाएँ और उनमें इसी कोटि के स्थानसूचक नाम भी जोड़ दिए जाएँ, तो राग-झिंझोटी से लेकर झाँसी और झींझक तक देशज शब्दों की एक स्वतंत्र देशी नाम माला तैयार हो जाएगी। अन्य वर्गों की ध्वनियों के समान **च** वर्गीय ध्वनियों का विकास भी कुछ विशेष केन्द्रों में हुआ। इंडो-यूरोपियन भाषाओं के विकास काल में ये केन्द्र विद्यमान थे, यह निश्चित है, भले ही कल्पित आदि इंडो-यूरोपियन भाषा के ध्वनितंत्र में **च** वर्गीय ध्वनियों को स्थान न मिले। डॉ. सुभद्र झा ने कुछ शब्दों के उदाहरण दिये हैं जो प्राकृत और मैथिली में हैं किन्तु संस्कृत में जिनके पूर्वरूप नहीं हैं : प्राकृत **झोलीअ, झुट्ठ, झिंगर** के मैथिली प्रतिरूप **झोड़ी, झूठ, झिंगुर** हैं। मैथिली का गहरा सम्बन्ध **च** वर्गीय केन्द्रों से रहा है। इसीलिए **ध्** ध्वनि **झ्** में बदलती है, **स्** ध्वनि **छ्** रूप में ग्रहण की जाती है; संयुक्त ध्वनि **क्ष्** को इस वृत्ति के अनुसार **छ्** या **च्छ्** रूप में ग्रहण करना स्वाभाविक है। **झ्** का एक स्रोत **घ्** भी है, इसका उल्लेख पहले हो चुका है।

मैथिली और बंगला में एक महत्त्वपूर्ण भेद यह है कि मैथिली शब्द अजन्त होते हैं जबकि बंगला में हलन्त रूप काफी हैं। ऐसा भेद भोजपुरी और मैथिली में भी है। डॉ. सुभद्र झा ने लिखा है कि मैथिली शब्दों के अन्त में व्यंजन नहीं आता किन्तु भोजपुरी शब्दों के अन्त में स्वर और व्यंजन दोनों आते हैं। भोजपुरी और मैथिली, दोनों में **हम कहब** (मैं कहूँगा)—इस वाक्य का व्यवहार हो सकता है किन्तु मैथिली में, दोनों शब्दों के अन्त में, हल्का अकार सुनाई देगा, भोजपुरी में **म्** और **ब्** हलन्त होंगे। शब्दों के अजन्त रूपों का चलन मैथिली को अवधी से मिलाता है, हलन्त रूपों का चलन भोजपुरी को पश्चिमी आर्य भाषाओं से मिलाता है।

मैथिली और बंगला में एक महत्त्वपूर्ण भेद बलाघात को लेकर है। जैसा कि डॉ. सुभद्र झा ने लिखा है, सामान्यत: बंगला शब्दों में बलाघात पहले वर्ण पर होता है, मैथिली में भिन्न वर्गों पर। डॉ. झा ने यह भी ठीक लिखा है कि बलाघात के मामले में मैथिली और अवधी एक दूसरे से मिलती-जुलती हैं। डॉ. झा ने मैथिली के अन्तर्गत जो शब्द दिये हैं, उनमें **अकास, रजपूत, नरायन, बखान** आदि हैं। इनके मूल रूपों में बलाघात आदि वर्ण पर था, पर मैथिली रूपों में वहाँ से हटकर वह दूसरे वर्गों पर आ गया है। परिणाम यह कि आदि वर्ण का दीर्घ स्वर ह्रस्व हो गया है। ये सारे रूप अवधी में स्वीकृत हैं। मैथिली में बलाघात की अनेक प्रवृत्तियों का मिश्रण दिखाई देता है। सर्वनाम **हम** का एक रूप **हाम,** दूसरा रूप **हमा** भी मिथिला की बोलियों में प्रचलित है। डॉ. सुभद्र झा के दिये हुए **हम, हाम, हमा**—ये तीन रूप तभी सम्भव हैं जब बलाघात भिन्न वर्गों पर हो। बलाघात से स्वर की लघुता और गुरुता का कितना गहरा सम्बन्ध है, यहाँ देखा जा सकता है। अधिकांश भाषाविज्ञानी मानते हैं कि प्राकृत और अपभ्रंश में व्यंजन द्वित्व की प्रवृत्ति

थी, आधुनिक आर्य भाषाओं में उसका सरलीकरण हुआ। वे देखें कि मैथिली में **हम** का एक प्रतिरूप **हम्म** भी है। महाप्राणता के लोप की प्रवृत्ति जैसे विषम है, वैसे ही बलाघात की प्रवृत्ति भी एक-सी नहीं है। एक रूप **हुन्ह**, दूसरा रूप **हुन**, तीसरा रूप **उन**। ये तीनों रूप एक ही क्षेत्र की बोलियों में हैं। उन पश्चिमी हिन्दी का रूप है, **हुन्ह** अपनी महाप्राणता से प्राचीनता का परिचय देता है। इसी प्रकार कारक-चिन्हों में **लइ, लै, ले** और **कइ, कै, के** तीन तीन रूप हैं। **के** और **ले** सीधे पश्चिमी ध्वनिवृत्ति के अनुकूल हैं, **लइ** और **कइ** कोसली और मागधी-वृत्ति के अनुरूप हैं, **लै** और **कै** ब्रज प्रवृत्ति के अनुरूप हैं। जिस प्रदेश की उर्वर भूमि में अनेक गण-समाज सिमट आएँगे, वहाँ उनकी बोलियों के अवशेष कहीं-न-कहीं मिलेंगे ही। इसीलिए परिनिष्ठित भाषा के लिखित मानक रूप के आधार पर भाषाओं के विकास का विश्लेषण एकांगी होता है।

### *(ख) मैथिली शब्दतंत्र*

शब्दतंत्र का अध्ययन करते समय सबसे पहले सर्वनामों पर विचार करें। ऊपर **हुन्ह** और **उन** के उदाहरण में महाप्राण और अल्पप्राण ध्वनियों के भेद से वैकल्पिक रूप बने हैं। आधुनिक मैथिली या बंगला में जहाँ महाप्राण ध्वनि न हो, वहाँ यह न मान लेना चाहिए कि वैसा रूप सदा ही अल्पप्राण ध्वनि वाला रहा होगा। आधुनिक मैथिली में **ओ, ऊ, ई,** संकेतक सर्वनामों का व्यवहार होता है। ये सभी रूप पहले महाप्राण ध्वनियों से युक्त थे। पुरानी मैथिली के लिए डॉ. झा ने लिखा है कि कर्ता रूप में से सर्वनाम का व्यवहार होता था। जैसा कि विदित है, यह सर्वनाम बंगला में अब भी प्रयुक्त होता है और उसका प्रतिरूप **सो** हिन्दी प्रदेश की बोलियों में प्रयुक्त होता है। पुरानी और आधुनिक मैथिली का **ओ** इसी **सो** का विकास है। डॉ. झा ने पुरानी मैथिली के **से** सर्वनाम को दूर की वस्तु का संकेतक कहा है। इसके बाद **ओ** को भी पुरानी मैथिली में दूर का संकेतक बताया है। इस **ओ** सर्वनाम के भी **हुन्हि, हुनि, हुन, उन** जैसे रूप प्राचीन मैथिली में मिलते हैं। इससे यह धारणा पुष्ट होती है कि **से** के समान एक दूसरे सर्वनाम रूप **सो** का भी चलन था। **स्** का परिवर्तन **ह्** ध्वनि में हुआ तब **हो** रूप बना और महाप्राणता के लोप से **ओ** रूप रह गया। यह तथ्य महत्त्वपूर्ण है कि आधुनिक मैथिली में सामान्य रूप के साथ कभी-कभी तिर्यक् भाव में महाप्राण ध्वनि वाला रूप मिलता है, यथा : **ओ** सर्वनाम के साथ **हुन** रूप का व्यवहार होता है। निकटवर्ती व्यक्तिसूचक सर्वनाम के लिए पुरानी मैथिली में **हिनि, हिन** रूप हैं। आधुनिक मैथिली में **ई** रूप है किन्तु तिर्यक् रूप **हिन** का व्यवहार भी होता है। मिथिला क्षेत्र की बोलियों में कहीं-कहीं महाप्राण और अल्पप्राण रूप एक साथ चलते हैं। छिकाछिकी बोली में **उनी** और **हुनी, ऊ** और **हउ**—दोनों तरह के रूप दूर संकेतक सर्वनाम के सामान्य रूप हैं। इसी प्रकार

इस बोली में तिर्यक् रूप **हुन्ह, हुन, उन्ह, उन** सभी वैकल्पिक रूप विद्यमान हैं। ये रूप मानक हिन्दी में **उनको, उन्हें** जैसे रूपों के विकास को समझने में सहायता देते हैं। इसी प्रकार निकट संकेतक के सामान्य रूप छिकाछिकी में **इनी** और **हिनी** हैं, तिर्यक भाव में **हिन्ह, हिन, इन** रूप हैं। हिन्दी के **इनको** और **इन्हें** जैसे रूपों का गहरा सम्बन्ध मैथिली के इन सर्वनाम रूपों से है। पूर्वी अंचल की भाषाओं ने पश्चिमी आर्य भाषाओं की अपेक्षा महाप्राण ध्वनियों की रक्षा अधिक की है। मिथिला के आगे पूर्व में महाप्राणता का लोप होने लगता है। मिथिला के भीतर जहाँ मानक मैथिली में महाप्राण ध्वनि नहीं है, वहाँ कहीं-न-कहीं उसकी किसी बोली में महाप्राण ध्वनि वाला रूप मिल जाएगा।

महाप्राण ध्वनियों वाले इन रूपों का महत्त्व यह है कि उनसे प्राचीन सर्वनाम मूलों को पहचानने में मदद मिलती है। कोल भाषाओं तथा मैथिली के सर्वनामों में बड़ी समानता है। यह समानता देखकर भाषाविज्ञानी तुरत इस नतीजे पर पहुँचता है कि मैथिली पर कोल भाषाओं का प्रभाव है। जैसी समानता मैथिली और कोल भाषाओं के कुछ सर्वनामों में है, वैसी समानता यूरोप की अनेक भाषाओं और भारतीय कोल भाषाओं के सर्वनामों में भी है, इस बात की ओर उसका ध्यान नहीं जाता। भाषाशास्त्री कुइपर को भेंट किए हुए ग्रंथ 'प्रतिदानम्' में **द** व्रीज ने कोल भाषाओं के सर्वनामों पर एक लेख लिखा है—'मुंडा प्रोनाउंस इन न्यू इंडोएर्यन।' इसमें उन्होंने यह मत प्रकट किया है कि भारतीय आर्य भाषाओं के आधार पर मैथिली की अपनी विशेषताओं का उल्लेख नहीं हो सकता। सर्वनामों के प्रसंग में उन्होंने दूरी तथा समीपता के संकेतक सर्वनामों को लिया है। इनके साथ भोजपुरी, मगही, बंगला और उड़िया के सर्वनामों को भी उन्होंने लिया है। इनके साथ संथाली के **हिनि, इनि, हुनि, उनि** और संथाली के अलावा मुंडारी आदि अन्य कोल भाषाओं से भी सर्वनाम रूप लिये हैं। इन रूपों में एक बात लक्ष्य करने की यह है कि जहाँ महाप्राण ध्वनि है, वहाँ वह केवल प्रथम वर्ण में है। कोल भाषाएँ कभी महाप्राण ध्वनियों के प्रसार का केन्द्र नहीं रहीं। इसके विपरीत उनमें अल्पप्राणता के लिए आग्रह है। इसलिए कोल भाषाओं में **ह्**-मूलक सर्वनाम देखकर पहले ही सतर्क हो जाना चाहिए कि महाप्राण ध्वनि के आधार पर सर्वनामों का विकास इन भाषाओं में हुआ कैसे। इसके अतिरिक्त मैथिली **हुन्ह, हिन्ह** जैसे रूपों में दूसरे वर्ण की महाप्राण ध्वनि पर ध्यान देना चाहिए। व्रीज ने उक्त लेख में भोजपुरी से **हुन्हि, हिन्हि** आदि रूप दिये हैं। कोल भाषाओं में उन्हें कोई ऐसा रूप नहीं मिला जिसके दूसरे वर्ण में **ह्** ध्वनि हो। यदि मैथिली और भोजपुरी ने कोल भाषाओं के सर्वनाम लिये हैं तो मानना होगा कि या तो कोल भाषाओं में मूल रूप रहे नहीं और दूसरे वर्ण की महाप्राणता लुप्त हो गई या फिर मैथिली और भोजपुरी ने **हिन, हुन** रूप लेकर दूसरे वर्ण में महाप्राणता अपनी ओर से जोड़ दी। ये **ह्** वाले रूप **स** सर्वनाम के आधार

पर बने हैं, इसका प्रमाण संस्कृत **सः** से लेकर आधुनिक आर्य भाषाओं के **से** और **सो** सर्वनामों तक विद्यमान है। **से, सो, सी, सू** आदि के ही प्रतिरूप **हे, हो, ही, हू** आदि हैं और महाप्राणता का लोप होने पर **ए, ओ, ई, ऊ** रूप बने हैं। **स्** ध्वनि **ह्,** और **त्** दो भिन्न रूपों में ग्रहण की जा रही है। डॉ. चाटुर्ज्या ने **हिनि** और **तिनि** जैसे रूपों का सम्बन्ध **सिनि** से जोड़ा था। यहाँ मूलरूप **सिनि** होगा जिससे **तिनि** और **हिनि** का विकास हुआ। किन्तु **सिनि** से **हिन्हि** रूप नहीं बन सकता।

सर्वनाम-मूल **स, सि, सु** आदि के साथ व्यक्ति-वस्तु-देशकाल सूचक **ध** चिन्ह जोड़ा जाता था। **स, सु** आदि का विकास **ह, हु, अ, उ** आदि रूपों में हुआ पर **ध** का विकास एक ओर **ह्** रूप में हुआ और दूसरी ओर महाप्राणता के लोप से **द्** और **त्** रूपों में। आर्य-द्रविड़ भाषाएँ बहुत जगह एक अतिरिक्त नासिक्य ध्वनि का निवेश करती रही हैं, यथा : **पथ** के प्रतिरूप **पंथ, समुद्र** के प्रतिरूप **समुंदर** में। उसी तरह सर्वनामों में **इध, उध** के समानान्तर **इन्ध, उन्ध** रूप भी प्रचलित हुए। स्थानसूचक विशेषकों **यहाँ वहाँ** के बाँगरू प्रतिरूपों **इंघे उंघे** में यही प्रक्रिया दिखाई देती है। यहाँ व्यक्ति-वस्तुसूचक **घ** प्रत्यय है; ब्रीज ने अपने लेख में बंगला बोलियों से **इन्धे, उन्धे** रूप दिये हैं। इन्हीं के अनुरूप सदनि नाम की कोल भाषा से **हिन्दे, हुन्दे** रूप दिये हैं। ये रूप देकर ब्रीज ने समस्या का समाधान ही प्रस्तुत कर दिया है। सघोष महाप्राण स्पर्श-ध्वनि **ध** कोल भाषाओं के क्षेत्र से बाहर की ध्वनि है। ऐसी ध्वनियाँ केवल भारतीय आर्य भाषाओं में हैं। इसलिए बंगला के **इन्धे, उन्धे** का विकास **सदनि** के **हिन्दे-हुन्दे** से नहीं हो सकता वरन् **हिन्द-हुन्दे** का विकास **हिन्धे-हुन्धे** जैसे रूपों से हुआ है। **हिन्ह-हुन्ह** के पूर्वरूप **हिन्ध** और **हुन्ध** हैं। इनके मूल रूप **सिन्ध** और **सुन्ध** हैं। देशकाल-संकेतक शब्दों और सर्वनामों में गहरा सम्बन्ध है। संथाली के **हिनि, हिन, हुनि** सर्वनामों के साथ **हेन्ते** (इधर), **होन्ते** (उधर) रूप स्मरणीय हैं। जहाँ **द्** का मूर्धन्यीकरण हुआ है, वहाँ **हेन्डे, एन्डे** जैसे रूप भी प्रचलित हैं। **त्, द्, ड्, ह्** एक ही मूल ध्वनि **ध्** का विकास हैं। इन सबमें आदिस्थानीय सर्वनाम-मूल **स** के अवशेष हैं। जैसा कि मगही के विवेचन में हमने देखा है, यह **स्** ध्वनि **छ्** और **थ्** में भी बदलती है। **छ्** और **थ्** वाले रूप कोल भाषाओं में नहीं हैं किन्तु मिथिला और मगध की बोलियों में हैं। इससे **स्**-मूलक सर्वनाम की सत्ता सिद्ध होती है।

यह मानने का कोई कारण नहीं है कि मैथिली तथा अन्य आर्य भाषाओं में सर्वनाम रूप कोल भाषाओं से आए हैं। ब्रीज ने **ह्**-मूलक कोल भाषाओं के सर्वनाम दिये हैं और उनसे इंडो-यूरोपियन भाषाओं के सर्वनामों का सम्बन्ध नहीं देखा, इसलिए यहाँ नॉर्वे और स्वीडन की भाषाओं के सर्वनामों पर दृष्टिपात करना उचित होगा। स्वीडन की भाषा में अन्य **पुरुष** सर्वनाम **हन्** (पुंल्लिंग, एकवचन) और **होन्** (स्त्रीलिंग, एकवचन) हैं। नॉर्वे की भाषा में इनके प्रतिरूप **हन्** और **हुन्** हैं।

अन्य मागधी भाषाओं के समान मैथिली में भी लिंगभेद का प्रसार पश्चिमी भाषाओं के प्रभाव से, सीमित रूप में, हुआ है। अन्य मागधी भाषाओं की अपेक्षा मैथिली का पुराना लिखित साहित्य अधिक उपलब्ध है। ब्रजभाषा से प्रभावित होने के कारण साहित्य की इस भाषा में बहुत जगह लिंगभेद है किन्तु समानान्तर रूपों में आधुनिक काल की मैथिली में वैसा भेद नहीं है। यह देखकर स्वभावत: भाषाविज्ञानी सोचते हैं कि मैथिली में पहले लिंगभेद था, आगे चलकर वह पूरी तरह तो नहीं मिटा किन्तु क्षीण अवश्य हो गया। अनेक बंगला-भाषी विद्वान् उस भाषा को पुरानी बंगला कहते हैं जिसे मैथिली-भाषी विद्वान् पुरानी मैथिली कहते हैं। बंगला में लिंगभेद शून्यवत् है, इसलिए बंगला-भाषी विद्वानों का यह सोचना और भी स्वाभाविक है कि पहले किसी समय बंगला में लिंगभेद प्रचलित था, आगे चलकर वह मिट गया। बंगला से मिलती-जुलती स्थिति मलयालम की है और मैथिली से मिलती-जुलती स्थिति तमिल की है। किसी ने मलयालम के लिए यह दावा नहीं किया कि पुरानी मलयालम में लिंगभेद वर्तमान था, आगे चलकर वह मिट गया। भारत के दो छोरों पर आर्य भाषा बंगला और द्रविड़ भाषा मलयालम लिंगभेद-शून्य है। भारत को भाषायी क्षेत्र मानकर विभिन्न भाषा-परिवारों की विशेषता पर एक साथ विचार करने में लाभ यह है कि बंगला और मलयालम जैसी आर्य-द्रविड़ भाषाओं में लिंगभेद की समस्या प्रादेशिक न रहकर अखिल भारतीय हो जाती है। लिंगभेद का प्रसार आर्य और द्रविड़, दोनों भाषा-परिवारों में समान केन्द्रों से हुआ है। ये केन्द्र उत्तर-पश्चिमी भारत में थे। इन केन्द्रों के समीप रहनेवाली गुजराती और मराठी भाषाओं में तीन लिंगों के भेद की विशेषता आज भी विद्यमान है। मूलत: मानवीय और मानवेतर वस्तुजगत् में भेद किया गया। ऐसा भेद द्रविड़ भाषाओं में अब भी है। इसके अवशेष बंगला और मैथिली में जहाँ-तहाँ मिलते हैं। इस मूलभेद के आधार पर स्त्री, पुरुष और नपुंसक—इन तीन तरह के लिंगों का भेद स्थापित हुआ। संस्कृत तथा आधुनिक आर्य भाषाओं में लिंगभेद अंशत: प्राकृतिक है और अंशत: व्याकरणिक। नाम शब्दों से बाहर वह क्रियापदों को भी प्रभावित करने लगा। संस्कृत में जहाँ यह भेद नहीं भी था, वहाँ हिन्दी ने उसे कायम किया। हिन्दी क्रियापदों में **जाता है, जाती है, जायगा, जायगी, गया था, गई थी**—इसी विकास के परिणाम हैं। कहीं-कहीं हिन्दी उन रूपों में लिंगभेद नहीं करती जिनमें संस्कृत के लिए ऐसा भेद आवश्यक था। **सुन्दर लड़का, सुन्दर लड़की**—यहाँ **सुन्दर** विशेषण में लिंगभेद करना आवश्यक नहीं है पर **अच्छा लड़का, अच्छी लड़की**—यहाँ लिंगभेद किया जाएगा।

डॉ. सुभद्र झा ने मैथिली के सन्दर्भ में लिखा है कि मध्य भारतीय आर्य भाषा, अर्थात् प्राकृतों, में लिंगभेद अत्यन्त निर्बल हो गया था। इसके अतिरिक्त ध्वनितांत्रिक विकास ऐसा हुआ कि पुंल्लिंग और स्त्रीलिंग रूपों का भेद क्रमश: मिट गया। यदि प्राकृतों से केवल बंगला, मैथिली आदि भाषाओं का विकास हुआ हो, तो यह

स्थापना मान्य होगी कि प्राकृतों में लिंगभेद के निर्बल हो जाने से आधुनिक आर्य भाषाओं में वह भेद नष्ट हो गया। किन्तु डॉ. झा जहाँ उक्त स्थापना प्रस्तुत करते हैं, वहाँ मराठी, गुजराती और सिंहली भाषाओं का भी उल्लेख करते हैं जिनमें तीनों लिंगों के भेद विद्यमान हैं। यह कैसे हुआ कि उन्हीं प्राकृतों से मराठी और गुजराती का उद्भव हुआ, उन्हीं से बंगला और मैथिली का, और लिंगभेद की स्थिति दोनों समुदायों में नितान्त भिन्न है? प्राकृतों में लिंगभेद को लेकर कहीं वैसा अन्तर नहीं है, जैसा आधुनिक आर्य भाषाओं के इन दो वर्गों में पाया जाता है। आधुनिक आर्य भाषाओं में जहाँ भी संस्कृत से भिन्नता दिखाई दे, वहाँ भाषाविज्ञानी किसी आर्येतर प्रभाव की कल्पना कर लेते हैं। बंगला और मैथिली आदि में लिंगभेद नहीं है तो यह तिब्बती-बर्मी भाषाओं का प्रभाव होगा, बिहार की भाषाओं पर संथाली का प्रभाव होगा। लिंगभेद की दृष्टि से अंग्रेज़ी की स्थिति बंगला से मिलती-जुलती है और जर्मन की स्थिति मराठी जैसी है। मानना चाहिए कि जर्मन समुदाय की एक भाषा अंग्रेज़ी पर तिब्बती-बर्मी अथवा कोल प्रभाव इतना पड़ा कि उसमें लिंगभेद मिट गया।

हिन्दी के समान मैथिली में अनेक विशेषण शब्द लिंगभेद सूचित करते हैं। स्त्रीलिंग, पुंल्लिंग का भेद जीव, निर्जीव, मानव, मानवेतर, सभी प्रपंचों पर लागू होता है। डॉ. सुभद्र झा ने उदाहरण दिये हैं : **छोटा काका, छोटी काकी; करिक्का** (काला) **घोड़ा, करिक्की घोड़ी; छोटकी थारी, बड़का थार**। जो कृदन्त विशेषण का काम करते हैं, उनमें यह भेद दिखाई देता है : **सूतल आदमी, सूतलि मउगी; सोता हुआ पुरुष, सोती हुई स्त्री**—ठीक हिन्दी की तरह। जहाँ कृदन्त क्रिया-रूप में व्यवहृत होते हैं, वहाँ भी यह भेद दिखाई देता है। **ओ आऑत**—वह आएगा; **ओ आऑति**—वह आएगी; **ओ गेलाह**—वे गए, **ओ गेलीह**—वे गईं। **हमर माअॅ सूतलि**—मेरी माँ सोती थी, **हमर चाकर सूतल**—मेरा नौकर सोता था। ऐसे उदाहरण देने के बाद डॉ. सुभद्र झा कहते हैं कि आधुनिक मैथिली में लिंगभेद की उपेक्षा करने की प्रवृत्ति है; **हमर माअॅ आऑतु, हमर माअॅ आअॅल**। उनकी इस बात पर विश्वास करना कठिन है क्योंकि मैथिली पर पश्चिमी भाषाओं का प्रभाव बढ़ रहा है, घट नहीं रहा है। यह सम्भव है कि कुछ क्रिया-रूपों में लिंगभेद वैकल्पिक हो किन्तु कुल मिलाकर लिंगभेद का प्रभाव बढ़ रहा है, इसका प्रमाण बोलचाल के रूपों के वे उदाहरण हैं जो डॉ. सुभद्र झा ने ही दिये हैं। व्यक्तिवाचक सर्वनामों के सम्बन्धकारक रूप लिंगभेद व्यक्त करते हैं। **तोरी बेटी, तकरी नानी, ऑकरी माअॅ**। ये सब उदाहरण उन्होंने बोलचाल की भाषा से दिये हैं। बोलचाल भाषा की सही प्रवृत्ति व्यक्त करती है। यह प्रवृत्ति लिंगभेद पर बल देने की है।

डॉ. चाटुर्ज्या ने इस बात पर ध्यान दिया था कि जीव, निर्जीव का भेद कहीं-कहीं कारक प्रयोगों में देखा जाता है। मैथिली में **हम राम के देखल**—मैंने राम को देखा, यहाँ राम के बाद **के** विभक्ति चिन्ह लगा है। **हम रोटी के देखल**—मैंने

रोटी देखी, यहाँ **के** अनावश्यक है। हिन्दी में भी **मैंने रोटी को देखा,** अस्वाभाविक वाक्य-रचना है। लिखित हिन्दी में ऐसी अस्वाभाविक वाक्य-रचना के बहुत-से उदाहरण मिल जाएँगे। डॉ. सुभद्र झा ने मैथिली में मानवेतर जीव के साथ **के** विभक्ति का प्रयोग वहाँ होता दिखाया है जहाँ वह जीव किसी मानव से सम्बद्ध हो गया है। **तोहर बरद के देखल**—यहाँ बरद (बैल) के साथ कारक-चिन्ह लगने से संकेत निश्चयात्मक हो गया।

### *(ग) मैथिली कारक-रचना*

मैथिली में कारक-रचना अवधी से मिलती-जुलती है। आधुनिक आर्य भाषाओं में सामान्य और तिर्यक, दो शब्दरूपों की कल्पना की गई है। सामान्य रूप कर्ता और कर्म कारकों में प्रयुक्त होता है, तिर्यक् रूप अन्य कारकों में। कुछ शब्द ऐसे हैं जिनका तिर्यक् रूप नहीं होता, जैसे घर। **घर में, घर से, घर का**—यहाँ मूल **घर** रूप अपरिवर्तित रहता है। डॉ. सुभद्र झा ने लिखा है कि आधुनिक मैथिली में सम्बन्धकारक छोड़कर शेष कारकों में शब्द का तिर्यक् रूप सामान्य से भिन्न नहीं होता। इससे इतना तो सिद्ध ही होता है कि तिर्यक् रूपों का व्यवहार अपवाद है, नियम नहीं। अपभ्रंश के आधार पर आधुनिक आर्य भाषाओं का विकास माननेवाले लोग सामान्य और तिर्यक रूपों का जो भेद करते हैं, उस पर पुनर्विचार आवश्यक है।

अब मैथिली के सम्बन्धकारक में सामान्य और तिर्यक रूपों का भेद देखें। **गाछ** (पेड़), **माटि, साहु**—ये तीनों रूप तब सामान्य हैं जब इनका अन्तिम स्वर लघुतर होता है। जब वह केवल लघु होता है तब तिर्यक् रूप बन जाता है। तिर्यक् रूप कारक-चिन्ह से अलग प्रयुक्त नहीं होता। **गाछ** और **गाछक** (गाछ का)—इन दो रूपों में **छ** के अकार की लघुता में सूक्ष्म अन्तर मैथिली की वर्ण-रचना-पद्धति के कारण है। केवल **गाछ** कहने पर बल पहले वर्ण पर रहता है और दूसरे वर्ण का स्वर हलका पड़ता है। जब तीन वर्णों का शब्द होगा, तब प्रथम वर्ण का बल किंचित् हटकर दूसरे वर्ण पर आ जाएगा। ऐसा लघु और लघुतर का भेद व्याकरण की दृष्टि से नगण्य है। यह बात कुछ अन्य शब्दरूपों से पुष्ट होती है। जैसे **भाअॅ** शब्द है। इसका तिर्यक् रूप भी यही हो सकता है, केवल विकल्प से **भाइ** रूप होगा। इस प्रकार **भाअॅक** और **भाइक** (भाई का), दोनों रूप सही हैं। ऐसे शब्दों के उदाहरण डॉ. सुभद्र झा ने ही दिये हैं। यहाँ **भाअॅ** रूप तिर्यक् और सामान्य, दोनों है अर्थात् मूल रूप में कोई परिवर्तन नहीं होता। वैकल्पिक रूप **भाइ** में अन्तिम स्वर का संवृत उच्चारण है और इसका कारण भी प्रथम वर्ण से बलाघात का किंचित् हटना है।

कुछ अन्य शब्द हैं जिनमें स्वर परिवर्तन होता है। सम्बन्धकारक में इन शब्दों का **इ, अ** स्वर **उ** में बदल जाता है। **आज, साँझ, राति, दीन** (दिन) के सम्बन्धकारक रूप इस प्रकार होंगे : **आजुक, साँझुक, रातुक, दीनुक**। यहाँ अवधी की उकारान्त

रूप-रचना का प्रभाव है, लिंगभेद महत्त्वपूर्ण नहीं है, अत: **आजु** और **दिनु** के वजन पर **रातु** और **साँझु** रूप बनाए गए और सम्बन्धकारक में प्रयुक्त हुए। **देखब, चलब, कहल** आदि क्रियार्थी संज्ञारूपों के तिर्यक् रूप **देखबा, चलबा, कहला** होते हैं। फिर भी कुछ बोलियाँ ऐसी हैं जिनमें **चलब, कहल** से ही काम चलता है। बहुत-से-बहुत अन्तिम वर्ण में लघु और लघुतर स्वर का उच्चारण-भेद है। मैथिली में सामान्य-तिर्यक् रूपों का मौलिक भेद नहीं है।

डॉ. सुभद्र झा ने त्रियाओं के बारे में एक रोचक बात लिखी है। इनमें बहुत्व-सूचक प्रत्यय लगते हैं किन्तु उनका बहुत्व वाला अर्थ अब नष्ट हो गया है। वे अब गौरव और सामान्य सम्बोधन का भेद व्यक्त करते हैं। **कहलिअइन्हि**—हमने उससे कहा (गौरवपूर्ण सम्बोधन), **कहलिअइ**—मैंने उससे कहा (सामान्य सम्बोधन); **कहबहुन्ह**—आप उससे कहेंगे, **कहबहक**—तुम उससे कहोगे। इन रूपों का विश्लेषण करते हुए डॉ. झा ने लिखा है कि कर्मकारक में गौरव भाव **न्हि** और **न्ह** प्रत्ययों से व्यक्त होता है जो मूलत: बहुत्वसूचक प्रत्यय थे। इसी प्रकार **ओ गेलाह**—वे गए (गौरवपूर्ण सम्बोधन), **ओ गेल**—वह गया। (सामान्य सन्दर्भ)। **आह,** डॉ. झा के अनुसार, बहुत्वसूचक प्रत्यय था। फिर कहते हैं, यह भी सम्भव है कि क्रियापदों के व्यक्तिवाचक प्रत्ययों से संज्ञारूपों के बहुत्वसूचक प्रत्ययों का मूल सम्बन्ध न रहा हो वरन् दोनों का विकास स्वतंत्र रूप से हुआ हो! वास्तव में जिन्हें डॉ. झा बहुत्वसूचक प्रत्यय कहते हैं, उनका गहरा सम्बन्ध सर्वनाम-रूपों से है। जिन्हें वह क्रियापदों का व्यक्तिवाचक प्रत्यय कहते हैं, उनका गहरा सम्बन्ध भी सर्वनामों से है। संस्कृत से लेकर मैथिली तक क्रिया और संज्ञा, दोनों तरह के शब्दों की रूप-रचना में सर्वनामों की भूमिका महत्त्वपूर्ण है, यह तथ्य ध्यान में रखना उचित है।

डॉ. सुभद्र झा ने मैथिली भाषा की कारक-रचना के बारे में लिखा है कि पुरानी मैथिली में संश्लिष्ट कारक-रचना होती थी, साथ ही प्रत्येक शब्द किसी कारक-चिन्ह के बिना वाक्य में प्रयुक्त हो सकता था। यदि इस दूसरी प्रवृत्ति को देखें तो लगेगा कि आधुनिक मैथिली में कारक-रचना पहले की अपेक्षा विकसित हुई है। यदि पहली प्रवृत्ति पर ध्यान दें तो लगेगा कि कारक-रचना क्षीण हुई है। डॉ. झा के अनुसार आधुनिक मैथिली में कर्ता, कर्म और अधिकरण—ये ही तीन संश्लिष्ट कारक-रचना में आते हैं। उन्होंने सम्भवत: कारक-चिन्हों को मूल शब्द से हटाकर लिखनेवाली पद्धति ध्यान में रखकर ऐसा कहा है। किन्तु जैसा कि आचार्य किशोरीदास वाजपेयी ने कहा है, मुख्य बात यह है कि हम बोलते क्या हैं, लिखने में मिलाकर लिखो या हटाकर लिखो, इससे कोई अन्तर नहीं पड़ता। दक्षिणी मैथिली में मगही की तरह सम्प्रदानकारक के लिए **ला** प्रत्यय का व्यवहार होता है। इस **ला** का कोई स्वतंत्र अर्थ नहीं है, लाना वाली क्रिया से उसका प्रत्यक्ष सम्बन्ध नहीं है। अत: उसे कारक-चिन्ह ही मानना चाहिए। मगही के समान दक्षिणी मैथिली भी **ला**

के प्रयोग द्वारा, कर्म से भिन्न सम्प्रदान का अलग अस्तित्व ज्ञापित करती है। यहाँ कारक-रचना पुष्ट है, क्षीण नहीं हुई। यह उल्लेखनीय है कि अधिकरणकारक के लिए मैथिली का मानक रूप **में** है जो पश्चिमी भाषा-समुदाय की प्रवृत्ति के अनुरूप है, पश्चिमी मैथिली इसके स्थान पर **मा** रूप का व्यवहार करती है। **घर में**—हिन्दी की तरह मानक मैथिली का रूप है; **घरमा**—अवधी के समान यह पश्चिमी मैथिली का रूप है। एक ही क्षेत्र में भिन्न ध्वनि-प्रकृतियों के मिश्रण से ऐसे वैकल्पिक रूपों का चलन हुआ है।

मगही के समान मैथिली की क्रियापद-रचना ऐतिहासिक और तुलनात्मक भाषाविज्ञान के लिए बहुत महत्त्वपूर्ण है। भाषाविद् द व्रीज ने आधुनिक आर्य भाषाओं पर कोल सर्वनामों के प्रभाव की चर्चा करते हुए अपने पूर्वोक्त लेख में ग्रियर्सन की इस स्थापना का हवाला दिया है कि मैथिली क्रिया-रूपों की रचना ऊपर से देखने में आर्य है, सैद्धान्तिक दृष्टि से वह मुंडा भाषाओं के अनुरूप है। सिद्धान्त यह है कि मैथिली भाषा में क्रिया पहले आती है, उसके बाद जो प्रत्यय लगते हैं, उनसे कर्ता, कर्म आदि का निर्देश होता है। इस तरह की रूप-रचना उन भाषाओं के लिए स्वाभाविक है जिनके वाक्यतंत्र में क्रिया पहले आती थी, कर्ता बाद को। यह प्रवृत्ति इंडो-यूरोपियन परिवार में व्यापक रूप से रही है। कोल परिवार के लिए यह कल्पना की गई है कि उसमें किसी समय वाक्यतंत्र ऐसा था कि संज्ञा शब्द भी, कर्ताकारक में, क्रिया के बाद आता था। स्कॉटलैंड, वेल्स आदि की केल्त भाषाओं में यह स्थिति अभी तक है। इसलिए विधेय पहले, उद्देश्य बाद को, ऐसा वाक्यतंत्र इंडो-यूरोपियन परिवार में व्यापक रूप से प्रचलित था, यह मानना होगा। इस सन्दर्भ में डॉ. सुभद्र झा ने कुछ रोचक बातें कही हैं। उन्होंने लिखा है कि व्यक्तिवाचक प्रत्ययों का उपयोग बहुत पुराना है; इंडो-यूरोपियन आदि भाषा में भी वाक्यतंत्र में क्रिया पहले होती थी और व्यक्तिवाचक सर्वनाम उसके बाद आता था; क्रिया विधेय होती थी और कर्ता सर्वनाम उद्देश्य होता था। ब्रुगमन का हवाला देते हुए डॉ. झा कहते हैं कि समय बीतने पर उद्देश्य और विधेय एक दूसरे से संयुक्त हो गए; इस प्रकार उन क्रिया-रूपों की रचना हुई जिनमें क्रिया के बाद व्यक्तिवाचक प्रत्यय लगते थे, और ये प्रत्यय पुराने सर्वनामों के संक्षिप्त रूप मात्र थे।

इसका अर्थ यह हुआ कि संस्कृत आदि भाषाओं में क्रियापद-रचना पहले विधेय फिर उद्देश्य, इस क्रम वाले वाक्यतंत्र के आधार पर हुई। आगे चलकर जब ऐसे क्रियापद के पहले कर्ता प्रयुक्त होने लगा, तब पुराने वाक्यतंत्र पर पहले उद्देश्य फिर विधेय, यह नये क्रम वाला वाक्यतंत्र प्रतिष्ठित हुआ। इस नये वाक्यतंत्र का मूल क्षेत्र उत्तर-पश्चिमी भारत था।

डॉ. झा ने कश्मीरी और सिन्धी भाषाओं में व्यक्तिवाचक प्रत्ययों (सर्वनाम-चिन्हों) के व्यवहार को याद करते हुए लिखा है कि सिन्धी में व्यक्तिवाचक प्रत्यय

क्रिया के बाद ही नहीं, संज्ञा के बाद भी प्रयुक्त होते हैं। यह स्थिति मध्य एशिया के अन्य भाषा-परिवारों में भी है। इस प्रवृत्ति का उद्‌भव केन्द्र कहाँ है, इसकी जानकारी सर्वनाम रूपों के विश्लेषण से हो सकती है। डॉ. झा ने ग्रियर्सन का यह मत उद्धृत किया है : "सर्वनाम प्रत्ययों की, बहुत कुछ सम्पूर्ण, एक शृंखला अनेक आधुनिक भारतीय आर्य भाषाओं में मिलती है। संस्कृत में जो पुराने भारतीय सर्वनाम मिलते हैं, उनसे उक्त सर्वनाम-चिन्हों और प्रत्ययों का विकास हुआ है।" यह बात सही है। ग्रियर्सन ने यह बात कश्मीरी के सर्वनाम-प्रत्ययों की चर्चा करते हुए कही थी। ग्रियर्सन मानते थे कि कश्मीरी दरद भाषा-समुदाय में है। तब मानना होगा कि दरद भाषाओं में वही सर्वनाम प्रत्यय प्रयुक्त हुए हैं जो संस्कृत में सुरक्षित हैं। डॉ. सुभद्र झा कहते हैं कि आदि इंडो-यूरोपियन भाषा के सर्वनाम-प्रत्यय संस्कृत तथा प्राकृतों में सुरक्षित रहे और उन्हें मागधी और दरद भाषाओं ने विरासत में पाया। एक छोर पर मागधी भाषाएँ, दूसरे छोर पर दरद भाषाएँ, बीच का भाषा-समुदाय उस विरासत से क्यों वंचित रह गया? बीच के भाषा-समुदाय पर कौरवी भाषा-केन्द्र का गहरा प्रभाव पड़ा, इसलिए पुरानी क्रियापद-रचना के अवशेष यहाँ रह गए, पुराने वाक्यतंत्र के अवशेष सीमान्त भाषाओं में अधिक सुरक्षित रहे। गुजराती-बंगला से सिन्धी-कश्मीरी-लहँदा की तुलना करते हुए डॉ. झा कहते हैं कि बंगला-गुजराती में व्यक्तिवाचक प्रत्यय केवल कर्ता की ओर संकेत करते हैं किन्तु सिन्धी, कश्मीरी, लहँदा में व्यक्तिवाचक प्रत्यय कर्ता के सिवा अन्य कारकों की ओर भी संकेत करते हैं। इसका अर्थ यह हुआ कि जिस वाक्यतंत्र में क्रिया के बाद कर्ता ही नहीं, कर्म भी आता था, अन्य कारक भी क्रिया के बाद आते थे, उसकी विशेषताएँ गुजराती और बंगला की अपेक्षा सिन्धी, कश्मीरी और लहँदा में अधिक सुरक्षित है। ये विशेषताएँ मैथिली में भी हैं। किन्तु ऐसी विशेषताओं को प्राचीन न मानकर डॉ. सुभद्र झा उन्हें आधुनिक विकास मानते हैं। ऐसी धारणा इसलिए बनती है कि मैथिली आदि भाषाओं के विकास की व्याख्या संस्कृत-प्राकृत-अपभ्रंश विकास-क्रम के आधार पर की जाती है। जो विशेषताएँ इस विकास-क्रम में नहीं दिखाई देतीं, वे सब नई सृष्टि मान ली जाती हैं। संस्कृत कौरवी भाषा-केन्द्र से प्रभावित है; वह सभी आर्य भाषा-केन्द्रों की सभी विशेषताएँ अपने भीतर समान रूप से समाहित नहीं किये हैं।

मान लीजिए, मागधी भाषाओं में यह नया विकास-क्रम है, पर क्या यह आश्चर्य की बात नहीं है कि दरद भाषाओं में भी वैसा ही विकास हुआ है? डॉ. सुभद्र झा ने लिखा है कि आधुनिक आर्य भाषाओं को कर्ता वाले व्यक्तिवाचक प्रत्यय विरासत में मिले हैं, किन्तु जहाँ ऐसे प्रत्यय अन्य कारकों की ओर भी संकेत करते हैं, वहाँ उनका चलन आधुनिक भाषायी विकास का परिणाम है। ऐसे प्रत्यय प्राकृतों में भी नहीं हैं, फिर पुरानी मैथिली में उनका न मिलना स्वाभाविक है। चर्यापदों की भाषा को पुरानी मैथिली मानते हुए वह कहते हैं कि केवल एक क्रिया-रूप ऐसा है जहाँ कर्ता

से भिन्न अन्य कारक की ओर संकेत है। **जा न जउवण मोर भइलॉसि पूरा**—यहाँ **सि** प्रत्यय मध्यम पुरुष का सूचक है किन्तु उसका प्रयोग अन्य पुरुष के कर्ता के साथ हुआ है। डॉ. झा के अनुसार इसका कारण सम्भवत: यह उद्देश्य था कि जिस व्यक्ति को सम्बोधित किया गया है, उसकी ओर क्रिया-रूप में भी संकेत किया जाए, जैसा कि आधुनिक मैथिली में होता है। कितु डॉ. झा ने जिसे मध्यम पुरुष का प्रत्यय माना है, वह अवधी का (अन्यपुरुष-कर्ता-एकवचन) प्रत्यय है। उससे श्रोता का कोई सम्बन्ध नहीं है। प्राकृतों तथा चर्यापदों के आधार पर मैथिली के पुराने रूपों की व्याख्या नहीं की जा सकती। किन्तु इस प्रसंग में डॉ. झा ने आधुनिक मैथिली से जो उदाहरण दिये हैं, वे अवधी का विकास समझने में सहायक होते हैं। **हम जाऑब**—मैं जाऊँगा; मैथिली के इस वाक्य में क्रिया अपने साधारण रूप में ही है। **हम जऑबइ**—मैं जाऊँगा; मैथिली के इस वाक्य में क्रिया-रूप बदल गया है और वह कर्ता की एक विशेषता सूचित करता है। विशेषता यह है कि किसी अन्य पुरुष से कर्ता का कुछ सम्बन्ध है। क्रिया-रूप में एक नया प्रत्यय जुड़ गया जो कर्ता से अन्य पुरुष का सम्बन्ध सूचित करता है। परिनिष्ठित हिन्दी में ऐसे क्रिया-रूप नहीं होते। अवधी में **हम जाब** और **हम जइबे**—ये दोनों तरह के वाक्य बोले जाते हैं, किन्तु उनमें कोई विशेष अर्थभेद नहीं किया जाता, कम-से-कम वैसा अर्थभेद की जैसा मैथिली में होता है। इसका कारण यह है कि ये **ब** वाले क्रिया-रूप अवधी में मागधी प्रभाव से आए हैं। रूप तो आ गए किन्तु अर्थ की संरचना वही बनी रही जो पहले थी। अवधी का अपना रूप **ह्** प्रत्यय से बनता है, यथा : **मैं जइहौं। ह्** वाले रूप के **जाब** और **जइबे** जैसे विकल्प नहीं हैं। विकल्प मैथिली में सार्थक हैं; अवधी में केवल रूप हैं, अर्थभेद नहीं है।

### *(घ) मैथिली क्रियापद-रचना*

मैथिली की क्रियापद-रचना बहुत पेचीदा मानी जाती है और डॉ. झा कहते हैं कि इसके दो कारण हैं। एक तो आदर-अनादर सूचक कर्ता की स्थिति के अनुसार भिन्न क्रिया-रूपों का व्यवहार होता है; दूसरे, क्रिया-रूप पर कर्ता, कर्म की स्थिति का ही प्रभाव नहीं पड़ता, वरन् उपकरण, स्थान, सम्बन्ध आदि का प्रभाव भी पड़ता है। इस प्रकार जो क्रिया वाक्य में प्रयुक्त होती है, वह कर्ता द्वारा ही निर्धारित नहीं होती वरन् जो अन्य संज्ञा-सर्वनाम कर्ता से सम्बद्ध होते हैं, वे भी क्रिया का रूप निश्चित करते हैं। यह प्रवृत्ति पुरानी पद्धति का ही विकास है। सभी कारक क्रिया से सम्बद्ध होते हैं, वे कारक इसीलिए हैं कि वे क्रिया से सम्बद्ध हैं। इसलिए यदि वे क्रिया की रूप-रचना में प्रतिबिम्बित होते हैं तो यह स्थिति कारक-रचनापद्धति का सुसंगत परिणाम है। डॉ. सुभद्र झा ने ठीक लिखा है कि जिस कारक में स्वतंत्र सम्बन्धक ('पोस्टपोज़ीशन') का व्यवहार होता है, वह क्रिया को प्रभावित नहीं करता। जब आर्य भाषाओं में

सर्वनाम-चिन्ह-मुक्त कृदन्त अधिक प्रयुक्त होने लगे, वाक्यतंत्र क्रियाभिमुख न होकर उद्देश्य को प्रधानता देने लगा, तब ऐसे कारक-रूपों की रचना स्वाभाविक थी जिनमें कारक-चिन्ह पूर्णत: या अंशत: स्वतंत्र है, और स्वभावत: ऐसा कारक क्रिया को प्रभावित नहीं करता। क्रियाभिमुख वाक्य वह है जिसमें कर्ता-सर्वनाम का उल्लेख, वाक्य के आरम्भ में, न करने पर भी क्रिया-रूप से उसका बोध हो जाता है। यह स्थिति मैथिली की है। **बेटा के देखलिअहु**—इस वाक्य से यही अर्थ नहीं निकलता कि मैंने बेटे को देखा वरन् यह भी ज्ञात होता है कि मैंने तुम्हारे बेटे को देखा है। यह वाक्य विस्तृत रूप में इस प्रकार कहा जा सकता है : **हम तोरा बेटा के देखलिअहु**। क्रिया-रूप में श्रोता से कर्म के सम्बन्ध की ओर संकेत किया गया है। इसलिए **तोरा** कहो चाहे न कहो, कोई अन्तर नहीं पड़ता; क्रिया-रूप उत्तम पुरुष **हम** के साथ ही प्रयुक्त होगा, इसलिए **हम** का प्रयोग किए बिना भी अर्थ व्यक्त हो जाएगा। **मारहून्ह**—मैथिली का यह शब्द अपने में पूरा वाक्य है। तुमने उन्हें मारा; जो व्यक्ति मारा गया है, वह आदर योग्य है, यह भाव भी क्रिया-रूप से ध्वनित है। **मारहक**—इस वाक्य में जिस व्यक्ति के मारे जाने का संकेत है, उसकी सामाजिक स्थिति क्षुद्र है। **भाऑ छह**—तुम मेरे भाई हो। **भाऑ छहक**—तुम उस साधारण जन के भाई हो। **भाऑ छहून्ह**—तुम उन सज्जन के भाई हो। क्रिया-रूप 'भाई' के सम्बन्धियों की सामाजिक स्थिति ज्ञापित करता है। **पोथी दीऑ**—मुझे पुस्तक दो; **पोथी दिअउन्ह**—उन्हें पुस्तक दो। वक्ता से वाक्य में निर्देशित व्यक्ति का सम्बन्ध है या नहीं, यह क्रिया-रूप से विदित होता है। **देखलिअइ**—मैंने उसे देखा। जिसे देखा, उससे वक्ता या श्रोता का कोई विशेष सम्बन्ध नहीं है। **देखलिअहु**—मैंने उन्हें देखा जो 'तुझ' से सम्बद्ध है। कर्म के समान श्रोता की सामाजिक स्थिति भी क्षुद्र है। **देखलिअइन्हि**—मैंने उन्हें देखा जो उन सज्जन से सम्बद्ध है। इस वाक्य में कर्म की स्थिति साधारण है किन्तु उसका सम्बन्ध आदरास्पद व्यक्ति से है। **ककर धोती थीक**—किसकी धोती है। यह सामान्य वाक्य है जहाँ धोती से किसी के सम्बन्ध पर विशेष बल नहीं है। **ककर धोती थिकइक**—इस वाक्य का अर्थ वही है, किन्तु धोती से किसी के सम्बन्ध पर बल है।

मगही के समान मैथिली में क्रिया के बाद सर्वनाम-चिन्ह लगाने की प्रवृत्ति प्रबल है। जब उसमें कृदन्त-रूपों का चलन हुआ, तब उनमें भी, तिङन्त क्रियाओं के समान, सर्वनाम-चिन्ह जोड़े जाने लगे। हिन्दी के समान मैथिली में भी विभिन्न कालों के लिए क्रिया-रूपों की रचना कृदन्तों के आधार पर होती है। वर्तमान काल के लिए आधुनिक मैथिली, **देख** क्रिया से, **देखइत** कृदन्त-रूप बनाती है। किन्तु मैथिली की कुछ बोलियों में तिङन्त रूपों का ही चलन है। मध्य क्षेत्र की बोलियों में, डॉ. झा के अनुसार, क्रिया में **त** प्रत्यय नहीं लगता। **द**—देना से **दइ, जीब**—जीना से **जिबइ, खा**—खाना क्रिया से **खाइ** रूप बनते हैं जो मूलत: वर्तमानकालीन तिङन्त रूप हैं। ठीक ऐसी ही स्थिति **जाता है** के समानान्तर **जाय है** पश्चिमी हिन्दी

के रूपों में दिखाई देती है। ऐसे प्रयोग, मगही के समान, मैथिली के लोकगीतों में अधिक हैं। अर्थतत्त्व की दृष्टि से मैथिली क्रियापद-रचना में पुरानी पद्धति पर चलती है और उसका विकास करती है; रूपतत्त्व की दृष्टि से वह पश्चिम से आते हुए कृदन्तों को क्रियापद-रचना का आधार बनाती है। मगही के समान मैथिली में भी कृदन्तों का तिङन्तीकरण होता है।

**अंग मोर फरकइ, केसिया मोरा भुइयाँ लोटइ हो** (तेजनारायणलाल : 'मैथिली लोकगीतों का अध्ययन', आगरा, 1962, पृ. 294)—लोकगीत की इस पंक्ति में **फरकई, लोटइ** रूप तिङन्त हैं। **फरकहि, लोटहि** पूर्वरूपों के अन्तिम वर्ण की महाप्राणता का लोप होने पर ये रूप बने हैं। खड़ी बोली में यही **फरके, लोटे** जैसे रूपों में प्रयुक्त होते हैं। डॉ. सुभद्र झा ने कृदन्त का एक रूप **देखने** दिया है। यह हिन्दी **देखना** का ही प्रतिरूप है। **देखने छी**—मैंने देखा है; **देखने छल**—उसने देखा था। ऐसे प्रयोग हिन्दी में नहीं होते किन्तु **न** वाला कृदन्त-रूप है पश्चिमी समुदाय का।

### *(ङ)* 'वर्णरत्नाकर' *की मैथिली*

मैथिली भाषा के सबसे पुराने नमूने चौदहवीं सदी के हैं। मिथिला के ज्योतिरीश्वर ठाकुर ने 'वर्णरत्नाकर' नाम की पुस्तक मैथिली भाषा में लिखी थी। **दाँतक शोभा देषि तालिवें हृदय विदीर्ण कएल। अधरक शोभा देषि प्रवाल द्विपान्तर गेल! कानक शोभा देषि बौद्ध ध्यान स्थित भेल। कंठक शोभा देषि कम्बु समुद्र प्रवेश कएल। स्तनक शोभा देषि चक्रवाक-उछन्न भेल।** इस तरह की भाषा कवि ज्योतिरीश्वर ठाकुर ने लिखी थी। यह पुस्तक पद्य में नहीं, गद्य में है, यह उसका युगान्तरकारी महत्त्व है। बंगाल की रॉयल एशियाटिक सोसाइटी ने डॉ. सुनीतिकुमार चाटुर्ज्या की भूमिका सहित इसे 1940 में कलकत्ते से प्रकाशित किया। मैथिली में एक भूमिका बबुआ मिश्र की है जिसमें उन्होंने लिखा है : "प्रेस कापी तैयार करयक काल श्री सुनीतिबाबू हमरा सँ बहुत शब्दक अर्थ पूछथि; परन्तु सभ शब्दक अर्थ कहि सकब हमरा साध्य से बाहर छल।" इससे विदित होगा कि 'वर्णरत्नाकर' की भाषा पुरानी मैथिली है जिसकी शब्दावली जहाँ-तहाँ आधुनिक मैथिली की शब्दावली से भिन्न है। ज्योतिरीश्वर ठाकुर संस्कृत के कवि थे। दरबारी कवि थे और संस्कृत की रीतिवादी काव्यधारा से प्रभावित थे। उन्होंने मैथिली में यह पुस्तक उन लोगों के लिए लिखी है जो नायिकाओं का वर्णन, ऋतुवर्णन, नगरवर्णन, श्मशानवर्णन करना चाहते हैं। यद्यपि उनके वर्णनों में काव्य के परम्परागत उपादान गिनाए गए हैं, फिर भी अनेक स्थल ऐसे हैं जिनसे तत्कालीन सामाजिक जीवन की जानकारी होती है। 'वर्णरत्नाकर' चौदहवीं सदी की रचना है, पन्द्रहवीं सदी में विद्यापति ने मैथिली पदों के अलावा अवहट्ट में 'कीर्तिलता' पुस्तक लिखी। जो लोग अवहट्ट यानी अपभ्रंश को पुरानी मैथिली कहते हैं, वे 'वर्णरत्नाकर' के लेखक के प्रति अन्याय करते हैं।

साहित्य में जिस समय अपभ्रंश में कविता लिखने की रूढ़ि दृढ़ता से जमी हुई थी, उस समय मैथिली जैसी भाषाओं का अस्तित्व था, वे पूर्ण विकसित भी हो चुकी थीं। तेरहवीं सदी में हेमचन्द्र अपभ्रंश का व्याकरण लिख रहे थे। उस अपभ्रंश को कुछ लोग पुरानी गुजराती कहते हैं। यदि गुजराती में कोई ज्योतिरीश्वर ठाकुर हुए होते तो उनके ग्रंथ की गुजराती अपभ्रंश से वैसे ही भिन्न होती, जैसे 'वर्णरत्नाकर' की मैथिली अवहट्ट से भिन्न है।

प्राकृतों के ध्वनितंत्र का अनुसरण करते हुए अपभ्रंश ने मूर्धन्य नासिक्य ध्वनि का अनवरत और अनावश्यक व्यवहार किया। विद्यापति न केवल अवहट्ट के तद्भव रूपों में इस ध्वनि का व्यवहार करते हैं वरन् तुर्की फ़ारसी आदि विदेशी भाषाओं के शब्दों में जहाँ **न्** है, वहाँ उसे **ण्** कर देते हैं। 'वर्णरत्नाकर' के लेखक संस्कृत से प्रभावित हैं किन्तु प्राकृत अपभ्रंश परम्परा के णकारवाद से उन्होंने स्वयम् को मुक्त रखा है। **प्रणाम, करुणा, चूड़ामणि** आदि तत्सम रूपों में वे मूर्धन्य नासिक्य लिखते हैं किन्तु **उच्चाटन, स्तम्भन, मोहन** आदि के **न्** को **ण्** नहीं कर देते, **मारण** को भी **मारन** लिखते हैं। 'वर्णरत्नाकर' की भाषा का निर्माण चौदहवीं सदी से पहले हुआ। तब तक मिथिला और पश्चिमी जनपदों के बीच आदान-प्रदान इतना बढ़ चुका था कि व्याकरणगत लिंगभेद मैथिली में प्रतिष्ठित हो गया था। डॉ. चाटुर्ज्या ने अपनी भूमिका में लिखा है कि 'वर्णरत्नाकर' की भाषा में सामान्यत: व्याकरणिक लिंगभेद का चलन है। विशेषण लिंगभेद सूचित करते हैं। **कर** वाले सम्बन्धकारक रूपों में यह भेद दिखाई देता है। यहा स्थिति विशेषण की तरह प्रयुक्त होनेवाले भूतकालिक कृदन्त की है। **तकरि पताका**—उसकी पताका; **कइसनि नायिका**—कैसी नायिका; **काजरक भीति तेले सिचलि अइसनि रात्रि**—काजल की भीति तेल से सींची हुई, ऐसी रात (यह उपमान रूढ़िगत नहीं है); **मार्क्कण्ड के सहोदर जेठि बहिनि अइसनि कुट्टनि**—मार्कंडेय की सहोदर जेठी बहन जैसी दूती; **कुलस्त्री सलज्ज भेलि**—कुलवधू लज्जित हुई। मैथिली में लिंगभेद-सूचक विशेषता प्रतिष्ठित हो रही है।

बहुवचन रूपों का विश्लेषण करते हुए डॉ. चाटुर्ज्या ने लिखा है कि संस्कृत में **पुत्रः** का बहुवचन **पुत्राः** होता था; प्राकृतों में **पुत्तो, पुत्ते** का बहुवचन **पुत्ता** हुआ; अपभ्रंश में **पुत्तु, पुत्त** रूप रह गए; आधुनिक भाषाओं में **पूतु, पूत** रूपों का प्रयोग हुआ। इस प्रकार बहुवचन बनाने की पुरानी पद्धति समाप्त हो गई। 'वर्णरत्नाकर' की भाषा में बहुवचन बनाने के लिए **अह, आह**, दो प्रत्ययों का व्यवहार होता है। यह **आह** संस्कृत **पुत्राः** के **आः** (आस्) से बहुत मिलता-जुलता है। आश्चर्य की बात है कि **पुत्तो, पुत्ते, पुत्ता, पुतु, पूत** की लम्बी विकास-प्रक्रिया के बाद **पुत्राः** से मिलता-जुलता रूप चौदहवीं सदी की मैथिली में फिर प्रकट हो गया! इसकी व्याख्या इस प्रकार की गई है : अपभ्रंश के सम्बन्धकारक के एकवचन रूप का **अह, आह**

बहुवचन बनाने के लिए प्रयुक्त हुआ, इसका मूलरूप संस्कृत का सम्बन्धकारक-चिन्ह **अस्य** है। यदि यह बात सही मानी जाए तो कहना होगा कि प्राकृतों में **ह्** का लोप हो गया, अपभ्रंश में वह फिर प्रकट हुआ और मैथिली में जमा रहा! एक तर्क दिलचस्प है कि सम्बन्धकारक-चिन्ह अन्य आधुनिक आर्य भाषाओं में भी बहुत्वसूचक प्रत्यय का काम देता है। बंगला का सम्बन्धकारक-चिन्ह **एर, अर** बहुवचन के लिए **एरा, रा** रूपों में प्रयुक्त होता है। डॉ. चाटुर्ज्या ने भोजपुरी के **हमनि का, तोहनि का** बहुवचन रूप उद्धृत किये हैं जहाँ सम्बन्धकारक-चिन्ह का बहुवचन सूचित करता है। इस प्रकार **पुत्रस्य** और **पुत्रास्** में **स्** सम्बन्धकारक का चिन्ह होने के साथ बहुवचन का सूचक भी माना जा सकता है। तब जैसे बहुवचन रूप संस्कृत में बनता था, वैसे ही मैथिली में बनता है, कोई परिवर्तन न हुआ, और प्राकृतों के रूप अप्रासंगिक ठहरते हैं।

**कइसनाह बेतालह**—कैसे बेताल, इस शब्दावली का प्रतिरूप **कीदृशाः वेतालाः** देकर डॉ. चाटुर्ज्या ने मानो सिद्ध कर दिया है कि मैथिली रूप संस्कृत से बिलकुल मिलते-जुलते हैं। आधुनिक मैथिली में **आह** का उपयोग अकर्मक क्रियाओं के सम्मानसूचक रूप बनाने के लिए होता है, यथा : **चललाह**—वह सज्जन गए। 'वर्णरत्नाकर' में भी कृदन्त के साथ उसका व्यवहार होता है। **कृष्ण चतुर्भुज भअ गेलाह**—कृष्ण चतुर्भुज हो गए।

बहुवचन के लिए एक अन्य प्रत्यय **न्हि** का उपयोग भी 'वर्णरत्नाकर' में हुआ है। **बायसन्हि कोलाहल करु**—कौवों ने कोलाहल किया; **जुवतिन्हि जलकेलि आरहु**—युवतियों ने जलकेलि आरम्भ की। इस **न्हि** प्रत्यय का विकास कैसे हुआ? डॉ. चाटुर्ज्या का मत है कि संस्कृत के **भिः** से अपभ्रंश का करणकारक-चिन्ह **हि** बना; फिर संस्कृत के सम्बन्धकारक बहुवचन प्रत्यय **आनाम्** का अवशेष **न्** रह गया। दोनों को मिलाने से **न्हि** प्रत्यय बन गया। ऐसा प्रतीत होता है कि संस्कृत का कोई भी कारक-चिन्ह आधुनिक आर्य भाषाओं के किसी भी कारक के लिए प्रयुक्त हो जाता है; कारक-चिन्हों के सूक्ष्म अंश भी ऐसे गतिशील हैं कि तृतीया से टूटकर षष्ठी के ध्वनिखंड से जुड़ जाते हैं और एक नये प्रत्यय की सृष्टि हो जाती है। **न्हि** करणकारक का चिन्ह है या सम्बन्धकारक का? **बायसन्हि कोलाहल करु,** सामान्य दृष्टि से **बायसन्हि** कर्ताकारक जान पड़ता है। कौवों ने कोलाहल किया—भाषाविज्ञानी कहते हैं कि **कौवों ने** करणकारक रूप है। इसलिए **बायसन्हि, जुवतिन्हि** ये करणकारक में हैं। किन्तु **जुवतिन्हिक, उत्कंठा**—इस शब्दावली में **न्हि** करणकारक में हो नहीं सकता, आगे सम्बन्धकारक-चिन्ह **क** विद्यमान है। यदि कोई कहे कि करण और सम्बन्धकारक के मेल से एक नया कारक-चिन्ह **न्हिक** बना है तो आश्चर्य की बात न होगी। आधुनिक मैथिली में **लोकनि** शब्द का प्रयोग बहुवचन रूप बनाने के लिए होता है। डॉ. चाटुर्ज्या कहते हैं कि **लोकनि** का **नि** उसी **न्हि** का विकास है। कम-से-कम **लोकनि** रूप करणकारक में नहीं है।

'वर्णरत्नाकर' में इसका व्यवहार सामान्य बहुवचन प्रत्यय के रूप में निरन्तर होता है। **उल्कामुखन्हिक उद्योत, खद्योतन्हिक तरंग।** निर्देशक सर्वनामों की निर्माण-विधि याद करें तो **अध** का नासिक्य ध्वनियुक्त **अन्ध** वैकल्पिक रूप होगा। **अधि-अन्धि** से **अहि-अन्हि** रूप बने जो क्रिया और संज्ञा, दोनों के साथ प्रयुक्त होते हैं। **अन्हि** का अवशेष **न्हि** है। डॉ. चाटुर्ज्या ने लिखा है कि सम्मानसूचक सन्दर्भ में मैथिली क्रिया यह प्रत्यय लगाती है। **देखल थीन्हि**—उन्होंने उन्हें देखा। सम्मान दिखाने का पुराना तरीका बहुवचन रूप के प्रयोग का है। इसलिए क्रिया के साथ बहुवचन प्रत्यय लगता है, यह स्वाभाविक है। डॉ. चाटुर्ज्या ने **नायिका जन, वृक्ष समूह** आदि रूपों में **जन, समूह** आदि शब्दों के व्यवहार की ओर संकेत किया है मानो भाषा संश्लिष्ट रूप छोड़कर अश्लिष्ट बन रही हो। ध्यान देने की बात है कि **जन** या **समूह** जैसे शब्द गौरव सूचना के लिए क्रिया के साथ कभी नहीं लगते। क्रिया के साथ **न्हि** जैसे प्रत्यय लगते हैं और वे भाषा की मूल प्रवृत्ति सूचित करते हैं। 'वर्णरत्नाकर' में समूहवाचक एक प्रत्यय न भी है जिसका प्रयोग अपेक्षाकृत कम हुआ है। **मयूरन चरइतें अछ**—यहाँ ब्रज और अवधी के समान **मयूर** शब्द में न प्रत्यय जोड़कर बहुवचन रूप **मयूरन** बनाया गया है। **न्ह** से इस **न** का विकास हुआ है। डॉ. चाटुर्ज्या ने इसे भी संस्कृत के सम्बन्धसूचक **आनाम्** का अवशेष माना है।

'वर्णरत्नाकर' के समय की और उसके बाद की भी मैथिली तथा अवधी में अनेक समानताएँ हैं। इनमें एक समूहवाचक प्रत्यय **न** का व्यवहार है। इसके अतिरिक्त सम्बन्ध वाचक **कर** का व्यवहार जैसे 'रामचरितमानस' में है, वैसे 'वर्णरत्नाकर' में है। अन्तर यह है कि 'वर्णरत्नाकर' में उसका उपयोग केवल सर्वनामों के साथ होता है, यथा : **जकरे रूपें**—जिसके रूप से। संज्ञा के साथ **क** प्रत्यय जोड़ा जाता है, यथा : **आदित्यक किरण**। सर्वनामों के साथ जिन प्रत्ययों का व्यवहार होता है, वे प्राय: अधिक प्राचीन सिद्ध होते हैं। **कर** प्राचीन प्रत्यय है, **क** इसी **कर** का प्रतिरूप है। डॉ. चाटुर्त्या का मत है कि **कर** का उद्‌भव **कृत** से हुआ है, **क** इससे भिन्न है। उनका विचार है कि यह कोई नाम शब्द है जिसकी रूप-रचना संज्ञा शब्दों के समान होती है। **क** शब्दमूल है जो सामान्य और प्रश्नवाचक सर्वनाम रूपों के लिए प्रयुक्त हुआ। इसमें देशकाल-व्यक्ति-वस्तुसूचक **ध** चिन्ह जुड़ा। **कध** रूप से एक ओर **कह** और दूसरी ओर **कद—कर** आदि रूप बने। हिन्दी में सम्बन्धकारक-चिन्ह **का** अवधी की प्रवृत्ति के अनुसार बना है, मैथिली **क** उसी का ह्रस्व रूप है, **कर** उससे पुराना रूप है। मैथिली में **कइ** रूप का व्यवहार भी होता है। 'वर्णरत्नाकर' में **रात्रि कइ क्षीणता, ब्याध कइ माया** जैसी शब्दावली है। अवधी में **कइ** या **कै** केवल स्त्रीलिंग के साथ प्रयुक्त होगा; 'वर्णरत्नाकर' में **किन्नरकइ गीत** जैसा प्रयोग भी है।

प्रसिद्ध है कि अपभ्रंश में सम्प्रदान और कर्मकारक एक से थे। 'वर्णरत्नाकर' की भाषा का विवेचन करते हुए डॉ. चाटुर्ज्या ने लिखा है कि कर्मकारक के लिए

कोई चिन्ह नहीं लगता किन्तु सम्प्रदान में **कइ, कॲ, कें** चिन्ह लगते हैं। इसका अर्थ यह है कि आधुनिक मैथिली और मगही के समान 'वर्णरत्नाकर' में कर्म से अलग सम्प्रदान का अस्तित्व सूचित किया जाता है। अपभ्रंश से मैथिली-मगही का सम्बन्ध जोड़कर उनका विकास समझने में सहायता नहीं मिलती।

वर्तमानकालीन क्रिया-रूपों में अन्य पुरुष एकवचन रूप **करइ, धरइ** इत्यादि हैं। ये पुरानी अवधी के **करहि, धरहि** हैं जो अब **करै, धरै** बोले जाते हैं। डॉ. चाटुर्ज्या ने कल्पना की है कि **करइ** कोई क्रियार्थी संज्ञारूप है जो **अछ** क्रिया के साथ वर्तमान काल में प्रयुक्त होता है। **करता है** क्रिया-रूप में जैसे **करता** कृदन्त है वैसे ही **करे है** में **करे** कृदन्त होना चाहिए। वास्तव में **करइ, करे** तिङन्त **करहि** का रूपान्तर हैं। कृदन्तीकरण के प्रभाव से तिङन्त रूप को, कृदन्त के समान, अपूर्ण मानकर, उसके साथ हिन्दी है, मैथिली **अछ्** क्रियाओं का प्रयोग होने लगा। एक ओर कृदन्तों का तिङन्तीकरण हुआ तो दूसरी ओर तिङन्तों का कृदन्तीकरण भी हुआ। **होइतें अछ, करइतें आह** जैसे रूपों में **त** प्रत्यय वाला कृदन्त-रूप स्पष्ट है। डॉ. चाटुर्ज्या ने मैथिली के क्रिया-रूप **होथि** को **होन्ति** जैसे रूप का विकास माना है। यह अन्य पुरुष का वर्तमानकालीन बहुवचन रूप है। समस्या यह है कि अल्पप्राण **त** मैथिली में **थ** कैसे हो गया? **न्** का लोप क्यों हो गया?—यह भी समस्या होनी चाहिए। **हो** क्रिया के बाद सर्वनाम-चिन्ह **धि** जोड़ा गया। **होधि** का एक वैकल्पिक रूप **होन्धि** बना। दोनों में पहले वचनभेद नहीं था। इसीलिए मैथिली **होथि** बहुवचन के लिए प्रयुक्त होता है। अवधी में **होहि** और **होहिं** एकवचन बहुवचन के लिए अलग कर लिये गए। संस्कृत में **भवति** और **भवन्ति** रूपों का विकास **भवधि** और **भवन्धि** के आधार पर हुआ है।

'वर्णरत्नाकर' में भूतकाल के लिए **करु, भउ** जैसे क्रिया-रूपों का व्यवहार हुआ है। बाद की मैथिली में ऐसे रूप नहीं मिलते। डॉ. चाटुर्ज्या ने कल्पना की है कि ये मागधी भाषाओं के अपने क्रिया-रूप नहीं हैं; ये पश्चिमी अपभ्रंश के रूप हैं जो मैथिली में जड़ नहीं जमा पाए। **गतः** से **गउ** रूप बना, वैसे ही ये रूप बने। उल्लेखनीय है कि **करु, भउ** आदि, भूतकालीन कृदन्तों के समान, लिंगभेद सूचित नहीं करते। **गतः** से **गउ** रूप बना तो **भउ** का मूल रूप क्या **भतः** था? और **करु** का मूलरूप क्या था? **करु, भउ** का अविकारी रूप देखकर उन्हें तिङन्त क्रिया-रूप मानना चाहिए। कृदन्त पद्धति के प्रभाव से इन रूपों का चलन बन्द हो गया। लकारान्त कृदन्त-रूपों में लिंगभेद व्यक्त होता है और वे **करु, भउ** जैसे रूपों से भिन्न हैं। **भमर पुष्पोद्देशे चलल किन्तु कुलस्त्री सलज्ज भेलि। चलल** और **भेलि** लिंगभेद बता रहे हैं।

'वर्णरत्नाकर' की भाषा में अनेक ऐसे शब्द या शब्दरूप हैं जो पुरानी जनपदीय भाषाओं के आपसी सम्बन्धों की जानकारी देते हैं। 'वर्णरत्नाकर' में एक क्रिया है **हल** जिसका अर्थ है **चलना**। **हलु** अर्थात् **गया**, उकारान्त तिङन्त रूप है। **हलुअह**

उसी का बहुवचन रूप है। डॉ. चाटुर्ज्या ने लिखा है कि यह शब्द सिन्धी में प्रचलित है, मैथिली में अब उसका व्यवहार नहीं होता। हिन्दी में **हलचल** और **हालचाल** में वही क्रिया विद्यमान है। **हलचल कामकाज** की तरह है, एक ही अर्थ वाले दो शब्दों का जोड़ा है। **हलचल** में गति की अधिकता सूचित की गई है, उसका हिलने से कोई सम्बन्ध नहीं है। इसी तरह **हालचाल** के **हाल** का अरबी-फ़ारसी के **हाल** से कोई सम्बन्ध नहीं है। पश्चिमी क्षेत्र की बोलियों में चलने के लिए **चाल** क्रिया का व्यवहार अब भी होता है। मानक रूप **चल** है जो हिन्दी, बंगला आदि में प्रयुक्त होता है। इसका मूल रूप संस्कृत की **सर्** क्रिया है। मागधी वृत्ति से **र्ल्** में परिवर्तित हुआ। **स् च्** और **छ्** ध्वनियों में बदलता रहा है। होना चाहिए था **छल्** किन्तु संस्कृत के बहुत-से शब्दों में जैसे महाप्राणता का लोप हुआ है, वैसे ही यहाँ भी **छल्** के प्रतिरूप **चल्** का ही व्यवहार मानक रूप में हुआ। दूसरी ओर **स्** ध्वनि **ह्** में परिवर्तित हुई, तब **हल्** रूप बना। सिन्धी और मैथिली दूर के दो छोरों की भाषाओं में गतिसूचक एक ही क्रिया-रूप मिलता है, यह तथ्य जनपदीय भाषाओं के परस्पर सम्पर्क का प्रमाण है। विद्यापति के समय तक मैथिली में **हल** क्रिया का चलन था। बाद में **चल** ने उसे अपदस्थ कर दिया।

डॉ. चाटुर्ज्या ने 'वर्णरत्नाकर' के **कान्हू, किरतू** जैसे ऊकारान्त रूपों का उल्लेख किया है। ऊपर से देखने में लगता है कि ऐसे रूप अन्त्यानुप्रास के लिए बनाए गए हैं पर बहुत जगह अन्त्यानुप्रास का प्रश्न नहीं है। 'वर्णरत्नाकर' के लेखक गद्य लिख रहे थे, और ऐसे ऊकारान्त रूपों के लिए कोई संगत कारण प्रतीति नहीं होता। ह्रस्व **उ** वाले शब्द तो अवधी में अब भी प्रयुक्त होते हैं। सम्भव है, सोलहवीं सदी में दीर्घ **ऊ** वाले शब्दों का प्रयोग भी होता रहा हो। 'वर्णरत्नाकर' में उकारान्त शब्द काफी हैं। तत्सम रूपों को छोड़ दें, तो भी आधुनिक मैथिली को देखते 'वर्णरत्नाकर' में इनकी संख्या काफी होगी। **अउनगउ, अखलु, अनुनु, अवरु, आगु, आठहु, आरहु** आदि रूप शब्दसूची में दिये हुए हैं। पूरी सूची से इस तरह के सारे शब्द एकत्र किये जाएँ तो एक परिणाम यह निकलेगा कि पुरानी मैथिली में उकारान्त रूपों का व्यवहार अधिक होता था। इस दृष्टि से अवधी और मैथिली एक दूसरे के बहुत समीप थीं। यह समीपता कितनी पुरानी थी? चौदहवीं सदी से कुछ शताब्दियाँ पहले ऐसी समीपता कायम हुई होगी, चौदहवीं सदी से कई शताब्दियाँ पहले मैथिली का विकास हो चुका था। यही नहीं, मैथिली में कोई पुरानी साहित्य परम्परा भी रही होगी, यह परम्परा पद्य की ही नहीं गद्य की भी रही होगी। यद्यपि 'वर्णरत्नाकर' में अधिकांश वर्णन रूढ़िगत हैं, फिर भी कहीं-कहीं उसका गद्य ऐसा पुष्ट है और मौलिक भी हैं कि यह कल्पना करना होता है कि इससे पहले गद्य-लेखन में प्रयोग अवश्य किये गए होंगे। वर्षा की रात्रि का वर्णन इस पुस्तक के उत्कृष्ट स्थलों में है :

'काजरक भीति तेले सिचलि अइसनि रात्रि। पछेवाँकाँ बेगे काजरक मोंट फुजल अइसन मेघ। निबिल मांसल अन्धकार देषु। मेघपुरित आकाश भए गेल अछ। विद्युल्लताक तरंग में पथदिशज्ञान होइते अछ। लोचनक व्यापार निष्फल होइते छ। यँ रात्रि पातक शब्दे तरुज्ञान। दर्दुरक शब्दे जलाशयज्ञान। चटकक शब्दे बनज्ञान। झिकरुआक शब्दे पृथ्वीज्ञान। मेघकशब्दे आकाशज्ञान। मनुष्यक शब्दे गृहज्ञान। अग्निक द्योते पुरज्ञान। चरणकशब्दे पथज्ञान। वचनकशब्दे परापरज्ञान। विज्ञजनहु दिगभ्रम जँ रात्रि।'

वास्तव में जिसे अपभ्रंशकाल कहते हैं, वह आधुनिक जनपदीय भाषाओं का अभ्युदयकाल है। पहले संस्कृत, फिर प्राकृत और अपभ्रंश की परम्पराओं के कारण साहित्य में इन जनपदीय भाषाओं की प्रतिष्ठा विलम्ब से होती है। इसका यह अर्थ नहीं है कि 'वर्णरत्नाकर' के रचनाकाल से पहले मैथिली का अस्तित्व नहीं था। अपभ्रंश में जनपदीय भाषाओं की झलक भर मिलती है; उनकी पूरी छवि उस संत साहित्य में है जो अपभ्रंश की सामन्ती रूढ़िवादी परम्परा का ध्वंस करके लोक-संस्कृति के आधार पर जनमानस में प्रतिष्ठित हुआ।

## 3. भोजपुरी क्षेत्र

हिन्दी क्षेत्र की एक महत्त्वपूर्ण उपभाषा भोजपुरी है। यह मागधी समुदाय की भाषाओं में है। इस समुदाय में अनेक प्राचीन भाषाएँ थीं और वे ध्वनितंत्र, रूपतंत्र आदि की दृष्टि से काफी भिन्न थीं। इसी कारण, संरचना की दृष्टि से, भोजपुरी और मगही में यथेष्ट अन्तर है। भोजपुरी की कारक-रचना क्रियापद-रचना बहुत जगह अवधी तथा हिन्दी क्षेत्र की अन्य पश्चिमी भाषाओं से प्रभावित है। डॉ. उदयनारायण तिवारी ने अनेक स्थलों पर यह प्रभाव स्वीकार किया है। 'भोजपुरी भाषा और साहित्य' में उन्होंने, अकर्मक और सकर्मक क्रियाओं के प्रसंग में, लिखा है कि भोजपुरी में मूल धातु के स्वर को दीर्घ करके सकर्मक रूप बना लिया जाता है, जैसे : **कट** से काट, **पसर** से **पसार, मर** से **मार**। भोजपुरी और बंगला के भेद पर प्रकाश डालते हुए कहा है : "बंगला में अकर्मक धातुओं में **आ** प्रत्यय लगाकर सकर्मक बनाया जाता है और मूल धातु के स्वर को दीर्घ नहीं किया जाता। किन्तु इस सम्बन्ध में भोजपुरी अन्य बिहारी भाषाओं के साथ खड़ी बोली (हिन्दी) से अधिक मिलती है।" (पृ. 255-56) भोजपुरी ही नहीं, बिहार की अन्य भाषाएँ भी इसी प्रकार अकर्मक से सकर्मक (अथवा सकर्मक से अकर्मक रूप बनाती हैं।) क्रियापद-रचना का आधार धातु रूप हैं और ये धातुरूप ऐसे हैं जो मागधी समुदाय की भाषाओं के एक वर्ग को दूसरे से अलग करते हैं। बंगला आदि एक वर्ग की भाषाओं में क्रियापद और विशेषण लिंगभेद व्यक्त नहीं करते। पहले भोजपुरी में भी यह प्रवृत्ति रही होगी पर अवधी, ब्रजभाषा और खड़ी बोली से भोजपुरी का ऐसा गहरा सम्बन्ध रहा है कि

**अब घर जरि गइल और पोथी जरि गइलि** बोला जाता है। डॉ. उदयनारायण तिवारी के अनुसार : "भोजपुरी क्रियापदों में लिंग का पार्थक्य खड़ी बोली के ही प्रभाव से आया है।" (पृ. 185) क्रियापदों के अलावा कभी-कभी विशेषणों में भी भेद किया जाता है, यथा : **बड़ा घोड़ा, बड़ि घोड़ी**। क्रिया के भविष्यकालीन रूपों में **ब** प्रत्यय का व्यवहार मागधी भाषाओं की विशेषता है। भोजपुरी में **ब** वाले रूप अन्य पुरुष के लिए प्रयुक्त नहीं होते। मध्यम पुरुष में **ब** और **ह्** वाले दोनों तरह के रूप हैं, अन्य पुरुष में केवल **ह्** वाले रूप हैं। डॉ. उदयनारायण तिवारी ने इस **ह्** का सम्बन्ध पश्चिमी पंजाबी, राजस्थानी, गुजराती, ब्रजभाषा, कनौजी, बुन्देली, अवधी, बघेली और छत्तीसगढ़ी से जोड़ा है। यह भी लिखा है कि "**स्स्** या **स्** का **ह्** में परिवर्तन वस्तुतः पश्चिमी भाषाओं एवं बोलियों की विशेषता है किन्तु इसकी छाप पूरब की भाषाओं एवं बोलियों पर स्पष्ट रूप से दीख पड़ती है।" (पृ. 266) इससे इतना तो स्पष्ट ही है कि जो भाषाएँ भोजपुरी क्षेत्र के पश्चिम में है, उन्हें छोड़कर उसका विवेचन नहीं हो सकता। मागधी भाषाओं की एक विशेषता अतीत काल के क्रिया-रूपों में **ल** प्रत्यय का व्यवहार है, "किन्तु पश्चिमी अपभ्रंश के प्रभाव के कारण इनमें **ल** रहित रूप भी आ गए हैं।" (पृ. 267) यदि ऐसे रूप पुरानी बंगला में भी हैं तो उनका कारण भी पश्चिमी प्रभाव है।

भोजपुरी में करणकारक के लिए **ऍं** प्रत्यय का व्यवहार भी होता है। **बेगें चलि आबहु**—वेग से चले आओ; **कथिएँ मनावों**—किससे मनाऊँ? इसके बारे में तिवारी जी ने लिखा है : "यह दामोदर पंडित के 'उक्ति-व्यक्ति-प्रकरण' की प्राचीन कोसली (अवधी) है, यथा : **दुखें सबइ तज**—दुख से सबको छोड़ दे, पृ. 47; तथा तुलसीदास की अवधी में भी वर्तमान है।" (पृ. 189) भोजपुरी के अधिकरणकारक में भी इसी **ऍं** प्रत्यय का व्यवहार होता है। इसके लिए डॉ. तिवारी ने लिखा है : "यह विकारी प्रत्यय (कर्म, करण, सम्प्रदान तथा अधिकरण) के रूप में पश्चिमी हिन्दी तथा 'उक्ति-व्यक्ति-प्रकरण' की प्राचीन कोसली (अवधी) एवं तुलसीदास में भी मिलता है, यथा : **थाहें नाव उखल**—थाह में नाव चलती है, 'उक्ति-व्यक्ति-प्रकरण', पृ. 46।" (पृ. 190) बंगला और भोजपुरी में एक महत्त्वपूर्ण अन्तर सम्बन्धकारक-चिन्ह को लेकर है। **र** प्रत्यय हिन्दी के समान भोजपुरी के सर्वनाम रूपों में तो मिलता है किन्तु संज्ञा के साथ उसका व्यवहार नहीं होता। बंगला में **र** प्रत्यय संज्ञा रूपों के साथ भी लगता है किन्तु ऐसा हिन्दी क्षेत्र की भाषाओं में नहीं होता। इस दृष्टि से बिहार की सभी भाषाएँ बगला से भिन्न हैं। पश्चिमी **क** प्रत्यय का प्रसार बंगाल की कुछ बोलियों में भी हुआ है, वह अलग बात है। सम्प्रदानकारक के बारे में बीम्स का मत था कि "**कक्ष** से कोसली (अवधी) के **कह, कहँ, कहु, कहुँ** एवं सिन्धी के **खे** परसर्गों की उत्पत्ति हुई है।" (पृ. 193) **के** का सम्बन्ध **कह** से है। उसका मूल रूप **कक्ष** नहीं **कघ** होगा। अधिकरणकारक में भोजपुरी **में** सम्बन्धक का व्यवहार

करती है। इसका सम्बन्ध मध्य जोड़ते हुए डॉ. तिवारी ने लिखा है : "पुरानी हिन्दी में यह **माँहिं** रूप में मिलता है। भोजपुरी के सौ वर्ष के पुराने कागज-पत्रों में भी यह **माँहिं** वर्तमान है और कदाचित् यह पश्चिमी हिन्दी से आया है।" (पृ. 191) यहाँ पश्चिमी हिन्दी का अर्थ है अवधी। आगे बाबूराम सक्सेना का हवाला देते हुए कहते हैं कि 'परसर्ग के रूप में कोसली (अवधी) का **मह, महूँ** इस बात को सिद्ध करता है कि अर्द्ध-तत्सम प्रत्यय **मध**' भी प्रचलित था और इस सन्दर्भ में अवेस्ता के **मद** रूप का भी स्मरण करते हैं। (उप.) आवश्यक नहीं कि अवेस्ता का रूप अर्द्ध-तत्सम हो। **मध** से जैसे **मह** बना, वैसे ही **कध** से **कह** बना। जैसे **मह** से **में** बना, वैसे ही **कह** से **के** बना। **मध** का मूल रूप **मध्य** था, यह मानना आवश्यक नहीं है, जैसे—**कध** का पूर्वरूप **कध्य** था, यह मानना आवश्यक नहीं है। वस्तुसूचक **ध** के साथ सर्वनाम **म, क** आदि का योग होने पर ऐसे सम्बन्धक रूप बनते हैं। कारक-रचना में इन्हीं से काम लिया जाता है।

ग्रियर्सन भोजपुरी को हिन्दी की अपेक्षा बंगला के अधिक निकट मानते थे पर उन्होंने यह भी कहा था कि ऐतिहासिक रूप से बिहार का सम्बन्ध पश्चिमोत्तर हिन्दी क्षेत्र से अधिक रहा है और भोजपुरियों के पारिवारिक सम्बन्ध भी संयुक्त प्रान्त में होते रहे हैं। परिनिष्ठित बंगला में केवल तालव्य **श्** का व्यवहार होता है, दन्त्य सकार का पूर्ण बहिष्कार है। भोजपुरी में स्थिति इससे ठीक उलटी है। ग्रियर्सन ने लिखा था कि बंगला से भिन्न, किन्तु पूर्वी हिन्दी के अनुरूप यहाँ केवल दन्त्य **स्** का व्यवहार होता है। **माँ** आदि कारक-चिन्हों (या सम्बन्धकों) के बारे में लिखा था कि वे पूर्वी हिन्दी के समान हैं। उन्होंने इस बात पर भी ध्यान दिया था कि बिहार में अवधी बोलने वाले काफी लोग हैं। उन्होंने अपने सर्वेक्षण ग्रंथ में लिखा था कि मुजफ्फरपुर और चम्पारन के मुसलमान जो भाषा बोलते हैं, वह अवधी से बहुत मिलती-जुलती है। इस कारण अवधी और भोजपुरी में निकट सम्बन्ध होना स्वाभाविक था। उनका विचार था कि मागधी समुदाय की भोजपुरी, बंगला आदि समस्त भाषाओं का एक ही व्याकरण लिखा जा सकता है पर मैथिली और मगही की क्रियापद-रचना पर विचार करते हुए उन्होंने स्वीकार किया कि वह बहुत पेचीदा है, और उसकी तुलना में भोजपुरी की क्रियापद-रचना बहुत सरल है। उन्होंने बताया कि मगही और मैथिली में क्रिया-रूप कर्म की ओर भी संकेत करता है किन्तु भोजपुरी में क्रिया-रूप कर्ता की ओर ही संकेत करता है। इस प्रकार समस्त पूर्वी भाषाओं की बात तो दूर, मगही और भोजपुरी के व्याकरण में ही काफी भिन्नता है।

भोजपुरी की क्रियापद-रचना में तिङन्त रूप केवल वर्तमान काल में प्रयुक्त होते हैं। ये रूप पुरुष और वचनभेद तो सूचित करते हैं किन्तु लिंगभेद सूचित नहीं करते। भूत और भविष्य के रूप कृदन्तों के आधार पर बनते हैं, मगही के समान

उनका तिङन्तीकरण होता है और मध्यम पुरुष में वे लिंगभेद भी सूचित करते हैं। मागधी समुदाय की मूल प्रवृत्ति लिंगभेद सूचित करने की नहीं है किन्तु भोजपुरी पर पश्चिमी प्रभाव इतना अधिक है कि अवधी भी जहाँ लिंगभेद सूचित नहीं करती, वहाँ भोजपुरी के रूप ऐसा भेद व्यक्त करते हैं।

वर्तमान काल में उत्तम पुरुष के एकवचन और बहुवचन क्रियापद में **चलीं** रूप का व्यवहार होता है किन्तु डॉ. तिवारी का कहना है कि प्राचीन भोजपुरी में उत्तम पुरुष एकवचन रूप **चलौं** भी प्रचलित था। गुजराती के **चालुँ** का उल्लेख करने के बाद प्राचीन बंगला के **चलौं** का हवाला दिया है, फिर कहा है : "इसी प्रकार असमिया तथा कोसली में भी **चलौं** का प्रयोग मिलता है।" (पृ. 263) वास्तव में अवधी का पुराना रूप **चलहुँ** है, इसी से **चलउँ** और **चलौं** का विकास हुआ। प्राचीन भोजपुरी और प्राचीन बंगला में अवधी का यही रूप मिलता है। **चलहुँ** के आधार पर ही मानक हिन्दी का **चलूँ** विकसित हुआ है और गुजराती का **चालुँ** वैकल्पिक रूप **चालहुँ** का रूपान्तर है। पर मागधी प्राकृत से उत्पन्न भोजपुरी में वे रूप कैसे आ गए जो अवधी ही नहीं, गुजराती में भी हैं? यदि आधुनिक आर्य भाषाओं की क्रियापद-रचना पर विचार किया जाए तो विदित होगा कि जितनी समानता यहाँ तिङन्त रूपों में है, उतनी कृदन्त-रूपों में नहीं है। (ये तिङन्त रूप उस काल की सूचना देते हैं जो वर्तमान है।) इससे यह संकेत मिलता है कि तिङत रूप अधिक प्राचीन हैं किन्तु इससे यह निष्कर्ष न निकालना चाहिए कि वर्तमान काल के रूपों का ही चलन अधिक था, भविष्य और भूतकाल के रूप नहीं थे। वास्तव में पुराने क्रिया-रूप क्रिया की अवस्था व्यक्त करते थे, काल-भेद नहीं। डॉ. तिवारी ने लिखा है : "साधारण वर्तमान के अर्थ में मूलात्मक काल का आधुनिक भोजपुरी में लोप हो गया है; किन्तु इसके उदाहरण मुहावरों तथा गीतों में मिलते हैं।" (पृ. 263) यह तथाकथित मूलात्मक काल पहले वर्तमान काल सूचित न करता था; अत: उसके अर्थ के लोप का प्रश्न नहीं है। अतीत और भविष्य से वैषम्य व्यक्त करते हुए अब इसने वर्तमान काल का अर्थ अर्जित कर लिया है।

उत्तम पुरुष और मध्यम पुरुष के बहुवचन रूपों में कोई अन्तर नहीं है। दोनों जगह **चलीं** है। मेरी समझ में **चलहिं** से यह रूप बना है। **चलो** अन्य पुरुष का एकवचन रूप है, **चलहु** का रूपान्तर है। अन्य पुरुष का एक रूप, एकवचन में ही, **चलसु** भी है। तिङन्त रूपों की रचना सर्वनाम-चिन्ह जोड़कर हुई है। **चलसु** का **सु** अन्य पुरुष-सूचक सर्वनाम है। **हु** उसी का रूपान्तर है। भोजपुरी में आदर रहित, साधारण और आदरार्थक, अन्य पुरुष के लिए क्रिया के तीन रूप हैं। **चलसु** और **चलो** में भेद करके **चलो** को आदररहित और **चलसु** को साधारण रूप बनाया गया। **चलो** अन्य पुरुष साधारण का बहुवचन रूप भी है। अन्य पुरुष का आदरसूचक **चलीं** रूप एकवचन और बहुवचन, दोनों में प्रयुक्त होता है। ऐसे तीन

तरह के रूप मध्यम पुरुष में भी होते हैं। आदररहित एकवचन रूप **चलु** अवधी के समान है। मध्यम पुरुष का साधारण एकवचन **चल** हिन्दी से मिलता-जुलता है केवल भोजपुरी के **चल** में दूसरे वर्ण पर बलाघात है और **चल** का उच्चारण **चला** जैसा लगता है। मध्यम पुरुष साधारण का बहुवचन रूप भी ऐसा ही होता है। मध्यम पुरुष के आदरसूचक एकवचन बहुवचन रूप एक ही हैं, उत्तम पुरुष के एकवचन बहुवचन **चलों** का व्यवहार यहाँ भी होता है। मध्यम और अन्य पुरुषों के आदररहित बहुवचन रूप एक-से हैं और ये बहुत दिलचस्प हैं। उदाहरणों के लिए **चल** क्रिया को आधार मानकर डॉ. तिवारी ने ये रूप दिये हैं : **चलसन्हि, चलसन, चलसँ, चलस**। अन्तिम दोनों रूपों में **स** पर बलाघात है जिससे स्वर दीर्घ सुनाई देगा। प्रश्न यह है कि **सन्हि, सन, सँ, स** परस्पर सम्बद्ध हैं या नहीं। दूसरा प्रश्न है, ये सर्वनाम हैं या नहीं। डॉ. तिवारी का मत है कि ये परस्पर सम्बद्ध हैं; लिखा है : "वस्तुतः **चलसन, चलसँ** तथा **चलस** रूप **चलसन्हि** के ही संक्षिप्त रूप हैं।" (पृ. 265) मुझे यह बात सही जान पड़ती है। **चलसन्हि** रूप पुराना है। **ह्** का लोप होने पर केवल **न्** रह गया और इस व्यंजन का लोप हुआ तो पूर्व स्वर अनुनासिक हुआ, फिर इस अनुनासिकता का भी लोप हुआ। **चलस** रूप संस्कृत के मध्यम पुरुष बहुवचन **चलथ** से मिलता-जुलता है। एकवचन रूप संस्कृत में **चलसि** है, इसलिए **चलस** और **चलथ** एक दूसरे से नितान्त असम्बद्ध नहीं हैं। किन्तु **सन्हि** सर्वनाम है, यह बात बहुतों के लिए कल्पनातीत होगी। डॉ. तिवारी ने **चलसन्हि** में **चलसि** या **चलसु** को आधार रूप मानकर उसमें **अन्हि** जोड़ा है। **अन्हि** के बारे में लिखा है : "यह सम्बन्धकारक बहुवचन का प्रत्यय है। यथा : **घोड़न्हि, घोड़े**। बहुवचन प्रत्यय के रूप में **अन्हि (लोगन्हि)** का व्यवहार गोस्वामी तुलसीदास कृत 'रामचरितमानस' में भी मिलता है।" (पृ. 265)

पहली बात तो यह है कि **चलसन्हि** की व्याख्या **चलसि** या **चलसु** में **अन्हि** जोड़कर नहीं की जा सकती; यह **सन्हि** और बहुत-से रूपों में जोड़ा जाता है जिनके आसपास कहीं **चलसु** जैसे रूपों का **स्** है ही नहीं। भविष्य के लिए **चलिह सन्हि, देखब सन्हि,** अतीत के लिए **देखुअ सन्हि, देखल सन्हि** प्रमाण हैं। ये सभी मध्यम पुरुष के आदररहित बहुवचन रूप हैं। यहाँ **अन्हि** से काम न चलेगा, **सन्हि** का स्वतंत्र अस्तित्व मानना होगा। **अन्हि** के पहले किसी क्रिया-रूप के सकार का योग होने से **सन्हि** बना, यह धारणा व्यर्थ है। **अन्हि** निस्सन्देह **सन्हि** का रूपान्तर हो सकता है। वह बहुवचन का प्रत्यय है, सम्बन्धकारक से उसका कोई विशेष सम्बन्ध नहीं है। सम्बन्धकारक के प्रसंग में डॉ. तिवारी ने इसका उल्लेख भी नहीं किया किन्तु बहुवचन ज्ञापक शब्दावली के प्रसंग में उन्होंने लिखा है कि भोजपुरी में **घरन्ह, घरन्, घरन्हि, घरनि** रूप बोले जाते हैं। इसलिए **अन्हि** का सम्बन्ध बहुवचन से असन्दिग्ध है। मानक हिन्दी के **घरों, लोगों** आदि का पूर्वरूप **घरन,**

**लोगन** है। **अन्हि** से संस्कृत **ज्ञानानि** जैसे बहुवचन रूपों के **आनि** की तुलना करना चाहिए। **अन्हि** का कोई सम्बन्ध करण या सम्बन्धकारकों के चिन्हों से नहीं है। मागधी भाषाओं में बहुवचन समूहसूचक शब्दों की सहायता से बनते हैं, यह कहने के बाद डॉ. तिवारी भोजपुरी के बहुवचन चिन्हों का सम्बन्ध संस्कृत से स्थापित करते हैं : "संस्कृत बहुवचन के रूप तथा बहुवचन सम्बन्धी कतिपय सहायक शब्द प्राकृत भाषा काल में ही आ गए थे। ये रूप तथा शब्द मागधी एवं अन्य आधुनिक आर्य भाषाओं में आज भी मिलते हैं। इस प्रकार संस्कृत बहुवचन के कतिपय रूप भोजपुरी में भी मिलते हैं। उदाहरणस्वरूप भोजपुरी में बहुवचन **अन्, अनि, अन्ह्, अन्हि, न्ह्, न्हि, न, नि** प्रत्ययों की सहायता से बनते हैं। ये वास्तव में सम्बन्ध के बहुवचन प्रत्यय एवं सम्बन्ध तथा करण के बहुवचन प्रत्ययों के सम्मिश्रण हैं और आज भोजपुरी के कर्ताकारक के बहुवचन में इनका प्रयोग होता है।" (पृ. 187) यह प्रसंग अभी यहीं छोड़ते हैं। आगे भोजपुरी के सर्वनामों की चर्चा करेंगे, तब इस **सन्हि** पर फिर विचार करेंगे।

भोजपुरी में **ब**-युक्त और **ब**-विहीन, दोनों तरह के भविष्यकालिक रूप हैं, इसी तरह **ल**-युक्त और **ल**-विहीन, दोनों तरह के भूतकालीन रूप हैं। इन रूपों का आधार कृदन्त हैं, इसका प्रमाण यह है कि मध्यम पुरुष में स्त्रीलिंग रूप अलग होते हैं। आर्य-परिवार की सभी भाषाओं में कृदन्तों का व्यवहार सबसे अधिक भूतकालिक रूपों में होता है। भोजपुरी में भी यही स्थिति है। **ह्** वाले भविष्यकालिक रूपों में लिंगभेद नहीं है किन्तु **ब** वाले रूपों में है। **देखब** और **देखबू** मध्यम पुरुष साधारण के एकवचन रूप हैं, पहला पुंल्लिंग है, दूसरा स्त्रीलिंग। यहाँ **ब** प्रत्यय वैसे ही लिंगभेद सूचित करता है, जैसे—मानक हिन्दी का **गा**। **तू देखेगा—तु देखब, तू देखेगी—तु देखबू**। अवधी में **त्वै दॅखिहै,** स्त्री और पुरुष, दोनों के लिए प्रयुक्त होगा। अवधी को दरकिनार करते हुए यहाँ खड़ी बोली का सीधा प्रभाव भोजपुरी पर पड़ा है। **ल**-विहीन अतीतकालीन, मध्यमपुरुष, साधारण, एकवचन रूप में ऐसा ही भेद है। **तु देखुअ**—तूने (पुरुष ने) देखा, **तु देखऊ**—तूने (स्त्री ने) देखा। हिन्दी और भोजपुरी में यहाँ अन्तर यह है कि भोजपुरी की सकर्मक क्रिया, कर्म के अनुसार, लिंगभेद सूचित नहीं करती, वरन् कर्ता के अनुसार सूचित करती है। इससे यह सिद्ध नहीं होता कि भोजपुरी की लिंगभेद सूचक क्रियापद-रचना हिन्दी से प्रभावित नहीं है। सिद्ध यह होता है कि भोजपुरी में कर्तृवाच्य प्रवृत्ति शक्तिशाली है, इस कारण भूतकालिक सकर्मक कर्तवाच्य रूपों में भी, जहाँ हिन्दी में लिंगभेद नहीं है, वहाँ भोजपुरी में वैसा भेद है। कर्मवाच्य प्रयोगों के बारे में डॉ. चाटुर्ज्या का हवाला देते हुए डॉ. तिवारी ने लिखा है : "आधुनिक भारतीय आर्य भाषाओं के इतिहास के प्रारम्भिक युग से ही कर्मवाच्य का भाव विश्लेषणात्मक रीति से प्रकट किया जाने लगा तथा प्रत्यय के संयोग से कर्मवाच्य बनाने की विधि का लोप होने

लगा। पश्चिम की भाषाओं एवं बोलियों में प्रत्यय के संयोग से निर्मित कर्मवाच्य पद मिलते हैं; किन्तु मध्यदेश, दक्षिण तथा पूरब की भाषाओं में इनका लोप हो गया है और केवल पुरानी भाषाओं में इसके कहीं-कहीं उदाहरण मिलते हैं।" (पृ. 258) पश्चिमी भाषाओं में सिन्धी, राजस्थानी, नेपाली और पंजाबी गिनाई गई हैं। पंजाबी **पढ़िये**, राजस्थानी **पढ़ीजै**, प्रत्यय जोड़कर, कर्मवाच्य बनाने के उदाहरण बताए गए हैं पर हिन्दी में उनका अभाव माना गया है। इसके बाद ही 'रामचरितमानस' से **सोचिय बिप्र जो बेद बिहीना** उदाहरण दिया है। एक-एक उदाहरण विद्यापति और 'वर्णरत्नाकर' से भी हैं। ऐसे रूप मूलत: ब्रजभाषा के हैं और उसके प्रभाव से वे अवधी तथा मागधी भाषाओं में आए हैं। आगे डॉ. तिवारी कहते हैं : "भोजपुरी साहित्यिक भाषा नहीं है। यही कारण है कि इसमें प्रत्यय-संयोगी-कर्मवाच्य के उदाहरण नहीं मिलते।" (पृ. 259) भोजपुरी के साहित्यिक या असाहित्यिक होने से **सोचिये, चाहिये** जैसे रूपों का कोई सम्बन्ध नहीं है। अवधी के समान भोजपुरी कर्तवाच्य-प्रधान भाषा है। जिन भाषाओं में कृदन्तों का व्यवहार अधिक है, उनमें कर्मवाच्य की प्रवृत्ति भी अधिक शक्तिशाली देखी जाती है। **हमरा घर से ओकर घर देखल जाला**—मेरे घर से उसका घर देखा जाता है; **दूध में भेंड़ के रोटी खाइल जाला**—दूध में भिगोकर रोटी खाई जाती है (पृ. 260); इन उदाहरणों में कर्म के अनुसार कृदन्तों का रूप नहीं बदलता। जो रूप पुंल्लिंग के लिए है, वही स्त्रीलिंग के लिए। किन्तु कर्म के अनुसार क्रिया में लिंगभेद न भी दिखाकर भोजपुरी कर्ता के अनुसार लिंगभेद सूचित करती है : **तू देखल**—तू ने (पुरुष ने) देखा, **तू देखल**—तू ने (स्त्री ने ) देखा।

बंगला और भोजपुरी में एक भेद यह है कि **छ** क्रिया बंगला में प्रचलित है, इसके विपरीत भोजपुरी में **ह** क्रिया का व्यवहार होता है। भोजपुरी ने लिंगभेद की रीति किस सीमा तक विकसित की है, उसका प्रमाण **ह** क्रिया के रूप हैं। **तु हउअ**—तू है (पुंल्लिंग), **तू हयू** (स्त्रीलिंग)। **हउएँ**—वह है (पुंल्लिंग), **हउइ** (स्त्रीलिंग) (पृ. 277)। हिन्दी, अवधी आदि में **ह** क्रिया इस प्रकार लिंगभेद सूचित नहीं करती।

भोजपुरी की एक विशेष क्रिया **होख** है। इसका अर्थ वही है जो **हो** क्रिया का है। **हो** की उत्पत्ति **भू** से और **खो** की उत्पत्ति **खलु** से हुई है, यह धारणा अमान्य करते हुए डॉ. तिवारी ने और कोई सुझाव नहीं दिया। माना है कि **होख** की व्युत्पत्ति देना कठिन है। 'गुरु ग्रंथ साहिब' के पदों में तथा पंजाब में लिखे हुए पुराने हिन्दी गद्य में जो **होग** और **होगु** रूप मिलते हैं, वे **होख** की समस्या शायद हल कर सकें। **होग** का **ग** कृदन्त प्रत्यय है जो तमिल में भी कृदन्त-रूप बनाने के काम आता है। जैसे तमिल क्रिया **पो** (जाना) से **पोग,** वैसे ही **हो** क्रिया से पंजाब की हिन्दी में **होग**। **ग** प्रत्यय मूलत: **घ** था; उससे **ग** और **ख** रूपों का विकास स्वाभाविक है।

भोजपुरी की एक विशिष्ट क्रिया **नइखे** है। इसकी व्युत्पत्ति वैसे ही रहस्यमय है, जैसे—**होख** की। नकारात्मक क्रियाओं का व्यवहार द्रविड़ भाषाओं की विशेषता है। सम्भव है, **नइ** किसी **नसि, नहि** जैसे रूप का विकास हो। उसमें **घे** कृदन्त प्रत्यय लगा और वह अघोष **खे** रूप में बोला जाने लगा।

हिन्दी तथा अन्य भाषाओं के समान भोजपुरी की एक क्रिया **रह** है। यह मराठी से बंगला तक और हिन्दी से कश्मीरी तक प्रयुक्त होती है। ऐसे व्यापक रूप में प्रयुक्त होनेवाली क्रिया ने भाषाविज्ञानियों के लिए कठिनाई उत्पन्न कर दी क्योंकि उसका व्यवहार संस्कृत में नहीं है। "इस धातु की व्युत्पत्ति अज्ञात है।" (पृ. 278) जब तक अज्ञात व्युत्पत्ति का पता न चले तब तक इसे आर्य भाषा-परिवार की ऐसी पुरानी क्रिया मान लेना चाहिए जिसका व्यवहार संस्कृत में नहीं हुआ।

भोजपुरी के सर्वनाम रूप अत्यन्त रोचक हैं। उत्तम पुरुष का कर्ताकारक एकवचन रूप में ठेठ पश्चिमी है। डॉ. तिवारी के अनुसार आधुनिक भोजपुरी में इसका प्रायः लोप हो गया है, केवल स्त्रियाँ कभी-कभी इसका प्रयोग करती हैं। अब इसके बदले **हम** का व्यवहार होता है। इसका विकारी रूप **हमरा** है किन्तु **हम** का व्यवहार भी होता है। डॉ. तिवारी का कहना है कि "एकवचन विकारी रूप में **हम** का व्यवहार भोजपुरी में वस्तुतः हिन्दी के प्रभाव के कारण होता है।" (पृ. 213) **हम** रूप एकवचन में प्रयुक्त हुआ, तब उसका बहुवचन रूप बनाना आवश्यक होगा। **हम** का बहुवचन **हमनी**। यह **नी** क्या है? डॉ. चाटुर्ज्या 'उक्ति-व्यक्ति-प्रकरण' की भूमिका में लिख चुके कि सम्बन्धकारक के चिन्ह और बहुवचन के चिन्ह में बहुत बड़ी समानता है। **हमार** में **र** सम्बन्धकारक का चिन्ह है और **हमरा** में बहुवचन का। (भले ही विकारी रूप में **हमरा** का व्यवहार एकवचन के लिए हो)। **र** के समान **नि** भी सम्बन्धकारक का चिन्ह और गुजराती में इसी गोत्र के चिन्ह प्रयुक्त होते हैं। अंग्रेज़ी में **दाउ** (तू) का सम्बन्ध रूप **दाइन** (तेरा) है : **काउ** (गाय) का बहुवचन **काइन** है। यहाँ वही प्रक्रिया देखी जाती है, सम्बन्धकारक और बहुवचन के चिन्ह मिलते-जुलते हैं। **हमनी** का एक वैकल्पिक रूप और है **हमनीका**। यहाँ **नी** के अलावा **का** भी लगा हुआ है और यह **का** सम्बन्धकारक का चिन्ह है, इस बारे में किसी को सन्देह नहीं हो सकता। वैसे तो **हम** शब्द ही बहुत्वसूचक है किन्तु एकवचन में प्रयुक्त होने से इसका बहुत्व भाव क्षीण हो गया। इसलिए **नी** जोड़कर **हमनी** रूप बनाना आवश्यक हुआ। पुनः **का** जोड़कर बहुत्वभाव को और भी पक्का कर दिया।

उत्तम पुरुष सर्वनाम का एकवचन रूप **मयँ** गोरखपुर की भोजपुरी में प्रचलित है। मूल रूप **मध** माना जाए तो **मह** का यह रूपान्तर वैसे ही सहज होगा, जैसे मालवी में **मोहनमाला** बदलकर **मोयनमाला** हो जाती है। बहुत्वसूचक प्रत्यय और

सम्बन्धकारक-चिन्ह परस्पर कहीं जुड़े हुए हैं, यह जानकारी डॉ. तिवारी ने भी दी है। लिखा है : "अविकारी तथा विकारी बहुवचन के रूपों में **अनि** तथा **अन्** प्रत्यय **हमनी** (बलिया), **हम्मन** (गोरखपुर), **हमहन्** (बीच में **ह** के साथ बनारस तथा मिर्ज़ापुर)—वास्तव में प्राकृत के सम्बन्धकारक **के** बहुवचन प्रत्यय के अवशिष्ट हैं। कर्ताकारक **के** बहुवचन के रूप **हमनीका** या **हमन्का** में यह **का** भोजपुरी के सम्बन्धकारक के परसर्ग **के** का सबल रूप है।" (पृ. 215) **नी** और **का** दोनों सम्बन्धकारक के चिन्ह हैं, दोनों बहुवचन के लिए प्रयुक्त होते हैं और यह प्रयोग काफी व्यापक और प्राचीन है।

मध्यम पुरुष के सर्वनाम रूपों में एकवचन के विकारी **तोह, तोहरा** तथा बहुवचन के **तोहन, तोहनी** रूप विचारणीय हैं। **तोह** की तुलना **मोह** से करते हुए डॉ. तिवारी ने लिखा है : "इनमें **ह** या तो बहुवचन अथवा अधिकरण की विभक्ति **हि** से आया है। संस्कृत **युष्माकम्** प्राकृत **तुम्हाणं** से **तोंहन** की उत्पत्ति हुई है। बहुत सम्भव है कि मूल भोजपुरी में **तुम्हण** रूप वर्तमान हो।" (पृ. 216) इतनी सम्भावनाओं के साथ इस बात पर भी विचार कर लें कि मूल रूप **त्वध** या **तॉध** हो सकता है। इसी से एक रूप **तुझ** बनता है, दूसरा रूप बनता है **तोह, ताह** या **तुह**। आधारभूत रूप **तोह** में **नी** और **रा** बहुत्वसूचक प्रत्यय लगाए गए हैं। पश्चिमी भोजपुरी से **तुह, तुहार** आदि रूप दिये गए हैं। भोजपुरी की एक बोली नगपुरिया में **तोहनी** का विकल्प **तोहनीमन** भी है। एक **नी** बहुत्वसूचक, फिर **मन** द्वारा उसकी पुनः पुष्टि।

अन्य पुरुष के सर्वनामों में से संगतिमूलक है। **जो आया सो गया** की तरह **जे जे आइल से से गइल**। डॉ. तिवारी ने ठीक लिखा है कि यह बंगला और उड़िया में भी मिलता है। (पृ. 218) **से** का आधार रूप **सध** मानना चाहिए। **से** ठेठ कौरवी रूप है, **सो** मागधी रूप है किन्तु वह मागधी क्षेत्र से बाहर प्रयुक्त होता है। **जे** और **से** पंजाब में लिखे हुए पुराने हिन्दी गद्य में मिलते हैं। **स्** आधारित सर्वनाम का निकटवर्ती रूप **सि** या **सिध** है। भोजपुरी में एकवचन के **ई, इन्हि** हिन्दी **यह** और **इन** से मिलते हैं। रोचक रूप है **हुई** (आदर रहित), **हिन्हि** (साधारण)। ये रोचक इसलिए हैं कि इनसे निकटवर्ती और दूरस्थ वस्तुओं के संकेतक उन सर्वनामों के मूल रूपों का पता चलता है जो आर्य भाषा-परिवार के अतिरिक्त द्रविड़-परिवार में भी प्रयुक्त होते हैं। मूल रूपों में सकार हैं। मागधी क्षेत्र में **स्** बड़े पैमाने पर **ह्** में परिवर्तित हुआ है। ऐसा परिवर्तन केवल पश्चिमी भाषाओं की विशेषता नहीं है। फिर इस **ह्** का भी लोप होता है। मूल रूपों में **ह्** जोड़ा गया है, यह मानने का कोई कारण नहीं है। **इन्हि** और **हिन्हि** में दूसरा रूप पुराना है। सम्बन्धकारक में **एकर** का प्रतिरूप **हेकर** पुराना है। बहुवचन में **इन्हन्का, इन्हनिका** के साथ **हिन्हन्का, हिन्हनीका** भी हैं। द्रविड़-परिवार के

अतिरिक्त कोल भाषाओं के सर्वनामों से तथा इंडो-यूरोपियन परिवार में नॉर्वे और स्वीडन जैसे देशों की भाषाओं के सर्वनामों से तुलना करने पर इन **ह्** वाले रूपों की व्यापकता और प्राचीनता का बोध होगा।

निकटवर्ती संकेतक सर्वनाम का मूल चिन्ह **सि** है, वैसे ही दूरवर्ती संकेतक का चिन्ह **सु** है। भोजपुरी में **उ, उन्हि, हुन्हि**—तीनों रूप **सु** के आधार पर बने हैं। **हऊ** रूप का आधार **स** है। ये सब रूप अविकारी हैं। इनके बहुवचन रूपों में **उन्हन्, हुन्हन्** आदि उसी **सु** के आधार पर बने हैं। सम्बन्धकारक के **ओकर** और **होकर** का आधार **सो** है।

पश्चिमी भोजपुरी के **ओन्हन्** और **ओनहन** बहुवचन रूप विचारणीय हैं। ये **चलिहसन्, चलिहसन्हि** क्रिया-रूपों के **सन्** और **सन्हि** की याद दिलाते हैं। **हन्** का पूर्वरूप **सन्** है, **सन्** का पूर्वरूप **सन्हि** है और **सन्हि** का पूर्वरूप **सन्धि** है। **सध** के वैकल्पिक रूप होंगे **सधि, सन्धि**। ये सारे रूप संकेतक सर्वनाम हैं जो सर्वनाम मूल **स** में वस्तुवाचक **ध** चिन्ह जोड़कर बनाए गए हैं। **हन्** का उपयोग सर्वनामों के बहुवचन के लिए किया गया; **सन्हि, सन्** का उपयोग क्रिया के साथ बहुत्वभाव की सूचना के लिए किया गया।

सम्बन्धवाचक सर्वनामों में **जे** के साथ **जेह** और **जिन्हि्** रूप ध्यान देने योग्य हैं। अन्य सर्वनामों के समान यहाँ भी सर्वनाम मूल **स** में **ध** चिन्ह जोड़ने पर ये रूप बने हैं। **यध** से कौरवी **जे**, मागधी **जो** बनेंगे। **जेह, जिह** जैसे रूपों में **ह्** का अस्तित्व मूल रूप के **ध** की ओर संकेत करता है। इस **यध** के दूसरे वर्ण की महाप्राणता का लोप होने पर संस्कृत का **यद्** रूप बनता है। **जे** के समान **से** और **ते** के साथ भी **ह्** का संसर्ग है। एकवचन में **ते** के साथ **तेह** और **तिन्हि** रूप हैं। बहुवचन में **से** के साथ **सेह्** भी है। सम्बन्धकारक में **तेकर** और **सेकर** के साथ **तेहकर** और **सेहकर** रूप भी हैं। सम्भवत: भोजपुरी एकमात्र भाषा है जो **से** और **ते** के साथ **ह्** जोड़कर **सेह** और **तेह** रूपों का व्यवहार करती है। इससे यह धारणा पुष्ट होती है कि **म, स, त** आदि सर्वनाम-मूलों में वस्तुस्थान-व्यक्तिसूचक **ध** चिन्ह जोड़कर **मध, तध, सध** जैसे रूप बनाए गए थे। स्वाभाविक है कि **जे** और **जेह** के समान भोजपुरी में **के** के साथ **केह,** रूप भी हो। **कौन** हिन्दी का मानक रूप है, भोजपुरी में भी प्रयुक्त होता है। पुरानी हिन्दी में **कवन** रूप अक्सर मिलता है। भोजपुरी में **कवन** के साथ **कँवन** रूप भी है। यदि मूल रूप **कध** मानें तो इससे **के, को** रूप तो मिलेंगे ही, इसमें बहुत्वसूचक **न** चिन्ह जोड़ने पर **कवन** रूप भी मिलेगा। मालवी में जैसे **लुहार** का रूपान्तर **लुवार** है, वैसे ही **कहन** का रूपान्तर **कवन** होगा, विशेष रूप से तब जब प्रथम वर्ण के अकार का उच्चारण किंचित् वृत्ताकार हो। निर्जीव पदार्थों के लिए **केथी** रूप ऐतिहासिक दृष्टि से महत्त्वपूर्ण है। यहाँ मूल रूप का **ध** चिन्ह **ह्** के बदले **थ** में परिवर्तित हुआ है—ठीक वैसे ही,

जैसे **कधम्** से संस्कृत **कथम्** बना। डॉ. तिवारी ने सम्बन्धकारक के लिए दो रूप दिये हैं—**काहे के** और **केथी के**। फिर टिप्पणी की है : "करण का रूप **कॅथिएँ** केवल प्राचीन भोजपुरी के लोकगीतों में मिलता है।" (पृ. 231) गोरखपुर की भोजपुरी में निर्जीव पदार्थों के लिए प्रयुक्त होनेवाले तीन रूप हैं : **के, केह, केथी**। तीनों का आधार एक है। आजमगढ़ की भोजपुरी में **केथुआ** के साथ **कथुआ** रूप भी है। अनिश्चयवाचक सर्वनाम में **केऊ** के साथ **केउ** और **केहू** रूप भी हैं। संस्कृत **कोऽपि** से **कोई, कोऊ** सिद्ध करने के बदले **केध** या **कोध** से इनका सम्बन्ध जोड़ना अधिक युक्तिसंगत होगा।

भोजपुरी तथा पश्चिमी भाषाओं के परस्पर सम्बन्ध का एक प्रमाण **राउर** शब्द है। डॉ. तिवारी ने बताया है कि राजस्थान की बोलियों में **राबरो** का प्रयोग पति के अर्थ में होता है। राजस्थान और भोजपुरी क्षेत्र का सम्बन्ध तो **राउर** से सिद्ध ही हुआ, इसने ब्रजभाषा को भी उसी सम्बन्ध-सूत्र से बाँध लिया है। डॉ. उदयनारायण तिवारी ने लिखा है : "भोजपुरी का **राउर** सर्वनाम इतना प्रसिद्ध है कि ब्रजभाषा के कवियों—सूरदास (1483 से 1563 ई.) से जगन्नाथदास रत्नाकर (1866 से 1932 ई.) तक—ने स्वतंत्रतापूर्वक इसका प्रयोग किया है।" (पृ. 237) फिर भी तिवारी जी कहते हैं कि भोजपुरी साहित्यिक भाषा नहीं है! न लिखा हो भोजपुरी में किसी ने 'सूर सागर', पर 'सूरसागर' में तो भोजपुरी का शब्द है। यह क्या भोजपुरी के साहित्यिक वर्चस्व का प्रमाण नहीं है?

**राउर** की व्युत्पत्ति बताई है : संस्कृत रूप **रामकुल** या **राजकुल्य** होगा, प्राकृत में **लाउल** रूप है। पश्चिम में इसका रूप **रावल** हुआ। भोजपुरी में **रउरा, रउराँ, रउआ, रउवा** रूप प्रयुक्त होते हैं। तिवारी जी ने लिखा है : "**रउआँ** या **रउवाँ** वस्तुतः **राउ** के विस्तृत रूप हैं। मूल शब्द **राज** है।" (पृ. 237) अतः **राज** और **राजकुल** में चुनाव करना है। किसी व्यक्ति को सम्मान में **राजा** कहा जाए, यह बात समझ में आती है किन्तु उसे **राजकुल** कहा जाए, यह बात असंगत लगती है। **राजकुल्य** और भी सन्दिग्ध है। **राव** या **राउ** में बहुत्वसूचक **र य ल** जोड़ने से **राउर** या **रावल** जैसे रूप बनेंगे। प्राकृत में **लाउल** वास्तव में **राउर** की नकल है। यह मानकर कि मगधी समुदाय के सभी लोग **र्** की जगह **ल्** ही बोलते हैं, **राउर** को **लाउल** किया गया था।

ऊपर **सन्** को सर्वनाम मानकर जो कुछ कहा गया है, उसे याद करते हुए भोजपुरी के **अइसन्, जइसन** रूपों पर विचार करना चाहिए। **अइसन्** का सम्बन्ध **एतादृश** से और **जइसन** का सम्बन्ध **यादृश** से जोड़ा गया है। इन संस्कृत रूपों में **न्** कहीं है नहीं, इसलिए **एतादृशन्** और **यादृशन्** रूपों की कल्पना की गई। वास्तव में **ऐसन, जैसन** और हिन्दी के **ऐसा, जैसा** आदि का सम्बन्ध **दृश** वाले रूपों से नहीं है। भोजपुरी **सन्** संस्कृत **सम्** का रूपान्तर है। इस विशेषक में सर्वनाम

मूल जोड़कर ऐसे रूपों की रचना हुई है। 'रामचरितमानस' में सम्बन्धक **सन** का बहुत प्रयोग है। वह भी **सन** का रूपान्तर है। इसी **सन** से ब्रजभाषा के **सों, सें** रूप बने हैं। भोजपुरी की विशेषता यह है कि वह नासिक्य व्यंजन को सुरक्षित किये है। **अइसन, जइसन** रूप अवधी में भी हैं।

भोजपुरी के परिमाण और संख्यासूचक विशेषक बहुत रोचक हैं। **अतेक, एतेक** के साथ **हतेक** और **हेतेक** रूप हैं। **ओतेक** के साथ **होतेक** रूप हैं। **अतह्त्—हतह्त्, एतह्त्—हेतहत्, ओतहत्—होतहत्, अतना—हतना, एतना—हेतना, ओतना—होतना** जैसे युग्म भोजपुरी की विशेषता हैं। **अ** के साथ **ए** और **ओ** वाले रूप भी हैं। अकार वाले रूप कोसली प्रवृत्ति के अनुरूप हैं, एकार वाले रूप कौरवी प्रवृत्ति के और ओकार वाले मागधी प्रवृत्ति के। कहीं इनमें अर्थभेद होता है, कहीं नहीं होता। **अइसन, ऐसन** और **एइसन** का अर्थ है इस प्रकार किन्तु **ओइसन** का अर्थ है उस प्रकार। **हतना, होतना** आदि में महाप्राणता अनावश्यक रूप से जोड़ी नहीं गई; इसका प्रमाण है बंगला और उड़िया के **एते, केते, जेते** के साथ **सेते** रूप। उससे स्पष्ट है कि ऐसे रूप **स** सर्वनाममूल के आधार पर बने थे। **सेते** का रूपान्तर **हेते, एते; सतना, सोतना** के रूपान्तर **हतना, होतना, ओतना**। किन्तु डॉ. तिवारी ने **ह्** को **स्** का रूपान्तर न मानकर **ह्** को जोड़ा हुआ माना है। लिखा है कि **हतेक** आदि रूपों में "वास्तव में **ह्** का आदि में आगमन हुआ है।" (पृ. 239) इसी तरह **अतहत्, एतहत, ओतहत्** जैसे रूपों में उन्होंने **ह्** को जोड़ा हुआ माना है। **एत्** और **वन्त्** के बीच में आ गया ह् और रूप बना **एतहत्!**

सर्वनाममूलक, कालसूचक विशेषकों में **से** का रूपान्तर **हे** और भी स्पष्ट है। **हेवेराँ, हेजुन्**—इसी समय। इसी प्रकार **होजुन्**—उस समय, **जेहजुन**—जब; स्थानवाचक विशेषकों में **यहाँ** के लिए **हिंहवा**, वहाँ के लिए **हुहवाँ** अथवा **हिंहा, हुँहा** आदि। दिशासूचक शब्दों में **हेने**—इस ओर, **होने**—उस ओर भी अवलोकनीय हैं। **होहर**—उस ओर, जैसे रूपों में **ह्** की बहुलता आकस्मिक नहीं है। **होहर** में **हो** तो **सो** का रूपान्तर है और **हर धर** का। तिवारी जी ने भोजपुरी के **हर** वाले रूपों की तुलना हिन्दी के **इधर, उधर** से बिलकुल ठीक की है। उन्होंने **हर** की उत्पत्ति **धर** से मानी है (पृ. 242), जो एकदम ठीक है। जैसे **हर** में **ह्** अलग से नहीं जोड़ा गया, वैसे ही **हो, हे, ह्** आदि से आरम्भ होनेवाले सर्वनाम रूपों में **ह्** अलग से नहीं जोड़ा गया। वह **सो, से, स** आदि **के स्** का रूपान्तर है।

मागधी समुदाय की अन्य भाषाओं की अपेक्षा भोजपुरी ने अपने पुराने सर्वनामरूपों की रक्षा अधिक की है। जहाँ **ह्** ध्वनि का बाहुल्य हो, वहाँ द्रविड़ प्रभाव निर्बल होगा, यही मानना चाहिए। अन्य जनपदीय भाषाओं की तरह भोजपुरी की विशेषताओं से भी—उसके सर्वनाम रूपों, क्रियापद-रचना आदि की विलक्षणताओं के अध्ययन से—आर्य भाषाओं के विकास को समझने में सहायता मिलती है।

इन समस्त आर्य भाषाओं में संस्कृत भी शामिल है। मागधी क्षेत्र पर कोल नामों का प्रभाव है, ऐसा निर्णय करने से पहले भोजपुरी की सर्वनाम-संरचना का विश्लेषण कर लेना चाहिए।

## 4. कोसल

### *(क) प्राचीन सम्पर्क भाषा—कोसली*

क्या उत्तर भारत के विशाल क्षेत्र में संस्कृत, प्राकृत, पालि, अपभ्रंश के अलावा प्राचीन काल में किसी अन्य भाषा का व्यवहार होता था? पालि-साहित्य के पंडित और बौद्धकालीन भारत के इतिहास-विशेषज्ञ र्हिस् डेविड्स ने इस प्रश्न का विश्वासपूर्वक उत्तर दिया है कि बौद्धकाल में समूचे उत्तर भारत में कोसल की भाषा सम्पर्क भाषा के रूप में प्रयुक्त होती थी और यह भाषा संस्कृत ही नहीं, पालि से भी भिन्न थी। 'बुधिस्ट इंडिया' पुस्तक में उन्होंने प्राचीन काल की भाषायी स्थिति के बारे में लिखा है : "सबसे पहले तो यह स्पष्ट है कि भाषाओं की भिन्नता से परस्पर आदान-प्रदान में कोई रुकावट न पैदा हुई थी। दैनिक जीवन की सामान्य बातों को लेकर जो सामान्य बातचीत होती थी, उसमें कोई रुकावट न थी। यही नहीं, सूक्ष्म और उच्चस्तरीय दार्शनिक, धार्मिक चर्चा में कोई कठिनाई न थी। पश्चिम में कुरु प्रदेश से लेकर पूर्व में मगध तक, उत्तर में नेपाली पर्वतमाला में सावत्थी और कुसीनारा तथा दक्षिण में उज्जैन तक, जो सामान्य भाषा व्यापक रूप से समझी जाती थी, वह संस्कृत न हो सकती थी। साहित्यिक संस्कृत का अभी अस्तित्व न था। ब्राह्मण-ग्रंथों में जिस भाषा का प्रयोग हुआ है, उसे ब्राह्मणों के दूर-दूर तक बिखरे हुए समुदायों के बाहर बहुत कम लोग जानते थे, न वह भाषा ऐसी थी कि उसका उपयोग वाद-विवाद के लिए किया जा सके।...एक ही तर्कसंगत सम्भावना सामने आती है कि परिव्राजक-गण ऐसी भाषा का व्यवहार करते थे जो शिष्टवर्गों (प्रशासनिक कर्मचारियों, कुलीनजनों, व्यापारियों) आदि में प्रचलित थी। इसका स्थानीय बोलियों से बहुत कुछ वैसा ही सम्बन्ध था, जैसा शेक्सपियर के समय में सोमरसेट शायर, यॉर्कशायर और एसेक्स की बोलियों से लन्दन की अंग्रेज़ी का था। इस तरह की भाषा का विकास टीक उसी समय सम्भव हुआ था। यदि यह भाषा कोसल के विशाल राज्य के प्रसार का प्रत्यक्ष परिणाम नहीं थी तो वह उससे बहुत अधिक संवर्धित अवश्य हुई थी। बौद्ध धर्म के अभ्युदय से ठीक पहले इस कोसल राज्य में वर्तमान संयुक्त प्रान्त का सारा प्रदेश ही नहीं था, कुछ और क्षेत्र भी था। अपने विशाल क्षेत्र में एक छोर से दूसरे छोर तक, राजकीय और व्यापारिक शान्तिमय आदान-प्रदान के लिए, इस राज्य ने अवसर और सुविधा जुटाई। इन राजनीतिक परिस्थितियों से ही परिव्राजकों की रीतिनीति का विकास तीव्र गति से हुआ। कोसल राज्यसत्ता की स्थापना से पहले इनके बारे में कोई जानकारी नहीं मिलती। इन्होंने निस्सन्देह सामान्य भाषा के उच्चतर बौद्धिक पक्ष

के विकास में बड़ा योगदान किया। कोसल राज्य की शान्तिपूर्ण व्यवस्था में सुरक्षित रहकर इस भाषा को संवर्द्धित होने का अवसर मिला।" (पृ. 90)

इसके बाद संस्कृत नाटकों में प्राकृतों का व्यवहार देखकर यूरोप के विद्वानों को जो भ्रान्ति हुई कि वे लोकभाषाएँ हैं, उसके बारे में लेखक ने आगे कहा है : "यह सम्भव है कि नाटकों के लेखन-काल में भी सामान्य जीवन में हर व्यक्ति यथार्थतः न संस्कृत बोलता था, न प्राकृत, वरन् सीधे लोकभाषाएँ बोलता था। जब संस्कृत सर्वप्रधान साहित्यिक भाषा बन गई, तब शिष्ट जनसमुदाय के लिए नाटककारों ने संस्कृत में, तथा उतनी ही अयथार्थ साहित्यिक प्राकृतों में, संवादों को विभाजित करना उचित समझा।" (पृ. 91) र्हिस् डेविड्स अन्य इतिहासकारों के समान मानते हैं कि आर्यों ने भारत पर आक्रमण किया और उस समय वे जो भाषा बोलते थे, वह वैदिक भाषा थी। बौद्धकाल से पहले यहाँ विभिन्न जनपद थे, मगध से लेकर कुरु और गन्धार जनपदों तक भाषाओं में काफी विभिन्नता थी, यह धारणा उनकी कल्पना से परे है। वह समझते हैं कि कोसल के अभ्युदय के बाद ही एक विशाल प्रदेश में सम्पर्क भाषा का प्रसार हुआ। इससे बहुत पहले गण-समाजों के युग में—सामन्ती व्यवस्था के अभ्युदय और प्रसार से पहले—गण-भाषाओं में परस्पर सम्पर्क काफी बढ़ चुका था। वैदिक भाषा ऐसे ही सम्पर्क का परिणाम थी। वैदिक भाषा की इसी परम्परा के आधार पर संस्कृत का विकास हुआ। यद्यपि पालि और प्राकृतों में जहाँ-तहाँ संस्कृत से इतर तत्त्व भी मिलते हैं, फिर भी उनका विकास संस्कृत के आधार पर हुआ है, वैदिक भाषा या किसी अन्य भाषा के आधार पर नहीं। पालि भाषा का बौद्ध धर्म से गहरा सम्बन्ध है और प्राकृतों का जैन धर्म से। पर इन दोनों धर्मों के अभ्युदय के बहुत दिन बाद इन भाषाओं का विकास हुआ। इससे पहले संस्कृत अपना साहित्यिक रूप प्राप्त कर चुकी थी। किन्तु जिस समय वैदिक भाषा सम्पर्क भाषा थी, उस समय कोसल और मगध की अपनी भाषाएँ लुप्त न हो गई थीं। जिस समय साहित्य, धर्म और दर्शन के क्षेत्रों में संस्कृत, पालि और प्राकृतों का व्यवहार होता था, उस समय पुरानी गण-भाषाओं के आधार पर निर्मित होनेवाली जनपदीय भाषाएँ रंगमंच पर आ चुकी थीं। र्हिस् डेविड्स ने कोसल की भाषा के बारे में जो कुछ लिखा है, उसका महत्त्व यह है कि उन्होंने एक जनपदीय भाषा का अस्तित्व स्वीकार किया है जो संस्कृत और प्राकृतों से भिन्न है। यह बोलचाल की भाषा थी और एक बहुत बड़े प्रदेश में सम्पर्क भाषा थी। इसे उन्होंने सामान्य बोलचाल की भाषा कहा है। उनकी धारणा है कि इस भाषा के आधार पर पालि का विकास हुआ और पालि ने कोसल की भाषा के उस रूप को अपनाया जो उज्जैन में प्रचलित था। यह धारणा विवादास्पद है। उज्जैन मालव जनपद का प्रधान केन्द्र रहा है। पश्चिमी गण-समाजों के समान मालवगण की भाषा भी णकार-बहुला थी किन्तु पालि में इस मूर्धन्य नासिक्य की खपत कम है। दन्त्य **स्** की

प्रधानता उसे मध्यदेश से जोड़ती है। कोसल की भाषा पालि का आधार भले रही हो पर वह पालि से भिन्न थी, हिंस् डेविड्स यह मानते हैं। आधुनिक आर्य भाषाओं में कोसल की भाषा के अनेक तत्त्व मिलते हैं, पूर्वी और पश्चिमी दोनों ओर की, आर्य भाषाओं में मिलते हैं। ये तत्त्व पुरानी और आधुनिक अवधी, दोनों के हैं। यह सिलसिला बहुत पुराना कोसल आर्य भाषाओं के केन्द्र में स्थित है। वह पड़ोसी भाषाओं से अनेक तत्त्व ग्रहण करता है, साथ ही वह अनेक भाषा-तत्त्वों का प्रसार केन्द्र भी रहा है। हिन्दी प्रदेश की जनपदीय भाषाओं तथा आधुनिक आर्य भाषाओं के परस्पर सम्पर्क की छानबीन करने पर यह धारणा सत्य मालूम होती है कि कोसल राज्य का विस्तार होने पर जनपदों में सम्पर्क बढ़ा था और जिस सम्पर्क भाषा का व्यवहार सर्वाधिक किया जाता था, वह कोसल की भाषा थी। हिंस् डेविड्स का कथन है : "एक बोलचाल की भाषा कोसल के राजकर्मचारियों, व्यापारियों और शिष्टवर्गों में सामान्य रूप से प्रचलित थी। सम्भवत: इसका आधार कोसल की राजधानी सावत्थी की बोली थी। इस भाषा का व्यवहार समूचे कोसल राज्यों में ही न होता था वरन् पूरब और पच्छिम में, दिल्ली से पटना तक, और उत्तर-दक्खिन में, सावत्थी से अवन्ति तक उसका व्यवहार होता था।" (पृ. 95) मेरी समझ में हिंस् डेविड्स का यह अनुमान सही है।

प्राचीन काल में कुरु, कोसल और मगध, ये तीन गण-समाज अत्यन्त शक्तिशाली थे। मगध की भाषा ने संस्कृत और उससे पहले वैदिक भाषा के निर्माण में योगदान किया। जो भाषा वैदिक भाषा बनी, वह मूलत: मध्यदेश की भाषा थी। मध्यदेश में जो अनेक गण-भाषाएँ बोली जाती थीं, उनमें कोसल की भाषा प्रमुख थी। इस भाषा को कुरुगण की भाषा ने प्रभावित किया और तब उसने अपना वैदिक रूप धारण किया। भारत के सामाजिक-सांस्कृतिक इतिहास में शक्ति के केन्द्र बदलते रहे हैं पर इन बदलते हुए केन्द्रों से उक्त तीनों जनपदों का सम्बन्ध कभी न कभी अवश्य रहा है। संस्कृत साहित्य के उत्तरकाल में हर्ष के समय तक कोसल की प्रधान भूमिका बनी हुई थी। जिस साम्राज्य का केन्द्र कनौज था, उसके विघटित होने पर इस प्रदेश के बहुत-से लोग बंगाल, गुजरात सुदूर प्रान्तों में चले गए। कोसल तथा अन्य प्रदेशों की भाषाओं के लिए ये लोग सम्पर्क का ठोस आधार बने। बारहवीं सदी में काशी के दामोदर पंडित कनौज के राज्य से सम्बद्ध थे। उस राज्य में अवधी का इतना व्यवहार होता था कि बनारस के दामोदर पंडित ने अवधी जाननेवालों को संस्कृत सिखाने के लिए 'उक्ति-व्यक्ति-प्रकरण' अन्य रचा। साहित्य में जो अपभ्रंश की परम्परा चली, उसमें अवधी भाषा के अनेक तत्त्व मिलते हैं। आगे चलकर ब्रजभाषा तथा परिनिष्ठित हिन्दी के विकास में भी अवधी का योगदान है। प्राचीन कोसल की भाषा की कौन-सी विशेषताएँ पहचान में आती हैं, इनका उल्लेख प्रसंगत: जहाँ-तहाँ पहले हो चुका है। यहाँ कुछ बातें अपभ्रंश के बारे में कहना है।

### *(ख) देशी भाषाएँ और प्राकृत*

जैसे अनेक विद्वान् प्राकृतों को लोकभाषा मानते हैं, वैसे ही वे अपभ्रंश को भी लोकभाषा तथा आधुनिक लोकभाषाओं की जननी मानते हैं। जैसे प्राकृतें अनेक हैं पर रूपतंत्र और शब्द-भंडार की दृष्टि से उनमें बहुत कम भेद है, वैसे ही अपभ्रंशों के अनेक भेद किये गए हैं, पर इनमें तात्त्विक भेद बहुत कम है। संस्कृत और प्राकृतों में मुख्य अन्तर ध्वनितंत्र को लेकर है। आधुनिक आर्य भाषाओं में ध्वनितंत्र की जो अलग-अलग विशेषताएँ दिखाई देती हैं, उनका आभास प्राकृतों में बहुत कम है। यहाँ पालि को भी प्राकृतों में गिने लेते हैं। अपभ्रंश और प्राकृतों में अन्तर यह है कि प्राकृतों की अपेक्षा अपभ्रंश में देशी तत्त्व बहुत अधिक हैं। जो तत्त्व संस्कृत में नहीं है, प्राकृतों में नहीं है, बाहर से आया हुआ नहीं है, वह देशी कहलाया। प्राकृत ग्रंथों में देशी भाषाओं का उल्लेख बार-बार किया गया है और उन्हें संस्कृत तथा प्राकृतों से अलग माना गया है। 'कूवलयमाला' में अठारह देशी भाषाएँ गिनाई गई हैं और लेखक ने उनके कुछ शब्द भी दिये हैं। इनमें आर्य और द्रविड़, दोनों परिवारों की भाषाएँ हैं। ये देशी भाषाएँ अपभ्रंश से भिन्न थीं, यह स्मरण रखना चाहिए। डॉ. रामसिंह तोमर ने अनेक पुराने ग्रंथों में देशी भाषाओं के उल्लेख की चर्चा करते हुए बहुत सही लिखा है कि "अत्यन्त प्राचीन समय से प्रदेश-विशेष की बोलियों के लिए देशभाषा शब्द का प्रयोग मिलता है, देशभाषा से उनका तात्पर्य अपभ्रंश कदापि नहीं था।" ('प्राकृत और अपभ्रंश साहित्य तथा उनका हिन्दी साहित्य पर प्रभाव', पृ. 63)

जिस समय साहित्य में अपभ्रंश का व्यवहार होता था, उस समय देशी भाषाओं का अस्तित्व था। अपभ्रंश ने, संस्कृत से भिन्न, प्राकृत का ध्वनितंत्र अपनाया था। व्यंजन-द्वित्व और णकार-बहुलता इस ध्वनितंत्र के मोटे लक्षण हैं। रूपतंत्र में संस्कृत और प्राकृत की रूढ़ियों का अनुसरण करते हुए अपभ्रंश ने वास्तविक लोकभाषाओं के कुछ तत्त्वों का मिश्रण किया। ये तत्त्व अनेक जनपदीय भाषाओं के हैं और सबसे ज्यादा अवधी के हैं। इसलिए आधुनिक आर्य भाषाओं के विकास को समझने में अपभ्रंश से बहुत थोड़ी सहायता मिलती है, उसे आधुनिक भाषाओं की जननी या इनका पूर्वरूप नहीं कहा जा सकता। जातीय भावना के प्रसार से यह आग्रह उत्पन्न हुआ कि अनेक विद्वान् अपभ्रंश को पुरानी बंगला, पुरानी हिन्दी, पुरानी गुजराती आदि कहने लगे। अपभ्रंश कवियों की एक रूढ़ भाषा थी। हेमचन्द्र के समय में भी इसे ग्राम्य भाषाओं से अलग माना गया था। अपभ्रंश में देशी भाषाओं के जो तत्त्व आए, उनका विकास साहित्य में अपभ्रंश की प्रतिष्ठा से पहले हो चुका था।

उक्त तथ्य का एक प्रमाण उस प्राकृत से मिलता है जिसके दस्तावेज खरोष्ठी लिपि में हैं। ये दस्तावेज तीसरी शताब्दी ईसवी के हैं। इन्हें सर ऑरेल स्टाइन ने प्राप्त किया था। बरो ने अपनी पुस्तक 'द लैंग्वेज ऑफ द खरोष्ठी डॉक्यूमेंट्स फ्रॉम चाइनीज तुर्किस्तान' (1937) में इन दस्तावेजों की भाषा का अध्ययन किया था।

इस भाषा का व्यवहार भारत से बाहर मध्य एशिया में होता था। भाषा वह भारत की है किन्तु वह अन्य प्राकृतों से इस बात में भिन्न है कि उसका रूपतंत्र अनेक बातों में आधुनिक आर्य भाषाओं के रूपतंत्र से मिलता-जुलता है। इस प्राकृत में कर्ता और कर्मकारकों में अलग-अलग चिन्हों द्वारा भेद नहीं किया जाता। सभी संज्ञा शब्दों को रूप-रचना के लिए **अ**-वर्ग में रखने की प्रवृत्ति है। स्त्रीलिंग शब्द **ई** चिन्ह द्वारा सूचित किये जाते हैं। ये विशेषताएँ अपभ्रंश में हैं और माना जाता है कि वे आधुनिक आर्य भाषाओं में अपभ्रंश आई हैं। पर तीसरी सदी में अपभ्रंश का कहीं व्यवहार न होता था, प्राकृतों में ये विशेषताएँ आने नहीं दी गईं। रूढ़िवाद का चौखटा जहाँ कमजोर था, वहाँ भारत के बाहर वास्तविक भाषाओं की कुछ विशेषताएँ प्राकृत के साँचे में अपनी झलक दिखा गईं। चीनी तुर्किस्तान में जिस प्राकृत का व्यवहार हुआ, उसकी एक अन्य विशेषता अपभ्रंश में नहीं, आधुनिक आर्य भाषाओं में है। यह विशेषता भूतकालीन कर्मवाच्य कृदन्त से वर्तमानकालीन कर्तृवाच्य रूप बनाने से सम्बन्धित है। बरो ने स्वभावत: प्रश्न किया है : विकास की ये प्रवृत्तियाँ इस प्राकृत में इतने पहले विदेशी आक्रमण या प्रभाव के कारण उत्पन्न हुई या वे भारत में ही अधिक व्यापक थीं पर साहित्यिक प्राकृतों की रूढ़िवादिता के कारण आँखों से ओझल रही थीं?

### *(ग) अपभ्रंश और अवधी*

प्राकृतों में रूढ़िवादिता के कारण वास्तविक भाषाओं की विशेषताएँ प्रतिबिम्बित न हुई थीं। अपभ्रंश में यह रूढ़िवादिता थोड़ा-सा खंडित हुई, पूरी तरह नहीं। इसलिए जो विशेषता आधुनिक आर्य भाषाओं में है, वह तीसरी सदी की खरोष्ठी प्राकृत में तो है, अपभ्रंश में नहीं है। कुछ विद्वान् परवर्ती और पूर्ववर्ती अपभ्रंशों में भेद करते हैं। पूर्वी और पश्चिमी अपभ्रंशों के भेद से यह पूर्ववर्ती और परवर्ती अपभ्रंशों का भेद अधिक सार्थक नहीं है। पूर्वी अपभ्रंश में पूर्वी भाषाओं की ही विशेषताएँ प्रतिबिम्बित हुई हों, ऐसा नहीं है। उसमें पश्चिमी भाषाओं की विशेषताएँ भी हैं। इसी प्रकार पश्चिमी अपभ्रंश में पूर्वी भाषाओं की विशेषताएँ मिल जाएँगी। पूर्ववर्ती और परवर्ती अपभ्रंशों के भेद से यह दिखाया जाता है कि अपभ्रंश बोलचाल की भाषा थी और पूर्ववर्ती मंजिल से चलते हुए परवर्ती मंजिल तक पहुँची। उसके बाद आधुनिक भाषाओं का युग आ गया। क्रमिक विकास की ऐसी कल्पना मिथ्या है। पन्द्रहवीं सदी में विद्यापति परवर्ती अपभ्रंश लिख रहे थे। उसी समय वह मैथिली में भी पदावली रच रहे थे। उनसे पहले चौदहवीं सदी में ज्योतिरीश्वर ठाकुर मैथिली में गद्य लिख रहे थे। उस समय भी अपभ्रंश, अवहट्ट अथवा अवहठ में काव्य-रचना होती थी। उन्होंने 'भाट वर्णना' के अन्तर्गत दरबारी कवियों के लिए जिन भाषाओं की जानकारी आवश्यक बताई, उनमें एक अवहठ भी है। "संस्कृत पराकृत

अवहठ पैशाची सौरसेनी मागधी छहु भाषाक तत्त्वज्ञ।" ज्योतिरीश्वर ठाकुर से पहले तेरहवीं सदी में हेमचन्द्र ने अपभ्रंश व्याकरण लिखा और अपभ्रंश के पद्य उद्धृत किये। इसे कोई परवर्ती अपभ्रंश नहीं कहता। इससे पहले बारहवीं सदी में दामोदर पंडित 'उक्ति-व्यक्ति-प्रकरण' में अवधी के रूप दे रहे थे। इसलिए परवर्ती अपभ्रंश बारहवीं सदी से और पहले की होनी चाहिए। अपभ्रंश और प्राकृत—परवर्ती या पूर्ववर्ती—किसी में आधुनिक भाषाओं की वह विशेषता नहीं है जो भारत से बाहर राजकीय भाषा खरोष्ठी प्राकृत में है। इसीलिए कहा कि भाषाओं का क्रमिक विकास जानने के लिए वह परवर्ती-पूर्ववर्ती का भेद निरर्थक है।

किन्तु अपभ्रंश में देशी भाषाओं के तत्त्व हैं, यह बात सही है। इन देशी भाषाओं में एक भाषा अवधी है, यह बात भी सही है। हर्ष के बाद ही साहित्य में अपभ्रंश प्रतिष्ठित होती है। कान्यकुब्ज साम्राज्य में अवधी बोलने वाले बहुत-से कवि थे, विशेषत: इस साम्राज्य के केन्द्र कनौज में। तुर्क-आक्रमण से पहले, जब पूर्व, पश्चिम और दक्षिण से इस साम्राज्य पर आक्रमण होने लगे, तब यहाँ के कवि बिखरने लगे। तुर्क-आक्रमण से यह प्रक्रिया और भी तीव्र हुई। कोसल से अनेक वर्गों के लोग विभिन्न दिशाओं में गए; यह तथ्य इतिहास-सम्मत है। उत्तर के कवि कर्णाटक में भी जाकर बसते हैं और अपभ्रंश में काव्य रचते हैं, यह बात स्वयम्भू के उदाहरण से स्पष्ट है। अपभ्रंश मुख्यत: काव्यभाषा थी। प्राकृत में बहुत-सा गद्य लिखा गया, पालि में भी बहुत-सा गद्य है, अपभ्रंश में बहुत ढूँढ़ने पर गद्य के कुछ वाक्य जहाँ-तहाँ मिलेंगे। अपभ्रंश एक विशेष प्रकार के कवियों की भाषा थी। इन कवियों का एक वर्ग दरबारों से सम्बद्ध था, दूसरा वर्ग धार्मिक साधना से सम्बद्ध था। धार्मिक साधना का कोई भी मत हो, उस समय तंत्रवाद से प्रभावित था। दरबारी कविता और तांत्रिक साधना, दोनों में नारी प्रमख आलम्बन थी और उक्तियों में चमत्कारवाद व्यापक रूप से प्रदर्शित था। इससे भिन्न धाराएँ अपभ्रंश काव्य में अत्यन्त क्षीण हैं। ह्रासकालीन सामन्ती व्यवस्था में इस तरह के चमत्कारवादी धार्मिक और श्रृंगारी साहित्य का सृजन हुआ। साहित्य में वास्तविक लोकभाषाओं की प्रतिष्ठा, भक्ति-आन्दोलन ने की। यह आन्दोलन दरबारी चमत्कारवाद, तांत्रिक साधना के विरोध में आगे बढ़ा। उपमानों को लेकर जैसे कवि चमत्कार उत्पन्न करते थे, वैसे ही 'अपभ्रंश' द्वारा वे भाषा का चमत्कार दिखाते थे। नायिका-भेद और वाममार्गी धार्मिक साधना में बहुत अन्तर नहीं है। इन दोनों के विरोध में भक्त-कवियों ने मानव-प्रेम के आधार पर लोकधर्म की प्रतिष्ठा की। लोकभाषाओं का पूरा रूप इनकी काव्यभाषा में दिखाई देता है। अपभ्रंश में देशी भाषाओं के तत्त्वों की मिलावट भर थी। इन्हें देखकर विद्वान् कहते हैं, ये तत्त्व बाद की काव्यभाषा में हैं, इससे सिद्ध हुआ कि यह काव्यभाषा अपभ्रंश से उत्पन्न हुई है! वास्तविकता यह है कि अपभ्रंश अत्यन्त अल्प मात्रा में देशी भाषाओं के तत्त्व ग्रहण करती है।

वे भाषाएँ, प्राकृत से भिन्न, विद्यमान हैं। प्राकृतों का ढाँचा लेकर उसमें कुछ देशी भाषाओं के तत्त्व मिलाए गए। दक्षिण भारत में जैसे मणिप्रवालम् शैली में संस्कृत और मलयालम को मिलाया गया, वैसे ही प्राकृत और देशी भाषा-तत्त्वों को मिलाकर अपभ्रंश भाषा शैली रची गई। मणिप्रवालम् से मलयालम का जन्म नहीं हुआ, इसी प्रकार अपभ्रंश से अवधी या अन्य किसी भाषा का जन्म नहीं हुआ। मणिप्रवालम् संस्कृत के क्रमिक विकास का परिणाम नहीं है, न अपभ्रंश प्राकृत के क्रमिक विकास का परिणाम है।

अपभ्रंश के जो काव्य मिलते हैं, उनकी भाषा के लिए कहा जाता है कि वह मूलतः शूरसेनी अपभ्रंश है या उससे प्रभावित है। शूरसेन जनपद ब्रज का पुराना नाम है। स्वभावतः ब्रजभाषा का उद्भव इसी शूरसेनी अपभ्रंश से माना गया है। किन्तु इस तथाकथित शूरसेनी अपभ्रंश में ब्रजभाषा की अपेक्षा अवधी के तत्त्व अधिक हैं। जहाँ तक मुझे ज्ञात है, सबसे पहले राहुल जी ने अपभ्रंश में अवधी तत्त्वों की ओर संकेत किया था। उन्होंने 'दोहाकोश' सन् 1957 में प्रकाशित कराया था। इसकी भूमिका में उन्होंने लिखा था : "अपभ्रंश का भूतकालिक प्रयोग अवधी के सबसे नजदीक है। इसके लिए **इल-अल** प्रत्यय का प्रयोग भोजपुरी आदि में पीछे होने लगा। सरह की भाषा और स्वयमभू आदि की अपभ्रंश ने अतीतकाल के सम्बन्ध में प्राकृत आदि से अपना सम्बन्ध बिलकुल तोड़ लिया, और उसका अनुसरण आज भी हमारी भाषाएँ कर रही हैं। भेद इतना है कि जहाँ भोजपुरी, बंगला, मैथिली आदि ने **इउ** का **इल, अल** कर दिया, वहाँ अवधी ने पहिले ही की तरह **अउ, इउ, एउ** को कायम रक्खा।" (पृ. 57)

राहुल जी ने 'हिन्दी काव्यधारा' की भूमिका में लिखा : "स्वयम्भू की भाषा की क्रियाओं और कितने ही कुंजी के शब्दों को देखने से वह अवधी के सबसे नजदीक मालूम होती है। यद्यपि ऐसा कहने से बहुत दिनों से चली आई इस धारणा के हम खिलाफ जा रहे हैं कि अपभ्रंश साहित्य शौरसेनी और महाराष्ट्री अपभ्रंशों में ही लिखा गया। लेकिन, जो सामग्री हमारे सामने मौजूद है, वह हमें वही कहने के लिए मजबूर करती है।" अपभ्रंश में कर्ता और कर्म में बहुत-से शब्द उकारान्त हैं। यह प्रवृत्ति अवधी में भी है। इनके बारे में राहुल जी ने 'दोहाकोश' की भूमिका में लिखा है : "प्रथमा एकवचन का यह उकार गोस्वामी तुलसीदास के 'रामचरितमानस' की पुरानी प्रतियों में काफी मिलता है, और रुहेलखंड में अब भी बहुत-से कवि और वक्ता इसका प्रयोग करते हैं।" अपभ्रंश में वर्तमान काल के अन्य पुरुष एकवचन रूप **भणइ, भावइ** आदि अवधी तथा हिन्दी प्रदेश की अन्य बोलियों में मिलते हैं। ये **भणहि, भावहि** आदि के रूपान्तर हैं। पुरानी अवधी में और बघेलखंडी में अब भी **हि** वाले रूपों का चलन है। राहुल जी ने 'दोहाकोश' की भूमिका में इनका सम्बन्ध पश्चिमी बोलियों से जोड़ा था : "कौरवी में **पढ़ै,**

**जावै** जैसे प्रयोग देखे जाते हैं, और **है** को अनिवार्य रूप से प्रयुक्त भी नहीं किया जाता। पुरानी उर्दू कविताओं में **पढ़े है, जावे है** जैसे प्रयोग कभी थे, लेकिन उन्हें त्याज्य कर दिया गया।" (पृ. 58)

हेमचन्द्र ने अपने व्याकरण में अपभ्रंश के जो उदाहरण दिये हैं, उनमें अनेक रूप 'रामचरितमानस' में मिल जाते हैं। कर्ता और कर्मकारकों में उकारान्त रूपों का व्यवहार होता है। हेमचन्द्र : **अग्गिएँ उण्हउ होइ जगु**। यहाँ **जगु** कर्ता रूप है। इसी प्रकार मानस में : **नामु सकल कलि कलुष निकंदन**। इसी तरह कर्मकारक में। हेमचन्द्र : **मा कुरु दीहा माणु;** मानस : **नामु सप्रेम जपत अनयासा**। करणकारक में बहुधा **एँ** चिन्ह का प्रयोग होता है। हेमचन्द्र : **अहरें अहरु न पत्तु;** मानस : **इच्छित फल बिनु सिव अवराधें। लहिअ न कोटि जोग जप साधें**। करण के लिए कभी केवल अनुस्वार का प्रयोग होता है। हेमचन्द्र : **जो पुणु अग्गिं सीअला;** मानस : **सुरतरु सरिस सुभायँ सुहाए**। सम्बन्धकारक में **सु** चिन्ह का प्रयोग होता है। हेमचन्द्र : **कन्तु महारउ हलि सहिए निच्छइँ रूसइ जासु;** मानस : **जासु हृदय आगार बसहिं राम सरचापधर**। अधिकरणकारक के लिए **हिं** चिन्ह का व्यवहार होता था। हेमचन्द्र : **हउँ कि न जुत्तउ दुहुँ दिसिहिं;** मानस : **बिसरी देह तपहिं मनु लागा**।

इसी तरह की समानता क्रियाओं की रूप-रचना में देखी जाती है। वर्तमान काल के अन्यपुरुष एकवचन रूप का उदाहरण हेमचन्द्र के व्याकरण में : **दडवड होइ विहाणु;** मानस में : **जो सुमिरत सिधि होइ**। वर्तमान काल के अन्यपुरुष बहुवचन रूप में **हिं** चिन्ह का व्यवहार होता है। हेमचन्द्र : **जिवँ जिवँ वड्डत्तणु लहहिं तिवँ तिवँ णवहिं सिरेण;** मानस : **जथा नवहिं बुध बिद्या पाएँ**। वर्तमान काल के उत्तमपुरुष एकवचन रूप में **उँ** चिन्ह का प्रयोग होता था। हेमचन्द्र : **तोहउँ जावउँ एहो हरि;** मानस : **जानउँ मैं तुम्हारि प्रभुताई**। भूतकाल के अन्यपुरुष एकवचन रूप में उकारान्त कृदन्त का व्यवहार होता था। हेमचन्द्र : **गयउ सु केसरि पिअहु जलु;** मानस : **राउ गयउ सुरधाम**। आज्ञा रूप में **हु** चिन्ह का प्रयोग हेमचन्द्र में : **करहु म अप्पहो घाउ;** मानस में : **सुनहु राम जेहिं सिव धनु तोरा**। **हु** चिन्ह के बिना आज्ञा के लिए क्रिया **के** उकारान्त रूप का व्यवहार हेमचन्द्र की अपभ्रंश में इस प्रकार है : **अरि खल मेह म गज्जु;** और मानस में : **मागु मागु पै कहहु पिय**। क्रिया का सम्भावना द्योतक रूप हेमचन्द्र के उदाहरण में : **जँ भावइ तँ होउ;** मानस में : **न त कन्या बरु रहउ कुआरी**। पूर्वकालिक रूप इस प्रकार है; हेमचन्द्र : **मारइ हियइ पइट्ठि;** मानस : **निज तन प्रगटि प्रीति उर छाई**।

ठीक ऐसे ही उदाहरण चर्यागीतों में मिल जाएँगे। चर्यागीतों की भाषा पूर्वी अपभ्रंश कही जाती है। भोजपुरी, मैथिली आदि के लकारान्त भूतकालिक कृदन्त यहाँ अवश्य हैं। जैसे हेमचन्द्र की अपभ्रंश में अवधी के साथ कुछ रूप पश्चिमी भाषाओं के हैं, वैसे ही चर्यागीतों की भाषा में अवधी के साथ कुछ रूप पश्चिमी

भाषाओं के भी हैं। इससे प्रमाणित होता है कि पूर्व, पश्चिम और इनके मध्य, जहाँ भी अपभ्रंश लिखी गई है, उसमें अधिकतर मिलावट अवधी भाषा-तत्त्वों की है।

चर्यागीतों का एक संग्रह 'चर्यागीतिकोश' नाम से 1956 में शान्ति निकेतन से छपा था। इसका सम्पादन प्रबोधचन्द्र बागची तथा शान्ति भिक्षु शास्त्री ने किया था। सम्पादकों को जगह-जगह अवधी के रूप याद आते हैं। चर्यागीतों में एक शब्द **चीअण** है। इस पर उन्होंने टिप्पणी की है कि इसका मूल रूप **चीकन** होगा जो अवधी का शब्द है; बंगला रूप **चिकन** होगा। कवि ने अवधी शब्द का प्राकृत रूप दिया है। **गराहक** हिन्दी **गाहक** से अधिक मिलता है; बंगला रूप होगा **गराक**। **अँकवाली** शब्द हिन्दी **अँकवार** का प्रतिरूप है। एक पंक्ति है : **सासु घरे घालि कोञ्चा ताल;** बंगला में **घाल** क्रिया का अर्थ है मारना, हिन्दी में मारने के अलावा, सम्पादकों के अनुसार, उसका अर्थ रखना भी है। 'तालाकूँची घाल दे'—इस तरह के मुहावरे का प्रयोग यहाँ हुआ है। एक पंक्ति है : **गेला जाम बाहुड़इ कइसें**। यहाँ हिन्दी की **बहुरना** क्रिया का प्रयोग **बाहुड़इ** रूप में हुआ है। सम्पादकों ने अवधी कहानियों के अन्त में आनेवाला वाक्य उद्धृत किया है : **जइस उनके दिन बहुरे तइस सबके दिन बहुरइँ। बुड़इ, बुड़िली** रूपों में **बुड़** क्रिया का प्रयोग हुआ है। मानक हिन्दी के **डूब** के समान बंगला में इसका रूप **डुब** है। **बूड़** रूप अवधी का है। सम्पादकों ने यहाँ 'रामचरितमानस' से यह सोरठा उद्धृत किया है : **संकर चापु जहाजु सागर रघुवर बाहुबलु। बूड़ सो सकल समाजु चढ़ा जो प्रथमहिं मोह बस**। एक गीत में **नाहा** शब्द देखकर मानस से इसके प्रयोग का उदाहरण दिया है : **कथा अरम्भ करै सोइ चाहा। तेही समय गयउ खगनाहा**। जन्म लेने के लिए अवधी में **बिआबु** क्रिया है। चर्यागीतों के **पहिल बिआण**—पहला जन्म—के समानान्तर मानस से पंक्ति उद्धृत की है : **न तरु बाँझ भलि बादि विआनी**। तुलसीदास ने **बापुरो** शब्द का प्रसिद्ध प्रयोग किया है : **का बापुरो पिनाक पुराना**। एक चर्यागीत में यह शब्द **बापूड़ा** रूप में है। एक गीत में **अमिअ** शब्द का प्रयोग भी हुआ है : **अमिअ भखअ मुसा करअ अहारा**। मानस में प्रसिद्ध पंक्ति है : **अमिअ मूरिमय चूरन चारू। थाती** शब्द का प्रयोग देखकर सम्पादकों ने यह चौपाई उद्धृत की है : **थाती राखि न मागिहु काऊ, बिसरि गयउ मोहि भोर सुभाऊ**। एक गीत में **पतिआइ** क्रिया-रूप का सुन्दर प्रयोग हुआ है : **अइस् सँबोहे को पतिआई**। मानस में इसी तरह : **कहउँ साँचु सब सुनि पतिआहू, चाहिअ धरमसील नरनाहू।**

अवधी तथा हेमचन्द्र की अपभ्रंश के समान चर्यागीतों में **भणइ** जैसे क्रिया के वर्तमान काल में अन्यपुरुष एकवचन रूप आते हैं : **भणइ लुइ आम्हे झाणे दिठा**। वर्तमान काल में उत्तमपुरुष एकवचन क्रिया-रूप **करहुँ** अवधी के समान है : **कमल कुलिस घाण्ट करहुँ बिआली**। मध्यमपुरुष का एकवचन रूप अवधी के ही समान होता है : **पुच्छसि, बूझसि** आदि वर्तमान काल के रूप चर्यागीतों में हैं।

एक क्रियार्थी संज्ञारूप **कहण** कनौजी रूपों के समान है। आज्ञार्थी **लेहु, होहु** शुद्ध अवधी के रूप हैं। भूतकालीन लकारान्त रूप भोजपुरी, मैथिली, बंगला आदि पूर्वी भाषाओं में मिलते हैं। चर्यागीतों की भाषा ऐसे रूपों में, बंगला से भिन्न, लिंगभेद सूचित करती है : **राति पोहाइली, सेजि छाइली, डाली लागेली।** कर्ताकारक के उकारान्त रूपों का उल्लेख पहले हो चुका है। चर्यागीतों में राजस्थानी, ब्रजभाषा आदि के अनुकरण पर **उन्मत्तो, रत्तो, सबरो** आदि ओकारान्त रूपों का प्रयोग हुआ है और एक जगह अवधी रूपों को भी ओकारान्त किया गया है : **गन्ध परसरस जइसों तइसों।** करणकारक में पुरानी अवधी के समान **आलिएँ, लीलें** जैसे रूपों का प्रयोग हुआ है। सम्बन्धकारक के **जासु, तासु** रूप पुरानी अवधी के हैं। चर्यागीत की पंक्ति है : **जासु नाहि अप्पा तासु परेला काहि। अइस सँबोहे को पतिआइ**—इस पंक्ति में भोजपुरी, बंगला आदि के प्रश्नवाचक सर्वनाम **के** की जगह अवधी रूप **को** प्रयुक्त हुआ है। इसी प्रकार उत्तमपुरुष एकवचन **हाँउ, मइ** रूप अवधी, ब्रज के सर्वनाम रूपों से मिलते-जुलते हैं।

यह सब होने पर भी यह न समझना चाहिए कि चर्यागीतों की भाषा अवधी है। उनकी भाषा अपभ्रंश है। उसमें प्राकृत रूप ही नहीं हैं, **नाचन्ति, गाअन्ति** जैसे 'संस्कृत' रूप भी हैं। **भणति, पीवमि, जीवमि** आदि रूप संस्कृत के अनुसरण पर बने हैं। चर्यागीतों की णकारबहुला भाषा प्राकृत-अपभ्रंश परम्परा का अनुसरण करती है; अवधी या बंगला से इस परम्परा का कोई सम्बन्ध नहीं है। सम्बन्धकारक रूप **रुखेर** आदि अवधी के नहीं हैं, बंगला, असमिया आदि की सामान्य सम्पत्ति हैं। पर यह सत्य है कि चर्यागीतों की भाषा में जिन देशी भाषाओं के तत्त्वों का मिश्रण हुआ है, उनमें अवधी के तत्त्व मुख्य हैं।

### *(घ) उक्ति-व्यक्ति-प्रकरण*

बारहवीं सदी में दामोदर पंडित जिस तरह की अवधी के उदाहरण देते हैं, उनसे इस प्रश्न का उत्तर मिल जाता है कि अपभ्रंश में अवधी के तत्त्व शामिल किए जा रहे थे या अपभ्रंश से अवधी का जन्म हो रहा था। डॉ. सुनीतिकुमार चाटुर्ज्या ने 'उक्ति-व्यक्ति-प्रकरण' की अपनी भूमिका के आरम्भ में अवधी को कोसली का पुराना रूप कहा है। फिर भूमिका के अन्त में उन्होंने लिखा है कि बारहवीं सदी के मध्य में सम्बद्ध क्षेत्र की भाषा लगभग पूरे विकास की उस मंजिल तक पहुँच गई थी जहाँ उसे हम इस समय पाते हैं। अर्थात् बारहवीं सदी की अवधी और आधुनिक अवधी में बहुत अन्तर नहीं है। यदि आठ सौ साल में—इतनी उथल-पुथल होने पर भी—अवधी में कोई विशेष अन्तर नहीं आया तो यह माना जा सकता है कि उससे आठ सौ साल पहले भी, कम-से-कम बीज रूप में, अवधी विद्यमान रही होगी। यही बात उत्तर भारत की अन्य जनपदीय भाषाओं के बारे में कही जा सकती है।

हिन्दी, मराठी, बंगला आदि आधुनिक मानक भाषाएँ बाद को विकसित होती हैं किन्तु जनपदीय भाषाएँ बहुत पुरानी हैं। दामोदर पंडित के समय में अवधी का व्यवहार एक बहुत बड़े क्षेत्र में होता था। डॉ. चाटुर्ज्या ने लिखा है कि ग्रंथकार कनौज और प्रयाग से परिचित है, बनारस से वह सुपरिचित है। वह गया और वहाँ यात्रियों को बटोरने वाले गयावाल ब्राह्मणों को जानता है। उसका कार्यक्षेत्र पूरब में है; अर्थ और संस्कृति के केन्द्र कनौज से वह जुड़ा हुआ है। इसलिए उसकी अवधी पर अनेक क्षेत्रों का प्रभाव है। उसकी भाषा को मिर्जापुरी अवधी, सीतापुरी अवधी या बैसवाड़ी की संज्ञा नहीं दी जा सकती। दामोदर पंडित विद्वान् हैं, संस्कृत-प्राकृत-अपभ्रंश परम्परा से परिचित हैं। उन्होंने अवधी जाननेवालों को संस्कृत सिखाने के लिए पुस्तक संस्कृत में लिखी है। थोड़े हेरफेर से अवधी का रूपान्तर संस्कृत में हो सकता है, यह दिखाने के लिए उन्होंने अवधी का विवरण प्रस्तुत किया है। संस्कृत से आधुनिक आर्य भाषाओं का सम्बन्ध किस प्रकार का है, इस समस्या का विवेचन 'उक्ति-व्यक्ति-प्रकरण' से आरम्भ होता है।

ग्रंथ की प्रति उनके हाथ की लिखी नहीं है, किसी अन्य व्यक्ति ने प्रतिलिपि की है। डॉ. चाटुर्ज्या का मत है कि प्रतिलिपिकार भी उसी क्षेत्र का था क्योंकि लिपि की पद्धति मध्यदेश और पूर्वी क्षेत्र की है।

'उक्ति-व्यक्ति-प्रकरण' की प्रति अपूर्ण और खंडित है। पूरी प्रति में पाँच प्रकरण थे। पहले दो प्रकरण क्रिया और कारक से सम्बन्धित थे, शेष तीन उक्तिभेद, लेख-लिखनविधि, व्यावहारिक लेखपत्र लिखनक्रम से सम्बन्धित थे। मुनि जिनविजय ने अपनी भूमिका में बताया है कि ग्रंथ की मूल सूत्रात्मक कारिकाएँ ग्रंथ के आरम्भ में स्वतंत्र रूप से लिख दी गई हैं। उनसे इन प्रकरणों का ज्ञान होता है। दामोदर पंडित की योजना यह थी कि व्याकरण के अतिरिक्त भाषा-व्यवहार के विभिन्न सन्दर्भों का परिचय भी दें। जिन व्यापक सन्दर्भों में अवधी का प्रयोग होता था, उन सब पर ध्यान देते हुए उन्हें अवधी-भाषियों को संस्कृत सिखानी थी। इस पुस्तक में जिस तरह की अवधी के नमूने दिये गए हैं, उन्हें देखने से अपभ्रंश-सम्बन्धी मिथ्या धारणाएँ निर्मूल हो जानी चाहिए। उनमें से कुछ नमूने यहाँ देते हैं :

**गांग न्हाएँ धर्मु हो, पापु जा**—गंगा में नहाने से धर्म होता है, पाप जाता है; **धर्मु होइह, पापु जाइह**—धर्म होगा, पाप जाएगा; **जसजस धर्मु बाढ तसतस पापु घाट**—जैसे-जैसे धर्म बढ़ता है, वैसे-वैसे पाप घटता है; **जाहाँ जाहाँ धर्मु नांद ताहाँ ताहाँ पापु मांद**—जहाँ-जहाँ धर्म की बढ़ती होती है, वहाँ-वहाँ पाप घटता है; **छूट बाछा भमिभमि कूद**—छूटा हुआ बछड़ा घूम-घूमकर कूदता है; **अंधारीं रातिं चोरु ढूक**—अँधेरी रात में चोर आता है। **आगि लागें बाँस फूट**—आग लगने पर बाँस फूटता है। **जो फुड [फुर] बोल सो गांग न्हा**—जो सच बोलता है, वह गंगा नहाता है; **जब पूतु पाउ पखारु, तब पितरन्हु सर्गु देखाल**—जब पुत्र पाप दूर करता है

तब पितरों को स्वर्ग दिखाता है; **जेत जेत पराधनु चोराअ, तेत तेत आपण पूनु हराव**—जितना-जितना परधन चुराता है, आदमी उतना-उतना अपना पुण्य नष्ट करता है; **मेघु नदी बढाव**—मेघ नदी को बढ़ाता है; **मध्यस्थ होइ विचार**—मध्यस्थ होकर विचारता है; **चौकु पूर**—चौक पूरता है; **कन्या वर**—कन्या वरता है; **घर छाअ**—घर छाता है; **लेख बाच**—लेख बाँचता है। **मीठ जेवण माँग**—मीठा खाना माँगता है; **जूठ खा**—जूठा खाता है; **दूजण सबहि नींद**—दुर्जन सबकी निन्दा करता है; **कुपुतु कुलु लांछ**—कुपूत कुल लांछित करता है; **दूजण सबहि सँताव**—दुर्जन सभी को सताता है; **पीठ चाप**—पीठ चापता है; **जमाइ चूंब**—जमाई को चूमता है; **अनाजु जेंव, पाणि अचम**—अन्न खाता है, पानी पीता है; **देवहि नम**—देवता को नमस्कार करता है; **मुअ जीव**—मुर्दा जीता है; **चूँचीं देइ जिआव**—चूँची देकर जिलाती है; **जीभें चाख**—जीभ से खाता है; **सूँघत आछ**—सूँघता है; **अंकवालि दे**—अँकवार देता है; **मूतत आछ**—मूतता है; **हगत आछ**—हगता है; **चूतड़ँ तलँ देइ बइस**—चूतड़ के बल बैठता है; **पाक किएसि/पएसि**—खाना पकाया; **भोजन कोएसि/जेंवेसि**—भोजन किया; **जइ देउ वृष्टि करत तब अन्न होंते**—यदि दैव वृष्टि करेगा, तो अन्न होगा; **भोजन करिह/जेंविह**—भोजन करेगा; **हउँ पर्व्वतउ टालउँ**—मैं पर्वत भी हटाता हूँ; **सबहिं भूतँ दया करु**—सब प्राणियों पर दया करो; **कोवु छाडि क्षमा भजु**—कोप छोड़कर क्षमा करो; **संसारु अनित्यु देखउ**—संसार को अनित्य मानो; **सो पूतै जणिं जाम जो निर्गुणु हो**—वह पुत्र न जन्मे जो निर्गुण हो; **ते गुणै जणिं उपजति जे सबहि न उपकरति**—वे गुण न उत्पन्न हों जो सबका उपकार न करें; **बहुतु राजा एथुँ भुइँ भय**—बहुत-से राजा यहाँ पृथ्वी पर हुए; **सोंअरि सोंअरि रोवा**—बिसूर-बिसूर कर रोता है; **पढन आव**—पढ़ने आता है। **ग्राम गमन कर/गाउँ जा**—गाँव जा; **दुहाव गाइ दूधु गुआलें गोसांवि**—गोस्वामी ग्वाले से गाय दुहाता है, **पढाव छात्रहि शास्त्र ओझा**—गुरु छात्र को शास्त्र पढ़ाता है; **गाँव हुंत आव**—गाँव से आता है। **ओझा पास वीदा ले**—गुरु से विद्या लेता है; **सिंहासण आछ राजा**—राजा सिंहासन पर है; **जो किछु कीज**—जो कुछ किया जाए; **इंधणे भातु रान्ध ब्राह्मणु**—ईंधन से ब्राह्मण भात पकाता है; **मणुसु जेंम**—मनुष्य भोजन करता है; **दुइ अच्छति**—दो हैं; **बहुतु पूत भए**—बहुत-से बेटे हुए; **दुई बेटीं भई**—दो लड़कियाँ हुईं; **हौं करऔं**—मैं करता हूँ; **अम्हे दुइ करहु**—हम दो करते हैं; **लहुडा कवण**—लहुरा कौन; **काह इँहाँ तूँ करसि**—तू यहाँ क्या करता है; **पढिहउँ**—पढ़ूँगा; **काह करत आछी हसि**—तू क्या कर रहा है; **को ए सोअ**—यह कौन सोता है; **को ताहँ जेंवत आछ**—वहाँ कौन खा रहा है; **इहाँ को पढिह**—यहाँ कौन पढ़ेगा; **मोर क्षेम को करिह**—मेरी रक्षा कौन करेगा; **ए कहार काह सम्पाडति**—ये कहार क्या कर रहे हैं; **बेटा काहाँ गा**—बेटा क्यों गया; **को मै भोजन मागब**—मैं किससे भोजन माँगूँ (को मया भोजनं याचितव्य:)।

इन वाक्यों को देखने से विदित होगा कि सर्वत्र यह गाँव की अवधी नहीं है। इसमें **क्षेम** जैसे शब्द हैं जिन्हें गाँव का आदमी न बोलेगा। कहा जा सकता है कि **क्षेम** लिखित रूप है, आशय **छेम** से होगा। किन्तु कहार क्या सम्पादित करते हैं, यह वाक्य-रचना नगर के लोगों के लिए भी अस्वाभाविक है। **सम्पादति** का प्राकृत रूप **सम्पाडति** कर देने से वाक्य स्वाभाविक नहीं हो जाता। एक जगह उन्होंने संस्कृत में वाक्य लिखा है : **छात्रेण ग्रामो गम्यते** अर्थात् छात्र द्वारा गाँव को गमन किया जाता है। इसका अवधी रूप है : **छात्रेंगाउँ जाइआ**। अवधी और संस्कृत, दोनों भाषाओं के वाक्य व्याकरण का एक रूप दिखाने के लिए लिखे गए हैं, इनसे यह न समझना चाहिए कि ऐसे वाक्य स्वाभाविक थे। अनेक शब्दों में मूर्धन्य नासिक्य का व्यवहार हुआ है। संस्कृत में जहाँ दन्त्य **न्** है, वहाँ उसे भी बदलकर **ण्** किया है, यथा : **धन—धण, मानुष—मणुसु, सिंहासन—सिंहासण, जन—जण**। किन्तु इसमें कोई नियम नहीं है। दामोदर पंडित दन्त्य **न्** का व्यवहार भी खूब करते हैं। डॉ. सुनीतिकुमार चाटुर्ज्या ने यह मत प्रकट किया है कि पुरानी कोसली में **ण्** का व्यवहार होता था, आगे चलकर ब्रज से बंगाल तक उसका व्यवहार बन्द हो गया। यह धारणा सही नहीं है। दामोदर पंडित की लिखित अवधी पर संस्कृत-प्राकृत-अपभ्रंश परम्परा की छाप है।

अवधी भाषा के जो नमूने दिये गए हैं, उनमें वैकल्पिक रूप अनेक हैं। डॉ. चाटुर्ज्या ने कर्मकारक के उदाहरणों में **मुहँ—मुहु, खेत—खेतु, शास्त्र—शास्त्रु,** दोनों तरह के रूप दिये हैं। इसका कारण यह है कि अपनी भाषा को भी ज्यों-का-त्यों लिखना सरल काम नहीं है। कभी-कभी प्रमादवश लिखने में भिन्न रूप आ जाते हैं और इससे भी अधिक होता यह है कि बोलते समय हम स्वयम् एक ही प्रकार के मानक रूपों का प्रयोग नहीं करते। सम्भव है, दामोदर पंडित ने जहाँ **लहुडा** लिखा है, वहाँ यथार्थ जीवन में **लहुरा** ही बोलते हों। कुछ लोग अरबी **ज़रा** को **जरा,** फिर **जरा** को **जड़ा** करके बोलते हैं। डॉ. चाटुर्ज्या ने इस बात की ओर ठीक ध्यान दिलाया है कि जहाँ **ड्** और **ढ्** दो स्वरों के बीच में आए हैं, वहाँ उनका उच्चारण **ड़्, ढ़्** था। इस तरह की बातों को ध्यान में रखते हुए 'उक्ति-व्यक्ति-प्रकरण' की भाषा का अध्ययन विवेक सहित करना चाहिए।

जिस बोली को दामोदर पंडित ने अपना मुख्य आधार बनाया है, उसमें दो स्वरों के बीच में आनेवाली **ह्** ध्वनि का लोप हो रहा है। इसीलिए **किएसि** जैसे क्रिया-रूप में **ह्** का अभाव है। पर **किहेसि** जैसा रूप जायसी और तुलसीदास की रचनाओं में ही नहीं है, वह अवधी के अनेक क्षेत्रों में अब भी बोला जाता है। यह न समझना चाहिए कि पुरानी अवधी में **किएसि** रूप था और आगे चलकर उससे **किहेसि** रूप का विकास हुआ। साथ ही **अम्ह, तुम्ह** जैसे रूपों में **ह्** विद्यमान है। आधुनिक हिन्दी का **तुम** सम्बन्धकारक रूप **तुम्हारा** में अपना पुराना रूप बनाए हुए

है। जायसी और तुलसीदास के अलावा उन्नीसवीं सदी के अनेक हिन्दी लेखक **तुम्ह** लिखते थे। **अम्ह** वर्ण-विपर्यय से **हम** बना, **ह्** स्थानान्तरित हुआ किन्तु बना रहा। पुरानी अवधी की सबसे महत्त्वपूर्ण विशेषता यहाँ यह है कि प्रत्येक शब्द **अजन्त** है। डॉ. चाटुर्ज्या ने इस विशेषता की ओर ध्यान दिलाया है। अभी पश्चिमी प्रभाव इतना नहीं पड़ा कि शब्द के अन्तिम वर्ण का स्वर लुप्त होने लगे। डॉ. चाटुर्ज्या ने लिखा है कि **श्, ष्, स्** में केवल दन्त्य सकार रह गया था। यह बात बोलचाल की अवधी के लिए अवश्य सही है किन्तु दामोदर पंडित ने शास्त्र जैसे तालव्य **श्** वाले शब्दों का प्रयोग किया है। **क्षेम** शब्द का सही उच्चारण वह कर लेते थे, यह न मानने का कोई कारण नहीं है।

उकारान्त रूपों के लिए डॉ. चाटुर्ज्या ने लिखा है कि यहाँ **उ ओ** का विकास है। उनकी समझ में उकारान्त रूप कोसली के नहीं हैं वरन् पश्चिमी अपभ्रंश और ब्रजभाषा के प्रभाव से कोसली में आ गए हैं। अवधी को अर्द्ध-मागधी की सन्तान माना जाता है। अर्द्ध-मागधी में रूप एकारान्त होते हैं। **ए** ह्रस्व होकर **इ** हो सकता है, **उ** नहीं। अर्द्ध-मागधी वाला इकार कहाँ गया? शब्द के एकारान्त रूप कौरवी परम्परा की देन हैं। ओकारान्त रूप मागधी परम्परा के, उकारान्त रूप कोसली परम्परा के। उकारान्त रूप दूर-दूर की भाषाओं में मिलते हैं जिनमें एक कश्मीरी भी है। परम्परागत भाषाविज्ञान के अनुसार संस्कृत शब्दों का **ष्** तद्भव रूपों में **ख्** हो जाता है किन्तु कुछ रूप ऐसे हैं जो यह नियम नहीं मानते। अवधी में **चुह** क्रिया **ख्** के बदले **ह्** का व्यवहार करती है। हिन्दी **चूसना** में दन्त्य **स्** है। ब्रज प्रदेश में **चोंख** क्रिया-रूप का व्यवहार होता है जहाँ अपेक्षित **ख्** ध्वनि है। यह सम्भव है कि संस्कृत **चुष्, चोष्** का **ष्** पहले **स्** रहा हो; यह भी सम्भव है कि **ष्** को **ख्** में बदलने की प्रवृत्ति मूलतः मागधी भाषाओं की है, कोसली प्रवृत्ति के अनुसार वह **स्** में बदल जाएगा, जैसा कि अनेक प्राकृतों में भी देखा जाता है।

अवधी में संज्ञा शब्दों के बहुवचन रूपों में **न्ह** चिन्ह दिखाई देता है, यथा : **सीसन्ह, बम्हणन्ह**। इसमें **न्** ध्वनि तो संस्कृत के सम्बन्धकारक-चिन्ह **आनाम्** का अवशेष मानी गई है और **ह्** तत्त्व करणकारक के **भिस्** से प्राप्त बताया गया है। डॉ. चाटुर्ज्या ने लिखा है कि **आनाम्** का न प्राकृतों में **ण** हुआ; बंगाल से पंजाब तक बहुवचन रूपों में **न** चिन्ह अब भी प्रयुक्त होता है; तिर्यक् रूप के **हि, हिं** चिन्ह से वह प्रभावित हुआ और **न्ह** बन गया; जब करणकारक का बहुवचन रूप जीवन्त था, तब उसके चिन्ह **अहि** ने **न्ह** के **ह्** को पुष्ट किया; सम्बन्धकारक के अलावा वह कर्म, सम्प्रदान और कर्ता के लिए भी प्रयुक्त होने लगा। इस सारे ऊहापोह के बदले **न्ह** से **न** का विकास मानना अधिक युक्तिसंगत है। मैथिली के सन्दर्भ में हम देख चुके हैं कि **न्ह** चिन्ह क्रियापदों के साथ भी लगता है। इसका कारण यह है कि कारकों और क्रिया-रूपों, दोनों में सर्वनाम-चिन्ह प्रयुक्त होते थे।

कहा जाता है कि अपभ्रंश तथा आधुनिक आर्य भाषाओं में कारक भेद समाप्त होने लगता है, विशेषत: कर्ता, कर्म, कर्म और सम्प्रदान का भेद मिट जाता है। इस सन्दर्भ में सर्वनाम रूप दर्शनीय हैं। उत्तम पुरुष का एकवचन **हउँ** रूप केवल कर्ताकारक में प्रयुक्त होता है। कर्मकारक में **मोहिं**, सम्बन्धकारक में **मोर** रूप हैं। कारकभेद स्पष्ट है। इसी प्रकार मध्यम पुरुष का एकवचन **तुँ** रूप है। कर्मकारक में **तोहि,** सम्बन्धकारक में **तोर** रूप हैं। करणकारक के लिए डॉ. चाटुर्ज्या ने **तइँ** रूप दिया है। अन्य पुरुष के लिए **सो** सर्वनाम अभी खूब प्रयुक्त हो रहा है। संस्कृत के समान इसका बहुवचन रूप **ते** है। अन्य कारकों के एकवचन रूपों में **ताहि, ताकर** आदि **त्** वाले रूप ही प्रयुक्त होते हैं। प्रश्नवाचक **को** सम्प्रदान, अपादान आदि में **का** रूप में प्रयुक्त होता है। डॉ. चाटुर्ज्या ने इसका कर्मकारक रूप को दिया है और सम्प्रदानकारक के **काहि, काकिह** रूप दिये हैं।

अवधी के सम्बन्धकारक-चिन्ह **कर** से डॉ. चाटुर्ज्या ने बंगला आदि के **अर** का सम्बन्ध ठीक जोड़ा है। अवधी भाषा के व्यापक प्रभाव का प्रमाण इस **कर** से प्राप्त होता है। डॉ. चाटुर्ज्या ने लिखा है : "**कर** प्रत्यय विशेषण है जो मूल संज्ञा शब्द के साथ जोड़ दिया जाता है। यह प्रत्यय कोसल से लेकर सुदूर असम और उड़ीसा तक जोरों से चालू था। पूर्वी मागध भाषाओं के सम्बन्ध प्रत्यय **अर** का वह आधार है। मध्य और पश्चिमी मागध भाषाओं (मैथिली और मगही तथा भोजपुरी) में वह सर्वनामों के सम्बन्ध-प्रत्यय का आधार है। मध्य कोसली में, यथा तुलसीदास में, उसका काफी व्यवहार होता है। आगे चलकर इसे **क** ने विस्थापित कर दिया।" यदि बंगला, उड़िया, असमिया के **अर-एर** का आधार अवधी प्रत्यय **कर-केर** है, तो इससे कोसली भाषा के व्यापक प्रभाव की पुष्टि होती है। मैथिली, मगही और भोजपुरी के अलावा ब्रजभाषा और हिन्दी में भी उत्तम, मध्यम पुरुषों के सर्वनाम रूपों में **र** प्रत्यय लगता है। राजस्थानी में वह संज्ञा रूपों के लिए भी सामान्य सम्बन्ध-प्रत्यय है। उधर गुजराती में भी कुछ सर्वनामों के साथ यह प्रत्यय लगता है, यथा : अन्य पुरुष सर्वनाम रूप **त्यार** में।

इस सन्दर्भ में डॉ. चाटुर्ज्या ने संस्कृत **अस्य** और प्राकृत **अस्स** के व्यापक व्यवहार का उल्लेख करने के बाद लिखा है : "किन्तु यह भी नितान्त सम्भव है कि बोलचाल की भाषाओं में अन्य सम्बन्ध-प्रत्यय भी व्यापक रूप से प्रयुक्त होते रहे हों, यद्यपि संस्कृत (और उससे पहले वैदिक भाषा) ने उनकी ओर ध्यान न दिया हो और बाद की प्राकृतों ने उनकी ओर किचित् दृष्टिपात ही किया हो।" यहाँ जो महत्त्वपूर्ण सिद्धान्त सामने आता है, वह यह कि संस्कृत के, और उससे पहले वैदिक भाषा के, समानान्तर अन्य आर्य भाषाएँ बोली जाती थीं, उनके सभी रूप संस्कृत या प्राकृतों में नहीं आ गए। यह सिद्धान्त आर्य भाषाओं के विकास का अध्ययन करते समय सदा ध्यान में रखना चाहिए। आचार्य किशोरीदास वाजपेयी ने

इसकी ओर, जोर देकर, बार-बार, और बहुत स्पष्ट रूप में ध्यान आकर्षित किया है। डॉ. चाटुर्ज्या ने भी उसकी ओर संकेत किया है।

डॉ. चाटुर्ज्या **क** प्रत्यय का सम्बन्ध संस्कृत के विशेषक प्रत्यय **क**, उससे विकसित **क्क**, तथा संस्कृत **कृत**, और उससे विकसित प्राकृत **कअ**, **किअ** से जोड़ते हैं। यह सब कठिन प्रयास अनावश्यक है। **कध-कह** से **का, को** आदि रूप विकसित हुए हैं; **कध-कद** से **कर** का विकास हुआ है। **कह** या **कर** का संक्षिप्त रूप **क** है।

प्राकृत और अपभ्रंश भाषाओं के **हि, हिं** प्रत्यय के बारे में डॉ. चाटुर्ज्या ने लिखा है कि इसका उद्‌भव अधिकरणकारक-चिन्ह से हुआ है। मूल रूप के लिए उन्होंने प्राचीन आर्य प्रत्यय **धि** की कल्पना की है और लिखा है कि ग्रीक भाषा में इसका प्रतिरूप **थि** विद्यमान है, यथा : **पोथि** (कहाँ); इसी से **कधि** जैसा रूप बना होगा जिससे प्राकृत में **कहि**, बंगला में **कइ** रूप बने। डॉ. चाटुर्ज्या की यह कल्पना सार्थक है। अधिकरण शब्द का **अधि** इसी **कधि** के गोत्र का है। डॉ. चाटुर्ज्या ने पालि **इध** और संस्कृत **इह** का उचित उल्लेख किया है। यह **ध** व्यक्ति-वस्तु-देशकाल-वाचक ध्वनि संकेत था; उसके आधार पर देशकाल-सूचक विशेषकों, निर्देशक सर्वनामों, विभिन्न कारकों के प्रत्ययों और तथाकथित परसर्गों की रचना हुई है।

डॉ. चाटुर्ज्या ने **अछ, आछ** क्रिया-रूपों का सम्बन्ध **अस्** धातु से ठीक जोड़ा है किन्तु उनका विचार है कि पुराना **अच्छति** रूप आदि इंडो-यूरोपियन **एस्-स्के-ति** रूप से बना होगा। उन्हें यह कल्पना इसलिए करनी पड़ी कि बहुत-से संस्कृत रूपों में **छ्, च्छ्** को आदि इंडो-यूरोपियन **स्क्** का विकास माना जाता है। संस्कृत शब्द **छाया** का मूल रूप इंडो-यूरोपियन **स्किअ** था, यह कहते समय अंग्रेज़ी **शेड** (छाया) की व्युत्पत्ति—शयन का अर्थ देनेवाली **शे** क्रिया **से**—ध्यान में रखनी चाहिए। डॉ. चाटुर्ज्या का मत है कि **अस्** धातु के साथ **छ** या **च्छ** विकरण का संयोग है। यह विकरण अनावश्यक है। प्रश्न संज्ञा रूप में **प्रश्** क्रिया देखी जा सकती है। इसी से **पृच्छति** आदि रूप बनते हैं। **अस्** धातु से **अह्** और **अछ्** दो रूप विकसित होते हैं जिनका व्यापक व्यवहार आर्य भाषाओं में होता है।

पुरानी अवधी में क्रिया के वर्तमान काल वाले रूप दो तरह के हैं : एक में **अइ, ऐ** आता है, दूसरे के अन्त में केवल **अ** रहता है। 'उक्ति-व्यक्ति-प्रकरण' में **रहइ, मानइ, चलइ** आदि रूप हैं, पर इनसे भी अधिक अकारान्त **रह, चल** आदि रूप हैं। **रह, चल** रूप आज्ञार्थी नहीं हैं, **रहता है, चलता है** के अर्थ में उनका प्रयोग होता है। डॉ. चाटुर्ज्या ने इन रूपों के **अ** को **अइ, ऐ** का रूपान्तर माना है, और **ये अइ, ऐ** संस्कृत **अति, अयति** का विकास है। वह जायसी और तुलसीदास की रचनाओं में प्राप्त **अ** और **अइ** वाले दोनों तरह के रूपों का उल्लेख करते हैं। **अइ** के समानान्तर **अहि** वाले क्रिया-रूप भी हैं, इसकी जानकारी डॉ. चाटुर्ज्या को

है किन्तु **अहि** को वह **अइ** का पूर्वरूप नहीं मानते। उनके लिए पूर्वरूप **अइ** है, **ह्** ध्वनि उसमें सौन्दर्यभाव के कारण जोड़ दी गई है। इस ध्वनि-प्रसाधन की कल्पना का कारण यह है कि संस्कृत के **चलति** आदि रूपों में **ति** है। **ति** बदलकर **हि** रूप धारण कर नहीं सकती। इसलिए **चल्** धातु के साथ जो **अति** जुड़ा, वह पहले **अइ** हुआ, फिर हकार प्रेम के कारण **अहि** बन गया। बहुवचन रूप में **अहिं** का प्रयोग और भी अधिक होता है। इसलिए यहाँ समस्या फिर खड़ी होती है कि **चलन्ति** का **अन्ति अहिं** कैसे बन गया? संज्ञा शब्दों के बहुवचन रूपों में **न** और **न्ह** दो तरह के चिन्ह मिलते हैं। वैसी ही समस्या **अइ** और **अहि** रूपों की है। **अधि-अन्धि, धि-न्धि** प्रत्ययों की कल्पना करने से ये सब कठिनाइयाँ दूर हो जाती हैं। **न** का पूर्वरूप **न्ह** है; **चलइ** का पूर्वरूप **चलहि** है। अब समस्या रह जाती है **चलइ** से **इ** का लोप होने पर **चल** रूप बनने की।

**चलइ** और **चल** दो भिन्न क्रिया-रूप हैं; दो भिन्न प्रक्रियाओं द्वारा भाषा में उनकी प्रतिष्ठा हुई है।

**चलइ** तिङन्त रूप है, उसमें क्रिया व्यक्तिवाचक सर्वनाम-चिन्ह लगाए है; **चल** सर्वनाम-चिन्ह-मुक्त क्रिया-रूप है, कारक-चिन्ह-मुक्त नाम शब्द के समान। जायसी और तुलसीदास की तुलना में ऐसे अतिङन्त क्रिया-रूपों का व्यवहार दामोदर पंडित के यहाँ अधिक है।

डॉ. चाटुर्ज्या ने 'उक्ति-व्यक्ति-प्रकरण' की भूमिका में **रह, चल, कर** आदि रूपों के बारे में आगे लिखा है कि ये बोली विशेष के रूप थे; **अइ** वाला भरापूरा रूप भी व्यवहार में आता था, अत: बाद की कोसली में **अ** की अपेक्षा **अइ, ऐ** वाले रूप अधिक हैं। इस कथन का आशय यह है कि मानक रूप तो **अइ** वाला था, अवधी क्षेत्र की जिस बोली से दामोदर पंडित अधिक परिचित थे, उसमें **इ** का लोप होने से **अ** बच रहा था। यदि यह कल्पना सही है तो मानना होगा कि दामोदर पंडित की उस बोली विशेष से तलसीदास और जायसी भी परिचित थे क्योंकि वैसे रूप 'पद्मावत' और 'रामचरितमानस' में भी हैं। वाक्यतंत्र की दो पद्धतियाँ हैं, उन्हीं के अनुरूप कारक-रचना और क्रियापद रचना की दो पद्धतियाँ हैं। यह भेद वैदिक काल से चला आ रहा है।

'उक्ति-व्यक्ति-प्रकरण' में क्रिया का एक वर्तमान कालीन बहुवचन रूप **करति** है। यहाँ दो कठिनाइयाँ हैं; पहली यह कि **ति** के स्थान पर **इ** नहीं है, दूसरी यह कि संस्कृत में बहुवचन रूप **कुर्वन्ति** है, हिन्दी **करति** में **न्** गायब है। **कुर** की जगह **कर** की समस्या इस तरह हल की गई है कि **कुर्वन्ति** के समानान्तर एक रूप **करन्ति** भी रहा होगा। अवश्य रहा होगा क्योंकि क्रिया मूल **कर्** है, **कॉर्** उसका मागधी रूप होगा, कौरवी में ओकार बदलकर उकार हुआ, **कॉर्** का रूपान्तर **कुर्** हुआ। **अधि** और **अन्धि** दो सर्वनाम रूप थे जिनमें **अन्धि** का प्रयोग बहुवचन के लिए होने लगा। **करधि** और **करन्धि** से **करहि** और **करहिं** रूप बने। **अधि** और

**अन्धि** क्रमशः **अति** और **अन्ति** बने। **अधि** और **अन्धि** में मूलतः वचनभेद नहीं था, इसलिए **अधि** रूप बहुवचन के लिए भी प्रयुक्त होता था। इस प्रकार पुरानी अवधी का **करति** रूप संस्कृत **कुर्वन्ति** से बिलकुल स्वतंत्र विकसित होता है, उसका मूलाधार है **करधि**। **अधि** और **अन्धि** के वैकल्पिक रूप **अध** और **अन्ध** भी प्रचलित थे। इनसे कृदन्तों के लिए **अत** और **अन्त** प्रत्ययों का विकास हुआ। डॉ. चाटुर्ज्या ने कल्पना की है कि पुरानी अवधी के **करत, पढ़त** जैसे रूप **कुर्वन्त्, पठन्त्** जैसे रूपों के आधार पर बने हैं। जैसे **कुर्वन्ति** का एक वैकल्पिक रूप **करन्ति** माना, वैसे ही **कुर्वन्त** का एक वैकल्पिक रूप **करन्त** माना। अन्तर यह है कि संस्कृत रूपों के अन्त में व्यंजन है और हिन्दी रूपों के अन्त में स्वर है। यह कोई बड़ा नहीं है। जैसे 'उक्ति-व्यक्ति-प्रकरण' की भाषा के शब्द **अजन्त** हैं, वैसे ही प्राचीन रूप **पठन्त, कुर्वन्त** थे, अन्तिम वर्ण का हलन्त उच्चारण कौरवी ध्वनि-प्रकृति का परिणाम है। **पठन्त्** से **पढ़त** का विकास देखना आवश्यक नहीं है। एक प्राचीन रूप **पठत** भी था जिससे संस्कृत में **पठत्, पठन्** रूप बने। डॉ. चाटुर्ज्या ने **कुर्वन्त्** के समानान्तर जो **करन्त** रूप माना है, उसमें महत्त्वपूर्ण बात यह है कि यह कल्पित प्राचीन रूप **अजन्त** है। यह कल्पना इस तथ्य की स्वीकृति है कि प्राचीन काल में हलन्तरूप **कुर्वन्त्** के साथ **अजन्त** रूप **करन्त** भी प्रचलित था। ऐसे **अजन्त** रूप बारहवीं सदी की अवधी में विद्यमान थे। ये **अजन्त** रूप कोसल की प्राचीन गण-भाषा के हैं, कौरवी में इनका हलन्तीकरण हुआ है।

भविष्यकालीन रूपों में, आधुनिक अवधी के समान, क्रिया में **ह्** और **ब**, दोनों प्रत्यय लगते हैं। डॉ. चाटुर्ज्या ने **ब** वाले रूपों को मूलतः कर्मवाच्य मानकर लिखा है कि इनके साथ व्यक्तिसूचक प्रत्यय नहीं लगते। व्यक्तिसूचक प्रत्यय बारहवीं सदी में नहीं लगे क्योंकि ये **ब** वाले रूप मागधी प्रभाव से आए हैं और अवधी के लिए अभी नये हैं। अवधी के मूल भविष्यकाल रूप **ह्** वाले हैं। पश्चिमी अवधी से उत्तर की ओर कनौजी में **ब** वाले रूपों का प्रवेश अभी तक नहीं हुआ, केवल **ह्** वाले रूपों का चलन है। मुख्य बात यह है कि **ब** वाले कृदन्त-रूप भविष्यकाल के लिए अभी आरक्षित नहीं हुए। 'उक्ति-व्यक्ति-प्रकरण' में ऐसे रूपों का व्यवहार भूतकाल के लिए भी हुआ है। डॉ. चाटुर्ज्या ने उदाहरण दिया है : **केइँ ताहाँ जेंउँब**—किसने वहाँ भोजन किया। पुस्तक में संस्कृत रूपान्तर दिया हुआ है : **कस् तत्र बुभुजे अजिंवद् वा**। इस रूपान्तर से भ्रम की गुंजाइश नहीं रहती। तिङन्त क्रिया-रूपों के समान पहले कृदन्त क्रिया-रूप भी कालनिरपेक्ष थे। क्रमशः पूर्वी क्षेत्र की भाषाएँ उनमें व्यक्तिवाचक प्रत्यय लगाने लगीं; **ब** वाले रूप भविष्यकाल के लिए सुनिश्चित हुए।

बारहवीं सदी में किसी संज्ञा शब्द **के साथ करना** क्रिया जोड़कर नई क्रिया बनाने की पद्धति जोर पकड़ती जा रही थी। दामोदर पंडित ने **भोजन कर, गमन कर, दर्शन कर, श्रवण कर, घ्राण कर** आदि जो उदाहरण दिये हैं, वे सम्भवतः

पंडित वर्ग में प्रचलित थे जो **देख** की अपेक्षा **दर्शन कर** कहना शिष्टता का चिन्ह मानता था। अब लोग मन्दिर में देवता को **देखने** नहीं जाते, उसके **दर्शन** करने जाते हैं। **दर्शन** करना प्रयोग रूढ़ हो गया और **देखना** क्रिया से भिन्न अर्थ देने लगा। दामोदर पंडित के समय में **भोजन करेगा**—इस वाक्य को दो तरह से कह सकते थे, **भोजन करहि;** और **जेंविह**। अब दूसरे रूप की क्रिया मानक हिन्दी में प्रयुक्त नहीं होती यद्यपि जनपदीय भाषाओं में दूर-दूर तक उसका व्यवहार होता है। हिन्दी क्रियार्थी संज्ञा का **ना** प्रत्यय पुरानी अवधी के **न** का प्रतिरूप है। 'उक्ति-व्यक्ति-प्रकरण' में **करण चाह** अर्थात् करना चाहता है, इस वाक्य में अवधी का पुराना क्रियार्थी संज्ञा रूप विद्यमान है। अवधी में अब मागधी प्रभाव से **ब**-वाले रूप का अधिक चलन है, **न**-वाला रूप कनौजी में सुरक्षित है।

'उक्ति-व्यक्ति-प्रकरण' में दो-तीन वाक्य ऐसे आए हैं जो विन्यास की दृष्टि से बहुत महत्त्वपूर्ण हैं। **दुहाव गाइ दूधु गुआलें गोसाँवि**—गोस्वामी ग्वाले से गाय दुहाता है। इसका संस्कृत रूपान्तर इस प्रकार है : **दोहयति गां दुग्धं गोपालेन गोस्वामी।** अवधी और संस्कृत, दोनों रूपों में वाक्य की विशेषता यह है कि विधेय पहले है, उद्‌देश्य बाद में। **पढाव छात्रहि शास्त्र ओझा**, संस्कृत रूपान्तर : **पाठ्यति छात्रम् शास्त्रं उपाध्यायः।** यहाँ भी विधेय पहले और उद्‌देश्य बाद को है। कुछ आगे चलकर तीसरा वाक्य है : **सिंहासण आछ राजा—सिंहासने तिष्ठति राजा।** ऐसे वाक्य पद्य में नहीं, गद्य में लिखे गए हैं। जायसी और तुलसीदास में ऐसे वाक्य भरे पड़े हैं। ऐसे उदाहरणों से इस धारणा की पुष्टि होती है कि पुराने वाक्यतंत्र में पहले विधेय, फिर उद्‌देश्य, यही क्रम रहता था।

### *(ङ) पुरानी साहित्यिक अवधी*

सन् 1379 में डलमऊ, जिला रायबरेली के कवि दाऊद ने अवधी में 'चांदायन' काव्य लिखा। जिस समय ज्योतिरीश्वर ठाकुर मैथिली में गद्य लिख रहे थे, लगभग उसी समय दाऊद अवधी में पद्य लिख रहे थे। यदि दाऊद का यह काव्य ही प्राप्त होता और 'उक्ति-व्यक्ति-प्रकरण' सुलभ न होता तो विद्वान् कहते कि अवधी भाषा का जन्म चौदहवीं सदी में हुआ। पर उससे पहले बारहवीं सदी का वह ग्रंथ सुलभ है, और उसकी भाषा के साँचे और 'चांदायन' की भाषा के साँचे में कोई महत्त्वपूर्ण अन्तर नहीं है। 'चांदायन' से तीन सौ साल पहले लगभग वैसी ही अवधी बोली जाती थी। अब मान लीजिए कि 'उक्ति-व्यक्ति-प्रकरण' से तीन सौ साल पहले भी, जब महाकवि भवभूति कान्यकुब्ज सम्राट के यहाँ 'मालती माधवम्' और 'उत्तररामचरितम्' लिख रहे थे, लगभग वैसी ही अवधी बोली जाती थी, जैसी दामोदर पंडित बोलते थे। 'चांदायन' की भमिका में डॉ. माताप्रसाद गुप्त ने 'उक्ति-व्यक्ति-प्रकरण' की भाषा से इस काव्य की भाषा की तुलना विस्तार से की है। भूमिका के अन्त में उनका निष्कर्ष

इस प्रकार दिया हुआ है : "इस प्रकार ऊपर दिये हुए कुछ सौ रूपों में से चार छह रूपों में ही रचना की भाषा उक्ति की भाषा से भिन्न दिखाई पड़ती है, अन्यथा वह उसके समान अथवा उससे विकसित प्रमाणित होती है। जायसी की भाषा से वह मिलती-जुलती होते हुए भी किंचित् पूर्व की स्थिति का आभास देती है।" भाषा धीरे-धीरे इसी प्रकार बदलती है। दो सौ साल पहले की भाषा किंचित् पूर्व का आभास देती है, यह किंचित् बढ़ते-बढ़ते पर्याप्त हो जाता है, इतना कि भाषा में गुणात्मक परिवर्तन दिखाई देने लगते हैं। भवभूति के समय में अवधी बोली जाती थी, यह सत्य है।

डॉ. चाटुर्ज्या से भिन्न डॉ. माताप्रसाद ने 'उक्ति-व्यक्ति-प्रकरण' में **कवण** जैसे रूपों में मूर्धन्य नासिक्य के व्यवहार को प्राकृत प्रभावजन्य माना है, **ण्** को अवधी की ध्वनि नहीं माना। उनकी यह धारणा सही है। 'उक्ति-व्यक्ति-प्रकरण' में क्रिया के वर्तमान मालिक एकवचन रूप **इ** वाले तो हैं, **हि** वाले नहीं हैं। यह एक महत्त्वपूर्ण भेद है। दामोदर पंडित का सम्पर्क उस अवधी से है जिसमें **हकार** के लोप की प्रवृत्ति अधिक प्रबल है। दाऊद की अवधी उस क्षेत्र की है जिसमें **ह्** का उच्चारण अधिक स्पष्ट होता था। एक पंक्ति है : **ओ जस सुना कहत तस आवइ;** यहाँ क्रिया का **इ** वाला रूप है। इसके बाद ही लिखा है : **सो पढ़ति जाको ति पढावहि;** यहाँ **हि** वाला रूप है। इसी प्रकार : **दिन दिन पहिरहि चीर धोवाई।** पढ़ति रूप में न **इ** है, न **हि**, वरन् **ति** है। दाऊद के समय तक साहित्यिक भाषा में ऐसे रूपों का व्यापक चलन हो गया था।

'उक्ति-व्यक्ति-प्रकरण' के समान 'चांदायन' में भी क्रिया सर्वनाम-चिन्हों से स्वतंत्र प्रयुक्त हुई है। **राति जु बइसइ चौकी कुन्त खरग रह छाइ**—यहाँ सन्दर्भ से पता चलेगा कि रह क्रिया-रूप किस काल के लिए है और उसका कर्ता किस पुरुष में है। इसके बाद की पंक्ति में क्रिया-रूप **फिर** है : **पाखर सहस साठ फिर चाँटहि सँचरि न जाइ**—यहाँ भी क्रिया-रूप काल-पुरुष-भेद सूचित नहीं करता। ऐसे रूप अन्य पुरुष के साथ ही प्रयुक्त होते हैं, उत्तम-मध्यम पुरुषों के साथ नहीं। इससे सिद्ध होता है कि ये रूप काव्य में छंद की आवश्यकता के कारण प्रयुक्त नहीं हुए; तिङन्त रूपों के समानान्तर ऐसे पूर्ण विश्लिष्ट पद्धति वाले क्रिया-रूपों का भी व्यापक व्यवहार होता था। 'उक्ति-व्यक्ति-प्रकरण' के गद्य में ऐसे रूप बहुत हैं।

दामोदर पंडित से लेकर मुल्ला दाऊद के समय तक काफी सामाजिक परिवर्तन हो चुका था, व्यापार-केन्द्रों की बढ़ती के साथ जनपदों का अलगाव टूट रहा था। फलत: अवधी में पश्चिमी जनपदों के अनेक भाषा-तत्त्व सिमटकर आ रहे थे। 'चांदायन' की दूसरी ही पंक्ति है : **जिमि सिरज्या यह देस दियारू।** यहाँ **सिरज्या** रूप बाँगरू भाषा का है, बाद में अवधी क्रिया **सिरजसि** (सिरजॅसि) का बार-बार प्रयोग हुआ है।

'चांदायन' में **भव्** या **भय्** (संस्कृत **भू**) के पश्चिमी रूप **भयउ, भयो हैं,** अवधी में एकवचन रूप **भवा, भया, भा हैं**। 'चांदायन' में **भएउ, भयो, भा**—तीनों

तरह के प्रयोग है। साहित्य की भाषा में विभिन्न जनपदों के रूप घुल-मिल रहे हैं। हिन्दी **लीजिए, दीजिए** के अनुरूप **लीजा, दीजा** रूप हैं : **रासि गनित कर नाँउँ न लीजा, दइ (दइय) आनि बिचि बेटी दीजा**। इसी प्रकार **पाइए, रहिए** आदि की तरह : **अति अवगाहु न पाइअ थाहा, केहुँ न पाइअ बाट। कहा, रहा, देखा** जैसे खड़ी बोली के कृदन्त-रूप 'चांदायन' में बिखरे हुए हैं : **भाम नगारी कोडचरित हम देखा होइ अपार; हरियर आइ देसकर रहा, काग रुद्र (रूक) बहु भाषा कहा।** इसी प्रकार भूतकालीन कृदन्तों के कर्मवाच्य प्रयोग रहे हैं : **गाँउँ तीस भल दइजे पाए; घोर पचास प्रानि किए ठाढे**। सबसे आश्चर्य **किया** की जगह, **कीत** रूप का प्रयोग है : **भानु मंझान न कीत पियारू**। यह **कीत** अवश्य ही पछाँही प्रयोग है। **किध** से **किह, किय** रूप बने और **कीध** या **किध्द** से **कीत**।

वाक्यतंत्र की दृष्टि से 'चांदायन' का प्रारम्भिक अंश जायसी तथा अन्य कवियों के लिए एक आदर्श बन गया है। **सिरजसि धरती औरु अगासू, सिरजसि मेर मदर कवि-लासू**। और इस तरह काफी दूर तक यह सिलसिला चलता रहता है। इसी तरह 'पद्मावत' में : **कीन्हेसि प्रथम जोति परकासू। कीन्हेसि तेहि पिरीत कैलासू**। और यह **कीन्हेसि** का सिलसिला भी काफी दूर तक चलता है। अवश्य ही दाऊद और जायसी किसी साहित्यिक परम्परा से बँधे हुए ऐसी वाक्य-रचना कर रहे थे और यह सम्भव है कि अवधी की यह काव्य-परम्परा दाऊद से पहले की हो! वाक्यतंत्र की विशेषता यहाँ यह है कि वाक्य क्रिया से आरम्भ होता है, वाक्य का शेष अंश क्रिया के बाद आता है।

'मृगावती' की रचना 1503 में हुई। 'चांदायन' के **कीत** की तरह यहाँ कृदन्त-रूप **लीता** का प्रयोग हुआ है : **उतर न देइ पेम गहि लीता**। इससे भी आश्चर्यजनक प्रयोग **दीतिन्हि** है : **सब कहँ परोहन दीतिन्हि आनी**। अवधी रूप होगा **दीन्हेन्हि**, इसका आधुनिक विकास है **दीन्हेनि**। **दीन्ह** और **दीत**, दोनों कृदन्त-रूप हैं। कुतुबन ने अवधी की प्रकृति के अनुसार कृदन्त-रूप को फिर तिङन्त बनाया है। पर ये अपवाद-रूप प्रयोग हैं; ये केवल यह सूचित करते हैं कि जनपदों के बीच बड़े पैमाने पर भाषा-तत्त्वों का विनिमय हो रहा है। कर्मवाच्य प्रयोग 'चांदायन' की तरह 'मृगावती' में भी हैं : **चितमहँ गड़ि सो पिरम कहानी; एक-एक कहँ पूँछी बाता; देस लोक कहँ पठई पाती**। कहीं-कहीं पश्चिम के बदले पूर्व के प्रयोग भी लिये गए हैं, जैसे—लकारवाला भूत कृदन्त : **पिउ कत गेला अवर न बोलै।** एक आश्चर्यजनक प्रयोग सम्प्रदानकारक में **ला** प्रत्यय का है : **मन महँ कहेसि नियर होइ धरौं, हाथ न आव तो एहिला मरौं। एहिला** अर्थात् इसके लिए। डॉ. माताप्रसाद गुप्त ने कल्पना की है कि **ला** के बाद **इ** वर्ण छूट गया है पर यह कल्पना अनावश्यक है। बघेलखंडी में इस कारक-चिन्ह **ला** का प्रयोग अब भी होता है और उसी तरह उधर पूरब में मगही में होता है। **हाथ न आव**—यहाँ **आव**

क्रिया का अतिङन्त निरपेक्ष रूप है, **हाथ न आई** या **हाथ न आए**, ऐसा आशय है। इसी प्रकार : **निसि अँधियारि तिहि पुनि लागै, सेज न भाव रैनि सब जागै।** यहाँ **लागै, जागै** के समानान्तर भाव रूप का व्यवहार हुआ है। **भावै** के स्थान पर भाव काफी है। **कहा, देखा** आदि पश्चिमी रूपों के समान 'मृगावती' में भी कृदन्ती प्रयोग हैं : **राजइँ नेगिन्ह कहा बुलाई।** अवधी रूप होगा **कहेसि**, सम्मान दिखाना हो तो **कहेन्हि** या **कहेनि** रूप होगा। इसी प्रकार : **धाइन्हि अस कै खीर पिआवा।** कर्ता **धाइन्हि है, पियाएन्हि** की जगह **पियावा** रूप का प्रयोग है। अवधी का अपना रूप इस प्रकार है : **पाएन्हि बहुत पसाऊ।** कहीं-कहीं वर्तमानकालीन कृदन्त का प्रयोग क्रिया के तिङन्तरूप के स्थान पर हुआ है, यथा : **खेलत सबइ अहेरा जहाँ। खेलत** विशेषण रूप नहीं है, **खेलहिं** की जगह **खेलत** का प्रयोग हुआ है। आधुनिक अवधी के **जात है, आवत है** और हिन्दी के **जाता है, आता है**, कृदन्त क्रिया-रूपों के लिए जमीन तैयार हो रही है। तिङन्त रूप कहीं-कहीं कृदन्तवत् भी प्रयुक्त होते हैं। **पंडित आइ पढ़ावहि लागे**—पंडित आकर पढ़ाने लगे। **पढ़ावहि** का एक अर्थ **पढ़ाता है** भी होगा। आधुनिक अवधी में कहेंगे—**पढ़ावै लागि;** यहाँ **पढ़ावै** कृदन्त-रूप है; वह तिङन्त **पढावहि** का रूपान्तर है। इसी प्रकार **सब देखहिं आवहिं ओहिं ठाऊँ**—यहाँ **देखहिं** वर्तमानकाल में अन्यपुरुष का एकवचन रूप है और क्रियार्थी संज्ञा का काम कर रहा है। जैसे तिङन्त रूप में बहुधा **ह्** का लोप होता है, वैसे ही कृदन्तीय व्यवहार में महाप्राण ध्वनि का लोप होता है। **हनइ लाग निकसइ नहिं चाहा—निकसहि** के स्थान पर **निकसइ** रूप है। **हनइ लाग** संयुक्त क्रिया है जिसमें **हनइ** का प्रयोग कृदन्तवत् है।

**पढ़ावहि लागे**—संयुक्त क्रियापद है। ऐसी क्रियापद रचना उत्तर-पश्चिमी भाषाओं की विशेषता है, अवधी की नहीं, क्योंकि संयुक्त क्रियापद में पहला क्रिया-रूप कृदन्त होगा। कृदन्त और तिङन्त दो तरह की क्रियापद रचना के मेल से ऐसी संयुक्त क्रियापद रचना सम्भव हुई। अवधी कृदन्तहीन क्षेत्र की भाषा है। वह जब संयुक्त क्रियापद रचना से प्रभावित होती है, तब अपने तिङन्त रूप को ही कृदन्त की तरह काम में लाती है। **पढ़ावहि, देखहि** आदि वर्तमानकालिक अन्यपुरुष के एकवचन रूप हैं। **लागे** क्रिया के पहले ये कृदन्तवत् प्रयुक्त हुए। आधुनिक अवधी में **पढावै, देखै** जैसे क्रियार्थी संज्ञा रूप वास्तव में वर्तमानकालिक तिङन्त रूप हैं। मजे की बात है कि खड़ी बोली के **पढावैगा, देखैगा** रूपों का आधार भी वही **पढ़ावहि, देखहि** तिङन्त रूप हैं (टकसाली हिन्दी में **पढायेगा, देखेगा** रूप होंगे)। कोसल का तिङन्त रूप **कुरु** जनपद में पहुँचकर, साधारण क्रियामूल की तरह, कृदन्त प्रत्यय से संयुक्त हो रहा है, उधर कृदन्तों का कौरवी व्यवहार अवधी में संयुक्त क्रियापद रचना को प्रेरित कर रहा है। ऐसा है जनपदीय भाषाओं का सम्पर्क जिससे इन भाषाओं में नये-नये रूपों का उद्‌भव और विकास हुआ।

**पढ़ावहि-पढ़ावै, देखहि-देखै** रूप जब कृदन्तों का काम देने लगे, तब उनका व्यवहार संयुक्त क्रियापदों तक सीमित न रहा। वे संज्ञारूपों के समान कारकों में प्रयुक्त होने लगे। अवधी के तिङन्त क्रिया-रूप संज्ञा बन जाएँ, इसका कारण अवधी पर कौरवी समुदाय की भाषाओं का बहुत गहरा प्रभाव ही हो सकता है।

अवधी की अनेक विशेषताओं के बारे में जायसी की भाषा का विवेचन करते हुए आचार्य रामचन्द्र शुक्ल ने अनेक महत्त्वपूर्ण बातें 'जायसी ग्रंथावली' की भूमिका में कही हैं। ऐतिहासिक भाषाविज्ञान का अध्ययन करनेवालों को भी इस विवेचन पर ध्यान देना चाहिए। उक्त क्रियार्थी संज्ञा के सन्दर्भ में खड़ी बोली और ब्रजभाषा से अवधी का भेद बतलाते हुए शुक्ल जी ने लिखा है : "ठेठ अवधी की एक बड़ी भारी विशेषता को सदा ध्यान में रखना चाहिए। खड़ी बोली और ब्रजभाषा, दोनों में कारक-चिन्ह सदा क्रिया के साधारण रूप में लगते हैं, जैसे—'करने का', 'करन को' या 'करिबे को।' पर ठेठ या पूरबी अवधी में कारक-चिन्ह प्रथम पुरुष, एकवचन की वर्तमानकालिक क्रिया के रूप में लगता है, जैसे—'आवै कहँ', 'खायमाँ', 'बैठेकर'..."। इसके बाद शुक्ल जी ने जायसी से उदाहरण दिये हैं। ये उदाहरण दो तरह के हैं। पहली तरह के उदाहरणों में कारक-चिन्ह लगे हैं, यथा : **दीन्हेसि स्त्रवन सुन कहँ बयना**। दूसरी तरह के उदाहरणों में कारक-चिन्ह नहीं हैं, यथा : **सबै सहेली देखै धाईं** (शुक्ल जी परसर्ग नहीं, कारक-चिन्ह का प्रयोग करते हैं।)

कारक-चिन्ह लगता है या नहीं, यह प्रश्न गौण है; मुख्य बात यह है कि तिङन्त क्रिया-रूप संज्ञा की तरह वाक्य में प्रयुक्त हो रहा है, वह कारक भाव बता रहा है। कारक भाव वह शब्द बताता है जो क्रिया से संज्ञा रूप में सम्बद्ध होता है; जहाँ एक क्रिया से दूसरा क्रिया-रूप सम्बद्ध हो, वहाँ कारक-भाव का अस्तित्व ही न होगा।

कोसल तिङन्त क्रिया-रूपों का मुख्य क्षेत्र है। तिङन्त क्रिया-रूप पुरुषभेद, कालभेद सूचित करते हैं; ऐसा भेद सूचित करने का साधन हैं सर्वनाम-चिन्ह जो क्रियामूल में जोड़े जाते हैं। इससे भिन्न एक दूसरी प्रवृत्ति काम कर रही है जो क्रिया को सर्वनाम-चिन्हों से मुक्त रखती है, उसे पुरुषभेद कालभेद से भी मुक्त रखती है। कृदन्त-रूप पुरुषभेद से मुक्त हैं पर कालभेद से मुक्त नहीं हैं। इसके सिवा वे लिंगभेद, वचनभेद भी व्यक्त करते हैं। इनसे भिन्न क्रिया का एक अकृदन्त, अतिङन्त रूप है जो लिंग-वचन-पुरुष कालभेद से मुक्त है, सर्वनाम-चिन्हों (व्यक्तिवाचक प्रत्ययों) से मुक्त तो है ही। यहाँ विश्लिष्ट रूपतंत्र वाली क्रियापद रचना की तर्कसंगत चरम परिणति दिखाई देती है। 'उक्ति-व्यक्ति-प्रकरण' में क्रिया के ऐसे रूप वर्तमान काल से सम्बद्ध हैं किन्तु ऐसे रूपों का व्यवहार अन्य कालों के लिए भी होता था। **सुनत राम अभिषेक सुहावा। बाज गहागह अवध बजावा।** 'रामचरितमानस' की इन पंक्तियों में **बाज** भूतकाल की ओर संकेत करनेवाला रूप है, यह सन्दर्भ से स्पष्ट है।

क्रिया के इस विशुद्ध रूप के बारे में शुक्ल जी ने 'जायसी ग्रंथावली' की भूमिका में लिखा है : "पद्य में कभी-कभी वर्तमान काल के रूप के स्थान पर संक्षेप के लिए धातु का रूप रख दिया जाता है, जैसे—(क) **हौं अन्धा जेहि सूझ न पीठी** (सूझ = सूझती है)। (ख) **बिनु गथ बिरिछ निपात जिमि ठाढ़ ठाढ़ पै सूख** (सूख = सूखता है)।" 'उक्ति-व्यक्ति-प्रकरण' में क्रिया के ऐसे शुद्ध रूपों की बहुतायत है। वहाँ पद्य लिखते समय क्रिया-रूप को संक्षिप्त करना आवश्यक न था। शुक्ल जी ने एक रोचक उदाहरण तुलसीदास से दिया है : **मरम बचन जब सीता बोला।** यहाँ **बोला** वास्तव में **बोल** है। छन्द की दृष्टि से संक्षिप्त न होकर और विस्तृत हो गया है। ऐसे पदों का एक उदाहरण जायसी से दिया है : **देखि चरित पद्मावति हँसा।** शुक्ल जी कहते हैं : "'बोला' और 'हँसा' वास्तव में 'बोल' और 'हंस' हैं जो छन्द की दृष्टि से दीर्घान्त कर दिये गए हैं। कहने की आवश्यकता नहीं कि संक्षिप्त रूपों का व्यवहार दोनों लिंगों में समान रूप से हो सकता है।" तुलसीदास और जायसी कर्मवाच्य प्रयोगों से परिचित थे और 'रामचरितमानस' में ऐसे रूप भरे पड़े हैं। सम्भव है, **बोला** का सम्बन्ध **मरम** वचन से हो किन्तु जायसी ने **हँसा** का प्रयोग निस्सन्देह क्रिया का विशुद्ध रूप ध्यान में रखकर किया है।

अवधी में **ब**-वाले कृदन्त-रूप, विशुद्ध क्रिया के समान, किसी भी पुरुष के साथ प्रयुक्त हो सकते थे, पुरुष के साथ रूप बदलना आवश्यक नहीं था। **पावहि** शुद्ध क्रिया-रूप जैसे संज्ञावत् प्रयुक्त हो सकता था, वैसे ही **पाउब** क्रिया-रूप भी संज्ञावत् प्रयुक्त होता था। इस सम्बन्ध में शुक्ल जी ने लिखा है : "इनमें उत्तम पुरुष के बहुवचन का जो रूप (पाउब) है, वह अवधी साहित्य में सब पुरुषों में मिलता है (यद्यपि बोलचाल में उत्तम पुरुष बहुवचन **हम** के ही साथ आता है)। जायसी और तुलसी, दोनों ने सब पुरुषों में और दोनों वचनों में इस रूप का व्यवहार किया है, जैसे—**घर कैसे पैठब मैं छूछे** (उत्तम पुरुष, एकवचन), **गुन अवगुन विधि पूछब** (प्रथम पुरुष, एकवचन)। पूरबी अवधी में साधारण क्रिया (Infinitive) का भी यही 'ब' वर्णान्त रूप है।" यद्यपि जायसी और तलसीदास की रचनाओं में **ब**-वाले कृदन्त-रूप अधिकतर पुरुष-निरपेक्ष क्रिया-रूप में प्रयुक्त होते हैं, फिर भी जहाँ-तहाँ अवधी की प्रवृत्ति के अनुरूप इस कृदन्त के साथ पुरुष चिन्हों का प्रयोग भी होने लगा है। उक्त स्थापना से पहले शुक्ल जी ने लिखा है : "भविष्यत् के रूप ठेठ अवधी के कुछ निज के होते हैं—उत्तम पुरुष (1) **कौन उतर देबौं तेहि पूछे—** (एकवचन) मैं। (2) **कौन उतर पाउब पैसारू—** (बहुवचन) हम।"

अवधी में कर्तृवाच्य प्रयोग अधिक होते हैं। इस सम्बन्ध में शुक्ल जी ने लिखा है : "शुद्ध अवधी की बोलचाल में क्रिया का रूप सदा कर्ता के पुरुष, लिंग और वचन के अनुसार होता है; कर्म के अनुसार सकर्मक भूतकालिक क्रिया में भी नहीं होता। कारण यह है कि पूरबी बोलियाँ भूतकाल में कृदन्त-रूप नहीं लेती हैं, तिङन्तरूप

ही रखती हैं। मूल चाहे इन रूपों का कृदन्त ही हो, जैसा कि कहीं-कहीं लिंगभेद से प्रकट होता है, पर व्यवहार तिङन्त ही-सा होता है।" शुक्ल जी जब कहते हैं कि पूरबी बोलियाँ भूतकाल में तिङन्तरूप ही रखती हैं, मूल चाहे इन रूपों का कृदन्त ही हो, तब वे अवधी की मूल तिङन्त पद्धति की ओर संकेत करते हैं। जिस प्रक्रिया को मैंने कृदन्तों का तिङन्तीकरण कहा है, यहाँ उसका स्पष्ट उल्लेख है। इसी तिङन्त-प्रकृति के कारण जायसी ने **देव** के स्थान पर **देबौं** लिखा। अवधी के कुछ क्षेत्रों में **ब** वाले क्रिया-रूपों का व्यवहार केवल उत्तम पुरुष के साथ होता है; **हम जइबे** और **हम ज़ाब**, दोनों रूप **हम** के साथ प्रयुक्त होते हैं। **जइबे** रूप में एकार पुरुष बोधक नहीं है, निश्चयार्थ सूचक है, इसका उल्लेख मैथिली के प्रसंग में किया जा चुका है। किन्तु प्रतापगढ़ की अवधी में **ब** वाले रूप का व्यवहार उत्तम और मध्यम, दोनों पुरुषों में होता है। धीरेन्द्र वर्मा की 'ग्रामीण हिन्दी' पुस्तिका में दो वाक्य हैं : **तौ ऊ अहिरवा जानिसि कि हमरे बरधवन का पूछत अहैं कि बेचब्या। औ गोहराय के कहिस कि बरधवन का हम न बेचबै।** यहाँ उत्तम पुरुष में **बेचबै** रूप है और मध्यम पुरुष एकवचन **बेचब्या** में पुरुष-सूचक दूसरा चिन्ह लगाया गया है। इसी तरह छत्तीसगढ़ी में इस कृदन्त का व्यवहार उत्तम मध्यम पुरुषों में होता है। उक्त पुस्तिका में एक वाक्य है : **नहीं करबे तो तोला साहेब के कचहरी माँ ले जाबो।** यहाँ मध्यम पुरुष में एकार है और उत्तम पुरुष में ओकार है, चिन्हों की यह भिन्नता पुरुष भेद सूचित करने के लिए है। यह कृदन्तों का तिङन्तीकरण हुआ।

जहाँ तिङन्त पद्धति प्रधान होगी, वहाँ कर्तृवाच्य प्रयोग प्रधान होंगे पर अवधी में कर्मवाच्य प्रयोग भी होते हैं, विशेषत: जायसी और तुलसीदास की अवधी एक साहित्यिक भाषा-परम्परा का अंग है और पश्चिमी प्रभाव से उसमें कर्मवाच्य प्रयोग काफी हैं। इस सन्दर्भ में शुक्ल जी ने बहुत स्पष्ट लिखा है : "ऊपर जो पूरबी अवधी के रूप दिखाए गए, उनसे यह न समझना चाहिए कि जायसी ने सर्वत्र पूरबी अवधी ही के व्याकरण का अनुसरण किया है। कवि ने तुलसीदास जी के समान सकर्मक भूतकालिक क्रिया के लिंग वचन अधिकतर पच्छिमी हिन्दी के ढंग पर कर्म के अनुसार ही रखे हैं, जैसे—**बसिठन्ह आइ कही अस बाता।**" शुक्ल जी ने यहाँ अवधी पर पच्छिमी हिन्दी के प्रभाव का उल्लेख किया है। यह प्रभाव साहित्यिक भाषा के स्तर पर अधिक था, बोलचाल की भाषा के स्तर पर कम। इसीलिए जहाँ भूतकालिक क्रिया लिंगभेद सूचित करती है, वहाँ शुक्ल जी उसे अवधी व्याकरण के अनुरूप प्रयोग नहीं मानते। शुक्ल जी की स्थापना उन सब भाषाविज्ञानियों के लिए ध्यान देने योग्य है जो जायसी या तुलसीदास की भाषा में सर्वत्र पुरानी अवधी के रूप देखते हैं। वे साहित्यिक भाषा की निर्माण प्रक्रिया भुला देते हैं। जायसी की अपेक्षा पच्छिमी हिन्दी के ढंग पर कर्मवाच्य प्रयोग 'रामचरितमानस' में और भी अधिक हैं। इसका कारण यह है कि साहित्यिक भाषा की वह परम्परा 'रामचरितमानस' में पूर्णतः विकसित हो चुकी है।

तिङन्त क्रिया-रूपों की विशेषता है पुरुषभेद की सूचना, इस विशेषता का आधार है वह वाक्यतंत्र जिसमें कर्ता क्रिया के बाद आता था। कृदन्त-रूपों की विशेषता है, पुरुषभेद का अभाव, और इस विशेषता का आधार है वह वाक्यतंत्र जिसमें कर्ता पहले आता है और क्रिया वाक्य के अन्त में। अवधी का वाक्यतंत्र मूलत: क्रियाप्रधान है; संस्कृत का वाक्यतंत्र अपने मूलरूप में इसी पद्धति का अनुसरण करता था। किन्तु जैसे-जैसे कृदन्त-रूपों का व्यवहार बढ़ता गया, वैसे-वैसे तिङन्त रूप कम होते गए और क्रिया-रूप पुरुषभेद से मुक्त होते गए। पूरब की आर्य भाषाएँ तिङन्त पद्धति का गढ़ रही हैं इसीलिए इनमें बहुधा कृदन्तों का व्यवहार भी तिङन्तवत् होता है। कृदन्त पद्धति के साथ जिस उद्देश्य-विधेय क्रम वाले वाक्यतंत्र का चलन हुआ, उसका प्रभाव अब सभी आर्य भाषाओं पर तो है ही, द्रविड़, कोल और नाग-भाषाएँ भी वाक्य कर्ता से आरम्भ करती हैं और क्रिया से उसका अन्त करती हैं। शुक्ल जी ने भूतकालिक क्रिया के लिंगभेद वाले रूप का उदाहरण देने के बाद अवधी पर पश्चिमी प्रभाव को ध्यान में रखते हुए आगे लिखा है : "इसी प्रकार भूतकालिक क्रिया का पुरुष-भेद-शून्य पश्चिमी रूप भी प्राय: मिलता है, जैसे **तुम तो खेलि मंदिर महँ आईं।" तुम आईं, वे आईं,** अकर्मक क्रिया के भूतकाल रूप में पुरुषभेद से कोई परिवर्तन न हुआ। पश्चिमी हिन्दी का प्रभाव भूतकालिक क्रिया-रूपों पर अन्य प्रकार भी देखा जा सकता है। शुक्ल जी ने लिखा है : "पश्चिमी हिन्दी की सकर्मक भूतकालिक क्रिया में पुरुष-भेद नहीं रहता—जैसे **मैंने किया, तुमने किया, उसने किया**। ठेठ अवधी के ऊपर दिये रूपों के अतिरिक्त जायसी और तुलसी, दोनों एक सामान्य आकारान्त रूप भी रखते हैं जिसका प्रयोग तीनों पुरुषों, दोनों लिंगों और दोनों वचनों में समान रूप से करते हैं, जैसे :

उत्तम पु. (1) का मैं बोआ जनम ओहि भूँजी?<br>
(2) हम तो तोहि देखावा पीऊ।<br>
मध्यम पु. (3) तुइ सिरजा यह समुद अपारा।<br>
(4) अब तुम आइ अँतर पट साजा।<br>
प्रथम पु. (5) भूलि चकोर दिस्टि तहँ लावा।<br>
(6) तिन्ह पावा उत्तिम कैलासू।"

एक तरह से यहाँ क्रिया का शुद्ध रूप है, विशेषण के समान उसमें लिंग-भेद नहीं है। मानक हिन्दी में **ने** चिह्न के साथ **मैंने बोया, हमने दिखाया** आदि प्रयोग होंगे। **मैंने बोया** वाक्य के लिए भाषाविज्ञानी कहेंगे कि यह वाक्य कर्मवाच्य है, **मैंने** का अर्थ है **मेरे द्वारा**। उन्हें मानना चाहिए कि कर्ता कारक **हम** भी करणकारक **में** है। **हमने** का अर्थ है हमारे द्वारा। **ने** चिह्न लगे चाहे न लगे, कर्ता (या करण) कारक का सम्बन्ध क्रिया के साथ वैसा ही बना रहता है। भले ही **बोआ, दिखावा**

आदि क्रिया-रूप कर्मवाच्य रहे हों पर जायसी उनका प्रयोग कर्तृवाच्यवत् कर रहे हैं। मुख्य बात यह है कि ऐसे रूपों में भाषा की विश्लिष्ट पद्धति फिर झलकती है; उनमें पुरुषभेद का अभाव है यद्यपि कालभेद का अभाव नहीं है।

अवधी में क्रियार्थी संज्ञारूप न प्रत्यय जोड़कर बनते थे। ऐसे रूप 'उक्ति-व्यक्ति-प्रकरण' में हैं। ऐसे **न** वाले रूप जायसी और तुलसीदास की रचनाओं में भी हैं। ऐसे रूप पूरबी की अपेक्षा पच्छिमी अवधी में अधिक रहे हैं और अब कनौजी में मिलते हैं। ब्रजभाषा में इनका अभाव है। कनौजी में **न** वाले रूपों को ध्यान में रखते हुए शुक्ल जी ने लिखा है : "इसके अतिरिक्त पश्चिमी साधारण क्रिया (Infinitive) के 'न' वर्णान्त रूप का प्रयोग भी कहीं-कहीं देखा जाता है, जैसे : **कित आवन पुनि अपने हाथा**।" यहाँ **आवन** पश्चिमी अवधी का क्रियार्थी संज्ञारूप है और तुलसीदास के अतिरिक्त प्रताप नारायण मिश्र की अवधी में भी उसका प्रयोग हुआ है।

शुक्ल जी ने अवधी के ध्वनि-तंत्र के बारे में एक महत्त्वपूर्ण बात कही है। **होई** और **होइहि**, एक ही अर्थ देनेवाले भविष्यकालीन इन दो क्रिया-रूपों में वह **हि** वाले रूप को पुराना मानते हैं। लिखा है : "'**होइहि** पुराना रूप है। **ह** के घिस जाने से आजकल **होई** (= होगा) बोलते हैं।" अनेक भाषाविज्ञानी अन्य पुरुष एकवचन क्रिया-रूपों में जहाँ **हि** देखते हैं, वहाँ वे उसे मूलरूप **इ** का विकास मानते हैं। वास्तव में पश्चिमी जनपदों के प्रभाव से महाप्राण ध्वनि का लोप होता है, अतिरिक्त **ह्** व्यंजन जोड़ा नहीं जाता। ऐसे रूप जिनमें पहले **ह्** ध्वनि थी पर आगे चलकर उसका लोप हो गया, बंगाल तक पहुँचे हैं। दो चीजों की तुलना करते हुए बंगला में **चेये** शब्द का प्रयोग होता है। यह **चेये** शब्द अवधी के **चाहि** क्रिया का रूपान्तर है। शुक्ल जी ने इस सन्दर्भ में लिखा है : "जायसी और तुलसी ने कुछ पुराने शब्दों का व्यवहार किया है। इनमें से कई एक ऐसे हैं जो अब प्रसिद्ध नहीं हैं। उदाहरण के लिए **चाहि** और **बाज**—इन दो शब्दों को लीजिए। **चाहि** का अर्थ है अपेक्षाकृत अधिक, बढ़कर—(क) **मेघहु चाहि अधिक वै कारे**। (ख) **एक सों एक चाहि रुपमनी**। (ग) **कुलिसहु चाहि कठोर अति, कोमल कुसुमँहु चाहि**—तुलसी। यह **चाहि** शायद संस्कृत **चापि** से निकला हो। बंगला में यह **चेये** इस रूप में बोला जाता है।" **चाह** क्रिया का अर्थ है देखना। **मेघहु चाहि अधिक वै कारे**—अर्थात् मेघ को भी देखते वे अधिक काले हैं। तुलना के लिए **देखते** शब्द का इस तरह प्रयोग अब भी होता है, खास तौर से पूरब के लोग मानक हिन्दी बोलते हुए उसका प्रयोग करते हैं। पूर्वकालिक रूप **चाहि** से बंगला **चेये** का विकास हुआ। देखने के अर्थ में **चाह** क्रिया का प्रयोग जायसी और तुलसीदास तथा अन्य कवियों की भाषा में तथा आधुनिक बंगला में भी देखा जाता है। तुलसीदास ने **देखने** के अर्थ में **चाह** क्रिया का प्रयोग बालकांड के आरम्भ में इस प्रकार किया है : **अस मानस मानस चख चाही। भइ कवि बुद्धि विमल अवगाही**। इसी तरह बालकांड के अन्तिम

अंश में : **सखी सीय मुख पुनि पुनि चाही। गान करहिं निज सुकृत सराही। चाह** क्रिया का प्रयोग बंगला से हिन्दी में आया होगा, उस समय इसकी कोई सम्भावना न थी। यह क्रिया उन भाषातत्त्वों में है जो अब अवधी से लुप्त हो गए हैं किन्तु बंगला में सुरक्षित हैं। इसी तरह **थाक** क्रिया है जो पहले अवधी में प्रयुक्त होती थी। **रहने, स्थित होने के** अर्थ में जायसी ने 'पद्मावत' के जोगी खंड में लिखा है : **हनुवँत केर सुनब पुनि हाँका, दहुँ को पार होइ को थाका**। यह क्रिया बंगला में खूब प्रयुक्त होती है। इसी तरह **आछ** क्रिया पुरानी अवधी में खूब चलती थी पर अब मैथिली और बंगला में उसका व्यवहार होता है। शुक्ल जी ने इसके बारे में लिखा है : "यह **अस्** धातु से निकली जान पड़ती है जिसके रूप पालि में **अच्छति, अच्छन्ति** आदि होते हैं। अब हिन्दी में तो उसका वर्तमान कृदन्त-रूप **अछत** या **आछत** ही बोलचाल में है, पर बंगला में इसके और रूप प्रचलित हैं।" मेरी समझ में शुक्ल जी ने **आछ** क्रिया का सम्बन्ध **अस** से ठीक जोड़ा है। इसी तरह उन्होंने **अह** क्रिया का सम्बन्ध भी **अस्** धातु से जोड़ा है और 'जायसी ग्रंथावली' की भूमिका में लिखा है : "यह सत्तार्थक क्रिया **भू** धातु से न निकलकर **अस्** धातु से निकली जान पड़ती है।" इस प्रकार शुक्ल जी **अस्** क्रिया के दो रूपान्तर मानते हैं, एक **अह** (या **आह**), दूसरा **अछ** (या **आछ**)। **अछत** और **आछत** रूप अब मानक हिन्दी में नहीं हैं। सम्भव है, अवधी के किसी क्षेत्रीय रूप में उनका चलन हो!

एक अन्य क्रिया **पार**, समर्थ होने के भाव में, पहले अवधी में प्रयुक्त होती थी, अब वह बंगला में प्रयुक्त होती है, हिन्दी प्रदेश में उसका लोप हो गया है। शुक्ल जी ने इसके बारे में लिखा है : "**पारना** क्रिया के रूप अब बंगाल ही में सुनाई पड़ते हैं। पर जायसी और तुलसी के जमाने तक शायद वे अवध की बोलचाल में भी रहे हों; क्योंकि इनके पहले के कबीर साहब की वाणी में भी वे पाए जाते हैं। जो कुछ हो, जायसी और तुलसी दोनों ने इस **पारना** (= सकना) क्रिया का खूब व्यवहार किया है, जैसे—(क) **परीनाथ कोइ छुवै न पारा**।—जायसी; (ख) **तुमहिं अछत को बरनै पारा?**—तुलसी।" **चाह, पार** आदि क्रियाएँ अब बंगला में मिलती हैं, पहले अवधी में प्रयुक्त होती थीं, इस तथ्य से एक अन्य धारणा की पुष्टि होती है कि तालव्य **श्** की प्रधानता पहले मगध में थी, बाद को वैसी प्रधानता मगध से हटकर बंगाल में सुरक्षित रही। जैसे-जैसे मध्यदेश और पूर्वी क्षेत्रों की बोलियों पर पश्चिमी भाषाओं का प्रभाव बढ़ा, वैसे-वैसे अवधी, मगही आदि के अनेक भाषा-तत्त्व अपनी मूल भूमि छोड़कर बंगला में सिमट आए। पूर्वी क्षेत्रों के अलावा मराठी जैसी पश्चिमी भाषा में भी पुरानी अवधी के कुछ रूप अभी विद्यमान हैं। **अह** या **आह** क्रिया का **आहे** (है) रूप मराठी में प्रचलित है। जायसी ने लिखा था : **का राजा हौं बरनौं तासू, सिंघल दीप आहि कैलासू**। यह **आहि** शब्द महाप्राणता के लोप के बाद अवधी और बुन्देलखंडी में अब भी बोला जाता है। **को आय** या **कु आय**

का अर्थ है, कौन है। **को अयम्** से इसका कोई सम्बन्ध नहीं है। इसके बहुवचन रूप **आहिन** का प्रयोग अवधी में अब भी होता है और उसमें महाप्राण ध्वनि बनी हुई है। **हम आहिन** अर्थात **हम हैं, वी आहीं** अर्थात **वे हैं**। बहुधा देखा जाता है कि एकवचन रूप में **ह्** का लोप पहले होता है, बहुवचन में कम होता है या विलम्ब से होता है। जायसी और तुलसीदास की भाषा में **करहि** जैसे रूप कम और **करइ** जैसे रूप ज्यादा हैं किन्तु **करहिं** जैसे रूप खूब प्रयुक्त होते हैं। इसी तरह **आहि** का रूपान्तर **आय** है; **आहिन, आहीं** में **ह्** सुरक्षित है।

तुलसीदास की भाषा में पश्चिमी प्रयोग और भी अधिक हैं। 'मानस' अवधी भाषा का लोकप्रिय श्रेष्ठ ग्रंथ है, इसलिए उसके बारे में विशेष सावधान रहना चाहिए कि उसकी भाषा के हर प्रयोग को हम पुरानी अवधी न समझ लें। वह परम्परा जिसमें पच्छिमी प्रयोग अवधी में मिलने लगे हैं, तुलसी से पहले जायसी में आरम्भ हो चुकी है। **कीजिए, पाइए,** आधुनिक हिन्दी के इन क्रिया-रूपों से मिलते-जुलते रूप 'पद्मावत' में हैं। 'नागमती' सुवा संवाद खंड में जायसी ने लिखा था : **जेहि रिस कै मरिए रस जीजै। सो रस तजि रिस कबहुँ न कीजै। कन्त सोहाग कि पाइय साधा। पावइ सोइ जो उहि चित बाँधा।** यहाँ **जीजै, कीजै, मरिए, पाइय** आदि पच्छिमी प्रयोग हैं। तुलसीदास ने मानस के अरण्यकांड में लिखा : **तासों तात बयरु नहिं कीजै। मारें मरिअ जिआएँ जीजै।** आधुनिक अवधी के विपरीत तुलसीदास की साहित्यिक अवधी में कर्मवाच्य प्रयोग, जायसी की अपेक्षा, अधिक हैं। बालकांड के आरम्भ में उन्होंने लिखा : **मैं पुनि निज गुरु सन सुनी कथा सो सूकर खेत। समुझी नहिं तसि बालपन तब अति रहेउँ अचेत। तदपि कही गुरु बारहिं बारा। समुझि परी कछु मति अनुसारा।** यहाँ लगातार कर्मवाच्य प्रयोग हुए हैं। **कथा सुनी, कथा समझी नहीं, गुरु बारहिंबार कथा कही, तब कछु समुझि परी।**—इस तरह के कृदन्तीय प्रयोग ब्रजभाषा, बुन्देलखंडी आदि में प्रचलित हैं, अवधी में नहीं। सुन्दरकांड में तुलसीदास ने लिखा था : **नाथ काजु कीन्हेउ हनुमाना, राखे सकल कपिन्ह के प्राना।** यहाँ **राखे** क्रिया का बहुवचन रूप कर्म **प्रान** के अनुरूप है। **चलत मोहि चूडामनि दीन्ही। रघुपति हृदय लाइ सोइ लीन्ही।** यहाँ **दीन्ही लीन्ही** कृदन्त-रूप कर्म चूडामनि के अनुरूप लिंगभेद सूचित करते हैं। **केहि अपराध नाथ हौं त्यागी**—यहाँ पुन: कर्म सीता के अनुरूप **त्यागी** स्त्रीलिंग में है। सुन्दरकांड में ही तुलसीदास ने लिखा : **राम कपिन्ह जब आवत देखा**—यहाँ **देखा** आधुनिक हिन्दी के समान लिंग वचन-भेद से मुक्त शुद्ध कृदन्त-रूप है। **राम ने देखा, ने** लगाकर कर्ता का अस्तित्व सूचित करना आवश्यक नहीं है। **देख** के अन्तिम स्वर को दीर्घ करके **देखा** रूप नहीं बनाया गया। **पवनतनय के चरित सुहाये। जामवंत रघुपतिहिं सुनाए**—यहाँ **सुनाए** बहुवचन रूप कर्मकारक **पवनतनय के चरित** के अनुरूप है। अवधी का रूप होना चाहिए था **सुनाएन्हि, जामवंत पवनतनय के**

**चरित रघुपतिहि सुनाएन्हि।** तुलसीदास इस तरह के प्रयोगों से अच्छी तरह परिचित हैं, यथा : लंकाकांड में उन्होंने लिखा है : **गहि कर पादप उपल पहारा। डारेन्हि तापर एकहिं बारा।** और : **जय जय जय रघुबंसमनि धाए कपि दै हूह। एकहि बार तासु पर छाड़ेन्हि गिरि तरु जूह।** ऐसे कर्तृवाच्य प्रयोगों की तुलना में, 'मानस' की भाषा में, कर्मवाच्य प्रयोग अधिक हैं। तुलसीदास की काव्य भाषा ब्रज, बुन्देलखंडी और कनौजी के बहुत निकट है, यह बात सदा ध्यान में रखनी चाहिए। कहीं-कहीं आधुनिक खड़ी बोली के पूर्वरूप तुलसीदास की क्रियापद रचना में मिलते हैं, जैसे उन्होंने बालकांड में लिखा : **भले भवन अब बायन दीन्हा। पावहुगे फल आपन्ह कीन्हा।** यहाँ **पाओगे** का पूर्वरूप **पावहुगे** विद्यमान है। **गा, गे** आदि का व्यवहार ब्रज और बुन्देलखंडी में होता है, अवधी में नहीं। किन्तु मानक हिन्दी का **पाओगे** रूप अवधी के आधार पर बना है, यह **पाओ** के पूर्वरूप **पावहु** से स्पष्ट है। इसी तरह किष्किन्धाकांड में तुलसीदास ने लिखा : **प्रथमहिं देवन्ह गिरिगुहा राखेउ रुचिर बनाइ। राम कृपानिधि कछु दिन बास करहिंगे आइ।** —यहाँ **करेंगे**, मानक हिन्दी के इस रूप की रचना कैसे हुई है, इसका ज्ञान **करहिंगे** देखकर होता है।

पुरानी अवधी में तिङन्त प्रयोगों का चलन था। वर्तमान काल के रूपों में जहाँ-तहाँ कृदन्त प्रयोग होने लगे थे। जायसी ने 'पद्मावत' के राजा सुवा संवाद खंड में लिखा था : **हीरामन हौं तेहिक परेवा। कंठा फूट करत तेहि सेवा।** यहाँ **करत** आधुनिक **करता हूँ** का पूर्वरूप है। इसी तरह तुलसीदास ने किष्किन्धाकांड में लिखा : **इहाँ साप बस आवत नाहीं। तदपि सभीत रहउँ मन माहीं।** —यहाँ **रहउँ** तो तिङन्त प्रयोग है, **आवत** वर्तमान काल का कृदन्त-रूप है। ऐसे कृदन्त-रूप संयुक्त क्रियाओं में भी प्रयुक्त होने लगे हैं। किष्किन्धाकांड में तुलसीदास ने लिखा : **छन एक सोच मगन होइ रहे। पुनि अस वचन कहत सब भए।** —यहाँ कथावाचकों का प्रसिद्ध **कहत भए**, अपने पूर्ण रूप में, विद्यमान है। यह प्रयोग तुलसीदास ने सम्भवत: कथावाचकों से ही लिया होगा।

सर्वनाम रूपों में मानक हिन्दी **मेरा**, अवधी **मोर** रूप स्वीकार करती हैं। तुलसीदास दोनों का व्यवहार करते हैं। बालकांड के आरम्भ में : **भाषाबद्ध करबि मैं सोई। मोरें मन प्रबोध जेहिं होई।**—यहाँ तो उन्होंने अवधी का **मोर** रूप लिया पर इसके बाद ही लिखा : **जस कछु बुधि बिबेक बल मेरें। तस कहिहउँ हियँ हरि के प्रेरें।** यहाँ उन्होंने पश्चिमी रूप **मेरे** ग्रहण किया। किसी को यह भ्रम न होना चाहिए कि पुरानी अवधी में **मोरे** के स्थान पर **मेरे** रूप का व्यवहार होता था। इसी प्रकार अनिश्चयसूचक सर्वनाम **कोई** का अवधी रूप **कोऊ** है। तुलसीदास दोनों रूपों का व्यवहार करते हैं। बालकांड के आरम्भ में : **परम स्वतंत्र न सिर पर कोई। भावइ मनहि करहु तुम्ह सोई।** अयोध्याकांड में : **कोउ किछु कहइ न कोइ किछु पूँछा। प्रेम भरा मन निजगति छूँछा। किछु** रूप अब बंगला में प्रयुक्त होता

है। सर्वनाम रूप **जो** अवधी और हिन्दी, दोनों में प्रयुक्त होता है। **जे** रूप पूर्वी क्षेत्र की बोलियों में प्रयुक्त होता है। तुलसीदास बहुधा इसी **जे** रूप का व्यवहार करते हैं, यथा : बालकांड के आरम्भ में : **जे पर दूषन भूषन धारी;** और **जे पर भनिति सुनत हरषाहीं।** इसी तरह हिन्दी **कौन** का प्रतिरूप **को** है। तुलसीदास **के** रूप का व्यवहार बहुधा करते हैं, यथा : अयोध्याकांड में : **मोहि कुमातु समेत बिहाई। कहहु कहिहि के कीन्ह भलाई।** पर यह सम्भव है कि **जे, के** रूप बोलचाल की पुरानी अवधी में प्रयुक्त होते रहे हों और **जो, को** उसमें बाद में आए हों।

उत्तम पुरुष सर्वनाम का एकवचन रूप **हहुँ, हउँ, हौं, हूँ** पुराना है। इसका प्रमाण यह है कि यह सर्वनाम रूप क्रियापदों के बाद प्रयुक्त होता है और वह मागधी **अम्भि, अम्हि, आमि** से भिन्न है। मागधी सर्वनाम पश्चिम में संस्कृत में, और पूर्व में बंगला में, प्रयुक्त होता रहा है, **हौं** रूप मध्यदेशीय है। **पढ़ूँगा, करूँगा** आदि में इसका **ॐ** चिह्न क्रिया-रूप को उत्तम पुरुष से जोड़ता है। **मैं, मो, मे** आदि रूप संस्कृत के **मम** वर्ग के हैं और इनका उद्भव **मध** से है। अवधी में **मैं** रूप का चलन अब भी कम है। यदि जायसी और तुलसीदास की तुलना की जाए तो विदित होगा कि जायसी ने **हौं** रूप का अधिक प्रयोग किया है और तुलसीदास ने **मैं** का। 'पद्मावत' के आरम्भ में : **वै मखदूम जगत के हौं ओहि घर कै बाँद; वै सुगुरु हौं चेला नित बिनवौं भा चेर; हौं पंडितन केर पछलगा।** जायसी **मैं** रूप का भी प्रयोग करते हैं, जैसे **गुरु मोहदी खेवक मैं सेवा,** किन्तु इसकी आवृत्ति कम करते हैं। बालकांड के आरम्भ में : **मैं पुनि निज गुरु सन सुनी; किमि समुझौं मैं जीव जड़; भाषाबद्ध करबि मैं सोई।** तुलसीदास ने भी **हौं** का प्रयोग किया है किन्तु कम। सम्भवतः उनके समय तक **हौं** का प्रयोग ब्रजभाषा में अधिक होता था, अवधी में कम। **हौं** क्रिया-रूप भी है। **जात हौं** अर्थात् जाता हूँ; **हौं जात हौं** अर्थात् मैं जाता हूँ। सम्भव है, क्रिया-सर्वनाम की उलझन से बचने के लिए **हौं** का प्रयोग कम कर दिया गया हो। साहित्यिक ब्रजभाषा में इसका प्रयोग अधिक होता है किन्तु तुलसीदास 'विनय-पत्रिका' में भी **हौं** के अतिरिक्त **मैं** का निरन्तर प्रयोग करते हैं, यथा : **नाहिन कछु अबगुन तुम्हार अपराध मोर मैं माना; ज्ञान भवन तन दिएहु नाथ सोउ पाय न मैं प्रभु जाना।**—यहाँ **मैं** सर्वनाम ही नहीं, उसके साथ **माना, जाना** क्रिया-रूपों का प्रयोग भी खड़ी बोली का है। 'रामचरितमानस' में **मैं** के अतिरिक्त **हौं** का प्रयोग भी है, यथा सुन्दर कांड में : **बचनु, न आव नयन भरे बारी। अहह नाथ हौं निपट बिसारी।** जो लोग समझते हैं कि कर्मवाच्य प्रयोग से **मैं** रूप का कोई विशेष सम्बन्ध है, वे **बिसारी** के साथ **हौं** का प्रयोग यहाँ देखें।

एक सर्वनाम रूप **किसु** है। बालकांड के आरम्भ में : **नारद कर उपदेसु सुनि कहहु बसेहु किसु गेह।** इसी के वजन का एक रूप **जिसु** है। बालकांड में ही :

**बंदउँ बालरूप सोइ रामू। सब सिधि सुलभ जपत जिसु नामू।** हिन्दी में **जिस, किस** इसी के प्रतिरूप हैं। पुरानी उर्दू के **किसू** का सम्बन्ध **किसु** रूप से है।

'रामचरितमानस' में कहीं-कहीं ठेठ ब्रजभाषा के प्रयोग दिखाई देते हैं। बालकांड के आरम्भ में : **सुनहि मातु मैं दीख अस सपन सुनाबहुँ तोहि।** यहाँ **सुनहि** अर्थ यह नहीं है कि माता सुनती है वरन् माता से सुनने के लिए कहा गया है। मध्यम पुरुष एकवचन आज्ञार्थी रूप **सुनहु** को ब्रजभाषा के अनुरूप **सुनहि** लिखा गया है। ब्रजभाषा की विशेषता रूप को इकारान्त करने में है। सामान्य रूप होगा **सुनि**, अवधी में होगा **सुनु**। उसी तरह **सुनहि** और **सुनहु**। 'गीतावली' में तुलसीदास ने लिखा : **ऋषि नृप सीस ठगौरी सी डारी...अति सनेह कातर माता कहे, सुनि सखि! बचन दुखारी।** 'गीतावली' में अन्य गीत है : **तू देखि देखि री! पथिक परम सुन्दर दोउ।** और इसके साथ तुलसीदास **सुनु, देखु** आदि रूपों का व्यवहार भी अपनी ब्रजभाषा में करते हैं। 'गीतावली' में ही : **सहेली सुनु सोहिलो रे;** और : **देखु कोउ परम सुन्दर सखि! बटोही।** तुलसीदास के इकारान्त आज्ञार्थी रूपों से सूरदास के प्रयोग तुलनीय हैं। उनका एक पद यों आरम्भ होता है : **तेरौ तब तिहिं दिन, को हितू हो हरि बिनु;** और आगे कहते हैं : **सुनि कृतघन, निसि दिन कौ सखा आपन; सूर सो सुहृद मानि, ईस्वर अन्तरजानि, सुनि सठ, झूठों हठ कपट न ठानि।** उनका एक प्रसिद्ध पद है : **अब कैं नाथ मोहि उधारि।** ये साहित्यिक ब्रजभाषा के विशिष्ट रूप नहीं हैं वरन् बोलचाल की ब्रजभाषा के हैं। 'ब्रज की लोक-कहानियाँ' पुस्तक में ऐसे उदाहरण अनेक हैं : "रानी बोली : देखि राजा! छै महीना तक तौ तू मेरो भइया और मैं तेरी बहन।...वे बोले : बताइ भइया, कोई अकलि ऐसी बताइ जाते बचि जाँइ।" (पृ. 35) तुलसीदास के **सुनहि** के जोड़ का **मानहि** प्रयोग 'सूरसागर' में इस प्रकार है : **तू जननी अब दुख जनि मानहि।**

तुलसीदास के भाषा-संस्कार अवधी के हैं। उनके समय तक काव्य में ब्रजभाषा अच्छी तरह प्रतिष्ठित हो चुकी है। उसका गहरा प्रभाव उनके ऊपर है। किन्तु जब वह ब्रजभाषा लिखते हैं तब अवधी के रूप जहाँ-तहाँ अपनी झलक दिखाते हैं। **जल को गए लक्खन हैं लरिका**—यहाँ **लरिका** शब्द में कोई विशेष अवधीपन नहीं है किन्तु **लरिकवा** कहा जाए तो अवधीपन अवश्य आ जाएगा। तुलसीदास ने इसका बहुवचन रूप **लरिकपनि** 'गीतावली' में लिखा है। गीत आरम्भ होता है : **कोसलराय के कुअँरोटा।** आगे की पंक्ति है : **कहँ सिव चाप लरिकवनि बूझ बिहँसि चितइ तिरछौंहे।** इसी तरह 'गीतावली' के एक गीत **पूजि पारबती भले भाय पाँय परिकै** में आगे पंक्ति है : **अन्तरजामिनि भवभामिनि स्वामिनि सौं हौं कही चाहौं बात मातु अन्ततौ हौं लरिकै। लरिक तौ हौं**—यह शुद्ध अवधी की पद-रचना होगी। हिन्दी की **डरना** क्रिया अवधी में ह्रस्व एकार के साथ, आरम्भ होती है। **जानकी बर सुन्दर माई**—'गीतावली' के इस पद में लिखा है : **रहे घेरि**

**राजीव उभय मनौं चंचरीक कछु हृदय डेराइ। —भे** क्रिया-रूप का व्यवहार अवधी की विशेषता प्रकट करता है। 'गीतावली' में इसके अनेक उदाहरण हैं। **बूझत जनक नाथ ढोटा दोऊ काके हैं**—इस पद में : **स्वारथ रहित परमारथी कहावत हैं, भे सनेह विवस विदेहता बिबाके हैं। भोर फूल बीनबे को गए फुलबाई हैं।** इस गीत में : **सीसनि टिपारे उपबीत पीतपट कटि दोना बाम करनि सलोने भे सवाई हैं। लाज तोरि साजि साजि।** इस गीत में : **कुअँर चढ़ाईं भौंहें, अब को बिलोकै सोहैं, जहँ तहँ भे अचेत, क्षेत्र के से धोखे हैं।**

वैसे तो अवधी और ब्रजभाषा में घनिष्ठ नाता है और दोनों की क्रियापद रचना बहुत बड़ी समानता है, इसलिए शुक्ल जी ने 'जायसी ग्रंथावली' की भूमिका में लिखा है : "वर्तमानकालिक क्रिया के रूप ब्रजभाषा के समान ही होते हैं।" केवल मध्यमपुरुष वचन के रूप के अन्त में संस्कृत के समान **सि** होता है", फिर भी वर्तमान काल में तिङन्त रूप पुरानी अवधी में अधिक प्रयुक्त होते थे। तुलसीदास कृदन्तों से वर्तमान काल के रूप बनाकर उनका प्रयोग ब्रजभाषा में अधिक करते हैं। **फिरि बूझति हैं चलनो अब केतिक**—'कवितावली' की इस पंक्ति में जैसे उन्होंने **बूझति** हैं लिखा है, ऐसे प्रयोग 'रामचरितमानस' में कम मिलेंगे। इसी प्रकार 'गीतावली' से एक पंक्ति ऊपर उद्धृत की गई है : **स्वारथ रहित परमारथी कहावत हैं**। यहाँ **कहावत हैं** रूप में कृदन्त के आधार पर क्रियापद रचना की गई है। अवधी में वह वर्तमान काल के रूप कृदन्तों के आधार पर बनाते हैं **तो होना** क्रिया उसके साथ जोड़ना आवश्यक नहीं समझते। किष्किन्धाकांड में : **इहाँ साप बस आवत नाहीं। आवत** रूप काफी है। आधुनिक अवधी में भी **हियाँ नहीं आवत** वाक्य अपने में पूर्ण होगा। अरण्यकांड में : **आनहु चर्म कहति बैदेही। कहति** कृदन्त-रूप हो सकता है, कर्ता के स्त्रीलिंग में होने से इकारान्त है, पर वह तिङन्त भी हो सकता है। ऐसे तिङन्त रूप सूफी कवियों की भाषा में हैं, इसका उल्लेख पहले किया जा चुका है। संस्कृत की परम्परा साहित्यिक अवधी रूपों में घुल-मिल जाती है, यथा बालकांड के आरम्भ में : **रोदति बदति बहुभाँति करुना करति संकर पहिं गई।**

क्रियार्थी संज्ञा के लिए **न** और **ब**, दोनों वर्णों वाले रूपों का प्रयोग 'मानस' की भाषा में है—बालकांड के आरम्भ में : **तो मैं जाउँ कृपायतन सादर देखन सोइ;** और : **जौं बहोरि को पूछन आवा। पूछन, देखन** रूप कर्ताकारक में प्रयुक्त नहीं होते, वहाँ **ब** वाले रूपों का प्रयोग होगा। बालकांड में **मम आधीन जुगुति नृप सोई। मोर जाब तव नगर न होई।** —यहाँ **होई** क्रिया के लिए कर्ता रूप **जाब** है। इसी प्रकार कर्म कारक में इस रूप का व्यवहार होता है। उक्त चौपाई से कुछ पहले : **एवमस्तु कहि कपट मुनि बोला कुटिल बहोरि। मिलब हमार भुलाब निज कहहु त हमहि न खोरि।** कर्ता-कर्म के अलावा अन्य कारकों में उसी क्रिया-रूप का व्यवहार होता है जिसकी ओर शुक्ल जी ने संकेत किया था अर्थात् वर्तमानकाल का अन्यपुरुष में

एकवचन तिङन्त रूप : **सबै सहेली देखै धाईं।—देखै** रूप कर्ता और कर्म कारकों में प्रयुक्त न होगा। जैसे सर्वनामों में भिन्न रूप कुछ कारकों के लिए सुरक्षित कर दिये गए हैं, वैसे ही कारक-रचना में क्रियार्थी संज्ञा के कुछ रूप विशेष कारकों में ही प्रयुक्त होते हैं।

**ब** वर्ण वाले क्रिया-रूपों में विशेष विचारणीय यह है कि कर्ता या कर्म के अनुरूप इसमें लिंगभेद होता है या नहीं। कही-कहीं **ब** के स्थान पर **बि** या **बी** का व्यवहार होता है। इससे यह धारणा उत्पन्न होती है कि सम्भवत: ये स्त्रीलिंग रूप हैं। अरण्यकांड में : **सुनहु प्रिया ब्रत रुचिर सुसीला। मैं कछु करबि ललित नर लीला।** यहाँ **लीला** कर्म है और इसके साथ इकारान्त **करबि** रूप है। इसी तरह 'विनय-पत्रिका' की ब्रजभाषा में : **कबहुँक अंग अवसर पाइ। मेरिऔ सुधि द्याइबी कछु करुन कथा चलाइ। सुधि** के अनुरूप **द्याइबी** रूप है। अयोध्याकांड में मंथरा कहती है : **हमहुँ कहबि अब ठकुर सोहाती। नाहिं त मौन रहब दिनु राती।** यहाँ **ठकुर सोहाती** के साथ तो **कहबि** है किन्तु मंथरा के लिए **मौन रहब** है। लगता है, यह कृदन्त कर्म के अनुरूप लिंगभेद सूचित करता है, कर्ता से प्रभावित नहीं होता। किन्तु इसी के आगे मंथरा कहती है : **कोउ नृप होउ हमहि का हानी। चेरि छाँड़ि अब होब कि रानी।** यहाँ **रानी** कर्म है और कर्ता **मंथरा** भी स्त्रीलिंग है किन्तु क्रिया-रूप **होबि** नहीं है, **होब** है। बालकांड में कपटमुनि कहता है : **नित नूतन द्विज सहस सत बरेहु सहित परिवार। मैं तुम्हरे संकलप लगि दिनहिं करबि जेवनार।** यहाँ कर्ता और कर्म, दोनों पुंल्लिंग हैं, फिर भी कृदन्त इकारान्त है। इससे सिद्ध हुआ कि **करब** और **करबि** वैकल्पिक रूप हैं, लिंगभेद से उनका कोई सम्बन्ध नहीं है। एक उदाहरण 'पद्मावत' से लें : **अबको हमहिं करिहि भोगिनी। हमहूँ साथ होब जोगिनी।** यहाँ कर्म और कर्ता, दोनों स्त्रीलिग हैं किन्तु **होब** रूप अकारान्त है। 'पद्मावत' से एक दूसरा उदाहरण : **फागु खेलि पुनि दाहब होरी। सैंतब खेह उड़ाउब झोरी।** यहाँ **दाहब** और **उड़ाउब,** दोनों क्रिया-रूपों के कर्म स्त्रीलिंग में हैं। इनके साथ **सैंतब** भी लें तो तीनों का कर्ता स्त्रीलिंग में है। कर्ता और कर्म किसी के अनुरूप भी कृदन्त में परिवर्तन नहीं होता। यही स्थिति 'रामचरितमानस' में इस क्रिया-रूप की है। भाषा की विशिष्ट प्रवृत्ति के अनुरूप यह कृदन्त लिंग-वचन-पुरुष-भेद से मुक्त है।

तुलसीदास ने **ब** वर्णवाले इस रूप का व्यवहार उत्तम, मध्यम और अन्य, तीनों पुरुषों में किया है। बालकांड में : **और एक तोहि कहउँ लखाऊ। मैं एहि बेष न आउब काऊ।** लंकाकांड में : **तेहि बधब हम निज पानि। फिरे मरन मन महुँ ठानि।** इसी प्रकार मध्यम पुरुष में इस रूप का व्यवहार होता है। अयोध्याकांड में : **तात कहउँ कछु करउँ ढिठाई। अनुचित छमब जानि लरिकाई** और : **जौं हठ करहु प्रेमबस बामा। तो तुम्ह दुख पाउब परिनामा।** तुलसीदास बहुत जगह इसका व्यवहार अन्य पुरुष के साथ करते हैं। बालकांड में : **असि प्रतीति सबके मनमाहीं।**

**राम चाप तोरब सक नाहीं।** अयोध्याकांड में : **लखन लखेउ भा अनरथ आजू। एहिं सनेह बस करब अकाजू।** करणकारक से इस रूप का कोई विशेष सम्बन्ध हो, ऐसा प्रतीत नहीं होता। अयोध्याकांड में अन्य उदाहरण हैं : **सीय कि पिय संगु परिहरिहि लखन कि रहिहहिं धाम। राजु कि भूँजब भरत पुर नृप कि जिइहि बिनु राम।** दूसरी पंक्ति में तिङन्त और कृदन्त, दोनों रूपों का प्रयोग एक साथ हुआ है। पूरे दोहे में तीन तिङन्त-रूप हैं, एक कृदन्त-रूप है। 'रामचरितमानस' में दोनों का अनुपात लगभग ऐसा ही है।

यह देखना रोचक होगा कि कृदन्त-रूपों का व्यवहार तुलसीदास की ब्रजभाषा में अधिक है या उनकी अवधी में। 'कवितावली', 'विनय-पत्रिका', 'गीतावली'—सभी में मानस की अपेक्षा कृदन्त-रूपों का व्यवहार अधिक है। 'गीतावली' में : **आनंद उमगत आजु बिबुध बिमान बिपुल बनाइकै। गावत बजावत नटत हरषत सुमन बरषत आइकैं।** मानक हिन्दी की विशेषता है वर्तमानकालिक रूपों में कृदन्त का प्रयोग। **गावत, बजावत** आदि वैसे ही रूप हैं। समापिका क्रिया यहाँ नहीं हैं पर वैसी क्रिया के साथ भी तुलसीदास अनेक स्थलों पर पद-रचना करते हैं, यथा 'कवितावली' में : **बूड़त जहाज बचेउ पथिक-समाज मानौं आजु जाये जानि सब अंकमाल देत हैं। अंगद मयंद नल नील बलसील महा बालधी फिरावैं मुख नाना गति लेत हैं। बूड़त** रूप विशेषण है, **देत** क्रिया है। **देश** और **लेत**, दोनों के साथ समापिका क्रिया लगी है। **फिरावें** तिङन्त रूप भी है। **फिरावैं** के साथ समापिका क्रिया लगा दी जाए तो ब्रजभाषा और खड़ी बोली के बोलचाल वाले क्रिया-रूप मिल जाएँगे जहाँ तिङत-रूप कृदन्त के समान प्रयुक्त होता है। 'विनय-पत्रिका' में लिखा है : **जानि पहिचानि मैं बिसारे हौं कृपानिधान एतो मानि ढीठ हौं उलटि देत खोरि हौं। गाड़ी के स्वान को नाईं माया मोह की बड़ाई छिनहि तजत छिन भजत बहोरि हौं।** उत्तम पुरुष एकवचन रूप **उलटि देत हौं, भजत हौं** के आधुनिक हिन्दी रूप होंगे **उलट देता हूँ, भजता हूँ। हौं** और **हूँ** का ऐसा ही सम्बन्ध है। **हौं** यहाँ सर्वनाम नहीं है, यह **मैं बिसारे हौं** से स्पष्ट है। आकारान्त कृदन्त-रूप बाँगरू, पंजाबी, मानक हिन्दी की विशेषता हैं। **त** प्रत्यय वाले कृदन्त-रूप का व्यवहार समापिका क्रिया के साथ तुलसीदास के समय में खूब होने लगा था।

'विनय-पत्रिका' के उक्त पद में भविष्य काल के तिङन्त-रूप **निहोरिहौं, बोरिहौं** आदि हैं और इस पद के बाद ही भविष्य काल के **ग** वाले रूप हैं : **रावरी सुधारी जो बिगारी बिगरैगी मेरी कहौं बलि बेद की न लोकु कहा कहैगो।** और इसी प्रकार **दहैगो, सहैगो, रहैगो, लहैगो** रूप पद के अन्त तक चले गए हैं। **बिगरैगी** और मानक हिन्दी के **बिगड़ेगी** प्रयोग में विशेष अन्तर नहीं है। **कहैगो** आदि ओकारान्त रूप ब्रजभाषा की प्रवृत्ति के अनुसार हैं। मानक हिन्दी में, बाँगरू, पंजाबी के समान, आकारान्त **गा** रूप होगा। **ग** कृदन्त प्रत्यय है, वह तिङन्त रूप **कहै, दहै** आदि के

साथ जोड़ा जाता है। **कहेगा** जैसा रूप तुलसीदास की ब्रजभाषा के बहुत समीप है। इसके बाद के पद में पहली पंक्ति में : **साहिब उदास भए दास खास खीस होत मेरी कहा चली हौं बजाइ जाइ रह्योहौं।** यहाँ **भए, चली** रूप आधुनिक हिन्दी के भूतकालीन कृदन्तों के समान हैं। **जाइ रह्योहौं** का हिन्दी रूपान्तर होगा **जा रहा हूँ**। इस प्रकार ब्रजभाषा के रूप आधुनिक हिन्दी क्रिया-रूपों से बहुत मिलते-जुलते हैं।

'सूरसागर' में तिङन्त रूपों का व्यवहार अवधी के समान खूब होता है। कृदन्त-रूप 'पद्मावत' या 'रामचरितमानस' की अपेक्षा 'सूरसागर' में अधिक हैं। इनमें **ब** वाला कृदन्त-रूप भविष्य काल के लिए प्रयुक्त नहीं होता, वह क्रियार्थी संज्ञा रूप में प्रयुक्त होता है। अवधी में उसका व्यवहार कर्ता-कर्म कारकों में ही होता है, ब्रजभाषा में ऐसा कोई बन्धन नहीं है। **अपनौ पिय ढूँढ़ति फिरौं मोहि मिलिबे कौ चाव।** (नन्ददुलारे वाजपेयी द्वारा सम्पादित, नागरी प्रचारिणी सभा काशी द्वारा प्रकाशित 'सूरसागर' से यहाँ पंक्तियाँ उद्धृत की जा रही हैं; पृ. 643) **अति चटपटी देखिबै चाहत अब लागे अकुलान** (पृ. 1365)। **ब** वाले कृदन्त-रूप के अलावा **न** वाले कृदन्त-रूपों का व्यवहार भी, अवधी के समान, सूरदास की ब्रजभाषा में होता है। पद की प्रथम पंक्ति में : **नयना अब लगे पछतान** और पहले उद्धृत पंक्ति में **अकुलान**। अवधी और ब्रजभाषा की क्रियापद रचना में बहुत बड़ी समानता है, इसमें सन्देह नहीं।

वर्तमान काल के अन्यपुरुष एकवचन रूप अवधी के समान तिङन्त होते हैं। **जाकी कृपा पंगु गिरि लंघै अन्धे कौं सब कछु दरसाई। बहिरौ सुनै, गूँग पुनि बोलै रंक चलै सिर छत्र धराई।** (पृ. 1) **लंघहि, सुनहि** आदि रूप, महाप्राण ध्वनि के लोप के बाद, पहले **लंघइ, सुनइ** हुए, फिर **लंघै, सुनै**। यद्यपि ब्रजभाषा में अवधी के समान **अइ** संयुक्त स्वर का व्यवहार होता है, फिर भी पड़ोसी पश्चिमी भाषाओं के प्रभाव से बहुत-से शब्दों में, विशेषत: क्रिया-रूपों में, उसका उच्चारण विवृत होने लगा। ब्रजभाषा का **ऐ (अ + ॲ)** मानक हिन्दी का ऐकार है। संस्कृत शब्दों के शिष्ट उच्चारण को छोड़कर मानक हिन्दी में पुराने मध्यदेशीय संयुक्त स्वर **अइ** का व्यवहार अब नहीं होता। संयुक्त स्वर के विवृत उच्चारण का प्रभाव **लंघै, सुनै, बोलै** आदि रूपों में देखा जाता है। 'सूरसागर' में इसके बाद जो पद मुद्रित है, उसमें **आवै, भावै, उपजावै, पावै, धावै, गावै**—तिङन्त रूपों की पूरी लड़ी है।

इनके साथ ही समापिका क्रिया लगाकर या उसे लगाए बिना ही कृदन्त-रूप के आधार पर वर्तमान काल की क्रियापद-रचना की जाती है। **नंदहिं कहति जसोदा रानी** (पृ. 347)—यहाँ भ्रम हो सकता है कि **पठति** के समान **कहति** तिङन्त रूप हो, किन्तु अगला ही पद है : **कहत नंद जसुमति सौं बात। कहति** का बहुवचन रूप **कहतिं** भी 'सूरसागर' में है : **हँसि हँसि गोपीं कहतिं परसपर प्यारी कौं उर लाइ गएरी।** (पृ. 639) समापिका क्रिया के साथ, आधुनिक हिन्दी के समान, वर्तमान काल की क्रियापद-रचना के काफी उदाहरण 'सूरसागर' में हैं : **सखा कहत हैं स्याम खिसाने**

(पृ. 333); **नन्द बुलावत हैं गोपाल** (पृ. 336); **क्यों राधा नहिं बोलति है। काहैं धरनि परी व्याकुल ह्वै काहैं नयन न खोलति है** (पृ. 642); **मुरली हरितैं छूटति है** और इस पद में **लूटति है, उचटावति है, करावति है, फूलति है, भूलति है,** समापिका क्रिया के साथ कृदन्त आधारित क्रिया-रूपों की पूरी शृंखला है।

'सूरसागर' में भविष्यकालिक तिङन्त रूप हैं और उनके साथ **ग** प्रत्ययवाले रूप भी हैं। **सूर तबहुँ न द्वार छाँड़ै डारिहौ कढ़िराइ** (पृ. 34); **जब सुनिहौ करतूति हमारी। तब मन मन तुमहीं पछितैहौ, वृथा दई हम याकौं गारी** (पृ. 725)। **सुनिहौ, पछितैहौ** आदि अवधी रूपों जैसे हैं। उसी पद में आगे की पंक्ति है : **तुम तप कियौ सुन्यौ मैं सोऊ रिस पावहुगी और कहारी।** यहाँ **पावहुगी** 'रामचरितमानस' के ऊपर उद्धृत **पाबहुगे** के समान है। **पाबहु** स्पष्ट तिङन्त रूप है। उसी के आधार पर **पाओगी** जैसे रूप का विकास हुआ है। **सूरस्याम पूछत सब ग्वालिनि खेलौगे किहिं ठाहर** (पृ. 343), **खेलौगे** का पूर्वरूप था **खेलहुगे। स्याम बाम कौं सुख दै बोले रैनि तुम्हारैं आऊँगौ** (पृ. 1085); इस पद में **आऊँगौ** के बाद **पाऊँगौ, परसाऊँगौ, कढ़ाऊँगौ, कराऊँगौ, बझाऊँगौ**—ऐसे ही क्रिया पदों की आवृत्ति है। अवधी और ब्रजभाषा में पहले भी यह अन्तर था और अब भी है—भविष्यकाल में **ग** वाले रूपों का व्यवहार अवधी में नहीं होता। ब्रजभाषा में **ग** वाले रूपों के साथ **ह्** वाले भविष्यकालिक रूपों को देखकर ऐसा लगता है कि अवधी के समान पहले ब्रजभाषा में भी केवल **ह** वाले रूपों का व्यवहार होता था। वर्तमान काल के लिए, बोलचाल की भाषा में, अब **ग** वाले रूप प्रधान हैं। कनौजी में इनका प्रवेश नहीं हुआ, बुन्देलखंडी में इनका व्यवहार होता है। ब्रज, बुन्देलखंडी, कनौजी और अवधी—इनकी पुरानी क्रियापद रचना एक-सी है। उसका आधार कोसल की भाषा की क्रिया-पद्धति है। बुन्देलखंडी और कनौजी, दोनों ब्रजभाषा से प्रभावित हैं और ब्रजभाषा अन्य पश्चिमी भाषाओं से।

अवधी किसी अर्द्ध-मागधी प्राकृत या अपभ्रंश की पुत्री नहीं है। वास्तव में बंगला और मगही किसी एक मागधी भाषा से उत्पन्न नहीं हुईं। अवधी का मूलाधार प्राचीन कोसली समुदाय की गण-भाषाएँ हैं। कारक-रचना और क्रियापद-रचना, दोनों में इस समुदाय की विशेषता थी, सर्वनाम-चिन्हों का व्यवहार। इसी से भाषा की संश्लिष्ट प्रकृति का जन्म हुआ। इस समुदाय के समानान्तर कौरवी समुदाय का भाषा-क्षेत्र था जो कारकों और क्रियापदों को सर्वनाम-चिन्हों से मुक्त रखता था; कारकभेद, क्रिया-रूप में पुरुषभेद सन्दर्भ से पहचाना जाता था। यही क्षेत्र कृदन्तों के प्रसार का मुख्य केन्द्र बना; क्रियाभाव व्यक्त करनेवाले कृदन्तों की विशेषता, उनके प्रसार का मुख्य कारण, सर्वनाम-चिन्हों के बन्धन से इन कृदन्तों की मुक्ति थी। यदि संस्कृत में कृदन्तों के चलन से 'उक्ति-व्यक्ति-प्रकरण' की अवधी में कृदन्तों के व्यवहार की तुलना की जाए तो ज्ञात होगा कि संस्कृत में उनका चलन अधिक व्यापक है।

भूतकाल के लिए **किएसि, पएसि, जेंवेसि** आदि तिङन्त रूपों का व्यवहार होता है; अकर्मक क्रिया-रूपों में कृदन्तों की पैठ आरम्भ हुई है। भविष्यकाल के लिए **करिह, पैह, जेंविह** आदि तिङन्त रूप हैं। वर्तमान के लिए **मिलइ, फुरइ** जैसे तिङन्त रूप हैं। इनके **मिलहि, फुरहि** आदि पूर्वरूप जायसी और तुलसीदास की अवधी में मिलते हैं। इनमें जो **हि** सर्वनाम-चिन्ह दिखाई देता है, वह **धि** का रूपान्तर है। **ति** का रूपान्तर **हि** में होता था, इसका प्रमाण नहीं है किन्तु **धि** का रूपान्तर **हि** में होता था, इसका प्रमाण 'ऋग्वेद' में ही है। **वायवा याहि दर्शते मे सोमा अरंकृताः। तेषां पाहि श्रुधी हवम्।** (1-2-1)। यहाँ **याहि** और **पाहि** आज्ञार्थी रूपों में तो **हि** है किन्तु **श्रुधी** (अर्थात् **श्रुधि**) में **धि** है। यह **श्रुधि** भी आज्ञार्थी रूप है; उससे हम पहचानते हैं कि **याहि** और **पाहि** के पूर्वरूप **याधि** और **पाधि** थे। इसी तरह के रूप कोसल की प्राचीन भाषा में थे। वैदिक भाषा का **धि** मध्यम पुरुष एकवचन का चिन्ह है; कोसली में वह अन्य पुरुष एकवचन का चिन्ह था। वर्तमान काल के लिए 'उक्ति-व्यक्ति-प्रकरण' में सर्वनाम-चिन्हों से मुक्त **माँग, मान, खा** आदि रूप हैं जो विश्लिष्ट पद्धति का प्रसार सूचित करते हैं किन्तु ये कृदन्त नहीं हैं, ये लिंगभेद सूचित नहीं करते, दामोदर पंडित स्वभावतः इनके संस्कृत रूपान्तर में कृदन्तों के बदले **मंगति, मानयति, खादति** तिङन्त रूप देते हैं। जायसी और तुलसीदास की अवधी में ऐसे रूपों का व्यवहार कम है।

अपभ्रंश का ध्वनितंत्र मूलतः प्राकृतों का है, उसका रूपतंत्र अंशतः प्राकृतों का है और अंशतः देशी भाषाओं का। अन्य देशी भाषाओं से अवधी के तत्त्व उसमें अधिक हैं। कारक-रचना की अपेक्षा क्रियापद रचना में अपभ्रंश अपनी संश्लिष्ट प्रकृति का परिचय अधिक देती है। विश्लिष्ट तंत्र का प्रभाव कारक-रचना पर अधिक दिखाई देता है। यही बात जायसी और तुलसीदास की अवधी पर लागू होती है। इस अवधी में भाषा के बहुत-से पुराने रूप हैं किन्तु उस समय एक व्यापक साहित्यिक भाषा का प्रसार हो रहा है जिसमें अनेक जनपदीय भाषाओं के तत्त्व हैं, अतः सभी रूपों को अवधी के पुराने रूप न मान लेना चाहिए। क्रिया के कर्मवाच्य प्रयोग विशेष रूप से, पश्चिमी भाषाओं के प्रभाव के कारण, साहित्यिक अवधी में आए हैं, बोलचाल की अवधी अब भी उनसे मुक्त है।

कोसल की जनपदीय भाषा उत्तर भारत में लगभग डेढ़ हजार साल तक सम्पर्क भाषा रही है। गौतम बुद्ध और श्रावस्ती के वैभवकाल से लेकर बारहवीं सदी में गोविन्द चन्द्र गहड़वार और दामोदर पंडित के समय तक अवधी (अथवा प्राचीन कोसली) यह भूमिका निबाहती रही थी। संस्कृत, पालि, प्राकृत का व्यवहार इस अवधी की अपेक्षा बहुत सीमित था; ग्रंथ रचना में उनकी प्रधानता थी; बोलचाल के स्तर पर अवधी का व्यवहार होता था। पुरानी अवधी के व्यापक व्यवहार का ही यह परिणाम था कि उसके रूप सुदूर पूरब और पच्छिम की भाषाओं में मिलते हैं; उसके रूप

खड़ी बोली और ब्रजभाषाओं में व्यापक रूप से विद्यमान हैं; अवधी रूप **पावहु** के बिना **पावहगे** जैसी क्रियापद रचना सम्भव नहीं है और **पाओगे** (या **पावोगे**) का पूर्वरूप **पावहुगे** है। अवधी स्वयं उत्तर-पश्चिमी भाषाओं की विन्यास-पद्धतियों से प्रभावित हुई है और अनेक तत्त्व उसने मागधी भाषाओं से ग्रहण किये हैं। इन तत्त्वों में **ब**-वाला कृदन्त-रूप मुख्य है। अवधी की निकटवर्ती उपभाषाओं—बुन्देलखंडी और कनौजी—का ढाँचा अवधी का है। इनके ध्वनितंत्र और रूपतंत्र पर उत्तर-पश्चिमी भाषाओं का जितना प्रभाव है, उतना अवधी पर नहीं है। कान्यकुब्ज साम्राज्य के विघटन के बाद सम्पर्क भाषा के रूप में अवधी की भूमिका समाप्त हुई किन्तु साहित्य में वह अभिव्यक्ति का समर्थ माध्यम बनकर पहली बार प्रतिष्ठित हुई। कान्यकुब्ज साम्राज्य का विघटन उत्तर भारत में सामन्ती व्यवस्था के विघटन का भी एक लक्षण था; इस साम्राज्य का विघटन संस्कृत-प्राकृत-अपभ्रंश के आधिपत्य का विघटन भी था। विघटन के साथ नव-निर्माण की प्रक्रिया जारी थी। आधुनिक हिन्दी के अभ्युदय और प्रसार की परिस्थितियाँ तैयार हो रही थीं। आधुनिक हिन्दी की इस विकास-प्रक्रिया में ब्रजभाषा का योगदान महत्त्वपूर्ण था।

## 5. ब्रज

सूरदास की ब्रजभाषा और बोलचाल की आधुनिक ब्रजभाषा को देखने से ऐसा लगता है कि इसमें अवधी और बाँगरू, दोनों के तत्त्व हैं और इसका अपना स्वतंत्र अस्तित्व नहीं है, विशेष रूप से क्रियापद रचना में; जहाँ भविष्यकाल के रूपों में **ग** चिन्ह है, वहाँ बाँगरू का प्रभाव है, वर्तमान काल के तिङन्त रूप अवधी से आए हैं। कृदन्तों का व्यवहार उत्तरकालीन संस्कृत में अधिकाधिक होने लगा था और इनके प्रसार का मुख्य केन्द्र कुरु जनपद था, जैसे तिङन्त रूपों का मुख्य केन्द्र कोसल जनपद था। कोसल और कुरु जनपदों के बीच में स्थित होने से ब्रजभाषा का दोनों ओर से अनेक तत्त्व ग्रहण करना स्वाभविक था पर उसने अपनी मध्य स्थिति के कारण दोनों ओर की भाषाओं को प्रभावित भी किया है। पुरानी उर्दू समेत आधुनिक हिन्दी का विकास ब्रजभाषा के प्रभाव को ध्यान में रखे बिना समझ में नहीं आ सकता।

कोसल के पूर्व में भोजपुरी, मगही, मैथिली, बंगला, असमिया और उड़िया का एक मागधी भाषा-समुदाय है, वैसे ही कोसल के पश्चिम में ब्रज, राजस्थान, गुजरात और सिन्धी का एक शूरसेनी भाषा-समुदाय है, और कोसल के उत्तर में हरियाणा, पंजाब, जम्मू और हिमाचल प्रदेश की भाषाओं का एक कौरवी समुदाय है। मगही और मैथिली में महत्त्वपूर्ण भेद है, वैसे ही ब्रजभाषा और राजस्थानी में महत्त्वपूर्ण भेद है, बाँगरू और पंजाबी में भेद है। पूर्वी बंगाल की बंगला, पश्चिमी बंगाल की बंगला की अपेक्षा, अवधी से अधिक दूर है। वैसे ही राजस्थानी की अपेक्षा सिन्धी ब्रजभाषा से अधिक दूर है और पूर्वी पंजाब की भाषा की अपेक्षा पश्चिमी पंजाब

की भाषा बाँगरू से अधिक दूर है। बाँगरू का क्षेत्र आधुनिक हिन्दी का आधार क्षेत्र है, यह बात पंजाबी के बारे में नहीं कही जा सकती। ब्रजभाषा और अवधी का जैसा घनिष्ठ सम्बन्ध है, वैसा सम्बन्ध गुजराती और अवधी का नहीं है। बंगला का क्षेत्र अलग बन गया है; मगही, मैथिली और भोजपरी के क्षेत्र साहित्यिक हिन्दी के प्रधान क्षेत्र रहे हैं। हिन्दी प्रदेश की जनपदीय भाषाओं को एक दूसरे के निकट लाने में, अवधी के बाद, ब्रजभाषा की महत्त्वपूर्ण भूमिका रही है, और इन दोनों के सहयोग से बाँगरू ने, आधुनिक हिन्दी के रूप में एक व्यापक जातीय भाषा की भूमिका निबाही है। वास्तविक या कल्पित अपभ्रंशों से ब्रज या भोजपुरी का सम्बन्ध जोड़कर हिन्दी प्रदेश के भाषायी विकास की व्याख्या नहीं की जा सकती। उसके लिए जनपदीय भाषाओं के विकासमान पारस्परिक सम्बन्धों को ध्यान में रखना होगा।

ब्रजभाषा को, अवधी और बाँगरू से भिन्न, राजस्थानी-गुजराती से मिलानेवाली एक प्रवृत्ति बहुत स्पष्ट है, वह है ओकारान्त रूपों का व्यवहार। बाँगरू में जहाँ आकारान्त रूप हैं, वहाँ बहुधा ब्रजभाषा में ओकारान्त रूप होते हैं, जैसे **गया** और **गओ, मेरा** और **मेरो**। विद्वानों का कहना है कि संस्कृत में जहाँ विसर्ग होते थे, वहाँ ब्रजभाषा में ओकार हुआ, **गतः** से **गओ** रूप बना। इंडो-यूरोपियन भाषा-परिवार के सन्दर्भ में इस प्रवृत्ति को देखें तो विदित होगा कि भारत से बाहर एक भाषा और है जिसमें यही प्रवृत्ति है। लैटिन से इतालवी भाषा का वैसा ही सम्बन्ध है, जैसा ब्रजभाषा का संस्कृत से है। इतालवी भाषा में ओकारान्त रूप ब्रजभाषा से कुछ अधिक ही हैं। लैटिन के जिन शब्दों के अन्त में **स्** है, वहाँ **स्** को विसर्गों का प्रतिरूप मानकर कहा जा सकता है कि उस ध्वनि के कारण इतालवी रूप ओकारान्त हुए हैं। किन्तु लैटिन में ऐसे शब्द भी हैं जिनके अन्त में **म्** है और उनके इतालवी रूप ओकारान्त है। इनके अतिरिक्त लैटिन के कुछ इकारान्त रूप हैं जिनके इतालवी प्रतिरूप ओकारान्त हैं। जैसे काशी से लेकर ढाका तक संस्कृत के अकार का उच्चारण गोलाकार होता है और यह प्रवृत्ति भारत के बाहर भी है, वैसे ही ब्रजभाषा के ओकारान्त रूपों में झलकनेवाली प्रवृत्ति अत्यन्त प्राचीन है और भारत से बाहर भी है। इतालवी के रूपों को लैटिन से व्युत्पन्न सिद्ध करना कठिन है; वैसे ही **मेरो** को **मम** से व्युत्पन्न सिद्ध करना कठिन है। लैटिन और इतालवी भाषाओं के कुछ प्रतिरूप उदाहरण रूप में लेना प्रासंगिक होगा। संज्ञा, सर्वनाम, विशेषण— सभी वर्गों के शब्दों में ऐसे ओकारान्त शब्द हैं। पहले लैटिन रूप देते हैं, उसके बाद इतालवी प्रतिरूप : **अमिकुस्** (मित्र)—**अमिको; असिनुस्** (गधा)—**असिनो; अर्मेन्तुम्** (गोरू)—**अर्मेन्तो; अर्गेन्तुम** (चाँदी)—**अर्जेन्तो; अन्तिकुउम्** (प्राचीन)—**अन्तिको; अमारुस्** (कटु)—**अमारो; मेई** (मेरा)—**मिओ; तुई** (तेरा)—**तुओ; सुई** (उसका)—**सुओ**। ध्वनि परिवर्तन के किसी नियम के अन्तर्गत इतालवी के रूपों को लैटिन के आधार पर सिद्ध करना असम्भव है, साथ ही दोनों भाषाओं के रूप मूलतः एक

हैं, इसमें भी सन्देह नहीं। इस भेद-अभेद की स्थिति का कारण यह है कि जिस बोली के आधार पर लैटिन का विकास हुआ, उसके समानान्तर ओकारान्त प्रवृत्ति वाली दूसरी बोली भी थी जिसके आधार पर इतालवी का विकास हुआ और इन दोनों प्राचीन बोलियों में निकट सम्पर्क के कारण शब्द-भंडार में बड़ी समानता थी। संस्कृत में **गत:** आदि रूप मूलत:, ब्रजभाषा या इतालवी के समान, ओकारान्त नहीं होते। तर्कसंगत बात यह है कि संस्कृत में जहाँ **गत:** बदलकर **गतो** होता है, वहाँ वह किसी ऐसी भाषा के प्रभाव से होता है जिसमें ओकारान्त शब्दों के व्यवहार की प्रवृत्ति विद्यमान है। **बहन** और **बोन** के उदाहरण पर ध्यान दें तो **गतो** रूप मागधी प्रभाव से उत्पन्न विदित होगा। किन्तु मागधी भाषाओं में ऐसे ओकारान्त रूप नहीं होते, जैसे ब्रजभाषा में होते हैं। **मेरो** के समानान्तर बंगला में **आमार** होगा, अवधी **हमार** के समान। इसलिए ब्रजभाषा के ओकारान्त रूपों का विकास मागधी प्रभाव से स्वतंत्र मानना चाहिए, वैसे ही जैसे अवधी के उकारान्त रूपों का विकास स्वतंत्र हुआ है। जिस जनपद में **वृष्णि, अन्धक** नाम के प्रसिद्ध गण-समाज पहले रहते थे, उसमें ओकारान्त रूपों का व्यवहार होता था, यह तर्कसंगत निष्कर्ष है। वह प्रवृत्ति ब्रजभाषा तथा अन्य पश्चिमी भारतीय भाषाओं में अब तक विद्यमान है।

राजस्थानी, गुजराती आदि में मूर्धन्य नासिक्य का व्यवहार वैसे ही होता है, जैसे बाँगरू और पंजाबी में। राजस्थानी-गुजराती से ब्रजभाषा का गहरा सम्बन्ध है किन्तु ब्रजभाषा में **ण्** ध्वनि का नितान्त अभाव है, न वह साहित्यिक ब्रजभाषा में है, न आज की बोलचाल की ब्रजभाषा में। जो लोग शूरसेनी अपभ्रंश से ब्रजभाषा को उत्पन्न मानते हैं, वे इस बात की कैफियत नहीं देते कि इस अपभ्रंश में **ण्** की भरमार है पर ब्रजभाषा से अकस्मात् उसका लोप कैसे हो गया। अपभ्रंश को पुरानी राजस्थानी और गुजराती माननेवाले विद्वान् भी अनेक हैं। अपभ्रंश का **ण्** राजस्थानी और गुजराती में ही नहीं, बाँगरू और पंजाबी में भी है, इसका कारण क्या है? जिन्हें हम शूरसेनी समुदाय और कौरवी समुदाय कह चुके हैं, उन दोनों में मूर्धन्य नासिक्य का व्यवहार एक सामान्य प्रवृत्ति है। इनसे भिन्न कोसली और मागधी समुदायों की भाषाएँ दन्त्य या वर्त्स्य नासिक्य का व्यवहार ही करती हैं। केवल उड़िया में **ण्** का सीमित व्यवहार होता है। शूरसेन जनपद की प्राचीन भाषा में, गण-समाजों के युग की भाषा में, **ण्** का व्यवहार होता था या नहीं? मेरा अनुमान है कि होता था। ब्रजभाषा से उसका लोप वैसे ही हुआ है, जैसे—मगही से **श्** का। यह **श्** मगध से हटकर बंगाल में सुरक्षित है, वैसे ही **ण्** ब्रज से हटकर राजस्थान और गुजरात में सुरक्षित है। इंडो-यूरोपियन परिवार की भाषाओं से यहाँ भी एक उदाहरण दिया जा सकता है। नॉर्वे और स्वीडन की भाषाएँ जर्मन समुदाय के अन्तर्गत हैं। इन भाषाओं में **ण्** का व्यवहार होता है किन्तु जर्मन में नहीं होता। नॉर्वे और स्वीडन के कुछ जनसमुदाय पहले उत्तर इंग्लैंड में आ बसे थे। इसका परिणाम यह है कि नॉर्थम्बरलैंड की भाषा

में—यानी अंग्रेज़ी के उत्तरी रूप में—**ण्** का व्यवहार अब भी होता है पर जर्मन की तरह अंग्रेज़ी में उसका व्यवहार नहीं होता। ब्रज प्रदेश के पड़ोस में कोसल है। अवधी और ब्रजभाषा के क्रिया-रूपों का अध्ययन करने से विदित होता है कि इन दोनों भाषाओं में बड़ी गहरी व्याकरणगत समानता है, इसलिए दोनों में ध्वनिगत समानता भी हो तो आश्चर्य न होना चाहिए। एक ओर ओकारान्त रूप ब्रजभाषा को अवधी से अलग करते हैं, दूसरी ओर **ण्** के स्थान पर **न्** का व्यवहार उसे अवधी से जोड़ता है। इस सन्दर्भ में ब्रजभाषा, बाँगरू की अपेक्षा, अवधी के अधिक समीप है।

अवधी में मूर्धन्य और तालव्य सकारों का अभाव है। संस्कृत से तद्भव रूप बनाते हुए ब्रजभाषा **श्** को **स्** में बदल देती है। ब्रजभाषा को **भाखा** भी कहा जाता था। **ष्** का **ख्** में बदलना मागधी प्रभाव के कारण है। मगही और मैथिली में एक भेद **ह** और **छ** वाली समापिका क्रिया के रूपों को लेकर है। मगही **ह** रूपवाले क्षेत्र में है और मैथिली **छ** वाले क्षेत्र में। उससे मिलता-जुलता भेद राजस्थानी और ब्रजभाषा में है। ब्रजभाषा में **छ** क्रिया का व्यवहार नहीं होता किन्तु राजस्थानी-गुजराती में उसका चलन खूब है। पड़ोस में **है** के अलावा बाँगरू का **सै** रूप भी प्रचलित है किन्तु ब्रजभाषा ने **ह** वाला रूप ही लिया है। मेरी समझ में इसका कारण भी अवधी का प्रभाव है। एक दूसरा उदाहरण **ब्** ध्वनि का लिया जा सकता है। पुरानी साहित्यिक ब्रजभाषा और आधुनिक बोलचाल की ब्रजभाषा, दोनों में **ब्** की भरमार है। ब्रजप्रदेश की पुरानी गण-भाषाओं में **ण्** के समान **व्** का व्यवहार भी होता रहा होगा, इस कारण गुजराती और राजस्थानी में इसका व्यवहार अब भी होता है। किन्तु ब्रजभाषा सर्वत्र संस्कृत शब्दों या पड़ोसी आर्य भाषाओं के शब्दों में जहाँ **व्** हो, वहाँ उसे **ब्** में नहीं बदलती। जिसे ब्रजभाषा कहते हैं, वह व्यवहारतः अनेक बोलियों का समुदाय है। हिन्दी **वह** का प्रतिरूप कई जगह **ग्वु** बोला जाता है। यह अवश्य ही उस भाषा की प्रवृत्ति है जिसमें कवर्गीय ध्वनियाँ प्रमुख थीं। **व्** का सीधा उच्चारण कठिन होने से उसके पहले सघोष कंठ्य ध्वनि जोड़ दी गई। इसी प्रकार **वह** का एक प्रतिरूप **ब्वा** भी है। एक लोककथा में इस तरह के प्रयोग हैं : **अब नट ब्वा डोरा कूँ पकरि कैं ऊपर चढ़ि गयौ** ('ब्रज की लोककहानियाँ', पृ. 33); **आप ब्वाइ राखि कैं कहा करौगे, ब्वाई बखत अपनौ चोला छोड़ि कैं राजा के चोला में जाइ घुस्यौ** (उप., पृ. 34); **ब्वा साहूकार पै बुरौ समैयो आइगौ** (उप. पृ. 158)। इस तरह के प्रयोग उन पुरानी भाषाओं की प्रवृत्ति के कारण हैं जिनमें कंठ्य की अपेक्षा ओष्ठ्य ध्वनियों का व्यवहार अधिक होता था। बंगला से ब्रजभाषा की भिन्नता ध्यान में रखनी चाहिए। शब्द का आदि स्थान छोड़कर ब्रजभाषा में **व्** और **य्** ध्वनियों का व्यवहार होता है।

राजस्थानी, पंजाबी और बाँगरू में **ल्** के अतिरिक्त मूर्धन्य पार्श्विक ध्वनि **ळ्** का व्यवहार भी होता है। यह ध्वनि मराठी तथा द्रविड़ भाषाओं में भी है। जैसे बाँगरू

का एक शब्द **काळ**। यह हिन्दी में **काला** बोला जाएगा। सम्भव है, शूरसेन जनपद की पुरानी भाषा में यह ध्वनि भी रही हो। प्रसिद्ध है कि उत्तर-पश्चिमी भाषाएँ लकार प्रधान रही हैं पर ब्रजभाषा, अवधी के समान, **र्** ध्वनि का व्यवहार अधिक करती है। **काळा** तो दूर, **काला** भी ब्रजभाषा में नहीं चलता, **कारो** रूप ही स्वीकृत है।

**मेरा, मेरौ, मोर**—इन तीनों रूपों में एक अन्तर यह है कि ब्रज **मेरौ**, बाँगरू **मेरा** के अन्तिम स्वर दीर्घ हैं, अवधी **मोर** का अन्तिम स्वर ह्रस्व है। सूरदास की ब्रजभाषा में, तथा आधुनिक ब्रजभाषा में भी, कुछ सर्वनाम, विशेषण और कृदन्त ऐसे हैं जिनका अन्तिम स्वर दीर्घ है, पर उनके अवधी प्रतिरूप का अन्तिम स्वर ह्रस्व होगा। 'सूरसागर' में जो रूप आए हैं, उनमें से कुछ उदाहरण के लिए दिये जाते हैं। **तेरे, तिहारे, हमारे** सर्वनाम रूपों के अवधी रूप **तोर, हमार, तिहार** होंगे; **तेरा, हमारा, तुम्हारा** आदि हिन्दी रूप आकारान्त हैं। **आँधरो** जैसा विशेषण अवधी में **आँधर** होगा। **ऐसो** विशेषक अवधी में **अइस** होगा। **जातौ—जात; दयौ—दीन्ह, दीन्हेसि; बुढ़ानी—बुढ़ान, बुढ़ानि; हिरानी—हॅरान, हिरानि; ठाढ़ौ—ठाढ़**; यहाँ दोनों भाषाओं के ध्वनितंत्र का भेद देखा जा सकता है। अन्तिम स्वर **औ** हो चाहे **ई**, अवधी रूपों में वह ह्रस्व दिखाई देता है। **गई** रूप **गइ** बोला जाएगा और यही अब अवधी का स्त्रीलिंग कृदन्त **गै** है। इसी प्रकार **भई** के समानान्तर अवधी के **भइ** और **भै** रूप हैं। ब्रज और बाँगरू दीर्घ स्वरों की सामान्य प्रवृत्ति प्रदर्शित करती हैं। वर्तमानकालीन कृदन्त **देत** ब्रजभाषा में, अवधी के ही समान, ह्रस्व स्वरान्त है, हिन्दी में **देता** रूप होगा। ब्रजभाषा ने बाँगरू और अवधी, दोनों के ध्वनितंत्र की विशेषताएँ ग्रहण की हैं।

बाँगरू और ब्रजभाषा में एक महत्त्वपूर्ण भेद तिङन्त और कृदन्त प्रयोगों को लेकर है। बोलचाल की बाँगरू में तिङन्त प्रयोगों की भरमार है, विशेषतः वर्तमानकाल के रूपों में, किन्तु बोलचाल की ब्रजभाषा में इनका अनुपात कम है। 'ब्रज की लोककहानियाँ' में तिङन्त रूपों के ऐसे उदाहरण हैं : **सो बु खूब दूध पीबै** (पृ. 3); **तेरे न्याँ मोइ कछूई नाँय दीखै** (पृ. 12)। इनके विपरीत कृदन्त-रूप बहुत हैं। **कहूँ आदमी के अगार बइअर बैठि सकत्यै** (पृ. 10, अर्थात् बैठ सकती है), **आजु कहा बातै जो बाहर जातौ** (पृ. 13, जाते हो), **तोपै जो कछू होइ सो धरिदै नईं तो तोइ मारतिऊँ** (पृ. 56, मारती हूँ), **एक अस्सी कोस जाँतिए औरु एक साठ कोस जाँतिऐ** (पृ. 58, जाती है), **जाते हम पल्ली पारि पहुँचिबो चाहँतऐं** (पृ. 105, चाहते हैं), **अब राज के बेटा ने पूछी कै यार अब मैं पूछे बिना नाउँ मान सकतु** (पृ. 139, मान सकता हूँ।) डॉ. सत्येन्द्र द्वारा सम्पादित ब्रज की लोककहानियाँ पुस्तक में अनेक स्थानों से लोककथाएँ लेकर संगृहीत की गई हैं। इससे कृदन्त प्रयोगों की व्यापकता का पता चलेगा। अवधी में वर्तमानकाल के रूपों में सर्वत्र अब **त** प्रत्यय वाले कृदन्तों का व्यवहार होता है यद्यपि जायसी और तुलसीदास की भाषा

में ऐसे रूपों का अनुपात कम है। यदि स्वयं तुलसीदास की ब्रजभाषा की तुलना उनकी अवधी से की जाए तो विदित होगा कि अवधी की अपेक्षा उनकी ब्रजभाषा में कृदन्त प्रयोगों की बहुलता है। इससे यह निष्कर्ष निकलता है कि कृदन्त-रूपों के व्यवहार का एक प्रसार केन्द्र ब्रज क्षेत्र था। यह बात तब और पुष्ट होती है जब हम बाँगरू के वर्तमानकालिक क्रिया-रूप देखते हैं।

डॉ. जगदेवसिंह ने 'ए डिस्क्रिप्टिव ग्रामर ऑफ बाँगरू' नाम से बाँगरू का जो व्याकरण लिखा है, उसमें इस तरह के उदाहरण मिलते हैं : **बाळक खेल्हैंसै**—बालक खेलते हैं। **खूब जाणूँ सूँ**—खूब जानता हूँ; **राम पड्ढै सै**—राम पढ़ता है; **जाऊँ जाऊँ कहन्दा रहै सै**—जाऊँ-जाऊँ कहता रहता है (कृदन्त विशेषण रूप में है, क्रिया-रूप में नहीं); **घोड़ा करड़ा भाजै सै**—घोड़ा तेज भागता है; **राम बैठ्या बैठ्या दूध पीबै सै**—राम बैठा-बैठा दूध पीता है; **मन्नै तिरणा आवै सै**—मुझे तैरना आता है; **कोए आया दिखै**—कोई आया दिखता है। जहाँ नकारात्मक वाक्य-रचना होती है, वहाँ कृदन्त-रूप का व्यवहार होता है, यथा : **राम न्हाइ कर्दा**—राम नहीं करता है। भूतकालीन रूपों में भी बाँगरू कृदन्त के बिना काम चलाती है। **राम घराँ जा था**—राम घर जाता था : **चाहवै था**—चाहता था; **मर्यामर्या करै था**—मरा मरा करता था। **था, गा, सै**—तीनों के साथ तीनों कालों में तिङन्त रूपों का व्यवहार हो सकता है : **काटूँ सूँ, काटूँ था, काटूँगा**। मानक हिन्दी में अब **काटूँगा** रूप ही स्वीकृत है। **काटूँ सूँ** और **काटूँ था** की जगह कृदन्त वाले रूप **काटता हूँ, काटता था** चलते हैं। "**कुत्ता सबनि के लत्तानु पकरि कैं खैंचै। परि काऊ की समझ में ब्वा की बात ई न आवै।**" ('ब्रज की लोककहानियाँ', पृ. 56) यहाँ **खैंचै, आवै** भूतकाल का बोध कराते हैं। इनके बारे में कहा जा सकता है कि ये वास्तव में वर्तमानकाल के रूप हैं और भूतकाल के लिए उनका प्रयोग हुआ है। कृदन्त-रूप, बाँगरू की अपेक्षा ब्रजभाषा में, अतीतकाल के लिए अधिक प्रयुक्त होते हैं। **बु नित्तदान पुन्न कियो करत्वो** (पृ. 9, करता था); **वे जमुना जी की उल्ली पारि एक भाटि में रह्यौ करतए** (पृ. 105, रहा करते थे); **परि ब्वा कौ मनु नाओ लगतु; ब्वा सहर में एकु साहूकार रह्यौ करतो; साहूकार जब जाइकैं ब्वा में डुबकी लगाओ करतुओ, तौ ब्वा के हाथन में हीरा, पन्ना, जवाहिराति आइ जायौ करतऐ** (पृ. 55, लगता था, करता था, करते थे)। भविष्यकाल में **ग** चिन्ह ही, कृदन्त प्रत्यय के समान, बदलता है; मूल क्रिया ब्रज और बाँगरू, दोनों में तिङन्त रहती है और यह तिङन्त रूप वर्तमानकाल का है। **जाहि** अर्थात् **जाता है, जाहि** से **जाइ,** और **जाय** रूप बने और **ग** जोड़ने पर **जायगा, जायगी** क्रिया-रूप निर्मित हुए। **जाता है, जाती है** रूपों में वर्तमानकालिक कृदन्त लिंगभेद सूचित करता है, पुरुषभेद नहीं। **मैं जाता हूँ, तू जाता है**—यहाँ पुरुषभेद होने से **जाता** में कोई परिवर्तन नहीं हुआ। किन्तु **मैं जाऊँगा,** यहाँ **जाय** से काम न चलेगा। तिङन्त रूप है, पुरुषभेद सूचित करेगा।

क्रियार्थी संज्ञा के लिए ब्रजभाषा में **ब** वाले पूर्वी रूप प्रयुक्त होते हैं किन्तु इनकी पैठ बाँगरू क्षेत्र में नहीं हुई। यहाँ **न** वाले रूप का चलन है। **ऑह कहण लाग्या**—वह कहने लगा; **आज पड्ढण लागूँगा**—आज पढ़ने लगूँगा। ध्यान देने की बात है कि आधुनिक हिन्दी में **कहना, पढ़ना** आदि क्रियार्थी संज्ञा रूपों में दीर्घ स्वर होता है किन्तु बाँगरू में अवधी का पुराना रूप **कहन, पढ़न** ही ह्रस्व स्वर के साथ प्रचलित है। केवल नासिक्य ध्वनि मूर्धन्य हो गई है। संयुक्त क्रियाओं में कृदन्त-रूप का व्यवहार होता है। **सुणदे आए**—सुनते आए; **जागदा रह्या**—जागता रहा। बाँगरू में **त्** के स्थान पर **द्** का व्यवहार पंजाबी की उस प्रवृत्ति के कारण है जो दो स्वरों के बीच के अघोष स्पर्श-व्यंजन को सघोष करती है। **रह्या** रूप राजस्थानी की याद दिलाता है। बाँगरू में **भर्या, मर्या, कर्या** आदि के साथ **हुया** रूप भी है। मानक हिन्दी में **य्**-विहीन रूपों का चलन है। **बूझण लाग्या, कहण लाग्या**—ये रूप **बूझने लगा, कहने लगा**, इस प्रकार स्वीकृत हुए हैं।

पुरानी ब्रजभाषा में **मैंने, तैंने** जैसे प्रयोग नहीं मिलते किन्तु आधुनिक ब्रजभाषा में इनका व्यवहार होता है। आश्चर्य की बात यह है कि **ने** चिन्ह का व्यवहार कर्म-कारक में खूब होता है। **मैंने इन हातन ते कबऊ काऊ कौ बुरौ न कीयौ** ('ब्रज की लोककहानियाँ', पृ. 30); **कर्मदेव ने ऊ एक हात जोरि दीयौ** (उप., पृ. 21)। यहाँ मानक हिन्दी के समान कर्ताकारक के लिए **ने** चिन्ह का व्यवहार हुआ है किन्तु कर्मकारक में भी इसका व्यवहार स्वच्छन्दतापूर्वक होता है : **मैं राजा नें सात तारे भीतर मुँदि राखी हूँ** (उप., पृ. 34), **नट वारि बार बतावै तौ नौकर कान लगाइकैं चार्‌यौ बातन नें सीखि लेय** (उप., पृ. 34); **ब्वा में बिराहमनी ते कही कै न होय तौ इन छोरान् नें कहूँ पढ़िबे करि आऊँ** (उप., पृ. 40); **मैं याने गेर्‌यौ; सो राजा के हाली हमालीन् ने मालूम भई** (उप., पृ. 67)। अन्तिम उदाहरण में **ने** चिन्ह का व्यवहार सम्प्रदानकारक के लिए हुआ है। जैसे मानक हिन्दी में **को** चिन्ह का व्यवहार कर्म और सम्प्रदान, दोनों कारकों के लिए होता है, वैसे ही यहाँ **ने** का व्यवहार हुआ है। इस चिन्ह का कोई विशेष सम्बन्ध करणकारक से नहीं है। सम्बन्धक शब्दों के आधार पर जो प्रत्यय विकसित होते हैं, वे एक से अधिक कारकों के साथ प्रयुक्त होते देखे जाते हैं; वही स्थिति इस **ने** चिन्ह की है। अवधी में इसका प्रवेश नहीं है, ब्रज और बाँगरू का वह सामान्य चिन्ह है।

## 6. कुरु जनपद

हिन्दी के लिए प्रसिद्ध है कि यह दिल्ली और मेरठ की भाषा है। ये दोनों शहर कुरु जनपद में हैं और इस जनपद की भाषा का दूसरा नाम बाँगरू है। बाँगरू वर्तमान हरियाणा राज्य के गाँवों में ही नहीं बोली जाती, वरन् उत्तर प्रदेश के कुछ उत्तरी भागों और दिल्ली के आसपास के गाँवों में भी बोली जाती है। दिल्ली, मेरठ और

हरियाणा के नगरों में शिष्ट जनों की भाषा हिन्दी है और यह हिन्दी बाँगरू से भिन्न है। बाँगरू एक जनपद की भाषा है। हिन्दी पटना, उज्जैन और दिल्ली के विशाल त्रिकोण में बसनेवाली जाति की भाषा है। जातीय भाषा का विकास वैसे ही नहीं होता, जैसे किसी जनपदीय भाषा का होता है; कोई जनपदीय भाषा ज्यों-की-त्यों जातीय भाषा बन जाए, ऐसा नहीं होता। किसी जनपदीय भाषा को मुख्य आधार बनाकर कोई जातीय भाषा विकसित होती है किन्तु उसमें अन्य जनपदों से भाषा-तत्त्व आकर घुल-मिल जाते हैं और आधार भाषा के रूप को काफी बदल देते हैं। इस तरह की प्रक्रिया हर जातीय भाषा के साथ घटित होती है। कलकत्ते की मानक बंगला या पुणे की मानक मराठी किसी जनपद में वहाँ की ग्रामीण भाषा के रूप में नहीं बोली जाती, न अब मानक अंग्रेज़ी ब्रिटेन के किसी जनपद की ग्रामीण बोली है। यह प्रक्रिया न समझकर कुछ लोग हिन्दी को कृत्रिम भाषा कहते हैं। यदि हिन्दी कृत्रिम है तो संसार की जितनी जातीय भाषाएँ हैं, वे सब कृत्रिम हैं। देहाती बोलियों से सम्पर्क, फिर भी उनसे अलगाव, जातीय भाषा की यह द्वंद्वात्मक विशेषता है। देहाती बोलियों से तत्त्व लिये बिना यह भाषा विकसित नहीं हो सकती और किसी एक ही बोली से वह सम्पर्क बनाए रखे तो अनेक जनपदों में उसका प्रसार नहीं हो सकता। इसका यह अर्थ नहीं है कि विभिन्न जनपद, किसी अनुपात विशेष में, अपने भाषा-तत्त्व जातीय भाषा को देते हैं, फिर सर्वसम्मति से उसे अपनी मिली-जुली भाषा मान लेते हैं। व्यापार और संस्कृति के मुख्य केन्द्र किन जनपदों में हैं, उनका आपस में और अन्य जनपदों से कैसा सम्बन्ध है, इस पर जातीय भाषा के निर्माण में जनपदों की भूमिका निर्भर है। बारहवीं सदी के बाद व्यापार के प्रमुख केन्द्र उत्तर-पश्चिमी प्रदेशों में रहे, इनका प्रभाव पूर्व के क्षेत्रों पर पड़ा। जितना ही विशद जातीय भाषा का क्षेत्र होता है, उतना ही अधिक उसके स्थानीय रूपों की संख्या होती है। इसका कारण यह है कि एक केन्द्र से फैलनेवाली जातीय भाषा को अन्य जनपद प्रभावित करते हैं। बनारस की हिन्दी आगरे की हिन्दी से भिन्न है; कारण यह कि बनारस की हिन्दी भोजपुरी से प्रभावित है और आगरे की हिन्दी ब्रजभाषा से। इसी तरह इस समय की दिल्ली की भाषा पंजाबी से प्रभावित है और इलाहाबाद की हिन्दी अवधी से प्रभावित है। जब यह जातीय भाषा अन्य जातीय क्षेत्रों में पहुँचती है तो वहाँ की जातीय, भाषाओं का प्रभाव ग्रहण करती है और अपने स्थानीय रूप बनाती है। इस तरह कलकत्ते की हिन्दी और बम्बई की हिन्दी का अपना अलग-अलग रूप है। और जब कलकत्ता-बम्बई बड़े शहर न बने थे, तब हैदराबाद की हिन्दी का अपना दक्खिनी रूप निराला था। यहाँ बोलचाल के स्तर पर जो भाषा व्यवहार में आती है, उसकी चर्चा है। भाषा के लिखित रूप में जैसी समानता देखी जाती है, वैसी बोलचाल के स्तर पर भाषा में नहीं होती। नाटकों, उपन्यासों आदि में कभी-कभी लेखक इन रूपों का व्यवहार करते हैं।

हिन्दी कुरु जनपद की बाँगरू भाषा से भिन्न है, हिन्दी के विकास का विवेचन करते हुए यह तथ्य सदा ध्यान में रखना चाहिए। इसे ध्यान में न रखने पर भाषाविज्ञानी अपभ्रंश से सीधे आधुनिक भाषाओं की मंजिल में पहुँच जाता है। हिन्दी के अतिरिक्त जिन लोगों ने बंगला आदि के विकास पर ग्रंथ लिखे हैं, उन्होंने आधुनिक बंगला के विकास की मंजिल को बंगाल के विभिन्न जनपदों की भाषाओं के विकास की मंजिल से अलग नहीं रखा पर दोनों मंजिलों में लम्बा फासला है। जनपदीय भाषाओं के उद्‌भव की मंजिल जातीय भाषाओं के उद्‌भव की मंजिल हो ही नहीं सकती। जब हम आधुनिक भाषाओं की बात करते हैं, तब सामान्यतः आशय जातीय भाषाओं से होता है और इनका विकास भी शताब्दियों तक चलता है। भारत में वैदिककाल गण-समाजों का युग है और वह उस युग का अन्तिम चरण है। जिस समय संस्कृत, पालि और प्राकृत साहित्य और धर्म तथा विभिन्न सामाजिक कार्यों का माध्यम बनी हुई हैं, उस समय गण-समाज विघटित हो रहे हैं, रक्त-सम्बन्ध के बदले वर्णाश्रम धर्म द्वारा व्यंजित नये श्रम-विभाजन के आधार पर नये जनपद संगठित हो रहे हैं। जिस समय अपभ्रंश साहित्य का माध्यम बनती है, उस समय जनपदीय भाषाएँ अपने विकास के अन्तिम चरण में पहुँच रही हैं। बारहवीं सदी के बाद, अपभ्रंश से भिन्न, जनपदीय भाषाएँ साहित्य में भी प्रतिष्ठित होने लगती हैं। यह जातीय भाषाओं के निर्माण का प्रथम चरण भी है। यद्यपि साहित्य में जनपदीय भाषाओं का व्यवहार होता है किन्तु ये भाषाएँ जनपदों तक सीमित नहीं रहतीं, अन्य जनपदों से भाषा-तत्त्व लेती हैं, वहाँ की भाषाओं को प्रभावित करती हैं। यही कारण है कि 'रामचरितमानस' की भाषा में जनपदीय भाषा अवधी आधारभूत है किन्तु उसमें अन्य भाषाओं के तत्त्व आकर मिल गए हैं, केवल शब्द नहीं, रूपात्मक विशेषताएँ आकर मिल गई हैं। 'रामचरितमानस' अवध के बाहर पढ़ा और समझा जाता था और तुलसीदास ने अवधी के अलावा ब्रजभाषा में भी काव्य लिखा। जातीय निर्माण की प्रक्रिया के लिए यह सब महत्त्वपूर्ण कार्यवाही थी।

जिस बोली के आधार पर मानक हिन्दी का विकास हुआ है, वह कुरु जनपद की बाँगरू भाषा है। कुरु जनपद अपेक्षाकृत छोटा था, वर्तमान बाँगरू के क्षेत्र में हरियाणा के अलावा दिल्ली तथा उत्तर प्रदेश का काफी उत्तर-पश्चिमी भाग आ जाता है। मानक हिन्दी में और बाँगरू में काफी अन्तर है। इस अन्तर के कारण लोगों का यह कल्पना करना अस्वाभाविक नहीं है कि हिन्दी का आधार बाँगरू के अलावा और कोई बोली रही होगी। अनेक उर्दू के विद्वान् यह समझते रहे हैं कि दिल्ली की कोई अपनी बोली थी और उसी ने उर्दू का रूप धारण किया। पन्द्रहवीं सदी की दिल्ली एक छोटा-सा शहर थी और उसकी भाषा आसपास के गाँव की भाषा से बहुत भिन्न न हो सकती थी। प्रत्येक भाषा के समान बाँगरू भी अनेक बोलियों का समुदाय है पर ये सब बोलियाँ एक-दूसरे से मिलती-जुलती हैं और

उन्हें बाँगरू की संज्ञा दी जा सकती है। बाँगरू क्षेत्र की कोई ऐसी बोली नहीं है जिसे ज्यों-का-त्यों मानक हिन्दी का रूप माना जाए। इसलिए कुछ लोग हिन्दी को कृत्रिम भाषा भी मानते हैं। यह उदारता उन्हें उर्दू के प्रति भी दिखानी चाहिए क्योंकि बोलचाल की हिन्दी बाँगरू से जितना भिन्न है, उतना ही उर्दू भी है।

बाँगरू ने ब्रजभाषा के प्रभाव से हिन्दी रूप धारण किया। यह हिन्दी रूप बाँगरू क्षेत्र के उत्तर में पंजाब में भी काम में लाया गया, इसके अलावा हिन्दी प्रदेश में तथा हिन्दी प्रदेश के बाहर यह भाषा काफी बड़े क्षेत्र में लिखने और बोलने के काम आती थी। हैदराबाद की दक्खिनी वहाँ उत्तर से ही गई है। वह केवल साहित्य का माध्यम नहीं है वरन् बोलचाल का माध्यम भी है। उसका यह बोली रूप मानक हिन्दी उर्दू से भिन्न है और बाँगरू से भी भिन्न है। उसमें राजस्थानी उतनी ही है जितनी बाँगरू के कुछ रूपों में। पर ब्रजभाषा का प्रभाव बाँगरू की अपेक्षा इस पर बहुत अधिक है। इससे यह अनुमान किया जा सकता है कि पन्द्रहवीं सदी के आसपास ब्रज के प्रभाव से हिन्दी ऐसा रूप धारण कर रही थी जो गाँवों की बाँगरू बोली से काफी भिन्न था और मानक हिन्दी के निकट था। आगरा और दिल्ली इस ब्रज प्रभावित बाँगरू के दो केन्द्र थे पर यह प्रभाव शहरों तक सीमित नहीं था। कुरु जनपद में ब्रज प्रभावित भाषा में या ब्रजभाषा में ही लिखे हुए दोहे, लोकगीत आदि प्रचलित थे। डॉ. कृष्णचन्द्र शर्मा ने ऐसे लोक-प्रचलित दोहों का एक संकलन 'गामेल्लाभास' नाम से प्रकाशित किया है (लोकगीत प्रकाशन, मेरठ, 1976) इसका पहला दोहा है :

*गोविन्द गाढ़ी भीर में, मैं सुमरत हूँ तोय।*
*पत राखी पहलाद की, सोइ भरोसो मोय॥*

यह दोहा आसानी से ब्रजभाषा का दोहा कहा जा सकता है। एक दूसरी मिसाल है :

*हाय दई कैसी भई, अनचाहत को संग।*
*दीपक के भायें नहीं, जल जल मरे पतंग।*

ऐसे अनेक दोहे कुरु जनपद में प्रचलित रहे हैं। कहीं-कहीं अवध के किसानों में प्रचलित उक्तियाँ भी वहाँ पहुँच गई हैं। उक्त पुस्तक में यह दोहा भी है :

*आलस नींद किसानें नासे चोरैं नासे खाँसी।*
*आँखों लीबर बेसुए नासे तिरमिर नासे पाँसी।*

ठेठ बाँगरू का नमूना इस प्रकार है :

*मैं के जाणूँ थी परी, न्युँ फुट्टेंगे भाग।*
*कट के मर ग्या रेल तें, वे ग्या मणें दुहाग।*

एक अन्य संकलन 'लोक-जीवन के स्वर' में डॉ. कृष्णचन्द्र ने जो गीत संकलित किये हैं, वे मानक हिन्दी के ही हैं, थोड़ा-बहुत ब्रज का प्रभाव है। इस संकलन (कुरु लोक संस्थान, मेरठ, 1977) में एक गीत इस प्रकार है :

*दौड़ी-दौड़ी समधन डोलै, पहन पैर में खँडुआ।*
*हौले-हौले जीमो बराती और परोसूँ लडुआ।*
*रसीले तेरे दो नैना, मेरी समधन चतुर सुजान।*
*दौड़ी-दौड़ी समधन डोलै, पहन हाथ में चूड़ी।*
*धीरे-धीरे जीमो बराती और परोसूँ पूड़ी।*
*रसीले तेरे दो नैना।*
*दरवाजे पर दई बिलइया बारौठी पर धूँस।*
*कन्यादान में दई लोमड़ी जिसको लम्बी पूँछ।*
*रसीले तरे दो नैना।*
*चले बिदा हो अब हम समधन खुस राखे भगवान।*
*राम करै तेरे होय लाडली हम आवैं मेंहमान।*
*रसीले तेरे दो नैना।*

इस संकलन में जिस भाषा के गीत हैं, वह अवश्य ऐसे गीतों के माध्यम से गाँवों में पहुँच गई है। यदि इस भाषा को भी कोई कृत्रिम कहे तो उसे मानना चाहिए कि कुरु जनपद के लोग अपने गीतों में कृत्रिम भाषा ही पसन्द करते हैं।

बाँगरू की प्रमुख विशेषता उसमें मूर्धन्य ध्वनियों का व्यवहार है पर इनमें मूर्धन्य **ष्** नहीं है। इस तथ्य से पुनः इस धारणा की पुष्टि होती है कि सभी मूर्धन्य ध्वनियों का विकास एक ही केन्द्र से एकसाथ नहीं हुआ। मूर्धन्य ध्वनियों में प्रमुख है। हरियाणा के एक ओर पहाड़ी बोलियाँ हैं जिनमें इस ध्वनि का व्यवहार होता है। उत्तर में पंजाब और पश्चिम में राजस्थान हैं। **ण्** ध्वनि पश्चिम में गुजरात, महाराष्ट्र और सिन्ध तक है किन्तु सिन्धु नदी के पार ईरानी क्षेत्र में नहीं है। उत्तर में पंजाब में है किन्तु कश्मीर में नहीं है। इस प्रकार **ण्** ध्वनि का क्षेत्र उत्तर और पश्चिम में घिरा हुआ है। मध्य एशिया में उसका कोई केन्द्र नहीं है, इसीलिए उसे भारतीय ध्वनि मानना उचित है। हरियाणा के दक्षिण में ब्रज से लेकर असम तक बोलचाल के स्तर पर इस ध्वनि का व्यवहार नहीं होता। आर्य भाषाओं के प्रदेश में इसका व्यवहार-क्षेत्र सीमित है। निस्सन्देह प्राचीन काल से अब तक इस ध्वनि के विकिरण का एक प्रमुख केन्द्र हरियाणा रहा है। यह ध्वनि बाँगरू को इतनी प्रिय है कि अंग्रेज़ी और फ़ारसी के तत्सम तद्भव भी— स्टेशन, लालटेन, दामन, फौरन—**ण्** के कारण बाँगरू रूप धारण करते हैं : **टेस्सण, लाल्टण, दाम्मण, फोरण**। फिर **दिन, वन, पानी** आदि की नासिक्य ध्वनि को मूर्धन्य बनाकर बोलना स्वाभाविक

ही है। हिन्दी में, और संस्कृत में भी, ऐसे शब्द कठिनाई से मिलेंगे जिनमें **न** और **ण्** का भेद अर्थ-विच्छेदक हो। डॉ. जगदेव सिंह ने बाँगरू भाषा का जो व्याकरण लिखा है, उसमें उन्होंने **कानी** और **काणी** शब्दों में अर्थ भेद दिखाया है। कपड़े का किनारा तो है **कानी** और जिसे मानक हिन्दी में **कानी** कहेंगे, वह है **काणी**।

बाँगरू की एक विशेषता यह है कि समवर्गीय नासिक्य ध्वनि जोड़ने के सिद्धान्त की चिन्ता न करके वह दन्त्य **त्** के साथ भी **ण्** जोड़ती है, यथा : **उण्तीस**। उर्दू में इस ध्वनि का पूर्ण बहिष्कार है। साहित्य की पुरानी ब्रजभाषा में, बोलचाल की ब्रजभाषा के समान ही, इसका व्यवहार न होता था। मानक हिन्दी में इसका व्यवहार तत्सम शब्दों में ही होता है। बाँगरू संस्कृत शब्दों के **न** को **ण** में बदलकर उन्हें तद्भव बनाती है, मानक हिन्दी संस्कृत शब्दों के **ण्** को **न** में बदलकर तद्भव बनाती है। संस्कृत **किरण** को **किरन** कहें तो वह मानक हिन्दी के लिए तद्भव है, संस्कृत **दिन** को **दिण** कहें तो वह बाँगरू के लिए तद्भव है।

मानक हिन्दी के समान बाँगरू में उत्क्षिप्त ध्वनि **ड़्** है। यह बहुधा **र्** और **ल्** का स्थान लेती है। इस प्रकार **कुर्ता** बाँगरू में **कुड़ता** है। हिन्दी में जो **कटोरा** है, वह बाँगरू में **कटोड़ा** है।

*भरा कटोड़ा दूध बिण बूरा पिया न जाय।*
*माई बाप की लाडली पिउ बिण रहा न जाय।*

('गामेल्लाभास', पृ. 27)

इसी प्रवृत्ति के कारण **उर्दू** का बाँगरू उच्चारण **उड़दू** है; **उर्दू** और बाँगरू में यह अन्तर है। **उर्दू** ही नहीं, **वर्दी उड़दी** है, **यारी** बदलकर **याड़ी** हो जाती है। हिन्दी में **ड़्** के साथ **र्** का संयोग अस्वाभाविक माना जाएगा। अवधी **कर्रा** बाँगरू में **कड़्रा** है, हिन्दी में **कड़ा** काफी है। हिन्दी की ध्वनि-प्रकृति में **ण्** के पहले किसी अन्य **ट**वर्गीय ध्वनि का व्यवहार कर्कश कहा जाएगा किन्तु बाँगरू में **कोठरी** के लिए **कोठड़ी** रूप स्वाभाविक है। **ड़्** के अतिरिक्त राजस्थानी और मराठी के समान बाँगरू में एक मूर्धन्य पार्श्विक **ळ्** भी है। हिन्दी के अनेक शब्दों में जहाँ **ल्** है, वहाँ बाँगरू में **ळ्** है, जैसे **पीलिया—पीळिआ**। यह प्रवृत्ति **न्** को **ण्** में बदलनेवाली प्रवृत्ति से मिलती-जुलती है। यह प्रवृत्ति इतनी प्रबल है कि जो शब्द **ल्** से आरम्भ होता है, वह किसी दूसरे शब्द के बाद जल्दी से बोला जाए तो उसका आदिस्थानीय लकार भी मूर्धन्य हो जाता है। हिन्दी **पालागन** या **पालागों** बाँगरू में **पाळंगा** है। ये उदाहरण मैं डॉ. जगदेव सिंह की पुस्तक से ले रहा हूँ। यद्यपि **ल्** ध्वनि का मूर्धन्यीकरण होता है, फिर भी बाँगरू में **ल्** और **ळ्** अर्थ-विच्छेदक ध्वनियाँ हैं। **लाल** तो रंग के लिए है पर **लाळ** मुँह से बहनेवाली **लार** के लिए है। हिन्दी में दो स्वरों के बीच **ड** का उच्चारण उत्क्षिप्त होगा। **जाडा** जैसा शब्द हिन्दी में सम्भव नहीं, **जाड़ा** ही बोला

जाएगा, पर बाँगरू में हिन्दी **जाड़ा** के लिए जाता है, **जाडा** एक घास है। हिन्दी का **मोड़** बाँगरू में भी वही अर्थ देता है पर एक शब्द **मोड** भी है जिसका अर्थ है साधू। बाँगरू में **ड्** और **ड़्** दो भिन्न ध्वनियाँ हैं, वैसे ही **ड्** और **ळ्** भी भिन्न ध्वनियाँ हैं। **गोला** या **चक्र** बाँगरू में **गोळा** है, **गोडा** का अर्थ है घुटना (अवधी का **गोड़**)। **लाड़**-प्यार के लिए **लाड** है, **लाळ** का अर्थ है लार। **ड्, ड़्, ळ**—ऐसा भेद किसी द्रविड़ भाषा में नहीं है। इसलिए मूर्धन्यीकरण के प्रमुख केन्द्र के रूप में हरियाणा का दावा विचारणीय है। हिन्दी में मूर्धन्यीकरण का यह महत्त्व नहीं है, यह स्पष्ट ही है।

मूर्धन्य ध्वनियों की स्थिति मागधी समुदाय में ध्यान देने योग्य है। इस समुदाय में उड़िया एकमात्र भाषा है जिसमें **ण्** का व्यवहार होता है। बाँगरू के समान वह अनेक संस्कृत शब्दों के **न** को **ण्** में बदलती है, **जन** और **वन** क्रमश: **जण** और **वण** बोले जाते हैं। मागधी क्षेत्र में इस **ण्** का प्रवेश कैसे हुआ, इसकी कोई व्याख्या नहीं की गई। ब्रज से लेकर बंगाल तक **न्** का राज्य है, फिर अकस्मात् एक छोटे प्रदेश में **ण** का यह पुन: अवतरण। मागधी भाषाओं पर पश्चिम की भाषाओं का जो प्रभाव पड़ा है, उसका एक प्रमाण है यह **ण्**। **ण्** के साथ उड़िया में **ळ्** भी है और पुन: मागधी समुदाय की एकमात्र भाषा उड़िया ही है जिसमें यह ध्वनि मिलती है। बाँगरू की तरह उसमें **ल** को **ळ** में बदलने की प्रवृत्ति है। हिन्दी क्रिया निकलना के बाँगरू रूप में जैसे **ळ्** है, वैसे ही उड़िया में भी है। उड़िया में हिन्दी की क्रिया **निकलना** है, उसमें बाँगरू की **ळ्** ध्वनि भी है, केवल आदि वर्ण में **न्** को **ल्** में नहीं बदला गया; बाँगरू **लिकड़**, उड़िया **निकळ**, हिन्दी **निकल!** डॉ. सुनीतिकुमार चाटुर्ज्या ने बंगला भाषा पर अपने ग्रंथ में बताया है कि उड़िया-भाषियों की **ल्** को मूर्धन्य करने की प्रवृत्ति अनेक बंगालियों के मनोरंजन का कारण होती है। हिन्दी-भाषियों की तरह बंगाली भी **ळ्** को **ड़्** रूप में ग्रहण करते हैं। उड़िया जनों के उच्चारण की नकल करते हुए वे **कलकत्ता, गोपाल, बलराम** को **कड़कत्ता, गोपाड़, बड़राम** कहते हैं। डॉ. गोलोक बिहारी धल ने 'इंडियन लिंग्विस्टिक्स' (1955) में उड़िया जनों के अंग्रेज़ी उच्चारण की ओर ध्यान दिलाया है। दो स्वरों के बीच में जहाँ **ड्** ध्वनि आती है, वहाँ वे उसका उच्चारण **ड़्** के समान करते हैं। इस प्रकार अंग्रेज़ी शब्द **हार्ड** (सख्त)—**हाड़, रेडियो—रेड़ियो, रोड—रोड़** बोले जाते हैं। मानक हिन्दी बोलने वाले इस प्रकार अंग्रेज़ी शब्दों के तद्भव तो नहीं बनाते किन्तु दो स्वरों के बीच में जहाँ **ड्** आएगा, वहाँ वे उसका उच्चारण **ड़्** ही करेंगे। उड़िया में **ड्** के स्थान पर **ड़्** इसी प्रकृति के अनुरूप है।

बंगला और भोजपुरी में एक अन्तर यह है कि बंगला में **ड़्** की बहुलता है, भोजपुरी में उसकी अपेक्षाकृत न्यूनता है। मैथिली, मगही और अवधी में यह न्यूनता और भी अधिक है। डॉ. सुनीतिकुमार चाटुर्ज्या के अनुसार बंगाल की कुछ बोलियों में **चाटुर्ज्या** को **चाडुज्जे** बोलते हैं। यहाँ **ट्** ने सघोष होकर **ड़्** रूप धारण किया।

हिन्दी शब्द **गड्डी** परिवर्तित होकर **घुड़ी** बना। यहाँ **ड्** ने **ड़्** रूप धारण किया। हिन्दी **छोरा** बंगला में **छोंड़ा** हुआ। **बोरंग** एक प्रकार की **तुरही** है। वह **भड़ंग** रूप में सुनी जाती है। यहाँ **र्** ने **ड़्** रूप धारण किया। कहीं-कहीं **पतंग** को **फड़िड्** बोला जाता है। यहाँ **त्** ने मूर्धन्य होकर **ड़्** रूप धारण किया। बंगला में **ड़्** के अपेक्षाकृत अधिक प्रयोग का एक कारण यह है कि हिन्दी के जिन शब्दों में **ढ़्** ध्वनि है, उनमें बंगला महाप्राणता का लोप करके **ड़्** से काम लेती है। **आढ़त, अढ़ाई, काढ़ना, गढ़ना, चढ़ाई, ओढ़नी** जैसे शब्दों के बंगला प्रतिरूप **आड़त, आड़ाई, काड़ा, गड़ा, चड़ाइ, उड़्नी** हैं। कुछ बोलियों में **चंडाल** और **भंडार** के **चांड़ाल** और **भांड़ार** रूप हो जाते हैं। हिन्दी **ब्योरा** से मिलता-जुलता बंगला **बेओड़ा** का मूल रूप डॉ. चाटुर्ज्या के अनुसार **व्यापार** है। इसी प्रकार संज्ञा का पहला रूपान्तर **सान** हुआ और **सान** बदलकर **साड़**। बंगला में **ड़्** ध्वनि के अनेक स्रोत हैं। **कुल्हाड़ी** के लिए **कुड़ूल** शब्द है जिसका मूल रूप **कुठार** बताया गया है। **मुर्दा** के लिए **मड़ा** शब्द है। झुटपुटे के लिए बंगला शब्द **साँझुड़ा** राजस्थान की याद दिलाता है। बंगला में **ल्** की ही नहीं, **ड़्** की भी बहुलता है; मैथिली-मगही में अवधी के समान **र्** की प्रधानता है। इस भिन्नता का कारण बंगला पर बाँगरू जैसी पश्चिमी भाषाओं का प्रभाव है।

बाँगरू और बंगला में एक समानता **व्** ध्वनि के व्यवहार के बारे में है। बाँगरू मध्यवर्ती का लोप कर देती है; **गाड़ीवाला** बदलकर **गाड़ीआला** हो जाता है। लोप होने के बदले **व्** कभी **उ** स्वर में बदल जाता है। **जवाब, जवान** क्रमश: **जुआब, जुआन** बनते हैं। इससे मिलते-जुलते **व्**-सम्बन्धी परिवर्तन बंगला में होते हैं। आदिस्थानीय **व्** को **उ** में बदलकर कुछ शब्दों के रूपान्तर बिलकुल बंगला की तरह होते हैं : **वकील—उकील, वजीफा—उजीफा, वजीर—उजीर**। **बेवकूफ** के रूपान्तर **बेकूप** में **व** का पूर्ण लोप होता है; **जानवर** के प्रतिरूप—**जनोर** में **व** का लोप आंशिक है। शब्द के अन्त में कभी-कभी **व** वर्ण का पूर्ण लोप होता है; **बनाव—बणा**। इससे मिलती-जुलती स्थिति **य** वर्ण की है; **जायगा, जायथा** क्रमशः **जा गा, जा था** बोले जाते हैं। नानक चन्द शर्मा ने अपनी पुस्तक में आदि और मध्यस्थानीय **य्** के लोप के कुछ उदाहरण दिये हैं। **यतीम** और **यकीन** क्रमश: **अतीम** और **अकीन** हैं; **जायका, किफायत, फायदा** क्रमशः **जाका, किफात, फाद्दा** हैं। बाँगरू और बंगला, दोनों में **व्-य्** ध्वनियों के लोप और रूपान्तरण की प्रवृत्ति है; यह समानता आकस्मिक नहीं हो सकती।

बंगला और बाँगरू में एक महत्त्वपूर्ण भेद दन्त्य **स्** को लेकर है। बंगला में **श्** की प्रधानता है; बाँगरू में **स्** की। अन्य भाषाओं में **स** क्रिया **ह** या **छ** है; यहाँ वह अपने मूल रूप में सुरक्षित है।

बाँगरू की एक विशेषता व्यंजनद्वित्व की बहुलता है। हिन्दी में जहाँ एक व्यंजन से काम चलता है, वहाँ बाँगरू में बहुधा दो दिखलाई देते हैं। नानक चन्द

शर्मा की पुस्तक 'हरियाणवी भाषा का उद्‌गम तथा विकास' (होश्यारपुर, 1968) में उर्दू शब्दों के बाँगरू रूपान्तर अत्यन्त शिक्षाप्रद हैं। **खालिस** पहले **निखालिस** बना, फिर **निखाल्लस**। **दोज़ख़—दोज्जक, नौकर—नोक्कर, खातिर—खात्तर, करामात—कराम्मत, नतीजा—नतीज्जा, अक्ल—इक्कल**; जो लोग समझते हैं कि संस्कृत की द्वित्व-वृत्ति संस्कृत का विशेष चिन्ह है, वे बाँगरू की इस वृत्ति का अध्ययन करें। यह शक्तिशाली भाषा अपनी ध्वनि-प्रकृति के अनुरूप संस्कृत और फ़ारसी, दोनों से शब्द लेकर उनके तद्‌भव बनाती है।

बाँगरू एकार क्षेत्र की प्रमुख भाषा है। यहाँ हिन्दी **जो** (यदि) **जै** है, **तौ** का रूपान्तर **तै** है। **सस्ता, लठा, ढह पड़ेगा** क्रमशः **सॅस्ता, लॅठा, ढॅह पॅड़ैगा** बोले जाएँगे। बाँगरू आदिस्थानीय **उकार-इकार** का भी लोप जब-तब कर देती है। **मन्सी, पछाड़ी** के पूर्व रूप **मुंशी** और **पिछाड़ी** हैं। ब्रज अवधी से भिन्न **अइ-अउ** जैसे संयुक्त स्वर बाँगरू में नहीं हैं। मानक हिन्दी ने यह प्रवृत्ति बाँगरू से पाई है। बाँगरू में मानक हिन्दी के **ए** के स्थान पर बहुधा **ऐ** का उच्चारण होता है। बाँगरू के **सै, पॅड़ै** आदि मानक हिन्दी में **से, पड़े** हैं।

जिस भाषा में मूर्धन्यीकरण की प्रवृत्ति प्रबल हो, उसमें तालव्यीकरण की प्रवृत्ति भी हो, तो यह आश्चर्य की बात होगी। किन्तु ये दोनों प्रवृत्तियाँ बाँगरू में हैं। अन्तिम **आ** बहुधा **या** में बदलता है। **तन्या, भर्या, हट्या**, क्रमशः **तना, भरा, हटा** के प्रतिरूप हैं। ऐसा तालव्यीकरण आदि स्थानीय वर्ण में भी होता है। **चार, शाबाश** क्रमशः **च्यार, स्याबास** बोले जाएँगे। ब्रज और बाँगरू, दोनों में यह प्रवृत्ति है। डॉ. जगदेव सिंह ने उदाहरण रूप एक वाक्य दिया है : **कृत्या नै देखि क्यें गादड़ भाजदा हुया**। यहाँ **कुत्ता, के, हुआ** में **अ** और **ए** के साथ **य** का योगदान हुआ है। **भाजि ज्या** अर्थात् भाग जा, यहाँ **भाजि** तो ब्रजभाषा के समान है किन्तु **ज्या** में ब्रजभाषा से अधिक तालव्यीकरण है। **घोड़्याँ** (घोड़े), **ताल्याँ** (ताले) बहुवचनरूप पंजाबी से मिलते-जुलते हैं किन्तु **य्** का संयोग पंजाबी से भिन्न प्रकृति की सूचना देता है। इसी प्रकार कृदन्त-रूप **खड्या, तोड़्या, बैठ्या** आदि पंजाबी की अपेक्षा राजस्थानी से अधिक मिलते हैं।

डॉ. जगदेव सिंह के अनुसार बाँगरू में महाप्राण ध्वनियाँ पूरी शक्ति से उच्चरित नहीं होतीं। उनके बाद जब स्वर होता है, तब पूरी सुनाई देती हैं। **ह्** सघोष ध्वनि है। डॉ. जगदेव सिंह ने लिखा है कि बाँगरू में अघोष **ह्** का व्यवहार भी होता है, यथा : **गोह्** (जो **घोष** का रूपान्तर है)। संस्कृत में विसर्गों का व्यवहार इसी प्रकार सघोष **ह्** के अघोष होने पर प्रचलित हुआ होगा। **ह्** के निकट जो अल्पप्राण स्पर्श-ध्वनि हो, बाँगरू उसे **ह्** से मिलाकर नई महाप्राण ध्वनि भी बना लेती है। इस प्रकार **बहकाया** बदलकर हुआ **भुकाया**। **भतेरा** का पूर्व रूप था **बहुतेरा**। कहीं-कहीं वर्ण विपर्यय से आश्चर्यजनक परिवर्तन होते हैं; **भूजि दे** का मूल रूप है **बूझि दे**।

बाँगरू की एक विशेषता, बलाघात की आवश्यकता के कारण, आदिस्थानीय स्वरों का ह्रस्व होना या लोप होना है। इस प्रकार **इक्यावन इ** के बिना **क्यावन** बोला जाता है। **एगारह** के आधार पर बना हुआ **ग्यारह** इसी प्रवृत्ति का परिणाम है। **अचम्मा** को **चम्भा** कहना काफी है। **ठुआई** का अर्थ है **उठवाई**। **गूँठी** का मतलब है **अँगूठी**। **गया** इसी प्रवृत्ति के अनुसार **ग्या** बोला जाता है। **चौरासी** और **चौथाई** का आदि वर्ण ह्रस्व होकर **चुरासी, चुथाई** रूप निर्मित करता है। कहीं-कहीं आदि वर्ण अन्तिम वर्ण को अपने भीतर समेट लेता है, जैसे—**नाम** शब्द को **नां** कहना काफी है। **य्, व्, ह्, म्**, जैसी ध्वनियों में स्पर्श तत्त्व क्षीण है, इसलिए इनके साथ व्यंजन-मिश्रण, वर्ण-विपर्यय आदि के चमत्कार विशेष रूप से देखे जाते हैं। **बाण्ह** अर्थात **बहिन, काण्ही** अर्थात् **कहानी, ल्ह्याज** अर्थात् **लिहाज, व्हाईज्ह याज** अर्थात् **हवाई जहाज**; निस्सन्देह बाँगरू और मानक हिन्दी के ध्वनितंत्र में यथेष्ट अन्तर है।

बाँगरू के शब्द-तंत्र में कुछ विशेषताएँ ध्यान देने योग्य हैं। वैदिक काल के **त्वन** और **त्वना** प्रत्ययों की तरह बाँगरू में भी **पण** और **पणा**, दोनों तरह के प्रत्यय प्रयुक्त होते हैं : **लुचपण, अपणापण** और **भाईपणा, बाळकपणा**। वैदिक काल में ही अकारान्त और आकारान्त, दो तरह के वैकल्पिक रूप प्रचलित थे, उसी तरह बाँगरू में क्रियाओं से एक तरह का संज्ञा-रूप बनेगा **मरण**, दूसरी तरह का बनेगा **धरणा**। मानक हिन्दी में **मरना, धरना** जैसे दीर्घ आकारान्त रूप ही स्वीकृत हैं किन्तु **मरन, धरन** जैसे ह्रस्व अकारान्त रूप अवधी और कनौजी में प्रयुक्त होते रहे हैं और बाँगरू के उत्तर में पंजाबी और कश्मीरी में भी प्रयुक्त होते हैं। बाँगरू में **आर** प्रत्यय जोड़कर क्रिया से संज्ञा रूप बनाने की पद्धति है। **नचार**—नाचनेवाला, **बुलार**—बोलने वाला, **खिल्हार**—खिलाड़ी, यहाँ वैदिक काल का वही **आर** प्रत्यय लगा है जो **कम्मोर** में है। यह **कार** का रूपान्तर है। बाँगरू में एक तरह की वस्तुओं का समुदाय जताने के लिए कुछ अनोखे प्रत्यय हैं। डॉ. जगदेव सिंह के अनुसार एक है **ओड़**। **मखोड़**—मक्खियों का झुंड; **चमरोड़**—चमारों का समूह, **मटोड़**—मिट्टी का ढेर। यह **मोड़** वास्तव में **उड़** है। अकारान्त शब्दों के बाद आने से सन्धि का सामान्य नियम **अ** और **उ** को मिलाकर **ओ** कर देता है। **उड़** का पूर्व रूप **उर** था जो **पुर** का रूपान्तर है। **ग्राम, पुर, उर**—ये तीनों शब्द मनुष्यों के निवास का अर्थ देने के अलावा बहुत्व की सूचना भी देते थे। डॉ. जगदेव ने एक अन्य प्रत्यय **ईक** का उल्लेख किया है, यथा : **गडीक** अर्थात् गाड़ियों की पाँति। यह **क** प्रत्यय है जो सम्बन्धकारक का चिन्ह होने के अलावा बहुत्वसूचक भी है। **क** की यह दोहरी भूमिका भोजपुरी में भी देखी जाती है।

बाँगरू में **चलने** का अर्थ देनेवाली **चाल** क्रिया है, मानक हिन्दी में **चाल** केवल संज्ञा रूप है। **जौ की बाल** के लिए **सिर्टा** शब्द है जिसका सम्बन्ध बोने, जन्म देनेवाली प्राचीन **सि** अथवा **सु** क्रिया से है। **कंडे** के लिए **अर्णा** और **जंगल**

के लिए **रन,** दोनों **अरण्य** से सम्बद्ध हैं। **खेत** के लिए **क्यार केदार** का रूपान्तर है, मानक हिन्दी में केवल स्त्रीलिंग रूप **क्यारी** स्वीकृत है। **आवाज** लगाने के लिए **गोहा** शब्द **घोष** के आधार पर बना है और **गोहार** या **गुहार** रूप में बाँगरू क्षेत्र के बाहर भी प्राप्त है। बाँगरू का एक रोचक शब्द **माळ्ह** है जिसका अर्थ है शहद का छत्ता। यह उस समय की यादगार है जब **ध्** पहले अल्पप्राण हुआ, फिर **द् ल्** में परिवर्तित हुआ। ऐसा रूपान्तर मधुसूचक शब्दों में अन्यत्र भी पाया जाता है। बाँगरू में घुमन्तू लोगों के लिए **ओड** शब्द है। यह कहीं **वेड** क्रिया से जुड़ा हुआ है। बंगला में इसका रूपान्तर **बेड़** घूमने की क्रिया का अर्थ देता है। अवधी में गरीब घुमन्तू लोगों के लिए **बॅड़िया** शब्द है, वह इसी से सम्बद्ध है।

बाँगरू के विभक्ति-चिन्हों में **नै** बहुत महत्त्वपूर्ण है। मानक हिन्दी में कर्ताकारक के चिन्ह **ने** का यही स्रोत है। मानक हिन्दी में इसका प्रयोग सीमित है किन्तु बाँगरू में इसके प्रयोग में बड़ी विविधता है। **घोड़े नै पाणी पिया,** यहाँ कर्ताकारक के साथ इसका व्यवहार हुआ है। (यह कर्ताकारक मूलतः करण होगा, इससे यहाँ बहस नहीं।) **उस नै बी आणा था** अर्थात् उसे भी आना था। यहाँ न हिन्दी **को** का स्थान लेता है। इसी प्रकार : **मन्नै इब जाणा चाहिए**—मुझे अब जाना चाहिए। **राति नै रोज तारे लिकड़ै सैं**—रात में रोज तारे निकलते हैं, यहाँ **नै** अधिकरणकारक के लिए है। **किसै नै आणा दिखै सै**—किसी का आना दिखाई देता है, हिन्दी में जहाँ सम्बन्धकारक का प्रयोग होगा, वहाँ **नै** है। **उरे नै**—वहाँ : यहाँ **ने** स्थानसूचक विशेषक के साथ जुड़ गया है। बाँगरू में एक प्राचीन कारक-चिन्ह **एँ** है जो एक से अधिक कारकों के साथ प्रयुक्त होता है। **जायें** अर्थात् जाने से, करणकारक; **झूठें**—झूठ में, **साचें** अर्थात् सच में, यहाँ अधिकरण है। एक ही चिन्ह का अनेक कारकों में प्रयोग—पुरानी परम्परा है।

बाँगरू क्रियापद रचना में तिङन्त रूप अब भी काफी हैं। मानक हिन्दी के विपरीत एक तिङन्त रूप काटूँ से तीनों कालों के उत्तम पुरुष एकवचन रूप **काटू सूँ, काटूँ था, काटूँगा** बन जाते हैं। मानक हिन्दी से भिन्न बाँगरू में **सोनदा, जागदा** आदि सघोष **द्** ध्वनि वाले कृदन्त-रूप प्रयुक्त होते हैं। इनमें सानुनासिक और निरनुनासिक, दोनों तरह के रूप हैं।

मानक हिन्दी और बाँगरू में अनेक भेद हैं। आधार भाषा बाँगरू है। ब्रज, अवधी के अलावा अन्य बोलियों का प्रभाव भी उस पर पड़ा है और इन अनेक प्रभावों को ग्रहण करके मानक हिन्दी ने अपना रूप स्थिर किया है।

## 7. पुरानी साहित्यिक हिन्दी और जनपदीय भाषाएँ

ध्वनितंत्र के अलावा मानक हिन्दी की रूप-रचना और अनेक शब्दों के प्रयोग पर ब्रजभाषा का प्रभाव स्पष्ट है, विशेष रूप से पुरानी हिन्दी में। समस्त हिन्दी क्षेत्र में

कर्म, सम्बन्ध आदि कारकों के साथ **क्** ध्वनि वाले चिन्हों का व्यवहार होता है। यह विशेषता बाँगरू में भी है और उसे पंजाबी से अलग करती है। ब्रजभाषा में **को** या **कौ** के अतिरिक्त कारक-चिन्ह **कूँ** का भी चलन है। यह चिन्ह पुरानी हिन्दी में भी है। मुहम्मद अफ़ज़ल नाम के मेरठ निवासी कवि ने 'विकट कहानी'—'बारहमासा' नाम की कविता-पुस्तक लिखी थी। उनका देहान्त 1625 ई. में हुआ था। उनकी भाषा सोलहवीं सदी की हिन्दी का नमूना है। डॉ. विद्यासागर और डॉ. मसूद हुसेन खाँ द्वारा सम्पादित यह पुस्तक हैदराबाद से 1967 में प्रकाशित हुई। इसमें **याद से हमकूँ बिसारा,** इस तरह के प्रयोग मिलते हैं। शाह अफ़ज़ल के बारे में कहा जा सकता है कि वह कविता लिख रहे थे, इसलिए उन्होंने इस तरह का प्रयोग कर दिया है। पर इस तरह के प्रयोग ईसवी खाँ बहादुर की गद्य रचना 'किस्सए मेह्र अफ्रोज़ व दिलवर' में भी हैं। यह गद्य ग्रंथ मसूद हुसेन खाँ द्वारा सम्पादित होकर उस्मानिया विश्वविद्यालय के उर्दू विभाग की ओर से सन् 1966 में प्रकाशित हुआ। सम्पादक के अनुसार यह रचना अठारहवीं सदी से पूर्वार्द्ध की है। इस तरह दो सौ वर्ष तक हिन्दी में **कूँ** कारक-चिन्ह का प्रयोग होता रहा और उत्तर से वह दक्खिनी हिन्दी में भी पहुँचा, यथा : **अक्ल अच्छे तो अपस कूँ होर दूसरे कूँ पछाने** (श्रीराम शर्मा : 'दक्खिनी पद्य और गद्य', पृ. 409) इसी तरह कारक-चिन्ह **सूँ** का प्रयोग है। इसके भी **सों, सौं** प्रतिरूप हैं पर इनका उद्भव मूल रूप **सन** से हुआ है। 'रामचरितमानस' में इस **सन** का खूब प्रयोग हुआ है और कुछ क्षेत्रों की अवधी में इसका प्रयोग अब भी होता है। शाह अफ़ज़ल ने लिखा था : **अरे ऐ जोशियो तुम साँच बोलो। मिले मोसूँ बदेसी स्याम कौलौं। अरे ऊधौ सुनौ यह दुख हमन सूँ। कहौ टुक जाय परदेसी सजन सूँ।** इसी तरह दक्खिनी हिन्दी में इसका प्रयोग होता था : **यूँ कहे तो उसके दिसने वज़ा सूँ याँ बी दिसता है** ('दक्खिनी का पद्य और गद्य', पृ. 409)

सर्वनामों में शाह अफ़ज़ल **तैं** का प्रयोग करते हैं : **दिया परदेस में तैं गैर कूँ राज। तैं** का व्यवहार ब्रजभाषा में होता ही है। शाह अफ़ज़ल के अतिरिक्त सौदा की भाषा में इसका प्रयोग मिलता है : **सौदा से गम गुसार का था दिल ये तैं लिया।** भारतेन्दु हरिश्चन्द्र के समय तक **तैं** रूप मानक हिन्दी से बहिष्कृत न हुआ था। सत्य हरिश्चन्द्र नाटक में उन्होंने लिखा था : **अरे दुष्ट! तैं भूल गया; कल पृथ्वी किसको दान दी थी?** आगरे की हिन्दी का अन्य पुरुष एकवचन सर्वनाम **विस** कभी हिन्दी-उर्दू का अपना खास रूप था। **विन** इसी का बहुवचन रूप है। 'प्रेमसागर' (काशी संस्करण) की भूमिका में लल्लू जी लाल ने लिखा था : 'विस का सार ले, यामनी भाषा छोड़, दिल्ली आगरे की खड़ी बोली में कह, नाम प्रेमसागर धरा।' भूमिका के बाद कथा के प्रारम्भिक अंश में उन्होंने लिखा : 'विन्हें देख परीक्षित मन में कहने लगा।' सदल मिश्र ने इन रूपों का प्रयोग 'नासिकेतोपाख्यान' में किया है : 'और वेद की आज्ञा से सन्तान के लिए पत्नी सों भोग करना उचित है, नहीं तो विस विन क्या

कभी क्रिया सिद्ध होती है और जिस-जिसके लाने को धर्म्मराज विन को बरजते हैं।' अंग्रेज़ों के पढ़ने के लिए सैंडफोर्ड आर्नो ने हिन्दुस्तानी भाषा का एक व्याकरण लिखा था जिसमें डंकन फोर्स ने कुछ गद्यपाठ जोड़े थे। 'ए ग्रामर ऑफ द हिन्दुस्तानी टंग' नाम की पुस्तक डंकन फोर्स द्वारा परिवर्द्धित होकर लंदन से 1844 ई. में प्रकाशित हुई। इसके गद्य पाठ में इस तरह के वाक्य हैं : विन की कुछ चिन्ता हो तो मुझसे टीप लिखवा लो; एक पहर के पीछे इसने घबरा के विसे पुकारा।

पुरानी हिन्दी के बहुत-से प्रयोग ग़ालिब के समय में उर्दू से निकाले गए, फिर हिन्दी में उनका चलन बन्द हुआ। कुछ रूप ऐसे हैं जिनका व्यवहार ग़ालिब की भाषा में किया गया है किन्तु मानक हिन्दी-उर्दू में उनका प्रयोग वर्जित हो गया है। इनमें अवधी का प्रश्नवाचक शब्द **काहे** है। हिन्दी में इसका स्थान **क्यों** ने ले लिया है। पुरानी ब्रजभाषा में **काहे** का प्रयोग होता था। आजकल ब्रजभाषा में भी **क्यौं** और **चौं** का जोर है। ग़ालिब ने लिखा था : 'मुझमें तुममें नामानिगारी काहे को है, मुकालमा है।' (17 सितम्बर, 1858 का पत्र, श्रीराम शर्मा सम्पादित : 'गालिब के पत्र') इसी तरह सौदा ने लिखा था : 'नजर आ जाय है जैसी कि हिन्दुस्तान में सूरत। कभू काहे को ख़ल्क ऐसी हुई कनआन में सूरत।' इस शेर में जो **कभू** शब्द आया है, वह **कबहू** का रूपान्तर है। **कबही** से **कभी** रूप बना, **कभू** ब्रजभाषा के **हू** के आधार पर बना है। सौदा का यह प्रिय शब्द था : 'ज्यूँ गुंचा तू चमन में बन्दे कवाके खोले। फिर गुल से ऐ पियारे बुलबुल कभू न बोले।' **कबहू** और **कभू** की तरह पुरानी हिन्दी में **अजहूँ** और **अझूँ** रूपों का चलन था। शाह अफ़ज़ल ने 'बिकट कहानी' में लिखा था : 'अहद कर कर गये अजहूँ न आए। अरी किन सौत ने टोने चलाए।' और : 'दुहल रहलत का भादों ने बजाया। अझूँ लग साँवरा परदेस छाया।' यह शाह अफ़ज़ल का निजी प्रयोग न था, इसका प्रमाण यह है कि दक्खिनी हिन्दी में भी इसका व्यवहार होता था : 'ऐसे खुश बास के फूलाँ अझौं किसी बाग में नहीं खिले। ऐसे फूलाँ अझौं किसे नई मिले।' ('दक्खिनी हिन्दी का पद्य और गद्य', पृ. 406)

ऊपर उद्धृत वाक्यों में जो **फूलाँ** बहुवचन रूप आया है, वह अवधी-ब्रजभाषा के **फूलन** का विकास है। **फूलन** जैसे शब्द से एक रूप बनेगा **फूलों**, जैसे **सन** से **सों** रूप बना : दूसरा रूप बनेगा **फूलाँ**। उर्दू कविता में **मकान** का संक्षिप्त रूप **मकां**, पंजाबी और बाँगरू में **लोक** का बहुवचन **लोकाँ** किसी बाहरी प्रभाव के कारण नहीं हैं। **चन्द्र** जैसे **चाँद** बन जाता है, वैसे ही **लोगन** या **लोकन** का उच्चारण **लोगाँ, लोकाँ** होगा। यह प्रवृत्ति तमिल भाषा में भी है। अन्य पुरुष एकवचन सर्वनाम **अवन्** बोलचाल में **अवाँ** हो जाता है। हिन्दी में **पुस्तकों, बालकों, लोगों** आदि जो बहुवचन रूप प्रयुक्त होते हैं, वे अवधी और ब्रजभाषा के **बालकन, पुस्तकन** जैसे रूपों से बने हैं।

क्रियार्थी संज्ञा के रूप में भी पुरानी अवधी में, और आजकल कनौजी में **न** प्रत्यय जोड़ा जाता है। उदाहरण के लिए **निकस** क्रिया मूल में **न** जोड़ने से क्रियार्थी

संज्ञा रूप **निकसन** बनेगा। नजीर अकबराबादी ने 'जन्म कन्हैयाजी' नाम की कविता में लिखा था : 'इक आन न निकसन पावें ये फिर उन सबको ये हुक्म दिया।' लल्लूजी लाल के लिए ऐसे प्रयोग स्वाभाविक थे। उन्होंने 'प्रेमसागर' में लिखा : 'इससे आपकी आज्ञा ले प्रसेन और मणि के ढूँढ़न को जाते हैं।' (खेमराज श्रीकृष्णदास संस्करण, पृ. 188) मानक हिन्दी क्रियार्थी संज्ञा के लिए **ना** प्रत्यय जोड़ती है। **ढूँढन** और **ढूँढना** में वैसा ही अन्तर है, जैसा **तोर** और **तेरा** या **जात** और **जाता** में है अथवा वैदिक **एन** और **एना** में है। मूलत: मानक हिन्दी में क्रियार्थी संज्ञा बनाने की प्रक्रिया वही है जो पुरानी अवधी और वर्तमान कनौजी में है।

पूर्वकालिक क्रिया-रूप बनाने में अवधी और ब्रजभाषा क्रिया में आय प्रत्यय जोड़ती हैं, जैसे **नव** क्रिया से पूर्वकालिक रूप **नवाय** बनाया। नाम शब्दों में यही प्रत्यय जोड़कर क्रिया बना लेते हैं। नज़ीर ने 'महादेव जी ब्याह' कविता में लिखा : 'पहले नावँ गनेस का लीजे सीस नवाय। जासे कारज सिद्ध हों सदा मुहूरत लाय।' नज़ीर ने नाम-शब्दों से जो क्रिया-रूप बनाए हैं, उनकी एक अच्छी मिसाल **चुँधिआय** शब्द है। **सफ़रे आख़िरत** की तैयारी में उन्होंने लिखा था : 'सर काँपा चाँदी बाल हुए मुँह पीला पलकें आन झुकीं। कद टेढ़ा कान हुए बहरे और आँखें भी चुँधिआय गईं।' मानक हिन्दी-उर्दू में अब ऐसे रूपों का व्यवहार नहीं होता किन्तु पूर्वकालिक क्रिया-रूपों में पहले जो **आय** प्रत्यय लगता था, उसी के **य** का लोप होने पर मानक हिन्दी का **आ** प्रत्यय बना है, यथा : **पढ़ाकर** मूलत: **पढ़ायकर** रूप था।

**कहियो, आइयो** जैसे ओकारान्त रूप ठेठ ब्रजभाषा के हैं। पुरानी हिन्दी में इनका व्यवहार होता था। शाह अफ़ज़ल ने लिखा था : 'तुम्हीं टुक कर पकड़ समझाय कहियो। पगन पर सीस धर कर लाय कहियो।' पुरानी हिन्दी ही क्या, दिल्ली की हिन्दी में इन रूपों का व्यवहार अब भी होता है, यद्यपि वैसा व्यवहार दिल्ली की मानक भाषा में स्वीकृत नहीं है। आगरे के बहुत-से कारीगर दिल्ली में जा बसे थे। इनकी बोली, कारखानों में इनके काम करने से, **करखनदारी** कहलाती है। यह भी खड़ी बोली है पर उस तरह की है जिस तरह की आगरे की अपनी खड़ी बोली है। जनपदीय भाषाओं के परस्पर सम्पर्क से कैसे नये रूप उभरते हैं, इसकी मिसालें दिल्ली की इस बोली में बहुत हैं। गोकुलचन्द नारंग ने इस बोली पर एक सुन्दर पुस्तक लिखी है : 'करखन्दारी डायलेक्ट ऑफ डेल्ही उर्दू' (दिल्ली, 1961)। इसमें उन्होंने यह दिखाया है कि टकसाली उर्दू दिल्ली के कारीगरों की इस बोली से दूर होती चली गई है, फिर भी 'इस बोली के वे रूप जो आज की साहित्यिक उर्दू में पुराने पड़ चुके हैं, पुरानी उर्दू में बने हुए हैं।' (पृ. 67) इस बोली में **जाइयो, लीजियो** आदि ओकारान्त रूपों का प्रयोग खूब होता है और गोकुलचन्द नारंग ने स्वीकार किया है कि यह स्पष्ट ही ब्रजभाषा के प्रभाव के कारण है। ब्रजभाषा का यह प्रभाव दिल्ली के अपढ़ कारीगरों में साहित्य के माध्यम से न पहुँचा था। ग़ालिब

और मीर की तरह ये कारीगर आगरे से दिल्ली गए और अपने साथ ब्रज का प्रभाव ले गए। 'क़िस्सए मेह्र अफ्रोज' की भूमिका में मसूद हुसेन खाँ ने इस बोली को याद किया है। उन्होंने लिखा है : 'अमीर खुसरोकालीन खड़ी बोली का स्वरूप दकनी हिन्दी-उर्दू में मिलता है और इसका ब्रजमिश्रित स्वरूप हमें जहाँगीर के समय के एक लेखक 'अफ़ज़ल' की कृति 'बिकट कहानी' में मिलता है। क़िस्से की भाषा तत्कालीन प्रचलित जनभाषा का रूप है। अतः उस समय की भाषा विषयक सभी विशेषताएँ इसमें उपलब्ध होती हैं जिनमें से कुछ दिल्ली की वर्तमान करखन्दारी भाषा में भी पाई जाती हैं।' मसूद हुसेन खाँ ने 'क़िस्सए मेह्र अफ्रोज' की भाषा को एक ओर 'अमीर खुसरो के काल की पंजाबी और हरयानी से प्रभावित खड़ी बोली से भिन्न' बताया है, दूसरी ओर उसे 'अकबर और जहाँगीर के काल की ब्रजमिश्रित भाषा से' पृथक् बताया है। ऐसी भाषा से उन्होंने करखन्दारी भाषा की समानता दिखाई है। वास्तव में करखन्दारी बोली ब्रजभाषा का गहरा प्रभाव लिये है। 'क़िस्सए मेह्र अफ्रोज' की भाषा पर भी ब्रज का प्रभाव है, जैसे—जहाँ-तहाँ **ही** के स्थान पर **हू** का व्यवहार। जैसे **कबहू,** वैसे ही **कदहू** : 'अकसाम अकसाम तरह के ऐसे फूल हैं कि उन्होंने कदहू नहीं देखे थे।' (पृ. 9) मानक हिन्दी के **आगे** के बदले ईसवी खाँ **आगूँ** लिखते हैं : 'इस नहर में से पानी पी लीजिए तब आगूँ चलिए।' (पृ. 8) ब्रजभाषा का **कूँ** भी इस गद्य पुस्तक में निरन्तर प्रयुक्त हुआ है : 'तो दिलवर उसकी पेशवाई कूँ आवती है; दिलवर जोश से गुलरूख कूँ मिलती है; सो बादशाहजादे कूँ देखा।' (पृ. 52) अवधी और ब्रज का **काहे** यहाँ भी है : 'चुग़ल काहे से हैं कि दिल की जो बात होहे सो ये कह देती हैं।' (पृ. 53) सर्वनामों में **तैं** का प्रयोग : '**तैं** अपनी बादशाहत व अपने ऊपर जो रहम नहीं करता' (पृ. 3); और **उस** के स्थान पर **तिस** का प्रयोग : 'तिस से मालूम होता है कि मेरे जो जो गुनाह हैं तिस के ऊपर खुदा ताअला ने नजर की है' (पृ. 2)। ब्रज प्रदेश की हिन्दी का अन्य पुरुष एकवचन सर्वनाम रूप **विस** : 'तो विस के भेटने के स्वाद कूँ जीभ कहाँ पहुँचती है कि बयान करे।' (पृ. 55) **केती, एता, कितेक** जैसे रूप पुरानी हिन्दी में ब्रजभाषा से आए थे : 'कितेक दिनों में, साअते नेक में बादशाह के बेटा हुआ' (पृ. 4); 'बादशाहज़ादा एता खूबसूरत है कि जब कोई इसके ताईं देखता है तब महब हो जाता है' (पृ. 6); 'केती मुद्दत मेरे ताईं इसी तलाश में गुजरी थी लेकिन परीज़ाद में ऐसा कोई न मिला' (पृ. 67)। पूर्वकालिक रूपों में **य** अथवा **ए** का प्रयोग लल्लू जी लाल की याद दिलाता है : 'वह जानवर वहाँ से उड़कर और जग्गा जाए बैठा।' (पृ. 7) 'बाग़ में अन्दर जाए के देखते हैं तो चादरें पड़ती हैं।' (उप.) ईसवी खाँ **आवता, आवते** क्रिया-रूप का व्यवहार वैसे ही करते हैं, जैसे पहले ब्रजभाषा के कवि करते थे : 'आवत जात पनहियाँ टूटीं, बिसरि गयो हरि नाम; रसरी आवत जात ते सिल पर होत निसान।'

पुरानी हिन्दी पर ब्रजभाषा का प्रभाव अनेक स्तरों पर है। उसके रूपतंत्र का निर्माण ब्रजभाषा के प्रभाव से हुआ है। कहीं-कहीं पुराने रूप बदल गए हैं, **जायके** की जगह **जाकर** या **जाके** हो गया है, **तैं** की जगह **तू** का चलन हुआ है। किन्तु ध्वनितंत्र पर जो प्रभाव पड़ा था, वह बहुत कुछ सुरक्षित है। पुरानी हिन्दी में फ़ारसी शब्दों के जो तद्भव रूप बने थे, वे मानक भाषा से अधिकतर निकाल दिये गए हैं किन्तु बोलचाल में **अकलवंद, तकादा, वखत** दिल्ली के कारीगर अब भी बोलते हैं। यदि मानक हिन्दी के ध्वनितंत्र की तुलना एक ओर पंजाबी के ध्वनितंत्र से की जाए और दूसरी ओर ब्रजभाषा के ध्वनितंत्र से, तो इस बारे में तनिक भी सन्देह न रहेगा कि मानक हिन्दी का ध्वनितंत्र पंजाबी की अपेक्षा ब्रजभाषा के ध्वनितंत्र के अधिक समीप है। पंजाबी क्या, बाँगरू का ध्वनितंत्र भी मानक हिन्दी के ध्वनितंत्र से दूर पड़ गया है। केवल एक बात में ब्रजभाषा और पंजाबी मिलती हैं। दोनों में मध्यवर्ती **ह्** के लोप की प्रवृत्ति है। इस प्रकार समापिका क्रिया **है ऐ** अथवा **ए** रूप में बोली जाती है। महाप्राणता का ऐसा लोप बाँगरू में भी नहीं है। आगरे की हिन्दी में **क्या कर रहा है**, यह वाक्य यों बोला और सुना जाता है : **क्या कर् रिया ऐ**। इसी तरह ब्रज में : **का कर् रओ ऐ**। मानक हिन्दी ने इस प्रकार **ह्** का लोप स्वीकार नहीं किया। ब्रजभाषा प्रभावित पुरानी हिन्दी के अनेक रूप मानक हिन्दी से निकाल दिये गए हैं पर बोलचाल की हिन्दी में उनका प्रयोग बहुत जगह अब भी होता है। इनमें एक क्रिया-रूप **भया, भई, भए** है। शाह अफ़ज़ल ने 'बिकट कहानी' में इसका प्रयोग किया है : 'भई मुझ सेज बिन पिउ नागिनी रे। सतावे दूसरे नित चाँदनी रे।' यह रूप दिल्ली की हिन्दी में प्रयुक्त होता था, इसका प्रमाण यह है कि शाह आलम द्वितीय ने अपनी हिन्दी कविता में इसका प्रयोग किया है : 'आज आनन्द भयो सभी के मन शाहे आलम को सब मिल चलो दें असीस' ('नादिरातेशाही', सम्पादक इम्तियाज़ अली खाँ अर्शी, रामपुर, 1944 ई., पृ. 90)। यह क्रिया-रूप अवध के प्रमुख हिन्दी केन्द्र, नवाबों की पुरानी राजधानी, लखनऊ में अब भी प्रयुक्त होता है। इसका प्रमाण यह है कि अमृतलाल नागर के कथापात्र इसका व्यवहार करते हैं। 'अरे क्या भया बहू? बहुआ जाड़े में झुरझुरती हुई आई; ऊपर से लाले का लिहाफ़ बोला—अड़े क्या भया?; गुबिन्दे की बहू ने बाहर झाँककर पूछा—चाची, क्या भया?' ('बूँद और समुद्र', अध्याय 6) ये सब पात्र लखनऊ के हैं। स्त्री और पुरुष, दोनों **भया** रूप का व्यवहार करते हैं। लखनऊ में कई तरह की हिन्दी बोली जाती है, उसमें एक यह **भया** वाली हिन्दी भी है। लखनऊ अवध जनपद में है। अवधी के क्षेत्र में जो हिन्दी बोली जा रही है, उसका एक रूप ब्रजभाषा के पुराने शब्द अब भी अपनाए हुए हैं। ऐसा गहरा नाता ब्रजभाषा, अवधी और खड़ी बोली का है।

पुरानी हिन्दी का एक रूप दक्खिनी का है। यह दक्खिनी हिन्दी ब्रजभाषा का प्रभाव लिये हुए है। इस भाषा के पुराने नमूने बारहवीं सदी से मिलने लगते हैं।

इससे यह तथ्य सिद्ध होता है कि बारहवीं सदी में ब्रजभाषा खड़ी बोली को प्रभावित कर रही थी और इससे पहले भी प्रभावित करती आई थी। दक्खिनी हिन्दी के जो पुराने से पुराने नमूने हैं, उनकी भाषा का ध्वनितंत्र न तो बाँगरू का है, न पंजाबी या राजस्थानी का। उसका ध्वनितंत्र ब्रजभाषा से काफी प्रभावित हो चुका है। तुर्क आक्रमणों से पहले यहाँ जनपदों का अलगाव खत्म होने लगा था और ब्रजभाषा बाँगरू को प्रभावित करने लगी थी। एक बात असन्दिग्ध है कि चाहे पुरानी हिन्दी हो चाहे आधुनिक, चाहे मानक हिन्दी हो चाहे उसका कोई स्थानीय रूप, वह कुरु जनपद की भाषा बाँगरू से काफी भिन्न है और इस भिन्नता का मुख्य कारण ब्रजभाषा का प्रभाव है। मानक हिन्दी और बाँगरू, दोनों के रूपतंत्र का विकास ब्रजभाषा के प्रभाव से हुआ और यह ब्रजभाषा पुरानी अवधी का प्रभाव आत्मसात् किए हुए है। आधुनिक अवधी का रूपतंत्र कई बातों में ब्रजभाषा से प्रभावित है और मानक हिन्दी से मिलता-जुलता है। हिन्दी प्रदेश का पूर्वी क्षेत्र साहित्यिक हिन्दी का मुख्य क्षेत्र रहा है, इसलिए पूर्वी जनपदीय भाषाओं का प्रभाव हिन्दी के स्थानीय रूपों पर ही नहीं, उसके मानक रूप पर भी पड़ा है। ऐसे प्रभाव का एक उदाहरण मानक हिन्दी में मध्यवर्ती **ह्** ध्वनि की महाप्राणता की रक्षा है। इस प्रकार जनपदीय भाषाओं के सम्पर्क से जातीय भाषा की पेचीदा प्रक्रिया सम्पन्न होती है। शूरसेनी अपभ्रंश से ब्रज का सम्बन्ध जोड़कर, किसी कल्पित कौरवी अपभ्रंश से बाँगरू का सम्बन्ध जोड़कर, भाषाई विकास-प्रक्रिया की व्याख्या नहीं की जा सकती।

डॉ. माताप्रसाद गुप्त ने 'कुतुबशतक और उसकी हिन्दुई' नाम की पुस्तक सम्पादित की थी जो 1967 में भारतीय ज्ञानपीठ से प्रकाशित हुई थी। डॉ. गुप्त के अनुसार 'कुतुबशतक' की रचना पन्द्रहवीं सदी के अन्त में या सोलहवीं सदी के आरम्भ में हुई थी। इसकी भाषा अनेक दृष्टियों से महत्त्वपूर्ण है। अनेक जनपदों के रूप कैसे आपस में घुल-मिल रहे थे और आधुनिक हिन्दी के रूपों के विकास में इनकी भूमिका कितनी महत्त्वपूर्ण है, इन बातों का पता 'कुतुबशतक' की भाषा के विश्लेषण से चलता है। विशेष रूप से अवधी के रूप पहले उत्तर-पश्चिमी प्रदेशों तक फैले हुए थे, इसका ज्ञान होता है। ब्रजभाषा के रूपों का प्रभाव और प्रसार तो यहाँ है ही। इसके साथ ही कुछ बाँगरू या पंजाबी के रूप भी हैं, जो अब मानक हिन्दी में प्रयुक्त नहीं होते। 'कुतुबशतक' की भाषा में कुछ अन्य ऐसे रूप हैं जो अब प्रयुक्त नहीं होते या कम होते हैं किन्तु जो भाषाई विकास को समझने में सहायक होते हैं।

सबसे पहले उत्तम पुरुष एकवचन सर्वनाम को लें। एक रूप है **हूँ**। यह रूप ब्रजभाषा में अब भी प्रयुक्त होता है किन्तु मानक हिन्दी में उसका व्यवहार नहीं होता। अन्य रूप है **मइ, मइँ**। यह रूप ही मानक हिन्दी का **मैं** है। जो लोग **मैं** का सम्बन्ध **मया** से जोड़ते हैं, वे **मइ** रूप पर ध्यान दें। यदि संस्कृत के किसी मिलते-जुलते रूप को ही आधार बनाना है तो अधिकरणकारक के एकवचन रूप

**मयि** को आधार क्यों न माना जाए? सम्बन्धकारक में **मेरा** के साथ **मो** रूप भी है। **मे, मो, मइ**—ये सभी रूप एक ही आधारभूत रूप **मध** से विकसित सिद्ध किये जा सकते हैं। जहाँ **ध्** का तालव्यीकरण हुआ है, वहाँ 'कुतुबशतक' में **मुझइ** जैसे रूप मिलते हैं। आधार रूप है **मुझ**; इसमें **इ** विभक्ति चिह्न जोड़ा गया है। अवधी का विभक्ति चिह्न **हि** उत्तर-पश्चिमी प्रदेशों में महाप्राणता खोकर **इ** रह गया है। पुराने रूप **मुझइ** से मानक हिन्दी के **मुझे** का विकास हुआ है। पुरानी हिन्दी में जो **अइ, अउ** संयुक्त स्वर मिलते हैं, वे किसी लिपिक द्वारा प्रमादवश नहीं लिखे गए। वैदिक काल से प्राय: सोलहवीं सदी तक इन संयुक्त स्वरों का व्यवहार, कोसल और ब्रज से उत्तर-पश्चिम में, अनेक जनपदों में होता था। **अइ, अउ** के स्थान पर दूसरी तरह के संयुक्त स्वरों—**ऐ, औ** का व्यवहार अपेक्षाकृत आधुनिक है। यह उत्तर-पश्चिमी प्रभाव है जो ब्रज तथा अवधी में पुराने संयुक्त स्वरों को पूरी तरह विस्थापित नहीं कर पाया।

दूरस्थित वस्तु की ओर संकेत करनेवाला सर्वनाम **सो** बहुत दिलचस्प है। **सो** रूप हिन्दी में अब भी बोला जाता है। **से** रूप बंगला में प्रचलित है। **मध** के समान यहाँ भी मूल रूप **सध** मानें तो कोसली का एक रूप **सा** होना चाहिए। यह रूप यहाँ मिलता है। **जादे जा दिन अग्गला साहिब सा दिन रूप** (जादे यानी शाहज़ादे का जो अगला दिन अर्थात् जवानी का समय है, वही साहिबा के रूप का समय है।) **सा** के साथ **जा** रूप भी विद्यमान है। मानक हिन्दी में **जो**, बंगला में **जे** का व्यवहार होता है। मध्यवर्ती क्षेत्र का **जा** रूप यहाँ है। **मध** और **सध** के समान एक शब्द **यध** था; उससे **जा, जो, जे** रूप बने।

निकटवर्ती वस्तु के लिए **इह** सर्वनाम का मूल रूप **इध** होना चाहिए। इसी का परिवर्तित रूप यह हिन्दी का मानक रूप है। **ह** का लोप होने पर ये रूप बहुवचन के लिए प्रयुक्त होता है। दूरस्थ वस्तु के लिए **ओह** रूप है। प्रथम वर्ण ओकार अवश्य ही ह्रस्व था और इसी का परिवर्तित रूप **वह** मानक हिन्दी में प्रयुक्त होता है। बोलचाल में **वो** रूप प्रचलित है—एकवचन और बहुवचन, दोनों के लिए। हिन्दी में **वे** रूप बहुवचन के लिए सुरक्षित हैं। पूर्वरूप हुआ **अध**। इसका पूर्वी रूप होगा **ऑध**। इस प्रकार मानक हिन्दी का सर्वनाम रूप वह पूर्वी जनपदों की देन है। **उस, तिस** जैसे रूपों का आधार **उध, तिध** जैसे रूप हैं। अवधी का **ताहि** रूप कर्मकारक के लिए 'कुतुबशतक' में भी प्रयुक्त हुआ है। इसमें **हि** विभक्ति चिह्न है और **ता** आधारभूत सर्वनाम है। **सा, जा** के समान **ता, तध** का रूपान्तर है।

कारक-रचना के सन्दर्भ में कर्ता और कर्मकारकों में अनेक स्थानों पर अवधी के समान उकारान्त रूपों का प्रयोग हुआ है, यथा : **ओही हालु**। बहुवचन रूपों में **सज्जणां** जैसे रूप बाँगरू और पंजाबी का प्रभाव व्यंजित करते हैं। कर्मकारक के लिए **कुँ** का प्रयोग 'कुतुबशतक' में हुआ है, ब्रजभाषा में अब भी होता है, दक्खिनी

हिन्दी में भी इसका व्यवहार हुआ है। इसी के जोड़ के **सुँ, सू, सौं** करणकारक के लिए प्रयुक्त होनेवाले विभक्ति चिह्न हैं। अधिकरण में **इ** और **अइ** वाले रूप मिलते हैं : **कर्मार, दरबारि, हत्थइ, कंठइ**। यह वही विभक्ति चिह्न हैं जो संस्कृत में एकार रूप में प्राप्त हैं। अधिकरण के लिए **महि, मिर्ह, मइ, मै, मि** सम्बन्धक रूप भी प्रयुक्त हुए हैं। इन सबका आधारभूत रूप **मध** हो सकता है। कोई कहे कि **मध** सर्वनाम है तो सर्वनाम और विभक्ति-चिह्नों की सामान्य रचना-प्रक्रिया याद कर लेनी चाहिए।

'कुतुबशतक' की भाषा की क्रियापद-रचना में अवधी रूपों की भूमिका ध्यान देने योग्य है। भविष्य काल का एक रूप है **करहिगा**। अन्य पुरुष एकवचन के वर्तमानकालिक रूप **करहि** में **गा** चिह्न जोड़ा गया है। **करहि** अवधी का वर्तमान काल का रूप है। महाप्राणता का लोप होने पर **हि** के स्थान पर **इ** रह जाता है। 'कुतुबशतक' में **करहिगा** के समानान्तर **करइगा** जैसे रूप भी हैं। यह **करइ** मानक हिन्दी का **करे** है। **करइगा** से **करेगा** रूप का विकास हुआ है। वह **करे** है, **वह क्या करे, वह करेगा**—हिन्दी के इन विभिन्न रूपों में **करे** का आधार सर्वत्र अवधी का **करहि** है। **गा** चिन्ह जोड़ने से मानक हिन्दी का बोध होता है किन्तु 'कुतुबशतक' में **गा**-विहीन भविष्यकालीन रूप भी है, यथा : **सोई लज्जा रख्खिहइ जादे साहि नसीब**। यहाँ **रख्खिहइ** में अवधी का कालवाचक चिन्ह **हइ**, पूर्वरूप **हहि**, लगा हुआ है। इससे अवधी रूपों के प्रसार का अनुमान हो सकता है। भविष्य काल के लिए ही अन्य पुरुष के बहुवचन रूप **कहइँगे** में **कहइँ** का पूर्व रूप **कहहिं** है। यही अब मानक हिन्दी का **कहेंगे** रूप है। मध्यम पुरुष के लिए **देहुगे** जैसे रूप में अवधी का **देहु** स्पष्ट है। आज्ञा रूपों में **ध्यावहु, ल्यावहु, दिखावहु** पुनः अवधी के रूप हैं और वे उत्तर-पश्चिमी प्रदेशों में कैसे बदल रहे थे, इसके प्रमाण भी 'कुतुबशतक' में हैं। **करउ** जैसे रूप में महाप्राण ध्वनि का लोप हो गया है और **जिलाओ** जैसे रूप में संयुक्त स्वर **अउ** के स्थान पर ओकार का व्यवहार हुआ है। मानक हिन्दी में ये ओकार वाले रूप ही स्वीकृत हैं। वर्तमान काल में उत्तम पुरुष एकवचन के तिङन्त रूप हैं **जाणुँ, जाणउँ**। इनका आधार **जानहुँ** जैसा अवधी रूप है। मानक हिन्दी में जब कहते हैं **मैं क्या जानूँ**, तब पूर्वरूप **जानहुँ** के संक्षिप्त रूपान्तर का ही व्यवहार करते हैं। 'कुतुबशतक' में अन्य पुरुष एकवचन के वर्तमानकालिक रूप **होइ, देखइ, बखाणइ** आदि अवधी के समान हैं। पुरानी अवधी के समान 'कुतुबशतक' की खड़ी बोली में तिङन्त रूपों का व्यवहार काफी होता है किन्तु कृदन्त-रूपों को आधार बनाकर क्रियापद-रचना भी होने लगी है, यथा : **जाणता हइ, जाणता हूँ**। भूतकाल के लिए **गया, धाया, आया** आदि कृदन्त-रूपों का व्यवहार सामान्य है। **लेट्या, कह्या, जाण्या** जैसे रूप बाँगरू की देन हैं जो अब मानक हिन्दी में स्वीकृत नहीं हैं। महत्त्वपूर्ण रूप **लीन्हा, लिन्न, लीना** आदि हैं।

अवधी के **दीन्ह, लीन्ह** जैसे रूप इनका आधार हैं और इनका **न्ह न्ध** का विकास है। वर्तमानकालिक कृदन्त **करत, होत, देखत** आदि ब्रज अवधी के समान प्रयुक्त हुए हैं। क्रियार्थी संज्ञा रूपों में एक ओर **ना** वाले **फेरणा, मारणा** जैसे रूप हैं, दूसरी ओर **ब** वाले **फेरिबे** जैसे रूप हैं जो ब्रजभाषा में प्रयुक्त होते हैं। आज्ञा रूपों में **धरि, हेरि, देखि, फेरि** आदि ब्रज क्षेत्र में प्रचलित रूपों के समान हैं।

'गुरु ग्रंथ साहिब' में जो कबीर के पद दिये हुए हैं, उनकी भाषा में कुछ वैसी ही विशेषताएँ हैं, जैसी 'कुतुबशतक' की भाषा में हैं। इनके अध्ययन से हिन्दी के रूपों के विकास को समझने में सहायता मिलेगी। (शिरोमणि गुरुद्वारा प्रबंधक कमेटी, अमृतसर द्वारा अगस्त, 1951 में प्रकाशित 'श्री गुरु ग्रंथ साहिब' से यहाँ उद्धरण दिये गए हैं।) एक पद है : 'हरि जसु सुनहि न हरि गन गावहि। बातन ही असमानु गिरावहि। ऐसे लोगन सिउ किआ कहीऐ। जो प्रभु की ए भगति ते बाहज तिन ते सदा डराने रहीऐ। आपि न देहि चुरू भरि पानी। तिह निन्दहि जिह गंगा पानी। बैठत-उठत कुटिलता चालहि। आप गये अउरन हू घालहि। छाडि कुचरचा आन न जानहि। ब्रह्मा हू को कहिओ न मानहि। आप गए अउरन हू खोवहि। आगि लगाइ मंदर मै सोवहि। अवरन हसत आपि हहि काने। तिनकउ देखि कबीर लजाने।' (पृ. 332)

इस पद में सबसे पहले **जसु, असमानु** जैसे उकारान्त रूपों पर ध्यान देना चाहिए। ऐसे रूप कबीर तथा अन्य संतों की भाषा में काफी हैं और पंजाब में जो हिन्दी गद्य लिखा गया था, उसमें भी मिलते हैं। इसके बाद क्रिया के **हि** वाले रूपों पर ध्यान देना चाहिए। **हि** पर अनुस्वार का चिन्ह नहीं है किन्तु हैं ये सब बहुवचन के रूप। यह मान लेना चाहिए कि अन्तिम स्वर का उच्चारण अनुनासिक होता था। इनमें एक रूप **हहि** भी है। अनुस्वारयुक्त **हहिं** का रूपान्तर **हैं** मानक हिन्दी में प्रयुक्त होता है। पूर्वकालिक कृदन्त **छाडि**, वर्तमानकालिक कृदन्त **बैठत उठत** सर्वनाम रूप **जिह तिह**, संज्ञा के बहुवचन रूप, यथा : **लोगन** अवधी रूपों के व्यापक व्यवहार की ओर संकेत करते हैं। इस पद की छन्द-रचना और शब्द-योजना पर भी अवधी लोककाव्य का प्रभाव झलकता है।

कबीर के पदों की भाषा में बहुत जगह **ह्** वाले रूप हैं, इनके साथ क्रिया पदों के वैकल्पिक रूप भी हैं जिनमें इस महाप्राण ध्वनि का लोप हो गया है। वर्तमान काल के अन्य पुरुष एकवचन रूपों में इस तरह के उदाहरण हैं। **साधू सुख पावहि कलि सागर** (पृ. 324)। भविष्य काल के रूपों में यह प्रक्रिया और भी अधिक स्पष्ट देखी जा सकती है। **तब जानहुगे जब उघरैगो पाज।** (पृ. 324) **जानहगे** आगे चलकर **जानोगे** बना। **कहत कबीर सुनहु मन मेरे। इही हवाल होहिगे तेरे।** (पृ. 330) **सुनहु** का रूपान्तर **सुनो** प्रचलित हुआ और **होहिंगे** से **होयँगे**, फिर **होंगे** रूप बना। **ग** भविष्य काल का चिन्ह है और उत्तर-पश्चिमी भाषाओं की विशेषता है। 'गुरु ग्रंथ साहिब' में **ग**-विहीन विशुद्ध अवधी रूप भी है। **कहन कहावन नह**

**पतिअईहै तउ मनु मानै जाते हउ मै जईहै।** (पृ. 325) यहाँ **पतिअईहै, जईहै** अवधी के भविष्यकालीन रूप हैं। कबीर की भाषा में, यहाँ तथा अन्यत्र भी जो उनकी रचनाएँ मिलती हैं, उनमें खड़ी बोली के रूप काफी हैं, ब्रज के हैं, अवधी के हैं, भोजपुरी के रूप अपेक्षाकृत कम हैं। आज्ञा रूप **कहहु, सुनहु, गावहु** आदि के साथ **जानउ, पहिरावउ** आदि महाप्राण ध्वनिहीन रूप भी हैं। वर्तमान काल के मध्यम पुरुष रूप अवधी के समान इस प्रकार हैं : **जब नही चीनसि आतम राम।** (पृ. 324) कहीं-कहीं भविष्य काल के लिए इसी रूप का प्रयोग हुआ है : **बिनु बैराग न छूटसि माइआ।** (पृ. 329)

सर्वनामों में **जासु, जिसु, तिसु, इसु** ध्यान देने योग्य हैं। दिल्ली के पुराने शायर किसी के स्थान पर **किसू** रूप का प्रयोग अक्सर करते थे। **जासु, तासु** के समान ये अवधी के उकारान्त रूप हैं। एक जगह **तुझहि** का प्रयोग मिलता है : **चलु रे बेकुंठ तुझहि ले तारउ** (पृ. 329)। यहाँ **तुझ** में कर्मकारक का चिन्ह **हि** लगा है और इस **तुझहि** से **तुझे** का विकास हुआ है। कबीर के पदों में **एकु, करमु, गिआनु, निरमलु, संसारु, नुरु, अलह** आदि उकारान्त अवधी रूप भरे पड़े हैं। 'कुतुबशतक' के समान यहाँ भी बहुत जगह संयुक्त स्वरों का व्यवहार हुआ है, यथा : **जउ**, जिसका वर्तमान रूप **जो** है।

महाराष्ट्र के संत नामदेव ने जो हिन्दी पद रचे थे, उनमें भी **ह्** वाले रूप मिलते हैं। एक नामदेव पंजाब में भी थे और इस बात को लेकर विवाद हो सकता है कि कौन-से पद किस नामदेव के हैं। किन्तु महाराष्ट्र में किसी भी नामदेव के हिन्दी पद मिलें, इसमें सन्देह नहीं कि उनमें भाषा-सम्बन्धी विशेषताएँ वैसी ही हैं, जैसी 'कुतुबशतक' में हैं, 'गुरु ग्रंथ साहिब' में दिये हुए कबीर के पदों में हैं। ऐसी कुछ विशेषताएँ 'रामचरितमानस' की क्रियापद रचना में हैं। इससे सिद्ध होता है कि व्यापक पैमाने पर हिन्दी जनपदीय भाषाओं के तत्त्वों का मिश्रण हो रहा था और वे खड़ी बोली को प्रभावित कर रही थीं। डॉ. भगीरथ मिश्र ने पूना विश्वविद्यालय से जो संत नामदेव की हिन्दी 'पदावली' (1964) प्रकाशित की है, उसमें उन्होंने लिखा है : "नामदेव की भाषा मूलतः ब्रज है और उस पर पंजाबी, राजस्थानी, रेख्ता और मराठी का प्रभाव है। बहुत-से शब्द जनपदीय बोलियों से भी लिये गए हैं।' (पृ. 40) नामदेव कहते हैं : **बालू के मन्दिर बिनसि जांहिगे** (पृ. 41), यहाँ **जाँहिगे** खड़ी बोली का रूप है, अवधी रूप **जाँहि** में **गे** जोड़कर बनाया गया है। इसी पद में कहते हैं : **कोटि उपाइ जु करही रे नर, और आंब बबूल न फलही रे नर।** यहाँ **फलही** और **करही—गे** के बिना—अवधी के विशुद्ध भविष्यकालीन रूप हैं। इसी पद में **रतन न मिलहिं उधारे रे नर**—यहाँ **मिलहिं** वर्तमान काल के अन्य पुरुष का बहुवचन रूप है। पुनः इसी पद में : **झूठे करहु पसारा रे नर**—यहाँ **करहु** वर्तमान काल के मध्यम पुरुष का बहुवचन रूप है। ऐसा ही रूप आदेश

के लिए भी प्रयुक्त होता है : **चेतहु रे चेतनहार** (पृ. 39)। **जाइगी** (पृ. 7), **कहेंगे** (पृ. 8), **आइये न जाइये** (पृ. 13), **मुख बेद पुरान पढ़ता** (पृ. 28), ऐसे खड़ी बोली के रूप भी हैं। एक पद यों आरम्भ होता है : **काहे रे मन भूला फिरई। चेति न राम चरन चित धरही** (पृ. 35)। यहाँ **धरही** अवधी का वर्तमानकालिक अन्य पुरुष, एकवचन रूप है। स्पष्ट ही पहली पंक्ति के पाठ में **फिरई** के स्थान पर **फिरही** पढ़ना उचित है। अवधी के इस एकवचन रूप के समानान्तर वर्तमान काल में ही अन्य पुरुष के बहुवचन रूप **जाँहि खाहिं** हैं : **कांइरे मन विषिया बन जाहिं। देखत ही ठग मूली खाहिं**। (पृ. 27) अवधी रूप पुरानी हिन्दी कविता में हैं, इसके साथ वे पुराने हिन्दी गद्य में भी मिलते हैं।

पंजाब विश्वविद्यालय के गोविन्दनाथ राज गुरु ने गुरुमुखी लिपि में 'हिन्दी गद्य' (राजकमल, सन् 1969) नाम की महत्त्वपूर्ण पुस्तक लिखी है। इसमें उन्होंने सत्रहवीं, अठारहवीं और उन्नीसवीं सदियों के गद्य लेखकों का परिचय दिया है और उनके गद्य के नमूने दिये हैं। इसके अतिरिक्त उन्होंने हरि जी सोढी कृत 'गोसटि गुरु मिहरिवानु' भी सम्पादित की है। यह पुस्तक पंजाब विश्वविद्यालय द्वारा सन् 1974 में प्रकाशित हुई थी। पंजाब में हिन्दी का जो पुराना गद्य प्राप्त है, उस पर उन्होंने कुछ अन्य निबन्ध भी लिखे हैं। यह सारी सामग्री हिन्दी गद्य के विकास तथा हिन्दी भाषा के मानक स्वरूप के विकास को समझने में सहायक है। सबसे अधिक इस पुराने गद्य का महत्त्व इस बात में है कि इससे विभिन्न जनपदों की भाषाओं के परस्पर सम्पर्क का प्रमाण मिलता है। इस सम्पर्क के फलस्वरूप एक ऐसी भाषा का व्यवहार साहित्यिक और सांस्कृतिक कार्यों के लिए होने लगा था जिसमें बहुत-से रूप अवधी और ब्रज के हैं। जो परिणाम पद्य की भाषा के अध्ययन से जनपदीय सम्पर्क के बारे में निकाले जा सकते हैं, उन सबकी पुष्टि इस गद्य के विश्लेषण से होती है। जिन लोगों को 'गुरु ग्रंथ साहिब' में कबीर आदि संतों के दिये हुए पदों की भाषा के बारे में सन्देह हो, उन्हें इस गद्य का अध्ययन करना चाहिए। वर्तनी की अनेक विशेषताएँ दोनों में समान हैं, यह स्वाभाविक है क्योंकि लिपि गुरुमुखी है और लिपि-क्षेत्र पंजाब है। महत्त्वपूर्ण समानता है गद्य और पद्य की भाषा में संरचना की दृष्टि से। यदि यह संरचना आधुनिक पंजाबी या बाँगरू के रूप दिखलाती तो उसका इतना महत्त्व न होता। यहाँ खड़ी बोली का जो रूप है, वह पंजाबी से तो भिन्न है ही, बाँगरू से भी काफी भिन्न है। वह ब्रज से प्रभावित है किन्तु उसमें ब्रजभाषा की संरचना नहीं है। उसमें अवधी के वे रूप हैं जो कोसल से पूर्व और पश्चिम की अनेक भाषाओं में मिलते हैं। इस गद्य में पंजाबी के भी अनेक रूप हैं जो अब मानक हिन्दी में स्वीकृत नहीं हैं। सत्रहवीं सदी तक, गद्य के माध्यम के रूप में, आधुनिक हिन्दी का ऐसा रूप बन चुका था जिसमें अनेक जनपदीय भाषाओं के तत्त्व थे किन्तु जो—बाँगरू समेत—जनपदीय भाषाओं से भिन्न था।

गुरुमुखी लिपि में हिन्दी गद्य पुस्तक में जो सबसे पुराना उद्धरण है, वह मिहरिवानु कृत 'सचुषंड पोथी' का है। इसमें कुछ बातें जो अत्यन्त रोचक हैं, उनमें सर्वप्रथम हैं हिन्दी अकार के स्थान पर बहुत जगह एकार का प्रयोग। मेरी इस पुस्तक में—अर्थात् 'भारत के प्राचीन भाषा-परिवार और हिन्दी' में—अनेक बार यह बात कही गई है कि उत्तर-पश्चिमी क्षेत्र में अकार के स्थान पर एकार बोलने की प्रवृत्ति है। यह प्रवृत्ति इस क्षेत्र में आज भी देखी जा सकती है किन्तु प्राकृत परम्परा में इस प्रवृत्ति को अर्द्ध-मागधी के साथ ऐसा जोड़ा गया है कि ऐतिहासिक भाषाविज्ञान में एक अनावश्यक उलझन पैदा कर दी गई है। यह प्रवृत्ति जहाँ पूर्वी भाषाओं में मिलती है, वहाँ वह उत्तर-पश्चिमी प्रभाव का परिणाम है। 'सचुषंड पोथी' में एकार वृत्ति के अनेक उदाहरण हैं : 'गोसटी राजे जनक की; ते जुग महि राजा जनक हुआ; अठे पहर सिमरनि धिआनि महि रहै। धरमसाला राजे जनक कीआं चलहिं सैंसार के विषे; तब गुरु बाबे नानक जी कहिआ।' यहाँ **राजा, त्रेता, अठ** (आठ), **संसार, बाबा**—ये शब्द एकार से लिखे गए हैं। यह एकार शब्द के आदि और अन्त में, दोनों जगह आता है। इन रूपों के साथ **जि** और **सि** सर्वनाम तुलनीय हैं। वास्तव में ये एकारान्त रूप हैं, **जि** और **सि** उनके रूपान्तर हैं। ब्रजभाषा में **जि** का प्रयोग अब भी होता है। बंगला में **जे** और **से** रूपों का चलन है जो वास्तव में उत्तर-पश्चिमी हैं—हिन्दी में **जो** और **सो** का व्यवहार होता है और ये रूप मूलत: मागधी हैं। 'सचुषंड पोथी' में लिखा है : 'कपड़े की धरमसाला चलै जि नागा होइ सि पहिरै।' यहाँ **जि** और **सि** के मूल रूप **जे** और **से** हैं।

दूसरी बात जो ध्यान देने की है, वह उकारान्त रूपों का व्यवहार है : 'नाम दानु इसनानु सीलु संजमु कमावै राजा जनक।' इस तरह के उकारान्त रूप 'गुरु ग्रंथ साहिब' में उद्धृत किये हुए पदों में भी हैं। तीसरी ध्यान देने की बात यह है कि 'कुतुबशतक' में जैसे ब्रज के प्रभाव से अनेक शब्द इकारान्त हैं, वैसे रूप यहाँ हैं। **तब, बस, पास** जैसे शब्द **तबि, बसि, पासि** लिखे गए हैं। एक जगह जनक को भी **जनकि** लिखा गया है : **तबि जनकि भगति कहिआ**। कारक-चिन्हों में **सौं, क** आदि का व्यवहार ब्रजभाषा के अनुरूप है। आदेश के लिए क्रिया का इकारान्त रूप मिलता है : 'जिउ जानहु तिउ करि; तज गुरु बाबेनानक जी कहिआ जि सुनि हो मुला मैं किसु साथि बोलिउँ।' (**सुनि हो मुला** अर्थात् हे मुल्ला, सुन।) 'सचुषंड पोथी' में क्रिया के कृदन्त-रूप काफी हैं, जैसे आधुनिक हिन्दी में प्रयुक्त होते हैं : **होता है, रहते हैं, करती है, पावते हैं**। इनके साथ कहीं-कहीं बाँगरू और पंजाबी के सघोष ध्वनि वाले कृदन्त-रूप **फिरदा है, करदा है** अथवा अघोष ध्वनि वाले **कीती है** जैसे रूप मिलते हैं। आश्चर्य की बात है कि यहाँ वर्तमान काल के तिङन्त रूप समापिका क्रिया के बिना काफी प्रयुक्त हुए हैं। **रहै, करै, कमावै, पीवै, पहिरै** जैसे प्रयोग अनेक जनपदों में देखने को मिलते हैं। ये रूप वास्तव

में **करहि—करइ—करै,** इस क्रम से बने हैं। बहुवचन में **हि** वाले रूप अधिक सुरक्षित रहे हैं। 'धरमसाला राजे जनक कीआँ चलहिं'—यहाँ **चलहिं** वर्तमान काल का अन्य पुरुष बहुवचन रूप है। इसी के आगे वाक्य है : 'पाणी की धरमसाला चलैं।' यहाँ **चलहिं** का रूपान्तर **चलैं** प्रयुक्त है। 'तिसु के **तूँ** निकटि न आइअहु (आयहु)'—यहाँ महाप्राण-ध्वनि-युक्त-अवधी का आदेशात्मक क्रिया-रूप प्रयुक्त हुआ है। इसी प्रकार : 'जिउ जाणहु तिउ करि'—इस वाक्य में **जाणहु** वर्तमान काल का मध्यम पुरुष बहुवचन रूप है। 'नानक का पंथु चलावउँगा'—यहाँ **चलावहूँ** रूप में **ह्** का लोप हुआ है और **ग** प्रत्यय जोड़ा गया है। इसी प्रकार **देउँगा** पहले **देहुँगा** था। इससे **दूँगा** मानक रूप का विकास हुआ है। 'हउँ एहा बात पंडित पूछता हउँ'—यहाँ पहला **हउँ** सर्वनाम है, ब्रजभाषा के **हौं, हूँ** इसी के रूपान्तर हैं, दूसरा **हउँ** क्रिया है। इसका पूर्वरूप **हहुँ** था। मानक हिन्दी का **हूँ** इससे विकसित हुआ है। एक दिलचस्प क्रिया-रूप **हैनि** है। 'सि एहु भी पछावै कि निआई हैनि; रूप जोबनु जि है सि एहि भी पछावे को निआई **हैनि**।' **हैं** का पूर्वरूप है **हैनि**। पाद-टिप्पणी में सम्पादक ने लिखा है : "**हैं**। पंजाबी।" **स** क्रिया के **सै** रूप में बहुवचन के लिए **नि** जोड़ा गया, इस प्रकार **सैनि** से **हैनि** और **हैनि** से **हैं** का विकास हुआ।

**हैन** और **हैनि** रूप 'गोसटि गुरु मिहरिवानु' में भी हैं : 'तबि ना किछु उइ बादरि अकासि महि अबि आए हैं न। सहिजे ही आए सहिजे ही उठ गए हैनि। तैसे ही परमेसुर के भगति आगिमा पाई करि सहिजे आवते हैनि अरु सहिजे ही उठि जाते हैनि।' (पृ. 172) क्रिया-रूपों में **पावहिंगे, करहिंगे** (पृ. 173) जैसे रूपों में वर्तमानकालिक **हि** वाला तिङन्त रूप विद्यमान है। **होइगा** (पृ. 174) **होहिगा** का रूपान्तर है। 'बोलहु भाई वाहु गुरु नानक' (पृ. 169), 'एसु बालके का नामु मनोहरि दासु राखहु' (पृ. 174), 'तुसी एस के आगे टहल करहु' (पृ. 176), 'सुनहु भाई संतहु' (पृ. 181), यहाँ क्रिया के आज्ञार्थ रूप अवधी के समान हैं। उकारान्त रूप **इसनानु, फलु, लोकु, बिगसमानु, बलु, रंगु, बहुतु, दिनु, जिसु** (पृ. 183) भरे पड़े हैं। **जे** और **से** सर्वनाम भी दर्शनीय हैं : 'अरु साधि जनि जेहैं से जंगम तीरथ चैतनु रूपु हैं।' (पृ. 185)

गुरुमुखी लिपि में हिन्दी गद्य पुस्तक में अठारहवीं सदी के गद्य का नमूना पंचासत उपनिषद् भाषा से लिया गया है। इसमें मानक हिन्दी के दीर्घ अकारान्त वर्तमानकालिक कृदन्तों के स्थान पर ब्रजभाषा के समान ह्रस्व अकारान्त रूपों का व्यवहार हुआ है। **अंगीकार करत है; कहिलावत है; प्रापत होत है; आपति करत है; दूर होत है; जीवत है; उचार होत है; अगनि निकसत है**—कहीं-कहीं—'सूरज पूरब दिशा सों निकसता है'—आकारान्त रूप भी है। ब्रजभाषा का प्रभाव **कहियतु** जैसे रूप के प्रयोग में देखा जा सकता है; 'ताको प्रणव कहीअतु है; ताको अपान कहिअतु है।' **भया** और **भये** की भरमार है : 'पुनह मन प्रगट भया। अर करम इन्द्रै उतपत भए। अर भूताकाल उतपत भया। अर पवन उतपत भई। अर अगन

प्रगट भया। अर अप की उतपत भई।' (पृ. 272) ये और इस तरह के अनेक वाक्य एक साथ आए हैं।

अठारहवीं सदी की एक पुस्तक 'विहंगमवाणी' में **गे** के साथ **न** वाले कृदन्त का प्रयोग ध्यान देने योग्य है : **उतरनगे; लगनगे; अराधनगे; चढनगे; होवनगे** (पृ. 297)। यह कृदन्त-रूप पुरानी अवधी का है, कनौजी में अब भी प्रयुक्त होता है। इसी पुस्तक में **ग** वाले दो रूप और हैं : **होग, होगु** : 'मुकति तदे पवित्र होग जाँ तेरी दिसटि होगु।' (उप.) यह **ग** कृदन्त प्रत्यय है और अकारान्त भी रहा होगा, **गा** उसका वैकल्पिक रूप है। गद्य पुस्तक के रूप वर्तनी-सम्बन्धी भूल के कारण नहीं हैं, इसका प्रमाण यह है कि 'श्री गुरु ग्रंथ साहिब' में दिये हुए कबीर के पद में भी ऐसे रूप हैं : 'नगन फिरत जो पाइऐ जोगु। बन का मिरगु मुकति सभु होगु।' (पृ. 324) यह कृदन्त प्रत्यय तमिल में खूब प्रयुक्त होता है यद्यपि उसका सम्बन्ध भविष्यकाल से निश्चित नहीं है। **गा** उसी का कौरवी प्रतिरूप है।

ब्रजभाषा का प्रभाव उन्नीसवीं सदी के गद्य में भी दिखाई देता है। गोविन्द नाथ राजगुरु ने उस सदी के अखबारों से जो उद्धरण दिये हैं, उनमें इस तरह के प्रयोग हैं : 'मुकाबला करते भये' (पृ. 305); 'वरषा जोर साथ होती भई' (पृ. 306)। क्रिया के वर्तमानकालिक **ह्** वाले रूप उन्नीसवीं सदी में भी प्रयुक्त होते थे। पंजाब में महाप्राण ध्वनियों का लोप होता है। ऐसे क्रिया-रूपों का व्यवहार साहित्यिक प्रभाव के कारण हो सकता है। 'स्त्री मुषवाक्य सिधांत ज्योति' में ऐसे उदाहरण हैं : 'बुझाई देहि; सोजन सचे पावहि मोष दुआरि।' (पृ. 317) कहीं-कहीं साहित्यिक प्रभाव से हटकर वर्तनी में बोलचाल के रूप अपनाए गए हैं। सत्रहवीं सदी की 'सिंघासनबत्तीसी' में ऐसे रूप हैं : 'अर राजा उस ऊप्र ऐसा मोहुति भइआ; प्र मेरा मन राणी ऐसा बस कीआ है; जो एक कागदु प्र मूरति राणी की लिषाई करि आपणे पास रषो।' (पृ. 255) यहाँ **ऊपर** और **पर** संक्षिप्त होकर **ऊप्र** और **प्र** हो गए हैं। यह पंजाब की बहुत पुरानी प्रवृत्ति है और संस्कृत के कुछ रूपों की व्याख्या इसके आधार पर हो सकती है। पंजाब के हिन्दी गद्य में अनेक जनपदीय रूप मिलते हैं। अठारहवीं सदी की पुस्तक 'आरती टीका' में अधिकरणकारक के लिए **मों** का प्रयोग हुआ है : 'इही बात तेरे मों खोटी है; इसका मन जगत पदारथों मों लगा है।' (पृ. 287) **मों** का पूर्वरूप **मह** है। इससे उत्तर-पश्चिमी प्रवृत्ति के अनुसार **में** रूप बनता है, **मों** मागधी प्रवृत्ति का द्योतक है। पहले वाक्य में **इही** मानक हिन्दी के **यही** का पूर्व रूप है। इसी प्रकार 'सचुषंड पोथी' में **ईहा, ऊहा, ऊहाँ** मानक हिन्दी के **यहाँ, वहाँ** के पूर्व रूप हैं। **उहु** और **इह** हिन्दी के **वह यह** के पूर्व रूप हैं। ये रूप भी उसी 'सचुषंड पोथी' में हैं। 'विहंगम वाणी' में एक महत्त्वपूर्ण रूप है **तुध**—यह **तुझ** का मूल रूप है। 'षट दरसन ताँ पवित्र होवनगे जाँ तुध नूँ धिआवनगे।' (पृ. 297)

इस प्रकार पंजाब में सत्रहवीं से उन्नीसवीं सदी तक हिन्दी गद्य के जो नमूने मिले, वे हिन्दी भाषा के स्वरूप विकास की दृष्टि से अत्यन्त महत्त्वपूर्ण हैं। एक ओर इनसे ज्ञात होता है कि गद्य के लिए खड़ी बोली बहुत बड़े क्षेत्र में प्रयुक्त होने लगी थी, दूसरी ओर इनसे यह भी पता चलता है कि विभिन्न जनपदों के रूप घुल-मिल रहे थे और भाषा के मानक रूपों के स्थिर होने की प्रक्रिया बहुत लम्बी थी। सोलहवीं सदी में व्यापार के विकास के साथ जनपदीय भाषाओं की सम्पर्क-प्रक्रिया और तेज हुई। पंजाब के गद्य में ऐसे संरचना-तत्त्व, शब्दों के ऐसे रूप, मिलते हैं जो अब मानक भाषा में प्रयुक्त नहीं होते। इन तत्त्वों और रूपों का अध्ययन और विश्लेषण सरल कार्य नहीं है पर इसके बिना भाषा के विकास का विवेचन भी नहीं किया जा सकता।

## 8. पंजाब और हिन्दी

पंजाबी और बाँगरू में अनेक प्रकार की समानताएँ हैं और कुछ महत्त्वपूर्ण बातों में भिन्नता है। बाँगरू के समान पंजाबी **ण्**-क्षेत्र की भाषा है, बाँगरू के समान पंजाबी में **ड्, ळ, ड़्** की ध्वनियाँ हैं। बाँगरू के समान पंजाबी में व्यंजन द्वित्व की बहुलता है, दीर्घ स्वर के बाद भी दो व्यंजन आ सकते हैं। बाँगरू और पंजाबी में एक महत्त्वपूर्ण भेद यह है कि दन्त्य **स्** के अतिरिक्त पंजाबी में **श्** का व्यवहार भी काफी होता है। शब्दों की आवृत्ति करते समय **किताब-शिताब, घोड़ा-शोड़ा** कहना सामान्य है। (यहाँ जो भी उदाहरण दिये जा रहे हैं, वे कमिंग्स, बेली और न्यूटन की 'पंजाबी मैनुअल एंड ग्रामर्स' पटियाला तथा ग्रियर्सन की 'लिंग्विस्टिक सर्वे' से लिये गए हैं।) **श्** के व्यवहार के अलावा कुछ शब्द ऐसे हैं जिनमें हिन्दी रूपों के **छ्** के बदले **श्** का व्यवहार होता है। **पूँछ** के लिए **पूशल, पीछे** के लिए **पिशा**, पुरानी **गच्छ** क्रिया के लिए कुछ बोलियों में **गश्** का व्यवहार पंजाबी क्षेत्र की विशेषता है। यह धारणा सही नहीं है कि **छ्** के अशुद्ध उच्चारण से ऐसे शब्दों में **श्** का व्यवहार होता है। वास्तव में **पृच्छति** और **प्रश्न**, इन दो सम्बद्ध रूपों में दूसरे रूप का **श्** ही मूल ध्वनि है। कुरु जनपद से लेकर मिथिला तक जनपदीय भाषाओं में तालव्य **श्** का अभाव है। यह **श्** एक छोर पर पंजाब में है और फिर दूसरे छोर पर बंगाल में है। बीच में दन्त्य **स्** का विशाल क्षेत्र है। दन्त्य **स्** एक ओर असम में संघर्षी **ख्** में बदलता है जो ध्वनि **ह्** के बहुत निकट है, दूसरी ओर पंजाब, कश्मीर, राजस्थान, गुजरात आदि के उत्तरी और पश्चिमी प्रदेशों में **स्** को **ह्** में बदलने की शक्तिशाली प्रवृत्ति है। बाँगरू से लेकर मिथिला तक तालव्य **श्** तो शिक्षित जनों द्वारा तत्सम रूपों में ही प्रयुक्त होता है किन्तु **स्** के परिवर्तित रूप **ह्** का व्यवहार हिन्दी क्षेत्र के सैकड़ों जनपदीय शब्दों में होता है। कुरु जनपद की अपेक्षा इस प्रवृत्ति का प्रभाव पंजाब में अधिक है। **बीस** के लिए **वीह, सब** के लिए **हब्बा** इसके उदाहरण हैं। **स**

क्रिया बाँगरू में प्रचलित है किन्तु पंजाबी में, कम-से-कम वर्तमान काल के लिए, **ह्** क्रिया का ही व्यवहार होता है। साथ ही बाँगरू की अपेक्षा पंजाबी में **ह्** का लोप भी अधिक होता है। मानक हिन्दी के विपरीत **है** के प्रतिरूप **हे** का उच्चारण पंजाबी में **ए** होता है। **ह्** के अतिरिक्त सभी महाप्राण ध्वनियों को अल्पप्राण बोलने की प्रवृत्ति पंजाबी में है। **भ्राता** से **भ्रा** और फिर केवल **प्रा; भाव** के लिए **भा**, फिर केवल **पा; ढाई** के लिए **टाई, झज्झर** के लिए **चज्जर** इस प्रवृत्ति के द्योतक हैं। महाप्राणता के लोप का बोध एक विशेष प्रकार की स्वरतान से करा दिया जाता है। महाप्राणता का तो लोप होता है, पंजाबी में सघोषता जोड़ दी जाती है। **पंज** और **आब** जितना फ़ारसी हैं, उतना ही पंजाबी हैं।

बाँगरू के समान पंजाबी में **ट**-वर्गीय ध्वनियों का व्यवहार काफी होता है। किन्तु पंजाब में कुछ ऐसे क्षेत्र हैं जिनमें **द्** के स्थान पर **ड्** ही बोला जाएगा। ग्रियर्सन के ग्रंथ में पश्चिमी पंजाब की मुल्तानी आदि बोलियों के लिए बताया गया है कि यहाँ **देख** क्रिया के लिये **डेख** रूप है, संख्यावाचक **दो** यहाँ **ड्** है, मानक पंजाबी का **दित्ता** यहाँ **डित्ता** बोला जाता है। पर **द्** ही **ड्** में नहीं बदलता, **स्** भी **ठ** में बदलता है। **नस्** माने **भागना**, इसका कृदन्त-रूप **नठा** है। **त्रस्** का रूपान्तर **त्रह्** (डरना) है, इसका कृदन्त **त्रठा** है जिससे मूल क्रिया **त्रस्** का अनुमान होता है। हिन्दी की सामान्य क्रिया **बैठना** का **ठ** बंगला और पुरानी मैथिली में सही है; **बैठना** रूप उत्तर-पश्चिमी प्रभाव का परिणाम है। **खड़े** होने के लिये यहाँ **खड़** क्रिया है। यद्यपि **खड़** स्वयं कृदन्त है, पर उसे सामान्य क्रिया मानकर उससे पुन: **खड़ोता** रूप बनाया गया है। संस्कृत में **स्था**, ब्रजभाषा, अवधी आदि में **ठाढ़** रूप **खड़** क्रिया से भिन्न हैं। **स्कध** से **खड़** रूप बनेगा; **ध—द—ड—ड़** यह प्रक्रिया पूरी होगी। **खड़े** होना उत्तरी-पश्चिमी क्षेत्र की विशेष क्रिया है। हिन्दी का **नन्हे** यहाँ **नंढे** है जिससे इसके पूर्व रूप **नन्धे** का अनुमान होता है। पंजाबी में सम्बन्धकारक का चिन्ह **वा** है किन्तु मूर्धन्यीकरण का प्रभाव इतना अधिक है कि सर्वनामों में **दा** के स्थान पर **डा** का व्यवहार होता है, जैसे कि मानक पंजाबी में **साड्डा** (हमारा)। अन्य बोलियों में **मडा** (मेरा), **तंडा** (तेरा), **तुसाडा** या **तुहाडा** (तुम्हारा) में **दा** का परिवर्तित रूप **डा** प्रयुक्त हुआ है। ग्रियर्सन के ग्रंथ में मुल्तानी और थली बोलियों से जो उदाहरण दिये गए हैं, उनसे लगता है कि यहाँ **द्** के स्थान पर **ड्** ही बोला जाता है, जैसे—असमिया में **त्** के स्थान पर **ट्** बोला जाता है। **दादा, दाल, दिहाड़ा** (दिन), **देहूँ** (सूर्य), **दाह** (दस), **द्द्दे** (यहाँ), **उद्दे** (वहाँ)—ये सब शाहपुर की दोआबी में प्रचलित रूप हैं। इनके बदले थली में **डाडा, डाल, डिहाड़ा, डेहूँ, डाह, इड्डे, उड्डे** रूप हैं। इस तरह की प्रवृत्ति सौराष्ट्र में भी है। हिन्दी क्षेत्र के पूर्व में असम, पश्चिम में सौराष्ट्र और उत्तर की ओर पश्चिमी पंजाब **ट्, ठ्, ड्, ढ्** ध्वनियों के मुख्य केन्द्र हैं। दोनों ओर का गहरा प्रभाव हिन्दी क्षेत्र पर पड़ा है। किन्तु हिन्दी क्षेत्र में **त**-वर्गीय ध्वनियाँ अधिकतर

सुरक्षित हैं। जहाँ **ट्** ने **त्** का स्थान लिया है, वहाँ कभी-कभी दोनों ध्वनियों से शब्द बनाकर उन्हें भिन्न अर्थ दिया जाता है, जैसे—**हटना** और **तोड़ना**। यह उल्लेखनीय है कि द्रविड़ भाषाओं के क्षेत्र में कोई भी ऐसी बोली नहीं है जिसमें **ट** और **ड** का ही व्यवहार होता हो, **त्** और **द्** के लिए गुंजाइश ही न हो।

हिन्दी के **अगाड़ी, पिछाड़ी** शब्दों के प्रतिरूप **अगेरे, पिछेरे** भी पंजाब की बोलियों में हैं। हर जगह हिन्दी की अपेक्षा पंजाबी में मूर्धन्य ध्वनियों का व्यवहार अधिक होता हो, ऐसा नहीं है। **अधिक** के लिए **वधीक** के व्यवहार में, हिन्दी **बढ़ना** को **देखते, ध्** सुरक्षित है। पंजाब के उत्तर में बन्नू और मियाँवाली की बोली में भी मूर्धन्यीकरण की प्रवृत्ति है। मानक पंजाबी के **दस्स** (कहना) का **डस्स** रूप यहाँ प्रचलित है। यहाँ कालसूचक अव्यय **जब-तब** के लिए **जढा, तढा** दो रूप हैं। स्पष्ट ही इनका सम्बन्ध **यदा, तदा** से है किन्तु **यदा, तदा** के मूल रूप **यधा, तधा** थे, जिनसे **यथा, तथा** रूप भी बनते हैं, इसकी पुष्टि **जढा तढा** से होती है। यह क्षेत्र सघोष महाप्राण ध्वनियों का व्यवहार कम ही करता है, **ढ** वाले रूप अतिरिक्त महाप्राणता के संयोग से नहीं बने। **यदा, तदा** में ही **धा** की महाप्राणता का लोप हुआ है।

पंजाबी में **प्-ब्** को **व्** में बदलने की प्रवृत्ति भी काम करती रही है। मानक हिन्दी का **भी** पहले महाप्राणता खोकर **बी** बनता है, फिर स्पर्श तत्त्व खोकर **वी** रह जाता है। संस्कृत की **प्रेक्ष्** क्रिया हिन्दी गें तो **पेख है** किन्तु पंजाबी में **वेख** है। यहाँ **क्ष** ध्वनि, बंगला के समान **ख्** में बदलती है। कुछ अन्य शब्द भी हैं जहाँ इसी प्रकार **क्ष्** के स्थान पर **क्ख्** या **ख्** का व्यवहार हुआ है। इनमें एक महत्त्वपूर्ण शब्द **तरखाण** है जो **तक्षन्** का रूपान्तर है। बाँगरू में मूर्धन्यीकरण के साथ तालव्यीकरण की प्रवृत्ति भी है। एक सीमा तक यह स्थिति पंजाबी में भी है। जाने के लिए **वञ्ज्** क्रिया पश्चिमी पंजाब में काफी प्रयुक्त होती है। **वा, वर्, वन्,** एक ही क्रिया के तीन रूप हैं। इनमें **वन्** का कृदन्त-रूप **वन्दि** है। इकार में **य्** का स्पर्श होने से **द्** ध्वनि **ज्** में परिवर्तित हुई। **ज्** का लोप करके यह क्रिया **वञ्** रूप में भी बोली जाती है।

पंजाबी की सबसे महत्त्वपूर्ण विशेषता उसके कुछ शब्दों में स्वरतानों का व्यवहार है। इनका विवरण 'इंडियन लिंग्विस्टिक्स' (जून, 1957) में कालीचरण बहल ने 'टोन्स इन पंजाबी' निबन्ध में दिया है। अमृतसर के आसपास की पंजाबी को उन्होंने आधार बनाया है। उनका कहना है कि पंजाबी शब्दों में बलाघात का महत्त्व नहीं होता किन्तु स्वर-तान अर्थ-विच्छेदक होती है। उन्होंने तीन तरह की स्वरताने मानी हैं : **गिरती, उठती** और **समतल**। तीन स्वरतानों के अनुसार **पाल्ला** शब्द के तीन अर्थ होते हैं—**ठंढ, भाला, घमंडी**। इसी प्रकार **चा** शब्द के तीन अर्थ हैं : **चार, शर्मीलापन, चाय**। **टाँग** के तीन अर्थ हैं : **टाँगना, ढंग** और **टाँग** यानी **पैर**। महाप्राणता की क्षतिपूर्ति स्वरतानों से होती है और प्रथम वर्ण का जो

स्वर मूलत: ह्रस्व था, वह सुनने में दीर्घ जान पड़ता है। इससे विदित होता है कि पंजाबी में सर्वत्र स्वर की ह्रस्वता या दीर्घता अर्थ-विच्छेदक नहीं होती। कालीचरण बहल ने जो उदाहरण दिये हैं, उनमें अनेक ऐसे शब्द हैं जिनके मूल रूप में सघोष महाप्राण ध्वनि थी। महाप्राणता के लोप के कारण स्वर के साथ कोई-न-कोई तान जुड़ जाती है। बेली ने 'पंजाबी मैनुअल एंड ग्रामर्स' में लिखा है कि **ह्** के कारण अनेक शब्दों में स्वर का स्तर बदलता है, **ह्** बोला नहीं जाता वरन् स्वरतान निश्चित करने के लिए होता है। उक्त पुस्तक में कहा गया कि यह स्थिति चीनी भाषा में स्वरतानों की स्थिति से मिलती-जुलती है। यह सम्भव है कि पंजाबी पर नाग भाषाओं का प्रभाव पड़ा हो। नाग भाषाओं में स्वर की दीर्घता महत्त्वपूर्ण नहीं होती, स्वरतान अर्थ-विच्छेदक होती है। पंजाबी में स्वरतानों का व्यवहार बहुत सीमित है। इसकी तुलना में वैदिक भाषा में स्वरतानों का व्यवहार अधिक होता था पर ये स्वरतानें संगीतात्मक थीं, अर्थ-विच्छेदक नहीं। पंजाबी की स्वरतानें उनसे सम्बद्ध प्रतीत नहीं होतीं। बाँगरू और पंजाबी में स्वरतानें सम्बन्धी अन्तर महत्त्वपूर्ण है। एक रोचक तथ्य यह है कि जिन शब्दों के मूल रूप में सघोष महाप्राण ध्वनि थी, वहाँ तो सघोषता और महाप्राणता का लोप होने पर स्वरतान का व्यवहार होता है, किन्तु जहाँ **ब्** के साथ **ह्** दिखाई दिया, वहाँ पंजाबी दोनों को मिलाकर नई सघोष महाप्राण ध्वनि बना लेती है, यथा : **बहन** का पंजाबी रूप **भैंण** काफी प्रसिद्ध है।

ग्रियर्सन ने पश्चिमी पंजाबी और पड़ोसी भाषाओं की एक विशेषता क्रिया के साथ सर्वनाम जोड़ने की पद्धति मानी है। यह पद्धति किसी एक भाषा-परिवार तक सीमित नहीं है और उसे हिन्दी आदि भाषाओं से अलग पश्चिमी पंजाबी को एक विशेष वर्ग में रखने का आधार नहीं बनाया जा सकता। यह पद्धति एक विशेष प्रकार के वाक्यतंत्र की देन है। उस वाक्यतंत्र में क्रिया पहले आती है, कर्ता उसके बाद। इसके विपरीत एक दूसरी तरह का वाक्यतंत्र है जिसमें कर्ता पहले आता है और क्रिया बाद में आती है। **अहम् पठामि** से लेकर **मैं पढ़ता हूँ** तक आर्य भाषाओं के वाक्यतंत्र में दोनों पद्धतियों का समन्वय दिखाई देता है। **पठामि** केवल उत्तम पुरुष एकवचन के साथ प्रयुक्त होगा; अत: अतिरिक्त कर्ता **अहम्** अनावश्यक है। **पढ़ता हूँ** का **हूँ** उत्तम पुरुष एकवचन की सूचना देता है, **मैं** अनावश्यक है। किन्तु दोनों वाक्यों में **अहम्** और **मैं** का प्रयोग उचित माना गया है। ऐसे वाक्यतंत्र में, जिसमें विधेय पहले आता था, दूसरी तरह का वाक्यतंत्र **घुल**-मिल गया है, जिसमें उद्देश्य पहले आता था। ग्रियर्सन ने अपने भाषा सर्वेक्षण ग्रंथ के आठवें खंड के पहले भाग में सिन्धी और लहँदा (पश्चिमी पंजाबी) का विवेचन किया है। इसमें उन्होंने लहँदा और उससे सम्बन्धित जिन बोलियों का विवेचन किया है, उनमें क्रिया-रूप ऐसे हैं जो अपने सर्वनाम-चिह्न द्वारा कर्ता के पुरुष और वचन की सूचना देते हैं, फिर भी वाक्य के आरम्भ में अलग से कर्ता प्रयुक्त होता है।

एक वाक्य है : **मैं गिउस**—मैं गया (पृ. 365) यहाँ **गिउस** क्रिया-रूप उत्तम पुरुष एकवचन के लिए सुरक्षित है, फिर भी उसके पहले कर्ता **मैं** विद्यमान है। **हम्**—**मैं**; यहाँ क्रिया-रूप **हम्** कर्ता **मैं** की सूचना देता है, फिर भी कर्ता **मैं** अलग से विद्यमान है। **उस नू होश आइउस**—इस वाक्य का अनुवाद ग्रियर्सन ने इस प्रकार किया है : 'उसको होश आया उसको' (पृ. 282)। जो सर्वनाम सम्प्रदानकारक में प्रयुक्त हुआ है, वही क्रिया के साथ है। क्रिया के साथ अन्य पुरुष एकवचन की सूचना देनेवाला यह सर्वनाम अनावश्यक है क्योंकि **होश**, अलग से कर्ता रूप में ही, विद्यमान है। जब हम कहते हैं, **होश आया**, तब **आया** को अनावश्यक सर्वनाम के बन्धन से मुक्त कर देते हैं। किन्तु पश्चिमी पंजाब की बोलियों के **गिउस** और **आइउस** रूपों से तुलना कीजिए बघेली के रूपों की। धीरेन्द्र वर्मा की 'ग्रामीण हिन्दी' में बघेली का एक वाक्य है : 'पछारी ऐसन भइस कि बैपारी कौनऊ बात में राजा के ढिगा कसूर में झक गइस।' अवध की अवधी में **भइस** और **गइस** की जगह **भा** और **गा** रूप होंगे( **भइस** और **गइस** अवधी के पुराने रूप हैं जो बघेली में सुरक्षित हैं।

ग्रियर्सन के उदाहरणों से एक महत्त्वपूर्ण निष्कर्ष यह निकलता है कि अन्य पुरुष सर्वनाम का एकवचन रूप **स** उत्तर-पश्चिमी क्षेत्र में खूब प्रयुक्त होता है। **आखेआसु**—उसने कहा; **पुच्छेआस**—उसने पूछा; **तक्केआसु**—उसने देखा; **छोड़ेस**—उसने छोड़ा। कहीं **स** है तो कहीं **सु** और कहीं उससे थोड़ा भिन्न **उस**। यह सर्वनाम रूप उत्तम पुरुष के लिए भी प्रयुक्त होता है, यथा : **में गिउस** वाक्य में। या तो एक ही सर्वनाम अनेक पुरुषों के लिए प्रयुक्त होता है या फिर उत्तम पुरुष वाले **स** का स्रोत कोई दूसरा है। संस्कृत के **अस्मद्** में **अस्** उत्तम पुरुष सर्वनाम का एकवचन रूप है। **अहम्, अदम्** जैसे रूपों से यह निष्कर्ष निकलता है कि **अस्** का आधार **अध** है। पंजाबी का **असीं** या **अस्सीं** उत्तम पुरुष का बहुवचन रूप उसी **अस्** से सम्बद्ध है जिसका आधार **अध** था। होने के लिए **आस अस्** क्रिया भी थी; इस कारण इस क्रिया के रूप और सर्वनाम रूप कहीं-कहीं बिलकुल एक से होते हैं। **अस्** की प्रतिरूप **आस्** क्रिया का **आह** रूपान्तर पश्चिमी पंजाब में प्रचलित है। उत्तम पुरुष एकवचन में इसके दो भूतकालिक रूप हैं : **आहिस** और **आहिम** (पृ. 386)। यहाँ **आहिस** का **स अस्मद्** के **अस्** का अवशेष है और **आहिम** का **म मद्** का। लहँदा क्षेत्र में मानक हिन्दी का **में** सर्वनाम व्यापक रूप से प्रयुक्त होता है। यह **मध** का रूपान्तर है, इसका प्रमाण यह है कि यहाँ उसका वैकल्पिक रूप **मा** भी प्रचलित है। **मया** से **चाहे मैं** सिद्ध कर लीजिए **चाहे मा**, उससे दोनों रूप सिद्ध नहीं हो सकते। किन्तु **मध** को मूल रूप मानने से उसके रूपान्तर **मैं** और **मा** दोनों सिद्ध होते हैं, कोसली वृत्ति से **मा**, और कौरवी वृत्ति से **मैं**। पंजाब की एक बोली में **ह्** क्रिया के **हम, हाउम, हाइम, हाउस** अनेक वैकल्पिक रूप उत्तम पुरुष एकवचन के लिए हैं। यहाँ भी **म** और **स** चिह्नों का वैसा ही वैकल्पिक प्रयोग

दिखाई देता है। अन्य पुरुष के बहुवचन रूप **आहिम** (पृ. 304) से अवधी के **हम आहिन** और **वी आहीं** रूप तुलनीय हैं।

भविष्यकाल में सभी पुरुषों के क्रिया-रूपों में **स** चिह्न दिखाई देता है। **मारे साँ, मारे सें, मारे सी**—उत्तम, मध्यम और अन्य पुरुष के एकवचन रूप हैं। यहाँ **स** भविष्यकाल की सूचना देता है, कर्ता सर्वनाम की नहीं।

लहँदा क्षेत्र में कृदन्तों का प्रयोग काफी शिक्षाप्रद है। **गां डिट्ठीम**—गाय मेरे द्वारा देखी गई। (पृ. 270) यहाँ कृदन्त कर्मवाच्य है और कर्ता सर्वनाम-चिह्न द्वारा सूचित है। **उस मारे अम**—मैं उसके द्वारा पिटा। (उप.) हिन्दी में जब हम कहते हैं : **मैंने मारा,** तब ग्रियर्सन आदि कहते हैं, यह कर्मवाच्य प्रयोग है और **मैंने** का अर्थ है—**मेरा द्वारा**। किन्तु **उस मारे अम** में कर्ता **उस** के साथ करणकारक का कोई चिह्न नहीं है। अब इसके साथ दिया हुआ एक और वाक्य देखें : **उसनूं मारे अम**—मैंने उसे मारा। यहाँ उसके साथ कर्म कारक का **नूं** चिह्न लगा है। कर्ता की अलग से आवश्यकता नहीं है क्योंकि क्रिया के **अम** चिह्न से काम चल जाता है। **उस मारे अम,** इस वाक्य में **अम** कर्म की सूचना देता है किन्तु **उसनूं मारे अम**—मैंने उसे मारा, यहाँ **अम** कर्ता की सूचना देता है। एक ही सर्वनाम रूप कर्ता और कर्म की सूचना दे सकता है। क्रिया के साथ जो सर्वनाम-चिह्न लगता है, वह कर्ता ही नहीं, कर्म की भी सूचना दे सकता है, यह स्थिति यहाँ आंशिक रूप में झलकती है। इसका पूर्ण प्रसार मगही और मैथिली भाषाओं में है। लहँदा क्षेत्र की बोलियों में हिन्दी के समान **जाना** का अर्थ देनेवाली क्रिया को कृदन्त में जोड़कर कर्मवाच्य बनाते हैं। **मरी वासाँ**—मारा जाऊँगा; **मरी गा ए**—वे मारे गए (पृ. 266)। **कन्दाई**—मैं कर रहा हूँ या मैं करूँगा (पृ. 389), यहाँ कृदन्त **कन्द** में सर्वनाम चिह्न जोड़ा गया है। कृदन्त-रूप मूलतः किसी काल की सूचना न देते थे, अतः **कन्दाई** से वर्तमान और भविष्य, दोनों कालों का बोध होता है। कृदन्त-रूपों के साथ सर्वनाम-चिह्न जोड़ने की प्रवृत्ति मागधी भाषाओं की याद दिलाती है। **करवित्तुस**—उसने कर दिया (पृ. 282), यहाँ **दित्त कृदन्त** में सर्वनाम-चिह्न जोड़ा गया है। पर ऐसा सर्वत्र नहीं होता। हिन्दी के समान कृदन्त-रूप सर्वनाम-चिह्नों से मुक्त भी होते हैं। **दित्ता, दितड़ा,** दोनों का अर्थ है— उसने दिया। हिन्दी के समान **करिये**—हम करें, **खाविये**—हम खाएँ जैसे रूपों का चलन भी है (पृ. 281)। **आखिया**—कहा, **गिया**—गया रूप हिन्दी से मिलते-जुलते हैं। बैठने के लिए **वाह** क्रिया है। इसका भूतकालिक कृदन्त **बइठा, बैठा है** (पृ. 305)। यही कृदन्त-रूप हिन्दी में सामान्य क्रिया का काम देता है।

ध्वनि-परिवर्तन के कारण भाषा में जो वैकल्पिक रूप मिलते हैं, उन्हें नया अर्थ देकर लहँदा क्षेत्र की बोलियाँ अर्थ-विस्तार करती हैं। **पीस** और **पीह** एक ही क्रिया के दो वैकल्पिक रूप हैं। **स** के **ह्** में बदलने से **पीह** रूप भी प्राप्त हो गया और **पीस** का अस्तित्व मिटा नहीं। दो तरह की ध्वनि-प्रकृतियाँ एक साथ काम करती

रहीं। तब **पीह** कर्तृवाच्य हो गया और **पीस** कर्मवाच्य। **डोह**—दुहना, **डुभ**—दुहा जाना (**दुग्ध** का प्रतिरूप **दुम्भ** भी प्रचलित रहा होगा; **डोह** के **ह्** का पूर्व रूप यहाँ **भ** था) : **सी**—सीना, **सीप**—सिया जाना (मूल क्रिया **सी** में वहाँ भी **प**-वर्गीय कृदन्त चिह्न लगाकर **सीप** रूप बनाया गया।) : **ता**—गर्माना, **तप**—गर्माया जाना (यहाँ मूल क्रिया **त, ता** हो सकती है।) **रूस** क्रिया से **रूठा** (पृ. 344), **बैठा** की तरह, हिन्दी **रूठा** की रचना को उजागर करता है। लहँदा में **नस**—भागना से नठा, **त्रह** (मूलत: **त्रस्**—डरना) से **त्रठा**, यह प्रवृत्ति यहाँ काफी व्यापक है। एक क्रिया है **वत्त**—घूमना जो **वर्त्** का रूपान्तर है। **वर्त्**—स्वयं मूलत: **वर्** क्रिया का कृदन्त-रूप **वर्त** है। **वत्त** का भूतकालिक कृदन्त यहाँ **बदा** है। (पृ. 345) अवश्य ही **वर्त** में रेफ-संसर्ग के कारण वदा का एक रूप **बडा** भी रहा होगा। इसका कौरवी रूप होगा **बेड़ा**। बंगला के **बेड़ाच्चे** (घूमता है) में वही कृदन्त-रूप **बेड़** मूल क्रिया का काम करता है और अवध में **घुमन्तू** लोगों के लिए प्रयुक्त **बॅड़िया** शब्द इसी के आधार पर बना है।

लहँदा क्षेत्र में क्रियार्थी संज्ञा रूप **ना-णा** और **न-ण**, दोनों प्रत्ययों के साथ बनता है। **कहणा** और **कहूण**, दोनों रूप मिलेंगे। एक कृदन्त-रूप है पूर्वकालिक क्रियाओं का : **घिन्न** (लेकर)। (पृ. 331) अवधी के **दीन्ह, कीन्ह** की तरह **घिन्न** का पूर्व रूप घिन्ह था और **घिन्ह** का पूर्व रूप **घिन्ध** था।

यद्यपि लहँदा में कृदन्त-रूपों का काफी व्यवहार होता है, फिर भी अनेक बोलियों में तिड़न्त रूप अब भी प्रयुक्त होते हैं, यथा : वर्तमान काल में : **मारे**—मारता है। (पृ. 306) **मारहि—मारइ—मारै—मारे—** विकास की यह शृंखला है। मुल्तान में **कराहीं** पूर्वकालिक क्रिया-रूप के 'कर' का अर्थ देता है। **खा कराहीं**—खा कर। (पृ. 330) यह **कराहीं** वर्तमान काल का अन्य पुरुष रूप है जो पूर्वकालिक रूप के लिए प्रयुक्त होता है। लहँदा क्षेत्र में **स** सर्वनाम का व्यवहार तो काफी होता है किन्तु **स** क्रिया का **ह्** रूप ही यहाँ अधिक प्रचलित है। **हम, हाँवे, हा** उत्तम, मध्यम और अन्य पुरुष के वर्तमानकालिक एकवचन रूप हैं। **हा** का स्त्रीलिंग रूप **हाइ** है : कृदन्त-प्रभाव से क्रिया-रूप में विशेषण के समान लिंगभेद किया गया है। अतीत काल के लिए रूप है : **झेरा कीतस**—उसने झगड़ा किया। (पृ. 379) यहाँ **कीत** भूतकालिक कृदन्त है जिसमें अन्य पुरुष का सर्वनाम-चिह्न जोड़कर क्रिया-रूप बनाया गया है। अवधी **कीन्हॅसि** (भूतकाल, अन्य पुरुष, एकवचन) और **कीतस** की संरचना का ढंग एक ही है, भूतकालिक कृदन्त में सर्वनाम-चिह्न को जोड़ना। यही कृदन्त-रूपों का तिङन्तीकरण है। लहँदा की एक विशेषता निषेधात्मक भाव से **ह्** क्रिया का व्यवहार है। मैं नहीं हूँ—**नी म्ही**, हम नहीं हैं—**निहसे, निस्से**; तू नहीं है—**नी हवी, नेही**; तुम नहीं हो—**नी हवे, ने हे**; वह नहीं है—**नी हसी, न इह, नहीं**; वे नहीं हैं—**निन्ने हैं, ने हन्**। (पृ. 304) यहाँ निषेधात्मक प्रत्यय **नी** या **ना** में **ह्** क्रिया जोड़कर ये रूप बनाए गए हैं। ऊपर अन्य पुरुष एकवचन रूप **नहीं** हिन्दी

के **नहीं** से बिलकुल मिलता है। हिन्दी का यह निषेधात्मक अव्यय इसी प्रकार **ह्** क्रिया के आधार पर बना होगा।

पूर्वकालिक क्रिया का एक रूप विचित्र है। इसके अन्त में प्रत्यय लगा रहता है। **निकलीड़**—निकलकर। (पृ. 281) यह **ड़ र** का रूपान्तर है और **र कर** का अवशेष है। **निकलीड़** का पूर्वरूप होगा **निकलि कर**। क्रिया के ऐसे पूर्वकालिक रूप जिनमें **र** लगा हो, राजस्थानी क्षेत्र में बहुत मिलते हैं। वही **र** यहाँ बाँगरू प्रभाव से **ड़** हो गया है। सामान्यत: लहँदा में क्रिया के पूर्वकालिक रूप हिन्दी के समान बनते हैं, यथा : **वंच के**—जाकर। (पृ. 282)

लहँदा के सर्वनाम रूप ऐतिहासिक दृष्टि से महत्त्वपूर्ण हैं। पहले उत्तम पुरुष एकवचन के रूप देखें। हमारा के लिए **अस्साडा**, तुम्हारा के लिए **तुसाडा** या **तुहाडा** के समान मेरा के लिए **माहड़ा** रूप भी है। (पृ. 571) जैसे **अस्साडा** में **अस्सा, तुसाडा** में **तुसा** आधार शब्द हैं, वैसे ही **माहड़ा** का आधार शब्द **माह** है। इसी का कर्म-सम्प्रदान रूप **माहक** अथवा **माहको** है। अब इसमें सन्देह न रहना चाहिए कि उत्तर-पश्चिमी आर्य भाषा-क्षेत्र में किसी समय **मध** जैसे सर्वनाम रूप का व्यवहार होता था। **मह, मद, मस** इसी के रूपान्तर होंगे। मध्यम पुरुष के एकवचन करण-कारक का रूप **तुध** दिया है। (उप.) इस **तुध** से **तुझ** वाला रूप मिला, वैसे ही **मुध** से **मुझ** रूप मिलेगा। **मुध, मध, माध** वैकल्पिक रूप थे जो विभिन्न कारकों के आधार बने। **तुध** के साथ सम्बन्धकारक में मध्यम पुरुष सर्वनाम का एकवचन रूप **तोहड़ा** है (उप.), जो मागधी भाषाओं के **तोहर, तोहार** से तुलनीय है। दोनों का ही आधार **तध** या **ताँध** सर्वनाम होगा। प्रश्नचाचक सर्वनाम का भी **कध** जैसा रूप प्रचलित था, यह **काहड़ा** (किसका) से प्रमाणित है (उप.); भोजपुरी में भी **केह** जैसे सर्वनाम रूप का चलन है। लहँदा की अनेक बोलियों में **मेरा, तेरा** जैसे रूप प्रचलित हैं। (पृ. 259) इनसे विदित होता है कि **मध—मह** से **मे** और **तध—तह** से **ते** रूपों का विकास भी हुआ था। जैसे **माहड़ा-काहड़ा** वाली बोली में **क्या** के लिए प्रश्नवाचक सर्वनाम **के** है (पृ. 571), वैसे ही **मेरा-तेरा** वाली बोली में उत्तम पुरुष सर्वनाम का एकवचन रूप **मां** भी है (पृ. 259)। **मे** और **माँ**, दोनों रूप **मह** से बने हैं जिसका आधार **मध** है। यहाँ एकार, ओकार और आकार वाली तीनों तरह की ध्वनि-पद्धतियाँ घुलती-मिलती दिखाई देती हैं। सम्प्रदान-कर्म कारक का चिन्ह **को** है, **क** भी है (पृ. 571)। **खलो रेहा**—खड़ा रहा (पृ. 282)—इस ओकार-एकार मिश्रण का अच्छा उदाहरण है। सुदूर कोहाट में हिन्दी **पहले** का प्रतिरूप **पेलो** (पृ. 465) दूर-दूर तक हिन्दी जनपदों के भाषा-तत्त्वों का प्रसार सिद्ध करता है।

मध्यम पुरुष के लिए **ने, निहे** (पृ. 303) सर्वनाम प्रत्यय के रूप में प्रयुक्त होते हैं। **घर ने** अर्थात् तुम्हारा घर। **मारेआने**—तुमने मारा। **केहड़ा शाहुर निहे**—तुम्हारा गाँव कौन-सा है (पृ. 303) इस **ने, निहे** सर्वनाम रूप का आधार भी **नध** जैसा रूप

होगा। संस्कृत **नः** उत्तम पुरुष के लिए प्रयुक्त होनेवाला रूप है। दोनों परस्पर सम्बद्ध होने चाहिए। कुछ बोलियों में **ने** रूप केवल अन्य पुरुष के लिए प्रयुक्त होता है। (पृ. 303) एक ही सर्वनाम-रूप अनेक पुरुषों के लिए प्रयुक्त हो सकता है। विभिन्न बोलियाँ कहीं उत्तम पुरुष, कहीं मध्यम पुरुष, कहीं अन्य पुरुष से उसे सम्बद्ध कर लेती हैं, कहीं यह सम्बद्धता एक से अधिक पुरुषों के साथ बनी रहती है।

मध्यम पुरुष सर्वनाम का एकवचन रूप **थूँ** भी यहाँ मिलता है (पृ. 378)। या तो **तूँ** में अतिरिक्त महाप्राणता के संयोग से यह रूप बना है अथवा यह उस **ध्वम्** का रूपान्तर है **जो** कुछ संस्कृत क्रिया-रूपों के अन्त में दिखाई देता है। दूसरी स्थिति में **त्वम्, तूँ, थूँ** उसी मूल रूप **ध्वम्** के विकास माने जाएँगे। हिन्दी **तू** के अंग्रेज़ी प्रतिरूप **दाउ** में प्रथम वर्ण की सघोष ध्वनि मूल रूप के **ध्** के कारण हो सकती है।

अन्य पुरुष सर्वनाम के एकवचन रूप **सु** और **स** व्यापक रूप से प्रचलित थे, इसका प्रमाण **आखेआसु**—उसने कहा, **पुच्छेआस**—उसने पूछा (पृ. 513), जैसे क्रिया-रूपों से मिलता है। **स** के **ह्** में परिवर्तित होने पर **ह्** वाले रूपों का चलन भी बड़े पैमाने पर हुआ। **हे, हत,** अन्य पुरुष सर्वनाम के एकवचन रूप हैं (पृ. 378)। **हे** सीधा **से** का रूपान्तर है। **हत सध** का विकास है। **सध** के रूपान्तर **हह, अह, ऑह** भी हो सकते हैं। **ऑह** की व्युत्पत्ति जो भी हो, इसका व्यवहार बड़े पैमाने पर होता था। **माहड़ा-तोहड़ा** वाली बोली में **ओह** भी है (पृ. 571); इसी का पूर्वरूप **ऑस** पंजाबी के अन्य क्षेत्रों में प्रयुक्त होता है। **ऑह** रूप भोजपुरी में भी है। मानक हिन्दी में इसका रूपान्तर वह स्वीकृत है। **ऑस** का प्रतिरूप उस हिन्दी में प्रचलित है। एक उदाहरण में **सुसको** (उसको) रूप भी है (पृ. 573)। यदि यह उदाहरण सही है तो **उस** का पूर्वरूप **सुस** होगा और इस **सुस** का मूल रूप **सुध** होगा। ऊपर जहाँ **केहड़ा** रूप का उल्लेख है, वहाँ उसके समानान्तर **जेहड़ा** रूप भी ध्यान देने योग्य है (पृ. 303), अन्य बोली में **केढ़ा, जोढ़ा** रूप हैं (पृ. 303)। हर सर्वनाम रूप में किसी-न-किसी प्रकार **ध** के अवशेष दिखाई देते हैं। इसका एक रूपान्तर **ह्** है अन्य रूपान्तर **स (ध—द—ज—ज़—स)**। यह **ध** सर्वनामों के साथ जुड़कर नये सर्वनाम बनाता है और व्यक्ति, स्थान, काल आदि की सूचना देता है।

लहँदा क्षेत्र के अनेक शब्द ऐतिहासिक दृष्टि से महत्त्व के हैं। इनमें एक शब्द है समयसूचक **तोड़ी**। 'पंजाबी मैनुअल एंड ग्रामर' पुस्तक में **तोड़ी** और **ताड़ी** (इस समय तक) रूप दिये गए हैं। ये रूप अनेक काल-सूचक द्रविड़ शब्दों में मिलते हैं और आगरे की बोली में **ई** तोड़ी (इस समय तक) जैसे रूपों का चलन है। **जलने** के लिए **सड़ना** पुनः द्रविड़ भाषाओं की **सुळ्** क्रिया की याद दिलाता है। **जदों, तदों, ओदों** (तब) में **ज, त, ओ** सर्वनाम-चिह्न हैं जिनके संयोग से ये समयसूचक शब्द बने हैं। **अजे** का अर्थ है—अभी तक। यह स्पष्ट ही **अद्य** के आधार पर बना है और निकट समय की सूचना देता है। स्वयं **अद्य** में **द्य** दिवससूचक है और **अ** सर्वनाम है।

**उत्ते, उताँ, उत** (ऊपर) संस्कृत **उत्तर** के **उत्** की व्याख्या करते हैं। तीन-चौथाई के लिए **मुन्ना** शब्द तमिल **मुन्** (तीन) के आधार पर बना है। इसी प्रकार तमिल **मुद्** (प्रथम) से **मुदों** (आरम्भ से) सम्बद्ध है। यहाँ काटने के लिए **वर्ध्** क्रिया के रूपान्तर **वट्ठ** का व्यवहार होता है। हिन्दी में यह क्रिया संज्ञा रूप **बढ़ई** में रह गई है। **टोल** शब्द का एक अर्थ है इकट्ठा करना। हिन्दी **टोला** इसका प्रतिरूप है। इसी प्रकार **खेल** शब्द पुर के अर्थ में, गाँव और शहरों के नाम के साथ आता है, जैसे—**ईसा खेल, भंगी खेल**। यह मूलत: **सेत** का विकास है जिसका अर्थ था—जोती हुई भूमि, आवास भूमि।

बलूचिस्तान में खेत्रान नाम का एक कबीला रहता है। ग्रियर्सन ने लिखा है कि इस कबीले के लोग सम्भवत: पठान थे जिन्हें अकबर ने बलूचिस्तान में खदेड़ दिया था। इनकी बोली खेत्रान की कहलाती है। इसमें बहुत-से शब्द ठेठ हिन्दी जनपदीय रूपों की याद दिलाते हैं। **सौंह** ब्रज का अपना शब्द है। **घींच** का प्रतिरूप यहाँ **गिची** प्रचलित है और **घुटने** के लिए **गोडे** शब्द है। **मक्का** को **मकाही** बोलते हैं। **घींच, गोड़, मकई** अवध की याद दिलाते हैं। देखने के लिए **लखन** पुराना सुपरिचित शब्द है। बहुत्वसूचक **घम्ने घने** का रूपान्तर है। **नाभि** के लिए **नारा** अनेक जनपदों में प्रचलित है यद्यपि इस अर्थ में उसका व्यवहार मानक हिन्दी में नहीं होता। **लोमड़ी लूंबर** है; यह रूप अवध में प्रचलित है।

हिन्दी और पंजाबी का आपसी सम्बन्ध जानने के लिए, इनके मानक रूप छोड़कर, दोनों की बोलियों पर ध्यान देना आवश्यक है। मानक भाषाओं में जितना अन्तर दिखाई देता है, उतना बोलियों में नहीं है। सैकड़ों शब्द, शब्द-भंडार के मूल अंश, सर्वनाम, कारक-चिन्ह, क्रियापद-रचना-तत्त्व बहुत मिलते-जुलते हैं और कहीं-कहीं बिलकुल एक-से हैं। पंजाबी क्षेत्र के ऐसे रूप किसी एक हिन्दी जनपद के नहीं हैं; उनका सम्बन्ध अनेक जनपदों से है और यह सम्बन्ध पंजाब की सीमाएँ पार करके पठानों और बलूचियों के देश तक पहुँचता है। पठान अंग्रेज़ों से लड़े और मुगलों से लड़े। तुर्कों की तुलना में उन्होंने भारतीय भाषाओं की बहुत बड़ी सेवा की है। ग्रियर्सन ने अकबर से पठानों के संघर्ष की सम्भावना का उल्लेख किया है। अंग्रेज़ों के विरुद्ध जो पठान लड़े और हिन्दुस्तानियों के साथ मिलकर लड़े, उसमें सम्भावना का प्रश्न नहीं है, वह एक ऐतिहासिक तथ्य है और यह तथ्य बीसवीं सदी का नहीं है। 1857 के महान् संग्राम से कुछ वर्ष पहले हिन्दी प्रदेश में जो अंग्रेज़-विरोधी अभियान शुरू हुआ था, उसका प्रभाव हज़ारा के पश्चिम में तनावल पर्वतमाला में रहनेवाले पठानों पर पड़ा था। इसके बारे में ग्रियर्सन ने लिखा है कि ये तनावली पठान 1853 ई. में हिन्दुस्तानी जेहादियों से मिल गए और दोनों ने अंग्रेज़ों पर हमला किया। "शायद इन लोगों का आपसी सम्पर्क और पहले से चला आ रहा था और इसी कारण उनकी भाषा में जहाँ-तहाँ हिन्दुस्तानी रूप दिखाई देते हैं।" (पृ. 570)

निस्सन्देह हिन्दियों और पठानों का सम्पर्क बहुत पुराना था। अंग्रेज़ी राज में, और उससे पहले, इस सम्पर्क के कारण हिन्दी भाषा के बहुत-से रूप वहाँ की भाषा में घुल-मिल गए। पठानों के देश की तुलना में पंजाब हिन्दी क्षेत्र के और भी निकट है। इसलिए यह बिलकुल स्वाभाविक है कि हिन्दी क्षेत्र की बोलियों के बहुत-से रूप पंजाबी क्षेत्र की बोलियों में मिलें। हिन्दी तथा हिन्दी प्रदेश की बोलियों को अलग रखकर पंजाब की भाषाई स्थिति और मानक पंजाबी के विकास का विवेचन नहीं किया जा सकता।

## 9. राजस्थान और हिन्दी

हिन्दी क्षेत्र के पश्चिम में राजस्थानी का विशाल क्षेत्र है जो एक ओर बाँगरू और पंजाबी को छूता है तो दूसरी ओर सिन्धी, गुजराती और मराठी को छूता है। मराठी की तुलना में इस क्षेत्र की बोलियों का सम्बन्ध सिन्ध और गुजरात की बोलियों से अधिक है। हिन्दी क्षेत्र की बोलियों में इनका सम्बन्ध ब्रज और बाँगरू से विशेष है। यद्यपि मानक पंजाबी के समान मानक राजस्थानी का विकास नहीं हुआ पर बोलियों के स्तर पर राजस्थान और पंजाब की भाषाई स्थिति मिलती-जुलती है, हिन्दी क्षेत्र की बोलियों से इस स्थिति का सम्बन्ध भी मिलता-जुलता है।

राजस्थान मूर्धन्य ध्वनियों का क्षेत्र है। ट-वर्गीय ध्वनियों के अतिरिक्त यहाँ **ळ, ड़,** और **ण्** का व्यवहार भी होता है। गुजरात में ऐसे क्षेत्र हैं जहाँ **त**-वर्ग का अभाव है, केवल ट-वर्ग की ध्वनियाँ प्रयुक्त होती हैं। सम्भवत: ऐसा क्षेत्र राजस्थान में भी थी। नेपाल की तराई में जो थारू लोग रहते हैं, वे राजस्थान से आए बताए जाते हैं। उनकी भाषा में **ट्, ठ्, ड्** आदि ध्वनियाँ हैं, **त्, थ्, द्** का अभाव है। उनके आसपास कोई ऐसा भाषाई परिवेश नहीं है जो उन्हें **त्** के बदले **ट्** कहने पर बाध्य करता। 'इंडियन लिंग्विस्टिक्स' (खंड 1-4,1931-34) में डॉ. बाबूराम सक्सेना ने थारू लोगों की भाषा पर एक लेख लिखा था। इसमें उन्होंने बताया था कि इस भाषा की सबसे बड़ी विशेषता **त्, थ्, द्, ध्** के स्थान पर **ट्, ठ्, ड्, ढ्** का व्यवहार है। डॉ. बाबूराम सक्सेना ने थारू लोगों के बीच में रहकर और उनकी भाषा सुनकर यह बात लिखी थी। उन्होंने इस बात पर आश्चर्य प्रकट किया था कि ग्रियर्सन ने अपने सर्वेक्षण-ग्रंथ में इस महत्त्वपूर्ण तथ्य का उल्लेख नहीं किया। ट-वर्गीय ध्वनियों के उच्चारण में अवधी बोलने वालों की जीभ प्रतिवेष्टित होती है या नहीं, उनके द्वारा उच्चारित ये ध्वनियाँ मूर्धन्य हैं या वर्त्स्य हैं, थारू लोगों के **ट्, ठ्, ड्** से वे कितना भिन्न हैं, ये प्रश्न गौण हैं। मुख्य बात यह है कि असम और सौराष्ट्र के अलावा थारू लोगों का भाषा-क्षेत्र ऐसा है जहाँ ध्वनियों की एक ही शृंखला है; त-वर्गीय और ट-वर्गीय ध्वनियों में अर्थ-विच्छेदक भेद हिन्दी क्षेत्र में हैं, इन भाषाओं के क्षेत्र में नहीं। राजस्थान और गुजरात में सर्वत्र किसी समय केवल ट-वर्गीय ध्वनियाँ

रही हों, त-वर्गीय नहीं, यह आवश्यक नहीं है। किन्तु वहाँ कुछ क्षेत्र ऐसे थे, यह विश्वसनीय है। इस आधार पर अनुमान किया जा सकता है कि ट-वर्गीय ध्वनियाँ हिन्दी क्षेत्र में उधर से पहुँची हैं और त-वर्गीय ध्वनियाँ उधर के क्षेत्रों में हिन्दी प्रदेश से पहुँची हैं। **त्-ट्** वाला भेद बहुत पुराना है, यह बात यूरोप की त-वर्गीय लैटिन समुदाय तथा **स्लाव** समुदाय की भाषाओं को देखकर समझी जा सकती है। उत्तरी यूरोप की जर्मन समुदाय की भाषाओं में ट-वर्गीय ध्वनियों की प्रधानता है, जैसे कि अंग्रेज़ी में। अंग्रेज़ी में जहाँ-तहाँ **ड्** और **द्** का भेद तो दिखाई देता है, जैसे—**डॅन,** (गुफा) और **दॅ न** (तब), पर ऐसा भेद **त्** और **ट्** में नहीं है। अंग्रेज़ी में **त्** ध्वनि का पूर्ण अभाव है। उधर रूसी, इतालवी आदि भाषाओं में ट-वर्गीय ध्वनियों का पूर्ण अभाव है।

भारत का अधिकांश भाषाओं में **त्** और अर्थ-विच्छेदक ध्वनियाँ बन गई हैं। यह बात आर्य भाषाओं और द्रविड़ भाषाओं, दोनों पर लागू होती है। इसका कारण भारत के त-वर्गीय और ट-वर्गीय क्षेत्रों की भाषाओं का गहरा आपसी सम्पर्क है, जैसा सम्पर्क यूरोप के ऐसे क्षेत्रों की भाषाओं में कायम नहीं हो सका।

राजस्थानी क्षेत्र की बोलियों की एक विशेषता **स्** के स्थान पर **ह्** बोलने की प्रवृत्ति है। यह प्रवृत्ति गुजरात में और भी बलवती है और अंशत: पंजाब में है। यह प्रवृत्ति अत्यन्त प्राचीन और अत्यन्त व्यापक है; वैदिक काल से लेकर अब तक वह आर्य भाषाओं को प्रभावित करती रही है। यह प्रवृत्ति किसी भी ज्ञात आर्येतर परिवार की नहीं है। ध्यान देने की बात है कि असम में जैसे केवल **ट्, ठ्, ड्** हैं, वैसे ही वहाँ **स्** के स्थान पर केवल **ख्** है जिसका उच्चारण **ह्** के बहुत निकट है। यह बहुत सम्भव है कि राजस्थान, गुजरात और पड़ोसी प्रदेशों में किसी समय दन्त्य **स्** का पूर्ण अभाव था, वहाँ केवल **ह्** ध्वनि का आधिपत्य था। यदि ऐसी स्थिति रही हो तो मानना होगा कि ऐसे क्षेत्रों में **स्** ध्वनि मध्य देश से पहुँची है। **ट**-वर्गीय ध्वनियों और इस संघर्षी काकल्य **ह्** ध्वनि में कहीं पुराना आपसी सम्बन्ध रहा है। यद्यपि राजस्थान, गुजरात आदि में **ह्**-लोप की प्रवृत्ति व्यापक है पर यह प्रवृत्ति बाद की जान पड़ती है। **स्** के स्थान पर **ह्** का व्यवहार व्यापक रूप से होता था, उसके बाद ही उसके लोप का अवसर आया। जो **ट्, ठ्, ड्, ढ्** के विशेष क्षेत्र हैं, वे **ह्-ख्** के भी विशेष क्षेत्र हैं।

राजस्थानी बोलियों की एक विशेषता **च्** के स्थान पर संघर्षी **च्** का व्यवहार है। यह संघर्षी ध्वनि बहुत लोगों को सुनने में **स्** जैसी प्रतीत होती है किन्तु वास्तव में उससे भिन्न है। एक अन्य क्षेत्र जहाँ इसका व्यापक व्यवहार होता है असम है। असम में संघर्षी **च्** के साथ संघर्षी **ज्** ध्वनि भी है, मराठी और बंगला (पूर्वी बंगाल) में है। मराठी में **च्** और **ज़्** के अलावा **च्** और **ज्** का व्यवहार भी होता है। पुन: यह कल्पना करनी होगी कि **च्** और **ज़्** जैसी संघर्षी ध्वनियों के कोई

विशिष्ट क्षेत्र थे जिन्होंने अन्य क्षेत्रों को भी प्रभावित किया। सम्भव है **च्, ज्** जैसी स्पर्श अथवा स्पर्श-संघर्षी ध्वनियाँ हिन्दी क्षेत्र से पश्चिम की ओर गई हों। मराठी की एक विशेषता यह है कि **च्** और **ज्** के अलावा महाप्राण **छ्** और **झ्** ध्वनियों का भी संघर्षी उच्चारण होता है यद्यपि इन्होंने समरूप स्पर्श-ध्वनियों को विस्थापित नहीं किया। मराठी में ट-वर्गीय ध्वनियों के साथ **ळ्** और **ण्** की प्रधानता भी है।

राजस्थानी क्षेत्र में एक ओर **स्** को **ह्** बोलने की प्रवृत्ति है, दूसरी ओर किसी समय वहाँ **स्** को **छ्** बोलने की प्रवृत्ति भी थी। **स** क्रिया के **ह** वाले रूप पश्चिमी राजस्थान में अधिक हैं और **छ** वाले रूप पूर्वी राजस्थान में। मारवाड़ी में **हूँ, है, हाँ, हो, हा** जैसे रूप हैं, जयपुरी में **छू, छे, छाँ, छो, छा** जैसे रूप हैं। कुछ बोलियों में **ह** और **स** वाले रूप घुल-मिल जाते हैं। ग्रियर्सन ने सर्वेक्षण-ग्रंथ के नवें खंड के दूसरे भाग में जिन भाषाओं के उदाहरण दिये हैं, उनमें मेवाती **हूँ, है** आदि के साथ **सूँ, से, सो, सा** का व्यवहार भी करती है। इसमें सन्देह नहीं कि **स** वाले रूप पुराने हैं। पर यह **स-छ** वाला समीकरण पड़ोसी गुजरात के अलावा मैथिली और बंगला में भी है, नेपाली तथा अनेक पहाड़ी भाषाओं में है। इससे हम कल्पना करते हैं कि किसी समय ऐसे क्षेत्र थे जो **स्** के स्थान पर **छ्** का ही व्यवहार करते थे। **श्** के स्थान पर **छ्** का व्यवहार संस्कृत के अनेक रूपों को प्रभावित कर सका था जैसा कि प्रश्न और **पृच्छति** के उदाहरण से ज्ञात होता है। बंगला में एक ओर दन्त्य **स्** को तालव्य करने की प्रवृत्ति है, दूसरी ओर साधारण बोलचाल के स्तर पर **स्** को **छ्** कहने की प्रवृत्ति भी है, यथा : **मुसलमान** का **मुछौल् मान** रूप।

राजस्थान की बोलियों में **स्** के स्थान पर **छ्-ह्** का व्यवहार आश्चर्यजनक नहीं है किन्तु **थ्** के स्थान पर **ह्-छ्** का व्यवहार आश्चर्यजनक है। एक जगह हिन्दी के समान आई थी है, तो दूसरी जगह **आई ही** और तीसरी जगह **आई छी** बोला जाता है। डॉ. कैलाशचन्द्र अग्रवाल ने 'शेखावटी बोली का वर्णनात्मक अध्ययन' (लखनऊ, 1964) में जो उदाहरण दिये हैं, उनसे यही सिद्ध होता है। चिड़ावा जिला झुँझुनू में **आई थी**, सीकर में **आई ही** चलेगा किन्तु जिला सीकर के ही अन्तर्गत नीम का थाना में **आई छी** बोलेंगे। इससे यह अनुमान होता है कि **छ्** ध्वनि केवल **स्** के लिए नहीं वरन **थ्** के लिए भी कभी प्रयुक्त होती थी। संघर्षी ध्वनियों का चलन यहाँ अधिक रहा होगा, स्पर्श-ध्वनियों का कम।

राजस्थानी क्षेत्र की बोलियों की एक विशेषता **अइ, अउ** संयुक्त ध्वनियों के स्थान पर **ऐ, औ** का व्यवहार है। (यदि कोई कहे कि **ऐ, ओ** भी संयुक्त ध्वनियाँ हैं तो मैं कहूँगा कि पुरानी संयुक्त ध्वनियों के स्थान पर इन नई संयुक्त ध्वनियों के चलन की प्रवृत्ति है।) ब्रज से पूर्व की ओर पुरानी संयुक्त ध्वनियाँ अब भी काफी प्रयुक्त होती हैं। मानक हिन्दी में उनका व्यवहार केवल तत्सम रूपों में होता है। समस्त उत्तर-पश्चिमी क्षेत्र में एकार, ओकार का एक विशेष क्षेत्र अवश्य रहा होगा

और सम्भव है कि यह क्षेत्र राजस्थान हो। वहाँ की अनेक बोलियों में ऐकार औकार को भी एकार ओकारवत् बोलने की प्रवृत्ति है। हिन्दी में **कहइ—कहै—कहे** जैसा विकास इसी प्रवृत्ति का परिणाम है।

राजस्थान की बोलियों और हिन्दी क्षेत्र की बोलियों के कारक-चिन्हों में बहुत बड़ी समानता है। मारवाड़ी में **र** वाले विभक्ति चिन्ह हैं तो अन्य बोलियों में **क** वाले। डॉ. कैलाशचन्द्र अग्रवाल की शेखावटी बोली वाली पुस्तक में जितने उदाहरण हैं, उनमें संज्ञा के साथ **र** वाले विभक्ति-चिन्हों के प्रयोग के उदाहरण हैं ही नहीं। 'ये नौकर किस सेठ के हैं', यह वाक्य चिड़ावा की बोली में इस प्रकार है : 'यै नोकर कैं सेठ का है'; सीकर नगर की बोली में 'ये नोकर की सेठ का है'; फतहपुर, जिला सीकर की बोली में : 'यै नोकर कीं सेठ का है'; नीम का थाना, जिला सीकर की बोली में : 'यै नोकर कुण सा सेठ का छै'; जयपुर नगर की बोली में : 'यै नोकर किस्या सेठ का छै'—इन उदाहरणों से राजस्थान में **क** विभक्ति-चिन्ह के प्रसार का अनुमान किया जा सकता है। **में, पर, से** आदि चिन्ह थोड़े-से हेर-फेर से प्रयुक्त होते हैं। कर्मकारक के लिये **नैं** का प्रयोग बाँगरू के समान है। मानक हिन्दी के विपरीत कर्ताकारक के साथ यहाँ **ने** का व्यवहार अनिवार्य नहीं है। मेरी कलम किसने चुरा ली, इस वाक्य को चिड़ावा, सीकर नगर, फतहपुर, जयपुर नगर आदि की बोलियों में **ने** के बिना ही कहा जाएगा। 'किसने चुरा ली' के लिए 'कुण चोर ली' या 'कुण चोरी' कहना काफी है। **कुण** करणकारक नहीं है, यह ध्यान देने की बात है। राजस्थान की बोलियों में एक विशेषता यह है कि अनेक स्थानों में सर्वनाम के साथ भी **को, के, की** आदि चिन्ह लगते हैं। हिन्दी में **हमारा आँगन, हमारी जेब, हमारे साथ** आदि रूपों में **हम** के साथ **र** प्रत्यय ही लगता है किन्तु जयपुरी में **म्हाँको चौक, म्हाँकी जेब, म्हाँकी साथ** जैसे प्रयोग होंगे। जयपुरी में **म्हारी, म्हारा** रूप भी प्रयुक्त होते हैं किन्तु हिन्दी क्षेत्र से भिन्न यहाँ सर्वनाम के साथ **क** प्रत्यय भी लगता है। यह स्थिति, राजस्थानी से मिलती-जुलती, कुछ अन्य बोलियों में भी है।

राजस्थानी बोलियों की क्रियापद-रचना में विभिन्न प्रवृत्तियाँ घुल-मिल गई हैं। वर्तमान काल के रूपों में **चळतो हो, चळइ हो** उत्तम पुरुष एकवचन के रूप हैं। ग्रियर्सन द्वारा दिये हुए मारवाड़ी के इन उदाहरणों में पहला कृदन्त है, दूसरा तिङन्त है। राजस्थानी भाषा की पुरानी पुस्तक 'क्रिसन-रुकमणी-री वेलि' (सम्पादक : नरोत्तमदास स्वामी, आगरा, 1971) की भूमिका में सम्पादक ने ठीक लिखा है कि डिंगल का मूलाधार मारवाड़ी ही है। इस पुस्तक की भाषा अर्थात् मारवाड़ी के उदाहरणों में अन्य पुरुष के तिङन्त रूप इस प्रकार हैं : **सूझइ, होवइ, समाइ, जाइ** अवधी के **सूझहि, होवहि** आदि रूप हैं। अवधी में **ह्**-युक्त और **ह**-विहीन दोनों तरह के रूप मिलते हैं। मध्यम पुरुष बहुवचन के रूप **कहउ, वंछउ** आदि अवधी के **कहहु बंछहु** के रूपान्तर हैं। उत्तम पुरुष एकवचन के **सकूँ, कहूँ** हिन्दी रूपों से मिलते हैं और

**सकहुँ, कहहुँ** के आधार पर बने हैं। पुरानी साहित्यिक भाषा में बहुत-से परम्परागत रूपों का चलन था जिन्हें उस समय की बोलचाल के रूप मानना भ्रामक होगा। 'क्रिसन-रुकमणी-री वेलि' में वर्तमान काल के अन्य पुरुष रूप **राजति, कहति, भवति, रहन्ति, गायन्ति, बोलन्ति** आदि इसी कोटि के साहित्यिक प्रयोग हैं।

ग्रियर्सन द्वारा दिये गए उदाहरणों में कुछ भूतकालीन रूप ऐसे हैं जिनमें कृदन्त के बाद सर्वनाम-चिन्ह जोड़ा गया है। **राणी पूछीस**—रानी ने पूछा; **आप बिचारीअस**—उसने आप विचार किया। ग्रियर्सन ने ठीक लिखा है कि यहाँ **अस** केवल जोर देने के लिए है ('लिंग्विस्टिक सर्वे', खंड 9, भाग 2, पृ. 35), कारण यह कि सर्वनाम-चिन्ह कर्ता का अवशेष मात्र है, कर्ता—अलग से—क्रिया से पहले आ चुका है। अधिकतर भूतकाल के लिए राजस्थान की बोलियों में कृदन्तों का व्यवहार हिन्दी बोलियों के समान होता है, यथा : 'खिला पिला दिया'। सीकर नगर की बोली में होगा : **खुया पिया दिया**। वास्तव में राजस्थानी के कृदन्त-रूप—पंजाबी ही नहीं, बाँगरू की तुलना में भी—मानक हिन्दी के रूपों से अधिक मिलते हैं। राजस्थानी के ओकारान्त रूप ब्रजभाषा के प्रभाव से बने हैं। 'मैं खोल रहा हूँ' की जगह **मैं खोल रयो हूँ** ब्रजभाषा के अनुरूप है। साथ ही बाँगरू के समान वर्तमान काल में तिङन्त रूपों का व्यवहार—**पड़ै है, जावै है** आदि—व्यापक रूप से होता है। इन्हीं तिङन्त रूपों के आधार पर **जावैगो, होबैगो** आदि भविष्यकालिक रूप बने हैं, यह तथ्य मानक हिन्दी के **जायगा, होगा** की अपेक्षा राजस्थानी रूपों में और भी स्पष्ट है। राजस्थानी में भविष्य के लिए **होसी, जासी** आदि **स्**-मूलक भविष्य-कालिक रूप भी प्रचलित हैं। भोजपुरी के समान **ल** वाले कृदन्त-रूप यहाँ एक से अधिक कालों के लिए प्रयुक्त होते हैं। भोजपुरी में इनका अधिकतर प्रयोग भूतकाल के लिए होता है किन्तु राजस्थानी में इनका प्रयोग अधिकतर भविष्य काल के लिए होता है। **ग, स, ल**—इन तीन चिन्हों के आधार पर राजस्थानी में भविष्य के रूप बनते हैं। क्रियार्थी संज्ञा के लिए **देखबा** जैसे **ब** वाले रूप अवधी और ब्रजभाषा के अनुरूप हैं, दूसरी ओर **न** (णो, णु) वाले रूपों का चलन भी यहाँ है। ऐसा प्रतीत होता है कि मध्य देश पर बाह्य आक्रमणों के समय अनेक जनपदों के लोग भागकर राजस्थान गए और अपने साथ अपनी बोलियों की विशेषताएँ ले गए; इसलिए वहाँ भाषा-संरचना के हर स्तर पर रूपों की ऐसी विविधता दिखाई देती है।

पूर्वकालिक क्रिया के **र**-वाले रूप रोचक और महत्त्वपूर्ण हैं। ग्रियर्सन ने **कर्योर** (करके) का विश्लेषण किया है कि यह **कर्यो** तथा **अर** के संयोग से बना है। (पृ. 34) मेरी समझ में यह विश्लेषण सही है और यह **अर कर** का रूपान्तर है। यही अर्थ व्यक्त करनेवाला **करर** रूप भी है जहाँ **कर** के बाद दूसरा **कर** जोड़ा गया है। **कर** के इस रूपान्तर से सर्वनाम रूपों की रचना समझ में आती है। **म्हाँका** और **म्हाँरा,** दोनों में सर्वनाम के बाद मूलतः **कर** जोड़ा गया है। उसका एक रूपान्तर हुआ

**का**, दूसरा रूपान्तर हुआ **कर** जिसका **अर** शेष रह गया। यह वही प्रवृत्ति है जिसने **कर्म्मकार** को बदलकर वैदिक **कर्म्मार** रूप दिया था। सर्वनामों के अतिरिक्त संज्ञा शब्दों के साथ जहाँ **क** या **र** जोड़ा जाता है, वहाँ भी इसी **कर** के आधार पर ये चिन्ह बने हैं। सम्बन्धकारक के अतिरिक्त कर्म-सम्प्रदान में **को, के** के साथ **रे** आदि का व्यवहार भी इसी कारण होता है। जहाँ कोई विभक्ति चिन्ह **क्** ध्वनि वाला है, वहाँ उसका प्रतिरूप **र्** ध्वनि वाला अवश्य है। मानक बंगला में सम्बन्धकारक के लिए **क्**-मूलक विभक्ति चिन्ह का व्यवहार नहीं होता किन्तु कर्म-सम्प्रदान के लिए **रे** और **के**, दोनों का व्यवहार होता है। यही स्थिति राजस्थानी रूपों की है। मूल रूप **क्**-वाले हैं; **कर, केर** आदि रूप अवधी, भोजपुरी में प्रयुक्त होते हैं। हिन्दी क्षेत्र के पूर्वी-पश्चिमी सीमान्तों पर ऐसी ध्वनि-प्रवृत्तियाँ शक्तिशाली रही हैं जो **क्** को संघर्षी रूप देकर उसका लोप करती रही हैं। हिन्दी क्षेत्र में **र्** वाले विभक्ति-चिन्ह सर्वनामों तक सीमित हैं, इनका अधिक प्रसार बंगला और राजस्थानी आदि में है। अंग्रेज़ी जैसी भाषाओं में जहाँ-तहाँ सर्वनाम रूपों में **र्** का व्यवहार होता है किन्तु **क्** वाले मूल रूपों का सफाया हो गया है।

ग्रियर्सन ने राजस्थानी बोलियों के अन्तर्गत मालवी पर भी विचार किया है। यह बोली हिन्दी के अधिक निकट है या राजस्थानी और गुजराती के, इस विषय पर यहाँ विवाद अनावश्यक है। एक रोचक तथ्य यह है कि मारवाड़ी के समान गजराती में **र्** वाले सर्वनाम रूप हैं। ग्रियर्सन ने मारवाड़ी **म्हारो** का गुजराती प्रतिरूप **मारो** (एकवचन) या **आमारो** (बहुवचन) दिया है। यद्यपि गुजराती में संज्ञा शब्दों के साथ **न**-वाला कारक-चिन्ह व्यापक रूप से प्रयुक्त होता है किन्तु सर्वनामों में **आप** के साथ ही इसका संयोग दिखाई देता है। गुजराती **आपणों** के समान मालवी में भी **आपणों** रूप है किन्तु मालवी में **म्हाँणो** भी है। **अपना** जैसे रूपों में कारक-चिन्ह, सभी आर्य भाषाओं में, **न** या **ण** है। यह इस बात का सूचक है कि सर्वनाम-रूपों का प्रसार कुछ निश्चित केन्द्रों से हुआ है। सम्भव है, **अपना** जैसे रूप का प्रसार मालवा से हुआ हो, **म्हाँरो** आदि का प्रसार राजस्थान से हुआ हो, **क्**-वाले रूपों का प्रसार मध्य देश से हुआ हो! जयपुरी में **म्हाँकी** जैसा रूप अब भी प्रचलित है यद्यपि हिन्दी क्षेत्र में ऐसे रूप का अभाव है। 'मालवी : एक भाषाशास्त्रीय अध्ययन' (जयपुर, 1960) में डॉ. चिन्तामणि उपाध्याय ने उत्तम पुरुष सर्वनाम के जो रूप दिये हैं, उनमें जयपुरी के समान **क**-वाले रूप भी हैं। **म्हके**—मुझे, **त्हके**—तुझे। **हमें** के लिए **हमके** रूप भी आया है। इसी प्रकार पड़ोस की राँगड़ी बोली में मध्यम पुरुष सर्वनाम के एकवचन रूप कर्म कारक में हैं **मके, म्हके**। ग्रियर्सन ने **म्हाणों** रूप मालवी के अन्तर्गत भी दिया है, डॉ. उपाध्याय ने राँगड़ी के अन्तर्गत दिखाया है।

यहाँ मालवी की कुछ अन्य विशेषताओं का उल्लेख भी उचित होगा। इसमें **उन्नीस, उन्तालिस, उन्चास, उन्यासी** के लिए **गुन्नीस, गुन्चालिस, गुन्पचास,**

**गुन्यासी** जैसे रूपों का चलन है। यहाँ **ग्** व्यंजन मूलतः **उ** के पहले नहीं जोड़ा गया वरन् उसके रूपान्तर **वु** के पहले जोड़ा गया है। **उन्नीस** आदि शब्दों का उच्चारण **वुन्नीस** जैसा कहीं होता होगा; अर्धस्वर **व्** के उच्चारण को सुगम बनाने के लिए उसके पहले **ग्** व्यजंन वैसे ही जोड़ा गया, जैसे—ब्रजक्षेत्र में **वु** सर्वनाम में **ग्** जोड़कर कई जगह **ग्वु** बोलते हैं।

मालवी और राँगड़ी—दोनों में **ऐ, औ** के स्थान पर **ए, ओ** के व्यवहार की प्रवृत्ति है। उत्तम पुरुष सर्वनाम का एकवचन रूप में है। रहता था—**रेता था** (बहुवचन) हो जाएगा। **ह्** के लोप की प्रवृत्ति प्रबल है। **रहवा कहवा** के रूपान्तर **रेवा, केवा** (क्रियार्थी संज्ञा रूप) होंगे। राँगड़ी में **ने** चिन्ह का व्यवहार पूर्वकालिक क्रिया के लिए भी होता है, यथा : **बठी ने**—बैठ कर। मालवी में हिन्दी **हि** के समान **ज** का व्यवहार अर्थ पर जोर देने के लिए होता है। **याँज**—यहाँ ही, **अपणाज**—अपनाही; यही दक्खिनी हिन्दी का **च** है जो अर्थ पर जोर देने के लिए प्रयुक्त होता है। डॉ. उपाध्याय ने 'हलन्त **च** और **ज** आदि को शब्द के अन्त में' जोड़ने की बात लिखी है (पृ. ८३) किन्तु उन्होंने **च** जोड़ने के उदाहरण नहीं दिये।

मालवी की शब्द-रचना में सर्वनामों से बने स्थानसूचक विशेषक उल्लेखनीय हैं। **अनांग**—इधर; **कनांग**—किधर, **पेलांग**—उस ओर; **जनांग**—जिधर; **उनांग**—उधर; इन सभी रूपों में **ग** स्थानसूचक चिन्ह है, तमिल **इंग** (यहाँ) के **ग** के समान। यह **ग** मूलतः **घ** है, जैसे कि बाँगरू के **इंघे** और अवधी के **इंघे** रूपों में।

राजस्थानी, मालवी आदि की अनेक प्रवृत्तियाँ मध्यदेश की भाषाओं को प्रभावित करती रही हैं। साथ ही इनमें मध्यदेशीय भाषाओं के अनेक तत्त्व घुल-मिल गए हैं। राजस्थान, पंजाब और बंगाल—इन तीनों प्रदेशों की भाषाई स्थिति में एक समानता है; वह यह कि यहाँ मध्यदेश के अनेक जनपदीय भाषा-तत्त्व एक साथ मिलते हैं। ये तीनों प्रदेश हिन्दी क्षेत्र के परिवृत्त में हैं, मूल हिन्दी क्षेत्र को घेरे हुए हैं, अतः उनमें विभिन्न जनपदीय तत्त्वों का मिलना स्वाभाविक है। पूर्व में मगध, उत्तर में कुरु जनपद, मध्य में कोसल और ब्रज, उक्त जनपदीय तत्त्वों के प्रसार के मुख्य केन्द्र हैं। आगे (तीसरे खंड में) हम देखेंगे कि हिन्दी परिवृत्त की भाषाओं पर—मध्यदेश को घेरनेवाले आर्य भाषा-क्षेत्र पर—द्रविड़ आदि आर्येतर भाषाओं का प्रभाव भी सर्वाधिक है।

## 10. आर्य भाषा-केन्द्र और हिन्दी

आधुनिक आर्य भाषाओं का विकास समझने के लिए यह जानना जरूरी है कि संस्कृत, विकास की अनेक मंजिलें पार करके, वह रूप प्राप्त कर सकी है जो भारत के प्राचीनतम ग्रंथों में मिलता है। ये विकास की मंजिलें किसी भाषा का ऐसा एकान्त विकास नहीं है जिससे भाषाई परिवेश अथवा अन्य भाषाओं से सम्पर्क न

रहा हो। यहाँ परिवेश और अन्य भाषाओं में द्रविड़, कोल, नाग भाषाओं की बात नहीं कही जा रही, आशय उन भाषाओं से है जिन्हें अन्य गण-समाज बोलते थे, जिन्हें उतने ही विश्वास से आर्य कहा जा सकता है जितने विश्वास से संस्कृत बोलने वालों को। इसका अर्थ यह हुआ कि संस्कृत के विकास की मंजिलें किसी एक केन्द्रीय भाषा से अन्य गण-भाषाओं के सम्पर्क का प्रमाण भी हैं। इन मंजिलों से हमारी दिलचस्पी इसलिए है कि केन्द्रीय भाषा से अलग वे अन्य भाषा-तत्त्व, संस्कृत का रूप स्थिर होने के बाद, समाप्त नहीं हो गए। केन्द्रीय भाषा की मूल विशेषताएँ भी समाप्त नहीं हुईं। परस्पर सम्पर्क और विकास की वह प्रक्रिया आगे भी भाषाओं का रूप निर्धारित करती रही।

यदि आधुनिक आर्य भाषाएँ सुलभ न हों, इंडो-यूरोपियन परिवार की भाषा सामग्री प्राप्त न हो, तो भी केवल संस्कृत के आधार पर उसके विकास की कुछ मंजिलों का ज्ञान हो सकता है। इन मंजिलों की पहचान के लिए संस्कृत के ध्वनितंत्र का **ण्** तत्त्व सबसे महत्त्वपूर्ण है। संस्कृत में यह ध्वनि पहले से थी या बाद की मंजिलों में आई, इसकी सीधी कसौटी यह है कि हम संस्कृत की क्रियाओं में इस ध्वनि की भूमिका देखें। संस्कृत का काफी शब्द-भंडार क्रियाओं के आधार पर रचा गया है। इस कसौटी से केवल क्रियाओं में नहीं, अधिकांश शब्द-भंडार में इस ध्वनि की भूमिका का ज्ञान हो जाएगा। संस्कृत क्रियाओं पर इस दृष्टि से विचार करने से ज्ञात होता है कि इनकी रचना में **ण्** की भूमिका नगण्य है। पर संस्कृत में **ण्** वाले रूपों की भरमार है। इसका कारण यह है कि विशेष प्रकार के ध्वनि-परिवेश में मूर्धन्य **ण्** दन्त्य **न्** का स्थान लेता है। संस्कृत मूलतः उस क्षेत्र की भाषा है जिसमें केवल दन्त्य **न्** का व्यवहार होता था; इस भाषा पर एक ऐसी गण-भाषा का प्रभाव पड़ा जिसमें **ण्** ही प्रमुख नासिक्य ध्वनि थी। अब आधुनिक आर्य भाषाओं को देखें तो विदित होगा कि बोलचाल के स्तर पर यह **ण्** और **न्** वाला भेद आज भी विद्यमान है। बाँगरू, पंजाबी, राजस्थानी आदि भाषाएँ **ण्**-प्रधान समुदाय की हैं, इधर ब्रज से लेकर बंगला और असमिया तक दन्त्य **न्** की प्रधानता है। इससे निष्कर्ष यह निकलता है कि जिस भाषा-समुदाय में दन्त्य **न** की प्रधानता है, उससे संस्कृत के मूल रूप का गहरा सम्बन्ध रहा है।

इसी प्रकार **ट्, ठ्, ड्, ढ्** ध्वनियों के बारे में कहा जा सकता है कि ये मूल संस्कृत की ध्वनियाँ नहीं हैं। भारत में ऐसे भाषा-केन्द्र हैं जिनमें त-वर्ग के बदले ट-वर्ग की ध्वनियों का ही व्यवहार होता है या उनकी प्रधानता है। (यहाँ ट-वर्ग में **ण्** के अतिरिक ध्वनियों पर ही विचार करना है।) **ट्, ड्** वाले क्षेत्र असम, सौराष्ट्र, सिन्ध और पश्चिमी पंजाब में है। इस समुदाय की प्राचीन भाषाओं ने संस्कृत को कभी इतना प्रभावित किया था कि कृदन्त-रूपों में जहाँ भी सकार आया, **त्** बदलकर **ट्** हुआ और सकार दन्त्य अथवा तालव्य से बदलकर मूर्धन्य हुआ। **नश्यति** में **नश्**

क्रिया तालव्य **श्** वाली है किन्त **नष्ट** में **ट्** के संयोग से तालव्य **श्** का मूर्धन्यीकरण हुआ। यदि संस्कृत सर्वनामों, उपसर्गों आदि पर ध्यान दिया जाए तो विदित होगा कि **श्, ष्** की अपेक्षा दन्त्य **स्** की भूमिका ही प्रधान है। इसी प्रकार **ल्** की तुलना में **र्** की भूमिका प्रमुख है। ब्रज से लेकर मिथिला तक दन्त्य **स्** की प्रधानता है और **ल्** की अपेक्षा **र्** का व्यवहार भी अधिक होता है। इसलिए यह धारणा बनती है कि संस्कृत अपने मूल रूप में मध्यदेश की भाषा है।

संस्कृत के वाक्यतंत्र में दो बातें बहुत स्पष्ट दिखाई देती हैं। एक तरह का वाक्यतंत्र वह है जिसमें विधेय की प्रधानता है, उद्देश्य बाद में आता है। इस वाक्यतंत्र के कारण क्रियापद-रचना इस प्रकार होती है कि क्रिया पहले आती है और उसके बाद सर्वनाम-चिन्ह उससे संयुक्त होकर कर्ता की ओर संकेत करता है। इसके विपरीत दूसरा वाक्यतंत्र वह है जो उद्देश्य को प्रधानता देता है और वाक्य में उसके बाद विधेय को स्थान देता है। इस पद्धति में सर्वनाम-चिन्ह का कर्तावाला महत्त्व समाप्त हो जाता है; वह क्रिया की अवस्था, कालभेद, पुरुषभेद आदि सूचित करने लगता है। इस कारण **पठामि** रूप में कर्ता का उल्लेख होने पर भी **अहम् पठामि** कहने का चलन हुआ। आधुनिक आर्य भाषाओं में मगही, मैथिली और अंशत: अवधी में सर्वनाम-चिन्हों का पुराना महत्त्व अब भी सुरक्षित है। दूसरी प्रवृत्ति का एक परिणाम यह हुआ कि तिङन्त रूपों की अपेक्षा कृदन्त-रूपों का व्यवहार अधिक होने लगा। कृदन्त-रूप सर्वनाम-चिन्हों से मुक्त रखे जा सकते थे। उनका व्यवहार उद्देश्य-प्रधान वाक्यतंत्र के अधिक अनुरूप था। प्रसिद्ध था कि संस्कृत का व्यवहार करनेवालों में उदीच्यजन कृदन्त-प्रिय हैं। तात्पर्य यह कि मध्यदेश और पूर्व के लोग तिङन्त रूप का व्यवहार अधिक करते थे। आधुनिक आर्य भाषाओं के विवेचन से पता चलता है कि कृदन्तों का व्यवहार ब्रज, पंजाबी, मराठी जैसी उत्तर-पश्चिमी भाषाओं की विशेषता है। जिन क्षेत्रों में तिङन्त पद्धति की प्रधानता थी, उनमें जब कृदन्त पहुँचे, तब उनका भी तिङन्तीकरण हुआ अर्थात् सर्वनाम-चिन्हों के साथ वे फिर बाँध दिये गए। आधुनिक आर्य भाषाओं का सारा विकास इस तिङन्त-कृदन्त सम्पर्क का परिणाम है और यह दो तरह के वाक्यतंत्रों का सम्पर्क है। संस्कृत के प्राचीनतम रूपों में तिङन्त पद्धति की प्रधानता है। अत: इससे पुन: उपर्युक्त निष्कर्ष की पुष्टि होती है कि संस्कृत अपने मूल रूप में मध्यदेश की भाषा है। तिङन्त रूपों के साथ कारक-रचना की विशेषता जुड़ी हुई है। दोनों में सर्वनामों की भूमिका प्रमुख है। यह स्वाभाविक था कि जब क्रियापद रचना में सर्वनामों का महत्त्व कम हुआ, तब वह कारक-रचना में भी कम हुआ। सर्वनाम-चिन्ह सज्ञा के साथ जुड़कर उसे जो निश्चयात्मकता प्रदान करते थे, वह बात गौण हो गई; वे सम्बन्धकों का काम करने लगे, एक कारक से दूसरे कारक का भेद बताने लगे। पर यह भेद रूपात्मक था। कार्य की दृष्टि से एक ही कारक-चिन्ह अनेक कारकों की भूमिका निबाहता

था। जैसे-जैसे कृदन्त क्रिया-रूप सर्वनाम-चिन्हों से स्वतंत्र हुए, वैसे-वैसे संज्ञा रूप भी सर्वनाम-चिन्हों से स्वतंत्र होकर अलग से सम्बन्धकों का प्रयोग अधिकाधिक करने लगे। स्पष्ट है कि ये प्रवृत्तियाँ आधुनिक आर्य भाषाओं के विकास में पूर्णत: प्रतिफलित होती हैं। इस विकास का विवेचन तभी सम्भव है जब हम संस्कृत के विकास को ध्यान में रखें, उसमें निहित विभिन्न प्रवृत्तियों को पहचानें।

अपने सर्वेक्षण-ग्रंथ में ग्रियर्सन ने आर्यों के दो अभियान माने थे : एक अभियान के आर्य मध्यदेश अथवा भीतरी वृत्त में बस गए और दूसरे अभियान के आर्य मध्यदेश के उत्तर, पश्चिम और पूर्व में बस गए। ये सब बाहरी वृत्त के आर्य हुए। ऊपर मैंने जो बातें कही हैं, उनसे कुछ लोगों को भ्रम हो सकता है कि मैंने ग्रियर्सन वाली बातें दोहराई हैं। इसलिए यहाँ ग्रियर्सन की स्थापनाओं पर विचार कर लेना आवश्यक है। 1880 ई. में हॉएर्नले ने आर्य भाषाओं पर अपनी तुलनात्मक व्याकरण-पुस्तक लिखी। आधुनिक आर्य भाषाओं की विविधता पर ध्यान देते हुए उन्होंने यह प्रतिपादित किया कि भारत में आर्य आक्रमणकारियों के दो अभियान हुए। पहले अभियान के आर्य पंजाब और मध्यदेश में आकर बस गए; दूसरे अभियान के आर्यों ने इन्हें खदेड़ दिया और ये लोग पूर्व, पश्चिम और दक्षिण में जा बसे। ग्रियर्सन ने इसी अभियान-कथा को आधार बनाया है। उन्होंने कहा कि उक्त सिद्धान्त सही हो तो मध्यदेश के लोग वहाँ बाद में आकर बसे, और सही न हो तो बाहरी वृत्त वाले बाद को आकर बसे। ग्रियर्सन के लिए यह बात अधिक महत्त्वपूर्ण नहीं है कि कौन पहले आया, कौन बाद को किन्तु आर्यों के दो वृत्त हैं, यह बात वह निश्चित मानते थे। सर्वेक्षण-ग्रंथ के प्रथम खंड में उन्होंने लिखा कि आधुनिक आर्य भाषाओं के दो मुख्य भाग हैं : एक भाग की भाषाएँ उस प्रदेश में बोली जाती हैं जो प्राचीन काल में मध्यदेश कहलाता था। दूसरा भाग उन भाषाओं का है जो इसे तीनों ओर से घेरे हुए हैं। यह दूसरा भाग पश्चिमी पंजाब, सिन्ध, महाराष्ट्र से मध्य भारत होता हुआ उड़ीसा, बिहार, बंगाल और असम को अपने भीतर समेट लेता है। पश्चिमी छोर पर गुजराती इस वृत्त को तोड़ देती है। ग्रियर्सन का कहना था कि मथुरा से आनेवाले मध्यदेश के लोगों ने गुजरात पर विजय प्राप्त की थी और भारत का यही एक भाग है जहाँ आर्य भाषाओं की भीतरी शाखा बाहरी शाखा का परकोटा तोड़ डालती है।

दोनों वृत्तों की पहचान के लिए उन्होंने दन्त्य **स** को लिया है। भीतरी शाखा दन्त्य **स्** की रक्षा करती है किन्तु बाहरी शाखा ईरानी समुदाय के समान इस ध्वनि का स्पष्ट उच्चारण नहीं कर पाती। पूर्वी छोर पर दन्त्य **स्** तालव्य हो गया और यह प्रवृत्ति महाराष्ट्र में भी है किन्तु पूर्वी बंगाल और असम में उसका उच्चारण **ख्** के समान होने लगा। उत्तर-पश्चिमी सीमान्त प्रदेश और कश्मीर में विशुद्ध **ह्** का व्यवहार होने लगा।

ग्रियर्सन ने बिहार को बाहरी शाखा में गिना है किन्तु मगही, मैथिली और भोजपुरी में दन्त्य **स** की ही प्रधानता है। उन्होंने **स्**-प्रधान, **श्**-प्रधान और **ख्** या **ह्**-प्रधान समुदायों को मिलाकर एक कर दिया है। उनके विवेचन में दन्त्य **स्** और उसके रूपान्तरों में भेद अवश्य किया गया है और निस्सन्देह यह भेद महत्त्वपूर्ण है किन्तु उन्होंने यह नहीं बताया कि इस **स्** का रूपान्तर करनेवालों के कोई अपने शब्द भी संस्कृत में या बाद की भाषाओं में थे या नहीं। इस प्रश्न पर विचार न करने से संस्कृत की मूल ध्वनि-प्रकृति में जो परिवर्तन हुए, उसका विवेचन वे नहीं कर सके; यूरोप की भाषाओं से ऐसे परिवर्तनों का सम्बन्ध हो सकता है, यह बात उनके लिए कल्पनातीत थी। फलतः संस्कृत के विकास में मध्यदेश की भाषा की भूमिका भी वह नहीं पहचान पाए। यदि बाहरी वृत्त के लोग मध्यदेश में आकर बस गए थे तो उन्होंने, खदेड़े जाने पर भी, अपने शब्द-भंडार का बहुत-सा अंश नये विजेताओं के लिए छोड़ा होगा। यह अंश कौन-सा है? यदि वे खदेड़े नहीं गए और बाहरी वृत्त में प्राकर बस गए, तब इनके **श्, ख्, ह्** ध्वनियों वाले अपने स्वतंत्र शब्द होने चाहिए, दन्त्य **स्**-वाले शब्दों के रूपान्तर मात्र नहीं। पर प्रतीत यह होता है कि **ह्** और **ख्** ध्वनियों वाले इनके कोई ऐसे अपने शब्द नहीं हैं जो मध्यदेश में **स्** ध्वनि के साथ प्राप्त न हों। अधिकांश शब्द वे हैं जहाँ दन्त्य **स्** का रूपान्तर किया गया है। इससे सिद्ध यह होता है कि **स्** ध्वनि वाले मध्यदेशीय शब्द ही **ह्-ख्** क्षेत्रों में पहुँचे हैं। यह मध्यदेशीय भाषा की निर्णायक भूमिका का प्रमाण है, दो आर्य अभिगानों का नहीं। साथ ही मध्यदेश में **श्** ध्वनि वाले शब्दों को **स्** ध्वनि के साथ बोला जाता है। किसी शब्द में दन्त्य **स्** है, इसलिए वह मूल रूप होगा ही, ऐसा सोचना भ्रामक होगा। इसलिए ग्रियर्सन ने जो दन्त्य **स्** और उसके रूपान्तर की विभाजन रेखा खींची है, वह भाषाओं का विकास समझने में बहुत सहायक नहीं होती।

इसके बाद वह भाषा की संरचना पर विचार करते हुए कहते हैं कि भीतरी वृत्त में संज्ञा शब्दों का रूप-विकार पहले संश्लिष्ट था, आगे चलकर विश्लिष्ट हो गया और कारक-चिन्हों के बदले सहायक शब्दों का व्यवहार होने लगा, जैसे हिन्दी में **क, को, से** आदि का व्यवहार होता है। बाहरी वृत्त की भाषाएँ भी पहले संश्लिष्ट थीं, फिर उन्होंने भी विश्लिष्ट मंजिल पार की। कुछ भाषाएँ उसे पार करती हुई अभी देखी जाती हैं, जैसे—सिन्धी और कश्मीरी। इस तरह की भाषाएँ सहायक शब्दों को समेटकर स्वयं को पुनः संश्लिष्ट बना रही हैं, यथा : बंगला में सम्बन्धकारक का **एर** प्रत्यय; यानी **राम का** कहो तो विश्लिष्ट रूप है और **रामेर** कहो तो संश्लिष्ट है।

जहाँ तक रूपतंत्र का सम्बन्ध है, ग्रियर्सन के विवेचन से सिद्ध है कि इन दोनों वृत्तों में कोई मौलिक अन्तर नहीं है। दोनों समुदायों की भाषाएँ पहले संश्लिष्ट थीं, बाद को अश्लिष्ट हुईं। एक समुदाय फिर संश्लिष्ट होने लगा, दूसरा अभी नहीं हुआ। जहाँ तक मूल आर्य भाषाओं के दो समुदायों का प्रश्न है, वहाँ दोनों में कोई

अन्तर नहीं, संश्लिष्ट और विश्लिष्ट वाला भेद उन्हें दो भाषाओं में बाँटने का आधार नहीं हो सकता क्योंकि ग्रियर्सन के अनुसार आरम्भ में दोनों ही संश्लिष्ट थीं। पर आधुनिक काल में एक संश्लिष्ट हो गया, दूसरा नहीं हुआ, इसका प्रमाण क्या है? **राम का** तो विश्लिष्ट है और **रामेर** संश्लिष्ट है किन्तु बंगला में जहाँ **राम के** कहा जाएगा और हिन्दी में **राम को** कहा जाएगा, वहाँ यह भेद कैसे करेंगे? या तो दोनों संश्लिष्ट हैं या दोनों विश्लिष्ट हैं।

इसके बाद ग्रियर्सन ने क्रियापद-रचना पर विचार किया है। उनका कहना है कि संस्कृत का पुराना वर्तमानकालिक क्रिया-रूप प्रत्येक आधुनिक आर्य भाषा में, थोड़े-से ध्वनि-परिवर्तन और अर्थ-परिवर्तन के साथ, प्रचलित है। यदि यह बात सही है तो इससे पुनः दो शाखाओं वाली बात निराधार सिद्ध होती है। वर्तमानकालिक क्रिया-रूप की व्यापकता पुनः मध्यदेश की निर्णायक भूमिका सिद्ध करती है, आर्यों के दो अभियान नहीं। भविष्यकाल के लिए कहा है कि पुराना संस्कृत रूप जहाँ-तहाँ बचा है, और वह पश्चिम में ही अधिक बचा है। अन्य आधुनिक भाषाएँ संस्कृत के भविष्यकालिक कर्मवाच्य कृदन्त के आधार पर भविष्यकालिक क्रियापद-रचना करती हैं। इससे कुछ पता नहीं चलता कि भविष्य काल को लेकर पहले कोई विभाजन था या नहीं। अतीत काल को लेकर ग्रियर्सन अधिक विश्वास से कहते हैं कि आधुनिक भारतीय आर्य भाषाएँ यह स्पष्ट दिखलाती हैं कि बाहरी उपशाखा संस्कृत की ऐसी बोली या बोलियों से निकली है जो कर्मवाच्य कृदन्त के साथ मुक्तरूप से सर्वनाम-चिन्हों का व्यवहार करती थीं; भीतरी उपशाखा में ऐसे सर्वनाम-चिन्हों वाले रूपों का अभाव था।

यहाँ ग्रियर्सन ने तिङन्त और कृदन्त पद्धतियों का भेद महत्त्वपूर्ण न मानकर सर्वत्र कृदन्तों का व्यवहार देखा है। अन्तर केवल इतना है कि एक शाखा में सर्वनाम-चिन्ह लगते थे और दूसरे में न लगते थे। सर्वनाम-चिन्हों की भूमिका तिङन्त और कृदन्त दोनों तरह के रूपों को ध्यान में रखकर ही समझी जा सकती है पर ग्रियर्सन ने उस पर केवल भूतकालिक कृदन्त के सन्दर्भ में विचार किया है। आधुनिक काल में **मैंने मारा** और **आमि मारिलाम** का भेद देखकर ग्रियर्सन कल्पना करते हैं कि ऐसा भेद पहले भी था। किन्तु सैकड़ों साल तक एक दूसरे के साथ रहने के कारण जनपदीय भाषाएँ एक दूसरे को प्रभावित करती रही हैं और उनके भाषा-तत्त्व बदलते रहे हैं। कृदन्त-रूप पश्चिम से पूर्व की ओर गए हैं। पूर्व की जबर्दस्त तिङन्त प्रकृति के कारण नये आनेवाले कृदन्तों को फिर तिङन्त रूप दिया गया है। इससे जिस प्रक्रिया की प्राचीनता और व्यापकता सिद्ध होती है, वह तिङन्तीकरण की है। इस तिङन्त-पद्धति की आधारभूमि पुनः मध्यदेश है। भूतकालिक तिङन्त पहले संस्कृत में प्रयुक्त होता था, यह निश्चित है। संस्कृत में ही भूतकालिक कृदन्त का व्यवहार हुआ, यह भी निश्चित है। ग्रियर्सन अपनी कल्पित शाखाओं को निरन्तर एक दूसरे

की सीमाएँ लाँघते देखते हैं। सीमाएँ लाँघने के साथ वे एक आर्य समुदाय द्वारा दूसरे आर्य समुदाय के पराजित किये जाने की कल्पना करते हैं। उन्होंने एक दरद क्षेत्र अलग कल्पित किया। उसमें भीतरी शाखा की विशेषताएँ मिलती हैं, इसलिए कल्पना की कि इस क्षेत्र को भीतरी शाखा के आर्यों ने जीता होगा। लिखा है कि सरहिन्द के पश्चिम में जो भूमि है, उस पर अंशत: दरद कबीले और अंशत: बाहरी शाखा के लोग रहते थे। इसे भीतरी शाखा वालों ने जीता, आत्मसात् किया और उनकी भाषा पहले के निवासियों की भाषा के स्थान पर जम गई, जैसे कि हिन्दुस्तानी भाषा पंजाबी को हटाकर वहाँ जम रही है। पंजाबी के लिए उन्होंने लिखा है कि वह भीतरी शाखा की भाषा है जिसमें दरद या बाहरी शाखा के कुछ तत्त्व रह गए हैं। ,

ग्रियर्सन के विवेचन से बाहरी और भीतरी शाखाओं का भेद सिद्ध नहीं होता। भारत की प्राचीन आर्य गण-भाषाओं के जो अनेक समुदाय हैं, ये समुदाय जो एक दूसरे को प्रभावित करके विभिन्न आर्य भाषाओं के विकास में सहायक हुए, इसकी कल्पना ग्रियर्सन के विवेचन में नहीं है। भीतरी शाखा वाले पहले बाहरी शाखा वालों को हटाकर जम गए, फिर बाहरी शाखा वालों को दबोचते चले गए। यह मध्यदेशीय भाषाओं के प्रभाव की स्वीकृति है, इससे विजय अभियानों की कथा प्रमाणित नहीं होती। उनके विवेचन का सकारात्मक पक्ष यह है कि वह प्राचीन भाषाओं की गतिविधि जानने के लिए आधुनिक भाषाओं का सहारा लेते हैं। यह पद्धति वह यांत्रिक ढंग से लागू न करते तो कुछ अच्छे परिणाम निकलते। फिर भी आधुनिक भाषाओं पर ध्यान देने के कारण ग्रियर्सन के सामने एक तथ्य निरन्तर स्पष्ट होता गया है, वह है मध्यदेशीय भाषा-तत्त्वों का दूर-दूर तक प्रसार।

सर्वेक्षण-ग्रंथ के नवें खंड के पहले भाग में उन्होंने मथुरा और कनौज की बीच की भूमि को भाषाई तत्त्वों के प्रसार की केन्द्रभूमि माना है। उन्होंने लिखा है कि पश्चिमी पंजाब की तरह पूर्वी पंजाब में भी लहँदा जैसी भाषा बोली जाती थी। उन्होंने इसका कोई प्रमाण नहीं दिया। उनके अनुसार वर्तमान भाषाई स्थिति से विदित होता है कि हिन्दुस्तानी भाषा का एक पुराना रूप समूचे पूर्वी पंजाब पर फैल गया। पुरानी लहँदा भाषा के ऊपर यह रूप छा गया या उसे हटाकर वह वहाँ जम गया। उसका प्रभाव और भी उत्तर की ओर फैला। झेलम-चनाब तथा सिन्ध के बीच मरुभूमि ने इसका प्रसार रोका। राजपूताना में भी मरुभूमि ने ही केन्द्रीय भाषा के इस बढ़ते हुए ज्वार को रोका। दोनों ही मरुस्थलों के पश्चिम में लहँदा और सिन्धी बाहरी शाखा की दो विशुद्ध भाषाएँ मिलती हैं। दुर्भाग्य से मरुस्थल का चक्कर काटकर कहीं-कहीं केन्द्रीय भाषाएँ उत्तर-पश्चिम की ओर बढ़ती गईं। ग्रियर्सन ने अपने ग्रंथ के आठवें खंड के पहले भाग में सिन्धी की चर्चा करते हुए लिखा है कि बलोची ईरानी भाषा है, सिन्धी से ही दूर का रिश्ता है पर उसमें मारवाड़ी भाषा यांत्रिक रूप से मिल गई है। अब राजस्थानी को देखिए। राजस्थानी बाहरी शाखा की भाषा है। इसके ऊपर

केन्द्रीय समुदाय की भाषा पश्चिमी हिन्दी फैलती चली गई; अब राजस्थानी में उस पुरानी शाखा के अवशेष मात्र रह गए हैं। 'महाभारत' के पंचालों का स्मरण करते हुए ग्रियर्सन ने लिखा है कि इन्होंने भारत में पहले प्रवेश किया था। भीतरी शाखा के लोग प्रबल हुए और इन्हें ठेलते चले गए। प्राचीन पंचालों के समय से लेकर बारहवीं सदी के राठौरों तक कनौज के लोग गुजरात की ओर बढ़ते रहे, विजय पर विजय प्राप्त करते रहे। मथुरा के यादवों ने गुजरात पर अधिकार किया। गंगा-जमुना के दोआब से लेकर गुजरात तक जो आर्य पहले से बसे हुए थे, उन्हें या तो हटा दिया गया था या फ़िर आत्मसात् कर लिया गया।

हिन्दी की यह विजयगाथा काफी गौरवपूर्ण है, कमी केवल एक है कि भारत में ऐसे अभियानों से भाषाओं का स्वरूप नहीं बदला। तुर्क अभियान अपेक्षाकृत बाद के थे। ग्रियर्सन जानते थे कि इनसे भाषाओं के रूप में कोई मौलिक परिवर्तन नहीं हुआ। 'सर्वेक्षण-ग्रंथ' के आठवें खंड के पहले भाग में उन्होंने लिखा था : "प्राचीनतम काल से भारतीय आर्य भाषाओं का उत्तर-पश्चिमी क्षेत्र अनेक बार विदेशी प्रभाव से आक्रान्त हुआ है किन्तु यह अद्‌भुत है कि इससे जनता की भाषा इतना कम प्रभावित हुई है।" (पृ. 3) आक्रमण चाहे देशी हों चाहे विदेशी, जनपदों की भूमि से बँधे हुए किसान कुल मिलाकर अपनी भाषा-सम्पत्ति की रक्षा करते रहे हैं। हिन्दी क्षेत्र की जनपदीय भाषाओं के प्रभाव के कारण मुख्यत: सांस्कृतिक हैं, उसके बाद आर्थिक, राजनीतिक।

डॉ. चाटुर्ज्या ने ग्रियर्सन का दो आर्य समुदायों वाला सिद्धान्त अमान्य करते हुए भी अप्रत्यक्ष रूप से उसका समर्थन किया है। पश्चिमी पंजाबी, सिन्धी आदि भाषाओं में सर्वनाम-चिन्हों के प्रयोग की बात करने के बाद वे पूर्वी भाषाओं में भी उनके प्रयोग की बात करते हैं किन्तु दोनों समुदायों के प्रयोग स्वतंत्र ठहराते हैं। उन्होंने लिखा है कि पश्चिमी भाषाओं में सर्वनाम-प्रत्ययों का व्यवहार उनका विशिष्ट विकास है, प्राचीन आर्य भाषा अथवा मध्य और आधुनिक आर्य भाषाओं में वैसा कुछ नहीं है। मागधी क्षेत्र के लिए कहते हैं कि यहाँ की बोलियों के प्रत्येक समुदाय में स्वतंत्र विकास हुआ है। मैथिली और मगही में सर्वनाम-प्रत्ययों की विविधता अन्य आर्य भाषाओं की अपेक्षा सर्वाधिक है। क्रिया के बाद सर्वनाम जोड़ने की प्रवृत्ति को उन्होंने कुछ बोलियों के लिए कोल प्रभाव का और अन्य बोलियों के लिए द्रविड़ प्रभाव का परिणाम माना है। जब बहुत जगह एक से स्वतंत्र प्रयोग दिखाई दें, तब यह अनुमान सरलता से होता है कि वे परस्पर सम्बद्ध हैं। डॉ. चाटुर्ज्या ने क्रियापदों के अलावा पंजाबी और सिन्धी से संज्ञा शब्दों के बाद सर्वनाम-चिन्ह जोड़ने के उदाहरण दिये हैं। पश्चिमी पंजाबी **घरम्**—मेरा घर; सिन्धी **पिउमे**—मेरे पिता। आगे उन्होंने असमिया से उदाहरण दिये हैं : **बोपाइ**—मेरा बाप, **बापा**—तुम्हारा बाप, **बापेक**—उसका बाप। संज्ञा शब्दों में सर्वनाम-चिन्ह उतने बड़े पैमाने पर असमिया

में न जोड़े जाते हों जितने बड़े पैमाने पर सिन्धी में जोड़े जाते हैं पर वे जोड़े तो जाते हैं। इसी प्रकार क्रिया के बाद सर्वनाम-चिन्हों का जैसा बहुल प्रयोग मगही और मैथिली में है, वैसा पश्चिमी भाषाओं में नहीं है पर वैसा प्रयोग है वहाँ अवश्य। सर्वनाम-चिन्ह जोड़ने की यह प्रवृत्ति भारतीय और अभारतीय अनेक भाषा-परिवारों में है। इसलिए एक भाषाई क्षेत्र के आधार पर विविध परिवारों की इस सामान्य विशेषता पर विचार करना आवश्यक है। उस तरह विचार करने से स्वतंत्र विकास की बात कट जाती है। यह प्रवृत्ति किसी एक केन्द्र से प्रसारित हुई है। डॉ. चाटुर्ज्या का मत है कि संस्कृत में सर्वनाम-प्रत्ययों का व्यवहार न होता था। यह मत आश्चर्यजनक है क्योंकि **पठामि** जैसे रूपों में सर्वनाम-चिन्ह स्पष्ट दिखाई देते हैं।

बंगाल की कई बोलियों में क्रिया के साथ सर्वनाम-चिन्ह जोड़कर क्रियापद रचना होती है। ग्रियर्सन ने उत्तरी बंगाल से ऐसे उदाहरण दिये हैं : **बोलिम**—मैं कहूँगा; **पाम**—मैं पाऊँगा; **जाम**—मैं जाऊँगा। पूर्वी मालदा की बोली से मिलते-जुलते उदाहरण दिये हैं : **पामु**—मैं पाऊँगा, **जामु**—मैं जाऊँगा, **कर्मु**—मैं करूँगा। इन रूपों में कृदन्त के बाद नहीं, मूल क्रिया के बाद सर्वनाम-चिन्ह लगाया गया है। अंग्रेज़ी में इनका अनुवाद करते हुए इन्हें भविष्य काल का रूप बताया गया है। वास्तव में ये रूप कालभेद से परे हैं; वे केवल क्रिया की अवस्था सूचित करते हैं। बंगाल की जिन बोलियों में भविष्य-सूचक **ब** प्रत्यय लगने लगा, उनमें भी, उस चिन्ह के बाद, बहुधा सर्वनाम प्रत्यय जोड़े जाते हैं, यथा : मैमनसिंह की बोली में **पाइबाम**—मैं पाऊँगा, **जाइबाम**—मैं जाऊँगा। यहाँ **ब** प्रत्यय का कोई विशेष सम्बन्ध भविष्यकाल से नहीं है, न इसका सम्बन्ध संस्कृत प्रत्यय **तव्य** से है। इसका उपयोग कृदन्त-रूप बनाने के लिए वैसे ही होता है, जैसे—**ग** प्रत्यय का।

भूतकालिक कृदन्तों के प्रसंग में डॉ. चाटुर्ज्या ने ग्रियर्सन का दो वृत्तों वाला सिद्धान्त पुनः अंशतः स्वीकार किया है। उन्होंने लिखा है कि आधुनिक आर्य भाषाओं को सकर्मक क्रियाओं का भूतकालिक कर्मवाच्य कृदन्त किसी-न-किसी अपभ्रंश से मिला है। लहँदा, सिन्धी, गुजराती, राजस्थानी और मराठी में उसका चलन बना हुआ है किन्तु पूर्वी हिन्दी और मागधी भाषाओं ने कर्मवाच्य रूप बिलकुल छोड़ दिया है और कर्तृवाच्य रूप का विकास किया है। उन्होंने कर्मवाच्य कृदन्त को विशेषण से बदलकर क्रिया बना लिया है और उसमें अन्य पुरुष के लिए सर्वनाम-चिह्न जोड़े हैं। लहँदा और सिन्धी भी सर्वनाम-चिह्न जोड़ती हैं किन्तु क्रिया, कर्म के अनुरूप, लिंग-वचन-भेद सूचित करती है। पश्चिमी हिन्दी को लहँदा के अनुरूप बतलाते हुए उन्होंने कहा है कि आधुनिक आर्य भाषाओं को दो समुदायों में बाँटा जा सकता है : पूर्वी अथवा कर्तरि प्रयोगवादी और पश्चिमी अथवा कर्मणि प्रयोगवादी।

पूर्वी भाषाओं में कर्मवाच्य कृदन्त कर्तरिवत् प्रयुक्त होते हैं, यह बात ग्रियर्सन ने भी कही थी। डॉ. चाटुर्ज्या ने पश्चिमी हिन्दी को लहँदा, मराठी, गुजराती आदि

के साथ रखा है पर उन्होंने माना है कि **मैंने मारा** जैसा कर्म वाच्य से मुक्त प्रयोग पश्चिमी भाषाओं में है, पूर्व की भाषाओं में नहीं है। जिन पश्चिमी भाषाओं में ऐसा मुक्त प्रयोग है, उनमें लहँदा, मराठी आदि नहीं हैं। इस प्रकार ग्रियर्सन की स्थापना कि अतीतकालिक कृदन्त का कर्मयुक्त प्रयोग हिन्दी में है, बाहरी वृत्त की पश्चिमी और पूर्वी भाषाओं में नहीं है, डॉ. चाटुर्ज्या के विवेचन से पुष्ट ही होती है। आगे उन्होंने लिखा है : "यह अनुमान किया जा सकता है कि जो बोलियाँ उत्तर-पश्चिमी और पूर्वी समुदायों की स्रोत थीं, उनमें ऐसी विशेषताएँ थीं जो मध्यदेश की भाषा को जन्म देनेवाली बोलियों में नहीं थीं। पर इससे यह कल्पना नहीं की जा सकती कि प्राचीनतम काल में दो स्वतंत्र समुदाय थे क्योंकि यह भी दिखाया जा सकता है कि उत्तर-पश्चिमी और मध्यदेशीय बोलियों में कई जगह समानता है जबकि पूर्वी समुदाय की बोलियाँ उनसे भिन्न हैं। भारतीय आर्य भाषा की पुरानी मंजिलों के जो प्रमाण हैं, वे इस कल्पना के विपरीत हैं।" (पृ. 168) यहाँ डॉ. चाटुर्ज्या ने प्राचीनतम काल को छोड़कर बाद के लिए दो वृत्तों वाला सिद्धान्त अंशत: स्वीकार किया है। अन्यत्र उन्होंने लिखा है कि पूर्वी भाषा-समुदाय पश्चिमी समुदाय की भाषाओं से ध्वनितंत्र में बहुत भिन्न था और अंशत: रूपतंत्र में भी भिन्न था। यह सारा भेद उन्होंने प्राकृतों के आधार पर बताया है जिन्हें वह कृत्रिम भी कहते हैं। संस्कृत को भी वह कृत्रिम भाषा मानते हैं। फिर पूर्वी भाषाओं को उन्होंने पश्चिमी समुदाय से किस आधार पर अलग किया है, यह स्पष्ट नहीं होता। उनके विचार से बिहार में पंजाब के आर्यों ने उपनिवेश स्थापित किये; इन पश्चिमी आर्यों ने आर्य बोलियों की शद्धता की अधिक रक्षा की। आर्यावर्त के केन्द्रीय भाग में सामान्य जनता प्राकृत बोलती थी किन्तु ब्राह्मण और क्षत्रिय भाषा को शुद्ध बनाए रखने का प्रयत्न कर रहे थे। ये ब्राह्मण-क्षत्रिय 'मध्यदेशीय आर्य रक्त' के थे। (पृ. 49) डॉ. चाटुर्ज्या मध्यदेश की आर्य भाषा को आदर्श शुद्ध भाषा मानते हैं, उसका सम्बन्ध शुद्ध आर्य रक्त से जोड़ते हैं, साथ ही यह भी कहना चाहते हैं कि मध्यदेश की भाषा का विशेष सम्बन्ध संस्कृत से नहीं है। वह मागधी भाषाओं को मध्यदेशीय भाषा-केन्द्र से स्वतंत्र दिखाना चाहते हैं, साथ ही इस केन्द्र की भूमिका स्वीकार करने में कठिनाई अनुभव करते हैं। बंगला, असमिया और उड़िया को तो इस केन्द्र से अलग रखते ही हैं, वह भरसक भोजपुरी, मगही और मैथिली को भी यथासम्भव मध्यदेशीय प्रभाव से मुक्त दिखाना चाहते हैं। किन्तु मध्यदेशीय भाषा-केन्द्र के बिना भोजपुरी और मैथिली की तो बात ही क्या, बंगला का विकास भी समझ में नहीं आ सकता। डॉ. चाटुर्ज्या ने भाषा की शुद्धता और आर्य रक्त की शुद्धता के जो सिद्धान्त प्रतिपादित किये हैं, उनका भाषाई यथार्थ से कोई सम्बन्ध नहीं है।

मान लीजिए, पंजाब के आर्यों ने बिहार में जाकर अपने उपनिवेश बसाए। पंजाब में ये आर्य मूर्धन्य **ण्** का प्रचुर प्रयोग करते हैं। वहाँ जो आर्येतर जन थे, वे भी इस

ध्वनि का बखूबी उच्चारण करने लगे। किन्तु बिहार में न तो उच्च वर्ग ने, और न निम्न वर्ग ने, बोलचाल के स्तर पर इस ध्वनि को स्वीकार किया। जब ये पंजाबी आर्य बिहारी बन गए और बिहार से बंगाल पहुँचकर बंगाली हो गए, तब भी उस मूर्धन्य नासिक्य ध्वनि का उद्धार न हुआ। पड़ोस में उड़ीसा के लोग, बोलचाल के स्तर पर, इस ध्वनि का व्यवहार करते हैं। क्या इससे यह निष्कर्ष निकाला जाए कि उड़ीसा में पहुँचनेवाले आर्य कुछ ज्यादा पंजाबी थे और बंगाल में पहुँचनेवाले आर्य, बिहार में बसने के कारण, अपना पंजाबीपन खो चुके थे? पर जिस मध्यदेश की इतनी चर्चा है, उसमें इस ध्वनि का व्यवहार क्यों नहीं होता? राजस्थान की मरुभूमि और पहाड़ों पर रहनेवाले सामान्य जन इस ध्वनि का उच्चारण मजे में करते हैं और मध्यदेश का सामान्य जन कहना चाहता है—**गणेश** तो सुनाई देता है **गड़ेस**। भाषा के सभी तत्त्व परिवर्तनशील हैं किन्तु कुछ तत्त्व अधिक परिवर्तनशील हैं, कुछ कम। इनमें भाषा की ध्वनि-प्रकृति अत्यन्त महत्त्वपूर्ण है। राजस्थान, पश्चिमी पंजाब, सिन्ध संस्कृत भाषा के केन्द्र नहीं रहे पर यहाँ **ण्** ध्वनि की प्रचुरता है। आधुनिक बंगला में तत्सम रूपों की भरमार है किन्तु शिक्षित बंगाली भी दन्त्य **स्** को **श** ही बोलते हैं। इससे सिद्ध यह होता है कि उनके लिए भाषा की ध्वनि-प्रकृति का महत्त्व सर्वोपरि है। बाँगरू और ब्रज-कोसल के बीच **ण्** और **न** का भेद पुराना है, यह संस्कृत के ही मूल शब्द-भंडार, उसकी धातुओं के विवेचन से सिद्ध हो जाता है। अवधी क्षेत्र के पूर्व में मागधी समुदाय की सारी भाषाएँ ह्रस्व अकार का उच्चारण वृत्ताकार करती हैं। ऐसा उच्चारण अवधी ब्रज, बाँगरू आदि में नहीं है। द्रविड़ प्रभाव के बारे में डॉ. चाटुर्ज्या ने बहुत कुछ लिखा है और दूसरों ने भी काफी लिखा है। किन्तु ऐसा वृत्ताकार उच्चारण न तो द्रविड़ भाषाओं में है, न कोल आदि अन्य आर्येतर भाषा-समुदायों में। मान लीजिए, बिहार और बंगाल की अधिकांश जनता द्रविड़ थी। वहाँ पंजाबी आर्यों ने उपनिवेश बनाए। बिहार और बंगाल में **न** द्रविड़ों का अकार चला, न पंजाबियों का, यह तीसरा वृत्ताकार रूप कहाँ से आ गया? और ऐसा आया कि उसने, उपनिवेशित आर्यों और विजित द्रविड़ों, दोनों के अकार को निराकार कर दिया। मानना होगा कि यह वृत्ताकार अकारवाद न तो द्रविड़ों की देन है, न पंजाबी आर्यों की देन है वरन् पूर्वी भाषा-समुदाय की अपनी सामान्य विशेषता है।

डॉ. सुनीतिकुमार चाटुर्ज्या ने ग्रियर्सन की दो शाखाओं वाली धारणा का खंडन किया है। बंगला भाषा के उद्‌भव और विकास वाले ग्रंथ में उन्होंने लिखा है कि मध्यदेश की आर्य भाषा में कोई ऐसा परम आर्यत्व नहीं है कि उसे संस्कृत का निकटतम सम्बन्धी माना जाए। डॉ. चाटुर्ज्या बंगला भाषा को मागधी अपभ्रंश से उत्पन्न मानते हैं। यदि मागधी भाषा-समुदाय को बाहरी शाखा के अन्तर्गत माना जाए तो स्वभावत: मध्यदेशीय भाषा-समुदाय संस्कृत के अधिक निकट ठहरेगा। यह निकटता डॉ. चाटुर्ज्या को स्वीकार नहीं है पर इसके खंडन के लिए उनके पास

कोई पुष्ट तर्क नहीं है। नृतत्त्वशास्त्र का सहारा लेते हुए उन्होंने कहा है कि लहँदा और सिन्धी बोलने वाले लोग पूर्व के लोगों से भिन्न हैं किन्तु वे मध्यदेश के लोगों से, या कम-से-कम वहाँ के उच्च वर्ग के लोगों से, मिलते-जुलते हैं।

डॉ. चाटुर्ज्या ने आर्य भाषाओं के सम्बन्ध में अनेक महत्त्वपूर्ण बातें कही हैं जिन्हें वे अपने विवेचन का आधार नहीं बनाते। घूम-फिरकर वे ग्रियर्सन के ही मूल सूत्र दोहराते हैं। उन मूल सूत्रों से भिन्न डॉ. चाटुर्ज्या की कुछ महत्त्वपूर्ण स्थापनाएँ इस प्रकार हैं। भारत में आनेवाली आर्य भाषा समरूप या परिनिष्ठित नहीं थी। वह अनेक कबीलों की बोलियों का समुदाय थी। इनमें से एक बोली या बोली समुदाय वेदों में है। अन्य बोलियाँ बदलकर कोई-न-कोई आधुनिक आर्य भाषा या बोली बनीं। प्राचीन आर्य बोलियों की विशेषताएँ क्या थीं, इनका आपसी सम्बन्ध क्या था, वे किन प्रदेशों में बोली जाती थीं, इन समस्याओं का समाधान, डॉ. चाटुर्ज्या के अनुसार, शायद कभी न होगा। आधुनिक आर्य भाषाओं के रूप इस कार्य में विशेष सहायक सिद्ध नहीं होते। प्राकृत और अपभ्रंश साहित्यिक भाषाएँ हैं और बहुत हद तक कृत्रिम भाषाएँ हैं। प्राकृत के वैयाकरणों का सदा भरोसा नहीं किया जा सकता। बंगाल, असम, उड़ीसा और बिहार का भाषा-समुदाय भारतीय आर्य भाषा के किसी ऐसे प्राचीन रूप से उत्पन्न हुआ होगा जो उत्तर भारत के पूर्वी भाग में प्रचलित रहा होगा।

इन स्थापनाओं में आर्यों की भारत विजय की आधारभूत भावना निहित है। इसे छोड़ दें तो अनेक गण-भाषाओं की कल्पना सार्थक है। वैदिक भाषा में अनेक गण-भाषाओं के तत्त्व समाहित हैं, उनकी छानबीन की जा सकती है। संस्कृत के विकास की मंजिलों के चिह्न उस भाषा में सुरक्षित हैं, यह बात ध्यान में रखनी चाहिए। प्राकृत कृत्रिम हैं, यह सही है पर उनमें अनेक भाषा-तत्त्व ऐसे आए हैं जिनका आधार संस्कृत नहीं है। अपभ्रंश का ध्वनितंत्र बहुत कुछ प्राकृतों का है पर इसमें देशी भाषाओं के तत्त्व बहुत हैं। यदि इस अपभ्रंश को पुरानी बंगला न कहा जाए तो उसके विश्लेषण से देशी भाषाओं की स्थिति का कुछ पता चल सकता है। पर यह अपभ्रंश-काल आदिम गण-भाषा-काल से हजारों साल बाद का है। अपभ्रंश की तुलना में जनपदीय भाषाओं से अधिक सहायता मिलती है। जैसे डॉ. चाटुर्ज्या ने प्राचीन काल में परिनिष्ठित आर्य भाषा के बदले गण-भाषाओं की हकीकत को उभारा है, उसी प्रकार आधुनिक आर्य भाषाओं के परिनिष्ठित रूप के बदले जनपदीय भाषाओं पर ध्यान देना अधिक आवश्यक है। अपने ग्रंथ के पृ. 432 पर उन्होंने माना है कि बंगला भाषा की विभिन्न बोलियों के ध्वनितंत्र का अध्ययन सम्भव नहीं हुआ किन्तु बंगला भाषा के विकास के विस्तृत और पूर्ण अध्ययन के लिए बोलियों का तुलनात्मक विवेचन आवश्यक होगा। यहाँ जो बात बंगला भाषा के लिए कही गई है, वह बात अन्य आर्य भाषाओं के लिए भी कही जा सकती है,

और जो बात ध्वनितंत्र के लिए कही गई है, वह रूपतंत्र और वाक्यतंत्र के लिए भी कही जा सकती है। जनपदीय बोलियों का अध्ययन केवल परिनिष्ठित भाषा का विकास समझने के लिए आवश्यक नहीं है वरन् उससे भाषा के पूर्वरूपों का ज्ञान भी हो सकता है। डॉ. चाटुर्ज्या पुरानी गण-भाषाओं के बदलने और आधुनिक आर्य भाषाओं के बनने की बात कहते हैं पर गण-भाषाओं के बाद जनपदीय भाषाओं की मंजिल आती है, आधुनिक जातीय भाषाओं की मंजिल उसके बाद की है। इस सन्दर्भ में उन्होंने ग्रियर्सन के 'सर्वेक्षण-ग्रंथ' की खामियों की ओर संकेत किया है। सर्वेक्षण कार्य के लिए प्रशिक्षित कार्यकर्ता चाहिए और उन्हें बोलियों से सुपरिचित होना चाहिए। यह आलोचना सही है पर भारत में भाषाविज्ञान की जैसी उपेक्षा है, उससे अभी अगले पचास साल तक नये सर्वेक्षण की कोई सम्भावना दिखाई नहीं देती। ग्रियर्सन के कार्य का यही युगान्तरकारी महत्त्व है कि लाख कमियाँ होते हुए वह अपने ढंग का अनूठा कार्य है, भारत सरकार को नये सिरे से सर्वेक्षण कराने की बात अभी सूझी नहीं है।

ब्रजभाषा और हिन्दी का गहरा सम्बन्ध है पर ब्रजभाषा बहुत-से शब्दों को ओकारान्त रूपों में प्रयुक्त करती है और यह प्रवृत्ति राजस्थान पार करती हुई गुजरात और सिन्ध तक पहुँच गई है। इसलिए यह मानना होगा कि एक भाषा-समुदाय ऐसा रहा है जो अनेक शब्दों का ओकारान्त उच्चारण करता था। इस समुदाय के दो भाग हो जाते हैं : एक **न्** ध्वनि वाली भाषाओं का, दूसरा **ण्** ध्वनि वाली भाषाओं का। और यह **ण्** ध्वनि आकारान्त क्षेत्र में भी है। यह स्थिति वैसी ही है, जैसी मागधी समुदाय में; भोजपुरी, मैथिली और मगही तो दन्त्य **स्** वाली भाषाएँ हैं, बंगला **श्** वाली और असमिया **ख़्** वाली। उधर उड़िया हिन्दी बोलियों के समान दन्त्य **स्** वाली भाषा है। **स्, श्, ख़्** वाली तीनों प्रवृत्तियाँ प्राचीन हैं। वृत्ताकार प्रकार वाली प्रवृत्ति भी प्राचीन है। **ण्** वाली प्रवृत्ति प्राचीन है, शब्दों को ओकारान्त रूप देने की प्रवृत्ति प्राचीन है, **ण्** से भिन्न **न्** के लिए आग्रह भी प्राचीन है। इस प्रकार ध्वनितंत्र की मूल विशेषताओं को प्राचीन मानते हुए यदि वृत्त खींचे जाएँ तो बहुत-से वृत्त बनेंगे और वे एक दूसरे की परिधि काटेंगे। इससे भाषाई विकास की पेचीदगी समझी जा सकती है। फिर भी वृत्ताकार अकार का एक पूरा क्षेत्र दिखाई देता है। इससे मिलता-जुलता वृत्ताकार उच्चारण महाराष्ट्र, राजस्थान और पंजाब की सीमाओं पर कहीं-कहीं सुनाई देता है यद्यपि मुख्य क्षेत्र पूर्व में है। इसी तरह उत्तर-पश्चिम में **ण्** वाला क्षेत्र है, पूर्व में उड़िया पर उसकी छाया भर है। वृत्ताकार अकार वाले क्षेत्र तथा **ण्** ध्वनि वाले क्षेत्र के बीच दन्त्य **न्** और **स्** का क्षेत्र है। इस तरह के तीन क्षेत्र न तो संस्कृत की देन हैं, न प्राकृतों की, न अपभ्रंश की, न द्रविड़ों की, न कोलों और नागों की। कम-से-कम ये तीन प्राचीन आर्य भाषा-समुदाय थे, इसमें सन्देह नहीं रह जाता। इनमें से प्रत्येक के अन्तर्गत भिन्न विशेषताओं वाले अनेक

भाषा वर्ग हैं, यह भी मानना होगा। ग्रियर्सन ने एक निहायत उलझी हुई स्थिति को बहुत सरल बनाकर प्रस्तुत किया था।

भारत में ऐसे केन्द्र हैं जो **त्** और **द्** के स्थान पर **ट्** और **ड्** का व्यवहार करते हैं। ऐसे केन्द्र ईरान में नहीं हैं। द्रविड़ भाषाओं को शब्द के आदि स्थान में **ट्** और **ड्** का व्यवहार करने से बड़ी अरुचि है। आर्य भाषाओं में सैकड़ों शब्द इन्हें आदि स्थान देते हैं। **ट्** और **ड्** वाले नवीन और प्राचीन केन्द्रों को आर्य भाषा-केन्द्र मानने का उतना ही पुष्ट कारण है जितना **त्** और **द्**-प्रधान ईरान को आर्य भाषा-क्षेत्र मानने का। फिर बहुत-से शब्दों में **स्** ध्वनि बदलकर महाप्राण ध्वनि बनती है। ऐसा परिवर्तन वैदिक भाषा में होता है। आधुनिक भाषाओं के पुराने शब्दों में ही नहीं, नये उधार लिये हुए शब्दों में भी होता है। अवध में बहुत जगह **मस्जिद** को लोग **महजिदि** कहते हैं। (इसकी विपरीत प्रक्रिया भी घटित होती है। डॉ. विश्वनाथ प्रसाद ने भोजपुरी पर अपने शोधग्रंथ में बताया है कि कुछ भोजपुरी जन **मॅह्तर** को **मॅस्तर** बोलते हैं, वैसे ही जैसे संस्कृत के विसर्ग विशेष ध्वनि-परिवेश में **स्** रूप धारण करते हैं।) यह **स्-ह्** वाला परिवर्तन ईरान में विशेष घटित हुआ था, इसलिए उसके आर्य होने में कोई सन्देह नहीं है। इस प्रकार केवल ध्वनि-प्रकृति के आधार पर आर्य गण-भाषाओं के कम-से-कम पाँच विभाग दिखाई देने लगते हैं। दो वृत्तों से काम नहीं चलने का!

यह ध्यान देने की बात है कि पंजाब से ऊपर कश्मीर **ण्** क्षेत्र से बाहर है। उधर बंगला, असमिया आदि का वृत्ताकार अकार तिब्बती और बर्मी भाषा-समदायों से घिरा हुआ है और इन समुदायों में वैसे अकार का अभाव है। इससे निष्कर्ष यह निकलता है कि भारतीय आर्य भाषाओं के विकास को समझने के लिए सबसे पहले भारतीय आर्य भाषा-केन्द्रों पर ही ध्यान देना उचित है। इन केन्द्रों का अनुमान आधुनिक आर्य भाषाओं के अध्ययन से ही होता है।

ध्वनि-प्रकृति के अलावा भाषा की संरचना में क्रियापद-रचना का विवेचन पुराने गण-भाषा-समुदायों को पहचानने में सहायक होता है। मध्यदेशीय भाषाएँ तिङन्त प्रधान थीं। यह प्रवृत्ति किसी-न-किसी रूप में, न्यूनाधिक मात्रा में, प्रत्येक आर्य भाषा में है। यह प्रवृत्ति मागधी भाषा-समुदाय में ऐसी बद्धमूल रही है कि उधर जब कृदन्तों का प्रसार हुआ, तब उस समुदाय की भाषाओं ने इन्हें भी तिङन्त बाना पहनाया। इस प्रकार वाक्यतंत्र अथवा रूपतंत्र की दृष्टि से आर्य गण-भाषाओं के कम-से-कम दो समुदाय दिखलाई देते हैं। इनमें कृदन्तों का केन्द्र उत्तर-पश्चिमी क्षेत्रों में था।

भाषा-संरचना के कुछ तत्त्व अमूर्त रूप से बोलने वालों के मन में जड़ जमाए रहते हैं। **बाईस, बत्तीस, बयालीस** में इकाई पहले या दहाई, यह वाक्यतंत्र की विशेषता पर निर्भर है। इसे भाषा की भाव प्रकृति कह सकते हैं। कश्मीरी समेत समस्त आधुनिक आर्य भाषाएँ संस्कृत की तरह इकाई पहले और दहाई बाद को,

यह क्रम रखती हैं। इससे भिन्न द्रविड़ भाषाओं में दहाई पहले और इकाई बाद को आती है। कश्मीरी की पड़ोसी भाषा फ़ारसी में संख्यासूचक शब्दों का द्रविड़ क्रम चलता है, कश्मीरी में आर्य भाषाओं वाला। भाव-प्रकृति के स्तर पर ऐसी अनेक विशेषताएँ हैं जिनसे नई और पुरानी आर्य भाषाएँ एक ही सूत्र में गुँथी हुई दिखाई देती हैं। भाषाओं के विकास का अध्ययन करते हुए उनकी विशेषताओं की भिन्नता और समानता, दोनों पर ही ध्यान देना उचित है। कुछ विशेषताओं के कारण सभी आर्य भाषाओं को एक ही समुदाय में रखना उचित है; अन्य विशेषताओं के कारण उनके बहुत-से वर्ग-उपवर्ग बन जाते हैं।

भारत में आधुनिक आर्य भाषाओं का निर्माण एक-सी परिस्थितियों में नहीं हुआ। हिन्दी प्रदेश में पहले कोसल की भूमिका प्रमुख थी। कोसल समुदाय की भाषाएँ संस्कृत का आधार थीं। फिर इस आधार पर कुरु जनपद का जबर्दस्त प्रभाव पड़ा। बौद्धकाल में प्राचीन कोसली जनसम्पर्क का माध्यम बनी; कान्यकुब्ज साम्राज्य के विघटन के बाद कुरु और शूरसेन जनपदों की भाषाएँ फिर उभरकर सामने आईं।

बंगला भाषा-क्षेत्र की विशेषता यह है कि वहाँ की जनपदीय बोलियों में हिन्दी-क्षेत्र की बोलियों के रूप पहुँचे हैं और परिनिष्ठित बंगला के समानान्तर अब भी अपना अस्तित्व बनाए हुए हैं। इनमें से अनेक तत्त्वों ने परिनिष्ठित बंगला को भी प्रभावित किया है। आदि आर्य भाषा, मध्य आर्य भाषा, प्राचीन बंगला, मध्यकालीन बंगला, आधुनिक बंगला, इस सारे ऊहापोह में एक केन्द्रीय तत्त्व आँखों से ओझल हो जाता है। वह केन्द्रीय तत्त्व यह है कि बंगला भाषा बोलने वालों में एक बहुत बड़ा हिस्सा उन लोगों का है जो पश्चिम से जाकर वहाँ बस गए और अपनी बोलियों की कुछ-न-कुछ विशेषता बनाए रहे। भविष्य काल के लिए **ग** का प्रयोग खड़ी बोली क्षेत्र की विशेषता है। अवधी क्षेत्र में कहीं भी **ग** वाले रूप अवधी में घुलते-मिलते **न** दिखाई देंगे किन्तु बंगला में **ब** और **ग** वाले रूप एक साथ प्रयुक्त होते दिखाई देंगे। डॉ. चाटुर्ज्या ने **आमरा करिगा, आमरा करिगे, तोरा करगा, तोरा करिगे, तोरा करिसगा** जैसे रूप दिये हैं। पुरानी बंगला में **तुमि खाओगा** जैसे रूप मिलते हैं। केरी ने उन्नीसवीं सदी के आरम्भ की बंगला के उदाहरणों में ऐसे रूप दिये थे : **उनिओ सामग्री आयोजन करूनगा**—वह भी सामग्री का आयोजन करें। कुछ बोलियों में क्रिया के पूर्वकालिक रूप **र** प्रत्यय जोड़कर बनते हैं और उसके बाद वर्तमान काल के लिए **ग** जोड़ा जाता है : **जारगा**—वह जाता है।

पूर्वकालिक क्रिया का यह **र** सीधे पश्चिम से आया है। डॉ. चाटुर्ज्या ने मारवाड़ी के **हूयार**—होकर, **मारर**—मारकर, जयपुरी और मेवाती के **होर**—होकर रूप दिये हैं। **कर** के **क्** का लोप होने पर ऐसे रूप बने हैं। बंगाल की बोलियों में **खाइआर**—खाकर, **जाइयार**—जाकर जैसे रूप हैं। इसे स्वतंत्र विकास कहना कठिन होगा। बंगला में **चलियाछे**—चला है, इस तरह की क्रियापद-रचना बाँगरू के **कह्या,**

**चल्या** जैसे रूपों के आधार पर हुई है। डॉ. चाटुर्ज्या ने बाँगरू का स्पष्ट उल्लेख किया है। खड़ी बोली क्षेत्र में सम्बन्धकारक का चिन्ह **का** है किन्तु ब्रजभाषा क्षेत्र में इसका रूप **को** है। डॉ. चाटुर्ज्या ने इस **को** का व्यवहार सर्वनामों के साथ होते दिखाया है, इतना ही अन्तर है कि **को** के स्थान पर सघोष रूप **गो** का व्यवहार होता है : **आमागो**—हमारा, **तोमागो**—तुम्हारा। कुछ बोलियों में सम्बन्धकारक के रूप **मोर, तोर** के बाद यह अतिरिक्त **गो** जोड़ा जाता है : **मोरगो**—मेरा, **तोरगो**—तेरा।

बंगाल की कुछ बोलियों में क्रिया-रूप के बाद **क** जोड़ने की प्रवृत्ति है : **तुमि दिलेक**—तुमने दिया; **से चलबेक्**—वह चला। यह प्रवृत्ति भोजपुरी और मैथिली बोलियों में है। डॉ. उदयनारायण तिवारी की भोजपुरी भाषा और साहित्य पुस्तक में इस तरह के उदाहरण हैं। **बनिया जात रहलक**—बनिया जाता था; **बाघ कहलक**—बाघ ने कहा; **बनिया जाएक लागलक**—बनिया जाने लगा। डॉ. विश्वनाथ प्रसाद ने **मानभूम** और **धलभूम** के भाषा-सर्वेक्षण वाली पुस्तक में पुरुलिया की मैथिली का जो नमूना दिया है, उसमें ऐसे उदाहरण हैं : **उ आदमी कहलक**—वह आदमी बोला; **लड़का खूब खनलक**—लड़के ने खूब खोदा। इसमें सन्देह नहीं रह जाता कि बंगाल की बोलियों में **दिलेक, चलबेक** जैसे प्रयोग भोजपुरी और मैथिली प्रभाव के कारण हैं। पुरानी बंगला में ऐसे अतीतकालीन क्रिया-रूप थे : **आछिला हों**—मैं था; **आयिला हों**—मैं आया हूँ। **मैं आवा हौं** (या हऊँ), यह अवधी वाक्य हुआ; इसी के अनुरूप बंगला में **आइला हों**—मैं आया हूँ, **गेला हों**—मैं गया हूँ।

बंगला में क्रियार्थी संज्ञा रूप **न** और **ना**, दोनों प्रत्ययों के साथ बनते हैं। डॉ. चाटुर्ज्या ने **आमा के देखन जाए** जैसे रूप दिये हैं जो पुरानी बंगला में बहुत प्रचलित थे। डॉ. चाटुर्ज्या ने इस सन्दर्भ में तुलसीदास के ऐसे प्रयोगों का स्मरण उचित ही किया है। हिन्दी के समान बंगला में आना जैसे क्रियार्थी संज्ञा रूप का व्यवहार भी होता है। **आना गोना** हिन्दी के **आना जाना** के ही समान हैं। यहाँ भी डॉ. चाटुर्ज्या ने हिन्दी रूपों का स्मरण उचित किया है। अवधी में भूतकालिक कृदन्त-रूप जैसे **न** प्रत्यय के साथ बनते हैं, वैसे पुरानी बंगला में भी मिलते हैं। **शुखान**—सूखा हुआ, अवधी **सुखान; हारान**—खोया हुआ, अवधी **हॅरान**।

बंगला के अनेक प्रयोग हिन्दी क्षेत्र के प्रयोगों की याद दिलाते हैं। पुरानी बंगला में **लागेली आगि** अवधी के **आगि लागि** का रूपान्तर है। क्रिया-रूप में स्त्रीलिंग सूचक **इ** चिह्न बंगला की प्रकृति के अनुरूप नहीं है। हिन्दी में जैसे **बताना** और **बतलाना** दो तरह के रूप हैं, वैसे ही बंगला में **बातलान** जैसा रूप है। बोलचाल में **दिलाना** का प्रतिरूप **दॅलाना** प्रचलित है। हिन्दी प्रेरणार्थक क्रियाओं में जैसे **कराना** जोड़ा जाता है, वैसे ही बंगला में **स्नान करान, पान करान** आदि का प्रयोग है। **देखादेखि, मारामारि** हिन्दी के **देखादेखी, मारामारी** के समान हैं। **आग बाड़ान** अर्थात् आगे बढ़ना, **बके जाओया** अर्थात् बके जाना हिन्दी मुहावरे हैं। कहीं-कहीं

सर्वनाम-रूप बिलकुल हिन्दी के हैं, यथा : **आमि** के स्थान पर उत्तरी बंगाल में **हम** का व्यवहार। अवधी में जैसे **लगे** (**हमरे लगे**—हमारे पास) का व्यवहार होता है, वैसे ही बंगाल की कुछ बोलियों में **संगे** और **साथे** के साथ **लगे** का व्यवहार भी होता है। ग्रियर्सन ने 'मानभूम' की बोली में **तक** का प्रयोग दिखाया है : **लदी तक्क**—नदी तक। यहाँ की बोली में **न** के स्थान पर **ल** बोलने की प्रवृत्ति है, साथ ही भोजपुरी क्षेत्र के समान क्रिया में **क** जोड़ने की प्रवृत्ति है : **सुधालेक**—पूछा, **होलेक**—हुआ। यहाँ की बोली का एक मुहावरा **आँघाइ गेना—अघायगा** ठेठ अवधी मुहावरे का प्रतिरूप है। एक महत्त्वपूर्ण तथ्य यह है कि पूर्वी बंगाल की बोलियों में, जिन बहुत-से पुराने शब्दों में **स्** था, उनमें तो उसका उच्चारण **ह्** होता है किन्तु, ग्रियर्सन के सर्वेक्षण के अनुसार, जो हिन्दी के नये शब्द वहाँ पहुँचे हैं, उनमें **स्** ध्वनि बनी रहती है। इसका अर्थ यह हुआ कि हिन्दी ध्वनितंत्र बंगाल की कुछ बोलियों को प्रभावित करने लगा है। सरकार को वहाँ **सारकर** कहते हैं, **हारकर** नहीं।

बंगाल की एक बोली **हजोंग** है। इसे बोलने वाले तिब्बती-बर्मी परिवार के कहे जाते हैं। ये लोग अब बंगला बोलते हैं। भविष्य काल के लिए **मारिब** जैसे रूपों के साथ **करंग**—करूँगा भी बोलते हैं। ग्रियर्सन ने **ग** को तिब्बती-बर्मी प्रत्यय कहा है। यह प्रत्यय हिन्दी क्षेत्र का परिचित प्रत्यय है, पुरानी बंगला तथा बंगाल की आधुनिक बोलियों में उसका व्यवहार होता है। हिन्दी क्षेत्र से बंगला का ऐसा ही सम्बन्ध है।

एक आदि आर्य भाषा के बदले यहाँ अनेक आर्य भाषा-केन्द्रों का सिद्धान्त प्रतिपादित किया गया है। यह सिद्धान्त संस्कृत के विवेचन से पुष्ट होता है और संस्कृत के विकास को समझने में सहायक होता है; वह आधुनिक आर्य भाषाओं के विवेचन से पुष्ट होता है और उनके विकास को समझने में सहायक होता है। किसी भी भाषा-परिवार का निर्माण होते-होते होता है और उसमें यह अनेक केन्द्रों की भूमिका अनिवार्य होती है। बहुकेन्द्रीयता कोई ऐसा प्रपंच नहीं है जो भाषाई विकास की किसी एक मंजिल में सक्रिय रहे, फिर निष्क्रिय हो जाए। आर्य भाषा-परिवार के निर्माण में अनेक प्राचीन भाषा-केन्द्रों का योगदान रहा है। इनमें मध्यदेश के भाषा-केन्द्रों की भूमिका निर्णायक रही है। इंडो-यूरोपियन भाषा-परिवार के निर्माण में अनेक केन्द्रों का योगदान रहा है, इनमें आर्य भाषा-परिवार का योगदान निर्णायक है। जिन्हें इंडो-यूरोपियन परिवार की शाखाएँ कहते हैं, वे वास्तव में स्वतंत्र केन्द्र हैं जो परस्पर सम्पर्क से एक परिवार के अन्तर्गत सिमट आए हैं। इस सारी प्रक्रिया में अन्य भाषा-परिवारों की भूमिका उपेक्षणीय नहीं है।

भारत की भाषाई स्थिति की विशेषता यह है कि प्राचीन और नवीन भाषाओं को एक साथ देखने पर विभिन्न केन्द्र आसानी से पहचान में आ जाते हैं। इनकी कार्य-परिधि बदलती रहती है, फिर भी विच्छिन्न प्रवाह में इनकी अविच्छिन्न अस्मिता का बोध कठिन नहीं है। मगध, कोसल, शूरसेन और कुरुजनपद प्रमुख आर्य भाषा-

केन्द्र हैं और प्राचीनकाल से सक्रिय रहे हैं। संस्कृत की संरचना में जो विशेषताएँ आकस्मिक और परस्पर विरोधी जान पड़ती हैं, वे इन जनपदों के भाषाई केन्द्रों को ध्यान में रखने से सहज विकास और परस्पर सम्पर्क का परिणाम सिद्ध होती हैं। मानक हिन्दी का विकास विभिन्न जनपदीय भाषाओं से अलगाव की स्थिति में नहीं हुआ, अन्तर्-जनपदीय सम्पर्क इस विकास की आधार भूमि है। प्राचीन आर्य भाषा-केन्द्रों से हिन्दी का सम्बन्ध पहचानने में जनपदीय भाषाओं से बड़ी सहायता मिलती है। कारण यह कि उन प्राचीन केन्द्रों से इन जनपदों का सम्बन्ध पूरी तरह टूटा नहीं है। जनपदीय भाषाओं और प्राचीन केन्द्रों के सम्बन्ध की पुष्टि वैदिक भाषा और संस्कृत के विश्लेषण से होती है, उसमें पालि और प्राकृतों का विवेचन अंशतः सहायक होता है, इनका महत्त्व वैदिक भाषा की तुलना में अतिसाधारण है। हिन्दी जनपदों की भाषाओं की तुलना में इनका महत्त्व और भी कम है। जनपदीय भाषाओं से तुलना करते ही यह तथ्य उभरकर सामने आता है कि प्राकृतों के आधार पर भाषाई विकास की व्याख्या नहीं की जा सकती। इनकी अपेक्षा अपभ्रंश में देशी भाषा-तत्त्व अधिक हैं यद्यपि लोकभाषा वह भी नहीं थी।

जनपदीय भाषाओं के विवेचन से ज्ञात होता है कि इनका ध्वनितंत्र कुछ बातों में संस्कृत की अपेक्षा प्राचीन मध्यदेशीय भाषाओं के ध्वनितंत्र के अनुरूप अधिक है। मध्यदेशीय भाषाओं का यह ध्वनितंत्र ही संस्कृत की आधारभूत भाषा—या भाषाओं—का ध्वनितंत्र है। इसमें दन्त्य **स्** की प्रधानता थी, **ण्** का अभाव था और **अ** स्वर का उच्चारण ऐकार-ओकारवत् न होता था। मध्यदेशीय गण-भाषाओं के रूपतंत्र की विशेषता सर्वनामों के आधार पर देशकाल सूचक सम्बन्धकों और कारक-चिन्हों की रचना थी। इसी के अनुरूप सर्वनामों की सहायता से क्रियापद-रचना की जाती थी। भाषा की संश्लिष्ट प्रकृति का यही आधार है। इससे भिन्न सर्वनाम-मुक्त कारक-क्रियापद-रचना की प्रवृत्ति भी सक्रिय थी और भाषाओं की विश्लिष्ट प्रकृति का वह प्रधान कारण है।

आगे हम देखेंगे कि आर्य भाषा-केन्द्रों के बारे में जो बातें यहाँ कही गई हैं, वे इंडो-यूरोपियन परिवार के विवेचन में सहायक होती हैं और उस परिवार के विवेचन से उनकी पुष्टि होती है।

5

# आर्य भाषा-केन्द्र और सीमान्त भाषाएँ

## 1. सिन्धी

### *(क) ध्वनितंत्र*

भारतीय आर्य भाषाओं के विकास में मध्यदेश की भूमिका समझने में सिन्धी और कश्मीरी, इन दो भाषाओं के विवेचन से सहायता मिलती है। मध्यदेश को केन्द्र माने तो सिन्ध और कश्मीर दूर के प्रान्त कहे जाएँगे। इनकी प्रान्तभाषाएँ मध्यदेश की भाषाओं से किस प्रकार सम्बद्ध हैं? ग्रियर्सन सिन्धी और कश्मीरी, दोनों को दरद क्षेत्र की भाषाएँ मानते थे। दरद क्षेत्र की विशेषता मानी गई है : ईरान का प्रभाव। कश्मीर की अपेक्षा सिन्ध ईरान के अधिक समीप है। वैसे तो ईरानी भाषा-समुदाय का क्षेत्र कश्मीर के पड़ोस में है किन्तु इस क्षेत्र के मुख्य केन्द्र ईरान में हैं और सिन्ध ही उनके अधिक समीप है। यदि भारत-ईरानी नाम की कोई आर्य भाषाओं की शाखा थी, तो उसकी विशेषताएँ सर्वाधिक ईरान में, उससे कम सिन्ध में, और सबसे कम मध्यदेश में मिलनी चाहिए। इसके विपरीत यदि आर्य भाषाओं के मुख्य केन्द्र मध्यदेश में थे, तो इन केन्द्रीय भाषाओं की विशेषताएँ सबसे ज्यादा मध्यदेश में मिलेंगी, उससे कम सिन्ध में और उससे भी कम ईरान में। सिन्ध के एक छोर पर ईरान है, दूसरे छोर पर मध्यदेश है, दोनों के बीच में स्थित है सिन्ध। अत: सिन्धी के विवेचन से भारत और ईरान के भाषाई सम्बन्धों को समझने में सहायता मिलती है।

ईरानी और भारतीय आर्य भाषाओं में मुख्य भेद यह है कि भारतीय भाषाओं में सघोष महाप्राण ध्वनियाँ हैं, ईरानी भाषाओं में नहीं हैं। वैसे तो ये ध्वनियाँ यूरोप की 'आर्य' भाषाओं में भी नहीं हैं पर ईरान भारत का पड़ोसी है, भारत-ईरानी शाखा की आधारभूमि है। वहाँ इंडो-यूरोपियन परिवार की प्राचीन सघोष महाप्राण ध्वनियों का अभाव—ईरान की समस्त प्राचीन और नवीन भाषाओं में उनका अभाव—यूरोप की भाषाओं में वैसे अभाव की अपेक्षा, हमारे लिए अधिक महत्त्वपूर्ण है। सिन्धी में, संस्कृत और हिन्दी के समान, सघोष महाप्राण ध्वनियों का व्यवहार होता है।

इस दृष्टि से सिन्धी मध्यदेशीय भाषाओं के समीप है, उनसे घनिष्ठ रूप में सम्बद्ध है और ईरान की भाषाओं से वह दूर है।

जैसा कि प्रान्त-भाषाओं में बहुधा होता है, वे केन्द्रीय भाषाओं की विशेषताएँ बनाए ही नहीं रहतीं वरन् अनावश्यक स्थानों पर उनका आरोपण भी करती हैं। **हृदय** सिन्धी में **हिर्धो** है; सघोष अल्पप्राण ध्वनि को महाप्राण बनाया गया है। यदि मूल शब्द में **द्** के स्थान पर **थ्** होता, तो हम कहते कि प्राकृत-परम्परा के अनुरूप उसे सघोष कर दिया गया है पर वहाँ महाप्राण **थ्** नहीं, अल्पप्राण **द्** है। कुछ प्राकृतें शब्दों की मूल ध्वनि में सघोषता जोड़ती हैं, कुछ सघोषता हटाती हैं पर इस तरह अतिरिक्त महाप्राणता शायद कोई प्राकृत नहीं जोड़ती। **यौवन** के हिन्दी रूप **जोबन** से, इसी प्रकार सघोष **ब्** को महाप्राण बनाकर, सिन्धी में **जोभनु** रूप रचा गया। **पर्व** के रूपान्तर **पर्ब** से **पर्भु** रूप बना। जहाँ मूल शब्द में अघोष महाप्राण ध्वनि है, वहाँ प्राकृत परम्परा के अनुसार सघोषता आरोपित करते हुए महाप्राणता की रक्षा की गई है, यथा : **पथ** का सिन्धी प्रतिरूप **पंधु** है। अघोष अल्पप्राण ध्वनियों में भी जब-तब सिन्धी महाप्राणता का संयोग करती है। पुराना भारतीय शब्द **मुकुल** सिन्धी में **मुखिरि** बना, अरबी से **किताब, साअत, हिम्मत** जैसे रूप सिन्ध में पहुँचकर **खुताबु, साअथ, हिम्मथ** हो जाते हैं। जहाँ मूल रूप में सघोष महाप्राण ध्वनि है, वहाँ वह—ईरानी भाषाओं के विपरीत—सिन्धी में बनी रहती है, जैसे—**श्राद्ध** और **व्याघ्र** के प्रतिरूपों **सिराधु** और **वाघु** में। जैसे हिन्दी में जहाँ-तहाँ दन्त्य ध्वनियों का मूर्धन्यीकरण हुआ है, वैसे ही सिन्धी में भी यह प्रक्रिया सम्पन्न हुई है पर सघोषता और महाप्राणता के दोनों लक्षण यथावत् रहे। **वृद्ध** हिन्दी में **बूढ़ा** है, वैसे ही सिन्धी में **बुढो** है। मिथ्या के सिन्धी प्रतिरूप **मठ्याँ** में **थ्** का मूर्धन्यीकरण हुआ है, हिन्दी में वैसा रूप नहीं है। प्राकृतों के अनुरूप अतिरिक्त सघोषता यहाँ आरोपित नहीं की गई। मूर्धन्यीकरण के अलावा जहाँ तालव्यीकरण हुआ है, वहाँ भी सघोषता-महाप्राणता के संयोग पर आँच नहीं आई। संस्कृत के **उपाध्याय** हिन्दी में **पाधा** हुए और सिन्धी में **वाझा** बने, मैथिली **झा** के समान। तालव्य स्पर्श-ध्वनि सघोष रही, महाप्राण भी। (जो चवर्गीय ध्वनियों को पूर्ण स्पर्श न मानें, वे उन्हें ईषत् स्पर्श कह लें।) हिन्दी क्षेत्र की पछाहीं बोलियों में **हाथ** का दूसरा वर्ण महाप्राणता खो देता है, तब **हात** बोला जाता है; सिन्धी **हिम्मत** को भी **हिम्मथ** कर देती है। (सिन्धी भाषा के उदाहरण अर्नेस्ट ट्रम्प की पुस्तक 'ग्रामर ऑफ द सिन्धी लैंग्वेज', लाइपृत्सिग, 1872, से दिये गए हैं।)

दन्त्य, ओष्ठ्य, तालव्य, मूर्धन्य, कंठ्य—पाँचों प्रकार की सघोष महाप्राण ध्वनियाँ सिन्धी में विद्यमान हैं। यह स्थिति सिन्ध और मध्यदेश के घनिष्ठ भाषाई सम्पर्क का प्रमाण है। मध्यदेश के आर्य भाषा-केन्द्रों को देखते सिन्धी प्रान्त भाषा है। इसका एक प्रमाण यह भी है कि वह अनेक मूल शब्दों की अल्पप्राण ध्वनि पर महाप्राणता आरोपित करती है। ऐसे मूल शब्द संस्कृत के ही नहीं, अरबी के भी

हैं। **पर्व** के लिए **पर्भु** जैसा रूप मध्यदेश में न मिलेगा पर उससे सिद्ध यह होता है कि ईरानी भाषाओं से भिन्न सिन्धी के लिए सघोष महाप्राण ध्वनियों का व्यवहार अत्यन्त सहज है। अब आप विचार करें कि ईरान से आनेवाले आर्य पहले मध्यदेश पहुँचे थे, वहाँ से सिन्ध गए, या सिन्ध होते हुए मध्यदेश पहुँचे थे, या सिन्धी भाषा के विकास की प्रक्रिया इस आवाजाही से स्वतंत्र है।

सिन्धी उस आर्य भाषा-समुदाय के अन्तर्गत है जिसमें मूर्धन्य स्पर्श-ध्वनियाँ प्रमुख थीं। सिन्धी भाषा के विवेचक ट्रम्प मानते थे कि प्राकृतों से जैसा घनिष्ठ सम्बन्ध इस भाषा का है, वैसा किसी अन्य भारतीय आर्य भाषा का नहीं है, किन्तु प्राकृतों में कहीं भी मूर्धन्यता के लिए वैसा आग्रह नहीं है, जैसा सिन्धी में है। इसलिए ट्रम्प ने अपने सिन्धी व्याकरण में लिखा है : "सिन्धी में दन्त्य ध्वनियाँ अपनी प्रतिरूप मूर्धन्य ध्वनियों के लिए स्थान छोड़ देती हैं, और यह आत्मसमर्पण-वृत्ति इतनी प्रबल है कि सिन्धी की व्यंजन-व्यवस्था इस मामले में पुरानी प्राकृत-व्यवस्था से स्पष्टत: और तत्त्वत: भिन्न है।" (भूमिका, पृ. 20) संस्कृत और जनपदीय भाषाओं के बहुत-से शब्दों में जहाँ दन्त्य ध्वनि है, वहाँ सिन्धी मूर्धन्य ध्वनि का व्यवहार करती है। **दीर्घ, पुत्र, मित्र, चन्द्र, क्षेत्र, मंत्र, यात्रा, निद्रा, ताम्र, कुदाल, दस, चौदह, आदित्य, दिवस, तोड़ना, देना** के सिन्धी प्रतिरूप क्रमश: इस प्रकार हैं : **ड्रिघो, पुट्र, मिटु, चंड्र खेट्र, मंटु,** (अथवा **मंड्रु**), **जाट्रा, निंड्र, ट्रामो, को'डरि, 'डह, चो'डहँ, आ'डितु, 'डांहु, ट्रोडणु, 'डिअणु**। मध्यदेश की भाषाएँ दन्त्य-मूर्धन्य ध्वनियों का उपयोग अर्थभेद के लिए करती हैं, वे दन्त्य ध्वनियों के स्थान पर इस तरह मूर्धन्य ध्वनियों का सामूहिक प्रतिस्थापन नहीं करतीं। सिन्धी के लिए टवर्गीय ध्वनियाँ ही प्रधान हैं, अत: वह पचीसों मध्यदेशीय शब्दों को अपनी ध्वनि-प्रकृति के अनुरूप ग्रहण करती है। मध्यदेश में ये ध्वनियाँ सिन्ध-सौराष्ट्र की ओर से आई हैं; तवर्गीय ध्वनियाँ सिन्धी में मध्यदेश से पहुँची हैं। असम और सौराष्ट्र की अपेक्षा सिन्ध ने इन तवर्गीय ध्वनियों को अधिक अपनाया है। ये ध्वनियाँ ईरान में भी हैं किन्तु वहाँ **ध** नहीं है; वहाँ टवर्गीय ध्वनियों का भी पूर्ण अभाव है। अत: पूरी स्थिति देखकर यही कह सकते हैं कि तवर्गीय ध्वनियाँ सिन्धी में ईरान से नहीं, मध्यदेश से पहुँची हैं।

सिन्धी भाषा में मूर्धन्य ध्वनियों की स्थिति ईरानी भाषाओं से उसका मौलिक अन्तर प्रकट करती है। ये ध्वनियाँ अवेस्ता की भाषा, पहलवी और फ़ारसी में नहीं हैं; ईरानी समुदाय की भाषाओं में उनका सामान्य अभाव है। जहाँ उनका व्यवहार होता है, यथा : पश्तो में, वहाँ उसका कारण भारतीय प्रभाव है। ट्रम्प ने सिन्धी और पश्तो को एक दूसरे के बहुत समीप माना था जो उचित है। इस समीपता का एक लक्षण टवर्गीय ध्वनियों का व्यवहार है; ऐसा व्यवहार दरद भाषा क्षेत्र की विशेषता नहीं है।

ब्रज, अवधी आदि जनपदीय भाषाओं में टवर्गीय स्पर्श-ध्वनियों का व्यवहार होता है, मूर्धन्य नासिक्य का नहीं। **ण्** के मामले में सिन्धी बाँगरू के अधिक निकट

है किन्तु बाँगरू के समान यह उसकी प्रधान नासिक्य ध्वनि नहीं है। **ण्** के अतिरिक्त उसमें **ञ्, ङ्, न्** का भी खूब व्यवहार होता है। क्रियार्थी संज्ञारूपों में अवधी-कनौजी का **न** प्रत्यय यहाँ **ण्** रूप में प्रयुक्त होता है : **भउणणु** (भ्रमण करना), **चवणु** (कहना), **मञणु** (मानना), **ढ्रापणु** (तृप्त होना)। मानक हिन्दी के समान यहाँ आकारान्त प्रत्यय **ना** का व्यवहार नहीं होता, अवधी-कनौजी के समान प्रत्यय ह्रस्व स्वरान्त है। अवधी संज्ञारूपों के समान उसे उकारान्त भी बनाया गया है। संस्कृत के अनेक शब्दों में जहाँ **न्** है, वहाँ सिन्धी ने **ण्** स्थापित किया है; **धेनु, नयन, सुजान** जैसे रूप परिवर्तित होकर **घेणु, नेणु, सुजाणु** बने। किन्तु मूल शब्दों का **ण्,** मध्यदेशीय भाषाओं के समान, अनेक बार **न्** रूप में भी ग्रहण किया गया है : **पुनो** (पूर्ण), **रतवरनो** (रक्तवर्ण)। सिन्धी के अनेक तद्भव रूप प्राकृत-परम्परा से विलग हैं। **सैन** अथवा **सँइन, नींहु,** (स्नेह), **सुपनो** (स्वप्न), **जोभनु** (यौवन) जैसे रूप ब्रजभाषा की याद दिलाते हैं। ट्रम्प ने इस बात पर ध्यान दिया है कि प्राकृतों के समान सिन्धी में **ण्** सर्वत्र संस्कृत शब्दों के **न्** का स्थान नहीं लेता : "दोनों ध्वनियों को एक दूसरे से साफ अलग रखा जाता है।" (भूमिका, पृ. 18) फिर भी यह मानना होगा कि सिन्धी **ण्**-क्षेत्र की भाषा है। इस दृष्टि से वह बाँगरू-पंजाबी, राजस्थानी-गुजराती, मराठी समुदाय के निकट है और ईरानी से दूर है। उसमें अन्य तवर्गीय ध्वनियों के समान **न्** का प्रवेश मध्यदेशीय प्रभाव से हुआ है।

मूर्धन्य क्षेत्र की भाषाओं से भिन्न सिन्धी में तालव्य नासिक्य ध्वनि **ञ्** का व्यवहार बहुत होता है। **पुण्य** का **ण्** तालव्य ध्वनि **य्** के संसर्ग से अपना मूर्धन्य तत्त्व खोकर **ञ्** बन जाता है; **पुण्य** का सिन्धी रूपान्तर हुआ **पुञी**। **मज्जा** में अतिरिक्त नासिक्य ध्वनि जोड़ी गई, फिर केवल नासिक्य ध्वनि रही और **ज्** का लोप हो गया; **मज्जा** का रूपान्तर हुआ **मिञु**। सिन्धी में **ञ्** के अतिरिक्त **ङ्** के साथ भी जो स्पर्श-ध्वनि हो, उसका लोप करने की प्रवृत्ति है। इस प्रकार **अङु** (अंग), **अङरु** (अंगार), **अङणु** (आँगन), **मङणु** (माँगना) जैसे रूप सिन्धी भाषा की विशेषता हैं। **म्** और **न** के अलावा **ङ्, ण्, ञ्** का प्रचुर व्यवहार सिन्धी में होता है। नासिक्य ध्वनियों में वह विशेष समृद्ध है। यह समृद्धि उसे पुनः ईरानी समुदाय से अलग करती है।

सिन्धी उन भाषा-केन्द्रों से विशेष प्रभावित हुई है जिनमें तालव्य स्पर्श-ध्वनियों की प्रधानता थी। हिन्दी में **सत्य** का रूपान्तर **सच** है किन्तु **हत्या** में ऐसा परिवर्तन नहीं होता। सिन्धी **हत्या** को भी बदलकर **हचा** बना लेती है। इसी प्रकार **विद्या** और **वैद्य** क्रमशः **वि'जा** और **वे'जु** हैं। एक ओर दन्त्य ध्वनियों का तालव्यीकरण होता है, दूसरी ओर उनका मूर्धन्यीकरण भी होता है। इन दो प्रवृत्तियों के बीच दन्त्य ध्वनियों की स्थिति निर्बल हो जाती है। दन्त्य ध्वनियों का ऐसा व्यापक तालव्यीकरण ईरानी भाषाओं की विशेषता नहीं है। सिन्धी ध्वनितंत्र के विवेचन से इस धारणा की पुष्टि होती है कि तालव्य ध्वनियों के केन्द्र भारत के उत्तर-पश्चिमी क्षेत्रों में थे।

सिन्धी में बहुत-से शब्द ओकारान्त हैं। इनमें संज्ञा रूप हैं : **बाबो** (पिता), **सहुरो** (ससुर), **गा'डो** (गाड़ी); विशेषण हैं : **मुओ** (मरा), **पको** (पका), **'बुढो** (बूढ़ा); कृदन्त-रूप हैं : **वेन्दो** (जाता), **करीन्दो** (करता), **भरीन्दो** (भरता)। ऐसे ओकारान्त रूप ब्रज-राजस्थानी-गुजराती में हैं, इंडो-यूरोपियन परिवार की कुछ अन्य भाषाओं में हैं किन्तु वे ईरानी समुदाय की भाषाओं में नहीं हैं। सिन्धी में ओकारान्त, और उकारान्त दोनों तरह के रूप हैं। इससे यह धारणा खंडित होती है कि अवधी के उकारान्त रूप पालि के ओकारान्त रूपों के आधार पर बने हैं। ब्रज की ओकारान्त और अवधी की उकारान्त, दोनों तरह की प्रवृत्तियाँ सिन्धी में हैं। सिन्धी पुराने आर्य शब्दों के अलावा अरबी से आए शब्दों को भी उकारान्त रूप देती है, यथा : **दौर—दौरु, ग़रीब—गरीबु, तमाम—तमामु**। **सिन्धु** शब्द उकारान्त वृत्ति की प्राचीनता सिद्ध करता है; कौरवी भाषा-समुदाय की प्रवृत्ति ऐसे उकारान्त शब्दों के स्थान पर अकारान्त रूपों के व्यवहार की है। **सिन्धु** का वर्तमान प्रचलित रूपान्तर **सिन्ध** कौरवी प्रभाव का परिणाम है। भाषा का नाम **सिन्धी, सिन्धु** नहीं, **सिंध** के आधार पर रखा गया। **सिंध** और **सिन्धी** के समान, भिन्न प्रदेश और भाषा के लिए, **हिन्द** और **हिन्दी** शब्दों का चलन हुआ।

मध्यदेशीय भाषाओं की एक विशेषता शब्दों को अजन्त रूप में व्यवहार करने की है। यह प्रवृत्ति सिन्धी में बनी हुई है। इसके विपरीत कौरवी प्रवृत्ति अनेक शब्दों को हलन्त रूप में व्यवहार करने की है। फ़ारसी में यह वृत्ति प्रबल है। फ़ारसी और सिन्धी के क्रियार्थी संज्ञा रूपों की तुलना करने से यह बात स्पष्ट हो जाएगी। **आवाज़ीदन्**—पुकारना; **इस्तादन्**—खड़े होना; **अफ़्सुर्दन्**—मुर्झाना; इन फ़ारसी रूपों के अन्त में व्यंजन है। सिन्धी के **चवणु**—बोलना, **वञ्णु**—जाना, **निअणु**—ले जाना रूपों में अन्तिम ध्वनि स्वर है। फ़ारसी और सिन्धी, दोनों में आधारभूत प्रत्यय **न** है। फ़ारसी में इसका हलन्त रूपान्तर **न** है, सिन्धी में अजन्त रूपान्तर **णु** है।

उत्तर-पश्चिमी भाषाओं में **ल्** की प्रधानता है, मध्यदेश की भाषाओं में **र्** की। सिन्धी अनेक शब्दों में संस्कृत की **ल्** ध्वनि को **र्** बना लेती है। **वल्कल** से **बकरु, शीतकाल** से **सिआरो, देवालय** से **दुआरो** रूप इसी ध्वनि-प्रकृति के कारण बनते हैं। सिन्धी की स्वतंत्र ध्वनि-प्रकृति फ़ारसी शब्दों का भी कायाकल्प करती है। **बुलबुल** का सिन्धी प्रतिरूप **बुर्बुली** एक **ल्** स्वीकार करता है, दूसरे की जगह उसमें **र्** स्थापित है। **बिल्लोचिनी** के लिए ट्रम्प ने सिन्धी रूप **'बरोचाणी** दिया है। जैसे **ल्** और **श्** की जोड़ी है, वैसे ही **र्** और **स्** की है। सिन्धी मूल शब्दों के **ल्** को बदलकर **र्** कर देती है तो वह **श्** के स्थान पर **स्** को भी जहाँ-तहाँ प्रतिष्ठित करती है। **दर्शन, क्लेश, श्लोक, शुष्क** सिन्धी में क्रमशः **दर्सनु, किलेसु, सलोकु, सुको** हैं। दन्त्य **स्** के लिए आग्रह मध्यदेशीय भाषाओं की विशेषता है। मध्यदेशीय भाषाओं के ही समान सिन्धी अनेक शब्दों में **श्** के स्थान पर **छ्** का व्यवहार करती है। **शनैश्चर,**

**शाबाश, पादशाह** सिन्धी में क्रमशः **छंछरु, छाबिस, पाछाहु** हैं। फ़ारसी में इस **छ्** ध्वनि का अभाव है। पश्चिमी आर्य भाषाओं के समान सिन्धी अनेक शब्दों के **स्** को **ह्** में बदलती है। **फाँसी, दस, देस, बरस** सिन्धी में **फाही, 'डह, 'डेहु, वरिहु** हैं। यह प्रवृत्ति अवेस्ता की भाषा में है किन्तु फ़ारसी में नहीं है। अंशतः इसका प्रभाव मध्यदेश की भाषाओं पर भी है किन्तु वह मूलभूत विशेषता पश्चिमी आर्य भाषाओं की है।

मध्यदेशीय भाषाओं के समान ही सिन्धी को व्यंजन-द्वित्व से विशेष प्रेम नहीं है। ग्रियर्सन ने अपने 'सर्वेक्षण-ग्रंथ' (खंड 8, भाग 1) में बताया है कि अरबी-फ़ारसी शब्दों में अतिरिक्त स्वर के योग से सिन्धी व्यंजन-द्वित्व समाप्त कर देती है। **आसिमान, दोसित, हुकिम, खिजिमत, उमिर, वकित**—इन रूपों से **इ** निकाल दें तो मूल शब्दों के स्वरूप का अनुमान हो सकेगा, साथ ही फ़ारसी-सिन्धी की ध्वनि-प्रकृति का भेद भी ज्ञात होगा। ग्रियर्सन ने स्वीकार किया था कि लहँदा में व्यंजन-द्वित्व खूब चलता है और सिन्धी यहाँ उससे भिन्न है। किन्तु वह सिन्धी और लहँदा, दोनों को फ़ारसी प्रभावित दरद भाषाओं में गिनते थे। उन्होंने दरद भाषाओं की एक विशेषता यह बताई थी कि संस्कृत शब्दों के दो व्यंजनों के स्थान पर जब वे एक ही व्यंजन का व्यवहार करती हैं, तब क्षतिपूर्ति के लिए स्वर को दीर्घ नहीं करतीं। संस्कृत **भक्त** हिन्दी में तो **भात** है किन्तु सिन्धी में **भत** है। 'उक्ति-व्यक्ति-प्रकरण' में **कष्ट** का अवधी प्रतिरूप **कठ** है, **वस्तु** का प्रतिरूप **बथु** है, **भद्र** का प्रतिरूप **भल** है। **बालकांड** के आरम्भ में तुलसीदास ने भी लिखा था : **ते नर यह सर तजहिं न काऊ। जिन्ह कें राम चरन भल भाऊ। भल** में क्षतिपूर्ति के लिए प्रथम वर्ण के स्वर को दीर्घ नहीं किया गया; मानक हिन्दी का **भला** अवधी **भल** का ही कौरवी दीर्घ स्वरान्त रूप है। क्षतिपूर्ति हुई है बंगला रूप **भालो** में। मध्यदेश में, स्वर को दीर्घ किये बिना, दो व्यंजनों के स्थान पर एक व्यंजन के व्यवहार की पद्धति रही है, यद्यपि यह पद्धति कश्मीरी और सिन्धी में अधिक प्रभावी है। किन्तु इस पद्धति को फ़ारसी से क्या लेना-देना है! वहाँ तो **स्वप्न** का प्रतिरूप **ख़्वाब, वर्षा** का प्रतिरूप **बारिश, प्रस्राव** का प्रतिरूप **पेशाब** है।

अनेक पश्चिमी आर्य भाषाओं के समान सिन्धी **व्** ध्वनि की रक्षा करती है और कभी-कभी **प्** को भी **व** में बदलती है। यहाँ **वैर** और **वैद्य** क्रमशः **वेरु** और **वे'जु** हैं, **व्** ध्वनि सुरक्षित रही; इसके सिवा उपाध्याय का रूपान्तर **पाधा** सिन्धी में **वाझो** हुआ, **प्** ध्वनि **व्** में परिवर्तित हुई। फ़ारसी यहाँ मध्यदेशीय भाषाओं के अधिक समीप है : **व्** को **ब्** में बदलने से संस्कृत **वात** और **वर्षा** वहाँ **बाद्** और **बारिश्** हैं। अन्य अन्तस्थ ध्वनि **य्** को सिन्धी मध्यदेशीय भाषाओं के समान अक्सर **ज्** में बदलती है। **सूर्य, यश, आश्चर्य, यौवन** के सिन्धी रूपान्तर **सूरिजु, जसु, अचुर्जु, जोभनु** हैं। फ़ारसी में **य्** का स्पष्ट व्यवहार होता है। फ़ारसी में **ऐ, औ** स्वर स्पष्ट हैं; सिन्धी पुराने संयुक्त स्वरों **अइ, अउ** और नये **ऐ, औ** को पश्चिमी आर्य भाषाओं के समान **ए, ओ** में बदलती है। जहाँ वह **अइ, अउ** का व्यवहार करती है, वहाँ वे

संयुक्त स्वर नहीं, दो भिन्न स्वर होते हैं, यथा : हिन्दी **सौ** के प्रतिरूप **सउ** में **अ** और **उ** अलग-अलग दो स्वर हैं। हिन्दी **बैद** और **बैर** इसी प्रवृत्ति के कारण सिन्धी में **वेजु** और **वेरु** हैं; संस्कृत **यौवन** के प्रथम वर्ण का संयुक्त स्वर **अउ** सिन्धी **जोभनु** में **ओ** रह जाता है। उधार लिये हुए शब्दों में भी सिन्धी ऐसा परिवर्तन करती है, यथा : **कौम** को **कोमु** बना लेती है पर सर्वत्र वह ऐसा नहीं करती। पंजाबी के समान सिन्धी में मध्यवर्ती स्पर्श-ध्वनि को सघोष करने की प्रवृत्ति है। पंजाबी के समान कृदन्त प्रत्यय **त** यहाँ सघोष रूप में प्रयुक्त होता है : **सुणन्दो** (सुनता), **पिअन्दो** (पीता), **वेन्दो** (जाता)। शक्ति को **स'गति** बनाने के अलावा सिन्धी **राजपूत** जैसे अपेक्षाकृत नये शब्दों को भी **र'जबूतु** रूप में, सघोषता के साथ, ग्रहण करती है। प्राकृत परम्परा के अनुरूप अघोष महाप्राण ध्वनियों में भी वह ऐसा परिवर्तन करती है (पुनः सर्वत्र नहीं); **सोंठ, कंठी, गाँठ** यहाँ **सुंढि, कंढी, गंढि** हैं। प्राकृतों, पंजाबी, बाँगरू, सिन्धी, मानक तमिल में मध्यवर्ती अघोष स्पर्श-ध्वनि को सघोष करने की व्यापक प्रवृत्ति है, इसलिए उसे भारतीय भाषा-परिवारों की एक विशिष्ट प्रवृत्ति मानना चाहिए। यह प्रवृत्ति अवेस्ता की भाषा में नहीं है किन्तु अंशतः फ़ारसी में है। मानना चाहिए कि फ़ारसी ने उसे भारतीय भाषाओं से प्राप्त किया है। सिन्धी में सघोषता के लक्षण का विकास अन्य आर्य भाषाओं की अपेक्षा अधिक हुआ है। इसमें **ग्, ज्, ड्, ब्** ध्वनियों का उच्चारण दो प्रकार से होता है। एक प्रकार वह है जिसमें, अन्य आर्य भाषाओं के समान, इनका उच्चारण करते समय अवरुद्ध वायु का निकास बाहर को होता है। दूसरे प्रकार में अवरुद्ध वायु का स्फोट भीतर की ओर होता है। इस प्रकार उक्त ध्वनियों में, अन्तःस्फोट और बहिःस्फोट के विचार से, प्रत्येक के दो रूप हैं, और यह भेद अर्थ-विच्छेदक है। अन्तःस्फोट ध्वनियों को लिखित रूप में व्यक्त करने के लिए उनके पहले [']—ऐसा चिन्ह लगा दिया है। **बरो** (भार), **'बरो** (बच्चा); **डिठो** (ढीठ), **'डिठो** (दिखा); **गरो** (खजहिला; गंदी खाल वाला), **'गरो** (गुरु); इन रूपों से दोनों प्रकारों का अर्थ-विच्छेदक भेद स्पष्ट होगा (परू निहलानी ने 'फोनेटिका' पत्रिका—खंड 29, संख्या 4, सन् 1974—में सिन्धी स्पर्श-ध्वनियों पर एक निबन्ध लिखा है : 'ऐन एयरोडाइनैमिक स्टडी ऑफ स्टॉप्स इन सिन्धी'। उसमें उन्होंने उक्त दोनों प्रकारों का भेद स्पष्ट किया है।) सिन्धी में **द्** ध्वनि का केवल बहिःस्फोट रूप है, अन्तःस्फोट रूप का अभाव है। इससे पूर्वोल्लिखित धारणा पुष्ट होती है कि सिन्धी में दन्त्य ध्वनियाँ मध्यदेश से पहुँची हैं। **द्** विलम्ब से आया; अतः जिस बहिःस्फोट रूप में आया, उसी में प्रयुक्त होता रहा। **ड** ध्वनि पुरानी थी; उसके दोनों रूपों का चलन हुआ। सिन्धी मूर्धन्य ध्वनि-क्षेत्र की भाषा है, इसकी पुष्टि हुई; उसमें सघोषता के लक्षण का विकास विशेष रूप से हुआ है, यह भी सिद्ध हुआ। अन्तःस्फोट और बहिःस्फोट वाला भेद अघोष ध्वनियों में नहीं है, केवल सघोष ध्वनियों में है।

पश्चिमी-उत्तरी आर्य भाषाओं में **र्** की अपेक्षा **ल्** की प्रधानता है, मागधी समुदाय में भी **ल्** का प्राधान्य है यद्यपि यह प्राधान्य भोजपुरी-मैथिली-मगही की अपेक्षा बंगला में अधिक है। जहाँ **ल्** की प्रधानता है, वहाँ **ळ्, ड्, ड़्** ध्वनियों का व्यवहार भी अधिक होता है। मध्यदेश में **र्** की प्रधानता है, **ळ्** का पूर्ण अभाव है, बाँगरू और मानक हिन्दी की अपेक्षा वहाँ **ड्, ड़्** का व्यवहार कम होता है। इस प्रवृत्ति के अनुरूप सिन्धी में **र्** का व्यवहार कम होना चाहिए। यदि पंजाबी से सिन्धी की तुलना की जाए तो यह तुरन्त स्पष्ट हो जाएगा कि मध्यदेशीय ध्वनि-प्रकृति से, पंजाबी की अपेक्षा, सिन्धी का सम्बन्ध और भी गहरा है। इस सम्बन्ध का एक प्रमाण सिन्धी में **र्** का व्यापक व्यवहार है। हिन्दी शब्दों में जहाँ **ल्** है, वहाँ भी सिन्धी बहुधा **र्** का व्यवहार करती है, यथा : **बबूल— 'बा 'बुरु, पहले—पॅहॅरॅ, हौले—हउरे, बालू—वारी, फलना—फरणु, तलना—तरणु, ओखली—उखिरि, मुकुल—मुखिरि, दुबला— 'डुबिरो**। कहीं-कहीं सिन्धी रूप अवधी रूपों के समान हैं, यथा : **दुबला, फलना, बबूल, बाल, ओखली** अवधी में **दूबर, फरब, बबुरु, बारू, ऑखरी** हैं। **र्** ध्वनि की प्रधानता अवधी के समान ब्रज में भी है। सिन्धी की दूसरी विशेषता महाप्राण ध्वनियों की रक्षा है। पंजाबी में महाप्राण ध्वनियाँ अत्यन्त असुरक्षित रही हैं। इसका एक ही कारण हो सकता है, सिन्ध की अपेक्षा पंजाब में द्रविड़ों का जमाव अधिक रहा है। **सिन्धु** शब्द के आधार पर बने **हिन्दु, हिन्द, हिन्दी** आदि शब्द पंजाबी की देन हैं, सिन्धी की नहीं। सिन्धी जन स्वयं को न तो **सिन्दी** कहते हैं, न **हिन्दी**; उनके प्रदेश का नाम **सिन्ध** है, **सिन्द** या **हिन्द** नहीं। द्रविड़ प्रभाव से जब **हिन्द** के **ह्** का लोप हुआ, तब **इन्ड, इन्ड, हिन्दिया** से **इण्डिया** आदि रूपों का चलन हुआ।

पंजाब से वैदिक भाषा और साहित्य का सम्बन्ध होने के कारण सिन्ध के भाषाई महत्त्व की अनदेखी की गई है। वैदिक भाषा की पूर्व परम्परा पर विचार नहीं किया गया, अतः मध्यदेश की भाषा-परम्परा और उससे सिन्धी के सम्बन्ध पर सोचने-विचारने का प्रश्न ही न था। बहुत-से बहुत किसी काल्पनिक प्राकृत या अपभ्रंश से सिन्धी का सम्बन्ध जोड़कर, पुराने प्राकृत-अपभ्रंश रूपों की रक्षा का श्रेय सिन्धी को दे दिया गया, बस! सांस्कृतिक दृष्टि से सिन्धु घाटी की सभ्यता का मूल क्षेत्र सिन्ध है किन्तु इसका सम्बन्ध सिन्ध की आर्य भाषाई जनता से जोड़ा ही क्या जाता, जब यह सभ्यता आर्येतर मान ली गई थी! किन्तु सिन्धी भाषा में मध्यदेशीय भाषा के जो तत्त्व हैं, वे अत्यन्त प्राचीन हैं। उचित होगा कि इन तत्त्वों की पहचान को आधार बनाकर एक बार फिर सिन्धु घाटी की लिपि के रहस्यभेद का प्रयत्न किया जाए। सिन्धी शब्दतंत्र का अध्ययन करते समय हम सबसे पहले इस बात पर ध्यान दें कि सिन्धी ने महाप्राणता के लक्षण की रक्षा कैसे की है और यह लक्षण सिन्धी रूपों की प्राचीनता कैसे सिद्ध करता है। यदि सिन्धु घाटी की सभ्यता द्रविड़ जनों की सभ्यता होती तो सिन्धी में महाप्राण ध्वनियों की रक्षा असम्भव होती, विशेष रूप

से इस कारण कि अरबों ने सिन्ध पर अधिकार किया और वे भी द्रविड़ों के समान सघोष महाप्राण स्पर्श-ध्वनियों का व्यवहार न करते थे। यदि फ्रांस से आनेवाले नार्मन विजेताओं के प्रभुत्वकाल में अंग्रेज़ी की स्थिति से अरब प्रभुत्वकाल में सिन्धी की स्थिति की तुलना करें, तो पता चलेगा कि अंग्रेज़ी के ध्वनितंत्र में जहाँ व्यापक परिवर्तन हुआ है, वहाँ सिन्धी का ध्वनितंत्र मूलत: अपरिवर्तित रहा है। सिन्धी जनता का यह स्वभाषा प्रेम ऐतिहासिक भाषाविज्ञान को उनकी विशिष्ट देन है।

सिन्धी शब्द **सघ** का अर्थ है शक्ति; क्रिया **सघणु** का अर्थ है सकना, कोई काम करने की क्षमता होना। संस्कृत **साहस** में जो **सह्** क्रिया है, उसका पूर्वरूप **सघ्** है। इस **सघ्** का रूपान्तर संस्कृत **शक्नोति** की **शक्** क्रिया है जिससे हिन्दी **सकना** का सम्बन्ध है। **शक, शक्त, शक्ति** इसी **शक्** से सम्बद्ध हैं, इसका उल्लेख पहले हो चुका है। गणवाचक शब्द बहुत्वसूचक होते हैं; **सघ** के रूपान्तर **सक** या **सग** से संस्कृत **सकल** और ब्रजभाषा के **सिगरे** रूप बने। **सकल** के गुजराती प्रतिरूप **सघळूं, सगळूं** हैं। (ये रूप डॉ. पी.बी. पंडित ने जून, 1957 की 'इंडियन लिंग्विस्टिक्स' पत्रिका में प्रकाशित गुजराती में अनुनासिकता और महाप्राणता पर अपने लेख में दिये हैं।) **सघळूं** के **सघ** में महाप्राणता जोड़ी गई है, यह मानने का कोई कारण नहीं है। संस्कृत में **शक्**त था **सह्** और **सकल** का **सक** तो हैं, मूलरूप **सघ** नहीं है। यह मूल रूप गुजराती और सिन्धी में है; सिन्धी में उसका शक्तिवाचक अर्थतत्त्व सुरक्षित है। **शक्, सह्, सकल, सघ** परस्पर सम्बद्ध हैं, इसकी पुष्टि अर्थसंसर्ग की उन रीतियों से होती है जो यहाँ दूर-दूर तक प्रचलित थीं और जिनका विश्लेषण पहले किया जा चुका है। सिन्धी **सघारो** (शक्तिशाली) में यही **सघ** है। **सघ, सघो** रूप भी सिन्धी में विशेषण के समान प्रयुक्त होते हैं।

आर्य भाषाओं में इस समय कृदन्त प्रत्यय **ध** सबसे ज्यादा सिन्धी में सुरक्षित है। **दुग्ध** सिन्धी में **'डुधो** है, हिन्दी **दूध** में भी **ध** प्रत्यय बना हुआ है। **राँधना, राँधा** के समान सिन्धी में **रन्ध** क्रिया और **रधो** कृदन्त-रूप हैं। **सम्भोग** क्रियासूचक संस्कृत **यभ्** के सिन्धी प्रतिरूप **जभ** और **जह** से कृदन्त **जधो** बनता है। सिन्धी क्रिया **डह** (सताना) संस्कृत **दह्** का रूपान्तर है; **दग्ध** के समान कृदन्त-रूप **'डधो** है। सिन्धी **रुझ** (व्यस्त होना) हिन्दी **उलझना**, ब्रज **सुरझत**, अवधी **अरझत** से सम्बद्ध है; कृदन्त-रूप है **रुधो**। हिन्दी **रीझना, रीझा** के समान सिन्धी **रीझ** और **रीधो** हैं किन्तु **रीझा** के विपरीत सिन्धी रूप में **ध्** है। सिन्धी **विझणु** (फेंकना) संस्कृत **बिध्**, हिन्दी **बेधना** का प्रतिरूप है; कृदन्त-रूप है **विधो**। सिन्धी रूपों को देखने के बाद किसी के मन में सन्देह न रहना चाहिए कि हिन्दी **दिया, किया** के आधार रूप **दिध, किध** थे; **कृत** और **दत्त** को ऐसे रूपों का आधार मानना सही नहीं है। पंजाबी कृदन्त-रूपों में **ध** का अभाव सूचित करता है कि मध्यदेश से निकटतम सम्पर्क सिन्ध का था।

सिन्धी कृदन्त-रूपों में ध्वनितंत्रीय विशेषता यह है कि **ग्ध, द्ध, ब्ध** से केवल **ध्** बच रहता है, पूर्व व्यंजन का लोप हो जाता है और क्षतिपूर्ति के लिए आदि

वर्ण का स्वर दीर्घ नहीं होता; वह क्रियामूल में ही दीर्घ हो तो बात अलग है। यह मध्यदेश की पुरानी प्रवृत्ति है और दामोदर पंडित के समय तक जीवन्त थी। अवधी **दिहिसि, किहिसि** के **दिह, किह** के पूर्वरूप **दिध, किध** थे, **दिब्ध, किब्ध** नहीं। **ध** प्रत्यय के पहले कहीं नासिक्य ध्वनि भी दिखाई नहीं देती। **रन्ध** क्रिया से **रधो** रूप बनता है, **राँधो** या **रँधो** रूप नहीं। पूर्व स्वर को अनुनासिक बनाकर **न्** व्यंजन लुप्त हो जाए, ऐसा नहीं होता। पूरा व्यंजन ही लुप्त होता है, जैसे—**ग्, द्, ब्** लुप्त होते हैं। **ध** के अतिरिक्त जहाँ अन्य प्रत्यय हैं, वहाँ भी यह क्रम देखा जाता है, यथा : **मुंझ** (उलझन में पड़ना) से **मुठो**। किन्तु **हलन्दो** (चलता हुआ), **सुणन्दो** (सुनता हुआ), **पिअन्दो** (पीता हुआ) आदि में **ध्** के स्थान पर **द्** है और **न्** सुरक्षित है। यह विरोधी प्रवृत्ति है जिसका सम्बन्ध कुरुगण समुदाय से है। ऐतिहासिक दृष्टि से अन्य व्यंजनों की अपेक्षा सिन्धी कृदन्तों में **न्** का लोप अधिक महत्त्वपूर्ण है। **मुंझ** और **रन्ध** क्रियाओं के लिए यह सम्भावना है कि इनके समानान्तर **मुझ, रध** रूपों का चलन रहा हो और इनसे **मुठो, रधो** कृदन्त बने हों।

किन्तु **मुठो** और **रधो** चाहे मुंझ और **रन्ध** से बने हों, चाहे **मुझ** और **रध** से, यह तो स्पष्ट है कि आदि वर्ण पर बलाघात से बचने के लिए सिन्धी व्यंजन लोप द्वारा बहुधा दीर्घ वर्ण को ह्रस्व कर देती है। प्राचीन काल में यदि **गम्** से **गन्तु, मन्** से **मन्त** रूप बने हों, तो सिन्धी ध्वनि-प्रकृति के अनुकूल इनके **गत** और **मत** प्रतिरूपों का चलन होगा। **गत, गति, मत, मति** रूपों में नासिक्य व्यंजन के अभाव का कारण उक्त ध्वनि-प्रकृति हो सकती है।

हृदय के सिन्धी प्रतिरूप **हिर्धो** पर फिर विचार करें। ट्रम्प का कहना है कि **र्** के संसर्ग से **द्** में अतिरिक्त महाप्राणता जोड़ी गई है किन्तु ऐसा कोई नियम नहीं है। **अचर्जु** (आश्चर्य), **गर्बु** (गर्व), **सुर्गु** (स्वर्ग), **सिर्जनहारु, आर्तरु** (आदित्यवार) आदि उदाहरणों में **र्** के संसर्ग से महाप्राणता का योग नहीं होता। **सिर्धो** में **सिर्** क्रिया संस्कृत **सर्** का प्रतिरूप हो सकती है। **श्रद्धा** के **श्रद्**, लैटिन **कॉर्** और ग्रीक **कर्दिआ** से **सर्** क्रिया का संकेत मिलता है। वर्णसंकोच और मूर्धन्यीकरण के कारण **सृध** जैसे रूप का चलन हुआ। जैसे **हृदय** को **हिर्दे** कहने की प्रवृत्ति है, वैसे ही **सृध** को **सिर्धो** कहा जाता होगा। **सर्** क्रिया का अर्थ है **चलना;** जो वस्तु निरन्तर गतिशील हो, वह हुई **सर्ध, सिर्ध, सृध, श्रध**। **सृध** से **हृदय** और **सिर्धो** रूप बने। संस्कृत **मुंड** का सिन्धी प्रतिरूप **मुंढी** है। ट्रम्प ने **मूर्धन** को स्रोत रूप माना है। यहाँ सिन्धी रूप महाप्राणता बनाए हुए है, संस्कृत में उसका लोप हो गया है। अवधी में **मूर्धन्** का रूपान्तर **मुडढु** है; जो अपने साथियों में प्रमुख हो, वह **मुडढु** है। संस्कृत **दद्रू** (दाद) के सिन्धी प्रतिरूप **डढू, डढु** हैं; **तर्पण** का प्रतिरूप **ढ्रापणु** (तृप्त होना) है। यदि **र्** के संसर्ग से महाप्राणता जोड़ी गई है, तो **डढु** के पूर्वरूप **दद्रू** में **द्** के बाद आने पर भी **र्** ने उसे **ढ्** बनाया और **ढ्रापणु** के पूर्वरूप **तर्पण** में **त्**

को महाप्राण ही नहीं, सघोष भी बना देता है। संस्कृत में **दृ** (अर्थात् **दर्**) क्रिया का अर्थ है चटकना, फटना, बिखरना। **दर्** से कृदन्त-रूप **दर्ध** बनेगा; **दर्ध** में चटकने, फटने का भाव दाद के रोग की ओर संकेत कर सकता है; अन्यथा **द'द्रु** या **दद्रू** निरर्थक-सा शब्द लगता है। जैसे **श्रद्** का पूर्वरूप **सर्ध** उसकी व्याख्या भली प्रकार करता है, वैसे ही **दद्रू** का पूर्वरूप **दर्ध** उसकी व्याख्या कर सकता है। **तर्पण** और **तृप्ति** का सम्बन्ध मूलत: जलवाचक **तिर, तीर** से है। **तृष** पानी पीने की इच्छा है, **तृप्ति** पानी पी चुकने का सुख है। अंग्रेज़ी **थर्स्टी** का **थर्स् तृष्** का प्रतिरूप है। **तीर** का ब्राहूइ प्रतिरूप **दीर** (पानी) है। जलवाचक शब्द में **त्, थ्, द्** तीन ध्वनियों वाले शब्द हैं। सम्भावना यही है कि मूल रूप **धीर, धिर** जैसा होगा। **द्रापणु** के **द्राप** का पूर्वरूप होगा **धर्प** जिसका अर्थ होगा **तृप्त**।

सिन्धी का एक रोचक शब्द **थधेकार** (ठंढा दिमाग) है। इसमें **थ्** और **ध्** दो महाप्राण ध्वनियाँ एक साथ हैं; संस्कृत में एक ही वर्ग की दो महाप्राण ध्वनियों का इस प्रकार एक दूसरे के पास होना अस्वाभाविक माना जाएगा। किन्तु मध्यदेश में ऐसे रूपों का चलन था, यह निष्कर्ष आधुनिक अवधी के विवेचन से निकलता है। **स्थध** जैसा रूप यहाँ प्रचलित था; इससे पुरानी अंग्रेज़ी का **स्टुडु** (खम्भा) और ब्रज-अवधी के **ढाढ़, ठाढ़े** रूप बने। **स्थन्ध** जैसे रूप से अंग्रेज़ी का **स्टैंड** (खड़े होना) और हिन्दी का **ढंढ** रूप बने। **ढंढ** का पूर्वरूप **स्तन्ध** अथवा **स्थन्ध** था, यह सिन्धी **स्थध** से सिद्ध होता है जो **ढंढ** का ही अर्थ देता है। यद्यपि सिन्धी मूर्धन्य ध्वनियों के क्षेत्र की भाषा है किन्तु **थध** या **थन्ध** जैसा रूप हिन्दी में नहीं है, यहाँ **ठंढ** है; **थध** रूप सिन्धी में है। सिन्धी **वधीक** का अर्थ है अधिक। बढ़ने का भाव **वधीक** में स्पष्ट है; वर्ष क्रियामूल में **र्** के संसर्ग से **ध्** का मूर्धन्यीकरण हिन्दी बढ़ना में हुआ है, सिन्धी में नहीं। सिन्धी में **र्** का लोप हो गया है। संस्कृत **अधिक** में **अधि** को उपसर्ग माना जाए तो यह ऐसा शब्द होगा जो प्रत्यय में उपसर्ग जोड़कर बनाया गया है। **वृध्** के पूर्वरूप **वर्ध्** से **वर्धिक** शब्द सहज भाव से बनेगा; प्रथम दीर्घ वर्ण मध्यदेशीय ध्वनि-प्रकृति के अनुकूल ह्रस्व हो जाएगा। **वर्धिक** के **व्** और **र्** के लोप से पुराने मध्यदेशीय **अधिक** रूप का चलन हुआ। **वधिक** शब्द **वध्** (मारना) क्रिया का भाव व्यक्त करता था, अत: **व्** के लोप से **अधिक** को **वधिक** से अलगाने में सुविधा हुई।

### *(ख) शब्दतंत्र*

सिन्धी में **निधरु** (असहाय) इस भाषा की शब्दरचना-क्षमता का अच्छा उदाहरण है। **स्तम्भ, स्थाणु** आदि शब्दों में जैसे स्थिरता के साथ सहारा देने का भाव है, वैसे ही धरा शब्द से स्थिरता और सहारा, दोनों की व्यंजना होती थी। यह तथ्य **निधरु** से स्पष्ट होता है। इस शब्द द्वारा सिन्धी ने **धर, धरा** आदि शब्दों के पुराने अर्थ संसर्ग को कायम रखा है; **नि** उपसर्ग लगाकर उसके आधार पर नया शब्द गढ़ा है।

सिन्धी के **पोढ़िओ** (श्रम करना) **पोढ़िअतु** (श्रमिक) शब्द उस **पो** क्रिया से बने हैं जो **पाणि** और **पणिक्कर** के **पण्** से सम्बद्ध है। संस्कृत **अप्** (श्रम; सम्बन्धकारक में **अपः**) इसी क्रिया से बना है; **अ** उपसर्ग है। लैटिन **ऑपुस्** (श्रम, कृति) इसी शृंखला में है। सिन्धी में कृदन्त **पोध-पोढ़** को फिर क्रियामूल बनाया गया है। भारतीय भाषा-परिवारों में ऐसी अनेक क्रियाएँ हैं जिनके **वा, वर्, वत्** आदि अनेक वैकल्पिक रूप हैं। इसी तरह **पो** का एक रूप **पर्** था। **पर्** में **ध** प्रत्यय जोड़ने पर **पर्ध** रूप बना; **प्** के **व्** में बदलने पर **वर्ध** रूप मिला जिसे पुनः क्रिया मूल बनाया गया। **वर्ध्** का अर्थ होना चाहिए बढ़ना किन्तु इसका अर्थ था काटना। इसका रहस्य यही है कि **वर्ध्** (काटना) का पूर्वरूप **पर्ध्** था। हाथ से जो क्रियाएँ सम्पन्न होती हैं, उनमें **मारना, काटना** भी एक प्रमुख क्रिया है। **कर्** क्रिया में **त** प्रत्यय जोड़ने पर जो कर्त रूप मिला, उसी से काटने का अर्थ व्यक्त करनेवाली संस्कृत **कर्तन** की **कर्त्** अथवा **कृत,** अंग्रेज़ी **कट्** क्रियाएँ बनीं। इसी प्रकार **दस्त** (हस्त) के **दस्-तस्** से **तक्ष्** क्रिया बनी जिसका अर्थ काटना हुआ। **तक्षक** साँप है, **तक्षन्** बढ़ई है। **वर्धक, वर्धकि** इसी प्रकार बढ़ई का अर्थ देते हैं। सिन्धी में **वेढ़ि** शब्द का अर्थ जंगल है; जंगल के लिए इस शब्द का प्रयोग बढ़ई की लकड़ी काटनेवाली क्रिया के संसर्ग से हुआ होगा।

सिन्धी में **इझो, उझो** निर्देशक सर्वनाम हैं। इनके पूर्वरूप **इध, उध** थे; **इ-उ** सर्वनामों में वस्तुवाचक **ध** प्रत्यय जोड़ा गया था। संस्कृत **इह** इसी **इध** का रूपान्तर है। सिन्धी ने यहाँ **ध्** का तालव्यीकरण तो स्वीकार किया किन्तु स्पर्शतत्त्व का लोप न होने दिया। हिन्दी **इधर, उधर** में मूल **ध्** ध्वनि विद्यमान रही। संस्कृत **इह** और हिन्दी **यह-वह** के समान सिन्धी में **ईहो-ऊहो** (यही-वही) रूप भी हैं। **बाँदी** के लिए सिन्धी शब्द **बान्ही** पूर्वरूप **बाँधी** की सूचना देता है। **बन्ध्** क्रिया के आधार पर फ़ारसी रूप **बाँदी** बना; **ध्** का अघोषीकरण हुआ। सिन्धी ने **ध्** को **ह्** में परिवर्तित किया और **बान्ही** रूप चलाया। इसी के भाईबंद पूर्वी क्षेत्र के **बनिहार** (दास) हैं। सिन्धी में **बाँधी** शब्द भी है किन्तु उसका अर्थ है नदी में तैरता लट्ठा। इसका सम्बन्ध **वन** से होगा; सिन्धी **वणु** का अर्थ है पेड़।

सिन्धी '**गाल्हि** (शब्द) का सम्बन्ध **प्रगल्भ** के **गल्भ** से है, **गल्प** और पंजाबी **गल्ल** जिसके रूपान्तर हैं। **गल्भ** का '**गल्** **गद्** क्रिया का रूपान्तर है। सिन्धी ने यहाँ स्पर्श-ध्वनि **भ्** को संघर्षी **ह्** रूप में ग्रहण किया है। **सोने** के लिए **सुम्ह** क्रिया का पूर्वरूप **सुम्भ** रहा होगा। **स्वप्** का **प्** **म्** में परिवर्तित हुआ है, फिर **भ** प्रत्यय जोड़कर कृदन्त **स्वम्भ** को पुनः क्रियामूल बनाया गया। लैटिन **सोम्निओ** (सपने देखना) और **सोम्नुस्** (नींद) में भी **स्वप्** का **प्** **म्** में परिवर्तित हुआ है। आकाश के लिए **उभु** सिन्धी का अपना शब्द है। यह प्रकाशसूचक है, यह **उभिरन्दॉ** (पूर्व दिशा) से सिद्ध है। **नभ** और **उभु** की रचना एक ही प्रकार से हुई है। प्रकाशसूचक

**भ, भु** में निर्देशक सर्वनाम **न, उ** जोड़े गए हैं। **नभ** शब्द वैसे ही प्रकाश की व्यंजना करता है, जैसे—**आकाश**। अरबी **उफ़ुक़** (क्षितिज) का आधार **उभु** है। **अधरु** (असहाय) के समान सिन्धी के **अभरु** (निर्धन) में **भर** का पुराना भरण-पोषण वाला भाव बना हुआ है। **धनारु** का अर्थ पशुपालक, ग्वाला, गड़रिया है; पशुधन ही कभी मुख्य धन था, इस कारण **धनारु** का यह अर्थ निश्चित हुआ। **भरिणो** शब्द अलंकरण, कपड़ों पर बेलबूटे काढ़ने का अर्थ देता है। पोषण का अर्थ देनेवाली **भृ** (अर्थात् **भर्**) क्रिया से पोषित का अर्थ देनेवाला **भृत्य** (सेवक) शब्द बनता है। धनी गृहस्वामियों के यहाँ **भृत्य** वस्त्रादि पर अलंकरण कार्य करते थे, अतः **भरिणो** में वैसा अर्थ विकास हुआ।

**घुर** का अर्थ है चाहना, इच्छा करना। हिन्दी **घूरना** और सिन्धी **घुर** सम्बद्ध हैं। इसी प्रकार पुरानी अवधी में **चाह** क्रिया का अर्थ देखना था, बंगला में अब भी है किन्तु हिन्दी में इच्छा वाला अर्थ ही रह गया है। सिन्धी की **घोरणु** (खोजना) क्रिया उसी **घुर** से सम्बद्ध है।

सिन्धी में सघोष महाप्राण स्पर्श-ध्वनियों वाले बहुत-से शब्द हैं जिनमें पुराना अर्थ निहित है या नये अर्थ का विकास हुआ है। वैसे रूप हिन्दी क्षेत्र में अब प्रयुक्त नहीं होते। **भउणो** (घुमक्कड़, **भ्रम्** क्रिया से), **कुभ** (अभागा), **धुरि** (उद्गम), **वेढ़ि** (झगड़ा; तुलनीय है अवधी **ईढ़ि** जिसका अर्थ हठ है), **झलिबो** (पकड़ा जाना), **धृड़्यो** (अन्धड़), **झुड़ालो** (बादलों का मौसम), **झरती** (झाँकना), **झपो** (झपटना), **छिम्भ** (डाँटना), **भरी** (बोझ), **भर्यतु** (कुली), **सझु** (अवसर), **सझाइतो** (उपयुक्त), **भटू** (बिच्छू), **सबोझो** (समझदार), **'डाघो** (ऊँट), **लन्घो** (ढोलची), **घाओ** (जाल), **मन्झी** (भैंस), **'डधि** (गलत), **धाइणु** (दूध पीना; हिन्दी का **धाय** शब्द इससे सम्बद्ध है), **भुच** (हजम होना), **घा** (समान), **घोड़ा घोड़ा** (हाय हाय)—इन शब्दों से यही सिद्ध नहीं होता कि सिन्धी ईरानी क्षेत्र की भाषा नहीं है वरन् यह भी कि अनेक आधुनिक आर्य भाषाओं की अपेक्षा उसने सघोष महाप्राण ध्वनियों की रक्षा अधिक की है और मध्यदेशीय भाषातंत्र से उसका सम्बन्ध जितना पुराना है, उतना ही सुदृढ़ भी है।

सिन्धी के **ज'डिहिं-त'डिहिं** (जभी-तभी) कौरवी **जद तद** के आधार पर बने हैं। वस्तुसूचक **ध** अल्पप्राण, मूर्धन्य रूप में प्रयुक्त हुआ है। **इहड़ो-उहड़ो** (ऐसा-वैसा) में आधार शब्द **इध** है; यहाँ **ध् ह्** में परिवर्तित हुआ है। सिन्धी **के** (कोई), **की** (कुछ) रूपों से सिद्ध है कि **क** सर्वनाम मूलतः प्रश्नवाचक नहीं था। **किथे** (कहाँ) में **कि** प्रश्नवाचक है। वस्तुसूचक **ध** प्रत्यय **थ, द** (**'ड**), **झ, ह्** आदि अनेक ध्वनिरूपों में परिवर्तित होता है। इससे विदित होता है कि अन्य भाषा-क्षेत्रों के समान सिन्धी क्षेत्र भी अनेक भाषाई प्रवृत्तियों से प्रभावित हुआ है।

सिन्धी की शब्द निर्माण-प्रक्रिया में सबसे पहले ध्यान उन शब्दों की ओर जाता है जिनमें **र** या **रु** प्रत्यय जोड़ा गया है। **भाई** के लिए **भाउ** शब्द में यह

प्रत्यय जोड़कर **भाउर, भाउरु** रूप बनते हैं। इसी प्रकार माता के लिए **माइरु, माइरूं, बहिन** के लिए **भेणज, भेणरु, बेटी** के लिए **धिअरु, धिअरूं, पुत्रवधू** के लिए **नुहरु, नुहरूं, पत्नी** के लिए **जोइरु, जोहिरु, पिता** के लिए **पिउर**—ऐसे शब्द सिन्धी की विशेषता हैं। ये सभी शब्द पारिवारिक सम्बन्ध सूचित करते हैं। संस्कृत में **मातृ, पितृ** आदि रूपों में इसी तरह का **र्** अथवा **अर्** चिन्ह है; **मातर, पितर** आदि रूपों के अन्तिम वर्ण में संकोचन से **मातृ, पितृ** रूप बने। यह प्रत्यय बहुत्वसूचक, अत: सम्मानसूचक है, निकट सम्बन्धों और स्नेह का सूचक भी है। पारिवारिक सम्बन्धसूचक **र** प्रत्यय वाली मध्यदेश की शब्दावली अत्यन्त प्राचीन है। उसका साँचा बहुत थोड़े हेरफेर से सिन्धी में अब भी प्रयुक्त होता है। यहाँ **राउर** शब्द भी उल्लेखनीय है। **राय** या **राउ** में **र** प्रत्यय जोड़ने से ये रूप बने हैं। सिन्धी में **राउर** रूप **भाउर** आदि के समान बना है। उसकी व्युत्पत्ति के लिए **राजकुल** का सहारा लेना आवश्यक नहीं है।

सिन्धी शब्दरचना में अधिकांश प्रत्यय ऐसे हैं जो हिन्दी या हिन्दी-क्षेत्र की बोलियों में प्रयुक्त होते हैं। स्वभावत: इनमें अनेक ऐसे भी हैं जो संस्कृत अथवा इंडो-यूरोपियन परिवार की अन्य भाषाओं में भी प्रयुक्त होते हैं। क्रिया में **ऊ** प्रत्यय जोड़कर संज्ञा रूप बनाए जाते हैं। **सहना** का अर्थ देनेवाली **सह** क्रिया से **सहू** (धैर्ययुक्त) शब्द बना। जो कोई चीज फोड़े, वह **फोरू**, जो बहुत घूमे वह **घोमू**। क्रिया के अतिरिक्त संज्ञा शब्दों में भी **ऊ** प्रत्यय जोड़कर नये रूप बनाए जा सकते हैं, जैसे—**वैर** माननेवाला व्यक्ति **वेरू**। हिन्दी में **वेरू** का प्रतिरूप **बैरी** है। सिन्धी में **ई** प्रत्यय भी लगाया जाता है, जैसे—नौकर के लिए **'बेली**। यहाँ शब्द मूल **'बेल** (काम करना) में **ई** प्रत्यय जोड़ा गया है। यह **बेल** वही है जो **बेलदार** में दिखाई देता है। किसान के लिए सिन्धी का प्रसिद्ध शब्द **हारी** इसी तरह बना है। इस **ई** प्रत्यय को संस्कृत **इन्, इक, ईय** आदि से जोड़ा गया है। **कवि, पति** आदि संस्कृत शब्दों में **इ** प्रत्यय है, उसी का वैकल्पिक रूप **ई** है। फ़ारसी में यही **ई** प्रत्यय है। हिन्दी में **ऊ** और **ई**, दोनों प्रत्ययों का व्यवहार होता है। तुलसीदास का प्रसिद्ध घर **फोरी** सिन्धी **फोरु** का ही स्त्रीलिंग रूप है। **फोरू** के समान हिन्दी **चालू** है। हिन्दी **बिकाऊ** में जैसे **आऊ** प्रत्यय है, वैसे ही सिन्धी रूप **बेकाऊ** में। हिन्दी **लड़ाकू** के समान सिन्धी में **रहाकू** (रहनेवाला), **याकू** (पीनेवाला) रूप हैं। इन्हीं के आधार पर, **ड़** प्रत्यय जोड़कर, हिन्दी में **पियक्कड़, घुमक्कड़** शब्द बनते हैं। हिन्दी के समान सिन्धी के अनेक शब्दों में **आर** प्रत्यय लगता है। वैदिक काल में ही **कार** के समानान्तर **आर** प्रत्यय का व्यवहार होने लगा था, इसलिए आधुनिक भाषाओं के शब्दों की व्युत्पत्ति दिखाते हुए **कार** की जगह **आर** लिखना भी उचित है। **पूजा** से सिन्धी में **पूजारी** रूप बनता है। अवधी प्रभाव से हिन्दी रूप **पुजारी** का पहला वर्ण ह्रस्व कर दिया गया है। घूमने का अर्थ देनेवाली **घोर** क्रिया से

**घोरारो**, भीख माँगने के लिए **पिन** क्रिया से **पेनारु** रूप बनते हैं। हिन्दी **भिखारी**, अवधी **भिखियारि** इसी तरह बने हैं। सिन्धी में ब्रजभाषा के समान ओकारान्त, और अवधी के समान उकारान्त, दोनों तरह के रूप हैं। **ओठि** (ऊँट हाँकनेवाला) में **इ** प्रत्यय है। **उष्ट्र** के सिन्धी रूप **ओठ** में **इ** प्रत्यय जोड़ा गया है। कहीं-कहीं मूल क्रिया के स्वर को दीर्घ करके संज्ञा शब्द बनता है, जैसे—**वध** (बढ़ाना) से **वाधू** (बढ़ती)। हिन्दी में जैसे बढ़ती संज्ञा रूप है, वैसे ही सिन्धी **खपति** (खर्च) में **ति** प्रत्यय जोड़ा गया है। मानक हिन्दी के **खपत** का अवधी प्रतिरूप **खपति** होगा। **छूट** के लिए **छ'डति**, आमदनी के लिए **आवति-जावति** सिन्धी की शब्द-रचना-क्षमता का परिचय देते हैं। भाववाचक संज्ञा बनाने के लिए सिन्धी में **प, पो, पण** प्रत्ययों का व्यवहार होता है। **मुटापा, बचपन** आदि की तरह सिन्धी में **वठुप** (सहायता), **नंढेपो** (जवानी), **वाहिपो** (चौकीदारी), **पंडितपनो** (पंडितपन), **नंडपन** (जवानी) आदि रूप हैं। मनुष्यता के लिए सिन्धी का एक बहुत अच्छा शब्द है **माण्हिपो** जिसमें **माण्हि मनुष्य** का प्रतिरूप है। हिन्दी भलाई के समान सिंधी में **निर्मलाई** (निर्मलता), **कूड़ाई** (मिथ्यावाद) जैसे रूप हैं। हिन्दी **ग्वाला** का पूर्व रूप **गोपाल** माना जाता है। कुछ सिन्धी शब्द शब्द-निर्माण के उस साँचे की ओर संकेत करते हैं जहाँ किसी वस्तु में **आरु** या **आलु** प्रत्यय जोड़ा जाता है। जो भैंसें रखता है वह **मेहारु** है; पशुपालक **धणारु** है। **जवालु** वह व्यक्ति है जिसके पास अनाज है। यहाँ निश्चय ही **जवालु** में **जौ** को पालने का भाव नहीं है। **आरु** के समान **एर** या **ऐल** प्रत्यय है। हिन्दी **ठठेरे** के समान सिन्धी **चमेलो** (चमड़े से सम्बन्धी) रूप है। इसी तरह जिसका गायों से सम्बन्ध हो, वह **ग्वाला**। **लठ** से हिन्दी **लठैत** के समान सिन्धी में बहुत सुन्दर शब्द बनते हैं : **भाइतो** (भाई वाला), **धिएतो** (बेटी वाला), **सझु** (अवसर) से **सझाइतो** (उपयुक्त), **वाट** (बाट) से **वाटाइतो** (बटोही), **वारो** (वार अर्थात् समय) से **वाराइतो** (सही समय वाला); इनसे संस्कृत रूप **लोकायत** तुलनीय है।

सिन्धी में अनेक शब्द ऐसे हैं जिनमें सम्बन्धसूचक **आनी, आणी** प्रत्यय का व्यवहार होता है। **आ'डू** का **पुत्र आ'डु-आणी, महमूद** का बेटा **महमूदानी**। इनसे मिलते-जुलते रूप वे हैं जिनमें **क** या **च** प्रत्यय दिखाई देता है। **गोठ** (गाँव) से **गोठेचो** (छोटे गाँव वाला), **वेढ़ि** (जंगल) से **वेढ़िचो** (जंगली), **पाड़ो** (पाड़ा या मोहल्ला) से **पाड़ेचो** (उसी मोहल्ले का), **पारि** (उस पार) से **पारेचो** (उस पारवाला)। इन रूपों से रूसी भाषा के वे शब्द तुलनीय हैं जहाँ **इच्** अथवा **विच्** लगाकर वल्दियत सूचित की जाती है, जैसे—**विसारिअन्** का पुत्र **विसारियनोविच्**। **इच्** के समान सिन्धी में **इक्** प्रत्यय का व्यवहार भी होता है। **चान्द्रोको** (चाँदनी), **वरेहु** (वर्ष) से **वरेहेको** (वार्षिक), **हाने** (अभी) से **हाडोको** (अभी हाल का), **वाण्यो** (बनिया) से **वाणिको** (बनिये से सम्बन्धित)। **न, च, क** सम्बन्धसूचक

चिन्ह हैं। सिन्धी ध्वनितंत्र पर तालव्यीकरण का गहरा प्रभाव है; इसलिए **क** और **च** दोनों प्रत्ययों वाले रूप मिलते हैं। **चोराणो** (चोर का), **भायाणो** (भागीदार का) में **णो** सम्बन्धसूचक चिन्ह है। कभी-कभी **ण** और **इक,** दोनों प्रत्यय जोड़ दिये जाते हैं और **चोराणिको** (चोर का) जैसे रूप बनते हैं। संस्कृत में **वणिक्** शब्द इसी तरह **इक** से बना है, **पण्य** (रूपान्तर **वण**) से जिसका सम्बन्ध हो, वह **वणिक**।

हिन्दी में जैसे **मटका** और **मटकी** कहने से बड़े और छोटे पात्रों का भेद सूचित होता है, वैसे ही सिन्धी में **ओ** और **उ** बड़ी वस्तु के सूचक हैं, **इ** छोटी वस्तु के। **माटो** (मटका) बड़ा है, **माटी** (मटकी) छोटी है; **कातु** (चाकू) बड़ा है, **काती** (छोटी चक्कू) छोटी है। वास्तव में ओकार-उकार वाले रूप ब्रजभाषा और अवधी के पुल्लिंग रूप हैं। और इकारान्त स्त्रीलिंग रूप। यह लिंगभेद बड़े छोटे के भेद का सूचक भी हुआ। सिन्धी के **गोलो** (दास) और **गोली** (दासी) में यह लिंगभेद स्पष्ट है। कहीं-कहीं शब्दों के इकारान्त रूपों में **इ** का व्यवहार अनावश्यक प्रतीत होता है। **सेठ** के सिन्धी प्रतिरूप **सिन्ठि** में **इ** अनावश्यक लगता है किन्तु **सेठ** के पूर्वरूप **श्रेष्ठि** या **श्रेष्ठिन्** की ओर ध्यान दें तो विदित होगा कि **इ** अनावश्यक नहीं है, हिन्दी **सेठ** में ही **इ** का लोप हुआ है। स्त्री के लिए सिन्धी में **नारि** और **नार,** दोनों रूप हैं। इकार का लोप कौरवी प्रभाव से वैसे ही हुआ है, जैसे—सिन्धु के उकार का। अनेक शब्दों में **इ** प्रत्यय भाववाचक संज्ञा बनाने के लिए प्रयुक्त होता है, जैसे हिन्दी में **बढ़** क्रिया से **बाढ़** रूप बनता है (अवधी में **बाढ़ि** होगा), वैसे ही **घट** (घटित होना) से सिन्धी में **घाटि** (घटित होने का भाव), **घोम** (घूमना) से **घोमि** (घुमन्तूपन) शब्द बनते हैं।

हिन्दी **कथनी, करनी** आदि की तरह सिन्धी क्रियामूल में **णि** या **णी** प्रत्यय जोड़कर भाववाचक संज्ञा बनती है। **चव** से **चवणि** (चवाव), **वढ** (बढ़ई वाला **वढ**) से **वढणि** (बढ़ईगीरी); इस **णी** का ही प्रतिरूप **णो** है, जैसे— **'ढिणनो-वढणो** (लेनदेन)। जैसे **ओ** के साथ **उ** प्रत्यय है, वैसे ही **णो** के साथ **णु** प्रत्यय है। **मारिणु** (मारना), **लेटणु** (लेटना), **हलणु** (चलना) आदि क्रियार्थी संज्ञा रूप हैं। ये सब पुराने मध्यदेशीय और वर्तमान कनौजी के **चलन, करन** आदि रूपों के समान हैं। मानक हिन्दी के **चलना, करना** इन्हीं के रूपान्तर हैं। सिन्धी में कौरवी के प्रतिकूल, ब्रजभाषा के समान, ओकारान्त रूप हैं। जो दिया जाए, वह **'डिअणो**; जो खाया जाए, वह **खाइणो; 'डिअणो** हिन्दी **लेन-देन** के **देन** की तरह है, **खाइणो** का स्त्रीलिंग रूप **खाइणी** बनाया जाए तो वह तम्बाकू के लिए प्रयुक्त अवधी **खइनी** के समतुल्य होगा।

सिन्धी ने जो प्रभाव राजस्थानी से ग्रहण किये हैं, उनमें **ड़** प्रत्यय जोड़कर शब्द के अर्थ में लघुता अथवा मधुरता का भाव जोड़ने की प्रक्रिया मुख्य है। **पंधड़ो** (छोटी यात्रा), **हाटिड़ी** (छोटी दुकान), **गाल्हड़ी** (छोटी बात), **धिअड़ी** (छोटी बिटिया), इस प्रकार पचीसों रूप बनाए जा सकते हैं। सिन्धी पर **र्**-क्षेत्र के ध्वनितंत्र का गहरा

असर है, इस कारण **ड़** का यह प्रयोग राजस्थान की देन माना जाएगा। हिन्दी क्षेत्र में अधिकांश जनपदीय भाषाएँ **र्** ध्वनि का व्यवहार अधिक करती हैं; अतः **ड़** का प्रयोग कम रूपों में दिखाई देता है। उसके साथ मधुरता या लघुता का विशेष भाव भी संयुक्त नहीं है। इसके विपरीत गुरुता का भाव सूचित होता है; **बात** और **बतंगड़, हल्ला** और **हुल्लड़** में **ड़** ने अर्थ को घनत्व प्रदान किया है।

हिन्दी **दूज, तीज** या **दूजे** (दूसरे), **तीजे** (तीसरे) की तरह सिन्धी में **'बिजो, ट्रिजो** रूप हैं; हिन्दी **दोनों, तीनों** की तरह **'बिनि, ट्रिनि** रूप हैं। ये **नि** वाले रूप एक निश्चित व्यवस्था के अन्तर्गत हैं। **'बिनि, ट्रिनि** की तरह **सतनि, अठनि** आदि रूप भी हैं। संस्कृत में **त्रीणि** रूप तो है किन्तु **द्वीनि** जैसा रूप नहीं है। हिन्दी **दोनों** के अतिरिक्त मराठी **दोण** और सिंधी **'बिनि** से विदित होता है कि **द्वीनि** जैसा रूप भी प्रयुक्त होता था।

सिन्धी में निर्देशक सर्वनाम **ही, हे** अपने मूल रूपों **सी, से** की सूचना देते हैं। ट्रम्प ने इनके साथ मराठी सर्वनाम **ह्** को ठीक याद किया है। इस क्रम में वह ग्रीक सर्वनामों को भी याद कर सकते थे। करणकारक में इसी सर्वनाम के सिन्धी **हिन, हिनि** रूप हैं; **ही, हे** निकटवर्ती वस्तु की सूचना देते हैं, **हू, हो** दूरवर्ती वस्तु की सूचना देते हैं। **इ** और **उ** का यह भेद आर्य-द्रविड़, दोनों परिवारों में है। **हिन** के समान करणकारक में **हू** का **हुन** रूप होता है। सिंधी की कुछ बोलियों में **ह्** का लोप होने के बाद **ही, हे, हिन** आदि की जगह **ई, ए, इन** आदि रह जाते हैं। **ही** सर्वनाम का सम्बन्धकारक रूप महत्त्वपूर्ण है। हिन्दी **इन्होंने** के **इन्ह** शब्द मूल का व्यवहार सिन्धी **इन्हेजो** (एकवचन) **इन्हनिजो** (बहुवचन) में होता है। सर्वनाम मूल **सि** में **ध** चिन्ह जोड़ने पर एक रूप तो **सिध** बनेगा जिसके रूपान्तर **हिद, इद, इह** आदि होंगे। अनुनासिक व्यंजन जोड़ने पर एक रूप **सिन्ध** बनेगा जिससे **हिन्ह, इन्ह** रूप बनेंगे। **हिन, इन** रूप **सिध** से बन सकते हैं, **सिन्ध** से भी। (कहना न होगा कि इस मूल सर्वनाम रूप **सिन्ध** का **सिन्धु** नदी या सिन्ध प्रदेश से कोई सम्बन्ध नहीं है।) तमिल में **इद** के साथ जो **इन्द** रूप है, वह इसी निर्माण प्रक्रिया का परिणाम है। **इंगे** और **इन्द** तमिल में निकटवर्ती स्थान की सूचना देते हैं। इनके मूल रूपों में **घ** और **ध** चिन्ह स्थान के साथ वस्तु, व्यक्ति आदि की सूचना भी देते थे। अवधी **महिं** के समान सिन्धी में **मुहुँ, मुहिं** रूपों का व्यवहार होता है। सम्बन्धकारक के एकवचन रूप **मुहिजो, मुहुँजो** (मेरा), **तुहिजो, तुहँजो** (तेरा) ऐसे सर्वनामों के मूल रूपों में **ध** चिन्ह की स्थिति पुष्ट करते हैं। इनके समान **जँहिंजो** (जिसका), **कँहिंजो** (किसका) में **ध** का रूपान्तर **ह्** है। ब्रजभाषा का **कोऊ** यहाँ **ह्** ध्वनि के साथ **कोहु** रूप में विद्यमान है। अवधी में **कॉहू** और **कोऊ**, दोनों रूपों का व्यवहार होता है। सिंधी के प्रश्नवाचक **केहो, केहारो** (कौन-सी चीज) में पुनः **ह्** स्थित है। विभिन्न आर्य जनपदों के सर्वनाम-रूपों में तगड़ा विनिमय हुआ है; **कोहु** का **को** मूलतः

मागधी है, **केहो** का **के** मूलतः कौरवी। **पँहँजो, पाँहिजो** (अपना) का सर्वनाम मध्यदेशीय है क्योंकि आदि वर्ण में **पे** या **पो** नहीं है, **प** है। ये रूप इस बात की पुष्टि करते हैं कि **पध** जैसा सर्वनाम कभी यहाँ प्रयुक्त होता था। एक ओर **पध** से सिन्धी का **पँहँ** सर्वनाम रूप विकसित हुआ, दूसरी ओर उसी प्रक्रिया से अवधी का सम्बन्धक **पहँ** विकसित हुआ। सम्बन्धक और सर्वनाम, दोनों की रचना में एक तत्त्व है सर्वनाम-मूल **प**, दूसरा तत्त्व है व्यक्ति-स्थानसूचक **ध**। सर्वनाम **पँहँ** का अर्थ हुआ वह व्यक्ति; सम्बन्धक **पहँ** का अर्थ हुआ वह स्थान। मानक हिन्दी के **ऐसा, वैसा** आदि की व्युत्पत्ति **ईदृश्** जैसे रूपों से की जाती है। सिन्धी के समानार्थी रूपों की व्यवस्था भी इसी तरह की गई है। किन्तु **ध** प्रत्यय वाले सर्वनाम-रूपों को आधार मान लेने पर व्युत्पत्ति सरल ही नहीं, युक्तिसंगत भी हो जाती है। **जहिं, कहिं** के समान **जिहि, किह** सर्वनामों से **जिहड़ो** (जैसा), **किहड़ो** (कैसा) रूप बनते हैं। यदि **किहड़ो** का मूल रूप **कीदृश्** था तो **कहिं, जहिं** आदि रूप इस व्यवस्था से बाहर चले जाते हैं। **केहरो** (क्या), **किहड़ो** (कैसा) स्पष्टतः एक ही प्रक्रिया से बने हैं। इन्हीं के समान **तिहड़ो** (तैसा), **इहड़ो** (ऐसा), **उहड़ो** (वैसा) रूप हैं। यहाँ **ड़ो** प्रत्यय **ध** का ही रूपान्तर प्रतीत होता है। **इहड़ो, किहड़ो** आदि का **ह्** पहले **ध** था। **इह, किह** आदि में **रो, ड़ो** प्रत्यय जोड़े गए। कुछ शब्दों में **ड़ो** के स्थान पर **'डो** का व्यवहार होता है : **के'डो** (कितना बड़ा), **केहि'डो** (कितना छोटा)। **कध** के आधार पर निर्मित प्राचीन रूप **कत** से सिन्धी **केतिरो** (कितना) अवधी **कॅतरा** के समान है।

सिन्धी में **ब** प्रत्यय जोड़कर जो कृदन्त बनाए जाते हैं, वे अवश्य ही मध्यदेश की देन है। **धोइबो** (धोना), **पीबो** (पीना) वर्तमानकालिक कृदन्त हैं और ब्रजभाषा के क्रियार्थी संज्ञा-रूपों के समान हैं किन्तु **ब** प्रत्यय जोड़कर, कोसली-मागधी भाषाओं के समान, सिन्धी में भविष्यकालिक कृदन्त भी बनते हैं। **होइबो** (होगा) भविष्यकालिक कृदन्त का अन्य पुरुष, एकवचन रूप है। इससे पुनः इस धारणा की पुष्टि होती है कि बंगला-भोजपुरी अवधी का **ब** कृदन्त प्रत्यय है जिसका काल-सूचना से मूलतः कोई सम्बन्ध नहीं था। सिन्धी **पिअन्दो** (पीता हुआ), **चवन्दो** (बोलता हुआ) कौरवी पद्धति के कृदन्त-रूप हैं। इससे विदित होता है कि सिन्धी में विभिन्न पद्धतियों के कृदन्तों का व्यवहार होता है। **ध** वाले कृदन्त सिन्धी की विशेषता हैं, इसका उल्लेख पहले हो चुका है।

भूतकालिक कृदन्त **आयो** (आया), **जिओ** (जिया) ब्रजभाषा रूपों के समान है। **चयो** (कहा) ब्रजभाषा के **कह्यो** रूप के समान है। मध्यम पुरुष के साथ प्रयुक्त होनेवाले **हल्यउ** (तुम गए) में, पुरानी अवधी के **चलॅहु** के समान, सर्वनाम-चिन्ह **हु** था; **उ** उसी का रूपान्तर है। सिन्धी के आदेशात्मक **पिओ, 'डिओ** हिन्दी **पियो,** अवधी **दियो** के समान हैं। ब्रजभाषा के **दीजै, कीजै** के समान सिन्धी में **ज** प्रत्यय

वाले कृदन्त भी हैं। **होइजॅ, हइजॅ** (होइये) में **य्** का रूपान्तर **ज्** है। हिन्दी के **पीजिये, कीजिये** आदि रूपों से। **पीज, कीज** निकालकर, उनके आधार पर सिन्धी कर्मवाच्य रूप बनाती है और **ज** के बाद वह एक अन्य कृदन्त प्रत्यय **णु** जोड़ देती है। **धुअणु** (धोना), **धोइजणु** (धोया जाना), **करणु** (करना), **किजणु** (किया जाना), ऐसे रूपों में कर्मवाच्य का भाव दिखाने के लिए सहायक क्रिया की आवश्यकता नहीं होती। हिन्दी में जैसे आदर दिखाने के लिए कर्मवाच्य प्रयोग होते हैं, यथा : मेरी बात सुनी जाए, वैसे ही सिन्धी में **सुणिजु** (सुनिये), **किजें** (कीजिये) आदि रूप हैं।

पूर्वकालिक क्रिया-रूप अवधी और ब्रजभाषा के समान बनाए जाते हैं। **रोई** मध्यदेशीय **रोइ, रोय** (रोकर) का प्रतिरूप है। इसी प्रकार **सुणी** (सुनकर), **वरी** (लौटकर), **हली** (जाकर) रूप हैं। जैसे अवधी में **सुनि** के अतिरिक्त **सुनिकँ** रूप का चलन हुआ, वैसे ही सिन्धी में **वरी, हली** के साथ **वरीकरे, हलीकरे** रूप भी प्रयुक्त होते हैं। मानक हिन्दी में **करना** क्रिया की सहायता से जिस प्रकार पूर्वकालिक रूप बनाए जाते हैं, उसी प्रकार सिन्धी के ये रूप बनाए गए हैं। ऐसे रूप निस्सन्देह अपेक्षाकृत नवीन हैं। हिन्दी में **टूटना** और **तोड़ना, फटना** और **फाड़ना** क्रिया-रूपों में, भिन्न व्यंजनों की सहायता से, अर्थ-भेद किया गया है, वैसे ही सिन्धी में भी अर्थभेद किया जाता है। **फाटनु** (फटना), **फाड़नु** (फाड़ना) में व्यंजन-भेद से अर्थ-भेद किया गया है। बहुधा व्यंजन के साथ स्वर में भी भेद किया जाता है, यथा : **धुअण** (धोना), **धोपणि** (धुलना)। कहीं-कहीं केवल स्वर-भेद से अर्थ-भेद किया जाता है। सिन्धी के **बरणु, बारणु** अवधी के **बरबु, बारबु** (जलना, जलाना) के समान हैं। यहाँ परिवर्तन आदि स्वर में हुआ है। **चुअणु** (टपकना), **चुआरणु** (टपकाना) अवधी **चुअबु, चुआवबु** के समान है। यहाँ परिवर्तन मध्यवर्ती वर्ण के स्वर में हुआ है।

अन्य आर्य भाषाओं के समान सिन्धी भी संयुक्त क्रियाओं का व्यवहार करती है। बहुत-सी संयुक्त क्रियाएँ उसी कोटि की हिन्दी की संयुक्त क्रियाओं से मिलती-जुलती हैं। **करे चुकण** शब्दशः हिन्दी का **कर चुकना** है। **मरी वञणु** का अर्थ है मर जाना; पहली क्रिया हिन्दी के समान है, दूसरी **वन्द** कृदन्त के रूपान्तर **वञ्ज** से बनी है। अर्थ की दृष्टि से दोनों भाषाओं की संयुक्त क्रियाओं की संरचना एक ही ढंग की है। **रुअण ल'गणु**—रोने लगना, यहाँ भी दोनों क्रियाओं की संगति हिन्दी के समान है। **वठी वञणु**—ले जाना में **वठी** हिन्दी से भिन्न रूप है और **वञ** क्रिया भी हिन्दी से भिन्न है किन्तु अर्थ की दृष्टि से हिन्दी और सिन्धी, दोनों की संयुक्त क्रियाओं का ढंग एक ही है। **खलीपवणु**— खुल पड़ना, **वढे विझणु**— काट फेंकना, इसी प्रकार अर्थ-विचार से एक-रूप हैं। किन्तु **पईखिअणु**— खा डालना में क्रियाओं का क्रम भिन्न है। **वेन्दोरही**— चलता रहा में **रह** क्रिया का प्रयोग एक ही ढंग से हुआ है किन्तु हिन्दी में इस क्रिया का व्यवहार साथ की क्रिया की निरन्तरता दिखाने के लिए होता है। सिन्धी में इसके अतिरिक्त **रह** क्रिया का उपयोग

अन्य क्रिया की पूर्णता बताने के लिए भी होता है। **रमीरहण—** चल रहना अर्थात् चल पड़ना,—चलने की शुरुआत पक्की हो गई। हिन्दी **पडना** के अनुरूप सिन्धी **रहण** है। **रह** क्रिया के समान सिन्धी की एक **वत** क्रिया है। **चारीन्दोवते—** चरता रहा, यहाँ **वते** मूलत: कृदन्त है। **वर** से बने हुए **वर्त** रूप का सिन्धी प्रतिरूप है। प्रथम वर्ण को ह्रस्व रखने की प्रवृत्ति के कारण **र** का लोप हो गया है, जैसे—**वढे** में **वर्ष** के **र्** का लोप हो गया है। यह **वते** हिन्दी क्षेत्र की पूर्वी बोलियों का **बटे, बाटे, बाड़े** आदि है। मध्यदेश में **वर्** क्रिया का प्रयोग अपेक्षाकृत कम होता था। एक ओर सिन्धी, दूसरी ओर भोजपुरी, इनके साथ संस्कृत और द्रविड़ भाषाओं में इसका व्यापक व्यवहार होता है। **ब्रज** शब्द **वर्ज** का रूपान्तर है और **वर्ज वर्** से बना हुआ कृदन्त-रूप है। **व्रज** और **व्रात्य**, दोनों में **वर** क्रिया का वर्ण-संकोचन वाला रूप है। संस्कृत में एक ओर **वर्त्** क्रिया है, दूसरी ओर **वत्**। दोनों क्रियाएँ ही कृदन्त के आधार पर बनी हैं। **वन्द, वञ, वेन्दो** आदि सिन्धी-क्रिया-रूप **वर्** के प्रतिरूप **वन्** से सम्बद्ध हैं।

सिन्धी में हिन्दी के समान शब्दों की आवृत्ति द्वारा किसी क्रिया का बार-बार घटित होना बताया जाता है। जैसे कहें, ***पढ़ते-पढ़ते थक गए,*** वैसे ही सिन्धी में **पढ़िओ पढ़न** का अर्थ हुआ बार-बार पढ़ना। क्रियाओं के अतिरिक्त नाम शब्दों की आवृत्ति इसी प्रकार होगी। **हाथों हाथ** की तरह **हन्धो हन्धु** में शब्द की आवृत्ति है किन्तु **हन्ध** का सम्बन्ध **हाथ** से नहीं है। **हन्धो हन्धु**—जगह-जगह; **हन्धु** स्पष्टत: **ह्** सर्वनाम में **ध** स्थानसूचक प्रत्यय जोड़कर बनाया हुआ रूप है। **हन्धु** अर्थात् वह स्थान। **रातों रात** के समान सिन्धी में **रातिओराति, रातों दिन** के समान **रातों 'डीहु** रूप हैं।

## *(ग) रूपतंत्र*

रूपतंत्र की दृष्टि से सिन्धी की उल्लेखनीय विशेषता नाम शब्दों के साथ सर्वनाम-चिन्ह जोड़ने की पद्धति है। ट्रम्प ने इस पद्धति को ऐसी भाषाई कड़ी माना है जो भारत और ईरान को मिलाती है। इसी के आधार पर सिन्धी को दरद भाषा क्षेत्र में रखा गया है। ट्रम्प ने बताया है कि सर्वनाम-चिन्ह मनुष्य-सम्बन्धी शब्दों में जोड़े जाते हैं, मानवेतर और निर्जीव पदार्थों में नहीं। यह प्रवृत्ति सामी भाषाओं में है। अरबी में सर्वनाम-चिन्ह निर्जीव पदार्थों का अर्थ देनेवाले शब्दों के साथ भी जोड़े जाते हैं। असमिया में परिवार-सम्बन्धी कुछ शब्दों के साथ सर्वनाम-चिन्ह अब भी जोड़े जाते हैं। इनका उल्लेख बंगला भाषा पर अपने ग्रंथ में डॉ. चाटुर्ज्या ने किया है। सिन्धी में सर्वनाम-चिन्ह सम्बन्धकों के साथ भी जोड़े जाते हैं और उन्हें देखकर ऐसा लगता है मानो अंग्रेज़ी प्रिपोजीशन की तरह सिन्धी में पूर्व सम्बन्धक का चलन हो। **कणिमॅ**—मुझको, **में** सर्वनाम है और **कणि** सम्बन्धक। बुन्देलखंडी **कने** का जोड़ीदार **कणि** वास्तव में नाम शब्द है। **कणिमॅ** का मूल अर्थ हुआ मेरे पास। **मॅ**

सर्वनाम संज्ञा **कणि** के बाद लगा। सिन्धी में केवल सर्वनामों के साथ प्रयुक्त ऐसे शब्दों से पूर्व सम्बन्धकों का आभास होता है; संज्ञा शब्दों के साथ सम्बन्धक वैसे ही प्रयुक्त होता है, जैसे—हिन्दी में यथा—**घरनियाँ**—घरों से, यहाँ **आं** सम्बन्धक है और संज्ञा शब्द के बाद आया है।

सिन्धी में फ़ारसी के समान कर्म और अपादानकारकों के लिए **रा** चिन्ह का प्रयोग होता है। ट्रम्प ने इस सन्दर्भ में बंगला के **रे** चिन्ह को ठीक याद किया है। उन्होंने पश्तो के **लह्** और मराठी के **ला** को भी फ़ारसी **र** से मिलता-जुलता बताया है। उन्होंने इसकी व्युत्पत्ति देने के लिए **र** और लेने के लिए **ल** क्रियाओं के मेल से बताई है। यह व्युत्पत्ति गलत है। इसके सिवा यदि सिन्धी दरद क्षेत्र से प्रभावित है तो वैसा प्रभाव मराठी और बंगला पर भी मानना चाहिए। सिन्धी और अवधी के कर्ताकारक रूप मिलते-जुलते हैं। **'डेहु** (दिन) सिन्धी में कर्ता कारक का एकवचन रूप है, बहुवचन रूप है **'डेह**। इससे तुलनीय है अवधी में कर्ताकारक का एकवचन रूप **घरु** और उसका बहुवचन रूप **घर**। सिन्धी में अवधी के समान **उ** और **अ** की भिन्नता एकवचन और बहुवचन की भिन्नता सूचित करती है। करणकारक में **'डेहनि** रूप भी अवधी के समान है। अवधी में **भूखन मरिहौ**'—हिन्दी में **भूखों मरोगे**; यहाँ अवधी का **न** चिन्ह मानक हिन्दी का **ओं** है। सिंधी में **न** के स्थान पर **नि** है। बहुवचन बनाने के लिए भी सिन्धी में **निका** प्रयोग होता है; वैसे ही अवधी में **न** का प्रयोग है। **घरनिआँ**—घरों से, अवधी रूप **घरनते**; **'डेहनिजो**—दिनों का, अवधी रूप **दिनन** का। अवधी में **दिन** शब्द बहुवचन में भी प्रयुक्त होता है, **दिनन** का प्रयोग शायद ही कोई करे, किन्तु **गाँवन** का—गाँवों का, **मनइन** का—मनुष्यों का, ऐसे प्रयोग अवधी में सामान्य हैं। अपादानकारक का सिंधी चिन्ह **खे**—**डेहखे** अर्थात् दिन को या दिन के लिए—**कह** का रूपान्तर है और **कह** का आधार वही **कध** है। हिन्दी प्रदेश की अनेक बोलियों के समान सिन्धी कर्म से भिन्न सम्प्रदानकारक का निर्देश करती है। **खे** चिन्ह कर्मकारक में प्रयुक्त नहीं होता। अधिकरण में **अॅ** अथवा **इ** का व्यवहार होता है; यह संस्कृत **ए** का प्रतिरूप है और बंगला में इस चिन्ह का व्यवहार अब भी होता है। साथ ही मानक हिन्दी का **में** भी सिन्धी में प्रयुक्त होता है। **'डेहॅ, 'डेहि, 'डेह** में, तीनों रूपों का अर्थ है दिन में। सम्बन्धकारक के लिए सिन्धी **जो** चिन्ह का प्रयोग करती है और यह पुंल्लिंग रूप है। हिन्दी के समान सिन्धी में भी सम्बन्धकारक रूप विशेषण का काम करता है। ट्रम्प ने मराठी **चा**, हिन्दी **का**, पंजाबी **दा**, पश्तो **द**, गुजराती **नो** को एक साथ ठीक याद किया है किन्तु इनमें जो परस्पर सम्बन्ध है, उसकी ओर उनका ध्यान नहीं गया। हिन्दी **का** का पूर्व रूप **कर** है। अन्तस्थ **र** के लोप होने पर **का, के, को**—तीन रूप प्राप्त होते हैं और तीनों विभिन्न जनपदीय भाषाओं में, **कर** के अलावा, सम्बन्धकारक के लिए प्रयुक्त होते हैं। **का** का तालव्यीकृत रूप मराठी **चा** है। सिन्धी भी तालव्यीकरण

की प्रवृत्ति से प्रभावित है। **का** का प्रतिरूप **को; को** का तालव्यीकृत रूप **चो; चो** का सघोष रूप **जो**। **ज्** ध्वनि जब **द्** में बदलती है, जैसा कि अनेक पालि शब्दों में देखा जाता है, तब **का—चा—जा—दा,** इस क्रम से पंजाबी और पश्तो का सम्बन्धसूचक **दा** या **द** प्राप्त होता है। यह **द** लैटिन समुदाय की फ्रांसीसी, स्पेनी आदि अनेक भाषाओं में पाया जाता है यद्यपि स्वयं लैटिन में उसका अभाव है।

सिन्धी में कृदन्त चिन्ह **ब** का व्यवहार होता है, इसका उल्लेख पहले हो चुका है। ट्रम्प ने इसके सन्दर्भ में बंगला रूपों का ठीक हवाला दिया है। लैटिन के कुछ रूपों में **बो** चिन्ह का व्यवहार होता है। क्रिया के बाद **ब** अथवा **इब** प्रत्यय का योग प्राकृतों में नहीं है, यह बताने के बाद ट्रम्प इस प्रत्यय के बारे में कहते हैं : "इसे देखकर हमें बहुत जोरों से लैटिन प्रत्यय **बो** की याद आती है। प्रथम और द्वितीय गणों की क्रियाओं के भविष्यकालिक कर्तृवाच्य रूपों के निर्माण में इसका व्यवहार होता है। बौप ने इसे संस्कृत की **भू** क्रिया से व्युत्पन्न माना है। सिन्धी प्रत्यय **बो** से इसकी तुलना की जाए तो यह ज्यादा सीधी बात होगी। किन्तु उसका उद्भव ऐसा है कि ऐसी तुलना करना कठिन है।" ('ग्रामर ऑफ द सिन्धी लैंग्वेज', पृ. 293) ट्रम्प उन वैयाकरणों में हैं जो लैटिन तथा आधुनिक भारतीय भाषाओं में आश्चर्यजनक समानताएँ देखकर चमत्कृत होते हैं, उन समानताओं को भ्रामक न मानकर कहना चाहते हैं कि वे वास्तविक हैं किन्तु भाषाविज्ञान के पुराने चौखटे की सीमाएँ लाँघ न सकने के कारण वह ऐसी समानताओं को अस्वीकार करते हैं। आर्य और द्रविड़, दोनों परिवारों में **ब** प्रत्यय का व्यापक व्यवहार होता है। बंगला, सिन्धी और तमिल—तीनों भाषाओं में इस प्रत्यय का उपयोग भविष्य काल के लिए हुआ है। वही स्थिति लैटिन की है। सिन्धी में **बो** प्रत्यय भविष्य और वर्तमान, दोनों कालों के लिए प्रयुक्त होता है। ट्रम्प ने ठीक लिखा है कि भविष्यकालिक रूप सम्भावना व्यक्त करते हैं। सम्भावना का भाव निश्चयात्मकता में बदलकर भविष्य काल का अर्थ देने लगा। मूलतः **ब** का सम्बन्ध भविष्य से नहीं है।

सिन्धी में क्रिया का आज्ञार्थी रूप, अवधी के समान, उकारान्त होता है। **हलु** (चल), अवधी में होगा **चलु**। सिन्धी, क्रिया के बाद, सर्वनाम-चिन्ह जोड़ती है; यहाँ उसे दरद प्रभावित मानने की बात और भी खंडित होती है। संस्कृत में तो सर्वनाम-चिन्ह क्रिया में जोड़े ही जाते हैं, आधुनिक हिन्दी में भी ऐसे रूपों की कमी नहीं है। सिन्धी रूप **रूआं** हिन्दी **रोऊं** का प्रतिरूप है। **रोऊं** केवल उत्तम पुरुष एकवचन के साथ प्रयुक्त होगा। यही स्थिति **रूनां** की है। **आं** और **ऊं** सर्वनामों के अवशेष हैं। **हलिउसॅ** (मैं गया) अवधी (बघेलखंडी) **गइस्** के समान है। अवधी **कहॅसि** में अन्य पुरुष एकवचन सर्वनाम **सि** है; वह सिन्धी में उत्तम पुरुष **स** है। **हल्यु** (तुम गए) अवधी **कहॅहु** जैसे रूप के समान है; **हु** का रूपान्तर है सिन्धी **उ**। मैथिली-मगही के समान सिन्धी क्रिया के बाद कर्ता और कर्म, दोनों की ओर संकेत करनेवाले चिन्ह

जोड़ सकती है। **छ'डिओ मां अॅ**—छोड़ा मेरे द्वारा तू; यहाँ **अॅ** मध्यम पुरुष का सर्वनाम-चिन्ह है जो कर्म भाव व्यक्त करता है। **मां** उत्तम पुरुष एकवचन रूप है जो कर्ता भाव व्यक्त करता है। यह प्रवृत्ति आर्य भाषाओं के अतिरिक्त कोल भाषाओं में है; अतः उसका दरद भाषाओं से कोई विशेष सम्बन्ध नहीं है।

मध्यदेश की **स** (होना) क्रिया बंगला, मैथिली आदि में **छ** बनती है, मगही, अवधी आदि में **ह**, सिन्धी में **थ**। **थिअणु**—होना; **थिउ**—तू हो; **थिन्दो**—होता; **थिओ**—हुआ; इस **थि** का सम्बन्ध **अस्ति** से जोड़ना दूर की कौड़ी लाना है, वह बंगला-मैथिली **छि** का सिन्धी प्रतिरूप है। इस प्रकार सिन्धी भाषा घनिष्ठ रूप से अन्य आर्य भाषाओं से सम्बद्ध है, इन आर्य भाषाओं में पुरानी मध्यदेशीय भाषाओं से उसका सम्बन्ध सबसे गहरा और ऐतिहासिक दृष्टि से सर्वाधिक महत्त्वपूर्ण है।

## 2. कश्मीरी

### *(क) ध्वनितंत्र*

मध्यदेश से दूर उसके पश्चिमी छोर पर सिन्धी भाषा है तो वैसे ही सुदूर उत्तरी छोर पर कश्मीरी है। सिन्धी की भौगोलिक स्थिति ऐसी है कि मध्यदेश से सम्पर्क कायम करना अपेक्षाकृत सरल है किन्तु कश्मीरी से सम्पर्क बनाए रखना कठिन है। ज्ञात इतिहासकाल में भारत से कश्मीर का घनिष्ठ सम्पर्क रहा है, अज्ञात इतिहासकाल में भी यह सम्पर्क घनिष्ठ था, इसका प्रमाण कश्मीरी भाषा है। कश्मीरी भाषा को दरद समुदाय में गिना जाता है। यह बात आश्चर्यजनक है कि दरद भाषाओं में कोई ऐसी भाषा नहीं है जिसमें कश्मीरी के समान साहित्य-रचना हुई हो। कश्मीरी दरद भाषा हो चाहे न हो, उसमें जो साहित्य रचा गया है, उसका प्रधान कारण भारत से कश्मीर का सम्बन्ध है। इसी से कश्मीर संस्कृत, प्राकृत और अपभ्रंश साहित्य का रचना-केन्द्र भी रहा है। ब्रज बी. काचरू ने कश्मीरी भाषा का व्याकरण 'ए रॅफरेन्स ग्रामर ऑफ कश्मीरी' लिखा है। उसमें उन्होंने मॉर्गेन्स्टीन का यह मत उद्धृत किया है कि दरद भाषाएँ विशुद्ध भारतीय आर्य मूल की हैं और उनका उद्‌भव ऐसी भाषा से हुआ है जो वैदिक भाषा से बहुत मिलती-जुलती थी। उनके अनुसार दरद भाषाओं में ऐसे अनेक प्राचीन लक्षण सुरक्षित हैं जो उत्तरकालीन भारतीय आर्य भाषाओं में लुप्त हो गए हैं।

ग्रियर्सन दरद भाषाओं को संस्कृत की अपेक्षा ईरानी से प्रभावित मानते थे। ईरान की प्राचीन भाषा वैदिक भाषा से बहुत मिलती-जुलती है। यदि कश्मीरी भारतीय उद्‌भव की भाषा है तो अवेस्ता की भाषा का भारतीय उद्‌भव और भी असन्दिग्ध होना चाहिए।

ब्रज काचरू ने एमेनो का हवाला दिया है जिनके अनुसार फ्रांसीसी भाषाविद् ब्लौख और अंग्रेज़ भाषाविद् बरो भी दरद भाषाओं को भारतीय उद्‌भव का मानते हैं। भारतीय भाषाओं से दरद भाषाओं का अन्तर यह है कि यहाँ जैसे प्राकृतों का विकास होता है, वैसे कश्मीर में नहीं होता।

कश्मीरी उन लोगों के लिए भारी कठिनाई पैदा करती है जो वैदिक भाषा को आदि आर्य भाषा, प्राकृत को मध्य आर्य भाषा और हिन्दी, बंगला आदि को नव्य आर्य भाषा मानकर भारतीय भाषाओं के विकास की रूपरेखा निश्चित करते हैं। कश्मीर, संस्कृत के अलावा, प्राकृत और अपभ्रंश भाषाओं के व्यवहार का केन्द्र भी रहा है। अवध या ब्रज का अपेक्षा प्राकृत और अपभ्रंश का व्यवहार कश्मीर में कुछ अधिक ही हुआ है। फिर भी अपभ्रंश का सम्बन्ध ब्रज और अवधी से माना जाता है, कश्मीरी से नहीं। इसलिए संस्कृत-प्राकृत-अपभ्रंश वाला विकास-क्रम पुनः विचारणीय है।

कश्मीरी भाषा को स्वर-व्यवस्था संस्कृत से काफी भिन्न है। हिन्दी की स्वर-व्यवस्था से अधिक जटिल है। इस स्वर-व्यवस्था को लिखित रूप देने के लिए शारदा लिपि का व्यवहार होता था। ग्रियर्सन ने अपने 'सर्वेक्षण-ग्रंथ' के 8वें खंड के दूसरे भाग में दरद भाषाओं का विवेचन करते हुए स्वीकार किया है कि कश्मीरी स्वरों के लिए शारदा लिपि में सभी चिन्ह मौजूद हैं। यह लिपि नागरी से मिलती-जुलती है। शारदा लिपि का व्यवहार सम्भवतः दसवीं सदी से होने लगा था। जिस समय ग्रियर्सन सर्वेक्षण-ग्रंथ के लिए सामग्री एकत्र कर रहे थे, उस समय कश्मीरी पाठशालाओं में शारदा लिपि का व्यवहार होता था। क्रमशः न केवल शारदा लिपि को, वरन् कश्मीरी भाषा को भी शिक्षा और राजनीति के क्षेत्रों से निकाल दिया गया। स्वाधीन भारत के अभिन्न अंग कश्मीर में शिक्षा का माध्यम कश्मीरी नहीं है। जब कश्मीरी भाषा का व्यवहार किया जाता है, तब शारदा लिपि की पूछ नहीं होती। किसी जाति की भाषाई और सांस्कृतिक विरासत नष्ट करने की ऐसी मिसालें बीसवीं सदी में कम मिलेंगी।

ग्रियर्सन के अनुसार बाइबिल के 'न्यू टेस्टामेंट' का कश्मीरी अनुवाद 1821 में प्रकाशित हुआ था और इसकी लिपि शारदा थी। यदि ईसाई प्रचारक बाइबिल का अनुवाद छापते समय शारदा लिपि का व्यवहार करें तो इससे यही समझना चाहिए कि कश्मीर के शिक्षित जनों में उस लिपि का व्यवहार व्यापक रूप से होता था। 1884 में 'न्यू टेस्टामेंट' का कश्मीरी अनुवाद अन्य केन्द्र से छपा और इस बार फ़ारसी लिपि का प्रयोग किया गया। भारत में अंग्रेज़ी राज जैसे-जैसे सुदृढ़ हुआ, वैसे-वैसे कश्मीर में शारदा लिपि का व्यवहार भी कम होता गया।

ग्रियर्सन ने लिखा है कि कश्मीरी भाषा बहुत पुरानी है। उन्होंने कश्मीरी कवि कल्हण का एक वाक्य उद्धृत किया है : **रंगस्स हेलु दिग्णु**—रंग नामक व्यक्ति को हेलू नाम का गाँव दिया जाए। ग्रियर्सन ने लिखा है कि आधुनिक कश्मीरी में यह वाक्य यों लिखा जाएगा : **रंगस् हेलु द्युन**। कल्हण का समय बारहवीं शताब्दी है। उस समय या उसके पहले कश्मीरी भाषा साहित्य में प्रतिष्ठित नहीं हुई तो इसका कारण शासक वर्ग की भाषा-नीति है।

सबसे पहले कश्मीरी ध्वनितंत्र की कुछ विशेषताओं पर विचार करें। अपने विवेचन के लिए मैं काचरू और ग्रियर्सन के पूर्वोक्त ग्रंथों से तथ्य ले रहा हूँ। फ़ारसी

की एक प्रमुख ध्वनि **ख़्** है। यह संघर्षी ध्वनि है और संस्कृत-हिन्दी की स्पर्श-ध्वनि **ख्** से भिन्न है। कश्मीरी में संस्कृत-हिन्दी का **ख्** है, फ़ारसी का **ख़्** नहीं। इसी प्रकार फ़ारसी में संघर्षी **फ़्** ध्वनि है जो संस्कृत-हिन्दी की स्पर्श-ध्वनि **फ्** से भिन्न है। कश्मीर के पढ़े-लिखे लोग अरबी-फ़ारसी से उधार लिये हुए शब्दों में **फ़्** का उच्चारण कर लेते हैं किन्तु सामान्य कश्मीरी जन, ब्रज या अवध के किसानों की तरह, **फ़क़ीर** को **फकीर** ही कहते हैं। कश्मीरी में **ज़्** का प्रयोग खूब होता है। इस ध्वनि का व्यवहार फ़ारसी में भी होता है तथा संस्कृत और जनपदीय हिन्दी में नहीं होता। किन्तु **ज़्** का व्यवहार भारत के एक छोर पर मराठी में और दूसरे छोर पर असमिया में होता है। पूरे भारतीय भाषाई परिवेश को देखें तो कन्नड़ और तेलगू के कुछ क्षेत्रों में भी इसका व्यवहार होता है। संघर्षी ध्वनियाँ भारतीय नाग भाषाओं की अपनी विशिष्ट ध्वनियाँ हैं। उनमें संघर्षी **ज़्** का ही नहीं, संघर्षी **च़्** का व्यवहार भी होता है। कश्मीरी में, मराठी और असमिया के समान, **ज़्** के अलावा **च़्** भी है। अत: कश्मीरी **ज़्** को नाग भाषाओं की देन मानना चाहिए। स्वयं फ़ारसी में संघर्षी ध्वनियाँ नाग भाषाओं के प्रभाव से आई हैं। कोई यह स्थापना न माने, तो भी उसे यह तो स्वीकार करना होगा कि भारत की अनेक आर्य, द्रविड़ और नाग भाषाओं में **ज़्** का व्यवहार होता है और इन भाषाओं को कोई इस कारण दरद समुदाय में नहीं गिनता। कश्मीरी में संघर्षीकरण की प्रवृत्ति इतनी प्रबल है कि वह भारतीय आर्य उद्भव के शब्दों में जहाँ **ज्** है, वहाँ भी **ज़्** का व्यवहार करती है, यथा : **आज—अज़्, जागना-जागुन्**। इसी प्रकार संस्कृत क्रिया-रूप **गच्छ** कश्मीरी में **गछ्** सुनाई देता है।

फ़ारसी और कश्मीरी में एक महत्त्वपूर्ण भेद यह है कि कश्मीरी में ट-वर्गीय ध्वनियों का व्यवहार होता है। सिन्धी मूर्धन्य ध्वनि क्षेत्र की भाषा है; कश्मीरी उसी तरह मूर्धन्य ध्वनि क्षेत्र की भाषा न कही जाएगी। सिन्धी में **ण्** की बहुलता है, कश्मीरी में उसका अभाव है। ब्रज और अवधी में अन्य ट-वर्गीय ध्वनियाँ हैं, **ण्** नहीं है। इस दृष्टि से सिन्धी की अपेक्षा कश्मीरी मध्यदेशीय भाषाओं के अधिक समीप है। ब्रज और अवधी में **ढ्** ध्वनि भी है। कश्मीरी में न **ढ्** है, न **घ्, ध्, भ्, झ्** ध्वनियाँ हैं। सघोष महाप्राण ध्वनियों का अभाव फ़ारसी में भी है। जो लोग उसे फ़ारसी-प्रभावित मानते हैं, उनका यह मुख्य तर्क है कि कश्मीरी में सघोष महाप्राण ध्वनियाँ नहीं हैं। उर्दू पर फ़ारसी का कम प्रभाव नहीं है। फ़ारसी के जितने शब्द उर्दू में हैं, उतने कश्मीरी में नहीं हैं। किन्तु उर्दू में सघोष महाप्राण ध्वनियाँ विद्यमान हैं। उर्दू-भाषी **भात** को **बात** (कश्मीरी में **बति**), **घास** को **गास** नहीं कहते। कश्मीरी में सघोष महाप्राण ध्वनियों के अभाव का कारण फ़ारसी का प्रभाव नहीं है वरन् नाग-द्रविड़ भाषाओं का प्रभाव है। स्वयं ईरान की भाषाओं में इस प्रभाव के कारण सघोष महाप्राण ध्वनियों का व्यवहार नहीं हुआ। अनेक तेलगू-कन्नड़ भाषी सघोष महाप्राण ध्वनि को सघोष अल्पप्राण रूप में बोलते हैं। वही प्रवृत्ति कश्मीरी में है।

कहीं-कहीं शब्द रूप भी मिलते-जुलते हैं, जैसे—हिन्दी **घोड़ा** कश्मीरी में **गुर्** है, तेलगू में **गुर्रमु**। इसी प्रवृत्ति के कारण भारतीय रूप **भ्रातर् (भ्रातृ)** फ़ारसी में **बिरादर** है।

कश्मीरी की एक विशेषता यह है कि वह अनेक अघोष अल्पप्राण ध्वनियों को महाप्राण कर देती है। यह स्थिति सिन्धी ध्वनितंत्र की याद दिलाती है। हिन्दी **एक** कश्मीरी में **अखह्** है; **ठीक** का कश्मीरी रूपान्तर **ठीख्** है; **प्रति** बदलकर **अथ** हो जाता है। **मूत्र** का कश्मीरी प्रतिरूप **मिथिर्** है। **शत** के प्रतिरूप **शथ्** और **हथ्** हैं। सिन्धी के समान कश्मीरी भी अरबी-फ़ारसी से उधार लिये हुए शब्दों में महाप्राणता जोड़ती है। चालाक, खतरनाक, नालायक कश्मीरी में **चालाख्, खतरनाख्, नालायख्** हैं। प्राचीन ईरानी में महाप्राणता जोड़ने की यह प्रवृत्ति है; फ़ारसी आदि स्थानीय ध्वनियों में कभी-कभी महाप्राणता जोड़ती है, जैसे—संस्कृत **क्रीत** के रूपान्तर **खरीद** में। इसे नाग भाषाई प्रवृत्ति मानना चाहिए जिससे ईरानी भाषाएँ प्रभावित हुई हैं। यहाँ **कश** और **खश** शब्दों का सम्बन्ध ध्यान देने योग्य है। कश्मीर में **कश** नामक गण रहता था; उसी की निवासभूमि **कश्मीर** कहलाई। **खश** इसी **कश** का रूपान्तर है।

कश्मीरी कुछ शब्दों में महाप्राणता जोड़ती है तो कुछ में उसे हटा देती है। जिन शब्दों के आरम्भ में **ह्** है, उनमें कश्मीरी, द्रविड़ भाषाओं के समान, इस ध्वनि का लोप करती है। इस प्रकार हिन्दी **हँसना** क्रिया **अस्** रूप में, हिन्दी संज्ञा **हाथ अथ** रूप में प्रयुक्त होती हैं। कश्मीरी की एक विशेषता यह है कि जहाँ वह महाप्राणता जोड़ती है, वहाँ उसी शब्द के किसी रूप में उसकी अल्पप्राणता बनाए भी रहती है। **दवात** यदि कश्मीरी में **दवाथ्** है तो उसका बहुवचन रूप **दवाति** है। संस्कृत से भिन्न, और हिन्दी जनपदीय भाषाओं के अनुरूप, कश्मीरी अनेक शब्दों में दो महाप्राण ध्वनियों को एक दूसरे के निकट रहने देती है। **फफोले** का कश्मीरी प्रतिरूप **फफर्** है। जो व्यक्ति हकलाता है, उसे **फोफ्** कहते हैं।

यद्यपि कश्मीरी में तालव्यीकरण की प्रवृत्ति प्रबल है, फिर भी **ध्** ध्वनि, द्रविड़ भाषाओं के समान, अधिकतर **द्** रूप में ग्रहण की जाती है। इस प्रकार **धान, निर्धन, साधु** कश्मीरी में क्रमशः **दान्यॅ, निर्दन्, साद्** हैं। इससे विदित होता है कि कश्मीरी पर तालव्यीकरण का प्रभाव अन्य क्षेत्रों से आया है, उक्त द्रविड़ प्रभाव की तुलना में वह गौण है। कन्नड़ की अपेक्षा तमिल में यह तालव्यीकरण की प्रवृत्ति अधिक व्यापक है, इसलिए यह माना जा सकता है कि कश्मीरी-भाषियों का सम्पर्क जिन द्रविड़ों से हुआ, वे अभी तालव्यीकरण के प्रभाव में न आए थे। कश्मीरी में **मध्य** के प्रतिरूप **मंज़्** का चलन है। यह उन थोड़े शब्दों में है जिनमें **ध्** का रूपान्तर **ज़्** मिलता है। इससे अनुमान होता है कि कश्मीरी ने सीधे **मध्य** को बदलकर **मंज़्** नहीं बनाया वरन् उसे **मज्झ** या **मझ** रूप सिन्ध जैसे किसी प्रदेश से प्राप्त हुआ है। **झ्** ध्वनि को **ज़्** रूप में ग्रहण करने की प्रवृत्ति कश्मीरी में अब नहीं है। **नासमझ** का कश्मीरी रूपान्तर **नासमिज़्** है। जैसे कश्मीरी **दवात** के अन्तिम वर्ण में महाप्राणता

जोड़ती है किन्तु **दवाथ्** के बहुवचन रूप **दवाति** में अल्पप्राण ध्वनि कायम रखती है, वैसे ही जिन शब्दों के दूसरे वर्ण में **ट्** या **ड्** है, उनके एक रूप में कश्मीरी यह ध्वनि बनाए रखती है, दूसरे में उसे तालव्य कर देती है। **बुड्** का अर्थ बुढ़िया है; करण, अपादान आदि कारकों में इसका रूप होता है **बुजि**। लकड़ी का टुकड़ा **खंड्** है, इसका बहुवचन **खंजि** है। कश्मीरी में कुछ शब्द ऐसे हैं जिनके एक रूप में **ल्** है और दूसरे में **ज्**। इसका कारण यह है कि **ल्** के साथ **य्** का योग होने पर कभी-कभी **ल्** का लोप हो जाता है और **य् ज्** में बदल जाता है। **कुल** शब्द का अर्थ है वृक्ष; इसका स्त्रीलिंग रूप है **कुज्**। यहाँ **ल्** के साथ **य्** का संयोग होने पर **ल्** का लोप हुआ और **य्** ध्वनि **ज्** में परिवर्तित हुई। किन्तु **य्** ध्वनि कश्मीरी में खूब प्रयुक्त होती है और **कुल्** का बहुवचन **कुल्य्** स्वीकृत है। विभिन्न व्यंजनों के तालव्य और तालव्येतर दो रूप होते हैं और इनका भेद अर्थ-विच्छेदक होता है, यथा : **पन्**—भागा, **प्यन्**—वे गिरेंगे; **तल्**—तलना, **त्यल**—टुकड़ा; **खव.**—खाईं, **ख्यव्**—हमने खाया। कश्मीरी भाषा में तालव्यीकृत व्यंजनों का ऐसा अर्थभेदी व्यवहार उसकी अपनी विशेषता है; यह विशेषता न ईरानी भाषाओं में है, न अन्य भारतीय आर्य भाषाओं में। कश्मीरी में **इ** स्वर दो प्रकार का है, एक तालव्य है, दूसरा पश्च तालव्य। जहाँ तालव्य **इ** का व्यवहार होता है, वहाँ **ड्** भी **ज्** में बदल जाता है, जैसे—**खंड्** के बहुवचन रूप **खंजि** में किन्तु **ददि** (दूध), **वति** (राहें) में **द्** और **त्** अपरिवर्तित रहते हैं क्योंकि यहाँ भिन्न कोटि का **इ** स्वर है। तालव्य स्वर के संयोग से **ड्** ध्वनि **ज्** में बदल जाती है, इससे विदित होता है कि मूर्धन्यीकरण की अपेक्षा कश्मीरी में तालव्यीकरण की प्रवृत्ति अधिक शक्तिशाली है। इसके विपरीत द्रविड़ भाषाओं में तालव्यीकरण की अपेक्षा मूर्धन्यीकरण की प्रवृत्ति अधिक शक्तिशाली है। ये दोनों प्रवृत्तियाँ कश्मीरी या तमिल में सभी व्यंजनों को समान रूप से प्रभावित नहीं करतीं। तमिल में **त्** की अपेक्षा **क्** ध्वनि का तालव्यीकरण अधिक होता है। फ़ारसी में भी यह प्रवृत्ति है किन्तु कश्मीरी में **क्** ध्वनि सुरक्षित रहती है, **य्** का संयोग होने पर भी वह **च्** में परिवर्तित नहीं होती, यथा : **कत्यन्**—कहाँ।

मध्यदेशीय भाषाओं के समान कश्मीरी में **र्** ध्वनि की प्रधानता है। संस्कृत और प्राचीन ईरानी दोनों में इस ध्वनि का व्यापक व्यवहार होता है किन्तु कश्मीरी में पश्तो के समान और फ़ारसी से भिन्न **ड़्** का व्यवहार भी होता है, और काचरू के अनसार गाँवों में **ड़्** अधिक सुनाई देता है। परिनिष्ठित कश्मीरी **गुर्** का देहाती रूप हिन्दी **घोड़े** के समान **गुड़** है। हिन्दी की **ढ़्** ध्वनि महाप्राणता के लोप से **ड़्** में बदलती है, परिनिष्ठित कश्मीरी फिर उसे **र्** में बदलती है, जैसे **पढ़ना** क्रिया का **पढ़** पहले **पड़** बना, फिर **पर**; **परान्** अर्थात् **पढ़ता** हुआ। इसी प्रकार **लिखाड़ी** कश्मीरी में **लिखोरि** है, **घड़ी गर्** है, बहुवचन में **गरि** है। **ग्वाला** का कश्मीरी प्रतिरूप **गोर्** है किन्तु **ल्** ध्वनि अधिकांश शब्दों में सुरक्षित रहती है। अनेक आर्य भाषाओं के

समान कश्मीरी **द्** ध्वनि को **ल्** में बदलती है। घर के लिए कश्मीरी **लर्** फ़ारसी **दर्** का रूपान्तर है। कुछ शब्दों में **ज्** ध्वनि पहले **द्** में परिवर्तित हुई है और फिर यह **द्** ध्वनि **ल्** बनी है। **बीज** का प्रतिरूप **ब्योल्** इसी प्रक्रिया से सम्भव हुआ है। ग्रियर्सन ने लिखा है कि पूर्वी ईरानी भाषाएँ तो **द्** ध्वनि को निरन्तर **ल्** में बदलती हैं, कश्मीरी इस **ल्** के स्थान पर **ज्** का व्यवहार करती है। फ़ारसी **मादर्** शिना भाषा में **माली** है किन्तु कश्मीरी में **माजि** है। वास्तव में **माजि** का **ज् य्** का रूपान्तर है, **माल्यि** रूप में **ल्** का लोप हुआ और **य्** का **ज्** में रूपान्तर हुआ। मध्यदेशीय भाषाएँ **द्** को **र्** में बदलती हैं। उधर **गेल** जैसे पूर्वी कृदन्त-रूपों में **ल् त्** या **द्** का रूपान्तर है। लैटिन में **लेविर्** इसी प्रकार **देवर** के **द्** को **ल्** में बदलता है।

कश्मीरी में **स्** और **श्** के रूपान्तर महत्त्वपूर्ण हैं। ये दोनों ध्वनियाँ कश्मीरी में प्रयुक्त होती हैं, साथ ही बदलती भी हैं। **बसुन्**—रहना, **बुसुन्**—पीला होना में **स्** ध्वनि है किन्तु **बॅहुन्** (बैठना) में **स्** ध्वनि **ह्** में परिवर्तित हुई है। **शत** के प्रतिरूप **हथ्** में **श्** ध्वनि सीधे **ह्** में बदली है या **शत** के प्रतिरूप **सत** का **स् ह्** में बदला है। इसी प्रकार सूखने के लिए **हॉखु** क्रिया का **ह् श्** या **स्** का रूपान्तर है। कश्मीरी **स** और **श्**, दोनों ध्वनियों को **छ्** में भी बदलती है। हिन्दी की प्राचीन **स** (होना) क्रिया कश्मीरी में, बंगला और मैथिली के समान, **छ** रूप में प्रयुक्त होती है। **छुस्** (मैं हूँ), **छुख्** (तू है), **छुह** (वह है), कश्मीरी की यह बहुप्रयुक्त क्रिया है और उसे भारतीय आर्य भाषाओं से जोड़ती है। फ़ारसी में **छ्** ध्वनि का अभाव है और **स** क्रिया का ऐसा रूपान्तर वहाँ नहीं होता। साथ ही अतीतकालीन रूपों में मध्यदेश की जिस प्राचीन **अस्** क्रिया का व्यवहार होता है, कश्मीरी में उसका **स्** सुरक्षित रहता है। **ओसुस्** (मैं था), **ओसुख्** (तू था), **ओसु** (वह था); इससे विदित होता है कि कश्मीरी में आर्य भाषाओं की अनेक ध्वनि-पद्धतियों का मिलन ही नहीं, समन्वय भी हुआ है। कश्मीरी **क्ष्** ध्वनि को भी **छ्** में बदलती है। सभी आर्य भाषाओं में संस्कृत **लक्ष** का रूपान्तर **लाख** प्रचलित है किन्तु कश्मीरी में **लछ** रूप का चलन है। मक्खी के लिए अवधी **माछी** के समान कश्मीरी में **माँछ्** रूप है। सभी आर्य भाषाओं में संस्कृत **अक्षि** का रूपान्तर **आँख** है किन्तु कश्मीरी में **ऑछ्** रूप है। **तक्षन्** का पंजाबी रूप **तिरखाण** है किन्तु कश्मीरी प्रतिरूप **छान्** (बढ़ई) है। मागधी प्रवृत्ति के अनुसार **क्ष्** का रूपान्तर **ख्** होगा, किन्तु मध्यदेशीय प्रवृत्ति के अनुसार उसका रूपान्तर **छ्** होगा। कश्मीरी में यह प्रवृत्ति बहुत पुरानी है, तभी **लाख, आँख** जैसे शब्दों का उसमें चलन नहीं हुआ। संस्कृत के जो शब्द हिन्दी में अब प्रयुक्त न होंगे, उनके तद्भव रूप कश्मीरी में हैं, और उनमें **क्ष्** के स्थान पर **छ्** का व्यवहार होता है। धोने के लिए कृदन्त-रूप **छलान्** का सम्बन्ध **क्षालन** (प्रक्षालन) से है, **वुछुन्** (देखना) का सम्बन्ध **वीक्षण** से है। कश्मीरी में **वस्** (बैठना) का प्रतिरूप **वथ्** है। हिन्दी **बैठना** का आधारभूत रूप **वथ** जैसा रूप

है, केवल यहाँ **थ्** का मूर्धन्यीकरण हुआ है। कश्मीरी में इस प्रकार **स्** ध्वनि बनी रहती है और अनेक रूपों में बदलती भी है।

कश्मीरी भाषा के कुछ शब्द-रूपों में **आ** के स्थान पर **ओ** का व्यवहार होता है, यथा : **भाई** के लिए **बोय्** शब्द है। इसका कारण मागधी भाषाओं का प्रभाव हो सकता है। इस समुदाय की भाषाएँ कश्मीर से बहुत दूर हैं किन्तु **छ** क्रिया मागधी और कश्मीरी भाषाओं में सामान्य है। इसलिए **आ** के स्थान पर **ओ** का व्यवहार उस प्रभाव के कारण हो सकता है। यह सही है कि मागधी भाषाएँ **अ** को बदलती हैं, **आ** को नहीं किन्तु अनुकरण वृत्ति से सम्भव है, **आ** को भी **ओ** में बदला गया हो। **मधुर** का कश्मीरी प्रतिरूप **मॉदुर्** है, **मत्त** का प्रतिरूप **मॉत्**, **पट** का प्रतिरूप **पॉट्** है। इन उदाहरणों से विदित होता है कि ह्रस्व **अ** को ऑकारवत् बोलने की प्रवृत्ति कश्मीरी में है यद्यपि यह प्रवृत्ति बहुत सीमित है। साथ ही **इ** और **उ** स्वरों को विवृत रूप में बोलने की प्रवृत्ति भी बंगला के समान कश्मीरी में है। **दूध** का प्रतिरूप **दॉदि निर्धन** का प्रतिरूप **नॅर्दन** इसी प्रवृत्ति के द्योतक हैं। अतः **भाई** का **बोय्** रूप मागधी प्रभाव के कारण हो सकता है। कश्मीरी अपनी समन्वयवादी प्रवृत्ति के कारण अपादानकारक में **बायि** रूप बनाए रहती है जहाँ दीर्घ **आ** अपरिवर्तित रहता है। इसी प्रकार **पानी** के लिए **पोन्य्** शब्द अपादानकारक में **पानि** है। **बनिया** का प्रतिरूप **बाणियाँ** कश्मीरी में **वोन्य्** है किन्तु अपादानकारक में **वानि** है।

कश्मीरी भाषा में ऐसे शब्द बहुत हैं जहाँ मूल रूप **अ** के स्थान पर **ओ** का व्यवहार हुआ हो, ऐसे शब्द कम हैं जिनमें मूलरूप के **अ** के स्थान पर **ए** का व्यवहार हुआ हो। **शंख** शब्द कश्मीरी में **शेंख्** है। यहाँ स्पष्ट ही कौरवी प्रभाव से एकार का व्यवहार हुआ है। ऐसे शब्द बहुत खोजने पर मिलेंगे। इससे सिद्ध यह होता है कि कश्मीरी पर जितना प्रभाव मागधी भाषा-समुदाय का है, उतना कौरवी समुदाय का नहीं। बंगला में ऐसे शब्द बहुत हैं जिनमें आदि वर्ण का अकार एकार में गृहीत है। इसका कारण बंगला पर कौरवी प्रभाव है। यह बात आश्चर्यजनक लगेगी कि कौरवी प्रभाव जितना सुदूर बंगाल की भाषा पर है, उतना पड़ोसी कश्मीर की भाषा पर नहीं है। विभिन्न आर्य गण-भाषाओं का परस्पर सम्पर्क और प्रभाव अनेक अवस्थाओं की सूचना देता है। प्रत्येक अवस्था में यह सम्पर्क और प्रभाव एक-सा नहीं रहता। जो लोग एकारवृत्ति को अर्द्ध-मागधी की विशेषता मानते हों, वे मराठी में भी इसका प्रसार देखें। इसके अतिरिक्त अकार के एकार-ओकार वाले रूपान्तरण भारत से बाहर इंडो-यूरोपियन परिवार की भाषाओं में अन्यत्र भी है।

यह बात उल्लेखनीय है कि मानक हिन्दी के **करना** रूप के प्रतिकूल कश्मीरी कृदन्त पुरानी अवधी के **करन** के समान ह्रस्व अकारान्त अथवा उकारान्त होते हैं। **गछुन्** (जाना), **बोवुन्** (होना) आदि रूपों में **अ** का लोप हो गया है; रूप-निर्माण की प्रक्रिया वही है। **च्योनु** (पीना), **प्योनु** (गिरना) आदि उकारान्त रूप हैं। कौरवी

प्रवृत्ति के अनुरूप इनके अन्त में **आ** स्वर नहीं है। कश्मीरी भाषा की ध्वनि-प्रकृति यहाँ मध्यदेशीय भाषाओं की ध्वनि-प्रकृति के अनुरूप है।

कश्मीरी में सघोष और अघोष ध्वनियों का भेद होता है किन्तु इस भाषा पर द्रविड़ प्रभाव इतना गहरा है कि अनेक शब्दों में सघोष ध्वनियाँ अघोष हो गई। हिन्दी **देर** का कश्मीरी प्रतिरूप **तेर्** है। अरबी-फ़ारसी से उधार लिये हुए शब्दों में भी कभी-कभी सघोष ध्वनि को अघोष कर दिया जाता है, यथा : **काग़ज़—कागद** का रूपान्तर **काकद** है, **बाज़** कश्मीरी में **पाज़** है। ऐसे रूप देखकर याद आता है कि जिस प्राकृत में **गगन** का रूपान्तर **ककन** होता था, उसका सम्बन्ध इसी क्षेत्र से था। दूसरी ओर मूल अघोष ध्वनि को सघोष भी किया जा सकता है। **प्रकाश** का **काश** कश्मीरी में **गाश्** है। इसी प्रकार **मसीत** का कश्मीरी प्रतिरूप **मशीद्** है।

कश्मीरी भाषा की एक विशेषता शब्दों के अन्त में ऐसे स्वरों का प्रयोग है जो बहुत कम सुनाई देते हैं, गैर-कश्मीरियों को तो सुनाई ही नहीं देते, कश्मीरियों को भी वह साफ-साफ सुनाई देते हैं, इसमें सन्देह है। इन अस्फुट स्वरों को मात्रा स्वर कहा गया है और उनकी स्थिति काफी रहस्यपूर्ण है। दरद भाषाओं में ऐसे अस्फुट स्वर किन क्षेत्रों में प्रयुक्त होते हैं, इसका विवरण नहीं मिलता। कम-से-कम इतना तो स्पष्ट है कि ईरानी भाषाओं के प्रभाव से कश्मीरी में यह विशेषता उत्पन्न नहीं हुई। इन तथाकथित मात्रा स्वरों में रहस्यपूर्ण कुछ भी नहीं है। ये स्वर कश्मीरी भाषा के मूल ध्वनितंत्र की एक विशेषता सूचित करते हैं जो अन्य प्रभावों के कारण प्राय: नष्ट हो गई है। ब्रज काचरू ने ठीक लिखा है कि कभी ये स्वर अर्थ-विच्छेदक रहे होंगे। इनमें **उ** और **इ** स्वर हैं जो पुंल्लिंग और स्त्रीलिंग का भेद सूचित करते हैं। इस प्रकार का भेद अवधी भाषा भी सूचित करती है और उसके लिए वह इन्हीं स्वरों से काम लेती है। यदि कश्मीरी भाषा में इन स्वरों की अर्थ-विच्छेदक भूमिका रही हो, तो मानना होगा कि यह एक मध्यदेशीय विशेषता थी। **गोरु**—ग्वाला, **गरि**—ग्वालिन, **मोलु**—पिता, **माजि**—माता, **युथु**—ऐसा, **यिछि**—ऐसी, इस तरह के भेद कश्मीरी में व्यापक हैं और प्राय: हर वर्ग के शब्दों के साथ प्रयुक्त होते हैं। किन्तु अब इन स्वरों की छाया-भर रह गई है और इसीलिए इनके अस्तित्व और भूमिका के बारे में विवाद होता है। कश्मीरी के ध्वनितंत्र पर कोई ऐसा प्रभाव पड़ा है जो इन स्वरों के अस्तित्व को व्यर्थ कर देता है। कश्मीरी में बलाघात की व्यवस्था पर ध्यान दिया जाए तो इस प्रभाव का पता चल जाएगा। बलाघात अर्थ-विच्छेदक नहीं है किन्तु वह शब्दबद्ध है, वाक्य की लय पर निर्भर नहीं है। जैसे **महाराज** शब्द बोलचाल में **माहरा** बन जाता है, वाक्य में उसकी स्थिति कहीं भी हो। **महाराज** के **माहरा** बनने का कारण प्रथम वर्ण पर बलाघात है। बलाघात के कारण प्रथम वर्ण का ह्रस्व स्वर दीर्घ हो गया है और अन्तिम वर्ण के ह्रस्व स्वर और व्यंजन, दोनों का लोप हो गया। कश्मीरी शब्दों के ध्वनितंत्र पर क.मु. विद्यापीठ में काम करते हुए प्राणनाथ

त्रसल के सहयोग से अशोक आर. केलकर ने एक लेख लिखा था : 'कश्मीरी वर्ड फोनोलॉजी, ए फर्स्ट स्केच, जो एंथ्रोपोलॉजिकल लिंग्विस्टिक्स' के जनवरी, 1964 के अंक में प्रकाशित हुआ था। इसमें उन्होंने लिखा था कि ध्वनिशास्त्रीय विचार से कश्मीरी भाषा में बलाघात सदैव शब्द के पहले वर्ण पर होता है। यदि अवधी में बलाघात की स्थिति देखी जाए तो विदित होगा कि उस भाषा में स्थिति इससे भिन्न है। प्रथम वर्ण पर बलाघात की प्रवृत्ति मागधी भाषाओं की है और यह प्रवृत्ति बंगला में अब भी है। मागधी प्रभाव अवधी पर सीमित है, कुरु भाषा-समुदाय पर अधिक है और स्वभावत: इस समुदाय के क्षेत्र को पार करता हुआ वह कश्मीर में पहुँचता है। मध्यदेशीय आर्य भाषाओं की मूल प्रवृत्ति शब्दों के अजन्त रूपों का व्यवहार करने की है। मागधी प्रभाव से संस्कृत में बहुत-से शब्द हलन्त रूप में प्रचलित हुए। यहाँ अजन्त रूपों में हम उन्हीं शब्दों को नहीं लेते जिनके अन्त में स्वर है वरन् उन्हें भी लेते हैं जिनके अन्त में नासिक्य व्यंजन हैं; ऐसे व्यंजनों में स्पर्श-तत्त्व क्षीण होता है, अत: वे अर्द्धस्वर के समान होते हैं। नासिक्य व्यंजनों के साथ **स** जैसी संघर्षी ध्वनियों को भी गिनना चाहिए, क्योंकि यहाँ भी स्पर्श-तत्त्व क्षीण हैं। इसी कोटि में **र्, ल्** आदि अन्तस्थ ध्वनियाँ हैं। इस दृष्टि से तमिल भाषा के शब्द अजन्त हैं; पूर्ण स्पर्श व्यंजन उनके अन्त में नहीं आता। अत: संस्कृत के हलन्त शब्द-रूपों का कारण द्रविड़ प्रभाव नहीं है। यह प्रभाव प्राचीन मागधी अथवा कौरवी भाषा-समुदाय का है। इस प्रकार कश्मीरी के ध्वनितंत्र के निर्माण में सबसे पहले मुख्य भूमिका उसके अपने ध्वनितंत्र की है। कश्मीरी ध्वनितंत्र के स्वतंत्र केन्द्र का अस्तित्व उसके स्वरतंत्र में देखा जा सकता है। स्वरों के ऐसे भेद कश्मीरी के आस-पास अन्य प्रमुख भाषा-क्षेत्रों में नहीं हैं। इसके बाद महत्त्वपूर्ण भूमिका है प्राचीन कोसली गण-समुदाय की भाषाओं की। इसके बाद मागधी भाषाओं का जबर्दस्त प्रभाव कश्मीरी पर पड़ा जिसने उसके ध्वनितंत्र में काफी परिवर्तन किया।

कश्मीरी में ऐसे शब्द बहुत हैं जिनके मूल रूप का अन्तिम वर्ण प्राय: लुप्त हो जाता है। उसमें ऐसे शब्द कम हैं, जिनमें मध्यवर्ती वर्ण का लोप होता हो। **पुष्प** का प्रतिरूप **पोश्** है; यहाँ पूरा वर्ण **प** लुप्त हुआ, प्रथम वर्ण के साथ जो **ष्** व्यंजन था, वह तालव्य रूप में बच रहा। **पुश्त** के प्रतिरूप **पत्** (पीछे) में **श्** व्यंजन और **त** के **अ** का लोप हुआ। **पद्म पुष्प** कश्मीरी में **पम्पोश्** है; यहाँ **पद्म** के अन्तिम **अ** तथा **द्** का लोप हुआ। **गन्धर्व** का प्रतिरूप **गन्दुर्** (युवा) है, यहाँ पूरे वर्ण का लोप हुआ। एक शब्द है **लोनवञ्** जिसका अर्थ है खेत काटने की मजदूरी। इसमें **लोन** का सम्बन्ध तो काटने का अर्थ देनेवाली **लुन्** क्रिया से है और **वञ्** पण्य का रूपान्तर है। **य** वर्ण का लोप हुआ, उससे पूर्व स्थित नासिक्य ध्वनि तालव्य में परिवर्तित हुई। प्राचीन शब्द **आस्य** (मुख) का कश्मीरी प्रतिरूप **आस्** है, यहाँ भी **य** वर्ण का लोप हुआ। इस तरह अन्तिम वर्ण के लोप का कारण बलाघात है—लोप चाहे आंशिक हो, चाहे पूर्ण।

साथ ही कुछ शब्दों में मध्यवर्ती वर्ण का लोप भी देखा जाता है। इस प्रवृत्ति के उदाहरणों में एक शब्द है **कशीर** जो **कश्मीर** का रूपान्तर है। यहाँ पूरे मध्यवर्ती वर्ण का लोप नहीं हुआ। **मी** के व्यंजन-अंश का लोप हुआ है, स्वर पूर्व व्यंजन से संयुक्त हो गया है। **कबूतर** का कश्मीरी प्रतिरूप **कोतुर्** है, यहाँ पूरे वर्ण का लोप हुआ किन्तु क्षतिपूर्ति के लिए प्रथम वर्ण का स्वर दीर्घ हुआ। इसी प्रकार **गृहस्थ** के प्रतिरूप **गूरस्त्** से प्रथम वर्ण का स्वर दीर्घ हुआ है। ग्रियर्सन ने कश्मीरी भाषा के शब्दकोश में **लुताश्** शब्द दिया है जो **रोहिताश्व** का प्रतिरूप है। यहाँ वर्ण-संकोचन मध्यदेशीय प्रवृत्ति के अनुरूप है यद्यपि **र्** का **ल्** में रूपान्तर मागधी प्रवृत्ति के अनुरूप है। कश्मीरी में **र्** ध्वनि की प्रधानता है किन्तु कुछ शब्दों में **र्** के स्थान पर **ल्** का व्यवहार होता है। इनमें एक शब्द **लुद्र** है जो **रुद्र** का रूपान्तर है। ऐसे ही **रुक्ष** का कश्मीरी तद्भव रूप **लछु** (रूखा) है। ऐसे परिवर्तन अपवाद रूप हैं। इसी प्रकार प्रथम वर्ण को अपवाद रूप में ह्रस्व किया जाता है।

कश्मीरी भाषा में दो व्यंजन एक साथ बहुत कम आते हैं। यह उल्लेखनीय है कि शब्द के प्रथम वर्ण में स्पर्श-ध्वनि के साथ **र** का संयोग तो होता है, **ल्** के संयोग के उदाहरण नहीं मिलते। हिन्दी **गोड़** (पैर) के लिए कश्मीरी में **ग्रौंड्** शब्द है। ग्रियर्सन का विचार था कि मूल रूप में **र्** ध्वनि थी जिसे कश्मीरी कभी-कभी उच्चारित नहीं करते, अतः **ग्रौंड्** को **गोडु** भी बोलते हैं। वास्तव में मूल रूप में **र्** नहीं है। जैसे **कोटि** के **क्** में अतिरिक्त **र्** जोड़कर **क्रोटि** बना जिसका तद्भव रूप **करोड़** है, वैसे ही **गोड़** में अतिरिक्त **र्** जोड़कर **ग्रौंड्** रूप बनाया गया। कश्मीरी **ल्**-क्षेत्र की भाषा होती तो आदि स्थानीय व्यंजन के साथ **ल्** भी अनेक शब्दों में संयुक्त दिखाई देता।

### *(ख) शब्दतंत्र*

कश्मीरी शब्दतंत्र में अनेक स्तरों के शब्द हैं। शब्द-भंडार का एक भाग हिन्दी-उर्दू के शब्द-भंडार से मिलता-जुलता है। उस भाग पर यहाँ विचार करना अनावश्यक है। शब्द-भंडार का काफी हिस्सा ऐसा है जो कश्मीरी भाषा का अपना है। इस पर भी यहाँ कुछ कहना जरूरी नहीं है। कश्मीरी में काफी ऐसे शब्द हैं जो प्राचीन आर्य भाषाओं के हैं किन्तु हिन्दी में प्रयुक्त नहीं होते। इन पर यहाँ विचार करेंगे। कुछ शब्द ऐसे भी हैं जो या तो संस्कृत में हैं नहीं या उनका वैसा रूप नहीं है या उनका अर्थ बदल गया है। ऐतिहासिक दृष्टि से ऐसे शब्द सर्वाधिक महत्त्वपूर्ण हैं।

कश्मीरी में **गन्दुर्** (युवा) **गन्धर्व** का तद्भव रूप है। संस्कृत में **गन्धर्व** का गाने-बजानेवाला अर्थ बना हुआ है किन्तु मूल अर्थ सम्भवतः **युवा** था। **गन्धर्व** निस्सन्देह एक गण-समाज का नाम था। गण-समाजों के नाम युवक, योद्धा, पुत्र का अर्थ देनेवाले शब्द पर रखे जाते थे। नाम रखने की यह भी एक परिपाटी थी यद्यपि एकमात्र परिपाटी नहीं थी। **गन्धार** स्थान से **गन्धर्व** गण का सम्बन्ध रहा

होगा। कश्मीरी में **गिन्दगॉर्** का अर्थ है नर्तक। यहाँ **गन्धर्व** का गौण अर्थ सुरक्षित है। पुत्र के लिए कश्मीरी का एक शब्द **कठ** है। भारत में **कठ** नामक गण भी था; **काठियावाड़** जैसे नामों में उसकी स्मृति बनी हुई है। **कठ** का अर्थ पुत्र है, इसलिए उसके गणवाचक होने की बात समझ में आती है। यह **कठ** कश्मीर के **कश** का रूपान्तर हो सकता है। तब गणवाचक **कश** का अर्थ होगा पुत्र, युवा। लड़की के लिए कश्मीरी **कूरु** पंजाबी **कुड़ी** की याद दिलाता है। प्रसिद्ध गणवाचक **कुरु** शब्द युवा और योद्धा का सूचक था, इस धारणा की पुष्टि **युवती** के लिए प्रयुक्त कश्मीरी **कूरु** से होती है। बच्चे के लिए **कठ** के समान एक शब्द **शुर्** है। **शूरसेन** नाम का प्रसिद्ध जनपद था। **शूर** का अर्थ योद्धा है। उसका एक अर्थ बच्चा भी रहा होगा। सहोदर भाइयों या बहन-भाइयों के लिए कश्मीरी शब्द **बारनि** का सम्बन्ध **भर** से प्रतीत होता है। **भ्रातृ** शब्द का आधार **भर** था, यह बात अन्यत्र कही गई है। गृहस्वामी के लिए **बुगिय्** और गृहस्वामिनी के लिए **बुगिञ्** शब्द हैं। इनका आधारभूत शब्द **भग** है जो ऐश्वर्य और स्वामित्व का सूचक है। मातृसत्ताक समाज में गृहस्वामिनी स्त्री होगी। **भगिनी** का मूल अर्थ यही प्रतीत होता है। पिता के लिए **मोलु** शब्द इंडो-यूरोपियन परिवार के **पितृ** शृंखला के शब्दों से भिन्न है किन्तु **मात** शब्द-शृंखला से भिन्न नहीं है। **मातृ** और **पितृ,** दोनों की मूल क्रिया का अर्थ है जन्म देना। इनमें एक रूप **जनक** और दूसरा रूप **जननी** के लिए निश्चित हो गया। जैसे **पति** शब्द इंडो-यूरोपियन परिवार की कुछ भाषाओं में **स्त्री** के लिए प्रयुक्त होता है, वैसे ही **मातृ** शब्द कुछ प्राचीन आर्य भाषाओं में **जनक** के लिए प्रयुक्त होता था। **मोलु** का एक रूप **मालु** होगा और यहाँ **त्** अथवा उसका सघोष रूप **द् ल** में परिवर्तित हुआ है। **मोलु** का स्त्रीलिंग रूप **माजि माल्** में **य** जोड़ने पर बना है। इस प्रकार **माता-पिता** दो अलग रूपों का व्यवहार न करके, **जनक** और **जननी** के समान, कश्मीरी एक ही शब्द के दो रूपों—**मोलू** और **माजि** का व्यवहार करती है। कश्मीरी में **खेल, ख्यलु** शब्द समूहवाचक है। जनसमूह, सेना या दल के लिए **खेल** शब्द है। **खेल** शब्द का यह समूह वाला अर्थ वैसे ही निश्चित हुआ है, जैसे **ग्राम** शब्द का। **ग्राम** का मूल अर्थ है खेती; खेती की भूमि पर या उसके निकट रहनेवाले जनसमूह **ग्राम** कहलाए। **ग्राम** कृषिगत अर्थ से पूर्ण मुक्त होकर समूह का अर्थ देने लगा। **खेल** शब्द **खेत** का रूपान्तर है। अवधी **खेरु,** मानक हिन्दी में **खेड़ा खेत** और **खेल** से सम्बद्ध है। कश्मीर के पड़ोस में स्थानों के पश्तो नामों के साथ खेल अक्सर जुड़ा दिखाई देता है। कश्मीरी **ख्यलु** पशु-समूह के लिए प्रयुक्त होता है। **गुपुन् ख्यलु** अर्थात् पशुओं का बड़ा समूह; यह **ख्यलु** उसी **खेल** से सम्बद्ध है। संस्कृत के **अखिल, निखिल** शब्दों का आधार **खिल** है जिससे कश्मीरी **ख्यलु** सम्बद्ध है। पशुसमूह के लिए कश्मीरी का एक शब्द **जब** है; पशु-समूह के स्वामी को **जब वोलु** कहेंगे। स्वामी का अर्थ देनेवाला

एक प्राचीन भारतीय शब्द **आल** है जो **पंचाल** में विद्यमान है। संस्कृत **जबाल** का अर्थ होगा गोपाल, पशुओं का स्वामी; **जबाल** के पुत्र का नाम होगा **जाबालि**। जैसे **गोस्वामी,** वैसे ही पशुओं के स्वामी **जाबालि**। **नाग** शब्द संस्कृत में सर्प का अर्थ देता है किन्तु इसका प्रथम अंश **ना** जलसूचक था; **स्नान** और **नाव** में **ना** का वह जल वाला अर्थ-संसर्ग विद्यमान है। कश्मीरी में **नाग** शब्द का अर्थ झरना है और अनेक स्थानों के नाम के साथ **नाग** शब्द लगा हुआ है।

अब कश्मीरी के ऐसे शब्द लेते हैं जो संस्कृत में हैं किन्तु हिन्दी में प्रयुक्त नहीं होते। इनसे भी प्राचीन आर्य भाषाओं की स्थिति और उनसे कश्मीरी का सम्बन्ध समझने में सहायता मिलेगी। संस्कृत **विश** जनसमूह, निवासस्थान का सूचक है। इसका रूपान्तर कश्मीरी में **बिठ्** (सभा) है। हिन्दी क्षेत्र के प्रसिद्ध स्थान **बिठूर** की व्याख्या इस **बिठ्** के आधार पर बहुत अच्छी तरह हो जाती है। दुकानदार के लिए कश्मीरी **वॉञु** का सम्बन्ध **पण्य** से है। हिन्दी **बनिया वॉञु** से काफी दूर प्रतीत होता है किन्तु दोनों का स्रोत एक है। कश्मीरी **वन्** (कहना) का पूर्व रूप **पन्** होगा जो द्रविड़ भाषाओं में, **पण्** रूप में, अब भी प्रयुक्त होता है। **पण्य** के **प्** के समान यहाँ भी **प् व्** में परिवर्तित हुआ। **पन्** का पूर्व रूप था **भन्** या **भण्**। **पथ** के कश्मीरी प्रतिरूप **वथ्** में पुनः **प्** ध्वनि **व्** में परिवर्तित हुई है। **वुछन्** (देखना) का सम्बन्ध **वीक्षण** से है, पहले कहा जा चुका है। जोर से शब्द करने के लिए **बाख्** का पूर्वरूप **भाष्** हो सकता है, **वाक्** भी। कश्मीरी में देखने के लिए **पश्** (पश्य) और **दृश्** के आधार पर **पशुन्** और **डेशुन्,** दोनों क्रिया-रूप हैं। **आबुर्** (बादल) का मूल रूप **अभ्र** है। पुकारने के लिए **नाद्** क्रिया है। हिन्दी में **नाद्** शब्द संज्ञा रूप में तो प्रयुक्त होता है किन्तु क्रिया-रूप में उसका व्यवहार नहीं होता। **ब्रज़न्** (शोभित) का आधार **भ्राज्** क्रिया है। **अटि अटि** का अर्थ है देश-विदेश-भ्रमण। इसमें **पर्यटन** वाली **अट्** क्रिया है। **कुत्ते** के लिए **श्वान** का तद्भव रूप **हून्** है जिससे जर्मन **हुंट्,** अंग्रेज़ी **हाउंड्** सम्बद्ध हैं। **कुबड़े** के लिए **कॉव्य्** शब्द है जिसका आधार **कुभ** है; **कुबेर** में **भ्** ध्वनि की महाप्राणता लुप्त हो गई है, **कुब्ज** में भी। कश्मीरी **चश्** एक मछली है; यह शब्द **झष** का रूपान्तर है। हिन्दी में **झख मारना** मुहावरे में **झख** है किन्तु मछली के लिए अलग से उसका व्यवहार नहीं होता। हिन्दी तथा अन्य आर्य भाषाओं में **शत** के तद्भव रूप **सौ** का चलन है; कश्मीरी **हथ्, अथ्** में दूसरे वर्ण की स्पर्श-ध्वनि का लोप नहीं हुआ।

**वशुन्** (गर्म) का मूल रूप **उष्ण** है। **वेश्या** के लिए **गाञ्** शब्द है। जैसे **वेश्या** का आधार **विश** है, वैसे ही **गणिका** का आधार **गण** है। सामन्ती व्यवस्था के सुदढ़ होने पर सम्पत्तिशाली वर्ग गण-समाजों को घृणा की दृष्टि से देखने लगे। उस समय नये अर्थ में **वेश्या, गणिका** जैसे शब्दों का चलन हुआ। **आचमन** की **चम्** क्रिया संस्कृत में भी पीने के लिए सामान्य सन्दर्भों में प्रयुक्त नहीं होती। **च्योनु** (पीना)

कश्मीरी की सामान्य क्रिया है। **गच्छ** क्रिया हिन्दी में प्रयुक्त नहीं होती किन्तु **गछ्** कश्मीरी की बहुप्रयुक्त क्रिया है। इसका व्यवहार पश्चिमी पंजाब के कुछ भागों में भी होता है। **तृषा** (प्यास) हिन्दी में उच्चस्तरीय शब्द है; **तृष्** के आधार पर कश्मीरी में **त्रेश्** (पी चुका) रूप है। **आस्** (मुख) का मूल रूप संस्कृत **आस्य** है। **यित्शान्** (इच्छा करना) का आधार **इष्** क्रिया है। **बोवुन्** (होना) का आधार **भू** क्रिया है। इसके साथ संस्कृत **आस्** के आधार पर **आसुन्** (होना) क्रिया का व्यवहार भी होता है। प्रसन्न होने के लिए **प्रयुन्** का आधार **प्रीति** और **प्रिय** की **पृ** क्रिया है। **दघ्** मूल रूप के आधार पर संस्कृत में **दह्** क्रिया है; कश्मीरी में इसका प्रतिरूप **दज़ु** (जलाना) है। संस्कृत के समान कश्मीरी में **घ्** ध्वनि **ह्** में परिवर्तित नहीं हुई, वह अन्य संघर्षी ध्वनि **ज़्** में परिवर्तित हुई है। कश्मीरी की कुछ क्रियाएँ संज्ञा अथवा कृदन्त-रूपों के आधार पर बनी हैं। **शोदुन्** (शुद्ध होना) का आधार **शोध** है। इसी प्रकार **पुनुन्** (पूर्ण होना) का आधार **पूर्ण** है। **गिरने** के लिए **प्योनु** का आधार **पत्** के रूपान्तर **पर्** से बना कृदन्त-रूप है। सो जाने के लिए **शोङ्गु**, क्रिया स्पष्ट ही कृदन्त है; यह उन थोड़े से रूपों में है जिनमें कृदन्त चिन्ह **ग** है।

कश्मीरी के कुछ शब्द द्रविड़ भाषाओं की याद दिलाते हैं। चलने के लिए कश्मीरी क्रिया **वल्** द्रविड़ भाषाओं की **वर्** का प्रतिरूप है। संस्कृत **वर्त** में यही **वर्** क्रिया है। किसी स्थान पर पहुँचने के लिए कश्मीरी की **वोतुन्** क्रिया का आधार भी **वर्** है। **वर्** के रूपान्तर **वो** में **त** कृदन्त प्रत्यय जोड़ा गया। चलने के लिए **पकुन्** क्रिया का आधार कृदन्त **पग** या **पक** है जो द्रविड़ क्रिया **पो** से सम्बद्ध है। जाने के लिए **युमु** क्रिया भी है जिसका सम्बन्ध संस्कृत की **या** क्रिया से है। **या** और **वा,** दोनों क्रियाएँ परस्पर सम्बद्ध हैं। जैसे **वा** से **वारि** शब्द बनता है, वैसे ही **या** से **यार** बनता है। तमिल और कश्मीरी दोनों में **यार** अथवा **आर** नदी, वाचक शब्द है। बालों के लिए कश्मीरी में एक शब्द **मस** है। **मस** के रूपान्तर **मह** और **मह** के रूपान्तर **मय** के आधार पर तमिल का **मयिर्** (बाल) शब्द बना है। इसी **मय** से संस्कृत **मयूर** बना है। गाँव, नगर आदि जनस्थानों के लिए **पुर** का रूपान्तर **वुर, उर, ऊर** कश्मीरी और द्रविड़ भाषाओं में प्रयुक्त होता है। कश्मीरी मित्रों ने मुझे बताया था कि शेख अब्दुल्ला के गाँव का नाम स्ववुर है। ससुराल के लिए **हूहवुरु** में यही **उर** शब्द है। उत्तरापथ के लिए कश्मीरी **ब्वटनु** का आधार शब्द **भोट** है जो तिब्बत के लिए प्रयुक्त होता रहा है। **भोट** और **ब्वट** के आधार पर तमिल शब्द **वड** बना जिसका अर्थ है उत्तरापथ; **वडच्चोल** अर्थात् उत्तर की भाषा। यह शब्द स्पष्ट ही तमिल जन उत्तर से अपने साथ दक्षिण ले गए हैं। **वड** के पूर्वरूप **ब्वट, ब्वट** के पूर्वरूप **भोट** का आधार-रूप बोध है। महाप्राणता दूसरे वर्ण से पहले में स्थानान्तरित हुई, **द्** अघोष और मूर्धन्य हुआ। कश्मीरी **अर** से तुलनीय है तमिल **अरि** (काटना); लकड़ी चीरने के उपकरण हिन्दी में **आरा, आरी** कहलाते हैं। कान की

बाली के लिए कश्मीरी **अल्क** का सम्बन्ध तमिल क्रिया **अल** से हो सकता है जो **अलच, अलुक्कू, अलङ्ग** आदि रूपों में विद्यमान है और जिसका अर्थ हिलना है।

**शीन्** (बर्फ) **हिम** से सम्बद्ध है; शिमला का **शिम शीन्** का प्रतिरूप है। **स्तम्भ** के लिए कश्मीरी शब्द **चेन** का आधार **स्त** क्रिया है। इससे तुलनीय है रूसी **स्तेन्** (दीवाल)। दूध दुहने के लिए आधुनिक आर्य भाषाओं में **दुह** क्रिया का व्यापक व्यवहार होता है। कश्मीरी **चावञु** अथवा **च्यावञु** (दोहन) का सम्बन्ध **दुहने** का अर्थ देनेवाली प्राचीन **सू** क्रिया से हो सकता है। **स्तन** के लिए कश्मीरी का **मम** शब्द **स्तनपायी** जीवों के लिए प्रयुक्त लैटिन **मम्मालिआ** में विद्यमान है। **मुख** का अंग्रेज़ी प्रतिरूप **माउथ्** है : कश्मीरी **बुथ** (चेहरा) **माउथ्** से सम्बद्ध जान पड़ता है। **अंकुर** के लिए **गव** का पूर्वरूप **गर्भ** होगा और यह **गर्भ** संस्कृत **दर्भ** का वैकल्पिक रूप लगता है। ग्रियर्सन ने कश्मीरी **गेल्** (जोर की आवाज) का सम्बन्ध वैदिक **गल्द** से जोड़ा है। इन दोनों का आधार **गद्** क्रिया होगी जिसका रूपान्तर **गल्** है। संस्कृत **चषक** का प्रतिरूप कश्मीरी **खसि** है; इसका पूर्वरूप **कश** हो सकता है, जैसे—फ़ारसी **मैकश** (शराब पीनेवाला) में। नदीवाचक **क्वल्** संस्कृत **कुल्या** से सम्बद्ध है। **कुल्या** रूप किसी पुंल्लिंग **कुल्य** जैसे रूप के आधार पर बनाया हुआ स्त्रीलिंग रूप है। सोने के लिए **न्यह** का सम्बन्ध **निशि** से हो सकता है। **निशि** शब्द में **शि** शयनसूचक क्रिया होगी और **नि** उपसर्ग होगा।

कश्मीरी **द्रव्** क्रिया का प्रयोग विशिष्ट अर्थ में करती है, **गरद्राव्** अर्थात् घर से गया हुआ। भूखे के लिए **ब्वछु** शब्द **भिक्षु** की याद दिलाता है। **वात** के प्रतिरूप **बाद** से कश्मीरी में **बादुन्** (शक्तिशाली) विशेषण बनता है। **द्वह्**, (दिन) का आधार **द्योस्** का **द्वोस्** जैसा वैकल्पिक रूप होगा। उसका पर्यायवाची **द्यन्** (दिन) भी प्रयुक्त होता है। **चकोर** के लिए **ककव** शब्द में तालव्यीकरण नहीं है; **ककव** और **चकवा**, दोनों में **क** की आवृत्ति हुई है। कश्मीरी **पिशुल्** का संस्कृत प्रतिरूप **पिच्छल** है; हिन्दी **फिसलन्**, अवधी **बिछुलहर** का पूर्वरूप **पिशल** होगा। संस्कृत में **श्** के स्थान पर **च्छ्** है किन्तु कश्मीरी में मूल ध्वनि बनी हुई है। निषेध के लिए कश्मीरी में **म, मा** अब भी प्रयुक्त होते हैं, हिन्दी आदि में **न्** वाले रूपों का **चलन** है। अंग्रेज़ी **निअर**, पंजाबी **नेड़े** का कश्मीरी प्रतिरूप **निओड़** है। इन सबका मूल रूप **नेदिष्ठ** है।

कश्मीरी की कृषि सम्बन्धी शब्दावली अलग से विचारणीय है। खेती और गाँवों से सम्बद्ध काफी शब्द हिन्दी प्रदेश की जनपदीय शब्दावली से मिलते-जुलते हैं। खेत के लिए **खीति** और **खाह** शब्द हैं जो परस्पर सम्बद्ध हैं। हल के लिए **अल्** और **आल्** शब्द हैं। हल का फाल **अलफाल्** कहलाता है। हिन्दी **हल माची** की तरह किसानी के उपकरणों के लिए भी **अलफाल** का प्रयोग होता है। खलिहान के लिए **खल** शब्द है। किसान **ग्रूस्तु** (गृहस्थ) है, खेत-मजदूर सिन्धी **हाली** की तरह

**हालि** है। ग्वाला **गूरु** है; **ल्** ध्वनि **र्** में बदल गई है। छोटा खेत हिन्दी में **बारी** कहलाता है, **खेती** के साथ उसे मिलाकर **खेतीबारी** का व्यवहार होता है। कुछ लोग **बाड़ी** भी कहते हैं। कश्मीरी में साग उगाने का छोटा खेत **हाखवारू** (शाकबारी) कहलाता है। खेत में पानी देने के लिए हिन्दी **ढेंकली** कश्मीरी में **डेकली** है। गेहूँ के लिए **कनक** का रूपान्तर **कन्ख्** प्रचलित है। गाँव के लिए **गाम्, गुठ्, ग्वंड, पुर, उर** अनेक शब्द हैं। **गुठ** का आधार **गोष्ठ** है; **गुठ** विशेष रूप से वह स्थान है जहाँ पशु एकत्र होते हैं। **ग्वंड** का अवधी प्रतिरूप **ग्वाँड़ा** है जहाँ पशु बाँधे जाते हैं। हल के लिए **खाञु**, फसल काटने के लिए **क्राव्**, पशुओं का अनखाया चारा **गुयुन्**, बैल के लिए **हख्रू** आदि कश्मीरी के अपने शब्द हैं। बोने के लिए प्राचीन **वप्** क्रिया से **वाप** संज्ञा शब्द बना जिसका कश्मीरी रूपान्तर हुआ **वाफ्**; **हरुद्वाफ्** अर्थात् शरदकालीन बुवाई। अवध में कंडे पार्थ कर स्तूप-सा बना देते हैं और उस पर गोबर का पलस्तर कर देते हैं। इसे अवधी में **बठिया** कहते हैं। यह स्त्रीलिंग रूप है; इसका पुंल्लिंग रूप **बठु** रहा होगा। कश्मीरी में **बठु** शब्द है और उसका वही अर्थ है जो **बठिया** का है। हिन्दी डोल के लिए कश्मीरी **डुल** शब्द है। **बछवा** कश्मीरी में **वॉच्** है।

कश्मीरी के सर्वनाम शब्द महत्त्वपूर्ण हैं। इनमें सबसे पहले उल्लेखनीय है अन्य पुरुष एकवचन रूप **स्**। अनेक आर्य भाषाओं में इस सर्वनाम का लोप हो गया है किन्तु कश्मीरी में वह विद्यमान है। व्यक्तिवाचक और निर्देशक सर्वनाम परस्पर सम्बद्ध रहे हैं। ग्रियर्सन ने **सुह्** और **हुह्** रूप दिये हैं जो निर्देशक सर्वनाम हैं। **सु** का रूपान्तर **हु** है और कश्मीरी दोनों का उपयोग करती है। निर्देशक सर्वनामों की जो रचना-प्रक्रिया इस पुस्तक में बताई गई है, उसकी पुष्टि **हुह्** के सम्प्रदान रूप **हुथ्** से होती है। **हुह** का मूल रूप होगा **सुध**। इससे **सुह्, हुह्, हुथ्** रूप बने हैं। इसी प्रकार **यिह्** का पूर्वरूप **इध** और मूल रूप **सिध** होगा। निर्जीव पदार्थों के लिए **यिह्** का सम्प्रदान रूप **यिथ्** है। एक जगह **ध्** ध्वनि **ह्** में परिवर्तित हुई, दूसरी जगह **थ्** में। **यिह्, हुह्,** और **सुह्** रूपों के अर्थ की विशेषता यह है कि ये वक्ता से निर्दिष्ट वस्तु की निकटता या दूरी बतलाते हैं। ग्रियर्सन ने इन रूपों को भारतीय सर्वनामों से बिलकुल भिन्न बताया है। फिर निकटता और दूरी वाले भेद के लिए कहा है कि वह भारतीय भाषाओं में है ही नहीं। दोनों बातें गलत हैं। कश्मीरी सर्वनामों का आधार **सि** और **सु** रूप हैं। हिन्दी का **सो** कश्मीरी **सु** से सम्बद्ध है; बंगला से इसी का प्रतिरूप है। कोई यह बात न माने, तो भी हिन्दी यह और कश्मीरी **यिह्** की समानता को कैसे अनदेखा किया जा सकता है? यह निकटवर्ती वस्तु के लिए ही प्रयुक्त होता है। **सि, सु, स** के आधार पर **इ, उ, अ** सर्वनाम मूलों का व्यवहार निकट, कुछ दूर और अधिक दूर की वस्तु बताने के लिए द्रविड़ भाषाओं में अब भी होता है। कश्मीरी में **उ** और **अ** के बदले **हु** और **सु** से कुछ दूर और अधिक

दूर का अर्थ-भेद किया जाता है। अर्थ-विचार की दृष्टि से कश्मीरी के निर्देशक सर्वनामों की श्रृंखला उस भारतीय सर्वनाम-व्यवस्था के अन्तर्गत है जिसमें आर्य और द्रविड़, दोनों परिवारों के रूप शामिल हैं।

इन्हीं सर्वनाम-मूलों के आधार पर कश्मीरी में स्थानसूचक विशेषक बनते हैं। **हुत्यन्, हुतिनस्, हुतिनन्**—इन तीनों रूपों का अर्थ है उस जगह। इनमें **हु** सर्वनाम-मूल दूरस्थ वस्तु सूचित करता है। उसमें **ति** स्थानवाचक प्रत्यय लगा है जिसका आधार **थ** है। इसी प्रकार **हुतित्यठि** अर्थात् वहाँ से; यहाँ **हुति** का स्वतंत्र रूप देखा जा सकता है। हिन्दी **क्या** के लिए ग्रियर्सन ने कश्मीरी **क्यह्** और **क्याह्** रूप दिये हैं। इसी प्रकार अन्य पुरुष एकवचन **सु** का रूप उन्होंने **सुह्** दिया है। उत्तम पुरुष और मध्यम पुरुष सर्वनामों के एकवचन रूप **ब्वह** और **चह्** दिये हैं। उत्तम पुरुष बहुवचन का सम्बन्धकारक रूप **सोन्** पंजाबी **साड्डा** से सम्बद्ध हो सकता है। अपना के लिए कश्मीरी में **पनुनु** रूप है। या तो **अपन** के **अ** का लोप हो गया है या यह स्वतंत्र सर्वनाम **पन** है। ग्रियर्सन ने कश्मीरी **पान** का अर्थ शरीर बताया है और लिखा है कि हिन्दी आप के समान **पान** का अर्थ स्वयं है। सम्भव है, **पन** और **पान** का आधार **पथ** रूप हो।

कश्मीरी के परिवार सम्बन्धी शब्द ध्यान देने योग्य हैं। **हहर्** (साला), **हिहुर्** (ससुर), **हहरुन्** (ब्याहना) परस्पर सम्बद्ध शब्द हैं। संस्कृत **श्वशुर** से सम्बद्ध शब्दों की श्रृंखला किसी समय काफी बड़ी रही होगी।

हिन्दी के कुछ शब्दों का मूल अर्थ कश्मीरी की सहायता से विदित होता है। झगड़े के लिए कश्मीरी में **हर्** शब्द है; झगड़ालू आदमी **हरिबाज़्** है। जो झगड़े में फँसा है, वह **हरूवोलु** है। हिन्दी **हड़बोंग** का अर्थ झगड़े वाले **हर** से खुलता है। हिन्दी **अखाड़ा** कश्मीरी में **हकहार** है; यहाँ भी **हार** का आधार युद्धसूचक **हर** है। बंगला में हल के लिए **लाङ्गल्** शब्द है। यह **लङ्ग** से बना है। कश्मीरी में **लङ्ग** का अर्थ है पेड़ की डाल। हिन्दी **लँगड़े** में भी **लङ्ग** शब्द है। कश्मीरी **लॉङ्ग** रूप **लँगड़े** के लिए प्रयुक्त होता है। **डाल** और **लँगड़े** का अर्थ देनेवाले शब्द मूलतः एक हैं। **लन्** क्रिया में **ग** प्रत्यय जोड़कर ये शब्द बनते हैं। इनका मूल अर्थ हुआ कटा हुआ। **ड** प्रत्यय जोड़ने पर हिन्दी में लिंगसूचक शब्द बनता है। कश्मीरी में वह स्त्रीलिंग रूप है जिसका अर्थ शाखा और लँगड़ी, दोनों हैं। पहले पेड़ की डाली काटकर खेत जोतते होंगे, इसलिए **लाङ्गल** शब्द **हल** के लिए प्रयुक्त हुआ।

हिन्दी के समान कश्मीरी समानार्थी शब्दों के जोड़े इस्तेमाल करती है, जैसे **अलडल** जिसका हिन्दी रूपान्तर होगा **हालाडोला**। दोनों का अर्थ एक ही है। **गाम् गुठ्** अवधी के **गाँव गॅरावँ** के समान हैं; दोनों का अर्थ है गाँव। सूखे हुए चमड़े के लिए **बस्त खल्रु** शब्द है जिसमें **बस्त** और **खल्रु**, दोनों का अर्थ है खाल। यद्यपि **शत** का रूपान्तर कश्मीरी में **हथ्** है किन्तु **हथ्शथ्** में दोनों रूप विद्यमान हैं और

हिन्दी **सौ सौ** की तरह यहाँ एक ही शब्द की आवृत्ति हुई है। कुछ शब्दों के जोड़े मूल शब्दों से भिन्न अर्थ देते हैं, जैसे—हिन्दी में **अन्न** और **जल** शब्दों को मिलाकर **अन्न-जल** का व्यवहार होता है। **अन्न-जल** का कश्मीरी रूपान्तर है **अन्-जल्**।

कश्मीरी में हिन्दी के समान शब्द की आवृत्ति करते हुए प्रथम वर्ण का व्यंजन बदल देते हैं और बहुधा बदला हुआ व्यंजन, हिन्दी के समान, **व्** होता है। **दुकान-वुकान, श्यामि-वामि** (श्याम-वाम), **बति-वति** (भात-वात), **ओलव्-वोलव्** (आलू-वालू), **ग्यवुन्-व्यवुन्** (गाना-वाना), यहाँ दोहराए हुए शब्दों में **व्** की स्थिति हिन्दी के अनुरूप है। यदि शब्द के प्रथम वर्ण में **व्** अथवा **अ** है तो हिन्दी के विपरीत दोहराते समय उसके स्थान पर **प्** का व्यवहार हो सकता है, यथा : **वाव्-पाव्** (हवा-ववा), **असुन्-पसुन्** (हँसना-वसना)। **अनाप्-शनाप्, गप्-शप, अन्ट्-शन्ट्** आदि भी हिन्दी क्षेत्र से कश्मीर पहुँच गए हैं।

दो शब्दों को जोड़ते समय कश्मीरी कहीं तो नये मुहावरे गढ़ती है, कहीं वह पुराने शब्दों का बहुत आकर्षक प्रयोग करती है। **ख्यथ्-च्यथ्** (खा-पीकर) **'ल्वह्-लंगर** (लोहा-लंगर) हिन्दी मुहावरों के समान हैं। **बतख्यव्** (भात का भोजन) अवधी **भतखवा** की याद दिलाता है। **आशरूपितुरू** (नातेदार) कश्मीरी का अपना मुहावरा है जहाँ पिता को व्यापक अर्थ दिया गया है। **अच्** का अर्थ है प्रवेश करना और **नेर** का अर्थ है बाहर जाना; इनसे मिलकर प्रवेश और निकास का अर्थ देनेवाला **अच् नेर** शब्द बनता है। आगरे में और उसके आसपास स्थानों के नाम के साथ **नेर** शब्द जुड़ा दिखाई देता है। इसलिए ब्रज प्रदेश के **अछनेरा** का सम्बन्ध **अच्नेर** से होगा, यह बहुत सन्दिग्ध है। किन्तु **नेर** के साथ **अछ** की सार्थकता स्पष्ट नहीं है, अत: **अच्नेर** से उसकी समानता ध्यान में रखनी चाहिए। कश्मीरी जीवन में घर का स्थान महत्त्वपूर्ण है। अत: अनेक शब्दों के साथ प्रयुक्त होकर यह विशिष्ट अर्थ देता है। **गरद्राव्**—घर छोड़कर गया हुआ, **गरयिनु**—घर आना, **गरबुगिय्**—गृहस्वामी, **गरबुगिञु**—गृहस्वामिनी, **गरकुलि**—घर का बना, **गरवेठ**—घर के वासी। इसी प्रकार पशुओं से सम्बन्धित **गुपुन्** शब्द संयुक्त होता है : **गुपुन्गुरु**—ग्वाला, **गुपुन्ख्यलु**—पशुयूथ (अवधी में **हरहागोरू** के समान), **गुपुन्न्यन्द्**—पानी से भरे धान के खेतों में पशुओं को चलाना, **गुपुन्दो**—गोरक्षक, **गुपुनवोलु**—बहुत-सी गायों वाला। ऐसे संयुक्त शब्द हिन्दी-कश्मीरी क्षेत्रों के मिलते-जुलते सामाजिक जीवन की ओर संकेत करते हैं।

आशा के प्रतिरूप **आश्** के साथ विभिन्न शब्द जोड़कर कश्मीरी ने अनेक मुहावरे रचे हैं, यथा : **आश् बरञू**—आशा पूरी होना (भरण के आधार पर कश्मीरी **बरञ** रूप बना है); इसी प्रकार **धारण** और **स्थापन** के रूपान्तर जोड़कर **आश्दारञू** तथा **आश् थव्ञू** मुहावरे बनते हैं। **पण्य** का रूपान्तर **वञ्** अनेक शब्दों के साथ संयुक्त होता है, यथा : **च्यव् वञ्**—पीने का मूल्य, **लोनवञ्**—कटाई की

मजूरी, और इसी पण्य से सम्बद्ध **वान्** शब्द बाजार के लिए प्रयुक्त होता है, यथा : **गानवान्**—वेश्या बाजार। **चर्सबिठ्** मौलिक शब्द योजना है। प्राचीन **विश** का रूपान्तर **बिठ्** तो सभा का अर्थ देता है और उसका संयोग हुआ है आधुनिक चरस से; **चर्सबिठ्** अर्थात् चरस-प्रेमियों की मंडली।

हिन्दी के समान कश्मीरी में उपसर्गों का प्रयोग कम होता है किन्तु कुछ उपसर्ग सामान्य हैं और उनका व्यापक प्रयोग होता है। इनमें एक है **कु**। **क्वकठ्** अर्थात् **कुपूत; कुपूत** का पछाहीं हिन्दी रूप **कपूत** भी कश्मीरी में प्रयुक्त होता है। इसी प्रकार **क्वखडु** अर्थात् **कुयोनि**। प्रत्ययों में अधिक समानता है। स्त्रीलिंग रूप बनाने के लिए हिन्दी के समान **इनि** प्रत्यय का व्यवहार होता है। **ब्वटु** से **बोटिनि—बोट** अर्थात् लद्दाखी और **बोटिनि** लद्दाखिनी। मानक हिन्दी में अन्तिम स्वर दीर्घ होगा किन्तु अवधी आदि जनपदीय भाषाओं में ह्रस्व **नि** का ही व्यवहार होता है। मुसलमान का स्त्रीलिंग रूप **मुसलमानॅनि** अवधी **मुसलमानिनि** के समान है। इसके अतिरिक्त पुंल्लिंग उकारान्त शब्दों के **उ** के स्थान पर **इ** का व्यवहार करके स्त्रीलिंग रूप बनाए जाते हैं, यथा : **गागुरु** (चूहा), **गागिरि** (चुहिया); (यहाँ अन्तिम **उ** और **इ** मात्रा स्वर हैं और बहुत हल्के सुने जाते हैं किन्तु लिंग-भेद व्यक्त करने में उनकी स्पष्ट भूमिका है)। मानक हिन्दी में स्त्रीलिंग रूपों की रचना में जहाँ **ई** का व्यवहार होता है, वहाँ अवधी में बहुधा **इ** से काम लिया जाता है। कश्मीरी में **नाग्** (झरना) से **नागिन्य्, कोन्** (काना) से **कान्य्** स्त्रीलिंग रूप बनते हैं जहाँ अन्तिम स्वर **इ य्** में परिवर्तित हुआ है।

कश्मीरी में एक **इल्** प्रत्यय है जिसका व्यवहार अनेक प्रकार से होता है। जैसे संस्कृत में **जटिल** और हिन्दी में **बोझिल** विशेषण बनाए गए हैं, उसी प्रकार कश्मीरी में **गासिल्** (घासयुक्त) शब्द है। संस्कृत-हिन्दी से भिन्न कश्मीरी इस प्रत्यय से भाववाचक संज्ञा भी बनाती है, यथा : **शुर्** (बच्चा) से **शुरिल्** (बचपन)। इसी का एक प्रतिरूप **उल्** है और विशेषण बनाने के काम आता है, यथा : **गाटि** (बुद्धि) से **गाटुल्** (बुद्धिमान)। कश्मीरी **पिशुल्** का संस्कृत प्रतिरूप **पिच्छल** है और दोनों शब्द **पिश, पिच्छ** में **उल, अल** प्रत्यय जोड़कर बनाए गए हैं। **इल्** और **इन्,** दोनों सम्बद्ध प्रत्यय हैं। तमिल में ये दोनों सम्बन्धकारक के चिन्ह हैं; इनका मूल रूप स्थानसूचक **इद** था। संस्कृत में **संन्यासिन्** जैसे शब्दों में **इन** अधिष्ठान की सूचना देता है। जिसमें **संन्यास** का भाव है, वह **संन्यासिन**। इसी का स्त्रीलिंग रूप **इनी** है, यथा : संस्कृत **भगिनी** (सम्पत्ति की स्वामिनी) में; अवधी **बहिनि** के समान **भगिनि** जैसे रूप से कश्मीरी **बुगिञ्** (स्वामिनी) रूप बना।

**अल्** प्रत्यय **इल्** का प्रतिरूप है। हिन्दी **दढ़ियल** का कश्मीरी प्रतिरूप **दार्यल्** है। दोनों में **अल्** प्रत्यय है। इसी तरह **छिनाल** के लिए कश्मीरी का **दिनल्** शब्द है। कश्मीरी में **छिनाल्** भी है, पुरुष व्यभिचारी के लिए। **इल्** के समान **अल्** की भूमिका भी व्यापक है, यथा : **डूँगल्** (**डूँग**—नाव; **डूँगल्**—डुबकी लगानेवाला)।

कश्मीरी का एक महत्त्वपूर्ण प्रत्यय **तोन्** है जो प्राचीन वैदिक प्रत्यय **त्वन** से सीधे सम्बद्ध है। दोनों का ही व्यवहार भाववाचक संज्ञा बनाने के लिए किया जाता है, यथा : **बोय्** (भाई) से **बाय्तोन्** (भाईपना), **बेनि** (बहिन) से **बेनितोन्** (बहनापा)। **म्यत्रुत्** (मित्रत्व), **पित्रुत्** (**पितृत्व**, किन्तु **पितृ** चचेरे के अर्थ में, **पित्रुत्** अर्थात् **चचेरापन**), यहाँ कश्मीरी का **उत्** प्रत्यय संस्कृत **ता** के आधार पर निर्मित हुआ है।

कश्मीरी के कुछ शब्दों में सम्भवत: **हार्** या **हर्** प्रत्यय लगता था। हिन्दी **पनिहार, पनिहारिन** के समान कश्मीरी में **पान्युर्, पान्युरॅन्** रूप हैं। अनेक शब्दों में हिन्दी वाला का रूपान्तर **वोल्** प्रयुक्त होता है, यथा : **गाडिवोल्** (गाड़ीवाला)। हिन्दी में जैसे **र्** या **ल्** जोड़कर किसी वस्तु की लघुता बताई जाती है, वैसे ही कश्मीरी में **रु** प्रत्यय का व्यवहार होता है। **लटना** क्रिया से जैसे हिन्दी **लटा** बनता है, वैसे ही कश्मीरी में **लट्** क्रियामूल से **लटु, लट्रू** रूप बनते हैं, **गुरुलटु**—छोटा घोड़ा, **गुरु लट्रू**—महातुच्छ घोड़ा। संस्कृत **मत्स्य** से हिन्दी **मच्छ** और **माछ**, फिर लघुत्व सूचक **मछली**; अवधी में **सूत** से **सुतरी** (रस्सी) इसी प्रकार बनती है। **खाल** से अवधी आदि में जैसे **खलरी** रूप बनता है, वैसे ही कश्मीरी में **खलरु** (सूखी खाल) रूप बना है। कश्मीरी में कुछ फ़ारसी के प्रत्यय उर्दू के माध्यम से पहुँचे हैं। **जिन्दगी, बन्दगी** के समान कश्मीरी ने अपने शब्दों में **गी** प्रत्यय जोड़कर **गोरगी** (गुरुआई, पुरोहिताई), **हालिगी** (मजदूरी) जैसे शब्द बनाए हैं। **सितमगर, बाजीगर** का **गर** संस्कृत **कर** का रूपान्तर है। इसके सहारे कश्मीरी ने **ग्यव्गॉर** (गवैया), **गिन्दगॉर** (नर्तक) शब्द बनाए हैं। इनके अतिरिक्त कश्मीरी ने अपने बहुत-से प्रत्यय हैं जो, सम्भव है, कुछ भिन्न रूपों में पहले आर्य भाषाओं में प्रयुक्त होते रहे हों। **पंडिताज** (पंडिताई) में **आज़्** प्रत्यय का पूर्वरूप **आत्य** हो सकता है; **पाश्चात्य** जैसे शब्दों में **आत्य** विशेषण रूप बनाता है किन्तु यह **आज़्** से सम्बद्ध हो सकता है क्योंकि कश्मीरी एक ही प्रत्यय से बहुत-से काम लेती है। कृदन्त प्रत्ययों की चर्चा अलग से करना उचित होगा।

### *(ग) रूपतंत्र*

संस्कृत कारक-रचना को देखते हुए भाषाविज्ञानी आधुनिक आर्य भाषाओं की कारक-रचना से खिन्न हो जाते हैं। उन्हें यह देखकर प्रसन्नता होनी चाहिए कि कश्मीरी, यूरोप की प्राचीन और नवीन भाषाओं की अपेक्षा, कारक-भेद अधिक करती है और उसके विभक्ति-चिन्ह भी मूल शब्द से अलग नहीं हैं। **चोर** के कश्मीरी प्रतिरूप **च्र्** के कर्ता, करण, सम्प्रदान और अपादानकारकों के एकवचन रूप **चूर्, चूरस्, चूरन्** और **चूरू** हैं। कम-से-कम ये चार कारक रूप एक दूसरे से स्पष्टत: भिन्न हैं। हिन्दी और कश्मीरी कारक-रचना के बारे में ग्रियर्सन ने महत्त्वपूर्ण बातें कही हैं। कश्मीरी अपादानकारक की तुलना उन्होंने लैटिन कारक से की है। उनके इस

विवेचन में फ़ारसी का उल्लेख नहीं है। यदि कश्मीरी और लैटिन के अपादानकारक मिलते-जुलते हैं, तो इससे कश्मीरी की आधारभूत आर्य भाषाओं की प्राचीनता सिद्ध होती है। यदि कश्मीरी की कारक-रचना हिन्दी कारक-रचना से मिलती-जुलती है, तो इससे हिन्दी-कश्मीरी की घनिष्ठता, दोनों की आधारभूत गण-भाषाओं की प्राचीनता प्रमाणित होती है। ग्रियर्सन ने 'स्टैंडर्ड मैनुअल ऑफ द कश्मीरी लैंग्वेज' (लाइट एंड लाइफ पब्लिशर्स, जम्मू) में लिखा है कि कश्मीरी में चार कारक होते हैं, एक सीधा कारक या कर्ता, और तीन तिर्यक, सम्प्रदान, करण और अपादान। फिर कहते हैं : "सम्प्रदानकारक हिन्दुस्तानी **के को** वाले सम्प्रदान के अनुरूप है और उसके समान निश्चित कर्म के लिए प्रयुक्त होता है। जब कर्म इतना निश्चित नहीं होता, तब, फिर ठीक हिन्दुस्तानी की तरह, कर्म का वही रूप होता है जो कर्ता का होता है। करणकारक इसी प्रकार हिन्दुस्तानी के करणकारक के अनुरूप होता है। हिन्दुस्तानी में यह कारक **ने** प्रत्यय जोड़कर बनाया जाता है। कश्मीरी में प्रत्यय आवश्यक नहीं होता वरन् संज्ञा स्वयं अपना अन्त्य वर्ण बदलती है। इस कारक का उपयोग उन सकर्मक क्रियाओं के कर्ता के लिए उन लकारों में होता है जो भूतकालिक कृदन्त के आधार पर बने हैं।" यहाँ तक कश्मीरी से हिन्दी कारक-रचना की समानता हुई। आगे लैटिन का उल्लेख करते हुए कहते हैं : "अपादानकारक लैटिन के इस कारक से बहुत मिलता-जुलता है, यथा : **तमि लेखानोवु मॅ अथि खथ**—उसने मेरे हाथ से खत लिखाया; यहाँ **अथि** अपादानकारक में है, जैसे कि लैटिन **मनु** अपादानकारक में होगा। इसी प्रकार **बडि जोर**—बड़े जोर से; **हुक्म**—हुक्म से; **दॉह**—प्रतिदिन; **सुलि**—सबेरे; तथा **अकि समयॅ**—एक बार।" (पृ. 25) अपादान और करणकारक मिलते-जुलते हैं। लैटिन से रूपगत समानता महत्त्वपूर्ण है। लैटिन और कश्मीरी के क्षेत्र एक दूसरे से जितनी दूर आगे चलकर हुए, उतनी दूर पहले नहीं थे।

कारक-रचना और सम्बन्धकों के प्रयोग के बारे में फिर हिन्दी का स्मरण करते हुए ग्रियर्सन कहते हैं कि अन्य भाषाओं में जो विविध सम्बन्धकारकों द्वारा व्यक्त किये जाते हैं, वे कश्मीरी में, हिन्दुस्तानी की तरह, सम्बन्धकों (पोस्टपोजीशनों) द्वारा प्रकट किये जाते हैं। कुछ सम्बन्धक सम्प्रदान के साथ और कुछ अपादान के साथ प्रयुक्त होते हैं। यहाँ ध्यान देने की पहली बात यह है कि समस्त भारतीय भाषाओं के समान कश्मीरी में भी सम्बन्धक मूल शब्द के बाद ही आते हैं, पहले नहीं। वे पश्च-सम्बन्धक होते हैं, पूर्व-सम्बन्धक नहीं। दूसरी बात यह है कि सम्बन्धक का व्यवहार कारक रूप के साथ होता है, मूल शब्द विभक्ति-चिन्ह से विलग होकर सम्बन्धकों के साथ नहीं जुड़ जाता। इसका अर्थ यह है कि कश्मीरी की प्रकृति संश्लिष्ट भाषाओं की है और वह प्रकृति बहुत कुछ अब भी बनी हुई है। जिस तरह के प्रभाव अन्य भारतीय भाषाओं पर पड़े हैं, उस तरह के प्रभावों से कश्मीरी एक सीमा तक मुक्त रही है। उसकी स्थिति प्राचीन भाषाओं में ग्रीक और लैटिन और

आधुनिक भाषाओं में रूसी से काफी मिलती-जुलती है जहाँ कारक-रचना में शब्द के साथ विभक्ति चिन्ह है और सम्बन्धक का प्रयोग भी होता है।

एक शब्द है **चूर्** (चोर)। कर्ता, करण, सम्प्रदान और अपादानकारकों में इसके एकवचन रूप इस प्रकार होंगे : **चूर्, चूरन्, चूरस्, चूर**। यहाँ चारों रूप एक दूसरे से भिन्न हैं। विभक्ति-चिन्ह मूल शब्द से संयुक्त है, भाषा का यह संश्लिष्ट रूप है। सम्बन्धकारक को शेष कारकों से अलग रखा गया है। ग्रियर्सन का तर्क यह है कि सम्बन्धकारक-रूप विशेषण हैं। उन्होंने लिखा है कि इनका व्यवहार बहुत कुछ वैसे ही होता है, जैसे—हिन्दुस्तानी में, और वे विशेष्य के अनुरूप लिंग, वचन और कारक बदलते हैं। सम्बन्धकारक के लिए जिन शब्दों का प्रयोग होता है, वे तीन हैं : **हॉन्दु, उकु** और **उनु**। इनमें **हॉन्दु** ही स्वतंत्र सम्बन्धक प्रतीत होता है, शेष विभक्ति-चिन्हों के समान हैं। **होना** क्रिया का भूतकालिक कृदन्त-रूप सम्बन्धसूचक चिन्ह के लिए प्रयुक्त होने लगा। **चूर्** का सम्प्रदान रूप **चूरस्**; इसमें **हॉन्दु** जुड़ा, फिर सन्धि से **चूरसॉन्दु** (चोर का) रूप बना। ऐसा लगता है कि सम्प्रदानकारक का **स्** वास्तव में सम्बन्धकारक का प्राचीन **स्** है। **हॉन्दु** के प्रयोग से सम्बन्धकारक अलग दिखाया जाने लगा; **स्** चिन्ह बना रहा; जो पुराना सम्बन्धकारक था, वह अब सम्प्रदानकारक की भूमिका निबाहने लगा।

दूसरा सम्बन्धक **उनु** पुरुषों के नाम के साथ एकवचन रूपों में प्रयुक्त होता है। **राम** शब्द का सम्बन्धकारक रूप हुआ **रामुनु**। यहाँ **नु** गुजराती आदि भाषाओं का सम्बन्धक चिन्ह है। जो निर्जीव पदार्थ हैं, उनके साथ **उकु** सम्बन्धक का व्यवहार होता है। **प्रीम्** (प्रेम) का सम्बन्धकारक एकवचन रूप हुआ **प्रीमुकु**। यहाँ **कु** सम्बन्धक वही **क** है जो बाँगरू से लेकर मैथिली तक समस्त हिन्दी क्षेत्र में प्रयुक्त होता है। इस प्रकार कश्मीरी ने **स, न, क** आर्य भाषाओं के इन तीनों सम्बन्ध-चिन्हों को अपना लिया है और शब्दों के साथ उनके विशिष्ट व्यवहार के लिए अलग-अलग स्थितियाँ निर्धारित कर दी हैं। हिन्दी से कश्मीरी की भिन्नता इस बात में है कि सम्बन्धकारक रूप को विशेषण मानकर फिर प्रत्येक कारक में उसके रूप बदले जाते हैं। **चूरन् हॉन्दु** कर्ताकारक का एकवचन रूप है। करण, सम्प्रदान और अपादानकारकों में इसके रूप हैं **चूरन् हन्दि, चूरन् हन्दिस्, चूरन् हन्दि** (करणकारक के **हन्दि** की **इ** मात्रा-स्वर है, सम्प्रदानकारक के **हन्दि** की **इ** पूर्ण स्वर है।) **चूरन् हॉन्दु** का बहुवचन रूप हुआ **चूरन् हन्दि**। यह पुंल्लिंग रूप है। कर्ताकारक में स्त्रीलिंग का एकवचन रूप है **चूरन् हिंज़ि**। फिर इस स्त्रीलिंग के बहुवचन रूप हैं। चार कारकों में स्त्रीलिंग-पुंल्लिंग रूपों के एकवचन, बहुवचन वाले भेद हैं। इस प्रकार कश्मीरी की कारक-रचना हिन्दी ही नहीं, संस्कृत की तुलना में भी अत्यन्त जटिल है।

कश्मीरी के कुछ सम्बन्धक शब्द हिन्दी से मिलते-जुलते हैं और कुछ भिन्न हैं। **मूलस् अन्दर**—जड़ के अन्दर; यहाँ **अन्दर** हिन्दी के समान है। **मूलस्** का अर्थ

**मूल के** किया जाए तो हिन्दी संरचना के अनुकूल होगा। **मूलस् मंज्**—जड़ के बीच; यहाँ **मध्य** का प्रतिरूप **मंज्** है। **किलस्निशॅ**—किले के पास; यहाँ **निशॅ** संस्कृत **नेदिष्ठ** का संक्षिप्त रूप है। **थालस् कॅथ्**—थाल के बीच; यहाँ **कॅथ्** कश्मीरी का अपना सम्बन्धक है। मध्य का पूर्व रूप **मध** माना जाए तो **कॅथ्** का मूल रूप **कध** हो सकता है। **कुलिस् पॅठ्**-पेड़ के ऊपर; **पॅठ्** संस्कृत **पृष्ठ** का रूपान्तर है। **मालिस् शान्**—पिता के साथ, यहाँ **शान्** हिन्दी **संग** से सम्बद्ध जान पड़ता है। इन सब रूपों में **स्** सम्बन्धकारक-चिन्ह का अर्थ देता है। **अथ् सीतिन्**—हाथ से; यहाँ हिन्दी का पुराना **सेंती** अपने कश्मीरी रूप में प्रयुक्त है। यह बात आश्चर्यजनक है कि **पर, ऊपर** जैसे सम्बन्धक भारत और यूरोप की अनेक भाषाओं में प्रयुक्त होते हैं किन्तु कश्मीरी में उनका व्यवहार नहीं होता। इसका एक कारण यह है कि विभिन्न आर्य भाषाओं में अनेक सम्बन्धक थे और उनका अलग-अलग क्षेत्रों में व्यवहार होता था। कश्मीरी के अपने सम्बन्धक भी थे। इनमें से अनेक अन्य क्षेत्रों में भी पहले प्रयुक्त होते होंगे किन्तु अन्य प्रभावों से वे विस्थापित हो गए, कश्मीरी में सुरक्षित रहे। दूसरा कारण यह है कि कश्मीरी अन्य आर्य भाषाओं से अधिक संश्लिष्ट है। विश्लिष्ट प्रकृति की भाषाओं में सम्बन्धकों की जितनी आवश्यकता होती है, उतनी कश्मीरी को नहीं थी; अत: इन भाषाओं के सम्बन्धकों का भी व्यवहार वहाँ अधिक नहीं हुआ।

अब क्रियापद रचना पर विचार करें। सबसे पहले क्रियार्थी संज्ञा रूप देखें जिनमें **न्** ध्वनि वाले प्रत्यय का व्यवहार होता है। ग्रियर्सन ने लिखा है कि **गुप्** (छिपना) क्रियामूल से क्रियार्थी संज्ञा रूप **गुपुन्** बनता है। यहाँ जो **उन्** प्रत्यय लगा, उसके दो रूपान्तर हैं; **उनु** और **ऑनु**। इन दोनों रूपान्तरों का अन्तिम **उ** मात्रा-स्वर है। अत: **गुपुन्** और **गुपुनु**, दोनों रूप सुनने में बहुत भिन्न प्रतीत न होंगे। मेरी समझ में **गुपुनु** रूप पुराना था; वह मध्य देशीय **करन, चलन** के समान कृदन्त चिन्ह **न** ही नहीं लगाता था वरन् अवधी की प्रकृति के अनुरूप उसे उकारान्त भी करता था। मागधी प्रभाव से कश्मीरी भाषा के ध्वनितंत्र में जब काफी परिवर्तन हुए और बलाघात प्रथम वर्ण पर होने लगा, तब **गुपुनु** का पूर्ण **उ** मात्रा-स्वर रह गया। मात्रा-स्वर का लोप करके **गुपुन्** रूप बना। **गुपॉन्** का ऑकार **उ** का ही विवृत रूप है। कश्मीरी में इस क्रियार्थी संज्ञा का व्यवहार हिन्दी के समान होता है, पुंल्लिंग के अलावा स्त्रीलिंग रूप अलग होता है। **गुपुञि** स्त्रीलिंग रूप है। जैसे हिन्दी में कहें, **किताब पढ़नी है,** वैसे ही। हिन्दी से दूसरी समानता यह है कि यह क्रियार्थी संज्ञा-रूप भविष्य काल के लिए भी प्रयुक्त होता है। ग्रियर्सन ने **गुपुन्** को भविष्यकालिक कर्मवाच्य कृदन्त माना है।

कश्मीरी का वर्तमानकालिक कृदन्त-रूप अपरिवर्तित रहता है। मैं छिपाता हूँ, हम छिपाते हैं, मैं छिपाती हूँ, हम छिपाती हैं आदि विभिन्न पुरुषों और लिंगों में **गुपान्** अपरिवर्तित रहता है। **बॉह् छुस् गुपान्**—मैं छिपाता हूँ; **असि छिहि गुपान्**—हम छिपाते हैं; **तिम छॅह गुपान्**—वे छिपाती हैं। सभी पुरुषों और दोनों लिंगों में कृदन्त-

रूप बदलता नहीं है। मलयालम के कृदन्त-रूप **वरन्नु** (आया) से **गुपान्** की स्थिति की तुलना की जा सकती है। हिन्दी में **मैं छिपाता हूँ** और **मैं छिपाता था**, इन दो वाक्यों में काल-भेद से कृदन्त नहीं बदलता किन्तु भविष्य काल के लिए कहेंगे : **मैं छिपाऊँगा**। यहाँ **छिपाऊँ** कृदन्त के स्थान पर है किन्तु मूलतः कृदन्त नहीं है। इसके विपरीत कश्मीरी में इस **गुपान्** का व्यवहार तीनों कालों में होगा। **बॉह् ओसुस् गुपान्**—मैं छिपाता था; **बॉह् पास गुपान्**—मैं छिपाऊँगा अथवा मैं छिपाता होऊँगा।

**गुपान्** रूप को वर्तमानकालिक कृदन्त कहा गया है। वास्तव में यह विशुद्ध कृदन्त है जिसका व्यवहार सहायक क्रिया के साथ किसी भी काल में हो सकता है। भूतकालिक कृदन्त लिंगानुसार रूप बदलते हैं। कश्मीरी कृदन्तों की एक विशेषता यह है कि ये एक ही काल के अन्तर्गत सूक्ष्म भेदों की सूचना देते हैं। **गुपु**—यह हुआ निकटवर्ती अतीत; **गुप्याव्**—यह हुआ दूरवर्ती अतीत; **गुप्योव्**—यह हुआ सामान्य अतीत जहाँ निकट और दूर का प्रश्न नहीं है। सम्भव है, **गुप्योव्** कभी मध्यवर्ती अतीत के लिए प्रयुक्त होता रहा हो। तमिल में जैसे **इ, उ, अ** सर्वनाम-चिन्ह वक्ता से निर्दिष्ट पदार्थ की थोड़ी या अधिक दूरी सूचित करते हैं, वैसे यहाँ काल भेद है। निर्देशक सर्वनामों का सम्बन्ध देशगत दूरी से है। इन कृदन्तों का सम्बन्ध कालगत दूरी से है।

भूतकालिक कृदन्तों में लिंगानुसार परिवर्तन होता है किन्तु विशेषण के रूप में सहायक शब्द के बिना इनका व्यवहार नहीं होता। जैसे हिन्दी में **छिपा चोर** कहने के बदले **छिपा हुआ चोर** कहना मुहावरा है, उसी तरह कश्मीरी में **गुपु चूर्** कहने के बदले **गुपु मॉतु चूर्** कहना मुहावरा है। हिन्दी के **जाता है, जाता था** की तरह कश्मीरी में **होना** क्रिया के साथ कृदन्त लगाकर क्रिया-रूप बनाते हैं। ग्रियर्सन ने लिखा है कि वर्तमान काल में सहायक क्रिया **छुस्** का प्रयोग हिन्दुस्तानी **हूँ** के समान है, भूतकाल हिन्दुस्तानी **था** के समान है, अन्य काल हिन्दुस्तानी **होना** के कालों के अनुरूप हैं, अर्थ की दृष्टि से और प्रयोग की दृष्टि से भी। ग्रियर्सन के इस कथन से विदित होगा कि कश्मीरी की क्रियापद-रचना हिन्दी क्रिया पद-रचना से काफी मिलती है। हिन्दी **हूँ** के विपरीत कश्मीरी **छुस्** में लिंगानुसार परिवर्तन भी होता है, इसी प्रकार हिन्दी **था** के विपरीत कश्मीरी **ऑसुस्** में पुरुष के अनुसार परिवर्तन होता है, लिंग के अनुसार तो होता ही है। भविष्यकालिक रूपों में **होना** क्रिया लिंगानुसार परिवर्तन नहीं करती। इन्हें प्राचीन तिङन्त रूप मानना चाहिए। **होना** क्रिया के वर्तमान और भूतकाल के रूप कृदन्तों के समान लिंगानु सारी होते हैं। कर्मवाच्य प्रयोगों के बारे में ग्रियर्सन अपने कश्मीरी भाषा के व्याकरण में कहते हैं कि भूत और पूर्ण भूत के कृदन्त हिन्दुस्तानी के समान अर्थ की दृष्टि से कर्मवाच्य होते हैं, ऐसी क्रियाओं का कर्ता करणकारक में होता है और क्रिया कर्म के अनुरूप लिंग और वचन सूचित करती है। इसके बाद पाद-टिप्पणी में ग्रियर्सन ने लिखा है : इस प्रकार कर्म पुंल्लिंग एकवचन है तो वाक्य होगा **मॅ गुपु** अथवा **मॅ गुपुम्**; यदि कर्म पुंल्लिंग बहुवचन है,

तो वाक्य होगा **मॅ गुपि** अथवा **मॅ गुपिम्**, और इसी प्रकार यदि कर्म स्त्रीलिंग हो तो अन्य रूप बनेंगे। "सिद्धान्त बिलकुल वही है जो हिन्दुस्तानी का है और विस्तार से उसका विवेचन अनावश्यक है।" (उप., भाग 1, पृ. 45)

हिन्दुस्तानी के जिन मुहावरों में कर्म के साथ **को** चिन्ह लगाया जाता है और कृदन्त में कोई परिवर्तन नहीं होता (यथा : **उसने औरत को मारा**), उनके समानान्तर मुहावरे कश्मीरी में भी हैं। एक उदाहरण है : **आगन् लोयु चाकरस्** (मालिक ने चाकर को मारा)।

कश्मीरी क्रियापद रचना की सबसे महत्त्वपूर्ण बात यह है कि उसमें क्रिया के बाद कर्ता और कर्मसूचक प्रत्यय भी लगते हैं। उत्तम और अन्य पुरुषों के साथ कर्तासूचक सर्वनाम प्रत्यय लगाया जा सकता है और नहीं भी लगाया जा सकता। किन्तु मध्यम पुरुष के साथ ऐसा प्रत्यय लगाना अनिवार्य है। **मॅ गुपु** (मैंने छिपाया), यह वाक्य यों भी बोला जा सकता है : **मॅ गुपुम्। गुपुम्** रूप में **म्** उत्तम पुरुष का सर्वनाम-चिन्ह है। किन्तु **चॅ़ गुपुथ्** (तूने छिपाया), यहाँ कर्ता **चॅ़** के बिना काम चल सकता है किन्तु क्रिया के बाद सर्वनाम-चिन्ह **थ्** लगाना अनिवार्य है। यहाँ दो तरह के वाक्यतंत्र घुलते-मिलते दिखाई देते हैं। एक तंत्र वह है जिसमें क्रिया पहले आती है और कर्ता बाद को आता है। यही कश्मीरी की पुरानी पद्धति है। यही मध्यदेशीय आर्य भाषाओं, मागधी भाषाओं और संस्कृत की पुरानी पद्धति है। दूसरा वाक्यतत्र वह है जिसमें कर्ता पहले आता है और क्रिया उसके बाद आती है। इसका परिणाम यह होता है कि क्रिया के बाद आनेवाला कर्ता-सूचक सर्वनाम-चिन्ह अनावश्यक हो जाता है। उसे लगाते रहो तो पुरानी परिपाटी का पालन होगा, न लगाओ तो कोई हानि नहीं क्योंकि कर्ता अलग से निर्दिष्ट है। किन्तु मध्यम पुरुष के क्रिया-रूपों में कश्मीरी ने सर्वनाम-चिन्ह जोड़ने की पुरानी पद्धति को अनिवार्य बनाकर उस पद्धति के अवशेष की रक्षा की।

कश्मीरी क्रियापद-रचना मागधी भाषाओं की याद दिलाती है। इस समुदाय की मगही और मैथिली भाषाएँ क्रिया के बाद कर्ता और कर्म सूचित करनेवाले सर्वनाम-चिन्ह लगाती हैं। सामन्ती व्यवस्था के अन्तर्गत सामाजिक स्थिति के अनुसार जितना भेद-भाव मैथिली और मगही की क्रियाएँ व्यक्त करती हैं, उतना कश्मीरी में नहीं करतीं किन्तु सिद्धान्त एक ही है। क.मु. विद्यापीठ, आगरा में प्राणनाथ तृछल ने कश्मीरी भाषा का वर्णनात्मक व्याकरण नाम से शोध-प्रबन्ध लिखा था। उससे क्रियापद-रचना के कुछ उदाहरण यहाँ देता हूँ। **टुकुम्**—खाया मैंने; **टुकस्**—खाया मैंने उसको: **टुकुन्**—खाया उसने; **टुकुन्**—खाया उसने हमको; **करय्**—करूँगा मैं तुमको; **करस्**—करूँगा मैं उसको; **करख्**—करूँगा मैं उनको; **कर्हा**—करता मैं; **कर् हाय्**—करता मैं तुमको; **कर् हास्**—करता मैं उसको; **कर् हाख्**—करता मैं उनको। आज्ञार्थी रूपों में भी कर्मसूचक सर्वनाम-चिन्ह जोड़ा जा सकता है, यथा :

**करिन्**—करे वह; **करिनम्**—करे वह मुझको; **करिनय्**—करे वह तुझको। तृछल के उदाहरणों में अकर्मक क्रियाओं के साथ भी कर्मसूचक सर्वनाम-चिन्ह लगाने के उदाहरण हैं, यथा : **पोकुस्**—चला मैं; **पोक् सय्**—चला मैं तुमको। यहाँ सर्वनाम-चिन्ह सीधे कर्म का अर्थ न देकर क्रिया से उसके किसी प्रकार सम्बद्ध होने का भाव बताता है। ग्रियर्सन ने सकर्मक कृदन्तों के साथ करणकारक के व्यवहार की बात लिखी है। तृछल ने करणकारक का व्यवहार अकर्मक क्रियाओं के साथ भी दिखाया है। **लड्कव् प्यठु गव् बड्यन्कुन्;** लड़के बड़ों की ओर गए। तृछल ने इसका हिन्दी रूपान्तर इस प्रकार दिया है : **लड़कों-से गया बड़ों की ओर।** वास्तव में जिसे ग्रियर्सन करणकारक कहते हैं, वह हिन्दी और कश्मीरी बोलने वालों की चेतना में कर्ता है। इसीलिए वह अकर्मक क्रियाओं के साथ भी प्रयुक्त होता है। ऊपर के वाक्य में **गव्** क्रिया का कर्म तो हो नहीं सकता; जो कर्म जैसा प्रतीत होता है, वह क्रिया से अन्य प्रकार से सम्बद्ध है। इसी तरह चलना क्रिया के साथ जो कर्मसूचक चिन्ह अन्य उदाहरण में लगा है, क्रिया से उसका सम्बन्ध कर्म से भिन्न प्रकार का है।

क्रिया के बाद कर्ता-कर्म-सूचक सर्वनाम-चिन्ह जोड़ने की प्रथा प्राचीन है और एक से अधिक भाषा-परिवारों में पाई जाती है। ग्रियर्सन ने बताया है कि क्रिया के बाद कश्मीरी में अनेक प्रत्यय जोड़े जाते हैं, यथा : **गुपुन्**—उसने छिपाया, **गपुनस्**—उसने मुझे छिपाया; **गुपुनस्त्या**—क्या उसने मुझे भी छिपाया? क्रिया के बाद इस तरह प्रत्यय कोल भाषाओं में जोड़े जाते हैं और कश्मीरी की अपेक्षा अधिक संख्या में जोड़े जाते हैं। जिन लोगों ने मैथिली और मगही की क्रियापद रचना पर कोल प्रभाव का उल्लेख किया है, उनके लिए उचित है कि उनके साथ कश्मीरी क्रिया पद-रचना का भी विवेचन करें। तब कश्मीरी दरद समुदाय की भाषा है या नहीं, यह निर्णय करने में सुविधा होगी।

कश्मीरी प्रेरणार्थक क्रिया-रूप हिन्दी की तरह बनाती है। **कोमल** विशेषण से उसने क्रिया बनाई **कुमलुन्,** फिर प्रेरणार्थक रूप बनाया **कुमलावुन्** जैसे अवधी में कोई कहे **कॉमलावत** है। कर्मवाच्य बनाने में गतिसूचक सहायक क्रिया हिन्दी के समान जोड़ी जाती है। **गुपनयिम**—मैं छिपाया जाऊँगा। हिन्दी में जाना क्रिया का व्यवहार होगा; कश्मीरी **यिनु** का अर्थ है आना। गतिसूचक दोनों हैं। ग्रियर्सन ने अनियमित प्रेरणार्थक क्रियाओं के जो उदाहरण दिये हैं, उनमें अनेक हिन्दी के समान हैं : **मरुन्, मारुन्**—मरना, मारना; **तरुन्, तारुन्**—तरना, तारना; **फटुन्, फाटवुन्**—फटना, फाड़ना। कश्मीरी में संज्ञा के साथ क्रिया जोड़कर क्रिया-रूप बनाने की पद्धति, ग्रियर्सन के अनुसार, हिन्दुस्तानी के समान है, यथा : **करुन् अर्ज्**—अर्ज करना। सहायक क्रिया लगाकर मूल क्रिया के अर्थ में घनत्व पैदा करने की विधि हिन्दी के समान है। **प्योनुवसिथ्** का ठेठ हिन्दी अनुवाद ग्रियर्सन ने दिया है, गिर पड़ना। **हॅकुन् करिथ्** का अर्थ हुआ कर सकना। इसी प्रकार काम में

लगना, ठंढ लगना, ठेस लगना, फिक्र लगना, ज़ंग लगना आदि की तरह कश्मीरी में भी लग क्रिया के साथ मुहावरे बनते हैं।

कश्मीरी वाक्यतंत्र में क्रिया सदा वाक्य के अन्त में नहीं आती। **दर्वाजस् प्यठ् छुह् फकीर्**—दरवाजे पर फकीर है। यह वाक्य कश्मीरी की पुरानी पद्धति के अनरूप है, क्रिया पहले है कर्ता उसके बाद आया है। **हाकिमस् निशॅकॉरुतम् अरज़्**—हाकिम के यहाँ उसने अर्जी की। यहाँ भी पुरानी पद्धति है, क्रिया के बाद कर्ता और कर्म, दोनों आए हैं। कोल भाषाओं के बारे में पिनोव् ने लिखा है कि कर्ता-कर्मसूचक सर्वनाम-चिन्ह क्रिया के बाद अब भी लगते हैं, किसी समय कर्ता-कर्मसूचक संज्ञा-शब्द भी क्रिया के बाद प्रयुक्त होते होंगे। कोल भाषाओं के लिए जो सम्भावना मात्र है, वह कश्मीरी के लिए प्रत्यक्ष सत्य है। प्राचीन आर्य भाषाओं में क्रिया के बाद कर्ता-कर्मसूचक शब्दों का व्यवहार होता था, इसका प्रमाण कश्मीरी भाषा है, सामान्यत: अन्य आर्य भाषाओं के समान कश्मीरी वाक्य-रचना में कर्ता पहले आता है क्रिया बाद में। इसका अर्थ यह है कि अन्य आर्य भाषाओं के समान कश्मीरी भी ऐसे वाक्यतंत्र से प्रभावित हुई है जिसमें उद्देश्य पहले है, विधेय बाद को। **गामकिमहनिवि सम्येय्**—गाँव के लोग एकत्र हुए; यह वाक्य-रचना हिन्दी के अनुरूप है, कर्ता पहले और क्रिया वाक्य के अन्त में। कश्मीरी दोनों पद्धतियों का समन्वय करती है। **सुह् छुह् छान्**—वह है बढ़ई; यहाँ कर्ता तो पहले आया किन्तु क्रिया वाक्य के अन्त में न होकर मध्य में है। **बॉह् छुस् तॉतु गछ़न खोचान**—मैं वहाँ जाने में डरता हूँ। यहाँ कर्ता आरम्भ में है, क्रिया के दो भाग कर दिये गए हैं, एक भाग **छुस्** (हूँ) कर्ता के तुरत बाद आया है और दूसरा कृदन्त भाग **खोचान्** (डरता) वाक्य के अन्त में आया है। जर्मन भाषा में अनेक वाक्य ठीक इसी तरह क्रिया के दो भाग करके रचे जाते हैं, कृदन्त-रूप वाक्य के अन्त में आता है और मूल क्रिया कर्ता के बाद वाक्य के प्रथम अंश में। इसी प्रकार क्रिया के बाद कर्म की स्थिति अंग्रेज़ी के समान है। **मॅ वुछु गंगायॅ मंज् अख् मगरमछ़**—मैंने गंगा में एक मगरमच्छ देखा। यहाँ कर्म क्रिया के बाद आया है। कश्मीरी, जर्मन और अंग्रेज़ी के वाक्य तंत्रों में जो समानता है, उसका कारण दो पद्धतियों का मिलन है। यहाँ इस बात की याद दिलाना अप्रासंगिक न होगा कि अंग्रेज़ी की पड़ोसी केल्त भाषाएँ अपना वाक्य अब भी क्रिया से आरम्भ करती है।

### *(घ) कश्मीरी और शीना*

यद्यपि ग्रियर्सन ने हिन्दुस्तानी और कश्मीरी में अनेक समानताएँ दिखाई हैं किन्तु अपने व्याकरण की भूमिका में उन्होंने कश्मीरी से उत्तर-पश्चिमी भाषाओं के विशेष सम्बन्ध की ओर संकेत किया है। उन्होंने लिखा है कि कश्मीरी आर्य भाषा है किन्तु अपने दक्षिण में पंजाब की भाषाओं से सम्बन्धित होते हुए भी वह अपने उत्तर और

उत्तर-पश्चिम में बोली जानेवाली भाषाओं से अधिक घनिष्ठ रूप में सम्बद्ध है। वे भाषाएँ शीना, खोवार और विभिन्न काफिर बोलियाँ हैं। वह यह भी कहते हैं कि प्राचीन काल में कश्मीर को अपनी सभ्यता भारत से मिली, अत: वहाँ की भाषा में संस्कृत स्रोत से बहुत-से शब्द आए। किन्तु उनकी समझ में भाषा का मूल ढाँचा दरद है, संस्कृत का प्रभाव उस पर बाद में पड़ा है। अपने भाषा-सर्वेक्षण ग्रंथ के आठवें खंड में उन्होंने दरद और पिशाच भाषाओं का विवेचन किया है। इसमें उन्होंने कश्मीरी के लिए लिखा है कि इसने सभ्यता के साथ शब्द-भंडार भारत से इतना अधिक लिया है कि वह ठेठ दरद भाषा नहीं रह गई। कोह्निस्तान की भाषाओं के लिए लिखा है कि इन पर भारतीय भाषाओं और पश्तो का प्रभाव है। तब गिलगिट और आसपास की घाटी में बोली जानेवाली शीना ही ठेठ दरद भाषा रह जाती है। अत: कश्मीरी के प्रसंग में शीना पर दृष्टिपात करना उचित होगा।

इसके ध्वनितंत्र में पहली बात ध्यान देने की यह है कि शब्द का अन्तिम स्वर बहधा अनुच्चारित रहता है। इसका अर्थ यह है कि शब्दों के अन्त में स्वर थे तो, पर किसी कारण उनका उच्चारण क्षीण होता गया है। यह स्थिति कश्मीरी के मात्रा-स्वरों की याद दिलाती है। गुरेजी नाम की घाटी ' में रहनेवाले अपने को दार्द (अर्थात् दरद) कहते हैं और उनकी भाषा शीना की एक बोली है। ग्रियर्सन ने लिखा है कि यह कश्मीरी से बहुत भिन्न है, 'संरचना और वाक्यतंत्र में' पंजाबी और उर्दू से मिलती-जुलती है। ऐसा लगता है कि दरद भाषाओं का कोई ऐसा क्षेत्र नहीं है जहाँ उत्तर भारतीय आर्य भाषाओं का प्रभाव न पहुँचा हो। इस प्रभाव से मुक्त ठेठ दरद भाषा के उदाहरण शीना क्षेत्र में भी नहीं हैं। कश्मीरी की तो साहित्यिक परम्परा है, कश्मीरी साहित्यकारों ने भारतीय भाषा-तत्त्व लिये होंगे किन्तु हिमालय पहाड़ की दुर्गम घाटियों में रहनेवाले अपढ़ और पिछड़े हुए शीना भाषी भी भारत के भाषाई प्रभाव से बच नहीं पाए। शीना भाषा की संरचना यदि कश्मीरी से भिन्न है और उर्दू-पंजाबी की संरचना से मिलती है, तो इससे यही निष्कर्ष निकल सकता है कि ठेठ दरद भाषा की संरचना शीना में नहीं, कश्मीरी में देखनी चाहिए, और उर्दू-पंजाबी से कश्मीरी जितना प्रभावित हुई है, शीना उससे और भी अधिक प्रभावित हुई है।

यहाँ बात है ध्वनितंत्र की। शीना के सन्दर्भ में ग्रियर्सन को कश्मीरी ही नहीं, हिन्दी की पूर्वी बोलियाँ भी याद आती हैं। इसके लिए उनकी जितनी प्रशंसा की जाए, थोड़ी है। शीनाभाषी शब्द के अन्त का स्वर कभी-कभी अनुच्चारित छोड़ देते हैं। ये स्वर कौन से हैं? ग्रियर्सन कहते हैं कि शब्द के अन्त में जो **उ** और **इ** स्वर आते हैं : "और जो पूर्वी हिन्दुस्तान की कुछ भाषाओं में भी पाए जाते हैं," आधे उच्चारित होते हैं जैसा कि कश्मीरी में सामान्यत: होता है। (पृ. 174) **उ** पुंल्लिंग शब्दों के साथ प्रयुक्त होता है, **इ** स्त्रीलिंग शब्दों के साथ। अवधी में ये स्वर बहुत स्पष्ट अब भी सुने जा सकते हैं। यही कश्मीरी के मात्रा-स्वर हैं, यही शीना के

अर्द्ध-उच्चारित या अनुच्चारित स्वर हैं। कश्मीरी और शीना में ये स्वर अर्थ-भेदक थे; मागधी ध्वनितंत्र के प्रभाव से, बलाघात की आवश्यकता के कारण, उनका उच्चारण क्षीण होता गया। हिन्दी प्रदेश की भाषाओं से कश्मीरी ही नहीं, पड़ोसी शीना भाषा का भी गहरा सम्बन्ध है।

शीना ध्वनितंत्र की दूसरी विशेषता यह है कि जिन शब्दों के मूल रूपों में महाप्राण ध्वनि थी, उनके बोलचाल वाले रूपों में महाप्राणता का लोप हो गया है। **मुख, खाना, खोजना, भाग, साथ** शीना में क्रमश: **मुक्, कोइकी, कोज़ोइकी, बागो, साति** हैं। इससे पता यह चलता है कि कश्मीरी की अपेक्षा शीना पर द्रविड़ प्रभाव और भी गहरा है। कश्मीरी अघोष महाप्राण ध्वनियों की रक्षा करती है, शब्द के अन्त में अघोष अल्प प्राण ध्वनि हो तो उसे महाप्राण भी कर देती है किन्तु शीना **भाग** के **भ्** को **ब्** तो करती ही है, **मुख** और **खाना** के **ख्** को **क्** भी कर देती है। शीना में ठेठ दरद मूल के कोई शब्द नहीं है जिनमें पहले महाप्राणता रही हो और बाद को नष्ट हो गई हो। महाप्राण-ध्वनियों वाले शब्द वहाँ भारत से पहुँचे हैं।

शीना ध्वनितंत्र की तीसरी विशेषता यह है कि अनेक शब्दों में सघोष ध्वनियों को अघोष कर दिया जाता है। सर्वत्र ऐसा नहीं होता किन्तु यह प्रवृत्ति है अवश्य। ग्रियर्सन ने उदाहरण दिया है कि रुपये के लिए तिब्बती शब्द **गिर्मो** यहाँ **किर्मो** बोला जाता है। यह प्रवृत्ति भी द्रविड़ प्रभाव की ओर संकेत करती है। शीना ध्वनितंत्र की चौथी विशेषता तालव्यीकरण की प्रवृत्ति है। स्त्री के लिए **चेइ, चई** आदि रूप **त्** का **च्** में रूपान्तर होने से बने हैं। यह प्रवृत्ति कश्मीरी में भी है। साथ ही नाग भाषाओं के समान शीना तालव्य ध्वनियों को संघर्षी रूप भी देती है। **रेगो** (उसने कहा) का रूपान्तर **रझ़उ** भी प्रचलित है। कुछ शब्दों में **व्** के स्थान पर **प्** का व्यवहार होता है। **अश्व** का प्रतिरूप **अश्पु** है जो फ़ारसी **अस्प** के समान है। ऐसा सर्वत्र नहीं होता। कश्मीरी के समान शीना में भी **व्** ध्वनि सुप्रतिष्ठित है। इस भाषा में **र्** का उच्चारण **ह्** जैसा अवश्य होता होगा। संस्कृत में **स्, र्, ह्** (अघोष रूप) एक दूसरे का स्थान लेते हैं। कुछ ऐसी ही स्थिति शीना में है जो उसे प्राचीन आर्य भाषाओं से जोड़ती है। शीना में संख्यासूचक **त्रे** (तीन) का वैकल्पिक रूप है **छे**। यहाँ **त्** तो **च्** में परिवर्तित हुआ और **र् ह्** में इस प्रकार **त्र्** का रूपान्तर **छ्** हुआ। इसी तरह देखने के लिए एक शब्द है **त्रिकोइकी**; इसका वैकल्पिक रूप है **छकोइकी**। अधिकतर **त्** ध्वनि ही **च्** में बदलती है, **स्** और **श्** अपरिवर्तित रहते हैं। अनेक शब्दों में **त्** का व्यवहार भी होता है। शीना पर तालव्यीकरण का आंशिक प्रभाव ही है।

शब्दतंत्र की दृष्टि से शीना भाषा का ऐतिहासिक महत्त्व है। **रेगो** (उसने कहा) में **ऋग्वेद** वाली **ऋक्** क्रिया है जिसका अर्थ है बोलना। यह क्रिया अनेक स्लाव भाषाओं में अब भी प्रयुक्त होती है। पंजाबी, हिन्दी आदि में उसका व्यवहार अब नहीं होता। **रझ़उ** क्रिया इसी **रेगो** का रूपान्तर है। **रेग** का ओकारान्त रूप **रेगो**

है; **रेग** में **ग** कृदन्त प्रत्यय है जो भूतकाल के अर्थ से सम्बद्ध हो गया है। **रेग** की रचना ठीक वैसे ही हुई है, जैसे तमिल कृदन्त **पोग** की। इसी प्रकार **दे** क्रिया मूल **में** कृदन्त प्रत्यय जोड़कर **देगी** (दिया) रूप बना। कृदन्त रूपों का तिङन्तीकरण कैसे होता है, इसके उदाहरण शीना में हैं। **देगो** का अर्थ है—उसने दिया किन्तु **देग** का अर्थ है—तूने दिया। प्रत्यय का स्वर बदलकर पुरुष की सूचना दी गई। हिन्दी भाग को क्रियामूल मानकर उसे कृदन्त-रूप बनाया **बागेगो** (उसने बाँटा)। एक क्रिया है **ते** जिसका अर्थ है—करना। **तेगो** (उसने किया); **तेगस्** (मैंने किया); संज्ञा शब्दों के साथ इसे जोड़कर नये क्रिया-रूप बनाए जाते हैं जैसा कि हिन्दी में होता है, यथा : **करच् तेगो** (उसने खर्च किया), **खिआल्तेगो** (उसने खयाल किया)। यह **ते** क्रिया वही है जो रूसी में **देलात्** (करना), अंग्रेज़ी में **डू** है, जिसमें मूलतः सघोष महाप्राण ध्वनि थी जो हिन्दी धंधा में विद्यमान है। शीना में जाने के लिए **बोज़ोइकि** क्रिया है; यहाँ क्रियामूल **बो** तमिल **पो** का प्रतिरूप है। साथ ही शीना में **गो, गओ** (गया) में **ग्** ध्वनि वाली क्रिया भी है। पुनः **वम्** (मैं आता हूँ), **वन्** (वे आते हैं) में **व** क्रिया मूल वही है जो तमिल कृदन्त **वन्द** में है।

शीना के सर्वनाम रूप कश्मीरी से काफी मिलते-जुलते हैं। उत्तम पुरुष एकवचन व्यक्तिवाचक सर्वनाम के **मा, माँह, मो, मि** मूल रूप **मध** के आधार पर निर्मित हुए हैं। इसी सर्वनाम का सम्बन्धकारक रूप **मेइ, मई** अंग्रेज़ी **माई** से मिलता है। इसका प्रतिरूप है **मिआनो, मिआनों,** जो अंग्रेज़ी **माइन** से मिलता है। न सम्बन्धसूचक प्रत्यय है; शीना में प्रत्यय का ओकारान्त रूप है, अंग्रेज़ी में अकारान्त। उत्तम पुरुष का बहुवचन रूप **बे, बेह्, बा, बेंग्** संस्कृत **वयम्** से सम्बद्ध है और अंग्रेज़ी **वी** से मिलता है। मध्यम पुरुष एकवचन **त्** का प्रतिरूप **ती** भी है। इस **ती** से मिलता रूप रूसी में है। इसका सम्बन्धकारक रूप **ते** संस्कृत में है, **थइ** अंग्रेज़ी **दाई** (तेरा) के समान है। एक रूप **थानो** भी है, **नो** प्रत्यय वाले **मिआनो** के समान, अंग्रेज़ी का **दाइन** इस **थानो** से मिलता है। **थइ** और **थानो** रूप देखकर अनुमान होता है कि संस्कृत **त्वम्** का मूल रूप **ध्वम्** था जो क्रिया पदों के अन्त में जहाँ-तहाँ मिलता है। अन्य पुरुष एकवचन सर्वनाम **अनो** है जो रूसी **अन्** से मिलता है।

शीना में सर्वनामों के आधार पर स्थानसूचक विशेषक भारतीय पद्धति से बनते हैं। **कदात्** (कैसे) **अदात्** (ऐसे) आदि में सर्वनाम मूल के बाद स्थान-कालसूचक **द** चिन्ह का व्यवहार हुआ है। **अध** का रूपान्तर **अझ़** है, अर्थ है ऊपर, संस्कृत **अधः** के अर्थ से उल्टा। **अधः** का मूल अर्थ था वह स्थान; वह स्थान नीचे भी हो सकता है, ऊपर भी। इसी प्रकार **पराद** (आगे वहाँ), **अदों** (वहाँ से), **अनात्** (इस प्रकार); सबसे रोचक रूप है **सद्** (वहाँ)। यहाँ **स** सर्वनाम अपने मूल अपरिवर्तित रूप में विद्यमान है और दूरस्थ वस्तु की ओर संकेत करता है। **स** में जोड़ा गया **द**, स्थानसूचक **ध** का रूपान्तर है। **झ़ो** (पुंल्लिंग वह), **झ़े** (स्त्रीलिंग वह) के अधार **धो, धे** जैसे रूप थे।

शीना के क्रिया-रूप मागधी भाषाओं की छाप लिये हुए हैं। **को एक मनुजरो के दू दारे असिले**—किसी आदमी के दो बेटे थे। **एक मुशात दू बाल असिल्।** इस वाक्य का भी वही अर्थ है। **असिल्** और **असिले अस्** क्रिया के भूतकालिक कृदन्त-रूप हैं। माना कि **आ** क्रिया-मूल का कृदन्त-रूप **आल** बनता है, फिर उसका तिङन्तवत् प्रयोग होता है। **मो आलुस्**—मैं आया, **झ़ो आलु**—वह आया। मानना होगा कि शीना पर मागधी प्रभाव कश्मीरी से भी अधिक है। इसकी वाक्य-रचना कश्मीरी की अपेक्षा हिन्दी के और भी निकट है। **मेइँ गानो पशँस हुँस्**—मैंने गायें देखी हैं। क्रिया वाक्य के अन्त में है, उससे पहले कर्म है, क्रियापद की रचना होना क्रिया के साथ कृदन्त जोड़कर की गई है। कर्ता वाक्य के आरम्भ में है।

ठेठ दरद भाषाओं की विशेषता का पता लगाना बहुत कठिन काम है। कश्मीरी दरद भाषा है पर उस पर संस्कृत की छाया पड़ी है; उससे और भी विशुद्ध दरद भाषा शीना है, उस पर आर्य भाषाओं की छाया और भी गहरी है।

सिन्धी, कश्मीरी तथा दरद क्षेत्र की भाषाएँ हिन्दी प्रदेश की प्राचीन गण-भाषाओं से घनिष्ठ रूप में सम्बद्ध हैं। इनके विश्लेषण से संस्कृत की निर्माण-प्रक्रिया समझने में सहायता मिलती है। साथ ही इस बात का ज्ञान होता है कि मागधी, कौरवी, मध्यदेशीय भाषा-समुदायों की अनेक विशेषताएँ प्राचीन हैं और वे भारत के सीमान्त प्रदेशों की भाषाओं में प्राप्त हैं। संस्कृत के साथ आधुनिक आर्य भाषाओं के विवेचन से प्राचीन आर्य गण-भाषाओं की विविधता का बोध होता है, विशेष रूप से सीमान्त भाषाओं के अध्ययन से आर्य-द्रविड़ भाषाओं के सम्पर्क से उत्पन्न होनेवाली विशेषताओं का ज्ञान होता है। क्रमशः हम उस भूमि पर पहुँचते हैं जहाँ इंडो-यूरोपियन परिवार के अनेक भाषा-समुदायों का निर्माण हुआ था। इंडो-यूरोपियन भाषा-परिवार की भारतीय पृष्ठभूमि समझने में आधुनिक आर्य भाषाओं के विवेचन से सहायता मिलती है।

# 6

# आर्य भाषा-केन्द्र और पुराण-कथाएँ नवीन और प्राचीन

## (क) बहुकेन्द्रीयता और पुराण-कथाएँ

भाषाविज्ञानी और इतिहासकार जब आर्यों की चर्चा करते हैं तब उनके मन में एकरूप भाषा बोलने वाला जनसमुदाय होता है। इतिहासकार गण-समाजों का उल्लेख अवश्य करते हैं पर यह मान लेते हैं कि इन सबकी भाषा एक ही थी। एक आर्य वे थे जो **प्रश्न** शब्द में तालव्य **श्** का उच्चारण करते थे और एक आर्य वे थे जो **पृच्छति** रूप में इसी **श्** को **च्छ्** में बदल देते थे। एक आर्य तालव्य **श्** को **क्** में बदल देते थे, इसलिए दिश के साथ दिक वैकल्पिक रूप भी था, दूसरे आर्य इस **श्** या **स्** को **ह्** में बदल देते थे, इसलिए **श्रद्धा** का **श्रद्** हृदय में परिवर्तित हो गया। ऐसे परिवर्तन आर्येतर प्रभावों के कारण भारत में हो गए, यह नहीं कहा जा सकता क्योंकि हृदय के समानान्तर अंग्रेज़ी **हार्ट** मौजूद है और **श्रद्** के समानान्तर रूसी **सेर्द्त्से** है। जैसे **दिश्** के साथ **दिक्** है, वैसे ही **श्रद्** के साथ लैटिन **कोर्द्** है। एक आर्य वे थे जो दन्त्य **न्** का व्यवहार करते थे, एक आर्य वे थे जो दन्त्य **न्** वाले शब्दों में बार-बार **ण्** का व्यवहार करते थे। ऐसे बहुत-से उदाहरण दिये जा सकते हैं। पौराणिक कथाएँ निराधार कल्पना, मनगढ़न्त बातों के लिए बदनाम हैं किन्तु इतिहासकारों और भाषाविज्ञानियों ने एक अपनी पौराणिक परम्परा बना डाली है। इस परम्परा के अनुसार आर्यों का एक विशाल समुदाय एक ही भाषा बोलता था और यह भाषा एक कल्पित भारत-ईरानी शाखा की प्रशाखा थी।

भाषा के समान वे सभी आर्यों की एक ही संस्कृति की कल्पना करते हैं। यद्यपि 'अथर्ववेद' और 'ऋग्वेद' में सांस्कृतिक अन्तर यथेष्ट है पर भाषा के समान 'अथर्ववेद' में भी आर्येतर प्रभाव स्वीकार कर लिया जाता है। वैदिक संस्कृति सभी आर्यगण-समाजों की संस्कृति थी, यह धारणा दृढ़तापूर्वक लोगों के मन में जड़ जमाए हुए है। ब्रज प्रदेश में कृष्ण को लेकर जिस तरह के काव्य लिखे गए हैं,

उनमें कृषि से अधिक पशुचारण वाली संस्कृति है। इसे मध्य एशिया से आनेवाली जातियों का परवर्ती प्रभाव कहा जाता है। मगध वैदिक काल से वैदिक संस्कृति से बाहर रहा है। बौद्ध और जैन धर्मों का मुख्य विकास केन्द्र मगध था। अनेक प्रकार के नास्तिक दर्शनों, शैव और शाक्त मतों का प्रसार-केन्द्र मगध रहा है। यह सब आर्येतर प्रभाव होगा। किन्तु मगध समुदाय की भाषाओं में जो अकार के वृत्ताकार उच्चारण की पद्धति है, वह द्रविड़ों में नहीं, रूसवासी दक्षिणी स्लावजनों में है। मागधी समुदाय की एक भाषा असमिया है। असमिया में दन्त्य **स्** का अभाव है। संस्कृत शब्दों में जहाँ **स्** है, वहाँ असमिया **ह्** या **ख्** का व्यवहार करती है। यह प्रवृत्ति द्रविड़ों में नहीं है, ईरानी शाखा के अहुर-पूजकों में थी, **सप्ताह** को **हफ़्ता** कहनेवाले फ़ारसी भाषियों में थी। और असम प्रदेश शाक्त मत तथा तांत्रिक चमत्कारों के लिए प्रसिद्ध था। कोसल के कवियों ने वैदिक देवताओं के स्थान पर मनुष्य को देवता बनाकर प्रतिष्ठित किया। रवीन्द्रनाथ ठाकुर ने 'भाषा ओ छन्द' कविता में यह तथ्य बहुत स्पष्ट प्रतिपादित किया है। वाल्मीकि कहते हैं, अब तक काव्य में देवताओं की प्रतिष्ठा हुई है, मैं उनके स्थान पर मनुष्य को प्रतिष्ठित करूँगा। इतिहासकारों और भाषाविज्ञानियों की पौराणिक परम्परा के अनुसार उत्तर-पश्चिम से आकर आर्य पहले पंजाब में बसे, फिर गंगा-जमुना के मैदानों में फैल गए, क्रमश: मगध पहुँचे। हर जगह वे यज्ञ और मंत्र-पाठ वाली आर्य संस्कृति अपने साथ ले गए। इस अभिनव पौराणिक परम्परा के अनुसार मगध, कोसल और कुरु जनपदों की संस्कृति में कोई महत्त्वपूर्ण अन्तर नहीं था। पर भाषा में द्रविड़ प्रभाव उत्तर-पश्चिमी क्षेत्र में अधिक दिखाई देता है। इतिहासकार और भाषाविज्ञानी, दोनों मानते हैं कि उत्तर-पश्चिमी भारत में द्रविड़ों की घनी बस्तियाँ थीं पर वैदिक संस्कृति का सबसे साफ-सुथरा रूप यहीं विकसित हुआ। यज्ञ वाली संस्कृति का जैसा रूप यहाँ विकसित हुआ, वैसा आर्यों के किसी कल्पित आदि देश में नहीं हुआ। ईरान की यज्ञ-मंत्र-संस्कृति अधिकतर वैदिक संस्कृति का रूपान्तर है, जैसे कि प्राचीन ईरानी भाषा वैदिक भाषा का ध्वनिगत—मुख्यत: ध्वनिगत, गौणत: रूपगत, प्राकृतों के समान—रूपान्तर है। और यूनान की यज्ञ-संस्कृति वैदिक यज्ञ-संस्कृति की छाया है। रोम की यज्ञ-संस्कृति इस छाया की छाया है।

यज्ञ संस्कृति का मुख्य प्रसार केन्द्र कुरु जनपद था। वहाँ से वह ईरान, यूनान और रोम पहुँची। जो लोग इंडो-यूरोपियन भाषा को इंडो-जर्मैनिक कहते थे, वे मानते थे कि अति प्राचीन काल में वैदिक आर्यों के साथ प्राचीन जर्मन भी वही आदि इंडो-जर्मैनिक भाषा बोलते थे। पर प्राचीन जर्मन, वैदिक आर्यों तो क्या, यूनानियों और रोमनों के समान यज्ञ करते रहे हों, इसका प्रमाण नहीं मिलता। मगध बौद्ध धर्म का केन्द्र था जहाँ से वह सारी दुनिया में फैला। कोसल रामायण-महाभारत का काव्य-रचना-केन्द्र था। इन काव्यों ने समस्त भारत और दक्षिण पूर्वी एशिया के अनेक देशों को भी प्रभावित किया है। इससे मिलती-जुलती स्थिति उस समय थी

जब वैदिक आर्यों की यज्ञ-संस्कृति ने पश्चिमी एशिया और दक्षिणी यूरोप के कुछ देशों को प्रभावित किया था।

### (ख) गण देवता की पूजा

भारतवासी आर्यों के अनेक गण थे। इन गणों की संस्कृति में यथेष्ट भेद था। इनकी भाषाओं में काफी समानता थी, फिर भी मौलिक भेद थे। ये सब आर्य इसलिए हैं कि इनकी भाषाओं में समानता है और ये भाषाएँ एक ही परिवार के अन्तर्गत मानी जाती हैं। इन भाषाओं के विकास-केन्द्र अनेक थे, उनमें मौलिक अन्तर था, परस्पर सम्पर्क से एक भाषा-परिवार का निर्माण हुआ। सांस्कृतिक स्तर पर इसी प्रकार इन गण-समाजों में परस्पर आदान-प्रदान होता रहा। प्राचीन यूनान के बारे में विदित है कि जब एथेन्स नगर संस्कृति का महान् केन्द्र बन चुका था, तब भी पिछड़े हुए यूनानी समाजों में नरबलि की प्रथा प्रचलित थी। भारत के जो गण-समाज मिलती-जुलती भाषाएँ बोलते थे, उन सबका सांस्कृतिक विकास समान गति से न हुआ था। यहाँ गण का नाम रखने की दो पद्धतियाँ थीं। एक पद्धति में वीर, योद्धा, युवक के लिए प्रचलित शब्द गण का नाम हो जाता था। **कुरु, पुरु, मग** (मगध का मग) आदि नाम इस पद्धति के अनुरूप हैं। मगध में मूल शब्द मग पौरुष वाचक है। दूसरी पद्धति वह है जिसमें किसी मानवेतर प्राणी को गण देवता मान लिया जाता है, गण के सभी सदस्य उसे पवित्र मानते हैं, उससे तादात्म्य स्थापित करते हैं, उसकी पूजा करते हैं। अंग्रेज़ी में इसके लिए टोटम शब्द प्रचलित है जो अमरीकी आदिवासियों की भाषा का शब्द है। इस तरह के गण नाम भारत में भी प्रचलित थे और यह मानने का कोई कारण नहीं कि ये लोग आर्य नहीं थे। वैदिक आर्यों की देव-कथाओं पर मैकडनल ने 'वेदिक मिथोलॉजी' पुस्तक लिखी है। इसमें उन्होंने टोटम पद्धति के चलन का उल्लेख भी किया है। वह मानते हैं कि यह पद्धति आर्येतर थी और भारत में आर्यों के आने के पहले से प्रचलित थी।

टोटम-पंथ को आर्येतर मानने के बाद मैकडलन कहते हैं कि सम्भव है कि टोटमपंथ के कुछ अवशेष 'ऋग्वेद' में विद्यमान हों अर्थात् कुछ गणों या वंशों का उद्‌भव पशुओं या वनस्पतियों से हुआ है, यह विश्वास प्रचलित था। **कश्यप** एक वैदिक ऋषि का नाम है। इस शब्द का अर्थ है कछुआ। यह शब्द 'अथर्ववेद' में तथा उत्तरकालीन वैदिक साहित्य में आता है। **कश्यप** को प्रजापति माना गया है। मैकडनल कहते हैं कि 'ऋग्वेद' में **मत्स्य, अज, गोतम, वत्स, शुनक, कौशिक, माण्डुकेय** नाम आते हैं अर्थात् मछली, बकरा, बैल, बछड़ा, कुत्ता, उल्लू और मेढक गण नामों के लिए प्रयुक्त हुए थे।

ऐसे गण नामों के लिए भी यह कहा जा सकता है कि ये अवैदिक नाम भारत में आर्येतर प्रभाव के कारण रखे गए। भारत के बाहर पश्चिमी एशिया में एक

शक्तिशाली हित्ती गण था जिसकी भाषा वैदिक भाषा से मिलती-जुलती थी। हित्ती शब्द हत्ती का हीब्रू रूपान्तर है। **हत्ती** शब्द **हस्ति** का तद्भव रूप है। इस नाम से पता चलता है कि यह गण किसी समय हाथी को अपना गणदेवता मानता था। भारत के प्राचीन नगर हस्तिनापुर की एक ही व्याख्या सम्भव है, कि वह हस्ति गण का नगर था। अनेक इतिहासकार और भाषाविज्ञानी हित्तियों की सभ्यता को वैदिक सभ्यता से प्राचीन मानते हैं और हित्ती भाषा को वैदिक भाषा से प्राचीन मानते हैं। उन्होंने **हित्ती** और **हत्ती** शब्दों की व्याख्या नहीं की, उनके लिए वे निरर्थक से शब्द हैं जो किसी कारण गण-समाज से जुड़ गए थे। किन्तु गण-समाजों के नाम रखने की अपनी पद्धतियाँ हैं और **हत्ती** और **हस्ति** का सम्बन्ध बहुत स्पष्ट है। हाथी गण विशेष का देवता था, यह तथ्य हस्तिनापुर के अलावा पौराणिक परम्परा की गणेश-पूजा से पुष्ट होता है। यह तथ्य गणेश-पूजा के उद्भव और प्रसार का कारण बतलाता है, हस्तिनापुर नाम की व्याख्या करता है और पश्चिमी एशिया के हत्तियों का भारत से जो सम्बन्ध, भाषा और संस्कृति के स्तर पर, पहले ही स्पष्ट था, उसे और पुष्ट करता है। किन्तु ये हत्ती तो प्राग्वैदिक काल के माने गए हैं। तब यह भी मानना होगा कि इंडो-यूरोपियन समुदाय में टोटम पद्धति भारत में आर्यों के आने से पहले भी प्रचलित थी। वास्तव में टोटम पंथ दूर-दूर के देशों में प्रचलित रहा है, उसका कोई विशेष सम्बन्ध भारत के आर्येतर समाजों से नहीं है। मैकडनल ने उक्त प्रसंग में लिखा है कि **सँवरण** नाम 'ऋग्वेद' में आता है और कुरु वंशी राजा इन्हें अपना आदि पुरुष मानते थे। उन्हें 'महाभारत' में **ऋक्ष** कहा गया है। इसका अर्थ यह हुआ कि रीछ भी एक गणदेवता था और 'रामायण' में जो रीछ और वानर राम की सहायता करते हैं, वे मनुष्य तो हैं ही, आर्य भी हैं, केवल **गोतम** और **कश्यप** के समान उनका गणनाम मानवेतर प्राणियों को लेकर रखा गया है। इतिहास-प्रसिद्ध गोतम बुद्ध जिस गण में उत्पन्न हुए, वह किसी समय **वृषभ** को गणदेवता मानता था। प्राचीन भारत में एक **गणदेवता सर्प** था। इस गणदेवता से सम्बद्ध समाज इतिहास में काफी प्रसिद्ध हुए। डॉ. टी.वी. महालिंगम् ने नागों पर एक विस्तृत लेख लिखा है। अप्रैल, 1965 की इतिहास-पत्रिका 'जरनल ऑफ इंडियन हिस्ट्री' में यह लेख 'द नागाज इन इंडियन हिस्ट्री एंड कल्चर' नाम से प्रकाशित हुआ है। इसमें उन्होंने नाग को टोटम माना है और उसके साथ वानर, अज, मत्स्य, गरुड़ (गिद्ध), वृष्णि (मेढ़ा) का उल्लेख भी किया है। वृष्णि गण का विशेष सम्बन्ध ब्रज प्रदेश से रहा है। महालिंगम् ने ठीक लिखा है कि टोटम उपासना सार्वदेशिक थी। जो दन्त्य कथाएँ प्रचलित होती हैं, वे पूर्णत: निराधार नहीं होतीं। आलोचनात्मक दृष्टि से उनकी छानबीन करने पर कुछ ऐतिहासिक तथ्यों का पता लग सकता है।

'ऋग्वेद' में **वृत्र** एक नाग है। उसका उल्लेख एकवचन और बहुवचन, दोनों रूपों में होता है। जल से उसका विशेष सम्बन्ध है। इन्द्र उसका वध करता है और

पृथ्वी तथा आकाश, नदियों और बादलों, के जल को मुक्त करता है। मैकडनल ने लिखा है कि **वृत्र** शब्द **वृ** क्रिया से बना है जिसका अर्थ है घेरना, ढकना। **वृत्र** एक प्रकार का अवरोध है जिसे इन्द्र दूर करता है। **वृत्र** शब्द की एक अन्य व्याख्या भी सम्भव है। **वर्त, आवर्त** में **वृ** क्रिया गति के अलावा विशेष प्रकार की गति, वृत्ताकार गति भी सूचित करती है। **वृत्र** का अर्थ होगा तिर्यक् गति से चलनेवाला प्राणी अथवा कुंडली मारकर बैठनेवाला प्राणी। **सर्प** शब्द भी विशेष प्रकार की गति का सूचक है यद्यपि **सर** और **वर्, सृ** और **वृ**, दोनों क्रियाएँ सामान्य गति की सूचक भी थीं। **वृत्र** शब्द को सर्प का पर्यायवाची मानना चाहिए। **वृत्र** को **अहि** भी कहा गया है। **अहि** का मूल रूप **अभि** था। ग्रीक भाषा का **ऑफिस्** (साँप) शब्द **अभि** रूप की ओर संकेत करता है। **वृत्र** एक मानवगण का नाम है, उसके **पुरों** अर्थात् **दुर्गों** का ध्वंस इन्द्र ने किया, इससे विद्वानों ने कल्पना की कि **वृत्र** अवश्य प्राग्वैदिक आर्येतर जनसमुदायों से सम्बद्ध था, आर्यों ने आकर इस सभ्यता का नाश किया, उस ऐतिहासिक तथ्य की झलक **वृत्र**-सम्बन्धी का सिन्धु घाटी की सभ्यता में अनेक मुद्राएँ मिली हैं, उनमें सर्प अंकित है। इसलिए विद्वानों ने यह कल्पना भी आसानी से कर ली कि सिन्धु घाटी की आर्येतर सभ्यता को आक्रमणकारी आर्यों ने नष्ट कर दिया। नाग और गरुड़ का बैर प्रसिद्ध है। महालिंगम् ने हड़प्पा के तावीज का उल्लेख किया है जिसमें गरुड़ के दो ओर नाग हैं। तब यह क्यों न माना जाए कि सिन्धु घाटी की सभ्यता में नागगण के साथ उसके शत्रु गरुड़ गण का अस्तित्व भी था और दोनों ने आपसी युद्ध से इस सभ्यता का नाश कर दिया, जैसे 'महाभारत' युद्ध से कौरवों ने अपना नाश किया और एथेन्स तथा स्पार्टा के युद्ध से प्राचीन यूनानी सभ्यता का विनाश हुआ?

महालिंगम् ने सामन्ती समाज के नागपूजकों और सर्प को गणदेवता माननेवाले पुराने कबीलों को मिलाकर एक कर दिया है। दोनों में अन्तर करना आवश्यक है। लिंग-पूजा के समान नागपूजा अनेक देशों में प्रचलित रही है। इसका यह अर्थ नहीं है कि सर्वत्र सर्प को गणदेवता माना जाता था या उसे पूजनेवाले गण-समाजों में संगठित थे। महालिंगम् ने यह भी कहा है कि नाग-सम्बन्धी कहानियाँ मिस्र और पश्चिमी एशिया में फैली हुई थीं; वे भारतीय समाजों से विशेष सम्बन्धित हों, ऐसा नहीं है। मेरा अनुमान है कि नाग-सम्बन्धी कथाओं का प्रसार केन्द्र भारत था। यूरोप में अब हर देश के लोग कपड़े पहनते हैं और शक्कर खाते हैं, इससे यह सिद्ध नहीं होता कि गन्ने और कपास की खेती का कौशल भारत से यूरोप में न पहुँचा था।

सबसे पहले सर्प और जल के सम्बन्ध पर ध्यान दें। **वृत्र** जल को घेरे रहता है या जल को ढक लेता है। पश्चिमी एशिया में जहाँ-जहाँ सर्प के साथ जल का सम्बन्ध है, वहाँ-वहाँ उस कल्पना का भारतीय आधार सिद्ध किया जा सकता है। अन्य भाषाओं में कोई ऐसा शब्द नहीं है जो सर्प और जल की एक साथ व्यंजना कर सके। ऐसा शब्द नाग है और वह भारतीय शब्द है। **ना** शब्द-मूल जलवाचक

है। इसी से संस्कृत **नौका,** ग्रीक **नउस्,** अंग्रेज़ी **नेवी** शब्द बने हैं। **स्नान** का **स्ना** जलवाचक है। शब्द मूल **ना** में **स्** लगाया गया है। इसी की सहायता से **नाग** का अंग्रेज़ी प्रतिरूप **स्नेक** बना है। मगर के लिए संस्कृत **नक्र** उसी शब्दमूल के आधार पर बना है। पौराणिक कथाओं में शेषनाग जल में रहते हैं और विष्णु भगवान उन पर सोते हैं। शेषनाग अपने सहस्त्र फनों पर पृथ्वी को धारण किए हुए हैं। कश्मीरी भाषा में **नाग** शब्द अब भी झरनों की ओर संकेत करता है। **वेरीनाग** जैसे शब्द सर्पों के सूचक नहीं हैं। सर्प के लिए दूसरा शब्द **अहि** है। इसका पूर्वरूप **अभि** था। **अम्भ, अभ्र, अभि** में शब्दमूल **अभ** जलवाचक है। इस **अभ** में रहनेवाला **अभि** अथवा **अहि** है। जमीन खोदने से पानी निकलता है। साँप जमीन में बिल बनाकर उसके भीतर रहता है। धरती के नीचे पाताल है और पाताल में पानी है, नाग लोग पाताल में रहते हैं। पृथ्वी के भीतर पाताल के जल से उनका सम्पर्क है, पृथ्वी की सतह पर नदियों और झीलों में या उनके पास उनका निवास है। जब राम और लक्ष्मण सीता की खोज करते हुए ऋष्यमूक पर्वत पहुँचे तो उन्होंने देखा कि उसके पास एक बहुत सुन्दर झील है जिसका नाम **पम्पा** सरोवर है। इस **पम्पा** शब्द का अर्थ क्या है? संस्कृत की दृष्टि से इसकी व्याख्या करना कठिन है किन्तु तमिल में **पाम्पु** अथवा **पाम्बु** सर्प के लिए प्रयुक्त होनेवाला शब्द है जिसका अवशेष **बाँबी** हिन्दी में सर्प के **बिल** का सूचक है। **पम्पा** सरोवर के निकट वानर और ऋक्ष गणों के अतिरिक्त नाग गण भी रहते थे, इसीलिए उस सरोवर का नाम **पम्पा** पड़ा। हस्तिनापुर के **हस्ति** और पश्चिमी एशिया के **हत्ती** नामों की तरह **पम्पा** नाम भी निरर्थक नहीं है।

**पम्पा** और **पाम्पु** का मूल रूप **पाप** है। **पुण्य** का विलोम **पाप** मूलतः सर्पवाचक है। द्रविड़ भाषाओं में सर्वत्र **पाम्पु** रूप का चलन नहीं है। इसका प्रतिरूप **पावु** भी है। कन्नड़ भाषा में **साँप** को **पावु** कहते हैं। **तोद** भाषा में इसका प्रतिरूप **पोब्** है। बरो और एमेनो ने द्रविड़ व्युत्पत्ति कोष में इस शब्द-शृंखला के साथ प्राकृत **पाव** रूप दिया है जिसका अर्थ भी साँप है। संस्कृत में पाप शब्द का सर्प वाला मूल अर्थ छूट गया है। आर्य-द्रविड़ भाषाओं का जैसा सम्बन्ध है, उसमें बहुधा ऐसा देखा जाता है कि क्रिया-रूप एक परिवार में है तो संज्ञारूप दूसरे में, मूल अर्थ एक में है तो गौण अर्थ दूसरे में। पाप शब्द मूलतः सर्पवाचक हो तो इसमें आश्चर्य की कोई बात नहीं। कभी-कभी प्राकृत में शब्द-विशेष की परम्परा बनी रहती है। प्राकृत में पाव का अर्थ सर्प है, यह तथ्य महत्त्वपूर्ण है। सर्प के साथ सामान्य अर्थ वाले पाप के बोध का सम्बन्ध जुड़ गया, इसका कारण यह था कि जिन जन-समुदायों के गणदेवता नाग थे, उनसे यज्ञवादी जन-समुदायों का विरोध था। पश्चिमी एशिया में सर्प का सम्बन्ध शैतान से जोड़ा गया और वह मनुष्य के पाप-कर्म का कारण बना। उस पाप-कर्म के फलस्वरूप आदम को खुल्द से निकलना पड़ा। सामी पौराणिक गाथाओं में सर्प और पाप का सम्बन्ध स्पष्ट है किन्तु केवल आर्य-द्रविड़ भाषाओं

में पाप शब्द सर्प और पाप, दोनों का अर्थ देता है। इसलिए यह धारणा दृढ़ होती है कि सर्प और पाप सम्बन्धी कथाओं के बीज पश्चिमी एशिया में भारत से पहुँचे हैं। 'महाभारत' की कथा में तक्षक जब परीक्षित को डसता है तब वह फल में छिपा हुआ छोटा-सा कीट है और यह फल परीक्षित को मुनि वेषधारी नागों ने दिया है। सामी गाथाओं में शैतान सर्प का रूप धारण करता है और आदम की पत्नी हव्वा को निषिद्ध फल खाने की प्रेरणा देता है। हिन्दी प्रदेश में बच्चों को **हउवा** का डर दिखाते हैं। यह **हउवा** क्या है? **पावु** शब्द का एक कन्नड़ प्रतिरूप **हावु** है। **हावु** और **हउवा** का सम्बन्ध सहज बोधगम्य है। जैसे **पाप** शब्द से सर्पवाला अर्थ छूट गया, वैसे ही **हउवा** शब्द से भी सर्पवाला भाव विलग हो गया। सामी गाथाओं में **सर्प** और **हउवा** अलग-अलग पात्रों से जुड़ गए, एक हो गया शैतान का अवतार और दूसरा आदम की पत्नी। एक शब्द के दो अर्थों या दो रूपों से गाथाओं में दो पात्रों की सृष्टि होना कोई अद्‌भुत बात नहीं है। शेक्सपियर के नाटक 'किंग लियर' में एड्गर जब पागल का भेस बनाए अपने पेट के भीतर घुसे हुए भूतों की बात कहता है तो उनमें एक भूत है मोडो और दूसरा भूत है माहू। टीकाकारों के अनुसार मोहम्मद शब्द के दो टुकड़े हुए और उनसे मोडो और माहू भूतों की सृष्टि हुई।

### (ग) मग, नग, नाग

'महाभारत' की कथा में गरुड़ और नाग एक ही प्रजापति कश्यप की सन्तान हैं। नाग कद्रू के पुत्र हैं और गरुड़ विनता के। 'महाभारत' की कथा से सिन्धु घाटी की प्राचीन मुद्राओं में गरुड़ और नाग गणों के सहअस्तित्व की बात पुष्ट होती है। गरुड़ और नाग गणों का वैर अवश्य पुराना रहा होगा और वही परम्परा 'महाभारत' तक चली आई है। 'ऋग्वेद' में वृत्र और इन्द्र के युद्ध को इसी कथा-परम्परा के सन्दर्भ में देखना चाहिए। इस विश्लेषण से सिन्धु घाटी की सभ्यता 'ऋग्वेद' और 'महाभारत' काव्य परस्पर विच्छिन्न न होकर एक ही ऐतिहासिक परम्परा में परस्पर सम्बद्ध दिखाई देते हैं।

यहाँ यह कह देना आवश्यक है कि नाग गण-संघ का नाम भी था; उसमें एक से अधिक गण सम्मिलित थे। पुराने समय से अब तक कुछ गणवाचक शब्द ऐसे हैं जो एक से अधिक गणों की ओर, गण संघों की ओर संकेत करते हैं। भरत गण में कुरु, पाञ्चाल आदि अनेक गण सम्मिलित थे। पाञ्चाल स्वयं पाँच गणों से मिलकर बना था। आधुनिक काल में पूर्वी अंचल के जो लोग नगा कहलाते हैं, उनमें अंगामि, सेमा और आओ गण शामिल हैं। इसी प्रकार प्राचीन समय में नाग अनेक गणों का संघ था। गणदेवता पूरे गण-समाज का प्रतीक होता है, वह एक पीढ़ी से दूसरी पीढ़ी तक गण के अस्तित्व की सूचना देता है, अनेक गणों को मिलाकर उनका संघ बनाने का साधन भी वह हो सकता है। यदि वह गणसंघ का देवता बनेगा तो उसकी उपासना

अनेक गण करेंगे और वह अधिक शक्तिशाली माना जाएगा। गण-समाजों के विकास में गणदेवता की कल्पना किसी-न-किसी रूप में अनिवार्य है। उसकी स्थिति कुछ वैसी है जैसी आधुनिक काल में राष्ट्रीय पताका की है। उसे सब लोग सम्मान की दृष्टि से देखते हैं, उसे नमस्कार करते हैं और कोई भी राष्ट्रीय पताका के प्रति असम्मान का भाव दिखाए तो लोग इसे सारे राष्ट्र का अपमान समझते हैं। युद्ध में शत्रु की पताका छीन लाना विजय का चिन्ह है, उसी प्रकार किसी गण-समाज की पराजय उसके गणदेवता की पराजय है। कालीदह में कृष्ण ने **कालिय** नाम के सर्प के फनों पर नृत्य किया और उसे यमुना छोड़कर समुद्र में रहने पर विवश किया। इस कथा में नाग और जल का सम्बन्ध बना हुआ है। यमुना का एक नाम **कालिन्दी** है। इस शब्द की अनेक प्रकार से व्याख्या की जा सकती है। कालिय गण यमुना के किनारे रहता था, इसलिए यमुना का यह नाम पड़ा हो, सम्भव है।

पौराणिक गाथाओं में नागों के पास सम्पत्ति होने का उल्लेख रहता है। वे सुन्दर नगरों और भवनों में रहते हैं। उनकी स्त्रियाँ सदा सुन्दर बताई जाती हैं। अप्सराओं की कहानियाँ नागों के संसर्ग से उत्पन्न हुई हैं। **नाग** शब्द के समान **अप्सरा** शब्द भी जल-संसर्ग की सूचना देता है। पहले ये अप्सराएँ नदियों, सरोवरों में रहती थीं और कभी-कभी इक्का-दुक्का किसी तपस्वी को पाकर उसे परेशान करती थीं। फिर जब देवता धरती से दूर स्वर्ग में रहने लगे, तब अप्सराओं पर इन्द्र का एकाधिकार हो गया। जिन गाथाओं का सम्बन्ध ब्रज, कुरु आदि उत्तर-पश्चिमी जनपदों से है, उनमें अधिकतर नागों से संघर्ष की कहानियाँ मिलती हैं। वैदिक काल के इन्द्र-वृत्र संघर्ष से लेकर कृष्ण और कालिय नाग के द्वंद्व तक वह परम्परा चली आती है। इससे स्वभावत: विद्वान् यह निष्कर्ष निकालते हैं कि नागपूजक आर्यों से अनार्यों का संघर्ष हुआ। किन्तु जिन गाथाओं का सम्बन्ध मगध आदि पूर्वी जनपदों से है, उनमें नागों के प्रति मैत्री भाव अधिक है। बौद्ध ग्रंथों में, और बुद्ध से सम्बन्धित शिल्प-चित्रों में, नाग बुद्ध के प्रति भक्ति-भाव दिखाते हैं। बुद्ध उतने ही आर्य थे जितने पुराणों और भागवत के रचनाकार। यदि बौद्ध गाथाओं पर द्रविड़ प्रभाव माना जाए तो पौराणिक गाथाओं पर भी द्रविड़ प्रभाव माना जाएगा। आर्य भाषाएँ बोलने वाले समुदायों में नागों के प्रति दो भिन्न दृष्टिकोण हैं, यह तथ्य ध्यान में रखना चाहिए। महालिंगम् ने पूर्वोल्लिखित निबन्ध में बताया है कि बौद्ध साहित्य के अनुसार बुद्ध के जीवन में नागों की महत्त्वपूर्ण भूमिका थी किन्तु हिन्दू और बौद्ध मतों में उनकी चर्चा भिन्न-भिन्न प्रकार से की गई है। बौद्ध साहित्य में वे बुद्ध के परम उपासक बताए गए हैं। इसी प्रकार जैन मत में उनकी चर्चा मैत्री भाव से की जाती है। जब पार्श्वनाथ, तेईसवें तीर्थंकर, तपस्या कर रहे थे, तब उनके शत्रु ने उन पर तीव्र जल-वृष्टि की। तब धरणीधर नाग ने आकर उनके सिर पर छत्र की तरह फन फैलाकर वृष्टि से उनकी रक्षा की। एक अन्य कथा के अनुसार जब पार्श्व तपस्या कर रहे थे, तब

नागराज ने आकर अपने फन को छत्र बनाकर उनकी सेवा की। कहा जाता है कि अहिच्छत्र नगर का नाम इसीलिए पड़ा कि नागराज ने अपने फन को छत्र बनाया था। अहिच्छत्र नाग गण का नगर भी हो सकता है, छत्र यहाँ सत्ता का सूचक होगा। महालिंगम् ने लिखा है कि जैन मत से सम्बन्धित मूर्तियों और चित्रों में पार्श्वनाथ के आसन पर नाग दिखाया जाता है और वह उनके सिर पर अपने फन का छत्र बनाए रहता है। सिन्धु घाटी की सभ्यता में नाग और मनुष्य के बीच जैसा सम्बन्ध है, वैसा ही सम्बन्ध यहाँ है। सिन्धु घाटी की मुद्राओं में सर्प के साथ वृक्ष चित्र भी कहीं-कहीं रहता है। दक्षिण में श्रवण बेळगोल नामक स्थान में गोमतेश्वर की मूर्ति के आसपास सर्पों के अतिरिक्त एक पौधा भी है जो मूर्ति की बाँहों और पैरों में लिपटा हुआ है। महालिंगम् ने लिखा है कि ऐसी ही मूर्ति एनूर नामक स्थान में है। मूर्ति के हाथ नाग के फन पर हैं और हाथों और पैरों में एक लता लिपटी हुई है। जैन और बौद्ध, दोनों मतों का प्रमुख केन्द्र मगध रहा है। मगध और कुरु जनपदों के सांस्कृतिक अन्तर की जो बात पहले कही गई है, उसे इस नाग प्रसंग में स्मरण करना चाहिए।

महालिंगम् ने लिखा है कि बौद्ध साहित्य में नागों का सम्बन्ध जल से नहीं दिखाया जाता किन्तु उन्होंने इस धारणा के विरुद्ध अपने निबन्ध में ही अनेक तथ्य दिये हैं। जब बुद्ध का जन्म हुआ तब नन्द और उपनन्द नाम के दो नागों ने बोधिसत्व को शीतल और उष्ण जलधाराओं से स्नान कराया। हुएन-त्साङ् ने इसी कहानी का उल्लेख किया है। उसे विश्वास था कि जिस स्थान पर दोनों नागों ने बुद्ध को स्नान कराया था वहाँ सम्राट अशोक ने एक स्तूप बनाया था। उस स्तूप के पास पानी के दो झरने थे, दोनों नाग जिस स्थान पर धरती के भीतर से निकले थे, वहाँ भी दो स्तूप बनवाए गए थे। बौद्ध शिल्प में नागों द्वारा बुद्ध के स्नान का चित्रण है। एक शिल्प में नन्द और उपनन्द दो कुओं से निकलते दिखाए गए हैं। सारनाथ के शिल्प में कमल पर बैठे हुए बुद्ध के शीश पर वायु में स्थित दो नाग कलशों से जल गिरा रहे हैं। बोधिवृक्ष के नीचे तपस्या करने के बाद वह स्नान के लिए नैरंजन नाम की नदी में उतरे। यह नागों की नदी थी। जब वह नदी किनारे रेत पर बैठने लगे, तब नदी से नागकन्या उनके लिए रत्नजटित सिंहासन लेकर आई। इस सिंहासन पर बैठकर बुद्ध ने भोजन किया और भोजनपात्र नदी में फेंक दिया। नागराज सागर उसे उठाकर अपने घर ले जाना चाहते थे किन्तु इन्द्र ने गरुड़-रूप धरकर चोंच में वज्र दबाए हुए वह भोजनपात्र छीनने का प्रयत्न किया। बल प्रयोग द्वारा पात्र न पाकर अपना वास्तविक रूप दिखाकर इन्द्र ने भोजनपात्र के लिए याचना की। नागराज ने वह पात्र उन्हें दे दिया और इन्द्र उसे स्वर्ग ले गए। नागकन्या वह सिंहासन ले गई जिस पर बुद्ध बैठे थे। इस गाथा में नागों का सम्बन्ध जल से स्पष्ट है।

नैरंजन नदी से जब बुद्ध बोधिवृक्ष की ओर चले तो उनके पीछे एक काल अथवा कालिक नाम का नागराज भी था। उसने उनके बुद्धत्व प्राप्ति की भविष्यवाणी

की थी। यह कालिक नागराज कृष्ण कथा के कालिय नाग का प्रतिरूप है। कालिय शब्द कालिक का तद्भव रूप है। इस नाग गण से मगध गण की मैत्री रही होगी और वृष्णिगण से बैर। जरासन्ध मगध का राजा है, कंस का सम्बन्धी है। कंस और जरासन्ध, दोनों से कृष्ण का बैर है। मगध और उत्तर-पश्चिमी जनपदों के आपसी संघर्ष में नागों की भूमिका दो प्रकार की है, वे मगध के मित्र हैं और वृष्णि, कुरु आदि उत्तर-पश्चिमी गणों के शत्रु। गरुड़ और नाग गणों के संघर्ष का उल्लेख बौद्ध साहित्य और पुराणों में दो प्रकार से है। पुराणों में गरुड़ नागों का नाश करता है, बौद्ध कथा में गरुड़ नागराज सागर का कुछ बिगाड़ नहीं पाता। बौद्ध कथा में इन्द्र ही गरुड़ रूप धरकर आया है, वह अपनी चोंच में वज्र दबाए है। यहाँ गरुड़-नाग-संघर्ष-कथा में इन्द्र और वत्र की वैदिक कथा घुल-मिल गई है।

एक अन्य बौद्ध कथा में बुद्ध के एक साथी वज्रपाणि हैं। अपलाल नाम का नाग लोगों को बहुत परेशान करता है। वह जल के निकट रहता है। वज्रपाणि पास के पर्वत का ध्वंस करने की बात करते हैं, तब वह नाग लोगों को सताना छोड़ता है। यह कथा मगध में नहीं, पठान देश में प्रचलित थी और गन्धार शिल्प में चित्रित है। महालिंगम् ने लिखा है कि नागराज बुद्ध के पास खड़ा दिखाया जाता है या उस जलस्रोत में स्थित चित्रित किया जाता है जिसका वह देवता है। बौद्ध धर्म मगध से जब पठान देश पहुँचा, तब उसमें स्थानीय कथा-परम्पराओं के अनुसार परिवर्तन हुए। इन्द्र और वृत्र के संघर्ष वाली कथा-परम्परा वहाँ जीवित थी। इन्द्र बुद्ध के साथी वज्रपाणि बन गए। इन्द्र पर्वतों का ध्वंस करते थे, वज्रपाणि ने भी पर्वतों का नाश करने की धमकी दी। ये पर्वत या तो नागगण का निवासस्थान थे या पर्वतपूजक गण थे जो नागों के साथी थे। जैसे नागों के कन्याएँ होती थीं, वैसे ही पर्वतकन्या पार्वती प्रसिद्ध हुईं। उक्त बौद्ध कथा में, वैदिक कथाओं के समान, नाग जलस्रोत का स्वामी है।

एक कथा के अनुसार बुद्ध के निर्वाण के बाद उनके पवित्र अवशेष प्राप्त करनेवालों में नाग भी थे। अवशेषों पर स्तूप बनाया गया और नाग उसकी रक्षा करते थे। जब सम्राट अशोक उसे खोलना चाहते थे तब नागराज ने उन्हें वर्जित किया। बौद्ध शिल्प में नाग मानव रूप में दिखाए जाते हैं किन्तु उनके सिर पर फन होने से वे अन्य मानवों से भिन्न पहचाने जाते हैं। पुरुषों के सिर पर पाँच फन होते हैं, स्त्रियों के सिर पर एक फन होता है। सम्भव है, पहले नागपूजक गण इस प्रकार सिर पर कोई सर्पाकार चिन्ह धारण करते रहे हों!

इसमें सन्देह नहीं कि प्राचीन काल में सर्प जनसमुदायों का गणदेवता था। उसका निवास जल में माना जाता था, इसलिए उसे नाग संज्ञा दी गई। **नाग** शब्द में एक अन्य शब्द समादित हो गया है, वह है **नग**। **नग** शब्द का पूर्वरूप **मग** है और **मग** का पूर्वरूप **मघ** है। **मघ** का अर्थ है पुरुष, योद्धा। **मगध** गण वास्तव में **मग** नामक गण है। उसका यह नाम उस पद्धति से पड़ा जिसमें पुरुषवाचक शब्द

गण का नाम होता था। मगों ने यह नाम स्वयं रखा हो, यह आवश्यक नहीं। हो सकता है, वे लिंगोपासक, सर्पपूजक रहे हों! काशी शैवमत का प्रधान केन्द्र रहा है और वह मगध के प्रभाव क्षेत्र में है। यह कल्पना करना कठिन है कि मगध के लोग या पूर्वी अंचल के अन्य गण नागपूजक न होते तो काशी शैव मत का केन्द्र बन पाता। शैव मत से नागपूजा का घनिष्ठ सम्बन्ध है, यह स्पष्ट ही है। पुरुषवाचक **मघ** शब्द का प्रतिरूप नग सम्भवत: पश्चिमी प्रदेशों में प्रयुक्त होता था। **नग** और **नाग** मिलते-जुलते शब्द हैं। यदि **नग** सर्पपूजक रहे हों तो उन्हें आसानी से **नाग** संज्ञा दी गई होगी। इस प्रकार मानव वाचक **नग** और सर्पवाचक **नाग**, दोनों शब्द घुल-मिलकर एक हो गए। भारत के पूर्वी अंचल में जो नगालैंड है, उसमें यही पुरुष वाचक **नग** शब्द गणवाचक बना है। हिन्दी में उसे **नग, नगा, नागा** आदि लिखते और बोलते हैं। यह शब्द **नगर** में भी प्रतिष्ठित है। **नगर** से ही **नागर** और **नागरी** शब्द बने हैं। **नग** गण का ऐसा गहरा सम्बन्ध नागरिक सभ्यता के विकास से है।

**नगर** के समानान्तर **मगर** शब्द भी प्रचलित था। जहाँ **मग** अथवा **नग** एकत्र हों, वहाँ उस स्थान को अथवा जनसमूह को **मगर** या **नगर** कहते थे। मध्यवर्ती **ग** के **ह्** में बदलने पर **मगर** से **मेर** पश्चिमी रूप बना। **जैसलमेर, अजमेर** आदि स्थानवाचक शब्दों में जो **मेर** दिखाई देता है, वह उसी प्राचीन **मगर** का विकास है। **अजमेर** का सीधा अर्थ होगा **अज** नामक गण का केन्द्र। **मेर** का ही प्रतिरूप **मीर** शब्द है जो **कश्मीर** में दिखाई देता है। **कश** नामक गण की निवासभूमि कश्मीर कहलाई। स्लाव भाषाओं में संसार के लिए यही **मीर** शब्द प्रयुक्त होता है। इंडो-यूरोपियन भाषाओं में इसकी व्युत्पत्ति भारतीय **मग** शब्द के आधार पर ही की जा सकती है। जैसे **मगर** से **मेर** रूप बना, वैसे ही **नगर** से **नेर** बना। **बीकानेर** आदि स्थानवाचक शब्दों में यही **नेर** शब्द है।

**मग** का एक विकास **मय** होता है, **नग** का एक विकास **नय** होगा। प्रक्रिया वही है : **मघ—मग—मह—मय**। **मय** एक स्थिति में **मे** हो गया, दूसरी स्थिति में **य** कायम रहा। प्रसिद्ध है कि **मेरठ** शब्द का पूर्वरूप **मयराष्ट्र** था। **मग** गण जहाँ रहते थे, वह भूमि मेरठ कहलाई। केरल में जो नायर कहलाते हैं, वे नागर थे, यह बात विद्वान् पहले कह चुके हैं। लंका का एक पुराना नाम नागद्वीप है। नाग शब्द लंका की पुरानी भाषा में **नाय** भी बोला जाता था। इसलिए **नागर** और **नायर** के सम्बन्ध के बारे में सन्देह की गुंजाइश नहीं है। **मय** शब्द **माया, मायावी** आदि रूपों का जनक है। मगध प्राचीन काल से तांत्रिक साधना की केन्द्रभूमि रहा है। तांत्रिक जन अनेक प्रकार के चमत्कार दिखाते थे, इसलिए यह स्वाभाविक था कि **मग** के प्रतिरूप **मय** से चमत्कारसूचक **माया** शब्द बने। **माया** का अर्थ हुआ **मग** जनों का तांत्रिक चमत्कार। **मग** लोगों में से कुछ ईरान पहुँचे थे और वहाँ वे अपनी चमत्कार-साधना के कारण पुरोहित बने। उनके चमत्कार इतने प्रसिद्ध हुए कि उनकी

ख्याति यूरोप तक पहुँची। अंग्रेज़ी में जादू के लिए जो **मैजिक** शब्द है, वह यूनानी भाषा के **मागीकोस** शब्द से सम्बद्ध है। **मागीकोस् मग** या **माग** शब्दों से सम्बद्ध है। जैसे **नग** और **नाग**, वैसे ही **मग** और **माग**। ग्रीक भाषा में **मागोस्** शब्द भी है। इसका अर्थ है ईरान का द्रष्टा जो स्वप्नों की व्याख्या करता है; उसका एक अर्थ जादूगर भी है। इसके अतिरिक्त **मागोस्** गण विशेष के सदस्य को भी कहते थे। स्पष्ट ही यह ग्रीक शब्द भारतीय **मग** से सम्बद्ध है और उसके साथ **माया, जादू** आदि का संसर्ग बना हुआ था। **जादू** शब्द **यातु** का तद्भव रूप है और **यातुधान** में प्रतिष्ठित है। मध्य देश के लोग तांत्रिकों की माया से डरते थे, उन्हें **यातुधान, मायावी, दानव** आदि की संज्ञा प्रदान करते थे। पुराणों तथा महाकाव्यों में दैत्यों और राक्षसों की जो कथाएँ हैं, उनका कहीं-न-कहीं सम्बन्ध मगध से, अथवा **मग** कहलानेवाले गणों से, है। दैत्य दिति की सन्तान हैं, **विप्रशाप** से वे दैत्य बने। विप्रशाप की बात में ऐतिहासिक सत्य का यह अंश है कि जो लोग वैदिक संस्कृति का विरोध करते थे, उन्हें ब्राह्मण दैत्य, दानव, राक्षस आदि कहते थे।

दिति के दो पुत्र हिरण्यकशिपु और हिरण्याक्ष दैत्य थे किन्तु हिरण्यकशिपु के पुत्र प्रह्लाद विष्णु के भक्त थे। प्रह्लाद को दैत्य रूप में शायद ही कोई स्मरण करता हो। जरासंध दैत्य था, कंस उसका सम्बन्धी था। कंस की बहन कृष्ण की माँ थी। देवकी को कोई दैत्य नारी के रूप में स्मरण नहीं करता। देव और दैत्य, दानव और मानव, सभी मनुष्य हैं, कर्म के अनुसार उन्हें भिन्न संज्ञाएँ प्रदान की गईं। इस प्रकार देवासुर संग्राम, समुद्र मंथन आदि की कहानियाँ आर्य गण समुदायों के आपसी संघर्ष की कहानियाँ हैं। ये गण मिलती-जुलती भाषाएँ बोलते थे, इनमें विभिन्न रंग-रूपवाले लोग घुल-मिल गए थे। राम और कृष्ण दो महाकाव्य-नायक श्यामवर्ण आर्यों के प्रतीक हैं। हिरण्यकशिपु और हिरण्याक्ष नामों में **हिरण्य** शब्द ध्यान देने योग्य हैं। हिरण्याक्ष का सीधा अर्थ है पीली आँखों वाला। भागवत में उसे हिरण्यकेश और **हेमवपु** भी कहा गया है। जो लोग समझते हैं कि आर्य लोग गोरे रंग के थे और उनका काले आदिवासियों से संघर्ष हुआ, वे राम और कृष्ण के श्यामवर्ण और हिरण्याक्ष के हेमवर्ण पर ध्यान दें। वाल्मीकि रामायण के अरण्यकांड में रावण की आँखें पीली बताई गई हैं : **क्रुद्धस्य हरिपर्यन्ते रक्ते नेत्रे बभूवतुः हरि।** शब्द का अर्थ है पिंगल।

मगध और मिथिला की भाषाएँ एक ही स्रोत से उत्पन्न मानी जाती हैं पर इन दोनों की संस्कृति में बहुत बड़ा अन्तर रहा है। पौराणिक संस्कृति में जैसे मगध को त्याज्य भूमि माना गया है, वैसे मिथिला को त्याज्य नहीं कहा गया। दोनों जनपद पड़ोसी हैं, बीच में गंगा की धारा है, मिथिला का सम्बन्ध विदेह गण, जनक और वेदान्त से है, मगध का सम्बन्ध तंत्रवाद, शैवशाक्त उपासना और बौद्ध जैन मतों से रहा है। राम का विवाह विदेह कन्या सीता से हुआ, यह विवाह-सम्बन्ध कोसल और मिथिला के सांस्कृतिक सम्बन्धों का प्रतीक है। वेदान्त की विचारधारा वही नहीं

है जो वेदों की विचारधारा है। जिन लोगों ने 'रामायण', 'महाभारत' काव्य लिखे, उनकी सहानुभूति वेदों की अपेक्षा वेदान्त से अधिक थी। कोसल का सम्बन्ध कुरु जनपद की अपेक्षा मिथिला से अधिक रहा है। यहाँ सांस्कृतिक सम्बन्ध की बात है। मगधवासियों ने भाषायी सम्बन्ध दूर-दूर तक कायम किया, वह अलग बात है। मिथिला और कोसल के बीच में वह क्षेत्र है, जहाँ अब भोजपुरी भाषा बोली जाती है। इस क्षेत्र को पार करके विश्वामित्र के साथ राम और लक्ष्मण मिथिला पहुँचते हैं। खर, दूषण, त्रिशिरा, ताड़का आदि से युद्ध कोसल और मिथिला के बीच की भूमि पर होता है। राक्षसों से युद्ध की ये कथाएँ आर्य समुदायों के आपसी संघर्ष की ओर संकेत करती हैं। इन्द्र और वृत्र के युद्ध से लेकर राम-रावण संग्राम तक उक्त कोटि के संघर्षों की कहानियाँ चमत्कारी गाथाओं का रूप लेती रही हैं। इनमें एक गाथा-समुदाय वैदिक कर्मकांड को पूर्णत: अथवा अंशत: स्वीकार करता रहा है और दूसरा उसका विरोधी है। राक्षसों का प्रधान कर्म यज्ञों का विध्वंस करना है। यज्ञविध्वंस की कथाएँ दो प्रकार की संस्कृतियों की टक्कर की सूचना देती हैं। महाभारत युद्ध में कौरव और पांडव लड़े। इनके साथ उत्तर भारत और पूर्वी तथा मध्यभारत के अनेक गण सहायक के रूप में लड़े। 'महाभारत' की कथा आर्यगणों के दो विशाल समुदायों के संघर्ष की कथा है, इस बारे में किसी को सन्देह नहीं है। काव्य-पुराण-परम्परा में 'महाभारत' से और बड़े युद्ध का कहीं उल्लेख नहीं है। आर्यों का सबसे बड़ा युद्ध परस्पर विरोधी आर्य गणसमुदायों के बीच ही हुआ था। 'महाभारत' काव्य की विशेषता यह है कि इसमें मनुष्य के यथार्थ रूप पर अधिक बल है, कल्पना के चमत्कार से उसे देव या राक्षस कम बनाया गया है। यहाँ आर्य गण समुदायों के आपसी संघर्ष का ऐतिहासिक तथ्य स्वीकार करना ही होगा। आश्चर्य की बात है कि इन्द्र और वृत्र का युद्ध, राम-रावण का युद्ध, और देवासुर संग्राम की कथाएँ 'महाभारत' से एकदम अलग करके देखी जाती हैं।

वाल्मीकि 'रामायण' के 'लंकाकांड' में एक स्थान पर गरुड़ और नागों का उल्लेख है। राम और रावण की सेना में युद्ध हुआ और राम की सेना वाणों से बिंध कर धराशायी हो गई। राम और लक्ष्मण भी शरशैया पर सो गए। वाण ऐसे थे मानो नागों ने समस्त योद्धाओं को बाँध लिया हो। उस समय वहाँ गरुड़ आए। गरुड़ के आते ही वे समस्त वाण योद्धाओं का शरीर छोड़कर भाग खड़े हुए।

*तमागतमभिप्रेक्ष्य नागास्ते विप्र दुद्रुवु: ।*
*यैस्तौ सत्पुरुषौ बद्धौ शरभूतैर्महाबलौ ॥*

वाण नागों के समान थे, यहाँ तक तो अलंकार है किन्तु गरुड़ के आने पर वे भाग खड़े होते हैं, यहाँ अलंकार की बात नहीं रह जाती। पौराणिक परम्परा के अनुसार गरुड़ को देखकर वास्तविक नाग ही भाग सकते हैं, शरीर में घुसे हुए वाण अपने-आप निकलकर उड़ नहीं सकते। इस कथा से यह संकेत मिलता है

कि नागगण रावण के सहायक थे और गरुड़गण राम के। लंका पहुँचने से पहले राम को जटायु मिलते हैं। ये जटायु भी गरुड़ गण के प्रतीक हैं। जटायु का भाई सम्पाति हनुमान आदि को लंका जाने का मार्ग बताता है। इस प्रकार गरुड़पूजक गण समुदाय राम की सहायता निरन्तर करते हैं। स्वभावतः नाग रावण की ओर होंगे। **पंपा** शब्द नागवाचक है, इसका उल्लेख पहले हो चका है। सम्भव है, बालि नाग रहा हो और वानर गण से उसका युद्ध हुआ हो। वानरों में अनेक पिंगलाक्ष हैं, यह बात ध्यान देने की है। रावण भी पिंगलाक्ष है। 'रामायण' कथा में जिन्हें वानर और राक्षस की संज्ञा दी गई है, वे मध्य भारत के पड़ोसी गण समुदाय हैं। रावण के जितने बन्धु-बान्धव कोसल के पूर्व में हैं, उतने विन्ध्याचल के दक्षिण में नहीं। जो लोग कहते हैं कि लंका नगरी कहीं मध्यभारत में थी और उसका वर्तमान श्रीलंका नाम के द्वीप से कोई सम्बन्ध नहीं है, उनकी बात तर्कसंगत है। किष्किंधा और लंका में एक समानता है, जिस पर ध्यान देना चाहिए। किष्किंधा ऋष्यमूक पर्वत पर है और उसके नीचे पम्पा सरोवर है; लंका त्रिकूट पर्वत पर है और उसके नीचे समुद्र है। नागों का सम्पर्क जल से है और पर्वतों से भी। वे ऐसे पर्वतों पर रहते हैं जिनके पास कोई नदी, झील या सरोवर हो। इसलिए इन्द्र वृत्र नाग का शत्रु है और पर्वतों का भी। **नग** शब्द पर्वत का अर्थ भी देता है, यह एक मनोरंजक तथ्य है। वह अचल रहता है, इसलिए नग कहलाता है, यह एक व्याख्या हुई। उस पर नग गण रहते हैं, इसलिए वह नग कहलाया, यह व्याख्या भी सम्भव है। नगों और मगों के महादेव पर्वत पर निवास करते हैं, यह स्वाभाविक ही है। रावण शिवपूजक है, यह उसके नग या मग होने का अतिरिक्त प्रमाण है।

इस पुस्तक में जिन्हें नाग भाषाएँ कहा गया है, वे नागपूजक गणों की भाषाओं से भिन्न हैं। नागपूजक गणों की भाषाएँ आर्य परिवार के अन्तर्गत हैं, अन्य आर्य भाषाओं के समान उन्होंने भी आर्येतर परिवारों से भाषा-तत्त्वों का आदान-प्रदान किया है किन्तु उनकी गणना आर्येतर परिवारों में न होगी। सर्पों की पूजा सभी महाद्वीपों में फैली हुई है, नाग को अपना गणदेवता मानना भारत के कुछ आर्य गण-समुदायों की विशेषता है। 'महाभारत' के आदिपर्व में सर्वपूजक गणों के लिए लिखा है कि वे गंगा नदी के उत्तर तट पर रहते थे; तक्षक और अश्वसेन दो नाग कुरुक्षेत्र में इक्षुमती नदी के तट पर रहते थे। खांडव वन कुरुक्षेत्र के पास था; वहाँ भी नाग रहते थे। कुरुगण के पड़ोसी नागगण अवश्य थे। कुरुक्षेत्र से लेकर मगध तक इनकी बस्तियाँ थीं। हिरण्यकशिपु को अंग भी कहा गया है। 'महाभारत' में कर्ण को अंगदेश का राज्य दिया गया था। अंग नामक गण भी नागपूजक रहा होगा। शवमत के प्रसार और नागपूजा के चलन से अनेक स्थानों और मनुष्यों के नाम नाग शब्द को मिलाकर रखे गए। इससे यह न समझना चाहिए कि ऐसे मनुष्य और स्थान किसी एक गण से सम्बद्ध थे जो सर्प को अपना गणदेवता मानता था। ऐसे नाम अधिकतर भिन्न

सामाजिक परिस्थितियों में रखे गए हैं जब पुरानी गण व्यवस्था टूट चुकी थी और उसका स्थान सामन्ती समाज तंत्र ने ले लिया था। फिर भी इनमें कुछ नाम अवश्य हो सकते हैं जिनका सम्बन्ध पुराने नागपूजक गणों से था। **नग** और **नाग** की अपेक्षा **मग** शब्द अधिक विश्वसनीय है क्योंकि इसका सम्बन्ध किसी उपासना-पद्धति से नहीं है। बिहार में एक स्थान **मघड़ा** है। सम्भवत: इसमें **मग** का पूर्वरूप **मघ** सुरक्षित है। अवध में **मगड़ायर** और **मगरवारा** पुरानी **मग** बस्तियों की ओर संकेत करते हैं। **मग** का बहुवचन **मगर; मग** लोगों की बस्ती हुई **मगरवारा**। **मगड़ायर** को महावीर प्रसाद द्विवेदी और निराला **मगरायर** लिखते थे। शब्द को शिष्ट रूप देने के लिए **र** को **ड्** पश्चिमी प्रभाव से किया गया है। **आयर** पुराना स्थानवाचक शब्द है। **मगरायर** अर्थात् **मग** जनों की बस्ती। **मराठी, मराठा** आदि शब्दों को संस्कृत **महाराष्ट्र** के आधार पर सिद्ध किया जाता है। प्राकृत रूप **मरहट्ठ** है। यह रूप वर्ण-विपर्यय से बना है, पूर्वरूप था **महरट्ठ**। **महरट्ठ** में **मह** है, **महा** नहीं। **मह** शब्द, **महा** से भिन्न, **मघ** का रूपान्तर है। जैसे **मय** का राष्ट्र वास्तव में **मघ** का राष्ट्र था और **मेरठ** बना, वैसे ही **महरठ्ठ मघ** का राष्ट्र है और उससे **मराठ, मराठा** रूप बने। **महरट्ठ** में **मह** का सम्बन्ध **मग** से रहा होगा, यह बात व्युत्पत्ति शास्त्रियों के लिए कल्पनातीत थी, इसलिए उन्होंने उसका पूर्वरूप महाराष्ट्र होगा, यह कल्पना की। मराठी और मगही, दोनों **ह** क्रिया वाली भाषाएँ हैं, यह बात **मघ** वाली व्युत्पत्ति को पुष्ट करती है।

पौराणिक उपाख्यानों से चमत्कारी कल्पना हटाकर उनका सार तत्त्व ग्रहण किया जाए तो विदित होगा कि अत्यन्त प्राचीन काल से पूर्वी **मग** गण समुदाय तथा मध्यदेशीय और उत्तरी गणसमुदायों में संघर्ष होता रहा है। उपाख्यानों में जिन्हें **नाग** कहा गया है, वे **मग** समुदाय के गण हैं। वृत्र **मग** था जिससे इन्द्र ने युद्ध किया। हिरण्यकशिपु **मग** था जिसका वध नृसिंह ने किया। रावण **मग** था जिससे **गरुड़, ऋक्ष, वानर** आदि गणों के सहयोग से कोसल गण ने युद्ध किया।

सिन्धु घाटी की सभ्यता का सम्बन्ध नगरों से है, इस सभ्यता के वाहक नगर-निर्माण में दक्ष हैं। वे व्यापारी भी हैं और दूर-दूर तक उनका व्यापार फैला हुआ है। इनकी मुद्राओं में गरुड़ और सर्प, दोनों प्रकार के गण-चिन्ह हैं। अधिकांश मुद्राओं में जो एक सींग वाला बृषभ जैसा पशु दिखाई देता है, यह अवश्य ही गणदेवता होगा। इस सभ्यता में लिंगोपासना और योगसाधना के चिह्न भी मिलते हैं। बहुत सम्भव है कि सिन्धु घाटी की मुद्राओं का सम्बन्ध तांत्रिक साधना से हो और उन पर अंकित बीजमंत्र हों। बीजमंत्र वैसे ही समझ में नहीं आते, अज्ञात लिपि और भाषा के मंत्र पढ़ना और भी कठिन होगा। जो लोग उपाख्यानों में मायावी राक्षसों और दैत्यों से लड़ते बताए जाते हैं, वे उनके स्थापत्य, नगर-निर्माणकला और सम्पत्ति का उल्लेख हमेशा करते हैं। महालिंगम् ने नागों पर अपने निबन्ध में लिखा है कि

उपाख्यानों में इनकी अपार सम्पदा, भव्य नगरों में इनके निवास, सुन्दर स्त्रियों के साथ उनकी कामक्रीड़ा का वर्णन होता है। रावण के पास इतना धन था कि उसकी लंका ही सोने की लंका बन गई।

धन वैभव होने पर भी मध्यदेशीय कवियों ने मग जनों को दैत्य और राक्षस बनाया, मगध को अपवित्र भूमि माना, वहाँ की भाषा को राक्षसों की भाषा कहा। डॉ. विश्वनाथ प्रसाद ने 'मगही संस्कार गीत' की भूमिका में लिखा है : "वैदिककाल से ही मगधदेश असंस्कृत समझा जाता था। बौद्ध सम्पर्क के कारण यह हीनता की भावना और भी दृढ़ हो गई। संस्कृत नाटकों में मागधी हीन-चरित्रों की ही भाषा के रूप में स्वीकार की गई। 'मागधी राक्षसादेः स्यात् इति भरतोक्तेः'।" मग लोग राक्षस माने गए तो नाटकों में राक्षस पात्रों की भाषा मागधी होगी ही। राक्षसों और नागों का सम्बन्ध मगों से है, यह बात समझ लेने पर पौराणिक उपाख्यानों और भाषाविज्ञान की बहुत-सी बातें समझ में आने लगती हैं। कंस मथुरा का राजा था, इसका अर्थ है, मथुरा पर **मगों** का प्रभाव था। मथुरा का पूर्वरूप मधुरा है। मधु नामक गण दैत्य में बदल गया और विष्णु ने उसका संहार किया। वैसे कृष्ण भी माधव कहलाते हैं और मधु के बिना माधव शब्द बन नहीं सकता। जब उत्तर भारत से अनेक गण-समाज दक्षिण भारत पहुँचे तब उन्होंने तमिलनाडु का प्रमुख नगर मदुरइ बसाया। वैदिक जन पणि नामक लोगों से घृणा करते हैं। ये पणि धनी और व्यापारी हैं, **पण्य, वणिज** आदि शब्दों में पणिजनों की स्मृति सुरक्षित है और पाणिनि नाम ने उन्हें अमर कर दिया है। जैसे मागधी राक्षसों के लिए उपयुक्त भाषा कही गई, वैसे ही उत्तर-पश्चिमी प्रदेश की एक भाषा को पैशाची कहा गया। इस पैशाची भाषा के बोलने वाले उतने ही आर्य थे जितने वैदिक भाषा बोलने वाले। जैसे बौद्ध साहित्य में नागों के प्रति बैरभाव नहीं है, वैसे ही विशाखदत्त के नाटक 'मुद्राराक्षस' में राक्षस पात्र को अत्यन्त बुद्धिमान और स्वामिभक्त दिखाया गया है जिसकी तुलना में चाणक्य कौटिल्य हो गए हैं। राम और रावण का युद्ध हुआ, इसका अर्थ यह है कि कोसल गण ने, अनेक गण समुदायों को मिलाकर, मध्यभारत में मग प्रभाव समाप्त किया।

ब्रज और कोसल शक्तिशाली कुरु और मगध गणसमुदायों से घिरे थे। कृष्ण ने अपनी नीति से कौरवों का नाश करा दिया और वह ईश्वर का अवतार माने गए। कुरुगण के नष्ट होने से वैदिक भाषा बोलने वाला मुख्य समुदाय भी नष्ट हुआ। राम ने विभिन्न गणों को मिलाकर मग प्रभुत्व समाप्त किया। वह भी ईश्वर के अवतार हुए। भाषावैज्ञानिक परिणाम यह हुआ कि इस उथल-पुथल के बाद कोसल की भाषा सारे उत्तर भारत में जनसम्पर्क की भाषा बन गई। किन्तु इससे पहले मगों की भाषा ने कोसल और कुरु गण, दोनों की भाषा को काफी प्रभावित कर लिया था।

## (घ) दास और दस्यु

'ऋग्वेद' के आधार पर ऐतिहासिक भाषाविज्ञान के आचार्यों ने जो अनेक पुराण कथाएँ रची हैं, उनमें एक का सम्बन्ध दासों से है। दास काली चमड़ी के लोग थे, इनके चेहरे पर या तो नाक थी नहीं या थी तो चपटी थी। इनकी बोली आर्य विजेताओं की समझ में न आती थी। विजेताओं ने इन आदिवासियों को अपना सेवक बना लिया, इसलिए उन्हें दास संज्ञा दी। दासों के प्रसंग में मैकडनल ने 'वेदिक मिथोलॉजी' पुस्तक में यह मत प्रकट किया है कि **दास** शब्द भारत के काले आदिवासियों के लिए प्रयुक्त हुआ है जिनका रंग गोरे आर्य विजेताओं के रंग से भिन्न था। कन्हैयालाल माणिक लाल मुंशी की देख-रेख में प्रकाशित 'वेदिक एज ग्रंथ' के इतिहासकारों ने इसी मत की पुष्टि की। आदिवासी होने का दावा सबसे पहले द्रविड़ों का है, इसलिए दास-मिथक की मूल कल्पना यह है कि गौरांग आर्यों ने काले द्रविड़ों को दास बनाया।

इस मिथक को ऐतिहासिक सत्य मानने में कुछ कठिनाइयाँ हैं।

बरो जैसे विद्वान् मानते हैं कि भारतीय द्रविड़ फिनोउग्रियन परिवार की एक शाखा हैं। इस परिवार की अन्य शाखाएँ यूरोप के फिनलैंड जैसे देश में तथा सोवियत संघ के अनेक भागों में निवास करती हैं। यह स्थापना सही मानी जाए तो फिनोउग्रियन परिवार के लोगों को काले आदमी कहना युक्तिसंगत होगा। किन्तु फिनोउग्रियन भाषाएँ बोलने वाले काले थे या हैं, यह कोई नहीं कहता।

जो लोग भारतीय द्रविड़ों को फिनोउग्रियन परिवार की शाखा नहीं मानते, वे यह तो स्वीकार करते ही हैं कि बलूचिस्तान में ब्राहूइ बोलने वाले जन द्रविड़ हैं। अब कठिनाई यह पैदा होती है कि ये बलूची द्रविड़ काले नहीं हैं, द्रविड़ेतर बलूचियों—अथवा आर्य बलूचियों—जैसे श्वेतांग हैं। बलूचिस्तान में एक-से रंगरूप वाले जन दो भिन्न परिवारों की भाषाएँ बोलते हैं; एक समुदाय इंडो-यूरोपियन परिवार के अन्तर्गत ईरानी शाखा की एक भाषा बोलता है, दूसरा समुदाय द्रविड़-परिवार के अन्तर्गत उत्तरी शाखा की एक भाषा बोलता है। क्या हुआ था बलूचिस्तान में? या तो द्रविड़ों में काले और गोरे, दोनों रंगों के लोग थे, या फिर वहाँ के गोरे आर्यों ने काले द्रविड़ों की भाषा स्वीकार कर ली और उन्हें दक्षिण भारत की ओर ठेल दिया। दक्षिण भारत में एक गण-समाज तोद लोगों का है। इनकी भाषा द्रविड़-परिवार के अन्तर्गत दक्षिणी शाखा की है। इनका रंगरूप आर्यों के कल्पित रंगरूप से काफी मिलता है। ये काले नहीं हैं, नाक इनकी ऊँची है, इतनी कि नृतत्वविशारद इन्हें देखकर रोमन जनों को याद करने लगते हैं। यहाँ भी मानना होगा कि या तो द्रविड़ों में, रंगरूप में एक दूसरे से भिन्न, कई तरह के कबीले थे या फिर यह कल्पना करनी होगी कि बलूची आर्यों की तरह तोद आर्यों ने भी न केवल द्रविड़ दासों की भाषा सीख ली वरन् जब ये दास उत्तर से दक्षिण की ओर

ठेले जा रहे थे, तब वे खुद भी उनके साथ रेले में दक्षिण चले आए और नीलगिरि की उपत्यकाओं में बस गए।

**दास** शब्द कुछ गण-समाजों के लिए प्रयुक्त होता था। अनेक जर्मन विद्वानों ने **दास** का सम्बन्ध **दहाअॅ** से जोड़ा है। उन्हें ईरान और पड़ोसी प्रदेश में रहनेवाला बताया है। **दहा** जनों का उल्लेख यूनान के इतिहासकार हेरोदोतुस के ग्रंथ में है। इस स्थापना को पुष्पित और पल्लवित करते हुए डॉ. सुनीतिकुमार चाटुर्ज्या ने 'द वेदिक एज' में लिखा है कि **दाह** शब्द **दास** का ईरानी रूपान्तर है, वैसे ही जैसे **दस्यु** का रूपान्तर **दह्यु** है। आर्य अपने द्रविड़ शत्रुओं को **दास** कहते थे, **दस्यु** भी। **दह्यु** से आधुनिक फ़ारसी का **दिह्**, शब्द चला जो **दिहात** रूप में देखा जा सकता है। डॉ. चाटुर्ज्या ने कल्पना की है कि **दस्यु** पहले एक कबीले का नाम था। ईरान में **दह्यु** शब्द **दिहात** के लिए प्रयुक्त होता रहा। भारत में **दास** और **दस्यु** गुलाम और **लुटेरे** के अर्थ में प्रयुक्त होने लगे। डॉ. चाटुर्ज्या के अनुसार दोनों शब्द परस्पर सम्बद्ध हैं और **दास्** अथवा **दस्** क्रिया से व्युत्पन्न हैं। इस व्युत्पत्ति पर यहाँ विचार न करके ध्यान इस बात पर देना है कि ये दास-गण ईरान में भी रहते थे। इनका रंग भी काला रहा होगा क्योंकि डॉ. चाटुर्ज्या ने विश्वासपूर्वक लिखा है कि आर्य लोग जब भारत में आए और यहाँ उन्हें आर्येतर जन मिले, तब उनके लिए यह कोई नई बात नहीं थी; पूर्वी ईरान में जो आर्येतर जन उन्हें पहले ही मिले थे, उनसे ये भारतीय आर्येतर जन विशेष भिन्न न थे। इस प्रकार डॉ. चाटुर्ज्या इस सम्भावना पर भी विचार करते हैं कि आर्य तथा दास-दस्यु जनों का मिश्रण भारत के बाहर, ईरान में ही, होने लगा था; यह मिश्रण रक्त का था, संस्कृति का था और उसमें परस्पर भाषाई प्रभाव शामिल है। ('रेशल एंड कल्चरल फ्यूजन इन्क्लूडिंग लिंग्विस्टिक इन्फ्लुएंसिंग') ऐतिहासिक भाषाविज्ञानियों का बहुत-सा चिन्तन नस्ल सिद्धान्त पर आधारित है, इसलिए उस चिन्तन के अनुरूप ही यह कल्पना है कि दास गण भारत के बाहर थे तो उनका रंग वही रहा होगा जो भारत के दासगण का था, गोरे आर्यों को काले द्रविड़ भारत में ही नहीं, भारत के बाहर भी मिले थे और रक्त मिश्रण की प्रक्रिया ईरान में ही आरम्भ हो गई थी। यदि यह कल्पना सत्य है तो वैदिक आर्य भारत में कृष्णवर्ण के लोगों से बिदकते थे, उन्हें अपना दास बनाते थे, यह स्थापना निराधार हो जाती है।

डॉ. चाटुर्ज्या मानते हैं कि मूर्धन्य व्यंजन—**ट्, ड्, ण्, ळ्, ष्**—विशिष्ट द्रविड़ ध्वनियाँ हैं। इन्हें आर्यों ने द्रविड़ों से पाया। रक्त मिश्रण और भाषाई प्रभाव की प्रक्रिया ईरान में शुरू हो गई थी पर ये मूर्धन्य ध्वनियाँ न तो ईरान की किसी प्राचीन भाषा में प्रयुक्त हुई हैं, न उनका अस्तित्व फ़ारसी में है। (वैसे **ष्** का व्यवहार तोद भाषा को छोड़ अन्य द्रविड़ भाषाओं में नहीं होता यानी उस शब्दावली में इस ध्वनि का अभाव है जो अनेक द्रविड़ भाषाओं की अपनी सामान्य सम्पदा है और आर्य शब्दावली से भिन्न है।)

दासों की एक विशेषता यह भी है कि वे दुर्गों में रहते हैं, उनके पास बहुत-सी सम्पत्ति है और वे आर्यों से लड़ते भी हैं। इस स्थिति में वे अभी मुक्त थे, विजित न हुए दास न बनाए गए थे। फिर भी उन्हें दास और दस्यु कहा गया था। इन शब्दों का मूल अर्थ क्या था? केवल एक कबीला भारत से ईरान तक न फैला हुआ था; अनेक कबीलों को दास कहा गया था। **आर्य** की तरह **दास** शब्द भी अनेक गणों का बोध कराता था। इन गणों की वह कौन-सी विशेषता थी जो इस शब्द द्वारा व्यंजित होती थी?

**दास** शब्द **दस्** क्रिया से बना है और यह **दस्** क्रिया वही है जो फ़ारसी **दस्त** में विद्यमान है। इसका अर्थ है करना। **दस्त** और **हस्त** के मूल रूप **धस्त** में यह क्रिया **धस्** है। **दास** और **दस्यु,** दोनों शब्दों को परस्पर सम्बद्ध मानकर उन्हें **दस्** क्रिया से व्युत्पन्न कहा गया है। यदि **दस्** का अर्थ लूटना है तो **दस्यु** का अर्थ, लुटेरा होगा पर **दास** इस क्रिया से कैसे व्युत्पन्न होगा? **दास** और **दस्यु** के समानान्तर एक शब्द है **पणि**। इसका सम्बन्ध **पाणि** से वैसे ही है, जैसे **दास** का **दस्त** और **हस्त** से है। **पण्** क्रिया का अर्थ है करना। फिर हाथ से जो विशेष कौशल के काम किये जाते हैं, वे भी इस शब्द की अर्थ-परिधि में सिमट आए। तमिल में **पण्** का यह अर्थ-विस्तार सुरक्षित है। **पण्**—कर्म, सेवाकार्य; **पणिक्कन्**—उस्ताद, कारीगर, बढ़ई; **पणिनर्**—नौकर-चाकर। कर्म, विशेष कर्म, फिर सेवाकर्म; **धन्धा** (धस् क्रिया से), **दस्तकारी, दास**—यह अर्थ-वृत्त ठीक वैसा ही है, जैसा **पण्** का तमिल में है। **पणि** और **दास** उन गण-समाजों को कहा गया जो हस्तशिल्प में विशेष योग्यता का परिचय दे रहे थे। गण-समाजों में नये श्रम-विभाजन के आधार पर जैसे-जैसे एक अवकाश-भोगी वर्ग का निर्माण हुआ, वैसे-वैसे हाथ से काम करनेवाला जन-समुदाय घृणा का पात्र बनता गया, **दास, दस्यु** जैसे शब्द, कमीन की तरह, गाली बन गए। **पण्** का अर्थ-विस्तार एक अन्य दिशा में भी हुआ; देना और लेना, ये दो क्रियाएँ हाथ से सम्पन्न होती हैं, अतः **दस्** क्रिया और **पण्** क्रिया, लेन-देन, व्यापार, बाजार आदि के भाव व्यक्त करनेवाले शब्दों के निर्माण में सहायक हुईं। जैसे **कर्** क्रिया से **क्रय-विक्रय** सम्बद्ध हैं, वैसे ही **पण्** से **पण्य, पणन, विपणि** आदि सम्बद्ध हैं। मैकडनल और कीथ ने 'वेदिक इंडेक्स' में **पण** शब्द से **वणिज्** की तुलना करने को कहा है (**वणिज्** का **वण् पण्** का ही रूपान्तर है) और बताया है कि 'शतपथ ब्राह्मण' में **पणन** का अर्थ क्रय-विक्रय है। **दस्** क्रिया भी लेन-देन और व्यापार से कभी सम्बद्ध थी। **दस्यु** वह जो ब्याज खाए; ब्याज खानेवाला लुटेरा समझा गया हो तो इसमें आश्चर्य क्या? **दास** वह जो बेचा जाए, खरीदा जाए। 'ऋग्वेद' में पणिजनों को **बेकनाट** कहा गया है। मैकडनल और कीथ ने सुझाया है कि इस शब्द का अर्थ सूदखोर रहा होगा। उनका यह सुझाव सही मालूम होता है। इन पणिजनों को 'ऋग्वेद' में ही **दस्यु** भी कहा गया है। इससे **दस्यु** शब्द का **सूदखोर** वाला अर्थ पुष्ट होता है।

जैसे **दस्** क्रिया मूलतः **धस्** थी, वैसे ही **पण** क्रिया मूलतः **भण्** थी। **भाण्ड** वह जो बनाया जाए, **भाण्डार** वह जहाँ वस्तुओं को जमा किया जाए, फिर मराठी का **भाण्डवलशाही** अर्थात् पूँजीवाद। **भण्** के आदिस्थानीय व्यंजन की महाप्राणता का लोप होने पर **बण्** से **बणिक, बणिज्** शब्द बने जिन्हें 'शुद्ध' करके **वणिक्, वणिज्** किया गया। **बण्** के आदि स्थानीय **ब्** की सघोषता का लोप होने पर **पण्** रह गया। इसी प्रकार **धस्** से **दस्** और **दस्** से **तस्** का विकास हुआ। यह **तस्** **तक्षन्** के **तक्ष्** का आधार है। **तस्** पहले सम्भवतः मागधी रूप में **तश्** बना; फिर 'केन्तुम्' वादियों ने उसे **तक्** किया, पुनः **स** प्रत्यय जोड़कर संज्ञा रूप **तक्स**, मूर्धन्यीकरण के बाद **तक्ष** बनाया गया, इससे पुनः **तक्ष्** क्रिया की कल्पना की गई। **तक्षन्** शब्द सामान्यतः कारीगर, और विशेषतः बढ़ई के लिए वैसे ही प्रयुक्त हुआ, जैसे तमिल **पणिक्कन्** कारीगर और बढ़ई के लिए प्रयुक्त हुआ। **तस्** से **तक्षन्** की रचना वैसे ही हुई, जैसे **दस्** से **दक्ष** की हुई। और **दस्** से दस्यु का सम्बन्ध वैसा ही, जैसा **तस्** से **तस्कर** का है।

वैदिक देवता त्वष्टृ का नाम निर्माण का अर्थ देनेवाली **तस्** क्रिया के आधार पर रखा गया होगा। **त्वष्टृ** का एक अर्थ बढ़ई था, इसमें सन्देह नहीं। 'वेदिक इंडेक्स' में बताया गया है कि 'अथर्ववेद' में **त्वष्टृ** देव का नाम श्लिष्ट अर्थ में प्रयुक्त है; देवता के अतिरिक्त दूसरा अर्थ बढ़ई है। **त्वष्टृ** के साथ 'वेदिक इंडेक्स' के लेखक **तष्टृ** शब्द की ओर ध्यान दिलाते हैं। इस **तष्टृ** के लिए लिखा है कि 'ऋग्वेद' में यह शब्द बढ़ई के आशय में प्रयुक्त हुआ है और **तक्षन्** की भाँति वह **तक्ष** धातु से बना है। यहाँ **तक्ष्** का रचना-क्रम देखें तो विदित होगा कि यह **तक्ष** धातु स्वयं प्राचीन **तस्** धातु से बनी है। **त्वष्टृ** और **तष्टृ** परस्पर सम्बद्ध हैं, एक ही अर्थ दे रहे हैं, दोनों **तस्** क्रिया से बने हैं। पर **त्वष्टृ** में **त** के स्थान पर **त्व** क्यों है? इसका कारण यह हो सकता है कि **तस्** का मागधी रूप **तॉश्** था। यह ह्रस्व ओकार कुछ गण-समाजों द्वारा वकार बोला जाता था, जैसे अवधी में अब भी होता है : **बॉलावत** है—**ब्वलावत** है (हिन्दी का मानक रूप—बुलाता है)।

अब **त्वष्टृ** की विशेषताएँ देखिए। मैकडनल 'वेदिक मिथोलॉजी' में कहते हैं कि **त्वष्टृ** देवता अत्यन्त कुशल कारीगर हैं। उन्होंने इन्द्र के लिए उनका वज्र बनाया था, देवताओं के लिए पानपात्र बनाए थे। संसार में जो कुछ रूपायित होता है, वह सब त्वष्टा का कार्य है। इस प्रकार वह अग्नि के भी जनक हैं। किन्तु सोम पर अधिकार करने के लिए इन्द्र उनका शत्रु हो जाता है, इसी प्रकार गायों पर अधिकार करने के लिए इन्द्र उनके पुत्र विश्वरूप का शत्रु हो जाता है। तब कोई आश्चर्य नहीं कि त्वष्टा को **दस्यु** भी कहा गया है। **दास** और **दस्यु** के प्रसंग में मैकडनल ने ही 'वेदिक मिथोलॉजी' में लिखा है कि 'ऋग्वेद' में त्वष्टा को एक बार (2-11-19) **दस्यु** कहा गया है। यहाँ **आर्य** और **दस्यु** शब्द एक दूसरे से भिन्न अर्थ व्यक्त करने

के लिए आए हैं। **आर्य** वह है जो खेती करता है। **दस्यु** वह है जो व्यापार करता है या कुशल कारीगर है। त्वष्टा देवता है, दस्यु भी है।

**दास** और **दस्यु** का सम्बन्ध भारत के कल्पित काले आदिवासियों—द्रविड़ों—से प्रमाणित नहीं होता।

**दस्यु** शब्द निन्दा के भाव से उन सब लोगों के लिए प्रयुक्त होने लगा जो वैदिक कर्मकांड, विशेष रूप में यज्ञ-कर्म, पर विश्वास न करते थे। जो अकर्मन् हैं, अदेवयु हैं, अब्रह्मन् हैं, अयज्वन् हैं, अव्रत अथवा अन्यव्रत हैं, वे सब दस्यु हैं। जो लोग यह मानकर चलते हैं कि आर्यों का एक विशाल समुदाय था जो एक परिनिष्ठित भाषा बोलता था, एक परिनिष्ठित कर्मकांड निबाहता था, वे वैदिक आर्यों से भिन्न आर्य भाषाएँ बोलने वाले अन्य आर्यगण-समाजों की कल्पना नहीं कर सकते। पर जो आर्य रथों पर चढ़कर घूमते थे, युद्ध करते थे, उनके साथ अन्य आर्य रथ बनाने का काम भी करते थे, ये तक्षन, दास, दस्यु भी आर्य थे, आर्य परिवार की भाषाएँ बोलते थे, भले ही उनकी संस्कृति वैदिक संस्कृति से भिन्न रही हो। ऐसे लोगों को मंत्र रचनेवाले कवि-ऋषि मृध्रवाच् कहते थे। **मृध्रवाच्** का अर्थ हकलानेवाला हो, अस्पष्ट वाणी वाला हो, आक्रामक वाणी वाला हो या अन्य कुछ हो, रोचक तथ्य यह है कि यह विशेषण दस्युओं के लिए प्रयुक्त है, पणिजनों के लिए प्रयुक्त है और पुरुगण के लिए भी प्रयुक्त है जो आर्य थे। **मृध्रवाच्** का आशय आदिवासी भाषा बोलने वाला है, यह प्रमाणित नहीं होता।

दस्यु मृध्रवाच् हैं, **अनास्** भी हैं। **अनास्** का एक अर्थ होता है मुखविहीन **(अन्-आस्)**, दूसरा अर्थ होता है नासिकाविहीन **(अ नास्)**। मुखविहीन होते तो मृध्रवाच् कैसे कहलाते? बोलने के लिए मुँह तो चाहिए ही। नासिकाविहीन को आलंकारिक रूप में ग्रहण करके उसका अर्थ किया गया चपटी नाक वाला। इन चपटी नाक वालों को तुरन्त द्रविड़ करार दिया गया। **अनास्** शब्द का सम्बन्ध **अनस्** से भी हो सकता है और **अनस्** का अर्थ है गाड़ी। मूल क्रिया **नस्** होगी। संस्कृत में इसका अर्थ है निकट पहुँचना, संयुक्त होना। रूसी क्रिया **नॉसीत्** का अर्थ है ले जाना, ढोना। 'वेदिक इंडेक्स' के अनुसार **रथ** से भिन्न **अनस्** का प्रयोग खींचनेवाली गाड़ी के लिए किया गया है। **नस्** क्रिया के इसी मूल अर्थ के अनुरूप रूसी शब्द **नॉसील्कि** का अर्थ है, गाड़ी, पालकी, स्ट्रेचर (कोई भी चीज जिस पर अन्य को ढोया जाए); **नॉसील्श्चिक** अर्थात् कुली, **नॉसीतेल** अर्थात् वाहक। दस्यु, रथ से भिन्न, **अनस्** गाड़ी पर बैठनेवाले हो सकते हैं (कभी-कभी देवता भी **अनस्** की सवारी करते हैं; **अनस्** में बैल नहे जाते हैं, रथ खींचने का काम घोड़े करते हैं।) दस्यु गाड़ी बनाने वाले कारीगर हो सकते हैं, गाड़ी लादने वाले व्यापारी भी हो सकते हैं। **अनास्** का **अ** निषेधक न होकर अर्थ-संवर्धक है (घोर और अघोरी की तरह)। **अनास्** जन नासिकाविहीन नहीं थे। 'वेदिक इंडेक्स' में वृत्र के **रुजानास्** होने का उल्लेख इसी

प्रसंग में हुआ है। वृत्र की नाक टूट गई, इस कल्पना के बदले उसकी गाड़ी टूट गई—यह अर्थ अधिक संगत है।

वैदिक काल से बाद की अनेक शताब्दियों तक प्राचीन शब्दों के अर्थ का अवमूल्यन होता रहा, इसके अनेक उदाहरण हैं। वैदिक देवता वरुण और मित्र असुर हैं, साथ ही इन्द्र और अग्नि जैसे वैदिक देवता असुरों का विनाश करनेवाले भी हैं। असुरों के प्रति आदरभाव और अनादर भाव, दोनों बातें 'ऋग्वेद' में हैं। यदि दासों से सम्बन्धित विवेचना-पद्धति यहाँ लाग की जाए तो कहना होगा कि असुर तो उच्चत्तर द्रविड़ सभ्यता के प्रतीक हैं, उनके शत्रु इन्द्र और अग्नि आर्य सभ्यता के प्रतीक हैं। जो आर्य-द्रविड़ों की इस उच्चतर सभ्यता से प्रभावित हुए, वे वरूण और मित्र को असुर मानकर उनकी पूजा करने लगे। देवकथाओं की इस व्याख्या से बड़ा झमेला पैदा होता, आर्य और द्रविड़ परस्पर विभाजित दो दलों में स्पष्ट न दिखाई देते, इसलिए विद्वानों ने असुरों को द्रविड़ों से अलग रखा। उन्होंने उनका सम्बन्ध ईरानियों से जोड़ा। देवपूजा ईरान के उन आर्यों में प्रचलित थी जो सभ्यता में पिछड़े हुए थे और लूटमार करके पुराने ढंग से जीवन बिताते थे। असुर पूजा ईरान के उन आर्यों में प्रचलित हुई जिनमें कृषि और पशुपालन की संस्कृति का विकास हुआ। अभी भारत-ईरानी शाखा विभाजित न हुई थी, सभी आर्य एक ही शाखा में थे। जो आर्य अधिक सभ्य थे, वे पीछे रह गए। जो कम सभ्य थे, वे भारत आ गए। 'वेदिक एज' में भारत-ईरानी सम्बन्धों का विवेचन करते हुए यह मत बटकृष्ण घोष ने व्यक्त किया है। वह यह भी कहते हैं कि विचित्र परिस्थिति यह है कि भारत में पहले सभी महान् देवताओं को असुर उपाधि से विभूषित किया जाता था किन्तु बाद को असुर शब्द केवल निन्दासूचक रह गया। इससे पूर्वमत खंडित हो जाता है। यदि असुर-पूजक ईरान में रह गए थे तो भारतीय आर्य अपने देवताओं को असुर क्यों कहते थे? मान लीजिए, ये भारतीय आर्य अर्द्ध-सभ्य थे, लूटमार करते थे, न खेती करना जानते थे, न पशुपालन से परिचित थे; तब यह और भी आश्चर्य की बात होगी कि अर्द्ध-सभ्य अवस्था में तो वे असुर-पूजक बने रहे पर जैसे-जैसे कृषि और पशुपालन के कौशल में दक्ष हुए, वैसे-वैसे जिन देवताओं को असुर कहते थे, उन्हीं को अब असुरों का शत्रु कहने लगे।

असुर पहले प्रतिष्ठा-सूचक शब्द था, आगे चलकर वह निन्दा-सूचक बना, इसमें सन्देह नहीं। इसी तरह दास और दस्यु शब्दों को भी समझना चाहिए। दासों में पिप्रु की गिनती भी है। अब इस पिप्रु को 'ऋग्वेद' (10-138-3) में असुर कहा गया है। एक अन्य दास का नाम वर्चिन् है। वर्चिन् को भी 'ऋग्वेद' (7-99-5) में ही असुर कहा गया है। जो लोग दासों का सम्बन्ध द्रविड़ों से जोड़ते हैं, उन्हें ऐसे सन्दर्भों की अनदेखी न करनी चाहिए जहाँ दास पिप्रु, दास वर्चिन् को असुर भी कहा गया है। जो लोग असुर पूजा को ईरान के कृषक-पशुपालक सभ्य आर्यों की

संस्कृति का अंग मानते हैं, उन्हें भी उचित है कि कहें कि जो असुर थे, वे दास भी थे; ये दास नामक गण भारत और ईरान, दोनों जगह फैले हुए थे और आर्य नहीं थे, अत: यह निष्कर्ष निकालें कि ईरान में असुर-पूजा अनार्यों की देन थी।

पर 'वैज्ञानिक' विवेचन की विशेषता यह है कि पिप्रु और वर्चिन् को जब दास कहा जाए, तब उन्हें द्रविड़ मान लिया जाए; जब उन्हें असुर कहा जाए, तब उसके बारे में चुप रहा जाए। एक बात स्पष्ट है कि असुर, दास, दस्यु—सभी सम्पत्तिशाली हैं। यदि नस्लपंथी चश्मा थोड़ी देर को उतार दें तो विद्वज्जन देखेंगे कि जैसे-जैसे कृषि-आधारित सामन्ती व्यवस्था सुदृढ़ होगी, वैसे-वैसे कर्मकांड का महत्त्व बढ़ेगा, कुछ देवता श्रेष्ठ, कुछ साधारण माने जाएँगे। जो लोग दस्तकारी और व्यापार से धन कमाते हैं, उन पर भूस्वामियों की कोपदृष्टि होगी, इस कोपदृष्टि को उचित ठहरान के लिए पुरोहित वर्ग व्यवस्था देगा। यह वर्ग क्रमश: गठित होता है, व्यवस्था देनेवाले अनेक पुरोहित होते हैं और सबकी व्यवस्था एक-सी नहीं होती। 'ऋग्वेद' की भाषा जैसे एक अतिदीर्घकालीन भाषाई विकास-परम्परा का परिणाम है, वैसे ही 'ऋग्वेद' की संस्कृति एक सुदीर्घ विकास-परम्परा का परिणाम है। मैकडलन आदि जब 'वेदिक मिथोलॉजी' जैसा ग्रंथ लिखते हैं, तब उनके सामने यूनानी मिथकों का नमूना रहता है। उन्हें इस बात से निराशा होती है कि वैदिक मिथकों में देवताओं की आकृति स्पष्ट नहीं है। कहीं तो देवता इस धरती पर किसी प्राकृतिक शक्ति या प्रपंच का प्रतीक जान पड़ता है, कहीं वह धरती से ऊपर आकाश, अन्तरिक्ष या अन्य लोक में विचरण करने लगता है। ग्रीक मिथक बहुत व्यवस्थित जान पड़ते हैं पर इसी कारण उनमें सांस्कृतिक विकास का वह इतिहास नहीं है जो 'ऋग्वेद' में निहित है। दास-दस्यु-असुर-पणि सम्पत्तिशाली हैं; सम्पत्ति-रक्षा के लिए दुर्गों में रहेंगे ही। व्यापार के साथ उनमें सूदखोरी भी प्रचलित हो तो भूमिधर उन्हें घृणा की दृष्टि से देखेगा। इससे यह निष्कर्ष न निकालना चाहिए कि ये सब एक खास काले रंग वाली नस्ल के थे और गोरे आर्यों से उनकी भाषा मूलत: भिन्न थी। भाषा एक ही हो पर यदि पुरोहितों की व्यवस्था कोई न माने तो उसे किसी निन्दासूचक शब्द से याद किया जाता था। 'ऋग्वेद' की विशेषता यह है कि ऐसे शब्द सदा सर्वत्र निन्दासूचक नहीं थे, इसके प्रमाण उसी में मिल जाते हैं। वरुण और मित्र असुर हैं, साथ ही अन्य देवता असुरहन् हैं; पिप्र और वर्चिन् दास हैं, 'ऋग्वेद' में ही वे असुर भी हैं।

जो लोग कर्मकांड-विशेष का विरोध करते थे, उन्हें दैत्य, दानव, असुर, मायावी आदि की संज्ञा दी जाती थी। जो अयज्वन्, अब्रह्मन्, अन्यव्रत हैं, वे दस्यु हैं, इससे सिद्ध है कि कर्मकांड की अवज्ञा करनेवालों को दस्यु कहा गया है। 'ऋग्वेद' में जिन्हें शिश्नदेवा: कहा गया है, उन्हें भी आदिवासी द्रविड़ मान लिया गया है किन्तु शिश्न-पूजा यूनान के गौरांग 'आर्यों' में भी प्रचलित थी, उसका कोई विशेष सम्बन्ध काली चमड़ी के लोगों से नहीं है। दानव लोग यज्ञ के विरोधी थे। दानव से मिलता-

जुलता शब्द **दानाओइ** ग्रीक भाषा में प्रचलित था। आर्गोस् के राजा दानाओस् की प्रजा **दानाओइ** कहलाई पर होमर के काव्य में समस्त यूनानियों के लिए **दानाओई** शब्द प्रयुक्त हुआ है। दानव नामक कोई गण उत्तराखंड में यदि वैदिक कर्मकांड को अमान्य करता रहा हो तो वैदिक परम्परा में वह शब्द निन्दासूचक बन ही जाएगा।

भारत के उत्तर-पश्चिमी सीमान्त पर दरद भाषाओं का क्षेत्र है जहाँ के रहनेवालों को वैदिक ऋषियों ने पिशाच संज्ञा दी थी। ग्रियर्सन ने अपने सर्वेक्षण ग्रंथ में लिखा है कि भारत की सीमाओं और हिन्दूकुश पर्वत के बीच का क्षेत्र अब भी दर्दिस्तान कहलाता है; ग्रीक और रोमन लोगों ने यहाँ के दरद निवासियों का उल्लेख किया था। ग्रियर्सन ने लिखा है कि दरद या पिशाच भाषाएँ आर्य परिवार की उपशाखा के अन्तर्गत हैं। वे ब्रिटिश भारत की सीमा के उस पार उत्तर-पश्चिमी सीमान्त प्रदेश में बोली जाती हैं। ग्रियर्सन ने कश्मीरी भाषा को दरद आधार पर विकसित कहा है। दरद भाषाओं को संस्कृत समुदाय से भिन्न वर्ग में इसलिए रखा है कि उन पर ईरानी प्रभाव माना गया है। संस्कृत-समुदाय की अपेक्षा दरद समुदाय पर ईरानी प्रभाव अधिक हो तो उसमें आर्यत्व की मात्रा भी कुछ अधिक रही होगी।

दरद भाषाएँ फ़ारसी और संस्कृत के समान आर्य भाषाएँ हैं। इनके बोलने वाले प्राचीनकाल से हिमालय पर्वतमाला की उस भूमि में रहते आए हैं जिसमें काले आदमी भी शीत के प्रभाव से गोरे या लाल दिखने लगते हैं। इस शीतप्रधान हिमाच्छित भूमि के गोरे निवासियों को भारतीय आर्य परम्परा में पिशाच कहा गया है। कोई भाषाविज्ञानी यह नहीं कहता कि दरद क्षेत्र के मूल निवासी द्रविड़ या कृष्णवर्ण थे; कोई भाषाविज्ञानी यह नहीं कहता कि इनकी भाषाएँ आर्य-परिवार से बाहर की हैं। पर इन गौरवर्ण आर्य भाषा-भाषियों को वैदिक ऋषियों और उनके उत्तराधिकारियों ने पिशाच कहा। पिशाच शब्द निन्दासूचक है, सभी मानते हैं। वैदिक आर्यों को यदि कृष्णवर्ण से घृणा थी तो इन गौरवर्ण आर्य-भाइयों को उन्होंने पिशाच क्यों कहा?

ग्रियर्सन का कहना है कि दरद की अपेक्षा पिशाच शब्द अधिक उपयुक्त है किन्तु लोग उसके प्रयोग पर आपत्ति करते हैं क्योंकि पिशाच नरभक्षी माने जाते हैं, कच्चा मांस खाते हैं। इसलिए इन्होंने दरद शब्द का प्रयोग किया है। मान लीजिए, **पिशाच** शब्द का यही अर्थ है : नरमांस-भोजी, कच्चा मांस खानेवाला। प्रश्न यह है कि भारत के उत्तर-पश्चिमी सीमान्त पर पिशाच रहते थे या नहीं, इनका रंग गोरा था या नहीं। पैशाची प्राकृत का क्षेत्र यहीं है, इसमें तो सन्देह नहीं। यह भाषा अन्य प्राकृतों से मिलती-जुलती है किन्तु संस्कृति में भेद है, इस कारण **पिशाच** शब्द निन्दासूचक बना। इसी प्रकार भाषा मिलती-जुलती हो पर संस्कृति में भिन्नता हो तो **दास** शब्द निन्दासूचक बनेगा। पिशाच गोरे, दास काले, रंग के कारण किसी की निन्दा नहीं की गई। निन्दा का आधार सांस्कृतिक भेद है। निन्दा करनेवाले स्वयं गोरे थे या काले, इसका निर्णय दास-दस्यु-विवेचन के आधार पर नहीं हो सकता।

'ऋग्वेद' में एक बार **पिशाचि** शब्द आया है : 'पिशंगभृष्टिमम्भृणं पिशाचिमिन्द्र सं मृण। सर्वं रक्षोनि बर्हय।' (1-133-5)। यहाँ इन्द्र से प्रार्थना की गई है कि **पिशंगभृष्टि** अर्थात् ईषत् रक्तवर्ण, **अभृणम्** अर्थात् भयंकर शब्द करनेवाले **पिशाचि** को वह मारें। यहाँ **पिशंगभृष्टि** और **पिशाचि** शब्द एक साथ आए हैं और इससे पिशाच की व्युत्पत्ति समझने में सहायता मिलती है।

अन्यत्र **पिशंग** शब्द गौरवर्ण का सूचक है, इसमें सन्देह नहीं। 'प्र वां निचेरुः ककु हो वशाँ अनु पिशंगरूपः सदनानि गम्याः।' (1-181-5) सायण ने पिशंगरूपः का अर्थ हिरण्यरूपः पीतवर्णो वा किया है। पिशंगरूपः सुभरो वयोधाः (2-3-9), यहाँ सायण ने सुवर्णवर्णो नानारूपो वा लिखकर पिशंगरूपः का भाष्य किया है। **पिश** एक प्रकार का हरिण था, उसे यह नाम अपने सुन्दर रूप के कारण दिया गया होगा। **पिश्** क्रिया संस्कृत तथा इंडो-यूरोपियन परिवार की अन्य भाषाओं में अलंकरण के लिए प्रयुक्त होती थी। **पिश** का अर्थ कच्चा मांस नहीं है। जब **पिशाच** को कच्चा मांस खानेवाला बताया गया, तब अलग से **कव्याद** शब्द का प्रयोग किया गया, यथा : 'अथर्ववेद' में : 'आरादरातिं निर्ऋतिं परो ग्राहिं क्रव्यादः पिशाचान्।' (8-2-12) **पिशुन** का एक अर्थ है पीतवर्ण; सामान्य अर्थ हो गया कपटी। उसी तरह **पिशाच** का मूल अर्थ था सुवर्ण, ईषत् रक्त या पीतवर्ण वाला मनुष्य। क्रमशः पिशाच नरमांसाहारी राक्षस बन गया। उल्लेखनीय है कि 'अथर्ववेद' में एक जगह अप्सराओं और गन्धर्वों के साथ पिशाचों का नाम आता है : 'ये गन्धर्वा अप्सरसो ये चारायाः किमीदिनः। पिशाचान्त्सर्वा रक्षांसि तानस्मद् भूमे यावय॥' (12-1-50) जैसे राक्षस, किमीदिन (दुष्ट प्रेतादि) और अप्सराएँ, वैसे ही पिशाच। गन्धर्व सोम के रक्षक हैं, अच्छे वैद्य हैं, दैवी रहस्यों के ज्ञाता और उद्घाटक हैं, स्त्रियों को आसानी से वश में कर लेते हैं, फिर भी उनसे भय है, उनसे रक्षा करने की प्रार्थना की गई है।

**गन्धर्व** किसी गण-समाज का नाम था या नहीं, इस बारे में सन्देह हो सकता है किन्तु **गन्धार** के बारे में ऐसा कोई सन्देह नहीं है। 'ऋग्वेद' में जैसे **पिशाच** के लिए **पिशाचि** रूप है, वैसे ही **गन्धार** के लिए **गन्धारि** रूप है। गन्धार जन ईरानी सेना के साथ यूनानियों के विरुद्ध लड़े थे। ये लोग कुभा और सिन्धु नदियों के आसपास की भूमि में रहते थे—ऐसा कुछ विद्वानों का मत है। 'अथर्ववेद' में मगधों के साथ इनका उल्लेख है। मगध एक जनसमुदाय का नाम था, इस बारे में कोई सन्देह नहीं। 'अथर्ववेद' में प्रार्थना यह की गई है कि ज्वर गन्धारियों और मगधों के यहाँ चला जाए। गन्धारियों के साथ मूजवन्त भी है, दोनों का प्रदेश उत्तर में है। मगधों के साथ अंग हैं, इन दोनों का प्रदेश पूर्व में है। पूर्व में मगध और अंग शुद्ध आर्य न रहे हों, यह सम्भव है; पर उत्तर के गन्धार और मूजवन्त आर्य नहीं थे, यह कैसे कहा जा सकता है? उत्तरी और पूर्वी गण-समाजों के बीच जहाँ वैदिक संस्कृति का विकास हो रहा है, वहाँ ऋषि, दोनों को धर्मक्षेत्र से बाहर मानकर, निश्चिन्त मन से उनके यहाँ

ज्वर को भेज रहे हैं। गन्धर्व, पिशाचों के समान, बदनाम न हुए। अप्सराएँ तो इन्द्र की अमरावती की शोभा बढ़ाने पहुँच गईं। मूजवन्तों की ओर भी ऋषियों ने विशेष ध्यान न दिया पर मगधवालों की शामत आ गई। इनके पड़ोसी विदेह तो मध्यदेशीय ऋषियों के कृपापात्र बने रहे पर मगध—'वेदिक इंडेक्स' के अनुसार 'यजुर्वेद' में दी हुई पुरुषमेध के बलिप्राणियों की सूची में मागध भी हैं। जो यज्ञ-संस्कृति के विरोधी थे, वे व्रात्य थे और इनके साथ 'अथर्ववेद' में मागधों को गिना गया है। 'ऋग्वेद' में कीकट जन यज्ञसंस्कृति के विरोधी हैं। कीकट या तो मागध ही थे या उनके समान ऋषियों के कोपभाजन थे। 'वेदिक इंडेक्स' की कीकट-मगध चर्चा में ओल्देनबुर्ग का हवाला देते हुए ठीक कहा गया है कि मागधों के प्रति घृणा का भाव इसलिए बढ़ा कि वे ब्राह्मण धर्म न मानते थे। 'वेदिक इंडेक्स' में 'शतपथ ब्राह्मण' के आधार पर कहा गया है कि शुरू-शुरू में कोसल और विदेह, दोनों ब्राह्मण धर्मावलम्बी न थे। इसका यह अर्थ नहीं कि वे आर्य भाषाएँ न बोलते थे। न इसका यह अर्थ है कि यज्ञ-संस्कृति के प्रचारक तो शुद्ध आर्य थे, उसे न माननेवाले अनार्य थे।

मध्यदेश में कोसल शामिल था या नहीं? उत्तर में हिमालय, दक्षिण में विन्ध्याचल, पश्चिम में विनशन, पूर्व में प्रयाग—यह प्रदेश मध्यदेश था। आगे चलकर मध्यदेश कुरु-पांचालों का वह क्षेत्र रह गया जहाँ—'वेदिक इंडेक्स' के अनुसार बात की संहिताओं और ब्राह्मणों की रचना हुई थी और जिसके पूर्व में कोसलविदेह थे तथा पश्चिम में मरुभूमि थी। इस प्रकार विदेहगण के साथ कोसलगण की भूमि भी पवित्र मध्यदेश से बाहर हो जाती है। जैसे-जैसे समाज नये श्रम-विभाजन के आधार पर पुनर्गठित हुआ, वैसे-वैसे एक विशिष्ट पुरोहित वर्ग भी संघबद्ध हुआ। जो गण-समाज इसके मुख्य आधार थे, वे पवित्र और शुद्ध आर्य हुए। जो इसके विरोधी थे, वे पिशाच, राक्षस, गन्धर्व आदि नामों से अभिहित होकर आर्यत्वहीन हुए। वैदिक साहित्य में एक ही गण-समाज के प्रति बदलता हुआ दृष्टिकोण साफ देखा जा सकता है। जो जितना अधिक विरोधी था, वह उतना ही अधिक आर्यत्व से खारिज माना गया। ऐसे लोग उत्तर-पश्चिमी प्रदेशों में थे, पूर्वी प्रदेश में भी। इनमें कृष्ण त्वचा वाले जन थे और पिशंगभृष्टि, सुवर्ण कान्ति वाले पिशाच भी। इस सबमें नस्लभेद देखना, काले आदमियों पर गोरों की (या गोरों पर काले आदमियों की) विजय देखना बहुत बड़ी भ्रान्ति है।

जैसे-जैसे पुरोहित वर्ग समर्थ हुआ, वह अपनी धर्मभाषा को देववाणी, समस्त आर्यों की एक मात्र भाषा कहने लगा। ऐतिहासिक भाषाविज्ञान के आचार्य यही दृष्टिकोण अपनाकर कोसलों, मागधों आदि की भाषा का अस्तित्व ही अस्वीकार करने लगे। उनके लिए समस्त आर्य गण-समाजों की एक भाषा थी—वैदिक संस्कृत। यह भाषाआर्य संस्कृति के साथ—अर्थात् ब्राह्मण धर्म के साथ—उत्तर से पूर्व की ओर फैलती गई। वैदिक संस्कृत में विकास की कितनी मंजिलें छिपी हुई हैं, इसकी ओर ध्यान न देना उनके 'वैज्ञानिक' दृष्टिकोण की विशेषता थी। जहाँ विकास या ह्रास

देखा, वहाँ केवल द्रविड़ों आदि के सम्पर्क के कारण। विभिन्न आर्य गण-समाजों के नाम तो वैदिक साहित्य में भरे पड़े हैं पर इन सबकी भाषा एक है! इनके परस्पर सम्पर्क में आने और संस्कृत के विकसित होने का प्रश्न ही नहीं है!

गन्धर्वों, अप्सराओं आदि को लेकर जो पुराण-परम्पराएँ रची गईं, उनका यथार्थ सामाजिक आधार है किन्तु इस आधार को पहचानना सरल नहीं है। पिशाच पिंगल वर्ण के थे, यह बात विश्वासपूर्वक कही जा सकती है। **पिशाच** और **राक्षस**, दोनों नरभक्षी कहलाए पर इन शब्दों के मूल अर्थ का सम्बन्ध नरभक्षण से नहीं है। **राक्षस** का पूर्वरूप **रक्षस्** है। 'अथर्ववेद' से गन्धर्वों, पिशाचों के बारे में ऊपर जो उद्धरण दिया गया है, उसमें **रक्षस** से बना **रक्षांसि** रूप है। **रक्षस्** में शब्दमूल **रक्ष** वास्तव में **रक्त** का रूपान्तर है। पहले कहा जा चुका है, संस्कृत **नक्त** (रात्रि) का ग्रीक प्रतिरूप **नुक्स** है। संस्कृत **नक्त** का एक प्रतिरूप **नक्स** यहाँ प्रचलित था। **क्** के संसर्ग से **स्** का मूर्धन्यीकरण हुआ तो **नक्ष** रूप बना। **नक्षत्र** में यही **नक्ष** है; रात्रि में जो चमके (नक्ष+तर), वह **नक्षत्र** है। इसी प्रकार जिसका वर्ण लाल हो, वह **रक्ष**। **रक्ष** का प्रतिरूप **लक्ष** (लाख) भी उसी रंग का अर्थ लिये है। राक्षस मायावी हैं, यातुधान भी मायावी हैं। **यातु** का रूपान्तर **जादू** हुआ पर **यातु** के मूल अर्थ का सम्बन्ध जादू से नहीं है, यह द्रविड़ भाषाओं के शब्दतंत्र से ज्ञात होता है। कन्नड़ और तेलगू में **जाडु** का अर्थ है लाल रंग। पिशाच, राक्षस, यातुधान—सभी का मूल अर्थ मिलता-जुलता है। इसी प्रकार किरात का मूल अर्थ भूरा रंग था, यह उसके मलयालम रूपान्तर **किराल्** से ज्ञात होता है :

स्वर्गीय महापंडित राहुल सांकृत्यायन का विचार था कि भारत के जिन लोगों में शुद्ध द्रविड़ रक्त है, उनकी आकृति फिनलैंड के लोगों से हू-ब-हू मिलती है। अपनी जीवन-यात्रा में उन्होंने यूरोप के एक शुद्ध द्रविड़ के बारे में लिखा है : "उसके बाल बिलकुल पीले, और रंग अत्यन्त गोरा था। फिन माता का पुत्र होने से नाक और चेहरा वैसा ही था, जैसा कि हमारे यहाँ के किसी शुद्ध द्रविड़ का।" ('मेरी जीवन-यात्रा-3', राजकमल, पृ. 235) यदि ऐसे शुद्ध द्रविड़ भारत के उत्तरी भागों में पहले रहते हों तो पिशाच, राक्षस संज्ञा उन्हीं को दी गई होगी, ऐसा कुछ लोग सोच सकते हैं। किन्तु आर्य भी गोरे और द्रविड़ भी गोरे, तब रक्त-सम्मिश्रण कैसे हुआ? भारत में इतने काले आदमी कहाँ से आ गए? राहुल जी के मन में शंका हुई, शायद शुद्ध द्रविड़ गोरे नहीं थे; फिनलैंड में बहुत दिन तक रहने से वे गोरे हो गए होंगे। द्रविड़ों के साथ मुंडा लोगों को भी एक ही नस्ल का मानकर फिनलैंडवासियों से इन दोनों का सम्बन्ध स्थापित करते हुए उन्होंने उसी पुस्तक में लिखा : "फिनलैंड के लोग उसी वंश से सम्बन्ध रखते हैं, जिससे हमारे देश में द्रविड़-मुंडा लोग। भाषा-तत्त्वज्ञों का विचार है कि नवपाषाण युग में द्रविड़ों की पूर्वज जाति की एक शाखा उत्तर की ओर फेंक दी गई। उसी की सन्तानें कोमी, इस्तोनिया और फिनलैंड में आजकल रह रही हैं। हमारे यहाँ शुद्ध द्रविड़ की पहचान शरीर का काला होना

है, लेकिन हेलसिंकी में काले बाल वाले नरनारी भी मिलने बहुत मुश्किल थे। क्या 6-7 हजार वर्षों तक अति शीतल प्रदेश में रहने के कारण इतना अन्तर हो गया?" (पृ. 341) यदि भारत के द्रविड़ फिनलैंड में रहने से गोरे हो गए तो भारत के आर्य भी स्वीडन में रहने से गोरे हो सकते हैं। स्वीडन के लोगों को देखकर राहुल जी ने लिखा था : "लोग प्रायः सभी पिंगल या पांडु-केश थे। खोपड़ियाँ उनकी लम्बी तथा कद ऊँचे थे। उन्हें असली हिन्दी-यूरोपीय (आर्य) जाति का नमूना माना जाता है।" (उप., पृ. 344) यह नमूना हिरण्यकशिपु और हिरण्याक्ष के वर्णन से काफी मिलता है।

शुद्ध द्रविड़ गोरे थे कि काले, शुद्ध आर्य स्वीडन में ही मिलते हैं या उस देश के बाहर, इन प्रश्नों से भाषाओं के उद्भव और प्रसार का कोई सम्बन्ध नहीं है। ये पूँजीवादी युग की नवीन पुराण-परम्पराएँ हैं। पुरानी परम्पराओं में यज्ञ-संस्कृति के काले-गोरे विरोधियों को राक्षस, पिशाच आदि कहा गया था। जहाँ तक नरमांस भक्षण का प्रश्न है, इसका कोई विशेष सम्बन्ध आदिवासियों या अनादिवासियों से नहीं है, न इसका सम्बन्ध त्वचा के वर्ण से है। वैज्ञानिक समाजवाद के एक संस्थापक एंगेल्स ने अपने ग्रंथ 'एंटीड्यूरिंग' (पहले भाग के चौथे अध्याय) में लिखा था कि दास-प्रथा के चलन के पहले गण-समाज आपस में लड़ते हुए जब शत्रुओं को बंदी बनाते थे, तब उन्हें मारकर खा जाते थे; दास बनाए जाने पर युद्ध के बंदी मारे-खाए जाने से बचे। दासों के श्रम के आधार पर ग्रीक सभ्यता का प्रसार हुआ। इससे स्पष्ट है कि एंगेल्स के अनुसार गौरांग जनों में भी नरमांसभक्षण की प्रथा का चलन था। उनका विचार था कि "यह धारण अब सर्वमान्य हो चुकी है कि विजित शत्रुओं से निपटने का विश्वव्यापी पुराना तरीका उन्हें खा जाने का था।"

प्राचीन समाजों की ऐतिहासिक परिस्थितियों में यदि दास-प्रथा एक प्रगतिशील रीति थी तो भारत की प्राचीन ऐतिहासिक परिस्थितियों में वर्ण-व्यवस्था भी एक प्रगतिशील व्यवस्था थी। बहुत-सी पुराण-परम्पराएँ इस व्यवस्था के संसर्ग से, उसकी रक्षा के लिए रची गईं, उनकी रचना के ऐतिहासिक कारण थे। किन्तु नस्ल-सिद्धान्त के आधार पर जो नई पुराण-परम्पराएँ रची गई हैं, उनके लिए कोई तर्कसंगत कारण नहीं है। एक नस्ल के गोरे आदमियों ने दूसरी नस्ल के काले आदमियों को आकर जीत लिया, इससे भाषाओं का विकास हुआ, इस तरह की धारणाएँ अवैज्ञानिक और इतिहास-विरोधी हैं। इनका मुख्य आधार भाषाओं से प्राप्त जानकारी है, ऐसे कल्पित इतिहास का आधार भाषाविज्ञान है, भाषाविज्ञान के नाम पर प्रचलित किंवदन्तियाँ हैं, ये किंवदन्तियाँ विशाल जन-समुदायों को प्रभावित करती हैं। उनकी पुष्टि भाषाओं के विश्लेषण से नहीं होती। इसीलिए उनका खंडन आवश्यक है। ऐतिहासिक भाषाविज्ञान जितना ही वास्तविक अर्थ में विज्ञान बनेगा, उतना ही वह भारतीय जनजीवन को हर स्तर पर प्रभावित करेगा, उसकी सर्वांगीण प्रगति में सहायक होगा।

## परिशिष्ट-1

# बलाघात और वर्ण-संयोजन पद्धति

हिन्दी में बहुत-से शब्द हैं जिनके मूलरूप में प्रथम वर्ण दीर्घ है किन्तु हिन्दी रूप में वह लघु है, जैसे मूलरूप **सत्य** हिन्दी में **सच** है और **पूजा** से जब हम **पुजारी** शब्द बनाते हैं, तब मूलशब्द के प्रथम वर्ण **पू** को लघु कर देते हैं। मेरा अनुमान है कि इस प्रक्रिया का सम्बन्ध बलाघात की प्रवृत्ति से है। यह प्रवृत्ति मध्यदेशीय है, कौरवी और मागधी भाषा-समुदायों की ध्वनि-प्रकृति से भिन्न है और वह उतनी ही प्राचीन है जितनी इंडो-यूरोपियन भाषा-परिवार की निर्माण-प्रक्रिया। सिन्धी भाषा के प्रसंग में इस प्रक्रिया का उल्लेख है; यहाँ उसके बारे में कुछ और बातें कही जाती हैं जिनसे आधुनिक आर्य भाषाओं की ध्वनि-प्रकृति और उनकी शब्द-निर्माण-पद्धति को समझने में सहायता मिलेगी।

'उक्ति-व्यक्ति-प्रकरण' की भूमिका में डॉ. सुनीतिकुमार चाटुर्ज्या ने लिखा है कि बलाघात की आवश्यकता से दीर्घ **आ** को लघु कर दिया जाता है, इसके कारण बहुत स्पष्ट हैं; **नष्ट** से **नाठ** पर **कष्ट** से **कठ, हस्त** से **हाथ** पर **वस्तु** से **बथु, भद्र** से बंगला **भाल** के विपरीत **भल**, इसके कारण समझ में नहीं आते।

जैसे दीर्घ **आ** लघु हो जाता है बलाघात की आवश्यकता से—मूल रूप **आभीर**, तद्भव **अहीर**, मूल क्रिया **बूझ**, उससे अन्य रूप **बुझाव**—वैसे ही **भद्र** से **भल** और **कष्ट** से **कठ** रूप बने बलाघात की आवश्यकता से। **आभीर** में दो गुरु वर्ण एक साथ हैं, उनके बाद एक लघु वर्ण है; **बूझ** से **बूझाव** क्रिया-रूप बने तो फिर दो गुरु वर्ण एक साथ होंगे, लघु वर्ण उनके बाद आएगा। वर्णों की गण-व्यवस्था के विचार से कह सकते हैं कि हिन्दी को तगण (ऽऽ।) पद्धति की शब्द-रचना पसन्द नहीं है।

**कष्ट** और **कठ, वस्तु** और **बथु, सत्य** और **सच** में केवल दो वर्ण हैं। मूल रूपों में प्रथम वर्ण दीर्घ है, तद्भवरूपों में वह वर्ण लघु हो गया है। **कष्ट, वस्तु, सत्य** के उच्चारण में पहले वर्ण पर काफी जोर देना पड़ता है, यह स्पष्ट है; **कठ, बथु, सच** कहने में पहले वर्ण पर जोर नहीं देना पड़ता। यहाँ वर्ण-संयोजन की दो पद्धतियाँ दिखाई देती हैं : एक पद्धति पहले वर्ण पर जोर देती है, दूसरी इस

तरह का जोर उस वर्ण से हटा देती है। पहली पद्धति मेरे विचार से मागधी-कौरवी भाषा-समुदाय से सम्बद्ध है, दूसरी मध्यदेशीय भाषा-समुदाय से।

**नष्ट** से **नाठ, हस्त** से **हाथ** जैसे रूप बने, **नठ, हय** रूप नहीं बने, इसकी चर्चा आगे करेंगे। पहले **कठ, बथु, भल, सच** वाली पद्धति पर विचार करें।

जैसा कि सिन्धी के प्रसंग में कहा गया है, प्रथम दीर्घ वर्ण को ह्रस्व करने की प्रवृत्ति सिन्धी में भी है। **दृष्ट** से '**डिठो, पूर्ण** से **पुनो, गुह्य** से **गुझो, दीर्घ** से **ड्रिघो** आदि प्रथम वर्ण की दीर्घता दूर कर दी गई है; **कठ, बथु, भल** से अन्तर यह है कि सिन्धी रूप प्रथम वर्ण की दीर्घता दूर करने के साथ-साथ दूसरे वर्ण की लघुता भी दूर कर देते हैं, एक वर्ण को लघु बनाकर मानो क्षतिपूर्ति के लिए सिन्धी दूसरे वर्ण को दीर्घ कर देती है किन्तु अवधी दूसरे लघु वर्ण को लघु ही रहने देती है; दीर्घता की क्षति की पूर्ति नहीं करती। इसका कारण यह है कि दो वर्णों वाले शब्दों में सिन्धी दूसरे वर्ण पर बलाघात पसन्द करती है। ऐसा सर्वत्र नहीं होता किन्तु उसमें यह प्रवृत्ति विद्यमान है। अवधी ऐसे शब्दों में दूसरे वर्ण पर जोर नहीं देती, इसलिए लघु वर्ण अपरिवर्तित रहता है। सिन्धी के उक्त रूप, ब्रजभाषा रूपों के समान, ओकारान्त हैं, **ओ** स्वर स्पष्ट सुना जाता है, अवधी के समान उकारान्त नहीं है जहाँ स्वर लघु होता है। किन्तु **नित्य** से हिन्दी **नित** के समान सिन्धी में **नितु** रूप है, वह अवधी की ध्वनि-प्रकृति के अनुकूल है। इसी प्रकार **आश्चर्य** का सिन्धी रूपान्तर **अचर्जु** है। यह रूप उकारान्त है—अवधी के समान; अन्तर यह है कि दूसरा वर्ण **चर्** दीर्घ है, पहले वर्ण की दीर्घता हटा दी गई, दूसरे की कायम रही, किन्तु अवधी रूप **अचरजु** में दूसरा वर्ण भी लघु है।

जैसे **सत्य** से **सच, नित्य** से **नित**, वैसे ही **कल्य** से **कल**। **सव** और **नित** को अशुद्ध मानकर कुछ लोग **सत्य** और **नित्य** लिखना ही पसन्द करते हैं किन्तु **कल** की जगह **कल्य** का चलन नहीं हुआ। **नित-नित्य, सच-सत्य** जैसे जोड़े मिलने पर शैली के अनुसार किसी एक रूप का व्यवहार किया जा सकता है किन्तु **नित** और **सच** को अशुद्ध न मानना चाहिए। इसी तरह **दुःख** के पहले वर्ण को लघु करके ब्रजभाषा और अवधी में **दुख** रूप का चलन हुआ। यह रूप मानक हिन्दी में स्वीकार हुआ : 'मेरे दुख की दवा करे कोई।' जो विद्वान् **दुख** को सुधार कर **दुःख, दुखी** को सुधारकर **दुखी** कर देते हैं, वे अपनी भाषा की ध्वनि-प्रकृति नहीं पहचानते। हिन्दी की **थमना** क्रिया का आधार स्तम्भ है; प्रथम वर्ण लघु किया गया, **थम्मना** या **थम्बना** रूप नहीं चला। **स्कम्भ** से **खम्भा, स्तम्भ** से **बंभ** रूप संज्ञा वर्ग में स्वीकृत हुए। हिन्दी की **लखना** क्रिया का आधार **लक्ष** है; **लक्खना** रूप नहीं चला। **लक्ष्मण** का एक लोकप्रिय रूपान्तर **लखन** है। **रखना, रखवाला, रख-रखाव** में **रक्ष** का तद्भव रूप **रख** स्वीकृत है, **रक्ख** नहीं। **रक्खा, रक्खो** में दीर्घ प्रथम वर्ण वाला रूप प्रयुक्त होता है। इसी तरह **उठना, उखाड़ना, उड़ना,**

**उघारना, उचाट, उतान, उजेला** आदि में मूल रूपों के **उत्, उड्, उद्, उच्, उज्** आदि दीर्घ प्रथम वर्गों को ह्रस्व किया गया है। तीन वर्णों वाले रूप छोड़ दें, तो भी **थम, उठ, उड़, रख, लख, नित, सच, दुख** आदि दो वर्णों वाले रूप यह सिद्ध करने के लिए काफी हैं कि पहले वर्ण को लघु करने की प्रवृत्ति हिन्दी क्षेत्र में काफी व्यापक है। क्षतिपूर्ति के लिए न तो प्रथम वर्ण के स्वर को दीर्घ किया जाता है, न दूसरे वर्ण के स्वर को।

संस्कृत में **पथ-पंथ, रभ्-रम्भ** जैसे जोड़े बहुत हैं जिन्हें देखकर लगता है कि इनमें नासिक्य ध्वनि अकारण जोड़ दी गई है। द्रविड़ भाषाओं में भी ऐसे वैकल्पिक रूप बहुत हैं; एक जगह नासिक्य ध्वनि है, दूसरी जगह नहीं है। हो सकता है कि कुछ रूपों में अतिरिक्त नासिक्य ध्वनि जोड़ी गई हो किन्तु कुछ रूप ऐसे हैं जिन्हें देखकर लगता है कि प्रथम वर्ण को ह्रस्व करने के लिए नासिक्य ध्वनि का लोप किया गया है। क्रिया है **रम्** (प्रसन्न होना); इससे रूप बने हैं **रति** और **रत**। यदि इनका आधार **रम्** क्रिया है तो **रन्ति** और **रन्त** जैसे शुद्ध रूपों का चलन होना चाहिए था। किन्तु प्रथम वर्ण को ह्रस्व करने के लिए **न्** का लोप कर दिया गया; **रति** और **रत** रूपों का चलन हुआ। क्रिया है **नम्**, उससे रूप बना **नत**; क्रिया है **गम्**, उससे रूप बना **गत**; क्रिया है **मन्**, उससे रूप बना **मत**; क्रिया है **हन्**, उससे रूप बना **हत**।

इसी प्रकार **यम्** (वश में रखना) से **यत, तन्** (फैलाना) से **तत, क्षन** (मारना, कष्ट देना) से **क्षत** रूप बने। यदि वैयाकरणों ने **नत, गत, हत** आदि का सम्बन्ध **नम्, गम्, हन्** धातुओं से ठीक जोड़ा है तो मानना होगा कि कृदन्त-रूपों में नासिक्य ध्वनि का लोप किया गया है। कारण वही है : प्रथम वर्ण से बलाघात हटाने की प्रवृत्ति।

संस्कृत पर अपने ग्रंथ में बरो कहते हैं कि **श्रोतुम्** में बलाघात पहले वर्ण पर है, **श्रुत** में दूसरे वर्ण पर। **श्रोतुम्** के पहले वर्ण का **ओ** स्वर दीर्घ है, **श्रुत** के **श्रु** का **उ** स्वर ह्रस्व है। बलाघात की आवश्यकता से स्वर को ह्रस्व करने की प्रक्रिया स्पष्ट देखी जा सकती है। **नत** और **गत** में भी बलाघात दूसरे वर्ण पर है; अतः **नन्त, गन्त** रूपों के प्रथम वर्ण को ह्रस्व करने के लिए नासिक्य व्यंजन का लोप किया गया है, यह तथ्य सहज ही बोधगम्य है।

जैसे **नन्त** से **नत**, वैसे ही **नष्ट** से पुरानी अवधी का **नठ** रूप बना। **कष्ट** का रूपान्तर **कठ** पुरानी अवधी में तो है ही, सम्भवतः उसका व्यवहार संस्कृत के वैभवकाल में भी होता था।

संस्कृत में दो शब्द हैं **कठिन** और **कठोर**। इनकी व्युत्पत्ति के लिए वैयाकरणों ने **कठ्** क्रिया की कल्पना की है जिसका अर्थ है कष्ट में रहना। उनकी कल्पना सार्थक है। **कठ्** क्रिया का व्यवहार होता रहा हो चाहे नहीं, उसका सम्बन्ध **कष्ट** से बिलकुल ठीक जोड़ा गया है। **कठिन** और **कठोर** का आधार **कठ** है जो **कष्ट** के प्रथम वर्ण को ह्रस्व करने पर प्राप्त हुआ है।

संस्कृत शब्द **भर** का अर्थ है **युद्ध**। स्पष्ट ही इसका आधार **भर्** क्रिया है जो लड़ने के अर्थ में प्रयुक्त होती रही होगी। इसका कृदन्त-रूप होगा **भर्त**। इस **भर्त** का रूपान्तर है संस्कृत **भट** जिसका अर्थ है **योद्धा**। यदि कहा जाए कि **भट** का सम्बन्ध लड़ने का अर्थ देनेवाली **भर्** क्रिया से नहीं है, भाड़े पर किसी की सेवा प्राप्त करनेवाली **भर्** क्रिया से है तो भी वर्ण-संयोजन की प्रक्रिया में कोई अन्तर नहीं पड़ता। जैसे **कष्ट** के **ष्** ने **ट्** को महाप्राणता देकर **ठ्** बनाया और **कठ** रूप सुलभ हुआ, वैसे ही **भर्त** के **र्** ने **त्** को मूर्धन्यता प्रदान की और **भट** रूप प्राप्त हुआ। **भट** के साथ **भट्ट** भी है किन्तु **भट** और **कठ** उस प्रवृत्ति का परिणाम हैं जो **गन्त** और **मन्त** को **गत** और **मत** बनाती है।

**भट** के समान एक शब्द है **नट**। इसका सम्बन्ध **नर्त्** से है। **नर्त्** क्रिया व्याकरण में **नृत्** लिखी जाती है। वास्तव में **नर्त्** और **नृत्**, दोनों रूपों का चलन था। **नृत्यति** आदि का आधार **नृत्** है। इसके साथ **नर्तिष्यति, नर्तित्वा** जैसे रूप **नर्त्** की ओर संकेत करते हैं। वर्ण-संकोचन से **नर्त्** का **नृत्** हुआ; कोई कहे, वर्ण विस्तार से **नर्त्** का **नर्त्** हुआ, कोई फर्क नहीं पड़ता। **नट** का पूर्व रूप **नर्त** है, यह मुख्य बात है। प्रथम वर्ण ह्रस्व हुआ, **र्** ने लोप होते-होते **त्** को मूर्धन्य किया। चलने के सामान्य अर्थ में **नट** अथवा **नड** क्रिया का व्यापक व्यवहार द्रविड़ भाषाओं में होता है, यथा : तमिल **नड** (चलना), कन्नड **नडॅ** (उप), तुलु **नडपुनि** (उप.)। तमिल में **नड** से **नडत्तु** (चलाना), **नडत्तइ** (चलन), **नडक्कइ** (उप.), **नडप्पु** (आवाजाही) आदि अनेक रूप बनते हैं, इनमें एक आकर्षक रूप है **नडमाडु** (जाना, इधर-उधर चलना)। **कामकाज** की तरह यह समानार्थी शब्दों का जोड़ा है। **नर्त्** के समानान्तर **मर्त्** क्रिया थी; जैसे **नर्त** से **नट**, वैसे ही **मत** से **मट** रूप बने। हिन्दी **मटकना** में नाचने का भाव दर्शानेवाली यही **मट** क्रिया है। तमिल में **नड** के समान उसका चलना अर्थ ग्रहण किया गया है; **नड** के विपरीत **माडु** का पहला वर्ण दीर्घ है। किन्तु अन्यत्र **मड** रूप भी प्राप्त है। तमिल **मडक्कु** का अर्थ है हाथ या पैर मोड़ना, **मडंग** का अर्थ है अंगों को टेढ़ा-मेढ़ा करना। हिन्दी **मटकने** से इन रूपों का सम्बन्ध स्पष्ट है।

संस्कृत की एक क्रिया है **तर्द्** जिसका अर्थ है मारना, कष्ट देना। अन्य क्रिया है **तड्** जिसका अर्थ है मारना, दंड देना। जैसे **नर्त्** से **नट्** रूप बना, वैसे ही **तर्द** से **तड्** रूप बना। एक अन्य **तड्** क्रिया है जिसका अर्थ है चमकना। **तडाका** (भव्यता), **तडित्** (बिजली) का सम्बन्ध इस **तड्** से है। संस्कृत **तरल** (कान्तिमान), **तार** (उप.), **तारा** (नखत) में **तर्** क्रिया देखी जा सकती है। उससे कृदन्त-रूप **तर्द** बना; उसके आधार पर प्रथम वर्ण को ह्रस्व करते हुए **तड्** क्रिया बनी। तमिल में जब **तर्द्** का **द्ळ** रूप में ग्रहण किया गया, तब **तळपु** (चमक) शब्द बना; जब ळ् रूप में ग्रहण किया गया, तब **तणल्** (चमकना) शब्द बना, जब **ण्** रूप में ग्रहण किया गया, तब **तणल्** (आग, अंगार) शब्द बना। इन सभी रूपों में प्रथम वर्ण लघु है

और दूसरे वर्ण का व्यंजन मूर्धन्य है। प्रथम वर्ण को ह्रस्व रखने की प्रवृत्ति अखिल भारतीय परिवेश में दूर-दूर तक पहुँची, इसका प्रमाण ये रूप हैं। मूल क्रिया **तर्** है, इसका प्रमाण कोलमि **तरि** (जलना), **तर्प्** (जलाना), नइकि **तर्** (आग लगना) हैं।

संस्कृत **कर्तन** (काटने की क्रिया), **कर्तरि** (कैंची, चाकू) में **कर्त्** क्रिया है। हिन्दी **कटना, काटना** का आधार यही **कर्त्** है; इस **कर्त्** का रूपान्तर अंग्रेज़ी **कट्** (काटना) है। तुलनीय है तमिल और कन्नड़ की **कडि** (काटना) क्रिया। इसका आधार **कर्त्** है, यह उन द्रविड़ शब्दों से सिद्ध है जिनमें **कर्त्** क्रिया मूर्धन्यीकरण के बिना विद्यमान है : तमिल और कन्नड़ **कत्ति** का अर्थ है चाकू। यहाँ **र्** का लोप हुआ किन्तु प्रथम वर्ण ह्रस्व नहीं हुआ; **र्** की क्षतिपूर्ति अतिरिक्त **त्** ने की। **कुइ** रूप **कत** (काटना) में अतिरिक्त **त्** नहीं है; न मूर्धन्यीकरण, न क्षतिपूर्ति। सीधे प्रथम वर्ण को ह्रस्व किया गया है।

यह प्रवृत्ति ऐसे अनेक शब्दों में है जो अखिल भारतीय भाषाक्षेत्र के बाहर पहुँचे हैं। संस्कृत **भूति** का ग्रीक प्रतिरूप **फ़ुसिस्** (गुण, जन्मजात संस्कार) प्रथम वर्ण को ह्रस्व किये है (जहाँ क्रियामूल **फ़ूस्** है, वहाँ उसका अर्थ जोर से साँस लेना है)। या तो ग्रीक भाषा ने मूल रूप के दीर्घ स्वर को ह्रस्व कर दिया है या **भूति** के साथ यहाँ **भुति** रूप का भी चलन था। संस्कृत देव का ग्रीक प्रतिरूप **थॅऑस्** है। यहाँ भी संस्कृत रूप की वर्ण-गुरुता के बदले वर्ण-लघुता है। **देव** का आधार **दिव** क्रिया ही मानी गई है; ग्रीक रूप का प्रथम वर्ण ह्रस्व ही रहता है, संस्कृत **देव** का प्रथम वर्ण दीर्घ हो जाता है। शास्त्रकार कहेंगे, **दिव्** के **इ** स्वर का गुणरूप **देव** का **ए** है; इसके विपरीत यह भी कहा जा सकता है कि **देव्** क्रिया के **ए** को ह्रस्व करके **दिव** रूप बनाया गया। संस्कृत में **दिवस, दिव्य** के साथ **देव, देवी**, दोनों तरह के रूप प्राप्त हैं। ग्रीक में ह्रस्व स्वर वाले रूप हैं।

संस्कृत **बोधते** और **बुध्यते**, दोनों क्रिया-रूपों में प्रथम वर्ण दीर्घ है किन्तु **बुध** (बुद्धिमान्) में पहला वर्ण ह्रस्व है। **रोचते** और रुचि, **रोदति** और रुदन, **चेतति** और चिति, **कोचति** और कुच, **द्योते** और द्युति, **मोदते** और मुदा, **भेदति** और भिदा, **योजते** और युग, **वेदति** और विदु, **शोचति** और शुच, **शोभते** और शुभ—इस तरह के जोड़े इस बात की ओर संकेत करते हैं कि संस्कृत में दो तरह की प्रवृत्तियों का चलन था। एक के अनुसार प्रथम वर्ण दीर्घ होना चाहिए, दूसरी के अनुसार ह्रस्व। संस्कृत में भिन्न प्रवृत्तियों का समन्वय करने की जो क्षमता है, उसी के अनुरूप शब्दों में दोनों तरह की वर्ण-संयोजना को स्थान मिला। इस क्षमता से भाषा में जो स्थिति उत्पन्न हुई, उसकी व्याख्या के लिए गुण सम्बन्धी नियम बनाया गया; नियम बनाकर क्षमता उत्पन्न नहीं की गई।

**भद्र** से **भल, भला, भाल**—तीन तरह के रूप बनते हैं। **भद्र** में दो व्यंजनों के योग के कारण प्रथम वर्ण पर जोर देना पड़ता था, उसे यहाँ दूर कर दिया गया

है। पुरानी अवधी के अलावा आधुनिक अवधी में भी **भल भा** (अच्छा हुआ) जैसे प्रयोग में **भल** का चलन बना हुआ है। **भला** का व्यापक व्यवहार हिन्दी क्षेत्र में होता है। **भल** और **भला** जैसे रूपों का अन्तर काफी पुराना है। **बक** ने ग्रीक और लैटिन भाषाओं के अपने तुलनात्मक व्याकरण में लिखा है कि बोलचाल की लैटिन में यह स्पष्ट प्रवृत्ति थी कि दो वर्णों वाले शब्दों में पहला वर्ण ह्रस्व हो और दूसरा दीर्घ हो तो उसे भी ह्रस्व कर दिया जाता था। इस प्रकार **बॅने** (भला), **मले** (बुरा), **मिही** (मुझे), **तिबी** (तुझे) आदि को **बॅनॅ, मलॅ, मिहि, तिबि** कर दिया गया था। मानो **यदा, तदा** को **जद, तद** रूप में बोला जाने लगा हो!

**जद, तद** के बारे में कह सकते हैं कि दूसरे वर्ण के दीर्घ स्वर को, **यदा-तदा** के **आ** को, ह्रस्व किया गया है, किन्तु **भल** का पूर्व रूप **भला** नहीं है। **भद्र** से **भल्ल,** फिर **भल** या **भला**। **भल** को भी **भला** का पूर्वरूप मानना आवश्यक नहीं है। **भल्ल** से दोनों का स्वतंत्र विकास सम्भव है। जहाँ प्रथम वर्ण से बलाघात हटाकर दूसरे वर्ण पर डाला जाएगा, वहाँ **भला** जैसा रूप बनेगा। सिन्धी में **पूर्ण** से **पुनो** रूप वैसे ही बनता है, जैसे **भद्र** से **भला**। यह प्रवृत्ति यथेष्ट प्राचीन है। बक ने ग्रीक लैटिन भाषाओं के अपने तुलनात्मक व्याकरण में लिखा है कि यूनान की अत्तिक बोली में दूसरे दीर्घ स्वर को ह्रस्व करने की क्रिया नियमित रूप से घटित होती थी। **नेऑस्** (मंदिर), **लेऑस** (जनता; सेना) बदलकर **नॅओस्, लॅओस्** बने। जहाँ दूसरा वर्ण दीर्घ न किया जाएगा, वहाँ **भद्र** से **भल** रूप बनेगा।

शब्दों में प्रथम वर्ण की दीर्घता दो प्रकार की हो सकती है। पहला प्रकार वह जहाँ स्वर लघु है किन्तु उसके बाद व्यंजन आता है, इसलिए वर्ण दीर्घ हो जाता है। जैसे दुग्ध; यहाँ प्रथम वर्ण **दुग्** का **उ** स्वर लघु है किन्तु उसके बाद **ग्** व्यंजन है, इसलिए **दुग्** वर्ण दीर्घ है। यह पहला प्रकार है। दूसरा प्रकार जैसे दूध; यहाँ पहले वर्ण का स्वर दीर्घ है, उसके बाद दो व्यंजन नहीं हैं। हिन्दी तथा अन्य आर्य भाषाएँ इस बात के प्रति उदासीन नहीं हैं कि दोनों प्रकारों में किसे चुना जाए। जनता में चलन दूसरे प्रकार का हुआ, पहले प्रकार का नहीं। बोलचाल का शब्द **दूध** है, **दुग्ध** नहीं। इसी प्रकार **कर्ण**—कान, **कर्म**—काम, **सप्त**—सात, **अष्ट**—आठ, **नृत्य**—नाच, **घर्म**—घाम, **घट्ट**—घाट, **भिल्ल**—भील, **फुल्ल**—फूल, **सर्प**—साँप आदि जोड़ों में दूसरी प्रकार की वर्ण-संयोजना वाला रूप लोकप्रिय हुआ। जब दोनों तरह के रूपों में पहला वर्ण दीर्घ है, तब दूसरी तरह के रूप का चलन अधिक क्यों हुआ?

मेरी समझ में इसका कारण यह है कि **दूध** की अपेक्षा **दुग्ध** जैसे रूप में पहले वर्ण पर ज्यादा जोर देना पड़ता है; **दूध** में पहले वर्ण पर उस तरह जोर नहीं देना होता। संस्कृत में एक रूप **मुग्ध** है, दूसरा **मूढ** है; दोनों रूप वैदिक काल में प्रचलित थे। **गुह्,** से **गूढ, रिह्** (चाटना) से **रीढ, रुह्** से **रूढ** (चढ़ा हुआ), **सह्,** से **साढ** (विजित), ऐसे रूप सिद्ध करते हैं कि वैदिक काल में **दुग्ध** को **दूध**

कहनेवाली प्रवृत्ति विद्यमान थी। **दूध** और **मूढ** में इतना ही अन्तर है कि **मूढ** में **ध्** का मूर्धन्यीकरण हुआ है, **दूध** में मूल दन्त्य ध्वनि सुरक्षित है।

संस्कृत क्रिया **विद्** (जानना; मूल अर्थ देखना) का एक कृदन्त-रूप **वित्त** (ज्ञात) है। लैटिन में **विद्** का प्रतिरूप **विदॅओ** है; क्रियामूल **विद्** से यहाँ भी कृदन्त-रूप **वित्त** या **विद्द** बनेगा किन्तु लैटिन ने **द्** को **स्** में बदला, **वि** के स्वर को दीर्घ किया, रूप बनाया **वीसुस्** (दृष्टि)। इस कृदन्त के आधार पर **वीसो** (ध्यानपूर्वक देखना) क्रिया बनाई। **वित्त** के स्थान पर **वीस** रूप वैसे ही है, जैसे—**दुग्ध** के स्थान पर **दूध** है। लैटिन क्रिया **सॅरो** का अर्थ है **बोना**; इससे संज्ञा रूप **सेमॅन्** (बीज) बना। **सॅर्** क्रियामूल में **मॅन्** प्रत्यय जोड़ने पर **सॅर्मॅन्** रूप बनेगा; जैसे **कर्म** से हिन्दी **काम** बना, वैसे ही **सॅर्मॅन्** से लैटिन **सेमॅन्** बना। (**सॅरो** में **से** धातु मानना ठीक नहीं है; **सॅर** से **से** का विकास सम्भव है, **से** से **सॅर्** का नहीं)। संस्कृत की **रुच्** (चमकना) का लैटिन प्रतिरूप **लुक्** है। **रुच्** से जैसे एक रूप **रुक्म** (प्रकाशमान) बनता है, वैसे ही लैटिन **लुक्** से एक रूप **लुक्न** बना था। **लुक्न** के **क्** का लोप होने पर **लून** (चन्द्र) रूप प्राप्त हुआ। **लुक** का एक कृदन्त-रूप **लुक्क** भी प्रचलित रहा होगा। लैटिन में इसके आधार पर मूल क्रिया **लूकओ** मानी गई (यद्यपि **रुच्** का लैटिन प्रतिरूप **लुक्** ही होगा।) लैटिन **क्रेदो** (विश्वास करना) का आधार **श्रद्** की जगह **श्रद्ध** मानना चाहिए। एक व्यंजन का लोप हुआ; प्रथम वर्ण का लघु स्वर दीर्घ हुआ। संस्कृत **श्रद्धा** में विश्वास करनेवाला भाव निहित है। संस्कृत **उत्स** (झरना) का रूसी प्रतिरूप **उस्तॅ** (मुख) है। **उस्तॅ** का लैटिन प्रतिरूप **ओस्** (मुख) है। **उत्स** वह जहाँ से कोई चीज निकलकर बहे। यदि **उत्स** और **उस्तॅ** का सम्बन्ध विश्वसनीय न लगे तो **उस्तॅ** और **ओस्** के सम्बन्ध पर विश्वास करें। लैटिन रूप ने एक व्यंजन का लोप कर दिया, प्रथम वर्ण के लघु स्वर को दीर्घ किया। संस्कृत **सप्त** या **सप्तम्** अंग्रेज़ी में सेवन् है, **अष्ट** एट् है। यहाँ भी वही प्रक्रिया दिखाई देती है।

जैसे **अष्ट** से अंग्रेज़ी एट बना, वैसे ही **नष्ट** से पुरानी अवधी का **नाठ, हस्त** से मानक हिन्दी का **हाथ** बना। वैसे ही **भद्र** से बंगला का **भाल** प्राप्त हुआ।

प्रथम वर्ण की दीर्घता के विचार से जैसे **दुग्ध** और **दूध** में अन्तर है, वैसे ही **दुग्ध** और **दूग्ध** में अन्तर है। यदि **पोषण** और **शोषण** की **पोष्** और **शोष्** क्रियाओं से **पोष्ट** और **शोष्क** रूप बनाए जाएँ तो **दूग्ध** के समान यहाँ भी दीर्घ स्वर के बाद एक व्यंजन आएगा। **दुग्ध** में प्रथम वर्ण पर जितना जोर देना पड़ता है, उससे बहुत अधिक जोर **दूग्ध** के **दू** पर देना होगा। बाँगरू को छोड़कर हिन्दी क्षेत्र की जनपदीय भाषाएँ ऐसे रूप स्वीकार नहीं करतीं। बाँगरू में **छोट्टा, राज्जा, देक्खणा, भूक्खा** जैसे रूप सामान्य हैं; बंगला में इनके समकक्ष **थाप्पड़** (थप्पड़), **आल्ला** (अल्ला), **आंगुर** (अंगूर), **जाहान्नम्** (जहन्नुम), **ठाट्टा** (ठट्ठा), **भाल्लुक** (भल्लूक) जैसे रूप हैं। मध्यदेश की भाषाएँ—हिन्दी की जनपदीय उपभाषाएँ—ऐसी वर्ण-योजना से

बचती हैं। संस्कृत में **राष्ट्र, प्राप्त, पांडु, बाह्य, भाद्र, ब्राह्मण, प्रांगण, कार्तिक** जैसे रूप सामान्य हैं। ये रूप कौरवी-मागधी ध्वनि-प्रकृति के अनुकूल हैं। तमिल में **माट्टम्** (निर्माण), **आट्टम्** (खेल), **वाट्टम्** (ढलान), **काट्टु** (जंगल), **काप्पु** (रक्षण), **पोक्कन्** (यात्री), **ताक्कु** (टकराना) जैसे रूप सुलभ हैं। इस प्रकार की वर्ण-संयोजना संस्कृत और तमिल, दोनों में है। मध्यदेश के दोनों ओर, बंगला और बाँगरू में, वह विद्यमान है। किन्तु संस्कृत में **पोषण** और **शोषण** के साथ **पोष्ट** और **शोष्क** रूप नहीं है। इनके विपरीत **पुष्ट** और **शुष्क** रूप हैं। फ़ारसी में **खुश्क** और लैटिन में **सिक्कुस्** (सूखा; **शुष्क** के विकल्प **शिष्क** से व्युत्पन्न) सिद्ध करते हैं कि जिन रूपों में ह्रस्व स्वर के बाद व्यंजन स्वीकारा गया था, वे प्राचीन हैं, और वे भारत के बाहर भी पहुँचे थे। बंगला **अल्ला** को **आल्ला, थप्पड़** को **थाप्पड़** रूप में ग्रहण करती है बलाघात की आवश्यकता से। वही आवश्यकता **पोष्ट** की जगह **पुष्ट, शोष्क** की जगह **शुष्क** स्वीकार कराती है। बलाघात की आवश्यकता दोनों तरह के रूपों में है : दीर्घ स्वर के बाद व्यंजन की स्थिति एक तरह की ध्वनि-प्रकृति का परिणाम है, ह्रस्व स्वर के बाद व्यंजन की स्थिति दूसरी तरह की ध्वनि-प्रकृति का परिणाम है। ध्वनि-प्रकृति के ये दोनों प्रकार प्राचीन हैं।

ग्रीक और लैटिन भाषाओं के व्याकरण में बक कहते हैं कि ग्रीक भाषा में **ग्नोन्तॅस** (जात; ज्ञात) जैसे कृदन्त के प्रथम वर्ण का स्वर दीर्घ था; ग्रीक भाषा के प्रागैतिहासिक विकासकाल में यह स्वर ह्रस्व हो गया और **ग्नॉन्तॅस्** रूप का चलन हुआ। इसी प्रकार लैटिन के **अमान्स्** (स्नेहशील), **विदेन्स्** (द्रष्टा, ज्ञानी) रूप बदलकर **अमन्त्, विदॅन्त्** बने। मूल क्रिया **अमा, विदे** है किन्तु दीर्घ स्वर के बाद **न्त्, न्स्** जैसे व्यंजनयोग से बचने के लिए दीर्घ स्वर को ह्रस्व किया गया। साथ ही इससे भिन्न प्रवृत्ति लैटिन में प्रबल है। **लॅगो** (चुनना), **रॅगो** (सीधे चलना) क्रियाओं में प्रथम वर्ण का स्वर ह्रस्व है किन्तु इनके भूतकालिक कृदन्त **लेक्तुस्, रेक्तुत्** रूप होते हैं। ह्रस्व स्वर को दीर्घ किया गया; उसके बाद दो व्यंजन हैं; इससे दीर्घ किये हुए स्वर के उच्चारण कोई कठिनाई न हुई। इसी प्रकार **फ़ोर्म** (आकृति), **ओर्दो** (व्यवस्था), **ओर्नो** (सुसज्जित करना) में प्रथम वर्ण के स्वर को दीर्घ किया गया है। बाँगरू इसी प्रकार **जल्लाद** को **जाल्लाद, खातिर** को **खात्तर** कर देती है।

**दुग्ध** जैसे शब्दों के उच्चारण में पहले वर्ण के उच्चारण में जो विशेष जोर देना पड़ता है, उसे कम करने का एक ढंग यह भी है कि व्यंजन का लोप करने के बदले दूसरे वर्ण के स्वर को दीर्घ कर दिया जाए। **दुग्ध** से **दुद्ध**, फिर **दुद्धा** रूप बनाया जा सकता है, जैसे—अवधी गीत में—**गाय मरकही दुद्धा मीठा**। अनेक हिन्दी जनपदों में **बुद्धा** एक सुपरिचित नाम है; इसका पूर्वरूप **बुद्ध** है। **पत्र** से **पत्ता, छत्र** से **छत्ता, पृष्ठ** से **पुट्ठा, पक्व** से **पक्का, वत्स** से **बच्चा, अंड** से **अंडा, दंड** से **डंडा, वृद्ध** से **बुड्ढा, सत्य** से **सच्चा** आदि इसी पद्धति के अनुरूप हैं। जब

लोग **गुप्त** को **गुप्ता, शुक्ल** को **शुक्ला** कहते हैं, तब कुछ विद्वान् इसे अंग्रेज़ी का प्रभाव मानते हैं। **बच्चा, सच्चा** आदि रूपों को देखें तो ऐसा 'अशुद्ध' उच्चारण विशुद्ध हिन्दी ध्वनि-प्रकृति के अनुरूप सिद्ध होगा। प्रथम वर्ण पर जोर कम करने के अनेक ढंग हैं, इसलिए स्वभावत: एक मूल रूप से अनेक प्रकार के तद्भव रूपों का विकास होता है और सन्दर्भ के अनुसार सूक्ष्म भेद करते हुए इनके प्रयोग से शैली को प्रभावशाली बनाया जाता है। 'जा दिन तेरे तन तरुवर के सबै पात झरि जैहैं'; 'तुम डाल डाल, हम पात पात'—ऐसे सन्दर्भों में **पत्ते** से काम न चलेगा। कहीं एक रूप जनपदीय उपभाषाओं में है, दूसरा मानक हिन्दी में, जैसे **बूढ़** अवधी में, **बुड्ढा** और **बूढ़ा** मानक हिन्दी में। कहीं एक रूप में एक अर्थ का संसर्ग है तो अन्य रूप में दूसरे अर्थ का। **छत्ता** और **छाता, डंडा** और **डांड़, बच्चा** और **बछड़ा** या **बछवा** रूपभिन्नता के साथ अर्थभेद उत्पन्न हो गया है। प्रथम वर्ण के उच्चारण में जोर कम करने की आवश्यकता से भाषा के लिए अनेक हितकर परिणाम निकले हैं।

हिन्दी में ऐसे बहुत-से शब्द हैं जिनमें वर्ण-योजना मूलत: तगण पद्धति (ऽऽ।) की थी, उसे बदलकर जगण पद्धति (।ऽ।) का बनाया गया है। **आभीर** के **अहीर** रूपान्तर का उल्लेख पहले हो चुका है। **सोना** से **सुनार, लोहा** से **लुहार, खट्टा** से **खटास, दूध** से **दुधार, प्रक्षाल** से **पखार, सौभाग्य** से **सुहाग, मूतना** से **मूतास** के बदले **मुतास, दो-आब** की जगह **दॉआब**—ऐसे रूप हिन्दी क्षेत्र में व्यापक रूप से प्रयुक्त होते हैं। इनमें प्रथम वर्ण की दीर्घता को ह्रस्व करके **तगण** के स्थान पर **जगण** व्यवस्था कायम की गई है। इसके विपरीत बंगला में **अमीर, हलाल, लगाम, जहाज, पठान** जैसे **जगण** व्यवस्था वाले शब्दों को **आमीर, हालाल, लागाम, जाहाज, पाठान** बनाकर तगण-व्यवस्था के अनुरूप बोलने की प्रवृत्ति है। (ये रूप डॉ. चाटुर्ज्या के 'बंगला भाषा के उद्‌भव और विकास' वाले ग्रंथ में हैं।) प्रथम वर्ण को दीर्घ करने का कारण वही बलाघात की आवश्यकता है। तमिल में **हकीम** के लिए **अक्कीम, कचॅहरी** के लिए **कच्चेरि, हंगामी** के लिए **अंगामि** तगण-व्यवस्था के अनुकूल ढले हुए रूप हैं। संस्कृत में **पाषाण, ताम्बूल, चाण्डाल** जैसे पचासों शब्द हैं। देखना यह है कि प्रथम वर्ण को ह्रस्व करके संस्कृत में **जगण** को **तगण** बनाने की प्रवृत्ति भी कहीं है या नहीं।

**बोधति** की **बोध** क्रिया से परीक्षभूत का **बोबोध** रूप बनना चाहिए किन्तु उसकी जगह संस्कृत ने प्रथम वर्ण को ह्रस्व करके **बुबोध** रूप स्वीकार किया। **पोषति** और **पोषण** के **पो** को ह्रस्व करते हुए **पुपोष, शोषित** और **शोषण** के **शो** को ह्रस्व करते हुए **शुशोष, मोह** और **मोहित** के **मो** को ह्रस्व करते हुए **मुमोह** रूप सम्भवत: दो दीर्घ वर्णों के योग से बचने के लिए बनाए गए हैं। कहा जा सकता है कि मूल क्रिया में स्वर ह्रस्व ही था, **पोषति** आदि में उसे दीर्घ किया गया है। इससे उक्त स्थापना में कोई अन्तर नहीं पड़ता; यों कह लीजिए कि **पुपोष** के प्रथम

वर्ण में मूल ह्रस्व वर्ण बना रहा, दूसरे वर्ण में उसे दीर्घ किया गया अर्थात् नगण (।।।) के बदले जगण (।ऽ।) की स्थापना हुई। किन्तु **भू** क्रिया से जब **बभूव** रूप बनता है, तब यह नहीं कहा जां सकता कि मूल क्रिया अल्पप्राण है। प्रथम वर्ण में अल्पप्राणता बनी रही, दूसरे में उसका स्थान महाप्राणता ने ले लिया। संस्कृत में दो महाप्राण ध्वनियों को सामान्यत: एक साथ नहीं रखा जाता; पहली को अल्पप्राण कर दिया जाएगा। वैसे ही यह माना जा सकता है कि **पोपोष** जैसे रूप में दो दीर्घ स्वरों के योग से बचने के लिए **पो** को **पु** किया गया है।

संस्कृत की **धा** (धरना) क्रिया से जैसे **दधामि** रूप बना, **धा** की आवृत्ति हुई किन्तु व्यंजन को अल्पप्राण और स्वर को ह्रस्व करते हुए, ठीक वैसे ही **दधामि** के ग्रीक प्रतिरूप **तिथेमि** में प्रथम वर्ण को ह्रस्व, दूसरे को दीर्घ रखा गया है। (**तिथेमि** के लिए **थॅ** धातु के बदले संस्कृत **धा** के समान **थे** को आधार मानना चाहिए।) इसी प्रकार **दा** क्रिया के आवृत्तिमूलक संस्कृत **ददामि** का ग्रीक प्रतिरूप **दिदोमि** है।

जब हम **भल्ल** से **भला** रूप बनाते हैं, तब प्रथम वर्ण की दीर्घता दूसरे लघु वर्ण पर आरोपित करते हैं, किन्तु जब **वल्कल** से **बकला** (अवधी बॉकला), **कज्जल** से **कजरा** बनाते हैं, तब दूसरे लघु वर्ण को लाँघकर तीसरे लघु वर्ण पर उसे आरोपित करते हैं। बोलचाल की हिन्दी में, विशेषत: मध्यदेशीय और पूर्वी जनपदीय भाषाओं में, बलाघात का ऐसा विस्थापन साधारण बात है। इस प्रवृत्ति के अनुकूल **अंतर** से **अँतरा, कंकण** से **ककना, गर्गर** से **गगरा, गर्दभ** से **गदहा, अंगण** से **अँगना, अंगलि** से **अंगुरी-उँगली, उज्ज्वल** से **उजला, कच्छप** से **कछुवा, छत्र** से **छत्तर,** फिर **छतरी; कर्पट** से **कपड़ा, छप्पर** से **छपरा, ब्राह्मण** से **बाँभन** फिर **बँभना; चिक्कण** से **चिकना, बन्धन** से **बँधना, बादल** से **बदरा, ढक्कन** से **ढकना, चादर** से **चदरा** रूप बने हैं। कहीं-कहीं सगण रूप मानक हिन्दी में है, भगण रूप किसी जनपदीय उपभाषा में। मानक हिन्दी का **पतला** अवधी में **पातर** है। मानक हिन्दी का **दुबला** अवधी में **दूबर** है। **दूबर, पातर** जैसे रूप अवधी के अलावा अन्य अनेक जनपदीय उपभाषाओं में भी हैं।

संस्कृत में मूल **गुरु** शब्द से भाववाचक संज्ञा का एक रूप होगा **गौरव**, दूसरा **गरिमा**। पहले रूप में प्रथम वर्ण के स्वर में वृद्धि हुई है, वह दीर्घ है, दूसरे रूप में वह लघु बना रहता है और शब्द के अन्त में ऐसा प्रत्यय जोड़ा गया कि वर्ण-संयोजन सगण (।।ऽ) पद्धति का हो। इसी प्रकार **लघु** से **लाघव** और **लघिमा, पशु** से **पाशव** और **पशुता, मद** से **मार्दव** और **मृदुता** आदि दो तरह के रूप बनते हैं। **गरिमा, लघिमा** आदि रूप हिन्दी की ध्वनि-प्रकृति के अनुकूल हैं।

हिन्दी में कुछ शब्द ऐसे हैं जिनमें वर्ण-संयोजन रगण (ऽ।ऽ) व्यवस्था के अनुरूप बनता था, उसे बदलकर सगण व्यवस्था के अनुकूल बनाया गया। **मत्स्य** से **मच्छ**, फिर **मच्छली**, किन्तु इसे बदलकर **मछली** किया गया। **माँगना** से **मँगनी**

और **मँगता, छालना** (छानना) से **छलनी** या **चलनी, फूँकना** से **फुँकनी** रूप इस तरह से बने हैं। अवधी में **गाजर** का बहुवचन **गजरै** होगा, **गाजरै** नहीं। **पातरि अँगुरी** एकवचन रूप है; **पतरी अँगुरी** बहुवचन रूप। **बाँभनि** एकवचन रूप है, **बँभनी** बहुवचन रूप। **माँगना** से **मँगता** इसी रगण के स्थान पर सगण के लिए आग्रह से बनता है। अनेक पूरबी बोलियों में **बेटा** से **बॅटवा, बेटी** से **बिटिया, लोटा** से **लॉटवा** जैसे रूप भी इसी प्रवृत्ति का परिणाम हैं।

हिन्दी में कोई तीन वर्णों का शब्द बनता हो और वे तीनों दीर्घ हों तो बहुधा पहले वर्ण को ह्रस्व कर दिया जाता है। सगण (ऽऽऽ) वर्ण-संयोजन के बदले हिन्दी यगण (।ऽऽ) व्यवस्था पसन्द करती है। **पूजा** से **पूजारी** शब्द बने तो तीनों वर्ण दीर्घ होंगे; हिन्दी ने प्रथम वर्ण को ह्रस्व करके **पुजारी** रूप बनाया। इससे तुलनीय है बोलचाल की बंगला का **पूजुरि** रूप जहाँ दूसरे-तीसरे वर्णों की गुरुता सिमटकर पहले वर्ण पर केन्द्रित हो गई है। बंगला में मगण व्यवस्था वाले काफी शब्द हैं : **काण्डारी** (खेवनहार), **आसाड़ा** (खामोशी), **पालांगा** (छप्पर), **बांगाली, काठामो** (काठ का ढाँचा); बंगला जो शब्द अन्य भाषाओं से लेती है, उनमें दूसरे-तीसरे वर्ण दीर्घ हुए और पहला न हुआ तो वह उसे भी दीर्घ कर देती है : **बाराण्डा** (बरामदा : बरंडा), **तामासा** (तमाशा), **तागादा** (तक़ाजा, तगादा), **पाहाड़े** (पहाड़ी), **पाहारा** (पहरा), **जानानो** (जनाना, बताना), **हाजारी** (हजारी) इत्यादि। मेरी समझ में ये रूप मूल मागधी प्रवृत्ति की ओर संकेत करते हैं। मध्यदेशीय प्रवृत्ति इससे भिन्न है। **घूमना** से **घूमन्तू** नहीं **घुमन्तू, ठट्ठा** से **ठट्ठोली** नहीं **ठिठोली, लावण्य** या **लोन** से **लोनाई** नहीं **लुनाई, खेलना** से **खेलाड़ी** और **खेलौना** नहीं **खिलाड़ी** और **खिलौना**। इसी प्रकार **घाम** से **घमाना, काम** से **कमाना, कमेरा, गंध** से **गँधाना, बूढ़** (या बूढ़ा) से **बुढ़ाना** रूप बनते हैं। गोस्वामी का लोकप्रचलित रूप **गॉसाईं** या **गुसाईं** है। **दीपावली** से **दीवाली**, फिर **दिवाली; एक** से **एकेला**, फिर **अकेला; कामाक्षी** से **कामाख्या**, फिर **कमख्या** जैसे रूप बने। **दुचिता, दुनाली, दॉतल्ला, दुपट्टा, दुपल्ला, दुबारा, दुधारा, दुरंगा, दुलत्ती, दुसूती, दुहत्था** जैसे रूपों के प्रथम वर्ण को ह्रस्व किया गया है। इनसे हिन्दी भाषा की लय पहचानी जा सकती है। इनसे हिन्दी पर मध्यदेशीय भाषाई प्रभाव की कल्पना की जा सकती है। बाँगरू में तीन दीर्घ वर्णों वाले शब्दों का वैसा व्यापक चलन नहीं है, जैसा बंगला में, फिर भी उसे **खेताळा** (खेतवाला), **पाळंगा** (पैर लगूँ), **आज्यांगा** (आ जाऊँगा) जैसी वर्ण-संयोजना से परहेज नहीं है।

कौरवी और मध्यदेशीय वर्ण-संयोजन पद्धतियों का भेद प्रेरणार्थक क्रिया-रूपों की रचना में साफ दिखाई देता है। संस्कृत और हिन्दी की प्रेरणार्थक क्रियापद रचना के भेद के बारे में वाजपेयी जी ने पठं धातु का उदाहरण देते हुए लिखा है : "संस्कृत में प्रथम ह्रस्व स्वर दीर्घ हो जाता है—'पठति'—का 'पाठयति' और हिन्दी में अन्त्य

स्वर दीर्घ होता है—'पढ़ता है' से 'पढ़ाता है'।" ('हिन्दी शब्दानुशासन', पृ. 464) इस भेद का कारण दो वर्ण-संयोजन पद्धतियों का भेद है। हिन्दी में **पढ़** जैसी क्रिया का प्रथम वर्ण लघु है, तब सीधे **पढ़ा** रूप बना लिया जाएगा किन्तु यदि पहला वर्ण दीर्घ है तो उसे ह्रस्व कर लिया जाएगा। वाजपेयी जी ने **बाँधता-बँधवाता, सोता-सुलाता, जीता-जिलाता** आदि उदाहरण दिये हैं। हिन्दी में किसी व्यंजन के आगम के बिना भी प्रेरणार्थक रूप बनाया जाता है, जैसे—**लड़ता** से **लड़ाता, चलता** से **चलाता, करता** से **कराता** आदि। इनमें **ब्** का आगम करके एक और रूप **लड़वाता, चलवाता, करवाता** भी बनता है। **लड़ाता** में **लड़ता** की अपेक्षा कर्तृभाव शिथिल है किन्तु निष्क्रिय नहीं है। **लड़वाता** में वह भाव और भी शिथिल है, मुख्य भूमिका उनकी है जिन्हें लड़ने की प्रेरणा दी जा रही है। जहाँ क्रिया का प्रथम वर्ण दीर्घ है, वहाँ उसे ह्रस्व करके हिन्दी में कर्ता को क्रिया के प्रति तटस्थ कर दिया जाता है। **आदमी रोटी सेंकता है, रोटी सिंक रही है; आदमी पेड़ काट रहा है, पेड़ कट रहा है। आदमी कुत्ता पालता है, कुत्ता पलता है। रोकना** और **रुकना, टालना** और **टलना, मोड़ना** और **मुड़ना** आदि में वैसा ही भेद है, जैसा संस्कृत के **श्रोता** और **श्रुत** में है। कहीं-कहीं ऐसा भेद मानक हिन्दी की अपेक्षा उसकी जनपदीय उपभाषाओं में अधिक सुरक्षित है। मानक हिन्दी में **जलना** के साथ **जलाना** है, **जालना** नहीं है किन्तु अवधी में **जरत** के साथ **जारत; बरत** के साथ **बारत** रूप हैं। वाजपेयी जी ने **काटना, बाँधना, देखना** आदि के समकक्ष **कटना, बँधना, दिखना** आदि को अकर्तृक प्रयोग कहा है; **कटाना-कटवाना, बँधाना-बँधवाना, दिखाना-दिखलाना** को प्रेरणा-प्रयोग कहा है। मूल क्रिया-रूप **काटना, बाँधना, देखना** को माना है।

**काटना** से जब **कटाना** रूप बनाएँगे तब हिन्दी की ध्वनि-प्रकृति के अनुरूप मूल क्रिया का प्रथम वर्ण ह्रस्व होगा। यदि **कट** और **काट** के पूर्व रूप **कत** पर ध्यान दें तो विदित होगा कि इससे **कट** और **काट**, दोनों रूप व्युत्पन्न होंगे, **कट** में व्यंजन लोप के बाद क्षतिपूर्ति नहीं हुई, **काट** में क्षतिपूर्ति हुई और प्रथम वर्ण का स्वर दीर्घ हुआ। जैसे **सत्य** से **सच** और **साँच** (साँच को आँच क्या); **कल्य** से **कल** और अवधी **काल्हि, भद्र** से **भल** और बंगला **भाल** रूप बने, वैसे ही **कर्त** से **कट** और **काट, बंध** से **बँध** और **बाँध, दृश** क्रिया के आधार पर बने **दृक्षसे, दिक्षते** जैसे रूपों के **दृक्ष** से **दिख** और **दीख** दो तरह के रूप व्युत्पन्न होते हैं।

जैसे **सो** क्रिया में **ल्** जोड़कर **सुला** रूप बना, वैसे ही संस्कृत की **पा** क्रिया में **ल्** जोड़कर **पालयति** रूप बना। अन्तर यह है कि संस्कृत रूप में **ल्** के आगम से प्रथम वर्ण ह्रस्व नहीं हुआ, हिन्दी में वह ह्रस्व हो गया। संस्कृत में **बोधयति, वर्धयति** आदि प्रेरणार्थक रूपों के लिए बरो ने लिखा है कि **बुध्, वृध्** आदि धातुओं के ह्रस्व को गुण द्वारा दीर्घ किया गया है। यदि **बोधति, वर्धते** रूपों पर ध्यान दें तो विदित होगा कि जहाँ प्रेरणा भाव नहीं है, वहाँ भी धातु का प्रथम वर्ण दीर्घ

किया गया है। यदि यह माना जाए कि **बुध** और **बोध्, वृध्** और **वर्ध्** दो तरह के क्रिया-रूपों का चलन था तो स्पष्ट होगा कि प्रेरणार्थक से दिखनेवाले रूप सर्वत्र प्रेरणार्थक हैं नहीं। **पालयति** का अर्थ है : रक्षा करता है, न कि रक्षा करवाता है। इसी प्रकार **मादयति** का अर्थ है : नशा करता है, न कि नशा करवाता है।

यदि **कट** और **काट**, दोनों धातुओं को स्वतंत्र माना जाए तो इससे यह सिद्ध नहीं होता कि मूल धातु के दीर्घ स्वर को ह्रस्व किया ही नहीं जाता। **सोता-सुलाता, जीता-जिलाता, खेलता-खिलाता** में स्वर को ह्रस्व करने की रीति दिखाई देती है। उसकी पुष्टि अन्य प्रकार की शब्द-रचना से भी होती है। **साठ** से **सठिआना, लात** से **लतिआना, आग** से **अगियाना, झूठ** से **झुठलाना, खाता** से **खतिआना, छाती** से **छतियाना, जूता** से **जुतियाना, गारी** (गाली) से **गरियाना, पत्थर** से **पथराना,** आदि रूपों में प्रथम वर्ण ह्रस्व किया गया है। जहाँ मूल शब्द में गुरु-लघु वर्णों की योजना थी, वहाँ तो **साठ** से **सठिया** जैसा सगणपद्धति वाला रूप आसानी से बन गया; जहाँ मूल शब्द में दोनों वर्ण गुरु थे, वहाँ दोनों को लघु करके पुनः उसी सगण व्यवस्था के अनुरूप **छाती** से **छतिया** धातु रची गई। जहाँ एक गुरु और दो लघु वर्ण थे, वहाँ पहले को ह्रस्व किया, दूसरे को यथावत् रहने दिया, तीसरे में प्रत्यय जोड़कर फिर वैसा ही—**पत्थर** से **पथरा**—रूप बनाया। यह **कज्जल** से **कजरा** बनानेवाली पद्धति ही है।

शब्द-रचना में सगण व्यवस्था का सर्वत्र ध्यान रखा जाए, यह आवश्यक नहीं है। महत्त्वपूर्ण बात है प्रथम वर्ण के दीर्घ स्वर का ह्रस्व होना। जब किसी नाम शब्द से हिन्दी में दूसरा नाम शब्द बनाते हैं, तब इसी प्रकार प्रथम वर्ण को ह्रस्व करते हैं। **घाट, बाट, घास** से **घटवार, बटमार, घसिआरा** शब्द इसी तरह बनाते हैं। **लाला** से **ललाइन, पांड़े** से **पँड़ाइन, ठाकुर** से **ठकुराइन** इसी प्रकार सिद्ध हैं। **पाँच, हाथ, काठ** से **पँचमेल, हथकंडा, कठमुल्ला** जैसे समस्त पद रचे जाते हैं। **आधा, दाढ़ी, घोड़ा** में नये शब्द जोड़ते समय दोनों वर्णों को ह्रस्व करके **अधपका, दहिजार, घड़दौड़, घुड़साल, घुड़चढ़ी, घुड़सवार** जैसे पद बनाए जाते हैं।

शब्द-रचना की सगण-व्यवस्था कुछ क्रिया-रूपों में जनपदीय उपभाषाओं की अपेक्षा मानक हिन्दी में अधिक प्रतिफलित है। अवधी में **बाढ़त है, पाकत है लागत है, जागत है** रूप हैं तो मानक हिन्दी में इनके समकक्ष **बढ़ता है, पकता है, लगता है, जगता है** रूप हैं। सगण व्यवस्था न हो, तो भी मानक हिन्दी में अनेक रूप ऐसे हैं कि प्रथम वर्ण ह्रस्व है किन्तु अवधी प्रतिरूप में वही वर्ण दीर्घ है, यथा : अवधी **जारत** है (या बारत है) के समकक्ष मानक हिन्दी में **जलाता** है रूप है। अनेक रूपों में बाँगरू प्रथम वर्ण को दीर्घ रखती है किन्तु मानक हिन्दी लघु वर्ण वाला रूप अपनाती है, यथा : बाँगरू में क्रिया-रूप होगा **चालै सै**, मानक हिन्दी में **चलता है**। अवधी और ब्रजभाषा के **ढाढ़** के समकक्ष मानक हिन्दी में **खड़ा**

रूप है। एक ही मूल शब्द से दो तरह की वर्ण-संयोजन पद्धतियों के अनुकूल दो तरह के रूप बने; कहीं मानक हिन्दी ने, कहीं जनपदीय भाषाओं ने इन रूपों का यथावश्यक प्रयोग किया।

वर्ण-संयोजन की अनेक पद्धतियाँ हैं। इनमें एक वह है जो प्रथम वर्ण के उच्चारण में जोर पड़ता हो तो उसे हलका करती है। यह पद्धति अत्यन्त प्राचीन है, वह कौरवी-मागधी पद्धति से भिन्न है, वह मूलतः मध्यदेशीय है और हिन्दी शब्दों का रूप सँवारने में उसकी महत्त्वपूर्ण भूमिका रही है। वर्ण-संयोजन पद्धतियों का सम्बन्ध जनपदीय भाषाओं की लय से है। यह लय किसी जनपद में रहनेवाली जनता के सौन्दर्यबोध की अभिव्यक्ति है। शब्दों की रचना केवल अर्थबोध से नियमित नहीं होती; उसका नियमन सौन्दर्य-बोध से भी होता है। जातीय भाषा का निर्माण अनेक जनपदीय तत्त्वों के मेल से होता है; इसलिए स्वभावतः मानक हिन्दी में अनेक वर्ण-संयोजन पद्धतियों का समन्वय हुआ है। इस समन्वय का अध्ययन करने से इस स्थापना की पुष्टि होती है कि मानक हिन्दी का विकास अनेक जनपदीय भाषाओं के परस्पर सम्पर्क का परिणाम है। वर्ण-संयोजन-पद्धतियाँ प्राचीन आर्यगण-भाषाओं के समय से चली आ रही हैं। यही कारण है कि उनमें कुछ यूरोप की भाषाओं में भी दिखाई देती हैं। वर्ण-संयोजन-पद्धति भाषा का आन्तरिक सूक्ष्म तत्त्व है। उसके विवेचन से यूरोप और भारत की भाषाओं का सम्बन्ध पहचानने में भी सहायता मिलती है।

## परिशिष्ट-2

# अतिरिक्त महाप्राणता की समस्या

संस्कृत के कुछ शब्दों में अल्पप्राण ध्वनि है, उनके पालि-प्राकृत अथवा आधुनिक आर्य भाषा प्रतिरूपों में महाप्राण ध्वनि है, जैसे संस्कृत **परशु** का पालि प्रतिरूप **फरसु** है, अर्द्ध-मागधी प्राकृत में यही रूप है, हिन्दी **फरसा** में भी संस्कृत के अल्पप्राण **प्** के स्थान पर महाप्राण **फ्** है। ऐसी स्थिति में हम यह मान लेते हैं कि संस्कृत रूप की अल्पप्राण ध्वनि मूल शब्द की ध्वनि है; अन्य प्रतिरूपों में अतिरिक्त महाप्राणता बाद में जोड़ी गई है। कुल मिलाकर यह धारणा सही है; कुछ प्राकृतों के अलावा इंडो-यूरोपियन परिवार के ईरानी, केल्त आदि भाषा-समुदायों में भी यह प्रवृत्ति दिखाई देती है। किन्तु कभी-कभी ऐसा भी होता है कि संस्कृत के अल्पप्राण ध्वनियों वाले रूप मूल नहीं हैं; मूल रूपों में महाप्राण ध्वनि थी और वह पालि-प्राकृत आदि के प्रतिरूपों में सुरक्षित है, संस्कृत रूपों में उसे अल्पप्राण किया गया है। कभी-कभी अल्पप्राण और महाप्राण ध्वनियों वाले दोनों रूप संस्कृत में ही मिल जाते हैं, जैसे—**घर्म** और **ग्रीष्म**। जलने-चमकने का अर्थ देनेवाली **घर्** क्रिया से **घर्म** शब्द बना; महाप्राणता का लोप होने पर **घर्** के रूपान्तर **गर्** से फ़ारसी **गर्म** बना और वर्ण संकोच से **गर्** के रूपान्तर **ग्र** से रूसी **ग्रेत्** (गरमाना), संस्कृत **ग्रीष्म** रूप बने। यदि संस्कृत में **घर्म** रूप सुलभ न होता तो **ग्रीष्म** के साथ **ग्रेत्** और **गर्म** का समीकरण स्थापित करके विद्वान कहते कि हिन्दी **घाम** के प्रथम वर्ण में अतिरिक्त महाप्राणता जोड़ी गई है, मूल क्रिया **गर्** है, **र्** के संसर्ग से **ग्** को महाप्राण कर दिया गया है। इसलिए यदि संस्कृत रूप में अल्पप्राण ध्वनि हो और अन्य आर्य भाषाओं के प्रतिरूपों में महाप्राण ध्वनि हो, तो इसे स्वत:सिद्ध सत्य न मान लेना चाहिए कि मूल रूप में अल्पप्राण ध्वनि ही थी, उसके प्रतिरूपों में अतिरिक्त महाप्राणता जोड़ी गई है। संस्कृत रूप की अल्पप्राण ध्वनि चाहे अघोष हो चाहे सघोष, यदि उसके प्रतिरूपों में महाप्राण ध्वनि है, तो इन प्रतिरूपों पर विशेष ध्यान देना चाहिए। यदि प्रतिरूपों में अतिरिक्त महाप्राणता नहीं जोड़ी गई, यदि विवेचन से सिद्ध यह होता है कि महाप्राणता मूल रूप में ही थी, संस्कृत रूप

में उसे अल्पप्राण किया गया है, तो यह तथ्य आधुनिक आर्य भाषाओं का, और स्वयं संस्कृत का, विकास समझने में सहायक होगा। संस्कृत से आधुनिक आर्य भाषाओं का सम्बन्ध समझने में सहायक होगा।

पहाड़ की चोटी, बैल की गर्दन के पास उठे हुए **कूबड़** के लिए संस्कृत में **ककुद** रूप है, पालि में इसका प्रतिरूप **ककुध** है। पालि रूप में अतिरिक्त महाप्राणता नहीं जोड़ी गई, **ककुध** मूल रूप है, संस्कृत रूपान्तर में महाप्राणता का लोप हुआ है। इस तथ्य का बोध हमें इस बात से होता है कि संस्कृत में **ककुद** का समानार्थी रूप **ककुभ** है जहाँ अन्तिम वर्ण में महाप्राणता विद्यमान है। **पिशेल** ने **ककुध** के प्रसंग में **ककुभ** का स्मरण करते हुए उसे **ककुध** का समानान्तर रूप बिलकुल ठीक कहा है। उन्होंने बताया है कि प्राकृत रूप **कउह** का आधार **ककुध** है, कुछ प्राकृतों में **ककुध** रूप मिलता भी है। प्राकृतों का मानक रूप हुआ **कउह**; बोली-रूप हुआ **ककुध!** पर बोली-रूप ही पुराना है, वह मानक रूप **कउह** का पूर्वरूप है। **कउह** का आधार **ककुद** नहीं, **ककुध** है।

**कुध्** और **कुभ्** दो समानार्थी क्रिया-रूप थे : एक **ध्** केन्द्र का, दूसरा **भ्** केन्द्र का। प्रथम वर्ण के व्यंजन की आवृत्ति से **ककुध** और **ककुभ** रूप बने। **ककुभ** के अन्तिम वर्ण में महाप्राणता बची रह गई; **ककुध** में उसका लोप हो गया।

प्राकृतों में संस्कृत **दीप्यते** का एक प्रतिरूप **दिप्पइ** है, दूसरा **धिप्पइ**। **धिप्पइ** के प्रथम वर्ण में अतिरिक्त महाप्राणता है या **दीप्यते** में मूल रूप की महाप्राणता का लोप हुआ है? इस प्रश्न का उत्तर देने में कुछ ग्रीक रूपों से सहायता मिलती है। संस्कृत **देव** का लैटिन प्रतिरूप तो **दॅउस** है किन्तु ग्रीक प्रतिरूप **थॅऑस्** है। क्या यह मानें कि संस्कृत-लैटिन रूपों का **द्** पहले अघोष हुआ, फिर उसमें अतिरिक्त महाप्राणता जोड़ी गई, इस तरह ग्रीक-रूप **थॅऑस्** सुलभ हुआ? अथवा यह मानें कि मूल रूप **धेव** था, **देव** और **थॅऑस्**, दोनों उसके विकास हैं? ग्रीक भाषा सामान्यतः सघोष महाप्राण ध्वनियों वाले भारतीय शब्दों को ग्रहण करते समय उनकी महाप्राणता बनाए रहती है, अघोषता का लोप करती है। जैसे संस्कृत क्रिया है **धाव्**, इसका ग्रीक प्रतिरूप है **थॅओ** (दौड़ना)। यह परिवर्तन वैसा ही है, जैसा चूलिका पैशाची में संस्कृत **वसुधा** का रूपान्तर **वसुथा** है। ग्रीक भाषा से सघोष महाप्राण ध्वनियों के रूपान्तरण की सामान्य प्रकृति को ध्यान में रखें तो प्रतीत होगा कि **थॅऑस्** का पूर्वरूप **धॅऑस्** था। प्राकृत रूप **धिप्पइ** से इस प्रतीति की पुष्टि होती है। **धिप्, धिव्** जैसे क्रिया-रूपों के आधार पर **दीप्यते, देव, दॅउस्, थॅऑस्, दिप्पइ, धिप्पइ** रूपों का निर्माण हुआ। **धिप्पइ** रूप अतिरिक्त महाप्राणता के संयोग का परिणाम नहीं है।

पिशेल ने संस्कृत **कपाल** का अर्द्ध-मागधी प्रतिरूप **कभल्ल** दिया है। **कपाल** का ग्रीक प्रतिरूप **कॅफले** है। **कॅफले** के **फ्** की महाप्राणता उसके पूर्वरूप **भ्** की सूचना देती है। अत: प्राकृत **कभल्ल** में मूल रूप का **भ्** सुरक्षित है; **कपाल** के **प्** को सघोष करके, फिर अतिरिक्त महाप्राणता जोड़कर उसे नहीं रचा गया।

सुपरिचित शब्द **भरत** का एक प्राकृत प्रतिरूप **भरह** है। इसे देखकर ऐसा लगेगा कि किसी प्राकृत में मध्यवर्ती **त्** ध्वनि **ह्** में परिवर्तित हुई है। किन्तु पिशेल का कहना है कि **भरह** का पूर्वरूप **भरथ** है जो **भरत** का रूपान्तर है। इसका अर्थ यह हुआ कि **त्** ध्वनि सीधे **ह्** में नहीं बदल सकती, उसे **थ्** की मंजिल पार करनी होगी। पिशेल ने बताया है कि **भरध** रूप भी प्राप्त है। इससे पता चलता है कि **भरह** का आधार **भरथ** था। **भरथ** रूप पालनकर्ता के अर्थ में संस्कृत में भी प्राप्त है।

यदि **भरत** को मूल रूप माना जाए तो कहना होगा कि पहले अतिरिक्त महाप्राणता के योग से **भरथ** रूप बना, फिर अतिरिक्त सघोषता के योग से **भरध** रूप प्राप्त हुआ। यहाँ **भरध** के समकक्ष **मगध** को याद करें। कोई नहीं कहता कि **मगध** का मूल रूप **मगत** था; **त्** में अतिरिक्त महाप्राणता, पुन: अतिरिक्त सघोषता के योग से **मगध** रूप बना। **मगध** और **भरत** मिलते-जुलते रूप हैं, यह उनके निर्माण की अर्थ-प्रक्रिया से समझ में आएगा। दोनों गणवाचक शब्द हैं; दोनों के आधारभूत रूप—**मग** और **भर**—युवा, पुत्र और योद्धा का अर्थ देते हैं। **मग** का पुत्र वाला अर्थ द्रविड़ और केल्त भाषाओं में अब भी बना है; संस्कृत **भर** का अर्थ **युद्ध** है, वह **भर** के **योद्धा** वाले भाव की ओर संकेत करता है। सिन्धी **बरो** पुत्र के अर्थ में प्रयुक्त होता है। यूरोप की भाषाओं में सिन्धी **बरो** का प्रतिरूप गाथिक **बार्न्** (बच्चा) है। इस प्रकार गणवाचक शब्दों की निर्माण-प्रक्रिया में **मग** और **भर** की संगति बैठती है। **मग** में स्थानवाचक प्रत्यय **ध** जोड़कर मगध रूप बनाया गया; ठीक इसी प्रकार **भर** में **ध** जोड़कर **भरध** रूप बनाया गया। **भरध** के अन्तिम वर्ण की महाप्राणता और सघोषता, दोनों के लोप से **भरत** रूप बना, न कि **भरत** के **त्** में अतिरिक्त महाप्राणता और सघोषता के योग से **भरध** रूप बना। **भरत** मूलत:, **मगध** के समान, जनपद-सूचक शब्द था; **भरत** और **मगध**, दोनों शब्द आगे चल कर जनपदवासियों के लिए प्रयुक्त होने लगे—ठीक वैसे ही, जैसे कशगण का जनपद **कश्मीर** संस्कृत में वहाँ के निवासियों के लिए प्रयुक्त होने लगा।

**भरत** से **भारत** शब्द बना। इसका पूर्वरूप **भारध** था, यह मागधी प्राकृत के **भालध** रूप से सिद्ध है। अत: पुरानी अवधी के **करहि, जाहि** आदि क्रिया-रूपों के आधार **करधि, जाधि** जैसे रूप हैं; संस्कृत **करोति, याति** के आधार होंगे **करोधि, याधि**। अवधी **करहि** का पूर्वरूप **करोति** नहीं है।

संस्कृत क्रिया **हन्** का आज्ञार्थी एकवचन रूप **जहि** है। **हन्** का पूर्वरूप **घन्** है जो **घात** जैसे शब्दों में प्राप्त है। **घ्** का तालव्यीकरण होगा तो **झ्** ध्वनि प्राप्त होगी, **ज्** नहीं। **जहि** का पूर्वरूप होगा **झहि; झ्** की महाप्राणता का लोप होने पर **जहि** रूप बनेगा। मैकडनल ने वैदिक भाषा के अपने व्याकरण 'वेदिक ग्रामर' में ध्वनितंत्र का विवेचन करते हुए बताया है कि प्रत्यय में महाप्राण ध्वनि हो तो शब्दमूल की महाप्राण ध्वनि बनी रहती है, अल्पप्राण नहीं होती, यथा : **विभु** शब्दमूल में **भिस्** प्रत्यय जोड़ा गया तो **विभुभिस्** रूप बना। फिर कहते हैं कि इसके दो अपवाद हैं : **भू** क्रिया से आज्ञार्थी रूप **बोधि** बनता है, न कि **भोधि** या **भूधि**, और **हन्** क्रिया से **झहि** के बदले आज्ञार्थी रूप **जहि** बनता है।

यदि प्राकृतों में **झहि** रूप मिलता और संस्कृत में **जहि**, तो भाषाविद् यही कहते कि **ज्** में अतिरिक्त महाप्राणता के योग से प्राकृत रूप **झहि** बना है। किन्तु **हन्** का पूर्वरूप **घन्** असन्दिग्ध है; **घ्** का तालव्य रूपान्तर में **झ्** होगा, **ज्** नहीं, यह तथ्य भी असन्दिग्ध है। अत: **जहि** का पूर्वरूप **झहि** था, इसमें सन्देह नहीं रह जाता।

प्राकृत शब्दकोश 'पाइअसद्दमहण्णवो' में एक 'देश्य' शब्द है **झत्थ,** जिसका अर्थ है नष्ट। स्पष्ट ही इसका आधार वही **घन्** क्रिया है। **देश्य** रूप ने **घ्** के रूपान्तर **झ्** में सघोषता और महाप्राणता की रक्षा की।

उसी कोश में अन्य रूप है **झवणा** जिसका अर्थ है नाश। **झवणा** और **झत्थ** परस्पर सम्बद्ध हैं किन्तु **झवणा** देश्य नहीं है, उसे **क्षपणा** का प्राकृत रूपान्तर माना गया है। **क्षपणा** की **क्षप्** क्रिया स्वयं **घप्** का रूपान्तर है। **घ्** का मूर्धन्य रूपान्तर है **क्ष्,** तालव्य रूपान्तर है **झ्**।

संस्कृत **जन** का एक अवधी प्रतिरूप है **झन**। यह छत्तीसगढ़ी-बघेली क्षेत्रों में बोला जाता है। इन क्षेत्रों में **ज्** ध्वनि से आरम्भ होनेवाले शब्दों की संख्या लगभग वही है जो हिन्दी के अन्य क्षेत्रों में। इसलिए यह समझना कठिन है कि अकारण **जन** के **ज्** को ही महाप्राण क्यों कर दिया गया। **जन** समूहवाचक शब्द है, वैसे ही **गण** भी समूहवाचक है। ये दोनों शब्द परस्पर असम्बद्ध नहीं जान पड़ते। संस्कृत में एक अन्य शब्द **घन** भी समूहवाचक है; इसका एक अर्थ साधारण जन भी है। **घन्** के **घ्** का तालव्यीकरण हुआ, तब अवधी का **झन्** रूप बना; **झन** के **झ्** की महाप्राणता का लोप हुआ, तब **जन** रूप बना; **घन** के **घ्** की सघोषता का लोप हुआ तो **गन—ग्** के मूर्धन्य उच्चारण के कारण **गण**—रूप बना। अर्थ प्रक्रिया और ध्वनितंत्र, दोनों ही की दृष्टि से **घन, झन, जन, गण** शब्द परस्पर सम्बद्ध प्रमाणित होते हैं। **जन** के **ज्** में अतिरिक्त महाप्राणता जोड़ने से **झन** रूप का निर्माण नहीं हुआ।

**घन** के समान एक समूहवाचक संस्कृत शब्द **घटा** है। सघनता का भाव दिखाने के लिए संस्कृत **जटिल** का प्राकृत प्रतिरूप **झडिल** है। जैसे **झन** और **जन** का पूर्वरूप **घन** है, वैसे ही **झडिल** और **जटिल** का पूर्वरूप **घटिल** होगा। संस्कृत **चूडा**, हिन्दी **जूड़ा**, गुजराती **झुड़ो**, सिन्धी **झूड़ो** का एक ही अर्थ है। यहाँ भी यह नहीं कहा जा सकता कि **च्** या **ज्** में महाप्राणता के योग से **झ्** वाले रूप बने हैं।

संस्कृत **तृप्यते** का प्राकृत प्रतिरूप **थिप्पइ** है। यहाँ माना जा सकता है कि **ऋ** के संसर्ग से **त्** ध्वनि **थ्** में बदल गई है। सिन्धी में **तृप्त** होने का अर्थ देनेवाली **ढ्रापणु** क्रिया है। यहाँ **र** बना हुआ है, और उसके साथ की **ढ्** ध्वनि महाप्राण ही नहीं, सघोष भी है। इससे तुलनीय है प्राकृत रूप **घणि** (तृप्ति) जिसका पूर्वरूप 'पाइअसद्दमहण्णवो' के अनुसार **ध्राणि** है। **ध्राणि (ध्रापणि, ध्रावणि, ध्राणि)** और **ढ्रापणि** का एक ही आधार **धृप** जैसी क्रिया जान पड़ती है। **पानी, पीने** की क्रिया और **तृप्ति**, तीनों में गहरा सम्बन्ध है। संस्कृत **तीर्थ** में शब्द मूल **तीर्** जलवाचक है। **तृषा** और **तृप्ति** इससे सम्बद्ध हैं। संस्कृत क्रिया **धे** का अर्थ दूध पिलाना, पोषण करना है। इसीलिए दूध देनेवाली गाय **धेनु** है। हिन्दी **धाय** वह स्त्री है जो दूसरे के बच्चे को **दूध** पिलाती है। एक **धाय** रूप प्राकृत में है जिसका अर्थ है **तृप्त**; कोश के अनुसार, उसका पूर्वरूप **ध्रात** है। पालि प्रतिरूप **धात** का अर्थ भी **तृप्त** है। पालिकोश के सम्पादकों—राइस डेविड्स और विलियम स्टीट—के अनुसार मूल क्रिया **धयति** थी; इसके रूपान्तर **धाति** (पीता है) का प्रेरणार्थक रूप **धापयति** बना। **धय्** और **धर्, धॅय्** और **धॅर्**, दोनों मूलरूप हो सकते हैं; दोनों में किसी के भी आधार पर संस्कृत की **धे** क्रिया बन सकती है। **धॅर्** के रूपान्तर **तर्** से तृप् क्रिया बनेगी। प्राकृत **थिप्पइ** और सिन्धी **ढ्रापणु** का आधार **धॅर्, धर्** क्रियामूल हैं; **तप्** के **त्** में अतिरिक्त महाप्राणता नहीं जोड़ी गई।

संस्कृत **हृदय** का सिन्धी प्रतिरूप **हिर्धो** कृदन्त जान पड़ता है। **सर्, सॅर्, सॉर्**—ऐसे तीन रूपों में एक ही क्रिया का व्यवहार होता था, इसका प्रमाण ग्रीक **कर्दिअ**, रूसी **सॅर्दत्सॅ** और लैटिन **कॉर्दिस्** हैं। ये सब हृदय के प्रतिरूप हैं। संस्कृत **श्रद्धा** के **श्रद्** (सत्य, आस्था) का आधार **सर्** है, **हृदय** के **हृद्** का आधार **सॅर्** है। गतिसूचक **सर्** क्रिया में **ध** प्रत्यय लगने पर **सर्ध** रूप बनेगा; तालव्यीकरण और वर्णसंकोचन से **श्रध**, फिर महाप्राणता के लोप से **श्रद** रूप बनेगा। **स्** के **ह्** में बदलने पर **सॅर्** क्रिया से सिन्धी का **हिर्धो** रूप निर्मित होगा।

प्राकृत **घत्थ** का पूर्वरूप, कोश के अनुसार, **ग्रस्त** है; ग्रहण करने का अर्थ देनेवाली ग्रह् क्रिया से अन्य रूप **घे** तथा **घत्त** बनते हैं। मान्यता यह है कि **र्** के संसर्ग से **ग्** में महाप्राणता जुड़ गई है किन्तु प्राकृत **घिंसु** (ग्रीष्म) के लिए यह कहना कठिन होगा कि ग्रीष्म के **ग्** में महाप्राणता के योग से यह रूप

बना। **घर्म** का **घर्** ग्रीष्म के **ग्रे** (अर्थात् **गर्**) का पूर्वरूप है। संस्कृत में एक **घृ** क्रिया का अर्थ है गीला करना और दूसरी **घृ** का अर्थ है जलना, चमकना। **घृ** का वैकल्पिक रूप **घृण्** भी है; **घृण्** का अर्थ हुआ ऊष्मा। प्राकृत **घिंसु** का सम्बन्ध इस **घृण्** से है; **ग्रीष्म** की **ग्री** क्रिया उक्त **घृ** का रूपान्तर है (ग्रीष्म का सम्बन्ध **ग्रस्** से नहीं है)। जैसे **घ्** की महाप्राणता का लोप होने पर ग्रीष्म का **ग्** प्राप्त हुआ, वैसे ही **घृध, घ्रध्** के **घ्** की महाप्राणता का लोप होने पर **गृध, ग्रह** जैसे रूप प्राप्त होंगे। दो महाप्राण ध्वनियों के एक साथ होने पर पहली को अल्पप्राण करने की प्रवृत्ति संस्कृत में व्यापक है। प्राकृत **घे**, मराठी उड़िया **घेनि**, मराठी **घेणें** और प्राकृत **घत्त, घत्थ** में प्राचीन क्रिया की मूल महाप्राण ध्वनि बनी हुई है।

प्राकृत **घंघ** (घर) देश्य कहा गया है। कोशकारों को इसका संस्कृत पूर्वरूप मिला नहीं। जलने-चमकने का अर्थ देनेवाली **घृण्** क्रिया का एक संस्कृत प्रतिरूप **घण्** है। इस **घण्** से **घंघ** की व्याख्या हो जाती है। **घंघ** वह स्थान है जहाँ अग्नि रखी जाती है। **घ** स्थानवाचक प्रत्यय है और **घन्** का अर्थ होगा अग्नि। **घर्म** की **घर्** क्रिया का एक प्रतिरूप **घन्** होगा। प्राचीन आर्य भाषाओं में **स्, र्, न्** (अथवा **म्**) ध्वनियाँ एक दूसरे का स्थान ले लेती हैं। नासिक्य और अन्तस्थ, दोनों प्रकार की ध्वनियों में स्पर्श तत्त्व क्षीण है; इसी कारण एक के स्थान पर दूसरी का प्रयोग सम्भव होता है। वैदिक भाषा में **ऊधस्, ऊधन्, ऊधर्** (स्तन), तीनों रूपों का चलन था। **घर्** के प्रतिरूप **घन्** से **घंघ** रूप बनेगा। अर्थ प्रक्रिया वही है जो हिन्दी **घर**, संस्कृत **हर्म्य** और अंग्रेज़ी **हर्थ्** की है। **हर्म्य** और **हर्थ्** का **हर्** मूल क्रिया **घर्** का रूपान्तर है। ये तीनों शब्द निवासस्थान के लिए इस कारण प्रयुक्त होने लगे कि इनका मूल उद्देश्य अग्नि स्थान की सूचना देना था और मनुष्य वहीं रहते थे (अर्थात् प्राचीन आर्य भाषाएँ बोलने वाले जन वहीं रहते थे) जहाँ वे अपनी पवित्र अग्नि स्थापित करते थे।

संस्कृत **गृह** का पूर्वरूप होगा **गृध**। अग्निवाचक **घृ** के रूपान्तर **गृ** में स्थानवाचक **ध** प्रत्यय लगने से **गृध** रूप बना; **ध्** के स्पर्शतत्त्व का लोप होने पर **गृह** प्राप्त हुआ। हिन्दी **घर** और संस्कृत **गृह**, दोनों का मूल अर्थ है अग्निस्थान। जैसे ग्रीष्म के **गर्** का विकास **घर्म** के **घर** से हुआ, वैसे ही **गृह** के **गृ** का विकास **घृध** के **घृ** से हुआ। हिन्दी **घर** संस्कृत **गृह** का तद्भव रूप नहीं है। **गृह** का पूर्वरूप **गृध** ही था, इसका संकेत वैदिक **गृभ** (घर) से मिलता है जहाँ **ध** का समकक्ष प्रत्यय **भ** प्रयुक्त हुआ है।

हिन्दी **धी** के प्राकृत प्रतिरूपों **धीआ** और **धूआ** (पुत्री) का आधार संस्कृत **दुहितृ** बताया गया है। सम्भवतः **ह्** के समीप होने से **द्** ने उसकी महाप्राणता आत्मसात् की किन्तु ग्रीक प्रतिरूप **थुगतेर्** की आदि स्थानीय ध्वनि महाप्राण है।

इससे संकेत यह मिलता है कि संस्कृत-ग्रीक **दुह्-थुग्** शब्दमूलों का आधार **धुघ्** था। दुहिता का सम्बन्ध दूध दुहने या दूध पीने से हो चाहे न हो, संस्कृत में **दुह्** क्रिया के **दुधान** और **अधोक्** रूपों से उसके आधार **धुघ्** का बोध अवश्य होता है। **धुघ्** और उसके प्रतिरूप **धिघ्** से प्राकृत **धूआ, धीमा**, हिन्दी **धी**, बंगला **झी** का विकास हुआ।

अब तक जितने उदाहरण दिये गए हैं, उनमें अल्पप्राण ध्वनि संस्कृत रूप में है, महाप्राण ध्वनि इतर रूपों में। इनसे भिन्न कोटि के शब्द वे हैं जहाँ संस्कृत रूप में महाप्राण ध्वनि तो है किन्तु अघोष है, इतर रूपों में वह महाप्राण है, सघोष भी है। अनेक प्राकृतों में मध्यवर्ती स्पर्श-ध्वनि को सघोष करने की प्रवृत्ति है, इसलिए बहुत-से रूपों में मूल ध्वनि अघोष महाप्राण ही थी, प्राकृतों में उसे सघोष किया गया है, इसमें सन्देह नहीं। फिर भी सर्वत्र ऐसा हुआ है, इसमें सन्देह है। संस्कृत **यथा, तथा** के मागधी रूप **यधा, तधा** हैं। संस्कृत **अथ** का एक वैदिक प्रतिरूप **अध** भी है। या तो **थ्** को सघोष किया गया, तब **अध** रूप बना, या **ध्** को अघोष किया गया तब **अथ** रूप बना। **बहुधा** का संस्कृत रूपान्तर **बहुथा** भी स्वीकृत है। **सर्वदा** और **सर्वथा** परस्पर सम्बद्ध रूप हैं। संस्कृत में **थ्, द्, ध्** तीनों ध्वनियों वाले समानार्थी रूप मिलें तो इसमें सन्देह न होना चाहिए कि **ध्** ही मूल रूप की ध्वनि है। **ध** या **धा** देशकालवाचक प्रत्यय है; **थ-था, द-दा** उसी के रूपान्तर हैं। अत:प्राकृत **यधा-तधा** मूलरूप हो सकते हैं। उनमें अतिरिक्त सघोषता का योगदान हुआ हो, यह आवश्यक नहीं है।

संस्कृत में अतिरिक्त महाप्राणता जोड़ने की प्रवृत्ति लगभग नहीं है। यह प्रवृत्ति अनेक प्राकृतों, सिन्धी जैसी कुछ आधुनिक आर्य भाषाओं और इंडो-यूरोपियन परिवार के ईरानी-केल्त भाषा-समुदायों में है। सामान्यत: संस्कृत महाप्राण ध्वनियों की रक्षा करती है किन्तु उन्हें अल्पप्राण करने की प्रवृत्ति भी उसमें है। कभी-कभी मूल महाप्राण ध्वनियाँ पालि, प्राकृत और आधुनिक आर्य भाषाओं में मिल जाती हैं। जब-तब एक ही शब्द के अल्पप्राण-महाप्राण भेद संस्कृत में ही मिलते हैं। विभिन्न गण-समाजों में शब्दों के जैसे रूप बने, वैसे मानक भाषाओं में आ गए। रूपों की भिन्नता और विविधता का कारण अनेक आर्य भाषा-केन्द्रों का अस्तित्व है। इन केन्द्रों के घनिष्ठ सम्पर्क के परिणामस्वरूप अन्तर्जनपदीय भाषा संस्कृत में इन विविध रूपों का समाहार हुआ। इस समाहार-प्रक्रिया में सभी रूप नहीं सिमट आए, कुछ छूट भी गए, और वे संस्कृत से भिन्न नई-पुरानी आर्य भाषाओं में मिलते हैं। ऐसा एक रूप झन है जो संस्कृत में नहीं है, पालि और प्राकृतों में नहीं है, किसी अपभ्रंश में नहीं है, आधुनिक आर्य भाषाओं में वह अवधी में प्राप्त है। उड़िया और पूर्वी बंगला में वह अवधी से पहुँचा है। इसके सहारे **धन-झन-जन-गण** का समीकरण स्थापित होता है। संस्कृत में कंठ्य ध्वनि का तालव्यीकरण

हुआ, सघोष महाप्राण ध्वनि अल्पप्राण बनी, **ग्** के संसर्ग से **गण** में नासिक्य ध्वनि मूर्धन्य बनी, आदि-आदि तथ्य संस्कृत के विकास के अनेक पक्ष उजागर करते हैं और इनके सहारे हम प्राचीन आर्य भाषा-केन्द्रों से आधुनिक आर्य भाषाओं का पेचीदा सम्बन्ध कुछ-कुछ समझ सकते हैं।

संस्कृत का विवेचन आधुनिक आर्य भाषाओं के विश्लेषण के लिए अनिवार्य है। इन आर्य भाषाओं का विश्लेषण भी संस्कृत के विवेचन में सहायक हो सकता है।

# रामविलास शर्मा रचनावली

भाग : दो

भाषा और भाषाविज्ञान

खंड : 23

- **भारत के प्राचीन भाषा-परिवार और हिन्दी-II**
  [खंड-2 : इंडो-यूरोपियन परिवार की भारतीय पृष्ठभूमि]

# रामविलास शर्मा रचनावली

भाग : दो

भाषा और भाषाविज्ञान

खंड : 23

सम्पादक

कृष्णदत्त शर्मा

विजय मोहन शर्मा

राजकमल प्रकाशन

ISBN : 978-93-60861-436-1

**मूल्य :** ₹7,500 [5 खंडों का सम्पूर्ण सेट]



**पहला संस्करण :** 2024

**प्रकाशक :** राजकमल प्रकाशन प्रा. लि.
1-बी, नेताजी सुभाष मार्ग, दरियागंज
नई दिल्ली-110 002

**शाखाएँ :** अशोक राजपथ, साइंस कॉलेज के सामने, पटना-800 006
पहली मंजिल, दरबारी बिल्डिंग, महात्मा गांधी मार्ग, प्रयागराज-211 001
1, अनमोल सोराबजी सन्तुक लेन, धोबी तलाव, मरीन लाइंस, मुम्बई-400 002
वेबसाइट : www.rajkamalprakashan.com
ई-मेल : info@rajkamalprakashan.com

**मुद्रक :** बी.के. ऑफसेट
नवीन शाहदरा, दिल्ली-110 032

RAMVILAS SHARMA RACHANAWALI (Vol. 23)
*Edited by* Krishna Dutt Sharma, Vijay Mohan Sharma

# क्रम

# भारत के प्राचीन भाषा-परिवार और हिन्दी-II

[खंड-2 : इंडो-यूरोपियन परिवार की भारतीय पृष्ठभूमि]

[प्रकाशन वर्ष : 1980]

# दूसरे संस्करण की भूमिका

पुस्तक के इस दूसरे खंड में इंडो-यूरोपियन परिवार की भारतीय पृष्ठभूमि का विवेचन है। इस विवेचन की पुष्टि पुरातात्त्विक सामग्री से होती है। यहाँ मैं उसकी ओर संकेत भर कर देता है।

दूसरी सहस्राब्दी ई.पू. के मध्य में उत्तर भारतीय भूखंड में एक विकट भूगर्भीय परिवर्तन हुआ—सरस्वती ने अपना जल मार्ग बदल दिया। यह बहुत चौड़े पाट की नदी थी; हरियाणा, पूर्वी पंजाब, उत्तरी राजस्थान और पश्चिमी सिन्ध को सींचती हुई समुद्र में जा मिलती थी। इसका जलहीन होना हड़प्पा सभ्यता के ह्रास का मुख्य कारण था। समृद्ध नगरों के उजड़ने से यहाँ के निवासियों का देश के बाहर निकलना स्वाभाविक था। उस समय (वर्तमान) इराक में मितन्नी और (वर्तमान) तुर्की में हित्ती राज्यों की स्थापना हुई। इन राज्यों में इंडो-यूरोपियन परिवार की जो प्राचीन भाषाएँ मिली हैं, उनका स्रोत भारत की गण (अथवा जन) भाषाएँ हैं। हित्ती-मितन्नी राज्यों की भाषाओं के अतिरिक्त यूनान और इटली की भाषाएँ भारतीय प्रभाव ग्रहण करती हुई इस समय विकसित हुईं। प्रवासी भारतीयों की एक धारा ईरान होती हुई दक्खिनी रूस पहुँची और इस प्रकार भारतीय प्रभाव ग्रहण करती हुई स्लाव समुदाय की भाषाएँ विकसित हुईं।

हड़प्पा सभ्यता के ह्रासकाल में सरस्वती जलशून्य हो रही है किन्तु 'ऋग्वेद' में वह जल से भरपूर है। इससे सिद्ध यह हुआ कि 'ऋग्वेद' की रचना हड़प्पा सभ्यता के ह्रास से पहले हुई। उस सभ्यता के ह्रास से आर्यों के 'आक्रमण' को कुछ लेना-देना नहीं था। प्राचीन इराक की सुमेरी सभ्यता से हड़प्पा के व्यापारियों का गहरा सम्बन्ध था। पुस्तक के सातवें अध्याय में सुमेरी भाषा और भारत सम्बन्धी जो विवेचन है, उसकी पुष्टि हड़प्पा और सुमेर के व्यापारिक सम्बन्धों से होती है। इन सम्बन्धों के विकास के दौरान किसी समय वैदिक शब्द **अप्सु** हड़प्पा होता हुआ सुमेर पहुँचा। 'ऋग्वेद' में यह सप्तमी बहुवचन रूप है, सुमेरी में वह कर्ता एकवचन रूप है। 'ऋग्वेद' में **अपः** पवित्र जलदेवियाँ हैं, माताएँ हैं; सुमेर में **अप्सु**

पवित्र जल-देवता है। सुमेरी तथा भारतीय आर्य भाषाओं में जो समानताएँ हैं, उनकी व्याख्या हड़प्पा-सुमेर सम्बन्धों से होती है; ये समानताएँ यह भी सिद्ध करती हैं कि हड़प्पा क्षेत्र में आर्य समुदाय की भाषाएँ बोली जाती थीं।

पुस्तक के सातवें अध्याय में सामी भाषा-परिवार और भारत सम्बन्धी विवेचन की पुष्टि भी पुरातात्त्विक सामग्री से होती है। फलस्तीन और उसके पड़ोसी क्षेत्रों में किसी समय भारतीय सामन्त राज करते थे। वे मिस्र के सम्राट् के अधीन थे। सम्राट् को शासन सम्बन्धी समस्याओं पर उन्होंने पत्र लिखे थे। ये पत्र ईंटों पर लिखे गए थे और पुरातत्त्वज्ञों ने वे ईंटें खोद निकाली हैं। जेम्स बी. प्रिचार्ड ने बाइबिल की प्राचीन सांस्कृतिक पृष्ठभूमि को समझने के लिए मिस्र, सुमेर और बेबिलोन के दस्तावेज़ प्रकाशित किये। 'एन्शेंट निअर ईस्टर्न टेक्स्ट्स रिलेटिंग टु दि ओल्ड टेस्टामेंट' (1950, 1955) नाम के इस ग्रंथ में वे पत्र भी हैं। इनके अनेक लेखकों के नाम 'इंडो-आर्यन' हैं, यह प्रिचार्ड ने स्वीकार किया है। एक नाम है **इन्द्रोत** जो 'ऋग्वेद' (8.68.15) में भी आया है। ऋग्वैदिक सभ्यता का क्षेत्र लगभग वही है जो हड़प्पा सभ्यता का है। यहाँ से पश्चिमी एशिया होते हुए मिस्र और भूमध्य सागर में क्रीट (क्रेते) द्वीप तक एक विशाल सांस्कृतिक क्षेत्र है। इस क्षेत्र में अनेक भाषाओं और भाषा-समुदायों का विकास हुआ। आदि इंडो-यूरोपियन परिवार की निराधार कल्पना छोड़ दें और इस क्षेत्र पर, विशेष रूप से दूसरी सहस्राब्दी ई.पू. के पश्चिमी एशिया पर, ध्यान केन्द्रित करें तो इंडो-यूरोपियन परिवार की भारतीय पृष्ठभूमि आसानी से समझ में आ जाएगी।

**—रामविलास शर्मा**

नई दिल्ली
22 अप्रैल, 1993

# भूमिका

इंडो-यूरोपियन परिवार में यूरोप की अधिकांश भाषाएँ हैं, ईरानी क्षेत्र की भाषाएँ हैं, कश्मीर के उत्तर में तुखारी से लेकर वर्तमान तुर्की में कभी बोली जानेवाली हित्ती भाषा है। इस विशाल भूखंड की प्राचीन और नवीन भाषाओं की पृष्ठभूमि में हैं भारत की आर्य और आर्येतर भाषाएँ। प्राचीन काल में, एक आर्य भाषा नहीं, अनेक आर्य भाषाएँ बोली जाती थीं। हिन्दी प्रदेश की जनपदीय भाषाओं में उन प्राचीन आर्य भाषाओं की कुछ विशेषताएँ सुरक्षित हैं। इंडो-यूरोपियन परिवार की भाषाओं का सम्बन्ध किसी एक प्राचीन आर्य भाषा से नहीं है, अनेक प्राचीन आर्य भाषाओं से है। कोसल, मगध, कुरु आदि प्राचीन गण-समाजों की भाषाओं की कुछ पहचान हो जाए, तो भारत से बाहर की इंडो-यूरोपियन भाषाओं के विवेचन में सुविधा होगी। इस कारण पुस्तक में आर्य भाषाओं का विवेचन पहले है, इंडो-यूरोपियन परिवार का विवेचन बाद को है।

इंडो-यूरोपियन परिवार हिन्दी और अन्य आर्य भाषाओं से दूर स्थित कोई ऐसा भाषा-समुदाय नहीं है जिससे कभी हमारा कुछ सम्बन्ध रहा हो किन्तु जिसकी पहचान हिन्दी के विवेचन के लिए अनावश्यक हो। बहुतों की धारणा है कि इंडो-यूरोपियन परिवार से हमारा जो भी सम्बन्ध था, वह वैदिक भाषा तक सीमित है। उसके बाद हिन्दी का विकास समझने के लिए संस्कृत की पृष्ठभूमि काफी है। वास्तविक स्थिति इससे भिन्न है। अनेक आर्य भाषाओं से अनेक इंडो-यूरोपियन भाषाओं का शताब्दियों तक भिन्न प्रकार का सम्बन्ध रहा है। इस दीर्घकालीन पेचीदा सम्बन्ध का ज्ञान अपनी भाषाओं का विकास समझने के लिए आवश्यक है। इंडो-यूरोपियन भाषाओं के विवेचन से प्राचीन आर्य भाषाओं की उन विशेषतानों की पुष्टि होती है जिनका उल्लेख पहले खंड में हो चुका है। इसके सिवा हिन्दी का विकास कोई अद्‌भुत व्यापार नहीं रह जाता, वह एक बृहत्तर विकास-प्रक्रिया का अंग दिखाई देने लगता है। संस्कृत संश्लिष्ट भाषा है, हिन्दी विश्लिष्ट है; अंग्रेज़ी की तुलना में जर्मन संश्लिष्ट है, हिन्दी की तुलना में अंग्रेज़ी और भी विश्लिष्ट है। उत्तरकालीन संस्कृत में कृदन्तों का ज़ोर है, यही स्थिति फ़ारसी की है। ईरानी क्षेत्र की पश्तो जैसी

भाषा का जितना सम्बन्ध फ़ारसी से है, उससे ज्यादा उसका सम्बन्ध भारतीय आर्य भाषाओं से है। पश्तो, बलोची, कुर्द आदि ईरानी क्षेत्र की भाषाओं के गैर-फ़ारसी तत्त्वों पर ध्यान दिये बिना भारतीय आर्य भाषाओं की ऐतिहासिक भूमिका समझ ही में न आएगी। इस भूमिका में द्रविड़ भाषाओं का योगदान महत्त्वपूर्ण है। बृहत्तर भारत पर ध्यान दें तो इंडो-यूरोपियन परिवार के विवेचन में उसकी भारतीय पृष्ठभूमि का विवेचन अनिवार्य है। उसी तरह भारतीय भाषाओं, आर्य और आर्येतर, दोनों समुदायों की भाषाओं के विवेचन में उनकी इंडो-यूरोपियन पृष्ठभूमि का विवेचन अनिवार्य है।

इस खंड के सातवें अध्याय में सुमेरी, सामी, तुर्क, मंगोल आदि गैर इंडो-यूरोपियन भाषाओं का संक्षिप्त विवेचन है। इससे मध्य और पश्चिमी एशिया का भाषाई मानचित्र यूरोप और भारत से सम्बद्ध दिखाई देगा और बृहत्तर भाषाई क्षेत्र में अनेक भाषा-परिवारों के विश्लेषण की पद्धति सार्थक प्रतीत होगी। ऐतिहासिक भाषाविज्ञान के लिए आवश्यक सामग्री केवल प्राचीन भाषाओं से नहीं, आधुनिक भाषाओं से भी प्राप्त होती है, केवल मानक भाषाओं से नहीं, पिछड़े हुए समाजों की बोलियों से भी होती है। ऐतिहासिक भाषाविज्ञान के विकास के लिए भाषा-सर्वेक्षण अत्यन्त आवश्यक है, अन्तिम अध्याय में इस तथ्य की ओर मैंने ध्यान दिलाया है।

आगरा<br>22.9.80

**—रामविलास शर्मा**

1

# भारतीय भाषा-परिवार और इंडो-यूरोपियन ध्वनितंत्र

## 1. अक्षर-ध्वनियों का बहुकेन्द्रीय विकास

भारत में चार भाषा-परिवार मुख्य हैं : आर्य, द्रविड़, कोल (अथवा मुंडा) और नाग (अथवा चीनी तिब्बती या तिब्बती बर्मी)। अत्यन्त प्राचीनकाल से ये परिवार एक दूसरे को प्रभावित करते आए हैं। भारत का आर्य भाषा-परिवार इंडो-यूरोपियन परिवार की शाखा माना जाता है। देखना चाहिए कि इंडो-यूरोपियन परिवार से न केवल आर्य, वरन् भारत के अन्य भाषा-परिवारों का भी सम्बन्ध है या नहीं, और है तो किस प्रकार का है। सबसे पहले हम आर्य और द्रविड़ भाषा-परिवारों की कुछ ध्वनितंत्र-सम्बन्धी विशेषताओं पर विचार करेंगे।

ऐतिहासिक भाषाविज्ञान में किसी भाषा-परिवार की प्राचीन और नवीन भाषाओं की प्राप्त सामग्री के तुलनात्मक अध्ययन द्वारा उस परिवार को जन्म देनेवाली आदिभाषा के मूलतत्त्वों की कल्पना की जाती है। इन मूलतत्त्वों में सबसे पहले ध्वनितत्त्वों के प्रसार और परिवर्तन पर विचार किया जाता है। भाषाशास्त्रियों ने बड़े परिश्रम से ध्वनि-परिवर्तन के नियम निर्धारित किये हैं और इनमें एक सम्प्रदाय का कहना है कि ये नियम अटल हैं। यदि कहीं कोई अपवाद दिखाई देता है तो उसका अपवाद जैसा दिखना हमारे अज्ञान का परिणाम है। प्रयत्नपूर्वक अनुसन्धान करने से ऐसे अपवादों को भी नियमबद्ध किया जा सकता है। इंडो-यूरोपियन परिवार की भाषाओं का तुलनात्मक और ऐतिहासिक विवेचन सबसे अधिक किया गया है। उसी पद्धति का अनुसरण करते हुए विद्वानों ने द्रविड़, कोल और नाग-परिवारों की भाषाओं का विवेचन किया है और प्रत्येक परिवार की आदिभाषा की मूल ध्वनियों की स्थापना की है।

भाषाओं के तुलनात्मक और ऐतिहासिक विवेचन से एक तथ्य जो बहुत साफ़ दिखाई देने लगता है, वह यह है कि किसी भी भाषा-परिवार की मूल ध्वनियों का एक से अधिक केन्द्रों में होता है। इन केन्द्रों के परस्पर सम्पर्क में आने के कारण ध्वनि-तत्त्व एक स्थान से दूसरे स्थान पर पहुँचते हैं, और क्रमशः वे ध्वनितंत्र की एक ही व्यवस्था के अन्तर्गत संगठित होते हैं, जिससे आभास यह होने लगता है कि

यह व्यवस्था आरम्भ से ही ऐसी है, और उसके मूल ध्वनि-तत्त्व सदा इस प्रकार संगठित रहे हैं। किन्तु यह आभासमात्र है। वह परीक्षा से सत्य सिद्ध नहीं होता।

संसार की भाषाओं में जिन ध्वनियों का सबसे व्यापक प्रयोग होता है, वे **क्, त्, प्** हैं। संसार की बहुत कम ऐसी भाषाएँ हैं जिनमें इनका प्रयोग नहीं होता, फिर भी ऐसी भाषाएँ हैं। यूरोप के एक बहुत बड़े ध्वनिशास्त्री त्रुबेत्सकोय थे। उन्होंने ध्वनितंत्र पर अपने प्रसिद्ध ग्रंथ में बताया है कि यूरोप की कुछ स्लाव बोलियों में **क्** ध्वनि नहीं है, उधर अलास्का की कुछ आदिवासी भाषाओं में **प्** ध्वनि नहीं है। जिन स्लाव बोलियों का उन्होंने उल्लेख किया है, वे इंडो-यूरोपियन परिवार के अन्तर्गत हैं। यह बड़े आश्चर्य की बात है कि ये भाषाएँ, चारों ओर **क्** ध्वनि का निरन्तर व्यवहार करनेवाली भाषाओं से घिरी होने पर भी, आदिभाषा को **क्**-जैसी व्यापक ध्वनि का व्यवहार करना भूल गईं।

संस्कृत में दो शब्द **स्कम्भ** और **स्तम्भ** एक ही अर्थ व्यक्त करते हैं। एक में क्रियामूल है **स्क**, दूसरे में क्रियामूल है **स्त**। ध्वनि-परिवर्तन के किस नियम से **क्** ध्वनि **त्** बनेगी अथवा **त्** ध्वनि **क्** रूप ग्रहण करेगी? या कोई अन्य ध्वनि थी जिससे **क्** और **त्**, दोनों ध्वनियों का विकास हुआ?

जर्मन विद्वान् ब्रुगमन ने 'इंडो-जर्मैनिक परिवार की भाषाओं का तुलनात्मक अध्ययन' प्रस्तुत करनेवाले अपने ग्रंथ के चौथे खंड में इन दोनों शब्दों का उल्लेख करते हुए स्वीकार किया है कि इन्हें "एक ही मूल रूप से, नियमपूर्वक निकला हुआ, सिद्ध नहीं किया जा सकता।" (खंड 4, पृ. 237)

हिन्दी में एक क्रिया है **खड़े होना**। इस **खड़े** का प्रतिरूप अवधी में **ठाढ़** है। जैसे **स्कम्भ** का हिन्दी रूप **खम्भ** या **खम्भा** है, वैसे ही किसी प्राचीन **स्कन्ध** रूप से **खड़े** बना है। फ़ारसी में इसी **स्क** वाले क्रियामूल से **खाना** शब्द बनता है जो संस्कृत **स्थान** का प्रतिरूप है। भारत की उत्तर-पश्चिमी बोली—खड़ी बोली—का **खड़े** अब हिन्दी का मानक रूप बन गया है। **खड़े** और **ठाड़** का विकास-क्रम देखने से ज्ञात होता है कि **स्क** का व्यवहार-क्षेत्र उत्तर-पश्चिमी था और **स्त** का मध्यदेश।

यूनान की प्राचीन बोलियों के बारे में यथेष्ट सामग्री प्राप्त है। उनमें इस तरह के प्रतिरूप हैं : **कइओ, दइओ**—जलाना; **किस्, तिस्**—कोई एक; **के, ते**—क्यों, कैसे; **कोस्, पोस्**—इस प्रकार; **कोते, पोते**—कब; **तेस्सारेस्, पिसुरेस्**—चार; **पेन्ते, पेम्पे**—पाँच। यदि कोई भाषाविज्ञानी ऐसे नियम बता दे जिनके अनुसार स्वयं ग्रीक भाषा-समुदाय में ध्वनि-परिवर्तन होता है तो ऐतिहासिक भाषाविज्ञान का मार्ग सुगम हो जाए। प्राचीन ग्रीक भाषाओं के एक विशेषज्ञ अमरीकी विद्वान् बक हैं। ग्रीक और लैटिन भाषाओं के अपने व्याकरण में उन्होंने लिखा है : "कुछ बोलियों में ऐसे रूप मिलते हैं जहाँ सर्वनामों में सामान्यत: **प्** अथवा **त्** के बदले **क्** का व्यवहार होता है, यथा : आयोनियन में **पोस्** के लिए **कोस्** और थेसालियन में **तिस्**

के लिए **किस्** का व्यवहार होता है।" (बक : 'कम्पैरेटिव ग्रामर ऑफ़ ग्रीक एंड लैटिन', शिकागो, 1959, पृ. 128) इस तरह के प्रयोगों में जो विभिन्नता दिखाई देती है, बक के अनुसार उसकी कोई सन्तोषजनक व्याख्या नहीं की गई।

यूरोप की एक भाषा और है जिसमें किसी समय **क्, त्, प्**—ये तीनों ध्वनियाँ एक साथ विद्यमान न थीं। लैटिन भाषा में अनेक भाषा-स्रोतों से आए हुए तत्त्व दिखाई देते हैं। इनमें एक भाषा ऐसी थी जिसमें **प्** ध्वनि नहीं थी। इसलिए जब वह **प्** ध्वनि वाले शब्द लेती थी, तब **प्** के स्थान पर **क्** ध्वनि का व्यवहार करती थी, **प्** का ओष्ठ्य तत्त्व **व्** रूप में जोड़ देती थी। इस प्रकार **प्** के स्थान पर **क्व्** का व्यवहार होता था। ग्रीक भाषा में अनेक **प्** से आरम्भ होनेवाले प्रश्नवाचक शब्द हैं, यथा : **पोथेन**—कहाँ से; **पोइओस्**—कैसा; **पोऊ**—कौन; **पे** (तथा **प**)—कैसे। इनके समानान्तर लैटिन के प्रश्नवाचक शब्द **क्व** रूप वाले इस तरह के हैं : **क्वा**—कैसे; **क्वो**—कहाँ; **क्विद्**—क्यों; **क्विस्**—कौन; **क्वान्तो**—कितना। यह बात ध्यान देने की है कि लैटिन की पड़ोसी इटली की अन्य प्राचीन भाषाएँ **प्** से ही प्रश्नवाचक चिन्ह बनाती थीं यथा : उम्ब्रियन **पिस्**—कौन। लैटिन में **क्व्** ध्वनि का व्यवहार इटली की ही पड़ोसी भाषाओं से शब्द लेते समय हुआ हो, या ग्रीक भाषा से शब्द लेते समय हुआ हो, **प्** के लिए उसमें **क्व्** ध्वनि का व्यवहार अवश्य हुआ है।

प्रश्नसूचक शब्दों के अलावा अन्य प्रकार के शब्दों में भी **प्-क्व्** वाला समीकरण दिखाई देता है। ग्रीक भाषा-समुदाय में संस्कृत **पंच** के दो प्रतिरूप हैं : **पेन्ते** और **पेम्पे**। दूसरे प्रतिरूप को लैटिन ने ग्रहण किया तो उसका रूप बना **क्विन्क्वे**। इसी प्रकार उम्ब्रियन के **पेतुर्** का लैटिन प्रतिरूप है **क्वत्तुओर**—चार।

जब एक ही भाषा में **क्, त्, प्** ध्वनियों का विषम विकास दिखाई देता है, तब दो पड़ोसी भाषाओं में इस वैषम्य के चिन्ह मिलना और भी स्वाभाविक है। ग्रीक **लुकॉस्** का लैटिन प्रतिरूप है **लुपुस्**—भेड़िया। एक में **क्**, दूसरी में **प्।**

**क्, त्, प्** की तरह **ग्, द्, ब्** ध्वनियों का विकास भी भिन्न केन्द्रों में हुआ है। इसलिए ग्रीक भाषा में एक रूप है **ओबेलोस्**, तो दूसरा रूप है **ओदेलोस्**—नुकीला खम्भा। एक रूप है **ब्लेफरोन्**, तो दूसरा रूप है, **ग्लेफरोन्**—भौंह।

ऐसे अनेक शब्द हैं जहाँ एक रूप में अघोष ध्वनि है तो दूसरे रूप में अन्य वर्ग का सघोष ध्वनि विद्यमान है। यथा : **लपरोस्, लगरोस्**—शिथिल; **दइओ, कइओ**—जलाना। संस्कृत **गर्भ** के ग्रीक प्रतिरूप **देल्फोस्** में **ग्** के स्थान पर **द्** हो, तो इस पर आश्चर्य न होना चाहिए।

द्रविड़ भाषाओं में प्रश्नवाचक शब्द कहीं तो प-वर्ग की ध्वनियों से आरम्भ होते हैं और कहीं त-वर्ग की ध्वनियों से। यथा : गोंडी भाषा में **बोल्**—कौन; **बाह्**—क्या; **बद्**—कौन; **बेगा**—कहाँ; **बस्के**—कब। तुलु भाषा में **द, दाने, दाव**—क्या; **दाय**—क्यों; कोलमि भाषा में **तानेद्, तानेव्**—क्या; **ताङ, तागलेङ्,**

**तन्दुङ्**—क्यों: नइकि भाषा में **ता, ताने**—क्या; कन्नड़ में **दारु**—कौन; कोत भाषा में **दार्** कौन; ब्राहूइ में **दे, देर्**—कौन; कॉडगु भाषा में **दारि**—कौन। इन उदाहरणों से सिद्ध होता है कि द्रविड़ भाषाओं में प्रश्नवाचक शब्द त-वर्ग और प-वर्ग, दोनों वर्गों की ध्वनियों से आरम्भ होते हैं। इसका कारण यह हो सकता है कि इन दोनों वर्गों की ध्वनियों का विकास द्रविड़ भाषाओं के भिन्न केन्द्रों में हुआ।

किसी आदि इंडो-यूरोपियन भाषा में आदिकाल से **क्, त्, प्** ध्वनियाँ विद्यमान थीं, यह धारणा भ्रान्तिपूर्ण है। इसी प्रकार किसी आदि द्रविड़ भाषा की कल्पना करना जिसमें आदिकाल से **क्, त्, प्,** ध्वनियाँ एक साथ विद्यमान रही हों, भ्रान्तिपूर्ण है। जब **क्, त्, प्,** जैसी अति सामान्य, विश्व-भाषाओं में अत्यन्त व्यापक रूप से व्यवहृत होनेवाली, ध्वनियों का यह हाल है, तब जो ध्वनियाँ विश्व-भाषाओं में विरल हैं, उनका विशेष केन्द्रों में विकसित होना सहज ही अनुमेय है।

**क्, त्, प्** ध्वनियाँ जितना ही विश्व-भाषाओं में व्यापक हैं, उतना ही **घ्, ध्, भ्** ध्वनियों का व्यवहार सीमित है। इन ध्वनियों की विशेषता यह है कि इनमें सघोषता के साथ महाप्राणता का सामंजस्य है। संसार की अधिकांश भाषाओं में स्पर्श-ध्वनियाँ यदि सघोष होती हैं तो महाप्राण नहीं होतीं। यदि महाप्राण होती हैं तो सघोष नहीं होतीं। अधिकांश भाषाओं के बोलनेवाले या तो **ग्, द्, ब्** सघोष ध्वनियों का व्यवहार करेंगे, या **ख्, थ्, फ्** महाप्राण ध्वनियों का व्यवहार करेंगे। **घ्, ध्, भ्** ध्वनियों में सघोषता से महाप्राणता को मिलाना होता है, अधिकांश भाषाओं के लिए यह कठिन क्रिया है। ध्वनिशास्त्री जब सघोषता और महाप्राणता का विवेचन करते हैं, तब वे उदाहरण के लिए केवल भारत की भाषाओं का उल्लेख करते हैं जहाँ दोनों लक्षणों का सामंजस्य दिखाई देता है।

इन **घ्, ध्, भ्** ध्वनियों के अस्तित्व की कल्पना आदि इंडो-यूरोपियन भाषा में की गई है। किसी कारण इन ध्वनियों का व्यवहार भारत ही में सीमित रह गया। भारत से बाहर ईरान से लेकर इंग्लैंड और आइसलैंड तक कहीं भी इन भाषाओं के व्यवहार का प्रमाण नहीं है। जिन भाषाओं को वैदिक भाषा से भी प्राचीन माना जाता है, जैसे—हित्ती भाषा, उनके दस्तावेजों में भी इन ध्वनियों का व्यवहार नहीं है। इससे यह निष्कर्ष निकालना चाहिए कि ये ध्वनियाँ विशुद्ध भारतीय हैं और भारत के बाहर केवल इनके प्रतिरूप दिखाई देते हैं, वहाँ उनका व्यवहार न होता था। तथाकथित भारत-ईरानी शाखा में भी इन ध्वनियों का व्यवहार सिद्ध नहीं किया जा सकता। वैदिक भाषा और प्राचीन ईरानी भाषा में व्याकरण और शब्द-भंडार की ज़बर्दस्त समानता है। इसी समानता के आधार पर इस शाखा की कल्पना की गई है। किन्तु इस शाखा की भारतीय प्रशाखा में ही इन ध्वनियों का व्यवहार होता है, ईरानी प्रशाखा में—आर्यों के भारत-प्रवेश से पहले ही—उनके अस्तित्व का लोप हो गया है।

भारत में आर्य भाषा-परिवार के अतिरिक्त जिन तीन अन्य परिवारों की भाषाएँ बोली जाती हैं, उनमें कहीं भी उनके अपने शब्दों में इन सघोष महाप्राण ध्वनियों का व्यवहार नहीं होता। जहाँ होता है, वहाँ आर्य भाषा-परिवार के प्रभाव के कारण, इस परिवार से उधार लिये हुए शब्दों में होता है; उन परिवारों के मूल शब्द-भंडार में उनका व्यवहार नहीं होता। आर्य-परिवार से भिन्न भारत की अनेक भाषाओं की वर्णमाला में ये ध्वनियाँ शामिल कर ली गई हैं। इसका कारण यह है कि संस्कृत की वर्णमाला में जिस क्रम से वर्णों को रखा गया है, उससे इन भाषाओं की वर्णमाला प्रभावित है। संस्कृत वर्णमाला के लिए जिस लिपि या जिन लिपियों का व्यवहार होता आया है, उसने या उन्होंने इन भाषाओं की लिपियों को प्रभावित किया है। यह स्थिति भारत के उत्तर में तिब्बत से लेकर भारत के दक्षिण में कम्पूचिया (कम्बोज) तक है। इससे यह भ्रम न उत्पन्न होना चाहिए कि इन भाषाओं में इस कोटि की ध्वनियों का व्यवहार होता है।

द्रविड़, कोल, नाग—इन तीनों परिवारों की भाषाएँ बोलनेवाले भारत में अत्यन्त प्राचीन काल से रहते आए हैं। कहा जाता है कि आर्यों ने द्रविड़ों को परास्त किया और उन्हें अपना दास बनाया। न्यूनाधिक मात्रा में उन्होंने यही व्यवहार कोल और नागजनों के साथ किया। यदि यह बात सही हो तो मानना होगा कि मुट्ठी-भर आर्य आक्रमणकारी ऐसे देश में आ गए थे जहाँ की बहुसंख्यक जनता का भाषाई परिवेश **घ्, ध्, भ्** जैसी ध्वनियों के लिए प्रतिकूल था। इस विरोधी परिवेश में दो-चार पीढ़ियों तक भी इन ध्वनियों का सुरक्षित रहना कठिन था। पर वैदिक काल से लेकर अब तक, कम-से-कम चार हज़ार साल तक, इन ध्वनियों का अविच्छिन्न व्यवहार भारत में होता आया है। नाग-कोल-द्रविड़ भाषाओं के ध्वनि-सागर में आक्रमणकारियों की इन ध्वनियों को डूबकर कभी का लुप्त हो जाना चाहिए था। यूरोप में इस तरह के विरोधी भाषाई परिवेश का प्रमाण नहीं मिलता। वहाँ तो इनका लोप हो गया और भारत जैसे देश के विरोधी परिवेश में ये ध्वनियाँ कायम रहीं! इसका कारण क्या है? कारण पर भाषाविज्ञानी विचार करना आवश्यक नहीं समझते। इन ध्वनियों के लिए यूरोप और भारत के भाषाई परिवेशों में मौलिक अन्तर था। एक नहीं, तीन-तीन भाषा-परिवारों का ध्वनितंत्र—इस सन्दर्भ में—संस्कृत के ध्वनितंत्र से भिन्न था, भाषाशास्त्री समस्या को इस रूप में प्रस्तुत ही नहीं करते। इनमें वही भाषाशास्त्री नहीं हैं जो इंडो-यूरोपियन परिवार के विशेषज्ञ हैं, इनमें अंग्रेज़ बरो और अमरीकी एमेनो जैसे विद्वान् हैं जो संस्कृत के साथ द्रविड़ भाषाओं के भी विशेषज्ञ हैं। बरो ने कोल भाषाओं पर भी बहुत कुछ लिखा है।

यदि हम इस बात पर ध्यान दें कि **क्, त्, प्** जैसी बहुप्रयुक्त विश्वजनीन व्यापक ध्वनियों का विकास विभिन्न केन्द्रों में हुआ है, तो यह समझना आसान होगा कि **घ्, ध्, भ्** जैसी विरल ध्वनियों का विकास कुछ विशेष केन्द्रों में ही हुआ होगा।

**स्कम्भ** और **स्तम्भ** की तरह **स्कन्ध** और **स्कम्भ** की मिसाल से यह मानना चाहिए कि **क्, त्, प्** की तरह **घ्, ध्, भ्** का विकास भिन्न केन्द्रों में हुआ था—ये तीनों सघोष महाप्राण ध्वनियाँ एक साथ एक ही केन्द्र में विकसित न हुई थीं।

**स्कन्ध** का वही अर्थ है जो **स्कम्भ** का है। मूल क्रिया में **ध** जोड़ा जाता है, **भ** भी जोड़ा जाता है; शब्द-निर्माण की प्रक्रिया एक ही है, रूप दो हैं, अर्थ एक ही है। **खड़े** और **ठाड़** के प्रसंग में **स्तध** रूप का उल्लेख हुआ था। जैसे संस्कृत में **पथ** और **पन्थ** रूप हैं, वैसे ही **स्कध** और **स्कन्ध** दो प्राचीन रूप थे। इनका व्यवहार होता था, इसका प्रमाण यह है कि **खड़े** का पूर्वरूप **स्कध** जैसा होगा। **स्कन्ध** का तो व्यवहार लिखित भाषा में होता ही था। इसी प्रकार **स्तभ** और **स्तम्भ, स्तध** और **स्तन्ध** जैसे रूपों को समझना चाहिए। **स्तन्ध** का अंग्रेज़ी प्रतिरूप है **स्टैंड, स्तम्भ** का एक अंग्रेज़ी प्रतिरूप है **स्टम्प** (तना) और दूसरा है **थम्ब** (अंगूठा)। **स्तध** का अंग्रेज़ी प्रतिरूप है **स्टड**—अलंकरण के लिए किसी चीज़ पर जड़ी हुई चीज़, वह **खम्भा** जिस पर पटिया रखी जाती है। पुरानी अंग्रेज़ी में एक शब्द था **स्टुडु** जिसका अर्थ था **खम्भा**, और इसी गोत्र के अनेक शब्द नॉर्वे-स्वीडेन आदि की भाषाओं में भी मिलते हैं। **स्तभ** का अंग्रेज़ी प्रतिरूप है **स्टब**। इसका वही अर्थ है जो **स्टम्प** का है, पेड़ का तना, कोई कटी हुई चीज आदि। **स्तभ, स्तध, स्कम्भ, स्कन्ध,**—**ध्** और **भ्**, इन दोनों ध्वनियों वाले भिन्न रूपों का चलन था। निष्कर्ष यह निकला कि **घ्, ध्, भ्** ध्वनियाँ भारतीय हैं किन्तु भारत में भी इनका विकास एक ही केन्द्र में एक साथ न हुआ था।

जिन लोगों ने इंडो-यूरोपियन परिवार से सम्बन्धित विवेचन-पद्धति अन्य भाषा-परिवारों पर लागू की है, उनकी कठिनाइयों पर यहाँ संक्षेप में ध्यान देना उचित होगा।

कुइपर संस्कृत मौर इंडो-यूरोपियन भाषाओं के साथ कोल परिवार के भी विशेषज्ञ हैं। इंडो-यूरोपियन परिवार से सम्बन्धित ध्वनि-परिवर्तनों की व्यवस्था जिस पद्धति से निश्चित की गई है, उसे कोल-परिवार पर लागू करने में अपनी कठिनाइयों का उल्लेख उन्होंने इस प्रकार किया है : "यह अनुभव बहुत कुछ सामान्य है कि एशिया की अनेक भाषाओं पर ध्वनि-नियम लागू करने में ऐसी कठिनाइयाँ सामने आती हैं, जैसी इंडो-यूरोपियन परिवार में हैं ही नहीं, या कम-से-कम इस सीमा तक नहीं हैं। इंडोनीशियाई भाषाविज्ञान-क्षेत्र से ऐसी कठिनाइयों का समाचार बहुत पहले से आता रहा है। कभी-कभी विद्वानों में यह रुझान देखा गया है कि वे इस बात को अस्वीकार करते हैं कि तुलनात्मक भाषाविज्ञान के सामान्य तरीके यहाँ काम देंगे। शायद इससे भी अधिक महत्त्वपूर्ण तथ्य यह है कि इंडो-यूरोपियन भाषाशास्त्र में 'आकस्मिक ध्वनि-नियमों' की धारणा 1878 से निषिद्ध है, जब ब्रुगमन और होस्तहोफ़ ने यह सिद्धान्त प्रतिपादित किया कि ध्वनि-नियम निरपवाद रूप से काम करते हैं। किन्तु द्रविड़ भाषाओं से सम्बन्धित पिछले दिनों के तुलनात्मक अध्ययन

में इन आकस्मिक ध्वनि-नियमों का अस्तित्व—कभी मौन, कभी मुखर रूप में स्वीकार किया गया है।

"यद्यपि यह पूर्वकल्पना की जा सकती है कि आगे चलकर इंडो-यूरोपियन भाषाओं की तरह इन भाषाओं पर भी यह सिद्धान्त लागू होगा कि ध्वनि-सम्बन्धी विकास कठोर नियमों के अनुसार ही होता है, और 'आकस्मिक' विकास यहाँ भी ग़लत साबित होगा, किन्तु वास्तव में इस बात से इनकार नहीं किया जा सकता कि कठिनाइयाँ तो हैं। मुंडा भाषाओं के अध्ययन में इन कठिनाइयों का परिमाण असाधारण है। शब्द-भंडार का एक बहुत बड़ा हिस्सा ऐसा है जिसकी व्याख्या अटल ध्वनि-नियमों के अनुसार करना असम्भव जान पड़ता है। इस कठिनाई के कारण अनेक सिद्धान्तों की रचना की गई है।" ('लिंगुआ', संख्या 14, 1965)

अन्य भाषा-परिवारों की अपेक्षा इंडो-यूरोपियन परिवार में परिनिष्ठित भाषाओं की संख्या अधिक है। इनमें सर्वाधिक परिनिष्ठित भाषा संस्कृत का व्याकरण भी व्यवस्थित है। इस स्थिति का प्रभाव सारे ध्वनितंत्र-सम्बन्धी विवेचन पर पड़ा है। अधिकतर परिनिष्ठित भाषाओं के आधार पर आदिभाषा के मूल तत्त्वों की कल्पना की गई और ध्वनि-नियम बनाए गए। प्राकृतिक विज्ञान की देखादेखी ये नियम भी अटल माने गए। ध्वनि-परिवर्तन की रीतियाँ होती हैं, निश्चित अटल नियम नहीं होते। ब्रुगमन से पहले भाषाविज्ञानी इन रीतियों (पैटर्न) पर ही अधिक जोर देते थे। रीतियों के स्थान पर नियमों को नव्य व्याकरण-पंथियों ने स्थापित किया। प्राचीन और आधुनिक कालों में उक्त परिनिष्ठित भाषाओं के समानान्तर व्यवहार में आनेवाली अन्य भाषाओं से बहुविधि सामग्री सुलभ रही है किन्तु उस पर समुचित ध्यान नहीं दिया गया। परिनिष्ठित भाषाओं के आधार पर जो नियम बनाए गए, उनके बहुत-से अपवाद निकल आए। अपवादों की व्याख्या में, नियम-रचना में कौशल और कल्पना से काफी काम लिया गया। नियम बनानेवालों की कुछ कठिनाइयों के नमूने हम आगे देखेंगे।

इंडो-यूरोपियन परिवार की अपेक्षा द्रविड़ परिवार में कम भाषाओं के मानक रूप स्थिर हुए हैं। द्रविड़ परिवार की तुलना में कोल परिवार के अन्तर्गत परिनिष्ठित भाषाओं की संख्या और भी कम है। यही कारण है कि द्रविड़ परिवार पर इंडो-यूरोपियन ध्वनि-नियमों का साँचा जमाने में काफी कठिनाइयाँ पैदा हुईं और कोल परिवार पर वैसा ही साँचा जमाना असम्भव हो गया।

भाषाविज्ञानी जल्दी हार नहीं मानते। निश्चित ध्वनि-नियमों के साथ उन्होंने कुछ आकस्मिक ध्वनि-नियम बना लिये। एक ही भाषा-परिवार के ध्वनि-तथ्यों को व्यवस्थित करने के लिए उन्होंने नियमों का एक प्रधान वर्ग बनाया। जो तथ्य इन नियमों की पकड़ में न आए, उन्हें उन्होंने आकस्मिक नियमों से बाँधा। आशा करते रहे कि आगे चलकर ये दूसरे वर्ग के नियम आकस्मिक न रहेंगे।

इस तरह की कठिनाइयाँ दूर करने का उपाय यह है कि अनेक केन्द्रों में भिन्न भाषा-तत्त्वों के विकास और फिर एक ही भाषा-व्यवस्था में उनके संगठित होने का सिद्धान्त स्वीकार किया जाए। एक ही बीज से किसी भाषा 'परिवार' की उत्पत्ति होना सम्भव नहीं है। जो भाषाएँ एक परिवार के अन्तर्गत आगे चलकर सम्बद्ध दिखाई देती हैं, वे इससे पहले भिन्न केन्द्रों में, भिन्न स्रोतों से विकसित होकर, एक दूसरे को प्रभावित करती रही थीं। **क्, त्, प्** जैसी सामान्य ध्वनियाँ भी एक ही साथ किसी एक केन्द्र में उत्पन्न नहीं हुईं। इनसे कम सामान्य **ग्, द्, ब्** ध्वनियाँ भी अनेक केन्द्रों में विकसित हुईं। अर्थ-विच्छेदक लक्षण के रूप में सघोषता का विकास और प्रसार सर्वत्र नहीं हुआ। **घ्, ध्, भ्** जैसी विरल ध्वनियाँ एक सीमित क्षेत्र के केन्द्रों में विकसित हुईं। इन ध्वनियों के प्रतिरूप यूरोप की भाषाओं में देखकर उन्हें कल्पित आदिभाषा पर आरोपित करना उचित नहीं है।

## 2. भारतीय भाषा-परिवारों में महाप्राणता और सघोषता

भारत के भाषाई मानचित्र पर हम जितना ही ध्यान देंगे, भिन्न भाषा-परिवारों के परस्पर सम्बन्धों पर जितना ही विचार करेंगे, उतना ही भाषा-परिवार-निर्माण की प्रक्रिया स्पष्ट होगी। इस मानचित्र में यह क्रम बार-बार दिखाई देगा कि कोई भाषागत लक्षण किसी एक परिवार की सीमाएँ लाँघकर दूसरे में पहुँच जाता है। लक्षणों का यह प्रसार भाषा-परिवार बन जाने के बाद होता रहता है, यह तथ्य तो बहुत-से भाषाविज्ञानी मानते हैं। यह प्रसार इन परिवारों के निर्माण काल में भी होता है, भाषा-तत्त्वों, भाषागत लक्षणों के विनिमय से ही भाषा-परिवार निर्मित होते हैं, यह तथ्य अभी भाषाविज्ञानियों की दृष्टि से ओझल है।

भारत के दो प्रमुख भाषा-परिवार हैं—आर्य और द्रविड़। इनके ध्वनितंत्र में दो बातों को लेकर मौलिक भेद है। आर्य भाषा-परिवार में महाप्राण स्पर्श-ध्वनियाँ हैं, द्रविड़ परिवार में इन ध्वनियों का अभाव है। पूर्ण अभाव नहीं है, महाप्राणता का लक्षण आंशिक रूप से द्रविड़-परिवार में प्रवेश कर गया है। आर्य भाषा-परिवार में सघोष ध्वनियाँ हैं, द्रविड़ परिवार में इनका प्रयोग सीमित है। महाप्राणता की तरह सघोषता का लक्षण भी आर्य-परिवार से द्रविड़ परिवार में पहुँचा है। इसके प्रमाण हम आगे देखेंगे।

सबसे पहले सघोष महाप्राण स्पर्श-ध्वनियों की बात करें। आर्य भाषा-परिवार के बहुत-से ऐसे शब्द द्रविड़ परिवार की भाषाओं में प्रयुक्त होते हैं जिनमें मूलत: सघोष महाप्राण ध्वनियाँ थीं। देखना चाहिए कि द्रविड़ भाषाओं में इनकी क्या स्थिति है।

भाषाविज्ञानियों ने पुरानी तमिल में प्राप्त आर्य शब्दों की सूचियाँ बनाई हैं। उनमें से कुछ शब्द इस प्रकार हैं : **घट—कुडम्; घोर—कोरम्; धर्म—तरुमम्; धूम—तूमम्; धूर्त—तुरुत्ति; धूप—तूपम्; भिक्षा—पिच्चइ; भ्रू—पुरुवम्;**

**भरतकुमार—परतकुमार; भूत—पूतम्; भाग्यम्—पाक्कियम्; भोग—पोगम्**। इन उदाहरणों में आर्य-परिवार के शब्दों की प्रारम्भिक ध्वनि सघोष महाप्राण है। तमिल प्रतिरूपों में उसके स्थान पर अघोष अल्पप्राण ध्वनि दिखाई देती है। आदिस्थानीय **घ्, ध्, भ्** के बदले तमिल **क्, त्, प्** ध्वनियों का व्यवहार करती है।

जब यह ध्वनि शब्द के अन्तिम वर्ण में हो—दो स्वरों के बीच में प्रयुक्त हुई हो अथवा अनुनासिक व्यंजन से उसका संयोग हुआ हो तो उसके स्थान पर मानक तमिल में अल्पप्राण सघोष ध्वनि होगी। लिखने में वह अल्पप्राण अघोष ही दिखाई देती है पर बोलने और सुनने में वह सघोष होती है। इस तरह के शब्दों में कभी-कभी एक स्पर्श-ध्वनि के स्थान पर दो स्पर्श-ध्वनियों का व्यवहार होता है; ऐसे उदाहरणों में सघोष के स्थान पर अघोष व्यंजन ही रहेंगे, जैसे **गर्भ** का तमिल प्रतिरूप **करुप्पम् अयोध्या** का तमिल प्रतिरूप **अयोत्ति**। यहाँ **भ्** के स्थान पर **ब्, ध्** के स्थान पर **द्** नहीं दिखाई देता क्योंकि स्पर्श-ध्वनि का द्वित्व हुआ है। किन्तु **मागध—मागदर; कबन्ध—कवन्दम्; सन्धि—चन्दि** अथवा **अन्दि; स्कन्ध—कन्दु; स्वयम्भु—चयम्बु;** यहाँ सघोष महाप्राण ध्वनि के स्थान पर सघोष अल्पप्राण ध्वनि का व्यवहार किया गया है।

सघोष महाप्राण ध्वनियों के अलावा जहाँ आर्य-परिवार के शब्दों में आदिस्थान पर अघोष महाप्राण ध्वनियों का व्यवहार है, वहाँ तमिल में पुन: वैसी ही प्रक्रिया दिखाई देती है। शब्द के आरम्भ में **ख्, थ्, फ्** ध्वनियाँ होंगी तो वे **क्, त्, प्** रूपों में बोली जाएँगी। यथा : **खंड—कण्डम्; स्थूण—तूण; फलम्—पळम्; फाल्गुन—पङ्गुनि; स्फटिक—पलिङ्गु**। स्वरों के बीच में आने पर यदि स्पर्श-ध्वनि का द्वित्व न हुआ तो वह सघोष होगी। **मुख—मुगम्, मेखला—मेगलइ, रेखा—एगइ, कंठ—कण्डि, कुठार—कुडारि, नाथ—नादर, उलुखल—उलक्कइ, मैथुन—मैत्तुनन्, तीर्थम्—तीर्त्तम्, गोष्ठी—कोट्टि**। मध्यवर्ती अघोष महाप्राण ध्वनि के साथ तमिल वैसा ही व्यवहार करती है, जैसा सघोष महाप्राण ध्वनि के साथ। मूल भेद महाप्राणता को लेकर है।

तमिल भाषा का वर्तमान क्षेत्र संस्कृत के पुराने केन्द्रों से सर्वाधिक दूर है। कुछ उधार लिये हुए शब्दों के अलावा, अथवा शिक्षित जनों द्वारा प्रयुक्त कुछ शब्दों को छोड़कर, तमिल में महाप्राण ध्वनियों का अभाव है। इसके विपरीत द्रविड़ परिवार की जो भाषाएँ आर्य-परिवार के भाषा-केन्द्रों के निकट हैं, उनमें महाप्राण ध्वनियों का व्यवहार अपेक्षाकृत अधिक होता है। तमिल **कण्** (आँख) का ब्राहूइ प्रतिरूप **खन्** है। कुड़ुख और मल्तो में महाप्राण **ख़्** ध्वनि का व्यवहार होता है। यह संस्कृत और हिन्दी की स्पर्श-ध्वनि नहीं है वरन् फ़ारसी के **ख़्** से मिलती-जुलती संघर्षी ध्वनि है। आर्य भाषा-परिवार के कुछ शब्द ब्राहूइ में अपनी महाप्राणता सुरक्षित किये रहते हैं जबकि इसके विपरीत तमिल में महाप्राणता का लोप हो जाता है। यथा : तमिल

क्रिया **कुत्तु** का ब्राहूइ प्रतिरूप है **ख़ुत्तिङ्**। इन दोनों का अर्थ है खोदना, और स्पष्ट ही दोनों का स्रोत हिन्दी की **खोदना** क्रिया है। द्रविड़ परिवार की उत्तरी शाखा में महाप्राण ध्वनियों के नाम पर **ख़्** का ही व्यवहार अधिक होता है। **थ्** ध्वनि कुड़ुख और मल्तो में प्रयुक्त होती है; तोद भाषा में इसका संघर्षी रूप काम में आता है। ब्राहूइ में इसका व्यवहार नहीं होता। जिन द्रविड़ भाषाओं में इसका व्यवहार होता है, उनमें यह ध्वनि शब्द के आरम्भ में नहीं आती; उसका प्रयोग मध्यवर्ती ध्वनि के रूप में ही होता है। **फ्** ध्वनि अत्यन्त विरल है और द्रविड़ भाषाओं के ध्वनितंत्र का विश्लेषण करनेवाले उसका उल्लेख भी नहीं करते। ब्राहूइ के कुछ शब्दों में इसका प्रयोग देखा जाता है।

इस विवेचन से ज्ञात होता है कि महाप्राणता का लक्षण द्रविड़ भाषाओं में अत्यन्त सीमित है, उसका व्यवहार बहुत थोड़ी द्रविड़ भाषाओं में होता है, और जहाँ होता है, उसका कारण आर्य-परिवार का पड़ोस है। तोद भाषा सुदूर दक्षिण में है; यह समय है कि संघर्षी **थ्** के प्रयोग की विशेषता यह भाषा अपने साथ उत्तर से ले गई हो। इसमें कई लक्षण ऐसे हैं जो इसे पड़ोसी द्रविड़ भाषाओं से अलग करते हैं।

तमिल भाषा की कुछ बोलियों में शब्द के आरम्भ में आनेवाली **क्, त्** ध्वनियाँ किंचित् महाप्राणता के संयोग से बोली जाती हैं। यह महाप्राणता अर्थ-विच्छेदक नहीं होती।

महाप्राणता के प्रसंग में **ह्** ध्वनि की चर्चा भी करनी चाहिए। द्रविड़ भाषाओं का तुलनात्मक अध्ययन करने पर ध्वनिशास्त्री जिस आदि द्रविड़ भाषा की कल्पना करते हैं, उसमें इस ध्वनि को प्रयुक्त होते नहीं दिखाते। चेक विद्वान् ज़्वेलेबिल ने द्रविड़ भाषाओं के ध्वनितंत्र का विश्लेषण ऐतिहासिक दृष्टिकोण से किया है। उनके अनुसार मूल द्रविड़ भाषा में **ह्** ध्वनि का व्यवहार शब्द के आदिस्थान पर न होता था। इस स्थापना का कारण यह है कि **ख्, थ्, फ्** के समान द्रविड़ परिवार में **ह्** का व्यवहार भी सीमित है और कुछ ही भाषाओं में होता है। कन्नड़ भाषा में शब्द का आदिस्थानीय **प्** बदलकर **ह्** हो जाता है, फिर कुछ बोलियों में **ह्** का भी लोप हो जाता है। कन्नड़ के प्रभाव से अथवा कन्नड़ शब्दों को ग्रहण करने से उसकी पड़ोसी दो-तीन भाषाओं में **ह्** ध्वनिवाले शब्द मिलते हैं। अनेक द्रविड़ भाषाओं में **ह्** ध्वनि से आरम्भ होनेवाले शब्दों का प्रयोग होता है किन्तु तमिल में कोई शब्द इस ध्वनि से आरम्भ न होगा। तमिल की कुछ बोलियों में मध्यवर्ती **क्** ध्वनि **ह्** में परिवर्तित होती है। ध्वनिशास्त्रियों का कहना है कि तमिलनाडु के ब्राह्मणेतर वर्ण मध्यवर्ती **क्** ध्वनि का उच्चारण सघोष संघर्षी **ग्** के रूप में करते हैं। ब्राह्मण लोग मध्यवर्ती **क्** का उच्चारण संघर्षी **ख़्** के रूप में भी करते हैं, यह किसी ध्वनिशास्त्री ने लिखा हो तो मुझे पता नहीं। किन्तु कन्हैयालाल माणिकलाल मुंशी विद्यापीठ के तमिल-अध्यापक पंडित जगन्नाथ पार्थसारथी को मैंने कभी-कभी **क्** के स्थान पर

**ख़्** का व्यवहार करते सुना है। वह स्वयं इसे अस्वीकार करते हैं। मध्यवर्ती **क्** के स्थान पर **ह्** का व्यवहार ब्राह्मणों की बोली में हो, यह तथ्य इस बात की ओर संकेत करता है कि संस्कृत से अधिक प्रभावित होने के कारण इनकी बोली में **ह्** ध्वनि का व्यवहार सरलतापूर्वक होता है। ज़्वेलेबिल ने बताया है कि तोद, कुड़ुख और ब्राहूइ भाषाओं में मध्यवर्ती **क्** का उच्चारण संघर्षी **ख़्** के रूप में होता है। तात्पर्य यह है कि द्रविड़ भाषाओं में मध्यवर्ती **क्** के स्थान पर **ह्** का व्यवहार अत्यन्त सीमित है।

द्रविड़ भाषाओं में **ख्, थ्, फ्** के साथ **ह्**, के व्यवहार का कारण भी आर्य-परिवार का प्रभाव है।

महाप्राणता के साथ सघोषता के लक्षण पर विचार करना चाहिए। प्रश्न यह है कि द्रविड़ भाषा-परिवार के निर्माण-काल में इस परिवार की भाषाओं में सघोष स्पर्श-ध्वनियों का व्यवहार होता था या नहीं। कॉल्डवेल का विचार था कि आदि-काल में द्रविड़ भाषाओं के शब्द केवल अघोष स्पर्श-ध्वनियों से आरम्भ होते थे। दो स्वरों के बीच में होने पर, अथवा अनुनासिक ध्वनि के तुरत बाद आने पर, स्पर्श-ध्वनि सघोष होती थी। कॉल्डवेल की यह स्थापना सही मानी जाए तो उससे सिद्ध यही होगा कि स्पर्श-ध्वनियों की सघोषता अर्थ-विच्छेदक लक्षण नहीं थी। दूसरे शब्दों में द्रविड़ भाषाओं की ध्वनि-व्यवस्था में सघोषता की सक्रिय भूमिका नहीं है। उसकी भूमिका निष्क्रिय है क्योंकि अर्थ-विवेक में उससे सहायता नहीं मिलती।

द्रविड़ भाषाओं के भारतीय विशेषज्ञ भद्रिराजु कृष्णमूर्ति का विचार है कि आदि द्रविड़ भाषा में एक समय ऐसा था जब मध्यवर्ती स्पर्श-ध्वनियाँ भी अघोष होती थीं; आगे चलकर, आदि द्रविड़ भाषा काल के अन्तिम चरण में, इन मध्यवर्ती स्पर्श-ध्वनियों के सघोष रूप का व्यवहार आरम्भ हुआ। कृष्णमूर्ति ने अपने मत के समर्थन में इस तथ्य का उल्लेख किया है कि द्रविड़ शब्द-भंडार में एक भी शब्द ऐसा नहीं है जिसके आरम्भ में सघोष ध्वनि हो और उसका व्यवहार द्रविड़ भाषाओं में व्यापक रूप से होता हो। कृष्णमूर्ति के मत से मिलती-जुलती बात ज़्वेलेबिल ने कही है। उनके अनुसार ऐसी भाषाओं की संख्या अति अल्प है जिनके शब्द-मूल सघोष ध्वनियों से आरम्भ होते हों। इस प्रकार के जो शब्द-मूल मिलते हैं, द्रविड़ भाषाओं में उनका वितरण व्यवस्थित नहीं है। इसके विपरीत अघोष स्पर्श-ध्वनियों का वितरण अधिक व्यापक और व्यवस्थित है।

महाप्राणता की अपेक्षा सघोषता का प्रसार ज्यादा बड़े पैमाने पर हुआ है। तमिल भाषा शब्द के आदिस्थान पर सघोष ध्वनि का व्यवहार नहीं करती। (अंग्रेज़ी जैसी भाषा से कुछ उधार लिये हुए शब्द इसका अपवाद हैं।) तमिल की अपेक्षा जो द्रविड़ भाषाएँ आर्य भाषा-परिवार के केन्द्रों के अधिक समीप हैं, वे शब्द के आरम्भ में सघोष ध्वनियों का व्यवहार करती हैं। कन्नड़ और तेलगू जैसी भाषाओं में ध्वनिशास्त्रियों ने ऐसे शब्दों की गिनती भी की है।

**लिंगुआ**, संख्या 30 (1972) में ज़्वेलेबिल ने द्रविड़ भाषाओं में स्पर्श-ध्वनियों के आदिस्थानीय प्रयोग पर एक लेख लिखा था : 'इनीशल् प्लोज़िव्स् इन् ड्रैवीडियन'। इसमें उन्होंने बताया है कि अनौपचारिक वार्तालाप की शैली में तमिल और मलयालम भाषाओं में अनेक शब्द सघोष स्पर्श-ध्वनियों से आरम्भ होते हैं, यथा : **बयों** (भय), **जन्नल्** (खिड़की), **गर्वो** (गर्व), **दर्मो** (धर्म)। अन्य भाषाओं में आदिस्थानीय सघोष ध्वनियों का व्यवहार और भी अधिक होता है। संस्कृत शब्दों के प्रतिरूप छोड़ देने पर भी काफ़ी द्रविड़ शब्द ऐसे निकल आते हैं जिनके आरम्भ में सघोष स्पर्श-ध्वनि होती है। द्रविड़ भाषाओं को तीन भागों में बाँटा जाता है। दक्षिणी द्रविड़ भाषा-समुदाय में प्रति बारह शब्द के पीछे एक शब्द सघोष स्पर्श-ध्वनि से आरम्भ होता है। उत्तरी द्रविड़ भाषाओं में चौदह शब्दों के पीछे ऐसा एक शब्द होता है। किन्तु मध्यवर्ती द्रविड़ भाषाओं में हर पाँच शब्दों के पीछे एक शब्द सघोष स्पर्श-ध्वनि से आरम्भ होता है। ये मध्यवर्ती भाषाएँ आर्य भाषा-केन्द्रों के सर्वाधिक समीप हैं। इनमें तेलगू और कन्नड़ भी हैं। स्पष्ट ही सघोषता के प्रसार का कारण आर्य भाषाओं का सम्पर्क है।

इस सम्पर्क के फलस्वरूप कुछ भाषाओं में सघोष-अघोष भेद अर्थ-विच्छेदक हो गया है। द्रविड़ व्युत्पत्ति-कोश से यहाँ कुछ उदाहरण दिये जाते हैं। कन्नड़ भाषा में **कञ्चि**—खट्टा नीबू, **गञ्जि**—चावल का माड़; **कट्टु**—बाँधना, **गट्टु**—नदी आदि का बाँध, **कडब**—हिरन, **गडब**—मियाद; **कडि**—जोशीलापन, **गडि**—बाँस; **कॉलॅ**—मारना, **गॉलॅ**—फलों का गुच्छा। सघोष-अघोष ध्वनियों का यह भेद कन्नड़ जैसी मध्यवर्ती द्रविड़ भाषा में हो, यह स्वाभाविक है।

द्रविड़ भाषाओं में सघोषता के लक्षण का प्रवेश आर्य भाषा-परिवार के सम्पर्क के कारण हुआ, अतः इस परिवार से जो शब्द द्रविड़ भाषाओं में पहुँचे, उनकी दो स्थितियाँ दिखाई देती हैं। एक स्थिति वह है जहाँ आदि सघोष ध्वनि सघोष हो जाती है। दूसरी स्थिति वह है जहाँ आदि सघोष ध्वनि यथावत् कायम रहती है। मानक तमिल एक परिवर्तन और करती है। यदि उधार लिये हुए मूल शब्द की मध्यवर्ती ध्वनि अघोष है तो वह उसे सघोष कर देगी। **दन्त** शब्द **तन्दम्** हो जाएगा, **जन्तु** शब्द **चन्दु** (अथवा **चॅन्दु**) रूप में बोला जाएगा। यदि मध्यवर्ती ध्वनि अघोष महाप्राण है, तो महाप्राणता का लोप हो जाएगा और सघोषता जोड़ दी जाएगी। इस प्रकार **गाथा** शब्द **कादि** रूप में ग्रहण किया गया है। पुरानी तमिल से कुछ अन्य उदाहरण इस प्रकार हैं : **जाति—चादि, बन्धम्—पन्दम्, दिशा—तिजइ, दंड—तंडु; दारु—तारम्। गर्दभ—कळुदइ; दूत—तूदु; गोपाल—कोवलर्, गुरु—कुरु; दिति—तिदि; द्रोणि—तोणि; गौरी—कवुरी**।

तमिल की इस प्रवृत्ति के विपरीत कन्नड़, तेलगू आदिभाषाएँ मूल शब्दों की आदिस्थानीय सघोष ध्वनि बहुधा सुरक्षित किये रहती हैं। संस्कृत **गारुड** तमिल में

**कारडम्** है, कन्नड़ में **गारड**; संस्कृत **द्रोणि** तमिल में **तोणि** है, कन्नड़ में **दोणि**; हिन्दी **गारा** तमिल में **कारइ** है, कन्नड़ में **गारॅ**। षण्मुगम् पिल्लइ ने श्रीलङ्का की तमिल बोली पर 'इंडियन लिंग्विस्टिक्स' में प्रकाशित अपने लेख में यह रोचक तथ्य दिया है कि सघोष स्पर्श-ध्वनियों का व्यवहार सर्वाधिक मद्रास की तमिल में होता है। मद्रास के दक्षिण में ऐसी ध्वनियों का व्यवहार क्रमशः कम होता जाता है और कन्याकुमारी तथा श्रीलङ्का की तमिल में इनका व्यवहार अल्पतम होता है। मद्रास की तमिल में सघोष स्पर्श-ध्वनियों के अधिक व्यवहार का कारण उन्होंने तेलगू का प्रभाव माना है। यह बात उचित जान पड़ती है क्योंकि द्रविड़ परिवार में तेलगू मध्यवर्ती समुदाय में है और आर्य-परिवार के निकट है।

द्रविड़ भाषा-परिवार के साथ कोल और नाग-परिवारों में महाप्राणता और सघोषता की क्या स्थिति है, संक्षेप में इस पर भी विचार कर लेना चाहिए।

**लिंगुआ** संख्या 15, 1965 में यूजेनी जे.ए. हेंडरसन का लेख 'द टोपोग्राफ़ी ऑफ़ सर्टेन् फोनेटिक एंड मॉर्फोलॉजिकल् कैरेक्टरिस्टिक्स ऑफ़ साउथ-ईस्ट एशियन लैंग्वेजेज़' प्रकाशित हुआ है। इसमें दक्षिण-पूर्वी एशिया की भाषाओं के ध्वनितंत्र और शब्दतंत्र की विशेषताओं का तुलनात्मक अध्ययन किया गया है। इसमें बताया गया है कि ध्वनितंत्र के विचार से यहाँ भाषाओं के दो समुदाय हैं। एक समुदाय वह है जिसमें **प्-फ्, त्-थ्, क्-ख्** वाली ध्वनि-व्यवस्था है। दूसरा समुदाय वह है जिसमें **प् फ्, त्-भ्, त्-थ्-द्-ध्, क्-ख्-ग्-घ्** वाली व्यवस्था है। इस दूसरी व्यवस्था के अन्तर्गत सोर भाषा छोड़कर सभी कोल भाषाएँ हैं। खसी भाषा में अघोष बनाम सघोष महाप्राण ध्वनियाँ अर्थ-विवेक के काम आती हैं किन्तु इसमें वह ध्वनि-व्यवस्था अधूरी है : **प्-फ्-ब्-भ्; त्-थ्-द्; क्-ख् (ज्-झ्)**। जिन शब्दों के आरम्भ में सघोष महाप्राण ध्वनि प्रयुक्त होती है, वे या तो सबके सब उधार लिये हुए हैं, या अर्थ पर जोर देने के लिए, विशेष मनोदशा का बोध कराने के लिए, उस ध्वनि का व्यवहार होता है। इसका एक अपवाद है **झूर** जिसका अर्थ है साग।

शब्दों के आरम्भ में जिन ध्वनियों का अर्थ-विच्छेदक प्रयोग होता हो, उन्हें किसी भाषा-परिवार के ध्वनितंत्र का अभिन्न अंग मानना चाहिए। वे भले ही किसी समय अन्य भाषा-केन्द्रों से प्राप्त हुई हों, अब उनकी गिनती उस भाषा-परिवार की ध्वनि-सम्पदा में होगी। कोल भाषाओं में सघोष महाप्राण ध्वनियों का व्यवहार सीमित है। शब्दों के आरम्भ में जहाँ इन ध्वनियों का प्रयोग होता है, वहाँ या तो वे उधार लिये हुए शब्दों के साथ चली आई हैं या उनका यह प्रयोग अर्थ-विच्छेदक नहीं है, केवल बोलनेवाले की मनोदशा व्यक्त करने के लिए है। सभी कोल भाषाओं में एक-सी व्यवस्था नहीं है। कुछ में **घ्, ध्** ध्वनियों का व्यवहार नहीं होता। किन्तु अघोष महाप्राण ध्वनियों का व्यवहार एकाध भाषा को छोड़कर सर्वत्र होता है।

यह तथ्य महत्त्वपूर्ण है कि कोल भाषाओं से मिलती-जुलती जो आस्ट्रिक भाषाएँ भारत के बाहर बोली जाती हैं, उनमें सघोष महाप्राण ध्वनियों का अभाव है। भारत के बाहर जहाँ भी महाप्राण ध्वनियाँ प्रयुक्त होती हैं, वहाँ वे अघोष होती हैं, सघोष नहीं। **प्-फ्, त्-थ्, क्-ख्**—ये ध्वनियाँ कोल या आस्ट्रिक भाषा-समुदाय में, भारत के भीतर और बाहर, समान रूप से व्यवहृत होती हैं।

भाषा-परिवारों की सीमाओं पर अटके न रहकर यदि विस्तृत भाषाई क्षेत्र के विशेष लक्षणों पर ध्यान दिया जाए, तो एक केन्द्र से दूसरे केन्द्रों तक इन लक्षणों के प्रसार का मानचित्र सामने आ जाएगा। इस पद्धति से भाषागत लक्षणों का प्रसार देखने पर भाषा-परिवारों के परम्पर सम्बन्धों का ज्ञान होता है। लिंगुआ संख्या 15 के उपर्युक्त लेख में महाप्राणता का लक्षण लेकर दक्षिण-पूर्वी एशिया को दो भागों में बाँटा गया है। एक भाग में महाप्राणता का लक्षण है, दूसरे भाग में अल्पप्राणता का लक्षण। इस सम्बन्ध में यूजेनी हेंडरसन ने लिखा है : "महाप्राणता और अल्पप्राणता से यह क्षेत्र दो खंडों में विभाजित हो जाता है। एक खंड में मोटे तौर पर सारा उत्तर भारतीय भाषाई क्षेत्र तथा मुख्य भूमि पर चीनी-तिब्बती क्षेत्र आ जाता है। दूसरे खंड में दक्षिण-भारतीय भाषाएँ तथा द्वीपों की भाषाएँ आ जाती हैं जिनके साथ प्रशान्त महासागर में महाप्राणता के लघु क्षेत्र हैं, और मुंडा-समुदाय तथा असम में अल्पप्राणता लघु क्षेत्र हैं। यह भाषाई विभाजन भाषा-परिवारों की स्वीकृत सीमाएँ पार कर जाता है। कारण यह है कि यहाँ एक बृहत् भाषाई क्षेत्र में चीनी-तिब्बती, भारतीय आर्य, मोन्ख्मेर और अधिकांश मुंडा भाषाएँ समेट ली जाती हैं। यह क्षेत्र पुनः सघोष महाप्राणता और अघोष महाप्राणता के खंडों में विभाजित किया जा सकता है। यहाँ ऐसा लगता है कि हम बृहत्तर क्षेत्र से उत्तर भारतीय भाषाई क्षेत्र अलग करने में सफल हुए हैं, फिर भी हार्दि, लेप्चा और खसी भाषाओं के रूप में सघोष महाप्राणता के लघु क्षेत्र छूट जाते हैं। इनमें दो भाषाओं, लेप्चा और खसी में सघोष महाप्राणता का लक्षण पड़ोसी उत्तर भारतीय भाषाई क्षेत्र की ओर से प्रविष्ट हुआ है, यह माना जा सकता है। प्रशान्त महासागर के दूर-दूर के स्थानों में अघोष महाप्राण ध्वनियों की विशिष्ट शृंखला गौण विकास जैसी प्रतीत होती है और वह बहुत दिलचस्प है।"

इस उद्धरण में मुख्य भूमि का आशय, द्वीप समूह छोड़कर, बृहत्तर भारत का भाषाई क्षेत्र है। इस क्षेत्र में चीनी-तिब्बती परिवार की भाषाएँ आ जाती हैं जो भारत में या उसके निकट पड़ोसी देशों में बोली जाती हैं। चीनी-तिब्बती परिवार के विशेषज्ञ बेनेडिक्ट ने चीनी भाषा-समुदाय को तिब्बती-बर्मी क्षेत्र से अलग दिखाया है। हेंडरसन ने उनसे पहले जिन चीनी-तिब्बती क्षेत्र को बृहत्तर भारत में शामिल किया है, वह वास्तव में तिब्बती-बर्मी क्षेत्र है। भाषाशास्त्र की दृष्टि से तिब्बती-बर्मी भाषाएँ बृहत्तर भारत के अन्तर्गत हैं, चीन के नहीं।

महाप्राणता और सघोष महाप्राणता, दोनों के प्रसार का मुख्य केन्द्र उत्तर भारतीय क्षेत्र—ब्रह्मावर्त, आर्यावर्त अथवा मध्यदेश—है। यह कल्पना करना कठिन नहीं है कि महाप्राणता और सघोष महाप्राणता के जो लक्षण इस उत्तर भारतीय केन्द्र से दक्षिण-पूर्वी एशिया में फैलते दिखाई देते हैं, वे मध्य एशिया, पश्चिमी एशिया और इनकी सीमान्त भूमि यूरोप में भी प्रसारित हुए होंगे। इस दृष्टि से, यूरोप को मध्य या पश्चिमी एशिया के साथ मिलाकर, एक बृहत् भाषाई क्षेत्र का अध्ययन अभी किया नहीं गया।

हेंडरसन ने अल्पप्राणता के क्षेत्र में दक्षिण भारत तथा पड़ोसी द्वीप समूह की भाषाओं को रखा है। दक्षिण भारत की द्रविड़ भाषाओं की मूल प्रकृति अल्पप्राणता वाली है। इसी प्रकार जिसे आस्ट्रो-एशियाटिक परिवार कहा जाता है, उसकी मूल प्रकृति भी अल्पप्राणता की है। कोल भाषाएँ इसी आस्ट्रो-एशियाटिक परिवार की शाखा मानी जाती हैं। इनमें महाप्राणता का लक्षण आर्य भाषा-परिवार के सम्पर्क का ही परिणाम हो सकता है। जहाँ यह सम्पर्क कम रहा है, वहाँ कोल समुदाय में भी अल्पप्राणता के लघु क्षेत्र हैं। दूसरी ओर सुदूर प्रशान्त सागर में महाप्राणता के लघु क्षेत्र हैं। प्रशान्त सागर में, दूर-दूर के स्थानों में, अघोष महाप्राण व्यंजनों की विशिष्ट शृंखला दिखाई देती है। यह शृंखला निस्सन्देह बहुत दिलचस्प है क्योंकि महाप्राणता का यह लक्षण इन द्वीपों में अकारण न विकसित हुआ होगा। उनकी पड़ोसी भाषाएँ अल्पप्राण हैं। वे जिस भाषा-परिवार के अन्तर्गत हैं, उसकी ध्वनि-प्रकृति अल्प प्राणवाली है। आर्य भाषाओं की महाप्राण ध्वनियों से प्रभावित होनेवाली भारतीय कोल भाषाओं के कुछ तत्त्व प्रशान्त महासागर के द्वीपों में दूर-दूर तक पहुँचे हैं, ऐसा मानना उचित होगा।

आस्ट्रो-एशियाटिक परिवार से कम्पूचिया (कम्बोज) आदि प्रदेशों की मोन्ख्मेर भाषाएँ भिन्न हैं। इन भाषाओं के प्रदेश से भारत का अत्यन्त प्राचीन सम्बन्ध रहा है; इस सम्बन्ध में द्रविड़ भाषाओं की अपेक्षा वहाँ आर्य भाषाएँ बोलनेवालों की भूमिका प्रमुख रही है। यही कारण है कि चीनी-तिब्बती और कोल भाषाओं की तरह मोन्ख्मेर भाषा-समुदाय में भी महाप्राणता के लक्षण का प्रसार हुआ है।

कहीं-कहीं पड़ोसी भाषा-परिवारों से आर्य भाषा-परिवार का सम्बन्ध इतना घनिष्ठ रहा है कि उनमें सघोष महाप्राण ध्वनियों का भी व्यवहार होने लगा है। हेंडरसन ने इसे पड़ोसी उत्तर भारतीय क्षेत्र की ओर से होनेवाला प्रवेश (एंक्रोचमेंट) कहा है। सघोष महाप्राणता के सीमित प्रसार को परस्पर सम्पर्क का परिणाम कहना उचित है।

महाप्राणता से भिन्न सघोषता का लक्षण अधिक व्यापक है। इस लक्षण पर विचार करते हुए यूजेनी हेंडरसन ने उक्त लेख में बताया है कि अधिकांश भाषाओं में **क्-त्-प्** के साथ **ग्-द्-ब्** सघोष ध्वनियों का व्यवहार होता है। इन भाषाओं

को उन्होंने दो खंडों में विभाजित किया है। पहले खंड में वे भाषाएँ हैं जिनमें **ग्-द्-ब्**—तीनों सघोष ध्वनियाँ हैं, दूसरे खंड में ये भाषाएँ हैं जिनमें केवल **द्** और **ब्** हैं, **ग्** का प्रभाव है। इस तथ्य से पता चलता है कि सघोषता के लक्षण का प्रसार भी सर्वत्र एक-सा नहीं है। अनेक भाषाओं में केवल सघोष स्पर्श-ध्वनियाँ हैं; **ग्** जैसी ध्वनि उनके यहाँ नहीं है यद्यपि अघोष **क्** उनके यहाँ है। बर्मी भाषा-समुदाय के बारे में हेंडरसन का यह उल्लेख महत्त्वपूर्ण है कि शब्द के आदिस्थान पर सघोष स्पर्श-ध्वनियों का व्यवहार अपेक्षाकृत विरल है। यही बात उन्होंने द्रविड़ भाषाओं के बारे में कही है। संस्कृत से उधार लिये हुए शब्दों में ही आदिस्थान पर सघोष-अघोष स्पर्श-ध्वनियों में भेद किया जाता है। यह बात आंशिक रूप में सत्य है। जो द्रविड़ भाषाएँ आर्य भाषाकेन्द्रों के समीप हैं, वे आदिस्थानों पर भी सघोष ध्वनि का व्यवहार करती हैं। पर यह बात सही है कि द्रविड़ भाषाओं की ध्वनि-प्रकृति मूलतः **अघोषता** वाली है।

एक ओर अघोष ध्वनि-प्रकृति वाली द्रविड़ भाषाएँ, दूसरी ओर अघोष ध्वनि-प्रकृति वाली बर्मी भाषाएँ, इनसे घिरा हुआ संघोषता का मूल प्रसार केन्द्र आर्य भाषाक्षेत्र है। इसी प्रकार सघोषता के लक्षण का अध्ययन, मध्य एशिया, पश्चिमी एशिया और यूरोष के भाषा-क्षेत्रों पर एक साथ ध्यान देते हुए, करना चाहिए।

यहाँ भारतीय कोल भाषा-समुदाय के बारे में हेंडरसन का यह उल्लेख भी महत्त्वपूर्ण है कि इन भाषाओं में शब्द के आदिस्थान पर **ग्-द्-ब्** का व्यवहार तो होता है, अन्त में नहीं होता।

इससे विदित होता है कि हिन्दी जैसी भाषाओं की अपेक्षा कोल समुदाय में सघोषता के लक्षण का विकास सीमित है। हेंडरसन ने भाषाविद् जाइड के मत की चर्चा की है जिसके अनुसार संथाली भाषा में शब्द के अन्तिम स्थान के लिए भी सघोष ध्वनियों की कल्पना की गई है। यूजेनी हेंडरसन ने संकेत किया है कि शायद यह बात लिखित भाषा को ध्यान में रखकर कही गई है; यथार्थ उच्चारण से उसका सम्बन्ध नहीं है। संथाली में शब्द के अन्तिम स्थान पर सघोष ध्वनि का व्यवहार होता भी हो, तो भी यह निष्कर्ष अपनी जगह कायम रहता है कि आर्य भाषा-परिवार की अपेक्षा कोल समुदाय में सघोष स्पर्श-ध्वनियों का व्यवहार सीमित है।

नाग भाषा-परिवार के लिए बेनेडिक्ट ने कल्पना की है कि आदि नाग भाषा में **क्-त्-प्** के साथ **ग्-द्-ब्** ध्वनियाँ थीं किन्तु **ख्-थ्-फ्** जैसी अघोष महाप्राण ध्वनियाँ नहीं थीं। इस मत से इस तथ्य का संकेत मिलता है कि नाग भाषा-परिवार में भी महाप्राणता की अपेक्षा सघोषता के लक्षण का प्रसार अधिक हुआ है। भारत की **इदु, मोन्या** जैसी नाग भाषाओं में **ख्-थ्-फ्** का व्यवहार होता है। द्रविड़ भाषाओं से भिन्न महाप्राण **ह्** ध्वनि का व्यवहार सभी नाग भाषाओं में दिखाई देता है। शब्द

के आदिस्थान पर सघोष-अघोष भेद अर्थ-विच्छेदक होता है। कुछ बातों में नाग और कोल भाषाएँ द्रविड़-समुदाय की अपेक्षा आर्य भाषा-परिवार से अपने सुदीर्घ और निकटतर की सूचना देती हैं।

## 3. इंडो-यूरोपियन भाषा-परिवार में महाप्राणता और सघोषता

अब देखना चाहिए कि भारत से बाहर इंडो-यूरोपियन परिवार की भाषाओं में महाप्राणता और सघोषता की क्या स्थिति है। यह बात पहले कही जा चुकी है कि भारत से बाहर इस परिवार की प्राचीन या नवीन, किसी भी भाषा में सघोष महाप्राण ध्वनियों का व्यवहार नहीं होता। भारत की कोल भाषाएँ आर्य-परिवार से भिन्न समुदाय की हैं किन्तु आर्य-परिवार से सम्पर्क के कारण उनमें सघोष महाप्राण ध्वनियों का व्यवहार, अपवाद रूप से, कुछ सीमित क्षेत्रों में होने लगा। भारत के बाहर इंडो-यूरोपियन समुदाय की भाषाएँ उसी परिवार की हैं जिसकी एक 'शाखा' भारतीय आर्य भाषाएँ हैं, पर उनमें सघोष महाप्राण ध्वनियों का व्यवहार नहीं होता।

संस्कृत के ऐसे बहुत-से शब्द हैं जिनमें सघोष महाप्राण ध्वनियों का प्रयोग हुआ है। यूरोप की भाषाओं में इनके प्रतिरूप मिलते हैं। इन प्रतिरूपों में एक वर्ग ऐसे शब्दों का है जहाँ सघोष महाप्राण ध्वनि की जगह अघोष अल्पप्राण ध्वनियों का व्यवहार होता है। जैसे तमिल में संस्कृत **धरा** का प्रतिरूप **तॅरइ** है, ठीक उसी तरह लैटिन में संस्कृत **धरा** का प्रतिरूप **तॅरा** है। अंग्रेज़ी के **टॅरीटरी, टॅरीटोरियल्, टॅरेस्ट्रियल** आदि शब्द भारतीय **धरा** के उसी लैटिन प्रतिरूप **तॅरा** से बनते हैं। इसी प्रकार संस्कृत **भक्ष्,** लैटिन **पस्को**; संस्कृत **ध्वनि**, लैटिन **तोनो** (गर्जन); संस्कृत **भर्**, लैटिन **परिओ** (ले पाना), **पोर्तो** (ले जाना), ग्रीक **पोरेरुओ** (लाना, ले जाना); **घर्म** के शब्द-मूल **घर** से लैटिन में **कलेओ** (गर्म होना), **कलोर्** (गर्मी); **घूर्ण** के शब्द-मूल **घूर्** से लैटिन **कूर** (घूमना) भी; **भय** के अनुरूप लैटिन क्रिया **पवेओ** (डरना), संज्ञा **पवोर्** (डर)।

दूसरे वर्ग में वे शब्द आते हैं जो उत्तरी द्रविड़ भाषाओं की तरह सघोष महाप्राण के स्थान पर अघोष महाप्राण ध्वनि का व्यवहार करते हैं। संस्कृत और ग्रीक भाषाओं में प्रतिरूपों के कुछ जोड़े इस प्रकार हैं : **धूम—थूमोस; मधु—मथु; भूति—फूसिस** (आन्तरिक गुण); **भद्र—फइद्रोस्** (श्रीयुक्त); **दीर्घ—दोलिखोस्; लघु—एलिखुस्**।

ग्रीक की अपेक्षा लैटिन में अघोष महाप्राण ध्वनियों का विकास कम हुआ है। ग्रीक में **ख्-थ्-फ्** तीन ध्वनियाँ हैं; लैटिन में केवल **फ़्** है। अतः सघोष महाप्राण ध्वनियों के स्थान पर लैटिन यदि किसी अघोष महाप्राण ध्वनि का व्यवहार करती है तो वह केवल **फ़्** है। संस्कृत **अर्घ**—लैटिन **अल्फ़ानो**; संस्कृत **भ्रातर्**—लैटिन **फ्रातेर्**; संस्कृत **धूम**—लैटिन **फ़ूमुस्**। **घ्-ध्-भ्**—तीनों के लिए एक ही ध्वनि **फ़्** का व्यवहार हुआ है। किन्तु लैटिन में ऐसा कोई नियम नहीं है कि सघोष महाप्राण के

स्थान पर व्यवहार ही होगा। जैसे **धरा** के प्रतिरूप **तॅरा** में अघोष अल्पप्राण ध्वनि का रहना है, वैसे ही **रुधिर** के प्रतिरूप **रुबेर्** में **ध्** के स्थान पर सघोष अल्पप्राण **ब्** का व्यवहार हुआ है। तीन प्रकार के ध्वनि-परिवर्तन का कारण यह है कि लैटिन भाषा के निर्माण में अनेक बोलियों का योगदान है। उसके शब्द-भंडार में इन बोलियों की भिन्न प्रवृत्तियों के चिन्ह विद्यमान हैं। जैसे **धूम** के प्रतिरूप **फ़ूमुस्** में अन्य वर्ग की अघोष महाप्राण ध्वनि का व्यवहार हुआ है, वैसे ही **रुधिर** के प्रतिरूप **रुबेर्** में अन्य वर्ग की सघोष अल्पप्राण ध्वनि का व्यवहार हुआ है। ग्रीक भाषा में भी सर्वत्र घोष महाप्राण की जगह स-वर्गीय अघोष महाप्राण ध्वनि प्रतिस्थापित नहीं होती। ग्रीक **थर्मोस्** का सम्बन्ध **धर्म** से है किन्तु प्रतिरूप में **ध्** से भिन्न वर्ग की ध्वनि का व्यवहार हुआ है।

प्राचीन ईरानी भाषा में **ख्-थ्-फ्** ध्वनियों का ही विकास हुआ था। उसमें सघोष महाप्राण ध्वनियों का प्रभाव है। संस्कृत **धन्वन्** का प्रतिरूप **थन्वन्, आधि** का प्रतिरूप **आथि;** इसी तरह फ़ारसी में **नाभि** का प्रतिरूप **नाफ़्, अभ्राज** का प्रतिरूप **अफ़्राज्** (श्रेष्ठ) है। फ़ारसी में सघोष महाप्राण ध्वनि के स्थान पर सघोष अल्पप्राण ध्वनि का व्यवहार भी होता है, यथा : **अभ्र** का प्रतिरूप **अब्र, भार** का प्रतिरूप **बार्**।

ग्रीक, लैटिन और ईरानी भाषाओं में महाप्राण-अल्पप्राण, सघोष-अघोष ध्वनियों का भेद सार्थक होता है। प्राचीन भाषा हित्ती की स्थिति इससे भिन्न है। इसमें महाप्राणता अत्यन्त सीमित है और सघोष-अघोष का भेद सन्दिग्ध है। अमरीकी विद्वान् एडगर एच. स्टुर्टेवैंट हित्ती भाषा के विशेषज्ञ हैं। उन्होंने 'ए कम्पैरेटिव ग्रामर ऑफ़ द हित्ताइत लैंग्वेज्' पुस्तक लिखी है। (खंड 1, संशोधित संस्करण 1951, येल यूनिवर्सिटी) इसमें उन्होंने महाप्राणता के बारे में यह मत व्यक्त किया है : "**हित्ती** दस्तावेजों में महाप्राणता का कोई चिन्ह नहीं मिलता।" (पृ. 58) उनका यह मत सन्दिग्ध है। कारण यह कि जिस ध्वनि को वह अंग्रेज़ी वर्णमाला के एच् अक्षर द्वारा, उसके नीचे अर्द्धचन्द्र लगाकर, व्यक्त करते हैं, वह सम्भवत: संघर्षी अघोष महाप्राण कठ्य ध्वनि **ख्** है। **सारस** का हित्ती प्रतिरूप **खारस** है। यहाँ **स्** ध्वनि **ख़्** में वैसे ही परिवर्तित हुई है, जैसे **शुष्क** फ़ारसी में **खुश्क** हो जाता है। **अस्थि** का हित्ती प्रतिरूप **जस्तइ** है। मूल शब्द में अघोष अल्पप्राण **क्** ध्वनि थी। यह ध्वनि रूसी प्रतिरूप **कॉस्त** में विद्यमान है। यह **क्** संघर्षी **ख़्** में परिवर्तित होता है और **ख़्** **ह्** में। हिन्दी शब्द **हड्डी** में यह **ह्** विद्यमान है, संस्कृत रूप **अस्थि** में उसका लोप हो गया है। भारत का अन्य भाषाओं में भी अनेक स्थितियों में, **क्** ध्वनि **ख़्** में परिवर्तित होती है। अत: हित्ती रूप **ख़स्तइ** की आदि अक्षर-ध्वनि **ख्** ही होनी चाहिए। संस्कृत **पृथु** हित्ती प्रतिरूप **पल्ख़** है, और **भर्ग** का प्रतिरूप **ख़र्किस्** है। इन रूपों में **थ्** और **भ्** के स्थान पर एक ही ध्वनि **ख़्** का प्रयोग वैसे ही होता है, जैसे लैटिन में **धूम** और **भ्रातर्** के प्रतिरूपों में एक ही ध्वनि **फ़्** का व्यवहार होता है।

हित्ती में महाप्राणता का अस्तित्व मानना चाहिए किन्तु निस्सन्देह वह अत्यन्त सीमित है। **धरा** और **तॅरा** की तरह हित्ती में भी सघोष महाप्राण ध्वनि के स्थान पर अघोष अल्पप्राण ध्वनि का व्यवहार होता है, यथा : **नभस्** का प्रतिरूप **नेपिस, मघ** का प्रतिरूप **मेइकिस्** (महान्), **दभ्रस्** का प्रतिरूप **तेपुस्** (छोटा), **हन्ति** (मूलरूप पन्ति) का प्रतिरूप **कुएन्चि** है।

हित्ती में सघोष-अघोष ध्वनियों में भेद किया जाता था या नहीं, यह समस्या विवादास्पद है। स्टुर्टेवैंट ने एक ओर यह माना है कि दस्तावेजों के लिपिक सघोष-अघोष ध्वनियों में विवेक नहीं करते, दूसरी ओर वह मानते हैं कि हित्ती भाषा में सघोष-अघोष ध्वनियों में सार्थक भेद किया जाता था। जहाँ एक ही व्यंजन दो बार लिखा जाता है, वहाँ उनके मत से अघोषता का बोध होना चाहिए। किन्तु लिपिक इस नियम का पालन नहीं करते। इसी पुस्तक में एक स्थान पर कहते हैं कि **क्-ग्, त्-द्** और **प्-ब्**—ये ध्वनियाँ एक दूसरे के स्थान पर अदल-बदलकर इतना अधिक लिखी जाती हैं कि उनके सघोष-अघोष भेद के बारे में कोई परिणाम नहीं निकाला जा सकता। (पृ. 26) उसी पृष्ठ पर आगे कहते हैं; 'अत: यह निष्कर्ष निकालना आवश्यक जान पड़ा कि हित्ती भाषा में सघोष-अघोष ध्वनियों के बीच भेद नहीं था। इस निष्कर्ष का स्वागत किया गया था क्योंकि प्राचीन निकट पूर्व की अन्य कई भाषाओं में ऐसी स्थिति प्रतीत होती थी।' वह यह मानते हैं कि हित्ती भाषा की अक्षर-ध्वनियों की व्यवस्था (फोनेमिक सिस्टम) निश्चित करना सरल नहीं है। (पृ. 16) हित्ती भाषा में सघोष-अघोष ध्वनियों का भेद है, अपने इस मत के समर्थन में स्टुर्टेवैंट कोई पुष्ट प्रमाण नहीं दे पाए।

हित्ती भाषा के एक अन्य विशेषज्ञ अमरीकी भाषाविद् वाल्टर पीटर्सन हैं। उनका मत है कि हित्ती में सघोष-अघोष ध्वनियों का भेद अर्थ-विच्छेदक नहीं था और सम्भवत: केवल अघोष स्पर्श-ध्वनि उच्चरित होती थी, कहीं शिथिल रूप में (**ग्**-वत्), कहीं तीव्र रूप में (**क्**-वत्)। फिनलैंड की भाषा में व्यंजनों का उच्चारण दीर्घ या लघु होता है। यह बात हित्ती के लिए भी सम्भव है। 'लैंग्वेज' पत्रिका (खंड 9, 1933) में फिनलैंड के एक विद्वान् एइनारसन का यह मत उद्धृत करने के बाद पीटर्सन इस सम्भावना पर विचार करते हैं कि आदि इंडो-यूरोपियन भाषा में सघोष-अघोष ध्वनियों का जो सार्थक भेद था, वह हित्ती में केवल स्पर्श-ध्वनियों के उच्चारण में शिथिल और तीव्र रूप का भेद रह गया था।

यदि द्रविड़ भाषाओं की ध्वनि-पद्धति पर ध्यान दिया जाए तो ज्ञात होगा कि उनमें अनेक भाषाएँ सघोष-अघोष ध्वनियों का व्यवहार करती हैं किन्तु सामान्यत: यह ध्वनि-भेद अर्थ-विच्छेदक नहीं होता। सम्भव है, यह स्थिति हित्ती में भी रही हो। इसमें तो सन्देह नहीं कि संस्कृत की सघोष महाप्राण ध्वनियों के स्थान पर, स्टुर्टेवैंट के अनुसार ही उसमें अघोष अल्पप्राण ध्वनियों का व्यवहार किया गया

था। यदि हित्ती के ध्वनितंत्र की तुलना तुखारी भाषा के ध्वनितंत्र से की जाए तो इस समस्या को हल करने में सहायता मिल सकती है।

तुखारी भाषा के दस्तावेज हित्ती दस्तावेजों की अपेक्षा बहुत बाद के हैं किन्तु भाषाविज्ञानी मानते हैं कि उसमें प्राचीनता के लक्षण हित्ती के ही समान हैं। दोनों ही भाषाएँ **केन्तुम्** शाखा के अन्तर्गत मानी जाती हैं। जिस भूमि-भाग में तुखारी भाषा का व्यवहार होता था, वह भारत का प्राचीन उत्तराखंड है। भौगोलिक दृष्टि से यह क्षेत्र भारत के अधिक समीप है। तुखारी भाषा की दो बोलियाँ हैं, दोनों में लिखे हुए दस्तावेज सुलभ हैं। ध्वनितंत्र के विचार से दोनों में कोई महत्त्वपूर्ण अन्तर नहीं है। दोनों में न तो महाप्राणता का लक्षण है, न सघोषता का। अत: बोलियों का अलग उल्लेख यहाँ अनावश्यक है। संस्कृत के सघोष महाप्राण ध्वनियों वाले शब्दों के तुखारी प्रतिरूप इस प्रकार हैं : **धाम—ताम; भाग—पाक; भ्रातर्—प्राचर्, जम्भ—कम्** (दाँत)। अघोष अल्पप्राण ध्वनियाँ सघोष महाप्राण ध्वनियों के स्थान पर प्रयुक्त होती हैं। जहाँ मूल शब्द में सघोष अल्पप्राण ध्वनि है, वहाँ भी तुखारी प्रतिरूप में अघोष अल्पप्राण ध्वनि का व्यवहार किया जाता है। यथा : **गोत्र—कोतॅर; गो—को, कउ** (हिन्दी **गाय**, अंग्रेज़ी **काऊ**), संस्कृत **गम्**—तुखारी **कम्** (अंग्रेज़ी **कम्**); **राज्—राक्**।

तुखारी भाषा के इन उदाहरणों को देखने से ज्ञात होता है कि इंडो-यूरोपियन परिवार की प्राचीन भाषाओं में या तो महाप्राणता का पूर्णत: लोप है या उनका प्रयोग अत्यन्त सीमित है। इसी प्रकार सघोषता का लक्षण या तो अर्थ-विच्छेदक नहीं है या उसका पूर्णत: अभाव है। अधिकांश भाषाविज्ञानी यह मानते हैं कि भारत के उत्तर-पश्चिम में द्रविड़ जनों की बस्तियाँ थीं। भारत के द्रविड़ों ने आर्यों की भाषा को कैसे प्रभावित किया, इसकी छानबीन उन्होंने काफी की है। भारत के उत्तर-पश्चिमी सीमान्तों पर द्रविड़ों ने इंडो-यूरोपियन परिवार की अन्य भाषाओं को किस प्रकार प्रभावित किया, इसका अनुसन्धान उन्होंने नहीं किया। यदि भारत के भाषाई परिवेश में महाप्राणता और सघोषता के लक्षणों का अध्ययन करें तो पता चलेगा कि इनके केन्द्र आर्य भाषा-क्षेत्र में हैं और जिन रीतियों से ये लक्षण पड़ोसी द्रविड़-कोल-नाग भाषाओं को प्रभावित करते हैं, वे सब रीतियाँ भारत के बाहर इंडो-यूरोपियन परिवार की भाषाओं में भी दिखाई देती हैं। सघोषता और महाप्राणता के लक्षणों का सुसंगत व्यवहार आर्य भाषाओं में होता है। इनका प्रसार विषम गति से नाग-द्रविड़-कोलक्षेत्रों में हुआ और इसी प्रकार विषम गति से पश्चिमी एशिया तथा यूरोप की भाषाओं में हुआ।

ग्रीक-लैटिन की अपेक्षा यूरोप की जो भाषाएँ अर्वाचीन हैं, उनमें भी सघोषता-महाप्राणता का विकास विषम है। स्लाव भाषाएँ भारतीय आर्य-परिवार की भाषाओं से घनिष्ठ रूप में सम्बद्ध हैं। रूसी भाषा में **ख़्** और **फ़्** संघर्षी, अघोष, महाप्राण रूप विद्यमान हैं, किन्तु **थ्** का अभाव है। रूसी और उक्रैनी एक ही स्लाव समुदाय

की भाषाएँ हैं किन्तु उक्रैनी में **फ़्** ध्वनि का अभाव है। **फ़िलिप** रूसी तथा यूरोप की अन्य भाषाओं में अत्यन्त प्रचलित नाम है। किन्तु इसके उच्चारण में उक्रैनियों को कठिनाई होती है। प्रशिक्षित जनों को छोड़ दें, तो साधारण उक्रैनी लोग **फ़िलिप** के स्थान पर **ख़्विलिप्** कहेंगे—**ख़्** संघर्षी तत्त्व का अनुकरण करने के लिए, और **व्** ओष्ठ्य तत्त्व के अनुकरण के लिए। स्लाव भाषाओं में सघोष महाप्राण ध्वनियाँ वैसे ही नहीं हैं, जैसे भारत से बाहर इंडो-यूरोपियन परिवार की अन्य भाषाओं में नहीं हैं; अघोष महाप्राण ध्वनियों की भी शृंखला पूरी नहीं है और विभिन्न स्लाव भाषाओं में स्थिति अलग-अलग है। सघोषता-अघोषता का भेद सार्थक है किन्तु इस तरह का भेद शब्द के आदिस्थान वाली ध्वनि में किया जाता है, शब्द के अन्तिम स्थान में इस तरह का भेद लगभग वैसे ही नगण्य है, जैसे कोल भाषाओं में।

जर्मन भाषा में महाप्राणता इसी प्रकार सीमित है। **ख़्** और **फ़्** ध्वनियाँ हैं, **थ्** नहीं है। अंग्रेज़ी में भी **थ्** का उच्चारण ऐसे संघर्षी रूप में होता है कि वह सीत्कार के निकट पहुँच जाता है। ग्रीक भाषा से उधार लिये हुए कुछ अंग्रेज़ी शब्दों में स्पर्श-ध्वनि **थ्** का उच्चारण होता है, यथा : **थ्योरी, थीसिस्, थ्योरम्** में। **ह्** ध्वनि जर्मन में बहुत स्पष्ट है, अंग्रेज़ी में लिखी ज्यादा जाती है, बोली कम जाती है। रूसी में उसका प्रभाव है, चेक आदि अन्य स्लाव भाषाओं में वह विद्यमान है। आइरिश लोग अपने ह-कार-उच्चारण के लिए विख्यात हैं। अंग्रेज़ी कथा-साहित्य में उनकी इस उच्चारण विशेषता पर जोर देकर अक्सर उनका मज़ाक उड़ाया जाता है।

ग्रीक और लैटिन में ह-कार की स्थिति इस बात की ओर संकेत करती है कि इस ध्वनि का उच्चारण सुसंस्कृत होने का चिन्ह माना जाता था। इस कारण ग्रीक भाषा में अनावश्यक रूप से **ह्** ध्वनि जोड़ी जाने लगी। ग्रीक शब्दकोश में कोई भी शब्द, **ह्** ध्वनि के संसर्ग के बिना, **उ** स्वर से आरम्भ नहीं होता। इस स्वर के साथ ही यह ध्वनि निरन्तर क्यों जोड़ी जाती है, यह कहना कठिन है। इसके अतिरिक्त संस्कृत **अश्व** और लैटिन **एक्वुउस्** का ग्रीक प्रतिरूप **हिप्पोस्** है जहाँ **इ** स्वर के साथ ह-कार-संयोग हुआ है।

लैटिन में **ह्** का स्पष्ट उच्चारण अभिजातवर्गीय माना जाता था। लैटिन भाषा पर अपनी पुस्तक में पामर ने लिखा है कि कुछ ग्रामीण बोलियों में महाप्राण ध्वनि का लोप हो गया; देहातीपन के इस चिन्ह के खिलाफ अबोध प्रतिक्रिया हुई जिससे अति शिष्ट प्रयोगों का जन्म हुआ। ऐसे प्रयोगों का उदाहरण देते हुए वह कहते हैं कि **हुमेरुस्, हुमोर** तथा **हउरिओ** में हकार अनावश्यक है। लैटिन की मूल प्रवृत्ति अल्पप्राणता की थी। प्राचीन लैटिन में जहाँ यह ध्वनि थी, वहाँ आगे चलकर उसका प्रयोग कम होता गया। इस सन्दर्भ में पामर कहते हैं : "लैटिन का काकल्य **ह्** निसर्गत: अस्थिर ध्वनि था और उत्तरोत्तर उसका प्रयोग कम होता गया। जहाँ वह दो स्वरों के बीच में होता था, वहाँ ईसा-पूर्व तीसरी शताब्दी तक उसका लोप हो

गया।...इसके फलस्वरूप इस अक्षर का प्रयोग वर्णक्रम (सिलैबीफिकेशन) दिखाने के लिए होता था, यथा : **अहेनुस्** की वर्तनी में, जहाँ व्युत्पत्ति की दृष्टि से वह अनावश्यक था।" (एल्.आर्. पामर : 'द लैटिन लैंग्वेज', पृ. 229-30)

लैटिन में जहाँ **ह्** लिखा जाता है, वहाँ वह हमेशा बोला न जाता था। ऐसी ही स्थिति अंग्रेज़ी वर्तनी की है। लैटिन-भाषियों ने इस ध्वनि का व्यवहार जिनसे सीखा था, वे अवश्य अधिक सुसंस्कृत रहे होंगे। इसीलिए मौखिक और लिखित, भाषा के दोनों रूपों में **ह्** का व्यवहार उच्च संस्कृति का चिह्न माना गया था।

ग्रीक-भाषा-समुदाय में ह-कार की क्षीणता और उसके लोप की स्थिति वैसी ही के जैसी लैटिन में। इंडो-जर्मैनिक भाषाओं के तुलनात्मक व्याकरण के पहले खंड में जगमन ने बताया है कि पहले लेस्बियन भाषा में **ह्** लुप्त हुआ; आयोनियन और अत्तिक भाषाओं में उसका प्रयोग कम होता गया और ईसाई सम्वत् शुरू होते-होते उसका पूर्ण लोप हो गया। बक ने लैटिन और ग्रीक भाषाओं के व्याकरण में यही बात दोहराई है। इसके साथ आधुनिक ग्रीक के बारे में बताया है कि उसमें **ह्** ध्वनि का अभाव है।

किसी भाषा में ध्वनियों का लोप अकारण नहीं होता। ग्रीक भाषा-समुदाय में दो विरोधी स्त्रोतों से तत्त्व आते रहे थे। एक भारतीय आर्य स्त्रोत है, और दूसरा भारतीय द्रविड़-नाग-कोल-स्त्रोत। इनके अलावा ग्रीक भाषा-समुदाय के अपने अल्पप्राण स्त्रोत हो सकते हैं। भारतीय आर्य भाषाओं से ग्रीक भाषा-समुदाय की स्थिति तुलनीय है। हमारे यहाँ **ह्** ध्वनि सुरक्षित ही नहीं रहती, जहाँ-तहाँ भिन्न ध्वनि-प्रकृति के द्रविड़ परिवार में भी वह प्रवेश करती है। उधर ग्रीक समुदाय में किसी समय व्यवहृत होने पर भी वह क्रमशः क्षीण होती जाती है। इसका कारण यह है कि वह ग्रीक भाषाओं के ध्वनितंत्र का आवश्यक अंग नहीं बनी। द्रविड़ भाषाओं की तरह ग्रीक में उसका उच्चारण करो तो ठीक, न करो तो भी ठीक। ध्वनितंत्र में उसका अपना कोई अर्थ-विधेयक कार्य नहीं है। यूरोप की अधिकांश भाषाओं में **ह्** ध्वनि की यही स्थिति है। वह उन भाषाओं के ध्वनितंत्र का अपरिहार्य अंग नहीं है, जैसे वह आर्य-परिवार के ध्वनितंत्र का है।

यूरोप की भाषाओं में महाप्राण ध्वनियों का विषम प्रसार हुआ। सघोष महाप्राण ध्वनियों के स्थान पर कुछ भाषाओं ने अघोष महाप्राण ध्वनियों का व्यवहार किया, कुछ ने सघोष अल्पप्राण ध्वनियों का। इस दूसरे वर्ग में जर्मन और स्लाव भाषाएँ मुख्य हैं। इनमें सघोषता का प्रसार महाप्राणता से अधिक हुआ था। कुछ संस्कृत शब्दों के पुराने जर्मन प्रतिरूप इस कोटि के हैं : **भ्र्—ब्राव्, नभ—नेबुल्** (बादल, कुहरा), **लुभ्—लिओब्** (प्रिय), **बन्ध्—बिन्दन्**।

इसी प्रकार पुरानी स्लाव भाषा में **भय—बोयति** (डरता है); **भग—बोगु** (देव); **धर्म** का शब्दमूल **घर्—गोरेति** (गर्म होता है)। आधुनिक रूसी में :

**धाम—दोम्; —भूर्ज—ब्रेर्योज्; दीर्घ—दोल्गो**। रूसी भाषा में अघोष महाप्राण के स्थान पर अघोष अल्पप्राण के व्यवहार की प्रवृत्ति है : संस्कृत **फेन**—रूसी **पेन,** ग्रीक **थॅओरिआ**—रूसी **तॅओरिआ**।

रूसी और जर्मन, दोनों ही भाषाओं की विशेषता है कि शब्द के अन्त में यदि सघोष **ग्-द्-ब्** ध्वनियाँ होंगी, तो उनका उच्चारण अघोषवत् होगा। **ग्-द्-ब्** ध्वनियाँ शब्द के अन्त में किसी समय अवश्य उच्चरित होती रही होंगी किन्तु जैसे लैटिन में महाप्राणता का ह्रास हुआ, वैसे ही अधिक सीमित रूप में, स्लाव और जर्मन भाषाओं में सघोषता क्षीण हुई। लिखित भाषा में वह केवल दृश्य ध्वनि (शब्द के अन्त में) रह गई है। उल्लेखनीय है कि कुछ जर्मन बोलियों में शब्दों के आरम्भ में सघोष ध्वनि है, तो अन्य कुछ बोलियों में उसी स्थान पर अघोष ध्वनि का व्यवहार होता है, यथा : गौथिक में **डाग्** है तो पुरानी हाई जर्मन (अर्थात् पहाड़ी जर्मन) में **टाग्** है। (यह शब्द **बाघ** का प्रतिरूप है जिसका अर्थ था दिन।)

भारतीय भाषा-परिवारों में कोल और नाग, दो परिवार ऐसे हैं जिनमें शब्दों के अन्त में **ग्-द्-ब्** ध्वनियाँ अघोषवत् बोली जाती हैं। यही स्थिति रूसी और जर्मन भाषाओं की है।

यूरोप की कुछ भाषाओं में द्रविड़ पद्धति से भिन्न, सघोष महाप्राण स्पर्श-ध्वनियों में परिवर्तन अन्य प्रकारों से भी होता है। महाप्राण ध्वनि संघर्षी **ज़्** में परिणत होती है और सघोष अल्पप्राण स्पर्श-ध्वनि के साथ उसका संयोग होता है। यथा : भारतीय आर्य शब्द **मेध** अवेस्ता में **म्यज़्द** (बलि) में परिवर्तित होता है **(ध् = ह्-स्-ज् + द्)**। यहाँ महाप्राण ध्वनि **ध्** न तो केवल **द्** रही न **त्,** न वह **ह्** में परिवर्तित हुई। वह **ज़्द्** में बदलती है। ईरानी शब्द **मज़्दा** का सम्बन्ध भारतीय शब्द **मेधा** से होना चाहिए; अर्थ है ज्ञानवान्। इसी प्रकार रूसी भाषा में **मध्य** का परिवर्तित रूप **मेज़्दु** है, **प्रबुद्ध** का समकक्ष रूप **प्रबुज्देनिये** है। यही प्रक्रिया जब अघोषता से प्रभावित होती है, तब सघोष **ज़्** के स्थान में अघोष **स्** रहता है और सघोष **द्** का स्थान अघोष **त्** लेता है। इस प्रकार संस्कृत **बद्ध** ईरानी में **बस्त** और **बस्ता** बनता है (अवेस्ता इसी **बद्ध** का रूपान्तर है)। संस्कृत **अबुद्ध** का ग्रीक प्रतिरूप **अपुस्तोस्** है, संस्कृत **एध** (ईंधन) का लैटिन प्रतिरूप **ऐस्तुस्** है।

कहीं आदिस्थानीय **ध्** सघोष **ज़्** में बदलता है और यह सघोष **ज़्** पुनः अघोष् **स्** में परिवर्तित होता है। संस्कृत ध्वनि रूसी में **ज़्वन्** है और यही **ज़्वन्** पुनः परिवर्तित होकर **स्वन्** बनता है (और नाग प्रभाव से इस **स्वन्** का एक रूप **क्वण्** होता है)।

संस्कृत **धाम** का मूल अर्थ है निर्माण की हुई वस्तु। ग्रीक भाषा में **दोमोस्** शब्द का अर्थ है घर या कोई भी वस्तु जो निर्मित की गई हो। संस्कृत **धाता** और **विधाता** में यही निर्माता वाला भाव है। रूसी भाषा में **धा** शब्दमूल से **ज़्दानिये** (भवन) शब्द बनता है। यहाँ भी **ध्** ध्वनि **ज़्द्** में परिवर्तित हुई।

किसी समय **वध्** जैसा शब्दमूल भारत में प्रचलित था जिसका अर्थ था ले चलना, राह दिखाना। **वधू** शब्द इसी से व्युत्पन्न हुआ है। जिसे दूसरा ले जाए, वह **वधू**। रूसी भाषा से **वोझ़् द्, वोझ़ाक्** शब्दों का अर्थ है नेता, **वोझ़ातुइ** का अर्थ है पथदर्शक। उसी **वध्** के अन्य रूप **वेध्** से रूसी क्रिया **वेस्ति** (ले जाना) बनती है। **ध्** पहले **ज़्द्** में परिवर्तित हुआ फिर सघोषता का लोप होने पर **स्त्** शेष रहा।

सघोष महाप्राण स्पर्श **भ्** द्रविड़ पद्धति से **ब्** और **प्** रूपों में ग्रहण किया जाता है। पुनः यह **ब्** या **प्**, द्रविड़ भाषाओं में ही, संघर्षी **व्** में रूपान्तरित होता है। अतः संस्कृत के **भ्**-मूलक शब्द ग्रीक आदिभाषाओं में **व्**-युक्त दिखाई देते हैं और जब इस **व्**-युक्त वर्ण से **व्** का भी लोप हो जाता है, तब केवल स्वर बच रहता है। यह प्रक्रिया द्रविड़ प्रभाव से संस्कृत में भी घटित होती है।

ज़्वेलेबिल ने अपने द्रविड़ ध्वनितंत्र वाले ग्रंथ में बताया है कि परिनिष्ठित तमिल में जहाँ **प्** वाला रूप प्रचलित है, वहाँ बोलचाल की तमिल में, विशेषतः अब्राह्मणजनों की तमिल में, **व्** वाले रूप का व्यवहार होता है। संस्कृत **अभयम्** परिनिष्ठित तमिल में **अबयम्** है तो बोलचाल में उसका रूप **अवयों** हो जाता है। संस्कृत **तपस्** इसी प्रकार **तपचु** और **तवचु** रूपों में बदलता है। संस्कृत **बल** तमिल में **वलि** बनता है। कन्नड़ भाषा आदिस्थान में **ब्** का व्यवहार भी करती है, तमिल उसके स्थान पर **व्** का व्यवहार करती है, यथा : कन्नड़ **बान** (आकाश) तमिल में **वान्** है, कन्नड़ **बर** (आना) तमिल में **वरु** है। ब्रज से लेकर बंगाल तक आधुनिक आर्य भाषाएँ **ब्** ध्वनि का प्रयोग करती हैं, **व्** वाले शब्द को भी बदलकर **ब्** वाला रूप दे देती हैं। इसके विपरीत संस्कृत में **ब्** ध्वनि वाले शब्द बहुत कम हैं। इसका कारण यही हो सकता है कि मध्य देश और मगध **ब्**-प्रधान क्षेत्र थे और उत्तर-पश्चिमी प्रदेश **व्**-प्रधान था।

हिन्दी शब्द **भेली** (गुड़ की भेली) तमिल में **वॅल्लम्** है; संस्कृत **भंडि** (गाड़ी) तमिल में **वंडि** है; हिन्दी **भाड़ा** का तमिल रूप **वारम्** है। संस्कृत में **भुज्** क्रिया का अर्थ है मुड़ना। **भुजा** वह जो मुड़ जाए। **भोग** और **भुजग** साँप को कहते हैं क्योंकि वह टेढ़ी-मेढ़ी गति से चलता है। **भंग** और **भंगिमा** के अनुरूप संस्कृत में **वंक, वक्र** आदि रूप बनते हैं। **व्** का लोप होने पर **अंक, अंग, अंगुलि** आदि शब्द प्राप्त होते हैं। इनसे मिलते-जुलते शब्द ग्रीक भाषा में हैं **: अंके** (भुजा), **अंकले** (मुड़ी हुई भुजा), **अंकुलोस्** (मुड़ा हुआ), **अंकोल्** (कोहनी), **अंकुरा** (लंगर), **अंकिस्त्रोन्** (मछली पकड़ने का काँटा)। संस्कृत शब्दों के अतिरिक्त यूरोप की भाषाएँ अभारतीय शब्दों में भी इस तरह का परिवर्तन करती हैं। लैटिन भाषा का **लपिस्** (पत्थर) ग्रीक में **लअस्** बनता है। ध्वनि-परिवर्तन की यह प्रक्रिया उत्तर-पश्चिमी भारतीय भाषाओं के अनुरूप है।

यूरोप की भाषाओं में थोड़े-से शब्द ऐसे थे जिनमें **स्त्** परिवर्तित होकर **थ्** ध्वनि का रूप लेता है और यह प्रक्रिया वैसी ही है, जैसे संस्कृत **स्तन** हिन्दी में **थन** हो

जाता है। संस्कृत में गरजने के लिए **ध्वन्** से बने **स्तन्** और **तन्,** दोनों क्रिया-रूप हैं। अंग्रेज़ी शब्द **थंडर** (गर्जन) **स्तन्** से सम्बद्ध है। लैटिन रूप **तोनारे** है और उसी के अनुरूप जर्मन शब्द **दॉन्नॉर्** है। हालैंड की भाषा में इसका रूप **दॉन्दॅर्** है। नॉर्वे और स्वीडन के गण-समाजों का 'इन्द्र' **थोर्** था; वह मेघों का गर्जन करनेवाला देवता है। इससे अनुमान होता है कि जर्मन समुदाय की भाषाओं में **तन्** और **स्तन्,** दोनों क्रिया-रूपों का चलन था। **थोर्** और **थंडर्** का सीधा सम्बन्ध **स्तन्** वाले रूप से है। इनके अतिरिक्त ग्रीक **थम्बइनो** का अर्थ है स्तम्भित होना। **थम्बोस्** (चकित होने का भाव), **थओमई** (आश्चर्य करना), **थउमा, थोउमा** (आश्चर्य), **थउमाजो** (आश्चर्य करना)—ये सभी रूप संस्कृत शब्दमूल **स्तम्भ** से सिद्ध होते हैं। ऐसे शब्दों की संख्या थोड़ी है किन्तु उनसे यह अवश्य सिद्ध होता है कि **स्त्**—**थ्** वाली ध्वनि परिवर्तन-प्रक्रिया सीमित क्षेत्र में यूरोप में भी चालू थी। अंग्रेज़ी **थम्ब्** (अँगूठा) भी संस्कृत **स्तम्भ** का प्रतिरूप है।

**घ्-ध्-भ्** आर्य-परिवार की मूल ध्वनियाँ हैं। द्रविड़ परिवार की भाषाओं के शब्द-भंडार का अध्ययन करने से **घ्-ध्-भ्** उसकी मूल ध्वनियाँ सिद्ध नहीं होतीं। आर्य भाषा-परिवार के विकास की कोई ऐसी मंज़िल नहीं मिलती जब उसमें **क्-त्-प्** ध्वनियों का व्यवहार न होता रहा हो। फिर भी इस सम्भावना से इनकार नहीं किया जा सकता कि इन ध्वनियों के आदिम विकास काल में दो मूल केन्द्र रहे होंगे : एक **घ्-ध्-भ्** का, दूसरा **क्-त्-न्** का। दोनों के सम्पर्क से ध्वनियों के दो नये वर्ग उत्पन्न हुए : एक **ख्-थ्-फ्** का, और दूसरा **ग्-द्-ब्** का। संस्कृत क्रिया **स्था** है किन्तु **स्तम्भ** शब्द में महाप्राणता के बदले अल्पप्राणता है। **धाम** शब्द के आरम्भ में सघोष महाप्राण ध्वनि है किन्तु दम्पती रूप में **ध्** के स्थान पर **द्** का व्यवहार हुआ है। संस्कृत में अनेक ऐसे रूप हैं जिनमें मूल सघोष महाप्राण के स्थान पर अघोष महाप्राण अथवा सघोष अल्पप्राण, और कभी-कभी अघोष अल्पप्राण ध्वनियों का व्यवहार होता है। मूल शब्द है **अभ**। इसी से **अभ्र** रूप बनता है। **अभ** का एक संस्कृत प्रतिरूप है **अंभ**, दूसरा **अंबु**, तीसरा **अप**। एक क्रिया है **नाध्**; इसका वैकल्पिक रूप है **नाथ्**। इस तरह के उदाहरणों से सिद्ध होता है कि **घ्-ध्-भ्** ध्वनियों वाली बोलियाँ ऐसी बोलियों के सम्पर्क में आई थीं जिनके लिए सघोष महाप्राण ध्वनियों का उच्चारण कठिन था। यदि संस्कृत के शब्दमूलों में **घ्-ध्-भ्** और **ख्-थ्-फ्,** दो वर्गों की इन ध्वनियों की प्रयोग-बहुलता का हिसाब लगाएँ, तो पता चलेगा कि **घ्-ध्-भ्** की तुलना में **ख्-थ्-फ्** का प्रयोग अत्यन्त सीमित है। इससे निष्कर्ष यह निकलेगा कि आर्य-परिवार की मूल महाप्राण ध्वनियाँ **घ्-ध्-भ्** ही हैं। अघोष महाप्राण ध्वनियों का विकास बाद में हुआ है।

भारत में द्रविड़ भाषा-समुदाय एकमात्र भाषा-परिवार नहीं था जो सघोष महाप्राण ध्वनियों के व्यवहार के प्रति विरोधी प्रकृति का परिचय देता था। अन्य परिवारों में

भी यह प्रवृत्ति विद्यमान थी। इनमें नाग भाषा-परिवार की ध्वनि-प्रकृति ध्यान देने योग्य है। बेनेडिक्ट ने अपनी 'चीनी-तिब्बती परिवार' वाली पुस्तक में बताया है कि नाग भाषाओं में सघोषता और अघोषता का भेद तो अर्थ-विच्छेदक है किन्तु महाप्राणता और अल्पप्राणता का भेद गौण है। इस गौण भेद के बारे में कहते हैं कि शब्द के आरम्भ में जो अघोष स्पर्श-ध्वनि होती है, उसमें महाप्राणता का संयोग किया जाता है। (पृ. 20) यदि यह स्मरण करें कि उत्तरी द्रविड़ भाषाओं में अक्सर **क्** के स्थान पर **ख्** का प्रयोग होता है तो नाग भाषाओं से इस प्रवृत्ति की समानता देखी जा सकेगी। महाप्राणता नाग-परिवार का मूल लक्षण नहीं है। महाप्राणता मूल लक्षण होती तो अर्थ-विच्छेदक होती। यह लक्षण इस परिवार ने आर्य भाषा-समुदाय से ग्रहण किया है और उसके प्रयोग की एक रीति उसने निश्चित कर ली है। शब्द के आरम्भ में अल्पप्राण ध्वनि से महाप्राणता का संयोग हो जाएगा। यह प्रवृत्ति वैसी ही है, जैसी तमिल आदि द्रविड़ भाषाओं की यह प्रवृत्ति कि मध्यवर्ती अघोष ध्वनि सघोष हो जाएगी। जैसे द्रविड़ परिवार में सघोषता का लक्षण मूलतः अर्थ-विच्छेदक नहीं रहा, वैसे ही नाग-परिवार में महाप्राणता उसका मूल लक्षण नहीं है। जैसे आर्य भाषा-परिवार के अनेक शब्दों में मध्यवर्ती अघोष ध्वनि सघोष हो गई है, यथा : **काक—काग, लोक—लोग**, वैसे ही नाग भाषा-परिवार की महाप्राणता-सम्बन्धी रीति के प्रभाव से **स्थान** और **स्तम्भ** जैसे रूपों का भेद उत्पन्न हुआ हो, यह सम्भव है।

नाग भाषा-परिवार की उक्त विशेषता को ध्यान में रखने से यह सम्भावना पुष्ट होती है कि संस्कृत में **ख्-थ्-फ्** ध्वनियों वाले शब्दमूल जो बहुत कम हैं सो इसका कारण आर्य भाषाओं पर नाग भाषाओं का सीमित प्रभाव है (यद्यपि इस प्रभाव का स्रोत—महाप्राणता—नाग भाषाओं को आर्य-परिवार से ही प्राप्त हुआ था)। ऐतिहासिक भाषाविज्ञान के विद्वान् जब अपनी आदि इंडो-यूरोपियन भाषा के ध्वनितंत्र में **ख्-थ्-फ्** के अस्तित्व पर विचार करते हैं, तो स्वभावतः संशय में पड़ जाते हैं। उन्हें इस बात का पुष्ट प्रमाण नहीं मिलता कि उस आदिभाषा में इनका व्यवहार होता था। संस्कृत की शब्द-राशि सामने होने से यह भी दृढ़तापूर्वक नहीं कह सकते कि आदिभाषा में इनका व्यवहार होता ही नहीं था। भारत के समग्र भाषाई परिवेश को ध्यान में रखते हुए, आर्य और नाग भाषा-परिवारों के परस्पर सम्पर्क पर विचार करने से, सम्भव है, इस समस्या का समाधान मिल जाए।

**ख्-थ्-फ्** की तुलना में **ग्-द्-ब्** का व्यवहार इंडो-यूरोपियन भाषाओं में अधिक होता है। इनमें **ब्** की स्थिति सन्दिग्ध मानी गई है। लैटिन और ग्रीक में **ब्** से आरम्भ होनेवाले बहुत-से शब्द हैं किन्तु अन्य शाखाओं में उनके प्रतिरूप कम मिलते हैं। संस्कृत में **ब्** की अपेक्षा **व्** ध्वनि अधिक सुसंस्कृत मानी जाने लगी, इस कारण भी संस्कृत में **ब्** का प्रयोग सीमित हुआ। **ग्** और **द्** के बारे में भाषाविज्ञानियों को सन्देह नहीं है कि ये आदि इंडो-यूरोपियन भाषा की मूल ध्वनियाँ हैं।

यदि संस्कृत के शब्द-मूलों पर इस दृष्टि से विचार करें कि इनमें **क्-त्-प्** ध्वनियों का आदिस्थानीय प्रयोग अधिक है या **ग्-द्-ब्** का, तो इस विषय में सन्देह न रहेगा कि **क्-त्-प्** ध्वनियों का व्यवहार ही अधिक हुआ है। संस्कृत का कोई भी कोश उठाकर इन ध्वनियों के व्यवहार का मोटा हिसाब लगाया जा सकता है। संस्कृत में ऐसे अनेक शब्द हैं जिनमें सघोष-अघोष ध्वनियों का वैकल्पिक प्रयोग दिखाई देता है, यथा : **कर्व्** क्रिया का अर्थ है गर्व करना। इसका वैकल्पिक रूप **गर्व** है। संस्कृत रूप **कोचति** का अर्थ है ऊँची आवाज़ करना; यह स्पष्ट ही **घोष्** का प्रतिरूप है जहाँ सघोष महाप्राणता के स्थान पर अघोष अल्पप्राण ध्वनि प्रतिष्ठित हुई है। संस्कृत में **गुल्फ, कुल्फ** जैसे वैकल्पिक रूप यह सिद्ध करते हैं कि सघोषता का लक्षण किसी अन्य भाषा-परिवार के प्रभाव के कारण अस्थिर है। संस्कृत शब्द-मूलों में जो महत्त्व **घ्-ध्-भ्** का वह **क्-त्-प्** का नहीं है। इससे यह सम्भावना सामने आती है कि **घ्-ध्-भ्** वर्ग से **क्-त्-प्** वर्ग का संयोग होने पर **ग्-द्-ब्** के नये वर्ग की सृष्टि हुई।

## 4. नाग भाषा-परिवार और संघर्षीकरण

**क्-त्-प्** चाहे मूलत: आर्य-परिवार की ध्वनियाँ हों, चाहे द्रविड़ परिवार की, चाहे इन दोनों की सामान्य ध्वनियाँ हों, दोनों परिवारों में इनके कायाकल्प का इतिहास शिक्षाप्रद है। दोनों ही परिवारों में ये ध्वनियाँ निरन्तर किसी ऐसे भाषा-समुदाय से प्रभावित होती हैं जिससे उनका अस्तित्व संकट में पड़ जाता है। शब्द के आदिस्थान में उनके लिए खतरा कम रहता है किन्तु मध्यवर्ती स्थान में—मध्यवर्ती से आशय है, दो स्वरों के बीच की स्थिति से—बहुधा उनका रूप-परिवर्तन होता है या लोप हो जाता है। प्राकृत भाषाओं में व्यंजनों के लोप की यह प्रक्रिया अतिरंजित जान पड़ती है, फिर भी उसका वास्तविक आधार है। स्पर्श-ध्वनियाँ अकस्मात्, अकारण, लुप्त नहीं हो जातीं; उनके लुप्त होने की एक प्रक्रिया है। इस प्रक्रिया का अध्ययन भारत की आधुनिक भाषाओं के सन्दर्भ में भी सम्भव है।

तमिल भाषा के ध्वनितंत्र का विवरण देते हुए तमिल व्याकरण पर अपनी पुस्तक में सोवियत संघ के विद्वान् आन्द्रोनोव ने यह मत प्रकट किया है कि इस भाषा की मध्यवर्ती ध्वनियाँ सघोष होती हैं और स्पर्श होने के बदले संघर्षी होती हैं। एक शब्द **मकन्** है; **क्** ध्वनि सघोष होगी, **क्** बदलकर **ग्** होगा, और यह **ग्** ध्वनि संघर्षी **ग़्** रूप धारण करेगी। इसी प्रकार **त्** और **प्, द्** और **ब्** में परिवर्तित होकर सघोष रूप धारण कर फिर संघर्षी बनेंगे। तमिल-भाषी भाषाविज्ञानियों से पूछने पर ज्ञात हुआ कि **त्** और **प्** में इस तरह का परिवर्तन नहीं होता। केवल **क्** कुछ बोलियों में संघर्षी **ग़्** में बदलता है। ज़्वेलेबिल ने केवल मध्यवर्ती **क्** के बारे में लिखा है कि वह ब्राह्मणों की बोली में **ह्** में बदलता है और अब्राह्मणों की बोली में

संघर्षी **ग़्** बनता है। इस सम्बन्ध में मेरा कहना यह है कि कुछ शिक्षित तमिल-भाषी मध्यवर्ती **क्** के स्थान पर संघर्षी महाप्राण **ख़्** का उच्चारण करते हैं। यह **ख़्** ही **ह्** में बदलता है, संघर्षी **ग़् ह्** में नहीं बदलता। **त्** और **प्** की स्थिति कुछ अधिक मजबूत है किन्तु उनका परिवर्तन भी होता है, **ह्** में नहीं, अन्य अन्तस्थ ध्वनियों में। इसकी चर्चा आगे करेंगे। जहाँ **क्-त्-प्** का द्वित्व होता है, वहाँ ये ध्वनियाँ सुरक्षित रहती हैं। वास्तव में यह द्वित्व-प्रक्रिया व्यंजनों की सुरक्षा के लिए ईजाद की हुई प्रक्रिया है। किसी वैयाकरण ने अथवा पंडितों के समाज ने सोच-विचारकर उसे जन्म नहीं दिया; द्रविड़ भाषा-भाषियों के सहज बोध ने उसकी सृष्टि की है। इसी प्रकार नासिक्य ध्वनि का संसर्ग होने पर उसके बाद आनेवाली स्पर्श-ध्वनि का संघर्षीकरण नहीं होता और उसके ह-कार में बदलने या लुप्त होने की सम्भावना नहीं रहती। तमिल में **ब्** ध्वनि केवल अनुनासिक ध्वनि के बाद आती है। दो स्वरों के बीच में आने पर **प्** ध्वनि **व्** में बदल जाती है। **कूम्बु, कूप्पु, कुवि** (बन्द होना जैसे फूल का); **कूबु** या **कुबि** रूप न होगा।

द्रविड़ भाषा-परिवार में कन्नड़ एक ऐसी भाषा है जो आदिस्थानीय **प्** को **ह्** में बदलती है और जनसाधारण को बोलचाल में कभी-कभी यह ह-कार लुप्त हो जाता है। कन्नड़ भाषा में **प्—ह्** परिवर्तन-प्रक्रिया के बारे में ए.एन्. नरसिंह ने 'बुलेटिन ऑफ़ द स्कूल ऑफ़ ओरिएंटल स्टडीज़' के ग्रियर्सन को समर्पित अंक (1936) में एक लेख लिखा था : 'द हिस्ट्री ऑफ़ पी इन कनरीज'। इसमें उन्होंने बताया है कि कन्नड़ भाषा में नवीं शताब्दी तक **प्** ध्वनि का व्यवहार होता था। आदिस्थानीय **प्** के बदले **ह्** के व्यवहार के प्रमाण दसवीं शताब्दी से मिलने लगते हैं। मठों आदि को दी हुई भूमि के आज्ञा-पत्रों में जो गद्य है, उसमें **ह्** का व्यवहार अधिक है, पद्य में कम। तेरहवीं शताब्दी में **प्** के स्थान पर प्रतिष्ठित होनेवाले **ह्** का लोप होने लगता है। मूलशब्द **पोगु**, परिवर्तित रूप **होगु, ह्** के लोप के बाद **ओगु** (जाना)। वर्तमान स्थिति के बारे में होंने लिखा है : "आजकल अशिक्षित जनों की बोलचाल में **प्** का स्थान लेनेवाला **ह्** प्रायः लुप्त हो गया है। **प्** के बाद जो स्वर आता है, वह किसी भी प्रकार का हो, स्थानापन्न **ह्** लुप्त हो जाता है। प्रशिक्षित लोग शिष्ट भाषा बोलने के प्रयास में कभी-कभी अपनी ओर से **ह्** जोड़ देते हैं जहाँ वह व्युत्पत्ति-विचार से अनावश्यक है।"

अनावश्यक **ह्** जोड़नेवाली प्रवृत्ति लैटिन और ग्रीक भाषाओं का व्यवहार करने वालों की याद दिलाती है। **ह्** का उच्चारण शिष्टता का चिन्ह माना जाता था। पुनः ब्राह्मणों की तमिल में **ह्** के स्पष्ट उच्चारण की बात कही गई है। इन सभी भाषाओं की मूल प्रवृत्ति अल्पप्राणता की ओर है। अतः सामान्य जनों की बोलचाल में **ह्** का लोप होता दिखाई देता है। लिखित भाषा का व्यवहार शिक्षित जन करते हैं, इसलिए वे उन रूपों को बहुत दिनों तक बनाए रहते हैं जो बोलचाल में नष्ट

हो गए हैं। कन्नड़ में नवीं शताब्दी तक आदिस्थानीय का व्यवहार लिखित भाषा में अवश्य होता रहा होगा किन्तु साधारणजनों की बोलचाल में इसका लोप बहुत पहले हो चुका होगा। जो प्रवृत्ति कन्नड़ भाषा में है, वही प्रवृत्ति आर्मीनियन और आइरिश भाषाओं में भी है।

किसी समय यह **प्** संघर्षी **फ़्** में बदलता था। फिर यह संघर्षी **फ़्** ध्वनि बदलकर काकल्य महाप्राण **ह्** बनी। यह प्रक्रिया पूर्वी बंगाल की बोलियों में आधुनिक काल में देखी जा सकती है। डॉ. सुनीतिकुमार चाटुर्ज्या ने 'बंगला भाषा के उद्‌भव और विकास' पर अपने ग्रंथ में इसके अनेक उदाहरण दिये हैं। इन बोलियों में **पाप—फ़ाफ़, पूजा—फ़ूजा, पूत—फ़ूत**—इस तरह के परिवर्तन देखे जाते हैं। **पूत** के दो रूप होंगे : एक **फ़ूत**, दूसरा **हूत**। इसी तरह **पेट** के दो रूप : **फ़ेट** और **हेट**। डॉ. चाटुर्ज्या कहते हैं कि इस **फ़्** के उच्चारण में ओठ इतने खुले रहते हैं कि सुनने में ध्वनि अघोष **ह्** जैसी लगती है। डॉ. चाटुर्ज्या के विवरण से कन्नड़ में **प्** ध्वनि के परिवर्तन की प्रक्रिया समझी जा सकती है। संघर्षी **फ़्** या **ख्** ध्वनि इस ढंग से उच्चारित की जा सकती है कि वह **ह्** जैसी लगे। यही कारण है कि डॉ. पार्थसारथी के उच्चारण में मध्यवर्ती **क्** मुझे संघर्षी **ख़्** सुनाई देता था किन्तु उन्हें प्रतीति **ह्** की होती थी। ध्वनि-विश्लेषण में किसी भाषा के स्वर या व्यंजन एक दूसरे से जितना भिन्न दिखाये जाते हैं, उतना होते नहीं हैं। दो देशों या दो सेनाओं के बीच में जैसे अनिर्धारित भूमि होती है जिस पर किसी का निश्चित अधिकार नहीं होता, वैसे ही ध्वनियों का एक संध्यालोक है, जहाँ यह कहना कठिन होगा कि जो ध्वनि हमने सुनी है, वह **ख्** है या **ह्**, **फ़्** है या **ह्**। इसलिए प्राकृतिक नियमों के समान जो लोग ध्वनि-परिवर्तन के अटल नियम कायम करते हैं, वे प्रकृति का एक नियम यह भूल जाते हैं कि दिन और रात के बीच में कुछ समय ऐसा होता है जो न दिन होता है, न रात।

ध्वनियों की इसी द्वन्द्वात्मक संयोग-वियोग-प्रक्रिया से यह स्पष्ट होता है कि भारतीय भाषाओं में अनेक व्यंजनों के स्थान पर **ह्** का व्यवहार क्यों होता है अथवा व्यंजनों का पूर्ण लोप क्यों हो जाता है।

पूर्वी बंगाल की बोलियाँ नाग भाषा-क्षेत्र से घिरी हुई हैं। डॉ. चाटुर्ज्या ने इस स्थिति की ओर उचित ही ध्यान दिलाया है। **क्-त्-प्** के उच्चारण में महाप्राणता का योग नाग भाषाओं की विशेषता है। इसी परिवार की कुछ भाषाएँ संघर्षी ध्वनियों का व्यापक प्रयोग करती हैं। बेनेडिक्ट की पुस्तक में हमें इस तरह के उदाहरण मिलते हैं। रोने के लिए कनौरी में शब्द है **क्रप्**, इसका कचिन भाषा में रूप है—**ख़्रप्**, मगरि में इसका रूप है **ह्रप्**, और **ह्** का लोप होने से इस भाषा में इसका वैकल्पिक रूप रह जाता है **रप्**। इसी तरह तिब्बती-बर्मी समुदाय की एक भाषा में **घर** के लिए शब्द है **किम्**, तो दूसरी में शब्द है **खिम्** और तीसरी में शब्द है **हिम्**। नाग-परिवार की सभी भाषाओं की ध्वनि-प्रकृति एक-सी नहीं

है। कहीं संघर्षी ध्वनि है, कही नहीं है, कहीं अल्पप्राण अघोष स्पर्श-ध्वनि कायम रहती है, कहीं बदल जाती है। इसके दो कारण हो सकते हैं। नाग भाषाएँ किसी ऐसे भाषा-समुदाय से प्रभावित हुई हैं जिसमें अघोष अल्पप्राण स्पर्श-ध्वनियों का अभाव था, केवल संघर्षी अघोष महाप्राण ध्वनियों **ख़्, थ्, फ़्** का व्यवहार होता था। इस भाषा-समुदाय का प्रभाव नाग-परिवार पर विषम रूप में पड़ा, कहीं कम कहीं ज्यादा, कहीं बिलकुल नहीं। दूसरा कारण यह हो सकता है कि संघर्षी तत्त्व आर्य भाषाओं के प्रभाव से क्षीण हो गया हो और अघोष अल्पप्राण तथा अघोष महाप्राण, दोनों प्रकार की स्पर्श-ध्वनियों का चलन हुआ हो। जो भी हो, यह तथ्य महत्त्वपूर्ण है कि स्पर्श-ध्वनियों के परिवर्तन की यह प्रक्रिया बहुत स्पष्ट रूप में उन क्षेत्रों में देखी जाती है जिनमें नाग भाषाओं का बाहुल्य है। पूर्वी बंगाल की बोलियों के कुछ उदाहरण और लें। **टका** शब्द का बंगला प्रतिरूप है **टाका**। इसके अन्य पूर्वी बंगला के प्रतिरूप हैं **टाख़ा, टाग़ा, टाहा**। यहाँ तमिल भाषा के मध्यवर्ती **क्** के सारे रूपान्तर—ब्राह्मण-अब्राह्मण बोली-भेद के बिना—एक साथ मिल जाते हैं। संघर्षी महाप्राण अघोष **ख़्** है, संघर्षी सघोष अल्पप्राण **ग़्** है और संघर्षी **ख़्** से विकसित होनेवाला काकल्य महाप्राण **ह्** है। **सकल** शब्द बदलकर **हअल** होगा, और फिर दो स्वरों के मिलने से **हाल** हो जाएगा। इसी तरह **शकुन—होउन; शिकल—हीओल; डाकिबो—डाइबो** (बुलाऊँगा); **दोकान** (दुकान)—**दोआन; मोकद्दमा** (मुकदमा)—**मोख़दमा, मोहदमा; हाकिम—आहिम; मुल्लुके—मुल्लुख़े, मुल्लुहे, मुल्लुग़े; काली—ख़ाली; किछु—ख़िसु; कथा—ख़था; और ढाका—डाख़ा, डाहा, डाग़ा** (**प्राग** और **प्राहा** की तरह)।

इससे मिलती-जुलती स्थिति कोल भाषाओं में दिखाई देती है। **लिंगुआ** संख्या 14 में कुइपर ने जो व्यंजन-विकल्प पर—'कॉन्सोनेंट वेरिएशन इन मुंडा'—निबन्ध लिखा है, उसमें उन्होंने स्पर्श-व्यंजनों के ह-कार में बदलने के बहुत-से उदाहरण दिये हैं, यथा : कुडुख़ भाषा में **कोन्** (वेटा), **काकू** (मछली), **कोरो** (पुरुष), **कोइयो** (हवा), **कोलोम्** (आटा) शब्दों के, इसी क्रम से, संथाली में प्रतिरूप हैं : **होन्, हको, होड़्, होए, होलोड़्**। कभी-कभी इस तरह के विकल्प एक ही भाषा में मिलते हैं। संथाली में **क्** और **ह्** वाले वैकल्पिक रूपों की भरमार है। **कलोबतो—हलोबतो** (अज्ञानी), **कोएदो—होएदो** (निरावरण), **कोन्दे—होम्बे** (टेढ़ा)। **क्** के अलावा जहाँ **ग्** है, वहाँ भी ऐसा वैकल्पिक प्रयोग देखा जाता है। यथा : **गद गद—हद हद** (भीड़-भाड़ सहित), **गिलोङ् गोलोङ्—हिलोङ् होलोङ्** (धीमे-धीमे)। जहाँ **ख्** और **घ्** महाप्राण व्यंजन हैं, वे तो ह-कार में वैकल्पिक रूप से बदलते ही हैं। ऐसा लगता है कि भारत के भाषा-परिवारों में कोल समुदाय ही उस प्रवृत्ति से सर्वाधिक प्रभावित हुआ है जो स्पर्श-व्यंजनों को पहले संघर्षी रूप देती है, फिर उन्हें ह-कार में बदलती है। स्वाभाविक है कि कन्नड़ की तरह यहाँ भी आदिस्थानीय **प्**

ह-कार में परिवर्तित हो, यथा : संथाली में **पोगोएआ—होगोया** (स्त्रियों का बेपर्द होकर बैठना)। इसके साथ ही द्रविड़ भाषाओं की तरह इस ह-कार का लोप भी हो जाता है, यथा : संथाली में **गोलमाल** बदलकर **गुलमाल** हुआ, फिर **हुलमाल,** पुनः उसका वैकल्पिक रूप बना **उलमाल; कण्डूज—होण्ड्रोज, ओण्ड्रोज** (पें पें करना)। इससे प्रतीत होता है कि अनेक भाषा-परिवार कोल भाषाओं को प्रभावित करते रहे हैं और उनमें वैकल्पिक रूपों की अधिकता का यही कारण है।

यूरोप की भाषाओं में जहाँ तहाँ मध्यवर्ती स्पर्श (या संघर्षी) ध्वनियों का लोप होता है। जर्मन-अंग्रेज़ी के कुछ प्रतिरूप इस प्रकार हैं : **फ़ोगेल्—फ़ाउल** (चिड़िया), **रेगिल—रूल** (शासन), **रेगेन्—रेन्** (उप.) **फ़्लीगेन—फ़्लाई** (उड़ना)। ध्वनि-परिवर्तन की प्रक्रिया यहाँ भारतीय भाषाओं की उक्त प्रक्रिया के अनुरूप है।

कोल-द्रविड़ भाषाओं की तरह यूरोप की अनेक भाषाओं में **क्-त्-प्** की स्थिति परिवर्तनशील है। विशेष रूप से **प्** के परिवर्तन की प्रक्रिया कन्नड़ तथा पूर्वी बंगाल की बोलियों में **प्** के परिवर्तन से मिलती है। भारतीय आर्य भाषा में जहाँ **प्** है, वहाँ जर्मन में **फ़्** का व्यवहार होता है। यथा : संस्कृत **पितर्** का ग्रीक प्रतिरूप **पतेर्** है, पुरानी जर्मन में **फ़ाडर्** या **फ़ादर्** है। आर्मीनियन में यह **प्** या **फ़्** बदलकर **ह्** हो जाता है। वहाँ इसी **फ़ादर्** का प्रतिरूप है **हइर**। आइरिश भाषा में ह-कार का लोप हो जाता है और रूप बनता है **अथिर**। पुराने जर्मन रूप में **द्** या **थ्** संघर्षी ध्वनि रहा होगा। आर्मीनियन में उसका लोप हो जाता है, आइरिश में मूल अल्पप्राण ध्वनि महाप्राणता से संयुक्त होकर कायम रहती है किन्तु प्रारम्भिक ह-कार का लोप हो जाता है। संस्कृत पर का पुराना जर्मन (गौथिक) रूप **फ़इर** है, इसी से अंग्रेज़ी **फ़ार्** (दूर) बनता है। आर्मीनियन में इसका प्रतिरूप है **हेरि**। संस्कृत क्रिया **पत्** (उड़ना) से जैसे पत्र बनता है, वैसे ही अंग्रेज़ी में **फ़ेदर्** (पंख), **प्** को **फ़्** में परिवर्तित करके बनता है। इसी से पक्षी के लिए **पेन्** शब्द बना होगा। **प्—फ़्—ह्** परिवर्तनक्रम से यह शब्द **हेन्** होगा जिसका अर्थ अंग्रेज़ी में मुर्गी है। पुरानी आइरिश में ह-कार का लोप होने के बाद **एन्** रूप बनता है जिसका अर्थ है पक्षी। संस्कृत **विपुल** में **पुल** शब्द-मूल है, जिसका अर्थ है बहुत अधिक। इसका ग्रीक प्रतिरूप **पोलुस्** है। गौथिक में **प्** संघर्षी **फ़्** में बदलता है, और शब्द बनता है **फ़िलु**। पुरानी आइरिश में ह-कार लोप के बाद रूप बचता है **इल्**। संस्कृत पंच का लिथुआनियन रूप है **पेन्कि**। आर्मीनियन में यही **हिंग** हो जाता है। लैटिन शब्द **पोर्कुस्** (सुअर), पुरानी जर्मन में **फ़रह्** और पुरानी आइरिश में **ओर्क्** है। अब इसमें सन्देह नहीं रह जाता कि संस्कृत, ग्रीक, लैटिन और स्लाव भाषाओं में **प्** की स्थिति सुदृढ़ है। इनकी तुलना में जर्मन, केल्त और आर्मीनियन भाषा-समुदायों में यह ध्वनि अस्थिर है। यह अस्थिरता तीन प्रकार से व्यक्त होती है और ये तीनों प्रकार एक ही प्रक्रिया की तीन मंज़िलें हैं। पहली मंज़िल **प्** का **फ़्** में बदलना, दूसरी मंजिल **फ़्** का **ह्** में

बदलना और तीसरी मंज़िल **ह्** का लोप होना है। यह प्रक्रिया ज्यों-की-त्यों भारतीय भाषाई क्षेत्र में घटित होती है। इस प्रक्रिया की पहली मंज़िल का कारण नाग भाषाओं का प्रभाव है। दूसरी मंज़िल का कारण आर्य भाषाओं का प्रभाव है। संस्कृत तथा अधिकांश आधुनिक आर्य भाषाएँ संघर्षी ध्वनियों का व्यवहार नहीं करतीं, उनके स्थान पर वे काकल्य महाप्राण ध्वनि **ह्** से काम लेती हैं। तीसरी मंजिल का कारण द्रविड़ प्रभाव है जिससे ह-कार का लोप हो जाता है। यूरोप की भाषाओं में ये तीनों प्रभाव साफ़ दिखाई देते हैं।

इंडो-यूरोपियन परिवार की भाषाओं में कभी-कभी मध्यवर्ती **प्** भी उक्त प्रकार की अस्थिरता प्रदर्शित करता है। संस्कृत **नपात्** लैटिन में **नेपोस्** है। अंग्रेज़ी में यही **नेफ़्यू** बनता है (**फ़्** का उच्चारण **व्** के समान होता है)। मध्यकालीन आइरिश में इस **प्** या **फ़्** का लोप हो जाता है और शब्द बनता है निओए। संस्कृत **उपरि** का गौथिक प्रतिरूप **ऊफ़र्** है। आधुनिक जर्मन में यह रूप **ऊबॅर्** है। ये दोनों रूप दो भिन्न प्रभावों के कारण हैं। **फ़्** वाला रूप नाग प्रभाव के कारण है, और **ब्** वाला रूप मध्यवर्ती अघोष को सघोष करनेवाली द्रविड़ वृत्ति के कारण है। अंग्रेज़ी में **फ़्** सघोष होकर **व्** बनता है और मूल संस्कृत **उपरि** का अंग्रेज़ी प्रतिरूप बनता है **ओवर्**। संस्कृत **अपि** का आर्मीनियन प्रतिरूप **एव** है जिसकी निर्माण-प्रक्रिया **ओवर्** के समान है। अंग्रेज़ी शब्द **सेवॅन्** किसी **सेपॅन्** जैसे रूप से बना हुआ मालूम होता है। लिथुआनियन में **सात** के लिए **सेप्तिनि** शब्द संस्कृत **सप्तमी** का विकास है। इस तरह के शब्द से **सेपॅन्** शब्द का विकास **सहज** है। आर्मीनियन में इसका प्रतिरूप **एविन्** है, जो स्पष्ट ही **सेवॅन्** और **सेप्तिनि** जैसे रूपों से सम्बद्ध है। यहाँ कार उल्लिखित तमिल के मध्यवर्ती **प्** के **व्** में बदलने की प्रक्रिया स्मरणीय है।

इटली की पुरानी भाषाओं में मध्यवर्ती **प्** और **क्** में ऐसे ही परिवर्तन होते दिखाई देते हैं। लैटिन **स्क्रिप्तुम्** का उम्बीयन प्रतिरूप **स्क्रेह्तो** है। यह **ह्** संघर्षी **फ़्** का विकास है, इसका प्रमाण इटली की दूसरी पुरानी भाषा ओस्कन में मिल जाता है। उसमें इसका प्रतिरूप **स्क्रिफ़्तस्** (लेखन, अंग्रेज़ी **स्क्रिप्ट**) है। लैटिन **रेक्ते** का उम्ब्रियन प्रतिरूप **रेह्त** है। इसी का जर्मन प्रतिरूप **रेश्ते** है जो अंग्रेज़ी में right लिखा जाता है, वर्तनी में दो अक्षर gh पुराने **क्** के परिवर्तित संघर्षी रूप की यादगार हैं। यह संघर्षी रूप **ह्** में बदलकर लुप्त हुआ और शब्द का उच्चरित रूप हुआ **राइट्**। इस प्रकार इंडो-यूरोपियन परिवार की अनेक भाषाओं के शब्दों की ध्वनि-परिवर्तन-सम्बन्धी व्याख्या भारतीय भाषाई परिवेश को ध्यान में रखकर की जा सकती है।

नाग भाषा-परिवार में **किम्, खिम्, हिम्** (घर) जैसे रूप मिले थे, वैसे रूप तथाकथित भारत-ईरानी शाखा में मिलते हैं। संस्कृत रूप **मित्र** का प्राचीन ईरानी रूप **मिथ्र** है। इसी से **मिहिर** रूप बनता है जो वराह मिहिर से लेकर आर्य मिहिर

तक प्रकाशित है। संस्कृत प्रथम पुरानी ईरानी में **फ्रतम** है; अंग्रेज़ी **फ़र्स्ट** का सम्बन्ध संघर्षी **फ़्** से आरम्भ होनेवाले **फ्रतम** जैसे किसी रूप से है। संस्कृत **क्रतु** प्राचीन ईरानी में **ख़्रतु** है। इसी तरह संस्कृत **चक्र** फ़ारसी में **चर्ख़** बनता है। आर्य-परिवार की **क्-त्-प्** ध्वनियाँ ठीक भारत के पड़ोस में **ख्-थ्-फ्** रूप धारण कर रही हैं। वही प्रक्रिया जर्मन समुदाय में घटित होती है। कारण है नाग भाषा-समुदाय का प्रभाव। एक ओर ईरान, दूसरी ओर पूर्वी बंगाल, इसके बीच में है आर्य भाषा क्षेत्र जो दोनों ओर नाग भाषाओं से घिरा हुआ है।

द्रविड़ भाषाओं तथा अंग्रेज़ी और जर्मन में **ग्-द्-ब्** ध्वनियों की स्थिति से ग्रीक भाषा-समुदाय में इन ध्वनियों की जो स्थिति है, उसकी तुलना करनी चाहिए। वैयाकरण बक का कहना है कि पुरानी ग्रीक भाषा की ये स्पर्श-ध्वनियाँ आगे चलकर संघर्षी बन गईं; आधुनिक ग्रीक में उनके संघर्षी रूपों का ही चलन है। किन्तु ग्रीक भाषा-समुदाय में किसी भी समय **ग्-द्-ब्** पूर्ण स्पर्श-ध्वनियाँ थीं, इसमें सन्देह है। यूनानियों के **ज़ेउस्**—देवता का नाम—मूलतः **देउस्** हैं। आयोनियन भाषा में **द्** बदलकर संघर्षी **ज़्** बनता है। इसी प्रकार ग्रीक शब्द **बेरेथ्रोन्** आर्केडियन भाषा में **ज़ेरेथ्रोन्** है। जहाँ **ओद्मे** और **ओस्मे** जैसे विकल्प मिलते हैं, वहाँ यह सहज ही अनुमेय है कि **द्** पहले संघर्षी **ज़्** में परिवर्तित हुआ और इस सघोष **ज़्** ने अघोष **स्** रूप धारण किया। बक का मत है कि यूनान की बोलियों में **ब्** ने **ब़्** (अथवा **व़्**) रूप धारण किया, **द्** ने **द़्** रूप, और **ग्** ने **ग़्** रूप। इस तरह तीनों सघोष स्पर्श-ध्वनियाँ संघर्षी रूपों में परिवर्तित हुईं। बक के अनुसार कुछ बोलियों में यह परिवर्तन काफ़ी पहले हुआ; अत्तिक और कोइने—यूनान की व्यापक ग्रीक भाषा—में सम्भवतः यह परिवर्तन ईसा के सौ-दो सौ साल बाद तक नहीं हुआ। ग्रीक, जर्मन, द्रविड़ समुदाय की भाषाओं में इस तरह के परिवर्तनों की समानता उल्लेखनीय है। सारा परिवर्तन संघर्षीकरण की दिशा में होता है। संघर्षी ध्वनियों का चलन ईरान की भाषाओं में भी रहा। इस तरह की ध्वनियों का विकास जिस भाषा-परिवार में सबसे अधिक हुआ, वह नाग है। यह कहा जा चुका है कि स्वयं नाग-परिवार किसी अज्ञात संघर्षी ध्वनियों के स्रोत से प्रभावित हुआ हो तो आश्चर्य की बात नहीं है। भारत के उत्तर-पश्चिमी सीमान्त पर नागों से ग्रीक, जर्मन, ईरानी भाषा-समुदायों तथा द्रविड़ भाषाओं के सम्पर्क की कल्पना करने से इस तरह के व्यापक परिवर्तन आकस्मिक न होकर एक ही सूत्र में बँधे हुए दिखाई देंगे।

आर्य भाषा-परिवार में **क्-त्-प्** और **ग्-द्-ब्**, सघोष और अघोष, दोनों ही तरह का ध्वनियों की स्थिति अपेक्षाकृत सुदढ़ है। किन्तु यह बात सघोष महाप्राण **घ्-ध्-भ्** के बारे में नहीं कही जा सकती। संस्कृत में आदिस्थानीय सघोष महाप्राण ध्वनियाँ कभी-कभी ह-कार में बदलती हैं। यही ध्वनियाँ जब मध्यवर्ती होती हैं तब उनमें इस तरह का परिवर्तन और भी अधिक होता है।

संस्कृत **हरस्** का सम्बन्ध **घर्म** के **घर्** से है। **दहति** का **ह्**, **दग्ध** और **निदाघ** से **सिद्ध**, **घ्** का रूपान्तर है। **हन्ति** रूप जिस क्रिया से बनता है, उसी से दूसरा रूप **जघान** बनता है। **अर्हति** के साथ **अर्घ** (मूल्य), **दुह्** के साथ **दुग्ध** आदि रूपों से ज्ञात होता है कि संस्कृत में इस तरह का परिवर्तन अत्यन्त सीमित है। जहाँ ऐसा परिवर्तन होता है, वहाँ अपरिवर्तित शब्द-मूल का समानान्तर व्यवहार भी होता है। यह स्थिति ग्रीक, लैटिन, प्राचीन ईरानी, हित्ती आदिभाषाओं की स्थिति से भिन्न है। संस्कृत में हम यह देख सकते हैं कि किसी प्रभाव के कारण यह प्रक्रिया आरम्भ तो होती है किन्तु मूल प्रवृत्ति काफी शक्तिशाली सिद्ध होती है, और वह इस प्रक्रिया को सीमित कर देती है। संस्कृत में थोड़े ही शब्द ऐसे हैं जहाँ केवल ह-कार का चलन शेष रहा, मूल ध्वनि का चिन्ह नष्ट हो गया। ऐसा ही एक शब्द है **हस्त**। इसका मूल रूप था **धस्त**। यह बात फ़ारसी शब्द **दस्त** का स्मरण करने से समझ में आ जाती है। **दस्त** के **द्** का विकास **हस्त** के **ह्** से नहीं हुआ, **हस्त** और **दस्त** के **द्** और **ह्**, दोनों ही मूल **धस्त** के **ध्** के परिवर्तित रूप हैं। अंग्रेज़ी **हैंड** और जर्मन **हांड** इसी **हस्त** से बनते हैं, अर्थात् **ध्** जब **ह्** में बदल चुका है, भारतीय **हस्त** रूप अस्तित्व में आ चुका है, उसके बाद जर्मन शाखा के **हांड** रूप का आविर्भाव होता है। इसी प्रकार संस्कृत **हंस** का मूल रूप **घंस** है। यह बात हम जर्मन रूप **गंज़्** से जानते हैं। यहाँ जर्मन रूप, **घ्** की महाप्राणता के लोप के बाद, सीधे मूल रूप **घंस** से विकसित हुआ है। किन्तु लैटिन रूप **अंसेर्** सिद्ध करता है कि **हंस** के ह-कार का लोप होने पर उसका यह रूप बना है। उधर इसका ग्रीक प्रतिरूप **ख़ेन्** है, जहाँ सघोष महाप्राण **घ्** संघर्षी **ख़्** अथवा स्पर्श **ख्** में परिवर्तित हुआ। एक शब्द का उदाहरण और लें। संस्कृत **हनु**, ग्रीक **गेनुस**, जर्मन **किन्**, अंग्रेज़ी **चिन्**, मूल रूप **घनु** की ओर संकेत करते हैं।

यदि संघर्षी ध्वनियों के भौगोलिक प्रसार पर ध्यान दिया जाए तो आर्य भाषा-परिवारों का छोटा-सा केन्द्रीय क्षेत्र चारों ओर संघर्षी ध्वनियों से घिरा हुआ दिखाई देगा। **ख़्** वाली ध्वनि पूर्वी बंगाल में है, फ़ारसी में है, रूसी, उक्रैनी आदि स्लाव भाषाओं में है, मेरे विचार से हित्ती में है (**सारस—ख़ारस**), प्राचीन ग्रीक भाषा के लिए कहते हैं कि उसमें **ख्** ध्वनि स्पर्श थी, संघर्षी बाद को बनी, यह संघर्षी ध्वनि जर्मन भाषा में है और स्कॉटिश जैसी केल्त भाषाओं में है (झील के लिए अंग्रेज़ी **लेक्** का स्कॉटिश प्रतिरूप **लौख़्** है)। संघर्षी **फ़्** को पूर्वी बंगाल की बोलियों में है, फ़ारसी में है, लैटिन में है (लैटिन लिखने-बोलनेवाले अपने संघर्षी **फ़्** को ग्रीक स्पर्श **फ्** से भिन्न मानते थे), जर्मन समुदाय की भाषाओं में इसका व्यवहार होता है। संघर्षी **थ्** का व्यवहार-क्षेत्र अधिक सीमित है। अंग्रेज़ी में **थिंक्** जैसे शब्दों में इसका प्रयोग निश्चित रूप से होता है।

सघोष संघर्षी **ज़्** का प्रवेश आर्य भाषा-परिवार में निषिद्ध-सा है। पूर्वी बंगाल की बोलियों तथा मराठी में इसका व्यवहार होता है, द्रविड़ भाषाओं में कर्णाटक

और आन्ध्र प्रदेश के उत्तरी भागों में इसका प्रयोग होता है, उधर उत्तर में कश्मीरी भाषा की यह सुपरिचित ध्वनि है। नाग भाषाओं में इसका व्यवहार होता ही है। भारत के बाहर प्राचीन ग्रीक, फ़ारसी, जर्मन, अंग्रेज़ी आदिभाषाओं में इसका व्यवहार होता है। अंग्रेज़ी की अपेक्षा जर्मन में इसका प्रयोग अधिक होता है क्योंकि शब्द के आदिस्थानीय स-कार को बदलकर जर्मन-भाषी ज़-कार कर देते हैं। मराठी और कश्मीरी में संघर्षी **च़** का व्यवहार होता है और असमिया-भाषी जनसंस्कृत शब्दों के च-कार के स्थान पर च़-कार का उच्चारण करते सुने जाते हैं। कुछ नाग भाषाओं में संघर्षी **छ़** का व्यवहार भी होता है। रूसी, फ़ारसी, फ्रांसीसी और अंग्रेज़ी में एक संघर्षी ध्वनि सीमित रूप में व्यवहृत होती है। यह तालव्य संघर्षी सघोष अल्पप्राण ध्वनि है जो अंग्रेज़ी के **Pleasure, Measure** जैसे शब्दों में प्रयुक्त होती है। इसे हिन्दी में **झ़** चिन्ह द्वारा व्यक्त करेंगे (केवल यह स्मरण रखना चाहिए कि यह **झ़** के समान महाप्राण ध्वनि नहीं है)। भारत में जिस प्रदेश को नागालैंड कहा जाता है, उसमें इसका व्यापक प्रयोग होता है। व्यापक से आशय यह है कि फ़ारसी समेत भारत के बाहर की भाषाओं की तुलना में इसका प्रयोग नागालैंड की भाषाओं में अधिक होता है। यदि संघर्षी ध्वनियों के पूरे व्यवहार-क्षेत्र पर ध्यान दिया जाए तो यह सत्य प्रत्यक्ष हो जाता है कि इनकी सर्वाधिक विविधता और प्रयोग-बहुलता उस भाषाई क्षेत्र में है जिसे बृहत्तर भारत की संज्ञा दी जाती है। इस बृहत्तर भारत में संघर्षी ध्वनियों का प्रदेश मध्यदेश को घेरे हुए है। (यहाँ **स्** और **ह्** को संघर्षी ध्वनियों से अलग रखा गया है।) आर्य भाषा-परिवार में सघोष-अघोष, अल्पप्राण-महाप्राण स्पर्श-ध्वनियों की अपेक्षाकृत स्थिरता इस बात की ओर संकेत करती है कि इन ध्वनियों की विकास-भूमि भिन्न प्रवृत्तिवाली भाषाओं से घिरी रहने पर भी अपनी मूल ध्वनि-प्रकृति की रक्षा करने में सफल हुई है।

**क्-त्-प्** और **घ्-ध्-भ्** के समान भारत के भाषाई क्षेत्र में एक ध्वनि और बदलती है, वह है अघोष **स्**। इसके परिवर्तन की प्रक्रिया उक्त ध्वनियों के परिवर्तन की प्रक्रिया से मिलती-जुलती है। सरस्वती का प्राचीन ईरानी रूप **हरख़्वैति** है। **स्** का यह परिवर्तित रूप **ख़्** पुनः **ह्** में भी बदलता है। संस्कृत **स्व** अवेस्ता में **ख़्व** है और गाथा ईरानी में **ह्व**। प्राचीन ईरानी में संस्कृत शब्दों का **स्** इसी प्रकार **ह्** में बदलता है : **असुर—अहुर** (स्वामी); **यासु—याहु** (जिसमें); **भरसि—बरहि** (ले जाता है); **सेना—हएना; सम—हम**। फ़ारसी **ख़ुश्क** का प्राचीन ईरानी (अवेस्ता वाला) प्रतिरूप **हुश्क** है। पूर्व रूप संस्कृत **शुष्क** है। **सप्ताह** और फ़ारसी **हफ़्ता में स्** के **ह्** में बदलने के साथ-साथ **प्** भी संघर्षी **फ़्** में बदला है। नाग भाषाओं में जहाँ-तहाँ इससे मिलते-जुलते परिवर्तन दिखाई देते हैं, यथा : भारत के पूर्वांचल की गलोङ् भाषा में **सिगि, सोबो** के वैकल्पिक रूप **हिगि, होबो** का चलन है।

पूर्वी बंगाल में **सात हात आत** जैसी परिवर्तन-प्रक्रिया दिखाई देती है। दन्त्य **स्** और तालव्य **श्**, दोनों **ह्** में बदलते हैं। **शुष्क** और **हुश्क** की तरह कश्मीरी में **श्वान** का प्रतिरूप **हून, शाक** का प्रतिरूप **हाक** आदि प्रचलित हैं। नाग भाषाओं में एक क्रिया **शि** है जिसका अर्थ है मरना। इसका प्रतिरूप **हइ** है। यूरोप की भाषाओं में **स्-श्** स्वनियाँ **ह्** में बदलती हुई दिखाई देती हैं। संस्कृत **सम** ईरान की तरह यूनान की भाषाओं में भी **हम** है। संस्कृत **सदस्** जब ग्रीक भाषा में **हेदोस्** रूप धारण करता है, तब वही ध्वनि-परिवर्तन की प्रक्रिया काम करती है। अंग्रेज़ी **सेवॅन्** का आर्मीनियन प्रतिरूप **एवॅन्** पूर्वी बंगाल की **सात हात आत** प्रक्रिया का उदाहरण प्रस्तुत करता है। लैटिन भाषा का **साल्** आर्मीनियन में **आल्** है और ग्रीक में **आल्स्** (नमक) है। भारतीय सीमान्तों पर **ह् स्** परिवर्तन की प्रक्रिया जोरों से होती दिखाई देती है और द्रविड़ प्रभाव से अनेक भाषाओं में **ह्** का लोप होता है। यह क्रम तालव्य **श्** के साथ भी सम्पन्न होता है। संस्कृत **श्वान** का अंग्रेज़ी प्रतिरूप **हाउंड,** जर्मन प्रतिरूप **हुंड** है। परिवर्तन का ढंग वही है जिससे संस्कृत **श्वान** कश्मीरी **हून** बनता है।

संस्कृत **शतम्** का एक इंडो-यूरोपियन प्रतिरूप **केन्तुम्** है जिसके आधार पर इस भाषा-परिवार की दो शाखाओं की कल्पना की गई है। इसका एक प्रतिरूप अंग्रेज़ी **हंड्रेड** है जिसका आदिस्थानीय **ह् श्वान** और **हाउंड** के समीकरण के समान है। जर्मन में यही शब्द **हुंडेर्ट** है।

यूरोप और भारत के भाषा-परिवारों में तालव्य अथवा दन्त्य स-कार की स्थिति पर विचार करने से पहले इस तथ्य पर पुनः ध्यान देना उचित है कि **क्-त्-प्** और **ग्-द्-ब्** ध्वनियों की स्थिति इन भाषा-परिवारों में कहीं तो अपेक्षाकृत सुदृढ़ है और कहीं कमजोर है। एक परिवर्तन संघर्षीकरण की ओर है, **क्** के स्थान पर **ख़्, ग्** के स्थान पर **ग़्** के व्यवहार की प्रवृत्ति है। यह परिवर्तन की एकमात्र प्रवृत्ति नहीं है। **प्** के स्थान पर **व्, त्** और **द्** के स्थान पर **र्** या **ल्** का व्यवहार एक अन्य प्रवृत्ति है। **व्** अर्द्धस्वर है, संघर्षी और असंघर्षी, दो प्रकार के **व्** हैं, दोनों ही अर्द्धस्वर हैं। **र्** और **ल्** में वायु का अवरोध पूर्ण स्पर्श-व्यंजनों के समान नहीं होता। इसके सिवा **प्** के स्थान पर **म्** का व्यवहार, **त्** या **द्** के स्थान पर **न्** का व्यवहार भी होता है। इस तरह के परिवर्तन में स्पर्श-व्यंजनों का स्थान नासिक्य ध्वनि लेती है और **र्, ल्, व्** के समान यहाँ भी वायु-अवरोध अपेक्षाकृत कम होता है। ऐतिहासिक भाषाविज्ञानियों ने कल्पना की है कि किसी समय **न्** और **म्** ध्वनियाँ स्वर और व्यंजन, दोनों थीं। यह कल्पना भी नासिक्य ध्वनियों के उच्चारण में अपेक्षाकृत शिथिल वायु-अवरोध की ओर संकेत करती है।

उड़ने के लिए मूल क्रिया है **पत्** जिससे **पतंग** शब्द बनता है। इसके **त्** के स्थान पर जब **र्** का उच्चारण होता है, तब द्रविड़ भाषाओं में **पर्** और **पळ्** शब्दमूल

बनते हैं। तमिल में **पळ्** का अर्थ उड़ना है, **पळ्ल्** और **पळ्वइ** शब्दों का अर्थ चिड़िया (परेवा) है। कोत भाषा में **पर्न्, पर्न्द्** का अर्थ उड़ना है। कोडगु में दीर्घ स्वर के साथ उसी क्रिया के लिए **पार्** शब्द है। फ़ारसी **परिन्दा**, हिन्दी **पर, परेवा** इसी प्रक्रिया से सिद्ध होते हैं।

द्रविड़ भाषाओं में **प्** बहुधा **व्** में परिवर्तित होता है, विशेषत: जब वह मध्यवर्ती होता है। ए.एन्. नरसिंह के जिस लेख का पहले हवाला दिया जा चुका है, उसमें उन्होंने लिखा है कि आदि कन्नड़ में मध्यवर्ती **प्** के स्थान पर **व्** का व्यवहार होता था। समास के दूसरे शब्द में यह **प्** आदिस्थानीय हो तो वह भी इसी प्रकार बदलता था। जहाँ इसका द्वित्व होता था, वहीं यह सुरक्षित रहता था, यद्यपि वहाँ भी कभी-कभी एक ही **प्** के समान उच्चरित होने पर वह **व्** में बदल जाता था। द्रविड़ भाषाओं में जो व्यंजन-द्वित्व का बाहुल्य देखा जाता है, उसका मूल कारण यही व्यंजनों की सुरक्षा का प्रयत्न है।

कभी-कभी यह **प्** आदिस्थानीय होने पर भी बदलता है। कन्नड़ में ही **प्** के स्थान पर, **ह्** के अलावा, **व्** का व्यवहार देखा जाता है, यथा : **पोल्, होल्, ओल्** (किसी के समान होना), **वोल्** (समानता), कन्नड़ **पॅडसु** (कठोरता) का तमिल प्रतिरूप है **बॅट्टनवु**। यहाँ तमिल रूप में आदिस्थानीय **प्** परिवर्तित हुआ है। ग्रीक भाषा में **ओर्निस्** (चिड़िया) द्रविड़ भाषाओं के **पर्न** का प्रतिरूप है। इसी से **ओर्निथोस्** रूप बनता है जिससे अंग्रेज़ी में अनेक पारिभाषिक शब्द रचे गए हैं। ग्रीक भाषा में **य्-व्** ध्वनियों का अभाव है, इसलिए **व्** के स्थान पर यहाँ **ओ** स्वर का व्यवहार किया गया है। न केवल ध्वनि-परिवर्तन की प्रक्रिया द्रविड़ भाषाओं की-सी है वरन् जिस मूल शब्द से ग्रीक रूप का विकास हुआ है, वह **पर्न** भी द्रविड़ भाषाओं में विद्यमान है। मूल क्रिया **पत्** जब **पर्** में परिवर्तित हुई, तब उसमें **न** प्रत्यय जोड़ा गया। इस प्रकार **पर्** से **पर्न** की उत्पत्ति हुई। **पर्न** और **ओर्निस** की तुलना में अंग्रेज़ी रूप **बर्ड** कम पुराना नहीं है। यहाँ **पर** क्रिया में **त्** प्रत्यय जोड़ा गया है। फिर **प्** और **त्**, दोनों ध्वनियाँ सघोष की गई हैं।

लैटिन में एक शब्द **लेविर्** है जो संस्कृत **देवर**, ग्रीक **दएर्** का प्रतिरूप है। पुरानी लैटिन में इसका रूप **देविर्** था। पश्तो में **देवर** का सीधा प्रतिरूप **लेवर** है। **त्** या **द्** के स्थान पर **र्** या **ल्** का व्यवहार भारतीय भाषाओं में व्यापक रूप से हुआ है। हिन्दी तथा अन्य आधुनिक आर्य भाषाओं में **ग्यारह, बारह, तेरह**, जैसे शब्दों में मूलध्वनि **द् र्** में परिवर्तित हुई है। उत्तर-पश्चिमी भाषाओं में **र्** के स्थान पर **ल्** की बहुलता मिलेगी। इसलिए पश्तो में **देवर** के लिए **लेवर** रूप है। यह **ल्** द्रविड़ भाषाओं में **ळ्** या **ऴ्** में भी परिवर्तित होता है, विशेषत: तमिल, मलयालम और पड़ोसी भाषाओं में। **पत्** क्रिया से तमिल में जो रूप बनता है, उसमें **ऴ्** है।

**पत्** का एक रूप **पेत्** था जिससे **पेन्** बना। **पेन्** से अंग्रेज़ी **हेन्** (मुर्गी) और आइरिश **एन्** (पक्षी) रूप बने। यहाँ **त्** ध्वनि नासिक्य **न्** में परिवर्तित होती है। इसी प्रकार **प्** और **म्** में घनिष्ठ सम्बन्ध है।

## 5. स्-श् के रूपान्तर

स्पर्श-ध्वनियों के सन्दर्भ में परिवर्तन का जो मानचित्र बनता है, उसे ध्यान में रखते हुए **स्-श्** के परिवर्तन पर विचार करना चाहिए। जिन भाषाओं के लिए **क्-त्-प्** ध्वनियों की सुरक्षा कठिन थी, उनके लिए **स्** और **श्** का उच्चारण और भी कठिन था। दन्त्य **स्** की ध्वनि अनेक द्रविड़ भाषाओं में है, ग्रीक और लैटिन में है। द्रविड़ परिवार में उसका वैसा व्यापक व्यवहार नहीं होता जैसा आर्य भाषा-परिवार में, **श्** का व्यवहार और भी कम होता है : ग्रीक और लैटिन में इसका नितान्त अभाव है। इसी तरह प्राचीन हित्ती और तुखारी भाषाओं में उसका अभाव है। पुरानी तमिल में कुछ संस्कृत शब्दों के प्रतिरूप इस प्रकार हैं : **सन्तति—तन्दति; सेना—तानइ; तापस—ताबदन्; स्नान—तानम्; दास—तादन्; समय—तमय**। अंग्रेज़ी **टाइम,** लैटिन **तेम्पुस्** इसी परिवर्तन-प्रक्रिया के प्रमाण हैं। उनका मूलरूप **समय** है। दन्त्य **स्** की ध्वनि को अनेक भाषाओं ने **त्** रूप में ग्रहण किया।

अब **शतम्-केन्तुम्** समीकरण पर विचार करें। अनेक द्रविड़ भाषाओं में **स्** के स्थान पर **क्** का व्यवहार होता है। कन्नड़ **साय्,** तोद् **सोय्** (मरना) का सम्बन्ध **शे, शो** जैसी क्रिया से है जिससे संस्कृत **शव** रूप बना है। मल्तो, कुड़ुख, ब्राहूइ, आदिभाषाओं में **केये, केएना, कहिंग्** जैसे रूप हैं। इनके प्रसंग में बरो और एमेनो ने अपने शब्दकोश में उचित ही **शव** शब्द का स्मरण किया है। गोंडी **सर्पुम्,** कन्नड़ **केर्पु** (चप्पल); कन्नड़ **सारु,** पर्जि **केद्** (शोरबा); तुलु **शॅत्तावुनि, कॅडगुनि** (नाश करना); ये रूप **स्-श्** को **क्** में परिवर्तित होते दिखाते हैं। असम प्रदेश की नाग भाषा बोरो में, लैटिन और ग्रीक के समान, तालव्य **श्** का अभाव है। इसलिए उसमें **श्** ध्वनि वाले शब्दों के ऐसे प्रतिरूप बनते हैं : **शुक्र—कुकुर, शनि—कोनि, शरीर—कोराल, शत्रु—कुतुर**। बंगला प्रभाव से दन्त्य **स्** भी तालव्यवत् बोला जाता है, अतः बोरो में दन्त्य **स्** भी **क्** में बदलता दिखाई देता है : **सोलह—कोल्लाव; सहाय—कोहाय; समय—कोमय; सभा—कोभा; सीमा—कीमा; सागर—कागर**। इस भाषा में हिन्दी **सौ** के लिए **को** शब्द है, **शतम्** के प्रतिरूप **केन्तुम्** की तरह। केन्तुम् शाखा पर नाग-प्रभाव असन्दिग्ध है।

भारत के उत्तरी सीमान्त पर ईसा की छठी शताब्दी से लेकर दसवीं शताब्दी तक तुखारी भाषा का व्यवहार होता था। वह प्रदेश अब चीनी तुर्किस्तान में है। तुखारी भाषा केन्तुम् शाखा के अन्तर्गत मानी जाती है। यह सहज ही अनुमेय है कि भारत के पूर्वी सीमान्त प्रदेश के समान इस उत्तरी सीमान्त पर भी एक ही स्रोत **श्**

को **क्** में बदल रहा है। तुखारी में संस्कृत शब्दों के कुछ प्रतिरूप इस प्रकार हैं : **शत—केन्त, श्वा—कु** (कुत्ता); **शृणोति—क्लाओ** (सुनाना); **क्लोत्स** (कान); **श्रवस्** अथवा **स्त्रवस्—क्लुओ** (शब्द); **श्रोषति—क्लिओस** (सुनता है)। तुखारी में लैटिन के समान दन्त्य स-कार है। मूल शब्दों का तालव्य **श्** दोनों भाषाओं में **क्** रूप में प्राप्त होता है। इसी प्रकार हित्ती भाषा में तालव्य **श्** वाले संस्कृत शब्दों के प्रतिरूपों में **क्** ध्वनि का व्यवहार होता है। **श्रद्धा** वाले **श्रद्** (हृदय) का प्रतिरूप **कर्तस्** या **कर्ति** है। लैटिन में जैसे इसके प्रतिरूप **कोर्द** के साथ **कोर** भी है, वैसे ही हित्ती में **कर्ति** के साथ **कीर** है। यही **श्रद्** संस्कृत-हिन्दी का परिचित **हृदय**, अंग्रेज़ी का **हार्ट** है। संस्कृत **शेते** का हित्ती प्रतिरूप **कीत** है।

तालव्य **श्** वाले संस्कृत शब्दों के ग्रीक और लैटिन प्रतिरूपों में निरन्तर **क्** ध्वनि का प्रयोग होता है। संस्कृत **श्वशुर** का लैटिन प्रतिरूप **सोकेर** है, ग्रीक प्रतिरूप **हेकुरोस्** है। इन प्रतिरूपों से ज्ञात होता है कि इनका पूर्वरूप **स्वशुर** है। दन्त्य **स्** लैटिन में सुरक्षित रहा, ग्रीक में वह ह-कार में बदल गया। तुखारी भाषा की तरह संस्कृत शब्द-मूल **श्रु** ग्रीक में **क्लुओ**, लैटिन में **क्लुओर्** है। **शतम्** लैटिन में **केन्तुम्** और ग्रीक में (हे+) **कतोन्** है। संस्कृत **शेते** हित्ती के समान ग्रीक में **केइतइ** है। संस्कृत **विश** ग्रीक में **ओइकोस्** और लैटिन में **वीकुस्** (घर) है। ग्रीक भाषा में **व्** का अभाव होने से **ओइ** युग्म ध्वनि का व्यवहार हुआ। लैटिन का प्रसिद्ध **एक्वुउस्** इसी प्रक्रिया से **अश्व** का प्रतिरूप **रिब्द** होता है। पशुओं के बाँधने के लिए एक पुराना भारतीय शब्द है **पाश**। बाँधने के लिए मूल क्रिया **पश्** होनी चाहिए। जो बाँधा जाए, वह **पशु**। **श्** स्पर्श-ध्वनि **क्** में परिवर्तित हुआ; पुनः मध्यवर्ती होने से वह सघोष बना और इसी से हिन्दी **पगही, पाग, पगड़ी** आदि शब्द बने। नासिक्य ध्वनि जोड़कर (**शितम्—कतम्,** इससे फिर **केन्तुम्** की तरह) लैटिन **पंगो** शब्द बना जिसका अर्थ है बाँधना।

कुछ लैटिन शब्दों में संस्कृत का दन्त्य **स्** भी **क्** में बदलता दिखाई देता है। संस्कृत उपसर्ग **सम्** का लैटिन प्रतिरूप **कोम्** अथवा **कोन**—वैकल्पिक रूप **कुम्**—है। यह कल्पना की जा सकती है कि मागधी जैसी किसी भाषा के प्रभाव से **सम्** का उच्चारण **शम्** (**शोम्**) के समान होता था, अत: लैटिन में **क्** वाला प्रतिरूप बना। ईरानी और स्लाव भाषाओं का एक पुराना शब्दमूल है **पिस्**। इसका तुखारी प्रतिरूप है **पेके**। लैटिन में यही **पिन्गेरे** है और उसी से अंग्रेज़ी शब्द **पिक्चर** बनता है। **पिस्** का मूल अर्थ है चित्र बनाना; रूसी भाषा में अब इस शब्दमूल का व्यवहार लिखने के अर्थ में होता है। सम्भव है, **पिस्** का उच्चारण कुछ लोग **पिश्** करते रहे हों जिससे तुखारी-लैटिन आदि के रूप बने हों।

भारतीय भाषा-परिवारों के परस्पर सम्बन्धों पर विचार करने से यह सिद्ध हो जाता है कि यहाँ **स्** और **श्** ध्वनियों का विषम विकास हुआ है। यदि आधुनिक

भाषाई मानचित्र पर ध्यान दें तो द्रविड़ भाषाओं में सकार की अतिशय न्यूनता है। हिन्दी क्षेत्र में ब्रज से लेकर मिथिला तक जनपदीय उपभाषाओं में दन्त्य **स्** की प्रधानता है। साहित्यिक ब्रजभाषा तालव्य **श्** का व्यवहार नहीं करती। उधर परिनिष्ठित बंगला भारत की ऐसी भाषा है जो दन्त्य **स्** का व्यवहार नहीं करती। तत्सम-प्रधान होते हुए भी वह दन्त्य **स्** को निरन्तर तालव्य **श्** में बदलती है (यद्यपि बंगाल की जनपदीय उपभाषाओं में सर्वत्र ऐसी स्थिति नहीं है)। भारत से बाहर **स्** और **श्** का ऐसा विभाजन शायद ही कहीं हो। इससे इस धारणा की पुष्टि होती है कि इन दोनों ध्वनियों के विकास-केन्द्र अलग-अलग थे। आदि इंडो-यूरोपियन भाषा में केवल दन्त्य **स्** की कल्पना की गई है। इसका कारण यह है कि ग्रीक और लैटिन में यही एक स-कार है। स्लाव, जर्मन, ईरानी, भारतीय भाषा-समुदायों में तालव्य **श्** की भरमार है। भाषाविज्ञानी सर्वत्र इसे स्वतंत्र विकास मानते हैं। किन्तु जिस प्रक्रिया से **शतम्** का प्रतिरूप **केन्तुम्** प्राप्त होता है, वह भारत में आज भी प्रत्यक्ष है। यह प्रक्रिया कुछ नाग भाषाओं में है, कुछ द्रविड़ भाषाओं में है। कोई प्राचीन तालव्य **क्** **(क्य्)** ध्वनि थी जो **शतम्** शाखा में तालव्व **श्** बन गई, इस तरह की कल्पना के लिए कोई पुष्ट कारण रहा है। किन्तु जिस मध्यदेशीय भाषा के आधार पर संस्कृत का विकास हुआ, उसमें दन्त्य **स्** का ही व्यवहार होता था। बहुत-से संस्कृत शब्दों में **श्** ध्वनि **स्** को विस्थापित करके प्रतिष्ठित हुई है। ऐसे अनेक शब्दों की मूल **स्** ध्वनि रूसी, फ़ारसी आदिभाषाओं में सुरक्षित है।

यूरोप की भाषाओं में संस्कृत शब्दों के प्रतिरूपों में **श्** के स्थान पर जो **ह्** दिखाई देता है, वह दो तरह की प्रक्रियाओं का परिणाम हो सकता है। पहली यह कि तालव्य **श्** सीधा **ह्** में परिवर्तित हुआ हो। दूसरी यह कि पहले वह **क्** रूप में बोला गया हो, फिर अघोष महाप्राण संघर्षी **ख्** बना हो; इसके बाद वह **ह्** रूप में स्वीकृत हुआ हो। यह भी सम्भव है कि भारत के उत्तर-पश्चिमी प्रदेशों में **श् ह्** परिवर्तन-प्रक्रिया सम्पन्न हो चुकी हो और यूरोप की भाषाओं के लिए—कम-से-कम कुछ शब्द—**ह्** वाले रूप में ही सुलभ हुए हों, जैसे **श्वान**, कश्मीरी **हून**, फिर अंग्रेज़ी **हाउंड**।

**श्** ध्वनि यूरोप की अनेक भाषाओं में **स्क्** रूप में भी ग्रहण की जाती है। संस्कृत शब्द **छाया** मूल इंडो-यूरोपियन शब्द **स्किआ** का विकास माना जाता है। भारतीय भाषाओं के लिए इस तरह का ध्वनि-परिवर्तन अत्यन्त अस्वाभाविक है। यह शब्द वास्तव में **शाया** है जिसका सम्बन्ध **शे** क्रिया से है। **छाया** सदा भूमि पर पड़ी हुई दिखाई देती है, वह शयन करती है, इसलिए उसे **शाया** नाम दिया गया। अंग्रेज़ी शब्द **शेड** और **शैडो** में यह क्रिया स्पष्ट दिखाई दे रही है। ग्रीक भाषा में इसे **स्किआ** रूप मिला। नॉर्वे और स्वीडन की भाषाएँ अनेक शब्दों में **स्क** ध्वनियों का व्यवहार करती हैं जहाँ अंग्रेज़ी में **श्** का प्रयोग होता है। अंग्रेज़ी **फ़िश्** स्वीडिश में **फ़िस्क्** (मछली) है, अंग्रेज़ी **शू** स्वीडिश में **स्को** (जूता) है। अंग्रेज़ी **शावर्** उसी भाषा में

**स्कूर्** (बौछार) है। इसी प्रकार नॉर्वे की भाषा में **स्क्रीक्** अंग्रेज़ी **श्रीक्** (चिल्लाना), **स्कार्प** अंग्रेज़ी **शार्प** (तेज) के प्रतिरूप हैं। नॉर्वे और स्वीडन की भाषाओं में अनेक शब्द **स्क्** से लिखे जाते हैं, किन्तु कुछ स्थितियों में **स्क्** का उच्चारण **श्** रूप में होता है। पुरानी प्रवृत्ति **श्** को **स्क्** रूप में ग्रहण करने की थी। ध्वनितंत्र में तालव्य **श्** का निवेश होने पर विशेष स्थितियों में **स्क्** का उच्चारण पुनः **श्** रूप में होने लगा।

मध्य एशिया का एक मानव-समुदाय **शक** नाम से प्रसिद्ध रहा है। ग्रीक भाषा में इस शब्द को **स्कूथाइ** रूप में ग्रहण किया गया था। यदि यह सिद्ध किया जा सके कि **शक** लोग मूलतः **स्कूथ** नाम से जाने जाते थे तो यह मान लिया जाएगा कि **स्किआ** से छाया का विकास हुआ है। नहीं तो संस्कृत **छाया**, फ़ारसी **साया**, अंग्रेज़ी **शेड** को भारतीय **शे** क्रिया से व्युत्पन्न मानना होगा।

लैटिन में एक क्रिया **स्किओ** है जिसका अर्थ है जानना। इटालियन में **शिएन्ते** का अर्थ है जानकार। लैटिन के अनेक शब्दों के आरम्भ में **स्क्** ध्वनि है, उनके इटालियन प्रतिरूपों में वह **श्** बोली जाती है। **स्किओ** वाली क्रिया से इटालियन में **शिएन्त्सा**, अंग्रेज़ी में **साइंस** शब्द बनते हैं। इटली से लेकर इंग्लैंड तक **स्क्** ध्वनि तालव्य **श्** या **स्** में क्यों परिवर्तित होने लगी? **स्क्** से आरम्भ होनेवाले ऐसे शब्द इटालियन में हैं, अंग्रेज़ी में भी हैं, जिनमें **स्क्** को **श्** में नहीं बदला जाता। इससे सिद्ध होता है कि अंग्रेज़ी और इटालियन में तालव्य **श्** की ध्वनि स्वतंत्र रूप में विद्यमान थी, वह लैटिन **स्क्** का विकास नहीं है। यही स्थिति जर्मन भाषा की है जिसमें तालव्य **श्** से आरम्भ होनेवाले शब्दों की भरमार है, विशेष रूप से **श्ल्** और **श्र्** से आरम्भ होनेवाले शब्द संस्कृत की याद दिलाते हैं। जर्मन भाषा में एक भी शब्द **स्ल्** जैसे व्यंजन-युग्म से आरम्भ नहीं होता; ठीक यही स्थिति संस्कृत की है। जर्मन भाषा इस मामले में संस्कृत से एक कदम आगे है। संस्कृत में **स्त्र्** ध्वनि से अनेक शब्द आरम्भ होते हैं; जर्मन में इससे एक भी शब्द आरम्भ नहीं होता।

**श्वास** के ग्रीक प्रतिरूप **प्सूख़े** का पूर्वरूप सम्भवतः **स्पूख़े** था। तालव्य **श्** दन्त्य रूप में ग्रहण किया गया, **व्** स्पर्श-ध्वनि **प्** के रूप में। **अश्व** के ईरानी प्रतिरूप **अस्प** के समान यहाँ **श्-व्** ध्वनियाँ परिवर्तित हुईं। फिर वर्ण-विपर्यय से **स्प्** का रूपान्तर **प्स्** हुआ।

**श्** का एक रूपान्तर **द्** होता था। **शव** की मूल क्रिया **शो** या **शे** का एक प्रतिरूप **दे** था। इससे अंग्रेज़ी के **डेथ** (मृत्यु) और **डाई** (मरना) शब्द बनते हैं।

इस प्रकार **श्** ध्वनि यूरोप की भाषाओं में अनेक रूपों में ग्रहण की गई।

## 6. प्राचीन भाषाओं में च्-ज्-य्-व् की स्थिति

भाषाविज्ञानी यह मानते हैं कि **च्** और **ज्** जैसी तालव्य ध्वनियाँ आर्य और द्रविड़ परिवारों में विलम्ब से विकसित हुईं अर्थात् वे इन परिवारों की मूल ध्वनियाँ नहीं हैं।

इन ध्वनियों का विकास चाहे **क्-त्-प्** के साथ हुआ हो चाहे बाद को, एक बात निश्चित है कि जिन्हें किसी परिवार की मूल ध्वनियाँ माना जाता है, उन सबका विकास एक समय पर एक ही केन्द्र में नहीं होता। दूसरी बात यह है कि भारत के चारों भाषा-परिवारों में इन ध्वनियों का व्यवहार व्यापक रूप से होता है; यूरोप की भाषाओं में उनका ऐसा व्यापक व्यवहार नहीं है। इससे यह तो माना ही जा सकता है कि इन ध्वनियों के मुख्य विकास-केन्द्र भारत में हैं। भाषाविज्ञानी **च्** और **ज्** को आदि इंडो-यूरोपियन भाषा की मूल ध्वनियाँ नहीं मानते। इसका विकास **शतम्** शाखा की विशेषता माना जाता है। अंग्रेज़ी जैसी भाषा में **च्** और **ज्**, दोनों ध्वनियों का व्यवहार होता है; इटालियन में इनका सीमित व्यवहार होता है। तालव्य **श्** की तरह **च्** और **ज्** के व्यवहार को भाषाविज्ञानी विभिन्न भाषाओं का अपना स्वतंत्र विकास मानते हैं। ग्रीक और लैटिन में ये ध्वनियाँ नहीं हैं। किन्तु यह सिद्ध किया जा सकता है कि इन दोनों भाषाओं में कुछ शब्द ऐसे हैं जिनके मूल रूप उन्हें **च्-ज्** ध्वनियों वाली भाषाओं से सुलभ हुए थे।

संस्कृत शब्द **यव** का हिन्दी प्रतिरूप **जौ** है। इस तरह का **य्-ज्** परिवर्तन बहुत पुराना है। **ज्** वाला रूप फ़ारसी में भी है। ग्रीक भाषा में इसका प्रतिरूप है **ज़ेआ**। स्पर्श-ध्वनि **ज्** संघर्षी **ज़्** रूप धारण करती है। भाषाविज्ञानी **यव** और **ज़ेआ** के सम्बन्ध से परिचित हैं। इस **य्-ज़्** समीकरण की व्याख्या के लिए उन्होंने कल्पना की है कि आदिभाषा में एक ध्वनि संघर्षी **य्** थी। यही ध्वनि ग्रीक भाषा में **ज़्** बनती है और संस्कृत में **य्**। **यव्** का **य्** मूल ध्वनि नहीं है!

अंग्रेज़ी में एक शब्द है **जुपिटर**। यह लैटिन के **इउपितर्** का विकास है। मूल शब्द **द्यौस् पितर्** है। **द्यौस्** का **द्** पहले **ज्** में परिवर्तित होगा, तभी **जुपिटर** जैसा रूप बनेगा। **द्यौस् पितर्** का प्रतिरूप **द्युपितर**, इसका प्रतिरूप **जुपिटर**; पुनः **जुपितर** से नया रूप बना **युपितर**। लैटिन में न **ज्** है, न **य्**। इसलिए यदि **युपितर** लिखना-बोलना हो तो वह **इउपितर्** रूप में ही सम्भव होगा। **द्** को **ज्** में बदलते तो सुना जाता है, जैसे **यमुना** से **जमुना**, पर **ज्** भी **य्** में बदलता है, इसका प्रमाण क्या है?

'बुलेटिन ऑफ़ द स्कूल ऑफ़ ओरिएंटल स्टडीज़' के खंड 28, भाग 2 (1965) में टी.ऐम्. जौंस्टन ने अरब देश की बोलियों में **ज्** के **य्** में बदलने के बारे में एक लेख लिखा था। वैकल्पिक रूप इस तरह के होते हैं : **जा—या** (आओ) **जदीद—यदीद** (नया); **जेब—येब** (हिन्दी जेब); **वाजिद—वायिद** (अधिक); **जूद—यूद** (पानी भरने की मशक)। इन उदाहरणों से सिद्ध है कि **ज** ध्वनि का **य्** में बदलना असम्भव घटना नहीं है। सामी भाषाएँ भारत से बहुत दूर जान पड़ती हैं किन्तु ईरान और इराक पड़ोसी हैं। फिर भी इतनी दूर जाने की जरूरत नहीं है। कन्नड़ भाषा में एक शब्द है **दारु** (कौन लोग)। उसी भाषा में उसके दो प्रतिरूप हैं : **यार, आर**। मूलरूप **द्** से आरम्भ होता है। यह **द्** सीधे **य्** में परिवर्तित नहीं

होता, **दारु** पहले **जारु** बनेगा, उसके बाद **यार** रूप उपलब्ध होगा। **जारु** जैसा रूप कभी प्रचलित रहा होगा, इसकी कल्पना तुलु भाषा के **दानॅ, जानॅ** (क्या) रूपों को देखकर की जा सकती है। इसी अर्थ में कन्नड़ के तीन रूप हैं : **दाव, याव, आव**। **य्** से आरम्भ होनेवाला रूप कन्नड़ में नहीं है। मागधी प्राकृत के लिए प्रसिद्ध है। वह संस्कृत शब्दों के रूपान्तरों में **ज्** के स्थान पर **य्** का व्यवहार करती है : **जानाति—याणादि; जनपद—यणवद; जलधर—यलहल**। सामी, द्रविड़, आर्य, तीन परिवारों की भाषाओं में **ज्** ध्वनि **य्** में बदलती है। सम्भवत: तीनों की ऐसी भाषाओं का एक ही क्षेत्र था—भारत के उत्तर-पश्चिम में। अत: **जुपितर** का **युपितर** बनना सहज बोधगम्य है।

जहाँ तक ग्रीक **ज़ेउस्** की प्रारम्भिक ध्वनि संघर्षी **ज़्** का सम्बन्ध है, वह **द्** का परिवर्तित रूप है, यह इसी से सिद्ध है कि ग्रीक भाषा में **ज़ेउस्** का सम्बन्धकारक रूप **दिओस्** है। यहाँ किसी संघर्षी **य्** की कल्पना से काम नहीं चल सकता। जैसे **यव** से **जौ** और फिर उससे ग्रीक **ज़ेआ,** वैसे ही **देउस्** से **ज़ेउस्** और फिर उससे **ज़ेउस्** रूप बना। **ज़ेआ** और **ज़ेउस्** दोनों शब्दों में **ज़्** ध्वनि **ज्** का परिवर्तित रूप है। ईरानी समुदाय की भाषाओं में **ज्** ध्वनि संघर्षी **ज़्** का रूप लेती है। इनके अलावा द्रविड़ भाषाओं में भी यह परिवर्तन देखा जाता है। तेलगू **जल्लु** का सम्बन्ध संस्कृत **जल** से है; कुवि भाषा में इसका प्रतिरूप है **ज़ल्लनइ**। मराठी में जगह के प्रतिरूप **ज़ायगा** से बहुत लोग परिचित होंगे।

संस्कृत **जीव** का ग्रीक प्रतिरूप **ज़ोओन्** है। ग्रीक भाषा में **ज्** ध्वनि का अभाव है, अत: उसके समकक्ष **ज़्** का व्यवहार उसके लिए स्वाभाविक है। संस्कृत **युग** (जुआँ) के लिए ग्रीक शब्द **जुगोन्** है। इसका लैटिन प्रतिरूप **इउगुम्** है—**इउपितर्** के समान। ग्रीक समुदाय की आयोनियन भाषा बहुधा **द्** को **ज्** में बदलती है। **दोर्कस्** (हिरन), **ज़ोर्कस्**। इस शब्द का एक प्रतिरूप **इओर्कोस्** भी है। इस अन्तिम रूप में **ज्** पहले **य्** में परिवर्तित हुआ, फिर **य्** ध्वनि के अभाव में **इअ** स्वरों का व्यवहार हुआ। ध्वनि-परिवर्तन की यह प्रक्रिया ऊपर बताई हुई द्रविड़ भाषा की ध्वनि-परिवर्तन-प्रक्रिया से मिलती है। रोमन लोगों का एक देवता **यानुस्** (अंग्रेज़ी में **जेनस्**) था। इसका भी सम्बन्ध मूलत: **द्यौस्** से था। ग्रीक **ज़ेउस्** का एक पुराना रूप **ज़ेन्** था जिसका दोरिक भाषा में प्रतिरूप **ज़ान्** था। यह **ज़ान् यान्** में परिवर्तित हुआ और रोमन रूप **यानुस्** उपलब्ध हुआ।

**ज़्** सघोष ध्वनि है। संस्कृत, ईरानी, ग्रीक भाषाओं में अनेक स्थानों पर सघोष **ज़्** अघोष **स्** में बदलता है। **पराजित** और **परास्त, सृजन** और **सृष्टि** जैसे रूप इसी तरह के परिवर्तन की ओर संकेत करते हैं। परिनिष्ठित ग्रीक भाषा का **ओद्मे** (गन्ध) आयोनियन में **ओस्मे** है, संस्कृत के **तद्** और **तस्मै** की तरह। **द्** पहले **ज्** में परिवर्तित हुआ, फिर संघर्षी **ज्** का विकास हुआ, पुन: यह **ज़्** अघोष **स्** में

परिवर्तित हुआ। कुछ ग्रीक शब्दों में यह **स्** एक बार फिर **ह्** में बदलता है। संस्कृत **यज्ञ** का ग्रीक प्रतिरूप **हग्नोस्** (पवित्र) है। **यज्ञ** का **य्** क्रमशः **ज्-ज़्-स्** मार्ग से **ह्** में परिवर्तित हुआ। दूसरे वर्ण **(ज्ञ)** का **ज्** बदलकर **ग्** बना। तालव्य नासिक्य **ञ्** के अभाव में ग्रीक भाषा ने **न्** का व्यवहार किया। इस तरह **हग्नोस्** रूप सिद्ध हुआ।

संस्कृत में एक शब्द है **यकृत्**। इसका लैटिन प्रतिरूप **इएकुर्** है किन्तु ग्रीक भाषा में इसका रूप बनता है **हेपर्**। **य्** क्रमशः **ह्** बना; पुनः यह शब्द उस भाषा में पहुँचा जिसमें **क्** ध्वनि का उस समय विकास न हुआ था। अतः उसके स्थान पर **प्** ध्वनि का व्यवहार हुआ, वैसे ही जैसे संस्कृत **अश्व** के लैटिन प्रतिरूप में तो **क्** है, किन्तु ग्रीक प्रतिरूप **हिप्पोस्** में **प्** है।

यह देखना दिलचस्प होगा कि यूनानी और रोमन लोग बाइबिल का अनुवाद करते समय सामी भाषा के उन शब्दों को ग्रीक और लैटिन में कैसे लिखते थे जिनमें **च्-ज्** ध्वनियाँ विद्यमान थीं। प्रसिद्ध प्रदेश **जूदेआ** (जूडिया) लैटिन में **इउदेआ** लिखा जाता था। **जोब, जोशुआ** जैसे नाम ग्रीक भाषा में **इओब्, इओसोउस्** लिखे जाते थे। सामी भाषा का **चेरुबिम्** शब्द ग्रीक में **खेरोउबिन्** रूप में लिखा जाता था। यहाँ चीनी **चाय** का अंग्रेज़ी प्रतिरूप **टी** स्मरणीय है। मूल शब्द में चकार ही है; वह त-कार के माध्यम से बदलता या अंग्रेज़ी में ट-कार बना। आधुनिक ग्रीक भाषा में **चीन** के लिए **कीन** रूप का व्यवहार होता है। फ्रेंच में **शीन** रूप का चलन है और रूसी में विशेषण रूप **चीनी** के लिए **किताइस्की** जैसे रूप का व्यवहार होता है। रूसी भाषा में **च्** ध्वनि विद्यमान है, यह **क्** वाला रूप अन्य स्रोत से आया है। जैसे वर्तमान काल में ग्रीक आदिभाषाएँ **च्** को भिन्न ध्वनियों में परिवर्तित करके विदेशी शब्दों का व्यवहार करती हैं, जैसे बाइबिल का अनुवाद करते समय वे **च्** और **ज्** वाले सामी शब्दों के रूप बदलती हैं, वैसे ही प्राचीन काल में **च्** और **ज्** वाले—अथवा मूलतः **द्** और **य्** वाले—शब्दों के रूप भी वे बदलती थीं।

यहाँ इस बात पर ध्यान देना उपयुक्त है कि भारत के अन्य भाषा-परिवारों का अपेक्षा द्रविड़ समुदाय में **च्** और **ज्** की ध्वनियाँ अस्थिर हैं। इसका कारण यह है कि इनके उच्चारण में जो स्पर्श तत्त्व विद्यमान हैं, उसके विरोध में वही प्रवृत्ति काम करती है जो **क्-त्-प्** ध्वनियों को अस्थिर बनाती है। इसी क्रम में **द्-ल्** वाले परिवर्तन पर भी विचार करना चाहिए। जैसे **च्-ज्** परिवर्तित होकर **य्** रूप में ग्रहण किये जाते हैं, वैसे ही **द्** ध्वनि अपना स्पर्श गुण अंशतः खोकर अन्तस्थ **ल्** में परिवर्तित होती है। किन्तु **ज्** सदा **य्** में परिवर्तित हो, यह आवश्यक नहीं है। वह **द्** में भी परिवर्तित होता है। हिन्दी बोलियों की तरह कन्नड़ में भी **काग़ज़** पहले **कागज** रूप में बदलता है, फिर **कागद** रूप में प्रयुक्त होता है। **तक़ाज़ा** इसी प्रक्रिया से **तगादा** बनता है। यदि संस्कृत क्रिया **जीव् दीव्** रूप धारण करे, तो अंग्रेज़ी शब्द **लिव्** (रहना) आसानी से सिद्ध हो सकता है। आर्य भाषा-परिवार की

एक भाषा सिंहली श्रीलंका में बोली जाती है। इसमें **जीव** का प्रतिरूप **दीव** मिलता है। 'बुलेटिन ऑफ़ द स्कूल ऑफ़ ओरिएंटल स्टडीज़' के ग्रियर्सन-समर्पित अंक में एडविन एच्. टटल ने 'सम ड्रैविडियन प्रेफिक्सेज़' लेख में ब्राहूइ के प्रसंग में लिखा है कि सिंहली में **ज्** के स्थान पर नियमित रूप से शब्द के आरम्भ में **द्** का व्यवहार होता है। इस प्रकार संस्कृत **जिह्वा** और **जानु दिव** और **दान** बनते हैं। टटल ने यह भी ठीक लिखा है कि सिंहली भाषा मूलत: उत्तरी भारत की भाषा थी। संस्कृत **जीव** भारत की किसी उत्तरी भाषा में **दीव** बने, यह विश्वसनीय है। पुन: **देवर—लेवर** की तरह यह **दीव** अंग्रेज़ी का **लिव** बनता है। किन्तु लैटिन में **जीव** से सीधा रूप **वीव** बनता है जो फ्रांसीसी भाषा की सामान्य क्रिया है। यहाँ **ज्** बदलकर **य्** नहीं बना वरन् समकक्ष अन्तस्थ ध्वनि **व्** में परिवर्तित हुआ है। किसी ने यह नहीं सुझाया कि संघर्षी **व्** से **ज्** का विकास हुआ है। सुझाता तो हम कहते **वीव** से **जीव** का विकास हुआ है! लैटिन में **वोल्कानुस्** अग्नि के देवता का नाम है। ज्वालामुखी पर्वत के लिए अंग्रेज़ी शब्द **वौल्केनो** इसी से सम्बद्ध है। स्पष्ट ही लैटिन शब्द का सम्बन्ध संस्कृत क्रिया **ज्वल्** से है।

अंग्रेज़ी क्रिया **लिव** के समान इस भाषा का दूसरा शब्द **लिवर** पूर्व रूप की **ज्** ध्वनि से सम्बद्ध है। मूल शब्द संस्कृत **यकृत्** है। इसी से फ़ारसी का **जिगर** बनता है। ईरान के उत्तरी सीमान्त पर कुर्द लोगों की भाषा में इसका **दिगर** रूप प्रचलित है।

मध्यवर्ती **ग्, फ़ोगेल्—फ़ाउल्** की तरह, लुप्त हुआ; आदिस्थानीय **द् ल्** में परिवर्तित हुआ। **जिगर** से **यकृत्** शब्द का विकास हुआ, यह कोई नहीं कहता। इस शब्द से **लिवर्** का सम्बन्ध किस तरह का है, इस पर विचार नहीं किया गया। **य्-ज्-द्-ल्**—इस क्रम के बिना **लिवर्** शब्द का विकास सिद्ध नहीं किया जा सकता। आदि इंडो-यूरोपियन भाषा में भले ही **ज़्** ध्वनि न रही हो—जब यह आदिभाषा ही नहीं थी तब **ज्** या कोई भी अन्य ध्वनि थी या नहीं थी, यह प्रश्न निरर्थक है—किन्तु जिस समय पश्चिमी एशिया होते हुए भारतीय भाषा-तत्त्व यूरोप पहुँच रहे थे, उस समय यहाँ **ज्** ध्वनि अवश्य थी।

प्राकृतों में **ज्-द्** वाला परिवर्तन सामान्य है। यह तथ्य इस बात की ओर संकेत करता है कि सिंहली और कुर्द जैसी भारत के उत्तर-पश्चिमी सीमान्त की भाषाएँ **ज्** ध्वनि को निरन्तर **द्** में परिवर्तित करती थीं। इसीलिए **प्रसेनजित पालि** में **पसेनदी** हो जाते हैं। सिंहली के पुराने गद्य में **राजन्** का प्रतिरूप **रादुन्, उपजना** का प्रतिरूप **उपदना** मिलते हैं। संस्कृत **जिघित्सा** प्राकृत **दिगिम्छा,** संस्कृत **जुगुप्सा** प्राकृत **दुगुम्छा,** संस्कृत **ज्योत्स्ना** प्राकृत **दोसिणा**—ये रूप उसी ध्वनि-परिवर्तन के प्रमाण हैं। यह प्रवृत्ति फ़ारसी को प्रभावित करती है। संस्कृत **जानाति** में क्रिया-मूल **ज्ञान्** है, वह फ़ारसी में **दान्** रूप में प्राप्त है। **दाना** (बुद्धिमान), **नादान, दानिस्तन्** (जानना) आदि भारतीय **जान** के विकास हैं। महाराष्ट्र तथा द्रविड़ प्रदेशों

के शिक्षित जन संस्कृत **ज्ञान** को **द्याँन** कहते हैं, **यज्ञ** को **यद्याँ** बोलते हैं। यह वही पुरानी उत्तर-पश्चिमी प्रवृत्ति है जो **ज्** ध्वनि को **द्** रूप में ग्रहण करती है।

संस्कृत शब्द **जन** का एक प्रतिरूप ग्रीक भाषा में **देमोस** (अंग्रेज़ी **डेमोक्रेसी** का **डेमोस्**) है। जन और **देमोस** का अर्थ एक ही है पर ये दोनों प्रतिरूप हैं, इस ओर विद्वानों का ध्यान नहीं गया। **जामाता** और **दामाद** के आपसी अटूट सम्बन्ध की तरह **जन** और **देमोस** का सम्बन्ध अभिन्न है। **म्** और **न्** का हेरफेर **माप** और **नाप**, अथवा **चेरुबिम्** और **खेरुबिन्** की तरह महत्त्वपूर्ण नहीं है।

संस्कृत क्रिया **यम्** का अर्थ है किसी पर नियंत्रण करना, विनिमय में कोई वस्तु देना। संस्कृत में ही दूसरी क्रिया **दम्** नियंत्रण वाला अर्थ देती है। ग्रीक भाषा में **दमनो** क्रिया का अर्थ है किसी पर नियंत्रण करना, विवाह करना। यह रूप सीधे संस्कृत **दम्** से सम्बद्ध माना जा सकता है और **यम्** से भी। **यम्** और **दम्** परस्पर सम्बद्ध हैं और इनमें मूल रूप **य्** वाला है। लैटिन में **दोमारे** क्रिया का अर्थ है किसी को नियंत्रण में रखना, पालतू बनाना। अंग्रेज़ी शब्द **टेम** यही अर्थ देता है और उसी **यम्** शब्द-मूल का विकास है।

जैसे **ज् द्** में परिवर्तित होता है, वैसे ही **च् त्** में बदलता है। संस्कृत **पंच** का ग्रीक प्रतिरूप **पेन्ते** है। जिस ग्रीक बोली में **त्** ध्वनि का विकास न हुआ था, उसमें **त्** के स्थान पर **प्** का व्यवहार हुआ और **पेम्पे** रूप बना। रूसी में इसका प्रतिरूप नासिक्यहीन **प्यत्** है। भारत के सीमान्त की उत्तर-पश्चिमी बोलियों में किसी समय **च्** और **ज्** की ध्वनियाँ नहीं थीं। इसलिए **च्-ज्** ध्वनियों वाले शब्दों को ग्रहण करते समय इन बोलियों में सहज ही **त्-द्** ध्वनियों का व्यवहार हुआ। लैटिन और ग्रीक में **च्** और **ज्** का अभाव है। रूसी भाषा में केवल **च्** है, **ज्** का अभाव है, यद्यपि **क्-ग्, त्-द्, प्-ब्** के अघोष-सघोष जोड़े विद्यमान हैं। ध्वनियों का विकास और विभिन्न भाषाओं में उनका प्रसार सुदीर्घ प्रक्रिया द्वारा सम्पन्न होता है। किसी एक भाषा से किसी निश्चित समय पर कुछ शाखाएँ फूटकर अलग-अलग हो गईं, इस धारणा को दृढ़तापूर्वक पकड़े रहने के कारण उक्त प्रक्रिया समझ में नहीं आती।

**पंच** और **पेन्ते** के समान संस्कृत **चत्वारि** का एक ग्रीक (अत्तिक) रूप **तॅत्तारॅस्** है। अन्य ग्रीक भाषा दोरिक में इसका प्रतिरूप **तॅत्तॉरॅस्** है। परिनिष्ठित ग्रीक में इसका रूप **तॅस्सरॅस्** है। ग्रीक समुदाय की जिस भाषा में **त्** ध्वनि का विकास न हुआ था, उसने इस शब्द को **पिसुरॅस्** रूप में ग्रहण किया।

लैटिन में ऐसे शब्दों के प्रतिरूप इटली अथवा यूनान की बोलियों के **प** वाले रूपों से बने हैं। **अपः** और **अक्वा** की तरह ग्रीक **पेम्पे** से लैटिन **क्विनक्वे** (पाँच) रूप बना। वैसे ही **पिसुरॅस** जैसे किसी रूप से चत्वारि का लैटिन प्रतिरूप **क्वन्तुओर्** बना। संस्कृत अव्यय **च्** का ग्रीक प्रतिरूप **तॅ** है और इसका लैटिन प्रतिरूप **क्वॅ** है जो किसी **पॅ** जैसे रूप से व्युत्पन्न हुआ है।

संस्कृत **जन** का एक प्रतिरूप **गण** है। तुखारी में **ज्** ध्वनि **क** में बदलती है : **राज्—राक्; ज़ान्—कन्वेन्**। वैदिक भाषा में एक शब्द **ग्ना** है जिसका अर्थ है देवी, दिव्य नारी। यह शब्द तुखारी भाषा में भी है। यह दूसरी प्रक्रिया है जहाँ **ज्** ध्वनि **ग्** रूप में ग्रहण की जाती है। संस्कृत **ज्ञान** हिन्दी प्रदेश से लेकर बंगाल तक **ग्यान** रूप में बोला जाता है। इसी प्रवृत्ति के अनुरूप **यम्** क्रिया से जैसे **जम्** और **दम्** रूप बने, वैसे ही **खम्** से दूसरा रूप **गम्** बना। ग्रीक भाषा में **दमेओ** का एक प्रतिरूप **गमेओ** है जिसका अर्थ है विवाह करना (अंग्रेज़ी के **मोनोगैमी** जैसे शब्दों में वही शब्द-मूल है)। संस्कृत **ज्या** (धरती) का ग्रीक प्रतिरूप **गआ** (वर्ण संकोच से एक रूप **गे**) है। संस्कृत **जरा** का ग्रीक प्रतिरूप **गेरास्**, संस्कृत क्रिया **जन्** से **गॅनॅआ** (जन्म) रूप इसी प्रकार बनता है। **गमेओ**—विवाह करना, **गमोस्**—विवाह; इसी क्रम में **जामाता** और **दामाद** का ग्रीक प्रतिरूप है **गम्ब्रोस्**।

ग्रीक भाषा में जैसे **ज्** नहीं है, वैसे ही तालव्य नासिक्य **ञ्** नहीं है। **ज्** के स्थान पर **ग्** वैसे ही **ञ्** के स्थान पर ग्रीक भाषा की प्रचलित नासिक्य ध्वनि **न्** का व्यवहार हुआ। इस तरह संस्कृत **ज्ञान** का ग्रीक प्रतिरूप **ग्रोसिस्** बना। रूसी भाषा संस्कृत **ज्** के स्थान पर संघर्षी **ज़्** का व्यवहार करती है। अतः **ज्ञान** के **ज्** को उसने **ज़्** रूप में ग्रहण किया। पर उसके पास तालव्य नासिक्य ध्यनि नहीं है, इसलिए वह **ज़्** के साथ **न्** ध्वनि का संयोग करती है और **ज्ञान** का रूसी प्रतिरूप **ज़्यानिये** बनता है। **ज्ञा**—शब्द-मूल रूसी भाषा में बहुत लोकप्रिय रहा है, अतः उसमें **ज़्नात्**—जानना, **ज़्नामेनिये**—चिन्ह **ज़्नाम्ना**—पताका जैसे रूप हैं। संस्कृत शब्द **नाम** मूलतः **ज्ञाम** था। उत्तर-पश्चिमी बोलियों में यह रूप **ग्नाम** बना। फिर आदिस्थानीय व्यंजन का लोप हुआ और केवल **नाम** रह गया। लैटिन में इसका प्रतिरूप **नोमॅन्** है; उसका एक वैकल्पिक रूप **ग्नोमॅन्** भी है। **ज़्नाम्या** और **ग्नौमॅन** जैसे रूपों पर ध्यान देने से ज्ञात होता है कि **नाम** शब्द भी **ज्ञा** (और **ग्ना**) शब्द-मूल से बना है। संस्कृत **ज्ञाति** का लैटिन प्रतिरूप **नातुस्** है जिसका अर्थ है सन्तान। इसी का समकक्ष हिन्दी शब्द **नाती** है। **ग्न** में **ग्** का लोप होने से ये रूप बने हैं।

**च्** और **ज्** के समान **य्** और **व्** ध्वनियाँ भी ग्रीक भाषा में नहीं हैं। लैटिन में **य्** नहीं है किन्तु संघर्षी **व्** है। भाषाविज्ञानियों ने **य्, व्** की कठिनाई से निपटने के लिए दो तरह की **इ, उ** ध्वनियों की कल्पना की है। एक **इ** ध्वनि विशुद्ध स्वर है। वह लैटिन, ग्रीक और संस्कृत में स्वर ही बनी रहती है। दूसरी **इ** स्वर और व्यंजन, दोनों हैं। लैटिन-ग्रीक में वह स्वर रहती है, संस्कृत में व्यंजन बन जाती है। उसी तरह दो **उ** हैं। एक **उ** संस्कृत में **व्** बन जाता है पर पश्चिमी शाखा में स्वर बना रहता है; दूसरा **उ** दोनों शाखाओं में स्वर ही रहता है।

लैटिन में **व्** का होना और ग्रीक में उसका प्रभाव, यह तथ्य अन्य ध्वनियों की तरह, इसके भी स्वतंत्र विकास-केन्द्र की ओर संकेत करता है। पुराने ग्रीक अभिलेखों

में **व्** ध्वनि के लिए रोमन लिपि के F जैसा चिन्ह था किन्तु यह ग्रीक भाषा-समुदाय की मूल ध्वनि नहीं थी। उसके स्थान पर स्वरों का व्यवहार होने लगा। इसके विपरीत लैटिन भाषा में संघर्षी **व्** कायम रहा। **य्** ध्वनि न ग्रीक में थी, न लैटिन में।

भारत के भाषाई मानचित्र को देखें तो ज्ञात होगा कि यहाँ **नया—नवा, भया—भवा, गया—गवा** जैसे रूपों का चलन आज भी है। प्राचीन काल में **अयम्** के साथ **अवम्, याति** के साथ **वाति** जैसे रूप मिल जाएँगे। **व्** वाले रूपों की प्रधानता उत्तर-पश्चिमी भाषाओं की विशेषता है। इसलिए **अवम्** रूप संस्कृत में विरल है; उसमें **अयम्** और **याति** जैसे रूपों की प्रधानता है। **य्** और **व्**, ये दो ध्वनियाँ दो भिन्न केन्द्रों में विकसित हुईं, गण-समाजों के सम्पर्क से वे विभिन्न भाषाओं की ध्वनि-व्यवस्था में सम्मिलित हुई। भारत से बाहर प्राचीन गण-समाजों की भाषा में उनका प्रसार एक-सा नहीं हुआ। संस्कृत क्रिया **युध्** (जिससे **युद्ध** शब्द बनता है) ग्रीक भाषा में **एथ्** है और उससे **एथलोस्** (योद्धा, अंग्रेज़ी का **एथलीट**) शब्द बनता है। संस्कृत **वमन** के अनुरूप लैटिन में **वोमितुस्** (अंग्रेज़ी **वौमिट्**) शब्द है किन्तु ग्रीक में इसका प्रतिरूप **एमेतोस्** है। संस्कृत युवा में **य्** और **व्**, दोनों ध्वनियाँ हैं। लैटिन में इसका प्रतिरूप है **इउवेनिस्**। ग्रीक और लैटिन भाषाएँ संस्कृत **य्** के स्थान पर स्वर का प्रयोग करती हैं। **व्** के स्थान पर केवल ग्रीक स्वरों से काम लेती है। द्रविड़ भाषाओं में **य्** की अपेक्षा **व्** का व्यवहार बहुत अधिक होता है। बंगला में **य्** और **व् ज्** और **ब्** रूप में ग्रहण किये जाते हैं; जहाँ ऐसा नहीं होता, वहाँ उनके स्थान पर स्वरों का व्यवहार होता है : **यूरोप—इउरोप; माया—माअँआ; वजीर—उजीर; वकील—उकील; वजन—ओजन**। यही स्थिति उन भाषाओं की है जो **य्-व्** ध्वनि-केन्द्रों से दूर के क्षेत्रों में बोली जाती थीं।

सिद्ध यह हुआ कि जिस समय ग्रीक और लैटिन भाषाओं का निर्माण हो रहा था, उस समय **य्** और **व्** ध्वनियाँ उन भाषाओं में विद्यमान थीं जिन्होंने ग्रीक और लैटिन के विकास को प्रभावित किया। ग्रीक और लैटिन के प्रतिकूल हित्ती भाषा में **य्** और **व्**, दोनों ध्वनियाँ हैं। यही स्थिति तुखारी भाषा की है। **हित्ती** और **तुखारी केन्तुम्** शाखा की भाषाएँ मानी जाती हैं। ग्रीक और लैटिन उनकी सगी बहनें हुईं। किन्तु हित्ती में **य्** और **व्** दोनों हैं, तुखारी में **य्** और **व्** दोनों हैं, लैटिन में **य्** नहीं है केवल **व्** है, ग्रीक में न **य्** है, न **व्** है (किसी समय उसमें **व्** था, यह पुराने अभिलेखों से ज्ञात होता है)। यह सारी स्थिति **य्** और **व्** ध्वनियों के भिन्न केन्द्रों में स्वतंत्र विकास और विभिन्न भाषाओं में उनके विषम प्रसार का प्रमाण है।

## 7. प्राचीन भाषाओं में मूर्धन्य ध्वनियों की स्थिति

**च्-ज्** के समान **ट्-ड्** का विकास भी संस्कृत में बाद को हुआ, ऐसा माना जाता है। द्रविड़ भाषाओं में भी इन ध्वनियों का विकास बाद को हुआ, यह कोई नहीं

कहता। इसके विपरीत आम धारणा यह है कि ये विशिष्ट द्रविड़ ध्वनियाँ हैं जिन्होंने आदि भारतीय आर्य भाषा को प्रभावित किया। द्रविड़ों की पराजय और आर्यों की भारत-विजय का सबसे बड़ा प्रमाण संस्कृत में ट-वर्गीय ध्वनियों का सीमित व्यवहार है। पिछले कुछ वर्षों में आर्य-द्रविड़ भाषा-विशेषज्ञों को इस स्थापना में सन्देह होने लगा है। उन्होंने यह नवीन स्थापना प्रस्तुत की है कि संस्कृत में इन ध्वनियों का विकास स्वतंत्र रूप से हुआ था; उनके व्यवहार का कारण द्रविड़ प्रभाव नहीं है। यह बात पहले अंग्रेज़ विद्वान् बेली ने कही। फिर दूसरे अंग्रेज़ विद्वान् बरो ने 'बुलेटिन ऑफ़ द स्कूल ऑफ़ ओरिएंटल एंड अफ्रीकन स्टडीज़' (खंड 34, भाग 3, 1971) में एक लेख लिखा : 'स्पौंटेनियस् सेरीब्रल्स इन् संस्कृत'। इसमें बेली का समर्थन करते हुए उन्होंने इन ध्वनियों के स्वतंत्र विकास के सिद्धान्त का प्रतिपादन किया।

माना जाता है कि आर्यों के अभियान के समय भारत के उत्तर-पश्चिम में द्रविड़ लोग बसे हुए थे। भारत में आकर आर्यों ने जहाँ अपने उपनिवेश कायम किये, वहाँ भी द्रविड़ लोग विद्यमान थे। इन द्रविड़ों की भाषाओं में **ट्** और **ड्** ध्वनियों का व्यवहार होता था। इनसे गहन सम्पर्क होने पर आर्यों ने और बहुत-से द्रविड़ भाषा-तत्त्व तो ग्रहण किये, केवल ट-वर्गीय ध्वनियों को ग्रहण न करके उनका स्वतंत्र विकास किया, यह बात कुछ आश्चर्य में डाल देनेवाली है।

द्रविड़ भाषाओं में **ट्-ड्** की स्थिति पहचानने के लिए सबसे पहले यह देखना चाहिए कि शब्दों के निर्माण में उनकी भूमिका क्या है। इसके बाद यह देखना चाहिए कि जिन शब्दों में उनका व्यवहार होता है, उनकी स्थिति समूचे शब्द-भंडार में क्या है। द्रविड़ भाषाओं के शब्द-भंडार से यदि उन शब्दों को निकाल दिया जाए जिनके आदिस्थान में **ट्** का प्रयोग हुआ हो तो इससे शब्द-भंडार की शब्द-संख्या में विशेष अन्तर न आएगा। किसी भी भाषा में ध्वनि-विशेष की भूमिका जानने का सहज उपाय यह है कि शब्दों के आदिस्थान पर उसका प्रयोग होता है या नहीं, होता है तो यह प्रयोग विरल है या बहुल है, इस बात पर विचार किया जाए।

द्रविड़ भाषाओं में **ट्** से आरम्भ होनेवाले शब्द विरल हैं। तमिल भाषा का कोई भी अपना शब्द **ट्** से आरम्भ नहीं होता। इससे **च्**-सम्बन्धी स्थिति तुलनीय है। माना जाता है कि **च्** ध्वनि का विकास द्रविड़ भाषाओं में बाद को हुआ। जिस ध्वनि का विकास बाद को हुआ, वह तो पचीसों शब्दों के आदिस्थान पर दिखाई देती है, किन्तु जो **ट्** ध्वनि उससे पहले से विद्यमान थी, जिसका अस्तित्व आदि द्रविड़ भाषा की ध्वनि-व्यवस्था में स्वीकार किया जाता है, वह शब्द के आदिस्थान से गायब है! इस अद्भुत व्यापार का कारण क्या है?

वैदिक भाषा ने चाहे द्रविड़ भाषाओं से प्रभावित होकर **ट्-ड्** का विकास किया हो, चाहे स्वतंत्र रूप से किया हो, शब्द के आदिस्थानीय प्रयोग के विचार से, उसकी स्थिति वही है जो तमिल की है।

आदिस्थान से भिन्न द्रविड़ भाषाओं में **ट्-ड्** का प्रयोग विरल न होकर बहुल है। संस्कृत की अपेक्षा, और आर्य-परिवार की अधिकांश आधुनिक भाषाओं की अपेक्षा, भाषाओं के शब्दों में **ट्-ड्** ध्वनियों का व्यवहार अधिक होता है। यही कारण है कि इन भाषाओं को सुनने या पढ़ने पर यह धारणा आसानी से बन जाती है कि ट्-वर्गीय ध्वनियों का बहुल प्रयोग इन भाषाओं की विशेषता है। आदिस्थानीय प्रयोग और मध्यवर्ती प्रयोग का भेद महत्त्वपूर्ण है, इस बात की ओर लोगों का ध्यान कम आता है। द्रविड़ भाषाओं में **ट्-ड्** की मध्यवर्ती प्रयोग-बहुलता के कारण हैं। **क्-त्-प्** की स्थिति पर विचार करें। एक तो व्यंजन वैसे ही कम, उस पर दो स्वरों के बीच में आए नहीं कि उनके लोप होने का खतरा पैदा हुआ। मध्यवर्ती **त्** अपेक्षाकृत सुरक्षित रहता है किन्तु **क्** और **प्** अत्यन्त असुरक्षित रहते हैं। मध्यवर्ती **क्-प्** की न्यूनता को **ट्-ड्** पूरा करते हैं। द्रविड़ भाषाओं के विकास की जिस मंजिल में भी संघर्षीकरण वाली प्रवृत्ति उन्हें प्रभावित करती रही हो, यह स्पष्ट है कि **ट्** और **ड्** के संघर्षी रूप न तो द्रविड़ भाषाओं में हैं, न भारत की किसी अन्य भाषा में। संघर्षीकरण की प्रवृत्ति के विरोध में जो ध्वनियाँ अडिग, अपरिवर्तित बनी रहती हैं, वे **ट्** और **ड्** हैं। इसलिए द्रविड़ भाषाओं के ध्वनितंत्र में उनको विशेष महत्त्व प्राप्त हुआ। किन्तु यह महत्त्व दो स्वरों के बीच में है, शब्द के आदिस्थान पर नहीं है। यदि **ट्** और **ड्** से आरम्भ होनेवाले हिन्दी शब्दों पर ध्यान दिया जाए तो यह विदित होगा कि संस्कृत और तमिल की अपेक्षा हिन्दी तया अन्य आधुनिक आर्य भाषाओं में इन ध्वनियों की भूमिका कहीं अधिक महत्त्वपूर्ण है।

अब प्रश्न यह है कि इन ध्वनियों के विकास-केन्द्र कहाँ थे। इसके साथ दूसरा प्रश्न यह है कि इन ध्वनियों ने संस्कृत के अलावा इंडो-यूरोपियन परिवार की अन्य भाषाओं के ध्वनितंत्र को प्रभावित किया या नहीं।

भारत में कम-से-कम दो प्रदेश ऐसे हैं जहाँ **त्-द्** के स्थास पर **ट्-ड्** का व्यवहार ही होता है। इनमें एक क्षेत्र है असम और दूसरा गुजरात की कुछ बोलियों का विशेष क्षेत्र। डॉ. सुनीतिकुमार चाटुर्ज्या ने अपने एक संस्मरणात्मक लेख में बताया है कि जब वह पढ़ते थे, तब उनकी भेंट एक गुजराती बन्धु से हुई जो आर्य भाषा के त-कारवाले शब्दों का उच्चारण हमेशा ट-कार से करते थे। प्राकृत व्याकरणों की परम्परा के अनुसार गुर्जर देश के लोग ट-कार प्रेमी होते थे। बंगला और असमिया के ध्वनितंत्रों में एक महत्त्वपूर्ण भेद यह है कि बंगला में **त्** और **ट्** दो स्वतंत्र अर्थ-विच्छेदक ध्वनियाँ हैं। असमिया में केवल ट-कार है। यह ट-कार मूर्धन्य है या वर्त्स्य है, इस पर आगे विचार करेंगे। इतना तो स्पष्ट है कि त-वर्ग से भिन्न ट-वर्ग के स्वतंत्र विकास-केन्द्र हैं। ट-वर्ग की अन्य ध्वनियाँ छोड़ दें, केवल **ट्-ड्** पर ध्यान दें, तो विदित होता है कि इनके केन्द्र वर्तमान भारत के पूर्वी और पश्चिमी प्रदेशों में हैं। असमिया में **ट्-ड्** का प्रयोग उस प्रदेश की अपनी प्राचीन

विशेषता हो सकती है; यह भी सम्भव है कि यह विशेषता वहाँ पश्चिम से पहुँची हो। गुजरात के पड़ोसी प्रदेश सिन्ध में **ट्-ड्** ध्वनियों का विकास अन्य भाषाओं की अपेक्षा विशेष हुआ है। सिन्धी भाषा में **ग्** और **ब्** के समान **ड्** के दो रूप होते हैं—एक में वायु का विस्फोट बाहर की ओर होता है, दूसरे में अन्दर की ओर। यह भेद अर्थ-विच्छेदक है। इसलिए यह मानना उचित है कि हर ध्वनियों के विकास-केन्द्र भारत की पश्चिमी भाषाओं में थे।

अब इस बात पर विचार करें कि भारतीय भाषाओं में **ट्-ड्** ध्वनियाँ मूर्धन्य हैं या वर्त्स्य हैं। यह प्रश्न इसलिए भी महत्त्वपूर्ण है कि अंग्रेज़ी में जो ध्वनियाँ हमें **ट्-ड्** जैसी लगती हैं, उन्हें भारतीय ध्वनियों से भिन्न बताया जाता है।

किसी समय बीम्स जैसे विद्वान् सोचते थे कि मूर्धन्य ध्वनियाँ पुरुषत्व और वीरता की सूचक हैं। अत: उन्होंने कल्पना की थी कि **ट्-ड्** ध्वनियाँ मूर्धन्य हैं; वे आदि इंडो-यूरोपियन भाषा में थीं और अपने विशुद्ध मूर्धन्य रूप में अंग्रेज़ी में प्रयुक्त होती थीं। भारत में इनसे मिलती-जुलती जो ध्वनियाँ प्रयुक्त होती थीं, वे मूर्धन्य नहीं थीं। इसके बाद पश्चिमी विद्वानों ने यह सिद्धान्त प्रतिपादित किया कि मूर्धन्य ध्वनियाँ द्रविड़ भाषाओं की विशेषता हैं, उनसे सम्पर्क होने के कारण आदि, मध्य और नव्य आर्य भाषाओं में उनका प्रयोग क्रमश: बढ़ता गया। ऊपर उल्लेख हो चुका है कि कुछ विद्वान् मूर्धन्य ध्वनियों का विकास आर्य-परिवार में स्वतंत्र मानते हैं। बेली और बरो से पहले डॉ. विश्वनाथ प्रसाद ने यह बात भोजपुरी भाषा के ध्वनितंत्र पर अपने शोध-प्रबन्ध में कही थी। यह शोध-प्रबन्ध उन्होंने लन्दन में 1950 में प्रस्तुत किया था। यंत्रों की सहायता से ध्वनियों के अध्ययन की दिशा में यह प्राथमिक प्रयास था। इसमें उन्होंने संस्कृत भाषा में मूर्धन्य ध्वनियों के विकास को स्वायत्त भारतीय-आर्य विकास (ऑटोनोमस् इंडो-अर्यन् डिवेलपमेंट) कहा था और इस बात की आलोचना की थी कि मूर्धन्य ध्वनियों के विकास को जल्दबाजी में द्रविड़-सम्पर्क का परिणाम मान लिया गया था। उनके ऐसा कहने का कारण यह था कि उन्हें विश्वास था कि वास्तविक मूर्धन्य ध्वनियों का व्यवहार तो द्रविड़ भाषाओं में होता है, संस्कृत और आधुनिक आर्य भाषाओं की ध्वनियाँ वर्त्स्य हैं। यही मत लन्दन के ध्वनिशास्त्री फ़र्थ का भी था। उन्होंने तमिल को ध्यान में रखते हुए लिखा था कि हिन्दी-उर्दू में तथाकथित मूर्धन्य व्यंजनों का स्थान और कार्य उन भाषाओं की ध्वनि-व्यवस्था से बिलकुल भिन्न है जहाँ ऐसे व्यंजनों का प्रयोग होता है। उन्होंने तमिल भाषा की ध्वनियों का विश्लेषण करते हुए एक निबन्ध लिखा था जो तमिल व्याकरण पर आर्डन की पुस्तक के पहले संस्करण में प्रकाशित हुआ था। बाद को फ़र्थ ने इस निबन्ध का प्रकाशन बन्द करा दिया क्योंकि उन्हें अपनी स्थापनामों में शंका होने लगी थी। फ़र्थ की पूर्वोक्त धारणा से प्रभावित होकर डॉ. विश्वनाथ प्रसाद ने अपने शोध-प्रबन्ध में लिखा था कि हिन्दी की अपेक्षा मराठी

में, और मराठी की अपेक्षा तमिल में मूर्धन्य तत्त्व अधिक हैं। यह मत उनके अपने अनुसन्धान का परिणाम न था। उनके अपने अनुसन्धान का परिणाम हिन्दी और भोजपुरी की ध्वनियों के बारे में यह था : **पट्टा, अड्डा, भाँटा, पंडा** जैसे शब्दों में **ट्, ड्** का उच्चारण करते समय जीभ का स्पर्श लगभग दन्त्य होता है (पृ. 387); अन्य शब्दों में जीभ दन्त्य से लेकर तालव्य क्षेत्र तक कहीं भी स्पर्श करती है। (पृ. 389) इनकी तुलना अंग्रेज़ी की **ट्, ड्** ध्वनियों से करते हुए उन्होंने लिखा : "अधिकांश स्थितियों में अंग्रेज़ी के **ट्, ड्** के सम्पर्क-स्थान से जरा ही कुछ ऊपर—यदि ऊपर हुआ ही तो—इनका उच्चारण-सम्पर्क होता है। अंग्रेज़ी की इन ध्वनियों का उच्चारण जिह्वाग्र-भाग को दन्तमूलीय रेखा तक उठाने से होता है।" (पृ. 395) आशय यह कि हिन्दी की **ट्, ड्** ध्वनियाँ वर्त्स्य हैं; मूर्धन्य लक्षण स्वल्प है; वे अंग्रेज़ी की **ट्, ड्** ध्वनियों से मिलती-जुलती हैं।

रूसी विद्वान आन्द्रोनोव ने तमिल व्याकरण पर अपनी पुस्तक में तमिल भाषा की **ट्, ड्** ध्वनियों को वर्त्स्य माना है। चेक भाषाविद् ज़्वेलेबिल ने द्रविड़ भाषाओं के ध्वनितंत्रों का तुलनात्मक अध्ययन करते हुए इन भाषाओं में वर्त्स्य **ट्, ड्** के व्यवहार की बात लिखी है यद्यपि वह इसके साथ मूर्धन्य **ट्, ड्** का व्यवहार भी स्वीकार करते हैं। उल्लेखनीय है कि द्रविड़ परिवार में कुछ भाषाएँ ऐसी भी हैं जो वर्त्स्य अथवा मूर्धन्य **ट्** के स्थान पर **र्** जैसे व्यंजन का व्यवहार करती हैं। शब्द के आरम्भ में **ट्** ध्वनि विरल है और जहाँ मध्यवर्ती सघोष **ड्** का प्रयोग होता है, वहाँ इसका उच्चारण **ड़्** के समान होता है।

डॉ. गोलोकचन्द्र गोस्वामी के असमिया भाषा के ध्वनितंत्र पर एक पुस्तक लिखी है। इसमें **ट्, ड्** ध्वनियों के उच्चारण के बारे में उन्होंने जो कुछ लिखा है, वह हिन्दी-भोजपुरी के सम्बन्ध में डॉ. विश्वनाथ प्रसाद के मत से मिलता है। **पुत्र, संत्रास, पाताल, पत्नी** जैसे शब्द असमिया में **पुट्र, संट्रास, पाटाल, पटनी** जैसे रूपों में बोले जाते हैं। डॉ. गोस्वामी के अनुसार इनके उच्चारण में जीभ का स्पर्श दाँतों के ऊपर से लेकर वर्त्स्य क्षेत्र से कुछ ऊपर तक होता है। आशय यह कि असमिया की **ट्, ड्** ध्वनियाँ वर्त्स्य हैं, मूर्धन्य तत्त्व बहुत कम हैं।

मूर्धा से जीभ स्पर्श करती है, तब उसकी नोक पीछे की ओर थोड़ा मुड़ती है। यही उसका प्रतिवेष्टन (रिट्रोफ्लेक्शन) है। हिन्दी की **ट्, ड्** ध्वनियों के उच्चारण में यह प्रतिवेष्टन अनेक स्थितियों में नहीं होता। कुछ ध्वनि-शास्त्रियों ने मूर्धन्य शब्द को अवैज्ञानिक मानकर प्रतिवेष्टित ध्वनियों की बात करना युक्तिसंगत माना है। अंग्रेज़ी की इस कोटि की ध्वनियों में जिह्वाग्र भाग का प्रतिवेष्टन नहीं होता, यही लक्षण भारतीय ध्वनियों से उनकी भिन्नता का विशेष सूचक माना गया है। किन्तु यह बात अब बिलकुल स्पष्ट हो गई है कि आर्य और द्रविड़, दोनों भाषा-परिवारों में अप्रतिवेष्टित वर्त्स्य **ट्-ड्** का व्यवहार बहुत बड़े पैमाने पर होता है। यह स्थिति

भी ध्यान देने योग्य है कि अंग्रेज़ी भाषा में दन्त्य **त्-द्** का प्राय: अभाव है। कल्पित आदि इंडो-यूरोपियन भाषा में **त्-द्** ध्वनियाँ विद्यमान हैं। जर्मन तथा यूरोप की अन्य भाषाओं में जो शब्द एक ही स्रोत से आए हुए माने जाते हैं, उनकी मूल ध्वनियाँ **त्-द्** मानी गई हैं, **ट्, ड्** (वर्त्स्य अथवा मूर्धन्य) नहीं। वास्तव में दन्त्य और वर्त्स्य ध्वनियों के विचार से यूरोप दो हिस्सों में बँटा हुआ है। एक हिस्से में स्लाव और लैटिन समुदायों की भाषाएँ हैं, दूसरे हिस्से में जर्मन समुदाय की उत्तरी भाषाएँ हैं। इसी इंडो-यूरोपियन परिवार के अन्तर्गत एक अन्य भाषा-समुदाय हैं केल्त। इस समुदाय की भाषाएँ किसी समय सारे यूरोप में बोली जाती थीं। अब उनके मुख्य क्षेत्र आयरलैंड, वेल्स और स्कॉटलैंड हैं। जहाँ केल्त क्षेत्रों में लैटिन भाषा-समुदाय का प्रसार हुआ, वहाँ **त्-द्** ध्वनियों के विचार से कोई परिवर्तन न हुआ। इसके विपरीत जिन केल्त-क्षेत्रों में जर्मन-भाषा-समुदाय का प्रसार हुआ, उनमें **त्-द्** ध्वनियों का प्रयोग विरल हो गया, बहुल प्रयोग वर्त्स्य ध्वनियों का होने लगा। जैसे असम और बंगाल पड़ोसी हैं, वैसे ही लैटिन और जर्मन, स्लाव और जर्मन, केल्त और जर्मन भाषा-समुदाय एक दूसरे के पड़ोसी हैं। इस स्थिति से यह निष्कर्ष निकालना उचित होगा कि पड़ोसी क्षेत्रों में वर्त्स्य और दन्त्य ध्वनियों का भेद इन ध्वनियों के दो भिन्न केन्द्रों में विकसित होने और वहाँ से उनके प्रसारित होने का परिणाम है।

वर्त्स्य और मूर्धन्य (प्रतिवेष्टित) ध्वनियाँ एक दूसरे के बहुत निकट हैं। यूरोप की भाषाओं में वर्त्स्य ध्वनियों के अलावा प्रतिवेष्टित मूर्धन्य ध्वनियों का व्यवहार भी होता है। डॉ. विश्वनाथ प्रसाद ने अपने शोध-प्रबन्ध में हेरॉल्ड आर्डन का हवाला देते हुए बताया है कि इंग्लैंड के नॉर्थम्बरलैंड क्षेत्र की **ट्-ड्** ध्वनियाँ प्रतिवेष्टित मूर्धन्य ध्वनियाँ हैं। इसके अतिरिक्त नॉर्वे और स्वीडन की भाषाओं पर जिन लोगों ने लिखा है, वे इनमें मूर्धन्य **ट्-ड्** का व्यवहार स्वीकार करते हैं। भाषाविज्ञानियों ने प्रतिवेष्टन को लेकर भारत और यूरोप की भाषाओं में जो भेद खड़ा किया था, वह निराधार सिद्ध होता है। दोनों जगह वर्त्स्य ध्वनियों का व्यवहार होता है, दोनों जगह मूर्धन्य ध्वनियों का व्यवहार होता है।

कॉल्डवेल द्रविड़ भाषाओं का सम्बन्ध शक-परिवार से स्थापित करते थे। अपनी स्थापना के प्रमाण-स्वरूप उन्होंने एशिया और यूरोप की जिन शक भाषाओं का हवाला दिया है, उनके बारे में कहीं यह नहीं लिखा कि उनमें **ट्-ड्** ध्वनियों का व्यवहार होता था। इन्हें वह द्रविड़ परिवार की मूल ध्वनियाँ मानते थे। उन्होंने इस समस्या का विवेचन नहीं किया कि शक-समुदाय की भाषाएँ बोलनेवालों ने जब भारत में प्रवेश किया तब किसके सम्पर्क और प्रभाव से उनकी भाषाओं में **ट्-ड्** ध्वनियों का विकास हुआ। शायद उन्होंने मान लिया था कि यह द्रविड़ भाषाओं का स्वायत्त विकास है, जैसे डॉ. विश्वनाथ प्रसाद, बेली और बरो ने आगे चलकर माना कि संस्कृत में इनका स्वायत्त विकास हुआ था। उधर यूरोप में जर्मन-समुदाय की

भाषाओं में ऐसा ही स्वायत्त विकास हुआ। इस तरह के स्वायत्त विकासों की संख्या कुछ आवश्यकता से अधिक बढ़ती जाती है। यह सोचना अधिक युक्तिसंगत होगा कि इन सब तथाकथित स्वायत्त विकासों का कारण एक ही आर्य भाषा-समुदाय है, असम और गुजरात में जिसके अवशेष मात्र रह गए हैं, किन्तु जो समुदाय अत्यन्त प्राचीन था, इतना प्राचीन कि उसने वैदिक भाषा के अलावा जर्मन समुदाय की भाषाओं को प्रभावित किया और इंडो-यूरोपियन परिवार के अलावा द्रविड़ भाषा-समुदाय को प्रभावित किया। कोल और नाग भाषाओं में जहाँ वर्त्स्य मूर्धन्य ध्वनियों का व्यवहार होता है, वहाँ वह आर्य-द्रविड़ प्रभाव के कारण है।

निष्कर्ष यह निकला कि इंडो-यूरोपियन परिवार के भारतीय आर्य और जर्मन समुदायों की भाषाओं का विकास जिस समय हुआ, उस समय भारत में वर्त्स्य-मूर्धन्य ध्वनियों का व्यवहार होता था—आर्य-परिवार में ही नहीं, द्रविड़ परिवार में भी होता था।

भारत के उत्तरी सीमान्त पर पश्तो भाषा बोली जाती है। यह ईरानी शाखा के अन्तर्गत मानी जाती है। इसमें **ट्-ड्** ध्वनियों का व्यवहार होता है। यह व्यवहार केवल हिन्दी-उर्दू अथवा पंजाबी के प्रभाव का परिणाम है, अथवा अत्यन्त प्राचीन है, इस समस्या का विवेचन अभी किसी ने नहीं किया। फ़ारसी में ये ध्वनियाँ नहीं हैं, इसलिए अवश्य ही पश्तो में वे आधुनिक भारतीय भाषाओं के प्रभाव से आई होंगी, ऐसा मान लिया जाता है। 19वीं सदी में ट्रम्प ने सिन्धी और पश्तो भाषाओं के व्याकरण लिखे थे। इनमें उन्होंने इस बात का उल्लेख अनेक बार किया है कि सिन्धी और पश्तो में बहुत बड़ी समानता है। इस समानता के अन्तर्गत **ट्-ड्** ध्वनियों का व्यवहार भी है। जो लोग दरद भाषाओं का एक अलग समुदाय मानते हैं, और इस समुदाय की विशेषता यह मानते हैं कि वह भारतीय आर्य भाषाओं की अपेक्षा ईरानी भाषाओं से अधिक प्रभावित हैं, उनके अधिक निकट हैं, वे इस बात की व्याख्या करें कि फ़ारसी से भिन्न सिन्धी और पश्तो में अनेक समानताएँ क्यों विद्यमान हैं, और इन्हीं समानतामों में एक यह **ट्-ड्** ध्वनियों के व्यवहार की समानता भी सिन्धी और पश्तो भाषाओं में क्यों मिलती है। यह इस बात पर ध्यान दिया जाए कि पश्तों में ऐसी अनेक व्याकरणगत समानताएँ हैं जिनसे वह फ़ारसी से दूर और सिन्धी के समीप है, तो यह बात युक्तिसंगत लगेगी कि पश्तो में इन ध्वनियों का व्यवहार उतना ही पुराना है जितना अन्य आर्य भाषाओं में अथवा द्रविड़ भाषाओं में।

## 8. प्राचीन भाषा में नासिक्य ध्वनियों की स्थिति

ऐतिहासिक भाषाविज्ञान के अनुसार आदि इंडो-यूरोपियन भाषा में **ङ्, ञ्, न्, म्**—चारों नासिक्य ध्वनियाँ विद्यमान थीं। इनमें केवल **म्** और **न्** शब्द-निर्माण-प्रक्रिया में काम आती थीं; वही ध्वनियाँ अर्थ-विच्छेदक थीं। **ञ्** और **ङ्** समवर्गीय व्यंजनों के साथ प्रयुक्त होती थीं।

अन्य ध्वनियों के समान नासिक्य ध्वनियों का विकास भी भिन्न केन्द्रों में हुआ था। यही कारण है कि अनेक भाषाओं में बहुधा ये ध्वनियाँ स्वच्छन्द संचरण की स्थिति में दिखाई देती हैं। संस्कृत **नक्र** का हिन्दी प्रतिरूप **मगर** है; एक शब्द है **माप**, उसी अर्थ का सूचक दूसरा शब्द है **नाप**। तमिल में एक सर्वनाम है **नीर्** (तुम), इसका तेलगू प्रतिरूप है **मीरु**। लैटिन में एक शब्द है **क्वाम्दे** (कितना), लैटिन में ही इसका प्रतिरूप है **क्वान्दे**। संस्कृत में **कन्** और **कम्** क्रियाएँ एक ही अर्थ की सूचक हैं—चमकना, प्रसन्न होना। तमिल में **मुऴइ**, और **नुऴइ**, दोनों का अर्थ है प्रविष्ट करना; **माळि**, **नॉडि** का अर्थ है बोलना। ग्रीक भाषा-समुदाय में आयोनियन रूप **मिन्** (उसकी) का दोरिक रूप है **निन्**। आर्य-द्रविड़, दोनों परिवारों में **म्** और **न्** परस्पर स्वच्छन्द-संचरण की स्थिति में दिखाई देते हैं; सर्वत्र नहीं, फिर भी अनेक शब्दों में। जब आदि इंडो-यूरोपियन भाषा में **म्** और **न्** दो भिन्न अर्थ-विच्छेदक ध्वनियाँ थीं, तब लैटिन, ग्रीक और संस्कृत में एक ही अर्थ देनेवाले **म्** और **न्** से दो रूप बनते हुए क्यों दिखाई देते हैं? इसका कारण वही है जिससे **स्तम्भ** और **स्कम्भ** जैसी रूपों की रचना हुई थी।

संस्कृत मूलतः ओष्ठ्य नासिक्य ध्वनि की भाषा है। एक उपसर्ग है **सम्**। इसका व्यवहार व्यापक रूप से होता है। इस तरह का **न्** ध्वनि वाला कोई उपसर्ग नहीं है। अन्य ध्वनियों के संयोग से **सत्** भले ही **सन्** बन जाए, पर **सन्** जैसा उपसर्ग संस्कृत में नहीं है। द्रविड़ भाषाएँ कुछ रूपों में संस्कृत की अपेक्षा **न्** का प्रयोग अधिक करती हैं। तमिल **नडु** का अर्थ है मध्य और वह इसी **मध्य** शब्द का प्रतिरूप है। कन्नड़ **नॅत्ति** का अर्थ है माथा और यह **मत्था** जैसे रूप का विकास है। तमिल **निनइ** और कन्नड़ **नॅनसु** का अर्थ है सोचना और इस शब्द-शृंखला का सम्बन्ध संस्कृत क्रिया **मन्** से है। तमिल **नीर** का तेलगू प्रतिरूप **मीर** इसी भेद की ओर संकेत करता है। तमिल की अपेक्षा तेलगू में आर्य भाषाई ध्वनितंत्र के लक्षण अधिक मिलते हैं। इसलिए उसमें **न्** के स्थान पर **म्** का प्रयोग स्वाभाविक है। संस्कृत में नपुंसक लिंग संज्ञा-शब्द कर्ता-कारक में अकारान्त दिखाई देते हैं, यथा : **ज्ञानम्**। तमिल में पुरुषों के नाम बहुधा नकारान्त होते हैं। संस्कृत सर्वनाम **अयम्** का तमिल प्रतिरूप **अवन्** है। नासिक्य ध्वनियों का यह भेद दोनों भाषा-समुदायों की मूल भिन्नता का सूचक है—**य्** और **व्** के समान। हिन्दी मगर, संस्कृत **नक्र** की अपेक्षा, मध्यदेशीय आर्य ध्वनितंत्र के निकट है। उधर हिन्दी **न** और **नहीं** की अपेक्षा संस्कृत **मा** आर्य भाषा-परिवार का मूल अस्वीकृति-सूचक शब्द है। इसका ग्रीक प्रतिरूप **मे** है, लैटिन में **ने** रूप का चलन हुआ। किन्तु कर्मकारक में जहाँ संस्कृत और लैटिन में शब्द के अन्त में **म्** आएगा, वहाँ ग्रीक में **न्** का व्यवहार होगा। इसी प्रकार कुछ क्रिया-रूपों में संस्कृत में जहाँ **म्** का व्यवहार होता है, वहाँ ग्रीक भाषा **न्** का प्रयोग करती है, यथा : संस्कृत **अभरम्** का ग्रीक प्रतिरूप

है **ऑफ़्रॉन्**। संस्कृत की तरह ग्रीक भाषा में **म्** और **न्**, दोनों ध्वनियों का प्रयोग होता है किन्तु संस्कृत की अपेक्षा ग्रीक भाषा—तमिल के समान—**न्** का प्रयोग अधिक करती है।

**म्** और **न्** में कौन-सी ध्वनि आर्य भाषा-परिवार की मूलध्वनि है, यह जानने के लिए इस परिवार के मूल शब्द-भंडार में इन ध्वनियों की भूमिका देखनी चाहिए। सर्वनाम मूल शब्द-भंडार का महत्त्वपूर्ण अंश है। **अस्मद्, मदीय, मम, अस्मै, तस्मै, एतस्मात्** जैसे रूपों में **म्** ध्वनि की प्रधानता देखी जा सकती है। सम्बन्ध आदि कारकों के बहुवचन में **नः** रूप दिखाई देता है। यह रूप **मद्, मन्** जैसे शब्द-मूलों का रूपान्तर है। फ़ारसी में **मन्** का अर्थ है मैं। ठीक इसी अर्थ में तमिल **नान्** का प्रयोग होता है। दोनों शब्द **मद्** के प्रतिरूप हैं। यूरोप की भाषाओं में, संस्कृत के विपरीत और तमिल के अनुरूप, न-कार वाले सर्वनामों का व्यापक प्रयोग होता है। लैटिन **नोस्तेर**—हमारा, फ्रांसीसी **नू**—हम, रूसी **नास्**—हमें, **नाश्**—हमारा इत्यादि।

सर्वनामों के अलावा क्रियापदों में **मज़्ज़्, मथ्, मद्, मन्, मन्द्, म, मि, मुच् मुद्, मर्**, या **मृ** आदि में **म्** की महत्त्वपूर्ण भूमिका है। इनकी तुलना में **न्** से आरम्भ होनेवाली भारतीय क्रियाएँ, अन्तरराष्ट्रीय स्तर पर, उतने व्यापक रूप में प्रयुक्त नहीं होतीं। उपसर्गों की बात पहले कही जा चुकी है। संस्कृत **सम्** का लैटिन प्रतिरूप **कोन्** है; लैटिन में ही म-कार वाला उसका दूसरा प्रतिरूप **कुम्** है। साथ का अर्थ देनेवाला यह उपसर्ग संस्कृत में मकारान्त है। ग्रीक भाषा में लैटिन **कुम्** का प्रतिरूप सुन है जो पुनः इस भाषा के नकारप्रेम का सूचक है।

**म्** और **न्**, इन दो नासिक्य ध्वनियों का विकास दो भिन्न केन्द्रों में हुआ। **म्** का विशेष सम्बन्ध मध्यदेशीय भाषा-केन्द्रों से है और **न्** का उत्तर-पश्चिमी भाषा-केन्द्रों से। इन ध्वनियों का व्यवहार करनेवाली भाषाएँ अपने विकास-क्रम की प्राथमिक अवस्था में ही एक-दूसरे के ऐसे घनिष्ठ सम्पर्क में आईं कि दोनों समुदायों में उन ध्वनियों का व्यवहार व्यापक रूप से होने लगा। किन्तु यह बात **ङ्** और **ञ्** के बारे में नहीं कही जा सकती। जो लोग आदि इंडो-यूरोपियन भाषा में इनका अस्तित्व स्वीकार करते हैं, उन्हें इस प्रश्न का उत्तर देना चाहिए कि इन ध्वनियों की भाषाई भूमिका क्या है। लैटिन और ग्रीक में **च्-ज्** का अभाव है; **ञ्** ध्वनि संयुक्त किसके साथ होगी? संस्कृत में **च्-ज्** के साथ इस समवर्गीय नासिक्य ध्वनि का व्यवहार होता है, अर्थ-विच्छेदक ध्वनि वह संस्कृत में भी नहीं है। लैटिन, ग्रीक, हित्ती तुखारी आदिभाषाओं में उसका अस्तित्व ही नहीं है, वे समवर्गीय ध्वनियाँ ही नहीं हैं जिनके साथ इस अनुनासिक ध्वनि को प्रयुक्त किया जाए। भाषाविज्ञानियों ने कल्पना की है कि आदिभाषा में एक तालव्य **क्** का व्यवहार होता था। यह तालव्य **क्** संस्कृत में तालव्य **च्** बन गया; लैटिन, ग्रीक आदि में वह सामान्य **क्** बना। उस तालव्य **क्** के साथ तालव्य नासिक्य ध्वनि का व्यवहार होता था। किन्तु 'आदि' इंडो-

यूरोपियन भाषा में यह तालव्य **क्** नहीं था। अत: उसकी समवर्गीय नासिक्य ध्वनि भी चवर्गहीन भाषाओं में नहीं थी।

**ञ्** और **ह्** ध्वनियों का अर्थ-विच्छेदक व्यवहार नाग भाषाओं की विशेषता है। इनका वहाँ आदिस्थानीय प्रयोग होता है और उनका अर्थ-विच्छेदक महत्त्व है। **मोन्पा** भाषा में **ञ्** से शब्द इस प्रकार आरम्भ होते हैं : **ञिरि**—संध्या, **ञिङ्**—वर्ष, **ओक्तङ्**—दिमाग, **ञु म् बु**—ईमानदार। इसी प्रकार **ङ्** से शब्द आरम्भ होते हैं : **ङ्**—मछली, **ङ्म्**—आकाश, **ङ-ङ्**—गर्दन। इन ध्वनियों का अर्थ-विच्छेदक प्रयोग इस प्रकार होता है : **ङन्**—जादू,—**ङ-ङ्**—गीत। (जहाँ एक ही शब्द दो अर्थों में प्रयुक्त होता लगे, वहाँ समझना चाहिए कि उसके उच्चारण में स्वरतान का भेद है।) नाग भाषा के बाद कोल भाषाओं में **ञ्** आदिस्थान पर प्रयुक्त होता है किन्तु **ङ्** का वैसा प्रयोग इस भाषा-समुदाय में नहीं होता। द्रविड़ भाषाओं में कहीं-कहीं आदिस्थान पर संस्कृत **ज्ञ्** अथवा मूल **न्** के स्थान पर **ञ्** का व्यवहार होता है। एक रूप **नरम्बु** (नस) तो दूसरा रूप **ञरम्बू**। इन रूपों का सम्बन्ध संस्कृत **नाडि** से है। स्पष्ट है कि संस्कृत की अपेक्षा भारत के अन्य तीन भाषा-परिवारों में **ञ्** का प्रयोग अधिक होता है। इस तरह के परिवेश में समवर्गीय नासिक्य ध्वनि के रूप में उसे अपने ध्वनितंत्र शामिल कर लेना संस्कृत के लिए स्वाभाविक था।

तमिलनाडु के रामनाथपुरम् जिले में **ङ्** से आरम्भ होनेवाले कुछ शब्द बोले जाते हैं, यथा : **ङोप्पन्**—तुम्हारे पिता, **ङोम्मा**—तुम्हारी माता, **ङोक्का**—तुम्हारी बहन, **ङोण्णन्**—तुम्हारा भाई। इस बात का उल्लेख षण्मुगम् पिल्लइ ने 'इंडियन लिंग्विस्टिक्स' में अपने लेख 'ए तमिल डायलेक्ट इन सीलोन' में किया है। अन्यत्र द्रविड़ भाषाओं में यह नासिक्य ध्वनि आदिस्थान में प्रयुक्त नहीं होती। नाग भाषा-समुदाय में इस ध्वनि की अर्थ-विच्छेदक भूमिका देखते हुए यह धारणा पुष्ट होती है कि भारत के अन्य भाषा-परिवारों में इसका प्रसार नाग-प्रभाव के कारण हुआ। संस्कृत और यूरोप की भाषाओं में समवर्गीय ध्वनि के रूप में उसका सीमित प्रयोग होता है।

समवर्गीय नासिक्य ध्वनि-सम्बन्धी नियम भारत के विभिन्न भाषा-परिवारों के परस्पर सम्पर्क का परिणाम है। संस्कृत में सभी नासिक्य ध्वनियों की एक-सी भूमिका नहीं है। संस्कृत वैयाकरणों के नियम को आधुनिक आर्य भाषाओं पर लागू करते हुए कुछ अंग्रेज़ भाषाविज्ञानियों ने यह मान लिया है कि आधुनिक आर्य भाषाओं में वास्तविक नासिक्य ध्वनियाँ केवल दो हैं—**न्** और **म्**; स्पर्श-ध्वनियों के साथ योग होने पर समवर्गीय, नासिक्य ध्वनि का व्यवहार होता है। भारतीय भाषाविद् डॉ. पंडित ने फ़र्थ और ऐलन की इन मान्यताओं का खंडन किया है। तारापुरवाला को समर्पित 'इंडियन लिंग्विस्टिक्स' के विशेषांक (जून, 1957) में उन्होंने गुजराती की नासिक्य ध्वनियों और महाप्राणता पर एक लेख लिखा : 'नेज़लाइजेशन, एस्पिरेशन एंड मर्मर

इन गुजराती'। इसमें उन्होंने मराठी से उदाहरण दिये : **चम्की**—नाक की बाली; **दण्का**—चोट, **डंका**, घंटा; और गुजराती से उदाहरण दिये : **चिम्की**—नोंचना; **मण्की**—तेज़ (घोड़ी); **जानकी**—सीता का नाम, और बताया कि आधुनिक आर्य भाषाओं में सर्वत्र समवर्गीय ध्वनियों का व्यवहार नहीं होता।

इस प्रसंग में द्रविड़ भाषाओं की स्थिति विचारणीय है। द्रविण व्युत्पत्ति-कोश के लेखकों के अनुसार लगभग आधी द्रविड़ भाषाएँ ऐसी हैं जिनमें **च्** या **ज्** के साथ **ञ्** का व्यवहार नहीं होता। तमिल में **अन्बु** (प्रेम), **ॲण्गु,** (भालू), **ॲण्पदु** (अस्सी) रूपों में **प्, ब्, ग्** के साथ समवर्गीय ध्वनि का व्यवहार नहीं हुआ। तोद भाषा में **ङ्** ध्वनि का अभाव है। इसलिए उसमें **तिन्गोणि** (सोने के सिक्के रखने की थैली), **ईन्ग्** (इस स्थान को) जैसे रूपों का प्रयोग होता है। तोद भाषा में ही **कन्फ़ू** (गरजना), **कॅन्प्ओळ्त** (खाँसना) जैसे रूपों में **प्, फ़्,** के साथ भी **न्** का व्यवहार होता है। द्रविड़ भाषाओं की सर्वाधिक प्रयुक्त ध्वनि **न्** है, वह वर्त्स्य है कि दन्त्य, या दो भिन्न नकार हैं, यह प्रश्न यहाँ गौण है। वैदिक भाषा में भी नकार की बहुलता है। मैकडनल के अनुसार **म्** की अपेक्षा **न्** का व्यवहार तीन गुना अधिक होता है। इससे यह सिद्ध नहीं होता कि जिस मूल भाषा से वैदिक भाषा का विकास हुआ है, वह नकार-बहुला थी।

आदि इंडो-यूरोपियन भाषा में चार नासिक्य ध्वनियों के अस्तित्व की कल्पना मिथ्या है, किन्तु जिस समय यूरोप की प्राचीन भाषाओं का विकास हुआ, उस समय भारतीय आर्य भाषाओं में इनका व्यवहार होता था। इसका एक प्रमाण यह है कि **यज्ञ, ज्ञान** जैसे संस्कृत शब्दों के ग्रीक और रूसी प्रतिरूप समान भाव से **ञ्** के स्थान पर **न्** का व्यवहार करते हैं। ग्रीक और लैटिन में **ञ्** ध्वनि का अभाव है। तुखारी भाषा में इसका व्यवहार होता था, और समवर्गीय ध्वनि के रूप में ही नहीं, आदिस्थानीय ध्वनि के रूप में भी होता था, तथा संस्कृत शब्द नाम के तुखारी प्रतिरूप **ञेम, ञोम्** हैं, **नव** का प्रतिरूप **ञु** है। यहाँ **न्** के स्थान पर **ञ्** का व्यवहार वैसे ही होता है, जैसे कुछ द्रविड़ भाषाओं में आदिस्थानीय **न्** की जगह **ञ्** का व्यवहार होता है। तुखारी भाषा का व्यवहार-क्षेत्र नागजनों से भरा हुआ था। वहाँ इस प्रकार **ञ्** का व्यवहार होना, और लैटिन में उसका प्रभाव, इस तथ्य की सूचना देता है कि यह ध्वनि भारतीय भाषा-परिवारों में नाग समुदाय की अपनी ध्वनि है, और उसके प्रभाव से उसका प्रसार हुआ है। कुछ अन्य नाग भाषाओं के समान तुखारी भी संस्कृत **श्** के स्थान पर **क्** का व्यवहार करती है, इससे उक्त धारणा की पुष्टि होती है। आर्य भाषा-परिवार में सिन्धी एक ऐसी भाषा है जिसमें **ङ्, ञ्** का व्यवहार अधिक होता है। इसका कारण यह हो सकता है कि वह नाग-परिवार से अधिक प्रभावित हुई हो। बंगाल की कुछ बोलियों में इसी प्रकार **म्** के स्थान पर **ङ्** का व्यवहार होता है; कुमार का प्रतिरूप होगा **कोङार**। यहाँ नाग प्रभाव असन्दिग्ध है।

उक्त चार नासिक्य ध्वनियों के साथ एक वर्त्स्य अथवा मूर्धन्य ध्वनि और है—**ण्**। भाषाविज्ञानी इसे आदि इंडो-यूरोपियन भाषा की ध्वनि-व्यवस्था में स्थान नहीं देते। पहले **ट्** और **ड्** के समान वे इसे संस्कृत की विशेष ध्वनि मानते थे जिसे आर्यों ने द्रविड़ों से ग्रहण किया था। किन्तु अब कुछ भाषाविज्ञानी जैसे **ट्** और **ड्** को आर्य भाषाओं का स्वतंत्र ध्वनि-विकास मानते हैं, वैसे ही वे **ण्** के विकास को भी स्वतंत्र मानते हैं।

**ट्** और **ड्** से **ण्** का अभिन्न सम्बन्ध नहीं है। वर्णमाला में जो वर्ग बनाए गए हैं, उनमें किसी वर्ग की सभी ध्वनियाँ एक साथ विकसित हुई हों, यह आवश्यक नहीं है, किसी भाषा-परिवार में उनका सर्वत्र व्यवहार एक-सा होता हो, यह भी आवश्यक नहीं है। असम और सौराष्ट्र दो टकारप्रधान प्रदेश हैं। गुजराती में णकार की बहुलता है, असमिया में णकार का अभाव है। संस्कृत की अपेक्षा कुछ द्रविड़ भाषाओं में **न्** और **ण्** का भेद अर्थ-विच्छेदक होता है। कॉल्डवेल ने इस विशेषता की ओर ध्यान दिलाया था। तमिल **ऑण्** का अर्थ है विचार और **ऑन** का अर्थ है बोलना। संस्कृत में **अनु** और **अणु** शब्दों का-सा भेद—यदि **अनु** को स्वतंत्र शब्द माना जाए तो—बहुत ढूँढ़ने पर मिलेगा। हिन्दी में **ट्** और **ड्** का आदिस्थानीय प्रयोग द्रविड़ भाषाओं की अपेक्षा अधिक होता है किन्तु द्रविड़ भाषाओं की तरह उसमें **न्**—**ण्** का भेद अर्थ-विच्छेदक नहीं है। राजस्थानी जैसी कुछ भाषाओं में **मन** और **मण** जैसे कुछ शब्दों में अर्थ-भेद किया गया है, **मन** जिसका सम्बन्ध सोचने से है और **मण** जिसका सम्बन्ध तौलने से है। ब्रज, अवधी, भोजपुरी, बुन्देलखंडी और बोलचाल की हिन्दी में पचीसों शब्द **ट्** और **ड्** से आरम्भ होते हैं, जैसे कि वे तमिल में नहीं होते। इन सबमें णकार का अभाव है, जैसे कि तमिल में नहीं है। ब्रज प्रदेश की उत्तरी सीमा पर बाँगरू, पंजाबी और राजस्थानी भाषाओं की णकार-बहुलता आकर रुक जाती है किन्तु टकार-डकार के प्रयोग में कमी नहीं होती। इससे सिद्ध हुआ कि इस नासिक्य ध्वनि का कोई अटूट सम्बन्ध अपने वर्ग की अन्य ध्वनियों से नहीं है।

जैसे स्वीडेन-नॉर्वे की भाषाओं और नॉर्थम्बरलैंड की बोली में मूर्धन्य **ट्-ड्** ध्वनियों का व्यवहार होता है, वैसे ही उनमें मूर्धन्य **ण्** का व्यवहार भी होता है। इस व्यवहार का क्षेत्र सीमित है। **र्** के संसर्ग से वर्त्स्य **न्** मूर्धन्य ध्वनि में परिवर्तित होता है। स्वीडन और नॉर्वे की भाषाओं में यह ध्वनि कुछ शब्दों में अर्थ-विच्छेदक भी होती है, यथा : **कोन्**—बेंत, **कोण्**—अनाज (अंग्रेज़ी कौर्न)। यूरोप की इन भाषाओं में मूर्धन्य नासिक्य का व्यवहार स्वतंत्र विकास वैसे ही नहीं है, जैसे वहाँ **ट्** और **ड्** ध्वनियों का व्यवहार स्वतंत्र विकास नहीं है।

यह प्रश्न रोचक है कि किन्हीं भारतीय भाषाओं में इस ध्वनि का आदिस्थानीय व्यवहार होता था कि नहीं। प्राकृतों में **ण्** की ऐसी भरमार हुई कि आदिस्थान पर नकार

का बहिष्कार ही हो गया। भारत के पर्वतों, नगरों, प्रदेशों, महापुरुषों, देवी-देवताओं आदि का नाम **ण्** से आरम्भ नहीं होता। जिन लोगों ने प्राकृत में ग्रंथ लिखे हैं, वे सब संस्कृत जाननेवाले थे और किन्हीं नियमों के अनुसार वे अपनी मूल संस्कृत को प्राकृत रूप में प्रस्तुत करते थे। इसलिए प्राकृतों को लोकभाषा समझना भ्रम है। किन्तु जो लोग प्राकृतें गढ़ रहे थे, वे किसी के वास्तविक उच्चारण की नकल कर रहे थे। हरियाणा, राजस्थान, पंजाब आदि में णकार-बहुलता आज भी देखी जाती है; सम्भव है, किसी समय यहाँ के गण-समाज इस ध्वनि का आदिस्थानीय प्रयोग भी करते रहे हों। जो भी हो, यह निश्चित है कि मूर्धन्य नासिक्य ध्वनि का प्रधान व्यवहार-क्षेत्र भारत में ही है और जिस समय यूरोप की भाषाओं का निर्माण हुआ, उस समय इस ध्वनि का व्यवहार उत्तर-पश्चिमी भारतीय गण-भाषाओं में होता था। संस्कृत के अनेक शब्दों में आदिस्थानीय **न्** का उच्चारण मूर्धन्य था, इसकी चर्चा पहले खंड में हो चुकी है। भाषाविज्ञानियों ने अपनी कल्पित आदि इंडो-यूरोपियन भाषा में चार नासिक्य ध्वनियों का अस्तित्व स्वीकार किया है। इनमें उन्हें पाँचवीं मूर्धन्य नासिक्य ध्वनि भी जोड़ लेनी चाहिए।

## 9. प्राचीन भाषाओं में र्-ल् की स्थिति

अन्य ध्वनियों के समान लुंठित **र्** और पार्श्विक **ल्** ध्वनियों का विकास भी भिन्न केन्द्रों में हुआ। संस्कृत मूलतः **र्-क्षेत्र** की भाषा है। उपसर्ग, प्रत्यय, सम्बन्धसूचक शब्द—**प्र, प्रति, परि, पुरः, परः, अन्तर** आदि—**ल्** की अपेक्षा इसी ध्वनि का व्यवहार अधिक करते हैं। जिसे मागधी प्राकृत कहा जाता है, उसकी एक विशेषता **र्** के स्थान पर **ल्** का व्यवहार है। परिनिष्ठित हिन्दी में **ल्** की प्रधानता है, यथा : **साला** शब्द ब्रज से लेकर मिथिला तक **सार** जैसे रूपों में बोला जाता है, बंगाल में वह फिर **साला** (यानी **शाला**) हो जाता है। **मृच्छकटिक** में संस्थानक **मरिष्यसि** को मागधी में **मलिहिशि** कहता है। बंगला में **श्** को जैसा एकाधिकार मिला है, वैसा **ल्** को तो प्राप्त नहीं है, किन्तु मगध गण-भाषा की वह विशेषता वास्तविक थी; **स्** और **र्** के स्थान पर उसमें **श्** और **ल्** का व्यवहार होता था। संस्कृत में **स्** और **र्** व्यंजनों का मिश्रण तो होता है, **स्** और **ल्** व्यंजनों का मिश्रण नहीं होता। संस्कृत में **स्लथ, स्लोक** जैसे रूप असम्भव हैं। **ल्-क्षेत्र** की भाषाओं ने संस्कृत की मूल स्रोतभाषा या भाषाओं पर गहरा प्रभाव डाला था। इसका एक परिणाम यह हुआ कि संस्कृत में अनेक वैकल्पिक रूपों का चलन हुआ : **रघु**—लघु, **रिह्**—लिह, (चाटना), **रिप्**—लिप (लीपना), **रभ्**—लभ् (प्राप्त करना); **रप्**—लप् (बात करना)।

अन्य ध्वनियों की तरह **र्-ल्** का भी वैकल्पिक प्रयोग द्रविड़ भाषाओं में मिलता है। तमिल में **इलञ्जि, इरिञ्जि** (एक फूल), तुलु में **उरॅ, उलॅ** (हिरन), गोंडी में **रोपा, लोपा** (भीतर), तमिल **काल्**, कोत में **कार्** (उल्टी करना), तमिल में **कल्**,

नइकि में **कर्प्** (सीखना), तमिल में **मलडु**, तुलु में **मरडु** (बंजर होना); इस तरह के रूपों में आर्य क्षेत्र की भाषाओं के समान **र्-ल्** का वैकल्पिक व्यवहार होता है। इस बात की छानबीन नहीं की गई कि उत्तरी और दक्षिणी द्रविड़ भाषा-समुदायों की अपेक्षा मध्य द्रविड़ भाषा-समुदाय में **र्** का व्यवहार अधिक होता है या नहीं। अनुमान है कि अन्य विशिष्ट ध्वनियों के समान **र्-ल्** का प्रयोग अनुपात मध्यदेश से द्रविड़ भाषाओं के सामीप्य अथवा दूरी के अनुरूप है।

कोल भाषाओं में **र्** और **ल्** के वैकल्पिक प्रयोग के उदाहरण मिलते हैं। कुइपर ने इस भाषा-समुदाय में व्यंजनों के स्वच्छन्द संचरण पर जो निबन्ध '**लिंगुआ** संख्या 14' में प्रकाशित किया था, उसमें उन्होंने सीधे **र्-ल्** के स्वच्छन्द संचरण के उदाहरण तो नहीं दिये किन्तु ऐसे उदाहरण एकत्र किये हैं, जिनमें मूल **ड्** ध्वनि के स्थान पर कहीं **र्** का व्यवहार होता है और कहीं **ल्** का होता है। **डक् डक—रक् रक** (सीधे खड़े सींग); **डॲक—लॲअ** (बड़ी सींगों वाले भैंसे); **डुकन् डुकुन्—रकन् रुकुन्** (लड़खड़ाते हुए); **डकज् डुकुज्—लकज् लुकुज्** (लड़खड़ाते हुए)। मानना चाहिए कि **र्-ल्** का वैकल्पिक व्यवहार एक अखिल भारतीय प्रपंच है।

नाग भाषाओं में **र्** और **ल्**, दोनों ध्वनियों का व्यवहार होता है। शान्ति निकेतन में, रवीन्द्रनाथ ठाकुर के जीवनकाल में, एक चीनी विद्वान् रहते थे जो गुरुदेव का उच्चारण हमेशा **कुलुदेव** के रूप में करते थे। सम्भव है, भारत के भीतर या बाहर, नाग भाषाओं का ऐसा क्षेत्र रहा हो जिसमें, मगध के समान, केवल **ल्** ध्वनि का चलन रहा हो, और उसने मगध की भाषा को भी प्रभावित किया हो अथवा मगध की भाषा ने उसे प्रभावित किया हो। मगध नाग भाषाओं के क्षेत्र से सटा हुआ था, बंगाल आज भी है; अतः इस प्रकार का प्रभाव असम्भव नहीं है।

ऐतिहासिक भाषाविज्ञान में यह माना गया है कि आदि इंडो-यूरोपियन भाषा जहाँ **ल्** का व्यवहार होता था, वहाँ संस्कृत में कहीं तो **र्** का व्यवहार होता है, भार कहीं **ल्** कायम रहता है, यथा : **श्रवस्**, ग्रीक प्रतिरूप **क्लेओस्** (कीर्ति); **पुर**, ग्रीक प्रतिरूप **पोलिस्** (नगर); इसके विपरीत संस्कृत **लुभ्यति** का लैटिन प्रतिरूप **लुबेत्**; संस्कृत **प्लीहन्**, ग्रीक प्रतिरूप **स्प्लेन्** (जिगर)। इंडो-यूरोपियन भाषा का **र्** अधिकतर संस्कृत में कायम रहता है : **परि**, ग्रीक **पेरि**, (चारों ओर); **वर्तते**, लैटिन प्रतिरूप **वॉर्तितुर्** (घूमता है)। मूल ध्वनि **ल्** थी जो भारत में आकर कुछ शब्दों में **र्** में परिवर्तित हुई, इसका प्रमाण केवल यह है कि ग्रीक, लैटिन आदिभाषाओं में **ल्** ध्वनि वाला रूप ही मिलता है। किन्तु ग्रीक भाषा में ही शब्दों के दो रूप हैं; **ग्राफो, ग्लाफो** (अंकित करना)। आदि इंडो-यूरोपियन शब्द में **र्** ध्वनि थी या **ल्**? ग्रीक शब्द **पउरोस्**, लैटिन प्रतिरूप **पउलुस्** (छोटा, क्षुद्र), इनमें आदि इंडो-यूरोपियन शब्द का प्रतिनिधि कौन है? भिन्न केन्द्रों में **र्-ल्** जैसी ध्वनियों का स्वतंत्र विकास न मानने से इस तरह के प्रश्नों का उत्तर नहीं दिया जा सकता।

स्वयं संस्कृत भाषा में वैदिक शब्दों और बाद की संस्कृत के शब्दों में अन्तर दिखाई देता है। वैदिक भाषा में जहाँ **र्** है, वहाँ बाद की संस्कृत में बहुधा **ल्** है, यथा : **रघु** के स्थान पर **लघु** का प्रयोग उत्तरकालीन संस्कृत की विशेषता है। **रघु** के ग्रीक और लैटिन प्रतिरूपों में, **लघु** के समान, **ल्** का व्यवहार होता है—**एलखुस, लेविस्**। ऐसे काफी शब्द हैं जिनमें वैदिक भाषा तो कल्पित मूल ध्वनि **ल्** को बदलकर **र्** कर देती है किन्तु बाद की संस्कृत में वह आदिभाषा वाला **ल्** कायम रहता है। बरो ने इस प्रपंच की व्याख्या करते हुए कहा है कि 'ऋग्वेद' की भाषा उत्तर-पश्चिमी बोली के आधार पर निर्मित हुई थी और वेदोत्तर संस्कृत का निर्माण मध्यदेश में हुआ था। विभाजन इस प्रकार हुआ कि पश्चिमी बोली ने **ल्** को **र्** में बदल दिया और पूर्वी बोली अर्थात् मध्यदेश की बोली ने मूल **ल्** ध्वनि कायम रखी। यह व्याख्या मध्यदेश के **र्**-प्रेम और मगध के **ल्**-प्रेम के विपरीत है।

संस्कृत के उपसर्गों आदि में जो **र्** के व्यवहार की प्रधानता है, वह सिद्ध करती है कि यह रेफ-प्रधान क्षेत्र की भाषा है। पर यह क्षेत्र न तो उत्तरी-पश्चिमी है और न पूर्वी सीमान्त है। यह क्षेत्र पुराना मध्यदेश है जो अपनी रेफ-प्रियता आज तक बनाए हुए है। दो-भिन्न केन्द्रों में विकसित **र्-ल्** ध्वनियों का व्यवहार करनेवाले गण-समाज परस्पर घनिष्ठ सम्पर्क स्थापित करेंगे, तब **र्-ल्** वाले ढेरों वैकल्पिक रूप उत्पन्न होंगे। ऐसे वैकल्पिक रूप यूरोप की भाषाओं की अपेक्षा भारतीय भाषाओं में अधिक हैं, यह अकारण नहीं है। यूरोप की भाषाओं का विकास उस समय हुआ जब भारतीय भाषाएँ आर्य, द्रविड़, नाग, कोल आदि—अपना स्वरूप बहुत-कुछ स्थिर कर चुकी थीं। यहाँ से जिन भाषा-तत्त्वों का निर्यात हुआ, उनमें **र्** और **ल्** वाले तत्त्व अलग-अलग बँटे हुए थे, वैकल्पिक रूप कम थे।

**र्** और **ल्** के सम्बन्ध में तमिल भाषा की स्थिति इस सन्दर्भ में विचारणीय है। इस भाषा की परम्परा यह है कि कोई शब्द **र्** या **ल्** से आरम्भ न किया जाएगा। शब्द चाहे आर्य हो चाहे द्रविड़, **र्** और **ल्** के पहले, उच्चारण-सुकरता के लिए, एक अतिरिक्त स्वर जोड़ा जाएगा, यथा : **राम** शब्द **इरामन्, लक्षण** शब्द **इलक्कणम्** रूप में ग्रहण किया जाएगा (जिससे सिद्ध हुआ कि रावण और लंका तमिल शब्द नहीं हैं)। अब ग्रीक भाषा में ऐसे अनेक शब्द हैं जिनके संस्कृत प्रतिरूप **ल्** या **र्** से आरम्भ होते हैं किन्तु ग्रीक रूपों में एक अतिरिक्त स्वर जुड़ा हुआ है, यथा : लघु का प्रतिरूप **एलखुस्** है। संस्कृत में **ऋक्ष** का ग्रीक प्रतिरूप **अर्क्तोस्** है। इन रूपों में एक अतिरिक्त स्वर जोड़ा गया है। कोई नहीं कहता कि 'आदि' इंडो-यूरोपियन भाषा में यह अतिरिक्त स्वर विद्यमान था। पर ग्रीक रूपों में अतिरिक्त स्वर का कारण क्या है? और अवेस्ता में संस्कृत **ऋतस्** का प्रतिरूप **एरज़ुस्** है। ईरानी भाषा में इस अतिरिक्त स्वर-संयोग का कारण क्या है?

जर्मन **अर्तिग्** का अर्थ है शिष्ट, और इसका सम्बन्ध संस्कृत **ऋत** से है। जर्मन **अॅर्ब्** का अर्थ है **वारिस**, विरासत से सम्बन्धित; **अॅर्बन्** का अर्थ है विरासत पाना। ये शब्द संस्कृत **ऋक्थ** से सम्बन्धित हैं। संस्कृत **रजत** का ग्रीक प्रतिरूप **अर्गोस्** है जिसका अर्थ है चमकना। लैटिन में इसका प्रतिरूप है **अर्गेन्तुम्**—चाँदी। इसी से अंग्रेज़ी शब्द **आर्जेंट्** बनता है जिसका अर्थ है चाँदी या श्वेत, और चमकदार। संस्कृत लोमश (श्रृंगाल) का ग्रीक प्रतिरूप है **अलोपेस्**। फ़ारसी **अरीस्** (चतुर) का मूलरूप संस्कृत **ऋषि** है; फ़ारसी **अर्गवान्** (लाल) का सम्बन्ध संस्कृत **रोध** (रोहित, लोहित) से है। संस्कृत **लक्तक** (लाल, रक्त) का संस्कृत में ही वैकल्पिक रूप **अलक्तक** है। मोनियर विलियम्स के अनुसार प्राचीन पाठों में **लोक** शब्द **उलोक** रूप में मिलता है, और उनका कहना है कि यह किसी ऐसी बोली में **लोक** का प्रतिरूप है जिसमें **उ** उपसर्ग लगा हुआ है। यह **उ** उपसर्ग तमिल परम्परा का अतिरिक्त स्वर है। इस तरह के और बहुत-से उदाहरण दिये जा सकते हैं।

संस्कृत **रघु** का ग्रीक प्रतिरूप **ब्रखुस्** (थोड़ा) है। **रघु** और **लघु**, दोनों रूप ग्रीक समुदाय में पहुँचे; **ल्** के पहले तो **ए** स्वर जोड़ा गया, **र्** के पहले **ब्** व्यंजन। ग्रीक **ब्रखुस** का लैटिन प्रतिरूप **ब्रेविस** है जिससे अंग्रेज़ी शब्द **ब्रीफ़्** (संक्षिप्त) और **ब्रेविटी** (संक्षेप) बनते हैं। ये पितामह **रघु** की सन्तान हैं। संस्कृत क्रिया **रु** से **रव** शब्द बना; उसका अंग्रेज़ी प्रतिरूप **रोर्** है। ग्रीक **ब्रेमो** (रव) उसी क्रिया से बना है; यहाँ पुनः र् के पहले अतिरिक्त व्यंजन **ब्** जोड़ा गया है। **ब्रेमो** का लैटिन प्रतिरूप **फ़्रेमो** है। लैटिन **रोस्** (ओस) का ग्रीक प्रतिरूप **द्रोसोस्** है; यहाँ **र्** के पहले अन्य व्यंजन **द्** जोड़ा गया है। संस्कृत **अलस** में शब्दमूल **लस्** है, **ल्** के पहले अतिरिक्त स्वर **अ** जोड़ा गया है। लैटिन **लस्सो** (थकाना), **लस्सुस्** (थका हुआ), **लस्सितुदो** (थकान), अंग्रेज़ी **लैसीट्यूड्** (थकान, आलस्य) में वही शब्दमूल **लस्** है। ग्रीक भाषा के **ब्लस्, ब्लकोस्** (आलसी) रूपों में **ल्** के पहले अतिरिक्त व्यंजन **ब्** जोड़ा गया है। फ्रांसीसी भाषा का **ब्लाज़े** (थका हुआ, आलसी) **लस्** के ग्रीक रूपान्तर **ब्लस्** के आधार पर बना है। ग्रीक रूप **लेस्तिस्** (विस्मरण) शायद सीधे **लस्** शब्दमूल से, अतिरिक्त व्यंजन लगाये बिना, बना है। लिथुआनियन रूप **अल्सिनमस्** (थकना) में तमिल **अलचु** (थकना), **अलुप्पु** (थकान), **अलैचु** (आलस करना) और संस्कृत **अलस** के समान **ल्** के पहले अतिरिक्त स्वर **अ** लगा हुआ है। लिथुआनियन **इलन्क** (खाड़ी) भारतीय शब्द **लंका** (द्वीप) से सम्बद्ध प्रतीत होता है। यहाँ **ल्** के पहले अतिरिक्त स्वर **इ** है।

ग्रीक भाषा में **ल्** से आरम्भ होनेवाले शब्द तो अनेक हैं किन्तु **र्** से आरम्भ होनेवाला एक भी शब्द नहीं है। **र्** के स्थान पर ग्रीक भाषा की एक ध्वनि **ह्** है जिससे शब्द आरम्भ होते हैं, यथा : सामी शब्द **रब** से **रब्बी** बनता है जिसका अर्थ है मेरे स्वामी। ग्रीक भाषा में इसका रूप होता है **हैम्बी**। इस **ह्** के उच्चारण

में **ह्** ध्वनि पहले बोली जाती थी, **र्** ध्वनि बाद को। ग्रीक भाषा में महाप्राणता अत्यन्त क्षीण थी, इसलिए यह सम्भावना असंगत नहीं है कि शब्द के आरम्भ में हकार वास्तव में स्वर का काम करता था। यदि उसे व्यंजन ही माना जाए तो भी यह स्पष्ट है कि **र्** से शब्द आरम्भ न होगा, उसके पहले एक अतिरिक्त ध्वनि का प्रयोग आवश्यक है। संस्कृत **ऋचा** और लैटिन **रतुस्** का ग्रीक प्रतिरूप **हेंतोस्** है जिसका अर्थ है भाषित, विख्यात। यहाँ लैटिन और ग्रीक प्रतिरूप इस तथ्य की ओर संकेत कर रहे हैं कि लैटिन की अपेक्षा ग्रीक भाषा **र्** के पहले अतिरिक्त ध्वनि का प्रयोग अधिक करती है।

भारतीय भाषाओं में द्रविड़ परिवार ही एकमात्र भाषा-समुदाय नहीं है जिसमें **र्-ल्** के पहले अतिरिक्त स्वर जोड़ने की प्रवृत्ति हो। यह प्रवृत्ति कहीं-कहीं कोल भाषाओं में भी देखी जाती है। 'इंडियन लिंग्विस्टिक्स' (जून, 1957) में गुम्पर्ज़ का एक लेख प्रकाशित हुआ था : 'नोट्स ऑन द फोनोलॉजी ऑफ़ मुंडारी'। इसमें उन्होंने मुंडारी भाषा की इस प्रवृत्ति का उल्लेख किया है : **ल्, स्** और नासिक्य ध्वनियों के पहले कभी-कभी हल्के रूप में स्वर उच्चरित होता है। ('ए स्लाइट वोकैलिक ऑनसेट्')

द्रविड़ भाषाओं में कौन-सा समुदाय **र्-ल्** ध्वनियों का आदिस्थानीय प्रयोग अधिक करता है, और कौन कम, इस पर विचार किया जाए तो आर्य-द्रविड़ परिवारों के आपसी सम्बन्धों के बारे में कुछ रोचक परिणाम निकलेंगे। दक्षिण भाषा-समुदाय में 'द्रविड़ व्युत्पत्ति-कोश' के अनुसार, **र्** से आरम्भ होनेवाले छह शब्द हैं, **ल्** से आरम्भ होनेवाले तमिल शब्द तीन हैं। उत्तरी समुदाय में केवल एक ब्राहूइ शब्द **र्** से आरम्भ होता है, **ल्** से आरम्भ होनेवाला ब्राहूइ शब्द एक भी नहीं है। कुड़ुख भाषा में **ल्** से आरम्भ होनेवाला एक शब्द है, **र्** से आरम्भ होनेवाला शब्द एक भी नहीं है। मल्तो में दो शब्द **ल्** से आरम्भ होते हैं, **र्** से एक भी आरम्भ नहीं होता। इसके विपरीत मध्यवर्ती समुदाय की कन्नड़ भाषा में 19 शब्द **र्** से आरम्भ होते हैं और 16 शब्द **ल्** से आरम्भ होते हैं। इसी मध्यवर्ती समुदाय की तेलगू भाषा में 46 शब्द **र्** से आरम्भ होते हैं और 19 शब्द **ल्** से आरम्भ होते हैं (यहाँ शब्द से आशय 'द्रविड़ व्युत्पत्ति-कोश' में दिये हुए शब्द-मूलों से है जहाँ एक शब्द-मूल के अन्तर्गत एक ही भाषा के अनेक शब्द हो सकते हैं। शब्द-मूलों की संख्या देखने से कुल शब्दों की संख्या का अनुमान किया जा सकता है।) शब्द के आरम्भ में **र्** या **ल्** ध्वनि का प्रयोग द्रविड़ परिवार की ध्वनि-प्रकृति के प्रतिकूल है। सघोष स्पर्श-ध्वनि का आदिस्थानीय प्रयोग द्रविड़ भाषाओं जितना होने लगा है, **र्-ल्** ध्वनियों का आदिस्थानीय प्रयोग उसकी अपेक्षा कुछ कम ही है। जैसे अल्पप्राण सघोष ध्वनियों का आदिस्थानीय प्रयोग मध्यवर्ती समुदाय की भाषाओं में सर्वाधिक है, वैसे ही **र्-ल्** का आदिस्थानीय प्रयोग इसी समुदाय में सर्वाधिक है। इसका कारण मध्यदेश के आर्य भाषा-केन्द्रों का सामीप्य ही हो सकता है और यह सामीप्य काफी

प्राचीन होना चाहिए क्योंकि यूरोप की कुछ भाषाएँ **र्-ल्** के आदि-स्थानीय प्रयोग को लेकर द्रविड़ समुदाय से मिलती-जुलती हैं।

इंडो-यूरोपियन परिवार की भाषाओं में हित्ती के दस्तावेज सबसे पुराने माने जाते हैं। **र्** और **ल्** के सम्बन्ध में इस भाषा की स्थिति तमिल जैसी है। स्टुर्टेवैंट ने हित्ती भाषा पर अपनी पूर्वोक्त पुस्तक में लिखा है : "हित्ती शब्दों में **र्** कभी आदिस्थानीय नहीं होता किन्तु जो इंडो-यूरोपियन शब्द **र्** से आरम्भ होते थे, उनका यहाँ अभाव-सा जान पड़ता है।" ('अँपैरेंट एब्सेंस', पृ. 25) हित्ती भाषा में **र्** से आरम्भ होनेवाले 'इंडो-यूरोपियन' शब्द न मिलें, यह आश्चर्य की बात है। इतना तो स्पष्ट है कि उसमें कोई शब्द **र्** से आरम्भ नहीं होता। स्टुर्टेवैंट आदि इंडो-यूरोपियन भाषा के स्थान पर आदि इंडो-हित्ताइत भाषा की कल्पना करते हैं। इस भाषा की **र्-ल्** ध्वनियों के बारे में वह कहते हैं : "इंडो-हित्ताइत **र्-ल्** वर्ण ('सिलेबिक' **र्** और ल्) हित्ती में नियमित रूप से **उर्** और **उल्** रूपों में प्राप्त होते हैं।" (पृ. 26) इस वाक्य से यह बिलकुल स्पष्ट हो जाता है कि हित्ती नाम की यह प्राचीन भाषा **र्-ल्** ध्वनियों से पहले **उ** स्वर जोड़ती है। यह सारा व्यापार आकस्मिक नहीं है। उसकी व्याख्या द्रविड़ परिवार की ध्वनि-प्रकृति को ध्यान में रखते हुए ही की जा सकती है। संस्कृत भाषा स्वयं जहाँ-तहाँ इस प्रकृति से प्रभावित है। भारत से बाहर की इंडो-यूरोपियन भाषा में अतिरिक्त स्वर वाला लक्षण सर्वत्र एक-सा नहीं है। भारत की द्रविड़ भाषाओं में इसी प्रकार इस लक्षण के प्रसार में विषमता है। इसका कारण आर्य भाषा-परिवार के मूल केन्द्रों से द्रविड़ भाषाओं का प्राचीन सामीप्य अथवा उनकी दूरी है।

द्रविड़ भाषाओं की एक मूर्धन्य पार्श्विक ध्वनि है **ळ्**। 'ऋग्वेद' का पहला मंत्र **अग्निमीळे** से आरम्भ होता है। मैकडनल ने वैदिक भाषा के ध्वनितंत्र में इस ध्वनि को स्वीकार नहीं किया। वह **ईळे** के स्थान पर **ईडे** पढ़ते हैं। यह मूर्धन्य पार्श्विक **ळ्** द्रविड़ भाषाओं के अतिरिक्त मराठी, राजस्थानी और बांगरू में विद्यमान है, आदि इंडो-यूरोपियन भाषा के ध्वनितंत्र में यह ध्वनि भी थी, भाषाविज्ञानियों के लिए यह बात कल्पनातीत है। इंडो-यूरोपियन परिवार के अन्तर्गत विभिन्न भाषा-समुदायों निर्माण और विकास भिन्न-भिन्न समय पर हुआ; उनका सम्पर्क भी भारत की भिन्न-भिन्न गण भाषाओं से भिन्न-भिन्न समय पर हुआ। मूर्धन्य पार्श्विक ध्वनि पश्चिमी स्लाव भाषाओं में विद्यमान है। एनट्विसिल और मौरीसन ने स्लाव भाषाओं पर एक पुस्तक लिखी है : 'रशन एंड द स्लावोनिक लैंग्वेजेज़'। इसमें उन्होंने बताया है कि उक्त ध्वनि का उच्चारण जिह्वा को कोमल तालू के समीप लाने से होता है। पश्चिमी स्लावोनिक भाषा-समुदाय के बारे में उन्होंने लिखा है कि इसमें सामान्य वर्त्स्य **ल्** था ही नहीं। चेकोस्लोवाकिया के विद्वान् हुस ने, पन्द्रहवीं शताब्दी के आरम्भ में, सामान्य तालव्य **ल्** और इस मूर्धन्य **ल्** में भेद किया था। उक्त पुस्तक के लेखकों के अनुसार यह ध्वनि पोलैंड की सीमा के पास अधिक प्राप्त होती है। उन्होंने लिखा

है कि हुस ने स्लोवाक जनों की भाषा में तालव्य **ल्** का अभाव बताया था। इसके बाद उन्होंने एक आश्चर्यजनक बात लिखी है : इस समय स्लोवाक बोलियों में तीन ध्वनियाँ हैं : **ल, ळ, ऴ**। (पृ. 306)

अंग्रेज़ी का साधारण **ऐल्** अक्षर तालव्य या वर्त्स्य **ल्** का सूचक है। इसके ऊपर एक चिह्न बनाकर वे कोमल तालु वाले **ल** (ळ्) का संकेत करते हैं, उसी **ऐल्** अक्षर को बीच से काटकर तीसरी ध्वनि **ऴ्** सूचित करते हैं। इस तीसरी ध्वनि की विशेषता यह है कि वह **उ** स्वर में बदल जाती है। यह विशेषता तमिल-मलयालम की उस ध्वनि में है जिसे मेरी इस पुस्तक में **ऴ** द्वारा व्यक्त किया गया है। इसके उच्चारण में अवरोध तत्त्व इतना कम होता है कि व्यंजन ध्वनि लगभग स्वर जैसी सुनाई देती है और तमिल शब्दों में वह कभी-कभी स्वर में परिवर्तित भी हो जाती है। ज़्वेलेबिल ने द्रविड़ ध्वनितंत्र पर अपनी पुस्तक में बताया है कि अनेक शब्दों में इस ध्वनि का लोप हो जाता है। लोप होने का कारण यह है कि यह ध्वनि स्वर के बहुत निकट है। तमिल भाषा में समयसूचक शब्द है **पॉऴ्दु;** इसका अन्य रूप इसी भाषा में **पोदु** है। इस रूप परिवर्तन का कारण **ऴ** के व्यंजन तत्त्व की क्षीणता और उसका स्वर में परिवर्तित होना है। इसी प्रकार तमिल **पुऴु** (कृमि) का कोत रूप **पू** है, बदग में इसका प्रतिरूप **हू** है और तोद में केवल **ऊ** बच रहता है। यह **ऴ्** ध्वनि अर्द्धस्वर में भी बदलती है, यथा : **मऴ्इ** (वर्षा), कोत में **मय्** है और तोद में **मव्** है। तमिल शब्द **कुऴन्दइ** (बच्चा) इसी भाषा की बोलियों में **कॉयन्दॅ** और कोन्दॅ रूपों में बोला जाता है। ज़्वेलेबिल के अनुसार बोलचाल की तमिल में इस **ऴ** ध्वनि का पूर्णतः लोप हो गया है; शिक्षा के प्रसार से उसे अब पुनः प्रस्थापित किया जा रहा है। तेलगू भाषा में इस ध्वनि के स्थान पर **ल्** का व्यवहार किया जाता है। दक्षिणी तमिल और श्रीलंका की तमिल में **ऴ्** के स्थान पर **ळ्** का व्यवहार किया जाता है। तमिल भाषा-क्षेत्र के पश्चिमी भाग में **ऴ्** के स्थान पर **य्** का व्यवहार होता है। मद्रास में यह ध्वनि अंशतः **ल्** रूप में बोली जाती है।

आन्द्रोनोव ने इस ध्वनि को **व्** और **य्** जैसे अर्द्धस्वरों के साथ रखा है। यह उचित है क्योंकि इनके उच्चारण में वायु-निर्यात के समय अवरोध कम होता है। इसीलिए यह **ऴ्** ध्वनि **य्-व्-ल्** में बदलती दिखाई देती है। आन्द्रोनोव के अनुसार भी बोलचाल की तमिल से इस ध्वनि का लोप हो गया है। प्राचीन तमिल वैयाकरण तोल्काप्पियर ने इसे **य्-र्-ल्-व्** के साथ रखा है और सुब्रह्मण्य शास्त्री ने इनके व्याकरण की अपनी व्याख्या में इस ध्वनि को अर्द्धस्वर माना है। ज़्वेलेबिल ने **ऴ** के ध्वनिगत मूल्य की व्याख्या करते हुए कहा है कि यह पश्चगामी, सघोष, संघर्षी ध्वनि से लेकर प्रतिवेष्टित सघोष कम्पन तक की ध्वनि है ('फ्रॉम रिट्रैक्टेड व्हायस्ड फ्रिकेटिव् टु रिट्रोफ़्लेक्स व्हायस्ड व्हायब्रैंट')। इस व्याख्या में प्रतिवेष्टन वाली बात ध्यान देने योग्य है। देफ़ेरारी नाम के विद्वान् ने इटालियन, स्पैनिश और

फ्रेंच भाषा के ध्वनितंत्र पर अपनी पुस्तक 'द फोनोलॉजी ऑफ़ इटालियन, स्पैनिश एंड फ्रेंच' में दो लकारों का भेद बताया है। एक लकार सामान्य तालव्य है; दूसरे लकार के उच्चारण में जीभ का अग्रभाग वर्त्स्य अथवा उसके आगेवाले क्षेत्र की ओर उठाया जाता है। वर्त्स्य क्षेत्र से ऊपर वाला भाग **मूर्धा** कहा जाएगा; सम्भव है कि उस ध्वनि के उच्चारण में जीभ के अगले भाग का प्रतिवेष्टन भी होता हो।

लैटिन समुदाय की भाषाओं में एक ऐसे लकार का व्यवहार होता है जो तालव्य नहीं है, वर्त्स्य अथवा मूर्धन्य है। पश्चिमी स्लाव भाषाओं में एक ऐसे लकार का व्यवहार होता है जिसके उच्चारण में जीभ को तालु के निकट लाना पड़ता है। स्वीडन और नॉर्वे की भाषाओं में **ट्-ड्-ण्** के साथ मूर्धन्य **ळ्** भी है। इसी प्रकार वह इग्लैंड में नॉर्थम्बलैंड की बोली में प्रयुक्त होता है। इस सम्बन्ध में अभी और छानबीन की आवश्यकता है पर इतना स्पष्ट है कि तालव्य अथवा वर्त्स्य लकार के साथ एक अन्य पार्श्विक ध्वनि का व्यापक व्यवहार भारत के बाहर होता है। इंडो-यूरोपियन भाषाओं में इस ध्वनि के व्यवहार का कारण द्रविड़ भाषाओं से इनका प्राचीन सम्पर्क होना चाहिए। इसके सिवा कुछ स्लाव भाषाओं में एक तीसरी ध्वनि **ऴ्** का व्यवहार होता है जिसमें अवरोध तत्त्व क्षीणतम है। इस ध्वनि का स्लोवाक और तमिल बोलियों में स्वर में बदल जाना आकस्मिक नहीं है।

इंग्लैंड में **र्** और **ल्** ध्वनियों की स्थिति दिलचस्प है। एच.ए. हार्मेन ने अंग्रेज़ी भाषा की ध्वनियों पर अपनी पुस्तक 'द साउंड्स ऑफ़ इंग्लिश स्पीच' में बताया है कि अंग्रेज़ी में दो प्रकार के **ल्** बोले जाते हैं। एक सामान्य **ल्** है और दूसरा विशिष्ट (डार्क **एल्**)। इस दूसरे **ल्** का उच्चारण इस तरह होता है मानो वक्ता ने उसे निगल लिया हो; उसका उच्चारण मुँह के सबसे पीछे वाले हिस्से में होता है। **र्** के उच्चारण में परिनिष्ठित अंग्रेज़ी लुंठन-क्रिया बहुत कम करती है और आदिस्थानीय **र्** को छोड़कर उसका उच्चारण बहुत कम सुना जाता है। हार्मेन कहते हैं कि अधिकांश अंग्रेज़ **र्** का उच्चारण करते ही नहीं हैं; उससे केवल पास वाला स्वर कुछ दीर्घ हो जाता है। अंग्रेज़ी **र्** की यह स्थिति तमिल और स्लोवाक भाषाओं में **ऴ्** से मिलती-जुलती है। स्कॉटलैंड में **र्** का उच्चारण बहुत साफ सुना जाता है। ऐसा प्रतीत होता है कि जैसे दो प्रकार के पार्श्विक **ल्** विभिन्न क्षेत्रों में बोले जाते रहे हैं, वैसे ही दो प्रकार के लुंठित **र्** भी प्रयुक्त होते रहे हैं।

क्लॉड मर्टन वाइज़ ने ध्वनि-विज्ञान पर अपनी पुरतक 'एप्लाइ फोनेटिक्स' में अंग्रेज़ी **र्** के उच्चारण के बारे में बताया है कि जिह्वाग्र-भाग ऊपर की ओर, अथवा ऊपर और पीछे की ओर, उठता है। यह जीभ की क्रिया कुछ-कुछ वैसी ही है, जैसी **ळ्** के उच्चारण में होती है। इसे मूर्धन्य **र्** कह सकते हैं। नॉर्वे और स्वीडेन की भाषाओं में जिस व्यंजन के पहले यह **र्** आता है, उसका मूर्धन्यीकरण हो जाता है, यथा : **कोर्न्** शब्द में **न्** के पहले **र्** है, अतः वह मूर्धन्य **ण्** बना और

शब्द का रूप हुआ **कोण्**। ठीक यही प्रक्रिया बहुधा उन संस्कृत शब्दों में घटित होती है जिनमें त-वर्गीय व्यंजन के पहले आता है। ऐसा सर्वत्र नहीं होता। इसका कारण यह है कि संस्कृत में दो तरह की **र्** ध्वनियाँ थीं : एक दन्त्य या वर्त्स्य, और दूसरी मूर्धन्य। पहली का विलायती प्रतिरूप दक्षिण इंग्लैंड में है, दूसरी का स्कॉटलैंड में। मैकडनल ने वैदिक भाषा में **र्** और **ल्** ध्वनियों को क्रमशः मूर्धन्य और दन्त्य बताया है। वास्तव में **र्** भी दो प्रकार का था : दन्त्य और मूर्धन्य और **ल्** भी उसी तरह दो प्रकार का था। यदि संस्कृत में मूर्धन्य **र्** ही होता तो उसके संसर्ग में आनेवाली त-वर्गीय ध्वनियों का सर्वत्र मूर्धन्यीकरण होता। संस्कृत में मूर्धन्य **ल्** का व्यवहार अन्यन्त सीमित है, उसकी अपेक्षा मूर्धन्य **र्** का व्यवहार अधिक होता है। यह स्वाभाविक है क्योंकि संस्कृत मूलतः **र्** ध्वनि वाली भाषा है। यह भाषा जब मूर्धन्यीकरण की प्रवृत्ति से प्रभावित होती है, तब दन्त्य **र्** पूरी तरह विस्थापित नहीं हो जाता। मध्यदेश में, वह, मूर्धन्यीकरण की उत्तर-पश्चिमी प्रवृत्ति से अपनी रक्षा करता है, और वेदोत्तर संस्कृत में वही उस भाषा की प्रधान रेफ-ध्वनि रहता है।

मूर्धन्य **र्** के प्रभाव से त-वर्गीय ध्वनियों में जैसा परिवर्तन संस्कृत में घटित होता है, वैसा ही द्रविड़ भाषाओं में कभी-कभी दिखाई देता है। इससे विदित होता है कि वैदिक भाषा में न तो ट-वर्गीय ध्वनियाँ द्रविड़ प्रभाव से आई हैं और न उनका स्वतंत्र विकास हुआ है। वैदिक भाषा और द्रविड़ भाषाएँ, दोनों ही किसी विशेष भाषा-समुदाय से प्रभावित हुई हैं। इसलिए **र्** ध्वनि के बाद जो **त्** आता है, दोनों में जहाँ-तहाँ उसका मूर्धन्यीकरण होता है। द्रविड़ भाषाएँ भारत के उत्तर-पश्चिमी सीमान्त पर बोली जाती थीं। मध्यदेश की अपेक्षा यह लकार-प्रधान क्षेत्र था, इसी कारण संस्कृत की तुलना में द्रविड़ लकार का मूर्धन्यीकरण अधिक हुआ। इसी प्रकार द्रविड़ भाषाओं की तुलना में संस्कृत **र्** का मूर्धन्यीकरण अधिक हुआ। द्रविड़ भाषाओं की मूल ध्वनि दन्त्य **ल्** है, मूर्धन्य **ळ्** नहीं। एक बार इस ध्वनि का निवेश हो जाने पर शब्द-निर्माण-प्रक्रिया में उससे काम लिया जाने लगा किन्तु इस व्यापार में उसकी भूमिका वैसी ही महत्त्वपूर्ण नहीं है, जैसी दन्त्य **ल्** की। फिर उसके पश्च-मूर्धन्य **ऴ्** रूप का विकास हुआ। इसकी भूमिका और भी सीमित है, इसीलिए बोलचाल की तमिल से भी इसका लोप हो गया है। मूर्धन्य **ळ्** और पश्च-मूर्धन्य **ऴ्** का भेद वैसा ही है, जैसा तमिल और मलयालम में दन्त्य **न्** और वर्त्स्य **न्** का भेद है। और दन्त्य **ल्** तथा मूर्धन्य **ळ्** का भेद वैसा है, जैसा दन्त्य **न्** और मूर्धन्य **ण्** का भेद है। द्रविड़ भाषाओं की मूलध्वनि दन्त्य **न्** है, उसी के समान मूल पार्श्विक ध्वनि दन्त्य **ल्** है।

**नृत्** अथवा **नर्त** से जैसे **नट** बनता है, वैसे ही **भृत** अथवा **भर्त्** से **भट** बनता है। **ऋध्** क्रिया से **आर्ध्य** शब्द बनेगा और उसका रूपान्तर होगा **आढ्य** (समृद्ध)। संस्कृत **अर्ध** कन्नड़ में **अड्ड** है, हिन्दी **बर्ध** (बैल) का तमिल प्रतिरूप **अॅरुदु** और कुडुख **अड्डो** है। संस्कृत **वृत्त** (वर्त) का तमिल प्रतिरूप **वट्टम्, अश्रब्धा** का

तमिल प्रतिरूप **अचट्टइ** है। कभी-कभी एक ही भाषा में वैकल्पिक रूप मिलते हैं, जैसे कन्नड़ में **कुरुडे** और **कुरुदे** (अन्धा)। प्राकृतों में इस तरह के परिवर्तन बहुत होते हैं। इससे बड़ी सरलता से यह परिणाम निकाला जा सकता है कि प्राकृतें द्रविड़ प्रभाव व्यक्त करती हैं। किन्तु प्राकृतों में यह परिवर्तन बहुत अधिक है, द्रविड़ भाषाओं में वैसे परिवर्तन का अनुपात बहुत ही कम है।

## 10. प्राचीन भाषाओं में ष् की स्थिति

मूर्धन्य **ऱ्, ल्, द्, ण्,** के समान एक मूर्धन्य **ष्** है। 'आदि' इंडो-यूरोपियन भाषा की ध्वनि-व्यवस्था में इसको भी स्थान नहीं मिला, उसमें एक ही मूल दन्त्य सकार की स्थिति मानी गई है। भारतीय आर्य भाषा-क्षेत्र के पूर्वी छोर पर मगध एक ऐसा प्रदेश है जिसमें तालव्य **श्** का ही व्यवहार होता था। मूर्धन्य **ष्** के ऐसे ही किसी व्यवहार-क्षेत्र का पता नहीं है किन्तु इस बात का संकेत मिलता है कि मूर्धन्य **ष्** का व्यवहार उत्तर-पश्चिमी सीमान्त प्रदेशों में अधिक होता था। संस्कृत में मूर्धन्य **ष्** की भूमिका अत्यन्त सीमित है। बहुत थोड़े शब्दों में इसका आदिस्थानीय प्रयोग होता है। इसकी तुलना में तालव्य **श्** की भूमिका अधिक महत्त्वपूर्ण है, शब्द-निर्माण-प्रक्रिया में अर्थ-विच्छेदक ध्वनि के रूप में उसका व्यवहार अधिक होता था। इससे यह निष्कर्ष निकलता है कि दन्त्य, तालव्य और मूर्धन्य सकार तीन केन्द्रों में विकसित हुए और इन तीनों केन्द्रों के परस्पर सम्पर्क में आने से ये एक ही ध्वनि-व्यवस्था में सम्मिलित किये गए।

संस्कृत में **र्** के संसर्ग से दन्त्य **स्** मूर्धन्य रूप में बोला जाता है। **वर्ष, हर्ष** जैसे शब्दों के साथ उनके **वर्स, हर्स** जैसे प्रतिरूप संस्कृत में असम्भव हैं—जैसे **वर्ण, कर्ण** के साथ **वर्न, कर्न** जैसे प्रतिरूप संस्कृत में असम्भव हैं। इसी प्रकार तालव्य **श्, त्** के समीप होने पर, अपने साथ उसे भी मूर्धन्य बना लेता है, यथा : **नश्यति** और **विनाश** किन्तु **नष्ट**। संस्कृत में **नश्त** जैसा रूप असम्भव है। संस्कृत में मूर्धन्य **ष्** विशेष सन्दर्भों में प्रतिस्थापित होनेवाली ध्वनि है। यही स्थिति अनेक द्रविड़ भाषाओं में है। कोत भाषा के बारे में भाषाविज्ञानियों ने लिखा है कि उसमें मूर्धन्य **ष्** का व्यवहार तभी होता है जब उसके आगे या पीछे कोई मूर्धन्य स्पर्श-ध्वनि हो।

संस्कृत की तुलना में द्रविड़ भाषाओं में मूर्धन्य **ष्** की भूमिका और भी सीमित आर्य भाषा-परिवार में अब कोई ऐसी भाषा नहीं है जो बोलचाल में इस ध्वनि का व्यवहार करती हो, लिखित भाषा में ही उसके दर्शन होते हैं। शिक्षित जन भी तालव्य **श्** और मूर्धन्य **ष्** के उच्चारण में विवेक नहीं करते। दक्षिण भारत के शिक्षित जन इस भेद के प्रति अधिक सचेत रहते हैं।

आर्य भाषा-क्षेत्र में मूर्धन्य **ष्** का लोप हो गया है किन्तु द्रविड़ क्षेत्र में एक भाषा अब भी ऐसी है जो दन्त्य **स्** ही नहीं, तालव्य **श्** और मूर्धन्य **ष्** का अर्थ-विच्छेदक उपयोग करती है। एमेनो के अनुसार : यह तोद भाषा है। पर्वत-प्रदेश में नष्ट होते हुए

एक द्रविड़ गण-समाज की यह भाषा अब भी वह भेद कायम किये हुए है जो किसी समय संस्कृत की विशेषता थी और जो भेद अधिक विकसित समाजों की आर्य-द्रविड़ भाषाओं में नष्ट हो गया है। तोद भाषा में **पोश्** का अर्थ है दूध और **पोष्** का अर्थ है भाषा। यह दूसरा शब्द वास्तव में संस्कृत भाषा का ही प्रतिरूप है। पार्वतीय प्रदेशों में अलग-थलग पड़े हुए गण-समाज कभी-कभी प्राचीन ध्वनि-व्यवस्था की अधिक रक्षा करते हैं। यही कार्य तोद भाषा ने किया है। उसमें तालव्य **श्** और मूर्धन्य **ष्** का अर्थ-विच्छेदक व्यवहार इस तथ्य की ओर स्पष्ट संकेत करता है कि उसका मूल व्यवहार-क्षेत्र भारत के उत्तर-पश्चिम में था और तोद भाषा उसी क्षेत्र की है।

अन्य मूर्धन्य ध्वनियों के समान इस **ष** का व्यवहार भी यूरोप की भाषाओं में होता है। नॉर्वे, स्वीडन और नॉर्थम्बलैंड की भाषाएँ, विशेष सन्दर्भों में, इसका व्यवहार करती हैं। यह स्वीकार करना होगा कि जिस समय यूरोप की भाषाओं का विकास हुआ, उस समय आर्य-द्रविड़-गण भाषाओं में इसका व्यवहार होता था। कोल और नाग भाषाओं में इस ध्वनि का अभाव है। यह ध्वनि चाहे जिस स्रोत से आई हो, उसने मध्यदेशीय आर्य भाषा को प्रभावित किया, वह संस्कृत की विशिष्ट ध्वनि बनी। अंशतः वह द्रविड़ भाषाओं में स्वीकृत हुई।

जैसे **स्** और **श्** नाग-द्रविड़ भाषाओं में बहुधा **क्** रूप में ग्रहण किये जाते हैं, वैसे ही मूर्धन्य **ष् क्** या **ख्** रूप में ग्रहण किया जाता रहा है। भारतीय **तृष्** क्रिया अंग्रेज़ी **ड्रिङ्क** का पूर्व रूप है। जर्मन में इसी का प्रतिरूप **ट्रिङ्कॅन** है। यहाँ मूर्धन्य **ष्** स्पर्श **क्** में परिवर्तित हुआ है। एक जर्मन बोली में इसका प्रतिरूप **ट्रीख़्** है। अर्थ वही है—पीना। ब्लूमफील्ड ने भाषा पर अपनी पुस्तक में इस शब्द के बारे में लिखा है : स्विट्ज़रलैंड के दक्षिण-पश्चिमी भाग के जर्मन-भाषी जन प्राचीन जर्मन भाषा के **क्** को संघर्षी **ख़्** में बदल देते हैं और पूर्ववर्ती नासिक्य ध्वनि का लोप कर देते हैं; यह ठेठ स्थानीयता ('क्रैस लोकलिज़्म') है। उनके अनुसार स्विट्ज़रलैंड के अधिकांश जर्मन-भाषी क्षेत्र में **क्** ध्वनि वाले रूप का ही उच्चारण होता है।

वास्तव में यहाँ संघर्षी **ख़्** सीधे मूर्धन्य **ष्** का रूपान्तर है। हिन्दी की बोलियों में **वर्षा** जैसा शब्द **बरखा** बोला जाता है, वैसे ही **तृष्** का रूपान्तर **त्रिख्** हुआ। यह बात सही है कि जर्मन बोलियाँ कहीं **क्** का व्यवहार करती हैं और कहीं **ख़्** का, यथा : उत्तरी जर्मन **माकॅ** दक्षिणी जर्मन में **माख़ॅन्** (बनाना) है। यहाँ यह सम्भावना है कि मूल शब्द **माष्** रहा हो; जर्मन **इष्** (मैं) दो अन्य रूपों में भी बोला जाता है : उत्तर में **इक्**, दक्षिण में **इख़्**। इस प्रकार जो पहले निपट स्थानीय प्रयोग लगता है, वह पहाड़ी प्रदेश के एक कोने में छिपा हुआ मूल शब्द **तृष्** का सहज रूपान्तर है।

संस्कृत में एक संयुक्त व्यंजन ध्वनि है **क्ष्**। **ऋक्ष, दक्षिण, तक्ष** जैसे शब्दों में इस संयुक्त ध्वनि का व्यवहार होता है। तमिल भाषा में जैसे संस्कृत **समय** का प्रतिरूप **तमय** स्वीकार किया गया था, वैसे ही ग्रीक भाषा में मूर्धन्य **ष्** को **त्** रूप

में ग्रहण किया गया था। सिद्धान्त वही है कि जिस भाषा में दन्त्य, तालव्य या मूर्धन्य सकार नहीं है, उसमें वह **क्, त्, प्**—किसी भी ध्वनि के रूप में ग्रहण किया जा सकता है। **क्** और **ष्** का संयुक्त रूप संस्कृत **क्ष्** है। ग्रीक भाषा प्रथमत: **क्** ध्वनि को ज्यों का त्यों रहने देती है, दूसरी **ष्** ध्वनि को **त्** रूप में स्वीकार करती है। इस प्रकार **तक्षन्** ग्रीक भाषा में **तॅक्तोन्** रूप में प्राप्त होता है। इस कोटि के संस्कृत शब्दों के ग्रीक प्रतिरूप सिद्ध करते हैं कि ग्रीक भाषा के निर्माणकाल में उसके पास-पड़ोस में **ष्** का व्यवहार होता था; इसका व्यवहार-क्षेत्र भारत का उत्तर-पश्चिमी सीमान्त प्रदेश था और **ष्-त्** की ध्वनि-परिवर्तन-प्रक्रिया वही है जो **समय-तमय** की है।

इस प्रसंग में ब्रुगमन ने अपने तुलनात्मक व्याकरण के पहले खंड में लिखा है : "अन्त में यह प्रश्न अब भी किया जा सकता है कि उन शब्दों में सकार का उच्चारण **क्** ध्वनि के बाद किया जाता था या नहीं, जिनमें संस्कृत **क्ष्** के मुकाबले ग्रीक **क्त्** दिखाई देता है, जैसे : **तक्षन्-तॅक्तोन्** (बढ़ई); **ऋक्ष-अर्क्तोस्** (भालू); और यह कि उस इंडो-जर्मैनिक ध्वनि से यह सकार भिन्न था या नहीं, जो संस्कृत **अक्षस्**, ग्रीक **अक्सोन्**, (धुरी), संस्कृत **दक्षिणस्**, ग्रीक **दॅक्सिओस्** (कुशल) जैसे शब्दों में पूर्वानुमानित है। सम्भवत: वह ध्वनि **थ्** थी। कारण यह कि अभी तक यह सम्भव नहीं हुआ कि ऐसे नियम का पता लगाया जाए, जिसके कारण, विशेष रूप से ग्रीक में **क्त्-क्स्** का भेद उत्पन्न हुआ हो।" (पृ. 408)

ब्रुगमन की कठिनाई का कारण यह है कि वह ग्रीक भाषा में एक ही ध्वनि-व्यवस्था मानते हैं। यह ग्रीक भाषा अनेक गण भाषाओं का समुदाय है। इसलिए उसकी ध्वनि-व्यवस्था भी अनेक ध्वनितंत्रों का समवाय है। यह समवाय एक-रूप नहीं है, उसमें आन्तरिक वैषम्य है। ध्वनियों का विकास विभिन्न केन्द्रों में हुआ, अत: **ष्** कहीं **स्** रूप में स्वीकार किया जाता है, कहीं **त्** रूप में, कहीं **ख्** रूप में। **दक्ष** और **दाक्षिण्य** की श्रृंखला में ग्रीक शब्द **तॅख्ने** (कौशल), **तॅख्नाज़ो** (कौशल का प्रयोग करना) है। यहाँ **पक्षी-पाखी** के समान **क्ष्** ध्वनि **ख्** में परिवर्तित हुई है। संस्कृत क्रिया **क्षि** का ग्रीक प्रतिरूप **पिथओ** है; यहाँ **क्ष्** ध्वनि **पथ** रूप में ग्रहण की गई है। **ष्-स्-थ्** एक रूपान्तर प्रक्रिया यह है जिससे **ष्** के स्थान पर **थ्** का प्रयोग हुआ। फिर किसी गणभाषा में **क्** का अभाव होने से उसकी जगह **प्** से काम लिया गया। **स्** की जगह **त्** को जैसे महाप्राण किया गया, वैसे ही उसके साथ के **प्** को भी महाप्राण रूप दिया गया। संस्कृत **क्षोणि** (धरती) का ग्रीक प्रतिरूप **ख्थोन्** है। यहाँ **क्ष्** के **क्** को स्वीकार किया गया; फिर **थ्** के समान उसे भी महाप्राण बनाकर **ख्थ्** की प्रतिष्ठा हुई। ग्रीक भाषा के निर्माणकाल में न केवल **ष्** का व्यवहार होता था वरन् संयुक्त ध्वनि **क्ष्** का व्यवहार भी होता था। **क्ष्** के **क्त्, क्स्, ख्, प्थ्, ख्थ्**—ये पाँच ग्रीक रूपान्तर प्राप्त हैं। ग्रीक भाषा के ध्वनितंत्र को एकरूप मानकर जो नियम बनाए गए हैं, वे यहाँ काम नहीं देते।

स्वीडन की भाषा में मूर्धन्यीकरण की प्रक्रिया संस्कृत से मिलती-जुलती है। दन्त्य **स्** के पहले **र्** ध्वनि हो तो दन्त्य **स्** मूर्धन्य रूप में बोला जाता है। अंग्रेज़ी शब्द **रोज़्** (गुलाब) का स्वीडिश प्रतिरूप **रोस्** है किन्तु **रोर्स्** (पतवार) का उच्चारण **रोष्** होगा, जैसे वर्षा में **र्** के संसर्ग से मूर्धन्य **ष्** का उच्चारण होता है। स्वीडिश भाषा की **र्** ध्वनि को पश्च-वर्त्स्य कहा जाता है। उसकी यह व्याख्या संस्कृत शब्दों में मूर्धन्य **ष्** के साथ प्रयुक्त होनेवाले **र्** की भी व्याख्या करती है। स्वीडिश भाषा में मूर्धन्यीकरण की यह प्रवृत्ति इतनी प्रबल है कि एक शब्द के अन्त में **र्** हो और उसके बाद वाला शब्द दन्त्य **स्** से आरम्भ होता हो, तो द्रुत भाषण में दन्त्य **स्** वाला शब्द मूर्धन्य **ष्** से बोला जाएगा : **फ़ैरसेंट,** द्रुत उच्चारण में, **फ़ैषेंट** हो जाएगा (इसका अर्थ है बहुत विलम्ब से)। शिक्षित जन तालव्य **श्** के व्यवहार को अधिक शिष्ट मानते हैं, अतः स्वीडिश भाषा के शिष्ट रूप में तालव्य **श्** का व्यवहार होता है। नॉर्वे की भाषा में जिस **श्** का व्यवहार होता है, उसके लिए कहा गया है कि अंग्रेज़ी **श्** की अपेक्षा इसके उच्चारण में जीभ की नोक को और पीछे ले जाना होता है। इसका अर्थ है, वास्तव में यह **श्** भी मूर्धन्य **ष्** है। **र्** के बाद जब यह पाता है, तब जीभ की नोक और भी पीछे ले जाई जाती है और **र्** ध्वनि या तो लुप्त हो जाती है या अत्यन्त क्षीण हो जाती है। यह प्रक्रिया उधार लिये हुए शब्दों में भी घटित होती है। इटालियन में एक क्रिया है **वॅर्सारि**; इसका लगभग वही अर्थ है जो संस्कृत वर्षा का है, जल जैसी किसी द्रव वस्तु को गिराना। इसी से इटालियन में छन्द के लिए **वॅर्सो** शब्द बनता है जो अंग्रेज़ी में **वॅर्स** है। लैटिन भाषा में **वर्सो** का सम्बन्ध संस्कृत **वर्त** (अपनी जगह पर घूमना) से है। **वर्सिफिको** (छन्द लिखना) जैसे शब्द लैटिन में हैं किन्तु जिस शब्द-मूल से यह क्रिया बनी है, वह इटालियन में है, लैटिन में नहीं। यह शब्द नॉर्वे की भाषा में **वैष्** बन जाता है। **र्** ध्वनि लुप्त हो जाती है या बहुत हल्की सुनाई देती है। मूर्धन्य **र्** के संसर्ग से दन्त्य **स्** कैसे मूर्धन्य **ष्** में परिवर्तित होता है, यह शब्द इस प्रक्रिया की बहुत अच्छी मिसाल है।

नॉर्वे की भाषा में एक मूर्धन्य भी है। अंग्रेज़ी **स्ले** (मारना) जर्मन में **श्लाग्** है, नॉर्वे की भाषा में इसका रूप **ष्ळाग्** होता है। इस परिवर्तन का कारण मूर्धन्य **ळ्** का प्रभाव है। यदि एक वर्ण के अन्त में **स्** हो और आगेवाला वर्ण **ल्** से आरम्भ होता हो, तो दोनों मिलकर **षळ्** हो जाएँगे। स्वीडन की तरह नॉर्वे में भी इस प्रकार मूर्धन्य **ष्** का व्यवहार शिष्टजनों की अपेक्षा जनसाधारण को बोलचाल में अधिक होता है। मानना होगा कि मूर्धन्य **ष्,** यूरोप की कुछ भाषाओं में, तब से वर्तमान है जब से संस्कृत में उसका प्रयोग आरम्भ हुआ था। इसका प्रमाण स्वीडिश भाषा का एक शब्द है : **मॅन्निष्**। यह संस्कृत **मनुष्य** का ही प्रतिरूप है।

अनेक शब्दों में जहाँ पहले दन्त्य **स्** था, वहाँ संस्कृत में तालव्य **श्** का व्यवहार होने लगा। मानक जर्मन में यह प्रवृत्ति अपने चरम रूप में है। **त्, प्, ल्, म्, न्** के

पहले सकार तालव्य रूप में ही उच्चरित होता है। जर्मन भाषा-क्षेत्र दो भागों में बाँटा जा सकता है : एक, दक्षिण जर्मनी का मैदानी क्षेत्र; दूसरा, उत्तर जर्मनी का पहाड़ी क्षेत्र। पहले क्षेत्र में **स्प्, स्त्** आदि व्यंजन-युग्मों में दन्त्य **स्** का उच्चारण होता है; पहाड़ी क्षेत्र में दन्त्य **स्** के स्थान पर तालव्य **श्** बोला जाता है। पूरे जर्मन-क्षेत्र के उत्तर-पूर्व में, नॉर्वे और स्वीडन की भाषाओं में, मूर्धन्य **ष्** की बहुलता है। इससे तुलनीय है प्राचीन भारत का मानचित्र। पूर्व में **श्** की प्रधानता है। उत्तर-पश्चिम में मूर्धन्य **ष्** का विशेष क्षेत्र है। मध्यदेश दन्त्य **स्** का क्षेत्र है, जैसा कि वह आज भी है। इस तुलना से निष्कर्ष यह निकलता है कि दन्त्य, तालव्य और मूर्धन्य तीन सकारों का तंत्र विकास हुआ। इन तीन सकारों के समानान्तर तीन **र्-ल्** ध्वनियाँ थीं : दन्त्य, तालव्य और मूर्धन्य। अनेक शब्दों में दन्त्य **स्** का तालव्यीकरण होता है, पुनः मूर्धन्य **र्** के संसर्ग से अनेक शब्दों में दन्त्य अथवा तालव्य सकार का मूर्धन्यीकरण हुआ। इसी प्रकार **ल्** के संसर्ग से सकार का तालव्यीकरण अथवा मूर्धन्यीकरण हुआ।

संस्कृत में संयुक्त व्यंजन ध्वनि **क्ष्** का काफी प्रयोग होता है, यूरोप की भाषाओं के विकास काल में इसका अस्तित्व था, इसका उल्लेख किया जा चुका है। मूर्धन्य **र्** और **ल्** के प्रसंग में इसका उल्लेख भी करना चाहिए। मूर्धन्य **ष्** के योग के बिना इसका उच्चारण हो नहीं सकता किन्तु इसके पहले जिस **क** ध्वनि का संयोग होता है, वह भी सामान्य **क्** ध्वनि से भिन्न है। संस्कृत में **क्स्** जैसा व्यंजन-संयोग असम्भव है। ऐसा व्यंजन-संयोग ग्रीक भाषा में है, फ़ारसी में है, स्लाव भाषाओं में है किन्तु संस्कृत में इसका अभाव है। इसका कारण यह है कि **क्** ध्वनि मूर्धन्य है जो अपने बाद आनेवाले दन्त्य अथवा तालव्य सकार को मूर्धन्य बना लेती है। **त्, च्, ष्, श्, स्** अनेक शब्दों में **क्** में परिवर्तित हो जाते हैं और बाद में आनेवाले दन्त्य **स्** को मूर्धन्य बना लेते हैं। **पक्ष** और **पक्षी** शब्दों का सम्बन्ध शब्द मूल **पत्** से है। यह **पत्** सीधे **पक्** नहीं बनता, बीच की कड़ी **पच्** है। क्रिया के साथ **स** जोड़कर संज्ञा-रूप बनाना सामान्य प्रवृति रही है। **शिष्** का परिवर्तित रूप **शिक्**; इसके आगे **स** का योग होने पर **शिक्ष** रूप बना। फ़ारसी **चश्म** का शब्द मूल **चश्** है; इस **श्** के **क्** में बदलने पर **चक्षु** रूप बना। **भज्, भुज्** आदि रूपों का **ज्** अघोष् **च्** बनकर **क्** में रूपान्तरित हुआ, और तब **भक्ष्, भुक्ष्** जैसे रूप बने। **दक्ष** शब्द **दस्त** के शब्दमूल **दस्** से बना है और यह **दस्त** स्वयं **धस्त** का रूपान्तर है। **दस्** के रूपान्तर **दश्** से **दक्, दस्** के अन्य रूपान्तर **तस्** से **तश्-तक्** शब्दमूल प्राप्त हुए; फिर **स** के संयोग से **दक्ष तक्षन्** रूप बने।

इन रूपों का अध्ययन करने से एक तथ्य यह स्पष्ट होता है कि **क्ष्** जैसी संयुक्त ध्वनि का विकास उसी क्षेत्र में हो सकता था जिसमें **त्, च्, स्** जैसी ध्वनियाँ **क्** में परिवर्तित होती हैं, जिसमें मूर्धन्य **क्** और मूर्धन्य **ष्** का व्यवहार व्यापक रूप से होता हो। ऐसा क्षेत्र भारत का उत्तर-पश्चिमी सीमान्त प्रदेश ही था।

**क्ष्** ध्वनि वाले जिन भारतीय शब्दों के प्रतिरूप पहले दिये हैं, उनमें तालव्य **श्** नहीं है। इंडो-यूरोपियन परिवार में एक भाषा ऐसी है जो **क्** के साथ **श्** का संयोग बहुत-से शब्दों में करती है। यह भाषा लिथुआनियन है। इसमें एक शब्द **पउक्स्ति** है; इसका अर्थ है **पक्षी**। रूसी में इसी का प्रतिरूप है **प्तीत्सा** (जिसमें **पत्**, वर्ण संकोच के कारण, **प्त्** बना है)। लिथुआनियन शब्द में ध्वनि-परिवर्तन और शब्द-निर्माण की वही प्रक्रिया है जो संस्कृत **पक्षी** में है। क्रिया के साथ **स** प्रत्यय का संयोग हुआ है। या तो यह माना जाए कि किसी ध्वनि नियम के अनुसार भारतीय **त्** लिथुआनियन में **क्** हो जाता है या यह स्वीकार किया जाए कि **त्** पहले **च्** में परिवर्तित हुआ है और फिर इस **च्** का रूपान्तर **क्** में हुआ। लिथुआनियन भाषा का यह शब्द इस बात का प्रमाण है कि भारतीय **च्, ज्** जैसी ध्वनियाँ यूरोप की भाषाओं के अनेक शब्दों में **क्, ग्** रूपों में ग्रहण की गई हैं। अन्तर यह है कि संस्कृत में जहाँ मूर्धन्यीकरण है, वहाँ लिथुआनियन में तालव्यीकरण है।

ईसाई धर्म के लिए अंग्रेज़ी शब्द **क्रिश्चियनिटी** के समान लिथुआनियन भाषा में शब्द है **क्रिक्शचियोनिबे**। इसमें दिलचस्प बात यह है कि मूल शब्द में जहाँ केवल दन्त्य **स्** है और अंग्रेज़ी रूप में जहाँ तालव्य **श्** है, वहाँ लिथुआनियन में **श्** के पहले अतिरिक्त **क्** विद्यमान है। **बप्तिस्मा** (अथवा ईसाईकरण) के लिए शब्द है **क्रिक्श्तस्**। यहाँ भी एक अतिरिक्त **क्** जुड़ा हुआ है। ऐसा लगता है कि कुछ भाषाएँ **श्** के पहले एक अतिरिक्त **क्** जोड़ देती थीं। संस्कृत **क्षीण** का वही अर्थ है जो **शीर्ण** का है। यदि मूल क्रिया **शी** हो, उसके पहले **क्** जोड़ा गया हो, फिर **क्** के प्रभाव से **श्** का मूर्धन्यीकरण हो, तो **क्षी** और **क्षीण** जैसे रूप प्राप्त होंगे। **शी, शे** जैसी कोई क्रिया नष्ट होने के अर्थ में यहाँ प्रचलित थी। उसी से **शव** शब्द बना है। उसका प्रतिरूप या उससे सम्बद्ध रूप **क्षय** है। **क्षमा** में जो भाव है, वह **शम्** क्रिया और **शमन** शब्द में विद्यमान है।

संस्कृत का क्षेत्र उस क्रिया से बना है जिसका अर्थ खेती करना या बुवाई करना है। संस्कृत में **से, सो** जैसी क्रिया इस अर्थ में कभी प्रयुक्त होती थी। एकार के संयोग से उत्तर-पश्चिमी भाषाओं में दन्त्य **स्** का तालव्यीकरण होगा। अत: मराठी में शब्द बना **शेत**। अतिरिक्त **क्** ध्वनि का संयोग हुए बिना, तालव्य **श्** का मूर्धन्यीकरण हुए बिना **क्षेत्र रूप** प्राप्त नहीं हो सकता।

## 11. शतम्-केन्तुम् और वर्ण-संकोचन

**शतम्** और **केन्तुम्** शब्दों में एक अन्तर तो यह है कि एक में जहाँ **श्** है, वहाँ दूसरे में **क्** है। एक अन्तर और है। वह यह कि एक में नासिक्य ध्वनि है, दूसरे में उसका अभाव है। भाषाविज्ञानियों ने कल्पना की है कि मूल शब्द में एक ऐसी, नासिक्य ध्वनि थी जो स्वर और व्यंजन, दोनों थी। **केन्तुम्** शाखा में उसका व्यंजन

रूप ग्रहण किया गया, **शतम्** शाखा में उसका स्वर रूप, और स्वर रूप भी ऐसा कि अनुनासिकता से मुक्त। संस्कृत में पचीसों शब्द ऐसे हैं, जिनके एक रूप में नासिक्य ध्वनि है और दूसरे में नहीं है। यह नासिक्य ध्वनि बहुधा जोड़ी जाती है और जो व्यापार अब निरर्थक जान पड़ता है। सम्भव है, वह कभी सार्थक रहा हो। कुछ उदाहरण इस प्रकार हैं—**ध्वस्-ध्वंस्** (बिखेरना, नष्ट करना) **स्रस्-स्रंस्** (गिरना), **भ्रश्-भ्रंश्** (गरना), **अश्-अंश्** (प्राप्त करना), **दश्-दंश्** (काटना), **नश्-नंश्** (नष्ट होना), **जभ्-जंभ्** (चबाना), **दभ्-दम्भ्** (क्षति पहुँचाना), **शुभ्-शुम्भ्** (सुन्दर बनाना), **स्कभ्-स्कम्भ्** (सहारा देना), **स्तभ-स्तम्भ्** (सहारा देना), **उभ्-उम्भ्** (कैद करना) **गुफ्-गुम्फ्** (गूँथना), **ग्रथ्-ग्रन्थ्** (बाँधना, गूँथना), **मथ्-मन्थ्** (मथना), **इध्-इन्ध्** (जलाना), **शुध्-शुन्ध्** (शुद्ध करना), **उद्-उन्द्** (भिगोना), **छद्-छन्द्** (प्रसन्न करना), **निद्-निन्द्** (निन्दा करना), **मद्-मन्द्** (मस्त होना), **चित्-चिन्त्** (सोचना), **अच्-अञ्च्** (झुकाना), **कुच्-कुञ्च्** (टेढ़ा होना)। इसी प्रकार एक शब्द था **अभ**। इसका प्रतिरूप हुआ **अम्भ**। इस **अम्भ** से महाप्राणता का लोप होने पर **अम्बु** रूप बना और जब महाप्राणता और सघोषता, दोनों का लोप हुआ, तब **अप** रूप बना। इस **अप** का लैटिन प्रतिरूप **अक्वा** है। **अक्वा** से **अप**—**अम्बु-अम्भ-अभ (अभ्र)** की शृंखला चालू नहीं हुई। तथैव मूल रूप **केन्तुम्** नहीं है, **शतम्** है।

नासिक्य ध्वनि को जोड़ने की प्रवृत्ति आर्य भाषा-परिवार में सीमित नहीं है। द्रविड़ भाषाओं में इसकी भरमार है और संस्कृत से कुछ अधिक ही है। कुछ उदाहरण तमिल भाषा से इस प्रकार हैं : **अडक्कु-अड़ङ्गु** (छिप जाना), **अचक्कु-अचङ्ग** (काँपना), **उरगु-उरङ्गु** (सो जाना), **अकप्पु-अकम्बु** (गहराई), **कुरप्पु-कुरम्बु** (मिश्रित होना), **चूप्पु-चूम्बु** (चूसना), **तिरक्कु-तिरंगु** (सिकुड़ना)। इसी तरह कन्नड़ में : **अडगु-अड़ङ्गु** (छिपना), **कडगु-कडङ्गु** (उत्साहित होना), **कुग्गु-कुङ्गु** (डूबना), **हागे-हाङ्गे** (इस प्रकार)। हिन्दी **कुदाल** कन्नड़ में **गुद्दलि** है, तमिल में **कुन्दालि**। कन्नड़ **कलगु** तमिल में **कलङ्गु** (गन्दा करना) है। हिन्दी **उड़द**, कन्नड़ में **उर्दु** है, तमिल में **उळुन्दु**। हिन्दी में **समुद्र** और **समुन्दर** जैसे रूप इस सहस्राब्दियों से चली आती हुई ध्वनि-प्रवृत्ति का प्रमाण हैं।

यूरोप की सभी भाषाओं में, **केन्तुम्** के प्रतिरूपों में, नासिक्य ध्वनि नहीं है। आइरिश में नासिक्यहीन **केत** रूप है। लिथुआनियन में **शिम्तस्** रूप है। लैटिन के विपरीत यहाँ **न्** के बदले **म्** का प्रयोग हुआ है। इस रूप में समवर्गीय नासिक्य ध्वनि के नियम की अवहेलना की गई है। भाषाविज्ञानियों ने **शतम्** के जिस आदि रूप की कल्पना की है, उसमें **क्** के बाद **म्** है। उनके विचार से यह **म्** संस्कृत में विशुद्ध **अ** स्वर बन जाता है, लैटिन में **न्** रूप धारण करता है, और लिथुआनियन में अपना ओष्ठ्य-नासिक्य तत्त्व कायम रखने के साथ एक स्वर और जोड़ लेता है। **(क् + म्** के बदले **श् + इ + म्)**। बाल्टिक और स्लाव भाषाएँ भारतीय भाषा-

परिवारों के अधिक समीप हैं। अतः इनमें नासिक्य ध्वनि युक्त और उससे मुक्त दो-दो रूप अधिक देखे जाते हैं। रूसी **रुक**, लिथुआनियन **रंक** (हाथ), रूसी **वोद**, लिथुआनियन **वन्दुओ** (जल), लिथुआनियन **रुदुओ**, लैतवियन **रुदेन्स** (शरद)। यानिस एंज़ेलिंस ने अपनी पुस्तक 'कम्पैरेटिव फोनोलॉजी एंड मॉर्फोलॉजी ऑफ़ द बाल्टिक लैंग्वेजेज़' (मूतों, 1971) में ऐसे बहुत-से रूप दिये हैं जहाँ एक ही क्रिया नासिक्य ध्वनि जोड़ती है और उसके बिना भी काम करती है : **क्रितो-क्रिन्त** (गिरना), **लिपो-लिम्प** (चिपकना), **शुतो-शन्त** (गर्म होना), **ब्रिदो-ब्रेन्द** (नदी पार करना)। ये रूप संस्कृत क्रियापदों के ऊपर उद्धृत किये हुए रूपों की याद दिलाते हैं। बाल्टिक-स्लाव भाषाओं में ऐसे रूप अधिक हैं किन्तु ग्रीक, लैटिन, जर्मन आदिभाषाओं में इनका प्रभाव नहीं है। संस्कृत **मत** का ग्रीक प्रतिरूप **मतोस्** है, लैटिन प्रतिरूप **मेन्तुस्** है। संस्कृत लघु का ग्रीक प्रतिरूप **एलखुस्** है, पहाड़ी जर्मन प्रतिरूप **लुंगर्** है। संस्कृत में **दश्** और **दंश्** (काटना), दोनों रूप हैं; ग्रीक भाषा में **दकनो** रूप है, जर्मन में **त्संगर्** (तीखा, काटता हुआ) रूप है। इसी शृंखला में संस्कृत **दन्त**, लैटिन **देन्त्** के अंग्रेज़ी प्रतिरूप **टूथ्** में नासिक्य ध्वनि नहीं है।

अखिल भारतीय स्तर पर नासिक्य ध्वनि को जोड़ने की क्रिया पर विचार करने से भारत में और भारत से बाहर नासिक्य ध्वनियुक्त और नासिक्य ध्वनिहीन सैकड़ों वैकल्पिक रूप एक ही प्रक्रिया के अन्तर्गत दिखाई देते हैं और यह प्रक्रिया आर्य और द्रविड़, दोनों परिवारों में व्याप्त है।

इंडो-यूरोपियन परिवार की भाषाओं में ऐसे बहुत-से शब्द हैं जिनके एक रूप में आदिस्थानीय **स्** है और दूसरे रूप में इसका अभाव है। बरो ने इस प्रकार के कुछ शब्द संस्कृत भाषा पर अपने ग्रंथ में दिये हैं : **तायु—स्तेन** (चोर), **तारा—स्तृ** (नक्षत्र), **पश्यति** (देखता है), **स्पश्** (गुप्त दर्शक), **स्निह्** (गीला होना), **नीहार** (ओस, कुहरा)। इसी प्रकार रूसी **स्मेर्त्** लिथुआनियन **मिर्ति** (मृत्यु), संस्कृत **नाग**, अंग्रेज़ी **स्नेक्**, हिन्दी **परेवा**, अंग्रेज़ी **स्पैरो**।

भाषाविज्ञानी इस आदिस्थानीय **स्** को घुमन्तू सकार कहते हैं। इसकी व्याख्या के लिए उन्होंने किसी ऐसी ध्वनि की कल्पना नहीं की जो कुछ रूपों में सकार बन जाती हो, और अन्य रूपों में शून्य हो जाती हो। किन्तु इस सकार का संयोग नासिक्य ध्वनि-सम्बन्धी व्यापार से मिलता-जुलता है। **स्** जोड़ने की प्रवृत्ति द्रविड़ भाषाओं में नहीं, नाग भाषाओं में है, और सौभाग्य से यहाँ उसके विशेष कार्य का ज्ञान भी हो जाता है। बेनेडिक्ट ने नाग भाषाओं पर अपनी पुस्तक में इन भाषाओं से इस तरह के उदाहरण दिये हैं : तिब्बती **खोर्ब—स्कोर्ब**, पहले रूप का अर्थ है घूमना, एक ही स्थान पर किसी का आवर्तन, दूसरे रूप का अर्थ है **घेरना; करेन** भाषा में **दम्** का अर्थ है राह से भटकना, **सदम्** का अर्थ है राह से भटकाना, **नुङ्** भाषा में **अनेम्** का अर्थ है नीचा होना, **सनेम्** का अर्थ है नीचा करना; मरु भाषा

में **लि** का अर्थ है **आना, सलि** का अर्थ है ले आना। इसमें सन्देह नहीं रह जाता कि नाग भाषाओं में **स्** जोड़ने की प्रवृत्ति व्यापक है और यह क्रिया अकारण नहीं है, वह शब्द के अर्थ-परिवर्तन में सहायक होती है। इंडो-यूरोपियन परिवार में **स्** का संयोग सार्थक था, या नाग भाषाओं के प्रभाव से, उनकी देखा-देखी, ऐसे रूप बन गए थे, यह कहना कठिन है। किन्तु इस प्रक्रिया से नासिक्य ध्वनि के निवेश की तुलना करने से यह सम्भावना दिखाई देने लगती है कि इस तरह **न्** का निवेश भी निरर्थक न रहा होगा।

इससे मिलता-जुलता **व्यापार** शब्द के अन्तिम वर्ण में **र्** जोड़ने से सम्बन्धित है। एक शब्द है **उद** (जल), इसके अन्तिम वर्ण में **र्** के निवेश से रूप बना **उद्र**। यही **उद्र समुद्र** शब्द में है। जहाँ बहुत-सा **उद** हो, वह **उद्र** या **समुद्र** है। **उद्र** का ग्रीक रूप **हूद्र** है जो अंग्रेज़ी के **हाइड्रोजन** आदि शब्दों में प्रयुक्त है। ग्रीक भाषा के शब्द से बहुत्व का यह बोध लुप्त हो गया है। **अभ्र** शब्द का अर्थ है जल। **अभ्र** का अर्थ हुआ बहुता-सा जल। इस रूप का प्रयोग बादल के लिए किया जाने लगा; वही फ़ारसी में **अब्र** है।

जो बहुत्व का सूचक है, वह गौरव का सूचक भी है। तमिल भाषा में शब्द के अन्त में यदि **न्** आए तो वह साधारणता का सूचक है, यदि **र्** आए तो वह गौरव का सूचक है। **अवन्** (वह) का बहुवचन **अवर्** है; उसका प्रयोग आदर में एक व्यक्ति के लिए भी हो सकता है। नागों के साथ इसी प्रकार **र्** जोड़कर आदर व्यक्त किया जाता है। वैयाकरण तोल्काप्पियन् सम्मानपूर्वक तोल्काप्पियर् कहे जाएँगे, महाकवि भारती इसी प्रकार भारतियार् रूप में याद किये जाते हैं।

रूप पुत नहीं होता। पूत पुत्र का ही विकास माना जाता है। शब्दों में **र्** जोड़ने की प्रवृत्ति इतनी व्यापक हो गई कि उसका अर्थगत प्रयोग नष्ट हो गया। **कुतः** और **कुत्र, ततः** और **तत्र, चरित** और **चरित्र** जैसे वैकल्लिक रूपों का चलन हुआ। इस सारी प्रक्रिया पर विचार करने से यह मानना चाहिए कि **पुत्र** का पूर्व रूप **पुत** था। **सूत्र** का पूर्व रूप **सूत** था। मराठी में **कुत्ते** का प्रतिरूप **कुत्र्या** है। **कुत्ते** की उत्पत्ति **कुत्र्या** से मानना उचित न होगा।

उत्तर-पश्चिमी आर्य भाषाओं में एक प्रवृत्ति बलवती रही है। इसे हम शब्द का आदिस्थानीय वर्ण-संकोचन कह सकते हैं। **जानाति** और **ज्ञान** रूपों को मिलाने से इस प्रवृत्ति का **ज्ञान** होता है। मूल क्रिया **जान्** है, **ज्ञा** नहीं। आदि वर्ण **जा** के संकुचित होने पर केवल **ज्** व्यंजन रह गया। उसका संयोग नासिक्य ध्वनि से हुआ जिसे उसने समवर्गीय बनाया। इस प्रकार **ज्ञान** जैसा रूप प्राप्त हुआ। इसी प्रकार **जन्** क्रिया से **ज्ञाति** जैसे रूप प्राप्त होते हैं। वैदिक भाषा में **ग्ना** (देवी) जैसे रूप इसी प्रवृत्ति के कारण मिलते हैं। ग्रीक भाषा में **ग्नोसोस्** (ज्ञान) आदि रूप अपवाद नहीं हैं; संस्कृत की अपेक्षा उसमें ऐसे रूप अधिक हैं। वे वर्ण संकोचन की प्रवृत्ति के उदाहरण हैं।

संस्कृत **पुल** (**विपुल** का **पुल**) ग्रीक भाषा में **पोलुस्** (अनेक, बहुत) है। यही लैटिन में **प्लुस्** हो जाता है (और अंग्रेज़ी में यही **प्लस्** है जो जोड़ने का चिन्ह बनता है, अंग्रेज़ी **प्लूरल्** लैटिन **प्लूरीमुस्** से सम्बद्ध है।) ग्रीक भाषा में इस अर्थ का द्योतक एक रूप **पोलुस्** है, दूसरा रूप **प्लॅइस्तोस्** है। इसी का एक प्रतिरूप **प्लेथोस्** है। संस्कृत पूर्ण का **पूर्** जहाँ अंग्रेज़ी में **फुल** है, वहाँ उसका ग्रीक प्रतिरूप **प्लेओस्** है। संस्कृत **जरा** के अनुरूप ग्रीक शब्द **गेरोन्** (बूढ़ा) है, वर्ण-संकोच के बाद इसका प्रतिरूप **ग्रइओस्** बनता है। **ग्रइआ** और **ग्रउस्** जैसे शब्द बूढ़ी स्त्रियों के लिए प्रयुक्त होते थे। संस्कृत **दम** का ग्रीक प्रतिरूप **दमओ** (पालतू बनाना) है; वर्ण-संकोच के बाद इसका एक रूप बनता है **द्मेसिस्**। संस्कृत **धर्ष्** के सम्बन्धी ग्रीक शब्द **थर्मोस्** और **थ्रसोस्** हैं (साहस)। संस्कृत **पत्** (उड़ना) से ग्रीक शब्द **प्तेरोन, प्तिलोन्** (पंख) बनते हैं। इसी प्रकार **मन्** से **म्नेइआ** (स्मृति) शब्द बनता है। संस्कृत **प्राण** में जो **अन्** क्रिया है, उससे लैटिन में **अनिम** (साँस) शब्द बनता है। **प, प्र** के समान, उपसर्ग के साथ ग्रीक भाषा में इसका प्रतिरूप **प्नेउमा** बनता है; **प्नेओ** क्रिया का अर्थ है साँस लेना।

संस्कृत **दारु** वर्ण-संकोच के बाद **द्रु** और **द्रुम** रूप धारण करता है। यही **दारु** ग्रीक भाषा में **द्रुस्** (देवदार) है, अंग्रेज़ी **ट्री** इसी वर्ण-संकोचन का परिणाम है। संस्कृत उपसर्ग **प्र** का अर्थ है आगे। जो अर्थ **पुरः** का है, वहीं **प्र** का है। **प्र** उपसर्ग **पुर** अथवा **पर** का संकुचित रूप है। **हन्ति** रूप की मूल क्रिया **घन्** है; बहुवचन में **घनन्ति** रूप, वर्ण-संकोचन के बाद, **घ्नन्ति** बनता है। संस्कृत में एक क्रिया **प्सा** (लील जाना) है। यूरोप की भाषाओं में **प्स्, क्न्, म्न्** जैसे संयुक्त व्यंजन बहुत-से शब्दों के आरम्भ में आते हैं। संस्कृत में इनका आदिस्थानीय प्रयोग अपेक्षाकृत कम है। उक्त **प्सा** क्रिया **भस्** (भक्षण करना) का संकुचित रूप है।

द्रविड़ भाषाएँ सामान्यतः शब्द के आरम्भ में संयुक्त व्यंजनों का प्रयोग नहीं करतीं किन्तु कुछ भाषाओं में इस तरह का व्यंजन-द्वित्व अनेक शब्दों में दिखाई देता है। यथा : तेलगू में **त्रच्चु** (मथना) **तरि** क्रिया का प्रतिरूप है। संस्कृत **तृषा** और अंग्रेज़ी **ड्रिंक** के अनुरूप तेलगू **त्रागु, त्रावु** (पीना) रूप हैं। पर्जि भाषा में **तार्** क्रिया का अर्थ है निगलना। सम्भव है, संस्कृत **तृ** और तेलगू **त्र** दोनों ही **तर्** जैसे मूल रूप का संक्षिप्तीकरण हों। तमिल **करइ** का अर्थ है रोना; इसके तेलगू प्रतिरूप हैं **क्रन्दु** और **क्रङ्गु**। स्पष्ट ही इसका सम्बन्ध संस्कृत **क्रन्द्** से है किन्तु संस्कृत क्रिया स्वयं **कर** जैसे शब्द-मूल का विकास है। तमिल **कल्** का अर्थ है सिखाना; **कोलमि** में इसका प्रतिरूप है **कर्प्**। कुइ में वर्ण-संकोचन के बाद इसके रूप बनते हैं : **ग्राप्प, ग्राम्ब** (सीखना, पढ़ना)। ग्रीक भाषा में **ग्राफो** का अर्थ है लिखना और **ग्राम्मा** का अर्थ है, जो कुछ लिखा जाए, **अक्षर**। तमिल **कल्** और संस्कृत **कला** से **ग्राफो** और **ग्राम्मा** बहुत दूर दिखाई देते हैं किन्तु कुछ द्रविड़ भाषाओं में इनसे

मिलते-जुलते रूप **ग्राप्प** और **ग्राम्ब** आज भी विद्यमान हैं। उक्त ग्रीक शब्दों के प्रतिरूप अन्य इंडो-यूरोपियन भाषाओं में न मिलें, तो उन्हें तमिल **कल्** से सम्बद्ध समझना चाहिए।

तमिल **वरि** का अर्थ है लिखना, चित्र बनाना। वर्ण-संकोचन के बाद तेलगू में इसके **व्रायु, रायु** जैसे रूप मिलते हैं। इनके अनुरूप **व्रात, व्रालु** (लेखन) रूप हैं। कुइ में इनके प्रतिरूप **व्रीस, व्रीसि** (लेखन, लकीर बनाना, हल चलाना) हैं। इनसे अंग्रेज़ी **राइट** की तुलना कीजिए। इस शब्द की वर्तनी में **र्** के पहले **व्** लिखा जाता है, पहले वह बोला भी जाता होगा। स्वयं तेलगू में **व्रायु** का एक प्रतिरूप **रायु** है जिसमें प्रारम्भिक **व्** का लोप हो गया है। इस **रायु** को देखकर कोई नहीं कह सकता कि इसका मूल रूप **वरि** था। किन्तु **वरि** और **रायु** का सम्बन्ध पहचानने पर अंग्रेज़ी **राइट** के स्रोत का चल जाता है और शब्द के आरम्भ में एक अनुच्चरित **व्** क्यों लिखा जाता है, इस रहस्य का भी पता लग जाता है। संस्कृत **वृषभ** का प्रतिरूप **ऋषभ** है। एक रूप **व्** विद्यमान है, दूसरे में उसका लोप हो गया है। संस्कृत **ऋष्** का एक अर्थ आघात करना, प्रविष्ट करना है, इसलिए तलवार या भाला जैसी वस्तु के लिए **ऋष्टि** शब्द है। **रिख्** क्रिया का अर्थ खरोंचना, लकीर बनाना है। इसी से **रेखा** शब्द बनता है। इसी का प्रतिरूप **लिख्** है जिसका मूल अर्थ खरोंचना, खेत में हल से नाली बनाना आदि है। **वरि, वायु** और **रायु** की तरह **वृषभ, ऋषभ, ऋष्, रिख्, लिख्**, अंग्रेज़ी **राइट्**, परस्पर सम्बद्ध शब्द हैं।

संस्कृत में **कर्षति** और **कृषि, वर्षति** और **वृष्टि, करोति** और **कृतः** जैसे रूप साथ-साथ मिलते हैं। इनमें मूल क्रिया असंकुचित रूपवाली **कर्ष, वर्ष्, कर्** है। **कृषि** आदि रूप वर्ण-संकोचन का परिणाम हैं। कायदे से वर्ण-संकोचन के बाद शब्द का रूप होना चाहिए था **ऋषि, व्रषि** आदि, किन्तु **र्** के स्थान पर **ऋ** का व्यवहार होता है। ऐतिहासिक भाषाविज्ञान में इस **ऋ** ध्वनि को विशुद्ध स्वर माना गया है। यदि किसी ध्वनि को स्वर और व्यंजन, दोनों माना जा सकता है तो वह यही **ऋ** ध्वनि है। इसमें अर्द्धव्यंजन तत्त्व है और अर्द्धस्वर तत्त्व। यदि हम स्मरण करें कि इंडो-यूरोपियन परिवार में एक **र्** मूर्धन्य अथवा पश्च मूर्धन्य है, और उसके उच्चारण में लुंठन क्रिया प्रत्यन्त क्षीण होती है, यहाँ तक कि कभी वह सुनाई नहीं देती, केवल स्वर बच रहता है, तो इस **ऋ** की विशेषता ज्ञात हो जाएगी। इस तरह का उच्चारण अंग्रेज़ी भाषा में ही नहीं है, आधुनिक ग्रीक भाषा की कुछ बोलियों में **र्** ध्वनि का लोप हो गया है, इसका कारण स्वरवत् उच्चारण है।

वैदिक भाषा में स्पष्ट ही कम-से-कम दो प्रकार की **र्** ध्वनियाँ थीं। मूर्धन्य **र्** पड़ोसी त-वर्गीय ध्वनियों का मूर्धन्यीकरण करता था, दन्त्य **न्** कहीं आसपास हो तो वह भी **ण्** में परिणत होता था। नासिक्य ध्वनि की अपेक्षा स्पर्श-ध्वनियाँ इस प्रवृत्ति से कम प्रभावित होती थीं।

वर्ण-संकोचन होने पर **क्रषि** जैसे रूप **कृषि** क्यों बने, इसका कारण यह हो सकता है कि मूर्धन्य **र्** के उच्चारण-स्थान से सबसे निकटवर्ती स्वर **इ** था। **क्रतु** जैसे रूप में **र्** तालव्य होगा; **कृत** जैसे रूप में **र्** तत्त्व मूर्धन्य होगा। वर्ण-संकोचन की प्रवृत्ति उन उत्तर-पश्चिमी गण-समाजों में अधिक थी जो मूर्धन्यीकरण से प्रभावित थे। किन्तु जैसे **कृषि** आदि रूप वर्ण-संकोचन का परिणाम हैं, वैसे **ऋतु, ऋचा** आदि रूप उस प्रक्रिया का परिणाम नहीं हैं।

## 12. स्वरों का विकास

*(क) अ-ए-ओ समीकरण*

व्यंजनों के समान स्वरों का विकास भी विभिन्न केन्द्रों में हुआ था, यह मानने के अनेक प्रमाण हैं। हिन्दी प्रदेश के पूर्वी अंचल में अकार का उच्चारण ओकारवत् होता है। बंगाल और असम प्रदेशों में स्वर का गोलाकार रूप और भी स्पष्ट हो जाता है। डॉ. सुनीतिकुमार चाटुर्ज्या ने बंगला भाषा के उद्‌भव और विकास वाली अपनी पुस्तक में बताया है कि अन्य स्वरों को सिखाते समय ह्रस्व **इ**, दीर्घ **ई**, ह्रस्व **उ**, दीर्घ **ऊ** का क्रम चलता है किन्तु दीर्घ **आ** के साथ ह्रस्व **अ** नहीं सिखाया जाता, ओकार सिखाया जाता है। हिन्दी प्रदेश के उत्तरी भाग मेरठ, हरियाणा आदि में ऐकारवाली प्रवृत्ति है। द्रविड़ भाषाओं का जो गहरा सम्बन्ध उत्तर-पश्चिमी प्रदेशों की गण-भाषाओं से रहा है, उसका एक प्रमाण द्रविड़ भाषाओं में अकार-एकार वाले वैकल्पिक रूपों की प्रचुरता है। कभी ये रूप एक ही भाषा में हैं, कभी भिन्न भाषाओं में। तमिल में **अल्, अॅल्** (रात); **कण्डन्, कॅण्डन्** (वीर पुरुष); तमिल **कट्टु**, मलयालम **कॅट्टु** (बाँधना), कन्नड़ **गट्टि**, तमिल **कॅट्टि** (क्षमता, कौशल); मलयालम **मच्चम्, मॅच्चम्** (नमूना, रीति); कन्नड़ **नण्डु, नॅण्डु** (सम्बन्ध, मैत्री); तेलगू **गन्तु, गॅन्तु** (कूदना); तमिल **पड्डु**, मलयालम **पॅड्डुक** (घटित होना)। इस प्रकार के प्रतिरूप अनेक द्रविड़ भाषाओं से दिये जा सकते हैं। जब तक कोई भाषाविज्ञानी यह निश्चित न कर दे कि इन वैकल्पिक रूपों में ध्वनि-परिवर्तन किन अटल नियमों के अनुसार होता है, तब तक यही मानना चाहिए कि भिन्न गण-भाषाओं में भिन्न स्वर-प्रवृत्तियाँ रही हैं, और उनके परस्पर सम्पर्क के कारण वैकल्पिक रूपों का चलन हुआ है। आश्चर्य की बात यह है कि द्रविड़ परिवार में कुछ भाषाएँ ओकार वाली प्रवृत्ति का परिचय भी देती हैं। यह प्रवृत्ति सबसे अधिक तोद भाषा में है। तमिल-तोद प्रतिरूप इस प्रकार हैं : **पत्त, पोद** (दस); **नाबु, नोफ** (जीभ); **पण्, पॉण्य** (काम); **पगल, पॉखॉल** (दिन); **पंडि, पॉड्य्** (गाड़ी); **कड्डु, कॉड्फ्** (अवधि); **कडम्, कोळण्** (कर्ज); **कण्, कोण्** (आँख); **काल, कोल** (पैर)। किन्तु ओकारवाले वैकल्पिक रूप अन्य भाषाओं में भी हैं, यथा : कन्नड़ में **मट्ट, मॉट्ट** (नाटा होना); **मट्टॅ, मॉट्टॅ** (ताड़ की शाखा); **तरकलु, तॉरसलु** (खुरदुरापन); **तड्डु, तॉड्डु** (अंडकोष)।

द्रविड़ भाषाओं में भिन्न स्वर-वृत्तियों वाली बोलियों का इतना सम्मिश्रण हुआ है कि ऐसे सैकड़ों शब्द हैं जिनमें अकार-एकार के वैकल्पिक रूप हैं। इनसे कम संख्या उन शब्दों की है जिनके एकार-ओकार वाले वैकल्पिक रूप हैं। कुछ शब्द ऐसे हैं जिनके अकार, एकार और ओकार वाले तीनों वैकल्पिक रूप हैं और कभी-कभी तो ये तीनों रूप एक ही भाषा में मिलते हैं। इस तरह के शब्द-रूपों का वर्गीकरण किया जाए और पूरे शब्द-भंडार में उनका प्रतिशत अनुपात निकाला जाए तो कुछ नपे-तुले निष्कर्ष सुलभ होंगे। यहाँ केवल उदाहरण-स्वरूप कुछ बातें कही जा रही हैं। एकारवादी प्रवृत्ति द्रविड़ भाषाओं के दक्षिण समुदाय में अधिक है। इस समुदाय में तोद भाषा अपवाद रूप है। वह अनेक बातों में दक्षिण समुदाय की अन्य भाषाओं से भिन्न है। इन बातों में उसकी ओकारवादी प्रवृत्ति भी है। मध्यवर्ती समुदाय में अकार वाले प्रतिरूप अधिक हैं किन्तु एकार वाले रूप उनसे घुलते-मिलते दिखाई देते हैं। जिन शब्दों के आदि वर्ण में अकार अथवा एकार है, उनके ओकार वाले प्रतिरूपों की संख्या कम है। यहाँ कुछ शब्द लेते हैं जिनके दक्षिणी रूपों में एकार है, किन्तु मध्यवर्ती क्षेत्र के रूपों में अकार है, अथवा एकार वाले रूप के साथ वह विकल्पत: विद्यमान है।

तमिल **चॅरप्पु**, गोंडी **सर्पुम्** (चप्पल); तमिल **चॅय्**, कोलमि **क**, ब्राहूइ **कमिंग्** (करना); तमिल **अॅरुमइ**, गोंडी **अर्मी** (भैंस); तमिल **कॅडु**, गोंडी **करीतान** (मरना, सड़ना); तमिल **अॅन्**, मल्तो **अनॅ**, कुड़ुख **आन्ना** (कहना); तमिल **कॅण्डइ**, तुलु **अंडु** (टखना); तमिल **अॅक्कु**, कन्नड़ **अक्कुळिसु**, तेलगू **अक्कळिंचु** (पेट खलाना)। कभी-कभी ऐसा भी होता है कि उत्तरी या मध्यवर्ती समुदाय में एकार है और दक्षिणी समुदाय में अकार किन्तु ऐसा कम होता है। एकार वाले शब्दों के ओकार वाले कुछ प्रतिरूप इस प्रकार हैं : तमिल **चॅ**, कोडगु **चो** (ललाई); तमिल **अॅळु**, कुइ **ऑड्** (सात); कोलमि **गॅट्ट**, कुवि **कॉडु** (पैर); तमिल **चॅन्नि**, मलयालम **कॉन्नि** (गाल); तमिल **पॅण्**, तुलु **पॉणु** (लड़की); तमिल **पॅय**, मल्तो **पॉयॅ** (वर्षा), कभी-कभी एकार-ओकार वाले रूप एक ही भाषा में मिलते हैं, यथा : तमिल **चॅरुगु**, **चॉरुगु** (प्रविष्ट करना)। कन्नड़ में **चम्बु**, **चॅम्बु**, **चॉम्बु** (ताम्र पात्र) तीनों प्रतिरूप हैं। इसी प्रकार गोंडी में (अथवा उसकी बोलियों में) **परोल् पॅडिरि** और **पॉरॉल्** (नाम) तीन रूप हैं। तमिल **काल्**, तोद **कोल्**, पर्जि **केल्** (पैर); तमिल **चॅम्**, कोडगु **चो**, तुलु **चन्न** (लाल); तमिल **चा**, तोद **सॉय**, कुड़ुख **खेना** (मरना); तमिल **पाल्**, तोद **पोश्**, तुलु **पेरु** (दूध); कन्नड़ **पन्दि**, पर्जि **पॅन्द**, तोद **पॉदय्** (सूअर); इन उदाहरणों से विदित होगा कि द्रविड़ भाषा-परिवार में ध्वनि-परिवर्तन के 'अटल' नियम स्थापित करना असम्भव है। ध्वनि-परिवर्तन की रीतियाँ स्पष्ट हैं। यदि आर्य भाषा-परिवार में हम तीन स्वर-प्रवृत्तियों का स्मरण करें, तो इस तरह के वैकल्पिक रूप अत्यन्त स्वाभाविक लगेंगे।

संस्कृत में क्रिया का एक रूप **ददाति** है तो दूसरा **देहि** अकारण नहीं है। **लभ्** से **लेभान्, भज्** से **भेजान, तप्** से **तेपान** जैसे रूप इसी कारण बनते हैं। संस्कृत ने परिनिष्ठित रूप प्राप्त करते हुए अनेक वैकल्पिक रूपों को एक ही व्यवस्था में बाँध लिया था। फिर भी भिन्न स्वर-प्रवृत्तियों के कारण जो वैकल्पिक रूप रचे गए थे, वे पहचान में आते हैं। एक क्रिया है **मा** जिससे **मात्रा** शब्द बनता है। दूसरी क्रिया है **मि** जिससे **मित, मिति** शब्द बनते हैं। दोनों क्रियाओं का अर्थ है नापना। वास्तव में ये भिन्न क्रियाएँ नहीं हैं, एक ही क्रिया के दो रूप हैं। एक क्रिया है **हा** (त्यागना); **हीन** (परित्यक्त) शब्द इसी क्रिया से बनता है, अर्थात् उसके **ही** वाले प्रतिरूप से बनता है (जैसे **मा** का प्रतिरूप **मि** है)। **जीर्ण** और **जूर्ण** (घिसा हुआ, बूढ़ा या पुराना), **स्थाणु** और **स्थूल** (खम्भा), **स्फरण** और **स्फुरण** जैसे शब्द-युग्म भिन्न स्वरों से बननेवाले वैकल्पिक रूपों की ओर संकेत करते हैं।

अनेक वैकल्पिक रूप परिनिष्ठित संस्कृत से बाहर रखे गए थे। हिन्दी **ईख** संस्कृत **इक्षु** का विकास है किन्तु ब्रज-अवधी का **ऊख** और बंगला का **आख** एक ही संस्कृत रूप **इक्षु** से कैसे व्युत्पन्न माने जा सकते हैं? हिन्दी **कुछ**, ब्रज **कछू**, बंगला **किछु**, एक रूप का विकास नहीं हो सकते। हिन्दी **पीछे**, ब्रज आदि **पाछे**, हिन्दी **गिनता**, अवधी **गनत**, हिन्दी **गेहूँ**, अवधी **गोहूँ**, हिन्दी **चखना**, अवधी **चीख**, हिन्दी में ही **छिपना, छुपना, चिनना, चुनना** आदि रूप भिन्न स्वर-प्रवृत्तियों का प्रमाण हैं।

आर्य भाषाओं में बंगला अनेक शब्दों में हिन्दी अकार के स्थान पर एकार का प्रयोग करती है, यहाँ तक कि अन्य भाषाओं से उधार लिये हुए शब्दों में इस प्रकार का ध्वनि-परिवर्तन करती है, यथा : **नशा—नॅशा, करामात—कॅरामात, चपटा—चॅपटा**। डॉ. सुनीति कुमार चाटुर्ज्या ने बताया है कि बंगला में एकारवादी स्वर प्रवृत्ति इतनी प्रबल है कि अनेक शब्दों में आदिस्थानीय इकार ही नहीं, अकार भी एकार में बदल जाता है। साहित्य की भाषा में ऐसे रूप लिखे कम जाते हैं किन्तु बोलचाल में उनका प्रयोग बराबर होता है।

द्रविड़ भाषाओं में आदिस्थानीय तालव्य व्यंजन के साथ बहुधा एकार का उच्चारण होता है। कन्नड़ भाषा के बारे में कहा गया है कि इसके उत्तरी क्षेत्र में ब्राह्मण लोग एकारवादी हैं और अब्राह्मण अकारवादी। उत्तर कर्णाटक में उच्चवर्ण **चॅमचा, जॅमीन, चॅप्पल** एकार के साथ बोलेंगे, अब्राह्मण मूल प्रकार ध्वनि कायम रखेंगे। इस बात को ध्यान में रखने से इस तथ्य का ज्ञान होता है कि द्रविड़ भाषाओं का, और इनमें कम-से-कम कन्नड़ भाषा का, ध्वनितंत्र मूलतः अकारवादी है। अकारवादी ध्वनितंत्र एकार-ओकारवादी प्रवृत्तियों से प्रभावित हुआ जान पड़ता है।

ग्रीक भाषा-समुदाय में दोरिक (स्पार्टा की भाषा) अकारवादी है जबकि परिनिष्ठित ग्रीक में एकार का चलन अधिक है। दोनों के प्रतिरूपों की तुलना करने

से यह भेद स्पष्ट होता है। यहाँ कुछ उदाहरण देते हैं जिनमें पहला रूप दोरिक का है, दूसरा परिनिष्ठित ग्रीक अथवा ग्रीक समुदाय की किसी अन्य भाषा का : **पादा, पेगे** (जलस्रोत); **दोतास्, दोतेस्** (दाता); **स्पदेओ, स्पेदेओ** (सेवक); **हदोस्, हेदोस्** (आनन्द); **हलिओस्, हेलिओस्** (सूर्य); **पथोस्, पेन्थोस्** (विपत्ति); **फामा, फेमे** (आकाशवाणी); **अलतोस्, अलेतेस्** (घुमन्तू); **अर्गास्, अर्गेस्** (सफेद)। अकार-एकार वाली प्रवृत्तियाँ ग्रीक समुदाय में इतनी भिन्न और स्पष्ट थीं कि जब यूनानी सैनिक युद्धभूमि में जोर से चिल्लाते थे, तब एक समुदाय की ध्वनि अकार से आरम्भ होती थी और दूसरे की एकार से। इसलिए उनकी भाषा में चिल्लाने के लिए दो शब्द हैं : **अलाला** और **एलेले**।

ग्रीक और लैटिन भाषाओं में ऐसे अनेक शब्द हैं जहाँ एक रूप अकार वाला है तो दूसरा रूप एकार वाला। ग्रीक **ब्रखुस्** लैटिन में **ब्रेविस्** (लघु, संक्षिप्त) है। इसी अकार, लैटिन **मलस्**, ग्रीक **मेलस्** (मल, बुराई), लैटिन **माग्नुस्**, ग्रीक **मेगस्** (महान्) है। एकारवादी प्रवृत्ति ग्रीक भाषा में अधिक है। जहाँ किसी क्रिया-रूप में आदि वर्ण की आवृत्ति होती है, वहाँ उस वर्ण की मूल अकार, उकार और ओकार ध्वनि का स्थान एकार ध्वनि लेती है। **लुओ** (शिथिल करना)—**एलुओमेन, लेलुमइ, नोमिज़ा** (सोचना)—**एनोमिज़ोन, नेनोमिका**।

लैटिन भाषा पर अपनी पुस्तक में पामर ने बताया है कि इस भाषा के शब्दों में जो अवरुद्ध वर्ण (क्लोज्ड सिलेबिल) होते हैं, उनमें एकार के व्यवहार की प्रवृत्ति है : **अप्तुस्—इनेप्तुस्** (अयोग्य), **कस्तुस्—इंकेस्तुस्** (निषिद्ध आचरण), **अन्नुस्—बिएन्निस्** (द्विवर्षीय), **दम्नो—कोन्देम्नो** (निन्दित)।

ग्रीक भाषा में पैर के लिए एक शब्द है **पेदोन्**, उसका प्रतिरूप है **पोदोस्**; एक रूप में एकार है, दूसरे में ओकार। लैटिन में इसके प्रतिरूप हैं **पेदो, पेस्**; साथ ही **पोदिकुस्** (पैर से सम्बन्धित), **पोदिमुस्** (पैर से नापना) रूपों में ओकार है। ग्रीक **पेर्दो** (पादना) का प्रतिरूप उसी भाषा में **पोर्दो** है। संस्कृत **धर्म** का ग्रीक प्रतिरूप **थेर्मोस्** है, लैटिन प्रतिरूप **फोर्मुस्** है। ग्रीक भाषा में **ए-ओ** स्वर जब अच्छी तरह प्रतिष्ठित हो गए, तब उनका उपयोग अर्थभेद के लिए किया जाने लगा : **ओरोफे**—छत, **एरेफो**—छत डालना, **पोकोस्**—ऊन, **पेको**—ऊन उतारना, **पोनोस्**—परिश्रम, **पेनोमइ**—परिश्रम करना।

**ए—ओ** के समान **इ—उ** के व्यवहार में भी पर्याप्त स्वच्छन्दता दिखाई देती है। कहीं तो ह्रस्व **अॅ—ऑ** ही **इ—उ** रूपों में प्रयुक्त होते हैं। संस्कृत **लघु** का ग्रीक प्रतिरूप तो **एलखुस्** है पर लैटिन प्रतिरूप **लेविस्** है। संस्कृत **द्विपद** का ग्रीक प्रतिरूप **दिपोउस्** है यद्यपि संख्यासूचक ग्रीक शब्द **दुओ** भी है। हवा के लिए एक ग्रीक शब्द **अएर्** है, दूसरा शब्द **अउर** है जो प्रात:कालीन **वायु** के लिए प्रयुक्त होता है। लैटिन में ऐसे रूप बहुत हैं जिनमें **अ—इ—उ** स्वर वैकल्पिक रूप से प्रयुक्त हुए हैं।

एक क्रियामूल है **कप्** (अधिकार करना) (अंग्रेज़ी का **ऑक्यूपाई** अधिकार करना), इससे एक रूप बना **ओक्कुपो**, दूसरा रूप **ओक्किपिओ**, साथ ही तीसरा रूप **कपिओ** भी है। इसी तरह **रपिओ** (लूटना) क्रिया से एक रूप बना **सुर्रुपिउत्**, दूसरा रूप बना **सुर्रुपुइत्**। इसी तरह **प्रोक्सुमस्** और **प्रोक्सिमस्** (निकटतम), **ओप्तुमुस्** और **ओप्तिमुस्** (श्रेष्ठजन), **मक्सुमुस्** और **मक्सिमुस्** (महत्तम), **अउरुफेक्स** और **अउरिफेक्स्** (स्वर्णकार), **पोन्तुफेक्स्** और **पोन्तिफेक्स्** (पुरोहित)। ऐसे रूपों को देखकर रोमन वैयाकरण क्विन्तिलियन ने कल्पना की थी कि शायद लैटिन में कोई स्वर ऐसा था जो इकार-उकार के बाप का था, इसलिए कुछ लोग इसे उकारवत् सुनते थे और अन्य लोग इकारवत्। आधुनिक भाषाविज्ञानी इस धारणा को स्वीकार नहीं करते। बक के अनुसार पुरानी लैटिन में उकार वाले रूप ज़्यादा हैं और बाद वाली लैटिन में इकार वाले। यानी लिखित रूपों में पहले जहाँ उकार का प्रयोग अधिक था, वहाँ बाद को इकार का प्रयोग होने लगा। यह लिखने वालों की लापरवाही का नतीजा नहीं है, इकार-उकार की ध्वनियों को स्थिर होने में समय लगा और संस्कृत की अपेक्षा लैटिन भाषा बाद में परिनिष्ठित हुई, इसलिए वैकल्पिक रूप वहाँ अधिक दिखाई देते हैं। इससे मिलती-जुलती भारत में तमिल तथा अन्य द्रविड़ भाषाओं की है। तमिल में **कटाचु, किटाचु** (ठोंकना), **कटा, किटा** (भैंसा), **कटारम्, किटारम्** (पतीली), कन्नड़ में **पदिर, पुदुर** (दो अर्थों वाली बात), यहाँ अकार-उकार में स्थान-परिवर्तन दिखाई देता है। इकार-उकार के वैकल्पिक प्रयोगों वाले रूप अनेक हैं और अनेक भाषाओं में हैं, यथा : तमिल **मिटइ, मुटइ** (टोकरी बुनना), **पिणइ, पुनइ** (बाँधना), **तिमिर, तुवर** (लेपना): तमिल **तिर**, मलयालम **तुरक्क**, (खोलना), तमिल **चिवप्पु**, मलयालम **चुवप्पु** (लाली या लाल), मलयालम **मिळकु, मुळकु** (काली मिर्च), तेलगू **पुल्लु, पिल्लु** (घास), **पिरि, पुरि** (ऐंठना), तेलगू **पिडि**, तुलु **पुडि** (व्यवहार करना), कन्नड़ **पिंडु**, कोडगु **पुंडु** (निचोड़ना)।

*(ख) स्वर-संसृति और स्वरपात*

ग्रीक-लैटिन-संस्कृत में स्वर-परिवर्तन के नियम निश्चित न कर पाने पर भाषाविज्ञानियों ने स्वर संसृति या ऐब्लाउट् का सहारा लिया। ऐब्लाउट् शब्द जर्मन भाषा का है। इसकी जगह अनेक आधुनिक भाषाविज्ञानी ग्रेड अथवा स्वर-श्रेणी की बात करते हैं। इसके अन्तर्गत स्वर-परिवर्तनों का सम्बन्ध शब्द के किसी एक वर्ण पर बल देने की प्रवृत्ति से, बलाघात से जोड़ा गया है। यह बात सही मानी जा सकती है, फिर भी समस्या यह रह जाती है कि एकार के स्थान पर ओकार क्यों आया, अकार क्यों नहीं पाया अथवा संस्कृत में एकार-ओकार के स्थान पर अकार का व्यवहार क्यों होता है। दरअसल भाषाविज्ञानियों ने जो ध्वनि-नियम बनाए हैं, वे जिन रूपों पर लागू नहीं होते, उन्हें इस ऐब्लाउट पद्धति के हवाले किया गया है।

इस स्वर-संसृति अथवा ऐब्लाउट् के बारे में ब्रुगमन ने पाँच मुख्य बातें बताई हैं : (1) स्वर-परिवर्तन शब्दमूल में होता है और प्रत्यय में भी। (2) स्वर-परिवर्तन में ह्रस्व स्वर दीर्घ भी हो जाते हैं, यथा : ह्रस्व एकार दीर्घ एकार हो सकता है, यानी स्वर-परिवर्तन परिमाणगत हो सकता है। (3) स्वर-परिवर्तन गुणात्मक हो सकता है यानी एक श्रेणी के स्वर की जगह दूसरी श्रेणी का स्वर आ सकता है, यथा : एकार के स्थान पर ओकार का प्रयोग हो सकता है। (4) यह स्वर-परिवर्तन बलाघात (जिसे अंग्रेज़ी में ऐक्सेंट कहते हैं) से सम्बद्ध है यानी शब्द में एक वर्ण की जगह दूसरे वर्ण पर जोर देकर शब्द का उच्चारण किया गया तो स्वर-परिवर्तन हो सकता है। (5) यह स्वर-परिवर्तन किन्हीं ध्वनि-नियमों के अनुसार नहीं होता जो इंडो-यूरोपियन (ब्रुगमन के इंडो-जर्मैनिक) परिवार की भाषाओं पर लागू होते हों। इसका उद्भव उस आदिम काल में माना जाएगा जब अनेक भेद आदि इंडो-यूरोपियन भाषा में ही उत्पन्न हो गए थे।

इन पाँच बातों में आखिरी बात सबसे महत्त्वपूर्ण है। ऐसे ध्वनि-नियमों का आविष्कार अभी नहीं हुआ जिनसे इन अनियमित-से लगनेवाले ध्वनि-परिवर्तनों की व्याख्या की जा सके। व्याख्या इसलिए नहीं की जा सकती कि भाषाविज्ञानी किसी भाषा को बोलियों का समुदाय न मानकर उसे समरूप व्यवस्था मान लेते हैं। यदि इस बात का अध्ययन किया जाए कि विभिन्न बोलियों की प्रवृत्तियाँ कौन-सी हैं, एक ही भाषा के अन्तर्गत, एक ही व्यवस्था में शामिल होने पर भी उनकी भिन्नता समाप्त नहीं हो जाती, वरन् वे अलग-अलग दिशाओं में, कभी-कभी परस्पर विरोधी दिशाओं में होनेवाले परिवर्तनों को प्रेरित करती हैं, और इन भिन्नताओं, प्रेरणाओं और परिवर्तनों की सीमाएँ होती हैं जिनसे वह भाषा अथवा भाषा-समुदाय पहचाना जाता है, तो स्वर-परिवर्तन इतने अनियमित न जान पड़ें। इसलिए आवश्यक है कि जिन परिवर्तनों को ऐब्लाउट् या ऐसा कोई अन्य नाम देकर शेष ध्वनि-परिवर्तनों से अलग लिया गया है, ध्वनि-परिवर्तनों के व्यापक सन्दर्भ में ही उनका अध्ययन किया जाए। भारतीय भाषा-परिवेश पर ध्यान देने से यह बात स्पष्ट हो जाती है कि मध्यदेशीय अकार पूर्वी तथा उत्तर-पश्चिमी सीमान्तों में एकार-ओकार में बदलता है और इस तरह का परिवर्तन द्रविड़ भाषाओं में भी होता है, और बहुधा एक ही द्रविड़ भाषा में एकार-ओकार वाले ही नहीं, इकार-उकार वाले वैकल्पिक रूप बनते हैं। इस तरह के विकल्प संस्कृत में कम हैं, ग्रीक भाषा में बहुत हैं।

**बोधामि**—यहाँ ज़ोर पहले वर्ण पर है, यह सबल श्रेणी का स्वर हुआ; **बुद्धः**—यहाँ जोर अन्तिम वर्ण पर है, यह निर्बल श्रेणी का स्वर हुआ जो ओकार से घटकर उकार हो गया। **वेद**—यहाँ ज़ोर पहले वर्ण पर है। **विद्म**—यहाँ ज़ोर दूसरे वर्ण पर है। पहले उदाहरण में सबल कोटि का स्वर है, दूसरे उदाहरण में निर्बल कोटि का स्वर है जो एकार से घटकर इकार हो गया। **दधामि**—यहाँ ज़ोर फिर

पहले वर्ण पर है, **हितः**—यहाँ जोर दूसरे वर्ण पर है। सबल कोटि का **धा** निर्बल कोटि में बदलकर **हि** हो गया। (**दधामि** में **धा** क्रिया की आवृत्ति की गई है और इस आवृत्ति में पहला **ध** अल्पप्राण कर दिया गया है)। अन्य रूप **दध्म** में निर्बल श्रेणी का स्वर घटा ही नहीं, लुप्त हो गया है। संस्कृत **पत्**, उड़ना क्रिया का एक ग्रीक रूप है **पॅतॉमइ** (**पतामि** की तरह, ज़ोर पहले वर्ण पर है); इसका ओकार श्रेणी वाला रूप बनता **पॉते** (ज़ोर दूसरे वर्ण पर है); अन्य रूप है **ऑप्तोमेन्** (ज़ोर दीर्घ ओकार पर है)। मुख्य समस्या दरअसल एकार की है। बक के अनुसार यह बात सन्दिग्ध है कि ओकार की ऐसी कोई स्वर-परिवर्तन वाली श्रेणी थी; अकार वाली श्रेणी अधिक महत्त्वपूर्ण है, किन्तु एकार वाली श्रेणी के मुकाबले में विरल है और उससे सम्बन्धित सामग्री कम मिलती है। इस प्रकार इस स्वर-संसृति में **ए** स्वर ही सबसे महत्त्वपूर्ण ठहरता है। यही स्वर **ओ** और **अ** में बदलता दिखाई देता है। यह स्वर कहीं ह्रस्व से दीर्घ होता है, कहीं घटकर इकार हो जाता है और कहीं उसका लोप हो जाता है। ऊपर **पतॉमइ** वाले उदाहरण में एकार का ओकार में बदलना और उसका लोप होना हम देख चुके हैं। अन्य उदाहरण संस्कृत क्रियामूल **मन्** के ग्रीक प्रतिरूप **मॅन्** का है। इसका एक रूप **मॅनो**, दूसरा रूप **मॉने**, तीसरा रूप **निम्नो** है। तीनों रूपों में प्रथम वर्ण का स्वर ह्रस्व है, दूसरे का दीर्घ; एकार एक जगह ओकार हुआ, दूसरी जगह घटकर इकार हुआ; **मॉने** वाले रूप में स्वरपात दूसरे वर्ण पर है, पहले और दूसरे रूपों में प्रथम वर्ण पर। ब्रुगमन ने अनेक उदाहरण दिये हैं जहाँ स्वरपात ह्रस्व या दीर्घ एकार पर होता है जब इस स्वरपात वाले वर्ण से जोर हट जाता है, शब्द के दूसरे वर्ण पर स्वरपात होता है, तब एकार ओकार में बदल जाता है : **फ्रेन्** (स्वरपात पहले वर्ण पर) **अफ्रोन्** (स्वरपात, पहले वर्ण पर; यहाँ **फ्रे** शब्द में **अ** जोड़ा गया है; **फ्रे** का स्वरपात खिसककर **अ** पर आया; **फ्रे** का एकार बदलकर ओकार हुआ); **पतेर** और **अपतोर** (पहले रूप में स्वरपात **ते** पर, दूसरे में **प** पर; **ते** बदलकर **तो** हुआ)। इसे सामान्य प्रवृत्ति माना जा सकता है। संस्कृत **तक्षणम्** के प्रतिरूप **तॅक्तॉन्** (स्वरपात प्रथम वर्ण पर) आदि के उदाहरण देकर ब्रुगगम कहते हैं, एकार-ओकार के बीच बहुधा परिवर्तन इस तरह साधा जाता है कि एकार (ह्रस्व या दीर्घ) उस वर्ण में होता है जिस पर मूलतः स्वरपात था और ओकार (ह्रस्व या दीर्घ) अगले वर्ण में होता है जिस पर स्वरपात नहीं है।

ऐसा बहुधा होता है जिससे एक रीति (अंग्रेज़ी में जिसे पैटर्न कहेंगे) उभरकर सामने आती है। ध्वनि-परिवर्तनों में ऐसी रीतियों का अध्ययन अटल ध्वनि-नियमों के आविष्कार से अधिक महत्त्वपूर्ण है। ब्रुगमन ने बहुत सही कहा है कि रूप-रचना के विभिन्न स्तर हैं जो एक-दूसरे पर स्थित हैं, और ये स्तर विभिन्न कालों के हैं। यह बात पुरातत्त्व की खुदाई की याद दिलाती है जहाँ एक ही स्थान पर सभ्यता के अनेक स्तर मिलते हैं और इन सभी स्तरों का स्रोत एक नहीं होता। ब्रुगमन अपने

व्याकरण के पहले खंड में कहते हैं : "इस दिशा में जो अनुसंधान-कार्य चालू किया गया, वह अभी काफी दूर नहीं पहुँचा जिससे कि इस सिद्धान्त के अनुसार इस स्वर-परिवर्तन की श्रेणियों की व्यवस्था पूर्णतः सुनिश्चित करके प्रस्तुत कर दी जाए। और यह बात सन्दिग्ध है कि हमें ऐसी व्यवस्था की प्राप्ति को अपना लक्ष्य बनाने का अधिकार है भी या नहीं—जिस अर्थ में सामान्यतः ऐसे लक्ष्य सामने रखे जाते हैं, उसी अर्थ में। रूपनिर्माण के अनेक स्तर हैं, उनका उद्भव-काल भिन्न है, वे एक-दूसरे पर स्थित जान पड़ते हैं। जिन रूपों का उद्भव पहले हुआ था, सम्भव है, उनका बहुत-कुछ अंश रूपों के स्थानान्तरण से विलुप्त हो गया हो, इससे पहले कि स्वर-परिवर्तन का नया कारण सक्रिय हो, और बाद वाला ध्वनि-नियम, जिससे नये भेद पैदा हुए हों, उसी तरह क्रियाशील न रहा हो जिस तरह पुराना नियम क्रियाशील था अथवा पुराने नियम क्रियाशील थे। इस स्थिति में आरम्भ से ही यह आशा करना असम्भव है कि समानान्तर उदाहरण सर्वत्र मिल जाएंगे।" (पृ. 246-47)

यहाँ ब्रुगमन का सहज भाषावैज्ञानिक बोध ऐतिहासिक भाषाविज्ञान के पुरान ढाँचे से टकराता दिखाई देता है। रूप-निर्माण के अनेक स्तर हैं, इनका उद्भवकाल भिन्न है—ये एक-दूसरे पर स्थित जान पड़ते हैं, व्यवस्था (शब्द के सामान्य अर्थ में) कायम करने का प्रयास भी उचित नहीं है। यह प्रतीति उनके सहज बोध का परिणाम है। किन्तु कालभेद के साथ वह स्थानभेद की बात नहीं सोचते। आदिभाषा एक है, वह विभिन्न कालों में विकसित हुई है, एक काल के रूप काफी संख्या में खो गए हैं इसलिए उनसे सम्बन्धित नियमों का पता नहीं लगाया जा सकता, भाषा बोलनेवाला समुदाय एक ही है, भले ही वह किसी एक अज्ञात स्थान से दूसरे अज्ञात स्थान तक पहुँच गया हो। यही वह पुराना ढाँचा है जिसमें कालभेद मान लिया किन्तु विभिन्न जनसमुदाय अपनी भिन्न भाषा-प्रवृत्तियों के साथ परस्पर में पाए हैं और इस तरह रूप-निर्माण के विभिन्न स्तर विभिन्न कालों की देन नहीं हैं, विभिन्न स्थानों की (विभिन्न भाषा-केन्द्रों की) और विभिन्न गण-समाजों की (भिन्न भाषाएँ बोलनेवाले जनसमुदायों की) देन हैं, यह न माना जाएगा। यहीं ऐतिहासिक भाषाविज्ञान के विकास में गतिरोध उत्पन्न होता है।

स्वर-संसृति का गहरा सम्बन्ध स्वरपात से है। स्वरपात इस सन्दर्भ में दो तरह का है : एक बलाघात जिसे अंग्रेज़ी में स्ट्रेस् कहते हैं। अंग्रेज़ी, जर्मन, रूसी आदिभाषाओं में इसी तरह के स्वरपात का चलन है। दूसरी तरह का स्वरपात वह होता है जिसका सम्बन्ध स्वर के उतार-चढ़ाव से है मानो कहीं पर स्वर पंचम हो और कहीं मध्यम। इसे स्वरतान कह सकते हैं। ग्रीक और संस्कृत भाषाओं में इस स्वरतान की प्रधानता है। इससे भाषाविज्ञानियों ने कल्पना की है कि आदिभाषा में स्वरपात संगीतमय था यानी स्वरतान का चलन था, बलाघात का नहीं। किन्तु स्वर-संसृति में जैसे परिवर्तन होते हैं, वे केवल स्वर के उतार-चढ़ाव से नहीं हो सकते, उनका

सम्बन्ध बलाघात से होना चाहिए जिससे कहीं स्वर घट जाता है, कहीं दीर्घ होता है और कहीं लुप्त हो जाता है। जैसे फ्रांसीसी भाषा का शब्द **कापितैन** अंग्रेज़ी में **कैप्टॅन्** हो जाता है, दूसरे वर्ण के इकार का लोप प्रथम वर्ण पर बलाघात के कारण होता है, वैसी ही प्रक्रिया अनेक ग्रीक शब्द-रूपों में होती है। इसलिए भाषाविज्ञानी मानते हैं कि आदिभाषा में स्वरपात मूलतः स्वरतान के रूप में था किन्तु बलाघात का असर भी विद्यमान था। यहाँ भी वे दो भिन्न प्रवृत्तियों का सम्पर्क स्वीकारने पर बाध्य होते हैं। ग्रीक भाषा में सामान्यतः स्वर-संसृति के अन्तर्गत जिन रूपों का विवेचन होता है, उनके अलावा भी अन्य रूपों में बलाघात के कारण ऐसे परिवर्तन दिखाई देते हैं जिसमें किसी स्वर या वर्ण का लोप हो जाता है। ग्रीक शब्द **प्तेरूग्** (पंख) उसी **पत्** क्रिया से बना है जिसका अर्थ है उड़ना। स्वरपात एकार पर है; **प्** के साथ जो स्वर था, उसका लोप हो गया। यहाँ ऐसी प्रवृत्ति के दर्शन होते हैं जिसमें शब्द के दूसरे वर्ण पर इतने ज़ोर से बलाघात होता है कि पहले वर्ण का स्वर ही लुप्त हो जाता है।

ग्रीक और लैटिन बहुत मिलती-जुलती भाषाएँ हैं किन्तु इनकी स्वरपात पद्धति अलग-अलग है। विशेषज्ञों का कहना है कि लैटिन में मूलतः सभी शब्दों में प्रथम वर्ण पर बलाघात होता था। यह आघात स्वरतान नहीं था, इसका सम्बन्ध स्वरों के उतार-चढ़ाव से नहीं है। ग्रीक भाषा का स्वरपात मुख्यतः स्वरतान वाला माना गया है, लैटिन का स्वरपात स्वरतान-विहीन था। दो समीपवर्ती व्याकरण और शब्द-भंडार में बहुत ही मिलती-जुलती भाषाओं में यह भेद कैसे उत्पन्न हो गया? और दोनों तरह के स्वरपात का उद्गम एक ही होगा; आदिभाषा के **म्** की तरह जो स्वर भी है और व्यंजन भी है; यह स्वरपात स्वरतान है और बलाघात भी!

लैटिन और ग्रीक में स्वरपात-सम्बन्धी एक भेद यह है कि ग्रीक में स्वर का उतार-चढ़ाव है और लैटिन में वह विशुद्ध बलाघात है। दूसरा अन्तर यह है कि संस्कृत की तरह ग्रीक में भी यह स्वरपात शब्द में किसी विशेष स्थान के वर्ण से सम्बद्ध नहीं है। वह मुक्त स्वरपात है। लैटिन में यह स्वरपात शब्द के आदि वर्ण से जुड़ा हुआ है, इस तरह वह प्रतिबद्ध स्वरपात था। इसी कारण संस्कृत दक्ष के समानान्तर ग्रीक **देक्सितेरोस्**—स्वरपात अन्तिम वर्ण पर—लैटिन में आकर **देक्स्तर्** हो जाता है जहाँ दूसरे वर्ण का इकार लुप्त हो गया है। इसी तरह लैटिन **क्विन्क्वे** तथा **देकेम्** के योग से शब्द बनता है **क्विन्देकिम्** (पन्द्रह)। यहाँ एक पूरे वर्ण **क्वे** का लोप हो गया। भाषाविज्ञानी कहते हैं कि लैटिन में यह स्थिति उसके विकास के प्राचीन काल में थी किन्तु बाल्तिक भाषा लैतवियन के बारे में कहा गया है कि बलाघात पहले अन्य वर्णों पर भी होता था, फिर खिंचकर प्रथम वर्ण पर स्थिर हो गया मानो जो दशा लैटिन की पहले थी, वही लैतवियन की बाद में हुई। इसका कारण विभिन्न कालों में दोनों भाषाओं पर किसी अन्य भाषा-समुदाय का एक ही कोटि का प्रभाव

हो सकता है। इसका परिणाम यह हुआ कि लैतवियन भाषा के शब्दों के अन्तिम वर्णों में जहाँ दीर्घ स्वर थे, वहाँ वे ह्रस्व हो गए; जहाँ युग्म स्वर थे, वहाँ उनमें से एक ही रह गया; और जहाँ अकार या एकार था, वहाँ उसका लोप हो गया। आदि वर्ण पर बलाघात करने की सामान्य प्रवृत्ति चौसर से पहले की अंग्रेज़ी में विद्यमान थी। जर्मन भाषा में यह प्रवृत्ति अब भी विद्यमान है यद्यपि उसकी विरोधी प्रवृत्तियाँ भी हैं। यह देखना दिलचस्प होगा कि ग्रीक और संस्कृत में प्रतिशत शब्द कितने हैं जहाँ प्रथम वर्ण पर स्वरपात होता है। मेरा अनुमान है कि अन्य स्थानों वाले स्वरपात की अपेक्षा प्रथम वर्ण वाले स्वरपात की संख्या ही अधिक होती है। आजकल जब लोग संस्कृत पढ़ते हैं तब शायद ही किसी को ध्यान रहता हो कि **ददाति, दिदामहे, पिबति, पिबामि** जैसे रूपों में स्वरपात पहले वर्ण पर होगा। ग्रीक भाषा में **तिथेमि** (मैं रखता हूँ), **दिदोमि** (मैं देता हूँ) जैसे रूपों में स्वरपात पहले वर्ण पर है। भारत में, बंगला एक ऐसी भाषा है जिसमें बलाघात अधिकतर प्रथम वर्ण पर होता है। असमिया में दो विरोधी प्रवृत्तियाँ देखी जाती हैं। एक प्रदेश की बोली में बलाघात प्रथम वर्ण पर है तो अन्य प्रदेश की बोली में भिन्न वर्गों पर। प्रथम वर्ण पर बलाघात होने से पूर्वी बंगाल में मुसलमान फ़ारसी शब्दों के जैसे सुन्दर अपभ्रंश निकालते हैं, वैसे अन्यत्र दुर्लभ हैं। **खोद्‌देर, मुहुरि, बोनिदी** क्रमशः **खरीददार, मुहर्रिर, बुनियादी** हैं। डॉ. चाटुर्ज्या ने दुखी होकर लिखा है कि इस बलाघात ने फ़ारसी ध्वनियों का नाश कर दिया है। किन्तु शायद इसीलिए बंगाल में फ़ारसी-मिश्रित बंगला, उर्दू की तरह, भाषा के मुख्य प्रवाह से अलग कटकर भिन्न धारा नहीं बनी। उधर साहित्यिक बंगला में संस्कृत शब्दावली अपना मूल रूप कुछ पढ़े हुए भद्रजनों के लिए बनाए रहती है किन्तु बोलचाल में उनका तद्‌भव रूप ही सुनाई देता है जिसे पहचानना हमेशा आसान नहीं होता। **निलि-मिशि उच्छग्गु, निरिबिलि, बितिकिच्छि** क्रमशः **निरामिष, उत्सर्ग, निराविल, विचिकित्सा** हैं। डॉ. चाटुर्ज्या ने इस बात का उल्लेख किया है कि प्रथम वर्ण पर बलाघात के कारण बंगाल की अनेक स्थानीय बोलियों में—इनमें पूर्वी बंगाल ही नहीं, पश्चिमी बंगाल भी शामिल है—उन वर्णों में स्वर-लोप होता है जिन पर बलाघात नहीं है। यूरोप की जिन भाषाओं में प्रथम वर्ण पर बलाघात है, उनमें स्वर-लोप की ठीक यही प्रवृत्ति दिखाई देती है।

ग्रीक और संस्कृत भाषाओं में शब्द के जिस वर्ण पर भी स्वरपात हो, उस पर केवल बल देना काफी नहीं है। यह बल स्वर के विशेष उतार-चढ़ाव के साथ दिया जाता है। संस्कृत में उदात्त—चढ़ा हुआ स्वर, अनुदात्त—गिरा हुआ स्वर, स्वरित—मध्यवर्ती स्वर; इसी प्रकार ग्रीक भाषा में तीन स्वरतानें हैं। जर्मन, लैटिन आदिभाषाओं में इस तरह की स्वरतानों का अभाव है किन्तु नॉर्वे और स्वीडन की भाषाओं में स्वर का आरोह, अवरोह, अर्थ-विच्छेदक होता है। कुछ लोग कह सकते हैं कि यह

ऐक्सेंट नहीं टोन है। इस तरह की स्वरतानें नाग भाषा-परिवार की विशेषता हैं। यहाँ दो से लेकर छह तक स्वरतानें सुनाई देती हैं। भारत के बाहर ऐसी स्वरतानों की संख्या अधिक है, भारत के भीतर नाग-परिवार की भाषाओं में दो या तीन स्वरतानें ही हैं।

नॉर्वे और स्वीडन की भाषाओं में जो मूर्धन्य स्पर्श-ध्वनियाँ मिलती हैं, भाषाविज्ञानी उनका सम्बन्ध भारत से न जोड़ेंगे। इसी तरह इन भाषाओं में जो स्वरतानों की व्यवस्था है, उसका सम्बन्ध भी भारत से न जोड़ेंगे। किन्तु इन भाषाओं की स्वरतानों को समझने से ग्रीक और संस्कृत की स्वरपात-व्यवस्था अधिक सुबोध हो जाती है। नॉर्वे की भाषा में दो तरह की स्वरतानें हैं : एक, अनुदात्त से उदात्त की ओर, यानी पहले अवरोह, फिर आरोह; दूसरी, उदात्त से अनुदात्त की ओर, यानी पहले आरोह, फिर अवरोह। मुख्य बात यह है कि ये स्वरतानें स्वरपात अथवा बलाघात से अलग प्रयुक्त नहीं होतीं। जहाँ स्वरपात होगा, उसी के साथ स्वर का आरोह और अवरोह जुड़ा होगा। यहाँ हम टोन और ऐक्सेंट, स्वरतान और बलाघात का प्रत्यक्ष सम्बन्ध देख सकते हैं।

नॉर्वे और स्वीडन की भाषाएँ, जितना लैटिन ग्रीक से मिलती हैं, उससे भी ज्यादा जर्मन भाषा से मिलती-जुलती हैं। जैसे ग्रीक भाषा के स्वरपात में और लैटिन भाषा के बलाघात में महत्त्वपूर्ण भेद है, वैसे ही नॉर्वे और स्वीडन की भाषाओं की स्वरतानों में और जर्मन भाषा के बलाघात में मौलिक अन्तर है।

जिन भाषाओं में स्वरतान प्रमुख होती है, उनमें स्वर की ह्रस्वता और दीर्घता प्राय: अर्थ-विच्छेदक नहीं होती। नाग भाषाएँ अधिकतर एकवर्णी होती हैं। जिन शब्दों में एक से अधिक वर्ण होते हैं, उनमें भी भिन्न वर्ण भिन्न स्वरतानों के अनुसार उच्चरित होते हैं। स्वरों के निरन्तर उतार-चढ़ाव के कारण यहाँ मुख्य भेद इस उतार-चढ़ाव की मात्रा का होता है, स्वर की दीर्घता या ह्रस्वता का नहीं, मानो स्वरतान वाली भाषाओं में बालनेवाले का स्वर जमीन पर खड़े किए बाँस पर नट की तरह निरन्तर ऊपर से और नीचे से ऊपर चढ़ता-उतरता हो, और स्वरतानहीन भाषाओं में मनुष्य समतल भूमि पर कभी छोटे कदम और कभी बड़े कदम रखकर चलता हो। अब नॉर्वे की भाषा की यह विशेषता दर्शनीय है कि जिस वर्ण पर स्वरपात होता है, वह दीर्घ होता है।

नॉर्वे और स्वीडन की भाषाओं के अलावा बलाघात के साथ स्वरतान की व्यवस्था बाल्टिक भाषाओं में भी है। इन भाषाओं में किसी वर्ण-विशेष पर बल देना ही काफी नहीं है वरन् उसके उच्चारण में स्वर के आरोह-अवरोह का ध्यान रखना भी आवश्यक है। इस प्रकार नॉर्वे और स्वीडन की भाषाओं को स्वरतान के मामले में अपवाद नहीं माना जा सकता।

स्पष्ट ही दो विरोधी प्रवृत्तियाँ कुछ भाषाओं को एक साथ प्रभावित कर रही हैं। एक प्रवृत्ति वह है जिसमें स्वरतान प्रमुख है; दूसरी प्रवृत्ति वह है जिसमें बलाघात

प्रमुख है। कुछ भाषाओं में केवल बलाघात है, जैसे जर्मन और लैटिन में, और कुछ में दोनों मिल गए हैं, जैसे ग्रीक और नॉर्वीजियन में। इनसे भिन्न एक तीसरी प्रवृत्ति है जहाँ स्वर के ह्रस्व या दीर्घ होने का ही अर्थबोधक महत्त्व होता है। हिन्दी में और उसके साथ अधिकांश आधुनिक आर्य भाषाओं में न तो स्वरतान है और न बलाघात। भारत के लिए तो कहा जाएगा कि द्रविड़ प्रभाव से ये आर्य विशेषताएँ नष्ट हो गईं किन्तु यूरोप में लैटिन का जो अपभ्रंश रूप (वल्गर लैटिन) प्रचलित था, उससे बलाघात का लोप कैसे हो गया? हिन्दी की तरह इटालियन में न तो स्वरतान है, न बलाघात। दूर प्रदेशों में विकास की यह समानता क्या भाषाविज्ञान के किसी सामान्य नियम के अनुसार है?

मध्यदेश की मूल आर्य भाषाएँ बलाघात और स्वरतान, दोनों से मुक्त थीं। पूर्वी और उत्तर-पश्चिमी सीमान्तों पर इनके समानान्तर गण भाषाओं पर एक ओर बलाघात वाली भाषाओं का प्रभाव पड़ा और दूसरी ओर बलाघात के साथ स्वरतान वाली भाषाओं का भी। संस्कृत की मूल सम्पदा मध्यदेश की है किन्तु वैदिक भाषा ने अपना रूप उत्तर-पश्चिमी गण भाषाओं के प्रभाव से निखारा और नाग भाषाओं का जैसा प्रभाव उत्तर-पश्चिम में था, वैसा मध्यदेश में नहीं। यूरोप की अनेक भाषाएँ इसी उत्तराखंड की गण भाषाओं से प्रभावित हुई हैं। वैदिक भाषा से प्रायः सभी सामग्री लेनेवाली संस्कृत स्वरतान को त्याग देती है, स्वरपात शिथिल हो जाता है और आधुनिक भाषाओं में दोनों का लोप हो जाता है। बाहरी प्रभाव क्रमशः क्षीण होते जाते हैं और मध्यदेश की अपनी प्राचीन प्रवृत्तियाँ फिर उभर आती हैं। आधुनिक इटालियन लैटिन की पुत्री वैसे ही मानी जाती है, जैसे हिन्दी संस्कृत की। यहाँ हम भाषा-तत्त्वों में ध्वनितंत्र की महत्त्वपूर्ण भूमिका पुनः देखते हैं। इटालियन का शब्द-भंडार भले ही 90% लैटिन से लिया गया हो किन्तु उसकी ध्वनि-व्यवस्था लैटिन से स्वतंत्र है यानी वह मूलतः भिन्न गण भाषा है। प्राचीन लैटिन का बलाघात जर्मन और अंग्रेज़ी में मिले और इटालियन में न मिले, इसका कोई कारण समझ में नहीं आता है।

संस्कृत उस कोटि की भाषा है जिसमें स्वर का ह्रस्व और दीर्घ होना महत्त्वपूर्ण है। यहाँ नॉर्वीजियन की-सी स्थिति नहीं है कि जहाँ स्वरपात होगा, वहाँ स्वर दीर्घ हा जाएगा। इस ह्रस्व-दीर्घ स्वरों वाली भाषा ने, ग्रीक-लैटिन आदि के निर्माणकाल में, उनकी स्रोत-भाषाओं को प्रभावित किया। यूरोप की भाषाओं में स्वरों की दीर्घता हो तो महत्त्वपूर्ण है और कहीं कम महत्त्वपूर्ण है या महत्त्वपूर्ण नहीं है, इसका यही रहस्य है।

बलाघात और स्वरतान के प्रसंग में यह स्मरणीय है कि वैदिक छन्द-रचना में इन दोनों की प्रमुख भूमिका नहीं है। वैदिक छन्द मुख्यतः वर्ण-प्रधान हैं, लगभग वैसे ही जैसे बंगला के छन्द और हिन्दी का कवित्त। वर्णों की संख्या द्वारा पंक्ति की लय नियमित की जाती है किन्तु कौन-सा वर्ण ह्रस्व है, कौन-सा दीर्घ, इसका ध्यान प्रायः नहीं रखा जाता। संस्कृत में गणात्मक छन्दों का चलन हुआ जहाँ वर्ण के

ह्रस्व-दीर्घ होने से लय का नियमन होता है। संस्कृत की मूल प्रवृत्ति स्वरों की ह्रस्वता और दीर्घता का भेद करनेवाली थी, बलाघात वाली भाषाओं के अनुरूप इस भेद को गौण माननेवाली नहीं थी, इस कारण संस्कृत में गुणात्मक छन्द लोकप्रिय हुए। ग्रीक भाषा में भी छन्द-रचना का आधार स्वरों की ह्रस्वता और दीर्घता है। इसका प्रभाव लैटिन तथा आधुनिक अंग्रेज़ी आदिभाषाओं पर भी पड़ा है, किन्तु शेक्सपियर की छन्द-रचना बार-बार ग्रीक कविता से चली आती हुई परिपाटी का उल्लंघन करती है, खास तौर से 'हैमलेट' के रचनाकाल वाले तथा बाद के नाटकों में। कोलरिज ने अपनी कविता 'क्रिस्टाबेल' में जानबूझकर ग्रीक परिपाटी की व्यर्थता सिद्ध की और वर्णों की संख्या घटाते-बढ़ाते हुए पंक्ति में बलाघातों की संख्या एक जैसी रखी है। कहने का आशय यह है कि जो भाषाएँ बलाघात-प्रधान हैं, उनके यहाँ छन्द-रचना में स्वर की ह्रस्वता और दीर्घता महत्त्वपूर्ण नहीं है किन्तु जिन भाषाओं में बलाघात का अभाव है या वह गौण है, उनके यहाँ छन्द-रचनाओं में स्वर की ह्रस्वता और दीर्घता ही महत्त्वपूर्ण है। हिन्दी के मात्रिक छन्दों में संस्कृत के गणात्मक छन्दों की अपेक्षा लयमुक्त होती है किन्तु मात्राओं की गिनती स्वरों की ह्रस्वता और दीर्घता के विचार से ही होती है।

### *(ग) स्वरों के रूपान्तर*

ऐतिहासिक भाषाविज्ञान की एक मान्यता यह है कि आदि इंडो-यूरोपियन भाषा में जहाँ एकार ओकार थे, वे भारत ईरानी शाखा में अकार हो गए। जहाँ अकार था, वहाँ वह कायम रहा। यथा : **पशु** शब्द लैटिन में **पेकु** है; मूल शब्द का एकार संस्कृत में अकार हो गया। इस परिवर्तन का कोई कारण नहीं बताया जाता। जैसे द्रविड़ों के संसर्ग से मूर्धन्य ध्वनियों के विकास की बात कही जाती थी, वैसी भी कोई बात इस सम्बन्ध में नहीं बताई गई। भारत में मूल शब्दों के एकार-ओकार का अकार में बदल जाना वैसी ही चमत्कारी घटना है जैसी अघोषता और अल्पप्राणता के द्रविड़ परिवेश में सघोष महाप्राण ध्वनियों का संस्कृत में कायम रहना। द्रविड़ भाषाएँ न केवल दीर्घकार ओकार का प्रयोग करती हैं, वरन् व्यापक स्तर पर उनमें ह्रस्व एकार-ओकार का अर्थ-विच्छेदक उपयोग भी किया जाता है। होना यह चाहिए था कि आगन्तुक आर्यों की भाषा में ये ध्वनियाँ न होतीं, तो द्रविड़ों के प्रभाव से आर्यों के ध्वनितंत्र में वे अपना स्थान न बना लेतीं। यदि होतीं तो द्रविड़ों के सम्पर्क से उनकी स्थिति और सुदढ़ हो जाती। किन्तु यह सब होने के बदले हुआ इससे ठीक उल्टा। ह्रस्व-दीर्घ, दोनों एकार-ओकार एक ही अकार सत्ता में विलीन हो गए।

संस्कृत में ह्रस्व **ए-ओ** स्वर नहीं हैं। किन्तु दीर्घ **ए-ओ** हैं। यदि आदि इंडो-यूरोपियन भाषा के दीर्घ **ए-ओ** भारत में आकर **आ** बन गए, तो संस्कृत के दीर्घ **ए-ओ** की सृष्टि क्या नये सिरे से हुई?

संस्कृत में ह्रस्व ओकार नहीं है किन्तु भारतीय आर्य भाषा-परिवार का पूर्वी समुदाय इस ह्रस्व ओकार का ही प्रयोग करता है, उसमें ह्रस्व अकार का अभाव है। यदि आर्य लोग भारत में आने से पहले ह्रस्व **ओ** का प्रयोग करते थे तो, संस्कृत के निर्माणकाल में उसका लोप हो जाने के बाद, पूर्वी समुदाय ने क्या फिर उसकी नये सिरे से सृष्टि की? और सृष्टि भी ऐसी की कि संस्कृत अकार को निर्मूल करके ही छोड़ा!

ईरान में फ़ारसी जिस ढंग से बोली जाती है, वह हिन्दुस्तानियों की सीखी हुई फ़ारसी के ढंग से अलग है। उसमें यह ओकारवादी प्रवृत्ति अत्यन्त मुखर है। ईरान के अलावा दक्खिनी रूस की भाषा में यही गोलाकार उच्चारण उस क्षेत्र की रूसी का विशेष लक्षण माना जाता है। मानना होगा कि आदि इंडो-यूरोपियन भाषा नाम की कोई एक भाषा नहीं थी, कम-से-कम दो आदिभाषाएँ थीं : एक प्रकारवादी, दूसरी ओकारवादी।

किसी भाषा-परिवार के निर्माण और विकास का अध्ययन करते समय यदि आसपास के भाषा-परिवारों पर ध्यान दिया जाए तो यह तथ्य स्पष्ट होता है कि स्वरों के प्रयोग से जैसे वैकल्पिक रूप आर्य भाषाओं में बनते हैं, वैसे द्रविड़ भाषाओं में भी बनते हैं। ऐतिहासिक भाषाविज्ञान ध्वनि-परिवर्तन के कारण नहीं बताता किन्तु समस्त भाषाई परिवेश पर ध्यान देने से कारण समझ में आने लगते हैं। यहाँ तीन केन्द्रों में तीन स्वरों का विकास हुआ। उत्तर-पश्चिम में एकार, पूर्व में ओकार और इन दोनों के बीच में अकार। यह स्थिति मेरठ, लखनऊ और पटना की बोलियों को सुनने से आज भी पहचानी जा सकती है। ये अत्यन्त प्राचीन स्वर-पद्धतियाँ आर्य-द्रविड़ भाषाओं में वैकल्पिक रूपों के लिए मुख्यत: उत्तरदायी हैं। द्रविड़ भाषाएँ भारत के उत्तर-पश्चिम में बोली जाती थीं। उस प्रदेश से होकर जिन भारतीय भाषा-तत्त्वों का निर्यात हुआ है, वे अपने साथ द्रविड़ भाषाओं की अन्य विशेषताओं के साथ वैकल्पिक रूपों की निर्माण-प्रक्रिया भी ले गए। वैकल्पिक रूप संस्कृत में हैं और संस्कृत-परिवार की आधुनिक भाषाओं में यह स्मरण रखना चाहिए।

संस्कृत मूलत: मध्यदेश की भाषा है। वैदिक काल में वह उत्तर-पश्चिमी क्षेत्र की भाषाओं से बहुत प्रभावित हुई है। फिर भी उत्तर-पश्चिमी एकारवादी प्रवृत्ति उसे उतना प्रभावित नहीं कर सकी जितना द्रविड़ भाषाओं को। ग्रीक और लैटिन में इस एकारवादी प्रवृत्ति की प्रबलता हो तो आश्चर्य की बात न होगी। जैसे सघोष महाप्राण ध्वनियाँ ग्रीक और लैटिन में भिन्न रूपों में ग्रहण की जाती हैं, वैसे ही उनके साथ चलन वाले भारतीय स्वर भी भिन्न रूपों में ग्रहण किये जाते हैं। इस प्रकार समूचे भाषा परिवेश पर ध्यान देने से जो प्रपंच पहले अकारण जान पड़ता था, वह अब सकार प्रतीत होने लगता है।

वास्तव में भाषाविज्ञानी जिसे ध्वनि-परिवर्तन कहते हैं, वह ध्वनि-परिवर्तन है नहीं। जब संस्कृत **पशु** लैटिन में **पेकु** रूप से ग्रहण किया जाता है, तब जो प्रक्रिया घटित होती है, वह यह कि **श्** के अभाव में लैटिन-भाषी उसका उच्चारण **क्** रूप में करता है। यह एक प्रकार से ध्वनियों का विनिमय हुआ। **श्** वाला रूप लैटिन ने **क्** देकर ग्रहण किया। यदि लैटिन में **श्** ध्वनि होती और यह ध्वनि **क्** रूप ग्रहण करती तो उसे ध्वनि-परिवर्तन की संज्ञा दी जा सकती थी। इसी प्रकार उत्तर-पश्चिमी एकारवादी प्रवृत्ति के प्रभाव से आदि वर्ण का अकार लैटिन में एकार रूप में स्वीकृत हुआ।

ध्वनि-परिवर्तन के नियम तब स्थिर किये जा सकते हैं जब एक आदिभाषा से भिन्न भाषाएँ उत्पन्न हुई हों और ये भाषाएँ परिनिष्ठित रूप में ही बोली जाती रही हों। मान लीजिए, संस्कृत, ग्रीक और लैटिन में कुछ शब्द एक-दूसरे के प्रतिरूप हैं। इनके तुलनात्मक अध्ययन के द्वारा मूल शब्दों के रूप निश्चित किये। इन भाषाओं में वे मूल शब्द जिस ढंग से बदलते हैं, उसका पता लगाकर ध्वनि-परिवर्तन के नियम निर्धारित किये। ये नियम तभी तक सही हैं जब तक ग्रीक, लैटिन या संस्कृत में कोई शब्द एक ही ढंग से बोला जाता है। यदि वह भिन्न प्रकार से बोला जाता है तो निर्धारित नियम खंडित हो जाएँगे। मान लीजिए, नियम बनाया कि आदिभाषा का **ए** स्वर ग्रीक में सुरक्षित है, संस्कृत में वह अकार हो जाता है। ग्रीक भाषा-समुदाय में संस्कृत **भ्रातर्** के दो प्रतिरूप हैं। आयोनियन में **फ्रेतेर** और परिनिष्ठित ग्रीक में **फ्रातेर**। अब यदि प्रथम वर्ण का एकार शब्द की मूल ध्वनि माना जाए, तो यह भी स्वीकार करना होगा कि वह केवल संस्कृत में नहीं, ग्रीक समुदाय की एक भाषा में भी अकार बनता है। इसी प्रकार संस्कृत **मातर्** के दो ग्रीक प्रतिरूप हैं : **मातेर्** और **मेतेर्**, स्वादु के दो ग्रीक प्रतिरूप हैं : **हादुस्, हेदुस्**। मूल रूप कौन-सा है?

संस्कृत **भरति** के ग्रीक प्रतिरूप **फेरेइ** का उदाहरण देकर कहेंगे, मूल एकार ग्रीक में है, संस्कृत में परिवर्तित अकार है। उदाहरण देनेवाले यह नहीं सोचते कि शब्द के आदिस्थान में जो मूल सघोष महाप्राण **भ्** ध्वनि है, वह संस्कृत में कायम है, ग्रीक में नहीं है। यदि मूल ध्वनि संस्कृत में प्राप्त है तो सम्भावना यही है कि उसके साथ का मूल स्वर भी संस्कृत में बना रहा होगा। भाषाविज्ञानियों का अव्यक्त तर्क यह है कि यूरोप की भाषाओं में सघोष महाप्राण ध्वनियाँ तो बदल गईं, उनके साथ का मूल स्वर उन भाषाओं में बना रहा।

संस्कृत **भरति** के शब्द-मूल **भर्** से एक शब्द बनता है **भार**। इस **भार** का ग्रीक रूप है **बरोस्** (भार, बोझ)। यहाँ **भ्** ग्रीक भाषा में **फ्** रूप में ग्रहण नहीं किया गया; महाप्राणता का लोप हुआ और सघोषता बच रही, जैसे **रुधिर** के लैटिन प्रतिरूप **रुबेर** में बच रही थी। भाषाविज्ञानी **भरति** के साथ ग्रीक **फेरेइ** को तो याद करेंगे, ग्रीक को भूल जाएँगे। गौथिक भाषा में इसी **भर्** का प्रतिरूप **बर्** (ले जाना, वहन

करना है) जिसमें ग्रीक **बरोस्** के समान अकार है। जैसा सम्बन्ध **भर्** और **भार** में है, वैसा ही **पशु** की मूल क्रिया **पश्** और **पाश** में है। लैटिन में **पशु** का प्रतिरूप **पेकु** है किन्तु **पाश** के प्रतिरूप **पागुस्** (निश्चित सीमाओं वाली भूमि) और **पको, पगो** तथा **पंगो** (बाँधना) हैं। इन लैटिन प्रतिरूपों में एकार के स्थानों पर अकार है। **धरा** शब्द तमिल में **तॅरइ** है : लैटिन में इसी अर्थ का द्योतक **तॅरा** शब्द है। लैटिन **तॅरा** और संस्कृत **धरा** को एक-दूसरे का प्रतिरूप माना जाएगा या नहीं?

संस्कृत **दक्षिण** पुरानी तमिल में **तॅक्कणम्** रूप में सुलभ हुआ। अंग्रेज़ी में **दक्षिण** को **डॅकन्** इसी तमिल **तक्कणम्** के अनुरूप कहते हैं। यह शायद ही कोई कहे कि अंग्रेज़ी **डॅकन्** से **दक्षिण** का विकास हुआ है। इसी प्रकार अंग्रेज़ी रूप **बॅङ्गाल** से **बंग** या **बांगाल** की उत्पत्ति न मानी जाएगी। भारत के शिक्षित जन जब बहुत अंग्रेज़ी ढंग से हिन्दुस्तानी शहरों या प्रदेशों का नाम लेते हैं तब **पटना** को **पैटना, कश्मीर** को **कैश्मियर्** कहते हैं। पर ये शब्दों के मूलरूप नहीं हैं।

संस्कृत **भरति** ग्रीक भाषा में **फेरेइ** वैसे ही है, जैसे संस्कृत **धरा** तमिल में **तॅरइ** है, संस्कृत **दक्षिण** पुरानी तमिल में **तॅक्कणम्** है, जैसे तमिल **तॅरइ** लैटिन में **तॅरा** है, जैसे तमिल **तॅक्कणम्** अंग्रेज़ी में **डॅकन्** है।

बरो ने संस्कृत पर अपने ग्रंथ में लिखा है कि मूल इंडो-यूरोपियन भाषा में जहाँ क-वर्गीय व्यंजन के साथ एकार था, वहाँ भारत ईरानी शाखा में तालव्यीकरण के साथ **अ** स्वर का व्यवहार होता है, यथा : लैटिन **क्वे** का संस्कृत प्रतिरूप **च** (और) है। यह अधिक स्वाभाविक होता कि तालव्यीकरण के साथ अकार के बदले वह स्वर जोड़ा जाता जो तालव्य व्यंजन के निकट था, जैसा कि बोलचाल की तमिल में अक्सर होता है। यदि मूल शब्द **च** है तो जिस भाषा में च-वर्गीय ध्वनियाँ नहीं हैं, वह तालव्य ध्वनि के चिह्नस्वरूप, एकार जोड़ेगी (जैसे **फिलिप** के उक्रैनी रूपान्तरण **ख्विलिप** में **ख़्** के साथ, ओष्ठ्य तत्त्व के चिह्नस्वरूप **व्** जोड़ा जाता है)। अत: लैटिन में संस्कृत **च** का परिवर्तित रूप **क्वे** स्वाभाविक होगा। ग्रीक भाषा में इसका प्रतिरूप **ते** है जहाँ एकार उसी तालव्य ध्वनि का स्मृति चिह्न है। (सम्भव है, लैटिन **क्वे** सीधे **च** का रूपान्तरण न होकर ग्रीक **ते** के समकक्ष किसी **पे** का प्रतिरूप हो!)

जहाँ तक मूल ओकार के भारत-ईरानी अकार में बदलने का प्रश्न है, इस तरह का तथाकथित परिवर्तन अन्यत्र इतना अधिक है कि उसके सम्बन्ध में कोई नियम नहीं बनाया जा सकता। इस सम्बन्ध में बरो ने संस्कृत वाली पुस्तक में यह मत प्रकट किया है : "**अ** तथा **ओ** स्वरों का उलझाव इंडो-ईरानियन शाखा के बाहर जर्मैनिक, स्लावोनिक और हित्ताइत शाखाओं में भी पाया जाता है। निश्चयपूर्वक यह कहना सम्भव नहीं है कि भिन्न भाषा-समुदायों में यहाँ समानान्तर स्वतंत्र विकास हो रहा है, अथवा **ओ** और **अ** का यों घुल-मिल जाना इंडो-यूरोपियन भाषा का

प्राचीन बोलीगत लक्षण है।" (पृ. 103) स्वतंत्र विकास का अर्थ यह है कि प्राचीन हित्ती, पुरानी स्लाव और जर्मन भाषाओं में भी एक ही प्रकार का ध्वनि-परिवर्तन होने लगा। जब अनेक भाषाओं में एक साथ एक ही प्रकार का 'स्वतंत्र' ध्वनि-परिवर्तन होने लगे, तब ऐसे परिवर्तन की स्वतंत्रता को सन्दिग्ध मानना चाहिए। इसी कारण विकल्प रूप में इस सम्भावना पर विचार करते हैं कि **ओ** तथा **अ** का घुलन-मिलन आदिभाषा का बोलीगत लक्षण है। इसे यों भी कहा जा सकता है कि दो भिन्न बोलियों की प्रवृत्तियाँ एक ही भाषा-समुदाय में घुल-मिल गई हैं जिसे आदिभाषा की संज्ञा दी गई है। भारत में न केवल अकार-ओकार वरन् एकार-ओकार-अकार के तीन केन्द्र तीन क्षेत्रों की भाषाओं में अपने विशिष्ट प्रयोग का प्रमाण देते हैं और तीन भिन्न स्वर प्रवृत्तियों के मिश्रण के प्रमाण आर्य भाषाओं के अलावा द्रविड़ भाषाओं में भी दिखाई देते हैं। भिन्न भाषा-परिवारों में प्रसारित यह अखिल भारतीय मिश्रण का प्रपंच भारत से बाहर पश्चिमी एशिया और यूरोप की नई-पुरानी भाषाओं में दिखाई देता है।

एकार-ओकार की तरह **अइ, अउ** आदि संयुक्त स्वर हैं जिनके लिए कल्पना की गई है कि भारत में आकर उनका संयुक्त रूप नष्ट हो गया और वे एक स्वर रह गए। यहाँ भारत-ईरानी शाखा में भारत अकेला रह जाता है क्योंकि ईरानी भाषा संयुक्त स्वरों को बहुत कुछ बनाए रहती है। कल्पना की गई है कि प्रसिद्ध **वेद** शब्द के प्रथम वर्ण में मूलतः संयुक्त स्वर था। शब्द था **ऑइद** जैसा कि रूप ग्रीक में मिलता है (अर्थ है—जानता हूँ)। अवेस्ता में इसका रूप **वएद्** है। इसी प्रकार **देव** शब्द मूलतः **दॅइव** होना चाहिए।

इस तरह के परिवर्तन वैसे ही अकारण होते दिखाई देते हैं, जैसे ओकार-एकार सम्बन्धी परिवर्तन थे। सबसे पहले तो इस बात पर ध्यान जाता है कि संस्कृत में **अइ, अउ** जैसे संयुक्त स्वर विद्यमान हैं। पुराने संयुक्त स्वर नष्ट हो जाएँ और वैसे ही नये स्वर फिर रचे जाएँ, यह क्रिया समझ में नहीं पाती। इसके अतिरिक्त भारत के भाषाई परिवेश में संयुक्त स्वरों की भरमार है। (संयुक्त स्वर दो भिन्न स्वरों से इस बात में अलग होता है कि भिन्न स्वरों से जहाँ दो वर्ण रचे जाते हैं, वहाँ संयुक्त स्वर से एक ही वर्ण रचा जाता है।) तमिल भाषा में एक सामान्य प्रवृत्ति है कि संस्कृत शब्दों के अन्त में जहाँ दीर्घ स्वर है, उसके स्थान पर वह संयुक्त स्वर का व्यवहार करती है, यथा : **धरा—तॅरइ, धारा—तारइ, सीमा—चिमइयम्** (पहाड़ की चोटी), **सभा—अवइ**। इसके अतिरिक्त संस्कृत शब्दों के अन्य स्थानों के स्वर भी कभी-कभी संयुक्त स्वरों के रूप में ग्रहण किये जाते हैं, यथा : **राजन्—अरइचु, अमात्य—अमइच्चु, समय—अमइयम्**। यह प्रवृत्ति नाग भाषाओं में भी देखी जाती है। शंकर भट ने 'बोरो भाषा के शब्द-भंडार' पर अपनी पुस्तक में इस तरह के उदाहरण दिये हैं : हिन्दी **नॅवला—नॅवलय्, पढ़ना—पॉरय्, पछतावा—पॉस्तय्**।

सम्भव है, बोरो जैसी नाग भाषाओं पर द्रविड़ प्रभाव पड़ा हो। सुधिभूषण भट्टाचार्य ने बोंद भाषा के शब्दकोश पर अपनी पुस्तक में कोल परिवार की इस भाषा के बारे में लिखा है कि दीर्घ स्वरों को संयुक्त स्वरों में बदलने की प्रवृत्ति इसमें देखी जाती है। बोडिंग ने सन्थाली भाषा के व्याकरण में सन्थाली के संयुक्त स्वरों का चर्चा की है, उनकी संख्या सोलह है। बरो ने मूल इंडो-यूरोपियन भाषा के जो संयुक्त स्वर गिनाये हैं, वे केवल बारह हैं।

अन्य परिवारों के अलावा स्वयं आर्य भाषा-परिवार में संयुक्त स्वरों की कमी नहीं है। डॉ. सुनीतिकुमार चाटुर्ज्या ने बंगला भाषा और उसकी बोलियों में अनेक संयुक्त स्वरों का विवरण दिया है, यथा : **कॅरे—कॉइरा, रेखे—रइखा, केनो—कअॅनो**। बंगला की विशेषता यह है कि संयुक्त स्वर का प्रथम अंश दीर्घ भी हो सकता है, यथा : संस्कृत **ऐ (अइ)** बंगला में **आइ** वत् उच्चरित होता है : **ऐक्य—आइक्य, ऐश्वर्य—आइश्वर्या**। इसी प्रकार संस्कृत **औ** का उच्चारण **आउ** वत् होता है। भारत के भाषाई परिवेश में संयुक्त स्वरों की प्रचुरता होने पर यदि आगन्तुक आर्यों के मूल संयुक्त स्वर एक स्वर में बदल गए तो यह बड़े आश्चर्य की बात है।

अब संस्कृत शब्दों के कुछ अभारतीय प्रतिरूपों को देखें। **वेद** शब्द का ग्रीक प्रतिरूप **ऑइद** है। ग्रीक भाषा में **व्** ध्वनि का अभाव है; अतः वह उसके स्थान पर स्वर का व्यवहार करती है। **व्** के ओष्ठ्य तत्त्व के अनुकरण के लिए **ओ** स्वर अत्यन्त अनुकूल है। अतः **वेद** के **वे** के स्थान पर **ऑइ** का व्यवहार इस भाषा के लिए अत्यन्त स्वाभाविक है। लैटिन भाषा में **वीनुम्** शब्द अंग्रेज़ी **वाइन्** (शराब) का मूल रूप है और उसका ग्रीक प्रतिरूप **ऑइनोस्** है। आवास के लिए संस्कृत का पुराना शब्द **विश** है इसका ग्रीक प्रतिरूप **ऑइकोस्** है। नाग-परिवार की इदु भाषा में **वास** का प्रतिरूप **ऑको** है; **व्** के स्थान पर स्वर का प्रयोग, **स्** का तालव्यीकरण, फिर **क्** में उसका रूपान्तरण। बंगला भाषा में इस तरह के **व्**-सम्बन्धी परिवर्तन बहुत साधारण हैं। डॉ. चाटुर्ज्या की पुस्तक से कुछ उदाहरण देते हैं : **दावत—दाऑयात, दवात—दोयात, पुलाव—पॉलाऑ, आवाज—आऑयाज, आबहवा—आबहाऑया, वजन—ऑजन, जानवर—जानोयार**। विदेशी शब्दों का यह बंगालीकरण उस भाषा की प्राचीन ध्वनि प्रवृत्ति का प्रमाण है। इससे मिलते-जुलते परिवर्तन ग्रीक भाषा में होते हैं तो इसमें आश्चर्य की बात नहीं है।

**ऑइ** के समान **अॅइ** का संयुक्त स्वर भी भारत की भाषाओं में विद्यमान था। बंगला भाषा के लिए जैसे अकार को ओकार रूप में ग्रहण करना सहज है, वैसे ही तमिल भाषा के लिए अकार को एकार रूप में ग्रहण करना सहज है। द्रविड़ भाषाओं के ध्वनितंत्र पर ज़्वेलेबिल ने लिखा है कि संयुक्त स्वर **अइ** आधुनिक उच्चारण में **अॅय्** बोला जाता है। अतः यदि **देव** शब्द पहले **दॅइव** रूप में बोला जाता था तो संयुक्त स्वर के एकार में बदलने का कोई कारण नहीं है। इसके विपरीत यदि

द्रविड़ प्रवृत्ति पर ध्यान दिया जाए तो **दे** के स्थान पर **दॅइ** का उच्चारण स्वाभाविक लगेगा। अतः भारत के बाहर जिन भाषाओं में **अॅइ** संयुक्त स्वर है, उसका कारण द्रविड़ प्रभाव माना जा सकता है। संस्कृत **देवर** के मूल रूप में प्रारम्भिक वर्ण का स्वर संयुक्त माना गया है किन्तु इसका लैटिन प्रतिरूप **लेविर्** है, वह **देवर** का ही रूपान्तर है। संस्कृत **बोधामि** (मैं जानता हूँ) का ग्रीक प्रतिरूप **पॅउथोमइ** बताया गया है, इसमें **अॅउ** को मूल ध्वनि कहा गया है। मूल व्यंजन ध्वनि **ध्** ग्रीक भाषा में नहीं है। वह संस्कृत में है। उसके साथ जिस स्वर का प्रयोग हुआ है, उसी को शब्द का मूल स्वर मानना चाहिए। इसी प्रकार संस्कृत **जोषति** (स्वाद लेता है) का ग्रीक प्रतिरूप **गॅउओमइ** है। ग्रीक भाषा में **ज्** ध्वनि नहीं है, संस्कृत में है। उसके साथ के स्वर को शब्द का मूल स्वर मानना चाहिए। संस्कृत **बोधयति** का लिथुआनियन प्रतिरूप **पसिबउदिति** है। बरो ने इसे **ऑउ** संयुक्त स्वर के प्रमाणरूप दिया है। उनके अनुसार मूल **ऑउ** ध्वनि लिथुआनियन में **अउ** हुई, संस्कृत में **ओ**। किन्तु **बोधयति** का यही **बोध बोधामि** के ग्रीक प्रतिरूप **पॅउथोमइ** में **अॅउ** संयुक्त स्वर का उदाहरण बन चुका है। बोध का **ओ** कहाँ **अॅउ** का परिवर्तित रूप है और कहाँ **ऑउ** का, यह बात स्पष्ट नहीं की गई।

**र्** व्यंजन से **इ** स्वर को मिलाने पर जो वर्ण बनता है, वह दो तरह से लिखा सकता है : **रि** और **ऋ**। संस्कृत में कुछ शब्द दोनों प्रकार से लिखे जाते हैं। **री** क्रिया का अर्थ है चलना; इसी से **रीति** शब्द बनता है; **ऋतु** का सम्बन्ध **ऋ** से है और उसका अर्थ भी चलना है। **रि** क्रिया का अर्थ है स्तुति करना; **ऋच** का भी यही अर्थ है। एक तरह के रूपों में **ऋ** लिखा जाता है जो वैयाकरणों के अनुसार विशुद्ध स्वर है; दूसरे रूपों में **रि** लिखा जाता है जो व्यंजन और स्वर का योग है। इससे निष्कर्ष यह निकलता है कि **ऋ** विशुद्ध स्वर नहीं है; उसमें और **रि** में अन्तर यह है कि व्यंजन तत्त्व अत्यन्त क्षीण होने से **ऋ** ध्वनि स्वरवत् सुनाई देती है।

**ऋ** को सामान्य स्वर माना जाता है। इसका गुण-रूप **अर्** और **र** होता है। **इ** का गुण-रूप **ए, उ** का गुण-रूप **ओ; ए** और **ओ** दोनों स्वर हैं, उन्हें **इ** और **उ** का गुण-रूप कहना उचित है। किन्तु **अर्** और **र** किसी प्रकार भी स्वर नहीं कहे जा सकते। इसी **ऋ** का वृद्धि-रूप **आर्** होता है; वह विशुद्ध स्वर से और भी दूर है। **ऋ** का गुणरूप **अर्** इसलिए होता है कि तथाकथित स्वर में व्यंजन तत्त्व विद्यमान है, **र्** व्यंजन से पहले अतिरिक्त स्वर जोड़ने की प्रवृत्ति विद्यमान है।

मूर्धन्य **र्** का समीपवर्ती स्वर **इ** है, **उ** नहीं है। इसीलिए **ऋ** वाले शब्दों के प्रतिरूपों **रिष्, री** आदि में इकार है, उकार नहीं। प्राचीनकाल में **ऋ** का उच्चारण उकार के साथ भी होता था, इसीलिए **वृद्ध** शब्द का हिन्दी रूप **बुड्ढा** होता है। उर्दू में संस्कृत **ऋतु रुत** लिखा और बोला जाता है, हिन्दी उच्चारण में इकार है। महाराष्ट्र तथा दक्षिण भारत में **ऋ** के उकार वाले उच्चारण की प्रधानता है। यह उसका मूल

उच्चारण नहीं है। उत्तर-पश्चिमी भाषाओं में **उ** और **व्** की प्रधानता रही है। **ऋ** के इस परम्परागत उकार वाले उच्चारण का यही कारण है।

जो लोग समझते हैं कि मूर्धन्यीकरण की प्रवृत्ति विशेष रूप से भारत में अनार्य प्रभाव से उत्पन्न हुई, वे चुपचाप **ऋ** स्वर को 'आदि' इंडो-यूरोपियन भाषा की ध्वनि-व्यवस्था के अन्तर्गत मान लेते हैं, मानो मूर्धन्यीकरण की प्रवृत्ति से उसका कोई सम्बन्ध है ही नहीं। यूरोप की भाषाओं के विकास काल में इस प्रवृत्ति के अस्तित्व को स्वीकार किये बिना **ऋ** की व्याख्या नहीं हो सकती।

ह्रस्व-दीर्घ स्वरों की परम्परा के अनुरूप ह्रस्व **ऋ** के साथ उसके दीर्घ स्वर-रूप की भी कल्पना की गई। जब यह ध्वनि दीर्घ स्वर-रूप में उच्चरित होगी, तब पहले से ही क्षीण **र्** तत्त्व लुप्त हो जाएगा और केवल **ई** (अथवा **ऊ**) स्वर सुनाई देगा। शब्द-निर्माण में इस दीर्घ **ऋ** की उतनी बड़ी भूमिका नहीं है जितनी ह्रस्व **ऋ** की है। **पितृन्** जैसे दो-चार रूपों में ही उसका व्यवहार होता है।

मगध तथा उत्तर-पश्चिमी सीमान्त पर जिन लोगों की भाषा में **ल्** ध्वनि प्रधान थी, वे **ऋ** के समकक्ष **लृ** स्वर गढ़ने में पीछे न रह सकते थे। **ऋ** के समकक्ष **लृ** स्वर की कल्पना की गई। सैकड़ों साल तक यह तथाकथित स्वर वर्णमाला का अभिन्न अंग बना रहा। जिन शब्दों में इसका व्यवहार होता है, उनकी संख्या नगण्य है। बहुत ढूँढ़ने पर एक क्रिया मिली **क्लृप** (व्यवस्थित होना)। इसी से **कल्प** रूप भी बनता है। ऐसा लगता है कि शब्द-मूल **कल्प्** में जब वर्ण-संकोच की प्रतृत्ति ने काम किया, तब **क्लृप्** जैसे रूप की कल्पना की गई। पाश्चात्य ऐतिहासिक भाषाविज्ञान में इसे विशुद्ध **ल्** स्वर माना जाता है। भारतीय परम्परा में उसके अन्दर **र्** तत्त्व विद्यमान है। वास्तव में इस तरह का कोई स्वर नहीं था और **लृ** की कल्पना उत्तर-पश्चिमी अथवा मागध लकार-बाहुल्य के प्रभाव का परिणाम है। इसका कोई दीर्घ स्वर-रूप भी होता था ऐतिहासिक भाषाविज्ञान में, इसका उल्लेख नहीं है।

सारांश यह है कि इंडो-यूरोपियन परिवार की प्राचीन भाषाओं के ध्वनितंत्र में जो अक्षर-ध्वनियाँ मिलती हैं, वे सब एक साथ किसी गण-समाज की भाषा में विकसित नहीं हुईं। उनके आधार पर आदि इंडो-यूरोपियन भाषा की ध्वनि-व्यवस्था की कल्पना अवैज्ञानिक है। **क्-त्-प्** जैसी सामान्य ध्वनियाँ भी सभी भाषाओं में प्राप्त नहीं हैं; उनके विकासकेन्द्र भिन्न थे। **घ्-ध्-भ्** जैसी विशिष्ट ध्वनियों के विकास-केन्द्र और भी विरल, किसी एक भाषाई क्षेत्र में सीमित थे। सघोषता और महाप्राणता के लक्षणों का विकास भारत में हुआ; आर्य भाषा-परिवार से वह अन्य परिवारों में फैला। भारत को भाषाई क्षेत्र मानकर यहाँ के विभिन्न परिवारों के ध्वनितंत्र का अध्ययन किया जाए तो यूरोप की भाषाओं में जो ध्वनि-परिवर्तन आकस्मिक लगते हैं, उनके कारण समझ में आने लगते हैं। विभिन्न गण भाषाओं की ध्वनि-प्रवृत्तियाँ एक-दूसरे को प्रभावित करती हैं, इसलिए एक ही भाषा में अनेक ध्वनि-प्रवृत्तियाँ

देखी जाती हैं। इसी कारण ध्वनि-परिवर्तन के अटल नियमों का अस्तित्व सिद्ध नहीं होता; अस्तित्व सिद्ध होता है भिन्न प्रकारों की ध्वनि-परिवर्तन-रीतियों का। इन ध्वनि-परिवर्तन-रीतियों के निर्माण में द्रविड़ भाषाओं के अतिरिक्त नाग और कोल भाषाओं का योगदान भी है। इन भाषाओं को आर्य भाषाओं ने प्रभावित किया है, वे उनसे प्रभावित भी हुई हैं। भारत से बाहर की इंडो-यूरोपियन भाषाओं तथा भारतीय भाषा-परिवारों का सम्बन्ध सीमित और जड़ न होकर गत्यात्मक और विविध है; अनेक प्रदेशों और अनेक शताब्दियों में घटित होनेवाले परस्पर सम्पर्क के कारण इनके ध्वनितंत्र निरन्तर विकासमान अवस्था में रहते हैं। ऐसा ही सम्पर्क और विकास भाषा के अन्य स्तरों पर भी दिखाई देता है।

2

# भारतीय भाषा-परिवार और इंडो-यूरोपियन शब्दतंत्र

## 1. दस्त, दक्ष, तक्षन्

संस्कृत **हस्त** और फ़ारसी **दस्त** का मूल रूप **धस्त** है, यह बात पहले कही जा चुकी है। **धस्त** में यदि हम **धस्** को शब्द-मूल मानें तो इंडो-यूरोपियन परिवार और द्रविड़ भाषा-परिवार के बहुत-से शब्दों की व्याख्या हो सकती है और अर्थ-विस्तार की प्रक्रिया समझ में आ सकती है। मनुष्य सबसे अधिक काम हाथ से करता है, अत: जो क्रिया काम करने के लिए प्रयुक्त होती है, उसका सम्बन्ध हाथ से होना स्वाभाविक है। संस्कृत में **धाता, विधाता** आदि शब्द निर्माता के लिए प्रयुक्त होते हैं। **धा** क्रिया का अर्थ है रखना, लेना या लाना, देना, कार्य करना, निर्माण करना, पकड़ना, पाना। हिन्दी शब्द **धन्धा** उसी मूल क्रिया से सम्बद्ध है जिससे **धस्त** शब्द बना था। द्रविड़ प्रभाव से **धा** रूप जब अल्पप्राण होता है तब **दा** क्रिया प्राप्त होती है। **दान, दाता** आदि शब्दों में जो शब्द-मूल **दा** है, वह **धा** का ही प्रतिरूप है। लेने-देने का काम हाथ से होता है; **धा** का एक अर्थ देना भी है जो अल्पप्राण रूप **दा** का विशेष अर्थ है। **दा** का अर्थ करना भी है। फ़ारसी **दस्त** में जो **दस्** क्रिया है, उससे बहुत सहज ढंग से **दास** शब्द सिद्ध होता है। **दास** शब्द का मूल अर्थ था काम करनेवाला। जो काम करते थे, वे सेवक थे। जब सेवक बेचे और खरीदे जाने लगे, तब **दास** शब्द का वह अर्थ हुआ जो अब हम उसमें देखते हैं। रूसी भाषा में **दान्** शब्द का अर्थ है वह धन जो अपने ऊपर के प्रभुत्वशाली व्यक्ति को दिया जाता है; किसी को चन्दा वगैरह दिया जाए, वह भी **दार्** है। इसी भाषा में एक दूसरा शब्द है **दार्** जिसका अर्थ है किसी को दी हुई वस्तु; **दरीत्** अर्थात् देना। रूसी भाषा में **दा** क्रिया अनेक रूपों में वर्तमान है। **दात्, दावात्** शब्दों का अर्थ **देना, दाच्** अर्थात् देने की क्रिया। इसके साथ ही करनेवाला अर्थ उसके एकार वाले रूप से सम्बद्ध है। जैसे संस्कृत **दा** का हिन्दी प्रतिरूप **दे** है, वैसे ही रूसी में **दा** और **दे**, दोनों रूप हैं। संस्कृत **दा** और हिन्दी **दे** का अर्थ एक ही है, रूसी में अर्थ-भेद है। **देलात्** माने करना, बनाना, **देलो** अर्थात् कार्य। अंग्रेज़ी भाषा के **डू** (करना) और **डीड्** (कार्य) इसी शब्द-शृंखला में आते हैं।

मूल क्रिया **धा** है। उसमें **ध** प्रत्यय जोड़ा जा सकता है, **भ** भी। **धभ** रूप में दो महाप्राण ध्वनियों के सामीप्य से बचने के लिए **ध्** को अल्पप्राण किया जाएगा और **दभ** रूप बनेगा। पुनः **द्** ध्वनि **र्-ल्** में परिवर्तित होगी तो **रभ-लभ** प्राप्त होंगे। ये कृदन्त रूप पुनः क्रिया बनाए गए; इस प्रकार **रभ्-लभ्** (प्राप्त करना) धातुएँ सुलभ हुईं। **भ्** की महाप्राणता का लोप होने पर **लब्** और **रब्** रूप प्राप्त होंगे। लैटिन में **लबोरो** क्रिया का अर्थ है श्रम करना। इसमें वही शब्दमूल **लब्** है जो **लभ्** का विकास है। रूसी भाषा में **रबोता** माने काम, **रबोतात्** माने काम करना, **रबोत्निक्** माने श्रमिक, **रबोचिइ** माने श्रमिक, श्रम, **राब्स्त्वो** माने दासता, **राब्स्की** माने दास। जो काम करता है, वह एक स्थिति में गुलाम होता है। रूसी भाषा में **रब्** शब्द-मूल से मजदूर और गुलाम, दोनों तरह के अर्थ देनेवाले शब्द बनते हैं। इससे **दास** शब्द का जो मूल श्रमिक वाला अर्थ ऊपर बताया गया है, उसकी पुष्टि होती है।

द्रविड़ भाषाओं में शब्द के आदिस्थान पर अघोष अल्पप्राण **त्** का व्यवहार होगा। तमिल **तरु, तार्, ता** का अर्थ है देना। **त** शब्द-मूल से बने हुए रूप तमिल, मलयालम, कोत, तोद, कन्नड़, कोडगु, तुलु, तेलगू, गोंडी, कोंड, कुइ, कुवि भाषाओं में हैं। जैसे आर्य-परिवार की समस्त आधुनिक भाषाओं में **द** वाली क्रिया है, वैसे ही लगभग सभी द्रविड़ भाषाओं में **त** वाली क्रिया है जिसका अर्थ है देना, लेना, पाना, बनाना इत्यादि, उसी तरह के अर्थ जिस तरह के संस्कृत क्रिया **धा** से प्राप्त होते हैं। आर्य और द्रविड़ भाषाओं के प्राचीन घनिष्ठ सम्बन्धों का प्रमाण मनुष्य की एक आदिम क्रिया के सूचक इस शब्द का व्यापक व्यवहार है।

ब्राहूइ में इस श्रृंखला का शब्द **हत, हतरिङ्** है जिसका अर्थ है लाना। यह शब्द **ता** और **तरु** वाली श्रृंखला का नहीं है। इसका सीधा सम्बन्ध उस रूप से है जहाँ **ध** क्रिया से **धत—हत** जैसा रूप बनता है जो फ़ारसी **दस्त** की अपेक्षा संस्कृत **हस्त** के अधिक निकट है। **ता** और **तरु** वाली श्रृंखला में **तो** और **ते** वाले रूप भी हैं। तेलगू में **तॅच्चु, ते, तेर्** (पाना, लाना, बनाना) तथा तोद में **तोर्, तो, तॉद्** (देना) रूप हैं। (कोलमि भाषा के **कोद, कोदर्** रूप अन्य शब्द मूल से निष्पन्न होते हैं।) तमिल **तॅक्कु** (पाना) और **तण्डु** (उगाहना) इसी शब्दमूल से सम्बद्ध हैं। जैसे संस्कृत **कर** का एक अर्थ **हाथ** है और दूसरा अर्थ वसूल किया जानेवाला **कर** है, वैसे ही तमिल **तण्डु** का अर्थ ऋण, कर आदि वसूल करना है। तमिल **तण्डम्** का अर्थ है **टैक्स**। यह संस्कृत **दण्ड** का प्रतिरूप है और **दण्ड** स्वयं **धन्ध** का रूपान्तर है। मलयालम **तॅण्डुक** (पाना), **कोत तण्ड्** (कर्ज चुकाना), **दण्ड्** (काम करके कर्ज चुकाना), तेलगू **तण्डु, दण्डु** (प्राप्य धन माँगना या वसूल करना), तुलु **दण्डयुनि** (माँगने के लिए हाथ पसारना)—ये सारे रूप संस्कृत **दण्ड** का मूल अर्थ व्यक्त करते हैं और स्वयं उसी शब्दमूल से जुड़े हुए हैं जिसका आदि व्यंजन सघोष महाप्राण है और जिसके दो मूल अर्थ हैं : काम करना और हाथ। अंग्रेज़ी क्रिया **टेक** (लेना) इसी

अघोष अल्पप्राण द्रविड़ शब्द-मूल से सम्बद्ध है। अंग्रज़ी शब्द **टैक्स** का सम्बन्ध **टेक** क्रिया से है। **टैक्स** और **टास्क** (कार्य) परस्पर सम्बन्धित है!

अंग्रेज़ी **टास्क** का एक पुराना फ्रेंच प्रतिरूप **ताश** है। तालव्य **श्** के **स्क्** रूप में गृहीत होने पर फ्रेंच में ही दूसरा रूप **तास्क** है। **ताश** रूप में देखा जा सकता है कि काम करने के अर्थ में **ता** क्रिया के साथ **श** प्रत्यय जोड़ा गया है। **धस्-दस्-तस्** प्रक्रिया से भी **पास-ताश** रूप प्राप्त हो सकता है। **तक्ष** और **तक्षन्** में **तस्** विद्यमान है। यह **धस्त** की उसी **धस्** क्रिया का अघोष अल्पप्राण रूप है। हाथ से कारीगरी के सारे काम होते हैं, अत: कारीगर के लिए **तक्षन्** शब्द का प्रयोग होने लगा। **तस्-तश्-तक्** क्रिया में **स** प्रत्यय जोड़ा गया। इस तरह **तक्ष** शब्द का निर्माण हुआ। बढ़ई का काम कुछ गण-समाजों में बहुत महत्त्वपूर्ण रहा होगा, इसलिए इस शब्द का प्रयोग कारीगर विशेष के लिए होने लगा। ग्रीक भाषा में उसका सम्बन्ध सामान्य कौशल से है; **तॅख्ने** अर्थात् कौशल, **तॅख्नितेस्** अर्थात् कलाकार, कारीगर। यह शब्द फ्रेंच से होता हुआ अंग्रेज़ी में **टेकनीक्** बना; उसके आधार पर अब हिन्दी में भी **तकनीक, तकनीकी** शब्दों का प्रयोग होने लगा है। उसी **धस्** क्रिया के सघोष रूप **दस्** से बननेवाले **दक्ष** शब्द में वही कौशल वाला भाव है। **दाक्षिण्य** का अर्थ कौशल या चतुराई हुआ। कारीगरी के काम दाहिने हाथ से किये जाते थे, इसलिए **दक्षिण** शब्द का प्रयोग दाहिने हाथ के लिए किया जाने लगा। सूर्य की ओर मुँह करके खड़े होने पर दाहिने हाथ की तरफ जो दिशा थी, उसे **दक्षिण** नाम दिया गया।

संख्यावाचक शब्दों के निर्माण में हाथ वाले शब्द की महत्त्वपूर्ण भूमिका है। एक हाथ में पाँच उँगलियाँ, दोनों में मिलाकर दस। हिन्दी में जो **दस** है, वह पश्तो में **लस्** है। पश्तो में इस शब्द के दोनों अर्थ हैं : **लस्** माने दस और **लस्** माने हाथ। **दस** और **लस्** में उसी तरह का ध्वनि-सम्बन्ध है, जैसा हिन्दी **देवर** और पश्तो **लेवर्** में। इस भाषा में **दस** और **हाथ**, दोनों के लिए **लस्** का प्रयोग होने से संस्कृत **दश** के मूल अर्थ का ज्ञान होता है।

संस्कृत में **हाथ** के लिए एक दूसरा शब्द है **पाणि**। इसे **पण्** क्रिया से सिद्ध किया जाता है जिसका एक अर्थ खरीदना, बेचना, विनिमय करना और मोल-भाव करना है। शब्द का यह मूल अर्थ नहीं है। मूल अर्थ है काम करना और यह अर्थ द्रविड़ भाषाओं में सुरक्षित है : तमिल **पण्** (कर्म), **पणि** (क्रिया), **पणदि** (कौशल, अलंकार), **पणिदि** (निर्मिति), **पणिक्कन्** (उस्ताद कारीगर, बढ़ई), **पणिनर्** (सेवक), **पण्णु** (बनाना, अलंकृत करना); मलयालम में **पणि** (श्रम), **पणिक्कन्** (कारीगर), **पणियुग** (निर्माण करना)। कन्नड़, तेलगू, तोद, तुलु आदिभाषाओं में इस शृंखला के शब्द-मूल का व्यापक व्यवहार होता है। प्रथम वर्ण में सर्वत्र अकार है, केवल तोद में ओकार है। एक द्रविड़ भाषा गद्‌ब है जिसमें इसी शृंखला का एक शब्द **पण्ड्** है जिसका अर्थ है योग्य होना, सक्षम होना। यह रूप उसी

शृंखला का है, इसका प्रमाण पर्जि भाषा का **पण्ड्प, पण्ड्त्** शब्द है जिसका अर्थ है करना, बनाना। संस्कृत शब्द पण्डित उसी मूल **पण्** से सिद्ध करना चाहिए। पण्डित मूलत: वह नहीं है जो पुस्तकें पढ़ता है वरन् वह है जो हाथ से काम करने में कुशल है। **हस्त** वाली शृंखला में जो स्थिति **दक्ष** की है, वही स्थिति **पाणि** वाली शृंखला में **पण्डित** की है।

हाथ से लेन-देन का काम होता है, अत: **पण्य** उसे कहेंगे जो बेचा या खरीदा जाए। इसका एक अर्थ वह स्थान भी है जहाँ क्रय-विक्रय का यह कार्य किया जाता है, या दुकान। इसी शब्द-मूल का आदि वर्ण जब सघोष होता है तब उससे **बणिज्** शब्द बनता है; जो क्रय-विक्रय का काम करे वह **बणिज्**। **बणिज्** का **व् ब्** का रूपान्तर हो सकता है, **प्** का भी। भारत का बनिया अपनी कंजूसी के लिए वैदिक काल से विख्यात रहा है। संस्कृत में **पणि** का एक अर्थ कंजूस, बहुत मोल-भाव का वाला व्यक्ति भी है। 'ऋग्वेद' में यही **पणि** अपने खजानों पर मँडराते रहते हैं; ऋषियों को उनकी झलक भी मिलने नहीं देते। जिस **पणि** का अर्थ श्रमिक था, वह अर्थ-विकास इस प्रक्रिया के दूसरे छोर पर पहुँचकर मूल अर्थ का बिलकुल उल्टा हो गया—कंजूस जो खुद काम न करे और पैसा बटोरकर उसकी रखवाली करता रहे।

इसी शृंखला में द्रविड़ भाषाओं के अन्य शब्द हैं : तमिल **पडु** (करना), **पडइ** (निर्माण करना), **पाडु** (उद्योग), मलयालम **पडुक्कु** (पकड़ना, पाना), **पडॅक्क** (बनाना, रचना), पर्जि **पड्** (प्राप्त करना), कन्नड़ **पडि** (पाना), **पाडि** (योग्यता), तेलगू **पाडु** (कर्म, श्रम)। **पण्** के समानान्तर **पड्** शब्द-मूल से भी द्रविड़ भाषाओं में व्यापक रूप से शब्द बनते हैं और उनका व्यवहार होता है। सम्भवत: **ण्** के रूपान्तर **ड्** से यह शब्द-मूल बना है। **पण** और **पड़** मूलत: एक होंगे।

ग्रीक भाषा में **पओमइ** (पाना), **पॉनेओ** (कठिन श्रम करना), **पोनोस्** (कठिन श्रम) सीधे उसी शब्द-मूल **पन्** से बने हैं। ग्रीक भाषा में ही **प्रास्सो** (काम करना), **प्राक्सिस्** (क्रिया), **पोलॅउओ** (बेचना), **पोलेस्** और **पोलेतेस्** (विक्रेता) इसी शृंखला में आते हैं। **पोन्** और **पोल्** एक ही शब्द के प्रतिरूप हैं। इनमें **पोल** वाले रूप से ग्रीक शब्द **पलामे** बनता है जिसका अर्थ है हाथ, हथेली, हाथ से बनाई हुई चीज़, हाथ जिससे काम ले, वह औजार। लैटिन भाषा में इसी का प्रतिरूप **पल्मा** (हाथ) है। अंग्रेज़ी शब्द **पाम** (हथेली) इसी लैटिन शब्द का प्रतिरूप है; वर्तनी में **ल्** लिखा जाता है, उच्चारण में उसका लोप कर देते हैं।

संस्कृत **भाण्ड** के अनेक अर्थ हैं : बर्तन, औजार, अलंकार, माल, पूँजी, खजाना। **पण्** शब्द-मूल से बननेवाले रूप जिस तरह के अर्थ देते हैं, उसी तरह के अर्थ **भाण्ड** शब्द से प्राप्त होते हैं। **भाण्ड** शब्द संस्कृत की किस क्रिया से बना है, कोशकारों को इसका निश्चय नहीं है। यदि **धा** वाली शृंखला पर विचार करें

तो भा अथवा **भन्** जैसी क्रिया के अस्तित्व पर विश्वास हो जाता है। **धन्** क्रिया से व्युत्पन्न **धन** शब्द का जो अर्थ है, वही **भाण्ड** शब्द का भी है। और दोनों का मूल अर्थ है काम करना।

प्राचीन समाज में मनुष्य के काम आनेवाली एक महत्त्वपूर्ण वस्तु है, मिट्टी का घड़ा। **भाण्ड** का सर्वाधिक प्रचलित अर्थ यही रह गया। कन्नड़ **बान्** का अर्थ बनाना है, हर तरह की चीज बनाना नहीं, कुम्हार की तरह बनाना **बान्** है। इसी का अन्य कन्नड़ प्रतिरूप **बाम्ब** है जिसका अर्थ है बर्तन बनाना। तेलगू में इसी का प्रतिरूप **वानु** है। तमिल **पानइ** माने बर्तन। बर्तन बनाने के साथ कारीगर उन पर चित्रकारी भी करते थे। तमिल **वनइ** (निर्मित करना, चित्रित करना) **पानइ** से सम्बद्ध है। द्रविड़ कोशकारों ने **वनइ** के प्रसंग में आर्य भाषाओं के **बन्नु, बनाउनु** शब्दों को, टर्नर का हवाला देते हुए, बहुत सही याद किया है। इनमें हिन्दी **बनाना** भी जोड़ देना चाहिए। यह शब्द-मूल **भन्** का प्रतिरूप है जहाँ आदिस्थानीय वर्ण सघोष तो बना रहा किन्तु अल्पप्राण हो गया। संस्कृत और ग्रीक भाषाओं में अघोष अल्पप्राण **प्** वाले रूप का व्यापक सिद्ध करता है कि वैदिक भाषा समेत इंडो-यूरोपियन परिवार की भाषाओं के काल तक एक लम्बी अवधि बीत चुकी है जिसमें सघोष महाप्राण ध्वनियों वाली आर्य भाषाएँ अघोष अल्पप्राण द्रविड़ भाषाओं के सम्पर्क में आती रही हैं और समुदाय एक-दूसरे को प्रभावित करते रहे हैं। मूल रूप **धा** और **धन्** की तरह **भा** और **भन्** हैं। द्रविड़ भाषाएँ इन शब्द-मूलों को अपनाकर, अघोष अल्पप्राण रूप में, उसका व्यापक व्यवहार करती हैं। संस्कृत में सघोष महाप्राण ध्वनियों वाले मूलरूप जहाँ-तहाँ सुरक्षित हैं। ग्रीक, लैटिन आदि में केवल द्रविड़ पद्धति वाले रूप प्राप्त हैं।

हाथ के लिए एक तीसरा शब्द है **कर**। करनेवाली क्रिया में यही शब्द है और टैक्स के अर्थ में उसका व्यवहार होता है। वर्ण-संकोच से प्राप्त रूप से **क्रय-विक्रय** शब्द बनते हैं। तमिल में **कइ** का अर्थ है हाथ; आदिस्थानीय व्यंजन के तालव्यीकरण से **चॅय्** रूप प्राप्त होता है, उसका अर्थ है करना। केवल तमिल, मलयालम, और तेलगू में **च्** वाले रूप हैं, द्रविड़ कोश में अन्य भाषाओं से जो शब्द दिये गए हैं, वे सभी **क्** या **ग्** से आरम्भ होते हैं। इनमें कुइ के दो रूप **किव** और **गिव** दिलचस्प हैं। दोनों का अर्थ है करना। जैसे **दा** क्रिया का अर्थ देना है, करनेवाला मूल अर्थ लुप्त हो गया है, वैसे ही अंग्रेज़ी **गिव्** का अर्थ देना ही रह गया है, करनेवाला अर्थ लुप्त हो गया है।

**कइ** का अन्य प्रतिरूप तमिल **कॉळ्** है; अर्थ है पाना, पकड़ना, खरीदना, सीखना। **कॉळ्वोन** (ग्राहक); **कॉण्डल्** (प्राप्ति), **कॉणा** (लाना, लेना), **कोळ्** (लेना, प्राप्त करना), **कोळि** (प्राप्तकर्ता), **कोडल्** (लेना, खरीदना, शिक्षा पाना); यह शृंखला अधिकांश द्रविड़ भाषाओं को सम्बद्ध करती है। तेलगू में **काडु** का अर्थ सेवक

है। कोलमि में **कॉद, कॉदर्**, कुइ में **कॉड** जैसे रूपों से ज्ञात होता है कि त-वर्गीय स्पर्श-ध्वनि के परिवर्तन से **ड्, ल्, न्** वाले रूप प्राप्त हुए हैं।

ग्रीक भाषा में **खॅइर्** के दो अर्थ हैं, हाथ और कौशल; **खेइरॉओ** अर्थात् हाथ में लेना, किसी वस्तु पर अधिकार करना; **खॅइरोम** अर्थात् हाथ का काम, हिंसक कार्य। मनुष्य हाथ से दूसरे का पालन करता है और हाथ से ही दूसरे को मारता है। पालन और संहार के विरोधी अर्थ एक ही शब्द-मूल से प्राप्त होते हैं जिसका सम्बन्ध हाथ से है। ग्रीक शब्द महाप्राण ध्वनि से आरम्भ होते हैं। यह महाप्राणता आर्य-द्रविड़ शब्दों के आदिस्थानीय व्यंजन में नहीं है। यह मानने का पर्याप्त कारण है कि **भाण्ड** और **धन** की शृंखलाओं के समान एक **घट** और **घन्** वाली शृंखला भी है। संस्कृत क्रिया **हन्** इसी **घन्** का प्रतिरूप है। जैसे ग्रीक **खॅइरोम** का एक अर्थ हिंसक कार्य है, वैसे ही **घन्** का सम्बन्ध हाथ से है और उसका एक अर्थ मारना है। संस्कृत क्रिया **घट्** का अर्थ है निर्माण करना, सेवा करना, श्रम करना, व्यस्त रहना। जैसे **भन्** क्रिया से **भाण्ड** बनता है, वैसे ही **घट्** क्रिया से **घट्** (घड़ा) बनता है। **घट** का अर्थ प्रयत्न और एक प्रकार की तौल भी है। **घटक** अर्थात् कुशल, **घटित** अर्थात् निर्मित, नियोजित। मराठी क्रिया **घेणें** का अर्थ लेना, पकड़ना और मारना है। यह मारनेवाला अर्थ **घन्** में है। इसी **घन्** का एक ग्रीक प्रतिरूप **थॅइनो** है, अन्य रूप **फोने, फोनोस्** है जिसका अर्थ है हत्या। एक क्रिया **फेनो** भी है जिसका अर्थ है वध करना। **थ्** और **फ्** वाले दोनों रूप संस्कृत **घन्** क्रिया के **घ्** के रूपान्तरण हैं। **घन्** या **घत्** रूप से लैटिन **कैदेस्** (हत्या, वध) आदिस्थानीय अघोष अल्पप्राण ध्वनि वाला रूप बनता है। लैटिन क्रिया **हर्पाज़ो** का अर्थ है किसी को पकड़कर बलात् उस पर अधिकार करना। यहाँ शब्द के आदि वर्ण का **ह्** सीधे संस्कृत **घत्** के **घर्** का सीधा रूपान्तरण हो सकता है। इसी क्रिया से ग्रीक शब्द **हार्पे** बनता है जिसका अर्थ एक प्रकार का हिंसक पक्षी है। यह पक्षी वाला अर्थ उस मूल क्रिया से ही प्राप्त होता है, जैसे संस्कृत **गृध्र** (गिद्ध) पक्षी विशेष के लिए प्रयुक्त होता है। अंग्रेज़ी शब्द **ग्रास्प्** (पकड़ना, प्राप्त करना) और **ग्रोप** (हाथ से टटोलना) का सम्बन्ध एक प्राचीन रूप **ग्राप्सॅन्** से है। मूल रूप **ग्रभ्** का **भ् ग्राप्सॅन्** का **प्स्** है। वर्ण-विपर्यय से **स्प्** ध्वनि **ग्रास्प्** में है। अंग्रेज़ी **ग्रैब्** (पकड़ना, हथियाना) में **ग्रभ्** के **भ्** की महाप्राणता लुप्त हुई है; **ग्रिप्** (पकड़) में महाप्राणता और सघोषता, दोनों का लोप हुआ है। लिथुआनियन **ग्रइबिति** (पकड़ना, अधिकार करना) अंग्रेज़ी **ग्रैब्** के समान **ग्रभ्** से व्युत्पन्न है। **ग्रभ्** का **ग्र्** या **गर्** और **कर्** क्रियामूल सम्बद्ध लगते हैं।

जैसे **धा** का एक अर्थ निर्माण करना है और जब यह निर्माण कार्य विशिष्ट होता है, तब **धाम** का अर्थ वह विशेष निर्माण कार्य होगा जो मनुष्य अपने रहने के लिए करता है, वैसे ही **गर्** क्रिया का एक अर्थ निर्माण करना था, उसी का विशिष्ट

हुआ अर्थ घर बनाना। इसलिए गर्भ का अर्थ हुआ रहने का स्थान, घर। इसी का ग्रीक प्रतिरूप **देल्फोस्** है।

**कर्** का एक सहज प्रतिरूप **कल्** होगा। द्रविड़ भाषाओं में **कल्** अत्यन्त महत्त्वपूर्ण क्रिया है। इसका अर्थ है सीखना, अभ्यास करना, कुशल होना। द्रविड़ भाषाओं में इसका व्यापक प्रसार है। **कल्** वाले रूपों के साथ **कर्** वाले रूप भी काफी संख्या में हैं और कभी-कभी एक ही भाषा में मिलते हैं। इनके अतिरिक्त कोत और तोद भाषाओं में **कत्** जैसे रूप **र्** और **ल्** को **त्** या **द्** का परिवर्तित रूप सिद्ध करते हैं। संस्कृत शब्द **कला** स्पष्ट ही इस **कल्** क्रिया से बना है। **कला** उसे कहेंगे जो हाथ से की जाती है। करना क्रिया से जो सम्बन्ध कारीगर और कारीगरी शब्दों का है, वही सम्बन्ध **कल्** क्रिया से तमिल **कलइ** और संस्कृत **कला** का है। आदि वर्ण में ओकार होने पर **कॉल** शब्द कारीगर विशेष के लिए अनेक द्रविड़ भाषाओं में प्रयुक्त होता है। तमिल **कॉल्** अर्थात् लुहार, कन्नड़ **कॉलिमॅ** अर्थात् लुहार की भट्टी। द्रविड़ भाषाओं के **कल्** और **कॉल्** (कारीगर का सम्बन्ध लैटिन **स्कोल** (अध्ययन को दिया हुआ समय, व्याख्यान, विवाद, अध्यय का स्थान) से नहीं है, यह कहना कठिन होगा। अंग्रेज़ी **स्कूल** लैटिन **स्कोल** का प्रतिरूप है और इन दोनों का सम्बन्ध तमिल **कल्** और संस्कृत **कला** से होना चाहिए।

हाथ के लिए एक लैटिन शब्द है **मनुस्**। संस्कृत **मनु** और **मनुष्य** का सीधा सम्बन्ध इस **मनुस्** से है। सम्भवत: यह शब्द **पन्** या **पण्** के रूपान्तर **मन्** से बना है जैसे तमिल **पॉक्कणम्** का प्रतिरूप **भॉक्कणि** (झोली) है, वैसे ही **पन्** का प्रतिरूप **मन्** है। लैटिन **मनुस्** संस्कृत **पाणि** का जोड़ीदार है। पुरानी जर्मन में **मुंड्** का अर्थ हाथ, रखना, छीनना, देना आदि था। निर्माण शब्द में **मा** क्रिया इसी **मन्** का प्रतिरूप है। हाथ से निर्माण करने के अलावा आदमी नाप-जोख का काम भी करता है। संस्कृत क्रिया **मा** का अर्थ हुआ नापना; उसी से **माप** और **नाप** शब्द प्राप्त हुए। **मात्रा** और **मिति** के समान ग्रीक भाषा में **मेत्रोन्**, लैटिन में **मेन्सुरा**, अंग्रेज़ी में **मेझ़र** शब्द उसी रूप से बनते हैं। संस्कृत में जैसे **पण** शब्द जुआ खेलते समय दाँव के लिए प्रयुक्त है, वैसे ही लैटिन में **मनुस्** शब्द इसी अर्थ में प्रयुक्त होता है। हाथ से किये जानेवाले बहुत-से काम हैं। इनमें जो काम प्राचीन गण-समाजों के लिए अत्यन्त महत्त्वपूर्ण थे, उन सबके आशय लैटिन **मनुस्** से प्राप्त होते हैं। हाथ के अलावा श्रम, कारीगरी, वीरता, युद्ध और हिंसा के अर्थ भी इस शब्द से सम्बद्ध हैं। संस्कृत **मनु** शब्द का सहज अर्थ होगा वीर। **मनुज** और **मनुष्य**, वीर वाले अर्थ के द्योतक, **मनु** से निर्मित होते हैं। अंग्रेज़ी **मैन** इसी **मनु** का भाईबन्द है। अंग्रेज़ी **मेक** (बनाना) संस्कृत **मा** का प्रतिरूप है। इसी के अनुरूप जर्मन **माख़ॅन्** है जिसका अर्थ है बनाना।

यह **मन्, मा** वाली क्रिया द्रविड़ भाषाओं में व्यापक रूप से प्रयुक्त होती है। तमिल **मण्णु** माने करना, किसी वस्तु को अलंकृत करना; **मनइ** अर्थात् निर्माण

करना, रचना; मलयालम **मनयुग, मनियुग** अर्थात् मिट्टी के बर्तन बनाना। तमिल और मलयालम में **मण्** का अर्थ है मिट्टी, संसार। संसार वाले अर्थ का सम्बन्ध मण्णु (रचना) क्रिया से है मिट्टी वाले **मण्** से करने, बनाने का अर्थ देनेवाली क्रिया का उद्भव नहीं हुआ। इसके अतिरिक्त **मण्** और **मन्** के साथ करने, बनाने के अर्थ में **मा** क्रिया पर भी ध्यान देना चाहिए। मलयालम **मनयुग** क्रिया का सम्बन्ध कुम्भकार के पेशे से है, यह **भाण्ड** और **घट** वाली अर्थ शृंखलाओं के अनुकूल है। तमिल **मडा, मिडा** का अर्थ है घड़ा। कन्नड़ **मडकॅ, मडिकॅ** हिन्दी मटका का ही प्रतिरूप है। **भाण्ड** और **घट** के समान मटका में निर्मिति-भाव प्रधान है। मूलतः उसके अर्थ का संसर्ग मिट्टी से नहीं है। मराठी में हिन्दी **ट्** के स्थान पर **ड्** है : **मड्की, मड्के**। तमिल **मट्टम्** का वही अर्थ है जो **मिति** और **मात्रा** का है; **मट्टु** अर्थात् **मात्रा, परिमाण**। कन्नड़ और कुछ अन्य द्रविड़ भाषाओं में **मट्ट** शब्द बढ़ई, या थवई के गज के लिए प्रयुक्त होता है। तेलगू में **मट्टु** का अर्थ मात्रा के अतिरिक्त सीमा भी है। **धाम** के अनुरूप तमिल **मनइ** का अर्थ है आवास, और **मनइ** धरती की एक विशेष नाप को भी कहते हैं। मलयालम **मन**, कन्नड़ **मनॅ** का अर्थ है भवन। इसी शृंखला में तमिल **मन्रु** (सभा भवन), **मन्रम्** (शाला, बड़ा कमरा) हैं; इनके साथ एक अन्य **मन्रु** है जिसका अर्थ है दंड देना, जुर्माना करना। इस अन्तिम शब्द का सम्बन्ध **मन्** से वैसे ही है, जैसे **कर** और **दण्ड** का है। आवास वाले अर्थ से भवन में रहने के अर्थ का विकास होता है और रहने से जीनेवाले अर्थ का। तेलगू **मन** अर्थात् रहना, जीना, और इसका एक अर्थ काम करना भी है; **मनुकुव** अर्थात् भवन, **मनुगड** अर्थात् जीविका, जीवन। जैसे **पा** वाली क्रिया हाथ से सम्बन्धित होने कारण पालन करने का अर्थ देती है, उसी प्रकार तेलगू **मनुचु, मनुपु** का अर्थ है पालन करना, रहना, जीना, होना। आधुनिक जीवन में ये सब अलग-अलग विशिष्ट क्रियाएँ हैं किन्तु प्राचीन गण-समाजों के मनुष्य के लिए इनमें विशेष अन्तर नहीं है। अतः पर्जि **मॅन्** का अर्थ है होना। कोण्ड **मन्**, कुइ **मन्ब** कुडुख **मन्ना**, मल्तो **मॅनॅ**, ब्राहूइ **मन्निङ्ग**—सभी का अर्थ है होना। **मन्** के इस अर्थ-विस्तार से संस्कृत क्रिया **भू** की तुलना करना चाहिए। इसका अर्थ है होना, जीना। **भू** के ही **भव्** रूप का अर्थ जन्म लेना, अस्तित्व में आना है किन्तु **भवन** शब्द का सम्बन्ध जन्म लेने से नहीं है, निर्माण से है। **भवन** का एक अर्थ जन्म, अस्तित्व में आना भी है, किन्तु यहाँ उसके सामान्य अर्थ की बात है। **भवन** का एक प्रतिरूप **भुवन** है। इन शब्दों से ज्ञात होता है कि **भू, भुव्, भव्** आदि का सम्बन्ध निर्माण करने से था। **भुवन** शब्द का एक अर्थ संसार है, जिसमें **मनुष्य** रहता है। अतः **भूमि** शब्द का अर्थ भी हम कर सकते हैं, वह स्थान जहाँ मनुष्य रहता है। जैसे तमिल **मण्** का अर्थ है धरती, जगत्, उसी प्रकार **मिट्टी** का मूल अर्थ हुआ संसार, धरती। कन्नड़ **मन्दि, मन्दॅ**, तुलु **मन्दि, मन्दॅ**, तेलगू **मन्दि**, कोलमि **मन्दी**

आदि का अर्थ है मानव-समुदाय। इसी प्रकार संस्कृत **भुवन** का एक अर्थ है मनुष्य, मानव-जाति। संस्कृत **धाम** का एक लैटिन प्रतिरूप **होमो** है, **होमो** का वही अर्थ है जो **भुवन** का है—मानव-समुदाय, मनुष्य। इसी से **हूमानुस्** (अंग्रेज़ी **ह्यू मैन्**) शब्द सम्बद्ध है। द्रविड़ भाषाओं में **मण्** का रूपान्तर **नण्** भी है। तमिल **नण्णु** (करना), कुडुख **नन्ना,** मल्तो **नने** अर्थात् काम करना। जैसे हाथ से सम्बन्धित संस्कृत **घन्** क्रिया का अर्थ नाश करना है, वैसे ही तमिल **नदु** (नाश करना), **नन्दु** (नष्ट होना), **नुदु** (मिटाना), **नॉदु** (बुझाना, नाश करना), **नॉन्दु** (नष्ट होना), कन्नड़ **नुन्दिसु, नॉन्दिसु** (बुझाना), **नन्दु, नुन्दु, नॉन्दु** (बुझना, मिटना) आदि शब्द हैं।

तमिल **मण्** (जगत्) से लैटिन **मुन्दुस्** तुलनीय है जिसका वही अर्थ है संसार। इसी का फ्रांसीसी प्रतिरूप **मोंद** है।

द्रविड़ भाषाओं में **मा** क्रिया भी प्रयुक्त होती रही है : मलयालम **माडुक** (निर्माण करना), कोत **मार्** (करना), कन्नड़ **माडु** (करना), कोडगु **माड्** (करना), **भवन** वाला अर्थ तमिल **माडम्** से प्राप्त होता है। कन्नड़ **माड** (इमारत), कुडगु **माडि** (अटारी), तेलगू **माडुगु** (ऊँची इमारत) शब्द इसी निर्माण वाली श्रृंखला में आते हैं। द्रविड़ व्युत्पत्ति-कोशकारों ने यहाँ संस्कृत **माडि** शब्द का स्मरण किया है जिसका अर्थ है प्रासाद। इसके साथ ही **माड्** का अर्थ है नापना, और **माड** अर्थात् मात्रा, एक नाप। तेलगू **मेड** (कई मंजिलों वाला मकान) उसी शब्द का एकार वाला रूप है और इसके साथ द्रविड़ व्युत्पत्ति-कोश में संस्कृत **मेट** शब्द का उल्लेख है जिसका अर्थ है पुता हुआ कई मंजिलों का भवन। इसी श्रृंखला में संस्कृत **माया** शब्द स्मरणीय है। इसका एक अर्थ है **कौशल**। जैसे कौशल का एक अर्थ ऐसी कारीगरी है जो समझ में न आए, वैसे ही **माया** का एक अर्थ जादू है। माया के इस अर्थ से कन्नड़ **माड,** मलयालम **माट्टम, माटु,** तुलु **माड** आदि तुलनीय है, इन सभी का अर्थ है जादू। **माया** का सम्बन्ध **मय** से भी है जो **मघ-मग** का रूपान्तर है। निर्माण-सूचक **माया** और मग-सम्बन्धी **माया,** दोनों एकाकार हो गईं; दोनों अर्थों की जगह फिर जादू और भ्रान्ति का अर्थ ही प्रमुख बन गया।

## 2. पो, पद, पवन

द्रविड़ भाषाओं की एक व्यापक रूप से प्रचलित क्रिया **पो** है। इसका अर्थ है जाना। इसमें ओकार है किन्तु अनेक शब्दों में अकार-इकार हैं। जाने और चलने से रास्ते का गहरा सम्बन्ध है। तमिल **पो** क्रिया के साथ **पोक्कु** शब्द भी जाने के अर्थ में प्रयुक्त होता है (किसी को जाने के लिए प्रेरित करना) और उसका एक अर्थ है मार्ग। इसी श्रृंखला में कोत भाषा का **ओयणार्** शब्द दिया गया है और इसका भी वही **अर्थ** है—मार्ग। द्रविड़ व्युत्पत्ति-कोश में यहाँ तोद **ओर्** और तमिल **आरु** का उल्लेख है। सम्भव है, **प्** के **व्** में परिवर्तित होने पर और **व्** के लोप होने पर ऐसे

रूप बने हों। कन्नड़ **पादि, हादि** का अर्थ है पथ, और यहाँ कोत भाषा के एक अन्य शब्द का उल्लेख है **आदारि** (पथ)। तमिल **पाय्** का अर्थ दौड़ना, उछलना है और कन्नड़ **पादि** का सम्बन्ध कन्नड़ की ही **पाय्** क्रिया से जोड़ा गया है। **पादि** जैसा शब्द जिस **पा** क्रिया से बना है, वह **पो** का प्रतिरूप है और उसका अर्थ होगा चलना। इस श्रृंखला में कोलमि, नइकि, पर्जि, आदिभाषाओं का **पाव्** शब्द ध्यान देने योग्य है; इसका भी अर्थ है मार्ग। कुड़ुख में इसका **पाब्** रूप है। तमिल **पुऴइ** (पथ), तेलगू **पुन्द,** पशुओं की राह, कन्नड़ **पॉऴ** (मार्ग) **पो** क्रिया से सम्बद्ध हैं। **पु** क्रिया **पो** का ही रूपान्तर है। **पिळ्** क्रिया का अर्थ काटना, विभाजित करना है किन्तु कोत **पिळ** (पथ), तोद **पिळ्** (झाड़ियों के बीच से राह) उसी **पो** क्रिया के अन्य रूप **पि** से सम्बद्ध हैं। तमिल **परि** का अर्थ है भागना। इस श्रृंखला के शब्दों के साथ तुलु भाषा का **परि** (पथ) शब्द देते हुए द्रविड़ व्युत्पत्ति-कोशकारों ने एक प्रश्नचिह्न लगा दिया है। इसका सम्बन्ध **पत्** क्रिया से है जो मूलतः गतिसूचक है। **पत्-पर्-पो,** यह विकास सम्भव है।

संस्कृत **पथ,** अंग्रेज़ी **पाथ,** रूसी **पुत्,** ग्रीक **पतोस्,** सभी मार्ग के अर्थ में प्रयुक्त होनेवाले शब्द हैं। इनकी आधार क्रिया **पत्** हो सकती है, **पो, पा, प** भी। संस्कृत **पद** एक नया अर्थ देता है, वह वस्तु जिसके द्वारा मनुष्य चलता है (जैसे **पथ** वह वस्तु है जिस पर मनुष्य चलता है)। ग्रीक **पॉउस्,** लैटिन **पॅस्, पॅदिस्** अंग्रेज़ी **फुट** उसी **प** क्रिया से निर्मित होते हैं। संस्कृत **पवन** एक तीसरा अर्थ देता है, **पवन** वह जो सदा चला करे। इस शब्द को सिद्ध करने के लिए **पू** (पवित्र करना) से इसे सम्बद्ध किया जाता है। संस्कृत में एक अन्य क्रिया **पव्** भी है जिसका अर्थ है जाना। जाने-आने का अर्थ देनेवाले अन्य शब्दमूलों से भी **वायु** का अर्थ देनेवाले शब्द बनते हैं, यह देखते हुए **पवन** का सम्बन्ध **पव्** से जोड़ना चाहिए और यह **पव् पो** का ही प्रतिरूप है। **पो** क्रिया का व्यवहार नाग भाषाओं में भी होता है; इसे भारत की अत्यन्त प्राचीन और सर्वाधिक व्यापक रूप से प्रयुक्त क्रिया मानना चाहिए।

तमिल **पॉळि** का अर्थ है प्रवाह; मलयालम **पॉळि** अर्थात् बौछार; कोद **पॅय्-वेर्,** पर्जि **पॅरॅद्,** मलयालम **पुळ,** कोत **पॅय्,** तोद **पाव्,** कन्नड़ **पॉळे**—ये सभी शब्द नदी-वाचक हैं। जैसे संस्कृत **सर्** का अर्थ चलना है और उससे नदी-वाचक शब्द **सरिता** बनता है, वैसे ही **पा, प, पॅ** आदि क्रियाओं से जल और नदी-सूचक शब्द बनते हैं। **पय** शब्द नाग भाषाओं में भी मिलता है। संस्कृत में इसका अर्थ जल है। इटली की प्रसिद्ध **पो** नदी भारतीय **पो** क्रिया का जल-सूचक अर्थ देती है। द्रविड़ भाषाओं में आने के लिए **वर्** अथवा **वा** क्रिया का प्रयोग होता है। यह क्रिया **पर्** अथवा **पो** का ही प्रतिरूप जान पड़ती है और **पर्** स्वयं **पत्** का रूपान्तर हो सकती है। द्रविड़ भाषाओं में **प्** के स्थान पर **व्** का व्यवहार सामान्य बात है। पुनः **पत्** और **पर्** मूल रूप **भत्** और **भर्** हो सकते हैं जिनसे **भ्रम** और **भटकने** का सम्बन्ध

है। आना और जाना एक ही प्रकार की गति के दो भिन्न रूप हैं। **गम्** का **गो** रूप अंग्रेज़ी में जाने के लिए प्रयुक्त होने लगा; दूसरा रूप **कम्** आने के लिए प्रयुक्त हुआ। उस प्रकार द्रविड़ भाषाओं में **पो** और **वा** में अर्थ भेद किया गया। मलयालम **पोरुग** का अर्थ आना और जाना, दोनों है। कन्नड़ में तमिल **वरु** के प्रतिरूप **बर्, बार्, बा, बन्द्** (आना) हैं। ब्राहूइ में **ब, बन्निंग** (आना) कन्नड़ के समान **ब्** से आरम्भ होनेवाले शब्द हैं। इनसे तुलनीय है ग्रीक रूप **बइनो** (जाना, चलना)।

**वरु** क्रिया से तमिल **वरबु, वारि** पथ-सूचक शब्द बनते हैं; तमिल **वळि,** कन्नड़ **बळि,** तेलगू **वळुगु** आदि पथ के अर्थ में प्रयुक्त होते हैं। जिस रास्ते पर बहुत लोग चलें वह समाज की रीति कहलाएगा। संस्कृत **रीति** का सम्बन्ध भी गति से है। उसी प्रकार तमिल **वाडिक्कइ,** कन्नड़ **वाडिगे** आदि का अर्थ सामाजिक चलन अथवा रीति है। अंग्रेज़ी शब्द **वे** का व्यवहार भी इस रूप में किया जाता है। उसका मूल अर्थ है मार्ग और वह उसी प्राचीन **वा** क्रिया से बनता है। लैटिन में इसका रूप **विआ, वॅआ** है। इसके साथ लैटिन में **वॅनिओ** (आना) क्रिया भी है जो लैटिन समुदाय की अन्य भाषाओं में प्रयुक्त होती है किन्तु अंग्रेज़ी में नहीं है। लैटिन में एक क्रिया और है **ऑर्रो** जिसका अर्थ है भटकना। इसी से **ऑर्रोर्** (भ्रान्ति) शब्द बनता है। अंग्रेज़ी **ऑर्** और **एरर्** शब्द भटकने और भटकाव के लिए प्रयुक्त होते हैं। यह अर्थ-विकास तमिल **बळु वळु वु वळु म्बु** आदि भ्रान्तिसूचक शब्दों के व्यवहार से तुलनीय है। संस्कृत में **भ्रम** मूलतः चलने, घूमनेवाली **भर्** क्रिया से व्युत्पन्न हुआ है। **पर्** और **वर्** इस **भर्** के रूपान्तर हो सकते हैं। **पो** के समान **वा** क्रिया से वायु और जलसूचक शब्द भी बनते हैं। तमिल **वळि,** कुइ **विलु,** गोंडी **वरि** आदि **वायु** के अर्थ में प्रयुक्त होनेवाले शब्द हैं। **विलु** जैसे रूप में **वि** क्रिया से तमिल **विण्डु** शब्द बनता है जिसका अर्थ हवा है। तमिल **विण्डु** और अंग्रेज़ी **विण्ड** के निर्माण और अर्थ-विकास की प्रक्रिया बिलकुल एक है। इसी शृंखला में तमिल **वीच्चु** (हवा का चलना), कोत **वीचु,** तेलगू **वीचु,** कोडगु **बीज्** आदि उसी अर्थ में प्रयुक्त होनेवाले शब्द संस्कृत क्रिया **वीज्** से तुलनीय हैं। **व्यजन, वेग,** हिन्दी **बीजना,** रूसी **वेग्** और **वेगात्** (भागना), **द्विगात्** (गतिशील होना), **द्विझेनिए** (गति) इसी शृंखला आते हैं। संस्कृत **वात, वायु,** फ़ारसी बाद, रूसी **वेतेर्**—सभी **वा** क्रिया से सम्बद्ध हवा के लिए प्रयुक्त होनेवाले शब्द हैं। उसी क्रिया से संस्कृत **वारि** जल-सूचक शब्द है। रूसी **वोद** (जल) में **पो** क्रिया का सीधा **वो** रूपान्तर विद्यमान है। संस्कृत में **व** के स्थान पर स्वर रह गया है; **उद, उदक** रूप जल के लिए प्रयुक्त होते थे। ग्रीक भाषा में इसी का **हुदोर्** (जल) रूप है। अंग्रेज़ी **वाटर्,** जर्मन **ह्वासॅर्** उसी **वा** क्रिया से निर्मित हैं। अंग्रेज़ी **वॅट** (भीगा), अवधी **ओद** या **वाद** (भीगा) का प्रतिरूप है। संस्कृत **उद** में नासिक्य ध्वनि के निवेश से **उन्द** (लहर) शब्द बनता है। संस्कृत **ऊर्मि** गतिसूचक **ऋ** क्रिया से व्युत्पन्न माना जाता है। संस्कृत **अर्ण** का अर्थ लहर,

नदी, धारा, जल-प्रवाह है। **अर्णव** शब्द समुद्र के लिए प्रयुक्त होता है। इटली की एक नदी का नाम लैटिन में **अर्नुस्** था जो अब इटैलियन में **आर्नो** कहलाती है। इस नाम का सम्बन्ध संस्कृत **अर्णव** से न हो तो आश्चर्य की बात होगी।

तमिल **वजि** (जल), **वन्द** (नदी), **वार्** (बहना), **वारि** (नाली), **वळि** (प्रवाहित होना) **वा** क्रिया से सम्बद्ध शब्दों की शृंखला में आते हैं। **प्** की अपेक्षा **व्** रूप वाली क्रिया संस्कृत में अधिक प्रयुक्त होती है। **वी** का अर्थ निकट आना और दूर जाना, दोनों है। **वीतराग** जैसे शब्दों में **वीत** शब्द दूर जाने के अर्थ में है। इसी से **वीथि** (पथ, पंक्ति) शब्द बनता है। तमिल **वीदि** संस्कृत **वीथि** का प्रतिरूप है। संस्कृत **वज्** (चलना), **वृत्** (जाना, घटित होना) **वर्** क्रिया से वर्ण-संकोचन होने पर बनते हैं। **वर्त्मन्** (मार्ग) में **वर्त्** क्रिया है जिसका मूल अंश **वर्** है। ग्रीक भाषा में **अएमि** क्रिया का अर्थ फूँकना, हवा का चलना है। भाषाविज्ञानी कहते हैं कि पहले यह रूप **वएमि** था। ग्रीक भाषा में **अएर्** (वायु) अंग्रेज़ी **एयर्** का पूर्व रूप है। **वएमि** के अनुरूप **वएर** से हिन्दी **बयार** तुलनीय है। **वरुण** का सम्बन्ध **वारि** से बना हुआ था; इन्हीं **वरुण** के ग्रीक प्रतिरूप **ऑउरोनोस्** थे।

**वा** के समानान्तर संस्कृत में **या** क्रिया थी और **वा** की अपेक्षा इसका प्रयोग उसमें अधिक होता था। तमिल भाषा में नदी के लिए सामान्य शब्द **यारु** है। **य्** से आरम्भ होनेवाले शब्द तमिल में इने-गिने हैं। **या** क्रिया से व्युत्पन्न **यारु** शब्द इस भाषा में प्रयुक्त हो, यह आर्य और द्रविड़ भाषाओं के पुरातन घनिष्ठ सम्बन्धों का परिणाम है। **य्** का लोप होने पर **आरु** रूप का प्रयोग भी होता है। कश्मीरी में **आर** नदी-सूचक शब्द है। कश्मीरी और तमिल में नदी के लिए एक ही शब्द हो, यह तथ्य बहुत महत्त्वपूर्ण है। संस्कृत **यान** का एक अर्थ मार्ग है और दूसरा अर्थ वाहन है जिसके द्वारा मनुष्य कहीं जाता है। तमिल में इसी के प्रतिरूप **यानइ** और **आनइ** हैं जो हाथी के लिए रूढ़ हो गए हैं। संस्कृत **याम** का एक अर्थ मार्ग है। **यव** शब्द का अर्थ तेज रफ्तार है और **यवन** शब्द का अर्थ द्रुत गति अथवा तेज भागनेवाला घोड़ा है। जिन लोगों को **यवन** कहा जाता था, वे सम्भवतः घुड़सवार आक्रमणकारी थे। **यवन** का ग्रीक प्रतिरूप **इओन्** है जो ग्रीक समुदाय के एक गण-समाज का नाम था।

वायु और जल के अतिरिक्त एक पदार्थ जो आदिम मानव को अपनी गति से प्रभावित करता था, वह समय था। **आयु** और **वायु** में विशेष अन्तर नहीं है; **व्** अथवा **प्** होने से **आयु** शब्द बनेगा। अनेक समय-सूचक शब्द उस क्रिया से बने हैं जिसका सम्बन्ध गति से है। संस्कृत **वार** माने समय, दिन। हिन्दी में **वार** शब्द दिन के लिए प्रयुक्त होता है, तमिल में सप्ताह के लिए। अवधी में समय अथवा अवकाश के लिए इसका प्रयोग अब भी होता है। **याम** शब्द का अर्थ मार्ग के अलावा समय का एक भाग प्रहर भी है। **यव** का अर्थ द्रुतगति के अलावा महीने का प्रथम पक्ष भी है। इसी के साथ **यव्य** शब्द महीने के लिए प्रयुक्त होता था। समय शब्द **अय्** क्रिया

में **सम्** उपसर्ग लगाने से बना। इसी का लैटिन समानार्थी **तेम्पुस्** है जिससे अंग्रेज़ी **टाइम** बना है। **अय्** क्रिया **इ** का प्रतिरूप है, **अय्** अर्थात् गमन, **अयन** अर्थात् मार्ग, जाने का काम; **दक्षिणायन** और **उत्तरायण** मार्गों का नामकरण **अयन** के आधार पर हुआ। **अयन** का एक अर्थ है आधा वर्ष। इसके लैटिन प्रतिरूप **अन्नस्** का अर्थ है वर्ष। इसी से अंग का **ऐनुअल्** (वार्षिक) शब्द बनता है। अंग्रेज़ी **यिअर्** (वर्ष) की व्युत्पत्ति पुरानी अंग्रेज़ी के **गेर** शब्द से बताई जाती है। वह भिन्न शब्द हो सकता है। जर्मन **यार्** (वर्ष) अंग्रेज़ी **यिअर्** के अधिक समीप है। नॉर्वे की पुरानी भाषा में इसका प्रतिरूप **आर्** है। इसमें **य्** का लोप वैसे ही हुआ है, जैसे नदी-वाचक तमिल शब्द **आर्** में। संस्कृत शब्द **वर्ष** इसी प्रकार **वर्** क्रिया से बना है। यह क्रिया **गमन** और जलप्रवाह, दोनों के अर्थ देती है, अत: **वर्ष** में समय और जलवृष्टि दोनों के अर्थ हैं।

ग्रीक और लैटिन भाषाओं में एक **होरा** शब्द है जिसका अर्थ है वर्ष, ऋतु, वसन्त, दिन का कोई विशेष समय। समय-वाचक शब्द जिस तरह की क्रियाओं से बनते हैं, वैसी कोई क्रिया ग्रीक और लैटिन में नहीं है जिससे **होरा** शब्द सिद्ध किया जा सके। द्रविड़ भाषाओं में ऐसी क्रियाएँ और उनसे व्युत्पन्न बहुत-से शब्द हैं जिनसे **होरा** का सम्बन्ध है। **पो** क्रिया की शब्द-शृंखला में तमिल **पॉऴुदु, पोऴ्दु, पोदु** सूर्य और समय का अर्थ देते हैं। **द्** के स्थान पर **र्** और **पो** के स्थान पर **हो** का व्यवहार द्रविड़ समुदाय की कुछ भाषाओं के लिए सहज था। इस शृंखला के अन्य शब्द ध्यान देने योग्य हैं। समय वाचक तमिल **पॉऴुदु** की शृंखला में कन्नड़ **पॉर्तु, पॉतु, हॉत्तु** रूप उल्लेखनीय है। वे **पॉर्** या **पॉऴु**, जैसे शब्द-मूल से **होरा** रूप की निर्माण-प्रक्रिया स्पष्ट करते हैं। यहाँ **वर्** क्रिया से व्युत्पन्न तमिल **वरइ,** मलयालम **वर**, कन्नड़ **वरि, वर** आदि की चर्चा करनी चाहिए जो समय-सूचक शब्द हैं। संस्कृत **वेला** इसी शृंखला में है। उसके लिए **वेल** क्रिया की कल्पना की गई है। इस तरह की क्रिया प्रयुक्त होती थी, यह इस कारण माना जा सकता है कि तमिल **वर** की प्रतिरूप **वल्** क्रिया कश्मीरी में अब भी प्रयुक्त होती है। **वेला** और **वरइ**, दोनों शब्दों के साथ सीमा का अर्थ जुड़ा हुआ है। इसमें आश्चर्य की बात नहीं है। मूल क्रिया गति-सूचक है, जहाँ वह गति समाप्त होती है, वह स्थान भी उसी क्रिया द्वारा व्यंजित किया जाता है।

समय-सूचक अनेक शब्दों का सम्बन्ध सूर्य से है। इसका कारण यह हो सकता है कि पृथ्वी जहाँ स्थिर जान पड़ती है, वहाँ सूर्य चलता हुआ दिखाई देता है। अत: जो शब्द गति का अर्थ देता है, वह समय और सूर्य, दोनों के लिए प्रयुक्त हो सकता है। तमिल **पगल्** (दिन, सूर्य), कोत **पोल** (समय) इस धारणा की पुष्टि करते हैं।

द्रविड़ भाषाओं के **काल्, कोल्, केल्** (पैर) रूपों का उल्लेख पहले हो चुका है। ये सब **का** या **गा** जैसी क्रिया से बनते हैं। संस्कृत में **गात्र** उस अंग को कहते हैं जिसके द्वारा गमन क्रिया सम्पन्न होती है। इसका मूल रूप हुआ **गात**। **ग्** को

अघोष रूप ग्रहण करने पर **कात** रूप बनेगा, फिर **त्—ल्** के परिवर्तन से **काल्** शब्द प्राप्त होगा। संस्कृत में **काल** शब्द समय के लिए प्रयुक्त होता है किन्तु उसका एक अर्थ मार्ग भी है। गीता के आठवें अध्याय में :

*यत्र काले त्वनावृत्तिमावृत्तिं चैव योगिनः।*
*प्रयाता यान्ति तं कालं वक्ष्यामि भरतर्षभ॥*

भाष्यकारों के अनुसार यहाँ **काल** शब्द का अर्थ मार्ग है। तमिल **काल्** (प्रवाहित होना), **काल्** (वायु), **काल्** (नाली या नहर) अलग-अलग गिनाए गए हैं। वास्तव में वे एक ही क्रिया से निर्मित शब्द हैं जिसका अर्थ है चलना। **पय्** के जोड़ का तमिल **कयम्** (पानी, समुद्र, गहराई) है। कुवि **कॉड्ड** हिन्दी **गोड़** का प्रतिरूप है। कन्नड़ **गाळि,** तेलगू **पालि** (वायु) तमिल **काल्** (वायु) के प्रतिरूप हैं। संस्कृत में नदी-सूचक **गंगा** शब्द है जो **गम्** क्रिया से बना है। **गंगा** का प्रतिरूप कश्मीरी और बंगला का **गांग** है।

**गा** क्रिया से **गाड़ी** शब्द बनता है। गाड़ी वह साधन है जिससे आने-जाने का काम पूरा होता है। द्रविड़ भाषाओं में गाड़ी के लिए **पण्डि, वण्डि** आदि शब्द हैं। संस्कृत में इनका मूल रूप **भण्डि** है। जैसे **वर्** का प्रतिरूप **वन्** था जिससे तमिल **वन्दि,** लैटिन **वेनी** रूप बने, वैसे ही **भ्रम** और **भ्रमण** की **भर्** क्रिया का एक प्रतिरूप **भन्** था जिससे **भण्डि** शब्द बना। मोनियर विलियम्स ने **भण्डि** का गाड़ी वाला अर्थ नहीं दिया किन्तु उसका एक अर्थ लहर दिया है। संस्कृत में **र, ऋ** से **रथ** शब्द बनता है। उसके निर्माण की वही प्रक्रिया है जो **भण्डि** की है। तमिल **काल्** का एक अर्थ पहिया, गाड़ी है। कन्नड़ और तुलु **गालि** (पहिया) इसी के प्रतिरूप हैं। जो शब्द सामान्य गति के लिए प्रयुक्त होता है, वह एक ही जगह घूमनेवाली विशेष गति के लिए भी प्रयुक्त होता है। इसलिए **काल्** माने प्रवाह, पैर, वायु और इनके साथ पहिया। यही बात हम **वर्** क्रिया के साथ देखते हैं। **वर्—वर्त्—वृत्,** घटित होने, एक स्थान पर घूमने के लिए प्रयुक्त होनेवाली क्रिया है। इसी प्रकार संस्कृत **रथ** के लैटिन प्रतिरूप **रॉत** का अर्थ पहिया है और इसी से अंग्रेज़ी शब्द **रॉकेट** (घुमाना), **राउंड** (गोल) बनते हैं। द्रविड़ व्युत्पत्ति-कोश में **पण्डि** वाली शब्द शृंखला में तुलु भाषा से दो रूप दिये हैं, **बण्डि** और **भण्डि**। संस्कृत में **भण्डि** शब्द प्राप्त है, अतः यह माना जा सकता है कि इस भाषा में आर्य भाषाओं के प्रभाव से वैकल्पिक रूप में **बण्डि** के साथ **भण्डि** रूप भी स्वीकार किया गया है। जैसे **वन्** का प्रतिरूप **वर्** था, वैसे ही **गम्** का प्रतिरूप **ग़र्** था। इसके अघोष रूपान्तर **कर्** से अंग्रेज़ी **कार्ट** (गाड़ी) शब्द बना। द्रविड़ भाषाओं में इस अर्थ के सूचक अनेक शब्द गमन वाली क्रियाओं से निर्मित होते हैं, यथा : या माने चलना और **यारु** माने नदी। अतः धारा में **धा** क्रिया का अर्थ चलना, प्रवाहित होना हो सकता है।

संस्कृत **अश्रु** का ग्रीक प्रतिरूप **दक्रु** है, इसी का लैटिन प्रतिरूप **द—ल** के हेरफेर से **लक्रुम, लक्रिम, लाक्रिम** हैं। इन प्रतिरूपों को देखने से विदित होता है कि संस्कृत रूप अश्रु के आरम्भ में व्यंजन था जिसका लोप हो गया है। **त** या **द** का आदि स्थानीय लोप संस्कृत के लिए अस्वाभाविक है। अत: मानना चाहिए कि **अश्रु** का मूल रूप **धश्रु** है। आँसू उसे कहेंगे जो प्रवाहित होता है। तुलनीय है तमिल **काल** जिसका एक आँसुओं की तरह बहना है। यदि **धस्** जैसी क्रिया का व्यवहार यहाँ कभी होता था तो **धसान** किसी नदी का नाम क्यों रखा गया, यह बात आसानी से समझ में आ जाती है। **धस्** के प्रतिरूप **धर्** से **धारा** शब्द बनेगा। (धसान नाम वैसे ही प्राचीन होना चाहिए जैसे घाघरा)। **भर्** के प्रतिरूप **भस्** से **भासा** शब्द बनेगा। प्रवाह के लिए बंगला में **भासा** शब्द है जिसका एक प्रसिद्ध प्रयोग रवीन्द्रनाथ की 'निर्झरिर स्वप्न भंग' कविता में है, **भेसे गिये शेषे काँदिबे हाय, केनारा कोथाय पाबे** (बह जाने पर कली रोएगी, उसे किनारा कहाँ मिलेगा?) बंगला में **भासा, भेसे**, हिन्दी में **धसान** और संस्कृत में **धारा, भण्डि** जैसे रूप इस अनुमान को पुष्ट करते हैं कि गतिसूचक शब्दों में सघोष महाप्राण ध्वनियों का व्यवहार होता था। इस दृष्टि से **भ्रम्** क्रिया मूलत: **भर्** मानी जाएगी और वह इसी शृंखला में रखी जाएगी। इसी के समानान्तर **घूर्ण्** क्रिया है जिसका शब्दमूल **घूर्** (घूमना) होगा। बंगला में **घुरुनि** (इधर-उधर घूमना) **घुरोना** (घुमाना) उसी पुरानी **घुर्** अथवा **घूर** क्रिया के प्रतिरूप हैं। हिन्दी क्रिया **घूमना, घुमाना** इसी शब्दक्रम में हैं। संस्कृत **धुर**, हिन्दी **धुरी** उस वस्तु को कहते हैं जिसके चारों ओर कोई चीज घूमती है। **ध्रुव** उस नक्षत्र का नाम है जिसके चारों ओर सारा नक्षत्र-मंडल घूमता है। **वेला** के समान शब्द का मूल अर्थ गतिशीलता से बदलकर विरोधी छोर पर स्थिरता में परिणत हो गया।

घोड़े के लिए तमिल शब्द **कुदिरइ** और तेलगू शब्द **कुदिर, कुदरमु** अथवा **गुर्रमु** है। ऐसा कम होता है कि आदिस्थानीय व्यंजन में जहाँ अघोषता है, उसे अपनी ओर से कोई द्रविड़ भाषा सघोषता में बदल दे। द्रविड़ भाषाओं के जिन शब्दों में आदिस्थानीय सघोष व्यंजन हैं, उनके बारे में यह सम्भावना निरन्तर बनी रहती है कि ये व्यंजन सघोष महाप्राण ध्वनि का रूपान्तर हैं। तेलगू के अतिरिक्त कोलमि, पर्जि, कोण्ड और कुवि भाषाओं में इस शृंखला के शब्द **ग्** से आरम्भ होते हैं। इनके अतिरिक्त द्रविड़ व्युत्पत्ति-कोश में नइकि भाषा का **घुर्रम्** रूप दिया है जहाँ आदिस्थानीय सघोषता के साथ महाप्राणता भी है। इससे अनुमान होता है कि **घोड़ा** और **कुदिरइ** एक ही मूल शब्द के विकास हैं। इस मूल शब्द की आदिस्थानीय ध्वनि सघोष महाप्राण थी : **घोद्** अर्थात् दौड़ना, कूदना; इसी से **घोटक** और **घोड़ा** रूप बने। हिन्दी क्रिया **कूदना** का मूल रूप **घूद** या **घोद्** होना चाहिए। कहीं-कहीं लोग **खूँदना** भी बोलते हैं जो मूल ध्वनि की महाप्राणता के कारण हो सकता है। तमिल **कुदि** का वही अर्थ है जो हिन्दी कूदना का है। **कुद्** से **कुर्** रूप का विकास

होने पर तमिल में **कुरङ्ग**, शब्द बनता है जिसका अर्थ है बन्दर। कोलमि में इसका प्रतिरूप **कोदि** है जहाँ **द्** ध्वनि **र्** में परिवर्तित नहीं हुई। कूदने और दौड़ने से बन्दर का सम्बन्ध स्पष्ट ही है। संस्कृत में **कुरङ्ग** शब्द हिरन के लिए प्रयुक्त होता है। **घोद्—कोद्—कुद्—कुर्** शब्द-मूल से बने हुए तमिल और संस्कृत शब्दों में अर्थ-प्रसार की प्रक्रिया एक ही है। लैटिन में भारतीय **कुर्** का प्रतिरूप कुर्रो है जिसका वही अर्थ है दौड़ना, तेजी से आगे बढ़ना। इसी से **कुर्रुस्** (रथ), **कुर्सो** (इधर-उधर दौड़ना), **कुर्सोर्** (धावक), **कुर्सुस्** (दौड़ने की क्रिया, मार्ग, यात्रा); लैटिन समुदाय की भाषाओं में इस शब्द का व्यापक प्रयोग होता है, यथा : फ्रांसीसी **कूर्** (दौड़ना) और अंग्रेज़ी **कोर्स** (पीछा करना, दौड़ना, आगे की ओर गति) तथा **कोर्सर्** (तेज़ घोड़ा) इसी क्रम में आते हैं। यहाँ दौड़ने, घोड़े और मार्ग की धारणाओं का आपसी सम्बन्ध देखा जा सकता है।

संस्कृत में **अध्वन्** शब्द का अर्थ है मार्ग। यह **अध्व्** या **अध्** जैसी क्रिया से बनेगा। **अध्** में **ध्** की सघोषता और महाप्राणता का लोप होने पर **अत्** क्रिया बनेगी। **अत्** से आत्मा शब्द बनता है जिसका मूल अर्थ है वायु। नॉर्वे और स्वीडन की आषाओं में **अत्मन्** शब्द अब भी वायु के लिए प्रयुक्त होता है। इस **अत्** का एक परिवर्तित रूप **अर्** होगा। संस्कृत में **अर** का अर्थ द्रुत है। **समर** शब्द में यही **अर** है। **समर** वह कर्म है जिसमें बहुत-से लोग मिलकर धावा करते हैं। अतः **अरि** वह व्यक्ति हुआ जो तेजी से धावा करता है। **अरण्य** उस स्थान को कहेंगे जहाँ मनुष्य घूमा करते हैं। अंग्रेज़ी शब्द **रन्** (दौड़ना) इसी **अर्** क्रिया से सम्बद्ध है। **रन्** की व्युत्पत्ति के प्रसंग में **इर्नन्** और **ऐर्नन्** शब्दों का उल्लेख किया जाता है और इन रूपों को वर्ण-विपर्यय का परिणाम कहा जाता है। **अर्** क्रिया पर ध्यान देने से विदित होता है कि वास्तव में स्वर से आरम्भ होनेवाले ये शब्द मूल रूप हैं और वर्ण-विपर्यय का परिणाम **रन्** है।

## 3. अनल, अनिल, अलङ्कार

संस्कृत में अनेक शब्द **र्** से आरम्भ होते हैं जिनका सम्बन्ध कहीं-न-कहीं गति से है। उन सभी को वर्ण-विपर्यय का परिणाम नहीं कहा जा सकता यद्यपि यह माना जा सकता है कि **र, रा, रि, री** आदि क्रियाएँ **अर्** अथवा **इर्** जैसे शब्दों का रूपान्तर हैं। संस्कृत में **इर्** क्रिया की कल्पना की गई है जिसका अर्थ है जाना; **इरा** का अर्थ हुआ जल, कोई भी पेड़। अतः भारत के बाहर भी **इरावदी** शब्द का प्रयोग नदी के लिए हुआ। **इरिण** को **ऋ** से व्युत्पन्न माना गया है, अर्थ है जल-मार्ग। यह रूप सीधे **इर्** क्रिया से भी बन सकता है। **ऋतु, रीति, राह, रास्ता**, अंग्रेज़ी **रोड**, पुरानी अंग्रेज़ी **राड** (सड़क), **रिवर** (नदी) आदि शब्द इसी **र** क्रिया से निर्मित होते हैं। संस्कृत में **रय्** की कल्पना की गई है। **रय** का अर्थ हुआ द्रुत गति, नदी की

धारा। **रवि** (सूर्य) का सम्बन्ध ध्वनिवाचक **रु** क्रिया से निरर्थक है किन्तु **रय्, रव्** गतिसूचक क्रिया से सम्बन्ध सार्थक है। जैसे तमिल में **पो** क्रिया से सूर्यवाचक शब्द बनता है, वैसे ही संस्कृत में **र** वाली क्रिया से **रवि** शब्द बनेगा।

**अत्** का एक रूपान्तर **अट्** होगा जिससे **अटवी** शब्द बनेगा, अरण्य के समान वह स्थान जहाँ मनुष्य या पशु घूमते हैं। **अटन, पर्यटन** घूमने के अर्थ में प्रयुक्त होते ही हैं। **अत्** का एक रूपान्तरण **अन्** होगा जिससे **अनिल** (वायु) शब्द बनता है। इसी **अन्** लैटिन शब्द **अनिम** बनता है जिसका वही अर्थ है जो **अनिल** का है। संस्कृत में **म** प्रत्यय **अत्** वाले रूप में लगा, लैटिन में वही प्रत्यय **अन्** वाले रूप में लगा। इसी **अनिम** से लैटिन शब्द **अनिमल्** (प्राणी, पशु) शब्द बना। संस्कृत **प्राण** शब्द उसी **अन्** क्रिया में **प्र** उपसर्ग लगाने से बनता है। वायु मनुष्य का जीवन है, अत: **जीव** के लिए उसी शब्द का प्रयोग हुआ जो वायु के लिए प्रयुक्त होता था। इस सन्दर्भ में **अश्व, श्वान** और **श्वास** शब्दों पर विचार करें। **श्वास** का वही अर्थ है जो **प्राण** का है। अत: सबसे परिचित जन्तु कुत्ते के लिए **श्वन्, श्वा** शब्दों का प्रयोग हुआ। ग्रीक **कुओन्,** लैटिन **कनिस्** शब्दों का **क्** कहीं साँस लेने, या जीनेवाली क्रिया से सम्बद्ध नहीं है। मूल शब्द सकार से ही आरम्भ होता था जिसका अर्थ वायु या साँस लेना था। **अश्व** शब्द का **अ** उपसर्ग **अध्वर्यु** के **अ** की तरह।

वायु के लिए एक पुराना शब्द **मरुत्** है। क्या **मर्** जैसी कोई क्रिया जाने, चलने के अर्थ में यहाँ कभी प्रचलित थी? मरने के अर्थ में जिस **मर्** क्रिया का व्यवहार होता था और होता है, उसका मूल अर्थ चलना, जाना हो सकता है। द्रविड़ भाषाओं में अनेक गतिवाचक शब्द ऐसे हैं जिनका अर्थ मरना है, यथा : **पो** क्रिया का अर्थ चलने, जाने के अलावा मरना भी है। जैसे कहते हैं गुजर गए; गुजरने में एक जगह से दूसरी जगह जाने और मरने का अर्थ लिया जाता है, वैसे ही द्रविड़ भाषाओं में **पो** वाली क्रिया का व्यवहार होता है। **मार्ग** शब्द में यही **मर्** क्रिया है। **मृत्यु** का एक अर्थ मार्ग है। **मृग** शब्द किसी भी दौड़नेवाले जानवर के लिए प्रयुक्त होता था। इसी **मर्** से **मरुत्** शब्द बना होगा। किरण के अर्थ में **मरीचि** शब्द, सम्भव है, **मर्** क्रिया से बना हो। मोनियर विलियम्स ने इस सम्भावना का उल्लेख किया है कि **मरीचि** शब्द **मरुत्** से यों सम्बन्धित हो सकता है कि **मरुत्** का अर्थ प्रकाशमान है। वायु के लिए प्रकाश की अपेक्षा तीव्र गति सहज है। प्रकाश का भाव वहाँ आता है जहाँ गति के साथ सूर्य का सम्बन्ध जुड़ता है। हो सकता है, **मरीचि** शब्द पहले सूर्य के लिए प्रयुक्त होता हो। अरण्य के समान **मरु** उस भूमि को कहेंगे जहाँ मनुष्य भटकते रहे हैं। **मरु** का एक अर्थ मृग (हिरन) भी है। **मर्कट** (बन्दर) के लिए **मर्क्** क्रिया की कल्पना की गई है और उसका अर्थ बताया है चलना, गतिशील होना। **मर्** क्रिया से भी **मर्कट** शब्द बन सकता है। संस्कृत में इस शब्द का एक अर्थ है वायु, दूसरा अर्थ है वानर। गतिसूचक शब्दों से वायु, वानर आदि के लिए ऐसे

नये-नये रूप बनते हैं, अर्थ-प्रसार की कैसी प्रक्रिया काम करती है, वह **मर्कट** शब्द के दो अर्थों से जानी जाती है।

द्रविड़ व्युत्पत्ति-कोशकारों ने तमिल भाषा का **मारि** शब्द दिया है जो संस्कृत **वारि** का अर्थ देता है और इसके साथ उन्होंने संस्कृत **मारि** (वर्षा) का उल्लेख किया है। मनुष्य के लिए **मर** शब्द का प्रयोग किया जाता था और स्वभावतः उसे मरने का अर्थ देनेवाली क्रिया से जोड़ा जाता है। उसका मूल अर्थ होना चाहिए धावक, वीर पुरुष। फ़ारसी **मर्द** में यह पुरुषत्व वाला भाव विद्यमान है; मरने के अर्थ से उसका सम्बन्ध नहीं है। इसी **मर** का एक रूपान्तर **नर** है। **मर्द** में **द** कृदन्त प्रत्यय है। रूसी **नरोद्, नर** और संख्यासूचक प्रत्यय **द** के संयोग से, जनता (जन + ता) का अर्थ देता है।

**मर्** के रूपान्तर **नर्** से **नर्त** शब्द बनेगा जो नाचने के अर्थ में प्रयुक्त होने लगा किन्तु जिसका मूल अर्थ चलना, दौड़ना रहा होगा। जो लोग समझते हैं कि **र्** के संसर्ग से संस्कृत में **त्** का मूर्धन्यीकरण होता है, वे संस्कृत **नर्त** और तमिल **नड** के सम्बन्ध पर विचार करें, **नड** (चलना, जाना, घटित होना), **नडइ** (गति, पथ, रीति)। यह शब्द द्रविड़ भाषाओं में व्यापक रूप से व्यवहृत होता है। जैसे **नर्त** से **नड**, वैसे ही **मर्त** से **मड**। तमिल **मडि** (मरना), **मडिवु** (विनाश, मृत्यु), **मडिवि** (मारना)—ऐसे अनेक रूपों का सम्बन्ध संस्कृत **मर्** से है जिसका मूल अर्थ जाना, चलना था। **अभिनेता** के लिए **नट** का प्रयोग **नृत्य** के संसर्ग से हुआ। (मूलतः **नृत्य** और **मृत्यु** में कोई अन्तर नहीं है।) हिन्दी **नटना** और **मटकना** एक ही शब्द-मूल के दो रूपों **नट** और **मट** से बनी हुई क्रियाएँ हैं। **नर्** वाली क्रिया से द्रविड़ भाषाओं में अनेक समयवाचक शब्द बनते हैं। तमिल, कन्नड़ आदि में **नाळ्** (दिन, समय), तेलगू, **नाडु**, कोलमि **नल्, नट** समयवाचक हैं, कहीं **ळ्** है, कहीं उसके बदले **ट्** या **ड्** हैं जिससे मूल रूप में **द्** का संकेत मिलता है। तमिल **नेरम्** (समय, ऋतु), मलयालम **नेरम्** (सूर्य, दिन, प्रकाश, समय, ऋतु, घंटा), कोडगु **नेर** (सूर्य, समय) आदि रूप उसी **नर्** क्रिया से सम्बद्ध हैं।

तमिल **तीर्** का अर्थ है जाना, पूरा होना, मरना। प्रायः सभी द्रविड़ भाषाओं में यह क्रिया पाई जाती है। कन्नड़ **तूळ्** का अर्थ है जाना, किसी का पीछा करना। इस क्रिया का व्यवहार अधिक सीमित है। कन्नड़ **तळर्** का अर्थ है आगे बढ़ना, चलना, काँपना। संस्कृत **तरल** से इसका सम्बन्ध उचित ही जोड़ा गया है। तमिल **तडम्** पथवाचक शब्द है; तमिल **तारि**, कन्नड़ **दारि** इसी के प्रतिरूप हैं। **धारा** में जो **धा** क्रिया गति के अर्थ में है, उससे इसका सम्बन्ध हो सकता है। तमिल **तॅरु, तॅरुवु** का अर्थ है गली। तमिल **तरइ** का अर्थ है मार्ग, घाट, नदी, समद्र। एक ही शब्द के ये अनेक अर्थ अर्थ-प्रसार की प्रक्रिया स्पष्ट करते हैं। कन्नड़ **तॉरॅ** (धारा, नदी) इसी क्रम में है और तुलु **तुदॅ** (धारा, नदी) से ज्ञात होता है कि इन शब्दों का **र्** **द्** का परिवर्तित रूप है। कुइ **दॅग,** कुवि **दॅवलि** का अर्थ दौड़ना, कूदना है। संस्कृत क्रिया

**धाव्** दौड़ने के लिए प्रयुक्त होती थी और हिन्दी का **दौड़** शब्द उससे सम्बन्धित है। **पग** के समान हिन्दी का एक शब्द **डग** है और **मग** के समान मार्गसूचक **डगर** शब्द है। ये सब उन आर्य-द्रविड़ क्रियाओं से सम्बन्धित हैं जो **त्, द्, ध्** से आरम्भ होती हैं। संस्कृत **धाव** का ग्रीक प्रतिरूप **थेओ** (दौड़ना) है। ग्रीक शब्द **थलस्स, थलन्त** (समुद्र, कुआँ) उसी क्रिया से व्युत्पन्न है जिससे **धारा** शब्द बना है और **थलस्स** का **थल** और संस्कृत **जल**, सम्भव है, मूलत: **धर** हों। जैसे **ज्वल** का मूलरूप **ध्वर्** था। संस्कृत **तीर्थम्** मलयालम में **जल** के अर्थ में प्रयुक्त होता है। मूल शब्द जलवाचक **तीर्** है। इसी का ब्राहूइ प्रतिरूप **दीर्** है। **तीर-दीर** का **त्-द्-न्** में परिवर्तित होता है और उसी से **नीर** शब्द प्राप्त होता है। संस्कृत तथा अन्य भारतीय भाषाओं पर द्रविड़ प्रभाव की चर्चा में **नीर** शब्द का उल्लेख अनेक बार किया गया है किन्तु इस प्रसंग में उसके ब्राहूइ प्रतिरूप **दीर्** को छोड़ दिया जाता है। मूल रूप **नीर** नहीं है, **तीर्** या **दीर्** है और यह **तीर्** तीर्थ में विद्यमान है। कोलमि, नइकि, पर्जि आदिभाषाओं में इसी का प्रतिरूप **ईर्, ईरम्, ईरि** आदि है जो **नी—ञी—ई** क्रम से निर्मित हुआ है। अनेक द्रविड़ भाषाओं में **ईर्, ईरम्, ईरि** आदि रूप भीगने, नमी आदि का अर्थ देते हैं। **नीर्** और **ईर्** दो रूप प्राप्त होने से अर्थ-भेद किया गया है। तमिल **तोय्** (नहाना, भीगना) और इस शृंखला के अन्य शब्द संस्कृत **तोय** से सम्बद्ध है। **तोय्** का एक अर्थ पानी में किसी चीज़ को भिगोना, उसे धोना भी है। तेलगू **तोगु** का एक प्रतिरूप **दोगु** (नहाना, भीगना) भी है। यह **दो** वाला रूप मूल **धो** क्रिया का प्रतिरूप हो सकता है। इस प्रकार संस्कृत **तोय** का मूलरूप **धोय** होगा। जैसाा कि **धोबी** शब्द से प्रकट है, नहाने-धोने की यह **धो** क्रिया आर्य भाषाओं में व्यापक रूप से प्रयुक्त होती रही है। संस्कृत में **धो** क्रिया नहीं है किन्तु **धाव्** है जिसका अर्थ है धोना। **धौत** (धुला हुआ) शब्द इसी क्रिया से बनता है। **धाव्** का एक अर्थ दौड़ना है। इसके समानान्तर एक **धव्** क्रिया मानी गई है और इसका भी अर्थ दौड़ना बताया गया है। किन्तु **धवल** (स्वच्छ, धुला हुआ) रूप न तो दौड़ने से सम्बद्ध है और न **धाव्** क्रिया से बन सकता है। **धव्** क्रिया का एक अर्थ धोना भी अवश्य रहा होगा। इस प्रकार **धव्** और **धाव्**, दोनों रूप गतिसूचक हैं; एक ही तरह की अर्थ-प्रसार-प्रक्रिया से दोनों धोने, जल से सम्बद्ध क्रिया का भाव व्यक्त करने लगे। जैसे **पो** से **पवन**, वैसे ही **धो** से **धवल**; **धव्** और **धो** में विशेष अन्तर नहीं है।

**त** वाली क्रिया पवन-वाचक शब्दों के लिए भी कुछ भाषाओं में प्रयुक्त होती रही है। कुड़ुख **तागा** (हवा), **ताग्रना** (हवा का चलना), मल्तो **तर्ग** (वायु), ब्राहूइ **तहो** (उप.) गतिसूचक अन्य शब्दों की तरह इस क्रम में वायु का अर्थ देते हैं। तमिल **तडवइ**, कन्नड़ **तडवॅ**, तेलगू **तडव, तडवु** शब्द समय के लिए प्रयुक्त होते हैं। तमिल **तरुवाय्** (अवसर), कन्नड़ **तरुण** (उपयुक्त समय), तेलगू **तरि** (ऋतु, अवसर, उपयुक्त समय), **तरुणमु** (अवसर, ऋतु, समय) उसी गति-सूचक **तॅर्**

क्रिया से व्युत्पन्न होते हैं। संस्कृत शब्द **तरुण तृ** क्रिया से सिद्ध किया जाता है। इस क्रिया का अर्थ है पार करना, तैरना, कोई काम पूरा करना। क्रिया का यह रूप **तर्** से ही वर्ण संकोच होने पर प्राप्त किया गया है। यह क्रिया गति का अर्थ देती है किन्तु समय वाला अर्थ संस्कृत **तरुण** से सम्बद्ध नहीं किया गया। कन्नड़ और तेलगू भाषाओं में **तरुण** का उपर्युक्त अवसर वाला अर्थ इस शब्द की सही व्युत्पत्ति में सहायक होता है। तमिल **तडवइ** का एक अर्थ समय के अलावा आवर्तन है। तेलगू **तडव** का एक अर्थ प्रावृत्ति है। इसी प्रकार कन्नड़ **तडवॅ** का एक अर्थ आवर्तन है। समय चलता ही नहीं है, आवृत्ति भी करता है। पूर्व से जो सूर्य पश्चिम को जाता दिखाई देता है, वह प्रतिदिन उसी क्रम की आवृत्ति करता है। अंग्रेज़ी में **टेम्पो** शब्द द्रुतगति के लिए प्रयुक्त होता है। **टेम्पेस्ट** तूफान को कहते हैं जिसकी गति बहुत तीव्र होती है। इन शब्दों का मूल स्रोत लैटिन रूप **तेम्पुस्** है जिसका अर्थ है समय। इसी क्रम में लैटिन **तेम्पेस्तस्, तेम्पेस्तुस्** (ऋतु, समय) **तेम्पेस्तीवितस्** (उपयुक्त समय) आते हैं। **तेम्पेस्तस** का एक अर्थ तूफान है। **तेम्पोरे** अर्थात् उपयुक्त अवसर पर; इसका एक अर्थ है कुछ समय के लिए; इसी से अंग्रेज़ी शब्द **टेम्परारी** बनता है। शब्द-निर्माण और अर्थ-प्रसार की प्रक्रिया पर ध्यान दें तो लैटिन भाषा के कालवाचक शब्द द्रविड़ शब्द-शृंखला की एक कड़ी साबित होते हैं। यहाँ तोद **तॉप्** (समय, अवसर), तमिल **ताप्पु** (अपेक्षित अवसर), मलयालम **ताप्पु** (उपयुक्त समय) का उल्लेख भी कर देना उचित है। अंग्रेज़ी **टाइड** शब्द **ज्वार** के लिए प्रयुक्त होता है। जो शब्द समयवाचक है, वह जलवाचक भी है; वह समुद्र की क्रिया-विशेष के लिए प्रयुक्त होने लगा।

ऊपर समय के साथ आवत्ति या आवर्तन का अर्थ देनेवाले जिन शब्दों का उल्लेख किया गया है, उनसे अंग्रेज़ी शब्द **टर्न** (एक ही स्थान पर चक्कर खाना) की तुलना की जा सकती है। लैटिन क्रिया **तोर्नो** का यही अर्थ है। ग्रीक **तोर्नोस्** बढ़ई के उस औजार को कहते हैं जिससे वह वृत्त बनाता है। अंग्रेज़ी भाषा में **टॉर्नेडो** (तूफान) स्पेन से आया है। स्पेनिश में **तोर्नार्** का अर्थ है आवर्तन करना। एक दूसरी स्पैनिश किया **त्रोनार्** से **त्रोनादा** (तूफान) शब्द जोड़ा गया है। **टॉर्नेडो** (चक्रवात) का सीधा सम्बन्ध आवर्तन वाली **तोर्नार्** क्रिया से है। लैटिन **तोर्रेओ** का एक अर्थ है जलाना, भस्म करना, दूसरा अर्थ है प्रवाहित होना। इसी से लैटिन **तोर्रेंस्** शब्द बनता है जो अंग्रेज़ी **टॉरेंट** (धारा) का प्रतिरूप है। **करेंट** और **टॉरेंट** शब्दों के बनने की प्रक्रिया एक ही है, दोनों का सम्बन्ध गतिसूचक क्रिया से है।

क्या आदिम गण-समाजों का मनुष्य वायु और जल के समान अग्नि का सम्बन्ध भी गति से जोड़ता था? तमिल **ती, तीय्** (जलना, अग्नि, ऊष्मा), मलयालम **ती** (अग्नि), कोत **तीय्, तीच्** (जलना, भस्म होना), कन्नड़ **ती** (जलाना, अग्नि), **सी** (भस्म होना), तुलु **तू, सू** (अग्नि), तेलगू **तींड्र** (प्रकाश, ऊष्मा), ब्राहूइ **तीन्** (भस्म

करनेवाली ऊष्मा) **तीरूंक्** (चिंगारी) शब्दों को देखने से लगता है कि जल और वायु के समान अग्नि भी (विशेषत: जंगलों में लगनेवाली आग) अत्यन्त गतिशील प्रतीत होती थी।

संस्कृत **तडित्** की **तड्** क्रिया से सम्बद्ध तमिल **तऴल्** (चमकना, गर्म होना, जलना, आग, अंगार) है। गोंडी में **तड्मी** (आग) संस्कृत क्रिया मूल के अधिक समीप है। कोलमि, नइकि आदि के **तर्** वाले रूप संस्कृत **तारा** की व्युत्पत्ति स्पष्ट करते हैं। **तारा** वह जो चमके, **तरल** शब्द में गतिशीलता और चमक, दोनों हैं। तमिल और कन्नड़ में **तऴल्** के अन्य प्रतिरूप **ताणल्** और **तणलु** हैं जिनमें **तड्** का रूपान्तर **तण्** है। जैसे **नट्** से **नट, नाटक, नटराज**, वैसे ही गतिवाचक **तण्** क्रिया से शिव का प्रसिद्ध नृत्य **तांडव**। जर्मन **टांत्स्** (नाच), **टांत्सॅन्** (नाचना), अंग्रेज़ी **डांस्** तांडव वाली **तण्** क्रिया से सम्बद्ध हैं।

यहाँ **नट** और **तांडव** के सन्दर्भ में हम **भरत** शब्द का स्मरण करें। **भरत** का एक अर्थ नट है। इस अर्थ का कारण यही हो सकता है कि **भर्** क्रिया गतिवाचक थी। **नर्त** से जैसे **नट**, वैसे **भर्त** से **भट** रूप बनेगा, अर्थ होगा, धावक, योद्धा। **भर्** क्रिया का एक प्रतिरूप **धर्** था। **तरल, तऴल्** आदि का मूल रूप **धद्, धड्, धर्, धव्** माना जा सकता है। संस्कृत में **दाव** शब्द जंगल में लगनेवाली आग के लिए प्रयुक्त होता है। इसकी व्युत्पत्ति **दु** क्रिया से मानी जाती है और उसका अर्थ किया जाता है जलाना। ग्रीक क्रिया **दइओ** इसी का प्रतिरूप है। संस्कृत में इससे मिलती-जुलती दूसरी क्रिया **धु** या **धू** है जिसका अर्थ है ज़लाना, कम्पित करना। **धू** के साथ हवा चलाकर जलाने का भाव और जुड़ा हुआ है। इसके ग्रीक प्रतिरूप **थुओ** का एक अर्थ है तेजी से आगे बढ़ना (वायु वाला भाव), और दूसरा अर्थ है यज्ञ करना, बलि देना (अग्नि वाला भाव), इसी का अन्य ग्रीक रूप **थुनो** (तेजी से आगे बढ़ना है)। ग्रीक शब्द **थूमोस्** (श्वास, आत्मा, जीवन) सीधे संस्कृत क्रिया **धू** से सम्बद्ध है। ग्रीक **थुमोओ** (कुपित करना, क्रुद्ध होना), **थुमोम** (क्रोध, आवेश) आदि शब्दों में अग्नि वाला भाव है, जैसा कि इस श्रृंखला के द्रविड़ शब्दों में बहुधा देखा जाता है। **धू** क्रिया से व्युत्पन्न संस्कृत **धूक** का एक अर्थ वायु है, दूसरा अर्थ है समय। **धूप** उन सुगन्धित पदार्थों को कहते हैं जो अग्नि में डाले जाते हैं, उनसे जो धुआँ उठता है, उसे भी कहते हैं। इसी अर्थ में **धूम** शब्द का प्रयोग भी होता है; उसका दूसरा अर्थ है धुआँ। हिन्दी में सुगन्धित द्रव्य के अलावा **धूप** शब्द का प्रयोग सूरज वाली **धूप** के लिए होता है। सूरज की **धूप** वाला अर्थ काफी पुराना है और तब का है जब **धू** क्रिया से वायु और अग्नि का सम्बन्ध स्पष्ट था। संस्कृत में **धूपि** एक प्रकार की हवाओं को कहा गया है जिनसे वर्षा होती है। **दाव** शब्द को जिस **दु** क्रिया से व्युत्पन्न बताया जाता है, उसे मूलत: **धु, धू** मानना चाहिए। संस्कृत **देव** शब्द का अर्थ है देवता, स्वर्गीय, और यह **दिव्** क्रिया से बना है। **दिव्** का एक

अर्थ है जाना, दूसरा अर्थ है चमकना। ग्रीक भाषा में **देव** शब्द का एक प्रतिरूप **थेओस्** है। इसके आरम्भ में सघोष महाप्राण ध्वनि देखकर अनुमान होता है कि **दिव्** क्रिया का मूल रूप **धिव्** था, जैसे **दु** क्रिया का मूल रूप **धू** या **धु** था। **अध्वर, अध्वर्य, अथरि, अथर्वन्, अध्वन्** शब्दों पर ध्यान देने से यह धारणा पुष्ट होती है। **अथरि** शब्द की व्युत्पत्ति बताने के लिए संस्कृत में कोई उपयुक्त धातु नहीं है। **अत्** (चलना) क्रिया अर्थ-विचार से सही है, ध्वनि-विचार से नहीं। **अथरि** (लपट, तीर की नोक) का सम्बन्ध गति से है किन्तु यहाँ **त्** के महाप्राण **थ्** बनने का कोई कारण नहीं है। **अध्वन्** (पथ, समय) में **अध्** क्रिया है। इसी **अध्** से **अध्वर** (यज्ञ) शब्द निर्मित होगा। समय, अग्नि और पथ के सूचक शब्द एक ही **अध्** प्रक्रिया से बनते देखे जा सकते हैं। जैसे ग्रीक **थुओ** का अर्थ, अग्नि-संसर्ग के कारण, यज्ञ करना हुआ, वैसे ही **अध्वर** का मूल अर्थ अग्नि जलाना हुआ और उससे यज्ञ के अर्थ का विकास हुआ। **अध्वर्यु** वह व्यक्ति हुआ जो यज्ञ कराता है। यही अर्थ **अथर्वन्** का है। यह शब्द उन गण-समाजों का है जो भारत के उत्तर-पश्चिमी सीमान्त पर नाग भाषाओं से प्रभावित हो रहे थे। इसके समकक्ष है **अथर्य** अर्थात् जलता हुआ। फ़ारसी में **अथर्** शब्द का अर्थ है अत्यन्त पवित्र जो यज्ञ वाले अर्थ का विकास है। प्रसिद्ध प्रदेश **आज़र बैजान** का फ़ारसी रूप **आज़र बादगान** है जिसका अर्थ हैअग्नि मन्दिर; **आज़रपरस्त अग्नि पूजक** को कहते हैं। **आतिश** और **आदीश** का अर्थ है अग्नि। **अत्रि** शब्द को **अद्** (खाना) क्रिया से जोड़ा जाता है और तब शब्द का अर्थ हुआ भक्षक। किन्तु यह **अत्** (चलना, जलना, जलाना) वाली क्रिया से भी सम्बद्ध किया जा सकता है, और तब **अत्रि** उस ऋषि को कहेंगे जो यज्ञ कराता है।

संस्कृत की सामान्य क्रिया **ज्वल्, ध्वर्** का रूपान्तर है। इसका एक प्रतिरूप **ज्वर्** भी है। **द्युत्** (चमकना), **दिव, दीप, देव, ज्वल्, ज्वर्, ज्योति, तरल, तारा** आदि रूप मूलतः सघोष महाप्राण **ध्** से युक्त शब्द-मूल के विकास हैं और यह शब्द मूल गति सूचक है।

तमिल **तऴल्** (चमकना, गर्म होना) के सन्दर्भ में निष्कर्ष यह निकला कि इस शब्द के आरम्भ में जो **त्** है, वह मूलतः **ध्** था।

**भर** शब्द का एक अर्थ युद्ध है। जैसे **समर** में गति वाले अर्थ का विकास हुआ है, वैसे ही **भर** के युद्ध वाले इस अर्थ में। **भरत** (अग्नि), **भर्ग** (प्रकाश), **भृगु** (शुक्र, सूर्य), **भ्रज** (अग्नि), **भृज्ज्** (भूनना), **भ्राज्** (चमकना), **भा** (चमकना), **प्रभात,** हिन्दी **भोर**, संस्कृत **भग** (सूर्य, चन्द्र समृद्धि), ग्रीक **फोओस्** (प्रकाश)—ये सभी रूप उस क्रिया से सम्बद्ध हैं जो गतिवाचक थी और जिसमें अग्नि, प्रकाश आदि का अर्थ-विस्तार हुआ है। इसी **भ्** वाले रूप में सघोषता और महाप्राणता का लोप होने पर **पुर्** जैसा रूप बनेगा। ग्रीक भाषा में **पुर्** अर्थात् बिजली, ज्वर, कामाग्नि; **पुर** अर्थात् चिता, वह स्थान जहाँ आग जलाई जाती है। **पुरा** अर्थात् जलती हुई

अग्नि को देखना। दिशासूचक **पूर्व** शब्द को **पुरा, पुरः** (सामने) से जोड़ा जाता है। पश्चिम और दक्षिण शब्दों के अर्थ पर ध्यान देने से **पुरः, पुरा** से **पूर्व** का सम्बन्ध सही लग सकता है किन्तु जैसे **दक्षिण** में **दक्ष** का मूल अर्थ कौशल है, वैसे ही **पूर्व** के **पूर्** का मूल अर्थ अग्नि या प्रकाश हो सकता है। **पूर्व** वह दिशा हुई जहाँ प्रकाश दिखाई देता है। बंगला मे **पोड़** शब्द अभी भी जलने-जलाने के अर्थ में प्रयुक्त होता है; **पोड़ामुख** अर्थात् मुँहजला। चिता का अर्थ देनेवाले ग्रीक शब्द **पुर** से अंग्रेज़ी **पायर** बना है और आदि व्यंजन के संघर्षी बनने पर इसी से अंग्रेज़ी फ़ायर (आग) रूप प्राप्त होता है।

**राजा** में जो **राज्** क्रिया है, उसका मूल अर्थ शासन करना नहीं है। **राज्** से **राग** शब्द बनता है जिसका एक अर्थ है लाल रंग, कामोत्तेजना। **राग** और **राजा** उस गतिसूचक **रा** क्रिया-मूल की ओर संकेत करते हैं जिसका अन्य अर्थ चमकना, जलाना, प्रकाशित होना आदि है। लैटिन में **रेक्स** (राजा), **रेगो** (शासन करना), **रेगीना** (रानी) आदि शब्द कहीं भी **राग** या **राज्** का मूल अर्थ नहीं देते। संस्कृत **हरि** (पीला, घोड़ा, सूर्य, वानर) अर्थ-प्रसार की वही प्रक्रिया प्रस्तुत कर रहा है जिसके अनेक उदाहरण ऊपर दिये जा चुके हैं। **हरिण्य** (पीला, हरा, सूर्य, हिरन), **हरित** (पीला, रक्तिम पीताभ, हरा), **हिरण्य** (सुवर्ण), **हिरण** (उप.) आदि शब्द इसी शृंखला में हैं जहाँ सघोष महाप्राण ध्वनि **ह्** में रूपान्तरित हुई है और जहाँ शब्द-मूल **घर्** गतिसूचक था।

संस्कृत **अर्चि** का अर्थ किरण, आदित्य और लपट है। **अर्क** (सूर्य, किरण, बिजली, अग्नि), **अरुण** (रक्त वर्ण, सूर्य) गतिसूचक **अर्** अथवा **ऋ** क्रिया से सम्बद्ध हैं। इस सन्दर्भ में कोत **अड़्च्** (लपट का उठना), तुलु **अरदॅ**, तेलगू **अडरु** (जलना, चमकना) उल्लेखनीय हैं। अंग्रेज़ी **रे** (किरण) भी यहाँ स्मरणीय है।

**अध्वन्** वाली **अध्** क्रिया से गतिसूचक एक रूप **अत्** बना जिससे आत्मा शब्द निर्मित हुआ, उसी तरह दूसरा रूप **अन्** बना और इससे एक ओर पवनवाचक **अनिल** शब्द बना, दूसरी ओर अग्निवाचक **अनल्** बना। तमिल **अनल्** (अग्नि, ऊष्मा), **अनलि** (अग्नि, सूर्य), मलयालम **अनल्, अनल्च, अनच्च, अनप्पु** (अग्नि, ऊष्मा), कन्नड़ **अनलि** (गर्मी) उसी **अन्** क्रिया से व्युत्पन्न हैं। बरो और एमेनो ने अपने कोश में संस्कृत **अनल** शब्द को द्रविड़ भाषाओं की देन माना है। वास्तव में **अनल** का आधार **अन्** उसी **अत्** का रूपान्तर है जिससे निर्मित होनेवाले **अत्मन्** जैसे शब्द यूरोप की भाषाओं में बोले जाते हैं। **अत्** का **अन्** रूप वायुवाचक लैटिन **अनिम** में विद्यमान है। भारतीय भाषाओं में यह क्रिया **अनिल** (वायु) और **अनल** (अग्नि), दोनों रूपों में व्यवहृत है। मूल क्रिया **अध्** में सघोष महाप्राण ध्वनि है, उसका अघोष अल्पप्राण ध्वनिवाला रूप आर्य-द्रविड़ परिवारों में और भारत के बाहर इंडो-यूरोपियन परिवार की अन्य भाषाओं प्रयुक्त होता है।

संस्कृत **अर्चि** के **अर्** से तुलनीय है तमिल **ऑरि** (जलना, चमकना)। इसका व्यापक व्यवहार द्रविड़ भाषाओं में होता है और उनमें संस्कृत **अर्क** से मिलते-जुलते रूप भी हैं; कोलमि **अॅर्क्** (आग जलाना), गोंडी **अर्कि** (ज्वर); अंग्रेज़ी **रे** (किरण) के अनुरूप कुइ के रूप **रीव, रीत्** (जलना) आदि हैं। हिन्दी **अलाव** **अर्** के प्रतिरूप **अल्** से बना है। तमिल **ऑळि** (प्रकाश, सूर्य, चन्द्र, तारा, अग्नि, दीप, सौन्दर्य) के जो अनेक अर्थ दिये गए हैं, वे इस क्रम में अर्थ प्रसार-प्रक्रिया का बहुत अच्छा उदाहरण हैं। गति और अग्नि के साथ **ऑळि** में एक नया अर्थ जुड़ गया—सौन्दर्य। उससे पहले कामपीड़ा वाले अर्थ पर ध्यान देना चाहिए। अग्निवाचक शब्द अनेक भाषाओं में काम-चेतना के लिए प्रयुक्त होते हैं। तमिल **अनल्** अर्थात् **अग्नि** और तमिल **अन्बु** (प्रेम, मैत्री), **अन्बन्** (प्रेमी, पति, मित्र), कन्नड़ **अम्मु** (चाहना) उसी **अन्** क्रिया से सम्बद्ध हैं। तमिल **अळल्** (जलना) और इसी से सम्बद्ध **अऴिवु** (प्रेम); इसी प्रकार तमिल **ऑळि** का एक अर्थ अग्नि, सूर्य, चन्द्र इत्यादि और दूसरा अर्थ सौन्दर्य है।

संस्कृत **काम** शब्द का सम्बन्ध अग्निवाचक किसी क्रिया से है या नहीं? तमिल **कनल्** (अग्नि, जलना), **कनलि** (सूर्य), मलयालम **कनल** (अंगार), कोलमि **कन्** (दहकता लाल रंग), **कन्च्** (आग में दहकाना), कन्नड़ **कनि** (दमकना), कुइ **कम्ब** (भस्म होना) द्रविड़ भाषाओं में **कन्** क्रिया का व्यवहार व्यापक रूप से होता है। संस्कृत में भी एक **कनल** शब्द है जिसका अर्थ है चमकीला। सोना चमकता है, इसलिए उसे **कनक** कहते हैं। संस्कृत में इसी अर्थ का सूचक **कन्दल** शब्द भी है। संस्कृत में एक क्रिया **कञ्च** का भी उल्लेख है, अर्थ है चमकना। इसलिए **कञ्चन** का वही अर्थ हुआ जो **कनक** का है। **कञ्च** कमल के फूल को कहा गया क्योंकि उसका रक्त-पीत वर्ण दमकता था। **कन्** क्रिया का प्रतिरूप **कम्,** उसी से **कमल,** जिसका एक अर्थ पीला लाल रंग है, दूसरा अर्थ हिरन और तीसरा अर्थ कमल नाम का फूल। इसी **कम्** क्रिया से **काम** शब्द बनता है। लैटिन **कोमिस्** (प्रेमपूर्ण) में वही **कम्** क्रिया है। अंग्रेज़ी शब्द **कम्ली** (सुन्दर) का सम्बन्ध इसी **कम्** से हो सकता है। **क्** का लोप होने पर लैटिन में **अमो** क्रिया का अधिक व्यवहार हुआ। इसका अर्थ है चाहना, त्याग करना; **अमोर** अर्थात् प्रेम। इसी से अंग्रेज़ी में **एमिएबल्** (मैत्रीपूर्ण) जैसे शब्द हैं। लैटिन क्रिया **कन्देओ** का अर्थ है चमकना, इसी से लैटिन रूप **कन्देल,** अंग्रेज़ी **कैंडिल** यानी **कन्दील**। यह **कन्** क्रिया मूलतः गतिसूचक है और **गम्** का प्रतिरूप है। तमिल **कणण** का अर्थ है द्रुतगति से। संस्कृत **कम्प** में गति का भाव स्पष्ट है, **कम्पन** रूप में अर्थ-विकास की वही प्रक्रिया है जो **तरल** में है। संस्कृत में एक क्रिया **कम्ब्** मानी गई है जिसका अर्थ है चलना और एक शब्द है **कम्बर** जिसका अर्थ है बहुरंगी। सम्भवतः ऊन से बने हुए कम्बल को यह नाम इसलिए दिया गया कि उसमें अनेक रंग होते थे। **गन्धर्व** शब्द का सीधा सम्बन्ध

**गम्** से है। **गन्धर्व** उसे कहेंगे जो देखने में सुन्दर हो और स्त्रियों के सहवास के लिए उत्सुक हो; इसलिए **गन्धर्व-विवाह** वह विवाह हुआ जिसका आधार केवल काम-भावना है। उत्तर-पश्चिमी प्रदेशों के लोग गन्धार इसलिए कहलाते थे कि वे देखने में सुन्दर होते थे।

इस प्रसंग में तोद **अर्य्, अर्च्** पर ध्यान देना चाहिए जिसका अर्थ है नारी की काम-भावना। तमिल **अलङ्ग** का अर्थ है चलना, काँपना; **अलइ** अर्थात् लहर। इससे तुलनीय है **अलंकार** जिसका सम्बन्ध किसी वस्तु को सुन्दर बनाने से है। **अलक** सुन्दर युवती को कहते थे और कुबेर की अलका में जो अलक लोग रहते थे, वे गन्धारों के समान सुन्दर रहे होंगे। ये सभी शब्द **अर्-अल्** क्रिया से बने हैं।

**पो** और **वा** क्रियाओं के **पे** और **वे** प्रतिरूपों से भी अग्नि-सूचक शब्द बनते हैं। तमिल **वे** (जलना), **वेडइ** (गर्मी), **वय्योन्** (सूर्य), मलयालम **वेद** (जलना), **वेदु** (गरम चीज); तोद **पोय्, पोद्** (जलना), **पीश्** (सूर्य, धूप), **पेसॉख्य्** (ग्रीष्म ऋतु), कन्नड़ **बे, बेयु** (भस्म होना, धूप में झुलसना), **वेगॅ** (दावाग्नि); इस शृंखला की मूल क्रिया द्रविड़ भाषाओं में व्यापक रूप से प्रयुक्त होती है। तोद रूप **पेसॉख्य** संस्कृत **वैशाख** से तुलनीय है। **विशाखा** एक नक्षत्र का नाम है। किसी नक्षत्र को **विशाखा** इसलिए न कहा जाएगा कि उसमें शाखाएँ फूटती हैं या उसकी शाखाएँ नष्ट हो गई हैं। **वि** क्रिया का सम्बन्ध चमकने से है, अतः **विशाखा** और **वैशाख** नाम प्रकाश के अतिरिक्त उष्णता से सम्बद्ध हुए। आकाश को **व्योम** कहा गया क्योंकि वह प्रकाशमान रहता है। जो अर्थ **आकाश** का है, वही **व्योम** का है। **व्योम** का एक अर्थ वायु भी है। कुवि भाषा में **वॅहिनि** का अर्थ है उष्ण। इससे संस्कृत **वह्नि** तुलनीय है। अग्नि को **वह्नि** नाम इसलिए दिया गया था कि वह यज्ञ में डाली हुई वस्तु देवताओं तक ले जाती थी। उसकी व्युत्पत्ति उस क्रिया से हो सकती है जो चमकने का अर्थ देती थी। **वस्** क्रिया का एक अर्थ चमकना है। ऋतु विशेष को **वसन्त** इसलिए कहा गया कि वह प्रकाश की ऋतु है और शिशिर की अपेक्षा उसमें उष्णता होती है। **वसन्त** का रूसी प्रतिरूप **वेस्ना** है; **वॅसॅलीत्** (आनन्द मनाना), **वेसॅलो** (आनन्दपूर्वक) **वस्** क्रिया से निष्पन्न हैं। आदित्य, मरुत, इन्द्र, रुद्र आदि **वसु** हैं क्योंकि वे प्रकाशमान हैं। दिन को **वासर** कहा गया क्योंकि वह प्रकाशयुक्त होता है। **वासना** में यही **वस्** क्रिया है। **वस्** का प्रतिरूप **उष्** है जिसका अर्थ है जलना, जलाना, प्रभात होना। इसी से **उषा** और **उष्ण** शब्द बनते हैं। चेक भाषा में **उश्वित्** का अर्थ है प्रभात होना। **विष्णु** यदि अग्नि, विद्युत् और सूर्य के रूप में प्रकट होते हैं तो यह स्वाभाविक ही है। यदि वह कामदेव के पिता भी हों तो यह स्वाभाविक है; यदि चैत्र-मास का एक नाम विष्णु हो तो यह भी बोधगम्य है।

तमिल **वेंडु** (चाहना), **वेऴ्** (चाह, वासना), **वेऴइच्चि** (भोग), **विऴइन्दोन्** (पति, मित्र), **विऴइबु** (सम्भोग), **वे, बे, बो, ओ** रूपों में काम-सूचक इस क्रियामूल का

व्यापक व्यवहार द्रविड़ भाषाओं में होता है। तमिल **वेन्दन्** का अर्थ है राजा, सूर्य, चन्द्र, इन्द्र, वृहस्पति; यह अर्थ-प्रसार प्रक्रिया **विष्णु** के अर्थ-विस्तार से मिलती-जुलती है। गोंडी **पेन्,** कुइ **पेन** आदि देववाचक शब्द हैं। कभी-कभी किसी पर देवता आ जाते हैं और काफी परेशान करते हैं; उस अर्थ में भी इस शब्द का प्रयोग होता है। तमिल **पेय्** (किसी पर आनेवाला देवता), मलयालम **पेन** (भूत), कन्नड़ **पे, हे** (आवेश, उन्मत्त होना) आदि शब्द उसी गतिसूचक क्रियामूल से सम्बद्ध हैं।

## 4. पुर, उर, नाडु

आदिम मनुष्य के लिए कृषि का आविष्कार एक अत्यन्त महत्त्वपूर्ण घटना थी। जो शब्द किसी स्थान पर छेद करने, किसी वस्तु को प्रविष्ट करने के लिए प्रयुक्त होते थे, उनका उपयोग कृषि के लिए किया गया। यह कहना कठिन है कि प्रजनन-क्रिया से सम्बद्ध अनेक शब्द पहले कृषि के लिए प्रयुक्त होते थे और वहाँ से उधर लाये गए अथवा पहले वे प्रजनन क्रिया के लिए प्रयुक्त होते थे और वहाँ से कृषि के क्षेत्र में लाये गए। जो भी हो, यह स्पष्ट है कि एक शब्दमूल मिलती-जुलती अनेक क्रियाओं के लिए प्रयुक्त होता था। संस्कृत **सीर** का अर्थ हल, बैल, सूर्य आदि है। **सी** क्रिया का अर्थ बताया गया है सीधी रेखा खींचना। **सीता** खेत की उस गहरी रेखा को कहते हैं जो हल खींचने से बनाई जाती है। दो स्थानों को बीच में रेखा खींचकर अलग किया जाए तो उसे **सीमा** कहेंगे। स्त्रियाँ सिर के बालों के बीच में माँग काढ़ती हैं, उसे **सीमन्त** कहा जाता था। **सू** क्रिया का अर्थ प्रेरित करना है। जो प्रेरक है, वह **सविता** है। रथ चलानेवाला व्यक्ति घोड़ों को प्रेरित करता है, अतः वह **सूत** है। **सू** क्रिया का एक अर्थ जन्म देना हुआ। अतः **सुत** और **सूनु** पुत्र के नाम हुए जिसे जन्म दिया जाता है। **सूत** शब्द का एक अर्थ हुआ पिता, दूसरा अर्थ हुआ **पुत्र**। **सूतक** अर्थात् सन्तान का जन्म ;जन्म के समय स्त्री कुछ समय तक अपवित्र मानी जाती है, अतः यह अपवित्रता का भाव **सूतक** शब्द में भी पाया। अवधी में **सौरि** उस स्थान को कहते हैं जहाँ माता सन्तान को जन्म देती है और **सोहर** उन गीतों को कहते हैं जो सन्तान के जन्म के समय गाये जाते हैं। संस्कृत **सूचि** उस अस्त्र को कहते हैं जिससे कपड़ा सिया जाता है, **सूत्र** उस धागे को कहते हैं जिससे सुई अपना काम करती है। हिन्दी क्रिया **सीना** का संस्कृत पूर्वरूप **सिव्** है। दर्जी के लिए एक पुराना शब्द **सिव** है।

लैटिन **सेरो** माने बुवाई करना; इस क्रिया का एक अर्थ गूँथना भी है। लैटिन **सेमेन्** अर्थात् बीज। अंग्रेज़ी **सो** क्रिया बोने का अर्थ देती है और सीने का भी, यद्यपि वह लिखी दो तरह से जाती है। अंग्रेज़ी **सीड्** उसे कहेंगे जो बोया जाता है। अंग्रेज़ी **सन्** (पुत्र) आदि शब्दों के निर्माण की वही प्रक्रिया है जो संस्कृत **सुत** और **सूनु** की है। मराठी **शेत** (खेत) का पूर्वरूप **सेत** की **से** क्रिया से बना। **सेत—शेत—क्षेत्र** वह

भूमि है जो जोती-बोई जाती है। **क्षिति** उस भूमि को कहेंगे जिसे मनुष्य जोतता-बोता है और जहाँ वह रहता भी है। जोतने-बोनेवाली क्रिया से आवास भूमि के अर्थ का विकास हुआ। संस्कृत क्रिया **क्षि** का एक अर्थ हया निवास करना।

**से, शे** क्रिया का द्रविड़ प्रतिरूप **चे, के** है। तमिल **चे, चेप्पु** (रहना, लेटना), **चेक्कई** (निवास-स्थान, खाट), कन्नड़ **के, केद्** (लेटना, सम्भोग करना) आदि रूपों में द्रविड़ व्युत्पत्ति-कोशकारों ने एक-सी दिखनेवाली दो क्रियाओं को मिला दिया है। संस्कृत में एक **शे** या **शी** क्रिया वह है जिसका अर्थ लेटना है, इससे **शैया** शब्द बनता है। लेटने का अर्थ देनेवाली **चे-के** क्रिया इस वर्ग की है। एक **चे-के** का अर्थ है लेटना। दूसरी **चे-के** का अर्थ है निवास करना। रहने का अर्थ देनेवाली तमिल **चे** क्रिया उस वर्ग की है जिसमें **क्षिति** और **क्षेत्र** आते हैं। तमिल **चॅय्** (खेत), **कइदइ** (धान का खेत), कन्नड़ **कॅय्, कय्** (खेत) आदि शब्द कृषि-सम्बन्धी उक्त शब्द शृंखला में हैं। यहाँ संस्कृत शब्द **केदार** (खेत, विशेषत: वह खेत जिसमें पानी भरा हो) स्मरणीय है। द्रविड़ भाषाओं में अनेक स्थान-वाचक शब्दों के साथ **चेरि** शब्द आता है। तमिल **चेरि** (गाँव, कस्बा, गली) उसी **से, शे** (निवास करना) क्रिया से सम्बद्ध है। तमिल **चेर्पु** (आवास), **चेर्वु** (ग्राम) को **चेर्** क्रिया से सम्बद्ध किया गया है जिसका अर्थ है संयुक्त होना। अंग्रेज़ी का **सिटी** शब्द कैसे बना? लैटिन **कितो** क्रिया का अर्थ है किसी वस्तु को बलपूर्वक प्रेरित करना। यह शब्द लैटिन **किविस्** (नागरिक) से बिलकुल असम्बद्ध जान पड़ता है किन्तु कृषि-सम्बन्धी अर्थ विकास की प्रक्रिया पर ध्यान दें तो सम्बद्ध लगेगा। ग्रीक भाषा में **कोमे** उस गाँव को कहते थे जिसके चारों ओर दीवाल न उठाई गई हो; कस्बे और मोहल्ले के लिए भी इस शब्द का प्रयोग होता था। **कोमेतेस्** शब्द का अर्थ देहाती था। इसी से हास्यरस के नाटक **कोमोदिआ** (अंग्रेज़ी **कॉमेडी**) कहलाए। इसी शृंखला में अंग्रेज़ी **सिटी** है जिसका इटालियन प्रतिरूप **चित्ता** है। भारत में **च्, क्** वाले दोनों रूप मिलते हैं। यहाँ अनेक नगरों के नाम के बाद **सोर** लगा रहता है, जैसे **बालासोर, मन्दसौर**। इनमें **सोर** और **सौर** का उद्भव कृषि-सम्बन्धी **सो** क्रिया से हुआ है।

गोंडी **सेर्** (हल), कुइ **सेरु** (बैलों की गोंई), में से मूल क्रिया बनी हुई है। कोलमि **चेर्** (हल, बैल), श्रीलंका की तमिल में **चेर्** (हल, बैलों की गोई), कुवि **हेरु** (हल) में **स्** के स्थान पर **च्, ह्** है। अन्य भाषाओं में **च्** और **ह्** का लोप हुआ है। तमिल मलयालम, कोत, तोद भाषाओं में **एर्** रूप है। कन्नड़ में **एरु** का विकल्प **आर्** भी है और पर्जि में बैलों की **गोई** के लिए **ईरेर्** शब्द है। इन रूपों से तुलनीय है लैटिन **अरो** (हल जोतना), **अरात्रुम्** (हल), ग्रीक **अरोओ** (हल जोतना), **अरोरोन्** (हल), लैटिन **अर्वुस्** (जोता हुआ खेत), **अर्वुम्** (खेत), **अरातोर्** (हलवाहा), यूरोप की भाषाओं में इस शृंखला के अनेक शब्द हैं। **आर्य** शब्द की व्युत्पत्ति के लिए इस **अर्** क्रिया से भी काम लिया जा सकता है।

**सर्** क्रिया से अवधी **हरु**, हिन्दी **हल** बने; **सर्** के प्रतिरूप **हर्** से लैटिन भाषा का शब्दमूल **अर्** प्राप्त हुआ।

तमिल **चाल्** संस्कृत **सीता** का पर्याय है। हल चलाने से जो नाली बनती है, पह **चाल्** है। बोते समय जिस लकीर पर किसान आता-जाता है, वह भी **चाल्** है। कन्नड़ **साल्** में **स्** वाला मूल रूप है। हल जोतने से जो सीधी रेखा बनती है, उससे अर्थ प्रसार हुआ। कन्नड़ **साल्** का एक अर्थ हल से बनाई हुई रेखा हुआ, फिर किसी भी रेखा के लिए यह शब्द प्रयुक्त हुआ। कोडगु **चाल्लि**, तुलु **सालु**, तेलगू **चालु**, मलयालम **चाल्**, दोनों अर्थ देते हैं। बंगला शब्द **सारि कतार** के लिए प्रयुक्त होता है। इसका सम्बन्ध उक्त द्रविड़ रूपों से है। खेत में जो धान कतारों में लगाया गया, वह संस्कृत में **शालि** कहलाया। संस्कृत **शाल** घिरे हुए स्थान, दीवाल, दुर्ग के लिए प्रयुक्त होता है। **शालीन** वह व्यक्ति है जिसके रहने का ठीहा-ठिकाना है। अंग्रेज़ी **हौल** संस्कृत **शाल** का प्रतिरूप है। इसी **शाल** से **शाला** रूप बना। **शाला** का अर्थ बड़े कमरे के अलावा घर भी है। **शालग्राम** में काम-काज की तरह एक ही अर्थ देनेवाले दो भिन्न रूप **शाल** और **ग्राम** संयुक्त हो गए हैं। पाणिनि **शालातुर** गाँव में पैदा हुए थे। इस शब्द में **शाला** का अर्थ गाँव है और यही अर्थ **तुर** का भी होना चाहिए। संस्कृत में **तुर** का यह अर्थ नहीं है पर सम्भव है, किसी समय रहा हो। **स्** ध्वनि को अनेक द्रविड़ भाषा **क्-त्-प्** में परिवर्तित करती हैं। **सुर, पुर, तुर, उर, ऊरु** का मूलत: एक अर्थ सम्भव है।

दविड़ भाषाओं में इस शृंखला के **क्** वाले कुछ रूप इस प्रकार हैं।

मलयालम **करि, करु** (हल), तमिल **कारु** (हल का फाल), कन्नड़ **कारु** (उप.), तमिल **कॉऴु** (उप.), कोत **कॉव्** (उप.), कन्नड़ **कुऴ, गुऴ** (उप.), तमिल **कलप्पइ** (हल, फाल)—इन सब रूपों का सम्बन्ध हल से है किन्तु कन्नड़ **कलपु**, हल के अलावा घर बनाने के आवश्यक सामान, और इसी प्रकार तेलगू **कलफ** गृह-निर्माण-सम्बन्धी वस्तुओं के लिए प्रयुक्त होता है। तमिल **कुत्तु** (छेद करना, सीना), तेलगू **कुट्टु** (उप.), संस्कृत **कुद्दाल** (कुदाल), तमिल **कुन्दालि** (उप.) मिलते-जुलते शब्द हैं। तमिल **कुडि** (घर, परिवार, नगर) हिन्दी **कुटी** का प्रतिरूप है। **कुटुम्ब** शब्द का सम्बन्ध इसी शृंखला के रूपों से है। **कुडि** शब्द आवास के अतिरिक्त परिवार का भी अर्थ देता है। द्रविड़ भाषाओं में इस शब्द-मूल का व्यापक व्यवहार होता है। मन्दिर-सूचक **गुडि** शब्द इसी का प्रतिरूप है। द्रविड़ भाषाओं में **कुटुम्ब** (परिवार) शब्द का व्यवहार भी होता है; तुलु भाषा में इसका **कुडुम** प्रतिरूप दिलचस्प है; विवाह-सम्बन्ध के लिए पंजाबी में **कुड़माई** का प्रयोग होना स्वाभाविक है।

संस्कृत **सुत** और **पुत्र** का एक ही अर्थ है। अन्य अनेक शब्दों के समान यहाँ भी **स्** ध्वनि **प्** में परिवर्तित हुई है। द्रविड़ भाषाओं में कृषि, प्रजनन, पुत्र, आवास

आदि से सम्बन्धित शब्द **प्** से ही अधिक आरम्भ होते हैं, यह स्वाभाविक है। ये रूप द्रविड़ भाषाओं तक सीमित नहीं हैं, वे अनेक इंडो-यूरोपियन भाषाओं में मिलते हैं। इनका मूल रूप **स्** से आरम्भ होता था। तमिल **पाय्** (पौधे लगाना), **पिळ्** (विदीर्ण करना), कुइ **प्लीप** (सृजन करना), तमिल **पीरु** (विदीर्ण करना), कोत **पीर्** (बलपूर्वक प्रविष्ट करना), पर्जि **पुयिल्** (फाल), तमिल **पदि** (भीतर प्रवेश, लगाया जानेवाला पौधा, आवास), तमिल **पल्** (दाँत) और **पल्लि, पलगि** (दाँता, खेती के काम में आनेवाला औजार जिसमें दाँत बने होते हैं), **परंडु** (खरोंचना), **पिडुङ्गु** (बलपूर्वक प्रविष्ट करना), **पीर** (विदीर्ण करना), पर्जि **पिड्क** (बीज), गोंडी **पॅडॅ** (उप.), तमिल **पुऴई** (छेद करना, छेद), कन्नड़ **हॅट्टु** (प्रविष्ट करना), **पॅट्टु** (सम्भोग करना), तमिल **पॉ** (छेद करना), **पॉत्तु** (छेद), **पोत्तु** (उप.), तेलगू **बॉक्क** (छेद), तमिल **पॉदु** (विवाह द्वारा सम्बन्धित), **पॉरु** (संयुक्त होना, सम्भोग करना) आदि शब्द परस्पर सम्बद्ध प्रतीत होते हैं।

अंग्रेज़ी **सीड** का संस्कृत प्रतिरूप **वीज** अथवा **बीज** है। इस शब्द की व्युत्पत्ति समझने के लिए तमिल **वित्तु** (बोना, बीज) और इस शृंखला के अन्य शब्दों पर ध्यान देना चाहिए। इनमें **प्, व्** और **ब्**, तीनों ध्वनियों वाले शब्द मिलते हैं। तोद् **पित्** (बोना, बीज), कन्नड़ **बित्तु** (उप.), तेलगू **वित्तु** (उप.), गोंडी **विताना** (बोना), **विज्जा, वीजा** (बीज)—ये शब्द संस्कृत **बीज** के प्रतिरूप हैं और इनका सीधा सम्बन्ध उस क्रिया-रूप से है जिसके आरम्भ में **स्** ध्वनि थी। **पितृ** शब्द इस सन्दर्भ में विचारणीय है। **से, सो, सव्** क्रिया **पे, पो, पव्** जैसे रूपों में परिवर्तित हुई। वर्ण विपर्यय से **पव्** के स्थान पर उत्तर-भारतीय जन **वप्** कहने लगे। यह बुवाई सम्बन्धित कृषि-कर्म के लिए संस्कृत की प्रधान क्रिया हुई। **वप्** से **बप्पा** का वैसा ही सम्बन्ध है, जैसा **पित्** से **पितृ** का। संस्कृत में **वप्तृ** का अर्थ है बोनेवाला, जनक, पिता। हिन्दी **बप्पा** सम्बन्ध इस **वप्तृ** से ठीक जोड़ा जाता है। अर्थ-प्रसार की जो प्रक्रिया यहाँ दिखाई देती है, वही **पितृ** में भी है। जो क्रियामूल **प्रसव** में है, वही **सवितृ** में है। जो अर्थ **पिता** का है, वही मूल अर्थ **सवितृ** का भी है। यह शब्द सूर्य के लिए विशेष रूप से प्रयुक्त होने लगा। पितृसत्ताक समाज के सूर्योपासक आर्यों ने **सवितृ** को परमपिता माना। इन शब्दों का क्रिया-मूल कृषि से सम्बन्धित है।

द्रविड़ भाषाओं में पुत्र-वर्गीय शब्दों की एक लम्बी शृंखला है। **सुत, सूनु** जैसे रूप केवल संस्कृत में हैं; **प्** वाले रूप दोनों परिवारों में हैं। तमिल **पयल्, पजल्, पइयल्, पइदल्, पइजल्, पइयन्**, कन्नड़ **पसुऴ**, तुलु **पसि, पइय्य**, तेलगू **पइद लड़के** या **बच्चे** के लिए प्रयुक्त होनेवाले शब्द हैं। **पुत्र** के फ़ारसी प्रतिरूप **पिसर** के समान मलयालम **पशकन्**, कन्नड़ **पसुळ**, तुलु **पसि** जैसे रूप हैं। यह शब्द मानव-समाज के अतिरिक्त अनेक भाषाओं में पशुओं के लिए भी प्रयुक्त होता है। तेलगू **पेय**, पर्जि **पॅय्य** आदि बछड़े के लिए प्रयुक्त होनेवाले शब्द हैं। ब्रज में

गाय-भैंस के छोटे बच्चों को **पोया** कहा जाता है। अवधी में छोटे पौधे **पोया, प्वावा** कहलाते हैं। मानव-समाज, पशु-जगत् और वनस्पतियों में एक ही जीवन का आभास इस क्रम के अनेक शब्दों में देखा जाता है। अंग्रेज़ी शब्द **स्वाय्** इसी शृंखला में है।

तमिल **पॅण्** लड़की, स्त्री, मादा पशु और वनस्पतियों के लिए प्रयुक्त होता है। **पॅण्मइ** (नारी का जन्म पाना), **पिणइ** (मादा पशु), **पिणवल्** (कुतिया, हिरनी आदि), कोडगु **पॉण्णि** (पत्नी, स्त्री), तुलु **पॉण्णु** (लड़की), तेलगू **पण्डि** (मादा पशु या वनस्पति), **पण्डिलि** (विवाह), **पॅण्ड्लमु** (पत्नी)—इन शब्दों में मूल वर्ण एकार-ओकार दोनों स्वरों वाला है। इस मूलवर्ण के अन्त में **ण्** परिवर्तित ध्वनि है। **पॅद—पॅन्—पॅण्**—इस क्रम से ध्वनि-परिवर्तन हुआ है। यूरोप के जिन गण-समाजों की भाषा में **प्** ध्वनि का अभाव था, उन्होंने **अपः—अक्वा** की तरह **पॅण्** को **क्वीन** रूप में ग्रहण किया। **क्वीन्** का सामान्य अर्थ है नारी। प्राचीन काल में यूरोप में जाकर भारतीय शब्द अधिक अर्थ गौरव अर्जित करते थे, जैसे **पत्नी** यहाँ किसी भी पुरुष की स्त्री को कहा जाता था किन्तु ग्रीक भाषा में **पोत्निअ** का व्यवहार उच्चवर्गीय महिला—देवी या लेडी—की तरह होता था।

तमिल **पॅट्टइ,** लड़की के अलावा, मादा जानवरों के लिए प्रयुक्त होनेवाला है। हिन्दी **पिद्दी** का समकक्ष तेलगू **पिट्ट** (चिड़िया) है; तेलगू **पट्ट** मादा पक्षियों के लिए प्रयुक्त होता है। हिन्दी **पिल्ला** अब केवल कुत्ते के बच्चों के लिए प्रयुक्त होता है; उसका मूल अर्थ प्राणिमात्र का बच्चा है। मनुष्य ने, पशु-जगत् का स्वामी बनकर, श्रेष्ठता जताने के लिए अपने बच्चों के लिए विशेष शब्दों का व्यवहार आरम्भ किया। हिन्दी में **पिल्ले** को कुत्ते का पुत्र कहा जाए तो लोग हँसेंगे किन्तु पंजाबी **कुत्ता दा पुत्तर** वैसे ही आम गाली है, जैसे अंग्रेज़ी में **सन् ऑफ ए बिच्**। तमिल **पिळ्ळइ** पशु और मनुष्य का बच्चा, लड़का लड़की दोनों, कोडगु में **पळ्ळॅ** केवल मादा पशुओं के लिए प्रयुक्त होता है। कोत् भाषा का **पय्ळ्** बच्चे के अलावा छोटे पौधे के लिए प्रयुक्त होता है। कोलमि में **पिल्ल** के अतिरिक्त **पॅद्द** शब्द भी है; **पिल्लपॅद्द** अर्थात् मादा और नर। तमिल **पोत्तु** (पौधा, नई शाखा), तेलगू **बोद** (शावक), कुवि **पोद** (लड़की), इनके साथ द्रविड़ व्युत्पत्ति-कोश ने संस्कृत **पोत** (छोटा पौधा या पशु) दिया है। कन्नड़ **पोर** (छोरा, छोरी), तेलगू **पोरडु** (लड़का) **त्** के **र्** में बदलने से बने हुए रूप हैं।

इस वर्ग के शब्दों का सम्बन्ध प्रजनन, विवाह आदि के लिए प्रयुक्त होनेवाले शब्दों से है। मूल अर्थ है खेती, सीने, पिरोने आदि की क्रिया के अन्तर्गत खोदना, प्रविष्ट करना। तमिल **पॉळि** (खोदना, छेद करना), तेलगू **पॉडुचु** (छेदना), तमिल **पॉरुन्दु** (सम्भोग करना), तेलगू **पॉन्दु** (उप.), तमिल **पॅरु** (पैदा करना), **पिर** (पैदा होना), **पिरप्पु** (जन्म), मलयालम **पेरु** (उप.), तुलु **पॅद्पिनि** (जन्म देना, पालना), नइकि **पॅट्ट्** (जन्म देना), इन रूपों में **त्—ट्** और **द्—र्** वाला परिवर्तन-क्रम

देखा जाता है। बच्चा, बच्चे को जन्म देना, फिर वह स्थान जहाँ जन्म से पहले बच्चा रहता है। कन्नड़ **पॉट्टॅ** का अर्थ **पेट** के अलावा गर्म है : इसी भाषा में **पॉडॅ** पेट और गर्भाधान की स्थिति दोनों के लिए प्रयुक्त होता है। हिन्दी **पेट** इसी शृंखला में है। ओकार वाला रूप मराठी गुजराती **पोट्** तथा प्राकृत **पोट्ट** में है। ये रूप द्रविड़ व्युत्पत्ति-कोश में उद्धृत किये गए हैं। **पेट** से सम्बद्ध जिन वस्तुओं से बच्चे का भरण-पोषण होता है, उनके लिए भी इसी शब्द-मूल के रूपों का प्रयोग होता है। तमिल **पॉदि** (स्तन), तेलगू **पॉदूगु** (उप.), इनके साथ पोषण और समृद्धि का भाव देनेवाले शब्द जुड़ते जाते हैं; तमिल **पॉदिर्** (फूलना, समृद्ध होना), **पॉदि** (पूर्णता, सुदृढ़ता), कन्नड़ **पॉदळ्** (स्रवित होना)। **पोषण** की **पुष्** क्रिया **पॉदि** आदि से सम्बद्ध हो सकती है। हिन्दी पौधा की सघोष महाप्राण ध्वनि इस तथ्य की ओर संकेत करती है कि द्रविड़ भाषाओं के शब्दों में जहाँ **द्—ड्** है, वहाँ मूल रूप में **ध्** था। हिन्दी की सामान्य क्रिया पैदा होना इसी शृंखला में आती है। **पैदा** में महाप्राणता का लोप हुआ है। इसी श्रेणी के **पेड़** शब्द में **द्** का मूर्धन्यीकरण हुआ है।

समृद्धि वाला भाव व्यक्त करनेवाले शब्दों में तमिल **पाङ्गु** (बढ़ना, **उर्वर** होना), **पॉलि** (उप.), **पॉऴि** (स्रवित होना, समृद्ध होना), इनके साथ बहुत्व-सूचक तमिल **पल** (बहुत से), **पलर्** (जनसमूह) सम्बद्ध हैं। संस्कृत **पुल** और **विपुल** का अर्थ विशद है। **पुर** और **पूर** भरने, समृद्ध करने का भाव व्यक्त करते हैं। संस्कृत में एक शब्द **पोल** (ढेर) भी है। ग्रीक **पोलुस्** (बहुत-से) इन्हीं भारतीय शब्दों के गोत्र का है। मूल ध्वनि **र्** थी, जैसे कि **पुरु** (बहुत-से या बहुत-सा), **पुरंधि** (अर्थात् बहुत-सा देनेवाला) में अर्थ-प्रसार की शुरुआत खेती से होती है। तमिल **पात्ति** (छोटा खेत), **पुलम्** (खेती लायक भूमि, धान का खेत), कन्नड़ **पॉल** (खेत), तेलगू **पॉलमु** (उप.), **पॉलमरि** (किसान), इन शब्दों से तुलनीय हैं रूसी भाषा के शब्द **पोले** जिसका अर्थ है खेत, और **पोलेवोद्स्त्वो** (किसानी)। कहाँ तमिल और कहाँ रूसी, कहाँ इंडो-यूरोपियन, कहाँ द्रविड़ परिवार, किन्तु खेत के लिए दोनों जगह एक ही शब्द है। यह शब्द संस्कृत नहीं है, आधुनिक आर्य भाषाओं में नहीं है। यूरोप और भारत की भाषाओं के सामान्य तत्त्व वही नहीं हैं जो संस्कृत में मिलते हैं। संस्कृत **कृषि** और **कृषक** के रूसी प्रतिनिधि **क्रेस्त्यानिन्** (किसान), **क्रेस्त्यान्स्त्वो** (कृषक जनता) हैं।

संस्कृत में कन्नड़ **पॉल** (खेत) का प्रतिरूप नहीं है किन्तु **पल्लि** शब्द है। **पल्लि** अथवा **पल्ली** छोटे गाँव को कहते थे। इसका एक अर्थ घर या झोंपड़ी था और पल्ल वह स्थान था जहाँ अनाज एकत्र किया जाता था। वन्य जन-समाजों से भिन्न खेती करनेवाले गण-समाज उसी भूमि पर रहते थे, या उसके पास रहते थे, जिस पर वे खेती करते थे। इसलिए खेत, आवास, ग्राम, नगर आदि के लिए परस्पर सम्बद्ध शब्दों का प्रयोग होने लगा। तमिल **पळ्ळि** का अर्थ झोंपड़ी के अलावा महल भी है, वह शयनगृह है और चरवाहों का गाँव भी है। मलयालम **पळ्ळि** झोंपड़ी है,

वन्य जन-समाजों का छोटा गाँव है, बौद्धों आदि का मन्दिर है और राजा की शैया है। तुलु भाषा में **पळ्ळि** मस्जिद है, उसका प्रतिरूप **हळ्ळि** छोटा गाँव है। दो बातें स्पष्ट हैं : यह शब्द घर और गाँव, दोनों के लिए प्रयुक्त होता था, और मन्दिर तथा महल के लिए प्रयुक्त होने से इसे वह अर्थगौरव भी प्राप्त था जो संस्कृत में नष्ट हो गया है। **पालि** भाषा **पल्ली**, अर्थात् गाँव, की भाषा है।

तमिल **पुलम्** का पर्जि प्रतिरूप **पॉलुब** है जिसका अर्थ है गाँव। तमिल **पाडि** (गाँव, नगर) हिन्दी **पाड़ा** से सम्बन्धित है। तमिल **पाळि** के भिन्न अर्थ देखने योग्य हैं : मन्दिर, कुटी, नगर, खेती वाली भूमि में कस्बा; इसी के प्रतिरूप कोत भाषा के **एर्, इट्, वाय्** का अर्थ है गाँव के पास के खेत जो बुबाई की रस्म के समय जोते जाते हैं। इसके तोद प्रतिरूप **ओय्** का अर्थ है गाँव के पास के खेत। आवास भूमि और कृषिभूमि की समीपता के कारण जिस तरह का अर्थ-प्रसार होता है, वह यहाँ स्पष्ट है।

**पिता** और **पुत्र** से लेकर **पुर** तक आर्य-द्रविड़ भाषाओं की शब्द-शृंखला कृषि से जुड़ी हुई है।

संस्कृत **पुर** का मूल यूरोपियन प्रतिरूप **पोल** है। नगर के लिए ग्रीक शब्द **पोलिस्** है; **पॉलितेस्** अर्थात् नागरिक, **पोलीतिकोस्** अर्थात् नागरिक से सम्बन्धित। अंग्रेज़ी की सारी **पॉलिटिक्स** इसी ग्रीक **पोलिस्** से शुरू होती है। रूसी में जैसे **पोल** शब्द का अर्थ खेत है, वैसे ही ग्रीक भाषा में **पोलोस्** उस भूमि को कहते हैं जो जोती गई है। इसके साथ **पोलेओ** क्रिया है जिसके दो अर्थ हैं : इधर-उधर घूमना, जमीन को जोतना। वास्तव में दो क्रियाएँ कोशकारों ने मिला दी हैं। एक क्रिया **पो** (चलना) शृंखला की है। दूसरी **पत्-पल्** जोतने-खोदनेवाली शृंखला की। इसमें तो कोई सन्देह ही नहीं कि रूसी, ग्रीक और द्रविड़ भाषाओं में **पोल** शब्दमूल खेत के लिए प्रयुक्त होता है। ग्रीक में **पोलिज़ो** क्रिया भी है जिसका अर्थ है नगर की नींव डालना, नगर बनाकर उपनिवेश स्थापित करना। नगर के अधिष्ठाता देवता को **पोलिअस्** कहा जाता था। ग्रीक भाषा में **ल्** वाला रूप प्रधान है किन्तु **र्** वाले रूपों का पूर्ण अभाव नहीं है। **पुर्गोम** (ऐसा नगर जो चारों ओर दीवाल से घिरा हुआ हो), **पुर्गोओ** (बुर्जों से सुरक्षित करना) **पुर्गोस्** (बुर्ज), **पुर्गिओन्** (मीनार)—इन रूपों से स्पष्ट है कि **पुर** शब्द का भी चलन यूनानियों में था और उसका दुर्ग वाला अर्थ प्रधान था, जैसे संस्कृत **पुरन्दर** (दुर्ग ध्वंसक) में। **पुर** का गाँव वाला अर्थ हिन्दी में प्रचलित है। यद्यपि अनेक नगरों के नाम में यह **पुर** विद्यमान है, फिर भी उसे संस्कृत और ग्रीक में जो अर्थ गौरव प्रदान किया गया है, वह हिन्दी में नहीं है। अर्थ की गौरवहीनता प्राचीन अर्थ की सूचक है। वास्तव में मूलत: **पुर** किसानों का गाँव ही है। भारत में एक प्रसिद्ध नगर **पाटलिपुत्र** कहलाता था। यदि **पुत्र** यहाँ नगरवाचक है तो वह **पुर** का पर्याय है। दोनों का उद्भव एक ही क्रिया से हुआ है।

ग्रीक भाषा में **पुत्र** का प्रतिरूप नहीं है किन्तु लैटिन में इस शृंखला के अनेक शब्द हैं जो द्रविड़-शब्दावली से मिलते-जुलते हैं : **पुएर्** (बच्चा, लड़का), **पुएर, पुएल्ल** (लड़की), **पुएल्लुस्** (लल्ला), **पूबेद** (तारुण्य), **पुदेन्द** (लिंग), **पुदेओ** (शर्माना)।

**पुर** का प्राकृत रूप **वुर** है। द्रविड़ भाषाओं का स्थानवाचक **ऊर्** शब्द **पुर** का ही प्रतिरूप है। द्रविड़ व्युत्पत्ति-कोश में इसके साथ प्राकृत रूप **ऊर** (गाँव) दिया हुआ है। इसके साथ तमिल **उऴु** (जोतना, खरोंचना), **उऴवन्** (किसान), **उऴाल्** (जुताई) ध्यान देने योग्य हैं। कोडगु रूप में **ऴ्** है—**ऊऴ्** (जोतना), और तुलु में डकार है : **ऊडुनि, हूडुनि** (जोतना)। **ऊडुनि** के प्रतिरूप **हूडुनि** का हकार पूर्वरूप **पूडुनि** की सूचना दे रहा है। कोलमि और नइकि में **उर्** क्रिया का अर्थ है जोतना। जैसे **पुर** और **पूर्ण** में क्रिया के दो रूप हैं **पुर्** और **पूर्**, वैसे ही द्रविड़ भाषाओं में **प्** के **व्** में बदलने पर समान अर्थ वाले दो शब्द बनते हैं : **उर्** और **ऊर्**। तमिल शब्द **उळ्** का अर्थ है भीतर। इसका मूल अर्थ सम्भवत: आवास था। द्रविड़ व्युत्पत्ति-कोश में इसका ब्राहूइ प्रतिरूप **उरा** दिया हुआ है जिसका अर्थ है घर। तमिल क्रिया **उरइ** का अर्थ है निवास करना; **उरइवु** अर्थात् निवास; **उर** (भीड़ का एकत्र होना), **उरु, उरवु** (मैत्री, प्रेम), **उरवि** (नातेदारी), **उरङ्गु** (रहना), तोद **उर्फ़्, उर्त्** (सम्भोग करना), कन्नड़ **ऑरल्** (प्रेम करना), **ऊरु** (रहना), तमिल **उरु** (बहुसंख्यक होना, समृद्ध), **उरइ, उरुत्तु** (फलना-फूलना), कन्नड़ **उरुवु** (विशदता), **उरळि** (जनसमूह), तुलु **उरुबु, उर्बि, उर्बु** (वृद्धि) **उर्दि** (समृद्धि)—ये सारे रूप उसी प्रकार की अर्थ प्रक्रिया प्रदर्शित करते हैं जिस प्रकार की अर्थ-प्रक्रिया हम पुर-वर्गीय शब्दों में देख चुके हैं। तमिल **उरइ** से उत्तर प्रदेश के नगर **उरई** का नाम तुलनीय है।

अंग्रेज़ी में एक शब्द **अर्बन्** प्रयुक्त होता है जिसका अर्थ है नागरिक। यह लैटिन **उर्बानुस्** से बना है जिसका अर्थ है नगरवासी, और लैटिन **उर्ब्स** का वही अर्थ है जो लैटिन **पुर** का है—नगर, दुर्ग या दीवाल से घेरकर सुरक्षित बनाया हुआ नगर। भारत में कश्मीर की **वुड़ी** से लेकर **तंजावूर्** तक इस **उर** शब्द का प्रसार है। हिन्दी की अनेक बोलियों में किसी वस्तु रखने का स्थान **उर** शब्द जोड़कर सूचित किया जाता है, यथा : अवधी में **भुसउरा, भूसा** रखने का स्थान। इस शब्द का व्यवहार **पुर** के समान भारत के बाहर भी होता है। **प्-व्** वाली ध्वनि परिवर्तन-प्रक्रिया के बिना इस रूप की कल्पना भी नहीं की जा सकती।

तमिल **वइ** (किसी चीज को रखना, निर्मित करना), मलयालम **वइक्कम्** (जो चीज रखी जाए, **उर्वर** धरती), कोत **वय** (रखना, बच्चा पैदा करना), तोद **पॉय्** (उप.), कन्नड़ **बॅसन, बॅसलॅ** (जन्म, उत्पादन), कोलमि **वाय** (छेद करके बोना), नइकि **वय्** (बोना), तमिल **वयल्** (खेत), कन्नड़ **वयलु** (उप.), कोलमि **वेगड्** (उप.), पर्जि **वाय** (उप.), गोंडी **वावूर्** (उप.)—ये सारे शब्द **प्** के समानान्तर **व्** से आरम्भ होनेवाले, एक ही प्रकार की अर्थ-विकास-प्रक्रिया से सम्बद्ध, शब्द प्रस्तुत करते हैं।

इसके साथ गर्भ, कामना आदि अर्थों के सूचक शब्द भी जुड़े हुए हैं। तमिल **वयिरु** (पेट, गर्भ), **वया** (गर्भ, भ्रूण), मलयालम **वयरु** (पेट, भीतर), कोत **वीर** (पेट, गर्भावस्था), तोद **पीर्** (उप.), कन्नड़ **बसरु, बसुरु, बसिर्** (उप.)—यहाँ **प्-ब्-व्** तीनों ध्वनियों से आरम्भ होनेवाले शब्द हैं, जैसे तमिल **वइ** के साथ तोद, कन्नड़ आदिभाषाओं के प-वर्गीय रूप थे। पुन: तमिल **वयम्, वया** (कामना, प्रेम) के साथ कन्नड़ **बयकॅ, बवकॅ** (कामना) और इसी प्रकार अन्य द्रविड़ भाषाओं में शब्द हैं।

हिन्दी **बोना**, अवधी **बवब** संस्कृत **वप्** से सम्बद्ध हैं। संस्कृत **वप्, स्, सो, सव्** का प्रतिरूप है। हिन्दी में **बो, बव्** जैसे रूप सीधे **सो, सव्** से प्राप्त हो सकते हैं। **वप्** वर्ण-विपर्यय का परिणाम है : **सव्-पव्-वप्**। द्रविड़ भाषा कुइ में **वाप्क** क्रिया भी है जिसका अर्थ है गड्ढे खोदकर बोना। **बीज** के समानान्तर द्रविड़ भाषाओं में बोने के लिए क्रियाएँ हैं, यथा : तमिल **विरइ** (बोना, पौधों का बीज, अंडकोष), **विरइप्पु** (बुवाई), **वित्तु** (बोना, बीज); तमिल शब्दमूल **वित्** का प्रतिरूप **विर्** है। इसके साथ तमिल **विरजु** (संयुक्त होना), **विरुम्बु** (कामना, प्रेम), **विळइ** (**उर्वर** होना, परिपक्व होना, फसल), **विर** (सघन होना), कन्नड़ **वीग** (विवाह द्वारा सम्बन्धित), तमिल **वीङ्गु** (समृद्ध होना) ये सब रूप कृषि और कृषक के पारिवारिक जीवन से सम्बद्ध हैं।

यहाँ संस्कृत शब्द **उर्वर** विचारणीय है। संस्कृत में **उर** शब्द खेत के लिए प्रयुक्त नहीं होता किन्तु **उर्वरा** खेती लायक भूमि को ही कहते हैं। इसी **उर** से पृथ्वी के लिए **उर्वी** शब्द बना। **उर्वी** में जो विशदता का भाव है, वह मूलत: **उर्वरता** और **समृद्धि** के भाव से जड़ा हुआ है। इसी प्रकार संस्कृत **उर** वक्षस्थल के लिए प्रयुक्त होता था और **उरु** शब्द का अर्थ है विशद। ग्रीक भाषा का **एउरुस्** (विशद) इसी **उरु** का प्रतिरूप है, जैसा कि मोनियर विलियम्स ने अपने कोश में दिखाया है। संस्कृत में **उर्वर** की व्याख्या करनेवाली **उर्** जैसी कोई क्रिया नहीं है। इससे ज्ञात होता है कि आर्य-द्रविड़ परिवारों का साथ-साथ अध्ययन किये बिना किसी एक के विकास पर लिखना कितना कठिन है।

अब **प्** का एक ध्वनि प्रतिरूप **म्** भी है। जैसे द्रविड़ भाषाओं के **पल** में बहुलता का भाव है, वैसे ही तमिल **मल्** का सम्बन्ध **उर्वरता**, समृद्धि और शक्ति से है। तुलु भाषा में **मल्ल** शब्द का अर्थ है बड़ा। यह शब्द कृषि-प्रक्रिया से जुड़ा हुआ है। कुवि **मदलि**, कुइ **मड** का अर्थ है बोना। तमिल **मद** (समृद्ध होना), **मदप्पु** (भूमि के समान **उर्वर** होना, वासनायुक्त होना), **मदम** (समृद्धि), **मदर्** (**उर्वर** होना) आदि शब्द क्रिया से सम्बद्ध हैं जिसका **कुइ** प्रतिरूप **मड्** (बोना) है। **मद** आदि का एक अर्थ नशा करना, नशे में होना भी है। यह दो स्रोतों से आनेवाले शब्द-मूलों को मिला देने से हुआ है। नशे वाले **मद** का सम्बन्ध **मधु** से है। सृजन बाली **मद्** क्रिया से पर्जि **माल्** (लड़की) और मलयालम **मोन्** (लड़का) रूप बने हैं।

ओकार वाले रूपों में कोत भाषा का **मोळ्** (लड़की) शब्द है जिससे बुन्देलखंडी के **मोड़ा, मोड़ी** तुलनीय हैं और मराठी में इन्हीं से सम्बद्ध **मुलगा** (लड़का), **मुलगी** (लड़की), **मुलगें** (बच्चा) हैं। तोद भाषा में **मोत्** का अर्थ बच्चा, बेटा, बेटी, स्त्री—सब कुछ है। यह **मोत्** रूप जर्मन **मुटॅर्**, अंग्रेज़ी **मदर्** (पुरानी अंग्रेज़ी **मोदोर्**) के सबसे नजदीक पहुँचता है। द्रविड़ भाषाओं में जब लिंग-भेद महत्त्वपूर्ण हुआ, तब इस तरह के भेद उत्पन्न हुए, जैसे तुलु भाषा में **मोनु** (लड़का)। तमिल **मरम्** (वीरता), **मल्** (**उर्वर**ता, शक्ति), **मद** (**उर्वर** होना), **मळ** (युवा) आदि एक ही श्रृंखला के शब्द हैं। विवाह, वधू, विवाह से सम्बन्धित होनेवाले व्यक्ति इस मूल क्रिया से बने हुए शब्दों द्वारा सूचित किये जाते हैं। तमिल **मरुवु** (संयुक्त होना, आलिंगन करना), कोत **मर्ग्** (आसक्ति), तुलु **मर्च** (वशीकरण), तेलगू **मरगु** (काम वासना), ब्राहूइ **मर्री** (पालतू), से फ्रेंच भाषा के **मारी** (पति), अंग्रेज़ी **मैरी** (विवाह करना), **मैरिज्** (विवाह) की तुलना करना चाहिए। इनके पूर्व रूप लैटिन **मरीतो** (विवाहित होना), **मरीतुस्** (विवाह सम्बन्धी), **मरीत** (वधू, पत्नी) आदि शब्द हैं।

तमिल **वदुवइ** (वधू) संस्कृत **वधू** का प्रतिरूप है। इस तमिल शब्द को द्रविड़ भाषाओं के उन शब्दों के साथ दिया गया है जो **म्** से आरम्भ होते हैं। दोनों का उद्गम अलग-अलग है। **वधू** वह है जिसे दूसरा ले जाए। कन्नड़ **मद** (विवाह), **मदलिग** (वर), **मदवन्** (विवाह से सम्बन्धित व्यक्ति) का सम्बन्ध **मद्** क्रिया से है जो मूलतः कृषि क्रिया की सूचक है। यहाँ संस्कृत **मदन**—काम के पर्याय—का रहस्य प्रकट हो जाता है। **मदन** का सम्बन्ध नशे वाले **मद** से नहीं है, कृषि और रति वाली क्रिया से है। **मदन** खेती के पकने की ऋतु वसन्त को साथ लिये आता है, वसन्त कामदेव का सखा है, काम की पत्नी रति है, कथा-निर्माण की यह पद्धति स्वाभाविक है किन्तु **मद** शब्द का अर्थ मिलाप, या विवाह कन्नड़ जैसी द्रविड़ भाषाओं में ही है। तमिल **मदनि** (साली), **मदिनि** (जेठानी, साली, बड़े भाई की लड़की), तेलगू, **वदिनिय, वदिनॅ** (बड़ी साली, भौजी आदि) इसी श्रृंखला में हैं।

लैटिन **मतेर्**, ग्रीक **मेतेर्**, दोरिक **मातेर्**, संस्कृत **मातृ** के प्रतिरूप हैं। लैटिन **मतेर्** का अर्थ गृहस्वामिनी भी है; **मात्रोन्** किसी भी विवाहित नारी को कहते थे (इसी का अंग्रेज़ी प्रतिरूप **मेट्रन** है); **मात्रिक्स्** प्रजनन करनेवाली नारी अथवा पशु है। **मात्रिमोनिउम्** (विवाह), अंग्रेज़ी **मैट्रिमनी** का पूर्वरूप है। लिथुआनियन भाषा में **मोतिन** (माता) के साथ, **मोतेरिस्** (नारी) शब्द भी है। रूसी भाषा में **मात्** (माता), बुल्गारियन भाषा का **मात्का** (गर्भ, योनि, रानी) शब्द तुलनीय हैं।

तमिल भाषा में वृक्ष के लिए सामान्य शब्द **मरम्** है। ऊपर जिस तमिल **मरम्** का अर्थ वीरता बताया गया है, उसमें अन्य प्रकार के **ऱ्** का व्यवहार होता है। यह भेद लेखन में होता है, बोलने में नहीं। दोनों तरह के **मरम्** (वृक्ष और वीरता) का सम्बन्ध **मद्** क्रिया से है। द्रविड़ भाषाओं में **मद्** से समृद्धि और वीरता का सम्बन्ध

हम ऊपर देख ही चुके हैं; वृक्ष-सूचक **मरम्** का सम्बन्ध **मद** से है, इसका प्रमाण लिथुआनियन भाषा का **मॅदिस्** शब्द है जिसका अर्थ है वृक्ष। स्पष्ट ही द्रविड़ भाषाओं में स्पर्श-ध्वनि **द् र्** में परिवर्तित हो गई है। इंडो-यूरोपियन परिवार की एक भाषा में वृक्ष के लिए वही शब्द है जो द्रविड़ भाषाओं में है। तमिल **मरि** (पशु की सन्तान), कन्नड़ **मरि** (पशु की सन्तान, मनुष्य की सन्तान, पौधा), ब्राहूइ **मार्** (बेटा) अन्य रूपों के समान मानव-जगत्, पशु-जगत् और वनस्पति-संसार की मूल एकता सिद्ध करते हैं। इन शब्दों के साथ जो जनसमुदाय का बोध जुड़ जाता है, उसका उदाहरण कन्नड़ और तेलगू का **मन्दि** शब्द है। इसका अर्थ है जन-समूह, किन्तु इसका एक अर्थ पशुसमूह और पशुओं को बाँधने या चरवाहों के रहने का स्थान भी है। तमिल **मन्दइ** का अर्थ पशु-समूह के अतिरिक्त गाँव की वह पंचायती भूमि भी है जहाँ पशु चरते हैं। अंग्रेज़ी में **चरी** की भूमि के लिए **मेडो** शब्द है जिसका पुराना अंग्रेज़ी रूप **मैद्** था। इसका सम्बन्ध उसी **मद्** क्रिया से हो सकता है। आवास अर्थ का सूचक तमिल **मदिल्** (दुर्ग, दीवार) है।

यहाँ संस्कृत **विश्** तथा उसके प्रतिरूपों पर विचार कर लेना चाहिए। इस शब्द का अर्थ है प्रविष्ट होना, बैठना, स्थिर रूप से बस्ती में रहना। घर, बस्ती के अलावा यह शब्द पूरे गण-राज्य के लिए भी प्रयुक्त होता था। **विशाम् पतिः** अर्थात् गण नायक। **जन** शब्द के समान **विश्** एक जन, तथा सामूहिक रूप से पूरे जन-समाज, दोनों के लिए प्रयुक्त होता था। इसका एक अर्थ सम्पत्ति भी है। **विशाल** और **विश्व** शब्दों के लिए मोनियर विलियम्स ने कल्पना की है कि सम्भवतः इनका सम्बन्ध **विश्** से है। मेरी समझ में यह कल्पना सही है। **विशाल** और **विश्व**, दोनों में प्रसार का भाव है। **विश्व** का एक अर्थ है सब लोग, दूसरा अर्थ है संसार। इसके रूसी प्रतिरूप **वेस्** में केवल पहला अर्थ निहित है। कृषि और आवास से सम्बन्धित शब्द इसी प्रकार का अर्थ प्रसार प्रदर्शित करते हैं। **ग्राम** शब्द एक ओर देहात की बस्ती के लिए प्रयुक्त होता है, दूसरी ओर वह वस्तुओं, गुणों, मनुष्यों के समुदाय का सूचक भी है। यह शब्द उसी **कर, गर** क्रिया से बना है जिससे कृषि जैसे रूप बने थे। कर्षण वाली क्रिया लेखन-क्रिया भी है। अतः ग्रीक भाषा का **ग्राम्म** (रेखा, अक्षर) और **ग्राफो** (रेखा खींचना, लिखना) उसी क्रिया से व्युत्पन्न है जिससे संस्कृत **ग्राम** बना है। कुइ **ग्राम्ब** (अध्ययन करना) के समान ग्रीक **ग्राम्म** से कृषि-संसर्ग वाला भाव छूट गया है जो संस्कृत ग्राम में विद्यमान है। लैटिन भाषा में किसान के लिए **अग्रिकोल** शब्द है; **अग्रिकुल्तूरा** (कृषि, अंग्रेज़ी का **एग्रीकल्चर**) और **अगेर्** (गण-समाज की भूमि); यहाँ वर्ण संकोच के बाद जो **अग्रि** रूप बना है, उसके साथ पूर्व रूप **अगेर्** भी दिखाई देता है। ग्रीक भाषा में इसके प्रतिरूप **अग्रोस्** का अर्थ खेत, देहात है। संस्कृत **अजिर** (मैदान) और अंग्रेज़ी **एकर** (एकड़) लैटिन **अगेर्** के प्रतिरूप हैं। ग्राम शब्द का मूल अर्थ हुआ जोती हुई भूमि, फिर अर्थ-प्रसार से

उस भूमि पर बसनेवाले, बस्ती, समूह, और **सम्** उपसर्ग लगाने पर **संग्राम** से युद्ध आदि के भाव व्यक्त होने लगे।

इसी प्रकार यह सम्भव है कि **विश्** शब्द का मूल अर्थ खेती करना हो। द्रविड़ भाषाओं में इस शब्द के दो तरह के प्रतिरूप बनते हैं। एक तरह के प्रतिरूप वे हैं जहाँ **श्** के स्थान पर **ट्** या **ड्** प्राप्त होता है। संस्कृत में ही **विट्कुल** (वैश्य परिवार), **विट्पति** (जननायक) जैसे रूपों में यह परिवर्तन दिखाई देता है। दूसरी तरह के प्रति रूप वे हैं जहाँ यह **श् क्** रूप में ग्रहण किया जाता है। तमिल **वीडु** (घर, बस्ती, संसार) का **विडु** (छोड़ना, मुक्त होना) क्रिया से कोई सम्बन्ध नहीं है। द्रविड़ व्युत्पति-कोश में दो भिन्न स्रोतों से आए हुए शब्दों को यहाँ भी मिला दिया गया है। मलयालम **वीडन्** (मुखिया), कन्नड़ **बिडदि** (आवास), **बीडु** (घर), तुलु **बीड़ु, बूडु** (भवन), **विश्** शब्द के अर्थ-प्रसार से मिलती-जुलती अर्थ-प्रक्रिया दिखाते हैं। **क्** वाले प्रतिरूपों में तमिल **ऑक्कल्** (सम्बन्धी), **ऑक्किलियन्** (कृषकों की एक जाति), कोत **ऑक्ल्** (परिवार), कन्नड़ **ऑक्कल्** (आवास, घर, किसान) तथा इसी प्रकार अन्य द्रविड़ भाषाओं में **क्** ध्वनि वाले प्रतिरूप हैं। मड़नी, माड़ते समय बैलों को हाँकने के लिए कोत भाषा में **ऑक्** शब्द है; पुनः **ऑक्ल्** अर्थात् अनाज की राशि को मड़नी माड़कर साफ करना। कन्नड़ **ऑक्कु** शब्द मड़नी के लिए, तथा अनाज को छड़ी से पीटकर साफ करने के लिए, प्रयुक्त होता है। मलयालम **ऑवकुग** (गड्ढा करना), तुलु **ऑक्कुनि** (खरोंचना) का अर्थ संस्कृत **विश्** के प्रविष्ट करनेवाले अर्थ के समान है। कुड़ुख **ऑक्ना** (बैठना), मल्तो **ऑकॅ** (बैठना, बसना) वैसा ही अर्थ व्यक्त करते हैं, जैसे उपविश् से होता है। तमिल **ऑक्क** (सब मिलकर), मलयालम **आक्क** (उप., सब लोग) में विश्व वाला अर्थ है।

इन **क्** ध्वनि वाले शब्दों का ग्रीक प्रतिरूप **ओइकोस्** (घर, परिवार, जन) है; **ओइकेओ** अर्थात् बसना, निवास करना। ये ग्रीक शब्द उक्त द्रविड़ रूपों से सम्बद्ध हैं, इसमें सन्देह की गुंजाइश नहीं है। ग्रीक और द्रविड़ भाषाओं में **श्** की ध्वनि-परिवर्तन-प्रक्रिया एक ही है। ग्रीक **ओइकोस्** का शब्द-मूल **विश्** है जिसका प्राथमिक सम्बन्ध कृषि से है। **वैश्य** शब्द का अर्थ है धरती पर बस जानेवाला, किसान, व्यापारी। व्यापारी बनने से पहले व्यापार के लिए माल पैदा करना होगा; यह उत्पादन कृषि के प्रसार से ही सम्भव है। यह प्रसार तब होगा जब घुमन्तू जीवन छोड़कर गण-समाज खेती लायक भूमि पर या उसके पास बसेंगे। इसी कारण कृषि-कौशल के विकास के साथ आर्य-द्रविड़ परिवारों के शब्दतंत्र में गुणात्मक परिवर्तन होता है और यह परिवर्तन समस्त इंडो-यूरोपियन परिवार के शब्दतंत्र को प्रभावित करता है।

**तमिलनाडु** में जो स्थानवाचक **नाडु** लगा है, वह कृषि से सम्बन्धित **मद्** क्रिया के रूपान्तर **नद्** से बना है। **नाडु** धरती, संसार, प्रदेश के अलावा उस भूमि का सूचक भी है जहाँ खेती की जाती है। **नाडन्** अर्थात् देशवासी, राजा; **नाट्टार्** अर्थात्

किसी देश की जनता; **कर्णाटक** में यही **नाडु** है। उत्तर भारत में **करनाल** जैसे नाम निरर्थक जान पड़ते हैं। पंजाब और हरियाणा से द्रविड़ों का घनिष्ठ सम्बन्ध रहा है। **नाडु** से **नाल** रूप का विकास सहज है। दक्षिण भारत के **करनूल** नामक स्थान में **नूल** इसी **नाल** का प्रतिरूप है। **नूल** शब्द द्रविड़ भाषाओं में सूत के लिए व्यापक रूप से प्रयुक्त होता है; कुइ भाषा में **नूल्** का प्रतिरूप **नूडु** है। अनेक ऐसे शब्दों के समान यहाँ भी दूसरे वर्ण **ड्** है जो परिवर्तित होकर अनेक द्रविड़ भाषाओं में **र्** या **ल्** बना है। **सूत** से धरती का कोई सम्बन्ध नहीं है किन्तु **सूत** की **सू** क्रिया कृषि के अर्थ की द्योतक है। कपड़ा सीना और धरती में गड्ढा करना मूलत: एक जैसी क्रियाएँ हैं। इसीलिए एक ही **सू** क्रिया से बोने और सीने का अर्थ व्यक्त हुआ। द्रविड़ भाषाओं के **नूल्** **नूड्** रूप से अंग्रेज़ी **नीडल्** (सुई) का सम्बन्ध है। जैसे सूची शब्द में **सू** (छेद करना) क्रिया है, वैसे ही **नीडल्** में **नी, नूड्** में **नू** क्रिया है; इसका मूल अर्थ छेद करना, प्रविष्ट करना था। तमिल क्रिया **नुऴइ** का ठीक यही अर्थ है और प्रथम वर्ण में दीर्घ स्वर का भी उपयोग होता है : **नूऴइ** अर्थात् छेद। द्रविड़ भाषाओं में इस क्रिया का व्यापक व्यवहार होता है। आर्य भाषाओं की **नथ्** क्रिया इसी वर्ग की है। इससे मिलती-जुलती एक अन्य तमिल क्रिया है **नॅट्टु, नॅरु** जिसका अर्थ है प्रविष्ट करना। कन्नड़ **नॅरॅ** (संयुक्त होना, सम्भोग करना), **नॅरवि** (जनसमुदाय), तमिल **नरि** (भीड़ लगाना), **नेर्च्चि** (प्रेम), **निरम्** (वक्ष), तुलु **नॅरवु** (पुरुष के गुप्त अंग), **निरवु** (गुदा), गोंडी **नड़म्** (पशुओं का लिंग), तमिल **निरइ** (समृद्ध होना), **निलम्** (क्षेत्र, धरती) एक ही शृंखला के शब्द प्रतीत होते हैं। तमिल क्रिया **निल्** का अर्थ खड़े होना, स्थिर होना है। यह भिन्न क्रिया है। इसके साथ द्रविड़-व्युत्पत्ति-कोश में जो अन्य शब्द दिये गए हैं, वे कृषि और आवास से सम्बद्ध हैं। तमिल **निलइ** (आवास), **निरु** (सृजन करना, निर्माण करना), तोद **नॅल्प्** (गृह-भूमि), कन्नड़ **निलवु** (आवास) आदि रूपों में निवास के साथ जो निर्माण का भाव भी सम्बद्ध है, उसका खड़े होने से कोई प्रत्यक्ष सम्बन्ध नहीं है। इसके अतिरिक्त तमिल **निर्** क्रिया के दो प्रकार के अर्थ हैं : (1) समद्ध होना, भीड़ लगाना, परिपक्व होना; इसी के साथ मलयालम **निरवुग** (धरती को समतल करना) रूप भी है, (2) समान रूप से विभाजित करना, व्यवस्थित करना; इसी से तमिल शब्द **निरल्** (एक पंक्ति में रखना), **निरइ** (उप.) मलयालम **निर** (पंक्ति)। **सारि** के समान **निर** में यह दूसरी तरह का अर्थ-विकास हुआ है। स्पष्ट ही हिन्दी शब्द **निराई, निराना** का मूल अर्थ खेत में पौधों को पंक्तिबद्ध करना है। द्रविड़ व्युत्पत्ति-कोश में **निर** शब्द अलग-अलग दो जगह दिखाया गया है। वास्तव में दोनों जगह एक ही शब्द है और दोनों तरह के अर्थ वैसे ही एक दूसरे से सम्बद्ध हैं, जैसे अन्य उदाहरणों में हम देख चुके हैं।

**नद्** क्रियामूल का एक प्रतिरूप **नंद्** होगा। तमिल **नन्दु** का अर्थ है **उर्वर** होना, समृद्ध होना। तमिल **नम्बु** (कामना) और **नच्चु** (उप.) की मूल क्रिया वही है जो

**नन्दु** में है। द्रविड़ व्युत्पत्ति-कोश में **नाडु** शब्द दो जगह दिखाया गया है। एक जगह उसका अर्थ है कामना करना, जानना, ढूँढ़ना; और दूसरी जगह अर्थ है प्रदेश, नाम। दोनों शब्द एक ही हैं, दो भिन्न लगनेवाले अर्थ सम्बद्ध है। **नाडु** के क्रियामल **नद्** में जो कामना वाला अर्थ है, वही संस्कृत आनन्द की **नन्द्** क्रिया में है। तमिल क्या **नडवु** का अर्थ है पौधे रोपना और **नाट्टु** का अर्थ है प्रविष्ट करना। **नाट्टु** का **तेलगु** प्रतिरूप है **नाडु** (प्रविष्ट होना)। इस क्रम में तमिल **नड्बु** (प्रेम) और **नट्टार्** (मित्र सम्बन्धी) शब्द अन्य उदाहरणों के समान कृषि और काम-सम्बन्धी भावना और क्रियाओं का सम्बन्ध व्यक्त करते हैं।

स्थानवाचक **नाटु, नाडु** का पूर्वरूप **नादु** था, इसका प्रमाण यह है कि कुइ में **नाडु** का प्रतिरूप **नाजु** है। **ट्-ड्** के **ज्** में बदलने की कोई सम्भावना नहीं है; **द** ही **ड्** और **ज्** में बदल सकता है। **नादु** रूप **नद्** क्रिया से बनेगा। **नाजु** (गाँव) का बहुवचन रूप **नास्क** है जहाँ **क** बहुत्वसूचक प्रत्यय है और **नास् नाज्-नाज़्** का रूपान्तर है। गोंडी में **नाडु** का प्रतिरूप **नार्** (गाँव) है। द्रविड़ भाषाओं में **नाडु**-वर्ग के जितने शब्द हैं, सभी का सम्बन्ध खेती और देहात से है।

हिन्दी के **नाज** और **अनाज** शब्द कुइ जैसी द्रविड़ भाषाओं के **नाजु** रूप से सम्बद्ध हो सकते हैं।

अर्थ-प्रसार की इस प्रक्रिया के उदाहरणों में शब्दों का एक वर्ग है जो **त्** से आरम्भ होता है। तमिल **तुर** (हाँकना, प्रविष्ट करना) तेलगू **त्रोचु** (प्रविष्ट करना), पर्जि **तुर्किप्** (धक्का देना), तमिल **तुर** (छेद करना), मलयालम **तुर** (छेद)—कोश में दो **तुर** शब्द अलग-अलग दिखाये गए हैं। वास्तव में एक ही शब्द है, दो तरह के अर्थ परस्पर संयुक्त हैं। तमिल **तुरु** (भीड़ लगाना), **तुन्नियार्** (मित्र, सम्बन्धी), मलयालम **तुरुग** (भीड़ लगाना, धक्का देना), कोत **तुर्क्** (छेद में प्रविष्ट करना), कन्नड़ **तुरुगु** (समृद्ध होना), **तुरुबु** (प्रविष्ट करना) आदि रूपों में वैसा ही अर्थ-प्रसार है, जैसा पहले हमने देखा है। तमिल **तॉळ्** (छेद करना), कोत **तॉळ्** (नारी की जननेन्द्रिय), कन्नड़ **तगलु** (सम्भोग करना), तेलगू **तगुलु** (कामना), तमिल **तळु** (आलिंगन), **तळुवु** (सम्भोग करना) आदि शब्द कृषि और प्रजनन क्रियाओं का सम्बन्ध प्रदर्शित करते हैं। तमिल **तोण्डु** (खोदना), **तॉडु** (खोदना, खेत), **तोट्टम्** (वाटिका), **तमिल तॉट्टि** (गाँव), **ताळु** (विवाहित जीवन, पशु बाँधने का स्थान), **ताळु दि** (जनसमुदाय), **ताऴिल्** (कम), **तॉळु वर्** (हलवाहा), **तइ** (सीना), पुनः **तइ** (पेड़), **तॅळि** (बोना), मलयालम **तॉत्तु** (स्तन)—इस शब्द-शृंखला में लगभग वे सभी अर्थ आ जाते हैं जो **प्, म्** आदि ध्वनियों से आरम्भ होनेवाले शब्दों में हमने देखे थे।

समाज और परिवार के क्षेत्र में तमिल **तळ्ळइ** (माता), तेलगू **तल्लि** (उप.), कोलमि **ताक्** (पिता), तमिल **तात्ता** (पिता), मलयालम **तादन्** (उप.), कन्नड़ **तात** (उप.), उसी **त्**-मूलक सर्जनार्थी क्रिया से व्युत्पन्न है। द्रविड़ भाषा-परिवार में **प्**

के साथ **त्** से आरम्भ होनेवाले शब्दों की पूरी शृंखला विद्यमान है। संस्कृत **तात** की व्याख्या इसी शृंखला को देखकर की जा सकती है। **तात** शब्द पिता और पुत्र, दोनों के लिए प्रयुक्त होता है। द्रविड़ भाषाओं में पिता वाला अर्थ विशिष्ट हो गया है। तमिल **तुणइ** का अर्थ प्रसार देखने योग्य है। पति, पत्नी, भाई, बहन, साथी, विवाह-सम्बन्ध—ये सारे अर्थ एक ही शब्द से व्यक्त होते हैं।

**तात** के अतिरिक्त संस्कृत **तरु** और **दारु** शब्द इसी वर्ग में आते हैं। तमिल **तइ** (पेड़) का उल्लेख हो चुका है। तमिल **तॉरु** (गायों का झुंड), कन्नड़ **तुरु** (गाय), तेलगू **तॉरुं** (उप.) देखकर संस्कृत **धेनु** शब्द याद आता है। जिस **धे** क्रिया से **धेनु** बना है, उसी के **धा** वाले प्रतिरूप से **धान्य, धाय, धान** आदि शब्द बने प्रतीत होते हैं। **धे** क्रिया का अर्थ दूध पीना लिखा है। ग्रीक भाषा में इसका व्यापक व्यवहार होता था। **थेलजो** (दूध पिलाना), **थेले** (स्तन), **थेलेओ** (फलना-फूलना), **थेलु** (मादा), **थेलुस्** (उर्वर, नारी)—इन रूपों में अर्थ-प्रसार की वैसी ही प्रक्रिया है जैसी द्रविड़ कामों में। लैटिन में महाप्राण **थ्** ध्वनि नहीं है। अत: ग्रीक शब्दों के प्रतिरूप यहाँ **फ़्** से आरम्भ होते हैं। अंग्रेज़ी **फीमेल** लैटिन **फेमिना** का प्रतिरूप है। अंग्रेज़ी **फर्टाइल** (उर्वर) लैटिन **फ़र्तिलिस्** का प्रतिरूप है। ग्रीक और लैटिन भाषाओं में नारी, उर्वरता आदि के अर्थ एक ही शब्दमूल में संयुक्त दिखाये हैं।

प्राचीन मानव-समाज कृषि और प्रजनन की क्रियाओं का सम्बन्ध चन्द्रमा से जोड़ते थे। यह एक अत्यन्त रोचक तथ्य है कि जिन शब्द-मूलों का उल्लेख हमने ऊपर किया है, वे बहुधा चन्द्रमा का अर्थ भी व्यक्त करते हैं। तमिल **तिङ्गल्** का अर्थ है चन्द्रमा, महीना। इस शृंखला के अन्य द्रविड़ शब्दों में दोनों अर्थ प्राय: साथ-साथ चलते हैं। संस्कृत में चन्द्रमा के अनुसार दिनों की जो गणना होती है, उसमें **तिथि** शब्द का प्रयोग किया जाता है। संस्कृत में इसकी मूल क्रिया अलक्षित है। द्रविड़ भाषाओं में वह सुलभ है। चन्द्रमा के घटने-बढ़ने के साथ जो दो पखवारे पूरे होते हैं, वे स्त्रियों के मासिक धर्म की अवधि भी होते हैं। **ती** क्रिया से इस अर्थ के सूचक तमिल **तीटु, तीट्टम्, तीण्डल्** शब्द बनते हैं। मासिक धर्म में जो अपवित्रता का भाव है, वह कोत और तोद **तीट्** शब्द में विद्यमान है। संस्कृत **तिथि** में **ति** शब्द-मूल चन्द्रवाचक है। जैसे सूर्य का अर्थ देनेवाले शब्द-मूलों से दिन का अर्थ देनेवाले शब्द सम्बद्ध हैं, विशेषत: द्रविड़ भाषाओं में, वैसे ही चन्द्रवाचक **ति** से **तिथि** शब्द बना है। तमिल में एक शब्द **चाण्डु** है जिसका अर्थ है स्त्रियों का मासिक स्राव। मलयालम में इसी शब्द का अर्थ वीर्य दिया हुआ है। जो चन्द्र से सम्बन्धित हो, वह **चान्द्र** अथवा **चाण्डु**।

**प्** से आरम्भ होनेवाले इस शृंखला के शब्दों में जहाँ तमिल **पॅरु** का अर्थ जन्म देना है, **पिर** का अर्थ पैदा होना है, वहाँ **पिरइ** का अर्थ नया चाँद है। इसी प्रकार मलयालम **पिर** का भी यही अर्थ है। **न्** से आरम्भ होनेवाले कृषि-प्रजनन सम्बन्धी

शब्दों में तमिल **निलवु** (चन्द्रमा), **निला** (महीना) हैं। **नॅल** रूप द्रविड़ भाषाओं का मुख्य चन्द्रसूचक शब्द है; पूर्ण चन्द्र तथा मास के लिए **मति** या **मदि** शब्द केवल तमिल और मलयालम में प्रयुक्त होता है। इस **मदि** का सम्बन्ध **चन्द्रमस्** के **मस्** से है। **मत्** क्रिया के प्रसार को देखते हुए प्रतीत होता है कि मूल शब्द में **त्** ध्वनि थी, **स्** नहीं। जहाँ अनेक शब्दों की **स्** ध्वनि द्रविड़ भाषाओं में **त्** रूप में ग्रहण की जाती है, वहाँ रूप मूल स्पर्श-ध्वनि बनाए हुए हैं, संस्कृत में वह सकार में परिवर्तित हुई है। **तिथि** के समानान्तर एक संस्कृत शब्द **तथ** है जिसका अर्थ अग्नि, प्रेम, समय, शरद है। **तथ** और **तिथि** परस्पर सम्बद्ध हैं; दोनों का सम्बन्ध **त्** से आरम्भ होनेवाले चन्द्रवाचक शब्द से है। चन्द्रवाचक ये अनेक शब्द मास का अर्थ देते हैं अथवा मासवाचक बनाने के लिए उनका प्रयोग होता है। अंग्रेज़ी **मन्थ** मत्-मन् शब्द-मूल से बना है। चन्द्रमा अमृत का स्रोत माना गया है। जितने मधुर पदार्थ हैं, उनका मूल स्रोत प्राचीन गण-समाजों के लिए चन्द्रमा था। सोमरस का सम्बन्ध भी चन्द्रमा से था। सोम शब्द चन्द्रवाचक था ही। **मधु** शब्द मीठी खाद्य या पेय वस्तु के लिए प्रयुक्त होता था। **मधु** शब्द **सोम** का भी पर्याय है। मेरा अनुमान है कि **मधु** का मूल अर्थ **चन्द्रमा** था। **सोम** और **मधु** दोनों पेय हैं, दोनों का सम्बन्ध चन्द्रमा से है। मधुर पेय जब नशे के लिए प्रयुक्त होने लगा, तब इसी **मधु** की मूल क्रिया **मधु** से **मद्** का विकास हुआ। सम्भव है, **मद** तैयार करने में द्रव पदार्थ को मथना आवश्यक रहा हो, अत: **मध्** से **मथ्** क्रिया बनी हो।

संस्कृत में **मस्** जैसा कोई शब्द नहीं है किन्तु **चन्द्रमस्** दो शब्दों के योग से बना है, **चन्द्र** और **मस्**, और दोनों का अर्थ एक ही है। इस **मस्** का एक प्रतिरूप **मास** था जो संस्कृत में व्यापक रूप से प्रयुक्त होता था। आधुनिक आर्य भाषाओं में **मास** शब्द अब केवल महीने के लिए प्रयुक्त होता है। **पूर्णमासी** में **मास** शब्द चन्द्रवाचक है। **मस्, मास्** का प्रतिरूप **मा** भी किसी समय प्रचलित रहा होगा। **अमा** वह रात्रि है जिसमें चन्द्रमा न दिखाई दे।

**चन्द्रमस्** के समान **चन्द्रमा** दो चन्द्रवाचक शब्दों के मेल से बना है। ग्रीक भाषा में **मेन्, मेने** तथा लैटिन **मेन** संस्कृत **मस्** और **मास्** के प्रतिरूप हैं। **मस्** रूप में **न्** का निवेश हुआ, तब **मन्स्** जैसा रूप बना। इसी से **मेन्, मेने** जैसे रूप बने। लैटिन में एक रूप **मेन्स्** भी है जिसका अर्थ है चन्द्रमा; इसी से **मेन्सिस्** (महीना अथवा वर्ष) रूप बना। ग्रीक भाषा-समुदाय में इयोलिक और दोरिक भाषाओं में **मेइस्** (चन्द्र) रूप है जहाँ अन्तर्निविष्ट **न्** नहीं है। परिनिष्ठित ग्रीक के **मेन्** शब्द का सम्प्रदान, बहुवचन रूप **मेसि** है। इन रूपों से विदित होता है कि **मस्** शब्द-मूल में **न्** बाद को निविष्ट हुआ है। लैटिन **मेन्स्त्रुअ** का अर्थ स्त्रियों का मासिक स्राव है।

आदिम गण-समाजों के लिए चन्द्रमा का विशेष सम्बन्ध मनुष्य के मन से था। ग्रीक शब्द **मनिअ** का अर्थ है प्रमत्त होना। पागल के लिए अंग्रेज़ी का **मैड** शब्द

**मत्त** का ही प्रतिरूप है। **मैड** और **मत्त** में चन्द्रमा का संसर्ग छूट गया है। किन्तु अंग्रेज़ी **लुनैटिक** का **लूना** (चन्द्र) से सम्बन्ध बहुत स्पष्ट है, लैटिन **लून** (चन्द्र, महीना), **लूनातिकुस्** (पागल)। **मधु** पीकर आदमी **मत्त** हो जाता है; **मद** के अलावा उस पर चन्द्रमा (तमिल **मदि**) का प्रभाव भी होता है। **मधु** और **चन्द्रमा** का सम्बन्ध पुष्ट होता प्रतीत होता है। लैटिन **मेन्स्** (मन, समझना), **मन्तिओ** (स्मरण करना) उसी चन्द्रवाचक शब्द-मूल **मत्** से व्युत्पन्न हैं। संस्कृत शब्द **मन्** इसी श्रृंखला में है। **मन्** का अर्थ सोचना, **मत** वह—जो सोचा जाए, **मति** अर्थात् विचार, धारणा, वह जो सोचने का काम करे, विवेक, बुद्धि। इसी **मति** का प्रतिरूप **मनस्** अथवा **मन** है। **मन्** शब्द-मूल, रचना या तो **मत्** के **त्** को **न्** में परिवर्तित करके हुई है, या **मस्** में अतिरिक्त **न्** निवेश से। **मनसः, मनांसि** जैसे रूपों को देखकर दूसरी सम्भावना उचित जान पड़ती है।

ऐतिहासिक भाषाविज्ञान में **मति** और **मन** जैसे रूप देखकर कल्पना की गई कि आदि इंडो-यूरोपियन भाषा में एक ऐसी ध्वनि थी जो कुछ भाषाओं में न् व्यंजन बनती थी, और कुछ में स्वर। यह कल्पना निराधार है। नकारयुक्त और नकारहीन, दोनों प्रकार के रूप भारतीय आर्य भाषा संस्कृत तथा भारत से बाहर ग्रीक और लैटिन, दोनों ओर हैं। चन्द्रवाचक **मस्, मास, मति** से इन शब्दों का सम्बन्ध जान लेने पर कोई समस्या नहीं रह जाती। **मति, मत** जैसे शब्दों में **न्** का निवेश नहीं हुआ; तमिल **मदि** और संस्कृत **मति** नकारहीन शब्द के रूप हैं। तमिल **मदि** अथवा **मति** का अर्थ चन्द्रमा है, यह तथ्य संस्कृत **मति** (बुद्धि) के अर्थ-प्रसार को समझने में सहायक होता है।

भारतीय भाषाओं का अत्यन्त व्यापक रूप से व्यवहृत होनेवाला **अम्मा** शब्द है। द्रविड़ भाषाओं में इसका व्यवहार होता है, आर्य भाषाओं में **माता** शब्द अधिक शिष्ट मान लिया गया है। **माता** और **अम्मा** में कौन रूप अधिक पुराना है, यह कहना कठिन है। सम्भवत: दोनों का स्रोत एक ही शब्द मूल है। तमिल में **अम्बुलि** शब्द का अर्थ है चन्द्रमा। **मत्** शब्दमूल से कृषि, प्रजनन और चन्द्रमा का सम्बन्ध हम देख चुके हैं। अत: **अम्बुलि** और तमिल **मदि** एक-दूसरे के पर्याय हैं। या तो ये दोनों स्वतंत्र शब्द हैं, या फिर **अ** सर्वनाम जोड़ने पर **अम्बुलि, अम्मा** जैसे रूप बने हैं। कुछ द्रविड़ भाषाओं में **अम्ब** शब्द का अर्थ जल है। जल, चन्द्रमा, प्रजनन—ये तीनों प्रपंच प्राचीन मानव-समाजों के लिए संयुक्त हैं। संस्कृत में **अम्बु** (जल) तथा **अम्बा** (माता) एक-दूसरे से असम्बद्ध नहीं हैं। द्रविड़ भाषाओं में **अम्ब** रूप का प्रभाव नहीं है, यथा : कन्नड़ **अम्ब, अम्बॅ** (माता)। जल, चन्द्र, मातृत्व—इन तीन धारणाओं का सम्बन्ध स्पष्ट है। तमिल **अम्मम्** का अर्थ स्तन है। **तोय** के समान **अम्ब, अम्म** दूध तथा जल, दोनों का अर्थ देता है। द्रविड़ व्युत्पत्ति-कोश में तमिल **अम्मम्** का मराठी प्रतिरूप **अमा** (स्तन) दिया हुआ है।

आर्य-द्रविड़ भाषाओं की पारिवारिक शब्दावली का प्रसार दूर-दूर तक हुआ था। **अम्मा** के समानान्तर तमिल **अक्का** है जो बड़ी बहन अथवा अपने से बड़ी स्त्री के लिए प्रयुक्त होता है। इस शृंखला के अन्य शब्दों के साथ द्रविड़ व्युत्पत्ति-कोश में संस्कृत **अक्का** (माता), प्राकृत **अक्का** (बहन) शब्द दिये गए हैं। **अक्का** संस्कृत का प्रचलित शब्द नहीं है किन्तु जिस समय व्याकरण और कोश-निर्माण द्वारा संस्कृत को स्थित किया जा रहा था, उस समय उत्तर भारत में **अक्का** शब्द अवश्य प्रचलित था। तमिल **अक्का** के प्रतिरूप अन्य द्रविड़ भाषाओं में ह्रस्व प्रकारान्त **अक्क** जैसे रूप भी हैं। जैसे तुलु **अम्मॅ** का अर्थ पिता है, वैसे ही पर्जि **अक्क** का अर्थ नाना है और कुई **अकॅ**, कुवि **अक्कु** पितामह के लिए प्रयुक्त होनेवाले शब्द हैं। तमिल **अत्तन्** (पिता) के साथ **अत्तइ** (बुआ, सास, महिला) नारीवाचक शब्द भी है। इस शब्द-शृंखला के साथ द्रविड़ व्युत्पत्ति-कोश में संस्कृत **अत्ता** (माँ, बुआ, बड़ी बहन) शब्द दिया हुआ है, प्राकृत **अत्ता** के साथ, माँ और सास के अलावा, पुरुषवाचक फूफा का अर्थ भी दिया गया है। यह शब्द भी संस्कृत में प्रचलित नहीं है किन्तु किसी समय उत्तर भारत में इसका भी व्यापक व्यवहार होता होगा।

**अत्तन्** के साथ पिता के लिए तमिल **अच्चन्** (पिता) स्मरणीय है। मलयालम में **अच्चन्** (पिता) के अतिरिक्त **अच्च**, **अच्चि** (माँ) रूप दिये हुए हैं। इनके प्रतिरूप कन्नड़ में **अज्ज** (पितामह), **अज्जि** (मातामही) हैं। हिन्दी और उसकी बोलियों में **आजा** (दादा), **आजी** (दादी) इसी वर्ग में हैं। **अत्तन्, अप्पन्, अक्का** जैसे रूपों की एक पूरी शृंखला है और **अच्चन्, अच्चि, अज्ज, अज्जि** उसी शृंखला की कड़ियाँ हैं।

**अप्पन्, अप्पु** (पिता), कुइ **आपा** (लड़का), **आपि** (लड़की), कुवि **अप्प** (दादी) तेलगू **अप्प** (पिता या माता), तमिल **अप्पि** (स्वामिनी)—इन रूपों में भी पिता, माता, पुत्र आदि का अर्थ व्यापक रूप से निहित है। तमिल **अन्नइ** मा और बहन के लिए प्रयुक्त होनेवाला शब्द है। इसी के साथ तमिल **अण्णा** (पिता, बड़ा भाई) और कन्नड़ **अण्णु** (नारी), तेलगू **अन्नु** (उप.) का भी उल्लेख करना चाहिए।

ग्रीक भाषा में **अत्त** शब्द पिता और अपने से बड़े लोगों के लिए प्रयुक्त होता था। द्रविड़ भाषाओं के **अत्तन्, अत्ता** आदि से इसका सम्बन्ध असन्दिग्ध है। कोश में इसके समानान्तर पितावाचक **अप्प, पप्प, अप्फ** शब्द दिये हुए हैं। इन्हें बच्चों का विशेष शब्द बताया गया है। मानक शब्द **पतेर्** का उच्चारण न कर पाने पर मानो वे इस तरह की ध्वनियाँ निकालते हों। **पतेर्** का शिशु सुलभ अपभ्रंश **पप्प** समझ में आता है किन्तु **अप्प** और **अत्त** के प्रारम्भिक वर्ण में **अ** स्वर अत्यन्त स्पष्ट है। आर्य भाषाओं में **अप्प, अत्त** नहीं कहते यद्यपि यहाँ भी मानक शब्द पिता है। ग्रीक **अप्प** और तमिल **अप्पन्** एक ही शब्द हैं। ग्रीक **मम्म** शब्द स्तन के लिए प्रयुक्त होता था, **मम्मो** अर्थात् दूध पिलाना, **मम्मलिस्** अर्थात् स्तन्यजीव। मूल क्रिया से जो समृद्धि का भाव जुड़ा हुआ था, उससे धन-सम्पत्ति के देवता का नाम **मम्मोन**

(अंग्रेज़ी का **मैमन**) पड़ा। **अम्मा, अप्पन्, अत्तन्, अक्का** की पूरी शृंखला द्रविड़ भाषाओं में भी है। उसकी कुछ कड़ियाँ ग्रीक और लैटिन में हैं।

## 5. मग, भरत, आन्ध्र

अनेक गण-समाजों की भाषा की एक विशेषता यह है कि जो शब्द पुरुष, युवा, पुत्र के लिए प्रयुक्त होता है, वह पूरे गण-समाज का नाम बन जाता है। द्रविड़ भाषाओं का **मक, मग** ऐसा ही शब्द है जो **मगध** में अपना गणवाचक रूप दिखाता है। तमिल **मग** पुत्र और पुत्री, दोनों के लिए प्रयुक्त होता है; **मगन्** का अर्थ पुत्र के अलावा योद्धा, पति भी है। इसका बहुवचन रूप **मक्कळ्** हिन्दी शब्द जनता का अर्थ देता है। तमिल **मगन्मइ** का अर्थ है पुरुषत्व, पुत्रत्व। तेलगू और कन्नड़ में **मग** के अतिरिक्त इसका प्रतिरूप **मोग** भी है; तोद में **मोख्** रूप है। द्रविड़ व्युत्पत्ति-कोश में **मग** के साथ **मोत्, मोळ्** आदि भिन्न स्रोत से आए हुए शब्द मिला दिये गए हैं। **मग** का मूल रूप **मघवन्** का **मघ** है; कोलमि में **मग्वन्** (पति) शब्द **मघवन्** से मिलता-जुलता है। **मघ** शब्द शक्ति और समृद्धि का सूचक है; **मघ** नक्षत्र और **माघ** मास इस समृद्धि-भाव से जुड़े हैं। **मग** शब्द का प्रसार यूरोप तक हुआ। ब्रुगमन ने गौथिक भाषा के **मगुस्** (लड़का), ऐंग्लोसैक्सन **मगु** (उप.) का उल्लेख किया है। पुरानी आइरिश में **मक्** शब्द पुत्र के लिए प्रयुक्त होता था। स्कॉटलैंड की वर्तमान गेलिक भाषा में पुत्र के लिए **मक्** और **मिक्** शब्द हैं। वेल्स की भाषा में **मक्वि, मक्व्य** का अर्थ युवा, छोकरा है। स्कॉटलैंड के लोगों के नाम के साथ बहुधा जो **मैक** लगा रहता है, वह **मक** का ही रूपान्तर है। **मैक्डोनल्ड, मैक्फ़र्सन, मैक्मिलन** क्रमशः डोनल्ड, फ़र्सन, मिलन के वंशज हुए। शक्ति और क्षमता के अर्थ में **मघ** के रूपान्तर **मग** का व्यवहार स्लाव-जर्मन समुदाय की भाषाओं में होता है किन्तु द्रविड़ भाषाओं की तरह पुत्र वाला अर्थ केवल केल्त समुदाय की भाषाओं में है। सम्भवतः यूरोप की भाषाओं में **मगध** के रूपान्तर **मगथ** का भी चलन था क्योंकि ब्रुगमन ने गौथिक भाषा के **मगथि** (युवती) रूप का उल्लेख किया है।

संस्कृत में भर शब्द का एक अर्थ है युद्ध, दूसरा अर्थ है जनसमुदाय (अर्थात् गण) और तीसरा अर्थ है भरण-पोषण। ये अर्थ परस्पर विरोधी, एक-दूसरे से नितान्त भिन्न जान पड़ते हैं। गणवाचक शब्दों में अन्यत्र भी ऐसा विरोध दिखाई देता है। अतः **भर** का अर्थ युद्ध और भरण-पोषण, दोनों हों तो यह इस शब्द की अपनी विशेषता नहीं है। **भर** शब्द गणवाचक था; **जन** के समान वह किसी भी गण के लिए प्रयुक्त हो सकता था, साथ ही वह उस गणविशेष का सूचक था जो **भरत** नाम से विख्यात हो। इसका अर्थ पुरुष, पुत्र, योद्धा भी था, यह इंडो-यूरोपियन परिवार की अन्य भाषाओं में इसके प्रतिरूपों से ज्ञात होता है। पुरानी आइरिश में **फ़ॅर्**—पुरुष; स्कॉटलैंड की गेलिक भाषा में **फ़िर्, फ़ॅअर्**—पुरुष; गौथिक में **बार्न्**—बच्चा; लिथुआनियन में

**बॅर्नस्**—सेवक, **बॅर्नेलिस्**—छोटा लड़का। लैटिन **फ़ेरिओ** का अर्थ है वध करना; यहाँ **भर** का युद्ध वाला अर्थ है। आइसलैंड की पुरानी भाषा में **बॅर्**—मारना; यहाँ **भ्** का सघोष अल्पप्राण रूप है। पुरानी स्लाव भाषा में **बोर्य**—मैं युद्ध करता हूँ; आधुनिक रूसी में **बॉरोत्स्या**—युद्ध करना; **बोर्बा**—युद्ध, संघर्ष; **बॉर्येत्स्योद्धा**। लैटिन में सघोष अल्पप्राण ध्वनि वाला रूप **बॅल्लो**—युद्ध करना भी है; **बल्लतोर्**—योद्धा। इसमें सन्देह नहीं रह जाता कि **मघ** के समान **भर** वीरता, समृद्धि, पुरुषत्व आदि के अर्थ व्यक्त करता था। इसी **भर** का रूपान्तर तमिल **पोर्**—युद्ध, **पॉरु**—युद्ध करना है। **भर** के आधार पर विकसित **पुरु** इतना प्रचलित हुआ कि **भर** का गणवाचक अर्थ लुप्त हो गया। **पुरुष** और **पुरुषत्व** में **पुरु** की प्रतिष्ठा हुई किन्तु **भरत, भारत** और **महाभारत** में **भर** अडिग और अचल बना रहा।

गण-समाज के लिए ग्रीक भाषा का एक शब्द है **फ़ात्र**। इसका एक वैकल्पिक रूप **फ़ातेर्** है, दूसरा है **फ़ात्रिअ**। इओनिक में **फ़ेतेर्,** दोरिक में **पात्र** प्रतिरूप हैं। ग्रीक समुदाय के इन शब्दों का सम्बन्ध **भर** से है। **फ़ात्र** का अर्थ है कबीला। गण-समाजों के संगठन की विशेषता यह है कि उसके सभी सदस्य एक-दूसरे के भैयाचार मात्र होते हैं। **फ़ात्र** का सदस्य **फ़ातेर्, फ़ातोर, फ़ात्रिकोस्** कहलाता था। ग्रीक **फ़ातेर्** संस्कृत प्रतिरूप है। ग्रीक प्रतिरूप में **भर** का गणवाचक अर्थ सुरक्षित है। **फ़ात्रिअ** रूप **भ्रातृ** से मिलता-जुलता है। एक ही **भर** अर्थात् गण-समाज के सदस्य **भ्रातृ** थे, एक ही बिरादरी के थे। **भ्रातृ** सहोदर भाई नहीं थे; वे सब एक ही गण के सदस्य थे। दुर्योधन आदि सौ भाई आपस में **भ्रातृ** थे, सहोदर नहीं। सहोदर भाई के लिए ग्रीक भाषा में **फ़ातेर्** से भिन्न **अदेल्फोस्** शब्द था। इस प्रकार गणवाचक **भर** के आधार पर **भ्रातृ** शब्द की व्याख्या की जा सकती है। इस शब्द के प्रतिरूप इंडो-यूरोपियन परिवार की भाषाओं में दूर-दूर तक फैले हुए हैं, यह प्राचीन भरतगण के असाधारण प्रभाव का प्रमाण है। **भर** और **भ्रातृ** शब्द भरतों की गणभाषा के शब्द थे, इसमें सन्देह नहीं हो सकता।

ग्रीक **फ़ात्रिअ** का वही अर्थ है जो लैटिन **कूरिअ** का है। दस गोत्रों के समवाय को **कूरिअ** कहते थे। **कूरो** क्रिया में भरण-पोषण करने, दूसरे की देखभाल करने का भाव था। संरक्षक के लिए **कूरातोर्** शब्द था। ग्रीक **कुरोस्** का अर्थ सार्वभौम सत्ता है; **कुरिओस्** अर्थात् मनुष्यों का स्वामी। **कुरोस्** ईरान का राजा था, ग्रीक साहित्य में जिस पर वीर-पूजा के भाव से बहुत कुछ लिखा गया है। ये शब्द भारतीय **कुरु** की व्याख्या करते हैं। गण-सदस्यता से लेकर भरण-पोषण और शासन के भाव इस शब्द से जुड़े हैं। इस शब्द का प्रयोग ईरान से लेकर यूनान तक होता था किन्तु जिस गण-समाज का नाम **कुरु** ऐतिहासिक रूप से निश्चित है, वह भारत में रहता था।

**कुरु** के समान भारत के एक गण-समाज का नाम **पुरु** था। ईरान के **कुरु** की तरह भारत में **पुरु** नाम के एक राजा थे। **पुरुष** शब्द में जो वीरता का भाव है,

वह **पुरु** में भी है। कन्नड़ **पूरि** का अर्थ है बल; तमिल **पिरान्, पॅरुमान्** का अर्थ है राजा, स्वामी, देवता। तमिल **पॅरम्** का अर्थ है महत्ता, बैल, भैंसा। बैल और भैंसा अब महत्ता का प्रतीक नहीं माने जाते किन्तु किसी समस वृषभ और महिष शारीरिक बल के प्रतीक थे। महत्ता से उनका पुराना सम्बन्ध तमिल शब्द **पॅरम्** में व्यक्त है। तमिल **पॅरु** (महान्) इसी से सम्बद्ध जान पड़ता है। तमिल भाषा का एक महत्त्वपूर्ण शब्द है **पॉरु**। इसका अर्थ है युद्ध करना। द्रविड़ व्युत्पत्ति-कोश में यह शब्द दो जगह दिखाया गया है। एक जगह इसका अर्थ युद्ध करना है, दूसरी जगह संयुक्त होना, सम्भोग करना आदि है। दोनों शब्द मूलत: एक हो सकते हैं। कन्नड़ **पोर्** (युद्ध करना) के समानान्तर उक्त कोश में कन्नड़ **होरि** (बैल) की ओर संकेत किया गया है। यह शब्द भी तमिल **पॅरम्** के समान वृषभ और महत्ता का एक साथ सूचक हो सकता है। तमिल **पॉरुनन्** (योद्धा) **पोरि** (प्रतिद्वन्द्वी), **पोर्एरु** (वीर), तोद **पीर्** (युद्ध), **पीर्एर्** (भैंसा), कोडगु **पॉळ्** (लड़ना), **पोरि** (भैंसा) आदि शब्दों से युद्ध क्रिया और शक्ति के प्रतीक महिष का सम्बन्ध व्यक्त होता है। **पुरि, पॉरु** आदि शब्दों से संस्कृत **पुरु** सम्बद्ध है। युद्धसूत्र अंग्रेज़ी का **वार्** शब्द **पोर्** का प्रतिरूप है जहाँ **प्** ध्वनि **व्** में परिवर्तित हुई है। जिन भाषाओं में **प्** ध्वनि नहीं थी, उन्होंने इसे **क्व** अथवा **ग्व** ध्वनि के साथ स्वीकार किया। फ्रांसीसी भाषा में **वार्** का प्रतिरूप **गेर** है (जो **गुएर्** या **ग्वेर** लिखा जाता है)।

संस्कृत का **वीर** शब्द **पुर, पिर** जैसे शब्द का रूपान्तर प्रतीत होता है। भाषाविज्ञानियों ने कल्पना की है कि आदि इंडो-यूरोपियन भाषा बोलनेवाला समाज **विरोस्** कहलाता था। लैटिन में **विर्** शब्द पुरुषवाचक है, नारी के लिए **विर्** रूप है। पुरुष-सूचक अर्थ का विकास कैसे हुआ, यह इस श्रृंखला के लैटिन शब्दों से विदित होता है। **विरेओ** का अर्थ है शक्ति-सम्पन्न होना, हरा होना, **विर्ग** अर्थात् हरी शाखा, **विरिदिस्** अर्थात् हरा, और **विर्गो** अर्थात् कन्या। स्पष्ट ही क्रिया-मूल **विर्** का सम्बन्ध कृषि और प्रजनन से है। यहाँ तुलनीय है तमिल **विरई** (बोना, बीज, अंडकोष)। **वीर** या **विरोस** किसी आदि इंडो-यूरोपियन गण-समाज का नाम नहीं था। वह भारतीय आर्य-द्रविड़ शब्द श्रृंखला की एक कड़ी है जिसका सम्बन्ध कृषि, प्रजनन और पुरुषत्व से है।

**पुरु** के समान संस्कृत में एक **तुर** शब्द है जिसका अर्थ है शक्तिशाली, समृद्ध। वैदिक शब्द **तुरीप** का अर्थ वीर्य बताया गया है। **कुरोस्** के समान ग्रीक भाषा में **तरन्नोस्** (स्वामी, प्रभु), **तुरन्नेउ** (निरंकुश रूप से शासन करना), **तुरन्निस्** (निरंकुश शासन) आदि शब्द हैं; अंग्रेज़ी के **टायरेंट** (अत्याचारी) और **टिरेनी** (अत्याचार) शब्द उसी **तुर** मूल से बने हैं। लैटिन में इनके प्रतिरूप **तिरन्नुस्** (प्रभु), **तिरन्निस्** (निरंकुश शासन) हैं। इस वर्ग के अन्य शब्दों में जैसे पुरुषत्व के साथ राजत्व और देवत्व का भाव समाहित है, वैसे ही सम्भव है, **सुर** का मूल अर्थ रहा हो पुरुष, स्वामी। **असुर** अर्थात् वह स्वामी; **असुर** का यह अर्थ ईरान की प्राचीन भाषाओं में

प्रचलित था। संस्कृत में जब **अ** निषेधार्थ के लिए सुनिश्चित हो गया, तब **सुर** और **असुर** एक दूसरे के वैरी हो गए। इस **सुर** का एक प्रतिरूप रहा होगा **सूर**। मोनियर विलियम्स ने **सूर** के बाद तुलना के लिए ग्रीक **कुरोस्** बहुत सही उद्धृत किया है। यह **सूर** बना **वीर** का पर्याय **शूर**, और **शूरसेन** नाम का एक जनपद प्रसिद्ध हुआ। इस जनपद में **सूर** नाम का गण पहले रहता होगा।

**केरल** शब्द काफी पुराना है। 'महाभारत' में भारतीय गण-समाजों के नामों में इसका उल्लेख है, यह शब्द वहाँ बहुवचन में प्रयुक्त हुआ है। **केरल** का **ल** स्वयं बहुवचन का सूचक है। समुद्र के **र** के समान **ल** भी बहुवचन बनाने के लिए प्रयुक्त होनेवाला चिन्ह था। मूल शब्द हुआ **केर** जिसका एक प्रतिरूप होगा **चेर**। यह **चेर** शब्द पुनः उन्हीं कृषि वर्गीय शब्दों में आता है। तमिल **चेर्** (संयुक्त होना), कन्नड़ **सेर्** (उप.), तमिल **एर** (हल), तमिल **चॅरु** (युद्ध), कन्नड़ **कॅरळ्** (क्रुद्ध होना), तमिल **कॅलि** (विजय प्राप्त करना), तमिल **कळुवु** (संयुक्त होना) आदि शब्दों से **केरल** के **केर** का अर्थ प्रकट होता है। **कुरु, तुरु, पुरु** का एक प्रतिरूप **केर** भी है।

द्रविड़ भाषा-भाषियों का एक प्रसिद्ध प्रदेश **आन्ध्र** है। इसमें सघोष महाप्राण ध्वनि है और द्रविड़-परिवार में यह ध्वनि मूलतः थी नहीं। केरल के समान **आन्ध्र** शब्द भी पुराना है और 'महाभारत' में उसका उल्लेख है। **आन्ध्र** शब्द **अन्ध्र** से बना। किन्तु **अन्ध्र** का अर्थ क्या है? यदि **र** को यहाँ भी बहुवचन-सूचक माना जाए तो **अन्ध** बच रहेगा। **अन्ध** नाम का एक गण-समाज यहाँ था। वृष्णि गण के साथ संयुक्त होने **अन्धक** गण मूलतः **अन्ध** था। **अन्ध** शब्द का अर्थ अन्धा है। किसी गण-समाज का नाम रखा जाए, यह बात विचित्र है। **अन्ध्र** शब्द को कोई साधारण तेलगूभाषी बोले तो **अन्द्र** कहेगा। ग्रीक भाषा में ठीक इसी रूप का अर्थ पुरुष है। समासों में बहुधा प्रयोग होता है, यथा : **अन्द्रोगोनोस्** (पुरुषों का जनक), **अन्द्रोदमस्** (पुरुषों का दमन करनेवाला)। यदि नाग प्रवृत्ति के अनुसार यूनानी लोग **अन्ध्र** का उच्चारण करते तो **अन्ध्र** कहते, और ठीक यही रूप उनके **अन्थ्रोपोस्** में है जिसका अर्थ है मनुष्य, मानव जाति। इसका एक प्रतिरूप **अनेर्** (पुरुष, पति) है। **अनेर्** का सम्बन्ध **अन्ध्र** से है, इसका प्रमाण यह है कि **अनेर** का सम्बन्धकारक रूप **अन्द्रोस्** था।

**आन्ध्र** शब्द जो पहले निरर्थक लगता था, गण-समाजों की नामकरण-प्रक्रिया पर विचार करने से सार्थक प्रतीत होता है। **आन्ध्र** वह जो **अन्ध्र** गण से सम्बन्धित है। **अन्ध्र** का अर्थ होगा योद्धा, वीर पुरुष, मनुष्य। **अन्ध्र** के पूर्वरूप **अन्ध** का रूपान्तरण **अन्ह** में सम्भव है। तमिल भाषा में **आण्** पुरुषवाचक शब्द है, इसका अर्थ योद्धा और पुरुषत्व भी है। तमिल में ही इसका एक प्रतिरूप **आळ्** है। कोश में एक अन्य **आळ्** दिया हुआ है जिसका अर्थ शासन करना है। इस दूसरे **आळ्** का एक प्रतिरूप **आल्** है, दूसरा **आण्**। ऊपर हमने पुरुष-सूचक शब्दों में शासन का अर्थ निहित देखा है। उस पर विचार करने से दोनों प्रकार के **आळ्** एक ही

ज्ञात होते हैं। **ण्** ध्वनि सभी द्रविड़ भाषा-भाषियों के लिए सुगम नहीं थी। जैसे उत्तर भारत में अनेक जन **ण्** को **ड़्** रूप में सुनते और बोलते हैं, वैसे ही द्रविड़ भाषा क्षेत्रों में अनेक जन **ण्** को **ळ्** में रूपान्तरित कर देते थे। **आळ्** का प्रतिरूप **आण्** है और यह **अन्ध** शब्द का अपभ्रंश रूप है : **अन्ध—अन्ह—आन—आण**। जहाँ **ध्** ध्वनि **ह्** में नहीं बदलती, वहाँ उसके स्थान पर मूर्धन्य स्पर्श-ध्वनि दिखाई देती है, यथा : तमिल **आण्डार्** (स्वामी), **आण्डवन्, आण्डइ** (उप.) कन्नड़ **आण्डारि** (स्वामीगण)। यह रूप ग्रीक शब्दमूल **अन्द्र** से मिलता-जुलता है। **ण्** के स्थान पर **ळ्** का प्रयोग करते हुए एक कन्नड़ प्रतिरूप **आळ्द्** है। इसी श्रृंखला में तमिल **आणि** (श्रेष्ठता), **अण्णल्** (महान् व्यक्ति, राजा, देवता, महत्ता) और **आन्र** (महान् श्रेष्ठ) उल्लेखनीय हैं। ये शब्द अलग-अलग दिखाये गए हैं किन्तु वे सब एक ही शब्दमूल से सम्बद्ध हैं। संस्कृत **पञ्चाल** एक गण का नाम है। वास्तव में यह गण-संघ रहा होगा जिसमें पाँच **आल** अर्थात् गण सम्मिलित हुए थे। वैदिक **पंच जनाः** के समान एक साथ रहनेवाले ये पाँच **आल** थे। तमिलनाडु के प्रसिद्ध **आळवार** सन्तों को यह नाम इसलिए दिया गया था कि साईं (गोसाई, गोस्वामी, स्वामी) के समान उसमें **आळ** शब्द का अर्थ है स्वामी। गण-समाजों के विघटन के बाद गणवाचक अर्थ नष्ट हो गया; पुरुषत्व और स्वामित्व वाला अर्थ अनेक भाषाओं में **अन्ध, अन्ध्र, आन्ध्र** के प्रतिरूपों में बना रहा।

**कर्णाटक** के बारे में कल्पना की गई है कि **कर** अथवा **काली** भूमि के कारण इस प्रदेश का यह नाम पड़ा है। **आन्ध्र** शब्द के विकास इतिहास को ध्यान में रखते हुए कन्नड़ **कर, करु** शब्द पर ध्यान जाता है जिसका अर्थ है महत्ता, शक्ति। तमिल **करुमइ** (शक्ति, महत्ता), मलयालम **करु** (प्रबल), **करुम** (पुरुषत्व) इस बात की ओर संकेत करते हैं कि **कर** शब्द पुरुषवाचक था। यदि यह किसी गण-समाज का नाम रहा हो तो यह बात अत्यन्त स्वाभाविक होगी। तब **करनूल, करनाल** और **कर्णाटक** का आपसी सम्बन्ध स्पष्ट होगा, धरती का रंग चाहे जैसा हो। प्राचीन भाषाओं में और विशेषतः आधुनिक द्रविड़ भाषाओं में, जो एक ही शब्द के प्रतिरूपों में स्वर-विविधता दिखाई देती है, उससे यह कल्पना असंगत न मानी जाएगी कि **कर, कुरु, केर** वास्तव में पुरुषत्वसूचक, गणवाचक एक ही शब्द के प्रतिरूप हैं।

## 6. दर्शन, ज्ञान, भाषा

आदिम गण-समाजों के लिए मनुष्य की देखने की भौतिक क्रिया सहज ही प्रकाश से सम्बद्ध है। किसी वस्तु को देखने का अर्थ है उसका ज्ञान प्राप्त करना। अर्थ-प्रसार की यह प्रक्रिया द्रविड़ भाषाओं में बहुत स्पष्ट है। प्रकाश-सम्बन्धी शब्दमूलों से आँख, दृष्टि, चिन्तन, मन, ज्ञान, सौन्दर्य आदि का अर्थ देनेवाले शब्द जुड़े होते हैं। तमिल **कण्** (आँख) और **काण्** (देखना) आपस में तो सम्बद्ध हैं ही, तमिल

**कनल्** (अग्नि, जलना) की **कन्** क्रिया से भी उनका सम्बन्ध है। तमिल **काण्** का प्रतिरूप कोत **कण्** (देखना), कन्नड़ **कणि** (दृष्टि, दृश्य) और तेलगू **कनु** (देखना) भी है। **कनल्** वाली **कन्** क्रिया से **कनक, कंचन** के अलावा **कन्त, कन्द** शब्द भी बनता है। **चन्द्र** का पूर्वरूप यह **कन्द** था। **चन्द्र** का **र** बहुत्वसूचक है। **चन्द्र** का एक प्रतिरूप **श्चन्द्र** है और हो सकता है, इसका पूर्वरूप **स्कन्द** हो, **स्कन्द** का मूल अर्थ चन्द्रमा हो। **स्कन्द** के लिए कहा गया है कि वह शिव अथवा अग्नि के पुत्र थे। शिव और चन्द्रमा का सम्बन्ध स्पष्ट है, और यदि **स्कन्द** अग्नि के पुत्र थे, तो भी **कन्** क्रिया का मूल अर्थ व्यक्त होता है।

तमिल **चूळ्** (सोचना, जानना) कन्नड़ **चूपू** (दृष्टि, दर्शन) उस क्रिया से सम्बद्ध हैं जिसका मूल अर्थ देखना है। तुलु भाषा में **त्, स्** और **ह्**—तीनों ध्वनियों वाले रूप हैं, **तूपिनि, हूपिनि** (देखना), **सूकॅ** (ज्ञान)। गोंडी, कोंड और कुइ भाषाओं में भी **स्** वाले रूप हैं। यहाँ प्रकाश की मूल क्रिया से दृष्टि और दर्शन का सम्बन्ध व्यक्त होता है। तमिल **चूळ्** के समानान्तर **ऊळ्** रूप है जिसका अर्थ है सूर्य। इस तमिल शब्द का कन्नड़ प्रतिरूप **सूळ्** (समय, ऋतु) दिया हुआ है। सूर्य से इनका सम्बन्ध असन्दिग्ध है।

तमिल **तॅरि** का अर्थ है दिखाई देना, स्पष्ट करना, जानना, **तॅरिवु** अर्थात् ज्ञान; इससे तुलनीय है तमिल **तॅरु** (जलना) और तमिल **तॅळ्** (स्पष्ट होना), **तॅळि** (जानना, स्पष्टता, प्रकाश)। ये शब्द संस्कृत **दृश्** और अंग्रेजी **ड्रीम** से सम्बद्ध हैं। **दिर्** क्रिया वर्ण संकोच से **दृ** या **द्री** रूप में परिवर्तित होती है, **तिर्** उसका तमिल प्रतिरूप है। आर्य-द्रविड़, दोनों परिवारों में इस क्रिया का अर्थ देखना, जानना, स्पष्ट होना है। इसी से **निद्रा** शब्द भी बनता है जहाँ **नि** उपसर्ग अभाव-सूचक है। संस्कृत में **धी** क्रिया का अर्थ जानना, चिन्तन करना है। संज्ञा-रूप में **धी** का अर्थ बुद्धि, **ज्ञान** आदि है। संस्कृत में **दिव्, द्यु** क्रिया का महत्त्व व्यापक है। हिन्दी में **धूप** शब्द सूर्य के प्रकाश का सूचक है। **धूम** शब्द में अग्नि का संसर्ग स्पष्ट है। **धी, धू** जैसी क्रियाएँ अवश्य ही किसी समय प्रकाशित होने, जानने, देखने के लिए प्रयुक्त होती थीं। इन्हीं के आधार पर **धी** का अर्थ बुद्धि, चिन्तन आदि हुआ। ब्राहूइ भाषा में **दे** शब्द समय और सूर्य का सूचक है। जैसे ब्राहूइ **दीर** का रूपान्तर **नीर** है, वैसे ही **दे** का रूपान्तर **ने** होगा। तमिल **नेरम्** अर्थात् समय, सूर्य; कन्नड़ **नेसरु** (सूर्य); तमिल **नायिरु** (उप.); तमिल **नॅरुप्पु** (अग्नि); ये रूप **ने**, मूलतः **दे** क्रिया से बने हैं। **नेत्र** और **नयन** शब्दों का सम्बन्ध प्रकाश-सूचक इसी ने शब्द-मूल से है। **आँख** मनुष्य को आगे ले जाती है, अतः **नी** (ले जाना) क्रिया से ये शब्द बने हैं, यह कल्पना अनावश्यक है। नाग-परिवार की बोरो भाषा में **नय्** शब्द का अर्थ है देखना, और **नय्न** वह वस्तु है जो देखने में सुन्दर हो। इस **नय्** से **नयन** का सीधा सम्बन्ध है। तमिल **निक़र** (चमकना), **निऴल्** (उप.), **निरम्** (रंग), **निनइ** (सोचना)

इस सम्बन्ध में विचारणीय हैं। इसी शृंखला में तमिल **नोक्कु** (देखना), कन्नड़ **नोड्डु** (उप.), तमिल **नाडु** (जानना, खोजना), **नाट्टम्** (आँख), **नेडु** (खोजना), कन्नड़ **निट्** (देखना) आदि भी दर्शनीय हैं। **ना, ने, नो** तीनों प्रकार के क्रिया-रूप प्रकाश तथा देखने का अर्थ देते हैं। ने क्रिया मूलतः **दे** है और **दे** तथा संस्कृत **दिव्** का अभिन्न सम्बन्ध है।

देखने के लिए तमिल भाषा की सामान्य क्रिया **पार्** है। इससे तुलनीय है कन्नड़ **परॅ** (भोर होना), तेलगू **परागु** (चमकना), मल्तो **पर्चॅ** (चमकना)। संस्कृत की जिस **भर्** क्रिया से **भर्ग** (प्रकाश) शब्द बना है, उसका तमिल रूपान्तर **पर्** हो, तो यह अत्यन्त स्वाभाविक होगा। उसी **पर्** से तमिल **पार्** (देखना), **पार्वइ** (आँख, दृश्य) शब्द बने हैं। संस्कृत में **भर्** के अतिरिक्त **भस्** क्रिया का अर्थ भस्म करना, चमकना है। इसी तरह **भास्** का अर्थ चमकना, स्पष्ट होना है। **भस्** जैसा रूप परिवर्तित होकर **पश्** बना हो तो आर्य भाषाओं पर अनेक प्रकार के द्रविड़ प्रभावों में यह भी एक होगा। देखने का अर्थ देनेवाली संस्कृत की इस प्रचलित **पश्** क्रिया का एक प्रतिरूप **स्पश्** है। **स्पश्** से लैटिन में **स्पेक्तो** अर्थात् देखना, **स्पेक्तुस्** और **स्पेक्रुम्** अर्थात् दृश्य, **स्पेक्तातोर्** अर्थात् दर्शक शब्द बने। अंग्रेज़ी के **इंस्पेक्ट, इंस्पेक्टर, प्रॉस्पेक्ट** (सम्भावना, परिप्रेक्ष्य), **एस्पेक्ट** (पक्ष) आदि शब्द **स्पश्** क्रिया से सम्बद्ध हैं।

अंग्रेज़ी क्रिया **सी** (देखना) का प्रतिरूप लैटिन ग्रीक आदिभाषाओं में नहीं है। **सीड** (बीज) के समान **सी** क्रिया भी काफी पुरानी जान पड़ती है। **सूर** (सूर्य) के समानान्तर **सी** क्रिया रही होगी जिसका अर्थ प्रकाश और देखना रहा होगा। संस्कृत **सूरि** का अर्थ ज्ञानवान है। यह अर्थ प्रकाश और ज्ञान को सम्बद्ध मानने के कारण है। देखने के लिए अंग्रेज़ी का एक अन्य शब्द **लुक्** भी है। इसका भी पूर्वरूप लैटिन या ग्रीक में नहीं है। किन्तु संस्कृत **लोक** का अर्थ देखना, जानना है। मोनियर विलियम्स ने इस क्रिया के बाद तुलना के लिए अंग्रेज़ी **लुक्** का बहुत सही उल्लेख किया है। **लोक्** का प्रतिरूप **लोच्** है जिससे **लोचन** (प्रकाशित करनेवाला, नेत्र) शब्द बनता है। वास्तव में **लोक्** और **लोच्,** दोनों **रुच्** (चमकना) का रूपान्तर हैं। **रुक** (प्रकाशमान) शब्द अग्नि के लिए प्रयुक्त होता था। **रुच्** शब्द का एक अर्थ सौन्दर्य, आनन्द भी है। लोगों की रुचि भिन्न-भिन्न होती है, इस वाक्य में **रुचि** शब्द मूलतः प्रकाशवाचक है। प्रकाश से आनन्द का सम्बन्ध हुआ, फिर लोगों के आनन्द प्राप्त करने के तरीके भिन्न-भिन्न हुए। **रुचिर** अर्थात् प्रकाशमान, सुन्दर।

**आँख** के लिए अंग्रेज़ी का प्रचलित शब्द **आई** है। यह संस्कृत **अक्षि** का प्रतिरूप है। लैटिन में इसका रूप **ओकुलोस्,** ग्रीक में **ओस्से** तथा जर्मन में **अउगे** है। इंडो-यूरोपियन परिवार का यह सर्व-प्रचलित रूप है। **अक्षि** रूप के लिए **अष्** क्रिया की कल्पना की गई है जिसका अर्थ है चमकना, प्रतीत होना। मेरी समझ में यह **अष्** संस्कृत **वस्** (चमकना) का रूपान्तर है। **वस्** का एक रूपान्तर **उष्**

जिससे **उषा, उष्ण** आदि शब्द बने, दूसरा **अष्** जिससे **अक्षि** शब्द बना। मूर्धन्य **ष्** पहले **क्** में परिवर्तित हुआ, फिर **स्** से संयोग होने पर **स्** का मूर्धन्यीकरण हुआ।

श्वेतवर्ण का अर्थ देनेवाले शब्द स्वभावतः प्रकाश से सम्बन्धित हैं। संस्कृत **श्वेत** का रूसी प्रतिरूप **स्वेत्** है जिसका अर्थ है प्रकाश। जैसे संस्कृत **लोक** शब्द संसार के लिए प्रयुक्त होता है, वैसे ही रूसी **स्वेत्** का एक अर्थ संसार है। **स्वेतीत्** क्रिया का अर्थ है चमकना। **श्वेत** का अंग्रेज़ी प्रतिरूप **ह्वाइट** है जहाँ **श्** ध्वनि **ह्** में परिवर्तित हुई है। यदि अन्तिम व्यंजन **ल्** में परिवर्तित हो और आदि व्यंजन का लोप हो जाए तो **श्वेत-स्वेत** से **वेल** जैसा रूप प्राप्त होगा। तमिल **वॅळ्, बॅण्** का अर्थ है श्वेत, प्रकाशमान। कन्नड़ में इसका **बॅळ** प्रतिरूप है। रूसी में **बेलुइ** (सफेद) **स्वेत-श्वेत** के आधार पर वैसे ही बना है, जैसे तमिल कन्नड़ में **वॅळ, बॅळ**। तमिल **वॅळ** का सम्बन्ध **श्वेत** से हो चाहे न हो, तमिल **वॅळ्** और कन्नड़ **बॅळ** से रूसी **बेलुइ** का सम्बन्ध अवश्य है।

रूसी भाषा के एक कालवाचक शब्द का उल्लेख यहाँ और कर दें। यह शब्द है **तेपेर्** (अब)। इसका कोई प्रतिरूप अन्य भाषाओं में दिखाई नहीं देता। तमिल **पॉऴ्दु, पोदु** (समय, सूर्य) से इसका सम्बन्ध हो सकता है। तमिल में एक अन्य शब्द **पगल्** दिन, सूर्य, प्रकाश का वाचक है। संस्कृत **प्रहर**, हिन्दी **पहर** क्या इस **पगल्** का रूपान्तर नहीं है? समयवाचक शब्द से **हर** जैसी क्रिया का क्या सम्बन्ध हो सकता है?

**वेद** माने ज्ञान। **विद्** माने जानना। लैटिन **विदेओ** माने देखना। रूसी **विदात्, विदेत्** माने देखना, **विद्** अर्थात् दृश्य, प्रतीति। पुनः रूसी **वेदात्** का अर्थ है जानना। **विद्** और **वेद**, देखने और जानने, का सम्बन्ध सन्देह से परे है। इसी **वेद** के दो ग्रीक प्रतिरूप होते हैं : **एइदो** (देखना, जानना), **ओइदा** (मैं जानता हूँ, मैंने देखा है)। एक रूप में **वे** के स्थान पर **ओइ**, दूसरे रूप में **एइ**; एकार-ओकार वाली पूर्वी-पश्चिमी दोनों भारतीय प्रवृत्तियाँ यहाँ विद्यमान हैं।

यहाँ **वेद** का तमिल रूप **ओत्तु** दर्शनीय है और ग्रीक भाषा के ओकार वाले रूप से तुलनीय है। इसी क्रम में तमिल **ओदुवि** (वेद पढ़ाना), **ओदु** (मंत्र पढ़ना) भी है। मलयालम, कोत, कन्नड़, तुलु भाषाओं में ओकार वाले रूप ही हैं। द्रविड़ भाषाओं में शब्द के आदिस्थान पर **व्** ध्वनि का बहुल प्रयोग होता है। इसलिए **वेद** के अधिकांश द्रविड़ प्रतिरूपों में ओकार का होना मागध प्रभाव के कारण ही हो सकता है। केवल तोद भाषा में **वीथ्** (पढ़ना), **वीत्** (मंत्र) जैसे **व्** वाले रूप हैं। तोद स्वयं आकार प्रधान भाषा है। उसमें **व्** वाले प्रतिरूपों का अस्तित्व सिद्ध करता है कि द्रविड़ भाषाओं में **वेद** शब्द दो भिन्न स्रोतों से पहुँचा है। अंग्रेज़ी रूप **विट्** (जानना, बुद्धि) तोद **वीथ्-वीत्** से तुलनीय है। अंग्रेज़ी शब्द **वाइज़** (बुद्धिमान्), **विट** का एक अंग्रेज़ी पूर्वरूप **विस्** (मैं जानता हूँ) है। जर्मन **ह्विसॅन्** (जानना,

ज्ञान), अंग्रेज़ी **विस्, वाइज़, विट्** इसी **वेद** के अपभ्रंश रूप हैं। द्रविड़ भाषाओं में **वेद** शब्द के प्रतिरूपों का अर्थ पढ़ने के अतिरिक्त बोलना भी है। जानना, बोलना, पढ़ना—ये तीनों क्रियाएँ सभ्य की ओर विकास करते हुए गण-समाजों के मनुष्य के मन में परस्पर सम्बद्ध हैं : तमिल **ओदु** (पढ़ना, बोलना), **ओदुवि** (पढ़ाना), **ओदल्** (पाठ), **ओदि** (विद्या, विद्वान) मलयालम **ओदुग** (पढ़ना, बोलना), **ओदिक्क** (पढ़ाना), **ओत्तु** (पाठ), **ओद** (पढ़ना, सीखना), कन्नड़ **ओदु** (पढ़ना, बोलना), कोडगु **ओद्** (पढ़ना), तुलु **ओदुनि** (पढ़ना)। बोलने के लिए संस्कृत में एक **वद्** क्रिया भी है। उक्त रूपों में **वद्** और **वेद** दोनों रूप मिल गए हैं। अन्य शब्दों में हम देखेंगे कि गाने, बोलने और कभी-कभी जानने के भाव सम्बद्ध रहते हैं।

गण-समाजों में जैसे-जैसे उत्पादन और विनिमय का विकास हुआ, वैसे-वैसे कुछ कुलों अथवा कुटुम्बों में सम्पत्ति का केन्द्रीकरण हुआ। इस केन्द्रीकरण का एक परिणाम यह हुआ कि देवताओं के अलावा मनुष्यों की भी स्तुति की जाने लगी। यह स्तुति अधिकतर गीत रूप में होती थी, अत: जो क्रियाएँ गाने और बोलने के लिए प्रयुक्त होती थीं, उनके साथ स्तुति वाला भाव भी जुड़ गया। **वद्** शब्द का एक अर्थ गाना, बोलना तथा स्तुति करना है। ये सारे कार्य मुँह से होते थे, इसलिए उसका एक नाम **वदन** हुआ। **वच्** क्रिया का अर्थ ध्वनि करना, बोलना है। उसी से **वाच्, वाक्** शब्द बना जिसका अर्थ भाषा, वाणी, मनुष्य का स्वर हुआ। **वदन** के समान मुख के लिए **वच्** से एक शब्द **वक्र** बना।

संस्कृत में एक दूसरी क्रिया है **भाष** (बोलना, सोचना)। तमिल में इसका प्रतिरूप है **पेजु** अथवा **पेशु** (बोलना, प्रशंसा करना), **पेच्चु** (वाणी, भाषा, शब्द, स्तुति)। **वेद** के प्रतिरूप **ओत्तु** के समान **भाष्** के प्रतिरूप **पेच्चु** में भी संस्कृत की अपेक्षा अर्थ-प्रसार अधिक दिखाई देता है। **वेद** के समान **भाष** शब्द भी, आवश्यक ध्वनि-परिवर्तन के बाद, द्रविड़ भाषाओं में व्यापक रूप से प्रयुक्त होता है।

संस्कृत में **भाष्** के समानान्तर एक क्रिया **भन्** अथवा **भण्** है। इसका अर्थ भी बोलना है। हिन्दी के **भनत, भनिति** जैसे रूप इसी प्राचीन **भन्** क्रिया से बने हैं। यह शब्द कविता के लिए, कवि की वाणी के लिए विशेष रूप से प्रयुक्त होता है। संस्कृत में एक क्रिया **भन्द्** भी बताई गई है जिसका अर्थ है अभिनन्दित होना। यह अभिनन्दन काव्य द्वारा ही होता था, अत: **भन्** का सम्बन्ध कविता पाठ, गायन से अवश्य था। तमिल में इसके दो रूप होते हैं : एक है **पणि** (बोलना, शब्द), दूसरा **ॲन्** (बोलना)। पहले रूप में मूल **भ्** ध्वनि की महाप्राणता का लोप हुआ है, दूसरी में **भ्** के परिवर्तित रूप **प्** अथवा **ह्** अथवा **व्** का लोप हुआ है। **पण्** अथवा **पन्** क्रिया-मूल का व्यापक व्यवहार द्रविड़ भाषाओं में होता है। तोद भाषा में ओकार वाला रूप **पॉण्त्** (वाणी, गीतों में प्रयुक्त शब्द) है। इसके अर्थ में काव्य वाला संसर्ग स्पष्ट है। **ॲन्** के प्रतिरूप कन्नड़ **अन्नु** (बोलना), कुड़ुख **आन्ना** (उप.), मल्तो

**अनॅ** (बोलना, सोचना) भी हैं। मूल अकार एक तरह के रूपों में सुरक्षित रहता है, दूसरे प्रकार के रूपों में एकार में बदलता है।

तमिल **पाण्** (गीत, स्तुति), **पाडु** (गीत गाना) **पणि** की मूल क्रिया से सम्बद्ध हैं। **पणि** का आदिवर्ण ह्रस्व है और **पाण्, पाडु** का आदिवर्ण दीर्घ है किन्तु **पणि** का कोलमि प्रतिरूप **पान** है जिसका अर्थ है भाषा। इसे उचित ही कोश में **पणि** के साथ दिया गया है। इसी के साथ ब्राहूइ के **पा, पार्, पानिंग्** (बोलना) रूपों में भी आदि का स्वर दीर्घ है। बोलने के लिए **प्** वाले जिस क्रिया-रूप का व्यवहार होता था, उसमें ह्रस्व और दीर्घ, दोनों प्रकार के स्वरों का व्यवहार होता था। **पाडु** शब्द के साथ पर्जि भाषा का **पाड** शब्द भी दिया है जिसका अर्थ है—गीत, भाषा, शब्द। इन सारे शब्दों का आधार **भन्** क्रिया है। **भन्** के रूपान्तर **पण्** से **पाण** रूप बना; **पाडु** का **ड्** वस्तुतः **ड़्** है और **ण्** की जगह प्रयुक्त हुआ है। **पाडु** और **पाण** मूलतः एक ही शब्द हैं। यहाँ ग्रीक भाषा का **पइअन्** (गीत) शब्द तुलनीय है; इसकी आधारभूत क्रिया **भन्** होगी।

संस्कृत में पढ़ने के लिए **पठ्** क्रिया है। **पद** उसे कहते हैं जो बोला जाए या गाया जाए। सम्भवतः **पठ्** और **पद** का सामान्य आधार **पध्** क्रिया थी।

अंग्रेज़ी में कवि के लिए प्रसिद्ध शब्द **पोअॅट** है। इसका सम्बन्ध ग्रीक क्रिया **पोइओ** (निर्माण करना) से जोड़ा गया है। (काव्य के लिए ग्रीक भाषा का जो प्रचलित **एपोस्** शब्द है, उससे **पोअॅट्** रूप का सम्बन्ध उन्होंने नहीं देखा।) **पोइओ** क्रिया का सम्बन्ध उस शब्द-मूल से है जिससे संस्कृत **पाणि** (हाथ), तमिल **पण्** (कर्म) आदि शब्द बनते हैं। गाने या कविता करने से उसका कोई सम्बन्ध नहीं है। किन्तु रूसी भाषा में **पेत्** क्रिया का अर्थ है गीत गाना; इससे गीत के लिए **पेस्न्या,** और गायक के लिए **पेवेत्स्** शब्द बनते हैं। इसका सम्बन्ध **पध्** क्रियामूल से मानना चाहिए। ग्रीक शब्द **अअॅइदो, अदो** (गीत गाना), **अऑइदे, ओदे** (गाथा, गीत) **पद** के प्रतिरूप हैं। **प—व—अऑ/ओ/अअॅ/अ,** यह परिवर्तन हुआ। अंग्रेज़ी काव्य-रूप **ओड** इसी ग्रीक क्रिया से व्युत्पन्न हुआ है। ग्रीक भाषा में विजय गीतों के लिए एक शब्द और प्रयुक्त होता था : **पइअन्**। इसका सम्बन्ध **पद** वाली क्रिया से है या नहीं, यह निश्चयपूर्वक नहीं कहा जा सकता। ग्रीक भाषा में **पोइएसिस्** शब्द के दो अर्थ दिये हैं : कविता, काव्य-कौशल, तथा रचना। इसी के अनुरूप **पोइएतेस्** के दो अर्थ हैं : निर्माता तथा कवि। इसी प्रकार लैटिन में **पॉएसिस्** (कविता, काव्य-कौशल) और **पॉएत** (निर्माता, कवि) शब्द हैं। मेरी समझ में निर्माण और गीत वाले दो शब्दमूलों को ग्रीक और लैटिन में मिला दिया गया है। संस्कृत **पद** की आधारभूत क्रिया **पध्** से कवितावाचक शब्द बने हैं।

अंग्रेज़ी शब्द **स्पीक्** (बोलना), **स्पीच्** (वाणी) संस्कृत भाषा के विकास हैं। मूल ध्वनि **ष्, क्** और **च्** में परिवर्तित हुई है। आदिस्थानीय **भ् प्** में परिवर्तित हुआ।

फिर उसके पहले **स्** जोड़ा गया। जर्मन शब्द में एक **र्** ध्वनि और जोड़ दी गई है : **स्प्राख़** (वाणी, भाषा), **स्प्रेख़ॅन्** (बोलना)। जर्मन रूप में भारतीय **ष् ख़्** में परिवर्तित हुआ है। अंग्रेज़ी **ह्वाय्स्** (आवाज) का पूर्वरूप लैटिन **वोक्स्** है। लैटिन **वोको** (बुलाना), **वोकालिस्** (स्वर, उच्चारण क्रिया) आदि शब्द सम्बद्ध हैं। इटालियन **वोचे** का अर्थ है शब्द, वाक्य, आवाज़। इन शब्दों का सम्बन्ध संस्कृत के **वच्, वाक्** जैसे रूपों से जोड़ना स्वाभाविक है। किन्तु तमिल **ओजइ** और मलयालम **ओष** भी विचारणीय हैं। दोनों का अर्थ है ध्वनि, आवाज़। मेरी समझ में ये शब्द संस्कृत **घोष्** के प्रतिरूप हैं। तमिल **ओजइ** को **आषइ** भी कहते हैं। **ओषइ** तथा मलयालम **ओष** रूपों में मूल सकार ध्वनि सुरक्षित है। या ध्वनि लैटिन में **क्** हो गई है। लैटिन तथा द्रविड़ भाषाओं में आदि ध्वनि **घ्** का लोप हो गया है।

भाषाविज्ञान में **फोनीम** का बड़ा महत्त्व है। यह शब्द प्राचीन भारतीय **भन्** क्रिया का वंशज है। ग्रीक **फोने** का अर्थ है आवाज़, मनुष्य का स्वर, भाषा। ग्रीक **फोनेम** का भी अर्थ है वाणी, शब्द, मनुष्य का स्वर। **भन्** के समानान्तर **भष्, भाष्** क्रियाओं के प्रतिरूपों का व्यवहार भी ग्रीक भाषा में होता था। **अफसिअ** (जिसे आजकल अंग्रेज़ी में **अफेसिआ** कहते हैं) **अभाष** का प्रतिरूप है, बोल न सकने की बीमारी का नाम है। ग्रीक क्रिया **फेमि** (बोलना, कहना) **भष्, भाष्** का ही प्रतिरूप है। **फेस, फस्, फेसि, फस्थइ** आदि रूप इस क्रिया के होते हैं जिनमें मूल सकार ध्वनि विद्यमान हैं। **फेमिस्** (वाणी) का लैटिन प्रतिरूप **फाम्** (अफवाह, ख्याति, अंग्रेज़ी प्रतिरूप **फेम**) है। ग्रीक भाषा में एक शब्द **फतिस्** भी है जिसका अर्थ है वाणी। यहाँ **स्** ध्वनि **त्** में परिवर्तित हुई है। **फेमि** क्रिया का एक रूप **फन्** भी है जो **भन्** का सीधा रूपान्तर है।

तमिल **पाट्टु** (गाना) का एक प्रतिरूप **माट्टु** (शब्द) है। मूल ध्वनि **प्** यहाँ **म्** में परिवर्तित हुई है। इसी क्रम में कन्नड़ **मातु, मात**, तेलगू **माट** वाणी और शब्द के लिए प्रयुक्त होते हैं। इनके इटालियन प्रतिरूप **मोत्तो** (शब्द, इसी से अंग्रेज़ी **मोटो**) और फ्रांसीसी **मो** (शब्द, जो **मोत्** लिखा जाता है) हैं।

प्राचीन गण-समाजों के लिए बोलना अत्यन्त महत्त्वपूर्ण मानव-व्यवहार रहा होगा। इसके लिए अनेक शब्द हैं जिनमें कहीं अर्थ की विशेषता है, कहीं सामान्यता। संस्कृत किया **गद्** का अर्थ बोलना है। **गद्य** वह है जो बोला जाता है। बोलने के लिए **कथ्** क्रिया भी है। जो बोली जाए, दूसरे को सुनाई जाए, वह **कथा**। **थ्** और **द्** ध्वनियों वाले दोनों शब्द एक दूसरे से मिलते-जुलते हैं। जैसे **पठ्** और **पद** का पूर्वरूप **पध्** सम्भव है, वैसे ही **कथ्** और **गद्** का पूर्वरूप **गध्** या **कथ्** सम्भव है। **गाथिन्** का अर्थ गायक है। यह विश्वामित्र के पिता का नाम था; उनके पिता का नाम **गाधिन्** था। इससे यह निष्कर्ष निकलता है कि **गाधि** का वही अर्थ था जो **गाथि** का था। **गथ्** क्रिया से एक रूप **गाधि** बनेगा, सघोषता का लोप होने पर

**गाथ** रूप बनेगा। छन्द और गीत के लिए **गाथ** शब्द का प्रयोग होता था। **गाथा** शब्द आख्यानों के लिए प्रयुक्त हुआ। गाने और बोलने के सम्बन्ध पर ध्यान दें तो **गाथा, कथा** और **गद्य** में विशेष अन्तर न दिखाई देगा। बोलने के लिए एक अन्य संस्कृत क्रिया **जल्प्** है। आधुनिक आर्य भाषाओं में इसके प्रतिरूप **गल्प्** से कथा-कहानी का अर्थ देनेवाला **गल्प** शब्द बना है। पंजाबी **गल्ल** (बातचीत) और हिन्दी **गाली** और **गप्प** उसी के विकास हैं। संस्कृत **गल्भ्** क्रिया का अर्थ है साहसी होना। अभिमानी और साहसी व्यक्ति को **प्रगल्भ्** कहा जाता था। सम्भव है, इस शब्द का मूल अर्थ वाचाल रहा हो; **गल्भ** अर्थात बोलना, उसी का प्रतिरूप **गल्प्**, उसी से अन्य रूप **जल्प्**।

फ़ारसी में **गुफ़्त** (कहा हुआ), **गुफ़्तगू** (बातचीत), **गुफ़्तार** (उप.) **गभ्** जैसे मूल रूप से व्युत्पन्न हैं। रूसी भाषा में **गवरीत्** (बोलना), **गवोर्** (बातचीत की आवाज़) उसी **गभ्** के विकास हैं। किन्तु **गुफ़्तगू** में दो भिन्न स्रोतों से आई हुई क्रियाएँ मिल गई हैं। दूसरी क्रिया फ़ारसी **गो** का प्रतिरूप है और इसका पूर्वरूप **घोष** का **घो** है। **गोई** (कथन), **गोइन्दा** (वक्ता), **बदगो** (बुराई करनेवाला) **घो** क्रिया से बने हैं। रूसी भाषा में **स्कजात्** (कहना), **स्काज़्** (कथा), **स्काज़्का** (उप.) **कध्** जैसे क्रिया मूल से बने हैं। **ध्** परिवर्तित होकर **ज़्** रूप में ग्रहण किया गया और प्रथम वर्ण में अतिरिक्त सकार जोड़ा गया।

कहने के लिए अंग्रेज़ी में **से** शब्द है। इसका जर्मन प्रतिरूप **जागॅन्** है। अनेक अंग्रेज़ी प्रतिरूपों के समान यहाँ भी मध्यवर्ती **ग्** का लोप हुआ है। अंग्रेज़ी में एक शब्द **सागा** भी है जो आइसलैंड और नॉर्वे की पुरानी गद्य कथाओं के लिए प्रयुक्त होता था। आगे चलकर किसी भी साहसपूर्ण घटना के विवरण के लिए इसका प्रयोग होने लगा। मराठी में एक क्रिया **सांगणे** है जिसका अर्थ है कहना, बोलना। जर्मन **जागॅन्**, अंग्रेज़ी **से** और मराठी **सांगणे** एक ही कुल के हैं। मूल क्रिया **साग** या **सेग** है। संस्कृत क्रिया **शब्द्** का अर्थ बुलाना है। वाणी, ध्वनि, पद के लिए शब्द का प्रयोग होता था। मोनियर विलियम्स ने सुझाया है कि **शप्** क्रिया से **शब्द** बना होगा। यह सुझाव सही जान पड़ता है। **शाप** एक विशेष प्रकार की घोषणा है जहाँ किसी व्यक्ति को दंड देने की कामना है। **शपथ** भी एक प्रकार की घोषणा है किन्तु उसमें दंड देने का भाव नहीं है। **शपथ, शब्द, शाप** एक ही क्रिया से व्युत्पन्न हैं। यहाँ रूसी क्रिया **शुमेत्** (ध्वनि करना) का उल्लेख भी किया जा सकता है। संस्कृत **शब्द** का तमिल प्रतिरूप **केळ्वि** है, **किळ्वि** अर्थात् भाषा। तमिल में एक दूसरी क्रिया **चॅप्पु** बोलने के लिए है। **से** या **शे** जैसे क्रिया मूल से तमिल में एक शब्द के आरम्भ में **क्** ध्वनि का व्यवहार हुआ, दूसरे में **च्** का। लैटिन में एक शब्द **सेर्मो** (वार्ता, वाणी) है, उपदेशात्मक व्याख्यान के लिए इसी से अंग्रेज़ी शब्द **सर्मन्** बना है। **से, सा** क्रियामूल के समानान्तर **सो** रूप भी था। इस क्रियामूल से

कन्नड़ **सॉल्, सॉल्लु** (बोलना, शब्द) **सॉल्लिसु** (कहना, कहलाना), और तमिल **चॉल्** (बोलना, शब्द), **चॉलवु** (कहावत) आदि रूप सम्बन्धित हैं। शब्द मूल का **स्** या **श्** जब **क्** में परिवर्तित होता है तब अंग्रेज़ी क्रिया **कौल्** (पुकारना) बनती है, जब **त्** में परिवर्तित होता है तब अंग्रेज़ी क्रिया **टॅल्** (कहना) बनती है। अंग्रेज़ी **टोल्ड् टॅल्** का भूतकालीन रूप माना जाता है। वास्तव में वह अन्य रूप **टोल्** में भूतकालीन प्रत्यय **ड्** जोड़कर बना है और **टॅल्** का प्रतिरूप है। तमिल **चॉल्** और अंग्रेज़ी **टोल्** एक ही शब्द मूल **सोल्** के दो भिन्न रूप हैं। **सोल्** का **सो, शब्द** और **शाप** का **शप्** परस्पर सम्बद्ध प्रतीत होते हैं।

अंग्रेज़ी **नोज़,** संस्कृत **नासा** और हिन्दी **नाक** का एक ही उद्गम है। नाक का काम सूँघना है। संस्कृत में **नासा** से मिलती-जुलती कोई क्रिया नहीं दिखाई देती जिसका सम्बन्ध गन्ध या सूँघने से हो। किन्तु तमिल **नारु, आरु** का अर्थ है सुगन्ध प्रसारित करना। इस वर्ग के अन्य शब्द दूसरी अनेक द्रविड़ भाषाओं में हैं। इनका सम्बन्ध कहीं सुगन्ध से है, कहीं दुर्गन्ध से है। कन्नड़ **नात, नातु** जैसे रूप देखकर अनुमान होता है कि तमिल रूपों का **र्** पहले **त्** या **द्** था; स्वयं द्रविड़ भाषाओं में नाक के लिए **नारु** या **नातु** जैसा शब्द नहीं है। **नासु** जैसे पूर्वरूप से **नातु** और **नारु** शब्द बन सकते हैं। द्रविड़ भाषाओं के नासावाचक प्रचलित शब्द **म्** से आरम्भ होते हैं : तमिल **मूक्कु,** कन्नड़ **मूगु** आदि। या तो **न्** ध्वनि **म्** में परिवर्तित हुई है या **म्** ध्वनि **न्** में। ग्रीक भाषा में संस्कृत **नासा** का प्रतिरूप **मुक्तेर्** है। इस रूप में **म्** है, **न्** नहीं है। द्रविड़ भाषाओं में गन्धवाचक शब्द **म्** से भी आरम्भ होते हैं : कन्नड़ **मूसु** (सूँघना) तमिल **मुग** (उप.), **मोप्पम्** (गंध, नाक)। द्रविड़ भाषाओं के समान ग्रीक भाषा में गन्धवाचक अनेक शब्द **न्** और **म्** से आरम्भ होते हैं। **नर्दोस्** एक सुगन्धित वनस्पति और उसके तेल का नाम था। फ़ारसी में जिस फूल को **नर्गिस** कहते हैं, वह ग्रीक में **नोकस्सोस्** था। सुगन्धित तेल और इत्र के लिए **मुरोन्** शब्द था, और अरब की एक वनस्पति को **मुर्तोस्** तथा उसके सुगन्धित तेल को **मुर्र** कहते थे। स्पष्ट ही **नर्** और **मुर्** शब्दमूलों का सम्बन्ध सूँघने से है। ग्रीक **नर्दोस** का लैटिन प्रतिरूप **नर्दुस्** है। लैटिन में इसी श्रृंखला का एक शब्द और है **नारेस्** जिसका अर्थ है नासाछिद्र, नाक। अंग्रेज़ी **नोज़्** और संस्कृत **नासा** उस **न्** वाली क्रिया से बने हैं जिसका अर्थ है सूँघना। **नासा** और ग्रीक **मुक्तेर्** का सम्बन्ध द्रविड़ रूपों पर ध्यान देने से समझ में आ जाता है। **नासा** वह इन्द्रिय है जिससे मनुष्य सूँघता है।

### 7. स्कम्भ, स्तम्भ

भारतीय आर्य भाषा-परिवार में **घ, ध, भ**—ये तीनों प्रत्यय मूल क्रिया में जोड़े जाते थे और इस प्रकार कृदन्त रूप बनाए जाते थे। ये कृदन्त कहीं विशुद्ध संज्ञा हैं,

कहीं क्रिया हैं, कहीं क्रिया और संज्ञा दोनों हैं। कहीं कृदन्त को पुनः धातु का रूप दिया गया है, कहीं कृदन्त-प्रत्यय का मूल कार्य बदल गया है। इनके समानान्तर **क, त, प** और **ग, द, ब** प्रत्ययों का व्यवहार होता था। **च-ट, ज-ड** प्रत्यय भी हैं किन्तु उनका व्यवहार अपेक्षाकृत कम होता है। अतिरिक्त अनुनासिक ध्वनि जोड़ने से इनके वैकल्पिक रूप बनते थे। **य, व, स** आदि कुछ अन्य प्रत्यय थे। इनमें **व** कहीं-कहीं **भ, प**, या **ब** का रूपान्तर है। द्रविड़ परिवार में **घ, ध, भ** सघोष महाप्राण ध्वनि वाले प्रत्यय नहीं हैं, शेष सभी का व्यवहार द्रविड़ भाषाओं में होता है। द्रविड़ भाषाओं के लिए कहा जाता है कि उनमें संज्ञा-क्रिया का भेद महत्त्वपूर्ण न था; एक ही रूप क्रिया और संज्ञा दोनों की भूमिका निबाह सकता था। यह बात अंशतः सही है। किन्तु जिस समय और जिस क्षेत्र में ऐसे रूपों का निर्माण हो रहा है, उस समय और उस क्षेत्र में क्रिया संज्ञा का भेद बहुत स्पष्ट है। सैकड़ों रूप क्रियामूलों में प्रत्यय जोड़कर बनाए गए हैं, फिर उनका व्यवहार चाहे संज्ञा-रूप में हो चाहे क्रिया-रूप में। क्रियामूलों के आधार पर द्रविड़ और इंडो-यूरोपियन परिवारों की शब्द-रचना का अध्ययन दोनों परिवारों के घनिष्ठ सम्बन्धों और मध्यदेशीय भाषाओं की प्राचीन शब्द-रचना-प्रक्रिया को समझने में सहायक होता है।

**स्था, स्थ** या **स्त** क्रिया से एक रूप बना **स्तभ**। इसका रूपान्तर अंग्रेज़ी का **स्टौप्** (रुकना, रोकना, विराम) है। यहाँ बहुत स्पष्ट देखा जा सकता है कि इंडो-यूरोपियन परिवार की एक भाषा का **प्** प्रत्यय **भ्** का रूपान्तर है; यह रूपान्तर संज्ञा और क्रिया, दोनों में है। अंग्रेज़ी में **स्ट, स्टौ** जैसी कोई क्रिया नहीं है : **स्टौप्** की रचना-प्रक्रिया **स्त** (स्थ) + **भ** के स्मरण से ही समझ में आती है। अंग्रेज़ी में **स्तभ** का एक रूपान्तर **स्टब्** (ठूँठ, पेड़ का तना, किसी लम्बी चीज़ का बचा हुआ भाग) है। यहाँ **ब्** प्रत्यय **भ्** का रूपान्तर है। **स्तभ** में जब अतिरिक्त अनुनासिक ध्वनि जुड़ जाती है, तब संस्कृत का **स्तम्भ** रूप बनता है। अंग्रेज़ी में **स्तम्भ** का रूपान्तर **स्टम्प्** (ठूँठ, तना, अवशिष्ट भाग) है। यहाँ अनुनासिक ध्वनि के संयोग से एक वैकल्पिक रूप बना।

संस्कृत में **स्तम्भ** और **रम्भ** मिलते-जुलते शब्द हैं; अन्तर यह है कि **रम्भ** में अनुनासिक ध्वनि अलग से जोड़ी नहीं गई। मूल क्रिया **रम्** है जिसका अर्थ है रुकना, रोकना। सहारे की वस्तु, लाठी आदि के लिए स्थाणु के समान **रम्भ** शब्द का प्रयोग होता था। संस्कृत **दम्** क्रिया का अर्थ है विजय प्राप्त करना। इसमें **भ** प्रत्यय जोड़कर भाववाचक संज्ञा बनी **दम्भ**। संस्कृत में **भ** प्रत्यय वाले शब्द कम हैं, **प** प्रत्यय वाले भी थोड़े हैं, **ब** प्रत्यय वाले विरल हैं। तमिल **कर** (भ्रूण, बछड़ा) का सम्बन्ध तेलगू **करि** (योनि) से है। तमिल **करुप्पइ** संस्कृत **गर्भ** का प्रतिरूप है। तमिल **करुवम्** का अर्थ हुआ गर्भस्थ जीव; **करुप्पम्** गर्भस्थान है। स्पष्ट ही संस्कृत **गर्भ** में **गर्** शब्दमूल है (वह क्रिया हो, चाहे संज्ञा) और **गर्भ** की रचना-प्रक्रिया वही है जो तमिल **करुप्पम्** की हैं। **गर्भ** का **गर्** स्वतंत्र शब्दमूल था, यह तमिल **करु**,

तेलगू **करि** से विदित होता है। पर्जि **कॅर्ब** (अंडा), गद्ब **कॅर्ब** (उप.) में **ब** प्रत्यय है; तेलगू **करुवु** (भ्रूण) और तमिल **करुवम्** में **व** है। यहाँ हम **भ** प्रत्यय के **ब-प्प-व** प्रतिरूपों का सम्बन्ध पहचान सकते हैं। संस्कृत **दर्भ** और **दूर्वा** परस्पर सम्बन्ध हो सकते हैं। यदि ऐसा हो तो **दूर्वा** का **व** मूल प्रत्यय **भ** का रूपान्तर माना जाएगा। लैटिन **हर्ब** (घास, वनस्पति), **दर्भ** का प्रतिरूप हो तो **दर्भ** का मूलरूप **धर्भ** होगा। आर्य द्रविड़ दोनों परिवारों में **व** स्वतंत्र प्रत्यय भी है, उसे सर्वत्र **भ** का रूपान्तर मानना आवश्यक नहीं है। **प** और **ब** मूलत: **भ** प्रत्यय थे किन्तु एक बार अस्तित्व में आ जाने पर स्वतंत्र रूप से उनका व्यवहार होने लगा। **सर्प** शब्द **सर्** क्रिया में **प** प्रत्यय जोड़ने पर बना है; यह कल्पना अनावश्यक है कि **सर्प** का मूलरूप **सर्भ** था। कृदन्त प्रत्ययों से अधिकतर भाववाचक संज्ञाएँ बनती हैं, **दम्** और **भ** के योग से **दम्भ** के समान। किन्तु **स्कम्भ, स्तम्भ** जसे रूपों से सिद्ध है कि वस्तुवाचक संज्ञा-रूप भी इन्हीं प्रत्ययों की सहायता से बनाए जाते थे। **सर्प** सरकने का भाव व्यक्त न करके सरकनेवाली वस्तु की ओर संकेत करता है। **सर्प** को मूल क्रिया मानकर इससे पुनः कृदन्त रूप **सर्पन्त** बना जो अंग्रेज़ी का **सर्पेंट्** है। संस्कृत में वर्ण-संकोचन के बाद **सर्प** से **सृप्** धातु कल्पित हुई। द्रविड़ पात्रों में कृदन्त रूप को मूल क्रिया बना लेने की प्रवृत्ति व्यापक है, यथा : तमिल में : **अॅऴु**—ऊपर उठना; **अॅऴुप्पु**—ऊपर उठाना; **अळ**—बातचीत करना, **अळप्पु**—बहुत बातें करना; **कड**—पार करना, **कडप्पु**—उप.। ऐसा सर्वत्र नहीं होता, संज्ञा-रूप भी बनते हैं, यथा : तमिल में : **अऴि**—नष्ट होना, **अऴिप्पु**—विनाश (इसका प्रतिरूप **अऴिबु** है जहाँ मध्यवर्ती **प्** या **ब्** बच गया है। साथ ही **अळिबु** का प्रतिरूप **अळिवु** भी है); **अरु**—काटना, **अरुप्पु**—कटाई। **स्तभ-स्तम्भ** के समान **अरुप्पु** का प्रतिरूप **अरुणाम्बु** (अकाल) है, **अऴिप्पु** का प्रतिरूप **अऴिम्बु** (पाप) है। तमिल रूपों का **प्प** सर्वत्र संस्कर के **भ** या **प** प्रत्ययों का रूपान्तर नहीं है। उसका आधार संस्कृत का **त्व** प्रत्यय भी है। तमिल **अरु** (कठिन) से **अरुप्पम्** (काठिन्य) रूप बना, **गुरु** से **गुरुत्व** के समान। तमिल **अरु** क्रिया नहीं है, **गुरुत्व** के **गुरु** के समान विशेषण है; तमिल **इन्**—मधुर, इससे **इन्बम्, इन्बु** और **इनिप्पु** (माधुर्य)। जैसे कृदन्त रूप पुनः मूल क्रिया के समान प्रयुक्त होते हैं, वैसे ही विशेषणों से बने भाववाचक रूप पुनः विशेषणवत् प्रयुक्त होते हैं, यथा : तमिल **करु** (काला) और **करिम्बु** (साँवला)।

स्लाव भाषाओं में **त्व** प्रत्यय बहुत सामान्य है। इसके साथ उनमें संस्कृत और तमिल की तुलना में **ब** प्रत्यय का प्रयोग भी अधिक होता है। स्लाव **ब** संस्कृत **त्व** का प्रतिरूप है, **भ** के आधार पर भी विकसित हुआ है। रूसी **बोर्ब** (युद्ध) में तमिल **पॉरु** (युद्ध करना) की प्रतिरूप **बोर्** क्रिया है, उसमें **ब** प्रत्यय जोड़ा गया है। बाल्तिक वर्ग की लैतवियन भाषा में संस्कृत **गर्व** का प्रतिरूप **गर्ब** है। पुरानी आइरिश में मृत व्यक्ति के लिए **मर्ब** रूप है। लैटिन में इससे मिलता-जुलता **मोर्बुस्**

(रोग) शब्द है। सम्भव है, ऐसे रूपों का **ब** मूलतः **भ** रहा हो। स्लाव और बाल्तिक भाषाओं की क्रिया में **ब** प्रत्यय जोड़कर ऐसे संज्ञा-रूप बनते हैं जो अवधी रूपों से मेल खाते हैं। पुरानी स्लावोनिक में **सेत्** (बोना) क्रिया से **सेतिब** (बुवाई, 'बवबु'), **झ़ॅनीत्** (ब्याहना) से **झ़ॅनितिब** (ब्याह, 'ब्याहबु'), **ऑरात्** (जोतना) से **ऑरातिब** (जुताई, 'ज्वातबु') लैतवियन में **मजीत्** (सिखाना) से **मज़िब** (सीख, 'सिखवबु'), **तिकेति** (विश्वास करना), से **तिकिब** (विश्वास, 'बिस्वासबु')। जो लोग अवधी तथा मागधी समुदाय की भाषाओं के **ब** प्रत्यय का सम्बन्ध **तव्य** से स्थापित करते हैं, वे बाल्तिक-स्लाव भाषाओं में **ब** की भूमिका देखें। दोनों ओर इसका आधार **भ** प्रत्यय है। साथ ही द्रविड़ भाषाओं के समान बाल्तिक स्लाव भाषाओं में **ब** प्रत्यय **त्व** का प्रतिरूप भी है, यथा : पुरानी स्लावोनिक में **ज़ुलु** (दुष्ट) से **ज़ुलोब** (दुष्टता), **द्रुगु** (मित्र) से **दुझ़िब** (मैत्री), लिथुआनियन में **यउनस्** (जवान) से **यउनिबॅ** (जवानी)। **त्व** का एक प्रतिरूप **प** या **पा** है, **मिलाप** और **बुढ़ापा** जैसे शब्दों में; दूसरा **ब** है, उक्त बाल्तिक-स्लाव उदाहरणों में। **त्व** और **ब** दो स्रोतों से यूरोप की भाषाओं में पहुँचे हैं; संस्कृत में बहुलता **त्व** की है। **भ** और **त्व** के रूपान्तर द्रविड़ भाषाओं से लेकर यूरोप की भाषाओं तक प्रयुक्त होते हैं।

जैसे अंग्रेज़ी **स्टोप** का मूलरूप **स्तभ्** था, वैसे ही अंग्रेज़ी **स्टेक्** का मूलरूप **स्तघ्** था। **स्टेक** वह सीधी नुकीली लकड़ी है जो सहारे के लिए जमीन में गाड़ी जाती है। इसी प्रकार **स्तभ्** से अंग्रेज़ी का **स्टाफ़** शब्द बना है; **स्टाफ़** वह लकड़ी है जिसके सहारे आदमी चलता है। लैटिन की **स्तग्नो** क्रिया का अर्थ है जल का स्थिर रहना। **स्थ** में **घ** प्रत्यय जोड़ कर कृदन्त रूप को पुनः मूल क्रिया की तरह प्रयुक्त किया जाने लगा। ठहरने के लिए बंगला क्रिया **थाक् स्था** में **क** प्रत्यय जोड़ कर बनाई गई है। पहले कृदन्त, फिर क्रियामूल की तरह उसका व्यवहार। कृदन्त प्रत्यय **घ** का रूपान्तर यह **क** है। हिन्दी क्षेत्र में ठाड़, खड़े आदि **ध** प्रत्यय से बने कृदन्तों के रूपान्तर हैं किन्तु **घ** प्रत्यय से बने **स्थ** क्रिया के रूप हिन्दी या अन्य आधुनिक आर्य भाषाओं में प्रायः नहीं है। इसका कारण यह है कि **घ** प्रत्यय का व्यवहार उत्तर-पश्चिमी क्षेत्र में अधिक होता था; इसलिए उसके आधार पर बने रूप मध्यदेशीय भाषाक्षेत्र में कठिनाई से मिलेंगे। **स्थाघ** का अवशेष **थाक्** बंगला में है, **स्टेक्, स्तग्नो** जैसे रूप यूरोप की भाषाओं में हैं। इनके अतिरिक्त इस श्रृंखला के रूप द्रविड़ भाषाओं में हैं। तमिल **तगइ**, कन्नड़ **तगॅ** का अर्थ रोकना है। स्पष्ट ही ये कृदन्त रूप हैं जिन्हें क्रियामूल मान लिया गया है। इन रूपों का **ग** पुराना उत्तर भारतीय **घ** प्रत्यय था। तमिल और तेलगू **तक्कु** (ठहरना), नइकि और कोलमि **तक्** (उप.) उसी क्रिया के प्रतिरूप हैं। संस्कृत की **स्था** या **स्थ** क्रिया का व्यवहार-क्षेत्र अत्यन्त व्यापक था; इसमें इंडो-यूरोपियन परिवार के अतिरिक्त द्रविड़ भाषाएँ भी सिमट आती हैं। प्रत्यय भिन्न-भिन्न हैं; क्रिया एक ही है। अनुनासिक ध्वनि जोड़ने

पर तमिल में **तंगु, तंगि** (ठहरना, स्थिर रहना), **तंगइ** (ठहराव, विराम) रूप बनते हैं। मलयालम **तङ्ङुक** (ठहरना) में **ग** के स्पर्श तत्त्व का लोप हुआ है; कन्नड़ में तमिल के समान **तंगु** (ठहरना) रूप है। उत्तर भारत की आर्य भाषाओं में **घ** प्रत्यय का चलन था, उसके रूपान्तर कहीं-कहीं आर्य भाषाओं में और उससे अधिक अन्य इंडो-यूरोपियन तथा द्रविड़ भाषाओं में प्रयुक्त होते थे, इसमें सन्देह नहीं रह जाता।

हिन्दी में एक शब्द **अड़ङ्गा** है। अड़ाना क्रिया की **अड़** धातु में **ङ्ग** प्रत्यय जोड़ा जाए तो **अड़ङ्ग**, कौरवी रूप **अड़ङ्गा** बनेगा। शब्द-निर्माण की प्रक्रिया वही है जो तमिल **तंगइ** में है। यह **अड़** क्रियामूल द्रविड़ भाषाओं में भी है। तमिल **अडइ,** कन्नड़ **अडॅ** का अर्थ अड़ाना, बंद करना, रोकना आदि है। तुलु में **अड** से कृदन्त **अडंग** बनाकर उसे क्रिया-रूप **अडॅङ्गुनि** में स्थापित किया गया। जो चीज़ अड़ाई जाए, उसके लिए कन्नड़ और तुलु में **आटङ्क, आटङ्कु**, शब्द हैं। इन्हें **अड़ङ्गा** का प्रतिरूप समझना चाहिए। तेलगू में **आटङ्कमु** के साथ **अड्डङ्कि** रूप भी है। तमिल **कुरङ्गु** (वानर), तुलु **कुरङ्ग** (उप.) और संस्कृत **कुरंग** (हिरन) दौड़ने-कूदने का अर्थ देनेवाली **कुर्** क्रिया से बने हैं।

तमिल क्रिया **नड्** का अर्थ है हिलना, इससे दूसरा रूप बना **नडुङ्ग; तोय** का अर्थ है थकना, दूसरा रूप बना **तुयुङ्गु**। दूसरे रूप का अर्थ वही है जो पहले का। किन्तु तमिल **तॉडु** का अर्थ है बाँधना; दूसरा रूप **तुडङ्गु** (बंधन) संज्ञा है। तमिल क्रिया **पो** से जैसे कृदन्त रूप **पोग** (गमन, जाते हुए) बनता है, वैसे ही लिथुआनियन में **एइ** क्रियामूल से **एइग** (जाता हुआ, गमन) रूप बनता है। **ज़ि** (मूल रूप जी) से इसी भाषा में **ज़िग** (जीवन) रूप बनता है। कारसी **ज़िन्दगी** में **ज़िन्द** पहले ही कृदन्त है, उसमें दूसरा कृदन्त प्रत्यय **ग** फिर लगाया गया। संस्कृत **अत्** के प्रतिरूप **एस्** से लिथुआनियन में **एस्क** (भूख) रूप बनता है जहाँ कृदन्त प्रत्यय अघोष ध्वनि वाला है। संस्कृत गर्व का लथुआनियन प्रतिरूप **गर्ब** (प्रतिष्ठा) स्वयं कृदन्त है; इससे दूसरा कृदन्त बनता है **गर्बिङ्गस्** (प्रतिष्ठित)। कृदन्त प्रत्यय अपनी मूल भूमिका से मुक्त होकर संज्ञा, विशेषण आदि किसी भी वर्ग के शब्द से जुड़कर नये-नये रूप बनाने के लिए प्रयुक्त होने लगे। **तॅल** (दक्षिण) से तमिल में आन्ध्र जनों के लिए **तॅलगु, तॅलुङ्गु, तॅलुंगम, तॅलिंगम्** शब्द प्रयुक्त होने लगे; इन्हीं की बिरादरी का **तिलंगा** शब्द हिन्दी क्षेत्र में पहुँचा। **तॅलगु, तॅलंगु** आदि शब्द अन्य द्रविड़ भाषाओं में भी हैं। जिन्होंने भी आन्ध्रजनों के लिए इस शब्द का प्रयोग पहले पहल किया होगा, वे अवश्य तब के आन्ध्रक्षेत्र के उत्तर में रहते होंगे; अपनी भूमि से यह क्षेत्र उन्हें दक्षिण में दिखाई देता होगा। यहाँ **कलिङ्ग** शब्द विचारणीय है। यह निरर्थक-सा स्थानवाचक शब्द **कल्** (पत्थर, हिन्दी **खल, खलबट्टे** वाला **खल,** संस्कृत **उलूखल** का **खल**) में **इ** स्वर के साथ **ङ्ग** प्रत्यय जोड़ कर **तॅलिङ्ग** के समान बना है। दक्षिण से जिसका सम्बन्ध हो, वह **तॅलिंग**; पत्थरों, पथरीली भूमि

से जिसका सम्बन्ध हो वह **कलिंग**। पार्वतीय प्रदेश होने से भारत के एक भाग का नाम **कलिङ्ग** पड़ा। बाल्तिक भाषाओं में नदियों के नाम **अलंग, विरंग** आदि इसी पद्धति से बने जान पड़ते हैं। रूस में **ओनेगा** नाम एक नदी का है, एक झील का है और इनके निकट बसे हुए नगर का भी है। **लदोगा** एक झील है, **कालुगा** नगर है, **वोल्गा** नदी है। इनमें अनुनासिक ध्वनिविहीन **ग** प्रत्यय है। **वोल्गा** की रचना वैसे ही हुई है, जैसे **गंगा** की; **गम्** क्रिया में **ग** प्रत्यय जोड़ा गया। **वोल्गा** का **वॉल्** द्रविड़ भाषाओं की गतिसूचक प्रचलित क्रिया **वर्** का प्रतिरूप है। कश्मीरी में **वर्** का प्रतिरूप **वल्** भी प्राप्त है।

प्रीब्श और कोलिंसन ने जर्मन भाषा पर अपनी पुस्तक 'द जर्मन लैंग्वेज' में लिखा है कि लैटिन में **फ्लमिंगि, सिलिंगि** आदि गणसूचक नाम थे, **मेरोविंगि, करोलिंगि** आदि वंशसूचक शब्द थे। पुरानी अंग्रेज़ी में **स्केफ** का वंशज **स्केफिंग** कहलाता था। पुरानी नॉर्वीजियन या **नौर्स** भाषा से उक्त लेखकों ने **हदुंग्** (परिहास) का उदाहरण दिया है जो भाववाचक संज्ञा है। जर्मन में **उंग्** प्रत्यय क्रियामूल में जोड़कर कृदन्त बनाते हैं। **बिल्डॅन्** माने बनाना; क्रियामूल **बिल्ड्** से कृदन्त रूप बना **बिल्डुंग**—बनावट, निर्माण; **बिंडॅन्** माने बाँधना; क्रियामूल **बिंड्**, कृदन्त रूप बना **बिंडुंग**—बन्धन। अंग्रेज़ी **बिल्डिंग** वैसा ही कृदन्त रूप है, जैसा जर्मन **बिल्डुंग्**। **बिल्डिंग्** इमारत है, निर्माण कार्य है, निर्माण क्रिया है। प्रीब्श और कोलिंसन ने लिखा है कि पुरानी अंग्रेज़ी में **इंग्** और **उंग्**, दोनों प्रत्ययों का व्यवहार होता था; **उंग्** तो जर्मन प्रत्यय है ही, इन लेखकों के अनुसार **इंग्** उसका प्रतिरूप है। अंग्रेज़ी में **बेडिंग्** (बिस्तर), **क्लोदिंग्** (वस्त्र), **फ्लोरिंग्** (फर्श) संज्ञा-रूप में ही अधिक प्रयुक्त होते हैं। वर्तमान काल में क्रिया की निरन्तरता दिखाने के लिए इस प्रत्यय का बहुत प्रयोग होता है, **वर्किंग्** (करता हुआ), **गोइंग्** (जाता हुआ) इत्यादि। द्रविड़ परिवार में ब्राहूइ क्रियार्थी संज्ञा-रूप बनाने के लिए ठीक अंग्रेज़ी की तरह **इंग्** प्रत्यय काम में लाती है : **कुट्टिंग्** (कूटना), **कन्निंग्** (करना; **कर्** से **कर्न** कृदन्त; फिर **कन्न्** का क्रियामूल मानकर कृदन्त रूप **कन्निंग्**); **कुनिंग्** (खाना-पीना), **खल्लिंग्** (मारना) इत्यादि।

जैसे **स्तध्** मूल से तमिल **तंगइ** और **तंगु** रूप बने, वैसे ही **स्तघ्** से तमिल **तडु** (रोकना), **तडङ्गु** (रोका जाना), **तडि** (लाठी) और **तण्डु** (ठुँठ, तना) रूप बने हैं। द्रविड़ व्युत्पत्ति-कोश में संस्कृत **तण्डक** (पेड़ का तना) दिया है जहाँ **स्त** क्रिया के **स्** का लोप हो गया है। संस्कृत **दंड** (लाठी) में उसी क्रिया का सघोष ध्वनिवाला रूप है। कन्नड़ **दंड**, तुलु **दंडु** पेड़ के तने के लिए प्रयुक्त होनेवाले शब्द हैं। बंगला क्रिया **दांड़ानो** में **दांड़** (दंड) का मूल अर्थ खड़े होना सुरक्षित है। तमिल क्रिया **अणइ** (निकट पहुँचना) की **अण्** धातु से **अण्डु** कृदन्त रूप बना और उसी अर्थ में क्रिया की तरह प्रयुक्त हुआ। **अण्डु** में **अण्ड्** 'धातु' से फिर कृदन्त रूप बना

**अण्डइ** (सामीप्य)। संस्कृत **कम्** या **काम्** की प्रतिरूप **कान्** धातु से तमिल का एक रूप बनता है **काङ्गइ** (ऊष्मा), दूसरा **कान्दु, कान्दि** (जलाना)। संस्कृत में **कान्ति** संज्ञा है, तमिल में क्रिया। जो प्रत्यय मूलतः **ध** था, वह **द, त, ट, ड** में परिवर्तित हुआ है। तमिल आदि द्रविड़ भाषाओं में अनुनासिक ध्वनियुक्त और उससे मुक्त दोनों तरह के रूप हैं, यथा : तमिल में **पोरु** (पर्याप्त होना), उससे **पोदु** (उप.), **पोन्द** (उपयुक्त, पर्याप्त), दोनों तरह के रूप प्राप्त हैं।

स्वयं संस्कृत में **ध** प्रत्यय **त** में बदल गया था, इसके प्रमाण कुछ संस्कृत शब्दों के ग्रीक प्रतिरूपों में मिलते हैं। संस्कृत **जनित्रम्** (जन्मस्थान) ग्रीक भाषा में **गॅनॅथ्लॉन** है। इससे ब्रुगमन आदि ने सही निष्कर्ष निकाला है कि मूल उपसर्ग में **ध्** ध्वनि थी। संस्कृत में जो **त्र** और ग्रीक में **थ्ल** है, वह मूलतः **धर** था; उससे स्थान वाला अर्थ भी स्पष्ट हो जाता है। बैठने के स्थान के लिए ग्रीक **अॅदॅथ्लॉन** में यही **धर** रहा होगा; इसका लैटिन प्रतिरूप **सेदिकुलुम्** है। ब्रुगमन कहते हैं कि **त्लो** प्रत्यय आदि-इटालियन में **क्लो** हो जाता है। बाल्तिक भाषाओं—लिथुआनियन और लैतवियन—में भी इसका **क्लो** रूप हो जाता है। इसका अर्थ यह है कि बाल्तिक और इतालिक भाषा-समुदायों के निर्माणकाल में कुछ बोलियाँ ऐसी थीं जिनमें **त्** ध्वनि का विकास न हुआ था। इसलिए **तर** प्रत्यय वे **कल, कुल** आदि रूपों में ग्रहण करती थीं। एक बार यह प्रत्यय चल गया, तब वह त-वर्गीय ध्वनियों वाले शब्दों के साथ जोड़ा जाने लगा, ऐसे शब्द चाहे अन्य बोलियों के **हों**, चाहे त-वर्गीय ध्वनियों का विकास होने पर उसी भाषा में गढ़े गए हों। ऊपर लैटिन **सेदिकुलुम्** से तमिल **अडक्कळम्** (शरण स्थान) तुलनीय हैं। तमिल में **कळम्, कळन्** स्वतंत्र शब्द भी है जिसका अर्थ है स्थान। यह **स्थलम्** का प्रतिरूप माना जाएगा। ('द्रविड़ व्युत्पत्ति-कोश' में **खलिहान** वाले **खल** के प्रतिरूप **कळ्न्** को ये सामान्य स्थानसूचक **कळम्** से मिला दिया गया है।)

तमिल में **व** प्रत्यय **प** का रूपान्तर है, स्वतंत्र प्रत्यय भी है। **शे** (मरना, सोना) **क्रिया** का तमिल प्रतिरूप **तेय्** (मुरझाना, मरना) है, **त्** के सघोष होने पर इसी का रूपान्तर अंग्रेज़ी का **डाइ** (मरना) शब्द प्राप्त होता है। तमिल **तेय्वु** का अर्थ है ह्रास। संस्कृत में **ऋक्** से **ऋक्व** (स्तुति) इसी प्रकार बनता है। लैटिन में **अर्** क्रियामूल का अर्थ है जोतना; उससे संज्ञा-रूप बना **अर्वोम्** (खेत)। तमिल **अरि** माने काटना; **अरिवि** माने काटा हुआ धान। संस्कृत में **व** प्रत्यय का व्यवहार अपेक्षाकृत कम होता है। इसके विपरीत **य** प्रत्यय का व्यवहार—कार्य, धैर्य, नृत्य, दृश्य, विद्या, यज्ञ आदि में व्यापक रूप से होता है। संस्कृत **वायु** का लिथुआनियन प्रतिरूप **वेयुस्** है। लैटिन-ग्रीक में **य्** ध्वनि नहीं है, अतः **य** के स्थान पर **इऑ, इउ** ध्वनियों का व्यवहार होता है। ग्रीक **पगिऑस्** (स्थापित, सुदृढ़) **पाश** वाली **पश्** क्रिया के रूपान्तर **पग्** से बना है, लैटिन **सोकिउस्** (सौख्य का प्रतिरूप) संज्ञा और विशेषण है, सखाभाव

व्यक्त करता है। तमिल में **य** प्रत्यय का व्यवहार कम होता है किन्तु अन्य द्रविड़ भाषाओं में होता है। **मुरली** की **मुर** क्रिया का अर्थ है गाना, ध्वनि करना; तमिल **मुरवम्** (शोर) का तुलु प्रतिरूप **मुरिय** (चीख, क्रन्दन), **मुरियाटु** (विलाप) है। **स्थ** क्रिया से तमिल क्रिया-रूप **तरि** (थमना) बनता है; इसका तुलु प्रतिरूप **तरियुनि** है, कृदन्त को फिर मूल क्रिया बनाया गया है।

संस्कृत में **सघ्** की रूपान्तर **सह** क्रिया से **साहस** शब्द बना, **वर्** क्रिया में **स** प्रत्यय लगाकर **वर्ष, वर्षा** शब्द बनाए गए, **दस्** और **शिष्** क्रियाओं से बने **दक्ष** और **शिक्षा** शब्दों में भी यही **स** प्रत्यय है। द्रविड़ भाषा विशेषज्ञ **स्** को द्रविड़ परिवार की मूल ध्वनि नहीं मानते किन्तु कन्नड़ तथा अन्य कई द्रविड़ भाषाओं में **स** प्रत्यय का व्यवहार खूब होता है। कन्नड़ **अरॅ** (पीसना) के कृदन्त रूप **अरिसु, अरयिसु** (पिसवाना) को फिर क्रिया-रूप में प्रयुक्त किया गया है। कन्नड़ **अणॅ, अणि** (निकट आना) से **अणसु** (सुदृढ़ बन्धन) संज्ञा-रूप बना। अड़ानेवाली कन्नड़ **अडॅ** क्रिया से **अड्डयिसु** (आड़े आना); तमिल में इसी के प्रतिरूप **अडइ** और **अडइच्चि** हैं। जिन भाषाओं में **च** प्रत्यय का व्यवहार होता है, उनमें **स्** ध्वनि **च्** रूप में ग्रहण की गई है, यह सम्भव है। फिर **च** स्वतंत्र प्रत्यय हो गया होगा। बाल्तिक भाषाओं में **स** प्रत्यय का व्यवहार इस प्रकार होता है : भारतीय **अत्** (खाना) क्रिया से **एदेसिस्** (भोजन, चारा); **कल्ब** (भाषा) से **कल्बेसिस्** (कहावत)। ग्रीक भाषा में संस्कृत क्रिया **जन्** के रूपान्तर **गॅन्** से **गॅनॅसिस्** (जन्म, उद्‌भव), हिन्दी **जानना**, संस्कृत **जानाति** के **ज्ञान्** क्रियामूल के ग्रीक रूपान्तर **ग्नो** से **ग्नोसिस्** (ज्ञान) इसी तरह बने।

**कर्म, धर्म** के **म** और महिमा, सुषमा के **मा** प्रत्यय द्रविड़ भाषाओं में भी प्रयुक्त होते हैं। मलयालम में **ताऴ्** (झुकना) क्रियामूल से **ताऴ्म, ताण्म** (नम्रता, अपमान) **म** प्रत्यय लगाकर बने; तमिल दीर्घ **आ** को संयुक्त स्वर **अइ** में बदलकर **ताऴ्मइ** रूप बनाती है। क्रिया के अतिरिक्त संज्ञा-विशेषण आदि से भी ऐसे रूप बनते हैं : तमिल **तान्** (स्वयं) से **तानिमइ** (अकेलापन), मलयालम में **तनिम** (उप.)। **अत्** क्रिया से संस्कृत **आत्मन्** (मूल अर्थ वायु) इसी प्रकार बना है। **अत्** के रूपान्तर **अन्** (**अनिल** के **अन्**) से लैटिन **अनिम** (वायु, श्वास) शब्द बना। रूसी **व्रेम्य** का अर्थ है समय; पुरानी स्लावोनिक में इसका रूप **व्रेमॅ** है; **वर्** क्रिया के वर्ण-संकोचन वाले रूप **व्रे** में **म** प्रत्यय जोड़कर यह शब्द बना। इस प्रकार **भर्** के रूपान्तर **ब्रे** से पुरानी स्लावोनिक **ब्रेमॅ** (भार) शब्द बना। जहाँ **म** होगा वहाँ उसका प्रतिरूप **न** अवश्य होगा। **वर्** क्रिया से संस्कृत **वरुण** रूप बना; उसके ग्रीक प्रतिरूप **ओरनॉस, ऑउरनॉस** हैं। तमिल क्रिया **पर** (उड़ना) का कोडगु प्रतिरूप **पर्न्** है और संज्ञा-रूप **परण्** (चिड़िया) है। **पर्न** जैसे रूप से ग्रीक भाषा का **ऑर्निस्** (चिड़िया) शब्द बना है। संस्कृत **सूनु, धेनु, भानु** में **नु न** का ही प्रतिरूप है। **गौथिक** (पुरानी जर्मन) में **सूनुस्** रूप प्राप्त है; **तृण** का प्रतिरूप उस भाषा में **थउर्नु** (काँटा) है। पुरानी

स्लावोनिक में **तिनु** रूप है। कन्नड़ **अडॅ** (अड़ाना) से **अडनॅ, अड्डनॅ** (आड़ा), **अड्डण** (ढाल) तेलगू में **अड्डनमु** (उप.) रूप मिलते हैं। ढाल के लिए **अड्डन** शब्द संस्कृत कोशों में दिया है, इसका उल्लेख द्रविड़ व्युत्पत्ति-कोशकारों ने किया है। तमिल **काण्** (देखना) से **कण्णु** (विचार करना) रूप न बनेगा; **कण्** क्रिया भी देखने के लिए प्रयुक्त होती होगी। अब **कण्** का संज्ञा वाला अर्थ आँख रह गया है। संस्कृत का **कथन**, पुरानी अवधी और वर्तमान कनौजी का **करन**, मानक हिन्दी का **कहना**, इन सबमें क्रियार्थी संज्ञा बनाने के लिए **न** प्रत्यय का व्यवहार किया गया है। गोंडी जैसी द्रविड़ भाषाओं में इसका व्यवहार हिन्दी की तरह होता है : तमिल **नो** (दुखना) का गोंडी प्रतिरूप **नॉइयाना** है, कन्नड़ **मूसु** (सूँघना) का गोंडी प्रतिरूप **मुस्काना** है। इस तरह कन्नड़ **के** (लेटना) का कुड़ुख प्रतिरूप **कीद्ना** है, तेलगू **चीरु** (चीरना) का कुड़ुख प्रतिरूप हिन्दी के समान **चीरना** है। जर्मन क्रियार्थी संज्ञा-रूप **बिल्डॅन्** (बनाना), **बिन्डॅन्** (बाँधना) में **न्** उसी प्राचीन कृदन्त प्रत्यय **न** का संक्षिप्त संस्करण है।

कुछ अन्य प्रत्यय इस प्रकार हैं।

अंग्रेज़ी **मौर्टर्** वह पात्र है जिसमें रखकर कोई चीज़ कूटी जाती है। इसकी व्युत्पत्ति अनिश्चित कही गई है। **मौर्ट्** संस्कृत **मर्द** का प्रतिरूप है। जिसमें किसी वस्तु का मर्दन हो, कुटाई हो, वह **मौर्टर्** है। तमिल में ऐसे पात्र के लिए **उरल्** शब्द है; तमिल क्रिया **उरइ** का अर्थ है कूटना, पीसना। **उरल्** और **मौर्टर्** की निर्माण-प्रक्रिया एक है; अंग्रेज़ी प्रत्यय **अर्** और तमिल **अल्** सम्बन्धित हैं। गोंडी के **मस्सोर्, मॉसॉर्** (नाक) शब्दों में **अर्** प्रत्यय लगा है, धातु है **मुस्** (यथा : कन्नड़ **मूसु**—सूँघना)। यहाँ कर्ताभाव दिखाने के लिए **अर्** प्रत्यय का प्रयोग हुआ, जैसे **वर्कर्** (**वर्क्**—काम करना, **वर्कर्**—श्रमिक) में **अर्** का प्रयोग है। यह प्रत्यय क्रिया के अलावा संज्ञा शब्दों में भी लगता है। जिसका बोतलों से सम्बन्ध हो, वह अंग्रेज़ी में **बट्लर्** (मुख्य सेवक) कहलाया; जिसका सम्बन्ध गाड़ी (लैटिन **कार्पेन्तुम्**) से था, वह अंग्रेज़ी में **कॉर्पेंटर्** (बढ़ई) कहलाया। मलयालम **पॅट्ट** का अर्थ है गंजी चांद; कोलमि **पॅट्टिअर्** का अर्थ हुआ गंजी चाँद वाला।

इंडो-यूरोपियन परिवार की प्राचीन भाषाओं का एक प्रतिष्ठित प्रत्यय **मान** था। ब्रुगमन ने संस्कृत **बोधमानः** का ग्रीक प्रतिरूप **पॅउथॉमॅनॉस्** दिया है। तमिल इस प्रत्यय का उपयोग अपने ढंग से भाववाचक संज्ञा बनाने के लिए करती है : **तेय्**—नष्ट होना, **तेय्मानम्**—विनाश; **तीर्**—समाप्त होना, **तीर्मानम्**—समाप्ति, परिणाम।

द्रविड़ भाषाओं में निर्देशक सर्वनामों **अ, इ, उ** की भूमिका जितनी स्पष्ट है, उतनी इंडो-यूरोपियन परिवार की भाषाओं में अन्यत्र नहीं है। इनके मूल रूपों में **स्** ध्वनि थी; इसीलिए मराठी, भोजपुरी जैसी भारतीय आर्य भाषाओं में, इंडो-यूरोपियन परिवार की स्वीडिश और नॉर्वीजियन, ग्रीक और लैटिन भाषाओं में इनके **ह्** ध्वनि

वाले रूप भी मिलते हैं। इनमें **ध, ़घ, भ** प्रत्यय लगाकर देश-काल-व्यक्ति-वस्तुसूचक निर्देशक सर्वनाम बनाए जाते हैं और सम्बन्धक शब्द भी। इनमें सर्वाधिक प्रयोग **ध** और उसके रूपान्तर **त-द** का होता है। अनेक सम्बन्धक शब्द और सर्वनाम कारक-चिन्हों के रूप में प्रयुक्त हुए हैं। यूरोप की भाषाओं में जो निश्चयबोधक विशेषक लगाये जाते हैं, वे भी मूलत: सर्वनाम हैं।

ग्रीक भाषा में **हो, हे** निर्देशक सर्वनाम हैं; वे निश्चयबोधक विशेषकों की तरह भी प्रयुक्त होते हैं। मराठी के निर्देशक सर्वनाम **हा** (पुं.), **ही** (स्त्री.), **हे** (नपु.) उन्हीं **स्** मूलक रूपों से बने हैं जिनसे ग्रीक शब्द बने हैं। स्वीडिश भाषा के **हन्** (वह, पुं.), **होन्** (वह, स्त्री.), नॉर्वीजियन के **हन्** (वह, पुं.), **हुन्** (वह, स्त्री.) व्यक्तिवाचक सर्वनाम हैं—ये भी उसी श्रृंखला के हैं। संथाली में **हन्** निर्देशक सर्वनाम है; रूसी का **अन्** या **ऑन्** (वह, पुं.) इसी का प्रतिरूप है। दूर का स्थान बताने के लिए संथाली रूप **हन्ते** (वहाँ) का लैटिन प्रतिरूप कालवाचक **अन्ते** (दूर का समय, पहले का समय) है। तमिल **अन्द** (वहाँ) संथाली **हन्ते** और **हण्डे** के समान स्थानवाचक है। संस्कृत **इदम्**, तमिल **इदु**, लैटिन **इटॅम्** समानार्थी शब्द हैं। लैटिन **इदॅम्** में **दम्** को दिनवाचक **दिएस्** से सम्बद्ध करना आवश्यक नहीं है। **इबीदॅम्** (वही स्थान) में **दॅम्** काल के स्थान पर देश की सूचना देता है। **इद** का लैटिन प्रतिरूप **इल्लॅ**, हिन्दी वह के समान, व्यक्ति और वस्तु दोनों की ओर संकेत करता है। फ्रांसीसी भाषा का **इल्** (वह, पुं.) इसी **इद** का रूपान्तर है। स्पेनी भाषा का निश्चयबोधक **ॲल् इद** से सम्बद्ध है। **ल, लो** आदि अन्य रूप इसी श्रृंखला के हैं।

तमिल **नान्** (मैं), **नीम्, नीर्** (हम), ग्रीक **नो** (हम दोनों), लैटिन **नोस्तेर्** (हमारा), फ्रांसीसी **नू** (हम), रूसी **नास्** (हमें), संस्कृत **न:** (हमारा) इत्यादि एक ही स्रोत के शब्द हैं। संस्कृत **मम** का **म**, फ़ारसी **मन्** उत्तम पुरुष सर्वनाम के एकवचन रूप भी उसी स्रोत के हैं। द्रविड़ भाषाओं में तेलगू **मीरु**, गोंडी **मीमत्**, कुवि **मीम्बु** उत्तम पुरुष सर्वनाम के बहुवचन रूप हैं जिनमें पुराना एकवचन **मी** रूप सुरक्षित है। मराठी का **मी** (मैं) कर्तारूप है, अंग्रेज़ी का **मी** (मुझे) कर्म या सम्प्रदान रूप। तेलगू **मीरु** के **मी** से यह भिन्न नहीं है।

इस प्रकार शब्द-निर्माण-प्रक्रिया तथा शब्द-भंडार के अनेक स्तरों पर हम द्रविड़ तथा इंडो-यूरोपियन परिवारों में समानता देखते हैं।

3

# भारतीय भाषा-परिवार और इंडो-यूरोपियन रूपतंत्र

## 1. क्रियापद-रचना

आर्य भाषाओं के वाक्यतंत्र की मूल विशेषता यह है कि वह क्रिया-केन्द्रित है। वाक्य के सारे अवयव क्रिया की ओर उन्मुख होते हैं।

संस्कृत, ग्रीक आदिभाषाओं में क्रिया-रूप के बाद पुरुषवाचक सर्वनाम या उसका चिन्ह संयुक्त रहता है। जैसे हम कहें **पठामि**, तो इस क्रिया के पहले कर्ता का उल्लेख करना अनावश्यक है, क्रिया में कर्ता सर्वनाम चिन्ह लगा है। सर्वनाम-सूचक **मि** से पता चल जाता है कि कर्ता उत्तम पुरुष है, **पठामि** अर्थात् मैं पढ़ता हूँ। एक दूसरा रूप लें **पठति**। यदि कर्ता अन्य पुरुष सर्वनाम है तो उसका उल्लेख आवश्यक नहीं है। किन्तु यदि कोई व्यक्ति विशेष कर्ता है तो उसका उल्लेख आवश्यक होगा और यह उल्लेख वाक्य के आरम्भ में होगा, यथा : **रामः पठति** (राम पढ़ता है)। जिस समय संस्कृत, ग्रीक आदिभाषाओं का निर्माण हो रहा था, उस समय क्रिया के अन्त में आनेवाला सर्वनाम-तत्त्व क्षीण हो रहा था। उसका उपयोग पुरुष की सूचना देने के लिए रह गया था। इसके अतिरिक्त विभिन्न लकारों में जो सर्वनाम चिन्ह लगते हैं, वे एक-से नहीं हैं। उनका उपयोग अंशतः लकार भेद के लिए किया जाने लगा है।

सर्वनाम जोड़ने की प्रक्रिया अनेक भाषा-परिवारों में है। फिनो-उग्रियन परिवार की फिन भाषा में संज्ञा और क्रिया, दोनों में सर्वनाम चिन्ह जोड़े जाते हैं। **तलोनि** (मेरा घर), **कैलॅनि** (मेरा हाथ), **लउलन्** (मैं गाता हूँ), **लउलत्** (तू गाता है)। उज़बेकिस्तान में तुर्की भाषा बोली जाती है। इसका क्षेत्र फिनलैंड से बहुत दूर है। इसमें भी **शहरिम्** (मेरा शहर), **यजमन्** (मैं लिख रहा हूँ), संज्ञा और क्रिया के बाद सर्वनाम चिन्ह जोड़ने की वही पद्धति है। कॉल्डवेल ने इस बात पर ध्यान दिया था कि सामी परिवार की हीब्रू भाषा में भी सर्वनाम चिन्ह जोड़ने का ऐसा ही चलन है। द्रविड़ भाषाओं में मलयालम इस तरह के पुरुषवाचक सर्वनाम चिन्ह नहीं जोड़ती, अन्य द्रविड़ भाषाएँ जोड़ती हैं।

ग्रियर्सन ने सिन्धी, कश्मीरी, पश्चिमी पंजाबी को दरद भाषा-समुदाय का क्षेत्र माना था। उनकी स्थापना थी कि इस क्षेत्र पर भारतीय नहीं, ईरानी प्रभाव था। फ़ारसी में भी क्रियापदों के साथ सर्वनाम चिन्ह जोड़े जाते हैं। दरद भाषाओं का एक लक्षण यह भी बताया गया है। किन्तु यह लक्षण जितना फ़ारसी में है, उतना ग्रीक और संस्कृत में भी है, और जितना इन भाषाओं में है, उससे कुछ ज्यादा फिनो-उग्रियन, तुर्क-मंगोल, हीब्रू आदिभाषाओं में है। वह प्रवृत्ति अंशतः द्रवित भाषाओं में है। ऐसी विलक्षण प्रवृत्ति ऐसे विविध भाषा-परिवारों में स्वतः उत्पन्न नहीं हो सकती। स्पष्ट ही अत्यन्त प्राचीनकाल में ऐसा भाषा-क्षेत्र रहा है जहाँ अपने निर्माणकाल में ये विभिन्न भाषा-परिवार एक दूसरे के सम्पर्क में रहे हैं। यह क्षेत्र मध्य एशिया का वह भाग था जिसे बृहत्तर भारत का अंग, उत्तराखंड कहते थे। यहीं विभिन्न जनसमुदाय अपनी विविध भाषा-प्रवृत्तियाँ लिये हुए एक दूसरे को प्रभावित करते रहे थे। सर्वनाम चिन्ह जोड़ने की विलक्षण प्रवृत्ति किसी भाषा-परिवार की मूल प्रवृत्ति मानी जाएगी। यहाँ फिर सिद्ध होता है कि किसी भी भाषा-परिवार का निर्माण और विकास एकान्त शून्य की स्थिति में नहीं होता। जिन्हें हम भाषा-परिवार की मूल प्रवृत्तियाँ मानते हैं, वे भी परस्पर सम्पर्क तथा आदान-प्रदान का परिणाम हो सकती हैं, वे भी परिवर्तनशील होती हैं। संज्ञा और क्रिया में सर्वनाम चिन्ह जोड़ने की प्रक्रिया वाक्यतंत्र के अन्तर्गत है। ध्वनितंत्र और शब्दतंत्र के समान वाक्यतंत्र भी भाषा-परिवारों के विकास, उनके भेद और उनके सम्बन्ध समझने में सहायक होता है।

जिन भाषा-परिवारों में उक्त लक्षण है, उन सभी में अब कर्ता क्रिया के पहले ही आता है, तथा संज्ञा और क्रिया से जुड़नेवाले चिन्हों से स्वतंत्र सर्वनामों की पृथक् सत्ता है। मध्य एशिया, पश्चिमी एशिया और यूरोप के भाषाई मानचित्र पर ध्यान दें तो विदित होगा कि उक्त सर्वनामी प्रवृत्ति क्रमशः क्षीण होती गई है। इस क्षीणता का एक कारण उक्त भाषाई मानचित्र में इंडो-यूरोपियन परिवार की भाषाओं का निरन्तर बढ़ता हुआ प्राधान्य है। स्वयं इस इंडो-यूरोपियन परिवार के विकास में भारतीय आर्य भाषाओं की भूमिका निर्णायक रही है और इन आर्य भाषाओं में **कुरु** गण समुदाय का प्रभाव निरन्तर बढ़ता गया है। यही कारण है कि मध्यदेश की सर्वनामाङ्कित तिङन्त क्रियापद-रचना क्रमशः बदलती गई और कृदन्त पद-रचना का प्रसार होता गया। कृदन्त पद्धति सर्वनाम चिन्हों से मुक्त थी। भारतीय आर्य भाषा-परिवार में आरम्भ से एक विरोधी कौरवी प्रवृत्ति रही है जो संज्ञा और क्रिया को सर्वनामों के बन्धन से मुक्त रखती थी। यह प्रवृत्ति उत्तराखंड की भाषाओं को निरन्तर प्रभावित करती रही थी। आर्य भाषाओं के प्राचीन केन्द्र मध्यदेश में थे और अब भी यहाँ तिङन्त रूपों का अपेक्षाकृत अधिक व्यवहार होता है।

तमिल **पो** क्रिया के **पोग** कृदन्त रूप में **एन्** सर्वनाम चिन्ह जोड़कर **पोगिरेन्** रूप बनाती है किन्तु कुछ द्रविड़ भाषाएँ कृदन्त के बाद सर्वनाम चिन्ह लगाती ही

नहीं हैं। इनमें एक मलयालम है। **आन् वरुन्नु** (मैं आता हूँ), **नी वरुन्नु** (तू आता है), **अवन् वरुन्नु** (वह आता है), **अवळ् वरुन्नु** (वह आती है), **नम्मळ् वरुन्नु** (हम आते हैं), **निङ्ङळ वरुन्नु** (तुम आते हो), **अवर् वरुन्नु** (वे आते हैं)—इन वाक्यों में सर्वनाम बदलते रहते हैं, क्रिया-रूप निर्विकार अपरिवर्तित बना रहता है। **मैंने मारा, तुमने मारा, लड़कियों ने मारा, लड़कों ने मारा**—इन हिन्दी वाक्यों में जो स्थिति **मारा** की है, उससे मिलती-जुलती स्थिति मलयालम **वरुन्नु** की है।

भूतकाल के लिए अनेक भाषाएँ कृदन्तों का व्यवहार करती हैं। स्वयं संस्कृत भूतकालीन कृदन्त, शेष कालसूचक कृदन्तों की अपेक्षा, अधिक हैं। भूतकालीन कृदन्त लिए जिस प्रत्यय का सबसे अधिक व्यवहार होता था, वह **त** है। यही प्रत्यय तमिल में भूतकालीन रूपों का चिन्ह है। वह **द, त्त** और **न** रूपों में प्रयुक्त होता है; उससे संजा-रूप भी बनाए जाते हैं किन्तु संस्कृत और तमिल भाषाओं में भूतकालीन कृदन्त निर्माण की प्रक्रिया एक-सी है। जैसे संस्कृत में **श्रुतः, गतः** रूप होते हैं, वैसे ही तमिल में **चॅयद्** (**कृतः**, किया), **वन्द** (**यातः**, आया या गया) रूप होते हैं। क्रियार्थी संज्ञा की तरह इनका स्वतंत्र प्रयोग होता है और सामान्य क्रिया-रूपों की तरह सर्वनाम चिन्ह जोड़कर भी उनका प्रयोग होता है। अवधी में **गैन** (गये) जैसे रूप में **त्** ध्वनि **न्** में परिवर्तित हुई है। भोजपुरी के **गयल**, बंगला के **गेल** जैसे रूपों में वही **त्** ध्वनि **ल्** में परिवर्तित हुई है।

इस तरह के **ल्** ध्वनिवाले भूतकालीन कृदन्त रूप भारत में एक ओर बंगाल, दूसरी ओर महाराष्ट्र में प्रयुक्त होते हैं। भारत से बाहर रूसी भाषा में भूतकाल के लिए इस तरह के कृदन्त का व्यवहार सामान्य है। वर्तमानकालिक रूसी रूप **गवरीत्** (बोलता है) में लिंगानुसार कोई परिवर्तन नहीं होता किन्तु भूतकालीन रूप में **गवरील्** (पुल्लिंग), **गव्‌रीला** (स्त्रीलिंग) जैसे भेद हैं। ठीक इसी तरह का परिवर्तन मराठी में होता है। बंगाल से लेकर रूस तक केवल भूतकाल के लिए **ल्** ध्वनि वाले कृदन्त का व्यवहार होता है; यह इंडो-यूरोपियन परिवार की भाषाओं पर भारतीय आर्य भाषाओं के प्रभाव का अकाट्य प्रमाण है। यही कृदन्त संस्कृत में है, केवल वहाँ **ल्** का पूर्वरूप **त्** है। द्रविड़ भाषाओं में **त्** अथवा उसके **न्** रूपान्तर का प्रयोग होता है, **ल्** का नहीं। अंग्रेज़ी के **डीड्** में **द्** प्रत्यय है किन्तु **डन्** में **त्** का रूपान्तर **न्** है। तमिल में वर्तमान काल के लिए जो क्रिया-रूप बनाए जाते हैं, उनमें कृदन्त चिन्ह **क** या **ग** रहता है। **पोग** (जाना) या **पोगिर** जैसे रूप का व्यवहार वर्तमान कालीन क्रिया बोध के लिए संस्कृत, मराठी, बंगला, रूसी आदिभाषाओं में नहीं होता। किन्तु अंग्रेज़ी में **वाक्** (wal-k) जैसी क्रिया वस्तुतः **पोग** के समान कृदन्त है; **वर्** के रूपान्तर **वल्** में **क** प्रत्यय जोड़ा गया। फिर कृदन्त को मूल क्रिया मान लिया गया।

हिन्दी-भाषी प्रदेश में द्रविड़ कृदन्तों से सम्बन्धित स्थिति अवलोकनीय है। **प्** वाला कृदन्त रूप भविष्य काल के लिए पूरबी बोलियों में सुरक्षित हो गया।

भविष्यकाल के अतिरिक्त क्रियार्थी संज्ञा के लिए भी उसका प्रयोग होता है। **त्** या **न्** वाला कृदन्त रूप **गयल, गैन** जैसे रूपों में प्रयुक्त होता है। **क्** या **ग्** ध्वनिवाले कृदन्त प्रत्यय का व्यवहार भविष्यकाल के लिए हिन्दी प्रदेश की पश्चिमी बोलियों में हुआ। यह भविष्यकाल अनेक परिस्थितियों में वर्तमान का भाव भी लिये रहता है।

संस्कृत में क्रियार्थी संज्ञाओं का इतिहास इस सन्दर्भ में शिक्षाप्रद है। मैकडनल ने वैदिक भाषा के व्याकरण में बताया है कि क्रियार्थी संज्ञा ('इनफिनिटिव्') पहले क्रिया के आधार पर बना हुआ संज्ञा शब्द था। अन्य संज्ञा शब्दों की तरह इसमें भी कारक-चिन्ह लगते थे। कर्म और सम्प्रदानकारक मुख्य थे, यथा : **युधये, एतवे, वाचे**; इनका सम्प्रदानकारक के अनुरूप अर्थ था लड़ने के लिए, जाने के लिए, बोलने के लिए। वैदिककाल में क्रिया वाला अर्थ प्रधान हो गया, अत:क्रियार्थी संज्ञा-रूप में इनका अर्थ हुआ लड़ना, जाना, बोलना। इस तथ्य से विदित होता है कि एक समय क्रिया के आधार पर बने हुए शब्द में संज्ञा-तत्त्व की प्रधानता हो जाती है, वैदिककाल में क्रिया-तत्त्व को प्रधानता देनेवाली प्रवृत्ति फिर प्रबल होती है। अत: कारक वाला भाव लुप्त होता गया और क्रियार्थी संज्ञा-रूप में कारक-चिन्ह युक्त शब्दों का प्रयोग होने लगा। कारक-चिन्ह शब्द से जुड़ा रहा, क्रिया का भाव प्रधान होने पर उसकी सार्थकता नष्ट हो गई।

संस्कृत पर अपने ग्रंथ में बरो कहते हैं कि वैदिक भाषा के क्रियार्थी संज्ञा-रूप बाद को संस्कृत में लुप्त हो गए। विभिन्न कारक-चिन्हों से युक्त अनेक रूपों में कर्मकारक बाले रूप—**कर्तुम्, भवितुम्, दातुम्** (करने, होने, देने को)—का चलन शेष रहा किन्तु कर्मकारक में सम्प्रदान वाला भाव सिमट आया और कर्म वाला भाव क्षीण हो गया। बरो ने लिखा है कि बाद की संस्कृत में क्रियार्थी संज्ञा ('इनफिनिटिव्') का रूप संज्ञा-निर्माण-प्रक्रिया ('नॉमिनल फॉर्मेशन्') से स्वतंत्र हो जाता है। वाक्य में क्रिया को प्रधानता देनेवाले मध्यदेशीय तत्त्व और भी सक्रिय होते हैं; वैदिक काल से पहले संज्ञा-तत्त्व की जो प्रधानता बढ़ रही थी, वह एक स्तर पर निर्बल पड़ जाती है।

संस्कृत के कृदन्त रूपों के लिए बरो ने लिखा है कि वे संज्ञा-रूप ('नॉमिनल फोर्म') थे, वे क्रिया व्यवस्था में घुल-मिल गए किन्तु उतना नहीं घुले-मिले जितना ग्रीक भाषा में। क्रिया व्यवस्था में संज्ञा-तत्त्वों को यह घुलनशीलता अकारण नहीं है। यदि वैदिक भाषा के विविध कृदन्त रूपों की तुलना उत्तरकालीन संस्कृत से की जाए तो विदित होगा कि संज्ञा और विशेषण का कार्य करनेवाले वैदिक कृदन्तों में बड़ी विविधता है। यह विविधता क्रमश: कम होती जाती है और जैसे-जैसे मध्यदेश की मूल प्रवृत्तियाँ उभरती हैं, वैसे-वैसे साहित्य-रचना में दो शैलियाँ अलग दिखाई देने लगती हैं; एक कृदन्त प्रधान उत्तर-पश्चिमी शैली, दूसरी तिङन्त प्रधान मध्यदेशीय शैली। इस उत्तरकालीन कृदन्त शैली में बहुत थोड़े कृदन्त रह गए हैं। भूतकालीन

कृदन्त **पतित, गत, श्रुत** जैसे रूपों का चलन अधिक हुआ, **त्** की परिवर्तित ध्वनि **न्** से **भग्न, छिन्न, क्षीण** जैसे रूपों का चलन हुआ। अनेक विद्वानों के समान बरो ने भी यह मत प्रकट किया है कि मध्य भारतीय आर्य भाषाओं में पुराने संस्कृत क्रिया-रूपों का लोप हो गया और उनके स्थान पर सर्वत्र कृदन्तों का व्यवहार होने लगा। यह बात सही नहीं है। पहले तो इस बात पर ध्यान देना चाहिए कि जिन्हें नव्य आर्य भाषाएँ कहा जाता है, उनमें कृदन्त रूपों का व्यवहार करते समय क्रिया-भाव की प्रधानता होती है, संज्ञा भाव की नहीं। दूसरी बात यह है कि तथाकथित मध्य आर्य भाषाएँ वास्तविक भाषाई स्थिति प्रतिबिम्बित नहीं करतीं। तीसरी बात यह कि हिन्दी प्रदेश की अनेक उपभाषाओं में भूतकालीन क्रिया-रूपों में कृदन्तों का प्रयोग नहीं होता। बरो ने लिखा है कि नव्य आर्य भाषाओं में भूत, भविष्य, वर्तमान—तीनों कालों के क्रिया-रूप भूतकालीन कर्मवाच्य कृदन्त के आधार पर बनते हैं। 'रामचरितमानस' से अतीतकाल के रूप देखें। अयोध्या कांड में : 'पूछेसि लोगन्ह काह उछाहू'; 'रचि पचि कोटिक कुटिलपन, कीन्हेसि कपट प्रबोधु'; 'कहिसि कथा सत सवति कै जेहि बिधि बाढ़ बिरोधु'। यहाँ **सि** वाले रूप उस कर्ता के लिए हैं जो स्त्री है। इसी कांड में आगे चलकर निषाद के लिए लिखा है : 'दोना भरि भरि राखेसि पानी'। कर्ता के अनुसार क्रिया में लिंग-सूचक परिवर्तन नहीं होता। **कथा कहिसि** और **कपट प्रबोधु कीन्हेसि**—यहाँ कर्म स्त्रीलिंग और पुल्लिंग हैं, उनके अनुसार क्रिया में परिवर्तन नहीं होता। क्रिया की यह स्थिति मध्यदेशीय गण-भाषाओं की मूल प्रवृत्तियों का प्रमाण है।

इंडो-यूरोपियन भाषाओं का तुलनात्मक अध्ययन करते हुए ग्रीक और लैटिन भाषाओं के व्याकरण में बक ने लिखा है कि इंडो-यूरोपियन परिवार की भाषाओं में जो रूप क्रियार्थी संज्ञा बनकर प्रतिष्ठित हुए, उनमें बड़ी भिन्नता है। वैदिक भाषा के आधार पर उन्होंने कल्पना की है कि आदि इंडो-यूरोपियन भाषा में संज्ञा शब्द क्रियार्थी संज्ञा बन गया, अपने कारक-चिन्ह के साथ वह क्रिया व्यवस्था से संलग्न हो गया, क्रिया के समान वह काल, वाच्य आदि रूपों के भेद व्यक्त करने लगा। बक के अनुसार आदिभाषा में यह प्रक्रिया आरम्भ हो गई थी किन्तु किन्हीं विशिष्ट रूपों को क्रियार्थी संज्ञा बनाकर स्थिर न किया गया था।

यहाँ ऐतिहासिक भाषाविज्ञान की स्थापनाएँ बहुत साफ कमजोर दिखाई देती हैं। पहले क्रिया के आधार पर संज्ञा शब्दों का निर्माण, कारक रूपों में उनका व्यवहार, फिर कारक-तत्त्व अर्थात् संज्ञा-तत्त्व की क्षीणता और क्रिया-व्यवस्था में उन क्रियामूलक शब्दों का प्रवेश—ये सारे परिवर्तन अकारण होते हैं, एक सीमित क्षेत्र की भाषा में होते हैं जो भिन्न प्रकृति वाले भाषा-परिवारों के सम्पर्क में नहीं आई। इस सारी प्रक्रिया के साथ मध्यदेशीय और कौरवी भाषाओं का सम्बन्ध जोड़ दीजिए तो कारणों का पता चल जाता है। प्राग्वैदिक काल से लेकर आधुनिक आर्य

भाषाओं तक भारत के भाषाई मानचित्र पर निगाह डालिए और क्रिया व्यवस्था में परस्पर विरोधी प्रवृत्तियों पर विचार कीजिए तो जिस प्रक्रिया का पहले कोई आधार या कारण दिखाई न देता था, उसका आधार और कारण प्रकट हो जाता है, काल्पनिक आदि इंडो-यूरोपियन भाषा के स्थान पर अनेक गण-समाजों की यथार्थ भाषाएँ सामने आ जाती हैं।

बक ने लिखा है कि क्रियार्थी संज्ञा-रूपों में इतनी विविधता है कि ग्रीक और लैटिन में ही समानता नहीं है। स्वयं ग्रीक समुदाय में उसकी बोलियों के क्रियार्थी संज्ञा-रूपों में भेद है, और लैटिन समुदाय में एक ओर लैटिन, दूसरी ओर ओस्कन-उम्ब्रियन, दोनों के रूपों में भेद है। हमारे विचार से इस तरह की विविधता स्वाभाविक है, वह भाषा के अन्य स्तरों पर भी देखी जाती है। इस विविधता में दो विरोधी मूल प्रवृत्तियाँ देखी जा सकती हैं : एक, वह जो वाक्य में संज्ञा-तत्त्व को प्रधान मानती है; दूसरी, वह क्रिया-तत्त्व को प्रधान मानती है।

ब्रुगमन ने अपने तुलनात्मक व्याकरण के चौथे खंड में लिखा है कि विधेय के रूप में कृदन्त का प्रयोग, सहायक क्रिया के साथ अथवा उसके बिना, समग्र इंडो-जर्मैनिक क्षेत्र में पाया जाता है। उनके विचार से इस तरह का प्रयोग मूल जननी भाषा में विद्यमान था, और जब किसी कार्य की अवधि पर ऐसा जोर देना होता था जो सामान्य क्रिया-रूपों से व्यक्त न हो सकता था, तब इस तरह का प्रयोग होता था। (पृ. 444) इससे इतना तो स्पष्ट ही है कि इंडो-जर्मैनिक अर्थात् इंडो-यूरोपियन भाषाओं के में दो भिन्न प्रवृत्तियाँ काम कर रही थीं। कृदन्त का व्यवहार इस क्षेत्र से बाहर भारतीय आर्य-द्रविड़ भाषाओं में भी होता था। यूरोप की भाषाओं के कृदन्त प्रयोग भारतीय पद्धति से प्रभावित हैं, इसका प्रमाण यही नहीं है कि दोनों ओर एक सामान्य प्रवृत्ति के दर्शन होते हैं, इसका प्रमाण यह भी है कि दोनों ओर अनेक कृदन्त रूप बिलकुल मिलते-जुलते हैं। बाल्तिक भाषाओं में लिथुआनियन भाषा ऐसी है जिसमें प्राचीनता के लक्षण सबसे ज्यादा पाए जाते हैं, विद्वानों का ऐसा कहना है। इसमें **क** और **ग** वाले कृदन्त रूप तमिल रूपों का स्मरण कराते हैं। **ग** और **इङ्ग, अङ्ग** प्रत्यय मूलतः एक हैं। अंग्रेज़ी में क्रिया की निरन्तरता सूचक इंग प्रत्यय वाले रूप—**वर्किंग** (काम कर रहा) आदि ब्राहूइ कृदन्तों के समान हैं, पहले कहा जा चुका है।

संस्कृत, इंडो-यूरोपियन परिवार की अन्य भाषाओं और द्रविड़ परिवार की भाषाओं की एक विशेषता यह है कि इनमें बहुत-सी क्रियाएँ ऐसी हैं जिनका मूल रूप प्रच्छन्न हो गया है, मूल रूप को कृदन्त बनाया गया है और यह कृदन्त रूप पुनः क्रियामूल अथवा धातु के रूप में प्रयुक्त होता है।

संस्कृत में यह तथ्य उन क्रिया-रूपों को देखने से बहुत आसानी से समझ में आ सकता है जिनके अन्त में **क्ष्** व्यंजनयुग्म आता है। **भक्ष्, मोक्ष्, दक्ष्, शिक्ष्**—इन क्रियाओं का मूल रूप **भस्, मुच्, दश्** (धस्त का **धस्**, फिर **दस्**, फिर **दश्**) और

**शिष्** हैं। **शिक्ष्** का सम्बन्ध **शास्** (आज्ञा देना) से जोड़ा जाता है। शिष्य को आज्ञा भी दी जाती है पर उसका मुख्य काम शिक्षा पाना है। अतः मूलक्रिया **शिष्** हुई। इन क्रियाओं की **स्, च्, श्** और **ष्** ध्वनियाँ **क्** में परिवर्तित होती हैं। क्रिया-रूपों के बाद संज्ञा बनाने के लिए **स** प्रत्यय जोड़ा जाता है। उसका मूर्धन्यीकरण होता है, इस प्रकार संज्ञा-रूप को पुनः क्रिया-रूप बनाया जाता है। **वर्ष्** क्रिया का मूलरूप **वृष्** माना जाता है। क्रियामूल **वर्** है जिससे **वारि** शब्द बनता है। वर्ण-संकोच के कारण **वर्** को **वृ** रूप दिया गया है। एक क्रिया है **अंग्** (चलना), यह क्रियामूल **अन्** का कृदन्त रूप है, ठीक **पो** से **पोग्** के समान। यह वही **अन्** क्रिया है जिससे **अनिल** शब्द बनता है। **लुञ्च** (नोंचना, काटना) **लू** क्रिया का कृदन्त रूप है जिससे **लुनाति** रूप बनता है। **विज्, वीज्** (चलना, पंखा) रूप **वि** क्रियामूल से व्युत्पन्न है जिससे **वायु, वात** और अंग्रेज़ी **विंड** शब्द बनता है। **पद्** माने चलना, इसकी मूल क्रिया **प** है जिससे **पथ** शब्द बनता है। **पथ** के समान एक शब्द **गाध** है जिसका अर्थ है वह स्थान, जिसे पार किया जा सके। समुद्र **अगाध** होता है, इसलिए कि उथले पानी की तरह उसे सामान्य गमन क्रिया द्वारा पार नहीं किया जा सकता। **गाध** और **अगाध** में क्रिया मूल **गा** है। फिर **गाध्** क्रिया बनाई गई और उसका अर्थ किया गया ठहरना, किसी स्थान के लिए प्रयाण करना। संस्कृत क्रिया **स्पृध्** (होड़ करना) में क्रियामूल **पुर्** है। **स्** उपसर्ग है, कृदन्त रूप बनाने के लिए **ध** प्रत्यय जोड़ा गया, **पुर्** (युद्ध करना) में वर्ण-संकोच के कारण रूपान्तर हुआ और एक नई क्रिया **स्पृध्** का निर्माण हुआ। यह **पुर्** वही है जो तमिल में **पॉरु** है।

क्रियायों से **मोक्ष, दक्ष** आदि जो रूप बनते हैं, वे संज्ञा हैं। उनमें क्रिया का अर्थ भी रहता है, इसलिए उन्हें कृदन्त कहना उचित है। जब हम **सर्प** शब्द कहते हैं तो हमारे मन में रेंगने की क्रिया नहीं होती। **सर्प** अब विशुद्ध संज्ञा है किन्तु प्राचीनकाल में **सर्प** कहते हुए क्रिया का भाव इतना प्रमुख था कि **सर्प** को पुनः **सृप्** क्रिया में रूपान्तरित किया गया। अवश्य **सृप्, सर्प्** क्रिया का व्यवहार करनेवाले इस बात के प्रति सदैव सचेत न थे कि वे एक क्रिया से व्युत्पन्न कृदन्त रूप को पुनः क्रिया बना रहे हैं। मूल क्रिया के कृदन्त बनने का कारण कौरवी प्रभाव है। कृदन्त रूप के पुनः क्रियामूल बनने का कारण मध्यदेश की पुरानी तिङन्त क्रिया-पद्धति है। द्रविड़ भाषाएँ भी इस प्रवृत्ति से प्रभावित होकर अपने कृदन्तों को पुनः क्रियामूल बनाती हैं।

यह व्यापार उस समय का है जब आर्य और द्रविड़ परिवारों का निर्माण हो रहा है, जब इस निर्माण के साथ-साथ पश्चिमी एशिया, मध्य एशिया और यूरोप को भारतीय भाषा-तत्त्वों का निर्यात हो रहा है। एक रूप **गा**, इसका अंग्रेज़ी प्रतिरूप **गो** (जाना); दूसरा रूप **गम्**, इसका अंग्रेज़ी रूपान्तर **कम्** (आना), तीसरा रूप **गश्** इसका जर्मन रूपान्तर **गेहॅन्** (चलना, जाना); अंग्रेज़ी में **कौल्** (पुकारना) जैसी क्रियाएँ तमिल

**चॉल्** का प्रतिरूप हैं। यहाँ मूल क्रिया **सो** में **ल** प्रत्यय जोड़कर कृदन्त रूप बनाया गया। अंग्रेज़ी **टेल** (कथा) में यही **ल** प्रत्यय है। इसी का प्रतिरूप **टॅल्** (कहना) क्रिया है, जिसे वस्तुत: संज्ञा से क्रियामूल में परिवर्तित किया गया है। **सो** क्रियामूल का एक रूपान्तर **तो** हुआ, इसमें **ल** प्रत्यय जोड़ा गया, **तोल** रूप बना। उसमें फिर **द** जोड़कर कृदन्त बनाया गया। क्रियामूल—कृदन्त—क्रियामूल—कृदन्त, इस क्रम से अंग्रेज़ी **टोल्ड** (कहा) प्राप्त हुआ। वर्तमान और भूतकाल का भेद करनेवाले अंग्रेज़ी के क्रिया-रूपों में जहाँ स्वर-परिवर्तन दिखाई देता है, यथा : **टॅल्** और **टोल्ड, सिंग्** और **सैंग**—वहाँ वास्तव में क्रिया के दो रूप हैं जिनका वर्तमान या अतीत के भेद से कोई सम्बन्ध नहीं है। **से** और **सो** क्रियामूलों के रूपान्तर **ते** और **तो** हैं। इनसे **टॅल्** और **टोल्** रूप बने। दोनों ही कृदन्त हैं। **टॅल्** से **टेल्ड** रूप भी बन सकता है, और **टोल्** का प्रयोग वर्तमान काल के लिए भी हो सकता है। अंग्रेज़ी ने एक रूप को वर्तमान के लिए रखा, दूसरे का उपयोग अतीत के लिए किया।

तमिल कृदन्त **वन्द** का अंग्रेज़ी प्रतिरूप **वेंट्** है। यह **गो** क्रिया के साथ नत्थी कर दिया गया। जर्मन **जागॅन्** (कहना) का पूर्वरूप **साग** है। **साग** और मराठी **सांगणे** परस्पर सम्बन्धित हैं। मूल क्रिया **सा** में **ग** जोड़कर—**पोग** की तरह—यह कृदन्त रूप बना। संज्ञा-रूप में **सागा** प्रयुक्त होता ही है।

ग्रीक भाषा में **लम्पो** शब्द का अर्थ है चमकना। इसी क्रम में अंग्रेज़ी **लैम्प** आता है। मूल क्रिया **दम्** है जो दामिनी, हिन्दी दमकना में है। **द्** ध्वनि ल् रूप में ग्रहण की गई। कृदन्त रूप बनाने के लिए **प** प्रत्यय जोड़ा गया। फिर कृदन्त रूप को मूल क्रिया माना गया। **डरने** के लिए ग्रीक क्रिया **फोबेओमइ** है। इसमें क्रियामूल **फोब्** है जो **भव** अथवा **भय** का प्रतिरूप है। यहाँ **भी** क्रिया—संज्ञा—क्रियावाला क्रम दिखाई देता है। खाने के लिए ग्रीक क्रिया **एस्थिओ** है। **अत्** का प्रतिरूप **एस्**, फिर उसमें **थ** प्रत्यय जोड़कर कृदन्त रूप बना, फिर उसे क्रिया बनाया। निर्माण के लिए ग्रीक क्रिया **देमो** है जो **धाम** का प्रतिरूप है। **धाम** में क्रियामूल **धा** है। निर्माण के लिए एक अन्य ग्रीक शब्द **तॅक्तइनो** है। इसमें क्रियामूल **तॅक्त्** संस्कृत **तक्ष्** का प्रतिरूप है और यह संस्कृत रूप स्वयं **तस्** जैसे क्रियामूल से व्युत्पन्न है। **तक्ष्** के अन्य ग्रीक प्रतिरूप से **तॅइखिजो** (निर्माण करना) क्रिया बनी है। यहाँ भी **तॅइख्** मूल क्रिया का कृदन्तीय रूपान्तरण है। लैटिन में सपना देखने के लिए **सोम्निओ** क्रिया है। इसमें **सोम्न** शब्द मूल संस्कृत **स्वप्न** का प्रतिरूप है। लैटिन **पोतो** का अर्थ पीना है। यहाँ **पो** क्रियामूल में **तो** जुड़ा है जो कृदन्त रूप की सूचना देता है। संस्कृत **स्पश्** (देखना) का एक लैटिन प्रतिरूप **स्पेकिओ** है, दूसरा है **स्पेक्तो**। इस दूसरे प्रतिरूप में भी **पोतो** के समान कृदन्तीय **त** स्पष्ट है।

अंग्रेज़ी क्रिया **स्टैंड** (खड़े होना) खड़े की तरह कृदन्तीय रूप है। मूल क्रिया है **स्थ** अथवा **स्त**। इससे **स्कन्ध** के समान कृदन्त रूप **स्तन्ध** बना। फिर यह क्रियामूल

के समान **स्टैंड** रूप में प्रयुक्त होने लगा। जर्मन में इसका प्रतिरूप **श्तेहॅन्** है। यह **स्तध्** का प्रतिरूप है जहाँ नासिक्य ध्वनि का अभाव है और **ध्** का रूपान्तरण **ह्** में हुआ है। जर्मन भाषा में एक सामान्य क्रिया **व्हर्दन्** है। इसका अर्थ है होना। यह संस्कृत **वर्त्** का प्रतिरूप है और **वर्त्** की मूल क्रिया **वर्** है। तमिल **वरु** का एक अर्थ घटित होना भी है। अंग्रेज़ी शब्द **वान्डर्** (घूमना) **वर्** के कृदन्तीय **वन्द्** जैसे प्रतिरूप का विकास है। इसका जर्मन प्रतिरूप **वण्डॅल्न्** है। इससे मिलता-जुलता शब्द **बॅण्डॅन्** (घुमाना, आवर्तन करना) है। संस्कृत आवर्तन में **वर्त्** क्रिया का जो भाव है, वही यहाँ **बॅण्ड्** में है। इस **बॅण्ड्** का अकार वाला रूप उसी जर्मन क्रिया के भूतकालीन रूप **वण्ड्टॅ** में है। रूसी भाषा में **देलात्** (बनाना) जैसी क्रियाएँ कृदन्त का रूपान्तरण हैं जैसा कि रूसी शब्द **देलो** (कार्य) से विदित होता है। संस्कृत **वर्त्** के समान रूसी क्रिया **प्रेव्रतीत्** (आवर्तन करना) है। रूसी और संस्कृत, दोनों क्रिया-रूपों का आधार कृदन्त है। **स्तोयात्** (खड़े होना) में **य** कृदन्त चिन्ह है। **गवरीत्** (बातें करना) में **र्** वैसा ही चिन्ह है, जैसा कि संज्ञा **गवोर्** (बातचीत की आवाज़) में है।

कृदन्त रूपों को पुन: क्रियामूल बनाने की प्रक्रिया संस्कृत में अत्यन्त सीमित है, द्रविड़ भाषाओं तथा फ़ारसी, रूसी, जर्मन, अंग्रेज़ी, ग्रीक, लैटिन आदि में यह प्रक्रिया अधिक व्यापक है। किसी समय कौरवी प्रभाव से—या वैसे ही किन्हीं अन्य भाषा के प्रभाव से बहुत बड़े पैमाने पर कृदन्त निर्माण-कार्य हुआ। फिर कृदन्त सामान्य क्रिया मान लिया गया, जैसे कि मगही आदि में कृदन्तों का तिङन्तीकरण हुआ। क्रमश: कृदन्त-तिङन्त पद्धतियों ने सन्तुलन स्थापित करके इंडो-यूरोपियन भाषाओं की क्रियापद-रचना को उसका विशिष्ट रूप प्रदान किया।

हिन्दी क्रियाओं में उपसर्ग नहीं लगते, द्रविड़ क्रियाओं में भी नहीं लगते। इसके विपरीत संस्कृत में लगते हैं। ऊपर से देखने में प्रतीत होता है कि हिन्दी और अन्य आधुनिक आर्य भाषाएँ संस्कृत से दूर पहुँच गई हैं और उन्होंने द्रविड़ प्रवृत्ति अपना ली है। वास्तव में उपसर्ग के कार्य पर विचार किया जाए तो विदित होगा कि आधुनिक आर्य भाषाओं और संस्कृत में अब भी बड़ी समानता है और द्रविड़ परिवार में अंशत: भिन्न प्रवृत्ति काम करती है।

वाक्यतंत्र के विचार से उपसर्ग का कार्य क्या है? क्रिया के विशेषण के समान वह उसके मूल अर्थ में हेरफेर करता है, वह क्रिया की विशेषता ही नहीं बताता, उसके मूल अर्थ में परिवर्तन भी करता है। संस्कृत में क्रिया के पहले जो उपसर्ग रखे जाते हैं, वे ऐतिहासिक विकास की दृष्टि से स्वतंत्र शब्द हैं। **अति, अधि, अनु, अभि** आदि उपसर्गों को बरो ने किसी समय के स्वतंत्र विशेषक ('एडवर्ब्') कहा है। 'ऋग्वेद' में ये सर्वत्र क्रिया से संलग्न रहें, ऐसा नहीं होता। होमर की भाषा में भी इससे मिलती-जुलती स्थिति है। वे क्रियाबद्ध और क्रियामुक्त, दोनों हैं। मुख्य बात यह है कि ये उपसर्ग जो पहले स्वतंत्र रूप थे, वाक्य में क्रिया से पहले प्रयुक्त

होते थे। बरो ने लिखा है कि 'ऋग्वेद' में कभी-कभी वे क्रिया के बाद भी आते हैं। यह सामान्य प्रवृत्ति नहीं है। निरन्तर क्रिया से पहले प्रयुक्त होने के कारण वे क्रिया का अभिन्न अंग समझे जाने लगे। भाषाविज्ञान में संस्कृत जैसी संश्लेषणात्मक भाषा तथा तुर्की जैसी संयोगात्मक भाषा में भेद किया जाता है। यह भेद सापेक्ष है, मौलिक नहीं। जो तत्त्व संयोग की अवस्था में भिन्न-भिन्न पहचाने जा सकते हैं, वे दूसरी मंजिल में ऐसी दृढ़ता से संयुक्त हो जाते हैं कि अलग नहीं किये जा सकते। कारक-चिन्हों, क्रिया-रूपों में काम आनेवाले प्रत्ययों, क्रिया में जुड़नेवाले उपसर्गों के साथ यही बात होती है। अपनी पूर्वावस्था में वे स्वतंत्र शब्द दिखाई देते हैं, निरन्तर संयुक्त होने के कारण वे क्रमशः अपनी स्वतंत्रता खो देते हैं, उनके रूप में भी परिवर्तन होता है और वे अर्थ-प्रबोधक ध्वनि-चिन्ह मात्र रह जाते हैं। इस प्रकार जो भाषा पहले संयोगात्मक दिखाई देती है, वह संश्लेषणात्मक बन जाती है। बरो ने क्रियामूलक संज्ञा शब्दों का उल्लेख करते हुए बताया है कि इनमें उपसर्ग पूरी तरह मूल शब्द से सम्बद्ध हो गया है।

तमिल भाषा में एक अर्थ-प्रबोधक ध्वनि-चिन्ह **उम्** है। वाक्य में इसका अनेक प्रकार से प्रयोग होता है। कृदन्त के साथ इसके व्यवहार का एक उदाहरण यह है : **नी पडित्तुम् पयन्इल्ले** (यद्यपि तुमने पढ़ाई की, फिर भी फल कुछ न निकला।) इस वाक्य में **उम्** कृदन्त के बाद आता है और उसके अर्थ में परिवर्तन करता है। आन्द्रोनोव ने अपने तमिल व्याकरण में इसके प्रयोग के अनेक उदाहरण दिये हैं। यदि सम्भावना व्यक्त करनी हो तो इसी **उम्** का प्रयोग इस प्रकार होगा : **तिरुम्बि वरुवदर्गु इरण्डु मुन्रु नाळ् आनालुम्** (सम्भव है, वापस आने में दो या तीन दिन लगें)। इस वाक्य में कृदन्त **आनाल** के बाद **उम्** का प्रयोग हुआ है। क्रिया द्वारा व्यक्त काल-सम्बन्धी सूचना में परिवर्तन करने के लिए इसका व्यवहार होता है, यथा : **तोनित्तुरइ वन्ददुम् कुदिरइ निर्किरदु** (जैसे ही नाव आई, वैसे ही घोड़ा रुक गया।) यहाँ कृदन्त **वन्दद** के बाद **उम्** का प्रयोग किया गया है।

तमिल में प्रश्नवाचक **आ** वाक्य के अन्त में आकर उसके अर्थ में परिवर्तन करता है। **नी ऑन्नइ पार्त्ताय्** (तुमने मुझे देखा), **नी ऑन्नइ पार्त्ताया?** (क्या तुमने मुझे देखा?)—यहाँ वाक्य के अन्त में **आ** के प्रयोग से पूरे वाक्य के अर्थ में परिवर्तन हुआ। इसी प्रकार सन्देह का भाव व्यक्त करने के लिए **कोल्** का प्रयोग किया जाता है। **नॅडुन्दइग कळिन्दमइ यरिया तिन्रुम वरुङ्गोल् पानरदु कडुम्बे** (चारणों का दल आज भी शायद ही आए क्योंकि उन्हें अपने स्वामी की मृत्यु का पता नहीं है।) एक अन्य प्रत्यय **एन्** है। **चॉल्लु** अर्थात् बोलो, इस आज्ञा भाव में परिशोधन के लिए **एन्** शब्द जोड़ा गया : **चॉल्लेन्**—जरा बोलो तो। इस तरह की अनेक स्थितियों में जो अन्य भाषाएँ उपसर्ग से काम लेती हैं, वहाँ तमिल प्रत्यय से काम लेती हैं। हिन्दी में क्रिया का अर्थ बदलने के लिए या उसे विशेषता प्रदान करने के

लिए जो भी शब्द प्रयुक्त होते हैं, वे क्रिया से पहले आते हैं। उनका स्थान वाक्य में वहीं होता है, जहाँ संस्कृत के वाक्य में उपसर्ग का स्थान होता है।

इंडो-यूरोपियन परिवार की भाषाओं में क्रिया से संलग्न होनेवाले उपसर्ग की भूमिका भिन्न-भिन्न है किन्तु जहाँ भी वह प्रयुक्त होता है, वह अर्थ-संवर्धक का काम करता है। रूसी भाषा में इसका प्रयोग रोचक है। भाषाविज्ञानियों का कहना है कि रूसी क्रिया की अपनी विशेषता कार्य की पूर्णता, अपूर्णता आदि का बोध कराना है। अंग्रेज़ी में इसके लिए एस्पेक्ट शब्द का व्यवहार होता है। कार्य की प्रगति, अवधि, आवृत्ति आदि सूचित करने के लिए क्रिया का एक रूप होता है, कार्य की पूर्णता, उसका आरम्भ या अवसान सूचित करने के लिए दूसरा रूप होता है। विलगेलमिनीना ने रूसी क्रिया पर अपनी पुस्तक में इस तरह के उदाहरण दिये हैं : **रबोचिये 'स्त्रोइली' दोम्** (मजदूर एक मकान बना रहे थे), **रबोचिये 'पस्त्रोइली' दोम्** (मजदूरों ने मकान बनाया); **देवुश्का 'पिसाला' पीस्मो** (लड़की पत्र लिख रही थी), **देवुश्का 'नपिसाला' पीस्मो** (लड़की ने पत्र लिखा था)। यहाँ उपसर्ग लगाकर क्रिया के अर्थ में परिवर्तन किया गया है। इस तरह का भेद उपसर्ग के द्वारा ही नहीं दिखाया जाता किन्तु सामान्यत: ऐसा होता है। रूसी क्रिया **मीत्** का अर्थ है धोना, उपसर्ग लगाकर **ओमीत्** रूप बना जिसका अर्थ हुआ स्वच्छ धोना। यहाँ उपसर्ग क्रिया के अर्थ को वैसे ही प्रभावित करता है, जैसे तमिल में प्रत्यय प्रभावित करता है।

भारत में कोल परिवार की भाषाएँ प्रत्यय और उपसर्ग, दोनों का उपयोग कर क्रिया के अर्थ में परिवर्तन करती हैं। बिलिगिरि ने खरिया भाषा पर अपनी पुस्तक में इस तरह के उदाहरण दिये हैं : **उड्** (पीना), **ओवुड्** (पिलाना), **पिज्** (तोड़ना), **ओग्पिज्** (तुड़वाना), **गिल्** (मारना), **कोलगिल्** (एक-दूसरे को मारना); यहाँ **उपसर्ग** से क्रिया के अर्थ में परिवर्तन किया गया। **उपुल्** (उठाना), **उपुल्क** (एक-दूसरे के लिए उठाना), **करय्** (करना), **करय्क** (एक-दूसरे के लिए करना); **बोतोङ्** (डरना), **बोतोङ् गोड्** (बहुत डरना); यहाँ उपसर्ग के बदले वैसा ही काम प्रत्यय से लिया गया है। इसमें सन्देह नहीं कि उपसर्ग और प्रत्यय जोड़कर क्रिया के अर्थ को बदलने की पद्धति एक से अधिक भाषा-परिवारों में विद्यमान रही है। हिन्दी तथा आधुनिक आर्य भाषाओं ने भले ही उपसर्ग का त्याग कर दिया हो, कोल भाषाओं में उसका व्यवहार किसी तरह कम नहीं हुआ।

यह कल्पना करना कठिन है कि आर्य द्रविड़ भाषाएँ जब एक-दूसरे से इतना सम्बद्ध रही हों, तब द्रविड़ भाषाओं में क्रिया के साथ उपसर्ग का प्रयोग कभी हुआ ही न हो। द्रविड़ क्रियाओं की छानबीन करने से पता चलता है कि अनेक क्रियाओं के साथ किसी समय उपसर्ग प्रयुक्त होते थे। जैसे हिन्दी में ये उपसर्ग अलग से नहीं पहचाने जाते, वैसे ही द्रविड़ भाषाओं में वे पहचान में नहीं आते। कन्नड़ **कप्पु** का अर्थ है गड्ढा खोदना, मलयालम **निकप्पु** का अर्थ है भरना। मूल क्रिया एक ही

है, **नि** उपसर्ग लगाकर अर्थ में परिवर्तन किया गया है। तमिल क्रिया **कल** का अर्थ है फैलाना (जैसे समाचार), **अगल** का अर्थ है विस्तार करना, फैलाना, **अगलम्** का अर्थ हुआ विस्तार। यहाँ **कल** क्रिया में **अ** उपसर्ग जोड़ा गया है। तमिल **नॅरुप्पु** (अग्नि), **ञॅलि** (लकड़ी घिसकर आग पैदा करना) रूपों को देखने से ज्ञात होता है कि **नर्** अथवा **नल्** क्रियामूल का सम्बन्ध अग्नि से, लकड़ियाँ घिसकर आग पैदा करने से है। अब इस क्रियामूल में **अ** उपसर्ग जोड़ा गया : **अनरु** (गरमाना), **अनर्गल्** (अनल + कल् यानी आग और पत्थर, पूरे शब्द का अर्थ हुआ चकमक पत्थर)। यहाँ **अ** उपसर्ग निषेधवाचक नहीं है। तमिल **अमिऴ्** का अर्थ है डूबना; सम्भव है संस्कृत **मृज्** में **अ** उपसर्ग जोड़कर इस तरह का रूप बना हो। कोडगु **मिन्द** (तैरना), कोद **निन्ज्** (उप.) तमिल **नीन्दु** (उप.), **नीत्तम्** (सैलाब, समुद्र) रूपों को देखने से उक्त सम्भावना पुष्ट होती है। तमिल **निकर** का अर्थ है चमकना, **कदिर्** का भी यही अर्थ है। कन्नड़ **कदुरु** का अर्थ है चमक। मूल क्रिया **कद्** रूपान्तरित होकर **कर** बनी, **नि** उपसर्ग लगाकर **निकर** रूप बना। पर यह बात सही है कि आधुनिक भाषाओं में केवल कोल परिवार की भाषाएँ उपसर्गों का प्रयोग जमकर करती हैं। इस दृष्टि से आधुनिक आर्य भाषाओं की अपेक्षा वे संस्कृत के अधिक निकट हैं।

जर्मन भाषा में क्रिया के साथ **ग, गे** उपसर्ग जोड़ा जाता है जो तमिल कृदन्त प्रत्यय **ग** से मिलता-जुलता है। प्रीब्श और कॉलिंसन ने जर्मन भाषा पर अपनी पुस्तक में बताया है कि यह लैटिन **कुम्, कोम्** का प्रतिरूप है। इसका मूल अर्थ समूह का सूचक था और यह उपसर्ग संज्ञा तथा क्रिया, दोनों में लगता था। जर्मन शाखा की भाषाओं में इसका व्यवहार क्रिया को सम्पूर्णता प्रदान करने के लिए होता है। घटनाक्रम किसी निश्चित समय पर हुआ, आरम्भ हुआ या समाप्त हुआ, इसकी सूचना अथवा काल और अवधि पर ध्यान दिये बिना घटनामात्र की सूचना देना इसका कार्य है। मध्यकालीन पहाड़ी जर्मन से उन्होंने इस तरह के उदाहरण दिये हैं : **श्तान्** (खड़े होना) **गेश्तान्** (खड़े हो जाना)। इससे उन्होंने आधुनिक जर्मन रूपों की तुलना की है : **लिगॅन्** (लेटना), **गेलिगॅन्** (लेट जाना)। जर्मन में कोल भाषाओं के समान प्रत्यय उपसर्ग, दोनों प्रयुक्त होते हैं।

इंडो-यूरोपियन परिवार की भाषाओं के क्रिया-रूपों का सही ढंग से ऐतिहासिक मूल्यांकन तभी सम्भव है जब इस युग में भी प्रचलित नाग-कोल क्रिया-रूपों की विविधता ध्यान में रखी जाए। शंकर भट ने बोरो की एक क्रिया **ज़** (खाना) के पैंसठ रूप हैं। इनमें से कुछ इस प्रकार हैं—**ज़** (खाना), **ज़क** (खाना खत्म करना), **ज़कङ** (खाने को तैयार होना), **ज़कोन्** (खाना और गन्दा करना), **ज़क्म** (चुपके-चुपके खाना), **ज़क्रे** (कुछ भी खा लेना), **ज़ज़ेर्** (खाना और बिखराना), **ज़दे** (कृपया खाइए), **ज़पदे** (किसी के साथ खाइए), **ज़लोय्** (पुरुष खाएँ), **ज़हय्** (स्त्रियाँ और बच्चे खाएँ), **ज़दॉ** (पूरा समूह खाए), **दज़** (मत खाओ), **ज़का** (तुमने क्यों

नहीं खाया), **ज़नि** (हम खाएँ), **ज़तॉङ्** (वह खाएँ), **ज़यॉ** (वह खाता है), **जदॉङ्** (वह खा रहा है), **ज़गॉन्** (वह खाएगा) **ज़बय्** (उसने खाया है), **ज़गॉव** (उसने खाया होगा), **ज़य्** (वह नहीं खाता), **ज़दिय** (उसने नहीं खाया), **ज़लिय** (वह नहीं खाएगा), **ज़न** (खाने के बाद), **ज़ब** (यदि वह खाए), **जयसॅ** (खाए बिना)—वाक्य में सबसे पहले क्रिया, फिर उससे सम्बन्धित अनेक बातें प्रत्ययों द्वारा क्रमशः जोड़ी जाती गईं। इस प्रकार एक क्रिया-रूप दो, तीन, चार, पाँच, छह प्रत्यय तक जोड़ता चला जाता है और खासा वाक्य बन जाता है। यथा : उक्त **ज़** क्रिया से **ज़जेर्** (खाना और बिखराना), **ज़ज़ेर्पिन्** (खाना और फिर बिखराना), **ज़ज़ेर्पिन्ज़लय्** (फिर उसी चीज को खाना और बिखराना), **ज़ज़ेर्पिन्ज्लय्ज़ॅन** (फिर उसी चीज को खाना-बिखराना शुरू करना), **ज़ज़ेर्पिन्ज्लय्ज़न्प** (किसी के साथ फिर उसी चीज को खाना-बिखराना शुरू करना), **ज़ज़ेर्पिन्ज़लय्ज़न्पमर्** (अवश्य ही किसी के साथ फिर उसी चीज़ को खाना-बिखराना शुरू करना)।

कोल और नाग भाषाओं की क्रियापद-रचना में काफी समानता है। कोल भाषाओं के समान अनेक नाग भाषाएँ प्रत्यय-उपसर्ग द्वारा क्रिया के अर्थ में परिवर्तन करती हैं। असम में बोली जानेवाली नाग भाषा बोरो पर अपनी पुस्तक में शंकर भट ने उन क्रियापदों की चर्चा की है जिनमें उपसर्ग लगाने से अर्थ परिवर्तन होता है। कोल भाषाओं के समान बोरो में भी उपसर्ग और प्रत्यय, दोनों लगते हैं। **रन्** (सूखना), **परन्** (सुखाना), **देर्** (बड़ा होना), **पॅदेर्** (बड़ा करना), **ज़ो** (बैठना), **पोज़ो** (बिठाना), **गि** (डरना), **सिगि** (डराना); यहाँ उपसर्ग लगाकर क्रिया को प्रेरणार्थक रूप दिया गया है। **बहि** (बहना), **बहय्** (बहाना), **मिलि** (मिलना), **मिलय्** (मिलाना), **बुज़ि** (बूझना), **बुज़य्** (बुझाना); यहाँ प्रत्यय लगाकर वैसा ही परिवर्तन किया गया है। स्पष्ट ही यहा आर्य-परिवार की असमिया भाषा ने बोरो को प्रभावित किया है। उक्त रूप मिलना, मिलाना, बूझना, बुझाना, बहना, बहाना जैसी हिन्दी क्रियाओं से मिलते-जुलते हैं। इसका कारण असमिया और हिन्दी की आन्तरिक समानता है।

संस्कृत, विशेषतः वैदिक भाषा, में क्रिया-रूपों का विस्तार देखकर अनेक भाषाविज्ञानी इस बात पर क्षोभ प्रकट करते हैं कि आधुनिक आर्य भाषाओं में यह विविधत समाप्त हो गई है। नाग और कोल भाषाओं में क्रिया-रूपों की विविधता पर सरसरी निगाह डालने से भी यह स्पष्ट हो जाएगा कि आर्य भाषाओं ने चाहे जो कुछ खोया हो, नाग और कोल भाषाओं ने क्रिया-रूपों की बहुलता और विविधता बरकरार रखी है। सम्भव है, कुछ इजाफा भी किया हो। इस विविधता को समझने के लिए यह बात ध्यान में रखनी चाहिए कि नाग और कोल भाषाओं में क्रिया के भिन्न रूप केवल काल-भेद प्रदर्शित नहीं करते वरन् कार्य की विशेषता, उसकी गति की दिशा, कर्ता, कर्म आदि से उसका सम्बन्ध, कभी-कभी साथ सम्पन्न होनेवाली अन्य क्रिया की भी सूचना देते हैं। संस्कृत, ग्रीक, लैटिन में जो भिन्न क्रिया-रूप

दिखाई देते हैं, उनका मूल कार्य कालभेद प्रदर्शित करना नहीं है वरन् क्रिया की अवस्था (एस्पेक्ट) सूचित करना है। अंग्रेज़ी का टेन्स शब्द कालभेद से जुड़ा हुआ है। वर्तमानकाल, भूतकाल, भविष्यकाल प्रेज़ेन्ट टेन्स, पास्ट टेन्स, फ्यूचर टेन्स के पर्याय हैं। इंडो-यूरोपियन परिवार की भाषाओं में कालभेद की व्यंजना के रूप क्रमशः विकसित हुए। यह बाद की मंजिल है। उससे पहले मुख्य भेद क्रिया की अवस्थाओं को लेकर किया जाता था। पामर ने ग्रीक और लैटिन क्रियापदों के लिए लिखा है कि अधिकांश रूप कालभेद सूचित नहीं करते; कार्य किस प्रकार का है, वे इसकी सूचना देते हैं। जिसे वर्तमान कालीन क्रियापद कहा जाता है, वह इस बात की सूचना देता है कि कार्य अभी चालू है। इसी प्रकार अन्य रूप यह बताते हैं कि कार्य थोड़ी ही देर में हुआ, कार्य का परिणाम क्या हुआ, इत्यादि। यह स्थिति प्राचीन भाषाओं में ही नहीं है, रूसी जैसी आधुनिक भाषा में भी बहुत कुछ विद्यमान है। क्रियापदों का यह पक्ष तो नाग और कोल भाषाओं में है ही, इसके अलावा क्रिया से सम्बद्ध और बहुत-सी बातों की सूचना क्रिया-रूपों से प्राप्त होती है। जैसे-जैसे कालभेद महत्त्वपूर्ण माना गया, वैसे-वैसे अन्य रूप छूटते गए और कालसूचक भेद मुख्य बन गए।

**लिंगुआ** (संख्या 15,1965) में बिलिगिरि ने सोर भाषा के क्रियापदों पर एक लेख लिखा है। जिन्हें पहले शबर कहा जाता था, उन्हीं की भाषा सवर या सोर है। यह कोल परिवार की भाषा है। इस लेख में बिलिगिरि ने बताया है कि बहुत-से शब्द जो क्रिया के बाद कर्म रूप में प्रयुक्त होते हैं, वे बहुधा संक्षिप्त हो जाते हैं और क्रिया से अभिन्न रूप में जुड़ जाते हैं। बिलिगिरि ने ऐसे तीन सौ शब्द इकट्ठे किये थे। ये शब्द एक से अधिक वर्णों के थे। संक्षिप्त करके इन्हें एक वर्णी बनाया गया। एक वर्ण वाले इस रूप का प्रयोग क्रिया से अलग रहकर नहीं होता। एक शब्द है **रॅनॅङ्** जिसका अर्थ है पंख। कर्म रूप में क्रिया के साथ संलग्न होने पर केवल **रॅङ्** कहना काफी है। एक शब्द है **ओमोद्** (धुआँ), क्रिया के साथ केवल **मोद्** कहना काफी है। संक्षिप्त करने की प्रक्रियाएँ अनेक हैं किन्तु संक्षिप्त रूप मूल क्रिया के बाद ही आता है। कर्म के रूप में संज्ञा शब्द वैसे ही संक्षिप्त किये गए हैं, जैसे सर्वनाम रूप। सर्वनाम क्रिया के अन्त में रूप में आ सकता है, कर्ता रूप में भी। क्रिया के बाद कर्ता और कर्म, दोनों को रखने की प्रवृत्ति कोल भाषाओं में है। संस्कृत में केवल कर्ता सर्वनाम-चिन्ह क्रिया के बाद आता है; सर्वनामों को संक्षिप्त करके पुरुष-सूचक चिन्हों का निर्माण किया है। संज्ञा शब्द क्रिया के बाद आएँ, संक्षिप्त होकर उससे संलग्न हो जाएँ, ऐसा संस्कृत में नहीं होता। कोल भाषाओं में क्रिया-रूपों के निर्माण की कर्ता-कर्म-सर्वनाम-संज्ञा-संयुक्त जो विशाल प्रक्रिया है, उसकी झलकभर संस्कृत, ग्रीक आदि भाषाओं में मिलती है। उसका पूरा प्रसार कोल भाषाओं में दिखाई देता है।

नॉर्मन एच. ज़ाइड नाम के अमरीकी विद्वान् ने कोल भाषाओं पर एक ग्रंथ सम्पादित किया है : 'स्टडीज़् इन् कम्पैरेटिव आस्ट्रो-एशियाटिक् लिंग्विस्टिक्स्',

(1966)। इसमें पिनोव् ने कोल भाषाओं के क्रिया-रूपों के बारे में बताया है कि इस तरह के रूपों का विस्तार और उनमें परस्पर भेद सभी मुंडा भाषाओं की विशेषता है। ये भाषाएँ, क्रियाओं में प्रत्यय-उपसर्ग जोड़ती हैं, प्रत्यय-उपसर्ग के अलावा क्रिया के बीच में ध्वनि का निवेश करती हैं, सर्वनाम जोड़ती हैं, क्रिया की आवृत्ति करके रूप बनाती हैं, संयुक्त क्रियाओं का व्यवहार करती हैं। मूल क्रिया के अर्थ में परिवर्तन करने के लिए, काल, वृत्ति (मूड), कार्य की अवस्था (एस्पेक्ट) की सूचना देने के लिए, सकर्मक-अकर्मक क्रियाओं में भेद करने के लिए प्रत्ययों और उपसर्गों का उपयोग होता है। कार्य किस बिन्दु से आरम्भ हुआ है, उसका अवसान किस बिन्दु पर होगा, इन बातों की सूचना के लिए सर्वनाम चिन्ह जोड़े जाते हैं। पिनोव् कहते हैं कि यह निश्चय करना सदा सम्भव नहीं होता कि क्रिया के साथ कोई प्रत्यय शिथिल ढंग से जोड़ दिया गया है या वह स्वतंत्र चिन्ह है। पिनोव् ने बताया है कि क्रिया के साथ जिन तत्त्वों का बार-बार संयोग होता है, वे संक्षिप्त हो जाते हैं, सन्धि द्वारा उनका रूप बदल जाता है और इस प्रकार वे प्रत्यय (एफिक्स) का दर्जा पा जाते हैं; कोल भाषाओं में जो अब प्रत्यय जान पड़ते हैं, वे मूलत: दो स्वतंत्र रूपों का संयोग थे। जहाँ तक सर्वनामी प्रत्ययों का सम्बन्ध है, पिनोव् के अनुसार, वे निस्सन्देह स्वतंत्र सर्वनाम थे। पिनोव् ने जो प्रक्रिया यहाँ दिखाई है, उसी की पुष्टि बिलिगिरि के लेख से होती है। संस्कृत तथा इंडो-यूरोपियन भाषाओं के प्रत्यय चाहे क्रिया में लगें, चाहे संज्ञा में, वे मूलत: स्वतंत्र शब्द थे। कोल भाषाओं में प्रत्यय-निर्माण-प्रक्रिया देखकर उसी तरह की इंडो-यूरोपियन भाषाओं की प्रक्रिया का विवेचन करने में आसानी होती है।

खरिया भाषा में क्रियार्थी संज्ञा के निर्माण के लिए **न** प्रत्यय जोड़ा जाता है, यथा : **ओलन्** (लाना)। पिनोव् ने लिखा है कि अनेक कोल भाषाएँ **गे** और **ग** चिन्हों का प्रयोग करती हैं, उद्देश्य होता है पूरे क्रिया-रूप की व्यंजना पर बल देना। इनका उपयोग कृदन्त-रूप ('पार्टीसिपिल्') बनाने के लिए भी होता है। यह व्यापार भी हम आर्य-द्रविड़ भाषाओं में देख चुके हैं। बिलिगिरि ने लिखा है कि सोर भाषा की धातु में प्रत्यय जोड़कर क्रियापद का निर्माण होता है और यह क्रियापद पुन: धातु के रूप में प्रयुक्त होता है। यह प्रक्रिया उस प्रवृत्ति से मिलती-जुलती है जिसके अनुसार इंडो-यूरोपियन भाषा में कृदन्तों को मूल क्रिया माना गया है। बिलिगिरि के अनुसार कोल भाषाओं में मुख्य भेद भूतकाल तथा अभूतकाल को लेकर है। आन्द्रोनोव के अनुसार तमिल में भी मूल भेद इसी प्रकार का है। बक के अनुसार लैटिन में मुख्य कालभेद भूत और अभूत को लेकर था। यह भेद कोल भाषाओं के कालभेद से मिलता है।

कोल भाषाओं में एक प्रवृत्ति क्रिया को दोहराने की है, यथा : संथाल भाषा में **दल** का अर्थ मारना है तो **ददल** का अर्थ अधिक मारना है। इसी अर्थ में खरिया भाषा **गिल** क्रिया का प्रयोग करती है तो **गिलगिल** रूप से अर्थ-सघनता उत्पन्न

होती है। आवृत्ति के अनेक रूप हैं। कहीं आदिस्थानीय स्वर की आवृत्ति होती है, कहीं आदि-स्थानीय वर्ण की होती है, कहीं पूरी क्रिया दोहराई जाती है। कोई कार्य अक्सर किया जाता है या अभी हो रहा है या ज़ोर से किया जा रहा है, आवृत्ति द्वारा इस तरह की कार्यावस्था सूचित की जाती है। यह प्रवृत्ति संस्कृत में भी है। कहीं क्रिया का आदि व्यंजन दोहराया जाता है, उसके साथ एक स्वर जोड़ दिया जाता है, यह स्वर क्रिया मूल में विद्यमान हो, यह आवश्यक नहीं। कहीं क्रिया में दो आदिस्थानीय व्यंजन हैं तो पहले व्यंजन की आवृत्ति होगी। सघोष महाप्राण ध्वनि है तो आवृत्ति में एक रूप अल्पप्राण कर दिया जाएगा और यह रूप पहले आएगा। **चकार, जगाम, दधाति** आदि क्रिया-रूप इसी आवृत्ति वाली पद्धति के अनुरूप बने हैं। कहीं-कहीं आवृत्ति वाले रूप इतने प्रचलित हुए कि सादे रूपों का व्यवहार समाप्त हो गया या कम हो गया। **पिबति** (पीता है), **ददाति** (देता है) रूपों में मूल क्रिया की आवृत्ति की गई है। **दान** और **पान** जैसे शब्द देखकर याद आता है कि मूल क्रिया **पिब्** या **दद्** नहीं है। **जागर्ति** और हिन्दी **जागना** में भी क्रिया की आवृत्ति है किन्तु सादी क्रिया का व्यवहार समाप्त हो गया है। इस तरह के आवृत्तिमूलक क्रिया-रूप ग्रीक भाषा में बहुत थे, लैटिन में भी उनका चलन था यद्यपि ग्रीक की अपेक्षा कम था। पुरानी जर्मन भाषा गौथिक में उनका व्यवहार होता था और इस तरह की आवृत्ति तमिल में भी होती है। आन्द्रोनोव ने लिखा है कि तमिल में किसी कार्य की दीर्घकालीन अवस्था या उसका बार-बार होना सूचित करना हो तो कृदन्त को दोहराया जाता है। आधुनिक आर्य भाषाओं में यह प्रवृत्ति विद्यमान है। भारत और यूरोप की भाषाओं में इस प्रवृत्ति का अध्ययन करें तो यह निष्कर्ष निकलता है कि ग्रीक जैसी प्राचीन भाषा में इस तरह के प्रयोग काफी होते थे, अन्य भाषाओं में वे बहुत सीमित थे। भारत में वैदिक भाषा से लेकर आधुनिक कोल, द्रविड़, आर्य भाषाओं तक ऐसे प्रयोग व्यापक रूप से होते आए हैं। क्रिया की आवृत्ति करना एक भारतीय पद्धति है, उसका सर्वाधिक प्रसार कोलभाषा-परिवार में है।

आधुनिक आर्य भाषाएँ क्रिया और संज्ञा, दोनों में केवल एकवचन और बहुवचन का भेद करती हैं। संस्कृत और ग्रीक में द्विवचन भी है। आधुनिक आर्य भाषाओं में इसका लोप हो गया है। इसे भी भाषागत ह्रास का चिन्ह माना जा सकता है। किन्तु प्राचीन भाषाओं में यह द्विवचन लैटिन में नहीं है। लैटिन और ग्रीक भाषाएँ एक दूसरे से बहुत मिलती-जुलती हैं किन्तु द्विवचन को लेकर दोनों में भेद है। इस दृष्टि से लैटिन की अपेक्षा ग्रीक भाषा संस्कृत के अधिक समीप है। ग्रीक और संस्कृत में द्विवचन का अस्तित्व देखकर भाषाविज्ञानियों ने कल्पना की कि आदि इंडो-यूरोपियन भाषा में द्विवचन अवश्य रहा होगा। इस सन्दर्भ में बक ने ग्रीक-लैटिन व्याकरण पर अपनी पुस्तक में लिखा है कि एकवचन और बहुवचन के अलावा जननी भाषा में दो या जोड़े की सूचना देनेवाला द्विवचन भी था। अधिकांश इंडो-यूरोपियन भाषाओं

की पहले वाली मंजिलों में द्विवचन का प्रयोग दिखाई देता है किन्तु ऐतिहासिक काल [अर्थात् उस समय जब इन भाषाओं का उपयोग लिखित रूप में होने लगा] उसका निरन्तर घटता गया, यहाँ तक कि प्रायः सभी में उसका लोप हो गया (लिथुआनियन, स्लोवीनियन और वेंडिश में उसका चलन अब भी है)। [वेंडिश स्लाव समुदाय की एक भाषा है जो जर्मनी के कुछ भागों में बोली जाती है ।] होमर से लेकर क्लासिकी युग तक की ग्रीक में तथा ग्रीक समुदाय की अनेक बोलियों में टंकित अभिलेखों में इसका प्रयोग हुआ है। बाद की हेलेनिस्टिक ग्रीक में, यथा : बाइबिल के नये टेस्टामेंट वाले भाग में, उसका प्रयोग नहीं हुआ। लैटिन तथा अन्य इतालिक बोलियों से, निश्चित कोटि के रूप में, इसका लोप प्रागैतिहासिक काल में ही हो गया था, यद्यपि कुछ लैटिन रूप द्विवचन वाले उद्‌गम के हैं, यथा : **दुओ** और **अम्बो** = ग्रीक **अम्फो** [**दुओ** और **अम्बो** अर्थात् द्वि और उभय]।

द्विवचन का यह तथाकथित लोप भारत और यूरोप, दोनों जगह दिखाई देता है; क्या यह अकारण है? अनेक स्तरों पर भारत और यूरोप में एक जैसी विरोधी प्रवृत्तियाँ काम करती दिखाई देती हैं। इस तरह की समानता अकारण नहीं हो सकती। यदि द्विवचन की समाप्ति भाषाओं के विकास का कोई सामान्य नियम होता तो लिथुआनियन और कोल भाषाओं में अभी तक उसका प्रयोग न बना रहता। दूसरी ओर सभी प्राचीन भाषाओं में उसका चलन रहा हो, इसका प्रमाण नहीं है। अनेक विद्वानों के अनुसार ग्रीक भाषा की अपेक्षा लैटिन में प्राचीनता के लक्षण अधिक हैं किन्त उसमें द्विवचन का प्रयोग न होता था। जिन शब्दों को द्विवचन रूपों का अवशेष माना गया है, वे भारत से आयात किये हुए रूप हैं। स्पष्ट ही लैटिन में विरोधी प्रवृत्ति है जो द्विवचन को अनावश्यक मानती है।

लैटिन के अलावा एक प्राचीन भाषा हित्ती है। इसमें भी द्विवचन का प्रभाव है। इसे तो भाषाविज्ञानी वैदिक भाषा से अधिक प्राचीन मानते हैं, इसमें आदि इंडो-यूरोपियन भाषा के द्विवचन का लोप कैसे हो गया? तुखारी भाषा के दस्तावेज बहुत बाद के हैं किन्तु उसमें प्राचीनता के लक्षण हित्ती के समान हैं। उसमें भी द्विवचन का अभाव है।

इंडो-यूरोपियन परिवार की भाषाओं में दो तरह के समुदाय हैं। एक समुदाय द्विवचन का प्रयोग करता है, दूसरा नहीं करता। करता है तो किसी बाह्य प्रभाव के कारण करता है और यह प्रभाव कुछ समय बाद क्षीण हो जाता है। आर्य गण भाषाओं में परस्पर विरोधी प्रवृत्तियाँ काम करती रही हैं। संस्कृत, पालि, प्राकृतों और आधुनिक आर्य भाषाओं में द्विवचन का लोप, उक्त दृष्टिकोण से, स्वाभाविक जान पड़ता है। द्विवचन के प्रयोग से कोल भाषाओं का सम्बन्ध अवश्य है। उसके प्रयोग की प्रवृत्ति इस परिवार की अनेक भाषाओं में गहराई से जड़ जमाये हुए है। वैदिक भाषा के उत्तर-पश्चिमी केन्द्रों से कोल भाषाएँ बहुत दूर जान पड़ती हैं। किन्तु कोल भाषाओं के आधुनिक केन्द्रों पर ध्यान देने से ही ऐसा प्रतीत होता है।

यह आवश्यक नहीं है कि प्राचीन काल में भी इनके केन्द्र वहीं रहे हों जहाँ वे आज हैं। मध्यदेश के चारों ओर नाग, द्रविड़ और कोल भाषाओं का जमघट था, इसके अनेक संकेत मिलते हैं। लिथुआनियन आदिभाषाएँ आज भारत से बहुत दूर दिखाई देती हैं किन्तु बीज रूप में विद्यमान इनकी पूर्ववर्ती भाषाएँ भारत के उत्तर-पश्चिमी सीमान्तों पर अवश्य बोली जाती थीं।

द्विवचन के प्रयोग का सम्बन्ध सर्वनामों के प्रयोग की एक विशेष पद्धति से हो सकता है। द्रविड़ भाषाओं में वक्ता और श्रोता, दोनों को सम्मिलित करनेवाला सर्वनाम अलग होगा और श्रोता को अलग रखनेवाला सर्वनाम भिन्न होगा। यथा : तमिल **नाङ्गळ्** (हम लोग) में श्रोता का अलगाव है किन्तु **नाम्** (हम) में श्रोता को सम्मिलित किया गया है। इस तरह की प्रवृत्ति कोल भाषाओं में भी है। कोलभाषाओं में सर्वनामों का व्यवहार जिस व्यापक ढंग से होता है, उसे देखते हुए अनुमान यह होता है कि उक्त सर्वनाम-भेद कोल भाषा-परिवार की अपनी विशेषता है।

इस भेद के बारे में विद्वानों की सम्मति जो भी हो, यह निर्विवाद है कि कोल भाषाओं में मूल क्रिया के बाद सर्वनाम रूप जोड़े जाते हैं और ये रूप पुरुष के अनुसार ही भिन्न नहीं हैं, वचन के अनुसार भी भिन्न हैं। क्रिया के बाद भिन्न पुरुष-सूचक द्विवचन सर्वनाम भी जोड़ा जाता है। खरिया भाषा की एक क्रिया है **गिल्** (मारना)। इसके कुछ रूप अवलोकनीय हैं। पहले वर्तमान काल में उत्तम, मध्यम तथा अन्य पुरुषों के रूप :

| **एकवचन** | **द्विवचन** | **बहुवचन** |
|---|---|---|
| गिल्तिञ् | गिल्तेनङ्<br>गिल्तेजर् | गिल्तेनिङ्<br>गिल्तेले |
| गिल्तेम् | गिल्तेबर् | गिल्तेपे |
| गिल्ते | गिल्तेकियर् | गिल्तेमोय् |
| अब उसी क्रम से भूतकालीन रूप : | | |
| गिलोज् | गिलोग्नङ्<br>गिलोग्जर् | गिलोग्निङ्<br>गिलोग्ले |
| गिलोब् | गिलोग्बर् | गिलोग्पे |
| गिलोग् | गिलोग्कियर् | गिलोग्मोय् |

इसी प्रकार भविष्य के रूप हैं। द्विवचन के रूपों से संस्कृत क्रियापदों में विविधता और बहुलता दिखाई देती है, वह कोल भाषाओं में आज भी विद्यमान है।

नाग, द्रविड़, कोल भाषाओं के बारे में कहा गया है कि इनमें क्रिया और संज्ञा शब्दों में विशेष अन्तर नहीं होता। ऐसी भाषाओं के लिए यह प्रक्रिया सहज

है कि वे किसी कार्य की सूचना देते समय उसकी अवस्था का वर्णन करें। क्रिया किस काल में हुई, होगी या हो रही है, इसका बोध सन्दर्भ से होता है। बरो ने अन्य भाषाविज्ञानियों के समान यह माना है कि इंडो-यूरोपियन क्रिया व्यवस्था में सबसे प्राचीन और बुनियादी विभाजन पूर्णभूत तथा शेष रूपों में है अर्थात् मूल भेद भूत और अभूत का है। यही भेद उन्होंने संस्कृत के क्रिया-रूपों में माना है। आगे वह पूर्णभूत (परफेक्ट) की व्याख्या करते हुए कहते हैं कि संस्कृत और ग्रीक की तुलना करने पर जो तथ्य सामने आता है और जो अन्य इंडो-यूरोपियन भाषाओं द्वारा पुष्ट होता है, वह यह है कि पूर्णभूत कोई दशा व्यंजित करता है जबकि वर्तमान किसी प्रक्रिया की व्यंजना करता है। **बिभाय** अर्थात् वह भीत है, **भयते** अर्थात् वह डरता है। कार्य की निरन्तरता भी पूर्णभूत द्वारा सूचित होती है। **पप्तुः** अर्थात् वे उड़ते हैं, निरन्तर उड़ते रहते हैं। बरो ने **पप्तुः, तस्थौ** (खड़ा है), **चिकेत** (जानता है) जैसे पूर्णभूत रूपों का अर्थ अंग्रेज़ी के वर्तमान क्रिया-रूपों द्वारा किया है और निष्कर्ष निकाला है कि पूर्णभूत मूलतः एक विशेष कोटि का वर्तमान काल है, वह अतीतकालीन रूप नहीं है, इसलिए सामान्यतः उसके अनुवाद में अंग्रजी के वर्तमान का व्यवहार करना चाहिए। इस प्रकार संस्कृत तथा इंडो-यूरोपियन भाषाओं में मुख्य भेद कालगत न होकर अवस्थागत सिद्ध होता है।

किन्तु पूर्णभूत वाला रूप शीघ्र ही अतीत का भाव अर्जित करने लगता है क्योंकि किसी कार्य की दशा विशेष पूर्व प्रक्रिया का परिणाम ही हो सकती है अर्थात् वह कार्य हो चुका होता है, तब उसकी दशा का वर्णन किया जाता है। पूर्णभूत क्रिया, रूप यह इंगित करता है कि कार्य पूरा हो चुका है, इससे मतलब नहीं कि किस मंजिल में पूरा हुआ है।

कोई भाषा इस तरह क्रमशः क्रिया-रूपों द्वारा कालभेद सूचित करे, यह बिलकुल सम्भव है। साथ ही यह भी सम्भव है कि क्रिया-व्यवस्था में दो विरोधी प्रवृत्तियाँ काम करती रही हों। यदि हम प्राचीन और आधुनिक इंडो-यूरोपियन भाषाओं के क्रिया-रूपों की तुलना करें तो विदित होगा कि सबसे अधिक समानता उन क्रिया-रूपों में है जिन्हें वर्तमान काल से सम्बद्ध किया जाता है। इसके विपरीत अतीतकालीन रूपों में भेद है, भविष्यकालीन रूपों में और भी अधिक भेद है। इसीलिए भूत और अभूत के भेद को प्रधान भेद न मानकर वर्तमान और अवर्तमान के भेद को मुख्य भेद मानना उचित जान पड़ता है। प्राचीन इंडो-यूरोपियन भाषाओं में क्रिया-रूप कार्य की अवस्था (एस्पेक्ट) सूचित करते हैं, कालभेद (टेन्स) भी सूचित करते हैं। अवस्थासूचक प्रवृत्ति यथेष्ट प्रबल है। उसी का परिणाम है कि बरो ने संस्कृत के पूर्णभूत रूप को एक विशेष कोटि का वर्तमान कहा है। यह अवस्थागत भेद रूमी जैसी स्लाव भाषा में सर्वाधिक विद्यमान है। इंडो-यूरोपियन परिवार में अनेक विशेषताएँ ऐसी हैं जो प्राचीन काल में प्रबल हैं, व्यापक स्तर पर आगे चलकर वे

क्षीण हो गई हैं किन्तु कुछ क्षेत्रों में उनका महत्त्व अब भी बना हुआ है। जैसे द्विवचन का प्रयोग पहले होता था, फिर क्षीण हो गया। लिथुआनियन जैसी कुछ भाषाओं में अब भी होता है, वैसे ही क्रिया-रूपों का अवस्थागत भेद है। जैसे द्विवचन का प्रयोग आर्येतर कोल भाषाओं में विद्यमान है, वैसे ही अवस्था-सूचक सूक्ष्म भेद कोल भाषाओं के क्रिया-रूपों में अब भी विद्यमान है और यह सम्भव है कि जिन भाषाओं में क्रिया और संज्ञा शब्दों में विशेष भेद नहीं था, उनके वाक्यतंत्र में कार्य की दशा व्यंजित की जाती थी। जिन आर्य गण भाषाओं में क्रिया और संज्ञा का भेद महत्त्वपूर्ण था, उनके वाक्यतंत्र में क्रिया की दशा से अधिक प्रक्रिया पर जोर था। वाक्यतंत्र में कोई क्रिया-रूप किसी कार्य की स्थिर दशा सूचित नहीं करता, वह कार्य की प्रवहमानता सूचित करता है। इस तरह दो प्रकार के वाक्यतंत्र हुए, वाक्यतंत्र में क्रिया के व्यवहार की दो पद्धतियाँ हुईं। एक तरह का वाक्यतंत्र कार्य की दशा सूचित करता है, दूसरी तरह का वाक्यतंत्र कार्य की प्रवहमानता सूचित करता है। एक ही भाषाई परिवेश में दोनों प्रवृत्तियाँ क्रियाशील हैं, दोनों तरह के वाक्यतंत्र एक-दूसरे को प्रभावित करते हैं। संस्कृत के वर्तमानकालीन रूप प्रक्रिया पर बल देते हैं, बरो का यह कथन मध्यदेशीय आर्य भाषाओं की मूल प्रवृत्ति की ओर संकेत करता है। कोल भाषाएँ अपने वाक्यतंत्र में कार्य की अवस्था मानती हैं। इंडो-यूरोपियन भाषाओं में अवस्थागत भेद से कालगत भेद की ओर प्रगति मध्यदेशीय प्रवृत्ति के क्रमश: प्रभावी होने का परिणाम हो सकती है। इसी प्रकार भारतीय भाषाओं में कालभेद की धारणा आर्य भाषाओं के प्रभाव का परिणाम हो सकती है।

कोल भाषा के क्रियापदों पर पिनोव् ने यह तर्क किया है कि कर्म रूप में सर्वनाम क्रिया के बाद आता है, अत: एक स्थिति ऐसी अवश्य होगी कि संज्ञा भी कर्मरूप में क्रिया के बाद आती होगी। आर्य-द्रविड़ प्रभाव से यह स्थिति अब बदल गई है। भारतीय भाषा-परिवारों में अब यह जबर्दस्त आन्तरिक एकता है कि कर्म क्रिया से पहले पाता है। आर्य, द्रविड़, कोल, नाग भाषाओं में यह सामान्य प्रवृत्ति है। अवश्य ही इसके कुछ अपवाद हैं किन्तु इस प्रवृत्ति के व्यापक होने में कोई सन्देह नहीं है। कुछ कोल भाषाओं में कभी-कभी उनकी पुरानी प्रवृत्ति के अनुसार कर्म (संज्ञा-रूप में) क्रिया का अनुसरण करता है। यूरोप की भाषाओं में क्रिया के बाद कर्म को स्थान देने की प्रवृत्ति 'प्रिपोज़िशन' के प्रयोग के समान है। भारत के सभी भाषा-परिवारों में पूर्व-सम्बन्धक के स्थान पर पश्च-सम्बन्धक का व्यवहार होता है। भारत से बाहर कोल भाषाओं से सम्बन्धित कम्बोज आदि में पूर्व-सम्बन्धक का व्यवहार अब भी होता है। इसी प्रकार उनमें कर्म का स्थान क्रिया के बाद होता है। यह प्रवृत्ति कोल भाषाओं में रही है।

ग्रीक भाषा के वाक्यतंत्र में क्रिया की स्थिति कहाँ थी, यह विवाद का विषय है। कुछ विद्वानों का मत है कि ग्रीक वाक्य-रचना में किसी निश्चित शब्द क्रम का

पता नहीं चलता। यदि संस्कृत गद्य और ग्रीक गद्य के सौ पचास वाक्य नमूने के तौर पर छाँट लिये जाएँ तो एक बात स्पष्ट हो जाएगी कि संस्कृत में क्रिया जहाँ अधिकतर वाक्य के अन्त में आती है, वहाँ ग्रीक भाषा में वह अन्त से पहले आती है। दोनों ही भाषाओं के वाक्यतंत्र में कर्ता की स्थिति अधिकतर वाक्य के आरम्भ में होती है। ग्रीक से मिलती-जुलती स्थिति लैटिन की है। अंग्रेज़ी, फ्रेंच आदिभाषाओं में कर्म का स्थान क्रिया के बाद होता है। एक तरह से क्रिया को वाक्य के मध्य में स्थान देने की प्रवृत्ति दो भिन्न वाक्यतंत्रों की विशेषताओं का समन्वय है। जर्मन भाषा के वाक्यतंत्र में अंग्रेज़ी वाली पद्धति का चलन है, क्रिया के बाद कर्म आता है किन्तु अंग्रेज़ी से भिन्न उसमें कुछ कोटियों के वाक्य ऐसे भी होते हैं जिनमें भारतीय आर्य भाषाओं के अनुरूप क्रिया वाक्य के अन्त में आती है।

प्राचीन कौरवी और मध्यदेशीय भाषाओं के वाक्यतंत्र में महत्त्वपूर्ण भेद रहा है। मध्यदेशीय भाषाएँ वाक्य में सबसे पहले क्रिया (अथवा कार्य) पर ध्यान केन्द्रित करती हैं। उसके उल्लेख के बाद अन्य सम्बन्धित उपकरणों का उल्लेख होता है। इसके विपरीत कौरवी भाषाएँ सबसे पहले कर्ता पर ध्यान केन्द्रित करती हैं। क्रिया आरम्भ से ही वक्ता के परिप्रेक्ष्य में रहती है। क्रिया को ध्यान में रखे बिना वाक्य-रचना हो ही नहीं सकती। वाक्य के आरम्भ में जो वस्तु परिप्रेक्ष्य में है, वह वाक्य के अन्त में व्यक्त होती है। चाहे तो कह सकते हैं कि कौरवी भाषाएँ बोलनेवाले पहले से क्रिया सोच लेते हैं, क्रिया से उल्टा चलते हुए वाक्य के आरम्भ तक आते हैं और इस अव्यक्त वाक्य-रचना को पुन: कर्ता से आरम्भ करके क्रिया की मंजिल तक पहुँचकर व्यक्त करते हैं। ऊपर से देखने में यह सारा तंत्र बड़ा अटपटा लगेगा। किन्तु इससे भिन्न तंत्र में क्रिया का उल्लेख करने के बाद वक्ता यह सोचने नहीं बैठता कि क्रिया किसने सम्पन्न की। कर्ता के बिना क्रिया हो ही नहीं सकती, अत: यदि कोई सोचे कि पहले क्रिया का उल्लेख, फिर कर्ता-कर्म आदि का विवरण मनुष्य के लिए अधिक स्वाभाविक व्यापार है, तो यह उसका भ्रम होगा। आधुनिक आर्य भाषाओं के वाक्यतंत्र में कर्ता और क्रिया-रूप वाक्य के आदि और अन्त में स्थित होकर उत्तरी ध्रुव और दक्षिणी ध्रुव के समान अपनी गुरुत्वाकर्षण क्षमता से वाक्यभूमि को दृढ़तापूर्वक भीतर से बाँधे रहते हैं। वाक्य के अन्य उपकरण इन दो ध्रुवों से सम्बद्ध रहते हैं। समूचे वाक्यतंत्र में क्रिया की भूमिका निर्णायक होती है।

## 2. कारक-प्रक्रिया

क्रियाप्रधान वाक्यतंत्र में कारक का सम्बन्ध क्रिया से होगा, संज्ञाप्रधान वाक्यतंत्र की अपेक्षा क्रियाप्रधान वाक्यतंत्र में कारक की भूमिका अधिक महत्त्वपूर्ण होगी। आर्य भाषाओं के वाक्यतंत्र में एक सिरे पर कर्ता और दूसरे सिरे पर क्रिया होती है। वाक्यतंत्र में प्रधानता क्रिया की है, अत: कारक का मूल सम्बन्ध क्रिया से है।

एक तरह से हर भाषा में कारक होते हैं। शब्दों का परस्पर सम्बन्ध, क्रिया से कर्ता आदि का सम्बन्ध कहीं स्पष्ट चिन्हों द्वारा, कहीं सम्बन्धक शब्दों द्वारा और कहीं शब्दक्रम द्वारा जाना जाता है। शब्दों के अन्त में जो कारक-चिन्ह दिखाई देते हैं, वे किसी समय स्वतंत्र शब्द थे। विशेष स्थिति में बार-बार प्रयुक्त होने से उनकी स्वतंत्रता समाप्त हो गई। क्रिया-रूपों के सर्वनामों की तरह वे चिन्ह मात्र रह गए। पर इसी से कारक का महत्त्व प्रकट होता है। कारक-चिन्हों को लेकर कोल-द्रविड़ भाषाओं से संस्कृत मूलतः भिन्न नहीं है।

कुछ लोगों का कहना है कि सम्बन्धकारक वास्तविक कारक नहीं है, वह क्रिया से किसी वस्तु का सम्बन्ध प्रकट नहीं करता। वह बहुत कुछ विशेषण का कार्य करता है। संस्कृत और ग्रीक भाषाओं में सम्बन्धकारक के प्रयोग पर ध्यान देने से विदित होता है कि अनेक तरह के प्रयोगों में उसका सीधा सम्बन्ध क्रिया से था। कारक-चिन्ह एक ही होने से यह भ्रान्ति होती है कि क्रिया के साथ संलग्न होने पर सम्बन्धकारक, अपना मूल कार्य छोड़ रहा है। वाक्यतंत्र में क्रिया और कर्ता के कार्य अनेक हैं, उनकी तुलना में कारक-चिन्ह थोड़े हैं। अतः सम्बन्धकारक ही नहीं, अन्य कारक भी अनेक कार्य करते हैं। कभी ये कार्य एक ही कारण के उपभेद माने जाते हैं और कभी वे अन्य कारकों के अपनाए हुए कार्य माने जाते हैं। सम्बन्धकारक क्रिया के अर्थ की पूर्ति में सहायक नहीं था, यह उसका ओढ़ा हुआ कार्य है, यह मानने का कोई कारण नहीं है।

व्हिटने ने अपने संस्कृत व्याकरण में लिखा है कि सम्बन्धकारक का अपना मूल्य विशेषण का है। उसका सम्बन्ध संज्ञा से होता है और वह उसकी विशेषता प्रकट करता है। व्हिटने ने जो उदाहरण दिये हैं, उनसे ज्ञात होता है कि कर्म, करण, अपादान, प्रदान, अधिकरण—प्रायः सभी कारकों के स्थान पर क्रिया के साथ सम्बन्धकारक का प्रयोग हो सकता था। ऐसा लगता है कि संस्कृत में किसी समय प्राथमिक और मूल भेद कर्ता और सम्बन्धकारकों में था, शेष कारकों का विकास बाद में हुआ। सम्बन्धकारक जैसा किसी अन्य कारक का व्यापक प्रयोग नहीं दिखाई देता।

**राज्ञोनिवेदितम्** (राजा सूचित किया गया)—यहाँ **राज्ञो** रूप सम्बन्धकारक में है किन्तु किसी अन्य संज्ञा से वह राजा का सम्बन्ध व्यक्त नहीं करता। **ददातनो अमृतस्य** (हमें अमरता दो), यहाँ जो वस्तु दी जाएगी, वह अमरता है किन्तु उसके साथ जिस कारक का प्रयोग किया गया है, वह सम्बन्ध है।

व्हिटने ने अन्य उदाहरणों में अपादान के स्थान पर सम्बन्धकारक का व्यवहार होते बताया है। **शृणु मे**—इसका अनुवाद उन्होंने किया है, मुझसे सीखो (लर्न फ्रॉम् मी)। हिन्दी में इसका सीधा अनुवाद हो सकता है : मेरी सुन। अपादान का भाव वाक्य में प्रतीत नहीं होता, कर्म वाला भाव ही प्रकट होता है। यदि यह मान लिया जाए कि स्थान और समय की सूचना देना अधिकरण अथवा अपादानकारक का

काम है तो यह काम सम्बन्धकारक द्वारा सम्पन्न होते माना जा सकता है। **कस्य चित् कालस्य** (कुछ समय उपरान्त), **वस्तोः** (दिन में), **यत्र क्व च कुरुक्षेत्रस्य** (कुरुक्षेत्र के किसी भी भाग में)—यहाँ सम्बन्धकारक का उपयोग देश-काल-सम्बन्धी सूचना देने के लिए किया गया है। कृदन्तों के साथ सम्बन्धकारक का प्रयोग बहुत रोचक है। कृदन्त में क्रिया और संज्ञा, दोनों का भाव रहता है। उसके साथ जब सम्बन्धकारक का प्रयोग हो, तब यह कारक क्रिया और संज्ञा दोनों की अर्थपूर्ति में अपनी क्षमता व्यंजित करता है। **पश्यतो बक मूर्खस्य नकुलैर्भक्षिताः सुताः** (मूर्ख बक के देखते नेवले ने बच्चे खा डाले) यहाँ **बक मूर्खस्य** सम्बन्धकारक **पश्यतो** कृदन्त की अर्थपूर्ति करता है। हिन्दी में **उसके देखते** आदि प्रयोग ठीक संस्कृत पद्धति के अनुरूप हैं। जैसे-जैसे भाषा में कृदन्त-प्रयोग अधिक होने लगे, वैसे-वैसे उनके साथ उन कारकों का प्रयोग होने लगा जो कर्ता का स्थान लेते थे। अस्तु, संस्कृत के उदाहरणों से विदित है कि सम्बन्धकारक ऐसा कारक नहीं था जो क्रिया से असम्बद्ध हो। वैसे जब वह असम्बद्ध दिखाई देता है, तब भी उसे कारक मानना उचित है क्योंकि वाक्य में कर्ता और क्रिया दो छोर पर हैं और सम्बन्धकारक इन्हीं के अर्थ को किसी-न-किसी रूप में विस्तार देगा।

रदरफोर्ड ने उन ग्रीक क्रियाओं की सूची दी है जिनके साथ सम्बन्धकारक का व्यवहार होता है। किसी को बधाई देना, किसी से ईर्ष्या करना, किसी को दोष देना या फिर दोषमुक्त करना, याद करना, भूलना, चिन्ता करना, चाहना आदि-आदि अनेक प्रकार के क्रिया भाव हैं जिनके साथ ग्रीक भाषा में सम्बन्धकारक का व्यवहार होता। सामान्यतः अन्य भाषाओं में यहाँ कर्मकारक का प्रयोग होगा। कुछ क्रियापदों के साथ सम्बन्धकारक का व्यवहार क्यों होता है, रदरफोर्ड ने इसकी व्याख्या करने का प्रयत्न किया है। वह व्याख्या कुछ-कुछ इस प्रकार की है कि 'वह सोचता है', वाक्य में किसी की चिन्ता करने का भाव है, अतः सम्बन्धकारक का प्रयोग हुआ। फिर भी ऐसी अनेक क्रियाएँ रह जाती हैं जिनके साथ सम्बन्धकारक के व्यवहार की व्याख्या करना रदरफोर्ड के लिए कठिन है। उन्होंने लिखा है कि अक्सर ऐसा देखा जाता कि **फेरेइन्** (संस्कृत **भर्**) या **दिदोनइ** (संस्कृत **दा**) आदि जो क्रियाएँ सामान्य कर्मकारक के साथ प्रयुक्त होती हैं, वे सम्बन्धकारक का साथ करती हैं। ऐसा तब होता है जब कार्य का अर्थ पूरे कर्म को नहीं समझाता वरन् उसके किसी विशेष बिन्दु पर ध्यान केन्द्रित करता है। **फेरेइन् तोन् लियोन्** (कुछ पत्थर लाना)—यहाँ सारे पत्थर नहीं लाये जाएँगे, कुछ ही पत्थर लाये जाएँगे, इस कारण सम्बन्धकारक का प्रयोग हुआ। यह व्याख्या सन्तोषजनक नहीं है पर इतना तो स्पष्ट है कि सम्बन्धकारक यहाँ कर्म भाव व्यक्त कर रहा है। ग्रीक और संस्कृत, दोनों में सम्बन्धकारक का व्यवहार कर्मभाव व्यंजित करने के लिए हो, यह स्थिति दोनों भाषाओं में कर्म और सम्बन्धकारकों के मूल अभेद को सूचित करती है।

कर्म के अलावा अपादान का भाव व्यंजित करने के लिए सम्बन्धकारक का व्यवहार होता था। यह व्यवहार इतना सामान्य था कि वैयाकरणों ने कल्पना की कि पहले अपादानकारक का व्यवहार होता था, उसका लोप हो गया है, और उसके स्थान पर सम्बन्धकारक का व्यवहार होने लगा। कारक-पद्धति क्रमशः विकसित हुई है, इस पर ध्यान नहीं दिया गया। संस्कृत में जितने कारक हैं, वे 'आदि' इंडो-यूरोपियन भाषा में भी रहे होंगे, यह मानकर अपादान के लोप की कल्पना की गई। ग्रीक भाषा की जो क्रियाएँ एक स्थान से हटने, जुदा होने का भाव प्रकट करती हैं, उनके साथ सम्बन्धकारक का व्यवहार होता था। इसके अतिरिक्त कुछ क्रियाओं के साथ सम्प्रदान के स्थान पर सम्बन्धकारक का व्यवहार होता था, कुछ सम्बन्ध सूचक शब्द ऐसे थे कि क्रिया के साथ उनकी संगति तभी होती थी जब सम्बन्धकारक का व्यवहार हो। कुल मिलाकर ग्रीक भाषा की वही स्थिति है जो संस्कृत की है। प्राथमिक और मूल भेद कर्ता और सम्बन्धकारकों में है, यह सम्बन्धकारक क्रिया के अर्थ की पूर्ति करता है, एक से अधिक कारकों का कार्य सम्पन्न करता है और संज्ञा की अर्थ-पूर्ति का अपना सीमित कार्य भी सम्पन्न करता है।

तमिल भाषा में इससे भिन्न स्थिति है। यहाँ कर्ताकारक प्रायः अन्य सभी कारकों के स्थान में प्रयुक्त हो सकता है। आन्द्रोनोव ने अपने तमिल व्याकरण में विधेय-सूचक कर्ता, कर्म-सूचक कर्ता, अधिकार-सूचक कर्ता, और इसी प्रकार विशेषता-सूचक, स्थान-सूचक, दिशा-सूचक, उपकरण-सूचक, काल-सूचक आदि-आदि कर्ता रूपों का उल्लेख किया है। कर्ता की तुलना में कर्म, करण आदि का व्यवहार अधिक सीमित है। कर्ता रूप बहुत कुछ शब्द का मूल रूप है। जैसे क्रिया आज्ञावृत्ति में अपने निर्विकार रूप में दिखाई देती है, वैसे ही संज्ञा कर्ता रूप में अपना सहज अस्तित्व प्रकट करती है। संस्कृत तथा नाग भाषाओं में कर्ता के साथ बहुधा विशेष चिन्ह लगाया जाता है। तमिल में कर्ता प्रायः अचिन्हित रहता है। संस्कृत और हिन्दी में जहाँ सम्बन्धकारक अनिवार्य होगा, वहाँ तमिल में कर्ता रूप—अर्थात् कारक के अभाव—से काम चल जाएगा। क्रियाभाव व्यक्त करनेवाले कृदन्त रूपों के प्रयोग में यह भिन्नता स्पष्ट देखी जाती है। **अवन् पोनपिन् नान् वीट्टुक्कुप्पोनेन्** (उसके चले जाने पर मैं घर गया), तमिल वाक्य में कर्ता रूप **अवन्** (वह) काफी है, हिन्दी रूपान्तर में सम्बन्धकारक अनिवार्य है। **ताय् चॉन्न चॉल्लइत्तट्टादे** (माँ की कही बात का मखौल न करो), यहाँ तमिल वाक्य में कर्ता **ताय्** (माँ) अपने सहज निर्विकार रूप में है, हिन्दी रूपान्तर में सम्बन्धकारक का प्रयोग आवश्यक है। कहा जा सकता है कि आर्य भाषाओं में जो महत्त्व सम्बन्धकारक का है, द्रविड़ भाषाओं में वह महत्त्व कर्ताकारक का है।

वाक्य में कारक की स्थिति कैसी है, यह इस पर निर्भर है कि उसमें क्रिया की स्थिति कैसी है। वाक्य में क्रिया की स्थिति कमजोर होगी तो कारक की स्थिति भी

कमजोर होगी। ग्रीक-लैटिन व्याकरण में बक ने लिखा है कि आदि इंडो-यूरोपियन भाषा में आठ कारक थे। ये आठ कारक भारत-ईरानी शाखा में सुरक्षित रहे, स्लाव समुदाय में सात कारक हैं, इटली की ओस्कन-उम्ब्रियन भाषाओं में भी सात थे, लैटिन में इनकी संख्या छह थी, ग्रीक में पाँच ही थी, आधुनिक ग्रीक में चार रह गई है, केल्त और जर्मन शाखाओं में चार, आधुनिक अंग्रेज़ी में दो, फ्रेंच, इटैलियन और स्पैनिश में केवल एक कारक बचा है। (बक यहाँ संज्ञा के ही कारकों का उल्लेख कर रहे हैं, सर्वनामों में कुछ रूढ़ कारक रूप अब भी चले आते हैं।) कारकों की संख्या घटने का कारण यह बताया गया है कि एक दो या अधिक कारक घुल-मिलकर एक हो जाते हैं। इस एक हो जाने का यह कारण भी है कि कारक जिस बात की सूचना देते हैं, वह सूचना-सम्बन्धक शब्दों (प्रिपोज़िशन) से प्राप्त होने लगती है।

यहाँ दो तरह के वाक्यतंत्रों का भेद स्वीकार करना होगा। एक तरह के वाक्यतंत्र में कारक प्रधान है, मूल शब्द के बाद कारक-चिन्ह जोड़ा जाता है। दूसरी तरह के वाक्यतंत्र में सम्बन्धक शब्द मूल शब्द के पहले आता है। पहली तरह का वाक्यतंत्र उन भाषाओं की विशेषता है जो संश्लिष्ट कहलाती हैं। दूसरी तरह का वाक्यतंत्र उन भाषाओं में पाया जाता है जो विश्लिष्ट कहलाती हैं। संश्लिष्ट भाषाओं की एक पहचान यह है कि कारक-चिन्ह मूल शब्द से ऐसा जुड़ा होता है कि उसे अलग नहीं किया जा सकता अथवा अलग से उसका प्रयोग नहीं किया जाता। विश्लिष्ट भाषाओं में वह स्वतंत्र होता है।

वास्तव में यह कोई मौलिक भेद नहीं है। जैसा कि हमने क्रिया-रूपों में देखा था, जो पहले स्वतंत्र सर्वनाम थे, वे क्रिया से निरन्तर संलग्न रहने के कारण क्रिया-रूपों का अभिन्न अंग बन गए। यही स्थिति उन स्वतंत्र सम्बन्धकों की है जो नाम शब्दों के साथ निरन्तर संलग्न रहने के कारण कारक-चिन्ह बन गए। महत्त्वपूर्ण भेद यह है कि सम्बन्धक या कारक-चिन्ह मूल शब्द से पहले आते हैं या बाद को।

इस प्रसंग में कोल भाषाओं के क्रिया-रूपों का विवेचन करते हुए पिनोव् ने आस्ट्रो-एशियाटिक परिवार के बारे में जो बातें कही हैं, वे ध्यान देने योग्य हैं। आस्ट्रो-एशियाटिक परिवार का एक विभाग भारतीय कोल समुदाय है, दूसरा विभाग ख्मेर और निकोबारी है जिसकी भाषाएँ, कम्पूचिया, इन्डोनेशिया आदि दक्षिण-पूर्वी के प्रदेशों में बोली जाती हैं। इनमें ख्मेर-निकोबारी विभाग विश्लिष्ट वर्ग का है : समुदाय संश्लिष्ट कोटि का है। पिनोव् का कहना है कि मूलत: कोल समुदाय भी विश्लिष्ट था। वह आर्य-द्रविड़ भाषाओं के प्रभाव से संश्लिष्ट बना है। मूल स्थिति यह थी कि कारक-चिन्हों का व्यवहार न होता था, वाक्य में शब्द किस स्थान पर है, इससे उसके कार्य का बोध हो जाता था। वाक्य में शब्द-क्रम यह रहता था : कर्ता, विधेय (अथवा क्रिया) और कर्म।

पिनोव् ने संश्लिष्ट और विश्लिष्ट भाषाओं में यह भेद देखा है कि पहली प्रकार की भाषाओं में कारक-चिन्ह होते हैं, दूसरी प्रकार की भाषाओं में इनका अभाव होता है, वाक्य में शब्द के स्थान से उसका कार्य जाना जाता है। यह बात नई नहीं है। नई बात यह है कि उन्होंने वाक्य में सम्बन्धक का स्थान भाषा की संश्लिष्ट-अश्लिष्ट प्रकृति से जोड़ा है। विश्लिष्ट भाषाओं में सम्बन्धक 'प्रिपोज़िशन' होता है, मूल शब्द से पहले आता है, संश्लिष्ट भाषाओं में वह 'पोस्टपोज़िशन' होता है, मूल शब्द के बाद आता है। ख्मेर-निकोबारी भाषाओं में पोस्टपोज़िशन ही होता है—ये भाषाएँ विश्लिष्ट हैं, इनमें कारक-चिन्ह नहीं होता, इसलिए मूल शब्द से जुड़ जाने का प्रश्न ही नहीं उठता। अंग्रेज़ी जैसी भाषाएँ भी विश्लिष्ट हैं, इनमें भी सम्बन्धक मूल शब्द के पहले आता है। कुछ भाषाविज्ञानी यह मानते हैं कि आरम्भ में भाषाएँ संश्लिष्ट थीं, विकास और प्रगति का यह लक्षण है कि वे क्रमश: विश्लिष्ट होती गईं। किन्तु ख्मेर-निकोबारी समुदाय की भाषाएँ विश्लिष्ट हैं, उनसे सम्बन्धित भारतीय कोल भाषाएँ भी पहले विश्लिष्ट थीं, आर्य-द्रविड़ सम्पर्क से वे संश्लिष्ट बनी, पूर्णत: नहीं तो अंशत: वे अब संश्लिष्ट हैं। विश्लिष्ट होना भाषा के विकास का प्रमाण नहीं है।

यहाँ कॉल्डवेल के मत का भी उल्लेख कर देना चाहिए। उन्होंने लिखा है कि इंडो-यूरोपियन भाषाओं में कारक-चिन्ह शब्दमूल से जोड़े जाते थे। क्रमश: इनका भी लोप हो गया और प्रिपोज़िशनों का प्रयोग होने लगा जैसा कि सामी भाषाओं में होता है। मूल इंडो-यूरोपियन बोलियों में ये कारक-चिन्ह स्वतंत्र 'पोस्टपोज़िशन'—पश्च सम्बन्धक थे। इंडो-यूरोपियन और शक परिवार दोनों ही आरम्भ में पोस्टपोज़िशनों का प्रयोग करते थे। शक भाषाओं में वे अब भी स्वतंत्र हैं। द्रविड़ भाषाओं में पोस्टपोज़िशन स्वतंत्र शब्द नहीं रह गए। पहले वे अन्य शक भाषाओं की तरह स्वतंत्र शब्द थे किन्तु अब वे कारक-चिन्ह (केससाइन) मात्र रह गए हैं। यहाँ तक कॉल्डवेल का मत हुआ।

कॉल्डवेल ने सामी भाषाओं का उल्लेख मौके से किया है। यूरोप की भाषाओं और सामी भाषाओं में पूर्वस्थानीय सम्बन्धक प्रयोग करने की ज़बर्दस्त प्रवृत्ति है। किन्तु सामी भाषाएँ विश्लिष्ट नहीं हैं, उनमें कारक-चिन्ह मूल शब्द के बाद आता है। इससे यह सिद्ध हुआ कि 'प्रिपोज़िशन' के व्यवहार का कोई विशेष सम्बन्ध भाषा के संश्लिष्ट या विश्लिष्ट चरित्र से नहीं है। कॉल्डवेल एशिया और यूरोप के एक विशाल भाषा-समुदाय को 'सिथियन' कहते थे। यह नामकरण अच्छा है। इस समुदाय की भाषाएँ एक ही आदिभाषा से उत्पन्न हुई हैं, यह धारणा एक तरफ हटा दी जाए, तो तुर्क, मंगोल और फिनो-उग्रियन भाषाओं की सामान्य विशेषताएँ 'सिथियन' शब्द के अन्तर्गत आ जाती हैं। इसके भारतीय प्रतिरूप शक से हम लोग वैसे ही भली भाँति परिचित हैं, जैसे नाग और कोल शब्दों से। एशिया का यह शक-

परिवार यूरोप में फिनलैंड और हंगरी तक चला गया है, उत्तर-पूर्वी एशिया के बहुत बड़े भाग में शक-परिवार की भाषाएँ बोली जाती हैं। एक ओर यूराल पर्वत, दूसरी ओर अल्ताई, दोनों को मिलाकर यूरालअल्ताई नाम रखा गया है। इसके लिए शक नाम अच्छा है क्योंकि यह शब्द पहाड़ों के लिए नहीं, जनसमुदाय के लिए प्रयुक्त होता था। इंडो-यूरोपियन, चीनी-तिब्बती, तिब्बती-बर्मी, मुंडा, द्रविड़ आदि-आदि नामों में कहीं भी पर्वतों का उल्लेख नहीं है। तब शक-समुदाय के लिए ही पहाड़ों का सहारा क्यों लिया जाए?

कॉल्डवेल ने द्रविड़ भाषाओं में कारक-निर्माण पर जो कुछ लिखा है, उससे स्पष्ट है कि विशाल शक-परिवार और इंडो-यूरोपियन परिवार मूलशब्द के बाद ही सम्बन्धक रखते थे। ये सम्बन्धक चाहे स्वतंत्र हों, चाहे स्वतंत्रता खोकर चिन्ह मात्र रह गए हों, उनकी स्थिति मूलशब्द के बाद ही थी। वाक्यतंत्र में शब्द-क्रम-सम्बन्धी दो पद्धतियाँ हमारे सामने आती हैं। एक पद्धति शक और आर्य भाषाओं की है जो कारक-चिन्ह और सम्बन्धक को मूल शब्द के बाद जगह देती है। दूसरी पद्धति आस्ट्रो-एशियाटिक अथवा कोल परिवार की है जो सम्बन्धक को मूलशब्द से पहले स्थान देती है। भारत में आर्य-द्रविड़ भाषाओं के निरन्तर सम्पर्क के कारण, पिनोव् के अनुसार, जो शब्द 'प्रिपोज़िशन' थे, वे 'पोस्टपोज़िशन' बन गए, बहुधा कारक-चिन्ह मात्र रह गए। यह बात सही मानी जा सकती है कि विश्लिष्ट भाषाओं में प्रिपोज़िशनों की प्रधानता है। यदि संश्लिष्ट भाषाएँ इनसे प्रभावित होंगी तो कारक-चिन्ह जुड़े रहने पर भी उनमें प्रिपोज़िशनों का व्यवहार होने लगेगा।

देखना यह चाहिए कि भारतीय भाषाओं में, सबसे पहले संस्कृत में कारक-चिन्ह से भिन्न जब सम्बन्धक का व्यवहार होता है, तब वह मूलशब्द के पहले आता है या बाद को। संस्कृत में **सह, बिना, प्रति** आदि सम्बन्धकों का व्यवहार होता है, सर्वत्र कारक-चिन्ह यथेष्ट नहीं होता। सम्बन्धककारक का अर्थ विस्तार करता है, उसे पुष्ट करता है। जो स्वतंत्र शब्द संक्षिप्त होकर कारक-चिन्ह बन गया है, वह भी मूलशब्द के बाद आता है। जो स्वतंत्र है, संक्षिप्त नहीं हुआ है, वह भी मूलशब्द के बाद आता है। आर्य भाषाओं में प्राचीन काल से लेकर अब तक वाक्यतंत्र में यह अटूट तारतम्य बना हुआ है। 'पोस्टपोज़िशन' ने 'प्रिपोज़िशन' को प्रवेश नहीं करने दिया। (बिना हिन्दी के प्रयोग में फ़ारसी के प्रभाव से कभी-कभी पूर्वस्थानीय पद्धति दिखाई देती है; प्रवृत्ति को जन्म देनेवाली फ़ारसी ने स्वयं उसे अरबी से ग्रहण किया है। अरबी कारक-चिन्हों को मूलशब्द के बाद लगाती है, सम्बन्धक को पहले रखती है।)

सामी भाषाओं तथा भारत से बाहर की इंडो-यूरोपियन भाषाओं में दो विरोधी या का वैषम्य साफ दिखाई देता है। यूरोप की भाषाओं में 'प्रिपोज़िशन' के चलन की व्याख्या यह कहकर नहीं की जा सकती कि सामी भाषाओं ने उन्हें प्रभावित किया है।

सामी भाषाएँ स्वयं किसी से प्रभावित हैं, उनकी मूल प्रवृत्ति आर्य और शक भाषाओं के समान ही पोस्टपोज़िशन का व्यवहार करने की है। यह 'पोस्टपोज़िशन'—स्वतंत्र सम्बन्धक—संक्षिप्त होकर हीब्रू, अरबी आदि सामी भाषाओं में वैसे ही कारक-चिन्ह मात्र रह गया है, जैसे आर्य भाषाओं में। जो लोग भाषाविज्ञान में महत्त्वपूर्ण व्याकरणिक समानताओं को आकस्मिक मान लेते हैं, उनके लिए यह कोई चर्चा के योग्य विषय नहीं है कि ग्रीक और अरबी, दोनों में कारक-चिन्ह मूल शब्द के बाद आते हैं—पश्चगामी हैं—किन्तु सम्बन्धक पूर्वगामी हैं—मूल शब्द से पहले आते हैं। यदि बृहत्तर भाषाई परिवेश में इस विषय पर विचार किया जाए तो यह सारा प्रपंच आकस्मिक न लगेगा।

एशिया में एक ख्मेर भाषा-समुदाय है। यह 'प्रिपोज़िशन' का व्यवहार वैसे ही करता है, जैसे अंग्रेज़ी; यथा : कम्बोजी भाषा में **मन् काल** (समय में, समय पर)। यहाँ **काल** भारतीय शब्द है और हिन्दी **में** का प्रतिरूप **मन्** है; हिन्दी वाक्य में **काल** पहले आएगा, **में** बाद को, कम्बोजी में **काल** बाद को पाएगा, **मन्** पहले। जहाँ अब कम्बूचिया अथवा कम्बोज राज्य है, वहाँ किसी समय आर्य भाषा-भाषियों ने अपने सांस्कृतिक केन्द्र स्थापित किये थे। कम्बोज देश से भारत का सम्बन्ध काफी पुराना है। किसी समय कम्बोज गण-समाज उत्तर भारत में रहते थे। जिस युग में सामी और इंडो-यूरोपियन परिवारों की प्राचीन भाषाओं का निर्माण हुआ, उस युग में कोल समुदाय के सम्बन्धी कम्बोजगण उत्तराखंड में फैले हुए थे। इनके अतिरिक्त कोल परिवार की अन्य भाषाएँ किसी समय 'प्रिपोज़िशनों' का ही प्रयोग करती थीं। उत्तराखंड वह भूभाग है जहाँ अनेक भाषाई प्रवृत्तियाँ एक दूसरे को प्रभावित करती रही हैं। सामी भाषाओं का पुराना केन्द्र बाबुल इस भूखंड से बहुत दूर नहीं है। ग्रीक, लैटिन आदि यूरोप की भाषाओं और सामी, शक परिवारों की भाषाओं में कारक-चिन्हों का पश्चगामी प्रयोग भारतीय आर्य प्रभावों के कारण हो सकता है। संसार की संश्लिष्ट भाषाओं में, सामी और इंडो-यूरोपियन सभी में, यह अद्भुत समानता है कि कारक-चिन्ह मूल शब्द के बाद आता है। इस प्रवृत्ति का स्रोत सम्भवत: एक भाषा-परिवार था। इसके विरोध में कोल भाषाओं की मूल प्रवृत्ति है जो सम्बन्धक को पूर्वगामी बनाती है। आर्य द्रविड़ भाषाओं के प्रभाव से यह प्रवृत्ति लगभग समाप्त हो गई है किन्तु किसी समय यह प्रवृत्ति अत्यन्त बलवती थी। उत्तराखंड में नाग और द्रविड़ जनों के साथ कोल (कम्बोज आदि) गण-समाज फैले हुए थे। इन्होंने इंडो-यूरोपियन परिवार की भाषाओं को ही प्रभावित नहीं किया, सामी भाषाओं पर भी गहरा असर डाला।

यहाँ इंडो-यूरोपियन परिवार की भाषाओं से कारक-चिन्हों के साथ प्रयुक्त होनेवाले सम्बन्धकों के कुछ उदाहरण देना समीचीन होगा। लैटिन भाषा में एक सम्बन्धक है **कुम्** (साथ)। सर्वनाम के साथ इसका प्रयोग पश्चगामी होता है। **मेकुम्** अर्थात्

मेरे साथ, भारतीय पद्धति के अनुरूप स्वतंत्र सम्बन्धक मूल शब्द के बाद आया है। किन्तु संज्ञा शब्दों के साथ इसका स्थान बदल जाता है : **कुम्लेगिओने** अर्थात् सेना सहित इंडो-यूरोपियन परिवार की भाषाओं में जिस तरह के प्रयोग सर्वनामों से सम्बद्ध है, वे अधिक प्राचीन सिद्ध होते हैं। लैटिन में स्पष्ट है कि सर्वनामों के साथ बार-बार प्रयुक्त से सम्बन्धक का स्थान रूढ़ हो गया है, उसे बदलना बहुत कठिन है। पर संज्ञा शब्दों के साथ यह स्थिति नहीं है, इसलिए विरोधी प्रवृत्ति आसानी से सम्बन्धक को पूर्वगामी बना देती है। ग्रीक भाषा में **एइस् अथेनास्** का अर्थ है एथेंस को। यहाँ **अथेनास्** कर्मकारक है, उसके पहले **एइस्** सम्बन्धक लगा हुआ है। **अप् अथेनोन्** का अर्थ है एथेंस से। यहाँ **अथेनोन्** सम्बन्धकारक है, उससे पहले **अप्** सम्बन्धक आया है। **एन् अथेनइस्** का अर्थ है एथेंस में। **अथेनइस्** सम्प्रदानकारक है, उससे पहले **एन्** सम्बन्धक लगा हुआ है। रूसी में **व् नदेल्यू** का अर्थ है हफ्ते में। **व्** सम्बन्धक है, मूल शब्द कर्मकारक में है। **इज़् देरॅवा** (लकड़ी से), सम्बन्धक **इज़्** के साथ मूल शब्द सम्बन्धकारक में है। **अत् वक्ज़ाला** (स्टेशन से), यहाँ भी सम्बन्धक **अत्** के साथ मूल शब्द सम्बन्धकारक में है। जर्मन भाषा में **बिनॅन् आइनॅर् श्टुंडे** (एक घंटे में), यहाँ सम्बन्धक **बिनॅन्** के साथ मूल शब्द सम्बन्धकारक में है। **अउस् डेर् इटाट्** (शहर से बाहर) यहाँ सम्बन्धक **अउस्** के साथ मूल शब्द सम्प्रदानकारक में है। **फ्यूर् डास् फ़ाटॅर्लांट्** (अपने देश के लिए), यहाँ सम्बन्धक **फ्यूर्** के साथ मूल शब्द कर्मकारक में है। इन उदाहरणों से स्पष्ट हो जाएगा कि कारक-चिन्ह के रहते हुए भी विरोधी प्रवृत्ति के प्रभाव से यूरोप की संश्लिष्ट भाषाएँ प्रिपोज़िशनों का व्यवहार करती हैं। अंग्रेज़ी की तरह जो भाषाएँ विश्लिष्ट हैं, उनमें तो पूर्वगामी सम्बन्धकों का व्यवहार होता ही है।

संस्कृत में अनेक संज्ञा शब्द कर्ता रूप में **अस्** या **अन्** प्रत्यय जोड़ते हैं। ग्रीक भाषा में **अस्** के प्रतिरूप **ओस्, एस्** प्रत्यय जोड़े जाते हैं। ये **अस् अम्** मूलतः क्या हैं? क्या कर्ता को अन्य शब्दों से अलग दिखाने के लिए इनका व्यवहार होता है? भारतीय भाषाई परिवेश में इस समस्या पर विचार करना चाहिए।

तमिल भाषा में अनेक शब्दों के बाद **अम्** प्रत्यय जुड़ा हुआ दिखाई देता है, जैसे **मरम्** (पेड़)। अनेक शब्दों के अन्त में **अम्** के स्थान पर **अन्** दिखाई देता है। कॉल्डवेल ने द्रविड़ भाषाओं के **अम्** को संस्कृत **ज्ञानम्** आदि के **अम्** से भिन्न माना है किन्तु उन्होंने दो बातें पते की कही हैं। पहली यह कि **अम्** किसी समय स्वतंत्र निश्चयबोधक सर्वनाम था, और दूसरी यह कि **अम्** और **अन्** मूलतः एक ही रूप हैं। पहली बात का महत्त्व इस बात को ध्यान में रखने से विदित होगा कि आर्य, द्रविड़, कोल परिवार न्यूनाधिक मात्रा में क्रिया और संज्ञा शब्दों के अन्त में सर्वनाम जोड़ते रहे हैं। सिन्धी भाषा में सम्बन्धकारक वाले सर्वनाम चिन्ह अब भी जोड़े जाते हैं। अतः यह नितान्त सम्भव है कि कर्ता शब्द के साथ भी किसी समय

सर्वनाम—स्वतंत्र या चिन्ह—जोड़ा जाता था। **अन्** और **अम्** का प्रसार—किसी-न-किसी रूप में—आर्य-परिवारों के बाहर भी हुआ। ग्रियर्सन के भाषा सर्वेक्षण में असम की नाग भाषाओं के प्रसंग में बताया गया है कि इनमें से कुछ भाषाओं में सकर्मक क्रिया के कर्ता के बाद **ना** जोड़ा जाता है। कभी-कभी अकर्मक क्रियाओं के कर्ता के साथ भी इस चिन्ह उपयोग होता है। **यिना दाइ** (मैं मारता हूँ); **नो नउना पेए** (छोटे ने कहा), इन वाक्यों में सकर्मक क्रिया के कर्ता के साथ **ना** चिन्ह का प्रयोग हुआ है। यह **ना** हिन्दी के कर्ता चिन्ह **ने** से मिलता-जुलता है, यह ग्रियर्सन के ध्यान में था। **ने** चिन्ह वाले कर्ता को वह करणकारक मान चुके थे। यहाँ भी इस **ना** को करणकारक का चिन्ह माना जाए या नहीं?

ग्रियर्सन ने लिखा : "सही बात यह है कि **ना** करणकारक का प्रत्यय है। जिन वाक्यों में इसका प्रयोग होता है, वे वास्तव में कर्मवाच्य हैं।" उन्होंने तिब्बती भाषा का उल्लेख भी किया है जिसमें इस तरह की संरचना सामान्य ठहराई गई है। मेरे द्वारा तुम्हारे सम्बन्ध में पिटाई होती है, मूल संरचना इस प्रकार की होगी, भावार्थ होगा, मैं तुम्हें पीटता हूँ। ग्रियर्सन की यह बात सही मानी जाए तो कम-से-कम दो भाषा-परिवारों—आर्य और नाग—का घनिष्ठ सम्बन्ध सिद्ध हो ही जाता है, प्राचीन आर्य-परिवार न सही तो आधुनिक ही सही। एक कठिनाई है कि ग्रियर्सन ने जिन नाग भाषाओं में **ना** के प्रयोग की चर्चा की है, उनमें वह अकर्मक क्रियाओं के सन्दर्भ में भी प्रयुक्त होता है। यह सच है कि सर्वत्र ऐसा नहीं होता, फिर भी जहाँ-तहाँ होता तो है ही। उन्होंने ऊपर उद्धृत उदाहरणों के साथ इस तरह के वाक्य दिये हैं : **यिना सोए** (मैं हूँ)। मेरे द्वारा मुझसे सम्बन्धित होने की क्रिया सम्पन्न होती है—इस तरह की संरचना निरर्थक है। यह मानना अधिक समीचीन होगा कि **ना** का कार्य निश्चयबोधक सर्वनाम का है। उसकी आवश्यकता सकर्मक क्रिया के सन्दर्भ में अधिक होती है, अकर्मक क्रिया के सन्दर्भ में कम। पंजाब, हरियाणा आदि की भाषाओं और परिनिष्ठित हिन्दी के अलावा अवध से लेकर मिथिला तक **ने** का व्यवहार नहीं होता। ब्रजभाषा में उसका व्यवहार पछाहीं प्रभाव से होने लगा है। पुरानी ब्रजभाषा ही नहीं, पुरानी हिन्दी (सौदा, मीर आदि की उर्दू) में अपेक्षित **ने** का अभाव जब-तब दिखाई देता है। यह बात बहुत महत्त्वपूर्ण है कि उत्तर-पूर्व की नाग भाषाएँ, दक्षिण की द्रविड़ भाषाएँ, उत्तर-पश्चिम की बाँगरू, पंजाबी आदि आधुनिक आर्य भाषाएँ और संस्कृत (कम-से-कम नपुंसक लिंग में) **ना, अन्, अम्** जैसे प्रत्ययों का व्यवहार करती हैं। भाषा के अनेक लक्षण उत्तर-पश्चिम, दक्षिण और उत्तर-पूर्व में मिलते हैं, मध्यदेश में नहीं मिलते। इस स्थिति को ध्यान में रखकर **ना, ने, अन्, अम्** के प्राचीन और आधुनिक व्यवहार पर विचार करना चाहिए।

ये चिन्ह मूलत: सर्वनाम हैं। इस बात का पता लगाने का श्रेय कॉल्डवेल को है। वह संस्कृत कारक-चिन्हों के उद्भव और विकास से अनभिज्ञ रहते हैं, इसका कारण

यह है कि इंडो-यूरोपियन वादियों की तरह वे द्रविड़वादी बन गए, भारतीय आर्य भाषाएँ इंडो-यूरोपियन परिवार की शाखा थीं तो द्रविड़ भाषाएँ शक परिवार की शाखा होंगी। अखिल भारतीय सन्दर्भ में उन्होंने द्रविड़ परिवार के निर्माण पर विचार नहीं किया।

कारक-चिन्ह पुराने सम्बन्धक हैं, यह बात सही है। पर कर्ताकारक के साथ किस तरह के 'प्रिपोज़िशन' की जरूरत होगी? करणकारक के साथ **द्वारा** की जरूरत होती है, सम्बन्धकारक के साथ **का** की, अधिकरण के साथ **में, पर** आदि की। कर्ता के साथ इस कोटि का कौन-सा सम्बन्धक जोड़ा जाएगा?

अंग्रेज़ी में कर्ताकारक के बाद **ऑन्** (ऊपर), **ऑफ़्** (का), **टु** (को) जैसा कोई शब्द न आएगा किन्तु **ए** (एक), **ऐन्** (उप.), **दि** (वह) जैसे शब्द आते हैं। ये सब विशेषक का कार्य करनेवाले निश्चय अथवा अनिश्चयबोधक सर्वनाम हैं (या उस कोटि में इन्हें गिना जा सकता है)। अंग्रेज़ी में एक निश्चयबोधक **दि** है; जर्मन में तीन लिंगों के लिए **डेर, डी, डास्** तीन रूप हैं। इनका तीन रूपों में होना उनके विशेषक वाले कार्य की सूचना देता है। कर्ताकारक के चिन्ह का मूल कार्य जानने के लिए उपर्युक्त **ए, ऐन्, दि** पर थोड़ा और विचार किया जाए।

निश्चय अनिश्चयबोधक इन सर्वनामों को अंग्रेज़ी में आर्टिकल कहते हैं, **डेफिनिट्** (निश्चयबोधक), **इनडेफिनिट्** (अनिश्चयबोधक)। इंडो-यूरोपियन परिवार की संस्कृत, लैटिन तथा स्लाव समुदाय की भाषाओं में संज्ञा के पहले आर्टिकल जैसी किसी चीज का प्रयोग नहीं होता। किन्तु पुरानी ग्रीक में, जर्मन समुदाय की भाषाओं में और लैटिन कुल की आधुनिक भाषाओं में आर्टिकल का व्यवहार होता है। सामी भाषाओं में भी उसका व्यवहार होता है। जैसे यूरोप की अनेक भाषाओं तथा सामी परिवार में 'प्रिपोज़िशन' को लेकर समानता है, वैसे ही 'आर्टिकल' के व्यवहार को लेकर भी समानता है। सामी भाषाएँ संज्ञा शब्दों के बाद सर्वनाम-चिन्हों का प्रयोग करती हैं, फिर उन्हें संज्ञा से पहले 'आर्टिकल' लगाने की जरूरत क्यों हुई? यह जरूरत वैसे ही पैदा हुई, जैसे शब्द के बाद कारक-चिन्ह लगानेवाली सामी भाषाएँ शब्द से पहले 'प्रिपोज़िशन' जोड़ने लगीं। यूरोप की भाषाओं तथा सामी परिवार की समानता केवल 'आर्टिकल' के व्यवहार को लेकर नहीं है, कुछ भाषाओं में 'आर्टिकल' का रूप भी मिलता-जुलता है। अरबी के **अल्** से मिलता-जुलता स्पैनिश **ॲल्**, इटालियन **ला, लो**, फ्रेंच **ल, ला, ले** आदि एक ही गोत्र के शब्द हैं। फ्रेंच **इल्, ॲल** स्वतंत्र सर्वनाम हैं। पहला पुल्लिंग, दूसरा स्त्रीलिंग, अन्य पुरुष के लिए उनका व्यवहार होता है। इन्हीं के संक्षिप्त रूप **ल, ला** आदि हैं। जर्मन में **ल** वाले रूप नहीं हैं, **ड्** वाले रूप हैं जो अंग्रेज़ी **दि** की तरह पहले दन्त्य ध्वनि वाले रूप थे। एक समुदाय में **द** वाला रूप, दूसरे समुदाय में **ल** वाला रूप, यह स्थिति भारत की भाषाई प्रक्रिया की याद दिलाती है : एक समुदाय में **द्वादश**, दूसरे में **बारह**, एक समुदाय में **षोडश**, दूसरे में **सोलह**। **अद, इद** वाले सर्वनामों

को याद करें। इनके प्रतिरूप **अल** और **इल** होंगे। **अद, इद** संक्षिप्त होकर **द** रह जाएँगे, **अल** और **इल** संक्षिप्त होकर **ल** रह जाएँगे।

वैसे **दि** स्वतंत्र सर्वनाम भी था और उसका रूपान्तर **लि, ल** होगा।

कर्ताकारक के चिन्ह तथा 'आर्टिकल' के व्यवहार पर विचार करने से निष्कर्ष यह निकलता है कि **अस्** या **अम्** संस्कृत में सम्बन्धक या कारक-चिन्ह नहीं हैं, निश्चयबोधक सर्वनाम हैं। इनमें **अम्** का प्रसार **अन्, ना** आदि रूपों में द्रविड़ और नाग भाषाओं तक है। **अस्** का व्यवहार भी संस्कृत तक सीमित नहीं था।

भारत के उत्तर-पूर्वी सीमान्त पर इदु नाग भाषा बोली जाती है। सकर्मक क्रिया के सन्दर्भ में वह कर्ता के बाद **मे** जोड़ती है। यह **मे** हिन्दी **ने** का प्रतिरूप है। **एच् इमू मे बिरि अजिजि** (यह आदमी बीड़ी जलाता है)। मनुष्यवाचक **इमु** शब्द के बाद **मे** चिन्ह जोड़ा गया है। क्रिया वर्तमानकाल की सूचना देती है, उसे भूतकालीन कृदन्त नहीं कहा जा सकता। हिन्दी में **ने** का प्रयोग भूतकाल में ही सम्भव है। यहाँ भूत-वर्तमान, दोनों कालों में उसका प्रयोग होता है। **ङमे अखला** (मैंने रखा है)—यहाँ कर्ता सर्वनाम **ङ** के बाद **मे** चिन्ह जोड़ा गया है, क्रिया भूतकालीन है और **ल** चिन्ह उसके कृदन्त रूप होने की भी सूचना देता है। इससे सिद्ध हुआ कि **ने** के प्रतिरूप **मे** का व्यवहार वर्तमान और भूत, दोनों कालों के लिए, सकर्मक और अकर्मक, दोनों प्रकार की क्रियाओं के लिए होता है। उसका करणकारक तथा भूतकालीन कृदन्त से अभिन्न सम्बन्ध नहीं है। अन्य नाग भाषा तनखुर में कर्ता के साथ **न** चिन्ह जोर देने के लिए जोड़ा जाता है, यथा : **इन वय्** (मैं जाता हूँ)। यहाँ उत्तम पुरुष एकवचन **इ** सर्वनाम के बाद **न** जोड़ा गया है।

कोल, द्रविड़, नाग भाषाओं के बारे में विद्वानों ने मत प्रकट किया है कि इनमें क्रिया-संज्ञा वाला भेद वैसा स्पष्ट नहीं है, जैसा इंडो-यूरोपियन भाषाओं में है। स्वयं इंडो-यूरोपियन भाषाओं में ऐसे शब्द-मूल हैं जिनके बारे में ब्रुगमन ने लिखा है कि यह तय करना मुश्किल है कि वे मूलत: संज्ञा हैं या क्रिया। जैसे **दिव्** शब्द का अर्थ है चमकना, दूसरा अर्थ है चमकनेवाला स्थान अर्थात् स्वर्ग। संस्कृत में क्रियाओं की प्रधानता है, अधिकांश शब्दों को किसी क्रियामूल से व्युत्पन्न माना जाता है। क्रिया का यह महत्त्व एक ऐतिहासिक प्रक्रिया का परिणाम है; कार्य-सूचक शब्द वाक्य के विशिष्ट स्थान में निरन्तर आने से, संज्ञा से भिन्न, क्रिया-रूप में स्वीकृत हुए। जिन भाषाओं में कर्ता और क्रिया वाक्य के दो ध्रुव नही हैं, उनमें संज्ञा और क्रिया का वैसा भेद उत्पन्न न होगा, जैसा आर्य भाषाओं में है। इसी प्रकार शब्दों की अन्य श्रेणियों का विकास भी क्रमश: हुआ है। तमिल में विशेषण का अस्तित्व संज्ञा से भिन्न है या नहीं, यह अब भी विवाद का विषय है। लिंग-वचन-सम्बन्धी विविधता इसी प्रकार भाषाओं की विभिन्न विकास-प्रक्रिया से जुड़ी हुई है। कारक कितने हैं, किस भाषा का काम कारक-चिन्हों के बिना नहीं चलता, किसका चल जाता है—ये

बातें भी विकास-क्रम में निर्धारित होती हैं। कोई भाषा अनेक कारकों के लिए एक ही या एक जैसे कारक-चिन्हों का प्रयोग करे तो उससे निष्कर्ष यह निकलता है कि कारक-भेद क्रमशः विकसित हो रहा है और यह सम्भव है कि उस भाषा के लिए दो कारकों का भेद बहुत महत्त्वपूर्ण न हो। संस्कृत में जैसे सर्वनाम अनेक स्त्रोतों से आकर एक व्यवस्था में घुल-मिल गए हैं, वैसे ही कारक-चिन्ह अनेक स्त्रोतों से आए हैं। किस कारक के साथ कौन-सा चिन्ह जुड़े, यह बात तय होते-होते होती है। जैसे कोई सम्बन्धक एक से अधिक कारकों के साथ प्रयुक्त हो सकता है, वैसे ही कारक-चिन्ह एक से अधिक कारकों के साथ जोड़ा जा सकता है। कुछ नाग भाषाएँ **न** ध्वनि वाले चिन्ह को सम्बन्ध या कर्मकारक के लिए प्रयुक्त करती हैं। असम की नाग भाषाओं से ग्रियर्सन के सर्वेक्षण ग्रंथ में इस तरह के उदाहरण दिन गए हैं : **नङनी** (तेरा), **अङनु** (मुझको)। **देशनी** (देश का), **दिननी** (दिनों का) जैसे शब्दबन्ध देखकर गुजराती की याद आती है। **गलोङ** भाषा में कर्मकारक के लिए **एम्** चिन्ह का प्रयोग होता है। यह भी **न्** ध्वनि पर आधारित चिन्ह का परिवर्तित रूप जान पड़ता है। संस्कृत में पुल्लिंग संज्ञा शब्दों के सम्बन्धकारक बहुवचन में **न** जुड़ा हुआ दिखाई देता है, यथा : **ज्ञानिनाम्, रामाणाम्;** यह न सम्बन्धकारक का चिन्ह है। पंजाबी तथा पंजाबी प्रभावित हिन्दी में **मुझे** के स्थान पर **मैंने** का व्यवहार होता है अर्थात् **ने** का प्रयोग आधुनिक आर्य भाषाओं में एक से अधिक कारकों के लिए होता है। अंग्रेज़ी में एक सर्वनाम है **दाउ**। इसका एक सम्बन्धकारक रूप **दाइ** (तेरा) हुआ, दूसरा रूप है **दाइन्**। इसमें **न्** का संयोग कैसे हुआ? **मी** (मुझे) का सम्बन्धकारक रूप **माई**, दूसरा रूप **माइन्;** यहाँ भी प्रश्न है, **न्** क्यों जोड़ा गया? नाग भाषाओं का **न**, गुजराती और संस्कृत के **न** वाले कारक-रूप और अंग्रेज़ी के इन सर्वनामों के सम्बन्धकारक में **न** का व्यवहार आकस्मिक नहीं है। अंग्रेज़ी 'प्रिपोज़िशन' लगाती है, ऊपर के सर्वनाम रूपों में भारतीय पद्धति के अनुसार 'पोस्टपोज़िशन' लगा हुआ है जो संक्षिप्त होकर कारक-चिन्हमात्र रह गया है।

यहाँ तमिल सम्बन्धकारक **इन्** का भी उल्लेख करना चाहिए। **पैयन्** (लड़का), **पैयनिन्** (लड़के का); यह **इन्** ऊपर की कारक-चिन्ह शृंखला के अन्तर्गत है। अंग्रेज़ी **इन्** (अन्दर) और तमिल **इन्** एक-दूसरे से बहुत दूर नहीं जान पड़ते। अनेक रूसी नामों के अन्त में यह **इन्** दिखाई देता है, जैसे **स्तालिन्**। **स्तालिन्** शब्द **स्ताल्** से बना है। **स्ताल्** माने फौलाद और **स्तालिन्** माने फौलादी। यहाँ **इन्** प्रत्यय **स्ताल्** को सम्बन्धकारक का रूप देकर उसे विशेषण बनाता है। रूसी भाषा में भी पूर्व सम्बन्धकों का व्यवहार व्यापक रूप से होता है किन्तु इस प्रकार सम्बन्धकारक वाला चिन्ह जोड़कर संज्ञा से विशेषण बनाने का ढंग पुराना है और भारतीय है।

अंग्रेज़ी में एक सर्वनाम है **यू** (तुम)। इसका सम्बन्धकारक रूप होता है **योर्** (तुम्हारा); **यू** सर्वनाम संस्कृत **यूयम्** का प्रतिरूप है किन्तु इस **योर्** में **र्** क्यों जोड़ा

गया; उसका स्रोत क्या है? **मेरा, तेरा, हमारा, तुम्हारा** जैसे रूप भारत में कब से प्रचलित हैं? कम-से-कम तब से, जब से अंग्रेज़ी भाषा में **योर्** का चलन हुआ।

सन्थाली में सम्बन्धकारक के लिए **अक्** चिन्ह का प्रयोग तब होता है जब सम्बन्धित वस्तु निर्जीव हो। सजीव होने पर **रन्, रान्, रेन्** आदि का प्रयोग होता है। निर्जीव वस्तु से सम्बन्ध जताने के लिए **रेअक्** का भी प्रयोग होता है जहाँ **र्** और **क्**, दोनों चिन्हों का संयोग हुआ है। बंगला, गुजराती, हिन्दी आदि के **र्, न्, क्** ध्वनियों वाले कारक-चिन्हों से सन्थाली भाषा के **अक्, रन्** आदि असम्बद्ध नहीं हैं। अन्य भाषाओं के समान इस भाषा में भी एक ही चिन्ह एक से अधिक कारकों के लिए प्रयुक्त होता है, यथा : **रॉ, रे** अधिकरणकारक के चिन्ह हैं अथवा स्थानसूचक सम्बन्धक हैं, यथा : **ओतेरे** अर्थात् खेत में। अपादानकारक के लिए सन्थाली में **एते** चिन्ह का प्रयोग होता है; **सबॅन् को एते** अर्थात् सब लोगों से। रूसी भाषा में अपादानकारक चिन्ह का भाव व्यक्त करनेवाला सम्बन्धक **अत्** है, यथा : **अत् कुदा** (कहाँ से), **अत् वक्‌जाला** (स्टेशन से)। **कुदा** संस्कृत **कुतः** (कहाँ से) का प्रतिरूप है, उसके पहले एक सम्बन्धक और जोड़ा गया है। संस्कृत के जिन शब्दों के साथ अपादानकारक में **अत्** जोड़ा जाता है, यथा : **रामात्** (राम से), वहाँ उसी सम्बन्धक के दर्शन होते हैं जो रूसी में स्वतंत्र है और संस्कृत में परतंत्र होकर कारक-चिन्ह मात्र रह गया है। **अत् वक्‌जाला** में कर्म कारक के साथ अपादान भावसूचक **अत्** का प्रयोग किया गया है।

तमिल में **कु** चिन्ह का प्रयोग सम्प्रदानकारक के लिए होता है। विद्वानों ने हिन्दी **को** से इसकी भिन्नता सिद्ध करने का प्रयत्न किया है। एक तर्क यह है कि तमिल में वह सम्प्रदान के लिए प्रयुक्त होता है किन्तु हिन्दी में वह कर्मकारक का चिन्ह है। पहले तो हिन्दी में भी सम्प्रदानकारक के लिए उसका प्रयोग होता है। **यह किताब राम को दे दो**—इस वाक्य में जो चीज दी जाएगी, वह राम नहीं है, किताब है। दूसरे मगही आदि में सम्प्रदानकारक का चिन्ह कर्मकारक के चिन्ह से अब भी भिन्न है। रूसी सम्बन्धक **क**, हिन्दी **को**, तमिल **कु** परस्पर सम्बद्ध हैं।

तमिल में कर्म के लिए **अइ** अथवा **अय्** चिन्ह का प्रयोग होता है : **पुस्तकत्तइ** अर्थात् पुस्तक को। यह संस्कृत के सम्प्रदान-सूचक **अइ, आय्** का प्रतिरूप है : **तस्मै (तस्मइ** अर्थात् उसके लिए), **रामाय** (राम के लिए या राम को)। संस्कृत के सम्प्रदान और तमिल के कर्मकारक-चिन्हों में अवश्य सम्बन्ध होना चाहिए। जो लोग हिन्दी **को** से तमिल **कु** को भिन्न मानते हैं, उन्हें ब्रजभाषा के कर्मसूचक **अय्** का उल्लेख करना चाहिए : **छोराय बुलइयो** अर्थात् लड़के को बुलाना। यहाँ तमिल और ब्रजभाषा के कर्मकारक-चिन्हों में कोई अन्तर नहीं है। संस्कृत **मह्यम्** सम्प्रदानकारक है। इसका हिन्दी प्रतिरूप **मुझे** सम्प्रदान और कर्म, दोनों कारकों के लिए प्रयुक्त होता है। उसी तरह संस्कृत का सम्प्रदान-चिन्ह **आय** ब्रजभाषा में

सम्प्रदान और कर्मकारकों के लिए प्रयुक्त होता है। लैटिन में **अऑ** चिन्ह कुछ शब्दों के साथ सम्प्रदानकारक में प्रयुक्त होता है, यथा : **पुएल्लऑ** (लड़की को, लड़की के लिए), **हस्तऑ** (भाले को, भाले के लिए)। लैटिन में मुख्य भेद कर्म और सम्प्रदानकारकों में नहीं है। लैटिन में सम्प्रदानकारक का यही एकवचन रूप सम्बन्धकारक में भी होता है। सम्बन्धकारक बहुवचन में यह भाषा **र्** ध्वनि जोड़ती है : **पुएल्लारुम्** (लड़कियों का)। भारतीय भाषाओं में सम्बन्धकारक के लिए **र्** ध्वनि वाले चिन्ह का व्यापक व्यवहार होता है, लैटिन में सम्बन्धकारक के बहुवचन में उसका व्यवहार आकस्मिक नहीं है। **पुएल्ला** के अतिरिक्त अन्य वर्गों के साथ भी उसका प्रयोग जहाँ-तहाँ होता है, यथा : **विर्** (वीर, पुरुष) का सम्बन्धकारक बहुवचन **विरोरुम्**।

संस्कृत में नपुंसक लिंग के कर्ता-कर्म रूप एक-से होते हैं। यह स्थिति इस बात की ओर संकेत करती है कि कर्ता और कर्म को एक-दूसरे से भिन्न दिखाना सदा आवश्यक नहीं रहा। कर्मकारक (एकवचन) का चिन्ह वास्तव में वही सर्वनाम **अम्** है। **अस्** सर्वनाम से भिन्न जब इसका प्रयोग नपुंसक लिंग के लिए सुरक्षित हो गया, तब पुल्लिंग शब्दों के कर्मकारक (एकवचन) के लिए उसका प्रयोग होने लगा। जो शब्द कर्ता रूप से हटकर कर्म बनेगा, वह क्रिया के सन्दर्भ में निष्क्रिय हो जाएगा, अत: उसके लिए नपुंसक लिंग से सम्बद्ध सर्वनाम का व्यवहार हुआ। ग्रीक और लैटिन **अम्** अथवा **म्** चिन्ह का व्यवहार बहुधा कर्मकारक एकवचन के लिए करती हैं किन्तु बहुवचन में लैटिन **पुएल्लम्** का कर्मरूप **पुएल्लास्** है। इस बहुवचन रूप में **अस्** वही सर्वनाम है जो संस्कृत के पुल्लिंग एकवचन रूप में दिखाई देता है। लैटिन **फीलिउस्** (पुत्र) का बहुवचन कर्ता रूप **फीलिई** है। एकवचन रूप का **उस्** अथवा **स्** संस्कृत **अस्** का प्रतिरूप है।

क्रियापद-रचना और कारक निर्माण-प्रक्रिया, दोनों में इंडो-यूरोपियन भाषाएँ भारतीय भाषा-परिवारों से घनिष्ठ रूप में सम्बद्ध हैं।

# 4

# ऐतिहासिक भाषाविज्ञान के परिवर्तित परिप्रेक्ष्य और हित्ती

## 1. परिप्रेक्ष्य

16वीं सदी में इंडो-यूरोपियन भाषाओं से भारत की आर्येतर भाषाओं के सम्बन्ध पर विचार करना अवैज्ञानिक कार्य न माना जाता था। भाषा-परिवारों को एक-दूसरे से अलग रखकर उनका विश्लेषण करने की पद्धति जड़ीभूत न हुई थी। इंडो-यूरोपियन परिवार के विशेषज्ञों ने अपने दायरे से निकलकर इधर-उधर ज़रा कम देखा पर जो लोग अन्य परिवारों की छानबीन कर रहे थे, उनका ध्यान अपने दायरे के बाहर अवश्य गया। इनमें सर्वप्रथम स्थान कॉल्डवेल का है जिन्होंने द्रविड़ भाषाओं का तुलनात्मक अध्ययन करके उनका व्याकरण लिखा था। कॉल्डवेल को जितनी चिन्ता संस्कृत से द्रविड़ भाषाओं की भिन्नता दिखाने की थी, उतनी इंडो-यूरोपियन भाषाओं से उनकी भिन्नता दिखाने की न थी। इंडो-यूरोपियनवादियों ने जैसे संस्कृत को एक बड़े परिवार की शाखा सिद्ध किया था, वैसे ही वह द्रविड़ समुदाय को शक परिवार की शाखा सिद्ध करना चाहते थे।

इंडो-यूरोपियन परिवार से द्रविड़ भाषाओं का सम्बन्ध हो तो भारतीय आर्य भाषाओं से उनका सम्बन्ध होना ही चाहिए। किन्तु कॉल्डवेल के लिए यह अनिवार्य नहीं था क्योंकि द्रविड़ों का सम्पर्क इंडो-यूरोपियन भाषाएँ बोलनेवालों से भारत के बाहर भी हुआ हो, यह सम्भव था। दो परिवारों में उल्लेखनीय सम्बन्ध हो तो उनका एक ही आदिस्रोत होना चाहिए, भाषाविज्ञान का यह पूर्वग्रह पहले से चला आ रहा था और कॉल्डवेल भी उससे ग्रस्त थे। भाषा-समुदायों में, और एक ही समुदाय की भाषाओं में, परस्पर अनेक प्रकार के सम्बन्ध हो सकते हैं, इसकी व्याख्या और विश्लेषण को ऐतिहासिक भाषाविज्ञान में बहुत कम जगह मिली है। कॉल्डवेल के चिन्तन की इन सीमाओं को ध्यान में रखते हुए उन्हें इस बात का पूरा श्रेय देना चाहिए कि उन्होंने द्रविड़ परिवार से इंडो-यूरोपियन भाषाओं के घनिष्ठ सम्बन्ध को पहचाना।

अपने तुलनात्मक व्याकरण में उन्होंने 1859 में मद्रास से प्रकाशित डॉ. पोप की पुस्तक **तमिल हैंडबुक** का हवाला दिया है जिसमें डॉ. पोप ने कहा था : "दक्षिण

भारत की भाषाओं का अध्ययन जितना ही गहराई से किया जाएगा, उतना ही संस्कृत से उनकी घनिष्ठता प्रकट होगी, उतना ही स्पष्ट होगा कि इंडो-यूरोपियन समुदाय की भाषाओं से उनका आदिम और बहुत नज़दीकी सम्बन्ध है। पर वे (द्रविड़ भाषाएँ) प्राकृतें मात्र नहीं हैं, संस्कृत का अपभ्रंश नहीं हैं। मेरी मान्यता सदा यह रही है कि का स्थान उपर्युक्त परिवार के सदस्यों में है। सम्भवत: वे संस्कृत के समानान्तर व्यवहृत होनेवाली भाषा का विलग हो जानेवाला अंग हैं। उनका उद्भव वही था जो संस्कृत का था। इसमें सन्देह नहीं कि ग्रीक, गौथिक, फ़ारसी और उस परिवार की भाषाओं से उनका घनिष्ठ सम्बन्ध है और उन बातों को लेकर है जिनको लेकर उनमें और संस्कृत में समानता नहीं है।"

डॉ. पोप ने संस्कृत से द्रविड़ भाषाओं की समानता पहचानी थी। उस समानता के बारे में उन विद्वानों ने भी लिखा है जो उसका कारण द्रविड़ों पर आर्यों की विजय मानते थे। पोप ने यूरोप की भाषाओं और भारत की पड़ोसी ईरानी भाषा से द्रविड़ भाषाओं की समानता पर ध्यान दिया था। यूरोप में द्रविड़ रहते थे और वहाँ भी आर्यों ने आकर उन्हें पराजित किया, यह किसी ने नहीं कहा। किन्तु भारत में आर्य-द्रविड़ भाषाओं की समानताएँ देखकर आर्य-विजय द्रविड़-पराजय का सिद्धान्त मान लिया गया। कुछ लोगों को इस बात से गहरी दिलचस्पी थी कि यूरोष की भाषाओं से द्रविड़ समुदाय के सम्बन्ध पर विचार न किया जाए। सारा ध्यान आर्य-द्रविड़ संघर्ष पर, और उसके भाषागत परिणाम पर, केन्द्रित किया जाए। किन्तु 19वीं सदी में अभी यह दृष्टिकोण सर्व-प्रभुत्व-सम्पन्न न हुआ था। 1860 में डॉ. पोप ने ईसा मसीह के एक उपदेश—'सर्मन ऑन् द माउंट'—का अनुवाद चार द्रविड़ भाषाओं में प्रकाशित किया था। उसके साथ उन्होंने शब्द-सूची और रूप विकारों की सरणियाँ प्रस्तुत की थीं। इसकी भूमिका में उन्होंने इन भाषाओं से केल्त और जर्मन भाषाओं के सुप्रतिष्ठित सम्बन्धों (डीप सीटेड ऐफ़ीनिटीज़) का उल्लेख किया था।

थोड़े हेरफेर से कॉल्डवेल सम्बन्धों की यह बात मानते थे, केवल उनका कहना था कि शक परिवार से द्रविड़ भाषाओं का सम्बन्ध और भी घनिष्ठ है। यूरोप की भाषाओं में उन्होंने केल्त समुदाय को शक परिवार के सबसे निकट माना। उन्होंने इस सम्भावना का उल्लेख किया कि फिन परिवार की भाषाएँ यूरोप में केल्तों के पहुँचने से पहले व्यापक रूप से बोली जाती रही होंगी। उन्होंने कहा यह बहुत सम्भव है कि द्रविड़ भाषाओं के कुछ व्याकरण रूप, और उनसे कुछ अधिक शब्द-मूल, उसी स्रोत से उत्पन्न हुए हैं जिससे इंडो-यूरोपियन भाषाओं के वैसे ही रूप और शब्द-मूल उत्पन्न हुए हैं।

कॉल्डवेल ने डॉ. ब्लीक नाम के विद्वान् का हवाला दिया जिन्होंने इंडो-यूरोपियन और द्रविड़ भाषाओं में नपुंसक लिंग के व्यवहार को एक महत्त्वपूर्ण समानता माना था। उनका कहना था कि यही दो भाषा-परिवार हैं जिनमें तीन लिंग हैं; यह सम्भव

नहीं लगता कि इन्होंने एक-दूसरे से स्वतंत्र रहकर नपुंसक लिंग का विकास किया हो। ब्लीक का हवाला देने के बाद कॉल्डवेल ने लिखा कि द्रविड़ भाषाओं में लिंगभेद उनके विकास में बाद की मंजिल की बात है पर बहुत दिन साथ रहने से संस्कृत के जो तत्त्व द्रविड़ भाषाओं में आ गए हैं, उन्हें अलग रखते हुए हमें द्रविड़ भाषाओं में ऐसे शब्द-मूल आदि प्राप्त होते हैं जो इंडो-यूरोपियन भाषाओं की मूल संरचना और उनके आदिम शब्द-भंडार में पाये जाते हैं। द्रविड़ और इंडो-यूरोपियन भाषाओं की समानताएँ इन परिवारों की जड़ तक पहुँचती हैं, यह मानते हुए उन्होंने लिखा कि इसका कारण सुदूर या आंशिक सम्बन्ध ही हो सकता है। ये समानताएँ केवल संस्कृत से नहीं हैं, यूरोप की भाषाओं से भी है, इस स्थिति पर जोर देते का उन्होंने लिखा : "जहाँ ऐसी समानताएँ मिलती हैं, वहाँ शब्द या रूप केवल संस्कृत से नहीं, पूरे इंडो-यूरोपियन परिवार से सम्बन्धित हैं। ऐसे रूप और शब्द कम नहीं है, जहाँ संस्कृत से समानता नहीं है पर ग्रीक और लैटिन से है। बहुत जगह जहाँ संस्कृत से समानता घनिष्ठतम है, वहाँ यह समानता सुसंस्कृत उच्चारण वाली व्यवस्थित भाषा से नहीं है, जो लिखित रचनाओं में मिलती है, वरन् उस मूल संस्कृत से है जो अनगढ़ है, जिसका पता तुलना और विश्लेषण करने से चलता है, जो हमबोल्ट की जनभाषा है।"

कॉल्डवेल का यह कहना सही है कि द्रविड़ भाषाओं से संस्कृत की समानता अत्यन्त प्राचीन है, लिखित साहित्य में भाषा का जो रूप मिलता है, उससे पहले की है। इससे निष्कर्ष यह निकलता है कि संस्कृत से द्रविड़ भाषाओं का सम्बन्ध पहचानने के लिए संस्कृत के विकास का, उसके विकास की विभिन्न मंज़िलों का ज्ञान आवश्यक है। ग्रीक, लैटिन या संस्कृत के विकास का इस प्रकार मंज़िलों के हिसाब से अध्ययन किसी ने नहीं किया पर वह आवश्यक है। पोप के समान कॉल्डवेल ने भी ग्रीक और लैटिन से द्रविड़ भाषाओं की वह समानता देखी जो उनमें और संस्कृत में नहीं है।

कॉल्डवेल के अनुसार द्रविड़ भाषाओं ने इंडो-यूरोपियन परिवार की जो आदिम विशेषताएँ इंडो-यूरोपियन भाषाओं से नहीं, वरन् उनके आदिस्रोत से प्राप्त की हैं, वे इस प्रकार हैं :

1. ग्रीक भाषा की तरह दो स्वरों को टकराने से बचाने के लिए द्रविड़ भाषाएँ भी **न्** का व्यवहार करती हैं।
2. अन्य पुरुष के सर्वनामों और क्रियापदों में लिंग-भेद प्रदर्शित किया जाता है। नपुंसक लिंग का भेद विशेष महत्त्वपूर्ण है।
3. निश्चयबोधक सर्वनाम के नपुंसक लिंग एकवचन अथवा अन्य पुरुष के सर्वनामों का चिन्ह **द्** या **त्** है।
4. लैटिन के समान नपुंसक लिंग का एक बहुवचन रूप है जिसमें ह्रस्व **अ** का व्यवहार होता है।

5. दूरस्थ वस्तु के लिए निश्चयबोधक सर्वनाम का आधार **अ** है और समीपस्थ वस्तु के लिए **इ** है।
6. फ़ारसी के समान अधिकांश भूतकालीन रूपों का निर्माण **द्** जोड़कर किया जाता है।
7. कुछ भूतकालीन रूपों का निर्माण धातु के एक अंश की आवृत्ति करके किया जाता है।
8. क्रिया के आधार पर बहुत-से संज्ञा-रूपों का निर्माण धातु के स्वर को दीर्घ करके किया जाता है।

इनके अलावा शब्द-भंडार में भी समानताएँ हैं। कॉल्डवेल ने लिखा कि द्रविड़ भाषाएँ बहुत दिनों से संस्कृत की पड़ोसी हैं। फिर भी उनमें बहुत-से शब्दमूल हैं जो पश्चिमी इंडो-यूरोपियन भाषाओं के शब्दमूलों से सम्बन्धित हैं। द्रविड़ भाषाएँ शक परिवार के अन्तर्गत हैं, यह घोषित करने के बाद उन्होंने लिखा : "मेरी समझ में शक परिवार की सभी भाषाओं में द्रविड़ भाषाएँ ही इंडो-यूरोपियन भाषाओं से सबसे ज्यादा समानताएँ प्रस्तुत करती हैं, जो समानताएँ सबसे प्राचीन और रोचक भी हैं।" (पृ. 74) शक परिवार की अन्य भाषाएँ मध्य एशिया, पश्चिमी एशिया अथवा यूरोप में कहीं भी पश्चिमी इंडो-यूरोपियन भाषाओं के सम्पर्क में आ सकती थीं। फिनो-उग्रियन परिवार की कुछ भाषाएँ यूरोप में बोली ही जाती हैं। पर समानता के विचार से इन सबका स्थान द्रविड़ भाषाओं के बाद आता है; सर्वप्रथम स्थान भारतीय द्रविड़ भाषाओं का है। पश्चिमी यूरोप की भाषाओं से इन्हीं का सम्बन्ध सबसे गहरा है। द्रविड़ भाषाएँ अब भारत में बोली जाती हैं और कॉल्डवेल जिन इंडो-यूरोपियन भाषाओं की चर्चा कर रहे हैं, वे पश्चिमी यूरोप में बोली जाती हैं। दोनों भाषा-क्षेत्रों में बहुत बड़ा भौगोलिक अन्तराल है पर दोनों में कॉल्डवेल के अनुसार गहरा भाषाई सम्बन्ध है। स्पष्ट ही प्राचीनकाल में इनके भाषाक्षेत्र भिन्न थे, उनमें इतना बड़ा अन्तराल न था। कॉल्डवेल कहते हैं कि ये इंडो-यूरोपियन समानताएँ "उस युग में ले जाती हैं जो इतिहास-मात्र की पहुँच से बाहर है।" (पृ. 74) कुछ लोग इसे प्रागैतिहासिक काल कहेंगे। किन्तु इतिहास के बाहर कुछ नहीं है, अतः प्रागैतिहासिक काल जैसा कोई काल नहीं होता। हमारे ज्ञान की वहाँ पहुँच नहीं है, वह बात अलग है। यह सत्य है कि द्रविड़ परिवार से इंडो-यूरोपियन भाषाओं का सम्बन्ध उस समय शुरू होता है जब इन भाषाओं की निर्माण-प्रक्रिया अपनी प्रारम्भिक अवस्था में है पर यह सम्बन्ध उस अवस्था तक सीमित नहीं है। यह प्रारम्भिक अवस्था स्वयं काफी दीर्घकालीन है। उसके बाद भी यह सम्बन्ध कायम रहता है। मानव-सभ्यता के इतिहास में कृषितंत्र का विकास महत्त्वपूर्ण मंजिल है। गण-समाजों के जीवन में दीर्घकालीन विकास के बाद यह मंज़िल आती है। इंडो-यूरोपियन और द्रविड़ भाषाएँ इस मंजिल तक किसी-न-किसी रूप में एक-दूसरे के सम्पर्क में रही हैं, इसके प्रमाण दिये जा चुके

हैं। अतः इंडो-यूरोपियन-द्रविड़ सम्बन्ध को अत्यन्त प्राचीन ही नहीं, दीर्घकालीन, विकास का अनेक मंजिलों में कायम रहनेवाला सम्बन्ध मानना चाहिए। द्रविड़ परिवार में भिन्न प्रकृति वाली अनेक भाषाएँ थीं, वैसे ही इंडो-यूरोपियन समुदाय में, अत्यन्त प्राचीनकाल में भी, भिन्न प्रकृति वाली भाषाएँ थीं। (पुराने सम्बन्धों में यह भिन्नता पहचानी जा सकती है, यथा : तेलगू-कन्नड़भाषियों के पूर्वजों का जो सम्बन्ध आर्मीनियन और आइरिश भाषाएँ बोलनेवालों से था, वह तमिल-ग्रीक सम्बन्ध से भिन्न कोटि का था।) कॉल्डवेल भाषा-परिवारों, मूल स्रोतों, आदिभाषाओं की कल्पना से अभिभूत थे। इसलिए वे बोलियों या गण भाषाओं के स्तर पर अनेक स्तरों के द्रविड़-इंडो-यूरोपियन सम्बन्धों पर विचार नहीं करते। वे इन सम्बन्धों को उस आदि महास्रोत से जोड़ देते हैं जिसके अन्तर्गत शक और इंडो-यूरोपियन, दोनों परिवार हैं; उनके लिए द्रविड़-इंडो-यूरोपियन सम्बन्ध उस समय के हैं जब शक और इंडो-यूरोपियन धाराएँ उस महास्रोत से फूटकर अलग-अलग प्रवाहित नहीं हुई।

इस दूरस्थ, अति प्राचीन वंशगत सम्बन्ध के बारे में फिर कहते हैं : "इंडो-यूरोपियन समानताएँ द्रविड़ भाषाओं के जीवन-सत्त्व और उनकी अस्मिता से इस प्रकार घनिष्ठ रूप में जुड़ी हुई हैं कि यह कल्पना करना कठिन है कि ये समानताएँ केवल पुराने सम्पर्क का परिणाम हैं, यह सम्पर्क चाहे जितना घनिष्ठ रहा हो।" (पृ. 75) कॉल्डवेल के लिए घनिष्ठ सम्पर्क काफी नहीं है; समानताएँ इतनी गहरी और व्यापक हैं, द्रविड़ भाषाओं की मूल विशेषताओं से उनका सम्बन्ध इतना गहरा है कि कॉल्डवेल के अनुसार उनका एक मूल स्रोत होना ही चाहिए।

कोल भाषाओं तथा इंडो-यूरोपियन परिवार के सम्बन्धों पर हौफमन ने लिखा था। कॉल्डवेल के समान इन्होंने पूरे भाषा-परिवार पर काम न किया था, कोल परिवार की एक भाषा मुंडारी पर ही उन्होंने गहराई से काम किया था और अपनी सामग्री 'एन्साइक्लोपिडिया मुंडारिका' नाम के ग्रंथ में प्रकाशित की थी। इसकी भूमिका में 1924 का साल दिया हुआ है। पटना से प्रकाशित होनेवाले ग्रंथ में प्रकाशन का वर्ष 1950 है। कॉल्डवेल से लगभग आधी शताब्दी बाद हौफमन मुंडारी भाषा पर काम कर रहे थे। वह इस सीमा तक कॉल्डवेल की परम्परा का अनुसरण करते हैं कि भारतीय आर्येतर भाषाओं से यूरोप की भाषाओं के सम्बन्ध को विचारणीय मानते हैं। अपनी 'एन्साइक्लोपिडिया' की भूमिका में उन्होंने लिखा है : "बहुत-सी तथाकथित आर्य धातुएँ मुंडारी में हैं। इनमें से बहुत-सी संस्कृत तथा सम्बन्धित भारतीय भाषाओं में हैं।" फिर यूरोप की भाषाओं की चर्चा करते हुए कहते हैं : "पर यह बड़े आश्चर्य की बात है कि इनमें से काफी ऐसी हैं जो इंडो-जर्मैनिक भाषाओं की भारतीय शाखाओं में नहीं मिलतीं किन्तु उस परिवार की अभारतीय भाषाओं में मिलती हैं।" हौफमन की समझ में इंडो-यूरोपियन परिवार की भारतीय और अभारतीय शाखाओं में मुंडारी के इतने शब्दमूल मिलते थे कि आर्य और कोल भाषाओं के सामान्य

स्रोत की कल्पना पर विचार किया जा सकता था। कॉल्डवेल के समान हौफमन भी सामान्य भाषा-तत्त्व का एक ही कारण सोच सकते थे—दोनों परिवारों का एक ही स्रोत होगा। उनके साथ वान डेन बोश नाम के दूसरे पादरी काम कर रहे थे। उन्होंने हौफमन को एक शब्द-सूची भेजी थी जिसमें यूरोप की भाषाओं तथा मुंडारी के सामान्य शब्द दिये हुए थे। यूरोप की जिन भाषाओं में उन्हें सामान्य शब्द मिले थे, उनमें ग्रीक, लैटिन जर्मन, अंग्रेज़ी, आइरिश, फ्लेमिश आदिभाषाएँ हैं। हौफमन ने यह सूची एक स्थान पर उद्धृत की है और एक टिप्पणी में उन्होंने मूल ध्वनि **स्** के **क्** और **ह्** में परिवर्तित होने के बात कही है। मुंडारी में **हृदय** के लिए **सुर्द्** या **सुरुद्** शब्द है। लैटिन में **कोर्, कोर्दिस्** जर्मन में **हर्त्स्** और अंग्रेज़ी में **हार्ट** इसके प्रतिरूप हैं। यह स्वीकार करके कि मुंडारी भाषा का शब्द लैटिन और जर्मन रूपों से सम्बद्ध है। उन्होंने लिखा कि मुंडारी भाषा का आदिस्थानीय **स्** लैटिन में **क्** तथा जर्मन समुदाय में **ह्** हो जाता है। वह इन शब्दों के साथ **श्रद्धा** के **श्रद्** और **हृदय** को भी जोड़ सकते थे। भारतीय सकार यूरोप की किसी भाषा में **क्** अथवा **ह्** रूप में ग्रहण किया जाता है, यह स्थापना बड़े महत्त्व की थी। द्रविड़ भाषाओं की अपेक्षा कोल परिवार पर बहुत कम काम हुआ है। स्वभावतः यूरोप की भाषाओं से कोल परिवार के सम्बन्ध पर किसी ने विशेष ध्यान नहीं दिया।

आचार्य किशोरीदास वाजपेयी का 'हिन्दी शब्दानुशासन' ग्रंथ देखकर डॉ. सुनीतिकुमार चाटुर्ज्या ने उन्हें लिखा था कि इसकी स्थापनाएँ मान ली जाएँ तो अब तक भाषाविज्ञान की जो प्रचलित मान्यताएँ रही हैं, उन्हें छोड़ना होगा। यह बात सही होगी पर यह तथ्य ध्यान देने योग्य है कि ऐतिहासिक भाषाविज्ञान की अनेक मान्यताएँ बदलती रही हैं और यदि वे पूर्वकाल में परिवर्तित हुई हैं तो वर्तमान और भविष्य में भी हो सकती हैं। जो नई स्थापना आए, उसका विवेकपूर्ण परीक्षण करना चाहिए, आवश्यकता हो तो पुरानी वैज्ञानिक मान्यता को बदलना चाहिए। विज्ञान जड़ नहीं है और प्रत्येक वैज्ञानिक स्थापना में परिवर्तन-परिशोधन की गुंजाइश हो सकती है।

किसी समय इस वैज्ञानिक स्थापना पर विद्वानों को दृढ़ विश्वास था कि 'आदि' इंडो-यूरोपियन भाषा की दो शाखाएँ हुईं, एक केन्तुम् वाली पश्चिमी शाखा और दूसरी शतम् वाली पूर्वी शाखा। यद्यपि यूरोप में अल्बानिया की भाषा शतम्वादी है और पूर्वी-पश्चिमी का यह भेद खंडित करने के लिए काफी थी, फिर भी उसे अपवाद मानकर विद्वान् पूर्वी-पश्चिमी शाखाओं वाले भेद पर डटे रहे। पूर्वी जर्मनी में पहले स्लाव समुदाय की एक शतम्वादी भाषा का चलन था। इसके दस्तावेज सुलभ थे। अल्बानिया की तरह प्राचीन प्रुशियन को भी अपवादों में डाल दिया गया। प्रथम महायुद्ध के दौरान तुर्की के एक गाँव में जब ईसा मसीह से पूर्व दूसरी सहस्राब्दी के दस्तावेज प्राप्त हुए, तब पुरानी मान्यताओं में परिशोधन अनिवार्य हो गया। यहाँ की हित्ती भाषा का अध्ययन करनेवालों के एक दल ने आदि इंडो-यूरोपियन भाषा

के बदले आदि इंडो-हित्ताइत भाषा की कल्पना की। इसकी दो शाखाएँ हुईं : एक हित्ती, दूसरी इंडो-यूरोपियन, और फिर इस इंडो-यूरोपियन से **केन्तुम-शतम्** शाखाएँ, उनकी प्रशाखाएँ फूटीं। इस धारणा के मुख्य समर्थक अमरीकी विद्वान् स्टुर्टेवेंट हैं। ऐतिहासिक भाषाविज्ञानियों में यह दल अल्पसंख्यक है। बहुसंख्यक दल ने आदि इंडो-यूरोपियन भाषा की स्थापना तो नहीं छोड़ी पर उसकी पूर्वी-पश्चिमी शाखाओं के बारे में जो कल्पना की गई थी, उसमें परिवर्तन की आवश्यकता उसने स्वीकार की। इस मत का प्रतिनिधित्व करनेवाले एक विद्वान् बरो हैं। 'संस्कृत' नामक ग्रंथ में उन्होंने लिखा है : तुखारी और हित्ती भाषाओं पता लगने से पहले इस धारणा का चलन था कि केन्तुम्-सतम् भेद पश्चिमी तथा पूर्वी इंडो-यूरोपियन का भेद है। यह भी माना जाता था कि सतम् भाषाओं की तरह केन्तुम् भाषाओं का भी एक संयुक्त समुदाय था। यह धारणा कभी भी पूरी तरह संतोषजनक नहीं थी। ग्रीक तथा पश्चिमी इंडो-यूरोपियन भाषाओं के बीच में अल्बानिया आ जाता है। इसके सिवा ग्रीक भाषा तथा पश्चिमी इंडो-यूरोपियन भाषाओं में कोई खास समानताएँ नहीं हैं, इसके विपरीत ऐसी समानताएँ सतम् भाषाओं से हैं। तुखारी और हित्ती असन्दिग्ध रूप से केन्तुम् भाषाएँ थीं। इनका पता लगने से पश्चिम वाले विभाजन की बात करना अब असम्भव हो गया, और यह भी स्पष्ट हो गया कि केन्तुम् समुदाय जैसा कोई संयुक्त भाषा-समुदाय नहीं था। केन्तुम् भाषाएँ तालव्य **क्, ग्, घ्** को सुरक्षित बनाए हैं। यह समानता उनमें है पर भाषाविज्ञान का यह सुपरिचित सिद्धान्त है कि इस तरह की विशेषताओं का सुरक्षित बना रहना अनिवार्यत: यह सिद्ध नहीं करता कि वे भाषाएँ या बोलियाँ एक दूसरे से घनिष्ठ रूप में सम्बन्धित हैं।

बरो इस पुरानी मान्यता पर प्रारूढ़ हैं कि संस्कृत **शतम्** का **श्** मूलत: तालव्य **क्** था। इस तालव्य **क्** को केन्तुम् भाषाएँ सुरक्षित बनाए रहीं यद्यपि इस ध्वनि के उच्चारण में कोई तालव्य लक्षण नहीं है, पहले कभी था, इसका प्रमाण नहीं है। पर वे यह मानने पर बाध्य हैं कि केन्तुम्-शतम् विभाजन अब पूर्वी-पश्चिमी शाखाओं का विभाजन नहीं माना जा सकता। भारत के उत्तर में तुखारी, भारत के पश्चिम में और यूनान के पड़ोस में हित्ती शतम् शाखा के प्रसार-क्षेत्र को खंडित करती हैं। अत: बरो ने यह माना कि इंडो-यूरोपियन भाषा-परिवार में एक केन्द्रीय समुदाय (सेंट्रल ग्रुप) है। और उसके सीमान्तों पर चार अन्य भाषा-समुदाय हैं। यह केन्द्रीय समुदाय कौन-सा है? यह केन्द्रीय समुदाय वही है जिसे शतम् शाखा कहा जाता है। ऊपर से देखने में यह कोई महत्त्वपूर्ण परिवर्तन न हुआ, शतम्-केन्तुम् का भेद बना रहा, तालव्य **क्** से शतम् शाखा के सकारों का विकास मान्य रहा, आदिभाषा वाली स्थापना अडिग रही। वास्तव में यहाँ इंडो-यूरोपियन परिवार की भाषाओं का आपसी सम्बन्ध मूलत: बदल गया है। इस परिवार के 'केन्द्र' में केन्तुम समुदाय के स्थान पर शतम् समुदाय प्रतिष्ठित हो गया है। इस शतम् समुदाय के मुख्य केन्द्र यूरोप

में नहीं, एशिया में हैं। एशिया में इनका प्रमुख केन्द्र भारत है। अत: भाषा-तत्त्वों के प्रसार-केन्द्रों का अध्ययन करते समय परिप्रेक्ष्य ही बदल गया, अनुसन्धानकर्ता का दष्टिकोण ही बदल गया। बरो ने पुराने ढाँचे में थोड़ी-सी तब्दीली करके उसमें नये तथ्य जमा देने का प्रयत्न किया। पर वह ढाँचा ऐसा है कि उसमें थोड़ी तब्दीली करने पर आमूल परिवर्तन अनिवार्य हो जाता है।

बरो ने जिन चार सीमान्त भाषा-समुदायों (पॅरीफॅरल् डायलेक्ट-ग्रुप्स) का उल्लेख किया है, वे इस प्रकार हैं :

(1) पश्चिम इंडो-यूरोपियन समुदाय जिसमें इतालिक, केल्तिक और जर्मैनिक हैं;
(2) ग्रीक जो केन्द्रीय समुदाय से विशेष सम्बन्ध व्यक्त करती है;
(3) पूर्वी इंडो-यूरोपियन जो तुखारी के रूप में बच रही है।
(4) हित्ती तथा लघु एशिया की अन्य इंडो-यूरोपियन भाषाएँ जो मूल स्रोत से सर्वप्रथम विलग हुई थीं।

इस वर्गीकरण में तुखारी और हित्ती को सीमान्त भाषाएँ कहा गया है। पर वह केन्द्र कहाँ है जिसे देखते ये सीमान्त भाषाएँ कही जा सकती हैं? इस प्रश्न स्पष्ट उत्तर बरो की पुस्तक में नहीं है। इंडो-यूरोपियन परिवार की जो भाषाएँ यूरोप और एशिया में इस समय जहाँ बोली जाती हैं, बरो की कल्पना में लगभग वैसी ही स्थिति उनकी उस समय थी जब उनका व्यवहार-क्षेत्र सीमित था। जर्मन भाषा-समुदाय गीक क्षेत्र के उत्तर में इस समय है, तो पहले भी था; संस्कृत ग्रीक क्षेत्र के पूर्व में इस समय है तो पहले भी थी। केवल संस्कृत का व्यवहार-क्षेत्र, बरो के अनुसार, मूलत: बदला हुआ है। आर्य लोगों ने उत्तर-पश्चिम से आकर भारत में प्रवेश किया और नया भाषा-क्षेत्र स्थापित किया। बरो कहते हैं कि इंडो-यूरोपियन भाषाओं का ऐतिहासिक वितरण उनके वर्गीकरण के अनुरूप है किन्तु संस्कृत के सम्बन्ध में यह अपवाद है कि अपेक्षाकृत बाद के समय में आर्यगण इंडो-यूरोपियन भाषा-क्षेत्र से हटकर धुर पूर्व में आकर बस गए। इस बाद वाले समय से पहले, बरो के अनुसार, आदिम इंडो-ईरानियन भाषा की स्थिति बहुत कुछ केन्द्रीय रही होगी। यह समुदाय शतम् वर्ग की बोलियों के सीधे सम्पर्क में था। उसके पूर्व में इंडो-यूरोपियन का वह रूप था जो अन्तत: चीनी तुर्किस्तान की तुखारी बोली बना। इस समुदाय से बाल्तो-स्लावोनिक वर्ग का जो विशेष सम्बन्ध है, उस पर ध्यान दें तो इस केन्द्रीय समुदाय की भौगोलिक स्थिति और भी निश्चित की जा सकती है। बाल्त और स्लाव गण अपने प्राचीनतम लिखित इतिहास में जहाँ बसे हुए बताए गए हैं, वहाँ से वे दूर चले गए होंगे, इसकी सम्भावना कम है। अत: इंडो-ईरानियन का मूल भौगोलिक क्षेत्र बाल्त-स्लाव भूमि खंड के दक्षिण-पूर्व में रहा होगा, इसकी सम्भावना बहुत बढ़ जाती है।

बाल्त-स्लाव प्रदेश का दक्षिण-पूर्वी क्षेत्र भारत के आसपास माना जा सकता है। 'दक्षिण-पूर्वी' में, दक्षिण की तुलना में, पूर्व पर अधिक बल देना होगा। बाल्त-स्लाव गणों का लिखित इतिहास जितना प्राचीन है, उससे अधिक प्राचीन भारतीय आर्य गण का 'ऋग्वेद' है जो स्वयं इतिहास नहीं, तो इतिहास की स्रोत सामग्री का भंडार अवश्य है। पर यह सारी तर्कना इस कल्पना पर आधारित है कि जिसके पूरब-पच्छिम में इंडो-यूरोपियन भाषा-समुदाय पहले थे, उसके पूरब-पच्छिम में आज भी हैं, केवल उनका व्यवहार-क्षेत्र बढ़ गया है। यह आवश्यक नहीं है कि किसी केन्द्र से चारों ही दिशाओं में भाषा-तत्त्वों का प्रसार हो। अंग्रेज़ी भाषा अमरीका और आस्ट्रेलिया में पहुँच गई है। उसका प्रसार केन्द्र इंग्लैंड था। इंग्लैंड के उत्तर में उसका कितना प्रसार हुआ है? निकटवर्ती यूरोप में उसका व्यवहार-क्षेत्र कितना है? रूसी भाषा अपने मूल क्षेत्र से पूरब की ओर साइबेरिया तक फैलती चली गई है, पश्चिमी यूरोप में उसका कितना प्रसार हुआ है? अतः बरो ने जिस कल्पना के आधार पर इंडो-ईरानियन का आदि क्षेत्र निश्चित किया है, और उस केन्द्र के पूरब-पच्छिम, उत्तर-दक्खिन में जो सीमान्त माने हैं, उनका कोई पुष्ट आधार नहीं है।

यदि आर्य गण-भाषाओं का केन्द्र मध्यदेश माना जाए तो भारत-ईरानी शाखा का कल्पित केन्द्रीय क्षेत्र सीमान्त प्रदेश दिखाई देने लगेगा। इस मध्य देश के पूर्व में नाग भाषाएँ हैं। विन्ध्याचल के दक्षिण में द्रविड़ भाषाएँ आदिकाल से बोली जाती रही हों, चाहे द्रविड़गण वहाँ बाद में आकर बसे हों, यह निश्चित है कि जिस समय ग्रीक, लैटिन, जर्मन आदि भाषाओं का निर्माण हो रहा था, उस समय दक्षिण भारत जनशून्य नहीं था। किन्तु आर्य गण-भाषाओं का एक केन्द्र नहीं है, अनेक केन्द्र हैं, उन प्राचीन केन्द्रों की विशिष्टता और विविधता मगध से लेकर पठानों के देश तक आज भी दिखाई देती है। वृहत्तर भारत के किसी एकमात्र केन्द्र से भाषा-तत्त्वों का निर्यात नहीं हुआ। इसीलिए यूरोप की भाषाओं से भारतीय आर्य भाषाओं की समानता अनेक प्रकार की है, अनेक स्तरों की है, यह समानता अलग-अलग आर्य भाषाओं को लेकर बँटी हुई है। यद्यपि मध्यदेशीय आर्य भाषाओं की भूमिका यहाँ निर्णायक है। भारत में जो अन्य भाषा-परिवार थे, उनके चिन्ह निर्यात किये हुए भाषा-तत्त्वों में विद्यमान हैं। स्वयं भारत में जिन भाषा-परिवारों का भौगोलिक क्षेत्र इस समय जैसा दिखाई देता है, पहले भी वैसा ही नहीं था। उत्तराखंड में नाग-द्रविड़-कोल बस्तियाँ थीं। चीनी तुर्किस्तान नाग-क्षेत्र है, पहले था, अब भी है। वहाँ आर्य भाषा तुखारी का व्यवहार होता था। शतम् समुदाय से भिन्न यह इंडो-यूरोपियन की पूर्वी शाखा है, यह कहने से पहले उसके व्यवहार-क्षेत्र की नाग भाषाओं की विशेषता पहचानना चाहिए। यदि भारत के पूर्वी सीमान्त पर नाग भाषाएँ तालव्य **श्** को **क्** रूप में ग्रहण करती हों, तो यह मानना चाहिए कि तुखारी में केन्तुम् शाखा के लक्षण नाग भाषाओं की देन है।

आर्य गण भाषाओं के निर्माण में मध्यदेश की भूमिका निर्णायक है किन्तु वह भाषा-तत्त्वों का मुख्य प्रसार केन्द्र नहीं है। मुख्य प्रसार केन्द्र उत्तराखंड है जो द्रविड़-कोल गणों के साथ नाग जन-संकुल है। इस केन्द्र से होते हुए जो मध्यदेशीय भाषा-तत्त्व पश्चिमी एशिया अथवा लघु एशिया पहुँचते हैं, वे नाग प्रभाव लिये होते हैं! हित्ती, ग्रीक, लैटिन और पश्चिमी यूरोप की अन्य भाषाओं में इसी कारण वे लक्षण दिखाई देते हैं जो नाग क्षेत्र की आर्य भाषा तुखारी में है। इससे भिन्न जो तत्त्व मध्य और पश्चिमी एशिया में नागेतर क्षेत्रों के आर्य केन्द्रों से पहुँचते हैं, उनमें मध्यदेश की आर्य भाषाओं के प्राचीन लक्षण अधिक सुरक्षित हैं। ये तत्त्व एक ओर ईरान, आर्मीनिया में दिखाई देते हैं, दूसरी ओर इनका प्रसार पूर्वी यूरोप में होता है और इस कारण अल्बानिया, पूर्वी जर्मनी शतम् समुदाय के केन्द्र हैं या पहले कभी थे। भारत के पूरे भाषाई परिवेश को ध्यान में रखते हुए जब हम विभिन्न इंडो-यूरोपियन भाषा-समुदायों के आपसी सम्बन्धों पर विचार करते हैं, तब उक्त स्थापना पुष्ट होती है, ध्वनि-परिवर्तन से लेकर व्याकरण-सम्बन्धी समानता और भिन्नता के कारण समझ में आने लगते हैं। ईरानी भाषाओं का क्षेत्र वर्तमान ईरान तक सीमित नहीं है। पामीर से लेकर कोहकाफ तक इसका विस्तार है। आर्मीनिया की भाषा के अलावा इराक और तुर्की के उत्तरी पार्वतीय प्रदेशों में रहनेवाले कुर्द गणों की भाषा ईरानी समुदाय से मिलती-जुलती है। स्वभावत: स्लाव तथा ग्रीक समुदायों से ईरानी समुदाय का घनिष्ठ सम्बन्ध है और ईरानी समुदाय का घनिष्ठ सम्बन्ध भारतीय आर्य भाषाओं से है।

बरो कहते हैं कि पश्चिमी इंडो-यूरोपियन भाषाओं—इतालिक, केल्तिक और जर्मैनिक—के शब्द-भंडार और व्याकरण में कुछ सामान्य विशेषताएँ हैं। इतालिक और केल्तिक समुदाय एक दूसरे के अधिक नजदीक हैं यद्यपि दोनों को किसी एक सामान्य इतालिक-केल्तिक भाषा से उत्पन्न नहीं माना जा सकता। इनसे जर्मैनिक समुदाय का सम्बन्ध निश्चित है पर शिथिल है। उधर उसके कुछ विशेष सम्बन्ध स्लावोनिक से हैं, इसके अलावा सामान्य रूप में केन्द्रीय समुदाय से भी हैं। बरो की टिप्पणी से ज्ञात होगा कि शाखाओं वाला विभाजन कितना भ्रामक हो सकता है। अनेक गण-समुदाय हैं, उनकी भाषाओं के परस्पर सम्बन्ध अनेक प्रकार के हैं।

यूरोप की संस्कृति का प्राचीनतम स्रोत यूनान माना जाता है। भाषा के विचार से प्राचीन यूनान तथा यूरोप—विशेषत: पश्चिमी यूरोप के बीच किस तरह का सम्बन्ध है? क्या प्राचीन ग्रीक को यूरोपियन भाषा कहा जा सकता है?

इस सन्दर्भ में बरो ने लिखा है कि ग्रीक में केन्तुम् समुदाय से घनिष्ठ सम्बन्ध के कोई लक्षण नहीं हैं। इसके विपरीत उसका घनिष्ठतम सम्बन्ध शतम् भाषाओं से—विशेषत: इंडो-ईरानियन और आर्मीनियन से—प्रतीत होता है। संस्कृत के तुलनात्मक व्याकरण पर दृष्टिपात करते ही विदित हो जाता है कि इंडो-ईरानियन से बाहर किसी भी भाषा से संस्कृत की इतनी समानताएँ नहीं हैं जितनी ग्रीक से हैं।

विशेष रूप से क्रिया-रूपों के निर्माण में बहुत बड़ी समानता है। इन दोनों भाषाओं के दस्तावेज बहुत पुराने हैं, इसलिए भी ऐसी समानताएँ झलकती हैं किन्तु कुछ सामान्य लक्षणों का उद्‌भव उत्तर इंडो-यूरोपियन काल का है; मानना चाहिए कि ये लक्षण आदिकाल के नहीं हैं, उत्तरकाल में ग्रीक तथा इंडो-ईरानियन ने सामान्य रूप से इनका सृजन किया है। दूसरी ओर शतम् समुदाय में जो विशिष्ट ध्वनि-परिवर्तन हुए हैं, वे ग्रीक भाषा में नहीं हैं। अत: निष्कर्ष यह निकलता है कि जिस मूल इंडो-यूरोपियन बोली के आधार पर ग्रीक भाषा का निर्माण हुआ है, वह केन्द्रीय बोलियों के समुदाय के घनिष्ठतम सम्पर्क में थी किन्तु यह सम्पर्क शतम् समुदाय में होनेवाले ध्वनि-परिवर्तनों से पहले टूट गया था।

बरो के उक्त विवेचन में इंडो-यूरोपियन युग को पूर्व और उत्तर कालों में बाँटा गया है। एक तरह से यह इंडो-यूरोपियन भाषाओं के विकास की विभिन्न मंज़िलें स्वीकार करने के समान हैं। इसके सिवा यह माना गया है कि ग्रीक भाषा-केन्द्रीय समुदाय से सम्बद्ध है। वह केन्तुम् समुदाय में केवल इसलिए शामिल की जाती है कि उसमें तालव्य **श** का अभाव है, अत: शतम् समुदाय के कल्पित ध्वनि-परिवर्तनों से वह मुक्त है। वह व्याकरण और शब्द-भंडार की दृष्टि से शतम् समुदाय—और इस समुदाय में संस्कृत—से अभिन्न रूपेण सम्बद्ध है। पश्चिमी यूरोप की भाषाएँ केन्द्रीय समुदाय के विचार से सीमान्त भाषाएँ हैं। उनसे ग्रीक भाषा का निकट सम्बन्ध नहीं है। अत: जिस अर्थ में जर्मन या अंग्रेज़ी यूरोपियन भाषाएँ हैं, उस अर्थ में ग्रीक यूरोपियन भाषा नहीं है।

इंडो-यूरोपियन समुदाय के केन्द्र में ग्रीक और संस्कृत हैं। इस धुरी के चारों ओर अन्य भाषाओं का चक्र घूमता है। तुखारी भाषा को बरो पूर्वी सीमान्त की भाषा मानते हैं। पश्चिमी छोर पर केल्तिक, जर्मैनिक आदि हैं। इस मानचित्र में बरो जिसे आदि जननी भाषा कहेंगे, वह केन्द्रीय समुदाय की आदि जननी भाषा होगी ('...the parent dialect of Indo Iranian was originally a central dialect') बरो के अनुसार इंडो-ईरानियन की आदि जननी भाषा मूलत: एक केन्द्रीय बोली थी; अर्थात् केन्द्रीय भाषा से तमाम इंडो-यूरोपियन भाषाओं का जन्म हुआ है, उसका सीधा निकटतम सम्बन्ध भारत-ईरानी शाखा से है। बरो ने इंडो-ईरानियन की जननी भाषा का उल्लेख किया है, ग्रीक और इंडो-ईरानियन घनिष्ठ रूप से सम्बद्ध हैं, अत: वह ग्रीक की भी जननी भाषा होगी। तुखारी और केल्तिक आदि सीमान्तों पर हैं, अत: इस केन्द्रीय भाषा को ही उन सभी की जननी भाषा कहा जाएगा। ये स्थापनाएँ उस धारणा के बहुत निकट हैं जिसके अनुसार इंडो-यूरोपियन परिवार के निर्माण में भारतीय आर्य भाषाओं की भूमिका सर्वाधिक महत्त्वपूर्ण है।

हित्ती और उससे सम्बन्धित भाषाओं के बारे में बरो का कहना है कि मूल इंडो-यूरोपियन समवाय से इनका बिलगाव सबसे पहले हुआ था। इन भाषाओं की

जानकारी से पहले ग्रीक, लैटिन संस्कृत आदि के आधार पर जिस आदि इंडो-यूरोपियन भाषा की कल्पना की गई थी, उससे हित्ती आदिभाषाएँ बहुत भिन्न हैं। भारत के भाषावैज्ञानिकों ने हित्ती पर बहुत कम ध्यान दिया है। उनके लिए 19वीं सदी में तुलनात्मक विश्लेषण के आधार पर आदिभाषा का जो रूप रचा गया था, वह अब भी अक्षुण्ण बना हुआ है। वे समझते हैं कि पुराने ऐतिहासिक भाषाविज्ञान में जहाँ-तहाँ छोटी-मोटी बातें जोड़ी जा सकती हैं, मूल मान्यताओं में और विश्लेषण की पद्धति में कोई परिवर्तन आवश्यक नहीं है। किन्तु 19वीं सदी के विद्वानों ने तुलनात्मक विवेचन करके आदि इंडो-यूरोपियन भाषा का जो रूप स्थिर किया था, वह हित्ती की जानकारी के बाद ढह गया है। हित्ती में एक **ख्** ध्वनि है जो अंग्रेज़ी वर्णमाला के एच् वर्ण के नीचे अर्द्धचन्द्र लगाकर व्यक्त की जाती है। अन्य भाषाओं के प्रतिरूपों में यह ध्वनि नहीं है। ध्वनितंत्र के जो अटल नियम बनाए गए थे, उनमें आमूल परिवर्तन आवश्यक हो गया। काकल्य ध्वनियों को लेकर बहुत-सा साहित्य रचा गया, उसका एक विशेष वर्ग ही बन गया। इसके सिवा व्याकरण-सम्बन्धी विशेषताएँ हैं। स्त्रीलिंग के भेद का विकास नहीं हुआ। संस्कृत की तुलना में संज्ञा शब्दों का रूपविन्यास बहुत सरल है। बरो कहते हैं कि यह समझने का कोई कारण नहीं कि पहले रूप-विकार में विविधता थी और हित्ती ने उसे खो दिया। संस्कृत की तुलना में आधुनिक भाषाएँ जहाँ भी क्रिया-संज्ञा-रूपों में सरल दिखाई देती हैं, विद्वान मान लेते हैं कि इन्होंने पुरानी सम्पदा खो दी है और यह ह्रास का लक्षण है। पर वैसी ही सरलता यदि हित्ती में दिखाई दे तो उसे भी सम्पदा का विनाश और ह्रास कहने का साहस उन्हें नहीं होता। ग्रीक और संस्कृत के आधार पर भाषाविज्ञानियों ने आदिम इंडो-यूरोपियन भाषा के क्रिया-रूपों का चित्र बनाया था। हित्ती भाषा के क्रिया-रूप उस चित्र से बहुत भिन्न हैं। हित्ती ने क्रिया-रूपों को खोया नहीं, और उसके क्रिया रूप उस कल्पित चित्र से मिलते नहीं हैं, इससे एक ही निष्कर्ष निकलता है कि तुलनात्मक विश्लेषण की पद्धति से पुराने रूपों का जो चित्र बनाया गया था, वह गलत था। ऐतिहासिक भाषाविज्ञान की आधारभूत मान्यताओं में इससे बड़ा परिवर्तन और क्या हो सकता है? भारत के भाषाविज्ञानी उसकी तरफ से बेखबर रहें तो यह उनके वैज्ञानिक होने का प्रमाण नहीं है।

हित्ती की जानकारी से जो परिस्थिति उत्पन्न हुई, उससे कुछ लोगों ने पूर्व को पूरी तरह बदल दिया। आदि इंडो-यूरोपियन के बदले उन्होंने आदि इंडो-हित्ताइत की कल्पना की। इसकी दो शाखाएँ हुईं : हित्ती और इंडो-यूरोपियन। इंडो-यूरोपियन शाखा का वह सारा विकास-क्रम स्थिर रहा जो 19वीं सदी में कायम किया गया था। केवल जो पहले आदि इंडो-यूरोपियन भाषा थी, वह अब स्वयं एक आदि आषा की शाखा बन गई। बरो इस इंडो-हित्ताइत आदिभाषा की धारणा को अस्वीकार करते हुए इंडो-यूरोपियन को दो हिस्सों में अथवा दो मंजिलों में बाँट देते हैं। पहली

मंजिल में हित्तो शेष समुदाय से अलग नहीं हुई, दूसरी मंजिल में वह अलग हो गई। उन्होंने लिखा है : "महत्त्वपूर्ण भेद अब [अर्थात् हित्ती की जानकारी के बाद] यह है कि आदिम इंडो-यूरोपियन की ही धारणा को लेकर विवेचन करने के बदले अब हमें प्राचीन तथा उत्तरकालीन इंडो-यूरोपियन में भेद करना होगा। प्राचीन इंडो-यूरोपियन उस समय की है जब हित्ती अलग न हुई थी। उत्तरकालीन इंडो-यूरोपियन में विकास की कुछ ऐसी विशेषताएँ हैं जो निश्चित की जा सकती हैं। इस विकास में विभिन्न बोलियाँ साथ-साथ विकसित होती हुई क्रमशः विभिन्न भाषाओं का रूप लेने लगती हैं।" यहाँ शब्दों का हेरफेर ही अधिक है, मूल स्थापना में अन्तर कम है। इंडो-हित्ताइत और इंडो-यूरोपियन—ये दो मंजिलें हुईं; इनके बदले, बरो के अनुसार, प्राचीन इंडो-यूरोपियन और उत्तरकालीन इंडो-यूरोपियन—ये दो मंजिलें हुईं। बरो ने हित्ती की विशेषतानों को ध्यान में रखते हुए प्राचीन इंडो-यूरोपियन भाषा का रूप निश्चित करने का प्रयत्न नहीं किया। संस्कृत पर उनकी पुस्तक मूलतः इंडो-यूरोपियन परिवार की पुरानी कल्पना पर आधारित है।

ऐतिहासिक भाषाविज्ञान के लिए हित्ती का महत्त्व युगान्तरकारी है, अतः उस पर संक्षेप में अलग से विचार कर लेना उचित होगा।

## 2. हित्ती

हित्ती भाषा के विशेषज्ञ स्टुर्टेवेंट ने इस भाषा के व्याकरण पर अपनी पुस्तक में लिखा है कि आधुनिक तुर्की में जहाँ बोगाज़कोय गाँव है, वहाँ दूसरी सहस्राब्दी में हित्तियों की प्राचीन राजधानी उरु हतुसस् थी। यहाँ जो दस्तावेज मिले, वे विधि-व्यवस्था, राजाज्ञापत्रों, सन्धियों, धार्मिक आचार, औषधि-उपचार आदि से सम्बन्धित हैं। इनका समय 1700 से 1200 ई.पू. तक है। यहाँ हित्ती के अलावा अन्य भाषाएँ भी बोली जाती थीं। यहाँ हुर्री जाति के लोग रहते थे जिन पर भारतीय उद्भव का अभिजात वर्ग शासन करता था अथवा यह हुर्री जाति उस तरह के अभिजात वर्ग से बहुत प्रभावित थी। इसी कारण सीरिया (साम) और उत्तरी मेसोपोटामिया (इराक) में दूसरी सहस्राब्दी ई.पू. के मध्य में बहुत-से संस्कृत नाम पाए जाते हैं। अश्वारोहण-कौशल से सम्बन्धित दस्तावेजों में भारतीय शब्द मिलते हैं। मितन्नी नाम की जाति से सन्धि की गई थी, उसमें वैदिक देवताओं के नाम मिलते हैं। कुछ विद्वानों के अनुसार इन हित्तियों ने लघु एशिया में पूर्व की ओर से प्रवेश किया था।

**हित्ती** शब्द हीब्रू भाषा का है। मूल शब्द **हत्ती** या **हत्ति** था। यह संस्कृत **हस्ति** से बहुत मिलता-जुलता है और **हस्तिनापुर** की याद दिलाता है जिसमें **ना** सम्बन्धकारक का चिन्ह है; **हस्तिनापुर** का अर्थ होगा हस्तिगण का पुर। भारत में कुछ गण-समाजों के लिए हाथी एक पवित्र पशु था, उनका गण चिन्ह अथवा गण प्रतीक था, यह गणेश की उपासना से सिद्ध है। हस्तिनापुर में हस्तिगण रहता था

या नहीं, इस गण से लघु एशिया के हत्तियों का सम्बन्ध है या नहीं, यह सब अभी कल्पना-मात्र है, विवेचन के लिए प्रमाणों का अभाव है। जो बात निश्चित है, वह यह कि हित्तियों के दस्तावेजों में उन वैदिक देवताओं का उल्लेख है जिनका नाम उस ग्रीक भाषा में नहीं है जो हित्ती की अपेक्षा संस्कृत से बहुत मिलती-जुलती है।

स्टुर्टेवैंट के अनुसार दो तरह के हत्ती थे। एक मूल निवासी और दूसरे बाहर से आकर वहाँ बस जानेवाले। उन्होंने लिखा है कि मूल हत्ती लघु एशिया के निवासी थे। बाद वाले हित्तियों ने उनका नाम अपना लिया, उनके कुछ देवताओं को अपने देवमंडल में मिला लिया और उनकी राजधानी हन्तुस् या ख़न्तुस् पर अधिकार कर लिया। मूल हत्तियों की भाषा से हित्ती दस्तावेजों में जहाँ-तहाँ अनुवाद किया गया है।

हित्ती के साथ उससे मिलती-जुलती जो अन्य भाषाएँ वहाँ बोली जाती थीं, उनमें एक भाषा लुवियन थी। इसकी एक रोचक विशेषता यह थी कि सम्बन्धकारक के बदले अधिकार-सूचक विशेषण का प्रयोग होता था। यह विशेषण लिंग-वचन में विशेष्य के अनुरूप होता था। यह विशेषता सुमेरियन भाषा में भी थी और सुमेरियन का क्षेत्र हित्तियों के पड़ोस में था। सुमेरियन भाषा ज्ञात भाषा-परिवारों से भिन्न मानी जाती है, फिर भी उसमें तथा आर्य भाषाओं में अनेक समानताएँ हैं। सुमेरियन, लुवियन, और हिन्दी जैसी आधुनिक आर्य भाषाओं में यह समानता है कि सम्बन्धकारक विशेषण के समान प्रयुक्त होता है और उसी की तरह रूप बदलता है।

पलाइक, लिकियन, लीदियन आदि कुल मिलाकर यहाँ की छह भाषाओं का पता लगा है जिन्हें एक सामान्य नाम अनातोलियन दिया गया है। इनके साथ कुछ लोग फ्रिजियन भाषा का उल्लेख करते हैं। फ्रिजिया का ग्रीक उच्चारण फ़ुगिआ होगा और डॉ. सुनीतिकुमार चाटुर्ज्या ने इसका सम्बन्ध संस्कृत गोत्रनाम **भृगु** से जोड़ा है। स्टुर्टेवैंट ने आदि इंडो-हित्ताइत भाषा की कल्पना की, इसकी एक शाखा आदि इंडो-यूरोपियन हुई, दूसरी शाखा आदि अनातोलियन हुई। इस दूसरी शाखा के अन्तर्गत ये सब भाषाएँ तथा हित्ती परिगणित हुईं। इस विभाजन में हित्ती भाषा भारतीय आर्य भाषाओं से बहुत दूर जा पड़ती है तथा ग्रीक भाषा अनातोलियन समुदाय से दूर जा पड़ती है। बरो और स्टुर्टेवैंट के वर्गीकरण में दो बातें सामान्य हैं। ये लोग ध्वनितंत्र, शब्द-निर्माण-प्रक्रिया और व्याकरण रूपों के क्रमिक विकास पर बहुत कम ध्यान देते हैं, वृहत्तर भाषाई परिवेश की ओर भी कम ध्यान देते हैं।

हित्ती के ध्वनितंत्र में सबसे महत्त्वपूर्ण विशेषता महाप्राण ध्वनियों का है। स्टुर्टेवैंट ने लिखा है कि सभी अनातोलियन भाषाएँ ऐसी हैं जिनमें महाप्राण और अल्पप्राण ध्वनियों का भेद नहीं है। यह बात काफी आश्चर्यजनक है क्योंकि इंडो-यूरोपियन परिवार की अधिकांश भाषाएँ ऐसी हैं जिनमें कोई न कोई महाप्राण ध्वनि है। यह हो सकता है कि जो महाप्राण ध्वनियाँ हों, वे अवरोधी न होकर संघर्षी हों। हित्ती में

जिस ध्वनि को अंग्रेज़ी के **एच्** अक्षर के नीचे अर्द्धचन्द्र लगाकर सूचित किया जाता है, वह निस्सन्देह संघर्षी थी। स्टुर्टेवैंट ने संघर्षी **क़्** या **ग़्** में भेद दिखाया है। हित्ती भाषा में सघोष ध्वनियाँ थीं या नहीं, यह स्वयं विवादास्पद प्रश्न है। **एच्** वाला चिन्ह कितनी ध्वनियों का सूचक है, इस बारे में अनेक मत हैं। यह सम्भव है कि लैटिन के समान हित्ती में एक ही संघर्षी महाप्राण ध्वनि हो और वह सघोष महाप्राण तथा अघोष महाप्राण, दोनों ध्वनियों वाले शब्दों के प्रतिरूपों में काम आती हो। हित्ती में **ह्** ध्वनि का अभाव है। अत: आर्य भाषाओं से प्राप्त **ह्** ध्वनि वाले शब्दों में भी उसी चिन्ह का व्यवहार होगा।

संस्कृत में एक शब्द है **पृथु** जिसका अर्थ है चौड़ा, विशद। हित्ती में इसका प्रतिरूप है **पल्ख़िस्**। यहाँ जिस ध्वनि के लिए **ख्** लिखा गया है, यह संघर्षी **थ़्** हो सकती है। यह भी सम्भव है कि संघर्षी **थ़्** के लिए **ख़्** ध्वनि का ही प्रयोग होता हो। संस्कृत **भर्ग** (प्रकाशमान, श्वेत) का हित्ती प्रतिरूप **ख़र्किस्** है। यहाँ जिस ध्वनि के लिए **ख़्** लिखा गया है, वह संघर्षी **फ़्** हो सकती है। तमिल **कन्** (चमकना, गरम होना) और संस्कृत **कम्** (उप.) का हित्ती प्रतिरूप **ख़न्तइस्** (ऊष्मा) है। यहाँ सम्भव है, अवरोधी **क्** संघर्षी **ख़्** रूप में ग्रहण किया गया हो। संस्कृत सारस का हित्ती प्रतिरूप **ख़रस्** (बाज़) है। यहाँ **स्** ध्वनि **ख़्** में परिवर्तित है। संस्कृत **अस्थि** के हित्ती प्रतिरूप **ख़स्तइ** (कंकाल) में **ख़्** या तो **ह्** के बदले प्रयुक्त हुआ है या **कस्ति** रूप के अवरोधी **क्** के लिए जो **ख़्** में बदल गया था। अनेक ध्वनियों के प्रतिरूप के लिए एक ही ध्वनि-चिन्ह का व्यवहार हो तो भाषा के ध्वनितंत्र की छानबीन करने में कठिनाई होगी ही। दो बातें निश्चित हैं। पहली यह कि द्रविड़ भाषाओं के समान हित्ती में महाप्राण ध्वनियों की कमी है; दूसरी यह कि नाग भाषाओं के समान इसमें अनेक संघर्षी ध्वनियाँ हैं। **ख़्** के अलावा एक ध्वनि **त्स्** है जिसे अंग्रेज़ी में **ज़ेड्** अक्षर द्वारा सूचित करते हैं। **अकुवन्त्सि** का अर्थ है—वे पीते हैं; यह रूप संस्कृत **पठन्ति** आदि के समान है, केवल **त्** अवरोधी के बदले संघर्षी हो गया है। परिवर्तित ध्वनि को **च़्** चिन्ह के द्वारा भी व्यक्त कर सकते हैं। नाग भाषाओं में संघर्षी ध्वनियों की प्रचुरता है, साथ ही महाप्राण ध्वनियाँ भी हैं। अत: सम्भावना यही है कि हित्ती में महाप्राण-ध्वनियाँ थीं यद्यपि उनकी संख्या बहुत सीमित थी और वे अवरोधी के बदले संघर्षी थीं।

भारतीय भाषाई परिवेश में यदि हित्ती के ध्वनितंत्र की विशेषताओं पर विचार करें तो प्रतीत होगा कि उसमें **ह्** समेत महाप्राण ध्वनियों का अभाव द्रविड़ प्रभाव सूचक है। शब्द-भंडार और व्याकरण-रूपों के विचार से हित्ती निस्सन्देह इंडो-यूरोपियन परिवार की भाषा है किन्तु उसके ध्वनितंत्र पर द्रविड़ भाषाओं का प्रभाव दिखाई देता है। स्वयं द्रविड़ भाषाओं में संघर्षीकरण की प्रवृत्ति है। हित्ती और द्रविड़ भाषाएँ दोनों ही नाग भाषाओं से प्रभावित मानी जा सकती हैं। भारतीय महाप्राण ध्वनियों के रूपान्तरण में यहाँ वही प्रक्रिया दिखाई देती है जो लैटिन में है।

हित्ती भाषा की दूसरी विशेषता सघोष ध्वनियों का अभाव है। स्टुर्टेवैंट के अनुसार अनातोलियन भाषाएँ हित्ती समेत सघोष और अघोष ध्वनियों में भेद करती हैं। इसके साथ ही वह यह भी कहते हैं कि लिपिकारों ने **क्-त्-प्** और **ग्-द्-ब्** लिखने में विवेक से काम नहीं लिया। यह एक आश्चर्य की बात है क्योंकि हित्ती के लिए जिस लिपि का उपयोग किया गया है, वह सामी भाषा अक्कादी की लिपि है। इस सामी लिपि में सघोष और अघोष ध्वनियों का भेद व्यक्त किया जाता था। उस लिपि का व्यवहार करनेवाले हित्ती किसी नियम के अनुसार सघोष-अघोष ध्वनियों का भेद न दिखाएँ, इसका एक ही कारण हो सकता है कि इस भाषा में इस तरह का भेद महत्त्वपूर्ण न था। हित्ती की एक पड़ोसी भाषा सुमेरियन थी। इस भाषा के ध्वनितंत्र के बारे में स्टुर्टेवैंट ने लिखा है कि उसमें सघोष-अघोष अवरोधी ध्वनियों में कोई अर्थ-विच्छेदक भेद नहीं था। हित्ती भाषा के दस्तावेजों में कहीं-कहीं सुमेरियन लिपि-चिन्हों का व्यवहार किया गया है, इस प्रकार दोनों का सम्पर्क प्रमाणित है। द्रविड़ों के अलावा हित्ती के परिवेश में प्राचीन काल की महत्त्वपूर्ण भाषा सुमेरियन है। अत: हित्ती में महाप्राणता के साथ सघोषता का अभाव हो या अत्यन्त सीमित व्यवहार होता हो तो यह स्थिति स्वाभाविक होगी।

हित्ती ध्वनितंत्र की तीसरी विशेषता यह है कि उसमें कोई भी शब्द **र्** या **ल्** ध्वनि से आरम्भ नहीं होता। आर्य भाषा-परिवार से भिन्न यह द्रविड़ परिवार, विशेषत: तमिल का स्पष्ट लक्षण है। चौथी विशेषता यह है कि अनेक शब्दों में **त्** ध्वनि **ल्** या **न्** में परिवर्तित होती है। **मधु** शब्द का हित्ती प्रतिरूप **मिलित्** है। यहाँ **ध्** पहले अघोष अल्पप्राण **त्** बना, पुनः **ल्** रूप में उसका कायाकल्प हुआ। यही प्रक्रिया **मधु** के लैटिन प्रतिरूप **मेल्** में दिखाई देती है। हित्ती में एक क्रियामूल **नि** है जिसका सम्बन्ध पीने से है; **निक ओरत्सि** अर्थात् पी जाना। यह **नि** भारतीय **नीर** से सम्बद्ध है और यह **नीर** मूलत: **तीर्थ** का **तीर** था। **तीर** की मूलक्रिया **ती** हित्ती **नि** में परिवर्तित हुई। **त्** ध्वनि का इस प्रकार **ल्** और **न्** में परिवर्तन द्रविड़ भाषाओं में सामान्य है।

हित्ती ध्वनितंत्र की पाँचवीं विशेषता यह है कि **श्** ध्वनि वाले अनेक भारतीय शब्दों के हित्ती प्रतिरूपों में **क्** ध्वनि का व्यवहार हुआ है। **हृदय** के पूर्वरूप **श्रद्** का हित्ती प्रतिरूप **कर्तस्** अथवा **किर्** है। इसी प्रकार संस्कृत क्रिया **शे** (लेटना) का हित्ता प्रतिरूप **कित** है। छठी विशेषता यह है कि नासिक्य ध्वनियों में **म्** की अपेक्षा **न्** का व्यवहार अधिक होता है; भारतीय रूपों में जहाँ **म्** है, वहाँ हित्ती रूपों में बहुधा **न्** दिखाई देता है। नपुंसक लिंग वाले संस्कृत के संज्ञा शब्द जहाँ **म्** का व्यवहार करते हैं, वहाँ हित्ती में **न्** का व्यवहार होता है। यही प्रवृत्ति ग्रीक भाषा में दिखाई देती है। स्वभावत: **म्** ध्वनि वाले सर्वनामों के साथ **न्** ध्वनि वाले सर्वनामों का व्यवहार भी होता है, संस्कृत **मम्** और **नः** रूपों के समान। लैटिन के समान **अहम्** का हित्ती प्रति रूप **एग्** (अथवा **एक्**), **एगोम्** है। कर्मकारक में इसके एकवचन

रूप **मे, एमे, मोइ** हैं। कर्मकारक का बहुवचन रूप **नोस्** तथा तिर्यक् रूप **नो** है। यहाँ **म्** ध्वनि **न्** रूप में अनेक द्रविड़ भाषाओं के समान ग्रहण की जाती है। हित्ती भाषा की सर्वनाम व्यवस्था में अनेक स्रोतों से भाषा-तत्त्व आए हैं; उससे संस्कृत, ग्रीक, द्रविड़ भाषाओं की मिश्रित सर्वनाम-व्यवस्था समझने में सहायता मिलती है। हित्ती तथा अन्य इंडो-यूरोपियन भाषाओं के तुलनात्मक अध्ययन के आधार पर आदि इंडो-हित्ताइत भाषा के सर्वनामों बारे में जो धारणा बनाई जा सकती है, उसके बारे में हित्ती भाषा के व्याकरण में स्टुर्टेवैंट ने लिखा है : "यहाँ बहुत स्पष्ट सात सर्वनामों—मूलत: आठ—का साँचा दिखाई देता है। ये सर्वनाम एक दूसरे से सर्वथा स्वतंत्र थे, उन्हें बाद को एक ही व्यवस्था में शामिल किया गया था।" (पृ. 103)

**म्** और **न्** सर्वनामों का भेद होने पर जहाँ-तहाँ उनसे वचन-भेद के लिए काम लिया गया। संस्कृत **अद्** (खाना) क्रिया के प्रतिरूप से **एइत्मि** (मैं खाता हूँ) और **अतएनि** (हम खाते हैं) रूप बनते हैं।

हित्ती ध्वनितंत्र की सातवीं विशेषता यह है कि यह भाषा एकारवादी है। अनेक भारतीय शब्दों में जहाँ अकार है, वहाँ हित्ती में एकार है। यह उत्तर-पश्चिमी आर्य गण भाषाओं की प्रवृत्ति है जिसने तमिल आदि अनेक द्रविड़ भाषाओं को प्रभावित किया था। किन्तु एकार ने अकार का बहिष्कार नहीं किया, अनेक वैकल्पिक रूपों में दोनों ध्वनियों का प्रयोग मिलता है। संस्कृत क्रिया **अस्** का एक हित्ती रूप **एस्त्सि** (है) है, दूसरा रूप **अरान्त्सि** (हैं) है। एक रूप में **अ**, दूसरे में **ए**। इन रूपों को देखने से ज्ञात होता है कि ग्रीक भाषा के बहुत-से शब्दों में संस्कृत **अ** के बदले **ए** क्यों है।

हित्ती ध्वनितंत्र की आठवीं विशेषता यह है कि अनेक रूपों में **म्** के स्थान पर **व्** का व्यवहार होता है। क्रिया से संज्ञा-रूप बनाने में कहीं **मर्** प्रत्यय दिखाई देगा, कहीं **वर्**, क्रियार्थी संज्ञा-रूपों के अर्थ में कहीं **मन्त्सि** है, कहीं **वन्त्सि**। यह वही प्रवृत्ति है जिसके कारण **बुद्धिमान** का प्रतिरूप हिन्दी की बोलियों में **बुद्धिवान्** होता है। संस्कृत में **वसुमन्त, सखिवन्त** आदि रूपों में यही विकल्प देखा जाता है। अनेक द्रविड़ भाषाएँ **प्** के अवरोधी तत्त्व का लोप करके उसे **व्** में परिवर्तित कर देती हैं, उसी तरह यह **मन्त** और **वन्त** वाला परिवर्तन है। स्टुर्टेवैंट ने **व्** वाले रूपों को मूल रूप माना है। वर्तमान कालिक क्रिया-रूप (उत्तम पुरुष, एकवचन) में हित्ती **मि** सर्वनाम चिन्ह लगाती है किन्तु पड़ोसी लुवियन भाषा में **वि** सर्वनाम चिन्ह लगता है। इसके लिए स्टुर्टेवैंट ने लिखा है कि हित्ती तथा इंडो-यूरोपियन में **मि** का प्रसार हुआ किन्तु मूल रूप **वि** लुवियन में सुरक्षित रहा। (पृ. 45) व्यापक परिवेश में विचार करें तो मूल रूप **म्** ध्वनि वाला प्रतीत होता है, **व्** ध्वनि वाला रूप एक निश्चित ध्वनि-परिवर्तन का प्रक्रिया की ओर संकेत करता है। हित्ती के क्रिया-रूपों में उत्तम पुरुष बहुवचन का एक चिन्ह **मेनि** है, दूसरा चिन्ह **वेनि** है। यह सारा व्यापार देखकर समझ में आ जाता है कि अंग्रेज़ी में उत्तम पुरुष सर्वनाम का एक

रूप **मी** (मुझे) और दूसरा रूप **वी** (हम) क्यों है। संस्कृत **वयम्** का मूलरूप **मयम्** रहा होगा, **आवाम्** का मूल रूप **आमाम्** रहा होगा। **पठामि** का द्विवचन रूप **पठावः** है। जिस समय द्विवचन का भेद व्याकरण-व्यवस्था में शामिल न किया गया था, उस समय **पठामः** एक मात्र बहुवचन रूप था; **म्** ध्वनियों वाले दो सर्वनाम रूप मिलने पर वचन-भेद के लिए उनका प्रयोग किया गया।

हित्ती में मूर्धन्य ध्वनियों का अभाव है। यह भाषा द्रविड़ समुदाय के ध्वनितंत्र से प्रभावित है, अतः यह निष्कर्ष निकाला जा सकता है कि दूसरी सहस्राब्दी में द्रविड़ भाषाएँ मूर्धन्यीकरण से प्रभावित न हुई थीं। हित्ती में तालव्य ध्वनियों का भी अभाव है। सम्भवतः यहाँ भी द्रविड़ समुदाय के बारे में यह निष्कर्ष निकलेगा कि उसमें अभी **च्** ध्वनि का निवेश न हुआ था। इंडो-यूरोपियन परिवार में आर्य, ईरानी और स्लाव समुदायों से मिलकर जिस केन्द्रीय भाषा-समवाय का निर्माण होता है, उसमें **च्** ध्वनि सर्वत्र है। हित्ती में या तो इस **च्** ध्वनि को **क्** में परिवर्तित किया गया है अथवा यह भाषा केन्द्रीय समवाय की तालव्य वृत्ति से प्रभावित नहीं हुई। स्टुर्टेवैंट का यह उल्लेख महत्त्वपूर्ण है कि आदि इंडो-यूरोपियन भाषा की कल्पित तालव्य **क् (क्य)** ध्वनि हित्ती में सामान्य **क्** से कहीं भिन्न दिखाई नहीं देती। स्टुर्टेवैंट ओष्ठय **क्व़ (क्व)** का अस्तित्व मानते हैं किन्तु हित्ती में इसका कोई स्पष्ट प्रमाण नहीं है। जहाँ **क्** के साथ **व्** का व्यवहार माना गया है, वहाँ **कु** लिखा हुआ मिलता है। इस **कु** के बाद **इ, ए** आदि किसी स्वर के आने पर **क्व** की कल्पना की गई है। एक स्थान पर वे लिखते हैं कि मान लेना चाहिए कि आदि इंडो-हित्ताइत भाषा में **क्** और **ग्** के बाद **व्** अथवा **उ** का व्यवहार होता था। इस कल्पना का कोई पुष्ट प्रमाण नहीं है। भारत की उत्तर-पश्चिमी बोलियों के समान हित्ती के भी अनेक शब्दों में मूल **र्** के स्थान पर **ल्** है, यथा : रोचते का प्रतिरूप, ग्रीक **लेउकोस्** (प्रकाशमान) के समान, **लुअक्त्सि** है।

शब्द-भंडार की कुछ विशेषताएँ द्रविड़ भाषाओं का स्मरण कराती हैं। **पउअर्** अथवा **पवर्** का अर्थ है जाना, **पइत्** अर्थात् वह गया। यह द्रविड़ भाषाओं की **पो** क्रिया है जो आर्य भाषाओं के **पद, पथ, पवन** आदि में विद्यमान है। हित्ती में जाने के लिए एक प्रक्रिया भी है जो भारतीय **याति, एति** आदि का प्रतिरूप है। आधुनिक आर्य भाषाओं में संयुक्त क्रियाओं का व्यवहार बहुत होता है। इनमें जाना क्रिया का प्रयोग अधिक होता है। हित्ती में संयुक्त क्रियाओं का व्यवहार तो होता ही है, इनमें बहुधा गमन-सूचक **अइ** क्रिया का व्यवहार भी होता है, यथा : **अप्पइ** (समाप्त हो जाना), **मअइ** (पक जाना)। **पो, पव्** या **प्** के साथ **अइ** का व्यवहार भिन्न स्रोतों से आए हुए शब्दों का मिश्रण सूचित करता है। **उएन्त्सि** अथवा **उवन्त्सि** (वे आते हैं) में **वर्** (आना) क्रिया अपने **वन्** रूप में है। हित्ती में **वर्** रूप का व्यवहार भी होता है।

हित्ती में बोलने के लिए **म** या **मय्** क्रिया है, **मेमइ** अर्थात् वह कहता है। यह वही क्रिया है जो कन्नड़ **मातु** (भाषा) में है। क्रिया की आवृत्ति से **मेमइ** रूप बनता है। **भूल** क्रिया में **अ** स्वर है किन्तु आवृत्ति होने पर प्रथम **म** एकारवादी वृत्ति के प्रभाव से **मे** हो गया है। **हित्ती** में आर्य भाषाओं के समान **मर्** क्रिया है : **मेइर्त** अर्थात् मृत। इसके साथ **अकि** (वह मरता है) में द्रविड़ भाषाओं की **स्-च्-क्** ध्वनियों वाली क्रिया है : मल्तो **कॅयॅ**, कुइ **साव**, तेलगू **चच्चु**, कन्नड़ **साय्**, तमिल **चा** (मरना)। (**अकि** रूप में **अ** क्रिया का अंश नहीं है।) यहाँ भी दो स्रोतों से आए हुए शब्द घुलते-मिलते दिखाई देते हैं। हित्ती में **दा** क्रिया देने के बदले लेने के अर्थ में प्रयुक्त होती है, **दअइ** (वह लेता है)। इसके साथ **पाणि** और **पण्य** वाली **पण्** क्रिया के प्रतिरूप **प** का देने के **अर्थ** में व्यवहार होता है : **पअई** (वह देता है)। **धा** क्रिया से **धाम** के समान हित्ती में इस **प** क्रिया से **पर्न** (घर) शब्द बनता है। **नीर** में पीने का अर्थ देनेवाली **नि** क्रिया का उल्लेख पहले हो चुका है। हित्ती में एक **कु** क्रिया भी है जिसका अर्थ है पीना : **अकुएनि** (हम पीते हैं), **अकुतरस्** (पीनेवाला)। यह क्रिया तमिल **कुडि** (पीना) आदि से सम्बद्ध हो सकती है। **कुडम्** (घड़ा) जैसे द्रविड़ शब्द इसी क्रिया से सम्बद्ध हैं। द्रविड़ व्युत्पत्ति-कोश में **कुडि** के साथ संस्कृत **कुटी** (शराब), **कुडम्** के साथ संस्कृत **कूट** (घड़ा), और इसी तरह तमिल **कुट्टम्, कुंडु** (तालाब; गड्ढा, गहराई) के साथ संस्कृत **कुंड** शब्द दिया हुआ है। स्टुर्टेवैंट ने हित्ती क्रिया के साथ जलवाचक लैटिन **अक्व** का स्मरण किया है। हित्ती रूपों में जो आदिस्थानीय **अ** दिखाई देता है, वह मेरी समझ में उपसर्ग है, मूल क्रिया का अंश नहीं है। उड़ने का अर्थ देनेवाली **पत्** क्रिया आर्य द्रविड़, दोनों समुदायों में है। **पित्** रूप में वह हित्ती में है। **हल** चलाने के लिए एक क्रिया **तेर्** है : **तेरिप्त्सि** (हल चलाना)। द्रविड़ भाषाओं में बोने, बीज डालने के अर्थ में इससे मिलती-जुलती क्रिया का व्यवहार होता है : कन्नड़ **तळि**, तमिल **तॅळि**, इत्यादि। द्रविड़ भाषाओं से सम्पर्क का प्रमाण **अत्तन्** या **अतन्** (पिता), **अत्तस्** या **अतस्** (उप.) और **अन्नस्** या **अनस्** (माता) शब्द हैं। द्रविड़ भाषाओं के समान हित्ती में संज्ञा शब्द विशेषण के रूप में भी प्रयुक्त होते हैं और द्रविड़ कोल भाषाओं के समान यहाँ संज्ञा और क्रिया में स्पष्ट भेद नहीं है। लिंग-भेद में निर्जीव और सजीव का भेद मुख्य है। आर्य-द्रविड़ भाषाओं के समान नपुंसक लिंग का चिन्ह **द्** है।

आर्य भाषा-परिवार के बहुत से शब्द हित्ती में है, यह स्वाभाविक है। व्याकरण की विशेषताओं में कुछ बातें उल्लेखनीय हैं। संयुक्त क्रियाओं का निर्माण आर्य भाषाओं के अलावा द्रविड़ और कोल भाषाओं की विशेषता भी है। यह भारतीय पद्धति हित्ती में है। आर्य तथा कोल भाषाएँ मूल क्रिया की आवृत्ति करके **अर्थ** पर बल देती हैं। यह प्रवृत्ति हित्ती में भी है। कृदन्त रूपों में, विशेषतः भूतकालीन कृदन्तों में, **त्** वाले प्रत्यय का व्यवहार होता है। क्रिया के बहुवचन रूपों में बहुत्व-सूचक

र् बहुधा प्रयुक्त होता है : **एतेइर्** (उन्होंने खाया), **पख्सिर्** (उन्होंने रक्षा की)। स्टुर्टेवैंट के अनुसार हित्ती में मुख्य काल-भेद वर्तमान तथा अतीत का है। भविष्य काल का विकास न हुआ हो, यह स्थिति स्वाभाविक है। आर्य-द्रविड़ भाषाओं के समान हित्ती क्रियाओं में प्रत्यय जोड़कर कियार्थी संज्ञाओं का निर्माण होता है। जो कृदन्त रूप हैं, उनसे काल-भेद का स्पष्ट ज्ञान नहीं होता। वास्तव में कृदन्त रूप मूलतः काल-भेद से मुक्त थे; काल-भेद सूचित करने के लिए उनका उपयोग बाद में किया जाने लगा।

हित्ती में भारतीय भाषाओं के समान पश्च सम्बन्धक (पोस्टपोज़िशन) होते हैं, पूर्व सम्बन्धक (प्रिपोज़िशन) नहीं। यह तथ्य हित्ती को दृढ़तापूर्वक भारतीय भाषाओं से सम्बद्ध करता है और यूरोप की भाषाओं से उसे विलग करता है। पश्च सम्बन्धकों के अनुरूप कारक-चिन्ह भी मूल शब्द के बाद प्रयुक्त होते हैं। सभी शब्दों के साथ एक-से कारक-चिन्ह प्रयुक्त नहीं होते। अनेक कारक-चिन्ह संस्कृत के कारक-चिन्हों से मिलते-जुलते हैं। कर्ता के लिए **स्**, कर्म के लिए **अन्** (संस्कृत **अम्** का प्रतिरूप), सम्प्रदान के लिए **ए, इ, अइ** (आर्य द्रविड़ परिवारों के सम्प्रदान-चिन्ह से मिलता-जुलता है, अपादान के लिए **त्स्** (संस्कृत का **अत्**), सम्बन्धकारक के लिए **अस्**—ये समानताएँ आकस्मिक नहीं हैं। सम्बन्धकारक विशेषण के समान प्रयुक्त होता है, हिन्दी और हित्ती की यह समानता भी आकस्मिक नहीं है। स्टुर्टेवैंट ने अपनी पुस्तक (पृ. 108) में लिखा है कि हित्ती सर्वनामों में **अस्** सर्वनाम सबसे ज्यादा प्रयुक्त होता था। इससे यह स्थापना पुष्ट होती है कि **रामस्** (अथवा रामः) जैसे रूपों में मूल शब्द के बाद सर्वनाम चिन्ह जोड़ा गया है। हित्ती में **अस्** के समानान्तर नपुंसक लिंग का एकवचन सर्वनाम-चिन्ह **अत्** है। हित्ती की वाक्य-रचना आर्य भाषाओं से बहुत मिलती-जुलती है। **कुइस्** कि **पअन्त्स** (पवन्त) **एस्त** (कोई भी नहीं गया है), इस वाक्य में **पअन्त्स** कृदन्त रूप के बाद **अस्** क्रिया का प्रयोग हुआ है। **इस्ख़िउल् किसन् इयन् एस्दु** (सन्धि इस प्रकार निर्मित हो), यहाँ भी कृदन्त रूप **इयन्** के बाद **अस्** क्रिया का प्रयोग हुआ है। इस तरह की क्रियापद-रचना संस्कृत से भी अधिक आधुनिक आर्य भाषाओं में होती है। आधुनिक आर्य भाषाओं की ऐसी विशेषताएँ अत्यन्त प्राचीन हैं, यह हित्ती के विवेचन से प्रमाणित होता है।

हित्तियों का पड़ोसी एक मितन्नी नाम का गण-समाज था। सम्भव है, **मित्र** (सूर्य) की उपासना करने से इनका नाम **मितन्नी** पड़ा हो! **नी** सम्बन्ध-सूचक चिन्ह होगा। दूसरी सहस्राब्दी के उत्तरार्द्ध से अक्कादी लिपि में इनसे सम्बन्धित जो दस्तावेज लिखे जाने लगे थे, वे मिलते हैं। कीलाक्षरी लिपि के ये दस्तावेज ईंटों पर अंकित थे और मुख्यतः बोगाज़कोय तथा अल्अमर्ना स्थानों में प्राप्त हुए थे। हित्ती और मितन्नी, दोनों के दस्तावेजों से एक बात बहुत स्पष्ट होती है : पश्चिमी एशिया में आर्य और सामी भाषाएँ बोलनेवाले समाज निरन्तर एक-दूसरे के सम्पर्क में आ

रहे थे। मितन्नी दस्तावेजों में वैदिक देवताओं के नाम हैं, यह तथ्य असन्दिग्ध है। ग्रियर्सन के सहयोगी स्टेन कोनोव् ने मितन्नी देवों को 1921 में भारतीय आर्य देवता घोषित किया था। जो लोग यह मानते रहे थे कि 'ऋग्वेद' की रचना 1200 ई.पू. में हुई थी, उनके लिए एक कठिनाई पैदा हुई कि 'ऋग्वेद' की रचना से पहले, भारत में आर्यों के आने से पहले, वैदिक देवताओं की उपासना लघु एशिया में कैसे होने लगी। कुछ विद्वानों ने यह आवश्यक समझा कि आर्य-अभियान सम्बन्धी स्थापनामों में संशोधन किया जाए। कुछ अन्य विद्वानों ने इस समस्या की ओर से आँखें मूँद लेना उचित समझा।

'जर्नल ऑफ़ द अमेरिकन ओरिएंटल सोसाइटी' (1960) में पौल थूनियर ने एक लेख लिखा : 'द एर्यन गॉड्स ऑफ़ द मितन्नी ट्रीटीज'। इसमें उन्होंने लिखा कि मितन्नी राजा किक्कुलि ने हित्ती में अश्वारोहण शिक्षा पर जो पुस्तक लिखी, उसमें निस्सन्देह अनेक आर्य देवताओं के नाम थे। इसमें घोड़े के चक्कर लगाने के लिए **वर्तन** शब्द का प्रयोग किया गया था; **ऐक** (एक), **तेर** (तीन), **पंज** (पाँच), **सत्त** (सात), **न** (नौ) आदि संख्यावाचक शब्दों का प्रयोग हुआ था। घोड़े के लिए **अश्व** (अथवा **अस्व**) का प्रयोग हुआ था।

थूनियर ने उसी लेख में आगे बताया है कि 1400 ई.पू. में मितन्नियों और हत्तियों के बीच एक सन्धि हुई थी, उसमें आर्य देवताओं के नाम हैं। इस दस्तावेज की भाषा के बारे में एक दिलचस्प बात यह है कि जो भारतीय **स्** प्राचीन ईरानी में **ह्** रूप में ग्रहण होता है, यहाँ वह **स्** या **श्** रूप में विद्यमान है। भारतीय देवनाम **नासत्य** अवेस्ता में **नाहथ्य** है किन्तु मितन्नी सन्धि में वह **नशत्तिइअ** है। आर्य लोग ईरान होकर लघु एशिया पहुँचे तो **ह्** के बदले **स** या **श्** का उच्चारण कैसे करने लगे, और ईरान से होकर भारत आए, तो यहाँ वह उच्चारण-पद्धति कैसे बदल गई? आर्यों का कोई ऐसा समुदाय था जो एकरूप भाषा बोलता था और किसी एक केन्द्र से पूरब-पच्छिम गया था, यह कल्पना छोड़नी होगी। इसके बदले यह मानना होगा कि अनेक गण-समाज थे, उनकी अपनी-अपनी भाषाएँ थीं और वे एक-दूसरे को प्रभावित कर रही थीं।

'जर्नल ऑफ़ द अमेरिकन ओरिएंटल सोसाइटी' में पी.ई. ड्यूमोंट ने एक लेख लिखा था : 'इंडोएर्यन् नेम्स फ्रॉम मितन्नी, नूजी एंड सीरियन डॉक्यूमेंट्स्'। इसमें उन्होंने इस बात पर जोर दिया था कि मितन्नी दस्तावेजों की भाषा प्राचीन ईरानी की अपेक्षा प्राचीन भारतीय अधिक है। शब्दों में आदिस्थानीय **स्** है जहाँ ईरानी में **ह्** दिखाई देता है। अवेस्ता के **अस्पो** के बदले यहाँ **अश्व** है। किन्तु भारतीय **ज्** के बदले यहाँ **ज़** है, जैसे कि अवेस्ता में है। पुनः अवेस्ता के समान भारतीय **ऋ** के बदले यहाँ **अर्** है। आदिस्थानीय **व्** के बदले यहाँ **ब्** लिखा जाता है, वह था **व्** ही। कहीं-कहीं आदिस्थानीय **व्** भी है। अधिकांश नाम बहुव्रीहि या तत्पुरुष समास

के रूप में हैं; पिता के नाम पर रखे हुए पुत्र के नाम के प्रथम वर्ण को स्वर-वृद्धि द्वारा पुष्ट किया जाता है। ये लोग इन्द्र, वायु, सोम आदि की उपासना करते थे। एक जगह **वसदात** नाम आया है। ड्यूमोंट ने लिखा है कि यदि यह नाम **वसुदात** है तो ये लोग **वसु** की पूजा भी करते थे। इसी प्रकार एक नाम **स्वरदात** है जिसका अर्थ स्वर अथवा स्वर्ग द्वारा प्रदत्त होगा। (**स्वर** का अर्थ देव भी हो सकता है, **स्वरदात** देवदत्त से मिलता-जुलता नाम है।)

कुछ अन्य नामों की व्याख्या ड्यूमोंट के अनुसार इस प्रकार है : **बीरसेन**—वीरों की सेनावाला; **उरु दीति**—विशद प्रकाश वाला; **बिरिदाश्व**—बहुत-से घोड़ों वाला; **बीर्यशुर**—वीरता वाला शूर; **बायव**—वायुपुत्र; **अर्तदाम** (अर्थात् ऋतधाम) दैवी नियमों का पालन करनेवाला; **अर्तमन्य**—दैवी नियमों को माननेवाला (ऋतमन्य); **सम्माल**—सुन्दर मालाओं सहित; **सौमती**—सुमती का पुत्र; **कल्मशूर**—कर्मशूर; **शैमशूर**—क्षेमशूर; **बीर्यसौम** (वीर्यसोम)—वीर्यवान् सोमदेव; **पुर्दाय** (पुरुदाय) बहुत देनेवाला; **रुसमन्य** (रुचिमन्य)—प्रकाशपूजक।

हो सकता है, कुछ नामों की व्याख्या सही न हो, पर अब ऐसे विद्वान् काफी संख्या में हैं जो यह मानते हैं कि ये देवता भारतीय उद्भव के थे। इनके नाम ही नहीं, मनुष्यों के नामकरण की पद्धति भी भारतीय है। ये दस्तावेज 1400 ई.पू. के हैं। स्पष्ट है, 'ऋग्वेद' का रचनाकाल 1200 ई.पू. से बहुत पहले होना चाहिए।

तुखारी भाषा के दस्तावेज हित्ती दस्तावेजों से बहुत बाद के हैं किन्तु इस भाग का व्यवहार-क्षेत्र भौगोलिक दृष्टि से भारत के बहुत निकट है। ये दस्तावेज चीनी तुर्किस्तान में प्राप्त हुए थे और इनका समय छठी से दसवीं ईसवी शताब्दी तक है। अरबों ने जब भारत पर आक्रमण किया था, तब भारत के उत्तर में तुखारी भाषा का व्यवहार हो रहा था जो हित्ती के समान प्राचीनता के लक्षणों से सम्पन्न है। जैसे लघु एशिया में आर्य और सामी भाषाएँ बोलनेवालों का सम्पर्क बहुत साफ दिखाई देता है, वैसे ही चीनी तुर्किस्तान में आर्य और नाग भाषाएँ बोलनेवालों का सम्पर्क भी साफ दिखाई देता है। चीनी तुर्किस्तान में प्राचीन लक्षणों वाली एक आर्य भाषा के केन्द्र होने का अर्थ है आर्य भाषा का तुर्क-मंगोल समुदाय से सम्पर्क होना। एक ओर सामी परिवार, दूसरी ओर तुर्क-मंगोल, इनके बीच में आर्य, द्रविड़, नाग—वृहत्तर भाषाई परिवेश में भाषा-परिवारों के निर्माण और विकास का अध्ययन करना क्यों जरूरी है, उक्त स्थिति को ध्यान में रखने से ज्ञात होगा।

'लैंग्वेज' (खंड 9, 1933) में वाल्टर पीटर्सन ने हित्ती और तुखारी भाषाओं पर एक लेख लिखा था और उसमें उन्होंने इन दोनों भाषाओं के कुछ सामान्य लक्षणों की चर्चा की थी। दोनों भाषाओं में महाप्राणता का अभाव है। हित्ती में सम्भवतः **ख़्** ध्वनि थी, यह पहले कहा जा चुका है। हित्ती में सघोषता की भूमिका सन्दिग्ध हो सकती है पर यहाँ सन्देह की गुंजाइश नहीं है; सर्वत्र अघोष अवरोधी ध्वनियों

का ही व्यवहार होता है। तालव्य **क्** का व्यवहार यहाँ भी नहीं होता। भाषाविज्ञानी जिन शब्दों में तालव्य क-वर्गीय ध्वनियाँ मानते हैं, उनमें यहाँ सामान्य क-वर्गीय ध्वनियाँ ही हैं। हित्ती से भिन्न तुखाही में **च्** ध्वनि का व्यवहार होता है यद्यपि यह **च्** बहुधा भारतीय **त्** के स्थान पर प्रयुक्त होता है। हित्ती से भिन्न तुखारी में तालव्य नासिक्य ध्वनि भी है। बहुत जगह यह भारतीय **न्** के स्थान पर प्रयुक्त होती है और शब्द के आदिस्थान पर भी उसका व्यवहार होता है। इससे यह धारणा पुष्ट होती है कि तालव्य नासिक्य ध्वनि का प्रसार-केन्द्र नाग भाषा क्षेत्र रहा है। कुछ शब्दों में **म्** ध्वनि **व्** में परिवर्तित दिखाई देती है। ऐसा परिवर्तन हित्ती में भी है।

तुखारी में दो बोलियाँ हैं जो एक-दूसरे से बहुत मिलती-जुलती हैं। नीचे के उदाहरणों में यह बताना आवश्यक नहीं है कि तुखारी शब्द **ए** बोली का है या **बी** बोला का। पहले हम संस्कृत रूप देते हैं, उसके बाद तुखारी : **भरति—पर्तर्** (ले जाया जाता है); **बाहु—पोके; भ्रातर्—प्रचर्; भाल-स्पाल; वात—वन्त्; दुहितर्—च्काचर्; रुधिर—तर्र; ज्ञान—क्नान** (तू जानता है); **चक्र—कुकल्** (गाड़ी); **वाक्—वक्; अक्षि—अक्** (आँख); **पिंशति—पिकिञ्च्** (उन्होंने लिखा, चित्र बनाया); **दश—शक्; जम्भ—कन्** (दाँत); **पचति—पक्** (पकाता है); **भाग—पाक्; गोत्र—कोतर्** (गाय बाँधने का स्थान, परिवार)। कुछ शब्द ऐसे हैं जो हित्ती और तुखारी में बहुत मिलते-जुलते हैं, जैसे संस्कृत **भर्ग** का हित्ती प्रतिरूप **खर्किस्**, तुखारी **आर्कि** (श्वेत) है। कुछ शब्द यूरोप की भाषाओं से मिलते-जुलते हैं, जैसे **दूध** के लिए **मल्के**, अंग्रेजी **मिल्क** की तरह। ऊपर के उदाहरणों में **भाल** का प्रतिरूप **स्पाल्** है, यहाँ अतिरिक्त **स्** जोड़ा गया है। **वन्** क्रिया से तुखारी **वन्त्** (वायु) शब्द बना है जिसका हित्ती प्रतिरूप **ख़ुवत्तिस्** हैं; तहाँ **ख़्** उपसर्ग है, मूल शब्द कृदन्त प्रक्रिया से बना है अंग्रेज़ी **विंड्** के समान। **पोक्के** (बाहु) जैसे रूप उस समय के हैं जब आर्य गण भाषाओं की मध्यवर्ती सघोष महाप्राण ध्वनियाँ **ह्** में परिवर्तित न होने लगी थीं। **कुकल्** (चक्र) उस समय की उपलब्धि है जिस समय कुछ आर्य भाषाओं में, **च्** ध्वनि का विकास न हुआ था। **च्काचर्** (दुहितर) रूप **त्** को **च्** में परिवर्तित दिखलाता है और **प्रचर्** (भ्रातर्), **पिकिञ्च** (लिखा है) के समान, **त्—च्** ध्वनि-परिवर्तन का व्यापक प्रभाव सूचित करता है। हिन्दी **पकना** के समान यहाँ भी **पक्** क्रिया है। **रुधिर, ज्ञान** आदि के **तर्र, क्नान** जैसे प्रतिरूपों में वर्ण-संकोच की प्रवृत्ति दिखाई देती है। **पिकिञ्च्** जैसे रूपों में तालव्य **श्, क्** रूप में ग्रहण किया गया है। बोलने का अर्थ देनेवाली हित्ती **मेमे** क्रिया यहाँ **वेञ** रूप में मिलती है। **वेञ** में मूल क्रिया की आवृत्ति हुई है, यह हित्ती रूप से जाना जाता है। तुखारी रूप में प्रथम **म्, व्** में परिवर्तित हुआ है, और दूसरा **म्, ञ्** में। अनेक शब्दों में आदिस्थानीय **न्, ञ्** में परिवर्तित होता है, यथा : **नाम** का प्रतिरूप **ञेम्** है। **दारु** का प्रतिरूप **तरु** तुखारी और संस्कृत, दोनों में है किन्तु **धाम** का

प्रतिरूप संस्कृत में **दम** तो है पर तुखारी के समान **तम्** नहीं है। तुखारी की एक बोली में **तम्** रूप है, दूसरी में **तेम्** अथवा **तॅम्**। ऐसे वैकल्पिक रूपों से सिद्ध होता है कि तुखारी पर एकारवादी प्रवृत्ति का आंशिक प्रभाव ही है। संस्कृत क्रिया **अंचति** (मुड़ता है, चलता है) के दो प्रतिरूप हैं **अञ्चॅल्** और **अङ्कर्**। यहाँ **च्** और **क्** वाले रूप घुलते-मिलते दिखाई देते हैं। अकार-एकार के समान एकार-ओकार का विकल्प भी दिखाई देता है, यथा : **ञेम्** (नाम), **ञोम्**। नव का प्रतिरूप **ञु** तालव्य नासिक्य के व्यापक व्यवहार का प्रमाण है। संस्कृत **ज्ञान** का **ज्ञा** स्वयं वर्ण-संकोचन का उदाहरण है; तुखारी **क्ना** ग्रीक जर्मन आदि में वर्ण-संकोच वाले इस गोत्र के शब्दों का प्रतिनिधि है। संस्कृत **गम्** का तुखारी प्रतिरूप **कम्** जर्मन अंग्रेज़ी आदि के **कोमॅन्, कम्** (आना) के विकास की कथा कहता है। इसी प्रकार संस्कृत **गो** के तुखारी प्रतिरूपों **को, कउ** से अंग्रेज़ी **काउ** की व्याख्या होती है। उत्तर-पश्चिमी बोलियों के समान तुखारी में बहुत जगह संस्कृत **र्** के स्थान पर **ल्** का व्यवहार हुआ है, यथा : **मूर्धन्** का तुखारी प्रतिरूप **मल्तो** है।

लैटिन के विपरीत हित्ती और तुखारी, दोनों में संस्कृत **पंच** के प्रतिरूप **प्** ध्वनि वाले हैं। हित्ती **पंत** संस्कृत रूप से मिलता-जुलता है। तुखारी की एक बोली में **पेञ्** रूप है, दूसरी में **मिस्** जिससे सिद्ध होता है कि ये संख्यावाचक रूप उस क्रियामूल से बने हैं जिसका अर्थ करना है और जिससे **पाणि** शब्द बना है। तुखारी में संस्कृत **छाया** का प्रतिरूप **स्कियो** है। मूल रूप **शाया** माना जाए तो यहाँ **श्, स्क्** में परिवर्तित होता दिखाई देगा। तुखारी में एक दिलचस्प शब्द है **लस्तर्न** जिसका अर्थ है तुम रख रहे हो। जो शब्द हाथ से सम्बन्धित हैं, उनका एक अर्थ रखना भी होता है। तुखारी रूप में क्रियामूल **लस्** है जो स्पष्ट ही पश्तो **लस** के समान संस्कृत **दश** का प्रतिरूप है और उसका सम्बन्ध **हस्त** के मूलरूप **धस्त** की **धस्** क्रिया से है। अनेक आर्य-द्रविड़ भाषाओं के समान यहाँ दन्य अवरोधी ध्वनि **द्** पार्श्विक **ल्** में परिवर्तित हुई है।

'लैंग्वेज' पत्रिका (अप्रैल-जून, 1962) में वर्नर विंटर ने तुखारी भाषा के सर्वनाम द्विवचन रूपों पर विचार किया है। इसमें उन्होंने **लस्तर्न्** रूप के सकार के ऊपर अर्द्धचन्द्र लगाकर उसके तालव्य होने की सूचना दी है। अन्य लेखकों ने भी तुखारी में दो तरह के सकार चिन्ह दिखाए हैं। यदि तुखारी में यह भेद था तो मानना होगा कि कुछ रूपों में भारतीय **श्** के बदले **क्** है और कुछ में मूल तालव्य ध्वनि सुरक्षित है। इस स्थिति में **दश** का **द** ही परिवर्तित हुआ, **श्** सुरक्षित रहा।

भिन्न लेखकों ने तुखारी के जो शब्द अपने लेखों, पुस्तकों आदि में दिये हैं उनमें कहीं-कहीं भिन्नता है। पीटर्सन वाले लेख में **चक्र** का प्रतिरूप **कुकल्** है किन्तु विंटर के लेख में **चाक्कर्** या **चक्कर्** रूप है। मित्र के प्रतिरूप **मित्तर्** में चक्कर की तरह **क्** और **र्** संयुक्त व्यंजनों को अलग किया गया है। विंटर ने एक शब्द

**लक्शाम्** दिया है जिसका अर्थ लक्षण या चिन्ह है। यहाँ संस्कृत **क्ष्** लगभग अपने मूल रूप में विद्यमान है, केवल मूर्धन्य **ष्** के स्थान पर तालव्य **श्** का व्यवहार हुआ है। संस्कृत **षष्** (छह) का तुखारी प्रतिरूप **श्कास्** बताया गया है। मेरी समझ में यह **स्कस्** होगा जहाँ मूर्धन्य **ष्** तालव्य **श्** वत् ग्रहण किये जाने के बाद **स्क्** में परिवर्तित हुआ है। तुखारी **पेते** (देना) क्रिया में **पाणि** और **पंच** की आधारभूत क्रिया है। तुखारी **अस्तरे** (प्रकाशमान) में आर्य-द्रविड़ भाषाओं की **तर्** (चमकना) क्रिया है जो **तारा**, अंग्रेज़ी **स्टार** आदि में विद्यमान है। इसी अर्थ का सूचक एक शब्द **पेर्ने** है जिसमें **पेर्** क्रियामूल अग्नि और प्रभात का अर्थ देनेवाले अनेक हित्ती-तुखारी-ग्रीक शब्दों में विद्यमान हैं। संस्कृत में सर्वनाम रूप **नः** केवल बहुवचन में प्रयुक्त होता है किन्तु तुखारी में **नस्** एकवचन है। तुखारी में बहुत-से शब्द हित्ती से मिलते-जुलते हैं और बहुत-से संस्कृत तथा आधुनिक आर्य भाषाओं से। **उसाश्शे** का अर्थ है स्वर्णिम और यह स्पष्ट ही **उषा** से सम्बद्ध है। **ञाक्चिये** का अर्थ है स्वर्गीय और यहाँ **नाक** शब्द का **न**, **ञ** में परिवर्तित हुआ है। **पइये** (पैर) में **पो** गोत्र वाली क्रिया है। **असाम्** **आसन** का प्रतिरूप है। **इन्द्रि** सुपरिचित **इन्द्रिय** है। **क्लेश्** भारतीय भाषाओं का **क्लेश** है, **मिस** आर्य भाषाओं का **आमिष** है।

तुखारी भाषा की एक विशेषता संज्ञा, सर्वनाम शब्दों के द्विवचन रूपों का प्रयोग है। जिस समय भारत के उत्तर में इस भाषा का व्यवहार हो रहा था, उस समय भारत के भीतर द्विवचन का प्रयोग आर्य भाषाओं में समाप्त हो गया था किन्तु कोल भाषाओं में वह अब भी होता है। इससे इन उत्तरी भाषाओं पर कोल भाषा-समुदाय के प्रभाव का पता चलता है। अन्य आर्य भाषाओं के समान तुखारी में सम्बन्धक मूलशब्द के बाद आते हैं। **वेसञ् ञके शर् नेने केकमु नेस्त्** (हमारे हाथों में तुम आए हो अब)—यहाँ **जगाम** के समान **केकमु** में क्रिया की आवृत्ति की गई है, इसी प्रकार **वेवेञु** (कहा गया) में **वे** (मूल रूप **मे**) की आवृत्ति हुई है! ऐसी आवृत्ति कोल भाषाओं में भी होती है।

चीनी तुर्किस्तान में तुखारी भाषा का व्यवहार होता था, इसी प्रदेश में एक भारतीय प्राकृत का व्यवहार भी होता था जिसके दस्तावेज खरोष्ठी लिपि में हैं। तुखारी भाषा के दस्तावेज छठी से दसवीं शताब्दी के हैं, खरोष्ठी लिपिवाले दस्तावेज उससे पहले तीसरी शताब्दी के हैं। दस्तावेजों के इस काल-भेद से यह सिद्ध नहीं होता कि तुखारी की अपेक्षा यह प्राकृत अधिक प्राचीन है। यह अवश्य सिद्ध होता है कि प्राचीन लक्षणों वाली तुखारी भाषा तीसरी शताब्दी से पहले की है, भले ही उसमें लिखा हुआ कोई और पुराना दस्तावेज सुलभ न हो। अन्य भारतीय प्राकृतों के समान यह प्राकृत भी शब्द-भंडार और व्याकरण में अधिकतर संस्कृत का अनुकरण करती है, यद्यपि इसमें कुछ विशेषताएँ आधुनिक भाषाओं की हैं। यह तथ्य अत्यन्त महत्त्वपूर्ण है कि चीनी तुर्किस्तान में जब तुखारी का व्यवहार हो रहा था, उससे

बहुत पहले वहाँ एक भारतीय प्राकृत का व्यवहार हो चुका था। तुखारी के दस्तावेज छठी शताब्दी से शुरू होते हैं। 300 साल पहले खरोष्ठी लिपि में वहाँ एक भारतीय प्राकृत का व्यवहार हो चुका है। लगभग 800 वर्ष तक मध्य एशिया के एक क्षेत्र में उन भाषाओं का धार्मिक-राजनीतिक कार्यों के लिए प्रयोग होता रहा जिनका गहरा सम्बन्ध भारत से है। भाषाविज्ञानी तुखारी को इंडो-यूरोपियन समुदाय के पूर्वी छोर की प्रभारतीय भाषा मानते हैं किन्तु उक्त प्राकृत को उन्हें भारतीय मानना ही पड़ता है। यदि तीसरी शताब्दी में एक भारतीय भाषा का व्यवहार चीनी तुर्किस्तान में होता है, तो सम्भावना इसी की है कि छठी शताब्दी में वहाँ जिस तुखारी भाषा का व्यवहार हुआ, वह भारतीय उद्‌भव की भाषा थी। दोनों भाषाओं का व्यवहार करनेवाले बौद्ध थे। भारत से सम्पर्क में आए बिना चीनी तुर्किस्तान के निवासियों को बौद्ध धर्म की प्राप्ति न हो सकती थी। गौतम बुद्ध के जन्म के बाद इस तरह का सम्पर्क था, इसमें तो सन्देह ही नहीं है, उनके जन्म से पहले भी यह सम्पर्क था, इसके अनेक लक्षण हैं।

इनमें सबसे महत्त्वपूर्ण लक्षण तुखारी और खरोष्ठी प्राकृत में सघोषता और महाप्राणता का अभाव है। इसका कारण नाग-द्रविड़ प्रभाव ही हो सकता है। तुखारी और खरोष्ठी के इस लक्षण से हित्ती ध्वनितंत्र की तुलना करने पर उस विशद भाषाई परिवेश का ज्ञान होता है जिसमें 2000 ई.पू. से लेकर सन् 1000 तक—तीन हजार वर्षों की दीर्घ सुनिश्चित अवधि में—इंडो-यूरोपियन परिवार की भाषाओं का निर्माण होता रहा था। हित्ती का जन्म इंडो-हित्ताइत से हुआ, इंडो-हित्ताइत से एक शाखा इंडो-यूरोपियन फूटी, आदि-आदि स्थापनाएँ प्रस्तुत करते समय उक्त भाषाई परिवेश को ध्यान में रखना उचित है।

# 5

# स्लाव-केल्त भाषा-समुदाय और भारत

## 1. प्राचीन भाषाई मानचित्र और स्लाव-केल्त समुदाय

इंडो-यूरोपियन परिवार की भाषाएँ वैदिक काल के आस-पास जितने क्षेत्र में फैली थीं, उसमें इनके चार समुदाय प्रमुख थे : पहला भारतीय, दूसरा ईरानी, तीसरा स्लाव और चौथा केल्त। भारतीय भाषा-समुदाय मगध से लेकर कश्मीर और उत्तर-पश्चिमी सीमान्त तक फैला हुआ था। जहाँ तुखारी भाषा का व्यवहार होता था, वह मध्य एशिया का भाग है। तुखारी भाषा के अभिलेख बहुत बाद के हैं किन्तु इस भाषा में प्राचीन आर्य भाषाओं के लक्षण माने गए हैं, इसलिए यह मानना चाहिए कि वैदिक काल में ही नहीं, उससे पहले भी मध्य एशिया में तुखारी की आधारभूत भारतीय आर्य भाषाओं का व्यवहार होता था। उधर पश्चिमी एशिया में दूसरी सहस्राब्दी ई.पू. के आरम्भ में भारतीय मूल की हित्ती भाषा का व्यवहार हो रहा था। इस प्रकार उत्तर भारत तथा मध्य और पश्चिमी एशिया के अनेक भागों में भारतीय आर्य भाषाओं का व्यवहार होता था। ये आर्य भाषाएँ अनेक समुदायों की थीं। उनके ध्वनितंत्र, शब्दतंत्र और विन्यासतंत्र में अनेक भेद थे, फिर भी उनमें इतनी समानताएँ थीं कि उन्हें एक ही विशाल भारतीय भाषा-समवाय के अन्तर्गत माना जा सके।

दूसरा विभाग ईरानी भाषा-समुदाय का है। इसका मुख्य केन्द्र ईरान है किन्तु इस समुदाय की भाषाएँ एक ओर मध्य एशिया में चीन की सीमाओं तक फैली हुई हैं, दूसरी ओर दक्खिनी रूस की सीमाओं को छूती हैं। भारत और ईरानी भाषा-समुदाय एक दूसरे के बहुत निकट हैं। फ्रांसीसी भाषाविद् मेइये का मत था कि ईरानी और भारतीय आर्य भाषाएँ एक दूसरे से घनिष्ठ रूप में अत्यन्त संगत ढंग से इस तरह सम्बद्ध हैं जिस तरह अन्य कोई इंडो-यूरोपियन भाषा इनसे सम्बद्ध नहीं है। (देखें : 'अन्त्वान मेइये दि इंडो-यूरोपियन डायलॅक्ट्स्'; फ्रांसीसी से अंग्रेज़ी में रोजनबर्ग द्वारा अनुवादित; 1967, पृ. 43) बरो संस्कृत भाषा पर अपने ग्रंथ में प्राचीन ईरानी भाषा के लिए कहते हैं कि वेद की भाषा से यह इतनी मिलती-जुलती है कि इनमें किसी एक का अध्ययन दूसरी का भी अध्ययन किये बिना सन्तोषजनक हो नहीं सकता; व्याकरण की दृष्टि

से भिन्नता बहुत ही कम है और दोनों का अधिकांश शब्द-भंडार सामान्य, दोनों में काफ़ी ऐसे शब्द हैं जो अन्य आर्य भाषाओं में नहीं हैं। बरो कहते हैं कि अवेस्ता के प्राचीनतम अंश में ऐसे छन्द ढूँढ़ निकालना बिलकुल सम्भव है जिनकी भाषा को निश्चित नियमों के अनुसार, थोड़े-से ध्वनि-परिवर्तनों के बाद, बोधगम्य संस्कृत में बदला जा सकता है। इस प्रकार प्राचीनकाल में ईरानी और भारतीय आर्य भाषाओं में ध्वनितंत्रीय भेद है, शब्द-भंडार और व्याकरण की दृष्टि से वे प्राय: एक ही भाषा हैं। यदि ईरानी और भारतीय आर्य भाषा क्षेत्रों को मिला दिया जाए तो विदित होगा कि इंडो-यूरोपियन परिवार के भाषा क्षेत्र का आधे से अधिक भाग ऐसा था जिसमें दो बहुत निष्ठ रूप से सम्बद्ध भाषा-समुदाय बोले जाते थे। इन दो समुदायों की जो दो प्राचीनतम भाषाएँ उपलब्ध हैं, वे व्याकरण और शब्द-भंडार की दृष्टि से प्राय: एक हैं। इंडो-यूरोपियन परिवार के निर्माण में भारतीय आर्य भाषा-समुदाय की भूमिका समझने के लिए प्राचीनकाल का यह भाषाई भूगोल याद रखना चाहिए।

प्राचीन ईरानी और वैदिक भाषाओं में ध्वनितंत्रीय भेद हैं। इन भेदों के अध्ययन से पता चलता है कि अवेस्ता में मूल रूप नहीं हैं। परिवर्तित रूप हैं। मूल रूप वैदिक भाषा में हैं या फिर वे दोनों भाषाओं में बदल गए हैं। **स्-ह्** वाले परिवर्तन बहुत स्पष्ट बता देते हैं कि मूल रूप कहाँ से आए हैं और परिवर्तित रूप किस भाषा में हैं : **सेना—हएना, असुर—अहुर, सोम—हओम** आदि रूपों में **स्** वाले रूप मूल हैं; जहाँ **ह्** ध्वनि है, वे परिवर्तित रूप हैं। **स्** ध्वनि वाले शब्द **ह्** क्षेत्र में गए हैं, **ह्**, ध्वनि भारतीय क्षेत्र में आकर इन शब्दों में **स्** नहीं बन गई। अवेस्ता के बाद भी पहलवी, फ़ारसी तथा ईरानी क्षेत्र की अन्य भाषाएँ भारतीय आर्य भाषाओं के घनिष्ठ सम्पर्क से विकसित होती रही हैं। भारत-ईरानी शाखा में भारतीय और ईरानी, दोनों समुदायों का महत्त्व एक-सा नहीं है। निर्णायक महत्त्व भारतीय भाषा-समुदाय का है।

यूरोप की भाषाओं में प्राचीनतम अभिलेख ग्रीक भाषा-समुदाय के हैं। यह ग्रीक भाषा भारतीय ईरानी धुरी से दृढ़तापूर्वक जुड़ी हुई है। मेइये ने ग्रीक भाषाओं की क्रियापद-रचना का विवेचन करते हुए बताया है कि इन दोनों में कुछ समानताएँ ऐसी हैं, जैसे परोक्षभूत में धातु के प्रथम व्यंजन की प्रवृत्ति, जो अन्य इंडो-यूरोपियन भाषाओं में नहीं है। बरो ने और भी स्पष्ट कहा है कि ग्रीक भाषा का सम्बन्ध केन्तुम् अर्थात् पश्चिमी भाषा-समुदाय से नहीं के बराबर है किन्तु शतम् समुदाय से उसका गहरा सम्बन्ध है, विशेष कर भारत-ईरानी और आर्मीनियन शाखाओं से। वह कहते हैं कि तुलनात्मक व्याकरण पर दृष्टिपात करते ही पता चल जाता है कि ग्रीक और संस्कृत में जितनी समानताएँ हैं, उतनी भारत-ईरानी शाखा के बाहर ग्रीक तथा किसी अन्य भाषा में नहीं हैं। इसका अर्थ यह है कि ग्रीक भाषा, व्याकरण की दृष्टि से, जितना संस्कृत से मिलती है, उतना यूरोप की किसी अन्य भाषा से नहीं मिलती। भारतीय और ईरानी भाषाओं में ध्वनितंत्र का भेद है; प्राचीनकाल में उपलब्ध इन भाषाओं

का व्याकरण प्रायः एक है। ग्रीक और भारतीय भाषाओं में भी ध्वनितंत्रीय भेद है किन्तु व्याकरण में बहुत बड़ी समानता है। संरचना की दृष्टि से ग्रीक भाषा-समुदाय भारतीय आर्य भाषाओं से अभिन्न रूप में जुड़ा हुआ है। इंडो-यूरोपियन परिवार में भारतीय-ईरानी-ग्रीक समुदाय का केन्द्रीय महत्त्व स्पष्ट हो जाता है।

इस अध्याय के आरम्भ में जिन चार विशाल समुदायों की बात कही गई है, उनमें तीसरा है स्लाव। यूरोप के बाल्तिक प्रदेशों में रहनेवाले स्लाव जनों से सम्बद्ध हैं। भाषाविज्ञानी बाल्तिक-स्लाव समुदाय की बात करते हैं। दोनों को ही स्लाव कहा जाए तो अनुचित नहीं है। स्लाव जन मध्य एशिया में फैले हुए हैं, रूस की भूमि उनका मुख्य केन्द्र है, मध्य और पश्चिमी यूरोप के विशाल भागों में ये रहते रहे हैं। पूर्वी जर्मनी का वह भाग जो प्रुशिया कहलाता है, 17वीं सदी तक स्लाव (बाल्तिक विभाग) भाषा-भाषी था। यह सम्भव है कि जर्मनी के अन्य भागों में भी स्लावजन रहते रहे हों। मारियो पेइ ने अपनी पुस्तक 'लैंग्वेज् फ़ॉर् ॲव्रीबॉडी' (1965) में लिखा है : "एक समय एल्ब नदी के पूर्व का लगभग समस्त जर्मनी स्लावभाषी था; इसका पता इस बात से चलता है कि पूर्वी जर्मनी के बहुत-से नगरों के नाम स्लाव स्रोत के हैं और इन नगरों में स्वयं बर्लिन नगर भी है।" (पृ. 144) इस प्रकार स्लावजन एशिया और यूरोप के विशाल भागों में फैले हुए थे। भारत-ईरानी समुदाय से इनका विशिष्ट सम्बन्ध है, यह हम अभी देखेंगे।

चौथा समुदाय केल्त जनों का है। ये अब आयरलैंड, स्कॉटलैंड और वेल्स में सिमट आए हैं। कुछ बस्तियाँ फ्रांस में हैं। किसी समय ये इटली, फ्रांस और स्पेन के विशाल भागों में फैले हुए थे। मारियो पेइ के अनुसार पश्चिमी एशिया (लघु एशिया) और दक्खिनी रूस में भी कभी ये फैले हुए थे। उन्होंने लिखा है : "स्थानों के केल्त नाम न केवल इंग्लैंड और आयरलैंड में हैं, फ्रांस, स्पेन और उत्तरी इटली में हैं, वरन् रूस, लघु एशिया और दैन्यूब नदी की तट भूमि में हैं।" (पृ. 144) भारत-ईरानी शाखा से इनका कोई विशिष्ट सम्बन्ध होगा, कोई नहीं कहता। किन्तु ऐसा सम्बन्ध था। इंडो-यूरोपियन भाषातंत्र की कुछ समस्याएँ केल्त समुदाय के विवेचन से सुलझाई जा सकती हैं।

केल्त भाषाओं से भारत-ईरानी शाखा का सम्बन्ध चाहे जिस कोटि का हो, बाल्तिक-स्लाव भाषाओं से इस शाखा के सम्बन्ध के बारे में अनेक भाषाविज्ञानियों को शंका नहीं है; विद्वानों ने स्लाव और ईरानी शब्द-भंडार की समानता पर विशेष ध्यान दिया है। मेइये ने उक्त ग्रंथ में कहा है : "जितना ही शब्द-भंडार की इन समानताओं पर हम ध्यानपूर्वक विचार करते हैं, उतना ही भारत-ईरानी, बाल्तिक और स्लाव शब्द-भंडारों का निकट सम्बन्ध और भी स्पष्ट हो जाता है।" (पृ. 160) मेइये ने पुरानी स्लाव धर्म-भाषा (अर्थात् पुरानी बुल्गारियन भाषा) तथा ईरानी भाषाओं से अनेक सामान्य शब्द देकर स्लाव और ईरानी भाषाओं के विशेष सम्बन्ध पर

जोर दिया है। सभ्यता और संस्कृति से सम्बद्ध शब्दावली की परीक्षा करने के बाद उन्होंने लिखा है : "भारत-ईरानी, बाल्तिक और स्लाव भाषाओं में इंडो-यूरोपियन के एक ही विभाग की शब्दावली का प्रसार है।" (पृ. 158) सभ्यता और संस्कृति का दृष्टि से भारत-ईरानी और बाल्तिक स्लाव भाषा-समुदाय एक ही वृत्त में आते हैं। यह वृत्त इंडो-यूरोपियन भाषाक्षेत्र का बहुत बड़ा भाग है।

बरो यह मानते हैं कि शतम् समुदाय में भारत-ईरानी शाखा की स्थिति प्राचीन काल में क्या थी, यह ठीक निश्चित करना सम्भव नहीं है। किन्तु वह मानते हैं कि किसी समय भारत-ईरानी तथा उन इंडो-यूरोपियन बोलियों में स्पष्ट ही विशेष सम्बन्ध था जो आगे चलकर बाल्तिक और स्लाव भाषाओं के रूप में विकसित हुई। बरो ने दोनों समुदायों की कुछ व्याकरणगत समानताओं का उल्लेख किया है। जैसे संस्कृत में माता, कर्ता रूप में, र्-विहीन है, वैसे ही लिथुआनियन में **मोते** और पुरानी स्लाव में **मति** रूप है। अधिकरणकारक के बहुवचन में **सु** प्रत्यय का व्यवहार केवल इन दो समुदायों में होता है : संस्कृत **वृक्षेषु**, पुरानी स्लाव **व्लुचेछु**; ग्रीक भाषा में **सि** प्रत्यय है। द्विवचन रूपों में ऐसी समानताएँ हैं जो अन्यत्र नहीं मिलतीं : कर्ताकारक में संस्कृत **बाले, युगे, नामनी, मनसी, अक्षी, सूनू** के अनुरूप पुरानी स्लाव में **झ़ेने, इझे, इमेनि, तेलेसि, ओचि** लिथुआनियन **अकि**), **सिनि** (लिथुआनियन **सूनू**) रूप हैं; सम्बन्ध और सम्प्रदानकारकों में द्विवचन रूप संस्कृत **तयोः, द्वयोः** की तरह पुरानी स्लाव में **तोयु, द्वोयु** रूप हैं। स्त्रीलिंग संज्ञा शब्दों के एकवचन आकारान्त रूपों में ऐसा ही विकास दिखाई देता है, यथा : करणकारक में संस्कृत **तया, सेनया,** पुरानी स्लाव में **तोयो, रोकोयो**; अधिकरण में संस्कृत **सेनायाम्,** अवेस्ता **हयेनय**, लिथुआनियन **रंकोये**। इकारान्त-उकारान्त शब्दों की रूप-रचना में ऐसी ही समानता है, जैसे सम्प्रदानकारक का एकवचन रूप संस्कृत में **सूनवे** है, पुरानी स्लाव में **सिनोवि**।

सर्वनामों और विशेषकों में अनेक समानताएँ हैं। व्यक्तिवाचक उत्तम पुरुष सर्वनाम का कर्ता रूप संस्कृत में **अहम्,** पुरानी स्लाव में **अज़ु** है; करणकारक में संस्कृत **माम्,** पुरानी स्लाव में **मे,** सम्बन्धकारक में संस्कृत **मम** से भिन्न अवेस्ता **मन**, पुरानी स्लाव में **मॅनॅ** है। इसी प्रकार निर्देशक सर्वनामों में **तस्मै** जैसे रूप से पुरानी प्रुशियन के **कस्मु, स्तेस्मु,** पुरानी स्लाव के **तोमु** रूप मिलते हैं। स्त्रीलिंग में संस्कृत **तस्यै** से पुरानी प्रुशियन का **स्तेस्सियेइ** मिलता है। प्रश्नवाचक सर्वनामों में संस्कृत के समान **क्** ध्वनि वाले रूप हैं। कुछ सर्वनाम-मूल सामान्य हैं, यथा : अवेस्ता का **अव** पुरानी स्लाव में **ऑवु** है [**अव** सर्वनाम वैदिक भाषा में भी है और **अयम्** का प्रतिरूप है; तमिल **अवन्** में यही **अव** है]; संस्कृत और अवेस्ता का **अन** लिथुआनियन में **अनस्** और पुरानी स्लाव में **ऑनु** है। अनेक विशेषक मिलते-जुलते हैं : संस्कृत **कुह**, अवेस्ता **कुदा** (कहाँ), पुरानी स्लाव में **कुदॅ**, संस्कृत **कदा**

(कब) **तदा** (तब), लिथुआनियन **कद, तद**, संस्कृत **न** (समान), लिथुआनियन **नॅइ**, संस्कृत **बहिस्** (बाहर), पुरानी स्लाव में **बॅज़ु** (बिना), संस्कृत **विना**, पुरानी स्लाव में **वुनॅ** (बाहर), पुरानी फ़ारसी में **रादि** (कारण से), पुरानी स्लाव में **रदि**। भविष्यकाल-सूचक **स्य** केवल संस्कृत और लिथुआनियन में असन्दिग्ध रूप से मिलता है : संस्कृत **दास्यामि** (मैं दूँगा), लिथुआनियन **दुओसिउ**। दोनों समुदायों में प्रेरणार्थक क्रिया मिलती-जुलती है : संस्कृत **बोधयति** (वह जगाता है), पुरानी स्लाव में **बुज्दाँ, बुदिति**।

बरो कहते हैं कि भारत-ईरानी और बाल्तिक-स्लाव समुदायों में ऐसे काफी शब्द सामान्य हैं जो अन्य समुदायों में नहीं मिलते। इससे इन दोनों समुदायों के प्राचीन सम्बन्धों का ज्ञान होता है। संस्कृत **अजिन** (चर्म) **अजा** से बना है और पहले उसका अर्थ था बकरी का चमड़ा। **अजा** का लिथुआनियन प्रतिरूप **ऑझ़िस्** है और पुरानी स्लाव में **अजिन** का प्रतिरूप **अझ़िनु** है। ऐसे अनेक शब्द हैं जिनकी धातु अन्य इंडो-यूरोपियन भाषाओं में है किन्तु प्रत्यय केवल आर्य स्लाव समुदायों में सामान्य है : संस्कृत **फेन**, लिथुआनियन **स्पइनॅ**, संस्कृत **दक्षिण**, पुरानी स्लाव में **दॅसिनु**, लिथुआनिया **बॅशिनॅ**, संस्कृत **ग्रीवा**, पुरानी स्लाव में **ग्रिव** (अयाल), संस्कृत **मज्जन**, पुरानी स्लाव **मॉझ़्दन**, पुरानी प्रुशियन में **मुज़्गॅनॉ**। संस्कृत **मिश्र** से बिलकुल मिलता-जुलता रूप केवल लिथुआनियन में है **मिस्त्रस्**। जागने के अर्थ में **बुध्** क्रिया का व्यवहार केवल बाल्तिक-स्लाव भाषाओं में होता है। लिखने के लिए ईरानी **पिस्** क्रिया पुरानी स्लाव के **पिसति** रूप में है। बरो ने जो अन्य महत्त्वपूर्ण सामान्य शब्द दिये हैं, उनमें से कुछ इस प्रकार हैं : संस्कृत **सव्य** (बायाँ), पुरानी स्लाव में **शुयि**; संस्कृत **बर्हि** (कुशासन), अवेस्ता **बरज़िश्** (तकिया), स्लाव **ब्लज़िन** (उप.); संस्कृत **कृष्ण**, पुरानी प्रुशियन में **किर्सनन्** (काला); संस्कृत **भर** (युद्ध), स्लाव **बॉर्यॉ** (लड़ना), संस्कृत **ओष्ठ**, स्लाव **उस्त**, प्रुशियन **अउस्तिन्** (मुख); संस्कृत **गिरि**, स्लाव **गोर** (उप.), लिथुआनियन **गिरिअ** (जंगल); संस्कृत **तूष्णीम्** (चुपचाप), प्रुशियन **तुस्नन्**; संस्कृत **तुच्छ्या** (खाली), स्लाव **तुश्ति**, लिथुआनियन **तुश्चिअस्** (उप.); संस्कृत **दधि**, सम्बन्धकारक में **दध्नः**, प्रुशियन **ददन्**; संस्कृत **पयः** (दूध), लिथुआनियन **प्योनस्**; संस्कृत **अंगार**, स्लाव **ऑग्लि**, रूसी **उगोल**; संस्कृत **ब्रध्न** (पीताभ), स्लाव **ब्रॉनु** (सफ़ेद); संस्कृत **अर्भ** (छोटा, बच्चा), रूसी **रॅब्योनॉक्** (बच्चा); संस्कृत **व्रत**, स्लाव **रॉत** (शपथ); संस्कृत **पांसु** (धूलि), स्लाव **पॅशुकु** (रेत); संस्कृत **धाना** (धान्य), फ़ारसी **दान**, लिथुआनियन **दुऑन** (रोटी), संस्कृत **श्याम**, लिथुआनियन **श्योमस्**; संस्कृत **विश्पति** (गण का नेता), अवेस्ता **वीस्पइति**, लिथुआनियन **विएश्पत्स्** (स्वामी); अवेस्ता **सरत** (शीतल), [संस्कृत **शरद्**], लिथुआनियन **शल्तस्**; संस्कृत **शाक**, लिथुआनियन **शेकस्** (हरा चारा); संस्कृत **शफर**, लिथुआनियन **शपलस्** (एक मछली); संस्कृत **शकुन** (पक्षी),

स्लाव **सॉकॉलु** (बाज); संस्कृत **भंग** (लहर), लिथुआनियन **बंग;** संस्कृत **हवते** (पुकारता है), स्लाव **ज़ॉवंतु;** संस्कृत **श्वित्** (चमकना), लिथुआनियन **श्वितेति,** स्लाव **स्वितेति;** संस्कृत **भयते** (डरना), स्लाव **बॉयॉ सॅ,** लिथुआनियन **बियउस्;** संस्कृत **प्रुष्** (छिड़कना), स्लाव **प्रिस्नोति;** संस्कृत **धम्, ध्मा** (हवा फूँकना), स्लाव **दुमॉ, दॉति,** लिथुआनियन **दुमिउ, दुम्ति;** संस्कृत **मुच्** (मुक्त करना), लिथुआनियन **मुक्ति, मुँकु** (छूटना); संस्कृत **गृणाति** (स्तुति करता है), प्रुशियन **गिरत्वॅइ** (स्तुति करना), लिथुआनियन **गिरिउ, गिर्ति।**

शब्दावली पर बरो की टिप्पणी है कि सामान्य शब्दों और अन्य सामान्य लक्षणों की सूची स्पष्ट ही प्रभावशाली है और इस समानता का सम्बन्ध आदिम भारत-ईरानी काल से है, किन्तु जब हम स्लाव या बाल्तिक भाषा-समुदाय से स्वयं ईरानी के विशेष सम्पर्क के चिन्ह ढूँढ़ते हैं, तो इनका प्राय: पूर्ण अभाव पाते हैं; यह सत्य है कि सूची में कुछ शब्द ऐसे हैं जो केवल ईरानी में हैं और संस्कृत में नहीं हैं पर इस तरह अन्य शब्द बताए जा सकते हैं जो संस्कृत में हैं और ईरानी में नहीं हैं। बरो के अनुसार स्लाव समुदाय में ईरानी से उधार लिये शब्दों को खोजने के प्रयत्न असफल हुए हैं; देवता के लिए पुरानी फ़ारसी के **बग** और पुरानी स्लाव के **बॉगु** में अवश्य समानता है किन्तु एक ही मूल शब्द के विकास हो सकते हैं, स्लाव भाषा ने यह शब्द ईरानी से उधार न लिया होगा। बरो कहते हैं कि शक कबीले बार-बार यूरोप पर हमला करते रहे हैं और दैन्यूब नदी तक की विशाल भूमि पर वर्षों तक अधिकार जमाए रहे हैं, इसलिए स्लाव भाषाओं पर ईरानी प्रभाव का अभाव आश्चर्यजनक है। इस उत्तरकाल में स्लावजन, राजनीतिक और सांस्कृतिक रूप में, ईरानियों से लगभग पूर्णत: अप्रभावित रहे होंगे। दूसरी ओर पूर्वतरकाल में (लगभग 2000 ई.पू. में) जब आदिम ईरानियों ने अपनी यूरोपियन आवास भूमि छोड़ी न थी, तब भारत-ईरानीजन और आदि बाल्तिक स्लावजन काफी समय तक नजदीकी पड़ोसी रहे होंगे। दोनों समुदायों में जो भी सम्पर्क हुआ, वह इसी काल में हुआ।

बरो की इस टिप्पणी से निष्कर्ष निकलता है कि ईरानी लोग यूरोप में रहते थे, वहाँ से वे ईरान आए। ईरान से वे बार-बार यूरोप पर हमले करते रहे और वहाँ वर्षों तक अधिकार भी जमाये रहे। जब वे यूरोप में थे, तब तो पड़ोसी स्लावजनों को प्रभावित करते रहे। जब ईरान आ गए तब उन पर अधिकार जमा लेने पर भी उन्हें प्रभावित करने की वह क्षमता समाप्त हो गई। किन्तु स्लाव और आर्य भाषाओं में जो समानता है, वह केवल ईरानी-स्लाव समानता नहीं है, वह भारतीय-स्लाव समानता भी है। **बग, बॉगु** जैसे सामान्य शब्द मूल भारतीय रूप **भग** के विकास हैं।

आदिम ईरानी और स्लाव भाषाओं में समानता है, इसलिए आदिम ईरानी मूलत: यूरोप के निवासी रहे होंगे, यह कल्पना निराधार है। आदिम स्लावजन मध्य एशिया में ईरानियों के पड़ोसी रहे हों, यह भी सम्भव है। जो शब्द भारतीय और

ईरानी भाषाओं में सामान्य हैं, उनमें मूल रूप अधिकतर भारतीय हैं। संस्कृत **भर, दधि, व्रध्न, अर्भ, धाना, भंग, भयते, धम्, ध्मा** आदि के बारे में माथापच्ची की ज़रूरत नहीं है। इनमें सघोष महाप्राण ध्वनियाँ हैं और इस कोटि की ध्वनियाँ न प्राचीन ईरानी में हैं, न पुरानी स्लाव में। संस्कृत **धाना** और फ़ारसी **दान** को बराबर तौलकर बरो ने सब धान बाईस पसेरी कर दिये हैं।

जिसे बरो प्राचीन भारत-ईरानी काल कहते हैं, वह प्राचीन भारतीय काल है। भारतीय शब्द ईरानी और स्लाव, दोनों भाषाओं में गए हैं। निस्सन्देह प्राचीन आर्य भाषाओं के बहुत-से शब्द संस्कृत में परिवर्तित हो गए हैं किन्तु उनके मूल रूप, भारतीय आर्य भाषाओं के ध्वनितंत्र पर विचार करने से, भारतीय उद्‌गम के ही सिद्ध होते हैं। उल्लेखनीय है कि स्वयं बरो के अनुसार अनेक शब्द केवल संस्कृत और स्लाव भाषाओं में सामान्य हैं, यथा : **अजा, अजिन, दक्षिण, ग्रीवा, मिश्र**। ये भारतीय शब्द किसी कल्पित भारत-ईरानी शाखा के नहीं हैं, वे विशुद्ध भारतीय हैं : भविष्यकालिक **दास्यामि** के **दुऑसिउ** जैसे स्लाव प्रतिरूप प्राचीन भारतीय काल के हैं।

## 2. स्लाव भाषा-समुदाय

### *(क) ध्वनितंत्र*

आर्य और स्लाव भाषाओं में तालव्य ध्वनियों की बहुलता है। इन ध्वनियों का प्रसार केन्द्र कहाँ था, इस बारे में अनेक मत हैं। विश्व में भाषाविज्ञान की स्थिति का सर्वेक्षण करनेवाले ग्रंथ 'करेंट ट्रेंड्स् इन् लिंग्विस्टिक्स्' के नवें खंड में औसवाल्ड चेमेरेन्यी ने तुलनात्मक भाषाविज्ञान पर अपने निबन्ध में बताया है कि 19वीं सदी के नव्य वैयाकरण मानते थे कि आदि इंडो-यूरोपियन भाषा में तालव्य ध्वनियाँ विद्यमान थीं जो पश्चिमी भाषाओं में तालव्य अंश छोड़कर कंठ्य ध्वनियाँ बन गईं और पूर्वी भाषाओं में कंठ्य अंश छूट गया और तालव्य अंश का विकास हुआ। चेमेरेन्यी के अनुसार इस कल्पना को अब अमान्य ठहराया गया है। तालव्यीकरण की प्रक्रिया भारत-ईरानी क्षेत्र में पूर्ण हुई है; जितना ही पश्चिम की ओर चलते हैं, उतना ही तालव्य क्षेत्र की भाषाओं में ध्वनि-सम्बन्धी अपवाद बढ़ते जाते हैं। इससे निष्कर्ष यह निकलता है कि तालव्य ध्वनियों का विकास-केन्द्र आर्य भाषा-क्षेत्र में था। योसेफ श्मिद्त (1912) का मत था कि इंडो-यूरोपियन भाषा-क्षेत्र की चरम पूर्वी सीमा से तालव्यीकरण और संघर्षीकरण की लहरें पश्चिम की ओर बढ़ीं और जितना ही आगे बढ़ती गईं, उतना ही उनका वेग कम होता गया। इस पूर्वी सीमा में कुछ लोग ईरान को केन्द्र मानते हैं, कुछ लोग स्लाव क्षेत्र को; अन्य विद्वान् स्लाव और आर्य भाषाओं में तालव्य ध्वनियों का विकास अलग-अलग स्वतंत्र रूप से हुआ, यह मानते हैं।

आर्य और स्लाव भाषाएँ परस्पर इतने घनिष्ठ रूप में सम्बद्ध हैं कि ध्वनितंत्र में समान प्रवृत्तियाँ हों तो उनके विकास को स्वतंत्र मानने का कोई कारण नहीं है।

जो लोग आदि इंडो-यूरोपियन भाषा के एकरूप ध्वनितंत्र की कल्पना करते हैं, वे यह सोच ही नहीं सकते कि तालव्य और अतालव्य ध्वनियों के दो केन्द्र एक ही काल में हो सकते हैं। बाल्तिक स्लाव भाषाओं में इस स्थापना के उदाहरण भरे पड़े हैं कि कंठ्य और दन्त्य ध्वनियों के भिन्न विकास-केन्द्र थे और उनके परस्पर सम्पर्क से इन भाषाओं के ध्वनितंत्र में दोनों कोटि की ध्वनियों को स्थान मिला है। लिथुआनियन की बोलियों में एक शब्द है **तित्नगस्** (चकमक पत्थर), इसका प्रतिरूप है **तिक्नगस्**। एक रूप में **त्**, दूसरे में **क्**। लैतविया की बोलियों में एक रूप है **कॅर्त्**, (ग्रहण करना), दूसरा रूप है **त्वॅर्त्**। इसी भाषा की बोलियों में एक शब्द है **मॅग्निस्** (काला मुर्गा), दूसरा रूप है **मॅदि्नस्**। इसी प्रकार उक्रैनी में महाप्राण ध्वनियों में केवल **ख़्** है जबकि रूसी में **ख़्** और **फ़्**, दोनों हैं। इसलिए प्राचीन काल में तालव्य और तालव्येतर ध्वनियों के दो भिन्न केन्द्र थे, यह मानने में संकोच न होना चाहिए।

भारतीय आर्य भाषाओं में तालव्य ध्वनियों का पूर्ण विकास हुआ है। **श्** को छोड़ दें, केवल स्पर्श-संघर्षी च-वर्गीय ध्वनियों को लें, तो देखेंगे कि इन ध्वनियों का पूर्ण विकास न तो स्लाव क्षेत्र में है, न ईरानी क्षेत्र में। स्लाव क्षेत्र में **ज्** नहीं है; ईरानी क्षेत्र में **छ्** नहीं है। **झ्** का अभाव दोनों में है। अत: इन ध्वनियों का विकास-केन्द्र भारत है, ऐसा मानना चाहिए। भारतीय भाषाओं की तरह स्लाव भाषाओं में तालव्य और कंठ्य ध्वनियाँ सम्बद्ध शब्दों में अर्थ-भेदक ढंग से प्रयुक्त होती हैं। एक क्रिया है **युज्**; इससे एक ओर **युज्यति, योजना** आदि शब्द बनते हैं तो दूसरी ओर **योग, योग्य** आदि शब्द भी बनते हैं। इसी प्रकार चेक भाषा में **रिकात्** माने बातें करना, सम्बद्ध शब्द **रेच्** माने भाषा। बुल्गारियन भाषा में **रेक** माने नदी और **रेचेन्** माने नदी से सम्बन्धित। बाल्तिक-स्लाव भाषाओं में तालव्य ध्वनियों का प्रसार एक-सा नहीं हुआ। बाल्तिक भाषाओं की अपेक्षा स्लाव भाषाओं में इन ध्वनियों का प्रसार अधिक हुआ है, यथा : लिथुआनियन **वकरस्** (सन्ध्या) का रूसी प्रतिरूप **वॅचर्** है। बाल्तिक भाषाओं में ही लिथुआनियन की अपेक्षा लैतवियन में तालव्य ध्वनियों का विकास अधिक हुआ है, यथा : लिथुआनियन **अकिस्** (आँख) का लैतवियन प्रतिरूप **अचिस्** है। जहाँ भी शब्द के एक रूप में कंठ्य ध्वनि हो और दूसरे में तालव्य, वहाँ कंठ्य ध्वनि वाला रूप ही पुराना होगा, यह मानने का कोई कारण नहीं है। लिथुआनियन **गीवस्** (जीवित) का लैतवियन प्रतिरूप **जीवस्** है। लिथुआनियन रूप मूल नहीं है। **जीव** के प्रतिरूप **दीव** से अंग्रेज़ी का **लिव्** बना है। **लिव्** और **जीव** का सम्बन्ध पहचानकर कोई **गीवस्** को प्राचीनतम रूप न कहेगा। **अकिस्** और **अचिस्**, दोनों का पूर्वरूप **अक्षि** है। लिथुआनियन में **गॅमु** (मैं जन्म लेता हूँ) में आदि व्यंजन कंठ्य है। किन्तु संस्कृत **जलज**, द्विज के **ज** के समान लिथुआनियन में **त्** ध्वनि पर आधारित प्रत्यय है,

यथा : **शुनितिस्** (कुत्ते का पिल्ला), **कुमुतीतिस्** (कुमुतीस् का पुत्र)। यहाँ **ग्** ध्वनि वाली क्रिया से यह प्रत्यय नहीं बना। **ज्** के अघोष रूप **च्** को **त्** में वैसे ही बदला गया है, जैसे अंग्रेज़ी **लिव्** के पूर्वरूप **दीव्** में **जीव्** के **ज** को **द्** में बदला गया था। वही **ज्** अन्य स्लाव भाषाओं में **च्** रूप में प्रयुक्त होता है। **इलिया** का पुत्र रूसी में **इलिच्** हुआ। **भग** अर्थात् भगवान का पुत्र स्लाव समुदाय की सर्ब भाषा में **बॉझिच्** हुआ। लिथुआनियन में भतीजी और भांजी के लिए मिलते-जुलते शब्द हैं : **ब्रॉलेचिअ** और **सॅसॅरेचिअ**। यहाँ भी **च्** का पूर्वरूप **ज्** है। इससे विदित होता है कि लिथुआनियन कहीं तो तालव्य ध्वनि स्वीकार करती है और कहीं उसे कंठ्य या दंत्य ध्वनि के रूप में ग्रहण करती है।

स्लाव और बाल्तिक भाषाओं में **श, स्** ध्वनियाँ खूब प्रयुक्त होती हैं लेकिन कभी-कभी इनके स्थान पर **च्** का व्यवहार भी होता है। रूसी **स्यूदा** (यहाँ) का लिथुआनियन प्रतिरूप **चिओन्** है। लिथुआनियन भाषा की बोलियों में दन्त्य **स्** वाले शब्दों के प्रतिरूपों में **च्** का व्यवहार होता है, यथा : **गस्परोदुस्** (श्रीमान्) का अपरिनिष्ठित प्रतिरूप **गच्परोदुस्** है। दन्त्य **स्** कभी-कभी सघोष **ज़्** भी हो जाता है। लिथुआनियन बोलियों में एक रूप **विस्केति** (झूलना) है तो अन्य रूप **विज़्गोति** है। अनेक शब्द ऐसे हैं जहाँ संस्कृत रूप में **श्** है तो बाल्तिक रूप में **स्** है। संस्कृत **आश्विन** का पुरानी प्रुशियन में प्रतिरूप **अस्सनिस्** है और रूसी में **ऑसॅन्**। यहाँ तालव्य ध्वनि दन्त्य में परिवर्तित हुई है। सीने के लिए लिशुआनियन रूप **सीउते** है और लैतवियन रूप **शूत्**। यहाँ मूल रूप में **स्** था। छाया के लिए लैतवियन रूप **सेय** है, पुरानी स्लाव में रूप है **शेन्**। यहाँ भी मूल रूप में दन्त्य ध्वनि थी, तालव्य स्वर के संसर्ग से पुरानी स्लाव में **स्** का तालव्यीकरण हुआ है। भारतीय आर्य भाषाओं के समान बाल्तिक भाषाओं में कहीं **स्** है, कहीं **श्**। लैतवियन में **सिर्द् स्** है तो लिथुआनियन में **शिर्दिस्** (हृदय)। किन्तु जैसे ब्रज से मिथिला तक केवल दन्त्य **स्** का क्षेत्र है और परिनिष्ठित बंगला में केवल तालव्य **श्** का साम्राज्य है, वैसा विभाजन बाल्तिक-स्लाव क्षेत्र में कहीं नहीं है। इसीलिए अनुमान यह होता है कि ये भाषाएँ मूलतः दन्त्य **स्** के ध्वनि क्षेत्र की हैं, और **श्, च्,** दोनों ध्वनियों का प्रसार वहाँ भारतीय स्रोत से हुआ है।

यूरोप की अन्य भाषाओं के समान बाल्तिक-प्लाव भाषाओं में महाप्राण ध्वनियाँ भारत से गई हैं। यहाँ **ख् ह्** ध्वनियों का व्यवहार होता है; **घ्, ध्, भ्** ध्वनियाँ जिन भारतीय शब्दों में हैं, उनके बाल्तिक-स्लाव प्रतिरूपों में **ग्, द्, ब्** का व्यवहार होता है। किन्तु लैतवियन **सिर्द्स्** (हृदय) का प्रतिरूप पुरानी प्रुशियन में **सॅय्र्** है जिससे विदित होता है कि मूल रूप का **ध्** पहले **ह्** में परिवर्तित हुआ, फिर **ह्** के स्थान पर **य्** का व्यवहार हुआ। बाल्तिक-स्लाव भाषाओं में संघर्षीकरण की प्रवृत्ति प्रबल है और अनेक शब्दों में **ध्** ध्वनि **ज़्** या **झ्** रूप में ग्रहण की गई है। संस्कृत **हिम** के

पूर्वरूप **घिम** का लैतवियन रूप **ज़ीऑम** है, लिथुआनियन प्रतिरूप **झ़ीऑम** है। **ज़्** अघोष हुआ तो पुरानी प्रुशियन में **सॅमॉ** रूप बना। **हिम** का पूर्वरूप **घिम** है, इसका बोध ग्रीक **खॅइम** से होता है। **सॅमॉ** जैसे रूप से **शिमला** का **शिम** और **बरफ** के लिए कश्मीरी का **शीन** रूप बना। संस्कृत क्रिया **वह्** (ढोना) का पूर्वरूप **वघ्** था जिससे अंग्रेज़ी का **वैगन** शब्द बना। यह लैतवियन में **वेज़ु** है, लिथुआनियन में **वेझ़ु**। इस प्रकार सघोष महाप्राण ध्वनियाँ कहीं-कहीं संघर्षी रूप में भी ग्रहण की जाती हैं। त-वर्गीय ध्वनियाँ बाल्तिक-स्लाव भाषाओं में सुप्रतिष्ठित हैं किन्तु कहीं-कहीं उनमें भारतीय भाषाओं जैसे परिवर्तन होते हैं। जनता के लिए लिथुआनियन **तउत** का वैकल्पिक रूप **लिअउदिस्** है और लैतवियन रूप **लउदिस्** है। यह **द्—र्** जैसा परिवर्तन है। बाल्तिक और स्लाव भाषाओं में एक महत्त्वपूर्ण भेद यह है कि बाल्तिक भाषाओं में जहाँ शब्द रूप अजन्त मिलते हैं, वहाँ स्लाव भाषाओं में उनके हलन्त रूप हैं। **मधु** शब्द का लिथुआनियन प्रतिरूप **मॅदु** है किन्तु पुरानी स्लाव में इसका रूप है **मॅद्**। रूसी रूप है **म्योद्**, बुल्गारियन रूप है **मॅद्**। यही रूप चेक में है। अजन्त शब्दों को हलन्त बोलने की प्रवृत्ति मागधी और कौरवी समुदायों की प्रवृत्ति से मिलती-जुलती है। लिथुआनियन भाषा में स्वरतानों का व्यवहार भी होता है। यह प्रवृत्ति वैदिक भाषा में भी थी।

बरो ने बाल्तिक-स्लाव और आर्य भाषाओं की एक भिन्नता का उल्लेख किया है। सम्प्रदानकारक में **भ्यस्** के **भ्** के बदले इन भाषाओं में **म्** का व्यवहार होता है, यथा : संस्कृत **वृकेभ्यः** का लिथुआनियन प्रतिरूप **विल्कम्स्** है, स्लाव रूप **ब्लुकोमु** है। इस बात में जर्मन समुदाय की भाषाएँ बाल्तिक-स्लाव भाषाओं से मिलती हैं। **वृकेभ्यः** का पुराना जर्मन प्रतिरूप **वुल्फम्** है। कहते हैं कि लिथुआनियन में प्राचीन भाषा-रूप संस्कृत की अपेक्षा अधिक हैं, किन्तु संस्कृत **भ्** के स्थान पर वहाँ उसका रूपान्तर **म्** है। सामान्यतः बाल्तिक-स्लाव भाषाओं में **भ्** के स्थान पर **ब्** का व्यवहार होता है। यदि आर्य लोग बाल्तिक-स्लाव प्रदेशों से भारत में आए, तो क्या पहले **भ्यस्** की जगह **म्स्** बोलने लगे, फिर भारत आने पर पूर्ववत् **भ्यस्** के **अभ्यस्त** हो गए?

बरो कहते हैं कि इंडो-यूरोपियन भाषाओं का यह **भ्-म्** वाला पुराना भेद है जो उनके सामान्य बोली-वर्गों की सीमाओं का उल्लंघन करता है। ['द संस्कृत लैंग्वेज', पृ. 19] यह स्थापना महत्त्वपूर्ण है। तथाकथित शाखाओं के विकास पर इतने विभिन्न स्रोतों से प्रभाव पड़े हैं कि शाखाओं का वर्गीकरण छिन्न-भिन्न हो जाता है। यह समस्या केवल बाल्तिक-स्लाव और जर्मन भाषा-समुदाय की नहीं है। केल्त भाषाओं में भी ऐसे परिवर्तन देखे जाते हैं। संस्कृत **नभ** का प्रतिरूप पुरानी आइरिश भाषा में **नॅम्** है। संस्कृत **कुभा** (नदी) का **कुभ** वक्रता का अर्थ देता था; केल्त समुदाय की वेल्श भाषा में इसका प्रतिरूप **कम्** (मुड़ना) है। घाटी के लिए इसी भाषा का **कुम्**

शब्द **कुभ्** का ही रूपान्तर है। **कुमाऊँ** नामक भारतीय क्षेत्र में यही **कुम्** है। वेल्स के निवासी अपने प्रदेश को **कम्रु** कहते हैं।

**भ्** ध्वनि सीधे **म्** में परिवर्तित नहीं होती; पहले उसकी महाप्राणता और सघोषता का लोप होता है, फिर **प्** ध्वनि **म्** में बदलती है। अवधी में पानी पीने का बर्तन **आमखोरा, अम्खॉरवा** कहलाता है। इसका पूर्वरूप फ़ारसी **आबख़ोर** है और **आब** का पूर्वरूप आप है। **अप** तथा **आप** का मूल रूप **अभ—अंभ** वाला **अभ**—है। **भ्** ध्वनि **ब्, प्, म्** में परिवर्तित हुई। उसी प्रकार **कुभा, ककुभ** का **कुभ्, कुब्ज, कुबड़ा** का **कुब्**, कुमाऊँ का **कुम्** मूलत: एक हैं। **प्** ध्वनि का **म्** में रूपान्तरण अखिल भारतीय भाषाई प्रपंच है। तमिल **पण्णु** और **भण्णु** का एक ही अर्थ है बनाना, निर्माण करना। तमिल **पणि** (बोलना), ब्राहूइ **पानिंग्** (उप.) का तेलगू प्रतिरूप **माटलाडु** (उप.) है; तेलगू **माट** (शब्द), कन्नड़ **मात** (उप.) इसी से सम्बद्ध हैं। **पणि** से मिलती-जुलती **भण्** क्रिया संस्कृत में है; अत: **पणि** और **माट** की **प् म्** ध्वनियाँ मूलत: **भ्** थीं। संस्कृत **भाण्ड** में **भण्** क्रिया-निर्माण सूचक है; उसके प्रतिरूप **पण्णु** और **मण्णु** हैं। **भण्** से जैसे तमिल **पण्णु** और **मण्णु** सम्बद्ध हैं, वैसे ही संस्कृत **पाणि** से लैटिन **मनुस्** (हाथ) सम्बद्ध है। लैटिन **पोनो** (निर्माण करना, रखना) संस्कृत **पाणि**, तमिल **पण्णु** की शृंखला में है किन्तु हाथ के लिए **प्** ध्वनि वाला नहीं, **म्** ध्वनि वाला शब्द लैटिन में प्रचलित हुआ। भारतीय भाषा क्षेत्र में **पण्णु** और **पाणि**, दोनों हैं।

पुरानी आइरिश का **बॅन्** (स्त्री), तमिल **पॅण्** (स्त्री, लड़की) का प्रतिरूप है। सम्बन्धकारक में इसका **म्नो** रूप होता है। यहाँ यह सम्भावना है कि नासिक्य ध्वनि **न्** के संसर्ग से स्पर्श-ध्वनि **प् म्** में परिवर्तित हो। संस्कृत **स्वप्न** के लैटिन प्रतिरूप **सॉम्नुस्** (नींद) के **म्** के बारे में भी यही बात कही जा सकती है। किन्तु वेल्श **ब्रॉ** (भूमि) का पुराना आइरिश प्रतिरूप **म्रॉगि** है। यहाँ नासिक्य ध्वनि के संसर्ग का प्रश्न नहीं है। अंग्रेज़ी **मोर** (अधिक), प्राचीन आइरिश के **मार** और **मोर** (महान्) संस्कृत **पुरु** के प्रतिरूप हैं। तमिल **पल** (बहुत-से) और ग्रीक **पॉलुस्** (उप.) दोनों **पुरु** से सम्बद्ध हैं; ग्रीक भाषा में तमिल **पल** का रूपान्तर **मल** (बहुत, अधिक) भी है (**मल पॉल्ल** अर्थात् खूब सारे)। परिनिष्ठित ग्रीक **मॅत** (साथ, मध्य) अन्य ग्रीक बोलियों, यथा : इयोलिक में **पॅद** है। संस्कृत **मेदिनी** और ग्रीक **पॅदॉन्** (धरती) अवश्य ही एक-दूसरे के प्रतिरूप हैं।

संस्कृत **मृदु** का लैटिन प्रतिरूप **मॉल्लिस्** (कोमल) है किन्तु ग्रीक प्रतिरूप **ब्रदुस्** (धीमा) है। संस्कृत **मर्त्य** के समानान्तर लैटिन में **मॉर्तुउस्** (मृत) शब्द है किन्तु ग्रीक प्रतिरूप **ब्रॉतॉस्** (मर्त्य, मर्द, पुरुष) है। संस्कृत में **स्पृश्** और **मृश्** दो क्रियाएँ हैं और दोनों का एक ही अर्थ है छूना।

इस प्रकार **प्-ब्** तथा **म्** ध्वनियों वाले प्रतिरूप आर्य, द्रविड़, केल्त, जर्मन, बाल्तिक-स्लाव, ग्रीक, लैटिन भाषा-समुदायों में हैं। जहाँ मूल शब्द में **भ्** ध्वनि

का पता चल जाता है, वहाँ निश्चयपूर्वक कहा जा सकता है कि **प्** या **ब्** ध्वनि **म्** में परिवर्तित हुई है। अन्यत्र **म्** ध्वनि के **प्** में बदलने की सम्भावना स्वीकार करनी होगी। जो बात असम्भव है, वह यह कि बाल्तिक-स्लाव प्रदेशों में जो लोग **भ्यस्** को **म्स्** कहने लगे थे, वे भारत आकर **म्स्** को पुनः **भ्यस्** कहने लगे।

*(ख) शब्दतंत्र*

भारत में अनेक आर्य भाषाएँ थीं, वैसे ही उनके पड़ोस में अनेक स्लाव भाषाएँ थीं। ऐसा नहीं था कि एक आदि आर्य भाषा यहाँ है, एक आदि स्लाव भाषा वहाँ है, और इन दोनों के परस्पर सम्पर्क से भाषा-तत्त्वों के आदान-प्रदान का कार्य पूरा हो गया। अनेक स्लाव भाषाओं से अनेक आर्य भाषाओं का सम्पर्क विविध प्रकार का है। यह बात ध्वनितंत्र के विश्लेषण से ज्ञात होती है और शब्द-भंडार के विश्लेषण से उसकी पुष्टि होती है। इन भाषा-समुदायों का सम्पर्क प्राचीन होते हुए भी दीर्घकालीन है। एक ओर 'ऋग्वेद' की **ऋक्** से सम्बद्ध चेक भाषा की **रिकात्** क्रिया है, दूसरी ओर हिन्दी बोलना से सम्बद्ध रूसी क्रिया **बोल्तात्** (बहुत बातें करना)। एक ओर **ऋचा** से सम्बद्ध चेक **रेच्** (भाषा) है, दूसरी ओर हिन्दी **बातून** की तरह रूसी **बोल्तून्** है। दोनों शब्दों का अर्थ एक है। बाल्तिक-स्लाव भाषाओं में अनेक शब्द ऐसे हैं जिनके ध्वनि-रूप संस्कृत रूपों से काफी मिलते हैं, यथा : **अग्नि, कृमि** और **तमस्** के लिथुआनियन प्रतिरूप **उग्निस्, किर्मुओ** और **तुम्स**। किन्तु सबसे रोचक शब्द वे हैं जो अर्थ-विचार की दृष्टि से प्राचीन प्रयोगों की याद दिलाते हैं।

इन भाषाओं में से (बोना) क्रिया और उससे सम्बद्ध शब्दों का व्यापक व्यवहार होता है। लिथुआनियन में इसका कृदन्त रूप **सेति** सामान्य क्रिया के समान प्रयुक्त होता है। जिस टोकरी से बीज लेकर बोते हैं, उसे **सितुवस्** कहते हैं। पुरानी प्रुशियन में बीज को **सॅमॅन्** कहते थे और खेत के लिए शब्द था **सम्यॅन्**। धरती के लिए **सॅम्मॅ** शब्द था जिससे **ज़्मा, क्ष्मा, ज़मीन** आदि शब्द सम्बद्ध हैं। **स्** के सघोष होने पर **ज़्** वाले रूप मिले; इसके **च्** में बदलने और सघोष होने पर **ज्** वाले रूप मिले, और **स्** के तालव्य होने पर, अतिरिक्त **क्** के साथ उसके पुनः मूर्धन्य होने पर, **क्ष्** वाले रूप मिले। **से** क्रिया में **त** प्रत्यय जोड़ने पर **सेत,** मराठी रूपान्तर **शेत** और संस्कृत प्रतिरूप **क्षेत्र** इसी प्रकार प्राप्त होते हैं। **सेत** का **त** जब **ल** में परिवर्तित हुआ तब गाँव के लिए रूसी में **सॅलो, सॅलेनिये** शब्द बने। रूसी में कहीं बस जाने के लिए शब्द है **सॅलीत्स्या**; बीज के लिए **सॅम्या** है। **सॅम्या, सॅमेइस्त्वॉ** परिवार का अर्थ देते हैं। रूसी में खेत के लिए **पोलॅ** शब्द भी है और **पालि, पल्लि** आदि से सम्बद्ध है। खेत के लिए तमिल में भी **पोल** शब्द है। यह सम्भव है कि **पोल** का **प्** बोनेवाली **सो** क्रिया के **स्** का रूपान्तर हो। बुल्गारियन में किसान के लिए **सॅल्यानिन्** शब्द है और **सॅल्याक्** का अर्थ है गँवार। रूसी में किसान के लिए **क्रेस्त्यानिन्** शब्द भी है

जो संस्कृत **कृष्टि** से सम्बद्ध है। हल चलाने के लिए बाल्तिक, स्लाव तथा लैटिन आदि में **अर्** क्रियामूल का व्यवहार होता था। लिथुआनियन **अरिमस्** का अर्थ है जोतने का कार्य। **अर्ति** माने हल चलाना और **अर्क्लस्** का है हल। इससे किसान के लिए लैतवियन भाषा में शब्द बना **अराय्स, अरेय्स्**। पहला रूप पेशेवर किसान के लिए प्रयुक्त होता है और दूसरा जब-तब हल चलाने के लिए। लिथुआनियन में इसका प्रतिरूप है **अर्तोयस्**। जो दूसरे के लिए हल नहीं चलाता, वह अपनी खेती का स्वामी है। इस प्रकार **अर्** क्रिया से बने भारतीय आर्य शब्द में स्वामित्व का भाव जुड़ गया, पुनः स्वतंत्रता, सभ्यता, बड़प्पन आदि के भाव भी इससे सम्बद्ध हो गए। लिथुआनियन **शक** संस्कृत **शाखा** का प्रतिरूप है और दोनों का अर्थ एक ही है। रूसी में इसका रूपान्तर **कॉख़ा** है जिसका अर्थ है लकड़ी का हल। इसका पुराना जर्मन प्रतिरूप **होह** है। इससे विदित होता है कि प्राचीनकाल में पेड़ की डाल काटकर उससे भूमि जोतने का काम लिया गया था। इसी प्रकार कश्मीरी **लंग** (डाल) और बंगला **लाङ्गल** (हल) परस्पर सम्बद्ध हैं।

लिथुआनियन **बॅर्नस्** (युवक) में शब्दमूल **बॅर** संस्कृत **भर** का रूपान्तर है। **भर** का अर्थ है युद्ध; इसका अर्थ योद्धा, युवक, पुत्र भी है। लैतवियन **बॅर्न्स्** का अर्थ है बच्चा। लिथुआनियन **वीरुस्,** पुरानी प्रुशियन का **वीरन्स्** पुरुषवाचक शब्द हैं और संस्कृत **वीर** के प्रतिरूप हैं। पुरुष में शब्द मूल **पुरु** का सम्बन्ध युद्ध और योद्धा से है। तमिल **पॉर** (लड़ना) का रूसी प्रतिरूप **गोलेत्** है। लिथुआनियन में **करस्** का अर्थ है युद्ध। जैसे **पॉर** और **पुरु** परस्पर सम्बद्ध हैं, वैसे ही **करस्** और **कुरु** परस्पर सम्बद्ध हैं। **कुरु** का अर्थ **पुरु** के समान योद्धा, युवक था। पुरानी फ़ारसी में **कार** का अर्थ है सेना। वह लिथुआनियन **करस्** से सम्बद्ध है।

लिथुआनियन **वॅर्ति** का अर्थ है द्वार खोलना या बन्द करना। स्पष्ट ही इस क्रिया का सम्बन्ध घूमने का अर्थ देनेवाली **वर्** और उससे निर्मित कृदन्त **वर्त** से है। **वर्** क्रिया आने-जाने का सामान्य अर्थ देने लगी किन्तु **वृत्त** में उसकी **वक्र** गति का अर्थ स्पष्ट है। द्वार शब्द **वर्** क्रिया से बना है। **व** के पहले अतिरिक्त **द्** जोड़ा गया है। रूसी में **फाटक** के लिए **वॉरॉत** शब्द है जो अवधी **बरोठा** (दहलीज) से तुलनीय है। रूसी में ऐसे अनेक शब्द हैं जिनके एक रूप में **व** है और दूसरी में **द्व**। **वॉरॉत** के समकक्ष उसमें **द्वोर्** (प्राङ्गण), **द्वेर्** (द्वार) शब्द भी हैं। संस्कृत **वेग** से सम्बद्ध **द्विगात्** (संचालित करना), **द्विझ़ेनिये** (गति) शब्द हैं, **बेगात्** (भागना) क्रिया भी है, लिथुआनियन में इसका प्रतिरूप **बेग्ति** है। गतिसूचक **पो** क्रिया से जैसे **पथ** शब्द बनता है, वैसे ही लिथुआनियन में **बेग्** से **बेगिस्** (पथ) शब्द बना है। भारतीय **वर्** क्रिया से **वारि** शब्द बना, वैसे ही **वर्** के प्रतिरूप **वन्** से कृदन्त रूप **वन्द** बना। लिथुआनियन **वन्दुओ** का अर्थ है जल। **वन्द** का **न्**-ध्वनिहीन रूप **वद** हुआ, इसी का रूपान्तर है **उद**। **वन्द** के रूपान्तर **उन्द** से अंग्रेज़ी का **इनण्डेट**

(बाढ़ पाना) शब्द बना है। लैटिन में **उन्द** का अर्थ है जल। **उद** में बहुत्वसूचक **र** लगने से **उद्र** रूप बनता है जो समुद्र में है। इस **उद्र** ग्रीक प्रतिरूप **हुद्रॉस्** है जो जल के अलावा सर्प के लिए भी प्रयुक्त होता था, ठीक भारतीय नाग की तरह। लिथुआनियन **उपिस्** का सम्बन्ध संस्कृत **अप** से है। **उपि** और **उप** रूप **ऑभि** के रूपान्तर हैं जिससे ग्रीक **ओफिस्** (नाग) और संस्कृत **अहि** सम्बद्ध हैं। संस्कृत **कुल्या** की शृंखला में लिथुआनियन **कूलिअव** (झरना) है।

लिथुआनियन **स्तातिति** (निर्माण करता है) में वही क्रिया है जिससे संस्कृत **स्थपति** (थवई) शब्द बनता है। **धूलि** के रूपान्तर **दूलि** से लिथुआनियन **दुल्के** (धूल) शब्द बना है। **कल्निउस्** का अर्थ है पर्वतारोही। इसमें पर्वत-सूचक वही **कल** है जो प्रसिद्ध **कलिंग** में है। तमिल में **कल** का अर्थ है पत्थर। लिथुआनियन में **कुलिस्** का अर्थ है सुअर। 'रामचरितमानस' में **कोल** शब्द इसी अर्थ में प्रयुक्त हुआ है। इसी भाषा में **बूत्** का अर्थ है घर; जैसे **भू** से **भवन,** वैसे ही **भू** के प्रतिरूप **बू** से **बूत्**। **छाया** के लिए **सेय** शब्द में **से** क्रिया है जिसका मूल अर्थ था शयन करना। इसी का रूपान्तर **शे** है जिससे अंग्रेज़ी **शेड** (छाया), संस्कृत शयन, **शैया** आदि शब्द बने हैं। **वायु** में जैसे **वा** क्रिया है, वैसे ही लिथुआनियन **वेयस्** (वायु) में **वे** क्रिया है जो **वा** का प्रतिरूप है। बाल्तिक भाषाओं को जो बाल्तिक नाम दिया गया है, वह लिथुआनियन में **बल्तस्** है जिसका अर्थ है श्वेत, प्रकाशमान। **श्वेत** का प्रतिरूप **वेल** हुआ; रूसी **बेलुए** का अर्थ श्वेत है। **बेलुए, बल्तस्** तमिल **वॅळ्** का प्रतिरूप **श्वेत** है। **पति** शब्द स्वामित्व के भाव से जुड़ा हुआ था किन्तु स्त्री या पुरुष में कौन स्वामी है, पहले इसका भेद न था। अत: लिथुआनियन में **पति** शब्द का अर्थ है स्वामिनी। **धा** क्रिया का एक अर्थ था रखना। इससे लिथुआनियन की **देति** क्रिया बनी है। हिन्दी **डूबना** से बहुत मिलती हुई लैतवियन क्रिया है **दुबत्**। इसी से लिथुआनियन विशेषण बना है **दुबुस्** (गहरा), जिससे अंग्रेज़ी **डीप्** (गहरा) तुलनीय है। ज्ञान और जानने का अर्थ देनेवाले **विद्, वेद** आदि शब्द यहाँ व्यापक रूप से प्रयुक्त होते हैं। पुरानी प्रुशियन में **वइदिमइ** (हम जानते हैं) रूप है। रूसी **वेद्** का अर्थ है तुम जानते हो या देखते हो, **वेदात्** क्रिया का अर्थ है जानना। अनेक शब्दों के अन्त में **वेद** शब्द जोड़ देते हैं जहाँ उसका अर्थ होता है ज्ञाता, यथा : **यज़िकोवेद्** (भाषाविद्)। खूँटी के लिए लिथुआनियन **कॅम्बॅ** संस्कृत **स्कम्भ** का ही प्रतिरूप है। मार्ग के लिए लिथुआनियन **तकस्** शब्द **तक** या **त** क्रिया से बना है जिसका अर्थ चलना होगा। हिन्दी **डग** और **डगर** इससे तुलनीय हैं। लिथुआनियन **अंगिस्** (सर्प) में वक्रता का भाव है, जैसे **भुजंग** में है। **भंग, बंक, वंक, अंग** सब वक्रता का अर्थ देनेवाले शब्द हैं। **अंगिस्** से मिलता-जुलता शब्द संस्कृत **अंगुलि** है। **कन्दिस्** (पतंग, शलभ) में **कन्** क्रिया है जिसका अर्थ है जलना। **प्रगल्भ** के समान **कल्बुस्** (वाचाल) शब्द **गद्** क्रिया के रूपान्तर **कल्** से बना है। संस्कृत में

ही **गद्** के **द्** का रूपान्तर **ल्** हुआ और **गल्भ, गल्प** शब्द बने। **कल्बुस्** का प्रतिरूप **गल्वुस्** भी है। **कल्वुस्** का अर्थ है **वाचाल** और **गल्वुस्** का अर्थ है बुद्धिमान किन्तु यह सम्भव है कि इस दूसरे शब्द का सम्बन्ध **गल्ब** (सिर) से हो। **पेलुस्** (भूसा), अवधी **पैरा**, मानक हिन्दी के **पुआल** से सम्बद्ध है। जैसे लिथुआनियन में **पति** शब्द स्त्रीवाचक है, वैसे ही **वधू** से मिलता-जुलता शब्द **वेदिस्** (दूल्हा) पुरुषवाचक है। कारण यह है कि दोनों का सम्बन्ध **वध्** क्रिया से है जिसका अर्थ है ले चलना। लिथुआनियन का एक रोचक शब्द है **तइसेयस्** (निर्माता)। इसमें क्रियामूल **तइ** का सम्बन्ध **धन्धा, दस्त, दास, दक्ष, तक्षन्** आदि के क्रियामूल **दस्-तस्** से है। **बल** शब्द सम्भवत: **वर** रूप में भी प्रयुक्त था। लैतवियन **वर** का अर्थ है **बल**।

बाल्तिक-स्लाव भाषाओं के सर्वनाम-रूप महत्त्वपूर्ण हैं। लिथुआनियन **शिस्** का अर्थ है यह। इसका रूसी प्रतिरूप है **सॅइ**। लिथुआनियन **शिस्तस्** का अर्थ है यह, वह। **क्**-मूलक सर्वनाम प्रश्नवाचक हैं, साथ ही दूरस्थ वस्तु की ओर संकेत भी करते हैं; लिखुआनियन **क** का अर्थ है वह, साथ ही **कुर्** का अर्थ है कहाँ। यह **कुर्** **कुद** या **कुत** की दन्त्य ध्वनि के **र्** में बदलने से बना है।

लिथुआनियन की शब्द-रचना में कृदन्त प्रत्यय **ब** का व्यवहार संस्कृत से भिन्न मागधी भाषाओं से मिलता-जुलता है। क्रिया है **गिवॅन्ति** (जीना); इससे संज्ञा-रूप बना **गिविब** (जीवन, अवधी रूप होगा **जियब**)। क्रिया है **वॅदिन्ति** (ब्याहना), संज्ञा-रूप बना **वॅदिबॉस्** (अवधी **ब्याहब**)। क्रिया है **तिकिन्ति** (आस्था उत्पन्न करना), संज्ञा-रूप बना **तिकिब** (धर्म, आस्था)। यह **ब** कहीं **बे** रूप में है, कही **बो** रूप में; मूल प्रत्यय एक ही है। इससे मागधी भाषाओं के **ब** प्रत्यय की प्राचीनता का बोध होता है। रूसी में मागधी भाषाओं के समान **ल** प्रत्यय जोड़कर भूतकालिक कृदन्त बनाते हैं, यथा : **चितात्** (पढ़ना), भूतकालिक रूप **चिताल** (पढ़ा)। लिथुआनियन में **ल** प्रत्यय से अन्य कोटि के संज्ञा-रूप बनते हैं। **कस्ति** (खोदना) में क्रियामूल **कस्** से कृदन्त रूप बना **कसलस्** (जो खोदा जा सके)। **गिर्तौति** (पीना) में क्रियामूल **गिर** से संज्ञा-रूप बना **गिरलस्** (पेय)। बाल्तिक भाषाओं के **ग** और **ङ्ग** कृदन्त प्रत्ययों का उल्लेख पहले हो चुका है। ये दोनों प्रत्यय द्रविड़ भाषाओं में अधिक प्रयुक्त होते हैं। फ़ारसी **जिन्दगी** में जो स्त्रीलिंग प्रत्यय **गी** है, वही लैतवियन में **ज़ीग** (जीवन) का **ग** है। **इङ्ग** प्रत्यय वस्तु से सम्बन्ध भी सूचित करता है, जैसे **अक् मेनिंगस्** (पत्थरों से भरा हुआ; ठीक यही अर्थ कलिंग का है)।

बाल्तिक भाषाओं में **त** प्रत्यय का व्यवहार बहुत होता है। इस **त** प्रत्यय को जोड़कर कृदन्त रूप बनता है और वह कृदन्त पुन: क्रियामूल के समान प्रयुक्त होता है, जैसे **वर्** क्रिया से पहले **वर्त** कृदन्त रूप बने और फिर उसे मूल क्रिया मानकर **वर्तते** रूप बनाया जाए। लिथुआनियन में कृदन्तों के आधार पर नये क्रियार्थी संज्ञा-रूप बनते हैं, जैसे **गिर्** (पीना) क्रियामूल से कृदन्त रूप बना **गिर्त**, फिर इससे

क्रियार्थी संज्ञा-रूप बना **गिर्तौति**। **त, ती** प्रत्यय संज्ञा-रूप बनाने के लिए प्रयुक्त होते हैं, यथा : **गिव्** क्रियामूल से **गिवत** (जीवन); **बू** (संस्कृत **भू**) क्रिया से **बूतिस्** (अस्तित्व)। रूसी में **त्व** प्रत्यय का संस्कृत के समान बहुत प्रयोग होता है। इसका उपयोग भाववाचक संज्ञा बनाने के लिए होता है, यथा : **ब्रात्** (भाई), **ब्रात्स्त्वॉ** (भ्रातृत्व)। **त्वॉरीत्** (निर्माण करना) से संज्ञा-रूप **त्वॉर्केस्त्वॉ** (रचनात्मक कार्य)।

## 3. केल्त भाषा-समुदाय

*(क) ध्वनितंत्र*

केल्त भाषा-समुदाय के ध्वनितंत्र के बारे में सबसे रोचक तथ्य यह है कि इसके एक विभाग की भाषाओं में जहाँ **क्** है, वहाँ अन्य विभाग की भाषाओं में **प्** है। पुरानी आइरिश और स्कॉटलैंड की गेलिक भाषा के शब्दों में जहाँ **क्** है, वहाँ वेल्स में **प्** है। जैसे पुरानी आइरिश में **कॅन्** (सिर) है तो वेल्श में उसका प्रतिरूप **पॅन**। गेलिक में प्रश्नवाचक सर्वनाम और विशेषक **क्** से आरम्भ होते हैं—**किअ** (कौन-सी चीज़), **को** (कौन व्यक्ति), **कइत्** (कहाँ), **कुइन्** (कब), **किऑद्** (क्या), **किअमर्** (कैसे)—तो वेल्श में इस वर्ग के शब्द **प्** से आरम्भ होते हैं—**प** (क्या), **पहम्** (क्यों) **पन्** (कब), **पुइ** (कौन), **प मॉर्** (कैसे)। भाषाविज्ञानी कहते हैं कि दोनों विभागों में शब्द ओष्ठ्य **क्** से आरम्भ होते थे। इस ध्वनि का कंठ्य **क्**-तत्त्व एक विभाग में प्रयुक्त होने लगा और ओष्ठ्य **व्**-तत्त्व अन्य विभाग में। यह बात उन शब्दों के लिए भी कही जाती है जिनके लैटिन रूप में **क्** है किन्तु ग्रीक रूप में **प्** है। लैटिन **क्वि** (कौन, क्या) में **क्** के साथ ओष्ठ्य शब्द भी है, संस्कृत के **कः, किम्** में केवल **क्** तत्त्व बचा है, ग्रीक के **पॉइऑस्** (कैसा), **पॉइ** (कहाँ), **पॉथॅन्** (कहाँ से) आदि में **प्** तत्त्व बचा है जो **व्** का रूपान्तर माना जाता है।

पहली बात ध्यान देने की यह है कि गेलिक और आइरिश में **क्** तत्त्व शेष रहता है तो ये भाषाएँ ग्रीक की अपेक्षा संस्कृत के अधिक निकट हैं। इस स्थिति में यह कहना भ्रामक होगा कि शतम् शाखा की भाषाएँ ओष्ठ्य तत्त्व का लोप करती हैं और केन्तुम् शाखा की भाषाएँ ओष्ठ्य तत्त्व बनाए रहती हैं। केन्तुम्-शतम् शाखाओं वाला विभाजन यहाँ टूट जाता है। दूसरी बात : केल्त समुदाय केन्तुम्-विभाग की शाखा है। इस शाखा की गेलिक और वेल्श नामक दो भाषाओं में उतना ही फ़ासला है जितना दो मुख्य शाखाओं की ग्रीक और संस्कृत भाषाओं में। शाखाओं का वर्गीकरण और भी असन्तोषजनक प्रतीत होने लगता है। तीसरी बात : ग्रीक भाषा-समुदाय में ही एक रूप में **क्** है तो दूसरे में **प्**। मानक ग्रीक **पे** (किसी प्रकार) **का** इओनिक प्रतिरूप **के** है; ग्रीक **पॉइऑस्** का इओनिक प्रतिरूप **कॉइऑस्** (कैसा) है। ग्रीक **बलॅफरॉन्** (पलक) का दोरिक प्रतिरूप **ग्लॅफरॉन** है। इसका अर्थ यह हुआ कि जितना अन्तर ग्रीक और संस्कृत में है, उतना अन्तर ग्रीक

भाषा की ही दो बोलियों में है, उतना ही अन्तर केल्त समुदाय की दो भाषाओं में है। जहाँ क-वर्गीय प-वर्गीय ध्वनियाँ वाले दोनों रूप मानक भाषा में आ गए हैं, वहाँ उनके आधार पर ग्रीक भाषा में ध्वनि-परिवर्तन का नियम स्थिर करना असम्भव है। **लगरॉस** और **लपरॉस** (शिथिल), दोनों रूप मानक भाषा में स्वीकृत थे। चौथी बात : जहाँ ग्रीक रूप में **क्** है और लैटिन में **प्** है, वहाँ लैटिन-ग्रीक भाषाओं के अपने-अपने ध्वनि-नियम उलट जाते हैं। संस्कृत **वृक** का ग्रीक रूपान्तर **लुकॉस्** है किन्तु लैटिन प्रतिरूप **लुपुस्** है। वेल्श **करिओ**, अंग्रेज़ी **कैरी** (वहन करना, ले चलना) में तो **क्** है, लैटिन प्रतिरूप **फ़ेरॉ** में **फ़** है, **पॉर्‌तॉ** में **प्** है। वेल्श में पूछने के लिए एक शब्द **कॅइसिऑ** है किन्तु लैटिन प्रतिरूप **पॉस्कॉ** है।

लैटिन **प्** ध्वनि वाली बोलियों से घिरी हुई थी, अतः उसमें **क्** के स्थान पर **प्** का व्यवहार आश्चर्यजनक नहीं है। केल्तिक भाषा-समदाय में जैसे **क्-प्** ध्वनियों वाले दो विभाग हैं, वैसे ही इतालिक में दो विभाग थे। **क्** वाले विभाग में लैटिन है, **प्** वाले विभाग में इटली की पुरानी ओस्कन और उम्ब्रियन भाषाएँ हैं। लैटिन **क्विस** (कौन) के समानान्तर इनमें **पिसू** है; लैटिन **क्वद्रु** (चार), **क्वीन्क्वॅ** (पाँच) के समानान्तर उम्ब्रियन में **पॅतुर, पुम्पॅ** हैं। इतालिक भाषा-समुदाय के दो विभागों के समान ग्रीक समुदाय में भी दो विभाग थे। इनमें अत्तिक प-विभाग की भाषा है, इओनिक-दोरिक **क्** विभाग की। मानक ग्रीक का विकास अत्तिक के आधार पर हुआ : इसी कारण **पे, पॉइओस्, ब्लॅफरॉन्** आदि रूप मानक ग्रीक में हैं और **के, कॉइऑस, ग्लॅफरॉन्** आदि रूप इओनिक-दोरिक में हैं।

**क्** और **प्** के ये विभाग यूरोप के भाषा-समुदायों के अलावा भारतीय भाषाओं में पाए जाते हैं और आर्य-द्रविड़ परिवारों की सीमाएँ लाँघ जाते हैं। तमिल **पाण्, पाणु** (गीत) और संस्कृत-हिन्दी **गान**; तमिल **पुरइ** (कुटिया), अवधी **कुरिया**; तमिल **पुंड** (गुंडा), मलयालम **कुंड** (गुलाम, गन्दी औरत), कन्नड़ **गुंड** (चाकर) और हिन्दी **गुंडा**; तमिल **पुल्, पुलि** (बाघ) और सन्थाली **कुल्** (बाघ); मुंडारी **बोका** और इसी भाषा में **कोका** (मूर्ख); मुंडारी में ही **बुचङ्**, और **गुचङ्** (जलता हुआ लक्कड़); **बुतुरुम्** और **गुतुरुम्** (अड्डा); **बज्** और **कुज्** (बच्ची); **बुनुम्** और **गीनुम्** (दीमकों का बिल)। संस्कृत क्रिया **भस्** से **भक्ष्** रूप बना; **घस्** का अर्थ भी भक्षण करना है। संस्कृत **स्तम्भ** का अंग्रेज़ी तद्‌भव रूप **थम्ब्** (अँगूठा) है; हिन्दी **ठेंगा** का प्राचीन पूर्व रूप **स्तन्ध** था। जर्मन **स्तंग** का वही अर्थ है जो **स्तम्भ** का। प्राचीन आर्य भाषाओं में **भ** और **घ**, दोनों प्रत्यय कृदन्त रूप बनाने के लिए क्रिया में जोड़े जाते थे।

**क्-प्** ध्वनियों वाले विभाग जहाँ भाषा-परिवारों की सीमाएँ लाँघ जाते हैं, वह क्षेत्र भारत है। **क्व** जैसी मूल ध्वनि से कुछ भाषाओं में **क्** शेष रहा, कुछ में **व् प्** में बदल गया, इस कल्पना के सहारे इंडो-यूरोपियन परिवार की भाषाओं के विकास की व्याख्या नहीं की जा सकती; जब अखिल भारतीय भाषाई परिवेश में हम उसे

परखते हैं, वह नितान्त निराधार सिद्ध होती है। **क्-प्** ध्वनियों के विभागों से जिस सिद्धान्त की पुष्टि होती है, वह यह है कि इन ध्वनियों के स्वतंत्र विकास-केन्द्र थे; इन केन्द्रों के सम्पर्क से दोनों ध्वनियों का समावेश विभिन्न भाषा-समुदायों में हुआ। थुर्नेसॅन ने पुरानी आइरिश पर अपने व्याकरण ग्रंथ 'ए ग्रामर ऑफ़ ओल्ड आइरिश' में लिखा है कि आइरिश भाषा की पूर्वतर अवस्थानों में **प्** ध्वनि नहीं थी। (पृ. 570) 'आदि' इंडो-यूरोपियन भाषा में एक स्वतंत्र **प्** ध्वनि थी। इस **प्** का क्या हुआ? यह **प्** पुरानी आइरिश की पूर्वतर अवस्थाओं में नहीं है। या तो उसके स्थान पर **क्** है या उसका लोप हो गया है। इस स्थिति से **क्-प्** ध्वनियों के दो स्वतंत्र केन्द्रों वाली स्थापना पुष्ट होती है।

प्रश्न केवल **क्** और **प्** ध्वनियों का नहीं है, इनके साथ **त्** का भी है। मानक ग्रीक में **तॅस्सरॅस्** (चार) है तो इओलिक में **पिसुरॅस्**; मानक ग्रीक में **पॅन्तॅ** (पाँच) है तो इओलिक और दोरिक में **पॅम्पॅ** है; मानक ग्रीक में एक ओर प्रश्नवाचक **तिस्** (कौन, क्या) रूप है, दूसरी ओर **पॉइ** (कहाँ), **पॉइऑस्** (कैसा) आदि में प्रश्नवाचक सर्वनाम मूल **पॉ** है। वेल्श **प** (क्या) का गेलिक प्रतिरूप **दे** है। संस्कृत **दूर** का ग्रीक प्रतिरूप **तेलॅ** है, वेल्श में इसका प्रतिरूप **पॅल्** है। इसलिए ग्रीक आधार पर बने अंग्रेज़ी शब्द **टेलीग्राफ़** के लिए वेल्श का अपना शब्द है **पॅलॅबर्**। स्वच्छन्द संचरण की स्थिति में **त्** के साथ **प्** ही नहीं है, **क्** भी है। लिथुआनियन में **तिक्नगस्** के साथ **तित्नगस्** (चकमक पत्थर) है। संस्कृत **पुत्र** का ओस्कन प्रतिरूप **पुक्लॉ** है; लैटिन में एक क्रिया **ॲक्सअन्क्लारॅ** (बाहर निकालना) है तो उसका ग्रीक प्रतिरूप **ॲक्स्अन्क्लन्** है। गेलिक में एक सम्बन्धक **दॉ (को**; अंग्रेज़ी **टु)** है और उसी भाषा में उसका प्रतिरूप **गॉ** है; वेल्श में एक रूप **नक्** (नहीं) है, दूसरा **नत्**। इन उदाहरणों से सिद्ध है कि अनेक शब्दों में **क्** और **प्** को ही एक मूल ध्वनि का विकास सिद्ध करना पर्याप्त नहीं है, **क्** और **त्** को, **त्** और **प्** को भी अनेक शब्दों में एक ही मूल ध्वनि का विकास दिखाना होगा।

ऐतिहासिक भाषाविज्ञान के लिए संख्यासूचक **पंच** अन्तरराष्ट्रीय महत्त्व का शब्द है। इसका सम्बन्ध **पन्** (करना) क्रिया से है। यह क्रिया **पण्** रूप में तमिल में, **पॉनॉ** रूप में लैटिन में विद्यमान है। इस क्रिया से हाथ के लिए एक शब्द बना **पाणि** जो संस्कृत में **प्राप्त** है, दूसरा शब्द बना **पन्त** जिसका व्यवहार हाथ के अर्थ में किसी समय होता होगा। जैसे **धस्** क्रिया में **त** प्रत्यय जोड़कर **धस्त** शब्द बना था, जिसके रूपान्तर **दस्त** और **हस्त** हैं, वैसे ही **पन्** क्रिया से **पन्त** बना था जिसके रूपान्तर ग्रीक **पॅन्तॅ** और संस्कृत **पंच** हैं। जैसे संख्यासूचक **दश** का सम्बन्ध **हाथ** से है—जो पश्तो के **लस** (दस, हाथ) रूप से प्रमाणित है—वैसे ही **पन्त, पञ्च** शब्द मूलतः **हाथ** का अर्थ देता था। शब्द-निर्माण में अर्थ-प्रक्रिया के महत्त्व पर ध्यान न देने से भाषाविज्ञानी संज्ञा हाथ, क्रिया **करना** और संख्या **पाँच—पाणि,**

**पण** और **पंच**—का सम्बन्ध नहीं पहचान सके। अब **पंच** का अन्तरराष्ट्रीय महत्त्व यह है कि इसके लैटिन प्रतिरूप **क्वीन्क्वॅ** में **क्वीन्** का सम्बन्ध न तो हाथ से है, न करने से; ऐसा सम्बन्ध न लैटिन में है, न अन्य किसी भाषा में। न **क्व** प्रत्यय लैटिन में शब्द-निर्माण-प्रक्रिया का आवश्यक तत्त्व है। **क्वीन्क्वॅ** शब्द पाँच का अर्थ क्यों देने लगा, इसका उत्तर परम्परागत भाषाविज्ञान के पास नहीं है। किन्तु **दस्** और **पन्**, दोनों क्रियाओं का सम्बन्ध हाथ, संख्या और करने से है, यह स्पष्ट है। लैटिन **प्** विभाग की भाषाओं से घिरी हुई थी। उसने **पॅम्पॅ** जैसे रूप के आधार पर **क्वीन्क्वॅ** रूप का निर्माण किया। ग्रीक समुदाय की दोरिक भाषा में **पॅम्पॅ** है, इसके अलावा ओस्कन और उम्ब्रियन में **पुम्पॅरिअस्** रूप है। वेल्श रूप **पुम्प्** है और गौथिक में इसका प्रतिरूप **फ़िम्फ़्** है जिसका आधार पुरानी वेल्श का **पिम्प्** है। इस प्रकार जर्मन, ग्रीक, केल्त और इतालिक भाषा-समुदायों में **पुम्प, पिम्प्** जैसे रूपों का चलन था, आदिस्थान में **प्** था और दूसरे वर्ण में अथवा अन्त्य स्थान में भी **प्** था, **त्** के अभाव में। आर्य-स्लाव क्षेत्र **च्** ही नहीं, **त्** की विकास-भूमि था। इस कारण रूसी में **पॅत्**, संस्कृत में **पंच** रूप हैं; संस्कृत ग्रीक में जिस व्याकरणिक समानता का उल्लेख बरो ने किया है, उसके साथ ध्वनिगत समानता की पुष्टि मानक ग्रीक रूप **पॅन्तॅ** से होती है। जर्मन, ग्रीक, केल्त और इतालिक के साथ आर्य-स्लाव भाषाएँ **प्**-मूलक संख्या शब्द का व्यवहार करती हैं। इनमें स्लाव और मानक ग्रीक भाषाएँ शब्द के अन्त में, या दूसरे वर्ण में, **त्** का व्यवहार करती हैं, संस्कृत **च्** का, और शेष भाषाएँ **प्** (या **फ़्**) का।

पुरानी आइरिश में **पंच** का प्रतिरूप, लैटिन के समान **क्**-मूलक है—**कोइक्**। इसी तरह गेलिक में **कोइग्** रूप है। यह सम्भव है कि इनकी रचना संज्ञा **कर** (हाथ), क्रिया **कर्** (करना) के आधार पर हुई हो।

मगध के **मग**—मूलरूप **मघ**—का प्रतिरूप **मक्** (पुत्र) पुरानी आइरिश में प्राप्त है; गेलिक में **मक्, मिक्** (उप.) और वेल्श में **मकुइ** (युवा) रूप हैं। वेल्श में **मब्** (पुत्र, युवा, पुरुष) रूप भी है जिससे सिद्ध है कि इस भाषा में दो स्रोतों से यह शब्द पहुँचा है। केल्त समुदाय की ब्रितानिक और पिक्तिश भाषाओं में **मप्** और **मफ़न्** रूप थे। तमिल में **मग** (वत्स, तरुण), **मगन्** (पुत्र) शब्द हैं; इनके साथ **पॅण्** (पुत्री, लड़की, स्त्री, पत्नी) शब्द है जिसका प्रतिरूप पुरानी आइरिश में **बॅन्** (स्त्री), और गेलिक में **बॅअन्** (पत्नी) है। हिन्दी में **बन्ना** (दूल्हा), **बन्नी** (दुलहिन), **बनरा** (विवाह सम्बन्धी गीत), गुजराती **बणी** (पत्नी) आदि इसी शृंखला में हैं। ग्रीक समुदाय की एक बोली में **बना** शब्द था; वर्ण-संकोच से **ब्ना** और इसके रूपान्तर **म्ना** से मानक ग्रीक क्रिया **म्नऑमइ** (पत्नी बनाने को प्रेम निवेदन करना) बनी। जनसमुदाय में गौथिक **क्वेन्स्** (पत्नी), अंग्रेज़ी **क्वीन्** (रानी), आइसलैंड की भाषा का पुराना रूप **कॉन** (पत्नी) केल्तिक **बॅन्** आदि के प्रतिरूप हैं।

ब्रुगमन ने कल्पना की थी कि गोथिक **क्वेन्स्** का मूल रूप **ग्वेनि** था जिससे संस्कृत **जानिः** का विकास हुआ। **ग्वेनि** रूप किसी भाषा में प्रयुक्त नहीं हुआ और उक्त कल्पना अनावश्यक है। न तो **ग्वेनि** का **व्** संस्कृत में **प्** बना, **न् ग् ज्** में परिवर्तित हुआ। केल्त भाषाएँ **च्** या **ज्** ध्वनि वाले शब्दों को किस रूप में ग्रहण करती हैं, इसका अध्ययन भारतीय और यूरोप की भाषाओं के सम्बन्ध पहचानने में सहायक होगा। वेल्श **दर्देनि** (नया जन्म देना) **दॅन्** क्रिया के प्रथम व्यंजन की आवृत्ति से बना हुआ रूप है। **दीन्** (जन, पुरुष) स्पष्ट ही **जन** का रूपान्तर है। इसी से सम्बद्ध **दीनॅस्** (नारी), **दीनॉल** (मानवीय) आदि में **द्** मूल **ज्**-ध्वनि का स्थान लेता है। पुरानी आइरिश में **गॅइन्** (जन्म), **गॅइनॅ** (बच्चे) में **ज्** ध्वनि **ग्** रूप में ग्रहण की गई है। वेल्श और आइरिश भाषाओं में गहरे सम्पर्क के फलस्वरूप **द्** वाले रूप आइरिश में मिलेंगे और (या **क्**) वाले रूप वेल्श में। पुरानी आइरिश **दुइनॅ** (पुरुष, जन), **दॉइनि** (मानवता) वेल्श के समान **ज्** को **द्** रूप में ग्रहण करती है। उधर वेल्श में **कॅन-हॅद्लु** (जन्म देना), **कॅनॅद्ल्** (जाति, 'नेशन') यह दिखाते हैं कि **ज्** ध्वनि **ग्** रूप में ग्रहण की गई, फिर उसे अघोष किया गया। वेल्श **किउदॉद्** (गण, जाति) में वैसी ही ध्वनि प्रक्रिया है। लिथुआनियन **तउत** (उप.) में **ज्** का रूपान्तर **द्** अघोष रूप में प्रतिष्ठित है। इसी का पुराना जर्मन प्रतिरूप **दिऑत** (जन, जनता) है जिससे एक ओर **डच, ड्वाअॅत्श् ड्वाअॅच्** (जर्मन, हॉलैंड-सम्बन्धी) शब्द बने, दूसरी ओर आदि व्यंजन के अघोष होने पर **ट्उटॉन्, ट्यूटन्** (जर्मन) शब्द बने। **दिऑत** जैसे रूप का **द्**—**दवर-लेविर** के समान—**ल्** में परिवर्तित हुआ, तब रूसी **ल्यूदि**, चेक **लीद्, लीदॅ** आदि रूप बने जिनका अर्थ है जनता। इस प्रकार केल्त, जर्मन और बाल्तिक-स्लाव भाषाओं में जन-गण-वाचक शब्दों का आधार प्राचीन भारतीय क्रिया **जन्** है।

वेल्श **ज्** ध्वनि को **स्** रूप में भी ग्रहण करती है। अंग्रेज़ी **जेन** और **जेम्स** क्रमशः **सिआन्** और **सॅउमस्** बोले जाते हैं। इसी प्रकार गेलिक में **जीन** और **जेम्स सीने सॅउमस्** (अथवा **शॅउमस्**) हैं। इसके साथ **जौन्** के वेल्श और गेलिक प्रतिरूप **इऑअन्** और **इऐन्** भी हैं, जैसे लैटिन में **द्युपितर्** का रूपान्तर—**जुपितर्** की मंज़िल पार करते हुए—**इऊपितर्** है। किसी एक भाषा में जब अनेक बोलियों की ध्वनि-प्रकृतियों का समावेश होता है, तब उसमें वैसा ही बहुविध ध्वनि-प्रपंच दिखाई देता है, जैसा वेल्श में है, **ज्** कहीं **द्**, कहीं **क्**, कहीं **स्**, कहीं इस रूप में ग्रहण किया जाता है।

केल्त तथा बाल्तिक-स्लाव भाषाओं में **क्-प्** समीकरण से हमें कुछ भारतीय शब्दों का विकास समझने में सहायता मिलती है। **हाथ** के लिए भारतीय **कर** से सम्बद्ध **कृ** से क्रय-विक्रय भाव व्यक्त करनेवाला **क्री** रूप बना। संस्कृत **क्रीणाति** का पुराना आइरिश प्रतिरूप **क्रॅनिद्, क्रॅनइद्** (खरीदता है) है; (फ़ारसी **खरीद** संस्कृत **क्रीत** का रूपान्तर है)। **क्रीत** का वेल्श प्रतिरूप **प्रीन्** (खरीदा हुआ) है,

**प्रिनु** का अर्थ हुआ खरीदना। इससे सम्बद्ध है ग्रीक **प्रिअस्थइ** (खरीदना)। **क्री** के समानान्तर **प्री** क्रिया का व्यवहार होता था, **कर** (हाथ) के समानान्तर उसी अर्थ में **पर** का व्यवहार भी अवश्य होता रहा होगा। फ़ारसी **फ़रोख़्तन्** (बेचना), **फ़रोश** (विक्रेता) में वही क्रियामूल **पर** अथवा **पिर्** है। संस्कृत में क्रय-विक्रय भाव से सम्बद्ध **पर्** क्रिया नहीं है किन्तु तमिल में **पण्** है और इससे बने **पण, पण्य** आदि शब्द संस्कृत में हैं। **पण्** (या **पन्**) और **पर्** क्रियाएँ मूलतः एक हैं, जैसे **वर्** और **वन्** (**वन्द** कृदन्त रूप की मूल क्रिया गतिसूचक **वन्**) एक हैं।

पुरानी आइरिश क्रिया **कनिद्** (गाता है) का आधार संस्कृत गान का आइरिश प्रतिरूप **कन** है; आइरिश कृदन्त **केर्त** गीत का रूपान्तर है। संज्ञा-रूप **केतल्** में कृदन्त के बाद एक और संज्ञासूचक प्रत्यय जोड़ा गया है। गेलिक **कॅओ्ल** (संगीत), **कॅइलॅइर्** (गीत गाना, विशेषतः पक्षियों का गाना) इसी श्रृंखला में है। मुर्गा अंग्रेज़ी में **कौक्**, गेलिक में **कॉइलॅअख्** है क्योंकि वह सबेरा होते ही गाता है। (मुर्गे के लिए फ्रांसीसी स्रोत से आया हुआ अंग्रेज़ी का एक कवित्वपूर्ण शब्द **चान्टीक्लिअर्** है जिसमें उसके गाने की क्रिया पर बल है।) **कोकिल** और **कवि** में गाने का अर्थ देनेवाली **को** या **कव्** क्रिया है। **कोकिल** हमारे यहाँ **पिक** भी है। वेल्श में अंग्रेज़ी **कौक्** के लिए एक शब्द है **कॉकिऑ**, दूसरा है **पिकिऑ**। **पिक** और **पिकिऑ**, दोनों शब्द पक्षियों के लिए उनके संगीत के कारण प्रयुक्त हुए हैं। **कोकिल** के लिए अंग्रेज़ी शब्द **कुक्कू** में वही गीतसूचक क्रिया है। ऐसा नहीं है कि अंग्रेज़ी मुर्गा **कें-कें** करता है, इसलिए **कौक्** कहलाया और वेल्श मुर्गा **पें-पें** करता है, इसलिए **पिकिऑ** कहलाया। संस्कृत में **मोर** की पुकार (अर्थात् उसका संगीत) **केका** कहलाया, **कव्** के प्रतिरूप **कय्** के आधार पर। वेल्श **प्** भाग की भाषा है, उसमें **गान** के लिए तमिल **पाण** जैसा शब्द होना चाहिए था पर आइरिश प्रभाव से **कान्** (गान), **कनिअद्** (गायन, गीत, कविता), **कनिग्** (गीत), **कन्दिद्** (उप.), **कन्तॉर्** (गायक), **कन्तुर्** (उप.) आदि गान-श्रृंखला के शब्द भरे पड़े हैं। अपने संगीत के लिए प्रसिद्ध अंग्रेज़ी कविता में **नाइटिंगेल्** नाम से विख्यात पक्षी वेल्श में **कॉस्** है। किन्तु गीत के लिए वेल्श में **पिल्** शब्द भी है और एक पक्षी का नाम, जिसे अंग्रेज़ी में **मैगपाइ** कहते हैं—**पि, पिअ** है। **मैगपाइ** में **मैग** तो अंग्रेज़ी नाम **मारगरॅट्** का संक्षेप है, उस पक्षी के लिए मूल शब्द है **पाइ**। इस **पाइ** का स्रोत है लैटिन **पिक**, और वही स्रोत है वेल्श **पिअ** का। भारतीय प्राकृतों के समान **पिक** के **क** के स्थान पर वेल्श में **अ** साफ दिखाई दे रहा है। सिद्ध हुआ कि लैटिन, केल्त और आर्य भाषा-समुदायों में **पिक** शब्द उन पक्षियों के लिए प्रयुक्त होता था जो विशेष संगीतप्रिय जान पड़ते थे।

**पपीहा**? इसी **पिक** से सम्बद्ध हो सकता है। प्रथम व्यंजन की आवृत्ति हुई। **ह** का मूल रूप **घ** हो अर्थात् **पिक** का पूर्वरूप **पिघ** हो, यह सम्भव है। **कव्, कय,**

**को, के** के समान **पे, पि, पो, पु** क्रिया गाने के लिए प्रयुक्त होती थी, इसके अनेक प्रमाण हैं। **पि** क्रिया में कृदन्त प्रत्यय **घ** लगने से **पिघ** मूलरूप बना; उसका तद्भव रूप हुआ **पिक**। रूसी **पेस्न्या** (गीत), **पेनिये** (गायन, गीत, मुर्गे का बाँग देना!), **पेत्** (गीत गाना), **पॉयूत्** अथवा **पयूत्** (गाता है), **पॅवेत्स्** (गायक) आदि में वही क्रियामूल है जो **पिक** में है। ग्रीक **पइअन्, पइएओन्** विजयगीत है, काव्य देवता अपोलो को सम्बोधित करके गाया हुआ गीत है। ग्रीक क्रिया **पॉइअॅओ** का अर्थ है निर्माण करना, काव्य-रचना; यहाँ दो भिन्न क्रियाएँ एकरूप हो गई हैं। काव्य-रचना वाली क्रिया रूसी **पॉयूत्** शृंखला की है, निर्माण वाली क्रिया भारतीय **पण्** शृंखला की। **पॉइएतेस्** का अर्थ निर्माता है, **कवि** (अर्थात् गायक) भी। **पॉइएम** कृति है, **कविता** (अर्थात् गीत) भी। लैटिन में निर्माण अर्थ वाली क्रिया **पोनॉ** है; यहाँ भ्रम की गुंजाइश नहीं है। **पॉएत** (कवि), **पॉएम** (कविता), **पॉएसिस्** (काव्य) आदि कवि और काव्य का अर्थ देनेवाले शब्द हैं, निर्माण या निर्माता का नहीं।

लैटिन में गान-शृंखला के शब्द भी हैं : **कनो, कन्तो** (गीत गाना), **कन्तुस्** (गायन), **कनोर्, कन्तोर्** (गायक), **कनोरुस्** (संगीतमय) इत्यादि।

संस्कृत में **पिक** और **कोकिल** के समान **पद-पद्य, कविता-काव्य**, दोनों विभागों के शब्द हैं।

लिथुआनियन में स्लाव समुदाय के विपरीत **पेत्** से भिन्न गीत-वर्ग की **गिएदोति** क्रिया है, **गिएस्मॅ** (गीत), **गिएदोयिमस्** (गायन) आदि संज्ञा शब्द हैं। जिन बाल्तिक बोलियों में **ग्** ध्वनि नहीं थी, उन्होंने लिथुआनियन को **द्** ध्वनि वाले प्रतिरूप दिये : **दइनुओति** (गीत गाना), **दइना** (गीत), **दइनिउस्** (गायक, कवि)। लिथुआनियन में मुर्गे के लिए, रूसी **पॅतूख** के समान, गायक का अर्थ देनेवाला **गइदिस्** शब्द है। सम्भव है, अंग्रेज़ी **कुक्कू** की तरह भारतीय **कुक्कुट** भी मूलत: संगीतव्यंजक नहीं हो।

जिन प्राचीन भाषाओं में **स्-श्** ध्वनियाँ नहीं थीं, उनके लिए स्वाभाविक था कि **क्-त्-प्** में जो ध्वनि सुलभ हो, उसका व्यवहार वे उनके स्थान पर करें। पुरानी आइरिश में **शत** का प्रतिरूप **केत्** है; आधुनिक आइरिश में **कॅअद्, कॅउद्** रूप हैं। गेलिक में भी **कॅउद्** रूप है; वेल्श में, लैटिन प्रभाव से, **कन्त्** रूप है। **श्रु** क्रिया पर आधारित पुरानी आइरिश में **कुअलअॅ** (उसने सुना), **क्लॉथ्** (कीर्ति), वेल्श में **क्लउ** (श्रव्य), **क्लॉद्** (कीर्ति), **क्लुस्त्** (कान) रूप हैं; संस्कृत **श्रोणि** का वेल्श प्रतिरूप **क्लुन्** (नितम्ब) है। संस्कृत **श्वान** के लिए पुरानी आइरिश में **कु**, वेल्श में **कि** हिन्दी **कुकुर** से सम्बद्ध हैं। शाखा के लिए पुरानी आइरिश के **गेक्** रूप में प्रथम व्यंजन सघोष है। इसी प्रकार **दश** के वेल्श प्रतिरूप **दॅग्** में अन्तिम व्यंजन सघोष है। पुरानी आइरिश में **दश** के लिए **दॅइख, अश्व** के लिए **अॅख़्** में अन्तिम व्यंजन संघर्षी और अघोष है। **श्वास** के लिए वेल्श में **ख़ुइथ्, श्वश्रू** के लिए **ख़्वॅग्र,**

**श्वशुर** के लिए **ख़्वॅग्रुन्** प्रथम व्यंजन को अघोष और संघर्षी रखते हैं। इसी तरह गेलिक **खुअल** (श्रुत, सुना) में प्रथम व्यंजन संघर्षी है। इन सब रूपों में **श्** का स्थान कंठ्य ध्वनि लेती है और उसमें महाप्राणता का भी योग रहता है।

**श्** के अतिरक्त **स्** ध्वनि भी उक्त प्रकार से ग्रहण की जाती है। अंग्रेज़ी नाम **मौरिस** का एक वेल्श रूपान्तर **मॅउरिग्** है, **क्रौस** के लिए एक वेल्श रूप **क्रोग्** है। **स्वप्** क्रिया पर आधारित वेल्श रूप **कुस्ग्** है और पुरानी आइरिश में **कॉतलुद्** (सोना) रूप है। **सृज्** क्रिया का वेल्श प्रतिरूप **क्रअॅद्** है, और इस प्रकार अंग्रेज़ी **क्रिएट**, लैटिन **क्रॅऑ** (रचना, जन्म देना) **सृज्** के रूपान्तर सिद्ध होते हैं। अनेक आधुनिक नामों में जहाँ **स्** है, वहाँ गेलिक भाषा वर्ग के प्रभाव से, वेल्श **क्** ध्वनि का व्यवहार करती है, यथा : फ्रांस के लिए **फ्रांक** रूप में। संस्कृत **कृमि** (कीड़ा) **सर्** के रूपान्तर **कर्, कृ** से बना था। अनेक प्राचीन क्रियाएँ पहले विशेष प्रकार की गति सूचित करती थीं; आगे चलकर वे सामान्य गति का बोध कराने लगीं। इनमें एक **सर्** क्रिया थी। यह वक्र गति सूचित करती थी, इसीलिए नदी और नाग दोनों के लिए **सरिता** और **सर्प** जैसे शब्द एक ही क्रिया से बने। **सर्** और **सृ** के रूपान्तर **कृ** से एक ओर पुरानी आइरिश में **क्रुइम्** (कृमि) शब्द बना, दूसरी ओर वेल्श में **प्रीव्**, अन्य केल्त भाषा ब्रेतों में **प्रॅन्व्** रूप बने। **स्** ध्वनि **क्** और **प्**, दो रूपों में ग्रहण की जाती है। **सर्** का एक रूपान्तर हुआ **कर्**, तो दूसरा रूपान्तर हुआ **पर्**। इसी पर से **वर्** रूप मिला जो **वक्र** गति का अर्थ देता था। वेल्श में **क्रीमु** (वक्र होना, झुकना) क्रिया भी है जिसका अंग्रेज़ी प्रतिरूप **क्रीप्** (रेंगना) है। इससे अनुमान होता है कि **क्रिएट** के मूलाधार **सृज्** में जैसे **स्** है, वैसे ही **क्रीप्** का पूर्व रूप संस्कृत **सृप्** है जिसका वही अर्थ है जो **क्रीप्** का है। लैटिन क्रिया **सॅरपॉ**, ग्रीक **अर्पो** संस्कृत **सृप्** का प्रतिरूप हैं किन्तु इन सबमें **प्** कृदन्त चिन्ह है। कृदन्त को पुन: क्रियामूल बनाया गया है। मूल क्रिया तो **सर्, सृ** है। इसके रूपान्तर **कृ** से **कृमि** आदि रूप बने, **पृ** से **प्रीव्** आदि।

संस्कृत **स्वसृ** (बहन) का गेलिक प्रतिरूप **पिउथर्** है। **स्** ध्वनि इंडो-यूरोपियन परिवार की कुछ भाषाओं में **प्** रूप में भी ग्रहण की जाती थी, गेलिक **पिउथर्** इसका स्पष्टतम प्रमाण है। भारतीय आर्य-द्रविड़ शब्दों के मूल ध्वनि-रूपों को पहचानने के लिए यह तथ्य अत्यन्त महत्त्वपूर्ण है। गेलिक में यह रूप **प्**-विभाग की भाषाओं से आया है। इधर वेल्श में **स्वसृ** का प्रतिरूप **ख्वअॅर् क्**-विभाग की भाषाओं से आया है। संस्कृत **स्रुत** (प्रवाह) के वेल्श प्रतिरूप **फ़ुद्** में **प्** के महाप्राण रूप ने **स्** का स्थान लिया है। जर्मन **फ़्लुत्**, अंग्रेज़ी **फ़्लड्** इसी **फ़ुद्** के रूपान्तर हैं। लैटिन **फ़्लुऑ**, अंग्रेज़ी **फ्लो** (बहना) का पूर्वरूप संस्कृत **प्लु** है; जर्मन **फ़्लुत्** का पूर्वरूप संस्कृत **प्लुत्** (जलमग्न) है। **प्लु** और **फ़्लु** क्रियामूलों का आदि रूप **स्रु** केवल संस्कृत में है। स्लाव प्रदेशों की **पृथ्** नदी का पूर्वरूप **स्रुत** है।

संस्कृत में एक क्रिया है **सु** (जन्म देना) जिससे **सुत** शब्द बना। इसी का प्रतिरूप है **सू** जिससे **सूत, सून, सूनु** शब्द बने। **सू** (जनक) संज्ञा भी है। **सूत** का प्रतिरूप होगा **पूत, सुत** का प्रतिरूप होगा **पुत** जिसमें अतिरिक्त **र्** के संयोग से **पुत्र** प्राप्त हुआ। यह आश्चर्य की बात है कि **प्**-विभागीय केल्त भाषाओं में **पुत, पुत्र** जैसा रूप नहीं है। अंग्रेज़ी आदि में **सन्** (पुत्र) जैसे शब्द मूल **स्** ध्वनि वाले हैं। किन्तु इतालिक समुदाय की **प्**-विभागीय ऑस्कन में **पुक्लॉ** शब्द है। जन्म देने, बीज डालने के लिए लिथुआनियन **सॅय,** रूसी **सॅव्** (बुवाई) आदि से **सु** के वैकल्पिक रूप **सि, से** का बोध होता है। तब **सुत** के वैकल्पिक रूप **सित** का **प्**-विभागीय रूपान्तर होगा **पित, त्** के सघोष होने पर **पिद**। **द्** यदि **ल्** में परिवर्तित हुआ तो **पित, पिद** का रूपान्तर होगा **पिल**। जो अर्थ **सुत** और **पुत्र** का है, वही अर्थ द्रविड़ भाषाओं के **पिल्ल, पिळ्ळ, पिळ्ळइ** आदि का है। लैटिन **फ़िलिउस्** (पुत्र) **पिल** का रूपान्तर है। नइकि **पॅद्द** (पुरुष), तेलगू **पॅद्द** (नर) में **ल्-ळ्** ध्वनियों का पूर्वरूप **द्** विद्यमान है। पुत्र-युवक-पुरुष एक ही अर्थवृत्त में हैं जैसाकि **मग** के इन तीनों अर्थों से स्पष्ट है। **सि** क्रिया के कृदन्त **सित** को फिर क्रियामूल बनाया गया; इसका रूपान्तर **पित्, पिद्, पिल्, पिर्** हुआ। तमिल **पिर्** (पैदा होना), **पॅरु** (पैदा करना), **पॅरॅवन्** (पिता) इसी श्रृंखला के शब्द हैं। तुलु **पॅद्पिनि, पॅद्दुनि** (जन्म देना) में **र्** का पूर्व ध्वनिरूप **द्** विद्यमान है। संस्कृत **पितृ** में **पित्** क्रिया है जो **सित्** का रूपान्तर है। **पिता** और **पुत्र** दोनों, **सविता** और **सुत** के समान, परस्पर सम्बद्ध हैं।

केल्त समुदाय में **सुत** और **पुत्र** श्रृंखला के शब्द नहीं हैं किन्तु **पितृ** श्रृंखला के हैं। पुरानी आइरिश में **अथइर्, अथिर्,** गेलिक में **अथइर्, अथर्** रूप हैं। आदि वर्ण **प,** पहले **ह,** फिर **अ** में परिवर्तित हुआ। यह शब्द **प**-विभाग की भाषाओं से आइरिश और गेलिक में आया है। वेल्श में **तात** श्रृंखला का **तद्** शब्द है। आधुनिक आइरिश में **पइदिर्** लैटिन स्रोत से आया है, पुराना रूप **अथिर्** है। पुरानी आइरिश में अनेक ऐसे शब्द हैं जिनमें **प्** ध्वनि का इसी प्रकार लोप हुआ है। संस्कृत **पुरु,** ग्रीक **पॉलुस्** का पुराना आइरिश प्रतिरूप है **इल्** (बहुत-से)। संस्कृत उपसर्ग **प्र** पुरानी आइरिश का सम्बन्धक **रॉ** है। संस्कृत **प्रथु,** ग्रीक **प्लतुस्** पुरानी आइरिश में **लॅथन्** (चौड़ा) है। संस्कृत **पथ,** अंग्रेज़ी **पाथ्** इस भाषा में **आथ्** है। इंडो-यूरोपियन परिवार में एक भाषा और है जो इसी प्रकार **प्** ध्वनि को **ह्** में बदलती है। यह भाषा ईरानी समुदाय की पड़ोसी आर्मीनियन है। ग्रीक **पतेर्** (पिता), संस्कृत **पद, पंच** यहाँ क्रमशः **हदूर, हॅत्-हिंग्** हैं। आर्मीनियन में **ह्** का लोप नहीं हुआ, आइरिश में उसका लोप हो गया है। आइरिश **प्**-विभाग की भाषा नहीं है, अतः उसके जिन शब्दों में **प्** ध्वनि का लोप हुआ है, उनका पूर्वी स्रोत असन्दिग्ध है। इस पूर्वी स्रोत का प्रमाण आर्मीनियन ही नहीं, कन्नड़ भी है, जिसमें आदिस्थानीय **प्** ध्वनि **ह्** में बदलती है, और जनसाधारण की बोलचाल में इस **ह्** का भी लोप हो जाता है। **पो**

क्रिया से कन्नड़ में एक रूप **पोगु** (जाना), दूसरा **होगु**, तीसरा **ओगु**। कन्नड़ में ऐसे परिवर्तन बहुत संगत ढंग से होते हैं किन्तु अन्य द्रविड़ भाषाओं में भी ऐसा ही ध्वनि-प्रपंच देखा जाता है : तमिल **पुलि**, बदग **हुलि**, तोद **उलि** (बाघ); तमिल **पाळ्**, तुलु **पाळु** और **हाळु**, कोत **हाळ्**; तुलु **पेसिगॅ**, कॉडगु **हेसिगॅ** (जुगुप्सा)। पुरानी आइरिश में **अथिर्** आदि रूप—और आर्मीनियन में **हइर्** आदि रूप—उस भाषाक्षेत्र से पहुँचे हैं जहाँ आर्य द्रविड़ भाषा-स्रोतों का संगम था।

यह प्रपंच स्पर्श-ध्वनियों के संघर्षीकरण—अल्पप्राण हों तो उन्हें महाप्राण करने—से घनिष्ठ रूप में सम्बद्ध है। **प्** महाप्राण होकर संघर्षी बना, तब ग्रीक **पतेर्** का अंग्रेज़ी रूपान्तर **फ़ादर्** हुआ। भाषाविज्ञानी यह मानकर चलते हैं कि आदि इंडो-यूरोपियन भाषा से केल्त-जर्मन-ग्रीक आदिभाषा-समुदाय, शाखाओं के रूप में, फूट निकले; अतः इनमें किसी एक समुदाय के निर्माण में जो दूसरे समुदायों का योगदान है, उसे वे अनदेखा करते हैं। बहुत-से-बहुत कुछ उधार लिये हुए शब्दों की चर्चा इस सन्दर्भ में वे करते हैं। तथाकथित आदि केल्त, आदि जर्मन, आदि ग्रीक भाषाओं का ध्वनितंत्र परस्पर सम्पर्क से विकसित होता नहीं दिखाया गया; उसके विकास में पूर्वी क्षेत्र की भाषाओं का योगदान उनके लिए कल्पनातीत है।

**फ़ारसी** का पूर्वरूप **पारसी** है। फ़ारसी **खरीद** संस्कृत **क्रीत** का रूपान्तर है। **क्री** के वैकल्पिक रूप **प्री, पिर** से **फ़रोश्, फ़िरोश्** रूप फ़ारसी में बने हैं। **हफ़्ता** का मूल रूप **सप्ताह** है। तमिल **परि** (भागना), संस्कृत **पलायन** के क्रियामूल **पल्** से सम्बद्ध **फ़र्** से फ़ारसी **फ़रार्** (भागा हुआ) बना (अरबी **फ़िरार्** का स्रोत ईरानी है)। नाज की बालों का गुच्छा फ़ारसी में **ख़ोश्** है जो **कोश** का रूपान्तर है। **फ़रदा** (आगामी कल) का आधार पर **दिवस, परद्यौस्** जैसा रूप है। **ख़रख़शा** (झगड़ा) का आधार **कर्कश** है, **खराश** का आधार **कर्ष** है। **शराब** के लिए प्रयुक्त **ख़ुम्** शब्द मूलतः घटवाचक है और **कुम्भ** का रूपान्तर है। **ख़म्** (वक्रता), **ख़मीदा** (नत) का पूर्वरूप **कम** है जो मूलतः **कुम** है। जैसे केल्त **कुम्** (घाटी) में **भ्** ने **म्** रूप धारण किया है, वैसे ही फ़ारसी **ख़म्** में। (**ख़म्** अरबी का अपना शब्द नहीं है।) फ़ारसी में **क्** और **प्**, दोनों ध्वनि **ख्** और **फ़्** में बदलती दिखाई देती हैं। यह प्रवृत्ति केल्त भाषाओं में भी है। पुरानी आइरिश में प्राचीन आर्य सम्बन्धक **पर** (ऊपर) के प्रतिरूप **फ़र्, फ़ुर्, फ़ॉर्** हैं। **प्रति** के लिए इसी भाषा में **फ़्रिथ्** (विरुद्ध) रूप है। **स्वसृ** का एक रूपान्तर **सिउर्** है, दूसरा **फ़िउर्**, जहाँ **स्** पहले **प्** में परिवर्तित हुआ है, गेलिक **पिउथर्** के समान। संस्कृत **स्रुत, प्लुत** की मंजिल पार करता हुआ, वेल्श में **फ़्रुद** बना। संस्कृत **सर्प** वेल्श में **सफ़्र्फ़** है। लैटिन **कॉर्पुस्** (शरीर) का वेल्श प्रतिरूप **कॉर्फ़्** है। इसी प्रकार लैटिन **क्वर्तुस्** (चौथाई) अंग्रेज़ी में **क्वार्ट** (एक नाप) है किन्तु वेल्श में **ख़ुअर्त्** है; अंग्रेज़ी **क्वार्टर्** वेल्श में **खुअर्तर्** है। लैटिन **कॉर्पुस्** पुरानी आइरिश में **ख़ॉर्प्** है।

थुर्नेसॅन ने पुरानी आइरिश के व्याकरण में लिखा है कि स्वर के बाद आनेवाली **क्-त्** ध्वनियाँ **ख़्, थ्** हो जाती हैं। लैटिन से उधार लिये हुए अनेक शब्दों में ऐसा परिवर्तन हुआ है : लैटिन **मॅन्दीकुस्** पुरानी आइरिश में **मिन्दॅख्** हुआ, लैटिन **स्त्रतुर्** (घोड़े की जीन, झूल) **स्त्रथ्र्** बना। मध्यवर्ती **त्** ध्वनि प्राचीन ईरानी बोलियों में बहुधा **थ्** में बदलती है, मध्यवर्ती **क्** तमिल में **ह्** (या **ख़**) में बदलता है, आदिस्थानीय **प्** ध्वनि कन्नड़ में **ह्** में बदलती दिखाई देती है। ये समानताएँ आकस्मिक नहीं हैं। उनका विकास एक ऐसे भाषाक्षेत्र में हुआ है जहाँ अनेक भाषा-परिवार सम्पर्क में हैं।

पुरानी आइरिश में स्वरों के बाद आने पर, मूल शब्दों की **ग, द्** ध्वनियाँ, संघर्षी रूप धारण करती हैं। यह स्थिति पुनः तमिल के ध्वनितंत्र से तुलनीय है; विशेष रूप से मध्यवर्ती **ग्** सामान्य तमिल जनों के उच्चारण में **ग़्** बोला जाता है। यहाँ कुछ केल्त भाषाओं की यह प्रवृत्ति भी उल्लेखनीय है कि वे मध्यवर्ती स्पर्श-ध्वनि को, अथवा स्वर के बाद आनेवाली ऐसी ध्वनि को, सघोष करती हैं। अंग्रेज़ी के **पैट्रिक, पीटर** और **सैटर्न** वेल्श में **पद्रिग् पॅद्र, सदुर्न** हैं; **ब्रिटेन** भी **प्रिदैन** हो जाता है; अंग्रेज़ी **ग्रैंड** का वेल्श रूपान्तर है **क्रान्द!** शेक्सपियर के 'हेनरी द फ़िफ़्थ' नाटक में एक वेल्श पात्र **बिग्** (बड़ा) को **पिग्** कहता है; वैसे ही **ग्रैंड** का प्रतिरूप **क्रान्द** है। और जैसे संस्कृत **दन्त** तमिल में **तन्दम्** है, वैसे ही ब्रिटेन वेल्श में **प्रिदैन** है।

तमिल, वेल्श, अंग्रेज़ी, फ़ारसी आदिभाषाओं की आधारभूत बोलियाँ कभी ऐसे भाषा क्षेत्र के गहरे सम्पर्क में रही थीं जिसमें मध्यवर्ती स्पर्श-ध्वनि को नियमित रूप से सघोष बोला जाता था। इस क्षेत्र में **क्-च्-ट्-त्-प्** के अतिरिक्त इनके महाप्राण रूपों **ख्-छ्-ठ्-थ्-फ्** को भी सुसंगत रूप से सघोष किया जाता था। प्राकृतों के ध्वनितंत्र की यह विशेषता संस्कृत पर आधारित नहीं है; वह उस ध्वनितंत्र की अपनी विशेषता है जो तमिल, फ़ारसी, वेल्श आदि में भी झलक दिखाती है। पुनः केल्त भाषाओं के पूर्वी स्रोतों की ओर हमें बाध्य होकर ध्यान देना होगा।

भारत का जो उत्तर-पश्चिमी प्रदेश प्राकृतों का क्षेत्र है, वह **स्** ध्वनि के **ह्** में बदलने का क्षेत्र भी है। यह प्रवृत्ति इस क्षेत्र में वैदिक काल में थी और आज भी है। **स्-ह्** वाले ध्वनि-परिवर्तन की छाप, केल्त भाषाओं में सर्वाधिक, वेल्श के ध्वनितंत्र पर है। **सनातन** का **सन, स्वप्न**, सर्वनाम **सि** यहाँ **हॅन्, हुन्, हि** हैं; अंग्रेज़ी **सो** (बोना), **सोड** (बीज), **साल्ट** (नमक), **सन्** (सूर्य) वेल्श में **हउ, हद्, हाल्त्, हउल्** हैं। पुरानी आइरिश में **सन्ति** का प्रतिरूप **इत्** है; **समे** के आधार पर निर्मित **समइल्** (समानता) का रूपान्तर **अमइल्, अमल्** है; **सि** सर्वनाम मूल पर आधारित निर्देशक सर्वनाम **सिन्द्** का रूपान्तर **इन्द्** है। **सिन्द** का यह रूपान्तर तमिल **इन्द** से तुलनीय है।

प्राकृतों में मध्यवर्ती स्पर्श-ध्वनि के लोप होने की प्रवृत्ति सामान्य है। कहीं-कहीं इस प्रवृत्ति के दर्शन केल्त भाषाओं में होते हैं। अंग्रेज़ी का **अगस्त** महीना—लैटिन

रूप **अउगुस्तुस्**—वेल्श में **अउस्त्** है। लैटिन **अर्गेन्तुम्** (चाँदी) वेल्श में **अरिअन्** है; अंग्रेज़ी में **वर्जिल** नाम से प्रसिद्ध लैटिन **कवि वॅर्गिलिउस्** वेल्श में **फ़ॅरिल्** हैं, यद्यपि, रूप—अंग्रेज़ी **वर्जिल** के **ज्** को **स्** रूप में ग्रहण करते हुए—**वर्सिल्** भी है। **ऑगस्टीन मारगैरेट, मैगडलीन, डबलिन्, पेम्ब्रोक्** जैसे नाम वेल्श में क्रमशः **अनुस्तिन्, मॅरॅरिद्, मॉद्लॅन्, दुलिन, पैन्ब्रो** हैं।

पश्तो, लैटिन आदि के समान पुरानी आइरिश अनेक शब्दों के **द्** को **ल्** रूप में ग्रहण करती है। अंग्रेज़ी **सीड्** (बीज) का प्रतिरूप **सील्** हिन्दी **सीला** (फसल काटते समय खेत में गिरे हुए दाने) से तुलनीय है (अवधी में **सीड** का मूलरूप **सीत, सीतु** चावल के दानों के लिए अब भी प्रयुक्त होता है)। अंग्रेज़ी **डेयर्** (साहस करना) का आधार संस्कृत **धर्ष्** या **धृष्** है और उसका पुराना आइरिश प्रतिरूप **लेतिउ** है। हाथ के लिए पश्तो **लस्** के समानान्तर पुरानी आइरिश में **लम्** है जिसका मूलरूप **धन्ध, धम्भ, दम्भ** हो सकता है। **मधु** के प्रतिरूप पुरानी आइरिश में **मिद्** और **मिल्**, दोनों हैं। **दिन** के लिए इसी भाषा के **ल्, लथॅ** का सम्बन्ध दिवस शृंखला के किसी शब्द से है। अंग्रेज़ी के अनेक शब्दों में जहाँ **र्** है, वह पहले **द्** था, यह वेल्श रूपों से ज्ञात होता है; अंग्रेजी **बोर्** (सुअर), **कवर्** (आवरण) वेल्श में **बअॅद्, कअॅअद्** हैं। हिन्दी **ग्यारह, बारह** में **दस** का **द्** जैसे **र्** में बदला है, वैसे ही वेल्श **द्** अंग्रेज़ी शब्दों में **र्** बना है।

**र्** से आरम्भ होनेवाले शब्दों के पहले जैसे तमिल अतिरिक्त स्वर लगाती है, वैसे ही कुछ वेल्श शब्दों में **र्** के पहले ऐसा स्वर दिखाई देता है। लैटिन **रेनॅस्** (आँतें) का वेल्श प्रतिरूप **अरॅन्** है। संस्कृत **ऋक्ष** के ग्रीक रूपान्तर **अर्कतॉस्** के समान वेल्श प्रतिरूप **अर्थ्** है। आर्य-स्लाव भाषाओं की **ऋक्** (बोलना) क्रिया वेल्श में **अरइथॉ** है, **अरउद्** का अर्थ है वाणी। वेल्श में ऐसे रूप अन्य स्रोतों से आए हैं; वेल्श की अपनी विशेषता है आदिस्थानीय **र्** के साथ **ह्** ध्वनि का प्रयोग। यह **ह्** ध्वनि स्वर के स्थान पर प्रयुक्त होती है; सम्भव है, ग्रीक के समान, उसका उच्चारण **र्** के पहले होता हो (या पहले होता रहा हो)। वेल्श भाषा में कोई भी उसका अपना शब्द **ह्** को साथ लिये बिना **र्** से आरम्भ नहीं होता। **रुधिर** का **रुध**—अंग्रेज़ी **रॅड्**—यहाँ **हुर्द्** है; संस्कृत **रथ** का प्रतिरूप **र्हॉद्** (चक्र) है, लैटिन **रॅक्स्** (राजा) का प्रतिरूप **र्** ही है। **रिचार्ड** और **रॉबर्ट** जैसे नाम भी **र्हिसिअर्त् र्होबिर्त** बन जाते हैं। जैसे आधुनिक तमिल में अनेक बाहर से आए हुए शब्द अब **र्** से आरम्भ होते हैं, वैसे ही वेल्श में। **रबर, रिबन्, रेकर्ड** जैसे अंग्रेज़ी से आए हुए शब्द **र्** से आरम्भ होते हैं। ग्रीक भाषा में, वेल्श के समान, कोई शब्द **ह्** को साथ लिये बिना **र्** से आरम्भ नहीं होता। केल्त समुदाय की किसी अन्य भाषा में यह विशेषता नहीं है, न ग्रीक के अतिरिक्त वह इंडो-यूरोपियन परिवार की किसी अन्य भाषा में दिखाई देती है। ग्रीक और वेल्श पहले किसी भाषा क्षेत्र में पड़ोसी

रही हैं और यह भाषा क्षेत्र ऐसा था जिसमें महाप्राण **ह** ध्वनि की प्रचुरता थी, यूरोप की भाषाओं के समान उसमें **ह्** को क्षीण करके उसका लोप करने की प्रवृत्ति न थी।

**ह्** से मिलती-जुलती **ख्** ध्वनि वेल्श में आदिस्थानीय **ल्** से पहले लगाई जाती है। **लातिन्** (लैटिन भाषा) का वेल्श नाम **ख़्लादिन्** है : लन्दन शहर को वेल्श में **ख़्लुन्दैन्** कहेंगे। यह **ख़्** ध्वनि **ल्** के पहले आती है, इस बारे में सन्देह नहीं है। इससे यह धारणा पुष्ट होती है कि **ह्** ध्वनि भी **र्** के पहले बोली जाती थी। तमिल में **र्, ल्** के पहले अतिरिक्त स्वर लगाते हैं, वेल्श में व्यंजन **ह्** और **ख़्**।

संयुक्त **ह्** ध्वनि का एक स्रोत **प्र्** है। **ह्रॉग्** (पहले, पूर्व) ठीक संस्कृत **प्राक्** रूपान्तर है। **ह्रॉगुइबोद्** (पहले से जानना, पूर्वज्ञान होगा) **प्राग्बोध** का प्रतिरूप है। अनेक वेल्श शब्दों के पहले प्रत्यय रूप में प्रयुक्त होकर **ह्रॉग्** संस्कृत पूर्व का अर्थ देता है। वेल्श **प्** विभाग की भाषा है, अत: **प्राक्** का रूपान्तर **ह्रॉग्** उस अन्य भाषाई प्रभाव का परिणाम है जिसमें **प्** ध्वनि **ह्** में बदलती थी। **ह्** ध्वनि का दूसरा स्रोत **स्र्** है। **सर्, स्रु, स्रव** शब्द प्रवाह का भाव व्यक्त करते थे।

**हईअॅअद्रु** (प्रवाहित होना), **हईअॅअद्र्** (निर्झर), **र्हॅदॅग्** (बहना, दौड़ना), **हुंग्ल्** (प्रवाहपूर्ण), **ह्रींवॅर्थुइ** (धारा, प्लावन) में **स्रु, स्रव** आधारभूत भारतीय शब्दमूल हैं। ग्रीक **र्हॅओ** (बहना, दौड़ना), **र्हॅउम** (प्रवाह), **र्हॅइथ्रॉन्** (नदी), **र्हॅऑस्** (नदी), **र्हॉए** (उप.), **ह्रुतॉस्** (स्रुत, प्रवाह) का **स्रोत** स्पष्ट है। जर्मनी की प्रसिद्ध नदी है **ह्राइन्**, फ्रांस की प्रसिद्ध नदी है **ह्रोन्**। ये नाम जर्मनी और फ्रांस की भूमि से केल्तजनों के घनिष्ठ प्राचीन सम्बन्धों के प्रमाण हैं। **ह्राइन्** लैटिन में **ह्रेनुस्** है, **ह्रोन**, **र्हॉदनुस्** है। **ह्** ध्वनि ग्रीक के लिए जितनी सहज है, उतनी ही लैटिन के लिए असहज। **ह्** ध्वनि वाले नाम लैटिन में केल्त-ग्रीक प्रभाव से आए हैं। **ह्रोन्** नदी के किनारे बसे हुए एक नगर का लैटिन नाम **र्हॉद** था। वह बाद को **रोसस्** कहलाया। जिन भाषाओं के लिए **ह्** ध्वनि असहज थी, उनके लिए **ह्** का लोप करके **र्** का व्यवहार करना स्वाभाविक था। लैटिन **रीवुस्** (बहना, निर्झर, छोटी नदी), अंग्रेज़ी **रिवर्** (नदी), इतालवी **रिवो**, स्पेनी-पुर्तगाली **रिओ** (नदी) का आधार **सर्, स्रु स्रि** क्रिया है। यूरोप की अनेक भाषाओं के लिए शब्द के आरम्भ में **स्र्** ध्वनि का व्यवहार असहज था। लीविस और शौर्ट द्वारा संशोधित-परिवर्द्धित जर्मन कोशकार फ्राऑण्ड की—तीन-तीन कालम वाले दो हज़ार उन्नीस पृष्ठों की—लैटिन डिक्शनरी में एक भी शब्द के आरम्भ में **स्र्** ध्वनि नहीं है। प्राचीन ग्रीक भाषा में एक भी शब्द संयुक्त व्यंजन-ध्वनि **स्र्** से आरम्भ नहीं होता। अंग्रेज़ी के किसी भी शब्द के आरम्भ में स्र् नहीं है। यही स्थिति फ्रांसीसी की है, जर्मन की है। इसलिए अंग्रेज़ी में एक ओर **स्ट्रीम्** है, दूसरी ओर **रिवर्**; इन नदीवाचक शब्दों में एक स्थिति **स्र्** को सुगम बनाने के लिए **त् (ट्)** का संयोग है, दूसरी स्थिति **स्र** के रूपान्तर **ह्र** में **ह्** का लोप है। लैटिन-जर्मन भाषा-समुदायों के विशाल क्षेत्र में **र्, स्र्** ध्वनि वाले

नदीवाचक शब्द उनके अपने नहीं हैं। उनके मूल रूपों का आदिस्थानीय **स्र** इन भाषा-समुदायों की ध्वनि-प्रकृति के विरुद्ध है। यह तथ्य प्रमाणित करता है कि ऐसे शब्द पूर्व से पश्चिम को गए हैं, पश्चिम से पूर्व नहीं पहुँचे।

लिथुआनियन में **स्रॉवॅ, स्रुओग, स्रूति** शब्द नदी और प्रवाह का अर्थ देते हैं किन्तु लातविअन में अंग्रेज़ी **स्ट्रीम** की तरह नदीवाचक **स्त्राव** शब्द भी हैं। इसका अर्थ यह है कि बाल्तिक समुदाय की भाषाओं में ही एक वर्ग आदिस्थानीय **स्र्** को अस्वीकार करता था। यानिस एन्द्ज़ेल्निस ने बाल्तिक भाषाओं पर अपनी पुस्तक में लिखा कि इंडो-यूरोपियन **स्र्,** स्लाव-प्रुशियन-लातवियन में **स्त्र्** हो जाता है। लिथुआनियन-रूसी कोश 'लितोव्स्को-रुस्किइ स्लोवार्' के दो कालम वाले 391 पृष्ठों में केवल शब्दों के आरम्भ में **स्र्** ध्वनि है। मोनियर विलियम्स के संस्कृत कोश में 36 शब्द केवल **स्रु** क्रिया से सम्बद्ध हैं। इससे लिथुआनियन और संस्कृत, बाल्तिक-स्लाव और भारतीय आर्य भाषाओं के आपसी सम्बन्धों का ज्ञान हो जाएगा। **स्रु** क्रिया से सम्बद्ध शब्दों में एक है **स्रवण** (प्रवाहित)। इसका मूल रूप होगा **स्रवन**; इसका रूपान्तर **स्रोन,** उससे नदीवाचक **ह् रोन्** शब्द बना।

हो सकता है कि नदी किनारे बसे होने से प्रसिद्ध नगर **रोम** का यह नाम पड़ा हो। फ्रांस के नगर **रोआन्** के नाम का कारण भी यही हो सकता है। फ्रांस में एक नदी **सओन्** है; यह **स्रवन** का ऐसा रूपान्तर प्रतीत होता है जिसमें **र्** का लोप हो गया है। भारत में **सोन** जैसी नदियों के नाम का आधार **स्वर्ण** की अपेक्षा **स्रवन** अधिक विश्वसनीय है। फ्रांस में एक नदी **सोम** है। **सोन** और **सोम**, दोनों का **सो** प्रवाह-सूचक है।

पुरानी आइरिश के कुछ शब्दों में जहाँ आदिस्थानीय **फ़्** है, वहाँ उनके संस्कृत प्रतिरूपों में **प्** है किन्तु यह **फ़्** सीधा **प्** का रूपान्तर नहीं है। वेल्श प्रतिरूपों से ज्ञात होता है कि वह पहले **व्** में परिवर्तित हुआ, फिर **फ़्** रूप में ग्रहण किया गया। तमिल में आदिस्थानीय **प्** बहुधा **व** में बदलता है। संस्कृत **बल,** तोद **पलिम** तमिल में **वल्** है। इसी प्रवृत्ति के अनुरूप हिन्दी सम्बन्धक **पर** मराठी में **वर** है। **पर** और **वर**, दोनों बहुत पुराने रूप हैं। इनका पुराना आइरिश प्रतिरूप **फ़ॉर्** है। यहाँ **फ़् व्** का रूपान्तर है, इसका ज्ञान वेल्श **गॉर्** रूप से होता है (जिसका पूर्वरूप **गुऑर्** था)। वेल्श में कोई शब्द **व्** से आरम्भ नहीं होता; उसके पहले **ग्** ध्वनि जोड़ी जाएगी। पुरानी आइरिश में **पर** के शब्दमूल **प** से सम्बद्ध **फ़ॉ** (नीचे) सम्बन्धक है; यह रूसी **पॉद्** (नीचे) का प्रतिरूप है। (रूसी **पॉ** भीतर, ऊपर आदि का अर्थ देता है।) यह **फ़ॉ** भी **व** का रूपान्तर है, यह वेल्श प्रतिरूप **गुअ, गॉ** से ज्ञात होता है। अन्य कोटि के शब्द वे हैं जहाँ पुरानी आइरिश का आदिस्थानीय **फ़्** मूल ध्वनि **व्** का रूपान्तर है। संस्कृत **विधवा** पुरानी आइरिश में **फ़ॅद्ब्** है, वेल्श में **गुॲदु**। संस्कृत **विद्** (देखना, जानना) का पुराना आइरिश प्रतिरूप **फ़िल्** है, पुरानी वेल्श का रूप **गुॲलॅत्** (देखना) है। दोनों जगह **द्** ध्वनि **ल्** में परिवर्तित हुई है। वेल्श

**गूइर्** (जानता है) में **द्** ध्वनि **र्** में परिवर्तित हुई है। संस्कृत **वीर**, लैटिन **विर्** (मर्द), पुरानी आइरिश में **फ़ॅर्**, वेल्श में **गुर्** है। विद्यमानता का अर्थ देनेवाली **विद्** क्रिया से पुरानी आइरिश में **फ़ीअद्** (उसकी विद्यमानता में), वेल्श में **गूइद्** (विद्य-मानता) रूप बने हैं।

आर्य भाषाओं की एक पुरानी क्रिया **वे** (बुनना) है जिसका कृदन्त रूप **वीव्** अंग्रेज़ी में मूल क्रिया की तरह प्रयुक्त होता है। इसका आइरिश प्रतिरूप **फ़िगॅ** है, वेल्श प्रतिरूप **गुअॅउ** है। आर्य-द्रविड़ भाषाओं की **वर्** क्रिया मूलतः वक्र गति सूचक थी। इसीलिए **वृत्त** का अर्थ है **चक्र**। इस **वर्** का वैकल्पिक रूप थी **वल्** क्रिया। **वलन** का अर्थ हुआ चक्रगति, **वलय** अर्थात् कंगन, अँगूठी। पुरानी आइरिश में **वलय** के आधार पर **फ़ॉइल** (कंगन) रूप निर्मित हुआ, फ्रांस में बोली जानेवाली केल्त समुदाय की ब्रेतों-भाषा में इसका प्रतिरूप है **गुअलॅन्** (अँगूठी)। तमिल में **वर्** के प्रतिरूप **वल्** के **ल्** को मूर्धन्य करके **वळइ** रूप बना जिसका अर्थ है चक्र, चक्कर लगाना। इससे **वळइयम्** शब्द बना जिसका अर्थ है कंगन, अँगूठी, चक्र। इंडो-यूरोपियन परिवार के आर्य और केल्त समुदाय और भारतीय भाषा-परिवार के आर्य और द्रविड़ समुदाय कितने घनिष्ठ रूप में परस्पर सम्बद्ध हैं, इसका प्रमाण **वल्** क्रिया और उसके आधार पर निर्मित शब्द हैं। भारतीय सभ्यता से कंगन का गहरा सम्बन्ध है : केल्त समुदाय ने उस आभूषण का उपयोग और उसका ध्वनि प्रतीक भारत से प्राप्त किया था। आर्य-केल्त सम्बन्धों की पुष्टि एक अन्य शब्द से भी होती है—संस्कृत **मुद्रा, मुद्रिका** से। इसका वेल्श प्रतिरूप है **मॉद्रुइ—अँगूठी!**

केल्त समुदाय की जिन भाषाओं का सर्वाधिक नाश हुआ है, वे वेल्श के समान **प्**-विभाग की हैं, जो **व्** के पहले **ग्** ध्वनि जोड़ती रही हैं। जैसे पुराने आइरिश **किअ** (कौन, क्या) का पुराना वेल्श प्रतिरूप **पुइ** है, वैसे ही ब्रेतों में **पिऑउ**, कौर्निश में **पिउ** रूप हैं। ब्रेतों फ्रांस में अब भी बोली जाती है यद्यपि उसे भाषारूप में मान्यता प्राप्त नहीं है। कौर्निश इंग्लैंड के उस भाग में बोली जाती थी जिसे कौर्नवाल कहते हैं। अंग्रेज़ों ने इस भाषा का नाश कर दिया। संस्कृत **प्रति** का पुराना आइरिश प्रतिरूप **क्रिथ्** है; कौर्निश रूप **गॉर्थ्** है, वेल्श रूप **गुर्थ्** है। **प्रति** का **प्** पहले **व्** में परिवर्तित हुआ, तब ये रूप निर्मित हुए हैं। **पर्** का प्रतिरूप पुरानी आइरिश में **फ़ॉर्** है, ब्रेतों और वेल्श में **गॉर्**। इन उदाहरणों से ज्ञात होगा कि **व्** के पहले **ग्** व्यंजन जोड़ने की प्रवृत्ति यूरोप और ब्रिटेन की भाषाओं में व्यापक रूप से फैली हुई थी। यह **व्** बहुत-से शब्दों में **प्** का रूपान्तर है; इससे विदित होगा कि जो भाषाएँ **प्** का स्पर्श तत्त्व लोप करती थीं, उनका गहरा प्रभाव केल्त समुदाय पर पड़ा है, यह प्रवृत्ति द्रविड़ भाषाओं में है। **प्** चाहे **ह्** रूप में ग्रहण किया जाए, चाहे **व्** रूप में, मुख्य बात स्पर्श तत्त्व का लोप है।

आइरिश सामान्यत: **व्** ध्वनि को स्पर्श संघर्षी **फ़्** रूप में ग्रहण करती है किन्तु कुछ रूपों में वह उसे पार्श्विक ध्वनि **ल्** में भी बदलती है। पुरानी आइरिश में **स्लान्** (ध्वनि) संस्कृत **स्वन्** का रूपान्तर है। इसी प्रवृत्ति के अनुरूप संस्कृत **स्वप्** का अंग्रेज़ी प्रतिरूप **स्लीप्** (सोना) है। हिन्दी क्षेत्र की उत्तर-पश्चिमी बोलियों में ऐसे परिवर्तन बहुत होते हैं। अवधी **सॉवावत** है, मानक हिन्दी में **सुलाता** है : अवधी में **खवावत** है। मानक हिन्दी में **खिलाता** है; **व्** ही नहीं, मिलती-जुलती स्थिति में **य्** के स्थान पर भी **ल्** का व्यवहार होता है, यथा : अवधी में **सियत** है, मानक हिन्दी में **सिलता** है। इंडो-यूरोपियन परिवार से सम्बद्ध यूरोप की भाषाओं के आदिम निर्माणकाल में संस्कृत की **क्ष्** ध्वनि का विकास हो चुका था, इसका प्रमाण केल्त भाषाओं से भी मिलता है। **क्षुर, क्षार** से सम्बद्ध वेल्श **ख़ुअॅरु** में **क्ष्** ध्वनि **ख़्** रूप में ग्रहण की गई है, फ़ारसी **खार्** के **ख़्** की तरह।

केल्त भाषाओं के ध्वनितंत्र में स्वरों की स्थिति शिक्षाप्रद है। लैटिन **दोनुम्** और संस्कृत **दान** के प्रथम वर्ण में दो भिन्न स्वर हैं। **दा** और **दो** एक ही अर्थ देने वाले वैकल्पिक रूप थे, यह मानने के बदले भाषाविज्ञानी कहते हैं कि इन रूपों में मूल स्वर **ओ** था जो संस्कृत में **आ** हो गया। मानो संस्कृत-भाषियों को **दोन** कहने में ही कठिनाई होती थी, **द्रोण** कहने में नहीं। पुरानी आइरिश, लैटिन के समान, केन्तुम् शाखा की भाषा है, किन्तु यहाँ लैटिन **दोनुम्** का प्रतिरूप **दान्** है, संस्कृत **दान** के समान। किन्तु पुरानी आइरिश में ही एक रूप है **आअॅस्**, दूसरा **ओअॅस्** (आयु); एक रूप है **अईस्** दूसरा **ऑईस्** (विश, जनता)। विशेषज्ञ सोचता है कि रूप तो एक ही होगा, कातिब लापरवाही से ओकार-अकार में भेद नहीं करते! आइरिश लोगों की पुरानी लिपि कुछ बातों में अंग्रेज़ों की आधुनिक लिपि से अधिक वैज्ञानिक थी; उसमें ह्रस्व और दो स्वरों का भेद करने के लिए सामान्यत: अक्षर के ऊपर चिन्ह लगा देते थे। अकार-ओकार के मामले में लिपिकों ने बहुत गफलत की होगी, विश्वास नहीं होता। अकार-ओकार के समान अकार-एकार में भी इसी तरह की स्वच्छन्दता जहाँ-तहाँ देखी जाती हैं : **अॅइर्ग्-अइर्ग्** (जाना), **त्रॅइत्-त्रइत्** (त्वरित), **दॅग्-दग्** (अच्छा), **तॅल्-तल** (ले जाना)। पुरानी आइरिश में इस स्वच्छन्दता का कारण **अ, अॅ, ऑ** स्वरों के विभिन्न प्राचीन व्यवहार-क्षेत्र हैं जो एक-दूसरे को प्रभावित करते रहे हैं। यह स्थिति अन्य भाषाओं में भी है।

पुरानी आइरिश के ध्वनितंत्र की एक महत्त्वपूर्ण विशेषता प्रथम वर्ण पर बलाघात है। यह विशेषता उसे लैटिन से सम्बद्ध करती है; वेल्श में बलाघात अन्तिम से पहले वाले वर्ण पर होता है जो उसे फ्रांसीसी आदि से मिलाती है। इस तरह का भेद भारत की मागधी और मध्यदेशीय भाषाओं में रहा है; मागधी की आदि वर्ण बलाघात वाली प्रवृत्ति का प्रतिनिधित्व अब बंगला करती है। भारत के उत्तर-पश्चिमी सीमान्त की अनेक प्राचीन भाषाओं के समान वर्ण-संकोचन के उदाहरण पुरानी आइरिश

में मिलते हैं, यथा : वर्षा के प्रतिरूप **फ्रस् भर्** क्रिया से संस्कृत **भृति** के समान **ब्रिथ्, ब्रॅथ्** (भरण) रूपों में।

वेल्श भाषा की एक विशेषता का उल्लेख पहले हो चुका है, उस पर यहाँ विस्तार से विचार करना आवश्यक है। वह विशेषता यह है कि आदिस्थानीय **व्** ध्वनि वाले शब्दों को स्वीकार करते समय वह उनके पहले **ग्** व्यंजन जोड़ देती है। अंग्रेज़ी **वाल्** (दीवाल), **वैगन्** (गाड़ी), **वाइन्** (शराब) वेल्श में क्रमशः **गुआल्, गुअगॅन्, गुइन्** हैं; **वाल्टर्** और **विलियम्** जैसे नाम **गुआल्तर्** और **गुइलीम्** हैं। यह स्थिति वैसी है, जैसी आगरा जिले में कहीं-कहीं सर्वनाम **वह** की है जो **ग्वु** बोला जाता है। अंग्रेज़ी में अनेक शब्द ऐसे हैं जो **व्** से आरम्भ होते हैं किन्तु जिनके अंग्रेज़ी प्रतिरूपों में **ग्** है। इस **ग्** के बाद वर्तनी में **उ** होता है और **उ** के बाद एक स्वर और होता है। **ग्** के बाद वाला **उ** स्वर अब बोला नहीं जाता किन्तु पहले बोला जाता था। **वार्ड्—गार्ड्** (**गुआर्ड्**—देखभाल करना, देखभाल करनेवाला), **वाइल—गाइल** (**गुइल**—छल, धूर्तता), **वारंट—गैरंटी** (**गुआरंटी**—प्रमाण, प्रमाणित करना), **वाइज़—गाइज़** (**गुइज़**—प्रकार, राह); **ग्** ध्वनि वाले इस तरह के शब्द जर्मन समुदाय की अंग्रेज़ी भाषा पर केल्त प्रभाव सूचित करते हैं। जर्मन में **व्** के स्थानापन्न **गु** से आरम्भ होनेवाले ऐसे शब्दों का नितान्त अभाव है। अंग्रेज़ी में ऐसे शब्द वेल्श और उस वर्ग की उन पुरानी बोलियों के प्रभाव के कारण हो सकते हैं जिनका अस्तित्व अब मिट गया है। वे इतालवी-स्पेनी-फ्रांसीसी प्रभाव के कारण भी हो सकते हैं।

अंग्रेज़ी **वार** (युद्ध) का स्पेनी इतालवी प्रतिरूप **गुएर्र** है। प्रसिद्ध **गुरिल्ला** शब्द **गुएर्र** का ही लघुतासूचक प्रतिरूप है। संस्कृत क्रिया **विद्** (देखना, जानना) के आधार पर स्पेनी और पुर्तगाली में **गुइअ** (पथदर्शक) और अंग्रेज़ी में **गाइड** (उप., पथ दिखाना) रूप बने। इतालवी **गुइदारे** (पथ दिखाना) अंग्रेज़ी **गाइड** का प्रतिरूप है। अंग्रेज़ी में ध्वनिमूलक ऐसे शब्द केल्त प्रभाव से आए हैं। यह प्रभाव लैटिन समुदाय की भाषाओं पर और भी गहरा है। अंग्रेज़ी वेस्ट, इतालवी **गुआस्तारे** (नष्ट करना); अंग्रेज़ी **वेड,** इतालवी **गुआदारे** (उथली जगह नदी पार करना); अंग्रेज़ी **वास्प,** फ्रांसीसी **ग़ेप** (ततैया); अंग्रेज़ी **वो** (शोक), इतालवी **गुअइ,** वेल्श **गुअॲ**—इन उदाहरणों से विदित होता है कि इतालवी, फ्रांसीसी, स्पेनी, पुर्तगाली पर केल्त समुदाय का गहरा प्रभाव है। किन्तु ये सब भाषाएँ लैटिन की पुत्रियाँ मानी जाती हैं और लैटिन में **व्** के स्थानापन्न **गु** से आरम्भ होनेवाले शब्दों का वैसे ही प्रभाव है, जैसे जर्मन में। लैटिन-जर्मन वर्गों की भाषाओं ने केल्त क्षेत्र पर व्यापक रूप में अपना प्रसार किया है, फिर भी केल्त भाषाओं के चिन्ह स्पेन से लेकर इटली तक बिखरे पड़े हैं।

उक्त उदाहरणों में अनेक शब्द भारतीय उद्‌भव के हैं। अंग्रेज़ी **वार** (युद्ध) का पूर्वरूप तमिल **पॉरु** (युद्ध करना), **पोर्** (योद्धा है और इन दोनों का मूलरूप

संस्कृत **भर** (युद्ध) है। जैसे **पोर्** का **प्** **व्** में परिवर्तित हुआ, और फिर **गुएर** का **गु** बना, वैसे ही तमिल **पार्** (देखना) का **प्** पहले **व्** में परिवर्तित हुआ, फिर **द** प्रत्यय जोड़ने से अंग्रेज़ी **वार्ड** शब्द बना। पुनः **व्** के पहले **ग्** जोड़कर इतालवी **गुआर्दो** (दृश्य), **गुआर्द** (निरीक्षक), **गुआर्दारे** (देखभाल करना) रूप बने। इनमें मूल क्रिया कहीं नहीं है, सब कृदन्त रूप के आधार पर बने हैं; कृदन्त को क्रियामूल के रूप में स्वीकार किया गया था। उक्त रूपों का सम्बन्ध तमिल **पार्** से है, इसका प्रमाण लैटिन **पारॅऑ** (दृश्यमान होना) है; अंग्रेज़ी **ट्रांसपैरेंट्** (पारदर्शी) में यही **पार्** क्रियामूल है। तमिल **पार्**, लैटिन **पारॅऑ** का मूल रूप सम्भवतः संस्कृत **भास्** (प्रकाशित होना) है।

**ग्** के समान अन्य व्यंजन **द्** भी प्राचीन काल में आदिस्थानीय **व्** ध्वनि वाले शब्दों को ग्रहण करते समय कुछ भाषाओं में जोड़ा जाता था। संस्कृत **द्वि** का मूल रूप **वि** है जो **विंश** में विद्यमान है। संस्कृत **वेग** की **विग्** या **विज्** तीव्र गति सूचक क्रिया रूसी में **द्विग्** है, **द्विगात्** (गतिशील होना), **द्विझेनिये** (गति)। रूसी **बेग्** (दौड़), **बॅगात्** (दौड़ना) का आधार संस्कृत **वेग** है। जैसे **व्** यहाँ **ब्** रूप में ग्रहण किया गया है, वैसे ही संस्कृत **वि**, लैटिन में **बि** है। **द्वि** ने **वि** को इस तरह विस्थापित किया कि लैटिन **वि** और संस्कृत **वि** का, **दो** के अर्थ में, स्वतंत्र रूप से प्रयोग बन्द हो गया। लैटिन **विगन्ति** (बीस) में **विंश** के समान **वि** है किन्तु **दो** का अर्थ देनेवाला लैटिन उपसर्ग **बि** है (अंग्रेज़ी के **बाइवीक्ली, बाइसिकिल्** आदि में वही **बि** है)। जर्मन समुदाय की भाषाओं में **ब, बो, बॅइ** जैसे स्वतंत्र रूप पहले थे जिनसे जर्मन **बाइदॅ**, अंग्रेज़ी **बोथ्** (दोनों) शब्द बने। गुजराती में **बॅइ** (दो) का व्यवहार अब भी होता है और अपभ्रंश में इसी रूप, या ऐसे ही **ब्** ध्वनि वाले रूप का चलन था।

जैसे अंग्रेज़ी **वार** (युद्ध) का पूर्वरूप तमिल **पॉरु** है और **पॉरु** का मूल रूप संस्कृत **भर** है, वैसे ही यह सम्भव है कि संस्कृत **विंश** के **वि** और गुजराती **बॅइ** के **बॅ** का मूल रूप **भि** हो। लैटिन **विगिन्ति** का **वि** और उपसर्ग **बि** दो स्रोतों से आए हुए रूप हो सकते हैं। **वि** होगा **पि** का रूपान्तर और **बि** होगा **भि** का। **वि** बदलकर **बि** हो गया हो, इसकी सम्भावना कम है क्योंकि लैटिन में आदिस्थानीय **ब्** का व्यवहार बहुत कम शब्दों में होता है, लैटिन शब्दों की निर्माण-प्रक्रिया में इस ध्वनि की भूमिका महत्त्वपूर्ण नहीं है। इसके विपरीत ग्रीक भाषा की शब्द-निर्माण-प्रक्रिया में **ब्** ध्वनि की भूमिका महत्त्वपूर्ण है और वह बहुत-से शब्दों के आदिस्थान में प्रयुक्त है। किन्तु ग्रीक में संख्यासूचक **बि** का अभाव है। उसमें **विंश** का प्रतिरूप **अॅइकॉसि** है जहाँ **वि** का रूपान्तर **अॅइ** है (क्योंकि ग्रीक में **व्** ध्वनि का अभाव है), **द्वि** का प्रतिरूप **दुऑ** है। किन्तु इस भाषा में एक सम्बन्धक **अम्फि** है जिसका **फि** संख्यासूचक है।

**अम्फि** में **अम्** क्रिया का अर्थ था घेरना और **फि** का अर्थ था दो। **अम्फि** का अर्थ हुआ दो तरफ से घिरा हुआ। **अम्फिबिआ** वे प्राणी हैं जो जल और थल,

दोनों में रहते हैं। इस **अम्फि** का लैटिन प्रतिरूप **अम्बि** है; **अम्बिफ़ारिउस्** उसे कहेंगे जिसके दो पक्ष हों। **अम्** क्रिया के घेरनेवाले भाव के कारण अनेक ग्रीक शब्दों में उनसे भी अधिक लैटिन शब्दों में—**अम्फि** और **अम्बि** के **फि** और **बि** में निहित दो वाला अर्थ क्षीण हो गया है। **अम्फि** और **अम्बि** का अर्थ हो गया है चारों ओर। फिर भी ग्रीक भाषा में ऐसे काफी शब्द हैं जिनमें दो का अर्थ स्पष्ट है। इस प्रकार दो का अर्थ देनेवाले **वि, बि** और **फि**—ये तीन रूप मिले। ग्रीक **फि** की महाप्राणता बताती है कि इनका मूलरूप था **भि**। **भि** से आरम्भ करके, **वि** की मंज़िल पार करते हुए, **द्वि** ने अपने विकास की यात्रा पूरी की।

इटालियन में **अम्बे, अम्बो** का अर्थ है दोनों; **दुए, दुओ** जोड़कर एक और शब्द बना **अम्बेदुए, अम्बेदुओ**। अर्थ वही रहा—दोनों।

अवधी में बैलों की जोड़ी को **गोईं** कहते हैं। संस्कृत **द्वा** के प्रतिरूप **ग्वा** से **गोईं** रूप बनेगा। **गोईं** के समानान्तर अवधी का **गॉइयाँ** शब्द है; दो सखियाँ एक-दूसरे की **गॉइयाँ** होती हैं। संस्कृत **वृक** (भेड़िया) **वर्** क्रिया से बना है। इसका पूर्व रूप होगा **वर्क**। **वृक** का फ़ारसी प्रतिरूप है **गुर्ग** जो स्पष्ट ही **व** के पहले **ग्** जोड़ने से बना है। संस्कृत **वात** का बलूची प्रतिरूप **ग्वात्** है; फ़ारसी **बारिश्** के समानान्तर संस्कृत **वर्षा** का बलूची प्रतिरूप **ग्वारिश्** है। मानना होगा कि ईरानी क्षेत्र की भाषाओं में **व्** के पहले **ग्** जोड़ने की प्रवृत्ति बलशाली है; यही प्रवृत्ति केल्त समुदाय की भाषा में है, केल्त-प्रभावित लैटिन-समुदाय की अन्य आधुनिक भाषाओं में है। इस प्रवृत्ति का केन्द्र बृहत्तर भारत का उत्तर-पश्चिमी क्षेत्र है।

अपभ्रंश में मध्यम पुरुष सर्वनाम का एकवचन रूप **पइँ** है और अपभ्रंश में ही इसका प्रतिरूप **तइँ** है। **पइँ** से **तइँ** का विकास नहीं हो सकता; **तइँ** से **पइँ** का विकास नहीं हो सकता। वेल्श रूप है **ख़ुइ** (तू)। **ख़ुइ** का विकास **तइँ** से नहीं हो सकता, **पइँ** से भी नहीं हो सकता। किन्तु **पइँ** के रूपान्तर **वइँ** से **तइँ** और **खुइ** दोनों का विकास हो सकता है। **वइँ** के पहले **त्** जोड़ने से **त्वइँ**, और **ख़्** जोड़ने से **ख्वइँ** रूप बने: इनसे **तइँ** और **ख़ुइ** का विकास सहज है।

प्राकृतों में मध्यम पुरुष सर्वनाम का, कर्मकारक बहुवचन में, एक रूप होता है **भे**, दूसरा **वो**। यहाँ **भ** और **व**, इन सर्वनाम मूलों का सम्बन्ध साफ दिखाई देता है। यह बिलकुल सम्भव है कि अपभ्रंश **पइँ** और **तइँ** तथा वेल्श **खुइ** के पूर्वरूप **वइँ** अथवा **विम्** का मूलरूप रहा हो **भम्**।

आर्मीनियन में एक प्रश्नवाचक सर्वनाम है **ओ** (कौन)। लैटिन में इसका प्रतिरूप है **उ** जो **उबि** (कहाँ), **उत्तॅर्** (कौन-सी वस्तु) में प्राप्त है। ब्रुगमन ने लिखा है कि अभी तक इन **ओ** और **उ** सर्वनामों की व्याख्या सन्तोषजनक ढंग से नहीं की गई। इसका कारण यह है कि ऐतिहासिक भाषाविज्ञान में ऐसे प्रश्नवाचक सर्वनामों की आदिस्थानीय ध्वनि **क्व** या **ग्व** मानी जाती रही है। **ओ** और **उ** का पूर्वरूप **व** है;

लैटिन और आर्मीनियन के उक्त रूपों में **व** के पहले आनेवाले **क्** या **ग्** का लोप क्यों हो गया, इसकी कैफियत देना असम्भव था। किन्तु **व** को आधारभूत रूप मानने से यह बात आसानी से समझ में आ जाती है कि **व** के पहले **क्** जोड़कर **क्व** रूप बनेगा क्योंकि ईरानी और केल्त समुदायों की अनेक भाषाएँ **व्** के पहले इस तरह एक व्यंजन अब तक जोड़ती हैं। संस्कृत **क्व** (कहाँ), लैटिन **क्वा** (कैसे), **क्वि** (कौन) का पूर्वरूप **व** मानना चाहिए।

लैटिन **क्वि** का उम्ब्रियन प्रतिरूप **पॉइ** है। **प्** ध्वनि सीधे **क्व** में बदल सकती है, **प्** के रूपान्तर **व्** में **क्** जोड़ने से भी प्राप्त हो सकती है। ग्रीक भाषा के **पॉइऑस्** (कैसे) आदिरूपों में यही सर्वनाम **पॉ** है। इधर भारत की द्रविड़ भाषाओं में गोंडी के प्रश्नवाचक सर्वनाम **ब्** ध्वनि से आरम्भ होते हैं : **बद्, बोर, बोल्** (कौन), **बार्, बाह्** (क्या), **बातोल्** (कैसा), **बाद्रा** (कब), **बारी** (क्यों), **बेगा** (कहाँ)। जहाँ **प्, ब्, व्**—इन तीन ध्वनियों से आरम्भ होनेवाले एक ही अर्थ के सूचक शब्द द्रविड़ तथा इंडो-यूरोपियन भाषाओं में प्राप्त हों, वहाँ यह सम्भावना विचारणीय है कि इनका मूलरूप **भ्** ध्वनि से आरम्भ होता होगा। द्रविड़ भाषा तुलु में **वा** का अर्थ है (क्या) और यही अर्थ इस भाषा के **ऑवु** का है। यहाँ **व** और **ओ** का सम्बन्ध स्पष्ट है।

आर्मीनियन में एक प्रश्नवाचक सर्वनाम **इ** (क्या) भी है। संस्कृत में इसका प्रतिरूप **किम्** है, ग्रीक में **तिस्**, औस्कन में **पिस्**। यदि **पि** का पूर्वरूप **भि** हो, तो **कि** और **ति** के पूर्वरूप **घि** और **धि** हो सकते हैं। ये सर्वनाम मूलत: प्रश्नवाचक नहीं थे, सामान्य निर्देशक थे, इसलिए उक्त कल्पना असंगत नहीं है; **धि** का रूपान्तर **दि** इंडो-यूरोपियन सर्वनाम रूपों में प्राप्त है। **कि** का पूर्वरूप **घि** था, इस कल्पना को एक ओर उठा रखें, इस बात पर विचार करें कि ग्रीक **तिस्** के समान द्रविड़ भाषा कोलमि में **त्** ध्वनि से आरम्भ होनेवाले प्रश्नवाचक सर्वनाम रूप है : **तानॅद्, तन्द्** (क्या), **तन्दुङ्, ताङ्** (क्यों)। इसी प्रकार तुलु में **द्** से आरम्भ होनेवाले रूप हैं : **दा, दानॅ** (क्या)। **दायॅ** (क्यों)। एक द्रविड़ भाषा में **त्** से, दूसरी में **ब्** से आरम्भ होनेवाले प्रश्नवाचक सर्वनाम हैं, ग्रीक में **त्** और **प्** से आरम्भ होनेवाले सर्वनाम हैं, यह समानता आकस्मिक नहीं हो सकती।

द्रविड़ भाषाओं का सामान्य प्रश्नवाचक सर्वनाम **या** है। तमिल **या** (क्या) **यादु** (कैसे), **यार** (कौन) आदि रूपों में यह सर्वनाम है। जब **य्** का लोप होता है तब तमिल के **एदु** (क्या, कैसे, क्यों), **एन्** (उप.) जैसे रूप प्राप्त होते हैं। आदिस्थानीय स्वर के ह्रस्व होने पर द्रविड़ भाषा तोद का **इन्** (क्या, क्यों) रूप प्राप्त होता है। **इन** का प्रश्नवाचक सर्वनाम मूल **इ** आर्मीनियन **इ** से भिन्न नहीं माना जा सकता।

द्रविड़ भाषाओं का **य्** ध्वनि वाला प्रश्नवाचक सर्वनाम संस्कृत **यद्** से भिन्न नहीं है, इसका प्रमाण यह है कि तमिल **यावुम्** (सब लोग), **यारुम्** (कोई व्यक्ति),

**एदुम्** (कोई चीज़) में यह सर्वनाम सामान्य निर्देशक का काम करता है। इसी प्रकार प्रश्नवाचक **इ** संस्कृत **इदम्** के **इ** से भिन्न नहीं है।

यदि प्रश्नवाचक **या** में **क्** ध्वनि जोड़ी जाए, जैसे कि **व** के पहले अनेक भाषाएँ **क्** या **ग्** जोड़ती हैं, तो हिन्दी का प्रश्नवाचक रूप **क्या** प्राप्त होगा। इस प्रक्रिया से पुरानी आइरिश का प्रश्नवाचक सर्वनाम **कीअ** (कौन) प्राप्त होगा जो हिन्दी **क्या** से मिलता-जुलता है।

लैटिन क्रिया **वॅनिऑ** (आना) का आधार **वन्** है जो **वर्** का प्रतिरूप है। इस **वॅनिऑ** का गाथिक प्रतिरूप **क्विमन्** है। स्पष्ट ही यहाँ **व्** के पहले **क्** जोड़ा गया है। जो विद्वान् **वॅनिऑ** के **वॅन्** का आधार **ग्वन्** मानते हैं, वे यह नहीं बताते कि जर्मन में **क्** क्यों बना रहा और लैटिन से उसका लोप क्यों हो गया।

केल्त भाषाओं का गहरा प्रभाव जर्मन आदि यूरोप की भाषाओं पर पड़ा है, इसलिए **बॅनिऑ, क्विमन्** जैसे प्रतिरूपों का प्रपंच दिखाई देता है। यह प्रपंच भारतीय आर्य-द्रविड़ तथा ईरानी भाषा-समुदायों के ध्वनितंत्र से सम्बन्धित है।

तमिल क्रिया **वॅल्** का अर्थ है जीतना, परास्त करना; तमिल क्रिया **कॅलि,** कन्नड़ **गॅलि** का भी यही अर्थ है। **व्** के पहले **क्, ग्** जोड़ने से **कॅलि, गॅलि** रूप बने हैं। अंग्रेज़ी में **क्वॅल्** क्रिया का अर्थ है दबाना, परास्त करना। **वॅल्, कॅलि, क्वॅल्** असम्बद्ध रूप नहीं हैं।

### *(ख) शब्दतंत्र*

प्राचीन आर्य-द्रविड़ भाषाओं की एक बहुप्रयुक्त क्रिया है **वर्**। यह क्रिया मूलतः वक्र गति की सूचना देती थी, आगे चलकर सामान्य गति के लिए भी इसका प्रयोग होने लगा। **वृत्त** का अर्थ है चक्र; इसकी आधारभूत क्रिया **वृत्** मानी गई है। वास्तव में **वर्** का कृदन्त रूप है। **वर्त**—वर्ण-संकोच से **वृत**—को फिर क्रियामूल बनाया गया। **वृत्** का अर्थ है चलना। संस्कृत में **वर्** क्रिया से **वार्, वारि** जलसूचक शब्द बने। गोलाकार वस्तुएँ आवेष्टन, आवरण का काम करती थीं; अतः **वार** वह स्थान हुआ जो पशुओं और मनुष्यों की रक्षा के लिए बनाया गया। हिन्दी **बाड़ा** संस्कृत **वार** का रूपान्तर है। इसी का स्त्रीलिंग रूप **बाड़ी** (घर) बंगला में प्रचलित हुआ। **बाड़ा** का प्रतिरूप **पाड़ा** हिन्दी में मुहल्ले के नामों के साथ प्रयुक्त होता है। अंग्रेज़ी **वाल्** (दीवाल) **वार** का ही रूपान्तर है। संस्कृत **वार** में रोकने, घेरने, ढकने के अनेक परस्पर सम्बद्ध अर्थ हैं। **वार** का एक अर्थ है सिंहद्वार। तमिल **वारि** (द्वार) इसी **वार** का प्रतिरूप है। **वार** में जब अतिरिक्त **द्** ध्वनि जोड़ी गई तब **द्वार** रूप बना। संस्कृत **वार** का रूसी प्रतिरूप **वॉरोत्** (सिंहद्वार) है। हिन्दी **बरोठा** इसी **वॉरोत्** से सम्बद्ध है। **वार** का फ़ारसी प्रतिरूप **बार** (द्वार) है। **द्वार** का फ़ारसी प्रतिरूप **दर** है जो **वर** के रूपान्तर **दूर** से बना है। संस्कृत **द्वार** का रूसी प्रतिरूप **द्वेर्** है।

यद्यपि **वार** और **द्वार** मूलतः एक हैं किन्तु **द्वार** तो साधारण द्वारों के लिए प्रयुक्त होने लगा, **वार** बड़े द्वारों, सिंहद्वारों के लिए। रूसी **द्वेर्** सामान्य द्वार का अर्थ देता है, इसका वैकल्पिक रूप **द्वोर्** प्राङ्गण का। जहाँ **प्राङ्गण** हो, रूसी में वह स्थान **द्वारेत्स्** अर्थात् प्रासाद है। जो प्रासादों में रहें वे, रूसी में, **द्वॉर्यानीन्** (राजन्य) हैं, जो प्रासादों में उनकी सेवा करें—ये **द्वोरन्या** (सेवक) हैं। फ़ारसी ने **दर** और **बार** को जोड़कर **दरबार** शब्द बनाया। जो दरबार के बाहर सेवकभाव से खड़ा रहे, वह **दरबान** है, **द्वारपाल** है।

यद्यपि **वर्** क्रिया का व्यवहार भारतीय आर्य द्रविड़ भाषाओं में तथा इंडो-यूरोपियन परिवार की अन्य भाषाओं में व्यापक रूप से होता था, फिर भी यह क्रिया एक अन्य **पर्** क्रिया का रूपान्तर है और यह **पर्** अन्य **पर्** क्रिया **सर्** का रूपान्तर है। प्राचीन भाषाओं ने विकास की कितनी मंज़िलें पार की हैं, उनमें कितने भिन्न स्रोतों से आए हुए भाषा-तत्त्वों का समन्वय हुआ है, इसका कुछ अनुमान **सर्-पर्-वर्** के परिवर्तन को देखने से ज्ञात होगा। ध्वनिरूप भिन्न हैं किन्तु सम्बद्ध शब्दों की अर्थ-प्रक्रिया एक-सी है। **सर्** क्रिया मूलतः वक्र गतिसूचक है। **वारि** के समान **सरिता, सरस्वती सर** जलसूचक शब्द हैं। जन्तु विशेष को सर्प कहते हैं क्योंकि वह वक्रगति से चलता है। वैदिक **वृत्र** भी सर्प है। **सर्** क्रिया से **सर्क** रूप बना, उससे फ़ारसी **चर्ख़**, संस्कृत **चक्र** बने। जो अर्थ **वृत्त** का है, वही **चक्र** का। अंग्रेज़ी **सर्क्ल्** (चक्र) सीधे **सर्** क्रिया से नहीं बना। इसका आधार लैटिन **किर्कुस्** (चक्र) है। **स्** ध्वनि **क्** रूप में ग्रहण की गई, तब लैटिन में **किर्कुस्**, ग्रीक में **किर्कॉस्** रूप बने। वर्ण-संकोच से ग्रीक **किर्कॉस्** का एक वैकल्पिक रूप **क्रिकॉस्** भी बना। इन रूपों में **सर्** क्रिया की मूलध्वनि **र्** सुरक्षित रही किन्तु जहाँ वह **ल्** रूप में ग्रहण की गई, वहाँ ग्रीक रूप **कुक्लॉस्** बना। **चक्र** और **कुक्लॉस्** तथा **किर्कॉस्** की आधारभूत क्रिया **सर्** है।

संस्कृत में **परि** एक सम्बन्धक और उपसर्ग है जिसका अर्थ है चारों ओर, पालाकार। **परिधि** का वही अर्थ है जो **बाड़ा** का है। **परि** का ग्रीक प्रतिरूप **पॅरि** है और इसका वही अर्थ है जो संस्कृत **परि** का है। जैसे **वर्** से कृन्दत **वर्त** बना, वैसे ही **पर्** से अदन्त **पर्त** बनेगा। मूर्धन्य **र्** के संसर्ग से **त्** मूर्धन्य **ट्** में परिवर्तित होगा। **पर्त** के रूपान्तर होंगे **पट्ट, पट**। संस्कृत में **पट, पटल** आदि रूपों की व्याख्या के लिए **पट्** क्रिया की कल्पना की गई है और इसका अर्थ बताया गया है चलना। **पट** का अर्थ है वस्त्र। **वस्त्र** का सम्बन्ध चलने से क्या हो सकता है? किन्तु **पट्** का अर्थ चलना वैयाकरणों ने बिलकुल ठीक किया था। अभी वे **वर्त** और **पट** का सम्बन्ध भूले न थे, इसलिए उन्होंने **पट्** का वैसा अर्थ किया। **वर्** सामान्य गति की नहीं, **वक्र** गति की सूचक क्रिया है। इसीलिए उससे आवरण, वेष्टन आदि का अर्थ देनेवाले शब्द बने। **पट** एक आवरण है, वह शरीर के चारों ओर लपेटा जाता है,

इसलिए **पट** है। जो आवरण है, वह जो **पटल** है। **पटल** है, वह फ़ारसी में **पर्दा** है। तमिल में **पटल्, पटलइ** (अथवा **पडल्, पडलइ**) का अर्थ है ताड़ के पत्तों या काँटों की बनी टट्टी, पशुओं की रक्षा के लिए बनाया हुआ बाड़ा; कन्नड़ **पडि** का अर्थ है द्वार! अवधी में **पटइला** उस लकड़ी के उपकरण को कहते हैं जिससे दोनों किवाड़ें बन्द कर दिये जाते हैं।

जैसे **सर्** के रूपान्तर **पर्** से कृदन्त **पर्द** बना, वैसे ही **सर्** के रूपान्तर **कर्** से कृदन्त **कर्द** बना। कन्नड़ में **कद** का अर्थ है द्वार। कन्नड़ में **कद** से ही **कदवु** रूप भी बना; **कदवु** तमिल में भी है, अर्थ है वही—द्वार। **कर्द** से **कद**, वैसे ही **पर्द** से **पद**। तमिल में **द्वार** का अर्थ देनेवाला **पद** शब्द नहीं है किन्तु **पुद** है। **पुद, पुदा, पुदवु, पुदवम्**—इन सभी तमिल रूपों का अर्थ है द्वार। जब **पर्** क्रिया में **त** या **द** के बदले कृदन्त प्रत्यय **क** या **ग** लगा, तब **पुद** के समानान्तर **पुग** रूप बना। तमिल में **पुगुदि** (मुख्य द्वार), **पुगुडि** (द्वार मार्ग), कन्नड़ में **पुगिल्** (द्वार) उसी पर् क्रिया से बने हैं।

जब **स्** ध्वनि **त्** रूप में ग्रहण की गई, तब **सर** का रूपान्तर **तर्** हुआ। **तर्** के कृदन्त रूप **तर्त, तर्द** से तमिल की **तडु** क्रिया बनी जिसका अर्थ है रोकना; **तडइ** का अर्थ हुआ व्यवधान, द्वार, बाँध; **तडवु** का अर्थ है कारागार। जो अर्थ-प्रक्रिया संस्कृत **कारा** की है, वही तमिल **तडवु** की। जिस जलाशय के चारों ओर गोल बाँध बनाया जाए, वह संस्कृत **तटाक, तडाग** है। घास, लकड़ियों, पत्तियों आदि से जो व्यवधान बनाया जाए, वह तमिल में **तट्टि** है, हिन्दी में **टट्टी, टट्टर**।

आर्य-द्रविड़ भाषाओं की शब्द-निर्माण-प्रक्रिया अर्थ-विचार से बहुत कुछ एक-सी है, इसका प्रमाण **सर्** क्रिया से बननेवाले संस्कृत शब्द हैं। द्रविड़ भाषाओं में **सर्** के रूपान्तर **पर्** और **पर्** के रूपान्तर **वर्** से बननेवाले शब्दों में ठीक वही अर्थ-प्रक्रिया दिखाई देती है जो संस्कृत में है। इंडो-यूरोपियन भाषाओं के अनेक शब्दों की व्याख्या **सर्-पर्-वर्** का सम्बन्ध पहचानने से की जा सकती है। **सर्** का अर्थ है वक्रगति से चलना, प्रवाहित होना, तेजी से चलना, सरकना, रेंगना। **सर्प** का उल्लेख पहले हो चुका है। संस्कृत **सरड** का अर्थ है साँप का रेंगना। **सार** का अर्थ है गति, मार्ग; जो निरन्तर गतिशील हो, वह संसार है। **सारणी** का अर्थ है धारा; **सरट, सरघ्** हवा की अर्थ देते हैं। **सरट** या **सरटु** छिपकली है। **सारस** जलपक्षी है। **सर्** क्रिया से कृदन्त रूप **सर्ग** बना जिसका अर्थ है प्रवाह, हवा का झोंका, नदी, सृष्टि। **सर्ग** के प्रतिरूप **सर्ज** से पुनः क्रियामूल **सृज्** बना जिसका अर्थ है प्रवाहित होना, प्रवाहित करना; रचना इसका गौण अर्थ है। **विसर्जन** में **सृज्** का मूल अर्थ निहित है। **सर्** क्रिया में वक्रता के भाव है, अतः **सृगाल**—इसे और सुसंस्कृत किया तो **शृगाल**—का अर्थ हुआ वह पशु जो अपनी चतुराई या धूर्तता के लिए विख्यात है। **सर्** क्रिया तीव्र गति द्योतक है, अतः **सरंग, सारंग** का व्यवहार हिरन के लिए

हुआ, **कुरंग** के समान। **साल** का अर्थ है दीवाल, **हाता: साला** शब्द घर के लिए प्रयुक्त होता था, अंग्रेज़ी **हाल्** इस **साल** का रूपान्तर है। **स्** का तालव्यीकरण होने से **शाल** रूप मिला—बाड़ा, दीवाल, दरबार, अनेक सम्बद्ध अर्थ इसमें निहित हैं। **शाल** का प्रतिरूप है **शाला**—बड़ा कक्ष, घर, अस्तबल। संस्कृत में **सल्** क्रिया भी है जिसका अर्थ है चलना किन्तु संस्कृत मूलतः **र्** क्षेत्र की भाषा है, अतः उसमें **सर्** के आधार पर ही अधिक शब्द बने हैं। **सर्** शब्द के गतिसूचक अनेक अर्थ हुए : गमन, वायु, झरना, जलाशय। **सरणि**—मार्ग; **सरण्यु**—वायु, जल, बादल, द्रुतगति; **सरण्य**—दौड़ना; **सरयू**—नदी विशेष (**गम्** क्रिया से गंगा के समान); **सरिर**—समुद्र, प्रवाह, **सलिल** के समान; **सरि**—झरना; **सरित्**—नदी; **सर्** क्रिया का जैसा वैभव संस्कृत में है, वैसा इंडो-यूरोपियन परिवार में अन्यत्र नहीं है। **स्रु** क्रिया **सर्** का ही प्रतिरूप है जिससे **स्रव, स्रवण, स्राव, स्रावण, स्रोत** आदि प्रवाहसूचक शब्द बने हैं। **स्रावण** के **स्** का तालव्यीकरण हुआ, तब वर्षा ऋतु का **श्रावण** मास प्राप्त हुआ।

**सर्** के रूपान्तर **पर्** का पूर्ण वैभव द्रविड़ भाषाओं में है। **पर्** मूलतः वक्रगति-सूचक है, अतः संस्कृत **सर्प** के समान कन्नड़ **पावु**, तमिल **पाम्बु** का हुआ अर्थ नाग। यहाँ **पा** क्रिया **पर्** का रूपान्तर है। द्रविड़ भाषाओं में **पर्** का **र्** बना रहता है और उसका लोप भी होता है। जब लोप होता है तब वह पूर्ववर्ती **अ** को **आ, ए** अथवा **ओ** में बदलता है। तमिल **पर**—उड़ना, तेजी से चलना; **परवइ**—पक्षी; **परि**—प्रवाहित होना; **परइ**—उड़ान, पक्षी; **पारु**—दौड़ना; तेलगू **परवु**—सैलाब; तमिल **पाय**—दौड़ना, उड़ना, बहना; तमिल **पॅय्**—बरसना; **पॅयेर्**—मुड़ना; **पॉळि**—प्रवाहित होना; **पोक्कु**—मार्ग; **पोक्किरि**—दुष्ट, कुटिल; **पोर्**—आवेष्टित करना; **पो**—जाना; **पोरु**—जाना; कन्नड़ **पाय्**—जाना; **परि**—प्रवाह, नदी; तुलू **परि**—मार्ग; तेलगू **पारु**—दौड़ना, उड़ना; तमिल **पल्लि**—छिपकली; **पाडि**—नगर आदि शब्दों की आधारभूत क्रिया **पर्** है।

**पर्** की अपेक्षा उसके रूपान्तर **वर्** से संस्कृत में अधिक शब्द बने हैं किन्तु उसका व्यापक व्यवहार द्रविड़ भाषाओं में होता है। तमिल **वारि**—द्वार, पथ; **वरवु**—पथ, **वरि**—आवरण; **वरइप्पु**—दीवाल, बाड़ा; **वेय्**—आवृत करना; **वेलि**—दीवाल, हाता; **विरइ**—तीव्र गमन; **वायिल्**—सिंहद्वार, दरबार; **वाय्दल्**—द्वार; **वार्**—बहना; **वारि**—जल-मार्ग; **वळि**—मार्ग; **वळइ**—घेरना, चक्र, कंगन; **वळइप्पु**—प्राङ्गण; **वळइवु**—वृत्त; **वळई**—वक्र होना; मोड़ना; मलयालम **वळप्पु**—हाता; ये शब्द संस्कृत **वल्**—घूमना, **वलय**—चक्र, कंगन से सम्बद्ध हैं। **वर्** के प्रतिरूप **वन्** तमिल **वन्द** (सरिता) बना; लैटिन **उन्द** (जल, प्रवाह, लहर) इसी **वन्द** का रूपान्तर है। **उन्द** के **न्** का लोप होने पर संस्कृत **उद** (जल) रूप प्राप्त हुआ और इसे फिर **उद्** क्रिया बनाया गया। **उद्** क्रिया के **उन्दते** आदि रूपों में **न्** विद्यमान है। **उद्** से

बहुत्वसूचक **उद्र**, फिर **समुद्र**। तमिल में एक नदीवाचक **व्रन्दि** शब्द है जहाँ **वर्** और **वन्** क्रिया-रूप मानो मिल गए हैं। वैसे **वर्** का कृदन्त रूप **वन्द** मजे में बन सकता है। **वन्दि** उन अपवाद रूपों में हैं जहाँ शब्द के आरम्भ में तमिल ने दो व्यंजन एक साथ रखे हैं। **वन्** क्रिया से वर्षा के लिए तमिल में **वाण्** शब्द बना; बंगला में **बन्या** और **बान** शब्द जलप्लावन के लिए प्रयुक्त होते हैं। ये उसी **वन्** क्रिया से बने हैं। **वन्** के वैकल्पिक रूप **विन्** से तमिल **विंडु** (हवा) शब्द बना; अंग्रेज़ी **विंड्** (हवा) का आधार भी **वन्** क्रिया है। **वन्** के अन्य वैकल्पिक रूप **वा** से संस्कृत **वायु** बना, जैसे **पो** (अथवा) **पव्** से **पवन** बना।

लैटिन **वॅर्तो, वॉर्तो** (घूमना, बदलना) **वर्** क्रिया के कृदन्त रूप हैं। इनसे **वॅर्तक्स्, वॉर्तक्स्** (भँवर), **वॅर्तीगो** (चक्कर खाना, चक्कर आना) शब्द बने हैं। **वॅर्तो** के वैकल्पिक रूप **वॅर्सो** से **तॅर्सुस्** (पंक्ति, कतार) शब्द बना। इसका मूल अर्थ है मुड़ना, उलटना। यह शब्द हल चलाने से बनी नाली के लिए प्रयुक्त होता था; वहाँ से कतार वाले अर्थ का विकास हुआ। तमिल **पाळि** का अर्थ है कतार (नियमित मार्ग) इसका संस्कृत प्रतिरूप **पालि** है। बंगला में **सारि-सारि** का अर्थ है कतारें। **सारि** का प्रतिरूप है **पालि**। **पर्** क्रिया के रूपान्तर **वर्** से लैटिन का **वॅर्सुस्** शब्द बना। लैटिन में **पर्** के वैकल्पिक रूप **पॉर्** से **पॉर्त** (द्वार) शब्द बना। वेल्श में **द्वार** का प्रतिरूप **दोर्** है, वर्ण-संकोच से **द्रुस्** भी; लैटिन **पॉर्त** का वेल्श प्रतिरूप **पॉर्थ्** है। **वर्त** के आधार पर वेल्श में **कुअर्द्** (किवाड़) शब्द है। **पर्, वर्, द्वर्, क्वर्**—चार आधारभूत रूपों से वेल्श में चार द्वार-सूचक शब्द बने जिनकी अर्थ-प्रक्रिया एक है। **कुअर्द्** से संस्कृत **कपाट** की रचना-प्रक्रिया समझ में आती है। **कपाट** में **पर्** क्रिया नहीं है, **वर्** है; **वर्** के **व्** के पहले अतिरिक्त व्यंजन **क्** जोड़ा गया। **क्वर्त—कवट्ट—कपट्ट—कपाट**, कुछ इस तरह की प्रक्रिया से **कपाट** शब्द बना। पुन: **वर्** क्रिया में जो वक्रता का भाव है, उससे **कपट** शब्द धूर्तता का सूचक बना। (आगे देखेंगे कि **धूर्त** शब्द में इसी प्रकार अर्थ-निवेश हुआ है।) तमिल **पोक्किरि** का अर्थ दुष्ट इसलिए है कि **पो** क्रिया, सामान्य गति नहीं, मूलत: वक्र गतिसूचक थी।

**सर्-पर्-वर्** का सम्बन्ध जल से है, अत: संस्कृत **पोत** साधारण यान नहीं है वरन् जलयान है। **पो** क्रिया में आवेष्टन का भाव है, अत: संस्कृत **पोत** का एक अर्थ वस्त्र है, तेलगू **पोरुव** (वस्त्र), तमिल **पोर्वइ** (उत्तरीय) के समान। ग्रीक **पॉरॉस्** का अर्थ है जलमार्ग, मार्ग जल के ऊपर से हो सकता है, जल को मँझाते हुए भी। **पॉ** क्रिया के कृदन्त रूप **पोत** से ग्रीक भाषा का नदीवाचक शब्द **पॉतमॉस्** बना। मलयालम **पॉळिल्** (रेतीला किनारा, भीगी हुई भूमि), कन्नड़ **पुळिल** (तटभूमि) के साथ द्रविड़ व्युत्पत्ति-कोश के लेखकों ने संस्कृत **पुलिन** को ठीक याद किया है। इसके साथ ग्रीक **पॉन्तॉस्**, लैटिन **पॉन्तुस्** (समुद्र) और **पॉन्स्** (पुल) का स्मरण

करना भी उचित है। ग्रीन **पॉरइअ** का अर्थ है गमन, समुद्र-यात्रा, नदी पार जाना। संस्कृत **पंथ** मूलतः जलमार्ग का सूचक रहा है; **पर्** के प्रतिरूप **पन्** से यह शब्द बना। **न्** के लोप होने पर **पथ** रूप का भी चलन हुआ। **सर्** के रूपान्तर **से** से संस्कृत **सेतु** बना। **सर्** के रूपान्तर **पल्** से तमिल **पालम्** (पुल)। फ़ारसी **पुल** और तमिल **पालम्** एक दूसरे के प्रतिरूप हैं।

**सर्** क्रिया का **स्** जहाँ **क्** रूप में ग्रहण किया गया है, वहाँ सम्बद्ध शब्द द्रविड़ भाषाओं में प्राप्त है। कन्नड़ **कड** (जलमार्ग, नाव); तमिल **कडल्** (समुद्र) : **कडवु** (गार्ग); **कडवन्** (खेत में काटी हुई नाली); **कडइ** (द्वार); **कडावु** (प्रवाहित करना); तुलु **कडपुनि** (जल पार करना); तमिल **कडगम्** (कंगन); **कप्पल्** (जलपोत); **कप्पु** (आवृत करना); **कदळु** (तेज़ भागना) की अर्थ-प्रक्रिया **वर्** क्रिया से सम्बद्ध शब्दों से मिलती-जुलती है। ये रूप **व्** के पहले **क्** जोड़ने से नहीं बने, **कर्** के कृदन्त रूप **कर्त** और **कर्प** को क्रिया मानकर इन रूपों की रचना की गई है। इसी शृंखला में संस्कृत **कटक** (कंगन, अँगूठी, करधनी) है।

**पर्** का एक रूपान्तर **मर्** था जिससे संस्कृत के **मृग** और **मार्ग** शब्द बने। अंग्रेज़ी **मार्च** (चलना) में यही **मर्** क्रिया है।

द्रविड़ भाषाओं में **वर्** का एक रूपान्तर **ओ** अथवा **ओर्** भी होता है। **सृगाल** के **सृ** में जैसे धूर्तता का भाव है, वैसे ही तमिल **ओरि** (सियार) की आधारभूत क्रिया **वर्** में है। एक अन्य पशु—भेड़िया—अपनी दुष्टता के लिए निख्यात था; **वर्** क्रिया के आधार पर उसे संस्कृत में **वृक** संज्ञा दी गई। **वृक** के प्रतिरूप अनेक इंडो-यूरोपियन भाषाओं में हैं; उसकी रचना-प्रक्रिया भारतीय **वर्** क्रिया को ध्यान में रखने से समझ में आती है। तमिल **ओ-नाय्** (भेड़िया) में **ओ** कपट और दुष्टता का सूचक है, **नाय्** का अर्थ है कुत्ता। प्राचीन गण-समाजों के लिए भेड़िया और सियार, दोनों दुष्ट प्रकृति के पशु थे, इसका प्रमाण कन्नड़ **तोळ** (भेड़िया) है जिसके ब्राहूइ प्रतिरूप **तोल** का अर्थ है सियार।

तमिल **ओडम्** (नाव) **पोत** का प्रतिरूप है। द्रविड़ व्युत्पत्ति-कोश में तुलना के लिए संस्कृत **होड, वेडा, बेडा, वेटी** शब्द दिये गए हैं। तमिल **ओडम्** इसी **पो** अथवा **वो** से बनेगा। तमिल **ओडु** का एक अर्थ दौड़ना है, दूसरा नाव का चलना; **ओडइ** (जलाशय), **ओट्टम्** (धारा), **ओट्टु** (नाव का चलना) आदि से **ओडम्** और **ओडु** के सम्बन्ध का ज्ञान होता है। तमिल **ओ** जलप्रवाह रोकने का **टट्टर** है; मलयालम **ओगु, ओवु** जल के निकास का द्वार है। संस्कृत **ओघ** (जलप्रवाह) में यही **ओ** क्रिया हो सकती है। कुडुख **ओग्ना**, मल्तो **ओगॅ** का अर्थ तैरना है। संस्कृत क्रिया **ओज्** (समृद्ध होना, शक्तिशाली होना) में मूलतः प्रवाह का भाव है; तमिल **ओक्कु** (उठाना), **ओङ्गु** (ऊँचे उठना, बढ़ना) **ओज्** से सम्बद्ध प्रतीत होते हैं। **ओज्** का एक संस्कृत प्रतिरूप **एज्** (गतिशील होना) है जिससे तमिल

**एगु** (चलना), **एरु** (उठना, चढ़ना), **ए** (समृद्धि), **एन्दु** (ऊँचे उठना) तुलनीय हैं। तमिल **ओदम्** (समुद्र, लहर, नमी) संस्कृत **उद** का प्रतिरूप है; **ओज्** और **एज्** के समान तुलु में एक रूप है **आद्दॅ**, दूसरा **वॅद्दे**; दोनों का अर्थ है गीला। इनका अवधी प्रतिरूप है **वाद** (गीला)। कन्नड़ **ओर, ओरॅ्** का अर्थ है वक्रता, ढलान, दुष्टता; कन्नड़ **वार, वारॅ** का अर्थ है ढलानयुक्त। यहाँ **वर्, ओ, ओर्** का सम्बन्ध स्पष्ट हो जाता है। संस्कृत **वन्द्** का मूल अर्थ झुकना था जिससे सम्मान प्रदर्शित करने का अर्थ विकसित हुआ। अंग्रेज़ी **बॅन्ड्** में झुकने, मोड़ने का अर्थ निहित है। फ़ारसी **बन्दगी**, तमिल **वणक्कम्** (प्रणाम, पूजा) परस्पर सम्बद्ध हैं। तमिल **वणङ्गु** (झुकना) में अंग्रेज़ी **बॅन्ड्** की तरह क्रिया का मूल अर्थ निहित है।

वक्रता और ढलान का सम्बन्ध पहाड़ों से है। तमिल **वरइ** (पहाड़, पहाड़ी की ढलान) में **वर्** का वक्रता वाला भाव है; तमिल **वरइ** (रोकना), **वारि** (द्वार, पथ) **वर्** क्रिया का भिन्न अर्थ सूचित करते हैं। तमिल **विंड्रु** (पहाड़) में **वर्-वन्** की प्रतिरूप **विन्** क्रिया है। तमिल के **पॉरइ, परम्बु, वरइ, ओङ्गल** रूप **पर्, वर्, ओ** सम्बद्ध क्रियाओं से बने हैं और सभी का अर्थ है पहाड़। **पर्** के रूपान्तर **मर्** से कृदन्त **मर्त, मर्द, मद्द, मद** रूप बने। **मद्द** के आधार पर तमिल **माड्डु**, कन्नड़ **मेड्डु** और **मिट्ट**, गोंडी **मट्टा** रूप बने जिनका अर्थ है पहाड़, पहाड़ी। **मद** में बहुत्वसूचक **र** लगने से भारतीय गणवाचक नाम **मद्र** बना। नाम से सिद्ध है कि ये पहाड़ों के रहनेवाले लोग थे। **मद्र** का रूपान्तर है **मल्ल** जिसका अर्थ इनके अच्छे योद्धा होने का प्रमाण है। **मल्ल** का मूल अर्थ है पहाड़ी। तमिल **मल्, मल्लम्** का अर्थ है कुश्ती, **मलइ** का अर्थ है लड़ना किन्तु तमिल में **मलइ** का अर्थ पहाड़ भी है। यही भारतीय काव्य का प्रसिद्ध **मलय** पर्वत है। **मलयालम्** उन लोगों की भाषा है जो पहाड़ों के रहनेवाले थे। **मलइ** आदि शब्दों का सम्बन्ध **वर्** क्रिया के मूल अर्थों से है, यह तथ्य द्रविड़ भाषाओं की सम्बद्ध शब्दावली से प्रमाणित है। कन्नड़ **मलकु** (मोड़); **मल्लणि** (मुड़ना, इधर-उधर घूमना); तेलगू **मलागु** (टेढ़ा होना, घूमना); **मलापु** (वापस लौटना); **मलाचु** (मोड़ना); **मलयु** (घूमना, ऐंठना); कन्नड़ **मलगु, मलंगु** (झुकना); तमिल **मऴइ** (वर्षा, जल); **मर** (ढकना); **मरइप्पु** (पर्दा); तेलगू **मॉरागु** (धोखा, धोखा देना, धोखा देनेवाला); तमिल **मरि** (झुकना, लहर की तरह उठना, इधर-उधर चलना); **मरुगु** (चक्कर खाना, घूमना); **मरम्** (युद्ध); **मरवन्** (पहाड़ी प्रदेश का निवासी, योद्धा, दुष्ट); **मरुगु** (गली) आदि में **मर्, मल्, मऴ्, मॉर्** क्रियाओं से वैसे ही अर्थ सम्बद्ध हैं, जैसे **वर्** और **पर्** से।

पुराणों में विख्यात एक पर्वत का नाम **मन्दर** था, दूसरे का **मेरु**। दोनों की आधारभूत क्रिया होगी **मन्, मर्**। लैटिन **मुन्दुस्** का एक अर्थ है संसार, दूसरा नारी के वस्त्र। दुनिया गोल है, गोल होने से उसे **मुन्दुस्** कहा गया; वस्त्रों को शरीर पर लपेटा जाता है, उनसे शरीर ढँका जाता है, अत: वे भी **मुन्दुस्** हुए। जैसे **उन्द** से

**उद**, वैसे ही **न्** के लोप होने पर **मुन्द** से **मुद**। संस्कृत **मुद्रा** में **मुद्** का चक्र गति वाला भाव है। **मुद्रा** का वेल्श प्रतिरूप है **मॉड्रुइ** (अंगूठी)। पहाड़ के लिए लैटिन शब्द है **मॉन्स्**। **मॉन्स्** और **मन्दर** एक ही **मन्** क्रिया से बने हैं। अंग्रेज़ी **माउंटॅन्** (पहाड़), **माउंड्** (टीला) का आधार **मन्** क्रिया है। अंग्रेज़ी **माउंड्** का एक अर्थ सोने की गेंद है जो धरती या मृकुट का प्रतीक होती है। लैटिन **मुन्दुस्** की तरह यहाँ गोलाकृति वाला भाव बना हुआ है। जैसे संस्कृत **मुद्रा** शब्द **सिक्कों** का अर्थ देने लगा, वैसे ही लैटिन **मॉनेत** का अर्थ है सिक्के, जिससे अंग्रेज़ी **मनी** (रुपया पैसा) बना। लैटिन **मॉर** (रुकावट), **मोतॉ** (चलते रहना), **मोतुस्** (गति), **मोस्** (चलन, राह) इसी श्रृंखला के शब्द हैं।

संस्कृत **श्रृंग** का अर्थ सींग है, पहाड़ की चोटी भी। कारण है **सर्** क्रिया से सम्बद्ध वक्रता, ढलान का भाव। **भृग** का वेल्श प्रतिरूप **कॉर्न्** (सींग) है और **क्रुग्** (पहाड़ी)। अंग्रेज़ी **क्रैग्** (पहाड़ी) वेल्श **क्रुग्** का प्रतिरूप है। वेल्श **क्रुन्** (गोल), **क्रुइद्रॉ** (घूमना), **क्रिमु** (झुकना), **कोर्दि** (घुमाना, मथना), **कॉर्नन्त्** (झरना), **कॉरुइन्त्** (चक्रवात) में **सर्** के सुपरिचित अर्थ निहित हैं। **कॉरुइन्त्** का पूर्वरूप होगा **कॉरुविन्द**। जो अर्थ अंग्रेज़ी **विन्ड्** का है, वही इस **विन्द** का। **कॉरुविन्द** का शब्दशः अर्थ होगा चक्रवात। अंग्रेज़ी **क्रुक्** (मुड़ना, धूर्त) में वक्रता का भाव है। संस्कृत क्रिया **मंथ्** का अर्थ मथना इसलिए है कि मथानी चक्रगति से घूमती है। **मंथ्** के **न्** का लोप होने पर **मथ्** वैकल्पिक रूप बना।

जैसे **विंश** के **वि** का पूर्वरूप **भि** था, वैसे यह बिलकुल सम्भव है कि **पर्** क्रिया का पूर्वरूप **भर्** हो। संस्कृत क्रिया **भ्रम्** घूमने, चक्कर लगाने का अर्थ देती है। कृदन्त रूप **भ्रम** को मूल क्रिया बनाया गया है। **भ्रम** की आधारभूत क्रिया है **भर्**। **भ्रम्** से जैसे **भ्रमर** शब्द बनता है, वैसे ही **भर्** से **भ्रमर** का अर्थ देनेवाला संस्कृत का **भृङ्ग** शब्द बनता है। जैसे **सर्** (शर्) से **श्रृङ्ग**, वैसे ही **भर्** से **भृङ्ग**। जैसे **श्रृंग** के लिए **श्रम्** क्रिया की कल्पना व्यर्थ है, वैसे ही **भृङ्ग** के लिए **भ्रम्** क्रिया की कल्पना व्यर्थ है। **भ्रू** (भौंह) में यही **भर्** क्रिया है; **भ्रू** का सम्बन्ध भी **भ्रम्** क्रिया से जोड़ा गया है जो अनावश्यक है। **भ्र** में जो वक्रता का भाव है, वह **भ्रम्** क्रिया को आधार मानने से स्वीकृत हुआ है।

**भर्, भो, भन्** आदि क्रियामूलों से संस्कृत के अनेक शब्द बने हैं जिनके अर्थ मिलते-जुलते हैं। **भंज्** का अर्थ तोड़ने के अलावा मोड़ना भी है। **भंग** का अर्थ है मोड़, धूर्तता, बोलने का घुमावदार ढंग। **भंग सर्प** विशेष का नाम भी है। **भुज्** (झुकाना, मोड़ना), **भुज, भुजा** (लपेट, बाँह), **भोग** (लपेट, सर्प), **भृगु** (ढलान) परस्पर सम्बद्ध शब्द हैं। **भृगु** (ढलान) का पूर्वरूप होगा **भर्ग**; इस **भर्ग** का रूपान्तर है जर्मन **बॅर्ग** (पहाड़)। संस्कृत **वंक** का पूर्वरूप है **भंग; पंगु** का मूल अर्थ होना चाहिए वक्र या विकृत आकार का प्राणी। **भंग** से **पंग, पंग** से **वंक** के विकास की

कल्पना की जा सकती है। **पन्** जैसा रूप कभी प्रचलित था, इसकी कल्पना लैटिन क्रिया **पन्दो** से होती है जिसका अर्थ है झुकना, मोड़ना। **पन्** में कृदन्त प्रत्यय **द** जोड़ा गया, तब **पन्द** रूप बना, उससे लैटिन क्रिया **पन्दो** की रचना हुई; **पन्** में कृदन्त प्रत्यय **ग** जोड़ा गया, तब **पंग** रूप बना, उससे संस्कृत **पंगु** की रचना हुई। **पंग** या **पंक** का रूपान्तर होगा **वङ्क**। **भंग, पंग, वंक** की शृंखला सूचित करती है कि **पर्** और **वर्** क्रियाएँ, **सर्** के अलावा, **भर्** का विकास भी हो सकती हैं। **वंक** का समानार्थी रूप है **वक्र** जिसमें **वर्** क्रिया है। जैसे **सर्** या **चर्** से पहले **सर्क** या **चर्क** रूप बना, फिर उससे **चक्र** का विकास हुआ, वैसे ही **वर्** से पहले **वर्क** रूप बना, फिर उससे **वक्र** का विकास हुआ। जैसे **वन्** से **वंक,** वैसे ही **क** के स्थान पर **च** जोड़ने से **वंच**। **वंच** को मूल क्रिया बनाकर अर्थ किया घूमना, भटकना, ठगना। **वंचक, वंचित** आदि में क्रिया का वही वक्र गति वाला भाव है।

संस्कृत की एक क्रिया **धूर्व्** है जिसका अर्थ है झुकाना, मोड़ना। एक अन्य क्रिया है **ध्वृ**। उसका भी यही अर्थ है। ऐसा लगता है कि **धुर्** या **धूर्** क्रिया से **धुर्व** या **धूर्व्** कृदन्त रूप बना; फिर उसे क्रियामूल मानकर **धूर्व्** और **ध्वृ** रूप रचे गए। संस्कृत द्वार का ग्रीक प्रतिरूप **थुर** है। यह **थुर** प्राचीन क्रिया **धुर्** से बना है। **धुर्** में जो वक्र गति का भाव है, वह संस्कृत **धूर्त** में सुरक्षित है। इसके अलावा संस्कृत **धुर**, हिन्दी **धुरी** वह लकड़ी है जिसके चारों ओर पहिया घूमता है। **ध्रुव** उस नक्षत्र को कहा गया जिसके चारों ओर समस्त नक्षत्र घूमते प्रतीत होते हैं। **धर** और **धारा** शब्दों की सिद्धि के लिए **धाव** (दौड़ना) या **धाव** (धोना) क्रिया की कल्पना अनावश्यक है। जैसे **सर्** से **सरिता** वैसे ही **धर्** से नदीवाचक **धारा**। **धारा** का अर्थ है पहिये की नेमि, पर्वत की चोटी, बगीचे के चारों ओर लगाई हुई बाड़। इन अर्थों का सम्बन्ध न तो दौड़ने से है, न धोने से, किन्तु वक्र गति से है। अतः **धुर्** के समानान्तर वक्र गतिसूचक **धर्** क्रिया की कल्पना करना युक्तिसंगत है। **धर्** की प्रतिरूप **धन्** क्रिया का चलन था, यह **धनु** (धनुष) से सिद्ध है। **धनु** में झुकने, मोड़नेवाला भाव स्पष्ट है।

**धर्** के वैकल्पिक रूप **धॉर्** से लैटिन और ग्रीक भाषाओं के **तॉर्** क्रियामूल का विकास हुआ। कारीगर अपना औजार घुमाता है, यह क्रिया लैटिन **तोर्नो** द्वारा व्यक्त होती है। ग्रीक **तॉर्नॉस्** बढ़ई का वह औजार है जिससे वह वृत्त बनाता है। स्पैनिश भाषा में **तोनरि्** का अर्थ है घुमाना। अंग्रेज़ी **टर्न** (मुड़ना, घुमाना) इसी शृंखला में है।

**धर्** और **धुर्** से **तर्** और **तुर्** जैसे रूपों का ही विकास नहीं होता, **सर्** और **सुर्** जैसे रूपों का विकास भी सम्भव है। संस्कृत **ध्वन** (ध्वनि) का आधार **ध्वन्** क्रिया है। संस्कृत **स्वन** का आधार **स्वन्** क्रिया है। जो अर्थ **ध्वन** का है, वही **स्वन** का है। **ध्वन** और **स्वन** का रूसी प्रतिरूप **ज़्वॉन्** है मानो यह दोनों के बीच की कड़ी हो। **धारा** जलवाचक शब्द है; जलवाचक **सर** का पूर्वरूप **धर** वैसे ही सम्भव है, जैसे **स्वन्** का पूर्वरूप **ध्वन** सम्भव है। तब **पर्** क्रिया का एक पूर्वरूप **भर्** हो

सकता है, दूसरा **सर्**; इस **सर्** का पूर्वरूप **धर्** हो सकता है। अतः **वर्** क्रिया का विकास **भर्** से सम्भव है, **धर्** से भी।

संस्कृत **पुर** का अर्थ है दुर्ग। किसी स्थान को घेरकर जो गोल दीवार बनाई जाए, वह **पुर** है। ऐसा घिरा हुआ सुरक्षित स्थान **पुर** है, **दुर्ग** है। **दुर्ग** रूप बनेगा **दुर्** क्रिया से; **दुर्** का पूर्वरूप होगा **धुर्** जिसके अर्थ हम ऊपर देख चुके हैं। **पुर** रूप बनेगा **पुर्** क्रिया से, **पुर्** का पूर्वरूप होगा **भुर्**। **भूंग, भ्रू** आदि में **भर्** या **भुर्** क्रिया है। किले की दीवार में जो गोल रक्षास्थान बनाया जाता है, वह अरबी में **बुर्ज** है। पुरानी जर्मन में **पुरग्** और **बुर्ग्** रूप थे जिनका अर्थ था दुर्ग, नगर। **पुर, पुरग्, बुर्ग्** उस नगर को कहेंगे जिसके चारों ओर दीवाल हो। ग्रामसूचक **पुर** इससे भिन्न है। लैटिन में **उर्ब्स** उस नगर को कहते थे जिसके चारों ओर दीवाल हो। स्पष्ट ही **पुर** के रूपान्तर **बुर** से इस **उर्ब्स** की रचना हुई है। **पुर, बुर्ग्, बुर्ज, उर्ब्स** का आधार **भुर्** है।

तमिल **अरण्** का अर्थ है दुर्ग। बरो और एमेनो ने संस्कृत **शरण** को इसका मूलरूप माना है। **शरण** में सुरक्षित स्थान का भाव तो है, दुर्ग वाला अर्थ क्षीण हो गया है। **शरण** का अर्थ दुर्ग था, यह तमिल **अरण्** से ज्ञात होता है। **शरण** की **शर्** क्रिया के प्रतिरूप **शल्** से **शाला** रूप बनेगा। **शाला** में घिरा हुआ स्थान, बाड़ा, दीवाल आदि अर्थ सुरक्षित हैं। **साल** (दीवाल, हाता), **साला** (घर) में **सल्** क्रिया है। **शल्, शर्, सल्, सर्** का पूर्वरूप **धर्** हो, यह सम्भव है।

**धर्** के समान एक क्रिया **घुर्** थी जिससे संस्कृत रूप **घूर्ण** बना। बंगला **घुरुनि** (घूमना), **घुरानो** (घुमाना), **घुरुने** (चक्रवात), सिन्धी **घोरारो** (फेरीवाला) में वही **घुर्** क्रियामूल है। हिन्दी **घूमना** का आधार **घूर्म** जैसा रूप हो सकता है, **घुम्** जैसा क्रियामूल भी। संस्कृत **घुंड** का वही अर्थ है जो **भ्रमर** का। **घुंड** की आधारभूत क्रिया होगी **घुण्, घुन्** या **घुम्**। **घुंड** का अन्य रूप **घंड** है। इस **घुंड** की आधारभूत **घन्** क्रिया को **घर्** का वैकल्पिक रूप मानना चाहिए। संस्कृत **घंस्** का अर्थ है बहना, धारा। यहाँ भी वही **घन्** क्रियामूल है। **झर्, क्षर्** आदि का मूल रूप **घर्** है, इसका उल्लेख पहले हो चुका है। **घ्** ध्वनि **ज़्** और **स्** में बदलती है, अतः **सर्** का पूर्वरूप **घर्** भी हो सकता है। संस्कृत **हिम** का मूल रूप **घिम** था, इसका **ज्ञान हिम** के ग्रीक प्रतिरूप **खॅइम** से होता है। **हिम** के रूसी प्रतिरूप **ज़िम** में **घ्** ध्वनि **ज़्** रूप में ग्रहण की गई है। **हिम** और **ज़िम** का कश्मीरी प्रतिरूप है **शीन्**। **ज़्** ध्वनि अघोष होकर **स्** बनी, फिर **ई** स्वर के संसर्ग से उसका तालव्यीकरण हुआ। अतः **घर्** से **सर्** के विकास की सम्भावना ध्यान में रखनी चाहिए।

हिन्दी **घिरना, घेरना** के समान यदि प्राचीन क्रिया **घर्** का व्यवहार **घेरने** के अर्थ में होता रहा हो तो हिन्दी **घर** से इसका सम्बन्ध जोड़ना आकर्षक लगेगा। किन्तु **घर** का सम्बन्ध अग्नि से, जलने से भी है। हिन्दी **घर** और संस्कृत **हर्म्य** का आधार अग्नि से सम्बद्ध **घर्** शब्दमूल है। मोनियर विलियम्स ने **हर्म्य** का सम्बन्ध **घृ** और

**घर्म** से ठीक जोड़ा है। उन्होंने सही सुझाव रखा है कि **हर्म्य** का मूल अर्थ अग्निस्थान था। संस्कृत **गृह** की व्याख्या भी इसी प्रकार सम्भव है। **गृह** का **गृ** अग्निवाचक है, जैसे **ग्रीष्म** का **ग्री** ऊष्मा का सूचक है। **गृ** और **ग्री**, दोनों का आधार था **घर्**। **गृह** का पूर्वरूप होगा **गृध; गृध** उस स्थान को कहेंगे जहाँ अग्नि रखी जाए।

किन्तु संस्कृत **अगार, आगार** का आधार घेरने का अर्थ देनेवाली **घर्** क्रिया हो सकती है। **अजिर** रूप भी उसी क्रिया से बनेगा। लैटिन प्रतिरूप **अगॅर्** (मैदान) का एक अर्थ घाटी भी है। इन सब रूपों में **अ** उपसर्ग है और वह निषेधात्मक न होकर अर्थघनत्व का सूचक है। **कारागार** दो शब्दों के मेल से बना है; **कारा** और **आगार** या **अगार**। दोनों का अर्थ होगा घिरा हुआ स्थान। दोनों का मूलभूत आधार होगी **घर्** क्रिया। तमिल **काप्पु** (हाता, किला, कारागार) में वही क्रिया है जो संस्कृत **कारा** में है। एक अन्य **घर्** (वहन करना) क्रिया की चर्चा आगे होगी।

कहना अनावश्यक है कि जहाँ भी **क्-त्-प्** या **ग्-द्-ब्** से आरम्भ होनेवाले समानार्थी शब्द मिलें, वहाँ यह कल्पना न करनी चाहिए कि मूल शब्द **व्** से आरम्भ होता था और उसमें अतिरिक्त व्यंजन जोड़कर समानार्थी रूप बनाए गए हैं, और न यह मानना चाहिए कि भारतीय आर्य भाषाओं में **क्व, क्या** जैसे रूप प्राप्त हैं, अत: **क** स्वतंत्र सर्वनाम मूल न था। भारतीय आर्य भाषाओं का **गरु** (संस्कृत **गुरु**) और ग्रीक **बरुस्** (भारी) एक दूसरे के प्रतिरूप हैं। इनका मूलरूप **वरु** नहीं है; **ग्-ब्** जोड़कर **ग्वरु, व्वरु** जैसे रूप नहीं बनाए गए। **बरुस्** का आधार **भर्** क्रिया है, वहन करने के अर्थ में, और **भर्** किसी **भ्वर्** का रूपान्तर नहीं है। संस्कृत में संज्ञा-रूप **भार** है; **गरु** के समान आर्य भाषाओं में **भरु** विशेषण नहीं है। ऐसा रूप प्रचलित था, इसका प्रमाण ग्रीक **अरुस्** है; ग्रीक रूप में आदि व्यंजन की महाप्राणता का लोप हो गया है, हिन्दी **भारी** में वह सुरक्षित है। **भर्** के समानान्तर यहाँ **घर्** क्रिया प्रचलित थी; उससे **घरु** विशेष बना। जैसे **भर्** से **बरु**, वैसे ही **घर्** से **गरु**। किन्तु भाषाविज्ञानी कहते हैं कि **गरु** और **बरु** का आदि व्यंजन मूलत: एक था—**ग्व्**। यह **ग्व्** अन्तस्थ **व्** में स्पर्श **ग्** जोड़ने से नहीं बना; वह भाषाविज्ञानियों के कल्पित **क्व**-वर्ग की ध्वनि है, ग्रीक ने **व्** लिया और उसे **ब्** बनाया, संस्कृत ने **व्** छोड़ा, **ग्** से सन्तोष किया। ग्रीक **बरुस्** का सम्बन्ध उन्होंने संस्कृत **भर्** से नहीं जोड़ा, क्योंकि संस्कृत ध्वनि **भ्** की ग्रीक प्रतिध्वनि **फ्** है, यह नियम खंडित होता था। **घर्** क्रिया से **गरु** का सम्बन्ध कल्पनातीत था।

वेल्श में **करिऑ** क्रिया का अर्थ है वहन करना। **करिऑ** और अंग्रेज़ी **कैरी** का आधार है प्राचीन **घर्** क्रिया। **घर्** और **भर्**, दोनों क्रियाएँ गर्भ धारण करने, बच्चे को जन्म देने और उसका पालन करने से सम्बद्ध हैं। वेल्श में **गर्भ** के लिए दो शब्द हैं : **क्रॉथ्** और **ब्रु**। इनका मूल आधार **घर्** और **भर्** क्रियाएँ हैं। अंग्रेज़ी **मिस्कैरिज** (गर्भपात) में **कैरी** का गर्भ धारण वाला भाव विद्यमान है। **घर्** के रूपान्तर

**गर्** से जैसे **गरु** विशेषण बना, वैसे ही **गर्** में **भ** प्रत्यय जोड़कर **गर्भ** बना। **गर्भ** का ग्रीक प्रतिरूप **दॅल्फुस्** है। इसका आधार **धर्** (या **धृ**) क्रिया है। **भर्** के समान **धर्** का अर्थ भी वहन करना, पोषण करना है। जैसे **गर्** से **गर्भ** बना, वैसे ही **धर्** के रूपान्तर **दर्**—ग्रीक प्रतिरूप **दॅल**—से **दॅल्फुस्** बना। **गर्** से संस्कृत में भाववाचक संज्ञा **गर्व** बनी, वैसे ही **दर्** से गुरुत्वसूचक संज्ञा **दर्प** बनी। भारतीय **गरु** और ग्रीक **बरुस्** एक दूसरे के प्रतिरूप हैं; संस्कृत के **गर्व** और **दर्प** भी एक दूसरे के प्रतिरूप हैं। अति प्राचीनकाल में **घर्** और **धर्** क्रियाओं का व्यवहार होता था; फिर इनके रूपान्तर **गर्** और **दर्** का चलन भी हुआ। **भर्** के रूपान्तर **फॅर्** और **बर्** ग्रीक भाषा में पहुँचे; संस्कृत में **भर्** और **धर्** क्रियाएँ सुरक्षित रहीं; **घर्** क्रिया वहन करने के अर्थ में लुप्त हो गई, इसलिए कि आर्य भाषा-केन्द्रों में **घ्**-क्षेत्र उत्तर में था और आर्येतर गणों, विशेषत: द्रविड़ों से सर्वाधिक प्रभावित हुआ था। स्वाभाविक है, **घर्** के रूपान्तर **कर्** के आधार पर द्रविड़ भाषाओं में **गर्भ** आदि के प्रतिरूप बने हों। तमिल **करु** (भ्रूण), **करुप्पइ** (गर्भ), **करुवम्** (भ्रूण), तेलगू **करुवु** (उप.) संस्कृत **गर्भ** से ही अपना सम्बन्ध सिद्ध नहीं करते, वे यह भी प्रमाणित करते हैं कि **घर्** क्रिया का प्रतिरूप **कर्**—वेल्श **करिऑ**—केल्त भाषाओं में द्रविड़ प्रभाव से पहुँचा है।

**भ्रूण** में **भर्** क्रिया की वही भूमिका है जो **गर्भ** और **करुप्पइ** में **घर्** की है। वहन करने से भार और बड़प्पन के भाव सम्बद्ध हैं। इस कारण **घर्** से एक ओर गुरुत्वसूचक **घर** बना। जिसके रूपान्तर **गरु** और **गुरु** हैं, दूसरी ओर कन्नड़ **कर, करु** बने जिनका अर्थ है गुरुत्व, समृद्धि और शक्ति। **करु** से तमिल **करुमइ** (गरिमा, शक्ति) रूप बना। जैसे **गरु** में स्वर सामंजस्य उत्पन्न करके संस्कृत रूप **गुरु** बनाया गया, वैसे ही **करु** का संस्कृत रूप **कुरु** हुआ। **कुरु** (योद्धा, युवा, पुत्र) की व्याख्या **घर्** की रूपान्तर **कर्** क्रिया से बहुत अच्छी तरह हो जाती है। पुरानी आइरिश के **कुर्, कउर्** (वीर) भारतीय **कुरु** के प्रतिरूप हैं। अंग्रेज़ी **चाइल्ड** (बच्चा) का पुराना रूप **किल्द**, गौथिक **किल्थॅइ** (गर्भ), वेल्श **क्रॉथ्** (गर्भ), पुरानी आइरिश का **क्लन्द्** (बच्चे), तमिल **कऴन्दइ** (बचपन), **कुऴ** (तरुण), पंजाबी **कुड़ी** (लड़की) संस्कृत **कुरु** से सम्बद्ध हैं। वेल्श **क्रुथ्** (समूह), **कुर्द्** (सभा), अंग्रेज़ी **क्राउड्** (भीड़) में **कुरु** का गणवाचक अर्थ निहित है। पुरानी फ़ारसी का **कॉरॅ** (सेना), पुरानी आइरिश का **कॉरॅ** (उप.), लिथुआनियन **करस्** (युद्ध) मूल क्रिया **घर्**—उसके रूपान्तर **कर्**—से वैसे ही सम्बद्ध हैं, जैसे संस्कृत **भर** (युद्ध) की मूल क्रिया **भर्**—उसके रूपान्तर **पर्**—से तमिल **पॉरु** (लड़ना), **पोर्** (युद्ध) सम्बद्ध हैं। **पर्** से **परु** रूप बना, फिर स्वर-सामंजस्य के लिए वह **पुरु** में परिवर्तित हुआ, जैसे **गरु** रूप **गुरु** में परिवर्तित हुआ। **कुरु** और **पुरु** के समान **तुर्वस, तुर्वसु** प्राचीन गणवाचक भारतीय शब्द हैं। संस्कृत में **तुर्, त्वर्** का अर्थ है जीतना, परास्त करना; **तुर्** का अर्थ है शक्तिशाली। जैसे भारतीय **शक** शब्द शक्तिशाली विदेशी गण-समाजों के लिए प्रयुक्त हुआ, वैसे

ही **तुरुक, तुरक, तुरुष्क, तुरष्क** आदि शब्द विदेशी गणों के लिए प्रयुक्त हुए। वेल्श **तुर्** (समूह), तमिल **तुरु** (उप.), मलयालम **तुरुक** (उप.), कन्नड़ **तुरुग** (उप.) में **तुरु** का गणवाला अर्थ वैसे ही निहित है, जैसे **कुरु** से सम्बद्ध शब्दावली में। जैसे **कुरु** की आधारभूत मूल क्रिया **घर्** है, वैसे ही **तुरु** की आधारभूत मूल क्रिया होगी **धर्**। अवधी (छत्तीसगढ़ी) **टूरा** (बच्चा) का सम्बन्ध **तुरु** से है। वेल्श **प्लॅन्तिन्** (बच्चा) का सम्बन्ध **पुरु** से है। आइरिश **क्लन्द** (बच्चा) का सम्बन्ध **कुरु** से है। **कुरु-पुरु-तुरु** की आधारभूत क्रियाएँ हैं **घर्-भर्-धर्**।

वेल्श **बुइड्रॉ** (लड़ना), **ब्रुइद्र** (युद्ध), **ब्रुइद्वुर्** (योद्धा), **बुर्** (शक्तिशाली), **बुरु** (मारना), **ब्रेइर्** (अभिजात), **ब्रि** (गौरव), **ब्रु** (गर्भ), **ब्रगद्** (सेना, युद्ध, सन्तान)—ये सब एक ही गोत्र के शब्द हैं और इनका आधार **भर्** क्रिया है। **बगद्** रूप में युद्ध और सन्तान के दोनों अर्थ निहित हैं। रूसी में **बॅरॅमॅनेत्** (गर्भवती होना), **बॉरोत्स्य** (लड़ना), **बॉर्ब** (संघर्ष), **बॅरॅच्** (रक्षा करना), पुरानी जर्मन में **बर्म** (गर्भ), अंग्रेज़ी और गेलिक में **बैर्न्** (बच्चा), अंग्रेज़ी में **बॅअर्** (वहन करना), **बर्थ्** (जन्म), तमिल में **पॉरु** (लड़ना), अंग्रेज़ी में **वार्** (युद्ध)—ये समस्त रूप प्राचीन क्रिया **भर्** की शृंखला में हैं।

द्रविड़ भाषाओं में **पॅर्, पॅद्, पॅन्** जैसी क्रियाएँ प्रचलित थीं जिनका अर्थ था जन्म देना। तमिल **पॅरु** (जन्म देना), **पेरु** (शिशु का जन्म), **पिर्** (पैदा होना), **पॅरॅवन्** (पिता) का आधार **पॅर्** क्रिया है। **पॅर्** के प्रतिरूप **पॅन्** से तमिल **पॅण्** (लड़की, नारी) जैसे शब्द बने। पुरानी आइरिश का नारीवाचक शब्द **बॅन्** तमिल **पॅण्** का प्रतिरूप है। अरबी का **बिन्** (पुत्र) इसी शब्दक्रम में स्मरणीय है। द्रविड़ भाषा कोत में **पॅड्** (नारी), कोलमि में **पॅद्द** (पुरुष) हिन्दी के **बेटा, बेटी** से तुलनीय हैं।

वेल्श भाषा में **कुम्** का अर्थ है घाटी; **कुमन्** का अर्थ है झुकाव, **कुम्पस्** का अर्थ है गोल। **कुम्** का पूर्वरूप था **कुभ्;** यह वक्र गति सूचित करनेवाली क्रिया थी। इससे संस्कृत में नदी विशेष का **कुभा** नाम पड़ा जिसके किनारे काबुल नगर बसा हुआ है। लैटिन **कूबॉ** का अर्थ है ढलान। ग्रीक क्रिया **कुप्तो** का अर्थ है आगे की ओर झुकना, **कूफॉस्** का अर्थ है झुका हुआ। **कुप्तो** के **कुप्** और **कूफॉस्** के **कूफ्** का आधार **कुभ्** है। स्लाव प्रदेशों की **कुबान्** नदी, **कुभा** के समान, **कुभ्** क्रिया से सम्बद्ध है। संस्कृत **ककुभ** में शब्द के आदिस्थानीय व्यंजन की आवृत्ति हुई है। **ककुभ** का एक अर्थ पर्वत है, दूसरा वाद्ययंत्र का मुड़ा हुआ **काठ**। इससे तुलनीय है ग्रीक **कुफोन्** जिसका अर्थ है मुड़ा हुआ **काठ**। संस्कृत **कुब्ज**, हिन्दी **कूबड़, कुबड़ा** का आधार वही **कुभ्** है। संस्कृत कोशों एक शब्द **कुम्प** मिलता है जिसका अर्थ है टेढ़ी बाँहों वाला। यहाँ **कुभ्** की **भ्** ध्वनि **म्** में परिवर्तित हुई है, वेल्श **कुम्** की तरह।

अब भारतीय द्रविड़ और केल्त भाषाओं के **द्रुइद्** शब्दों की समानता पर विचार किया जाए। **द्रुइद्** का अर्थ है जादूगर; पुरानी आइरिश में यह कर्ताकारक का बहुवचन

रूप है, एकवचन रूप **ड्रुई** है। **ड्रुइद्** के **द्** का लोप होने से **ड्रुई** रूप बना है; **ड्रुइद्** एकवचन रूप ही था, यह **थुर्नेसॅन** की व्युत्पत्ति से स्पष्ट है : **ड्रु + विद = ड्रुइद्**। केल्त समुदाय की भाषाओं में **विद्** क्रिया का व्यवहार व्यापक रूप से होता था, अतः यह व्युत्पत्ति विश्वसनीय है। उत्तर भारत की अनेक भाषाओं के समान पुरानी आइरिश में वर्ण-संकोच की प्रवृत्ति है; **ड्रु** का पूर्वरूप **दरु, दॅरु** हो सकता है। लैटिन में **ड्रुइदॅस्** रूप केल्त भाषाओं से पहुँचा है; फ्रांस में रहनेवाले केल्त जनों के गुरु, पुरोहित आदि के लिए यह शब्द प्रयुक्त होता था। जैसे **मग** ईरानी जनों के पुरोहित और ऋषि थे, किन्तु **मग** से जादू का सम्बन्ध जुड़ गया और अंग्रेज़ी का **मैजिक** शब्द बना, वैसे ही **ड्रुइद्** का मूल अर्थ था ज्ञानी, गुरु; फिर वह शब्द जादूगर के लिए प्रयुक्त होने लगा।

यदि **ड्रु** का आधार **दर, दॅर** जैसा शब्द हो तो उसका पता लगाने में पुरानी आइरिश के **दॅर्ब्‌ दॅर्बअॅ, दॅर्‌बॅ** (सुनिश्चित) रूपों से सहायता मिलती है। इनमें क्रियामूल **दॅर्** है जिससे मिलता-जुलता वेल्श रूप **तेर्** (स्पष्ट, शुद्ध) है। इसकी तुलना करनी चाहिए तमिल **तॅरि** (दिखाई देना, जानना), कन्नड़ **तॅर** (स्पष्ट या प्रकाशित होने की स्थिति) से। वेल्श **तेर्**, आइरिश **दॅर्**, तमिल **तॅरि** का अर्थ मिलता-जुलता है। भारत में ज्ञान उसे कहते हैं जिसकी खोज मनुष्य स्वयं करे, जिसे वह स्वयं देखे और पहचाने। तमिल **तॅरि** से संज्ञा-रूप बना **तॅरिवु** (ज्ञान, विवेक)। **दॅरविद्**, **तॅरविद्** का अर्थ होगा ज्ञानी, ऋषि, **वेदविद्** के समान।

संस्कृत की **दृश्** क्रिया का आधार **दिर्** है, वर्ण-संकोच से **दृ**, कृदन्त रूप **दृश**, पुनः क्रिया-रूप **दृश्**। अंग्रेज़ी **ड्रीम्** संज्ञा और क्रिया, दोनों है। उसका आधार वही **दिर्** क्रिया है। इस प्राचीन **दिर्** का प्रतिरूप है तमिल **तॅरि**। द्रविड़ का पूर्वरूप हुआ **दॅरविद्, दॅर** का अर्थ हुआ दर्शन, ज्ञान; द्रविड़ रूप **विद्** के **द्** के मूर्धन्यीकरण से बना; **विड़** ने **विद्** क्रिया को प्रच्छन्न कर दिया। **द्रविड़** का मूल अर्थ हुआ ज्ञानी, ऋषि, पुरोहित। **आन्ध्र** के समान **द्रविड़**, अपने अर्थ से विलग होकर, दक्षिण पहुँचा। किन्तु संस्कृत की भाषाई, दार्शनिक, साहित्यिक परम्परा में द्रविड़ शब्द का ज्ञान से प्रत्यक्ष सम्बन्ध नहीं रह गया, इसके महत्त्वपूर्ण कारण हैं।

यहाँ ज्ञान की दो परम्पराएँ थीं : एक आप्तवाक्यमूलक, दूसरी विवेचनामूलक ऋषियों ने जो कहा है, वह सत्य है, इस आस्था के अनुरूप ज्ञान का प्रतीक शब्द हुआ **वेद**। मनुष्य अपने विवेक से, संसार के प्रपंचों का विवेचन करके ज्ञान प्राप्त करता है। इस दृष्टिकोण के अनुरूप ज्ञान का प्रतीक शब्द हुआ **थेर**। बौद्ध साहित्य में **थेर, थेरवाद** शब्द प्रचलित हैं। **थेर** शब्द को संस्कृत **स्थविर** का रूपान्तर माना गया है। बौद्ध धर्म के अन्तर्गत अनेक मत हैं; उनमें एक **थेर** है। **स्थविर** तो सभी बौद्ध मतों में थे; किसी एक मत से उनका सम्बद्ध जोड़ना आश्चर्यजनक है। **थेरवाद** की विशेषता यह थी कि वह विवेक, विवेचन-पद्धति को ज्ञान का आधार

मानता। इसीलिए उसका अन्य नाम **विभज्जवाद** था। **विभज्ज** अर्थात् **विभाजन** करके भले-बुरे की पहचान करना **विभज्जवाद** है। इस तरह के ज्ञान का **स्थविर** शब्द से कोई सम्बन्ध नहीं है किन्तु तमिल **तॅरि** से उसका भरपूर सम्बन्ध है। **तॅरि** शब्द का अर्थ दिखाई देना, जानना के अतिरिक्त विभाजन करना, विवेचन करना, सुनकर ज्ञान प्राप्त करना भी है। ज्ञान-प्रक्रिया से सम्बद्ध होने के कारण **तॅरि** का अर्थ लिखना, व्याख्या करना भी है। यदि इस शब्द के आधार पर **तॅरिवाद** जैसा पारिभाषिक शब्द बनाया जाए तो उसकी वही व्यंजना होगी जो **थेरवाद** की है। **तॅरि** और **थेर** (सम्भवत: **थॅर**) को सम्बद्ध मानना चाहिए। इस स्थापना के लिए अन्य आधार भी हैं।

ग्रीक क्रिया **थॅओरॅओ** का अर्थ है देखना। संस्कृत में देखने के लिए सामान्य क्रियाएँ **पश्** और **दृश** हैं, **थ्** या **ध्** व्यंजन से आरम्भ होनेवाली संस्कृत की कोई ऐसी क्रिया नहीं है जिसे **थॅओरॅओ** का प्रतिरूप कहा जा सके। ग्रीक भाषा में जहाँ महाप्राण ध्वनि हो, वहाँ यह सम्भावना बनी रहती है कि भारतीय आर्य भाषाओं में उसका प्रतिरूप होगा और इस प्रतिरूप में सघोष महाप्राण ध्वनि होगी। जैसे ग्रीक **अन्थ्रोपोस्** का कोई भारतीय प्रतिरूप भाषाविज्ञानियों ने नहीं बताया किन्तु वह **अन्ध्र, आन्ध्र** शब्दों से सम्बद्ध है, वैसे ही उन्होंने **थॅओरिओ** का कोई प्रतिरूप नहीं बताया किन्तु वह **पालि थेर** (अथवा **थॅर**) से सम्बद्ध है। **थॅर, थॅओरिओ** की आधारभूत भारतीय क्रिया होगी **धिर, थॅर**। ऐसी क्रिया यहाँ प्रचलित थी। इससे **धीर** शब्द बना। संस्कृत में दो भिन्न **धीर** हैं। एक **धीर** का अर्थ है धैर्ययुक्त; इसका सम्बन्ध स्थिरता के भाव से हैं। दूसरे **धीर** का अर्थ है बुद्धिमान, ज्ञानी। **बुद्ध** का एक नाम **धीर** है, उनकी विशिष्ट ज्ञानपद्धति के कारण। इस **धीर** को **धी** (सोचना) से व्युत्पन्न माना गया है। **धी** स्वयं **धिर्** का वैकल्पिक रूप वैसे ही है, जैसे **वर्** का वैकल्पिक रूप **वा** है। जैसे ऊपर विवेचित **विर्** क्रिया से **वीर** शब्द बना, वैसे ही **धिर्** से **धीर** बना। जैसे **आन्ध्र** का एक ग्रीक प्रतिरूप महाप्राण ध्वनि वाला **अन्थ्रोपोस्**, दूसरा अल्पप्राण ध्वनिवाला **अन्द्रॉस्**, उसी प्रकार **धिर्** क्रिया का एक भारतीय प्रतिरूप **थिर्** था, दूसरा **दिर्**। **दिर्** का सम्बन्ध **दृश** से है, **थिर** का **थेर** से। पालि **थेर** के समान और तमिल **तॅरि** के समान, ग्रीक **थॅओरॅओ** का अर्थ चिन्तन करना भी है। अंग्रेज़ी **थ्योरी** (सिद्धान्त) का आधार यही क्रिया है। जैसे **दिर्** के आधार पर अंग्रेज़ी **ड्रीम्** (स्वप्न) रूप बना, वैसे ही **थॅओर** के आधार पर ग्रीक रूप **थॅओरेम** (दृश्य) बना। थे **थॅओरेम** का अर्थ चिन्तन का विषय, चिन्तन का निष्कर्ष अर्थात् सिद्धान्त भी है।

संस्कृत में एक शब्द **धिषण** है जिसका अर्थ है ज्ञान, ज्ञानी, गुरु, बुद्धिमान, वाणी। इसके लिए **धिष्** क्रिया की कल्पना की गई है। **धिष्** का पूर्वरूप होगा **धिस्** और इसका **स्, धिर्** के **र्** का ही विकल्प है। एक क्रिया **ध्यै** मानी गई है जिससे **ध्यायति** क्रिया-रूप बनता है, **ध्या** (चिन्तन), **ध्यान** आदि संज्ञा-रूप। ग्रीक **थॅओरॅओ**

में भी किसी वस्तु का ध्यान करने का भाव निहित है। **धी** (चिन्तन करना; ध्यान; चिन्तन; बुद्धि), **ध्यै, धिष्,** अनुमानित क्रिया **धिर्** परस्पर सम्बद्ध हैं। ये क्रियाएँ ध्यान, चिन्तन आदि के लिए संस्कृत में प्रयुक्त होती रहीं, किन्तु **थॅर्, थिर्, थेर** रूप अवैदिक ज्ञान परम्परा से सम्बद्ध हो गए।

केल्त भाषाओं के **ड्रुइद्** की व्युत्पत्ति **विद्** क्रिया के आधार पर की गई है। इससे द्रविड़ शब्द की व्युत्पत्ति और उसका मूल अर्थ समझने में सहायता मिलती है। यहाँ उल्लेखनीय है कि तमिल भाषा का कोई अपना शब्द न तो **द्** जैसी सघोष ध्वनि आरम्भ होता है, न उसके आरम्भ में **द्-र्** जैसे दो संयुक्त व्यंजन आ सकते हैं। किन्तु द्रविड़ शब्द तमिल **तॅरि** से सम्बद्ध अवश्य है और यह **तॅरि** ज्ञान की विवेचनात्मक परम्परा वाले पालि **थेर** से। इन्हीं से सम्बद्ध हैं वेल्श **तॅरु** (स्पष्ट करना), **तेर्** (स्पष्ट), **दॅअल्** (समझना)। आइरिश **ड्रुइद्** के वेल्श प्रतिरूप **देरुइद्** में **दॅर्** क्रियामूल स्पष्ट है।

वेल्श में **दॅर** का अर्थ राक्षस है। राक्षस मायावी कहे जाते थे; वेल्श **दॅरुइद्** जादूगर थे। **दॅर** और **दॅर्** सम्बद्ध रूप हैं। अर्थ-विस्तार की दृष्टि से वेल्श भाषा का **अन्द्रस्** (शैतान) रूप तुलनीय है; इसका आधार **आन्ध्र** शब्द है। **द्रविड़** और **आन्ध्र,** दोनों से सम्बद्ध रूप राक्षसों का अर्थ देने लगे। वेल्श में **दॅर्** क्रिया के प्रथम व्यंजन को अघोष करने पर **तॅरु** (स्पष्ट करना, शुद्ध करना), **तेर्** (स्पष्ट, विशुद्ध) रूप बने, साथ ही भारतीय **दृश्** के आधार पर वेल्श में **द्रिख्** (दृश्य, दर्पण), **द्रिख़वॅदुल्** (विचार, कल्पना), **द्रिख़िऑलअॅथ्** (प्रेत, मिथ्या प्रतीति) रूप बने। देखने की क्रिया से वास्तविक और मिथ्या प्रतीति, ज्ञान और माया, दोनों का सम्बन्ध है। लैटिन **दीवीनो** का अर्थ है भविष्य देखना, भविष्याणी करना। अंग्रेज़ी क्रिया **डिवाइन** इसी के आधार पर बनी है और उसका अर्थ भी वही है। वेल्श **दॅउइन्** का अर्थ है भविष्य-वक्ता, जादूगर; **दॅउइनॅस्** का अर्थ है डायन। देवों-देवियों से जो बात करता था, वह भविष्य बताता था; इस तरह भारतीय **दिव्** क्रिया के आधार पर अर्थ-विस्तार करते हुए लैटिनो **दीवीनो,** वेल्श **दॅउइन्** रूप बने। जैसे **देव** शब्द ईरानी क्षेत्र में दानव का अर्थ देने लगा, वैसे ही वेल्श **देउइनॅस्** का अर्थ हुआ डायन। हिन्दी **डायन** भी, वेल्श **दॅउइनॅस्** के समान, देवी-देवता से सम्बद्ध है।

**धॅर्, धिर्** के रूपान्तर **दॅर्, दिर्** से वेल्श **दॅरुइद्,** आइरिश **ड्रुइद्,** भारतीय **द्रविड़** शब्द बने। मूल अर्थ था ज्ञानी, विवेचक, गुरु; गौण अर्थ हुआ जादूगर। भारत में **द्रविड़** शब्द का अर्थ लुप्त हो गया।

केल्त भाषाओं के अध्ययन से अनेक भारतीय शब्दों के अर्थतत्त्व के विवेचन में सहायता मिलती है।

मगध के **मग** के समान अवध का **अव** भी गणवाचक होना चाहिए। वेल्श **अब्, अप्** भारतीय **अब** का रूपान्तर हैं। अर्थ है पुत्र। केल्त भाषाओं में **मक्** के

समान इसे भी पिता के नाम के साथ जोड़ा जाता है। पुरानी आइरिश में **आउअॅ** (नाती) का आधार, थुर्नेसॅन के अनुसार, **अविऑ** था जिसका सम्बन्धकारक रूप प्राचीन **ओगम्** अभिलेखों में **अवि, अव्‌वि** था। यहाँ मूल शब्द **अव्** और वेल्श **अप्** का सम्बन्ध देखा जा सकता है। हिन्दी क्षेत्र में इस शब्द का अर्थ लुप्त हो गया है किन्तु नाग-परिवार की **गलोङ्** भाषा में **अन्ना** का अर्थ है पुत्र। जैसे **लोगबाग** के **बाग** का अर्थ हिन्दी क्षेत्र में लुप्त हो गया है किन्तु नाग-परिवार की **मॉन्पा** भाषा में इसका अर्थ जन बना हुआ है और यह रूप बहुवचन बनाने के लिए प्रयुक्त होता है, यथा : **सोङ्ग बग्** (आदमी लोग)—वैसे ही **अव** का अर्थ **गलोङ्** में बना हुआ है। यही नहीं, यह गणवाचक शब्द नाग प्रदेश के एक प्रसिद्ध गण **आऑ** या **अऑ** के लिए प्रयुक्त भी होता है। लैटिन **अवुस्** (पितामह, पूर्वपुरुष) इसी शृंखला में है। जैसे तमिल **पॅण्** का अर्थ पुत्री और पत्नी, दोनों है। **मगन्** का अर्थ पुत्र और पति, दोनों हैं। वैसे ही **अव्** का मूल अर्थ जहाँ पुत्र है, वहाँ लैटिन में उसका अर्थ पितामह है। भारत में कई जगह दादा बड़े भाई को कहते हैं, पितामह को भी; संस्कृत **तात** पिता और पुत्र, दोनों के लिए प्रयुक्त होता था। लैटिन **अवुस्** का लघुतासूचक रूप **अवन्कुलुस्** है जिसका अंग्रेज़ी रूपान्तर **अंकल्** अब पंजाबी प्रभावित हिन्दी में **अंकल्‌जी** बनकर प्रतिष्ठित है। जैसे **मग** जनों का स्थान **मगध** कहलाया, वैसे ही **अव** जनों का स्थान **अवध** कहलाया।

### *(ग) रूपतंत्र*

इंडो-यूरोपियन परिवार की अनेक भाषाओं के समान पुरानी आइरिश, क्रियापद-रचना में, सर्वनाम-चिन्हों द्वारा कर्ता के पुरुष की सूचना देती है। इसके अतिरिक्त वह एक अतिरिक्त सर्वनाम चिन्ह जोड़कर उस सूचना को और पुष्ट करती है। **गुइद्मीनी** (हम प्रार्थना करते हैं)—यहाँ **मि** उत्तम पुरुष सर्वनाम की सूचना देने के लिए विद्यमान है; उस सूचना की पुष्टि हुई अतिरिक्त सर्वनाम चिन्ह **नी** से। पुरानी आइरिश क्रिया के बाद कर्ता सर्वनाम का व्यवहार इस प्रकार करती है : **इस्मे** (मैं हूँ); **इस् तू** (तू है)। क्रिया है **इस्**; उसके बाद सर्वनाम रूप **मे, तू** जोड़े गए। संस्कृत के **अस्मि** आदि रूप कैसे बने, यह केल्त भाषाओं की क्रियापद-रचना देखकर समझा जा सकता है। मगही-मैथिली और कोल भाषाओं के समान पुरानी आइरिश में क्रिया के साथ प्रयुक्त सर्वनाम-चिन्ह कर्ता और कर्म, दोनों की सूचना दे सकते हैं। **रॉ-म्-गब्**—उसने मुझे ग्रहण किया; **रॉ-ग्न-हीक्क्**—उसने हमें बचाया है; यहाँ **रॉ** उपसर्ग है, **म्** और **न्** कर्मसूचक सर्वनाम हैं। यहाँ कर्म क्रिया के पहले आया जैसे कि हिन्दी में आता है और अंग्रेज़ी में नहीं आता। **बॅइर्थ्-इ** (वह उसे ढोता है), **गॅग्न्-इ** (उसने उसे मारा)—यहाँ **इ** कर्मसूचक सर्वनाम है और, उक्त भारतीय भाषाओं के समान, क्रिया का अनुगमन करता है। **इ** सर्वनाम पुल्लिंग और नपुंसक लिंग के एकवचन रूपों में

प्रयुक्त होगा। **मोर्थ्-उस्** (उसे बड़ा करता है)—यहाँ **उस्** स्त्रीलिंग (एकवचन) का सूचक है। अनेक आर्य-द्रविड़ भाषाओं के समान—और अंग्रेज़ी से भिन्न—पुरानी आइरिश में क्रिया-रूप लिंग भी सूचित कर सकता है। **मोर्मुस्** (उन्हें बड़ा किया) में **उस्** बहुवचन है और तीनों लिंगों में अपरिवर्तित रहता है।

कर्मसूचक सर्वनाम क्रिया से पहले आता है, बाद को भी आता है, यह वाक्यतंत्र की दो भिन्न पद्धतियों के मिलन का परिणाम है। केल्त भाषाओं के वाक्यतंत्र में विधेय का स्थान पहले होता है, उद्देश्य का बाद को। इंडो-यूरोपियन परिवार की भाषाओं के अन्य समुदायों में क्रिया से आरम्भ होनेवाले वाक्य अपवाद मात्र रह गए हैं, सर्वत्र सामान्य नियम है उद्देश्य पहले, विधेय बाद को। केल्त भाषाओं का सामान्य नियम है विधेय पहले, उद्देश्य बाद को। थुर्नेसॅन ने पुरानी आइरिश की क्रियापद-रचना के प्रसंग में लिखा है कि क्रिया सदा वाक्य के आरम्भ में आती है। ध्वनितंत्र के प्रसंग में उन्होंने यह भी लिखा है कि जहाँ क्रिया वाक्य के अन्त में आती है, वह रचना-पद्धति पुरानी पड़ चुकी थी। वास्तव में यह पुरानी पड़ चुकी पद्धति न थी, वरन् एक भिन्न पद्धति थी जिसने पुरानी आइरिश को बहुत कम प्रभावित किया। **पठामि**—संस्कृत का यह क्रिया-रूप पूर्ण वाक्य है जिसमें क्रिया पहले है, कर्ता बाद को है। **अहं पठामि**—यहाँ भिन्न पद्धति के अनुसार कर्ता **अहम्** पहले है, **पठामि** के **मि** का अवमूल्यन हो चुका है। **ख़ूनिक्** (देखा), **मी** (मैंने), **कू** (कुत्ता)—गेलिक का यह वाक्य केल्त भाषाओं की सामान्य वाक्य-रचना पद्धति के अनुरूप है।

आयरलैंड, स्कॉटलैंड और वेल्स के निवासियों ने अपनी भाषाओं की रक्षा के लिए भगीरथ प्रयत्न किया है। आयरलैंड अंग्रेज़ों का उपनिवेश बन गया, स्कॉटलैंड और वेल्स एक ही राज्य के प्रदेश बन गए किन्तु आइरिश, गेलिक और वेल्श का वाक्यतंत्र अंग्रेज़ी पद्धति से स्वतंत्र रहा। मेरा अनुमान है कि हिन्दी के अनेक लेखक अंग्रेज़ी की वाक्य-रचना से जितना प्रभावित हैं, उतना उससे वेल्श-गेलिक-आइरिश बोलनेवाले सामान्यजन प्रभावित नहीं होते। स्वयं अंग्रेज़ों ने अपनी भाषा को लैटिन और फ्रांसीसी से जितना प्रभावित होने दिया है, उतना उनसे इन केल्त भाषाओं ने स्वयं को प्रभावित होने नहीं दिया। अंग्रेज़ी की उच्चस्तरीय—कभी-कभी सामान्य—सामाजिक-सांस्कृतिक शब्दावली लैटिन और फ्रांसीसी के सहारे बनी है; वेल्श ने ऐसी शब्दावली अपने भाषा-तत्त्वों से रची है। पारिभाषिक शब्दों के लिए वह ग्रीक-लैटिन का मुँह नहीं जोहती। ध्वनिशास्त्र के लिए ग्रीक **फोने** (ध्वनि) के आधार पर अंग्रेज़ी ने **फ़ोनेटिक्स्** शब्द बनाया किन्तु वेल्श ने अपनी क्रिया **सॅइनिऑ** के आधार पर **सॅइनॅग्** रूप बनाया। विभिन्न सामाजिक-प्राकृतिक विज्ञानों में यही स्थिति है। अंग्रेज़ी में **फिलॉसफ़ी** है तो वेल्श में **अथ्रानिऐथ्**; अंग्रेज़ी में **जिओलॉजी** है तो वेल्श में **दैअरॅग्**। जहाँ ग्रीक-लैटिन मूल का शब्द आया है, वहाँ बहुधा वेल्श मूल का शब्द भी उसके साथ प्रयुक्त होता है, जैसे

**ऐटम्** के साथ **ग्रॉनन्**। कहीं-कहीं शब्द एक से हैं किन्तु उच्चारण में अन्तर है; अंग्रेज़ी **बाल्** (गेंद) वेल्श में **पेल्** है।

हिन्दी तथा भारत की अधिकांश भाषाओं में अंग्रेज़ी के ऐसे पचीसों शब्द आ गए हैं जिन्हें अपढ़ लोग भी बोलते और समझते हैं। **डायरी, बिल्डिंग, केमिस्ट, सर्टीफिकेट, इंटरव्यू, जज, जंक्शन, लाइब्रेरी, लाइसेंस, रिवॉल्वर, रेलवे, प्लेटफार्म यूनिवर्सिटी, गवर्नमेंट, गवर्नर, कमीटी, इंजीनियर, डिनर, एडीटर, डायरेक्टर, कर्फ्यू** आदि के लिए वेल्श के अपने शब्द हैं। **क्रिसमस्** जैसे धार्मिक पर्व के लिए भी वेल्श का अपना शब्द है **नदॉलिग्**।

ब्रिटेन में हम भारतवासियों के सीखने के लिए अंग्रेज़ी के अलावा भी बहुत कुछ है। ब्रिटिश राज्य का अंग बन जाने पर भी वेल्स अपनी भाषा की जातीय विशेषताओं की रक्षा करता रहा है। स्वाधीन भारत के नागरिकों के लिए यह तथ्य कम शिक्षाप्रद नहीं है।

केल्त भाषाओं से भारत की प्राचीन आर्य भाषाओं का गहरा सम्बन्ध है। यह सम्बन्ध वैसा ही नहीं है, जैसा इन भाषाओं से अंग्रेज़ी का है। यूरोप में लैटिन-जर्मन समुदायों की भाषाओं का जैसा प्रसार आज है, वैसा सदा नहीं था। इनके वर्तमान क्षेत्र के बहुत बड़े भाग में पहले केल्त-स्लाव भाषाएँ बोली जाती थीं। इंडो-यूरोपियन परिवार के निर्माण में प्राचीन भारतीय भाषाओं की भूमिका किस कोटि की है, यह जानने के लिए यूरोप के उस मानचित्र को सामने रखना चाहिए जिसमें केल्त-स्लाव भाषाओं का पुराना व्यवहार-क्षेत्र साफ दिखाई देता हो। आर्य-केल्त-स्लाव—यह सब पूरब है, एशिया है। बरो ने पूरब से, ईरान से ग्रीक भाषा-समुदाय का सम्बन्ध पहचाना; ग्रीक के साथ केल्त-स्लाव जोड़ देने से यूरोप के भाषाई मानचित्र में बहुत छोटा क्षेत्र बचता है। यह क्षेत्र लैटिन और जर्मन समुदायों का है। यह पश्चिम है, यूरोप है। एक बार भारतीय आर्य, ईरानी, ग्रीक, बाल्तिक-स्लाव और केल्त समुदायों की एशियाई विशेषताएँ समझ में आ जाएँ तो लैटिन-जर्मन समेत यूरोप के समस्त भाषा-समुदायों की एशियाई पृष्ठभूमि दिखाई देने लगेगी। इस पृष्ठभूमि में निर्णायक भूमिका भारत की प्राचीन आर्य भाषाओं की है।

6

# ईरानी भाषा-क्षेत्र और भारत

## 1. पुरातत्त्व, सिन्धु घाटी, पुराणकथा

कहते हैं, आर्य लोग जब भारत आ रहे थे, तब पहले वे ईरान में रुके थे। उस समय तक भारतीय आर्य और ईरानी आर्य इंडो-यूरोपियन वृक्ष की एक ही शाखा थे। इस भारत-ईरानी शाखा के फल कहीं देखने को नहीं मिलते। ईरानियों की जो सबसे पुरानी पुस्तक है, वह 'ऋग्वेद' से सैकड़ों साल बाद की है और उसमें भाषा का जो रूप है, वह विभक्त शाखा का है, संयुक्त शाखा का नहीं। वैदिक भाषा और अवेस्ता की भाषा मिलाकर संयुक्त शाखा बना ली जाए, तो यह प्रयत्न वैसे ही होगा, जैसे कोई हिन्दी और मराठी को मिलाकर संस्कृत का रूप स्थिर करे। यद्यपि तुर्कों के आक्रमण ईरान से होकर नहीं हुए, उत्तरी मार्गों से हुए हैं, फिर भी कल्पना यह की गई है कि पश्चिमी एशिया के लोग भारत में ईरान होकर आते रहे हैं। ईरान में संयुक्त शाखा के आर्य विभक्त होकर जब भारत में आए, तब वे ठीक-ठीक किस मार्ग से आए, इसका कोई स्पष्ट उल्लेख नहीं मिलता। जो भी हो, ईरान और भारत का सम्बन्ध वैसा ही माना गया है, जैसा भारत में आर्यों और द्रविड़ों का। एक विजेता, दूसरा विजित; ईरानी विजेता, भारतीय विजित। संयुक्त शाखा के आर्य जब ईरान पहुँचे, तब वहाँ के किन आदिवासियों से उनका संघर्ष हुआ, इसके विवेचन से भाषाविज्ञानियों को दिलचस्पी नहीं है।

वैदिक आर्यों का सम्बन्ध ईरान के आर्यों से था, ऐतिहासिक भाषाविज्ञानियों की यह सामान्य धारणा है। वैदिक आर्यों से पहले सिन्धु घाटी की सभ्यता को ईरान से जोड़ना पुरातत्त्वज्ञों का काम है। और यहाँ भी सभ्यता का मूल केन्द्र ईरान है, भारत वहाँ से सभ्यता के तत्त्व प्राप्त करनेवाला सांस्कृतिक दृष्टि से विजित और पराधीन देश है। किसी कारण संयुक्त शाखा के जो आर्य ईरान में रह गए, उनमें अनेक प्रकार की रचनात्मक क्षमता का विकास हुआ, और भारत में जो आर्य आए, उनकी रचनात्मक क्षमता नष्ट हो गई, शायद द्रविड़ों के सम्पर्क से। यह बात अलग है कि भारतीय आर्यों के 'ऋग्वेद' को साहित्य, इतिहास और भाषाविज्ञान में जैसा महत्त्व

प्राप्त है, वैसा ईरान के किसी ग्रंथ को प्राप्त नहीं हुआ और द्रविड़ों में तमिल भाषा का साहित्य जितना पुराना है, उतना फ़ारसी का नहीं। भारत में पुरातत्त्व विभाग में महानिदेशक के पद पर किसी समय आर.ई.एम. व्हीलर नाम के सज्जन काम करते थे। वह नवम्बर, 1945 में भारत की अंग्रेज़ सरकार के सांस्कृतिक शिष्टमंडल के नेता होकर ईरान गए थे। वहाँ उन्होंने भारत और इस्लाम से पहले के ईरान पर एक व्याख्यान दिया जो भारत के पुरातत्त्व विभाग की पत्रिका 'ऐन्शेंट इंडिया' (जुलाई, 1947—जनवरी, 1948) में प्रकाशित हुआ। स्वाधीन भारत में प्रकाशित होनेवाला इस पत्रिका का यह पहला अंक है और व्हीलर का व्याख्यान पुरातत्त्व में अंग्रेज़ों द्वारा स्थापित परम्परा का ऐसा प्रतीक है जो स्वाधीन भारत में भी सार्थक बना हुआ है।

इस व्याख्यान में व्हीलर ने कहा कि ईरानी पठार एशियाई संस्कृतियों के संचरण का मार्ग बहुत दिनों से रहा है। भारत की प्राचीनतम सभ्यता, ई.पू. तीसरी सहस्राब्दी में सिन्धु घाटी की सभ्यता, का कुछ सम्बन्ध उस युग की ईरानी सभ्यताओं से रहा है यद्यपि उस सम्बन्ध की रूपरेखा अभी अनिश्चित है। इसके बाद कल्पना करनी होगी कि जिन आर्य आक्रमणों की बात बहुत कही जाती है, उनका कुछ-न-कुछ सांस्कृतिक प्रभाव पूर्वी ईरान और उत्तर-पश्चिमी भारत पर अवश्य पड़ा होगा। फिर 518 ई.पू. के बाद ईरानी साम्राज्य भारत में भी फैला और जब 326 ई.पू. में इस साम्राज्य का उत्तराधिकारी बनकर सिकन्दर ने भारत में प्रवेश किया, तब उसने पूर्व में यूनानी प्रभाव के विस्तार के लिए ही मार्ग प्रशस्त नहीं किया वरन् भारत और ईरान के पारम्परिक सम्बन्धों को भी पुष्ट किया।

व्हीलर के इस विवरण में नादिरशाह का नाम और जोड़ देना चाहिए; इससे अंग्रेज़ों के राजा बनने से पहले तक भारत ईरान की ऐतिहासिक परम्परा का विवरण पूरा हो जाएगा। अपने व्याख्यान में व्हीलर ने आगे कहा कि मोहेनजोदड़ो और हड़प्पा में नागरिक जीवन का जो चित्र मिलता है, वह उस समय का है जब ऐसे जीवन के नमूने बहुत थोड़े थे। यह निश्चित है कि दक्षिण-पश्चिमी ईरान तथा इराक में ऐसा विकास पहले हुआ था और भारत में वैसा विकास बाद में हुआ। इससे यह निष्कर्ष निकालना पड़ता है कि दोनों में कोई कार्यकारण वाला सम्बन्ध अवश्य था। पश्चिमी एशिया के प्राचीन नगर उर के विपरीत मोहेनजोदड़ो में नागरिक सभ्यता अचानक अपनी पूर्णता में दिखाई देती है। इससे विदित होता है कि नागरिक सभ्यता की पूर्व परिष्कृत योजना कहीं बाहर से लाकर यहाँ स्थापित की गई है। यह सही है कि मोहेनजोदड़ो के निम्नतम स्तरों की छानबीन अभी नहीं हुई, इसलिए एक नाजुक मंजिल पर हमारी जानकारी अधूरी है। फिर भी काफी गहरी खुदाई करने पर जो समकोण आवासों की पंक्तियाँ मिली हैं, लम्बी सीधी, जल-प्रवाह के लिए अच्छी व्यवस्था वाली वीथियाँ मिली हैं, उनसे नगर-निर्माण के लिए एक सुनिश्चित ढाँचे का पता चलता है और पता चलता है कि इस सभ्यता के शुरुआती दौर में ही

अनुभवी स्थापत्यकार निर्माण योजना का संचालन कर रहे थे। इसके विपरीत उर में टेढ़ी-मेढ़ी गालियाँ हैं, उनसे पता चलता है कि बुनियादी ढाँचा एक गाँव का है और नगर-निर्माण उसी के आधार पर विकसित हुआ है। यह बराबर मानते हुए कि हमारी जानकारी अधूरी है, ऐसा प्रतीत होता है कि इराक में एक धारणा का प्राचीन विकास दिखाई देता है, वही धारणा परिष्कृत होकर बाद को भारत में स्थापित हुई है। यदि यह निष्कर्ष सही हो तो हमें कल्पना करनी पड़ेगी कि नगर-निर्माण की धारणा किसी-न-किसी रूप में इराक या दक्षिण पश्चिमी ईरान से भारत में आई; भारत ने, उससे भिन्न सभ्यता के परिवेश में, उसे संशोधित किया और वह परिवेश तत्त्वत: भारतीय था। भारत की प्रतिभा जिस ढंग से काम करती रही है, यह भी उसी के अनुरूप है। आगे चलकर ईरानी स्थापत्य के नमूने भारत पहुँचे और हिन्दुस्तान के परिवेश के अनुरूप हिन्दू मानस ने उन्हें नया रूप दिया। इसी पद्धति को ध्यान में रखते हुए सिन्धु घाटी की सभ्यता से ईरान और इराक की समकालीन तथा पूर्वकालीन सभ्यता के सम्बन्ध की कल्पना करना उत्तम होगा।

ईरानी प्रभाव से, व्हीलर के अनुसार, सिन्धु घाटी की सभ्यता का विकास हुआ और फिर ईरान से आनेवाले आर्यों ने इस सभ्यता का नाश कर दिया मानो मुगलों की दिल्ली पहले तो ईरानी स्थापत्य से प्रभावित हुई हो और फिर नादिरशाह ने आकर उसका नाश कर दिया हो! व्हीलर कहते हैं, मैं इस पर लिख चुका हूँ कि सिन्धु घाटी की सभ्यता के विध्वंस के लिए ईरान से पहुँचनेवाले आर्य आक्रमणकारी हो सकते हैं। यह कल्पना नई नहीं है किन्तु सिन्धु घाटी के दो प्रमुख नगरों में जो भारी किलेबन्दी अभी हाल में पहचानी गई है, उससे यह कल्पना कुछ और पुष्ट होती है। दूसरी सहस्राब्दी के आरम्भ में सिन्धु घाटी की सभ्यता अभी बनी हुई थी, इसके पुरातात्त्विक प्रमाण हैं। पंजाब में आर्यों के मुख्य अभियान का सामान्य स्वीकृत समय पन्द्रहवीं सदी ई.पू. है। यह समय उक्त काल के निकट है। आर्य-अभियान के उक्त काल से मार्शल की यह तर्क-संगत स्थापना मेल खाती है कि सिन्धु घाटी की सभ्यता तत्त्वत: अनार्य थी। 'ऋग्वेद' में सप्तसिन्ध देश में महान् अभियान का कुछ चित्र मिलता है। उसमें पुरों या दुर्गों का निरन्तर उल्लेख है, जो पुर या दुर्ग आक्रमणकारियों के मार्ग में पड़ते थे। आर्यों के युद्धदेवता इन्द्र पुरन्दर हैं। उन्होंने नब्बे, निन्यानबे, एक सौ दुर्गों का विध्वंस किया। मोहेनजोदड़ो की सबसे ऊपर वाली सतहों में पुरुष, स्त्रियाँ और बच्चे मिलते हैं जिनका संहार किया गया था। व्हीलर पूछते हैं : सिन्धु घाटी के नगरों को छोड़कर ऐसे अनार्य दुर्ग और कहाँ थे जिन पर इन्द्र और उनके आर्य अनुगामी अपनी शक्ति की परीक्षा करते? फिर कहते हैं, इनके किन्हीं प्रतिद्वन्द्वी दावेदारों का हमें ज्ञान नहीं है (अर्थात् सिन्धु घाटी के से मजबूत किले दूसरी जगह नहीं हैं)। ज्ञान की वर्तमान स्थिति में यह निष्कर्ष उचित है कि सिन्धु घाटी की सभ्यता जब बुढ़ा गई, तब उन लोगों ने उसका नाश

कर दिया जिन्होंने ईरान को यह नाम दिया था (अर्थात् आर्य शब्द से ईरान नाम पड़ा और इन ईरानी आर्यों ने भारत की प्राचीन सिन्धु सभ्यता का नाश किया)। यह पड़ोसियों के अति उत्साह का एक कार्य था जिससे भारत ने एक प्राचीन सभ्यता खोई। यह सभ्यता प्राचीन होने के साथ शायद जराजीर्ण हो चुकी थी। ईरान ने इसका नाश किया किन्तु एक अधिक आधुनिक सभ्यता के नये अनगढ़ उपकरण भी दिये।

आगरा नागरी प्रचारणी सभा के भूतपूर्व अध्यापक द्वारिकाप्रसाद द्वारिकेश कई वर्षों से अमरीका में भाषावैज्ञानिक काम कर रहे हैं। पिछले साल (1977 में) भारत आए थे तो उन्होंने यह सूचना दी कि उन्होंने वहाँ पुरातात्त्विक भाषाविज्ञान की नई लीक चलाई है। पुरातत्त्व के ज्ञान के बिना ऐतिहासिक भाषाविज्ञान अनैतिहासिक अविज्ञान रहता है। इस बात का उल्लेख मैंने सिर्फ इसलिए किया कि सिन्धु घाटी और व्हीलर का उल्लेख पाठकों को अप्रासंगिक न लगे। वैसे भाषाओं के विवेचन में कहीं-कहीं पाठकों को समाजशास्त्रीय दृष्टि परेशान कर सकती है। इसके लिए भी मैं कह दूँ कि डॉ. डी.पी. द्वारिकेश ने मुझे बताया कि अमरीका पहुँचकर उन्होंने ही पहले सोशियो लिंग्विस्टिक्स (समाजी भाषाविज्ञान) की नींव डाली थी; वह ढर्रा पुराना पड़ गया, इसलिए उन्होंने पुरातात्त्विक भाषाविज्ञान की नई लीक चलाई।

अस्तु; व्हीलर की तर्कयोजना उस विवेचन-पद्धति का अच्छा नमूना है जिसमें अर्वाचीन इतिहास-सम्बन्धी धारणाएँ प्राचीन इतिहास पर आरोपित की जाती हैं। पुरातत्त्व कहाँ समाप्त होता है और पौराणिक गाथा कहाँ शुरू होती है, यह कहना कठिन है। सिन्धु घाटी का विनाश इन्द्र के अनुगामी आर्यों ने किया, इसका मुख्य प्रमाण पुरन्दर शब्द है। इस प्रकार व्हीलर ने द्वारिकेशजी से पहले ऐतिहासिक भाषाविज्ञान और पुरातत्त्व का सम्बन्ध स्थापित कर दिया था। इस **पुर** का प्राकृत रूप **वुर** प्रसिद्ध है। कश्मीर में इसी का स्त्रीलिंग रूप **वुड़ी** अब भी कायम है। **उर** स्थानवाचक शब्द के रूप में सारे भारत में, विशेषत: दक्षिण भारत में, मिलता है। यही **उर** इराक में है जिसकी खुदाई में गाँव का ढाँचा मिला था। ऐतिहासिक भाषाविज्ञान को यह तय करना है कि **पुर** और **उर** का आपस में सम्बन्ध है या नहीं और यदि है तो पूर्वरूप **उर** है या **पुर**? भारत के भाषायी परिवेश में ध्वनि-परिवर्तन की वह पद्धति प्राकृत में खूब सुरक्षित है जो **वुर** का पूर्वरूप **पुर** मानती है। इसके सिवा द्रविड़ भाषाओं में **प्-व्** वाला परिवर्तन बहुत जगह देखने को मिलता है। इस प्रकार भाषाविज्ञान की दृष्टि से **पुर** शब्द प्राचीन है, वह भारत से इराक पहुँचा है और अपने प्राकृत रूपान्तर **उर** नाम से प्रसिद्ध हुआ है। **उर** की ओर से आनेवाले आर्य आक्रमणकारियों को **उरन्दर** का उपासक होना चाहिए था पर वे इन्द्र को **पुरन्दर** कहते थे।

दुर्ग-निर्माण और दुर्ग-विध्वंस की कथाएँ वैदिक साहित्य तक सीमित नहीं हैं। उनका विस्तार महाकाव्यों और पुराणों में और भी अधिक है। रावण लंका नगरी में रहता था और यह नगरी परकोटे से घिरी हुई थी। हनुमान इस पुर अथवा दुर्ग में

दीवाल फाँदकर पहुँचे थे और राम की सेना के लिए विभीषण की सहायता के बिना लंका-विजय कठिन होती। नगर-निर्माण से मयदानव का नाम जुड़ा हुआ है। यह **मय मग** का प्राकृत रूपान्तर है। मगध के जरासन्ध से कृष्ण आदि महापुरुषों का बैर था पर कृष्णजी ने इन्द्र का विरोध करते हुए गोवर्धन पर्वत की महिमा बढ़ाई थी। पुरन्दर का विरोध करनेवाले सिन्धु घाटी में रहे हों चाहे न रहे हों, शूरसेन जनपद में अवश्य थे। मगध आर्येतर अर्थात् अवैदिक विचार-परम्पराओं का केन्द्र रहा है। मगध के मग ईरान पहुँचे थे और वहाँ उन्होंने पुरोहितों का काम किया था, यह इतिहास का स्वीकृत तथ्य है। ईरान में ये अपनी तंत्र-विद्या भी ले गए थे, इसका प्रमाण अंग्रेज़ी का **मैजिक** शब्द है जो ईरान के मार्ग से, मग संसर्ग प्रमाणित करता हुआ, इंग्लैंड पहुँचा था; पहले यूनान, फिर यूरोप पार करके इंग्लैंड। सिन्धु घाटी की सभ्यता में योग, लिंग और नागपूजा के जो चिन्ह हैं, उन्हें इतिहासकार अवैदिक तो मानते हैं पर मगध से उनका सम्बन्ध नहीं जोड़ते। आर्य भाषाएँ बोलनेवाले सभी कबीले वैदिक रीति पर चलते थे, यह आर्य आक्रमण के कथावाचकों ने पहले से मान लिया है। जो अवैदिक है, वह भाषा की दृष्टि से आर्येतर भी हो, यह आवश्यक नहीं है। आर्य भाषाएँ बोलना एक बात है, उन बोलनेवालों का एक ही संस्कृति में दीक्षित होना और बात है।

इन्द्र **पुरन्दर** है, **उरन्दर** नहीं। उर-निवासी आर्य इन्द्र नाम से परिचित थे या नहीं या अकस्मात् भारत में आकर उन्हें इस देवता का ज्ञान हुआ और वे उसकी जय बोलते हुए किले पर किला फतह करते चले गए? ईरान में इन्द्र की उपासना होती थी, इसका प्रमाण नहीं है। अग्नि की पूजा अनेक गण-समाज करते थे और 'ऋग्वेद' में भी अग्नि-युद्ध में सेना के आगे चलनेवाला पुरोहित है। सिन्धु घाटी की नगर-निर्माण-कला भारतवासियों ने ईरान-इराक में सीखी थी; दुर्ग-विध्वंस का कौशल आक्रमणकारी आर्यों ने कहाँ सीखा था? दुर्ग तो भारत में थे; गाँव के नमूने पर बने हुए नगरों में रहनेवाले ईरानी आर्य अचानक दुर्ग-विध्वंस कौशल कैसे सीख गए? 1947 ई. से पहले भी पुरातत्त्वज्ञ यह जानते थे कि सिन्धु घाटी की सभ्यता के दो ही केन्द्र नहीं हैं; उसके अवशेष और बहुत-से स्थानों में मिले थे। इसीलिए व्हीलर ने मोहेनजोदड़ो और हड़प्पा को सिन्धु घाटी के दो प्रमुख नगर कहा है। अन्य नगर, उपनगर, ग्राम आदि उस सभ्यता के क्रमिक विकास का परिचय दे सकते हैं जिसकी उत्कृष्ट परिणति दो प्रमुख नगरों में हुई। इन नगरों के निम्नतम स्तरों की छानबीन के अभाव में यह और भी आवश्यक है कि अन्य स्थानों पर सिन्धु-सभ्यता के जो अवशेष मिलते हैं, उनका तुलनात्मक अध्ययन किया जाए। ताजमहल जैसी इमारत का पहला नमूना इस इमारत के नीचे ही खोदने पर मिलेगा, यह आवश्यक नहीं है। आगरे से दूर उत्तर में हुमायूँ का मकबरा जैसी इमारत उसका पहला नमूना है। और आगरे से दूर दक्खिन में औरंगज़ेब का मकबरा उसका दूसरा नमूना है जिसमें ताजमहल की भोंडी नकल की गई है। यह नकल अपरिपक्व कौशल का नमूना है,

उससे यह सिद्ध नहीं होता कि औरंगज़ेब का मकबरा देखकर उसके बाप ने आगरे में अपनी बेगम का मकबरा बनवाया था।

ईरान से आनेवाले आक्रमणकारी आर्य सिन्धु को सिन्धु ही कहते थे या हिन्दु कहते थे?

## 2. प्राचीन ईरानी

सिन्धु घाटी की सभ्यता, सिन्धु नदी अथवा सिन्धु प्रदेश से सम्पर्क होने पर ईरानी लोग हिन्दु शब्द का प्रयोग ही करते थे, यह प्रमाणित तथ्य है। इस ध्वनि-परिवर्तन में दो बातें ध्यान देने की हैं। पहली, यह कि सकार **ह्** ध्वनि में परिवर्तित हुआ है। दूसरी, यह कि सघोप महाप्राण **ध्** की महाप्राणता का लोप हो गया है। **हिन्दु** शब्द अवेस्ता में प्रयुक्त हुआ है। इसलिए उसकी प्राचीनता असन्दिग्ध है। यद्यपि अवेस्ता '*ऋग्वेद*' की तुलना में बहुत बाद का है, पर यहाँ हम मान लेते हैं कि उसमें प्राचीन ईरानी भाषा-रूप सुरक्षित है। प्रश्न यह है कि ईरानी आक्रमणकारी भारत में आकर **हिन्दु** को **सिन्धु** कहना कैसे सीख गए? '*ऋग्वेद*' में **सप्त सिन्धवः** हैं, **हफ्त हिन्दवः** नहीं। जो लोग यह मानते हैं कि **स्** को **ह्** में बदलने की प्रवृत्ति खास ईरानी है, वे **सूर्य** के ग्रीक प्रतिरूप **हेलिओस्** से लेकर अंग्रेज़ी **हार्ट** और **हंड्रेड** तक उन शब्दों को याद कर लें जिनमें **स्** ध्वनि **ह्** में परिवर्तित हुई है। भारत में गुजरात, राजस्थान और कश्मीर में बहुत जगह **स्** ध्वनि **ह्** में बदलती है और असम में निरपवाद रूप से **स्** को **ख़्** (या **ह्**) कहने की प्रवृत्ति है। इस सबको ईरानी प्रभाव माना जा सकता है यदि भाषाविज्ञानी यह मान लें कि यूरोप की भाषाओं में ऐसे ध्वनि-परिवर्तन ईरानी प्रभाव से हुए हैं।

यदि पश्चिमी एशिया के प्राचीन भाषायी मानचित्र पर ध्यान दें तो विदित होगा कि हित्ती भाषा में **स्** का **ह्** या **ख़्** में परिवर्तन प्राचीन ईरानी की तुलना में अधिक विरल है, तुखारी में वैसा परिवर्तन और भी कम होता है। पश्चिमी एशिया के भाषायी मानचित्र में कोई ऐसी लीक नहीं बनती जिसके सहारे अनातोलिया से ईरान होते हुए कुरुक्षेत्र तक पहुँचा जाए और ध्वनि-परिवर्तन की एक सुसंगत श्रृंखला का पता लगाया जाए। इसके विपरीत वैदिक भाषा में वे अधिकांश मूल ध्वनियों वाले रूप सुरक्षित हैं जिनके परिवर्तित प्रतिरूप ईरान, अनातोलिया, यूनान और रोम तक मिलते हैं। इनमें कोई ऐसा ध्वनि-परिवर्तन नहीं है जिसकी व्याख्या समग्र भारतीय भाषायी परिवेश को ध्यान में रखते हुए न की जा सके। विविध ज्ञात और अज्ञात परिवारों की भाषाएँ एक दूसरे को प्रभावित करती रही हैं, ध्वनि-परिवर्तनों का यह मूल कारण है। भारत में विभिन्न स्रोतों की गणभाषाओं की जैसी विविधता रही है, वैसी मध्य एशिया, पश्चिमी एशिया और यूरोप के किसी भाग में नहीं रही। इन भारतीय गण भाषाओं के अन्तर्-पारिवारिक तत्त्व पश्चिमी एशिया और यूरोप की अनेक भाषाओं में मिलते हैं। उन तत्त्वों की समग्रता भारत में है। इन तत्त्वों में **स्** का **ह्** या **ख़्** में बदलना शामिल है।

जैसे हित्ती भाषा और उसके अभिलेख इस बात का प्रमाण हैं कि पश्चिमी एशिया में भारतीय मूल के लोग रहते थे, अनेक वैदिक देवताओं की उपासना करते थे, वहाँ प्राप्त कीलाक्षरी लिपि वाले अभिलेखों से विदित है कि भारतीय मूल के विशेषज्ञ अश्वचालन की शिक्षा देते थे, वैसे ही अवेस्ता को इस बात का प्रमाण मानना चाहिए कि वहाँ भारतीय मूल के लोग जाकर बसे थे और अंशतः वैदिक उपासना-पद्धति का अनुसरण करते थे। ईरान इस समय भारत से भिन्न देश है, नेपाल और मॉरीशस भी भारत से भिन्न देश हैं। इस राजनीतिक भिन्नता को भाषायी विश्लेषण से अलग रखना चाहिए। नेपाल और मॉरीशस भारत से भिन्न देश हैं, इससे यह प्रमाणित नहीं होता कि वहाँ भारतीय आर्य समुदाय की भाषाएँ बोलनेवाले लोग जाकर नहीं बसे। संस्कृत से अवेस्ता की भाषा का लगभग वैसा ही सम्बन्ध है, जैसा किसी भी प्राकृत का है। अन्तर यह है कि प्राकृतें, विशेषतः नाटकों की प्राकृतें, अधिक रूढ़िबद्ध हैं। पर रूढ़िबद्ध या स्वतंत्र, प्राकृतों और संस्कृत में मूल अन्तर ध्वनि-परिवर्तन का है, रूपतंत्र सम्बन्धी परिवर्तन इतना ही है कि संस्कृत के रूप—क्रियाओं के लकार, संज्ञा-सर्वनामों के कारक आदि—संख्या के विचार से सीमित कर दिये गए हैं। शब्दतंत्र-सम्बन्धी परिवर्तन और भी कम हैं। प्राकृतों से (जिनमें पालि को भी गिन लें) कभी-कभी ऐसे शब्द मिल जाते हैं जो संस्कृत से भिन्न प्राचीन मध्यदेशीय भाषा के रूपों की ओर संकेत करते हैं। यही स्थिति अवेस्ता की भाषा की है। ध्वनितंत्र-सम्बन्धी परिवर्तन कर दिया जाए तो वह वैसे ही वैदिक संस्कृत बन जाएगी, जैसे प्राकृतों में ध्वनि-सम्बन्धी परिवर्तन करने से वे संस्कृत बन जाती हैं। प्राचीन ईरान की भाषा का अपना रूपतंत्र और शब्दतंत्र न हो, यह बात समझ में नहीं आती। दो पड़ोसी, एक ही परिवार की दो, गण-भाषाओं यथेष्ट सामान्य तत्त्व हो सकते हैं, फिर भी उनके व्याकरण और शब्द-भंडार में इतनी भिन्नता होती है कि वे अलग से दो भाषाओं के रूप में पहचानी जाती हैं। यूनान के कोई से क्षेत्र में प्राचीन गण भाषाओं के नमूने काफी मिलते हैं। इनमें शब्द-भंडार और व्याकरण को लेकर जैसी भिन्नता है, वैसी भिन्नता भी 'ऋग्वेद' और अवेस्ता की भाषाओं में नहीं है। इसीलिए यह निष्कर्ष अनिवार्य है कि वैदिक संस्कृति को माननेवाले कुछ गण-समाज ईरान में जाकर बस गए थे। वे अपने साथ ध्वनि-परिवर्तन की विशेषताएँ भी ले गए। जैसे इंग्लैंड और इटली में लैटिन पढ़ने का ढंग अलग-अलग है, जैसे बंगाल और केरल में संस्कृत पढ़ने का ढंग अलग-अलग है, वैसे ही वेद-मंत्र पढ़ने का ढंग अलग-अलग था। जब वर्ण-व्यवस्था सुदृढ़ हुई तब इस बात का विशेष प्रयत्न किया गया कि वेद-मंत्रों का पाठ शुद्ध-शुद्ध ही किया जाए। किन्तु वेद-मंत्र मूलतः गण-व्यवस्था के युग की रचना हैं। जिस पाठ को भी शुद्ध माना गया, उसमें भी काफी विविधता मिलेगी। फिर जिस समय गण-समाज स्वतंत्र हों, एक ही प्रशिक्षित पुरोहित वर्ग विभिन्न

गण-समाजों को अपने नियंत्रण में न रखता हो, उस समय ध्वनि-परिवर्तन सम्बन्धी भिन्नता और भी स्वाभाविक है।

संस्कृत और अवेस्ता की भाषा में इस प्रकार की समानता है : **सम—हम** (समान, बराबर), **सेना—हएना, असुर—अहुर, शुष्क—हुश्क, यासु—याहु** (**यद्** सर्वनाम का बहुवचन अधिकरण रूप), **भरसि—बरहि** (**भर्** क्रिया का वर्तमानकालिक मध्यम पुरुष एकवचन रूप), **सरस्वती—हरख़्वती**। इन उदाहरणों में **स्** ध्वनि **ह्** में बदलती है और अन्तिम उदाहरण में **ख़्** में भी। **स्** के अतिरिक्त **श्** में भी ऐसा परिवर्तन होता है। **श्वशुर** का प्रतिरूप **ख़्वसुर** है। **हुश्क** के समानान्तर कुछ लोग, **ख़्वसुर** की तरह, **ख़ुश्क** भी बोलते रहे होंगे। फ़ारसी **ख़ुश्क** निस्सन्देह **हुश्क** का रूपान्तर नहीं है। अवेस्ता और फ़ारसी, दोनों के रूप पहचानने के लिए **शुष्क** का ज्ञान आवश्यक है। इसी प्रकार संस्कृत **स्व** अवेस्ता में **ख़्व** है किन्तु ईरान की गाथा-भाषा में **ह्** है। इससे सकार के दो तरह के प्राचीन परिवर्तन सिद्ध होते हैं।

अवेस्ता की भाषा और संस्कृत का ध्वनि-सम्बन्धी मौलिक अन्तर सघोष महाप्राण स्पर्श-ध्वनियों को लेकर है। ऐसी ध्वनियाँ केवल संस्कृत और भारतीय आर्य भाषाओं में हैं। भारत से बाहर इंडो-यूरोपियन परिवार की किसी भी प्राचीन या नवीन भाषा में इन ध्वनियों का अर्थभेदक व्यवहार नहीं होता। यही स्थिति अवेस्ता का भाषा की भी है। **घ्-ध्-भ्** इंडो-यूरोपियन परिवार की मूल ध्वनियाँ हैं, भाषाविज्ञानी यह मानते हैं। ईरान के आक्रमणकारी आर्य भारत में आकर **घ्-ध्-भ्** बोलने लगे, पर पश्चिमी एशिया में रहते समय भी वे इन ध्वनियों का उच्चारण कर लेते थे, इसका प्रमाण न तो अवेस्ता में है और न उन हित्ती दस्तावेजों में जिन्हें विद्वान् 'ऋग्वेद' से भी अधिक प्राचीन कहते हैं। व्हीलर, एमेनो आदि जो विद्वान् ईरान को भारतीय आर्यों की प्रस्थान-भूमि मानते हैं, उनके लिए यह एक बड़ी कठिनाई होनी चाहिए थी कि **सिन्धु** को **हिन्दु** कहनेवाले ईरानी आर्य भारत में आकर **स्** ही नहीं, **ध्** का भी उच्चारण कैसे करने लगे। इस समस्या को उन्होंने बहुत आसानी से हल कर लिया है। वे उसकी तरफ देखते ही नहीं।

संस्कृत और अवेस्ता की भाषा में सघोष महाप्राण ध्वनियों से सम्बन्धित परिवर्तन इस प्रकार होते हैं : **भाग—बाग, घर्म—गरम, दीर्घ—दरग, भवति—बवइति, भूमि—बूमि, भ्राता—ब्रात**। इन सब उदाहरणों में सघोष महाप्राण स्पर्श-ध्वनि में महाप्राणता का लोप होता है, सघोषता बच रहती है। एक दूसरी तरह का परिवर्तन वह है जहाँ सघोष ध्वनि-तत्त्व तो कायम रहता ही है किन्तु महाप्राणता का प्रतिनिधित्व करने के लिए संघर्षी **ज़्** का व्यवहार किया जाता है। अवेस्ता की भाषा में **ध्** के स्थान पर **द्** के अतिरिक्त **ज़्द्** का व्यवहार भी होता है। **त्राध्वम्** का प्रतिरूप हुआ **थ्राज़्दूम्**। इसी प्रकार संस्कृत **देहि** का प्रतिरूप **दज़्दि** है जिससे पता चलता है कि **देहि** का मूल रूप **देधि** था। संस्कृत **नेदीयः** का प्रतिरूप **नज़्दय** है। यह वही शब्द

है जिससे बोलचाल का परिचित **नज़दीक** रूप बना है। अवेस्ता के प्रतिरूप से ज्ञात होता है कि निकटतासूचक मूल शब्द **नध** था। इसी प्रकार संस्कृत **सद्** (बैठना) के अवेस्ता प्रतिरूप **हज़्द** से मूल **सध्** रूप का ज्ञान होता है। **मज्जा** का अर्थ देनेवाला अवेस्ता का शब्द **मज्ग** है। सम्भव है, **मज्जा** के समानान्तर इसी अर्थ में **मघ** रूप का व्यवहार होता रहा हो। जैसे **सध्** से **हज़्द**, वैसे ही **मघ** से **मज़्ग**।

**घ्, ध्, भ्**—इन ध्वनियों में अन्य प्रकार के परिवर्तन भी होते हैं। संस्कृत **हन्ति** का अवेस्ता-रूप **जनइति** है। **हन्ति** का पूर्वरूप **घन्ति** था। **घ्** पहले अल्पप्राण होकर **ग्** बना, फिर उसका तालव्यीकरण हुआ। यह प्रवृत्ति भारत के उत्तर-पश्चिमी भाषा क्षेत्रों की है। **मधु** का अवेस्ता-रूप **मुदु** है। यहाँ **ध्** अल्पप्राण होकर **द्** बना, फिर संघर्षी हुआ। यह उन आर्य भाषाओं की प्रवृत्ति है जो नाग भाषाओं से प्रभावित हुई थीं। अवेस्ता में एक ओर क-वर्गीय ध्वनियों के तालव्यीकरण की प्रवृत्ति है, दूसरी ओर उनको संघर्षी रूप भी दिया जाता है; अघोष ध्वनियों में महाप्राणता का संयोग भी होता है। संस्कृत उक्त अवेस्ता में **उख़्त** है, **शुक्र** का रूपान्तर **सुख** है जिससे, वर्ण-विपर्यय की राह से, **सुर्ख़** रूप प्राप्त हुआ। **वक्ष्यामि** के दूसरे वर्ण में **क्** व्यंजन **ख़्** में बदला, तालव्य **श्** रूप में ग्रहण किया गया, तब गाथा-भाषा में **वख़्श्या** रूप बना। संस्कृत **आप** (जल) अवेस्ता में **आफ़्श्** है। फ़ारसी का **आब** संस्कृत **आप** से सम्बन्धित है, अवेस्ता वाले रूप से नहीं। **अश्व** शब्द अवेस्ता में **अस्पो** है।

## 3. पुरानी फ़ारसी

इसके बाद प्राचीन फ़ारसी के दस्तावेज़ मिलते हैं। रोनैल्ड जी. केंट ने 'ओल्ड पर्शियन' (1953) नामक पुस्तक में बताया है कि पुरानी फ़ारसी या पहलवी दक्षिण-पश्चिमी ईरान की भाषा थी और शासक वर्ग की बोलचाल की भाषा थी। इसके नमूने शासको के शिलालेखों में मिलते हैं। केंट ने लिखा है कि अवेस्ता और गाथा की भाषाएँ उत्तर-पश्चिमी अथवा उत्तर-पूर्वी ईरान की भाषाएँ हैं। इससे स्पष्ट है कि प्राचीन ईरानी और पुरानी फ़ारसी दो भिन्न क्षेत्रों की भाषाएँ हैं। केंट उन थोड़े-से भाषाविज्ञानियों में हैं जो प्राचीन काल में विभिन्न क्षेत्रों की भाषा-विविधता पर ध्यान देते हैं। केंट कहते हैं कि पुरानी फ़ारसी में विभिन्न बोलियों के मिश्रण के प्रमाण मिलते हैं। इस भाषा की विन्यास-सम्बन्धी विशेषता यह है कि कृदन्तों का प्रयोग अधिक होता है और पूर्ण क्रिया का व्यवहार किये बिना भी वाक्य पूरे किये जाते हैं। केंट कहते हैं कि पुरानी फ़ारसी में कालसूचक भेद बहुत महत्त्वपूर्ण नहीं था। समापिका क्रिया आम तौर से छोड़ दी जाती थी। **त्य मना कर्तम्**—जो मेरे द्वारा किया गया था; यहाँ **था** के लिए कोई शब्द नहीं है, कृदन्त रूप **कर्तम्** काफी है। तिङन्त प्रयोग इस प्रकार होगा : **त्य अदम् अकुनवम्**—जो मैंने किया। यह सारा विकास संस्कृत से मिलता-जुलता है। अवेस्ता-काल के बाद भारत और ईरान की

भाषाओं का सम्पर्क टूट नहीं गया। जो प्रभाव संस्कृत का रूप निश्चित कर रहे थे, वे पुरानी फ़ारसी का रूप भी निश्चित कर रहे थे। जितनी भिन्नता ध्वनितंत्र में है, उतनी भिन्नता रूपतंत्र और वाक्यतंत्र में नहीं है। पुरानी फ़ारसी में कारक वही हैं जो संस्कृत और अवेस्ता में हैं, केवल सम्प्रदानकारक का लोप हो गया है। अनेक आधुनिक आर्य भाषाओं में भी सम्प्रदान और कर्मकारकों के रूप एक हो गए हैं।

पुरानी फ़ारसी का व्यवहार करनेवालों में ईरान के प्रतापी राजा **कूरु** थे। यह शब्द स्पष्ट ही **कुरु** का वैकल्पिक रूप है। इनके पिता का नाम **कम्बूजिय** था। दक्षिण-पूर्वी एशिया में **कम्पूचिया** नाम का देश है जिसे अंग्रेज़ी में कम्बोडिया कहते हैं। यह पुराना भारतीय **कम्बोज** शब्द है। दक्षिण-पूर्वी एशिया में आस्ट्रिक भाषाएँ बोलनेवाले—विशेषत: शासक—भारतीय उद्‌भव के नाम रखते हैं। इसलिए ईरान में **कुरु, कम्बोज** नामों का व्यवहार आश्चर्यजनक नहीं है। पुरानी फ़ारसी बोलनेवाले ईरान के राजवंश का नाम **पहलवी** था। यह शब्द **पर्थव** से बना है। केंट ने लिखा है कि **पर्थव** नाम किसी बाहरी स्रोत से आरोपित किया हुआ प्रतीत हुआ है। (द नेम सीम्स टु हैव बीन् इम्पोज़्ड बाइ ऐन् आउट साइड सोर्स, पृ. ९) पुरानी फ़ारसी के लिए जो निकटतम बाहरी स्रोत सांस्कृतिक दृष्टि से प्रभावित करनेवाला हो सकता था, वह भारत है। अर्जुन को **पार्थ** भी कहते थे। **पार्थ** का सम्बन्ध **पृथा** से जोड़ लिया गया है किन्तु **पार्थ भारत** का रूपान्तर भी हो सकता है। जितने **कुरु** थे, वे सब **भरत** थे। अर्जुन **पार्थ** हैं, **भारत** भी हैं। **पार्थ** शब्द में आदिस्थानीय मूल सघोष महाप्राण ध्वनि अघोष अल्पप्राण है, जैसे संस्कृत **धरा** लैटिन में **तॅर** है। पैशाची प्राकृत में अघोषीकरण वाला प्रवृत्ति है। **भारत** के अन्तिम वर्ण में महाप्राणता का संयोग करके उसे संघर्षी रूप दिया गया है, जैसे संस्कृत **मित्र** (सूर्य) पुरानी फ़ारसी में **मिथ** है। इस प्रकार **पार्थ भारत** का रूपान्तर हो सकता है। ईरान का एक प्रदेश **पार्थिया** नाम से प्रसिद्ध हुआ। **फ़ारस** शब्द का अपना कोई अर्थ नहीं है; **भारत** का रूपान्तर होने से वह सार्थक हो सकता है। यदि **भारत** का **त्** संघर्षी ध्वनि में परिवर्तित हो, जैसे **पुत्र** का पालि रूप **पुत्तो** फ़ारसी में **पुस्सो** है, और आदिस्थानीय **भ्** के रूपान्तर **प्** को भी संघर्षी रूप दिया जाए, जैसे **प्रथम** पुरानी फ़ारसी में **फ़तम** है तो **भारत** का रूपान्तर **फ़ारस** होगा। पुरानी फ़ारसी बोलनेवाले अपने देश को **पार्स** कहते थे। यह **पार्स पार्थ, भारत** और **फ़ारस** का प्रतिरूप है। इसी से ग्रीक भाषा के **पॅर्सेस्, पॅर्सिआ,** भारतीय **पारस, पारसीक** आदि शब्द बने। इस व्याख्या को छोड़ने पर **पार्स** और **पार्थ** असम्बद्ध ही नहीं रहते, निरर्थक भी हो जाते हैं। जैसे **ईरान** शब्द का सम्बन्ध **आर्य** से है, वैसे ही **पार्स** और **पार्थ** का सम्बन्ध भारत से है। भरत-गण युद्ध के लिए विख्यात थे, **महाभारत** शब्द **महायुद्ध** का पर्याय बन गया। प्राचीन फ़ारसी में **पर्तर** शब्द का अर्थ है युद्ध। यह शब्द भारत से सम्बद्ध है। पुरानी फ़ारसी में **मगु** शब्द उन लोगों के लिए आता है जो पुरोहित वर्ग के थे। ये लोग उस प्रदेश

में रहते थे जो अंग्रेज़ी में **मीडिया** कहलाता था। **मग** लोगों का सम्बन्ध मगध वाले मगों से है। **मघ** का एक प्रतिरूप **मध** था। **मघ** में जो महत्ता और शक्ति का भाव है, वही **मध** में था। पुरानी फ़ारसी में इसका रूपान्तर **मथ** है; **मथिश्त** का अर्थ हुआ सर्वाधिक महान्। अन्य रूपान्तर **मद** था। पुरानी फ़ारसी में **माद** शब्द उन लोगों के लिए प्रयुक्त होता था जो मीडिया के रहनेवाले थे। सामान्य जन समाज था **माद**, उसके पुरोहित थे **मगु**; **मग** और **मद** के स्रोत हैं **मघ** और **मध**। यूनानी भाषा में **माद** जनों को **मेनोइ** कहते थे। **मद** से **मीडिया, मीडियन** आदि शब्द बने हैं।

ईरानी लोग **क्षत्र, क्षत्रिय** आदि शब्दों को बहुत गौरवपूर्ण मानते थे। **माद** लोगों में सम्राट् के प्रति विद्रोह करनेवाले एक योद्धा ने अपना नाम **ख़्शथ्रित** अर्थात् **क्षत्रित** रखा था। ग्रीक भाषा में जिस सम्राट का नाम **क्सेर्क्सेस्** था, उसे पुरानी फ़ारसी में **ख़्शयार्शन्** कहते थे। केंट ने लिखा है कि इस नाम का पूर्व भाग **ख़्शय** है जिसका अर्थ है राजा और उत्तर भाग **अर्शन्** का अर्थ है पुरुष। केंट ने फ़ारसी शब्द **शहर** को **क्षेत्र** का विकास बताया है। उसी तरह **ख़्शय** से **शाह** शब्द बना। यह **ख़्शयार्शन्** नाम का सम्राट् स्वयम् को **पार्स, पार्सह्या, पुस्स** कहता था। भारतीय विद्वान् डॉ. सुकुमार सेन ने 'ओल्ड पर्शियन् इंस्क्रिप्शंस् ऑफ़ दि अखैमीनियन् एम्परर्स' (कलकत्ता, 1941) में उक्त उपाधि की व्याख्या करते हुए बताया है कि सम्राट् स्वयम् को पार्स का पुत्र पार्स कहता है। ईरान के शासक वर्ग के लिए अपने पार्थ वंश की श्रेष्ठता घोषित करना आवश्यक था। एक अन्य सम्राट् **आर्तख़्शस्सा** था। जिसका मूलरूप सेन के अनुसार **ऋतक्षत्रः** है।

पुरानी फ़ारसी में उत्तर-पश्चिमी भारतीय भाषाओं के समान बहुत जगह **ह्** का लोप हो जाता है। **अहुर मज़्द** का रूपान्तर **अउर मज़्द** हो गया है। जैसे प्राकृतों में **ऋ** ध्वनि बहुत जगह **उ** में बदल जाती है, वैसे ही **अकृत** यहाँ **अउत** है, **अकुणोत्** यहाँ **अकुनउश्** है। सघोष महाप्राण ध्वनियाँ अनेक रूप धारण करती हैं। **अगृभ्यत अग्रवाय** बना, यहाँ महाप्राणता का लोप हुआ। **अहनम्** (मूलरूप **अघनम्**) का रूपान्तर **अजनम्** हुआ। यहाँ **घ्** की महाप्राणता के लोप के बाद सघोष ध्वनि **ग्** का तालव्यीकरण हुआ। पुरानी फ़ारसी में एक शब्द है **अवदा** जिसका अर्थ है वहाँ। डॉ. सेन ने इसका मूल रूप **अवधा** लिखा है। जैसे **सर्वदा**, वैसे **अवदा**। **धा—बहुधा** के **धा** के समान—स्थान-कालादि का संकेत करता है; **अव** सर्वनाम है जो 'ऋग्वेद' में है, जो तमिल के **अवन्** (वह) में है। **अवधा** का रूपान्तर हुआ **अवदा**। एक अन्य शब्द **अवथ** है जिसका अर्थ है इस प्रकार। इसका निर्माण भी वस्तु-स्थानादि सूचक **ध** के साथ **अव** सर्वनाम जोड़कर हुआ है। जैसे संस्कृत में **अथ, यथा** आदि शब्द बने थे, वैसे ही पुरानी फ़ारसी में **अवथ** रूप बना था। तालव्य **श्** भी **थ्** रूप में ग्रहण किया जाता है। **शरदम्** पुरानी फ़ारसी में **थर्दम्** (वर्ष) है। **त्** ध्वनि **थ्** रूप में जहाँ-तहाँ ग्रहण की जाती है। **थुवान्** (तुम्हें), **त्वम्** (तुम), दोनों रूप मिलते हैं।

आधुनिक भारतीय भाषाओं के समान पुरानी फ़ारसी में प्राचीन आर्य भाषाओं के ऐसे रूप भी मिलते हैं जो संस्कृत में नहीं हैं। अन्य पुरुष एकवचन सर्वनाम रूप **धि** ऐसा ही प्राचीन शब्द है, जिसका रूपान्तर **दि** पुरानी फ़ारसी में है। **दिम्** कर्मकारक का एकवचन रूप है। इसके मूलरूप **धिम्** से अंग्रेज़ी **हिम्** बनेगा। पुरानी फ़ारसी का **दइय्** कर्मकारक बहुवचन रूप है और अंग्रेज़ी के **देम्** कर्ताकारक **दे** की शृंखला का है। यह रूप पुल्लिंग है। स्त्रीलिंग में कर्मकारक का बहुवचन रूप **दिश्** है। **दूरदश** का संस्कृत रूपान्तर होगा **दूरतः** (दूर से)। डॉ. सेन ने **दूरदश** का मूलरूप **दूरधः** बिलकुल ठीक दिया है। **ध** वस्तुस्थान-सूचक सर्वनामों के निर्माण में काम आता है, और उससे सम्बन्धक, प्रत्यय तथा स्वतंत्र सम्बन्धक शब्द भी बनाए जाते हैं। **दरनियम्** संस्कृत **हिरण्यम्** का पर्याय है। मूल शब्द में **घ्** या **ध्** ध्वनि थी जो यहाँ **द्** में परिवर्तित हुई है। एक ओर पुरानी फ़ारसी में **ग्** को भी **ज्** में बोलने की प्रवृत्ति है, दूसरी ओर जहाँ संस्कृत में **ज्** है, उसके स्थान में **द्** का प्रयोग होता है। संस्कृत **जोष्टा** का प्रतिरूप **दउश्ता** है जिसका आधुनिक रूप **दोस्त** है। **ध्** तो **द्** में बदलता ही है, जैसे **धारयवसुः** पुरानी फ़ारसी में **दारय वहुश्** (अथवा **दारय वउश्**) है; यही **दारा**, राजा के अंग्रेज़ी नाम **डैरियस्** का पूर्वरूप है। **घ्** भी सर्वत्र **ज्** में परिवर्तित नहीं होता, यथा : **घोषा** यहाँ **गउशा** (कान), **गोश** है। **गन्धार** यहाँ **गन्दार** रूप में **ग्** को अपरिवर्तित रखता है। कहीं-कहीं एक शब्द किसी एक कारक में एक ध्वनिवाला रूप दिखाता है, दूसरे कारक में भिन्न ध्वनि वाला रूप दिखलाता है। पिता कर्ताकारक में संस्कृत के समान है किन्तु सम्बन्धकारक एकवचन में **पितुः** का प्रतिरूप **पिस्स** है। संस्कृत सर्वनाम **सः** का पूर्वरूप **सध** था, यह पुरानी फ़ारसी के **हदा** प्रतिरूप से सिद्ध होता है। पुरानी फ़ारसी में ध्वनि-परिवर्तन की जो प्रक्रिया घटित होती है, वह संस्कृत के आधार पर ही विश्लेषित हो सकती है। अधिकतर मूल रूप संस्कृत में हैं, न कि पुरानी फ़ारसी में। ध्वनि-परिवर्तन जितने प्रकार से होता है, वे प्रकार अधिकतर भारतीय भाषाओं में मिल जाते हैं। इसलिए बृहत्तर भारत के भाषायी सन्दर्भ में ही पुरानी फ़ारसी के विकास की व्याख्या की जा सकती है। डॉ. सुकुमार सेन ने बहुत अच्छा कहा है कि अवेस्ता की भाषा का जैसा सम्बन्ध वैदिक भाषा से है, वैसा ही सम्बन्ध लौकिक संस्कृत से पुरानी फ़ारसी का है। वैदिक भाषा के अथवा 'ऋग्वेद' के समय और अवेस्ता के समय में लगभग एक सहस्र वर्षों का अन्तर है। यदि 'ऋग्वेद' की रचना के एक हजार साल बाद भारत की वैदिक भाषा, ध्वनितंत्रीय परिवर्तनों के साथ, ईरान में अभी जीवन्त भाषा बनी हुई थी, तो इससे भारत में उसकी सुदीर्घ परम्परा का अनुमान किया जा सकता है। 'ऋग्वेद' के रचनाकाल से काफ़ी पहले उस भाषा का स्वरूप निश्चित हुआ होगा, यह मान लेना चाहिए। **ईरान** कहने से **भारत** की तुलना में अपेक्षाकृत एक छोटे देश का बिम्ब मन में उभरता है। वास्तव में ईरानी भाषा-समुदाय का क्षेत्र भौगोलिक दृष्टि

से बहुत बड़ा है। पामीर, तुर्की और कोहकाफ के विशाल त्रिकोण में ईरानी समुदाय की भाषाओं का प्रसार हुआ है। यहाँ ध्यान देने की बात यह है कि इस विशाल क्षेत्र में अवेस्ता की संस्कृति का कभी वैसा प्रसार नहीं हुआ जैसा वैदिक संस्कृति का प्रसार भारत में हुआ। इसका एक कारण यह है कि सामी, तुर्की आदिभाषाएँ बोलनेवालों का जैसा दबाव ईरानी क्षेत्र पर रहा है, वैसा भारत पर नहीं। दूसरा कारण यह है कि भारत में जितने सुसंगठित रूप से वैदिक संस्कृति का प्रसार किया गया, उतने संगठित रूप से ईरानी क्षेत्र में नहीं किया गया। तीसरा कारण यह है कि वैदिक संस्कृति और वैदिक भाषा की जड़ें भारत में थीं। उस वृक्ष की एक शाखा ईरान में पहुँची थी। वह शाखा उतनी पुष्ट नहीं थी जितना उस वृक्ष का तना था। यहाँ भिन्न भाषाएँ बोलनेवालों में भी वैदिक संस्कृति का प्रसार हुआ, ईरानी समुदाय के क्षेत्र में समान भाषाएँ बोलनेवालों के बीच भी अवेस्ता-संस्कृति का वैसा प्रसार नहीं हुआ। अरबों का आक्रमण होने पर ईरान के अग्निपूजकों ने भारत में आकर शरण ली और उनकी उपासना-पद्धति यहाँ अब भी जीवित है जबकि ईरान में वह निर्मूल-सी हो चुकी है। इस सारी सांस्कृतिक और भाषायी पृष्ठभूमि को ध्यान में रखने से भारत और ईरान के सामान्य सम्बन्ध, और भाषागत विशेष सम्बन्ध समझने में सहायता मिलेगी। इन्द्र आदि कुछ देवताओं को छोड़कर संस्कृत उद्भव के शब्द ईरानी भाषाओं में शिष्ट और पवित्र सन्दर्भों में प्रयुक्त होते हैं। इनमें **क्षत्र**-वर्ग वाले राज्य-सम्बन्धी शब्द **यज्ञ** की **यज्** क्रियावाले धर्म सम्बन्धी शब्द प्रमुख हैं।

मध्य एशिया में एक प्रदेश खोतान कहलाता है। इसका मूल रूप **गोस्थान** प्रतीत होता है। बौद्ध साहित्य में **गोस्तन** शब्द आता है। एच्.डब्ल्यू. बेली ने 'जर्नल ऑफ़ रॉयल एशियाटिक सोसायटी' (सन् 1972, संख्या 2) में भारत-ईरान-सम्बन्धी शोधकार्यों पर एक लेख लिखा था : 'ए हाफ सेंचुरी ऑफ़ इरानी-इंडिया स्टडीज़'। इसमें **खोतान** और **गोस्तन** के अतिरिक्त उन्होंने कुछ और दिलचस्प बातें कही हैं। अवेस्ता के लिए उन्होंने बताया है कि यह बृहत्तर साहित्य का अंश मात्र है जिसे मगु पुरोहित बचा सके थे और इसका एक भाग, रूप की दृष्टि से, प्राचीनतम वैदिक भाषा के अत्यन्त निकट है यद्यपि ध्वनितंत्र, शब्द-भंडार और रूपविकार ईरानी ढंग के हैं। इससे विदित होता है कि वेदों की रक्षा जैसे भारत में की जा सकी, वैसे ही मंत्र-साहित्य की रक्षा ईरान में नहीं की जा सकी। जितना अंश बचाया जा सका, उसे बचाने का श्रेय भारतीय उद्भव के **मग** पूरोहितों को है। इस मंत्र-साहित्य की रक्षा के लिए जो विकट संघर्ष किया गया, उसका एक रूप यह था कि वेदपाठी ब्राह्मणों ने वेद कंठस्थ किये। जब पुस्तक मिलेगी ही नहीं तो नष्ट किसे करोगे? इस संघर्ष की स्मृति इस पौराणिक कथा में बनी हुई है कि ईश्वर ने अवतार लेकर वेदों का उद्धार किया। बेली ने लिखा है कि अधिकांश ईरानी धर्म-ग्रंथ ईरान से भारत लौट आए। जो वस्तु मूलत: जहाँ से गई थी, वहीं लौट आई।

भारतीय इतिहास में शक लोगों का बहुत उल्लेख मिलता है। ईरानी समुदाय की भाषाएँ बोलनेवाले मध्य एशियाई जनसमूहों को भारतीय उद्भव के शक्तिसूचक इस शक शब्द द्वारा अभिहित किया गया। शक शब्द का मूल रूप **सघ** था जो साहस में परिवर्तित होकर विद्यमान है। इन्द्र को **शक्त** कहते थे, उसके शक्तिशाली होने के कारण। ग्रीक भाषा में तालव्य **श्** नहीं है, अत: शक का रूपान्तर **स्कूइ** है। खोतान में शक लोग ही रहते थे जो मक्खन को **नीयक** (नवनीत) कहते थे। बेली ने इसका सम्बन्ध भारतीय शब्द **नीत** (मथा हुआ) से ठीक जोड़ा है। शकों से युद्ध हुआ और जिन्होंने शकों को परास्त किया, वे भारतीय इतिहास-परम्परा में विक्रमादित्य हो गए। स्वाधीन भारत में विक्रम सम्वत् के साथ शक सम्वत् भी लिखा जाता है, ऐसा दोहरा सम्बन्ध भारत और ईरान का है।

बेली ने मध्य एशिया की सोग्दिअन और सक (शक) जातियों का उल्लेख किया है। शक प्रभाव इतना विस्तृत था कि प्राचीन ग्रीक भाषा की पुस्तकों में अनेक शक नाम मिलते हैं। बौद्ध पुस्तकों से खोतान की भाषा में बहुत-से ग्रंथों का अनुवाद हुआ। तीन सौ ई. से खोतानी में अनेक ग्रंथ लिखे गए। प्रथम ईसवी सहस्राब्दी के आरम्भ में जब तुर्कों ने खोतान पर अधिकार किया, तब तक खोतान के लोग अपनी भाषा का व्यवहार करते रहे थे। **ख्** को **ह्** में बदलकर वे अपनी भाषा को **ह्वातनउ** कहते थे। जो ब्राह्मी लिपि भारत में प्रयुक्त होती थी, उसी का किंचित् परिवर्तित रूप खोतानी भाषा के लिए प्रयुक्त होता था। इस प्रकार जिन क्षेत्रों से पहले वैदिक संस्कृति का सम्पर्क था, उनसे आगे चलकर बौद्ध संस्कृति का सम्बन्ध बना रहा। मध्य एशिया से सहस्राब्दियों तक कायम रहनेवाले भारत के सम्बन्धों को ध्यान में रखते हुए भारत और ईरान के प्राचीन भाषायी सम्बन्धों को समझने का प्रयत्न करना चाहिए।

बेली ने लिखा है कि पामीर के घुमन्तू कबीले डैन्यूब नदी से लेकर उत्तर-पश्चिमी चीन के कान्सू प्रदेश तक धावा मारते थे। यह भी एक सूत्र है जिससे स्लाव, ईरानी और चीनी भाषाओं के सम्बन्ध पहचाने जा सकते हैं। और इन सम्बन्धों के मूल सूत्र भारत में हैं। तुर्कों ने पामीर के घुमन्तू कबीलों की यह प्रक्रिया बन्द कर दी। तुर्की भाषा में बहुत-से शक भाषाओं के शब्द आ गए और तुर्की के माध्यम से वे फिर ईरान की भाषा में पाए। इनमें एक शब्द **खच्चर** है। बेली के अनुसार खोतानी शब्द **खदर**, तुर्की में **कतिर**, ईरानी में **खरतर्** और मूलत: वह **अश्वतर** है। **मग** पुरोहितों लिए वेली ने लिखा है कि कुषाण काल में शक-प्रदेश से मग पुरोहित उत्तर-पश्चिम भारत में आए। बराहमिहिर **मग** थे। बेली ने यह भी लिखा है कि ग्रीक भाषा के **मगोइ**, लैटिन **मागी** बाइबिल के ईसा मसीह वाले भाग में उल्लिखित हैं। ख़ादिअन—पश्चिमी एशिया की प्राचीन भाषा—में ग्रीक **मगेइआ** (देवपूजा) का अर्थ जादू हुआ। **ज़रथुश्त** प्रसिद्ध धर्म संस्थापक थे। वह मग कहे जाते थे। इस सारे

विवेचन में बेली ने कहीं भी ईरानी मगों का सम्बन्ध मगध के मगों से नहीं जोड़ा, **मग** के पूर्वरूप **मघ** की कल्पना करना तो बहुत दूर की बात है। किन्तु **मघ** से **मग** का सम्बन्ध वैसे ही है, जैसे ईरानी **यवुक** का भारतीय **यूथ** से। बेली ने लिखा है कि कुषाण राजा **यवुग** उपाधि धारण करते थे जिसका पूर्वरूप था ईरानी **यवुक**। इस ईरानी रूप का अर्थ था **यूथपति**, सेना संग्रह करनेवाला। और बेली के ही अनुसार **यवुक** में शब्द मूल **यउ** है जो **यूथ** का रूपान्तर है। **व्** तुर्की में **प्** बना और ईरानी **यवुक** तुर्की में या **प्कु, जब्कु** बना। इन तुर्की रूपों को देखकर **यूथ** शब्द की याद किसे आएगी? किन्तु **यूथ** के बिना न ईरानी रूप की व्याख्या हो सकती है, न तुर्की रूपों की। **अश्व** से जैसे **अस्प** बना, वैसे ही ईरानी रूप **यवुक** का **व्** तुर्की में **प्** बना। भाषा-परिवारों को अलग-थलग न मानकर बृहत्तर भाषायी क्षेत्र के आधार पर उनका तुलनात्मक विवेचन किया जाए तो उनका ऐतिहासिक विकास ज़्यादा अच्छी तरह समझ में आएगा।

यहाँ संस्कृत **हृदय** और **श्रद्धा** के **श्रद्** का स्मरण उपयुक्त है। फ़ारसी का **दिल** इन रूपों से सम्बद्ध होगा, कल्पनातीत है। किन्तु पार्थिया की भाषा में **जिर्द** शब्द है जिसका बलोची प्रतिरूप **ज़िर्दे** है। अब **श्रद्** का रूसी प्रतिरूप से **सेर्द्त्से** याद कीजिए। सकार **द्** में परिवर्तित हुआ है, **स्** सघोष होकर **ज़्** हुआ; **सेर्द** का प्रतिरूप **ज़िर्द** प्राप्त हुआ। **ज़िर्द** का वैकल्पिक रूप **ज़िर**, जैसे लैटिन **कोर्द्** के साथ **कोर**; **ज़िर-जिर-दिर-दिल**, विकास की इस प्रक्रिया से **श्रद्-सेर्द्** का रूपान्तर दिल हुआ।

पुरानी फ़ारसी में एक सर्वनाम **अवम्** है। यह अवेस्ता की भाषा में भी है। यह **अयम्** का प्रतिरूप है। अन्य पुरुष, एकवचन, व्यक्तिवाचक सर्वनाम **अव** प्राचीन काल से उत्तर-पश्चिमी भारत में प्रयुक्त होता रहा है। वैदिक भाषा में भी इसका प्रयोग मिलता है। वैदिक भाषा और संस्कृत में **य** वाले मध्यदेशीय रूप का व्यवहार अधिक हुआ है किन्तु पश्चिमोत्तर भूमि पर **अव** का सिक्का ही चलता था। वैदिक भाषा, ईरानी और द्रविड़ भाषाओं में जो अनेक सामान्य तत्त्व हैं, उनमें एक महत्त्वपूर्ण तत्त्व यह **अव** सर्वनाम है। तमिल का **अवन्** इसी **अवम्** का प्रतिरूप है। **अवम्** पूर्वरूप है कि **अवन्**, यह पूछना बेकार है क्योंकि **म्** और **न्** के दो भिन्न क्षेत्र थे और तमिल का **न्** वाले क्षेत्र से विशेष सम्बन्ध था। **अव** का विश्लेषण किया जाए तो **अ** सर्वनाम दूरस्थ सूचक है और **व** व्यक्ति अथवा वस्तु-सूचक।

अनेक कारक रूप पुरानी फ़ारसी में बिलकुल संस्कृत से मिलते-जुलते हैं। **अवना** करणकारक का रूप है और इसमें सम्बन्धक चिन्ह **ना** संस्कृत **न** का ही प्रतिरूप है। **अवह्या** सम्बन्धकारक का एकवचन पुल्लिंग रूप है और **अवस्य** का प्रतिरूप है। **अस्माकम्** का रूपान्तर **अमाखम्** मिलेगा। **अइबि, अइवि** (उसको) रूप दिलचस्प हैं। इनमें **अव्** के बदले **अय्** का व्यवहार हुआ है जहाँ अर्द्धस्वर **य्** इकार में परिवर्तित हुआ है। इस सर्वनाम में सम्बन्धक चिन्ह **भि** जोड़ा गया है।

इसके दो रूपान्तर हुए; जब महाप्राणता का लोप हुआ तब **बि** रूप बचा, और जब इस **ब** ध्वनि को '**शुद्ध**' किया गया तब **वि** रूप बना। **बगानाम्** सम्बन्धकारक का बहुवचन रूप है। मूल शब्द **भग** है जिसकी महाप्रणता के लोप से **बग** रूप बना है।

संस्कृत में सम्बन्धक शब्द मूल शब्द के बाद आते हैं किन्तु पुरानी फ़ारसी में वे पहले भी आते हैं। मूल प्रवृत्ति सम्बन्धक चिन्ह को बाद में रखने की है, जैसे **अवना** में। **उपायम्** में **उपा** सम्बन्धक है, **उपायम्** अर्थात् किसी वस्तु तक आया। कहा जा सकता है कि यहाँ **उपा** या **उप** उपसर्ग है और संस्कृत में उपसर्ग मूल शब्द से पहले आते ही हैं किन्तु पुरानी फ़ारसी के **उपामाम्** (मेरे द्वारा) में **उपा** निश्चय ही उपसर्ग नहीं है। सम्बन्धक शब्दों को मूल शब्द से पहले रखने की प्रवृत्ति कम्बोज भाषा में अब भी है। कम्बोज भाषा की अनेक प्रवृत्तियाँ यूरोप की विभिन्न भाषाओं में मिलती हैं। सामी परिवार की भाषाओं में विभक्ति चिन्ह तो संस्कृत के समान मूल शब्द के बाद लगाए जाते हैं किन्तु स्वतंत्र सम्बन्धक मूल शब्द से पहले आते हैं। इससे मिलती-जुलती स्थिति प्राचीन ग्रीक और लैटिन की है।

जैसे ना चिन्ह करणकारक के लिए प्रयुक्त होता था, वैसे ही **न** चिन्ह सम्बन्धकारक के लिए प्रयुक्त होता था। संस्कृत **मम** का रूपान्तर यहाँ **मन** है। पुरानी फ़ारसी के रूप में **न** वही सम्बन्धक चिन्ह है जो गुजराती में अब भी प्रयुक्त होता है और हिन्दी के **अपना** (अवधी **अपन**) में दिखाई देता है। **मन** के विश्लेषण से **मम** की संरचना समझ में आती है। जैसे **मन** में **न** सम्बन्धक चिन्ह है, वैसे ही **मम** का दूसरा **म** सम्बन्धक चिन्ह है। अन्य पुरुष के लिए एक सर्वनाम **हउ, हउव्** है। डॉ. सुकुमार सेन ने इसका मूल रूप **सो, असौ** बताया है। यहाँ सर्वनाम मूल **स** परिवर्तित होकर **ह** बना है।

लेवी ने 'द पर्शियन लैंग्वेज' (लन्दन, 1951) में बताया है कि पुरानी फ़ारसी सचमुच कभी ईरान में बोलचाल की भाषा थी, इसमें सन्देह है। वह राजदरबार की भाषा अवश्य थी। लेवी का सन्देह सही हो सकता है। भारत के उत्तर में चीनी तुर्किस्तान से लेकर पश्चिम में वर्तमान तुर्की तक ऐसे अनेक उदाहरण मिलते हैं जहाँ प्राचीनकाल में शासक वर्ग की भाषा और थी और शासित प्रजा की भाषा और थी। चीनी-तुर्कीस्तान में प्रजा की भाषा चीनी समुदाय की थी किन्तु शासक वर्ग की भाषा भारतीय प्राकृत समुदाय की थी। हित्तियों की भाषा आर्य-परिवार की थी और शासित प्रजा की भाषा उससे भिन्न थी। इसलिए यह बिलकुल सम्भव है कि पुरानी फ़ारसी, संस्कृत व्याकरण की विशेषताएँ लेकर चलनेवाली, और अधिकतर ध्वनि-परिवर्तन से अपनी भिन्नता सूचित करनेवाली, वास्तव में प्रजा की भाषा न होकर, भारतीय उद्भव के शासक वर्ग की भाषा रही हो। लेवी कहते हैं कि ईरान का एक भाग **पर्स** या **फ़र्स** कहलाता था और छठी सदी का प्रसिद्ध राजा कुरु इसी प्रदेश का था। यही प्रदेश टकसाली फ़ारसी की केन्द्रभूमि रहा है। ईरानी भाषा-समुदाय का

क्षेत्र पामीर से कोहकाफ तक विशाल है पर इसका सबसे महत्त्वपूर्ण भाग **पर्स** या **फ़र्स** है। फ़ारसी का विकास यहीं हुआ, इससे प्राचीन ईरानी और अर्वाचीन फ़ारसी के विकास में भारतीय भाषाओं के योगदान की कल्पना की जा सकती है। **पहलवी पर्थवी** का रूपान्तर है और **पर्थवी** का सम्बन्ध **पार्थ** से है।

ईरान में बसनेवाले आर्यों ने पंजाब में आकर अपने उपनिवेश बनाए, यह स्थापना तुलनात्मक भाषाविज्ञान से सिद्ध नहीं हो सकती, यह बात बरो जैसे आर्य-द्रविड़ भाषाओं के विशेषज्ञ जानते हैं। इसलिए उन्होंने कल्पना की है कि भारतीय और ईरानी—ये दो शाखाएँ ईरान में ही विभाजित हो गई थीं। इस विभाजन से पहले उनकी संयुक्त भाषा बोलनेवालों को प्रोटो-इंडोएर्यन् नाम दिया है जो वास्तव में भारत-ईरानी शाखा का ही दूसरा नाम है। फिर भी इंडो-ईरानियन् न कहकर इंडोएर्यन् कहने में भारतीय भाषा-तत्त्वों पर बल तो है ही। बरो ने 'जर्नल ऑफ़ रॉयल एशियाटिक सोसायटी' (सन् 1973, संख्या 2) में निबन्ध लिखा था : 'द प्रोटो-इंडोएर्यंस्'। इस निबन्ध में उन्होंने जितना ही पुरानी समस्याओं को हल करने का प्रयत्न किया है, उतना ही उन्होंने नई उलझनें पैदा कर दी हैं।

सबसे पहले उन्होंने यह समस्या ली है कि पश्चिमी एशिया के जिस भाग में वर्तमान तुर्की है, उसके प्राचीन निवासियों का भारत से क्या सम्बन्ध है। इन लोगों की भाषा प्राचीन ईरानी की अपेक्षा प्राचीन भारतीय आर्य भाषा से इतना अधिक मिलती है कि ईरान से भारत की ओर आर्यों के महाभिनिष्क्रमण की कहानियाँ हवा हो जाती हैं। यदि संयुक्त भारत-ईरानी शाखा के विभाजित होने पर, एक शाखा के भारत में आने पर संस्कृत का विकास हुआ, इस कथा पर विश्वास किया जा सकता है, तो इसी तरह एक अन्य शाखा के पश्चिमी लघु एशिया पहुँचने पर हित्ती आदिभाषाओं का विकास हुआ, यह बात भी मानी जा सकती है। कठिनाई यह है कि ईरान के पूर्व और पश्चिम में जिन प्रशाखाओं का विकास होता है, उनमें बहुत बड़ी समानता है। हित्ती और वैदिक भाषाओं में देवताओं, धर्म आदि से सम्बन्धित शब्दावली में बहुत बड़ी समानता है। यदि दोनों ओर की प्रशाखाओं का प्रसार ईरान से होता तो दोनों शाखाओं को ईरानी-हित्ती और ईरानी-हिन्दी कहा जा सकता था। किन्तु हित्ती भाषा में प्राचीनता के ऐसे चिन्ह हैं और भारत से उसका ऐसा गहरा सम्बन्ध है कि विद्वानों ने ईरानी-हित्ती के बदले हिन्दी-हित्ती (इंडो-हित्ताइट) नाम रखा। एक ओर हिन्दी अर्थात् भारतीय आर्य भाषा, दूसरी ओर हित्ती, दोनों में गहन समानता, दोनों के बीच में ईरान, आर्य अभियान का मार्ग निश्चित करने में जो कठिनाई पैदा हो रही है, वह स्पष्ट है।

अपने निबन्ध के आरम्भ में बरो कहते हैं, निकट पूर्व (अर्थात् वर्तमान तुर्की राष्ट्र) में जो आर्य भाषाओं के अवशेष मिलते हैं, उनका सम्बन्ध भारतीय आर्य भाषा से है, ईरानी से नहीं। यह न तो ईरानी और भारतीय से अलग कोई तीसरा स्वतंत्र

भाषा-समुदाय है और न इसे आदि आर्य भाषा कहा जा सकता है। जहाँ ईरानी और भारतीय आर्य भाषाओं में अन्तर है, वहाँ निकट पूर्व के दस्तावेजों की भाषा भारतीय आर्य भाषा से मिलती है, ईरानी से नहीं। हित्ती-मितन्नी सन्धिपत्रों में मित्र, वरुण, इन्द्र, नासत्यों आदि को पहचान लिया गया है। वरुण का उल्लेख ईरानी दस्तावेजों में नहीं है। 'ऋग्वेद' में मित्र और वरुण का उल्लेख एक साथ मिलता है। ईरानी दस्तावेजों में **मिथ्र** (अर्थात् **मित्र**) और **अहुर** (अर्थात् **असुर**) का उल्लेख मिलता है। 'ऋग्वेद' में जहाँ-तहाँ **असुर** नाम के देवता का उल्लेख है; वह **मित्र** और **वरुण** से भिन्न है पर कभी-कभी उनके साथ भी उसका उल्लेख होता है। बरो का विचार है कि **मित्र** और **वरुण** की जोड़ी की अपेक्षा **मित्र** और **असुर** की जोड़ी अधिक मौलिक यानी प्राचीन है। कौन अधिक प्राचीन है, यह प्रश्न गौण है। वास्तव में सुर, असुर, देव पौराणिक गाथाओं में अलग कर दिये गए हैं। सुर और असुर विरोधी माने गए हैं, देव ईरानी परम्परा में निम्न प्रकृति का प्राणी माना गया है, जैसे ग्रीक **दऑमोन्** अंग्रेज़ी का **डेमन्** हो गया। बरो ने ठीक लिखा है कि **असुर** का मूल अर्थ स्वामी है, प्राण का अर्थ देनेवाले **असु** से इसका कोई सम्बन्ध नहीं है। अवेस्ता में **अहू** शब्द भी है जिसका वही स्वामी वाला अर्थ है। **अहू** और **असुर सू** या **सु** क्रिया से बने हैं जिसका अर्थ खेत में बीज डालना, सृजन करना है। क्रिया के पहले जो **अ** उपसर्ग है, वह निषेधात्मक नहीं है, अर्थ-घनत्व का सूचक है। कृषि-सभ्यता के विकास से **ऋषि, सुर, असुर** आदि जो शब्द कृषि-सम्बन्धी कौशल से सम्पृक्त थे, वे आगे चलकर अपने मूल भौतिक परिवेश से अलग होकर पूर्णत: अथवा अंशत: देवत्वसूचक हो गए। एक ही विशाल परिवार के सदस्य जब मिलकर खेती करते थे, तब उन सबका मुखिया **कुलपति** कहलाता था। **कुलपति** के **पति** शब्द में जो स्वामित्व का भाव है, वही **असुर** शब्द में है। यह **असुर** शब्द कुलपतित्व की कृषि-भूमि छोड़कर देवत्वसूचक बना। देवताओं से सम्बन्धित मनुष्य की धारणाओं का विकास कैसे हुआ है, इस पर ध्यान न देकर बरो मान लेते हैं कि **असुर** एक देवता था जिसकी उपासना 'ऋग्वेद' के रचनाकाल तक पुरानी पड़ चुकी थी।

**वसु** शब्द को भारतीय ईरानी सम्बन्धों के विवेचन में बरो ने प्रस्तुत किया है। तर्क है कि **वसु** संस्कृत में संज्ञा है और ईरानी में (**वोहु** रूप में) विशेषण है। मितन्नी राजधानी का नाम **वस्सुकन्नि** अर्थात् **वसुखनि** (वसुओं, मूल्यवान धातुओं की खान) था। यहाँ भी **वसु** संज्ञा-रूप में है। इस प्रकार भारतीय आर्य भाषा और ईरानी में तो भेद हुआ किन्तु पश्चिम एशियाई और भारतीय भाषाओं में समानता हुई। किन्तु यह तर्क अनावश्यक है। **वसु** उन शब्दों के वर्ग में है जो संज्ञा और विशेषण, दोनों तरह प्रयुक्त होते हैं। विशेषण रूप में **वसु** संस्कृत **वसिष्ठ** में विद्यमान है (वैदिक भाषा में इसका **वसिश्त** रूप भी है)। अधिक महत्त्वपूर्ण बात यह है कि मितन्नी और भारतीय रूपों में सकार है, ईरानी में उसका परिवर्तित रूप **ह्** है। **वसु** के

साथ **खनि** ही शब्द का मूल रूप है, मितन्नी में महाप्राणता का लोप होकर अल्प प्राण रूप रह गया है। **वोह** और **वस्सुकन्नि**, दोनों का उद्भव **वसु** और **खनि** में देखना चाहिए। बरो बिलकुल ठीक कहते हैं कि आर्य लोग पहले पंजाब पहुँचे हों और वहाँ से लौटकर मितन्नी भूमि पहुचे हों, यह सम्भव नहीं है। पर इससे वह यह भ्रामक स्थापना प्रस्तुत करते हैं कि इन भाषाओं के विकसित होने से पहले आदि आर्य विभाजित होकर भारतीय आर्य और ईरानी आर्य बन चुके थे। प्राचीन जनसमुदाय गण-समाजों में संगठित होते थे, यह मानचित्र बरो के सामने नहीं रहता। इसलिए आर्य गण भाषाओं के बदले वह आदि आर्यों की भाषा की कल्पना करते हैं। उनकी कल्पना में ये आदि आर्य इंडो-यूरोपियन की एक शाखा हैं, वे विभिन्न गणों में संगठित न होकर एक विराट् जनसमूह हैं। किन्तु यह मान भी लिया जाए तो भारतीय और ईरानी आर्य अलग हैं, भाषा के अलावा इसकी पहचान क्या होगी? बरो के विचार से भारतीय और ईरानी भाषाओं का विकास बाद में हुआ किन्तु मूल आर्य भारतीय और ईरानी पहले बने! यह भी मान लें तो हित्ती-मितन्नी छूटे जा रहे हैं। मूल आर्य विभाजित होने पर जब एक ही भाषा बोल रहे थे, तब भारत और तुर्की जैसे दूरस्थ देशों में एक ही तरह का भाषायी विकास क्यों हुआ, और बीच में ईरान की भाषा दोनों से भिन्न क्यों हुई?

वास्तव में ईरानी भाषा-समुदाय के विशाल क्षेत्र में अनेक भाषाएँ बोली जाती थीं। समस्त ईरानी किसी समय अवेस्ता की भाषा ही बोलते थे, यह मिथ्या कल्पना है। वर्तमान तुर्की राष्ट्र की भूमि पर अनेक आर्य भाषाएँ बोली जाती थीं, इस तथ्य का विवेचन हित्ती-विशेषज्ञ स्टुर्टेवैंट ने किया है। बरो उस विवेचन से परिचित हैं और संस्कृत पर अपने ग्रंथ में उन्होंने इन भाषाओं का उल्लेख भी किया है। उसी प्रकार भारत में मगध, कोसल, वृष्णि, कुरु आदि की विभिन्न गण भाषाएँ थीं। अपने विवेचन में इस संश्लिष्ट-भाषायी स्थिति को सरल करके बरो आदि आर्यों और उनकी दो शाखाओं, भारतीय और ईरानी की, बात करते हैं। आर्य पंजाब से लौटकर पश्चिमी लघु एशिया नहीं गए, यह तो सही है किन्तु बिना लौटे भी तो वे वहाँ जा सकते थे। बरो के लिए यह कल्पनातीत है कि आर्य अभियान भारत से शुरू हुआ हो। तब भारत को, उसके उत्तरी भाग या पंजाब को आर्यों का आदि देश मानना पड़ेगा। आदि देश कहीं होना ज़रूर चाहिए, भारत में नहीं हो सकता, इसलिए ईरान में होगा। मूल इंडो-यूरोपियन भाषा के बोलनेवाले ईरान में न रहते थे पर उनकी जो शाखा वहाँ पहुँची, ईरानियों और भारतवासियों के लिए वही आदि आर्य-शाखा है। कल्पना कीजिए कि उत्तर भारत, बृहत्तर भारत के उत्तराखंड में, मध्य एशिया, ईरान समेत पश्चिमी एशिया की भूमि पर सैकड़ों कबीले घूमते हैं। फिर घुमन्तू जीवन छोड़ते हुए वे कृषि-सभ्यता का विकास करते हैं। इस सभ्यता का विकास सभी कबीलों में एक साथ नहीं होता। भारत और ईरान में जब कृषि-सभ्यता पुरानी पड़

चुकी है, तब भी—तुर्क अभियान से पहले तक—पामीर के घुमन्तू कबीले उत्तरी चीन से लेकर दक्खिनी रूस तक धावा मारते हैं। स्वभावतः जिन कबीलों में कृषि-सभ्यता का विकास पहले हुआ, उन्होंने दूसरे कबीलों की भाषा और संस्कृति को अधिक प्रभावित किया। कृषि-सभ्यता के विकास के साथ-साथ, और उसके बाद, जैसे-जैसे उत्पादन-कौशल में विकास हुआ, मनुष्य ने पृथ्वी के गर्भ से खनिज पदार्थ निकालकर उन्हें उपयोग में लाना शुरू किया, नगरों का निर्माण हुआ, सुव्यवस्थित नगर-निर्माण-कौशल में वृद्धि हुई, वैसे-वैसे विकसित सभ्यता के इन केन्द्रों ने एक दूसरे को, और अपेक्षाकृत अविकसित समाजों को, प्रभावित किया। इस पृष्ठभूमि में यह बिलकुल स्वाभाविक होगा कि भारत भाषा-तत्त्वों के निर्यात का प्रमुख केन्द्र बने। यहाँ 'ऋग्वेद' के अलावा सिन्धु घाटी की सभ्यता भी है।

सिन्धु घाटी की सभ्यता का उल्लेख बरो भी करते हैं।

बरो ने एक काम अच्छा किया है कि उन्होंने 'ऋग्वेद' का समय कुछ और पहले तक खींचा है। उनका विचार है कि 'ऋग्वेद' का समय 2000 ई.पू. के आसपास लाना चाहिए। ज़रथुश्त का समय वह 1100 ई.पू. या उससे कुछ पहले मानते हैं। हैं। ईरानी गाथाओं की भाषा को वह वैदिक भाषा की समकालीन मानते हैं, कहते हैं कि उससे प्राचीनतर भी हो सकती है। ज़रथुश्त का समय 600 ई.पू. के ग्राम पास माना जाता है; स्वभावतः उसे 500 वर्ष और पहले ले जाने से 'ऋग्वेद' का समय भी और पहले ले जाना पड़ेगा। ज़रथुश्त का समय और गाथाओं की भाषा का समय एक नहीं है। बरो के मत से गाथाओं की भाषा वैदिक भाषा की समकालीन है। कि ज़रथुश्त बाद के हैं और जिस प्रकार वैदिक शब्दों का व्यवहार गाथाओं या अवेस्ता की भाषा में हुआ है, उससे उस भाषा के लिए भारत से भिन्न किसी अन्य आदिस्रोत की कल्पना प्रमाणित नहीं होती। बरो कहते हैं कि देवता या ईश्वर के लिए प्राचीन ईरानी में **बग** शब्द था। यही रूप पुरानी फ़ारसी में है यद्यपि अवेस्ता में **ग़्** संघर्षी रूप में है, वहाँ **बग़** रूप है। अब **भगवान्** वाले **भग** से अलग इस **बग** का विकास नहीं दिखाया जा सकता। **बोगु** जैसे रूप में यह शब्द स्लाव भाषाओं में भी है। **भग** ऐश्वर्यसूचक है। संस्कृत में है, स्लाव भाषाओं में है, ईरानी में उसका गौण और सीमित देवत्व वाला अर्थ है।

## 4. फ़ारसी और पश्तो

आधुनिक फ़ारसी का विकास ग्यारहवीं सदी से माना जाता है। भारतीय भाषाओं की तुलना में फ़ारसी पर सामी प्रभाव बहुत है। उर्दू ने अरबी से शब्द बहुत लिये हैं किन्तु उसका व्याकरण मूलतः हिन्दी का है। फ़ारसी में व्याकरण के स्तर पर भी अरबी का प्रभाव पड़ा है। उर्दू में बीसवीं सदी से पहले अरबी तत्त्व अधिकतर फ़ारसी के माध्यम से आए, फ़ारसी से भी अधिक अरबी शब्द उधार लेने का काम उर्दू ने बीसवीं सदी में

किया। सामी तत्त्वों को छोड़ दें तो आधुनिक फ़ारसी की संरचना ऐतिहासिक दृष्टि से बहुत रोचक सिद्ध होगी और समग्र भारतीय भाषायी परिवेश से सम्बद्ध दिखाई देगी।

आधुनिक फ़ारसी का ध्वनितंत्र प्राचीन ईरानी और पुरानी फ़ारसी से बहुत कुछ वैसे ही भिन्न है, जैसे प्राकृतों के ध्वनितंत्र से हिन्दी तथा अन्य आधुनिक आर्य भाषाओं का ध्वनितंत्र भिन्न है। हिन्दी आदि के लिए तो कहा जाता है कि मुसलमानों के हमले के कारण तत्सम रूपों का फिर से चलन हुआ, फ़ारसी में जहाँ ऐसे 'नये' रूप मिलते हैं जो अति प्राचीन हैं, तो क्या इनके बारे में कहा जाएगा कि ईरान पर अरब और तुर्क मुसलमानों के आक्रमण हुए, इसलिए पुराने तत्सम, अर्द्ध-तत्सम रूप फिर चालू किये गए? अवेस्ता की भाषा और शिलालेखों की पुरानी फ़ारसी, दोनों भाषाओं में एक ही ध्वनि के विभिन्न रूपान्तर मिलते हैं। इसका कारण यह है कि लिखित भाषा के अलावा अनेक अलिखित भाषाएँ भी व्यवहार में आती थीं और इनकी विविधता जहाँ-तहाँ लिखित भाषा में भी प्रतिबिम्बित हुई है। युग-विशेष में किसी भाषा के लिखित रूप में तत्सम रूपों का व्यवहार बढ़ सकता है, यह मानते हुए भी कहना होगा कि लिखित भाषा में जैसे तद्भव मिलते हैं, उनसे भिन्न रूप भी पुराने समय में प्रचलित रहे होंगे। अवेस्ता की भाषा में **स्** यदि **ह्** में बदलता दिखाई देता है, तो इससे यह न समझना चाहिए कि ईरान की भाषाओं में सर्वत्र ऐसा परिवर्तन होता था। **असुर** का ईरानी रूपान्तर **अहुर** अवश्य था पर **अशुर** रूप भी प्रचलित था। जिस देश को अंग्रेज़ी में **असीरिया** कहा जाता है, वह **असुर** देश है और उसका पुराना नाम **अशुरा** था। डॉ. सुकुमार सेन ने **अशुरा** को मूल रूप मानकर अवेस्ता के **अथुरा** का सम्बन्ध उससे जोड़ा है। इस प्रकार **असुर** शब्द **अहुर, अशुर, अथुर**, कम-से-कम इन तीन रूपों में बोला जाता था। भारत से जो शकार-प्रेमी मग ईरान पहुँचे थे, वे अवश्य **असुर** को **अशुर** बोलते रहे होंगे। साथ ही **असुर** को **असुर** कहनेवाले भी ईरान में रहे होंगे, इसकी कल्पना की जा सकती है। भारत में **असुर** शब्द प्रचलित रहा, इसमें तो कोई सन्देह नहीं। प्राचीन ईरानी और पुरानी फ़ारसी **थ़्, द़्, ख़्** आदि संघर्षी ध्वनियाँ बहुत हैं। इनमें फ़ारसी ने केवल **ख़** ध्वनि स्वीकार की है। संघर्षी **थ़्** अंग्रेज़ी में तो प्रयुक्त होता है (**थिंक्, थिन्** आदि शब्दों में) और अरबी का **थ्वाद्** ध्वनि-चिन्ह उसे व्यक्त करता है किन्तु फ़ारसी में अरबी शब्दों की **थ्वाद्** वाली ध्वनि भी **स्वाद्** यानी **स्** रूप में ग्रहण की गई।

पुरानी फ़ारसी में **ऋ** ध्वनि अधिकतर **अर्** में बदलती है। यों भी कह सकते हैं कि वह **र्** में बदलती है किन्तु तमिल के अनुरूप **र्** के पहले **अ** स्वर जोड़ना आवश्यक होता है। संस्कृत **ऋताच** पुरानी फ़ारसी में **अर्ताचा** है। यहाँ **ऋ** स्वर को **अर्** में परिवर्तित मान सकते हैं किन्तु संस्कृत **रजतम्** का प्रतिरूप यहाँ **अर्दतम्** है। **ऋ** स्वर नहीं है, **र्** के पहले स्पष्ट ही **अ** स्वर जोड़ा गया है। संस्कृत **ज्** पुरानी फ़ारसी में **द्** रूप धारण करता है किन्तु लैटिन में **ग्** रूप में ग्रहण किया जाता है।

इसलिए लैटिन शब्द है **अर्गेन्तुम्** (चाँदी, श्वेत); अंग्रेज़ी' में **आर्जेंट्** रूप है जहाँ **ज्** का आविर्भाव फिर होता है। **अजानात्** का पहलवी प्रतिरूप **अदाना** है जो सीधे **अजाना** से भी बन सकता है। जैसे **प्रसेनजित्** पालि में **पसेनदी** हुए, उसी तरह **अजाना अदाना** बने। **दाना, नादान, दानिशमन्द** इसी खानदान के हैं। महाराष्ट्र और दक्षिण में **ज्ञान** के प्रथम व्यंजन के तालव्य उच्चारण के बदले जो दन्त्य उच्चारण होता है—**ज्यांन** को **द्यांन** कहने की प्रवृत्ति है—उसी के अनुरूप पुरानी फ़ारसी यानी पहलवी में यह प्रवृत्ति विकसित हुई, किन्तु अब **ज्** ध्वनि आधुनिक फ़ारसी में अच्छी तरह प्रतिष्ठित हो गई है। संस्कृत **जनानाम्** पुरानी फ़ारसी में **ज़नानाम्** है और **जीव्** क्रिया का प्रतिरूप **जीस्तन्** है। यहाँ **ज्** ध्वनि सघोष सकार में परिवर्तित हुई है। मराठी में फ़ारसी **जगह** को **ज़ायगा** रूप देकर मराठी-भाषी यह सिद्ध करते हैं कि **ज्** को **द्** में बदलने की प्रक्रिया के समान उसे **ज़** में बदलने की प्रक्रिया भी भारतीय है।

ईरानी क्षेत्र के बहुत-से स्थानवाचक शब्दों में **स्तान** लगा हुआ दिखाई देता है। यह **स्थान** का प्रतिरूप है। पुरानी फ़ारसी में संयुक्त स्वर और संयुक्त व्यंजन काफी हैं किन्तु आधुनिक फ़ारसी में इनका अलगाव देखा जाता है, विशेष रूप से शब्द के आदिस्थान में। **भ्रातर्** का प्रतिरूप **बिरादर्** है किन्तु **अब्र (अभ्र),** में दो व्यंजन संयुक्त हैं। पुरानी फ़ारसी में **एतत्** का प्रतिरूप **अइत्** है, **एति** (जाता है) का प्रतिरूप **अइतेय्** है। आधुनिक फ़ारसी **अइ** और **अउ** संयुक्त स्वरों का व्यवहार नहीं करती; इनकी जगह **ऐ, औ** का व्यवहार करती है। यही प्रवृत्ति उत्तर-पश्चिमी आधुनिक आर्य भाषाओं में है। यदि फ़ारसी की तद्भवीकरण-प्रक्रिया का विश्लेषण किया जाए तो वह भारतीय आर्य भाषाओं में वैसी प्रक्रिया से मिलती-जुलती दिखाई देगी। संस्कृत **अक्षत** पुरानी फ़ारसी में **अख़्शत** है। **क्ष्** ध्वनि **ख़्श्** में परिवर्तित हुई है। ऐसा परिवर्तन आधुनिक फ़ारसी में नहीं होता। **क्षीर** का प्रतिरूप **शीर** है, जैसे संस्कृत क्षेत्र का मराठी प्रतिरूप **शेत** है। साथ ही **क्षार** का फ़ारसी रूपान्तर **ख़ार्** है। **क्ष्** को **ख्** में बदलने की प्रवृत्ति मागध भाषा-समुदाय की विशेषता है। फ़ारसी में उसे संघर्षी रूप दिया जाता है, इतना ही अन्तर है। यह सम्भव है कि मग जनों के प्रभाव से ईरान की भाषाओं में ऐसे परिवर्तन हुए हों। आधुनिक फ़ारसी में **अ** स्वर को वृत्ताकार बोलने की प्रवृत्ति है। इसका कारण भी मग-सम्पर्क हो सकता है। फ़ारसी में एक उल्लेखनीय प्रवृत्ति मध्यवर्ती अघोष स्पर्श-ध्वनि को सघोष करने की है। **मादर्, पिदर्, बिरादर्** रूप इसी प्रवृत्ति के कारण बने हैं। पर ऐसा सर्वत्र नहीं होता। **आतिश** (अग्नि) और **आदिश,** दोनों तरह के रूप मिलते हैं। प्राकृतों में यह प्रवृत्ति बहुत व्यापक है और इन प्राकृतों में मागधी प्राकृत का स्थान प्रमुख है। यह प्रवृत्ति वास्तव में उत्तर-पश्चिमी है। **अशोक** का नाम **अशोग** या **असोग** नहीं मिलता। मग लोग चाहे पूर्व के रहनेवाले हों चाहे पश्चिम के, मागध समुदाय की भाषाओं में अनेक प्रवृत्तियाँ ऐसी हैं जो उत्तर-पश्चिमी भाषाओं में हैं। इसी कारण

मानक तमिल में यह प्रवृत्ति उत्पन्न हुई कि मध्यवर्ती अघोष ध्वनि का सघोष उच्चारण किया जाए यद्यपि तमिल में अघोष-सघोष के भेद से अर्थ में कोई परिवर्तन नहीं होता। प्राकृतों में अघोष महाप्राण ध्वनि को भी सघोष महाप्राण कर देते हैं। सघोष महाप्राण ध्वनियाँ न फ़ारसी में हैं, न तमिल में, इसलिए प्राकृतों का उक्त परिवर्तन इन भाषाओं में नहीं होता। फ़ारसी में शब्द के अन्त में आनेवाले **न** या **न्** का लोप करके पूर्वस्वर को अनुनासिक बना देने की प्रवृत्ति है। **मकान** से **मकां**, **ज़ुबान** से **ज़ुबां** रूप उर्दू कविता में इसी प्रवृत्ति के कारण मिलते हैं। तमिल में अन्य पुरुष सर्वनाम का एकवचन रूप **अवन्** बोलचाल में **अवां** हो जाता है। यह वही प्रवृत्ति है। फ़ारसी में पुराने **अवन्** (दूरस्थ व्यक्ति), **इवन्** (निकटस्थ व्यक्ति) रूप और भी संक्षिप्त होकर **आँ** और **ई** हो गए हैं।

फ़ारसी और तमिल में एक महत्त्वपूर्ण भेद यह है कि तमिल में वर्त्स्य या मूर्धन्य **ट्, ड्** का व्यवहार होता है किन्तु फ़ारसी में इनका प्रवेश नहीं हुआ। एक अन्य केन्द्र द्रविड़ भाषाओं और संस्कृत को प्रभावित कर रहा था। तमिल पर उसका आंशिक प्रभाव है क्योंकि इस भाषा में शब्द के आदिस्थान पर **ट्** का व्यवहार नहीं होता। इससे यह निष्कर्ष निकाला जा सकता है कि द्रविड़ परिवार और ईरानी समुदाय की भाषाएँ जब भारत के उत्तरी-पश्चिमी सीमान्त पर सम्पर्क में आई थीं, तब द्रविड़ भाषाओं पर **ट्-ड्** वाले ध्वनिकेन्द्र का प्रभाव न पड़ा था। अन्य सम्भावना यह भी है कि ईरानी भाषाएँ **ट्-ड्** ध्वनियों वाले शब्दों को ग्रहण करते समय उन्हें **त्-द्** में बदल देती थीं। फ्रांस, इटली, रूस आदि ट-वर्गहीन क्षेत्रों के लोग जब अंग्रेज़ी या भारतीय शब्द बोलते हैं, तब आवश्यकतानुसार ऐसा ही परिवर्तन करते हैं। स्कॉटलैंड, आयरलैंड आदि केल्त भाषा क्षेत्रों के लोग जब अंग्रेज़ी बोलते हैं तब उनके उच्चारण में भी ऐसे ही परिवर्तन की झलक मिलती है। वैदिक मंत्र या उनसे मिलते-जुलते मंत्र ईरान की उपासना-पद्धति में प्रयुक्त होते थे। वैदिक मंत्रों की प्राचीनता असन्दिग्ध है और इनमें ट-वर्गीय ध्वनियों का व्यवहार होता है। इसलिए यह धारणा पुष्ट होती है कि ऐसी ध्वनियों वाले शब्द ईरानी भाषा-समुदाय में उसकी ध्वनि-प्रकृति के अनुरूप बदलकर ग्रहण किये गए हैं, भले ही स्वयम् संस्कृत में ऐसे रूप किसी समय त-वर्गीय ध्वनियों वाले रहे हों। अंग्रेज़ी महीना **सेप्टेम्बर** हिन्दी में **सितम्बर** है। **सेप्ट** के मूल रूप **सप्त** में **त्** है। यह **त्** अंग्रेज़ी में **ट्** बना, हिन्दी में **त्** रूप में उसका पुनर्जन्म हुआ। मध्यदेशीय **त्** पश्चिमी **ट्** में परिवर्तित हुआ, ईरानी समुदाय में वह पुनः **त्** रूप में ग्रहण किया गया। जहाँ तक **ण्** का सम्बन्ध है, वह संस्कृत, बाँगरू, पंजाबी, मराठी आदि आर्य भाषाओं तथा तमिल आदि अनेक द्रविड़ भाषाओं में है किन्तु फ़ारसी में उसका प्रवेश नहीं है। आधुनिक आर्य भाषाएँ बोलचाल के स्तर पर **ष्** का व्यवहार नहीं करतीं, यही स्थिति फ़ारसी की है। जैसे पालि और प्राकृत में **ष्** नहीं है, वैसे ही प्राचीन ईरानी और पुरानी फ़ारसी में भी वह नहीं है।

अनेक आर्य भाषाओं में **ब्** और **व्** का वैकल्पिक व्यवहार होता है। फ़ारसी में **पासबान्** और **पासवान्** (पहरेदार), दोनों रूप हैं। उत्तर-पश्चिमी आर्य भाषाओं तथा तमिल के समान फ़ारसी में तालव्यीकरण की प्रवृत्ति है। जैसे संस्कृत **कर** के तमिल प्रतिरूप **कइ** (हाथ) और **चॅइ** (करना) हैं, जैसे हिन्दी **क्यों** ब्रज क्षेत्र में **चौं** भी बोला जाता है, वैसे ही फ़ारसी में प्रश्नवाचक सर्वनाम **के** का एक प्रतिरूप **चे** भी है। **के** रूप जानदारों के लिए ही प्रयुक्त होता है और **चे** बेजानों के लिए भी। तमिल में सकार जैसे कभी-कभी **त्** में बदलता है, वैसे ही संस्कृत **आवास** फ़ारसी में **आबाद** है। **स्** पहले अघोष **त्** में परिवर्तित हुआ, फिर यह **त्** सघोष **द्** बना। संस्कृत के **व्** ध्वनि वाले शब्द जैसे मागध समुदाय में **ब** बोले जाते हैं, वैसे ही संस्कृत **वात** फ़ारसी में **बाद** है। किन्तु ऐसा सर्वत्र नहीं होता। **यातु** के प्रतिरूप **जादू** में **य्** को **ज्** में बदलने की वही मागधी प्रवृत्ति फिर दिखाई देती है।

फ़ारसी की शब्द-निर्माण-प्रक्रिया में भारतीय शब्द-मूलों की महत्त्वपूर्ण भूमिका रही है। **रास्त, राशिद, राह, रहबर, रफ़्तन्, रवाना** आदि में संस्कृत की गति-सूचक **ऋ** क्रिया है। फ़ारसी रूपों में यह सीधे **र्** में परिवर्तित हुई है और उससे पहले **अ** स्वर जोड़ना आवश्यक नहीं हुआ। जिस पर हम चलते हैं, वह रास्ता या राह है, **रफ़्तन्** चलने की क्रिया है। **रवा** का अर्थ है जाता हुआ, साथ ही उसमें सीधे चलने का भाव भी है। संस्कृत में जैसे **ऋत** का अर्थ सत्य है यद्यपि क्रिया का मूल अर्थ चलना है, वैसे ही फ़ारसी में **रवा** के दो अर्थ हुए। **रवाना** का सम्बन्ध तो चलने से है किन्तु **रवादार** वह है जिसका चाल-चलन दुरुस्त होता है। **रास्ता** वह है जिस पर आदमी चलता है, **रास्त** वह व्यक्ति है जिसका आचरण शुद्ध है यानी चाल सीधी है। **रवी** यात्री के लिए प्रयुक्त होता है और **रविश** का अर्थ गति है। जैसे गति-सूचक **सर्** क्रिया से **सरिता** शब्द बनता है, वैसे ही **रू** क्रिया से नदी-वाचक फ़ारसी का **रूद** शब्द बना। जैसे **वृध्** क्रिया से बढ़ना और **बृद्ध** से **बूढ़ा** रूप बनते हैं, वैसे ही **ऋ** से एक ओर **रफ़्तन, राह** जैसे रूप बनते हैं, दूसरी ओर **रूद** जैसा रूप बनता है। **रवा, रविश** आदि में **ऋ** क्रिया **रू** वत् ही ग्रहण की गई थी। उकार-अकार अथवा उकार-इकार के बीच **व्** श्रुतिका आगम हुआ है। एक **ऋ** क्रिया **ऋचा** और 'ऋग्वेद' के **ऋक्** वाली है। इससे कृदन्त रूप **रन्द** बना जिसका अर्थ है शब्द, कथन। उल्लेखनीय है कि इस अर्थ वाली **ऋ** के आधार पर तमिल में भी बोलने के अर्थ में **इर** जैसी क्रियाओं का व्यवहार होता है।

फ़ारसी शब्दों की रचना-प्रक्रिया का एक महत्त्वपूर्ण पक्ष यह है कि इसमें उपसर्गों का महत्त्व वैसे ही नगण्य है, जैसे आधुनिक आर्य भाषाओं में। संस्कृत में उपसर्गों की भरमार है। आधुनिक आर्य भाषाओं में उपसंर्गों की क्षीणता का कारण कुछ लोग द्रविड़-प्रभाव मानते हैं। यदि यह बात सही हो तो उन्हें फ़ारसी पर भी ऐसा ही प्रभाव मानना चाहिए। वास्तव में आर्य भाषाओं में दो प्रवृत्तियाँ रही हैं, एक

उपसर्गों के बहुल प्रयोग की, दूसरी उनका प्रयोग न करने की। जर्मन और स्लाव समुदाय की भाषाएँ भी उपसर्गों का प्रचुर व्यवहार करती हैं किन्तु लैटिन समुदाय की भाषाओं की स्थिति वैसी ही है, जैसी आधुनिक आर्य भाषाओं की।

ईरानी क्षेत्र में स्थानवाचक शब्दों के **स्थान** का रूपान्तर **स्तान** प्रयुक्त होता है। **स्कम्भ** और **स्तम्भ** रूप याद करें तो ज्ञात होगा कि **स्तान** के समानान्तर **स्कान** जैसा रूप भी होना चाहिए। जो स्थान **अज़रबैजान** कहलाता है उसका पूर्वरूप **आज़रबादगान** है। **बाद** शब्द के **द्** का लोप होने पर **अ** बचा और **य्** श्रुति के आगम से **बायि** रूप बना। **गान** का अरबी रूप **जान** हुआ और इस प्रकार **आज़रबायिज़ान** रूप स्थिर हुआ। **अज़रबैजान** का पूर्वरूप **आज़रबादगान** था, इसका प्रमाण **श्टाइनग्रास** का फ़ारसी-अंग्रेज़ी कोश है; शब्द का अर्थ बताया है अग्नि-मन्दिर। **आज़र अध्वर** का प्रतिरूप है, **बाद वास** का, **गान स्कान** का। **क्** ध्वनि के सघोष होने और **स्** के लोप होने पर **गान** रूप बना। **आज़रबादगान** उन थोड़े से शब्दों में है जिनमें **स्थान** के उत्तर-पश्चिमी प्रतिरूप **स्कान** का चिन्ह बच गया है। सामान्यत: ईरानी क्षेत्र में मध्यदेशीय **स्थान-स्तान** का ही प्रसार है। फ़ारसी की शब्द-निर्माण-प्रक्रिया में जो बहुत-से प्रत्यय लगते हैं, वे संस्कृत तथा भारतीय आर्य भाषाओं के सामान्य प्रत्यय हैं। इनमें एक **कर** प्रत्यय है। **आहनगर** (लोहार), **कूज़गर** (कुम्हार) जादूगर जैसे रूपों में **कर** प्रत्यय लगा है जिसका आदि व्यंजन सघोष हो गया है। जैसे संस्कृत में **कर** और **कार** प्रत्यय के दो रूप हैं, वैसे ही फ़ारसी में।

**गुनहगार, रोज़गार** में **कार** प्रत्यय है। **कारीगरी** जैसे शब्दों में **गर** के बाद दूसरा प्रत्यय **ई** लगा है, जैसे संस्कृत **मैत्री** में **ई** प्रत्यय है। यह समझना भ्रम है कि बंगला, हिन्दी आदि में **ई** प्रत्यय लगाकर जो संज्ञा-रूप बनते हैं, उनका चलन फ़ारसी प्रभाव से हुआ है। यह प्रवृत्ति बहुत पुरानी है और स्वयम् फ़ारसी में भारतीय आर्य भाषा-केन्द्रों से पहुँची है।

संस्कृत के समान **त, ता, द, न्द** प्रत्यय लगाकर फ़ारसी में क्रिया से कृदन्त-रूप बनाए जाते हैं। **द** वाले रूप **त्**-मूलक प्रत्ययों का सघोष रूप हैं। **रास्त** (सीधा, उचित) और **रास्ता में त** और उसी का वैकल्पिक रूप **ता** प्रत्यय हैं। प्रवाहसूचक **रू** क्रिया से **रूद** (नदी), **ऋ** के रूपान्तर **र** (बोलना) **से रन्द** (शब्द) वैसे ही बना है, जैसे संस्कृत **शब्द** बना है। संस्कृत **इत** फ़ारसी में **इद** रूप में प्रयुक्त होता है, यथा : **रास्त** वाली **रा** क्रिया से **राशिद** (उचित मार्ग पर चलनेवाला)। संस्कृत के समान **न** और **ना**, दोनों रूपों में न्-मूलक प्रत्यय काम में लाया जाता है। गतिसूचक **रा** क्रिया से **रान** (यात्रा), **आबरान** (जल-यात्रा) और **रवाना** (प्रस्थान करना); **जीवन, मरण** और हिन्दी **जीना, मरना** की तरह ह्रस्व-दीर्घ वर्ण वाले एक ही प्रत्यय के दो रूप हैं। फ़ारसी में जहाँ **इश** प्रत्यय है, वहाँ उसे **इत** का रूपान्तर मानना चाहिए। **इत** का सहज रूपान्तर **इस** हुआ, फिर मागधी वृत्ति के अनुसार उसका तालव्यीकरण हुआ। **रविश**

(गति) में गतिसूचक **रा** या **रव्** क्रिया है, उसमें **इश** प्रत्यय लगाया गया। संस्कृत में **शिक्ष्, भक्ष्** जैसी क्रियाएँ वास्तव में कृदन्त हैं। **भस्** के सकार का मूर्धन्यीकरण हुआ, फिर वह **क्** में परिवर्तित हुआ, पुनः उसमें कृदन्त प्रत्यय **स** जोड़ा गया।

**बालक** जैसे शब्दों में **क** प्रत्यय लघुता या आत्मीयता प्रदर्शन के लिए लगाया जाता है, उसी तरह फ़ारसी में **मर्द** से **मर्दक** रूप बनता है। जानवर जैसे शब्दों में **वर** प्रत्यय का पूर्वरूप **हर** है और मूल रूप **धर** है। **शमादान** जैसे शब्दों में **दान** प्रत्यय **धान** का रूपान्तर है और फ़ारसी में वैसे ही प्रयुक्त हुआ है, जैसे **दयानिधान** में **नि** उपसर्ग के साथ **धान** प्रत्यय लगा है। **हरामख़ोर** जैसे शब्दों में **ख़ोर** प्रत्यय **ख़्वर** क्रिया के आधार पर बना है। **क्षुध्** क्रिया के अन्तिम व्यंजन की महाप्राणता का लोप होने पर **द्** बचा और यह **र्** में परिवर्तित हुआ, जैसे **बारह** का **रह दस** का रूपान्तर है। जैसे **क्षार** से **खार**, वैसे ही **क्षु** से **खु** या **ख़्वर**। जैसे **दान** का मूल रूप **धान** है, वैसे ही फ़ारसी प्रत्यय **दार** का मूल रूप **धार** है। **आबदार** अर्थात् पानी ले चलनेवाला, **वफ़ादार** वह जो वफ़ा करे। **क्षार** का एक रूपान्तर **ख़ार** होगा, दूसरा **शार**। **आबशार** अर्थात् झरना, जहाँ से पानी का क्षरण होता हो। **क्षरण** का रूपान्तर **शरन** होगा। **बाकू** पर्वतमाला में एक चोटी का नाम **अबशरन** है जिसका संस्कृत रूप **अपक्षरण** या **अपक्षरन्** होगा। **धार** का वैकल्पिक रूप **धर** भी सम्भवतः फ़ारसी में प्रयुक्त होता था। **जूहर** उस स्थान को कहते हैं जहाँ बहुत-से झरने या छोटी नदियाँ हों। यहाँ हर घर का रूपान्तर प्रतीत होता है और **जू** का मूल रूप हिन्दी **चूना** क्रिया का **चू** है जिसका सम्बन्ध **सोता, स्रोत** आदि की **स्रु** क्रिया से है। इसी **जू** का वैकल्पिक रूप **जौ** है जो **जौहरी** और **जौहर** में दिखाई देता है। **जौहर** का अर्थ है **मोती** या **हीरा**; धातु-प्रत्यय के विचार से उसका अर्थ हुआ पानीदार। **धार** प्रत्यय का एक रूपान्तर **यार** होता है। **धार** से **हार**, फिर **ह्** का लोप होने पर **यार**; **आयबार** अर्थात् पानी वाला। **इत** प्रत्यय का एक रूपान्तर **इल** फ़ारसी में संज्ञा और विशेषण रूप बनाने के काम आता है। **बुलबुले** के लिए **आबिल आब** में **इल** प्रत्यय लगाने पर बना है। संस्कृत **आविल** (जलयुक्त) **आप** से बना है जहाँ **प्** ध्वनि के स्पर्श तत्त्व का लोप हुआ है और उसका स्थान अन्तस्थ **व्** ने लिया है। हिन्दी शब्दों में जहाँ **हर** और **हार, अर** और **भार** प्रत्यय लगते हैं, वहाँ यह निश्चय करना सरल नहीं होता कि इनके पूर्वरूप कहाँ **कर** और **कार** हैं और कहाँ **धर** और **धार**। फ़ारसी में **आबकार, आबदार**, दोनों रूप देखकर यह विश्वास होता है कि **कार** और **धार**, दोनों प्रत्ययों का व्यवहार समान अर्थों में होता था। **आर** से मिलता-जुलता **यार** प्रत्यय फ़ारसी में भी है, जैसे **आबयार** में। प्रत्ययों की विविधता, उन वैकल्पिक रूप, शब्द-निर्माण में उनकी भूमिका भारतीय आर्य भाषाओं के सन्दर्भ में ही समझी जा सकती है, साथ ही फ़ारसी प्रत्ययों के तुलनात्मक अध्ययन से आर्य भाषाओं का प्रत्यय-विकास समझने में सहायता मिलती है।

संस्कृत **मन्त** का फ़ारसी प्रतिरूप **मन्द** है जो **अक्लमन्द** जैसे शब्दों में मिलता है। जैसे **मन्त** के साथ **मान** है, वैसे ही इनके रूपान्तर **वन्त** और **वान** हैं। **दरबान** जैसे शब्दों में **बान** इसी **वान** का प्रतिरूप है।

फ़ारसी में समा-संरचना की प्रक्रिया संस्कृत से मिलती-जुलती है। समासों में रोचक ये रूप हैं जहाँ एक ही अर्थ और ध्वनि वाले शब्दों को मिलाया जाता है। इनमें बहुत-से हिन्दी में प्रयुक्त होते हैं। इनमें एक शब्द है **बन्दोबस्त** जो अंग्रेज़ों को भी बहुत प्रिय था और उसका व्यवहार वे अपनी इंडियन इंग्लिश में करते थे। **बन्द ओ बस्त** में **बन्द** तो **बन्ध** का रूपान्तर है और **बस्त बद्ध** का। लड़के जो **बस्ता** लेकर चलते हैं, यह इसी **बद्ध** के वैकल्पिक रूप **बद्धा** का विकास है। **बन्द** का अर्थ हुआ बाँधो और **बस्त** का अर्थ हुआ बँधा हुआ। इसी तरह **गुफ्तगू** में पहला शब्द **गुफ्त** (या **गॉफ़्त**) कृदन्त है (कहा), और **गू** क्रियामूल (कहो या कहना)। **आमदरफ़्त** हिन्दी में इस तरह बोला जाता है मानो पहला शब्द **आम** हो, उसके बाद थोड़ा-सा रुककर दूसरा शब्द **दरफ़्त** आया हो। **आमद-ओ-रफ़्त** में दोनों शब्द कृदन्त हैं। **आमद**—आता हुआ, **रफ़्त** जाता हुआ। **कशमकश** में **कश** खींचनेवाली क्रिया **कर्ष्** का प्रतिरूप है और बीच में **म** निषेधात्मक है। **कशमकश** अर्थात् खींचो और न खींचो। इसी प्रकार **दारमदार** अर्थात् धारण करो और धारण न करो। **कशमकश** के हिन्दी अर्थ में खींचने के साथ उसकी विरोधी क्रिया न खींचने का भाव थोड़ी-सी झलक देता है पर दारमदार में निषेध भाव पूर्णतः लुप्त हो गया है; निषेध भाव ने अर्थ को सघनता प्रदान की है।

पुरानी फ़ारसी में सर्वनाम-चिन्ह मूल शब्द के बाद लगाए जाते थे, जैसे **अस्प**—घोड़ा, **अस्पी**—एक घोड़ा। यहाँ **ई** निर्देशक सर्वनाम है जिसका कार्य वही है जो अंग्रेज़ी में 'इंडेफ़िनिट आर्टीकिल' (अनिश्चयसूचक सर्वनाम) का होता है। संस्कृत में **राम** के साथ जब सर्वनाम-चिन्ह **अस्** लगाकर **रामः** रूप बनता है तब वह सर्वनाम चिन्ह निश्चय-सूचक होता है। अनिश्चय-सूचक सर्वनाम-चिन्ह संस्कृत में नहीं होते, अंग्रेज़ी तथा यूरोप की अन्य भाषाओं में होते हैं। लैटिन तथा स्लाव भाषाएँ संस्कृत से मिलती-जुलती हैं और उनमें भी मूल शब्द के बाद या पहले अनिश्चय-सूचक सर्वनाम नहीं लगाया जाता। इस सन्दर्भ में पुरानी फ़ारसी यूरोप की भाषाओं से अधिक मिलती है किन्तु ये भाषाएँ अनिश्चय-सूचक सर्वनाम मूल शब्द से पहले लगाती हैं। पुरानी फ़ारसी में सर्वनाम-चिन्ह के व्यवहार की पद्धति वही है जो संस्कृत की है। पुरानी फ़ारसी में बहुवचन बनाने के लिए जो **आन्** प्रत्यय लगता है, जैसे **कनीज़ान्** (बहुत-सी लड़कियाँ), वह संस्कृत **आनि** का रूपान्तर है। फ़ारसी में **काग़ज़ात्, मकानात्** आदि में जो **आत्** प्रत्यय दिखाई देता है, वह **आन्** से सम्बद्ध है। संस्कृत के सर्वनाम-चिन्ह **अस्** का व्यवहार एकवचन के लिए हुआ, **आस्** का बहुवचन के लिए। इस **आस्** का रूपान्तर है **आत्** और **आत्** का रूपान्तर है **आन्**।

फ़ारसी में आधुनिक आर्य भाषाओं की सामान्य प्रकृति के अनुरूप विशेषक शब्दों में लिंगभेद दिखाना आवश्यक नहीं होता। **पीरेमर्द**—बूढ़ा पुरुष, **पीरेज़न** बूढ़ी स्त्री; यदि हम कहें, **वृद्ध स्त्री** तो काम चलेगा यद्यपि **वृद्धा स्त्री** गलत न माना जाएगा किन्तु **बूढ़ा स्त्री** प्रयोग स्वीकार न किया जाएगा। तत्सम विशेषक हमारे यहाँ लिंगभेद के बिना भी प्रयोग में आते हैं किन्तु तद्भव रूपों में लिंगभेद दिखाना आवश्यक होता है यद्यपि सर्वत्र ऐसा आवश्यक नहीं है। **बढ़िया लिखावट, बढ़िया आदमी, बढ़िया** में लिंगभेद दिखाने की गुंजाइश नहीं है। मुख्य बात यह है कि फ़ारसी में लिंगभेद सम्बन्धी उदारता का विकास हिन्दी के समान हुआ है। अनेक आर्य भाषाएँ दो ही नहीं, तीन लिंगों के भेद का ध्यान रखती हैं। उनकी स्थिति अलग है।

जो लोग हिन्दी में कारक-चिन्हों के अभाव को भाषा के ह्रास का प्रमाण मानते हैं, उन्हें फ़ारसी की कारक स्थिति पर विचार करना चाहिए। लेवी ने फ़ारसी पर अपनी पुस्तक में लिखा है कि कुछ अपवादों को छोड़कर फ़ारसी में, अंग्रेज़ी के समान, कारक-चिन्हों का लोप हो गया है। कर्मकारक के लिए **रा** चिन्ह लगाया जा सकता है और उसके बिना भी काम चलता है। इस **रा** की स्थिति हिन्दी **को** जैसी है। **देहाती यकबार खर्बूजा आबर्द**—देहाती एक बोझ खरबूजे लाया; इस वाक्य में कर्म **खर्बूजा** के बाद कारक-चिन्ह लगाना आवश्यक नहीं है। फ़ारसी, अंग्रेज़ी, हिन्दी—दूर दूर की तीन भाषाओं में एक-सी प्रक्रिया घटित होती है। इसका कारण यह नहीं हो सकता कि अपभ्रंश काल में कारक-सम्बन्धी अराजकता फैल गई थी। **रा** कारक-चिन्ह कर्म और सम्बन्ध, दोनों के लिए प्रयुक्त होता है। अंग्रेज़ी के **देयर** (उनका) आदि सर्वनामों में सम्बन्धसूचक **र** है। राजस्थानी तथा अनेक पहाड़ी भाषाओं में इस **र** प्रत्यय का व्यवहार होता है। फ़ारसी में **मन्रा** जैसे रूप का निर्माण हिन्दी के **मेरा** की तरह हुआ है। **मन्रा** का प्रतिरूप **मरा** है। **म** और **मन्** का मूल रूप **मध** है जिससे **मैं, मो** आदि रूप बनते हैं। प्रश्नवाचक सर्वनाम **की** बंगला के समान फ़ारसी में भी है। अन्तर यह है कि बंगला में वह निर्जीव वस्तुओं के लिए प्रयुक्त होता है। **की बूद** कहने से यह आशय समझ में आएगा कि किसी व्यक्ति के बारे में पूछा जा रहा है—कौन था। बंगला में **के** सर्वनाम व्यक्तियों के लिए प्रयुक्त होता है। फ़ारसी में **चे कार**—कौन-सा काम, **चे शख़्स**—कौन आदमी, **चे** जीव और निर्जीव, दोनों के लिए प्रयुक्त हो सकता है। इसी प्रकार **को** वस्तुओं और व्यक्तियों, दोनों के लिए प्रयुक्त होता है। **की, के** अथवा **चे** और **को**—प्रश्नवाचक सर्वनाम के ये तीनों रूप भारतीय भाषाओं में मिलते हैं और इन सभी का मूल रूप है **कध**।

फ़ारसी में दूरस्थ और निकटस्थ सर्वनामों के भेद का आधार वही है जो भारतीय आर्य-द्रविड़ भाषाओं में है। **आन्** दूरस्थ है, **ईन्** निकटस्थ है। **ऊ** अन्य पुरुष का एकवचन रूप है जो वास्तव में मध्यवर्ती वस्तु या व्यक्ति का सूचक था। इसका बहुवचन रूप **ईशान्** (वे) है जो वास्तव में निकटस्थ वस्तु या व्यक्ति का सूचक

था। फ़ारसी में सम्बन्धक सर्वनाम-चिन्ह मूल शब्द के बाद लगाए जा सकते हैं, यथा : **खान** अर्थात् घर और **खानम्** अर्थात् मेरा घर, **पिदर आएशान्** अर्थात् उनके पिता। यह प्रवृत्ति सिन्धी, कश्मीरी के अलावा तुर्की, अरबी आदि अन्य परिवारों की भाषाओं में भी है। फ़ारसी में सम्बन्धक शब्द मूल शब्द के पहले भी आता है यद्यपि विभक्ति-चिन्ह संस्कृत-परम्परा के अनुरूप मूल शब्द के बाद ही आते हैं। **ख़ूबतर अज़हमा** अर्थात् सबसे अच्छा, यहाँ **अज** सम्बन्धक मूल शब्द **हमा** से पहले आया है। **बदरया** अर्थात् नदी में, यहाँ **ब** सम्बन्धक **दरया** से पहले आया है। **मियाने आन् दो दरख़्त**—दो दरख्तों के बीच यहाँ **मध्य** का प्रतिरूप **मियान दरख़्त** से पहले आया है। यह प्रवृत्ति कम्बोज भाषा-समुदाय में अब भी पाई जाती है और सामी भाषाओं में है, प्राचीन ग्रीक में है और अंग्रेज़ी में। फ़ारसी में दस के बाद गिनती के शब्द गढ़ने की प्रक्रिया बहुत दिलचस्प है। अंग्रेज़ी आदि यूरोप की भाषाओं में दहाई के बाद इकाई वाला क्रम अधिक-से-अधिक उन्नीस तक चलता है, बीस के बाद दहाई पहले, इकाई बाद को, यह द्रविड़ पद्धति शुरू हो जाती है। फ़ारसी में **याज़दह**—ग्यारह, **दवाज़दह**—बारह, **सीज़दह**—तेरह—यह क्रम आर्य भाषाओं की पद्धति के अनुरूप है किन्तु **बीस्त् ओयक**—इक्कीस, **सीओदो**—बत्तीस, यह पद्धति द्रविड़ भाषाओं के अनुरूप है। बीस तक का गणना-क्रम भारतीय आर्य भाषाओं के अनुरूप चलता है। इससे मिलती-जुलती स्थिति यूरोप की भाषाओं की है। बीस के बाद की गिनती द्रविड़ पद्धति का अनुसरण करती है। निष्कर्ष गह निकलता है कि फ़ारसी समेत इंडो-यूरोपियन परिवार की भाषाओं के मूलाधार में भारतीय आर्य भाषाओं का योगदान मुख्य है किन्तु मूलाधार के ऊपर जो भाषाई प्रपंच है, उस पर द्रविड़ प्रभाव है। फ़ारसी में सघोष महाप्राण ध्वनियाँ जिस प्रकार सघोष अल्पप्राण बनती हैं, वह प्रक्रिया तेलगू, कन्नड़ आदिभाषाओं में देखी जाती है। इससे उक्त स्थापना की पुष्टि होती है। मूल मध्यदेशीय आर्य भाषाएँ तिङन्त-प्रधान हैं किन्तु बाद की संस्कृत उत्तर-पश्चिमी आर्य भाषाओं के प्रभाव से कृदन्त-प्रधान है। द्रविड़ भाषाओं और फ़ारसी में ऐसी ही कृदन्त-प्रधानता है। भूतकालीन क्रिया-रूपों में **गुफ़्तीद, कर्दन्द, ख़ास्तन्द** जैसे कृदन्त रूपों की भरमार है। **बकी गुफ़्तीद**—तुमने किससे कहा, **हरचे ख़ास्तन्द कर्दन्द**—उन्होंने जो चाहा, सो किया। लेवी ने तेरहवीं सदी की फ़ारसी से जो उदाहरण दिये हैं, उनमें ऐसे रूप बहुत हैं। अनेक कृदन्त जोड़कर सरल ढंग से वाक्य-रचना की जा सकती है। चंगेज़खाँ ने बुख़ारा नगर में आकर लूटमार की : **आमदन्द ओ कन्दन्द ओ सूख़्तन्द ओ कुश्तन्द ओ बुर्दन्द ओ रफ़्तन्द**—वे आए और नाश किया और आग लगाई और हत्या की और लूटा और चले गए। कृदन्त-प्रधानता का एक परिणाम यह हुआ है कि लम्बे वाक्य वास्तव में लघु वाक्यों का समूह होते हैं। एक मुख्य वाक्य हो, गौण वाक्य उससे सम्बद्ध हों, ऐसी वाक्य-रचना फ़ारसी की प्रकृति के बहुत अनुकूल नहीं है। लेवी के अनुसार छोटे-छोटे स्वतंत्र वाक्य बटोरकर सब पर

समान बल देते हुए बड़े वाक्य रचने की प्रवृत्ति के लिए स्पष्ट ही आग्रह दिखाई देता है। अंग्रेज़ी आदि यूरोप की भाषाओं से भिन्न फ़ारसी वाक्य-रचना की एक विशेषता यह है कि क्रिया सामान्यत: वाक्य के अन्त में आती है। भारत में आर्य भाषा-परिवार ही नहीं, द्रविड़ आदि अन्य परिवार भी इसी रीति से वाक्य-रचना करते हैं। इस प्रकार ध्वनितंत्र से लेकर वाक्यतंत्र तक फ़ारसी के ऐतिहासिक विकास का विवेचन भारत के समग्र भाषायी परिवेश को ध्यान में रखकर ही किया जा सकता है।

ईरानी भाषा-समुदाय के क्षेत्र की एक महत्त्वपूर्ण भाषा पश्तो है। फ़ारसी ने और उससे पहले ईरान की प्राचीन भाषाओं ने भारतीय आर्य भाषाओं को कहाँ तक प्रभावित किया है, इस समस्या का विवेचन करते समय फ़ारसी और पश्तो के आपसी सम्बन्धों को ध्यान में रखने से सहायता मिलेगी। जो विद्वान् सिन्धी, कश्मीरी और पश्चिमी पंजाबी को फ़ारसी-प्रभावित मानकर एक अलग दरद भाषा-समुदाय को मान्यता देते हैं, उनके लिए भी फ़ारसी और पश्तो का सम्बन्ध शिक्षाप्रद होगा। पश्तो-क्षेत्र में फ़ारसी केवल साहित्य पढ़ने-पढ़ाने की भाषा नहीं है; काबुल में उच्चवर्ग के पठान बहुधा फ़ारसी बोलते हैं। पठानों के देश में सामन्ती व्यवस्था अभी समाप्त नहीं हुई। इसका एक परिणाम यह है कि उच्चवर्ग पश्तो की तुलना में फ़ारसी को प्रश्रय देता रहा है और अपनी भाषा के प्रति हीनता के भाव से पीड़ित रहा है। पश्तो न केवल फ़ारसी से भिन्न एक स्वतंत्र भाषा है वरन् इंडो-यूरोपियन परिवार की भाषाओं के विकास में उसका योगदान फ़ारसी क्षेत्र से कम नहीं है। कुछ बातों में यह फ़ारसी की अपेक्षा भारतीय आर्य भाषाओं के और भी निकट है।

पठान देश अत्यन्त प्राचीन काल से विभिन्न गण-समाजों का देश रहा है। ये गण-समाज सामन्ती व्यवस्था कायम हो जाने पर भी बहुत कुछ अपनी स्वाधीन सत्ता बनाए रहे। पर्वत प्रदेश में रहने से इन्हें अपनी स्वाधीन सत्ता बनाए रखने में सहायता मिली। 'ऋग्वेद' में **पक्थ** गण का उल्लेख है। सम्भवत: यह **पश्त** का रूपान्तर है। अफ़गानिस्तान में **पठान** स्वयम् को **पश्तून** कहते हैं किन्तु कुछ भागों में इसी शब्द को **पख़्तून** बोला जाता है। **पख़्त** से **पश्त** रूप बना होगा, इसकी सम्भावना कम है। **पख़्त** से **पक्थ** रूप बनना सरल है; महाप्राणता **ख़्** से हटकर **त्** में पहुँच गई है। **पश्तो** या **पुश्तू** शब्द काफी पुराना होगा, कम-से-कम उतना पुराना जितना **ईरान** शब्द है। **पठान** शब्द **पख्त** की अपेक्षा **पक्थ** से बनेगा। **पख्त** या **पक्थ** शब्द दूर-दूर तक प्रचलित था, यह यूनानी लेखक हेरोदोतुस् द्वारा प्रयुक्त **पक्तुएस्** से विदित होता है। **पठान** से मिलता-जुलता शब्द **पठार** है। सम्भवत: **पश्त, पक्थ, परस्त**—ये शब्द पर्वत का अर्थ देते थे। **रोह** से इसी प्रकार **रोहिल्ला** शब्द बना और ट्रम्प ने पश्तो भाषा पर अपनी पुस्तक में बताया है कि **रोहु** सिन्धी भाषा में पर्वत को कहते हैं। उत्तर भारत में **पठान** जिस क्षेत्र में आकर ख़ास तौर से रहे, वह **रुहेलखंड** कहलाया। (ट्रम्प के पश्तो व्याकरण की जो प्रति मुझे पढ़ने

को मिली, उसमें ऊपर का पृष्ठ नहीं है। पुस्तक जर्मनी में छपी थी और भूमिका में सन् 1873 दिया हुआ है।) **अफ़गान** शब्द ईरानियों का दिया हुआ है और बहुत-से पठान यह शब्द पसन्द नहीं करते। वे स्वयम् को आर्य कहते हैं और उसी शब्द के अनुरूप उन्होंने अपनी विमान-सेवा का नाम रखा है।

ट्रम्प ने जब अपनी पुस्तक लिखी थी तब ईरान के प्रभाव से भारतीय आर्य भाषाओं का विकास दिखाने की पद्धति का चलन न हुआ था। ट्रम्प ने पठान देश में रहकर स्वयम् अपने कानों से पश्तो का बोल-चाल वाला रूप सुनकर व्याकरण लिखा था। इस तथ्य का उल्लेख उन्होंने अपनी भूमिका में किया है। उन्होंने सिन्धी भाष का भी अध्ययन किया था और उसका व्याकरण भी लिखा था। वह उन थोड़े-से भाषाविज्ञानियों में हैं जिन्होंने पश्तो का विवेचन भारतीय भाषायी सन्दर्भ को में रखते हुए किया है।

किसी भी हिन्दी-भाषी को फ़ारसी और पश्तो का जो अन्तर सबसे अधिक आकर्षित करेगा, वह फ़ारसी से भिन्न पश्तो में मूर्धन्य ध्वनियों का व्यवहार है। पश्तो में **ण्** है, ट्रम्प के अनुसार **ष्** भी है। उससे भी अधिक महत्त्वपूर्ण **ट्** और **ड्** ध्वनियाँ हैं जिनका फ़ारसी में नितान्त अभाव है। ट्रम्प ने लिखा है कि पश्तो में मूर्धन्य ध्वनियों का व्यवहार भारतीय प्राकृतों से मिलता-जुलता है। उन्होंने मूर्धन्य ध्वनियों के आधार पर पश्तो को भारतीय भाषाओं से जोड़ा है। प्राकृतों में इस तरह की ध्वनियों का व्यवहार अधिक हुआ है : "इसलिए फ़ारसी का प्रत्येक संज्ञा शब्द, जिसमें मूर्धन्य ध्वनि हो, आसानी से अपने भारतीय उद्‌भव का पता बता सकता है।" (पृ. 12) फ़ारसी में **ट्, ड्** का प्रभाव, पठान देश में उनका अस्तित्व, स्लाव समुदाय में उनका प्रभाव, जर्मन समुदाय में उनका अस्तित्व, इस स्थिति का मुख्य कारण यह है कि यूरोप के लिए भारतीय भाषा-तत्त्वों का एक वितरण केन्द्र ईरान रहा है और दूसरा पठानदेश। ग्रीक, लैटिन, स्लाव आदिभाषा-समुदाय ईरान से अधिक सम्बद्ध हैं, जर्मन समुदाय पठानदेश से। यह सम्बद्धता सापेक्ष है, निरपेक्ष नहीं; विभिन्न केन्द्र एक दूसरे को प्रभावित करते रहे हैं, इस कारण लैटिन जैसी भाषा में अनेक भाषा-तत्त्व ईरान से नहीं, पठानदेश से पहुँचे हैं।

**ट्** और **ड्** के लिए ट्रम्प का मत है कि इनका उच्चारण जीभ को मूर्धा की ओर ले जाने से होता है। ट्रम्प के समय तक ध्वनियों की छानबीन करने के लिए यान्त्रिक उपकरणों का चलन न हुआ था। फिर भी महत्त्वपूर्ण बात यह है कि उन्हें पश्तो के **ट्, ड्** भारतीय आर्य भाषाओं के **ट्, ड्** जैसे सुनाई देते थे। 1928 में जी. मॉर्गेंस्टीर्न ने ध्वनिशास्त्री लायड जेम्स के सहयोग से हज़ारा जिले के पठान नकीबुल्ला को सूचक बनाकर पश्तो ध्वनियों का अध्ययन किया था। मॉर्गेंस्टीर्न ईरानी भाषाओं के विशेषज्ञ थे और लायड जेम्स ध्वनिशास्त्री थे। अतः दोनों का संयोग पश्तो ध्वनियों के विश्लेषण के लिए बहुत उपयोगी था। इनके अध्ययन का फल बी.एस.ओ.एस.

पत्रिका (सन् 1928, खंड 5, भाग 1) में प्रकाशित हुआ। इसमें उन्होंने कहा है कि मूर्धन्य ध्वनियाँ जब शब्द के आदिस्थान में आती हैं, तब जीभ का प्रतिवेष्टन नहीं होता और वे वर्त्स्य होती हैं। स्वरों के बीच में और शब्द के अन्त में जीभ का प्रतिवेष्टन होता है और वे वर्त्स्य तालव्य ध्वनियाँ होती हैं। यह स्थिति भारतीय आर्य भाषाओं के ध्वनितंत्र में **ट्, ड्** आदि की स्थिति से मिलती-जुलती है। भारतीय उद्भव के अनेक शब्द पश्तो में बोले जाते हैं और इनके आदिस्थान में **ट्** है। हिन्दी **टोला** का प्रतिरूप **टोल्** है। **ग्राम** के समान यह शब्द समूह-सूचक है। पश्तो में उसका वह अर्थ बना हुआ है। राजस्थानी **टाबर**, सिन्धी **टपड़**, पंजाबी **टब्बर** का पश्तो प्रतिरूप **टपर** (कुटम्ब) है। पश्तो मूलशब्द के दन्त्य व्यंजन को मूर्धन्य भी बना देती है। यह प्रवृत्ति सिन्धी में भी है। **दुष्काल** का सिन्धी प्रतिरूप **डुकालु** है, पश्तो में **डुकाल** सिन्धी से पहुँचा है। **रोटी** का पश्तो प्रतिरूप **डोडई** आश्चर्यजनक है। सम्भव है, **रोटी** का **रो** पहले **डो** या **दो** रहा हो। कहीं-कहीं सिन्धी का आदिस्थानीय **ट** पश्तो में **ड** हो गया है। हिन्दी **टक्कर**, सिन्धी **टकरु** पश्तो में **डकरह्** है। भारतीय शब्दों में जहाँ महाप्राणता है, वहाँ पश्तो में महाप्राणता का लोप हो जाता है और अघोष या सघोष अल्पप्राण मूर्धन्य ध्वनि का व्यवहार होता है। अवधी **मूठी**, सिन्धी **मुठि** का पश्तो प्रतिरूप **मुट्** है जो **मूठ** का रूपान्तर है। हिन्दी **ढेर** पश्तो में **डेर** हो गया है।

पश्तो को फ़ारसी से अलग करनेवाली और हिन्दी परिवार से जोड़नेवाली **ट** और **ड** से भी अधिक महत्त्वपूर्ण उत्क्षिप्त मूर्धन्य ध्वनि **ड़** है। महत्त्वपूर्ण इसलिए कि इसका व्यवहार पंजाबी और सिन्धी, दोनों में कम होता है। यह ध्वनि फ़ारसी भाषा के ध्वनितंत्र के अनुरूप उर्दू सँवारने वालों को पसन्द नहीं है किन्तु हिन्दी ही नहीं, बंगला में उसका खूब प्रयोग होता है। **र्** के संसर्ग से जैसे संस्कृत के अनेक रूपों में **त्** ध्वनि मूर्धन्य हो गई है, वैसे ही पश्तो में **र्** के संसर्ग से **द्** ध्वनि मूर्धन्य हुई और फिर दो स्वरों के बीच में होने से हिन्दी के समान उत्क्षिप्त भी हुई। फ़ारसी का **मर्दाना** पश्तो में **मड़नई** हुआ। **मर्द** पहले **मड** बना, फिर दो स्वरों के बीच का **ड्** उत्क्षिप्त हुआ। फ़ारसी **कर्दन** इसी प्रक्रिया से **क्ड़ल्** बना, फिर वर्ण-संकोचन से आदि वर्ण के स्वर का लोप हुआ और **बड़ल्** रूप रह गया। जिन भाषाओं में वर्त्स्य ध्वनि का चलन माना जाता है, उनमें इस प्रकार की उत्क्षिप्त ध्वनि नहीं है। यह ध्वनि भारतीय आर्य भाषाओं में ही मिलती है; नॉर्वे और स्वीडन की भाषाओं में और नॉर्थम्बरलैंड की अंग्रेज़ी में वर्त्स्य से भिन्न मूर्धन्य ध्वनियों का अस्तित्व माना गया है किन्तु उनमें भीड़ **ड़** का व्यवहार नहीं होता। संस्कृत **षंड** पश्तो में हिन्दी की तरह **साँड़** है। हिन्दी में **साँड़** बैल के लिए ही आता है, पश्तो में **भैंसे** के लिए। ट्रम्प ने पंजाबी, **धाड़ा** और सिन्धी **धाड़ो** का प्रतिरूप **ताड़** दिया है। आदिस्थानीय **ध** को अघोष अल्पप्राण बोलने की प्रवृत्ति पंजाबी में है। अत: पश्तो **ताड़** (डाकुओं का दल) **धाड़ा** यानी **ताड़ा** के वैकल्पिक रूप **ताड़** के आधार पर बना है।

पश्तो में मूर्धन्य नासिक्य **ण्** है और जैसे कि जनपदीय बोलियों में बहुधा होता है, **ण्** को लोग **ड़्** की तरह बोलते हैं, वैसे ही पश्तो में उसका रूपान्तर होता है। **मुंगण** का वैकल्पिक रूप **मुंगड़** है। पंजाबी और बाँगरू के समान पश्तो कहीं-कहीं मूल शब्द के **न्** को भी **ण्** बना लेती है। इस प्रकार हिन्दी **वन** पश्तो में **वण्** है। गिननेवाली **गण** क्रिया पश्तो में **गणल्** है। ट्रम्प का कहना है कि पश्तो में मूर्धन्य **ष्** का व्यवहार होता है। उनके विचार से फ़ारसी के **श्** का उच्चारण पश्तो में अधिक कठोर होता है। इस प्रकार फ़ारसी **दुश्मन** पश्तो में **दुष्मन** हो जाता है। **शिकार** वर्ण-संकोच से **ष्कार** बोला जाता है। मॉर्गेंस्टीर्न और लायड ने मूर्धन्य **ष्** के बारे में कुछ नहीं लिखा। सम्भव है, **पश्तो** शब्द मूलत: **पष्तो** रहा हो। इससे **पख़्त** और **पक्थ** वाले रूपों का विकास अधिक सहज होगा। **पश्त** से **पक्त** रूप बन सकता है किन्तु **पक्थ** के अन्तिम वर्ण में महाप्राणता के योग का कोई कारण नहीं है; **पख़्त** से यदि **पख़्त** रूप बने तो **ख्** की महाप्राणता सरलता से अन्तिम व्यंजन में स्थानान्तरित हो सकती है। पश्तो क्षेत्र के एक भाग में **ष्** को **ख्** बोलने की प्रवृत्ति है। हो सकता है कि संस्कृत **शुष्क** फ़ारसी प्रतिरूप **ख़ुश्क** किसी **षुष्क** जैसे पश्तो रूप से बना हो! ट्रम्प के अनुसार संस्कृत **शाख़ा**, फ़ारसी **शाख़** का पश्तो प्रतिरूप **षाख़** है जहाँ पश्तो ने फ़ारसी रूप के तालव्य **श्** को मूर्धन्य बनाया है। संस्कृत **श्वश्रु** का पश्तो प्रतिरूप **ख़्वाषह्**, (सास) है। यहाँ पहले वर्ण का तालव्य **श्** मूर्धन्यवत् बोला जाता होगा। यानी **श्वश्रु ष्वश्रु** बोला जाता होगा, इसलिए आदिस्थान में परिवर्तित हुआ है। इसी तरह **ख़ुश्क** का **ख़ु** पूर्वरूप में मूर्धन्य **ष्** रहा होगा। फ़ारसी **शुतुर** की अपेक्षा पश्तो **ऊष्** (ऊँट) संस्कृत **उष्ट्र** के निकट है। संस्कृत क्रिया **चष्** (पीना) पश्तो में **च्षल्** है। आदि वर्ण का संकोच हुआ है और **च्** को संघर्षी रूप में ग्रहण किया गया है। इसी प्रकार संस्कृत क्रिया **कृष्** पश्तो में **कषल्** (खींचना) है। यदि ट्रम्प की बात सही हो तो पश्तो रूप में **क्** के साथ **ष्** का संयोग दिखाई देगा। संस्कृत की संयुक्त ध्वनि **क्ष्** के मूल स्रोत अनेक हैं पर वे कोई भी हों, **क्** और **ष्** के संयोग के बिना **क्ष्** ध्वनि बन नहीं सकती। ऐसा संयोग सम्भवत: पश्तो में है। **क्षुद्र** का पश्तो प्रतिरूप **खोटइ** सीधे **क्षुद्र** का विकास नहीं है वरन् हिन्दी **खोटा** का रूपान्तर है। संस्कृत **पृच्छ्** क्रिया पश्तो में **पुष्तेदल्** है। **प्रश्न** से विदित होता है कि मूल क्रिया में **श्** ध्वनि थी, वही **च्छ्** में परिवर्तित हुई है। **ष्** ध्वनि का ऐसा रूपान्तर नहीं होता। इसलिए लगता है, पश्तो में तालव्य **श्** मूर्धन्य बना है। ट्रम्प ने संस्कृत **ऋज्** से पश्तो **रिष्तिआ** (सत्य) का सम्बन्ध जोड़ा है और लैटिन **रेक्तुस्** रूप उद्धृत किया है। मूर्धन्य **ष्, च्** या **ज्** रूप धारण करते नहीं देखा जाता; अत: मूलरूप में **श्** या **स्** के व्यवहार की अधिक सम्भावना है। पश्तो **रीश** या **रीष** दाढ़ी के लिए प्रयुक्त होता है यानी दाढ़ी के बालों के लिए। सम्भव है, **ऋक्ष** का मूल अर्थ बालों वाला है। द्रविड़ परिवार की तोद भाषा में **ष्** का व्यवहार होता है और इसके बोलनेवाले

उत्तर से दक्षिणापथ गए जान पड़ते हैं। इसलिए मूर्धन्य **ष्** का केन्द्र पठानदेश या उसके आसपास का क्षेत्र माना जा सकता है।

**सिन्धु** का पश्तो प्रतिरूप **हिन्दु** नहीं है, **सीन्द** है। प्राचीन ईरानी भाषा परम्परा के विपरीत **स्** पश्तो में दृढ़तापूर्वक जमा हुआ है। **स्पइ** (कुत्ता), **सोए** (खरगोश), **साँड, स्पेरह** (पीला), **लास्** (हाथ) आदि शब्दों में **स्** का व्यवहार देखा जा सकता है। **फ़** फ़ारसी की प्रमुख ध्वनि है किन्तु पठान इसे अल्पप्राण करके **प्** रूप में बोलते हैं। यह स्थिति स्लाव परिवार की उक्रैनी भाषा की याद दिलाती है जहाँ महाप्राण **ख़्** तो है पर **फ़्** नहीं है। **फ़रिश्ता** पश्तो में **पिरिष्तह्** हो गया है। ट्रम्प ने लिखा है : "ईरानी भाषाओं से भिन्न पश्तो की एक विशेषता यह है कि उसमें **फ़्** का अभाव है। यह ध्वनि **फ़्** लिखी जाती है और व्यक्तिवाचक नामों में पाई भी जाती है किन्तु हठपूर्वक **प्** बोली जाती है, यहाँ तक कि **ऑफ़रीदी** भी अपने को **आपरीदइ** कहते हैं।" (पृ. 17) ट्रम्प ने पठानों के बीच रहकर उनके उच्चारण का अध्ययन किया था। इस सम्बन्ध में उनकी टिप्पणियाँ सदैव ध्यान देने योग्य हैं। पश्तो फ़ारसी की शाखा है और उससे प्रभावित है, इस धारणा की आवृत्ति न करके उन्होंने अपने विवेचन में पश्तो की विशेषताएँ निश्चित करते हुए उसके स्वतंत्र रूप पर बल दिया है।

फ़ारसी और पश्तो में एक महत्त्वपूर्ण भेद शब्द के आरम्भ में एक से अधिक व्यंजनों के प्रयोग को लेकर है। फ़ारसी में ऐसे व्यंजन-गुच्छ नहीं होते, पश्तो के लिए सामान्य बात है। मूल शब्द में यदि आदिस्थानीय व्यंजन-गुच्छ हो, तो फ़ारसी अतिरिक्त स्वर जोड़कर व्यंजनों को अलग कर देगी; मूल शब्द में व्यंजन-गुच्छ न हो तो भी अनेक शब्दों में, वर्ण-संकोचन द्वारा, पश्तो व्यंजन-गुच्छ पैदा कर देगी। संस्कृत **पितर्** फ़ारसी में **पिदर्** है किन्तु पश्तो में **प्लार्** है। इसी प्रकार फ़ारसी **कर्दन्** पश्तो में **वक्ड़ल्** है, **शिकार** का रूपान्तर **ष्कार** है। अनेक प्रकार के व्यंजन-गुच्छ शब्द के आदिस्थान में देखे जाते हैं। **म्ला** (जाँघे), **म्ज़ा रइ** (बाग), **न्मर** (सूर्य), **प्सोल्** (कंठी), **रग्रष्तल्** (लुढ़कना), **नग़वतल्** (परिचर्या करना), **र्वड्** (दिन; वैकल्पिक रूप **व्रड्** भी है), **व्रोन्** (रान), **व्लल्** (धोना)। इस प्रकार के व्यंजन-गुच्छ अंशतः पंजाबी और संस्कृत में हैं, इनसे कुछ अधिक तुखारी में हैं। तमिल में भी अनेक व्यंजन एक साथ प्रयुक्त हो सकते हैं किन्तु शब्द के आदिस्थान में व्यंजन-गुच्छ वर्जित हैं, तमिल से भिन्न तेलगू में जहाँ-तहाँ आदिस्थानीय व्यंजन-गुच्छ भी मिलते हैं।

इंडो-यूरोपियन परिवार के सन्दर्भ में, विशेषतः भारतीय आर्य द्रविड़ भाषाओं के सन्दर्भ में पश्तो का सबसे रोचक ध्वनि-परिवर्तन **त्, द्, न्** से सम्बन्धित है। ये तीनों ध्वनियाँ पार्श्विक ध्वनि **ल्** में बदलती हैं। सघोष-अघोष **थ्, ध्** ध्वनियाँ पश्तो में हैं नहीं, इसलिए उनके परिवर्तन का प्रश्न नहीं है। इसका यह अर्थ नहीं है कि इस भाषा में **त्, द्, न** ध्वनियों का व्यवहार नहीं होता। ये ध्वनियाँ हैं, साथ ही बहुत-से शब्दों में वे परिवर्तित हुई हैं। इसका कारण यह है कि जिन गण-भाषाओं

के तत्त्व लेकर पश्तो ध्वनितंत्र का निर्माण हुआ है, उनमें एक शक्तिशाली केन्द्र वह था जिसमें त-वर्गीय ध्वनियों का नितान्त अभाव था। उसमें अन्तस्थ ध्वनियों का विकास हुआ था जिनमें पार्श्विक **ल्** ध्वनि प्रमुख थी। इसलिए **त्** और **द्** ही नहीं, **न्** भी **ल्** में बदलता है। इस केन्द्र में नासिक्य ध्वनियों का पूर्ण प्रभाव रहा होगा, नहीं तो दन्त्य नासिक्य के स्थान पर ओष्ठ्य, तालव्य, मूर्धन्य, किसी भी अन्य नासिक्य का व्यवहार हो सकता था। बहुत-सी आर्य-द्रविड़ भाषाओं में ऐसे पचीसों शब्द मिलेंगे जिनमें **ल्** ने नासिक्य ध्वनि का स्थान लिया है। इसी प्रवृत्ति के अन्तर्गत मूर्धन्य नासिक्य **ण्** पार्श्विक **ळ्** या उत्क्षिप्त **ड़्** बनता है। पश्तो को फ़ारसी से अलग करनेवाली यह एक प्रमुख ध्वनिप्रवृत्ति है। इससे यह भी संकेत मिलता है कि गण भाषाओं का जैसा जमघट पठान देश में हुआ है, वैसा ईरान में नहीं हुआ।

संस्कृत **शत** का फ़ारसी प्रतिरूप **सद** है किन्तु पश्तो में इसका रूपान्तर **सल** है। संस्कृत **पितर्** का फ़ारसी प्रतिरूप **पिदर्** है किन्तु इसका पश्तो रूपान्तर **प्लार्** है। हाथ के लिए मूल शब्द **धस्त** का फ़ारसी प्रतिरूप **दस्त** है किन्तु इसका पश्तो रूपान्तर **लास** है जो **दस्त** नहीं, **दस, दास** जैसे पूर्वरूप से बना है। संस्कृत **देवर** का पश्तो प्रतिरूप **लेवर्** है जो लैटिन में **लेविर्** है। हिन्दी जनपदीय भाषाओं में चौड़ी **थाली** को **परात** कहते हैं। इसका सम्बन्ध संस्कृत **पृथु** से है जो ग्रीक भाषा में **प्लातोस्** और अंग्रेज़ी में **फ़्लैट्** (चपटा, चौरस) है। पश्तो में **त्** ध्वनि **न्** में परिवर्तित हुई है और **प्** सुरक्षित रहा है। पश्तो **प्लन्** का वही अर्थ है जो अंग्रेज़ी **प्लेन्** का है। इस प्रकार **पृथु** के दो अंग्रेज़ी रूपान्तर हुए **फ्लैट** और **प्लेन्**। पहले रूप में **त्** ध्वनि केवल वर्त्स्य हो जाती है किन्तु दूसरे रूप में वह नासिक्य रूप लेती है। पश्तो में **त्** और **द्** ध्वनियाँ **ल्** में ही नहीं, **न्** में भी बदलती हैं। इसी प्रवृत्ति के कारण संस्कृत **तीर्थ** का जलवाचक शब्द-मूल **तीर** आर्य-द्रविड़ भाषाओं का **नीर** बना। अब यदि अंग्रेज़ी **लिवर्** (जिगर) के पूर्वरूपों का अध्ययन किया जाए तो संस्कृत **यकृत्** से चलते हुए फ़ारसी **जिगर** तक पहुँचते हैं। **जिगर** के रूपान्तर **दिगर** से पश्तो **लिगर** बना और **लिगर** से अंग्रेज़ी **लिवर**। पश्तो में **दस** के लिए **लस** शब्द है। हिन्दी के **ग्यारह** का पश्तो प्रतिरूप **यहोलस्, यउलस्** अथवा **योलस्** है। **बारह** का प्रतिरूप **द्वहलस्, द्वोलस्** अथवा **दोलस्** है। **तेरह, चौदह, पन्द्रह, सोलह, सत्रह, अठारह, उन्नीस** के लिए क्रमश: **दिआलस्, च्वालस्, पिंडहलस्, स्पाड़लस्** या **स्फड़स, ओवहलस्** या **अवहलस्, अतहलस्** और **नुहलस्** अथवा **नूनस्** हैं। स्पष्ट है कि इंडो-यूरोपियन परिवार की लैटिन जैसी प्राचीन और अंग्रेज़ी जैसी नवीन, भारतीय भाषाओं में हिन्दी आदि और द्रविड़ भाषाओं में तमिल आदि के ध्वनितंत्र की अनेक विशेषताएँ पश्तो-क्षेत्र से सम्बद्ध हैं।

अन्तस्थ ध्वनियों में **व्** ध्वनि के प्रयोग रोचक हैं। यह ध्वनि पश्तो में है और परिवर्तित भी होती है। **वायु** का प्रतिरूप **वो** उसका अस्तित्व प्रमाणित करता है;

**वर्षाकाल** का प्रतिरूप **पर्शकाल** उसे स्पर्श-ध्वनि में बदलते दिखाता है। भारतीय भाषाओं में जैसे **प्** बहुधा **व्** में बदलता है, वैसे ही **दीप** का पश्तो प्रतिरूप **दीव** है। **प्** ही नहीं, **ब्** को भी **व्** रूप दिया जाता है, यथा : फ़ारसी **बाग** (लगाम) का पश्तो प्रतिरूप **वाग़** है। फ़ारसी **शब** (रात) पहले **शव** बना, फिर **शो** रह गया। **ल्** और **व्** जोड़ीदार हैं। जिन भाषाओं में **ल्** की प्रधानता होती है, सामान्यतः उनमें **व्** भी होता है। पर यह अनिवार्य नियम नहीं है। **ल्** और **व्** पश्तो की मूल ध्वनियाँ हैं, यह मान लेने के बाद यह तथ्य भी ध्यान देने योग्य है कि कुछ प्राचीन गण भाषाओं में **व्** का सीधा उच्चारण **न्** करके उसके पहले **ल्** ध्वनि जोड़ दी जाती थी। हिन्दी **भूख** या **भूखा** का पश्तो प्रतिरूप **ल्वझ़ह** है। **भ्** पहले अघोष अल्पप्राण **प्** हुआ; फिर **प्** के स्पर्शतत्त्व का लोप हुआ और अन्तस्थ **व्** ध्वनि बची। फिर इस अन्तस्थ **व्** में दूसरा अन्तस्थ **ल्** जोड़ दिया। एक अन्तस्थ एक स्पर्श-ध्वनि के बराबर न हो, दो तो होंगे। इससे मिलती-जुलती प्रक्रिया **व्** के साथ **र्** के संयोग में देखी जाती है। संस्कृत **भाषा** का पश्तो प्रतिरूप **व्राशह्** है। **भ्** की महाप्राणता सघोषता का लोप, **प्** के स्पर्शतत्व का लोप, फिर स्पर्शतत्त्व की क्षतिपूर्ति के लिए एक अन्य अन्तस्थ **र्** का संयोग। जर्मन भाषा में **स्प्राख़े** (भाषा) और **स्प्राखॅन्** (बोलना) में भी अतिरिक्त **र्** का नियोग है। हिन्दी बोलियों का **पेर** (पीला) पश्तो में **स्पेर्** है। उसी तरह जर्मन **स्प्राख़े** में अतिरिक्त **स्** जोड़ा गया है। अंग्रेज़ी के संज्ञा-क्रिया **स्पीक्** (बोलना) और **स्पीच्** (बोली) इसी शृंखला में हैं, केवल **र्** का योगदान नहीं है। तिब्बती भाषा में जैसे मूल शब्द के पहले **स्** जोड़कर अर्थ संवर्द्धित किया जाता है, वैसी प्रक्रिया पश्तो में भी रही होगी। **पेर** का प्रतिरूप **स्पेर्** है, **तेरा** के लिए **स्ता** शब्द है, सम्भवतः **तव** के आधार पर **ता** बना और फिर **स्** जोड़ा गया। **मेरा** के लिए **ज़्मा** है जहाँ **मा** रूप के पहले सघोष **स्** (ज़्) जोड़ा गया है। संस्कृत **नाग** का अंग्रेज़ी प्रतिरूप **स्नेक** इसी सकार संयोग का उदाहरण है।

पश्तो में अनेक शब्द ऐसे हैं जिनमें भारतीय भाषाओं के अकार के स्थान पर ओकार का व्यवहार हुआ है। इसके अनेक कारण हो सकते हैं। संस्कृत **अभ्र** फ़ारसी में **अब्र** बना, फिर पश्तो **अव्र** हुआ और **व्** लोप के बाद **ओरह्** रह गया। अन्तस्थ **व्** ने लोप होने से पहले पूर्ववर्ती स्वर को ओकार बनाया। **ओरह्** का वही अर्थ है जो **अभ्र** का है यानी बादल। **ओरह्** जिस प्रक्रिया से बना, उसी से हिन्दी शब्द **ओला** बना। **भ्रातर्** के पश्तो प्रतिरूप **व्रोर्** में मूल शब्द के **त्** का लोप हो गया। यह लोप **त्-थ्-ह्** की प्रक्रिया से हुआ होगा और **ह्** ने पूर्ववर्ती स्वर को प्रभावित किया हो, यह सम्भव है। किन्तु **घर** के पश्तो प्रतिरूप **कोर्** के बारे में ऐसा कोई तर्क नहीं दिया जा सकता। **घ** को अघोष अल्पप्राण करने की प्रवृत्ति पंजाबी में है किन्तु वहाँ प्रथम वर्ण में ओकार नहीं है। फ़ारसी **आब** पश्तो में **ओव** है, संस्कृत **अश्रु** पश्तो में **ओषह्** है। यहाँ अकार ही ओकार रूप में प्रयुक्त हुआ है। **सप्त** के

पश्तो प्रतिरूप **ओवह्**, फ़ारसी **सितारा** के पश्तो प्रतिरूप **स्तोरइ** में भी यही स्थिति है। **मातर्** के पश्तो प्रतिरूप **मोर्** की व्याख्या **व्रोर्** के समान की जा सकती है किन्तु **व्रोर, मोर्** आदि में प्राकृतों के समान जो मध्यवर्ती **त्** का लोप हुआ है, वह **मातर्, पितर्** के फ्रांसीसी प्रतिरूपों **मेयर्, पेयर्** से तुलनीय है। **वायु** के पश्तो प्रतिरूप **वो** का सम्बन्ध सिन्धी **वाउ** से हो सकता है जहाँ उकार पूर्ववर्ती स्वर को प्रभावित करके लुप्त हुआ। संस्कृत **चत्वारि** के पश्तो प्रतिरूप **चलोर्** में **व्** पूर्ववर्ती स्वर को प्रभावित करके लुप्त होता है। हिन्दी क्रिया **सूँघ** के पश्तो प्रतिरूप **सोग़** में **सम्वृत** स्वर **विवृत** हो गया है। अकार-उकार के स्थान पर ओकार का व्यवहार मागधी वृत्ति का सूचक है। साथ ही आधुनिक पश्चिमी आर्य भाषाओं के समान पश्तो में संयुक्त स्वर **औ** को **ओ** बोलने की प्रवृत्ति है। इस प्रकार हिन्दी **चौकी** का पश्तो प्रतिरूप **चोकइ** है और **चौपाल** का पश्तो प्रतिरूप **चोपाड़** है। फ़ारसी में संयुक्त स्वर **औ** का व्यवहार खूब होता है; पश्तो की पद्धति भिन्न है।

पश्तो में ऐसे अनेक शब्द हैं जिनके अन्त में तमिल के समान संयुक्त स्वर **अइ** का व्यवहार होता है। **कुबड़ा** के लिए **कूवइ** शब्द का पूर्वरूप **कूवा** होना चाहिए। पैर का **तला** पश्तो में **तलइ** है। हिन्दी **नेवला** पश्तो में **नोलइ,** सितारा **स्तोरइ,** गेंडा **गेंडइ,** हाड़ **हडइ,** होड़ करनेवाला व्यक्ति **होडइ** इस संयुक्त-स्वर-विधान के उदाहरण हैं। ट्रम्प ने लिखा है कि **अइ** में **अ** का उच्चारण ह्रस्व एकार जैसा होता है। ठीक यही स्थिति तमिल की है और इसका मूल कारण अकार को एकार बनानेवाली कौरवी वृत्ति है।

कुछ शब्दों में **अइ** के स्थान पर **अउ** संयुक्त स्वर का व्यवहार होता है। मूलत: एक ही ध्वनिवृत्ति है जो शब्द के अन्तिम वर्ण में दीर्घ स्वर स्वीकार नहीं करती। **आ** को **अइ** कहा जाए तो यह कार्य उस क्षेत्र का होगा जहाँ **इ** स्वर की प्रधानता है और **अउ** कहा जाए तो यह परिवर्तन उकार प्रधान क्षेत्र के अनुरूप होगा। प्राचीन भाषाओं की ध्वनि-प्रवृत्तियों के विश्लेषण से विदित होता है कि मध्यदेश **इ** तथा **य्** का क्षेत्र रहा है और उत्तर-पश्चिमी जनपद **उ** तथा **व्** के प्रधान क्षेत्र रहे हैं। इस प्रकार पश्तो में दोनों ध्वनि-प्रवृत्तियों का मिश्रण है। हिन्दी **पल्ला** पश्तो में **पलउ** है; ट्रम्प ने इसके समानान्तर सिन्धी रूप **पलउ** उद्धृत किया है। **आ** को **अई, अउ** में रूपान्तरित करने की प्रवृत्ति बहुत पुराने समय में जन्मी थी जब तमिल जैसी द्रविड़ भाषाओं में इसका विकास हो रहा था। तमिल में यह प्रवृत्ति अब भी शक्तिशाली है। एक से अधिक वर्णों के शब्दों के अन्त में दीर्घ स्वर अपवाद रूप में मिल सकते हैं। पश्तो में ऐसी निषेध-भावना अब नहीं है। अत: शब्द के अन्त में **अइ** के अतिरिक्त **अई** का व्यवहार भी होता है। **चिट्ठी** का प्रतिरूप **चीटई** है, **चौकी** का प्रतिरूप **चोकई** है। सम्भवत: **अइ** लगाने की प्रवृत्ति तथा हिन्दी शब्दों के अन्तिम दीर्घ स्वर को बनाए रखने की इच्छा, दोनों का समन्वय किया गया है।

जैसे कन्नड़ की अपेक्षा तमिल में तालव्य ध्वनियाँ अनेक शब्दों में कंठ्य ध्वनियों का स्थान लेती हैं, वैसे ही पश्तो में फ़ारसी **कार** का प्रतिरूप **चार** (कार्य) और संस्कृत **कन्या** का प्रतिरूप **जिनई** है। यहाँ इस सम्भावना को भी ध्यान में रखना चाहिए कि कुछ शब्दों में मूलत: तालव्य ध्वनि थी, वहाँ वह कंठ्य या दन्त्य ध्वनियों में परिवर्तित होती है। पालि **पसेनदी** का पूर्वरूप **प्रसेनजित** ही है। इसी प्रकार मूल क्रिया **जन्** से संज्ञा-रूप **जन्या** बनेगा। इसी का अघोष **कंठ्य** ध्वनि वाला रूपान्तर **कन्या** होगा। इस विश्लेषण के अनुसार पश्तो **जिनई** सीधे **जन्या** का रूपान्तर माना जाएगा। भारतीय भाषाओं के समान पश्तो में भी **य्** ध्वनि **ज्** में बदलती है। बैलों के **जुएँ** के लिए पश्तो **जुग़** संस्कृत **युग** का रूपान्तर है। ऐसा कुछ शब्दों में होता है, क्योंकि **य्** और **व्**, दोनों ध्वनियाँ पश्तो में अच्छी तरह प्रतिष्ठित हैं। यद्यपि फ़ारसी के समान पश्तो में भी **व्** को **प्** में बदलने की प्रवृत्ति है, फिर भी ट्रम्प की यह स्थापना सही है कि फ़ारसी की अपेक्षा पश्तो में **व्** ध्वनि अधिक दृढ़ता से अपनी जड़ जमाए है। **ताप** शब्द हिन्दी की तरह यहाँ **ताव** है अर्थात् **प्** ध्वनि भी **व्** में बदलती है। फ़ारसी **बर्फ़** पश्तो में **वाव्रह्** है; यहाँ **ब्** और **फ़्**, दोनों **व्** में परिवर्तित हुए हैं। **धोने** के लिए **प्लु** के आधार पर पश्तो रूप **व्लल्** बना। संस्कृत **भर्** का फ़ारसी प्रतिरूप **बर्दन्** है किन्तु पश्तो प्रतिरूप **व़ल्** है। कुरु जनपद में जैसे **र्** को **ळ्** कहने की प्रवृत्ति है या 'शुद्ध' उर्दू बोलने के प्रयास में जैसे कभी लोग **ज़रा** को **जड़ा** कहते हैं, वैसे ही पश्तो में **र्** को कहीं-कहीं **ड़्** किया गया है। **बर्फ़** का **र्** सुरक्षित रहा किन्तु **बर्दन्** का **र्** बदल गया; इसका कारण यह भी है कि **र्** से **द्** का संयोग होने पर **ड्** ध्वनि का जन्म हुआ, फिर दो स्वरों के बीच में होने से **ड्** उत्क्षिप्त ध्वनि में परिवर्तित हुआ। आदिवर्ण **ब** के स्पर्शतत्व का लोप हुआ, फिर वर्ण-संकोच के कारण **व** के अकार का लोप हुआ। पश्तो में **व्** और **य्**, दोनों ध्वनियाँ प्रतिष्ठित हैं किन्तु **व्** का व्यवहार ही अधिक देखा जाता है। अरबी बहुवचन रूप **उमरा** को पश्तो फिर बहवचन **उमरायान्** बनाती है और **जंगवाला** (जंगबाज़) के **व्** को **य्** में बदलने पर **जंगयालइ** रूप भी चलता है।

**ज्** और **व्** दोनों के उच्चारण में कुछ प्राचीन गण-समाजों को कठिनाई होती थी। इसलिए वे इन ध्वनियों के पहले **ग्** जोड़ दिया करते थे, जैसे कि ब्रज-क्षेत्र की बोलियों में **वु** (वह) के प्रतिरूप **ग्वु** में अब भी होता है। यह प्रवृत्ति फ़ारसी में भी थी। ट्रम्प ने लिखा है कि फ़ारसी में आदिस्थानीय **व्** बहुधा **ग्** में बदल जाता है जिसका मतलब है, **ग्व** के **व्** का लोप होने पर केवल **ग्** बच रहता है। केल्त भाषाओं के प्रसंग में इस प्रवृत्ति का विस्तृत विवेचन है। पश्तो में **उमरायान्** का वैकल्पिक रूप **उमरागान्** भी है और हिन्दी **वाला, वाल** आदि के लिए जहाँ पश्तो का **वालइ** प्रत्यय है, वहाँ **गल्वी, गली** प्रत्यय भी है। **मोरवालइ** अर्थात् **मातृत्व; पेज़न्दगल्वी, पेज़न्दगली** अर्थात् **पहचान**। पश्तो की एक विशेषता यह है कि वह

अपनी ध्वनि-प्रकृति के अनुसार फ़ारसी और अरबी, दोनों भाषाओं के शब्दों को तद्भव रूप देती है। इस प्रकार फ़ारसी **खुदा** पश्तो में **खुदाअॅ** हो गया है। कबीर ने जब **बहरा हुआ खुदाय** कहा था, तब उन्होंने **खुदा** के फ़ारसी नहीं, पश्तो रूप का प्रयोग किया था। ट्रम्प ने लिखा है कि पश्तो में ऐसे रूप हैं जिनके अन्त में ह्रस्व एकार है, यह उसकी विशेषता है। वास्तव में यह कौरवी पद्धति है जिसे अर्द्ध-मागधी कहा गया था, जो मराठी के अनेक रूपों में मिलती है। यह एकार **इ** और **य्** का रूप भी लेता है। इसीलिए **राव** का प्रतिरूप **राय** भी है। पश्तो में **राअॅ, जोअॅ** (पुत्र), **मीअॅ** (मामा), **आश्नाअॅ** (परिचित) आदि रूप हैं। आधुनिक आर्य भाषाओं की प्रकृति के अनुसार दो स्वरों की टक्कर से बचने के लिए ऐसे रूपों में **य्, व्** श्रुति का आगम होना चाहिए था किन्तु ट्रम्प के लिखने से प्रतीत होता है कि प्राकृतों के समान यहाँ दो स्वरों की टक्कर स्वीकार की जा सकती है। **जोअॅ** शब्द **जात** का प्रतिरूप माना गया है। यह बात सही हो तो **त्** का लोप प्राकृतों के समान होगा। किन्तु मेरा अनुमान है कि पश्तो में भी **य्, व्** श्रुति का आगम होता है। ट्रम्प ने संस्कृत **वाच्** का प्राकृत रूप **वाआ** देते हुए पश्तो के **वअइ** का वैकल्पिक रूप **वयइ** (वचन) दिया है। पश्तो का विकास प्राकृतों के समान हुआ है, यह धारणा उन्हें पश्तो ध्वनियों को रोमन लिपि में लिखते समय प्रभावित करती है। साथ ही यह कहना भी आवश्यक है कि प्राकृत शब्द से उनका आशय शिलालेख या नाटकों की प्राकृत से ही नहीं है, वे आधुनिक आर्य भाषाओं को भी प्राकृत कहते हैं। पश्तो पर अपने ग्रंथ में उन्होंने आधुनिक प्राकृत भाषाओं का उल्लेख किया है और उनमें पश्तो को गिना है। (पृ. 42) पश्तो का विकास आधुनिक आर्य भाषाओं के समान हुआ है, यह सही है। पुरानी प्राकृतों में समकालीन भाषाओं के अनेक तत्त्व हैं, यह बात भी सही है, किन्तु प्राकृत व्याकरणों में जो नियम बताए गए हैं, उनके प्रति सतर्क रहना आवश्यक है।

पश्तो में महाप्राण ध्वनियों का लोप होता है, **घर** का प्रतिरूप **कोर** मिलता है, किन्तु तमिल की कुछ बोलियों के अनुरूप और अंग्रेज़ी के समान शब्द की आदिस्थानीय स्पर्श-ध्वनि के उच्चारण में महाप्राणता का हल्का योगदान होता है। मॉर्गेसटीर्न और लायड ने अपने पूर्वोक्त निबन्ध में बताया है कि आदिस्थानीय अघोष स्पर्श-ध्वनियों के उच्चारण में, विशेषतः ओष्ठ्य ध्वनियों के उच्चारण में, **ईषत** महाप्राणता रहती है। इस प्रकार **पीर** शब्द **फीर** जैसा बोला जाएगा, केवल हिन्दी **फ्** की अपेक्षा यहाँ महाप्राणता कम होगी। महाप्राणता अर्थभेदक नहीं है। यही स्थिति सघोषता की है। उक्त लेखकों ने मत प्रकट किया है कि आदिस्थानीय **ड्, ग्** आदि ध्वनियाँ अर्द्ध-सघोष ही होती हैं। इससे प्रतीत होता है कि सघोषता और महाप्राणता, दोनों वृत्तियों का प्रसार मध्यदेश से उत्तरी प्रदेशों की ओर हुआ है और मध्यदेश की तुलना में यहाँ इनकी भूमिका गौण है। पश्तो में संस्कृत **त्रि** का प्रतिरूप **द्रे** है जो जर्मन रूप से मिलता है। हिन्दी **धुन्ध** का पश्तो प्रतिरूप **दुन्द** है;

यहाँ महाप्राणता का लोप हुआ है, सघोषता कायम रही है किन्तु **घर** के प्रतिरूप **कोर** में अघोषता आ गई है। सघोष महाप्राण ध्वनियों के अलावा अघोष महाप्राण ध्वनियों की महाप्राणता का भी लोप हो जाता है, यथा : हल का **फाल** पश्तो में **पालह्** है। दूसरी ओर **गोप** का प्रतिरूप **ग्रोबह्** है और **पर्ण** का प्रतिरूप **बन्ड़ह्** है। मध्यवर्ती और आदिस्थानीय **प्,** दोनों स्थितियों में, सघोष हो गया है। पश्तो में सघोषता और महाप्राणता अर्थ-विच्छेदक नहीं हैं, महाप्राणता पूर्णतः नहीं है, सघोषता अंशतः नहीं है, इसलिए ऐसे अनियमित ध्वनि-परिवर्तनों से कोई हानि नहीं होती। फ़ारसी की अपेक्षा पश्तो में **ह्** का व्यवहार कम होता है। **सप्त** के पश्तो प्रतिरूप **ओवह्** में आदिस्थानीय **ह्** का लोप हो गया है किन्तु **भेड़ा** के प्रतिरूप **हेड़इ** में **ह्** बना हुआ है। **भ्** ध्वनि **ह्** में परिवर्तित हुई है, जैसे कि भारतीय आर्य भाषाओं के बहुत-से शब्दों में वह इसी प्रकार परिवर्तित होती दिखाई देती है।

पश्तो उत्तर-पश्चिमी भाषा है, इसलिए उसमें अनेक शब्दों के अन्त में **अइ** अथवा **ॲइ** का होना स्वाभाविक लगता है, किन्तु उसमें बहुत-से रूप ओकारान्त भी हैं। यह प्रवृत्ति ब्रज, राजस्थानी, गुजराती और सिन्धी की है और निस्सन्देह पश्तो से इन भाषाओं का, विशेषतः सिन्धी का, सम्पर्क सिद्ध करती है। **बीजो** (बन्दर), **पिशो** (बिल्ली), **बार्खों** (गाल), **बणो** (भौंह) आदि ऐसे रूप हैं। कहीं-कहीं अरबी शब्द पश्तो में हिन्दी की तरह स्वीकार किये जाते हैं। अरबी **वक़्त** पश्तो में **वख़्त** है। हिन्दी की जनपदीय भाषाओं में **ख्** संघर्षी न होकर स्पर्श रहता है, इतना ही अन्तर है। ट्रम्प ने लिखा है कि अरबी के जिन शब्दों में **अ्** (**ऐन** द्वारा चिन्हित) ध्वनि है, उनमें उसका उच्चारण नहीं होता। ठीक यही स्थिति हिन्दी की है। यदि भारत के शिक्षित जनों की उर्दू और पश्तो की तुलना की जाए, तो विदित होगा कि पश्तो जहाँ अपने जातीय स्वरूप की रक्षा करती है, वहाँ उर्दू अरबी से अभिभूत हो जाती है।

पश्तो में कुछ ध्वनि-परिवर्तन ऐतिहासिक महत्त्व के हैं। थकान के लिए **स्तड़िअह्** शब्द है। इसके आरम्भ में **स्त थकान** के **थ** का रूपान्तर नहीं है। मूल शब्द **स्तध** से **स्तद**, फिर **स्तड़** रूप बने हैं। अवधी का **ठाढ़**, मानक हिन्दी का **खड़ा** आदि रूप **स्तध** जैसे कृदन्त से बने हैं। जैसे **स्तब्ध** में निपट नीरवता के अर्थ का विकास हुआ है, वैसे ही **स्तध** में **थकान** का। **स्थल** के लिए **तालइ** शब्द **स्थाल** का रूपान्तर है। संस्कृत में **स्थल** रूप का व्यवहार ही अधिक होता है किन्तु **स्थान** के समान यहाँ **स्थाल** रूप का व्यवहार भी होता था, इसका प्रमाण पश्तो **तालइ** है। कहना चाहिए कि हिन्दी **थाना** की तरह **स्थाला** रूप प्रचलित था, इसीलिए पश्तो **शब्द** के अन्त में **अइ** है। वैसे **न्** की जगह **ल्** का व्यवहार पश्तो के लिए सामान्य है। इसलिए **स्थाना** को मूल कौरवी रूप मानने से भी काम चल सकता है। हिन्दी में **थाना** है ही। संस्कृत में **स्थल** है, **स्थान** भी है। इसलिए मानना चाहिए कि **न्** और **ल्**, दोनों ध्वनियों वाले रूप पहले प्रचलित थे।

**बोध** शब्द का पश्तो प्रतिरूप **पोहह्** है। यहाँ आदिध्वनि अघोष हो गई है, जैसे कि वह इस शब्द के ग्रीक प्रतिरूपों से मिलती है किन्तु अन्तिम वर्ण का **ध्, हेड़इ** (भेड़ा) के **भ्** की तरह **ह्** में बदल गया है। पश्तो अनेक शब्दों में अतिरिक्त सकार जोड़ती है किन्तु **तालइ** रूप में उसने सकार का लोप किया है। इसी प्रकार गरजने के लिए प्राचीन **स्तनु** से पश्तो शब्द **तना** (गर्जन) सकार का लोप करके बना है। संस्कृत **श्रद्धा** का **श्रद्**, रूसी **सेर्द्त्से** (हृदय) का सकार पश्तो में सघोष हुआ, वर्ण-संकोच से आदिवर्ण का स्वर लुप्त हुआ, **रेफ** के संसर्ग से **द्** का मूर्धन्यीकरण हुआ, दो स्वरों के बीच में होने से **ड्** उत्क्षिप्त हुआ और इस प्रकार हृदय के लिए पश्तो **ज़ड़ह्** रूप बना।

भालू के लिए पश्तो शब्द **मीलू** है जो रूसी **मेद्वेद्** (मधुभोजी अर्थात् रीछ) से तुलनीय है। उसके घने बालों के कारण उसे संस्कृत में **ऋक्ष** कहा गया; बालों वाला यह अर्थ पश्तो **रीश्** में निहित है यद्यपि यह शब्द बालों वाली दाढ़ी के लिए प्रयुक्त होता है, **रीछ** से उसका सम्बन्ध नहीं है। **भालू** का पूर्वरूप **बालू** (बालों वाला) हो सकता है; यहाँ महाप्राणता का योग अनावश्यक होगा अथवा बालों की सघनता दिखाने के लिए **ब्** को **भ्** कर दिया गया होगा। उसके **मधुप्रेम** के कारण उसे **मेद्वेद्, मीलू** आदि कहा गया।

पश्तो के शब्द-भंडार में एक ओर ऐसे शब्द हैं जिनका सम्बन्ध प्राचीन गण-भाषाओं से है, दूसरी ओर उसमें ऐसे शब्द भी काफी हैं जिनका सम्बन्ध अर्वाचीन आर्य भाषाओं से है। इससे पश्तो भाषियों और आर्य भाषा-भाषी भारतीय जनों के सुदीर्घ सम्पर्क का बोध होता है। पश्तो का ऐसा सम्पर्क द्रविड़ भाषाओं से भी है किन्तु वह अपेक्षाकृत प्राचीन है। **ऋक्ष** का मूल अर्थ बालों वाला है, यह बात पश्तो **रीश्** से ज्ञात होती है। यह प्राचीन गण भाषाओं का शब्द है। पश्तो **अवसूर** का अर्थ है लाल रंग। इसमें **अव** उपसर्ग है, मूल शब्द है **सूर**। प्राचीन गण भाषाओं की शब्दावली में प्रकाश और लालिमा, दोनों का भाव बहुधा एक ही शब्द द्वारा व्यक्त होता है। इससे संस्कृत **सूर्य**, ग्रीक **हेलिऑस्**, लैटिन **सोल्** के मूल अर्थ का बोध होता है। सूर्य वह जो प्रकाशमान है और रक्तवर्ण है। **अरुण** शब्द में इसी तरह दोनों भाव निहित हैं। **काल** का अर्थ पश्तो में **वर्ष** है, शब्द के व्यापक अर्थ को सीमित किया गया है। स्वयम् वर्ष की यही स्थिति है। **वर्** क्रिया से **वर्ष** शब्द बना है। इसी से **वार** रूप बनता है जो **दिन** के लिए प्रयुक्त होता है। अवधी में **वार** का सामान्य अर्थ समय अब भी स्वीकृत है; **वहि का वार नहिंन्** अर्थात् उसे समय नहीं है। तमिल में **वारम्** सप्ताह के लिए प्रयुक्त होता है।

पश्तो में **स्वल्** क्रिया का अर्थ है जलना या जलाना। यह **स्वल्** क्रिया संस्कृत **स्वर्** (प्रकाशित होना) की प्रतिरूप है। **स्वर्** के वैकल्पिक रूप **सूर्** से **सूर्य** शब्द बना। कन्नड़ **सुडु** (जलाना), तमिल **चुडु** (उप.), संस्कृत **स्वर्**, पश्तो **स्वल्** से तुलनीय हैं।

पश्तो में ऐसे शब्द काफी हैं जो भारतीय आर्य भाषाओं से उसका अर्वाचीन सम्पर्क सूचित करते हैं। ऐसे शब्द फ़ारसी में कम मिलते हैं। पहले भारतीय आर्य भाषा का रूप और उसके बाद पश्तो शब्द, इस क्रम से यहाँ कुछ उदाहरण देते हैं : **नेवला—नोलई, सूँघ—सोग्र, घर—कोर, चौकी—चोकई, चौपाल—चोपाड़, शृंगार—सिंगार दीप—दीव, चूरा** (चूर्ण)—**चूर, कुत्ता—कूटह, मुट्ठी—मूट, सोंठ—सूँड** (ट्रम्प ने संस्कृत शुँठि, सिन्धी सुँढि रूप दिये हैं), **कुब्ज या कुबड़ा—कूबइ** (ट्रम्प ने सिन्धी रूप कुब्रो भी दिया है), **पल्ला—पलइ, गेंडा—गेंडइ, हड्डी—हडइ, होड़ी** (होड़ करनेवाला)—**होडइ, कोढ़ी—कोड़ी, छिड़काव—चिड़काओ, टोपी—टोपई, चिट्ठी—चीटई, बाट—वाट, हमजोली—हमज़ोवलइ** (समकालीन), **चमार—चमिआर, गोप—गोपह, धोबो—दोबई, हाथी—हांतड़ह्, सारिका—षारू** (सारस, मैना)। कुछ शब्दों के रूप जैसे हिन्दी में हैं, वैसे ही पश्तो में हैं। **मैल, टापू, सहेली, गोहार** (पुकार), **महाजन, महराज, काका, तोता** ऐसे ही शब्द हैं। पश्तो संस्कृत और फ़ारसी से जो तद्भव बनाती है, उनका अन्तरराष्ट्रीय महत्त्व है। **अश्व** का पश्तो तद्भव रूप **आस** है। यहाँ इसका घोड़े वाला अर्थ बना हुआ है, किन्तु इंग्लैंड में पहुँचकर इसके अर्थ का अवमूल्यन हुआ और वह गधे का पर्यायवाची बना।

पश्तो की शब्द-निर्माण-प्रक्रिया में सर्वाधिक ध्यानाकर्षण की बात क्रियार्थी संज्ञा-रूपों का निर्माण है। **लीदल्**—देखना, **पोहेदल्**—बोध होना, **ओरेदल्**—वर्षा होना, **ओसेदल्**—वास करना, **पुश्तेदल्**—पूछना, इन सब रूपों के अन्त में **दल्** प्रत्यय दिखाई देता है। इन रूपों से तमिल के क्रियार्थी संज्ञा-रूपों की तुलना करें : **चादल्**—मरना, **वेदल्**—जलाना, **उण्णुदल्**—खाना, **अरिदल्**—जानना, **चॅयदल्**—करना। इस सबको आकस्मिक समानता कहकर नहीं टाला जा सकता। पश्तो और तमिल के क्रियार्थी संज्ञा-रूप क्रियामूल से सीधे नहीं बने; पहले **द** वाले कृदन्त रूप बने, फिर उनमें **अल्** प्रत्यय जोड़ा गया है। फ़ारसी के समान तमिल में भी **द** जोड़कर कृदन्त रूप बनता है। फ़ारसी **कर्दा** का तमिल प्रतिरूप **चॅयद्** है। यह **द** संस्कृत का कृदन्त प्रत्यय **त** है। तमिल में वह **त** ही लिखा जाता है और सम्भवत: पहले बोला भी जाता था। तमिलनाडु की दक्षिणी बोलियों में सघोषता का अभाव होने से वह **द्** अब भी **त्** बोला जाता है। बोलचाल की मानक तमिल में **त** प्रत्यय अनेक क्रियाओं के साथ **त्** व्यंजन की आवृत्ति करता हुआ प्रयुक्त होता है, यथा : **पडित्तल्**—पढ़ना, **नडत्तल्**—चलना, **मूत्तल्**—बड़े होना, **मोत्तल**—सूँघना। फ़ारसी में क्रियार्थी संज्ञा-रूप इस प्रकार के होते हैं : **आमदन्**—आना, **कर्दन्**—करना, **दीदन्**—देखना, **रसीदन्**—प्राप्त करना, **परीदन्**—उड़ना। ट्रम्प ने बिलकुल ठीक लिखा है कि पश्तो **दल्** फ़ारसी **दन्** का रूपान्तर है। इसलिए **दीदन्** जैसा फ़ारसी रूप पश्तो में **लीदन्** हो जाता है, आदिस्थानीय **द्** अन्त्य **न्** के समान **ल्** में परिवर्तित हुआ, मध्यवर्ती **द्** बच गया। फ़ारसी में **दन्** के स्थान पर **तन्** वाले रूप भी हैं, यथा : **नेशस्तन्**—

बैठना, **कोश्तन्**— मारना, **अन्दाख़्तन्**— फेंकना, **यपतन**— पाना, **बस्तन्**— बाँधना, **सूख़्तन्**— जलना। कुछ रूपों में संस्कृत के समान **त** प्रत्यय का व्यवहार होता है, अन्य रूपों में **द** का।

**दल्, तल्, दन्, तन्,** इन प्रत्ययों में **द, त** कृदन्त चिन्ह है, इसका प्रमाण यह भी है कि पश्तो में स्वतंत्र **अल्** प्रत्यय वाले अनेक क्रियार्थी संज्ञा-रूप हैं, यथा : **वयल्** (बोलना)। **अल्** के बदले यदि **अन** प्रत्यय लगे तो सीधा **वयन**, हिन्दी **बैन** रूप मिलेगा। यदि **य्** के स्थान पर **व्** श्रुति का आगम हो और **अल्** प्रत्यय लगे, तो **ववल्, बवल्, बोल्** क्रिया-रूप मिलेगा। यह **बोल्** क्रिया काफी पुरानी है, इसका एक प्रमाण यह है कि रूसी भाषा में **बोल्तात्** का अर्थ है बहुत बातें करना, **बोल्तून्** का अर्थ है बातूनी। **मीतल्**— मूतना, **ड्रमल्**— जाना, **जंगल्**— झूलना, **कवल्**— काटना, आदि पश्तो क्रिया-रूपों में **अल्** प्रत्यय लगा है। यह **अल्** संस्कृत **अन्** का प्रतिरूप है जो **गच्छन्, पठन्** आदि कृदन्त रूपों में देखा जाता है।

**अन्, अन, अना** प्रत्यय परस्पर सम्बद्ध हैं। कृदन्त रूप बनाने के अतिरिक्त वे अनेक संज्ञा-विशेषण रूपों में प्रयुक्त होते हैं। पश्तो **वरन्** (ऊनी) संस्कृत **ऊर्ण** के **ऊर्** से सम्बद्ध है। **ओसनइ** (वर्तमान में) **अना** प्रत्यय है; इसी प्रकार **वेगानइ** (पिछली रात से सम्बन्धित) रूप बना है। संस्कृत **त्व** और **त्वन्** प्रत्यय किंचित् परिवर्तन से यहाँ भी प्रयुक्त होते हैं। **अनइ** का प्रतिरूप **अलइ** कृदन्त रूपों में मिलता है। **दमलइ**—जिसने दम लिया हो, **नीवलइ**—जिसे पकड़ा गया हो। **त्व** का रूपान्तर **तोब** है, यथा : **जड़त्व** का पश्तो प्रतिरूप **सड़तोब** (जाड़ा) है। **ज्— ज़्— स्,** यह प्रक्रिया प्रथम वर्ण में सकार के स्थापित होने की है। मध्यवर्ती **ड** उत्क्षिप्त हुआ, फिर बलाघात की आवश्यकता से स्वर का लोप हुआ; **व्** ने पूर्ववर्ती वर्ण को प्रभावित किया और स्वयम् स्पर्श-ध्वनि बना। संस्कृत **त्वन्** पश्तो के **तून्** और **दून्,** रूपों में मिलता है। **ज़्वदून्** अर्थात् जीवन, **कुंडह्तून्** अर्थात् वैधव्य। **तून्** के साथ **तूनइ** प्रत्यय भी प्रयुक्त होता था जिसका पूर्वरूप **त्वना** माना जाएगा। उदाहरण : **रिश्तूनइ— सत्य**। यदि **त्व, त्वन्** आदि का मूल रूप **व, वन्** माना जाए, तो **ऊन्, ऊनइ** प्रत्यय भी इसी श्रृंखला में आ जाएँगे। **तड़ून्— बाँधना, वेरेदून्— डरना, पखवून— पकाना**—ये सब संज्ञा-रूप हैं; **लीदूनइ**— दर्शनीय, **क् ड़् नइ**— करणीय, यहाँ कृदन्त रूप बनाने के लिए **ऊनइ** प्रत्यय लगाया गया है। **ऊन्** में **क** या **का** प्रत्यय लगाया जाए तो **तिलंगा** और **कलिंग** जैसे शब्द बनेंगे। **कलिंग** वह जिसका **कल्** अर्थात् पत्थर—पर्वतों—से सम्बन्ध हो। **तिलंगा** वह जो **तॅल्-तॅन्** (दक्षिण)—का रहनेवाला हो। इसी तरह पश्तो में : **लूटुन्कइ**— लुटेरा, **मसेदुन्कइ**— मुस्कराता हुआ। पश्तो में भाववाचक संज्ञा बनाने के लिए **तिआ** प्रत्यय काम में आता है जो **त्वा** का वैकल्पिक रूप **त्या** है। **जोड़तिआ**— बुढापा; **त्** ध्वनि **स्** में बदलती है तब इसी का रूपान्तर **सिआ** यही भूमिका पूरी करता है, यथा : **तंगसिआ**— तंगी।

पश्तो भाषा की एक विशेषता यह है कि आधुनिक आर्य भाषाओं से भिन्न वह अब भी क्रियापदों में उपसर्ग जोड़ती है। संस्कृत और रूसी के समान ये उपसर्ग क्रिया का अर्थ परिवर्द्धित करते हैं, यथा : **नास्तल**—बैठना, **कृषे नासतल्**—नीचे बैठना; **च्षल**—पीना, **वॉच्षह्**—पियो। यह **वॉ** उपसर्ग बहुत सामान्य है और बहुधा क्रियार्थी संज्ञा-रूपों के साथ प्रयुक्त होता है : **क्ड़ल्**—करना, **वॉक्ड़ह्**—करो।

पश्तो भाषा की शब्द-निर्माण-प्रक्रिया में बीस से ऊपर गिनती वाले शब्द द्रविड़ भाषाओं और फ़ारसी की पद्धति से नहीं, संस्कृत और हिन्दी की पद्धति से बनते हैं। **यउ वीश्त**—एक बीस, इक्कीस; **द्वह् वीश्त**—बाईस; **ओवह् वीश्त**—सत्ताइस, **यउदेर्श**—इकतीस, **द्वह् देर्श**—बत्तीस इत्यादि; हिन्दी के समान पश्तो में ग्यारह से उन्नीस तक ही नहीं, इक्कीस से उन्तीस तक और उसके बाद एक ही पद्धति चलती है। फ़ारसी और पश्तो में यह महत्त्वपूर्ण भेद है और भारतीय आर्य भाषाओं से उसके निकटतर सम्बन्ध का सूचक है। यह स्वाभाविक है कि पठान देश के कुछ भागों में महीनों के लिए अब भी भारतीय नामों का व्यवहार होता है। ट्रम्प ने लिखा है कि भारत के समीपवर्ती भागों में ऐसे नामों का व्यवहार होता है। चैत्र **चेतार्** है, वैशाख **वइसाक्** बना; तद्भव जेठ **जेट्** है, असाढ़ के प्रथम वर्ण का लोप हुआ; **हाड़, आड़** रूप बचा। **सावन** अपने हिन्दी रूप में ज्यों-का-त्यों है। **बाद्रो** रूप में भादों और भाद्र का मिश्रण है। **असू** और **कतक** आश्विन और कार्तिक हैं। मार्गशीर्ष के लिए **मगर** शब्द है जो ट्रम्प के अनुसार पंजाबी **मंघर**, सिन्धी **मंधिरु** का प्रतिरूप है। माघ हिन्दी के समान है, पूस और फागुन क्रमशः **पोह्** और **पागँड़** हैं। ऋतुओं में वर्षा के लिए **पशकाल्** रूप है। **शीत ऋतु** के लिए **ज़िमइ हिम** से सम्बद्ध है। दिन के नामों में **इतवार** हिन्दी के समान है, वैकल्पिक रूप **इतबार** भी है। शनि का रूपान्तर **ख़ाली** दिलचस्प है; **ल्** ने **न्** का और **ख्** ने **श्** का स्थान लिया है। परसों के लिए जैसे अवधी का **परों** रूप है, वैसे ही पश्तो में **परून्** शब्द है जिसका अर्थ है बीता हुआ कल। हिन्दी **कल** के पश्तो प्रतिरूप **कलह्** का अर्थ है कोई भी समय; **हरकलह्**—किसी भी समय, हर समय; से बने हैं। **कलह्-कलह्**—कभी-कभी। **कल** और **काल** गतिसूचक एक ही क्रिया **ग** अथवा **गा** द्रविड़ प्रभाव से **ग्** ध्वनि अघोष रूप में प्रयुक्त हुई है।

## 5. पश्तो की पड़ोसी भाषाएँ और बोलियाँ

भाषा-सर्वेक्षण करनेवाला विद्वान् भाषाओं के विकास का ऐतिहासिक विवेचन करता है तो वह स्वभावतः बोलियों की ओर अधिक ध्यान देता है और इस कारण प्राचीन भाषाओं के प्रसंग में भी वह बोलियों की विविधता का ध्यान रखता है। इसलिए अन्य ऐतिहासिक भाषाविज्ञानियों से उसके विवेचन में कुछ भिन्नता होती है। यह बात ग्रियर्सन के लिए भी कही जा सकती है। अपने 'सर्वेक्षण' ग्रंथ के दसवें भाग में

उन्होंने ईरानी भाषा-परिवार की चर्चा की है। अपने ग्रंथ में उन्होंने भारत की भाषाओं का सर्वेक्षण किया है, फिर भी उसमें उन्होंने ईरानी परिवार की चर्चा की। इसका कारण यह है कि "उत्तर-पश्चिमी सीमान्त प्रदेश में तथा ब्रिटिश प्रभाव के पड़ोसी क्षेत्र में जिसे ब्रिटिश अफ़गानिस्तान कह सकते हैं, यह भाषा [पश्तो] पेशावर, हज़ारा, बन्नू, कोहाट, डेरा इस्माइल खाँ के ज़िलों में तथा इनके और अफ़गान सीमा के बीच के क्षेत्र में बोली जाती है।" ('लिंग्विस्टिक सर्वे', खंड 10, पृ. 5) उन्होंने पश्तो पर इसलिए नहीं लिखा कि आधुनिक आर्य भाषाओं से, सिन्धी और हिन्दी से उसका घनिष्ठ सम्बन्ध है वरन् इसलिए लिखा है कि पश्तोभाषी क्षेत्र ब्रिटिश भारत में है या ब्रिटिश प्रभाव-क्षेत्र में है। फिर भी उन्होंने जो सामग्री प्रस्तुत की है, उससे पश्तो का सम्बन्ध, उनके न चाहने पर भी, भारतीय आर्य भाषाओं से स्थापित होता है।

ग्रियर्सन ने पारसी ईरानी और गैर-पारसी ईरानी, दो भाषा-समुदाय माने हैं। जो पारसी समुदाय है, उसमें **स्** ध्वनि **ह्** में बदलती है किन्तु जो गैर-पारसी ईरानी है, उसमें ऐसा परिवर्तन विरल है। ग्रियर्सन मानते हैं कि पूर्वी समुदाय की पश्तो, बलूची आदिभाषाओं ने उत्तर-पश्चिमी भारत से काफी तत्त्व उधार लिये हैं किन्तु उनका कहना है कि इन भाषाओं का अन्तस् ईरानी है। इस अन्तस् की अखंड सत्ता नहीं है क्योंकि पारसी और गैर-पारसी दो भागों में ग्रियर्सन ने उसे पहले ही बाँट दिया है। प्राचीनकाल में पक्थ गण से भारतीय आर्य गण-समाजों का जो सम्बन्ध था, उसे छोड़ भी दें, तो अपेक्षाकृत अर्वाचीन काल में पठानों और भारतीय जनों का सम्पर्क नये-नये स्तरों पर कायम हुआ। ग्रियर्सन का कहना है कि बहुत-से भारतीय डोम अफ़गानिस्तान में पेशेवर गायकों के रूप में बस गए और फिर वे अफ़गान बन गए। गाना-बजाना डोम जनों का पुराना पेशा है और बहुत जगह अब भी कायम है। पठानों की भाषा में इन डोम जनों के गीतों के माध्यम से अवश्य ही कुछ भाषा-तत्त्व पहुँचे होंगे। सम्पर्क का दूसरा स्तर यह था कि पठान और भारतवासी, दोनों ही तुर्कों से लड़े थे। ग्रियर्सन ने लिखा है कि बाबर ने काबुल से लेकर भारत तक पठानों के सिर काट-काटकर पिरामिड बना दिये थे। मेरठ की रक्षा के लिए इलियास नाम के पठान ने युद्ध किया था और खटक कबीले के ख़ुशालखाँ ने औरंगज़ेब के विरुद्ध विद्रोह किया था। ग्रियर्सन ने लिखा है कि ख़ुशालख़ाँ कवि थे और अब भी वह पठानों के सर्वाधिक लोकप्रिय कवि हैं। बादशाह खान ने भारत के स्वाधीनता-संग्राम में भाग लिया, तो यह पुरानी हिन्दी-पठान जुझारू परम्परा के अनुरूप ही था।

ग्रियर्सन ने उत्तर-पश्चिमी बोलियों के जो नमूने दिये हैं, उनमें कुछ बातें उल्लेखनीय हैं। एक बोली है **ओरमुड़ी**। सम्भव है, इसमें **मुड़ी** शब्द भाषा-सूचक हो। इसमें भूतकालीन कृदन्तों के अन्त में **क** प्रत्यय दिखाई देता है। **मुल्लक**—मरा, **ख्वलक**—खाया। पेशावर की भाषा में कृदन्त चिन्ह **द** है, यथा : **कड़ेद**—किया गया है। **ख्वलक** जैसे रूपों में **द्** बदलकर **ल्** हो गया है और उसके बाद **क** जोड़ा

गया है। ब्रजभाषा के **भयो** के प्रतिरूप **ब्यो** में **क** प्रत्यय जोड़कर **ब्योक्** रूप बनता है। **ख्वलकम्** का अर्थ हुआ उसने मुझे खाया। **ब्योकम्**—मैं था, **बुकयेन्**—हम थे। यह **क** भारतीय भाषाओं के सन्दर्भ में ध्यान देने योग्य इसलिए है कि मगही क्रिया-रूपों में इसका व्यवहार होता है, यथा : **ऊ रोटी खलकइ**—उसने रोटी खाई। इसी प्रकार मैथिली में **वो रोटी खेलक**। मैथिली के वाक्य **तोहर नाम की थिको** (तुम्हारा नाम क्या है) में **थि** क्रिया के साथ **को** निश्चयसूचक प्रत्यय है। मानक हिन्दी, बाँगरू और पंजाबी के भविष्यकालीन क्रिया-रूपों में जो **गा** दिखाई जाता है, वह मगही और पश्तो बोलियों के **क** का समवर्गीय है।

ओरमुड़ी के कृदन्त क्रिया-रूपों में सर्वनाम प्रत्यय जोड़े जाते हैं। यह बात पश्तो में भी है किन्तु ओरमुड़ी की विशेषता यह है कि कृदन्त में सर्वनाम-चिन्ह जोड़कर कर्म का बोध भी कराया जा सकता है। **ख़्वलकम्** का अर्थ है, उसने मुझे खाया। **ख़ुरम्**—वह मुझे खा सकता है। **ख़ुरन्**—वह तुम्हें खा सकता है, **ख़ुरीव**—तू उसे खा सकता है। सर्वनाम-चिन्हों से इस प्रकार कर्ता के साथ कर्म का बोध कराना मगही और मैथिली की विशेषता है। क्रिया के साथ दो-दो सर्वनाम जोड़े जा सकते हैं। **ख़ववलकत्**—तूने खाया; यहाँ **अत्** सर्वनाम मध्यम-पुरुष एकवचन कर्ता का संकेतक है। **ख़ववलकतम्**—मुझे खाया, यहाँ **अत्** के बाद **अम्** उत्तमपुरुष एकवचन कर्म का संकेतक है। विशेषताएँ न तो फ़ारसी में हैं, न अवेस्ता की भाषा में किन्तु भारतीय आर्य भाषाओं के पूर्वी समुदाय की दो भाषाओं में है।

तुर्की के समान ओरमूड़ी में संज्ञा शब्दों के बाद भी सर्वनाम-चिन्ह लगते हैं : **कितब्बीन्**—मेरी किताबें, **कितब्बी**—तेरी किताबें, **कितब्बीव**—उसकी किताबें, **कितब्बीन**—हमारी या तुम्हारी किताबें। यह विशेषता तुर्की, सामी, कोल आदि अनेक परिवारों में पाई जाती है।

ओरमुड़ी में **अ** सर्वनाम-चिन्ह निश्चयात्मक संकेतक का काम करता है। पश्तो के अन्य रूपों में **द** निश्चयात्मक संकेतक प्रयुक्त होता है। अंग्रेज़ी के **दि** या **द** की भूमिका भी यही है। ऐसे संकेतकों का व्यवहार ईरानी या भारतीय आर्य भाषाओं में नहीं होता। प्राचीन ग्रीक में होता है, लैटिन में नहीं होता, स्लाव भाषाओं में नहीं होता, जर्मन समुदाय की भाषाओं में होता है, और सामी भाषाओं में होता है। इस विशेषता का प्रसार केन्द्र पठानदेश या उसका पड़ोसी क्षेत्र होना चाहिए।

पश्तो और उसकी पड़ोसी भाषाएँ भारतीय आर्य भाषाओं के समान मूल शब्द के बाद सम्बन्धक जोड़ती हैं, यथा : पेशावरी बोली में **माल**—मुझको, मराठी **मला** के समान है; सम्प्रदानकारक के लिए इस **ल** का व्यवहार मगही में भी होता है। किन्तु **द स्पाहयानो** (सिपाहियों का) में **द** सम्बन्धक मूल शब्द से पहले आया है। ओरमुड़ी में **इ सड़इ की** (एक आदमी को), **की** सम्बन्धक बाद में आया है किन्तु **प सड़इ** (एक आदमी के द्वारा), **त सड़इ** (एक आदमी का), यहाँ **प** और

**त** सम्बन्धक मूल शब्द से पहले आए हैं। ऐसी ही संरचना कम्बोज समुदाय की भाषाओं में है, सामी भाषाओं और अंग्रेज़ी आदि इंडो-यूरोपियन भाषाओं में है। जिसे तुखार प्रदेश कहा जाता था, वहाँ कम्बोज समुदाय की भाषाएँ बोलनेवाले रहते थे। ये पठानों के पड़ोसी थे। सम्बन्धक शब्दों को मूल शब्द से पहले रखने की प्रवृत्ति के प्रसार का केन्द्र यही उत्तराखंड है।

ओरमुड़ी आदिभाषाओं के कुछ शब्द ऐतिहासिक महत्त्व के हैं। ओरमुड़ी **पेत्स** संस्कृत **पश्च** का प्रतिरूप है : अंग्रेज़ी **पोस्ट** (पीछे) के पूर्वरूप **पस्त** का वर्ण-विपर्यय से बदला हुआ रूप **पेत्स** है। अंग्रेज़ी **पोस्ट** स्वयम् लैटिन से आया है। ओरमुड़ी **इद** (यहाँ) हिन्दी **इधर** के **इध** का रूपान्तर है। **गुदा** (कहाँ) में प्रथम वर्ण प्रश्नवाचक सर्वनाम है। रूसी में यही रूप **कुदा** और संस्कृत में **कुतः** है।

काबुल नदी के दक्षिण में **तिरही** भाषा बोली जाती है। इसकी एक विशेषता निश्चयात्मक संकेतक का व्यवहार है। **ले पकीरसि एक आन दे**—फकीर को एक आना दो। यहाँ **दे** सर्वनाम का रूपान्तर **ले** फकीर के पहले पाया है। **ल गन पुत्र ग़ुसा खुम् गा**—बड़ा बेटा गुस्से में आ गया। यहाँ संकेतक **ल** सर्वनाम **द** का रूपान्तर है। दोनों का आधार **ध, धे** जैसे सर्वनाम हैं जो अंग्रेज़ी में संकेतक **दि** के रूप में प्रयुक्त होते हैं। **ल** वाले रूपान्तर में इनका व्यवहार फ्रांसीसी, इतालवी आदिभाषाओं में होता है। दूसरे वाक्य में **गा** क्रिया ठीक उसी रूप में है जिसमें वह अवधी में प्रयुक्त होती है। **पुत्र** शब्द, फ़ारसी से भिन्न, यहाँ संस्कृत रूप के समान है। **पकीरसि** का **सि** प्रत्यय अवधी और अपभ्रंश के सम्प्रदानकारक **हि** का पूर्वरूप है। **कुएँ** के लिए **कुइ** रूप अवधी **कुँइँ** के समान है। **ब्रिछत तोन**—वृक्ष के नीचे; यहाँ **क्ष्** ध्वनि मागधी के समान **ख्** में नहीं, अवधी के समान **छ्** में परिवर्तित हुई है। अवधी-ब्रज का **पनही-पन्हा** तिरही में **पना** (जूता) है। **आँख** के लिए **अक्षि** से **ख्** वाले रूप के बदले यहाँ **छ्** वाला रूप प्रचलित है—**अच्छे**, जिसकी तुलना के लिए ग्रियर्सन ने कश्मीरी का **अछ्** (आँख) रूप दिया है। स्त्री के लिए **स्त्रे** का व्यवहार होता है; बेटी के लिए **दे** शब्द का सम्बन्ध **धी** से है। **स्त्री** और **धी**, दोनों के स्वर विवृत होकर एकार हो गए हैं। **पिता** के लिए **मल** शब्द कश्मीरी **मोलु** का प्रतिरूप है। पश्तो के समान, फ़ारसी से भिन्न, इसमें **ड़्** का व्यवहार होता है। **पुत्रेन लेन आड़ि**—बेटे ने उससे कहा। कर्ता **पुत्र** के साथ **न** प्रत्यय लगा है और वह सम्प्रदान **ले** के साथ भी है। जो लोग समझते हैं कि आधुनिक आर्य भाषाओं में तिर्यक् और सामान्य दो ही कारक रह गए, वे **पुत्रे** और **ले** तिर्यक् रूप देखें और कहें कि तिरही का विकास ईरानी अपभ्रंश से हुआ है। **लेन** का **ले** सर्वनाम रूप है। संज्ञा के पहले संकेतक रूप में, अलग से स्वतंत्र सर्वनाम रूप में उसका व्यवहार होता है। ग्रियर्सन ने हिन्दी **ने** के साथ तिरही **न** की तुलना बिलकुल ठीक की है। फ़ारसी में वैसा चिन्ह नहीं है। फ़ारसी **होशियार्** तिरही में **होखियार्** है और **स्थान** के लिए फ़ारसी **खान्** (कारखाने

वाले **खान्**) के बदले यहाँ **थान** (घर) है। सोलह यहाँ **खोला** है किन्तु सत्रह **सतारा** है। **खोला** में **स्, होशियार्** के **श्** के समान परिवर्तित हुआ है किन्तु **सतारा** सीधे पंजाब से पहुँचा है। **जवाब दिता** (जवाब दिया) में **दिता** से उक्त धारणा पुष्ट होती है। **मलगण पुत्रसि जवाब दित**—बाप ने बड़े बेटे को जवाब दिया। **दित** कृदन्त है; **मल** के साथ करणकारक का कोई चिन्ह नहीं है। कर्मवाच्य कृदन्त, आधुनिक आर्य भाषाओं के समान, यहाँ कर्तृवाच्य के समान प्रयुक्त होते हैं। तिरही में सम्बन्धकारक का चिन्ह मूल शब्द से पहले आता है, बाद को भी। **मसिदा, दा मे,** दोनों का अर्थ है मेरा। पंजाबी, पश्तो, तिरही, सभी में **द** या **दा** सम्बन्धकारक के चिन्ह के रूप में प्रयुक्त होता है। यह व्यवहार-परम्परा फ्रांसीसी, इतालवी आदि लैटिन समुदाय की अर्वाचीन भाषाओं तक चली गई है। **पुत्रसि** के समान **मसि** सर्वनाम अपने साथ कारक-चिन्ह **सि** लिये हुए है किन्तु तिरही में **मसि** सर्वनाम-मूल जैसा प्रयुक्त हुआ है—जैसे हिन्दी में कुछ लोग **मेरे को** बोलते हैं। क्रिया वाक्य के आरम्भ में और अन्त में, दोनों प्रकार से आती है। **मलगण पुत्रसि जवाब दिता**—यहाँ क्रिया वाक्य के अन्त में है। **गा दूर मुल्कसि**—वह दूर देश गया, यहाँ क्रिया वाक्य के आरम्भ में आई है। इस क्षेत्र की भाषाओं में मुख्य कालभेद भूत और वर्तमान का है। भविष्य के लिए **भू** क्रिया का व्यवहार होता है। **दज़्—** दंड देना; **मे बदेम्—** मैं मारूँगा; **ले बदेम्—** वह मारेगा। यहाँ **ब** उपसर्ग भविष्यवाचक वैसे ही है, जैसे मागधी भाषाओं में। केवल उसकी स्थिति मूल क्रिया से पहले है।

इस **ब** चिन्ह का व्यवहार पश्तो में दर्शनीय है। 'जर्नल् ऑफ़् अमेरिकन् ओरिएंटल् सोसायटी' (अप्रैल-जून, 1951) में हर्बर्ट पेंजल ने पश्तो क्रिया पर एक लेख लिखा था। इसमें उन्होंने बताया था कि पश्तो क्रिया में मुख्य काल-भेद अतीत और वर्तमान का है। इन्हीं कालरूपों के अनुसार भविष्यकाल की रचना होती है, यथा : **ज़े ब दरेज्ज़ेम्**—मैं रुकूँगा। **ब** चिन्ह का सम्बन्ध केवल भविष्य से नहीं है, यह अन्य उदाहरण से ज्ञात होता है। **ज़े ब दरेदेलेम्**—मैं रुक रहा था। जैसे हिन्दी में कहें **वे रुके हैंगे,** यहाँ संकेत भविष्य की ओर नहीं है वरन् सम्पन्न हो चुकी क्रिया की ओर है। उक्त निबन्ध के लेखक के अनुसार **ब** का अर्थ सन्दर्भ के अनुसार निश्चित होता है जिसमें एक अर्थ भविष्य का भी होता है। **दरेदेलेम्** में **ल** भूतकालीन कृदन्त का चिन्ह है। **ल** और **ब,** दोनों का एक साथ व्यवहार या तो मागधी भाषाओं में है या पश्तो और उसकी पड़ोसी बोलियों में। बिहार और बंगाल की भाषाओं में जैसे **स्** और **श्** ध्वनियों का व्यवहार एक विभाजक रेखा है, वैसे ही पश्तो क्षेत्र में **स्** और **श्** का व्यवहार है। कन्दहार की बोली में **स्** का व्यवहार होता है। **शेम्** (मैं होता हूँ) का कन्दहारी प्रतिरूप **सेम्** है। फ़ारसी **नेस्त** (नहीं है) इस बोली के अनुरूप है किन्तु अन्यत्र **नेश्त** का चलन भी है। पश्तो क्षेत्र में **वेसु** और **वेशु** (वह हुआ), दोनों रूपों का चलन है। इस तरह का भेद फ़ारसी के आधार पर विवेचित नहीं हो सकता।

**सेम्, शेम्** में **स** क्रिया है। यही क्रिया **ह** रूप में भी प्रयुक्त होती है। ओरमुड़ी में **अज़हम्**—मैं हूँ; **हफो हा**—वह है; **माख ह्येन्**—हम हैं; **हफई हिन्**—वे हैं। जैसे मगही और हिन्दी में **ह**-मूलक क्रिया-रूप प्रचलित हैं, वैसे ही ओरमुड़ी में। **स** ध्वनिवाली क्रिया भी विशेष सन्दर्भों में प्रयुक्त होती है, यथा : **अज़्सम्**—मैं हो सकता हूँ; **अज़् स्योकम्**—मैं हुआ। **स** क्रिया का प्रतिरूप **अस्** है। यही **असिल्** जैसे तिरही के रूपों में विद्यमान है। **अस्** और **आस्** वाली क्रियाएँ प्राचीन हैं, इनका एक प्रमाण पुरानी फ़ारसी में **आह्** क्रिया का व्यवहार है। 'जर्नल ऑफ़ अमेरिकन् ओरिएंटल् सोसायटी' (खंड 66, सन् 1946) में रोनैल्ड जी. केंट ने पुरानी फ़ारसी के 'माम् काम' पद में कर्मकारक पर एक लेख लिखा था। शिलालेखों की इस पुरानी फ़ारसी में, यथा : 'माम काम आह', यह वाक्यांश बार-बार आता है। इसका अर्थ है, जैसी मुझे इच्छा थी। जैसे हिन्दी में कहें, मुझे आशा थी, ठीक वैसे ही उक्त वाक्यांश में **माम्** का प्रयोग हुआ है। अतीतकालीन क्रिया-रूप **आह** का आधार **आस्** है। मराठी **आहे**, बंगला **आछे** इसी से सम्बद्ध हैं। अवधी, ब्रजभाषा आदि में **अहै, अछै, अछत** आदि का आधार **आस्** का वैकल्पिक रूप **अस्** है।

'इंडियन् लिंग्विस्टिक्स' के चटर्जी जुबिली विशेषाङ्क (1955 ई.) में मॉर्गेंस्टीर्न ने खोवार भाषा के उदाहरणस्वरूप एक कहानी दी है और उस भाषा पर कुछ टिप्पणियाँ की हैं। इस कथा का एक वाक्य है : **सेर् क़ुर शेर्**। इसका उन्होंने संस्कृत रूपान्तर इस प्रकार दिया है : **सेतुः कुतः शेते**—पुल कहाँ है। इस भाषा में संस्कृत शब्दों की **त्** और **द्** ध्वनियाँ **र्** में बदलती हैं यद्यपि सर्वत्र ऐसा नहीं होता। इस प्रकार **सेतु** शब्द **सेर्** हुआ। **कुतः** का प्रतिरूप **कुर** बना। **शेर्** में लेटने का अर्थ देनेवाली **शी** या **शे** क्रिया के बदले अस्तित्वसूचक **स** या **श** क्रिया की कल्पना अधिक युक्तिसंगत है। कृदन्त रूप होगा **सेत्** या **शेत्**, उससे **शेर्**। खोवार भाषा के एक वाक्य का रूपान्तर लेखक ने संस्कृत में दिया है, फ़ारसी या प्राचीन ईरानी में नहीं, यद्यपि वह मानते हैं कि इस भाषा में भी बहुत-से ईरानी तथा आर्येतर तत्त्व हैं। इसकी पड़ोसी कलश भाषा में भी **त्** को **र्** या **ल्** में बदलने की प्रवृत्ति है। उन्होंने इस बात का उल्लेख भी किया है कि खोवार में मूर्धन्य **ळ्** का व्यवहार होता है। मागधी भाषाओं के समान इसमें स्वर की लघुता या दीर्घता अर्थ-विच्छेदक नहीं है। लेखक के अनुसार जिन स्वरों पर बलाघात होता है, वे सुनने में दीर्घ लगते हैं। मॉर्गेंस्टीर्न ने इस महत्त्वपूर्ण तथ्य का उल्लेख किया है कि भूतकालीन कृदन्त यहाँ सामान्य क्रिया की तरह प्रयुक्त होते हैं। इस प्रकार **करना** क्रिया के लिए खोवार रूप **कर्दु** है और इसका **कलश** प्रतिरूप **कद** है। यह स्थिति प्रायः समस्त ईरानी क्षेत्र में है। इन कृदन्त रूपों के चलन के पहले क्रिया के जो सामान्य रूप थे, वे भारतीय आर्य भाषाओं में हैं। यदि कृदन्त-पद्धति ईरानी क्षेत्र से भारत में आती तो यहाँ वे सामान्य रूप मिलते ही नहीं। तिङन्त पद्धति का

केन्द्र है मध्यदेश। यहाँ से क्रिया के सामान्य रूप कुरु समुदाय के क्षेत्र में पहुँचते हैं। वहीं की कृदन्त-पद्धति का जितना प्रभाव संस्कृत या हिन्दी पर है, उससे कहीं अधिक प्रभाव फ़ारसी तथा ईरानी समुदाय की अन्य भाषाओं पर है। इन भाषाओं के विवेचन से, अन्य भारतीय-अभारतीय भाषाओं के समान, मध्यदेशीय भाषा के मूल रूपों का बोध होता है। दूर संकेतक सर्वनाम खोवार में **हसे** है। इसका वैकल्पिक रूप **हते** है। ऐसे सर्वनामों का मूल रूप **सध** था, **स** निर्देशक सर्वनाम चिन्ह है और **ध** व्यक्ति-स्थानसूचक चिन्ह, इसका प्रमाण **हते** जैसा रूप है। **स्** परिवर्तित हुआ **ह्** में और **ध्** अल्पप्राण अघोष बना। **त्, स्** में बदला, तब **हसे** रूप बना। संस्कृत तथा द्रविड़ भाषाओं में दूरस्थ वस्तु-सूचक **अ** पहले **स** था, यह बात यहाँ **ह्** के अस्तित्व से सिद्ध होती है। खोवार में दूरस्थ और समीप का भेद वैसा सुरक्षित नहीं है, जैसा द्रविड़ भाषाओं में है, इसलिए **ह** का उपयोग समीपस्थ वस्तुओं के लिए भी होता है। एक सर्वनाम रूप है **हतो ग़ो** (उसका)। यहाँ मूल सर्वनाम है **हतो**, उसमें सम्बन्धकारक का चिन्ह **ग़ो** लगा है। **शूरसेनी** भाषा-समुदाय का सम्बन्ध-सूचक को यहाँ सघोष संघर्षी रूप में **ग़ो** है। सर्वनामों में **क** चिन्ह जोड़कर ऐसे रूप बनाने की पद्धति मालवी में अब भी है (मध्य प्रदेश के मालवा जनपद की भाषा की बात है)। खोवार भाषा का एक वाक्य है : **हतो ग़ो सुत् झ़िझ़उ अस्तनि**—उसके सात बेटे थे। यहाँ **सप्त** का रूपान्तर **सुत्** है। कहीं यह **सप्त** शब्द आदि वर्ण में एकार के साथ ग्रहण किया गया है, जैसे अंग्रेज़ी **सेवॅन** में, कहीं ओकार के साथ, जिसके संवृत रूप **उ** के साथ खोवार का **सुत्** है। पुत्रों के लिए **झ़िझ़उ** रूप की व्याख्या इस प्रकार हो सकती है। **झ़ि** तो **धी** है जो पुत्री के लिए अब भी प्रयुक्त होता है। इसका पुल्लिंग रूप रहा होगा उकारान्त **धउ**। बेटा-बेटी के लिए जो संयुक्त शब्द **धीधउ** कभी प्रयुक्त होता था, वह खोवार में केवल पुत्र का अर्थ देने लगा। मॉर्गेंस्टीर्न ने **झ़उ** शब्द का अलग से पुत्र अर्थ भी दिया है। **झ़िझ़उ** रूप, लिंग-भेद पर ध्यान दिये बिना, बच्चों के लिए प्रयुक्त हो सकता है। **इअनुस् बादशातन् झ़िझ़उ अन् ते रेतइ**—एक दिन बादशाह ने अपने बच्चों से कहा। **इ** सर्वनाम चिन्ह है जिसके मूल समीपता भाव का लोप हो गया है। **शाह** के **ह** का लोप, फ़ारसी के समान नहीं, ब्रजभाषा के समान हुआ है। अपने के लिए **तन्** सर्वनाम का प्रयोग संस्कृत ही नहीं, तमिल के अनुरूप भी है। **झ़िझ़उ** में बहुत्वसूचक **अन्** अवधी के **अन**—यथा **दिनन** (बहुत दिन)—जैसा बना हुआ है। **ते** अवधी आदि जनपदीय भाषाओं के सम्बन्धक के समान है, फ़ारसी से उसका कोई सम्बन्ध नहीं है। **रेतइ** क्रिया कृदन्त रूप में है, उसका आधार वही **ऋक्** वाली **रि** क्रिया है। पूरी वाक्य-रचना हिन्दी के ढंग की है।

**झ़ि** का प्रतिरूप **झी** बंगला में अब भी प्रयुक्त होता है। इसका मूलरूप **धी** मध्यदेश—विशेषतः ब्रजप्रदेश—में व्यवहृत होता है। **झ़ाउ** का पूर्वरूप **धउ**, और

मूलरूप **धव** संस्कृत **विधवा** में है। **विधवा** वह स्त्री है जिसका साथी युवक न हो। **धव** का प्रतिरूप **धिय** संस्कृत **वंध्या** में है। **वंध्या** वह स्त्री है जिसके सन्तान न हो।

लड़की के लिए **झूर्** शब्द है। कलश भाषा में इसका प्रतिरूप **छूर** है जो ब्रजभाषा के छोरा-छोरी की याद दिलाता है। **झू, छ्** ध्वनियों का मूल रूप **ध्** प्रतीत होता है। मॉर्गेस्टीर्न ने कल्पना की है कि **झूर्** का मूलरूप **जुहूता** था। **दुहिता** के ग्रीक प्रतिरूप **थुगातेर्** में आदिस्थानीय **थ्** मूलरूप के **ध्** की ओर संकेत करता है। **धूता, धूतर्** जैसे रूप से **दुहिता** रूप बनना सम्भव है। **धी** (लड़की) के समान **धू, धउ** (लड़का) रूप प्रचलित थे और इनके साथ **धूत** या **धूर** जैसे रूप थे जिनसे खोवार **झूर्**, कलश **छूर्**, ब्रज **छोरा-छोरी** बने हैं। **भ्राता** का बहुवचन खोवार में **ब्रारगिनि** हैं। यहाँ **गिनि गण** का रूपान्तर है। यही तमिल का **गळ** है। खोवार में पत्नी के लिए **बोको** शब्द है जो मराठी **वाइको** से तुलनीय है; **वाइको** का **वाइ** अंग्रेज़ी **वाइफ़** के **वाइ** से तुलनीय है, और **वाइ** का नारीवाचक आधुनिक आर्य प्रतिरूप **बाई** है।

ऊपर के एक उदाहरण में **अनुस्** (दिन) शब्द आया है। लैटिन में इसका प्रतिरूप **अन्नुस** वर्ष के लिए प्रयुक्त होता है। संस्कृत रूप **अयन** है। खोवार में संस्कृत शब्दों के प्रतिरूप भरे पड़े हैं। ऐसे रूप भारतीय आर्य भाषाओं में अधिक हैं, फ़ारसी में कम। **स्त्री** के लिए **किमेरि** शब्द का व्यवहार होता है जो **कुमारी** का रूपान्तर है। **तीक्ष्ण** का खोवारी तद्भवरूप **तुखुन्** है। झरने के लिए **उत्स** शब्द है जो हिन्दी के लिए भी अब क्लिष्ट माना जाएगा : **ह्युश् झ़ग़ उत्स् शेर्**—ऐसी जगह उत्स है।

चलने के लिए खोवार में **वग़्** क्रिया है जो संस्कृत **वेग** से सम्बद्ध है। हिन्दी में **ग** क्रिया केवल अतीतकालीन **गया** जैसे रूपों में प्रयुक्त होती है; खोवार में संस्कृत **गत्वा** के समान पूर्वकालिक रूप **गिति** (आकर) है। इसी प्रकार **भू** के प्रतिरूप **बि** से **बिति** (होकर) रूप बनता है।

पठान देश के समीपवर्ती क्षेत्रों में काफिर, पशाइ, तिरही भाषाएँ बोली जाती हैं। इन भाषाओं का भारतीय आर्य भाषाओं से बड़ा गहरा सम्बन्ध है। काफिर भाषा में माँ के लिए **नु** शब्द है। सम्भव है, **स्नुषा** सामान्य पारिवारिक सम्बन्ध सूचित करनेवाला शब्द रहा हो; उसका तद्भव रूप यह **नु** है। **बिल्ली** के लिए **पिशा** शब्द **पिशाच** की व्युत्पत्ति में सहायक होता है। **मास** का अर्थ है चन्द्रमा। संस्कृत **चन्द्रमस्** में **चन्** और **मस्**, दोनों एक ही अर्थ के सूचक हैं। **चन्द्रमा, पूर्णिमा** आदि का **मा** चन्द्रवाचक है। पुरुष के लिए **मनुश** और स्त्री के लिए **स्त्री** शब्द काफिर भाषा में हैं, फ़ारसी में नहीं। काफिर क्षेत्र में **अश्व** के साथ **घोड़ा** भी पहुँचा है; **वुश्प, अश्प** और **गूड़ा**।

काबुल नदी के उत्तर में पशाइ बोलियाँ हैं। यहाँ पुरुष के लिए **वीर** शब्द है। संस्कृत **अक्षि** का रूपान्तर **अछि** यहाँ प्रचलित है। जैसे **पक्षी** का एक तद्भव रूप **पंछी** है, वैसे ही यहाँ **अछि** का वैकल्पिक रूप **अंछ** है। **पंछी** के साथ आधुनिक

आर्य भाषाओं में **पाखी** है, वैसे ही यहाँ उसी अर्थ में **पछीन्** के साथ **पखीम्** है। चन्द्रमा के लिए **माइ** के अलावा **मा** पूर्णिमा के **मा** का अर्थ बताता है। माता के लिए **आई** और खाने के लिए **ज़ेवन्** मराठी की याद दिलाते हैं। बाप के लिए **दादा** ठेठ भारतीय शब्द है।

एच.डब्ल्यू. बेली ने 'इंडियन लिंग्विस्टिक्स' के चटर्जी जुबिली विशेषाङ्क (1955) में 'इंडिका एत् ईरानिका' लेख में वैदिक और ईरानी शब्दों के प्राचीन सम्बन्धों पर बल देते हुए कुछ उदाहरण दिये हैं। इनमें एक शब्द है **क्रम**। क्रम का मूल अर्थ है चलना। अनाज पर मनुष्यों या पशुओं के चलने से उसे माड़ा जाता था, इसलिए **क्रम** शब्द का एक अर्थ माड़ना हुआ। इसका ईरानी रूपान्तर **ख्रम्** है। बलूची में **खुमानी** उस स्थान को कहते हैं जहाँ नाज इकट्ठा किया जाता है। काफिरी भाषा में **क्रम्**, उसका कृदन्त रूप **क्रन्द**, चितराल की खोवार भाषा में **क्रोम्** माड़ने की क्रिया से सम्बन्धित हैं। बेली ने अनाज को पीटने, मीसने, उस पर चलने आदि के लिए संस्कृत **क्रम्** का उल्लेख किया है। इसी के संज्ञा-रूप **क्रमण** का फ़ारसी रूपान्तर **खिर्मन्** (फ़सल) है। बेली ने वैदिक **खल** का भी उल्लेख किया है जो **खलिहान** में अब भी विद्यमान है। किन्तु यह **खल** भिन्न अर्थ देनेवाला **खल** है और **क्रम** से भिन्न है। हिन्दी **माड़ना, मड़नी** आदि का सम्बन्ध **मर्दन** की **मर्द्** क्रिया से है। **मर्द्** का एक रूपान्तर **माद्** होगा, **माद्** का रूपान्तर **नाद्** होगा। ईरानी समुदाय की भाषाओं में **नाद्** क्रिया पीटने के अर्थ में प्रयुक्त होती है। इसी का रूपान्तर हिन्दी **नाज** है; **नाज** वह जो काटी हुई धान्यराशि को माड़कर, पीटकर निकाला जाए।

यहाँ कुछ बातें बलोची भाषा के बारे में कहना चाहिए। बलोची के क्षेत्र में सिन्धी, पश्तो और ब्राहूइ बोलनेवालों की संख्या काफी है। कुछ जिलों में तो अधिक संख्या सिन्धी और पश्तो बोलनेवालों की है। इस प्रकार यहाँ सिन्धी और पश्तो से एक द्रविड़ भाषा निकट सम्पर्क में आती है। पश्तो के समान और फ़ारसी से भिन्न बलोची में मूर्धन्य ध्वनियों का व्यवहार होता है। बार्कर और मंगल की पाठ्य-पुस्तक 'ए कोर्स इन् बलूची' की समीक्षा करते हुए विलियम ए. कोट्स ने 'लिंग्विस्टक्स' पत्रिका (जुलाई, 1973) में लिखा है कि पश्तो के समान इसमें प्रतिवेष्टित व्यंजन हैं, उर्दू की विशिष्ट ध्वनियाँ **अय, अव्** (अर्थात् **ऐ, औ**) इसमें पाई जाती हैं और ये स्वर तथा प्रतिवेष्टित व्यंजन निश्चय ही भारतीय आर्य भाषाओं से आए हैं। यद्यपि ब्राहूइ पड़ोसी भाषा है, किन्तु प्रतिवेष्टित ध्वनियाँ बलूची में आर्य भाषाओं से आई हैं। तमिल के समान ब्राहूइ में प्रतिवेष्टित व्यंजन शब्द के आदिस्थान में प्रयुक्त नहीं होते; इसके विपरीत आर्य भाषाओं में उनका स्वच्छन्द प्रयोग होता है और बलूची में ऐसे स्वच्छन्द व्यवहार की प्रवृत्ति है। बलूची में **ट्** **ड्** ध्वनियों के व्यवहार का उल्लेख अपने सर्वेक्षण ग्रंथ में ग्रियर्सन ने भी किया है। पश्तो के समान कुछ स्थितियों में अल्पप्राण व्यंजनों को महाप्राण संघर्षी रूप देने

की प्रवृत्ति यहाँ भी है। इस प्रकार पिता शब्द **फ़िथ्** बोला जाता है। पश्तो के समान बलूची में भी अर्थ-विच्छेदक महाप्राण ध्वनियाँ नहीं हैं। ग्रियर्सन ने गाइगर का मत उद्धृत किया है कि बलूची में प्राचीन भाषा-तत्त्व फ़ारसी की अपेक्षा अधिक हैं, उस पर साहित्य की फ़ारसी का प्रभाव शून्यवत् है। पुरानी फ़ारसी की अपेक्षा उसका सम्बन्ध अवेस्ता से अधिक है। कोट्स ने लिखा है कि कोई भी भाषाविज्ञानी बलूची तथा अन्य भाषाओं, विशेषतः भारतीय आर्य भाषाओं की समानता पर ध्यान दिये बिना न रहेगा, संरचना की दृष्टि से बलूची ईरानी भाषाओं की अपेक्षा बहुधा भारतीय आर्य भाषाओं के अधिक निकट प्रतीत होती है। पश्तो-भाषियों और भारतीय आर्यों के पुराने सम्बन्धों की बात विख्यात है किन्तु बलूचिस्तान की मुख्य भाषा भी हमारी भाषाओं के निकट है, यह बात कम लोग जानते हैं। वह ईरानी भाषाओं की अपेक्षा भारतीय आर्य भाषाओं के अधिक निकट है, बहुतों के लिए यह बात कल्पनातीत होगी। जो बात ट्रम्प ने पश्तो के लिए कही है, वही बात कोट्स ने बलूची के लिए कही है। मूर्धन्य ध्वनियाँ प्रतिवेष्टित हैं कि नहीं, पश्तो के सन्दर्भ में कुछ विद्वानों के लिए यह बात विवादास्पद है। कोट्स ने बलोची के **ट्, ड्** को असन्दिग्ध रूप में प्रतिवेष्टित माना है और उन्हें भारतीय आर्य भाषाओं की देन माना है।

ध्वनियों के अलावा बलोची वाक्य-रचना के बारे में कोट्स ने लिखा है कि **रखना** क्रिया का फ़ारसी प्रतिरूप बलूची में नहीं है। बलूची में **मेरे पास एक रुपया है, मेरे बहुत भाई हैं, मेरे पास बहुत-सी किताबें हैं,** ऐसे वाक्यों को हिन्दी वाक्यतंत्र के अनुरूप कहा जाएगा : **गॉ मन् रुप्पिए अस्त, मनि बज़् ब्रस् अन्त, मन् बज़् किताब अस्त**। बलूची की कारक-रचना भारतीय आर्य भाषाओं की कारक रचना से मिलती-जुलती है। उत्तम पुरुष सर्वनाम **मन्** के कर्म-सम्प्रदान बहुवचन रूप **अमारा, मारा** बंगला-राजस्थानी की याद दिलाते हैं। संस्कृत में जैसे **लोक** शब्द प्रकाश के अलावा संसार के लिए प्रयुक्त होता है, वैसे ही बलूची में **लोग** शब्द का अर्थ है घर। और गड़रिए में जो **गड़** है, वह बलूची में **भेड़** के लिए प्रयुक्त होनेवाला **गड्** शब्द है। हिन्दी का **गाड़र** इसी से सम्बद्ध है। पश्तो के समान भारतीय आर्य भाषाओं से बलूची के सम्बन्ध प्राचीन और अर्वाचीन, दोनों हैं।

ईरानी समुदाय की एक भाषा कुर्द है। इस भाषा के बोलनेवाले अब ईरान, इराक और तुर्की के पार्वतीय सीमान्तों में रहते हैं। 'ट्रांजेक्शंस् ऑफ़ द फ़िलोलॉजिकल सोसायटी' नाम की पत्रिका के एक अङ्क (1961) में डी.एन. मैकेंजी ने इस भाषा के उद्‌भव पर 'दि ऑरीजिंस् ऑफ़् कुर्दिश्' नाम का लेख लिखा है। इसमें उनकी स्थापना है कि कूर्द भाषा की प्रत्येक विशेषता किसी-न-किसी ईरानी बोली में मिलती है। यदि कुर्द और इन ईरानी बोलियों की ये विशेषताएँ भारतीय भाषाओं में मिलें और फ़ारसी में न मिलें, तो इससे सिद्ध यह होगा कि ईरानी समुदाय की ये बोलियाँ तथा कुर्द, फ़ारसी की अपेक्षा, भारतीय भाषाओं के अधिक निकट हैं।

एक विशेषता यह है कि स्वर के बाद आनेवाली, अथवा दो स्वरों के बीच में स्थित, **म्** ध्वनि स्पर्श तत्त्व खोकर अन्तस्थ **व्** में बदल जाती है। संस्कृत **नाम** और **ग्राम** जैसे हमारी जनपदीय भाषाओं में **नाँव** और **गाँव** हैं, वैसे ही कुर्द में **नाम** शब्द **नाव्** है। फ़ारसी का **कमान** शब्द **कवान्** हो गया है। फ़ारसी से भिन्न, अन्य ईरानी समुदाय की भाषाओं के समान, कुर्द भी स्वच्छन्दतापूर्वक अरबी शब्दों का कायाकल्प करती है। **शमा** का रूपान्तर **शवा** होगा, **जमात्** और **तमाम्** कुर्द में **जिवात्** और **तवाव्** हो गए हैं। यह प्रवृत्ति बलूची में भी है किन्तु वह मध्यवर्ती **म्** को ही बदलती है। फ़ारसी **शुख्म्** (पहली जोत) के लिए कुर्द **शो** रूप है किन्तु बलूची में **शोम्** है। ऐसे ही फ़ारसी **चश्म** बलूची में **चम्** है, कुर्द में **चाव**। **नमाज़्** दक्षिणी बलूची में **नमाश्** है किन्तु उत्तरी-बलूची में **नवाश्** है। **मध्य** का अर्थ देनेवाला फ़ारसी **मियान्** दक्षिणी बलूची में **न्यामा** है, उत्तरी बलूची में **न्यँव** है। **नवाश्, न्यँव** आदि शब्दों में **म्** मध्यवर्ती है; एक क्षेत्र की बलूची में वह **व्** में परिवर्तित हुआ है।

फ़ारसी के विपरीत कुर्द अघोष महाप्राण **ख्** या **ख़्** को अल्पप्राण कर देती है जो द्रविड़ प्रभाव का प्रमाण है : **ख़र्—कर्** (गधा), **खन्दीदन्—कनीन्** (हँसना), **ख़रीदन्—किरीन्** (ख़रीदना)। **म्** के समान **ब्** भी **व्** में बदलता है। फ़ारसी **आब** (जल) कुर्द तथा दक्षिणी बलूची में **आव** है। बलूची में मध्यवर्ती व्यंजन बने रहते हैं किन्तु कुर्द में इनका बहुधा लोप होता है। ऐसा प्राकृतों में भी होता है। भारतीय तद्भव रूप **दीठा** कुर्द और बलूची क्षेत्रों में पहुँचा; बलूची में **दीता** और कुर्द में **दी** रूप हैं। दोनों भूतकालीन कृदन्त का अर्थ देते हैं—दिखाई दिया।

फ़ारसी **द्** कुर्द में **ज़्** रूप धारण करता दिखाई देता है। फ़ारसी **दानिस्तन्** कुर्द में **ज़ानीन्** (जानना) है किन्तु इसका सीधा सम्बन्ध **जान** क्रिया से हो सकता है। इसी प्रकार फ़ारसी **दामाद** कुर्द में **ज़ावा** है जो सीधे **जमाता** से सम्बन्धित हो सकता है। फ़ारसी की अपेक्षा कभी-कभी कुर्द तथा अन्य ईरानी भाषाओं में शब्दों के प्राचीन रूप अधिक सुरक्षित मिलते हैं। **हिरन** के लिए कुर्द और बलूची रूप **आसिक्** फ़ारसी **आहू** की तुलना में अधिक प्राचीन है क्योंकि वह **ह्** के पूर्वरूप **स्** को बनाए हुए है। इसी प्रकार **मत्स्य** का कुर्द प्रतिरूप **मासी** फ़ारसी **माही** से अधिक प्राचीन है। संस्कृत **यव** फ़ारसी में **जौ** है, अवेस्ता में **यव** है, कुर्द में **जो** है, गोरानी बोली में अब भी **यव** है। संस्कृत **यकृत्** अवेस्ता में **याकर्**, फ़ारसी में **जिगर**, कुर्द में **जर्ग** किन्तु गोरानी में **यहर्** है। **या** क्रिया से तमिल और कश्मीरी का नदीवाचक **यार्** और जर्मन का कालवाचक **यार्** शब्द बनते हैं। कुर्द में **यार्** शब्द का अर्थ है समय।

ईरानी भाषाओं में **व्** की स्थिति रोचक है। कुछ कुर्द बोलियों में **व** ध्वनि **ब्** में बदलती है किन्तु दक्षिणी कुर्द में वैसा नहीं होता। संस्कृत **वात** फ़ारसी में **बाद**, उत्तरी कुर्द में **बा**, किन्तु दक्षिणी कुर्द और गोरानी में **वा** है। बलूची में **वात** का

रूपान्तर **ग्वात्** है, ठीक आगरा ज़िले की ब्रज में **वु** के प्रतिरूप **ग्वु** के समान। **वर्षा** और **बारिश** का बलूची प्रतिरूप **ग्वारिश्** है। कुछ शब्दों में **ग्व्** के स्थान पर केवल **ग्** रह जाता है। स्मृति के लिए दक्षिणी कुर्द **वीर्**, उत्तरी कुर्द **बीर्** का बलूची प्रतिरूप **गीर** है।

बलूची में **अग्नि** के लिए **आस्** शब्द है। इसका सम्बन्ध **अत्रि, अथर्वन्, अध्वर्यु** आदि शब्दों में अग्निवाचक **अध्वर्** या **अथर्** से है। संस्कृत पुत्र का बलूची प्रतिरूप जैसे **पुसग्** है, वैसे ही **अथर्** का प्रतिरूप **आस्** है। गोरानी भाषा में **हुर्** शब्द **उर्ध्व** का प्रतिरूप है। इसमें आदिस्थानीय **ह्** अनावश्यक रूप से नहीं जोड़ा गया, वह दूरस्थसूचक **सु** सर्वनाम का रूपान्तर है। **हुर्** का सम्बन्ध **उर्ध्व** की अपेक्षा **उत्** से अधिक है। **उत्तर** में यही **उत्** है। **उत्तर** अर्थात् अधिक ऊँचा। उच्च शब्द भी उत् के आधार पर बना है। **सुध—हुद, हुर्**, इस तरह यह रूप बनेगा। मैकेंज़ी ने इसी शृंखला में पुरानी फ़ारसी के **उल**, उत्तरी कुर्द के **हिल्** और मध्यक्षेत्रीय कुर्द के **हळ्** रूप दिये हैं।

**हळ्** रूप में मूर्धन्य **ळ्** ध्यान देने योग्य है। इसका प्रयोग पूरे कुर्द क्षेत्र में नहीं होता। उत्तरी कुर्द में **ल्** है और मध्य कुर्द में **ळ्** मिलता है। यह ध्वनि द्रविड़ भाषाओं में है; मराठी, राजस्थानी, बाँगरू आदि आर्य भाषाओं में इसका व्यवहार होता है, वह भारत से बाहर इंडो-यूरोपियन परिवार की अनेक भाषाओं में मिलती है। फ़ारसी **बुलन्द** कुर्द में **बिळिन्द** है, फ़ारसी **मर्दन्** कुर्द में **माळ्, माल्** (माड़ना) है।

उत्तरी कुर्द का एक शब्द **बनी** है जिसका अर्थ है सेवक। मैकेंज़ी ने इसका सम्बन्ध **बन्धक** से जोड़ा है। तमिल **पणि** (सेवा) से कुर्द **बनी** का सम्बन्ध जोड़ना अधिक युक्तिसंगत है। **बनी** हिन्दी जनपदों के **बनिहार** से तुलनीय है। **पण्** या **पन्** के अन्तिम व्यंजन का लोप होने पर **पो, पा** जैसे रूप मिलेंगे। हिन्दी की **पोना** क्रिया का अर्थ है करना, बनाना; रोटी बनाने या करने के लिए इस क्रिया का व्यवहार होता है। कुर्द में भी रोटी बनाने के लिए इस क्रिया का व्यवहार होता है : **वे ज़िने नान पात्**—उस स्त्री ने रोटी पोई।

कुर्द में संज्ञा के बाद सर्वनाम-चिन्ह जोड़े जाते हैं, यथा : **बाबेमिन्** (मेरे पिता), **दीआमिन्** (मेरी माता), **कुरुमिन्** (मेरा लड़का)। कुर्द भाषा में **कुरु** शब्द का मूल अर्थ पुत्र सुरक्षित है। मगही और मैथिली के समान कुर्द में क्रिया के कृदन्त रूपों के बाद सर्वनाम चिन्ह जोड़े जाते हैं : **नानि बिदमिन्**—रोटी दो मुझे; **कितेबकम् दानीपन्**—पुस्तक मेरी दी गई तुम्हें। इन वाक्यों में सर्वनाम-चिन्ह सम्प्रदानकारक का बोध कराता है। मैकेंजी ने लिखा है कि उत्तरी कुर्द में सर्वनाम-प्रत्यय समाप्त होते जाते हैं। अनेक भारतीय आर्य भाषाओं के समान कुर्द क्षेत्र में भी पुराने वाक्यतंत्र पर नया वाक्यतंत्र हावी होता जाता है।

## 7

# मध्य और पश्चिमी एशिया के भाषा-परिवार और भारत

### 1. सुमेरी भाषा और भारत

*(क) प्रस्तावना*

भारत के पश्चिम में जहाँ अब अरबी-भाषी इराक प्रदेश है, किसी समय सुमेर नाम का शक्तिशाली राज्य था। पुराना बाबूल नगर इसी क्षेत्र में था और पश्चिमी एशिया में वह सामी भाषा और संस्कृति का प्रमुख केन्द्र बना। सुमेरी लोग स्वयं सामी परिवार के नहीं थे, किस परिवार के थे, इस बारे में कोई सर्वसम्मत धारणा नहीं है। बाइबिल में यहूदियों की जो संस्कृति सुरक्षित है, उस पर सुमेर का गहरा असर है। बाइबिल ने जिस हद तक यूरोप की सभ्यता को प्रभावित किया है, उस हद तक अप्रत्यक्ष रूप से सुमेर ने भी यूरोप को प्रभावित किया है। सुमेरी भाषा और संस्कृति के विशेषज्ञ क्रैमर ने 'द सुमेरिअंस' (शिकागो, 1963) में बताया है कि बाबुल में सामी जनों के आने से पहले वहाँ सुमेरी लोग रहते थे। ये लोग दो नदियों के बीचवाले उपजाऊ क्षेत्र में चौथी सहस्राब्दी के उत्तरार्द्ध में आकर बसे थे। दो हजार वर्ष तक इनकी सभ्यता कायम रही। दूसरी सहस्राब्दी ई.पू. में इनका ह्रास होता है किन्तु इनकी भाषा इस क्षेत्र में बहुत दिनों तक महत्त्वपूर्ण बनी रही। गैड नाम के विद्वान् ने सुमेरी भाषा की पाठ्य-पुस्तक में बताया है कि जब यह भाषा कहीं बोलचाल की भाषा न रह गई थी तब भी धार्मिक कार्यों के लिए उसका महत्त्व बना रहा और यह स्थिति भारत पर सिकन्दर के आक्रमण के समय तक थी।

सुमेर साम्राज्य पूर्व में भारत तक और पश्चिम में एक ओर कश्यप सागर (कैस्पियन सी), दूसरी ओर भूमध्य सागर और तीसरी ओर इथिओपिया तक फैला हुआ था। स्वभावतः सुमेर का सम्पर्क मिस्र और भारत से था। सुमेरी भाषा में ये लोग अपने को कृष्णशिर कहते थे। क्रैमर के अनुसार 2000 ई.पू. से वे ऐसे शब्द का व्यवहार अपने लिए करते आए थे। भारत के बाहर सब गोरे लोग रहते थे, इस धारणा का खंडन करने के लिए यह कृष्णशिर नाम महत्त्वपूर्ण है। कम-से-कम बाल उनके काले थे, त्वचा का वर्ण कृष्ण रहा हो चाहे न रहा हो। कीलाक्षरी लिपि

में इनके देश का नाम **शुमेर** लिखा जाता था। **मेर, मीर** शब्द देश और स्थान के लिए भारत से लेकर रूस तक प्रयुक्त होते रहे हैं। सम्भव है, **सुमेर** अथवा **शुमेर** का **मेर** भी स्थानवाचक हो।

भारतीय पौराणिक गाथाओं में सुमेरु पर्वत प्रसिद्ध है। पुरातत्त्वज्ञ लेओनार्ड वुली ने अपनी पुस्तक 'द सुमेरिअंस' (ऑक्सफोर्ड, 1928) में लिखा है कि ये लोग मूलत: पहाड़ों के रहनेवाले थे; इनके देवता सदा पहाड़ों पर रहते थे। यह बिलकुल सम्भव है कि भारतीय परम्परा का सुमेरु पर्वत सुमेरी जनों की पार्वतीय निवासभूमि से सम्बद्ध हो। इनका मुख्य नगर उर था। विभिन्न युगों में यह सुमेर की राजधानी रहा। भारतीय भाषाई सन्दर्भ में **उर** शब्दमूल **पुर** का रूपान्तर है। **सुमेर** का एक प्रसिद्ध नगर **निप्पुर** था। इससे यह धारणा पुष्ट होती है कि सुमेरी **उर** और **पुर** वही शब्द हैं जो स्थानवाचक शब्दों के साथ प्राचीन काल से सारे भारत में प्रयुक्त होते रहे हैं। अरब लोग **उर** नगर को **वर्क** कहते थे, अक्कादी में यह शब्द **उरुक** है और बाइबिल में **एरेक** नाम आया है।

सुमेरी लोगों ने तीसरी सहस्राब्दी ई.पू. में लेखन-कौशल विकसित किया था। भारतीय लिपियों से सुमेरी लिपि की एक आधारभूत समानता यह है कि प्रत्येक चिन्ह पूरे वर्ण का सूचक होता है। सुमेर राज्य पर सामी घुमन्तू कबीलों ने बार-बार आक्रमण किये और अन्त में वे सुमेर देश के स्वामी बन गए। सुमेरी लोग मूलत: कृषक और पशुपालक थे। वे गेहूँ और जौ की खेती करते थे, गोल पहियोंवाली गाड़ियों का उपयोग करते थे। उनकी भाषा में दो सौ शब्द केवल भेड़ों से सम्बन्धित थे। इनकी धार्मिक गाथाएँ अनेक प्रकार से भारतीय देवकथाओं की याद दिलाती हैं। ये आकाश के देवता **अन** की पूजा करते थे। इनके सूर्य के देवता का नाम **उतु** था। उनके राजा स्वयं को सूर्यपुत्र कहते थे। पृथ्वी की देवी **की** थी; **अन, की** दोनों मिलकर, द्यावापृथ्वी के समान, माता-पिता-रूप आकाश और पृथ्वी के देवता थे। वायु के देवता का नाम **एन लिल** था। वर्षा और झंझावात का देवता **इशकुर** भारतीय मरुतों के समान था। चन्द्रमा का देवता **नन्न** अथवा **सिन** कहलाता था। **उर** नगर उसी को अर्पित था। पाताल का देवता **एनकी** था। मातृरूप में अनेक देवियों की उपासना होती थी। उर में **शुब् अद्** नाम की रानी की कब्र में, वुली के अनुसार, चाँदी का बना हुआ गाय का सिर मिला था। इनका एक महाकाव्य **गिल्गमेश्** प्रसिद्ध है जिसमें सृष्टि और जल-प्रलय की कथा है। भारतीय गाथाओं में वीर पुरुषों की तुलना बहुधा वृषभ से की जाती है। मिस्र और सुमेर में भी वृषभ को ऐसी ही प्रतिष्ठा प्राप्त थी। पुरातत्त्वज्ञों को ऐसी सामग्री मिली है जिससे सुमेर और मिस्र से सिन्धु घाटी की प्राचीन भारतीय सभ्यता का सम्पर्क प्रमाणित होता है। मोहेनजोदड़ो में खुदाई का काम करनेवाले पुरातत्त्वज्ञ मैकाय ने 'फर्दर एक्सकैवेशंस' (1938) में बताया है कि वृषभ-आकृति-युक्त मंचिकाएँ मिस्र,

सुमेर और भारत में मिलती हैं; यह कल्पना करना कठिन है कि प्राचीन पूर्व की तीन महत्तम सभ्यतानों में ऐसी मंचिकाओं का अस्तित्व आकस्मिक है। मैकाय का मत है कि सुमेर तथा निकटवर्ती देशों से सिन्धु घाटी के लोगों का निकट सम्पर्क था। उनके अनुसार सुमेर में अनेक स्थानों पर भारतीय नमूनों और कारीगरी की मुद्राएँ मिली हैं। उनका अनुमान है कि भारत और मिस्र अपना व्यापार सुमेर देश से होकर करते थे, भारतीय व्यापारी सुमेर पहुँचने के लिए सम्भवत: जल-मार्गों और स्थल-मार्गों, दोनों का उपयोग करते थे।

### *(ख) ध्वनितंत्र, रूपतंत्र*

विशेषज्ञों का मत है कि प्राचीनतम सुमेरी अभिलेखों में सामी शब्द मिलते हैं। सुमेरी भाषा चाहे जिस परिवार की हो, चाहे उसका अपना स्वतंत्र परिवार हो, यह तथ्य स्वीकृत है कि सामी भाषाओं से उसका सम्पर्क था। सुमेरी भाषा का सम्पर्क मिस्र और सिन्धु घाटी की भाषाओं से भी अवश्य रहा है। सिन्धु घाटी की लिपि सुमेरी लिपि से भिन्न है; सिन्धुघाटी की लिपि पढ़ी नहीं गई पर यह बिलकुल सम्भव है कि सिन्धु घाटी की भाषा के कुछ शब्द सुमेरी में विद्यमान हों, भले ही हम उन्हें पहचान न पाएँ। पर इसी कारण यह भाषा हमारे लिए अत्यन्त आकर्षक हो जाती है। इसके लिए कहा गया है कि यूराल-अल्ताई भाषाओं के समान यह संयोगात्मक है। उसका सम्बन्ध फिनो-उग्रियन परिवार से जोड़ा गया है। सुमेरी भाषा की प्रकृति सामी भाषाओं से इस बात में भिन्न है कि सामी भाषाओं में शब्दमूल के व्यंजन सर्वाधिक महत्त्वपूर्ण होते हैं, सुमेरी भाषा में स्वर और व्यंजन, दोनों महत्त्वपूर्ण होते हैं; सामी भाषाओं में शब्दमूल के स्वर में परिवर्तन करने से रूप विकार सम्भव होता है, इसके विपरीत सुमेरी भाषा में शब्दमूल ज्यों-का-त्यों रहता है, उसके आगे-पीछे अन्य शब्द या शब्दांश जोड़े जाते हैं। सुमेरी भाषा की एक विशेषता यह है कि शब्द का अन्तिम व्यंजन अनुच्चरित रहता है, व्याकरण की आवश्यकता के लिए जब कोई स्वर जोड़ा जाता है, तभी उस व्यंजन का उच्चारण होता है।

सिन्धु नदी के पार एशिया के अनेक भाषा-परिवारों के समान सुमेरी में भी महाप्राण ध्वनियों का अभाव है। इस भाषा में संज्ञा और क्रिया का भेद अविकसित है। जो शब्द संज्ञा है, वह क्रिया का भी काम कर सकता है। भारत के कोल, द्रविड़ आदि अनेक परिवारों में इससे मिलती-जुलती स्थिति है। इस भाषा में व्याकरणगत लिंगभेद नहीं है, द्रविड़ भाषा के समान मनुष्य और मनुष्येतर में भेद किया जाता है। इसके शब्दमूल अधिकतर एकवर्णी होते हैं। शब्दों के उच्चारण में कभी-कभी स्वरों को छोड़ दिया जाता है। भारतीय भाषाओं से इसकी एक महत्त्वपूर्ण समानता यह है कि सम्बन्धक चिन्ह, भारतीय भाषाओं के समान, मूल शब्द के बाद आते

हैं, उससे पहले नहीं, यथा : **उरु मे अ**—हमारे नगर में; **शुम् अ**—मेरे हाथ में। यहाँ सम्बन्धक चिन्ह **अ** मूल शब्दों के बाद आया है। बहुवचन सूचित करने के लिए किसी शब्द की आवृत्ति भी की जाती है, जैसा कि प्राय: सभी भारतीय भाषाओं में होता है, यथा : **कुर्**—पर्वत, **कुर् कुर्**—अनेक पर्वत।

सुमेरी भाषा की क्रियापद-रचना उन तमाम भाषाओं से मिलती है जिनमें कृदन्त क्रिया का मुख्य रूप होता है। सुमेरी भाषा में कर्मवाच्य कृदन्त क्रियार्थी संज्ञा का काम करता है। गैड ने लिखा है कि जिसे धातु कहते हैं, वह सम्पूर्ण भूत की सूचना देती है, उसमें प्रत्यय जोड़कर अन्य काल अथवा अवस्था की सूचना दी जाती है। **मुदु**—उसने बनाया; **मुदुए**—वह बनाता है या बनाएगा। काल, पुरुष, वचन की सूचना देने के लिए क्रिया में जोड़े जानेवाले चिन्ह अति अल्प हैं। यह कमी कृदन्त रूपों के व्यापक व्यवहार से बहुत कुछ पूरी कर ली जाती है। आर्य भाषा-परिवार के उत्तर-पश्चिमी क्षेत्र में, पड़ोसी फ़ारसी और पश्तो में कृदन्तों की प्रधानता है। अरबी में भी क्रिया की सहज रूप अतीत काल की व्यंजना करता है। भाषाविज्ञानियों को जैसे संस्कृत के मुकाबले प्राधुनिक आर्य भाषाओं में क्रिया-रूपों की कमी खटकती है, वैसे ही उन्हें सुमेरी भाषा में रूपगत दरिद्रता लगभग निराश कर देती है। सुमेरी में ऐसी दरिद्रता और कृदन्तों के चलन की बात पढ़कर ऐसा लगता है, हम आधुनिक आर्य भाषाओं का विवरण पढ़ रहे हैं। पर यह सुमेरी भाषा एक महान् संस्कृति की वाहक थी; पृथ्वी, सूर्य, वायु आदि की उपासना में क्रिया-रूपों की कमी से कोई बाधा न पड़ती थी। यह बात उन लोगों के लिए शिक्षाप्रद है जो आधुनिक आर्य भाषाओं की रूपगत दरिद्रता पर आँसू बहाते हैं।

अनेक आर्य और आर्येतर भाषाओं के समान सुमेरी में भी संज्ञा के बाद सर्वनाम चिन्ह जोड़े जाते हैं, यथा : **कल-म-नि**—उसकी भूमि, **उमुन् बि ने**—उनका स्वामी। ऊपर जो **उरु मे अ** का उदाहरण दिया गया है उसमें **मे** सर्वनाम-चिन्ह नगरवाचक **उरु** के बाद पाया है। सुमेरी भाषा में संकेतक सर्वनाम या विशेषण मूल शब्द के बाद आते हैं, यथा : **लु** शब्द का अर्थ है मनुष्य। **लु बि** का अर्थ हुआ वह मनुष्य; इसी **लु** में महत्तासूचक **गल्** विशेषक जोड़ा तो **लुगल्** रूप बना जिसका अर्थ हुआ बादशाह।

सुमेरी को भारतीय भाषा-परिवारों से जोड़नेवाली एक विशेषता संख्यासूचक शब्दों की निर्माण-पद्धति है। जैसे द्रविड़ भाषाओं में दहाई पहले आती है, वैसे ही सुमेरी में : **उ** माने दस्, **अश्** माने एक; **उ अश्** माने ग्यारह, **उ मिन्** माने बारह। यह क्रम भारत के बाहर फ़ारसी में है, इंडो-यूरोपियन परिवार की अन्य भाषाओं में भी है, विशेषत: बीस की संख्या के बाद वाले शब्दों में।

गैड ने लिखा है कि सुमेरी भाषा में क्रियार्थी संज्ञा का रूप कृदन्त जैसा होता है। धातु में **द** या **दे** प्रत्यय लगता है जो संस्कृत के **त** प्रत्यय का ही सघोष रूप जान

पड़ता है। कृदन्त रूप के बाद सर्वनाम-चिन्ह जोड़कर वाक्यांश रचे जाते हैं। धातु में एक **अब्** प्रत्यय जोड़कर क्रियार्थी संज्ञा बनाने की पद्धति है, यथा : **दिमब्**—बनाना, **सिमब्**—देना। यहाँ भी **ब** अथवा **अब** प्रत्यय पूर्वी क्षेत्र के क्रियार्थी संज्ञा वाले हिन्दी रूपों से मिलता-जुलता है। क्रियापद के साथ अनेक प्रत्यय-उपसर्ग जोड़कर ऐसी पद-रचना की जाती है कि सारा वाक्य क्रिया से सम्बद्ध रहता है। सुमेरी भाषा में, अंग्रेज़ी आदि के विपरीत और हिन्दी आदि के अनुरूप, कर्म क्रिया के पहले आता है। **एमिनु इन्दुअ**—एमिनु नामक नगर बनाया। इसी पद्धति के अनुरूप जब संज्ञा के साथ धातु जोड़कर क्रियापद बनाते हैं, तब संज्ञा शब्द क्रिया से पहले आता है, यथा : **शु**—हाथ, **गर्**—बनाना, **शुगर्**—हाथ से बनाना; **क**—मुख, **गि**—घुमाना, **कगि**—मुँह फेरना। कर्तासूचक सर्वनाम-चिन्ह क्रिया से पहले आते हैं, यथा : **दु**—निर्माण करना, **इन् दु**—मैंने या उसने बनाया। हिन्दी वाक्य-रचना में जैसे कृदन्त के साथ समापिका क्रिया **होना** जोड़कर क्रियापद रचा जाता है, वैसे ही सुमेरी भाषा में **मे** अथवा **अम्** (होना) जोड़कर कृदन्त से पूर्ण क्रिया बनाते हैं। मूल वाक्यांश के अतिरिक्त गौण वाक्यांशों में पूर्ण क्रिया के बदले, तमिल के समान, कृदन्तों का व्यवहार ही अधिक होता है। गैड का कहना है कि सुमेरी क्रियापद क्रिया का पूरा दर्जा पाता ही नहीं है। यह धारणा सम्भवतः इसलिए बनी कि कृदन्त रूपों को पूर्ण क्रिया नहीं माना गया। इस भाषा में क्रियापदों का वैसा ही महत्त्व है, जैसा कि कोल भाषाओं में है। क्रिया से सम्बद्ध अन्य तत्त्व उसमें जोड़ते जाते हैं। इसलिए सुमेरी वाक्य में क्रिया को ही उसका केन्द्रबिन्दु मानना चाहिए।

सुमेरी भाषा की अनेक विशेषताएँ भारतीय भाषा-परिवारों की विशेषताओं से मिलती-जुलती हैं। प्रत्यय-उपसर्ग जोड़कर क्रिया का अर्थ बदलना, प्रावृत्ति द्वारा बहुवचन बनाना या अर्थ पर जोर देना, विशेष प्रकार की वस्तुओं के लिए विशेष शब्द-संकेतों का उपयोग करना उक्त विशेषताओं में शामिल हैं। आर्य भाषाओं के परिवेश में जो भाषाएँ रहीं, वे क्रमशः लिंगभेद की विशेषता का उपयोग करने लगीं। सुमेरी भाषा में मुख्य भेद मानव और मानवेतर पदार्थों में है पर स्त्री-पुरुष वाला लिंगभेद इस भाषा को प्रभावित करने लगा है। इसलिए कुछ प्रत्यय मूल शब्द में लगाकर उसे स्त्रीलिंग बनाया जाता है। **दुमु** शब्द का अर्थ है सन्तान या पुत्र। जब पुत्री का बोध कराना हो तब उसमें **सल्** प्रत्यय जोड़ेंगे, **दुमुसल्**—लड़की।

शब्द-निर्माण करते समय संज्ञा के बाद विशेषण जोड़कर नया संज्ञा शब्द बनाया जा सकता है, यथा : **लु**—मनुष्य, **गल्**—महान; **लुगल्**—राजा। यह शब्द वैसे ही बना है, जैसे **पितामह** में पिता के बाद विशेषण जुड़ा है। मूल शब्द में उपसर्ग जोड़कर भाववाचक संज्ञा बनाई जा सकती है, यथा : **गल्**—महान्, **नम्गल्**—महत्ता। दो संज्ञा शब्दों को जोड़कर संस्कृत के समान समास रचना हो सकती है, यथा :

**उद्**—सूर्य, **उद्शु**—सूर्यास्त। विशेषण के बाद कोई सम्बन्धक चिन्ह जोड़कर क्रिया विशेषण बनाया जा सकता है, यथा : **गल्**—महान, **गल्बि**—महत्त्व के साथ। सुमेरी भाषा में अनेक शब्द ऐसे हैं जिन्हें देखकर लगता है कि इनकी रचना सर्वनाम मूलों में पदार्थसूचक प्रत्यय जोड़कर हुई है : **एगिर्**—पश्चात्, **उगु**—ऊपर, **उद्**—जब। सुमेरी भाषा में अनेक ऐसे शब्द हैं जिनमें पहला वर्ण **अ** प्रत्यय जैसा अलग प्रतीत होता है, यथा : **अगल्**—महत्तापूर्वक, **अगुर्**—गुरुत्वपूर्ण, **अनग्**—हवि (**नग्**—द्रव पदार्थ है, विशेष सन्दर्भ में उसके व्यवहार के लिए **अ** प्रत्यय जोड़कर उसे नया अर्थ दिया गया है)। संस्कृत में जिन शब्दों के आरम्भ में **अ** प्रत्यय है पर निषेधात्मक अर्थ नहीं देता, वे ऐसे सुमेरी शब्दों से तुलनीय हैं। अनेक प्रत्यय-उपसर्ग भारतीय भाषाओं में प्रयुक्त ऐसे तत्त्वों से मिलते-जुलते हैं।

इनमें एक है **क** जो सम्बन्धकारक का चिन्ह है। **युगल अब्ज़ुक**—राजा पाताल का। एक वैकल्पिक रूप **र** भी है। **कुर्** पहाड़, **कुर्कुर्** अर्थात् बहुत से पहाड़, **कुर्कुर् र** अर्थात् पहाड़ों का। **क** का सघोष रूप **ग** भी इसी कार्य के लिए प्रयुक्त होता है। मध्यम पुरुष सर्वनाम **ज़** के साथ **गे** जोड़ने पर **ज़गे** रूप का अर्थ हुआ **तेरा**। **र** का उपयोग सम्बन्ध के अलावा अन्य कारकों में भी होता है, यथा : **मर**—मुझको। ये **र** और **क** आर्य भाषाओं के बहुप्रयुक्त कारक-चिन्ह हैं।

हिन्दी तथा अन्य आधुनिक आर्य भाषाओं के समान सुमेरी में कर्ता और कर्मकारकों में प्राय: एक-से रूप होते हैं। मूल शब्द में **ए** अथवा **अ** जोड़कर कर्ता या कर्मकारक का संकेत किया जा सकता है पर इन कारक-चिन्हों का व्यवहार अनिवार्य नहीं है। अपभ्रंश से हजारों साल पहले भारत की एक पड़ोसी भाषा में कारक-रचना की स्थिति संस्कृत से भिन्न आधुनिक भाषाओं के अनुरूप थी, यह तथ्य उन भाषाविज्ञानियों के ध्यान देने योग्य है जो अपभ्रंश में कारक-रचना का ह्रास देखकर क्षुब्ध होते हैं। अधिकरणकारक में दिशाबोधक सुमेरी **शु** प्रत्यय का व्यवहार संस्कृत के बहुवचन चिन्ह **सु** की याद दिलाता है, **किबिशु**—उसके स्थान की ओर। अपादानकारक में **त** प्रत्यय संस्कृत के अनुरूप जान पड़ता है। अधिकरण में पुन: संस्कृत के समान **ए** प्रत्यय का व्यवहार भी होता है। संस्कृत में यह **ए** केवल एकवचन के लिए है। गैड ने **द, त** जैसे प्रत्ययों की यह व्याख्या भी की है कि इनमें व्यंजन तत्त्व शब्द के अन्तिम व्यंजन की रक्षा के लिए है किन्तु **उरुत**—नगर से, यहाँ व्यंजन रक्षा का प्रश्न नहीं है। सम्बन्धकारक का चिन्ह **क** या **ग** है, **अ** नहीं, यह इससे भी स्पष्ट है कि जहाँ केवल **अ** है, वहाँ गैड ने इन व्यंजनों के लोप की बात कही है। स्वरों के पहले, व्यंजन से पहले और शब्द के अन्त में **क्** या **ग** का लोप हो जाता है "जिससे ऐसा प्रतीत होता है कि सम्बन्धकारक के अन्त में **अ** है।" (गैड : 'ए सुमेरियन रीडिंग बुक', ऑक्सफोर्ड, 1924, पृ. 23) **राजा का दास**, यह पद यों लिखा जाएगा कि दास का विशेषण उसके बाद आए। **एरि लुगलक्**—दास राजा

का, **क्** का लोप होने पर रह जाएगा **एरिलुगल**। अन्तिम वर्ण का प्रकार वास्तव में **अक्** का अवशेष है।

*(ग) शब्दतंत्र*

भारतीय भाषा-परिवार और पड़ोसी भाषाओं के सर्वनाम ऐतिहासिक दृष्टि से महत्त्वपूर्ण हैं। सुमेरी सर्वनामों में लिंगभेद नहीं होता। पुरानी स्थिति यही है। संस्कृत में केवल अन्य पुरुष के सर्वनाम लिंगभेद सूचित करते हैं। उत्तम पुरुष एकवचन सर्वनाम का सुमेरी कर्तारूप **म** है जो संस्कृत **मम, मया** आदि रूपों का आधारभूत अंश है। इसके वैकल्पिक सुमेरी रूप **मे, मए** भी होते हैं। जब यह संज्ञा शब्दों के बाद प्रयुक्त होता है तो इसका रूप **मु** होता है। मध्यम पुरुष सर्वनाम का एकवचन रूप **ज़** है और प्रत्यय रूप में यह **ज़ु** है। सम्भव है, यह **ध, ध्व** जैसा सर्वनाम रहा हो जो परिवर्तित होकर यहाँ **ज़** बना है। अन्य पुरुष सर्वनाम का एकवचन रूप **एने** संस्कृत **अन्य** से सम्बद्ध हो सकता है। सुमेरी में **न्**-मूलक सर्वनामों का यथेष्ट व्यवहार होता था। प्रत्यय रूप में यह अन्य पुरुष सर्वनाम **नि, ने** रूप में दिखाई देता है, यथा : **कलमनि**—उसकी भूमि, **उमुन्बिने**—उनका स्वामी। निकट और दूरस्थ पदार्थों का सूचक सर्वनाम **हुर्** का आधारभूत **हु** प्राचीन सर्वनाम **सु** का रूपान्तर है।

अब सुमेरी भाषा के कुछ शब्दों पर विचार किया जाए। इनका नगरवाचक शब्द **उर** अथवा **उरु** निस्सन्देह भारतीय उद्‌भव का है। नगरपालक के लिए **पतेसि** शब्द **पति** का प्रतिरूप है। सुमेरी में **दम्पति** शब्द तो नहीं है किन्तु **दम्** है जो पति या पत्नी किसी के लिए प्रयुक्त हो सकता है। सन्तान के लिए **दुमु** शब्द इसी **दम्** से सम्बद्ध है। सन्तान के लिए एक शब्द **उतु** भी है। **सुत-हुत-उत** ऐसा विकास सम्भव है। सुमेरी भाषा जिस क्षेत्र में बोली जाती थी, उसमें ऐसा परिवर्तन बहुत स्वाभाविक था। सुमेरी में संवर्धन का अर्थ देनेवाली **सु** क्रिया है जो **सुत** की **सु** क्रिया से मिलता-जुलता अर्थ देती है। पुनः अनाज के लिए **शे** शब्द है जो इंडो-यूरोपियन परिवार की **से, सी** (जन्म देना, बीज बोना) जैसी क्रियाओं का प्रतिरूप है। यदि **स् त्** में परिवर्तित हो, जैसा कि तमिल में बहुधा होता है, तो **सु** क्रिया का **तु** रूप मिलेगा। सुमेरी **तु** या **तुद्** का अर्थ है बच्चे पैदा करना। जन्म देने के लिए एक क्रिया **उगु** है। सम्भव है, यहाँ भी मूल क्रिया **सु** हो और **ग** कृदन्त चिन्ह हो। सूर्य, प्रकाश और समय के लिए सुमेरी **उद्** का मूल रूप **सुद्** हो सकता है जिसका अर्थ होगा जलना, प्रकाश करना; कन्नड़ में यही अर्थ देनेवाली **सुडु** क्रिया है। तमिल में **चुडु** (गर्मी) के साथ **उडुगु** (उप.) रूप भी है। संस्कृत **उडु** (नक्षत्र) भी स्मरणीय है।

सुमेरी भाषा का **अर** शब्द गमन और पथ का अर्थ देता है। सम्भव है, इसका आधार **सर्** क्रिया हो। सुमेरी भाषा का एक अन्य शब्द है **हरन्**। इसका अर्थ भी पथ है; इसलिए **स-ह** वाले परिवर्तन पर विश्वास होने लगता है। सुमेरी भाषा

का **अब्ज़ु** (पाताल) संस्कृत **अपस्** का प्रतिरूप है। धरती के नीचे जो जल है, जिस जल में **एनकी** देवता निवास करता है, वह **अब्ज़ु** है। समुद्र के लिए **अब, आब** शब्द है जो **अपस्, आपस्** का प्रतिरूप है। प्रलय और झंझावात के लिए **अमरु** शब्द **मरुत** की याद दिलाता है। शासन और शत्रुभाव का सूचक **बल्** शब्द भारतीय **बल** के गोत्र का है। **बलवान** के लिए **अगुर्** शब्द भी है। **गुर** का अर्थ है विशाल, शक्तिशाली; क्रिया-रूप में इसका अर्थ है उत्कर्ष प्रदान करना। इसका सम्बन्ध भारतीय गुरु से है। **अ** प्रत्यय जोड़कर नया शब्द **अगुर्** बनाया गया है।

एक शब्द है **ज़ि** जिसका अर्थ है जीवन, दूसरा शब्द है **ति** जिसका अर्थ है जीना। सम्भव है, संस्कृत **जीव्** क्रिया का एक रूपान्तर **ज़ी** हुआ हो और दूसरा **दी** (**प्रसेनजित्** से **पसेनदी** की तरह) और इस **दी** का अघोष रूप हो **ती** अथवा **ति**। एक शब्द है **सिद्** जिसका अर्थ है आराम करना। यह संस्कृत **सद्** (बैठना) का वैसा ही प्रतिरूप है, जैसा अंग्रेज़ी **सिट** है। एक अन्य **सिद् शीत** का प्रतिरूप है; असिद् अर्थात् ठंढा पानी। यहाँ **अ** का अर्थ जल है; अलग से भी **अ** इसी अर्थ में प्रयुक्त होता है। स्पष्ट ही **अपः** से **अप्**, फिर शब्द के अन्तिम व्यंजन का उच्चारण **न** होने से यह रूप बना। आँख के लिए **इगि** शब्द **अक्षि** से सम्बद्ध है। स्थान के लिए **कि** शब्द है जो ग्रीक **गॅस** (धरती), संस्कृत **ज्या** (उप.) से सम्बद्ध है। **किबल्**—शत्रु की भूमि, **किउर**—नगर की भूमि, **किएन्गि**—सुमेर की भूमि, **किदिन्गिर्र** —देव भूमि। सुमेर की भूमि को **कलम्** भी कहते थे। यहाँ **कल** का अर्थ पर्वत होगा। और यह प्रसिद्धि थी कि सुमेरीजन पर्वतों से आए हैं। यह कल भारतीय **कलिंग** में है। तमिल **कल्** का अर्थ है पत्थर। भूमि के लिए एक अन्य शब्द है **मद;** इसका अक्कदी रूप **मातु** है जो तमिल भाषा के **नाडु** से मिलता-जुलता है। कन्नड़ **माडु** का अर्थ निर्माण करना, खेती करना है। सम्भव है, सुमेरी **मद** का अर्थ खेती की भूमि हो।

सुमेरी क्रिया **दु** का अर्थ है बनाना। इसका सम्बन्ध हिन्दी **धन्धा** की **धन्,** फ़ारसी **दस्त** (हाथ) के पूर्वरूप **धस्त** की **धस्** क्रिया से है। अंग्रेज़ी **डू** (करना) और सुमेरी **दु** का स्रोत **धॉर्** क्रियामूल है। इस **दु** का रूपान्तर **रु** है। सुमेरी क्रिया **रु** का अर्थ है देना; रूसी में इसी से संज्ञा शब्द **रुक** (हाथ) बना है। **दु** या उसके पूर्वरूप **धु** का एक सुमेरी रूपान्तर **शु** भी है जिसका अर्थ है हाथ। **धर्** या **घर्** का **शर्** रूपान्तर भारत में कभी प्रचलित रहा होगा; उसी से संस्कृत **श्रम** बना है। **श्रम** का मूल अर्थ होगा कर्म। संस्कृत **कर** (हाथ), **कृ** (करना) का आधार **घर्** है। इस **घर्** का **गर्** रूपान्तर सुमेरी में है; **गर्** का अर्थ है बनाना, **शुगर्** का अर्थ हुआ हाथ से बनाना। **कारीगर** में यही **गर्** है जो सुमेरी से फ़ारसी में पहुँचा है।

कारीगर के लिए सुमेरी **नगर्** शब्द दिलचस्प है। भारतीय **मग** अथवा **नग** निर्माण-कौशल के लिए विख्यात थे। जहाँ **नग** एकत्र हों, वह स्थान **नगर** कहलाया; **ग्राम** से भिन्न **नगर** में निर्माण-कौशल की व्यंजना है। सुमेरी में **नगर** शब्द कौशल

से जुड़कर कारीगर का अर्थ देने लगा। संस्कृत **भर्ग** (प्रकाश) की **भर्** क्रिया सुमेरी में **बर्** (चमकना) है। संस्कृत **प्रथ्** (फैलना) में **प्र** क्रियामूल **पर्** का वर्ण-संकोची परिणाम है। तमिल में **पर** (फैलना) कृदन्त-चिन्ह **थ्** से मुक्त स्वतंत्र क्रिया है। इसी का प्रतिरूप सुमेरी **पर्** (उप.) है। संस्कृत **हूत** की **हू** क्रिया का पूर्वरूप **घू** था। ध्वनि के लिए सुमेरी **गु** इससे सम्बद्ध है। सुमेरी **जल्** (चमकना), **उद्-ज़ल्** (प्रभात), **ज़लग्** (पवित्र और प्रकाशमय होना) संस्कृत **ज्वल्** के आधार पर बने रूप हैं। बुलाने के लिए सुमेरी **पद्** क्रिया संस्कृत **पद** (शब्द), तमिल **पाडु** (गाना) की शृंखला में है। तमिल **अप्पन्** (पिता) का सुमेरी प्रतिरूप **अब्ब** है, तमिल **अत्तन्** (उप.) का सुमेरी प्रतिरूप **अद्द** है, तमिल **अम्मा** (माँ) का सुमेरी प्रतिरूप **अम** है।

दूसरी सहस्राब्दी ई.पू. के पूर्वार्द्ध में किसी समेरी साहित्यकार ने विद्यारम्भ करनेवाले छात्र की दिनचर्या लिखी थी। यह संसार के प्राचीनतम यथार्थवादी गद्य-लेखन का एक नमूना है। पूरी रचना में केवल छात्र अपनी बात कहता है। थोड़े दिन से पाठशाला जाने लगा है और डरता है कि विलम्ब होने पर गुरुजी मारेंगे। इस संवाद में एक वाक्यांश बराबर आता है : **अम-मु निन्द-मिन्**—मेरी माँ ने मुझे दिया। **अम्मा** का प्रतिरूप **अम** दूसरी सहस्राब्दी ई.पू. में इतना प्रतिष्ठित हो चुका था कि साहित्य में भी उसका व्यवहार हुआ था। ('जर्नल् ऑफ़ अमेरिकन् ओरिएंटल् सोसायटी', खंड 69; 1949 ई. में उक्त रचना उद्धृत है।)

सुमेरी देवकथाओं पर क्रैमर की पुस्तक की आलोचना करते हुए उक्त पत्रिका (खंड 64; 1944 ई.) में आल्ब्राइट् ने लिखा था कि सुमेरी भाषा और साहित्य का सम्बन्ध (इंडो-यूरोपियन परिवार की) हित्ती भाषा और (सामी-परिवार की) अक्कादी भाषा और उनके साहित्य से है। ऐसी स्थिति में सुमेरी भाषा का सम्बन्ध भारतीय आर्य-द्रविड़ भाषाओं से हो, तो यह स्वाभाविक ही होगा। भारतीय शब्दों के जैसे प्रतिरूप सुमेरी में मिलते हैं। उनसे यह प्रमाणित होता है कि तीसरी सहस्राब्दी ई.पू. में भारत की उत्तर-पश्चिमी आर्य-द्रविड़ भाषाओं का यथेष्ट विकास हो चुका था।

## 2. सामी भाषा-परिवार और भारत

### *(क) प्रस्तावना*

संसार के भाषा-परिवारों में ऐतिहासिक दृष्टि से महत्त्वपूर्ण सामी भाषा-परिवार है। सामी भाषाओं का एक प्रमुख केन्द्र बावेरु, बाबुल या बैबिलोन भारत-ईरान के पड़ोस में था। अक्कादी, हीब्रू, अरबी इस परिवार की प्रसिद्ध प्राचीन भाषाएँ हैं। सामी भाषा-क्षेत्र में अनेक प्रदेश ऐसे थे जो व्यापार और धन-सम्पत्ति के लिए प्रसिद्ध थे। इनमें भूमध्यसागर के तट पर बसा हुआ छोटा-सा फिनीशिया नाम का देश था। यूनानियों ने अपनी लिपि फिनीशिया से प्राप्त की थी। यूरोप में जो ईसाई धर्म फैला, उसके संस्थापक ईसा मसीह अरमाइक नाम की सामी भाषा बोलते थे जो हीब्रू से

मिलती-जुलती है। छठी और पाँचवीं ईसा-पूर्व सदियों में ईरानी साम्राज्य के शासकों ने अपने क्षत्रपों के लिए राजभाषा के रूप में अरमाइक का ज्ञान अनिवार्य कर दिया था। आगे चलकर अरबी ने एक ओर फ़ारसी को प्रभावित किया, दूसरी ओर उसने अंग्रेज़ी समेत यूरोप की भाषाओं को प्रभावित किया। अल्‌जॅब्रा, ऐड्‌मिरल् जैसे गणित और नाविक-विद्या के शब्द अंग्रेज़ी में अरबी से पहुँचे। यह सिलसिला पुराना है। पश्चिमी एशिया से न केवल सामी तत्त्व यूरोप की भाषाओं में पहुँचे हैं, वरन् सामी भाषाओं के माध्यम से भारतीय भाषा-तत्त्व भी वहाँ पहुँचे हैं। सामी भाषाएँ न केवल आर्य भाषाओं की पड़ोसी रही हैं, वरन् वे नाग और द्रविड़ भाषाओं की पड़ोसी भी रही हैं। सामी भाषा-परिवार के निर्माण का इतिहास जानने के लिए आर्य-सामी सम्बन्धों का ज्ञान आवश्यक है। इस ज्ञान से विदित होगा कि सामी भाषा के जिन केन्द्रों का प्रभाव समस्त सामी भाषाओं पर पड़ा है, वे भारत-ईरान के पड़ोस में थे।

### *(ख) प्राचीन सामी भाषा अक्कादी*

सामी भाषाओं में अक्कादी अत्यन्त प्राचीन है। एरिका राइनर ने इस भाषा पर एक पुस्तक लिखी है : 'ए लिंग्विस्टिक् ऐनालिसिस् ऑफ़् अक्कादिअन्' (मूतों; 1966)। इसमें उन्होंने बताया है कि 2400 ई.पू. से लेकर पहली ई. शताब्दी के अन्त तक इस भाषा का व्यवहार होता रहा था। इसका मूल क्षेत्र दो नदियों के बीच का वह प्रदेश है जिसे मेसोपोटामिया कहते हैं, जहाँ अरबी-भाषी इराक राज्य है। बाबुल और असीरिया इसके दो मुख्य केन्द्र थे। इसकी लिपि अरबी लिपि के विपरीत बायीं ओर से दायीं ओर को चलती थी।

बाबुल और असीरिया के भाषा-रूपों में एक भेद **श्** और **स्** का है। बाबुल की भाषा मागधी के समान बहुधा **श्** का व्यवहार करती है किन्तु असीरिया की भाषा दन्त्य **स्** को प्रधानता देती है। हिन्दी क्षेत्र की बोलियों और परिनिष्ठित बंगला का-सा भेद है। बाबुली **बश्‌बत्** (बैठा है) का असीरियाई प्रतिरूप **उस्‌बत्** है। असीरियाई में **अ** स्वर के बाद **र्** और **ह्** आएँ तो वह बाबुली में **ए** हो जाता है, यथा : **गरु** (बैरी होना) का बाबुली रूप **गेरु** है, **सहरु** (छोटा) का बाबुली रूप **सेह्‌रु** है। जैसे मध्यदेशीय अकार कौरवी क्षेत्र में एकार हो जाता है, विशेषत: **ह्** और **र्** के पहले, वैसे ही अक्कादी के दो रूपों में अकार-एकार की स्थिति है। लिखित रूप में अकार-एकार का विशेष ध्यान नहीं रखा जाता। एक ही शब्द एक जगह अकार से लिखा गया है तो दूसरी जगह एकार से। एक जगह **हरु** (खोदना) रूप है तो दूसरी जगह **हेरु**। जो लोग लैटिन-ग्रीक के एकार को संस्कृत में अकार बनते देखते हैं, उनके लिए अक्कादी की यह स्थिति शिक्षाप्रद है। इस बात को ध्यान में रखने से अक्कादी रूपों के आर्य प्रतिरूप पहचानने में सुविधा होगी। जैसे द्रविड़ भाषाओं में सघोष-अघोष का भेद बाद में विकसित हुआ है और अधिकतर अर्थ-विच्छेदक

नहीं है, वैसे ही अक्कादी भाषा की लिपि में सघोष-अघोष का भेद सदा महत्त्वपूर्ण नहीं होता। एक जगह **गलातु** लिखा, दूसरी जगह **गलादु** लिखा।

संस्कृत **अदस्** के **अद** के समान अक्कादी में एक सर्वनाम मूल **अग** है जो दूरस्थ वस्तु के लिए संकेतक का काम करता है। द्रविड़ भाषाओं में कोंड **अकन्** (वह आदमी), **अको** (दूर) तुलनीय हैं। इसका मूलरूप **सघ** होगा। **घ** की महाप्राणता का लोप हुआ और **स्** जब **ह्** में परिवर्तित हुआ, तब उसकी महाप्राणता का भी लोप हुआ। **स, ह्, अ** संकेतक सर्वनाम हैं; वस्तुसूचक **घ** का अवशेष **ग** उसके साथ जुड़ गया। इसी के आधार पर निकटवर्ती वस्तु का संकेतक **अगन्तु** बना। **स** सर्वनाम का प्रतिरूप **श** (वह, जो) भी यहाँ प्रयुक्त होता था। 'जहाँ' के लिए **एम** सर्वनाम का मूल अंश **ए** अथवा **य** है जो **यत्र** में दिखाई देता है।

अक्कादी में घर के लिए **बीतु** शब्द है। अरबी रूप **बैत्** है। यह शब्द **भू** क्रिया के **भॅय्** जैसे विकल्प से बना है। **भू** का एक अर्थ निवास करना था जैसा कि **भुवन** और **भवन** शब्दों से प्रतीत होता है। अक्कादी में **वश्** क्रियामूल का व्यवहार बैठने के अर्थ में होता था। **वश्वत्, उस्वत्** (बैठा है) में **वश्, उस्** संस्कृत **वस्** के रूपान्तर हैं। **सूर्य** के लिए **शम्शु** में क्रियामूल **शम्** है। **कम्, कन्** आर्य-द्रविड़ भाषाओं में प्रकाश का अर्थ देनेवाली धातुएँ हैं। **चम्** क्रिया के **शम्** रूपान्तर से **शम्शु** रूप बना। **चन्द्र** शब्द के निर्माण में वैसी ही प्रक्रिया है। अक्कादी **दूम** (अन्धकारमय) स्पष्ट ही **धूम** का प्रतिरूप है। **पुर** शब्द का द्रविड़ प्रतिरूप **उर, ऊर** समस्त पश्चिमी एशिया में फैला हुआ है। इसका प्रतिरूप **अलु** अक्कादी में प्रयुक्त होता था। **अमतु** (शब्द) में **अ** उपसर्ग है, मूल शब्द **मतु** फ्रांसीसी **मो** (लिखित रूप **मोत्**), इतालवी **मोत्तो** (शब्द) से तुलनीय है। तमिल **माट्टु** (शब्द), कन्नड़ **मातु, मात** (शब्द, भाषा) और तेलगू **माट** इसी शृंखला में हैं। अक्कादी **अबु** (पिता) का मूल अंश वही है जो तमिल **अप्पु**, कन्नड़ **अप्प** का है। इसी का प्रतिरूप **अब्बा** है। अक्कादी क्रिया **बनु** का अर्थ बनाना है। **बनाना** के मूल अंश **बन** और **बनु** की समानता आकस्मिक प्रतीत होती है किन्तु इन दोनों का सम्बन्ध प्राचीन भारतीय क्रियामूल **पन्** या **पण्** से है। हाथ का अर्थ देनेवाले शब्दों से करने, बनाने का भाव व्यक्त करनेवाली क्रियाएँ सम्बद्ध हैं। तमिल **पणदि** (सृजन, कारीगरी), **पणिक्कन्** (कारीगर), **पण्णु** (बनाना, अलंकृत करना) में वही क्रिया है। तेलगू **पनि** (कौशल, कर्म), **पन्नु** (तैयार करना) **पन्** क्रिया से सम्बद्ध हैं।

अक्कादी **बेल्** (शासन करना), **बेलु** (स्वामी) का एक सामी प्रतिरूप **बाल** भी रहा होगा। फिनीशिया के पुराने अभिलेखों में **ज़करबाल्, इत्तोबाल्, एलिबाल्** जैसे शासकों के नाम बहुत आते हैं। **बेलु, बाल** आदि का सम्बन्ध संस्कृत क्रिया **पाल्** (पालन करना) से होगा या **बल** से। **बाल बअल** रूप में लिखा जाता था। अक्कादी **बेलु** और फिनीशियन **बअल** एक ही हैं। यह **बमल शमेम्** (आकाश

का स्वामी) से ज्ञात होता है। **शमेम्** में वही **शम्** क्रिया है जो **शम्शु** में है। आर्य भाषाओं के समान सूर्य और आकाश, दोनों के साथ प्रकाश का भाव जुड़ा हुआ है। तमिल क्रिया **आळ्** (शासन करना) भी इस सन्दर्भ में विचारणीय है। जैसे **बाल्** और तमिल **आळ्** रूप एक दूसरे से मिलते हैं, वैसे ही अक्कादी **बेलु** और तेलगू **एलु** (शासन करना) एक दूसरे से मिलते हैं।

*(ग) अरबी*

सामी भाषाओं में ध्वनि-परिवर्तन की कुछ रीतियाँ वैसी ही हैं, जैसी भारत के उत्तर-पश्चिमी सीमान्त प्रदेशों की भाषाओं में मिलती हैं। अरबी की एक विशिष्ट ध्वनि **क़्** है। बहुत जगह यह ध्वनि सामान्य **क्** के स्थान पर प्रतिस्थापित होती है। अंग्रेज़ी शब्द **ब्यूरोक्रेसी** अरबी में **बीरुक़्रातीय** है। यह शब्द फ्रांसीसी भाषा से आया है या अंग्रेज़ी से, यह प्रश्न गौण है। दोनों भाषाओं में **क्** है, **क़्** नहीं। अंग्रेज़ी शब्द **ड्यूक** अरबी में **दूक़्** है, **ऑर्गन्—उर्ग़ून्** है, **बंगाल—बंग़ाल्** है। अरबी में **प्** ध्वनि का अभाव है। स्वभावतः जहाँ यह ध्वनि मूल शब्दों में है, वहाँ अरबी में उसका रूपान्तर होता है। रूपान्तर की सीधी रीति उसे सघोष करने की है। संस्कृत **सप्त** का रूपान्तर **सब्अ्** है। शनिवार के लिए **सबत** रूप है जिसका मूल अर्थ है सातवाँ। हीब्रू भाषा में इसी से **शब्बाथ्** रूप बनता है। इसका सम्बन्ध **शाबथ्** क्रिया से जोड़ा जाता है जिसका अर्थ है विश्राम करना। वास्तव में यह **शाबथ्** क्रिया का अर्जित अर्थ है। **शब्बाथ्**—लैटिनरूप **सब्बतुम्**, अंग्रेज़ी रूप **सैबथ्**—का अर्थ है सातवाँ दिन, जब धर्मानुसार यहूदियों को विश्राम करना चाहिए। **अश्व** के फ़ारसी प्रतिरूप **अस्प** के आधार पर बना परिचित शब्द **सिपाही** अरबी में **सिबाही** या **सबायि** है। **दूध** के लिए अरबी **हलब्** का सम्बन्ध कन्नड़ **पालु-हालु** से हो सकता है। उस स्थिति में **प्** ध्वनि **ह्** में परिवर्तित हुई मानी जाएगी। **साँप** के लिए अरबी **हाविन्** कन्नड़ **पावु-हावु** से मिलता-जुलता है। हिन्दी **हल** के समान अरबी **हरस्** का अर्थ हल जोतना है। इस **शब्द** का मूलरूप द्रविड़ भाषाओं का **पल्** ज्ञात होता है। खेती में काम आनेवाला नुकीले दाँतों का उपकरण तमिल में **पल्लि, पलकि** है, उससे काम करने की प्रक्रिया **पलुकु** है। कन्नड़ में उसी दाँतदार उपकरण को **हलिवे, हलकु, हलिके, हलुबे, हलुवे** कहते हैं। **पल्** शब्द का मूल अर्थ दाँत है। ग्रीक **पॉलॅओ** (हल चलाना) तुलनीय है।

**ह्** अरबी की बहुप्रयुक्त, उसके ध्वनितंत्र में दृढ़तापूर्वक प्रतिष्ठित ध्वनि है। **पो, पा** क्रियाएँ गतिसूचक रही हैं। जैसे गतिसूचक **गा** से **काल** शब्द बनता है जो पैर, मार्ग और समय, तीनों का अर्थ देता है, वैसे ही **प्** ध्वनि **ह्** में परिवर्तित हो तो **हाल, हौल** जैसे रूप बनेंगे। **हौल**—वर्ष, **हाली**—वर्तमान, **हौली**—निश्चितकालीन आदि अरबी रूपों का निर्माण गतिमूलक क्रियाओं से वैसे ही हुआ है, जैसे आर्य-द्रविड़

भाषाओं में **वार, वर्ष** आदि रूपों का निर्माण हुआ है। **हाल** का एक अर्थ बदलना भी है जो पुनः गतिसूचक है, परिवर्तन की **वर्** क्रिया के समान। इसी से अर्थ-विस्तार करके **हाल्** शब्द का अर्थ अवस्था हुआ। **हार्** क्रिया का अर्थ बदलना, लौटना है। यह क्रिया **हाल्** का ही प्रतिरूप है। एक अन्य रूप **हान्** का अर्थ आना, पहुँचना है। वर्ष-सूचक **हौल्** के समान यहाँ **हीन्** का अर्थ समय है।

उत्तर-पश्चिमी भारतीय भाषाओं तथा ईरानी क्षेत्र की कुछ भाषाओं में, जैसे **स्** ध्वनि **ह्** में बदलती है, वैसे ही अरबी के कुछ शब्दों में **ह्** का मूलरूप **स्** प्रतीत होता है। अस्तित्वसूचक **स** क्रिया से अरबी **हयाह्** (जीवन) रूप बनता है। इसी से जीवित प्राणियों को **हयवान्** कहा जाता है। अरबी **हयवान्** की रचना फ़ारसी के ढंग पर हुई है। अरबी **हदस्** का अर्थ है घटित होना। यह रूप **स** क्रिया के कृदन्त **सतु** उसके रूपान्तर **हद** से बना है। अरबी में **त्** और **स्** ध्वनियाँ कुछ शब्दों में एक दूसरे का स्थान लेती हुई दिखाई देती हैं। **हित्ती** शब्द अरबी में **हिस्सी** है। ग्रीक भाषा का **तउरोस्** (बैल) अरबी में **सौर्** है। कहीं-कहीं मध्यवर्ती स्पर्श-ध्वनि का लोप प्राकृतों के समान होता है। **शृगाल** का अरबी प्रतिरूप **सुआ़ल** है। हिन्दी **सियार** और अरबी **सुआ़ल** का विकास एक ही पद्धति से हुआ है।

**बहने** के लिए अरबी की एक क्रिया **जरा** है। इसी से **जारिन्** (प्रवाहित) रूप बनता है जो हिन्दी में **जारी** बनकर खूब प्रयुक्त होता है। **जरी** (मार्ग), **जर्रा** (धावक), **जरयान्** (प्रवाह, नदी) आदि शब्द उसी शृंखला के हैं। संस्कृत **क्षर्** के प्रतिरूप हिन्दी **झर्** के आदिवर्ण की महाप्राणता का लोप होने पर **जर्** शब्दमूल मिलेगा। एक मिलता-जुलता शब्द **जरफ़्** (प्रवाह) है जहाँ **ज्** ध्वनि सघोष सकार बन गई है। व्यक्ति, स्वभाव, अस्तित्व के लिए अरबी **ज़ात्** संस्कृत **जाति** का रूपान्तर है। कुछ शब्द ऐसे हैं जिनमें **र्** ध्वनि के पहले तमिल के समान अतिरिक्त स्वर जोड़ा गया है। चावल के लिए **अरुज़्ज़** तमिल **अरिचि** (अथवा **अरिजि**) का रूपान्तर है। द्रविड़ भाषाओं में जैसे बहुधा आदिस्थानीय **ह्** का लोप हो जाता है, वैसे ही अरबी के अनेक रूपों में उसका लोप होता है। हल जोतने के लिए अरबी की एक क्रिया **हरस्** है, दूसरी क्रिया **अरस्**; किसान के लिए एक शब्द **हारिस्** है, दूसरा **अरीस्**। जब तक द्रविड़ और सामी गण किसी समय पड़ोसी न रहे हों, तब तक ऐसे ध्वनि-परिवर्तन कल्पनातीत माने जाएँगे। जैसे **क्षार** का फ़ारसी रूपान्तर **खार** है, वैसे ही **क्षर्** का अरबी रूपान्तर **ख़ल्** है। **ख़ल्** क्रियामूल से **ख़लास्** शब्द बनता है। इसका सम्बन्ध **स्खलन** वाली **स्खल्** क्रिया से जोड़ा जा सकता है। यह **स्खल्** स्वयम् **क्षर्** के आधार पर निर्मित है। **क्षर्** में एक ओर समाप्ति का भाव है, दूसरी ओर क्षरण की निरन्तरता के भाव से उससे शाश्वत प्रवाह का बोध भी होता है। इसी कारण अरबी **ख़ल्** से सम्बद्ध कृदन्त रूप अरबी **ख़लद** है जिसका अर्थ निरन्तर वर्तमान रहना है। शाश्वत जीवन के लिए इसी से **ख़ुल्द** शब्द बनता है।

नाग भाषाओं में जैसे आदिस्थानीय अघोष अल्पप्राण स्पर्श-ध्वनि को महाप्राण बोलने की प्रवृत्ति है, जैसे तमिल की कुछ बोलियों में इंडो-यूरोपियन परिवार की अंग्रेज़ी जैसी भाषा में महाप्राणता का पुट देने की प्रवृत्ति है, वैसे ही अरबी के कुछ शब्दों में महाप्राण ध्वनि अल्पप्राण ध्वनि का रूपान्तर जान पड़ती है। अरबी **ख़लत्** का अर्थ है दो चीज़ों को मिलाना। ठीक यही अर्थ तमिल क्रिया **कल्** का है। संस्कृत **कला, कल्प** आदि का सम्बन्ध **कल्** शब्दमूल से है। **कल्प** में जैसे सृजन का भाव है, वैसे ही अरबी **ख़लक़्** का अर्थ है सृजन करना। इसी से **ख़ल्क़** (सृष्टि), **मख़लूक़** (सर्जित) आदि शब्द बनते हैं। इस तरह का अर्थ-विस्तार आर्य-द्रविड़ भाषाओं में भी है। कन्नड़ **कल्क, कलक** (मिश्रण), **कल्पिसु** (मिश्रित करना) में **कल्** क्रिया का मूल अर्थ स्पष्ट है। कुड़ुख भाषा का **खल्ना** (मिश्रित करना) हिन्दी **खलबट्टा** के **खल**, अरबी **खल्** के निकट पहुँच जाता है। अरबी में एक दूसरा रूप **ख़ला** है जिसका अर्थ है ख़ाली होना। इसी से अन्तरिक्ष के लिए **ख़लाअ्**, एकान्त के लिए **ख़ल्व, तख़लिय** आदि रूप बनते हैं। यहाँ तमिल क्रिया **कल्लु** विचारणीय है जिसका अर्थ है खोदना, खाली जगह बनाना। **पारस्** का अरबी रूपान्तर **फ़ारिस्** है। हीब्रू में **पारस** है। फ़ारसी और अरबी दोनों में **फ़्** ध्वनि उद्भव स्थान ईरान की ओर संकेत करती है। काटने के लिए **कत्** आर्य द्रविड़ भाषाओं की बहुप्रयुक्त क्रिया है। मुँह से काटने के लिए तमिल और कन्नड़ में **कच्चु** क्रिया है। यदि **क्** ध्वनि महाप्राण संघर्षी रूप ले तो **ख़त्** क्रिया मूल बनेगा। अरबी में **ख़त्त** का अर्थ लकीर खींचना है। इससे **कतब, किताब** आदि रूपों की तुलना की जाए, तो लकीर खींचने और लिखने का सम्बन्ध स्पष्ट हो जाएगा। मूल अर्थ काटने का है। जहाँ **त्** ध्वनि **स्** में बदलती है, वहाँ **कस्** क्रिया से **कसाई, कस्साद** जैसा शब्द बनता है। अरबी में एक क्रिया **माद्** है जिसका अर्थ है स्थानान्तरित होना। एक दूसरी क्रिया है **मास्** जिसका अर्थ है एक स्थान से दूसरे स्थान तक पहुँचना। दोनों परस्पर सम्बद्ध हैं और **द्** ध्वनि **स्** में बदली है या **स्** ध्वनि **द्** में। **थोरियम्** अरबी **सोरियम्** है, **पैथोलॉजी** अरबी में **बासोलॉजी** है। **अरमाइक तलत्** (तीन) हीब्रू में **शलॉश्** है।

अरबी शब्दतंत्र में क्रियामूलों का वही महत्त्व है जो संस्कृत में है। धातु की पहचान व्यंजनों से होती है, स्वरभेद से वाच्यभेद सूचित किया जाता है, यथा : **कबर्** (उसने स्तुति की), **कुबिर्** (वह स्तुत हुआ)। अरबी धातुओं में कहीं चार व्यंजन होते हैं, कहीं तीन, कहीं इनसे भी कम। इन धातुओं के विश्लेषण से विदित होगा कि जिसे दो से अधिक व्यंजनों की धातु कहा जाता है, वह वास्तव में कृदन्त रूप है। समी ए. हन्ना और नगीब ग्रेइस् ने मिस्र में बोली जानेवाली अरबी की पाठ्य-पुस्तक 'बिगिनिंग अरैबिक्' (लाइडॅन्, 1972) में बताया है कि अरबी में क्रिया का सामान्य रूप भूतकालिक होता है, यथा : **फ़तह्** (जीत गया), **शिरिब्** (पी गया)।

भूतकालिक रूप का अर्थ है भूतकालिक कृदन्त। कृदन्त से धातु को अलग करने पर आर्य-सामी क्रियामूलों की समानता पहचान में आएगी।

संस्कृत **तृषा, तृप्ति, तीर्थ,** अंग्रेज़ी **ड्रिंक्** (पीना) का **तॅर्** क्रियामूल अरबी में **शिर्** बना। उससे भूतकालिक **शिरिब्** की रचना हुई। **नीर** और **शराब** एक दूसरे से कोसों दूर लगते हैं पर हैं एक ही कुल के। ब्राहूइ **दीर्** (जल) का रूपान्तर है तमिल **नीर्**। **पानी** और **पीना** अर्थ की दृष्टि से परस्पर सम्बद्ध रूप हैं। **शिर्** के विकल्प **शर्** से **शराब** शब्द बना। **बलग्** (पहुँचना) का आधार **वर्, वल्** है। कश्मीरी **वल्** (आना), पुरानी अंग्रेज़ी के **वॅअल्कन्,** जर्मन **वल्कॅन्,** आधुनिक अंग्रेज़ी **वाक्** (चलना) में **वल्** क्रियामूल है, जर्मन अंग्रेज़ी रूपों में कृदन्त चिन्ह **क** भी है। कन्नड़ **बर्** (आना, पहुँचना), में **व्** के बदले **ब्** है। अरबी **बदह्,** (आना), **बदा** (घटित होना), **बदवी** (घुमन्तू) का आधार **बर्** का कृदन्त रूप **बद** है। हिन्दी-भाषी किसान कहते हैं, **तगदीर में जो बदा होगा सो होगा**; यहाँ प्राचीन भारतीय **वर्** क्रिया अरबी कृदन्त के माध्यम से फिर अपने देश लौटकर आई है। **वर्** क्रिया से संस्कृत **वात,** फ़ारसी **बाद** (वायु), अरबी **बतीन्** (मोटा) रूप बने। संस्कृत क्रिया **वस्** का अर्थ कपड़े पहनना भी है जिससे **वास, वस्त्र** शब्द बनते हैं। **वास** में **लि** प्रत्यय जोड़कर अरबी **लिबास्** बना। **वस्त्र** का प्रतिरूप, सकार को सघोष करते हुए, **वज़्ज़** है। **वस्त्र** के **स्-त्** मिलकर संयुक्त ध्वनि **स्स्** बने, फिर **ज़्ज़्**। इसी से कपड़े का व्यापारी **वज़्ज़ाज,** हिन्दी रूप में **बजाज,** कहलाया। उद्यान के लिए अरबी **बुस्तान्** स्पष्ट ही ईरानी से उधार लिया हुआ शब्द है। द्रविड़ भाषाओं में फूल के लिए जो **पू** शब्द प्रयुक्त होता है, वह संस्कृत **पुष्प** में, फ़ारसी **बोस्ताँ** के **बो** में, अरबी **बुस्तान्** के **बु** में विद्यमान है। **खम्भे** के लिए अरबी **उस्तुवान्** में **स्थ्** ध्वनि वैसे ही **स्त्** में परिवर्तित हुई है, जैसे **स्थान** का **स्थ्** **बुस्तान** के **स्त्** में परिवर्तित हुआ है।

चमकने के लिए अरबी शब्द **अलक़्** में **क्** कृदन्त प्रत्यय है। इस शब्द का निर्माण वैसे ही हुआ है, जैसे प्रकाश-सूचक संस्कृत **अर्क** का। **अर्** क्रियामूल के वैकल्पिक रूप **अल्** से हिन्दी के **अलाव** आदि शब्द बने हैं। निर्माण करने के लिए अरबी क्रिया **बना** है। इसी से **बिना** (इमारत), **बनना** (निर्माता), **मबनीय** (निर्मित) आदि शब्द बनते हैं। अरबी **बना** और हिन्दी **बनाना** क्रिया के मूल अंश **बन्** का सम्बन्ध **पन्** या **पण्** से है। **सर्प** के लिए अरबी में **हय्य** और **हाविन्** शब्द हैं। इसके कन्नड़ प्रतिरूप **पावु, हावु** हैं। संस्कृत **घर्म** की **घर्** क्रिया के **हर्** प्रतिरूप से **हर्ष, हर** आदि संस्कृत शब्द बने हैं। इस **हर** क्रियामूल से अरबी में बहुत-से शब्द बने हैं। **हर्र्**—गरमी, गरम होना; **हर्रार्**—उष्मा; **हरूर्**—गरम हवा; **हर्रान्**—गर्माया हुआ, प्यासा; **हरिब्**—क्रुद्ध होना; **हर्व्**—प्रज्वलन; **हरक़्**—अग्नि, जलाना; **हरीक्**—अग्नि।

घटित होने के लिए **हदस्** क्रिया में मूल अंश **हद्** भारतीय **सत्** का प्रतिरूप है। जो घटित हो चुका है वह **हादिसा** है।

अरबी में **सार्**—चलना (सैर करना), **साल्**—प्रवाहित होना, **सैल्**—सरिता, **सैलान्**—प्रवाहित—ये सारे शब्द गतिसूचक हैं; नदी और प्रवाह से इनका सम्बन्ध वैसा ही है, जैसा सर, सरिता, सरस्वती का है। शासन करने के लिए **सास्** स्पष्ट ही **शास्** का प्रतिरूप है। **सियासत** (राजनीति), **सियास्** (शासन) उसी **सास्** से सम्बद्ध हैं। वर्ष के लिए **सन्** सूर्यवाचक अंग्रेज़ी **सन्**, लैटिन **सोल्** और संस्कृत **सूरि, सूर्य** से सम्बद्ध हैं।

**सूर्य** के लिए है **शम्स्, मोमबत्ती** के लिए **शमअ**, दोनों चमकने का अर्थ देनेवाली **शम्** क्रिया से बने हैं। मूल क्रिया **कम्** है जिसका प्रतिरूप **कन्** अरबी **कन्दील** और अंग्रेज़ी **कैंडल्** में है। **कम्** से **चम्** और पुनः इससे **शम्** रूप बना। **ज़ामि**—प्यासा, **ज़मि अ**—प्यासा होना **आचमन** की **चम्** क्रिया के आधार पर बने हैं। भागने के लिए **फ़र्र्** आर्य-द्रविड़ **पर्** क्रिया से बना है। सुपरिचित **फ़रार** इसी क्रिया से सिद्ध होता है।

**कतब्** (लिखना), **कत्तिब** (लिखाना) में **कत्** क्रियामूल है जिसका अर्थ है काटना। काटकर अक्षर अंकित करने की क्रिया **कतब्** हुई। काटने के लिए अरबी में अनेक शब्द हैं : **क़रत्, क़द्द, क़सब्, क़त्, क़ज़्ज़्, क़तअ, क़लम्**। इन सबका आधार **कर्त्** या **कत्** है। **क़त्ल** में यह **कत्** है। संस्कृत **कर्तन** (कटाई), हिन्दी **काटना**, लैटिन **कअ‍ॅदो** (काट डालना), तमिल **कत्ति** (छुरी), फ़ारसी **कुश्तन्** (काटना) सम्बद्ध रूप हैं।

**लग़ा** (बोलना), **लुग़ा** (भाषा), **लक़ब** (गदवी), ग्रीक **लॅगो** (कहना), संस्कृत **ऋक्** (स्तुति), रूसी **रेच्** (भाषण) सम्बद्ध रूप हैं। अरबी **हम्द** (स्तुति करना) से तुलनीय है ग्रीक **हुम्नॉस्** (गान)। संस्कृत **सामन्** (स्तवन, गायन) के क्रियामूल **सम्** का रूपान्तर होगा **हम्**। **कबर** (उसने स्तुति की) की **कब्** धातु संस्कृत **कवि** की **कव्** धातु के समान है। अरबी **लमअ** (चमक), **लम्मा** (चमकीला), **लमहा** (प्रकाश) में **लम्** क्रियामूल **दामिनी** के **दम्** का रूपान्तर है और ग्रीक **लम्पो** (चमकना), **लम्पस्** (मशाल), अंग्रेज़ी **लैम्प** में विद्यमान है। अरबी **अर्द** (धरती), जर्मन **ऑर् दॅ**, अंग्रेज़ी अर्थ का मूल अर्थ होगा जुती हुई भूमि। यहाँ **अर्** क्रियामूल वही है जो लैटिन **अरो** (जोतना) में है। द्रविड़ भाषाओं में तुलु **उर** (जुताई), तमिल **उळु** (जोतना) और संस्कृत **उर्वर** तुलनीय हैं। अरबी **नदा** (बुलाना), **निदा** (चिल्लाना) का सम्बन्ध संस्कृत **नद्** (शब्द करना) से है। **नशिक़** (सूँघना), **नश्क़** (साँस खींचना) का सम्बन्ध संस्कृत **नासा** से है।

लैटिन **अक्विल** (बाज़ पक्षी), अरबी **उक़ाब** (उप.) का आधार तमिल क्रिया **उक** या **उग** (ऊँचे उड़ना) हो सकती है।

संस्कृत **सः** (वह) के समानान्तर पुरानी अक्कादी में **सुअ** (पु.) है। स्त्रीलिंग रूप **सिअ** है। बाद की अक्कादी (**श्** वाली बोली) में **शुअतु** और **शिअति** रूप हैं। फिनीशिया की प्राचीन भाषा में **हू, हे** के साथ **हूअत्, हेअत्** रूप हैं। अरबी **हु** का पूर्वरूप **सु** था। ग्रीक भाषा का निर्देशक सर्वनाम **हो** इसी शृंखला का रूप है।

**हु** के **ह्** का लोप होने पर तमिल का मध्यवर्ती वस्तु-सूचक **उ** सर्वनाम-मूल प्राप्त होता है। अरबी का उत्तम पुरुष बहुवचन रूप **ना** वही है जो तमिल का एकवचन **नान्** है और संस्कृत का बहुवचन **नः** (हमारा) है।

संस्कृत के समान अरबी संश्लिष्ट पद्धति की भाषा है। नाम शब्दों के साथ कारक-चिन्ह जुड़ता है। आर्य भाषाओं में जैसे कारक-चिन्ह मूल शब्द के बाद आता है, वैसे ही सम्बन्धक उसके बाद आता है। अरबी में, ग्रीक-लैटिन के समान, कारक-चिन्ह तो शब्द के बाद आता है किन्तु सम्बन्धक पहले आता है। संश्लिष्ट भाषा की मूल प्रकृति किसी अन्य प्रभाव से यहाँ बदलती दिखाई देती है। कम्बोज भाषा में अंग्रेज़ी अरबी के समान पूर्व-सम्बन्धक (प्रिपोज़िशन) होता है। कोल, तुर्क, मंगोल आदिभाषाओं के समान अरबी में संज्ञा में सम्बन्धवाचक सर्वनाम जोड़ा जाता है, यथा : **वलद** (पुत्र), **हु** (वह), **वलदहु** (उसका बेटा)। इसी पद्धति के अनुरूप अनिश्चयार्थी संकेतक मूल शब्द के बाद आता है, यथा : **मलिकुन्** (एक राजा)। इसके विपरीत निश्चयार्थी संकेतक, ग्रीक, जर्मन, अंग्रेज़ी की तरह, शब्द के पहले आता है, यथा : **अल् बैतु** (वह मकान)। यहाँ भी दो पद्धतियाँ सक्रिय दिखाई देती हैं। **खादिमुत्तबीबि** (वैद्य के चाकर) में मुख्य शब्द **ख़ादिम** (चाकर) पहले आया, **उत्तबीबि** (वैद्य के) विशेषक पद है, मूल शब्द के बाद आया है। अंग्रेज़ी में इसी तरह 'सर्वेंट्स् ऑफ़् द डॉक्टर्' पद-रचना होगी।

अरबी क्रिया के बाद सर्वनाम-चिन्ह जोड़ती है। कर्ता के अलावा ये सर्वनाम-चिन्ह कर्म की सूचना भी देते हैं : **शकर्नि** (उसने मुझे धन्यवाद दिया), **शकरकू** (उसने तुम्हें धन्यवाद दिया), **शकरुह्** (उसने उसे धन्यवाद दिया)। यहाँ हम मगही-मैथिली और कोल भाषाओं के क्रियापद-संसार में पहुँच जाते हैं। अरबी क्रिया हिन्दी-तमिल के समान लिंगभेद भी सूचित करती है : **कतब्** (पुरुष ने लिखा), **कतबत्** (स्त्री ने लिखा)। आदेशात्मक रूपों में लिंगभेद बना रहता है; **तिक्तिब्** (लिखो पुरुष से), **तिक्तिबि** (लिखो; स्त्री से)। ऐसा भेद कृदन्त-प्रधान भाषाओं में सम्भव होता है। संस्कृत और तमिल के समान अरबी में क्रिया के बिना वाक्य-रचना हो सकती है, यथा : **अल् बैतु कबीरुन्** (मकान बड़ा है)।

भारतीय और सामी भाषाओं में शब्दतंत्र के साथ संरचना की भी अनेक समानताएँ हैं।

## 3. तुर्क-मंगोल और फिनो-उग्रियन परिवार तथा भारत

### *(क) तुर्की*

एशिया का एक महत्त्वपूर्ण भाषा-परिवार तुर्क-मंगोल है। कुछ लोग इसे अल्ताई परिवार कहते हैं। तुर्की और मंगोल इस परिवार की दो प्रमुख भाषाएँ हैं। तुर्कों और मंगोलों से भारत का गहरा सम्बन्ध रहा है। उस सम्बन्ध को ध्यान में रखते हुए

इस परिवार को तुर्क-मंगोल कहा; अल्ताई की अपेक्षा यह नाम भारतवासियों के लिए अधिक अर्थवान् होगा। कुछ विद्वान् फिनलैंड आदि की भाषाओं को सम्बद्ध मानकर यूराल-अल्ताई परिवार की कल्पना करते हैं। यूरालिक अथवा फिनो-उग्रियन भाषा-समुदाय को तुर्क-मंगोल समुदाय से अलग रखना ज्यादा अच्छा है, दोनों का पारिवारिक सम्बन्ध बहुतों को स्वीकार नहीं है।

भारतीय भाषाई सन्दर्भ को ध्यान में रखते हुए तुर्की भाषा का अध्ययन करते समय कुछ रोचक तथ्य सामने आते हैं। अनेक आर्य-द्रविड़ भाषाओं के समान तुर्की उस क्षेत्र में पड़ती है जिसमें तालव्यीकरण की प्रवृत्ति प्रबल है। **क्** और **त्** को **च्** तथा **ग्** और **द्** को **ज्** बनाने की प्रवृत्ति न केवल आर्य-द्रविड़ भाषाओं में है वरन् इंडो-यूरोपियन परिवार की भाषाओं में—अंशतः यथा : इटालियन और अंग्रेज़ी में, और बहुशः यथा : रूसी में—भी है। इससे तालव्यीकरण का पुराना प्रभाव क्षेत्र पहचानने में सहायता मिलती है। यह क्षेत्र एक ओर भारत की आर्य-द्रविड़ भाषाओं को समेटता है और उत्तरी तथा पश्चिमी प्रदेश उसके केन्द्र में हैं, अर्थात् भारत की उत्तर-पश्चिमी भाषाए उससे अधिक प्रभावित हैं, दूसरी ओर वह तुर्क और स्लाव समुदायों को अपने भीतर समेटे है। उल्लेखनीय है कि तालव्यीकरण की प्रवृत्ति से सभी द्रविड़ भाषाएँ समान रूप में प्रभावित नहीं हैं। इस प्रवृत्ति से कन्नड़ कम प्रभावित है, तमिल अधिक। कन्नड़ में करना क्रिया के लिए **कॅय** रूप है तो तमिल में **च्चॅग्**।

यदि तालव्यीकरण का वृत्त इतना बड़ा है कि उसमें अनेक भाषा-समुदाय सिमट पाते हैं तो इस बात की काफी सम्भावना रहती है कि एक ओर जहाँ **क्** ध्वनि **च्** रूप में ग्रहण की गई हो, वहाँ दूसरी ओर **च्** ध्वनि भी पड़ोसी **अ** तालव्य क्षेत्र में **क्** रूप में ग्रहण की गई हो। जब भाषा-तत्त्वों के पूर्व से पश्चिम की ओर प्रसार के अनेक प्रमाण मिलें तो इस सम्भावना को ध्यान में रखना होगा कि **च्** ध्वनि वाले पूर्वी शब्द पश्चिमी भाषाओं में, यथा : ग्रीक और लैटिन में, **क्** रूपान्तर के साथ ग्रहण किये गए हों।

भारतीय भाषाओं में तालव्य और मूर्धन्य ध्वनि-प्रवृत्तियों के केन्द्र प्रायः एक ही साथ सक्रिय दिखाई देते हैं : जो क्षेत्र कश्मीरी से लेकर तमिल तक तालव्यीकरण का है, वही मूर्धन्यीकरण का है। किन्तु तुर्की इस मूर्धन्यीकरण वाले क्षेत्र से बाहर है; तुर्की के अलावा स्लाव समुदाय तथा फ़ारसी भी इससे बाहर हैं। साथ ही सिन्धी, गुजराती के साथ पश्तो इस क्षेत्र के भीतर है। केवल जर्मन-समुदाय की कुछ भाषाएँ इस क्षेत्र के निकट दिखाई देती हैं। इससे निष्कर्ष यह निकलता है कि तालव्य और मूर्धन्य ध्वनियों के केन्द्र भारत से बाहर काफी अलग हैं, बृहत्तर भारत के उत्तर-पश्चिमी भाग में वे एक दूसरे से मिल जाते हैं। अतः इन दोनों वृत्तों के मुख्य केन्द्र इसी भाग में हों, इसकी पर्याप्त सम्भावना है।

तुर्क-मंगोल समुदाय की पड़ोसी द्रविड़ भाषाएँ मूर्धन्यीकरण से बहुत प्रभावित हैं किन्तु तुर्की आदि पर यह प्रभाव नहीं है, यह तथ्य महत्त्वपूर्ण है। इससे विदित

होता है कि तुर्की की अपेक्षा द्रविड़ भाषाएँ आर्य भाषाओं से अधिक सम्बद्ध हैं, तथा मूर्धन्यीकरण क्षेत्र तुर्की-फ़ारसी-स्लाव से कटा हुआ अलग है। तालव्यीकरण और मूर्धन्यीकरण का अध्ययन एक साथ करें, तभी सही निष्कर्ष तक पहुँचेंगे।

हिन्दी में हम **पिनकची, तबलची, मशालची** जैसे रूपों से परिचित हैं। तुर्की में **कपि** (द्वार) से **कपिची** (द्वारपाल), **यलन्** (झूठ) से **यलञ्ची** (झूठा), **इनत्** (हठ) से **इनत्ची** (हठी) आदि रूप बनते हैं। तुर्की में च-वर्गीय ध्वनियों का व्यवहार होता है, यह बताने के लिए ये उदाहरण काफी हैं।

तालव्यीकरण की एक उल्लेखनीय विशेषता तुर्की में यह है कि कुछ स्वरों के साथ **क्, ग्** के साथ **य्** अर्द्धस्वर जोड़ दिया जाता है। इस प्रकार अरबी **कातिब, मालूम, मज़्कूर** तुर्की में **क्यातिप्** (सचिव), **माल्यूम, मॅज़्क्यूर्** (पूर्वोक्त) बोले जाते हैं। यह प्रवृत्ति तुर्की को कश्मीरी से जोड़ती है।

**मज़्कूर्** के तुर्की रूपान्तर में प्रथम वर्ण का अकार बदलकर **ॲकार** हो गया है। इसी प्रकार अरबी **मज्लिस्, आलम्** (संसार) **कलम, तासीर** बदलकर तुर्की में **मॅज़्लिस्, आलॅम्, कलॅम्, तेसीर** हो गए हैं। **अ** को **ॲ** वत् बोलने की प्रवृत्ति कश्मीरी और तमिल के अलावा कौरवी भाषा में भी है। द्रविड़ और तुर्की में एक महत्त्वपूर्ण भेद यह है कि द्रविड़ भाषाओं में, विशेषतः तमिल में, शब्द के अन्त में या तो नासिक्य ध्वनि होगी या स्वर अथवा अर्द्धस्वर होगा। इसे हम शब्द-रचना की अजन्त और अर्द्ध-अजन्त प्रक्रिया कह सकते हैं। जहाँ शब्द के अन्त में स्वर हो, वहाँ वह अजन्त हुआ जहाँ **य्, र्, ल्, व्, स्, न्** आदि ऐसी ध्वनियाँ हों जिनमें स्पर्शतत्त्व क्षीण है, वहाँ शब्द अर्द्ध-अजन्त हुआ। जहाँ शब्द के अन्त में स्पर्श-ध्वनि हो, वहाँ वह हलन्त हुआ। अरबी **किताब्** तुर्की में **किताप्** है, संस्कृत **रंग** तुर्की में **रॅङ्क्** है। शब्द-रचना की हलन्त पद्धति तुर्की को फ़ारसी और कौरवी से जोड़ती है, द्रविड़ भाषाओं से अलग करती है। संस्कृत में कौरवी प्रवृत्ति का आंशिक प्रभाव है। संस्कृत के अजन्त शब्द मानक हिन्दी में हलन्त बोले जाते हैं, इसका मुख्य कारण कौरवी प्रभाव है। तुर्की और फ़ारसी के सान्निध्य से यह प्रभाव पुष्ट हुआ है।

**रंग** और **किताब** के **ग्** और **ब्** तुर्की में अघोष **क्** और **प्** रह गए हैं। तुर्की के समान स्लाव और जर्मन समुदायों में अन्त्य सघोष व्यंजन को अघोषवत् बोलने की प्रवृत्ति बलवती है। जब तुर्की में कहना होगा उसकी किताब, तब शब्द के अन्त में सर्वनाम-चिन्ह **इ** जोड़ेंगे और स्वरसंयोग होते ही **प्** सघोष हो जाएगा, रूप बनेगा **किताबि**। यह प्रवृत्ति संस्कृत से मिलती-जुलती है। शरत् काल में **शरद्** का **द्** अघोष है, अघोष **क्** के पड़ोस में होने से, किन्तु **शरदागम** और **शरद्गत** में सघोष है, **आ** स्वर और सघोष **ग्** के सान्निध्य के कारण।

तुर्की और द्रविड़ भाषाओं में यह समानता है कि शब्द के आरम्भ में सामान्यतः दो व्यंजन साथ नहीं आते। अंग्रेज़ी **क्लब्** तुर्की में **कुलुप्** और **क्लुप्,** दोनों रूपों

में बोला जाता है। इसी प्रकार **स्लाव** शब्द तुर्की में **इस्लाव्** है, जैसे अंग्रेज़ी **स्कूल्** हिन्दी में **इस्कूल्** बोला जाता है। तुर्की में, प्राकृत के समान, कुछ शब्दों में मध्यवर्ती व्यंजन का लोप करने की प्रवृत्ति है। फ़ारसी **अगर** और **दीगर** (अन्य) तुर्की में **अॅयॅर्** और **दीयॅर्** बोले जाते हैं। यह प्रवृत्ति तुर्की में सीमित है, द्रविड़ और जर्मन समुदायों में अधिक है। वह मूलतः स्पर्श-ध्वनि को संघर्षी रूप देने की प्रवृत्ति है। **ग** पहले **ग़** हुआ, फिर **अ** अथवा **य** ने उसका स्थान लिया।

तुर्की में **फ़्** ध्वनि का चलन काफी है, द्रविड़ भाषाओं में **फ्** या **फ़्** का अभाव है। किन्तु महाप्राण ध्वनियों का व्यवहार तुर्की की विशेषता नहीं है। **फ़्** अधिकतर अरबी-फ़ारसी से आए शब्दों में देखा जाता है। उज़बेकिस्तान के तुर्की बोलनेवाले अरबी **फ़न्** (कला) को **पन्**, फ़ारसी **हफ़्ता** को **हप्ता** बोलते हैं। पुराने समय में उनके मुँह से **फ़्** को **प्** सुनने के कारण फ़ारसी के जानकारों ने **उजबक** शब्द को मूर्ख का पर्याय बनाया होगा। **ख्** ध्वनि फ़ारसी और रूसी में खूब प्रयुक्त होती है किन्तु तुर्की में वह अपना अल्प स्पर्श-तत्त्व खोकर बहुधा **ह्** हो जाती है; अरबी **ख़ला** (अन्तरिक्ष, खाली जगह), **ख़ाला** (मौसी), **ख़ल्क़** (जनता), **ख़बर्** तुर्की में **हला, हाला, हल्क्, हबॅर्** हो गए हैं।

तुर्की और द्रविड़ भाषाओं में एक बहुत बड़ी समानता यह है कि इनमें कोई शब्द **र्** और **ल्** से आरम्भ नहीं होता। यह इनकी मूल प्रवृत्ति है और इसके अनेक अपवाद हैं। तमिल **इरण्डु** (दो) बोलचाल में **रॅण्डु** है; इससे विदित होगा कि तमिल में पुरानी प्रवृत्ति कितनी क्षीण हो गई है। कर्णाटक और आन्ध्रप्रदेश में **रॅड्डि** नाम के भू-स्वामी देश में विख्यात हैं। **र्-ल्** से शब्द आरम्भ न करना, करना तो इनके पहले किसी स्वर को जोड़ देना, यह प्रवृत्ति ग्रीक, केल्त आदि समुदायों में भी अंशतः पाई जाती है और स्पेन तथा फ्रांस के कुछ भागों में बोली जानेवाली बास्क भाषा में भी वह विद्यमान है। निस्सन्देह इन भाषा-समुदायों में इस प्रवृत्ति का होना आकस्मिक घटना नहीं है और इसका केन्द्र प्राचीन द्रविड़-तुर्क क्षेत्रों या उनके पड़ोस में होना चाहिए।

तुर्की में **स्, श्** ध्वनियों का व्यवहार होता है, तमिल को छोड़कर अनेक द्रविड़ भाषाओं में ये ध्वनियाँ विद्यमान हैं। तमिल में भी शिक्षित जनों की भाषा में **श्** का व्यवहार होता है, यथा : **भाष्** का तमिल प्रतिरूप **पेशु** (बोलना) भी है। दक्षिण भारत में शिव के उपासकों की संख्या काफी है और वे शिव को शिव ही कहते हैं। इसी प्रकार अनेक तमिल नामों में **स्वामी** की खपत काफी है। फिर भी **स्, श्** को **च्** या **छ्** बनाने की प्रवृत्ति प्राचीन आर्य-द्रविड़ क्षेत्रों में काफी व्यापक रही है। **गम्** के प्रतिरूप **गश्** का **गच्छ्** रूपान्तर, **प्रश्न** की **प्रश्** क्रिया का **प्रच्छ्** रूपान्तर इसी प्रवृत्ति का परिणाम है। यह प्रवृत्ति जहाँ-तहाँ तुर्की में भी है। संस्कृत **इष** का अर्थ है **पेय**। इसकी आधारभूत **इष्** क्रिया का तुर्की रूपान्तर **इच्** (पीना) है।

तुर्की शब्द-भंडार पर अरबी-फ़ारसी का गहरा असर है; तुर्की जातीयता का भाव जैसे-जैसे प्रबल हुआ, तुर्कों ने वैसे-वैसे इस प्रभाव से मुक्ति पाई। तुर्की से आर्य भाषाओं का सम्बन्ध पुराना है और कुछ बातों में यह आर्य-द्रविड़ भाषाओं के सम्बन्ध से मिलता-जुलता है। पुरानी तुर्की में **किल्** (करना) क्रिया का व्यवहार होता था; इससे सम्बद्ध है **कॉल्** (बाँह)। **करोति** (करता है) और **कर** (हाथ) संस्कृत में सम्बद्ध रूप हैं। इसी प्रकार कन्नड़ **कॅय्** का एक अर्थ है करना, दूसरा अर्थ है हाथ। **कर्** के **र्** का एक रूपान्तर **य्** है, दूसरा है **ल्**। तुर्की **किल्** और **कॉल्** के पूर्वरूप हुए **कॅर्** और **कॉर**। इस **कॉर्** से संस्कृत **कुरु** और **कॅर्** से **कृणु** रूप बनते हैं।

संस्कृत **गम्** का प्रतिरूप **गर्** है जो **गर्त** (रथ) में विद्यमान है। जैसे **कर्** का तुर्की रूपान्तर **किल्** है, वैसे ही **गर्** का रूपान्तर **गॅल्** है। **गॅल्** का अर्थ है आना, जैसे **गम्** के अंग्रेज़ी रूपान्तर **कम्** का अर्थ है आना। तुर्की **गिर्** का अर्थ है प्रवेश करना; सम्भव है, इसका सम्बन्ध भी उक्त **गर्** से हो। जाने के लिए **गित्** क्रिया **गिर** का कृदन्त रूप है। संस्कृत में **गर्** के प्रतिरूप **कर्** से **काल** (समय) बना; तुर्की में **कॅरॅ** का अर्थ है समय, अवसर। मल्तो **कलॅ** (जाना), कुड़ुख **कला** (जा), तमिल **काल्** (पैर), पर्जि **केल्** (उप.) उसी गमनसूचक **कर्** से बने हैं। इनसे मंगोल रूप **कोल्** (पैर) और हिन्दी **गोड़** तुलनीय हैं। यहाँ संस्कृत **काल** का फिन प्रतिरूप **कॅल्लॉ** (समय) भी उल्लेखनीय है।

आर्य-द्रविड़ भाषाओं की एक प्राचीन क्रिया **वर्** है; संस्कृत **वर्तमान** में यह **वर्** है, वही तमिल **वरु** (आना, घटित होना) है। तुर्की **वर्** का अर्थ है पहुँचना। मलयालम **वरुण**, कन्नड़ **बर्** का अर्थ पहुँचना भी है। **वर्** का एक तुर्की रूपान्तर है **ऑल्** (होना, घटित होना); इसे तमिल **वरु** का प्रतिरूप मानना चाहिए। जैसे संस्कृत में **वात, वायु** की **वा** का प्रतिरूप **या** क्रिया है, वैसे ही तुर्की में **वर्** का प्रति **युरु** (चलना) है। इसी **युरु** के प्रतिरूप **यॉल्** से तुर्की **यॉल्चु** (यात्री) बना; संज्ञा-रूप **यॉल्** का अर्थ है मार्ग, जैसे तमिल **बरवु** और **वारि** का अर्थ है मार्ग। **जाना, गुज़रना**, ऐसी क्रियाएँ मरने का अर्थ भी व्यक्त करती हैं। तुर्की **ऑअॅलुम्** (मृत्यु) का आधार वही **वर्, वल्** क्रिया है। इससे तुलनीय है तमिल **ऑऴि** (मरना)।

जो क्रियाएँ चक्रगतिसूचक हैं, वे बहुधा जनसमुदाय, लोगों के एकत्र होने का अर्थ भी देती हैं। तमिल **उरु** का अर्थ है होना, घटित होना; **उर** का अर्थ है निकट आना, भीड़ लगाना। कन्नड़ **ऑट्टु** का अर्थ है एकत्र होना। एकत्र होने की क्रिया मैत्री और शत्रुता, दोनों भावों से होती है। तमिल **ऑट्टिनर्** का अर्थ है मित्र, **ऑट्टलन्** का अर्थ है शत्रु। कन्नड़ **ऑड्डन** का अर्थ है फौज। यहाँ हम **वर्** क्रिया का अर्थ-प्रसार देखते हैं। जनता को गोलबन्द करना उसे एकत्र करना है। **वर्** के **ऑर** रूपान्तर से कन्नड़ **ऑट्टु** और **ऑड्डन** रूप बनते हैं; इसी **ऑर्** से तुर्की का **ऑर्दु** (फौज) रूप बनता है। **ऑर्दु** का अर्थ फौज क्यों हुआ, यह हम

**ऑर्** के एकत्र वाले अर्थ-विस्तार से समझते हैं। यह तुर्की **ऑर्दु** अब भारत में भाषा के लिए प्रयुक्त होनेवाला **उर्दू** शब्द है।

द्रविड़ भाषाओं में कुटुम्बीजनों के लिए प्रयुक्त शब्दों के पहले एक सर्वनाम-चिन्ह लगाने की प्रथा है। तमिल **कर** माने छोटी बहन, **ॲङ्गइ हुई** मेरी छोटी बहन, **उङ्गइ हुई** तुम्हारी छोटी बहन। **तङ्गइ** का मूल अर्थ होगा उसकी छोटी बहन; अब यह अन्य पुरुष वाला अर्थ क्षीण हो गया है। **तंगइ** के समान **तम्बि** (छोटा भाई) रूप है। तमिल **तात्ता** (पितामह) में **त** सर्वनाम-चिन्ह है, इसका ज्ञान तमिल **अत्तन्** (पिता) से होता है। **तात्ता** और **अत्तन्** का सम्बन्ध पहचानने से संस्कृत **तात** की व्युत्पत्ति समझ में आती है। कन्नड़ में **तात** पिता और पितामह, दोनों के लिए प्रयुक्त होता है। **तात** का **त** सर्वनाम-चिन्ह है। तमिल **तम्बि** और **तङ्गइ** के समान पिता के लिए **तन्दइ** शब्द है। **ॲन्दइ** हुए मेरे पिता, **उन्दइ** हुए तुम्हारे पिता, **तन्दइ** उसके पिता, फिर केवल पिता। **तन्दइ** का तेलगू प्रतिरूप है **तण्ड्रि**।

तुर्की में ईश्वर के लिए, अरबी और फ़ारसी से भिन्न, **तन्रि** शब्द है। यह शब्द तुर्की के किसी क्रियामूल से सिद्ध होता दिखाई नहीं देता। कन्नड़ **तन्दॅ** का **द्** जब **र्** रूप में ग्रहण किया जाएगा, तब उसका सीधा रूपान्तर **तन्रि** होगा। **तन्दॅ** या **तण्ड्रि**, इन रूपों से **तन्रि** का सम्बन्ध निश्चित है। पिता के लिए आदरसूचक शब्द तुर्की में ईश्वर के लिए प्रयुक्त हुआ; वह उस भाषा में द्रविड़ स्रोतों से पहुँचा है, इसमें सन्देह नहीं।

तमिल **अन्नइ** (माता) तुर्की में **अन्नॅ, अना** (उप.) है। तगिल में **अन्नइ** के साथ **तन्नइ** भी है। तुर्की में **तन्नइ** नहीं है। तुर्की **तन् रि** का द्रविड़ उद्गम तमिल **तन्नइ** से पुष्ट होता है।

तमिल **अत्तन्** का एक प्रतिरूप **अप्पन्** है। **तात** के समान इसका व्यवहार पुत्र के लिए भी होता था। **कुइ आपॉ** (पुत्र), कन्नड़ **अप्प** (पिता) एक ही शृंखला के शब्द हैं। **अप्पन्** का सर्वनाम-चिन्हित तमिल रूप **तगप्पन्** (पिता) है, गोंडी में एक रूप **मइपो** (मेरे पिता) है। अब यदि **प** या **ब** जैसा कोई सर्वनाम-चिन्ह हो तो **अप्पन्, आप्पा, आपॉ, अप्प** से **पप्पन्, बप्पन्, पाप्पा, बाप्पा, पापॉ, बापॉ** जैसे रूप बनेंगे। मेरा कहना है कि इस तरह का सर्वनाम-चिन्ह था।

**आई, माई, ताई, बाई** शब्दों पर विचार करें। मराठी आदि का **आई** (माता) हिन्दी **माई** और **ताई** का आधारभूत शब्दमूल है। द्रविड़ व्युत्पत्ति-कोश में तमिल **आयि** की शृंखला के साथ असमिया, बंगला, उड़िया, सिन्धी, गुजराती और मराठी के **आई, आइ** रूपों का उल्लेख है। तमिल, कन्नड़ आदि में **त** सर्वनाममूलक **ताय्, तायि** रूप भी है। कुवि में **माइय** (मेरी माँ) रूप भी है। अब **आई, ताई** और **माई** के आपसी सम्बन्धों के बारे में सन्देह न होना चाहिए। मराठी में माता अथवा अपने से बड़ी स्त्री के लिए सम्मानजनक सम्बोधन **बाई** है। हिन्दी प्रदेश के पश्चिमी भाग में, विशेषतः बुन्देलखंड में, माता के लिए **बाई** शब्द का व्यवहार होता है। तमिल

में जैसे स्त्रियों के नामों के साथ **अम्मा** लगाने का चलन है, वैसे ही मराठी में **बाई** शब्द लगाया जाता है। **बाई** का संक्षिप्त गुजराती रूपान्तर **बा** है। **व** के सर्वनाम-चिन्ह होने में कोई सन्देह नहीं है। द्रविड़ भाषाओं में **ताई** के समान **बाई** के समकक्ष रूप का व्यापक चलन नहीं है। किन्तु कोलमि **बे** (माँ) सम्बद्ध रूप अवश्य है।

**आई** और **बाई** का सम्बन्ध जान लेने पर **अप्पन्** और **बप्पा, बाप, बापू** का सम्बन्ध समझ में आ जाता है। **पितामह** के लिए उत्तर-भारत में **बाबा** शब्द का चलन है। जैसे **तात** के साथ सघोष ध्वनियों वाला **दादा** रूप है, वैसे ही **बाप** के साथ **बाबा** है। तुर्की में **बाप** के लिए **बाबा** शब्द है। जैसे तेलगू में **अप्प** शब्द पिता और माता, दोनों के लिए प्रयुक्त होता है। वैसे ही हिन्दी में **बाबा** पुरुषवाचक है किन्तु रूसी में **बाबा** वृद्ध स्त्री के लिए, **बाबूश्का** दादी के लिए प्रयुक्त होता है।

अंग्रेज़ी **पापा** बच्चों का अनुकरणात्मक शब्द नहीं है। **बाबा** का अघोष ध्वनियों वाला प्रतिरूप है **पापा**। यह शब्द ग्रीक भाषा में भी है और वहाँ उसका **पप्पस्** रूप **अप्पन** के और भी निकट है। ग्रीक भाषा में **पप्पस्** के साथ **पप्पॉस्** रूप का चलन भी था; पहला पिता के लिए, दूसरा पितामह के लिए सुरक्षित रहा। **प** सर्वनाम का एक वैकल्पिक रूप **पॉ** था; इससे अंग्रेज़ी का **पोप** बना और उसका मूल अर्थ पिता है। लैटिन में **पॉप** उस पूरोहित को कहते थे जो बलिवेदी पर पशु का वध करता था।

जैसे **पापा** बच्चों का अनुकरणात्मक शब्द नहीं है, वैसे ही अंग्रेज़ी का **डैड, डैडी** शब्द बच्चों का शब्द नहीं है। जो सम्बन्ध **बाप** और **पापा** का है, वही **दादा** और **डैडी** का है। यह **दादा** शब्द भी **बाबा** के साथ तुर्की में पहुँचा है। हिन्दी **दादा** के समान तुर्की **दॅदॅ** पितामह के लिए प्रयुक्त होता है। रूसी प्रतिरूप **द्याद्या** पिता के भाई के लिए काम में आता है।

**पापा** और **पोप** के सन्दर्भ में उल्लेखनीय है कि तुर्की में एक निर्देशक सर्वनाम **बु** (यह) है और वह संज्ञा-रूपों के साथ जुड़ता भी है, यथा : **ग्युन्** (दिन) के साथ **बु** लगाकर रूप बनाया **बुग्युन्** (आज)। शब्द-रचना की जो प्रक्रिया संस्कृत **अद्य** और **सद्यस्** में है, वही **ग्युन्** और **बुग्युन्** में है। **द्यु** (दिन) का विकल्प हुआ **द्य**; इसमें सर्वनाम-चिन्ह **अ** जोड़ा तो **अद्य** (आज) बना, **स** जोड़ा तो **सद्यस्** (अभी) बना।

तुर्की **कर** (काला), संस्कृत **कार** (अन्धकार का कार), तमिल **करु** (काला) सम्बद्ध रूप हैं। संस्कृत **कूप** का तुर्की प्रतिरूप है **कुयु**। संस्कृत उपसर्ग **उद्** (ऊपर) और हिन्दी क्रिया **उड़** से तुलनीय है तुर्की **उच्** (उड़ना)। तुर्की में विद्यमानता सूचित करने के लिए एक क्रिया **वर्** है; **वर्दि** अर्थात् वह था। दूसरी **इ** क्रिया है; **इदि** अर्थात् वह था। **वर्दि** और **इदि** का एक ही अर्थ है; **वर्** क्रिया द्रविड़ भाषाओं में है, अतः इस अनुमान के लिए पर्याप्त आधार है कि **इदि** का सम्बन्ध द्रविड़ **इर्** से है। तमिल **इरु** (होना) का एक प्रतिरूप कोतभाषा में **इग्** है, दूसरा **इत्** है। जैसे **इग्,**

**इत्** में **र्** का लोप हुआ है, वैसे ही तुर्की **इदि** में। **इत्** और **इदि**, दोनों में **त्** और **द्** कृदन्त प्रत्यय के चिन्ह हैं; कोत में **त्** क्रियार्थी संज्ञा का बोध कराता है, तुर्की में भूतकाल का। तमिल **कप्पु** (ढाँकना), संस्कृत **कपट, कपाट**, हिन्दी **कपड़ा** की आधारभूत **कप्** क्रिया तुर्की **कपलि** (ढँका हुआ) में है। प्राकृत **धार** (दुर्ग) से सम्बद्ध है तमिल **का** (रक्षा करना), **काप्पु** (किलेबन्दी)। **घर्, कर्** क्रिया का तुर्की प्रतिरूप है **कॉरु** (रक्षा करना)। कन्नड़ **बॅळ** (प्रकाश), रूसी **बेलुइ** (श्वेत) से तुलनीय है तुर्की **बॅल्लि** (स्पष्ट)। संस्कृत **मन्दिर**, तमिल **मन्रु** (गाय बाँधने का स्थान) से तुलनीय है तुर्की **मन्दिर** (उप.)। तुर्की **मन्दिर** और तमिल **मन्रु** का एक ही अर्थ हो, यह तथ्य किसी समय **बाड़ा** का अर्थ देनेवाले **मन्दिर** के व्यापक व्यवहार की सूचना देता है। तमिल **मन्रु** के सभाभवन आदि अन्य अर्थ हैं, तुर्की **मन्दिर** का अर्थ सीमित है। तमिल **कूलि** (मजदूरी), कन्नड़ **कूलि** (उप.; मजदूर) का हिन्दी रूप है **कुली**। तुर्की में **कुल्** का अर्थ है दास। **कुल्** और **दास** की अर्थ-प्रक्रिया एक है। फ़ारसी **दस्त** (हाथ) की **दस्** क्रिया का अर्थ था करना। जो मेहनत करे, वह **दास।** कोलमि **कल्** (करना) के विकल्प **कॉल्** से तुर्की **कुल्**, तमिल **कूलि** रूप बनेंगे।

संस्कृत **कति** (कितने) का तुर्की प्रतिरूप **कच्** है। संस्कृत **किम्** तुर्की में ज्यों-का-त्यों है। तुर्की में लिंगभेद नहीं है। **किम्** का अर्थ हुआ **कौन**। **क्**-मूलक सर्वनाम तुर्की को द्रविड़ भाषाओं से अलग करते हैं। तुर्की के प्रश्नवाचक सर्वनाम **नॅ** और **मि** भी द्रविड़ भाषाओं के **या, ए** आदि से भिन्न हैं। तुर्की में निषेधात्मक क्रिया-रचना के लिए **म** अव्यय का व्यवहार होता है। यह संस्कृत के निषेधात्मक **मा** का प्रतिरूप है। क्रिया-रचना, विन्यास की दृष्टि से, द्रविड़-पद्धति के अनुरूप है। **ऑल्** माने होना; **ऑल्मदिम्** माने मैं नहीं हुआ। **ओल्** के बाद **म** निषेधसूचक अव्यय लगा। **दि** कृदन्त प्रत्यय है; संस्कृत में **त, थ, द, ध**—चारों प्रत्यय कृदन्त बनाने के काम आते हैं। तुर्की का भूतकालिक **दि** प्रत्यय आर्य-द्रविड़ भाषाओं की प्रत्यय-पद्धति के अनुरूप है। संस्कृत **इह** के पूर्वरूप **इध** का **ध** तुर्की में महाप्राणता खोकर स्थानवाचक प्रत्यय का काम करता है। **बुरद** (यहाँ), **ऑरद** (वहाँ), **नॅरॅदॅ** (कहाँ) में **द** स्थानसूचक प्रत्यय है। तुर्की का सम्बन्धवाचक **कि** प्रत्यय हिन्दी **के, का** की शृंखला के अन्तर्गत है। **बुरद** का अर्थ हुआ यहाँ; **बुरदकि कितप्** का अर्थ हुआ यहाँ की किताब। तुर्की **कि** का स्त्रीलिंग से कोई सम्बन्ध नहीं है। तुर्की **चि** जहाँ किसी वस्तु से किसी व्यक्ति का सम्बन्ध व्यक्त करता है, वहाँ वह **कि** का ही कार्य सम्पन्न करता है। यथा : **कपि** (द्वार) से **कपिचि** (द्वारपाल), **यॉल्** (मार्ग) से **यॉल्चि** (यात्री)। सम्भव है, यह **चि** पूर्वोक्त **कि** का रूपान्तर हो। तुलनीय है रूसी **गोरॅ** (दुख) से व्युत्पन्न **गोर्की** (दुखी), **गॉरेत्** (जलना) से **गॉर्याची** (गरम)।

संस्कृत में **जन्** से जन्म के समान तुर्की में **दॉग्** (पैदा होना) से **दॉगुम्** (जन्म), **इच्** (पीना) से **इचिम्** (पेय) रूप बनते हैं। तुर्की में संज्ञा के साथ करना क्रिया

जोड़कर नई क्रिया हिन्दी की तरह बना लेते हैं, यथा : **नमाज़् किल्मक्** (नमाज़ करना, प्रार्थना करना)। हिन्दी के समान तुर्की में दो शब्दों को जोड़कर नया अर्थ पैदा करने की प्रवृत्ति है। **इश्** (काम), **ग्युच्** (मेहनत), **इश्-ग्युच्** (काम में लगे होना); **यतक्** (बिस्तर), **यॉर्गन्** (लिहाफ़), **यतक्-यॉर्गन्** (बोरिया बँधना)। हिन्दी के समान तुर्की में शब्द की आवृत्ति से अर्थघनत्व पैदा किया जाता है; **यवस् यवस् गिदियॉर्लार्** (वे धीरे-धीरे जा रहे हैं)।

तुर्की में संख्या शब्दों के निर्माण की द्रविड़ पद्धति चालू है। पहले दहाई फिर इकाई, **ऑन्** (दस), **ऑन्बिर्** (ग्यारह), **यिर्मि** (बीस), **यिर्मिबिर्** (इक्कीस)। यही पद्धति फ़ारसी में है। संख्या-शब्दों की रचना की यह द्रविड़ पद्धति तुर्की, फ़ारसी के अलावा यूरोप की भाषाओं में है, विशेष कर बीस से बाद के संख्या शब्दों में।

तुर्की में सम्बन्धवाचक **इन्** प्रत्यय तमिल और रूसी के समान है। **अहमद्** से **अहमदिन्** अर्थात् अहमद का; तमिल में **मगन्** (पुत्र) से **मगनिन्** (पुत्र का); रूसी में **स्ताल्** (फौलाद) से **स्तालिन्** (फौलादी)। तुर्की संयोजक भाषा है, अश्लिष्ट है, मूल शब्द के बाद स्वतंत्र सम्बन्धक जोड़कर कारक-रचना होती है। रूसी संश्लिष्ट भाषा है। **अहमदिन्, मगनिन्** और **स्तालिन्** में संरचना की दृष्टि से कोई अन्तर नहीं है। तुर्की का वाक्य-विन्यास भारतीय भाषाओं के समान होता है। वाक्य के आरम्भ में कर्ता होगा, अन्त में क्रिया। किन्तु भारतीय भाषाओं के ही समान तुर्की की क्रिया-पद-रचना इससे भिन्न विन्यास-पद्धति की सूचना देती है। तुर्की **गॅलिरिम्** (मैं आता हूँ) में क्रिया पहले है, कर्ता सर्वनाम बाद को है, ठीक संस्कृत के **गच्छामि** (जाता हूँ) की तरह। आर्य, कोल, द्रविड़ भाषाओं के साथ तुर्की भी अपने विकास की आदिम अवस्था में विधेय पहले, उद्देश्य बाद को, इस क्रम से वाक्य-रचना करती रही है। आगे चलकर कोई ऐसा जबर्दस्त प्रभाव इन भाषा-समुदायों पर पड़ा कि पुरानी विन्यास-पद्धति के अवशेष मात्र रह गए; पहले उद्देश्य फिर विधेय, यह क्रम पुरानी पद्धति पर हावी हो गया। भाषाओं का इतिहास जानने के लिए ये अवशेष बहुत महत्त्वपूर्ण हैं। ऊपर तुर्की का जो **गॅलिरिम्** रूप दिया गया है, उसका सर्वनाम-चिन्ह **इम्** तुर्की में स्वतंत्र रूप से प्रयुक्त नहीं होता। तुर्की के उत्तम पुरुष, एकवचन **बॅन्** (मैं) से इस **इम्** का कोई प्रत्यक्ष सम्बन्ध नहीं है। संस्कृत **पठामि** का **आमि** या **मि** संस्कृत में स्वतंत्र रूप से प्रयुक्त नहीं है। किन्तु बंगला **आमि**, मराठी **मी** स्वतंत्र रूप से प्रयुक्त होते हैं। इससे विदित होगा—ये सर्वनाम कितने पुराने हैं। विधेय-उद्देश्य क्रम वाली विन्यास-पद्धति मूलतः किस परिवार की है, यह जानने के लिए सर्वनामों के स्रोतों का पता लगाना होगा। तुर्की का **इम्** सर्वनाम-चिन्ह उसकी विन्यास-पद्धति पर भारतीय प्रभाव की ओर संकेत करता है। क्रियापद-रचना के समान संज्ञा के बाद सर्वनाम-चिन्ह लगाकर उससे व्यक्ति का सम्बन्ध दिखाया जाता है, यथा : **बाबा** (पिता) और **बाबाम्** (मेरे पिता)। यहाँ भी सर्वनाम-चिन्ह तुर्की स्रोत

का नहीं, भारतीय स्रोत का है। सिन्धी, फ़ारसी, अरबी आदिभाषाओं में सर्वनाम-चिन्ह जोड़ने की यह पद्धति ही नहीं, उत्तम पुरुष एकवचन का चिन्ह भी वही है।

सर्वनामों का विकास, उनका संज्ञा और क्रियापदों के साथ व्यवहार, इस व्यवहार की विभिन्न पद्धतियाँ, विभिन्न भाषा-समुदायों में एक-से सर्वनाम रूपों का प्रसार, यह सब केवल एक भाषा-परिवार को लेकर विवेचित नहीं हो सकता। उसके लिए भाषाओं का अन्तरपारिवारिक सन्दर्भ ग्रहण करना आवश्यक है, इस सन्दर्भ के लिए किसी एक भाषाई क्षेत्र को आधार मानना आवश्यक है। बृहत्तर भारत को भाषाई क्षेत्र मानने से उक्त कोटि का विवेचन सुविधापूर्वक किया जा सकता है।

### *(ख) मंगोल*

मंगोल जनों की भाषा तुर्की से मिलती-जुलती है। इनकी मुख्य भूमि मंगोलिया है; मंगोल भाषा की बोलियाँ साइबीरिया और उत्तरी चीन में फैली हुई हैं। तुर्की और मंगोल, दोनों समुदायों में स्वरतान का प्रयोग नहीं होता। मंचूरिया की मंचू भाषा तुर्क-मंगोल परिवार की है। इस परिवार से भिन्न स्वरतानवाला चीनी भाषा-समुदाय, मंचूरिया और मंगोलिया से लेकर कश्मीर के ऊपर चीनी तुर्किस्तान तक, गैर-स्वरतान वाली भाषाओं से घिरा हुआ है।

मंगोलिया गणराज्य की राजधानी उलाङ् बातॉर की भाषा ख़ल्ख़ पर जॉन सी. स्ट्रीट ने अपनी पुस्तक 'ख़ल्ख़ स्ट्रक्चर' (ख़ल्ख़ की संरचना) में बताया है कि **क्** ध्वनि मुख्यत: रूसी से उधार लिये हुए शब्दों में सुनाई देती है। अधिकांश बोलनेवाले **क्** के स्थान पर **ख़्** या **ग्** का व्यवहार करते हैं, किनो (सिनेमा, फिल्म) को **ख़िनो** कहेंगे, त्राक्तॉर् (ट्रैक्टर) को तराग्तॉर्। इसका अर्थ यह हुआ कि मंगोल भाषा में **क्, प्** की अपेक्षा सघोष **ग, द्** का चलन अधिक है। तमिल जैसी द्रविड़ भाषाओं की अपेक्षा **ग्, द्, ब्** से आरम्भ होनेवाले शब्दों की यहाँ भरमार है। **गॅर्** (घर), **गर्** (हाथ), **गल्** (आग), **गज़ॉर्** (स्थान), **गलज़ु** (पागल), **दॉलो** (सात), **दवा** (सोमवार), **दलअॅ** (समुद्र), **दू** (छोटा भाई), **बातॉर्** (बहादुर), **बि** (मैं), **बगॉ** (छोटा), **बरिख़्** (पकड़ना), **बॉस्गूल्** (भगोड़ा), **बिशि** (नहीं), **बइदि** (दशा) आदि में सघोष महाप्राण स्पर्श-ध्वनि की स्थिति दर्शनीय है। **क्-त्-प्** में केवल **त्** का आदिस्थानीय व्यवहार इस भाषा के लिए सहज है। अन्त्य स्थान में तुर्की के समान **ग्-द्-ब्** को अघोष बोलने की प्रवृत्ति है।

इन उदाहरणों में एक शब्द है **गर्** (हाथ)। या तो मंगोल जन संस्कृत **कर** के **क्** को सघोष बोलते थे या फिर उन्होंने **कर** के पूर्वरूप **घर** को **गर्** बनाया है। यह असम्भव नहीं क्योंकि हिन्दी **घर** का **गॅर्** प्रतिरूप उनके यहाँ सुलभ है। संस्कृत **हस्त** और फ़ारसी **दस्त** से हम इनके पूर्वरूप **धस्त** तक पहुँचते हैं। **धर्** क्रिया के **धन्** विकल्प से हिन्दी **धन्धा** बना, **धस्** से **धस्त**। **धर्** के वैकल्पिक रूप **घर्** से **करना**

की **कर्** धातु, और उसका प्रतिरूप **गर्** प्राप्त होंगे। **घ्** के **ख़्** रूपान्तर से ग्रीक **खॅइर्** (हाथ) बना। फ़ारसी **कर्दन्** (करना) में **कर्** है किन्तु **कारीगर, बाज़ीगर, सितमगर** आदि में सघोष ध्वनिवाला **गर** है। हो सकता है कि शब्द के बीच में आने से **क्** को सघोष कर दिया गया हो किन्तु नेपाली में **कर्** क्रियामूल का **गर्** रूप ही प्रचलित है। उधर कन्नड़ में **कॅय्** के साथ **गॅय्** (करना) रूप भी है। इससे यह सम्भावना पुष्ट होती है कि भारत के उत्तर-पश्चिमी क्षेत्र में **कर्** के साथ **गर्** रूप का चलन था और यह **घर्** का रूपान्तर था।

तुर्की के समान ख़ल्ख़ में भी आदिस्थानीय **र्** के पहले अतिरिक्त स्वर जोड़ने की प्रवृत्ति है, यथा : रूस यहाँ **ऑरॉस्** है, **रादिओ** (यानी रेडियो) का रूपान्तर **अर्रांज़िव्** है। रूस तो **ऑरॉस्** बना किन्तु **लेनिन** में इतना ही परिवर्तन हुआ कि **ल्** के तालव्यीकरण के साथ उसे **ल्येनिन्** रूप में ग्रहण किया गया। जॉन सी. स्ट्रीट के अनुसार **क्-त्-प्** के बाद स्वर हो तो उनका उच्चारण **ईषत्** महाप्राणता के साथ होता है। यह प्रवृत्ति अंग्रेज़ी में है और तमिल की कुछ बोलियों में है। फ़ारसी **कज्** (टेढ़ा) ख़ल्ख़ में **ख़ज़** है, **ख़ज़्गइ** अर्थात् टेढ़ा या बेईमान। हिन्दी **कार**, तमिल **करु** यहाँ **ख़र्** (काला) है। कुछ आर्य-द्रविड़ भाषाओं के समान **प्** का स्पर्श तत्त्व क्षीण होने पर ख़ल्ख़ में वह **व्** बोला जाता है। जैसे कहें खूब काला, तो ख़ल्ख़ रूप होगा **ख़त् ख़र्**। यहाँ **ख़व्** फ़ारसी खूब का रूपान्तर है; **ख़र्** में **अ** की संगति के लिए **उ** को **अ** बनाया गया है किन्तु **खॉव् ख़ॉल्** (बहुत दूर) में **ख़ॉल्** के **ऑ** के कारण **ख़ूब** का उकार **ऑकार** रूप में प्रतिष्ठित है।

संस्कृत **अद्** (खाना) का ग्रीक और लैटिन प्रतिरूप **अॅदो** है। ख़ल्ख़ **इदॉख़्** (भोजन करना), **इदा** (भोजन) में **अद्** का वैकल्पिक रूप **अॅद्** है। संस्कृत **यव** (द्रुतगति) से सम्बद्ध हैं **यवच्** (उप.; प्रगति) और **यवख़्** (चलना)। संस्कृत **या** (जाना) के पूर्वरूप **यर्** का विकल्प होगा **यव्**। **यवख़्, इदॉख़्** जैसे रूपों में **ख़्** कृदन्त प्रत्यय का चिन्ह है और वह **क्** का रूपान्तर है। ख़ल्ख़ क्रिया **यारख़्** (जल्दी करना) का आधार **यर्** है। **ग्यलइख़्** (चमकना), **गल्त्** (आग्नेय) का आधार संस्कृत **घर्म** के **घर्** क्रियामूल का **गल्** रूपान्तर है जो संस्कृत **ग्लौ** (चन्द्रमा), अंग्रेज़ी **ग्लो** (दमकना), जर्मन **ग्लुट्** (लपट) में विद्यमान है। ख़ल्ख़ **गॅरॅल्** (प्रकाश) का आधार **गॅर्** है। **यर्** का प्रतिरूप **इर्** ख़ल्ख़ क्रिया **इरॅख़्** (आना) में है। **यर्** के विकल्प **वर्** का रूपान्तर **ऑर्** ख़ल्ख़ क्रिया-रूप **ऑर्लो** (गया) में है। सम्भवत: ख़ल्ख़ में इसका **वल्** रूपान्तर भी है, यथा : **ख़ज़्वल्ज़ख़्** (लँगड़ाकर चलना)। यहाँ **खज्** (टेढ़ा, लँगड़ा) फ़ारसी **कज्** का प्रतिरूप है; उसमें **वल्** जोड़कर उक्त रूप रचा गया है। **ऑलूल्** (सभी लोग) में **ऑल्** बहुत्वसूचक है। **वर्** क्रिया मूलत: चक्रगति-सूचक है, अत: उससे गोलबन्दी के अर्थ का विकास होता है। **ऑल्** को **वर्** का रूपान्तर मानना चाहिए। तमिल **उरळ्** (भीड़ लगाना) में **वर्** का रूपान्तर **उर्** तुलनीय है।

जनसमुदाय या जाति के लिए ख़लख़ **उलॉस्** का आधार **उल्** क्रियामूल होगा जिसका अर्थ होगा एकत्र होना। तुर्की में इसका प्रतिरूप **उलुस** (जाति, राष्ट्र) है। **वर्** का एक रूपान्तर **ऑर्**, होने के अर्थ में, प्रयुक्त होता है, यथा : ख़लख़ पद **ख़ल् ऑर्गि** का अर्थ है गरम होना। ख़लख़ में संस्कृत **गर्त** (रथ) की **गर्** क्रिया का चलन भी है, यथा : **गरख़्** (बाहर जाना)। **गर्>कर्>खर्>खल्**, इस क्रम से **ख़ाल्ग** (द्वार) रूप बना। जैसे तमिल **पुगु** (जाना) से **पुगुडि** (द्वार), वैसे ही **ख़ल्** से **ख़ाल्ग**।

ऊपर **गर्** (करना) के मूलरूप **घर्** की चर्चा की गई है। इस **घर्** का एक वैकल्पिक **भर्** था। मंगोल क्षेत्र में **गर्** के समानान्तर **बर्** का चलन था, इसका संकेत **बरिख़्** (पकड़ना), **बरिऊल्** (हत्था), **बरुन्** (दाहिना) से मिलता है। संस्कृत **ग्रभ्, ग्रह्** (पकड़ना) में हाथ का संकेत देनेवाला **गर्** शब्दमूल है। संस्कृत **दक्ष** और **दक्षिण** सम्बद्ध रूप हैं और इनमें भी **दस्त** का आधारभूत **दस्** है। जो हाथ काम करने में कुशल है, वह **दक्ष** है, **दक्षिण** है। उसी तरह **बरुन्** का अर्थ हुआ दाहिना। तमिल **पडु** (करना), संस्कृत **पटु** (कुशल) का आधार **पर्** क्रिया है, **बर्** का प्रतिरूप। **पर्** का एक तमिल प्रतिरूप **पण्** (कर्म) है जिससे संस्कृत **पाणि** (हाथ) सम्बद्ध है। ख़लख़ में दाई के लिए **बरिग्चि** शब्द है। इसके **बर्** का अन्य स्रोत मानना चाहिए। एक **भर्** क्रिया का अर्थ था धारण करना, वहन करना। इससे गर्भ धारण करने, सन्तान को जन्म देने के अर्थ का विकास हुआ। अंग्रेज़ी **बॅअर्** (धारण करना, वहन करना), **बर्थ्** (जन्म) में यह अर्थ-प्रक्रिया स्पष्ट है।

ख़लख़ **बइ** (होना), **बइदल्** (दशा), रूसी **बीत्** (होना), अंग्रेज़ी **बी** (उप.) का आधार **भॅय्** होगा, **भॉव्** का विकल्प, संस्कृत **भू** (होना) से सम्बद्ध। ख़लख़ रूप **बइल्दख़्** (लड़ना) का **बइ** भिन्न स्रोत से आया प्रतीत होता है। रूसी **बीत्व** (युद्ध) तुलनीय है। **बीत्व** का सम्बन्ध रूसी क्रिया **बीत्** (मारना) से हो सकता है।

आह्वान के अर्थ में संस्कृत क्रियामूल **ऋक्** का ख़लख़ प्रतिरूप **उरिख़ॉ** (बुलाना) है। **र्** के पहले अतिरिक्त स्वर जोड़ा गया और **क्** को महाप्राण बनाया गया। तमिल **अरि** (जानना, ज्ञान) से ख़लख़ **अॅर्दॉम्** (ज्ञान) तुलनीय है।

ख़लख़ भाषा का एक रोचक शब्द है **मॉदॉ** (पेड़)। इसका लिथुआनियन प्रतिरूप है **मॅदिस्**। **द्** के **र्** में बदलने पर तमिल **मरम्**, पर्जि **मॅरि** रूप बने। इनका अर्थ भी पेड़ है। समुद्र के लिए ख़लख़ **दलअॅ** से तुलनीय है ग्रीक **थलस्स** (समुद्र)। **दल्** और **थल्** का पूर्वरूप होगा **धल्**। संस्कृत **धरुण** (जल), **धारा** (प्रवाह) का **धर्** इस **धल्** का पूर्वरूप है। तमिल **एरु** (बैल) अन्य पशुओं के लिए भी प्रयुक्त होता है जब मादा से भिन्न नर की ओर संकेत करना हो। ब्राहूइ **अरे मर्द्**, पति के लिए प्रयुक्त होता है। ख़लख़ **अर्श्** का अर्थ है मर्द, पुरुष। संस्कृत **वृष** का अर्थ बैल है, पुरुष भी। उक्त द्रविड़-मंगोल रूपों का सम्बन्ध **वृष** से है; **वृष** की आधार क्रिया है **वॅर्**, उसका रूपान्तर हुआ **अॅर्**। बहुत्वसूचक संस्कृत **पुरु** का ख़लख़ प्रतिरूप

है **बुर्** (सब)। हिन्दी **घर** के ख़लख़ प्रतिरूप **गॅर्** का उल्लेख पहले हो चुका है। मंगोल प्रदेश में **गॅर्** का अस्तित्व घर की प्राचीनता का प्रमाण है। मंगोलिया की राजधानी **उलाङ्, बातॉर्** का **बतॉर** तो फ़ारसी का **बहादुर** है, **उलाङ्** (लाल) का आधार क्या है? मेरा अनुमान है कि इसका आधार संस्कृत **रंग** है, इसके प्रतिरूप **रॅङ्क्** का चलन तुर्की में है, यह हम देख चुके हैं। **रंग> रङ् >लङ्> उलङ्**—इस प्रकार इस रूप का विकास सम्भव है। **रंग** का सम्बन्ध चमकने से है। जो वस्तु चमके, वह लाल, पीली, हरी, किसी भी चटक रंग की हो सकती है। संस्कृत **हरि** में मूलभाव प्रकाश का है। इसका अर्थ सूर्य, चन्द्र है; रक्त, पीत, हरित भी। **रक्त** का अर्थ है लाल और रँगा हुआ।

तमिल में बड़ी बहन के लिए **अक्का** शब्द है। द्रविड़ व्युत्पत्ति-कोश में इसके साथ माँ के लिए संस्कृत **अक्का** और बहन के लिए प्राकृत **अक्का** रूप उद्धृत किये गए हैं। ख़लख़ में **अक्का** का प्रतिरूप **अॅख़ॉ** (माँ) है। द्रविड़ भाषाओं में **अक्का** का पुल्लिंग रूप **अक्क** प्रचलित है। पर्जि **अक्क** (नाना), कुवि **अक्कु** (दादा) का ख़लख़ प्रतिरूप **अख़ॉ** (बड़ा भाई) है।

ख़लख़ भाषा में उत्तम पुरुष सर्वनाम का एकवचन रूप **बी** है। यह संस्कृत **वयम्** (हम) और अंग्रेज़ी **वी** (उप.) से मिलता-जुलता है। इसके साथ दूसरा उत्तम पुरुष एकवचन रूप है **मिन्** (मैं)। यह तेलगू **मनमु** (हम), फ़ारसी **मन्,** संस्कृत **मद्** (**अस्मद्** और **मदीय** का **मद्**), हिन्दी **मैं** से मिलता-जुलता है। इसका एक बहुवचन रूप **मन्** (हम-तुम) है। **अख़ॉ** और **अॅख़ॉ** की तरह **मन्** और **मॅन्** में अर्थभेद किया गया है। मूलतः रूप एक है। इनके साथ उत्तम पुरुष का ही एकवचन रूप है **न, नम्, नद्**। **नमइग्** (मुझे), **नद्** (मुझको) का **न, नम्** संस्कृत **नः** (हमारा, हमें), तमिल **नाम्** (हम), ग्रीक **नोइ** (हम दोनों, संस्कृत **नौ**), लैटिन **नोस्** (हम) के आधारभूत **न** का समकक्ष है। वास्तव में **मन्** और **नम्** परस्पर सम्बद्ध रूप हैं। तमिल **नाम्** का ब्राहूइ प्रतिरूप **नन्** है। **मन्** और **नन्** को एक ही सर्वनाम मूल मानें चाहे न मानें, इसमें सन्देह नहीं कि आर्य-द्रविड़ समुदायों के साथ ये रूप तुर्क-मंगोल परिवार में भी फैले हुए थे।

ख़लख़ भाषा का मध्यम पुरुष सर्वनाम संस्कृत के **त्वम्, तव** वर्ग का है। इसका एकवचन रूप **ची** वास्तव में **ती** का रूपान्तर है। **तनइ** (तुम्हारा), **तनर्** (तुम लोग) बहुवचन रूपों में **त, तन्** रूप स्पष्ट है। संस्कृत **तुभ्यम्** के **तु**, हिन्दी **तू**, रूसी **ती** या **तुइ** (तू) से **ची** सम्बद्ध है। अन्य पुरुष सर्वनाम के एकवचन रूप हैं **अॅन्** और **तॅर्,** बहुवचन रूप हैं **अॅद्** और **तॅद्**। ख़लख़ **अॅन्** और **अॅद्** का सर्वनाम मूल **अॅ** संस्कृत **इयम्, इदम्** के **इ** और **अदः, असौ** के **अ** वर्ग का है। **तॅर्** और **तॅद्** का **तॅ** संस्कृत **तद्** के **त** वर्ग का है। ख़लख़ भाषा में **अॅ** और **तॅ** वाले रूपों में किंचित् अर्थभेद है। **अॅ** सर्वनाम वक्ता से वस्तु की अपेक्षाकृत समीपता दिखाता है, **तॅ** अपेक्षाकृत दूरी।

ख़लख़ के प्रश्चवाचक सर्वनामों में संस्कृत **किम्** और तमिल **या** दो स्त्रोतों के रूप हैं। **खॅन्** (कौन) **किम्** वर्ग का है, **यू** (क्या) **या** वर्ग का है। **यमर्** (कैसा) में आधारभूत **य** है। **ख़ा** (कहाँ) का आधार **क** है, अतिरिक्त महाप्राणता से वह **ख़** बना।

ख़लख़ भाषा का **दल्** कृदन्त प्रत्यय ऐतिहासिक दृष्टि से महत्त्वपूर्ण है। **बइऱख़्** (होना) से **बइदल्** (स्थिति, दशा), **सुरख़्** (सीखना) से **सुर्दल्** (सीख; सिद्धान्त), **ऑर्गॉख़्** (भागना) से **ऑर्गॉदल्** (भगोड़ा); इसी प्रकार तमिल में क्रियार्थी संज्ञा-रूप बनते हैं : **चॅय्** से **चॅयदल्** (करना), **अरि** से **अरिदल्** (जानना), **पो** से **पोदल्** (जाना); पुनः इसी प्रकार पश्तो में : **रव्** से **रउदल्** (खेत काटना), **मूम्** से **मून्दल्** (पाना), **लव्** से **लउदल्** (बोलना)। ख़लख़ में **दल्** का सर्वत्र वही कार्य नहीं है जो पश्तो और तमिल में है किन्तु उससे मिलता-जुलता अवश्य है। ख़लख़ प्रत्यय **ऊल्, ऊर्, ऊरि** परस्पर सम्बद्ध प्रतीत होते हैं, यथा : **ख़रख़्** (देखभाल करना) से **ख़रूल्** (रखवाला), **बरिख़्** (पकड़ना) से **बरिऊर्** (हत्था), **सुर्गख़्** (सीखना) से **सुर्गूलि** (स्कूल)। संस्कृत **मयूर** की व्याख्या तमिल **मयिर्** (बाल) और **मयिल्** (मोर) के आधारभूत **मय्** में **ऊर** प्रत्यय जोड़ने से होती है। इसी प्रकार संस्कृत **केयूर** (बाजूबन्द) की व्याख्या **कर** के तमिल रूपान्तर **कइ** (हाथ) में **ऊर** जोड़ने से होती है। अवधी में **कॉल्हौरु** (जहाँ कोल्हू चले), **भुसौरु** या **भुसौरा** (जहाँ भूसा रखा जाए) में स्थानवाचक **ऊरु** प्रत्यय है। प्रत्यय पुराना है और अनेक भाषा-परिवारों में इसका व्यवहार होता था। भोजपुरी, बंगला, मराठी, रूसी आदि का भूतकालिक **ल** प्रत्यय ख़लख़ में भी प्रयुक्त होता है, यथा : **यव्ला** (वह गया) किन्तु भोजपुरी के समान इसका व्यवहार अन्य कालों के लिए भी होता है, यथा : **बी यव्ला** (मैं जा रहा हूँ।)

ख़लख़ में शब्द की आवृत्ति से वैसा ही अर्थबोध पैदा होता है, जैसा हिन्दी में। **ख़ॅन्-ख़ॅन्** का ठीक हिन्दी अनुवाद होगा कौन-कौन। हिन्दी में शब्द की ध्वनि का अनुकरण करते हुए पानी-वानी जैसी पद-रचना ख़लख़ के **गॅर् मॅर्** (घर-दुआर) में है। हिन्दी के माँ-बाप की तरह ख़लख़ में **अॅचॅग्-अॅख़** शब्द युग्म है। **मिनी अॅचॅग् अॅख़्** (मेरे माँ-बाप) में सर्वनाम संज्ञा-पद से पहले है। **मिनी गॅर्** (मेरा घर), **मिनी इ** (मेरा छोटा भाई), **मिनी खायग्** (मेरा पता) में संज्ञा के बाद सर्वनाम-चिन्ह नहीं जोड़ा गया। **मांगॉल् खॅलीग् तॅर् सइन् यरिन** (वह मंगोल अच्छी तरह बोलता है), यहाँ क्रिया **यरिन** में पुरुष-सूचक सर्वनाम-चिन्ह नहीं है। **सइन् बइन ऊ** (तुम कैसे हो), **तॅर् ऑदो गॅर्ते बइन** (वह अभी घर पर है), दोनों वाक्यों में दो भिन्न पुरुषों के साथ क्रिया-रूप अपरिवर्तित रहता है। इससे यह निष्कर्ष निकालना सही न होगा कि मंगोल भाषा की संरचना तुर्की से भिन्न है। इस बात की सम्भावना अधिक है कि मंगोल भाषा की संरचना मूलतः वैसी ही थी, जैसी तुर्की की है। **यरिन, बइन** पुरुषभेद से मुक्त कृदन्त हैं।

मंगोल-समुदाय की एक भाषा **बुरिअत** गण-समाज की है। **बुरिअत** जन साइबेरिया में बैकाल झील के आसपास शताब्दियों से रहते आए हैं। कुछ विद्वानों के अनुसार मंगोलों का आदिदेश यही क्षेत्र था। इसी क्षेत्र में प्रसिद्ध विजेता चंगेज़ खान का जन्म हुआ। बुरिअत जन कुछ शताब्दियों तक घुमन्तू जीवन बिताते रहे हैं, आखेट और पशुपालन उनके जीवन-यापन के मुख्य साधन रहे हैं। अब उनका क्षेत्र सोवियत संघ में है और उनकी भाषा पर रूसी का गहरा प्रभाव पड़ा है। फिर भी उसमें प्राचीनता के अनेक लक्षण विद्यमान हैं। बुरिअत क्षेत्र की मानक भाषा का आधार **खोरी** नाम की बोली है। जेम्स ई. बोसन ने 'बुरिअत रीडर' (मूतों, 1962) में इस भाषा का विवरण दिया है। इसकी भूमिका में उन्होंने बुरिअत शब्द-भंडार के बारे में लिखा है कि इसमें तिब्बती और संस्कृत से उधार लिये हुए शब्दों का पुराना स्तर है; ये शब्द बौद्धमत के प्रसार के साथ इस भाषा में आए थे। उन्होंने बताया है कि बौद्धमत का प्रसार यहाँ सत्रहवीं सदी में हुआ था। जो शब्द बौद्धमत के साथ यहाँ पहुँचे होंगे, वे बहुत पुराने नहीं हो सकते। किन्तु बुरिअत जनों समेत मंगोलों के भारत और भारतीय भाषाओं से सम्बन्ध बहुत पुराने हैं।

मंगोलजनों की भाषाओं में बहुत बड़ी समानता है। यही बात तुर्कों की भाषाओं के बारे में कही जा सकती है। भौगोलिक दृष्टि से मंगोल गण-समाज एक दूसरे से बहुत दूर हैं, भाषाई दृष्टि से वे एक दूसरे के बहुत पास हैं। इसका मुख्य कारण उनका गतिशील जीवन है, इससे वे आपस में निरन्तर सम्पर्क बनाए रहते हैं। साथ ही दूरस्थ पड़ोसियों के सम्पर्क में आते हैं। ख़ल्ख़ के समान बुरिअत में **बय्** क्रियामूल है। संस्कृत में **भू** क्रिया का सम्बन्ध जैसे अस्तित्व के अलावा आवास, यथा : **भुवन** और **भवन**, से है, वैसे ही **बय्** और उसके प्रतिरूप **बी** का सम्बन्ध होने और रहने से है। **बइख़** (होना, रहना), **अझ़** उपसर्ग के साथ **अझ़ बइदल** (जीवन), फिर निर्माण के लिए **बइगूल्ख़**, और इससे **बइशङ्** (इमारत)। **बी** (है, हैं) उक्त **बइ** का वैकल्पिक रूप है। **भू** क्रिया और उसके वैकल्पिक रूपों का प्रसार अनेक दिशाओं में हुआ था। इनमें एक दिशा मंगोल क्षेत्र की थी। इसी प्रकार **ख़ॅख़ॅ** (करना) का सम्बन्ध द्रविड़ भाषाओं के **कॅय्** रूप से है, **अख़** (बड़ा भाई) का द्रविड़ **अक्क** से, **गल्** (अग्नि) का संस्कृत **धर्म** के **धर्**, फ़ारसी **गर्म** के **गर्** से है। यदि **गल्** की कारक-रचना देखें तो ऐसा लगेगा कि यह भाषा हिन्दी की तुलना में संस्कृत के अधिक निकट है। कर्ता **गल्**, कर्म **गलीयॅ**, करण **गलार्**, सम्प्रदान-अधिकरण **गल्द**, अपादान **गल्हा**, सम्बन्ध **गलइ**; इससे विदित होगा, संयोजक-असंयोजक, संश्लिष्ट-अश्लिष्ट आदिभाषाभेद सापेक्ष रूप में ही सही हैं।

क्रियापद-रचना में बुरिअत पुरुषभेद इस प्रकार करती है : **यबनब** (मैं जाता हूँ), **यबनश** (तू जाता है), **यबन** (वह जाता है); **यबनब्दि** (हम जाते हैं), **यबनत्** (तुम जाते हो), **यबनद्** (वे जाते हैं)। **यब** क्रिया में **न** प्रत्यय जोड़ा जाता है जो

वास्तव में कृदन्त चिन्ह है। उक्त रूपों को वर्तमानकालिक बताते हुए बोसन ने लिखा है कि इस लकार का काल से कोई सम्बन्ध नहीं है; उससे यह ज्ञात होता है कि क्रिया हो रही है या पहले हो रही थी। संस्कृत के लकार भी क्रिया की स्थिति, उसकी पूर्णता-अपूर्णता आदि सूचित करते थे। अन्य पुरुष में ख़ल्ख़ **बइन** के समान शुद्ध कृदन्त **यबन** की स्थिति है। इसका बहुवचन रूप **यबनद्** होगा पर बहुवचन में भी **यबन** का व्यवहार होता है। कह लीजिए कि **द्** का लोप हो जाता है या यह कि अन्य पुरुष के इस रूप में वचनभेद नहीं होता। उत्तम पुरुष का **यबनब्** सर्वनाम-चिन्ह **ब्** लिये है और यह सर्वनाम **बि** का अवशेष है। तुर्की **म्** की अपेक्षा यह चिन्ह मूल सर्वनाम के निकट है। **ब्दि** उसका बहुवचन रूप है। मध्यम पुरुष के बहुवचन रूप का **तू** मूल सर्वनाम **त** (तुम) का अवशेष है, एकवचन के **श्** का स्रोत है **शि** (तू)।

कुछ समय पहले जो क्रिया अल्प अवधि में घटित हुई हो, उसकी व्यंजना **ब** प्रत्यय से होती है, यथा : **हूबब्** मैं बैठा। किन्तु **बब्** के साथ यहाँ वैकल्पिक रूप **बम्** भी है जिससे ज्ञात होता है **ब्** के साथ अंशत: **म्** का व्यवहार भी होता है। ख़ल्ख़ के समान बुरिअत में **बि** के साथ **मिन्** और **नम्** सर्वनाम रूपों का व्यवहार होता है। **बि** (मैं), **नमइ** (मुझे), **मिनी** (मेरा), किन्तु बहुवचन रूपों में **बिदॅ** (हम) के साथ **मिन्** और **नम्** स्रोतों के कर्तारूप नहीं हैं। अन्य कारकों में **बिदॅनॅइ** (हमारा) के साथ **मनइ** (उप.) आदि रूप तो हैं, **नम्** वर्ग का कोई रूप नहीं है। **बि** का बहुवचन **बिदॅ** है किन्तु **शि** (तू) का बहुवचन है **त** (या **तन्** जिससे **तनइ** अर्थात् तुम्हारा रूप बना)। **शि** और **त** दो स्रोतों से आए सर्वनाम हैं। और ये स्रोत काफ़ी पुराने मालूम होते हैं। तुलना करें संस्कृत **गच्छसि** (तू जाता है) और **गच्छथ** (तुम जाते हो) के **सि** और **थ** से। संस्कृत **सि** मध्यमपुरुष सर्वनाम के एकवचन रूप का कार्य कर रहा है, इसका मंगोल प्रतिरूप है **शि**; संस्कृत **थ** मध्यमपुरुष सर्वनाम के बहुवचन रूप का कार्य कर रहा है, इसका मंगोल प्रतिरूप है **त**। सम्भव है, **ति** का रूपान्तर हो **सि**।

बुरिअत में संख्यासूचक शब्द द्रविड़ पद्धति से बनते हैं : **अर्बन्** (दस), **ख़ॉयॉर्** (दो), दोनों से मिलकर रूप बना **अर्बन्-ख़ॉयॉर्** (बारह); **ख़ॉरिन्** (बीस), **नॅगॅन्** (एक), दोनों के योग से रूप बना **ख़ॉरिन्-नॅगॅन्** (इक्कीस)। दहाई पहले, इकाई बाद को।

### *(ग) फिनलैंड की भाषा*

एशिया का एक महत्त्वपूर्ण भाषा-परिवार यूरालिक अथवा फिनो-उग्रियन है। रूस के उत्तर में फिनलैंड नाम का जो प्रसिद्ध देश है, वहाँ इसी परिवार की फिन भाषा बोली जाती है। सोवियत संघ के पूर्वी भाग में एस्तोनिया नामक गणतंत्र की भाषा

इस परिवार की है। फिनो-उग्रियन परिवार की मग्यार भाषा का केन्द्र हंगरी नामक देश है। उत्तरी, पूर्वी और मध्य यूरोप में इस परिवार की भाषाएँ स्लाव और जर्मन भाषा-समुदायों की पड़ोसी हैं। इस परिवार की भाषाएँ बोलनेवाले अनेक गण-समाज साइबेरिया में फैले हुए हैं। भौगोलिक दृष्टि से तुर्क-मंगोल और फिनो-उग्रियन परिवार एशिया का बहुत बड़ा भाग और यूरोप का काफी भाग घेरे हुए हैं। इंडो-यूरोपियन परिवार से, विशेषत: आर्य-द्रविड़ समुदायों से, इनका गहरा सम्बन्ध रहा है। फिनलैंड और हँगरी में जो भाषाएँ बोली जाती हैं, वे यूरोप की भाषाओं की अपेक्षा भारतीय भाषाओं के अधिक समीप हैं।

यहाँ फिनलैंड की भाषा की कुछ विशेषताओं की चर्चा करेंगे। फिनलैंड के लोग अपने देश को **सुओमि**, अपनी भाषा को **सुओमि लइनॅन्** कहते हैं। हम अधिक परिचित फिन नाम से उसकी चर्चा कर सकते हैं। यह भाषा उन आर्य-द्रविड़ भाषाओं से मिलती-जुलती है जिसमें सघोष स्पर्श-ध्वनियों का अभाव है। चूलिका पैशाची में **गगन** को **ककन, दामोदर** को **तामोतर, बालक** को **पाळक** कहते थे। इसी प्रकार फिन में **गैस** को **कासु, डाक्टर** को **तॉह् तॉरि, बम** को **पॉम्मि** कहते हैं। यह प्रवृत्ति द्रविड़ भाषाओं में है विशेषत: दक्षिणी तमिल में। चूलिका पैशाची में इस प्रवृत्ति का कारण द्रविड़ प्रभाव ही हो सकता है। किन्तु चूलिका पैशाची में अघोष महाप्राण **ख्-थ्-फ्** ध्वनियाँ हैं, फिन में इनका अभाव है। कुछ स्थितियों में फिन स्वर से पहलेवाले व्यंजन का द्वित्व करती है अथवा व्यंजन का दीर्घ उच्चारण करती है। **यूरॉप** और **रोमांटिक** के फिन रूप हैं **यूरोप्प** और **रोमान्तिक्क**। तमिल-मलयालम में अंग्रेज़ी **कप्** के रूपान्तर **कप्प** से ये रूपान्तर मिलते-जुलते हैं। द्रविड़ भाषाओं में मूर्धन्य ध्वनियों का व्यवहार उनकी उल्लेख्य विशेषता है, फिन में इनका अभाव है। तुर्क-मंगोल भाषाओं में **च्, ज्** का व्यवहार होता है, फिन में इनका अभाव है। द्रविड़ भाषाओं के समान शब्द के आरम्भ में फिन संयुक्त व्यंजन पसन्द नहीं करती। प्राकृतों और द्रविड़ भाषाओं के समान कुछ स्थितियों में स्पर्श तत्त्व को क्षीण करने, स्पर्श-ध्वनि को अर्द्धस्वर में बदलने की प्रवृत्ति भी फिन में है। **लुके** (पढ़ना) से **लुइन्** (मैं पढ़ता हूँ), **अपु** (सहायता) से **अवुन्** (सहायता का)। फिन में **ह्** ध्वनि का व्यवहार बड़े पैमाने पर होता है और बहुत-से शब्द **ह्** से आरम्भ होते हैं। द्रविड़ और तुर्क मंगोल भाषाओं के विपरीत फिन में **र्, ल्** से आरम्भ होनेवाले शब्दों की संख्या बहुत बड़ी है।

फिन में **स्** ध्वनि सुप्रतिष्ठित है। ऐसा लगता है कि किसी समय इस भाषा पर उन लोगों का प्रभाव पड़ा है जो **स्** को **त्** रूप में ग्रहण करते थे। इस कारण अनेक फिन शब्दों के एक रूप में **स्** है तो दूसरे में **त्** है, यथा : **कंसि** के साथ **कंत** (ढक्कन), **कैसि** के साथ **कैत्तै** (हाथ), **तॉसि** के साथ **तॉत्त** (सच)। इससे अनुमान होता है कि फिन **अत्तै** (वह) का सम्बन्ध संस्कृत **एषः** से होगा (संस्कृत

**एषः** और **एतद्** स्वयं सम्बद्ध रूप हैं); फिन **वात्तॅ** (वस्त्र') का पूर्वरूप **वास** होगा। पुरानी तमिल में संस्कृत **समय** के **तमयम्** जैसे रूपान्तर मिलते हैं। साथ ही भारतीय सीमान्त पर **त्** का स्पर्शतत्त्व क्षीण करके उसे **स्** रूप में ग्रहण करने की प्रवृत्ति भी काम कर रही थी। **पुत्र** के इरानी रूप **पिसर्** में यह प्रवृत्ति दिखाई देती है। संस्कृत **उद** (पानी), रूसी **वॉद** का अंग्रेज़ी प्रतिरूप तो **वाटर्** है, जर्मन प्रतिरूप **वासॅर्** है। फिन **वॅत्तै** (पानी) का **त्** मूल ध्वनि के अनुरूप है किन्तु इसके साथ जो दूसरा रूप **वॅसि** (उप.) है, उसमें जर्मन **वासॅर्** के समान **स्** ध्वनि **त्** का रूपान्तर है।

फिन **कूलु** (सुना जाना), **कूलुइसा** (विश्रुत, प्रसिद्ध) में **श्रु** की **श्** ध्वनि **क्** रूप में ग्रहण की गई है, **शतम्** के **कॅन्तुम्** रूपान्तर की तरह। जैसे आधुनिक ग्रीक में **चीन** को **कीन** कहते हैं, वैसे ही फिन में अंग्रेज़ी **बॅञ्च्** को **पॅङ्क्कि** कहते हैं। जिन भाषाओं में **च्** ध्वनि नहीं है, वे उसे **क्** रूप में ग्रहण कर सकती हैं, यह तथ्य यहाँ स्पष्ट है।

फिन में आदिस्थानीय **व्** का व्यवहार वैसे ही होता है, जैसे संस्कृत और तमिल में किन्तु जैसे इन भाषाओं में कभी-कभी **व्** का लोप हो जाता है और उसका ओष्ठ्य तत्त्व साथ के **अ** को **ऑ** अथवा **उ** में बदल देता है, वैसे ही फिन में कुछ शब्दों का आदिस्थानीय **व** बदलकर **ऑ** हो गया है। इनमें **ऑलॅ** (होना) क्रिया है जिसका प्रसार तुर्क-मंगोल भाषाओं में हम देख चुके हैं। इसका पूर्वरूप **वर्** है। **वल्तिओ** (स्थिति) में **वल्** है। संस्कृत **वस्** (रहना) का फिन प्रतिरूप **असु** (उप.) है। संस्कृत में अस्तित्वसूचक **वस्** से जैसे **वस्तु** रूप बनता है, वैसे ही फिन **असिअ** का अर्थ है वस्तु, पदार्थ। संस्कृत **अस्** और फिन **ऑसु** (घटित होना) परस्पर सम्बद्ध हैं।

फिन भाषा में प्रकाशसूचक शब्द भारतीय स्रोतों की ओर संकेत करते हैं। आकाश के लिए **तैवस्** शब्द स्पष्ट ही **दैवस्** का रूपान्तर है। इसके साथ **दिन** के लिए **पैवै** शब्द है जो **तैवस्** से नितान्त असम्बद्ध नहीं है। **तैवस्** की आधारभूत क्रिया **धॅर्** हो तो **पैवस्** की आधारभूत क्रिया **भॅर्** होगी। **धॅर्** से कृदन्त **धॅर्प**, फिर **र्** लोप होने पर **धॅप** जो प्राकृत **धिप्पति** में धातुवत् प्रयुक्त है। फिन **पलॉ** (अग्नि) सीधे संस्कृत **भर्ग** (प्रकाश) के **भर्** की ओर संकेत कर रहा है। **पल्** का रूपान्तर **वल्** अनेक द्रविड़ भाषाओं में है। फिन **वलॉ** का अर्थ है प्रकाश। संस्कृत **पलित** (प्रज्वलित), फिन **पलॉ, वलॉ,** कोत **पोल्** (दिन), **वोल्** (उप.), तुलु **पळ्ळॅन्** (प्रकाश), तमिल **वॅळ्** (श्वेत) सम्बद्ध शब्द हैं। गोंडी **पॅयल्** (दिन) में शब्दमूल **पॅय्** फिन **पैवै** (दिन) से तुलनीय है। फिन **वलॉ** और **वल्क** (श्वेत) परस्पर सम्बद्ध हैं।

गोंडी **पॅयल्** का **पॅय्** सीधे **पॅर्** का रूपान्तर हो सकता है। तब संस्कृत **पेरु** (अग्नि, सूर्य), गोंडी **पॅयल्,** फिन **पैवै** एक ही शृंखला के रूप सिद्ध होंगे। फिन **किर्कस्** (प्रकाशमान) में वह **किर्** है जो संस्कृत **किरण** में है। **घर्म** के **घर्** का वैकल्पिक रूप हुआ **घॅर्,** उसका विकास होगा **कॅर्**। **किर्** का **किळ्** रूपान्तर

तमिल **किळर्** (चमकना, प्रकाश) में है। फिर **हॅल्लॅ** (गर्मी) में **हॅल्** का पूर्वरूप **घॅर्** हो सकता है; **हॅल्लॅ** ग्रीक **हेलिऑस्** (सूर्य) से तुलनीय है।

संस्कृत **वर्ण** का अर्थ रंग इसलिए है कि यहाँ **वर्** का अर्थ है चमकना और वह **भर्>पर्** का विकास है। अर्थ की यही प्रक्रिया फिन **वैरि** (रंग) में है। अन्य स्रोत की **वर्** क्रिया का अर्थ है बहना; इससे संस्कृत का **वारि** (जल) शब्द बनता है। **वारि** से तुलनीय है फिन **विर्त, विर्रन्** (धारा)। पर्जि **बॅरॅद्** (बाढ़), तमिल **वळ्ळम्** (उप.; पानी) भी यहाँ स्मरणीय हैं। तमिल **पोक्कु** (मार्ग) का सम्बन्ध उस भाषा की **पो** (जाना) क्रिया, कन्नड़ **पोलु** (गमन) से है; फिन **पॉल्कु** (मार्ग) का आधार गमनसूचक **पॉल्** क्रिया होगी। फिन **पलत** (लौटना), **पॉइस्तु** (चले जाना), **पअॅत** (भागना), **पकॅनॅ** (उप.) परस्पर सम्बद्ध रूप प्रतीत होते हैं। **कैविन्** (मैं गया) में **कै** का सम्बन्ध **गम्** क्रिया से है, संस्कृत **गर्त** के **गर्** का रूपान्तर **गय्** होगा, **पॅर्** के **पॅय्** रूपान्तर के समान। **धॅर्** के **धॅय्** रूपान्तर से **ध्यान** की **ध्यै** क्रिया बनेगी; **धॅय्** का अघोष अल्पप्राण रूप **तॅय्** फिन **तिअॅत** (जानना) में है। हिन्दी **धन्धा** के **धन्** का पूर्वरूप **धर्, धस्** है। **धर्>धय् >तय्** क्रम से फिन **तइदॅ** (कला), **तेन्** (करना), **तह्दै** (उप.), **तॅकि** (उप.) की व्याख्या होती है। संस्कृत **भार** के **भर्** क्रियामूल के **भय्>पय्** रूपान्तर से फिन **पइनव** (भारी) रूप बना; संस्कृत **भरण** (वस्त्र धारण) के **भर्>पर्>पय्** से फिन **पॅइत्ति** (आवरण) सिद्ध हुआ।

फिन **पुहुअ, पुहॅलॅ** (बात करना) में **ह्** ध्वनि सम्भवतः **क्** का रूपान्तर है। तमिल **पुगळ्** (प्रशंसा करना) का एक रूपान्तर **पुहळ्** होगा; **ह्** के लोप और **व्** श्रुति के आगम से तेलगू **पॉवड्डु** (उप.) रूप बना है। **पुहुअ** का एक फिन प्रतिरूप **पकिनॉइ** (बात करना) है। ये दोनों रूप सम्बद्ध जान पड़ते हैं; दूसरे रूप के **क्** से यह सम्भावना पुष्ट होती है कि प्रथम रूप का **ह्** पहले **क्** था। कन्नड़ **पॉगर्** का अर्थ है चमकना, चमक; फिन **पुह् दस्, पुह् लइत** का अर्थ है शुद्ध, पवित्र। यहाँ मध्यवर्ती **ग्** को **ह्** में बदलने से फिन रूप की व्याख्या होती है।

तमिल **कप्पि** (ढाँकना) के फिन प्रतिरूप **कवि** में **प्** के स्थान पर **ब्** है। फिन **कुऑरि** (आवरण) में मध्यवर्ती **प्** ध्वनि का स्पर्शतत्त्व क्षीण हुआ है। **कुऑरि** का एक फिन प्रतिरूप **कुऑर्त** (प्रावरण) है जिसका सम्बन्ध हिन्दी-तुर्की **कुर्ता** से है। **कॉप्>कॉव्** से एक कृदन्त रूप **कुऑर** बना; फिर इसे मूल क्रिया मानकर पुनः कृदन्त बनाया **कुऑर्त**। उसका आकारान्त कौरवी रूप हुआ कुर्ता। जर्मन **हॉनिग्** के अंग्रेज़ी प्रतिरूप **हनी** (शहद) में **ग्** लुप्त है, वैसे ही फिन **हुन्य** (उप.) में **ग्** लुप्त है और **हुनय** को जर्मन **हॉनिग्** से जोड़ना उचित होगा। संस्कृत **अज्** (हाँकना), ग्रीक **अगो** (ले चलना) से फिन **अय** (हाँकना) का सम्बन्ध जोड़ना इसी प्रकार उचित होगा।

संस्कृत **मूर्त** और **मूर्ति** से तुलनीय है फिन **मूरत** (थवई का काम करना), **मूररि** (थवई, मिस्त्री)। लैटिन **मूरुस** का अर्थ है दीवाल, विशेषकर नगर के चारों ओर बनी

दीवाल। इस प्रकार **मुर्** या **मुर्** का मूल सम्बन्ध है गोल दीवाल बनाने से। तमिल **मुरु** का अर्थ है घेरा डालना, घेरा। यह शब्द तमिल **पुर** (रक्षा करना) से सम्बद्ध है; **पुर्** का मूल अर्थ होगा घेरा डालना, इसी कारण **दुर्ग** के लिए संस्कृत में **पुर** शब्द है। **पुर्** का रूपान्तर **मुर्**, उससे **मुरु**। घेरा डालना, रक्षा करना, दीवाल बनाना, कारीगरी का कोई भी काम करना, इस प्रकार सम्बद्ध रूपों में अर्थ-प्रसार हुआ। फिन **पीरि** (वृत्त) में **पिर्** क्रियामूल **पुर्** का वैकल्पिक रूप है। संस्कृत **भाण्ड**, तमिल **पानइ** (मिट्टी का बड़ा बर्तन), फिन **पन्नु** (बर्तन) एक वर्ग के शब्द हैं। फिन **सॉइ, सॉइद, सॉइन्** (ध्वनि) का सम्बन्ध संस्कृत **स्वन्** से है। संस्कृत **तम** के **म्** को दीर्घ करके फिन **तुम्म** (अँधेरा) रूप बना। फिन **अतरिऑइ** (भोजन करना) और संस्कृत **अद्** (उप.), फिन **विल्ल** (ऊन) और अंग्रेज़ी **वूल्**, संस्कृत **ऊर्ण** सम्बद्ध रूप है।

फिन **सिसर्, सिसरॅन्, सिसर्त** (बहन) संस्कृत **स्वसृ** (उप.) के प्रतिरूप हैं। संस्कृत **अत्ता** (माँ, बुआ, सास), तमिल **अत्तइ** (बुआ, सास), और फिन **ऐइति** (माँ) परस्पर सम्बद्ध रूप हैं। **अत्तइ** में सर्वनाम-चिन्ह **त** जोड़ने से **तात्तइ** रूप बनेगा; यह फिन भाषा में **तैति, तैतिए** (चाची) है। यदि हिन्दी **चाचा** का विकास **तात** से माना जाए तो **चाची** का पूर्वरूप **ताति** होगा। पारिवारिक सम्बन्धों को व्यक्त करनेवाले अनेक फिन शब्द भारतीय आर्य-द्रविड़ शब्दों से मिलते-जुलते हैं, इस बारे में सन्देह नहीं रह जाता।

द्रविड़ भाषाओं से फिनो-उग्रियन परिवार की समानताएँ देखकर बरो ने यह मत स्थिर किया कि दोनों भाषा-समुदायों का एक ही उद्गम होना चाहिए। बरो आर्य भाषाओं से फिनो-उग्रियन समुदाय की समानताओं को गौण स्थान देते हैं। उनका विचार है कि इंडो-इरानियन शाखा से भारत के बाहर फिनो-उग्रियन लोगों का सम्पर्क हुआ था, तब उन्होंने इंडो-यूरोपियन परिवार के भाषा-तत्त्व ग्रहण किये। यदि बरो की स्थापना स्वीकार कर लें तो भी उससे यह निष्कर्ष तो निकलता ही है कि इंडो-इरानियन, फिनो-उग्रियन और द्रविड़जन किसी समय पड़ोसी थे और इनके परस्पर सम्पर्क से इनके मूल शब्द-भंडार में पड़ोसी भाषाओं के शब्द आए हैं। आश्चर्य की बात है कि फिनो-उग्रियन परिवार में संख्यावाचक शत (सौ) सर्वत्र फैला हुआ है—फिन **सत**, मोर्द्विन् **शदॉ**, ज़िर्यान **शो**, ऑस्त्याक **सत्**, वोगुल **सात्** इत्यादि—और इस परिवार की द्रविड़ 'शाखा' में इस शब्द का नितान्त अभाव है। विद्वान् जब भाषाओं में समानताएँ देखते हैं, तब वे इनकी व्याख्या के लिए सामान्य उद्गम की कल्पना करते हैं। विभिन्न भाषा-केन्द्रों में परस्पर सम्पर्क से भाषा-तत्त्वों का विनिमय हो सकता है, इस विनिमय से समानताओं का विकास हो सकता है, यह धारणा उनके चिन्तन-क्षेत्र से बाहर रहती है।

फिन भाषा के कुछ सर्वनाम-रूप देखें। इस भाषा का एक पुराना प्रश्नवाचक सर्वनाम है **कॅनॅ** (कौन), यथा : **कॅन्-तिअॅस्** (कौन जानता है)। बोलचाल की फिन

में **कॅल्तै, कल्लै, कॅस्तै, कॅहॅन्** आदि रूपों का प्रयोग होता है। संस्कृत **किम्** के प्रतिरूप **कॅन्** का **न्** **कॅल्** शब्दमूल में **ल्** है। संस्कृत **कस्** का वैकल्पिक रूप **कॅस्** फिन में एक जगह **स्** की रक्षा किये है, दूसरी जगह उसका रूपान्तर **ह्** है; संस्कृत **कः** से मिलती-जुलती स्थिति है। **कॅस्** का एक विकल्प **कॉस्** भी रहा होगा। इससे **कु** सर्वनाम मूल बना; इसमें **क** प्रत्यय जोड़ने से **कुक** (कौन) रूप रचा गया। **कुइन्क** (कैसे), **कुकान्** (कोई नहीं), **कॉस्क** (क्योंकि), **कुम्पि** (दो में कौन) आदि **कस्, किम्** शृंखला के सर्वनाम हैं। इसी प्रकार **यॉक, यॉत** (जो) संस्कृत **यद्** से सम्बद्ध हैं। स्पष्ट ही फिन भाषा के सर्वनामों का सीधा सम्बन्ध संस्कृत रूपों से है। उत्तम पुरुष सर्वनाम **मिनै** और **मॅ**, मध्यम पुरुष **सिनै** और **तॅ**, अन्य पुरुष **हैन्** और **हॅ्** इंडो-यूरोपियन परिवार से अपना सम्बन्ध व्यक्त कर रहे हैं। **मि** और **मॅ, सि** और **तॅ** सर्वनाम मूल वही हैं जो तुर्क-मंगोल परिवार में हैं; अन्य पुरुष **हॅ** का वैकल्पिक रूप **हॉ** तुर्की में **ऑ** (वह) है। संस्कृत **सः** का **सॅ** विकल्प बंगला में अब भी प्रचलित है, उसका रूपान्तर है **हॅ**। **सः** के बहुवचन रूप **ते** से सम्बद्ध है ख़ल्ख़ **तॅर्** (वह)।

फिन भाषा में क्रिया के साथ सर्वनाम-चिन्ह तुर्क-मंगोल भाषाओं के समान लगते हैं : **ऑलॅन्** (मैं हूँ), **ऑलॅम्म्** (हम हैं) **मॉलॅत्** (तू है), **मॉलॅत्तॅ** (तुम हो); क्रियापद-रचना की यह पुरानी पद्धति है, संस्कृत **पठामि** वाली। ठीक जैसे संस्कृत में इस विन्यास को अन्य पद्धति ने प्रभावित किया, तब **अहं पठामि** का चलन हुआ, ठीक वैसे फिन में **मिनै ऑलॅन्, मॅ ऑलमॅ, सिनै ऑलॅत्, तॅ ऑलॅत्तॅ** कहने का चलन हुआ। न केवल सर्वनामों में समानता है, वरन् फिनो-उग्रियन और आर्य भाषाओं के विन्यास की प्राचीनतम पद्धति एक-सी है और जिसे उत्तरकालीन पद्धति ने प्रभावित किया, वह भी एक-सी है। इससे विदित होता है कि फिनो-उग्रियन समाज कहीं यों ही घूमते-घामते आर्यों के सम्पर्क में न आ गए थे; दोनों समुदाय शताब्दियों तक पड़ोसी रहे हैं और इस प्रकार उनकी भाषाओं का विकास हुआ है।

# 8

# ऐतिहासिक भाषाविज्ञान और भारत

19वीं शताब्दी में ऐतिहासिक भाषाविज्ञान यूरोप और एशिया की दूर-दूर तक फैली हुई जातियों को बहुत कुछ वैसे ही एक दूसरे के निकट लाया, जैसे प्रौद्योगिक पूँजीवाद के विकास के साथ सारी दुनिया में एक विशाल पूँजीवादी बाज़ार कायम होने से दूर-दूर बसनेवाली जातियाँ एक दूसरे के नज़दीक आईं। ग्रीक और लैटिन जैसी भाषाएँ यूरोप के पुनर्जागरण में अपनी प्रेरणादायक भूमिका पूरी कर चुकी थीं; वे नये सिरे से ऐतिहासिक भाषाविज्ञान के विकास में सहयोग देने लगीं। इस सहयोग में सबसे महत्त्वपूर्ण भूमिका संस्कृत की थी। प्राचीन भाषाओं में संस्कृत के ही पास सबसे प्राचीन लिखित सामग्री मौजूद थी। इसके सिवा संस्कृत की व्याकरण-पद्धति तथा यहाँ के ध्वनि-विश्लेषण-सम्बन्धी सिद्धान्तों ने यूरोप के विचारकों पर बहुत गहरा असर डाला। संस्कृत के अतिरिक्त मध्यपूर्व की जिन भाषाओं का लोग नाम भी नहीं जानते थे, अचानक उनमें लिखी हुई विशाल सामग्री का पता लगा और प्राचीन मानव-संस्कृति तथा भाषाओं का एक नया संसार ही लोगों की आँखों के सामने आ गया। एस.एन. क्रैमर ने अपनी पुस्तक 'द सुमेरियंस' (1963) में 19वीं शताब्दी के उस भाषाविज्ञान को उचित ही मानवतावाद की संज्ञा दी है जिसने सुमेर, असीरिया और बैबीलोन की भाषाओं का पता लगाया।

20वीं शताब्दी में आते-आते ऐतिहासिक भाषाविज्ञान का महत्त्व काफी कम हो गया। इसका एक कारण यह हो सकता है कि ऐतिहासिक भाषाविज्ञान में जो काम होना था, वह हो चुका है और उसमें किसी मौलिक विकास की सम्भावना नहीं है। प्रो. घाटगे ने बम्बई विश्वविद्यालय में ऐतिहासिक भाषाविज्ञान पर जो व्याख्यान दिये, उनकी भूमिका में यही धारणा प्रकट की है कि भारत-यूरोपीय ऐतिहासिक-भाषाविज्ञान की सभी प्रमुख स्थापनाएँ निश्चित हो चुकी हैं और इस क्षेत्र में छोटे-मोटे संशोधन और परिवर्तन की ही गुंजाइश है। 'करेंट ट्रेंड्स इन लिंग्विस्टिक्स' (खंड 5, 1969) में तुलनात्मक भारतीय आर्य भाषाओं पर अपने लेख में ब्लॉख की पुस्तक 'लैन्दो आर्या' (1933) के बारे में गौर्डन एच. फेयरबैंक्स ने यह मत प्रकट किया है कि

वह अब भी अपने विषय का श्रेष्ठ ग्रंथ है और उसके बाद जो कुछ काम किया गया है, वह छोटी-मोटी समस्याओं को हल करने के लिए ही किया गया है। किन्तु 'करेंट ट्रेंड्स' में ही प्रकाशित अनेक लेखों में विद्वानों ने ऐतिहासिक भाषाविज्ञान की वर्तमान स्थिति पर क्षोभ प्रकट किया है। जिन पुरानी भाषाओं की सामग्री से ऐतिहासिक भाषाविज्ञान की धारणाओं को पुष्ट या संशोधित करना था, उनकी ओर उन्होंने ध्यान दिलाया है। विशेष रूप से तुखारी, हित्ती और दक्षिणी यूनान की भाषाएँ भारतीय आर्य भाषाओं से सम्बन्धित हैं। भारत-यूरोपीय भाषा-परिवार के निर्माण और विस्तार की समस्याएँ सुलझाने के लिए इन प्राचीन भाषाओं के विश्लेषण से जो सहायता मिल सकती थी, वह नहीं ली गई। इनमें दक्षिणी यूनान की भाषा (मिकिनीयन ग्रीक) को लोग वैदिक भाषा का समकालीन या उससे कुछ अधिक प्राचीन बतलाते हैं। स्वभावतः इस पर यथोचित कार्य न होने से ऐतिहासिक भाषाविज्ञान की पुरानी मान्यताएँ पूरी तरह पुष्ट नहीं मानी जा सकतीं।

प्राचीन भाषाओं के अलावा एशिया और यूरोप की बहुत-सी बोलियाँ हैं जिनका समुचित विवरण अभी प्रस्तुत नहीं किया गया। विशेष रूप से ईरानी परिवार की भाषाएँ मध्य एशिया, मध्य पूर्व और कोहकाफ़ तक अनेक क्षेत्रों में फैली हुई हैं। इनका विवरण प्राप्त न होने पर ऐतिहासिक भाषाविज्ञान के प्रेमियों ने शोक प्रकट किया है। ऐतिहासिक भाषाविज्ञान के नाम पर जिस एक भाषा-परिवार पर सबसे अधिक काम हुआ है, वह भारत-यूरोपीय है। इसके बाद सामी, द्रविड़, ऑस्ट्रो-एशियाटिक और फिनो-उग्रियन भाषा-परिवारों पर भी काम हुआ है किन्तु यह काम अधूरा है और छोटे पैमाने पर हुआ है। अनेक भाषा-परिवार अभी अविवेचित पड़े हुए हैं, जो ऐतिहासिक भाषाविज्ञानियों के लिए एक तरह की चुनौती है किन्तु इन पर काम करने की ओर लोगों का विशेष उत्साह नहीं दिखाई देता। पचीसों भाषाएँ ऐसी भी हैं जिनको किसी भी परिवार की सदस्यता देना बहुत कठिन मालूम होता है। भाषा-परिवार की कल्पना के बिना ऐतिहासिक भाषाविज्ञान पंगु हो जाता है। उसकी धीमी प्रगति का यह भी कारण हो सकता है।

किन्तु यदि भाषाविज्ञान की सामान्य प्रगति की ओर ध्यान दिया जाए तो बीसवीं शताब्दी के सामने पुराना ऐतिहासिक भाषाविज्ञान वैसे ही ओछा लगता है, जैसे आधुनिकता-बोध के सामने रानी विक्टोरिया के समय की कविता। अमरीका में ब्लूमफील्ड के समय से लेकर अब तक भाषाविज्ञान ने अभूतपूर्व प्रगति की है और आजकल भाषाविज्ञान में अमरीका वैसे ही जगद्गुरु है, जैसे किसी समय अध्यात्मवाद में भारत था। न केवल विवरणात्मक भाषाविज्ञान में अमरीका ने प्रगति की है, वरन् भाषा-सम्बन्धी सैद्धान्तिक विवेचन में युगान्तर उपस्थित कर दिया है। चोम्स्की को लोग उचित ही भाषाविज्ञान का आइंस्टाइन कहते हैं। किन्तु इस प्रगति से ऐतिहासिक भाषाविज्ञान की पुरानी मान्यताओं में कोई मौलिक परिवर्तन

नहीं हुआ और न इस विकास से ऐतिहासिक भाषाविज्ञान की प्रगति को विशेष प्रेरणा मिली। यह आश्चर्य की बात है क्योंकि ब्लूमफील्ड पाणिनि के प्रेमी तथा ऐतिहासिक भाषाविज्ञान के पंडित थे और चोम्स्की ने पाणिनि के कारक-विचार में अपने रचनान्तरण व्याकरण के तत्त्व देखे हैं। रॉबर्ट डी. किंग ने एक पुस्तक 'हिस्टोरिकल लिंग्विस्टिक्स एंड जेनरेटिव ग्रामर' लिखी है। इसमें उन्होंने इस बात पर खेद प्रकट किया है कि अमरीका में ऐतिहासिक भाषाविज्ञान पर यथेष्ट ध्यान न देने से काफी क्षति हुई है। (पृ. 3)

ब्लूमफील्ड ने 'लैंग्वेज' नाम की अपनी प्रसिद्ध पुस्तक में लिखा था कि संस्कृत की तरह ग्रीक और लैटिन का भी समुचित विवरण प्राप्त होता तो ऐतिहासिक भाषाविज्ञान की प्रगति में बड़ी सहायता मिलती। इससे स्पष्ट है कि विवरणात्मक भाषाविज्ञान ऐतिहासिक भाषाविज्ञान का शत्रु नहीं, उसका मित्र है। भाषाओं का विवरण ही प्राप्त न होगा तो उनकी तुलना कैसे होगी? और यदि तुलना न होगी तो परिवार में उनका स्थान कैसे निर्धारित होगा और परिवार का इतिहास कैसे लिखा जाएगा? होना यह चाहिए था कि विवरणात्मक भाषाविज्ञान के विकास के साथ-साथ पुरानी जानी-पहचानी भाषाओं के व्याकरण नये ढंग से लिखे जाते और नई अविवेचित भाषाओं का नया विवरण प्रस्तुत किया जाता। इससे ऐतिहासिक भाषाविज्ञान की प्रगति में बड़ी सहायता मिलती। किन्तु ऐसा नहीं हुआ। या तो विवरणात्मक भाषाविज्ञान ने भाषाओं के सम्बन्ध में ऐसी कोई नई दृष्टि नहीं दी जिससे पुरानी मान्यताओं में संशोधन करना जरूरी होता या ऐतिहासिक भाषाविज्ञान ने पहले ही इतनी प्रगति कर ली थी कि अधिक विकास की गुंजाइश न होने से यह नई दृष्टि उसके लिए व्यर्थ थी। यह सम्भव है कि आधुनिक भाषाविज्ञान भविष्य की ओर अधिक उन्मुख है, इसलिए अतीत की ओर देखना उसके लिए समय नष्ट करना हो।

कारण जो भी हो, एशिया और यूरोप की भाषाओं के बारे में आधुनिक भाषाविज्ञानी जहाँ भी लिखते हैं, अर्थात् ऐतिहासिक दृष्टि से उनके वर्गीकरण और विकास की बात करते हैं, वहाँ वे पुरानी मान्यताएँ ही दोहराते हैं। प्राचीन काल में एक इंडो-यूरोपियन भाषा थी, उसके विघटन से संस्कृत, लैटिन, ग्रीक आदिभाषाकुलों का विकास हुआ। उत्तर भारत में पहले द्रविड़ लोग रहते थे, उन्हें परास्त करके यहाँ आर्यों ने अपने उपनिवेश कायम किये। उत्तर भारत की हिन्दी, मराठी, बंगला आदिभाषाएँ एक आदि भारतीय आर्य भाषा की सन्तान हैं, इस तरह की मान्यताएँ वे सभी लोग दोहराते हैं जो इस विषय पर कुछ लिखते हैं। 19वीं शताब्दी में ऐतिहासिक भाषाविज्ञान का जो मूल ढाँचा बनाया गया था, 20वीं सदी की भाषाविज्ञानी प्रगति से उसमें कोई मौलिक परिवर्तन नहीं हुआ।

भाषाविज्ञान में परिवार-सम्बन्धी धारणा बहुत ही व्यापक है। एक आदिभाषा जननी—दूसरी भाषाएँ उसकी पुत्रियाँ। यह धारणा तुलनात्मक भाषाविज्ञान का मूलाधार

है। मानव परिवार की उत्पत्ति और विकास के लिए दो व्यक्ति अनिवार्य हैं : एक स्त्री, एक पुरुष। आदम और हव्वा की कल्पना के बिना मानव-परिवार के विकास की बात नहीं की जा सकती। किन्तु भाषा-परिवार के विकास के लिए एक ही भाषा दरकार है; यहाँ दो भाषाओं के बिना, दो तत्त्वों के अन्तर्विरोध और मिलन के बिना ही नई-नई भाषाओं की सृष्टि हो जाती है। अंग्रेज़ी में लोग पैरेंट लैंग्वेज तथा डॉटर लैंग्वेजेज़ की बात करते हैं। माता और पुत्री की बात कही जाए चाहे न कही जाए, वह भिन्न शब्दावली में अक्सर दुहराई जाती है। सोस्योर ने आधुनिक भाषाविज्ञान को काफी प्रभावित किया है। उन्होंने विद्वानों को इस बात के प्रति सचेत भी किया था कि भाषा-परिवार वैसा ही परिवार नहीं होता, जैसा मानव-परिवार होता है किन्तु उन्होंने सामी भाषाओं के रूप-विकार की चर्चा करते हुए आदि सामी भाषा तथा पुत्री भाषाओं का उल्लेख किया है। ('कोर्स इन जनरल लिंग्विस्टिक्स', लन्दन, 1959, पृ. 230) क.मा.मुं. विद्यापीठ तथा केन्द्रीय हिन्दी संस्थान आगरा के अनेक विद्वानों का कहना है कि आदिभाषा या माता पुत्री भाषाओं की कल्पना पुरानी पड़ चुकी है और इसे अब कोई नहीं दोहराता। इसलिए यहाँ कछ विद्वानों का उल्लेख आवश्यक होगा जो ऐतिहासिक भाषाविज्ञान के क्षेत्र में काम कर रहे हैं और इन धारणाओं को दोहराते हैं। डॉ. देवीप्रसन्न पट्टनायक ने उड़िया, असमिया, बंगला और हिन्दी के आदि रूप पर शोध-कार्य किया है। उनकी पुस्तक की भूमिका में जी.एच्. फेयरबैंक्स ने यह प्रश्न उठाया है कि जब इन भाषाओं की आदि-पूर्व-भाषा। (दि ओरिजिनल ऐनसेस्टर ऑफ़ दीज़ लैंग्वेजेज़) विघटित हुई और इससे उसके आधुनिक प्रतिनिधियों का जन्म हुआ, तब किन विशिष्ट ध्वनिगत लक्षणों से यह विघटन सम्भव हुआ। (देवीप्रसन्न पट्टनायक : 'ए कंट्रोल्ड हिस्टोरिकल रिकंस्ट्रक्शन ऑफ़ ओरिया, आसामीज़, बेंगाली एंड हिन्दी', 1966) 'करेंट ट्रेंड्स' में प्रकाशित फेयरबैंक्स के जिस लेख का नाम ऊपर आ चुका है, उसमें वह पाँच आधुनिक भारतीय भाषाओं की जननी भाषा ('द पैरेंट लैंग्वेज़') की चर्चा करते हैं, मेरी आर. हास ने 'करेंट ट्रेंड्स' (खंड 3) में ऐतिहासिक भाषाविज्ञान और भाषाओं के परिवारगत सम्बन्ध (जेनेटिक रिलेशनशिप) पर जो लेख लिखा है, उसमें बताया है कि पुत्री भाषाओं से जो सामग्री प्राप्त होती है, उससे आदिभाषा (प्रोटो-लैंग्वेज) का पुनर्निर्माण सम्भव होता है। नार्मन एच्. ज़ाइड ने मुंडा भाषा-परिवार पर बहुत काम किया है। 'करेंट ट्रेंड्स' (खंड 5) में उन्होंने मुंडा तथा गैर-मुंडा आस्ट्रो-एशियाटिक भाषाओं पर एक लेख लिखा है। इसमें उन्होंने प्रोटो मुंडा तथा उसकी 'डॉटर' और 'ग्रैंड डॉटर', 'प्रोटो लैंग्वेजेज़' की चर्चा की है। स्पष्ट है कि परिवार-सम्बन्धी माता-पुत्री वाली कल्पना आधुनिक ऐतिहासिक भाषाविज्ञान से बहिष्कृत नहीं है। ब्लूमफ़ील्ड और ऐमेनो ने द्रविड़ भाषाओं पर उसी पद्धति के अनुसार काम किया है जिसमें एक आदिभाषा के विघटन से अनेक भाषाओं के विकास की कल्पना की गई है। जैसे बड़े भाषा-परिवारों के लिए आदिभाषा है, वैसे

ही छोटे परिवारों, यथा : लैटिन परिवार अथवा संस्कृत परिवार के लिए आदिभाषा है। स्थापना यह है कि हिन्दी, मराठी, बंगला आदिभाषाएँ संस्कृत के विघटित होने के बाद उसी का आधुनिक रूप हैं; वैसे ही फ्रांसीसी, इतालवी, स्पेनी आदिभाषाएँ लैटिन के विघटन के बाद उसका आधुनिक रूप हैं। यूनान के बारे में कोई यह नहीं कहता कि वहाँ की आधुनिक भाषा प्लेटो अथवा होमर की भाषाओं के विघटन का परिणाम है। कोई यह भी नहीं कहता कि प्लेटो की भाषा होमर की भाषा से निकली है। वास्तव में प्लेटो और होमर की भाषाएँ दो भिन्न बोलियाँ हैं। इनके अलावा वहाँ अन्य बोलियों का चलन भी था जो ध्वनितंत्र, व्याकरण, शब्द-भंडार आदि की दृष्टि से परस्पर भिन्न हैं। ई.पू. पहली सहस्राब्दी में निश्चित रूप से इनका वहाँ चलन था। इनसे भी पहले ई.पू. दूसरी सहस्राब्दी में दक्खिनी यूनान की जो भाषा मिली है, उसे भी कोई समस्त यूनानी बोलियों की जननी नहीं मानता। सौभाग्य से यूनान में अनेक गणों (कबीलों) की भाषाओं का प्रयोग काफी पहले से होता रहा और उनके नमूने भी सुलभ हैं। इसलिए यह सिद्ध करना ज़रा कठिन है कि एक ही आदिभाषा से इनका जन्म हुआ किन्तु बाद में चलकर अनेक बोलियों का चलन बन्द हो गया और न केवल यूनान के भीतर वरन् यूनान के बाहर भी दक्खिनी यूरोप, एशिया, अफ्रीका, जहाँ भी यूनानियों के उपनिवेश थे, एक ही यूनानी भाषा बोली जाने लगी। यह स्थिति सामाजिक विकास, विशेष रूप से व्यापारिक सम्बन्धों के विकास का परिणाम थी। इससे मिलती-जुलती स्थिति प्राचीन भारत में वैदिक भाषा की है। उसके समानान्तर और कौन-सी बोलियाँ यहाँ बोली जाती थीं, उनका कोई लिखित प्रमाण नहीं है। इससे लोगों ने निष्कर्ष निकाला कि वैदिक भाषा के समानान्तर उससे मिलती-जुलती दूसरी गण भाषाओं का यहाँ चलन ही न था। यदि यूनान में पुरानी बोलियों के नमूने सुलभ न होते तो शायद लोग वहाँ भी कहते कि यूनान की आधुनिक भाषा होमर की भाषा के विघटन का परिणाम है। संस्कृत पर बरो अपने प्रसिद्ध ग्रंथ के पहले ही वाक्य में कहते हैं कि तीन हजार वर्ष पहले उत्तर-पश्चिम से आनेवाले हमलावरों ने जो एकरूप भाषा (ए सिंगल फॉर्म ऑफ़ स्पीच) यहाँ चलाई, उसी से उन तमाम भाषाओं की उत्पत्ति (डिराइव्ड) हुई जो अधिकांश भारत में बोली जाती हैं। आदिभाषा के प्रति विद्वानों में कैसा प्रबल आग्रह है, वह बरो के इस वाक्य से समझा जा सकता है। आश्चर्य की बात है कि लैटिन की समकक्ष अन्य प्राचीन इतालवी बोलियाँ सुलभ हैं; किन्तु उनसे आधुनिक रोमांस भाषाओं का सम्बन्ध प्राय: नहीं जोड़ा जाता।

यह भी अद्‌भुत बात है कि यूनान में जहाँ पहले अनेक बोलियाँ थीं, वहाँ एक भाषा रह गई और उत्तर भारत में जहाँ एक भाषा थी, वहाँ अनेक भाषाओं का विकास हुआ। एक बात स्पष्ट है कि मुंडा, द्रविड़, आर्य, सामी आदि जिन भाषा-परिवारों का इतिहास लिखा गया है, उनमें अनेक भाषाओं को जन्म देनेवाली एक आदिभाषा

की कल्पना की गई है। इस बात को लोग मानते हैं कि भारत-यूरोपीय परिवार को लेकर जिस पद्धति से इतिहास-लेखन हुआ, उसी पद्धति से अन्य भाषा-परिवारों के भी इतिहास-लेखन का प्रयत्न हुआ। मेरी आर. हास के अनुसार ब्लूमफील्ड ने अमरीकी आदिवासियों की कुछ भाषाओं का इतिहास-लेखन किया तो उन्होंने भारत-यूरोपीय भाषा-परिवार पद्धति से ही उनकी आदिभाषा (प्रोटो अलगोंकिन) का पुनर्निर्माण किया।

किन्तु ब्लूमफील्ड पुराने ऐतिहासिक भाषाविज्ञान की कुछ ख़ामियों से परिचित थे। ऐतिहासिक भाषाविज्ञान की आधार-भूमि थी तुलनात्मक पद्धति। इस पद्धति के अनुसार काम करनेवाले विद्वान् यह मानकर चलते थे कि किसी भाषा-परिवार के निर्माण से पहले किसी एकरूप आदिभाषा का चलन था। लोग कहते हैं कि बारह कोस पर बोली बदलती है। यह प्राय: असम्भव है कि लम्बे-चौड़े इलाकों में इस समय जबकि यातायात के साधनों का बहुत विकास न हुआ था, एकरूप कोई परिनिष्ठित भाषा बोली जाती हो। अपने प्रसिद्ध ग्रंथ 'लैंग्वेज' के अठारहवें अध्याय में तुलनात्मक पद्धति की आलोचना करते हुए ब्लूमफील्ड ने लिखा था कि यह पद्धति यह मानकर चलती है कि जननी-भाषा के जो लक्षण थे, उनकी साखी प्रत्येक शाखा अथवा भाषा में मौजूद है, और इन सम्बन्धित भाषाओं में जो एक-सी या मिलती-जुलती विशेषताएँ हैं, उनसे जननी भाषा की विशेषताओं का पता चलता है। ब्लूमफील्ड कहते हैं कि यह मानने का अर्थ यह हुआ कि आदिभाषा बोलनेवाला समाज (दि पैरेंट कम्यूनिटी) भाषा के विचार से पूरी तरह एकरूप था; दूसरे यह अर्थ भी निकलता है कि आदिभाषा बोलनेवाला समाज अचानक और तीखे ढंग से विघटित हो गया और उससे दो या दो से अधिक पुत्री समाज (डॉटर कम्यूनिटीज़) उत्पन्न हो गईं और इनका एक-दूसरे से कोई सम्पर्क न रहा।

ब्लूमफील्ड की यह आलोचना बहुत ही महत्त्वपूर्ण है। सम्भावना यही है कि सभ्यता के विकास के साथ गण-समाज एक दूसरे के निकट आए, न कि यह कि टूटकर ऐसे अलग हुए कि उन्होंने एक दूसरे को प्रभावित ही न किया। जो बात एक परिवार की भाषाओं के लिए सही है, वह अनेक भाषा-परिवारों के लिए भी सही हो सकती है। भाषा-परिवार एक दूसरे से कटे हुए शून्य में विकसित नहीं होते, वरन् वे विकासक्रम में एक-दूसरे को प्रभावित करते हैं। भाषा-परिवारों के इतिहास-लेखन-क्रम में प्राचीनकाल की ओर चलते हुए हम या तो ऐसे परस्पर विरोधी तत्त्वों तक पहुँचते हैं जिनसे उस परिवार की सभी भाषाओं का सम्बन्ध नहीं होता अथवा ऐसे सामान्य तत्त्वों तक पहुँचते हैं जो सभी अथवा अधिकांश भाषाओं की सम्पत्ति जान पड़ते हैं। कोई आश्चर्य नहीं कि भाषाविज्ञान में अक्सर दो विरोधी से लगनेवाले दृष्टिकोण सामने आते हैं। एक के अनुसार प्रत्येक मनुष्य की अपनी बोली होती है, उसकी अपनी विशेषताएँ होती हैं और भाषाविज्ञान में अध्ययन की मुख्य वस्तु

यह व्यक्ति की बोली (इडियोलेक्ट) है। दूसरा दृष्टिकोण यह है कि भाषाओं के विकास की कुछ विश्वव्यापी मानसिक प्रेरणाएँ हैं जो विभिन्न भाषाओं में प्रतिफलित होती हैं। इन (लैंग्वेज़ यूनिवर्सल्स) का अध्ययन ही भाषाविज्ञान का मुख्य विषय है। निस्सन्देह प्रत्येक व्यक्ति की बोली में अपनी विशेषताएँ होती हैं किन्तु वह इस बोली का व्यवहार दूसरों को अपनी बात समझाने के लिए ही करता है और दूसरों की व्यक्तिगत विशिष्ट बोलियाँ भी वह समझ लेता है। इससे सिद्ध हुआ कि भाषा सामाजिक आदान-प्रदान का साधन है और इसी दृष्टि से भाषाविज्ञान में उसका अध्ययन होना चाहिए। खुद ही अपने से बोले और अकेले में अपनी बातें सुने, यह स्थिति कुछ पहुँचे हुए लोगों की हो जाती है। किन्तु वे भी वहाँ तक पहुँचने से पहले अपने परिवेश से वैसे ही भाषा सीखते हैं, जैसे वे दूसरे लोग जो पहुँचे हुए नहीं हैं।

यदि विश्वव्यापी सामान्य मानसिक प्रेरणाओं से भाषाओं का जन्म और विकास होता तो सारे संसार में एक ही भाषा बोली जाती या अनेक भाषाओं में केवल ऊपरी भिन्नता होती और उनके मूल तत्त्व एक ही होते। किन्तु भाषाओं की स्थिति इससे भिन्न है। भाषाओं के इतिहास को हम किस निगाह से देखते हैं, यह काफी हद तक इन दृष्टिकोणों पर निर्भर है। दोनों ही दृष्टिकोण एकांगी हैं, इसलिए ऐतिहासिक भाषाविज्ञान के विकास में सहायक नहीं होते। वास्तव में जैसे व्यक्ति और समाज एक दूसरे से जुदा, फिर भी सम्बद्ध हैं, वैसे ही भाषा के विश्वव्यापी तत्त्व व्यक्ति-केन्द्रित विशेषताओं से जुदा, फिर भी सम्बद्ध हैं। इसी तरह एक परिवार की भाषाएँ एक दूसरे से भिन्न, फिर भी आपस में जुड़ी हुई हैं। ऐसे ही भिन्न भाषा-परिवार एक दूसरे से अलग हैं, फिर भी उनमें अनेक तत्त्व सामान्य हैं। ऐसा इसलिए है कि किसी भी भाषा-परिवार का विकास इस धरती पर नितान्त अकेलेपन में नहीं हुआ; किसी भी भाषा-परिवार की शाखाओं का विकास ऐसी अलगाव की स्थिति में और भी नहीं हुआ। यह भी स्मरणीय है कि भाषाओं के परस्पर सम्बन्ध उन्हें बोलनेवाले समाजों के परस्पर सम्बन्धों पर काफी हद तक निर्भर हैं।

भाषा का अध्ययन उस समाज के गठन से अलग करके नहीं हो सकता जिसमें वह बोली जाती है। यहाँ तात्पर्य समाज-व्यवस्था से नहीं वरन् इस व्यवस्था से सम्बद्ध सामाजिक गठन से है। रक्त-सम्बन्ध पर आधारित गण सामाजिक गठन का एक रूप हैं। इस गठन के अन्तर्गत एक व्यवस्था वह है जिसमें सब लोग मिलकर शिकार करते हैं या कन्द मूल इकट्ठे करते हैं, दूसरी व्यवस्था वह है जब पशु-पालन और खेती के बल पर श्रम का विभाजन हो जाता है और वर्गों तथा व्यक्तियों के पास सम्पत्ति इकट्ठी होने लगती है। इस दूसरी व्यवस्था के अन्तर्गत ये गण टूटने लगते हैं और पहले से बड़ी इकाइयों का निर्माण करते हैं। भारत में गौतम बुद्ध के समय से लेकर अब तक जो जनपद दिखाई देते हैं, जैसे अवध, बुन्देलखंड, मालवा, मिथिला, आदि—वे उन गणों से ही बने हैं जो टूट रहे थे या टूट रहे हैं। सामन्ती

व्यवस्था के जनपद प्राक्सामन्ती गण राज्यों से भिन्न कोटि के हैं। सामन्ती-व्यवस्था के ह्रासकाल में इन जनपदों का अलगाव हुआ और बड़ी-बड़ी जातियों का निर्माण हुआ, जैसे हिन्दी-भाषी जाति, मराठी-भाषी जाति, बंगला-भाषी जाति इत्यादि। इसलिए यह प्रश्न समीचीन है कि जिस आदिभाषा से उस परिवार की भाषाओं का जन्म होता है, वह किसी आदिम कबीले की भाषा है या सामन्तकालीन जनपद की भाषा है या विभिन्न जनपदों के मेल से बनी हुई किसी आधुनिक जाति की भाषा है।

सामाजिक विकास-क्रम में किसी भी भाषा के बोलनेवाले स्थिर इकाई की तरह नहीं रहते। इस अस्थिरता का प्रभाव भाषा पर भी पड़ता है। इसलिए जो लोग समझते हैं कि आधुनिक भाषाओं का तुलनात्मक अध्ययन करके उनकी सामान्य विशेषताओं के आधार पर आदिभाषा का पुनर्निर्माण कर लेंगे, वे वास्तव में उसी पद्धति का अनुसरण करते हैं जिसके अनुसार आदिभाषा के विघटन के पश्चात् लोग आधुनिक भाषाओं तक पहुँचते हैं। तुलनात्मक पद्धति में जो दोष है, वह दोनों स्थितियों में है, चाहे आदिभाषाओं से शाखाओं की ओर चलो, चाहे शाखाओं से आदिभाषा की ओर चलो। दोनों ही स्थितियों में भाषाओं के विकास का पेचीदा रास्ता बहुत सीधा हो जाता है।

आदिभाषा-सम्बन्धी स्थापना में जो कमजोरियाँ थीं, उन्हें दूर करने के लिए लोगों ने कल्पना की कि आदिभाषा एकरूप नहीं थी वरन् उसमें बोलियों की भिन्नता थी। ब्लूमफील्ड ने योहानेस श्मित का हवाला देते हुए कहा कि ऐतिहासिक भाषाविज्ञान की कठिनाइयाँ दूर करने के लिए यह कल्पना की गई कि भाषा-सम्बन्धी विभिन्न परिवर्तन लहरों की तरह एक स्थान से दूसरे स्थान की तरफ फैलते जाते हैं। जितना ही दूर जाएँगे, उतना ही भेद बढ़ता जाएगा यद्यपि किसी एक बिन्दु पर यह कहना कठिन होगा कि अमुक बोली समाप्त हुई और दूसरी आरम्भ हुई। श्मित के अनुसार इन्हीं बोलियों में कोई एक बोली राजनीतिक और सामाजिक कारणों से प्रमुख हो जाती है और दूसरी बोलियों का स्थान ले लेती है। श्मित के इस सिद्धान्त पर टिप्पणी करते हुए सोस्योर ने भी पुराने ऐतिहासिक भाषाविज्ञान की आलोचना की थी। सोस्योर ने कहा था कि यह कल्पना करना आवश्यक नहीं है कि विभिन्न जातियाँ (नेशंस) जब नये स्थानों पर पहुँची तब नई भाषाओं का विकास हुआ; विभिन्न देशों में इन जातियों के अभियान से पहले ही बोलीगत भेद उठ खड़े हो सकते थे और अवश्य उठ खड़े हुए होंगे। ('कोर्स इन जेनरल लिंग्विस्टिक्स', पृ. 209) कार्ल ब्रुगमन ने इंडो-जर्मन भाषाओं के तुलनात्मक व्याकरण की भूमिका में लिखा : "यह एक असम्भव कल्पना है कि जिस भाषा को काफी संख्या में लोग बोलते रहे हों और जो विकास की कई मंजिलें पार करती रही हों, उसमें कुछ-न-कुछ बोलीगत भेद न उत्पन्न हो गया हो; इसलिए हम नहीं मानते कि जिस समय इंडो-जर्मन लोग अपेक्षाकृत छोटे राज्य में बसे हुए थे और उनमें परस्पर सम्पर्क भी काफी घनिष्ठ था, उस समय

उनकी भाषा एकदम एकरूप थी। निस्सन्देह जातीय भेद पैदा हो गए थे यद्यपि पूरे विश्वास के साथ इनके ठीक-ठीक उदाहरण निश्चित नहीं किये जा सके।" ('एलीमेंट्स ऑफ़ द कम्पैरेटिव ग्रामर ऑफ दि इंडो-जर्मैनिक लैंग्वेजेज़', लन्दन, 1888, पृ. 2)

बरो ने भी लिखा है कि संस्कृत शब्द नाभि और यूनानी शब्द ओमफ्लोस एक ही मूल रूप से नहीं जोड़े जा सकते यद्यपि दोनों भाषाओं ने उन्हें आदिम इंडो-यूरोपियन काल में प्राप्त किया है। विस्तृत तुलना के द्वारा स्पष्ट ही जिस इंडो-यूरोपियन भाषा तक पहुँचते हैं, वह उस समय भी भिन्न बोलियों में गहराई से विघटित हो चुकी थी। (आलरेडी डीपली स्प्लिट अप इंटू ए सीरीज़ ऑफ़ वेरीइंग डायलेक्ट्स; 'द संस्कृत लैंग्वेज', पृ. 11)

ब्रुगमन या बरो दरअसल आदिभाषा वाले सिद्धान्त के विरोधी नहीं हैं। उनकी कठिनाई केवल यह है कि जिस आदिभाषा तक वह पहुँचते हैं, वह बोलियों में बँटी हुई दिखाई देती है। बरो की शब्दावली से प्रतीत होता है कि मूलभाषा ही विघटित होकर बोलियाँ बनी हैं; यदि थोड़ा परिश्रम और किया जाए या कुछ और सामग्री प्राप्त हो जाए तो उस मूलभाषा का भी पता लग जाएगा जिससे बोलियाँ बनी हैं। भद्रिराजु कृष्णमूर्ति ने तेलगू क्रियापदों पर अपने ग्रंथ में यह माना है कि आदि द्रविड़ भाषा में बोलीगत भेद उत्पन्न हो गए थे। ('तेलगू वर्बल बेसेज़', पृ. 249) कामिल ज़्वेलेविल ने द्रविड़ आषाओं के ध्वनितंत्र का जो तुलनात्मक अध्ययन किया है, उसमें उन्होंने कृष्णमूर्ति की स्थापना से मिलती-जुलती बात दोहराई है। उन्होंने लिखा है : "प्रोटो द्रवेड़ियन में भी स्पष्ट बोलीगत भेद मौजूद रहे होंगे और साथ ही बोलियों के मिश्रण के लिए भी पारिस्थितियाँ मौजूद रही होंगी।" ('कम्परेटिव ड्रैवीडियन फ़ोनोलॉजी', 1970, पृ. 18) आर्य भाषाओं के क्षेत्र में काम करनेवालों की तरह द्रविड़ भाषाओं के क्षेत्र में काम करनेवाले भी यह मानते हैं कि आदिभाषा में बोलीगत भेद थे। ये बोलियाँ एक-दूसरे से इतना मिलती-जुलती हैं कि उन्हें एक ही भाषा की बोलियाँ माना गया है। दो विरोधी तत्त्वों के मिलन और संघर्ष से प्रेरित होनेवाला विकास-क्रम यहाँ नहीं है।

दो भाषा-परिवारों के निर्माण और परस्पर प्रभाव की प्रक्रिया यहाँ और भी नहीं है। इसलिए यह कहना असंगत न होगा कि 19वीं सदी में ऐतिहासिक भाषाविज्ञान ने भाषाओं का जो परिवारगत वर्गीकरण किया था और इन परिवारों के अन्तर्गत भाषाओं के विकास की जो मोटी रूपरेखा बनाई थी, वह सब आज भी मान्य है।

जहाँ तक भारत से इस ऐतिहासिक भाषाविज्ञान का सम्बन्ध है, वहाँ बात पुराने इतिहास की ही नहीं, आज के भारत की भी है। जिस समय ऐतिहासिक भाषाविज्ञान का विकास हुआ, उस समय भारत अंग्रेज़ों का उपनिवेश था। भाषाविज्ञान की समस्याएँ राजनीतिक समस्याओं से जुड़ी हुई थीं। अंग्रेज़ों को यहाँ दो प्रमुख भाषासमूह दिखाई देते थे—एक, उत्तर भारतीय आर्य भाषा-समूह और दूसरा, दक्षिण भारतीय द्रविड़ भाषा-समूह। यदि यह सिद्ध किया जाए कि आर्य आक्रमणकारियों ने भारत में आकर

द्रविड़ भाषाओं का दमन किया तो इसकी प्रतिक्रिया अंग्रेज़ों के लिए लाभप्रद होगी। कुछ ईसाई धर्म-प्रचारकों ने बड़ी लगन से और बड़ी सूझ-बूझ से द्रविड़ भाषाओं पर कार्य किया किन्तु उनके इस बहुत अच्छे काम का एक उद्देश्य यह भी था कि वे द्रविड़-भाषियों को समझाएँ कि उत्तर भारत के ब्राह्मणों ने तुम पर अपनी भाषा लादी है, इसलिए तुम्हारा कर्तव्य न केवल संस्कृत के चंगुल से निकलना है वरन् ब्राह्मण धर्म की दासता से मुक्त होना भी है। ईसा मसीह की शरण में जाने से ही पुराने पापों का प्रायश्चित्त सम्भव है। अंग्रेज़ों ने राष्ट्रीय स्वाधीनता आन्दोलन की एकता को छिन्न-भिन्न करने के लिए मुसलमानों को, भाषा और संस्कृति में, हिन्दुओं से अलग करके दिखाया। पंजाब में उन्होंने मुसलमानों को हिन्दुओं से ही नहीं, सिक्खों से भी अलग करने की कोशिश की। यद्यपि पश्चिमी पंजाब और पूर्वी पंजाब की बोलियों में वैसा भेद नहीं है, जैसा ब्रिटेन की अंग्रेज़ी और वेल्श भाषाओं में है, फिर भी उन्होंने इस बात पर जोर दिया कि पश्चिमी पंजाब सदा ईरान की ओर उन्मुख रहा है। दरद भाषाओं की कल्पना से ग्रियर्सन ने सिन्ध, कश्मीर और पश्चिमी पंजाब को, 1947 से बहुत पहले ही, भारत से अलग कर दिया था। वह पुराना काम 1947 से कुछ पहले, और विशेष कर उसके बाद, ब्रिटेन और अमरीका के अनेक भाषावैज्ञानिक करते रहे हैं। एमेनो कैलीफोर्निया विश्वविद्यालय के प्रख्यात विशेषज्ञ हैं। वह संस्कृत के पंडित हैं, पाणिनि के अन्यतम प्रशंसक हैं और द्रविड़ भाषाओं के विशेषज्ञ हैं। 1954 में उन्होंने भारत के भाषागत प्रागैतिहासिक काल पर एक निबन्ध लिखा था। इसके आरम्भ में उन्होंने यह धारणा दोहराई कि ई.पू. दूसरी सहस्राब्दी में एक इंडो-यूरोपियन भाषा बोलनेवाले गिरोह उत्तर-पश्चिम से भारत में आए, आगे चलकर इस भाषा का नाम संस्कृत हुआ। एमोने कहते हैं कि डेढ़ सौ साल से हम उपर्युक्त भाषा-सिद्धान्त मानते आए हैं और उसके पक्ष में जो तर्क दिये गए हैं, उन पर अविश्वास करने का कोई कारण नहीं है (यद्यपि हिन्दू लोगों को अपनी परम्परा के आधार पर ऐसे किसी आक्रमण का ज्ञान नहीं है)। एमेनो की इस युक्ति से यह भी सिद्ध होता है कि बीसवीं सदी में ऐतिहासिक भाषाविज्ञान मूलतः पुरानी मान्यताओं को लेकर ही चल रहा है। इसके आगे वह कहते हैं कि उत्तर भारत और दक्षिण भारत के बीच की सीमारेखा पर ध्यान दिया जाए तो स्पष्ट हो जाएगा कि हमलावर भाषा संस्कृत (दि इनवेडर लैंग्वेज संस्कृत) से उत्पन्न (डिसेंड) होनेवाली इंडो-आर्यन भाषाओं के सामने द्रविड़ भाषाएँ निरन्तर पीछे हटती चली गई हैं।

इस तरह एमेनो ने आर्य भारत और द्रविड़ भारत के रूप में भारत का भाषागत विभाजन कर दिया है। लेकिन उन्हें पाकिस्तान से कम दिलचस्पी नहीं है। ग्रियर्सन के चरण-चिन्हों पर चलते हुए वह इस धारणा की पुष्टि करते हैं कि जिस सिन्धु घाटी में हड़प्पा और मोहेनजोदड़ों की सभ्यता विकसित हुई थी, वह कभी भारत

से घनिष्ठ रूप में सम्बद्ध नहीं रहा। अपनी बात के समर्थन में उन्होंने एक दूसरे अमरीकी विद्वान् डब्ल्यू नॉर्मन ब्राउन की पुस्तक का हवाला दिया है। पुस्तक का नाम है : 'द यूनाइटेड स्टेट्स एंड इंडिया एंड पाकिस्तान'। (हारवर्ड यूनिवर्सिटी प्रेस, 1953) इस पुस्तक में नार्मन ब्राउन कहते हैं कि बाहर के दखलअन्दाज दर्रों से होते हुए जब भारत में आकर जम गए, तब शुरू में यहाँ के निवासियों की तुलना में उनके मन का लगाव बाहर वालों से ही ज्यादा था। बाहर वालों से उनका वह सम्बन्ध तभी शिथिल हो सकता था जब भारत के भीतर और धँसते हुए यहाँ वे और भी जम जाते। तीसरी सहस्राब्दी में सिन्धु घाटी की हड़प्पा-सभ्यता आंशिक रूप में तत्कालीन पश्चिमी एशिया की सभ्यता से मिलती-जुलती थी और आंशिक रूप में गंगा तटवर्ती बाद की भारतीय सभ्यता से मिलती थी। इसके बाद जो आर्य पंजाब में आकर बसे और जिन्होंने वेदमंत्र रचे, वे अपने समकालीन पूर्वी भारतीयों की अपेक्षा अपने धार्मिक और भाषायी सम्बन्धियों—ईरानियों—के अधिक निकट थे। जब भारत में इस्लाम का प्रवेश हुआ, तब उत्तर-पश्चिमी प्रदेश का सम्बन्ध ईरान, बुखारा, मध्य एशिया से अधिक था, भारत से कम।

"यदि कोई ऐसा युग रहा हो जब पंजाब सांस्कृतिक रूप में शेष उत्तरी भारत का अंग बन गया हो, तो वह युग बहुत ही अल्प रहा होगा।" (एमेनो : 'कलेक्टेड पेपर्स', अन्नामलइ यूनिवर्सिटी, 1967, पृ. 158) भाषाविज्ञान की चर्चा करते हुए एमेनो जब इस तरह की स्थापनाएँ उद्धृत करते हैं, तब उनके राजनीतिक उद्देश्यों पर सन्देह होने लगता है। उन्होंने अनेक जगह लिखा है कि वेदों की रक्षा के लिए और उनकी भाषा को बोलने और समझने के लिए प्राचीन काल में भारतीय भाषाविज्ञान का विकास हुआ और इस विकास की सबसे बड़ी देन थे पाणिनि। किन्तु पाणिनि उसी उत्तर-पश्चिमी प्रदेश के थे जो युगों-युगों तक भारत से अधिक पश्चिमी पड़ोसियों की ओर उन्मुख रहा था। आश्चर्य की बात है कि पाणिनि के व्याकरण का जितना प्रभाव भारत पर पड़ा, उसका सहस्रांश भी ईरान पर नहीं पड़ा। ऐतिहासिक भाषाविज्ञान का यह भी एक चमत्कार है।

ऐतिहासिक भाषाविज्ञान की आधुनिक प्रगति के साथ जैसे पश्चिमी पंजाब भारत से कट गया, वैसे ही पूरा भारत एशिया से कटता चला गया है। पहले विश्वास था कि इंडो-यूरोपियन परिवार में 'इंडो' लगा हुआ है, इसलिए उसमें भारत का भी कुछ हिस्सा होगा। किन्तु धीरे-धीरे 'इंडो' का महत्त्व क्षीण होता गया और अकेला 'यूरोपियन' ही सार्थक रह गया। संस्कृत के वे सारे तत्त्व जो यूरोप की भाषाओं में न मिले, गैर-इंडो-यूरोपियन माने गए। वैसे अनार्य तत्त्व मूलतः द्रविड़ भाषाओं के होंगे, यह कल्पना की गई। कॉल्डवेल ने मध्य उन्नीसवीं सदी में ही द्रविड़ों का सम्बन्ध शक परिवार से जोड़ा था। कॉल्डवेल का यह शक परिवार बहुत लम्बा-चौड़ा था। इसमें तुर्क-मंगोल और फिनो-उग्रियन परिवार की भाषाएँ शामिल

थीं। बीसवीं सदी में तुर्क-मंगोलों को यूरोप के फिन-मगयारों से अलग किया गया और द्रविड़ों का सम्बन्ध यूरोप के फिनो-उग्रियन परिवार से ही जोड़ा गया। बहुत दिनों तक किसी ने कॉल्डवेल की मान्यताओं पर ध्यान नहीं दिया, न स्वीकारा, न अस्वीकारा। लगभग सौ वर्ष बाद बरो ने पुराना सूत्र फिर उठाया। उन्होंने इस बात पर खेद प्रकट किया कि द्रविड़ों को उत्तर-पश्चिमी भारत का मूल निवासी बताया जाता है। फिनो-उग्रियन तथा द्रविड़ परिवारों की भाषाओं में इतनी अधिक समानताएँ हैं कि उनका एक सामान्य उद्भव मानना ही होगा। बरो के इस मत के अनुसार आर्यों की तरह द्रविड़ भी भारत में बाहर से आए और यूरोप से आए। द्रविड़ भाषाओं में वही अंश भारतीय हो सकता है जो फिनो-उग्रियन परिवार की भाषाओं में न मिले। इस तरह द्रविड़ भाषा-परिवार की भाषा-सम्पदा भी यूरोप के हवाले हो गई।

एक तीसरा भाषा-परिवार है मुंडा या कोल। इसका नाम ऑस्ट्रो-एशियाटिक भी है। जैसा कि इस नाम से प्रकट है, इस परिवार की भाषाएँ बोलनेवाले भी भारत में बाहर से आए, बरो के अनुसार पूर्व की ओर से आए। इन्हें आर्यों ने तो परास्त किया ही, सम्भव है, द्रविड़ों ने भी उन्हें दास बनाया हो। बरो के अनुसार जब आर्य लोग पंजाब पार करते हुए गंगा-तटवर्ती भूमि की ओर बढ़ रहे थे, तब उनका मुकाबला करने के लिए मुंडा लोग पूरब से उत्तर-पश्चिम की ओर बढ़ पाए। (बरो की ये मान्यताएँ उन लेखों में हैं जो अन्नामलइ यूनिवर्सिटी द्वारा 'कलेक्टेड पेपर्स ऑन द्रविड़ियन लिंग्विस्टिक्स' नाम से साइक्लोस्टाइल कराके प्रकाशित किये गए हैं।) ऐसा लगता है कि आर्यों के विरुद्ध मुंडा और द्रविड़ जनों का संयुक्त मोर्चा बनते-बनते रह गया। मुंडा भाषाओं में उनके जो मूलतत्त्व हैं, वे सब दक्षिण-पूर्वी एशिया के हैं। भारत का हिस्सा यहाँ भी नहीं है। बस, इतनी गनीमत है कि मुंडा लोग यूरोप से न आए थे।

एक अन्य भाषा-परिवार है चीनी-तिब्बती, इस परिवार की अनेक भाषाएँ हिमालय की उपत्यकाओं में बोली जाती हैं। जैसा कि नाम से प्रकट है, 'चीनी-तिब्बती' परिवार अभारतीय है; न चीन भारत का हिस्सा है, न तिब्बत। इसलिए नाग भाषा-परिवार की जो भाषाएँ भारत में बोली जाती हैं, वे भी भारत में बाहर से आईं। ऐसा लगता है कि जब यूरोप और एशिया के सारे इलाके आबाद हो चुके थे, तब भारत ही ऐसा देश था जहाँ कोई आबादी न थी। इस खाली ज़मीन पर उत्तर, पश्चिम, पूरब जिस दिशा से जिसे जगह मिली, घुसता चला आया और यहाँ आकर बस गया। पहले कुछ शब्द देशज होते थे; जो संस्कृत में न मिले, वह देशज। इस मान्यता में भी प्रच्छन्न रूप से यह भाव निहित था कि संस्कृत विदेशी भाषा है। पहले लोग इस देशज का सम्बन्ध द्रविड़ मुंडा आदि परिवारों से जोड़ते थे। किन्तु पृथ्वी को पीठ पर लादनेवाले कच्छप की तरह अब इस देशज का पता लगाना बहुत कठिन हो गया है।

भारत के सन्दर्भ में ऐतिहासिक भाषाविज्ञान का सारतत्त्व यह है कि भारत की अपनी भाषा-सम्पदा कुछ भी नहीं है।

एमेनो ने एक और लेख लिखा है : 'इंडिया ए लिंग्विस्टिक एरिया'। स्थापना यह है कि भारत में अनेक भाषा-परिवार आकर मिलते हैं और एक-दूसरे को इस तरह प्रभावित करते हैं कि उनमें कुछ ऐसी सामान्य विशेषताएँ उत्पन्न होती हैं जो भारत के बाहर इन परिवारों की भाषाओं में नहीं मिलतीं। एमेनो की यह स्थापना महत्त्वपूर्ण है। इसमें यह माना गया है कि भाषा-परिवार एक दूसरे से पूरी तरह अलग-थलग, एक दूसरे को प्रभावित किये बिना, विकसित नहीं होते। सोवियत भाषाविद् आन्द्रोनोव ने टाइप के अनुसार भाषाओं के वर्गीकरण पर जोर देते हुए कहा है कि आर्य और द्रविड़ परिवारों की भाषाएँ, बहुत दिनों से साथ रहते-रहते, अपनी ऐसी सामान्य विशेषताएँ उत्पन्न कर चुकी हैं कि यह मानना होगा कि पुराने भाषा-परिवारों की सीमाएँ टूट रही हैं और एक नवीन भारतीय भाषा-परिवार का निर्माण हो रहा है। इसमें आर्य और द्रविड़, दोनों परिवारों की भाषाएँ हैं। यह स्थापना भी महत्त्वपूर्ण है। इससे उसी मान्यता की पुष्टि होती है कि भाषा-परिवार एक दूसरे से कटे हुए शून्य में परिवर्द्धित नहीं होते। इस मान्यता को ध्यान में रखते हुए आदिभाषाओं के निर्माण और विघटन के प्रश्न पर फिर विचार करना चाहिए। इस सम्भावना को पहले से ही अस्वीकार नहीं किया जा सकता कि भिन्न भाषा-परिवारों के मूलतत्त्व भी एक दूसरे के सम्पर्क से विकसित हुए होंगे।

भारत के प्रमुख चार भाषा-परिवारों ने एक दूसरे को कितना प्रभावित किया है और वे आपस में किन सूत्रों से बँधे हुए हैं, इस बात का पूरी तरह पता तभी लगाया जा सकता है जब इन परिवारों की भाषाओं का पूरा विवरण सुलभ हो। अभी स्थिति यह है, यह विवरण अधूरा है और जितना भी सुलभ है, उस पर इस दृष्टि से—परिवारों की परस्पर सम्बद्धता की दृष्टि से—विचार नहीं हुआ। अधिकतर काम इस बात की खोजबीन को लेकर हुआ है कि आर्यों की भाषाओं में कितने आर्येतर शब्द आए हैं। बरो और एमेनो का सारा काम इसी धारणा के अनुरूप है। यह धारणा इस पूर्वग्रह पर निर्भर है कि भारत के चार भाषा-परिवार अपने मूल तत्त्वों का विकास, अगल-थलग रहकर, एक दूसरे से सम्पर्क में आने के पहले ही, कर चुके थे। इसलिए प्राचीनकाल में इन भाषा-परिवारों के निर्माण के प्रश्न पर पुनर्विचार की गुंजाइश अब भी है।

इस प्रश्न का निर्णय आगे चलकर जैसा भी हो, इस बात से तो इनकार नहीं किया जा सकता कि चारों भाषा-परिवारों में किसी एक का भी—कम-से-कम भारत के सन्दर्भ में—इतिहास तब तक नहीं लिखा जा सकता जब तक चारों का पूरा विवरण प्राप्त न हो। अभी किसी भी भाषा-परिवार का पूरा विवरण प्राप्त नहीं है। तब भाषाविज्ञान के पंडित कैसे कह सकते हैं कि भारतीय आर्य भाषाओं के

इतिहास के बारे में जो कुछ कहना था, वह सब कहा जा चुका है, अब जहाँ-तहाँ दो-चार छोटी-मोटी बातें ही जोड़ी जा सकती हैं?

भारत की जिन भाषाओं का सबसे अधिक सर्वेक्षण किया गया है, वे सब आर्य-परिवार की हैं। यह काम ग्रियर्सन और उनके सहयोगियों ने अपने विराट् ग्रंथ 'लिंग्विस्टिक सर्वे ऑफ़ इंडिया' में किया। इस ग्रंथ के लिए जिन लोगों ने सामग्री जुटाई, वे भाषाविज्ञान के प्रशिक्षित कर्मचारी नहीं थे और उस समय तक भाषाविज्ञान में ध्वनियों के सही विवरण देने के कौशल का विकास भी न हुआ था, यह आम आलोचना लिंग्विस्टिक सर्वे के बारे में लिखित और अलिखित रूप में भाषाविज्ञान के आधुनिक पंडितों से सुनने को मिल जाती है। ग्रियर्सन के विवेचन में जो राजनीतिक दाँव-पेंच हैं और जिनको नये पंडितों ने भी अपनाया है, उनकी आलोचना सुनने को नहीं मिलती। किन्तु यह सत्य है कि इतने बड़े पैमाने पर लिंग्विस्टिक सर्वे जैसा भाषा-सर्वेक्षण संसार में अन्यत्र कहीं भी नहीं हुआ। समृद्ध अमरीका के सर्व-साधन-सुलभ भाषाविज्ञानी भी, जहाँ नवीन सामग्री नहीं मिलती, वहाँ ग्रियर्सन का ही सहारा लेते हैं। (यथा : 'करेंट ट्रेंड्स इन लिंग्विस्टिक्स' के 5वें खंड में रामानुजन् और मसीका) लिंग्विस्टिक सर्वे में द्रविड़-मुंडा-नाग भाषा-परिवारों को अंशत: ही लिया गया है। एमेनो और बरो का यह कहना बिलकुल सही है कि द्रविड़-भाषा-परिवार का इतिहास तब तक नहीं लिखा जा सकता जब तक लिखित और अलिखित, प्राप्य और दुष्प्राप्य, समस्त द्रविड़ भाषाओं का विवरण प्रशिक्षित भाषाविज्ञानियों द्वारा प्रस्तुत नहीं कर दिया जाता। आर्य भाषाओं की अपेक्षा द्रविड़ भाषाओं पर कार्य कम हुआ है (यद्यपि कुछ कार्य बहुत अच्छा हुआ है, जैसा आर्य भाषाओं पर नहीं हुआ)। द्रविड़ भाषाओं की अपेक्षा मुंडा भाषाओं पर और भी कम काम हुआ है। मुंडा भाषाओं की अपेक्षा नाग भाषाओं पर जो काम हुआ है, वह और भी कम है। इन चारों भाषा-परिवारों को भारतीय सन्दर्भ में परस्पर सम्बद्ध रूप में परखा गया हो, ऐसा काम शून्य के बराबर है। जो अज्ञात भाषाएँ या भाषा-परिवार हमारी जीवित या स्वर्गीय भाषाओं पर अपने अस्तित्व के चिन्ह छोड़कर तिरोहित हो गई हैं, उनका कोई हिसाब नहीं है। यह कहने में अत्युक्ति न होगी कि सम्पूर्ण भारत के सन्दर्भ में ऐतिहासिक भाषाविज्ञान का आरम्भ होना अभी बाकी है।

यह आशा की जा सकती थी कि भारत के स्वाधीन होने पर इस काम की ओर लोग सबसे पहले ध्यान देंगे किन्तु जिन सांस्कृतिक कामों पर पैसा खर्च हुआ, उनमें भाषा-सर्वेक्षण का हिस्सा ही सबसे कम रहा है। इस तरह के काम में भारत सरकार और पड़ोसी देशों की सरकारें, भारत के भाषाविज्ञानी तथा पड़ोसी देशों के भाषाविज्ञानी परस्पर सहयोग कर सकते हैं। यह सहयोग आवश्यक है और इससे भाषाविज्ञान के क्षेत्र में बहुत बड़ा काम हो सकता है। भारत में भाषाविज्ञान के अनेक केन्द्र स्थापित हो चुके हैं। ऐसे केन्द्रों में अनेक भाषाविज्ञानी काम करते रहे

हैं जिन्हें इंग्लैंड और अमरीका में प्रशिक्षित होने का अवसर मिला था। अन्तरराष्ट्रीय स्तर पर सरकारों और भाषाविज्ञानियों में सहयोग हो चाहे न हो, राष्ट्रीय स्तर पर यह सहयोग सर्वथा सम्भव है। यह बात नहीं है कि इन केन्द्रों में अभी परस्पर असहयोग हो; सब एक दूसरे को जानते-बूझते हैं, सम्मेलनों और संगोष्ठियों में मिलते भी रहते हैं, अनेक सरकारी-गैरसरकारी योजनाओं में पूरा या अधूरा काम भी करते हैं किन्तु यह सत्य है कि भारत के सन्दर्भ में ऐतिहासिक भाषाविज्ञान के विकास के उद्देश्य से राष्ट्रीय स्तर पर जैसा योजनाबद्ध कार्य होना चाहिए, वैसा कार्य ये केन्द्र नहीं कर रहे हैं। यह बात भी सही है कि हिन्दी-भाषी प्रदेश में भाषाविज्ञान के अनेक केन्द्र हैं किन्तु हिन्दी-भाषी प्रदेश की विशेष आवश्यकताओं को ध्यान में रखते हुए इनमें भी जिस तरह के सहयोग और सम्पर्क से जैसा सुनियोजित कार्य हो सकता है, वैसे कार्य के लिए अभी तक प्रयत्न नहीं किया गया। सम्भव है, ऐतिहासिक भाषाविज्ञान और भाषाओं के विवरण प्रस्तुत करने के काम को बहुत-से भाषाविज्ञानी अनावश्यक समझते हों।

आए दिन यहाँ दंगा-फसाद भाषाओं को लेकर हुआ ही करता है। इस तरह के झगड़ों का सम्बन्ध केवल वर्तमान भाषा-सम्बन्धी स्थिति से नहीं है वरन् भाषाओं के पुराने इतिहास से, उस इतिहास की हमारी गलत-सही जानकारी से है। यदि इस देश का सामाजिक-राजनीतिक इतिहास ज्ञान की वृद्धि के लिए और देश की प्रगति के लिए आवश्यक है, तो भाषा-सम्बन्धी इतिहास भी आवश्यक है। वास्तव में सामाजिक इतिहास से सम्बन्धित बहुत-सी मान्यताओं का आधार भाषाओं के इतिहास के बारे में हमारी समझ है। जहाँ पुरातत्त्व की सामग्री सुलभ नहीं है, जहाँ इतिहास के प्राचीन लिखित दस्तावेज प्राप्य नहीं है, वहाँ इतिहासकार भाषाओं से प्राप्त सामग्री के सहारे ही प्राचीन युगों के अन्धकार में अपनी राह टटोलते हैं। बहुत-से लोग सांस्कृतिक इतिहास से भाषाविज्ञान को अलग करके देखते हैं किन्तु भाषाओं के इतिहास को उन्हें बोलनेवालों के इतिहास से पूरी तरह अलग करना असम्भव है। भाषा मनुष्य की महत्त्वपूर्ण अर्जित सम्पत्ति है। हमारे पूर्वजों ने किस तरह की भाषा-सम्पत्ति अर्जित की, इसकी जानकारी अपनी राष्ट्रीय अस्मिता की पहचान के लिए आवश्यक है। यह भाषा-निधि न केवल हमारे लिए गौरव की वस्तु है वरन् उन सभी लोगों के लिए आकर्षण और गौरव की वस्तु होनी चाहिए जिन्हें मानव-संस्कृति से दिलचस्पी है। जो मानव-संस्कृति द्रोही हैं, जिन्हें मनुष्यता से कोई वास्ता नहीं, वही भाषाविज्ञान के क्षेत्र में ऐतिहासिक भाषाविज्ञान के प्रति उदासीन रह सकते हैं।

पुराना इतिहास वर्तमान परिवर्तनशील स्थिति से जुड़ा हुआ है। आज जो भाषाएँ बोली जाती हैं, उनका वर्तमान विवरण प्राप्त किये बिना उनका प्राचीन इतिहास नहीं लिखा जा सकता। भाषाविज्ञान में अतीत की जानकारी के लिए सबसे पहले वर्तमान की जानकारी आवश्यक है। भारत में भाषा-सम्बन्धी वर्तमान स्थिति तेजी से बदल

रही है। पचास वर्ष पूर्व जो बहुत-से शब्द हम बचपन में सुनते थे, अब गाँव में सुनाई नहीं देते। परिनिष्ठित भाषाएँ शिक्षा के प्रसार के साथ गाँवों में बोलियों का रंगरूप बदल रही हैं। इसीलिए भाषाओं के विवरण प्रस्तुत करने का काम शीघ्रता से होना चाहिए। इस विवरण में परिनिष्ठित भाषाओं से अधिक बोलियों पर ध्यान देना आवश्यक है और यही काम ज़रा मुश्किल है। ये बोलियाँ केवल आर्य भाषा-परिवार या द्रविड़ भाषा-परिवार के अन्तर्गत होंगी तो काम न होगा। जिन भाषा-परिवारों के बारे में हमें अपेक्षाकृत कम जानकारी है, उन पर पहले और अधिक ध्यान देना ज्यादा आवश्यक है। किन्तु हम इतिहास के प्रति उदासीन रहते आए हैं। भारतीय संस्कृति, प्राचीन और नवीन, में बहुत-से मूल्यवान तत्त्व हैं किन्तु इनमें इतिहास-तत्त्व नहीं है। राष्ट्रीय स्वाधीनता-आन्दोलन का इतिहास लिखनेवाले भारतीय विद्वान् अधिकतर विदेशियों द्वारा संकलित और प्रकाशित सामग्री का सहारा लेते हैं। तब भाषाओं के इतिहास के लिए जो सामग्री सुलभ है, उसे विदेशियों के अलावा और कौन जुटाएगा? कोई भाषा-परिवार हो, परिनिष्ठित भाषा हो चाहे बोली हो, आधारभूत सामग्री मिलती है तो सामान्यत: किसी विदेशी के प्रयत्न के फलस्वरूप। शायद आर्थिक क्षेत्र में भारत इतना परनिर्भर नहीं है जितना भाषाविज्ञान के क्षेत्र में। यदि भाषाविज्ञानी राष्ट्रीय आत्मसम्मान की भावना से नितान्त सम्पृक्त न हों, तो उनके लिए यह स्थिति चिन्तनीय होनी चाहिए।

इस देश में अनेक धर्म-प्रचारक हैं। उन्होंने धर्मप्राण भारत में ही नहीं, भौतिकवादी यूरोप और अमरीका में भी अपनी धर्म-ध्वजा फहरा दी है। किन्तु यहाँ बहुत-से आदिवासी इलाके हैं जहाँ निरक्षर पिछड़े हुए लोगों को साक्षर बनाने का काम ईसाई मिशनरियों ने अपने हाथ में ले रखा है। उन्नीसवीं सदी और उससे पहले भी मिशनरियों का प्रयत्न यह होता था कि यहाँ की भाषाएँ सीखें, उनके व्याकरण लिखें और कोश बनाएँ जिससे उन भाषाओं के माध्यम से जनता में धर्म-प्रचार हो सके। इसीलिए भारतीय भाषाविज्ञान का गहरा सम्बन्ध ईसाई मिशनरियों के काम से है। बीसवीं सदी की विशेषता यह है कि आदिवासियों की बोलियों के अलावा वे अंग्रेज़ी प्रचार पर विशेष ध्यान देते हैं। स्वाधीन भारत के पिछले पच्चीस-तीस वर्षों में अंग्रेज़ी भाषा का अभूतपूर्व प्रचार और प्रसार हुआ है। भारत में जिन्हें अपनी भाषा की प्राचीनता पर सबसे अधिक गर्व था, उन्होंने इस प्रचार-प्रसार में सबसे अधिक योग दिया; तब कोई आश्चर्य नहीं कि नागालैंड में लोगों ने अंग्रेज़ी को अपनी जातीय-भाषा घोषित किया। अनेक आदिवासी इलाके धर्म-प्रचार के बहाने विघटनकारी षड्यंत्रों के अड्डे बने हुए हैं। जिन विदेशी ताकतों को भारत की राष्ट्रीय एकता और प्रभुसत्ता फूटी आँखों नहीं सुहाती, वे करोड़ों रुपये इन पिछड़े हुए इलाकों पर खर्च कर रहे हैं कि धर्म-प्रचार और निरक्षरता-निवारण के साथ-साथ देश के विघटन के लिए इन्हें केन्द्रों के रूप में इस्तेमाल किया जा सके। भाषाविज्ञानियों को इस ओर ध्यान

देना चाहिए या अपनी प्रयोगशाला के भीतर दुनिया से बेखबर बैठे रहना चाहिए? भाषाविज्ञान चाहे ऐतिहासिक हो चाहे अनैतिहासिक, भाषाओं के व्यवहार, भाषाओं के विकास, भाषाओं के माध्यम से मानवजाति की प्रगति से उसका गहरा सम्बन्ध है। यदि पिछड़ी हुई जातियों के विकास के लिए हम उनकी भाषाओं को शिक्षा और साहित्य का माध्यम बनाने में सहायता नहीं देते तो हम भाषाविज्ञानी के रूप में अपना दायित्व नहीं निबाहते। अमरीका में भाषाविज्ञान का बहुत विकास हुआ किन्तु वहाँ के रेडइंडियन लोगों को अपनी भाषाओं के माध्यम से सामाजिक और सांस्कृतिक विकास करने का मौका नहीं मिला। यह कैसा भाषाविज्ञान है कि भाषाएँ नष्ट होती रहीं, उनके बोलनेवाले पददलित होते रहे और भाषाविज्ञान फलता-फूलता रहा। यह विचित्र स्थिति है। भारत में हम अपनी भाषाओं के विकास के लिए भाषाविज्ञान का सक्रिय सहयोग चाहते हैं। जिन प्रदेशों में परिनिष्ठित भाषाओं का अभाव है, जहाँ बहुत-सी बोलियों का समूह दिखाई देता है, जहाँ जातीयता का विकास नहीं हुआ, जहाँ लिखित भाषा का रूप है ही नहीं, वहाँ इन जातियों, कबीलों और भाषाओं की प्रगति के लिए भाषाविज्ञान को आगे आना है। जहाँ भाषाओं के लिखित रूप सुलभ हैं, जहाँ परिनिष्ठित भाषाएँ प्रचलित हैं, वहाँ उनके अगले विकास के लिए भाषाविज्ञान को काम करना है। भाषाओं की वर्तमान स्थिति को लेकर इस दृष्टि से जो भी काम किया जाएगा, वह ऐतिहासिक भाषाविज्ञान के लिए उपयोगी होगा। किन्तु भाषाविज्ञान ऐतिहासिक हो चाहे अनैतिहासिक, भारत में उसकी पहली मान्यता यह है कि भाषाविज्ञान का प्रशिक्षण भारतीय भाषाओं में हो ही नहीं सकता। केवल अंग्रेज़ी के माध्यम से वैज्ञानिक भाषाशास्त्र का शिक्षण सम्भव है। ऐसे परमुखापेक्षी भाषाविज्ञान से कैसे आशा की जाए कि वह भारतीय भाषाओं की प्रगति में सहायक होगा? उसके लिए भारतीय भाषाएँ प्रयोगशाला के लिए सामग्री जुटाने का साधन हो सकती हैं, उनकी प्रगति से उसे कोई सरोकार नहीं है।

यह आवश्यक नहीं है कि भारत के सन्दर्भ में ऐतिहासिक भाषाविज्ञान पर काम शुरू करने के लिए उस दिन की राह देखी जाए जब भारत की और भारत के पड़ोसी देशों की—अर्थात् यूरोप, एशिया और उत्तरी अफ्रीका की—तमाम भाषाओं का सर्वेक्षण पूरा हो जाए। दोनों काम साथ चल सकते हैं। जैसे-जैसे नई विवरणात्मक सामग्री प्राप्त होती जाए, वैसे-वैसे भाषाओं के इतिहास से सम्बन्धित मान्यताओं को परिवर्द्धित या परिवर्तित किया जा सकता है। अभी भी यथेष्ट सामग्री प्राप्त है, विशेष कर भारत की आर्य और द्रविड़ भाषाओं के सम्बन्ध में। आवश्यकता इस बात की है कि इस सामग्री का अध्ययन नये दृष्टिकोण और नई पद्धति से किया जाए। अब तक आर्य और द्रविड़ भाषाओं की सामग्री का तुलनात्मक अध्ययन इस दृष्टि से किया गया कि ये दोनों भाषा-परिवार मूलतः परस्पर असम्बद्ध रहने की दशा में विकसित हुए हैं। ऐसा होना अनिवार्य नहीं है। कुछ लोग यह मानते हैं कि

भाषाओं में पारिवारिक (जेनेटिक) सम्बन्ध नहीं होते। इनका कहना है कि भाषाएँ कुछ अलग-अलग वर्गों में (टाइपों में) बाँटी जा सकती हैं और ये टाइप वाले सम्बन्ध ही मुख्य सम्बन्ध हैं। यह दृष्टि ऐतिहासिक भाषाविज्ञान के लिए सहायक है किन्तु अपने में पूर्ण नहीं, एकांगी है। यह उस बहुत-सी भाषा-सामग्री को छोड़ देती है जिसके आधार पर भाषाएँ एक दूसरे के समान दिखाई देती हैं। यह दृष्टि इस ऐतिहासिक तथ्य को अस्वीकार करती है कि किसी एक भाषा के बोलनेवाले अपने सामाजिक गठन—गण या जाति—के टूटने पर विभाजित भी होते हैं। सामाजिक गठन के न टूटने पर उसके काफी सदस्य किन्हीं विशेष परिस्थितियों में दूसरी जगह जाकर बस भी सकते हैं। पिछले चार सौ वर्षों में ब्रिटेन की अंग्रेज़ी-भाषी जाति के हिस्से अपना देश छोड़कर संसार के दूर-दूर भागों में ऑस्ट्रेलिया, न्यूजीलैंड, अफ्रीका, अमरीका आदि में—जाकर बस गए हैं। मूल जाति से अलग होकर नये-नये प्रदेशों में विकसित होनेवाली इन भाषाओं में परस्पर काफी भिन्नता है यद्यपि इतनी नहीं है कि इन्हें भिन्न भाषा की संज्ञा दी जा सके। टाइप के अनुसार इन भिन्न-भिन्न देशों में अंग्रेज़ी का वर्गीकरण प्रस्तुत किया जाए तो कम-से-कम ध्वनितंत्र की दृष्टि से अमरीकी अंग्रेज़ी ब्रिटिश अंग्रेज़ी से भिन्न टाइप की भाषा सिद्ध होगी। किन्तु भाषा की सारी सामग्री देखने पर यह उचित ही है कि ब्रिटिश और अमरीकी अंग्रेज़ी को एक ही भाषा का नाम दिया जाता है।

अंग्रेज़ी के प्रसार से पहले इससे मिलता-जुलता अरबी भाषा का प्रसार है। मध्य-पूर्व में जहाँ पहले सामी परिवार की अन्य भाषाएँ बोली जाती थीं, वहाँ उसी परिवार की एक भाषा अरबी का चलन हुआ। इसका प्रवेश मध्यपूर्व के अलावा उत्तरी अफ्रीका में भी हुआ। इराक से लेकर मोरक्को तक जो अरबी बोली जाती है, वह एक-रूप अरबी नहीं है। शिष्ट जनों की भाषा से अलग हटकर सामान्य जनों की भाषा अपनी जातीय विशेषताएँ लिये भिन्न-भिन्न प्रदेशों में विकसित हो रही है। इन भाषाओं में निश्चय ही पारिवारिक सम्बन्ध है। टाइप के अनुसार वर्गीकरण की पद्धति वास्तव में उन कठिनाइयों से बच निकलने का एक मार्ग है जो भाषा-परिवार से सम्बन्धित अवैज्ञानिक धारणाओं से उत्पन्न होती हैं।

किसी भाषा के बोलनेवाले जब मूल प्रदेश छोड़कर दूसरी जगह बसने जाते हैं, तो वह नया प्रदेश वीरान न हुआ तो वहाँ के निवासियों से उनका सम्पर्क होता है। यह सम्पर्क किस प्रकार का है, यह इस पर निर्भर है कि दो भिन्न भाषाएँ बोलनेवाले लोगों की सामाजिक, सांस्कृतिक और भाषागत स्थिति कैसी है। एक स्थिति यह है कि मूल प्रदेश छोड़कर जानेवाले लोग दूसरे स्थानों में विजेता बनें, वहाँ के निवासियों का नाश कर दें या उन्हें अपना गुलाम बना लें या दोनों ही एक प्रदेश में रहें, लड़ाई-झगड़ों के बावजूद कोई किसी का नाश न कर पाए और वे एक-दूसरे की भाषा को प्रभावित करें। जर्मनी से जब ऐंगल और सैक्सन गणों

के लोग ब्रिटेन पहुँचे तो उन्होंने वहाँ के केल्त निवासियों का या तो सफाया कर दिया या उन्हें 'इंग्लैंड' से बाहर वेल्स, स्कॉटलैंड और आयरलैंड में खदेड़ दिया। इसका परिणाम यह हुआ कि अंग्रेज़ी भाषा में केल्त जनों की भाषा के तत्त्व बहुत ढूँढ़ने पर ही जहाँ-तहाँ मिल पाते हैं। किन्तु इससे पहले जब रोमन लोगों ने ब्रिटेन पर अधिकार किया था तब उन्होंने न तो मूल निवासियों का सफाया किया, न उनकी भाषा का दमन किया। आगे चलकर अंग्रेज़ों के देश पर फ्रांस से आनेवाले नार्मन लोगों ने अधिकार किया तो इसका बहुत गहरा असर अंग्रेज़ी भाषा पर हुआ। नार्मन लोगों की पराधीनता से मुक्त होने पर भी अंग्रेज़ी-भाषी जाति के बुद्धिजीवी लैटिन और फ्रेंच से बहुत ज्यादा प्रभावित हुए। इसका परिणाम यह है कि मिल्टन की भाषा में लैटिन तत्त्व इटली के महाकवि दांते की भाषा के लैटिन तत्त्वों से बहुत ज्यादा है। वर्तमान अंग्रेज़ी शब्द-भंडार की दृष्टि से जर्मन की अपेक्षा फ्रेंच के अधिक निकट है।

भारत के हज़ारों साल से आर्य और द्रविड़ भाषाएँ बोलनेवाले एक साथ रहते आए हैं। यहाँ ये दोनों भाषा-परिवार निरन्तर एक दूसरे को प्रभावित करते रहे हैं। अंग्रेज़ों और अमरीकियों के लिए यह सोचना स्वाभाविक हो सकता है कि जैसा व्यवहार उनके पूर्वजों ने ब्रिटेन में केल्त जनों के साथ और अमरीका में रेड इंडियन जनों के साथ किया, वैसा ही व्यवहार प्राचीन भारत में आर्यों ने द्रविड़ों के साथ किया होगा। किन्तु ऐसा होना अनिवार्य नहीं है।

द्रविड़ भाषाओं के सन्दर्भ में न केवल संस्कृत की रचना और विकास पर विचार करना आवश्यक है वरन् उस इंडो-यूरोपियन भाषा की रचना और विकास पर भी विचार करना आवश्यक है जिसकी एक शाखा इंडो-आर्यन या संस्कृत मानी जाती है। यूरोप की नवीन और प्राचीन भाषाओं के अनेक तत्त्वों की व्याख्या द्रविड़ भाषाओं के सन्दर्भ को ध्यान में रखे बिना हो ही नहीं सकती।

भाषा-तत्त्वों में मूल शब्द-भंडार का महत्त्व अन्यतम है। इसी आधार पर कॉल्डवेल से लेकर एमेनो और बरो तक भाषाओं की परिवारगत समानताएँ निश्चित करते रहे हैं। इस धारणा का उल्लेख स्तालिन ने भाषाविज्ञान पर अपने निबन्ध में किया था। 'करेंट ट्रेंड्स इन लिंग्विस्टिक्स' के प्रथम खंड में सोवियत भाषाविज्ञान पर लिखते हुए कई विद्वानों ने इस बात पर जोर दिया है कि जब तक स्तालिन जीवित थे, तब तक इस धारणा को बहुत महत्त्वपूर्ण माना गया। उनके मरने के बाद, व्यक्ति-पूजा के चलन के खिलाफ आन्दोलन शुरू होने के बाद, इस धारणा के बारे में सोवियत भाषाविज्ञानी चुप्पी साध गए। इससे विद्वानों ने यह सिद्ध किया कि मूल शब्द-भंडार सम्बन्धी धारणा निरर्थक थी और सांस्कृतिक क्षेत्र में सोवियत शासकों के अवांछित हस्तक्षेप का प्रमाण थी। वास्तव में ये विद्वान् मान लेते हैं कि मूल शब्द-भंडार-सम्बन्धी कल्पना स्तालिन की अपने मन की उपज थी। यह धारणा

स्तालिन से बहुत पहले से प्रचलित थी और इसका स्पष्ट उल्लेख ब्लूमफील्ड के अलावा वर्तमान अमरीकी भाषाविज्ञानियों की अनेक रचनाओं में मिलता है। मूल शब्द-भंडार की धारणा के बिना दो भाषाओं की तुलना करना कठिन है। किन्तु भाषाविज्ञानी यह भी मानते हैं कि भाषा-तत्त्वों में शब्द-भंडार वाला तत्त्व ही ऐसा तत्त्व है जिसकी स्थिरता पर सबसे कम भरोसा किया जा सकता है। इसीलिए पूरे शब्द-भंडार पर ध्यान केन्द्रित करने के बदले मूल शब्द-भंडार पर ध्यान केन्द्रित करना आवश्यक है। यह 'मूल' शब्द सापेक्ष है। मूल शब्द-भंडार में सर्वनाम या क्रियापद, पारिवारिक-प्राकृतिक परिवेश से सम्बन्धित शब्द; कृषि, सामान्य उद्योग आदि से सम्बन्धित शब्दावली पाती है। किन्तु यह शब्दावली स्थिर नहीं है और इसे किसी मूल आदि-भाषा से जोड़ना भ्रामक है।

मूल शब्द-भंडार की तरह मूल व्याकरण-विशेषताओं की कल्पना की जा सकती है किन्तु ये विशेषताएँ अपेक्षाकृत स्थिर होते हुए भी नितान्त अपरिवर्तनशील नहीं हैं। ब्लूमफील्ड का यह कहना सही है कि भाषा-तत्त्व कम या अधिक स्थिर हो सकते हैं किन्तु उनमें शाश्वत तत्त्व कोई नहीं है।

पुरानी तुलनात्मक पद्धति में ध्वनि-सम्बन्धी नियमों पर बहुत विचार किया गया था। इसी क्षेत्र में भाषाविज्ञानियों का दावा था कि उन्होंने ऐसे कठोर नियम ढूँढ़ निकाले हैं जिनकी तुलना भौतिक विज्ञान के नियमों से की जा सकती है। यह नियम-रचना लिखित रूप में पाई जानेवाली भाषाओं के परिनिष्ठित रूप को ध्यान में रखकर की गई थी। किन्तु परिनिष्ठित भाषाओं की सीमा के भीतर ही नियमों के बहुत-से अपवाद निकल आए थे। जब परिनिष्ठित भाषाओं के समानान्तर बोलियों की कल्पना की जाएगी तब ये कठोर नियम और भी शिथिल होते दिखाई देंगे। किन्तु तुलनात्मक पद्धति में, और भाषा के विवरणात्मक अध्ययन में भी, ध्वनितत्त्व बहुत ही महत्त्वपूर्ण हैं। इन्हीं ध्वनितत्त्वों से शब्द रचे जाते हैं और यह शब्द-रचना-प्रक्रिया शताब्दियों तक चलती है। ध्वनितत्त्वों से अधिक महत्त्वपूर्ण है वह रचना-प्रक्रिया जिसके अन्तर्गत सीमित से दिखनेवाले मूल ध्वनितत्त्व निरन्तर किसी असीम प्रक्रिया द्वारा आवश्यकतानुसार नये-नये शब्द रखते जाते हैं। वाक्य-रचना में जैसे कुछ मूल रूपों के आधार पर हम निरन्तर नये-नये शब्द रचते जाते हैं, वाक्य-रचना में जैसे कुछ मूल रूपों के आधार पर हम निरन्तर नये-नये वाक्य रचते हैं, वैसे ही हम मूल ध्वनि-तत्त्वों के आधार पर शब्द-रचना के कुछ मूल रूपों के सहारे अनन्त शब्द-भंडार रचते चले जाते हैं। इससे यह भी सिद्ध हुआ कि भाषा के सभी स्तर आपस में जुड़े हुए हैं, एक दूसरे को प्रभावित करते हैं और इसी से भाषा एक सजीव, संश्लिष्ट वास्तविकता के रूप में सामने आती है। किसी एक तत्त्व को अलग करके उसका अध्ययन करने से—यद्यपि अक्सर ऐसा करना आवश्यक होता है—हमें आंशिक सत्य ही प्राप्त हो सकता है।

भाषाओं की तुलना करते समय केवल समानताओं पर ध्यान देना वांछनीय नहीं है, जो भिन्नताएँ हैं, उन्हें भी देखना चाहिए। भिन्नताओं से समानता का और समानताओं से भिन्नता का पता चल सकता है। अंग्रेज़ी के कुछ शब्द ऐसे हैं जो ब्रिटेन में नहीं बोले जाते, अमरीका में बोले जाते हैं। इससे भिन्नता का पता चला। कुछ शब्द ऐसे हैं जो पहले ब्रिटेन में बोले जाते थे पर अब अमरीका में ही सुरक्षित रह गए हैं। इससे पुरानी समानता का पता चला। वैदिक भाषा में ऐसे अनेक शब्द हैं जो लौकिक संस्कृत में नहीं हैं किन्तु वर्तमान भाषाओं में हैं। लौकिक संस्कृत वैदिक संस्कृत से भिन्न सिद्ध हुई किन्तु इसके साथ वैदिक संस्कृत और आधुनिक भाषाओं के कुछ तत्त्वों की समानता का पता चला। इससे यह सम्भावना भी सामने आई कि लौकिक संस्कृत में जो तत्त्व लिपिबद्ध नहीं हैं, वे उस समय अस्तित्वहीन नहीं थे। यह बात वैदिक भाषा के लिए भी कही जा सकती है। इसके साथ ही संस्कृत में ऐसे बहुत-से शब्द हैं जो न इंडो-यूरोपियन परिवार की किसी भाषा में हैं, न द्रविड़ आदि किसी अन्य भारतीय भाषा-परिवार में। भाषा-परिवार की प्रचलित धारणाओं के अनुसार इन शब्दों की व्याख्या नहीं हो सकती। ऐसे ही जर्मन भाषा-कुल में ऐसे बहुत-से शब्द हैं जो ग्रीक, लैटिन या संस्कृत में नहीं हैं अथवा ग्रीक में ऐसे शब्द हैं जो लैटिन-जर्मन-संस्कृत में नहीं हैं। शब्द-भंडार का अध्ययन बार-बार भाषा-परिवारों की सीमाएँ तोड़ता है। सम्भव है, जितने भाषा-परिवार हमने मान लिये हैं, प्राचीनकाल में उनकी संख्या इससे अधिक रही हो! कभी-कभी यह भी देखने में आता है कि ग्रीक या लैटिन का कोई शब्द संस्कृत में नहीं है किन्तु आधुनिक भारतीय भाषाओं में है अथवा स्लाव भाषा का कोई शब्द न तो ग्रीक, लैटिन, संस्कृत में है, न आधुनिक भारतीय भाषाओं में है किन्तु द्रविड़ भाषाओं में है। इस प्रकार तुलनात्मक अध्ययन में प्राचीन लिखित भाषाओं के साथ आधुनिक भाषाओं पर ध्यान देना अत्यन्त आवश्यक है। दोनों के समग्र अध्ययन से ही तुलनात्मक पद्धति ऐतिहासिक भाषाविज्ञान में अपनी भूमिका पूरी कर सकती है।

यूरोप और एशिया के भाषा-परिवारों का इतिहास भारत के भाषा-परिवारों के इतिहास से जुड़ा हुआ है। भारत के भाषा-परिवारों का इतिहास वर्तमान भारतीय भाषा-परिवारों के सर्वेक्षण के बिना नहीं लिखा जा सकता। भारतीय भाषाओं का सर्वेक्षण-कार्य केवल भारत के लिए नहीं, समस्त एशिया और यूरोप के लिए महत्त्वपूर्ण है। अन्य परिवारों को छोड़ दें तो केवल इंडो-यूरोपियन परिवार का इतिहास जानने के लिए यह सर्वेक्षण आवश्यक है। जब तक हम संस्कृत को आर्य विजेताओं की भाषा मानते रहेंगे, तब तक इंडो-यूरोपियन परिवार के विवेचन के लिए ऐसा सर्वेक्षण निरर्थक लगेगा। किन्तु जहाँ हम इंडो-यूरोपियन परिवार का विवेचन बृहत्तर भाषाई क्षेत्र के सन्दर्भ में करेंगे, जहाँ इस परिवार की भारतीय पृष्ठभूमि पहचानेंगे, वहाँ वह सर्वेक्षण महत्त्वपूर्ण सिद्ध होगा। इंडो-यूरोपियन परिवार पर बहुत काम हुआ है किन्तु

यह काम इंडो-यूरोपियन परिवार को उसके समूचे भाषाई सन्दर्भ से काटकर किया गया है। नवीन सामग्री सुलभ होने पर इस विस्तृत भाषाई सन्दर्भ का ज्ञान जितना ही समृद्ध होगा, उतना ही इंडो-यूरोपियन परिवार का विवेचन करने में सुविधा होगी। भाषाई क्षेत्र भारत से जिन पड़ोसी भाषा-परिवारों का सम्बन्ध है, उनका विवेचन करने में भी सुविधा होगी।

भाषाविज्ञान में सामी और इंडो-यूरोपियन परिवार दो छोरों पर पूरे अलगाव की स्थिति में हैं। तुर्क-मंगोल और फिनो-उग्रियन एक जगह हैं, सामी परिवार दूसरी जगह। आर्य-द्रविड़-कोल नाग समुदायों से सामी और इंडो-यूरोपियन समुदायों का कोई प्रत्यक्ष सम्बन्ध नहीं है। मैंने इस पुस्तक में थोड़ी-सी सामग्री की ओर संकेत किया है, जिससे इन परिवारों का आपसी सम्बन्ध पहचानने में सहायता मिले। इंडो-यूरोपियन परिवार की भारतीय पृष्ठभूमि की तरह सामी-तुर्क-मंगोल परिवारों की भी भारतीय पृष्ठभूमि है। प्राचीनकाल में इन परिवारों की भाषाएँ बोलनेवाले परस्पर निकट सम्पर्क में रहे हैं। यह स्वाभाविक है कि उनमें भाषा-तत्त्वों का आदान-प्रदान हुआ हो। इस सारी विनिमय प्रक्रिया की केन्द्रभूमि है भारत। इसी कारण ऐतिहासिक भाषाविज्ञान की प्रगति के लिए भारतीय भाषाओं का अध्ययन सर्वाधिक महत्त्वपूर्ण है।

# रामविलास शर्मा रचनावली

भाग : दो

भाषा और भाषाविज्ञान

खंड : 24

- **भारत के प्राचीन भाषा-परिवार और हिन्दी-III**

  [खंड-3 : नाग-द्रविड़-कोल और हिन्दी प्रदेश]

# रामविलास शर्मा रचनावली

भाग : दो

## भाषा और भाषाविज्ञान

खंड : 24

सम्पादक

**कृष्णदत्त शर्मा**

**विजय मोहन शर्मा**

राजकमल प्रकाशन

ISBN : 978-93-60861-436-1

**मूल्य :** ₹7,500 [5 खंडों का सम्पूर्ण सेट]



**पहला संस्करण :** 2024

**प्रकाशक :** राजकमल प्रकाशन प्रा. लि.
1-बी, नेताजी सुभाष मार्ग, दरियागंज
नई दिल्ली-110 002

**शाखाएँ :** अशोक राजपथ, साइंस कॉलेज के सामने, पटना-800 006
पहली मंजिल, दरबारी बिल्डिंग, महात्मा गांधी मार्ग, प्रयागराज-211 001
1, अनमोल सोराबजी सन्तुक लेन, धोबी तलाव, मरीन लाइंस, मुम्बई-400 002

वेबसाइट : www.rajkamalprakashan.com
ई-मेल : info@rajkamalprakashan.com

**मुद्रक :** बी.के. ऑफसेट
नवीन शाहदरा, दिल्ली-110 032

RAMVILAS SHARMA RACHANAWALI (Vol. 24)
*Edited by* Krishna Dutt Sharma, Vijay Mohan Sharma

# क्रम

# भारत के प्राचीन भाषा-परिवार और हिन्दी-III

[खंड-3 : नाग-द्रविड़-कोल और हिन्दी प्रदेश]

[प्रकाशन वर्ष : 1981]

# दूसरे संस्करण की भूमिका

22 मई, 1994 के 'हिन्दू' (पत्रिका भाग) में ह्यू और कॉलीन गैन्तसर ने 'वर्तमान सिद्धान्तों' (existing theories) का जिक्र किया है जिनके अनुसार आस्ट्रेलिया के आदिवासी आस्ट्रिक जन हैं और वे चालीस हज़ार साल पहले भारत से वहाँ पहुँचे थे। ये सिद्धान्त किन लोगों के रचे हुए हैं, उनका आधार क्या है, यह मुझे नहीं मालूम। आस्ट्रिक जन भारत से चालीस हज़ार साल पहले गए थे या इसके आगे-पीछे, इसके बारे में भी मैं कुछ नहीं कह सकता, पर वे यहाँ से गए थे, यह स्थापना इस पुस्तक में है।

भारत के भाषा परिवारों की एक विशेषता यह है कि वे अत्यन्त प्राचीन काल से एक दूसरे को प्रभावित करते रहे हैं। यदि आस्ट्रिक जन (इस पुस्तक के कोल) आस्ट्रेलिया पहुँचेंगे तो वे अपनी भाषा में भारत के अन्य भाषा-परिवारों के सम्पर्क चिह्न भी साथ लेते जाएँगे। आस्ट्रेलिया के आदिवासियों की भाषाओं के बारे में जो सामग्री मुझे मिली थी, उसमें उस तरह के सम्पर्क चिह्न मुझे दिखाई दिये थे, उन्हीं के आधार पर मैंने कहा था कि भारत से कोल आस्ट्रेलिया गए थे। रास्ते के बहुत-से द्वीपों की भाषा-सामग्री भी सुलभ है, उससे उक्त अनुमान की पुष्टि होती है। इसी तरह एशिया और यूरोप की भाषाओं में जो भाषा-तत्त्व मिलते हैं, वे किसी एक परिवार के ही नहीं हैं, अन्य परिवारों के तत्त्व भी समेटे हुए हैं।

जो लोग सिंधु घाटी की प्राचीन लिपि का अध्ययन करते रहे हैं, वे यह मानकर चले हैं कि वह 'ऋग्वेद' से पहले की है। सरस्वती 'ऋग्वेद' की सबसे महत्त्वपूर्ण नदी है; वह हड़प्पा सभ्यता के लिए महत्त्वपूर्ण है। 'ऋग्वेद' में वह जल से भरी है, हड़प्पा सभ्यता के ह्रासकाल में वह जल से रीती है। अत: निष्कर्ष यह निकलेगा कि हड़प्पा क्षेत्र की भाषा वैदिक भाषा से मिलती-जुलती रही होगी।

इधर अनेक विद्वानों ने यह मत प्रकट किया है कि ऋग्वैदिक आर्य भारत में कहीं बाहर से न आए थे, वे यहीं के रहनेवाले थे। ये विद्वान् यदि भारत में सघोष महाप्राण ध्वनियों के व्यवहार पर तथा भारत के बाहर उनके रूपान्तरण पर ध्यान दें तो वे अपनी धारणा को भाषावैज्ञानिक तथ्यों से पुष्ट कर सकेंगे।

पुस्तक में मैंने जोड़ा-घटाया कुछ नहीं है; वह प्रथम संस्करण के अनुसार ही पुनर्मुद्रित हो रही है।

**—रामविलास शर्मा**

नई दिल्ली,
30 मई, 1994

# भूमिका

इस खंड के तीन प्रारम्भिक अध्यायों में, आर्य भाषाओं से सम्पर्क को ध्यान में रखते हुए, नाग, द्रविड़ और कोल भाषाओं की विशेषताओं का विवेचन किया गया है। चौथे अध्याय का शीर्षक वही है जो पुस्तक का है। इसमें तीन खंडों के मूल निष्कर्ष फिर से गिनाने के बदले मैंने ऐसी अनेक नई बातों का समावेश किया है जिनका सम्बन्ध पुस्तक में विवेचित मूल समस्याओं से है। इस अध्याय के एक अनुभाग में प्राचीन संसार, भारत और उसके पड़ोसी क्षेत्र, के सांस्कृतिक और भाषायी भूगोल की संक्षिप्त रूपरेखा है। इसके बाद ध्वनि-परिवर्तन-सम्बन्धी उन विशेषताओं का विवरण है जो आर्य और द्रविड़ भाषा-रागुदायों में समान रूप से प्राप्त हैं और जिनकी सहायता से इंडो-यूरोपियन परिवार की आर्येतर भाषाओं के विकास की अनेक गुत्थियाँ सुलझाई जा सकती हैं। एक ओर भारत की आर्य-द्रविड़ भाषाएँ, दूसरी ओर भारत से बाहर की इंडो-यूरोपियन भाषाएँ, इन दोनों भाषा-समवायों में यदि एक-सी ध्वनि-परिवर्तन की प्रक्रिया हो, और उसके साथ शब्द-रचना क्रम में एक-सी अर्थ-संसर्ग की प्रक्रिया हो, तो इससे ध्वनि-परिवर्तन सम्बन्धी मूल स्थापनाओं की पुष्टि होगी, साथ ही ऐतिहासिक भाषाविज्ञान में ध्वनितंत्र के दायरे से बाहर निकलकर भाषाओं के आपसी सम्बन्ध निर्धारित करने में हम अर्थतत्त्व की भूमिका पहचान सकेंगे। जल और अग्नि पर ध्यान केन्द्रित करते हुए मैंने आर्य-द्रविड़ तथा आर्येतर इंडो-यूरोपियन भाषाओं से प्रवाह और प्रकाश का अर्थ देनेवाले बहुत-से शब्द चुनकर उनका आपसी सम्बन्ध दिखाया है। ध्वनि-परिवर्तन की रीतियाँ, शब्द-निर्माण की रीतियाँ, अर्थ-संसर्ग की रीतियाँ उस भाषा-क्षेत्र का बहुत स्पष्ट पता बतलाती हैं जिसके सामाजिक जीवन में जल और अग्नि का असाधारण महत्त्व रहा है और जो क्षेत्र भाषाओं की आदिम अवस्था से लेकर अब तक सघोष महाप्राण स्पर्श-ध्वनियों का केन्द्र रहा है।

उक्त अध्याय के अंतिम अनुभाग में भाषा-परिवारों के सम्बन्ध-निर्धारण में कृदन्तों, सर्वनामों, कारक-रचना, तिङन्त-प्रक्रिया आदि के महत्त्व का विश्लेषण

है। भाषा-परिवार का निर्माण कैसे होता है, इंडो-यूरोपियन परिवार के ऐतिहासिक विवेचन में द्रविड़ भाषा समुदाय की छानबीन क्यों जरूरी है, हिन्दी और संस्कृत से मध्यदेश का सम्बन्ध किस प्रकार का है, दक्षिण-पूर्वी एशिया से भारत के भाषायी सम्बन्ध पर ध्यान देना क्यों आवश्यक है, संक्षेप में इन प्रश्नों का उत्तर भी मैंने दिया है। पहले खंड में प्रकाशित भूमिका में इस अध्याय की रूपरेखा का जो उल्लेख है, वह इसके अन्तिम रूप को देखते अपर्याप्त है। पुस्तक के पहले दो खंड छपने में जो समय लगा, उसका उपयोग मैंने इस अध्याय को उसका वर्तमान रूप देने में किया।

'भारतीय व्याकरण-परम्परा और ऐतिहासिक भाषाविज्ञान' नाम के अध्याय में सबसे पहले पाणिनिकालीन उस भाषा की प्राचीनता का उल्लेख है जो 'ऋग्वेद' से बाद की है किन्तु महाकाव्यों से पहले की है। पाणिनि के समय में न तो संस्कृत एक ही तरह से सर्वत्र बोली जाती थी, न उनका यह प्रयत्न था कि प्रयोग-विविधता हटाकर एकरूपता की स्थापना की जाए। उनके 'शब्दानुशासन' से जनपदीय प्रयोग-विविधता की जो सामग्री प्राप्त होती है, उससे प्राचीन आर्य भाषाओं की वास्तविक स्थिति का ज्ञान बहुत कुछ हो जाता है। पाणिनि के बाद, आधुनिक लोकभाषाओं के अभ्युदय के बाद, संस्कृत-प्राकृत-अपभ्रंश से भिन्न, इन भाषाओं के विवेचन की जो परम्परा दामोदर पंडित के साथ आरम्भ हुई, ऐतिहासिक भाषाविज्ञान के लिए पाणिनि के साथ उसके महत्त्व का भी उल्लेख है।

व्याकरण-परम्परा वाले अध्याय के अन्त में कुछ बातें मैंने भाषाविज्ञान और भौतिकवाद के सम्बन्ध में लिखी थीं। किन्तु पुस्तक के इस खंड की पांडुलिपि मेरे पास ही थी; दूसरे खंड की छपाई के दौरान मैंने उक्त अंश अलग करके एक स्वतंत्र अध्याय लिखा। इस अध्याय में मैंने विवेचन की एकान्तवादी और अनेकान्तवादी पद्धतियों के भेद पर बल दिया है, यांत्रिक भौतिकवाद और द्वंद्वात्मक भौतिकवाद में भेद करने की आवश्यकता पर जोर दिया है, मानवचेतना और प्रतिबिम्ब-सिद्धान्त की परीक्षा की है, भौतिकवाद और नियतिवाद से सम्बन्धित धारणाओं का विवेचन किया है, भाषाविज्ञान के लिए भौतिकवादी दृष्टिकोण क्यों महत्त्वपूर्ण है, इस प्रश्न का उत्तर दिया है।

पुस्तक के अन्त में आठ शब्द-सूचियाँ हैं। पहली सूची में वे शब्द हैं जिनका सम्बन्ध ध्वनि-परिवर्तन और अर्थ-विस्तार की प्रक्रिया से है। ये शब्द आर्य-द्रविड़ भाषाओं के हैं, आर्येतर इंडो-यूरोपियन भाषाओं के हैं। दूसरी सूची में द्रविड़ शब्द हैं और उनके आर्य अथवा आर्येतर इंडो-यूरोपियन प्रतिरूप हैं। तीसरी सूची में ध्वनि-परिवर्तन के उदाहरण हैं। जो ध्वनि-परिवर्तन द्रविड़ भाषाओं में घटित होता है, पहले उसके उदाहरण हैं; वही परिवर्तन आर्येतर इंडो-यूरोपियन भाषाओं में घटित होता है, आगे उसके उदाहरण हैं। चौथी सूची में कोल, पाँचवीं में नाग

और छठी में सामी शब्द और उनके द्रविड़ इंडो-यूरोपियन (आर्य तथा आर्येतर) प्रतिरूप हैं। सातवीं सूची में हाथ और श्रम से सम्बद्ध द्रविड़ तथा इंडो-यूरोपियन भाषाओं के कुछ शब्द हैं। आठवीं सूची में **र्** ध्वनि के **स्** में बदलने और **स्** अथवा **र्** के **न्** में बदलने के उदाहरण द्रविड़ और इंडो-यूरोपियन भाषाओं से दिये गए हैं।

पुस्तक के तीनों खंड परस्पर सम्बद्ध हैं। पूरी बात किसी एक खंड में नहीं है, तीनों में मिलाकर है।

**—रामविलास शर्मा**

आगरा
5 नवम्बर, 1980

1

# नाग भाषा-परिवार और हिन्दी प्रदेश

## 1. प्रस्तावना

चीनी-तिब्बती परिवार संसार के प्रमुख भाषा-परिवारों में है। जनसंख्या की दृष्टि से इंडो-यूरोपियन परिवार के बाद इसका दूसरा स्थान है। इस परिवार की भाषाओं पर अपेक्षाकृत कम कार्य हुआ है। चीनी-तिब्बती नाम का कोई निश्चित भाषा-परिवार है, यह बात वैसे ही विवादास्पद है, जैसे आस्ट्रो-एशियाटिक परिवार की बात। किसी एक आदिभाषा से विशाल चीनी-तिब्बती समुदाय की भाषाओं की उत्पत्ति दिखाना दुष्कर है। तिब्बत और बर्मा की भाषाओं को उक्त समुदाय की शाखा के अन्तर्गत रखा गया है। भारत के पूर्वी अंचल में तथा हिमालय की उपत्यकाओं में तिब्बती-बर्मी शाखा से सम्बद्ध अनेक भाषाएँ बोली जाती हैं। इन्हें यहाँ नाग भाषा कहा गया है।

पौल के. बेनेडिक्ट नाम के विद्वान् ने चीनी-तिब्बती भाषाओं का विहंगावलोकन करते हुए एक महत्त्वपूर्ण ग्रंथ लिखा : 'साइनोटिबेटन् : ए कौंस्पेक्टस्', (1972)। इसमें उन्होंने प्राप्त सामग्री के आधार पर चीनी-तिब्बती परिवार के लिए एक आदि-भाषा की कल्पना की है। इस आदि चीनी-तिब्बती की एक शाखा चीनी है (यानी चीनी कहलानेवाली अनेक भाषाओं का समुदाय है)। दूसरी शाखा तिब्बती-करेन है। चीनी-तिब्बती में चीनी के अलावा दूसरा नाम तिब्बती है, इसलिए दूसरी शाखा तिब्बती होनी ही चाहिए। दो समुदायों को जोड़कर चीनी-तिब्बती वृक्ष की कल्पना की गई है। तिब्बती समुदाय की भाषाओं से बर्मा की भाषाएँ अनेक बातों में मिलती-जुलती हैं। इनमें एक करेन है (या करेन भाषा-समुदाय है)। इसलिए चीनी-तिब्बती की एक शाखा तिब्बती-करेन मानी गई, केवल तिब्बती नहीं। तिब्बती-करेन की एक शाखा हुई करेन और दूसरी शाखा हुई तिब्बती-बर्मी। इस तिब्बती-बर्मी शाखा के अन्तर्गत एक समुदाय बर्मी भाषाओं का होगा (वर्मा में बोली जानेवाली अनेक भाषाओं का होगा), दूसरा समुदाय भारत में बोली जानेवाली नाग भाषाओं का होगा। बेनेडिक्ट के विवेचन से इतना तो स्पष्ट है कि भारतीय नाग भाषाओं का नज़दीकी सम्बन्ध तिब्बती और बर्मी भाषाओं से है, चीनी से उनका सम्बन्ध बहुत दूर का

है। यह दूर का सम्बन्ध इस कल्पना पर आधारित है कि एक आदि चीनी-तिब्बती भाषा थी जिससे चीनी शाखा फूटी; दूसरी तिब्बती शाखा की अनेक प्रशाखाओं से होते हुए हम नाग भाषाओं तक पहुँचते हैं।

भारतीय नाग भाषाओं का विवेचन करते समय चीनी की अपेक्षा तिब्बती और बर्मी भाषाओं पर ध्यान देना आवश्यक होगा। बेनेडिक्ट ने लिखा है कि चीनी तथा तिब्बती-करेन के बीच वैसे ही दूर का रिश्ता है, जैसे अल्ताई और यूराली समुदायों के बीच है अथवा जैसे सामी और हामी (प्राचीन मिस्री) के बीच है; तिब्बती-बर्मी से करेन का वैसा ही सम्बन्ध है, जैसा हित्ती का इंडो-यूरोपियन से है। तिब्बती-करेन तथा चीनी, दोनों भाषा-समुदायों में बहुत-से शब्द-मूल सामान्य हैं और दोनों में शब्दों का उच्चारण स्वरतान के अनुसार होता है जिससे अर्थभेद उत्पन्न होता है। बेनेडिक्ट कहते हैं कि ये दोनों विशेषताएँ थाइ तथा निआओ-याओ भाषाओं में भी हैं। ये भाषाएँ चीनी-तिब्बती परिवार से बाहर हैं। थाइ भाषा, चीनी की अपेक्षा, इंडोनेशिया की भाषा से अधिक मिलती है यानी वह आस्ट्रिक परिवार के निकट है या उसके अन्तर्गत है। चीनी और करेन के वाक्यतंत्र की एक विशेषता यह है कि कर्म का स्थान क्रिया के बाद होता है। यह विशेषता इंडो-यूरोपियन परिवार की अनेक भाषाओं में है, जैसे अंग्रेज़ी में। तिब्बती-बर्मी भाषाएँ इससे भिन्न पद्धति का अनुसरण करती हैं। बेनेडिक्ट कहते हैं कि इनके वाक्य-विन्यास में कर्म सदा क्रिया से पहले आता है और इस नियम का एक भी अपवाद नहीं है। चीनी-तिब्बती परिवार के अन्तर्गत तिब्बती-बर्मी भाषाएँ सौ के लगभग हैं; बेनेडिक्ट के अनुसार चीनी-तिब्बती परिवार में यह तिब्बती-बर्मी समवाय उसका गुरुत्वाकर्षण केन्द्र (सेंटर् आफ् ग्रैविटी) है अर्थात् चीनी-तिब्बती भाषाओं के विराट् प्रसार में तिब्बती-बर्मी-समुदाय सघन केन्द्रभूमि के समान है। यह अत्यन्त ध्यानाकर्षक तथ्य है कि केन्द्रभूमि में स्थित लगभग सौ भाषाएँ वाक्यतंत्र में चीनी के अनुरूप न होकर आर्य-द्रविड़ भाषाओं के अनुरूप हैं। कोई आश्चर्य नहीं कि ग्रियर्सन ने नाग भाषाओं के एक स्वतंत्र परिवार की कल्पना की थी और उनके सहयोगी कोनोव ने कोल और नाग भाषाओं में अनेक समानताएँ देखकर कल्पना की थी कि हिमालय की उपत्यकाओं में जहाँ नाग भाषाएँ बोली जाती हैं, वहाँ पहले कोल भाषाएँ बोलनेवाले रहते थे, और इस कारण नाग भाषातंत्र में एक कोल भाषा स्तर अन्तर्निहित है।

भारत के विभिन्न भाषा-समुदायों से नाग भाषाओं का सम्बन्ध अनेक प्रकार का है। जैसे कोनोव ने कल्पना की है कि नाग भाषातंत्र में कोल तत्त्व विद्यमान है, वैसे ही आर्य-द्रविड़-कोल भाषातंत्रों में नाग भाषा-तत्त्वों की अवधारणा की जा सकती है। जैसे आर्य और द्रविड़ भाषा-तत्त्वों के लिए सदा विश्वासपूर्वक यह कहना सम्भव नहीं होता कि अमुक तत्त्व आर्य है या द्रविड़, वैसे ही जो तत्त्व नाग तथा अन्य भारतीय भाषा-समुदायों में मिलते हैं, उनके लिए यह कहना बहुत

कठिन है कि वे निश्चित रूप से नाग-तत्त्व हैं या किसी अन्य समुदाय के हैं। विराट् चीनी-तिब्बती समुदाय किसी एक भाषा से उत्पन्न नहीं हुआ; तिब्बती-बर्मी समुदाय की कोई आदि जननी भाषा नहीं है। तिब्बती और बर्मी समुदायों से भिन्न नाग भाषाएँ किसी एक आदिभाषा से उत्पन्न तिब्बती और बर्मी समुदायों से भिन्न नाग भाषाएँ किसी एक भाषा से उत्पन्न नहीं हुईं। इनमें इतनी विविधता है, ध्वनितंत्र और शब्द-भंडार में इतना भेद है कि भिन्नता को अनदेखा करके ही उन्हें एक आदिभाषा से उत्पन्न कहा जा सकता है। जहाँ परिनिष्ठित भाषाओं का विकास अपेक्षाकृत अवरुद्ध रहा है, वहाँ इस तरह की विविधता अनिवार्य है। नाग भाषाओं की यह स्थिति कुछ-कुछ अमरीकी आदिवासियों की भाषायी स्थिति से मिलती-जलती है। जिन्हें हम किसी एक भाषा का नाम देते हैं, वे भी बहुधा अनेक बोलियों का समुदाय होती हैं। पूर्वी अंचल में देखा गया है कि कभी-कभी एक ही गण-समाज के दो गाँवों की भाषाएँ एक दूसरे से भिन्न हैं। इस सम्बन्ध में जे.एच्. हटन् ने लिखा है : "अन्य सभी नाग कबीलों की भाषा की तरह सेम कबीले की भाषा भी उच्चारण और शब्द-भंडार की दृष्टि से एक गाँव से दूसरे गाँव में भिन्न है।" ('दि सेम नागाज्', पृ. 266)

नाग भाषाओं से अन्य भारतीय भाषाओं का सम्बन्ध भिन्न प्रदेशों में भिन्न-भिन्न समय पर अलग-अलग तरह का रहा है। एक बहुत बड़ा क्षेत्र तिब्बत का है जहाँ की भाषा इतनी महत्त्वपूर्ण है कि उसका नाम चीनी-तिब्बती वृक्ष और तिब्बती-बर्मी शाखा, दोनों में आता है। तिब्बत से भारतीय आर्य भाषाओं का गहरा सम्बन्ध है। तिब्बती भाषा की लिपि आर्य भाषाओं की लिपि के आधार पर रची गई है। जहाँ-जहाँ बौद्ध धर्म का प्रसार हुआ है, वहाँ भारतीय सम्पर्क के चिन्ह भाषा में मिलना स्वाभाविक है। जहाँ ऐसा सम्पर्क धर्म के आधार पर नहीं रहा, वहाँ भी परस्पर सम्पर्क के चिन्ह रोचक हैं। नाग भाषाएँ इस पूर्वी अंचल तथा हिमालय की उपत्यकाओं में केन्द्रित हैं। लद्दाख वर्तमान कश्मीर का एक भाग है और कश्मीर के उत्तर में तिब्बती-चीनी समुदाय की भाषाएँ बोली जाती हैं। किसी आदिभाषा से उत्पन्न होनेवाली एक ही परिवार की भाषाओं की कल्पना किये बिना इन सबको इस पुस्तक में नाग भाषा की संज्ञा दी गई है। सम्भवत: मध्यदेश के दक्षिण भाग में कोल-द्रविड़जनों के साथ नाग भी रहते थे। यदि दक्षिण भाग छोड़ दें तो भी आर्य भाषा-क्षेत्र के पूर्व में, हिमालय की उपत्यकाओं को लेते हुए पूर्वोत्तर से कश्मीर के उत्तरी भाग तक, नाग गण-समाजों का आवास इस समय भी है। जिस उत्तरी क्षेत्र में खरोष्ठी लिपि का व्यवहार होता था और जिसमें पाँचवीं-छठी ईसवी सदी तक के दस्तावेज मिलते हैं, उसमें नागजनों की बस्ती थी और वहाँ का शासक वर्ग राज्य भाषा के रूप में एक भारतीय आर्य भाषा का व्यवहार करता था जो नीय प्राकृत के नाम से प्रसिद्ध है। आर्य भाषा-क्षेत्र कोल-द्रविड़ समदायों के अतिरिक्त नाग समुदायों से भी घिरा हुआ

है, यह तथ्य महत्त्वपूर्ण है। स्वभावत: नाग भाषाओं से आर्य भाषाओं का सम्बन्ध ही नहीं है। द्रविड़ और कोल भाषाओं का भी है।

कुछ लोग नाग की जगह **नग** या **नगा** शब्द का प्रयोग करते हैं। कौन-सा शब्द सही है और किसका प्रयोग उचित है, इसका विवेचन यहाँ अनावश्यक है। **नाग** शब्द भारतीय साहित्य का एक सुपरिचित शब्द है, इसलिए मैंने उसे स्वीकार किया है। हिन्दी में सामान्यत: आजकल **नागा** शब्द का व्यवहार होता है। वह **नाग** शब्द का रूपान्तर है। तिब्बती-बर्मी समुदाय की जो भाषाएँ भारत में बोली जाती हैं, उनकी कुछ सामान्य विशेषताओं का उल्लेख करने के बाद यहाँ दो-तीन नाग भाषाओं के बारे में अलग से लिखना भी उचित होगा। जो नाग भाषाएँ भारत के पूर्वी अंचल में बोली जाती हैं, उनकी कुछ विशेषताएँ ऐतिहासिक दृष्टि से महत्त्वपूर्ण हैं। उन्हें देखकर विदित होता है कि जहाँ के लोग सामाजिक विकास में बहुत आगे नहीं बढ़ पाए, जहाँ यातायात के साधन अविकसित और दुर्लभ हैं, जहाँ बौद्ध धर्म के प्रचारक सांस्कृतिक सम्बन्ध कायम करने नहीं पहुँचे, वहाँ भी विभिन्न भारतीय जनसमुदायों के बीच भाषा-तत्त्वों का विनिमय निरन्तर होता रहा है। आर्य भाषा-क्षेत्र के सीमान्तों की भाषाओं के अध्ययन से ऐसी विशेषताओं का ज्ञान होता है जिनसे इंडो-यूरोपियन परिवार के निर्माण के बारे में नई स्थापनाएँ प्रस्तुत की जा सकती हैं।

## 2. ध्वनितंत्र

चीनी-तिब्बती परिवार की सभी भाषाओं की एक सामान्य विशेषता है कि इनमें अर्थभेदक स्वरतान का व्यवहार होता है। इन स्वरतानों की संख्या कहीं कम है, कहीं ज्यादा है, किन्तु उनका व्यवहार सर्वत्र होता है। स्वरतान की विशेषता कोई ऐसा तत्त्व नहीं है जिसे अन्य भाषाएँ घनिष्ठ सम्पर्क के कारण अर्जित न कर सकें। थाइ देश की भाषा स्वरतानों का प्रयोग करती है यद्यपि वह चीनी-तिब्बती समुदाय की भाषा नहीं है। मध्यदेश में स्वरतानों का व्यवहार नहीं होता। यदि नागजन मध्यदेश के मूल निवासी होते और बड़े पैमाने पर वे आर्य भाषाएँ बोलनेवालों में मिल गए होते, तो इस बात की बहुत बड़ी सम्भावना थी कि थाइ भाषा की तरह हिन्दी भी स्वरतानों का व्यवहार करती। यद्यपि कोई यह दावा अभी नहीं करता कि मध्यदेश के मूल निवासी नाग थे, फिर भी उसका खंडन आवश्यक है। जो लोग पौराणिक कथाओं का सहारा लेकर इतिहास की व्याख्या करते हैं, वे कह सकते हैं कि जनमेजय के नागयज्ञ की कहानी आर्यों द्वारा नागों के संहार की ओर संकेत करती है। ऐसी पौराणिक कथाओं का विवेचन करना यहाँ सम्भव नहीं है। इतना कहना काफी है कि नाग भाषाओं के ध्वनितंत्र की मुख्य विशेषता अर्थभेदक स्वरतानों का व्यवहार है। ऐसा व्यवहार हिन्दी-क्षेत्र में नहीं होता। आर्य भाषाओं पर उसका प्रभाव बिलकुल न रहा हो, ऐसी बात नहीं है। पंजाबी भाषा में स्वरतानों का

व्यवहार बहुत सीमित रूप में होता है। मध्यदेश को केन्द्र में रखने पर पंजाबी आर्य परिवृत्त की भाषा ठहरती है। हिन्दी की तुलना में वह सघोष महाप्राण स्पर्श-ध्वनियों का उच्चारण भिन्न प्रकार से करती है, उनकी महाप्राणता ही नहीं, सघोषता का भी लोप कर देती है। उस पर नाग भाषाओं के ध्वनितंत्र का प्रभाव रहा हो तो आश्चर्य नहीं। लौकिक संस्कृत से भिन्न वैदिक भाषा उदात्त, अनुदात्त और स्वरित—इन तीन स्वरतानों का व्यवहार करती है। यह सम्भव है कि इंडो-यूरोपियन परिवार की लिथुआनियन आदिभाषाओं में जो स्वरतान-प्रवृत्ति है, उसका सम्बन्ध नाग भाषाओं की स्वरतान-पद्धति से रहा हो।

नाग भाषाओं की दूसरी उल्लेखनीय प्रवृत्ति स्पर्श-ध्वनियों को संघर्षी रूप देने की आर्य भाषाओं के ध्वनितंत्र में अनेक महत्त्वपूर्ण परिवर्तन ऐसे हुए हैं जिनका सम्बन्ध संघर्षीकरण की प्रवृत्ति से है। यह प्रवृति सभी नाग भाषाओं में एक जैसी नहीं है और न आर्य भाषाओं में उसका प्रसार सर्वत्र एकरूप है। किन्तु भारत के भाषायी होश में नाग भाषाएँ ही ऐसी हैं जिनमें यह प्रवृत्ति व्यापक है। इसलिए सम्भव है कि आर्य-द्रविड़, कोल आदिभाषाओं ने उसे नाग प्रभाव से ग्रहण किया हो।

इस संघर्षीकरण की प्रवृत्ति की विशेषता यह है कि वह किसी ध्वनि के स्पर्शतत्त्व को ऐसे ध्वनि-रूप में बदल देती है जो स्पर्शविहीन होता है या स्पर्श की मात्रा आंशिक रहती है। द्रविड़ भाषाओं में, विशेष कर तमिल में दो स्वरों के बीच में स्थित **क्** या तो **ग़्** रूप में बोला जाता है या **ह्** रूप में। **ग़्** रूप में स्पर्शतत्त्व अंशत: विद्यमान रहता है, **ह्** में उसका लोप हो जाता है, केवल संघर्षी महाप्राण ध्वनि सुनाई देती है। प्राकृतों में बड़े पैमाने पर जो स्पर्श-ध्वनियों का लोप दिखाई देता है, वह इसी प्रवृत्ति का अतिरंजित चित्र है। यहाँ बेनेडिक्ट की पुस्तक के आधार पर तिब्बती-बर्मी समुदाय की भाषाओं से कुछ उदाहरण दिये जाते हैं।

वयु भाषा में घर के लिए एक शब्द है **किम्** या **कॅम्**; तिब्बती में इसका प्रतिरूप है **ख्यिम्**। तिब्बती ने स्पर्शतत्त्व का लोप नहीं किया, केवल महाप्राणता जोड़कर स्पर्शतत्त्व को थोड़ा शिथिल किया। किन्तु मिकिर भाषा के **हॅम्**, लिंगु भाषा के **हिम्** में स्पर्शतत्त्व का लोप हो जाता है। अनेक तिब्बती-बर्मी भाषाएँ महाप्राणता का अर्थभेदक व्यवहार नहीं करतीं; यह प्रवृत्ति उनमें गौण रूप से विद्यमान है। इसलिए कुछ भाषाएँ **ह्**, ध्वनि का लोप कर देती हैं और उसके स्थान पर किसी अर्द्धस्वर का व्यवहार करती हैं। इस प्रकार मणिपुर की भाषा मॅइथॅइ में उक्त शब्द का प्रतिरूप **युम्** है। तिब्बती में कुत्ते के लिए **ख्यि** शब्द है। कनौरी में इसका प्रतिरूप **कुइ** है। **क्** ध्वनि तिब्बती में महाप्राणता के योग से **ख्** हुई है। मिकिर भाषा में इसका रूप **हि** है। यह शब्द कहीं संस्कृत **श्वान्** से सम्बद्ध है। कुछ नाग भाषाएँ **स्** ध्वनि को **क्** में बदलती हैं जो वस्तुत: संघर्षीकरण से विपरीत प्रक्रिया है। तिब्बती-बर्मी समुदाय की विमस् भाषा में कुत्ते के लिए **सि** शब्द है। मिकिर भाषा का **हि** इस **सि**

का प्रतिरूप हो सकता है, तिब्बती **ख्यि** का भी। रोने-चिल्लाने के लिए तिब्बती में **ख्रब्** शब्द है। इसका कनौरी प्रतिरूप **कृप्** है, मगरि भाषा में **ख्** की जगह **ह्** आ जाता है और **ह्रप्** रूप बनता है। **ह्** का लोप होने पर इसी भाषा में वैकल्पिक रूप **रप्** बनता है। तमिल आदिस्थानीय **क्** की रक्षा करती है। उसकी कुछ बोलियों में अंशतः महाप्राणता का योगदान होता है और आदिस्थानीय **क्** का उच्चारण **ख्** के समान होता है। अनेक नाग भाषाएँ आदिस्थानीय **क्** को **ख्** में बदलती है, फिर उसे स्पर्शतत्त्वविहीन करके **ह्** रूप देती हैं और कभी **ह्** के स्थान पर अर्द्धस्वर का व्यवहार करती हैं और कभी पूर्णतः लोप कर देती हैं।

तमिल भाषा में और कुछ अन्य द्रविड़ भाषाओं में भी दो स्वरों के बीच में आनेवाली **प्** ध्वनि बहुधा अर्द्धस्वर **व्** में बदल जाती है। यह वही प्रवृत्ति है, स्पर्शतत्त्व का लोप करके स्पर्शहीन ध्वनि का व्यवहार करने की। पिता के लिए तिब्बती में **अप, अफ, फ** जैसे शब्द हैं। करेन भाषा में इसका प्रतिरूप **अव** अथवा **व** है। बेनेडिक्ट ने लिखा है कि तिब्बती-बर्मी समुदाय की उत्तरी भाषाओं में अधिकतर **प्** बना रहता है, शेष भाषाओं में उसकी जगह **व्** का व्यवहार होता है। बाँस के लिए तिब्बती **स्प** का गारो प्रतिरूप **व** है। बर्मी भाषा में भी **व** रूप है। सूअर के लिए तिब्बती **फग्** के बर्मी और गारो प्रतिरूप **वक्** हैं। (तिब्बती रूप के आदिस्थानीय व्यंजन में महाप्राणता जोड़ी गई है। मूल शब्द **पग्** है जो अंग्रेज़ी **पिग्** से मिलता-जुलता है।) तमिल कभी-कभी **प्** को नासिक्य **म्** में बदल देती है। नासिक्य ध्वनियों में स्पर्श की मात्रा कम रहती है। इसलिए जहाँ **प्** के स्थान पर **म्** का व्यवहार होता है, वहाँ उसी स्पर्शतत्त्व के लोप की प्रवृत्ति है।

आर्य भाषाओं में प्राचीनकाल से एक प्रवृत्ति **स्** को **ह्** में बदलने की रही है। वर्तमानकाल में पूर्वी बंगाल, राजस्थान, गुजरात आदि में दन्त्य **स्** को जितना बदला जाता है, उतना मध्यदेश में नहीं। असम में **स्** ध्वनि संघर्षी **ख़्** में बदलती है। कश्मीरी, पंजाबी, सिन्धी, मराठी में भी यह प्रवृत्ति है यद्यपि राजस्थानी और गुजराती के समान प्रबल नहीं है। ईरान की प्राचीन भाषा वैदिक भाषा से बहुत मिलती-जुलती है। मुख्य भेद ईरान की भाषा में **स्** के स्थान पर **ह्** का व्यवहार है। अन्य अनेक ध्वनितंत्रीय प्रवृत्तियों के समान यह वृत्ति भी मध्यदेश को घेरे हुए है। हिन्दी तथा उसकी जनपदीय उपभाषाओं के बहुत-से रूपों में **ह्** ने **स्** का स्थान ले लिया है, फिर भी यह सकार इस प्रदेश में जमा हुआ है; भिन्न प्रवृत्तियाँ उसकी जड़ नहीं काट सकीं, यह उल्लेखनीय है। **स्** को **ह्** में बदलनेवाली प्रवृत्ति इतनी व्यापक है कि कोई भी भारतीय भाषा-परिवार उसके प्रभाव से मुक्त नहीं है। नाग भाषाएँ, भारत से बाहर की तिब्बती-बर्मी भाषाएँ उससे मुक्त नहीं हैं। यह प्रवृत्ति मूलतः नाग भाषाओं की है, यह कहना कठिन है किन्तु वह उन भाषाओं की प्रवृत्ति है जो स्पर्शतत्त्व का लोप करती हैं। दन्त्य **स्** को **ह्** में वे भाषाएँ बदलेंगी जिनमें महाप्राण ध्वनियों के उच्चारण

का चलन होगा। चीनी-तिब्बती समुदाय को देखने से प्रतीत होता है कि भारत से जो प्रदेश जितनी दूर है, उसमें महाप्राणता की विशेषता उतनी कम है। बेनेडिक्ट ने लिखा है कि चीन की प्राचीन भाषा में स्वतंत्र महाप्राण तत्त्व का अभाव था। तिब्बती-बर्मी भाषाओं के लिए बेनेडिक्ट ने बताया है कि शब्दमूलों के अन्त में **ह्** का व्यवहार नहीं होता। बहुत-सी तिब्बती-बर्मी भाषाओं में महाप्राणता से अर्थभेद नहीं होता। तिब्बती भाषा सामान्यत: शब्द के आदिस्थानीय **क्-त्-प्** को महाप्राण कर देती है। कुछ शब्द ऐसे हैं जिनमें **क्, ख्** आदि का भेद अर्थ-विच्छेदक होता है। बेनेडिक्ट के अनुसार ये थोड़े-से शब्द अपवाद मात्र हैं। शायद तिब्बत की अपेक्षा बर्मा की भाषा पर भारतीय प्रभाव अधिक है क्योंकि बर्मी भाषा में **क्, ख्** आदि महाप्राण और अल्पप्राण ध्वनियाँ अर्थभेदक हैं। तिब्बती भाषा में, दक्षिण-पूर्वी एशिया की कुछ भाषाओं की तरह, भारतीय वर्णमाला के प्रभाव से **घ्-ध्-भ्** ध्वनियों के लिए चिन्ह हैं, लिखित भाषा में ये ध्वनिचिन्ह दिखाई देते हैं। किन्तु ये ध्वनिचिन्ह देखने भर को हैं, तिब्बती समेत इन भाषाओं में सघोष महाप्राण स्पर्श-ध्वनियों का उच्चारण नहीं होता। ऐसी स्थिति में यह कहना तर्कसंगत न होगा कि नाग भाषाओं के प्रभाव से **स्** ध्वनि **ह्** में बदलने लगी। यह सम्भावना विचारणीय है कि प्राचीनकाल में आर्य भाषाओं का एक उत्तर-पश्चिमी केन्द्र ऐसा था जो **स्** की जगह **ह्** बोलता था। इस केन्द्र ने वैदिक भाषा को वह रूप दिया जो ईरान की पुरानी भाषा में प्राप्त है।

अस्तु: प्राचीन ध्वनि-परिवर्तन की वह प्रवृत्ति नाग भाषाओं में है। नाक के लिए तिब्बती भाषा में **स्ना** शब्द है। मगरि भाषा में इसका प्रतिरूप **ह्ना** है। मेवारी, लुशई, बर्मी आदि में **ह्** वाले रूप हैं। इन भाषाओं में सर्वत्र **स्** के स्थान पर **ह्** का व्यवहार हो, ऐसा नहीं है। बर्मी **स्**, करेन **सि** का अर्थ मरना है। चङ भाषा में इसका प्रतिरूप **हइ** है। यह संस्कृत **शी** का प्रतिरूप है और **चा** आदि रूपों में मृत्यु के लिए द्रविड़ भाषाओं में इसका व्यापक व्यवहार होता है। द्रविड़ भाषाएँ कहीं तो **स्** को **च्** में बदलती हैं और कहीं **त्** में। यह सम्भव है कि करेन भाषा की **सि** जैसी क्रिया द्रविड़ प्रभाव से **ति** में बदली हो और फिर आदिस्थानीय स्पर्श-ध्वनि को महाप्राणता के साथ उच्चारित करने की प्रवृत्ति के कारण **थि** रूप बना हो। लुशइ, मिकिर, दिमस् आदि कई भाषाओं में उक्त **सि** क्रिया का प्रतिरूप **थि** है। इसका बोरो प्रतिरूप **तय्** (मरना) है और **तय्** से अंग्रेज़ी **डाइ** (उप.) बहुत दूर नहीं है। इसी प्रकार कनौरी भाषा का **सुर्** (खट्टा, अंग्रेज़ी का **सावर्**) लुशइ में **थुर्** है; बर्मी **सत्** (मारना) लुशइ में **थक्** है। इसके साथ यह भी सम्भव है कि अनेक शब्दों में तिब्बती-बर्मी भाषाओं ने **त्** के स्थान पर **स्** का व्यवहार किया हो। **वस्, वास्, वस्त्र** संस्कृत के पुराने शब्द हैं। तिब्बती-बर्मी भाषाओं में **वस्** का प्रतिरूप **वत्** है। बर्मी **वत्** माने पहनना, **अवत्** माने कपड़े; नूङ भाषा में **नूङवत्** का अर्थ है छाती को वस्त्र से ढँकना (नूङ अर्थात् छाती)। मूल शब्द **वस्** है जो इस समुदाय में **वत्**

हो गया है। **त्-द्** को **र्-ल्** में बदलने की प्रवृत्ति बहुत पुरानी है। उसके उदाहरण नाग भाषाओं में भी मिलते हैं, यथा : गारो भाषा का **दक्** (बुनना) बर्मी में **रक्** है। भारत का प्रसिद्ध शब्द **जन** चीन तक पहुँच गया है किन्तु वहाँ उसका उच्चारण **ज्** के स्थान पर **र्** से होता है। **रॅन्** अर्थात् **जन**। सम्भव है, **जन** का कोई पालि प्रतिरूप **दन** रहा हो (**प्रसेनजित्** के पालि रूपान्तर **पसेनदी** के समान) और वह **दक-रक** की तरह **रॅन्** में बदल गया हो!

कोल और नाग भाषाओं में खाने और पीने के लिए **च ज** वर्णों वाली क्रियाओं का व्यवहार होता है। इसी क्रिया से **चाय** का सम्बन्ध है। हिन्दी **जीमना, ज्यौनार,** मराठा **जेवणें** आदि-आदि सम्बद्ध रूप हैं। उल्लेखनीय है कि नाग भाषाएँ **च्** और **ज्** का स्पर्शतत्त्व क्षीण करके उन्हें संघर्षी रूप में बोलती हैं। पूरब में असमिया और पश्चिम में मराठी में हिन्दी **च्** के स्थान पर बहुधा **त्स्** **(च़्)** के समान ध्वनि सुनाई देती है, उसका व्यवहार नाग भाषाओं में काफी होता है। **च़्** और **ज़्,** इन दोनों ध्वनियों का व्यवहार पूर्वी और पश्चिमी सीमान्तों की आर्य भाषाओं में होता है, मध्यक्षेत्र की भाषा में नहीं होता। बर्मी भाषाओं में **त्सा** माने खाना; **अत्सा** अर्थात् भोजन। करेन में **ज़ा** (खाना), तिब्बती में उसका प्रतिरूप **ज़ावा** है और तिब्बती में ही स्वादिष्ट वस्तु के लिए **ज़िम्पा** शब्द है।

नाग भाषाओं में महाप्राणता की अपेक्षा सघोषता का विकास अधिक हुआ है। चीनी भाषा में सामान्यतः सघोषता का लक्षण अर्थभेदक नहीं होता। **याङ्त्सी** को **काङ्** कहो चाहे **गाङ्,** कोई फर्क नहीं पड़ता। यह शब्द नदीवाचक है, भारतीय गंगा का प्रतिरूप है। चीनी से भिन्न तिब्बती-बर्मी भाषाओं में सघोषता का लक्षण अर्थभेदक होता है। इन भाषाओं में सघोष ध्वनियों का विकास वैसे ही विषम रूप में हुआ है, जैसे यूरोप की भाषाओं में अघोष महाप्राण ध्वनियों का हुआ है। लुशइ भाषा में **द्** और **ब्** तो हैं किन्तु **ग्** नहीं है। बेनेडिक्ट ने लिखा है कि बर्मी भाषा शब्द के आदिस्थान में **ग्-द्-ब्** का व्यवहार नहीं करती। उसकी यह प्रवृत्ति तमिल भाषा की ध्वनि-प्रकृति से तुलनीय है। तिब्बती में शब्द के अन्तिम स्थान में सघोष व्यंजन लिखे तो जाते हैं किन्तु बोले नहीं जाते। सघोष और अघोष ध्वनियों को लेकर तिब्बती में, बेनेडिक्ट के अनुसार, वैसा ही उलझाव है, जैसा थाइ भाषा में। सघोषता के लक्षण का प्रसार आर्य भाषा-केन्द्रों से हुआ है, अतः उलझाव स्वाभाविक है।

### 3. शब्दतंत्र और रूपतंत्र

तिब्बती-बर्मी भाषाओं में अनेक शब्दमूलों के अन्त में **त, द, न, प** जैसे प्रत्यय जोड़कर नये शब्द गढ़ने की प्रवृत्ति है। इनमें काफी शब्द मूल हैं जो क्रिया का अर्थ देते हैं। इनमें प्रत्यय लगाकर जो शब्द गढ़े जाते हैं, वे संज्ञा रूप होते हैं। ऐसे शब्दों को कृदन्त कहा जा सकता है। कनौरी आदि में **ज़** क्रिया खाने के अर्थ में

प्रयुक्त होती है। इसका तिब्बती प्रतिरूप **जाबा** है। यह तिब्बती रूप क्रियार्थी संज्ञा है अवधी के **जाबु, खाबु** की तरह। तिब्बती में **ङ्मो** माने रोना, इससे संज्ञा रूप बना **ङ्द्मो** अर्थात् सिसकी; **द्रोबा** माने गरम होना, इससे संज्ञा रूप बना **द्रोद्** अर्थात् गर्मी। इन रूपों में **द** कृदन्त प्रत्यय का काम करता है। कुछ शब्दों में **द** के स्थान पर **म** का संयोग होता है और जो शब्द बनता है, उसमें विशेषण का भाव होता है, यथा : उसी क्रिया से तिब्बती में **द्रोन्मो** (गरम) शब्द बनता है।

नाग भाषाओं में लिंगभेद आर्य भाषाओं के प्रभाव से स्वीकृत हुआ है। जैसे कुछ भाषाओं में शब्द के साथ नर या मादा जोड़कर भेद बताया जाता है, वैसे ही तिब्बती में पुल्लिंग रूप जताने के लिए **पा** या **पो** जोड़ा जाता है जो पिता का अर्थ देता है और स्त्रीलिंग की सूचना के लिए **मा** या **मो** शब्द जोड़ा जाता है जो माता का अर्थ देता है। इस प्रकार **र्गद्पो** माने बूढ़ा पुरुष, **र्गद्मो** माने बूढ़ी स्त्री। पशुओं के लिए **पा, पो** चिन्ह का व्यवहार नहीं होता, उसकी जगह **ला** प्रत्यय जोड़ा जाता है। इस तरह का भेद मानवीय और मानवेतर में भेद करनेवाली द्रविड़ प्रवृत्ति की याद दिलाता है। संख्यासूचक शब्द बनाने की पद्धति भी द्रविड़ भाषाओं से मिलती है। तिब्बती में दहाई वाला शब्द पहले आता है और इकाई वाला शब्द बाद को। तिब्बती में दस के लिए **छु** शब्द है और तीन के लिए **सुम्**। तेरह के लिए शब्द बना **छुक् सुम्**। इसी तरह पाँच के लिए **ङ** शब्द है और पन्द्रह के लिए शब्द बना **छोङ**। यह रोचक तथ्य है कि भारत के पूर्वी सीमान्त पर तिब्बती में और पश्चिमी सीमान्त पर फ़ारसी में गिनती की द्रविड़ पद्धति प्रचलित है।

तिब्बती-बर्मी भाषाएँ प्रत्ययों और उपसर्गों का व्यवहार खूब करती हैं। उनकी यह विशेषता उन्हें भारतीय आर्य तथा कोल भाषाओं से सम्बद्ध करती है। चीनी भाषा-समुदाय इस पद्धति का अनुसरण नहीं करता। जो भाषाएँ संश्लिष्ट होती हैं, वे प्रत्यय-उपसर्ग अवश्य काम में लाती हैं। आर्य-कोल भाषाओं के संसर्ग से तिब्बती-बर्मी-समुदाय विशुद्ध अश्लिष्ट समुदाय नहीं रह गया। इसके विपरीत चीनी भाषा-समुदाय विशुद्ध रूप से अश्लिष्ट है। यदि उपसर्ग-प्रत्यय-व्यवहार की पद्धति पर ध्यान दिया जाए तो दिखाई देगा कि एक ओर इसका प्रसार यूरोप में स्लाव-जर्मन प्रदेशों तक है, दूसरी ओर दक्षिणपर्वी एशिया में सौ से अधिक तिब्बती-बर्मी भाषाओं में इसी पद्धति का चलन है। पूर्वी-पश्चिमी यूरोप तथा दक्षिण-पूर्वी एशिया के बीच में भारत स्थित है जहाँ केवल आर्य भाषा-परिवार में नहीं, कोल-परिवार में भी यह परम्परा सुदढ़ रूप में विद्यमान है। भारत के भाषायी क्षेत्र होने, एक केन्द्र से दाएँ-बाएँ दोनों ओर दूर-दूर तक सामान्य भाषा-तत्त्वों के प्रसार का यह प्रमाण है। बेनेडिक्ट का विचार है कि प्राचीनतम चीनी भाषा में भी उपसर्गों का व्यवहार न होता था। (पृ. 155)

तिब्बती-बर्मी भाषाओं में उपसर्गों और प्रत्ययों के अनेक कार्य हैं। क्रियार्थी शब्दों में लगाकर संज्ञा शब्द बनाए जाते हैं। कोई वस्तु किस व्यक्ति की है, यह

सम्बन्ध प्रकट करने के लिए इनका व्यवहार होता है। प्राणियों में किसी वर्ग विशेष की चर्चा करनी हो तो वर्ग-विभाजक के रूप में इनका व्यवहार होता है। शरीर के अंगों, अवयवों की ओर संकेत करने के लिए प्रत्यय या उपसर्ग हैं। संज्ञा शब्दों को क्रिया-रूप देने के लिए, क्रिया कर्मवाच्य है या कर्तृवाच्य, ऐसी विशेषताएँ बताने के लिए, कर्ता-कर्म की स्थिति का निर्देश करने के लिए इनका व्यवहार होता है। ऐसा प्रतीत होता है कि भारतीय भाषा-परिवारों से एक बार यह पद्धति अपनाने के बाद तिब्बती-बर्मी भाषाओं ने उसे पुष्पित और पल्लवित किया है। साथ ही यह सारी प्रक्रिया अत्यन्त प्राचीन है, बौद्ध धर्म के अभ्युदय और प्रसार से बहुत पहले की है। इंडो-यूरोपियन परिवार की भाषाओं में कहीं-कहीं जो प्रक्रियाएँ अस्पष्ट या निरर्थक प्रतीत होती हैं, उनकी सार्थकता तिब्बती-बर्मी भाषाओं के सन्दर्भ में दिखाई देने लगती है।

इंडो-यूरोपियन भाषाओं का इतिहास लिखनेवाले विद्वान एक अस्थिर सकार का कल्पना करते हैं जो शब्दमूल के पहले कभी लगता है और कभी नहीं लगता। जैसे संस्कृत में देखने के लिए क्रिया के **पश्** और **स्पश्** दो रूप हैं। जिन रूपों में ऐसा सकार लगा है, उनके अर्थ में उसके होने न होने से कोई फर्क पड़ता दिखाई नहीं देता। भारतीय भाषाओं का एक परिचित शब्द है **नाग**। **नाग** शब्द **सर्प** का पर्यायवाची है। इस **नाग** में यदि वही अस्थिर सकार जोड़ दिया जाए तो **स्नाग** रूप बनेगा। यही अंग्रेज़ी का **स्नेक्** है। **स्नेक्** और **नाग** में सकार के भाव और अभाव से कोई अन्तर न आया। पर यह अन्तर कभी था नहीं, यह कहा कठिन होगा। तिब्बती में **खोर्बा** का अर्थ है मुड़ना, **स्कोर्बा** का अर्थ हुआ घेरना। करेन में **दम्** का अर्थ है भटकना, **सदम्** का अर्थ हुआ भटकाना। मरु भाषा में **लि** का अर्थ है आना, **सलि** का अर्थ हुआ ले आना। बहुत सम्भव है, **पश्** और **स्पश्** में किसी समय अर्थभेद रहा हो। अस्थिर सकार कुछ शब्दों से जुड़कर वर्ग-विभाजक का कार्य करता है। लुशइ में पशुवाचक शब्दों के पहले **स** जोड़ा जाता है, यथा : **सकॅइ**। (बाघ), **सव** (पक्षी), **सवोम्** (भालू)। हो सकता है, मानवेतर प्राणी **नाग** के पहले वर्गभेदक **स्** जोड़कर **स्नाग** (स्नेक्) रूप बनाया गया हो!

इन भाषाओं में **अ** उपसर्ग के अनेक कार्य हैं। एक कार्य क्रिया से संज्ञा बनाना है। लेप्चा में **ज़ो** का अर्थ है खाना; इससे संज्ञा रूप बना **अजोम्** अर्थात् भोजन। **बु** क्रिया का अर्थ है ले जाना, **अबुन्** का अर्थ हुआ गाड़ी। **हु** का अर्थ है गरम होना, **अहरुन्** का अर्थ हुआ गर्मी। संस्कृत **घर्** का विकास **हर्** है। **घर्** से हिन्दी **घाम** बना और **हर्** से अवधी **अहरा**। **अहरा** में **अ** उपसर्ग नाग भाषाओं की प्रक्रिया को देखकर सार्थक सिद्ध होगा। **ध्वर्** माने जलाना, **अध्वर्यु** माने आग जलानेवाला, यज्ञ कर्ता। **अ** उपसर्ग लगाकर क्रिया से संज्ञा बनाने की प्रक्रिया कभी आर्य भाषाओं में भी प्रचलित थी।

तिब्बती-बर्मी भाषाओं में क्रियासूचक शब्दों से संज्ञा शब्द अनेक प्रकार से बनाए जाते हैं। कुछ वैयाकरणों का तो यह मत है कि तिब्बती-बर्मी भाषाओं में संज्ञा और क्रिया का भेद होता ही नहीं है; तिब्बती जैसी भाषा में एक ही क्रिया है जिसका अर्थ है होना, उसी को विभिन्न शब्दों में लगाकर क्रिया-रूप सिद्ध किये जाते हैं। यह बात सही नहीं मालूम होती। प्रत्यय-उपसर्ग लगाकर क्रिया और संज्ञा शब्दों में भेद किया जाता है। तिब्बती-बर्मी भाषाओं में यह प्रवृत्ति उनके आदिकाल से रही हो, चाहे न रही हो किन्तु इस पद्धति से उनमें अनेक शताब्दियों से भेद किया जाता रहा है, इसमें सन्देह नहीं। इन भाषाओं में कुल मिलाकर संस्कृत की-सी प्रवत्ति है जिसमें सैकड़ों संज्ञा शब्द क्रियासूचक शब्दमूलों से बने हैं। बेनेडिक्ट ने लिखा है कि तिब्बती-बर्मी भाषाओं में शब्दों के चार वर्ग हैं : "क्रिया, संज्ञा, सर्वनाम और संख्यासूचक शब्द। कहते हैं, प्रत्यय अथवा उपसर्ग लगाकर 'क्रिया से संज्ञा शब्द बनाना तिब्बती-बर्मी रूपतंत्र की विशिष्ट प्रक्रिया है; इससे भिन्न विपरीत कोटि की प्रक्रिया अत्यन्त विरल है।" (पृ. 92) भले ही ऊपर से देखने में क्रिया और संज्ञा शब्दों में रूपात्मक भेद प्रतीत न हो किन्तु अर्थप्रतीति मुख्य है। संस्कृत के समान यह भाषा-समुदाय क्रिया और संज्ञा में भेद ही नहीं करता, वरन् क्रिया के आधार पर संज्ञा शब्द भी बनाता है।

तिब्बती-बर्मी भाषाओं में गिनती दशमलव पद्धति से चलती है। भारतीय भाषाओं का प्रभाव इस पद्धति पर स्पष्ट है। भारत के भीतर और भारत के बाहर आर्य-द्रविड़ पद्धतियों का संयोग अनेक भाषाओं में दिखाई देता है। बेनेडिक्ट के अनुसार तिब्बती-बर्मी समुदाय की कुछ भाषाओं में बीस की गिनती भी चलती थी। सम्भव है, यह कोल-सम्पर्क का परिणाम हो। बीस के लिए तिब्बती-बर्मी भाषाओं में **कुल** शब्द है। संस्कृत में यह शब्द बहुत्वसूचक है और सम्भव है, बंगला के बहुवचन-सूचक **गुलि** से इसका सम्बन्ध है।

तिब्बती-बर्मी भाषाओं में जहाँ-तहाँ उत्तम पुरुष सर्वनाम के दो रूप होते हैं। एक रूप में श्रोता भी शामिल होता है और दूसरे में नहीं होता। ऐसा भेद द्रविड़ और कोल भाषाओं में है। हिमालय की उपत्यकाओं में बोली जानेवाली नाग भाषाओं तथा तिब्बती में उत्तम पुरुष सर्वनाम के दो रूप घनिष्ठ कोल-द्रविड़ नाग सम्पर्क सिद्ध करते हैं। कनौरी, तिब्बती आदि कुछ भाषाओं में द्विवचन का चलन है जो कोल प्रभाव का परिणाम है। सर्वनाम के व्यवहार में आदर, आत्मीयता, निरादर आदि की व्यंजना भारतीय प्रभाव से उत्पन्न हुई है। बेनेडिक्ट कहते हैं कि इस तरह की कोई भी व्यंजना इन भाषाओं में व्यापक रूप से विद्यमान नहीं है। उन्होंने उसे प्राचीन भाषा या उसकी शाखाओं से प्राप्त किया हो, ऐसा सिद्ध नहीं होता। समूचे दक्षिण-पूर्वी एशिया में सर्वनामों के व्यवहार पर भारतीय परिवारों की छाप है। सर्वनामों के जैसे बहुवचन-रूप आर्य भाषाओं में हैं, वैसे तिब्बती-बर्मी भाषाओं में नहीं हैं।

द्रविड़ भाषाओं की तरह बहुवचन-सूचक चिन्ह जोड़कर वे वैसा रूप बनाती हैं। संज्ञा के पहले सर्वनाम चिन्ह जोड़ने की पद्धति भी द्रविड़ भाषाओं से मिलती-जुलती है। करेन में **न** माने तू, **वा** माने बाप; **न्वा** माने तेरा बाप। तमिल में **आय्** माने माँ, **ञाय्** माने तेरी माँ। **ञाय्** के **ञ** का पूर्वरूप है **न**। तमिल और करेन के मध्यम पुरुष सर्वनाम का एकवचन रूप एक ही है। तमिल **आय्** के समान दक्खिनी चीनी में **अयि** (माता) है; तमिल **अम्मा** के समान उस भाषा में **अमा** (उप.) है। तमिल **अप्पन्** का करेन प्रतिरूप **अवा** (पिता) है। **वा** इसी का प्रतिरूप है। बर्मी में **अप्पन्** का प्रतिरूप **अफा** है, **अम्मा** का **अमे**।

जो भाषाएँ अश्लिष्ट होती हैं, वाक्य में शब्दों के स्थान से उनमें शब्दों का आपसी सम्बन्ध पहचाना जाता है; उनमें कारक-चिन्हों का व्यवहार नहीं होता क्योंकि वह अनावश्यक होता है। किन्तु तिब्बती-बर्मी भाषाओं में कारक-चिन्हों का व्यवहार होता है। कर्ता, कर्म, करण आदि का भाव संज्ञा शब्दों में जोड़े जानेवाले प्रत्ययों से ज्ञापित होता है। ये प्रत्यय भारतीय पद्धति के अनुसार मूल शब्द के बाद आते हैं, कम्बोज पद्धति के अनुरूप उससे पहले नहीं। **मैंने मारा** जैसे वाक्य में ग्रियर्सन आदि विद्वानों ने कर्ता को करण रूप में देखा है। **मैंने** का अर्थ वे **मेरे द्वारा** लगाते हैं। बड़े मजे की बात है कि बेनेडिक्ट ने भी तिब्बती भाषा में कर्ता को करण रूप में देखा है। **ङस्खोलर्दुङ्**—मेरे द्वारा उसको मारा गया। उनके अनुसार **ङस्** करण रूप है। यह सकारान्त रूप संस्कृत के कर्ता **रामस्** रूप से मिलता-जुलता है। आगे हम देखेंगे कि कुछ नाग भाषाओं में कर्ता के आगे कोई कारक-चिन्ह लगाना आवश्यक नहीं होता, उसमें जो चिन्ह लगा होता है, उसका आशय केवल इतना होता है कि कर्ता को सुनिश्चित रूप प्रदान किया गया है।

## 4. नाग भाषा बोरो

### *(क) ध्वनितंत्र*

पूर्वी भारत के असम प्रदेश में नाग समुदाय की बोरो भाषा बोली जाती है। इसके बोलनेवाले साढ़े तीन लाख से ऊपर हैं। डी.एन्. शंकर भट ने 'बोरो वोकैबुलरी' (पूना, 1968) नाम की पुस्तक में इस भाषा का काफी विवरण दिया है। बोरो समेत नाग भाषाओं के शब्द-भंडार की चर्चा इस अध्याय के अन्त में की जाएगी। यहाँ उसके ध्वनितंत्र और विन्यासतंत्र की कुछ विशेषताओं पर ध्यान देना पर्याप्त होगा।

सभी तिब्बती-बर्मी भाषाएँ एकवर्णी होती हैं अर्थात् इनमें जो शब्द प्रयुक्त होते हैं, उनमें केवल एक-एक वर्ण होता है। बोरो भाषा में अनेक वर्ण (सिलेबिलों) वाले शब्द काफी संख्या में हैं। इसका कारण भारतीय भाषाओं का प्रभाव हो सकता है जिससे कि भाषा की मूल शब्द-रचना-पद्धति ही बदल गई है। इसके ध्वनितंत्र में वर्त्स्य **ट्** और **ड्** ध्वनियाँ हैं। असमिया भाषा के समान बोरो में भी दन्त्य **त्** और **द्**

का व्यवहार नहीं होता। स्वर के पहले प्रयुक्त होने पर **ट्** व्यंजन, अन्य नाग भाषाओं के समान, महाप्राण रूप में बोला जाता है। बोरो में **ट्** और **ठ्** अर्थ-विच्छेदक ध्वनियाँ नहीं हैं। हिन्दी के **टाट** और **ठाठ** में बड़ा अन्तर है। बोरो भाषा में **क्** और **प्** ध्वनियाँ महाप्राण रूप में **ख्** और **फ्** भी बोली जाती हैं किन्तु महाप्राणता अर्थभेदक नहीं है। **ख्** और **फ्** स्पर्श-ध्वनियाँ हैं, वायु के अवरोध के बाद उसका विस्फोट होता है। अधिकांश आर्य भाषाओं में **ख् फ्** आदि विस्फोट ध्वनियों का व्यवहार ही होता है। किन्तु बोरो में इनके वैकल्पिक संघर्षी रूप **ख़्** और **फ़्** भी विद्यमान हैं यद्यपि ये रूप अर्थभेदक नहीं हैं। फ़ारसी भाषा में **ख़्** और **फ़्** संघर्षी रूप में ही प्रयुक्त होते हैं। ऐसी ध्वनियों का विकास फ़ारसी में कैसे हुआ होगा, यह बोरो जैसी नाग भाषा के ध्वनितंत्र को देखने से विदित होगा। भारत के पूर्वी सीमान्त की तरह भारत के उत्तर-पश्चिमी सीमान्त पर भी नाग भाषाएँ बोली जाती थीं। उनके प्रभाव से फ़ारसी तथा यूरोप की भाषाओं में अघोष महाप्राण संघर्षी ध्वनियों का विकास हुआ है। बर्मी में **क्** और **ख्** अर्थभेदक ध्वनियाँ हैं किन्तु बोरो में ऐसा विकास नहीं हो पाया। बर्मी पर आर्य प्रभाव अधिक है।

महाप्राणता की तरह सघोषता का लक्षण भी बोरो में अल्पविकसित है। **ग्-द्-ब्** शब्द के अन्त में आते हैं तो उनका उच्चारण अघोष होता है। एक रोचक तथ्य यह है कि असमिया की अपेक्षा बोरो में **ह्** का उच्चारण अधिक स्पष्ट होता है, वह संघर्षी **ख़्** जैसा नहीं होता। शंकर भट के अनुसार इस भाषा में केवल चार शब्द ऐसे हैं जिनके अन्त में **ह्** ध्वनि आती है। **ह्** सघोष ध्वनि है। ऐसे शब्द अनेक हैं जिनके आदिस्थानीय **ह्** का उच्चारण सघोष होता है। किन्तु यही ध्वनि जब शब्द के अन्त में आती है तो बहुत अस्पष्ट होती है यानी उसकी सघोषता क्षीण हो जाती है। संस्कृत रूप **रामस्** पहले **रामह्** बना और **ह्** अभी सघोष था, फिर उससे परिचित रूप **रामः** का विकास हुआ। संस्कृत में **ह्** को लेकर कुछ वैसी ही प्रक्रिया घटित हुई थी, जैसे बोरो में दिखाई देती है।

यद्यपि शब्द के अन्त में सघोष-अघोष का भेद नगण्य होता है किन्तु आदिस्थान में यह भेद सार्थक होता है : **कम**—खोना, **गम**—खो जाना; **गलय्**—गिरना, **कलय्**—गिराना; **दुगय्**—नहाना, **तुकय्**—नहलाना। यह भेद **फूटना** और **फोड़ना, छूटना** और **छोड़ना** जैसे रूपों के भेद से मिलता-जुलता है।

बोरो भाषा **फ्** और **फ़्**, विस्फोट और संघर्षी, दोनों ध्वनि-रूप स्वीकार करती है किन्तु **ज्** को वह संघर्षी **ज़्** रूप में ही स्वीकार करती है। **पूज** क्रिया से रूप बना **पुजिय**—मैं पूजा नहीं करता। **जन** शब्द **ज़न** रूप में बोला जाता है। जिन उधार लिये हुए शब्दों में सघोष महाप्राण **झ्** है, उनमें उसकी महाप्राणता का लोप होने पर संघर्षी **ज़्** बच रहता है। इस प्रकार **बोझ** और **बुझि** (बूझना) क्रमशः **बोज़** और **बुज़ि** हो जाते हैं। **दामाद** के लिए **ज़मादय** शब्द हैं। यह **जामाता** का विकास

हो सकता है, **दामाद** का भी। एक मज़ेदार बात यह है कि **स्** के बाद यदि सघोष ध्वनि आए तो **स्** को भी सघोष रूप में **ज़्** बोलते हैं। इस प्रकार **दस बार** बोला जाएगा **दज़्बार; दसजन** बोला जाएगा **दज़्ज़न**। यह प्रवृत्ति एक हद तक अंग्रेज़ी में भी है। **कैट** का बहुवचन **कैट्स्** बोला जाएगा किन्तु **डौग्** का बहुवचन **डोग्ज़्** बोला जाएगा। सघोष **ग्** के सान्निध्य से **स्** सघोष हो जाता है।

बोरो में एक विचित्र स्थिति यह है कि कहीं-कहीं द्रविड़ भाषाओं के समान शब्द में व्यंजन द्वित्व हो जाता है। **पी** क्रिया के विकल्प **पे** का अर्थ है पिये होना यानी नशे में होना। इसमें **गे** उपसर्ग लगाकर **गेपे** रूप बनता है। **गेपे** वह व्यक्ति है जो नशे में है। इस **गेपे** का वैकल्पिक रूप है **गेप्पे**। इसी प्रकार **बय्** माने तोड़ना और **गब्बय** माने टूटा हुआ; **बङ्** माने अधिक होना, **गब्बङ्** वह है जो अधिक हो चुका है। यद्यपि अन्य नाग भाषाओं के समान बोरो भी आदिस्थानीय **क्** को—उसके आगे स्वर होने पर—महाप्राण रूप में ग्रहण करती है पर यह अवश्य ही द्रविड़ प्रभाव होगा जब हिन्दी का **खसी** (बधिया) बोरों में **कसि** हो जाता है। इसी प्रकार **सखा** वहाँ **सिकि** रूप में स्वीकृत हुआ है। **संध्या** के लिए बोरो में एक शब्द है **अन्द्रि**। यह **अँधेरी** का द्रविड़ीकरण है। जैसे कुछ द्रविड़ भाषाओं में, यथा : तेलगू में, वर्ण-संकोचन की प्रवृत्ति है और शब्द के आरम्भ में **क्र** जैसे व्यंजन गुच्छ दिखाई देते, वैसे ही बोरो में वर्ण-संकोचन की प्रवृत्ति है। **कोरो** माने सिर, अन्य रूप **क्रो**। **पुरु** माने शिथिल करना, अन्य रूप **प्रु**। **बरय** माने बढ़ा, अन्य रूप **ब्रय**। कहना न होगा कि संस्कृत-ग्रीक आदिभाषाओं में यह प्रवृत्ति व्यापक रूप में मिलती है। एक विशेषता कोल भाषाओं की है। वोरो में दो स्वर एक साथ आ सकते हैं, यथा : **बअ** (खींचना)। ऐसे रूप प्राकृतों में बहुत हैं। किन्तु बोरो दो स्वरों के बीच में **य्** श्रुति के व्यवहार से स्वरों की टक्कर बचाती भी है। ऊपर एक उदाहरण **पुज़िय** आया है। इसमें **पुज़ि** क्रिया के बाद निषेधात्मक **अ** प्रत्यय लगाया गया है। **इ** और **अ** की टक्कर को **य्** श्रुति से बचाया गया है।

बोरो में **च्** के स्पर्श तत्त्व का लोप होने पर उसके संघर्षी रूप का उच्चारण **स्** जैसा होता है। **छ्** की महाप्राणता का लोप होने पर उसका उच्चारण भी **स्** जैसा होता है। **ज्** सामान्यत: **ज़्** में परिवर्तित होता है किन्तु कभी-कभी अघोष उच्चारण के कारण **स्** बोला जाता है। **जगमग** शब्द **सगमग** तथा **सकमक** रूपों में प्राप्त है। हिन्दी **छाता, छाया** और **छह** क्रमश: **साता, साया** और **सॉय** हैं। फ़ारसी **साया** संस्कृत **छाया** का प्रतिरूप है। बोरो में **च्** से आरम्भ होनेवाले पचीसों शब्द हैं जो **स्** से बोले जाते हैं। **च्** को **स्** में बदलने या **स्** की तरह बोलने की प्रवृत्ति असमिया में है। हो सकता है कि **सौका, सौरा, सस्मा, सा, साकर, साबी, सीनी, समटा** आदि शब्द बोरो को असमिया से प्राप्त हुए हों! **चौका, चौरा** (अवधी **चउरा**), **चस्मा** (चश्मा), **चा** (चाय), **चाकर, चाबी, चीनी, चमटा**—ये शब्द हिन्दी प्रदेश

में भी बोले जाते हैं। असमिया तत्सम शब्दों के **स्** को **ख़्** में बदलती है। बोरो ने **सस्मा** रूप में दन्त्य **स्** रहने दिया है। यह रूप उसे बंगला से नहीं, दन्त्य **स्**-प्रधान हिन्दी की किसी उपभाषा से मिला होगा। बोरो में जो दन्त्य **स्** वाले शब्द पहुँचे हैं, वे सामान्यतः सुरक्षित रहे हैं। **साँवला, समय, स्वर्ग, सत्रु** (शत्रु) शब्द बोरो में **सँबला, सॉम, सर्ग, सुतुर** रूपों में प्राप्त हैं। अन्तिम शब्द में तालव्य ध्वनि को दन्त्य बनाया गया, उसके बाद वह बोरो में पहुँची। जो शब्द तालव्य **श्** के साथ बोरो में पहुँचे हैं, उनका रूपान्तरण ऐतिहासिक भाषाविज्ञान की एक ऐतिहासिक घटना है।

बोरो में तालव्य **श्** का अभाव है। बाहर से आए हुए शब्द की **श्** ध्वनि **क्** में बदल जाती है। ऊपर **सुतुर** का उल्लेख है। इसका एक वैकल्पिक रूप **कुतुरु** भी है। यह रूप उन लोगों के माध्यम से पहुँचा है जो तालव्य **श्** के प्रेमी थे। एक शब्द **कुद्** है, इसका अर्थ लगभग वही है जो बंगला **शुधू** का है। निस्सन्देह वह उसी का परिवर्तित रूप है और किसी स्थिति की विशेषता सूचित करने के लिए प्रयुक्त होता है। **स्वाद—कोद्** हो गया है, **सत्रह—कोत्राव्, सौदागर—कोदागर, सभा—कोबा, सोम—कोम्, सहाय—कोहाय, सारि (पंक्ति)—कारि, सिंह—किंगा, सीमा—कीमा** बन गए हैं। इन शब्दों में दन्त्य **स्** तालव्य होकर बोरो पहुँचा है और यहाँ माध्यम बंगला भाषा रही है। जिन शब्दों के आरम्भ में पहले ही तालव्य **श्** रहा है, उनके **श्** को **क** में बदलना और भी सहज था। इस प्रकार **शास्ति** (दंड), **शुक्र, शनि, शूली, शरीर** क्रमशः **कास्ति, कुकुर, कोनि, कुलि, कॉरिल** बन गए हैं। जैसा कि विदित है, इंडो-यूरोपियन आदिभाषा की एक शाखा शतम्वादी थी और दूसरी केन्तुम्वादी। केन्तुम्वादी शाखा से यूरोप का विशेष सम्बन्ध जोड़ा गया; यूरोप का अर्थ पश्चिमी यूरोप है क्योंकि पूर्वी यूरोप में स्लाव जन शतम्वादी थे। जर्मन, फ्रांसीसी, अंग्रेज़ी आदिभाषाओं में तालव्य **श्** विद्यमान है। इंडो-यूरोपियन परिवार की कोई भी भाषा ऐसी नहीं है जो तालव्य **श्** को इतने सुसंगत रूप से **क्** में बदलती हो। बोरो के ध्वनितंत्र की यह विशेषता **शतम्-केन्तुम्** विभाजन का रहस्य प्रकट कर देती है। **शतम्** पूर्व का शब्द है; उसका केन्तुम रूपान्तरण भी पूर्व का है। बोरो में **शत** का प्रतिरूप **कत** तो नहीं है पर **सौ** का प्रतिरूप **को** अवश्य है। बोरो पूर्व की भाषा है; उसका क्षेत्र यूरोप को देखते पूर्व का है, भारत को देखते भी पूर्व का है। **शतम्** वर्ग की भाषाएँ पूर्व की हैं, **केन्तुम्** वर्ग की भाषाएँ पश्चिम की हैं, यह विभाजन निराधार है। 'आदि' इंडो-यूरोपियन भाषा में कंठ्य **क्** के अलावा एक तालव्य **क्** था, यह तालव्य **क्** पूर्व में **श्** हो गया, पश्चिम में कंठ्य **क्** से मिलकर एक हो गया, यह कल्पना निराधार है।

**श्** को **क्** रूप में ग्रहण करनेवाले भाषा-क्षेत्र भारत के उत्तर-पश्चिमी प्रदेशों में थे। यहाँ द्रविड़ भाषाएँ बोली जाती थीं और यह **क्** वाला रूपान्तर उनमें भी है। तुलु **शॅर** (कैद), कन्नड़ **किर्** (कैद में डालना); नइकि **शॅट्ट** (झाड़ी), तुलु **गिड;**

तुलु **शेट्टुनि** (सड़ना) और **केडगुनि;** इन शब्दों में **श्** को **क्** में बदलते देखा जा सकता है। संस्कृत में **दृश्** से **दृश्य** और **दृक्, दिश्** के साथ **दिक्** (दिशा) इसी प्रवृत्ति की ओर संकेत करते हैं।

हिन्दी प्रदेश के पूर्वी भाग मगध में **श्** की भरमार थी, उत्तर-पश्चिमी क्षेत्र में **श्-ष्-स्** का चलन था। इस प्रदेश की उत्तर-पूर्वी सीमाओं पर ऐसी भाषाएँ थीं जिनमें **श्** का प्रभाव था। जैसे तमिल ने अनेक शब्दों के **स्** को **त्** रूप में ग्रहण किया, वैसे ही अनेक द्रविड़ भाषाओं ने **श्** को **क्** रूप में ग्रहण किया। यह प्रवृत्ति जितना द्रविड़ भाषाओं में व्यापक रूप लिये है उतना नाग भाषाओं में नहीं लिये। बोरो उन भाषा-केन्द्रों का प्रभाव सुसंगत रूप में ग्रहण किये है जो **श्** को **क्** में परिवर्तित करते थे। इन्हीं केन्द्रों से गीक-लैटिन जैसी केन्तुम्वर्गीय भाषाओं का सम्बन्ध था; इनमें **श्** नहीं है, भारतीय शब्दों के प्रतिरूपों में वे **श्** की जगह **क्** का व्यवहार करती हैं। भारत के उत्तर में एक तुखारी नाम की भाषा बोली जाती थी। वह भी केन्तुम्वर्गीय है। उसके केन्तुम्वर्गीय होने का रहस्य यही है कि वह उक्त **श्**-विहीन भाषा-केन्द्रों के पड़ोस में थी।

बोरो में **श्** के **क्** में बदलने का ऐतिहासिक महत्त्व यही है कि उससे इंडो-यूरोपियन परिवार में तालव्य **श्**-सम्बन्धी विवेचन भ्रान्तिपूर्ण सिद्ध होता है।

### *(ख) शब्दतंत्र और रूपतंत्र*

अन्य नाग भाषाओं के समान बोरो की शब्द निर्माण-प्रक्रिया में प्रत्यय-उपसर्ग जोड़ने की पद्धति का खूब चलन है। कुछ प्रत्यय सर्वनाम चिन्ह जान पड़ते हैं। एक शब्द है **अम्ब**। इसका हिन्दी प्रतिरूप **तब** है। दोनों में **ब** देश-कालसूचक प्रत्यय है। हिन्दी रूप में दूरी बताने के लिए **त** सर्वनाम चिन्ह है और बोरो में **अम्**। क्रिया में उपसर्ग लगाकर संज्ञा रूप बनाया जा सकता है, जैसे : **तय** माने फलना और **बितय** माने **फल**। यह **बि** उपसर्ग अनेक पारिवारिक सम्बन्धसूचक शब्दों के साथ जोड़ा जाता है। **बाव्** माने बाबा, **बिबाव्** माने उसका बाबा। **बि** के अतिरिक्त अन्य सर्वनाम ऐसे शब्दों के साथ जोड़े जाते हैं और द्रविड़ पद्धति की याद दिलाते हैं। शरीर के अंगों को सूचित करनेवाले शब्दों के पहले भी **बि** उपसर्ग लगाया जाता है, यथा : **बिक** (छाती)। शरीर के अलावा अन्य वर्गों के शब्दों के साथ भी इस प्रत्यय का व्यवहार होता है, जैसे : **लय** माने पत्ती और **बिलय्** माने पंखुड़ी। **एला, इलायची** में **लय्** शब्दमूल प्रतीत होता है; **ए, इ** सर्वनाम चिन्ह हैं।

लिंगभेद नाग भाषाओं की मूल विशेषता नहीं है। आर्य भाषाओं के बहुत-से पारिवारिक सम्बन्धों वाले शब्द बोरो में पहुँच गए हैं। स्वभावतः उसमें लिंगभेद भी उत्पन्न हुआ है। शब्द के अन्त में अकार-इकार पुल्लिंग और स्त्रीलिंग की सूचना देते हैं, यथा : **बेत**—अन्धा; **बेति**—अन्धी; **बङर**—कुत्ता; **बङरि**—कुतिया। भाषायी

विकास-क्रम में स्त्रीलिंग और पुल्लिंग का भेद बाद को किया जाता है, उससे पहले मानवीय और मानवेतर प्रपंच में भेद किया जाता है। द्रविड़ और नाग भाषाओं में इस तरह का भेद बहुत कुछ अब भी प्रचालित है। संस्कृत, मराठी, रूसी आदिभाषाओं में नपुंसक लिंग उसी आदिम श्रेणी-विभाजन का अवशेष है। अन्य नाग भाषाओं के समान बोरो में भी शब्दों के बहुवचन रूप नहीं होते, मूलशब्द में बहुवचन का प्रत्यय लगाया जाता है। बोरो में प्रत्यय **सर** है जो मानव-सूचक शब्दों के साथ ही लगाया जाता है। मानवीय और मानवेतर का विवेक किये बिना **पर** प्रत्यय सभी शब्दों के साथ लग सकता है। संख्यासूचक शब्दों के साथ विशेष वर्ग विभाजक शब्द लगते हैं और वे मानवीय और मानवेतर का भेद करते हैं। दस मनुष्य आते हैं—ऐसे वाक्य में दस के बाद मानव वर्ग-सूचक शब्द लगाना जरूरी है। वह शब्द **जन** है जो **ज़न्** बोला जाता है। **दज़् ज़न् मन सय् पय् दङ्**—दस मनुष्य आते हैं। निर्जीव पदार्थों के साथ **टा** चिन्ह लगेगा।

बोरो में संख्यासूचक चिन्ह असमिया से लिये गए हैं किन्तु कहीं-कहीं चार की संख्या को आधार बनाकर शब्द गढ़े गए हैं। चार के लिए भी **जोक्कय्** (हिन्दी का **चौका**) शब्द प्रयुक्त होता है। **जोक्कय्** से **मन्सय्**—चार आदमी, आदमियों की एक चौकड़ी; **जोक्कय् कटम् मन्सय्**—सात आदमी, एक चौकड़ी और तीन आदमी। बोरो भाषा के शब्दतंत्र की एक विशेषता शब्दों की जोड़ी का व्यवहार है। इनमें कुछ जोड़े इस प्रकार के हैं जिनमें पहले शब्द की आवृत्ति होती है किन्तु ध्वनि में कुछ परिवर्तन होता है। इस तरह के जोड़े हिन्दी में भी हैं, जैसे : **औरत-फौरत, गाय-वाय, बिदेसी-फिदेसी**; इनके जोड़ के बोरो शब्द होंगे : **हिन्ज़व-सिन्ज़व, मकव्-सकव्, हक-सक**। दूसरी प्रकार के शब्द वे हैं जहाँ आवृत्ति से शब्द के अर्थ में किंचित् परिवर्तन होता है। बोरो का **सितिर-बितिर** हिन्दी के **तितर-बितर** का प्रतिरूप है और **तितर-बितर** की तरह अन्य जोड़े हैं। बोरो **सुसुर-मसुर** अस्थिरता का सूचक है; ठीक इसी तरह का शब्द-युग्म अवधी में है और अर्थ भी वही है—**कुसुर-मुसुर**। **उका-मुका**—जल्दी-जल्दी; **सकमक**—अचानक; **कराब-कताब**—खराब-खराब, **हलय् हपय्**—थका हुआ। इस तरह के जोड़े कोल भाषाओं में बहुत प्रयुक्त होते हैं।

आर्य-द्रविड़ भाषाओं के सम्पर्क में आनेवाली अन्य भाषाओं के समान बोरो में भी कारक-चिन्हों का व्यवहार होता है। आर्य-द्रविड़ भाषाओं के समान क्रिया वाक्य के अन्त में आती है और उससे सम्बद्ध शब्द कारक द्वारा वाक्य में अपनी स्थिति व्यक्त करते हैं। कर्ताकारक के लिए कोई विशेष चिन्ह नहीं होता, जहाँ लगाया जाता है, वहाँ वह कर्ता के पूर्व परिचित होने का भाव प्रकट करता है। **कु हब्बय्**—काँटा चुभ गया है, कोई भी काँटा जिससे वक्ता-श्रोता का पूर्व परिचय नहीं है। **कुव हब्बय**—पूर्व ज्ञात काँटा चुभ गया है। **कु** अंग्रेज़ी के **ए थौर्न्** और **कुव दि**

**थौर्न्** की तरह है। **कुकव्**—काँटे को, यह कर्मकारक है। **को** कर्म या सम्प्रदान के लिए न तो बंगला में प्रयुक्त होता है, न असमिया में। बोरो का **कव्** प्रत्यय हिन्दी **को** से सम्बद्ध है। सम्प्रदान में **न** प्रत्यय का व्यवहार पंजाबी **नू** की याद दिलाता है। **नोङ्न माला गान्ह**—घर को माला पहनाओ (**गान्ह** अवश्य ही **गाँथ** का प्रतिरूप है।) सम्बन्धसूचक प्रत्यय **नि** असन्दिग्ध रूप से गुजराती, पछाहीं भाषाओं का है। **हनि**—जमीन का; **कसेनि**—उस आदमी का। अधिकरणकारक में **अय् अव्** प्रत्ययों का व्यवहार होता है; **दयय्**—पानी में; **नोवम्**—घर में। **अय्, ए** आर्य भाषाओं के सुपरिचित अधिकरण चिन्ह हैं। बोरो ने आर्य भाषाओं से कारक-पद्धति ही ग्रहण नहीं की, उसने अनेक कारक-चिन्ह भी ले लिये हैं।

कोल-द्रविड़ भाषाओं के समान बोरो संयोगात्मक भाषा है, शब्दमूल के बाद प्रत्यय जोड़ती जाती है। इससे उसकी क्रियापद-रचना अत्यन्त समृद्ध हुई है। उसका यह पक्ष कोल भाषाओं की क्रियापद-रचना की याद दिलाता है। शंकर भट के अनुसार शब्द मूलों से क्रियापद रचने के लिए बोरो में 260 प्रत्यय हैं। प्रत्ययों के अलावा उपसर्ग लगाकर क्रिया के अर्थ में परिवर्तन किया जाता है। आर्य और आर्येतर भारतीय भाषाओं में बहुत बड़ा अन्तर इस बात को लेकर है कि आर्य भाषाओं में शब्दमूल का स्वर बदलकर अर्थ में विकास किया जा सकता है, **पढ़ना, पढ़ाना** की तरह। बोरो में स्वर-परिवर्तन नहीं होता, उपसर्ग लगाकर अर्थ बदला जाता है। **देर्**—बड़ा होना, बढ़ना; **पेदेर्**—बड़ा बनाना, बढ़वाना।

क्रिया में जो प्रत्यय लगते हैं, वे पुरुष, लिंग, वचन की सूचना नहीं देते। आर्य भाषाओं की तिङन्त-कृदन्त पद्धति इससे भिन्न है। संस्कृत तथा अन्य आर्य भाषाओं की तरह बोरो में क्रिया के साथ लगनेवाले विभिन्न प्रत्यय काल की अपेक्षा क्रिया के साथ अवस्था सूचित करते हैं, यथा : **लङ्**—पीना; **लङ् स्राय्**—सब कुछ पी जाना, **लङ् क्रु**—पीते चले जाना। **पीते चले जाना**—इस शब्दबन्ध में **पीते** क्रिया मुख्य है, चले जाना उस क्रिया की अवस्था सूचित करने के लिए है। बोरो की क्रियापद-रचना में प्रत्यय वैसा ही कार्य करते हैं, जैसा कार्य हिन्दी की सहायक क्रियाएँ करती हैं। कुछ प्रत्यय ऐसे हैं जो कर्म की ओर संकेत करते हैं, जैसे ऊपर के उदाहरण में **लङ्-स्त्रय्**—सब कुछ पी जाना। हिन्दी में **पी डालना** क्रियापद से ऐसी ही व्यंजना होती है किन्तु एक ही क्रिया से बोरो में जो पचीसों रूप बनाए जा सकते हैं, जो एक क्रिया की अवस्था ही नहीं, अनेक क्रियाओं की सूचना देते हैं, वैसा प्रत्यय-प्रसार हिन्दी में नहीं है। जो लोग वैदिक क्रियापदों का प्रसार देखने के बाद आधुनिक आर्य भाषाओं की क्रियापदीय दरिद्रता से क्षुब्ध होते हैं, वे बोरो के क्रिया पद-प्रसार से प्रसन्न हों। एक क्रियामूल के बाद एक प्रत्यय, दो प्रत्यय और बढ़ते-बढ़ते छह प्रत्यय तक लगाये जा सकते हैं और इस प्रकार लग सकनेवाले प्रत्ययों की संख्या 260 है, उपसर्गों का यहाँ जिक्र नहीं। शंकर भट ने एक क्रिया

**ज़** (खाना) के 65 रूप दिये हैं। उनमें कुछ इस प्रकार हैं : **ज़**—खाना; **ज़क**—खा डालना, खाना समाप्त करना, **ज़कङ्**—खा सकना, **ज़ के**—खाने का दिखावा करना; **ज़कोन्**—खाना और गन्दा करना, **ज़कम्**—चोरी से खाना; **ज़ज़ेर**—बिखराते हुए खाना; **ज़ज़ेरपिन्**—पुन: बिखराते हुए खाना; **ज़ज़ेर्पिन्ज़्लय्**—वही चीज़ पुन: बिखराते हुए खाना; **ज़ज़ेर्पिन्ज़्लय्ज़ॅन्**—वही चीज़ पुन: बिखराते हुए खाना शुरू करना; **ज़ज़ेर्पिन्ज़्लय्ज़ॅन्पा**—किसी के साथ वही चीज़ पुन: बिखराते हुए खाना शुरू करना; **ज़ज़ेर्पिन्ज़्लय्ज़न्पामर्**—किसी के साथ वही चीज़ बिखराते हुए खाना अवश्य ही आरम्भ करना। प्रत्ययों की संख्या सुननेवाले की स्मृति को ध्यान में रखकर सीमित कर दी गई है। बहुत ज्यादा प्रत्यय होने से श्रोता आरम्भ में आई हुई क्रिया भूल सकता है और अन्त में प्रत्यय ही हाथ लग सकता है।

ऊपर के उदाहरण पूरे वाक्य जैसे हैं। क्रिया की अवस्था, वक्ता-श्रोता की सामाजिक स्थिति आदि सूचित करनेवाले उसी क्रिया के कुछ अन्य रूप इस प्रकार हैं : **ज़**—(तू) खा; **ज़दे**—खाइए; **ज़पदे**—किसी के साथ खाइए; **ज़लोय्**—खायो (पुरुष आपस में कहेंगे); **ज़हय्**—खायो (स्त्रियाँ आपस में कहेंगी); **ज़द**—खाइए (किसी जमात से कहा जाएगा); **ज़नि**—हम लोग खाएँ; **ज़तङ्**—वह खाए; **ज़य**—खाता है; **ज़दङ्**—खा रहा है; **ज़गन्**—खाएगा; **ज़बय्**—खा चुका है (थोड़ी ही देर पहले); **ज़दिय**—नहीं खाया; **ज़लिय**—नहीं खाएगा; **ज़गव्**—शायद खाए; **ज़दमन्**—खा चुका था; **ज़यकय्**—अभी नहीं खाएगा; **ज़ब**—यदि खाता है, इत्यादि। अवश्य ही कोल भाषाओं से नाग भाषाओं की ऐसी क्रियापद-रचनाओं का गहरा सम्बन्ध होना चाहिए।

ऐसी समृद्ध क्रियापद-रचना होने पर भी बोरो वाक्यतंत्र में क्रियाहीन वाक्य भी हो सकता है। **कसेनि किताब हम**—उस आदमी की किताब बुरी (है)। ऐसे वाक्य अन्य नाग भाषाओं में भी मिलते हैं। ऐसी विन्यास पद्धति पर आर्य-द्रविड़ भाषाओं के कृदन्तप्रधान वाक्यों का प्रभाव हो सकता है। संस्कृत और द्रविड़ भाषाओं में वाक्य पूरा करने के लिए कभी-कभी कृदन्त की भी आवश्यकता नहीं होती।

बोरो में, संस्कृत के समान, **अ** निषेधसूचक उपसर्ग है। किन्तु क्रिया के पहले प्रयुक्त न होकर वह उसके बाद आता है, जैसा कि बहुधा द्रविड़ भाषाओं में होता है। **ज़य = ज़ + (य्) अ**, नहीं खाता है। बोरो के अनेक प्रत्यय विशेषक का काम करते हैं। संस्कृत तथा अन्य आर्य भाषाओं में विशेषक चाहे स्वतंत्र शब्द हो, चाहे उपसर्ग रूप में प्रयुक्त हुआ हो, वह सामान्यत: क्रिया से पहले आता है। बोरो तथा कुछ अन्य नाग भाषाएँ विशेषक-रूप प्रत्यय क्रिया के बाद लगाती हैं। अंग्रेज़ी में क्रिया-विशेषण क्रिया के बाद आता है। यह कम्बोज तथा उस वर्ग की अन्य भाषाओं की विशेषता है। इसी पद्धति के अनुरूप संज्ञा का विशेषक संज्ञा के बाद आता है। बोरो में संख्यासूचक शब्द संज्ञा के बाद आते हैं, जैसे **एक चउआ** बोरो में **चउआ**

एक क्रम से बोला जाएगा : **ज़ोक्कय्** से। **तीन दर्जन किताबें** दर्जन तीन किताबें क्रम से—**दोज़ोन् तम् किताब** (**दोज़ोन्** यानी दर्जन, **तम्** यानी तीन)।

बोरो तथा अन्य नाग भाषाओं के विन्यासतंत्र में अनेक पद्धतियों का प्रभाव है। विशेषक जैसा प्रत्यय क्रिया के बाद आता है, वह उपसर्ग रूप में क्रिया के पहले भी आता है, यथा : **पे**—पिये होना, **गेपे**—पिये हुए।

## 5. नाग भाषा गारो

### *(क) ध्वनितंत्र*

असम प्रदेश में एक अन्य नाग भाषा गारो बोली जाती है। एक ही क्षेत्र में भिन्न भाषा-परिवार एक दूसरे को कैसे प्रभावित करते हैं, उसकी एक बहुत अच्छी मिसाल यह नाग भाषा है। रॉबिंस बर्लिंग ने 'ए गारो ग्रामर' (पूना, 1961) में इसका जो विवरण प्रस्तुत किया है, उसके आधार पर इसकी कुछ विशेषताओं का उल्लेख यहाँ किया जाता है।

नाग भाषाओं के ध्वनितंत्र का विश्रुत लक्षण स्वरतानों का व्यवहार है। बर्लिंग ने लिखा है कि गारो में न तो स्वरतान का महत्त्व है, न बलाघात का। स्वरतानों का व्यवहार ऐसा लक्षण है जिसे नागेतर भाषाएँ अर्जित कर सकती हैं और नाग भाषाएँ विसर्जित कर सकती हैं। शताब्दियों तक पूर्वी अंचल की आर्य भाषाओं के सम्पर्क में रहने के कारण नाग भाषाओं का एक मौलिक लक्षण गारो में लुप्त हो गया है। इसके विपरीत पंजाबी में, ऐतिहासिक विकास-क्रम में अर्जित, स्वरतानों का व्यवहार अब भी बना हुआ है। स्वरतान वाली भाषाओं में स्वर की लघुता-गुरुता महत्त्वपूर्ण नहीं होती किन्तु गारो में स्वर की गुरुता-लघुता से अर्थभेद होता है, यथा : **स**—एक, **सा**—बीमार। पुराना लक्षण खोकर क्षतिपूर्ति के रूप में भाषा ने नया लक्षण अर्जित किया। अन्य नाग भाषाओं के समान गारो शब्दों के अन्तिम व्यंजन अघोष और अल्पप्राण होते हैं किन्तु रोचक तथ्य यह है कि अधिकांश शब्दों के अन्त में या तो स्वर होता है या अर्द्ध-स्वर (नासिक्य या अन्तस्थ)। यदि कोल, द्रविड़ और मध्यदेशीय आर्य भाषाओं की शब्द-रचना पर ध्यान दिया जाए तो विदित होगा कि अधिकांश शब्दों के अन्त में स्वर, नासिक्य या अन्तस्थ ध्वनि का व्यवहार होता है। वैसी ही पद्धति गारो में है।

यद्यपि असमिया, प्राचीन मागधी भाषा की सन्तान मानी जाती है और प्राचीन मागधजन अपने लकार प्रेम के लिए प्रसिद्ध थे, फिर भी गारो रेफ बहुला भाषा है। चीनी भाषा रेफ वाले भारतीय शब्दों के रूपान्तर में लकार का व्यवहार करती है। गारो भाषा अवधी आदि मध्यदेशीय भाषाओं के समान **र्** ध्वनि पसन्द करती है। अंग्रेज़ी का **माइल**, हिन्दी का **मील**, पूर्वी बोलियों का **मैल** गारो में **मेर्** हो गया। बर्लिंग ने लिखा है कि शिक्षित गारोजन ही अंग्रेज़ी अथवा आर्य भाषाओं के प्रभाव

से **र्** और **ल्** में भेद करते हैं। वे लैम्प को **लेम्** कहेंगे पर साधारण जन **रेम** कहेंगे। **र्** ध्वनि के लिए यह आग्रह अकारण नहीं है। वह उन आर्य भाषाओं के प्रभाव की ओर संकेत करता है जिनमें इस ध्वनि की प्रधानता है। असमिया से भिन्न गारो में **च्-ज्** का असंघर्षी व्यवहार होता है, **चार** या **चोर सार** या **सोर** न सुना जाएगा। **ज़्** का अभाव है। अनेक नाग भाषाएँ शब्द के आरम्भ में **ङ्** का व्यवहार करती हैं। गारो में कोई शब्द **ङ्** से आरम्भ नहीं होता। यह स्थिति आर्य भाषाओं की ध्वनि-प्रकृति के अनुरूप है। इसके विपरीत तमिल भाषा की कुछ बोलियों में थोड़े-से शब्द **ङ्** ध्वनि से आरम्भ होते हैं और इसका कारण इन बोलियों पर किसी समय का नाग प्रभाव है। गारो शब्दों के अन्त में **ङ्** मज़े में आता है, जैसे तमिल शब्दों के अन्त में **ण्** मजे में आता है। संस्कृत में किसी भी शब्द के अन्त में **ङ्** या **ण्** की ध्वनि नहीं होती किन्तु महर्षि पाणिनि ने अपने व्याकरण के लिए जो सांकेतिक शब्दावली रची है, उसमें इन ध्वनियों का व्यवहार खूब होता है। जिस क्षेत्र के वह निवासी थे, वहाँ सम्भव है **ङ्-ण्-ञ्** ध्वनियों को शब्द के आदि-अन्त में बोलना सहज रहा हो। इस सन्दर्भ में **ङ्-ण्-ञ्** ध्वनियों के अलावा पाणिनि का लकार प्रेम भी उल्लेखनीय है।

*(ख) शब्दतंत्र और रूपतंत्र*

आर्य भाषाओं के अनुरूप गारों गें लिंगभेद भी उत्पन्न हुआ है। हिन्दी में **वह** सर्वनाम मानव और मानवेतर दोनों के लिए प्रयुक्त होगा किन्तु गारो में **उअन्** सर्वनाम मानवेतर प्राणियों के लिए प्रयुक्त होगा। इस वर्ग में जीव-निर्जीव, दोनों शामिल हैं। **उअ**—यह सर्वनाम मानववर्ग के लिए है। यह तो आदिम विभाजन है। इससे आगे बढ़कर **पा** और **मा** लगाकर स्त्रीलिंग पुल्लिंग का भेद किया जाता है; यहाँ मानव और पशु में भेद नहीं किया जाता। **बिमा** अर्थात् मादा, **बिपा** अर्थात् नर। गारो में बहुत्वसूचक प्रत्यय लगाना अनिवार्य नहीं है। एक बहुवचनसूचक प्रत्यय **रङ्** है जो **जन** का प्रतिरूप है **(जन-दन-रङ्)**; दूसरा प्रत्यय **मङ् मन** का प्रतिरूप है। **मन** मनुष्य का संकेत-चिन्ह है।

कुछ अन्य नाग भाषाओं के समान गारो में भी संख्या-शब्द द्रविड़-पद्धति से रचे जाते हैं। यथा : **स**—एक, **चिकिङ्**—दस; ग्यारह के लिए दहाई पहले रखकर शब्द बना **चिस**; इसी तरह बारह के लिए **चिगिनि** शब्द है। गारो भाषा-क्षेत्र में कहीं-कहीं दस के बदले बीस के आधार पर गिनती चलती है। **कोर् अ चि**—बीस और दस यानी तीस। बीस वाली गिनती का कारण कोल प्रभाव है। गारो में द्रविड़ भाषाओं के अनुरूप उत्तम पुरुष सर्वनाम के दो बहुवचन रूप होते हैं, एक में श्रोता शामिल होता है और दूसरे में नहीं होता। **चिङ्अ**—हम (श्रोता को छोड़कर); **अन् चिङ्**—हम (हम और तुम, श्रोता को मिलाकर) निकटवर्ती और दूरवर्ती पदार्थ सूचित

करने के लिए **इ** और **अ** सर्वनाम मूलों के आधार पर रचे हुए शब्दों का व्यवहार द्रविड़ भाषाओं के समान होता है। **इअ**—यह व्यक्ति, स्थान आदि; **अ ओ अ** (अथवा **अ इ व**)—वह व्यक्ति स्थान आदि। शब्दों की आवृत्ति कोल तथा आधुनिक आर्य भाषाओं के समान होती है। **आना ब्रि ब्रि**—चार-चार आना; **ज़ोर-ज़ोर**—सीधे-सीधे; **सुर-सुर**—व्यवस्थित रूप में; **बन् ओबा बन् ओबा**—जहाँ-तहाँ। कभी-कभी दो विशेष वस्तुओं के सूचक जोड़कर किसी सामान्य धारणा को व्यक्त किया जाता है, जैसे **बगन बारि**—बाग-बगीचा (बागान और बारी); **जिक्से**—पति-पत्नी अर्थात् जोड़ा। **दुक-सुक** हिन्दी का ही **दुख-सुख** है। शब्द की आवृत्ति से किसी कार्य की आवृत्ति सूचित करना हिन्दी आदिभाषाओं के अनुरूप है। **निक्** माने देखना, **दप् दप्** आवृत्ति-सूचक प्रत्यय। इससे पद-रचना हुई **निक् दप् दप् अ**—बार-बार देखना।

आर्य भाषाओं में, भारत से बाहर इंडो-यूरोपियन परिवार की भाषाओं में, गुणभेद या मात्राभेद जताने के लिए केवल तीन स्तर हैं : सामान्य, उच्चतर और उच्चतम, किन्तु गारो में ऐसे अनेक स्तर बताए जा सकते हैं, इसके लिए अनेक प्रत्ययों से काम लिया जा सकता है। **नम्अ**—अच्छा; **नम् कर्अ**—कुछ ज्यादा अच्छा; **नम् वत्अ**—और ज्यादा अच्छा; **नम् बतकर् अ**—बेहतर से कुछ ज्यादा अच्छा; **नम् स्त्रङ् अ**—बहुत अच्छा; **नम्बत् स्त्रङ् अ**—बहुत-बहुत अच्छा। अन्य नाग भाषाओं के समान गारो में भी क्रियासूचक शब्द के बाद प्रत्यय जोड़कर संज्ञा शब्द बनाया जा सकता है, यथा : **रिङ्** माने गीत गाना, **रिङ् अनि** माने गीत; **चा** माने खाना, **चारम्** अर्थात् खाने की जगह। विशेषण में प्रत्यय लगाकर भाववाचक संज्ञा बनाई जा सकती है, यथा : **दर्** माने बड़ा, **दर् अनि** माने बड़प्पन।

बोरो के समान गारो में क्रियासूचक शब्दों की बहुलता है। ऐसे शब्दों के बाद प्रत्यय जोड़कर क्रिया के मूल अर्थ में अनेक प्रकार का परिवर्तन-परिवर्द्धन किया जा सकता है। इस तरह के परिवर्तन में क्रिया की अवस्था और कालभेद भी शामिल हैं। **अ** प्रत्यय जोड़कर नित्य घटित होनेवाली क्रिया की ओर संकेत किया जा सकता है। **अङ अ बे एन् चा अ**—मैं मांस खाता हूँ अर्थात् नित्य खाता हूँ। भूतकाल की व्यंजना के लिए **ह** प्रत्यय लगाते हैं, यथा : **अङ् अरे अङ् अह**—मैं गया। फिर एक **काल** के अन्तर्गत अनेक उपभेद हैं। हिन्दी की कुछ क्रियाएँ गारो में क्रिया के साथ लगनेवाला बन गई हैं। **छिपना** से गारो ने क्रियामूल **छिप्** लिया, आदिस्थानीय व्यंजन की महाप्राणता का लोप करके उसे अपनी ध्वनि-प्रकृति के अनुकूल **चिप्** बनाया, फिर क्रिया के साथ उसका उपयोग इस प्रकार किया : **दोङ् चिप् अ**—छिपकर रहा; **दोन चिप् अ**—उधार लेकर न लौटाना; **रो चिप् अ**—छिपकर चलना; **दोक् चिप् अ**—छिपी चीज को मारना। इसी अर्थ का बोधक एक अन्य प्रत्यय **प्रु** है। **मेर् अ प्रु अ**—गुप्त रूप से मिलना, **रे प्रु अ**—गुप्त रूप से आना इत्यादि। बोरो के समान यहाँ भी प्रत्यय विशेषक का काम करता है और क्रिया के बाद आता है।

बोरो के समान गारो में कारक-रचना का महत्त्व है। बोरो के समान गारो में भी कर्मकारक के लिए **को** विभक्ति का व्यवहार होता है। **नङ् कोनिक् गेन**—तुमको देखूँगा। सम्प्रदानकारक के लिए **न** है। **अङ् अ** (मैं), **उ को** (उस वस्तु को), **नङ्न** (तुम्हें), **ओन् गेन्** (दूँगा)। यहाँ कर्म और सम्प्रदान में भेद किया गया है। सम्बन्धकारक का चिन्ह **नि** है। **अङ् निजक्**—मेरा हाथ। सम्बन्धकारक का व्यवहार हिन्दी पद-रचना की याद दिलाता है : **अङ्नि से पङ्ओ**—मेरे पास। गारो में कारक-चिन्ह अर्थ को निश्चित रूप देते हैं। कारक-रचना का विकास कैसे होता है, यह जानने के लिए प्रस्तुत सन्दर्भ में बर्लिंग का यह मत ध्यान देने योग्य है : "संज्ञा शब्दों के प्रत्यय तत्त्वत: कारक-चिन्ह हैं। वे इस बात की व्याख्या करते हैं कि जिन संज्ञा शब्दों में वे जोड़े गए हैं, वे अर्थ-विचार की दृष्टि से, क्रिया से किस प्रकार सम्बद्ध हैं। वास्तव में इनमें अनेक प्रत्यय प्राचीन इंडो-यूरोपियन भाषाओं के कारक-चिन्हों से, प्रयोग को देखते हुए, बहुत काफी मिलते-जुलते हैं। किन्तु उनकी संख्या [गारो में] अधिक है और साधारणत: यह कहा जा सकता है कि अर्थ-विचार से वे अधिक सीमित हैं, अर्थात् क्लासिकल भाषाओं के कारक-चिन्हों की अपेक्षा वे अर्थ की अधिक सुनिश्चित व्याख्या करते हैं, और उनका प्रयोग अधिक नियमित भी है। दूसरी ओर अंग्रेज़ी जैसी यूरोप की आधुनिक भाषाओं में जितने पूर्व-सम्बन्धक (प्रिपोज़ीशन) हैं, उनकी तुलना में इनकी संख्या कम है। अंग्रेज़ी के किसी एक प्रिपोज़िशन की तुलना में इनके अर्थ का दायरा सामान्यत: अधिक विशद होता है। इस प्रकार अर्थ की दृष्टि से उनकी स्थिति लैटिन जैसी भाषा के कारक-चिन्हों और आधुनिक अंग्रेज़ी के प्रिपोज़िशनों के बीच की है।" (पृ. 45)

## 6. उपसंहार

चीनी-तिब्बती भाषा समवाय के केन्द्र में है तिब्बती-बर्मी भाषा-समुदाय। चीन की भाषाओं तथा तिब्बत-बर्मा की भाषाओं में जितनी भिन्नता है, उतनी द्रविड़ और आर्य भाषाओं में नहीं है। भारत की नाग भाषाओं का सम्बन्ध तिब्बती-बर्मी समुदाय से है, चीन की भाषाओं से नहीं। तिब्बती-बर्मी-समुदाय बृहत्तर भाषायी क्षेत्र भारत के अन्तर्गत वैसे ही है, जैसे दक्षिण-पूर्वी एशिया की भाषाएँ हैं। नाग भाषाएँ मूल आर्य भाषा-क्षेत्र को उत्तर और पूर्व की ओर से घेरे हुए हैं। वे परिवृत्त की आर्य भाषाओं को प्रभावित करती रही हैं; उत्तर-पश्चिमी सीमान्त पर उन भाषाओं से उनका सम्पर्क रहा है जिनसे आगे चलकर इंडो-यूरोपियन परिवार का निर्माण हुआ। आर्य क्षेत्र के परिवृत्त की भाषाएँ होने के कारण द्रविड़ और कोल भाषाओं से उनका सम्बन्ध था और इन तीनों भाषा-समुदायों में अनेक समानताएँ हैं। नाग भाषाओं में, द्रविड़-कोल परिवारों के समान, यथेष्ट विविधता है; द्रविड़ कोल भाषाओं के समान ही उनमें यथेष्ट आर्य भाषा-तत्त्वों का समावेश भी हुआ है।

## 2

# द्रविड़ भाषा-परिवार और हिन्दी प्रदेश

### 1. प्रस्तावना

ऐतिहासिक भाषाविज्ञान की मान्यता यह है कि उत्तर भारत के जिस भाग में वैदिक भाषा का और उसके बाद संस्कृत का व्यवहार होता था, उसमें आर्यों के आने से पहले द्रविड़ जनसमुदाय तथा कोल आदि अन्य आर्येतर समाज रहते थे। आर्य और द्रविड़ भाषाओं में किस प्रकार का सम्बन्ध रहा है, इसे जानने के लिए अधिकतर संस्कृत में द्रविड़ भाषा-तत्त्वों की खोजबीन की गई है। यह खोजबीन भी अधूरी है और अनुसंधानकर्ता यह मानकर चलते हैं कि इंडो-यूरोपियन और द्रविड़ भाषा-परिवार स्वतंत्र रूप से विकसित हो चुके थे, तब इनमें सम्पर्क हुआ; इनके उद्भव और विकासकाल में इनमें परस्पर सम्पर्क रहो होगा, इस सम्भावना पर विचार नहीं किया गया। आर्य भाषा-परिवार के नाम पर केवल एक भाषा संस्कृत को लेकर विवेचन किया जाता है। द्रविड़ लोग भी आर्यों के आगमन के समय एक ही आदि द्रविड़ भाषा बोलते थे, ऐसा स्पष्ट मत किसी ने प्रतिपादित नहीं किया। माना जाता है कि द्रविड़ लोग भी भारत में उत्तर-पश्चिम से आए। भारत में फैलने से पहले वे एक आदिभाषा बोलते रहे होंगे; जब यहाँ आकर फैल गए तब वे अनेक भाषाएँ बोलने लगे। इस मत के विपरीत मेरी स्थापना यह है कि आर्य और द्रविड़ भाषाएँ बोलनेवाले मानव-समुदाय अनेक गण-समाजों में विभाजित थे और वे भिन्न-भिन्न भाषाएँ बोलते थे। यह स्थिति वैदिक काल में, और उससे पहले भी, आर्य भाषा-भाषी गण-समाजों की थी। यही हाल द्रविड़ों का था।

वैदिककाल या उससे पहले आर्य-द्रविड़ सम्पर्क की स्थिति किस तरह की थी, इसे जानने के लिए आधुनिक आर्य भाषाओं की स्थिति पर ध्यान देना चाहिए। आर्य भाषा-समुदाय में पूर्वी छोर पर बंगला, असमिया और उड़िया भाषाएँ हैं, उत्तर-पश्चिमी छोर पर पंजाबी, सिन्धी, गुजराती और मराठी भाषाएँ हैं। इनके बीच में हिन्दी-भाषी प्रदेश है। इस सारे आर्य भाषा-भाषी प्रदेश में यदि द्रविड़ लोग उसकी केन्द्रीय भूमि में रहते थे, तो उनका सबसे अधिक प्रभाव केन्द्रीय आर्य भाषाओं पर होना चाहिए।

यदि वे इस केन्द्रीय क्षेत्र के पूर्वी और उत्तर-पश्चिमी प्रान्तों में रहते थे तो उनका प्रभाव पूर्वी और उत्तर-पश्चिमी भाषाओं पर सबसे अधिक होना चाहिए। इस दृष्टि से आधुनिक भाषाओं में द्रविड़-सम्पर्क के चिन्ह ढूँढ़ने पर प्राचीन स्थिति का अनुमान किया जा सकता है। किन्तु जब हम यह मान लेते हैं कि भाषाएँ चाहे पूर्व की हों, चाहे उत्तर-पश्चिम की, और चाहे मध्यदेश की, वे सभी संस्कृत से उत्पन्न हैं, तब प्राचीन स्थिति का अनुमान करना असम्भव हो जाता है। आधुनिक आर्य भाषाओं पर द्रविड़ प्रभाव एक-सा नहीं है; किन्तु इस प्रभाव-वैषम्य से प्राचीन काल के लिए कोई परिणाम कैसे निकालें? संस्कृत को एकमात्र आधार बनाकर विचार करने से द्रविड़ प्रभाव एक-रूप प्रतीत होता है, तब कल्पना करनी होगी कि इस एक-रूप प्रभाव से आगे चलकर विषम प्रभाव का जन्म हुआ। किन्तु यदि माना जाए कि यह प्रभाव-वैषम्य पहले भी था, संस्कृत एकमात्र आर्य भाषा नहीं थी, उसके समानान्तर अन्य आर्य भाषाएँ भी थीं तो समस्या सरल हो जाती है।

आर्यों और द्रविड़ों का सम्पर्क प्राचीनकाल में हुआ, यह सभी लोग मानते हैं। द्रविड़ लोग आर्य भाषा-क्षेत्र की केन्द्रीय भाषाओं को अधिक प्रभावित करते हैं या सीमान्त भाषाओं को, इस समस्या के समाधान से पता चलेगा कि इनकी बस्तियाँ सबसे ज्यादा केन्द्रीय भूमि में थीं या सीमान्त प्रदेशों में। भारत के सन्दर्भ में ऐतिहासिक भाषाविज्ञान किस दिशा में बढ़ता है, यह बहुत कुछ उक्त समस्या के विवेचन पर निर्भर है।

## 2. सघोष महाप्राण स्पर्श-ध्वनियों के मूल केन्द्र

सबसे पहले ध्वनितंत्र से सम्बन्धित समस्याओं पर विचार करना उचित होगा। इन समस्याओं में सबसे महत्त्वपूर्ण समस्या महाप्राणता की है। इंडो-यूरोपियन परिवार की शाखाओं में भारतीय शाखा एक मात्र शाखा है जिसमें सघोष महाप्राण स्पर्श-ध्वनियाँ विद्यमान हैं। ऐतिहासिक भाषाविज्ञान यह मानता है कि आदि इंडो-यूरोपियन भाषा में सघोष महाप्राण ध्वनियों का व्यवहार होता था। वह इस बात की कैफ़ियत नहीं देता कि भारत के बाहर इन ध्वनियों का लोप क्यों हो गया, हित्ती जैसी भाषा में भी ये ध्वनियाँ क्यों नहीं हैं जबकि इस भाषा को वैदिक भाषा से भी प्राचीन कहा जाता है। भारत के भीतर कश्मीरी और पड़ोस में पश्तो और फ़ारसी में ये ध्वनियाँ नहीं हैं, न ईरान की प्राचीन भाषा—अवेस्ता की भाषा—में ये ध्वनियाँ हैं। भारत में द्रविड़ ही नहीं, कोल, नाग आदि जो अन्य भाषा-समुदाय हैं, उनमें भी सघोष महाप्राण ध्वनियों का अभाव है। इन भाषाओं में महाप्राण ध्वनियों का प्रसार आर्य भाषा के प्रभाव से हुआ है। इन आर्य भाषाओं के तत्त्व जब मध्य एशिया, पश्चिमी एशिया तथा यूरोप में पहुँचते हैं, तब उन्हें उन सीमान्त प्रदेशों को पार करना पड़ता है जिनमें महाप्राण ध्वनियों का अभाव है। इन क्षेत्रों में द्रविड़ तथा अन्य आर्येतर गण-समाज रहते थे।

मध्य एशिया, पश्चिमी एशिया और यूरोप की भाषाओं में सघोष महाप्राण ध्वनियाँ नहीं हैं, तो इससे सिद्ध यह होता है कि इन ध्वनियों की मूल भूमि आर्य भाषा-क्षेत्र है। इस क्षेत्र के केन्द्रीय भाग में द्रविड़ आदि समुदायों का जमघट नहीं है। इनका जमघट है उत्तर-पश्चिम में। आधुनिक आर्य भाषाओं को छोड़ भी दें, तो संस्कृत तथा लैटिन, ग्रीक, हित्ती आदिभाषाओं की तुलना करने से यह सिद्ध हो जाएगा कि आर्य भाषा-क्षेत्र के उत्तर-पश्चिमी सीमान्त पर ऐसा प्रभावशाली भाषा-क्षेत्र है जो महाप्राणता का विरोधी है और जिससे छनकर बाहर जानेवाले आर्य शब्द सघोष महाप्राणता की विशेषता खो देते हैं। इस प्रकार के तुलनात्मक अध्ययन से यह सिद्ध नहीं होता कि आर्य भाषा-क्षेत्र की केन्द्रभूमि में द्रविड़ों का बाहुल्य था।

कोसल को देखते हुए भरत गण की भाषा उत्तर-पश्चिम की भाषा है। यह भाषा कोसल और मगध की भाषाओं की अपेक्षा द्रविड़ प्रभाव अधिक ग्रहण करने लगी है। उदाहरण के लिए संस्कृत में एक शब्द है **अपः** या **आपः**, जिसका अर्थ है जल। इससे मिलता-जुलता एक और शब्द है **अम्भ**, जिसका अर्थ है जल और एक शब्द है **अभ्र**, जिसका अर्थ है बादल। मूल शब्द **अभ** या **अम्भ** है। जब सघोषता और महाप्राणता, दोनों का लोप होता है तब **अपः** जैसा रूप बनता है और जब केवल महाप्राणता का लोप होता है तब **अम्बु** जैसा रूप बनता है। संस्कृत में ऐसे वैकल्पिक रूपों का अस्तित्व सिद्ध करता है कि द्रविड़ प्रभाव इतना व्यापक नहीं है कि मूल रूपों का नाश कर दे। मूल रूप और द्रविड़ प्रभाव वाले रूप, दोनों कायम रहते हैं।

अनेक शब्द रूपों में संस्कृत किसी ध्वनि की आवृत्ति करती है, जैसे **बभूव** में। यहाँ **भू** क्रिया की सघोष महाप्राण ध्वनि **भ्** की आवत्ति की गई है। किन्तु आवृत्ति करते समय एक जगह महाप्राणता का लोप हो गया है। **भभूव** के स्थान पर **बभूव** रूप बना। सघोष महाप्राण ध्वनियों की आवृत्ति संस्कृत को पसन्द नहीं है। किन्तु हिन्दी में **घाघ, घाघरा, घाँघरा, धधकना, भूभल** आदि शब्द खूब प्रचलित हैं। इससे सिद्ध होता है कि संस्कृत ने जो द्रविड़ प्रभाव ग्रहण किया, उसके बावजूद अन्य आर्य भाषाओं ने प्राचीन सघोष महाप्राण ध्वनियों की रक्षा की।

अब हिन्दी प्रदेश के पूर्वी और उत्तर-पश्चिमी सीमान्त प्रदेश की भाषाओं पर विचार करें। 'इंडियन लिंग्विस्टिक्स' (खंड 1-4, 1931-34, पृ. 15) में डॉ. सुनीतिकुमार चाटुर्ज्या ने 'रिकर्सिव्स् इन न्यू इंडो-एर्यन्' नाम का बहुत दिलचस्प लेख लिखा है। इसमें उन्होंने आर्य भाषाओं में महाप्राण ध्वनियों की विशेषता पर विचार किया है। भारतीय आर्य भाषा-परिवार की एक भाषा सिंहली श्रीलंका में बोली जाती है। इस भाषा में महाप्राण ध्वनियाँ हैं ही नहीं, न सघोष महाप्राण, न अघोष महाप्राण। आर्य भाषाओं में सिंहली मूल आर्य भाषा-केन्द्रों से सर्वाधिक दूर है। श्रीलंका और इन केन्द्रों के बीच में दक्षिण भारत का विशाल द्रविड़ प्रदेश है। यही नहीं, श्रीलंका

में द्रविड़ भाषा-भाषी रहते भी हैं। सिंहली की यह स्थिति काफी शिक्षाप्रद है। आर्य भाषा-केन्द्रों से दूरी के कारण और द्रविड़ भाषाओं के निकट सम्पर्क के कारण इस आर्य भाषा में महाप्राण ध्वनियों का लोप हो गया है। इससे मिलती-जुलती स्थिति यूरोप की भाषाओं की है जिनमें सघोष महाप्राणता लुप्त है।

डॉ. चाटुर्ज्या कहते हैं कि शब्द के आदिस्थान में अघोष महाप्राण ध्वनियाँ सभी आर्य भाषाओं में मिलती हैं किन्तु आदिस्थानीय अथवा मध्यवर्ती सघोष महाप्राण ध्वनियों में तब्दीली होती है। गंगा नदी के ऊपरी मैदानों की भाषाएँ और कुछ पड़ोसी भाषाएँ उनके विचार से बहुत पुरानपंथी हैं अर्थात् वे सघोष महाप्राण ध्वनियों को बदलती नहीं हैं। पूर्वी और पश्चिमी हिन्दी बोलियों, बिहारी बोलियों में जहाँ-तहाँ मध्यवर्ती हकार का लोप हो जाता है किन्तु वे महाप्राण व्यंजनों को शब्द के सभी स्थानों में ऐसी दृढ़ता से कायम रखती हैं, जैसी दृढ़ता अन्य आर्य भाषाओं में नहीं देखी जाती। सिन्धी और उड़िया ने, बंगला और मराठी की तुलना में, महाप्राण ध्वनियों की रक्षा अधिक की है। किन्तु मराठी की स्थिति वही है जो बंगला की है, केवल मराठी की तुलना में बंगला अधिक सुसंगत रूप से महाप्राणता का लोप करती है। डॉ. चाटुर्ज्या बंगला को महाप्राणता का लोप करनेवाली भाषा की संज्ञा देते हैं। शब्द के आदिस्थान में बंगला भाषा आम तौर से महाप्राण ध्वनियों को बनाए रहती है। डॉ. चाटुर्ज्या कहते हैं कि महाप्राण ध्वनि बंगला शब्द के मध्य और अन्त में आती है तो उसका लोप हो जाता है। कलकत्ते की परिनिष्ठित बोलचाल का एक नरागपंथी रूप ऐसा है जिस पर साहित्यिक संस्कृत का प्रभाव नहीं है। उसके लिए यह निश्चित रूप से कहा जा सकता है कि उसमें महाप्राण ध्वनि केवल शब्दों के आदिस्थान में प्रयुक्त होती है।

बंगला उन भाषाओं में है जिनके लिखित रूप में संस्कृत शब्दों की भरमार है। इन शब्दों के लिखित रूपों में महाप्राण ध्वनियाँ वैसे ही हैं, जैसे संस्कृत में। किन्तु बोलचाल में स्थिति बिलकुल भिन्न है, केवल आदिस्थान में महाप्राण ध्वनियों का व्यवहार होता है, अन्यत्र उनका सफाया हो जाता है। कोई आश्चर्य नहीं कि कलकत्ते से जब कोई आदमी उत्तर-पश्चिम की ओर देखता है, तब उसे गंगा नदी के ऊपरी मैदानों की भाषाएँ बड़ी पुरानपंथी मालूम होती हैं। महाप्राणता छोड़ती नहीं, सघोष महाप्राण ध्वनियों में परिवर्तन करती नहीं। ऐसा परिवर्तन बंगला ही नहीं करती, मराठी भी करती है। इसका अर्थ यह है कि महाप्राणता का विरोधी प्रभाव आर्य भाषा-क्षेत्र के पूर्वी और पश्चिमी सीमा-प्रान्तों में अत्यन्त प्रबल है, मध्यभाग में वह नगण्य है।

बंगला भाषा के उद्भव और विकास पर अपने प्रसिद्ध ग्रंथ में डॉ. चाटुर्ज्या ने आर्य भाषाओं के महाप्राणता वाले लक्षण पर भी विचार किया है और इस बात पर ध्यान दिया है कि यह लक्षण सभी आर्य भाषाओं में एक-सा नहीं है। सघोष

और अघोष महाप्राण ध्वनियों तथा **न्ह्, म्ह्, ल्ह्** ध्वनियों के बारे में उन्होंने लिखा है कि इनकी महाप्राणता का लोप बंगला भाषा में उल्लेखनीय है और इसकी तुलना उन्होंने मराठी, गुजराती, राजस्थानी और सिन्धी भाषाओं की स्थिति से की है। उन्होंने यह भी लिखा है कि "मध्यदेश की भाषाओं में महाप्राणता का लोप अत्यन्त विरल है।" ('ऑरिजिन एंड डिवेलपमेंट ऑफ़ दि बेंगाली लैंग्वेज', पृ. 159) मध्यदेश के उत्तर में पंजाबी भाषा का प्रदेश है। उसी प्रसंग में डॉ. चाटुर्ज्या ने पंजाबी भाषा में महाप्राणता के लोप के बारे में लिखा है : "पंजाबी सघोष महाप्राण **घ्, झ्, ढ्, ध्, भ्** को **क्, च्, ट्, त्, प्** में बदल देती है और इसके साथ सघोषता और महाप्राणता की क्षतिपूर्ति के लिए निम्न स्वरतान का प्रयोग करती है और यह एक ऐसी चीज़ है जो नव्य भारतीय आर्य भाषाओं के ध्वनितंत्र में अनूठी है।" (उप., पृ. 159) यहाँ निम्न स्वरतान की बात छोड़ देते हैं। ध्यान देने की बात है कि पंजाब में बंगाल की अपेक्षा सघोष महाप्राण ध्वनियों का लोप अधिक होता है। बंगला में आदिस्थानीय सघोष महाप्राण ध्वनियाँ सामान्यतः सुरक्षित रहती हैं किन्तु पंजाबी में ये ध्वनियाँ बदलकर सीधे अघोष अल्पप्राण हो जाती हैं, लगभग तमिल की तरह। पटियाला से प्रकाशित कनिंघम और बेली की 'पंजाबी मैनुअल एंड ग्रामर्स' पुस्तक में इस तरह के उदाहरण दिये हुए हैं : **भ्रा** के लिए **प्रा, ढाई** के लिए **टाई, झझ्झर** के लिए **चज्जर, भले आई** के लिए **पले आई** (अर्थात् भलाई)। पंजाबी में **ह्** का अक्सर लोप हो जाता है, जैसे वाक्य के अन्त में **है** के स्थान पर **ए** का उच्चारण होता है। बंगला में इसी तरह मध्यवर्ती हकार का लोप होने पर **शहनाई** से **शानाइ, सुराही** से **सोराइ, मधु** से **महु** और फिर **मउ** रूप बनते हैं। सघोष महाप्राण ध्वनियों में महाप्राणता का लोप होने पर सघोषता बच रहती है, यथा : **मध्य** से **माँझ** और फिर उससे **मेजो** रूप बनता है। अवधी का **सँझवतिया** बंगला में **संजुति** हो जाता है। अघोष महाप्राण ध्वनियों से महाप्राणता का लोप होने पर **मस्खरा** बदलकर **मस्करा, हाथ** बदलकर **हात्** हो जाता है।

बंगला के समान मराठी में भी संस्कृत शब्दों का व्यवहार प्रचुर मात्रा में होता है। ब्लौख़ ने मराठी भाषा पर अपनी पुस्तक में महाप्राणता-लोप के जो उदाहरण दिये हैं, उनमें से कुछ इस प्रकार हैं : **भिक्षा** से **भीक, बुभुक्षा** से **भूक, जंघा** से **जाँग, मध्य** से **माँज, संध्या** से **साँज, आषाढ** से **आखाड, कुष्ट** से **कोढ** और **कोढ** से **कोड, हस्त** से **हाथ** और **हाथ** से **हात, गृध्र** से **गीध** और **गीध** से **गीद**। मराठी में मध्यवर्ती हकार का लोप होने पर **महाराष्ट्र** से **मराठा, फलाहार** से **फलार, महानुभाव** से **मानुभाव** जैसे रूप बनते हैं। एक छोर पर बंगला और दूसरे छोर पर मराठी, दोनों संस्कृत-गर्भित भाषाएँ, दोनों में महाप्राणता के लोप की पद्धति लगभग एक-सी है। इससे सिद्ध होता है कि आर्य भाषा-क्षेत्र के केन्द्रों से दूर प्रान्तों में महाप्राणता क्षीण होती जाती है। सघोष महाप्राणता के केन्द्र भारत के बाहर

कहीं नहीं मिलते, न प्राचीन भाषाओं में, न आधुनिक भाषाओं में; इसलिए मानना चाहिए कि ये केन्द्र गंगा नदी के ऊपरी मैदानों में हैं जहाँ की भाषाएँ महाप्राणता के मामले में अत्यन्त पुरातनपंथी हैं। जब अन्य आर्य भाषाएँ उस लक्षण को त्याग रही हैं, तब ये उसे सुरक्षित बनाए हुए हैं। महाप्राणता को लेकर आर्य भाषाओं में जो दो तरह की प्रवृत्तियाँ आई जाती हैं, उसका कारण यह नहीं है कि कुछ भाषाएँ पुरानी ध्वनियों को बदलकर अधिक प्रगतिशील बनना चाहती हैं और कुछ दूसरी भाषाएँ रूढ़ियों की रक्षा करती हैं। उसका कारण यह है कि भारत में अनेक भाषा-परिवार, कहना चाहिए, भारत के सभी आर्येतर भाषा-परिवार, महाप्राणता वाली ध्वनि-प्रवृत्ति के विरोधी हैं, विशेष रूप से सघोष महाप्राण ध्वनियों वाली प्रवृत्ति के। इनमें द्रविड़ भाषा-परिवार प्रमुख हैं। आर्य भाषाएँ जहाँ आर्येतर क्षेत्रों में फैली हैं, वहाँ महाप्राणता क्षीण हुई है, जहाँ उनके मूल केन्द्र थे, वहाँ वह सुरक्षित है। बंगाल के बारे में यह निश्चयपूर्वक कहा जा सकता है कि गंगा के ऊपरी मैदानों में जब आर्य भाषाएँ बोली जाती थीं, तब वहाँ अनेक आर्येतर भाषाएँ बोली जाती थीं। डॉ. चाटुर्ज्या ने 'बंगला भाषा के उद्‌भव और विकास' पर अपने ग्रंथ में एक ओर संस्कृत-प्राकृत क्रम से बंगला का विकास दिखाया है, दूसरी ओर उन्होंने बंगाल की आर्य भाषा, अथवा बोलियों के समुदाय को आर्येतर भाषाओं से प्रभावित होते दिखाया है। इस तरह प्रभावित होने की क्रिया का एक परिणाम है महाप्राणता का ह्रास। जब हम कश्मीर और गन्धार जैसे सुदूर प्रदेशों पर ध्यान देते हैं तब वहाँ की भाषाओं में सघोष महाप्राण ध्वनियों का अभाव नितान्त स्वाभाविक जान पड़ता है। इसी प्रकार श्रीलंका में जब वहाँ की आर्य भाषा सिंहली में सघोष ही नहीं, अघोष महाप्राण ध्वनियों का भी अभाव दिखाई देता है, तो इसे भी हम स्वाभाविक मानते हैं। महाप्राण ध्वनियों के वितरण की विषमता तभी तर्कसंगत प्रतीत होगी जब हम मध्यदेश में उनके मूल वितरण केन्द्रों का अस्तित्व स्वीकार करेंगे।

### 3. हिन्दी प्रदेश में महाप्राणता की स्थिति

मध्यदेश में, अथवा समूचे हिन्दी प्रदेश में, महाप्राणता की स्थिति एक-सी नहीं है। अवधी के क्षेत्र से लेकर मिथिला तक महाप्राण ध्वनियाँ सुरक्षित रहती हैं किन्तु ब्रज, बाँगरू, राजस्थानी आदि के क्षेत्रों में महाप्राणता क्षीण होने लगती है और कहीं-कहीं बंगला, मराठी आदि से मिलती-जुलती स्थिति उत्पन्न हो जाती है। राजस्थानी के बारे में ग्रियर्सन ने अपने सर्वेक्षण ग्रंथ के नौवें भाग में लिखा है कि राजस्थानी बहुधा महाप्राण ध्वनियों का लोप कर देती है। बंगला के समान राजस्थानी में सघोष महाप्राण ध्वनि के स्थान पर सघोष अल्पप्राण ध्वनि का व्यवहार मिलता है, **मुझ** के लिए **मुज**, **तुझ** के लिए **तुज**। मराठी की तरह **आषाढ़** के स्थान पर **असाड** का प्रयोग मिलेगा। एक लोकगीत में यह पंक्ति आती है : **असाड उतरियो, सावण लाग्यौ,**

**काली घटा घिर आई।** ('परम्परा, लोकगीत' अंक, जोधपुर, पृ. 173) डॉ. मोतीलाल मेनारिया ने 'राजस्थानी भाषा और साहित्य' पुस्तक में मारवाड़ी गद्य का जो नमूना दिया है (पृ. 6), उसमें **रहता** के लिए **रैवतो, हमारा** या **म्हारा** के लिए **मारा, काढ** के लिए **काड** आदि रूप मिलते हैं। गुजराती भाषा की स्थिति महाप्राणता के मामले में राजस्थानी से मिलती-जुलती है। राजस्थानी और बाँगरू पड़ोसी भाषाएँ हैं। डॉ. जगदेव सिंह ने बाँगरू पर अपनी पुस्तक में उक्त कोटि के अनेक उदाहरण दिये हैं। अवध के रहनेवाले जहाँ **घरघराहट** शब्द का प्रयोग करेंगे, वहाँ बाँगरू में इसका रूप **गरगराट** होगा। **भी** के स्थान पर **बी** का उच्चारण सामान्य है। यह सघोष महाप्राण ध्वनि में परिवर्तन हुआ। **सफेद** के लिए **स्पेद, सुखा** के लिए **सुका** जैसे रूपों में अघोष महाप्राण ध्वनि में परिवर्तन दिखाई देता है। मध्यवर्ती हकार का लोप ऐसे शब्दों में होता है, जैसे **चिकणाट** (चिकनाहट), **सरसराट** (सरसराहट) और ऊपर दिया हुआ रूप **गरगराट**। धीरेन्द्र वर्मा-सम्पादित 'ग्रामीण हिन्दी' पुस्तिका में बिजनौर ज़िले की खड़ी बोली का जो उदाहरण दिया गया है, उसमें **बादसा** (बादशाह), **केने लगा** (कहने लगा), **है बी** (है भी), **मुज समान** (मुझ समान), **जा पोंचा** (जा पहँचा), **चल रिया हे** (चल रहा है), **पेलेई** (पहले ही), **पोंच गए ते** (पहुँच गए थे) जैसे रूप हैं। इनमें सघोष महाप्राण ध्वनियों में महाप्राणता निकल गई तो सघोषता बची और अघोष महाप्राण से महाप्राणता निकली तो अघोषता बची। पुरानी दक्खिनी में इससे मिलते-जुलते रूप मिलते हैं, यथा : वजही के गद्य में **समझे** के लिए **समजे** रूप का प्रयोग, **कुछ** के लिए **कुच** रूप का प्रयोग (श्रीराम शर्मा : 'दक्खिनी का गद्य और पद्य', हैदराबाद, पृ. 404-405) दक्खिनी भाषा का विकास राजस्थानी और बाँगरू प्रभावों को लेकर हुआ है। इसलिए उसमें ऐसे रूपों का मिलना स्वाभाविक है। जैसे संस्कृत, महाप्राणता के मामले में, हिन्दी से एक हद तक भिन्न है, उसी तरह बाँगरू इस मामले में अवधी से भिन्न है। कुरु प्रदेश से संस्कृत का गहरा सम्बन्ध था और वर्तमान परिनिष्ठित हिन्दी का आधार उसी कुरु प्रदेश की आधुनिक भाषा बाँगरू है। परिनिष्ठित हिन्दी के उर्दू रूप का विकास आगरा और दिल्ली जैसे उत्तर-पश्चिमी शहरों में हुआ (अवध को केन्द्र मानने पर ये नगर पश्चिमोत्तर में हैं)। साहित्यिक हिन्दी का विकास अवध तथा अन्य पूर्वी क्षेत्रों में हुआ। इसलिए साहित्यिक उर्दू की अपेक्षा साहित्यिक हिन्दी में महाप्राण ध्वनियाँ अधिक सुरक्षित हैं। मराठी और बंगला की तरह उर्दू में भी **हाथ हात** हो गया है और **ठंढ** जैसा शब्द **ठंड** रूप में ही ग्रहण किया जाता है। बोलचाल की परिनिष्ठित हिन्दी और उर्दू, विशेषत: उत्तर-पश्चिमी प्रदेशों के निवासियों की भाषा, महाप्राणता को अल्पप्राणता में काफी बड़े पैमाने पर बदलती है।

बाँगरू क्षेत्र के पड़ोस में ब्रजभूमि है। यहाँ की बोलचाल की भाषा में हकार का निरन्तर लोप होता है। डॉ. सत्येन्द्र द्वारा सम्पादित 'ब्रज की लोक-कहानियाँ' में

एक कथा के कुछ अंश इस प्रकार हैं : **काऊ शहर में एक बड़ौ धर्मातमा राजा हो...रानी साहब एक साधू हमारे न्याँ आयौ ऐ। और बु कह रह्यौ ऐ...राजा के ऊ मन में भर गई...म्वाँई एक बर के पेड़ के नीचैं...।** (पृ. ९)। **काहू, यहाँ, है, हू, वहाँ, ही** आदि शब्दों के रूप ब्रजभाषा में महाप्राणता-विहीन हो गए हैं। धीरेन्द्र वर्मा ने 'ग्रामीण हिन्दी' पुस्तिका में मथुरा के चौबे लोगों की भाषा का जो नमूना दिया है, उसमें इसी प्रकार हकार लोप है : **पैले** (पहले), **चारौ दिंगे** (चार ही देंगे), **रैगई** (रह गई), **कओ** (कहो), **बास्सा** (बादशाह)। बुन्देलखंडी की स्थिति ब्रज से मिलती-जुलती है। कवि ईसुरी कहते हैं : **मोय** (मोहिं) **बल रात** (रहत) **राधिका जी कौ...पैले** (पहले) **पार पातकी कर दिये...तुमखाँ छोड़न नईं** (नहीं) **बिचारैं... रये** (रहे) **गरे में डारें...रहऔ** (रहिहौ) **सुरत समारैं**। ब्रज, बुन्देलखंडी, बाँगरू, राजस्थानी आदि के अनेक रूप महाप्राणता खोकर एक दूसरे से मिलते-जुलते हैं। इसके विपरीत बुन्देलखंडी के पड़ोस में बघेली और छत्तीसगढ़ी बोलियाँ महाप्राण ध्वनियों को वैसे ही सुरक्षित रखती हैं, जैसे अवधी। इन दोनों के परिवेश में ब्रज या बाँगरू की अपेक्षा द्रविड़ भाषा-भाषियों की संख्या अधिक है। फिर भी ये बोलियाँ अपनी मूल ध्वनियों को सुरक्षित किये हैं।

हिन्दी प्रदेश की बोलियाँ और पड़ोसी आर्य भाषाओं की स्थिति पर ध्यान देने से यह तथ्य सामने आता है कि अल्पप्राणता की हवा उत्तर-पश्चिम से चलती है। ऐसी हवा पूरब में भी है पर वह मिथिला और मगध की सीमा पर रुक जाती है। वैदिक काल में अल्पप्राणता का प्रभाव कम है, आधुनिक भाषाओं में वह प्रभाव बहुत बढ़ा हुआ है। वह हिन्दी की पड़ोसी मराठी, गुजराती, राजस्थानी और पंजाबी भाषाओं के ध्वनितंत्र में महाप्राणता को निरन्तर क्षीण करता है। यही नहीं, हिन्दी-क्षेत्र की उत्तर-पश्चिमी जनपदीय भाषाओं, बाँगरू, ब्रज, बुन्देलखंडी के ध्वनितंत्र में भी परिवर्तन करता है।

## 4. आर्य भाषाओं का द्रविड़ परिवेश

वर्तमानकाल में द्रविड़ भाषाओं की स्थिति देखने से उक्त प्रपंच की व्याख्या करने में कुछ सहायता मिलती है। द्रविड़ परिवार के अन्तर्गत तीन भाषा-समुदाय हैं। इनमें एक दक्षिणवर्ती समुदाय है जिसकी प्रमुख भाषा तमिल है, दूसरा मध्यवर्ती समुदाय है जिसमें कुछ लोग गोंडी आदि के अतिरिक्त तेलगू को भी शामिल करते हैं, और तीसरा उत्तरवर्ती समुदाय है जिसकी एक भाषा ब्राहूइ बलोचिस्तान में बोली जाती है। बलोचिस्तान के अलावा कश्मीर में, कश्मीर के उत्तर में, द्रविड़ भाषाएँ बोली जाती थीं, इसके कुछ चिन्ह मिले हैं। डॉ. सिद्धेश्वर वर्मा ने भाषा-वैज्ञानिक छानबीन के लिए कश्मीर के उत्तरी भागों की यात्रा की थी। इसका विवरण उन्होंने 28 सितम्बर, 1940 के पत्र में डॉ. सुनीतिकुमार चाटुर्ज्या को लिख भेजा था और यह 'इंडियन

लिंग्विस्टिक्स', खंड-2 (पुनर्मुद्रित, संख्या 5 से 8 तक, 1935-44) में प्रकाशित हुआ था। इसमें उन्होंने हिमालय के उस पार शोपियान कस्बे की भाषा का ज़िक्र किया है। यहाँ के लोग कश्मीरी बोलते हैं किन्तु दुकानदारों की भाषा में **सौ** के लिए **नूर्** शब्द है जो द्रविड़ परिवार का है। इसी तरह **मैं** के लिए **नाप्** शब्द है जिसका सम्बन्ध **ना** से है। डॉ. वर्मा ने इन शब्दों के द्रविड़ उद्‌भव का उल्लेख किया है।

रियासी नाम के ज़िले में उन्होंने कुछ नई बोलियों का पता लगाया। इनमें एक बोली खाशी या खशि थी। इसमें सघोष महाप्राण ध्वनियों का व्यवहार होता था। डॉ. वर्मा ने लिखा है कि वह संक्रमण की स्थिति में थी जब ये सघोष महाप्राण ध्वनियाँ, कश्मीरी के समान, लुप्त होने को थीं। ग्रियर्सन ने कश्मीरी और उसके आसपास की भाषाओं को दरद समुदाय में रखा था और उनकी विशेषता बताई थी कि वे ईरानी से प्रभावित हैं। किन्तु कश्मीर के उत्तर में सन् '40 तक ऐसी बोलियाँ थीं जिनमें सघोष महाप्राण ध्वनियाँ अभी विद्यमान थीं यद्यपि वे क्षीण हो रही थीं। खाशी बोली के पड़ोस में द्रविड़ भाषाओं के चिन्ह मिले, इसलिए यह अनुमान युक्तिसंगत है कि सघोष महाप्राणता की क्षीणता और लोप का कारण द्रविड़ प्रभाव है, स्वयं कश्मीरी में इसी प्रभाव से सघोष महाप्राण स्पर्श-ध्वनियों का लोप हुआ होगा। डॉ. सुनीतिकुमार चाटुर्ज्या ने बंगला भाषा वाली पुस्तक में कल्पना की है कि ईरान में भी द्रविड़ रहते थे। स्वभावतः फ़ारसी में भी सघोष महाप्राण ध्वनियाँ नहीं हैं।

भारत के सभी आर्येतर भाषा-परिवार सघोष महाप्राण ध्वनियों को अस्वीकार करते हैं। यहाँ केवल द्रविड़ परिवार का उल्लेख किया गया है। द्रविड़ों के अलावा अन्य आर्येतर समुदाय भी भारत के उत्तर-पश्चिम में थे, जैसे कि हिन्दी प्रदेश के दक्षिण में अभी हैं। सघोष महाप्राणता का अध्ययन करने पर प्रमाणित यह होता है कि अवध से लेकर मिथिला तक इसके केन्द्र अब भी विद्यमान हैं। मिथिला के पूर्व में महाप्राणता काफी क्षीण होती है। इधर अवध के उत्तर-पश्चिम में ब्रज, राजस्थानी और बाँगरू के क्षेत्रों में महाप्राणता कुछ-कुछ क्षीण होती है। पंजाब में यह क्षीणता बहुत बढ़ जाती है। बंगला में तो सघोष महाप्राण ध्वनियाँ शब्द के आदिस्थान में कायम रहती हैं किन्तु पंजाबी में मूल शब्दों की ऐसी ध्वनियाँ पूर्णतः अघोष और अल्पप्राण हो जाती हैं। मराठी की स्थिति बंगला से मिलती-जुलती है। कश्मीरी में सघोष महाप्राण ध्वनियों का नितान्त अभाव है, इसलिए उसकी स्थिति पंजाबी की स्थिति से मिलती-जुलती है। सघोष महाप्राणता की केन्द्रभूमि से उत्तर और पश्चिम की ओर बढ़ते हुए महाप्राणता का जो ह्रास दिखाई देता है, वह आकस्मिक नहीं है। उसका कारण द्रविड़ों से सम्पर्क और उनकी भाषाओं का प्रभाव है। इस प्रभाव को नाग, कोल आदि अन्य आर्येतर समुदाय संवर्द्धित करते हैं। आर्य भाषाओं के ध्वनितंत्र में जिस विषमता का उल्लेख ऊपर किया गया है, उसका कोई कारण

ऐतिहासिक भाषाविज्ञान ने अभी तक नहीं बताया। महाप्राणता के मामले में अवधी, भोजपुरी आदिभाषाएँ संस्कृत की अपेक्षा निषेध-भावना से मुक्त हैं, इस तथ्य का उल्लेख भी परम्परागत ऐतिहासिक भाषाविज्ञान में नहीं है।

## 5. मूर्धन्य नासिक्य

अब ध्वनितंत्र की एक अन्य विशेषता पर ध्यान दें। यह विशेषता ऐसी है जो उत्तर-पश्चिमी आर्य भाषाओं तथा द्रविड़ भाषाओं में सामान्य है किन्तु ब्रज प्रदेश से लेकर बंगाल तक बोलचाल के स्तर पर उसका लोप है। इस विशेषता का सम्बन्ध मूर्धन्य नासिक्य ध्वनि **ण्** के व्यवहार से है। हिन्दी प्रदेश में केवल बाँगरू क्षेत्र ऐसा है जिसमें इस ध्वनि का प्रचुरता से व्यवहार होता है। ब्रज प्रदेश में प्रवेश करते ही इसका लोप हो जाता है। राजस्थानी और ब्रजभाषा में गहरा सम्बन्ध है किन्तु णकार-प्रयोग को लेकर दोनों में घोर वैषम्य है। संस्कृत में, बाँगरू राजस्थानी और पंजाबी के समान, इसका प्रचुर प्रयोग होता है, किन्तु यह संस्कृत की भी मूल ध्वनि नहीं है। होती तो संस्कृत की क्रियाओं में इसके व्यवहार के बहुत-से उदाहरण मिलते। संस्कृत में दो-एक ही क्रियामूल ऐसे हैं जिनमें **ण्** का व्यवहार होता है। (**गण्** क्रिया-मूल है, **कृणोति, शृणोति** आदि क्रियामूल नहीं हैं।) कोई अज्ञात भाषा-समुदाय इन उत्तर-पश्चिमी भाषाओं को प्रभावित करता है और यह प्रभाव ब्रज जनपद की सीमा पर आकर रुक जाता है। यह प्रभाव उत्तर-पश्चिम में है, पूर्व में नहीं है। डॉ. सुनीतिकुमार चाटुर्ज्या ने लिखा है कि बंगालियों के लिए **ण्** का उच्चारण दुष्कर है। सघोष महाप्राणता के मामले में मराठी बंगला से मिलती है किन्तु णकार के मामले में वह बंगला से भिन्न है। मराठी, सिन्धी, गुजराती, राजस्थानी, पंजाबी—सभी णकार-बहुला हैं, पर यह सिलसिला कश्मीर तक नहीं पहुँचता, न सिन्धु नदी के पार ईरान या अफ़गानिस्तान की भाषाओं में इस ध्वनि का व्यवहार होता है।

आर्य परिवार की भाषाओं में इसका व्यवहार सीमित है; हिन्दी प्रदेश में केवल एक बाँगरू भाषा है जिसमें इसका व्यवहार होता है। द्रविड़ भाषाओं में इसका व्यवहार अधिक व्यापक है। तमिल, मलयालम, कोत, तोद, कन्नड़, कोडगु, तुलु भाषाओं में इसका व्यवहार होता है। ये सब दक्षिण समुदाय की भाषाएँ हैं। जो अन्य भाषाएँ हिन्दी-भाषी क्षेत्र के पड़ोस में हैं, उनमें इसका व्यवहार या तो बिलकुल नहीं होता या कम होता है। केवल कोंड भाषा में इसका व्यवहार है जो दक्षिण में नहीं, उड़ीसा में बोली जाती है। इससे एक निष्कर्ष तो यह निकलता है कि जिस भाषा-केन्द्र ने भी इस ध्वनि का प्रसार किया, वह मध्यदेश से दूर या तो उत्तर-पश्चिम में रहा होगा या दक्षिण-पश्चिम में। इस ध्वनि के व्यवहार को लेकर न केवल आर्य भाषाएँ वरन् द्रविड़ भाषाएँ भी विभाजित हैं। यह ध्वनि नाग, कोल आदि किसी अन्य आर्येतर भारतीय परिवार में नहीं है। इसका अर्थ यह हुआ कि इन समुदायों

की अपेक्षा किसी समय आर्यों से द्रविड़ों का सम्पर्क अधिक था। यह प्रभाव वैदिक भाषा तथा आधुनिक उत्तर-पश्चिमी आर्य भाषाओं में दिखाई देता है, इससे अनुमान होता है कि णकार प्रसार के केन्द्र उत्तर-पश्चिम में थे।

संस्कृत और द्रविड़ भाषाओं में इसके व्यवहार को लेकर एक महत्त्वपूर्ण भेद है। संस्कृत में ऐसी क्रियाएँ विरल हैं जिनके मूल रूप में इस ध्वनि का व्यवहार हुआ हो किन्तु तमिल आदिभाषाओं में ऐसे बहुत-से क्रियामूल हैं जिनमें इस ध्वनि का व्यवहार हुआ है : तमिल **अण** (सिर ऊपर उठाना), **अणि** (शोभित होना), **अणइ** (बुझाना), **इणर** (सघन होना), **इणइ** (संयुक्त करना), **उण्** (भोजन कर), **उणर्** (सोते से जागना), **ऍण्णु** (सोचना), **पण्णु** (बनाना), **पणि** (नम्र होना), **मण** (संयुक्त होना) इत्यादि। स्पष्ट ही यह स्थिति संस्कृत से भिन्न है और इससे निष्कर्ष यह निकलता है कि संस्कृत की अपेक्षा तमिल उस भाषा-केन्द्र से अधिक प्रभावित हुई है जिसकी विशेषता इस **ण्** ध्वनि का व्यवहार था। संस्कृत और तमिल में इस ध्वनि के व्यवहार को लेकर एक और भेद है। कॉल्डवेल ने इसका उल्लेख किया था। संस्कृत में **न्-ण्** का भेद अर्थ-विच्छेदक प्राय: नहीं होता (**अनु** को स्वतंत्र शब्द मानें तो **अणु** से अर्थ-भेद किया जाएगा) किन्तु तमिल में यह ध्वनि अर्थ-विच्छेदक है। कॉल्डवेल की यह बात मान लेने पर भी यह कहना होगा कि तमिल में **ण्** का अर्थ-विच्छेदक व्यवहार बहुत कम होता है। राजस्थानी में **मन** (सोचने वाला मन) और **मण** (तौल वाला मन) में ऐसा ही भेद कर लिया गया है किन्तु उत्तर-पश्चिमी आर्य भाषाओं की तरह तमिल में नासिक्य ध्वनियों का भेद मुख्यत: **न्** और **म्** को लेकर है, **ण्** का अर्थ-विच्छेदक व्यवहार गौण है। बाँगरू और पंजाबी की तरह तमिल णकार बहुधा नकार का स्थान लेता है।

संस्कृत और आधुनिक उत्तर-पश्चिमी आर्य भाषाओं तथा दक्षिण की द्रविड़ भाषाओं की णकार-सम्बन्धी समानता सिद्ध करती है कि आर्य-द्रविड़ सम्पर्क भारत के उत्तर-पश्चिम में घनिष्ठ था। जो भाषा-केन्द्र उत्तर-पश्चिम में आर्य-द्रविड़ परिवारों को प्रभावित कर रहा था, वह दक्षिण की अन्य द्रविड़ भाषाओं को प्रभावित न कर रहा था और पूर्वी अंचल में उसका प्रभाव शून्य था। जो लोग यह मानते हैं कि आर्य-गण ईरान होते हुए भारत आए, इंडो-यूरोपियन भाषा-परिवार की एक शाखा भारत-ईरानी है, यह शाखा टूटकर भारत में संस्कृत बनी। वे इस बात की कैफियत नहीं देते कि ईरान की नवीन और प्राचीन भाषाओं में मूर्धन्य नासिक्य का व्यवहार क्यों नहीं होता, आर्य भाषा-क्षेत्र की प्राचीन और आधुनिक भाषाओं में क्यों होता है, यह व्यवहार शूरसेन जनपद की सीमाओं पर क्यों रुक जाता है, और द्रविड़ भाषाओं में इसका प्रभाव तेलगू तथा अन्य दक्षिण-पूर्वी द्रविड़ भाषाओं पर अत्यन्त क्षीण क्यों है। काफी दिन तक बहुत-से विद्वान् मानते रहे कि मूर्धन्य ध्वनियाँ आर्य भाषाओं में द्रविड़-सम्पर्क से आईं। यहाँ इतना ही कहना काफी है कि टवर्ग की

शेष ध्वनियों से साथ **ण्** का भी व्यवहार हो, यह आवश्यक नहीं है। ब्रज से लेकर बंगाल तक **ट् ठ् ड्** का खूब व्यवहार होता है किन्तु बोल-चाल के स्तर पर **ण्** का अभाव है। इससे सिद्ध यह हुआ कि **ण्** ध्वनि के प्रसार और वितरण का अध्ययन अलग से करना चाहिए।

जैसे कोसल तथा अन्य पूर्वी क्षेत्र सघोष महाप्राण ध्वनियों की सुरक्षित भूमि है, वैसे ही ये क्षेत्र णकारविहीन हैं, दन्त्य या वर्त्स्य नकार ही यहाँ सुरक्षित है। इन क्षेत्रों में कम-से-कम वे द्रविड़ न रहते थे जिन्होंने संस्कृत के साथ णकार-प्रभाव ग्रहण किया।

## 6. द्रविड़ ध्वनितंत्र की विविधता

द्रविड़ भाषाओं का ध्वनितंत्र एक-सा नहीं है।

तमिल और मलयालम शब्द के आदिस्थान में सघोष ध्वनियों को अपवाद रूप में स्वीकार करती हैं, कन्नड़, तेलगू आदि में सघोष स्पर्श-ध्वनि से आरम्भ होनेवाले शब्दों की संख्या काफ़ी है। तमिल और मलयालम में सघोषता से अर्थभेद उत्पन्न नहीं होता किन्तु तेलगू में ऐसे अनेक शब्द हैं जहाँ सघोषता अर्थ-विच्छेदक है। इसके कुछ उदाहरण इस प्रकार हैं : **कक्कु** (उल्टी करना), **कग्गु** (मुरझाना); **काटु** (काटना), **काडु** (बर्बाद करना); **गच्च** (धान्य-विशेष), **गज्ज** (पेट और जाँघ के बीच का भाग); **गट्टि** (कठोर), **गड्डि** (घास) तमिल भाषा में सघोष व्यंजन का द्वित्व नहीं होता। तेलगू में ऐसा द्वित्व होता है और उससे अर्थभेद भी उत्पन्न होता है। व्यंजन-द्वित्व की प्रवृत्ति तमिल में अधिक है, कन्नड़ में अपेक्षाकृत कम है। तमिल **अलक्कु** पर कन्नड़ **अलकु** (हिलाना), तमिल **कण्णि** पर कन्नड़ **कणि** (गाँठ), तमिल **पाट्टु** पर कन्नड़ **पाट** या **पाडु** (गीत), तमिल **पात्ति** पर कन्नड़ **पाति** (छोटा खेत), तमिल **परिप्पु** पर कन्नड़ **परिवु** (गति, प्रवाह)।

तमिल और मलयालम में उनका कोई भी अपना शब्द **ह्** से आरम्भ नहीं होता। कन्नड़, तुलु, गोंडी आदि में **ह्** से अनेक शब्द आरम्भ होते हैं। तमिल और मलयालम में कोई भी शब्द **ख्-थ्-फ्** से आरम्भ नहीं होता। कुड़ुख़ और ब्राहूइ में अनेक शब्द संघर्षी **ख़्** से आरम्भ होते हैं।

तमिल और मलयालम में किसी शब्द के आरम्भ में संयुक्त व्यंजन न होंगे किन्तु तेलगू में अनेक शब्द **क्र्, ग्र्, त्र्, द्र्, प्र्, ब्र्** से आरम्भ होते हैं। तमिल और मलयालम के अनेक शब्दों के आरम्भ में **ञ्** ध्वनि का व्यवहार होता है, अन्य द्रविड़ भाषाओं में इस व्यवहार का अभाव है। तमिल और मलयालम में दन्त्य और वर्त्स्य, दो नकारों का प्रयोग होता है, अन्य भाषाओं में यह भेद नहीं है। तेलगू समेत अनेक द्रविड़ भाषाएँ **ण्** का व्यवहार नहीं करतीं, यह कहा जा चुका है। इसी प्रकार अनेक द्रविड़ भाषाओं में **ळ्, ऴ्** का व्यवहार सीमित है या नहीं होता। तमिल

में अकार ध्वनि बहुधा एकार में बदलती है, उसके पड़ोस में तोद भाषा तमिल शब्दों के अकार की जगह बहुधा ओकार का प्रयोग करती है। तमिल में मध्यवर्ती **र्** के पहले **न्** का व्यवहार सामान्य है। अधिकांश द्रविड़ भाषाओं में ध्वनियों का ऐसा संयोग वर्जित है। तमिल भाषा में **र्** और **ल्** से आरम्भ होनेवाले शब्द अपवाद रूप में हैं, कन्नड़ या तेलगू में ऐसी कोई निषेध-भावना नहीं है। इसी प्रकार तमिल का कोई भी अपना शब्द **स्** से आरम्भ नहीं होता पर तेलगू और कन्नड़ में **स्** से आरम्भ होनेवाले बहुत-से शब्द हैं। तमिल और मलयालम में **ट्** से आरम्भ होनेवाले शब्द अपवादरूप हैं, कन्नड़ और तेलगू में ऐसे शब्द काफी हैं, यद्यपि उतने नहीं हैं जितने हिन्दी में हैं।

द्रविड़ भाषाओं के ध्वनितंत्रों में परस्पर काफी भिन्नता है। मध्यवर्ती स्पर्श-ध्वनि, विशेषतः **क्**, का लोप तमिल में अधिक होता है। मिट्टी के घड़े के लिए एक तमिल शब्द है **अकल्**, इसी का तमिल प्रतिरूप है **आल्**। यहाँ **क्** ध्वनि हकार में परिवर्तित होकर लुप्त हो गई है। क्षतिपूर्ति के लिए प्रथम वर्ण का लघु स्वर दीर्घ हो गया है। प्रसन्न होने के लिए तमिल शब्द **उक** का प्रतिरूप **उव** है। **क-ह-अ**, फिर **व्** श्रुति का आगम, इस प्रकार **उक** का रूपान्तर **उव** बना। तमिल **अविऴ्**, (शिथिल होना) के तेलगू कन्नड़ प्रतिरूप **अगुलु** में स्पर्श-ध्वनि विद्यमान है। तमिल **अविऴ** (चावल का दाना) के कन्नड़ प्रतिरूपों **अगळु, अगुळु** में भी स्पर्श-ध्वनि है यद्यपि इनका कन्नड़ प्रतिरूप **अवुळु** भी है।

द्रविड़ भाषाओं में **क्** ध्वनि बहुधा **च्** में परिवर्तित होती है और कभी-कभी **क्** और **च्**, दोनों ध्वनियाँ **श्** का रूपान्तर होती हैं। तमिल **चे** (सोना, रहना) का कन्नड़ प्रतिरूप **के** है; **च्** वाले रूप केवल तमिल और मलयालम में हैं, कन्नड़, तुलु, कोलमि, कुडुख़, मल्तो में **क्** वाले रूप ही हैं। इस शब्द का सम्बन्ध संस्कृत क्रिया **शी** या **शे** से है। **शे** क्रिया का प्रतिरूप **शा** भी कभी प्रयुक्त होता था। तमिल **चा, चॅत्त्** (मरना) का कन्नड़ प्रतिरूप **शाय्** है। तमिल और मलयालम के अतिरिक्त तेलगू और पर्जि में **च्** वाले रूप हैं; कन्नड़, तोद, तुल, कुइ में **स्** वाले रूप हैं। गोंडी में **स्** और **ह्** वाले रूप हैं; कोत, कुडुख़, मल्तो और ब्राहूइ में **क्** वाले रूप हैं। यहाँ हम सकार को **क्, च्** और **ह्** ध्वनियों में बदलते देख सकते हैं। **क्** वाली प्रवृत्ति उत्तरी समुदाय में है तो **च्** वाली प्रवृत्ति दक्षिण समुदाय में है। सकार की रक्षा मध्यवर्ती समुदाय करता है। ये केवल प्रवृत्तियाँ हैं और इनके अपवाद हैं। तोद भाषा तमिल की पड़ोसी है पर उसमें उक्त क्रिया के प्रतिरूप में सकार है, तेलगू भाषा कन्नड़ की पड़ोसी है पर उसमें चकार है। मलयालम **इकल्** (लड़ाई) का प्रतिरूप मलयालम में ही **इशेल्** है। कोडगु और तुलु भाषाओं में **इज** रूप है, तमिल में केवल **क्** वाले रूप हैं। मूल शब्द में **श्** ध्वनि रही होगी, **क्** और **ज्** उसका रूपान्तर है। झाड़ी के लिए नइकि में **शॅट्ट** रूप है, कोलमि

में इस रूप के अलावा **चॅट्ट** भी है। तमिल में **चॅटि** रूप है, कन्नड़ में **गिड** और **चॅटटु**, दोनों तरह के रूप हैं।

यहाँ भी मूल ध्वनि **श्** के परिवर्तित रूप दिखाई देते हैं। **क्** और **च्** के अलावा सकार **त्** भी रूपान्तरित होता है। तुलु में **क्-श्-त्** वाले रूप एक साथ मिलते हैं : **कॅड्गुनि** (नष्ट होना, बिगड़ जाना), **शॅटटुनि, तॅटटुनि**। तमिल में **क्** और तेलगू में **क्** और **च्**, दोनों ध्वनियों वाले प्रतिरूप हैं। हिन्दी **सीप** कन्नड़ में **सिप्पु, चिप्पु**, तुलु में **सिप्पु, तिप्पि** और **चिप्पि** हैं। तमिल के एक रूप **चिप्पि** में **च्** है, दूसरे रूप **इप्पि** में **च्** का लोप है। संस्कृत **कषाय** का अर्थ देनेवाला तमिल **कचर्** है। इसके प्रतिरूप **कयर्** में **च्** अर्द्ध-स्वर **य्** में रूपान्तरित होता है। कन्नड़ में **कस, कसि** रूप हैं, **कय्, कयि** भी। गोंडी में **कइतल, कइता** जैसे रूप हैं। हिन्दी का फल विशेष **कैथा** इसी कोटि के ध्वनि-परिवर्तन का परिणाम है।

तमिल भाषा में **च्** को **य्** में बदलने अथवा उसका लोप करने की प्रवृत्ति विशेष है। **अचक्कु** और **अयक्कु** (खिलाना) दोनों तमिल रूप हैं। कन्नड़ **असि**, तेलगू **असियाडु** में मूल सकार मौजूद है। इसी का एक तमिल प्रतिरूप **अतिर** है। तमिल भाषा में तीन प्रवृत्तियाँ एक साथ काम करती दिखाई देती हैं : सकार का **च्** में बदलना, **च्** का **य्** में परिवर्तन और **च्** अथवा **य्** का लोप। इन तीनों प्रवृत्तियों का एक ही स्रोत नहीं हो सकता। **च्** और **ज्** को **य्** रूप में ग्रहण करने के उदाहरण अन्यत्र मिलते हैं किन्तु **च्** अथवा **य्** का लोप तमिल की विशेषता है। संस्कृत **चाप** से सम्बद्ध तमिल **आवम्** (तर्कस, धनुष की डोरी) में **च्** गायब है। मलयालम **अशति** (विस्मरण, अलसाना) के तमिल प्रतिरूप **अचर्** और **अयर्** हैं। द्रविड़-व्युत्पत्ति-कोश में किसी भी सकार को द्रविड़ भाषाओं की आदि ध्वनि नहीं माना गया है, पर ऐसे बहुत-से शब्द हैं जो द्रविड़ परिवार के ही हैं और उनमें दन्त्य अथवा तालव्य सकार ध्वनि रही है। **क्-च्-त्** आदिस्थानीय ध्वनियाँ सकार वाले शब्दों के प्रतिरूपों में मिलती हैं। तोद भाषा में, एमेनो के अनुसार, **श्-ष्-स्**—तीनों का व्यवहार होता है। यह एक पिछड़ी हुई जाति की भाषा है। इन तीनों सकारों का प्रयोग उसके अपने शब्दों में होता है। जैसे तमिल से भिन्न उसकी पड़ोसी मलयालम भाषा क्रियापदों में लिंगभेद स्वीकार नहीं करती, वैसे ही तमिल से भिन्न तोद भाषा, तमिल की पड़ोसी होकर भी, तीनों सकारों का प्रयोग करती है। अन्य परिवारों की तरह द्रविड़ परिवार में भी अनेक भाषास्रोत आकर मिल गए हैं। भाषाविज्ञानियों ने पहले तो आदि द्रविड़ भाषा की कल्पना की, फिर उस आदिभाषा की ध्वनि व्यवस्था में सकार को स्थान ही न दिया। तमिल का साहित्य द्रविड़ भाषाओं में सबसे पुराना है, इसलिए उन्होंने मान लिया कि तमिल में सकार नहीं है तो अन्य द्रविड़ भाषाओं में भी उनकी मूल ध्वनि के रूप में वह न होगा। पर तमिल भाषा के अनेक शब्द जब अन्य द्रविड़ भाषाओं के प्रतिरूपों से मिलाए जाते हैं, तब विदित होता है कि पुराने

रूप अनिवार्यतः तमिल में सुरक्षित नहीं हैं। कभी-कभी पिछड़ी हुई द्रविड़ भाषाओं में पुराने रूप मिल जाते हैं। **आरु, अरु** (छह) के गोंडी प्रतिरूप **सारुंग, सरूंग, हरुंग, हारूंग** में मूल शब्द का सकार विद्यमान है यद्यपि गोंडी में **आरू** रूप भी है। कुइ में केवल सकार वाला रूप **सज्गि** है। तमिल **इमिऴ्** (अंकुरित होना) के तुलु प्रतिरूप **इ** के अलावा **च्, त्, स्** से आरम्भ होते हैं। स्पष्ट ही मूल शब्द में **स्** ध्वनि थी, तमिल में उसका लोप हो गया। कन्नड़ में **इ** और **च्** से आरम्भ होनेवाले रूप हैं और यही स्थिति तेलगू की है। किन्तु साहित्य में सुप्रतिष्ठित तमिल, तेलगू और कन्नड़ भाषाओं में सकार वाला रूप नहीं है। तमिल **इरि, इरा, रा** (रात्रि), **इरि** (काला), **इरुमइ** (अँधेरा) आदि शब्दों का कोलमि प्रतिरूप **चिरुम्** हैं, गद्‌ब में **सिरिंग्** आदि रूप हैं। यहाँ भी मूल शब्द की **स्** ध्वनि विद्यमान है। तमिल **इल्** (अनस्तित्व, मृत्यु), **इल्लइ** (नहीं है) का पर्जि प्रतिरूप **चिल** और गोंडी **सिलॅ, हिलॅ** मूल शब्द में सकार का अस्तित्व सिद्ध करते हैं। कुइ में **सिड** रूप है जिससे पता चलता है, **ल्** ध्वनि मूल शब्द में नहीं थी, वह **ड्** अथवा **द्** का रूपान्तर है। तमिल **इल्** (घर) का कुई प्रतिरूप **इडु** है।

तमिल में **द्** और **ड्** के **र्** में बदलने के अनेक उदाहरण हैं। कन्नड़ **ऑत्तु** (दबाना) का तमिल प्रतिरूप **ऑरु** है यद्यपि तमिल में **त्** वाले रूप भी हैं। पर इस शब्द के अन्य द्रविड़ प्रतिरूपों में कहीं भी **र्** नहीं है। तमिल **कुरइ** (काटना) के पर्जि प्रतिरूप **कुद्** में मूल ध्वनि **द्** विद्यमान है। इसी प्रकार तुलु में **कुदुपुनि** रूप है। तमिल **कन्रु** (बुझना, झुलसना) का कन्नड़ प्रतिरूप **कन्दु** है। एक अन्य तमिल **कन्रु** (बछड़ा, छोटा पौधा) का एक कन्नड़ प्रतिरूप **कन्दु** है।

तमिल ने **ण्** ध्वनि उत्तर-पश्चिम में प्राप्त की थी। उत्तर-पश्चिमी आर्य भाषाओं में इस ध्वनि की बहुलता है, इसके अलावा तमिल भाषा में अनेक शब्द इस ध्वनि को तरह-तरह से परिवर्तित करके ग्रहण करते हैं। जिन्हें मूर्धन्य नासिक्य के उच्चारण में कठिनाई होती है, वे उसका उच्चारण किसी समीपवर्ती मूर्धन्य ध्वनि के अनुरूप करते हैं। संस्कृत शब्द **गण** कन्नड़ में **गणि, गॅळॅ, कॅळॅ** आदि रूपों में गृहीत है। इसका तमिल प्रतिरूप **केळ्** है। इसका अर्थ है मंत्री, संघबद्ध होना। कन्नड़ **अणॅ, अणि** (निकट आना, गले लगाना, पहुँचना) का तमिल प्रतिरूप **अटु** है। बोलचाल में **टु** सघोष होकर **डु** बोला जाएगा और दो स्वरों के बीच में होने से इसका उच्चारण हिन्दी-भाषियों को **ड़ु** जैसा सुनाई देगा अर्थात् **अणि अड़ु** रूप में गृहीत होगा। हिन्दी-क्षेत्र में मूर्धन्य **ण्** सामान्यतः वर्त्स्य **न्** के रूप में ग्रहण किया जाता है पर मूर्धन्यीकरण के प्रयत्न में कभी-कभी अपढ़ लोग इसका उच्चारण **ड़्** के समान करते हैं, यथा : **गणेश** का रूपान्तर **गड़ेस** हो जाएगा। उक्त पद्धति के विपरीत तमिल में कहीं-कहीं **ट् ण्** में परिवर्तित होता है, विशेषतः जब शब्दमूल किसी प्रत्यय या अन्य शब्द से जोड़ा जाए, यथा : **ॲट्ट** (आठ) पर **ॲण्पतु** (अस्सी)।

अनेक तमिल शब्दों के अन्त में **ण्** व्यंजन आता है, यथा : **आण्** (पुरुष), **अण्** (ऊपरी भाग)। ऐसे रूप न संस्कृत में हैं, न हिन्दी में।

कन्नड़ में **आणि कल्लु** का अर्थ है ओले। **कल्** हुआ पत्थर, **आणि** हुआ पानी। ऐसा लगता है कि **पानी** शब्द **पाणी** रूप में कन्नड़ ने ग्रहण किया, फिर **प्** **ह्** में परिवर्तित हुआ और **ह्** का लोप हो गया। तमिल में यह **ण्** सादे लकार रूप में गृहीत हुआ। **आलि** माने पानी की बूँदें, ओले। कन्नड़ में **आणि कल्लु** का एक और प्रतिरूप बना **आलॅ कल्लु**।

मूर्धन्य ध्वनियाँ तमिल में काफी अस्थिर हैं। बोलचाल में **ऴ्** पूर्व स्वर को दीर्घ करके लुप्त हो जाएगा, यथा : **अवऴ्** (वह स्त्री) बोलचाल में **अवा** हो जाएगा। **चुऴल्** (घूमना, चक्कर लगाना) के आदि वर्ण से **च्** का लोप हुआ तो **उऴल्** रूप बना। इसका एक प्रतिरूप **चुरि** है जहाँ **ऴ्** **र्** के रूप में गृहीत है। कहीं-कहीं **र्** के स्थान पर **ऴ्** का व्यवहार होता है, जैसे कि उत्तर भारत में कभी-कभी **ज़रा** को लोग **जड़ा** कर देते हैं। संस्कृत **क्षार**, हिन्दी **खार**, का एक तमिल प्रतिरूप **कार्** है, दूसरा **काऴ्**। हिन्दी **काला** का एक तमिल प्रतिरूप **करु** है, दूसरा **काऴ्** (कालापन)। संस्कृत **बल** का तमिल प्रतिरूप **अऴ्** है (**बल** से **पल**, फिर **वल** के **व्** का लोप और सामान्य लकार का मूर्धन्यीकरण)।

तमिल और मलयालम भाषाओं की एक विशेषता और है कि शब्द के आरम्भ में **ञ्** का व्यवहार होता है। **ञण्डु** (केंकड़ा), **ञमलि** (मोर), **ञञ्चिल्** (हल) जैसे रूप इन्हीं भाषाओं में हैं, अन्य द्रविड़ भाषाओं में नहीं। कन्नड़ की अपेक्षा तमिल में **क्** के स्थान पर **च्** के व्यवहार से यह प्रवृत्ति मिल जाती है। इन प्रदेशों में तालव्यीकरण की प्रवृत्ति कन्नड़ आदि की अपेक्षा प्रबल है। मूर्धन्यीकरण की प्रवृत्ति से यह अधिक प्राचीन जान पड़ती है। तमिल की कुछ बोलियाँ ऐसी हैं जिनमें शब्द के आदिस्थान में **ङ्** का व्यवहार होता है। आदिस्थानीय **ञ्** वाले शब्दों की अपेक्षा ऐसे शब्दों की संख्या बहुत ही कम है पर कुछ शब्द ऐसे भी हैं, यह तथ्य अत्यन्त रोचक है। 'इंडियन लिंग्विस्टिक्स' पत्रिका में एम्. षण्मुगम् पिल्लइ ने एक तमिल बोली पर लिखते हुए बताया है कि उसमें इस तरह के शब्दों का व्यवहार होता है : **ङॉप्पन्** (तुम्हारे पिता), **ङॉम्मा** (तुम्हारी माँ), **ङॉण्णन्** (तुम्हारा भाई)। (देखें : 'रिप्रिंट्स फ्रॉम इंडियन लिंग्विस्टिक्स ऑन ड्रैवीडियन') यहाँ **अप्पन्, अम्मा** आदि शब्दों में मध्यम पुरुष सर्वनाम **ङॉ** लगाया गया है। शब्द के आदिस्थान में **ङ्** का व्यवहार नाग भाषाओं की विशेषता है। उक्त लेख में यह बताया गया है कि प्राचीन काल में उत्तरी लंका को नागद्वीप कहते थे। सम्भव है, तमिलनाडु के कुछ भागों में नाग भाषाएँ बोलनेवाले लोग रहते रहे हों। शब्दों के आदान-प्रदान को आँख मूँदकर विजय-पराजय का परिणाम न मान लेना चाहिए। शब्दों से अधिक महत्त्वपूर्ण ध्वनितंत्र है। अरबी-फ़ारसी के बहुत-से शब्द तमिल में काफी बाद को पहुँचे हैं। उनसे यह

सिद्ध नहीं होता कि तमिलनाडु पर अरब और ईरानी राज करते थे। मुख्य बात इन शब्दों का रूप-परिवर्तन है। यदि तमिल ध्वनितंत्र हिन्दी प्रदेश में प्रभावकारी होता तो विदेशी शब्दों के वैसे ही रूप हमारे यहाँ प्रचलित होते। मद्रास विश्वविद्यालय द्वारा प्रकाशित तमिल भाषा के बृहत् कोश के आरम्भ में ही कुछ शब्द इस प्रकार के हैं : **अक्कप्पार, अक्कु, अचल्, अचामि, अतप्पु, अंकामि, अक्कुतार, अचारम्**। यदि चाहें तो मध्यवर्ती स्पर्श-ध्वनियों को सघोष करके पढ़ लें। फिर भी, अनुमान है कि शब्दों को पहचानने में कठिनाई होगी। ये शब्द अपने मूलरूप में इस प्रकार हैं : **अखबार, हक, अस्ल** या **असल, आसामी, अदब** (भय), **हंगामी, हकदार, हज़ार**। अभी थोड़े दिनों पहले तमिलनाडु पहुँचे ये शब्द पहचान में नहीं आते, हज़ार साल पहले जो आर्य भाषाओं के शब्द तमिल में घुल-मिल गए हैं, उन्हें पहचानना और भी कठिन है। पर इस तरह के तद्भवीकरण के उदाहरण उत्तर भारत में न मिलेंगे, पंजाब और हरियाणा में भी नहीं।

## 7. द्रविड़ ध्वनितंत्र की कुछ विशेषताएँ

इसके साथ मूर्धन्य लकार पर भी विचार करना चाहिए। आर्य भाषाओं में यह ध्वनि बाँगरू, राजस्थानी, मराठी आदि में है। ब्रजभाषा में इसका वैसे ही प्रभाव है, जैसे **ण्** का। वैदिक भाषा में इसका विरल प्रयोग है, संस्कृत में इसका अभाव है। इस ध्वनि का व्यवहार द्रविड़ भाषाओं में होता है किन्तु सभी में इसकी समान स्थिति नहीं है। तमिल, मलयालम, तोद आदि दक्षिण समुदाय की भाषाओं में इसका व्यवहार होता है किन्तु तेलगू में और अन्य उत्तर-पूर्वी भाषाओं में नहीं होता। **ण्** के समान यह भी उत्तर-पश्चिमी क्षेत्र तक सीमित है। अन्तर यह है कि संस्कृत में **ण्** जहाँ सुप्रतिष्ठित है, वहाँ यह ध्वनि बहिष्कृत है।

मूल संस्कृत भाषा अथवा मध्यदेश की मूल आर्य भाषा में **ल्** की अपेक्षा **र्** की प्रधानता थी। **ल्** का प्रमुख केन्द्र मगध था। उससे मिलता-जुलता केन्द्र उत्तर-पश्चिम में भी रहा होगा। भारत के उत्तरी सीमान्त पर खरोष्ठी लिपि में जो दस्तावेज प्राप्त हुए हैं, उनमें यह प्रवृत्ति देखी गई है कि मूल शब्द के **द्** को **ल्** में बदला जाता है। केरल के लिए प्रसिद्ध है कि वहाँ के पढ़े-लिखे लोग संस्कृत शब्दों के **द्** को बहुधा **ल्** में बदल देते हैं। **सद्गुण, उद्घोष, अद्भुत** मलयालम में **सल्गुणम्, उल्घोषम् अल्भुदम्** हो जाते हैं। (देखें : 'इंटरनेशनल जर्नल ऑफ़ ड्रैवीडियन लिंग्विस्टिक्स', जनवरी, 1973, में एल्.बी. रामस्वामी अय्यर का लेख 'ए साउथ इंडियन' (मलयालम) इवैल्यूएशन ऑफ़ संस्कृत)। पश्तो में इसी प्रवृत्ति के अनुरूप **दस** बदलकर **लस्** हो जाता है। और लैटिन में **देवर** का प्रतिरूप **लेविर** है। **द्** को बदलने की प्रवृत्ति मध्यदेशीय भाषाओं में भी है पर यहाँ आदिस्थानीय **द्** परिवर्तित नहीं होता। **ग्यारह, बारह** आदि में मध्यवर्ती **द्** का स्थान **र्** ने लिया है। यह परिवर्तन मध्यदेश की रेफ-प्रधान

प्रकृति के अनुकूल है। अनेक अवधी, मैथिली **र्** वाले शब्दों के बंगला प्रतिरूपों में **ल्** ध्वनि का व्यवहार मिलता है, जैसे : अवधी **सार**, बंगला **शाला**। परिनिष्ठित हिन्दी में **ल्** वाले रूपों की प्रधानता उत्तर-पश्चिमी प्रभाव के कारण है यद्यपि बहुत जगह बाँगरू में **ल्** की जगह **ळ्** का व्यवहार होता है। परिनिष्ठित हिन्दी की अपेक्षा यहाँ भी ब्रज, अवधी आदि मध्यदेश की पुरानी ध्वनि-प्रकृति को सुरक्षित किये हैं।

अनेक द्रविड़ भाषाओं में अकार-एकार के वैकल्पिक रूप मिलते हैं, यथा : तमिल में **अल्—ॲल्** (रात), **कण्डन्—कॅण्डन्** (वीर), **नण्डु—नॅण्डु** (मैत्री) इत्यादि। इसी प्रवृत्ति के कारण **दक्षिण** शब्द **तॅक्कणम्** रूप में बोला जाता है और इससे अंग्रेज़ी रूप **डॅकन्** बना। आश्चर्य की बात है कि बंगला में इसी तरह मूल शब्द का अकार बहुधा एकार रूप लेता है। **नशा, गजट, रकाब, फ़रार** डॉ. चाटुर्ज्या के अनुसार **नॅशा, गॅजॅट, रॅकाब, फॅरार** बोले जाते हैं। ब्लौख़ ने इनसे मिलते-जुलते शब्द अपनी मराठी वाली पुस्तक में दिये हैं। **हिसाब** बदलकर हुआ **हिसेब, खारिज** बदलकर **खेरीज** बना, संस्कृत **कर्कट** मराठी में **खेंकड़** हुआ। **शाल्मली** का एक रूप **साँवर** और इसी का प्रतिरूप **शेंवरी** बना। बाँगरू प्रदेश के लोग अकार के स्थान पर एकार का उच्चारण वैसे ही करते हैं जैसे बंगलाभाषी ओकार का। इसलिए **कह्या** बाँगरू में **कॅह्या** बोला जाएगा। ब्रज, बुन्देलखंडी आदि में जब मध्यवर्ती हकार का लोप होता है, तब पूर्ववर्ती अकार इसी प्रवत्ति के कारण एकार में बदलता है। अवधी के **पहिले**, परिनिष्ठित हिन्दी के **पहले** में **ह्** बोला तो जाता है किन्तु ह्रस्व एकार के साथ और उससे पहले का **अ** ह्रस्व ऐकार में बदल जाता है। जनपदीय बोलियों में इसी से **पैले, पेले** जैसे रूपों का निर्माण होता है। ऐसे रूप मध्य और पूर्वी हिन्दी-क्षेत्र में न मिलेंगे। गुजराती में **बहन** का प्रतिरूप **बेन** है। अवधी में **भगिनी** के अनुरूप **बहिनि** शब्द बोला जाएगा। यहाँ भी हम देखते हैं, एकारवादी प्रवृत्ति आधुनिक उत्तर-पश्चिमी आर्य भाषाओं तथा कुछ द्रविड़ भाषाओं में मिलती है। अवधी तथा उससे पूर्व के क्षेत्रों में यह प्रवृत्ति नहीं है।

बाँगरू और परिनिष्ठित हिन्दी में एक अन्तर यह है कि बाँगरू में दीर्घ स्वर के बाद दो व्यंजन आ सकते हैं, पर तत्सम शब्दों को छोड़कर ऐसे रूपों का व्यवहार परिनिष्ठित हिन्दी में नहीं होता, और अरबी शब्दों को छोड़कर उर्दू में भी ऐसे रूप नहीं बोले जाते। बाँगरू को ये रूप इतने प्रिय हैं कि जहाँ मूल शब्द में एक ही व्यंजन है, वहाँ वह उसे और बलवान बनाने के लिए एक व्यंजन अपनी ओर से जोड़ देगी। धीरेन्द्र वर्मा की 'ग्रामीण हिन्दी' पुस्तिका में बिजनौर की खड़ी बोली के नमूने में इस तरह के रूप हैं : **बोल्ले, होग्गा, जेस्सा, वेस्सा, देक्खणा, बादसाजाद्दा, दोन्नो, लेक्कर, मसाल्लेदार, सीद्दे**। बोलचाल की परिनिष्ठित हिन्दी में इनके बदले **बोले, होगा, जैसा, वैसा, देखना** आदि रूपों का व्यवहार होगा। अंग्रेज़ी शब्दों की भी ऐसी ही कायापलट बाँगरू में होती है। **स्टेशन्** अवधी में **टेसन** पर

बाँगरू में **टेस्सण** हो जाएगा। डॉ. जगदेव सिंह की बाँगरू-पुस्तक में **बेलन** की जगह **बेल्लण** जैसे रूप मिलते हैं। **खान्दा, सोन्दा** जैसे रूप बाँगरू और पंजाबी, दोनों में हैं। दीर्घ स्वर के बाद दो व्यंजनों का व्यवहार संस्कृत में काफी होता है, जैसे **राष्ट्र** शब्द में। पर बोलचाल में ब्रज से लेकर मिथिला तक जनपदीय भाषाएँ ऐसे रूप स्वीकार नहीं करती। मिथिला के बाद बंगाल में यह प्रक्रिया फिर आरम्भ हो जाती है। प्रथम वर्ण पर बलाघात की आवश्यकता के कारण **अल्ला** भी **आल्ला** हो जाता है। इसी तरह **जहन्नुम्, अंज़ुमन, अन्दाज़्** क्रमशः **जाहान्नम्, आञ्जुमान्** और **आन्दाज्** बोले जाते हैं। जैसे हिन्दी का **सीधा** बाँगरू में **सीद्दा** होता है, वैसे ही हिन्दी का **अच्छा** बंगला में **आच्छा** हो जाता है।

द्रविड़ भाषाओं में तमिल और उसकी पड़ोसी भाषाएँ इसी तरह की रूप-रचना करती हैं किन्तु तेलगू आदि, मध्यदेशीय आर्य भाषाओं के समान, ऐसे रूपों से बचती हैं। तमिल में **पाडु** क्रिया का अर्थ है गाना; इसका संज्ञा रूप बनता है **पाट्टु**। किन्तु कन्नड़ में **पाडु** संज्ञा और क्रिया दोनों है। तेलगू और कन्नड़ में गीत के लिए **पाट** शब्द है। छोटे गाँव के लिए तमिल में **पाक्कम्** शब्द है, इसका तेलगू प्रतिरूप **पाक** है। तमिल **आट्टु** का अर्थ है नर्तन, क्रीड़ा; कन्नड़ और तेलगू में इसका प्रतिरूप है **आडु**। इसी प्रकार तमिल **ऊक्कु** तेलगू **ऊक** (झूलना), तमिल **काक्कइ,** तेलगू **काकि** (कौआ)। तमिल में **काडु** (जंगल) का तिर्यक् रूप **काट्टु** है किन्तु कन्नड़ और तेलगू में **काडु** या **काट्** है। ऐसी बहुत-सी मिसालें दी जा सकती हैं। दीर्घ स्वर के बाद दो व्यंजनों का व्यवहार तमिल प्रवृत्ति है। तमिल प्रदेश के उत्तर पूर्वी भागों की द्रविड़ भाषाओं में यह प्रवृत्ति नहीं है या अत्यन्त क्षीण है। यह बात आकस्मिक नहीं हो सकती कि संस्कृत, बाँगरू और तमिल में ध्वनि-प्रकृति की ऐसी सामान्य विशेषता है। भारत के उत्तर-पश्चिमी भाग में किन्हीं अज्ञात ध्वनि-प्रकृति वाले द्रविड़ों से आर्यों का सम्पर्क नहीं हुआ। जिन द्रविड़ों से सम्पर्क हुआ, उनके एक उत्तराधिकारी तमिल-भाषी हैं। जो द्रविड़ उत्तर-पश्चिम से दक्षिण गए, उनमें तमिल-भाषियों के पूर्वज अवश्य थे किन्तु ये पूर्वज मध्यदेश के निवासी नहीं थे। दीर्घ स्वर के बाद दो व्यंजनों के प्रयोग की पद्धति आर्यों ने द्रविड़ों से ग्रहण की या द्रविड़ों ने आर्यों से या दोनों ने अन्य किसी से, इस बात का पता लगाना कठिन है। संस्कृत मूलतः मध्यदेश की भाषा थी, इसलिए उसमें जैसे णकार का अभाव था, वैसे ही किसी समय दीर्घ स्वर के बाद व्यंजन द्वित्व का भी प्रभाव था। इस तरह की सारी प्रवृत्तियाँ उत्तर-पश्चिमी सीमान्त पर केन्द्रित होती दिखाई देती हैं और ब्रज अथवा अवधी की सीमा पर उनका प्रसार रुक जाता है।

द्रविड़ भाषाओं में मूलतः सघोष स्पर्श-ध्वनियाँ नहीं थीं, ऐसा अनेक विद्वान मानते हैं। तमिल के अपने शब्दों में सघोष ध्वनियाँ अर्थ-विच्छेदक नहीं होतीं। अब

उसमें सामान्य नियम यह है कि नासिक्य ध्वनि के साथ आनेवाला स्पर्श व्यंजन सघोष रूप में बोला जाएगा, यथा : **दन्त—तन्दम्, जन्तु—चॅन्दु** रूप में बोला जाएगा; दो स्वरों के बीच में आनेवाला अकेला स्पर्श व्यंजन सघोष बोला जाएगा, यथा : **पाडु** (गीतगाना) या **नाडु** (प्रदेश)। यह प्रवृत्ति पंजाबी तथा फ़ारसी जैसी भाषाओं में काफी मिलती है। हिन्दी का **सकता, लगता** पंजाबी में **सकदा, लगदा** हो जाते हैं। ऐसे रूप बाँगरू में भी मिलते हैं। संस्कृत **मातृ-पितृ** के जो फ़ारसी में **मादर्-पिदर्** रूप मिलते हैं, वह इसी प्रवृत्ति के कारण। **पंच** और **आप** के अन्तिम वर्णों के व्यंजन सघोष होते हैं, तभी **पंज** और **आब** से **पंजाब** शब्द बनता है। **पंजाब** शब्द फ़ारसी और पंजाबी, दोनों का हो सकता है। इन भाषाओं में मध्यवर्ती स्पर्श व्यंजन को सघोष करने की प्रवृत्ति अनियमित है, तमिल में यह प्रवृत्ति नियमित है। जो शब्द उधार लिये गए हैं, उनकी बात दूसरी है।

तमिल-भाषियों के पूर्वज जब भारत के उत्तर-पश्चिमी सीमान्त पर विद्यमान थे, तभी उनमें इस प्रवृत्ति का विकास हुआ या तमिलनाडु में कई शताब्दियों तक बसे रहने के बाद हुआ—इसके बारे में मतभेद है। अनेक विद्वानों की राय यह है कि तमिलनाडु में कई शताब्दियों तक रहने के बाद तमिल भाषा में यह प्रवृत्ति आई। तमिल लिपि में सघोष ध्वनियों के लिए अलग चिन्ह नहीं हैं, इसलिए इस समस्या के विवेचन में कठिनाई होती है। किन्तु ऐसी प्रवृत्ति के विकास के लिए उन आर्य भाषाओं से सम्पर्क आवश्यक था जिनमें सघोष ध्वनियों का सार्थक व्यवहार होता था। तमिल प्रदेश के आस-पास ऐसा कोई क्षेत्र नहीं है जहाँ की सघोष ध्वनियाँ तमिल को इतना प्रभावित करतीं कि उसमें उच्चारण-सम्बन्धी सघोषता का एक नियम ही बन जाता। संस्कृत का प्रभाव अवश्य पड़ा किन्तु तेलगू और कन्नड़ की अपेक्षा तमिल पर ऐसा प्रभाव कम पड़ा। तेलगू और कन्नड़ में संस्कृत के प्रभाव से मध्यवर्ती स्पर्श व्यंजन को सघोष बोलने का नियम नहीं बना, तब ऐसा नियम तमिल में ही कैसे बनता? इसके सिवा संस्कृत साहित्य के पढ़ने-पढ़ानेवाले बहुत थोड़े लोग थे। उनके प्रभाव से जनसाधारण की भाषा पर ऐसा गहरा प्रभाव न पड़ सकता था। तमिल बोलनेवालों ने यह प्रवृत्ति भारत के उत्तर-पश्चिमी प्रदेशों में ही ग्रहण की होगी, भले ही साहित्यिक तमिल में उसे स्वीकार न किया गया हो।

ध्वनितंत्र की इन तमाम विशेषताओं को ध्यान में रखने से यही प्रतीत होता है कि आर्य भाषाएँ बोलनेवालों का सम्पर्क कुछ द्रविड़ भाषाएँ बोलनेवालों से उत्तर-पश्चिमी भारत में, भारत के उत्तर-पश्चिमी सीमान्त प्रदेशों में, दीर्घकाल तक हुआ। यह सम्पर्क ऐसा था कि आर्य और द्रविड़ भाषा-परिवारों की कुछ विशेषताएँ एक साथ विकसित हुईं। इन विशेषताओं से यह प्रमाणित नहीं होता कि आर्यों ने द्रविड़ों को जीता या द्रविड़ों ने आर्यों को जीता। ध्वनितंत्र की इन विशेषताओं में अधिकांश पूर्वी छोर पर बंगला में मिलती हैं। मध्यदेश की भाषाएँ इनसे प्रायः अछूती हैं। पुनः

द्रविड़ भाषाओं में काफी बड़ी संख्या ऐसी भाषाओं की है जो इन विशेषताओं को स्वीकार नहीं करतीं। यह सम्भव है कि इन भाषाओं का सम्पर्क मध्यदेश की आर्य भाषाओं से अधिक रहा हो।

## 8. आर्य-द्रविड़ सम्पर्क

आर्यों और द्रविड़ों के सम्पर्क की दो मंज़िलें हैं। पहली मंज़िल वह है जिसमें दोनों भाषा-परिवारों का निर्माण हो रहा था, और दूसरी मंज़िल वह है जब दोनों परिवारों की विशेषताएँ बहुत कुछ निश्चित हो चुकी थीं और तमिलनाडु समेत दक्षिण भारत में संस्कृत भाषा का प्रसार होने लगा था। सम्पर्क की इन दोनों मंज़िलों में ऐतिहासिक भाषाविज्ञान के लिए पहली मंज़िल अधिक महत्त्वपूर्ण है। इस समय शब्द और अर्थ को जोड़नेवाले वे साँचे तैयार हुए जिनमें ढलकर आर्य और द्रविड़ भाषाओं के सैकड़ों शब्द तैयार हुए और जिनका प्रभाव भारत से बाहर यूरोप की भाषाओं पर भी पड़ा। चलने के लिए एक क्रिया है **पो** तो जिन अंगों से चलते हैं, उनके लिए **पग**, जिस पर चलते हैं, **पथ**, जो वस्तुएँ गतिशील हैं, वे **पवन** कहलाईं। चलने के लिए एक दूसरी क्रिया है **गा**, इससे **गात** शब्द बना, **गात** का प्रतिरूप **गाल**, और प्रथम वर्ण के अघोष होने पर **काल** द्रविड़ भाषाओं में पैर का अर्थ देता है, संस्कृत में समय और मार्ग का सूचक है। एक शब्द था **धस्त**, इससे फ़ारसी रूप **दस्त**, संस्कृत रूप **हस्त** बना और करनेवाला क्रियाभाव **धन्धा** शब्द में है। इसी के अनुरूप एक शब्द है **कर**, जिसका अर्थ है हाथ, तथा क्रियाभाव में **करना** रूप है। कन्नड़ में यही शब्द **कइ** रूप में प्रयुक्त होता है जिसका अर्थ है करना, उसका तमिल प्रतिरूप है **चॅय्**। हाथ के लिए तमिल **कइ** और कन्नड़ **कयि** रूप मिलते-जलते हैं। तमिल क्रिया **पण्णु** का अर्थ है करना, **पण** माने कार्य या सेवा। संस्कृत **पाणि, पण्य, वणिज** आदि शब्द इससे सम्बद्ध हैं।

इस तरह के शब्दों के अध्ययन से प्रतीत होता है कि उत्तर-पश्चिम भारत में आर्यों और द्रविड़ों का सम्पर्क समाज की उसी अवस्था में नहीं हुआ जिसमें मानव-समुदाय कबीलों से संगठित होकर आर्थिक दृष्टि से पिछड़ा हुआ जीवन बिताते थे वरन् उस समय भी हुआ जब उन्होंने कृषि और व्यापार आदि में भी काफी उन्नति कर ली थी। इतना विकास कर लेने के बाद उत्तर भारत में द्रविड़ों की स्थिति में परिवर्तन हुआ। उनमें कितने आर्य भाषा बोलनेवाले समाजों में घुल-मिल गए, कितने भारत से बाहर गए, कितने दक्षिण भारत गए, यह बताना असम्भव है। एक बात निश्चित है कि द्रविड़ भारत पर आर्यों की विजय का जो चित्र खींचा गया है, उससे उक्त विवरण नितान्त भिन्न है।

आर्य और द्रविड़ भाषाओं का ऐसा गहरा सम्बन्ध है कि शब्दतंत्र पर विचार करते हुए यह बताना कठिन है कि इस तंत्र का कौन-सा अंश उत्तर-पश्चिमी है और

कौन-सा मध्यदेशीय। आर्य भाषाओं का परिचित शब्द **हाथ** है, **कर** साहित्यिक शब्द है जो विशेष सन्दर्भों में प्रयुक्त होता है। द्रविड़ भाषाओं में **कर**-मूल के शब्द हाथ और करना क्रिया दोनों के लिए प्रयुक्त होते हैं। इसलिए यह माना जा सकता है कि **करना** क्रिया उत्तर-पश्चिमी आर्य भाषाओं की क्रिया है जो वहाँ से अन्य आर्य भाषाओं में फैली। संज्ञा रूप में **हस्त** और **हाथ** को कोई अपदस्थ नहीं कर सका। इसी प्रकार **पो** क्रिया द्रविड़ भाषाओं में प्रयुक्त होती है किन्तु **पद** के अलावा **पग-पैर, पैदल, पाँव** आदि में उसके प्रतिरूप विद्यमान हैं। किसी समय उत्तर, पश्चिमी आर्य भाषाओं में यह क्रिया व्यापक व्यवहार में आती थी। **पाणि** शब्द विशेष सन्दर्भों में प्रयुक्त होनेवाला शब्द है, दैनिक व्यवहार में **हाथ** ही काम देता है। इसे भी हम उत्तर-पश्चिमी आर्य भाषा समुदाय का शब्द मान सकते हैं।

एक शब्द है **मघवन्** जो इन्द्र के लिए प्रयुक्त हुआ है। इसमें **मघ** शब्द शक्तिसूचक है। यह शब्द तमिल में **मग (मक)** रूप में प्रयुक्त होता है, इसका अर्थ है पुत्र, युवक, पुरुष। **मगध** शब्द में यही **मघ** है जो एक विशेष मानव-समुदाय के लिए प्रयुक्त होने लगा था। यह शब्द आर्य उद्‌भव का है। यदि वह किसी समय आर्य भाषाओं में पुरुषवाचक था, तो वह समय अत्यन्त प्राचीन रहा होगा। **मग** का प्रतिरूप **नग** है जो कुछ नाग भाषाओं में पुरुषवाचक है। **नग** से ही स्थानवाचक **नगर** शब्द बना। आर्य भाषाओं में **नगर** शब्द का व्यवहार तो व्यापक है, **नग** का व्यवहार व्यक्ति के अर्थ में सीमित है, **मग** का व्यवहार बिलकुल नहीं होता। **मग** और **मघ** को उत्तर-पश्चिमी भाषाओं का शब्द मानना चाहिए।

तमिल में **पॉरु** क्रिया का अर्थ है लड़ना। द्रविड़ भाषाओं में इस शब्द-मूल का व्यवहार व्यापक रूप से होता है। **पॉरु** रूप में प्रथम वर्ण के ह्रस्व ओकार को उकार में बदलना संस्कृत के लिए स्वाभाविक होगा। **पुरु** वंश प्रसिद्ध है। **पुरु** का अर्थ हुआ योद्धा, वीर पुरुष। **मगध** के **मग** के समान यह शब्द भी गण विशेष के लिए प्रयुक्त हुआ। इसी से **पुरुष** शब्द बना। इसे भी हम उत्तर-पश्चिमी आर्य भाषाओं का शब्द कहेंगे। एक प्राचीन जलवाचक शब्द **तीर** था जो **तीर्थ** में अभी विद्यमान है। कुछ द्रविड़ भाषाओं में जल के लिए **तीर्थम्** शब्द का व्यवहार होता है किन्तु उनका सामान्य शब्द **नीर** है जो अब आर्य भाषाओं में विशिष्ट सन्दर्भों में प्रयुक्त होता है। उत्तर-पश्चिमी उद्‌भव के ऐसे बहुत-से शब्द हैं जो द्रविड़ भाषाओं में तो व्यापक रूप से प्रयुक्त होते हैं किन्तु आर्य भाषाओं में उनका व्यवहार साहित्यिक या धार्मिक सन्दर्भों में ही होता है। इसके बाद आश्चर्य न होना चाहिए यदि कुछ शब्द हरियाणा और तमिलनाडु की बोलियों में सामान्य हों। बाँगरू में एक शब्द है **इङ्गे** अथवा **इङ्घे** जिसका अर्थ है यहाँ। तमिल में ठीक ऐसा ही रूप है **इंगे** और उसका ठीक वही अर्थ है।

द्रविड़ भाषाओं में संज्ञा और कुछ सर्वनामों का विभाजन तीन लिंगों में होता है। मूल विभाजन मानव तथा मानवेतर समुदायों में था। मानव-समुदाय के अन्तर्गत

स्त्रीलिंग और पुल्लिग का भेद है। संस्कृत में ये तीनों लिंग विद्यमान हैं यद्यपि इनके अनुसार शब्दों का विभाजन सदा अर्थ को ध्यान में रखकर नहीं किया जाता। आधुनिक आर्य भाषाओं में मराठी और गुजराती में तीन लिंगों के अनुसार शब्दों का विभाजन होता है किन्तु हिन्दी प्रदेश की भाषाओं में दो ही लिंग हैं। बंगला में लिंग-भेद नहीं होता। लिंगभेद के केन्द्र पश्चिमी भारत में दिखाई देते हैं और वे संस्कृत के अलावा उधर की कुछ आर्य भाषाओं में अब भी हैं। पूर्व की ओर बढ़ते हुए लिंग-भेद क्षीण होता जाता है और बंगाल तक पहुँचते-पहुँचते उसका लोप हो जाता है। यह लिंग-भेद क्रिया-रूपों को प्रभावित करता है। संस्कृत में कृदन्त रूप, विशेषण का काम करते हुए, लिंग-भेद व्यक्त करते हैं। द्रविड़ भाषाओं के लिए कहा जाता है कि उनमें विशेषण नहीं हैं, संज्ञा शब्द ही विशेषण का काम करते हैं। किन्तु अनेक द्रविड़ भाषाओं में क्रियापद लिंग-भेद व्यक्त करते हैं। इन क्रियापदों की रचना कृदन्त-रूपों के आधार पर हुई है, यथा : तमिल पोगिरेन (मैं जाता हूँ) रूप में **पोग** मूल क्रिया **पो** का कृदन्त है। आश्चर्य की बात यह है कि इस तरह का लिंग-भेद मलयालम में नहीं है। एक छोर पर आर्य भाषा बंगला, दूसरे छोर पर द्रविड़ भाषा मलयालम, दोनों लिंग-भेद से मुक्त, यह बात आकस्मिक नहीं हो सकती। इस तरह के भेद का प्रसार उत्तर-पश्चिम के केन्द्रों से हुआ और जो भाषाएँ बहुत दूर पड़ती थीं, वे इस प्रभाव से मुक्त रहीं।

रूपतंत्र और वाक्यतंत्र से इस प्रसंग में कोई सामग्री देना कठिन है किन्तु दो-एक बातें संक्षेप में यहाँ कही जा सकती हैं। संस्कृत में यह प्रवृत्ति है कि पुल्लिंग कर्ता एकवचन के बाद निश्चयार्थक सर्वनाम-चिन्ह **अस्** लगाया जाता है। इस प्रकार मूल शब्द **राम** कर्ता रूप में **रामस्** अथवा **रामः** बनेगा। यह प्रवृत्ति तमिल में भी है। कर्ता रूप में सर्वनाम चिन्ह **अन्** लगता है। मूल शब्द **राम** का कर्ता रूप **रामन्** अथवा **इरामन्** बनेगा। दोनों स्थितियों में **अस्** और **अन्** निश्चयबोधक सर्वनाम-चिन्ह हैं। सम्प्रदान कारक के लिए संस्कृत में एक वर्ग के शब्दों के साथ एकवचन में **अय** अथवा **आय** प्रत्यय लगता है। **राम** से **रामाय** रूप बनेगा। तमिल में इसी कारक के एकवचन के लिए जो **अइ** प्रत्यय लगता है, यह इससे मिलता-जुलता है, यथा : **अवन्** (वह) का सम्प्रदान रूप **अवनइ** होगा। बंगला भाषा में **आमाय, तोमाय** (मुझे, तुझे) जैसे रूप इससे मिलते-जुलते हैं। सम्प्रदान कारक के उक्त विभक्ति-चिन्ह को कुछ उत्तर-पश्चिमी भाषाओं की विशेषता माना जा सकता है।

वाक्यतंत्र के लिए इतना कहा यथेष्ट होगा कि तमिल आदिभाषाओं में कृदन्त की भरमार है। इनमें वाक्य-रचना कर्ता प्रधान होती है। पूर्ण क्रिया के बिना संस्कृत और तमिल में पचीसों वाक्य रचे जाते हैं। हिन्दी में यह प्रक्रिया सीमित है। आधुनिक आर्य भाषाओं में कृदन्त रूपों का चलन बाँगरू आदि में अधिक है। **उसने रोटी खाई,** परिनिष्ठित हिन्दी के इस वाक्य में **खाई** क्रिया कृदन्त रूप है और कर्म रोटी

के अनुरूप उसका लिंग निश्चित हुआ है। किन्तु अवधी में **वहु रोटी खायॅसि**—इस वाक्य में **खायॅसि** रूप तिङन्त है। ऐसा नहीं है कि अवधी में कृदन्त-प्रयोग होते ही न हों किन्तु उत्तर-पश्चिमी बोलियों की अपेक्षा उनका व्यवहार कम होता है। कृदन्त-प्रधान वाक्य-रचना उत्तर-पश्चिमी भाषाओं की विशेषता है।

## 9. द्रविड़-शक सम्बन्ध

कॉल्डवेल ने अपने प्रसिद्ध ग्रंथ में यह सिद्ध करने का प्रयत्न किया था कि द्रविड़ भाषाएँ संस्कृत से नहीं, मध्य एशिया के शक परिवार से सम्बन्धित हैं। इस प्रयत्न के पीछे उनकी ईसाई धर्म प्रचार की भावना थी जो संस्कृत को ब्राह्मणों की भाषा मानकर उससे द्रविड़ भाषाओं को अलग करके उन्हें अपनी ओर खींचने का प्रयत्न करती थी। उस समय, और एक सीमा तक अब भी, ऐसे लोग बहुत-से थे और हैं, जो द्रविड़ भाषाओं को संस्कृत की पुत्रियाँ मानते हैं। जो लोग इस धारणा का खंडन करते हैं, वे भी भाषाओं में प्रायः एक ही प्रकार के सम्बन्ध की कल्पना करते हैं। यदि दो भाषाओं में सम्बन्ध दिखाई देता है तो उनमें एक माता होगी, दूसरी उसकी पुत्री, अथवा दोनों बहनें होंगी, और उनकी माता कोई तीसरी भाषा होगी। कॉल्डवेल भाषाओं के सम्बन्ध पर इसी दृष्टि से विचार करते हैं। फिर भी अपने समकालीन और आधुनिक अनेक भाषाविज्ञानियों की तुलना में वह अधिक सावधान हैं। उन्होंने द्रविड़-शक-सम्बन्ध के बारे में लिखा है कि इस तरह के सम्बन्ध की समस्या गौण है, मुख्य बात यह है कि द्रविड़ भाषाओं को हम ज्यादा अच्छी तरह समझें। ('ए कम्पैरेटिव ग्रामर ऑफ़ द ड्रैवीडियन और साउथ इंडियन फ़ैमिली ऑफ़ लैंग्वेजेज़्', तीसरा संस्करण, 1956, पृ. 61) इसके अलावा अनेक स्थलों पर उन्होंने यूरोप की भाषाओं और द्रविड़ भाषाओं के सम्बन्ध का उल्लेख भी किया है। दूसरे महायुद्ध के बाद जिन विद्वानों ने कॉल्डवेल की मान्यताओं पर नये सिरे से विचार किया है, वे शक परिवार के सम्बन्धों वाली बात पर तो ज़ोर देते हैं किन्तु इंडो-यूरोपियन परिवार से द्रविड़ भाषाओं के सम्बन्ध के बारे में चुप रहते हैं। कॉल्डवेल ने लिखा है कि द्रविड़ भाषाओं की संरचना की विशेषताएँ मुख्यतः शक परिवार की हैं किन्तु कुछ बातों में इंडो-यूरोपियन परिवार से अद्भुत समानता है। (उप., पृ. 67) आगे लिखा है : 'मेरी समझ में यह बहुत सम्भव है कि द्रविड़ भाषाओं के कुछ व्याकरण-रूपों और काफी शब्द-मूलों का उद्भव-स्थान वही हो जो इंडो-यूरोपियन भाषाओं के ऐसे ही रूपों और शब्द-मूलों का है।' (उप., पृ. 71) यह भी सम्भव है कि एक परिवार की भाषाओं का सम्बन्ध एक से अधिक भाषा-परिवारों से हो। भाषाएँ अपने उद्भव और विकास की अनेक अवस्थाओं में यह नियम मानकर नहीं चलतीं कि उन्हें अपने सम्बन्ध पारिवारिक दायरे में ही कायम रखने चाहिए। द्रविड़ भाषाओं का सम्बन्ध शक परिवार से हो सकता है, इंडो-यूरोपियन परिवार से भी हो सकता है,

किन्तु यह नहीं हो सकता कि द्रविड़ भाषाएँ आदि इंडो-यूरोपियन भाषा की पुत्रियाँ हों, साथ ही आदि शक भाषा की पुत्रियाँ भी हों। दोनों से सम्बन्ध दिखाने के कारण कॉल्डवेल अपने युग के ऐतिहासिक भाषाविज्ञान की सीमाएँ लाँघ जाते हैं। यह बात सही है कि अन्त में वह एक मातामही की कल्पना करते हैं जिससे इंडो-यूरोपियन और शक, दोनों परिवारों की भाषाओं का जन्म हुआ।

**शक** (सिथियन) शब्द का व्यवहार उन्होंने व्यापक अर्थ में किया है। उन्होंने लिखा है कि यूरोप के प्राचीन लेखकों ने एशिया और यूरोप के उत्तरी भागों की बर्बर जातियों के लिए अनिश्चित और अस्पष्ट रूप में **शक** शब्द का व्यवहार किया था। उन्हीं लेखकों के अनुरूप उन्होंने फिन, मंगोल, तुरानी भाषाओं के लिए एक ही शब्द **शक** का प्रयोग किया है। अन्य जन इन भाषाओं को एक या दो परिवारों में बाँट देते हैं। (उप., पृ. 61) शक परिवार की भाषाओं में वैसी समानता नहीं है, जैसी इंडो-यूरोपियन भाषाओं में है, कॉल्डवेल यह जानते हैं। (उप., पृ. 68) इसके अलावा द्रविड़ भाषाओं का विशेष सम्बन्ध वह शक समवाय के अन्तर्गत फिनोउग्रियन परिवार से मानते हैं। (उप.) बरो के अनुसार द्रविड़ भाषाओं का विशेष सम्बन्ध इसी फिनोउग्रियन समुदाय से है।

कॉल्डवेल का विचार यह भी था कि भारत में आर्यों के आने से पहले यहाँ जो आदिवासी जातियाँ रहती थीं, वे सम्भवत: शक उद्‌भव की थीं। इनकी भाषाएँ अविकसित थीं और विजेता आर्यों की भाषा के सामने वे ठहर न सकीं। इन शक-भाषी जातियों ने विजेताओं की भाषा स्वीकार कर ली। उत्तर भारत की आधुनिक आर्य भाषाओं के बारे में उन्होंने यह मत प्रकट किया है कि इनकी व्याकरण-रचना शक परिवार के अनुकूल है, केवल शब्द संस्कृत से आए हैं। सम्भव है, उन्होंने ऐसा इसलिए कहा हो कि उनके लिए द्रविड़ शक-उद्‌भव के लोग थे। किन्तु उन्होंने यह भी स्वीकार किया है कि आधुनिक आर्य भाषाओं में संस्कृत में न मिलनेवाले तत्त्व द्रविड़ होते, तो इन भाषाओं के शब्द-भंडार में कुछ मूल द्रविड़ शब्द भी मिलते, जैसे कि सिर, पैर, आँख, कान आदि के लिए शब्द। (उप., पृ. 56) इससे लगता है कि जिन आदिवासी शकों की कल्पना उन्होंने की थी, वे द्रविड़ों से भिन्न हैं। आदिवासियों की इस कल्पना को फैलाकर उन्होंने यूरोप तक पहुँचा दिया। उनका विचार था कि शक जातियाँ यूरोप में भी रहती थीं जिनकी भाषाएँ इंडो-यूरोपियन भाषाओं के सामने अपदस्थ हो गईं।

भारत में द्रविड़ों को शकों से जोड़ने का प्रयत्न हुआ पर यूरोप के शक कौन थे, इसका उल्लेख नहीं है। इंडो-यूरोपियन भाषाओं के लिए कहा जाता है कि उनमें रूप-विकार होता है और यह प्रवृत्ति उन्हें शक भाषाओं से अलग करती है। शक भाषाएँ संयोगात्मक होती हैं, मूल शब्द में परिवर्तन किये बिना उसमें दूसरे शब्द जोड़ दिए जाते हैं। कॉल्डवेल का विचार था कि इंडो-यूरोपियन भाषाएँ भी पहले

संयोगात्मक थीं। जो सहायक शब्द जोड़े जाते थे, वे घिसकर रूप-विकार के चिन्ह बन गए। (उप., पृ. 61) जावड़ भाषाओं के बारे में कहा जाता है कि संस्कृत में रूप-विकार होता है, इनमें नहीं होता। कॉल्डवेल ने लिखा है कि द्रविड़ भाषाएँ विशुद्ध रूप से संयोगात्मक नहीं रह गईं, उन्होंने अंशतः रूप-विकार की पद्धति अपना ली है। तुर्की, फिन आदिभाषाओं के लिए उन्होंने लिखा है कि इनमें रूप-विकार की पद्धति द्रविड़ भाषाओं से भी अधिक चालू हो गई है।

इस प्रकार भाषाओं की संरचना के विचार से द्रविड़ों और आर्यों, शकों तथा इंडो-यूरोपियनों की भाषाओं में कोई विशेष अन्तर नहीं दिखाई देता। कॉल्डवेल की विचारधारा के अनुसार पहले ये सभी भाषाएँ संयोगात्मक थीं। इनमें कुछ पहले संश्लिष्ट हुईं, कुछ बाद को, कुछ अधिक हुईं, कुछ कम। तर्क-योजना की इस पद्धति से द्रविड़-शक-सम्बन्धों के बारे में कोई भी निश्चित निष्कर्ष नहीं निकाला जा सकता।

संस्कृत और द्रविड़ भाषाओं का भेद बताते हुए उन्होंने जैसी बातें कही हैं, वैसी बातें द्रविड़ और यूरोप की भाषाओं को जोड़ने के बारे में कही जा सकती हैं। उन्होंने लिखा है कि द्रविड़ संज्ञा शब्दों में स्त्रीलिंग-पुल्लिंग का भेद नहीं होता। पशुओं और निर्जीव वस्तुओं से भिन्न मनुष्यों के लिए संज्ञा में सर्वनाम-चिन्ह जोड़ दिये जाते हैं। ये चिन्ह अन्य पुरुष सर्वनाम के होते हैं। उत्तम और मध्य पुरुष सर्वनामों में लिंग-भेद नहीं होता। (ऐसा भेद संस्कृत में भी नहीं होता है)। क्रियापद के अन्य पुरुष रूप में सर्वनाम-चिन्ह जोड़े जाते हैं। अन्यत्र नर-मादा का भेद करने के लिए शब्दों के साथ इनका अर्थ देनेवाले दूसरे शब्द जोड़े जाते हैं। संज्ञा-शब्द मूलतः लिंगहीन होता है। (अंग्रेज़ी में पशु-पक्षियों से सम्बन्धित ऐसे बहुत-से शब्द हैं जो लिंग-भेद व्यक्त नहीं करते। **कौक्** माने मुर्गा और **हेन्** माने मुर्गी लेकिन **आउल्** शब्द के साथ इसी तरह लिंग-सूचक दूसरा शब्द नहीं है। **होर्स्** माने घोड़ा और **मेयर्** माने घोड़ी पर **ऐस्** के साथ जोड़ी का शब्द नहीं है। **डॉग्** और **बिच्**—कुत्ता-कुतिया के लिए अलग शब्द हैं किन्तु **कैट्** का भिन्न लिंग-सूचक शब्द नहीं है।) वास्तव में लिंग-भेद क्रमशः विकसित हुआ है और इसके मूल केन्द्र भारत की उत्तर-पश्चिमी भाषाओं में रहे हैं। सभी आर्य भाषाओं में उनका विकास एक साथ न हुआ होगा, यह बात भी बोधगम्य है। मराठी और बंगला में लिंग-सम्बन्धी तीव्र वैषम्य है। ये भाषाएँ तो दो छोरों पर हैं, पर तमिल और मलयालम तो पड़ोसी भाषाएँ हैं। इनमें भी लिंग-भेद को लेकर विषमता है। अतः लिंग-विचार के आधार पर द्रविड़ भाषाओं को शक परिवार से नहीं जोड़ा जा सकता।

कॉल्डवेल ने द्रविड़ भाषाओं **के कु, कि, के** का सम्बन्ध फिन और तुर्की भाषाओं के सम्प्रदानकारक से जोड़ा है। इस तरह का कारक-चिन्ह रूसी भाषा में भी प्रयुक्त होता है। रूसी **क** आधुनिक पूर्वी आर्य भाषाओं के **क** से मिलता है। कॉल्डवेल का कहना है कि शक भाषाओं में विशेषण शब्द ज्यों के त्यों रहते हैं, उनमें रूप-विकार

नहीं होता, यही स्थिति द्रविड़ भाषाओं की है। अंग्रेज़ी इंडो-यूरोपियन परिवार की भाषा है किन्तु उसमें भी विशेषण शब्द अपरिवर्तित रहते हैं। क्या इसे शक प्रभाव माना जाए? कॉल्डवेल ने द्रविड़ भाषाओं के उत्तम पुरुष बहुवचन सर्वनामों के दो रूपों का उल्लेख किया है : एक में वक्ता और श्रोता, दोनों शामिल होते हैं; दूसरे रूप में केवल वक्ता होते हैं। इस तरह का भेद उनके अनुसार शक भाषाओं में है, इंडो-यूरोपियन भाषाओं में नहीं। श्रोता को शामिल करना या न करना, ऐसा भेद कोल भाषाओं में भी है, भारत के बाहर आस्ट्रिक भाषाओं में है।

कोई काम हो रहा है, यह दिखाने के लिए इंडो-यूरोपियन भाषाएँ क्रिया-रूप में विकार करती हैं। शक भाषाओं के समान द्रविड़ भाषाएँ क्रिया-रूप में विकार के बदले निरन्तरता सूचक कृदन्त का व्यवहार करती हैं। कॉल्डवेल का यह मत भी अंग्रेज़ी पर जान देने से खंडित हो जाता है। **ही वाज़् गोइंग्** (वह जा रहा था) में **गोइंग्** कृदन्त रूप ही है।

कॉल्डवेल का कहना है कि शक और द्रविड़ भाषाओं में सम्बन्धवाचक सर्वनाम (रिलेटिव प्रोनाउन) नहीं है। यहाँ उनका ध्यान अंग्रेज़ी जैसी भाषाओं पर है। प्राचीन भाषाओं में सर्वत्र इस सर्वनाम का स्वतंत्र अस्तित्व सिद्ध नहीं होता। अंग्रेज़ी का **हू** (जो) प्रश्नवाचक भी है और उसका अर्थ है कौन। इस तरह के सर्वनाम के प्रयोग का विकास हुआ है। वह मूलतः सभी आर्य भाषाओं में था, यह प्रमाणित नहीं होता। वाक्य-रचना में सम्बन्ध में कॉल्डवेल ने जो कुछ कहा है, उसमें उनका तर्क अत्यन्त निर्बल है। उनका कहना है कि द्रविड़ और शक भाषाओं में क्रिया सर्व-शक्तिमान होती है। क्रिया वाक्य के अन्त में आती है। आरम्भ में कर्ता होता है, विशेषण विशेष्य के पहले आता है, क्रिया से पहले क्रिया-विशेषण आता है। सम्बन्ध-सूचक शब्द मूलशब्द के बाद आता है प्रिपोज़िशन के बदले पोस्ट पोज़ीशन का व्यवहार होता है, इत्यादि।

यूरोप की भाषाओं में वाक्यतंत्र की अनेक पद्धतियों का मेल हुआ है। ग्रीक और लैटिन में, संस्कृत के समान, विभक्ति-चिन्ह मूलशब्द के बाद आता है। संस्कृत परिवार की भाषाओं में जहाँ विभक्ति-चिन्ह के अलावा किसी सम्बन्धसूचक शब्द का व्यवहार किया जाता है, वहाँ वह भी पोस्ट-पोज़िशन ही होता है किन्तु यूरोप की भाषाओं में वह मूलशब्द के पहले आता है; ग्रीक और लैटिन जैसी भाषाओं में विभक्ति-चिन्ह के बने रहने पर भी प्रिपोज़िशन का व्यवहार होता है। क्रियापदों की स्थिति के बारे में सामान्य नियम नहीं है। जर्मन में वाक्यों के कुछ प्रकार ऐसे हैं जिनमें क्रिया अन्त में आती है, कुछ प्रकार अंग्रेज़ी की तरह हैं जिनमें क्रिया मध्य में आती है। वास्तव में जिस पद्धति की वाक्य-रचना को वह शक भाषाओं की विशेषता मानते हैं, वह आर्य भाषाओं के वाक्यतंत्र की विशेषता भी है। कोल भाषाओं की वाक्य-रचना किसी समय क्रिया से आरम्भ होती थी किन्तु अब कर्ता

पहले और क्रिया अन्त में. यही क्रम चलता है। यह मानने का कोई कारण नहीं है कि भारत के अनेक भाषा-परिवारों की वाक्य रचना-पद्धति में जो समानता है, उसका कारण शक प्रभाव है।

कॉल्डवेल ने शक और द्रविड़ भाषाओं के शब्द-भंडार का तुलनात्मक अध्ययन विस्तार से नहीं किया। यह कार्य एक सीमा तक बरो ने किया है। उन्होंने ऐसे शब्दों का सूची बनाई है जो संस्कृत में हैं, द्रविड़ और शक भाषाओं में हैं, किन्तु यूरोप की भाषाओं नहीं हैं। उन्होंने मूल शब्द-भंडार की संरचना को ध्यान में रखकर शब्द नहीं चुने। कॉल्डवेल ने इस बात पर ध्यान दिया था कि नित्य-प्रति व्यवहार में आनेवाले द्रविड़ शब्द-संस्कृत और आर्य भाषाओं में नहीं हैं। शक परिवार से द्रविड़ भाषाओं का सम्बन्ध तब सिद्ध होगा जब इन दोनों में मूल शब्द-भंडार की यथेष्ट समानता दिखाई जाएगी। बरो यह तो मानते हैं कि उत्तर भारत में अनेक आर्येतर भाषा-समुदाय थे जिनका नाम-निशान मिट गया है किन्तु यह नहीं मानते कि यहाँ अनेक आर्य भाषाएँ भी बोली जाती थीं जिनके बारे में अब कोई सामग्री नहीं मिलती। इस कारण जो शब्द संस्कृत में हो और यूरोप की भाषा में न हो, उसे वह आर्येतर उद्‌भव का मान लेते हैं। इसके अलावा शब्द-साम्य दिखाते हुए उन्होंने ध्वनि-परिवर्तन की रीतियाँ निर्धारित नहीं कीं। जहाँ संस्कृत में महाप्राण ध्वनियाँ हैं, वहाँ फिनोउग्रियन परिवार के अल्पप्राण ध्वनि वाले प्रतिशब्द मूल रूप कैसे हो गए, इसकी कोई कैफियत उन्होंने नहीं दी। प्राचीन आर्य भाषाओं के अनेक शब्द संस्कृत में अप्रयुक्त हो गए थे पर वे द्रविड़ भाषाओं में सुरक्षित होंगे, यह सम्भावना उनके लिए कल्पनातीत है। इसके सिवा यूरोप की भाषाओं में भी उन्होंने काफी जाँच-पड़ताल नहीं की। कुछ शब्द ऐसे हैं जिन्हें वह संस्कृत को द्रविड़ों की देन मानते हैं पर ऐसे शब्द यूरोप की भाषाओं में भी हैं।

उन्होंने किटेल की धारणा को सही बताया है कि **अलस** द्रविड़ शब्द है। उनके अनुसार इंडो-यूरोपियन भाषाओं में इसकी व्युत्पत्ति नहीं मिलती, उधर यूरालिक भाषाओं में मिलती है। फिन भाषा में आलसी के लिए **लहिजु** शब्द है। द्रविड़ भाषाओं का दक्षिणी समुदाय आदिस्थान पर **ल्** स्वीकार नहीं करता, इसलिए अतिरिक्त स्वर **अ** जोड़ दिया गया। यहाँ तक बरो का मत। इंडो-यूरोपियन परिवार की लिथुआनियन भाषा में **अल्सिन्मस्** का अर्थ है थकना। यदि फिन **लहिजु** का सम्बन्ध **अलस** से हो सकता है तो लिथुआनियन **अल्सिन्मस्** का सम्बन्ध और भी होना चाहिए।

श्राडर नाम के विद्वान् ने शरीर के विभिन्न अंगों के लिए प्रयुक्त होनेवाले द्रविड़ शब्दों की एक सूची बनाई और उन शब्दों के फिनोउग्रियन प्रतिरूप दिये। बरो ने इस सूची को और संशोधित-परिवर्द्धित किया। इसमें एक शब्द तमिल **कइ** (हाथ) है। यह शब्द भी भारत से बाहर इंडो-यूरोपियन परिवार में सुलभ है। **कर्** क्रिया फ़ारसी में वैसे ही प्रयुक्त होती है, जैसे संस्कृत में। फ़ारसी में **कर** का **हाथ**

वाला अर्थ नहीं है, संस्कृत में है। संस्कृत **कर** का ग्रीक प्रतिरूप **खॅइर्** (हाथ) है। ग्रीक भाषा में, इसके समानान्तर, करने के लिए क्रिया नहीं है। संस्कृत में है। हाथ नामक वस्तु और करना क्रिया, दोनों का सम्बन्ध संस्कृत और द्रविड़ भाषाओं में उद्घाटित है, यूरोप की इंडो-यूरोपियन और फिनोउग्रियन भाषाओं में नहीं। संस्कृत **पीत** का सम्बन्ध बरो ने तमिल **पचु** से जोड़ा है और इस शब्द को भी फिनोउग्रियन परिवार का बताया है। पर हिन्दी **पीला** की तरह अंग्रेज़ी **पेल्** इसी **पीत** से सम्बद्ध है।

तमिल **मूक्कु** (नाक) को फिनोउग्रियन उद्‌भव का बताया गया है। नाक का सम्बन्ध सूँघने से है और इस क्रिया के लिए तमिल **मुग**, कन्नड़ **मूसु** हैं। फिनोउग्रियन परिवार में यदि सूँघने के लिए ऐसी क्रियाएँ मिलें तो द्रविड़ शब्दों के फिनोउग्रियन उद्‌भव पर विचार किया जा सकता है। जब तक वे नहीं मिलतीं, तब तक फिनोउग्रियन शब्दों को द्रविड़ उद्‌भव का मानना चाहिए।

श्राडर ने कन्नड़ **कुम्बु** (झुकना) और फिन **कुमो** (वक्रता) का सम्बन्ध जोड़ा है। ये दोनों शब्द संस्कृत शब्दमूल **कुभ्** से सम्बद्ध हैं। इसी से नदीवाचक **कुभा** शब्द बनता है और महाप्राणता का लोप होने पर **कुब्ज** (कुबड़ा) शब्द बनता है। उठे हुए स्थान या शिखर के लिए **ककुभ्** शब्द में **कुभ्** शब्दमूल विद्यमान है। द्रविड़ और फिनोउग्रियन शब्द इसी से सम्बद्ध हैं।

बृहत्तर भारत का उत्तराखंड वह भाग है जहाँ अनेक भाषा-परिवार परस्पर मिलते, अपना स्वरूप निर्धारित करते रहे हैं। इसलिए फिनोउग्रियन परिवार और द्रविड़ परिवार की भाषाओं में अनेक शब्द सामान्य हों तो कोई आश्चर्य की बात नहीं है। ज़्वेलेबिल ने 'जर्नल ऑफ़ दि अमरीकन ओरिएंटल सोसायटी' (जुलाई-सितम्बर, 1974) में यह मत प्रकट किया है कि ईरान का पठार प्रागैतिहासिक काल में द्रविड़ और यूरालिक भाषा-परिवारों की सामान्य भूमि था। आदिकालीन द्रविड़ भाषा की अनेक बोलियाँ यूराल-अल्ताई भाषाओं के घनिष्ठ सम्पर्क में आईं। इस तरह की धारणा में असम्भव कुछ भी नहीं है।

## 10. द्रविड़, पश्चिमी एशिया और यूरोप की भाषाएँ

एन्. लहोवारी नाम के सज्जन ने पश्चिमी एशिया और यूरोप की अनेक भाषाओं को द्रविड़ उद्‌भव का माना है। यदि यह उद्‌भव की बात छोड़ दी जाए तो उन्होंने यूरोप और पश्चिमी एशिया की भाषाओं और द्रविड़ भाषाओं में जिस तरह की समानता दिखाई है, वह महत्त्वपूर्ण सिद्ध होगी। उससे प्रतीत होगा कि विभिन्न भाषा-परिवार परस्पर सम्पर्क में आते रहे हैं और उनमें भाषा-तत्त्वों का आदान-प्रदान होता रहा है। स्पेन और फ्रांस में बास्क नाम की भाषा बोलनेवाले अपनी स्वाधीनता के लिए लड़ते रहे हैं। बास्क प्रदेश इंडो-यूरोपियन भाषाओं के क्षेत्रों से घिरे हुए हैं, फिर भी बास्क भाषा ने अपनी विशेषताएँ सुरक्षित रखी हैं। इनमें एक द्रविड़ भाषाओं की विशेषता

से मिलती है। बास्क भाषा, कुछ द्रविड़ भाषाओं के समान, शब्द के आदिस्थान में ध्वनि स्वीकार नहीं करती, उसके पहले वह अतिरिक्त स्वर जोड़ती है। लहोवारी ने लिखा है कि मकदूनिया में बोली जानेवाली रूमानियन भाषा और दक्षिणी इतालवी बोलियाँ आदिस्थान में तीव्र **र्** अथवा दोहरे उच्चारण वाला **र्** स्वीकार नहीं करतीं। यह वृत्ति बर्बर, हुर्री जैसी प्राचीन भाषाओं तथा पश्चिमी सामी भाषाओं में भी है। (लहोवारी : 'ड्रैवीडियन ऑरीजिंस एंड दि बेस्ट', लौंगमैंस, 1963, पृ. 53) विभिन्न भाषा-परिवारों की कुछ भाषाओं में समान लक्षण का मिलना तब तक निरर्थक और आकस्मिक प्रतीत होगा जब तक एक ही क्षेत्र के विभिन्न भाषा-परिवारों का अध्ययन एक साथ न किया जाएगा। किसी भाषा-परिवार का, अलगाव की स्थिति में, अध्ययन करने का एक परिणाम यह होता है कि जहाँ दो परिवारों में कुछ समानताएँ दिखाई दें, वहाँ उनमें या तो जन्मजात माता-पुत्री-भगिनी वाला सम्बन्ध माना जाता है या फिर समानता को आकस्मिक कहा जाता है।

तमिल के समान बास्क में नासिक्य ध्वनियों के बाद जब **क्, त्, प्** व्यंजन आते हैं, तो सघोष बोले जाते हैं। द्रविड़ भाषाओं के समान बास्क भाषा में **उर** शब्द गाँव के लिए प्रयुक्त होता है। उस भाषा में इसका प्रतिरूप **इर** भी है। गाँव के नाम के साथ **उर, इर** शब्द जुड़े रहते हैं। लहोवारी ने बास्क के अलावा इटली और बल्कान प्रदेशों के कुछ स्थानों के नाम दिये हैं जिनके अन्त में **उर** शब्द आता है, यथा : **तिबुर, अंक्सुर**। उनका विचार है कि स्थानों के ऐसे नाम रोमन सभ्यता के प्रसार से पहले के हैं। स्थानों के कुछ लैटिन नाम भी अपने अन्त में यही **उर** जोड़े हुए है। इस **उर** को एत्रुस्कन भाषा से उधार लिया हुआ तत्त्व माना जाता है। लहोवारी का विचार है कि प्राचीन इंडो-यूरोपियन में नगर के लिए कोई शब्द नहीं है और लैटिन शब्द **उर्ब्स्** उधार लिया हुआ है।

द्रविड़ भाषाओं में यह **उर** शब्द गाँव और नगर, दोनों के लिए प्रयुक्त होता है और स्वयं **पुर** का प्रतिरूप है। **पुर** शब्द ग्राम और नगर, दोनों का अर्थ देता है। प्राकृतों में **लंकापुर लंकावुर** में परिवर्तित हो जाता है। अनेक द्रविड़ भाषाएँ **प्** को **व्** में बदलती रही हैं। उसी प्रवृत्ति की झलक प्राकृतों के उक्त ध्वनि-परिवर्तन में है। कश्मीर के नगर **वुड़ी** से लेकर इराक के प्राचीन नगर **उर** तथा दक्षिण भारत में **तंजावूर** तक स्थानवाचक **उर** का प्रसार है। लहोवारी ने स्थानवाचक **उर** शब्द के अर्थ-विकास पर ध्यान दिया है। उन्होंने दक्षिण द्रविड़ भाषाओं के बहुलतासूचक **उर** शब्द का उल्लेख किया है। इसी प्रकार तमिल **पल** (बहुत से) शब्द से उन्होंने **पल्लि** (गाँव) शब्द का सम्बन्ध जोड़ा है। इस सन्दर्भ में उन्होंने ग्रीक **पॉलुस्** (अनेक) और **पॉलिस्** (नगर) का उल्लेख किया है। ऐसा ही सम्बन्ध संस्कृत **पुर** और बहुलतासूचक **पुल** (**विपुल** का **पुल**) में है। ग्रीक और द्रविड़ भाषाओं में समानता के ऐसे लक्षण देखकर लहोवारी के सामने स्वभावत: यह समस्या उत्पन्न

होती है कि ग्रीक भाषा में ऐसे शब्द दक्षिणी यूरोप की प्राचीन सभ्यता से आए हैं या वे वहाँ की आदिभाषाओं के शब्द हैं।

उन्होंने तमिल **मॅल्** (नर्म, पका हुआ) से लैटिन **मेल्** (शहद) का सम्बन्ध जोड़ा है। तमिल में **शहद** के लिए **मट्टु** शब्द है जो **मधु** का प्रतिरूप है। लैटिन **मेल्** भी इसी **मधु** का अपभ्रंश रूप है। लहोवारी ने तमिल **मक** बच्चा की चर्चा करते हुए उसका सम्बन्ध अनेक भाषाओं से दिखाया है। इटली के आल्प्स पहाड़ की एक बोली में **मक** का अर्थ बच्चा है; ऐंग्लो सैक्सन भाषा में **मगु** का अर्थ है पुत्र; गौथिक **मगुस्** अविवाहित **युवक** के लिए प्रयुक्त होता था; लैतविया की भाषा में **मक** का अर्थ बच्चा है; केल्त भाषा-समुदाय में **मक** का अर्थ पुत्र है। लहोवारी ने स्कॉटलैंड के कुछ प्रचलित नामों के उदाहरण दिये हैं : **फ़र्सन** का बेटा **मैक्** फ़र्सन, **ऐडम्** का बेटा **मैक् ऐडम्, किंटोश्** का बेटा **मैक्** किंटोश्। प्राचीन केल्तिक भाषा में **भगोस्** का अर्थ पुत्र है। लहोवारी ने इंडो-यूरोपियन परिवार के शक्तिसूचक **मघ** शब्द से इसका सम्बन्ध बिलकुल सही जोड़ा है। शक्तिशाली पुरुष का अर्थ **मघवन्** शब्द में मिलता है। **मघ** में सघोष महाप्राण स्पर्श-ध्वनि उसका भारतीय आर्य उद्भव सूचित करती है। तमिल **वीडु** (घर), कन्नड़ **बीडु,** बास्क **बाइतु** से मिलते हैं। फ्रांस के दक्षिण में प्रोवांस क्षेत्र की भाषा में इसका प्रतिरूप **बैत,** आल्प्स् की भाषाओं में **बइत** रूप हैं। सामी परिवार की हीब्रू भाषा के **बैथ, बेथ,** अरबी के **बीत** शब्द दिये हैं। संस्कृत में घर, बस्ती और जनसमुदाय के लिए एक प्राचीन शब्द **विश्** है। **वीडु** का सम्बन्ध **विश्** से है, **बैथ** का **भवन** की **भू** क्रिया से।

घर के लिए तमिल के **मन्रम्,** मलयालम **मण** का हवाला देते हुए लहोवारी ने अरबी के **मन्, मेन्** (घर, दुर्ग), **मन्द** (बस्ती), **अमन्** (बसना) शब्दों का उल्लेख किया है। बास्क में **मन्दिओ** (जानवर बाँधने का स्थान), कन्नड़ **मन्दि** (जनसमुदाय), हीब्रू **मन्** (रहना), कौकेशस प्रदेश में जॉर्जिया की भाषा का **मॅन** (घर) शब्द दिये हैं। बरो ने द्रविड़ और फिनोउग्रियन परिवारों में जिस तरह की समानता दिखाई है, उसकी तुलना में लहोवारी के उदाहरणों की समानता अधिक विश्वसनीय है। उन्होंने द्रविड़ भाषाओं की **आर्, एर, उर्** (जोतना) क्रिया से हीब्रू **एरिस्,** अरबी **अर्द** की तुलना की है और लैटिन के **अर्बुम्** (जुती हुई भूमि), इटली के प्राचीन शब्द **अर** (जुतने योग्य भूमि) का उल्लेख किया है। उन्होंने अरबी **अर्द** से मिलते-जुलते पुरानी पहाड़ी जर्मन के **ॲर्द, ॲर्थ** शब्दों का हवाला दिया है। (धरती के लिए अंग्रेज़ी का शब्द **अर्थ्** इसी शृंखला में है और उसका मूल अर्थ होगा जुती हुई भूमि।) कृषि-सभ्यता का विकास किसी एक केन्द्र में होने पर उसके कौशल का प्रसार अन्य क्षेत्रों में होना स्वाभाविक है। कौशल के प्रसार के साथ उससे सम्बद्ध शब्दों का प्रसार भी होगा। द्रविड़, सामी, इंडो-यूरोपियन परिवारों में जोतने से सम्बन्धित शब्द देखकर लहोवारी ने लिखा है कि ये शब्द यूरोप की भाषाओं में उस समय आए

जब पूर्वी प्रदेशों के किसानों ने यूरोप में नव प्रस्तर युग की सभ्यता को जन्म दिया। (उप., पृ. 239) लहोवारी का जन्म रूमानिया में हुआ था। उनका चिन्तन जर्मनी में विकसित ऐतिहासिक भाषाविज्ञान के प्रभाव से मुक्त है। वह उन बिरले लेखकों में हैं जो मानते हैं कि यूरोप में कृषि-सभ्यता का प्रसार पूर्व से आए हुए लोगों ने किया।

लहोवारी ने कृषि-सम्बन्धी शब्दावली में **अरस्** (खेती) शब्द दिया है, इसके साथ इसके प्रतिरूप बास्क **इरुर** (खेत), ग्रीक **अरोउर** (उप.) दिये हैं। कन्नड़ में जुते हुए खेतों के लिए उन्होंने **कम्पलइ** शब्द दिया है और इसका सम्बन्ध लैटिन **कम्पुस्** (मैदान) से बताया है। बिहार का **चम्पारन** और फ्रांसीसी भाषा का **शाम्पाञि** (मैदान) एक ही उद्‌भव के हो सकते हैं। द्रविड़ भाषाओं के **कुटि, कुदि** (झोंपड़ी) आदि से उन्होंने जर्मन समूह की भाषाओं के **कोट, कौटेज** आदि शब्दों का सम्बन्ध दिखाया है। अंग्रेज़ी **हट** इसी **कोट** का परिवर्तित रूप है। लहोवारी ने नदीवाचक दिलचस्प शब्द दिये हैं। तमिल में नदी के लिए एक शब्द **यारु** अथवा **आरु** है। हीब्रू में इसका प्रतिरूप है **योर**। अंग्रेज़ी में **येर, येरो** नदियों के नाम हैं। इटली में प्रसिद्ध **आर्नो** नदी है। आर्मिनिया के एक प्रसिद्ध पर्वत का नाम **अरारात** है **(अर—अर—अत्)**। (इस देश का पुराना नाम **उर-अर-तु** है।) यहाँ **अर** अथवा **आर** का अर्थ निर्भर है। **अरारात** अर्थात् निर्भरों का पर्वत। कश्मीरी नदी को **यार** कहते हैं। लहोवारी ने ठीक लिखा है कि अटलांटिक समुद्र तट से लेकर भारत तक **आर** वाले जलवाचक नाम बहुत-से हैं। इस **आर** के निर्माण की प्रक्रिया वही है जो **वारि** शब्द की है। जल की विशेषता उसकी प्रवहमानता है, इसलिए गतिवाचक **या—वा** क्रियाओं से नदीवाचक शब्द बने हैं।

लहोवारी ने बताया है कि बास्क प्रदेश, सिसिली, क्रीट और यूनान में बहुत-से नगरों के नाम के अन्त में **अर** आता है। द्रविड़ भाषाओं के स्थानसूचक नामों में भी यह शब्दांश मिलता है। उनका अनुमान है कि शायद जल के निकट होने से ऐसे नाम रखे गए हैं। उन्होंने पश्चिमी एशिया के क्षेत्र में ऐसे नामों के उदाहरण दिये हैं। समुद्र तट या नदी किनारे के नगरों के लिए भारत में **पत्तन** शब्द का व्यवहार होता था। द्रविड़ भाषाओं का **पट्टनम्** इसी का प्रतिरूप है। लहोवारी ने बताया है कि तमिल **पट्ट** के अनुरूप पश्चिमी एशिया की प्राचीन भाषा सुमेरियन में **पद्** उस स्थान को कहते थे जिसकी किलेबन्दी की गई हो। भारत के **पटना** और **पटियाला** का भी उल्लेख है, प्राचीन ईरान के नगर **एगबतन** का हवाला दिया गया है। लहोवारी ने तमिल **नेर** (अग्नि) से प्राचीन सामी भाषा अक्कद में **नल्लु** शब्द का सम्बन्ध जोड़ा है। हीब्रू में **नीर** (जला हुआ), अक्कद में **नूरु** (अग्नि स्थान) उसी उद्‌भव के बताए गए हैं।

लहोवारी ने अनेक भाषा-परिवारों से जो प्रतिरूप दिये हैं, वे काफी विवादास्पद हैं। अन्य भाषावैज्ञानिकों के समान वह भी सामान्य स्रोत की खोज में हैं। इसीलिए उन्होंने अपनी पुस्तक का नाम ऐसा रखा है जिससे विदित हो कि वे यूरोप की भाषाओं

के द्रविड़ स्रोतों का अनुसन्धान कर रहे हैं। इस द्रविड़ स्रोतों की बात से सहमत न होना सही है। पर लहोवारी एक ही क्षेत्र के पड़ोसी भाषा-परिवारों में सामान्य भाषा-तत्त्व खोजने का जो काम कर रहे हैं, वह सही है। सामी, इंडो-यूरोपियन परिवारों से द्रविड़ भाषा-परिवार का सम्बन्ध है, इसमें सन्देह नहीं। बास्क और सुमेरियन से भी कुछ न कुछ सम्बन्ध हो तो आश्चर्य की बात न होगी।

भारत में एक सज्जन ऐसे हैं जिन्होंने द्रविड़ और इंडो-यूरोपियन परिवारों की थोड़ी-बहुत छानबीन की है। सी.पी. आनन्द वासुदेवन् का 'ड्रैवीडियन-ग्रीक कनेक्शंस' नाम का लेख 'इंटरनेशनल जर्नल ऑफ़ ड्रैवीडियन लिंग्विस्टिक्स' (जनवरी, 1974) में प्रकाशित हुआ है। उन्होंने ग्रीक और द्रविड़ भाषाओं से चुनकर ऐसे शब्दों की सूची दी है जो एक-दूसरे के प्रतिरूप जान पड़ते हैं। उनका विश्वास है कि प्रागैतिहासिक काल में यूनानियों और द्रविड़ों के बीच सम्पर्क था। उन्होंने द्रविड़ **मूक्** (नाक) का ग्रीक प्रतिरूप **मुक्तेर** दिया है और आधुनिक ग्रीक में उसी का परिवर्तित रूप **मूते** दिया है। बरो ने इस शब्द को द्रविड़ भाषाओं में फिनोउग्रियन स्रोत से पाया हुआ माना है। **हाथ** के लिए द्रविड़ **कइ** से ग्रीक **खॅइर्** का सम्बन्ध उन्होंने उचित ही जोड़ा है। बरो ने इस शब्द को भी फिनोउग्रियन स्रोत का बताया है। द्रविड़ **तच्चु** का सम्बन्ध उन्होंने ग्रीक **तॅख्ने** से सही जोड़ा है पर इन दोनों शब्दों का सम्बन्ध संस्कृत **तक्षन्** से है यानी यह केवल ग्रीक-द्रविड़ सम्बन्ध नहीं है, अधिक व्यापक आर्य-द्रविड़ सम्बन्ध है।

वासुदेवन् के दिये हुए कुछ अन्य द्रविड़-ग्रीक शब्द इस प्रकार हैं : **पो—** बइनो (जाना; इसके साथ आधुनिक ग्रीक **पओ** शब्द दिया है।); **पणि—पॉनॉस् पॉनॅओ** (कार्य; यह भी संस्कृत **पाणि** से सम्बद्ध है); **पलय—पलइऑस्** (पुराना, वृद्ध; तुलनीय है संस्कृत **पलित**), **पोर्—पॉलमोस्** (युद्ध), **पुरम्—पालिस** (वास्तव में ये शब्द द्रविड़ उद्भव के नहीं हैं), **काल—स्कॅलॉस** (पैर), **पइयन्, पइदल्—पइदॉस्, पइस्** (लड़का), **अलयु—अलेओमइ** (घूमना)।

वासुदेवन ने जिन शब्दों को विशुद्ध द्रविड़ माना है, उनमें से अनेक आर्य भाषा के हैं। प्राचीन यूनान का एक भाग उस लघु एशिया में था जहाँ अब तुर्क रहते हैं। इस तरह से यूनान, यूरोप वाले भाग समेत, पश्चिमी एशिया का प्रान्तीय प्रदेश ठहरता है। ग्रीक-भारतीय भाषाओं में अनेक शब्द सामान्य हैं और इनमें ऐसे शब्द भी हैं जो संस्कृत में नहीं हैं। इससे इस धारणा की पुष्टि होती है कि ग्रीक और द्रविड़ भाषाओं में किसी समय निकट सम्पर्क था।

## 11. उत्तर-पश्चिमी द्रविड़

इंडो-यूरोपियन और द्रविड़ परिवारों की भाषाओं के तुलनात्मक अध्ययन से प्राचीन द्रविड़ गण भाषाओं के अस्तित्व का पता चलता है। द्रविड़ भाषाओं के विशेषज्ञ

आदि द्रविड़ भाषा की कल्पना करते हैं, कभी-कभी उसमें थोड़ा-बहुत बोली-भेद स्वीकार करते हैं। उनके लिए जो समय आदि-द्रविड़ भाषा के निर्माण का है, वह समय विभिन्न द्रविड़ गणों के अस्तित्व का नहीं है। आदि द्रविड़ भाषा एक ही मानव-समुदाय की भाषा है—ऐसे समुदाय की भाषा, जो सामाजिक सम्बन्धों द्वारा एकताबद्ध कर दिया गया है। भाषाओं की तुलना करने से ऐसे एकताबद्ध आदि द्रविड़ मानव-समुदाय का अस्तित्व सिद्ध नहीं होता। इस आदि द्रविड़ भाषा की कल्पना के कारण आधुनिक द्रविड़ भाषाओं का वह प्राचीन बीज-रूप आँखों से ओझल रहता है जो गण भाषाओं में विद्यमान था।

द्रविड़ भाषाओं में सघोष स्पर्श-ध्वनियों का विकास सीमित है और विलम्ब से हुआ है। भारत के उत्तर में तुखारी भाषा का व्यवहार होता था और पश्चिमी एशिया में हित्ती भाषा का। इन दोनों भाषाओं में अघोप अल्पप्राण ध्वनियों की प्रधानता है। संस्कृत **गो** या **गौ** अंग्रेज़ी में काउ रूप में मिलता है, संस्कृत **धरा** लैटिन में **तॅरा** है। इस तरह के परिवर्तन द्रविड़ भाषाओं के प्रभाव से हुए हैं, पर क्या सभी द्रविड़ भाषाएँ सघोषता को अस्वीकार करती थीं? आदि वर्ण में सघोषता की अस्वीकृति तमिल का लक्षण है। न केवल कन्नड़ और तेलगू में वरन् ब्राहूइ जैसी उत्तरी भाषा में भी अनेक शब्द सघोष ध्वनियों से आरम्भ होते हैं। ये शब्द उधार लिये हुए नहीं हैं। गोंडी आदिभाषाओं में ऐसे शब्दों की संख्या और भी अधिक है। तमिल के आधार पर यह कल्पना करना समीचीन नहीं है कि सभी द्रविड़ भाषाएँ प्राचीन काल में अघोष ध्वनियों का ही व्यवहार करती थीं (अथवा यही स्थिति आदि द्रविड़ भाषा की थी)। यूरोप की अनेक भाषाओं में सघोष महाप्राण ध्वनियों वाले आर्य शब्दों के प्रतिरूपों में केवल महाप्राणता का लोप होता है, सघोषता का नहीं। **धरा** का प्रतिरूप **तॅरा** है तो **भ्रातृ** का प्रतिरूप फ़ारसी **बिरादर्** और अंग्रेज़ी **ब्रदर्** भी है। इस तरह के ध्वनि-परिवर्तन के प्रभाव का कारण वे द्रविड़ भाषाएँ होंगी जो शब्द के आदिस्थान में सघोष ध्वनि स्वीकार करती थीं। 'द्रविड़ व्युत्पत्ति-कोश' में यह मान लिया गया है कि आदि द्रविड़ भाषा में केवल अघोष ध्वनियों का व्यवहार होता था। किन्तु आधी से अधिक द्रविड़ भाषाओं में जो आदिस्थानीय सघोष ध्वनि का व्यवहार होता है, उससे यह धारणा असिद्ध होती है। इस कोश में ऐसे बहुत-से शब्द दिये हुए हैं जिनमें एक वर्ग की भाषाओं में शब्द के आदिस्थान पर अघोष ध्वनि है और दूसरे वर्ग में सघोष ध्वनि। सम्भवतः यह स्थिति अत्यन्त प्राचीन है। कुछ शब्द ऐसे हैं जिनके अघोष ध्वनियों से आरम्भ होनेवाले द्रविड़ प्रतिरूप हैं ही नहीं : कन्नड़ **गाळि**, तेलगू **गालि** (हवा); कन्नड़ **गाळक, गाळकूडु** (बुद्धिमान व्यक्ति); कन्नड़ **गाळ**, तेलगू **गालमु** (मछली पकड़ने की वंशी)।

पश्चिमी एशिया और यूरोप की भाषाओं के निर्माणकाल में जब उनमें भारतीय भाषा-तत्त्व पहुँच रहे थे, तब कम से कम दो वर्ग द्रविड़ भाषाओं के थे। एक वर्ग

सघोष ध्वनियों को आदिस्थान में स्वीकार करता था और दूसरा वर्ग स्वीकार न करता था। पहले वर्ग में तमिल जैसी भाषा का प्राचीन बीजरूप है, दूसरे वर्ग में तेलगू-कन्नड़ जैसी भाषाओं का बीजरूप है। इस तरह के तुलनात्मक अध्ययन से यह भी विदित होता है कि तमिल वर्ग की भाषाएँ पहले मध्यस्थान में भी सघोष ध्वनि स्वीकार न करती थीं। आर्य भाषाओं में **मघ** से व्युत्पन्न **मग** रूप का व्यवहार होता था, जैसा कि **मगध** से विदित है। यह शब्द ईरान में **मग** ही रहा, ये **मग** लोग वहाँ तंत्र-मंत्र, अग्नि-पूजा और पुरोहितों के अन्य कार्य करते थे। अंग्रेज़ी शब्द **मैजिक** (जादू) इसी **मग** स्रोत का है। किन्तु इसका अन्य रूप **मक** है। केल्त समुदाय की भाषाओं में यह शब्द **मक** या **मैक** रूप में स्वीकृत है।

द्रविड़ समुदाय में कन्नड़ ऐसी भाषा है जिसमें आदिस्थानीय **प्** का परिवर्तन **ह्** में होता है। लिखित दस्तावेजों के आधार पर यह मत स्थिर किया गया है कि प्राचीन काल में यह स्थिति नहीं थी। किन्तु पश्चिमी एशिया की एक भाषा आर्मीनियन है, उसमें इस तरह का परिवर्तन होता है। इसके सिवा केल्त भाषाओं में भी ऐसा परिवर्तन दिखाई देता है। पिता के लिए आर्मीनियन में **हइर्** शब्द है। प्राचीन आइरिश में **ह्** का लोप होने पर **अथिर्** रूप मिलता है। इस तरह के ध्वनि-परिवर्तन अनेक शब्दों में हैं और वे अकारण नहीं हैं। जब हम देखते हैं कि कन्नड़ भाषा शब्द के आदिस्थान पर सघोष ध्वनि स्वीकार करती है और इंडो-यूरोपियन परिवार की अनेक भाषाएँ मूल शब्दों की महाप्राणता का लोप करके सघोषता बनाए रखती हैं, साथ ही इंडो-यूरोपियन परिवार की ऐसी भाषाएँ भी हैं जो आदिस्थानीय **प्** को **ह्** रूप में ग्रहण करती हैं, तब यह मानने के लिए यथेष्ट आधार मिल जाता है कि कन्नड़ भाषा का बीजरूप, तमिल के समानान्तर, उत्तर-पश्चिम भारत में विद्यमान था।

द्रविड़ समुदाय में ब्राहूइ ऐसी भाषा है जो कृदन्त शब्दों में **इंग्** प्रत्यय लगाती है। तमिल **वर** का ब्राहूइ प्रतिरूप **बारिफिंग्** (सुखाना) है। यूरोप की भाषाओं में अंग्रेज़ी, क्रिया में यही प्रत्यय जोड़कर, निरन्तरता व्यक्त करती है। ब्राहूइ में इस प्रत्यय का उपयोग क्रियार्थी संज्ञा रूप बनाने के लिए होता है। यह आवश्यक नहीं कि अंग्रेज़ी में यह प्रत्यय ब्राहूइ से ही गया हो। उस वर्ग की किसी अन्य भाषा से भी वह प्रत्यय वहाँ पहुँच सकता है। भारत के उत्तर-पश्चिमी प्रदेशों में द्रविड़ भाषाएँ बोली जाती थीं, इन सबकी ध्वनि-प्रकृति एक-सी नहीं थी, ध्वनि-प्रकृति का यह भेद पश्चिमी एशिया और यूरोप की भाषाओं में झलकता है, ऐसा ही ध्वनि-भेद आधुनिक द्रविड़ भाषाओं में भी मिलता है, इससे हम निष्कर्ष निकालते हैं कि आधुनिक द्रविड़ भाषाओं के बीजरूप प्राचीन काल में विद्यमान थे।

भारत के उत्तर-पश्चिमी सीमान्त प्रदेशों में जो द्रविड़ गण-समाज रहते थे, वे कहाँ गए? यह बहुत आसानी से मान लिया जाता है कि वे आर्य समुदायों में विलीन हो गए या दक्षिण भारत में ठेल दिये गए। इस धारणा के विपरीत यह बिलकुल

सम्भव है कि वे पश्चिमोत्तर प्रदेशों से यूरोप और पश्चिमी एशिया के देशों में गए हों। आखिर भारतीय उद्भव के रोमनी या जिप्सी कहलानेवाले लोग यूरोप के अनेक भागों में पाए जाते हैं। रूस में ये लोग जो भाषा बोलते हैं, उसका मूलाधार हिन्दी है। यदि हिन्दी बोलनेवाले यूरोप में फैल सकते हैं तो तमिल या कन्नड़ (उनके प्राचीन रूपों में) बोलनेवाले यूरोप और पश्चिमी एशिया में क्यों नहीं फैल सकते? इस बात की काफी सम्भावना है कि भारत से जो भाषा-तत्त्वों का निर्यात हुआ है, वह केवल सांस्कृतिक विनिमय का परिणाम नहीं है। इन भाषा-तत्त्वों को यहाँ के जनसमुदाय अपने साथ ले गए हैं। ये समुदाय द्रविड़-आर्य, दोनों परिवारों की भाषाएँ बोलनेवालों के मिश्रण से बने हों तो आश्चर्य न होगा। भारत में, तीसरी सहस्राब्दी ई.पू. में ऐसे नगर थे जो व्यापार के केन्द्र थे। सिन्धु घाटी की सभ्यता उत्पादन और विनिमय में बढ़ी हुई नगर-सभ्यता है। ऐसी सभ्यता का लक्षण है विभिन्न भाषाएँ बोलनेवाले जनसमुदायों को एकत्र करना। भारत से बाहर जानेवाले दल सामाजिक विकास की बर्बर अवस्था में न थे, यह कृषि-सम्बन्धी शब्दावली के अध्ययन से ज्ञात होता है। नगरसूचक शब्द चाहे **पुर** और **पॉलिस्** हों, चाहे **उर** और **ऊर**, यूरोप और पश्चिमी एशिया में इनका व्यापक प्रसार है। गाँव के लिए यूरोप की भाषाओं के अपने शब्द हैं, यथा : ग्रीक भाषा में **कोमे**, जर्मन **डोर्फ़** (अंग्रेज़ी **थोर्प**), लैटिन **विला** (जिससे अंग्रेज़ी का **विलेज** शब्द बनता है)। यूरोप के ये ग्रामवाचक शब्द भारत में नहीं हैं। भारत के उत्तर-पश्चिमी प्रदेशों के द्रविड़ केवल भारत के आर्य गण-समुदायों में विलीन नहीं हुए, वे भारत के बाहर इंडो-यूरोपियन समुदायों में भी विलीन हुए हैं। यह भी सम्भव है कि उनमें से अनेक गण-समाज फिनोउग्रियन समुदायों में घुल-मिल गए, जैसे कि यह सम्भव है कि भारत के उत्तर-पश्चिमी द्रविड़ दक्षिणी द्रविड़ों में घुल-मिल गए।

भारत के उत्तर-पश्चिम में द्रविड़ रहते थे, यह तो ऐतिहासिक भाषाविज्ञान की स्वीकृत स्थापना है। एक महत्त्वपूर्ण प्रश्न यह है कि जिस समय ये लोग उत्तर-पश्चिमी प्रदेशों में थे, उस समय दक्षिण भारत में अन्य द्रविड़ रहते थे या नहीं, यदि द्रविड़ न रहते थे तो कोई अन्य आदिवासी जातियाँ रहती थीं या नहीं, रहती थीं तो उन्होंने द्रविड़ भाषाओं को प्रभावित किया है या नहीं?

## 12. दक्षिणी द्रविड़

प्राचीनकाल में दक्षिण भारत और इसरायल के बीच व्यापार होता था, इसका ऐतिहासिक प्रमाण है। प्रथम सहस्राब्दी ई.पू. से कुछ पहले भारत से एक जहाज़ में जो सामान इसरायल गया, उसमें तोते भी थे। बाइबिल में इसका उल्लेख है और तोते के लिए हीब्रू में **तुक** शब्द का प्रयोग किया गया है। **तुक** संस्कृत **शुक** का द्रविड़ रूपान्तर है। जो लोग यह मानते हैं कि प्रथम सहस्राब्दी से पहले आर्य लोग

विन्ध्याचल के दक्षिण में पहुँचे ही न होंगे, उनके लिए इस **तुक** शब्द से कठिनाई पैदा होती है। किन्तु आर्यों और द्रविड़ों का सम्पर्क काफी पुराना माना जाए तो **शुक** शब्द के द्रविड़ रूपान्तर को स्वीकार करने में कठिनाई न होगी। जिस समय उत्तर-पश्चिम में द्रविड़ों की बस्तियाँ अभी बनी हुई हैं, उस समय दक्षिण में अन्य द्रविड़ मौजूद हैं और उनके माध्यम से **शुक** अपना रूप बदलकर इसरायल पहुँचता है।

कुछ शब्द केवल तमिल और मलयालम में मिलते हैं। यदि ये शब्द उत्तर-पश्चिमी द्रविड़ों के होते तो सम्भावना यही है कि उनके प्रतिरूप अन्य द्रविड़ भाषाओं में भी मिलते। ये शब्द दक्षिण भारत में द्रविड़ों के प्राचीन निवास के प्रमाण हैं। तमिल **अकवु** माने गाना, **अकवर्** अर्थात् वैतालिक। मलयालम में **अकिरुक** का अर्थ गरजना, चिल्लाना है और यह शब्द तमिल **अकवु** का प्रतिरूप नहीं है। 'द्रविड़ व्युत्पत्ति-कोश' में **अकिरुक** प्रतिरूप देते हुए उसके पहले एक प्रश्नचिन्ह लगा दिया गया है। **अकवु** तमिल का अपना आदि दक्षिण प्रदेशीय सांस्कृतिक शब्द है। **अमर्** (थमना, विश्राम करना), **अल्** (रात्रि), **आताळि** (शोरगुल), **इकु** (वध करना), **ऑरि** (चमकना), **अ‍ॅटु** (पलक, पाँखुरी), **कलइ** (हिरन, लंगूर), **कॉरु** (भोजन), **कोटि** (नया कपड़ा), **कोट्टइ** (समृद्धि), **कोला** (उड़नेवाली मछली), **कोलु** (आरम्भ करना, पूर्ण करना), **चम्पटम्** (कपड़ा), **चम्पइ** (एक मछली), **चवटि** (गले का आभूषण), **चवरु** (कूड़ा), **चव्वु** (झिल्ली), **चळ्ळु** (ढील डालना), **चिमिऴ्** (छोटी मंजूषा), **चिम्पु** (छीलन, कतरन), **चिलुक्कु** (लोहे का काँटा), **चीत्तइ** (चरित्रहीनता), **चुकिर्** (कपास साफ करना), **चुरि** (छेद करना), **चूर्** (भय), **चूळम्** (सीटी), **चॅच्चइ** (झोंपड़ी), **चॅतु** (सूखना, सड़ना), **चॅण्** (दूरी, ऊँचाई), **चेवल्** (नर पक्षी), **चॉक्कन्** (वानर), **नळुक्कु** (थरथराना), **नॅट्ट** (डंठल), **तंडु** (बाँसुरी), **तवणइ** (सीमित समय), **तवळइ** (मेढक), **तार्** (पुष्प), **तारा** (बतख), **तारइ** (वाद्ययंत्र), **तारु** (बुनाई का एक उपकरण), **तिमिलइ** (एक प्रकार का ढोल), **तिळइ** (उबलना), **तिरम्पु** (नोंच खाना), **ती** (अशुभ कार्य), **तुटम्** (द्रव्य पदार्थों की एक नाप), **तुम्पु** (रस्सा), **तुय्य** (पवित्र), **तुरुत्ति** (द्वीप), **तुवर्** (सुखाना), **तुवइ** (भिगोना), **तुळिर्** (कलियाँ फूटना), **तुरुत्तु** (किसी चीज का आगे की ओर निकलना), **तुन्पम्** (क्लेश), **तूर्** (झाड़ू लगाना), **तॅऴि** (हल्ला करना, हाँफना), **तेम्पु** (मुरझाना), **तेरि** (टीला), **तेरइ** (मेढक), **तॉण्टु** (लंगर, लट्ठा), **तॉण्टु** (तंग राह), **तॉल्लइ** (कष्ट), **तॉल्कु** (जाल), **तोकु** (कान की बाली), **तोय्** (मिलना, भेंटना), **नरिच्चल्** (एक तरह का चमगादड़), **नल्कु** (देना), **निकर्** (समान होना), **निवरु** (भीड़ लगाना), **नुणइ** (चुगली), **पटरि** (एक तरह का केला), **पट्टि** (कुत्ता), **पयिल्** (सीखना, बोलना), **परि** (स्नेह करना), **परि** (दुखी होना), **परियम्** (कन्या शुल्क), **परुमल्** (जहाज़ का एक भाग), **पाकन्** (महावर), **पाट्टान्** (पितामह), **पीळइ** (आँख का कीचड़), **पिणर्** (खुरदुरापन), **पिणि** (बीमारी), **पुल्कु** (गले लगाना), **पुरु** (खाज),

**पूवल्** (रक्त वर्ण), **पॉट्टइ** (अंधा होना), **मण** (सुगन्ध छोड़ना), **मळुक्कु** (कूटना), **मळ्ळु** (शहतीर), **मावु** (आटा), **मा** (बीसवाँ भाग), **माटइ** (मुड़े हुए सींग), **मातळइ** (अनार), **मुटलइ** (सड़ाँध), **मुत्ताळम्** (सवेरा), **मुंतिरि** (320वाँ भाग), **मुळइ** (बाँस), **मुर्रम्** (आँगन), **मूङ्का** (उल्लू), **मूङ्किल** (बाँस), **मूट्टइ** (खटमल), **मूर्च्चइ** (तीक्ष्णता), **मॉट्टइ** (गंजी चाँद), **मॉळ्** (पानी भरना), **वक्कु** (जलाना), **वट्टु** (मस्सा, दाग), **वळ्** (रस्सी), **वळ्ळूरम्** (मांस), **वळुवन्** (शूद्र), **वाङ्क** (प्राप्त करना), **विचप्प** (भूख), **विटलइ** (नारियल), **विट्टम्** (शहतीर, व्यास), **विरि** (जीन), **विलवु** (पसलियाँ, बगल), **विरा** (त्योहार), **विळम्पु** (पिरोसना), **विळाकम्** (युद्धभूमि), **विळिम्पु** (किनारा), **वीम्पु** (डींग हाँकना), **वंकुळ्** (उत्तेजित होना), **वळ्ळाळन्** (शूद्र), **वेन्तान्** (राजा), **वेकम्** (हाथी), **वैयम्** (धरती)।

इस तरह के और शब्द एकत्र किये जा सकते हैं। इन शब्दों के बहुत-से पर्यायवाची अन्य द्रविड़ भाषाओं में मिलते हैं, इनके प्रतिरूप उनमें नहीं हैं। (यहाँ मध्यवर्ती स्पर्श-ध्वनि को अघोष ही दिखाया गया है।) उन्हें देखते हुए निष्कर्ष निकाला जा सकता है कि उक्त शब्दावली तमिल और मलयालम भाषाओं की अपनी है, उसे उत्तर-पश्चिम के द्रविड़ नहीं लाए।

द्रविड़ भाषाएँ बोलनेवाले लोग प्राचीन काल से चावल खाते रहे हैं। देखना चाहिए कि इस विशेष खाद्य के लिए इन भाषाओं में सम्बन्धित शब्दों की क्या स्थिति है। तमिल **अरिचि** धान के लिए प्रयुक्त होनेवाला शब्द है। संस्कृत में इसका प्रतिरूप नहीं दिखाई देता पर अंग्रेज़ी **राइस्** इससे सम्बन्धित है। या तो अंग्रेज़ी शब्द में अतिरिक्त **अ** स्वर का लोप हो गया है या फिर **राइस्** जैसे शब्द में यह अतिरिक्त स्वर जोड़ा गया है। कन्नड़, कोडगु का **अक्कि** इससे भिन्न शब्द है। **अविळ्** और **अवुडु** चावल के दाने के लिए केवल तमिल और कन्नड़ में प्रयुक्त होते हैं। एक काले रंग के धान को तमिल में **कुरवइ** कहते हैं। यह शब्द केवल तमिल और मलयालम में है, उत्तर-पश्चिमी नहीं है; होता तो दो एक भाषाओं में और मिलता। तमिल **नवरइ** एक प्रकार का धान है। तमिल और मलयालम के अलावा यह शब्द तुलु में है। तेलगू **निवर** भी शायद सम्बद्ध हो। 'द्रविड़ व्युत्पत्ति-कोश' में संस्कृत **नीवार** से इसके सम्भाव्य सम्बन्ध की ओर संकेत है। इस शब्द का व्यवहार-क्षेत्र अत्यन्त सीमित है, सम्भव है, संस्कृत में यह शब्द दक्षिण की द्रविड़ भाषाओं से आया हो। तमिल **नॅल्** कुछ दक्षिण भाषाओं के अलावा कन्नड़ में प्रयुक्त होता है। इसका व्यवहार-क्षेत्र भी सीमित है और इसे भी दक्षिण के द्रविड़-समुदाय का अपना शब्द कहा जा सकता है।

तेलगू में चावल के लिए एक शब्द **प्रालु** है। यह शब्द तमिल, मलयालम, तोद, कन्नड़ आदि में नहीं है किन्तु पर्जि, गोंडी, कोंड और कुइ भाषाओं में इसके प्रतिरूप हैं। ये भाषाएँ मध्यवर्ती द्रविड़ समुदाय में आती हैं। वह इस समुदाय का

अपना शब्द है। कांड, कुवि आदि कुछ मध्यवर्ती भाषाओं में **मज्जि** शब्द का व्यवहार होता है, यह दक्षिण की भाषाओं में नहीं है और उसे इसी समुदाय का विशेष शब्द मानना उचित है। तमिल **वरि** तेलगू और कुछ मध्यवर्ती भाषाओं में मिलता है। गांडी का **वञ्जी मिञ्ज** का प्रतिरूप है और **वरि** से सम्बद्ध नहीं है। अपने सीमित व्यवहार के कारण इसे सभी दक्षिण की भाषाओं का अपना शब्द मानना चाहिए। धान के लिए कुड़ुख़ भाषा का **खॅस्स्** केवल दो भाषाओं में मिलता है, एक कुड़ुख़, दूसरी मल्तो। यह दक्षिण समुदाय से भिन्न उत्तरी वर्ग का शब्द है। तमिल **वल्चि** का कन्नड़ प्रतिरूप **बत्त** और **भत्त** दिया है जिसका सम्बन्ध हिन्दी **भात** से है पर तमिल शब्द कन्नड़ रूपों से भिन्न है। कुइ भाषा में चावल के लिए एक शब्द **अल्गु** है। इसका प्रतिरूप केवल कुड़ुख़ भाषा में है—**अल्खा**, जो इससे भिन्न है। **अल्गु** शब्द चावल के लिए कुइ भाषा का अपना शब्द है।

धान और चावल सम्बन्धी द्रविड़ शब्दों में बड़ी विविधता है। यहाँ आर्य भाषाओं के शब्दों से मिलते-जुलते रूप बहुत ही कम हैं। अनेक द्रविड़ जनसमुदाय विभिन्न क्षेत्रों में धान उगाते रहे, इसलिए धान और चावल के लिए पुराने क्षेत्रीय नाम अभी तक बने हुए हैं। द्रविड़ शब्दावली का जो अंश क्षेत्रीयता से इस तरह सम्बद्ध नहीं है, वह अधिक समानता प्रदर्शित करता है।

आर्य चावल कम खाते रहे हों पर उत्तर भारत में आर्य भाषाएँ बोलनेवाले लोग अपने संस्कारों में निरन्तर चावलों का उपयोग करते रहे हैं। यदि इन आर्यों के समाज में द्रविड़ों का काफी अंश होता तो चावल सम्बन्धी द्रविड़ शब्दावली आर्य भाषाओं में समाहित होती। पर वैसा नहीं हुआ। द्रविड़ भाषाओं में धान-सम्बन्धी शब्दों की विविधता खेती के अनेक केन्द्रों की ओर संकेत करती है। सभी द्रविड़ भारत के उत्तर-पश्चिम में न रहते थे। दक्षिण के अलावा वे पूर्वी और मध्यभारत के क्षेत्रों में भी रहते थे, इन सब पर उत्तर-पश्चिमी द्रविड़ों का काफी प्रभाव पड़ा है, इसमें सन्देह नहीं। अनेक द्रविड़ भाषाओं की शब्दावली में जो समानता है, उसका एक महत्त्वपूर्ण कारण उत्तर-पश्चिमी द्रविड़ प्रभाव है। इस प्रभाव में उत्तर-पश्चिमी आर्य प्रभाव घुल-मिल गया है।

### 13. उत्तर-पश्चिमी क्षेत्रीय प्रभाव

द्रविड़ भाषाओं के शब्द-भंडार पर विचार करने से यह उत्तर-पश्चिमी क्षेत्रीय प्रभाव स्पष्ट होगा।

सबसे पहले उत्तम पुरुष एकवचन सर्वनाम लें। द्रविड़ भाषाओं में इसके जो रूप मिलते हैं, वे **न** वर्ण पर आधारित हैं। यह **न ञ** में परिवर्तित होता है तब तमिल **नान्** का मलयालम प्रतिरूप **ञान्** प्राप्त होता है। इस **ञान्** की आदि नासिक्य-ध्वनि का लोप होने पर तमिल रूप **यान्** बनता है। इस **यान्** के **य्** का लोप होने पर

कन्नड़ का **आन्** रूप मिलता है। इस **आन्** का वैकल्पिक रूप **ॲन्** है जो अनेक द्रविड़ भाषाओं में तिर्यक् रूप में प्रयुक्त होता है। तेलगू में सामान्य रूप **नेनु, एनु** हैं, तिर्यक रूप **नन्** और **ना** हैं। समस्त द्रविड़ भाषाओं में केवल ब्राहूइ में उत्तम पुरुष का एकवचन सर्वनाम रूप भिन्न है। यहाँ **नान्** और **आन्** के बदले **ई** है। कह सकते हैं कि यह **यान्** का कोई संकुचित रूप होगा। किन्तु ब्राहूइ में इसका तिर्यक रूप **कन्** है। ऐसा रूप फ़ारसी में नहीं है, इसलिए **कन्** ब्राहूइ का अपना शब्द माना जाएगा। ब्राहूइ भाषा बोलनेवाले अलग-थलग एक पहाड़ी प्रदेश में रहते हैं, इसलिए उनका यह सर्वनाम रूप बच गया, अन्य भाषाओं के सर्वनाम अपदस्थ हुए; उनका स्थान किसी एक केन्द्र से प्रसारित होनेवाले सर्वनाम-रूपों ने ले लिया।

उत्तम पुरुष सर्वनाम के बहुवचन रूप इसी एकवचन रूप के आधार पर बनते हैं। यथा : तमिल में **नान्** से **नाङ्गळ्**। दूसरा रूप है याम्। यह रूप **यान्** के आधार पर बना है; **न्** के स्थान पर बहुत्वसूचक **म्** आ गया है। बहुवचन रूपों में दिलचस्प बात यह है कि **न** के अलावा **म** के आधार पर भी अनेक रूप बने हैं। तेलगू में **नेमु, मेमु** और **एमु**—तीन रूप हैं। गोंडी में **मम्मट्, ममाट्, माट,** तिर्यक् **मा** आदि रूप हैं। कोंड, कुवि में भी **मान्, माग्बु** जैसे रूप हैं। इन्हें देखकर सन्देह नहीं रह जाता कि कोंड का बहुवचन **मान्** एकवचन **नान्** का प्रतिरूप है। **म्** और **न्** परस्पर परिवर्तनशील हैं। संस्कृत में भी उत्तम पुरुष सर्वनाम का सम्बन्धकारक में एकवचन रूप **मम** है और बहुवचन रूप (**अस्माकम्** के अलावा) **नः** है। **न** और **म** वाले उत्तम पुरुष सर्वनाम रूप यूरोप की अनेक भाषाओं में हैं। आर्य, द्रविड़ और यूरोप की भाषाओं के सर्वनामों का अध्ययन करने से पता चलता है कि इनमें अधिकांश एक ही केन्द्र से फैले हैं। यह केन्द्र भारत के उत्तर-पश्चिमी प्रदेश में था।

संस्कृत में उत्तम पुरुष सर्वनाम के एकवचन के लिए मूल शब्द **अस्मद्** माना जाता है। **मम** या **नः** जैसे रूप से पूरे **अस्मद्** का सम्बन्ध नहीं है। **मद्** से **मदीय** आदि रूप बनते हैं। यदि इस **मद्** को मूल रूप में **मध्** माना जाए तो उत्तम पुरुष सर्वनाम के अनेक रूपों की समस्या हल हो जाती है। यह **मध्** पहले **ह्** में परिवर्तित होगा, फिर **ह्** से प्रभावित पूर्व वर्ण में **अ, ए, ओ**, ऐसे किसी स्वर का व्यवहार होगा। इस प्रकार **मा, मे, मो** रूप प्राप्त होंगे। ब्रज भाषा का **मोर** इसी **मो** पर आधारित है। परिनिष्ठित हिन्दी का **मेरा मे** वाले रूप पर आधारित है। हिन्दी का एकवचन रूप **मैं** इसी **मे** का प्रतिरूप है। जो लोग **मया** से **मैं** का विकास दिखाते हैं, वे बताएँ कि **मेरा** के **मे** का विकास कैसे हुआ और **मोर** का **मो** कहाँ से आया। अस्तु, द्रविड़ भाषाओं में **म्** और **न्** वाले रूप एक ही शब्द-मूल के आधार पर बने हैं। इस शब्दमूल का प्रसार उत्तर-पश्चिम से अनेक द्रविड़ भाषाओं में हुआ।

मध्यम पुरुष के एकवचन सर्वनाम-रूप **नी** पर आधारित हैं। कुछ भाषाओं में **नी** के स्थान पर **ई** रह जाता है और तेलगू में **नीवु** के साथ **ईवु** रूप भी है। जैसे **तीर**

शब्द तमिल में **नीर्** और **ईर्** रूप में मिलता है, वैसे ही सम्भव है, **तू** या **उस** वर्ग का कोई अन्य शब्द (यथा : रूसी **ती**) परिवर्तित होकर **नी** बनता है। ब्राहूइ में भी **नी** रूप है। तेलगू में इसका बहुवचन रूप **नीरु** है। कुवि में **म्** वाले रूप हैं, वैसे ही गोंडी में हैं। उत्तम पुरुष सर्वनाम मध्यम पुरुष के लिए प्रयुक्त हों, यह भी सम्भव है।

संस्कृत का **ते, तद्** वाला रूप द्रविड़ भाषाओं के **ताम्, तम्** (वे, वे स्वयं, तुम स्वयं) आदि रूपों में मिलता है। अन्य पुरुष के एकवचन रूप का आधार **अव** है, इससे **अवन्** (वह पुरुष), **अवळ्** (वह स्त्री), **अवर्** (वे पुरुष वे स्त्रियाँ) आदि रूप बनते हैं। तमिल **अवन्** का संस्कृत प्रतिरूप **अयम्** है।

**अ** सर्वनाम मूल दूर की वस्तु का संकेत करता है, **उ** सर्वनाम कुछ कम दूरी की चीज के लिए आता है। कुवि और कुड़ुख़ भाषाओं में कुछ रूप **ह्** वाले हैं : **हू, हूदि, हूवि, हूस्, हर्** आदि। **उ** का आधार **सु** है। हिन्दी में **सो** अन्य पुरुष सर्वनाम का व्यवहार होता है, बंगला में **से** (अथवा **शे**) इसी का प्रतिरूप है।

सर्वनामों के अलावा और भी शब्द हैं जो द्रविड़ भाषाओं में व्यापक रूप से प्रयुक्त होते हैं। इनमें एक शब्द है तमिल **कइ** (हाथ)। 'द्रविड़ व्युत्पत्ति-कोश' के अनुसार इसका व्यवहार बहुत व्यापक रूप से द्रविड़ भाषाओं में होता है। ब्राहूइ में हाथ के लिए जो भी शब्द है, वह कोश में नहीं दिया गया। उसके अभाव में भी दक्षिण, मध्य और उत्तर भारत की जितनी द्रविड़ भाषाओं में इस शब्द का व्यवहार होता है, वह आश्चर्यजनक है। संस्कृत में **कर, हस्त, पाणि** आदि अनेक पर्यायवाची शब्द हैं, यहाँ केवल **कइ** या उसके प्रतिरूप हैं। यह विश्वास करना कठिन है कि इतनी द्रविड़ भाषाओं में हाथ के लिए एक ही शब्द था। हाथ से **करना** क्रिया का गहरा सम्बन्ध है। द्रविड़ भाषाओं में **करना** क्रिया के लिए अनेक शब्द हैं पर हाथ के लिए एक ही शब्द है। इस **कइ** शब्द से करना के लिए कन्नड़ में **कॅय्, गॅय्, कइ** क्रिया-रूप बने हैं, तमिल में **च्** वाले प्रतिरूप हैं, **चॅय्** आदि। करने के लिए तमिल, कन्नड़ आदिभाषाओं में एक अन्य क्रिया है **पण्णु**। इसके मूलांश **पण्** से संस्कृत का **पाणि** शब्द बनता है। सम्भव है, ऐसा शब्द द्रविड़ भाषाओं में भी रहा हो, आगे चलकर वह अप्रयुक्त हो गया हो। इसी प्रकार करने के लिए तमिल में दो क्रियाएँ हैं **मण्णु** और **नण्णु**। सम्भव है, इनसे सम्बद्ध संज्ञा-शब्द—हाथ के लिए—द्रविड़ भाषाओं में रहा हो और वह भी अप्रयुक्त हो गया हो। लैटिन में **मनुस्** शब्द है और उसका अर्थ हाथ है।

जो स्थिति हाथ वाले शब्दों की है, लगभग वही पैर वाले शब्दों की है। पैर के लिए द्रविड़ भाषाओं का व्यापक रूप से व्यवहृत होनेवाला शब्द **काल्** है (तोद में **कोल्** और पर्जि में **केल्** रूप हैं)। यह शब्द चलने का अर्थ देनेवाली **गा** क्रिया से सम्बद्ध है। द्रविड़ भाषाओं में चलने के लिए अनेक क्रियाएँ हैं और इनमें एक अति प्रचलित क्रिया **पो** है। संस्कृत में **पद** और **पाद** शब्द हैं, ऐसे शब्द द्रविड़ भाषाओं

में नहीं हैं। कुवि भाषा का **कॉड्ड** हिन्दी **गोड़** का प्रतिरूप है। एक अन्य शब्द है **ताळ्** जो पैर के अलावा पेड़ के तने के लिए भी इस्तेमाल होता है। इस शब्द का सम्बन्ध चलने के बदले खड़े होने की क्रिया से जान पड़ता है। संस्कृत **स्था** से जैसे **स्तम्भ** शब्द खड़ी हुई वस्तु का अर्थ देता है, वैसे ही इसके अल्पप्राण रूप से **ताळ्** शब्द बन जाता है। संस्कृत के समान द्रविड़ भाषाओं में पैर के लिए अनेक शब्द रहे होंगे पर वे लुप्त हो गए हैं।

यहाँ एक और समस्या सामने आती है। द्रविड़ भाषाओं में चलने के लिए जो अनेक क्रियाएँ हैं, उनमें अधिकांश संस्कृत या इंडो-यूरोपियन भाषाओं से सम्बद्ध हैं। ये सब क्रियाएँ केवल उत्तर-पश्चिमी द्रविड़ भाषाओं में थीं या दक्षिणी भाषाओं में भी थीं? तमिल **चॅल्** संस्कृत **चल्** का ही दूसरा रूप है। कुछ द्रविड़ भाषाओं में **काना, काला** जैसी क्रियाएँ **गा** मूल की हैं। (देखें : 'द्रविड़ व्युत्पत्ति-कोश', शब्द-संख्या 1195) तमिल **कट्** भी इसी वर्ग की है। तमिल **यंगु, ॲयदु, एगु** संस्कृत **इ** अथवा **या** क्रिया से सम्बद्ध हैं। तमिल **आडु** संस्कृत **अट्** का प्रतिरूप है। एक अत्यन्त प्रचलित क्रिया **नट** अथवा **नड** है। इसका सम्बन्ध **नर्त** से है। उत्तर-पश्चिम का आर्य-द्रविड़ संगम समस्त द्रविड़ भाषा-समुदाय को प्रभावित करता है।

आर्य-द्रविड़ संगम का एक नमूना **अंक** या **अंग** शब्द है। तमिल **अङ्कम्** (या **अङ्गम्**) का अर्थ है युद्ध। इसके प्रतिरूप मलयालम के अलावा कन्नड़, तेलगू और तुलु में हैं। 'द्रविड़ व्युत्पत्ति-कोश' में तुलना के लिए संस्कृत **अंक** शब्द दिया है (जो संस्कृत कोशों में ही मिलता है)। इसका अर्थ भी युद्ध है।

## 14. प्राकृतें और द्रविड़

प्राकृतों और द्रविड़ भाषाओं का तुलनात्मक अध्ययन शिक्षाप्रद होगा। धारणा यह है कि द्रविड़ भारत पर आर्यों का आधिपत्य जैसे-जैसे फैलता गया, वैसे-वैसे आर्य भाषाओं में द्रविड़-भाषाओं के तत्त्व अधिकाधिक समाविष्ट हुए। संस्कृत और प्राकृतों में जो अन्तर है, उसका कारण द्रविड़ प्रभाव है जो पहले से और गहराया है। इंडो-यूरोपियन भाषा से संस्कृत का जो भेद है, उसका कारण अल्प द्रविड़ प्रभाव है; संस्कृत और प्राकृतों में जो भेद है, उसका कारण विशद द्रविड़ प्रभाव है। किसी कारण यह प्रभाव केवल ध्वनितंत्र में दिखाई देता है। जैसा कि विदित है, प्राकृतों के व्याकरण और शब्द-भंडार को लेकर संस्कृत से जो भेद है, वह अति साधारण है। ध्वनितंत्र में इतना अधिक भेद है कि प्राकृत शब्द पहचान में नहीं पाते, बहुधा संस्कृत में रूपान्तर करने से ही प्राकृत वाक्य समझ में आते हैं। यदि द्रविड़ भाषाएँ संस्कृत को इतना प्रभावित कर रही हैं कि ध्वनि-रूपों में मौलिक परिवर्तन होता है, तो यह अपेक्षा की जाती है कि बहुत-से द्रविड़ शब्द प्राकृतों में आ गए होंगे जो पहले संस्कृत में नहीं थे। बरो आदि विद्वानों ने संस्कृत में बहुत-से द्रविड़

शब्द ढूँढ़ निकाले हैं पर यह रोचक तथ्य है कि ये शब्द प्राकृत-रूपों में नहीं हैं, संस्कृत रूपों में हैं। संस्कृत पर अपने ग्रंथ में बरो ने उधार लिये हुए जिन द्रविड़ शब्दों की सूची दी है, उनमें एक भी प्राकृत रूप में नहीं है। इनमें से कुछ उदाहरण अध्ययन करने योग्य हैं।

एक शब्द है **आरभट** जिसका अर्थ है उपद्रवी, हल्ला करनेवाला। इसके साथ तमिल का प्रतिरूप दिया है **आर्भटमु**। तमिल शब्द में सघोष महाप्राण **भ्** बैठा हुआ है। उसका अस्तित्व यह सिद्ध करने के लिए काफी है कि कम-से-कम इस रूप में यह शब्द तमिल का नहीं है। कन्नड़ और तुलु भाषाओं में इसका रूप **आर्बट** दिया है। यदि इसे मूल रूप मानें तो प्रश्न यह है कि शब्द के मध्य में अल्पप्राण व्यंजन को संस्कृत ने महाप्राण क्यों किया। इसी प्रकार संस्कृत **घुण** को कन्नड़ **गॉण्णॅ** से जोड़कर संस्कृत पर द्रविड़ प्रभाव दिखाया गया है। यहाँ भी प्रश्न है कि कन्नड़ का यह शब्द उधार लेते समय आर्यों ने आदिस्थानीय व्यंजन को महाप्राण क्यों किया। संस्कृत **घूक** के 'पूर्व रूप' तमिल **कूकइ**, कन्नड़ **बूगि**, तेलगू **गूबि** आदि हैं। यहाँ भी अल्पप्राण स्पर्श व्यंजन को महाप्राण बनाने का कारण नहीं बताया गया। इसी प्रकार **पुञ्छ्** (बीनना), **उलूखल** (ओखली), **कठिन, उलत्थ, खल** (खलिहान), **खल** (दुष्ट), **शठ** आदि शब्द हैं जिनके द्रविड़ रूपों में अघोष महाप्राण ध्वनियाँ नहीं हैं। संस्कृत के लिए यह अत्यन्त अस्वाभाविक क्रिया होगी कि अल्पप्राण ध्वनियों को अनावश्यक रूप से महाप्राण बना दे। इसके विपरीत ऐसे उदाहरण भरे पड़े हैं जहाँ संस्कृत की महाप्राण ध्वनियों को द्रविड़ भाषाओं ने अल्पप्राण रूप में ग्रहण किया है।

**शठ, शव, शूर्प** जैसे शब्द मूलतः द्रविड़ भाषाओं के होंगे, यह तथ्य अत्यन्त सन्दिग्ध है। द्रविड़ भाषाओं में **श्** ध्वनि विरल है। संस्कृत शब्द इस ध्वनि को **त्, च्** आदि में बदलकर ग्रहण किये जाते हैं। कहीं-कहीं मध्यदेशीय प्रवृत्ति के अनुरूप तालव्य **श्** दन्त्य **स्** में बदल जाता है। संस्कृत के **हिंताल, हुडुक्क, हेरम्ब** जैसे शब्दों में सम्भव है, पहले सकार रहा हो और वह **ह्** में बदल गया हो, पर द्रविड़ रूपों में **स्** और **ह्**, दोनों का अभाव है। **हिन्ताल**—तमिल **ईन्तू** (खजूर), **हुडुक्क**—तमिल **उटुक्कु** (छोटी ढोलक-सा बाजा), **हेरम्ब**—तमिल **अॅरुमइ** (भैंसा), इन रूपों में द्रविड़ भाषाएँ आदिस्थान पर स्वर का व्यवहार करती हैं। ऐसे उदाहरण अनेक हैं जहाँ **ह्** से आरम्भ होनेवाले संस्कृत शब्दों को अपनाते हुए द्रविड़ भाषाओं ने इस ध्वनि का लोप कर दिया है।

प्रस्तुत सन्दर्भ में महत्त्वपूर्ण बात यह है कि बरो के दिये हुए शब्द कहीं भी प्राकृत ध्वनितंत्र के अनुरूप नहीं हैं। दन्त्य **न्** वाले अनेक शब्द हैं : **अनल, कानन, चन्दन, तलिन** (पतला), **निबिड़, नीर, मीन**। इनमें कहीं भी नासिक्य ध्वनि का मूर्धन्यीकरण नहीं है। **ण्** ध्वनि का व्यवहार प्राकृतों की विशेषता है। यदि उक्त

शब्द संस्कृत ने द्रविड़ भाषाओं से लिए तो मानना होगा कि ये भाषाएँ प्राकृतों की तरह मूर्धन्य नासिक्य ध्वनि का अनर्गल व्यवहार न करती थीं। यदि द्रविड़ भाषाओं ने इन शब्दों को उत्तर भारत से पाया तो उन्होंने प्राकृतों से इन्हें ग्रहण न किया था, प्राकृतों से भिन्न संस्कृत या अन्य बोलचाल की आर्य भाषाओं से उन्होंने इन्हें ग्रहण किया होगा। **कटु, ताक, कुट, कुटि, कुटिल, कुन्तल** आदि संस्कृत शब्दों में प्राकृत ध्वनि-प्रकृति के अनुरूप मध्यवर्ती स्पर्श-ध्वनि को सघोष नहीं किया गया। यह बात सही है कि प्राकृतों में सर्वत्र ऐसा नहीं होता किन्तु **कूप, केतक, केमुक, कोटर, कोरक**, ऐसे बहुत-से शब्द हैं, कहीं तो सघोषता होनी चाहिए थी। इसी प्रकार **कुति, कुदुकु** जैसे द्रविड़ रूपों को देखकर संस्कृत ने **कूर्द्** (कूदना) रूप गढ़ा होगा, इसका कोई कारण नहीं है। **पुरुकु, पिळुकु** (तीर का पंख वाला भाग) **पुंख** रूप में क्यों परिवर्तित किया गया, इसका कोई कारण दिखाई नहीं देता। तमिल **वक्का**, तेलगू **वक्कु** (सारस) संस्कृत में **बक** हो गया जबकि यह भाषा **व्** ध्वनि की रक्षा अच्छी तरह कर लेती है।

उपर्युक्त विवेचन से यह आशय नहीं है कि प्राकृतों और द्रविड़ भाषाओं के ध्वनितंत्र में कोई समानता नहीं है। समानताएँ हैं और उनके साथ वैषम्य भी है। दोनों पर ध्यान देना चाहिए। सबसे बड़ी समानता व्यंजन द्वित्व को सरल करने की है। प्राकृतों में **युक्त, आसक्त** जैसे शब्दों में दो व्यंजन जुड़े हुए हैं। प्राकृतें एक ही व्यंजन की आवृत्ति करके शब्द रूप बनाएँगी, उक्त शब्द **जुत्त, आसत्त** हो जाएँगे। इसी प्रकार **रक्त** और **मुक्ता** शब्द तमिल में **रत्तम्, मुत्तु** रूपों में ग्रहण किये गए। इसी सन्दर्भ में प्राकृतों की अन्य प्रवृत्ति यह है कि दो संयुक्त व्यंजनों को एक अतिरिक्त स्वर लगाकर वे अलग कर देती हैं। **मूर्ख** इस प्रकार **मुरुक्ख** हो जाएगा; **नग्न, उष्ण** आदि **निगिण, उसिन** हो जाएँगे। तमिल में इसी प्रकार **वर्ण** शब्द **वरुणम्** रूप में, **अर्क** शब्द **अरुक्कम्** रूप में ग्रहण किया गया। **भ्रू** शब्द तमिल में **पुरुवम्** हो गया। कुछ प्राकृतें किन्हीं स्थितियों में संस्कृत के एक व्यंजन के स्थान पर दो का व्यवहार करती हैं, यथा : **कालिका** से **कालिक्का**। तमिल में व्यंजनद्वित्व की यह प्रवृत्ति अत्यन्त प्रबल है। **उलूखल** से **उलक्कइ**, आघात से **अकात्तियम्, पेठ** से **पेट्टइ**, अंग्रेज़ी **कप्** से **कप्पा** आदि बहुत-से उदाहरण हैं।

प्राकृत भाषाएँ संस्कृत शब्दों के मध्यवर्ती व्यंजनों का सघोष उच्चारण करती हैं। प्रकार **मति** से **मदि, कुटुम्ब** से **कुडुम्ब, अशोक** से **असोग** रूप बनते हैं। तमिल के उच्चारण में अब यह पद्धति बन गई है कि दो स्वरों के बीच में आनेवाली स्पर्श-ध्वनि का उच्चारण सघोष होता है। इसके विपरीत कुछ प्राकृतें सघोष ध्वनि को अघोष करती हैं। आदिस्थानीय सघोष ध्वनि को ही नहीं, मध्यवर्ती सघोष ध्वनि को भी कुछ प्राकृतें अघोष करती हैं। चूलिका पैशाची में इस तरह के परिवर्तन होते हैं : **गगन—ककन, जात—चात, जीमूत—चीमूत, दमरुक—तमरुक,**

**झंकार—छंकाल, झर्झर—छच्छर, डिम्ब—टिम्प, बालक—पाळक, नगर—नकर, राजन्—राच, तडाग—तटाक, मदन—मतन**। पैशाची प्राकृतों के लिए कहा जाता है कि ये कश्मीर में बोली जाती थीं। पहले यह विवरण आ चुका है कि कश्मीर के उत्तर में द्रविड़ भाषाओं के अवशेष अब भी हैं। सम्भव है, चूलिका पैशाची में उनके उच्चारण की नकल की गई हो किन्तु उक्त उदाहरणों में महाप्राण ध्वनियों का व्यवहार हुआ है, विशेष कर शब्द के आदिस्थान में। द्रविड़ प्रभाव आंशिक ही माना जा सकता है; सघोषता का लोप होता है, महाप्राणता का नहीं। **डिम्ब** के प्रतिरूप **टिम्प** आदि भी सन्दिग्ध हैं। द्रविड़ भाषाओं में शब्द के आदिस्थान पर मूर्धन्य स्पर्श-ध्वनि का प्रयोग बहुत कम होता है, तमिल के अपने (यानी द्रविड़) शब्दों में आदिस्थान पर **ट्** का व्यवहार होता ही नहीं है।

एक अन्य महत्त्वपूर्ण समानता मध्यवर्ती **प्** को लेकर है। प्राकृतों में यह ध्वनि **व्** में बदल जाती है : **दीप—दीव, चाप—चाव, कोप—कोव**। तमिल में **आपन** (प्राप्ति) से **आवणम्, गोपाल** से **कोवलर्** जैसे रूप इसी प्रवृत्ति के अनुसार बनते हैं। तमिल में इससे विरोधी प्रवृत्ति भी है जहाँ **व्** ध्वनि **प्** में बदलती है। इस प्रकार **उर्वशी** वेश बदलकर **उरुप्पचि** बनती है। प्राकृतों में कहीं-कहीं **प्** ध्वनि बदलकर **म्** रूप में भी सामने आती है। **भिण्डिपाल** बदलकर **भिण्डिमाल** हो जाएँगे। **प्** की तरह **ब्** भी बदलता है, **कबन्ध** का रूपान्तर **कमन्ध** होगा। द्रविड़ भाषाओं में भी इस तरह के परिवर्तन दिखाई देते हैं, यथा : तमिल **पण्णु** (करना) का प्रतिरूप **मण्णु** है। द्रविड़ व्युत्पत्ति-कोश में बहुत-से शब्द स्वतंत्र रूप से दिये हुए हैं; वे वास्तव में एक-दूसरे के प्रतिरूप हैं। एक रूप **प्** से आरम्भ होता है, दूसरा **व्** से, तीसरा **म्** से और चौथा **म्** के बदले **न्** से।

द्रविड़ भाषाओं में ब्रज, अवधी आदि की अपेक्षा **ण्** का व्यवहार अधिक होता है, विशेष रूप से तमिल में। किन्तु शायद सभी तमिल-भाषियों के लिए यह ध्वनि सुगम नहीं थी। अत: इसके स्थान पर **ट्** (या **ड्**) या **ळ्** का व्यवहार होता है। तमिल (पुरुष, पुरुषत्व) का वैकल्पिक रूप **आळ्** है। तमिल **आण्मइ** (अधिकार) के साथ **आट्चि** (प्रभुता) रूप प्रतिष्ठित है। प्राकृतों में **ण् ळ्** में बदलता दिखाई देता है :

**वेण—वेळु**; इसी प्रकार **ड् ळ्** में बदलता है : **गुड—गुळ, गरुड—गरुळ**। कुछ प्राकृतों में **त् ल्** में बदलता है : **अतसी—अलसी, सूत—शूल**। इस तरह की प्रवृत्ति कुछ द्रविड़ भाषाओं में भी है। संस्कृत **कड्** (मत्त होना), तमिल **कळि** (उप.); तेलगू **ॲड-नीरु**, कन्नड़ **ॲल-नीर**, (कोमल नारियल का पानी); गोंडी **निताना, निलाना** (खड़े होना), कुइ **नेद, नेल** (खेत)।

**त्** और **द्** को **ल्** में बदलने की प्रवृत्ति उत्तर-पश्चिमी आर्य भाषाओं में रही है। मूल प्रवृत्ति इन आर्य भाषाओं की थी या द्रविड़ भाषाओं की, या इन दोनों पर किसी अन्य प्रभाव के कारण ऐसे परिवर्तन होते हैं, यह सब विवादास्पद है। इतना कहा

जा सकता है कि प्राकृतों और द्रविड़ भाषाओं में जो सामान्य प्रवृत्तियाँ मिलती हैं, वे उत्तर-पश्चिमी आर्य-द्रविड़ भाषाओं की विशेषताएँ हैं। आधुनिक भाषाओं में जैसे बंगला में, मैथिली और अवधी से भिन्न, उत्तर-पश्चिमी आर्य भाषाओं की विशेषताएँ मिलती हैं, वैसे ही मागधी प्राकृत में अनेक विशेषताएँ उत्तर-पश्चिमी भाषाओं की हैं। प्राकृतों में स्वर-परिवर्तन की कुछ प्रवृत्तियाँ इस धारणा की पुष्टि करती हैं कि प्राकृत-द्रविड़ समानताएँ उत्तर-पश्चिमी प्रदेश की हैं। मागधी और अर्द्ध-मागधी में अकारान्त शब्द कर्ता एकवचन में एकारान्त हो जाते हैं। इस प्रकार **पुरुषः पुलिशे, पुरिसे** हो जाएगा। संस्कृत **काष्ट** गोंडी में **कट्टे**, संस्कृत **शाण**, कन्नड़ में **साणे**, संस्कृत **शाला** तुलु में **शाले**, हिन्दी **गारा** कन्नड़ में **गारे**, संस्कृत **भट्ट**, तुलु में **भट्टे बट्टे** इस प्रवृत्ति के उदाहरण हैं। सामान्यतः प्राकृतों में संस्कृत के **अः** वाले रूप ओकारान्त होते हैं, यथा : **धर्मः—धम्मो, मेघः—मेखो**। संस्कृत में भी सन्धि होने पर **अः** बदलकर **ओ** हो जाता है। यह वास्तव में मागधी प्रवृत्ति है। हिन्दी का **बहन** शब्द गुजराती में **बेन** और बंगला में **बोन** बोला जाता है। यह एंकार वाली प्रवृत्ति उत्तर-पश्चिमी है और ओकार वाली प्रवृत्ति पूर्वी है।

बंगला भाषा में जैसे अनेक शब्दों में इकार के स्थान पर एकार, उकार के स्थान पर ओकार का व्यवहार होता है, वैसे ही प्राकृतों में : **पुस्तक—पॉत्थअ; गुच्छ—गॉच्छ, पिण्ड—पॅण्ड, लिच्छवि—लॅच्छइ**। इस तरह के परिवर्तन द्रविड़ भाषाओं में भी होते हैं। इस प्रकार तमिल में **उष्ट्र** से **ऑट्टकम्, कुमार** से **कोमरम्** रूप बनते हैं।

समानताओं की अपेक्षा प्राकृतों और द्रविड़ भाषाओं में जो भेद हैं, वे और भी महत्त्वपूर्ण हैं। प्राकृतों में पचीसों शब्द **ण्** से आरम्भ होते हैं; द्रविड़ भाषाओं में, अन्य आर्य भाषाओं के समान, एक भी शब्द **ण्** से आरम्भ नहीं होता। इसके अलावा प्राकृतों में जो व्यंजन-संहार का दृश्य दिखाई देता है, वह द्रविड़ भाषाओं में अदृश्य है। **तोल्काप्पियम्** की प्राचीन तमिल में जो शब्द मिलते हैं, उनमें अनेक आधुनिक तमिल में भी हैं। तमिल भाषा के विकास की किसी भी मंज़िल में इनका प्राकृतीकरण होता नहीं दिखाई देता। उत्तर-भारत से पहुँचे हुए कुछ शब्दों में वर्णलोप के उदाहरण मिलते हैं, यथा : **आकाश** से **आकायम्, उदीचि** से **ऊचि**। पर ऐसे शब्द बहुत थोड़े हैं। कुछ द्रविड़ भाषाएँ नाग भाषाओं के प्रभाव से मध्यवर्ती **क्** को संघर्षी रूप देती हैं। कुछ तमिल जन मध्यवर्ती **क्** को **ह्** रूप में बोलते हैं। पूर्वी बंगाल की बोलियों में मध्यवर्ती वर्णों का जैसा लोप होता है, वह कुछ-कुछ प्राकृतों की स्थिति से मिलता-जुलता है किन्तु सामान्यतः द्रविड़ भाषाएँ मध्यवर्ती स्पर्श-ध्वनियों की रक्षा करती हैं।

सबसे बड़ा भेद महाप्राणता को लेकर है। प्राकृतें महाप्राणता की रक्षा ही नहीं करतीं, कहीं-कहीं महाप्राणता जोड़ भी देती हैं, यथा : **कर्पर—खप्पर, किंकिणी—**

**खिंखिणी, वट—वढ, परुष—फरुस, गायन—घायन, जटिल—झडिल**। यदि द्रविड़ भाषाओं के प्रभाव से प्राकृतों का निर्माण होता तो उनमें ऐसे रूप सुलभ न होते। वास्तव में प्राकृतों की अपेक्षा संस्कृत पर ही द्रविड़ भाषाओं का प्रभाव अधिक है क्योंकि संस्कृत में अनेक शब्द इस प्रभाव के कारण अपनी महाप्राणता खोते हुए दिखाई देते हैं। अतः प्राकृत रूपों में सर्वत्र महाप्राणता जोड़ी गई हो, यह आवश्यक नहीं है। कुछ द्रविड़ भाषाएँ, आर्य भाषाओं के प्रभाव से, जहाँ-तहाँ अघोष महाप्राण ध्वनियाँ स्वीकार कर लेती हैं किन्तु सघोष महाप्राण ध्वनियों का व्यवहार उनमें नहीं होता, एक-आध उधार लिये हुए शब्द की बात दूसरी है। प्राकृतों में अघोष महाप्राण ध्वनियाँ सघोष महाप्राण ध्वनियों में बदलती हुई दिखाई देती हैं, यथा : **पठ्यते—पढीअदि, सुखे—सुघे, शफरी—सभरी**। संस्कृत के विपरीत प्राकृतों में दो महाप्राण व्यंजनों का संयोग भी दिखाई देता है, यथा : **अर्घ्य—अघ्घ, वक्षस्थल—वख्खथ्थल**। पिशल के अनुसार यह केवल एक वर्तनी की पद्धति है, उसका कोई उच्चारण के लिए महत्त्व नहीं है। हिन्दी में दो महाप्राण ध्वनियों का एक साथ उच्चारण होता है, जैसे **फुफ्फुस**। इसमें **फुप्फुस** जैसा उच्चारण नहीं होता। यह स्थिति प्राकृतों की भी हो सकती है। जो भी हो, प्राकृतों में सघोष महाप्राण ध्वनियाँ संस्कृत के मुकाबले कम नहीं हैं और यह तथ्य प्रमाणित करता है कि संस्कृत शब्दों के प्राकृत उच्चारण का कारण द्रविड़ प्रभाव नहीं है।

कुछ शब्दों की **क्ष्** ध्वनि प्राकृतों में **झ्** है, यथा : **क्षरति—झरइ, क्षाम—झाम**। द्रविड़ भाषाएँ संस्कृत शब्दों की **क्ष्** ध्वनि को दूसरे ढंग से बदलती हैं : **तक्षन्—तच्चन्, लक्षण—इलक्कणम् पक्षी—पट्चि, पक्कि**। उत्तर भारत में **क्ष्** ध्वनि दो तरह से ग्रहण की जाती है—**छ्** या **च्छ्** रूप में, अथवा **ख्** या **क्ख्** रूप में। इस प्रकार **लक्षण** से **लक्खन, पक्षी** से **पक्खी** बने, और इनसे तमिल के **इलक्कणम्, पक्कि** जैसे रूप महाप्राणता का लोप होने पर बने। दूसरी तरह से **तक्षन् तच्छन्** रूप में परिवर्तित हुआ और उससे तमिल का **तच्चन्** बना। **क्षरति** से **झरइ** जैसा रूप बनाना द्रविड़ भाषाओं के स्वभाव के विपरीत है।

मूर्धन्य सकार प्राकृतों में कहीं **ह्** में बदलता है कहीं **छ्** में। द्रविड़ भाषाओं में **ह्** ध्वनि आर्य प्रभाव से पहुँची है और **छ्** का व्यवहार उनमें नहीं होता। द्रविड़ भाषाओं में **ष्** वाले संस्कृत शब्द या तो **स्** ध्वनि के साथ ग्रहण किये जाएँगे या सकार का **ह्** में रूपान्तर हुआ तो **ह्** का लोप हो जाएगा, यथा : तमिल में **आषाढ़** से **आडि**। तमिल कहीं-कहीं मूर्धन्य **ष्** को अन्य मूर्धन्य स्पर्श-ध्वनि में बदलती है, यथा : **शेष—चेडन्, वृष—विडइ, मानुष—मानिडर्**। संस्कृत में **प्रावृष्** का एक रूप **प्रावृट्** होता है। उसी प्रवृत्ति के अनुरूप तमिल शब्दों में ध्वनि-परिवर्तन हुआ है। कहीं-कहीं तमिल **ष्** को **ळ्** भी बदलती है, यथा : **आयुष्—आयुळ्**। यह प्रवृत्ति संस्कृत में नहीं है।

प्राकृतों में दन्त्य **स्** बहुधा **ह्** में बदलता है। द्रविड़ भाषाओं में इस प्रवृत्ति के अन्तर्गत **स् ह्** में बदलता है किन्तु द्रविड़ भाषाएँ बहुधा **ह्** का लोप कर देती हैं, विशेष कर तमिल। इस प्रकार तमिल में **हरि** से **अरि** (सोना), **हारम्** से **आरम्** और **हिन्दी** से **इन्दी** रूप बने हैं। तुर्कों द्वारा प्रयुक्त **हिन्दिया** शब्द द्रविड़ प्रभाव से अंग्रेज़ी का **इन्डिया** बना है। तमिल भाषा दन्त्य और तालव्य, दोनों सकारों को कहीं **च्** में और कहीं **त्** में बदलती है। इस प्रकार **समय** के **तमयम्** और **चिमैयम्**, दो रूप बने। **श्री** के लिए तमिल में **तिरु** रूप प्रचलित है और **श्रेष्ठि** तमिल में **चेट्टि** बना। अनेक शब्दों में यह **श् ह्** में बदलता है (सम्भवत: दन्त्य **स्** में पहले परिवर्तित होने के कारण), फिर **ह्** का लोप हो जाता है। इस पद्धति के अनेक उदाहरण हैं : **शाला—आलइ, शरण—अरणम्** (किला), **श्रावण—आवणि** (फिर **ओणम्**), **श्रेष्ठि—एट्टि**। इसी क्रम से दन्त्य **स्** का भी लोप होता है : **समर—अमर, सभा—अवइ**। तमिल भाषा की अपनी प्रवृत्ति **श्** कोच में बदलने की है, यथा : **शकट—चकटम्, दिशा—तिचइ, अश्रद्धा—अचट्टइ, शृंखला—चंकिलि**। यह प्रवृत्ति अंशत: संस्कृत में है, यथा : **प्रश्न** के **प्रश्** से **प्रच्छति** रूप में। प्राकृतों में इसका प्रभाव है। प्राकृतों में जहाँ आदिस्थानीय **ह्** के साथ **ण्** भी जुड़ा हो, वैसा रूप द्रविड़ भाषाओं के लिए कल्पनातीत है, यथा : **नापित** के एक लुप्त प्रतिरूप **स्नापित** से बना हुआ प्राकृत का **ण्हाविअ**।

प्राकृतों में संस्कृत के संयुक्त स्वरों **अइ, अउ** का लोप हो गया है। **ऐतिहासिक एदिहासिक** बना, **कौमुदी** बदलकर **कोमुदी** हुई। पर ये ध्वनियाँ द्रविड़ भाषाओं में अब भी प्रयुक्त होती हैं, यथा : तमिल **पइयन्** (लड़का), **कउळि** (छिपकली)। यहाँ भी हम द्रविड़ भाषाओं को प्राकृतों की अपेक्षा संस्कृत के निकट पाते हैं। प्राकृतें दीर्घ स्वर के बाद संयुक्त व्यंजन स्वीकार नहीं करती। इसलिए संस्कृत शब्दों में इस प्रकार के परिवर्तन होते हैं : **ईश्वर—ईसर, कांस्य—कास, मांस—मास, ऊर्ध्व—उद्ध, प्रेक्षते—पॅच्छइ**। कहीं दीर्घ स्वर को ह्रस्व किया और कहीं संयुक्त व्यंजनों में एक को रखा, दूसरे को निकाला। द्रविड़ भाषाएँ दीर्घ स्वर के बाद व्यंजन द्वित्व स्वीकार करती हैं, भले ही ये दो व्यंजन अलग-अलग न होकर एक ही व्यंजन की आवृत्ति हों। द्रविड़ भाषाएँ इस मामले में संस्कृत के निकट और प्राकृतों से दूर है। पिशल ने लिखा है कि प्राकृतों में शब्द का अन्त्य व्यंजन लुप्त हो जाता है, केवल नासिक्य व्यंजन इसका अपवाद है। इस प्रकार **मनाक्** से **मणा, तावत्** से **ताव, अभूत्** से **अभू** रूप बने। द्रविड़ भाषाएँ नासिक्य ध्वनि के अलावा शब्द के अन्त में **य्, र्** और **ल्** ध्वनियाँ भी स्वीकार करती हैं। कुछ द्रविड़ भाषाएँ अन्य व्यंजन भी स्वीकार करती हैं, यथा : कुड़ुख़ **पाब्** (रास्ता), ब्राहूइ **बुद्** (टीला), **अड्** (थमना)। जो द्रविड़ भाषाएँ शब्द के अन्त में **य्-र्-ल्-म्-न्** के अलावा स्पर्श-ध्वनियाँ स्वीकार करती हैं, जैसे कुड़ुख़ और ब्राहूइ, वे उत्तर भारत की हैं। प्राकृतों

का विकास उत्तर भारत में हुआ। उत्तर की द्रविड़ भाषाओं को प्राकृतों के अनुरूप अधिक होना चाहिए था।

इस प्रकार प्राकृतों और द्रविड़ भाषाओं के ध्वनितंत्र का तुलनात्मक अध्ययन करने से यह सिद्ध नहीं होता कि संस्कृत से प्राकृतों की ओर विकास द्रविड़ भाषाओं के प्रभाव से हुआ। दोनों में कुछ लक्षण समान हैं किन्तु जहाँ भेद है, वहाँ वह बहुत महत्त्वपूर्ण है। वास्तव में द्रविड़ भाषाएँ जब संस्कृत से शब्द लेती हैं, तब वे अपनी तद्भवीकरण की प्रक्रिया का परिचय देती हैं।

## 15. उपसंहार

हिन्दी प्रदेश के दक्षिण और पूर्व में द्रविड़ भाषाओं के क्षेत्र हैं। प्राचीन काल में इससे मिलती-जुलती स्थिति थी। अन्तर यह था कि उत्तर-पश्चिमी प्रदेशों में जहाँ अब द्रविड़ों के क्षीण अवशेष मात्र हैं, वहाँ प्राचीन काल में उनकी अधिक घनी बस्तियाँ थीं। मध्यदेश की आर्य भाषाओं पर द्रविड़ प्रभाव सबसे कम है, मध्यदेश के परिवृत्त में जो आर्य भाषाएँ बोली जाती हैं, जैसे मराठी, पंजाबी और बंगला, उन पर द्रविड़ प्रभाव सबसे ज्यादा है। यह बहुत सम्भव है कि परिवृत्त के इन आर्य भाषा-क्षेत्रों में पहले द्रविड़ भाषाएँ बोलनेवाले काफी संख्या में रहते हों। यह धारणा इस स्थापना के विरुद्ध है कि उत्तर-पश्चिम से आनेवाले आर्य, वैदिक काल में, पंजाब और हरियाणा में रुक गए थे। यदि आर्य भाषाओं का पहला केन्द्र पंजाब में कायम हुआ तो सघोष महाप्राण ध्वनियों का लोप, आर्य भाषाओं में, सबसे ज्यादा पंजाबी में क्यों दिखाई देता है? मध्यदेश की भाषाएँ न केवल पंजाबी की तुलना में, वरन् संस्कृत की तुलना में भी, सघोष महाप्राण ध्वनियों का व्यवहार क्यों अधिक करती हैं? इसका कारण यही है कि आर्य भाषाओं के मूल केन्द्र मध्यदेश में थे।

वर्तमान काल में भाषाओं के जातीय क्षेत्र, कुछ सीमा-विवादों को छोड़कर, मोटे तौर से निश्चित हो चुके हैं। अब किसी एक भाषा के बोलनेवाले लाखों आदमी एक जाति के अंग हैं। प्राचीन काल में गण-समाज बहुत छोटे होते थे, भौगोलिक दृष्टि से उनके क्षेत्र बहुत सीमित होते थे। इन क्षेत्रों के आसपास अन्य परिवारों की भाषाएँ बोलनेवाले लोग होते थे। प्राचीन कोसल या भरतगण के क्षेत्रों के आसपास नाग, द्रविड़, कोल आदि अनेक भाषा-परिवारों के लोग रहते होंगे। इसी प्रकार दक्षिण भारत में आर्य भाषाएँ बोलनेवाले समाज भी रहते रहे हों तो आश्चर्य नहीं। गण-समाजों का युग समाप्त होने पर वर्ण-व्यवस्था वाले समाज बने। इन समाजों का क्षेत्र अधिक विस्तृत था। इन समाजों की भूमि को हम जनपद कहते हैं। जनपदों में रहनेवाली लघु जातियों में विभिन्न भाषाएँ बोलनेवाले घुल-मिल गए। गण-समाज रक्त-सम्बन्ध पर आधारित थे। उनमें विभिन्न परिवारों की भाषाएँ बोलनेवालों का घुलना-मिलना अधिक कठिन था। आर्यों में द्रविड़ और द्रविड़ों में आर्य, क्रमशः बृहत्तर समाजों में,

घुलते-मिलते रहे हैं। यही कारण है कि संस्कृत की अपेक्षा पंजाबी में द्रविड़ प्रभाव अधिक है। सम्राट अशोक और समुद्रगुप्त के समय में बाहर से और द्रविड़ कबीले आकर पंजाब में बस गए हों, इसका प्रमाण नहीं है। उत्तर भारत में आर्य गण-समाजों के पड़ोस में द्रविड़ लोग रहते थे, इसे तो बहुत लोग सरलता से मान लेंगे किन्तु दक्षिण भारत में आर्य भाषाएँ बोलनेवालों की बस्तियाँ थीं, यह स्वीकार करना उनके लिए कठिन होगा। इस सन्दर्भ में स्थानों के नाम अनुसन्धान में सहायक होते हैं। तमिल और संस्कृति का कोई युग नहीं है जिसमें **मदुरइ** तमिलनाडु का प्रमुख नगर न रहा हो। **मदुरइ** छोड़कर इसके अन्य किसी नाम का पता नहीं है। यह **मदुरइ** उत्तर भारतीय **मथुरा** है। मथुरा का पूर्व रूप **मधुरा** था। दक्षिण भारत की कुछ द्रविड़ जातियों के नाम आर्य भाषाओं के हैं। इनमें एक आन्ध्र जाति है। इस शब्द में सघोष महाप्राण ध्वनि सूचित करती है कि यह शब्द आर्य भाषा-परिवार का है। आन्ध्रजनों के पड़ोस में आर्य भाषाएँ बोलनेवाले अवश्य रहते होंगे, तभी उनके सम्पर्क से एक द्रविड़ समाज ने अपने लिए यह नाम स्वीकार किया। **श्-स्-ष्** का अर्थ-विच्छेदक व्यवहार करनेवाले तोद जन आर्य भाषाभाषी प्रतीत होते हैं जिन्होंने दक्षिण जाकर द्रविड़ भाषा स्वीकार की। तमिलनाडु में एक कथा परम्परा से चली माती है कि अगस्त्य मुनि ने प्रथम तमिल व्याकरण लिखा और वह प्रथम तमिल संघ (साहित्य समाज) के अध्यक्ष थे। ऐसी कहानियाँ इस तथ्य की ओर संकेत करती हैं कि तमिल संस्कृति के उन्मेष-काल में तमिलनाड़ु में आर्य भाषा-भाषियों की बस्तियाँ थीं।

द्रविड़ और आर्य भाषाएँ बोलनेवालों के सम्पर्क की अनेक मंज़िलें हैं। इनमें पहली मंज़िल वह है जब उत्तर-पश्चिमी भारत में आर्य और द्रविड़ भाषा-परिवारों का निर्माण हो रहा था। इस समय आर्य भाषाओं के साथ द्रविड़ भाषाएँ पश्चिमी एशिया और यूरोप की भाषाओं को प्रभावित कर रही थीं। आर्य-द्रविड़ सम्पर्क की दूसरी मंज़िल वह है जब उत्तर भारत में सामन्ती समाज-व्यवस्था के प्रसार के साथ शिक्षित जनों में संस्कृत का व्यवहार होता था। उत्तर भारत से ब्राह्मण संस्कृत ले गए, इनके साथ बौद्ध और जैन पालि और प्राकृत भी ले गए। किन्तु दक्षिण की भाषाएँ सीधे संस्कृत से तद्भव रूप बनाती हैं, पालि-प्राकृत का प्रभाव नगण्य है।

उत्तर भारत में मुगल शासन स्थापित होने पर अरबी-फ़ारसी के बहुत-से शब्द उत्तर भारतीय आर्य भाषाओं के माध्यम से दक्षिण पहुँचे। ऐसे कुछ शब्द अरबों से व्यापार करने के कारण, केरल में बसे हुए अरबों के कारण भी, आए होंगे। पर इनका मुख्य स्रोत उत्तर भारत की भाषा है। इसके बाद अंग्रेज़ी राज्य में और स्वाधीन भारत में यह सम्पर्क बराबर बढ़ता गया है।

उत्तर भारत से जो शब्द द्रविड़ भाषाओं ने लिये हैं, उन्होंने अधिकतर उनका तद्भवीकरण किया है। विशेष रूप से तमिल में यह प्रक्रिया बलवती है। इसका अध्ययन करने से द्रविड़ भाषाओं के ध्वनितंत्र की विशेषताओं का ज्ञान होता है। ये

विशेषताएँ एक-सी नहीं हैं। द्रविड़ भाषा-समुदाय के ध्वनितंत्रों की विविधता बहुत पुरानी है और इससे पुनः इस तथ्य की पुष्टि होती है कि भिन्न ध्वनि-प्रकृति वाली भाषाएँ द्रविड़ परिवार में शामिल हुई हैं, उनका उद्‌भव एकरूप ध्वनितंत्र वाली आदिभाषा से नहीं हुआ। इनका ध्वनितंत्र कुछ बातों में प्राकृतों से मिलता है किन्तु जिन बातों में नहीं मिलता, वे बहुत हैं और महत्त्वपूर्ण हैं। प्राकृतों का ध्वनितंत्र द्रविड़ों के प्रभाव से निर्मित हुआ, यह धारणा मिथ्या है। ध्वनितंत्र की विशेषताओं के साथ जब हम द्रविड़ भाषा-समुदायों के शब्द-भंडार का अध्ययन करते हैं तो ज्ञात होता है कि तमिल और मलयालम में ऐसे बहुत-से शब्द हैं जिनके प्रतिरूप न तो आर्य भाषा में हैं, न अन्य द्रविड़ भाषाओं में। यदि इन शब्दों को द्रविड़ गण उत्तर-पश्चिम से अपने साथ दक्षिण ले जाते तो सम्भावना यह थी कि इनके प्रतिरूप या तो आर्य भाषाओं में होंगे या अन्य द्रविड़ में। ऐसा न होने पर यह कल्पना सार्थक है कि ये शब्द केरल और तमिलनाडु के मूल द्रविड़ निवासियों के हैं। द्रविड़ भाषाओं में निरन्तर आदान-प्रदान होता रहा है। अनेक भाषाओं में प्रतिरूपों का मिलना इस बात का प्रमाण नहीं है कि वे सारे शब्द उत्तर-पश्चिमी द्रविड़ों की देन हैं। इस सन्दर्भ में अलग-थलग पड़ी हुई, सामाजिक दृष्टि से कम विकसित, द्रविड़ जातियों के शब्द-भंडार का अध्ययन विशेष लाभप्रद है। जिन भाषाओं का साहित्य पुराना है, उनके शब्द-रूप भी पुराने हों, यह अनिवार्य नहीं है। परिनिष्ठित द्रविड़ भाषाओं के अलावा जब इनकी उपभाषाओं, बोलियों, पिछड़े हुए कबीलों की भाषाओं का गहराई से सर्वेक्षण होगा, उनका शब्द-भंडार एकत्र होगा, तब इस बात का और गहराई से अध्ययन किया जा सकेगा कि दक्षिण भारत के द्रविड़ों की मूल भाषा-सम्पदा कितनी है और उसमें उत्तर-पश्चिमी द्रविड़ों का योगदान कितना है। इतना अब भी निश्चयपूर्वक कहा जा सकता है कि द्रविड़ भाषाओं के शब्दतंत्र में दो स्तर हैं, पहला उत्तर-पश्चिमी शब्दतंत्र और दूसरा शेष भारतीय द्रविड़तंत्र। इनमें उत्तर-पश्चिमी द्रविड़ शब्दतंत्र शक परिवार से नहीं, आर्य भाषा-परिवार से सम्बद्ध है। और ये उत्तर-पश्चिमी द्रविड़ मध्यदेश से सीधे सम्पर्क में नहीं हैं। मध्यदेश के केन्द्रों से आर्य भाषाओं का प्रसार उत्तर-पश्चिम की ओर हो रहा है। वहाँ उनसे द्रविड़ों का सम्पर्क होता है। इसी कारण मध्यदेश के परिवृत्त की आर्य भाषाओं पर द्रविड़ प्रभाव अधिक है।

3

# कोल भाषा-परिवार और हिन्दी प्रदेश

## 1. प्रस्तावना

भारत का एक प्राचीन भाषा-परिवार कोल है। बहुत-से लोग इसे मुंडा कहते हैं। डॉ. चाटुर्ज्या ने बंगला भाषा के उद्‌भव और विकास ग्रंथ में लिखा है कि मुंडा शब्द की अपेक्षा कोल शब्द का व्यवहार अधिक समीचीन है। कोल परिवार में मुंडा एक विशेष समुदाय है, कोल शब्द इस परिवार के सभी समुदायों के लिए प्रयुक्त होता रहा है। इस परिवार की भाषाएँ मध्य भारत, बिहार, पश्चिमी बंगाल और उड़ीसा के पहाड़ी क्षेत्रों में बोली जाती हैं। मुंडारी, संथाली, कूर्कू, हो, सवर या सोर भाषाओं के बोलनेवालों की संख्या लाख, दो लाख, कहीं पाँच लाख से ऊपर है, शेष भाषाओं के बोलनेवाले लाख से भी कम हैं और कुछ के बोलनेवाले हज़ार से भी कम हैं। पड़ोसी आर्य भाषाएँ बोलनेवाले समाजों के सामन्तों, साहूकारों, पूँजीपतियों ने अनेक कोल भाषाएँ बोलनेवाले गण-समाजों का शोषण किया है। मुगल काल में और अंग्रेज़ी राज में कोल जातियों का शोषण ही नहीं, सामूहिक संहार भी हुआ है।

कोल भाषा-परिवार को आस्ट्रो-एशियाटिक भी कहा जाता है। इस नामकरण से आशय यह है कि दक्षिण-पूर्वी एशिया के द्वीप समूहों से लेकर प्रशान्त महासागर के छोटे-बड़े द्वीपों को समेटते हुए आस्ट्रेलिया तक एक ही परिवार की भाषाएँ बोली जाती हैं। आस्ट्रेलिया तथा अन्य द्वीपों में यूरोप से आनेवाले लोग, अधिकतर अंग्रेज़ी-भाषी, बस गए हैं। इनसे भिन्न इन द्वीपों के निवासी आदिवासी (ऐबौरिजिनीज़) कहलाते हैं। भारत में आदिवासी शब्द पिछड़े हुए समाजों के लिए प्रयुक्त होता है। आदिवासी शब्द भ्रामक है। छोटा नागपुर में द्रविड़ भाषाएँ बोलनेवाले लोग आदिवासी हैं और तमिलनाडु के तमिलभाषी लोग आदिवासी नहीं हैं, यह बात तर्कसंगत नहीं है। बरो आदि विद्वानों ने इस धारणा का प्रचार किया है कि बाहर से आनेवाले आर्यों ने कोल और द्रविड़जनों को उनकी मूल भूमि से खदेड़कर जंगलों और पहाड़ों में भेज दिया। तुलनात्मक भाषाविज्ञान से यह सिद्ध नहीं होता कि सघोष महाप्राण ध्वनियों वाली भाषाएँ बोलनेवाले बाहर से आए थे क्योंकि भारत से बाहर इनके अल्पप्राण

अवशेष-मात्र हैं, इनका महाप्राण अस्तित्व केवल भारत में था, वैदिक काल में था और आज भी है। आर्य कोई भी हों, जिन्हें आर्य भाषाएँ कहते हैं, उनके आदिम रूपों के बोलनेवाले उतने ही भारतवासी और आदिवासी थे जितने कोल, द्रविड़ या नाग।

आस्ट्रो-एशियाटिक परिवार के बारे में बहुत-से भाषाविज्ञानी आश्वस्त नहीं हैं। यह धारणा कुछ-कुछ वैसी है जैसी कॉल्डवेल की शक परिवार सम्बन्धी स्थापना। एशिया और यूरोप का एक विराट् भाषा-परिवार जिसके एक छोर पर मंगोलिया की भाषा है, दूसरे छोर पर फिनलैंड की भाषा और तीसरे छोर पर तमिलनाडु की तमिल। भाषाविज्ञानी फिनोउग्रियन या यूरालिक परिवार, तुर्क मंगोल या अल्ताइ परिवार और द्रविड़ परिवार की अलग बात करना पसन्द करते हैं। उसी तरह अनेक विद्वान् आस्ट्रो-एशियाटिक परिवार को मुंडा परिवार, आस्ट्रोनीशियन परिवार, मोन्ख्मेर परिवार आदि में बाँट देते हैं। इसका यह अर्थ नहीं है कि इन परिवारों में कुछ भाषा-तत्त्व सामान्य नहीं हैं। यह सम्भव है कि आस्ट्रोनीशियन भाषाओं तथा कोल भाषाओं में कुछ तत्त्व सामान्य हों। अभी भारत की कोल भाषाओं पर यथेष्ट विवरणात्मक कार्य नहीं हुआ, आस्ट्रोनीशियन, मोन्ख्मेर आदि की स्थिति बहुत भिन्न नहीं है। पर जितनी सामग्री सुलभ है, उसके आधार पर इतना कहा जा सकता है कि भाषा-परिवारों के निर्माण के बारे में पुरानी धारणाओं के आधार पर इन भाषाओं का वर्गीकरण सम्भव नहीं है। इन भाषा-समुदायों के क्षेत्रों में परिनिष्ठित भाषाओं का विकास कम हुआ है, अत: गण भाषाओं की विविधता, ध्वनि-रूपों, शब्दों आदि के विकल्पों की बहुलता इतनी अधिक है कि ऐतिहासिक भाषाविज्ञान का इंडो-यूरोपियन साँचा बार-बार टूट जाता है। इसके अतिरिक्त भारत में कोल भाषाएँ आर्य-द्रविड़ परिवारों से इतना प्रभावित हुई हैं कि उनके मूल तत्त्वों को छाँटकर निकालना सरल कार्य नहीं है।

## 2. ध्वनितंत्र

कोल भाषाओं के ध्वनितंत्र की कुछ अपनी विशेषताएँ हैं। इनमें एक काकल्य स्पर्श-ध्वनि का व्यवहार है। इसे अंग्रेज़ी में ग्लौटल् स्टॉप् कहते हैं और इसके लिए प्रश्नचिन्ह जैसा ध्वनिचिन्ह बना देते हैं। संस्कृत में **अ** का लोप होने पर जैसे ऽ (अंग्रेज़ी के **ऐस्** जैसा) चिन्ह बना देते हैं या मात्राएँ गिनते समय दीर्घ मात्रा के लिए ऐसा चिन्ह बनाते हैं, उसका उपयोग नीचे बिन्दी लगाकर इस विशेष ध्वनि के लिए हम कर सकते हैं। स्क्रेपसरुद के अनुसार यह ध्वनि अरबी लिपि के **ऐन्** द्वारा व्यक्त ध्वनि से मिलती-जुलती है। (सुधिभूषण भट्टाचार्य द्वारा 'ए बोंडा डिक्शनरी' में उद्धृत) भारतीय विद्वान् बालगिरि के साथ मिलकर अमरीकी भाषाशास्त्री गम्पर्ज़ ने मुंडारी भाषा के ध्वनितंत्र पर 'इंडियन लिंग्विस्टिक्स' (जून, 1957) में अपने लेख में बताया है कि यह काकल्य स्पर्श-ध्वनि सभी मुंडा भाषाओं की विशेष ध्वनि है। इसके सिवा कोल भाषाओं में **क्, त्, प्** आदि व्यंजनों का एक अवरुद्ध रूप

भी होता है। अन्य भाषाओं में ऐसी स्पर्श-ध्वनियों के उच्चारण में पहले वायु का अवरोध होता है, फिर उसका विस्फोट होता है। जहाँ केवल वायु का अवरोध हो और विस्फोट न हो, वहाँ अवरुद्ध व्यंजनों का उच्चारण होगा। अंग्रेज़ी में ये 'चेक्ड कौंसोनेंट' कहलाते हैं। कोल भाषाओं की तीसरी विशेषता स्वरों की दीर्घता का अनिश्चित होना है। गम्पर्ज़ और बिलिगिरि के उक्त लेख में कहा गया है कि स्वर की दीर्घता पहचान में तो आ जाती है पर वह अर्थ-विच्छेदक नहीं होती। बिलिगिरि ने **खरिया** (अथवा **खड़िया**) भाषा का विवरण देते हुए अपनी पुस्तक में लिखा है कि उसमें सभी स्वरों के दीर्घ होने की प्रवृत्ति है। सुधिभूषण भट्टाचार्य ने एक अन्य कोल भाषा बोंडो अथवा बोंडा का विवरण देते हुए लिखा है कि इसमें स्वरों की प्रवृत्ति ह्रस्व होने की ओर है। जो शब्द देशी भाषा से आए हैं, उनमें स्वर दीर्घ भी होते हैं, यथा : हाट में प्रथम वर्ण का स्वर। यह भाषा उड़ीसा में बोली जाती है, देशी का अर्थ है उड़िया भाषा का शब्द। इस भाषा के अपने शब्दों में स्वर की दीर्घता अर्थ-विच्छेदक नहीं होती। जिन भाषाविज्ञानियों ने कोल भाषाओं का विवरण प्रस्तुत किया है, उनके लिए सबसे बड़ी कठिनाई स्वरों के विवेचन में आई है। ह्रस्व और दीर्घ स्वरों में भेद न करने की प्रवृत्ति नाग भाषाओं में भी है पर ये भाषाएँ स्वरतान वाली भाषाएँ हैं। किसी स्वर का अर्थ-विच्छेदक होना इस पर निर्भर है कि वह स्वर-सप्तक में कितनी ऊँचाई या निचाई से बोला जाता है, इस पर निर्भर नहीं है कि वह ह्रस्व है या दीर्घ है। आर्य भाषाओं में बंगला-असमिया में, कम से कम बोलचाल के रूप में, ह्रस्व-दीर्घ का भेद महत्त्वपूर्ण नहीं होता। इसका कारण नाग भाषाओं का प्रभाव हो, चाहे कोल भाषाओं का, दोनों का हो या किन्हीं अन्य भाषाओं का हो, यह प्रवृत्ति उनमें है ज़रूर। बंगला भाषा का क्षेत्र नाग और कोल भाषाओं से घिरा हुआ है। डॉ. चाटुर्ज्या ने बंगला भाषा पर अपने ग्रंथ के आरम्भ में ही लिखा है कि पश्चिम में कोल भाषाएँ हैं तथा उत्तर और पूर्व में नाग भाषाएँ हैं।

द्रविड़ भाषाओं के समान कोल भाषाओं में भी सघोष महाप्राण ध्वनियों का अभाव है किन्तु द्रविड़ भाषाओं की अपेक्षा ये महाप्राण ध्वनियों को अधिक सरलता से स्वीकार करती हैं। सुधिभूषण भट्टाचार्य ने बोंडा भाषा के बारे में लिखा है कि महाप्राणता महत्त्वपूर्ण नहीं है; जो देशी शब्द लिये जाते हैं, उनमें महाप्राण ध्वनियाँ हुईं तो उन्हें भी अल्पप्राण कर दिया जाता है। इसका कारण द्रविड़ परिवेश, या इस परिवेश से प्रभावित उड़िया जैसी भाषा का पड़ोस हो सकता है। इसके विपरीत खरिया भाषा में, बिलिगिरि के अनुसार, **भ्, ढ्** आदि सघोष महाप्राण ध्वनियों का व्यवहार होता है। अनेक द्रविड़ भाषाओं के समान कोल भाषाओं में भी सघोष ध्वनियों का व्यवहार होता है। द्रविड़ भाषाओं के समान कोल भाषाओं पर मूर्धन्य ध्वनियों वाली भाषाओं का प्रभाव पड़ा है। कुल मिलाकर कोल भाषाएँ द्रविड़ भाषाओं की अपेक्षा आदिस्थान में मूर्धन्य ध्वनियों का व्यवहार अधिक करती हैं। इन ध्वनियों में **ड़्** भी

है पर **ण्** का व्यवहार कम होता है। खरिया में **ङ्, ञ्, न्, म्** नासिक्य ध्वनियाँ हैं, **ण्** का उल्लेख नहीं है। सुधिभूषण भट्टाचार्य ने बोंडा के लिए लिखा है कि कुछ उधार लिये हुए शब्दों में **ण्** का व्यवहार होता है। हिन्दी-क्षेत्र की बोलियों के समान कोल भाषाओं में **ट् ड्** वाले शब्द खूब हैं, आदिस्थान में भी आते हैं, किन्तु **ण्** का अभाव है। मुंडारी में, गम्पर्ज और बिलिगिरि के अनुसार, मध्यवर्ती **ण् ङ्** में बदल जाता है; उसका नासिक्य भाव पूर्ववर्ती स्वर में गृहीत होता है, यथा : **काणा** (काना) **काँड़ा** बोला जाएगा।

कोल भाषाओं की एक उल्लेखनीय विशेषता यह है कि शब्द के आरम्भ में **ङ्, ञ्** जैसी नासिक्य ध्वनियों का प्रयोग हो सकता है। बोंडा भाषा के **ञेरी** (शरीर), **ङ्कुई** (छोटी बहन) जैसे शब्दों में यह प्रवृत्ति देखी जा सकती है। कभी-कभी आर्य भाषाओं से प्राप्त शब्दों में एक अतिरिक्त **ङ्** जोड़ दिया जाता है, यथा : **ग्राम** या **गाँव** का बोंडा रूप है **ङ्गौम्**। कुछ शब्दों में किसी व्यंजन के साथ **म्** या **न्** जैसी नासिक्य ध्वनि शब्द के आदिस्थान में आती है, यथा : **न्डे** (लाना), **म्बु** (चाची)। यह प्रवृत्ति व्यापक नहीं है और बोंडा जैसी भाषा में इसका कारण नाग-प्रभाव हो सकता है। **ञ्** आदिस्थान में अनेक भाषाओं में आता है और यह इस परिवार की विशेष नासिक्य ध्वनि प्रतीत होती है। गम्पर्ज और बिलिगिरि के उपर्युक्त लेख में मूर्धन्य पार्श्विक **ळ्** का भी उल्लेख है। हिन्दी **बैंगन** पहले **बैंगल** हुआ, फिर **बेंगळ** बना। इसी प्रकार **कलश कळ्सा** रूप में गृहीत हुआ है। ये उदाहरण उक्त विद्वानों के मुंडारी-ध्वनितंत्र के विवरण में है। इनके अनुसार आदिस्थान में दो व्यंजन एक साथ नहीं आते जिससे इस धारणा की पुष्टि होती है कि बोंडा में **न्द्, म्प्** जैसे व्यंजनगुच्छ किसी अन्य प्रभाव के कारण हैं। मूर्धन्य पार्श्विक **ळ्** का व्यवहार भी द्रविड़ प्रभाव के कारण हो सकता है।

**कोल** शब्द संथाली में **होड़** है। कोल भाषाओं में इस तरह का परिवर्तन काफी व्यापक है। 'लिंगुआ' नाम की पत्रिका (खंड 14, 1965) में कुइपर ने कोल भाषाओं में व्यंजन-परिवर्तन पर 'कौंसोनेंट् वैरिएशन्' नाम का लेख लिखा था। इसमें जो अनेक प्रकार के परिवर्तन दिखाए गए हैं, उनमें एक वह है जहाँ **क्-ख्-ग्-घ्** ध्वनियाँ **ह्** में बदलती हैं। इनमें **ख्** और **घ्** कोल भाषाओं की मूल ध्वनियाँ नहीं हैं। इस कोटि का परिवर्तन आर्य भाषाओं में भी होता है। आर्य भाषाओं में **क्** और **ग्** बहुत कम **ह्** में बदलते हैं पर पूर्वी बंगाल की बोलियों में तथा तमिल में मध्यवर्ती **क् ग्** को **ह्** में बदलने की प्रवृत्ति है। ऐसा परिवर्तन उन क्षेत्रों में होता है जहाँ नाग भाषाओं का प्रभाव अधिक रहा है। क-वर्गीय ध्वनियाँ चाहे अल्पप्राण हों, चाहे महाप्राण, परिवर्तन की प्रक्रिया वही है। स्पर्श-ध्वनि के उच्चारण में वायु के अवरोध की क्रिया पूर्ण नहीं होती, इस कारण स्पर्श-ध्वनि के स्थान पर संघर्षी ध्वनि का उच्चारण होता है। यह संघर्षी ध्वनि महाप्राण **ह्** रूप में व्यक्त होती है।

कोल भाषाएँ भारत के पूर्वी सीमान्त पर नाग भाषाओं के सम्पर्क में आई हैं, अतः यह एक स्वाभाविक घटना है। अन्य भारतीय भाषाओं में आदिस्थानीय **क्** या **ग्** बहुत कम बदलता है। कोल भाषाओं में ऐसा परिवर्तन सामान्य है। कूर्कू भाषा के **कोन्** (पुत्र), **काकू** (मछली), **कोरो** (पुरुष), **कोइयो** (हवा), **कोलोम्** (आटा) के संथाली प्रतिरूप, कुइपर के उक्त लेख में, इस प्रकार हैं : **होन्, हको, होड़, होए, होलोड**। इस सन्दर्भ में कुइपर ने **कैकय** के संस्कृत प्रतिरूप **हैहय** का उल्लेख किया है। मध्यवर्ती **क्** कभी-कभी एक ही भाषा में **ह्** में बदलता दिखाई देता है। कुइपर ने संथाली से अनेक उदाहरण दिये हैं : **चएकाब—चएहाब** (मुँह बाये खड़ा व्यक्ति), **चुकुज्—चोहोद्** (हल्के से छूना), **चिगचगे, चिहचहे** (पैर एक दूसरे से अलग रखे हुए)। कुछ शब्दों के अन्त में **क्** या **ग्** आता है तो वह ऽ में बदलता दिखाई देता है। मुंडारी के लिए गम्पर्ज़ ने लिखा है कि इस भाषा के शब्दों के अन्त में **क्** आता ही नहीं है, उसके स्थान पर ऽ़ का उच्चारण होता है। बिलिगिरि ने खरिया से अनेक उदाहरण दिए हैं जहाँ शब्द के अन्त में आनेवाला **ग्** उसी ऽ़ में बदल जाता है : **डग्—डऽ, तिग्—तिऽ, पेग्—पेऽ**। स्पर्श-ध्वनि पहले **ह्** में परिवर्तित हुई, फिर महाप्राणता का लोप होने से केवल ऽ़ ध्वनि बच रही। अनेक भाषाओं में जहाँ महाप्राणता का लक्षण निर्बल होता है, वहाँ आदिस्थान में तो महाप्राण ध्वनि बनी रहती है, अन्त्यस्थान में उसका लोप हो जाता है। यही स्थिति बंगला की है और उससे मिलती-जलती प्रक्रिया कोल भाषाओं में घटित होती है। **क्, ह्,** ऽ, कोल भाषाओं में इन तीनों ध्वनियों का परस्पर प्रवर्तन सिद्ध करता है कि कोल भाषाओं पर भिन्न परिवारों के विरोधी प्रभाव पड़े हैं। किन्तु काकल्य स्पर्श-ध्वनि ऽ़ इन भाषाओं की अपनी ध्वनि है, उसका व्यवहार अनेक सन्दर्भों में होता है जिनमें एक सन्दर्भ वह है जहाँ यह ध्वनि **ह्** का स्थान लेती है।

इंडो-यूरोपियन परिवार की अत्यन्त प्राचीन हित्ती भाषा के प्रसंग में इस काकल्य स्पर्श-ध्वनि की बहुत चर्चा हुई है। स्टुर्टेवेंट के अनुसार आदि-इंडोहित्ती भाषा में यह ध्वनि थी, वह हित्ती में विद्यमान है, संस्कृत लैटिन आदिभाषाओं में उसका लोप हो गया है। इस प्रकार की कोई लुप्त ध्वनि इंडो-यूरोपियन भाषाओं में थी, इसका अनुमान हित्ती भाषा का पता लगने से पहले ही सोस्योर ने किया था। हित्ती भाषा यूरोप की भाषा नहीं है, पश्चिमी एशिया की भाषा है, ग्रीक और लैटिन की अपेक्षा उसका सम्बन्ध संस्कृत से अधिक है। इंडो-यूरोपियन परिवार की भाषाओं में हित्ती को छोड़कर अन्य किसी भाषा में उक्त काकल्य ध्वनि के चिन्ह नहीं पाए गए। यदि हित्ती में यह ध्वनि वास्तव में थी तो जिस निकटतम भाषायी परिवेश से वह उसे प्राप्त हो सकती थी, वह भारतीय कोल भाषाओं का परिवेश है।

कोल भाषाओं में ध्वनि-परिवर्तन की एक विशेषता यह है कि **द्-ड्** ध्वनियाँ **र्** और **ल्** में बदलती हैं। कुइपर ने लिखा है कि अनेक आस्ट्रो-एशियाटिक शब्दमूलों

में **त्-द्** का **र्** में परिवर्तन अत्यन्त प्राचीनकाल से होता जान पड़ता है। यहाँ यह स्पष्ट कर देना उचित है कि **त्-द्** और **र्** में **त्-द्** मूल ध्वनियाँ हैं, यह आग्रह कुइपर का नहीं है। इससे पहले **क्-ख्-ग्-घ्** के **ह्** में बदलने की जो बात कही गई है, उसमें भी कुइपर मूल ध्वनि के बारे में कोई मत प्रकट नहीं करते। उनके लिए ध्वनि-भिन्नता का तथ्य यथेष्ट है। समग्र भारतीय भाषायी परिवेश पर विचार करने से इस बारे में सन्देह नहीं रह जाता कि **क्-ख्-ग्-घ्** के समानान्तर जिन शब्दों में **ह्** का व्यवहार होता है, उनमें मूल ध्वनियाँ **क्-ख्-ग्-घ्** हैं। इसी प्रकार **त्-द्-ट्-ड्** के समानान्तर जहाँ **र्** और **ल्** का व्यवहार होता है, वहाँ **त्-द्-ट्-ड्** ही मूल ध्वनियाँ हैं। जहाँ आर्य भाषाओं के शब्द कोल भाषाओं में पहुँचे हैं और उक्ति कोटि की ध्वनि-भिन्नता दिखाई देती है, वहाँ यह निश्चित करना सरल है कि **ल्** और **र्** स्पर्श-ध्वनियों का स्थान ले रहे हैं, यथा : कुइपर के उदाहरणों में **ढिलोङ् ढोकोज्** (ढीला-ढाला) का प्रतिरूप **लिलो लोको** है। यहाँ सघोष महाप्राण ध्वनि मूल शब्द की ध्वनि है। महाप्राणता के लोप के बाद **ड्** ध्वनि **ल्** में बदल गई है। इसी प्रकार हिन्दी **टरकाओ** का प्रतिरूप **लरकाओ** है। दोनों रूपों का व्यवहार होता है; संथाली **टरकाओ** में मूल शब्द का **ट्** है, महली में **लरकाओ** है। **र्** और **ल्,** दोनों ऐसी ध्वनियाँ हैं जो अन्तःस्थ हैं, इनकी स्थिति स्वरों और व्यंजनों के बीच में है। जिन भाषाओं में स्पर्श-ध्वनियों का उच्चारण करते समय वायु का निरोध क्षीण होता है, वहाँ यह स्वाभाविक है कि स्पर्श-ध्वनियों के स्थान पर अन्तःस्थ ध्वनियों का व्यवहार हो। कोल भाषाओं के बारे में ऊपर **क्-ह्** वाले प्रसंगों में जो कुछ कहा गया है, उस पर ध्यान दें तो विदित होगा कि **क्-ह्** और **द्-र्** जैसे परिवर्तन एक ही व्यापक प्रवृत्ति के अन्तर्गत हैं।

तमिल के समान कोल भाषाओं में जहाँ-तहाँ आदिस्थानीय **ल्** के पहले अतिरिक्त स्वर जोड़ने की प्रवृत्ति है। गम्पर्ज़ मुंडारी ध्वनितंत्र वाले लेख में कहते हैं कि आदिस्थानीय **ल्, स्, त्** और नासिक्य ध्वनियों के उच्चारण के पूर्व हल्का अतिरिक्त स्वर-संयोग सुनाई देता है। इसका अर्थ यह हुआ कि अन्तःस्थ और नासिक्य ध्वनियाँ आदिस्थान में अग्रिम स्वर की सहायता चाहती हैं और इन सभी ध्वनियों की विशेषता यह है कि इनमें स्पर्शतत्त्व क्षीण है।

तमिल और मलयालम के समान कुछ कोल भाषाएँ आदिस्थानीय **न्** की जगह **ञ्** का व्यवहार करती हैं। मुंडारी भाषा में **नेल्** का अर्थ है देखना; संथाली में इसका प्रतिरूप है **ञेल्**। खरिया में **नु** का अर्थ है पीना; संथाली में इसका प्रतिरूप है **ञु**। तमिल में **नन्दु, ञन्डु** (केंकड़ा), **नाञ्जिल्—ञाञ्जिल्** (हल) जैसे वैकल्पिक रूप हैं। तमिल के समान संथाली में **श्** ध्वनि **च्** में बदलती दिखाई देती है। संथाली शब्द **चुपि** संस्कृत **शेप** (पूँछ) का प्रतिरूप है। कोल भाषाओं की एक विशेषता संयुक्त स्वरों का व्यवहार है; **इ, ए, ओ, उ** के साथ **अ** का संयोग होता है, **ओ** और **अ**

के साथ **उ** का संयोग होता है। गम्पर्ज ने मुंडारी से इस कोटि के संयुक्त स्वरों के उदाहरण दिये हैं। **अ, उ, ओ** के साथ **इ** के संयोग से भी संयुक्त स्वर बनते हैं। संयुक्त स्वरों की ऐसी विविधता बंगला में है या फिर तमिल में।

### 3. शब्दतंत्र

द्रविड़ भाषाओं के समान बरो आदि ने संस्कृत पर कोल भाषाओं के प्रभाव का भी अध्ययन किया है। संस्कृत भाषा पर अपने ग्रंथ में बरो ने केवल दस शब्द दिये हैं जो उनके विचार से संस्कृत में कोल भाषाओं से आए हैं। द्रविड़ शब्दों की अपेक्षा इनकी संख्या बहुत ही कम है। इनमें एक शब्द **कर्पास** है। मलय भाषा से **कपस** शब्द दिया है जो स्पष्ट ही हिन्दी कपास का प्रतिरूप है। भारतीय कोल भाषाओं से उन्होंने **कपस** या कपास जैसा कोई शब्द नहीं दिया। यहाँ रोचक बात यह है कि उन्होंने संस्कृत शब्द के साथ ग्रीक **कर्पसोस्** भी दिया है। इसे उन्होंने संस्कृत **कर्पास** से व्युत्पन्न माना है। इसके लिए वह विशेष धन्यवाद के पात्र हैं क्योंकि यह एक ऐसा विरल शब्द है जो उनकी दृष्टि में पूर्व से पश्चिम को गया है। पर यदि संस्कृत **कर्पास** मलय **कपस** जैसे किसी कोल शब्द के आधार पर बना है तो मानना होगा कि यह शब्द ग्रीक भाषा में या तो सीधे कोल भाषाओं से पहुँचा है या संस्कृत के माध्यम से पहुँचा है। बरो की दृष्टि में आस्ट्रो-एशियाटिक और आर्य भाषाओं में कोई शब्द सामान्य हो तो उसे आर्य भाषाओं द्वारा उधार लिया हुआ मानना चाहिए। इसी प्रकार उन्होंने **लाङ्गल** शब्द लिया है। यह शब्द कोल भाषाओं में है, संस्कृत में है। बंगला में यह शब्द प्रयुक्त होता है किन्तु हिन्दी-क्षेत्र में **हल** चलता है, **लाङ्गल** नहीं। इस कमी को बरो ने **कल** को शब्दमूल मानकर दूर कर दिया है। **कल** में उपसर्ग लगा तब **लाङ्गल** रूप बना, जब न लगा, तब **कल** हिन्दी का **हल** हो गया। **लाङ्गल** के उपसर्ग का क्या अर्थ है, उसे लगाने से **कल** के अर्थ में क्या विशेषता उत्पन्न हुई, यह उन्होंने नहीं बताया। **हल**-सम्बन्धी शब्द कुछ अन्य अर्थों में भी प्रयुक्त होते हैं। **लाङ्गल** का एक अर्थ पुरुष की जननेन्द्रिय है। **लाङ्गल** का एक संस्कृत प्रतिरूप लाङ्गल है। **लङ्ग** का अर्थ लँगड़ा है और **लाङ्गल** का अर्थ पूँछ है। ऐसा अर्थ-विस्तार बरो ने आस्ट्रो-एशियाटिक भाषाओं में नहीं दिखाया। हल के लिए **लाङ्ग** शब्द का व्यवहार आर्य भाषाओं के एक सीमित क्षेत्र में होता है। हिन्दी-क्षेत्र में **लाङ्गल** गोत्र के **लंगूर, लंगोट** और **लँगड़ा** शब्दों का चलन है। बरो ने **कदली** शब्द के जो प्रतिरूप दिये हैं, उनमें मध्यवर्ण **द** का अभाव है। अधिक-से-अधिक वे **केला** के प्रतिरूप कहे जा सकते हैं और **केला** स्वयं **कदली** से व्युत्पन्न है। इसे कोल भाषाओं की देन नहीं कहा जा सकता।

बरो ने जो थोड़े-से शब्द दिये हैं, वे संस्कृत में कोल भाषाओं से ही आए हों, तो भी उनसे आर्य-कोल भाषा-परिवारों के घनिष्ठ सम्बन्धों का ज्ञान नहीं होता।

संस्कृत शब्द या उनके प्रतिरूप कोल भाषाओं में काफ़ी संख्या में हैं। इनमें अनेक शब्द ऐसे हैं जो बोलचाल की हिन्दी में प्रयुक्त नहीं होते, साहित्यिक हिन्दी में भी उनका प्रयोग कम ही होता है। कोल भाषाएँ बोलनेवालों की जैसी सामाजिक स्थिति इस समय है, उसे देखते कोई न कहेगा कि संस्कृत या आधुनिक आर्य भाषाओं में रचा हुआ साहित्य पढ़कर कोल जनों ने ये शब्द ग्रहण किये हैं। जिस समय संस्कृत शिष्ट वर्ग की विशिष्ट सांस्कृतिक भाषा बनी, उस समय भी ब्राह्मणों के सम्पर्क से कोलजनों ने ये शब्द ग्रहण किये होंगे, सम्भव नहीं लगता। ये शब्द उस समय की याद दिलाते हैं जिस समय प्राचीन आर्य भाषाएँ बोलनेवाले विभिन्न गण-समाज इतर जनसमुदायों के सम्पर्क में आते थे। उस समय ऐसे अनेक शब्द पश्चिमी एशिया और यूरोप की अनेक भाषाओं में पहुँचे थे।

इनमें एक शब्द है **दारु**। खरिया, मुंडारी, संथाली आदिभाषाओं में इस शब्द का व्यवहार होता है। संस्कृत **दारु** के अतिरिक्त **द्र, द्रुम** और अंग्रेज़ी **ट्री** इसी से सम्बद्ध हैं। खेत जोतने के लिए मुंडारी में **सी, सीने, सिउ**, संथाली में **सी**, बोंडा में **सिने, सेने** आदि शब्दों का चलन है। इनका सम्बन्ध प्राचीन भारतीय क्रिया **से** से है। इसी से मराठी **शेत** और संस्कृत **क्षेत्र** बने हैं। हल चलाने से जो भूमि खोदी जाती है, वह **सीता** है। अंग्रेज़ी में बोने के लिए **सो** शब्द है और लैटिन में बोने के लिए **सेमॅन्** और बुवाई के लिए **सॅरो** शब्द हैं। अंग्रेज़ी शब्द **सीड** (बीज) इसी शृंखला में है। खरिया में जल के ऊपर तैरने के लिए **उप्लेना** शब्द **प्लव** से सम्बद्ध लगता है। संस्कृत शब्द **उद** हिन्दी आदिभाषाओं में अब जल के लिए प्रयुक्त नहीं होता, जल ही काफी पांडित्यपूर्ण है। खरिया में **उद्** पीने के लिए प्रयुक्त होता है। मुंडारी में संस्कृत **सद्म** का प्रतिरूप **सादोम्** (मकान) है। हिन्दी शब्द अब बहुत साहित्यिक सन्दर्भों में ही प्रयुक्त होता है। इसी भाषा में **पांडु** (भूरा) और **पुंडि** (सफेद) शब्दों का प्रयोग होता है। मुंडारी **रा** (पुकारना), संथाली **रोड़** (बोलना, भाषा) संस्कृत की **रु** (गरजना, गाना) जैसी क्रिया से सम्बद्ध है। बोंडा भाषा में **अर्के** चन्द्रमा के लिए प्रयुक्त होता है। इसका सम्बन्ध संस्कृत **अर्क** (सूर्य) से है। इसी भाषा में जाने के लिए **इ** क्रिया है। ऐसी ही क्रिया का व्यवहार संस्कृत में होता है। दाढ़ के लिए इस भाषा में संस्कृत **जम्भ** का प्रतिरूप **जम** है। चमकने के लिए बोंडा में **तरऽ** शब्द है जिससे मिलता-जुलता संस्कृत **तारा** है। मुंडारी में **काल** शब्द वर्ष के लिए प्रयुक्त होता है, जैसे समयसूचक **वार** शब्द हिन्दी में **दिन** के लिए प्रयुक्त होता है। खरिया में **मेद** और **नेल** देखने के लिए प्रयुक्त होनेवाली क्रियाएँ हैं। **मेद** से **नेल** का विकास हुआ होगा। नाग समुदाय की बोरो भाषा में **नय्** का अर्थ है देखना। (देखें : शंकर भट की 'बोरो वोकॅबुलरी', पूना, 1968, पृ. 25) एक से अधिक भाषा-परिवारों में पाई जानेवाली इस क्रिया से **नेत्र, नयन** आदि शब्दों का सम्बन्ध है। छोटे गाँव या खेड़ा को खरिया में **केल** कहते हैं। पश्तो में **खेल** गाँव के लिए प्रयुक्त होता है और संस्कृत

में **खिल** शब्द ऊसर भूमि के लिए प्रयुक्त हुआ है। इस शब्द में जनसमुदाय का अर्थ भी निहित है, जैसा कि **निखिल** शब्द से ज्ञात होता है। हिन्दी **खेड़ा**, अवधी **खेरु** खरिया **केल** से सम्बद्ध हैं। मुंडारी भाषा में पुरोहित के लिए **जाजक** शब्द **याजक** का प्रतिरूप है। इस भाषा में ग्रीष्म **ऋतु** को **जेटेसा** या **जेटेसिंगी** कहते हैं। इनका सम्बन्ध **ज्येष्ठ** से है। बात करने के लिए **काक्ला** शब्द संस्कृत **काकली** की याद दिलाता है। केंकड़े के लिए **काड़कोम्** या **काटकोम्** शब्द है जहाँ संस्कृत **कर्कट** की **र्** ध्वनि **ट्** और **ड़्** में परिवर्तित है। खलिहान के लिए **कोलोम्** संस्कृत **खल** का प्रतिरूप है। **सुई** के लिए **सुइ** शब्द ही है। संस्कृत **सिव्** (सीना), लैटिन **सुओ** (उप.) के समान इस भाषा में **सु** क्रिया भी है जिसका अर्थ है किसी चीज़ में हाथ घुसेड़ना। **ओस** के लिए **सिसिरदा** शब्द है और संथाली में भी **सिसिर** है। सम्भव है बंगला के प्रभाव से **शिशिर** शब्द यहाँ पहुँचा हो। संथाली में **बोङ्ग** शब्द **देवता** के लिए आता है। मुंडारी में भी इस शब्द का चलन है। **भग** के पूर्व रूप **भर्ग** से **भङ्ग**, फिर उससे **बोङ्ग**। झुकाने के लिए **कुबि** शब्द आर्य भाषा की क्रिया **कुभ्** से सम्बद्ध है जिससे **कुभा, कुबेर, कुब्ज** आदि शब्द बने हैं। इसी भाषा में **पुरासा** का अर्थ है बहुत बार। इसका सम्बन्ध समृद्धिसूचक **पुर** शब्द से है जिसका तमिल प्रतिरूप **पल** और ग्रीक प्रतिरूप **पॉलुस्** है। **इतुआना** (जाना), **इतुन** (सीखना), **इतुनि** (शिक्षक) संस्कृत क्रिया **विद्** के प्रतिरूप **इतु** से बने हैं। **धुएँ** के लिए **धूना** शब्द है जो **धूम** का प्रतिरूप है। रोचक तथ्य यह है कि संस्कृत शब्द का नासिक्य व्यंजन कोल रूप में बना हुआ है, हिन्दी **धुआँ** के स्वर में नासिक्य भाव छोड़कर वह लुप्त हो गया है। **धुएँ** के लिए ही मुंडारी का अन्य शब्द है **धुँगिआ**। **धूम** से **धूङ**, फिर **धुँगिआ**। सघोष महाप्राण **ध्** से आरम्भ होनेवाले ये शब्द मुंडारी के अपने शब्द नहीं हैं पर आर्य भाषाओं से भी वे उस समय लिये गए होंगे जब **धूम** का चलन व्यापक था। **धाक** और **धाप, लपट** और **ऊष्मा** के लिए प्रयुक्त होते हैं। संथाली में **गर्मी** के लिए **धिपउ** और **गर्म** के लिए **धुक** शब्द हैं। **धूप** का प्रतिरूप **धूप** भी है। **ऊष्मा** सूचक **धू, धी, धा** जैसी क्रियाओं से ये शब्द बने हैं। संथाली **धुड़साउ** का अर्थ है जलाना, झुलसाना। हिन्दी **झुलसाना** की तुलना में संथाली शब्दमूल **ध्** ध्वनि सुरक्षित किये है। संस्कृत **अध्वर** (यज्ञ) में **ध्वर** वाला अंश **अग्नि** का अर्थ देता है। संथाली रूप **धुड़साउ** और हिन्दी **झुलसना ज्वल्** के बदले **ध्वर्** से सम्बद्ध हैं। संथाली में संस्कृत **घूसर** का प्रतिरूप **धुसरा** प्रचलित है। मुंडारी में **उसुन उसुन** (थोड़ा गर्म) उष्ण का प्रतिरूप है और कश्मीरी **वशुन्** की याद दिलाता है। **पूँछ** के लिए **चादलोम** का सम्बन्ध **छाद** और **लूम** से है; बोलों से ढँका अंग **छादरोम, चादलोम**।

खरिया में नदीवाचक **ओम्पय् अम्भ** और **पय**, दोनों से सम्बद्ध हो सकता है। **लरङ्** (बेल) शायद **लता** से बना है जहाँ **त्** ध्वनि **र्** में परिवर्तित हुई है। **मुगम्** (सामने) **मुख** का द्रविड़ प्रभावित रूप है। संथाली में दूध देनेवाली गाय के लिए

**धिनुआड़** शब्द का सम्बन्ध **धेनु** से है। आग जलाने के लिए **डहि, डहओ** क्रियाओं का सम्बन्ध **दह्** से है। भँवर के लिए **घूर्नि** संस्कृत क्रिया पूर्ण से बना हुआ शब्द है। मारने के लिए संस्कृत के समान **दल्** क्रिया है। जीवन के लिए **जीवेत** शब्द है। प्रचलित शब्द **जीवन** के स्थान पर **त** प्रत्यय वाले रूप का चलन प्राचीनता का सूचक है। **जीवित** के अर्थ में भी इस शब्द का प्रयोग होता है। परिवार के लिए **गुत्री** शब्द **गोत्र** की ओर संकेत करता है। **चन्दो** शब्द चन्द्रमा के अतिरिक्त सूर्य के लिए भी प्रयुक्त होता है। **चन्द्र** शब्द **कम्** या **कन्** जैसी प्रकाशसूचक क्रिया से बना है, इसलिए **चन्द्र** का मूल अर्थ कोई भी चमकनेवाली वस्तु होगा, वह चाहे सूर्य हो चाहे चन्द्रमा। संथाली **सुकरी** (सूअर) में, हिन्दी रूप से भिन्न, मध्यवर्ती स्पर्श व्यंजन का लोप नहीं हुआ। **जाल** के लिए **पाश** का प्रतिरूप **पसि** है। संथाली में एक आश्चर्यजनक शब्द **तिस्** है जिसका अर्थ है कब। आश्चर्यजनक इसलिए है कि **तिस्** शब्द प्रश्नसूचक अर्थ में ग्रीक भाषा में भी प्रयुक्त होता है। लैटिन **क्विस्, क्विद्** का ग्रीक प्रतिरूप है **तिस्** (क्या)। यहाँ हौफमैन का उल्लेख करना आवश्यक है।

जॉन हॉफ़मैन ने 'एन्साइक्लोपीडिया मुंडारिका' नाम का बृहत् ग्रंथ 20वीं सदी के प्रथम चरण में तैयार किया था। यह पटना से 1950 में प्रकाशित हुआ था पर इसकी भूमिका 1924 में लिखी गई थी। हौफ़मैन ने आर्थर वान एमेलेन की सहायता से यह ग्रंथ उस समय तैयार किया था जिस समय कोल भाषाओं की ओर बहुत कम ध्यान दिया जाता था। मेरी जानकारी में वह पहले व्यक्ति हैं जिन्होंने आर्य और कोल भाषाओं के सम्बन्धों पर ध्यान दिया था। भारतीय आर्य भाषाओं के अलावा इनसे सम्बद्ध यूरोप की भाषाओं से भी कोल भाषाओं के सम्बन्ध का उल्लेख उन्होंने किया था। भूमिका में लिखा था, बहुत-सी तथाकथित आर्य धातुएँ मुंडारी भाषा में भी हैं। इनमें से अनेक संस्कृत या उससे सम्बद्ध भाषाओं की धातुएँ भी हैं। 'किन्तु यह बात बहुत आश्चर्यजनक है कि इनमें काफी धातुएँ ऐसी हैं जो इंडो-जर्मैनिक भाषाओं की भारतीय शाखाओं में नहीं मिलतीं किन्तु उस परिवार की गैर-भारतीय भाषाओं में मिलती हैं।' इससे हौफ़मैन ने नतीजा निकाला कि मुंडारी और आर्य भाषाओं का एक ही प्राचीन मूल स्रोत रहा होगा। उन्हें पादरी वान डेन बोश ने एक शब्द-सूची भेजी थी जिसमें मुंडारी शब्दों के यूरोपियन प्रतिरूप दिये हुए थे। इनमें कुछ शब्द जर्मन के हैं—मुंडारी **अदल्** (सम्मान), जर्मन **अदेल्** (सम्मानित वर्ग, अभिजात वर्ग); मुंडारी **बुरु** (पहाड़, जंगल), जर्मन **बॅर्ग**; मुंडारी **द** (जल), जर्मन **तउ**, अंग्रेज़ी **ड्यू** (ओस); मुंडारी **लेंगा** (बायाँ), जर्मन **लिंक**; मुंडारी **मेन्** (सोचना, समझना), जर्मन **माइनेन्**। कुछ शब्द अन्य यूरोपियन भाषाओं से मिलते हैं, यथा : मुंडारी **असि** और अंग्रेज़ी **आस्क्** (पूछना); मुंडारी **बेन्**, अंग्रेज़ी **बोथ्** और जर्मन **बाइडे** (दोनों); मुंडारी **दुरङ्**, आइरिश **दुअङ्ग** (गीत); मुंडारी **पहल**, अंग्रेज़ी **प्लाउ**, जर्मन **प्फ्लूग्** (हल); मुंडारी **बुलु**, फ्लेमिश **बिल्** (जाँघ)। सबसे रोचक समानताएँ

मुंडारी तथा ग्रीक और लैटिन भाषाओं में हैं : मुंडारी **अइउम्**, ग्रीक **अइओ** (सुनना); मुंडारी **निअद्**, ग्रीक **निअ** (एक); मुंडारी **ओड़े**, ग्रीक **ओर्निस** चिड़िया); मुंडारी **अदिङ्** (घर का वह भाग जहाँ पुरखे पूजे जाते हैं), लैटिन **अएदेस्** (मन्दिर); मुंडारी **सुर्द्, सुरुद्**, लैटिन **कॉर्, कॉर्दिस्**, जर्मन **हर्ल्स्**, अंग्रेज़ी **हार्ट्** (हृदय)।

**ओड़े** का ग्रीक प्रतिरूप **ओर्निस्** मैंने अपनी ओर से दिया है। ग्रीक और मुंडारी शब्दों का एक ही स्रोत है; **पर्** क्रिया से **परिन्दा, पर्ण** जैसे शब्द बनते हैं। **पर्** क्रिया का कृदन्त रूप **पर्द** अंग्रेज़ी का **बर्ड** है। **पर्** क्रिया उड़ने के अर्थ में द्रविड़ भाषाओं में भी व्यापक रूप से व्यवहृत होती है। तोद भाषा में इसके **पोत्** और **पोर्** प्रतिरूप हैं और कोत में **पर्न्** रूप है। **पर्-वर्-ऑर्**, इस क्रम से शब्दमूल **ऑर्** से मुंडारी, ग्रीक आदिभाषाओं के रूप बने हैं। हृदय का अर्थ देनेवाले मुंडारी **सुर्द्** और **सुरुद्** का सम्बन्ध **श्रद्** से है जिससे संस्कृत का **श्रद्धा** शब्द बनता है। **हृदय, हार्ट्** आदि में **ह्** ने **स्** का स्थान लिया है। लैटिन **कॉर्** में **क्** ने **श्** का स्थान लिया है। मुंडारी में **स्** वाला रूप बना है, यह इस रूप की प्राचीनता का प्रमाण है। **श्रद्** का स्लाव प्रतिरूप **सॅर्द्** है जिससे रूसी **सॅर्द्त्सॅ** (हृदय) बना है। हौफ़मैन ने जर्मन और लैटिन रूपों की तुलना में मुंडारी रूप को प्राचीन माना है; लिखा है कि मुंडारी का आदिस्थानीय **स्** लैटिन और जर्मन में **क्** और **ह्** हो जाता है।

भारत से बाहर की इंडो-यूरोपियन भाषाओं का कोई शब्दमूल कोल भाषाओं में हो और कोल रूप यूरोपियन रूप से प्राचीन हो, यह सब ऐतिहासिक भाषाविज्ञान की प्रचलित मान्यताओं के विपरीत है। पूर्वाग्रह छोड़कर जो भी कोल-इंडो-यूरोपियन सम्बन्धों पर वस्तुगत रूप से विचार करेगा, वह उसी दिशा में आगे बढ़ेगा जिस दिशा में हौफ़मैन और उनके साथी चले थे। यह उनके कार्य का अविस्मरणीय ऐतिहासिक महत्त्व है।

## 4. रूपतंत्र

पिनोव् कोल भाषाओं के विशेषज्ञ हैं। नॉर्मन ज़ाइड द्वारा सम्पादित 'स्टडीज़् इन् कम्पैरेटिव् आस्ट्रो-एशियाटिक लिंग्विस्टिक्स्' (1966) में कोल भाषाओं के क्रियापदों पर उनका लेख है : 'ए कम्पैरेटिव् स्टडी आफ़् दि वर्ब् इन् दि मुंडा लैंग्वेजेज़्'। इसमें उन्होंने यह मत प्रकट किया है कि मुंडा भाषाओं में कर्मसूचक सर्वनाम-चिन्ह क्रिया के बाद आता है। इससे अनुमान होता है कि मुंडा भाषाओं के आदिम रूपों में कर्मसूचक संज्ञा शब्द भी क्रिया के बाद आता था। किन्तु कर्ता के लिए उन्होंने लिखा है कि आदिम मुंडा भाषाओं में वह क्रिया के पहले आता था। वास्तव में कोल भाषाओं का वाक्यतंत्र क्रियाभिमुख था। अब भी खरिया जैसी भाषा में यह स्थिति है। **उड्तिञ्** (मैं पीता हूँ) में **उड्** क्रिया है, **इञ्** कर्ता-सर्वनाम है। यह वही पद्धति है जो संस्कृत **पठामि** (पढ़ता हैं) में है। ऐसे रूप अनेक इंडो-यूरोपियन भाषाओं में हैं।

आर्य और कोल भाषाओं के प्राचीन सम्बन्धों का एक प्रमाण क्रिया और संज्ञा रूपों में द्विवचन का प्रयोग है। संस्कृत, ग्रीक और अरबी में भी द्विवचन का प्रयोग होता है। आश्चर्य की बात यह है कि लैटिन भाषा ग्रीक से बहुत मिलती-जुलती है पर उसमें द्विवचन का प्रयोग नहीं है। कुछ शब्दों में कहीं पुराने द्विवचन रूपों की छाया दिखाई दे, वह बात अलग है, आधुनिक आर्य भाषाओं में द्विवचन का प्रयोग नहीं होता। पुनः आश्चर्य की बात है कि कोल भाषाओं में द्विवचन का प्रयोग अब भी होता है और संस्कृत की उत्तराधिकारिणी आर्य भाषाओं में उसका प्रयोग लुप्त हो गया है। यदि कोलजन हिन्दी प्रदेश में रहते थे और आर्य भाषाएँ बोलनेवालों समाजों में घुल-मिल गए तो संस्कृत और कोल भाषाओं की सम्मिलित शक्ति द्विवचन के व्यवहार की रक्षा क्यों न कर सकी, इसका कोई कारण नहीं बताया गया।

कोल भाषाओं की एक विशेषता यह है कि वे क्रियापदों के एक या अधिक वर्षों की, अथवा अक्षर-ध्वनियों की, आवृत्ति करती हैं। ज़ाइड सम्पादित ग्रंथ में पिनोव् ने कोल भाषाओं की आवृत्तिकारी प्रवृत्ति के बारे में बताया है कि वर्ण की आवृत्ति बहुधा क्रिया के अर्थ को सघन करने के लिए होती है, यथा : संथाली **दल** माने मारना, **ददल** माने ज़्यादा मारना। कभी यह आवृत्ति क्रिया की निरन्तरता सूचित करने के लिए होती है। संस्कृत में **ददाति, पिबति** जैसे रूपों में क्रियामूल के वर्ण की आवृत्ति हुई है। संस्कृत के समान ग्रीक में कुछ विशेष क्रिया-रूपों में आवृत्ति से काम लिया जाता है। ग्रीक भाषा में **लूओ** (शिथिल करना) क्रिया से **लेलुक, एलेलुके** आदि रूप बनते हैं। लैटिन में भी ऐसे रूप हैं पर ग्रीक और संस्कृत के समान उनकी प्रचुरता नहीं है। आधुनिक आर्य भाषाएँ पूर्ण क्रियाओं की आवृत्ति तो करती हैं, जैसे **चलते-चलते थक गया, सुन-सुनकर ज्ञानी हो गया** पर **सुसुन** या **चचल** जैसे रूप इन भाषाओं में नहीं हैं। यहाँ भी भाषा के एक सीमित क्षेत्र में ग्रीक-संस्कृत और कोल भाषाओं में समानता है और आधुनिक आर्य भाषाओं में इससे भिन्न प्रवृत्ति है।

कोल भाषाओं की क्रियापद रचना संयोगात्मक या संश्लिष्ट है। क्रियामूल में प्रत्यय जोड़कर वचन-पुरुष का बोध कराना और क्रिया की पूर्णता, अपूर्णता, निरन्तरता आदि का बोध कराना मुख्य बात है। इस दृष्टि से संस्कृत और कोल भाषाओं की क्रियापद-रचना में ज़बर्दस्त समानता है। पिनोव् अपने उक्त लेख में कहते हैं कि क्रियापद में सहायक शब्दांश जोड़े जाते हैं। कभी-कभी यह निश्चय करना सम्भव नहीं होता कि क्रियापद में जो कुछ जोड़ा गया है, वह प्रत्यय है या स्वतंत्र शब्दांश। पिनोव् के इस विवरण से पता चलता है कि प्रत्ययों का निर्माण किस प्रकार होता है। उन्होंने आगे लिखा है कि मूल शब्द से जोड़े जानेवाले अंश घिस जाते हैं या संधि द्वारा उनका रूप ऐसा बदल जाता है कि वे व्यवहारतः प्रत्यय बन जाते हैं। ख्मेर और निकोबारी भाषाओं से मुंडा भाषाओं का भेद प्रकट करते हुए पिनोव् ने लिखा है कि क्रियामूल जिस मुख्य धारणा को करता है, उसी के अधीन क्रिया के

सभी तत्त्व संश्लिष्ट हो जाते हैं। यह स्थिति ख्मेर भाषाओं की नहीं है। ये भाषाएँ अश्लिष्ट हैं और इंडोनेशिया, श्याम (थाइलैंड) की भाषाओं से अधिक मिलती हैं। पिनोव् के अनुसार मुंडा भाषाओं की संश्लिष्ट संरचना आर्य-द्रविड़ भाषाओं के सामीप्य से सुदृढ़ हुई। यह स्थापना महत्त्वपूर्ण है क्योंकि यह माना गया है कि विभिन्न भाषा-परिवार एक दूसरे की संरचना को प्रभावित सकते हैं। इसमें सन्देह नहीं कि कोल भाषाओं की क्रियापद रचना आधुनिक आर्य भाषाओं से अधिक पेचीदा है और वह संस्कृत से अधिक मिलती-जुलती है।

कोल भाषाओं की एक विशेषता यह है कि वे क्रियापदों समेत विभिन्न कोटि के शब्दों में प्रत्यय और उपसर्ग लगाती हैं। इनके अतिरिक्त वे शब्द में अन्त:प्रत्यय भी लगाती हैं। यह प्रवृत्ति आधुनिक आर्य भाषाओं में नहीं है, द्रविड़ भाषाओं में भी नहीं है। ग्रीक, रूसी आदिभाषाओं में उपसर्गों का प्रयोग प्रचुरता से हुआ है। कोल भाषाओं में भी उपसर्ग लगाकर क्रिया का अर्थ परिवर्तित या संवर्द्धित किया जाता है। **दल** में अन्त:प्रत्यय लगाकर संथाली में जैसे **दपल** बना, वैसे संस्कृत में **चल्** से **चपल** बना।

## 5. कोल और द्रविड़

द्रविड़ भाषाएँ कोल भाषाओं के निकट सम्पर्क में प्राचीनकाल से रही हैं, इसके अनेक प्रमाण हैं। द्रविड़ भाषाओं के समान कोल भाषाओं में मूर्धन्य स्पर्श-ध्वनियों का प्रवेश हुआ है। **ट् ड्** ध्वनियाँ दोनों परिवारों में सामान्य हैं किन्तु जहाँ द्रविड़ भाषाओं के एक वर्ग में **ण्** का चलन है, वहाँ कोल भाषाओं में इसका प्राय: अभाव है। बहुत-से बहुत **ट्** और **ड्** के साथ समवर्गीय नासिक्य ध्वनि का संयोग होता है। आर्य, द्रविड़, कोल—तीनों भाषा-परिवारों में **ण्** की स्थिति **ट्** और **ड्** की स्थिति से भिन्न है, अत: सभी मूर्धन्य ध्वनियों के प्रसार और व्यवहार का अध्ययन एक साथ नहीं किया जा सकता। आर्य भाषाओं के समान कोल भाषाओं में मध्यवर्ती **ड्** का उच्चारण उत्क्षिप्त होता है। कुछ कोल भाषाओं में द्रविड़ भाषाओं के समान, और कुछ उत्तर-पश्चिमी आर्य भाषाओं के समान मूर्धन्य पार्श्विक **ळ्** का व्यवहार भी होता है। इसका कारण भी द्रविड़ प्रभाव हो सकता है। द्रविड़ भाषाओं के समान अनेक कोल भाषाओं में **क्-ग्** का लोप हो जाता है, उनके स्थान पर काकल्प स्पर्श-ध्वनि ऽ अथवा **ह** का व्यवहार होता है। द्रविड़ भाषाओं में मध्यवर्ती **क्** या **ग्** में ही परिवर्तन होता है किन्तु कोल भाषाओं में ऐसा परिवर्तन किसी भी स्थान के **क्-ग्** में हो सकता है। इस प्रवृत्ति का मूल स्रोत सम्भवत: नाग भाषाओं में है और ऐसा हो तो मानना होगा कि द्रविड़ों की अपेक्षा कोल भाषाओं पर नाग प्रभाव अधिक है। द्रविड़ भाषाओं के समान कोल भाषाओं में ऐसे शब्द मिलते हैं जहाँ **श्** या **स्** की ध्वनि **च्** या **ज्** में बदलती है। इसका कारण भी द्रविड़ प्रभाव हो सकता है। द्रविड़ भाषाओं के समान कोल भाषाओं के शब्दों में आदि या अन्त्य स्थानों में

व्यंजन-गुच्छ नहीं होते। अनेक आधुनिक आर्य भाषाओं में भी यही स्थिति है। दो स्वरों एक साथ व्यवहार कोल भाषाओं की विशेषता है।

कोल और द्रविड़ भाषाओं का सम्पर्क उस समय हो रहा था जिस समय इन भाषाओं के अनेक शब्दों का निर्माण हो रहा था। निर्देशक सर्वनाम में देशकालवाचक शब्दमूल जोड़कर **अङ्गे, इन्दे** जैसे रूप बनाने की प्रक्रिया दोनों वर्गों में सामान्य है। सर्वनामों के प्राचीनतर रूप बहुधा कोल भाषाओं में हैं। इनमें से अनेक सर्वनाम आर्य उद्‌भव के हैं और शब्द-निर्माण की वह प्रक्रिया आर्य भाषाओं में भी है। सम्बन्ध व्यक्त करनेवाले सर्वनाम द्रविड़ भाषाओं में मूलशब्द के पहले आते हैं, यथा : तमिल में **आय्** (माता), **याय्** (मेरी माता)। किन्तु कोल भाषाओं में ऐसे सर्वनाम शब्द के अन्त में लगाए जाते हैं, यथा : मुंडारी **आपु** (पिता), **आपुइङ्** (मेरे पिता)। संथाली जैसी भाषाओं में संख्यासूचक शब्दों के निर्माण में दहाई को पहले रखने की पद्धति द्रविड़ भाषाओं के समान है, यथा : संथाली **गेल्** (दस), इससे **गेल-मित्, गेल्बर्, गेलपे, गेल्पोन्** (क्रमशः **ग्यारह्, बारह्, तेरह्, चौदह**) रूप बनते हैं। यहाँ कोल भाषाएँ आर्य भाषाओं की अपेक्षा द्रविड़ भाषाओं के अधिक समीप हैं।

ऐसे अनेक शब्द हैं जो द्रविड़ भाषाओं से कोल भाषाओं का घनिष्ठ सम्पर्क सिद्ध करते हैं। संथाली और मुंडारी में नाक के लिए **मु** शब्द है। तमिल **मुग** का अर्थ सूँघना है। स्पष्ट ही दोनों शब्द परस्पर सम्बद्ध हैं और इनका सम्बन्ध संस्कृत **नासा,** अंग्रेज़ी **नोज** आदि से भी है। **पिता** के लिए मुंडारी **आपु** और तमिल **अप्पु** परस्पर सम्बन्धित हैं। **पैर** के लिए तमिल **काल्** के समान मुंडारी और खरिया में **काटा** रूप है। दोनों के ही निर्माण की प्रक्रिया गतिसूचक **गा** क्रिया से सम्पन्न हुई है। खलिहान के लिए मुंडारी **कोलोम्** तमिल **कळम्** से सम्बद्ध है। तमिल **कुळ** (तरुण) के समान संथाली **कोड़ा** (लड़का) है। तमिल **पॉन्** (स्वर्ण) के समान संथाली **पोन्** (मूल्य) है। तमिल **चॅय्** (करना) के समान संथाली **चेदक्, चेचेत्** (करना) रूप हैं। **चेचेत्** में मूल क्रिया की आवृत्ति है और **चेदक्** कृदन्त रूप **चेद** से निर्मित है। खरिया भाषा का प्रश्नवाचक **ई** तमिल या कोंड **इनि** के वर्ग का है। तमिल **मोटु** घास-फूस के गट्ठर को कहते हैं। संथाली **मोटरा** का अर्थ है गठरी। अवधी में **कामकाज** की तरह समानार्थक शब्दों का एक जोड़ा **गठरी-मॉटरी** भी है। संथाली हिन्दी **पोत** मलयालम और कन्नड़ **पोर** (छोटा बच्चा) से सम्बद्ध है।

**दौरी** (डलिया) शब्द मुंडारी में है और अवधी में भी प्रयुक्त होता है। ऐसे अनेक शब्द हैं जिनके लिए निश्चयपूर्वक नहीं कहा जा सकता कि वे किस परिवार के हैं। बोंडा भाषा में **अण्ड्र** शब्द नर का अर्थ देता है। मेरा अनुमान है कि यह **अन्ध्र** या **आन्ध्र** का प्रतिरूप है और तमिल **आण्** भी इससे सम्बद्ध है। **आन्ध्र** शब्द सघोष महाप्राण ध्वनि के कारण अपने आर्य उद्‌भव की सूचना देता है। इंडो-यूरोपियन परिवार में इसके प्रतिरूप ग्रीक भाषा में हैं : **अनेर्** (पुरुष) **अन्द्रो** (उप.), **अंथ्रोपॉस्**

(उप.)। स्लाव जातियों में **आन्द्रेइ** नाम बहुत सामान्य है। इसका स्रोत भी वही **आन्ध्र** है। बोंडा भाषा का **अण्ड्र** आर्य-द्रविड़-कोल भाषाओं के प्राचीन सम्पर्क का प्रमाण है।

## 6. कोल और कम्बोज

मोन्-ख्मेर भाषाएँ वर्तमान कम्पूचिआ में बोली जाती हैं। **कम्पूचिआ, कम्बोडिया** रूपों का आधार **कम्बोज** है। मोन्-ख्मेर को कम्बोज भाषाएँ कहा जा सकता है। कुछ लोग इन्हें आस्ट्रिक भाषाओं में गिनते हैं, कुछ इन्हें उन भाषाओं से अलग रखते हैं। इनका प्रधान क्षेत्र अब भारत से बाहर है पर इस वर्ग की एक भाषा खसी असम में अब भी बोली जाती है। यदि कम्बोज भाषाओं का आदिक्षेत्र आधुनिक कम्पूचिआ है, तो असम में उस वर्ग की एक भाषा का मिलना अत्यन्त आश्चर्यजनक है। किन्तु यदि माना जाए कि कम्बोजगण भारत के उत्तर-पश्चिमी प्रदेशों में रहते थे, तो असम में कम्बोजवर्ग की एक भाषा का अस्तित्व आश्चर्यजनक न होगा। **महाभारत** में काम्बोज गण कौरवों की ओर से लड़ते हैं। एक फ़ारसी कहावत में अफगान, कश्मीरी और कम्बोज, तीनों का नाम एक साथ लिया जाता है। इससे ज्ञात होता है कि सामन्ती व्यवस्था के युग में काफी समय तक कम्बोज-जन अपने मूल क्षेत्र में रहते आए थे। तुर्क आक्रमणों के समय भारत और पश्चिमी एशिया में जनसमुदायों का काफी स्थानान्तरण हुआ है। उस समय उत्तर-पश्चिमी भारत से कम्बोज-जनों का चिन्ह मिट गया। उससे पहले अन्य कोलजनों के साथ वे दक्षिण-पूर्वी एशिया की ओर गए और इस अभियान में कुछ समुदाय असम में बस गए।

कम्बोज भाषाओं की कुछ विशेषताएँ ऐसी हैं जो भारत से अधिक यूरोप की भाषा में मिलती हैं। इनमें ध्वनितंत्र की एक प्रवृत्ति, शब्द के आरम्भ में, संयुक्त व्यंजनों के व्यवहार की है। यथा : प्राचीन मोन् में **क्तोर्** (आँख), **प्नह्** (कंधा), **त्यो** (पत्थर), **द्लुङ्** (नाव); इस तरह के व्यंजन-युग्म ग्रीक, जर्मन, रूसी भाषाओं में मिलते हैं, इस कोटि के कुछ विरल रूप संस्कृत में हैं पर आधुनिक आर्य भाषाओं में ऐसा व्यंजन-संयोग शब्द के आदिस्थान में नहीं मिलता। अन्य आस्ट्रिक भाषाओं में नासिक्य ध्वनि के साथ स्पर्श व्यंजन तो जुड़ता है पर इस तरह के व्यंजन-युग्म उनकी प्रकृति के अनुकूल नहीं हैं। कहीं-कहीं ये व्यंजन-युग्म वर्ण-संकोचन की प्रवृत्ति का परिणाम है, यथा : संस्कृत **कलश** प्राचीन मोन् में **क्लस्** हो गया है।

भारतवासी के लिए प्राचीन मोन् भाषा में एक शब्द है **गुला**। आधुनिक **मोन्** में इसका प्रतिरूप है **गला**। बर्मा की आस्ट्रिक भाषाओं, दानव-रिआङ्-पलौङ्-वा में इसके प्रतिरूप **कल, कर** आदि हैं। इन्हें देखकर इनके मूल रूप को पहचानना सरल नहीं है। जी.एच्. ल्यूस् ने दानव भाषा पर अपने निबन्ध (लिंगुआ 14) में इसका प्राचीन बर्मी रूप **कुला** दिया है और बताया है कि वह पालि **कुलपुत्त** (संस्कृत **कुलपुत्र**) का कुल है।

दक्षिण-पूर्वी एशिया की भाषाओं से भारतीय आर्य भाषाओं के प्राचीन सम्बन्धों का प्रमाण है **कलपुत्त** का **कुल** जिसके रूपान्तर बर्मा से लेकर कम्पूचिया तक फैले हुए हैं।

संस्कृत पर्ण की **पर्** क्रिया प्राचीन मोन् में ज्यों-की-त्यों **पर्** (उड़ना) है। संस्कृत **पवन** के **पव्** क्रियामूल के समान आधुनिक मोन् रूप **पव्** है। ख्मेर **होर्** में कन्नड़ के समान **प्** स्थान पर **ह्** है। इसी तरह खसी रूप **हॅर्** है। संस्कृत **तूल** (कपास) प्राचीन मोन् में **तोल्** है, आधुनिक मोन् में इसका रूप **तोव्** है। बुनने का अर्थ देनेवाली संस्कृत **तन्** क्रिया प्राचीन मोन् में **तान्**, ख्मेर में **ताञ्चा** मलय में **तेनोन्** है, और वहाँ से ताइवान की बोलियों के **तिनुन्**, **तुमतिन्नु** तक **तन्** का तानाबाना फैलता चला गया है।

संस्कृत **विंश**, गुजराती **बेइ** (दो), लैटिन **बिस्** (दो बार) के समकक्ष हिन्दी **बारह** का **बा** आधुनिक मोन् में **बा** (दो) है। मुंडारी **बर्** (दो) का ख्मेर प्रतिरूप है **वेर्**, **व्यर्**। संस्कृत **त्रि** जावा की भाषा में **तॅलु** है। **तन्-तिनुन्** की तरह ताइवान की बोलियों में **तॅर**, **तुरु**, **तुळु** आदि **त्रि** के प्रतिरूप फैलते चले गए हैं।

संस्कृत **ताल** (ताड़) प्राचीन मोन् में **ताल्** है। आधुनिक मोन् में **ल्** का लोप होने पर **ता** बचा है। प्राचीन बर्मी में **तअन्** रूप है; वही **रिआङ्** में है। मोन् कम्बोज कुल की भाषा है, बर्मी नाग समुदाय में है, रिआङ् आस्ट्रिक भाषा समवाय में है। स्पष्ट है कि दक्षिण-पूर्वी एशिया को भाषायी क्षेत्र मानकर उसका अध्ययन करना आवश्यक है। तभी हम वहाँ के विभिन्न भाषा-परिवारों के निर्माण में भारत की भूमिका पहचान सकेंगे।

## 7. कोल और आस्ट्रिक भाषाएँ

कोल भाषाओं, और इनके साथ आर्य-द्रविड़ भाषाओं, का सम्पर्क उन भाषाओं से है जो आस्ट्रो-एशियाटिक कही जाती हैं। कुछ विद्वान् इन्हें आस्ट्रोनीशियन, पोलीनीशियन, मेलानीशियन आदि वर्गों में बाँट देते हैं। जी.एच्. ल्यूस् के अनुसार तोङ् किङ् से एक ओर निकोबार द्वीपों तक, दूसरी ओर चीन के युन्नान प्रदेश तक, असम के खसी भाषा-क्षेत्र से कम्पूचिया तक आस्ट्रिक भाषाओं का प्रसार है। होद्रिकोर (लिंगुआ 14) के अनुसार आस्ट्रोनीशियन भाषाएँ मेडागास्कर से ईस्ट आइलैंड तक, न्यूज़ीलैंड से हवाई द्वीप समूह तक फैली हुई हैं। उत्तरी आस्ट्रोनीशियन में ताइवान (अथवा फॉर्मोसा) की पहाड़ी भाषाएँ हैं।

आस्ट्रो-एशियाटिक भाषाओं का विस्तार-क्षेत्र आश्चर्यजनक है। मध्य भारत से लेकर असम प्रदेश तक, फिर बर्मा होते हुए कम्पूचिया और इंडोनीशिया तक, पुनः पूर्वी अफ्रीका के समीप मेडागास्कर द्वीप से लेकर आस्ट्रेलिया के पूर्व में फिजी द्वीप तक परस्पर मिलती-जुलती भाषाएँ फैली हुई हैं। भारत के अलावा इनका मुख्य क्षेत्र

हिन्द महासागर तथा प्रशान्त महासागर के द्वीप समूह हैं। जी.बी. मिल्नर (लिंगुआ 14) के अनुसार इनका मुख्य प्रसार-केन्द्र इंडोनीशिया है। इसीडोर डायन के अनुसार इन भाषाओं की केन्द्रभूमि ताइवान है।

उल्लेखनीय है कि दक्षिण-पूर्वी एशिया, प्रशान्त महासागर के द्वीप समूह और आस्ट्रेलिया में जहाँ भी ऐसे भाषा-तत्त्व मिलते हैं जो कोल भाषाओं में भी हैं, वहाँ उनके साथ आर्य-द्रविड़ भाषा-तत्त्व भी विद्यमान हैं। आर्य-द्रविड़ भाषा-तत्त्वों की अनदेखी करके आस्ट्रो-एशियाटिक भाषा-समुदाय से कोल भाषाओं का सम्बन्ध नहीं पहचाना जा सकता। आस्ट्रो-एशियाटिक समुदाय के अनेक केन्द्र थे; इस समुदाय की भाषाएँ किसी आदिभाषा की पुत्रियाँ नहीं हैं। इस समुदाय के निर्माण में कोलजनों की भूमिका महत्त्वपूर्ण है। इस भूमिका में आर्यों और द्रविड़ों का भी हिस्सा है।

दक्षिण-पूर्वी एशिया की भाषाओं की कुछ विशेषताओं पर ध्यान दें। सबसे पहले ध्वनितंत्र की विशेषताएँ लेते हैं।

पहली विशेषता स्पर्श-ध्वनि **क्** से सम्बन्धित है। शब्द के आदि, मध्य और अन्त्य स्थानों में यह ध्वनि परिवर्तित होती है। कहीं तो यह संघर्षी सघोष **ग़्** ध्वनि बनती है, कहीं महाप्राण **ह्**, फिर इस **ह्** का स्थान काकल्य स्पर्श ऽ ध्वनि लेती है और कभी केवल व्यंजन के साथ का स्वर बच रहता है। इनमें अन्य प्रकार के परिवर्तन द्रविड़ भाषाओं में होते हैं, केवल ऽ ध्वनि का व्यवहार कोल भाषाओं की विशेषता है। सोलोमंस द्वीपों में एक मेलानीशियन भाषा नगेला नाम की है जिसमें अन्य भाषाओं के **क्** के स्थान पर **ग़्** का व्यवहार होता है ('लिंगुआ' 14 में होद्रीकोर का लेख)। फिलीपीन द्वीपों की भाषा तागालोग में वर्षासूचक शब्द कुलन के प्रतिरूप ताइवान की भाषाओं में **ख़ुदन्, हुदल्, उदल्** आदि हैं ('लिंगुआ' में इसीडोर डायन का लेख)। यहाँ **क्** के परिवर्तन की प्रक्रिया स्पष्ट है। **क्** महाप्राण संघर्षी **ख़्** में परिवर्तित होता है, फिर केवल महाप्राणता बच रहती है, कभी उसका भी लोप हो जाता है। महाप्राण ध्वनि के लोप होने पर कभी आदिस्थानीय स्वर के पहले, और कभी उसके आगे-पीछे दोनों ओर ध्वनि जुड़ जाती है। इस प्रकार ताइवान की बोलियों में **हुदल्** के प्रतिरूप **ऽउदल, ऽउऽ** दल होते हैं। इसी प्रकार बर्मा की दानव और रिआङ् भाषाओं में धनुष के लिए **अक्** शब्द है और पड़ोसी **वा** भाषा में **अऽ** शब्द है (ये भाषाएँ स्वरतान वाली हैं; यहाँ स्वरतान का उल्लेख अनावश्यक है।) मुंडारी में यह शब्द ठीक इसी रूप **अऽ** में है ('लिंगुआ' 14 में ल्यूस का लेख)। मलय और जावा की भाषाओं में जहाँ **क्** है, वहाँ तोबा और होवा भाषाओं में **ह्** का व्यवहार होता है। होवा मेडागास्कर की एक भाषा है और तोबा सुमात्रा की। (लिंगुआ 14 में होद्रीकोर का लेख)।

अनेक भारतीय भाषाओं के समान आस्ट्रो-एशियाटिक भाषाओं में सकार बहुधा **ह्** में बदलता दिखाई देता है। मोन् भाषा में बाल के लिए **सोक** शब्द है। रिआङ्

में इसका रूप **हुक्** है और पलौङ् में **हुऽ** रूप रह जाता है। **ह्** के अलावा सकार कभी-कभी **त्** में बदलता दिखाई देता है। संस्कृत **अश्मन्** का प्रतिरूप प्राचीन मोन् में **त्मो** है। रिआङ् की एक बोली में इसका रूप **समोऽ** है जहाँ सकार बना हुआ है। मोन में **त्** का व्यवहार वैसे ही है, जैसे **श्री** के तमिल प्रतिरूप **तिरु** में है। आश्चर्यजनक बात यह है कि **शतम्** का **श्** जैसे **केन्तुम्** में **क्** हो जाता है, वैसे ही **अश्मन्** का प्रतिरूप दानव में **कमु** है। कुछ नाग भाषाएँ **श्** को **क्** रूप में ग्रहण करती हैं। दानव पर यह नाग प्रभाव हो सकता है। हँसने के लिए ताइवान की एक बोली में **सावा** शब्द है तो फिलीपीन की तागालोग में इसका रूप **तावा** है। दानव भाषा में चावल खाने के लिए एक शब्द है **सुए**। इसका पलौङ् प्रतिरूप है **कपेह**। किन्तु मोन् भाषा में इसका प्रतिरूप **चा** है। निकोबार की भाषा में **शा** रूप है और वहीं की एक बोली में इसका रूप **हम्** है। मुंडारी और कूर्कू में **जोम्** रूप हैं किन्तु भारतीय गद्‌ब भाषा में **सोम्** रूप है। ऐसा लगता है कि मूल रूप में सकार है और वह द्रविड़ प्रभाव से **चकार** में परिवर्तित हुआ है। **सम्, सोम्** जैसे रूपों से **चम्** (आचमन), **जोम, जीमना** जैसे शब्दों का विकास हुआ। सकार के चकार का प्रयोग द्रविड़ भाषाओं में काफी व्यापक है, यथा : **श्रेष्ठि** का प्रतिरूप तमिल में **चेट्टि** है।

**प्** सम्बन्धी परिवर्तन भी काफी रोचक हैं। प्राचीन भारतीय **पत्** (उड़ना) क्रिया के दानव **पन्** और रिआङ् **पर्** रूपों में **प्** ध्वनि सुरक्षित है किन्तु ख्मेर भाषा में इसका प्रतिरूप **होर्** है। खसी भाषा में इसी से मिलता-जुलता रूप **हॅर्** है। होद्रीकोर ने अपने लेख में बताया है कि फिजी द्वीप की समकक्ष भाषाओं का **प् व्** में बदलता है। **प्** ध्वनि का **ह्** या **व्** में बदलना द्रविड़ भाषाओं में भी देखा जाता है और इसका कारण नाग प्रभाव हो सकता है। **त्-ट्-द्-ड्** ध्वनियों का **र्** या **ल्** में परिवर्तन भारत के उत्तर-पश्चिमी क्षेत्र की भाषाओं की विशेषता है। मलय भाषा में रक्त के लिए **दरह** शब्द है तो जावा की भाषा में इसका प्रतिरूप **रह्** है। सम्भव है, यहाँ प्रथम वर्ण का लोप हो गया हो किन्तु संख्यावाचक **दो** शब्द का मलय प्रतिरूप तो **दुआ** है, जावा की भाषा में इसका प्रतिरूप **रो** है जो मलय **दुआ** से नहीं, **दो** से बना है। इससे भिन्न जावा की प्राचीन भाषा का **वा** रूप संस्कृत **द्वा** से बना है। बाली की भाषा का **अदन्** (नाम) जावा की भाषा में **अरन्** है। ताइवान की भाषाओं में जिस **हुदल्** शब्द का उल्लेख पहले हो चुका है, उसके कुछ प्रतिरूप वहाँ की बोलियों में **हुरल्, उरल्** भी हैं। होद्रीकोर ने ऊपर उल्लिखित अपने निबन्ध में बताया है कि मेडागास्कर की होवा भाषा में भी **द्** के स्थान पर **र्** का व्यवहार करने की प्रवृत्ति है। फिजी की भाषा में **पत्ते** के लिए **न्द्रउ** शब्द है, तोङ्गा में इसका प्रतिरूप **लउ** है।

विल्हेल्म मिल्के ने 'लिंगुआ' 14 में न्यूगिनी की आस्ट्रोनीशियन भाषाओं पर जो निबन्ध लिखा है, उसके अनुसार ऐसे अनेक प्रकार के ध्वनि-परिवर्तन इन भाषाओं के एक ही सीमित क्षेत्र में मिलते हैं, जैसे कि द्रविड़ भाषाओं के अधिक

विस्तृत क्षेत्र में मिलते हैं। एक शब्द **सूसू**, उसका प्रतिरूप **तूरू** (छाती), एक शब्द **हर**, प्रतिरूप **अर** (नाम), **पोरे** के दो प्रतिरूप **बोरे** और **ओरे** (डाँड़), **तदि** का प्रतिरूप **तरि** (समान गोत्र का भाई या बहन), **सकलु** का प्रतिरूप **सअलु** (जल की सतह को छूती हुई चट्टान)। **त्-द्** का **र्** में परिवर्तन हिन्दी **ग्यारह-बारह** में **दस** की जगह **रह** की याद दिलाता है। **प्** के स्थान पर **व्** का व्यवहार द्रविड़ भाषाओं में बहुधा देखा जाता है। मध्य **क** वर्ण के लोप के बाद केवल **अ** स्वर का बच रहना पूर्वी बंगाल की नाग प्रभावित बोलियों की याद दिलाता है। आदिस्थानीय **ह्** का लोप और **र्-ल्** का परस्पर स्थान-परिवर्तन तो साधारण बातें हैं। ऐसा प्रतीत होता है कि विभिन्न प्रभावों से आर्य भाषाओं के व्यंजनों में जैसे परिवर्तन होते हैं, वैसे परिवर्तन न्यूगिनी की आस्ट्रो-एशियाटिक भाषाओं में एक साथ घनीभूत हुए हैं।

नाग भाषाओं की एक विशेषता आदिस्थानीय व्यंजन के पहले नासिक्य ध्वनियों का योग है। यह प्रवृत्ति आस्ट्रो-एशियाटिक भाषाओं में भी है, यथा : फिजी की भाषा में **न्दालिङ** (कान), **म्बेक** (चिमगादड़)। ये भाषाएँ नाग भाषाओं के प्रभाव से शब्द के आरम्भ में **ङ्-ञ्** जैसी नासिक्य ध्वनियों का भी प्रयोग करती हैं। रिआङ **ङइ** (आँख), **ञङ्** (थूक), दानव **ञॅन्** (उप.) इसके उदाहरण हैं। आर्य-द्रविड़ भाषाओं के समान ये भाषाएँ जहाँ-तहाँ **न्** ध्वनि का अन्तर्निवेश भी करती हैं, यथा : फिजी के **विदि** का नगेला प्रतिरूप **विन्दि** (उछलना), तागालोग के **बितूकिन्** का ताइवन की बोली में **बिन्तुकिन्** प्रतिरूप (नक्षत्र) है।

अनेक आस्ट्रो-एशियाटिक भाषाओं में मूर्धन्य अथवा वर्त्स्य ध्वनियों का प्रयोग कोष ध्यान देने योग्य है। मलय में एक शब्द **जलन्** है जिसका अर्थ है सड़क और जो हिन्दी **चलन** का प्रतिरूप जान पड़ता है। जैसे **पो** और **पथ**, वैसे ही **चल** और **चलन**। ताइवान की बोलियों में इसके **दळन्, डळन्, ळळन्** जैसे प्रतिरूप मिलते हैं। इसीडोर डायन ने ताइवान की भाषाओं पर 'लिंगुआ' वाले निबन्ध में मूर्धन्य पार्श्विक **ळ्** की व्याख्या नहीं की पर सामान्य **ल्** के लिए अंग्रेज़ी के लिपि-चिन्ह **एल्** के नीचे **बिन्दी** लगाकर उसे सामान्य लकार से भिन्न दिखाया है। **ड्** के अस्तित्व से अनुमान होता है कि ताइवान की बोलियों में पार्श्विक मूर्धन्य **ळ्** का व्यवहार होता है। आदिस्थान में इसका व्यवहार अत्यन्त विरल है। भारत की कुछ द्रविड़ भाषाओं के थोड़े-से शब्दों में इसका ऐसा व्यवहार दिखाई देता है, यथा : तेलगू **कॉळ्ळु**, कन्नड़ **कॉळ्** (भूँकने का-सा शब्द करना)। ताइवान की कुछ बोलियों में मूल शब्दों के **त्-द्** की जगह **ट्-ड्** का व्यवहार हुआ है। मलय **मत** (आँख), **तलिङ** (कान), **दुअ** (दो) के ताइवान की एक बोली में **मट, टङिल, डोअ** प्रतिरूप हैं। आस्ट्रो-एशियाटिक भाषाओं के एक विशेषज्ञ डेम्पवल्फ का मत था कि आदि इंडोनेशियन भाषा में **त्-ट्, द्-ड्** अलग-अलग अर्थ-विच्छेदक ध्वनियाँ थीं। पर होद्रीकोर को यह मत स्वीकार नहीं है। उनका कहा है कि ऐसा भेद केवल जावा की भाषा में

है और उसका कारण संस्कृत का प्रभाव है। उनका कहना है कि पड़ोसी भाषाओं में **द्** है, **ड्** नहीं है, सुमात्रा और बाली के प्राचीनतम अभिलेखों में इंडोनीशियन उद्भव के शब्दों में केवल **द्** है। प्राचीन मलय अभिलेख जावा में मिले हैं। उनमें **ड्** है, **द्** नहीं है। प्राचीनतम जावा अभिलेख सातवीं ई. सदी के हैं और इससे पहले कई सदियों तक जावा की भाषा पर भारतीय भाषाओं का प्रभाव पड़ चुका था।

मूर्धन्य ध्वनियों का व्यवहार जावा अथवा इंडोनीशिया के अन्य द्वीपों तक सीमित नहीं है। इनका व्यवहार प्राचीन मोन् भाषा में भी देखा जाता है, यथा : **डेह्** (वह), **क्डिप्** (सिर)। इसे भी भारतीय भाषाओं का प्रभाव कहा जा सकता है। ताइवान में भी **ट्-ड्** ध्वनियों का व्यवहार होता है। यह भारतीय भाषाओं का प्रभाव है तो भिन्न कोटि का और उस प्राचीन काल का होगा जब ताइवान के आस्ट्रो-एशियाटिक जनों के पूर्वज कहीं भारतीय जनों के सम्पर्क में आए होंगे। ताइवान से दूर आस्ट्रेलिया की कुछ आदिवासी भाषाओं में **ट्-ड्** ही नहीं, **ण्** का व्यवहार भी विचारणीय है। आस्ट्रेलिया की आदिवासी भाषाओं पर कैनबेरा विश्वविद्यालय की ओर से कुछ निबन्ध प्रकाशित हुए हैं। 'पेपर्स् इन् आस्ट्रेलियन लिंग्विस्टिक्स्' संख्या 10 (1967) में बुरेरा भाषा की अक्षरध्वनियों (फोनीम) पर डेविड और कैथलीन ग्लासगो ने अपने निबन्ध में **त्, न्** को वर्त्स्य-दन्त्य ध्वनि कहा है यानी ये हिन्दी की **त्-न्** ध्वनियों से मिलती-जुलती हैं। इनसे भिन्न उन्होंने **ट्-ण्** को वर्त्स्य ध्वनि कहा है। अनेक भाषाशास्त्रियों के अनुसार हिन्दी की ट-वर्गीय ध्वनियाँ मूर्धन्य न होकर वर्त्स्य हैं। बुरेरा भाषा का लकार वर्त्स्य बताया गया है और एक **र्** वर्त्स्य है, दूसरा **ड़्** जैसा है। इन सभी वर्त्स्य व्यंजनों प्रतिवेष्टित विकल्प हैं यानी **ट्-ण्-ळ्** के उच्चारण में जीभ की नोक को उल्टा मोड़ना होता है। अद्भुत बात यह है कि ये प्रतिवेष्टित ध्वनियाँ शब्द के आरम्भ में भी आती हैं, **ड़्** शब्द के आरम्भ में भी आता है। **णण्डे** (एक प्रकार की मछली), **ड़ड़ीप** (अकेला) जैसे रूप इस भाषा में हैं। (कुछ शब्दों में अकार से भिन्न बंगला के ह्रस्व ओकार जैसी ध्वनि है, उसे यहाँ नहीं दिखाया गया है।) आस्ट्रेलिया की आदिवासी भाषाएँ प्रशान्त महासागर की भाषाओं से सम्बद्ध हैं। बुरेरा में बलाघात अर्थ-विच्छेदक होता है किन्तु स्वरतान नहीं होती। इस बात से इनकार नहीं किया जा सकता कि प्रशान्त महासागर की भाषाओं में दन्त्य या दन्त्य-वर्त्स्य ध्वनियों से भिन्न वर्त्स्य या मूर्धन्य ध्वनियों का व्यवहार होता है। कहीं-कहीं आदिस्थान में प्रतिवेष्टित **ण्** ध्वनि का व्यवहार भी होता है। इंडो-यूरोपियन परिवार की भाषाओं में इस **ण्** ध्वनि का व्यवहार या तो भारत में होता है या फिर इंडो-यूरोपियन भाषा-क्षेत्र के दूसरे छोर पर नौर्वे-स्वीडन की भाषाओं और उत्तरी इंग्लैंड में नॉर्थम्बरलैंड की बोली में होता है। आर्य-द्रविड़ भाषाओं में और यूरोप की इन भाषाओं में इनका आदिस्थानीय व्यवहार नहीं होता। केवल प्राकृतों में इसके आदिस्थानीय व्यवहार का उल्लेख है। यदि बोलचाल की

भाषाओं में ऐसे व्यवहार का चलन होता तो कुछ शब्दों में, नदियों-पर्वतों आदि के नामों में, आदिस्थानीय **ण्** सुनाई देता। पर ऐसा नहीं है। किन्तु इसका आदिस्थानीय प्रयोग हो सकता है, बोलचाल की जीवित भाषा में होता है, इसका प्रमाण बुरेरा भाषा है। इससे प्रतीत होता है कि भारत के उत्तरी-पश्चिमी प्रदेशों में कभी ऐसे लोग रहते होंगे जो आदिस्थानीय **ण्** वाले शब्द बोलते थे और उन्हीं की उच्चारण-पद्धति का अनुकरण प्राकृतों में किया गया है। ट-वर्गीय ध्वनियाँ आस्ट्रो-एशियाटिक भाषाओं की अपनी ध्वनियाँ नहीं हैं। उन्होंने इन ध्वनियों को किसी अन्य स्रोत से प्राप्त किया है—सम्भवत: उसी स्रोत से, जिसने आर्य-द्रविड़ भाषाओं को प्रभावित किया है।

हौफ़मैन को आश्चर्य था कि कुछ मुंडारी शब्द संस्कृत में नहीं हैं पर ग्रीक, लैटिन, जर्मन आदि यूरोपीय भाषाओं में हैं। 1967 में सी.जी. फ़ौन् ब्रैंडेंस्टाइन ने आस्ट्रेलिया की आदिवासी भाषाओं में इंडो-यूरोपियन उद्गम के शब्द देखकर कुछ वैसा ही विस्मय संकोचपूर्वक व्यक्त किया। उन्होंने आस्ट्रेलिया के एक शब्द **तर्तरुग** (अंग्रेज़ी का टर्टल् पक्षी) के बारे में मत प्रकट किया है कि यह शब्द यूरोप से आस्ट्रेलिया की आदिवासी भाषाओं में गया है। इसकी चर्चा अभी आगे करेंगे। इस प्रसंग में वह कहते हैं : "यद्यपि यह बात, आखिरी सम्भावना के रूप में भी, बेसिर-पैर की लगती है कि **तर्तरुग** शब्द आस्ट्रेलियन उद्भव का है और वापस आते हुए रोमन, ग्रीक या जर्मन सिन्धु-यात्रियों ने महान् जन-अभियानों के दौरान उसे यूरोप में फैलाया होगा, फिर भी कम-से-कम उसका उल्लेख कर देना चाहिए। इस सन्दर्भ में मैं झिझकते हुए उन वास्तविक आस्ट्रेलियन शब्दमूलों की ओर ध्यान आकर्षित करता हूँ जिनकी संख्या काफी है जिन्हें आसानी से इंडो-यूरोपियन शब्दमूलों से जोड़ा जा सकता है। ये शब्दमूल रोमांस भाषाओं (अर्थात् लैटिन कुल की भाषाओं) में मिलते हैं। उनमें थोड़े-से इस प्रकार हैं।" जो उदाहरण दिये हैं, उनके आस्ट्रेलियन और रोमांस भाषाओं के रूप क्रमश: इस प्रकार हैं : **विअ** (**विद** से उद्भव)—**विदेरे** (देखना), **मोण्द्**—**मोन्स** (पर्वत, पत्थर), **मलु** (र), **मदु** (र्)—**मीडियम** (मध्य, यहाँ अंग्रेज़ी रूप दिया है), **मल** अथवा **मध**—**मेल्** (शहद, संस्कृत **मधु**), **न्युब**—**नुबेरे** (विवाहित, पत्नी)। ('पेपर्स इन आस्ट्रेलियन लिंग्विस्टिक्स', संख्या 2; 1967)

**मेल्** के बाद संस्कृत **मधु** का उल्लेख निबन्ध-लेखक ब्रैंडेंस्टाइन ने ही किया है। आस्ट्रेलियन **मल** का वैकल्पिक प्रतिरूप **मध** दिया है जो यदि सही है तो आश्चर्यजनक है। लेखक जिस क्षेत्र की भाषाओं का विवेचन कर रहे हैं, वह पश्चिमी आस्ट्रेलिया का उत्तर-पश्चिमी विभाग है। यदि वहाँ संस्कृत की सघोष महाप्राण ध्वनियाँ अब भी सुरक्षित हैं, तो यह भारत के बाहर उन ध्वनियों के व्यवहार का अनुपम उदाहरण होगा। पर जिसे लेखक ने **मध** सुना, वह सम्भवत: **मद** रूप था और **द्** ध्वनि **ल्** में परिवर्तित हुई है, जैसाकि प्रशान्त महासागर की अनेक भाषाओं में होता है। लकार वाला यह रूप लैटिन में भी है जहाँ **मॅल्** का अर्थ शहद, मिठास है। **मध्य** के लिए

**मलु** और **मदु** रूपों से उक्त कल्पना की पुष्टि होती है। मूल सघोष महाप्राण ध्वनि अपनी महाप्राणता खोकर **द्** रूप में बनी रहती है और यह **द् र्** में परिवर्तित होकर एक और वैकल्पिक रूप देता है। **विद** से **विअ** का विकास अन्य प्रभाव से हुआ है। यह वह प्रवृत्ति है जिसमें मध्यवर्ती स्पर्श-ध्वनियों का लोप होता है। यह जानने और देखने का अर्थ देनेवाली वही भारतीय **विद्** क्रिया है जो **विद्या** और **विद्वान्** में विद्यमान है। ब्रैंडेंस्टाइन के लिए यह कल्पनातीत है कि भारतीय उद्भव का कोई शब्द आस्ट्रेलिया की आदिवासी भाषाओं तथा यूरोप की ग्रीक, लैटिन, जर्मन भाषाओं में एक साथ मिले। **मधु** और **मध्य** में सघोष महाप्राण ध्वनि थी, इसे कोई अस्वीकार नहीं करता। यह ध्वनि यूरोप की भाषाओं में नहीं है, यह निश्चित है। उसका उच्चारण भारत में अब भी होता है, यह भी निश्चित है। सघोष महाप्राणता के सूत्र के सहारे यह मानना चाहिए कि **मधु** और **मध्य** जैसे शब्द भारत से एक ओर आस्ट्रेलिया की आदिवासी भाषाओं में पहुँचे हैं, दूसरी ओर यूरोप की इंडो-यूरोपियन भाषाओं में।

अब ब्रैंडेंस्टाइन ने **तर्तरुग** शब्द के बारे में जो कुछ कहा है, उसे सुनें। उक्त निबन्ध में उन्होंने लिखा है : 'निकल खाड़ी और डी ग्रे नदी के मुहाने के बीच में, अर्थात् न्गार्लुमा करीएरा और न्गार्ला भाषाओं में, टर्टल पक्षी के लिए **तर्तरुग** शब्द है। बड़े-बूढ़ों के मुँह से कभी-कभी इसका **थर्थरुग** रूप सुना जाता है। इस शब्द से तुरत टर्टलवाचक इतालवी और पुर्तगाली शब्दों की याद आती है। इसे उत्तरकालीन लैटिन ने **तर्तरूकुस्** रूप में प्राप्त किया। इसका अर्थ है आतालवासी दैत्य। ऐसा माना जाता है कि प्रारम्भिक इसाई प्रतीकवाद ने स्त्रीलिंग रूप **तर्तरूक** का प्रयोग टर्टल पक्षी के लिए इस कारण किया कि उससे समुद्री दानव की नारकीय प्रकृति व्यक्त हो जाए। उत्तरकालीन ग्रीक **तर्तरोउ खोस्** उस भाषा का मौलिक शब्द है। दूसरी ओर मेरे सभी सूचकों ने जोर देकर कहा कि **तर्तरुग** पुराना शब्द है, कुछ ही दिन पहले की उपलब्धि नहीं है, जैसे कि और बहुत-से शब्द हैं, जिनके बारे में वे अच्छी तरह जानते हैं। इस कारण, तथा औपनिवेशिक काल में पिलबरा के इस भाग में इतालवी प्रभाव का कोई स्पष्ट प्रमाण न मिलने के **तर्तरुग** के पुर्तगाली उद्भव पर ही विचार किया जा सकता है। यह असम्भव लगता है कि रोमांस और आस्ट्रेलियाई भाषाओं में एक ही जीव के लिए नौ अक्षरों का एक-सा नाम रखा जाए क्योंकि हमें पता है कि तिमोर सागर में पुर्तगाली जहाज इस विशेष कारण से चक्कर लगा रहे थे कि कछुए का खोल प्राप्त करें जो उस समय बड़े फैशन की कीमती चीज़ माना जाता था और लोग उसका व्यापार करते थे।

ब्रैंडेंस्टाइन ने **तर्तरुग** को पुर्तगाली उद्भव का शब्द माना है। इसके आधार पर उन्होंने इस धारणा को पुष्ट किया है कि आस्ट्रेलिया के उत्तर-पश्चिमी तट पर पुर्तगाली लोग उतरे थे। उन्होंने आशा व्यक्त की है कि पिलबरा के समुद्रतट पर पुर्तगालियों के जहाजों, उनके वहाँ उतरने, व्यापार करने के चिन्ह किसी दिन अवश्य मिलेंगे।

सम्भव है, **तर्तरुग** पुर्तगाली उद्‌भव का शब्द हो और आस्ट्रेलिया के आदिवासियों ने उसे पुर्तगालियों से प्राप्त किया हो! यह भी सम्भव है कि ग्रीक भाषा का यह अपना शब्द रहा हो और ईसाइयों ने टर्टल जन्तु के लिए प्रतीक रूप में उसका व्यवहार किया हो। पर आस्ट्रेलिया के बड़े-बूढ़े आदिवासी कभी-कभी इसे **थर्थरुग** भी कहते हैं। यदि मूल शब्द में महाप्राण ध्वनि है तो अधिक सम्भव यह है कि अल्पप्राण वाला रूप यूरोप की भाषाओं में किसी अन्य शब्द का विकास है और हो सकता है कि वह मूल शब्द आस्ट्रेलिया की आदिवासी भाषाओं का न हो। ब्रूस बिग्स ने 'डायरेक्ट् एंड इनडायरेक्ट् इनहेरीटेंस् इन् रोतुमन्' निबन्ध ('लिंगुआ' 14) में एक शब्द **इक** दिया है। यह फिजी, समोआ, तोङ्, रोतुमन और न्यूजीलैंड की माओरी भाषाओं में बोला जाता है। इसका अर्थ है मछली। ग्रीक भाषा में मछली के लिए **इख़्थुस्** शब्द है। ये दोनों शब्द परस्पर सम्बद्ध जान पड़ते हैं। इससे यह सिद्ध नहीं होता कि यूनानी सिन्धु-यात्री आस्ट्रेलिया के समुद्रतट पर मछली पकड़ने गए थे।

विलहेल्म मिल्के ने न्यूगिनी की आस्ट्रोनीशियन भाषाओं पर अपने निबन्ध ('लिंगुआ' 14) में मुकावा भाषा का **कओ** शब्द दिया है जिसका अर्थ है दिन या सूर्य। किंचित् परिवर्तित रूप में यह शब्द समोआ, तोङ्गा आदिभाषाओं में बोला जाता है। ग्रीक भाषा में **कइओ, कओ** शब्द का अर्थ है आग जलाना। अनेक भाषाओं में अग्नि से सम्बन्धित शब्द दिन और सूर्य के लिए प्रयुक्त होते हैं। ऐसा यहाँ भी सम्भव है। उसी लेख में मुकावा भाषा का **अबु** शब्द दिया है जिसका अर्थ है मामा। उबिर और वेदउ भाषाओं में इसका **अवु** रूप है। लैटिन में **अवुस्** शब्द का अर्थ है पितामह् पूर्वज। इसी से **अबुंकुलुस्** शब्द बनता है जिसका अर्थ है मामा। इसी से अंग्रेज़ी का **अंकल** शब्द बनता है। मुंडारी का **आपु** (पिता) और तमिल का **अप्पु** इससे बहुत दूर नहीं है। आस्ट्रोनीशियन भाषाओं में **प्** और **व्,** दोनों ध्वनियों वाले रूप हैं। लैटिन **अवु** शब्दमूल का पूर्वरूप है भारतीय **अपु** और यह शब्द प्रशान्त महासागर की भाषाओं में भी है। ब्रूस बिग्स ने ऊपर उल्लिखित निबन्ध में **तोङ्गा मतऽ उ,** माओरी **मअतउ** (जानना) शब्द दिये हैं। फिजी में **मतउ** का अर्थ है चतुरतापूर्वक। संस्कृत में **मन्** क्रिया सोचने-विचारने के लिए है और उससे **मत** शब्दमूल वाले आस्ट्रिक शब्दों का सम्बन्ध हो सकता है।

शब्द-निर्माण-प्रक्रिया में देखने और जानने की क्रियाओं का गहरा सम्बन्ध है। जैसे **विद्** माने देखना और जानना, उसी तरह **मत**। भारतीय कोल भाषाओं में इस शब्द का अर्थ नेत्र है। इसी अर्थ में प्रशान्त महासागर और दक्षिण-पूर्वी एशिया की भाषाओं का व्यापक व्यवहार होता है। यह शब्द प्राचीन और आधुनिक मोन् भाषा में है, मलय-निकोबार के अतिरिक्त वियतनाम की भाषा में यह शब्द है। ताइवान की बोलियों में इसके **मत, मस, मट** आदि रूप हैं। फिलीपीन, फिजी की भाषाओं में यह शब्द है, सुदूर सामोआ द्वीप और न्यूजीलैंड के माओरी जनों की भाषाओं

में भी यह शब्द है। कहीं **त्** है और कहीं स्वर के साथ **त** है। प्रथम वर्ण में **म** के अतिरिक्त **मो** और **मे** का व्यवहार भी हुआ है। भारतीय कोल भाषाओं—यथा मुंडारी **मेद्**—में भी इसका व्यवहार होता है। नाग भाषा बोरो का **नय्** (देखना), संस्कृत **नेत्र** सम्बद्ध रूप हैं।

**पर्वत** शब्द का **वत** पत्थर या पहाड़ का अर्थ देता है। फिजी में **बतु**, तोङ्गा में **फतु**, न्यूज़ीलैंड की माओरी में **ह्वतु**, फिलीपीन की तागालोग में **बतो**, ताइवान की बोलियों में **बतु, फतु, वतोऽ** आदि रूप हैं। हिन्दी के **सिलबट्टा** में यही **वत** है। तोङ्गा में पत्थर के लिए **फतु** के अलावा **कल** शब्द भी है। तमिल **कल्** का अर्थ भी पत्थर है। सामोआ की भाषा में भोजन कराने के लिए **हगइ** और **फत** शब्द हैं, तोङ्गा और रोतुमन में इनके प्रतिरूप **हग** और **फङ्ग** हैं। संस्कृत **भस्, भक्ष्** (खाना), ग्रीक **फगॅइन्** (उप.) सम्बद्ध रूप हैं। रिआङ् में चाटने के लिए **लिअ, लिएत्** शब्द हैं जिनका आधार संस्कृत **लिह्** है। ख्मेर में **लीत्** रूप है। ग्रीक **लॅइखो**, अंग्रेज़ी **लिक्** संस्कृत **लिह्** के प्रतिरूप हैं। नाव के लिए **स्त्रे, मोङ्, गार** आदि आस्ट्रिक भाषाओं में **प्लुङ्** शब्द है। संस्कृत **प्लव** (नाव) की **प्लु** क्रिया से यह शब्द बना है। सम्भव है, संस्कृत **प्लवङ्ग** (मेढक, बन्दर) का एक अर्थ नाव भी रहा हो। रिआङ्, लेमेत् आदि में **यम्** का अर्थ है मरना। संस्कृत **यम** मृत्यु का देवता है। रोतुमन **सोक** का अर्थ है थूथन से ज़मीन खोदना। संस्कृत **शूकर** के **शूक** का मूल अर्थ थूथन रहा होगा। **पुलक** में जो रोमांचित होने का भाव है, उसकी व्याख्या सामोआ **फुलु**, माओरी **हुरु**, फिजी **वुलु** (शरीर के बाल) से होती है। न्यूगिनी की मनम् भाषा में **उर** का अर्थ है वर्षा। यह **वर्षा** की **वर्** क्रिया के रूपान्तर **उर्** से बना रूप है। आस्ट्रिक समुदाय की मोतु भाषा में **बोग** का अर्थ है योनि, पेट। यह संस्कृत **भग** का प्रतिरूप है। ऐश्वर्यवाचक **भग** का प्रतिरूप **बुग** (आत्मा, प्रेत) गेदागेद् भाषा में है। (देखें : 'लिंगुआ' 14 में न्यूगिनी की भाषाओं पर मिल्के का लेख)

दानव में **प्ले**, पलौङ् में **प्लइ**, प्राचीन ख्मेर में **प्ले** संस्कृत **फल** के प्रतिरूप हैं। कुत्ते के लिए दानव **त्सो**, रिआङ्, **सोऽ**, वियतनामी **छो**, पुमान **शव्** संस्कृत **श्व, श्वा** से सम्बन्धित हैं। भारतीय कोल भाषा सवर में इन्हीं का प्रतिरूप **सोर** है। जावा-मलय और फिलीपीन की भाषाओं में उपसर्ग **अ**—जो सम्भवत: निर्देशक सर्वनाम है—जोड़कर **असु** और **असो** रूप बनते हैं। संस्कृत **पुष्प** के प्रतिरूप ताइवान की बोलियों में **पह्-पह्, पप्पह** हैं। इन्हीं बोलियों में स्वप्न के लिए संस्कृत क्रिया **स्वप्** से बने हुए **सिपि, ऽइपि, इपि** रूप हैं। फिजी में **कोरो**, तोङ्गा में **कोलो** दुर्गवाचक शब्द **कोट** के प्रतिरूप हैं। न्यूजीलैंड की माओरी भाषा तथा तोङ्गा में **कव** शब्द **कटु** का प्रतिरूप है। फिजी में **सिकनि**, तोङ्गा में **हिक**, सामोआ में **सिऽए** शब्द जाल सीने की सुई के लिए प्रयुक्त होते हैं। **सीने** की **सी** क्रिया से इनका सम्बन्ध है। तीर मारने के लिए फिजी में **वन**, तोङ्गा में **फन**, माओरी में **ह्वन** शब्द

हैं जिनका सम्बन्ध संस्कृत **वाण** से है। बाँधने के लिए फिजी **वउ**, सामोआ **फउ**, माओरी **व्हउ** के मूल रूप **पऽ उ** की कल्पना की गई है। यह शब्द **पगु** हो सकता है जिससे **पगड़ी** और **पगही** शब्द बने हैं। फिजी **केसु** का अर्थ सिर का पिछला भाग है। इसका सम्बन्ध संस्कृत **केश** से हो सकता है। माओरी और तोङ्गा में **मुऽअ** (सामने) **मुख** का प्रतिरूप है। फिजी **सल**, तोङ्गा **हल**, माओरी **अर** रास्ते के लिए प्रयुक्त होनेवाले शब्द हैं। इनका सम्बन्ध संस्कृत **सर्** (चलना) से है। मशाल और प्रकाश के लिए फिजी और माओरी में **रम**, सामोआ में **लम** शब्द हैं। लैटिन में **लम्पस्** शब्द का अर्थ मशाल अथवा रोशनी है। हिन्दी **दमकना** की **दम्** धातु का रूपान्तर है **रम्, लम्**। सामोआ में **फोलउ**, रोतुमन में **फोरउ** का अर्थ समुद्री यात्रा है। बिग्स ने रोतुमन भाषा पर अपने लेख में इन शब्दों का मूल रूप **परउ** माना है और उसका अर्थ नाव या जहाज़ किया है। तोङ्गा **फोलउ**, माओरी **व्हरउ** का अर्थ नाव है। कन्नड़ और तमिल में **नाव** के लिए एक शब्द **पारु** है।

**मुस्** क्रिया सूँघने के लिए किसी समय अनेक भारतीय भाषाओं में व्यापक रूप से प्रयुक्त होती थी। तमिल **मुक, मो**, कन्नड़ **मूसु** का अर्थ सूँघना है। फ़ारसी का **मुश्क** (अंग्रेज़ी में फ़ारसी से उधार लिया हुआ **मस्क**) गन्धवाचक है। मोन् में मुह-नाक के लिए प्रयुक्त होनेवाला शब्द है। ख्मेर **मुह्** वियतनोमी **मुँहइ** इसी के प्रतिरूप हैं। भारतीय कोल भाषाओं में कूर्कू **मू**, सवर **मु**, मुंडारी **मूँ** इस शब्द का व्यापक व्यवहार सिद्ध करते हैं। द्रविड़ भाषाओं में क्रियावाला अर्थ प्रधान है, कोल और अन्य आस्ट्रिक भाषाओं में संज्ञा वाला अर्थ प्रधान है। संस्कृत **नासा**, अंग्रेज़ी **नोज़्**, इससे सम्बद्ध हैं। इंडोनीशिया तथा न्यूगिनी की कुछ भाषाओं में जल के लिए **दूर** शब्द है। (देखें : 'लिंगुआ', 14 में एच.के.जे. कौवन का लेख 'द ओइराता लैंग्वेज्'।) तमिल में जलवाचक **नीर** का प्रतिरूप **ईर्** है। संस्कृत **इरा** का अर्थ है जल। ब्राहूइ **सिल्** (खाल), कन्नड़ **सुलि** (खाल उतरना), तमिल **चॉलि** (छीलना) से सम्बद्ध हैं फिजी **कुलि** (खाल), माओरी **किरि** (उप.), तोंङ्गा **किलि** (उप.)। तमिल **पॉलि** (चमकना) के प्रतिरूप हैं सामोआ **पुल** (उप.), फिजी **वुल**, रोतुमन **खुल**। कन्नड़ **सुड्डु** (जलना), तमिल **चुड्डु** (उप.) के प्रतिरूप हैं सामोआ **सुलु**, माओरी **हुरु** (दमकना)। बिग्स के अनुसार **सुलु** का मूल अर्थ मशाल था। प्राकृत **चुडुली** का अर्थ भी मशाल था। तमिल **पो** (जाना) की प्रतिरूप है आस्ट्रेलिया की बुरेरा भाषा की **पॉय्** (उप.) क्रिया। **पो** का पूर्वरूप **पर्** था। **पर्** के रूपान्तर **पन्** से जैसे **पंथ** बनता है, वैसे ही बुरेरा का **पन्त** (पैर) रूप बनता है। तागालोग **पक** (उप.), ताइवान की बोलियों में **पकिऽ** (उप.), मलय **पह** (उप.) हिन्दी **पग** के प्रतिरूप हैं।

संस्कृत **पुरुष** के **पुरु** का प्रतिरूप है बुरेरा **वुरु** (पुरुष), संस्कृत **स्थल** और **तल** का प्रतिरूप है बुरेरा **तैल्** (धरती), संस्कृत **पल्ली** (गाँव, घर) का प्रतिरूप है बुरेरा **पल** (घर)। तेलगू **पल्लि** (गाँव, झोंपड़ी) सम्बद्ध रूप है। आर्य-द्रविड़ **अम्मा**

का बुरेरा प्रतिरूप है **श्रम** (माँ)। तमिल **अप्पन्** (पिता) का प्रतिरूप **इपन्** आस्ट्रेलिया की कुंजन् भाषा में है। तमिल **पॅण्** (स्त्री) का प्रतिरूप **पिन्डेन्** आस्ट्रेलिया की लार्दिल् भाषा में है। तिमिल **अङ्गे** (वहाँ) का प्रतिरूप **अङ्गे** (ऊपर) आस्ट्रेलिया का अन्यूला भाषा में है।

पिनोव् ने कोल भाषाओं के उत्तम पुरुष-सूचक जिस **अइ, अय्** सर्वनाम का उल्लेख किया है, उसका व्यवहार बुरेरा में भी उत्तम पुरुष के लिए होता है। उत्तम पुरुष-सूचक **ङ, ञ** आदि सर्वनाम कोल भाषाओं में हैं, बुरेरा में उत्तम पुरुष-सूचक **ङु**, सर्वनाम हैं।

कौवन ने न्यूगिनी की भाषाओं के उत्तम पुरुष-सूचक **ने, नेइ, नेने, नेदि, नेरि** आदि रूपों का उल्लेख किया है। ये संस्कृत **नः** (हमारा), तमिल **नान्** (मैं) से सम्बद्ध हैं।

अनेक द्रविड़ भाषाओं में उत्तम पुरुष सर्वनाम के दो बहुवचन रूप होते हैं। एक में वक्ता और श्रोता, दोनों शामिल होते हैं, दूसरे में श्रोता शामिल नहीं होता। आस्ट्रेलिया की भाषाओं में भी उत्तम पुरुष के दो बहुवचन रूप होते हैं, एक श्रोतायुक्त, दूसरा श्रोताविहीन।

भारतीय कोल-द्रविड़ भाषाओं में जो अनेक समानताएँ हैं, वे दक्षिणी-पूर्वी एशिया से लेकर आस्ट्रेलिया तक की आस्ट्रो-एशियाटिक भाषाओं में फैलती चली गई हैं। इनमें एक विशेषता क्रिया के बाद सर्वनामों या सर्वनाम-चिन्हों का व्यवहार है। इस विषय पर ए. कैपेल का एक महत्त्वपूर्ण लेख है : 'ऑनोमिनलाइजेशन इन् आस्ट्रेलियन लैंग्वेजेज़'। ('पेपर्स इन आस्ट्रेलियन लिंग्विस्टिक्स', संख्या 2, 1967) कोल भाषाओं में सर्वनामीकरण की प्रक्रिया व्यापक है। इसके विपरीत, कैपेल के अनुसार, आस्ट्रेलिया की आदिवासी भाषाओं का एक वर्ग ऐसा है जिसमें सर्वनामीकरण नहीं है। दूसरा वर्ग ऐसा है जिसमें सर्वनामों का स्वतंत्र अस्तित्व है और क्रियापद रचना में सर्वनाम-चिन्हों का व्यवहार होता है। तीसरा वर्ग उन भाषाओं का है जिनमें सर्वनामीकरण का पूर्ण विकास हुआ है। सर्वनाम-चिन्ह क्रिया में जोड़े जाते हैं, वे कर्ता और कर्म की सूचना देते हैं, वे मूल शब्द के बाद प्रत्यय की तरह उससे पहले उपसर्ग की तरह जोड़े जाते हैं, मूल शब्द में सम्बन्धसूचक सर्वनाम-चिन्ह भी जोड़े जाते हैं।

सर्वनामीकरण को लेकर आस्ट्रेलिया की आदिवासी भाषाओं में जो तीन वर्ग निश्चित किये गए हैं, उनसे सिद्ध होता है कि कोल भाषाओं का प्रभाव यहाँ विषम रूप में पड़ा है। एक वर्ग इस प्रभाव से पूर्ण मुक्त है, दूसरा उस प्रभाव को ग्रहण करता है, तीसरे में यह प्रभाव घनीभूत है। पहले वर्ग की भाषाओं में सर्वनाम कर्ता सामान्यत: पहले आता है, क्रिया उसके बाद आती है। सर्वनाम-चिन्ह के अभाव में क्रिया से पुरुष की सूचना नहीं मिलती। इस वर्ग की एक भाषा गदङ् से कैपेल ने

उदाहरण दिया है : **नद्ध बर बुंजिल** (मैंने उन्हें मारा)। वाक्य-रचना हिन्दी के समान है, आरम्भ में कर्ता, अन्त में क्रिया, क्रिया से पहले कर्म। यह कर्ताभिमुख वाक्य है। इसके विपरीत क्रियाभिमुख वाक्य इस प्रकार का है : **विन मन ङलि** (मछली-मारने-जाएँ हम-दोनों)। यहाँ सर्वनाम कर्ता वाक्य के अन्त में है, शुरुआत क्रिया से होती है। यह वाक्य युविनबर भाषा का है। क्रिया से वाक्य आरम्भ करना अनिवार्य नहीं है किन्तु सामान्य प्रवृत्ति वैसी अवश्य है। ङ्जैम्ब नाम की भाषा से उदाहरण दिया है : **बु-म-र-नि** (मारते हैं हम दोनों)। वाक्य **बु** क्रिया से आरम्भ होता है। सर्वनाम में वक्ता-श्रोता, दोनों शामिल हैं। **बु म-र-निन**, यहाँ श्रोता को बाहर रखा गया है। जब जोर देकर वही बात कहनी हो तो वाक्य के आरम्भ में सर्वनाम कर्ता और जोड़ देंगे : ङ्जनि **बु म-र-नि**। पहले **पठामि**; फिर **अहं पठामि!** संस्कृत से भिन्न, मैथिली-मगही के समान, क्रियापद-रचना में कर्ता के साथ कर्मसूचक सर्वनाम भी शामिल कर लिया जाता है। जजल भाषा से उदाहरण दिया है : **दग्** (मारना); **दग** (**दग्-अ**, मारता है वह); **दग-निंज्** (मारता है वह मुझे)। आस्ट्रेलिया की आदिवासी भाषाओं के एक वर्ग में सर्वनामीकरण के प्रसार के बारे में कैपेल ने लिखा है कि इन भाषाओं में क्रिया के बाद प्रत्यय लगाने की पद्धति का विकास हुआ है। इसका कारण क्रिया के बाद कर्ता-सर्वनाम जोड़ने की प्रवृत्ति है। यह कर्ता-सर्वनाम उसके बाद आनेवाले कर्म-सर्वनाम से संयुक्त हो जाता है।

संज्ञा के बाद सम्बन्धसूचक सर्वनाम इस प्रकार आता है : **मर-नु** (पत्नी तेरी)। कोल भाषाओं की यह पुरानी पद्धति है। इससे भिन्न नाग-द्रविड़ पद्धति के अनुरूप सर्वनाम-चिन्ह मूल शब्द के पहले भी आता है : **ङि अम्बुल्** (मेरी आँख)। कैपेल का मत है कि जो वस्तु वक्ता का अभिन्न अंग है, जैसे आँख, सर्वनाम-चिन्ह उसके पहले आएगा; जहाँ ऐसी अभिन्नता नहीं है, वहाँ सर्वनाम-चिन्ह बाद में आएगा, यथा : पत्नी तेरी।

कैपेल ने उचित ही सर्वनामीकरण के सन्दर्भ में भारतीय भाषाओं का उल्लेख किया है किन्तु आस्ट्रेलिया की आदिवासी भाषाओं में इस पद्धति का प्रसार भारतीय कोल प्रभाव से हुआ है, इस सम्भावना का उल्लेख उन्होंने नहीं किया। समूची भाषायी स्थिति देखते हुए यह सम्भावना युक्तिसंगत लगती है। संज्ञा के पहले और उसके बाद सर्वनाम-चिन्ह जोड़ने की दो भिन्न पद्धतियाँ हैं। संज्ञा के पहले सर्वनाम-चिन्ह जोड़ने का कारण नाग-द्रविड़ प्रभाव हो सकता है। नाग भाषा बोरो में : **बव** (बाबा), **अबव** (मेरा बाबा), **नम्बव** (तुम्हारा बाबा); द्रविड़ भाषा तमिल में : **आय्** (माँ), **याय्** (मेरी माँ), **ञाय्** (तेरी माँ)।

आस्ट्रेलिया की आदिवासी भाषाओं समेत आस्ट्रो-एशियाटिक भाषा-समुदाय के विवेचन के लिए भाषायी क्षेत्र भारत पर ध्यान देना आवश्यक है।

4

# भारत के प्राचीन भाषा-परिवार और हिन्दी

## 1. भाषा-परिवारों का नामकरण

सबसे पहले भाषा-परिवारों के नामों के बारे में।

इंडो-यूरोपियन परिवार का नाम इंडिया से यूरोप को जोड़कर रखा गया है। इंडिया अर्थात् भारत के अनेक भाषा-समुदायों में एक है आर्य भाषा-समुदाय जिराका विशेष सम्बन्ध यूरोप की कुछ भाषाओं से माना गया है। यूरोप में हंगरी, फिनलैंड, बास्क भाषा-क्षेत्र, अनेक प्रदेश ऐसे हैं जहाँ इंडो-यूरोपियन परिवार की भाषाएँ नहीं बोली जातीं। इंडो और यूरोपियन, इन दोनों शब्दों में अतिव्याप्ति दोष है। ईरानी भाषा-समुदाय का विशाल क्षेत्र मध्य तथा पश्चिमी एशिया में फैला हुआ है और यह क्षेत्र न भारत में है, न यूरोप में। यदि पश्चिमी एशिया के प्राचीन हित्ती गण-समुदाय को ध्यान में रखें तो इंडो-यूरोपियन नाम के अव्याप्ति दोष का बोध भी हो जाएगा। फिर भी यह नाम प्रचलित है और भाषाविज्ञानी उसकी व्याप्ति-अव्याप्ति के विवेचन में नहीं पड़ते।

आस्ट्रो-एशियाटिक नाम इसी प्रकार दोषपूर्ण है। एशिया में अनेक, और विशाल क्षेत्रों में फैले हुए, भाषा-परिवार हैं; वे सब इस नाम के एशियाटिक विशेषण की अर्थ-परिधि से बाहर कर दिये गए हैं। आस्ट्रेलिया में भी अनेक भाषा-परिवार हैं और आस्ट्रो की अर्थ-परिधि से वे भी बाहर हैं—इंडो-यूरोपियन नाम की नकल करते हुए आस्ट्रो-एशियाटिक नाम रखा गया और कुछ लोगों ने कल्पना भी कर ली कि आदि इंडो-यूरोपियन भाषा बोलनेवाले विशुद्ध आदिम आर्य जनसमुदाय के समान एक 'आस्त्रिक' नस्ल थी जिसकी शाखाएँ प्रशान्त महासागर के द्वीपों तथा भारत में फैल गईं। वास्तव में जो इस आस्ट्रो-एशियाटिक परिवार के अन्तर्गत मानी जाती हैं, वे सब किसी एक आदिभाषा की शाखाएँ नहीं हैं। अनेक भाषाविज्ञानी इस नाम के भाषा-परिवार का अस्तित्व स्वीकार नहीं करते।

चीनी-तिब्बती परिवार में चीनी विशेषण से यह भ्रम पैदा होता है कि चीन में एक ही परिवार की भाषाएँ बोली जाती हैं। जिसे हान जनसमुदाय कहा जाता है,

उसकी भाषा चीनी है; चीन में अनेक गैरहान जनसमुदाय हैं और उनकी भाषा चीनी से नितान्त भिन्न हैं। तिब्बती भाषा का घनिष्ठ सम्बन्ध बर्मी भाषा से है, चीनी से नहीं। इस कारण कुछ भाषाविज्ञानी तिब्बती-बर्मी भाषा-परिवार को अलग मानते हैं, चीनी भाषा-परिवार को उससे अलग रखते हैं।

इसी प्रकार अल्ताई, यूरालिक आदि नामों की सीमाएँ हैं।

इस पुस्तक में इंडो-यूरोपियन आदि नाम आए हैं। हर नाम में व्याप्ति की अधिकता या कमी है। पाठक यह बात ध्यान में रखें।

कोई भी भाषा-परिवार किसी आदिभाषा की शाखाओं-प्रशाखाओं का समूह नहीं है। कोई भाषा-परिवार किसी ख़ास नस्ल के लोगों की भाषाओं का समूह न पहले कभी रहा है, न आज है। परिवार शब्द ही भ्रान्तिपूर्ण है। जो भाषाएँ आपस में मिलती-जुलती दिखाई देती हैं, उन्हें परिवार की संज्ञा यह सोचकर दी गई थी कि इनका निर्माण मानव-परिवार के समान होता है, आदि मातामही भाषा से लेकर आधुनिक नातिन-पनातिन भाषाओं तक पूरे वंशवृक्ष का नक्शा बनाकर दिखाया जा सकता है। इस तरह की कल्पनाएँ निराधार हैं।

भाषाविज्ञान में परिवार शब्द का प्रयोग बहुत समय से होता आया है, इस पुस्तक में भी हुआ है। भाषा-परिवार उन भाषाओं का समुदाय है जिनमें ध्वनितंत्र, शब्दतंत्र, विन्यासतंत्र की अनेक समानताएँ हैं; इस समुदाय का निर्माण एक भाषास्रोत से नहीं, अनेक भाषा स्रोतों से होता है; भाषा-परिवार वंशवृक्ष की जड़ों से बँधी हुई कोई जड़ इकाई नहीं है, वह सामाजिक विकास के साथ गतिशील, स्वयं विकासमान और परिवर्तनशील इकाई है।

ऐतिहासिक भाषाविज्ञान में 'इंडोएर्यन' शब्द का व्यवहार भी व्यापक रूप से होता है। इससे ध्वनि यह निकलती है कि जो आर्य भारत आए, वे 'इंडो-एर्यन' हुए; जो बाहर बस गए, वे अन्य नामों से पुकारे जाने लगे। आर्य चाहे बाहर से आए हों, चाहे अनादिकाल से भारत में रहते आए हों, माना यह जाता रहा है कि वे सब रंगरूप, प्राकृति-आकार में एक-से थे और सबकी भाषा एक थी। मैंने इस धारणा का खंडन किया है।

इस पुस्तक में 'इंडोएर्यन' या 'भारतीय आर्य' के बदले मैंने केवल आर्य शब्द का व्यवहार किया है। 'आर्य भाषा-परिवार' के साथ मैंने 'आर्य भाषा-समुदाय' का व्यवहार भी किया है। यह भाषा-समुदाय किसी आदि आर्य भाषा की उपज नहीं है; ध्वनितंत्र, शब्दतंत्र और विन्यासतंत्र के नितान्त भिन्न स्रोतों से उसका निर्माण हुआ है। एक स्रोत में **अ** स्वर है तो दूसरे में उसका अभाव है, केवल वर्तुल **ऑ** अथवा **औ** का ही व्यवहार होता है। एक स्रोत्र में दन्त्य **त्** है तो दूसरे में वर्त्स्य अथवा मूर्धन्य **ट्** का ही प्रयोग होता है। एक में **स्कम्भ** शब्द का चलन है तो दूसरे में **स्तम्भ** का। एक में वाक्य क्रिया से आरम्भ होता है तो दूसरे में कर्ता से। इस

आर्य भाषा-समुदाय में मगध, कोसल, कुरु आदि उन गण-समाजों की भाषाएँ भी हैं जिनके नाम विख्यात हैं, इनमें उन गण-समाजों की भाषाएँ भी जिनके नाम हम नहीं जानते किन्तु जिनकी भाषाओं के अस्तित्व के प्रमाण असन्दिग्ध रूप से प्राप्त हैं।

द्रविड़ शब्द का व्यवहार एक विशाल भाषा-समुदाय के लिए होता आया है, इस पुस्तक में भी हुआ है। **द्रविड़** शब्द द्रविड़ भाषाओं का नहीं है। एक तो इसके आदिस्थान में सघोष **द्** ध्वनि प्रतिष्ठित है, इसके अतिरिक्त उसके साथ **र्** ध्वनि संयुक्त है। शब्द के आरम्भ में संयुक्त व्यंजनों का व्यवहार द्रविड़ भाषाओं, विशेष कर तमिल, की ध्वनि-प्रकृति के अनुकूल नहीं है, सघोष स्पर्श-ध्वनि के साथ **र्** का सम्पर्क और भी अनोखा है। द्रविड़ भाषाओं, विशेष कर तमिल, का कोई भी अपना शब्द **र्** से आरम्भ नहीं होता, सघोष **द्** से उसका संयुक्त होना तो दूर की बात है। द्रविड़ भाषा-प्रेमियों ने इस शब्द को अपना लिया है, आर्यवाद की तरह कुछ लोगों ने द्रविड़वाद भी चलाया है। इस पुस्तक में जैसे आर्य भाषा-समुदाय का सम्बन्ध आर्यवाद से नहीं है, वैसे ही द्रविड़ भाषा-समुदाय का सम्बन्ध द्रविड़वाद से नहीं है। न आर्य नाम की कोई नस्ल थी, न द्रविड़ नाम की।

यहाँ पाणिनि का यह सूत्र विचारणीय है : **अर्यः स्वामिवैश्ययोः** (3-1-103)। **वैश्य** के प्रति स्वामिभाव दिखाना हो तो उसे **अर्य** कहेंगे, ब्राह्मण के प्रति यही भाव दिखाना हो तो उसे **आर्य** कहेंगे। ब्राह्मण और वैश्य, दोनों द्विज हैं। दोनों एक ही भाषा बोलते हैं किन्तु दोनों समान रूप से **आर्य** नहीं हैं, सामन्ती व्यवस्था में वर्णगत सम्मान-भेद की व्यंजना आवश्यक है। अतः एक है **अर्य**, दूसरा है **आर्य**। इस सम्मानसूचक शब्द को नस्ल से जोड़कर भाषाविज्ञानियों और इतिहासकारों ने उसका अर्थ बदल दिया और अपने आरोपित अर्थ के आधार पर वे भाषाओं और मानव समुदायों का इतिहास रचने लगे।

जो प्राचीन गण-समाज वेद को ईश्वरकृत ज्ञान का भंडार न मानते थे, अपने विवेक से और विश्वप्रपंच के विश्लेषण से ज्ञान-प्राप्ति का दावा करते थे, वे **थेरविद्, थेरवादी, विभज्जवादी** आदि नामों से अभिहित हुए। **थेरविद्** का विकास हुआ **द्रविड़**। इस विकास की चर्चा प्रस्तुत पुस्तक के दूसरे खंड में केल्त भाषा-समुदाय के प्रसंग में हुई है।

भारत में सामन्ती व्यवस्था के मुख्य प्रसार-केन्द्र उत्तर भारत में थे। इस व्यवस्था के प्रसार के साथ आर्य भाषाओं का सम्मानसूचक आर्य शब्द द्रविड़ भाषाओं के क्षेत्र में पहुँचा। तमिल **अच्चन्** (पिता), मलयालम **अच्चन्** (उप.) और **अच्च** (माता), कन्नड़ **अज्ज** (पितामह) आदि के अलावा आर्थिक दृष्टि से पिछले हुए द्रविड़ समाजों में **आर्य** के प्रतिरूपों का चलन है, यथा : कोत **अज् अयण्** (अतिवृद्ध पुरुष), कोडगु **अज्जॅ** (पितामह), कुड़ुख **अज्जॉस्** (उप.), **अज्जी** (आजी, दादी)। 'द्रविड़ व्युत्पत्ति-कोश' में बरो और एमेनो ने बड़ी सावधानी से आर्येतर द्रविड़ शब्दमूलों का

संग्रह किया है। **अच्चन्** की शब्द-शृंखला के बाद लिखते हैं : 'सम्भवत:' संस्कृत **आर्य**, प्राकृत **अज्ज** से इन रूपों का विकास हुआ है।

**आर्य** शब्द सम्मानसूचक था; उसकी यह व्यंजना उत्तर भारत के आर्य भाषा-क्षेत्र में ही नहीं, द्रविड़ भाषा-क्षेत्रों में भी सुरक्षित है।

जब **आर्य** अथवा **अर्य** का **य्** अपना अर्द्ध-स्वर वाला रूप खोकर **ज्** रूप में ग्रहण किया गया, तब **अच्चन्** आदि शब्दों का चलन हुआ; जब **अज्ज** का **ज्** विपरीत-क्रम से **य्** रूप में ग्रहण किया गया, तब **अइयर्, अइयन्** आदि शब्द प्रचलित हुए। तमिल **अय्यन्** (पिता), **अय्या** (उप.), **अइयर्** (श्रद्धेय व्यक्ति), कन्नड़ **अय्य** (पिता, पितामह् गुरु, स्वामी) आदि के साथ पिछड़े हुए द्रविड़ समाजों में भी इस शब्द का चलन है, यथा : कोत **अय्ण्** (पिता), तोद **इन्, ॲयी** (उप.), कोडगु **अय्यॅ** (काका), कोलमि **अय्या** (नाना), **अय्याक्** (देवता)। यहाँ शब्द-शृंखला के अन्त में द्रविड़ व्युत्पत्ति-कोशकार संस्कृत **आर्य,** पालि **अय्य** को 'तुलनीय' बताकर साथ में एक प्रश्नचिन्ह भी लगा देते हैं।

आर्य से **अच्चन्** का सम्बन्ध सम्भव तो है, निश्चित नहीं! **अय्यन्** का सम्बन्ध और भी सन्दिग्ध है! द्रविड़ व्युत्पत्ति-कोशकार किस वैज्ञानिक दृष्टि से द्रविड़ शब्दमूलों का संग्रह कर रहे हैं, उनके 'सम्भवत:' और '? तुलनीय' से इसका अनुमान हो जाएगा।

प्राकृत **अज्ज** और संस्कृत **आर्य** का सम्बन्ध असन्दिग्ध है। जो द्रविड़ भाषाएँ सघोष स्पर्श-ध्वनि का द्वित्व स्वीकार करती हैं, उनमें **अज्ज** रूप है, जो नहीं स्वीकार करतीं, उनमें **अच्च** रूप है। मागधी प्राकृत में संस्कृत **जानाति** का रूपान्तर **याणादि**, जनपद का रूपान्तर **यणवद** है। अत: **अज्ज** और **अय्य** रूपों को सम्बद्ध मानना चाहिए।

**आर्य, अर्य, अज्ज, अय्य** सब सम्मानसूचक शब्द हैं; आर्य और द्रविड़ भाषाओं में इनका सम्बन्ध न कहीं भाषा से है, न किसी विशेष रंग रूप वाले मानव-समाज से। भाषा-समुदाय के लिए **आर्य** शब्द का व्यवहार करते हुए उसकी व्यंजना की मूल सीमाओं को ध्यान में रचना उचित है। यह भी उल्लेखनीय है कि **आर्य** के तद्भव प्रतिरूपों का जैसा प्रसार द्रविड़ भाषाओं में है, वैसा आर्य भाषाओं में नहीं है।

आर्य-द्रविड़ भाषा-समुदायों के साथ यहाँ एक कोल भाषा-परिवार है। इसे कुछ लोग मुंडा कहा पसन्द करते हैं, और कुछ विद्वान् मुंडा शब्द को पसन्द करने के अलावा उसके प्रयोग को अधिक वैज्ञानिक भी मानते हैं। पसन्द की बात अलग है पर उसके प्रयोग में विशेष वैज्ञानिक कुछ नहीं है। डॉ. सुनीतिकुमार चाटुर्ज्या ने बंगला भाषा के उद्भव और विकास पर अपने ग्रंथ के आरम्भ में ही लिखा था कि **मुंडा** शब्द कोल भाषा-समुदाय की एक भाषा की ओर ही संकेत करता है किन्तु **कोल** के प्रतिरूप **कोरो, होड़ो, होड़्, हॉड़्, हो** आदि इस समुदाय की

अनेक भाषाओं में प्रचलित हैं और उनके अस्तित्व की सूचना **मुंडा** की अपेक्षा **कोल** से अधिक मिलती है। अत: उन्होंने **मुंडा** की अपेक्षा **कोल** शब्द का व्यवहार अधिक उपयुक्त माना है।

**कोल** और उसके उक्त प्रतिरूप पुरुष का अर्थ देते हैं। **मगध, भरत** आदि शब्द के **मग** और **भर** के समान **कोल** शब्द गण-समाजों के नाम रखने की एक व्यापक परम्परा के अनुरूप है। **मग** और **भर** का मूल अर्थ पुरुष, योद्धा है, **आन्ध्र** के समान। **कोल** इस भाषा-समुदाय का अपना शब्द है, यह बात **मुंडा** के लिए नहीं कही जा सकती। अवध और झारखंड के अनेक स्थानों के नामों में **कोल** शब्द, थोड़े बहुत ध्वनि-परिवर्तन के साथ विद्यमान है। जो लोग भाषाविज्ञान में **कोल** शब्द का व्यवहार बन्द करना चाहते हैं, उन्हें बहुत-से गाँवों और कस्बों का नामकरण नये सिरे से करना चाहिए।

कोल भाषा-समुदाय आस्ट्रो-एशियाटिक परिवार की शाखा नहीं है, न वह इस परिवार का तना है कि शाखाएँ भारत से बाहर प्रशान्त महासागर पर छा गई हों। पर जिन भाषाओं को आस्ट्रो-एशियाटिक परिवार में गिना जाता है, उनमें और कोल समुदाय की भाषाओं में अनेक समानताएँ हैं। आस्ट्रो-एशियाटिक समुदाय के लिए जहाँ मैंने कोल शब्द का व्यवहार किया है, वहाँ सभी भाषा-परिवारों के नाम की तरह इस नाम की सीमाएँ भी याद रखनी चाहिए।

इसी तरह चीनी-तिब्बती, तिब्बती-बर्मी भाषा-परिवार के लिए नाग शब्द के व्यवहार की सीमाएँ हैं। **मगध** के **मग** का प्रतिरूप है **नग**। यह पुरुष-सूचक शब्द सर्पवाचक **नाग** में घुल-मिल गया है। **नगर, नाग्दा, नागरकोइल, नागालैंड** आदि अनेक स्थानवाचक शब्दों में इसका अखिल भारतीय प्रसार देखा जा सकता है। अन्य नामों की अपेक्षा एक विशेष भाषा-समुदाय के लिए **नाग** शब्द का व्यवहार अधिक समीचीन है।

यहाँ भाषा-परिवारों के नामों के साथ कुछ भाषाओं के नामों की चर्चा भी कर दें। जिस भाषा में मेरी यह पुस्तक लिखी गई है, उसका नाम **हिन्दी** है। **हिन्दी** का पूर्वरूप **सिन्धी** है, **हिन्द** का पूर्वरूप **सिन्धु** है। **हिन्दी** और **सिन्धी** दो जुदा भाषाएँ हैं यद्यपि मूलत: दोनों का नाम एक है। उन्नीसवीं सदी में ब्रजभाषा पद्य ही नहीं, बहुत कुछ गद्य का माध्यम भी बनी हुई थी। उससे आधुनिक हिन्दी का भेद दिखाने के लिए **खड़ी बोली** नाम का प्रयोग किया गया। मेरठ-दिल्ली-हरियाणा अर्थात् कुरु जनपद की ग्रामीण बोली को खड़ी बोली नाम न दिया गया था। यह नाम इस बोली के आधार पर विकसित उस जातीय भाषा को दिया गया जो अठारहवीं सदी में उत्तर भारत के अनेक नगरों की शिष्ट-जनभाषा बन चुकी थी। कुरु जनपद की बोली का नाम बाँगरू था और है। खड़ी बोली, बाँगरू से भिन्न, ब्रजभाषा से प्रभावित होकर विकसित होनेवाली, जातीय भाषा थी। इस जातीय भाषा को फोर्ट विलियम कॉलेज

का स्थापना के बाद उर्दू नाम देकर हिन्दी से जुदा किया गया पर वह जुदा हो चाहे संयुक्त हो, उसका जन्म किसी फौजी छावनी में न हुआ था।

पाणिनि जिस भाषा का व्याकरण रच रहे थे, उसे वह संस्कृत न कहते थे। संस्कृत का अर्थ था संस्कार किया हुआ। संस्कृत उस पदार्थ को कहेंगे जिसकी मूल प्रकृति संस्कार द्वारा निखारी जाए। **संस्कृतं भक्षाः** (4. 2. 16), **संस्कृतम्** (4. 4. 3)—इन दोनों सूत्रों में **संस्कृत** का प्रयोग खाद्य पदार्थों के सन्दर्भ में किया गया है। पाणिनि अपनी भाषा को केवल **भाषा** कहते हैं।

मेरा अनुमान है कि **कोत, कोडगु, कुड़ख, कोलमि** आदि द्रविड़ भाषाओं के नामों का स्रोत का एक ही पुरुष-योद्धा-वाचक शब्द **को, कोत** या **कोल** है। इन भाषाओं के बोलनेवाले कोल जन थे जो द्रविड़भाषी बने या जो आज कोल भाषाएँ बोलते हैं, वे पहले द्रविड़ भाषाएँ बोलते थे, इस समस्या का निर्णय भाषाओं के नाम के आधार पर नहीं हो सकता। पर **कोल** और **कोलमि (कॉलमि** या जैसे भी आप उसका उच्चारण करें) की समानता आकस्मिक नहीं है। द्रविड़ भाषा **पर्जि** के नाम का आधार संस्कृत शब्द **प्रजा** है। हिन्दी **परजा, पर्जा** से **पर्जि** बना है। (देखें : बरो और भट्टाचार्य : 'दि पर्जि लैंग्वेज', लन्दन, 1953) **मलयालम** नाम का आधार तमिल **मलइ,** मलयालम **मल** (पर्वत) है। यह भाषा पहाड़ों के अलावा मैदानों में भी बोली जाती है। प्राकृत **गोंड** (जंगल) से **गोंड** जनों और उनकी भाषा **गोंडी** का नाम सम्बद्ध है। चाहे भाषा-परिवार का नाम हो चाहे भाषा का, उस नाम की अर्थ-परिधि, इस अर्थ परिधि की सीमाएँ याद रखनी चाहिए।

## 2. प्राचीन संसार का सांस्कृतिक और भाषायी भूगोल

भाषा-परिवारों के नामों की चर्चा के बाद प्राचीन संसार के भाषायी भूगोल, उसके प्रमुख सभ्यता-केन्द्रों पर एक निगाह डाली जाए।

सिन्धु घाटी की सभ्यता का प्राचीनतम स्तर चौथी सहस्राब्दी ई.पू. का है। सर जान मार्शल ने सन् 1931 में प्रकाशित सिन्धु घाटी की सभ्यता पर अपने ग्रंथ 'मोहेनजोदड़ो एंड द इंडस सिविलाइजेशन' की भूमिका में लिखा था कि वर्तमान अनुसन्धान चौथी सहस्राब्दी से और आगे नहीं बढ़ता किन्तु जहाँ मोहेनजोदड़ो है, वहाँ अभी अनेक पहले के नगर दफनाये पड़े हैं, वहाँ तक पुराविद् का फावड़ा पहुँच नहीं पाया। मोहेनजोदड़ो और हड़प्पा में जिस सभ्यता के दर्शन होते हैं, वह मार्शल के अनुसार "भारतीय भूमि पर पुरानी पड़ चुकी है और रूढ़िबद्ध हो गई है और वह अनेक सहस्राब्दियों तक के मानव-प्रयासों का परिणाम है।"

प्राचीन शब्द सापेक्ष है। भारत के प्राचीन भाषा-परिवार—कितने प्राचीन? बीसवीं ईसवी सदी समाप्ति पर है। दो हज़ार साल ईसा के बाद; चार हज़ार साल ईसा से पहले; 'अनेक सहस्राब्दियों' का अर्थ केवल दो सहस्राब्दी ही किया जाए तो दो

हज़ार साल और जोड़ लीजिए। भारत का एक भाषा-परिवार कम-से-कम आठ हज़ार साल पुराना है। यह पुरानापन नगर-निर्माण वाली सभ्यता का पुरानापन है; नगर-सभ्यता के उद्‌भव और प्रतिष्ठा से पहले की भाषायी प्राचीनता और भी पुरानी है। नगर-सभ्यता से पूर्व की भाषायी प्राचीनता भारतीय है, इसका कोई पुरातात्त्विक प्रमाण नहीं है किन्तु आठ हज़ार साल पहले की नगर-सभ्यता के भारतीय होने में सन्देह नहीं है। वह आर्य हो चाहे द्रविड़, चाहे बाहर से आकर बसनेवालों की सभ्यता हो, वह है भारतीय। यदि बाहर से आकर बसनेवालों की सभ्यता है, तो भी उन्हें बसे हुए सहस्राब्दियाँ बीत गई थीं, उनकी सभ्यता रूढ़िबद्ध हो गई थी। इतना समय उनके भारतीयकरण के लिए काफ़ी था।

सिन्धु घाटी की मुद्राओं पर जिस संस्कृति के दर्शन होते हैं, वह कितनी भारतीय है, इसका विवेचन यहाँ सम्भव नहीं है। मार्शल की कही हुई कुछ बातों का उल्लेख यथेष्ट होगा। पहली यह है कि कपड़ा बनाने के लिए कपास का उपयोग अभी भारत तक सीमित है, पश्चिमी संसार में यह विद्या दो-तीन हज़ार साल बाद पहुँची। दूसरी यह कि यहाँ रहने के लिए सामान्य जनों के घर भी सुख-सुविधा वाले हैं और सार्वजनिक मार्ग सुनिर्मित हैं; मिस्र, मेसोपोटामिया और पश्चिमी एशिया (अर्थात् सिन्धु नदी के पश्चिम में नील नदी तक का क्षेत्र) इस मामले में पिछड़ा हुआ है। तीसरी यह कि देवी माता (आदि शक्ति) की उपासना कहीं भी अनादिकाल से ऐसी बद्धमूल नहीं है, जैसी भारत में; और देवी माता की मूर्तियाँ, कहीं भी प्रसार-क्रम भंग हुए बिना, सिन्धु से नील नदी तक प्राप्त हैं, और यह सारा क्षेत्र सामान्य सांस्कृतिक सूत्रों से बँधा हुआ है।

यदि सिन्धु से नील नदी तक सारा क्षेत्र सामान्य सांस्कृतिक सूत्रों से बँधा हुआ है तो यह असम्भव है कि इस क्षेत्र की भाषाओं में परस्पर सम्पर्क न हुआ हो, उनमें भाषा-तत्त्वों का आदान-प्रदान न हुआ हो। ये भाषाएँ किन्हीं परिवारों की हों, उनकी मूल भिन्नता इस आदान-प्रदान को रोक नहीं सकती।

मार्शल के बाद अनेक भारतीय क्षेत्रों में जो खुदाई हुई है, उससे प्रमाणित है कि सिन्धु घाटी की सभ्यता का प्रसार इस घाटी के पूर्व और दक्षिण में भी हुआ था, वह किसी पश्चिमी एशियायी सभ्यता का भारतीय सीमान्त नहीं है।

सिन्धु घाटी की सभ्यता व्यापारियों की नागरिक सभ्यता है। इन व्यापारियों के सम्बन्ध समस्त पश्चिमी एशिया से हैं। मार्शल के बाद मैके (या मैकाय) ने जो उसी क्षेत्र में और खुदाई की, उसका विवरण, 1938 में प्रकाशित 'फ़र्दर एक्सकेवेशंस एट मोहेनजोदडो' में, देते हुए उन्होंने बताया था कि सिन्धु घाटी के लोगों के व्यापार-सम्बन्ध पड़ोसी सुमेर, एलाम आदि से थे और भारतीय शिल्प की बहुत-सी मुद्राएँ सुमेरी, एलामी स्थानों पर मिली हैं।

सिन्धु घाटी के बाद इस सुमेर पर ध्यान दें।

बगदाद के उत्तर से लेकर ईरान की खाड़ी तक का प्रदेश, मोटे तौर पर आज का इराक, पुराना सुमेर है। जिन लोगों ने सुमेरी सभ्यता का निर्माण किया, उनकी प्राचीनतम बस्तियाँ 4500 ई.पू. की हैं। इनके प्राचीनतम शिलालेख 3600 ई.पू. के हैं; मृत्तिका खंडों पर अभिलेख 3200 ई.पू. और उसके बाद के हैं। 1750 ई.पू. तक इनकी सभ्यता का अवसान हो जाता है। विल ड्यूरेंट नाम के अमरीकी इतिहासकार ने 'अवर ओरिएंटल हेरिटेज' ग्रंथ में लिखा है कि बहुत अनुसन्धान के बाद भी हम यह नहीं कह सकते कि सुमेरी जन किस नस्ल के थे और सुमेर में किन मार्गों से आए थे।

किन्हीं मार्गों से आए हों, वे गौर वर्ण के नहीं थे। वे काली खोपड़ी वाले कहलाते थे, इस बात का उल्लेख अनेक पुराविदों ने किया है। इनके नगरों पर पश्चिम से सामी जन निरन्तर आक्रमण करते रहे थे और आगे चलकर सुमेरी सभ्यता के ध्वंसावशेष पर सभ्यता के केन्द्र बैबिलोन (बावेरु, बाबुल) का निर्माण हुआ। सामी सभ्यता पर सुमेर की सभ्यता की गहरी छाप है और इस सामी सभ्यता की छाप यूरोप-अमरीका के गोरों के धर्म पर है—वे चाहे यहूदी हों, चाहे ईसाई।

दूसरी सहस्राब्दी ई.पू. में कीलाक्षरी सुमेरी लिपि का व्यवहार समस्त पश्चिम एशिया में व्यापक रूप से होता था। सुमेर की राजधानी उर ऊनी वस्त्रों के व्यापार का बहुत बड़ा केन्द्र थी। सुमेरी जन सूर्य, वायु, आपः आदि प्राकृतिक देवों के उपासक थे। इनकी गणना-पद्धति में शून्य की कल्पना न की गई थी, इसलिए दशमलव पद्धति का अभाव था।

बाबुल के लोग अपने ज्योतिषज्ञान के लिए प्रसिद्ध हुए। वे आकाश, सूर्य, चन्द्र, समुद्र (उनकी भाषा में **अप्सु**) आदि की उपासना करते थे। दशमलव-पद्धति का अभाव इनके यहाँ भी था। यह तथ्य उन भाषाओं का इतिहास जानने में सहायक है जिनमें गणना दशमलव-पद्धति से होती थी, यथा : आर्य और द्रविड़ भाषा-समुदायों में। बाबुल की सभ्यता के विकास में सुमेरी जनों के अलावा अन्य सामी जनसमुदाय, अक्कद जनों, का योग था। विल ड्यूरेंट ने इनकी सभ्यता के लिए लिखा है कि वह मानवता के लिए वैसी उपयोगी नहीं हुई, जैसी मिस्र की, और "उसमें वैसी गहराई और विविधता नहीं है, जैसी भारतीय सभ्यता में।" ('अवर ओरिएंटल हेरिटेज', पृ. 263) बाबुल की सभ्यता सुमेरी सभ्यता के बाद दूसरी सहस्राब्दी ई.पू. की है।

बाबुल की भाषा के बारे में विल ड्यूरेंट का मत है कि वह 'सुमेर और अक्कद की पुरानी भाषाओं का सामी विकास है।' (उप., पृ. 249) इन पुरानी भाषाओं में अक्कद की भाषा सामी है पर सुमेर की भाषा गैर-सामी है। यदि यह मत सही हो तो मानना होगा कि सामी सभ्यता के सबसे महत्त्वपूर्ण प्राचीन केन्द्र में कम-से-कम दो स्रोतों से आनेवाली भाषा-धाराओं का मिश्रण हो गया था। इतिहास में जैसे आर्य नस्ल को लेकर दुराग्रहपूर्ण भ्रान्तियाँ फैलाई गई हैं, वैसे ही सामी नस्ल को लेकर

निराधार नस्लपंथी कल्पनाएँ की गई हैं। यह स्पष्ट है कि सभ्यता के प्राचीन केन्द्र मानवता के अलग-थलग पड़े हुए टापू नहीं हैं वरन् ऐसे संगम हैं जहाँ मानवता के अनेक स्रोत घुल-मिलकर एक हो जाते हैं।

सामी भाषा-समुदाय में अनेक यहूदी अपने को शुद्ध नस्ल का मानते हैं। नस्ल-सम्बन्धी विवेचन में आदमी की नाक का स्थान महत्त्वपूर्ण है। पुराने शिल्प-खंडों में यहूदी बन्दियों का नखशिख देखने को मिलता है। इनकी नाक लम्बी और वक्र है, जैसी शिल्प-खंडों में आर्य-समुदाय के हित्तियों की है। उस तरह की नाक भारत में अनेक कश्मीरियों और सिन्धियों के मुँह पर देखी जा सकती है। रोमन और ग्रीक जनों की नाक चित्रों में लम्बी और सीधी दिखाई जाती है, उससे यह वक्र तुंड भिन्न है। विल ड्यूरेंट कहते हैं कि यहूदियों के नस्ल-सम्बन्धी उद्भव के बारे में हम केवल अस्पष्ट रूप में इतना कह सकते हैं कि वे सामी थे; इतिहास में जब पहली बार उनके दर्शन होते हैं, तब वे अनेक नस्लों का मिश्रण बन चुके हैं।

यहूदियों के धर्म ग्रंथों में एलाम नामक देश का उल्लेख मिलता है। एलामी जन सुमेरी और बाबुली जनों के पड़ोसी थे और दोनों पर उन्होंने विजय प्राप्त की थी। इनके प्रदेश में बीस हज़ार साल पुराने मानव-अवशेष मिले हैं, इनकी सभ्यता के प्राचीन स्तर 4500 ई.पू. के हैं। ये लोग पहिये का उपयोग जानते थे; चक्के से मिट्टी के बर्तन बनाते थे, पहियेवाली गाड़ी में सामान ढोते थे। बाबुलियों ने रथ-चक्र इनसे पाया था; मिस्र में यह चक्र बाबुल के बाद पहुँचा। सभ्यता का यह प्रसार पूर्व से पश्चिम की ओर हो रहा है, यह बात ध्यान देने की है। यदि रथ का पहिया एलाम से मिस्र पहुँचता तो यह असम्भव है कि चक्र-सूचक शब्द उल्टी दिशा में मिस्त्र से एलाम पहुँचे।

एलामी जन किस नस्ल के थे, इतिहासकारों को नहीं मालूम। वे सामी जन ममदाय के बाहर हैं। सुमेर और एलाम, दोनों गैर-सामी सभ्यता के केन्द्र हैं। दोनों पश्चिमी एशिया के सामी जनसमुदायों की सभ्यता की नींव डालनेवाले हैं। पश्चिमी एशिया की यह प्राचीन सभ्य इकाई उत्तरी अफ्रीका में धँसती चली गई है। इसके पश्चिमी सीमान्त पर मिस्र है। मिस्री जन हामी समुदाय के अन्तर्गत माने जाते हैं। इनकी भाषा सामी समुदाय से बाहर की है, इनकी सभ्यता पश्चिमी एशिया की सामी-आर्य सभ्यता से मिलती-जुलती है। सुमेर की सभ्यता मिस्र के सांस्कृतिक विकास में सहायक हुई थी। विल ड्यूरेंट का मत है कि मिस्र की पुरानी चित्र-लिपि का स्रोत सम्भवतः सुमेर था। कुम्हार का चक्का सुमेर में बहुत पहले मिलता है, मिस्र में बहुत बाद को। मिस्र की कुछ पुरानी मुद्राएँ मेसोपोटामियाँ की हैं। ताम्बे का व्यवहार पश्चिमी एशिया में शुरू हुआ, वहाँ से मिस्र पहुँचा। देवी माता की पुरानी मूर्तियाँ एशियाई उद्भव की हैं। ड्यूरेंट सुमेर और मिस्र की शिल्पकला का तुलनात्मक अध्ययन करते हुए कहते हैं कि 'जिस समय मिस्र की सभ्यता आरम्भ

होती-सी प्रतीत होती है, उस समय **उर** [सुमेर की राजधानी] के शिल्पकार ऐसी मूर्तियों और शिल्प-चित्र बना रहे हैं कि उनकी शैली और उनकी रूढ़ियाँ सुमेर में शिल्पकला की प्राचीनता सिद्ध करती हैं।' (उप., पृ. 135)

मिस्र से लेकर भारत तक व्यापार का जो सिलसिला चलता है, उसका मध्यस्थ केन्द्र एलाम है।

मिस्र के पुराने अभिलेख तीसरी सहस्राब्दी ई.पू. के हैं। मिस्री जन, सुमेरी और बाबुली जनों के समान, गणित में शून्य के आविष्कार से अपरिचित थे।

मिस्री सभ्यता के महत्त्वपूर्ण उपकरण अन्य देशों तक पहुँचाने का काम सामी समुदाय के फिनीशियन लोगों ने किया। केवल सौ मील लम्बा और दस मील चौड़ा इनका छोटा-सा प्रदेश व्यापार और सभ्यता का प्रमुख विनिमय केन्द्र था। यूनानी परम्परा के अनुसार यूनान के लोगों ने अपनी लिपि फिनीशिया से आई। ग्रीक इतिहासकार हेरोदोतुस ने फिनीशिया के लोगों से सुना था कि उनके पुरखे ईरान की खाड़ी से वहाँ पहुँचे थे।

मिस्र के लोगों से पहले-पहल टक्कर लेनेवालों में मितन्नी जन थे जो मित्र, इन्द्र और वरुण के उपासक थे। जो प्रदेश वर्तमान तुर्की है, वहाँ उन देवताओं के उपासक अनेक जनसमुदाय रहते थे जो देवता 'ऋग्वेद' के माध्यम से विश्व-प्रसिद्ध हुए। उक्त जनसमुदाय में सबसे शक्तिशाली हित्ती थे जिनके पुराने अभिलेख 1800 ई.पू. के हैं। बिल ड्यूरेंट के अनुसार प्राचीन यहूदियों से इनका ऐसा मिश्रण हुआ कि यहूदियों को अपनी शुक नासिका हित्तियों से प्राप्त हुई 'और इस हीब्रू विशेषता को अब आर्य विशेषता मानना चाहिए। (उप., पृ. 287)

अभिलेखों के लिए मृत्तिका खंडों का व्यवहार क्रीट द्वीप के लोगों ने हित्तियों से सीखा। यूरोप की जिस यूनानी सभ्यता से आधुनिक यूरोप अपने को सम्बद्ध मानता है, क्रीट की मिनोअन सभ्यता उससे पुरानी है। इसके समकक्ष दक्षिणी यूनान तथा लघु एशिया (आधुनिक तुर्की) के तटवर्ती प्रदेश की मिकिनीयन सभ्यता है। मिनोअन सभ्यता तीसरी सहस्राब्दी ई.पू. की है, मिकिनीयन दूसरी सहस्राब्दी ई.पू. की।

मिनोअन लोगों के लिए कहा गया है कि उनके बाल काले और चमकदार होते थे। ये लोग कुशल चित्रकार थे; इनके बनाए भित्तिचित्रों से उनके रंगरूप का बोध होता है। वृषभ, नाग, स्वस्तिका, सूर्य, चन्द्र इनके लिए पवित्र हैं, उनकी उपासना से सम्बद्ध हैं। विल ड्यूरेंट मानते हैं कि क्रीट के ये प्राचीन निवासी भाषा और संस्कृति में एशियायी हैं। मिकिनीयन जन सोने-चाँदी की मूर्तियाँ, प्याले आदि बनाने में कुशल थे। उनकी सभ्यता के अवशेषों में चाँदी की गाय का सिर मिला है जिसकी सींगें सोने की हैं। ये लोग लोहे का उपयोग न जानते थे। इसके विपरीत हित्ती लोग आर्मीनिया के सीमान्त पर्वतों से लोहा खोदकर काम में लाते थे।

बाबुल के उत्तर में असुर अथवा अशुर सभ्यता का केन्द्र था। इनके देश को अंग्रेज़ी में असीरिया कहा जाता है। अशुर इनके देवता का नाम था जिससे उसके उपासक और उनका देश अभिहित हुए। इन्हें भाषा और कला का रिक्थ सुमेर से प्राप्त हुआ और इस रिक्थ पर बाबुल का प्रभाव पड़ा। इनका समय दूसरी और पहली सहस्राब्दी ई.पू. है। इनके अशुर देवता का नाम ईरानियों के अहुर (असुर) मज्दा से तुलनीय है।

भारत के उत्तर में सभ्यता का एक पुराना केन्द्र तुर्किस्तान है। तुर्की भाषा-समुदाय के जिन गण-समाजों का इतिहास में उल्लेख है, वे अधिकतर क्रूर और बर्बर रहे हैं। इनसे भिन्न लगभग पाँचवीं सहस्राब्दी ई.पू. की वह सभ्यता है जिसका केन्द्र दक्खिनी तुकिस्तान है। इस सभ्यता के निर्माता तुर्की समुदाय की कोई भाषा बोलते थे या आर्य समुदाय की, यह ज्ञात नहीं है। किन्तु ईसा के बाद छठी से दसवीं सदी तक के जो दस्तावेज चीनी-तुर्किस्तान में मिले हैं, उनकी भाषा तुखारी है। यह आर्य समुदाय की भाषा थी, राजभाषा की तरह उस प्रदेश में प्रयुक्त होती थी जिसकी जनता आर्य भाषा-भाषी नहीं थी। इसी प्रकार हित्ती जन शासक थे; प्रजा गैर-हित्ती भाषा बोलनेवाली थी। हित्ती और तुखारी के अभिलेखों में लगभग दो सहस्राब्दियों का अन्तर है किन्तु प्राचीनता के लक्षण दोनों में मिलते-जुलते हैं। इससे यह अनुमान करना असंगत न होगा कि तुर्किस्तान में आर्य भाषा-भाषियों के केन्द्र दूसरी सहस्राब्दी ई.पू. और उससे पहले से विद्यमान थे।

मध्य एशिया से लेकर पश्चिमी एशिया तक, उसके आगे उत्तरी अफ्रीका में मिस्र तक प्राचीन सभ्य संसार का एक विशाल भूखंड दिखाई देता है। कल्पित आदि इंडो-यूरोपियन भाषा के विभिन्न शाखाओं में फूटने का जो समय निर्धारित किया जाता है, उससे इस सभ्यता के आदिम स्तर बहुत पुराने हैं। यूनान में दोरिक जनों का प्रवेश 1100 ई.पू. के आसपास माना जाता है। उससे थोड़ा पहले 1200 ई.पू. 'ऋग्वेद' का समय निश्चित किया गया। किन्तु हित्तियों के प्राचीनतम दस्तावेज 1900 ई.पू. और वैदिक उपासना से उनके देवताओं का सम्बन्ध असन्दिग्ध है। तुर्किस्तान से मिस्र तक की पट्टी में सभ्यता के अधिकांश और प्राचीनतर केन्द्र गैरसामी हैं। वे सामी के निर्माण, सामी भाषाओं के विकास को प्रभावित करते हैं। इनमें सिन्धु घाटी सभ्यता और हित्ती जनों की सभ्यता का स्थान महत्त्वपूर्ण है; इस भारतीय सभ्यता से सुमेर की सभ्यता का गहरा सम्बन्ध है। सारे क्षेत्र में सामी सभ्यता बाद में आती है और गैर-सामी सभ्यता को आत्मसात् करती हुई बाबुल से मिस्र तक फैलती चली जाती है। आगे चलकर तुर्क कबीलों के अभियान इस क्षेत्र के भाषायी और सांस्कृतिक भूगोल में और भी परिवर्तन कर देते हैं। ऐतिहासिक भाषाविज्ञान में प्राचीन भाषा-परिवारों के स्रोतों का पता लगाते हुए उक्त भूमिखंड की वर्तमान स्थिति को अपने दृष्टिकोण पर हावी न होने देना चाहिए।

प्राचीन भाषा-परिवार कितने प्राचीन हैं? एशिया के जिस भाग में सभ्यता का प्राचीनतम प्रसार हुआ है, उसके भाषा-परिवार कम-से-कम दस हज़ार साल पुराने हैं। इंडो-यूरोपियन का 'इंडो' प्राचीन सभ्यता की इस परिधि में है, 'यूरोपियन' उससे बाहर है।

यहाँ जिस प्राचीन सभ्यता की बात हो रही है, वह सामन्ती व्यवस्था की सभ्यता है। उसके अर्थतंत्र का मूलाधार खेती है और खेती से इतनी उपज होती है कि खाने-खरचने के बाद शेष भाग का उपयोग विनिमय के लिए किया जा सकता है। बड़े कृषि-क्षेत्रों और खानों में उत्पादन के लिए दासों को लगाया जाता है। मुनाफे के लिए माल पैदा करने के कारण सभ्यता के प्रमुख केन्द्र अन्तर्जातीय व्यापार के केन्द्र भी हैं। इस समाज का मुख्य अन्तर्विरोध निर्धन किसानों और बड़े भूस्वामियों के बीच है। दासों की स्थिति इस अन्तर्विरोध के दायरे में है, पूरा समाज दासों और उनके मालिकों के बीच बँटा हुआ नहीं है। ये दास अधिकतर युद्ध अथवा क्रय-विक्रय द्वारा अन्य समाजों से प्राप्त किये जाते हैं। किसी एक समाज के लोगों ने अन्य समाज पर शासन किया हो, इसके अनेक प्रमाण हैं; किसी एक समाज ने पूरे अन्य समाज को दास बना लिया हो, ऐसा दास जिसके पास उत्पादन के साधन न हों, अपने श्रम-फल पर जिसका आंशिक अधिकार भी न हो, जो बाज़ार में खरीदा और बेचा जाता हो, इसका कोई प्रमाण नहीं है। यही कारण है कि पूरे समाज की भाषा पर दासों की भाषाओं का प्रभाव नगण्य होता है। इसके विपरीत जहाँ एक समाज का शासक वर्ग भिन्न समाज पर अपना प्रभुत्व कायम करके सामन्ती ढंग से उसका श्रमफल हड़पता है, वहाँ या तो वह शासित समाज की भाषा स्वीकार कर लेता है या उस पर अपनी भाषा लादता है या दोनों की भाषाएँ एक-दूसरे को प्रभावित करती हैं। सुमेरी सभ्यता के केन्द्रों पर जिन सामी जनों ने अधिकार किया, उन्होंने इस सभ्यता से, सुमेरी भाषा से, अनेक तत्त्व ग्रहण किये।

सामन्ती सभ्यता के इस जगजमगाते संसार के साथ गण-समाजों का संसार है जो अंधकार में खोया हुआ है। सामन्ती सभ्यता के बाद अथवा उसके गर्भ में पूँजीवादी सभ्यता का प्रसार हुआ। पूँजीवादी सभ्यता के बाद और उसके साथ समाजवादी सभ्यता का प्रसार हुआ। तीनों चरणों में गण-समाज जहाँ-तहाँ कायम रहे, अब भी कायम हैं। इतिहास में गण-व्यवस्था से अधिक दीर्घजीवी अन्य व्यवस्था नहीं है।

भाषा-परिवारों की प्राचीनता निर्धारित करते समय सभ्यता के केन्द्रों पर निगाह जमाना काफ़ी नहीं है। इस बात पर ध्यान देना आवश्यक है कि गण-व्यवस्था से निकलकर सामन्ती सभ्यता के व्यापार-केन्द्रों तक पहुँचने में प्राचीन समाजों को कितनी सहस्राब्दियाँ लगी होंगी। टौम डेल और वर्नन गिल कार्टर नाम के विद्वानों ने सभ्यता और प्राकृतिक परिवेश पर एक पुस्तक लिखी है : 'टॉप स्वायल एंड सिविलाइजेशन'। (ओकलाहामा विश्वविद्यालय, 1955 ई.) उनका कहना है कि सभ्य

मानव का युग छह हज़ार साल का है, सभ्यता से पूर्व आदिम मानव का युग दस लाख साल का है। आत्मरक्षा, आहार-प्राप्ति आदि के लिए ध्वनि-संकेतों का उपयोग पशु भी करते हैं, पशु से अभिन्न आदिम मानव भी इसका प्रयोग करता था। इस अवस्था से निकलकर, पशु से भिन्न, मानव बनकर, भाव-विचार प्रकट करने के लिए, भाषा के व्यवहार तक पहुँचने में यदि यह मान लिया जाए कि दस लाख में नौ लाख वर्ष लग गए, तो भी बीजरूप में भाषा-परिवारों के मूलतत्त्व एक लाख साल पुराने होंगे। यह अवधि भी बहुतों की इतिहास-चेतना को झटका देगी।

मान लीजिए, सिन्ध घाटी की सभ्यता छह हज़ार साल पुरानी है। गण-समाजों को इस सभ्यता तक पहुँचने में बीस हज़ार साल लगे, तो इससे अनुमान यह करना होगा कि इस सभ्यता के वाहक जो भाषा बोलते थे, वह कम-से-कम छब्बीस हज़ार साल पुरानी है अथवा जिन भाषा-तत्त्वों से इस भाषा का निर्माण हुआ है, वे छब्बीस हज़ार साल पुराने हैं। ऐसे प्राचीन भाषा-तत्त्वों का पता लगाना कठिन है पर असम्भव नहीं है।

इसके लिए सबसे पहले आवश्यक है कि संसार के वर्तमान भाषायी और सांस्कृतिक भूगोल से हम इस भ्रम में न पड़ें कि प्राचीन संसार भी ऐसा ही था। अनेक भाषाओं का निरन्तर प्रसार होता गया है, अनेक भाषा-समुदाय नष्ट हो गए हैं। जिनका आज प्रसार है, प्राचीनकाल में उनके पूर्वरूपों का व्यवहार-क्षेत्र अत्यन्त सीमित था; जिनका आज अस्तित्व नहीं है, प्राचीनकाल में उनका अस्तित्व था, अनेक का व्यापक व्यवहार-क्षेत्र था। आधुनिक भाषा-परिवारों की संख्या की तुलना में प्राचीन भाषा-परिवारों की संख्या बहुत अधिक थी। संख्या अधिक थी; उनका व्यवहार-क्षेत्र सीमित था।

अंग्रेज़ी आज उत्तरी अमरीका, दक्खिनी अफ्रीका, आस्ट्रेलिया, न्यूजीलैंड आदि संसार के अनेक द्वीपों-महाद्वीपों में बोली जाती है। अभी चार सौ साल पहले वह केवल इंग्लैंड की भाषा थी। पाँचवीं सदी से पहले अंग्रेज़ों के पुरखे इंग्लैंड पहुँचे न थे; अंग्रेज़ी के पूर्वरूप जर्मनी में बोले जाते थे। उससे अनेक शताब्दियाँ पहले जर्मन समुदाय की गण भाषाएँ किसी ऐसे क्षेत्र में बोली जाती थीं जो भारतीय आर्य भाषाओं के पड़ोस में था। इस प्रकार प्राचीन भाषायी भूगोल आधुनिक भाषायी भूगोल से बहुत भिन्न था।

दूसरी आवश्यक बात यह है किसी एक भाषा-परिवार को पूर्ण स्वाधीन, स्वायत्त व्यवस्था न मानकर हम क्षेत्रीय आधार पर अनेक भाषा-परिवारों के सन्दर्भ में उसकी निर्माण-प्रक्रिया का अध्ययन करें। इस अध्ययन में प्राचीन और नवीन मानक भाषाओं से सम्बन्धित सामग्री के अलावा जो भी गैर-मानक बोलियों से सम्बन्धित सामग्री सुलभ हो, उसका उपयोग करें।

तीसरी यह कि भाषातंत्र को गतिशील मानते हुए प्राचीन भाषाओं के ध्वनितंत्र, शब्दतंत्र और विन्यासतंत्र पर हम अपनी आधुनिक धारणाओं को आरोपित न करें। उदाहरण के लिए हम भाषा को एक सुनिश्चित, बहुत कुछ स्थायी तंत्र मानने के आदी हैं। ऐतिहासिक और तुलनात्मक विश्लेषण से यह तंत्र न तो सुनिश्चित सिद्ध

होता है, न स्थायी। भाषातंत्र में परस्पर विरोधी प्रवृत्तियाँ काम करते देखी जा सकती हैं; इसका कारण अनेक केन्द्रों के बीच भाषा-तत्त्वों का विनिमय है, आपसी सम्पर्क है। यह सम्पर्क शान्तिपूर्ण होता है, अशान्तिपूर्ण भी।

चौथी बात यह कि प्राचीन भाषाओं की शब्द-सामग्री का तुलनात्मक विवेचन करते हुए अर्थ-प्रक्रिया की विशेषताएँ ध्यान में रखनी चाहिए। **दास** उसे कहते हैं जो खरीदा और बेचा जाए, मालिक के लिए किसी निश्चित पगार के बिना मेहनत करे। इससे यह न समझना चाहिए कि प्राचीन काल में **दास** शब्द सर्वत्र इसी अर्थ में प्रयुक्त होता था।

पाँचवीं बात यह कि उक्त विवेचन करते समय प्राचीन जनों की सामाजिक परिस्थितियों के साथ उनकी सांस्कृतिक परिस्थितियों को भी उस विशद सन्दर्भ में सम्मिलित कर लेना चाहिए जिसके बिना अर्थ-प्रक्रिया का विवेचन असम्भव है। संस्कृत **नाग** और अंग्रेज़ी **स्नेक्** एक दूसरे के प्रतिरूप हैं और दोनों का अर्थ साँप है, इतना कहना काफ़ी नहीं है। इस शब्द की अर्थ-प्रक्रिया का सांस्कृतिक सन्दर्भ यह है कि कुछ गण-समाज यह विश्वास करते थे कि साँप पानी में ही रहता है, वह पानी चाहे नदी और झील का हो, चाहे धरती के नीचे एक कल्पित पाताल लोक का हो। ये गण-समाज मानते थे कि सर्प ही नहीं, हाथी भी पानी में रहता है। इसलिए **नाग** शब्द का व्यवहार हाथी के लिए भी हुआ। अर्थ-प्रक्रिया को उसके सांस्कृतिक सन्दर्भ से जोड़ दें तो यह बात समझ में आ जाएगी कि **नाग** का अर्थ कश्मीरी में निर्भर और संस्कृत में साँप तथा हाथी क्यों है। तब **स्नेक्** और **नाग** का सम्बन्ध, मात्र दो ध्वनि-रूपों का सम्बन्ध न रहकर, वास्तव में सार्थक ऐतिहासिक सम्बन्ध बनेगा। विवेचन की इस पद्धति से अनेक शब्दों के मूल स्रोतों को पहचानने में सहायता मिलेगी।

सुमेरी जनों का विश्वास था कि धरती के नीचे जलमय पाताललोक है। उसका नाम **अब्ज़ु** है। बाबुली जन समुद्र के देवता को **अप्सु** कहते थे। **अप्सु** और **अब्ज़ु** का सम्बन्ध संस्कृत **अपस्** से है। **अपस्** का पूर्वरूप **अभस्** है; इसका वैकल्पिक रूप संस्कृत **अम्भस्** है। संस्कृत **अभ्र** (बादल) का सीधा सम्बन्ध **अभस्** से है। सुमेरियन में **अब्ज़ु** विद्यमान है। इसका अर्थ यह है कि **अभस्** रूप तीसरी सहस्राब्दी ई.पू. में बदलकर **अब्ज़ु** बन चुका था; स्वभावत: **अब्ज़ु** की अपेक्षा **अभस्** और भी प्राचीन है।

**अभस्** का एक वैकल्पिक रूप **इभस्** भी यहाँ प्रचलित था। जैसे **नाग** का सम्बन्ध था, वैसे ही **इभस्** का सम्बन्ध जल से था; जैसे **नाग** का एक अर्थ हाथी था, वैसे ही **इभस्** का अर्थ हाथी था। इस **इभस्** में निर्देशक सर्वनाम **अॅल्** जोड़कर यूनानियों ने **अॅलॅफस्** रूप बनाया। इस रूप के आधार पर हाथीदाँत के लिए उन्होंने **अॅलॅफन्तॉस** शब्द गढ़ा। यही अंग्रेज़ी का **अलीफ़ेंट्** है। जैसे **नाग** का एक अर्थ साँप था, वैसे ही **इभस्** का भी एक अर्थ साँप था। यह बात हम ग्रीक रूप **ऑफिस्** (साँप) से जानते हैं। इसका प्रतिरूप संस्कृत **अहि** है। **अहि** का पूर्वरूप **अभि** होगा, **ऑफिस्** का पूर्वरूप **ऑभिस्** होगा। **अहि** के समानान्तर **इह** का चलन रहा हो

तो उसका पूर्वरूप **इभ** होगा। मानक ग्रीक में **ऑफिस्** रूप है तो आयोनियन या इओनिक में **इभस्** का रूपान्तर **इऑस्** (साँप) है। मानक ग्रीक में ही **ऑफिस्** का सम्बन्ध-रूप **अनोस्** है। इससे विदित होता है कि साँप के लिए जलवाचक **अभस्, ऑभस्, अभस्,** तीनों रूपों का व्यवहार होता था। होमर के काव्य में **अॅलॅफन्तॉस्** शब्द का प्रयोग हुआ है। होमर का समय 800 ई.पू. के लगभग माना जाता है।

जैसे **अभस्** का एक रूपान्तर **अपस्** हुआ, वैसे ही **इभस्** का एक रूपान्तर **इपस्** था। संस्कृत **द्वीप** और **अन्तरीप** में **आपस्** का वैकल्पिक रूप **ईपस्** है। **अपस्** और **आपस्,** दोनों रूपों का चलन था; वैसे ही **इपस्** और **ईपस्** रूपों का भी चलन था।

उक्त उदाहरणों से विदित होगा कि अर्थ-प्रक्रिया जानने के लिए सांस्कृतिक पृष्ठभूमि का ज्ञान कितना महत्त्वपूर्ण है।

**अप्सु, अब्जु, अपस्, ऑफिस** आदि के पूर्वरूपों में सघोष महाप्राण स्पर्श-ध्वनि **भ्** का अस्तित्व असन्दिग्ध है। ऐसी सघोष महाप्राण स्पर्श-ध्वनियों के व्यवहार का प्रमाण संसार की किसी प्राचीन भाषा के अभिलेखों में नहीं है, वह भाषा चाहे इंडो-यूरोपियन परिवार की हो, चाहे सामी, सुमेरी या किसी अन्य परिवार की। ये ध्वनियाँ भारत की आर्य भाषाओं में अब भी प्रयुक्त होती हैं, वैदिक काल में प्रयुक्त होती थीं। यह तथ्य इन ध्वनियों के व्यवहार की प्राचीनता ही सिद्ध नहीं करता, वह इस व्यवहार की अटूट निरन्तरता भी प्रमाणित करता है। जिन शब्दों के स्रोत रूपों में **घ्-ध्-भ्** का अस्तित्व प्रमाणित होता है, उन्हें निस्संकोच प्राचीन आर्य गण भाषाओं की सम्पदा मानना चाहिए।

ऐतिहासिक भाषाविज्ञान में ध्वनितंत्र की प्रधान समस्या है, उन रूपों का पता लगाना जिनमें उक्त स्पर्श-ध्वनियों का व्यवहार होता था और आगे चलकर जिनमें ये ध्वनियाँ बदल गईं। ऐतिहासिक भाषाविज्ञान में ध्वनितंत्र के साथ शब्दतंत्र की भी यह प्रधान समस्या है कि शब्द-रचना-प्रक्रिया में **घ्-ध्-भ्** की भूमिका किस कोटि की है।

ये ध्वनियाँ इंडो-यूरोपियन परिवार की अभारतीय भाषाओं में ही परिवर्तित नहीं होतीं, वे भारतीय आर्य भाषाओं में भी भिन्न रूपों में ग्रहण की जाती हैं। वैदिक भाषा सुदीर्घ भाषायी विकास परम्परा का परिणाम है। वैदिक भाषा में उक्त ध्वनियों वाले प्राचीन रूप हैं, यथा : **अम्भस्,** और उन ध्वनियों के विकारों वाले रूप भी हैं, यथा : **अपस्**। इसलिए यह बात बहुत स्पष्ट समझ लेनी चाहिए कि **घ्-ध्-भ्** ध्वनियों के व्यवहार की परम्परा वैदिक भाषा के निर्माण-काल से बहुत पुरानी है।

जो लोग मानते हैं कि इन ध्वनियों का आदि व्यवहार क्षेत्र भारत से बाहर था, उन्हें इस तथ्य की कैफियत देनी चाहिए कि भारत के द्रविड़-बहुल भाषायी परिवेश में इन ध्वनियों का व्यवहार क्यों होता रहा और अन्यत्र उनका लोप क्यों हो गया। कहना आवश्यक है कि भारत में द्रविड़ परिवार के अलावा नाग और कोल परिवारों में भी महाप्राण स्पर्श-ध्वनियों का व्यवहार न होता था।

**घ्-ध्-भ्** ध्वनियों वाले शब्दों के रूपान्तर केवल इंडो-यूरोपियन परिवार की भाषाओं में नहीं, द्रविड़ परिवार की भाषाओं में भी मिलते हैं। ऐसे शब्दों के विवेचन अखिल भारतीय भाषायी परिवेश को ध्यान में रखना युक्तिसंगत है।

## 3. ध्वनितंत्र-सम्बन्धी मूल स्थापनाएँ

*(क) अ, अॅ, ऑ*

किसी शब्द के प्रतिरूप पहचानते समय स्वरों के स्वच्छन्द संचरण की प्राचीन स्थिति याद रखनी चाहिए। स्वच्छन्द संचरण से आशय यह है कि संस्कृत **तरति** और **निरति** का अर्थ एक है यद्यपि प्रथम वर्ण का स्वर दोनों रूपों में भिन्न है। **जीर्ण** और **जूर्ण, गान** और **गीत, स्फाति** और **स्फीत, स्फट्** और **स्फुट्, स्थान** और **स्थित, मद्** और **मृद्** आदि के क्रियामूलों का अर्थ एक है यद्यपि मूल वर्ण का स्वर भिन्न है। इसका कारण यह है कि **अ, इ, उ** अथवा **अ, अॅ, ऑ** स्वरों का विकास अलग केन्द्रों में हुआ; इन केन्द्रों में परस्पर सम्पर्क के फलस्वरूप जब भिन्न स्वरों किन्तु समान अर्थ वाले शब्द एक ही भाषा-व्यवस्था में सिमट पाए, तब ऐसी स्थिति उत्पन्न हुई मानो स्वरों का स्वच्छन्द संचरण हो रहा हो, मानो शब्द में किसी भी स्वर का प्रयोग कर दो, अर्थ में भेद न होगा। वास्तव में केन्द्रों के परस्पर सम्पर्क में आने के दो परिणाम हुए; पहला यह कि भाषा व्यवस्था में **अ, इ, उ** तीन भिन्न स्वरों के सिमट आने से इनका अर्थभेदक उपयोग किया जाने लगा और भाषा की शब्द-निर्माण-क्षमता, रूपभेद के साथ अर्थभेद व्यक्त करने की क्षमता, तेज़ी से बढ़ी; दूसरी ओर इस नई भाषा-व्यवस्था में वे तमाम शब्द सिमट आए जो भिन्न स्वरों से बने थे किन्तु समानार्थी थे। स्वभावत: प्राचीन भाषा-परिवारों की शब्द-सम्पदा का विवेचन करते हुए उक्त कोटि के शब्दों का अपना महत्त्व है।

किसी भाषा की ध्वनि-प्रकृति धीरे-धीरे ही बदलती है और कभी उसके लक्षण बिलकुल नहीं बदलते। मागध भाषा समुदाय की उत्तराधिकारी आधुनिक भाषाओं को देखिए। ह्रस्व **अ** के स्थान पर ह्रस्व **ऑ, औ** का चलन अब भी है। ककहरा पढ़ते समय कौरवी क्षेत्र के लोग **कै, खै, गै** कहते हैं, मागधी क्षेत्र के **कौ, खौ, गौ**, कोसली क्षेत्र के **का, खा, गा**। मोटे तौर पर यह भेद प्राचीन आर्य गण भाषा-केन्द्रों के स्वरभेद का सूचक है। गुजराती **बेन्**, बंगला **बोन्**, अवधी **बहिनी** में उसी कोटि का भेद है।

इसे हम अखिल भारतीय भेद भी कह सकते हैं। तमिल **नदु** और **नुदु** (बुझाना), **पिणइ** और **पुणइ** (संयुक्त होना), कन्नड़ **चम्बु, चॅम्बु, चॉम्बु** (ताँबा), **पच्चु, पॅच्चु, पुच्चु** (पागलपन) आदि उदाहरणों में उसी तरह का स्वरभेद है।

तमिल **किर्पु, कॅर्पु** (शक्ति), मलयालम **इड, अॅड** (स्थान), **तुलु इरॅ, अॅलॅ** (पत्ती), **कन्नड़** (इडरु), **अॅडरु** (अवरोध), तमिल **उडइ, ऑडि** (तोड़ना), **उलम्बु, ऑलि** (गरजना), **उक्कलइ, ऑक्कलइ** (नितम्ब), तेलगू **उलियु, ऑलियु** (हिलाना) आदि

उदाहरणों से स्पष्ट होगा कि **इ** और **अॅ, उ** और **ऑ** का भेद सदा अर्थ-विच्छेदक नहीं है। जैसे अवधी में कहें **बॉलावत** है, मानक हिन्दी में कहें **बुलाता** है, **ऑ** और **उ** के व्यवहार से अर्थभेद नहीं होता।

द्रविड़ भाषाओं में **अ, अॅ, ऑ** की स्थिति से यूनानी गण भाषाओं में इन स्वरों की स्थिति तुलनीय है। बी.एफ.सी. एटकिंसन ने अपनी पुस्तक 'दि ग्रीक लैंग्वेज' (दूसरा संस्करण, लन्दन; 1952) में बताया है कि मूल **ऋ** स्वर के स्थान पर अत्तिक में जहाँ **अर्** और **र्** है, वहाँ इओलिक बोलियों में **ऑर** और **रॉ** का व्यवहार होता है, यथा : **स्त्रतॉस—स्त्रॉतॉन्** (सेना, पड़ाव), **ब्रखुस्—ब्रॉखॅअ** (थोड़ा), **दमर्—दॉमॉर्तिस्** (पत्नी)। (पृ. 166) इन उदाहरणों में पहला रूप अत्तिक है, दूसरा इओलिक। अन्तिम उदाहरण में **मर्** और **मॉर्** का भेद ही नहीं है, **द** और **दॉ** का भेद भी है। दूसरे उदाहरण में **खु** और **खॅ** का भेद देखने योग्य है। इओलिक में **ऑ** को **उ** करने की प्रवृत्ति वैसे ही है, जैसे द्रविड़ भाषाओं में। मानक ग्रीक रूप **मॉगिस्** (कठिनाई से) का इओलिक प्रतिरूप **मुगिस्** है। इओलिक बोली समुदाय के अन्तर्गत थॅसली की बोली है। इसमें **अ** को **अॅ** बोलने की प्रवृत्ति है। मानक रूप **दिअ** (दिव, देव) के लिए इसमें **दिअॅ** का प्रयोग होता है। एटकिंसन कहते हैं कि अन्य बोलियों के क्रियापदों में जहाँ अन्तिम संयुक्त स्वर **अइ** है, वहाँ इस बोली में **अॅइ** है। यह स्थिति तमिल में, विशेष कर बोलचाल वाले रूप में, **अॅइ** के व्यवहार से तुलनीय है।

अत्तिक-इओलिक बोलियों के लिए एटकिंसन कहते हैं कि इनमें मूल **आ** स्वर **ए** रूप में ग्रहण किया जाता है। दोरिक **मातेर्** का अत्तिक प्रतिरूप **मेतेर्** है। **ऑ-अॅ-अ** स्वरों वाले समानार्थी शब्द मानक भाषा में **आ** मिले हैं : **पॅलो** और **पॉलॅओ** (जाना, घूमना), **अक्तिस्** और **ऑक्तिस्** (शृंग)।

आर्य-द्रविड़ भाषाओं में **अ-अॅ-ऑ** स्वरों की जो स्थिति है, उससे मिलती-जुलती स्थिति यूनानी भाषाओं में इन स्वरों की है। यह समानता आकस्मिक नहीं हो सकती। शब्दों के पुराने रूपों का विवेचन करते समय हमें इस स्थिति का सामना करने के लिए तैयार रहना चाहिए कि एक रूप **भर्** है, तो उसके साथ समानार्थी रूप **भॅर्** और **भॉर** भी हैं; एक रूप **पर्** है तो समानार्थी रूप **पॅर्** और **पॉर्** भी हैं।

### *(ख) र्, स्, न्*

जिन शब्दमूलों में **घ्-ध्-भ्** ध्वनियों का व्यवहार होता है, उनमें बहुधा **र्** का प्रयोग भी होता है। जैसे **घर्म** (घाम, ऊष्मा) के **घर्, भ्रम्** (घूमना) के **भर्, धारा** (प्रवाह) के **धर्** में **र्** है। **घ्-ध्-भ्** की भूमिका समझने के लिए इस **र्** के रूपान्तरों को ध्यान में रखना आवश्यक है।

**र्** का पहला रूपान्तर वह है जहाँ यह ध्वनि **न्** (अथवा **ङ्, ञ्, म्**)रूप में ग्रहण की जाती है। संस्कृत **कर्कोट** (एक नाग), **मर्कट** (बन्दर), **घर्ष** (घिसाई),

**कर्ष** (खिंचाई) प्राकृत में क्रमशः **कङ्कोड, मङ्कण, घंस, खञ्च** हैं। संस्कृत के ह्रासकाल में और प्राकृत (या प्राकृतों) के विकासकाल में यह प्रवृत्ति उत्पन्न हुई हो, ऐसा नहीं है। संस्कृत में **ऊधर्-ऊधन्** (थन), **भर-भंडन** (युद्ध), **क्रथ्-क्नथ्** (मारना), **स्त्रु-स्नु** (बहना, टपकना) से विदित होता है कि यह प्रवृत्ति काफी पुरानी है। द्रविड़ भाषाओं पर ध्यान दें तो इस प्रवृत्ति की अखिल भारतीयता का बोध होगा। तमिल **मरम्** मल्तो **मनु** (पेड़), गोंडी **मर्मिंग्**, तमिल **मणम्** (ब्याह), तमिल **मुरुडु** और **मुंडु** (हठ), **करुङ्ग्**, और **कुङ्ग्** (क्षीण होना) से उक्त धारणा की पुष्टि होगी।

**र्-न्** ध्वनियों का ऐसा ही सम्बन्ध भारत से बाहर इंडो-यूरोपियन परिवार की भाषाओं में है। ग्रीक **हुद्रइनों** (सींचना), **हुन्देस्** (सींचा हुआ); **ग्रीकअर** (वक्रता), लैटिन **अर्कुस्** धनुष, ग्रीक **अङ्कॉस्** (मोड़), **अङ्गुलुस्** (कोण); ग्रीक **प्लेरॉओ** (भरना), लैटिन **प्लेनुस्** (भरा हुआ); ग्रीक **मुरो** (बहना), लैटिन **मनो** (उप.); लैटिन **मुरुस्** (नगरकोट), **मूनिओ** (चारों ओर दीवाल बनाना); इन उदाहरणों में **न्** ध्वनि **र्** का स्थान लेती देखी जा सकती है।

हिन्दी प्रदेश में **र्** के स्थान पर **न्** का व्यवहार हो सकता है, यह बात हमारी सामान्य भाषायी चेतना से बाहर है किन्तु **लोन** और **नोन** (नमक) के सम्बन्ध से हम अच्छी तरह परिचित हैं। जिन भाषाओं में **र्** के स्थान पर **ल्** का व्यवहार अधिक होता है, उनमें **न्** इस **ल्** का स्थान लेता है। संस्कृत **सर्** (बहना, चलना) का कोलमि प्रतिरूप **सॅर्** है, कुइ **सल्ब** (चलना) का गदब प्रतिरूप **सॅन** है; इसी क्रम में तमिल **चॅल्** (बहना, चलना) और पर्जि **चॅन्** (जाना) हैं। द्रविड़ भाषाओं की इस ध्वनि-शृंखला के अनुरूप संस्कृत **सूर** (सूर्य), लैटिन **सोल्**, अंग्रेज़ी **सन्** हैं। यूनानी बोलियों में दोरिक मानक भाषा के **ल्** के स्थान पर बहुधा **न्** का प्रयोग करती है, यथा : मानक **फिल्ततॉस्** (सर्वाधिक प्रिय) का दोरिक प्रतिरूप **फिन्ततॉस्**।

संस्कृत में **ऊधर्** के साथ **ऊधन्** के अतिरिक्त अन्य रूप **ऊधस्** भी है। इसी प्रकार **इरा-इष** (पेय), **वर-वसु** (श्रेष्ठ), **वार-वास** (आवरण, वस्त्र) में **र्** के स्थान पर **स्** है। द्रविड़ भाषाओं में तेलगू **एरु** के साथ कुइ **एसु** (नदी), तमिल **पॅरुक्कु** के साथ कुइ **पॅस्क** (बटोरना), तेलगू **मॉरुगु** के साथ कुइ **मुस्क** (भूँकना), तमिल **मारु** के साथ कुइ **मास्क** (बदलना), कोत **वॅर्ग** के साथ **वॅस्क** (ईंधन) रूप दर्शनीय हैं। तमिल **कर्, कल्, कन्** और तोद **कष** का अर्थ है पत्थर। यहाँ **र्-ल्-न्-स्** का आपसी सम्बन्ध स्पष्ट है। इटालियन **स्तरे** (खड़े होना), ग्रीक **स्तलिस्** (स्थिर) और **स्तसिस्** (खड़े होने की क्रिया), ग्रीक **थ्रॉनॉस्** (बैठने का स्थान) और **थस्सो** (बैठना), ग्रीक **नारॉस्** (प्रवहमान) और **नस्मॉस्** (धारा), इसी भाषा में **थेलजो** और **थेसइ** (दूध पिलाना) रूप यह सिद्ध करते हैं कि **र्** के स्थान पर **स्** का व्यवहार भारत से बाहर यूरोप की भाषाओं में भी होता रहा है।

**र्-स्-न्**—इन तीन अन्तस्थ ध्वनियों का इतना गहरा सम्बन्ध है कि यह कहना नहीं है कि **न्** कहाँ **र्** का रूपान्तर है, कहाँ **स्** का। संस्कृत **वेष्ट** (घेरा) का प्राकृत प्रतिरूप **विंट** है; संस्कृत **अस्थि** का प्राकृत प्रतिरूप **अंठि** (हड्डी) है। यहाँ **स्** ध्वनि ग्रहण की गई है। तुलु में **नसॅ** (नम) के साथ **ननॅ** है; तमिल **नजइ** (नमी) से प्रतीत होता है कि **नसॅ** मूल रूप है, **स्** ध्वनि एक जगह **च्** (या **ज्**) रूप में ग्रहण की गई, दूसरी जगह **न्** रूप में। **न्** का रूपान्तर **च्** होगा, इसकी सम्भावना नहीं है। संस्कृत **हस्त** की संगति इसी प्रकार अंग्रेज़ी **हैंड्** से बैठती है। ग्रीक **जोस्तेर्** और **ज़ोनो** (कटिबन्ध) समानार्थी हैं; सम्भव है, यहाँ भी **न्** का पूर्वरूप **स्** हो।

संस्कृत **खन्** (खोदना) का लिथुआनियन प्रतिरूप **कस्ति** है। संस्कृत **कर्त** (गड्ढा) में खोदने का अर्थ देनेवाली **कर्** क्रिया है। इसकी पुष्टि तुलु **कर्पु** (गड्ढा), कन्नड़ **कप्पु** (खोदना), तमिल **कल्लु** (उप.) से होती है। **कर्पु** वह गड्ढा है जो खोदने से बनता है। तमिल **कल्ल** में **कल्** क्रियामूल **कर्** का प्रतिरूप है; **कल्ल** संस्कृत **कर्त** का रूपान्तर है। इस स्थिति में **खन्** का **न्** और **कस्ति** का **स्** दोनों **र्** के स्वतंत्र रूपान्तर हो सकते हैं।

**र्** की तरह **ल्** ध्वनि **न्** में बदलती है; **न्** ध्वनि भी **ल्** में बदलती देखी जाती है। अवध के गाँवों में **नम्बरदार** को लोग **लम्बरदार** कहते थे (अब इस शब्द के प्रयोग की आवश्यकता समाप्त हो गई है), **नील** को **लील** अब भी कहते हैं। बंगला में इसी प्रकार कुछ लोग **नया** को **लया, निचु** (नीचा) को **लिचु** कहते हैं। निष्कर्ष यह कि किसी शब्द के **ल्, न्** वाले दो रूपों में **ल्** वाला रूप अनिवार्यत: पुराना नहीं होता। **र्, न्** वाले दो रूपों में **र्** वाला रूप पुराना होगा, यह बात अधिक विश्वास से कही जा सकती है किन्तु **न्** वहाँ **स्** का विकास भी हो सकता है और वह **स्** किसी अन्य रूप के **र्** का।

### *(ग) गम्, गत*

**अम्भस्** और **अभस्** का सम्बन्ध पहचानने के लिए संस्कृत **गम्, मन्, हन्** क्रियाओं के **गत, मत, हत** कृदन्त रूपों पर विचार करना चाहिए। संस्कृत **भद्र** के अवधी प्रतिरूप **भल**, संस्कृत **भक्त** के कश्मीरी प्रतिरूप **बत**, सिन्धी **रंध** (राँधना) के कृदन्त रूप **रधो** के समान द्रविड़ भाषाओं में प्रथम वर्ण के स्वर को दीर्घ किये बिना दो व्यंजनों में एक का लोप करने की प्रवृत्ति है। यह सम्भव है कि अनेक रूपों में एक निरर्थक **न्** ध्वनि जोड़ दी गई हो पर **गम्** और **गतः** के सम्बन्ध को देखते हुए कहना होगा कि **अभस्** बड़े मज़े में **अम्भस्** का रूपान्तर हो सकता है। तमिल **उरु** (जलना) से एक रूप बना **उरुप्पम्**, दूसरा **उरुमम्** (गर्मी)। **उरुप्पम्** के एक **प्** का लोप हुआ, दूसरे का **म्** में कायाकल्प हुआ; तब **उरुमम्** की प्राप्ति हुई। इसी **उरु** से एक रूप बना **उक्कि**, दूसरा **उगॅ**। तमिल **अञ्जु**, कुइ **अज** (डरना);

संस्कृत **अष्टि** (अवधी अँठुली), प्राकृत **अंठि**, मलयालम **अंडि** (गुठली), मल्तो **अटि**; पालि **मङ्कु** (उलझन में पड़ा हुआ मन), कन्नड़ **मङ्कु** (मूढ़ता) और कन्नड़ में ही **मक** (मूढ़ता), कोत में **मङ्ग्** और **मग्** (मुरझाना); इन उदाहरणों से आदि वर्ण को ह्रस्व करने के लिए एक व्यंजन के लोप की प्रवृत्ति सिद्ध होती है।

संस्कृत की **तन्** (बुनना, ढाँकना) क्रिया से एक ओर **तन्तु** और **तंत्र** जैसे रूप बनते हैं, दूसरी ओर **ततः** (ढँका हुआ) रूप बनता है जिसमें **न्** का लोप हुआ है। ग्रीक रूप **तॅततॉ** (तना हुआ) में भी **न्** लुप्त है। संस्कृत **हन्** (मारना) से जैसे **हतः** रूप बनता है, वैसे ही ग्रीक **फॅनो** (मारना) से अन्य पुरुष का भूतकालिक एकवचन रूप **पॅफतइ** बनता है। **अरॅइ-फतॉस्** का अर्थ हुआ युद्ध में मारा हुआ; यहाँ **फतॉस्** सीधा **हतः** का प्रतिरूप है। लैटिन क्रिया **फिङ्गो** (बनाना) से संज्ञा रूप **फिगूर** (आकार) बना जिसमें **न्** का लोप किया गया है। संस्कृत **हंस** के पूर्व रूप **घंस** के आधार पर लिथुआनियन में **झ़सिस्** शब्द का चलन हुआ। द्रविड़ भाषाओं में तुलु **कर्पु** (गड्ढा) क्रियामूल का **र्** बनाए हुए है; कन्नड़ **कप्पु** (गड्ढा) में **र्** का लोप हुआ, व्यंजन द्वित्व से **र्** के अभाव की पूर्ति हुई। तेलगू **कावु** (गड्ढा, कूप) में क्षतिपूर्ति के लिए आदि वर्ण के स्वर को दीर्घ किया गया। यही स्थिति तेलगू **कावु** के संस्कृत प्रतिरूप **कूप** की है किन्तु रूसी **कॉपात्** (खोदना) में **र्** का लोप हुआ और किसी तरह क्षतिपूर्ति भी नहीं की गई। संस्कृत **पञ्च**, ग्रीक **पॅन्तॅ** के रूसी प्रतिरूप **प्यत्** (अथवा **पॅत्**) की यही स्थिति है।

### *(घ) र्, य्, व्*

**र्** अर्द्ध स्वर है; उसके स्थान पर अन्य अर्द्ध स्वर **य्, व्** का प्रयोग आसानी से होता है। संस्कृत **धरुण** (पानी) और **धारा** में क्रियामूल **धर्** है; इसका रूपान्तर **धव्** (बहना) है। **धरण** (स्तन), **धारु** (दूध पीता हुआ) की **धर्** क्रिया का रूपान्तर **धय्** (पीना) है। इसी प्रकार संस्कृत **पार** (पान पात्र) की **पर्** क्रिया (पीने के लिए तमिल **परगु** में यही क्रियामूल है) का रूपान्तर संस्कृत **पयस्** (जल, दूध) है। **र्** के स्थानापन्न **य्, व्** पूर्व स्वर को प्रभावित करते हुए अन्तर्धान हो सकते हैं; **य्, व्** में रूपान्तरित हुए बिना भी **र्** पूर्वस्वर को प्रभावित कर सकता है। **धर्** के रूपान्तर **धय्** से **धेनु** (जो दूध पिलाए) शब्द बना; **पर्** के रूपान्तर **पय्** से पीना का **पी** क्रियामूल बना। **पर्** से सीधे संस्कृत **पा** (पीना) रूप बन सकता है, **पव्** जैसे रूप की मंज़िल पार करना आवश्यक नहीं है। लैटिन **पोतो** (पीना) सीधे **पर्** से बन सकता है, **पव्** से भी; रूसी **पीत्** (पीना) का आधार **पय्** हो सकता है, **पॅर्** भी। लैटिन **फ़ॅल्लो** (दूध पिलाना) में **फ़ॅल्** क्रियामूल **धॅर्** का रूपान्तर है; यह **ल्** पूर्वस्वर को, **र्** के समान, प्रभावित करके लुप्त होता है, तब लैटिन का **फ़ेमिन** (नारी; दूध पिलानेवाली) रूप सुलभ होता है। तमिल **वरु** (आना) के गोंडी प्रतिरूपों **वइआना, वायाना** में **र्** इसी

प्रकार **य्** में रूपान्तरित हुआ है। संस्कृत **करोति** की आधार क्रिया **कर्** के कन्नड़ प्रतिरूप **कॅय्** और **कइ** हैं, तमिल प्रतिरूप **चॅय्** (करना) है। **य्** और **व्** ध्वनियाँ स्वयं भी **र्-ल्** में बदल सकती हैं, यथा : अवधी **धॉवाई** और मानक हिन्दी का **धुलाई,** संस्कृत **स्वप्** (सोना) और अंग्रेज़ी **स्लीप**। कन्नड़ में **ऑय्यनॅ** का प्रतिरूप **ऑल्लनॅ** (धीरे-धीरे) है; यहाँ भी **य्-ल्** का वैसा ही सम्बन्ध देखा जाता है। **य्** और **व्** दो भिन्न केन्द्रों की ध्वनियाँ हैं; संस्कृत **नव**, हिन्दी **नया**, संस्कृत **मृगया**, पालि **मिगवा**, वैदिक **कीवन्त**, संस्कृत **कियन्त**, तमिल **अवन्** (वह पुरुष), कोत **अयोन्** (उप.) आदि रूपों में **य्-व्** ध्वनियाँ स्वच्छन्द संचरण की स्थिति में हैं। मान लीजिए, भयसूचक एक **भर्** क्रिया है। इसके रूपान्तर **भय्** से संस्कृत **भीत, भीरु, भय** आदि रूप बने; **भय्** के प्रतिरूप **भव्** से ग्रीक **फॉबॉस्** (भय) का निर्माण हुआ।

द्रविड़ भाषाओं में **र्** के स्थान पर **ळ्, ऴ्, ण्** ध्वनियों का प्रयोग हो सकता है क्योंकि इन सभी में अर्द्ध स्वरों के समान स्पर्शतत्त्व क्षीण है, यथा : तुलु **पर** (पुराना), कोडगु **पळॅ**, तमिल **पळ** (उप.) और **पंडु** (पुरानापन)। तुलु **पर्** के कोत प्रतिरूप **पय्** और तोद प्रतिरूप **पाव्** में **र्** के स्थान पर **य्, व्** का व्यवहार हुआ है। इनमें कोई भी ध्वनि पूर्व स्वर को प्रभावित करके लुप्त हो सकती है। प्रभावित होनेवाला स्वर **ए, ओ, आ** कोई भी रूप धारण कर सकता है। मार्ग के लिए तुलु **परि**, कन्नड़ **पादि**, तोद **पाक्**, तमिल **पोक्कु** में एक ही क्रियामूल **पर्** भिन्न भाषाओं में **पा, पो** रूप धारण करता दिखाई देता है। इसी प्रकार तमिल **परइ** (बोलना) और **पेजु** (उप.) परस्पर सम्बद्ध हैं। **र्** तथा अन्य अन्तस्थ ध्वनियों के परिवर्तन और लोप को ध्यान में रखने से किसी शब्दमूल के समानार्थी प्रतिरूपों को पहचानने में सुविधा होती है। ये ध्वनियाँ पूर्व स्वर को प्रभावित किये बिना भी लुप्त हो सकती हैं, यह पहले कहा जा चुका है।

### *(ङ) **र्** की आदिस्थानीय भूमिका*

**घ्-ध्-भ्** के साथ शब्दमूलों में **र्** ध्वनि का प्रयोग सबसे अधिक होता है। **स्, न्, म्** आदि इसकी रूपान्तरित ध्वनियाँ प्रतीत होती हैं। शब्दमूल के अन्त में प्रयुक्त होने के साथ-साथ यह ध्वनि शब्दमूल के आरम्भ में भी प्रयुक्त होती है। **रघु, रुधिर, रन्ध्र, रम्भा** जैसे शब्द **र्** से आरम्भ होते हैं और अन्त्य वर्ण में **घ्-ध्-भ्** का साथ निबाहते हैं। **रभ्** (चाहना), **रिभ्** (गीत गाना), **रुध्** (ढाँकना), **राध्** (सफल होना) आदि क्रियामूलों में यही स्थिति है। **घर्म** की **घर्, धर्म** की **धर्, भर** (युद्ध) की **भर्** क्रियाओं का स्मरण करें तो शब्द-रचना-प्रक्रिया में **घ्-ध्-भ्** के साथ **र्** का महत्त्व उजागर होगा। ऐसी स्थिति में **घ्-ध्-भ्** की भूमिका का विवेचन करते समय **र्** की भूमिका पर बराबर निगाह रखनी चाहिए। भाषाविज्ञानी मानते हैं कि आदि इंडो-यूरोपियन भाषा में यह **र्** ध्वनि सुप्रतिष्ठित थी पर वे इस बात की व्याख्या नहीं करते कि इस इंडो-यूरोपियन परिवार के अनेक भाषा-समुदायों में इस ध्वनि का शब्द के आदिस्थान

में व्यवहार क्यों नहीं होता। जिस हित्ती भाषा के दस्तावेजों को 'ऋग्वेद' से प्राचीन माना जाता है, उसका कोई शब्द **र्** से आरम्भ नहीं होता। ग्रीक भाषा, मानक रूप और बोलियों, का कोई शब्द **र्** से आरम्भ तब होगा जब उसके पहले कोई स्वर, या स्वर के स्थान पर अर्द्ध स्वर **ह्** जोड़ दिया जाए। इसी प्रकार केल्त समुदाय की वेल्श भाषा में **र्** से आरम्भ होनेवाले शब्दों के बाद **ह्** जोड़ा जाता है। सम्भवतः ग्रीक भाषा की तरह वेल्श में भी इस **ह्** का उच्चारण **र्** से पहले होता है, जैसे **ल्** से आरम्भ होनेवाले प्रत्येक वेल्श शब्द के पहले **ह्** की समीपवर्ती **ख़्** ध्वनि बोली जाती है। यह बात सही न हो तो भी यह निर्विवाद है कि वेल्श में आदिस्थानीय **र्** के बाद किसी स्वर का प्रयोग न होगा, केवल महाप्राण ध्वनि **ह्** का व्यवहार होगा अर्थात् **रेस** (नस्ल), **राइस्** (चावल), **रबर** (रबड़) जैसे शब्द वेल्श भाषा में बाहर से आ सकते हैं, उसके अपने भाषा-समुदाय के नहीं हो सकते। यह स्थिति द्रविड़ भाषाओं में **र्** की भूमिका से तुलनीय है। न केवल तमिल वरन् अन्य द्रविड़ भाषाओं में भी आदिस्थानीय **र्** की भूमिका नगण्य है। **र्** से जो शब्द आरम्भ हुआ, उसके पहले एक स्वर का व्यवहार आवश्यक है। आर्य भाषाओं के आदिस्थानीय **र्** की सुरक्षा के लिए द्रविड़ परिवेश वैसे ही प्रतिकूल है, जैसे किसी भी स्थान पर **घ्-ध्-भ्** की सुरक्षा के लिए। भाषाविज्ञानियों ने इस बात की कैफियत नहीं दी कि ऐसे प्रतिकूल परिवेश में आर्यों का आदिस्थानीय **र्** सुरक्षित कैसे रहा उधर द्रविड़-विहीन परिवेश की हित्ती और ग्रीक जैसी भाषाओं में आदिस्थानीय **र्** वर्जित कैसे हो गया।

### *(च) सघोष महाप्राण ध्वनियों की भूमिका*

जो लोग मानते हैं कि ट-वर्गीय ध्वनियाँ आर्य नहीं, द्रविड़ थीं, उन्हें बताना चाहिए कि द्रविड़ों ने **त्** को तो **ट्** कर दिया पर **ध्** को उन्होंने **ढ्** कैसे बना दिया क्योंकि कोई भी सघोष महाप्राण स्पर्श-ध्वनि उनकी भाषाओं में थी नहीं? या तो हम यह मानें कि **ध्** के समान **ढ्** भी आर्य भाषाओं की ध्वनि थी या यह स्वीकार करें कि सघोष महाप्राण ध्वनियों की जड़ आर्य भाषाओं में इतनी गहरी थी कि द्रविड़ों से **ट्** प्राप्त करते ही आर्यों ने **ठ्** और **ढ्** की रचना भी कर डाली। भाषाविज्ञानी आदि इंडो-यूरोपियन ध्वनियों में **ढ्** को स्थान नहीं देते। तब यह और भी बड़ा चमत्कार है कि द्रविड़ भारत में प्रवेश करनेवाले आर्यों ने मूल **घ्-ध्-भ्** की रक्षा ही नहीं की। (इन ध्वनियों के अनेक रूपान्तर भारत में ही हुए पर वे मूल ध्वनियाँ सुरक्षित रहीं), वरन् एक नवीन मूर्धन्य **ढ्** की रचना भी कर डाली।

**ढ्** से मिलती-जुलती स्थिति **झ्** की है। आदि इंडो-यूरोपियन ध्वनियों में **झ्** की गिनती नहीं है। द्रविड़ भाषाओं की मूल ध्वनियों में **ट्** को स्थान मिला है, **च्** को नहीं। द्रविड़ों के संसर्ग से, जब उन्होंने **च्** का विकास कर लिया, तब आर्यों ने भी **ढ्** के समान **झ्** की रचना की।

**ढ्** और **झ्** के विकास की व्याख्या चाहे जिस प्रकार की जाए, **घ्-ध्-भ्** के साथ उनका अस्तित्व निर्विवाद रूप से प्रमाणित करता है कि सघोषता के साथ महाप्राणता के संयोग की प्रवृत्ति भारतीय आर्य भाषाओं में अत्यन्त दृढ़ता से बद्धमूल है।

जैसे ग्रीक भाषा में **कइओ-दइओ** (जलाना) दो रूप दो भिन्न ध्वनिकेन्द्रों की ओर संकेत करते हैं, वैसे ही संस्कृत में **स्कम्भ** और **स्तम्भ** दो भिन्न ध्वनिकेन्द्रों की ओर संकेत करते हैं। हिन्दी-क्षेत्र में **खड़े** और **ठड़े** (या **ठाढ़े**) रूप प्राचीन **स्क** और **स्त** केन्द्रों की देन हैं। फ़ारसी **ख़ाना** (स्थान) से लेकर खड़ी बोली के **खड़े** तक **स्क**-केन्द्र की परम्परा चली आई है और यह केन्द्र ईरान से लेकर हरियाणा तक है, यह तथ्य पहचानना कठिन नहीं है। बंगला में **खान** (स्थान) मध्यदेश और मगध को छोड़ता हुआ पहुँचा है। संस्कृत **स्था, स्थान** से लेकर **ठाढ़े** तक का क्षेत्र मध्यदेश है। इसी तरह **घ्-ध्-भ्** के भी केन्द्र हैं और वे पहचाने जा सकते हैं। यह सहज अनुमेय है कि जहाँ **क्-ख्** के केन्द्र होंगे, वहीं **ग्-ध्** के भी होंगे। जहाँ **त्-थ्** के केन्द्र होंगे, वहीं **द्-ध्** के केन्द्र भी होंगे। पर बात अनुमान मात्र की नहीं है।

जैसे संस्कृत **स्कम्भ** के साथ **स्कन्ध** रूप है, वैसे ही **स्तम्भ** के साथ **स्तन्ध** रूप का चलन था, यह बात अंग्रेज़ी **स्टैंड्** से हमें ज्ञात होती है। मूल क्रिया से कृदन्त रूप बनाने के लिए जैसे **ध** और **भ** का व्यवहार होता था, वैसे ही **घ** का उपयोग भी होता था। **स्तन्ध** के समानान्तर **स्तंघ** जैसे रूप प्रचलित थे। इसी **स्तंघ** का तमिल प्रतिरूप है **तंगु** (ठहरना, स्थिर होना)। बाँगरू क्षेत्र के **इंघे** और तमिल **इङ्गे** (यहाँ) में जैसी संगति **घ** और **ग** की है (यहाँ ये स्थानवाचक प्रत्यय हैं), वैसी ही संगति **स्तंघ** और **तङ्गु** के **घ** और **ग** की है। प्राकृत में **घर** के लिए **घंघ** शब्द है, वह इसी तरह बना है। **घंघ** रूप संस्कृत में नहीं है, जैसे **स्तंघ** नहीं है क्योंकि कृदन्त रूपों के लिए मध्यदेश का मूल प्रत्यय **ध** था, **घ** नहीं, और संस्कृत की मूल सामग्री अधिकतर मध्यदेश की है। संस्कृत **घर्म** की **घर्** क्रिया के रूपान्तर **घन्** में **घ** प्रत्यय जोड़कर **घंघ** शब्द रचा गया, **घंघ** अर्थात् अग्निस्थान, घर। ब्राहूइ, अंग्रेज़ी, लिथुआनियन आदि में **अंग्, इंग्** प्रत्ययों का उल्लेख दूसरे खंड में हो चुका है। प्राकृत, तमिल, ब्राहूइ, लिथुआनियन आदि में एक प्रकार के रूपों की प्रचुरता हो और संस्कृत में उनकी विरलता हो तो उससे यही निष्कर्ष निकलेगा कि ऐसे रूपों का केन्द्र मध्यदेश के उत्तर और पश्चिम का प्रदेश है।

प्राकृत में अनेक 'देशज' हैं जो **घ्** से आरम्भ होते हैं और संस्कृत में नहीं हैं। **घंघल** (झगड़ा), **घंघोर** (घुमन्तू), **घंचिय** (तेली), **घण्ण** (छाती), **घत्त** (फेंकना), **घाण** (कोल्हू), **घिट्ठ** (कुबड़ा), **घूरा** (जाँघ), **घुसल** (मथना), **घोडिय** (मित्र) आदि शब्द उत्तर-पश्चिमी आर्य भाषा-केन्द्रों की अपनी शब्द-सम्पदा की ओर संकेत करते हैं। ये किसी भारत-ईरानी शाखा के अवशेष नहीं हैं, वे उत्तर-पश्चिमी केन्द्रों की सनातन और निरन्तर गतिशील शब्द-रचना-प्रक्रिया का परिणाम हैं।

तालव्य और मूर्धन्य ध्वनियों के केन्द्र भी इसी उत्तर-पश्चिमी क्षेत्र में हैं। ग्रियर्सन ने अपने भाषा-सर्वेक्षण ग्रंथ के नवें खंड के पहले भाग में बताया है कि जम्मू के पहाड़ी इलाकों में आदिस्थानीय **द्** का उच्चारण मूर्धन्य होता है। पंजाब के शाहपुर जिले की थली बोली के लिए लिखा है कि **दे** (देना) क्रिया **डे** बोली जाती है। इसी नवें खंड के दूसरे भाग में उन्होंने गुजराती के लिए लिखा है कि राजस्थानी, पंजाबी, सिन्धी और मराठी के समान इसमें मूर्धन्य ध्वनियों का व्यवहार अधिक होता है। उत्तरी गुजरात में **तुँ** (तू) के लिए **टुँ, दीधो** (दिया) के लिए **डीढो** रूपों का चलन है। सिन्धी के **मुंढी** (मूड़, सिर), **ढ्रापणु** (तृप्त होना), **डढु**, (दद्रु, दाद), **पोढ़ियो** (परिश्रम), **वेढ़ि** (वन) आदि रूप स्मरणीय हैं। मराठी के **ढग** (बादल), **ढवळा** (अव्यवस्था), **ढळ** (गलती), **ढाँग** (टाँग), **ढाण** (गीला), **ढाण्या** (खट्टा), **ढिरा** (अंकुर), **ढोमण** (नितम्ब) आदि बता रहे हैं कि **ढ्** का विकास केन्द्र किस दिशा में था और कैसे वह **ढ्**-मूलक शब्द-रचना में प्रवृत्त था। यही स्थिति **झ्** के विकास और प्रसार की है। **इझो** (यह), **उझो** (वह) जैसे रूप सिन्धी में हैं, **माझा** (मेरा) जैसे रूप मराठी में।

आर्य भाषा-केन्द्रों में अति प्राचीनकाल से परस्पर आदान-प्रदान होता रहा है, अत: किसी भी एक केन्द्र की शब्द-सम्पदा शब्द-विनिमय से प्रभावित हुए बिना नहीं रही। ऐसी स्थिति में ध्वनि-केन्द्रों के क्षेत्र निश्चित करना सरल नहीं है और जो क्षेत्र निश्चित किये जाएँ, उनके विरोध में अनेक तर्क दिये जा सकते हैं। जो बात तर्कातीत है, वह यह कि **घ्-ध्-भ्** के समान **ढ्** और **झ्** ध्वनियों का व्यवहार भी भारत में ही होता है। मान लीजिए, च-वर्गीय ध्वनियों के केन्द्र भारत के बाहर हैं। क्या कारण है कि वहाँ **च्-ज्** का विकास होता है (**च्** का अधिक, **ज्** का कम, **छ** का बिलकुल नहीं) किन्तु **झ्** का विकास नहीं होता? एक ही कारण हो सकता है कि भारतीय आर्य भाषाओं में सघोष-महाप्राण ध्वनियों के व्यवहार की प्रवृत्ति ऐसी शक्तिशाली है कि **च्** की प्राप्ति के बाद वह **झ्** की रचना कर ही लेती है। इसी तरह, मान लीजिए, **ट्** ध्वनि आर्यों को द्रविड़ों से मिली, तो उसी प्रवृत्ति के वशीभूत होकर उन्होंने **ढ्** ध्वनि की रचना कर डाली। अंग्रेज़ों को अपना वर्त्स्य **ट्** चाहे जहाँ से मिला हो, वे न वर्त्स्य **ठ्** का व्यवहार करते हैं, न वर्त्स्य **ढ्** का। कारण यह कि अंग्रेज़ी, और जर्मन समुदाय की अन्य भाषाओं का विकास उन क्षेत्रों में हुआ है जो सघोष महाप्राण ध्वनियों के केन्द्र से दूर थे। केवल जर्मन समुदाय की भाषाएँ नहीं, इंडो-यूरोपियन परिवार की समस्त प्राचीन और नवीन भाषाएँ इन केन्द्रों से दूर रही हैं। इसीलिए उनमें न **ढ्** और **झ्** हैं, न **घ्-ध्** और **भ्** हैं। ये समस्त ध्वनियाँ केवल भारत की प्राचीन और नवीन आर्य भाषाओं में हैं। कारण स्पष्ट है। इनके केन्द्र भारत में थे। भारत के बाहर इन ध्वनियों के रूपान्तर हैं; जिन भारतीय शब्दों में इन ध्वनियों का व्यवहार होता था या होता है, उनके अभारतीय प्रतिरूपों में इन ध्वनियों के रूपान्तर ही प्राप्त हैं।

**घ्-ध्-भ्** के केन्द्र कहाँ थे, अनेक केन्द्र थे या एक ही केन्द्र था, इस बारे में विवाद हो सकता है किन्तु ये ध्वनियाँ किसी समय स्वच्छन्द संचरण की अवस्था में थीं, यह निर्विवाद है। ऐसा स्वच्छन्द संचरण भाषाओं के विकास की प्राचीन स्थिति सूचित करता है। संस्कृत **रुंधति-रुंभति** (घेरता है), **घसति-भसति** (खाता है), **स्कन्ध-स्तम्भ** (तना), प्राकृत **घङ्ग** (भौंरा) और संस्कृत **भृङ्ग**, प्राकृत **उब्भ** और संस्कृत **ऊर्ध्व** में सघोष महाप्राण ध्वनियों के स्वच्छन्द संचरण की प्रवृत्ति देखी जाती है। यह प्रवृत्ति इन ध्वनियों के व्यवहार की वह प्राचीन स्थिति सिद्ध करती है जब एक ही भाषा-व्यवस्था में सिमटकर वे ध्वनियाँ अर्थ-विच्छेदक नहीं बनीं।

सघोषता के साथ महाप्राणता का संयोग एक विशेष ध्वनितंत्रीय कौशल है जो केवल भारतीय आर्य भाषाओं में विकसित हुआ। अघोषता के साथ महाप्राणता का संयोग ऐसा विशेष कौशल नहीं है और वह अनेक भाषा-समुदायों में प्राप्त है। किन्तु यह उल्लेखनीय है कि **ख्-थ्-फ्** का प्रसार इंडो-यूरोपियन भाषाओं में अत्यन्त विषम है। पड़ोसी फ़ारसी में संघर्षी **ख्-फ़्** हैं, **थ्** नहीं है। प्राचीन ईरानी में **थ्** अवश्य था यद्यपि वहाँ भी वह स्पर्श-ध्वनि नहीं था। यूनान की कुछ बोलियों में **ख्** है तो **थ्** नहीं है, **थ्** है तो **फ्** नहीं है। मानक ग्रीक **थेर्** (वन्य पशु) इओलिक, दोरिक और इओनिक बोलियों में **फेर** है; मानक ग्रीक **ऑर्नीथॉस्** (पक्षी का) का दोरिक प्रतिरूप **ऑर्नीखॉस्** है। यह स्थिति स्लाव भाषाओं की याद दिलाती है जहाँ रूसी भाषा में **ख़्** के साथ **फ़्** है किन्तु उक्रैनी में **ख़्** है, **फ़्** का अभाव है। उधर लैटिन में केवल **फ़्** है। जब अघोषता के साथ महाप्राणता का संयोग ऐसे विषम रूप में विकसित और प्रसारित हुआ है, तब यूरोप की भाषाओं में सघोषता के साथ महाप्राणता का योग कभी हुआ ही न होगा, यह कल्पना सहज और न्यायसंगत है।

### *(छ) घ्-ध्-भ् के रूपान्तर*

**घ्-ध्-भ्** के कुछ रूपान्तर सीधे द्रविड़ प्रभाव का परिणाम हैं। इनमें सबसे व्यापक **क्-त्-प्** वाला रूपान्तर है। ऐसे रूपान्तर वाले शब्द द्रविड़ भाषाओं में हैं, भारत से बाहर इंडो-यूरोपियन परिवार की भाषाओं में हैं और संस्कृत समेत भारतीय आर्य भाषाओं में हैं। संस्कृत **धरा**, तमिल में **तॅरइ** और लैटिन में **तॅर** है। संस्कृत में **अम्भस्** (जल), **अभ्र** (बादल) के साथ **अपः** है, **भण्** (कहना) के साथ **पण्** (प्रशंसा करना) है। **घ्-ध्-भ्** का दूसरा रूपान्तर **ग्-द्-ब्** वाला है। संस्कृत **भंग** (मोड़) कन्नड़ में **बङ्कु** (टेढ़ा होना) है, संस्कृत **भ्रातृ** अंग्रेज़ी में **ब्रदर्** है। तीसरा रूपान्तर **ख्-थ्-फ्** वाला है। संस्कृत में **अध** का प्रतिरूप **अथ** है, चूलिका पैशाची नाम की प्राकृत में संस्कृत **धूलि** का रूपान्तर **थूलि** है, संस्कृत **भ्रातृ** का ग्रीक प्रतिरूप **फ्रात्र** (गण, गोत्र) है। कह सकते हैं कि संस्कृत **घर्म** की **घर्** क्रिया के रूपान्तर **खर्** से ब्राहूई रूप **ख़ाख़र** (अग्नि) बना है पर ऐसा रूपान्तर द्रविड़ भाषाओं में कम होता

है, साथ ही ईरानी क्षेत्र की अनेक बोलियों के समान **क्** में महाप्राणता जोड़कर **ख्** वाला रूप बनाया गया हो, इसकी काफी सम्भावना है। ब्राहूइ तथा कुड़ुख़ जैसी कुछ अन्य द्रविड़ भाषाओं में **ख्** के साथ **क्** भी है; अत: **खर्** जैसा रूप सीधे **घर्** से विकसित हुआ हो, इस बात से इनकार नहीं किया जा सकता।

द्रविड़ भाषाओं में मूल प्रवृत्ति अल्पप्राण ध्वनियों का व्यवहार करने की है; अत: **घ्-ध्-भ्** के **क्-त्-प्** वाले रूपान्तर सीधे द्रविड़ प्रभाव के परिणाम हैं, यह बात युक्तिसंगत है। भारत के उत्तर-पश्चिमी प्रदेश में सघोष अल्पप्राण ध्वनियों का व्यापक व्यवहार होता रहा है, अत: **ग्-द्-ब्** वाला रूपान्तर मिश्रित आर्य-द्रविड़ प्रभाव का परिणाम माना जा सकता है। **ख्-थ्-फ्** वाला परिवर्तन द्रविड़ प्रभाव का परिणाम नहीं है। चूलिका पैशाची में ऐसा परिवर्तन व्यापक रूप से होता है। इससे मिलती-जुलती स्थिति कुछ नाग भाषाओं में है, यथा : संस्कृत घोष की **घो** क्रिया बर्मी में **खउ** (पुकारना) है, साथ ही **लुशइ** में इसका प्रतिरूप **कॉउ** है। सम्भव है, **ख्-थ्-फ्** वाला रूपान्तर नाग प्रभाव का परिणाम हो; अनेक नाग भाषाएँ **क्-त्-प्** में अतिरिक्त महाप्राणता जोड़ती हैं, अत: यहाँ भी **घ्-ध्-भ्** पहले **क्-त्-प्** बने हों, फिर **ख्-थ्-फ्**, यह सम्भावना बनी रहती है।

महत्त्वपूर्ण बात यह है कि **ख्-थ्-फ्** वाला परिवर्तन भारतीय परिवेश के अनेक भाषा-परिवारों में मिलता है, परिवर्तन की यह एक अन्तर्पारिवारिक प्रवृत्ति है जो अंशत: यूरोप की भाषाओं में भी मिलती है।

**घ्-ध्-भ्** अपना स्पर्श तत्त्व खोकर **ह्** में बदलते हैं, इनके रूपान्तर **क्-त्-प्** कभी **ह्** में बदलते हैं, और कभी इस **ह्** का लोप हो जाता है; आदिस्थानीय **प्** कन्नड़ और आर्मीनियन जैसी दो भिन्न परिवारों की भाषाओं में **ह्** रूप में ग्रहण किया जाता है, पुरानी आइरिश में उसका लोप हो जाता है। संस्कृत में कुछ शब्द ऐसे हैं जिनमें **ध्** पहले **ह्** में परिवर्तित हुआ, फिर **ह्** का लोप होने पर दो स्वरों की टक्कर से बचने के लिए अर्द्ध स्वर **व्** का आगम हुआ। संस्कृत **अवस्** (निम्न) का पूर्वरूप **अधस्** था; **व्** ने **ह्** की मंज़िल के बाद **ध्** का स्थान लिया है। **भ्** के रूपान्तर **प्** के स्थान पर **व्** का व्यवहार आर्य-द्रविड़ भाषाओं में व्यापक रूप से मिलता है। संस्कृत **भंग** और **वंक** सम्बद्ध हैं, जैसे कन्नड़ **बङ्कु** और तमिल **वाङ्गु** (मोड़ना, मुड़ना) सम्बद्ध हैं। **व्** का लोप होने पर संस्कृत **अङ्क**, ग्रीक **अङ्कस्** (बाँहों में) प्राप्त होते हैं। **ख्-थ्-फ्** के संघर्षी रूप, मध्यवर्ती व्यंजनों का संघर्षीकरण (यथा जर्मन में) और उनका लोप (जैसे प्राकृतों में, अनेक अंग्रेज़ी शब्दों में) **घ्-ध्-भ्** के **ह्-व्** आदि विकार एक ही प्रवृत्ति के परिणाम हैं। यह प्रवृत्ति स्पर्शतत्त्व को क्षीण करने की है। इसका सम्बन्ध नाग भाषाओं से हो सकता है।

कोई भाषायी प्रवृत्ति जब किसी स्रोत से एक ही परिवार की भाषाओं में फैलती है, तब उसके इस प्रसार की अवधि अपेक्षाकृत सीमित होती है किन्तु जब वह

अनेक भाषा-परिवारों में फैलती है तब उसकी प्रसार अवधि स्वभावत: अधिक होगी। **घ्-ध्-भ्** के विविध रूपान्तर जितना ही एक से अधिक भाषा-परिवारों में फैले होंगे, उतना ही इस प्रसार की अवधि अधिक रही होगी, उतना ही **घ्-ध्-भ्** वाले मूल रूप अधिक प्राचीन सिद्ध होंगे।

**घ्-ध्-भ्** के रूपान्तर इतने भिन्न प्रकार के हैं कि उन्हें ज्ञात भाषा-परिवारों से जोड़ना सम्भव नहीं है। पर ये रूपान्तर अकारण नहीं हैं। जिन भाषा-समुदायों के प्रभाव से ऐसे परिवर्तन हुए, वे अज्ञात हैं। ये समुदाय आर्य थे या आर्येतर, इसका निर्णय वे करें जो इंडो-यूरोपियन परिवार की भारत-ईरानी शाखा से संस्कृत का विकास मानते हैं। जो स्थिति स्पष्ट है, वह यह कि एक समुदाय **घ्-ध्-भ्** ध्वनियों का व्यवहार करता है, अन्य अनेक समुदाय इन ध्वनियों को विविध रूपों में ग्रहण करते हैं। उस एक समुदाय को हम निस्संकोच आर्य भाषा-समुदाय कह सकते हैं क्योंकि इन ध्वनियों के व्यवहार की अटूट परम्परा भारतीय आर्य भाषाओं में विद्यमान है। इसे आर्य के बदले किसी भी अन्य नाम से पुकारें, उससे स्थिति में परिवर्तन न होगा। वह परम्परा वैदिक भाषा से लेकर मराठी-हिन्दी-बंगला तक अजस्र प्रवाहित है। **घ्-ध्-भ्** के रूपान्तरों की परम्परा अटूट नहीं है, केवल **क्-त्-प्** और **ग्-द्-ब्** वाले परिवर्तन अधिक व्यापक हैं। अन्य परिवर्तन भारत के प्राचीन भाषा-परिवारों की देन हैं; उनके अस्तित्व का बोध इन परिवर्तनों से ही होता है।

जिस महाप्राण ध्वनि में स्पर्शतत्त्व प्रति क्षीण है, वह **ह्** है। **घ्-ध्-भ्,** और इनके साथ **ख्-थ्-फ्** का स्पर्शतत्त्व क्षीण होता है, तब भारतीय भाषाओं में उनका स्थान **ह्** लेता है। जिन भाषाओं में **ह्** का प्रभाव था, वे **ह्** ध्वनि के स्थान पर **स्** का व्यवहार करती थीं। संस्कृत **मध्य** का ग्रीक प्रतिरूप **मॅसॉस्** है। यहाँ **ध्** का स्पर्शतत्त्व क्षीण हुआ और महाप्राणतासूचक **स्** ध्वनि बच रही। संस्कृत में **पुनः** के बाद **तु** या **च** का योग हो तो **पुनस्तु, पुनश्च** रूप बनेंगे। यहाँ अघोष **ह्** का ध्वनिचिन्ह विसर्ग है और **स्, श्** इस **ह्** का रूपान्तर हैं। जहाँ महाप्राणता (और सघोषता) का पूर्ण लोप होता है, वहाँ **मध्य** का ग्रीक प्रतिरूप **मॅत** सुलभ होता है।

संस्कृत तथा इंडो-यूरोपियन भाषाओं में किसी शब्द की **स्** ध्वनि सदा उसकी मूल ध्वनि नहीं होती। संस्कृत **श्याम** का एक समानार्थी प्रतिरूप **ध्याम** है; **श्वस्** (साँस लना, फूँकना) का प्रतिरूप **ध्वस्** है; **ग्रह्** के पूर्वरूप **ग्रध्** (और **प्रभ**) का प्रतिरूप **ग्रस्** है। संस्कृत के अनेक रूपों में **ध्** ही नहीं, **घ्** भी **स्** या **श्** रूप में ग्रहण किया जाता है। **हिम** का पूर्वरूप **घिम** है। **घ्** की सघोषता का लोप होने पर **घिम** का ग्रीक प्रतिरूप **खिओन्** प्राप्त होता है। जब स्पर्शतत्त्व क्षीण होने पर **ह्** शेष रहता है, तब संस्कृत रूप **हिम** प्राप्त होता है; जब महाप्राणता की अभिव्यक्ति **स्** से होती है, तब कश्मीरी **शीन्** (हिम) और प्रसिद्ध स्थान **शिमला** के **शिम** की प्राप्ति होती है। जब यह **स्** सघोष होता है, तब रूसी **जिम** (शीतकाल) सुलभ होता है। संस्कृत

**शीत** का आधार **श्यै** क्रिया मानी गई है। **श्यै** और **शीत** की **शी** का सम्बन्ध **घिम** के शब्दमूल **घि** से है। संस्कृत में **घटा, जटा, शटा** जैसे समानार्थी रूप मिलें तब समझ लेना चाहिए कि **घ्** वाला रूप प्राचीन है।

घुमन्तू साधुओं के लिए संस्कृत में **श्रमण** शब्द का व्यवहार होता था। **श्रमण** का अर्थ यह नहीं है कि साधु श्रम करते थे, श्रम उनके लिए तपस्या थी; वे भ्रमण करते रहते थे, इसलिए **श्रमण** कहलाए। **श्रमण** का पूर्वरूप **भ्रमण** था। संस्कृत **शाल्** (चमकना) और **भाल** (चमक) तुलनीय हैं। जलने, चमकने के लिए एक प्राचीन **भर्** क्रिया थी; इससे संस्कृत **भ्रज्ज्** (पकाना, पकना), **भृष्ट** (पका हुआ), **भ्रष्ट्र** (तवा) रूप बनते हैं जिनसे **श्रा** (पकाना), **श्रोण** (पका हुआ) रूप तुलनीय हैं। लैटिन **फॉर्नुस्, फुर्नुस्** (भट्ठी) में **भर्** का रूपान्तर **फ़ॉर** है। पुरानी आइरिश में **फ़ॉर्नुस्** का प्रतिरूप **सॉर्न्** है। लैटिन के अनेक **फ़्**-मूलक शब्द पुरानी आइरिश के प्रतिरूपों में **स्** ध्वनि ग्रहण किए हैं। लैटिन **फॅनेस्त्र** (खिड़की), **फ्रेनुम्** (लगाम), **फ़ुस्तिस्** (डंडा) पुरानी आइरिश में क्रमशः **सॅनिस्त्रि, त्रिअन्, सुस्त्** हैं। यहाँ ध्वनि-परिवर्तन की पद्धति वही है। **भ्, फ्** के स्पर्शतत्त्व के क्षीण होने पर महाप्राणता की व्यंजना **स्** द्वारा की गई। यह स्वाभाविक है कि पुरानी आइरिश ने जहाँ **ह्** मूलक शब्द लिये हों, वहाँ या तो **ह्** का लोप कर दे या उसकी जगह **स्** का व्यवहार करे। अंग्रेज़ी **हॅन्** (मुर्गी) के **ह्** का लोप हुआ तो आइरिश रूप **एन्** (चिड़िया) बना; जब पुरानी अंग्रेज़ी के **हॅअफ़ॉक्** (बाज पक्षी; आधुनिक अंग्रेज़ी के **हौक्**) का **ह्** पुरानी आइरिश ने **स्** रूप में ग्रहण किया, तब **सॅबॉक्** रूप प्राप्त हुआ।

जैसे लैटिन **फ़्** पुरानी आइरिश के अनेक शब्दों में **स्** रूप में ग्रहण किया गया है, वैसे ही मानक ग्रीक भाषा का **थ्** कुछ ग्रीक बोलियों में **स्** रूप में ग्रहण किया गया है। संस्कृत **धाव्** (दौड़ना) का ग्रीक प्रतिरूप **थॅओ** है; **थॅओ** का दोरिक रूपान्तर **सॅओ** है। ग्रीक **थओ** (पीना), **थॅइऑस्** (काका, मामा), **अथेनइ** (एथेंस नगर) दोरिक में क्रमशः **सओ, सॅइऑस्, असनइ** हैं।

जब **घ्-ध्-भ्** का स्पर्शतत्त्व क्षीण न होगा, केवल सघोषता का लोप होगा, साथ ही महाप्राणता की अभिव्यंजना **स्** द्वारा होगी, तब उक्त ध्वनियाँ **स्क्, स्त्, स्प्** रूप में ग्रहण की जाएँगी। संस्कृत **घृणा** और अंग्रेज़ी **स्कॉर्न** परस्पर सम्बद्ध हैं। **घर्म** की **घर्** क्रिया से **घृण** (ऊष्मा), **घृणा** (दूसरे के प्रति उष्णता का भाव जो दया और घृणा, दोनों का हो सकता है; संस्कृत रूप ये दोनों अर्थ देता है) शब्द बने; **घ्** जब **स्क्** रूप में ग्रहण किया गया, तब अंग्रेज़ी का **स्कॉर्न** सुलभ हुआ। इसी **घर्** का एक लैटिन प्रतिरूप **कलॅओ** (गरम होना) है। यहाँ महाप्राणता का पूर्ण लोप हुआ। किन्तु पुरानी फ्रेंच में एक रूप **ऑस्काल्देरे** है जिससे अंग्रेज़ी के **स्काल्ड्** (गरम पानी से जलाना) का विकास हुआ। यहाँ **स्क्** ध्वनि **घ्** का रूपान्तर है। ग्रीक **अस्केथेस्** (अहत, जो मारा न गया हो) में **स्केथ्** क्रियामूल का सम्बन्ध

संस्कृत **हत**, उसके पूर्वरूप **घत** से है। इसी **स्केथ्** से अंग्रेज़ी का **अनस्केथ्ड** (क्षति से जो बच गया हो) बनता है।

**हत** के पूर्वरूप **घत** का ही विकास संस्कृत **क्षत** है। यहाँ **घ्** का स्थान **स्क्** नहीं, **क्स्** ले रहा है। अघोष अल्पप्राण **क्** का उच्चारण पहले हुआ, महाप्राणता की व्यंजना के लिए **स्** का उच्चारण उसके बाद हुआ। जिन लोगों के लिए मूर्धन्य **ष्** सुगम था, उन्होंने **क्स्** के बदले **क्ष्** कहा। संस्कृत में **क्स्** जैसा व्यंजन-योग है ही नहीं, अतः **घत** का रूपान्तर भी सम्भव था। इसी प्रकार **घर्म** के विकास हिन्दी **घाम** के साथ संस्कृत **क्षाम** (जला हुआ) है। इसका आधार **क्षै** क्रिया मानी गई है। **घर्>घय् >क्षय् >क्षै**—इस प्रकार **क्षै** क्रिया मूल प्राप्त होगा। संस्कृत **क्षर्** का एक अर्थ बहना है, दूसरा नष्ट होना है। विनाश का भाव व्यक्त करनेवाली **क्षै** और **क्षर्,** दोनों क्रियाएँ सम्बद्ध हैं और इनका आधार **घर्** है। संस्कृत **ध्वरति** (टेढ़ा होता है, दुख देता है) और **धूर्त** सम्बद्ध हैं; सम्भवतः **त्सरति** (छिपकर चलता है, रेंगता है) की **त्सर्** क्रिया **धॉर, धर्** जैसे क्रियामूल का रूपान्तर है।

संस्कृत में ऐसे परिवर्तन कम होते हैं जहाँ स्पर्श-ध्वनि का उच्चारण पहले हो और महाप्राणता-द्योतक **स्** उसका अनुगामी हो। अधिकतर **स्** का उच्चारण पहले होगा, स्पर्श-ध्वनि का बाद को। केवल **क्ष्** वाला रूपान्तर इसका अपवाद है। **स्तम्भ** के साथ **स्कम्भ** रूप है; **स्तम्भ** के **स्त** क्रियामूल का प्रतिरूप **स्था** सुपरिचित है; **स्कम्भ** के **स्क** क्रियामूल का वैकल्पिक रूप **स्ख** भी रहा होगा। संस्कृत में जहाँ **क्-त्** के साथ **ख्-थ्** ध्वनियों वाले रूप भी मिलें, वहाँ इनके पूर्वरूपों में **घ्-ध्** के अस्तित्व की सम्भावना ध्यान में रखनी चाहिए। यहाँ **स्क्** और **क्स्** के प्रसंग में इतना और कह दें कि संस्कृत **क्ष्** का पूर्वरूप **क्स्** प्राकृतों में कहीं-कहीं **स्क्** रूप में मिलता है। संस्कृत **राक्षसः** और **दक्षः** के मागधी रूपान्तर **लस्करो** और **दस्के** हैं।

संस्कृत **स्थिति** का समानार्थी एक ग्रीक रूप **स्खॅसिस्** है, इससे **स्ख** क्रियामूल के चलन का बोध होता है। संस्कृत **स्खद्** (काटना) का ग्रीक प्रतिरूप **स्खज़ो** है। इस **स्खज़ो** का अन्य वैकल्पिक ग्रीक रूप **स्खिज़ो** है। संस्कृत में यही अर्थ देनेवाली **भिद्** क्रिया है। इस **भिद्** के अस्तित्व से हम अनुमान करते हैं कि इसका वैकल्पिक रूप **घिद्** भी रहा होगा। इस अनुमान की पुष्टि संस्कृत की समानार्थी क्रिया **छिद्** से होती है। **छिद्** का सहज विकास **घिद्** से सम्भव है, **भिद** से नहीं। अतः निष्कर्ष यह निकलना चाहिए कि संस्कृत और ग्रीक में **घ्-ध्-भ्** का एक विकार **स्क्-स्त्-स्प्** है, दूसरा **स्ख्-स्थ्-स्फ्**। इस दूसरे विकार में **ख्-थ्-फ्** महाप्राणता की रक्षा करते हैं किन्तु मानो यह काफी न हो, इसलिए **स्** भी जोड़ दिया गया। यह **स्** सघोषता के अभाव की पूर्ति करता है, यह भी कहा जा सकता है; महाप्राणता के साथ सघोषता का योग न बना तो दोहरी महाप्राणता सही।

संस्कृत **धुर्, धुर** का अर्थ है बोझ। बोझ ढोनेवाले एक जानवर के लिए एक संस्कृत शब्द है **स्थूलिन्** (ऊँट)। **स्थूलिन्** के **स्थूल** का आधार **धुर्** है, इसका ज्ञान **उष्ट्र** (ऊँट) से होता है जिसका आधार **वह्** पूर्वरूप **वघ,** क्रिया होगा। बोझ ढोने की गाड़ी के लिए ग्रीक **ऑखॉस् वह्** के पूर्वरूप में **घ्** के अस्तित्व की सूचना देता है। बोझ ढोने की गाड़ी अंग्रेज़ी में **वैगन्** है, बोझ ढोनेवाला जानवर **ऑक्स्** (बैल) है। इस **ऑक्स्** का कृत रूप **उक्षन्** है। **उक्षन्** का सम्बन्ध भिगोने का अर्थ देनेवाली **उक्ष्** क्रिया के बदले **वह-वघ्** से जोड़ना उचित है।

**घ्-ध्-भ्** की महाप्राणता की व्यंजना **स्** के सघोष रूप से होगी तो इन ध्वनियों की जगह **ज़्** का व्यवहार होगा। अरबी **ग़म** के साथ फ़ारसी **ज़दा** जोड़कर **ग़मज़दा** (दुख का मारा) रूप बना; यह **ज़दा** संस्कृत **हतः**, पूर्वरूप **घतः**, का रूपान्तर है। फ़ारसी **ज़ानू** का पूर्वरूप संस्कृत **जानु** (घुटना) है; हिन्दी **घुटना, घोंटू** से सम्बद्ध **घानु** जैसा रूप था, उसका रूपान्तर है **जानु, ज़ानु**। संस्कृत **ध्वनि** की **ध्वन्** क्रिया का एक विकार संस्कृत **स्वन्** (शब्द करना) है; **स्** के सघोष रूप का प्रयोग हुआ तो रूसी **ज़्वॉन्** (ध्वनि) रूप बना। इसी प्रकार संस्कृत **मध्य** का कश्मीरी रूपान्तर **मज़्** है। **स्क्, स्त्** के समान **ज़्** के साथ जहाँ **घ्-ध्** का स्पर्शतत्त्व भी ग्रहण किया जाएगा, वहाँ **क्-त्** के सघोष रूपों का व्यवहार होगा; संस्कृत **मेध** का प्राचीन ईरानी रूप **म्यज़्द** (बलि) बनेगा, संस्कृत **मध्य** का रूसी प्रतिरूप में **मॅझ्दु** होगा।

**घ्-ध्-भ्** की महाप्राणता की व्यंजना **स्** के अतिरिक्त **र्** से भी हो सकती है। संस्कृत की **घस्** और **ग्रस्** क्रियाएँ समानार्थी हैं। हिन्दी **घास** और अंग्रेज़ी **ग्रास्** का ऐसा ही सम्बन्ध है। संस्कृत में ही **घास** और **ग्रास्** शब्द समानार्थी हैं। संस्कृत **प्रातर्** (प्रभात) की व्याख्या **अ** उपसर्ग के आधार पर नहीं होती किन्तु **प्रात** को **भात** का रूपान्तर मानने से उसकी व्युत्पत्ति आसानी से समझ में आ जाती है। संस्कृत **द्रवति** (दौड़ता है) की **द्रव्** क्रिया संस्कृत **धव्** (दौड़ना) का रूपान्तर जान पड़ती है। संस्कृत **महत्** के आधार **मघ** का एक ग्रीक प्रतिरूप **मॅगस्** है, दूसरा **मक्रॉस्** (दीर्घ)। लैटिन रूप **मग्नुस्** में **र्** के स्थान पर **न्** है।

आर्य-द्रविड़ भाषाओं में **त्** ध्वनि बहुधा **न्** में बदलती है, वैसे ही **प्** ध्वनि **म्** में बदलती है। **त्** ध्वनि **र्, ल्, स्** रूपों में भी ग्रहण की जाती है। **त्** और **प्** जहाँ **ध्** और **भ्** का रूपान्तर हैं, वहाँ **त्-प्** के सारे विकार **ध्-भ्** के ही विकार माने जाएँगे। जहाँ **घ्-ध्** का तालव्यीकरण होता है, वहाँ **झ्** के **च्-छ्-ज्** विकार मिलेंगे, **च्-ज्** के स्थान पर **य्** का व्यवहार मिलेगा और **य्** का लोप भी होगा। इसी प्रकार **ध्** का मूर्धन्यीकरण होने पर **ट्** का स्थान **ण्** ले सकता है और मध्यवर्ती **ड्** के स्थान पर **ङ, ळ्, ऴ्, ल्** और **र्** का व्यवहार हो सकता है। **ण्** और **ळ्** का वैसा ही सम्बन्ध है, जैसा **न्** और **ल्** का। **न्, ण्, ल्, ऴ्, ळ् र्** परस्पर सम्बद्ध ध्वनियाँ हैं विशेष कर द्रविड़ भाषाओं में। इनमें किसी के भी स्थान पर **य्-व्** का व्यवहार हो सकता

है। यदि **प्** ध्वनि **म्** रूप में ग्रहण की जाती है तो **म्** भी बदलकर **प्** हो सकती है, जैसे **रुक्मिणी** कुछ प्राकृतों में **रुप्पिणी** है। इसी प्रकार बंगला में **कृष्ण** का रूपान्तर **केष्टा** है। किन्तु **न्, म्, ण्** परिवर्तित होकर **ध्, भ्, ढ्** बने, इसका प्रमाण नहीं है।

आर्य भाषाओं में **स्त्, स्क्** के स्थान पर **थ्, ख्** का व्यवहार सामान्य है, **स्कम्भ** और **स्तन्** के विकार **खम्भा** और **थन** सुपरिचित हैं किन्तु ग्रीक **थम्बॅओ** (स्तम्भित होना) के **थ्** के बारे में यह कहना कठिन है कि वह **स्त्** का रूपान्तर है या **ध्** का। प्राकृत में अनेक **थ्**-मूलक 'देशज' हैं जिनके **स्त्** वाले पूर्व संस्कृत रूपों का पता नहीं है, यथा : **थंडिल्ल** (मंडल), **थट्ट** (ठट, समूह), **थव** (पशु) आदि। प्राकृतों तथा अन्य आर्य भाषाओं का **थ्** संस्कृत रूप के **स्त्** के अलावा मूलरूप के **ध्** का विकास भी हो सकता है।

ग्रीक शब्दों में जहाँ **ख्-थ्-फ्** हो, वहाँ मूलरूपों में **घ्-ध्-भ्** की कल्पना की जा सकती है किन्तु संस्कृत और ग्रीक, दोनों में **घ्-ध्-भ्** से स्वतंत्र **ख्-थ्-फ्** की अपनी भूमिका है। अत: सर्वत्र मूलरूपों में **घ्-ध्-भ्** की कल्पना करना उचित नहीं है। इसके विपरीत संस्कृत के ही समान जहाँ ग्रीक शब्दों में **क्-त्-प्** हो, वहाँ इन्हें अनिवार्यत: मूल ध्वनि न मान लेना चाहिए। ग्रीक भाषा समुदाय में **पानॉस्-फानॉस्** (फानूस, मशाल), **पत्र-फत्र** (पितृभूमि), **लिस्पॉस्-लिस्फॉस्** (चिकना) जैसे वैकल्पिक रूप महाप्राणता की अस्थिरता सूचित करते हैं। मूल रूपों में **क्-त्-प्** ध्वनियाँ हो सकती हैं, **ख्-थ्-फ्** भी, **घ्-ध्-भ्** भी।

ध्वनि-परिवर्तन के अटल नियम नहीं हैं, ध्वनि-परिवर्तन की अनेक रीतियाँ हैं। ये रीतियाँ अनेक ही नहीं, परस्पर विरोधी भी हो सकती हैं; वे अनेक भाषाओं में ही नहीं, एक ही भाषा में प्राप्त हो सकती हैं। ध्वनि-परिवर्तन की रीतियों से जब हम अर्थ-प्रक्रिया की रीतियाँ जोड़ देते हैं, तब हम अधिक विश्वास से कह सकते हैं कि अमुक रीति अमूक सन्दर्भ में सही है। प्राचीन भाषाओं में अनेक ध्वनियों का स्वच्छन्द संचरण रहा है, अत: यदि एक अर्थ-प्रक्रिया में **घ्**-मूलक शब्दों के विकार किसी विशेष रीति से होते हैं और उसी प्रकार **ध्**-मूलक शब्दों के विकार भी उसी अर्थ-प्रक्रिया के अन्तर्गत होते हैं, तो हम अर्थ-रीति से ध्वनि-रीति की पुष्टि करते हैं, ध्वनि-रीति से अर्थ-रीति की।

**घ्-ध्-भ्** ध्वनियों के जो विकार आर्य-द्रविड़ भाषाओं में होते हैं, भारत से बाहर इंडो-यूरोपियन भाषा समुदायों में होते हैं। उनके प्राचीन क्षेत्र अपेक्षाकृत समीप थे, यह मानना चाहिए। यह बात लोग मानते भी आए हैं किन्तु भिन्न रूप में। उनकी कल्पना में समीपता का अर्थ यह है कि इंडो-यूरोपियन समुदाय की सभी शाखाएँ पहले एक ही तने से जुड़ी थीं, कुछ शाखाएँ एक दूसरे के ज़्यादा पास थीं, कुछ दूर थीं। भारतीय शाखा को छोड़कर अन्य किसी शाखा से द्रविड़ों की समीपता का प्रश्न न था।

प्रस्तुत विवेचन में द्रविड़ सन्दर्भ सभी इंडो-यूरोपियन भाषाओं के लिए है, केवल आर्य भाषाओं के लिए नहीं। विवेचन को सीमित रखकर सुगम बनाने के लिए केवल द्रविड़ सन्दर्भ की बात कही गई है, वर्ना बृहत्तर भारत के समस्त भाषायी सन्दर्भ का उल्लेख अधिक उपयुक्त होगा और इस सन्दर्भ में केवल इंडो-यूरोपियन परिवार का नहीं, सामी, तुर्क मंगोल आदि अन्य एशियायी परिवारों का विवेचन भी समीचीन होगा। इस बृहत्तर सन्दर्भ और अन्य भाषा-परिवारों का उल्लेख अन्यत्र है। अर्थ-रीतियों के साथ ध्वनि-रीतियों को मिलाकर जो विवेचन यहाँ दिया जा रहा है, उसमें केवल द्रविड़ और इंडो-यूरोपियन भाषाओं को ध्यान में रखा गया है। इन भाषाओं से सभी सम्बद्ध सामग्री देने का प्रयत्न नहीं किया गया; केवल कुछ अर्थ-रीतियों का विवेचन करते हुए आंशिक सामग्री दी गई है। उद्‌देश्य है, अनुसन्धान की इस पद्धति की उपादेयता सिद्ध करना, भाषा-परिवारों के निर्माण और विकास के बारे में उन मान्यताओं की पुष्टि करना जिनका उल्लेख इस पुस्तक में पहले हो चुका है।

जिन क्षेत्रों में **घ्-ध्-भ्** ध्वनियाँ परिवर्तित होती हैं और जिनमें वे अपरिवर्तित बनी रहती हैं, दोनों तरह के क्षेत्र प्राचीन काल में पड़ोसी थे। अपरिवर्तित **घ्-ध्-भ** ध्वनियों के क्षेत्र भारत में हैं; परिवर्तित ध्वनियों के क्षेत्र अंशतः भारत में, अंशतः भारत से बाहर हैं।

**घ्-ध्-भ्** को केन्द्र में रखकर अर्थ-रीतियों का विवेचन करने में लाभ यह है कि सम्बद्ध मूल रूप **घ्-ध्-भ्** ध्वनियों वाले हों, तो हम कह सकते हैं कि ये अर्थ-रीतियाँ उन्हीं क्षेत्रों की हैं जिनमें **घ्-ध्-भ्** ध्वनियाँ अपरिवर्तित बनी रही हैं।

यह अध्याय लिखने से पहले मैंने जहाँ-तहाँ अर्थ-संसर्ग, अर्थ-विस्तार की प्रक्रिया का उल्लेख किया है, विशेषतः पुस्तक के दूसरे खंड में, किन्तु ध्वनि-परिवर्तन की रीतियों के साथ अर्थ-रीतियों को मिलाकर विस्तार से उनका अध्ययन पहले नहीं किया। यहाँ **घ्-ध्-भ्** ध्वनियों वाले शब्दमूलों को आधार बनाकर मैंने सम्बद्ध अर्थों वाले शब्दों की शृंखलाएँ निश्चित की हैं। ऐसी शृंखलाएँ और भी हो सकती हैं। जो शब्द-शृंखलाएँ दी हैं, उन्हें उदाहरणरूप मानना चाहिए। कई जगह शब्दों की व्युत्पत्ति के बारे में अपनी पूर्व मान्यताएँ मैंने बदली हैं। जो कुछ यहाँ कहा है, उसमें फिर परिवर्तन करना पड़े, यह भी सम्भव है।

## 4. अर्थ-प्रक्रिया-सम्बन्धी मूल स्थापनाएँ

*(क) जल और प्रवाह*

सबसे पहले हम जल और प्रवाह से सम्बद्ध शब्द लेते हैं।

एक क्रियामूल है **घर्**। संस्कृत **घार** (छिड़काव), **घृ** (भिगोना), **घृणि** (पानी, लहर) का सम्बन्ध इस **घर्** से है। **घ्** की महाप्राणता का लोप होने पर संस्कृत **गर** (भिगोना), **गल्** (टपकना) रूप प्राप्त हुए। महाप्राणता के साथ सघोषता का लोप हुआ तो संस्कृत **कर्द** (कीचड़), तमिल **कारि** (नदी), ग्रीक **क्रॉउनॉस्** (झरना, धारा)

आदि शब्द बने। संस्कृत **कुल्या** (छोटी नदी), तमिल **काल्** (बहना; नहर) में **र्** के स्थान पर **ल्** है। **कर्** क्रिया में **त** या **द** प्रत्यय जोड़ने पर **कत, कद, कड** जैसे रूप बनेंगे। संस्कृत **कट्** (बरसना), तमिल **किडङ्गु** (जलाशय), तुलु **केदु** (कीचड़) का आधार **कर्** या उसके वैकल्पिक रूप **कॅर्, कॉर्** हैं। एक महत्त्वपूर्ण संस्कृत रूप **कधि** है। यहाँ **कर्** क्रिया के **र्** का लोप हुआ है, क्षतिपूर्ति के लिए प्रथम वर्ण का स्वर दीर्घ नहीं हुआ, प्रत्यय सघोष महाप्राण है। उसमें जो क्रिया जोड़ी गई है, उसका आदि व्यंजन अघोष, अल्पप्राण है। द्रविड़ भाषाओं में कोडगु **कड** (समुद्र), तमिल **कडल** (उप.) का सीधा सम्बन्ध संस्कृत **कधि** से है। रूसी **कतीत्** (बहना) का आधार कृदन्त रूप **कर्त** है; **कधि** के समान **र्** के लोप से **कत**, फिर उससे **कतीत्**। **र्** जब **न्** रूप में ग्रहण किया गया तब संस्कृत **कुंड** (जलाशय), तमिल **कुंडम्** (उप.), **कुट्टम्** (उप.) रूप बने। **कुट्टम्** में **न्** का लोप हुआ है; **कुर्तम्** से भी **कुट्टम्** का विकास हो सकता है। **र्** जब **स्** रूप में ग्रहण किया गया, तब कन्नड़ **कसि** (बहना), और **स्** के **च्** रूप में ग्रहण किये जाने पर तमिल **कजि** (रिसना) आदि का चलन हुआ। **र्** का विकार **ऴ्, य्** हुआ, तब मलयालम के **कऴम्** और **कयम्** (जलाशय) शब्द सिद्ध हुए। ग्रीक **केने** (जल, झरना), लैटिन **कअॅनुम्** (कीचड़) का आधार **कय्** होगा।

हिन्दी प्रदेश की एक प्रसिद्ध नदी **घाघरा** है। इसका पूर्वरूप संस्कृत **घर्घर** है। **घर्घर** शब्द पानी बहने की ध्वनि के अनुकरण पर नहीं बना; इसका आधार प्रवाह-सूचक **घर्** क्रिया है। हिन्दी प्रदेश की एक प्रसिद्ध नदी **गङ्गा** है। इसका आधार भी **घर्** है; **घर्→गर्→गन्**, इस प्रकार। **गर्** अथवा **गॉर्** में **द** प्रत्यय जोड़ने, और **र्** का लोप होने पर नदीवाचक **गोद** रूप बनेगा। भारत की प्रसिद्ध नदी **गोदावरी** का आधार यह **गोद** है। प्राकृत **गोदा** सामान्य नदीवाचक शब्द है। वास्तव में **घाघरा, गंगा, गोदावरी** पहले नदी विशेष के नाम नहीं थे; वे सामान्य नदीवाचक शब्द थे जो क्रमशः किन्हीं विशेष नदियों के नाम बन गए। **गंगा, गांग** का व्यवहार अनेक नदियों के लिए बहुत जगह अब भी होता है। **कर्** का **र्** जब **व्** रूप में ग्रहण किया गया, तब उससे दक्षिण की प्रसिद्ध **कावेरी** नदी का नाम प्राप्त हुआ। संस्कृत **कावार** जल में उगनेवाला एक पौधा है; उसका आधार वही **कव्** है जो **कावेरी** में है।

**घाघरा, गंगा, गोदावरी, कावेरी** ऊपर से देखने में, ध्वनि-विचार से, नितान्त भिन्न रूप हैं। वे सभी नदीवाचक शब्द हैं, अर्थ-विचार से वे अभिन्न हैं। ध्वनिगत भिन्नता का कारण **घर्** के रूपान्तर हैं; अर्थगत अभिन्नता का कारण **घर्** के सभी रूपान्तरों में स्रोत-अर्थ का अविच्छिन्न प्रवाह है।

**घ्** ध्वनि **स्क्** अथवा **क्स्** रूप में ग्रहण की गई, तब संस्कृत **क्षर, क्षार, क्षीर** (जल) का आविर्भाव हुआ, जब **घ्** का तालव्यीकरण हुआ, तब संस्कृत **झर, निर्झर**, हिन्दी **झरना** आदि का चलन हुआ। संस्कृत **जल**, तेलगू **जल्लु** (वर्षा)

का आधार **झर्** है। गोंडी **जीर्ला** (झरना) में **र्** विद्यमान है। **झ्** की सघोषता और महाप्राणता, दोनों का लोप होने पर तमिल **चल्लु** (पानी छिड़कना), **चॅल्** (बहना), **चुरइ** (प्रवहमान), **चोरि** (वर्षा) रूप बने।

जो **जल** जड़तासूचक है, वह इससे भिन्न है। मूर्ख के लिए **जल, जड,** दोनों शब्द हैं। पानी का पर्याय **जल** प्रवाहमय है।

संस्कृत **जल**, तमिल **चॅल्, चल्लु** आदि का आधार **सर्** क्रिया भी हो सकती है। **घर्** और **सर्** के सम्बन्ध पर आगे विचार करेंगे।

**चर्** का **र्** जब **स्** रूप में ग्रहण किया गया, तब फ़ारसी का **चश्मा** (सोता) बना।

ग्रीक **खॅइओ** (बहना), **खॅउम** (धारा), **खुतॉस्** (द्रवित), **ख्लेदॉस्** (कीचड़), **खूलॉस्** (रस) का आधार **घर्→खर्→खय्/खल्** हो सकता है, **घर्→क्षर्→क्षय्/क्षल्→खय्/खल्** भी। (यहाँ और आगे भी जब **घर्** कहें, तब उसके साथ उसके विकल्प **घॅर्, घॉर्** भी गिन लें, **खर्** के साथ **खॅर, खॉर्** गिनें; इन्हें अलग लिखना अनावश्यक है।) ग्रीक **खुसिस्** (प्रवाह) में **स्** ने **र्** का स्थान लिया है।

अवधी **हील** और **गील** समानार्थी हैं। मानक हिन्दी में **गीला** है, **हीला** नहीं। दोनों का आधार **घॅर्त** होगा। **घॅर्त→घिल्ल→घील; घोल** से **गील, हील** के साथ हिन्दी **सील** भी।

**ध्** का एक रूपान्तर जैसे **स्क्** है, वैसे ही एक तालव्य रूपान्तर **श्च्** होगा। संस्कृत **श्चुत्, श्च्युत्**, फिर **च्यु, च्युत्**, हिन्दी **चूना** (टपकना) का आधार रूप **घर्** होगा। अवधी **चुवत** का आधार रूप **घुव्** होगा।

प्रवाहसूचक **सर्** क्रिया प्राचीनकाल में व्यापक रूप से प्रचलित थी, विशेष कर भारत के उत्तर-पश्चिमी प्रदेश में। नदीवाचक **गंगा** और **गांग** (गाङ्) दक्षिणी-पूर्वी एशिया में वियतनाम की **मेकांग**, चीन की **याङ्त्सी क्याङ्** तक पहुँचे हैं किन्तु सरस्वती का क्षेत्र सीमित है। अत्यन्त पवित्र नदी होने पर भी **गंगा** और **यमुना** के बीच वह लुप्त हो गई।

संस्कृत **घर्घर** में **घर्** माने बहना, **निर्झर** में **झर्** माने बहना और **सरस्वती** में **सर्** माने बहना। संस्कृत **क्ष्विड्** (गीला होना, टपकना), **स्विद्** (पसीना आना), तोद **स्विट्** (टपकना), अंग्रेज़ी **स्वॅट्** (पसीना) का आधार **घ्विद्** होगा। संस्कृत में **सूत** उस व्यक्ति को कहते हैं जो दूसरों को पुकारता है, कोई घोषणा करता है। **हूत** (पुकारा हुआ), **हवते, हुवति, ह्वयति, जोहोति** आदि रूपों का आधार **घुव्** क्रिया है जो **घुष** (पुकारना) का प्रतिरूप है। इस प्रकार **सूत्** का पूर्वरूप होगा **धूत**। संस्कृत **घर्म** में **घर्** माने चमकना और **स्वर्, सुर्** माने चमकना। **स्वर्** और **सुर्** का आधार होगा **घर्** का वैकल्पिक रूप **घॉर्**। सरस्वती के **सर्** का सम्बन्ध **घर्घर** के **घर्** से है, यह बताने के लिए उक्त उदाहरण काफी हैं। इसका यह अर्थ नहीं है कि **स्** का स्वतंत्र अस्तित्व नहीं था या वह **ध्-भ्** का भी रूपान्तर नहीं हो सकता।

**सर** (झरना) और **सिरा** (जल; नदी) की आधार क्रियाएँ **सर्** और **सॅर्** हैं, **सृ, सृज्** (बहना) का **सृ**। वर्ण-संकोचन की प्रवृत्ति से **सॅर्** का रूपान्तर **सृ** (बहना) हुआ, उसी से **सृज्** (उप.)। **स्रु** (उप.), **स्रव** (प्रवहमान), **स्रू** (नदी), **स्रोतस्** (उप.) आदि का आधार **सॉर्** होगा। **स्** को द्रविड़ भाषाओं की मूल ध्वनि नहीं माना जाता किन्तु **सर्** के प्रतिरूप इन भाषाओं में व्यापक रूप से मिलते हैं। कन्नड़ **सुरि** (बहना), **सॅलॅ** (झरना), तुलु **सॅरॅ** (लहर), तोद **सोर्** (कीचड़) आदि में **सर्** क्रिया का प्रसार देखा जा सकता है। प्राकृत **सिरा** (प्रवाह), गुजराती **सरा** (धारा), **सरवाणी** (सोता), बंगला **सरि** (जिससे जल झरे) उक्त रूपों से सम्बद्ध हैं। ग्रीक **सलॉस्** (समुद्र), लैटिन **सलुम्** (उप.; धारा) में **सल्** क्रिया **सर्** का प्रतिरूप है। यूरोप की भाषाओं में **सर्, सल्** के आधार पर बने जलवाचक शब्द कम हैं; अनेक भाषाओं में वर्ण-संकोचन से प्राप्त **स्र, स्रि, स्रु** के रूपान्तर अधिक हैं। पुरानी आइरिश के **स्रुथ्** (धारा), लिथुआनियन **स्रूति** (उप.) का आधार **स्रु<सॉर्** है। अनेक भाषाएँ **स्र्** को **स्त्र्** रूप में ग्रहण करती हैं। लैतवियन **स्त्राव** (धारा), ग्रीक **स्त्रुमोन्** (नदी विशेष), **रूसी स्त्रुया** (धारा), अंग्रेज़ी **स्ट्रीम्** (नदी-धारा) में यही प्रवृत्ति है। संस्कृत में **स्रव** के समानान्तर **स्नव** (टपकना), **स्रुति** के समानान्तर **स्तुति** (प्रवाह) में **र्** के स्थान पर **न्** है।

संस्कृत **स्रुत** और **प्लुत** (बाढ़), **स्रव** और **प्लव** (उप.), **स्रावण** और **प्लावन** (उप.) में इतनी समानता है कि **प्** को **स्** का रूपान्तर मानना ठीक लगता है। संस्कृत **स्वसृ** (बहन) और अंग्रेज़ी **सिस्टर्** का गेलिक प्रतिरूप **पिउथर्** है। यहाँ **प्** ने **स्** का स्थान लिया है। संस्कृत में **घर्** की समकक्ष प्रवाहसूचक **भर्** क्रिया भी थी; अतः **प्लुत** और **प्लावन** का सम्बन्ध इस **भर्** से भी हो सकता है। किन्तु **स्रु, स्रव** जैसे रूपों का इतना प्रसार हुआ था और संस्कृत में **पर्-पल्** (बहना) का अभाव-सा है, इस कारण **प्लव** को **स्रव** का रूपान्तर मानना ही ठीक जान पड़ता है। संस्कृत **प्रुष्-प्लुष्** (छिड़कना), लैटिन **प्लुओ** (बरसना), लैतवियन **प्लुदिनात्** (बहाता हूँ) की आधारभूत क्रिया **प्लु-प्रु** का पूर्वरूप **स्रु** होगा। **प्** में अतिरिक्त महाप्राणता के योग से ग्रीक **फ्लुओ** (बहना), लैटिन **फ़्लुविउस्** (नदी), जर्मन **फ़्लुट्** (बाढ़), अंग्रेज़ी **फ़्लड्** (उप.) आदि रूप बने।

**घर्** का एक प्रवाहसूचक वैकल्पिक रूप **धर्** था। इससे **धरुण** (जल), **धारा** (प्रवाह) और **धीर** (समुद्र) शब्द बने। फ़ारसी **दरिया** (नदी; समुद्र) और ब्राहूइ **दीर** (जल) का आधार **धर्** का रूपान्तर **दर्** होगा। **धर** में **ध्** की महाप्राणता और सघोषता, दोनों का लोप होने पर **तर्** क्रिया से अनेक भाषाओं में बहुत-से रूप बने। संस्कृत **तरल, तरंग, फ़ारसी तर** (गीला), तमिल **तुरइ** (नदी, समुद्र), कन्नड़ **तॉरॅ** (धारा), लैटिन **तॉर्रॅन्स्** (उप.), तेलगू **तॉलुकु** (बरसना) परस्पर सम्बद्ध हैं। ब्राहूइ और फ़ारसी, दोनों ऐसे क्षेत्र की भाषाएँ हैं जहाँ अतिरिक्त सघोषता का व्यवहार होता था। अतः फ़ारसी **दरिया** और ब्राहूइ **दीर** का आधार **तर्** क्रिया हो सकती है। **दीर**

का पूर्वरूप **तीर** जलवाचक होगा और वह संस्कृत तीर्थ में विद्यमान है। तेलगू **तॉट्टु** (बहना), मलयालम **तोड्डु** (धारा), कन्नड़ **तडि** (गीला) **तर्** पर आधारित कृदन्त हैं।

संस्कृत **द्रु** (बहना), **द्रव** (प्रवहमान) का आधार **धव्** (बहना) क्रिया हो सकती है, **धर्** का रूपान्तर **दर्** भी। **धर्** में **र्** का स्थान **व्** लेता है, तब **धव्** से **धौति** (झरना) रूप बनता है; **र्** का स्थान **न्** लेता है, तब **धन्व्** (बहना), **धेन** (नदी, समुद्र), **धान** (एक नदी) रूप बनते हैं; **र्** का स्थान **स्** लेता है, तब हिन्दी प्रदेश की **धसान** नदी की आधार क्रिया **धस्** बनती है।

प्राकृत **तित्तिरअ** (गीला), **तिप्प** (टपकना) का आधार **तिर्** है; हिन्दी **टपकना** के **टप** का पूर्वरूप **तर्प** होगा। अंग्रेज़ी **ड्रिप्** (टपकना), **ड्रॉप्** (गिरना, बूँद) **द्रु, द्रव** वाली शृंखला में हैं।

**तर्** में **र्** का स्थान **न्** लेता है, तब प्राकृत **तिन्न** (गीला), **तिम्म** (भीगना), तमिल **तुमि** (फुहार) रूप प्राप्त होते हैं। **र्** का स्थान **य्** लेता है, तब जलवाचक संस्कृत **तोय**, तमिल **तोय्** (भीगना) रूप बनते हैं।

**धर्** में **ध्** की सघोषता का लोप हुआ, तब प्राकृत **थाला** (धारा), ग्रीक **थलस्स** (समुद्र) रूप बने। प्राकृत **तिम्म्** का जोड़ीदार प्राकृत **थिम** (गीला करना) है। प्राकृत **थिप्प** (गलना) का आधार संस्कृत **स्तिप्** (टपकना) हो सकता है। प्राकृत **थिम** इसी प्रकार संस्कृत **स्तिम्** (गीला होना) का रूपान्तर होगा। संस्कृत **स्तोक** (बूँद), ग्रीक **स्तल्** (टपकना), **स्तिले** (बूँद) में **स्त्** का आधार **ध्** है। संस्कृत **स्तिमित** (गीला) में **र्** के स्थान पर **म्** है किन्तु संस्कृत **स्तीर्वि** (जल) में **र्** विद्यमान है। रूसी **स्तॅकात** (बहना) का पूर्वरूप **स्तर्कात्** होगा। रूसी **तॅच्** (बहना), **तॅचेनिए** (प्रवाह, धारा), **तॅकूचॅस्त्** (प्रवहमानता) में भी **तॅक्** का आधार **तॅर्** क्रिया होगी।

**तीर** और **नीर,** दोनों जलवाचक हैं; इनका आधार **तर्** और **नर्** क्रियाएँ हैं। **तर्** का रूपान्तर **नर्** है। संस्कृत और तमिल, दोनों में जलवाचक **नीर** शब्द का व्यवहार होता है। ग्रीक **नारॉस्** (द्रव; प्रवहमान) इस शृंखला में है। तमिल **नीत्तम्** (बाढ़; समुद्र) लैटिन **नतो** (बहना) में **र्** का लोप हुआ है। **र्** के स्थान पर **न्** के प्रयोग से तमिल **ननइ** (भीगना), **नान्दु** (उप.), **नीन्दु** (समुद्र), मलयालम **नन** (नमी), फ़ारसी **नम, नमी** रूप बने। **र्** के स्थान पर **स्** के प्रयोग से ग्रीक **नस्मॉस्** (धारा, झरना) रूप निर्मित हुआ। **नर्** के **नय्, नव्** रूपान्तरों से संस्कृत **नीवार** (जल, कीचड़, धान), ग्रीक **नाओ** (बहना) को जोड़ना चाहिए। कश्मीरी **नाग** की आधार क्रिया **नर्** है; **नर्** के रूपान्तर **ना** से **नाग** अथवा **नर्ग** से **नाग**।

**घर्** और **धर्** का एक वैकल्पिक रूप **भर्** था।

संस्कृत **भ्रम** (झरना) का आधार **भर्** है। **भॉर्** से संस्कृत **भुर्वन्** (जल के समान चंचल) रूप बना। **भैर्** से **भिर्द**, फिर **र्** के लोप होने से **भिद्** (जल के समान उमड़ना) क्रिया और **भिद्य** (प्रवहमान नदी) संज्ञा की रचना हुई। संस्कृत **भडि** (लहर) में **र्** के

संसर्ग से **द्** मूर्धन्य हुआ। हिन्दी **भीगा, भीगना, भीजत** आदि के पूर्वरूप संस्कृत में नहीं हैं किन्तु **भेग, भीग** जैसे रूपों का व्यवहार होता था, इसका प्रमाण ग्रीक **पेगे** (झरना), **पेगज़ो** (बहना) हैं। **भुविस्** (समुद्र), **भवन** (जल) में **व्** ने **र्** का स्थान लिया है, **भिन्धि** (छिड़काव) और **भिन्दु** (बुलबुला) में **न्** ने, बंगला **भासा** (बहना, उतराना) में **स्** ने **र्** का स्थान लिया है। बंगला **भासा काल** (वर्षा ऋतु) के **भासा** को **वर्षा** का विकार मानना आवश्यक नहीं है। तमिल **कारि** (नदी) और कन्नड़ **कसि** (बहना), संस्कृत **धारा** और हिन्दी **धसान** की तरह **कस्** और **धस्** की शृंखला में **भस्** है।

नौर्वीजियन **बर** (लहर), अंग्रेज़ी **बोर** (ज्वार की लहर) का पूर्वरूप **भर** है। लिथुआनियन **बङ्ग** (लहर) कृदन्त है जहाँ आधार क्रिया **बर्** का रूपान्तर **बन्** है।

संस्कृत **पेरु** (समुद्र), कन्नड़ **परि** (बहना), ग्रीक **पॅलगॉस्** (समुद्र) में मूलक्रिया के **भ्** की सघोषता और महाप्राणता, दोनों का लोप हुआ है। कृदन्त **पर्त** में **र्** का लोप होने से अनेक **पत्-पद्-पट्** आदि जलवाचक शब्दों का चलन हुआ, यथा : संस्कृत **पट्** (बहना), तमिल **पदम्** (जल), ग्रीक **पॉतमॉस्** (नदी), रूसी **पॉतॉक्** (धारा), **पॉतॉप्** (बाढ़) आदि। संस्कृत **पान** (झरना), **पङ्क** (कीचड़), **पम्पा** (नदी विशेष; झील), तमिल **पनि** (बहना), **पुनइ** (जल, नदी), प्राकृत **पंडविअ** (गीला), ग्रीक **पॉन्तास्** (समुद्र) में **र्** के स्थान पर **न्** है। हिन्दी **पानी** का आधार संस्कृत **पानीय** (जो पिया जाए) हो सकता है, प्रवाहसूचक **पन्** क्रिया भी।

संस्कृत **पयस्** (जल), कोत **पॅय्** (नदी), तोद **पाव्** (उप.) में **पर्** के **र्** के स्थान पर **य्-व्** हैं। यहीं **स्** के स्थानापन्न होने पर ग्रीक **पस्सो** (छिड़कना) क्रिया बनी।

ग्रीक **फॅअर्** (ताल), **फ्लॅप्स्** (झरना), लैटिन **फ्रॅतुस्** (समुद्र), **फ़्लुक्तुस्** (लहर), गेलिक **फ़इर्गॅ** (समुद्र) का आधार **भर्** का रूपान्तर **फर्** है। लैटिन **फ़ॉन्स्** (झरना), **फुन्दो** (भिगोना) में **र्** के स्थान पर **न्** है और लैटिन के ही **फ़्रूसिलिस्** (द्रवित) में **र्** के स्थान पर **स्** है, ग्रीक **पस्सो** (छिड़कना) के समान।

**पर्** के रूपान्तर **मर्** का व्यापक व्यवहार हुआ। संस्कृत **मारि** वर्षा, तमिल **मारि** (उप.; जल), ग्रीक **मुरो** (बहना), लैटिन **मरॅ** (समुद्र), वेल्श **मोर्** (उप.) **मॉरिन्** (लहर), रूसी **मॉरॅ** (समुद्र) से **मर्** रूप के प्रसार का अनुमान हो सकेगा। तमिल **मऴइ** (वर्षा; जल) का आधार या तो सीधे **मर्** क्रिया है या उसका कृदन्त रूप **मर्द>मड** है।

**मर्** से एक कृदन्त रूप बना **मर्घ>मघ**। संस्कृत रूप **मघवन्** धन देनेवाले इन्द्र के लिए प्रयुक्त होता है। उसका सीधा सम्बन्ध जलवर्षण से है। तमिल **मुग** (पानी भरना), तुलू **मगपुनि** (पानी उलीचना) में **मघ** के रूपान्तर **मग** में जलवाला अर्थ बना हुआ है। **मघ** का वैकल्पिक रूप **मेघ** है। संस्कृत **मेघ** का प्रतिरूप पुरानी अंग्रेज़ी का **मैगॅन्** (समुद्र) है, **ग्** के संघर्षीकरण और लोप से अंग्रेज़ी **मेन्** (समुद्र) बना। संस्कृत **मिह्** (जलवर्षण), **मही** (जलराशि, नदी), हिन्दी **मेह** और द्रविड़

भाषाओं में मल्तो **मॅहरॅ** (नम होना) का आधार **मघ्** है जहाँ **घ** का स्पर्शतत्त्व क्षीण होने पर **ह्** का व्यवहार हुआ है। अवधी **मिहाबु** (नम होना) और समानार्थी मल्तो **मॅहरॅ** का एक ही आधार है—**मॅघ्** का रूपान्तर **मॅह्**।

**मर्** से दूसरा कृदन्त बना **मर्ध>मध्**। संस्कृत **मधु** एक अर्थ जल है। लैटिन **मदॅओ** (बहना), ग्रीक **मुदओ** (भीगना), वेल्श **मृद्** (कीचड़), अंग्रेज़ी **मड्** (उप.), तमिल **मडु** (जलाशय), कन्नड़ **मोड** (बादल) में **ध्** की सघोषता बनी हुई, महाप्राणता का लोप हुआ है। लैटिन **मानो** (बहना, बहाना), द्रविड़ भाषाओं में पर्जि **मुंड** (जलाशय) में **र्** के स्थान पर **न्** है।

**र्** के स्थान पर **य्** का व्यवहार हुआ तो वेल्श **मुइदो** (भिगोना), **स्** का व्यवहार हुआ तो तोद **मष्न्** (बाढ़) रूप बने। रूस की प्रसिद्ध नदी **मस्क्वा** का आधार प्रवाहसूचक **मर्** का रूपान्तर **मस्** होगा।

**पर्** के जिस रूपान्तर का सर्वाधिक प्रसार हुआ, वह **वर्** है। संस्कृत में **वारि** (जल), वर्षा, तमिल **वार्** (बहना), **वरद** (धारा), प्राकृत **विरय** (छोटी नदी), **वीली** (लहर), जर्मन **वॅल्लॅ** (उप.), रूसी **वॉल्न** (उप.), तमिल **वऴि** (बहना), **अवेस्ता** में **वरि** (समुद्र), पुरानी आइसलैंडिक में **वरि** (जल), लैटिन **वीरुस्** (कीचड़) का आधार **पर्** का रूपान्तर **वर्** है।

तमिल **वन्द** (छोटी नदी), **वान्** (वर्षा), बंगला **बान्** (बाढ़), तमिल **वंडल्** (कीचड़), गद्‌ब **वाङ्ग्** (बहना) का आधार **वर्** का विकल्प **बन्** है। हिन्दी **बानगंगा** (नदी विशेष) में **बान** और **गंगा,** दोनों शब्द प्रवाहसूचक हैं।

प्राकृत **विसालय** (समुद्र), तोद **वस्य्** (झरना) का आधार **वर** का प्रतिरूप **वर्स्** है। संस्कृत **वीचि** (लहर), तमिल **वजि** (जल) का आधार **वस्** का रूपान्तर **वच्** है।

**वर्** से एक कृदन्त रूप **वर्घ>वघ** बना। संस्कृत **वाह, प्रवाह** और हिन्दी **बहना** का आधार यह **वघ** है। दूसरा कृदन्त बना **वर्ध>वध**। यहाँ महाप्राणता का लोप होने पर संस्कृत **वाडव** (जल के भीतर की अग्नि), **वडवा** (नदी विशेष), अवधी **वाद** (गीला), मलयालम **वडियुग** (बहना), तमिल **वदि** (कीचड़), **वडि** (टपकना), रूसी **वोद** (जल), अंग्रेज़ी **वाटर्** (उप.), **वॅट्** (भीगा) रूप बने।

**वर्** में **व** के स्थान पर **ऑ, उ** का व्यवहार हुआ, तब संस्कृत **ओघ** (प्रवाहः धारा), पुनः **घ्** की महाप्राणता का लोप होने पर प्राकृत **ओग्गाले** (लघु प्रवाह), तोद **ऑक्** (बहना), तुलु **उग्गुनि** (बहना) रूप बने। संस्कृत **ओजस्** (जल) में **ग्** का तालव्यीकरण हुआ है। संस्कृत **ओघ** और नदीनाम **वक्षु** का एक ही आधार कृदन्त रूप **वघ** है; **घ** के रूपान्तर **क्स** से **वक्षु** बना, **व** के ओकार में बदलने से ग्रीक **ओक्सॉस्** (वक्षु) और संस्कृत **ओघ** बने।

संस्कृत **ओद्मन्** (प्रवहमान) में **ओद्** का आधार **वध** है। तमिल **ओदम्** (बाढ़, लहर, समुद्र), कन्नड़ **ऑडि** (बहना) में ओकार है, **ओघ** के समान। संस्कृत **उद**

(जल), **उदन्** (उप., लहर), कुवि **ऊदलि** (भीगना), लैटिन **उदुस्** (भीगा) में **व** के स्थान पर उकार है। अतिरिक्त **ह्** के साथ ग्रीक रूप **हुदोर्** (जल) है। जहाँ **वर्** क्रिया के **र्** का लोप नहीं होता, वरन् **र्** के स्थान पर **न्** का व्यवहार होता है, वहाँ लैटिन **उन्द** (लहर, पानी), **उन्दो** (लहरों का उठना) रूप बनते हैं। संस्कृत **समुद्र** का एक बोलचाल वाला हिन्दी रूप **समुन्दर** है। ऐसा लगता है कि यहाँ अतिरिक्त नासिक्य ध्वनि जोड़ी गई है किन्तु लैटिन **उन्द** को देखते हुए इस सम्भावना से इनकार नहीं किया जा सकता कि समुद्र के समानान्तर एक प्राचीन रूप **समुन्द्र** भी रहा होगा।

द्रविड़ भाषाओं में **ध्** का रूपान्तर **थ्** विरल है। ग्रीक और चूलिका प्राकृत के समान कुवि **ऊथलि** (भिगोना), **ऊथ** (झरना, गीला) में **थ्** का व्यवहार हुआ है। कुवि में ही **ऊथ** का वैकल्पिक रूप **ऊत** है; **ऊत** तथा तुलु **ऊटि** (झरना) का आधार वही **वध** कृदन्त है।

**वर्** का एक प्रतिरूप **यर्** था। इस **यर्** का चलन उस क्षेत्र में था जहाँ **व्** ध्वनि का विकास न हुआ था, **य्** का व्यवहार ही अधिक होता था। तमिल **यारु** (नदी), कश्मीरी **यार** (उप.) का आधार प्राचीन **यर्** है। संस्कृत **जिरिष** (प्रवहमान) का आधार **यिर्** क्रिया हो सकती है, **घॅर्-भॅर्-जॅर्** क्रम से भी **जिर्** क्रिया का विकास सम्भव है। इंग्लैंड की प्रसिद्ध नदी **यैरो** है; वह शब्द भी **यर्** से बना है।

**वर, यर्** के आदिस्थानीय व्यंजन का लोप होने से **अर्** क्रिया प्राप्त होगी। संस्कृत **अर्ण** (लहर), **अर्णव** (उप. समुद्र), **अर्षण** (प्रवहमान), तमिल **अरुवि** (झरना), **अरुवु** (बहना), संस्कृत **आर्द्र** (गीला), ग्रीक **अर्दो** (सींचना, पशुओं को पानी पिलाना), इटली की नदी **आर्नो** आदि में **अर्** क्रिया है।

संस्कृत **ओल** (भीगा), कन्नड़ **ओल्** (जल), तमिल **ऑलियल्** (नदी) का आधार **वर्** का प्रतिरूप **वल्** है जहाँ **व्** का स्थान ओकार ने लिया है। तमिल **आलम्** (जल, समुद्र) में **व** के स्थान पर अकार है। संस्कृत **ऊर्मि** (लहर), तमिल **ऊरु** (बहना), **उरवि** (झरना), **उरइ** (बरसना), **ऊरल्** (झरना) का आधार **वर्** है जहाँ **व्** के स्थान पर उकार है। संस्कृत **इरा** (जल), तमिल **ईरि** (भीगना), कोलमि **ईर्** (जल) का आधार **वर्** का प्रतिरूप **यर्** होगा।

गोंडी **ऊसा** (बाढ़), कन्नड़ **ऑसर्** (बहना) में **र्** के स्थान पर **स्** का व्यवहार हुआ है। आइरिश **उइस्गॅ** (जल, नदी) इसी शृंखला में है। ग्रीक **इख्** (बहना) में **स्** का रूपान्तर **ख्** है।

**वर्** के रूपान्तर **अर्** से कृदन्त **अर्भ** बना। **र्** के लोप होने पर **अभ** से संस्कृत **अभ्र** (बादल) बना। **भ्र** का **र** बहुत्वसूचक होगा। **र्** का लोप न मानें तो वर्ण-विपर्यय से **अर्भ** का विकास **अभ्र** होगा। संस्कृत **अपस्, आपस्** को देखते हुए **अर्भ** के **र्** का लोप मानना उचित है। **अभ** में **भ्** की महाप्राणता का लोप न होने पर कश्मीरी **आबुर्** (बादल) रूप बना; संस्कृत **आबिल** (गँदला पानी) का आधार **आब** है।

पुरानी आइरिश में **अबन्** (नदी) में **अभ** का रूपान्तर **अब** है। फ़ारसी **आब** को अतिरिक्त सघोषता के योग से रचा हुआ **आप** का प्रतिरूप मानना चाहिए। संस्कृत में **आबिल** का वैकल्पिक रूप **आविल** है, यहाँ **ब्** को 'शुद्ध' करके **व्** बनाया गया है। किन्तु वेल्श **अवॉन्** (नदी) में **अव** का आधार **अप** होगा। लैटिन **अमनिस्** (नदी) में **अम्** का पूर्वरूप **अप्** होगा। संस्कृत **अपस्** और लैटिन **अम्निस्** में वैसा ही सम्बन्ध है, जैसा संस्कृत **स्वप्न** और लैटिन **सॉम्नुस्** (निद्रा) में। मल्तो **अमु** (पानी), कुड़ुख़ **अम्म्** (उप.) से लेकर **आमू दरिया** और **आमूर** नदी तक एशिया में **अप** के रूपान्तर **अम** का व्यापक प्रसार हुआ है।

एक **अम्** (बहना) क्रिया संस्कृत में भी है। इसका सम्बन्ध जलवाचक **अम्भ, अम्बु** से है। जैसे लैटिन **उन्द** (जल) में **न्** ने **वर्** के **र्** का स्थान लिया है, वैसे ही **अम्भ, अम्बु** के **म्** को **र्** का रूपान्तर मानना चाहिए। संस्कृत **यमुना** में इसी प्रकार **यम्** क्रिया का पूर्वरूप **यर्** होगा। प्रवाहसूचक **यम्** क्रिया थी, इसकी पुष्टि फ़ारसी **यम्** (नदी) से होती है। **यर्-यस्-यह्** विकास-क्रम से संस्कृत **यह्व** (प्रवहमान) की **यह्** क्रिया मिल जाती है। **यह्** का पूर्वरूप **यस्** था, इसकी पुष्टि कुइ **एसु** (जल) से होती है। **यस्** का पूर्वरूप **यर्** था, इसकी पुष्टि तेलगू **एरु** (नदी) से होती है।

कुड़ुख़ **ऑप्ना** (भिगोना) का सीधा सम्बन्ध संस्कृत **अपस्, आपस्** से है। संस्कृत के इन प्रसिद्ध जलवाचक शब्दों का आधार कृदन्त **अर्भ** का रूपान्तर **अभ** है। जहाँ **भ्** ध्वनि का स्पर्श तत्त्व **प्** रूप में, महाप्राणता **स्** रूप में ग्रहण की जाएगी, वहाँ **अभ** का रूपान्तर **अप्स** होगा। यही बाबुल का प्राचीन **अप्सु** है। जहाँ **प्, स्** सघोष होंगे, वहाँ सुमेरी भाषा के **अब्ज़ु** का चलन होगा।

**अपस्** का लैटिन रूपान्तर **अक्व** है, **व्** ओष्ठ्य तत्त्व के लिए, **क्** स्पर्शतत्त्व के लिए। यह उस बोली का शब्द है जिसमें **प्** का विकास न हुआ था।

**वर्—व्र—र** इस विकास-क्रम से **व्** का लोप होने पर **र** क्रिया मिलेगी। संस्कृत **री** क्रिया का अर्थ है बहना। प्रसिद्ध नदी **नर्मदा** का एक नाम **रेवा** है। लैटिन **रिगो** (भिगोना), **रीवुस्** (छोटी नदी) का आधार यही **री** क्रिया है। अंग्रेज़ी **रिवर्** (नदी) का सम्बन्ध लैटिन **रीवुस्** से है। फ़ारसी **रूद्** (नदी), रूसी **रेक** (उप.) इसी क्रम में हैं।

ग्रीक भाषा **र्** के पहले **ह्** लगाती है। ग्रीक **र्हॅओ** (बहना), वेल्श **हैएद्र** (झरना) में **ह्** का उच्चारण **र्** से पहले होगा। किन्तु ग्रीक **हैतॉस्** (प्रवहमान), जर्मन नदी **हॉन** आदि में **ह** का पूर्वरूप **स्र** भी हो सकता है। **वर्>व्र>र** और **सर्>स्र >ह्र >र**, दोनों तरह प्रवाहसूचक **र** क्रियामूल की प्राप्ति सम्भव है।

### *(ख) घूमना, चक्कर खाना*

अभी तक जिन शब्दों की चर्चा की गई है, उनका सीधा सम्बन्ध बहने से है या जल से है। पानी का बहना इन शब्दों का केन्द्रीय अर्थ है। इस केन्द्रीय अर्थ के

चारों ओर, जल और प्रवाह से अन्य क्रियाओं और वस्तुओं के संसर्ग के कारण, एक विशद अर्थवृत्त बनता जाता है। इस अर्थ-वृत्त में ऐसे शब्द मिलते हैं जिनका उद्‌भव जल और प्रवाह वाले शब्दों से हुआ है किन्तु जो सीधे जल और प्रवाह का अर्थ नहीं देते। मनुष्य जिस भौतिक जगत् में रहता है, उसकी वस्तुएँ, क्रियाएँ एक-दूसरे से जुड़ी हुई हैं। उनकी यह परस्पर सम्बद्धता अर्थ-विस्तार की प्रक्रिया में, शब्द-रचना-प्रक्रिया में, दिखाई देती है। जो शब्द-शृंखलाएँ इस प्रकार सम्बद्ध हैं, उनका केन्द्रीय अर्थ इस बात से नियमित होता है कि मनुष्य का प्राकृतिक परिवेश किस प्रकार का है, मनुष्य ने जीवन-यापन के आवश्यक साधन जुटाते हुए इस परिवेश से किस तरह का सम्बन्ध स्थापित किया है। इन शब्द-शृंखलाओं के ध्वनि-रूप इस बात से नियमित होते हैं कि कोई मानव-समाज शब्दरचना के लिए किस तरह की ध्वनि-सम्पदा पर निर्भर है। जल और प्रवाह से सम्बद्ध शब्दमूलों में जैसी ध्वनि-परिवर्तन की शृंखलाएँ मिलती हैं, वैसी ही शृंखलाएँ उनके अर्थ-प्रसार की शृंखलाओं में भी मिलेंगी। दोनों शृंखलाओं पर एक साथ ध्यान देने से ध्वनि-परिवर्तन की रीतियों की पुष्टि होती है, अर्थ-विस्तार की रीतियों की पुष्टि भी होती है।

पानी सीधा नहीं बहता, टेढ़ा-मेढ़ा बहता है, चक्करदार राहों से बहता है। मुड़ना, टेढ़ा होना, रेंगना, घूमना, चक्कर खाना—ये सब परस्पर सम्बद्ध क्रियाएँ हैं। जो चीजें घूमती हों, टेढ़ी हों, रेंगती हों, गोल हों, वे सब अर्थ-विचार से सम्बद्ध हैं। विवेचन की सुविधा के लिए वक्र-गति से सम्बद्ध शब्द अलग रखेंगे, चक्र-गतिवाले शब्द पहले लेंगे। चक्कर लगाने और भ्रमण करने की क्रियाएँ बहुत मिलती-जुलती हैं। भ्रमण वाली शब्द-शृंखला भी बाद में लेंगे। जो चीज़ बार-बार घूमती है, चलती है और चलकर आँखों से ओझल नहीं हो जाती, चक्कर खाकर फिर सामने आ जाती है, वह अपना अस्तित्व, अपनी निरन्तरता प्रमाणित करती है। किसी चीज़ का घटित होना, उसका वर्तमान होना, उसका अस्तित्व मनुष्य उक्त प्रकार के गतिबोध से पहचानता है। इसी गतिबोध से मनुष्य का कालबोध जुड़ा हुआ है। अस्तित्व, वर्तमानता और काल से सम्बद्ध शब्द भी बाद में लेंगे।

हिन्दी में **घूमने** का अर्थ होता है भ्रमण करना और एक ही जगह चक्कर लगाना। अर्थ-प्रसार की इस पहली शब्द-शृंखला में **घूमने** का दूसरा अर्थ अभीष्ट है—एक ही जगह चक्कर लगाना।

संस्कृत **घट्ट** (घुमाना), **अरघट्ट** (रहँट), **घूर्ण** (घूमना, लुढ़कना), प्राकृत **घरट्ट** (उप.), **घोल** (घूमना), **घोलिअ** (घुमाया हुआ) का आधार **घर्** क्रिया है। हिन्दी **घुराना** (घुमाना), **घिरनी** (चरखी), बंगला **घुरानो** (घुमाना), सिन्धी **घोरानो** (फेरी लगाना) में मूलक्रिया की र् ध्वनि विद्यमान है। **घर्, घॅर्, घॉर्**—तीनों रूप उक्त शब्दों में आधारभूत हैं। हिन्दी **घूमना, घुमाना, घुमनी** (चक्कर आना), **घुमरी** (भँवर) में **घुम, घूम** का आधार **घुर्म** है। संस्कृत **घूर्ण** का समकक्ष रूप **घुर्म** है।

जैसे संस्कृत **घर्म** से हिन्दी **घाम**, वैसे ही **घुर्म** से **घूम**। **र्** के **न्** रूप में ग्रहण किये जाने पर प्राकृत **घाण** (कोल्हू), हिन्दी **घानी** (उप.) शब्द बने। **घुंडी, घुँघराले** आदि हिन्दी शब्दों का आधार **घुर्** का रूपान्तर **घुन्** है।

जैसा कि सहज अनुमेय है, **घ्**-मूलक शब्द केवल आर्य भाषाओं में हैं, **घर्** के रूपान्तर **गर्** का प्रसार भारतीय भाषाओं में है, भारत से बाहर की भाषाओं में है। संस्कृत **गरगरा** (गड़ारी; चर्खी), हिन्दी **गरेरना** (चक्कर लगाना), गुजराती **गरबो** (मंडलाकर नृत्य), लैटिन **गुर्गॅस्** (भँवर) में **गर्** क्रिया है। संस्कृत **गोल** (गेंद; गोला), फ़ारसी **गोल** (गोला), हिन्दी **गोल** में मूल क्रिया के **र्** के स्थान पर **ल्** है। कन्नड़ **गालि** (पहिया) इसी क्रम में है। **रथ** और **चक्र** का गहरा सम्बन्ध है। संस्कृत **गर्त** (रथ) में **गर्** क्रिया जिस चक्रगति की ओर संकेत करती है, वह पहिये की है। **गर्त-गर्द-गड्ड** का विकास बाँगरू-पंजाबी की **गड्डी**, मानक हिन्दी की **गाड़ी** है। **गाड़ी-गाळि-गालि** इस विकास-क्रम से कन्नड़ **गालि** तक पहुँच सकते हैं, **गल्** के आधार पर भी। तमिल प्रतिरूप **काल्** का अर्थ **पहिया** और **गाड़ी,** दोनों है।

जैसे **गर्त** से **गड्डी**, वैसे ही **गुर्त** से संस्कृत **गुड** (गेंद, गोला), कन्नड़ में **गुडि** (वृत्त), **गुड्डि** (अंडा)। **र्** का स्थान **न्** लेगा, तब तुलु **गुंडॅ** (गोल), कन्नड़ **गुंड्डु** (गोल वस्तु), हिन्दी **घुंडी** की तरह बनेंगे। **र्** का स्थान **स्** लेगा, तब **गश्** क्रियामूल से फ़ारसी का **गश्तन्** (चक्कर लगाना) रूप बनेगा। संस्कृत **कुरुल** (छल्लेदार बाल), तमिल **कुरुळ्** (उप.), लैटिन **कुर्रुस्** (रथ), अंग्रेज़ी **कर्ल्** (छल्लेदार बाल), रूसी **क्रुग्** (वृत्त), **क्रुझ़निए** (चक्कर लगाना), तमिल **काल्** (पहिया, गाड़ी), **कलुक्कइ** (गोल पात्र), **कुऴल्** (छल्लेदार बाल), ग्रीक **कुलिन्दो** (लुढ़कते जाना), प्राकृत **कोल्हु** (कोल्हू), हिन्दी **कोल्हू** का आधार **कर्, कल्** क्रियामूल है। कन्नड़ **कडि** (मथना), तमिल **कडइ** (उप.) का आधार **कर्द** है। **र्** का स्थान **न्** लेता है, तब संस्कृत **कन्द** (गोला), **कन्दुक** (गेंद), तमिल **कुंडु** (गेंद), **कणइ** (कोई गोल चीज़), गद्ब **किन्द्रप्** (घुमाना) आदि रूप बनते हैं। तमिल **कवर्** (मथना), कन्नड़ **कम्वॅर्** (चक्कर लगाना) का आधार **कर्** का रूपान्तर **कव्** है; **कर्प-कप-कव**, इस क्रम से भी **कव्** क्रिया प्राप्त हो सकती है।

**घर्** के रूपान्तर **खर्** से, गुजराती **गरबो** के समान, ग्रीक **खॉरॉस्** (मंडलाकार नृत्य), रूसी **खॉरॉवॉद्** (उप.) रूप बने। लैटिन **गुर्गॅस्** (भँवर) का **खर्**-आधारित ग्रीक प्रतिरूप **खरुब्दिस्** (उप.) है। प्राकृत **हल्लीस** (मंडलाकार नृत्य) का आधार **घर्** का रूपान्तर **हल्** है।

हिन्दी **गाड़ी** और अंग्रेज़ी **कार** में बड़ा फ़ासला है, उतना फ़ासला जितना देशी और विलायती में, काले और गोरे में। **कार** अब पेट्रोल से चलती है, **गाड़ी** में बैल नहे जाते हैं। किन्तु पहियों के बिना न कार चलती है, न गाड़ी। **कार** लैटिन और केल्त क्षेत्रों से अंग्रेज़ी में पहुँची है। लैटिन **कर्रुस** दो पहियोंवाली लद्दू गाड़ी थी;

रोमन लोग चार पहियोंवाले रथ को **कर्रूक** कहते थे। केल्त भाषा-समुदाय में गाड़ी के लिए **कर्र्** शब्द था। लैटिन **कुर्रूस्** और **कर्रूक** दोनों शब्दों का अर्थ है रथ; **कर्** और **कॉर्** दोनों रूप चक्रगतिसूचक थे। तमिल **काल** (पहिया, गाड़ी) और अंग्रेज़ी **कार** का गोत्र एक है।

संस्कृत **चक्र** का ग्रीक प्रतिरूप **कुक्लॉस्** है। **चक्र** का पूर्वरूप **चर्क** होगा; वर्ण-विपर्यय से **र्** का स्थानान्तरण हुआ। **कुक्लॉस्** का पूर्वरूप **कुल्कॉस्** होगा; यहाँ भी वर्णविपर्यय से **ल्** का स्थानान्तरण हुआ। **कुल्, कुर्** क्रिया का पूर्वरूप **घुर्** होगा। **कर्, सर्, चर्** परस्पर सम्बद्ध हैं। **सर्, चर्** वाले रूप द्रविड़ भाषाओं में उल्लेखनीय हैं। तेलगू **सारि** (आवर्तन), **सुरगालि** (बवंडर), कन्नड़ **सुळि़** (घूमना), **सुरुळि** (छल्ला), तुलु **सुळि** (भँवर), **सुत्तु** (चक्कर खाना), तमिल **चुर्रू** (उप.), **चूरइ** (बवंडर) आदि से संस्कृत **चक्र**, फ़ारसी **चर्ख़** तुलनीय हैं।

संस्कृत **चक्र** का एक ग्रीक प्रतिरूप और है : **किर्कॉस्**। ग्रीक भाषा में ही इसका एक वैकल्पिक रूप **क्रिकॉस्** है। **कर्, कल्**, दोनों क्रिया-रूप ग्रीक में हैं; **कॅर्** और **कॉर्**, ये दोनों रूप उस भाषा में हैं। **किर्कॉस्** से इस बात की पुष्टि होती है कि **कुक्लॉस्** का पूर्वरूप **कुल्कॉस्** था। इसी प्रकार फ़ारसी **चर्ख़** से इस बात की पुष्टि होती है कि संस्कृत **चक्र** का पूर्वरूप **चर्क** था। लैटिन **किर्कुस्** (चक्र), **किर्रुस्** (छल्लेदार बाल) का आधार **कॅर्** है।

**कॅर्** के प्रतिरूप **चॅर्** से तमिल **चीडइ** (गोल टिकिया), हिन्दी **चिल्ला, चीला** रूप बने। तमिल **चॅण्डु** (गेंद) का आधार **चॅर्** का रूपान्तर **चॅन्** है।

प्राकृत **धन्धोलिय** (भ्रमित), **धङ्ग** (भौंरा) में **धन्** क्रिया **धर्** का रूपान्तर है और **धर्** स्वयं **घर्** का वैकल्पिक रूप है। कन्नड़ **दुण्डगॅ** (गोल, गोलाई) में **दुन्** क्रिया **दुर्** का रूपान्तर है। तमिल **तिरि** (घूमना), **तिरळ्** (गोला), **तेर्** (रथ) में क्रिया की मूल ध्वनि **र्** विद्यमान है। तमिल **तिगिरि** (पहिया, रथ), तोद **तूत्** (चक्कर खाना) के आधारभूत कृदन्त रूपों में **र्** का लोप हुआ है। तमिल **तिण्डु** (गोल तकिया) में **र्** के स्थान पर **न्** है। हिन्दी लुढ़कना का पूर्वरूप **ढुलकना** होगा और **ढुल** का पूर्वरूप **धुल्, धुर्** होगा। तेलगू **डोल्लु** (लुढ़कना), कुइ **डुड़ि** (उप.) का आधार वही **धुल्, धॉल्** या **धॉर्** है।

चक्रगतिसूचक संस्कृत की मुख्य क्रिया **भर्** है। **भ्रम** (भँवर, कुम्हार का चक्का), **भ्रमर** (भौंरा), **भृमि** (चक्कर खाने की क्रिया), **भृङ्ग** (भौंरा) का आधार **भर्, भॅर्** क्रिया है। संस्कृत **भण्डि** का अर्थ गाड़ी इसलिए है कि **भन्** का पूर्वरूप **भर्** चक्रगतिसूचक है। संस्कृत **भसन, भसल** (भौंरा) में **स्** स्थानापन्न है।

संस्कृत **भण्डि** इसी रूप में तुलु में भी है। द्रविड़ भाषा तुलु में आदिस्थानीय सघोष महाप्राण ध्वनि संस्कृत के अनुरूप सुरक्षित है। तुलु में ही इसका प्रतिरूप **बण्डि** है; आदिस्थानीय सघोष अल्पप्राण ध्वनिवाला यह रूप तेलगू, कन्नड़ और

कोलमि में भी है। तमिल **पण्डि** में आदिस्थानीय ध्वनि अल्पप्राण ही नहीं, अघोष भी है। तमिल में ही **पण्डि** का प्रतिरूप **वण्डि** है। यह शब्द-शृंखला **व्** के पूर्व ध्वनि-रूप **भ्** का अच्छा उदाहरण है।

संस्कृत **परि** (गोल; चारों ओर), **पार्श्व** (चक्र की परिधि), तमिल **पर** (भँवर), **पुरळ्** (लुढ़कना), ग्रीक **पॅरि** (चारों ओर) का आधार **पर्** है। संस्कृत **पिंड** (गोला), तमिल **पन्दु** (गेंद), **पम्बरम्** (गोला) का आधार **पन्** है। **पर्** और **पन्,** दोनों का पूर्वरूप **भर्** है।

संस्कृत तथा इंडो-यूरोपियन परिवार की अन्य भाषाओं में **पर्** के रूपान्तर **वर्** का खूब प्रसार हुआ। यह प्रसार **भर्-पर्-वर्** का विकास-क्रम पूरा करने के बाद हुआ। इस प्रसार का कारण यह था कि स्पर्श-ध्वनि के बदले स्पर्शक्षीण **व्** का व्यवहार करनेवाले **भ्** ध्वनिक्षेत्र के आसपास बहुत बड़ी संख्या में विद्यमान थे। संस्कृत में **वरण्ड** (गोल), **वर्तन** (लुढ़कने की क्रिया), **वर्तते** (लुढ़कता है), **वर्तुल** (गोलाकार), **वृत्त** (गोल; चक्र), **वृत्ति** (लुढ़कने की क्रिया), **वेल्लन** (उप.), **वल्** (चक्कर खाना), **वलन्** (चक्रगति), **वल्ग्** (नाचना; मूल अर्थ होगा गोल बाँधकर नाचना), लैटिन में **वॉल्वो** (घूमना), **वॉलूमॅन्** (भँवर), **वॉलूतो** (लुढ़कना), पुरानी जर्मन में **वल्त्सु** (लुढ़कना), पुरानी आइसलैंडिक में **वॅल्त्** (उप.), रूसी में **वर्तेत्** (किसी चीज़ को घुमाते जाना) आदि से **वर्, वल्** के प्रसार का बोध होगा। संस्कृत **वट, वटक, वड** (गोल टिकिया) का आधार कृदन्त **वर्त** है। कन्नड़ **वडॅ, वटक** (उप.) और हिन्दी **बड़ा** (दही-बड़े वाला बड़ा) इसी क्रम में हैं। **वर्-वस्-वच्,** इस प्रकार तमिल **विजिरु** (तेज़ी से घुमाना) रूप बना।

**वर्-व्र-र,** इस क्रम से संस्कृत **रथ,** लैटिन **रॉत** (पहिया), **रॉतो** (घूम जाना), **रॉतुन्दुस्** (गोल), अंग्रेज़ी **राउंड** (उप.) रूप बने। हिन्दी **लट्टू** में **र्** के स्थान पर **ल्** है; कृदन्त **रत्त** से **लट्टू** रूप बनेगा। हिन्दी **बंगी** (लट्टू) की आधार क्रिया **बन्** हो सकती है, **वन्** भी। तमिल **वण्डु** (भौंरा), **वण्डि** (गाड़ी), पुरानी अंग्रेज़ी में **वॅण्डन्** (घुमाना) का आधार **वर्** का रूपान्तर **वन्** है।

**पर्** के रूपान्तर **मर्** से **मर्ग,** फिर कन्नड़ **मगुळ्** (घूम जाना), **मर्** के रूपान्तर **मन्** से संस्कृत **मंथ्** (मथना), और **मथ्** (उप.), **मर्** से **मर्त,** फिर कन्नड़ **मॉट्टॅ** (अंडा), तमिल **मुट्टइ** (उप.), **मन्** से **मन्त,** फिर तमिल में ही **मुट्टइ** का प्रतिरूप **मुण्डइ**।

**भर्** के रूपान्तर **फर्** से हिन्दी **फेरना, फिरकी, फेरी, भर्** के रूपान्तर **स्फर्स्फन्** से ग्रीक **स्फॉन्दुलॉस्** (गोलाकार जीव) तथा **स्फर्-स्फय्** से ग्रीक **स्फइर्** (गेंद, अंग्रेज़ी का **स्फिअर्)** रूप बने।

**वर्** के आदिस्थानीय **व्** का लोप होने पर **अर्** से तमिल **उरुळ्** (पहिया, चक्कर खाना), **उरुडइ** (गाड़ी), **उरुण्डइ** (गेंद; गोला), फ़ारसी **अराबा** (गाड़ी), लैटिन **ऑर्बिस्** (वृत्त), ग्रीक **ॲलुओ** (लुढ़कना), तमिल **उऴल्** (घूमना), **उऴलइ** (कोल्हू)

रूप बने। ग्रीक **इतुस्** (चक्र की परिधि) में **र्** का लोप हुआ है; ग्रीक **अॅइलो** (घूमना) का आधार **अर्** का रूपान्तर **अय्** है। तमिल **उण्डइ** (गेंद) में **र्** के स्थान पर **न्** है।

*(ग) भ्रमण करना, भटकना*

हिन्दी **घूमना** का एक अर्थ है एक ही जगह चक्कर लगाना, दूसरा अर्थ है इधर-उधर चलना। चक्कर लगाना और भ्रमण करना दोनों मिलती-जुलती क्रियाएँ हैं। **भ्रान्ति, भूल, भटकाव,** ये धारणाएँ **भ्रमण** की अर्थ-परिधि में हैं। प्राकृत **घोर** (भटकनेवाला; घंघोर में), बंगला **घुरुनि** (भटकना) में **घर्** क्रिया है। प्राकृत **घट्ट** (भ्रष्ट), **घाड** (उप.), **घुम्म** (घूमना), हिन्दी **घूमना, घुमक्कड़** का आधार **र्**-विहीन कृदन्त हैं।

फ़ारसी **गर्दीदन्** (भ्रमण करना) और संस्कृत **गर्त** (रथ) का आधार एक है।

**कर्** से तेलगू **कालु** (भ्रमण करना) रूप बना, **घर्** के रूपान्तर **स्कर्** से कृदन्त **स्कर्त**, फिर रूसी **स्कितात्स्य** (उप.), **घर्-झर्-झन्** क्रम से प्राकृत **झण्ट** (उप.), **झम्प** (उप.) रूप बने। प्राकृत **ढुम** (उप.), **ढुंढुल्ल** (उप.), **ढोङ्घर** (भ्रमणशील), **ढुस** (भ्रमण करना) का आधार **ढर्** है और **ढर्** का पूर्वरूप **धर्** है। **धर्** के **दर्** रूपान्तर से **दरिद्र** (घुमन्तू; निर्धन) रूप बना। रूसी **तॅर्यात्** (भूलना), कन्नड़ **तॉऴल्** (भटकना), तोद **तुड्य** (आवारा घूमना) का आधार **तर्** है। **धर्** के रूपान्तर **स्तर्** से जर्मन **श्ट्रोम्** (भ्रमण करना) रूप बना।

कन्नड़ **सुळि** और तमिल **चुरु** का एक अर्थ चक्कर खाना है तो दूसरा अर्थ भ्रमण करना है, हिन्दी **घूमना** के समान।

संस्कृत **भ्रम** (भ्रमण, भ्रान्ति), हिन्दी **भटकना,** प्राकृत **भुल्ल,** हिन्दी **भूल** का आधार **भर्** है। **भर्** के रूपान्तर **बर्** से रूसो **ब्रॉदीत्** (भ्रमण करना) बना, **भर्** के रूपान्तर **पर्** से तमिल **पर** (भ्रमण करना), **परक्कु** (इधर-उधर घूमना), अंग्रेज़ी **आउल्** (उप.) रूप बने।

**पर्** के रूपान्तर **वर्** का भ्रमणसूचक व्यापक व्यवहार हुआ। संस्कृत **व्रज्** (भ्रमण करना), **व्रात्य** (घुमन्तू जन), **परिव्राजक** (घुमन्तू संन्यासी) का आधार **वर्** है। **व्रज** वह प्रदेश है जहाँ घुमन्तू जन पशु चराते थे। संस्कृत **वृजि** गण विशेष का नाम है, उसके घुमन्तू होने के कारण। इतिहास-प्रसिद्ध **वज्जि** गण का पूर्वरूप **वर्जि** होगा जो **व्रात्य** के समान उसके घुमन्तू होने का सूचक है। मलयालम **वलयुग** (इधर-उधर घूमना), तमिल **वळु** (भूल), **विलगु** (भटक जाना) का आधार **वर्** का प्रतिरूप **वल्** है। **वर्** के कृदन्त **वर्ग>वग** से लैटिन **वगातिओ** (इधर-उधर घूमना) और **वर्द>वद** से लैटिन **वादो** (उप.) रूप बने। अंग्रेज़ी **वान्डर्** (उप.) का आधार **वन्** से बना कृदन्त **वन्द** है। **वर्** के **र्** का लोप होने पर तमिल **वी** (भटक जाना) क्रिया बनी। तमिल **मिगइ** (भूल), तेलगू **मॅदलु** (इधर उधर घूमना) का आधार **पर्** के रूपान्तर **मर्** से बने कृदन्त **मॅर्ग>मॅग, मॅर्द>मॅद** हैं।

**वर्** के **व्** का लोप होने पर **अर्** क्रिया से लैटिन **ऑरो** (इधर-उधर घूमना), अंग्रेज़ी **ऑर्** (भटकना), **एरर्** (गलती), ग्रीक **अलुओ** (भ्रमण करना), **अलतॉस्** (घुमन्तू), तमिल **उळि** (इधर-उधर घूमना) रूप बने। तमिल **आडु** (उप.) का आधार कृदन्त **अर्त** है। इसी **अर्त** से संस्कृत क्रिया **अट्** (उप.), **अटन** (भ्रमण), **अटवी** (वन) आदि रूप बनते हैं। **अर्** से **अरण्य, अट्** से **अटवी, वन्** से **वन**, इन समानार्थी शब्दों की आधार क्रियाएँ भ्रमणसूचक हैं। **बस्ती** से अलग **वन** वह स्थान है जहाँ **घुमन्तू** जन अपना वन्य जीवन बिताते हैं।

**भर्** का एक रूपान्तर **फर्** है। फ़ारसी के **फ़रामोश** (भूला हुआ) में यही **फर्** है। प्राकृत **फिर** (फिरना), **फुम** (उप.), **फुस** (उप.), हिन्दी **फिरना** (यथा : मारे-मारे फिरना) परस्पर सम्बद्ध रूप हैं।

*(घ) मुड़ना, टेढ़े चलना*

एक जगह चक्कर खाना और एक जगह से दूसरी जगह तक चक्कर लगाना, दोनों तरह के घूमने की ये क्रियाएँ मिलती-जुलती हैं। मुड़ना, टेढ़े चलना, रेंगना—ये क्रियाएँ भी घूमने से बहुत दूर नहीं हैं। वे उसी अर्थ-परिधि में हैं जिसके केन्द्र में प्रवाहसूचक **घर्, धर्, भर्** हैं।

संस्कृत **घुण्ट** (घुटना), हिन्दी **घोंटू** का आधार **घर्** का रूपान्तर **घन्** है। **घुण्ट** का संस्कृत में ही एक प्रतिरूप **घुट** (उप.) है जहाँ **घुर्त** के **र्** अथवा **धुण्ट** के **ण्** का लोप हुआ है। हिन्दी **घुटना** में यही **घुट** है। संस्कृत **घोटते** (मुड़ता है) से विदित होता है कि अंग-विशेष को **घुण्ट, घुट** क्यों कहा गया। कन्नड़ **गोण्टु** (कोना) और **गोटु** (उप.) परस्पर वैसे ही सम्बद्ध हैं, जैसे संस्कृत **घुण्ट** और **घुट**। ग्रीक **गॉनु** (घुटना), लैटिन **गॅनु** (उप.), कन्नड़ **गाण** (अंकुश), कोत **गोण्** (कोण), तुलु **गूनु** (कूबड़), गोंडी **गुन्तू** (धनुष) एक ही अर्थवृत्त के भीतर हैं।

संस्कृत **कुल्फ** (घुटना) और **घुण्ट**, दोनों का मूलाधार **घुर्** है। संस्कृत **कर्कट** (तराजू की डाँड़ी का मुड़ा हुआ सिरा), तमिल **कुरङ्गु** (मुड़ना), कन्नड़ **कुर्गु** (कूबड़), तमिल **कूर्** (झुकना), तेलगू **कॉल्कि** (अंकुश), कन्नड़ **कॉळिकॅ** (उप.), फ़ारसी **कोर्निश्** (झुककर बन्दगी करना), ग्रीक **कॉर्निस्** (टेढ़ा), **कुर्तास्** (उप.), **कॉनिअओ** (झुकना), **कोलॉन्** (अंग), लैटिन **कुर्वो** (मुड़ना), **कुर्बुस्** (वक्र, अंग्रेज़ी कर्व), **कॉर्नू** (सींग), रूसी **क्रिवीत्** (मुड़ना), **क्रिवोइ** (टेढ़ा), **क्र्यूचॉक्** (अंकुश), वेल्श **क्रुबि** (कूबड़), **क्रुम्प्** (उप.), **क्रुक** (टेढ़ा), **क्रिमन्** (हँसिया), **क्रिमु** (झुकना), **कॉर्नॅल** (कोना), अंग्रेज़ी **कॉर्नर्** (उप.), लैटिन **कॉलुबॅर्** (साँप), संस्कृत **कृमि** (कीड़ा), लिथुआनियन **किर्मिस्** (उप.), पुरानी आइरिश में **क्रुइम्** (उप.) का आधार **कर्** है। इन रूपों से ज्ञात होगा, **घ्** के अल्पप्राण और अघोष होने पर **कर, कॅर्, कॉर्** का व्यवहार कितने बड़े पैमाने पर हुआ है।

अंग्रेज़ी **क्रीप्** (रेंगना) का आधार संस्कृत **सृप्** हो सकता है, सीधे **घॅर्** का रूपान्तर **कॅर्** भी।

तमिल **कॉक्कि** (अंकुश), **कॉक्करइ** (वक्रता), कन्नड़ **कॉग्ग** (उप.), **कॉक्कि** (मोड़), **कॉक्कु** (चोंच) का आधार **कर्क** है। संस्कृत **कुटिल, कुटी** (वक्रता), **कोट** (उप.), **कोटि** (किसी वस्तु का मुड़ा हुआ सिरा), गोंडी **कोत्** (सींग), कोडगु **कत्ति** (चोंच), **कोटि** (उप.), तमिल **कोट्टु** (झुकाना), **कोडु** (मुड़ना), मलयालम **कोट्टम्** (वक्रता), कन्नड़ **कॉल्लि** (कोना), **कोडु** (सींग) का आधार **कॉर्त** है। संस्कृत **ककुद्** (बैल का कूबड़) का आधार यही **कॉर्त** है। संस्कृत **ककुभ** (वाद्ययंत्र का मुड़ा हुआ सिरा) का आधार **कॉर्भ** है। **कुभा** (काबुल वाली कुभा) नदीवाचक है, वक्र गति के कारण। रूसी नदी **कुबान्** का पूर्वरूप **कुभा** है। संस्कृत **कुबेर** (टेढ़े-मेढ़े अंगों वाला), **कुब्ज** (टेढ़ा, कुबड़ा), हिन्दी **कूबर, कुबड़ा**, तोद **कुबिड्** (बन्दगी करना), कुड़ुख़ **कब्कुबुर्ना** (खूब झुक जाना) में **कुभ** का रूपान्तर **कुब्** है।

**कर्** से **कर्प>कप>कव**, इस क्रम से कश्मीरी **कॉव्य्** (कुबड़ा), तमिल **कविळ्** (झुकना), कोडगु **कविन्** (उप.) की **कव्** क्रिया प्राप्त होती है।

संस्कृत में **कर्** के रूपान्तर **कन्** से बने रूपों की भरमार है। **कोण, कुणि** (टेढ़ा हाथ), **कुञ्चित** (वक्र), **कन्दर** (अंकुश) के **कन्** से ही हिन्दी के **कुंडा, कुंडी** बने हैं। **कुञ्चित** केशों के लिए संस्कृत और तमिल में **कुन्तल** शब्द है। तमिल **कून्** (मुड़ना, कूबड़), **कोण** (कोण, वक्रता), **कोणन्** (कुबड़ा), कन्नड़ **कॉङ्कु** (वक्र होना), **कॉङ्कि** (अंकुश), **कुण्डरु** (झुकना), मलयालम **कुज्जुग** (उप.), कन्नड़ **कुम्बु** (झुकने की क्रिया), तमिल **कुमिळ** (बैल का कूबड़) से तुलनीय हैं वेल्श **कम्** (वक्र), **क्रमु** (झुकना), **कमॅद्** (मोड़), ग्रीक **कम्पे** (मोड़), **कम्प्तो** (झुकना), **कमर** (कमरा; वह स्थान जिस पर महराबी छत हो)।

फ़ारसी **कज्** (टेड़ा), **कझ्** (उप.) का आधार **कध<कर्ध** है।

हिन्दी **खोर, खोरि** (दोष) का आधार **घॉर्** का रूपान्तर **खॉर्** है। **काने, खोरे, कूबरे** के प्रसंग में **खोर** (लँगड़ा) से ग्रीक **खोलॉस्** (उप.) तुलनीय है। प्राकृत **खव्व** (कुबड़ा) का पूर्वरूप **खर्व** होगा। **र्** के स्थान पर नासिक्य ध्वनि का व्यवहार होने पर प्राकृत **खुम्मिय** (नवाया हुआ), कुड़ुख़ **खोङ्घ्ना** (झुकाना) रूप बने।

**कर्** का रूपान्तर **कस्** कन्नड़ **कुसि** (झुकना), **कोसु** (वक्रता) में है। **कस्** के रूपान्तर **कच्** का सम्बन्ध कन्नड़ **कोचु** (वक्रता), संस्कृत **कच** (कुन्तल, केश) से है। संस्कृत क्रिया **कच्** का अर्थ चिल्लाना, बाँधना, चमकना है। इन तीनों अर्थों की अपेक्षा वक्रतासूचक कुन्तल वाला अर्थ अधिक संगत है। संस्कृत **केश** का आधार **कॅर्** का रूपान्तर **कॅस्** होगा। जब यह **क्** स्पर्शतत्त्व के क्षीण होने पर **ह्** रूप में ग्रहण किया जाता है, तब **कॅर्** से अंग्रेज़ी **हॅअर्** (बाल), **कॉर्** से अंग्रेज़ी **हॉर्न्** (सींग, लैटिन कॉर्नू) रूप बनते हैं।

**घर्** का एक रूपान्तर **स्कर्** है। इससे रूसी **स्क्रयूचिवात्** (मुड़ना), ग्रीक **स्कॉलिऑस्** (वक्र) रूप बने।

**कर्** के रूपान्तर **कन्** से वर्ण-संकोचन द्वारा जर्मन **क्नी** (घुटना), अंग्रेज़ी **नी** (उप.) बना।

तालव्यीकरण के फलस्वरूप प्राकृत **झण्टलिअ** (कुटिल गमन), **झंडली** (कुलटा) रूप बने। प्राकृत **झूर** का पूर्वरूप **धूर** (धूर्त का धूर्) हो सकता है, **घूर्** भी। **झन्** के **झ्** की महाप्राणता का लोप होने पर संस्कृत **जानु** (घुटना), प्राकृत **जण्हुआ** (उप.) की रचना हुई। पुनः **झर्** के रूपान्तर **चर्** से प्राकृत **चोल** (कुबड़ा), तमिल **चुळि** (टेढ़ा होना, चालाक होना), **चिलइ** (धनुष), मलयालम **चरिक्क** (मुड़ना), फ़ारसी **चालाक** का निर्माण हुआ। तमिल **चॉत्ति** (लँगड़ा), **चॉट्टु** (वक्रता) का आधार **चर्तु** है। संस्कृत **चाप** (धनुष), तमिल **चप्पु** (वक्र होना) का आधार **चर्प** है। संस्कृत **चञ्चु** (चोंच), कन्नड़ **चुञ्चु** (घुँघराले बाल) का आधार **चम्** है।

संस्कृत **धूर्व्** (झुकना) और **धूर्त** का आधार **धूर्** है। संस्कृत **धूक** (धोखा) का पूर्वरूप **धूर्क** होगा। धनुष में **र्** के स्थान पर **न्** है। **दम्भ** (धूर्तता), हिन्दी **डङ्क** और कन्नड़ **डॉङ्कु** (मुड़ना, मोड़) में वक्रता का भाव है। संस्कृत **दभ** (धोखा) में **म्** का लोप हुआ है। तेलगू **देंकु** (रेंगना) में नासिक्य ध्वनि विद्यमान है; स्पर्शक्षीणता से **द्** जब **र्** रूप में ग्रहण किया गया, तब संस्कृत की **रिङ्ग**, **रिङ्ख** (रेंगना) क्रियाएँ बनीं। **देंकु**, **डेंकु** रूप तेलगू और कन्नड़ में हैं। मलयालम में इनका प्रतिरूप **इळयुग** है। तमिल और मलयालम जैसे आदिस्थानीय **र्-ल्** के पहले अतिरिक्त स्वर लगाती हैं, वैसे ही यहाँ **ड्** के पहले उन्होंने **इ** लगाया; और दो स्वरों के बीच में जैसे **ड्** हिन्दी में **ड़** बोला जाता है, वैसे ही यहाँ **ड़** की समकक्ष ध्वनि **ळ्** है जिसका स्पर्शतत्त्व और भी क्षीण है। तेलगू, कन्नड़ आदि में आदिस्थानीय **द्**, **ड्** हैं; तमिल, मलयालम आदि में **इळ्**, है। **द्**, **ड्** ध्वनियों वाले शब्द पुराने हैं। तेलगू **दिगु**, **डिगु** (उतरना, गिरना) का कुवि प्रतिरूप **रीअलि** है; **द्** के स्थान पर **र्** है। इनके तमिल प्रतिरूप **इळि** में **ड्** के स्थान पर **ळ्**, है और उसके पहले अतिरिक्त स्वर **इ** है।

तेलगू **देंकु** उन थोड़े शब्दों में है जहाँ संस्कृत प्रतिरूप की अपेक्षा द्रविड़ भाषा में पूर्वरूप की ध्वनि सुरक्षित है।

संस्कृत **तिर्यक्** (तिरछा), तमिल **तिरुगु** (मोड़) का आधार **तॅर्** है। तमिल **तोट्टि** (अंकुश), **तॉडुप्पु** (शृंखला) कृदन्त **तॉर्त** से बने हैं। तमिल **तवळ्** (रेंगना) का आधार **तर्प>तप>तव** होगा। तेलगू **तॉङ्गु** (झुकना), कोलमि **तॉङ्गॅ** (घुटना) में क्रियामूल के **र्** के स्थान पर **न्** है। तमिल **नॅरि** (मुड़ना), मल्तो **नॅरु** (साँप) में **तॅर्** के **त्** का स्थान **न्** ने लिया है। अवधी **निहुरब** (झुकना) का आधार **निघ>निर्घ** हो सकता है।

यहाँ संस्कृत **नम्** (झुकना) विचारणीय है। जैसे **रिंग्** के **र्** का पूर्वरूप **द्** है, वैसे ही **नम्** के **न्** का पूर्वरूप **त्** हो सकता है। संस्कृत के **नम्** और तिर्यक् रूप सम्बद्ध

हैं, जैसे तमिल के **तिरुगु** और **नॅरि** सम्बद्ध हैं। **तर्प्>तप्>नप्>नम्** अथवा **तर्>तम् >नम्**—इस क्रम से **नम्** रूप सिद्ध होगा। **तर्प** और **सर्प** की समानता उल्लेखनीय है। वक्रता और नम्रता के विरोधी भावों का सामान्य स्रोत है झुकने की क्रिया।

हिन्दी **झुकना** की आधारभूत क्रिया वही है जो **धूर्त** और **धोखा** की है। **धुर्** से **धुर्क>धुक >झुक**।

**घुर्** से भी **झुक** रूप बन सकता है। संस्कृत **शृंग** (सींग, चोटी) और शृंखला में **शॅर्** क्रियामूल का आधार **घॅर्** हो सकता है, **धॅर्** भी। **घर्** या **धर्** का बहुप्रचलित रूपान्तर **सर्** है। संस्कृत **सर्प**, लैटिन **सॅर्पॅन्स्** (साँप), अंग्रेज़ी **सर्पॅन्ट** (उप.) के साथ तालव्य ध्वनि वाला जर्मन **श्लाङ्ग** (उप.) है। द्रविड़ भाषाओं में समानार्थी रूपों का **स्** उतना ही पुराना है जितना आर्य रूपों का : कोंड **सरस्** (साँप), गोंडी **सेरि** (उप.), कुइ **स्रासु** (उप.); इनके साथ कृदन्त आधारित कन्नड़ **सुत्तु** (मोड़), **सॉट्ट** (टेढ़ा) और **न्** के स्थानापन्न होने पर कन्नड़ **सञ्चु** (धूर्तता करना)। ग्रीक **हॅर्पो** (रेंगना), **हॅर्पॅतॉन्** (सॉप) में **स्** का रूपान्तर **ह्** है।

**धर्** के समकक्ष **भर्** से बने वक्रतासूचक संस्कृत शब्दों में महत्त्वपूर्ण **भ्रू** (भौंह) है, **भृष्टि** (कोना), **भृणाति** (टेढ़ा होता है) का आधार **भॅर्** है। संस्कृत **भोग** (वक्रता), **भुजा** (उप.), **भुजग** (साँप) में **र्** का लोप हुआ है, **भङ्ग** (मो), **भंडन** (धूर्तता) में **र्** के स्थान पर नासिक्य ध्वनि है। प्राकृत **भमुहा, भुमग** (भौंह) में भी नासिक्य ध्वनि है और इनका सम्बन्ध हिन्दी **भौंह** से है। कन्नड़ **बलङ्कु**, (झुकना), **बिल्** (धनुष) में **भर्** का रूपान्तर **बल्** है। कन्नड़ **बागु** (झुकना), पुरानी अंग्रेज़ी के **बॉग** (वक्र रेखा, धनुष) का पूर्वरूप **बर्ग** या **बङ्ग** है। **बॉग** के **ग्** का संघर्षीकरण और लोप होने पर आधुनिक अंग्रेज़ी के **बो** (धनुष), **बाउ** (झुकना) रूप प्राप्त होते हैं। संस्कृत **बन्धुर** (वक्र), हिन्दी **बंसी** (मछली पकड़ने का काँटा), कन्नड़ **बङ्कु** (टेढ़ा होना), कुवि **बॉङ्गिनइ** (झुकना), अंग्रेज़ी **बॅन्ड** (उप.) में **र्** के स्थान पर **न्** है।

संस्कृत **पर्शु** (हँसिया, टेढ़ा चाकू, कुठार), **पार्श्व** (कपट गति) का आधार **भर्** का रूपान्तर **पर्** है। शरीर के अंग जहाँ से मुड़ते हैं, उस स्थान को हम जोड़ कहते हैं। संस्कृत **पर्व** (जोड़) और हिन्दी **पोर** (उप.) में मूल भाव मुड़ने का है। कुइ **पल्गा** (झुकना), तोद **पळ्** (उप.) इसी शृंखला में हैं। कन्नड़ **पडुगु** के आधाररूप कृदन्त **पड** में **र्** का लोप हुआ है। प्राकृत **पब्भ** (नम्र) के पूर्वरूप **पर्भ** में **पर्** का झुकनेवाला भाव स्पष्ट है। **पर्** के रूपान्तर **मर्** से तमिल **मरि** (झुकना), **मुरि** (उप.), **मूलइ** (कोना), कन्नड़ **मलकु** (मोड़) रूप बने, कृदन्त **मर्क** से तमिल **मुक्कु** (कोना), कन्नड़ **मॉक्कु** (झुकना), पुनः **मक्** के प्रतिरूप **नक्** से हिन्दी **नुक्कड़** और अंग्रेज़ी **नुक्** (कोना) रूप बने। **नुक** का आधार **तुक** भी हो सकता है। हिन्दी **मटकना, मुड़ना** का आधार **मर्त** होगा; हिन्दी शब्दों से तमिल **मुडक्कु** (कोना), **मुट्टु** (घुटना), **मडङ्गु** (टेढ़ा होना) आदि तुलनीय हैं। हिन्दी **टेढ़ा-मेढ़ा**

का **मेढ़ा** कभी **टेढा** का समानार्थी स्वतंत्र रूप से प्रयुक्त होनेवाला शब्द रहा होगा। **तॅर** से **तॅर्धा>टेढ़ा** और **तिर्खा** रूप बनेंगे। **तर्धा>नॅर्धा** से **मेढ़ा** सम्भव है। कन्नड़ **मणि** (झुकना), **मंडि** (घुटना) में अपेक्षित नासिक्य ध्वनि है।

संस्कृत **पङ्गु** (लंगड़ा) में मुख्य भाव पैरों के टेढ़े होने का है। इसकी पुष्टि लैटिन **पन्दो** (झुकना), **पन्दुस्** (वक्र) से होती है। अंग्रेज़ी **फिंगर्** (उँगली) में अतिरिक्त महाप्राणता के योग से **पिन्** का रूपान्तर **फिन्** है। लैटिन **फ़ार्निक्स** (महराब), **फ़ल्क्स्** (हँसिया), **फ़ल्लो** (धोखा देना), अंग्रेज़ी **फ़ाल्स** (मिथ्या) में **फ़्** सीधे **भ्** का रूपान्तर है।

चक्रगति के समान वक्रगति के लिए **पर्** के विकार **वर्** का व्यापक व्यवहार हुआ है। संस्कृत **वृजन** (वक्रता, धूर्तता), **वृन्त** (रेंगनेवाला जीव), लैटिन **वॅर्मिस्** (कीड़ा), अंग्रेज़ी **वर्म्** (उप.), **वार्प्** (टेढ़ा होना) में **र्** ध्वनि वाला क्रिया-रूप है; संस्कृत **वल्** (मुड़ना), **वेल्लित** (वक्र), तमिल **वळइ** (झुकना), **वलयु** (लौट पड़ना) में **ल्** ध्वनि वाला क्रिया-रूप है। संस्कृत **वक्** (टेढ़ा होना), **वक** (बगुला, धूर्त), कोत **वक्** (झुकना), तमिल **वाक्कु** (मोड़) में **र**-विहीन कृदन्त है। संस्कृत **वम्र** (चींटी) वर्ण-विपर्यय का परिणाम है, पूर्वरूप होगा **वर्म**। इसकी पुष्टि संस्कृत **वल्मी** (चींटी) से होती है जहाँ **र्** का जोड़ीदार **ल्** वर्णविपर्यय से अप्रभावित है। इसी प्रकार संस्कृत **वक्र** का पूर्वरूप **वर्क** है; इसकी पुष्टि संस्कृत **वङ्क** से होती है जहाँ **र्** का स्थान लेनेवाली नासिक्य ध्वनि वर्णविपर्यय से अप्रभावित है। संस्कृत **वृक** (चोर, भेड़िया), लैटिन **वुल्पॅस्** (उप.), अंग्रेज़ी **वुल्फ़** (उप.) में जन्तु विशेष की धूर्तता के कारण वक्रतासूचक **वर्** क्रिया का व्यवहार किया गया है। लैटिन **वुल्पॅस्** का एक प्रतिरूप उसी भाषा में **लुपुस्** है; **वल्>व्ल्>ल्** इस क्रम से **व्** का लोप हुआ। ग्रीक **लुकॉस्** (भेड़िया) भी इसी प्रक्रिया से बना है, केवल **प** के स्थान पर कृदन्त प्रत्यय **क** है, संस्कृत **वृक** के समान। अंग्रेज़ी **राइ** (टेढ़ा), **रौंग्** (गलत), आइसलैंडिक **रंग्र्** (टेढ़ा) के **र्** का पूर्वरूप **व्** है। अंग्रेज़ी वर्तनी में **व्** ध्वनिचिन्ह विद्यमान है।

संस्कृत **ध्वरति** (झुकता है) का आधार **धॉर्** क्रिया होगी अथवा मानना होगा कि **व्** के पहले अतिरिक्त व्यंजन जोड़ा गया है। फ़ारसी **गुर्ग्** (भेड़िया) **वुर्ग** के **व्** से पहले **ग्** जोड़ने से बना है।

संस्कृत **अराल** (वक्र), तुलु **ऑर** (उप.), कन्नड़ **ॲरगु** (झुकना), **ऑलॅ** (उप.), ग्रीक **अर** (भंगिमा; प्रार्थना; धूर्तता), लैटिन **अर्कुस्** (धनुष, महराब), अंग्रेज़ी **आर्च्** (महराब), ग्रीक **इरिस्** (इन्द्रधनुष) में **वर्** का रूपान्तर **अर्** है।

**वर्** के रूपान्तर **वन्** से संस्कृत **वङ्क** (वक्र), **वञ्च्** (ठगना), **वम्भ** (मोड़), तेलगू **वंगु, वंचु, वंपु** (झुकना), तमिल **वणङ्गु** (उप.), **वङ्गि** (अंकुश), जर्मन **वेंडॅन्** (मुड़ना) रूप बने। जैसे **व्** का लोप होने पर **वर्** से **अर्** का विकास हुआ,

वैसे ही **वन्** का समकक्ष रूप **अन्** सुलभ हुआ। संस्कृत **अङ्क** (वक्र वस्तु), **अङ्ग अङ्कुश, अङ्गुरि, अंच्** (मुड़ना), **अंचित** (कुंचित) का आधार **अन्** है। कन्नड़ **ऑङ्कि** (अंकुश), तेलगू **इञ्च** (वक्रता) से तुलनीय हैं ग्रीक **अङ्कॉस्** (मोड़), **अङ्कुर** (लंगर), **अङ्कले** (मुड़ी हुई बाँह), लैटिन **अङ्गुलुस्** (कोण), **अङ्गुइस्** (साँप), लिथुआनियन **अङ्गिस्** (उप.), जर्मन **ऑङ्कॅल्** (घुटना)।

संस्कृत **अङ्घ** और **अघ** का एक ही अर्थ है पाप। इससे अनुमान होता है कि **अघ** में **अ** के बाद **र्** या **न्** का लोप हुआ है। **पाप** और **साँप** का सम्बन्ध पुराना है। संस्कृत **अङ्घ** (पाप) से लैटिन **अङ्गुइस्** (साँप) तुलनीय है। जैसे **अङ्घ** और **अङ्गुइस्** सम्बद्ध हैं, वैसे ही संस्कृत **पाप** और तमिल **पाम्बु** (साँप) सम्बद्ध हैं। जैसे **अङ्घ** का प्रतिरूप **अघ** है, वैसे ही **पाम्बु** का प्रतिरूप कोत **पाब्**, कन्नड़ **पावु** और प्राकृत **पाव** है। प्राचीन धर्मकथाओं में पाप से सर्प को सम्बद्ध करना स्वाभाविक था।

संस्कृत **अग्** (टेढ़ी चाल चलना), ग्रीक **अगॉस्** (अपराध) में **अघ** का रूपान्तर **अग्** है। कन्नड़ **ऑग्गु** (झुकना), तुलु **ऑग्गि** (अंकुश) में क्रिया का वक्रगति वाला मूल भाव निहित है।

फ़ारसी **फ़रेब** (छल), **फ़रेफ़्ता** (धोखा खाया हुआ) का आधार **पर्** है जहाँ **प्** में अतिरिक्त महाप्राणता का योग हुआ है।

*(ङ) घेरना, रक्षा करना*

चक्कर लगाने और घेरने की क्रियाएँ मिलती-जुलती हैं। किसी का घेरा डालने का अर्थ है उसके चारों ओर एक वृत्त बनाना। वृत्त पूरा हो सकता है, अधूरा भी। कोई रेखा मुड़े बिना वृत्त नहीं बना सकती। अत: मुड़ने और घेरने की क्रियाओं में भी समानता है। घर, गाँव, नगर के चारों ओर दीवाल हो तो घेरनेवाली क्रिया से इनका अर्थ देनेवाला शब्द बनेगा। यह घेरा मनुष्य की रक्षा करता है, अत: घेरने की क्रिया का व्यवहार रक्षा करने के लिए भी होगा।

प्राकृत **घार** (दुर्ग), हिन्दी **घेरा, घेरना** में मूल क्रिया का **र्** विद्यमान है। संस्कृत **घुटति** (रक्षा) करता है में **र्** का लोप हुआ है। प्राकृत **घग्घर** (घाँघरा) में भी **र्** का लोप हुआ किन्तु हिन्दी **घाँघरा** के पूर्वरूप **घंघर** में **र्** का स्थान **न्** ने लिया है। प्राकृत में ही **घार** का प्रतिरूप **गार** (घर) है और संस्कृत **अगार, आगार** में शब्दमूल **गार** है।

**घर्, गर्** की अपेक्षा **कर्** रूप का प्रसार अधिक हुआ है। संस्कृत **कारा** (बन्दीगृह) में गोल दीवार का भाव हो सकता है, अवरोध का भी। संस्कृत **वार** में वारण करने, रोकने का भाव है, बाड़ा बनाकर घेरने का भाव भी। संस्कृत **करभ** (दीवाल) में भी दोनों भाव हो सकते हैं। संस्कृत **कलत्र** (दुर्ग) में घेरे वाला भाव असन्दिग्ध है। तमिल **करइ** (किनारा), **कुरुम्बु** (दुर्ग), रूसी **क्राइ** (किनारा), वेल्श **कऑर** (दुर्ग),

अंग्रेज़ी **कोर्ट्** (दीवालों से घिरा स्थान) तुलनीय हैं। संस्कृत **कुट** और **कोट** (दुर्ग), **कटक** (कंगन), प्राकृत **कोट्टु** (नगर), तमिल **कोट्टइ** (दुर्ग), **कडगम्** (कंगन) के आधारभूत कृदन्त में **र्** का लोप हुआ है। हिन्दी **कड़ा** इसी शृंखला में है।

तमिल **काप्पु** (किलेबन्दी, कारागार) का आधार **कप<कर्प** है। **कप्** या **कर्** के रूपान्तर **कव्** से तमिल **कवि** (घेरना), लैटिन **कवॅअ्** (बाड़ा) रूप बने। **कर्प>कप्प> काप>काव**, इस विकास-क्रम से तमिल **कावल्** (किलेबन्दी, कारागार) रूप बना। तमिल **का** (रक्षा करना) का पूर्वरूप **कर्** या **कव्** होगा। संस्कृत **कुंठित** (घिरा हुआ), **कंकण, कुंडल, कांची** (करधनी) का आधार **कन्** है। तेलगू **कम्मु** (घेरना), तमिल **कानल्** (समुद्रतट) में यही **कन्** है। प्रदेश विशेष का नाम **कोङ्कण** उसके समुद्र-तटवर्ती होने से पड़ा। संस्कृत **कोष्ठ** (घेरे की दीवाल, घिरा हुआ स्थान) का आधार **कर्** का रूपान्तर **कस्** है। संस्कृत **कक्ष** (किनारा, घिरा हुआ स्थान) का पूर्वरूप **कश्क** होगा अथवा **श्** के रूपान्तर **क्** में **स्** जुड़ने पर, **शिष्य** के **शिष्** से **शिक्षा** के समान, **कक्ष** रूप बना होगा। संस्कृत **कच्छा** (किनारा, कटिबन्ध) का आधार **कश्** है। **कोंकण** के समान **कच्छ** भी समुद्र-तटवर्ती प्रदेश विशेष का नाम है।

संस्कृत **खल** (खलिहान), कुड़ुख़ **खली** (उप.), हिन्दी **खलिहान** का मूल अर्थ होगा घिरा हुआ स्थान। ग्रीक **खोरिऑन्** (दुर्ग) तुलनीय है। संस्कृत **खादि** (अँगूठी) का आधार **खर्** क्रिया है। तमिल **कळम्** (खलिहान) संस्कृत **खल** का प्रतिरूप है। प्राकृत **झस** (किनारा), संस्कृत **अजिर** (प्राङ्गण), **चषाल** (अँगूठी), तमिल **चिरइ** (किनारा; सीमा) का आधार **घर्** के तालव्य रूपान्तर हैं। अंग्रेज़ी **स्कर्ट्** (किनारा, घाँघरा) में **घ्** का रूपान्तर **स्क्** है।

संस्कृत **शरण** का मूल अर्थ था **दुर्ग**। तमिल **अरण्** (दुर्ग) का सम्बन्ध 'द्रविड़ व्युत्पत्ति-कोश' में **शरण** से ठीक जोड़ा गया है। संस्कृत **शाल** (प्राङ्गण), **शाला** (भवन), तुल **शॅरॅ** (कारागार), तोद **सॅर्** (कैद), लैटिन **सलूस्** (सुरक्षित अवस्था), फ्रांसीसी **साल** (शाला) का आधार **घर्** का रूपान्तर **सर्** है। कन्नड़ **सुत्तु** (घेरना, घेरा) और संस्कृत **सेतु** (किनारा, बाँध, सीमा) की आधारभूत क्रियाएँ **सॉर्** और **सॅर्** समानार्थी हैं। अंग्रेज़ी **हाल्** (बड़ा कोठा) का पूर्वरूप **साल** होगा।

तुल **कॅरॅ** (ताल), तमिल **चॅरु** (उप; बाग) में घेरे वाला भाव है।

संस्कृत **धरण** (किनारा), **धारा** (उप.; बाड़े की दीवाल), प्राकृत **धाडिअ** (बाग) का आधार **घर्** की समकक्ष क्रिया **धर्** है। प्रसिद्ध संस्कृत शब्द **दुर्ग** में घेरेवाला भाव है। इसकी पुष्टि संस्कृत **दरद्** (किनारा) से होती है। **कर्** के समान अघोष अल्पप्राण ध्वनि वाले **तर्** का व्यवहार बड़े पैमाने पर हुआ है। संस्कृत **तीर** (किनारा), मलयालम **तिरुक्कु** (उप.) में **तर्** का **र्** विद्यमान है। संस्कृत **तट** (उप.), **तटाक** (उप.; ताल), प्राकृत **तट्टी** (बाड़े की दीवाल), तमिल **तडवु** (कारागार), **तॉडु** (घेरना) में **र्** का लोप हुआ है। **तर्ग>तग** से तमिल **तगइप्पु** (दुर्ग) रूप बना।

तमिल **तुम्बु** (किनारा) में नासिक्य ध्वनि ने **र्** का स्थान लिया है। अंग्रेज़ी **स्ट्रैंड्** (किनारा) में **धर्** का रूपान्तर **स्तर्** आधार क्रिया है।

संस्कृत **भरण** (संरक्षण) में **पालन** का भाव ऐसा पुष्ट हुआ है कि घेरे वाला भाव लुप्त हो गया है। संस्कृत **भास्** का अर्थ पशुओं का बाड़ा इसलिए है कि **भस्** के पूर्वरूप **भर्** का अर्थ घेरना था। **भर्** के रूपान्तर **बर्** से दुर्ग के समानार्थी अनेक शब्द बने हैं। तुल **बरॅ** (हाते की दीवाल), हिन्दी **बाड़ा** में यह **बर्** (अथवा **वर्**) क्रिया है। जर्मन **बुर्ग** संस्कृत **दुर्ग** का प्रतिरूप है। जर्मन **बॅर्गॅन्** (शरण देना), रूसी **बारॉन्** (सुरक्षा) में भरण वाला भाव है। हिन्दी **बाली** (कान की बाली), कन्नड़ **बळॅ** (कंगन) में घेरे वाला भाव है। भारत के गुलबर्ग जैसे नगरनामों में **बर्ग** का **दुर्ग**, कोट वाला भाव है।

**भर्** के रूपान्तर **पर्** का प्रसार विशद है। संस्कृत **पालि** (किनारा, परिधि) और **पालन** का **पाल्** (रक्षा करना) परस्पर सम्बद्ध हैं। संस्कृत **पुर** (दुर्ग) और तमिल **पुर** (रक्षा करना) से ग्रीक **पुर्गॉस्** (दुर्ग; दीवाल) सम्बद्ध हैं। ग्रीक **पुक्नॉस्** (सुरक्षित) वर्णविपर्यय से बना रूप है : **पुर्क>पुन्क>पुक्न**। संस्कृत **पुञ्ज** (प्राङ्गण), तमिल **पेण्** (संरक्षण), अंग्रेज़ी **पॅन्** (बाड़ा) में **पुक्न** के समान **न्** स्थानापन्न है। संस्कृत **पूग** (प्राङ्गण), तुलु **पुडॅ** (किनारा) के कृदन्तरूपों में **र्** का लोप हुआ है। फ़ारसी **पास्, पास्बान्** (रक्षक) में **स्** स्थानापन्न है। संस्कृत **पक्ष** (कंगन) की आधार क्रिया **पश्** होगी। ग्रीक **प्सलिऑन्** (कंगन) में **भ्** का रूपान्तर **प्स्** है।

जैसे एक शहर का नाम **गुलबर्ग** है, वैसे ही एक अन्य नगर का नाम **गुलमर्ग** है। **बर्ग** और **मर्ग** जोड़ीदार हैं। तमिल **मुरु** (घेरना), **मुर्रम्** (प्राङ्गण), तेलगू **मुरुगु** (कङ्गन), लैटिन **मुरुस्** (नगरकोट), **मर्गो** (किनारा) की **मुर्** क्रिया **पुर्** का रूपान्तर है। संस्कृत **मुद्रा, मुद्रिका** (अँगूठी) का पूर्वरूप **मुर्द** होगा। वेल्श **मॉद्रुइ** (अँगूठी) में भी **मुद्रा** वाला वर्ण-विपर्यय है। संस्कृत **मन्दिर**, तमिल **मन्दइ** (गाँव के बीच का सभास्थान), **मन्रु** (सभा भवन, पशुशाला), ग्रीक **मन्द्र** (पशुशाला), लैटिन **मूनिओ** (किलेबन्दी करना) का आधार **मर्** का रूपान्तर **मन्** है। तमिल **मनइ** (घर), **मनइवि** (घरैतिन) और संस्कृत **मेना** (नारी) परस्पर सम्बद्ध हैं। कन्नड़ **मुत्तु** (घेरना) में **र्** का लोप हुआ है।

जैसे अन्यत्र **पर्** के रूपान्तर **वर्** का प्रसार है, वैसे ही यहाँ भी। **वर** (घेरा), **वार्** (रक्षक), **वार** (घिरा हुआ स्थान), **बल** (उप.), **वलय** (कंगन) आदि संस्कृत रूपों के साथ तमिल **वरइ** (किनारा), **वरइप्पु** (घिरा हुआ स्थान), **वळइ** (घेरना), **वेलि** (हाते की दीवाल), लैटिन **वल्लुम्** (घेरे की दीवाल), अंग्रेज़ी **वाल्** (दीवाल) इस प्रसार का प्रमाण हैं। संस्कृत **वप्र** (किनारा, मिट्टी की दीवाल) वर्णविपर्यय का फल है : पूर्वरूप होगा **वर्ष**। संस्कृत **वापी** (जलाशय), वाटिका में **र्** का लोप हुआ है। पर्जि **वत्** (अँगूठी) में **र्** का लोप है।

तमिल **अरइ** (कोठा), **ओरम्** (किनारा), लैटिन **उर्ब्स्** (दीवाल से घिरा नगर), कन्नड़ **अळुर्** (घेरना) की आधार क्रिया **अर्** है, **व्** का लोप होने से **वर्** का रूपान्तर। तमिल **अरण्** (दुर्ग) का पूर्वरूप **शरण** है किन्तु **अरुप्पम्** (उप.), **अळुवम्** (उप.), मलयालम **अळु** (बाड़े की दीवाल), **अरु** (किनारा) का आधार सम्भवत: प्रस्तुत प्रसंग की **अर्** क्रिया है।

ग्रामवाचक **पुर** को दुर्गवाचक **पुर** से अलग रखना चाहिए; इसी प्रकार तमिल के ग्रामवाचक **ऊर्** को दुर्गवाचक **अरुप्पम्** से अलग रखना चाहिए। आगे चलकर **दुर्ग** और ग्राम वाले **पुर, उर** का भेद मिट गया। तमिल **उडु** (घेरना), तुलु **अर्दॅ** (कोठा) के कृदन्तों में **र्** का लोप हुआ है।

संस्कृत **अङ्गन** (आँगन) और तमिल **अंगणम्** (दो खम्भों के बीच का स्थान) का आधार एक है। संस्कृत **अंड** (अंडा), **अम्बर** (परिधि) से कन्नड़ **ऑण्डि** (किनारा), तमिल **अम्बल** (शाला), तुलु **अम्बिल** (प्राङ्गण) से ग्रीक **अम्फि** (चारों मोर), लैटिन **अम्बि** (उप.) और जर्मन **उम्** (उप.) तुलनीय हैं।

*(च) ढाँकना, छिपाना*

घेरने और ढाँकने, छिपाने की क्रियाएँ एक दूसरे से मिलती-जुलती हैं। **अम्बर** धरती को घेरे है, ढँके हुए भी है; **वरुण** (आकाश), **अम्बर** के समान, दोनों क्रियाएँ सम्पन्न करता है। **वार, वारण, आवरण, वरुण** आदि में **वर्** क्रिया का अर्थ-प्रसार देखा जा सकता है। शरीर को ढाँकनेवाले वस्त्रों से लेकर बालों तक यह क्रिया काम देती है। जैसे धूर्तता का भाव वक्रगति से जुड़ा हुआ है, वैसे ही जो काम छिपाकर किया जाए, उससे छल का भाव जुड़ा हुआ है। ढाँकने, छिपाने के साथ किसी चीज़ को बन्द रखने या बन्द करने का भाव सम्बद्ध है।

संस्कृत **घट्** (बन्द करना) की **घर्** क्रिया का मूल अर्थ ढाँकना, छिपाना है। भवन या शरीर का भीतरी भाग **गर्भ** है। संस्कृत **गर्त** (गुफा) में यही छिपने का भाव है। हिन्दी **घूँघट**, बंगला प्रतिरूप **घोमूटा** में **घर्** के रूपान्तर **घन्** का आवरण वाला भाव स्पष्ट है। लैटिन **ग्लूबो** (छाल उतारना), **ग्लूम** (भूसा) के क्रियामूल **गॉल्** में ढाँकने का भाव है। संस्कृत **गुध्** (ढाँकना), **गूढ** (प्रच्छन्न) का पूर्वरूप **गुर्ध** है। संस्कृत **गुहा** (गुफा) और **गुह्** (छिपाना) से छिपने के साथ **गुफा** का सम्बन्ध स्पष्ट होगा। संस्कृत **गुप्त, गोपन** की **गुप्** क्रिया मूलत: कृदन्त **गुप्** है जिसके पूर्वरूप **गुर्प** के **र्** का लोप हुआ है। **गुप** के प्रतिरूप **गुफ** से हिन्दी **गुफा** बना। संस्कृत **गुण्ठन, गुण्ठ्** (ढाँकने) में **र्** के स्थान पर **न्** है।

इस प्रसंग में भी **घर्** के रूपान्तर **कर्** का प्रसार उल्लेखनीय है। संस्कृत **कट्** (ढाँकना), **कूट** (धोखा), **उत्कूट** (छाता), **कुटी** (झोंपड़ी) में **र्** का लोप हुआ है। संस्कृत **कलह** (म्यान, धूर्तता) में **कर** का प्रतिरूप **कल** है। तमिल **कर** (छिपाना,

चुराना), **कूरइ** (वस्त्र), **कुरम्बइ** (झोंपड़ी) से ग्रीक **क्रुप्ते** (गुफा), **क्लॅप्तो** (चुराना), रूसी **क्रीश्** (ढाँकना), **क्रीश्क** (ढक्कन), **क्रीश** (छत) तुलनीय हैं। संस्कृत **कुटी** के प्रतिरूप तमिल **कडिल्** (झोंपड़ी), **कुडइ** (छाता, तम्बू), **कत्तणम्** (कवच), लैटिन **कुतिस्** (खाल) में **र्** का लोप हुआ है। अंग्रेज़ी **हट्** (झोंपड़ी), जर्मन **ह्युट्टॅ** (उप.) का आधारभूत रूप कृदन्त **कुट** है।

संस्कृत **कपाल** का अर्थ खोपड़ी के अलावा ढक्कन, अंडे का छिलका भी है। खोपड़ी और नारियल का अर्थ देनेवाले **खोपड़ा** में कठोर आवरण का भाव सामान्य है। **कपाल** का प्राकृत रूप **कभल्ल** है। इसका आधार **कभ<कर्भ** होगा। ग्रीक **कॅफले** (कपाल) में **भ्** का रूपान्तर **फ्** है। प्राकृत **कप्पर** (खोपड़ी), इटालियन **कपो** (उप.), **कपॅल्लो** (बाल, ऊन), लैटिन **कपिल्लुस्** (सिर के बाल), तेलगू **कप्पु** (छिपाना), संस्कृत **कपट** में **कभ** के रूपान्तर **कप** का व्यवहार हुआ है। **कप** अथवा **कर** के रूपान्तर **कव** से संस्कृत **कवच**, तमिल **कवि** (ढाँकना), **कावणम्** (पंडाल, झोंपड़ी), लैटिन **कवॅर्न** (गुफा), अंग्रेज़ी **केव** (उप.), **कवर्** (ढाँकना) रूप बने हैं।

संस्कृत **कोश** (म्यान, खजाना), रूसी **कास्सा** (पटी), लैटिन **कस** (झोंपड़ी), अंग्रेज़ी **केस्** (पेटी, म्यान) में **कर्** का रूपान्तर **कस्** है। जहाँ **स्क्** ने **घ्** का स्थान लिया, वहाँ ग्रीक **स्कुल्लो** (खाल), अंग्रेज़ी **स्कल्** (खोपड़ी) रूप बने। **त्** और **प्** वाले कृदन्तों में **र्** का लोप होने पर ग्रीक **स्कुतॉस्** (खाल), **स्कॅपस्** (आवरण), **स्कर्** के **र्** के स्थान पर **न्, य्** का प्रयोग होने पर ग्रीक **स्केने** (तम्बू), अंग्रेज़ी **स्किन्** (खाल), ग्रीक **स्कॅउए** (वस्त्र) रूप बने। जहाँ **घर्** के **घ्** की महाप्राणता बची रही, केवल सघोषता का लोप हुआ, वहाँ संस्कृत **खर्पर** (कपाल, छाता, धूर्त), **खल** (धूर्त), **खोल** (शिरस्त्राण), प्राकृत **खलियार** (ठगना), ग्रीक **ख्लइन** (लबादा) की रचना हुई। प्राकृत **खल्ला,** उसकी हिन्दी समानार्थी **खाल** इसी क्रम में हैं। ग्रीक **खितोन्** (कवच) में **र्** लुप्त है।

**घ** का तालव्यीकरण होने पर प्राकृत **झुट्ठ,** हिन्दी का सुपरिचित **झूठ,** प्राकृत **झुम्पड़ा** और हिन्दी **झोंपड़ी, झ्** की सघोषता का लोप होने पर हिन्दी **छाल, छोलना, छोलना,** संस्कृत **छल,** केवल महाप्राणता का लोप होने पर प्राकृत **जूख** (ठगना) रूप बने। **कर्** की तरह **चर्** वाले रूपों का प्रसार भी अधिक हुआ। संस्कृत **चर्म** (खाल), **चलि** (आवरण), **चीर** (वस्त्र), तमिल **चीरइ** (उप.), **चॉलि** (छीलना) का आधार **चर्** है। कन्नड़ **चक्कल** (चमड़ा), संस्कृत **चतुर,** तमिल **चदि** (धोखा देना), **चदुर्** (चतुराई) के आधारभूत कृदन्तों में **र्** लुप्त है। तमिल **चंडु** (भूसा) में **र्** के स्थान पर **न्** है। तमिल **चवळि** (कपड़ा) में **चप्** का रूपान्तर **चव्** है।

संस्कृत **छत्र** का पूर्वरूप **छर्त** है; वर्णविपर्यय से **छत्र**। मूलरूप होगा **घर्त**। **घ्** और **ध्,** दोनों का रूपान्तर **झ्** हो सकता है, अत: **घर्** क्रिया के साथ **धर्** विकल्प भी ध्यान में रखना चाहिए। **छाद्मन्** (छल, छत) और **छादन** (आवरण) में **छद्**

का पूर्वरूप **छर्द्** होगा। हिन्दी **छत** सीधे **छर्त** से बन सकता है, **छत्र** और **छद्** से भी। **छान** में **र्** के स्थान पर **न्** है। **छिपना** में **छिर्प** का **र्** लुप्त है।

**घर्** के रूपान्तर **सर्, शर्, शल्** से संस्कृत **शल्क** (छाल), **दुशाला**, फ़ारसी **शाल**, हिन्दी **सारी, साड़ी**, कन्नड़ **सीरॅ** (वस्त्र), जर्मन **शाटॅन्** (ढाँकना), अंग्रेज़ी **शर्ट्** (कमीज़) रूप बने।

संस्कृत **चीर** (वस्त्र), तमिल **चीरइ** का आधार रूप **सीर** हो सकता है, **कीर** भी।

**धर्>धव्** से हिन्दी **धोती, धॉर्>धॉस्** से **धुस्सा** रूप बने। **धर्>दर्** से ग्रीक **दॅर्म** (चर्म), जर्मन **डॅकॅ** (छत), **डॅकॅन्** (ढाँकना), **धर्>तर्** से संस्कृत **तिरय** (छिपाना), तमिल **तोल** (खाल) का निर्माण हुआ। **तॉर्क्** के संस्कृत **त्वक्** (खाल), तमिल **तॉक्कु** (छाल), **तॅर्ग** से ग्रीक **तॅगॉस्** (छत), लैटिन **तॅगो** (ढाँकना), **तर्त** से कन्नड़ **ताटि** (खोल), तुलु **तुत्तुनि** (पहनना) की रचना हुई। प्राकृत **तमणि** (छाल), पर्जि **तुन्द्** (पहनना) में **र्** की जगह नासिक्य ध्वनि है। **तमणि** के **तम** का पूर्वरूप **तर्म** हो सकता है। संस्कृत **चर्म** इस **तर्म** का रूपान्तर हो सकता है। इस विकल्प की पुष्टि ग्रीक **दॅर्म** (चर्म) से होती है।

संस्कृत **स्थग्** (ढाँकना), **स्थग** (ठग), **स्थगन** (गोपन) में **र्**-विहीन कृदन्त है, **ध्** का रूपान्तर **स्थ्** है। हिन्दी **ठग** का पूर्वरूप है संस्कृत **स्थग**। हिन्दी **ढोंग, ढाल, ढाँकना, ढापना** में **ध्** का मूर्धन्य रूप **ढ्** है। संस्कृत **स्तरति** (ढाँकता है), **स्तायु** (चोर), **स्तेन** (उप.), ग्रीक **स्तॅगो** (ढाँकना), **स्तॅगे** (छत) में **ध्** का रूपान्तर **स्त्** है, ग्रीक **शेके** (म्यान) में **थ्**। तमिल **तगर** (भेड़) का आधार **तर्** है। संस्कृत **भेंड** (मेढ़ा) की आधार क्रिया **भॅन् >भॅर्** है। **भॅर्द** से हिन्दी रूप **भेड़** बनेगा। पशु विशेष ने बालों से ढँके होने के कारण **भेड़** नाम पाया। **भंडन** (कवच) का आधार **भन्** है। संस्कृत **भूषा** (वस्त्र धारण) में **भॉर्** का **स्** वाला रूपान्तर है।

हिन्दी **भुस** और संस्कृत **बुस** (भूसा) में हिन्दी रूप प्राचीन है।

संस्कृत **वल्क** (वल्कल) और अंग्रेज़ी **बार्क्** (छाल) के **व्, ब्** मूल **भ्** के रूपान्तर हैं। ब्राहूइ **बेरिफिंग्** (पहनाना, छत डालना) का प्रतिरूप **बेनिंग्** (पहनना) है, एक में **र्** है, दूसरे में उसके स्थान पर **न्**। तुलु **बेपुनि** (छत डालना), कुड़ुख़ **बईना** (उप.) का आधार **बर्** का रूपान्तर **बय्** है। संस्कृत **बुस** (भुस) में **र्** के स्थान पर **स्** है, **स्** जब **च्** रूप में ग्रहण किया गया, तब कन्नड़ **बॉच्चु** (ऊन, बाल, पंख) रूप प्राप्त हुआ।

तमिल **पोर्** (पहनना), **परम्** (कवच), **पॉरुक्कु** (छाल, खाल), **पिरट्टु** (धोखा) में **पर्, पॉर्, पॅर्**, तीनों आधाररूप देखे जा सकते हैं। संस्कृत **पल** (भूसा), लैटिन **पलॅअ** (उप.), संस्कृत **पुलकित** का **पुल** (रोम) सम्बद्ध रूप हैं। प्राकृत **पोत्ती** हिन्दी **धोती** का पर्याय है और तमिल **पोत्ति** (वल्कल, वस्त्र) उसका प्रतिरूप है। संस्कृत **पोत** (वस्त्र), **पट** (उप.) तमिल **पट्टइ** (छाल) की आधारभूत क्रिया **पर्**

है। फ़ारसी **पर्दा** में **पर्** का **र्** विद्यमान है। लैटिन **पल्ल** (लबादा), **पॅल्लिस्** (खाल) **भद्र-भल्ल** पद्धति से बने रूप जान पड़ते हैं। बहुप्रयुक्त पंडाल का पूर्वरूप तमिल **पन्दल्** है और यह प्राकृत **पङ्गुर** (ढाँकना), **पङ्गुरण** (वस्त्र) से **पर्** के रूपान्तर **पन्** क्रियामूल द्वारा सम्बद्ध है। फ़ारसी **पोस्त** (खाल, छाल, कपड़ा), **पोश** (आवरण), **पोशाक, पश्म** (बाल, ऊन) का द्रविड़ समकक्ष रूप तोद भाषा का **पोष्म्** (पूँछ) है। **पोस्त** का प्राकृत रूपान्तर **पोत्थ** (वस्त्र) है। यहाँ **र्** के स्थान पर **स्** है। संस्कृत **पुस्त** का अर्थ है ढँका हुआ।

पंख, बाल, ऊन—तीनों चीजें ढाँकने का काम करती हैं। ऊपर उद्धृत कन्नड़ **बॉच्चु** शब्द ये तीनों अर्थ देता है। संस्कृत **पक्ष** (पंख) और **पक्ष्मल** (बड़े घने बालों वाला) में वही अर्थ-संसर्ग है। कन्नड़ **बॉच्चु** का तमिल प्रतिरूप **पॉच्चु** (बाल) है। संस्कृत **पुच्छ** (पूँछ) और तमिल **पॉच्चु** का आधार **पच्** है। तोद **पोष्म्** (पूँछ) और संस्कृत **पुच्छ**, दोनों रूप बालों वाली वस्तु की ओर संकेत करते हैं।

**भर्>प्सर्>प्सय्** क्रम से ग्रीक **प्सॅउदो** (धोखा देना), **प्लॅउदेस्** (झूठ) रूप बने।

संस्कृत **मुद्रित** (ढँका हुआ, बन्द) में **मुर्द** का वर्ण-विपर्ययवाला **मुद्र** रूप है, **मुर्** का पूर्वरूप **पुर्** है। तुलु **मगर, मॉगुरु** (बाल) का आधार कृदन्त **मग<मर्ग** है। **र्** के **य्, व्** रूप में ग्रहण किये जाने पर अथवा **मग** के **ग्** का लोप होने पर तमिल **मयिर्** (बाल), तुलु **मइरु** (मोर), संस्कृत **मयूर**, तमिल **मयिल्** (मोर) और प्राकृत **मोर** रूप बने। मोर की पूँछ उसकी खास पहचान है, इसलिए बालों और **पूँछ** के लिए जो शब्द प्रयुक्त होते थे, उनके आधार पर इस पक्षी का नाम रखा गया। मोर के लिए अवधी में **पुछाँडि** (अर्थात् पूँछ वाली चिड़िया) शब्द भी है। संस्कृत **मंड्** (वस्त्र पहनाना), **मंडन** (अलंकरण), **मंडप** (तम्बू, पंडाल) में **मर्** का रूपान्तर वही **मन्** किया है जो प्राकृत **मंडी** (ढकनी) में है। हिन्दी के **मेंढ़ा** और **मूँदना** उसी क्रिया से बने हैं। तमिल **मेय्** (ढाँकना, छप्पर डालना), **मेवु** (उप.) और ग्रीक **मुओ** (मूँदा जाना) में **र्** का स्थान **य्, व्** ने लिया है। **मर्** के रूपान्तर **मस्** के आधार पर तोद **मीष्** (मोर), कुडुख़ **मॅस्गा** (छत) रूप बने। हिन्दी **मूछ** और मलयालम **मेच्चल्** (छप्पर डालने की क्रिया) में **च्, छ्** मूल **स्** के रूपान्तर हैं। **मूछ** के इटालियन प्रतिरूप **मॉस्ताच्चिओ** में **स्** है। **स्** जब **ख्** रूप में ग्रहण किया गया, तब रूसी **मॉख़्** (काई), **मॉख़्नातुइ** (बालोंवाला) रूप बने। अंग्रेज़ी **मौस्** (काई) का प्रतिरूप है रूसी **मॉख़्**।

तमिल **नविर्** (बाल) ऊपर उल्लिखित **मयिर्** (उप.) का प्रतिरूप है।

संस्कृत **वार** का अर्थ आवरण और **पूँछ** के बाल, दोनों हैं। **वर्ण** (आवरण) और **वरुण** (आकाश) में ढाँकने का अर्थ देनेवाली **वर्** क्रिया है। तमिल **वरि** (ढाँकना) में प्राचीन अर्थ स्पष्ट है। संस्कृत **वल्कल**, लैटिन **बॅलो** (ढाँकना), **वेल्लस्** (ऊन), अंग्रेज़ी **चूल्** (उप.) में **वर्** का प्रतिरूप **वल्** है। ऊन और वस्त्रों के संसर्ग से इस क्रिया का व्यवहार बुनने के लिए हुआ। तमिल **वल** (बुनना) और संस्कृत

**वयति** (बुनता है) का मूलाधार **वर्** है। संस्कृत **व्ये, वी** (ढाँकना) क्रिया **वय्** का प्रतिरूप है। जैसे **वरुण** आकाशवाचक है, वैसे ही **व्योमन्**। इन संस्कृत रूपों से सम्बद्ध है संस्कृत का ही **वेमन** (करघा) और **तन्तुवाय** (बनकर) का **वाय**। तमिल **वेय्** (ढाँकना), **वेय्वु** (आवरण) अंग्रेज़ी **वीव्** (बुनना), **वॅब्** (बुनी हुई चीज) की आधारभूत क्रिया एक है।

**वर्** के रूपान्तर **वन्** से संस्कृत **वाणि** (बुनाई), हिन्दी **बाना** (उप.; पोशाक), बुनना, अंग्रेज़ी **विम्प्ल्** (अवगुंठन) रूप बने। **वस्त्र, वसन** (वस्त्र), **वस्मन्** (उप.; आवरण), **वेष** आदि संस्कृत रूपों के साथ लैटिन **वॅस्तिस्** (वस्त्र) में **वर्** का रूपान्तर **वस्** है। **वर्>व्र>र**, इस क्रम से अंग्रेज़ी **रैप्** (ढाँकना, लपेटना) बना, **वर्>व्ल >ल**, इस क्रम से ग्रीक **लेनॉस्** (ऊन), लैटिन **लान** (ऊन) रूप बने।

हिन्दी **ऊन** के संस्कृत पूर्वरूप **ऊर्ण** में **वर्** का रूपान्तर **उर्** है। संस्कृत **उरा** (भेड़), **उरण** (उप.) से **भेड़** और **ऊन** का सम्बन्ध स्पष्ट है। तमिल **उरइ** (म्यान), कुड़ुख **ऑरॉक्** (छाल) में ढाँकनेवाला भाव विद्यमान है। तमिल **ऑळि** (छिपना), **ऑलियल्** (खाल) में **वल्** का रूपान्तर **ऑल्** है। तमिल **अरुवइ** (वस्त्र), कन्नड़ **अर** (उप.), **अळुर्** (ढाँकना) में **ऑर्** का वैकल्पिक रूप **अर्, अल्** है। ग्रीक **अरेप्सो** (ढाँकना, छत डालना) इससे सम्बद्ध है। ग्रीक **ऑउर** (पूँछ), **ऑउरनॉस्** (वरुण) में **व** का रूपान्तर **ऑउ** है।

संस्कृत **ओतवे** (बुनाई), **ओतु** (बाना, आड़ा धागा), तमिल **ऊडु** (उप.), **उडइ** (वस्त्र) का आधार **र**-विहीन कृदन्त हैं।

तमिल **उरि** (छिलका) का **र्** जहाँ **म्** रूप में ग्रहण किया गया, वहाँ तमिल का ही **उमि** (भूसा) रूप बना। **उर्मि** भी **उमि** का पूर्वरूप हो सकता है।

### *(छ) पार उतरने की क्रिया, उसके उपकरण*

ढाँकने, घेरने आदि क्रियाओं का अर्थ देनेवाले शब्द जलप्रवाह से बहुत दूर जा पड़े हैं, अधिक निकट वे शब्द हैं जिनका सम्बन्ध जलमार्गों से है, नदी पार करने से है। जो शब्द वक्रगति अथवा चक्रगतिसूचक हैं, वे क्रमश: गतिविशेष से प्रतिबद्ध न होकर सामान्य गति का अर्थ देने लगते हैं। वे स्थान जहाँ यह गति सम्पन्न होती है, वे उपकरण जिनसे यह गति सम्पन्न की जाती है, उन्हीं गतिसूचक शब्दों से अथवा उन शब्दमूलों के आधार पर बने हुए नये शब्दों से अभिहित होते हैं। उदाहरण के लिए मनुष्य आवाजाही के लिए जिस स्थान का बार-बार उपयोग करते हैं, वहाँ एक पथ बन जाता है। **पथ** का मूल अर्थ है जलमार्ग, नदी पार करने का स्थान। **पथ** का विकल्प **पंथ** है, **पंथ** का न अनावश्यक रूप से जोड़ी हुई ध्वनि नहीं है। इस तथ्य का बोध ग्रीक रूप **पोर्थमॉस्** से होता है जिसका एक अर्थ है जलमार्ग, दूसरा है नाव। इस रूप का मूल भाग है **पोर्थ**। वेल्श में **पोर्थ्** का अर्थ है नाव।

इसका अंग्रेज़ी प्रतिरूप है **फ़ोर्ड**, नदी पार करने का उथला स्थान। जहाँ **र्** के स्थान पर **न** है, वहाँ एक ओर ग्रीक **पॉन्तॉस्** का अर्थ है समुद्र, दूसरी ओर लैटिन **पॉन्तॉ** का अर्थ है पुल, अर्थात् नदी पार करने का साधन। इस **पॉन्तों** का अंग्रेज़ी प्रतिरूप है **पन्ट** जिसका अर्थ है नाव। **पोर्थ** और **पोन्त** शब्दमूलों के आपसी सम्बन्धों के बारे में सन्देह नहीं रह जाता।

संस्कृत **पार** (पार उतरने की क्रिया), तमिल **पारु** (पार उतरना, जहाज), ग्रीक **पॉरॉस्** (जलमार्ग), **पॅरओ** (पार करना), रूसी **परोम्** (नाव) में क्रिया का **र्** ध्वनि वाला रूप विद्यमान है। चलने, जाने के लिए द्रविड़ भाषाओं की प्रचलित क्रिया **पो** इसी **पर्** से सम्बद्ध है। तमिल **पोक्कु** (मार्ग) का पूर्वरूप **पॉर्कु** होगा। जहाँ क्षतिपूर्ति के बिना **र्** का लोप हुआ है, वहाँ तमिल **पुगु** (जाना), **पुगुदि** (मार्ग) रूप बने। चलने का उपकरण **पैर** हैं। तमिल **पुगु** का हिन्दी समानान्तर रूप **पग** है। इसी प्रकार संस्कृत **पद्** का अर्थ है चलना, और **पद** का अर्थ है पैर। कन्नड़ **पादि** का अपेक्षित अर्थ है मार्ग। नदी पार करने के मार्ग से लेकर जंगल पार करने के मार्ग तक, नगर और ग्राम की गलियों से लेकर शरीर के भीतर नसों तक, जहाँ भी किसी तरह की गति सम्पन्न होती है, हमें प्रवाहसूचक शब्दमूलों से सम्बद्ध रूपों की शृंखला मिल जाती है।

संस्कृत **घट्ट** का एक अर्थ है घाट अर्थात् नदी पार करने का स्थान, दूसरा है नाव अर्थात् नदी पार करने का साधन। **घट्ट** के पूर्वरूप **घर्त** में **घर्** क्रिया है। **घर्** के रूपान्तर **गर्** से संस्कृत **गर्त** (नहर), लैटिन **ग्रदिओर्** (कदम उठाना), हिन्दी **गोड़** (पैर) और **गली** रूप बने। संस्कृत **गाध** नदी पार करने का स्थान है, अंग्रेज़ी **फ़ोर्ड्** का समानार्थी। **गाध** का पूर्वरूप होगा **गर्ध**। संस्कृत में एक क्रिया है **गन्ध्** जिसका अर्थ है जाना। यहाँ कृदन्त रूप **गन्ध** को क्रिया बनाया गया है, और **गन्ध** का पूर्वरूप है **गर्ध**। संस्कृत **गम्** (जाना) और **गन्ध** का **गन्** एक हैं। मूलरूप **गर्** का **र्** जहाँ **स्** रूप में ग्रहण किया गया, वह **गस्, गश्** क्रिया का व्यवहार हुआ। जर्मन भाषा में **गन्** से **गांग** (गति) बना, **गस्** से **गसॅ** (गली)। **गश्** का रूपान्तर संस्कृत की **गच्छ्** क्रिया है। **गच्छति** और **गमिष्यति** एक ही क्रिया के दो रूप माने जाते हैं, यह उचित ही है। जैसे **पर्** से तमिल **पो**, वैसे ही **गर्** से अंग्रेज़ी **गो** (जाना)। जहाँ **गस्** का **स्** बदलकर **ह्** बना, वहाँ जर्मन भाषा का **गेहॅन्** (जाना) रूप बना।

**गर्** के साथ **कर्** से बने रूपों में संस्कृत **क्रम्** (पार जाना, जाना) और **कर्ण** (पतवार) के साथ ब्राहूइ **कार्** (जाना), कन्नड़ **कारि** (नदी पार करने का स्थान), लैटिन **करीन** (नाव) उल्लेखनीय हैं। संस्कृत **कला** (नाव), तमिल **कलम्** (जहाज), लैटिन **कॅलॉक्स्** (नाव) में **कर्** का प्रतिरूप **कल्** है। संस्कृत **कलह** (मार्ग), कन्नड़ **कळि़** (जाना), हिन्दी **कॉलिया** (गली) का आधार **कल्** है। ब्राहूइ में एक रूप **कार्** है तो दूसरा समानार्थी रूप है **कान्** (जाना)। संस्कृत **गम्** का अंग्रेज़ी प्रतिरूप

है **कम्** (आना)। ग्रीक **कन्थरॉस्** (पतवार) और संस्कृत **काण्ड** (उप.) का आधार रूप **कन्** है। कश्मीरी **कदल** (पुल) और तमिल **कड** (पार करना, जाना) की रचना कृदन्त रूप **कर्द** से हुई है। हिन्दी **गोड़** का कुवि प्रतिरूप है **कॉड्ड** (पैर); ब्राहूइ में **कार्, कान्** के साथ **स्** वाला रूप भी है **कास्** (जाना)। **घ्** के **स्क्** रूपान्तर से ग्रीक **स्कॅलॉस्** (पर) और **ख्** रूपान्तर से संस्कृत **खल्ल** (नहर), ब्राहूइ **खरिङ्ग** (चलना) का निर्माण हुआ।

प्राकृत का एक महत्त्वपूर्ण रूप है **झत्थ** (गत)। संस्कृत गत में आदिस्थानीय व्यंजन की महाप्राणता का लोप हुआ है, प्राकृत में सघोषता के साथ महाप्राणता सुरक्षित है। **झत्थ** का पूर्व रूप होगा **झस्त** जो **घस्त** का तालव्य रूपान्तर है। **घस्** और **घर्** समकक्ष रूप हैं। प्राकृत **छेंडी** और हिन्दी **छिड़िया** का अर्थ है गली; इसका आधार **झर्> झन्> छन्** है।

संस्कृत **सरति** (पार करता है), **सरणि** (पथ), कन्नड़ **सार्** (जाना, पाना), **सल्** (चालू होना), लैटिन **सोलेन्** (नाली) की **सर्** क्रिया का पूर्वरूप **घर्** है। **सर्** के रूपान्तर **सन्** से संस्कृत **स्नायु** बना। कन्नड़ **सन्द्** (चालू होना), गदब **सॅन्** (जाना) में **सर्** का प्रतिरूप **सन्** है। तेलगू **चनु** (जाना) का सम्बन्ध **सॅन्** से प्रतीत होता है। संस्कृत **चर्** (चलना), **चल्** का विकास **झर्** से हो सकता है, **सर्** से भी। तमिल **चॅल्** (जाना), **चॅलवु** (मार्ग) संस्कृत **चल्** से सम्बद्ध हैं। प्राकृत **हल्लिअ** (गतिशील), सिन्धी **हलि** (चलना), कुवि **हल्ल** (जा) का **ह्** **सर्** के **स्** का रूपान्तर है। हिन्दी **हलचल** में **चल** के साथ पुराना रूप **हल** है; ऐसे ही हिन्दी **हालचाल** में **चाल** के साथ **हाल** है। अवधी **हाल-हाल** (जल्दी) में वही **हल्** है।

संस्कृत **धरणी** (नस), **धमनि** (नली) में **ध्** वाली क्रिया है, तुलु **दारि** (मार्ग) में **द्** वाली। संस्कृत **तरति** (पार करता है), **तरी** (नाव), **तीर्थ** (जल; जलमार्ग), प्राकृत **तरंड** (नाव), तमिल **तारि** (मार्ग), **तुरइ** (उप.; घाट), **ताळ्** (पैर) में अघोष अल्पप्राण ध्वनि वाली क्रिया का प्रसार है। तमिल **तण्डल** (छोटे जहाज़ का नायक) में **तर्** का रूपान्तर **तन्** है। हिन्दी **टाँग** (पैर) की आधार क्रिया चलने का अर्थ देनेवाली **तन्** क्रिया होगी। पर्जि **ताक्** (चलना), तमिल **तडम्** (मार्ग), प्राकृत **तप्प** (नाव) का आधार **क, त, प** वाले कृदन्त हैं। जर्मन **श्टॅग्** (मार्ग), अंग्रेज़ी **स्टॅप्** (कदम) में **ध्** का रूपान्तर **स्त** है।

**तीर** और **नीर** के समान **तर्** और **नर्** की जोड़ी है। संस्कृत **नर्द्** (चलना), **नाडी** (नली, नस), हिन्दी **नार, नाला, नली**, कन्नड़ **नर** (नस), **नरवु** (उप.), लैटिन **नॅर्वुस्** (उप.), अंग्रेज़ी **नर्व** (उप.) का आधार **नर्** है। संस्कृत नाडी में **र्** का लोप हुआ है, वही स्थिति तमिल **नड** (चलना), **नडवइ** (मार्ग) की है। **नर्** के रूपान्तर **नव्, नय्** से संस्कृत नाव, ग्रीक **नाउस्** (जहाज़), **नॅउरॉन्** (नस)। **नर्** के **र्** को **स्** रूप में ग्रहण करने पर हिन्दी **नस** बना।

संस्कृत **भेल** (नाव) और बंगला **भेला** (उप.) **भर्** वाली शृंखला के शब्द हैं। संस्कृत **भसद्** (नाव) में **स्** स्थानापन्न है। कन्नड़ **बर्** (आना) में **भर्** का रूपान्तर **बर्** है; **र्** के स्थान पर **य्** के व्यवहार से ग्रीक **बइनो** (चलना), **न्** के व्यवहार से ब्राहूइ **बन्निंग्** (आना), जर्मन **बान्** (मार्ग), **स्** के व्यवहार से ब्राहूइ **बस्** (आना), कृदन्त **बर्द** के **र**-विहीन रूप से ग्रीक **बदिज़ो** (चलना) और **र**-युक्त रूप से रूसी **ब्रोद्** (नदी पार करने का स्थान) बने। ग्रीक **बतोस्** (जिसे पार किया जा सके), फ्रांसीसी **बातो** (नाव), हिन्दी **बेड़ा बर्द-बर्त** आदि कृदन्तों से बने हैं। हिन्दी **बाट** ग्रीक **बतोस्** से तुलनीय है।

**पर्** वाली शृंखला के कुछ शब्दों का उल्लेख पहले हो चुका है। संस्कृत **पालि** (पुल), तमिल **पालम्** (उप.), हिन्दी **पुल** परस्पर सम्बद्ध हैं। संस्कृत **पंथ** के साथ प्राकृत **पुंडे** (जाओ) तुलनीय है। कन्नड़ में **पंग-हंग-अंग**, इस क्रम से **अंग** का अर्थ हुआ मार्ग। संस्कृत **पवते** (चलता है), कोलमि **पाव्** (मार्ग) के **पव्** में **र्** के स्थान पर **व्** है। तमिल **पो** और संस्कृत **पव्** सम्बद्ध रूप हैं। जहाँ **र्** की जगह **स्** है, वहाँ लैटिन **पस्सुस्** (कदम), अंग्रेज़ी **पास्** (गुज़रना) रूप बने। **पर्द** कृदन्त से **र्**-विहीन **पद** बना। कन्नड़ की तरह **प्** के **ह्** रूपान्तर से बना ग्रीक **हॉदॉस्** (मार्ग, यात्रा)। ग्रीक **पतॉस्** (मार्ग), संस्कृत **पोत** (नाव), हिन्दी **पतवार**, रूसी **पुत्** (पथ) और पुरानी स्लाव के **पति** (उप.) का आधार **त** प्रत्यय वाला **र्**-विहीन कृदन्त है। फ़ारसी **पेशवा** (आगे चलनेवाला) और रूसी **पॅश्कॉम्** (पैदल) में **श्** को **र्** का रूपान्तर मानना चाहिए; ग्रीक **पेज़** (पैर), **पेज़ॉस्** (पैदल यात्रा) में **स्** का सघोष रूप **ज़्** है। **पेशवा** के **पेश** का लैटिन प्रतिरूप **पेस्** (पैर) है। **स्** ध्वनि **द्** का रूपान्तर भी हो सकती है। लैटिन **पॅदॅस्** (पैदल) और **पेस्** (पैर), ग्रीक **पॉद्** (उप.), **पॉउस्** (उप.) में **द्** और **स्** का सम्बन्ध देखा जा सकता है। **प्** में अतिरिक्त महाप्राणता के योग से जर्मन **फ़ुर्ट** (नदी पार करने का स्थान), अंग्रेज़ी **फ़ोर्ड्** (उप.), **फ़ेरी** (नाव) और **र्**-विहीन कृदन्त से अंग्रेज़ी **फुट्** रूप बने। लैटिन **फ़िस्तुल** (नली) का **फ़्** सीधे **भ्** का रूपान्तर है, **र्** का स्थान **स्** ने लिया है।

हिन्दी के **पग** और **मग** सम्बद्ध शब्द हैं। **पर्** के रूपान्तर **मर्** से संस्कृत **मार्ग** बना : **र**-विहीन कृदन्त है हिन्दी **मग**। वेल्श **मॉरिओ** (जलयात्रा करना), **मॉरुर्** (मल्लाह) और अंग्रेज़ी **मार्च्** (चलना) की आधारभूत क्रिया एक है। लैटिन **मोतुस्** (गतिशीलता), अंग्रेज़ी **मोटर्** (जो गति प्रदान करे), तेलगू **मॅदलु** (सरकना), तमिल **मदगु** (नाली) में **मर्द, मर्त** का **र्** लुप्त है। तमिल **मंजि** (बड़ी नाव) में नासिक्य ध्वनि ने **र्** का स्थान लिया है। लैटिन **मॉवॅओ** (गतिशील होना), अंग्रेज़ी **मूव** (उप.) में **र्** के स्थान पर **व्** है।

संस्कृत **वर्त्मन्** (मार्ग) में वही **वर्** क्रियामूल है जो तमिल **वरु** (आना), **वारि** (मार्ग) में है। कश्मीरी **वत्** (मार्ग), लैटिन **वदो** (पैदल नदी पार करना), **वादो**

(चलना), अंग्रेज़ी **वेड** (पानी में चलकर पार जाना) में **र्**-विहीन कृदन्त है। अंग्रेज़ी **वाक्** (चलना) का पूर्वरूप **वल्क** है जैसाकि वर्तनी में दिखाया जाता है। कश्मीरी **वल्** (आना), मैथिली **बुल्** (चलना) का आधार **वर्** का प्रतिरूप **वल्** है। जर्मन **वेग्** (मार्ग) के **ग्** का संघर्षीकरण और लोप होने पर अंग्रेज़ी **वे** (उप.) बना। **वर्** के रूपान्तर **वय्** से संस्कृत **वी** (जाना), **वीथि** (मार्ग), तमिल **वीदि** (उप.), लैटिन **विअ, वॅअ** (उप.) रूप बने। गोंडी **वइयाना/वायाना** (आना) में वही **वय्** है; कुइ **वाव** (उप.) में **वर्** का रूपान्तर **वव्** है। जर्मन **वेग्** (मार्ग) का पूर्वरूप **वॅर्ग्** हो सकता है, **बय्** से भी **वेग्** रूप बन सकता है। प्राकृत **बेगड** (जहाज) के **बेग** के बारे में यही बात कही जा सकती है। एक रोचक संस्कृत रूप है **विष** (पोत)। यहाँ **र्** के स्थान पर सकार है। **वर्** के **वन्** रूपान्तर से तमिल **वन्द्** (आना), मलयालम **वंजि** (बड़ी नाव), पंजाबी **वञ्ज** (आना), लैटिन **वॅनिओ** (उप.), अंग्रेज़ी **बॅण्ड्** (जाना) रूप बने।

**वर्** के **व्** का लोप होने पर **अर्** से संस्कृत **अरित्र** (नौका चालन), ग्रीक **अॅरॅस्सो** (नाव खेना), **अॅरॅतेस्** (नाविक) रूप बने। **डाँड़** के लिए ग्रीक शब्द **अॅरॅत्मॉस्** है। **अॅर्** से **अॅर्ग**, उससे तमिल **इग** (पार करना)। तमिल **उरु** (लघु पोत) में **वर्** का रूपान्तर **उर्** है। **वर्>व्र>र**, इस क्रम से लैटिन **रेमुस्** (डाँड), अंग्रेज़ी **रो** (नाव खेना) रूप बने।

**ध्** के **स्थ्** रूपान्तर से बना संस्कृत **स्थाघ, ध्** के **स्त्** रूपान्तर से बना संस्कृत का ही **स्ताघ**। दोनों रूपों का अर्थ है नदी पार करने का उथला स्थान। **स्थाघ** का पूर्वरूप होगा **स्थर्घ**; इसी का प्राकृत प्रतिरूप है **थग्ध**। संस्कृत में **घ** प्रत्यय है, प्राकृत में **ध**। **थग्ध** से यह सिद्ध होता है कि **स्थाघ** का विकास **स्थर्घ>स्थग्घ** क्रम से हुआ है। **स्थाघ** का हिन्दी तद्भव रूप है **थाह**। **गाध** और **स्थाघ** अर्थ-विचार की दृष्टि से तुलनीय हैं; दोनों में **गा** और **स्था** (अर्थात् **गर्** और **स्थर्**) क्रियामूल गतिसूचक हैं; पार करने का अर्थ देते हैं। **स्ताघ** का जर्मन प्रतिरूप है **श्टॅग** (मार्ग)। **धर्** के रूपान्तर **दर्** से हिन्दी **डग** बना; **दर्ग** से **डग**, जैसे **मर्ग** से **मग**। **धर्** के रूपान्तर **तर्** से रूसी **त्रोप** (मार्ग) बना; लिथुआनियन **तकस्** (मार्ग) में **र्** लुप्त है।

### *(ज) सांस्कृतिक और भाषायी विकास तथा गतिबोध*

मनुष्य के गतिबोध से भाषा का विकास जुड़ा हुआ है, भाषा के विकास से मानव-सभ्यता का विकास जुड़ा हुआ है। इस गतिबोध में सर्वाधिक महत्त्वपूर्ण स्थान है चक्रगति बोध का। मानव-सभ्यता में पहिये के आविष्कार और निर्माण की भूमिका अद्वितीय है। पहियोंवाली गाड़ी यातायात का मूल्यवान साधन बनी; इससे जलमार्गों पर मनुष्य की एकान्त निर्भरता का अन्त हुआ। दो या चार पहियों वाले रथ से युद्धविद्या में मौलिक परिवर्तन हुए; रथ सम्पत्तिशाली वर्गों की सामाजिक स्थिति का

प्रतीक बन गया। मनुष्य ने उत्पादन और विनिमय के जो सम्बद्ध केन्द्र कायम किये, उनकी रक्षा के लिए चारों ओर गोल दीवार बनाई। पशुओं का बाड़ा, मनुष्यों के रहने का पाड़ा, सामन्तों का प्रासाद, गाँव के बीच सार्वजनिक मैदान, मन्दिर का प्राङ्गण, इन सबके लिए ऐसे शब्दों का व्यवहार हुआ जो चक्रगति के सूचक हैं। **परिवर्तन** और **क्रान्ति,** दोनों का मूल अर्थ समान है : एक ही स्थान पर घूमना। **परिवर्तन, परिवेश, परिस्थिति** का **परि**, ग्रीक प्रतिरूप **पॅरि** का अर्थ है चारों ओर, और इस उपसर्ग का आधार है **पर्** क्रिया जो **भ्रम्** के आधारभूत **भर्** का रूपान्तर है। यदि ग्रीक और संस्कृत से **परि** और **पॅरि** निकाल दिये जाएँ तो न केवल वे प्राचीन भाषाएँ अनेक महत्त्वपूर्ण धारणाएँ प्रस्तुत करने में अक्षम हो जाएँगी वरन् अनेक आधुनिक भाषाओं की पारिभाषिक शब्दावली में भारी कमी हो जाएगी। **परिभाषा, परिवार, परिषद्, परिणय, परिणाम** आदि शब्दों से हम (हिन्दी तथा अन्य सम्बद्ध भाषाएँ बोलनेवाले) इतने परिचित हैं कि उनमें **परि** के अलग अस्तित्व का बोध धुँधला हो गया है। अंग्रेज़ी **पॅरिअड्** (**पॅरि** तथा ग्रीक **ऑदॉस्>हॉदॉस्** अर्थात् **पद, पथ,** कालचक्र, अवधि), **पॅरीमीटर्** (परिधि), **पॅरीफॅरी** (**पॅरि** तथा ग्रीक **फॅरो**, अर्थात् **भर्, परिधि**), **पॅरिस्कोप** (दूरदर्शक यंत्र) का **पॅरि** उस क्षेत्र की देन है जहाँ लोग **भर्** को **पर्** बोलते थे।

समयसूचक **वार, काल** आदि भारतीय शब्दों में केवल सामान्य गति का भाव नहीं है वरन् ऐसी गति का भाव है जिससे एक वृत्त बनता है। दिन, सप्ताह् वर्ष, इन सभी के लिए आर्य-द्रविड़ भाषाओं में **वर्** क्रिया से सम्बद्ध शब्दों का चलन है। इसका कारण यह है कि दिन, सप्ताह् वर्ष की आवृत्ति होती है, वे एक वृत्त पूरा करने के बाद दूसरा वृत्त आरम्भ करते हैं। इस दृष्टि से भूत, भविष्य और वर्तमान—तीनों एक ही कालचक्र के विभिन्न पक्ष हैं; काल एक है, **वर्तमान**, चक्रवत् सतत गतिशील।

**वर्** क्रिया आर्य-द्रविड़ भाषाओं की सामान्य सम्पत्ति है। यदि **भर्** क्रिया आर्यों की है तो **वर्** क्रिया उनकी है जो **भर्** को **पर्** ही न बोलते थे वरन् **प्** के स्पर्श-तत्त्व का लोप करके उसे अर्द्ध स्वर **व्** भी कर देते थे। आर्यों और आर्येतर गण-समाजों के गहन सम्पर्क के बिना **भर्** से **वर्** तक का विकास असम्भव है। आर्यों की कल्पित शुद्ध भाषा के इस विकास के बिना आर्य-द्रविड़ भारतीय भाषाओं का ही नहीं, यूरोप की अनेक भाषाओं का विकास कुंठित रह जाता।

संस्कृत **वृत्त** वह है जो घटित हो चुका है। रूसी **व्रॅम्य** (समय) में वही **वर्** क्रिया है। संस्कृत **वत्सर** (वर्ष) में क्रियामूल **वत्** का पूर्वरूप **वर्त्** है। **वत्स, बछवा, बच्चा** वह जीव है जो साल भर का है। **वत्स** से स्नेह का भाव **वात्सल्य** है। **वत्** के रूपान्तर **ॲत्** से ग्रीक **ॲतॉस्** (वर्ष) बना; रूसी **लॅत** (वर्ष; आयु) में **वॅत्** का रूपान्तर **लॅत्** है। अंग्रेज़ी **वीक्** (हफ्ता) और नॉर्वीजियन **विक्य्** (घूमना) में आवर्तन का भाव स्पष्ट है; आधार है **क** प्रत्यय वाला कृदन्त **बॅर्क**। हिन्दी में **बार**

(कितनी बार), **बारी** (मेरी बारी आदि) में वही आवृत्ति का भाव है। **वॅर् >वृ>ऋ**, इस विकास-क्रम से संस्कृत **ऋतु** की **ऋ** क्रिया प्राप्त हुई। **ऋतु** वह काल खंड हैं जिसकी आवृत्ति होती है।

जो बार-बार घटित होता है, वह सत्य है। संस्कृत **ऋतु** वह है जो नियमित है, उचित है, बार-बार घटित होता है। **ऋत** और **ऋतु** की आधार क्रिया एक है—**ऋ**। नियम, रीति, कर्तव्य के लिए **ऋत** का समानार्थी संस्कृत **व्रत** है। **व्रत** और **ऋत** के समानार्थी होने का कारण यह है कि दोनों की मूलक्रिया **वर्** हैं। जिस राह पर सब चलें, वह समाज की **रीति** है। **रीति** का निबाह नियम का पालन उचित है, **रीति** से भटकना अनुचित। सीधी राह वह है जो रीति के अनुसार है। इस प्रकार जो क्रिया पहले चक्रगति की सूचक थी, वह अब सीधा चलने का अर्थ देने लगी। संस्कृत **ऋजु** (सीधा, ईमानदार) में **ऋतु** की **ऋ** का मूल अर्थ बदलकर उससे सम्बद्ध किन्तु भिन्न अर्थ देने लगा। इस **ऋजु** की कृदन्तमूलक **ऋज** क्रिया का लैटिन प्रतिरूप है **रॅगो** (सीधी राह चलना); लैटिन **रॅक्तॉर्** वह व्यक्ति है जो सही रास्ता दिखाता है। इस **रॅक्तॉर्** का आधुनिक अवतार है अंग्रेज़ी का **डायरेक्टर्**। जर्मन **रॅख़्ट्**, अंग्रेज़ी **राइट्** (सही, उचित) में वहीं **रिग** क्रियामूल है। संस्कृत **ऋजु**, जर्मन **रॅख़्ट्** और लैटिन **रॅगो** की आधारभूत कृदन्तमूलक क्रिया **ऋघ्** हो सकती है। **ऋघ्** का एक विकास **ऋष्** होगा; संस्कृत **ऋष्** का अर्थ है बहना।

जर्मन **गांग्, गैंग्** (रीति के अनुसार) में **गम्** क्रिया है। तमिल **तारि** (मार्ग, रीति) **तर्** वाली शृंखला में है। कन्नड़ **बळ्कॅ** (रीति, व्यवहार) पर वाले शब्दक्रम में है। तमिल **वऴक्कम्** (उप.) का **वऴ** कन्नड़ **बळ्** से सम्बद्ध है। अंग्रेज़ी **वोन्ट** (रीति के अनुसार) में **वर्** का रूपान्तर **वन्** है। तमिल **अरम्** (धर्म, कर्तव्य) में **वर्** का रूपान्तर **अर्** है। मलयालम **उरियन्** (योग्य, उचित) में **अर्** का प्रतिरूप **उर्** है। तमिल **ऊऴ्**, (रीति, समय, बारी) के कन्नड़ प्रतिरूप **सूऴ्** (समय, ऋतु, बारी) में **सर्** शृंखला की क्रिया है। **सूऴ्-चूऴ्-ऊऴ्**, इस क्रम से तमिल रूप प्राप्त हुआ।

संस्कृत **घट्ट** (चक्कर लगाना) और **घट्** (होना) के आधार-रूप **घर्त** में एक ही चक्रगतिसूचक क्रिया **घर्** है। **घट्टन** (वृत्ताकार गति) और **घट्टन** (गति, कार्यपद्धति) का मूल भाव एक है। **घटना** वह क्रिया है जो सम्पन्न होती है। **घटिका** लघु कालखंड है; प्राचीन **घटी** का आधुनिक संस्करण समयसूचक घड़ी है। **घर्त** से प्राकृत **घल्लिअ** (घटित) रूप बना। **घल्** का रूपान्तर **कल्** तमिल **कल** (घटित होना), तेलगू **कलुगु** (उप., होना), **कल** (वर्तमान, वास्तविक), **कलिमि** (अस्तित्व) में अवलोकनीय है। संस्कृत **कल्प** (उचित, नियम, रीति, युगसमवाय) और **कल्य** (शुभ, प्रभात, कल) में यही **कल्** है।

संस्कृत **वर्तते** (घूमता है, चलता है, घटित होता है) में चक्कर लगाने और विद्यमान होने, दोनों प्रकार के भाव हैं। तमिल **वरु** (घटित होना, पूर्ण होना), तेलगू

**बॅरयु** (घटित होना), तमिल **उरु** (उप.), कोलमि **अॅर्** (उप.), तमिल **इरु** (उप.), **आ** (उप.), **आगु** (उप.), तेलगू **अगु, अवु** (उप.), तमिल **उळ्** (होना), **उंडु** (है), **उळमइ** (यथार्थ), **उणमइ** (अस्तित्व) सम्बद्ध रूप है। जर्मन **वॅर्दॅन्, वर्द, वुर्दॅ, गॅवॉर्देन** आदि रूपों का आधार **द** प्रत्यय वाला कृदन्त रूप है; क्रियामूल **वर्** का अर्थ है होना। अंग्रेज़ी में **वर्** शृंखला का रूप **वॅअर्** (थे) है। **वॅअर्** का एकवचन रूप **वाज़्** (था) बहुत दिलचस्प है। इसका सम्बन्ध संस्कृत **वस्** से ठीक जोड़ा गया है। संस्कृत में अनेक **वस्** क्रियाएँ हैं; जिस विशेष क्रिया **वस्** की यहाँ चर्चा है, उसका अर्थ है रहा, ठहरना, बैठना। इसके प्रेरणार्थक रूप **वासयति** का एक अर्थ है किसी को विद्यमान करना। **वस्** क्रिया वास्तव में **वर्** का रूपान्तर है और उसका सम्बन्ध अस्तित्व-बोध से वैसे ही है, जैसे **वर्** का। **वर्** की अर्थ-परिधि में बैठना, ठहरना, रहना आदि के भाव आते हैं, इसका प्रमाण द्रविड़ भाषा के अनेक अस्तित्व-सूचक शब्द हैं। तमिल **इरु** (विद्यमान होना, रहना, बैठना), तेलगू **उंडु** (होना, रहना, निवास करना), **उनिकि** (अस्तित्व, निवास, घर), तमिल **उरु** (घटित होना, निवास करना) का आधार **वर्, वन** हैं। **वर्** के पूर्वरूप **पर्>मर्>मन्** से तेलगू **मनु** (जीना, विद्यमान होना) और **मनिकि** (अस्तित्व, स्थान, घर) में भी अस्तित्व और निवास के भावों का घनिष्ठ सम्बन्ध देखा जा सकता है। होने और रहने के स्थान में जो आन्तरिक सम्बन्ध है, वह संस्कृत **भवति** और **भवन** से स्पष्ट है। इसी तरह बैठने और बैठने के स्थान का सम्बन्ध संस्कृत **सद्** (बैठना) और **सदन, सद्म** से स्पष्ट है।

संस्कृत की **वस्** क्रिया, **वर्** के समान, मूलतः चक्रगतिसूचक थी। बैठने, रहने, बसने के भाव अर्थ-प्रसार का परिणाम हैं। इस अर्थ-प्रसार की एक महत्त्वपूर्ण कड़ी है अस्तित्वबोध। इसीलिए अंग्रेज़ी **वाज़्** (था) का सम्बन्ध संस्कृत **वस्** से जोड़ना सही है।

अंग्रेज़ी में एक क्रिया और है **इज़्** (है)। इसका सम्बन्ध संस्कृत **अस्** (होना), ग्रीक **अॅस्ति** (है) आदि से है। संस्कृत **अस्त** का एक अर्थ है घर। यहाँ होने और निवास करने का सम्बन्ध **अस्** क्रिया के सन्दर्भ में भी स्पष्ट है। संस्कृत **अस्** का एक प्रतिरूप इसी भाषा में **आस्** है। **आस्** का अर्थ है विद्यमान होना और बैठना। **आसन** शब्द से बैठने और निवास करने की दोनों क्रियाओं का बोध होता है। **आवास, निवास** आदि का वास् ही **आस्** है, **वस्तु, वास्तव, वसन** का **वस्** ही **अस्** है। जो विद्यमान हो, जिसका अस्तित्व हो, वह **वस्तु** है। **अस्तित्व** और **वास्तविकता** में अर्थसाम्य है, उसका आधार **वस्** और **अस्** की मूलभूत एकता है। **वस्तु** का एक अर्थ है आसन, बैठने का स्थान। **वस्तु** और **वास्तव** वाली **वस्** क्रिया संस्कृत में है, ग्रीक या लैटिन में नहीं। किन्तु **वस्** के रूपान्तर **अस्** का प्रसार संस्कृत तथा इंडो-यूरोपियन परिवार की अन्य भाषाओं में दूर-दूर तक है। यह प्रसार उस समय

का है जब आदिस्थानीय **व्** के लोप की प्रवत्ति खूब जोर पकड़ चुकी थी। द्रविड़ भाषाओं में **वर्** और **अर्,** दोनों तरह के रूप हैं और ये भाषायी विकास की दो ऐतिहासिक मंज़िलों की सूचना देते हैं।

**वस्** और **वर्, अस्** और **अर्** परस्पर सम्बद्ध रूप हैं। लैटिन ने **स्** और **र्,** दोनों ध्वनियोंवाले रूपों की रक्षा की है : **अॅस्त्** (है), **अॅरित्** (होगा), **अॅरत्** (था)।

लैटिन **अॅरित्** का **अॅर्** और तमिल **इरु** का **इर्** एक हैं। तमिल **वरु** का **वर्** और संस्कृत **अस्** एक हैं। शब्द-शृंखलाओं के अध्ययन से यह सम्भावना पुष्ट होती है कि **वर्** और **वस्** में **वर्** रूप पुराना है। **वस्** और **अस्** में **वस्** पुराना है। इससे निष्कर्ष यह निकलता है कि भारतीय आर्य-द्रविड़ भाषाओं में **वर्-वस्** का विकास हो जाने के बाद इंडो-यूरोपियन परिवार में **अर्-अस्** का प्रसार हुआ है। आर्यों और द्रविड़ों का सम्पर्क इंडो-यूरोपियन भाषाओं में अनेक बहुप्रचलित रूपों के निर्माण से पहले का है, बाद का नहीं।

अंग्रेज़ी **इज़्** (है) का सम्बन्ध **अस्** से है, **वाज़्** (था) का **वस्** से, **वॅअर** (अथवा **वर्**) का **वर्** से और **आर्** (हैं) का **अर्** से।

वर् का पूर्वरूप **भर्** है, **वस्** का पूर्वरूप **भस्** है। संस्कृत **आस्** माने बैठना और पास माने शरीर का वह भाग जिसके बल आदमी बैठता है। नितम्ब के लिए, गुप्त अंगों के लिए संस्कृत में एक शब्द है **भसद्**। इससे विदित होता है कि कभी **भस्** क्रिया बैठने के लिए प्रयुक्त होती थी। **भस्** क्रिया बहने, पार करने का अर्थ देती थी, इसका प्रमाण **भसद्** का अन्य अर्थ है नाव। **भस्** क्रिया चक्रगतिसूचक थी, इसका प्रमाण संस्कृत **भसन्त** (समय) है। **भसन्त** में वही अर्थ-प्रक्रिया घटित है जो **ऋतु, वार, काल** में देखी जाती है।

**भस्, भर्, भव्**—क्या ये रूप सम्बद्ध हैं? **भवति** और **अस्ति** में क्या कोई मूलभूत सम्बन्ध है? **अस्ति** का भविष्यकालिक रूप भविष्यति क्या उससे वैसे ही जुड़ा है, जैसे लैटिन **अस्त्** से भविष्यकालिक **अॅरित्** जुड़ा है?

मेरा अनुमान है कि **अस्, वस्** का पूर्वरूप **भस्** था। जैसे **भर्-पर्-वर्-पर्** का विकास-क्रम है, वैसे ही **भस्-पस्-वस्-अस्** का विकास-क्रम होगा। वादक रूप **मस्त्या** (बस्ती) में **वस्** का पूर्वरूप **पस्** है।

**अस्ति** के समानान्तर **भवति** संस्कृत का महत्त्वपूर्ण अस्तित्वबोधक क्रिया-रूप है। अंग्रेज़ी **बी** (होना), रूसी **बीत्** (उप.), लैटिन **फ़ुइत्** (वह था) आदि **भू** के प्रति रूप हैं। संस्कृत **भूत** (हुआ) में एक ओर अतीत का भाव है, दूसरी ओर वर्तमान का बोध भी उसमें निहित है। **भूत** वह है जो विद्यमान है, अत: **भूत** का अर्थ हुआ जीव। **भुवन** का एक अर्थ है जीव, मनुष्य, दूसरा अर्थ है रहने का स्थान, घर। **भवन** का एक अर्थ है घर, दूसरा है अस्तित्व में आने की क्रिया। **भुवन** और **भवन** का एक अर्थ है जल; **भुवस्** का एक अर्थ है वायुमंडल। **भुव** का प्रयोग छत्रक

या कुकुरमुत्ता के लिए भी होता था। कारण यह कि **भू, भुव्, भव्** क्रिया मूलतः प्रवाहसूचक, चक्रगतिसूचक थी। **भूमन्** का अर्थ है प्राणी, प्रदेश, धरती, संसार। **भूमन्** और **भूमि** की व्याख्या दो तरह से हो सकती हैं, **भू** माने रहना, निवास करना, जहाँ मनुष्य रहते हैं, वह **भूमि** है। और **भू** माने चक्कर खाना, वृत्ताकार दिखना, अतः **भूमि** गोल दिखनेवाली धरती है, अतः वायुमंडल और छत्रक, दोनों की व्यंजना करनेवाले शब्द **भू** क्रिया से बनेंगे।

**भुर्भुवः** में **भूर्** का अर्थ भी धरती है। **भूय्** (विद्यमानता, अस्तित्व) की व्याख्या **भूर्** को पूर्वरूप मानने से अच्छी तरह हो जाती है। **भुर्** से **भुव्** और **भुव्** का एक प्रतिरूप होगा **भुय्**।

**भस्** क्रिया का व्यवहार बसने, रहने के लिए होता था, इसका संकेत वैदिक रूप **पस्त्या** (घर) से मिलता है। हिन्दी **बस्ती** का **बस्** तो **वस्** का विकार माना जाएगा पर **पस्त्या** के **पस्** के लिए सम्भावना यही है कि वह **भस्** का रूपान्तर है।

संस्कृत **सत्** (विद्यमानता) का सम्बन्ध **अस्** से माना जाता है। जो निरन्तर घटित हो, वह सत्य है; विद्यमानता का भाव है **सत्त्व**। **सत्** में विद्यमानता के अलावा साधुता का भाव है। संस्कृत **सन** (प्राचीन), **सनातन**, लैटिन **सॅनॅओ** (बूढ़ा होना) में कालगतिसूचक **सन्** क्रिया है। सम्भव है, **सन्त** के **न्** का लोप होने पर **सत्** रूप बना हो। **साधू-सन्त** के **सन्त** से साधुतासूचक **सत्** तुलनीय है। **सन्** क्रिया **सर्** का रूपान्तर जान पड़ती है। संस्कृत **साध्** (सीधे चलना), **साधु**, अवधी **सूध**, मानक हिन्दी में **सीधा** के **सा, सू, सी** का आधार **सर्, सॉर्, सॅर्** होंगे। पकने का अर्थ देनेवाली **साध्, सिध्** क्रियाएँ अन्य वर्ग की हैं। **ऋजु** के समान **साधु** में **सिधाई** के अर्थ का विकास हुआ है।

**सत** के विकल्प **सॉत्** से फ़ारसी की **शुदन्** (होना) क्रिया बनी।

**सर्>सस्>हस्** से फ़ारसी **हस्ती** की व्याख्या होती है। हिन्दी की होना क्रिया का आधार **भव्, भू** है; **है** का आधार बाँगरू **सै** है। **सर्>सय्>सै**, इस क्रम से **सै, है** की व्याख्या सम्भव है।

भारतीय भाषाओं के अनेक समूहवाचक शब्दों का सम्बन्ध उन क्रियामूलों से है जो वर्तुल गति व्यंजित करते हैं। मनुष्यों का समूह हो या वस्तुओं का समूह हो या किसी एक वस्तु का ढेर हो, ये सब 'पदार्थ' एक ही अर्थवृत्त में आते हैं। सघनता का भाव समूह की व्यंजना से जुड़ा हुआ है। संस्कृत **घन** इस प्रक्रिया का अच्छा उदाहरण है। वह सघनता व्यंजित करता है और उसका समूहवाला अर्थ है जनसाधारण। अवधी **झन** (जन), संस्कृत **जन** और **गण** इस **घन** के विकास हैं। गिनने का अर्थ देनेवाली **गण्** क्रिया संज्ञारूप **गण** से बनी। **गण** के पूर्वरूप **घन** की **गन्** क्रिया प्रवाहसूचक है। प्राकृत **घट्ट** (समूह), **घडिआ** (मंडली) और संस्कृत **घटा** का आधार **घर्त** है। हिन्दी घर में स्तूपवाला भाव है। प्राकृत **गच्छ** (समूह) संस्कृत **गच्छति** के **गुच्छ्** से इस कारण सम्बद्ध है कि **गर्, गश्** का अर्थ बहना,

चक्कर लगाना है। संस्कृत **गुच्छ** (गुच्छा), तमिल **कुच्चु** (उप.) प्राकृत **गच्छ** के प्रतिरूप हैं। संस्कृत **कुञ्ज** (वृक्ष समूह), तमिल **कुञ्जम्** (गुच्छा) इसी क्रम में हैं। संस्कृत **कदम्ब** (समूह), तमिल **कदुप्पु** (पशुयूथ), संस्कृत **कटक**, प्राकृत **कडप्प** (समूह), तमिल **कळगम्** (सभा), संस्कृत **कुटुम्ब** और तमिल **कुडि, कुडिमइ** (कुटुम्ब) में **र्**-विहीन कृदन्त हैं। संस्कृत **कूल** (ढेर) हिन्दी **घूर** का प्रतिरूप है। हिन्दी **झुंड** में **घ्** का तालव्य रूप है।

हिन्दी **ढेर, ढूह** प्राकृत **थट्ट** (झुंड), हिन्दी **ठट्ठ**, प्राकृत **थंडिल्ल** (मंडल), ग्रीक **थिस्** (ढूह), लैटिन **दॅन्सुस्** (सघन), **स्तिपो** (समूह), संस्कृत **स्तूप, स्तोम** (ढेर), **स्तबक** (गच्छा) तमिल **तुरु** (भीड़ लगाना) घर वाले क्रम में हैं। संस्कृत **भर** (समूह; बड़ी संख्या; अधिकता), **भूरि** (अधिक), **भूयः** (उप.), ग्रीक **प्लेथॉस्** (समूह), **पुक्नॉस्** (सघन), संस्कृत **पूग** (समूह), संस्कृत **पुञ्ज भर्** वाले क्रम में हैं। कन्नड़ **मल्लळि** (समूह) का आधार **पर्** का रूपान्तर **मर्** है।

संस्कृत **वृन्द** (समूह), तमिल **वलजइ** (उप.), **उर** (भीड़ लगाना) का आधार **वर्** है।

संस्कृत का समूहवाचक उपसर्ग **सम्** और इसका लैटिन प्रतिरूप **कॉम्**, दोनों का पूर्वरूप **घर्** या **घम्** हो सकता है। लैटिन **कॉम्** संस्कृत **सम्** का रूपान्तर हो, यह भी सम्भव है। जो क्रियाएँ अनेक जन मिलकर सम्पन्न करें, उनके साथ **सम्** उपसर्ग का प्रयोग होता था। **सम्** घनत्वसूचक भी है, यथा : **सन्ताप** में। जो नियमित, व्यवस्थित है, वह **सम** है, **ऋत** की तरह। **सम** की व्याख्या के लिए **सम्** क्रिया का अस्तित्व मानना होगा। कालसूचक **सन** (प्राचीन) में इसी **सम्** का प्रतिरूप **सन्** है। **संघ** में **घ** को **हन्** क्रिया से जो **ना** अनावश्यक है। **सन्** क्रिया में कृदन्त प्रत्यय **घ** जोड़कर समूहवाचक **संघ** बनेगा। इसी प्रकार **सन्** में **ग** जोड़कर **संग** द्वारा एकत्र होने का भाव व्यंजित हुआ। संस्कृत की **संज्** क्रिया में जुड़ने, चिपकने का भाव है, उसका आधार वही **सन्** है। **सन्** से कृदन्त **सञ्ज**; फिर उसका क्रियामूल के समान व्यवहार हुआ। **सञ्ज** का एक प्रतिरूप संस्कृत **सञ्च** (लिखने के लिए पत्रों का समूह) है। **सञ्च** के **ञ्** का लोप होने पर **सच** को फिर क्रिया माना गया; **सच्** (सम्बद्ध होना, साथ होना) का वही अर्थ है जो **सञ्ज्** का है। **सक्त, आसक्ति, सक्मन्** आदि संस्कृत शब्दों में वही सम्बद्ध होने का भाव है। **सख, सखा, सखि** आदि रूपों में **घ** के स्थान पर कृदन्त प्रत्यय **ख** है, सभा में **भ** है; यहाँ **सन्** क्रिया की नासिक्य ध्वनि का लोप हुआ है।

**सर्व** शब्द सर्वनाम है। इसमें समूह का भाव इसलिए है कि **सर्व** कृदन्त है और **सर्** क्रिया से बना है। **गोल, झुंड** की तरह **सर्व** का वही अर्थ हुआ जो **वृन्द** का है। **सर्व** का समानार्थी **विश्व** है। यह भी कृदन्त है और संस्कृत में सर्वनाम की तरह प्रयुक्त हुआ है। इसका सम्बन्ध **विश्** क्रिया से है। इस क्रिया का एक अर्थ है व्यापक होना। जैसे **वरुण** व्यापक हैं, संसार को घेरे हुए हैं, वैसे ही **विष्णु** व्यापक

हैं। **विश्** का अन्य अर्थ है बसना, बैठना। यह अर्थ **वस्** की याद दिलाता है। **विश** शब्द गणवाचक है। बसने का भाव प्रधान होने से **विश** वह **गण** हुआ जो घुमन्तू नहीं है। **विश्** और **वर्** क्रियाएँ परस्पर सम्बद्ध हैं। **वेष** की **विष्** क्रिया इस **विश्** का प्रतिरूप है और उसमें आवरण का भाव वैसे ही निहित है, जैसे **आवरण** की **वर्** क्रिया में। **विषय** का अर्थ हुआ क्षितिज (गोल होने से), प्रदेश, आवास (बसने के भाव से)। **विशाल** में **विश** की वही व्यापकता है। रूसी **वॅस्, व्स्य, व्स्यॉ** (सब) संस्कृत **विश्व** के प्रतिरूप हैं।

जर्मन **आल्** का अर्थ है संसार (विश्व के समान) और सब। इसका आधार है **वल्** क्रिया। जर्मन **वॅल्ट्** (संसार), अंग्रेज़ी **वर्ल्ड्** (उप.) की व्याख्या भी **वॅल्, वर्** क्रियामूलों के आधार पर की जानी चाहिए। **ब्रांह्म**ड अंडाकार है, यह एक अत्यन्त प्राचीन धारणा है। तमिल **मुट्टइ** का अर्थ है अंडा, संसार। अंडे के लिए इसी का तमिल प्रतिरूप है **मुण्डइ**। लैटिन **मुन्दुस्** का अर्थ है संसार, विशेष रूप से आकाश, शब्द में गोलाई का भाव निहित होने से।

संस्कृत **संग** का एक अर्थ है युद्ध, शब्द के समूहवाले अर्थ के कारण। **संग, संगर, संग्राम** आदि शब्दों में एक और साथ चलने, एकत्र होने का भाव है, दूसरी ओर लड़ने का भाव है। दोनों अर्थों में कोई विरोध नहीं है। गोलबन्दी के बिना, एकत्र हुए बिना, शत्रु से लड़ाई की नहीं जा सकती है। एक दल के लोग साथ चलेंगे, जिससे लड़ना है, उसके साथ नहीं चलना है। **सेना** में वही समूह का भाव है; **सेन** गणवाचक शब्द था, यह **शूरसेन** से ज्ञात होता है। **श्रेणि** में भी समूह का भाव है; वहाँ **सर्** का प्रतिरूप **शॅर्** है; **सेन, सेना** में **सर्** का प्रतिरूप **सॅन्** है।

**संघ** का भाव व्यक्त करनेवाला प्राचीन वैदिक शब्द **समन सम्** क्रिया से बना है। **समर** में **अर्** अथवा **ऋ** क्रिया मानी जाए तो **सम्** समूहवाचक उपसर्ग होगा, वर्ना **समन** और **समर** की रचनाप्रक्रिया एक-सी है, **सम्** क्रिया के आधार पर **समा** का अर्थ है ऋतु, वर्ष। **वर्** क्रिया से बने **वार, वर्ष** के समान। **सम** का अर्थ है सब, सम्पूर्ण, **सर** से बने **सर्व** के समान। **समय** का ठीक वही अर्थ है जो **समन** का है, एकत्र होना। साथ ही **समय** कालवाचक है, **सम्** (क्रिया अथवा उपसर्ग) में गति, विशेषत: चक्रगतिवाले भाव के निहित होने से। संस्कृत **सम** (कोई, प्रत्येक) सर्वनाम भी है, मूलत: समूहवाचक, **सर्व** के समान।

संस्कृत **वैर** (शत्रुता), **वैरिन्** (वैरी) का सम्बन्ध **वीर** से जोड़ना ठीक नहीं है। इसकी व्याख्या **वर्** से हो सकती है। **वर्** के रूपान्तर **अर्** से **अरि** (शत्रु) बना और **अरि** का एक अर्थ है आसक्त, भक्त, साथ चलने के भाव के कारण। अंग्रेज़ी **वार्** (युद्ध) का सीधा सम्बन्ध **वर्** से है और **वर्** का मूलरूप **भर्** है, यह संस्कृत **भर** (युद्ध) से सिद्ध है। **भर** का अर्थ **युद्ध** इसलिए है कि **समर, संगर** की तरह **भर्** में संघबद्ध होने का भाव है। **भर** शब्द गणवाचक था, **भरत** नामक प्रसिद्ध गण इसका

प्रमाण है। **भ्रातृ** के प्रतिरूप बिरादरी में यह गणभाव अभी तक विद्यमान है। ग्रीक **फ्रात्र** का अर्थ है गण, गोत्र के लोग।

तमिल **पॉरु** का एक अर्थ है लड़ना, दूसरा अर्थ है समानता। यह दूसरा अर्थ संस्कृत **सम** में भी है। जो चीज़ बार-बार एक ही तरह घटित हो, वह **सम** है, **पॉरु** भाव वाली है। इसके अतिरिक्त जितने गण-सदस्य हैं, वे सब एक दूसरे के बराबर हैं। **पोर्** (युद्ध) से तुलनीय है तमिल क्रिया **पॉरु** (संयुक्त होना); **पुरइ** का अर्थ है घटित होना, किसी चीज़ का उचित होना। जो वस्तु है, वास्तव में जिसका अस्तित्व है, वह **पॉरुळ्** है, ठीक संस्कृत **वस्तु** के समान। कुइ **पॉरु** संस्कृत **वस्तु**, **भूत** का समानार्थी है। ये एक दूसरे से भिन्न, परस्पर विरोधी से दिखनेवाले अर्थ एक ही मूल ध्वनि-रूप से जुड़े हैं, उस ध्वनि-रूप के मूल अर्थ के परिधि में ही हैं। रूसी **बॉर्ब** (लड़ाई) में **भर्** का रूपान्तर **बर्** है। मलयालम **पॉय्युग** (लड़ना) में **पॉर्** का रूपान्तर **पॉय्** है।

*(झ) वायु, वेग, ऊर्जा*

हवा और पानी एक दूसरे से भिन्न वस्तुएँ हैं किन्तु **वारि**, और **वायु**, **वात** में मूलतः एक ही क्रिया है। तमिल **वळि** (वायु), **विंडु** (उप.), अंग्रेज़ी **विंड्** (उप.), लैटिन **बॅन्तुस्** (उप.) में वही क्रियामूल हैं जिनसे प्रवाहसूचक या प्रवाह से सम्बद्ध शब्द बने हैं। **वर्** से बने **वर्त** कृदन्त का रूपान्तर **अर्त**, फिर **र्** लोप से **अत** रूप बना। संस्कृत **अतस** का अर्थ है वायु, आत्मा। धुआँ, भाफ़ के लिए ग्रीक **अत्मॉस्** से अंग्रेज़ी **ऐटमौस्फिअर्** (वायुमंडल) शब्द बना। संस्कृत **आत्मन्** का आधार वही **अत्** क्रिया है। **अर्** के रूपान्तर **अन्** से **अनिल** (वायु) बना। **वर** का पूर्वरूप **पर** है, यह तमिल, **पर** (उड़ना), लैटिन **वॉलु** (उप.) से सिद्ध है। तमिल **काल्** (वायु), कन्नड़ **गाळि** (उप.) आदि **कर्** वाले क्रम में हैं। **पर्** के रूपान्तर **मर्** से **मरुत्** (वायु) शब्द बना। तमिल **पर** (उड़ना) और **परि** (बह जाना) सम्बद्ध शब्द हैं। तेलगू **पार** का अर्थ उड़ना और बहना, दोनों है। तमिल **पारु** (बाज, चील), मलयालम **पारु** (उड़ान), कन्नड़ **परि** (उप.) में वही क्रियामूल है जो फ़ारसी **परवाज** (उड़ान), **परीदन्** (उड़ना) में है।

संस्कृत **पत्** का अर्थ उड़ना और डूबना, दोनों है। **पतन** का प्रयोग गिरने के अलावा उड़ने के लिए भी होता था। **पतंग** वह है जो उड़े; यही भाव **पताका** (झंडा) में है। **पतित** का एक अर्थ **घटित** भी है। **पत्र** पत्ते के अलावा पक्षी का अर्थ भी देता है। **पत्र** के प्रतिरूप **पर्ण** (पत्ता, पंख) में **पर्** क्रिया विद्यमान है; **पत्** का पूर्वरूप **पर्त्** था।

उड़ने, पानी के तेज़ बहने से दौड़ने, धावा करने, किसी भी प्रकार की शीघ्रता के भाव सम्बद्ध हैं। संस्कृत **द्रव** में दौड़ने और बहने का भाव है; **द्रव्य** का वही अर्थ है जो **वस्तु** का है, आवृत्ति से अस्तित्वबोध के कारण। **द्रुत** का अर्थ है शीघ्र;

जो चीज़ बही हो, उड़ी हो, वह भी **द्रुत** है। **द्रुत** में क्रियामूल **दॉर्** का प्रतिरूप होगा **तॉर्**। संस्कृत **त्वर्** (जल्दी करना), **तुर** (द्रुत) का आधार यह **तॉर्** है। ग्रीक **त्रॉखिस्** (धावक) और संस्कृत **तरस्** (वेग) इसी शृंखला के शब्द हैं।

एक पशु जो अपनी द्रुत गति से प्राचीन गण-समाजों का ध्यान अपनी ओर विशेष आकर्षित करता था, घोड़ा था। संस्कृत **घोट, घोटक** का आधार **घॉर्** है। 'द्रविड़ व्युत्पत्ति-कोश' में द्रविड़ भाषा नइकि का **घुर्रम्** (घोड़ा) रूप दिया है। यद्यपि द्रविड़ भाषाओं में सघोष महाप्राण स्पर्श-ध्वनि सन्दिग्ध मानी जाएगी, विशेषत: शब्द के आरम्भ में, पर वह असम्भव नहीं है। **घुर्रम्** में **घोट** की **घॉर्** क्रिया बहुत स्पष्ट है। तेलगू **गुर्रमु** और कश्मीरी **गुरु** (घोड़ा) में **घुर्** का रूपान्तर **गुर्** है। तमिल **कदऴ्** (तेज़ भागना), **कडुक्कम्** (वेग) में **घोट** के समान **र्** लुप्त है। तमिल **कुदिरइ** (घोड़ा) और संस्कृत **घोट** की आधारभूत क्रिया एक है। लैटिन **कुर्रो** (दौड़ना), **कुर्सिम्** (जल्दी), पुरानी फ्रांसीसी का **कोर्सिअॅर्** (घोड़ा), अंग्रेज़ी **कोर्सर्** (उप.) में **कुर्** क्रिया है जिसका **र्** तमिल **कुदिरइ** के **कुदि** में लुप्त है।

अंग्रेज़ी **हौर्स** (घोड़ा) का पूर्वरूप **घौर्त** हो सकता है, **कौर्त** भी।

**तुर्** वाली शृंखला में घोड़े के लिए संस्कृत के **तुरग, तुरंग** शब्द हैं। **पर्** वाली शृंखला में मलयालम **परि** का अर्थ है घोड़ा। घोड़े के लिए लैटिन **ऑक्वुउस्** का संस्कृत प्रतिरूप **अश्व** है। संस्कृत **आशु** में जो द्रुत गति का बोध निहित है, उससे **अश्व** की व्याख्या हो जाती है। **आशु** का ग्रीक प्रतिरूप **ओकुस्** (द्रुत) है। लैटिन **अकूपॅदिउस्** (द्रुतगामी) में **अश्** का प्रतिरूप **अक्** है। पहले मैंने **अश्व** का सम्बन्ध **श्व** (जीव) से जोड़ा था, वह सही नहीं है।

**अश्** का पूर्वरूप **वस्** होना चाहिए। संस्कृत **वस्क** (गति) में **वस्** क्रिया विद्यमान है यद्यपि उसका द्रुतगति वाला भाव लुप्त हो गया है। **वस्** के पूर्वरूप **वर्** से **व्** का लोप होने पर **अर्** क्रिया बची। इससे संस्कृत **अरावन्** (घोड़ा) बना।

एक अन्य पशु अपनी द्रुतगति से ध्यान आकर्षित करता था, वह था हिरन। संस्कृत **कुरंग** में दौड़ने का अर्थ देनेवाली **कुर्** क्रिया है। **मृग** का आधार **पर्** का रूपान्तर **मर्** है। **मर्ग** कृदन्त से एक रूप कोलमि **माग्** (हिरन) बना, **ग्** के संघर्षीकरण और लोप से दूसरा रूप तेलगू **मावु** (घोड़ा) बना। यहाँ **मर्** क्रिया से हिरन और घोड़ा, इन दोनों पशुओं का सम्बन्ध देखा जा सकता है।

केल्त समुदाय की वेल्श भाषा में घोड़े के लिए **मर्क** शब्द है। इसमें वही **मर्** क्रिया है जो **र**-विहीन द्रविड़ **माग्** और **मावु** में है।

कुछ अन्य द्रुतगति वाले शब्द देखें। प्राकृत **झन्दिय** (भागा हुआ) की **झन्** क्रिया का पूर्वरूप **घन्** होगा। प्राकृत **हल्लुत्ताल** (जल्दी) में **घन्** के प्रतिरूप **घर्** अथवा **घर्** के रूपान्तर **सर्-हर्** से बना **हल्लु** रूप है जो अवधी **हल्दी, हालहाल** (जल्दी) की याद दिलाता है। फ़ारसी **जल्दी** इसी क्रम में है। **जल्दी** के **जल्** का

आधार **चल्<सर्** हो सकता है, **घर्>जर्** भी। प्राकृत **घट्ट** (चलना) में क्रिया का सामान्य अर्थ रह गया है। प्राकृत **छिप्प** का संस्कृत पूर्वरूप **क्षिप्त** (शीघ्र) होगा और **क्षिप्र** की **क्षिर्** क्रिया का पूर्वरूप **घिर्** होगा। **घ्** के **स्** में बदलने से **शिर्** क्रिया का कृदन्त **शिर्घ**, वर्णविपर्यय से, **शीघ्र** बनेगा, **क्षिर्प** से **क्षिप्र** के समान। **घ्** के **स्क्** वाले रूपान्तर से रूसी **स्कोरो** (द्रुत) बना।

फ़ारसी में **दवानी** और **रवानी** दोनों शब्द **दौड़** का अर्थ देते हैं। संस्कृत **धाव्** के क्रियामूल **धव्** से **दव्** और **रव्** रूप बनेंगे। **रव्** से **रवानी** का अर्थ देनेवाला फ़ारसी का अन्य रूप **रविश्** बनता है।

संस्कृत **भुरण** (द्रुत), **भुर्वन्** (जल की चंचलता), **भूर्णि** (चंचल), **भृश** (शीघ्र) में **भॅर्, भॉर्** क्रियामूल देखे जा सकते हैं। हिन्दी **भागना** का आधार कृदन्त रूप **भर्ग** है। संस्कृत की शीघ्रताबोधक **भुर्** क्रिया का वैकल्पिक रूप है **भर्ग** का **भर्**। ग्रीक **फॅउगो** (भागना) के **फॅउ** का आधार **भॅर्** का प्रतिरूप **भॅव्** वैसे ही होगा, जैसे ग्रीक **थॅओ** (दौड़ना) का आधार संस्कृत **धाव्** का प्रतिरूप **धॅव्** है। तमिल **पाय्** (भागना) में **भ्** के स्थान पर **प्** है।

संस्कृत **वल्** (जल्दी करना), कन्नड़ **वलसॅ** (पलायन) का आधार **भर्** का रूपान्तर **वर्** है। जैसे **भर्ग** से **भागना** का **भाग** बना, वैसे ही **वॅर्ग** से संस्कृत **वेग** बना। संस्कृत **विज्** (दौड़ना) का मूलरूप **विर्ग** या **विर्ज** कृदन्त होगा। **विज्** का संस्कृत प्रतिरूप **वज्** है। संस्कृत **वाज** (द्रुत गति), **वाजिन्** (घोड़ा) में क्रिया का दौड़नेवाला भाव बना है। **व्** के पहले अतिरिक्त व्यंजन जोड़कर रूसी में **द्विगात्** (गतिशील होना), **द्विझ़ेनिये** (गति) रूप बने किन्तु **बॅगात्** (दौड़ना), **बॅझ़ात्** (जल्दी करना) का **ब्** भागना के **भ्** का रूपान्तर है।

तेलगू **वीगु** (भागना) और रूसी **बॅगात्** का स्रोत एक है। वह स्रोत है **विर्** और तमिल **विरइ** (जल्दी करना) में विद्यमान है। कन्नड़ **उरुबु** (द्रुत गति) में **व** के स्थान पर **उ** है।

संस्कृत **ऊर्ध्व** (ऊपर को उठता हुआ, ऊपर को उठा हुआ) में **ऊर्** क्रिया है। **उत्तर, उत्तम** के **उत्** उपसर्ग का आधार **उर्त** कृदन्त है और **उर्** का पूर्वरूप **वर्** है। जल की ऊर्ध्व गति से ऊपर उठने, बढ़ने, शक्तिशाली होने के भाव **वर्** क्रिया से जुड़ गए। ऊर्जा में ऊर्ध्व वाली **ऊर्** क्रिया है। **उग्र** का पूर्वरूप **उर्ग** होगा। **वज्र** का पूर्वरूप इसी प्रकार **वर्ज** होगा। संस्कृत **ओजस्** का अर्थ जल, प्रकाश और शक्ति है। यहाँ शक्ति की धारणा जल से कैसे जुड़ी है, यह देखा जा सकता है। अंग्रेज़ी में एक मुहावरा है 'विद् माइट एड् मेन्' (पूरी शक्ति से)। **मेन्** का अर्थ है समुद्र; मुहावरे में उसका शक्तिवाला अर्थ है। मेन् का पूर्वरूप पुरानी अंग्रेज़ी में **मैगॅन्** है जो संस्कृत **मघ** का प्रतिरूप है। **माइट्** (शक्ति) का सम्बन्ध भी **मघ** से है। जर्मन **माख़्ट** (शक्ति) में **घ्** का रूपान्तर **ख़्** है। **वृध्** (बढ़ना), **वृद्धि** (बढ़ती) के **वृ** का

**व्** लुप्त हुआ तब **रुध्** (बढ़ना) और **ऋध्** (उप.) क्रिया-रूप बने। **ऋद्धि** का वही अर्थ है जो वृद्धि का है। **रुद्ध, रोधस्** आदि में जो रोकने, घेरने का भाव है, वह **वर्** के अर्थ-प्रसार के अनुरूप है। संस्कृत **रोदस्, रोदसी** (धरती और आकाश) के **रोद** में घेरने, ढाँकने का भाव है, **ध** के स्थान पर अल्पप्राण **द** है।

संस्कृत **सघ्** का अर्थ है योग्य होना। **सगर** (वायुमंडल) और **सागर** (समुद्र) का आधार **सघ्** का रूपान्तर **सग्** है। संस्कृत में एक **सग्** क्रिया भी है जिसका अर्थ ढाँकना है। इसे **स्थग्** का विकार मानना आवश्यक नहीं है। **वर्** की समानार्थी **सर्** क्रिया से **सर्ग<सग, सर्घ<सघ** रूप बनेंगे। संस्कृत **शक्** (सकना), शक्ति में **मघ** वाली अर्थ-विस्तार की प्रक्रिया है। **सघ्<सक्** का प्रतिरूप **शक्** है।

संस्कृत **सृज्** का अर्थ है बहना, दौड़ना, रचना। **सर्ग** का अर्थ है विसर्जन, प्रवाह दौड़, समूह् वृष्टि, हवा का झोंका। **सर्ग** का अर्थ रचना भी है। प्रवाह के संसर्ग से जो अर्थ-विस्तार होता है, उसका अच्छा उदाहरण यह **सर्ग** है। **सृष्टि** का अर्थ संसार की रचना है, विसर्जन भी।

लैटिन **क्रॅओ**, प्राचीन रूप **कॅरॅओ** (रचना), अंग्रेज़ी **क्रिएट** (उप.) संस्कृत **सृज्** के प्रतिरूप हैं।

संस्कृत **वृष** (बरसना) से शक्तिवाचक **वृष** शब्द बना जो बैल और मर्द, दोनों के लिए प्रयुक्त हुआ। जो शक्तिशाली हो, वह **वृषभ** है। **व्** का लोप होने पर ठीक **वृषभ** के अर्थ में **ऋषभ** का चलन हुआ।

संस्कृत **वृध्** का एक प्रतिरूप उसी भाषा में **बृह्** है। **बृह्** का **ब्** सीधे **भ्** का रूपान्तर है। **बृहत्** का **ह** पहले **ध** रहा होगा या **घ**। अंग्रेज़ी **बिग्** (बड़ा) से अनुमान होता है कि एक रूप **बॅर्घ** रहा होगा; हिन्दी **बड़ा** से अनुमान होता है, एक रूप **बर्ध** रक्षा होगा। **वर्, बर्** का प्रतिरूप **पर** द्रविड़ भाषाओं में है। तमिल **पॅरु** (बड़ा) का एक अर्थ सघन होता है। **पॅरुगु** में बढ़ने और समृद्ध होने का भाव है। **पॅरुक्कु** (बह चलना), **पॅरुक्कम्** (बहिया, बढ़ती), **पॅरुक्क** (बहुशः) आदि 'द्रविड़ व्युत्पत्ति-कोश' में एक ही शब्दमूल के अन्तर्गत दिये गए हैं। इनसे बहने, बढ़ने और बड़े होने के भावों का भीतरी सम्बन्ध प्रकट होता है। संस्कृत **वृष, वृध्** आदि के **वृ** का पूर्वरूप यह **पॅर्** है। संस्कृत रूप भाषायी विकास में **पॅर्** की अपेक्षा बाद के हैं, केवल इस कारण नहीं कि उनमें **प्** का रूपान्तर **व्** है वरन् इसलिए भी कि वे कृदन्तों के आधार पर रची गई नई क्रियाएँ हैं, तमिल रूपों में **पॅर्** क्रिया अपने मूल अकृदन्त रूप में दिखाई देती है। तमिल **पॅरु** (बड़ा होना) में **पॅर्** का प्रतिरूप **पर्** है।

### *(ञ) वृद्धि, उच्चता, पर्वत*

संस्कृत में एक **पर** का अर्थ है अन्य; यह सर्वनाम है। दूसरे **पर** का अर्थ है ऊँचा; यह विशेषण है। कोश में इन दोनों रूपों को एक मानकर उनका अर्थ लिखा गया

है। दूसरे **पर** का सम्बन्ध वृद्धिसूचक तमिल **परु** से है। सुपरिचित **परम** इसी **पर** का अतिशयताबोधक रूप है। श्रेष्ठता व्यंजक संस्कृत **वर** इस **पर** का रूपान्तर है। **वर** का तमिल प्रतिरूप **वरइ** (पहाड़, चोटी) उच्चता का अर्थ देता है। तमिल **परम्बु** (पर्वत), **पिरङ्गल** (उप.), **पॉरइ** (उप.) में **पर, पॅर, पॉर**, तीनों अपेक्षित रूप बने हुए हैं। **परइ** का रूपान्तर है तमिल **मलइ** (पर्वत), कन्नड़ **मलॅ**, संस्कृत **मलय**। **मलयानिल** से लेकर **मलबार** और **मलयालम** तक इस **मलइ** का प्रसार है। **प्** के **व्, म्** वाले रूपान्तर आर्य-द्रविड़ दोनों भाषा-समुदायों में घटित हो रहे हैं। इससे भी अधिक महत्त्वपूर्ण है अर्थ-विस्तार की प्रक्रिया। **वृषभ** का समानार्थी तमिल **पॅरम्** बैल और बड़प्पन, दोनों अर्थ देता है।

कन्नड़ **मलॅ** का गद्‌ब प्रतिरूप **मरॅ** है और ब्राहूइ प्रतिरूप **मश्**। **र्** अथवा **ल्** ध्वनि का **श्** रूप में ग्रहण किया जाना यहाँ उल्लेखनीय है।

**मद्र** भारत का प्रसिद्ध प्राचीन **गण** है। इसका पूर्वरूप होगा **मर्द**, वर्णविपर्यय से **चक्र** और **वक्र** के समान **मद्र**। **मद्र** का अर्थ होगा पहाड़ी। **भद्र** से **भल्ल** के समान **मद्र** से **मल्ल** बना। **मद्र** जन अपनी मल्ल विद्या के लिए विख्यात थे; अत: **मल्ल** शब्द अपनी पार्वतीय व्यंजना छोड़कर इस विद्या से सम्बद्ध विशिष्ट अर्थ देने लगा। **मलइ** का सम्बन्ध **मल्ल** से अवश्य है किन्तु **मद्र** को उसका पूर्वरूप मानना आवश्यक नहीं है। द्रविड़ भाषाओं में **मरॅ, मलॅ, मश्** का अस्तित्व **मर** को पूर्वरूप मानने का आधार है। **मद्र** की व्याख्या इस **मर** से भली प्रकार हो जाती है। **मर** का पूर्वरूप पर भी **परइ** आदि द्राविड़ रूपों में विद्यमान है।

मल्लों का स्थान है **मल्लस्थान, मुल्तान**। **मुल्तान** के लिए **मूलस्थान** की कल्पना अनावश्यक है। **मुल्तान** के **मु** की व्याख्या तमिल **पॉरइ** से हो जाती है। जैसे **पर>मर>मल**, वैसे ही **पॉर>मॉर>मॉल**।

**मालवा** नामक विख्यात प्रदेश अपनी पार्वतीय स्थिति से नाम सार्थक करता है। **मुल्तान** से लेकर **मालवा** होते हुए **मलाबार** तक **परइ** का रूपान्तर **मलइ** अपने प्रसार के प्रमाण देता है।

संस्कृत **मन्दार** (पर्वत विशेष) में **मर्** का रूपान्तर **मन्** है। लैटिन **मॉन्स्** (पर्वत) में **मन्** का प्रतिरूप **मॉन्** है। इसी शब्दमूल से अंग्रेज़ी **माउंटॅन्** (पर्वत), **माउंट** (चढ़ना) शब्द बने।

संस्कृत **पर्वत** के लिए कल्पना की गई है कि **पर्व** (गाँठ, जोड़) होने से, पहाड़ के ऊबड़-खाबड़ होने से, यह शब्द अपना विशेष अर्थ देने लगा। **पर्वत** की अन्य व्याख्या सम्भव है। **पर** अर्थात् ऊँचा और **वत** अर्थात् पहाड़। **पर** और **वत,** दोनों शब्द ऊँचाई और पहाड़ की व्यंजना करते हैं। **वत** का पूर्वरूप **वर्त** होगा। **पर** और **वत** से संयुक्त शब्द **पर्वत** बना। तुलु **बॉट्टु** (ऊँचा), ब्राहूइ **बुट्** (पहाड़ी), **बाटग़्** (चोटी) का सम्बन्ध **वर्त, बर्त** से है। तोद **पॉट्** (पहाड़) का पूर्वरूप **पॉर्त** होगा।

कन्नड़ **बॅट्ट** (उप.), ब्राहूइ **बिट्** (पहाड़ी), तमिल **विडम्** (पहाड़) का सम्बन्ध **वर्त, बॅर्त** से होगा। तमिल **विण्डु** (उप.) में **र्** का स्थान **न** ने लिया और **र** के समान उसका लोप नहीं हुआ।

कन्नड़ **बॅट्ट**, ब्राहूइ **बिट** का पूर्वरूप **भॅर्त** था, यह हिन्दी **भीट** से सिद्ध है।

हिन्दी **बट्टा, सिलबट्टे** का **बट्टा**, पर्वत के **वत<वर्त** का लघु संस्करण है।

संस्कृत **पाषाण** की व्याख्या **पर** के रूपान्तर **पष** से होती है। गद्‌ब **मरॅ** का ब्राहूइ प्रतिरूप **मश्** स्मरणीय है। कोत भाषा में नीलगिरि के पश्चिमी पठार को **मल् आड्** कहते हैं; तोद भाषा में उसे **मष् ओड्** कहते हैं। 'द्रविड़ व्युत्पत्ति-कोश' ने ये रूप देकर **पाषाण** की समस्या हल करने में सहायता की है। **पाषाण** में शब्दमूल **पष** पर्वत का अर्थ देता है और **पर** का रूपान्तर है। **र्** को **श्, ष्, स्** रूप में ग्रहण करने की प्रवृत्ति भारत के उत्तर-पश्चिमी सीमान्त प्रदेशों में व्यापक थी, इसमें सन्देह नहीं रह जाता। प्राचीन **पक्थ** (गण विशेष) का आधार **पष्** है। **पश्तू, पख़्तून** में **पश्, पख़्** इस पहाड़ी **पष्** के प्रतिरूप हैं। **पक्थ, पश्त, पस्थ** जैसे रूप का विकार होगा **पठ**। **पठान** और **पठार**, दोनों का आधारभूत **पठ** उनके पहाड़ी होने की सूचना देता है।

**पाषाण** का **आण, पठार** का **आर**, ऊपर उल्लिखित **मलाड्** का **आड्** वही है जो **पहाड़** में है। **मल् आड्** की तरह **पहाड़** का पूर्वरूप **पष्** अथवा **पस् आड्**हो गा। **आर, आड़, आण** का पूर्वरूप सम्भवत: **वार, बाड़ा** वाला **वार**, था। तब **पाषाण** का मूल अर्थ होगा पहाड़ी इलाका, **पठार** की तरह।

पर्वत में **पर** और **वत** का सम्बन्ध वैसा ही है, जैसा तमिल **पिरङ्गल्** (अर्थात् **पिरङ्कल**) में **पिर** और **कल** का है। **कल** का अर्थ है पहाड़, पत्थर। **पिरङ्कल्** हुआ ऊँचा पहाड़। **पिरङ्कल्, पॅरम्** के **पॅर्** से एक रूप बनेगा **पॅर्त**। वर्णविपर्यय से इसका रूपान्तर होगा **पॅत्र**। ग्रीक **पॅत्र, पॅत्रे, पॅत्रॉस्** का अर्थ है पत्थर, चट्टान।

पत्थर के पूर्वरूप संस्कृत **प्रस्तर** की व्याख्या के लिए **स्तर, विस्तार** वाली **स्तृ** क्रिया को आधार मानना अनावश्यक है। **प्रस्तर** में वर्ण-संकोचन से **पर** का रूपान्तर **प्र** है। **प्रस्तर** का अर्थ होगा ऊँचा स्थान, ऊँची भूमि। **स्तर** को **स्थल** का प्रतिरूप मानना चाहिए।

संस्कृत के बहुप्रयुक्त उपसर्ग **प्र** के अनेक स्रोत हैं। इनमें एक ऊँचाई का बोध व्यक्त करनेवाला **पर** है।

आधुनिक तुर्की के एक प्राचीन क्षेत्र का नाम **फ़ुगिया** था। यहाँ प्राचीन ग्रीक से मिलती-जुलती भाषा बोलनेवाले इंडो-यूरोपियन समुदाय के लोग रहते थे। डॉ. सुनीतिकुमार चाटुर्ज्या ने भाषाविद् रोमन **जेकब्सन** को सम्मानार्थ भेंट किये हुए ग्रंथ (प्रथम खंड, मूतों, 1967) में इंडो-यूरोपियन गणनामों पर एक लेख लिखा था। उसमें **फ़ुगिया** का सम्बन्ध उन्होंने प्राचीन भारतीय **भृगु** शब्द से जोड़ा है।

**भृगु** और **भर्ग** प्राचीन गण विशेष के नाम थे, इसमें सन्देह नहीं। इनकी **भर्** क्रिया प्रकाशसूचक है, यह भी सही है। किन्तु **भर्** के अनेक अर्थ हैं अथवा अनेक **भर्** शब्दमूल हैं जो देखने में एक प्रतीत होते हैं। **भर्ग** और **भृगु** का अर्थ पार्वतीय भी हो सकता है। इस सन्दर्भ में जर्मन **बॅर्ग्** (पर्वत) उल्लेखनीय है।

**बर्ग** के **बर्** का **र्** जहाँ **न्** रूप में ग्रहण किया जाएगा, वहाँ **बर्ग** का एक प्रतिरूप होगा **बङ्ग**। इस शब्द का मूल अर्थ होगा पहाड़। बाँगरू का अर्थ होगा पहाड़ी। **बर** के प्रतिरूप **वर** के **व्** का लोप होने पर इसी प्रकार **अङ्ग** शब्द बनेगा। **अङ्ग** एक प्राचीन भारतीय प्रदेश का नाम है। **अङ्ग** का भी यहाँ मूल अर्थ होगा पहाड़, पहाड़ी।

ईरानी क्षेत्र की कुर्द भाषा में **बर्ग** का प्रतिरूप **बर्ज़्** (ऊँचा) है। बलोची **बुर्ज़्** (उप.) सम्बद्ध शब्द है। फ़ारसी **बाला** (ऊँचा), **बुलन्द** (उप.) में **बर्ज़्, बर्ग्** का क्रियामूल **बर्, बल्** है। अरबी **बुर्ज़्,** (मीनार) ईरानी क्षेत्र से सामी भाषा में आया हुआ शब्द है। फ़ारसी क्रिया **बालीदन्** (बढ़ना, बड़े होना) में वही **वर्ध्** क्रियामूल का भाव है जो **वर्ध्** के रूपान्तर हिन्दी **बढ़** में है। अरबी **बालिग़** (वयस्क) का आधार **बालीदन्** है। आर्य-द्रविड़ भाषाओं का एक शक्तिवाचक शब्द है **बल**। वृद्धि के क्रियामूल **वर्**, अथवा **बृहत्** के क्रियामूल **बॅर्** से सम्बद्ध होने के कारण शक्तिवाला अर्थ-संसर्ग स्वाभाविक है।

**भृगुतुङ्ग** हिमालय के एक पर्वत का नाम है। **भृगुपतन** का अर्थ है पहाड़ की ढलान से गिरने की क्रिया। इन शब्दों में **भृगु** का पर्वतवाला अर्थ-संसर्ग बना हुआ है, विशेष रूप से **भृगुपतन** में। **भृगु** का पर्वत अर्थ करने से तर्कसंगत शब्द बनता है। सम्भव है, **भृगुकच्छ** नामक प्रसिद्ध स्थान के **भृगु** का ऐसा ही अर्थ हो।

**भर्>वर्>अर्**, इस क्रम से **अर्** का कृदन्त **अर्त** बना। मूर्धन्यीकरण से यह संस्कृत का **अट्ट** (ऊँचा) बना। **अर्** के प्रतिरूप **अल्** से लैटिन **अल्तुस्** (ऊँचा), **अल्तुम्** (ऊँचाई), **अल्तितूदो** (उप.), जर्मन **आल्ट्** (पुराना, वृद्ध), अंग्रेज़ी **ओल्ड्** (उप.) शब्द बने। **अल्तुस्** आदि का सम्बन्ध पोषण का अर्थ देनेवाली **अलो** क्रिया से जोड़ना उचित नहीं लगता।

**अधिक** की व्याख्या **अधि** उपसर्ग से नहीं होती। **अर्** से बने कृदन्त **अर्ध** के **र्** का लोप होने से **अध्** क्रिया बनेगी। उससे आधिक्य भावसूचक अधिक बनेगा। **वर्** के कृदन्त **वर्ध** से इसी प्रकार हिन्दी **बढ़िया** बनता है। पश्चिमी पंजाब से आए हुए लोग आगरा में **बढ़िया** की जगह **वधिया** कहते सुने जाते हैं। इस पंजाबी **वधिया** में **वर्ध्** का **र**-विहीन रूपान्तर **वध्** है।

**पर** शब्द संस्कृत में अधिकता भी सूचित करता है। **पर** का एक रूपान्तर होगा **मर**। पुरानी आइरिश में **मार्, मोर्** (बड़ा) दोनों रूप हैं, अंग्रेज़ी में **मोर** (अधिक) है। तमिल **मल्** (शक्ति, समृद्धि), **मलि** (बढ़ना, बड़ा होना), कन्नड़ **मल्य** (बड़ा,

मुख्य) में **मर्** का प्रतिरूप **मल्** है। लैटिन **मॉल्तुस्, मुल्तुस्** (अधिक, बहुत से) में वही **मल्** है। मानो इन शब्दों का जलप्रवाह से सम्बन्ध सिद्ध करने के लिए, और **र्** ध्वनि **स्** में बदलती है, यह जताने के लिए, 'द्रविड़ व्युत्पत्ति-कोश' ने **मल्, मल्य** आदि तमिल-कन्नड़ रूपों के साथ तोद रूप **मषन्** (बाढ़, प्रवाह) भी दिया है।

*(ट) बहना, वहन करना*

संस्कृत **वह्** का एक अर्थ बहना है, दूसरा ढोना, ले जाना है। **वह** नदी है, वायु है और वहन करने की क्रिया है। संस्कृत **भृ** अर्थात् **भरति** की **भर्** क्रिया में वहन करनेवाला भाव विद्यमान है। **वह्** का आधारभूत कृदन्त **वध** होगा, यह **वोढम्** जैसे रूपों से ज्ञात होता है। **वध** का पूर्वरूप होगा **भर्ध**। इस **भर्ध** से लैटिन क्रिया **पोर्तो** (ढोना, ले जाना) बनती है। रूसी **वॉदीत्** (ले जाना) में **वध** का रूपान्तर **वद** है। **वॉझाक्** और **वॉझ़द** (नेता) में **वझ़** रूपान्तर है। **वॉदीत्** के प्रतिरूप **वॅस्ति** में **ध्** के स्थान पर **स्** है। जो ढोया जाए, वह **भार** है। **भार** का कन्नड़ प्रतिरूप है **पॉरॅ** (बोझ)। कन्नड़ **पॉर्** (बोझ ढोना), तमिल **पॉरु** (वहन करना) में वही **पॉर्** है जो लैटिन **पोर्तो** में है। हिन्दी **बोझ** का पूर्वरूप **बॉर्ध** होगा। ग्रीक **बरुस्** (भारी), फ़ारसी **बार्** (भार) में **भ्** का रूपान्तर **ब्** है। अंग्रेज़ी **बॅअर्** (वहन करना), **बर्डन्** (बोझ) इसी शृंखला में हैं। ग्रीक **फॅरो** (वहन करना) में महाप्राण **फ्** है।

**पर्** का एक रूपान्तर **मर्** है। कन्नड़ **मोर्** (सिर पर बोझ ले चलना), तेलगू **मोंट** (बोझ) से हिन्दी **मॉटरी** (गठरी, मॉटरी) सम्बद्ध है।

संस्कृत **गुरु** (बड़ा, भारी) का पूर्वरूप **गरु** है। इसका सम्बन्ध **भर्** के प्रतिरूप **घर्** से है। तमिल **का** वह बाँस है जिसे, दोनों तरफ बोझ लटकाकार, आदमी कन्धे पर रखकर चलता है। कन्नड़ **कागडि, कावडि** का यही अर्थ है। 'द्रविड़ व्युत्पत्ति-कोश' ने संस्कृत **काच, काज,** प्राकृत **कावड** आदि रूप दिये हैं। हिन्दी में सम्बद्ध शब्द **काँवरि** है। इन सब रूपों में **कर्** (वहन करना) का रूपान्तर **का** आधारभूत है। हिन्दी में **काँवरि** के लिए दूसरा शब्द **बहँगी** है; उसमें ढोने का अर्थ देनेवाली **वह्** क्रिया **काँवरि** की व्युत्पत्ति समझने में सहायक है। कन्नड़ **कॉर्वु** (बढ़ना, गर्व करना) का सम्बन्ध सम्भवतः संस्कृत **गर्व** से है; ब्राहूइ **कुबेन्** (भारी, मूल्यवान्) में **र्** का लोप हुआ है। वेल्श में **करिओ** (वहन करना) और **कर्रोग्** (धारा) में **वह्** के समान **कर्** क्रिया बहने और ढोने के दो अर्थ देती है। अंग्रेज़ी **कैरी** (ले जाना) में यही **कर्** है।

यहाँ हिन्दी **घमंड** विचारणीय है। इसका निकटतम संस्कृत पूर्वरूप **गर्व** है किन्तु **गर्व** और **घमंड** में ध्वनिगत दूरी काफी है। **गर्व** का सम्बन्ध भारी होने से हो तो यह माना जा सकता है कि **गर्** (बोझ ढोना) का पूर्वरूप **घर्** होगा, **घर्** का प्रतिरूप है **घम्**, उसका कृदन्त रूप है **घमन्द**, उससे हिन्दी **घमंड**। **गर्व** का समानार्थी है **दर्प**; यहाँ भी **दर्** (बोझ ढोना) क्रिया की कल्पना **धर्** से पुष्ट होगी।

संस्कृत **धारण** की **धर्** क्रिया के अलावा **धुर्** का अर्थ है बोझ। **धुरंधर** वह है जो बोझ लेकर चले। **धर्** क्रियामूल का कन्नड़ प्रतिरूप है **तळॅ** (वहन करना, ले चलना)।

*(ठ) गतिबोध और स्थिरता*

मनुष्य के गतिबोध से उसकी भाषा के विकास, उसकी सभ्यता के विकास का गहरा सम्बन्ध है। अपने परिवेश की निकटतम प्राकृतिक वस्तुनों पानी और हवा, उनके प्रवाह के लिए वह जिन शब्दों का व्यवहार करता है, वे मूलत: गतिसूचक हैं। यहाँ संसार के सभी मानव-समाजों की बात नहीं है वरन् बृहत्तर भारत के उन मानव-समाजों की बात है जो **घ्-ध्-भ्**—इन सघोष महाप्राण ध्वनियों का व्यवहार करते थे। प्रवाह की चक्रगति से ऋतु और काल-सम्बन्धी धारणाएँ जुड़ी हुई हैं, उससे सभ्यता के भौतिक उपकरण, जैसे पहिया, गाड़ी और चर्खा, जुड़े हुए हैं। यह सहज अनुमेय है कि जिनके जीवन, परिवेश और भाषा में चक्रगति का इतना महत्त्व है, उन्होंने पहिये का आविष्कार किया होगा। नगर के चारों ओर कोट बनाने से लेकर क्षितिज तक आवरण, आवेष्टन, प्राच्छादन आदि तक चक्र गतिबोध का प्रसार देखा जाता है। दशमलव के आविष्कार का श्रेय भारत को है। शून्य के अस्तित्व की कल्पना के बिना दशमलव प्रणाली की कल्पना सम्भव नहीं है। शन्य वह है जो खाली हो, जिसमें कुछ न हो, जिसका अस्तित्व न हो। शून्य का एक अर्थ आकाश, अन्तरिक्ष, वायुमंडल है। आकाश मानो शून्य का प्रत्यक्ष रूप था।

नृत्य, समूह, परिवर्तन, युद्ध आदि से सम्बन्धित शब्दों के मूल में बहुधा चक्रगति वाले शब्द मिलते हैं। चक्रगति से निरन्तरता का, अपने और दूसरों के अस्तित्व का बोध जुड़ा हुआ है। जहाँ एक ही तरह का चक्र बार-बार न बने, वहाँ भ्रमण करने, भटकने, इधर-उधर घूमने की क्रिया घटित होती है। घूमना और स्थिर रहा, गति और गतिहीनता का वैषम्य मानव-चिन्तन के लिए, परिवेश के भिन्न प्रपंचों की व्याख्या के लिए, महत्त्वपूर्ण था। गो, गोरू आदि भारतीय शब्द घुमन्तू पशुओं के लिए प्रयुक्त होनेवाले शब्द हैं, जो पालतू हो, बाँधकर रखा जाए, वह **पशु** है। **पशु** और **पाश** का सम्बन्ध अटूट है। **व्रात्य, दरिद्र** आदि शब्द उन मनुष्यों के लिए प्रयुक्त हुए जो घुमन्तू जीवन बिता रहे थे; इनका प्रयोग उन्होंने किया जो नगरों और ग्रामों में निवास करते थे।

टेढ़े-मेढ़े चलने, रेंगने आदि की क्रियाओं से सर्प, सरिता आदि पदार्थों का, कुटिलता आदि सभ्यता की अनिवार्य विशेषताओं का बोध हुआ; चुराने, ठगने, छलने की क्रियाएँ ढाँकने आदि के भावों से सम्बद्ध हुई। जल का विशाल प्रवाह शक्ति का परिचायक हुआ; जल की तीव्र गति वेग की, सृजन की परिचायक हुई। चलने आदि की सामान्य गति का बोध जल की विशेष गति के बोध से जुड़ा हुआ है। बहुत जगह जल और वायु के लिए एक ही शब्दमूल का प्रयोग हुआ है, वह गति चाहे सामान्य हो चाहे विशिष्ट। उड़ने और गिरने के विशेष भाव मूलत: प्रवाह

के वेगबोध से जुड़े हैं। जिन उपकरणों से मनुष्य गतिक्रिया सम्पन्न करे, नौका, मार्ग, चरण आदि, उनके लिए सम्बद्ध शब्दों का प्रयोग हुआ। किन्तु चलना और खड़े होना, दो नितान्त विरोधी क्रियाएँ हैं। आश्चर्य की बात होगी यदि खड़े होने की धारणा का उद्भव चलने की धारणा से हुआ हो, वह भी सामान्य चलने की धारणा नहीं, वरन् चलकर नदी पार करने की धारणा से।

गति और स्थिरता का वैषम्यबोध मानव-परिवेश और विभिन्न प्रक्रियाओं के बोध के लिए, उनकी अभिव्यक्ति और मनुष्य की विचार-क्षमता के विकास के लिए, अत्यन्त आवश्यक और महत्त्वपूर्ण था। इस गतिप्रपंच में थोड़ा ठहरकर स्थिरता के भाव पर विचार करना चाहिए।

संस्कृत में खड़े होने, ठहरने का अर्थ देनेवाली मुख्य क्रिया **स्था** है। **स्थान** का अर्थ है ठहराव और (ठहरने की) जगह। जो दृढ़तापूर्वक स्थिर हो, वह **स्थाणु** है। संस्कृत में शब्द है **स्थाघ** (नदी पार करने का उथला स्थान)। जो अर्थ **गाध** का है, ठीक वही अर्थ **स्थाघ** का है। **स्थाघ** का आधार **स्था** क्रिया है, यह कल्पना सही है किन्तु इस **स्था** का मूल अर्थ पैदल चलते हुए नदी पार करना है, खड़े होना उसका परिणामी अर्थ है। आदमी पानी की थाह खड़े-खड़े लेता है, झुककर या लेटकर नहीं। वह नदी पार करता है चलकर, खड़े होकर नहीं। अत: जो **स्था** क्रिया **स्थाघ** में गतिसूचक थी, वह स्थान आदि में स्थिरतासूचक है।

**स्थान** के साथ **स्थल, स्थिर, स्थूल** आदि पर ध्यान दें तो विदित होगा कि **स्था** का पूर्वरूप **स्थर्** है। **स्थर्, स्थॉर्** इसके वैकल्पिक रूप हैं। अब इस स्थिरतासूचक क्रिया का अर्थ-प्रसार देखें। **स्थल** (धरती), **स्थगणा** (उप.), **स्थंडिल** (उप.), **स्थाय** (उप.) **स्थूण** (उप.), इन सभी शब्दों का एक अर्थ धरती है। यह देखकर अनुमान होता है कि गतिशील जल की तुलना में जो वस्तु स्थिर प्रतीत होती थी, वह धरती है। तब यह भी सम्भव है कि **स्थर्** का पूर्वरूप **धर्** हो। खड़े होना और हिले-डुले बिना अचल रहना दोनों भाव सम्बद्ध हैं। **स्थिर, स्थित, स्थावर** में अचलता का भाव है। एक वस्तु जो स्थिर रहती है और खड़ी भी जान पड़ती है **खम्भा** है, **स्कम्भ** और **स्तम्भ** वाला **खम्भा**। **स्थूणा** का अर्थ हुआ खम्भा।

**स्थाघ** का संस्कृत में ही एक प्रतिरूप है **स्ताघ**। जैसे **स्था** का पूर्वरूप **स्थर्**, वैसे ही **स्ता** का पूर्वरूप **स्तर्**। इटालियन **स्तरे** (खड़े होना), ग्रीक **स्तेरिज़ो** (स्थिर करना), **स्तलिस्** (स्थिर), **स्तुलॉस्** (खम्भा), रूसी **स्तोल्** (उप.); फिर **र्** के नासिक्य रूपान्तरण सहित संस्कृत **स्तम्भ** (खम्भा), **स्तिमित** (निश्चल), ग्रीक **स्तमिस्** (सीधी खड़ी वस्तु), रूसी **स्तनोवीत्स्य** (खड़े होना), इटालियन **स्तङ्ग** (डंडा), अंग्रेज़ी **स्टैंड्**; **स्तन्** और **ग** प्रत्यय का वर्णविपर्यय वाला रूप लैटिन **स्तग्नो** (स्थिर करना); **र्-न्**-विहीन कृदन्त ग्रीक **स्ततॉस्** (खड़ा हुआ), अंग्रेज़ी **स्टेक्** (लट्ठा), **स्टिक्** (छड़ी), **स्टॅड्** (स्थान), लैटिन **स्तबिलिओ** (स्थिर करना), संस्कृत **स्तब्ध** (स्थिर)

आदि में अल्पप्राण अघोष ध्वनिवाले रूपों का प्रसार देखा जा सकता है। गतिमूलक शब्द बहुत हैं, उनकी तुलना में स्थिरतासूचक शब्दमूल कम हैं किन्तु एक बार **स्थर्, स्तर्** हाथ आ जाने पर कहीं उपसर्गों की सहायता से, यथा : **प्रतिष्ठा**, कहीं उपसर्गों के बिना जैसे **स्थिति, स्थूल**, पचीसों रूप रचे गए और अर्थ-संसर्ग की प्रक्रिया निरन्तर विकसित होती गई। मध्य एशिया के पचीसों देशवाचक नामों में जो **स्तान** दिखाई देता है, वह इसी क्रियामूल का चमत्कार है। रूसी **स्तात्** (खड़े होना), **स्तान्** (पड़ाव), **स्तान्त्सिया** (ठहरने का स्थान), अंग्रेज़ी **स्टे** (ठहरना), **स्टेशन** आदि की रचना इस क्रिया के आधार पर हुई है।

द्रविड़ भाषाओं में स्वभावत: **स्त्** की जगह **त्** ध्वनि वाले शब्द हैं। तमिल **तरि** (खड़े होना, रुकना), कन्नड़ **तरबु** (ठहरना), तमिल **तळ्** (रोकना), **तङ्गु** (ठहरना) **स्थ, स्त** वाले रूपों के समान हैं। संस्कृत **तल** का अर्थ है जल के नीचे की धरती; पुरानी आइरिश के **तलम्** का अर्थ है धरती। **तल्** का **त्** जहाँ **न्** रूप में ग्रहण किया गया है, वहाँ **तल** और **नल** वैसे ही सम्बद्ध हैं, जैसे **तीर** और **नीर**। तमिल **निलम्** (धरती), कन्नड़ **नॅल** (उप.) का सम्बन्ध तमिल **निल्** (खड़े होना, ठहरना), कन्नड़ **निलु** (स्थिर खड़े रहा) से है। जैसे संस्कृत **तल** जल के नीचे की धरती है, वैसे ही तमिल **निलइ** पानी की उतनी गहराई है जितनी में मनुष्य खड़ा रह सके। इस **निलइ** का अर्थ आवास, स्थिरता, ठहरने का स्थान भी है। तमिल **नट्टम्** (सीधे खड़े होने का भाव) में **र्** लुप्त है।

प्राकृत **थक्क** (रहना, बैठना), बंगला **थाका** (ठहरना) का पूर्वरूप होगा **स्थर्क** अथवा **स्तर्क**। **धर्** के रूपान्तर हैं **स्थर्** और **स्तर्**। **धर्>धम् >थम्**, इस क्रम से प्राप्त **थम्** क्रिया से ग्रीक **थम्बॉस्** (स्तम्भित होने का भाव), **थॅमॅरॉस्** (अडिग), अंग्रेज़ी **थम्ब** या **थम्** (ठेंगा) रूप बने। हिन्दी **ठेंगा** का पूर्वरूप **स्तॅङ्ग** अथवा **स्थॅङ्ग** होगा। बंगला **दांड़ानो** (खड़े होना), संस्कृत **दंड** (डंडा, डंठल), कन्नड़ **दंड** (डंठल), कुइ **डंडि** (उप.), हिन्दी **डंडा, डंठल** में **दर्** का रूपान्तर **दन्** है। मनुष्य को अपनी तुलना में वृक्ष स्थिरता का सहज प्रतीक जान पड़ता था। संस्कृत **दारु, द्रुम, तरु**, ग्रीक **द्रुस्** (पेड़) अंग्रेज़ी **ट्री** में **धर्** के रूपान्तर **दर्, तर्** हैं।

प्राकृत **धड**, हिन्दी **धड़**, पेड़ के तने की तरह मानवशरीर के शीशविहीन भाग का अर्थ देते हैं। संस्कृत **तंडक** (तना), **तनू** (शरीर), हिन्दी **तना**, अंग्रेज़ी **स्टॉक** (तना), **स्टब्** (उप.), कोत **तंड्** (तना), **तड्** (उप.), **ताळ्** (उप.) में स्थिरताबोधक क्रिया है। जैसे अंग्रेज़ी **ट्रंक** से **धड़** और **तना**, दोनों का बोध होता है, वैसे ही **कोडगु तडि** से। **धड़** और **तडि** की रचना और अर्थ-संसर्ग की प्रक्रिया एक ही प्रकार की है।

संस्कृत में **स्तम्भ** और **स्कम्भ** समानार्थी शब्द हैं। यदि **स्त** का पूर्वरूप **ध** था, तो **स्क** का पूर्वरूप **घ** होगा। हिन्दी **खम्भा** का आधार **स्कम्भ** है। संस्कृत **स्कन्ध** (पेड़ का तना), प्राकृत **खन्ध** (उप.) पूर्वोल्लिखित **तंडक** के जोड़ीदार हैं। संस्कृत **स्कम्भ्**

(स्थिर होना) का एक प्रतिरूप **स्कभ्** है; अंग्रेज़ी **स्टम्प्** (ठूँठ) के साथ **स्टब्** (तना) के समान, **स्कम्भ्** के साथ **स्कभित** (स्थिर किया हुआ) है। **विष्कब्ध** (उप.) का **स्कब्ध** वैसे ही **स्तब्ध** का साथी है, जैसे **स्कम्भ** का **स्तम्भ**। **स्कभ** के समानान्तर **स्कध** से हिन्दी खड़ा रूप बना। **ध** से **स्थ** के रूपान्तर के समान **घ** के रूपान्तर **स्ख** से ग्रीक रूप **स्खॅसिस्** (स्थिति) बना। बंगला **खान** (स्थान), फ़ारसी **ख़ाना** (उप.) का **ख्** सीधे **घ्** का रूपान्तर है। **घ्** के **क्ष्** वाले रूपान्तर इस क्रम के अनेक संस्कृत शब्दों में हैं : **क्षोण** (प्रचल), **क्षोणि** (धरती) **क्षोड** (हाथी बाँधने का खम्भा), **क्षियति** (ठहरता है), **क्षय** (आवास), **क्षिति** (उप.; धरती) । ग्रीक **ख्थोन्** (धरती), **खमइ** (धरती पर) के **ख्थ** और **ख्** संस्कृत **क्ष्** के रूपान्तर लगते हैं; **घ्** के रूपान्तर भी हो सकते हैं।

जो पानी जम जाए, वह **हिम** है। **हिम** और **शिम** का पूर्व रूप हुआ **घिम, घिर्** क्रिया का **र्**-विहीन कृदन्त रूप। हिन्दी **ठंड**, पूर्वरूप **स्तन्ध**, में स्थिर होने से जमने, फिर ठंडा होने के भावों का प्रसार देखा जा सकता है। तमिल **तन्नीर** (ठण्ढा पानी) का **तन्** और **स्तन्ध** का **स्तन्** एक हैं। **शीत** आदि शब्दों के पूर्वरूपों में स्थिरताबोधक **घॅर्** क्रियामूल मानना होगा। संस्कृत **जड़** और हिन्दी **जमना** का **जम घर्** क्रिया के **र्**-विहीन **घद, घम** कृदन्त हैं। **शिशिर** में **घिर** का रूपान्तर **शिर** विद्यमान है; प्रथम वर्ण की प्रवृत्ति हुई है।

तमिल **काल्** (तना), लैटिन **कुल्मुस्** (उप.), प्राकृत **कण्ड** (दंड), कन्नड़ **कुन्द** (खम्भा), **कावु** (तना), ग्रीक **कुओन्** (खम्भा) **घर्** के रूपान्तर **कर्, कन्, कव्** से सम्बद्ध हैं। ग्रीक **स्केप्त्रॉन्** (दंड), लैटिन **स्कपुस्** (उप.; तना) **स्कपुलअ** (कन्धे) का सम्बन्ध संस्कृत **स्कभित** (स्थिर किया हुआ) के **स्कभ्** से है। एक ग्रीक रूप **हिस्तेमि** (खड़ा करना) भी है। इसका पूर्वरूप होगा **घिस्तेमि** या **धिस्तेमि**। तुलनीय है अन्य ग्रीक रूप **हिस्तॉस्** (मस्तूल)। **घिर्, धिर्** जैसी क्रिया स्थिरताबोधक थी, इसकी पुष्टि इन ग्रीक रूपों के **हिस्** से होती है।

संस्कृत **भंड** (नदी की तलहटी), तमिल **निलइ** और संस्कृत **तल** का समानार्थी, **भर्** वर्ग का शब्द है। लैटिन **पालुस्** (लट्ठा), **पील** (खम्भा), अंग्रेज़ी **पिलर्** (उप.), **पोल्** (लट्ठा) का आधार **भर्** का रूपान्तर **पर्, पल्** है। संस्कृत **पद्** (स्थिर खड़े रहना), **पद** (स्थान) से ग्रीक **पॅदॉन्** (धरती) का सम्बन्ध सटीक बैठता है। **पर्द्** का रूपान्तर है **पद्**। संस्कृत **मेदिनी** में **पॅदॉन्** के समान स्थिरता का भाव होगा। संस्कृत **पद्** माने चलना, फिर अर्थविकास के फलस्वरूप, **पद** माने स्थिर रहना।

*(ड) नहाना, तैरना, भरना*

जब स्थिरता जैसा विरोधी भाव जलप्रवाह से सम्बद्ध है, तब यह स्वाभाविक है कि नहाने, धोने, तैरने, डूबने तथा गहरा होने के भाव प्रवाहसूचक शब्दमूलों से जुड़े हों। प्राकृत **झस** (गहरा) के पूर्वरूप **घर** से संस्कृत **क्षल्** (धोना) क्रिया बनी।

बहनेवाले **क्षर्** से इसका सम्बन्ध प्रकट ही है। **गाध** के रूपान्तर **गाह** से अवगाहन का भाव व्यक्त करनेवाली **गाह्** क्रिया बनी। जिस **गर्** से **गर्ध>गाध** रूप बना, उसके प्रतिरूप **गल्** से रूसी **ग्लुबोकिइ** (गहरा), **ग्लुबीन** (गहराई) का जन्म हुआ। **गल्** के प्रतिरूप **कल्, कर्** से मलयालम **कऴम्** (गहराई), तमिल **कऴुवु** (धोना, पवित्र होना), कन्नड़ **कर्चु** (धोना), तेलगू **कडुगु** (उप.; नहाना) रूप बने।

हिन्दी **गहिर, गहरा** का आधार संस्कृत **गभीर** है। **गभीर** का संस्कृत में ही प्रतिरूप **गम्भीर** है। **गम्भीर** की **गम्** क्रिया जल से अपना सम्बन्ध प्रकट कर रही है। **गम्भ** के **म्** का लोप होने से **गभीर** का **गभ** प्राप्त हुआ। इसी तरह **गम्भ** का प्रतिरूप **दम्भ** रहा होगा जिसके **दभ** रूपान्तर से हिन्दी **डूब**, लैतवियन **दुब्त्** (डूबना), लिथुआनियन **दुबुस्** (गहरा), अंग्रेज़ी **डिप्** (डुबकी लगाना), **डीप्** (गहरा) रूप बने। तुलु **तारुनि** (डूबना), तमिल **ताऴ्** (उप.), जर्मन **टाउखॅन्** (डुबकी लगाना), **टीफ़्** (गहरा) अघोष अल्पप्राण **त्** की शब्द-शृंखला में हैं। संस्कृत **धाव** (धोना) में मूल ध्वनि **ध्** है।

**तिर्** के रूपान्तर **निर्** से **निर्घ>निघ>निज**, इस प्रकार संस्कृत **निज्** (धोना) और **निक्त** (धुला हुआ) रूप बने। **निज्** का ग्रीक प्रतिरूप है **निज़ो** (धोना)। स्नान की **स्ना** क्रिया **धा>स्त्रा>स्ना**, इस क्रम से बन सकती है, **ना** में अतिरिक्त **स्** का योग भी हो सकता है।

संस्कृत **तोय** (जल) और तमिल **तोय** (नहाना) का सम्बन्ध स्पष्ट है।

तमिल **नीन्दु** (तैरना, पार करना), कोत **नीञ्ज्** (तैरना) का आधार **निन्<निर्** है। तमिल **नीत्तु** (तैराकी), **नीच्चु** (उप.) में **र्** अथवा **न्** का लोप है। **निर्** के वैकल्पिक रूप **नॉर** से गद्‌ब **नॉर्** (धोना), तमिल **नुडक्कु** (उप.) सम्बद्ध हैं। तमिल क्रियामूल **नुड** के समानान्तर **निड** रूप तुलु **निडिपिनि** (उप.) में है।

तमिल **पदि** (डूबना), **पडि** (उप.) का आधार **पर्** है। **पर्>पय्** से तमिल **पाय्** (डुबकी लगाना) बना। तमिल **पात्ति** (नहाने का टब) का आधार भी **पर्** है। ग्रीक **बथुस्** (गहरा), **बथॉस** (गहराई) में **बर्** का **र्** लुप्त है, **पदि** के समान। ग्रीक **बप्तो** (डुबोना, डूबना) पहले **बर्ष** से **बप**, फिर **बप्** से **बप्त**, दो कृदन्तों के मेल से बना है। **बथुस्** और **बथॉस्** गहराई के सिवा ऊँचाई की व्यंजना भी करते हैं।

रोचक शब्द है संस्कृत **बुध्न** (तलहटी, गहराई)। इसका **न्** मूलक्रिया के **र्** का रूपान्तर है, वर्णविपर्यय से **बुध्न** रूप बना। हिन्दी **बूड़** का पूर्वरूप होगा **बुर्ध**। **बूड़** और **डूब** दो भिन्न क्रमों से आए हुए शब्द सिद्ध होते हैं। ग्रीक **पुथ्मॅन्** (तलहटी) का **पुथ्म** संस्कृत **बुध्न** का प्रतिरूप है।

संस्कृत **प्लु** (नहाना, तैरना), **प्लव** (स्नान, तैराकी), ग्रीक **प्लूनो** (धोना), **प्लॅओ** (तैरना), रूसी **प्लवात्** (उप.), लैटिन **फ्लुइतो** (तैरना) का आधार **स्त्र<सर** हो सकता है, **प्ल<पल्** भी। संस्कृत **प्लवन** तैरने के अलावा उड़ान का भाव भी व्यक्त करता है।

संस्कृत **मार्जन** (धुलाई) में **मर्** क्रियामूल है जो लैटिन **मॅर्गो** (डूबना, डुबकी लगाना) और **मॅर्सो** (उप.) में विद्यमान है। **मॅर्सो** का **स्** **मॅर्ज्>मृज्** के **ज़्<ज्** का रूपान्तर है। जैसे **सृज्** से सृष्टि, वैसे ही **मृज्** से संस्कृत **मृष्ट** (धुला हुआ)। संस्कृत **मज्ज्** (डूबना, नहाना) में **र्** की क्षतिपूर्ति अतिरिक्त **ज्** से हुई है। **मग्न** (डूबा हुआ) की व्याख्या वर्णविपर्यय से हो सकती है : **मर्ग>मग्र>मग्न, मर्ज्>मज्>मग्** से भी। तमिल **मण्णु** (नहाना, धोना) का आधार **मन्** < **मर्** है। तमिल **मुळ्गु** (नहाना) में **मर्** का विकल्प **मॉर्** है। **मॅर्** वाले क्रम में गोंडी **मीना** (नहाना, धोना), कुवि **मॉर्> मॉन्** से मल्लो **मुंजॅ** (मुँह धोना), कुड़ुख़ **मूज्ना** (उप.)। कुइ **मुस** (सिर धोना) का **स्** **मुज्** के **ज्** का रूपान्तर हो सकता है, **मुर्** के **र्** का भी। कुइ **मीस्प** (नहाना), कन्नड़ **मीह** (उप.), **मीण** (उप.), **मीयु** (उप.) **मिर्** शृंखला के विभिन्न रूप हैं।

कोडगु **मीन्द्** (तैरना) तमिल **नीन्दु** (उप.) का रूपान्तर हो सकता है, गोंडी **मीना** (नहाना, धोना), कुवि **मीनड़** (धोना) से भी सम्बद्ध हो सकता है। संस्कृत **मीन** (मछली) का सम्बन्ध तैरनेवाली **मिन्** क्रिया से है, चमकनेवाली **मिन्** से नहीं। तमिल की जिस **मिन्** क्रिया का अर्थ चमकना है, उससे नक्षत्रवाचक रूप तमिल **मीन्** बनता है, संस्कृत **मीन** नहीं। **मिन्** के विकल्प **मन्** से संस्कृत **मंडूक**, हिन्दी **मेढक** शब्द बनते हैं।

तमिल **मीन्** (मछली) का कुवि प्रतिरूप **ग्रीक** (मछलियाँ) **मॅन्** के पूर्वरूप **मॅर्** की सूचना देता है। ग्रीक **मइने (मर>मय>मइ)** एक प्रकार की छोटी समुद्री मछली थी। संस्कृत **मकर** (घड़ियाल, जलचर), **नक्र** (उप.) के समान, पहले **मक्र** था और **मक्र** का पूर्वरूप था **मर्क**। **नक्र<नर्क** और **मक्र>मर्क** में **नर्** और **मर्** जलवाचक शब्द थे। कन्नड़ **नॅगळ्** (मगर) इनसे सम्बद्ध है। तमिल **मुदलइ** (मगर) का आधार **मॅर्** है। कन्नड़ **मसळॅ** (उप.) का **स्** **मर्** के **र्** का रूपान्तर है। संस्कृत **माचल** (उप.) में **स्** का रूपान्तर **च्** है। संस्कृत **मृणाल** (कमल नाल) की व्याख्या **मॅर** (जल) और **नाल** के योग से भली प्रकार हो जाती है। **मत्स्य** (मछली) का **मत्** प्रवाहसूचक **पत्** का रूपान्तर है। संस्कृत **पातुक** (जल हाथी, जलजीव), **आताल** (मूल अर्थ जलमय लोक), **पद्म** (जो जल में उत्पन्न हो, कमल), तमिल **पदम्** (जल), कोत **पद्म्** (भीगी धरती) स्मरणीय हैं। संस्कृत **पत्तन** नदी या समुद्र के किनारे बसा हुआ नगर है।

संस्कृत **भेक<भॅर्क** (मेढक) में **पॅर्, मॅर्** आदि का पूर्वरूप जलवाचक **भॅर्** है। संस्कृत **भंडूक (भर्ड>भंड)** एक मछली के लिए प्रयुक्त होनेवाला शब्द था और **मंडूक** से मिलता-जुलता है।

अंग्रेज़ी **फ़िश** (मछली) का आधार लैटिन **पिस्किस्** है। **भॅर्>भॅस्>पॅस्,** इस क्रम से विकसित जलवाचक शब्दमूल **पिस्** से उक्त रूप बनेगा।

संस्कृत **झष** (मछली, हिन्दी मुहावरे **झख मारने** की **झख**), प्राकृत **झस** का पूर्वरूप **घस्<घर्** होगा। **घस्** के रूपान्तर **कस्** से संस्कृत **कश्यप** (कछुवा), **कश्>कम्** से **कमठ**। **कूर्म** (उप.) में **घर्** के रूपान्तर **कर्** का प्रतिरूप **कॉर्** है।

**घर्>कर्>कल्** से संस्कृत **कलम** (सरकंडा), ग्रीक **कलमॉस्** (उप.), लैटिन **कलमुस्** (उप.), फिर लेखनी के लिए इसी से सुपरिचित **कलम**। **कर्>कय्** से कोलमि **कयॅ** (मछली), तमिल **कयल** (एक मछली), संस्कृत **कैवर्त** (मछुवा) का आपसी सम्बन्ध 'द्रविड़ व्युत्पत्ति-कोश' में उल्लिखित है। **कर्** से लैटिन **कर्प** (एक मछली), अंग्रेज़ी **कार्प** (उप.), **कर्प>कप्प** से कन्नड़ **कप्पॅ** (मेढक)। **कॉर्>कॉल्** से संस्कृत **कुलीर** (केंकड़ा) और **कॉल्>कॉव्** से संस्कृत **कुव** (कमल), **कुवलय** (उप.), तमिल **कुवळइ**, कन्नड़ **कोवळ्** (उप.)। **कयॅ, कयल्, कैवर्त** आदि ऊपर उल्लिखित शब्दों के जलवाचक **कय्** से ग्रीक **केतॉस्** (विशाल मत्स्य), लैटिन **केतुस्** (उप.) की व्याख्या हो जाती है। पौराणिक कथाओं के अनुसार समुद्रमंथन के समय जिस दानव का सिर काटा गया, उसका धड़ **केतु** कहलाया।

**तॅर्** से **तॅम्** के आधार पर संस्कृत **तिमि** (मछली) रूप बना। **तर्>नर्** से संस्कृत **नक्र** (मगर), **नाग** (हाथी, सर्प) बने। **नॅर्>नॅय** से तमिल **नॅय्दल्** (कुमुदिनी) रूप बना।

जल में रहने या उत्पन्न होनेवाली चीज़ों के नाम का सम्बन्ध जल या प्रवाह से सम्बद्ध शब्दमूलों से हो, यह स्वाभाविक है।

ऐसा लगता है कि पूर्णता की धारणा जल के भराव से उत्पन्न हुई है। हिन्दी में **भरा-पूरा, दिन भर** का **भर** और **पानी भरना** का **भर** एकरूप हैं। संस्कृत **भरति** (भरता है), **भरित** (भरा हुआ, पूर्ण) में क्रियामूल **भर्** है। संस्कृत **पूर**, भरने की क्रिया के अलावा, नदी या समुद्र के पानी के उभार का भी व्यंजक है। **पूरित, पूर्ण** में **भरित** वाला भाव है। **पॉर्** के विकल्प **पॅर्** से तमिल **पॅरुक्कु** (भरना, बहाना), **पॅरुक्कम्** (पूर्णता; प्रवाह) रूप बने। **पॅर्** के प्रतिरूप **पॅल्** से वर्ण-संकोचन के बाद ग्रीक **प्लॅऑस्** (भरा, पूर्ण), **प्लेथो** (भरा होना; नदियों आदि में पानी का उभार), लैटिन **प्लेनुस्** (भरा हुआ), और **पॅल्** के **प्** में अतिरिक्त महाप्राणता के साथ अंग्रेज़ी **फ़िल्** (भरना) की रचना हुई। **पॉर्, पॉल्** के रूसी **पॉल्नॅ** (पूर्णतः), अतिरिक्त महाप्राणता के साथ अंग्रेज़ी **फुल्** (पूर्ण) रूप बने। **भॉर्>पॉर्>मॉर्** से तमिल **मुरञ्जु** (भरा होना), तेलगू **मूरु** (उप.), और **मर्>मन्** से तमिल **माण्** (उप.) जैसे रूप निर्मित हुए।

**धॅर्>तॅर्** से तमिल **तेक्कु** (भरा होना), **तॅर्>नॅर्** से तमिल **निर, निरइ** (उप.) रूप बने। **घर्>कर्>कऴ्** से तमिल **कऴुमु** (भरा होना, बह चलना), **कर्>कर्प** से गद्ब **कॉप्** (उप.) का सम्बन्ध है।

### *(ढ) पानी, पान, पात्र*

पानी पिये बिना मनुष्य जी नहीं सकता। **जीवन** शब्द का एक अर्थ ही संस्कृत में जल हो गया। मनुष्य जीने के लिए पीता है, आनन्द उल्लास के लिए भी पीता है। **पीता है** कहने से ही सुननेवाला समझ जाता है कि पानी नहीं, नशे की चीज़ पीता है। **चिलम पीता है, सिगरेट पीता है** में पीने की चीज़ धुआँ है—पानी, शराब

या दूध नहीं। कुछ भाषाओं में खाने-पीने के लिए एक ही शब्द है, जैसे बंगला में **खाबे** (खाएगा, पिएगा); इनमें शब्द का मूल अर्थ सम्भवतः पीना ही था। पीने की क्रिया व्यंजित करनेवाले शब्दों के साथ पीने के उपकरण, पात्र, मुख आदि, पीने की वस्तु, जल, सुरा आदि, पीने की इच्छा, प्यास, तृप्ति, आनन्द आदि के भाव एक-से शब्दमूलों से जुड़े हों तो इससे अर्थ-संसर्ग की वह प्रक्रिया और पुष्ट होगी जिसका अन्य प्रसंगों में पहले विवेचन हो चुका है।

संस्कृत **घस्** (खाना), **घसि** (भोजन), **घास** (उप.), प्राकृत **घसिर** (पेटू) और हिन्दी **घास** में पीने का भाव नहीं है, खाने का है। 'द्रविड़ व्युत्पत्ति-कोश' में कुवि भाषा का **घॉह्नइ** (पीना) रूप दिया है। यदि **घॉह्** रूप सही लिखा गया है तो वह **घस्** के विकल्प **घॉस्** का रूपान्तर है और **घस्** के पीनेवाले मूल अर्थ का प्रमाण है। यदि वह भ्रमवश वैसा लिखा गया है, वास्तव में **गॉह्** है, तो भी वह **गस्** के प्रतिरूप **गॉस्** का रूपान्तर होगा। फ़ारसी **गोश्त** का मूल अर्थ होगा भोजन, अंग्रेज़ी **मीट्** की तरह। इसके सिवा **गस्सा** मुँह का कौर है जो खाया जाएगा।

हिन्दी **घूँट** में पीने का भाव स्पष्ट है। इसका आधार **घोर्>घॉन्** है।

**गस्** का पूर्वरूप **गर्** पीने की क्रिया से सम्बद्ध है; संस्कृत **गर** (पेय, निगलने की क्रिया), लिथुआनियन **गॅर्ति** (पीना), **गॅरिमस्** (पेय, मदिरा)। संस्कृत **गल्** (निगलना) के साथ उपकरण **गल** (गला), लैटिन **गुल** (उप.), हिन्दी **गला** (अवधी रूप **गरु**)। एक पेय दूध है, अतः ग्रीक **गल** का अर्थ हुआ दूध। हिन्दी **गटकना**, कन्नड़ **गुटकु** (घूँट, कौर) का आधार कृदन्त **गर्त** है। संस्कृत **ग्रास** (निगलने की क्रिया; कौर), अंग्रेज़ी **ग्रास्** (घास), लैटिन **ग्रामॅन्** (उप.) में **गर्** का वर्ण-संकोची परिणाम **ग्र** है। इसी प्रकार **गल्>ग्ल** से, लैटिन **ग्लूतिओ** (निगलना)।

**कर्<घर्** से कुवि **कारू** (दारू), तेलगू **क्रोल्** (पीना), ग्रीक **क्रोस्सॉस्** (जलपात्र), **करखॅसिऑन्** (पान पात्र), फिर **कर्** के प्रतिरूप **कल्** से संस्कृत **कल्या** (सुरा), **कल्प** (सुरा विशेष), प्राकृत **कल्लाल** (मद विक्रेता), हिन्दी **कलवार, कलार, कलारी**, तुलु **कलि** (ताड़ी), तमिल **कळ्** (उप.), लैटिन **कलिक्स्** (पान पात्र), ग्रीक **कलथॉस्** (प्याला) आदि रूप बने। संस्कृत **कड्** (नशे में होना), **कडङ्ग** (दारू), **कुटी** (उप.), तमिल **कुडि** (पीना), **कुडम्** (जलपात्र), लैटिन **कदुस्** (मदिरा का कलश) का आधार **कद<कर्द** है। इसी प्रकार तमिल **कव्वु** (गपकना), लैटिन **कपिस्** (पान पात्र) का आधार **कर्प>कप्प/ कप** है। **कप्>कव्** अथवा **कर्>कव्** से संस्कृत **कवल** (घूँट, कौर), तमिल **कन्वु** (गपकना) बने। **कर्>कम्** से लैटिन **कमॅल्ल** (पान पात्र), ग्रीक **कन्थरॉस्** (उप.), ग्रीक **कुम्बे** (उप.), संस्कृत **कुम्भ** (घड़ा), ब्राहूइ **कुनिङ्ग** (पीना, खाना) की व्याख्या होती है।

**घर्>खर्** से प्राकृत **खरिअ** (खाया हुआ), **खोर** (पात्र), **खोल** (मदिरा की तलछट), फ़ारसी **ख़ोर** (खानेवाला), ग्रीक **खॉर्तज़ो** (खिलाना), **खर्>खम्** से फ़ारसी

**ख़ुमार** (शराब; नशा), **खर्>खस्** से कश्मीरी **खोसु** (प्याला) सम्बद्ध हैं। संस्कृत **खाद्** (खाना) का आधार **खर्द** कृदन्त होगा।

संस्कृत **चषक** (पान पात्र), रूसी **चश, चश्क** (उप.) में **घस्** का रूपान्तर **चस्** है। **चस्>चम्** से संस्कृत **चम्** (पीना), **आचमन** (पान), **चमस** (सोम पीने का पात्र), हिन्दी **चमचा,** और **चम्>चव्/चय्** से कश्मीरी **च्यन्** (पेय) सम्बद्ध हैं। संस्कृत **क्षीर** (दूध) का पूर्वरूप **घीर** होगा, **क्षीब्** (पीकर मत्त होना) का आधार कृदन्त **घिर्ब** है।

सम्भवतः **यज्ञ** की **यज्** क्रिया का सम्बन्ध द्रव पदार्थ के सेवन और उसकी आहुति से था। संस्कृत **इष** का अर्थ पेय और आहुति दोनों है। **इष्ट** (यज्ञ कर्म) और **यष्टि** (उप.) की क्रिया एक है, **यज्** का रूपान्तर **यस्**। **अवेस्ता** का **यस्न** और संस्कृत का **यज्ञ** एक हैं। संस्कृत **यूष** (जूस) और लैटिन **यूस्** अथवा **इऊस्** (उप.) मानक ग्रीक में **ज़ॉमास्** और दोरिक में **दोमॉस्** है। **य्-ज्-द्** यह विकास-क्रम सम्भव है। उधर संस्कृत **यक्ष** एक मानवेतर प्राणी हैं; **यक्ष्** और **भक्ष्** में बड़ी समानता है। **घस् >जस्>यस्** इस तरह का विकास भी सम्भव है।

संस्कृत **धारु** (दूध पीता हुआ), **धरण** (स्तन), **धासि** (पेय), **धय** (पीने की क्रिया), **धे** (पीना), **धेनु,** हिन्दी **धाय,** प्राकृत **धणि** (तृप्ति) क्रियामूल **धर्** से बने रूप हैं। **दर्** से बना एक सुपरिचित रूप फ़ारसी **दारू** है। वर्ण-संकोचन से **द्रि>दॅर्** का कृदन्त अंग्रेज़ी **ड्रिङ्क** (पीना) है। **तर्** वाले क्रम में संस्कृत **तर्ष** (प्यास) के साथ **तृषा** है। हिन्दी **तरसना** का सम्बन्ध **तर्ष** से है, फ़ारसी **तिश्नगी** (उप.) का **तृषा** और **तृष्णा** से। **तर्ष** के समानान्तर जैसे संस्कृत में **तर्पण** (जलदान) है, वैसे ही **तृषा** के समानान्तर **तृप्ति** है। वर्ण-संकोचन से प्राप्त **त्रा** से तेलगू **त्रागु** (पीना, खाना), जर्मन **ट्रिङ्कन** (पीना) कृदन्त आधारित क्रियाएँ बनीं। तमिल **तिन्** (खाना), फ़ारसी **तनावुल्** (उप.) का आधार **तन्<तर्** है। संस्कृत **तुष्** (तुष्ट करना), **तोष** (आनन्द) में **र्** के स्थान पर **स्** है। **तर्त** से कन्नड़ **तुत्तु** (गटकना), तमिल **तडा** (पात्र) रूप बने। **तर्>तय्/तव्** क्रियामूल तमिल **तुय्** (खाना), **तेक्कम्** (तृप्ति), **तुव्वु** (खाना) में स्पष्ट है।

**तर्** के रूपान्तर **नर्** से तेलगू **नोरु** (मुख), तमिल **नॉळ्** (निगलना), अंग्रेज़ी **नरिश्** (पालन करना), **नर्>नस्** से फ़ारसी **नोशीदन्** (पीना), **नर्>नन्** से तमिल **नीन्दु** (बहुत पी जाना), संस्कृत **नन्द्** (प्रसन्न होना) **नर्ग>नग** से तमिल **नगर्** (पीना), लैटिन **नॅक्तर्** (अमृत), और **नर्त>नत्र** से लैटिन **नूत्रिओ** (पालन करना) रूप बने।

**धर्>थर्** वाले क्रम में अंग्रेज़ी **थर्स्ट्** (प्यास), ग्रीक **थेलज़ो** (दूध पिलाना), **थेले** (स्तन), **थेलुस्** (नारी), **थेसइ** (दूध पिलाना), प्राकृत **थिम्प** (तृप्त होना), **थ्** के अभाव में **फ़** से काम लेनेवाली लैटिन के **फ़ॅल्लो** (दूध पिलाना), **फ़ेमिन** (नारी) रूप पाते हैं। ग्रीक **थेलुस्** और लैटिन **फ़ेमिन** नारीवाचक शब्द हैं और उनका सीधा सम्बन्ध दूध पिलाने की क्रिया से है। इससे संस्कृत **स्त्री** की निर्माण-प्रक्रिया

समझने में सहायता मिलती है। जहाँ **ध्** का रूपान्तर **स्त्** है, वहाँ **धर्>स्तर्** क्रिया से **स्तरी>स्त्री** रूप बनता है और उसका मूल अर्थ, धाय के समान, दूध पिलानेवाली है। **थेले** (स्तन) का अन्य ग्रीक प्रतिरूप **स्तॅर्नॉन्** (छाती) है। इसके क्रियामूल **स्तॅर्** का सीधा सम्बन्ध **स्त्री** से है। **स्तॅर्नॉन्, स्त्री** जैसे शब्द भारत के उत्तर-पश्चिमी सीमान्त के शब्द हैं जहाँ **ध्** का उच्चारण गण-समाजों के लिए सम्भव नहीं है। वे उसे **स्त्** रूप में ग्रहण करते हैं।

**स्तर्>स्तन्** से संस्कृत **स्तन**, हिन्दी **थन** रूप बने।

संस्कृत **भृंग** (पात्र), **भंगा** (पेय; भाँग), **भस्** (चबाना), **भस्त्रा** (पानी ले जाने का पात्र), हिन्दी **भिश्ती** (पानी ले जानेवाला व्यक्ति) का आधार **भर्, भन्, भस्** हैं। **भक्ष्<भस्क्** का अर्थ खाना, पीना दोनों है; मोनियर विलियम्स के अनुसार प्राचीनतर भाषा में यह शब्द द्रव पदार्थों के लिए प्रयुक्त होता था। **भोजन** और **भोग** का आधार र्-विहीन कृदन्त है; खाने-पीने के अलावा इनमें अर्थ-संसर्ग से आनन्द का भाव भी है। तेलगू **बॉक्कु** (हड़पना), इटालियन **बॉक्क** (मुख; स्वाद), संस्कृत **वक्त्र** (मुख) की याद दिलाते हैं। **बर्द** का र्-विहीन रूपान्तर फ़ारसी **बादा** (शराब) है; दूसरे वर्ण का **आ** कौरवी पद्धति के अनुरूप है। **बर्>बय्** से तुलु **बायि** (मुख), ब्राहूइ **बा** (उप.) बने। संस्कृत **पिब्** के समान लैटिन **बिबो** (पीना) में मूल वर्ण की आवृत्ति है।

संस्कृत **पार** (पान पात्र), **पेरु** (पान क्रिया), तमिल **परुगु** (पीना, खाना), कन्नड़ **पीर्** (पीना) में **भर्** का रूपान्तर **पर्** है। **पर् >पन्** से ग्रीक क्रिया **पिनो** (पीना) बनी। भविष्यकालिक ग्रीक रूप **पिऑमइ** का आधार **पर्<पय्** है; भूतकालिक ग्रीक रूप **पॅपोक** का आधार **पर् >पव्** है। **पर्>पय्** से संस्कृत **पयस्** (दूध, पानी), तोद **पोय्** (मुख) बने। अवधी **पियत** है (पीता है) का **पिय्** मूल क्रिया **पॅर** का रूपान्तर है। **पिय् >पी** से संस्कृत **पीत**, हिन्दी **पीना** रूप बने। संस्कृत **पू** (पीना) का आधार **पव् < पर्** होगा। **पर् >पा** से संस्कृत **पाक** (पान क्रिया), **पान, पात्र**, हिन्दी **पानी** आदि रूप बने। ग्रीक **पॉतेस्** (पियक्कड़), लैटिन **पोतो** (पीना), रूसी **पीत्** (पीना) का आधार र्-विहीन कृदन्त हैं।

**पर्** के रूपान्तर **मर्** से तमिल **मरुळ्** (ताड़ी, नशा) और सम्भवत: संस्कृत **मैरेय** (सुरा विशेष) का सम्बन्ध है। **मर्** के प्रतिरूप **मल्** से तमिल **मुलइ** (स्तन) और लैटिन **मुलिअॅर्** (नारी) सम्बद्ध शब्द बनते हैं। लैटिन में एक ओर **मुल्** से **मुल्सुम्** **सुरा** और **मधु** का अर्थ देनेवाला शब्द बना, दूसरी ओर दूध दुहने का अर्थ देनेवाली **मुलॉओ** क्रिया बनी। **मुल्** के विकल्प **मिल्** से अंग्रेज़ी **मिल्क्** (दूध दुहना), जर्मन **मिल्ख्** (दूध), **मॅल्कॅन्** (दुहना) और **अ** उपसर्ग सहित ग्रीक **अमॅल्गो** (दुहआ) सम्बद्ध हैं।

**मर्क>मक** से तुलु **मुक्कुलि** (घूँट), तमिल **मगिळ्** (पीना, नशा), **मर्ध-> मध** से संस्कृत **मधु** (दूध, शहद, मदिरा), **मेध** (पेय, रस), **मर्द > मद** से संस्कृत **मद,**

**मदिरा**, रूसी **म्यॉद** (मधु) आदि रूपों का सम्बन्ध है। तमिल **मान्दु** (पीना), तुल **मॉनॅ** (मुख), जर्मन **मुंट्** (उप.) में **मर्** का रूपान्तर **मन्** है।

संस्कृत **मुख** और पुरानी अंग्रेज़ी का **मुथ्** (वर्तमान **माउथ्; मुख) मुर्** क्रिया के **र्**-विहीन कृदन्त हैं। **मुर्क** से तमिल **मुक्कु** (गपकना) और **मुगम्** (मुख) रूप बने। **मुगम्** सीधे **मुख** का रूपान्तर भी हो सकता है। **मुख** के हिन्दी रूपान्तर **मुह** का सम्बन्ध **मुहरा** शब्द से है। **मुख** का एक गौण अर्थ सामने का भाग है; यही अर्थ **मुहरा** का है। **चॅहरा मॉहरा** में दोनों शब्द समानार्थी हैं। तमिल **मोरइ** (चेहरा), कन्नड़ **मोरॅ** का आधार यह **मॉहरा** (अथवा **मॉहर**) है।

तमिल **मद** (नशे में होना) सीधा संस्कृत **मद** है किन्तु तमिल **मड्डु** (< **मर्दु**) (खाना, पीना) से संस्कृत **मद** की आधारभूत पीनेवाली **मर्** क्रिया का बोध होता है। ग्रीक **मेंथु** (मदिरा) में संस्कृत **मधु** के **ध्** का स्थान अपेक्षित **थ्** ग्रहण किये है। लैटिन **मॅल्** (मधु), ग्रीक **मॅलि** (उप.) का **मॅल् मॅर्** का वैकल्पिक रूप हो सकता है, **मद** का **ल्** वाला रूप भी। कन्नड़ **मॅलु** (खाना) निस्सन्देह **मॅर्** का विकल्प है। **मर्>मन्** से तमिल **मॉण्णि** (स्तन), **मॉञ्जि** रूप बने। ग्रीक **मजॉस्** (उप.) का आधार **मध्>मज़्** है। **मज़् > मस्** से फ़ारसी **मस्त** बना। संस्कृत महिला का मूल अर्थ मत्त नारी है; **मध** के **मह** रूपान्तर से यह शब्द बना। पुनः **मह** के **ह्** का लोप होने पर फ़ारसी के **मय, मै** (शराब) रूप का चलन हुआ।

**पर्** के रूपान्तर **वर्** से संस्कृत **वक्त्र**, तमिल **वाय्** (मुख) सम्बद्ध प्रतीत होते हैं। **वर्** के **व्** का लोप होने पर कोलमि **उर्त्, ऊर्त्** (पिलाना), तमिल **ऊट्टु** (खिलाना), फिर **उन् <उर्** से तमिल **उण्** (खाना, पीना), गोंडी **उण्डाना** (पीना), कुवि **ऊन्दलि** (उप.), तमिल **उण्णीर्** (पीने का पानी), मल्तो **ऑनॅ, ऑन्दॅ** (पीना) रूप बने। इन शब्दों को देखने से विश्वास होता है कि संस्कृत **अद्** (खाना) का पूर्वरूप **अर्द्** था और मूल अर्थ पीना था। **अद्** का अंग्रेज़ी प्रतिरूप है **ईट्**।

संस्कृत **ऊधन्, ऊधस्, ऊधर्** (स्तन) के **ऊध** का पूर्वरूप **उर्ध** होगा। ग्रीक प्रतिरूप **ऑउथर्** (छाती) के **ऑउ** का पूर्वरूप **व** था। **वर्थ>वथ >ऑउथ; उर्ध** का **उर्** भी **(भर्>पर्>वर्) व** के स्थान पर **उ** को प्रतिष्ठित किये है।

अंग्रेज़ी **क्वाफ़्** (पी जाना), रूसी **क्वास्** (एक पेय) में **पा** (पीना) का रूपान्तर **क्वा** है।

जल और प्रवाह से सम्बद्ध शब्द आर्य-द्रविड़ भाषाओं के शब्द-भंडार का महत्त्वपूर्ण भाग हैं। मनुष्य के परिवेश, प्रकृति की विभिन्न प्रक्रियाओं, मनुष्य की अनेक क्रियाओं की व्यंजना के लिए इन शब्दों का व्यवहार हुआ है। इन शब्द-शृंखलाओं में ध्वनि-रूपों का एक-सा क्रम है, अर्थ-संसर्ग और अर्थ-प्रसार का एक-सा क्रम है। शब्द-भंडार के एक अंश पर ध्यान केन्द्रित करने से हम आर्य-द्रविड़ भाषा-समुदायों के घनिष्ठ सम्बन्ध को और अच्छी तरह समझ सकते हैं। ये

शब्द-शृंखलाएँ भारत से बाहर इंडो-यूरोपियन परिवार की अन्य भाषाओं में फैलती चली गई हैं; ध्वनिक्रम और अर्थक्रम की वहाँ भी बहुत बड़ी समानता है। इससे इंडो-यूरोपियन परिवार के विकास में आर्य-द्रविड़ धुरी के महत्त्वपूर्ण योगदान का बोध होगा, इस बात का ज्ञान होगा कि भाषायी क्षेत्र भारत के द्रविड़ भाग पर ध्यान दिये बिना संस्कृत समेत इंडो-यूरोपियन परिवार के निर्माण का ऐतिहासिक विवेचन असम्भव है। उसी प्रकार द्रविड़ भाषा-परिवार को निरपेक्ष रूप से स्वतंत्र इकाई मान लेने पर उसका विवेचन नहीं हो सकता।

ऊपर जितने शब्दों का विवेचन किया गया है, उन सबका उद्‌भव ऐसे रूपों से हुआ है जिनमें **घ्-ध्-भ्** ध्वनियाँ विद्यमान थीं। ये ध्वनियाँ संस्कृत, प्राकृत तथा आधुनिक आर्य भाषाओं में प्राप्त हैं। जिस क्षेत्र में **घ्-ध्-भ्** का निरन्तर व्यवहार होता रहा है, वह क्षेत्र भारत में है, भारत के बाहर कहीं नहीं है। जिन क्षेत्रों में इनके **क्-त्-प्** आदि रूपान्तरों का व्यवहार होता रहा है, वे क्षेत्र भारत में हैं, भारत से बाहर भी हैं। इससे प्रमाणित हो जाता है कि **घ्-ध्-भ्** का मूल क्षेत्र भारत में था और है और यह भी कि सम्बद्ध भाषाओं के विकास में इस क्षेत्र की भूमिका मूलभूत है। संस्कृत तथा शेष आर्य भाषाएँ अपना मूलभूत आधार बहुत कुछ बनाए रह सकी हैं। साथ ही अन्य प्रभावों से उनमें अनेक ध्वनि-रूपों और अर्थ-प्रक्रियाओं का विकास हुआ है। उनकी समृद्धि का यह एक महत्त्वपूर्ण कारण है।

### *(ण) प्रकाश, वर्ण, ऊष्मा*

जल और प्रवाह से सम्बद्ध शब्दों से बहुत मिलते-जुलते वे शब्द हैं जिनका सम्बन्ध प्रकाश और अग्नि से है। संस्कृत **ओजस्** का अर्थ जल और प्रकाश, दोनों है। जलवाचक शब्दों के मूलरूपों में **घ्-ध्-भ्** की जैसी भूमिका है, वैसी ही इन ध्वनियों की भूमिका प्रकाश वाली शब्द-शृंखला में है। कुछ पाठकों को परेशानी हो सकती है कि हर जगह लौट-पौटकर वही **घर्, धर्, भर्** सामने आ जाते हैं। क्या आर्यों की प्राचीन भाषा में यही तीन शब्द थे? और तीन भी क्यों? **घ्-ध्-भ्** ध्वनियाँ स्वच्छन्द संचरण की स्थिति में हैं, इसलिए इन्हें एक ही शब्द मानना चाहिए; जैसे **घर्**, वैसे **धर्**, वैसे ही **भर्**। मानो ब्रह्म के समान शब्द एक हो, अर्थ-विस्तार का प्रपंच उसकी माया हो! इस तरह की शंकाओं और प्रश्नों का विवेचन बाद में होगा; पहले यह देखना चाहिए कि प्रकाश वाली शब्द-शृंखला ध्वनिक्रम और अर्थक्रम की किन सरणियों में हमें ले जाती है। प्राप्त सामग्री के वस्तुगत विवेचन से जो परिणाम निकलें, उन पर ध्यान केन्द्रित करना चाहिए।

संस्कृत **धर्म** (ऊष्मा, दिन) में **घर्** शब्दमूल है, इस बारे में सन्देह नहीं हो सकता है। फ़ारसी **गरम** का **गर** मूलतः **घर** होगा। संस्कृत **ग्रीष्म**, रूसी **ग्रेत्** (गरमाना) में **गर्** का वर्ण-संकोची परिणाम है; **घर्** का ऐसा ही परिणाम संस्कृत **घृत** (प्रकाशित),

**घृण** (ऊष्मा) में है। **गर्** का विकल्प **गल्** अंग्रेज़ी **गोल्ड** (सोना), संस्कृत **ग्लौ** (चन्द्रमा), अंग्रेज़ी **ग्लो** (दमकना) में है। संस्कृत **कर** (किरण), **कर्क** (श्वेत), तमिल **करुक्कु** (जलाना) में **कर्** और तेलगू **कालु** (जलना), लैटिन **कलॅओ** (गरमाना), **कलॉर** (गर्मी) में वैकल्पिक रूप **कल्** है। सुनहले और काले रंगों में बड़ा अन्तर है पर दोनों एक ही क्रिया के भिन्न परिणाम हैं। धीमी आग या सूर्य का मद्धिम प्रकाश सुनहला प्रतीत होता है; ताप से कोई वस्तु जल जाए तो वह कोयला हो जाती है, काली दिखने लगती है। अन्धकार में जो **कार** है, वह अवधी **कार** (काला), संस्कृत **काल** (उप.), तमिल **करु** (काला), लैटिन **कर्बो** (कोयला) का प्रतिरूप है और उसका सम्बन्ध जलनेवाली क्रिया से है। कन्नड़ **करि** का अर्थ झुलसना है, कोयला और कालौंछ भी। संस्कृत **कर्पास** और **कर्पूर** में **कर्** इसलिए है कि ये पदार्थ श्वेत हैं। पहाड़ी लोगों को संस्कृत में **किरात** इसलिए कहते थे कि वे पीत वर्ण के थे। मलयालम **किराल्** (भूरा) शब्द का रूप-रंग वाला अर्थ देता है। तमिल प्रतिरूप **कुराल** (उप.) का **कुर्** तमिल **कुरंग** (कपि), संस्कृत **कुरण्ट** (पीताभ पुष्प) और उसका विकल्प **कुल्** संस्कृत **कुलूत** (पहाड़ी लोग) में है। संस्कृत **खरु** (श्वेत), **प्रखर**, ब्राहूइ **ख़ाख़र** (आग), ग्रीक **ख्रुसॉस्** (सोना) में **घर्** का रूपान्तर **खर्** है।

संस्कृत **घण्ट्** (चमकना) में **घन् <घर**, ग्रीक **गनओ** (चमकना) में **गन्** **<घन्** और संस्कृत **कनक** (सोना), **कनल** (प्रकाशमान), तमिल **कनल्** (जलना, अग्नि), नइकि **काङ्ग** (गरम होना), कश्मीरी **कांगड़ी** (अग्निपात्र), लैटिन **कन्दॅओ** (चमकना), **कन्देल** (बत्ती), कोत **कॅन्** (लाल), लैटिन **किनिस्** (राख), कुइ **कम्ब** (जल जाना), ग्रीक **कमीनॉस्** (भट्ठी) में **कर्** का रूपान्तर **कन्** है। कश्मीरियों के पड़ोसी गण विशेष का नाम **कम्बोज** इसलिए था कि वे पीत वर्ण के थे। स्वयं **कश्मीर** का **कश्** गौरवर्ण का सूचक है। **कश्मीर** का प्राकृत नाम **कम्भार** है। जो अर्थ **कम्** का है, वही **कश्** का है। प्रकाश में जो **कश्** है, वही **कश्मीर** में है। किसी गौरवर्ण के व्यक्ति को **कश्यप** कहा जाता था और पानी में रहनेवाला एक कछुआ भी **कश्यप** था; **कश्** का सम्बन्ध जल और प्रकाश दोनों से है। सूर्य के प्रकाश से जहाँ का नीलगगन दमकने लगता था, वहाँ के लोगों ने उसका नाम **आकाश** रखा।

भूरे लाल वस्त्र को संस्कृत में **काषाय** कहा गया। **काष्ठ** का मूल अर्थ होगा ईंधन, वह लकड़ी जो जलाई जाए।

तमिल **काय्** (जलना), ग्रीक **कइओ** (जलाना) का आधार **कय्<कर्** है।

संस्कृत **कद्रु** (पीला) वर्णविपर्यय का फल है; **कदम्ब** उस वृक्ष का नाम पड़ा जिसके लाल, पीले, सफेद फूल, अपने चटक रंग से लोगों को आकर्षित करते थे। इसका **कद र्**-विहीन कृदन्त है। तमिल **कदिर्** (चमकना), कुवि **कदलि** (जल जाना), मलयालम **कदिर्** (किरण) में यह **कद** है। संस्कृत **केतु** (प्रकाश), तेलगू **कित्तु** (अग्नि) में **त** प्रत्यय वाले कृदन्त हैं। तमिल **किच्चु** (अग्नि) में **त्** का

तालव्यीकरण हुआ है। संस्कृत **चित्र** (प्रकाशमान) का **चित्** वही **कित्** है जो **केतु** में है। पर्जि **चिरचि्** (दिन) में **किर्** का रूपान्तर **चिर्** है। संस्कृत **कपि**, कोत **कॅप्** (लाल), कुइ **कप्प** (जलाना) अंग्रेज़ी में **कॉपर** (तांबा) में **कर्प्>कप्** है।

हिन्दी **झार** (गर्मी, तेज़ी), प्राकृत **झाम** (जलाना) का आधार **घर्, धर्** दोनों हो सकते हैं। तालव्यीकृत ध्वनि के रूपों में रूसी **झ़र** (गर्मी), **झ़रीत्** (भूनना) हैं। फ़ारसी **ज़र** (सोना), **ज़र्द** (पीला), रूसी **ज़र्देत्स्या** (लाल होना), **ज़ार्या** (प्रभात) में **घर** का रूपान्तर **ज़र्** है।

हिन्दी **चमक,** संस्कृत **चम्पक, चन्द्र, चंड** (उष्ण), कोडगु **चोन्दें** (लाल) में **कन्** का तालव्यीकृत रूपान्तर **चन्** है। **चन्द्र** का एक संस्कृत प्रतिरूप **श्चन्द्र** है। **घ्** का एक रूपान्तर **स्क** है; उसका अन्य तालव्य रूपान्तर **श्च्** है।

संस्कृत **हर** (अग्नि, कपि), **हरि** (पीताभ), **हरिद्रा** (हल्दी) का **हर् घर्म** के **घर्** का रूपान्तर है। संस्कृत **हिरण्य** (स्वर्ण) के **हॅर्** से **र्**-विहीन कृदन्त **हेम** (उप.) बना। संस्कृत **हेम** का सखा है ग्रीक **हेमॅर्** (दिन)।

अपने श्वेत वर्ण से प्राचीन जनों को आकर्षित करनेवाला एक पक्षी था **हंस**। इसका जर्मन प्रतिरूप **गन्स्** मूलरूप के **घ्** की ओर संकेत करता है। ग्रीक **खेन्** (बतख) में **घ्** का रूपान्तर **ख्** है; लैटिन **अन्सॅर्** में **हंस** के **ह्** का लोप हुआ है। **अन्सॅर्** का **अन्** स्पष्ट ही जर्मन रूप के **गन्,** संस्कृत रूप के **हन्** का समकक्ष है। अत: **घन्>हन्** से **अन्** के विकास में सन्देह नहीं रह जाता। संस्कृत **अनल** (अग्नि), तमिल **अनल्** (उप.) में यह **अन्** है। इसी प्रकार **हर्** के रूपान्तर **अर्** से संस्कृत **अरुण** (रक्ताभ; प्रभात), **अर्क** (सूर्य, अग्नि, तांबा), **अर्च्** (चमकना), लैटिन **अर्दॉर्** (ऊष्मा, प्रकाश), तुलु **अर्लुनि** (जलना), **अरतॅ** (गर्मी), तमिल **ऑरि** (जलना, चमकना) की व्याख्या होती है। **अर्** का विकल्प **अल्** संस्कृत **अल** (पीत खनिज), हिन्दी **अलाव,** मल्तो **अलॅसि** (गर्मी, पसीना), तमिल **अऴल्** (जलाना) में है।

**कामना, काम, कमनीयता** आदि का सम्बन्ध जलने का अर्थ देनेवाली **कम्** क्रिया से है। **जलने** से **जलन,** ईर्ष्या, क्रोध आदि के भावों का सम्बन्ध है। संस्कृत **हिरण्य** के **हिर्** का **ह्** लुप्त हुआ, तब **इर्** से **ईर्ष्या,** ग्रीक **ऍरिस्** (ईर्ष्या), संस्कृत **इरस्** (क्रोध), लैटिन **ईर्** (उप.) रूप बने। तमिल **ऍरि** (जलना, चमकना), और **ऍरुप्पु** (ईर्ष्या) से ईर्ष्या का सम्बन्ध स्पष्ट है। हिन्दी **लोहा** जिस धातु का नाम है, उसके लिए संस्कृत **लोह** का एक अर्थ तांबा भी था। **लोहित** वह है जो लाल रंग का हो। ऐसा ही अर्थ तमिल **इरुम्बु** (लोहा) का है। इसका समकक्ष है तमिल **अँरुवइ** (तांबा, रक्त)। लोहे और सोने के लिए एक संस्कृत शब्द है **अयस्**। इसका मलयालम प्रतिरूप **अयिर्** है; इसका सीधा सम्बन्ध अंग्रेज़ी **आयरन्** (लोहा) से है। तमिल **अयिल्,** लैटिन **अस्** (तांबा) **अयिर्** के प्रतिरूप हैं। **य, अॅ** का पूर्वरूप **ह** था, इसका बोध फ़ारसी **आहन्** (लोहा) से होता है। संस्कृत **अहन्** (दिन) में प्रकाशसूचक

**अय** का पूर्वरूप **अह** है। यहाँ भी **ह्** मूल ध्वनि नहीं है। तुलु **अर्लुनि** (जलना), **अरदॅ** (उप.; गर्मी) के **अर्** का तोद प्रतिरूप है **अष्** (ताप)। **अर्>अस्>अह्**, इस प्रकार **अहन्, आहन्**, हिन्दी **अहरा** का **अह्** प्राप्त होता है; **अह्>अय्** से **अयस्** आदि रूप बने। तमिल **ऍरि** (चमकना) और कन्नड़ **ऍसॅ** (उप.) में वही **र्-स्** समीकरण है।

**ऍर्** के रूपान्तर **ऍन्** से संस्कृत **इन्दु** (चन्द्रमा), तेलगू **इनुमु** (लोहा), **अंड** (सूर्य), संस्कृत **इन्ध्** (जलाना) की रचना हुई। संस्कृत **इद्ध** (प्रज्वलित), **एध** (ईंधन), लैटिन **अऍदेस** (अग्निस्थान, मन्दिर, घर), **अऍस्तस्** (नीष्म), ग्रीक **अइथो** (जलना), संस्कृत **अथर्वन्** (अग्निपूजक, पुरोहित), फ़ारसी **आज़र्** (अग्नि), **आज़र्बादगान्** (अग्निमन्दिर, अज़रबैजान प्रदेश), में **र्-न्**-विहीन कृदन्त आधार रूप हैं। संस्कृत **उडु** (नखत) का पूर्वरूप **ऑर्दु** होगा; **उड्** से तुलनीय हैं तेलगू **उडुकु** (गर्मी), कोलमि **उट्** (दिन), मल्तो **ऑदॅ** (आग जलाना), तेलगू **अडरु** (जलना, चमकना), गोंडी **अद्दी** (धूप)। संस्कृत **उल्का** का **उल् उद्** अथवा **उड्** का रूपान्तर हो सकता है, **उर्** का भी। **उल्का** से तुलनीय हैं कोलमि **उल्** (दिन), तुलु **उलवुनि** (चमकना), तमिल **ऑळिरु** (उप.), **ऑळि** (प्रकाश, अग्नि, सूर्य), **ऍल्** (प्रकाश, सूर्य), **इलगु** (चमकना)। **इल्, इन्** प्रकाशवाचक क्रियामूलों से काम, कामिनी और कमनीयता का सम्बन्ध इस प्रकार है, गद्‌ब **इलॅ** (दुलहिन), तमिल **ऍळिल्** (सुन्दरता), **इन्** (कमनीय), **इन्बम्** (कामसुख), तेलगू **इम्बु** (सुन्दरता)।

**अर्, अल्** आदि क्रियामूलों का सम्बन्ध ताप-त्रास से भी है।

संस्कृत **आलस्य** का वही आधार है जो मल्तो **ऍलसि** (गर्मी, पसीना) का है। ऊष्मा मनुष्य के सुख का कारण है, दुख का भी, जैसे आग सुनहला प्रकाश देती है और जलाकर काला भी कर देती है। तमिल **अरि** (सुन्दरता), कन्नड़ **अर्ति** (कामना), **अरुमॅ** (प्रेम) में अग्नि का सुनहला प्रकाश है; तमिल **अल** (दुख सहना), कन्नड़ **अलसु** (थकना), **अलपु** (क्लेश) में उसकी दग्ध करनेवाली ज्वाला है। संस्कृत **आर्त** (दुखी) में **अल्** का प्रतिरूप **अर्** है। लिथुआनियन **अल्सिनमस्**, कन्नड़ **अलसु**, संस्कृत **अलस, आलस्य** का स्रोत एक है। **अल्** में **ग** प्रत्यय जोड़ने पर ग्रीक **अल्गॉस्** (दुख) बना। यही **अल्** तमिल **अल** (दुख सहना) में है।

अंग्रेज़ी **यलो** (पीला) का **य** पूर्वरूप में **ऍ** है। तमिल **ऍल्** (सूर्य, प्रकाश), **ऍल्लि** (सूर्य), **इलगु** (चमकना) से उसकी संगति बैठती है।

**घ्** का एक रूपान्तर **श्** है। संस्कृत शोक का एक अर्थ है जलता हुआ, दूसरा अर्थ है दुःख। शोक में अग्नि के दोनों रूपों की अभिव्यक्ति प्रत्यक्ष है। **तोते** के लिए **शुक** शब्द इसलिए है कि उसका रंग चटकीला हरा होता है। हरा, लाल, पीला, सफ़ेद—ये सब रंग हमारे लिए एक दूसरे से नितान्त भिन्न हैं। किन्तु प्राचीन गण-समाजों के लिए रंग वह जो चमके, इसलिए हरे-पीले का भेद उनके लिए गौण था। इसी कारण संस्कृत **हरि** का अर्थ है पीला, हरा, ललछौंह, भूरा। **हरित** का अर्थ

हरा और पीला, दोनों है। अत: हरे रंग का तोता कहलाया **शुक**। यहाँ क्रियामूल **शुर्** के **र्** का लोप हुआ है किन्तु फ़ारसी **सुर्ख़** में वह विद्यमान है। संस्कृत **शुक्र** में **र्** है किन्तु स्थानान्तरित। जैसे **सुर्ख** वैसे **चर्ख**; जैसे **शुक्र** वैसे **चक्र**।

तमिल **चेगइ** (ललाई), **चेन्दु** (उप.), **चेप्पु** (उप.), **चेत्तु** (लाल), **चॅय्य** (उप.), **चिव** (लाल होना), मलयालम **चॉन** (ललाई), तुलु **चन्न** (लाल) का आधार **चर्, चन्, चॅय्** और इनके **चॅ, चॉ** वाले वैकल्पिक रूप हैं। इस **च्** का पूर्वरूप **श्** हो सकता है, **क्** भी। कोत **केत्** (लाल), **कॅन्** (उप.), **कॅप्** (उप.), कन्नड़ **कॅम्बु** (ललाई), **केसु** (उप.) आदि का **क् घर्** क्रियामूल के **घ्** का रूपान्तर हो सकता है, **श्** का भी। कुड़ुख़ **ख़ेंसॉ** (लाल), ब्राहूइ **ख़ीसुन्** (लाल, सोना) का **ख़्** अतिरिक्त महाप्राणता का परिणाम हो सकता है, सीधे **घ्** का रूपान्तर भी। तुलु में एक **ग्** वाला रूप भी है **गॅन्द** (ललछौंह)। इस शब्द-शृंखला में **क्, ख्, ग्** तीनों ध्वनियों से आरम्भ होनेवाले शब्द हैं। सम्भावना इसी की अधिक है कि ये **श्** के नहीं वरन् **घ्** के रूपान्तर हैं। तमिल **चिव** (लाल होना) और संस्कृत **शिव** की समानता पर अनेक विद्वानों ने ध्यान दिया है और इस आधार पर **शिव** को आर्येतर जनों का देवता भी घोषित किया है। कन्नड़ **चन्न** (लाल) और संस्कृत **चन्द्र** का आधार भी एक है। मूल क्रिया **घर्** है; **कन्, चन्, शम्** आदि उसके रूपान्तर हैं। **हर** और **हरि** जैसे मूलत: अग्निवाचक शब्द हैं, वैसे ही **शिव, शम्भु** और **रुद्र** भी मूलत: अग्निवाचक हैं। **घ्** को **क्, ख्, ग्, श्,** और **क्-श्** को **च्** रूपों में ग्रहण करनेवाले विभिन्न प्राचीन समाज अग्नि और लालिमा के लिए इन ध्वनियों से आरम्भ होनेवाले शब्दों का व्यवहार करते थे। द्रविड़ भाषाओं के ऊपर उल्लिखित शब्द लालिमा का भाव व्यक्त करते हैं; उनका अग्निवाचक शब्दों से सम्बन्ध असन्दिग्ध है। तमिल **कनल्** (अग्नि) और तोद **कॅन्** (लाल), कुइ **कम्ब** (जलना) और तुलु **कॅम्बु** (ललाई), कुइ **कप्प** (जलाना) और कोत **कॅप्** (लाल), तेलगू **कित्तु** (अग्नि) और कोत **केत्** (लाल) से उक्त सम्बन्ध की पुष्टि होती है।

**घॅर्** के रूपान्तर **शॅर्** से संस्कृत **श्री** (प्रकाश) और **शृंगार** (काम-भावना) शब्द बने। **शुभ्र** का आधार **शॅर्** का विकल्प **शॉर्** है; जैसे **शुर्क** से **शुक्र**, वैसे ही **शुर्भ** से **शुभ्र**। **शुभ** में **र्** लुप्त है। इसी प्रकार **शुब्ध** (प्रकाशमान) में **र्** का लोप हुआ है। **शम्बर** (श्रेष्ठ), **शमी** (वह वृक्ष जिसमें अग्नि छिपी हो) में **शर्** का रूपान्तर **शम्** है। **शात** (प्रकाशमान, सुर्सी) और **शान्त** मूलत: एक हैं। **शात** में **न्** का लोप हुआ है। **कान्त** को **शान्त** का प्रतिरूप मानना चाहिए, **कान्ति** को **शान्ति** का। **शुष् < शुर्** का अर्थ हुआ सुखाना, **शुषि** (शक्ति), **शुष्मन्** (ऊर्जा), **शुष्मिन्** (आग्नेय, कामोत्तेजित) में अग्नि से सम्बद्ध अन्य भाव हैं। **शुच्** इस **शुष** का रूपान्तर हो सकता है। **शुर्क** या **शुर्च** में **र्** का लोप होने से भी उसका विकास सम्भव है। **शूर** (शक्तिशाली) का आधार **शुर्** क्रिया है; अग्नि से सहज ही शक्ति का भाव जुड़ा हुआ है।

**शॅर्** के रूपान्तर **शॅय्, शॅव्** से **श्वित्** (चमकना), **श्वेत** (सफ़ेद), रूसी **स्वॅतीत्** (चमकना), **स्वेत्** (प्रकाश, संसार) आदि रूप बने। फ़ारसी **सफ़ेद** और अंग्रेज़ी **ह्वाइट्** (सफ़ेद) का आधार **श्वेत, स्वेत** है। **शान्त** और **कान्त** के समान **श्वेत** और **केतु** (प्रकाश) संस्कृत के समकक्ष रूप हैं। इसी तरह भिन्न प्रत्ययों वाले **शंख** और **कम्बु** समकक्ष हैं। **श्** और **क्,** दोनों की आधारभूत ध्वनि **घ्** है।

जिस **शॅव्** से वर्ण-संकोचन द्वारा **श्वेत** रूप बना, उसी का परिणाम **शिव** है; **शम** और **शम्बर** के **शम्** का आधार लेकर **शम्भु** रूप बना। अग्नि के साथ कल्याण और विनाश, दोनों के भाव जुड़े हैं। **शंकर** में यह कल्याण वाला भाव है। पौराणिक गाथाओं में शिव कल्याण और विनाश, दोनों के देवता हैं। उन्होंने अपने तीसरे नेत्र की अग्नि से कामदेव को भस्म कर दिया और वह कामचेतना के, आनन्द के प्रतीक भी हैं। ये सारे अर्थ एक ही वृत्त में हैं और इस वृत्त का केन्द्र है अग्नि। **घर्, घॅर्** शब्दमूलों के **शॅर्, शम्** आदि रूपान्तरों से परस्पर सम्बद्ध शब्दों की लम्बी शृंखला रची गई।

संस्कृत का एक रूप है **शुद्ध** (प्रकाशमान, श्वेत, निर्दोष); दूसरा रूप है **शुन्ध्** (शुद्ध होना), **शुण्ठ्** (सूखना), **शुण्ठि** (सोंठ)। दोनों का आधार **शुर्, शुन्** है; एक में **र्** लुप्त है, दूसरे में उसका स्थानापन्न **न्** है। इनसे तुलनीय हैं **इन्ध** (प्रज्वलन) और **इद्ध** (प्रज्वलित)। संस्कृत **सिद्ध** (पका हुआ) और **शुद्ध** मिलते-जुलते रूप हैं। संस्कृत **साधना** की **साध्** क्रिया का सम्बन्ध तपने, कष्ट सहकर लक्ष्य प्राप्त करने से है। **शुद्ध** की **शुध्** क्रिया से तुलनीय है कन्नड़ **सुडु** (जलाना), **सॉडरु** (दीप), **साधना** की **साध्** से पंजाबी **सड़ना** (जलना), **शुण्ठि** की **शुण्ठ** (सूखना) से कन्नड़ **सुण्टगॅ** (जलाना)। संस्कृत **शुष्क** का तद्भव लैटिन रूप है **सिक्कुस्** (सूखा)। ऐसे ही हिन्दी **सूखा** का समकक्ष रूसी रूप है **सुखोइ** (सूखा), संस्कृत **शुष्** का रूसी प्रतिरूप है **सुशीत्** (सुखाना)। फ़ारसी **ख़ुश्क** संस्कृत **शुष्क** का प्रतिरूप है; **ख़ुश** और **ख़ुशी** से **ख़ुश्क** बहुत दूर है पर अग्नि से सुख-दुख, दोनों का सम्बन्ध हो, तो **ख़ुश** और **ख़ुश्क** का एक ही आधार होगा। इसी प्रकार हिन्दी **सुखाना** और **सुख** का एक ही आधार होगा।

प्राकृत **चुडुली** (मशाल), तमिल **चुडर्** (सूर्य, दीप, अग्नि) का आधार **सुड** हो सकता है, **कुड** भी। मल्तो **कुड़ॅ** (जलाना) का **क्** मूलरूप के **घ्** का विकास हो सकता है, **स्** का रूपान्तर भी। संस्कृत **सित** (श्वेत), कोलमि **सिड्** (दिन) का **च्** वाला प्रतिरूप पर्जि **चॅडि** (प्रकाश) है। इसी प्रकार तुलु **तुडरु** (दीप) में **तुड** का पूर्वरूप **सुड** हो सकता है, **धुर्** वाले क्रम में उसका स्वतंत्र विकास भी सम्भव है। कुवि **हूदलि** (जलाना) का **ह्** सम्भवतः **स्** का रूपान्तर है।

**सर्** क्रिया प्रवाहसूचक है। यह क्रिया प्रकाशसूचक भी थी, इसमें सन्देह नहीं है। फ़ारसा **साल्** (वर्ष), लैटिन **सोल्** (सूर्य, दिन, धूप), संस्कृत **सुर्** (चमकना), **सुर**

(देवता), **सूर** (सूर्य), गद्‌ब **सिरिस्** (दिन), नइकि **शिल्** (उप.), लैटिन **सीरिउस्** (ग्रीष्म ऋतु में दिखनेवाला नखत), अंग्रेज़ी **सन्** (सूर्य) का आधार **सर्** तथा उसके रूपान्तर हैं। ग्रीक **हेलिऑस्** (सूर्य), संस्कृत **होला, होलिका** (होली), कुवि **हॉल्लु** (चूल्हा), ब्राहूइ **हूशिंग्** (आग जलाना) के **ह्** का पूर्वरूप **स्** हो सकता है, **घ्** भी।

अब **घर्** के समानान्तर **धर्** वाली शब्द-शृंखला पर ध्यान देना चाहिए। संस्कृत **धरण** (सूर्य), **धृष्णि** (किरण), **धुर्** (चिनगी) की मूलभूत क्रियाएँ जलाने का अर्थ देनेवाली हैं। संस्कृत **धवल** का सम्बन्ध धोनेवाले **धव्** से हो सकता है, जलनेवाले **धव्** से भी। हिन्दी **धूप** का **धू** शब्दमूल **धव्, धॉर्**, दोनों में किसी का विकास हो सकता है। संस्कृत **दव** अग्निवाचक है; उसका पूर्वरूप **धव** हो सकता है। संस्कृत **धामन्** (प्रकाश) का आधार **धर्** या **धम्** होगा। हिन्दी **धूप** और **धूनी** संस्कृत **धूम** से मिलते-जुलते रूप हैं। ग्रीक **थूमलोप्स्** (अंगार) में **धूम** का अग्निवाला अर्थ है; **थूमिअओ** (धुआँ करना) में **धूम** का सामान्य अर्थ है। जैसे धव् या धॉर् से **धूप** की **धू** क्रिया प्राप्त होगी, वैसे ही **धय, धॅय्, धॅर्** से संस्कृत रूप **धी** (प्रकाश) मिलेगा।

गेलिक **दार्सग़्** (चमकना), **दॅरक** (लाल) में **धर्** का रूपान्तर **दर्** है। ग्रीक **दइओ** (जलाना) का आधार **दर्>दय्** है। **दर्>दा** से अथवा **दल्** से ग्रीक रूप **दालोस्** (जली हुई मशाल) बना। संस्कृत **दाघ, निदाघ** में **र्**-विहीन कृदन्त है। **दाह, दहन** में **दघ्** का रूपान्तर **दह्** है। संस्कृत **अहन्** (दिन) के **अह** के समान हिन्दी **दिन-दहाड़े** में **दह** है। **दघ, दह्** ये शब्द दिन का अर्थ भी देते थे। **ह्** का लोप करके गुजराती **दाड़ो** (दिन) बना। जलाने से सम्बद्ध हिन्दी **दागना, दाग** का आधार **दाघ** है। हिन्दी **जगमग**, तेलगू **जग्गु** (चमक) में **द्** का रूपान्तर **ज्** है। तेलगू का एक रूप **दगदग** (चमक) भी है। हिन्दी **झकाझक** के **झक** का पूर्वरूप **धक** होगा; **झक** का अर्थ गर्मी भी है खास तौर से दिमाग की गर्मी। रूसी **झ़्गूचिइ** (जलता हुआ) में **धग्>झ़ग्** का वर्ण-संकोची परिणाम **झ़ग्** है।

संस्कृत दीप का पूर्वरूप **धिर्प** था, इसका बोध प्राकृत **धिप्पइ** (चमकता है) से होता है। संस्कृत देव के **ग्रीक** प्रतिरूप **थॅऑस्** का **थ्** मूलरूप के **ध्** का रूपान्तर है। संस्कृत **दिव, दिवस**, लैटिन **दीवुम्** (आकाश), **दीवुस्, दॅउस्** (देव) के **दिव्** का विकास **दिर्प>दिप** से हो सकता है, सीधे **दिर्** से भी। **द्युति** के **द्** का रूपान्तर **ज्** ज्योति में है; ग्रीक **ज़ॅओ** (गरम होना), **ज़ॅउस्** (देवराज) के **ज़्** का पूर्वरूप **ज्** प्रतीत होता है। हिन्दी **दामिनी** और **दमकना** की **दम्** क्रिया **दर्** या **दप्** का रूपान्तर है। **द्** के **ल्** रूप में ग्रहण किये जाने पर ग्रीक **लम्पो** (चमकना), **लम्पस्** (प्रकाश, दीप), अंग्रेज़ी **लैम्प्** बने। संस्कृत **दिति** (देवी विशेष), **दीति** (प्रकाश), **आदित्य** (सूर्य) में **दिव्**-मूलक कृदन्त हैं। **दिन** का पूर्वरूप **दिर** हो सकता है।

संस्कृत **तारा** (नखत), **तरल** (चमकीला), कोलमि **तरि** (जलना), तमिल **तॅरु** (उप.), **तॉर्म्** (चमक), वेल्श **तॅरुइन्** (आग्नेय) में **तर्** का प्रसार है। संस्कृत

**धी** के समान तमिल **ती** (जलना) का पूर्वरूप **तॅर्, तॅय्** होगा। तेलगू **तॅलि** (श्वेत), तमिल **तुलङ्गु** (चमकना) में **तर्** का रूपान्तर **तल्** है। संस्कृत **ताम्र**, तमिल **तोम्बु** (ललाई) का आधार एक है। यहाँ **पान** के लिए **ताम्बूल** शब्द की व्याख्या हो जाती है। जिसे खाने से मुँह लाल हो, वह **ताम्बूल**। तमिल **तणल्** (आग), तेलगू **तनुकु** (जलना) से हिन्दी **तिनगना** (खफ़ा हो जाना) तुलनीय है। **चिनगी** के **चिन** का पूर्वरूप **तिन्** होगा। तमिल **तिङ्गळ्** (चन्द्रमा) में चमकने का अर्थ देनेवाली **तिन्** क्रिया है। वेल्श **तॅस्** (धूप, गर्मी) और ग्रीक **दिस्** (देव, देव विशेष ज़ेउस्) में र् के स्थान पर **स्** है।

**तिङ्गळ्** का **तिन्** देखकर विश्वास होता है **दिन** का आधार **दिन्** क्रिया है और वह **दिर्** का रूपान्तर है।

**दघ** के समानान्तर **तर्** के कृदन्त **तघ** से तमिल **तगवु** (शुद्धता), **तॉगरु** (लाल रंग), **तिगळ्** (चमकना), जर्मन **टाग्** (दिन) रूप बने। संस्कृत **तप्** (तपना) का आधार **प** कृदन्त प्रत्यय वाला रूप होगा। हिन्दी **ताव, तवा** में **प्** का रूपान्तर **व्** है। तमिल **तू** (श्वेतता), ब्राहूइ **तूबे** (चन्द्रमा), तुलु **तोपु** (लाल) सम्बद्ध रूप हैं।

**तर्** के रूपान्तर **नर्** से मल्तो **नरॅ** (लपट), तमिल **नॅरुप्पु** (अग्नि) और तोद **नॉर** (सूर्य) बने। सम्भवत: **नरक** उस स्थान को कहा गया जहाँ आग जला करती थी। कोलमि **नल्** (दिन), तमिल **निलवु** (चाँदनी) में **नर्** का प्रतिरूप **नल्** है। जैसे **शुभ** का सम्बन्ध प्रकाश से है, वैसे ही तमिल **नल्** (अच्छा), **नल्ल** (उप.), **नलवु** (अच्छाई) का सम्बन्ध प्रकाशवाचक **नल्** से है। संस्कृत **नल्** का अर्थ है चमकना। मूलरूप **नर्** है; वह तमिल **नर्गु** (अच्छा), **नर्रम्** (अच्छाई) के अलावा **न्, स्** वाले **र्** के रूपान्तरों सहित तमिल **नन्बु** (उप.), तोद **नष्** (सुन्दरता) में विद्यमान है। जैसे जलने का अर्थ देनेवाली क्रियाओं से जली हुई वस्तुओं के नाम का सम्बन्ध है, वैसे ही तमिल **नलम्** का अर्थ है शोभा, तो उसी भाषा के **नल्लम्** का अर्थ है अँधेरा, कोयला। संस्कृत **नर्म** में सुख का भाव है।

**ताम्र**, तमिल **तोम्बु** (ललाई) के साथ संस्कृत **तमस्, तिमिर** पर विचार करें तो विदित होगा कि **तम, तिम** का अर्थ है जला हुआ, अत: अँधेरा।

तमिल **नगु** (चमकना), **निगर्** (उप.), कन्नड़ **निग** (चमक) **नर्** क्रियामूल के कृदन्त रूप हैं। फ़ारसी **नग, नगीना** (रत्न) का आधार वही **नर्** है।

**ध्** का एक रूपान्तर **स्त्** है। इससे सम्बद्ध रूप संस्कृत **स्त्रि** (नखत), फ़ारसी **सितारा**, लैटिन **स्तॅल्ल** (उप.), ग्रीक **अस्तेर्** (उप.), अंग्रेज़ी **स्टार** (उ.) हैं।

अन्त में **घर्, धर्** का समकक्ष रूप **भर्** लेते हैं। संस्कृत **भर्ग** (प्रकाश), **भ्राज्** (चमकना), **भृगु** (शुक्र), **भृंश** (चमकना), **भीरु** (चाँदी), **भूरि** (स्वर्ण), **बभ्रु** (भूरा), हिन्दी **भोर, भूरा** में **भर्** क्रियामूल और उसके **भॅर्, भॉर्** विकल्प हैं। **भा** (प्रकाश), **भाम** (उप.), **भानु** (सूर्य), **प्रभात** में **भर्** का रूपान्तर **भा** है। अवधी

**बरबु** (जलना), जर्मन **ब्रेनॅन्** (जलना), अंग्रेज़ी **ब्राइट** (चमकीला), मल्तो **बॅरु** (सूर्य), कन्नड़ **बुरुगलु** (भुने चावल) में **भर्** के अल्पप्राण **ब्** वाले रूपान्तर हैं। संस्कृत **पारु** (सूर्य, अग्नि), हिन्दी **परचना** (जलना), तोद **पर्ल्** (सूखा), संस्कृत **पेरु** (सूर्य, अग्नि), **पृष्णि** (किरण), तमिल **पॉरि** (जलना), **पॉर्** (सुनहला), ग्रीक **पुर्** (अग्नि) **पुर्रॉस्** (लाल), और प्रकाश की दिशा होने से संस्कृत **पूर्व**। जो सामने हो, वह भी **पूर्व** है किन्तु दिशा-विशेष के लिए कुछ अन्य शब्द हैं जो प्रकाश का अर्थ देते हैं, अत: संस्कृत **पारु, पेरु** के साथ **पूर्व** को रखना समीचीन है। पूर्व दिशा से सम्बद्ध अन्य शब्दों की चर्चा आगे करेंगे।

संस्कृत **पट्** (चमकना), **पटर** (किरण) में **र्**-विहीन कृदन्त हैं। संस्कृत **पलित** (श्वेत, प्रज्वलित), फ़ारसी **पलीता** (आग लगाने की बत्ती), रूसी **पलीत्** (जलाना), **प्लाम्या** (लपट), तमिल **पॉलि** (चमकना), **पुलर्** (भोर होना) में **पर्** का प्रतिरूप **पल्** है। संस्कृत **पाण्डु** (श्वेत, पीताभ), **पुण्ड्र** (श्वेत कमल), तमिल **पॉन्** (स्वर्ण), पर्जि **पङ्ग** (प्रभात) में **पर्** का रूपान्तर **पन्** है। हिन्दी **पीला**, तमिल **पळु** (पीला होना), कन्नड़ **पळकनॅ** (चमक), लैटिन **पल्लॅओ** (पीला होना) का **पल्** सीधे **पर्** का प्रतिरूप हो सकता है, **पत, पीत** जैसे कृदन्तों का रूपान्तर भी। जैसे **तर्** का रूपान्तर **नर्**, वैसे ही **पर्** का रूपान्तर **मर्**; इससे संस्कृत **मरकत** (रत्न), **मर्कट** (कपि), **मरीचि** (किरण), पर्जि **मर्त्** (चमक उठना) रूप बने। जैसे **पर्** के साथ **पन्** है, वैसे ही **मर्** के साथ **मन्** है। संस्कृत **मणि**, तमिल **मण्डु** (जलना, दमकना), **मिन्नु** (चमकना), **मीन्** (नखत) में प्रकाशसूचक **मन्** क्रिया है।

**भर्** के अघोष **फ्** वाले रूपान्तर से सम्बद्ध हैं लैटिन **फ़ॉर्नुस्** (भट्ठी), ग्रीक **फ्रुगो** (भूनना), फ़ारसी **अफ़्रोज्** (दीप्त), लैटिन **फ़ुल्गॅओ** (चमकना), ग्रीक **फ्लॉगिज़ो** (जलाना) आदि। तमिल **वर** (सूखना), **वरु** (भूनना), **वाळ्** (प्रकाश), तेलगू **वालु** (चमकना) में **पर्** का रूपान्तर **वर्** है। तमिल **वान्** (आकाश), तेलगू **विनु** (उप.) में **र्** का स्थानापन्न **न्** है।

**वल्, बल्** श्रेणी के अनेक आर्य, द्रविड़ और इंडो-यूरोपियन शब्द मिलते-जुलते हैं। संस्कृत **बलक्ष** (श्वेत), लिथुआनियन **बल्तस्** (उप.), रूसी **बेलुइ** (उप.), बलूची **बेल्** (उप.), तुलु **बिळि** (उप.), तेलगू **वॅल्लनि** (उप.), तमिल **वॅळ्** (उप.) की समानता आकस्मिक नहीं है। यह सम्भव है कि इनमें कुछ रूप **व्** को **ब्** बोलने से बने हों, अन्य **ब्** को **प्**, फिर **व्** बोलने से बने हों पर इनके परस्पर सम्बद्ध होने में सन्देह नहीं है, और इनका मूलाधार **भर्** और उसके प्रतिरूप हैं।

संस्कृत **वर्चस्** (प्रकाश), **वर्ण** (उप., रंग) से उसी भाषा के **वसु** (शुभ), **वसाति** (उषा), **वासना** (कामना) सम्बद्ध हैं। **भर्ग** के **भर्** का प्रतिरूप **भस्** (जलना) है; इसलिए **प्रभात** के **भात** के साथ **भास** (प्रकाश) भी है। वैसे ही **वर्** के साथ **वस्** है। तमिल **वर** (सूखना) के साथ कुइ **वस** (उप.) है। अत: संस्कृत में **वस्** को **वर्**

का प्रतिरूप मानने में दुविधा न होनी चाहिए। **वासर** (दिन), **वसन्त** (प्रकाशमान, ऋतु विशेष), रूसी **वेस्न** (वसन्त), **वेसेले** (आमोद), संस्कृत **वश्** (कामना करना) में आधारभूत क्रिया **वस्** है। **वस्** के प्रतिरूप **वॅस्** से अंग्रेज़ी **विश्** (इच्छा करना) और **व्** का लोप होने पर संस्कृत **इष्** (उप.) क्रियाएँ बनीं। **वस्** या **वॉस्** से संस्कृत **उस्त** (भोर, कान्ति), **उशत्** (कामना करता हुआ), **उषा, उष्ण** रूप बने। यहाँ **उ** ने **व** का स्थान लिया है या **वु** के **व्** का लोप हुआ है।

पूर्व दिशा के लिए रूसी शब्द **वॉस्तॉक्** का आधार प्रकाशसूचक **वस्** है। समानार्थी जर्मन **ऑस्त्** में **ऑ** ने **व** का स्थान लिया है या **वॉ** के **व्** का लोप हुआ है। **वस्** के प्रतिरूप **वॅस्** से अंग्रेज़ी **ईस्ट्** (पूर्व) बना; पुरानी अंग्रेज़ी का रूप है **ॲअस्तन्**। दोनों में **व्** का लोप हुआ है।

प्रकाशवाचक शब्दों की एक श्रृंखला **र्, ल्** से आरम्भ होती है। इस बात की पूरी सम्भावना है कि **भ्र>व्र>र** तथा **भ्ल>व्ल>ल** इस क्रम से शब्दों के आदिस्थान में **र्, ल्** की प्रतिष्ठा हुई हो। संस्कृत में जो अर्थ **भ्राज्** का है, वही **राज्** का है अर्थात् चमकना। **भ्राज्** का एक प्रतिरूप **भ्राश्** है; **रश्मि** (किरण), **रशना** (उप.) में **राश्** का प्रतिरूप **रश्** है। **भ्राश्** का एक प्रतिरूप **भ्लाश, भ्लास्** है; **लस्** का अर्थ है चमकना। बीच की कड़ी होगी **व्र, व्ल**; इनका पूर्वरूप होगा **प्र, प्ल**।

संस्कृत **रुधिर, रोहित, लोहित** का आधार **रॉध्** है। ग्रीक **ॲरुथ्रॉस** (लाल) में **र्** के पहले अतिरिक्त स्वर है। संस्कृत **रुद्र** (उप.), लिथुआनियन **रुदस** में **ध्** अल्पप्राण हो गया है। लैटिन **रुबॅर्** में **ध्** का स्थान अल्पप्राण ओष्ठ्य ध्वनि ने लिया है। लैटिन **रुफ़ुस्** (उप.) में महाप्राण ओष्ठ्य ध्वनि है। कुइ **रुत** (आग लगाना) इन रूपों से तुलनीय है। अंग्रेज़ी **रॅड्** (लाल), रूसी **रीझ़िइ** (उप.) **रॅध्** वाले क्रम में हैं। संस्कृत **रुच्** (चमकना), **रुचि** (प्रकाश) में **ध्>त्>च्,** इस तरह का विकास है। संस्कृत **रुक्म** (प्रकाश) में **क्** को **च्** का रूपान्तर मानना चाहिए या **रॉध्** के समानान्तर **रॉघ्** की कल्पना करनी चाहिए। **लोचन** और **आलोक** के **लोच्** और **लोक्** दोनों **रॉघ्** के विकास हो सकते हैं। लैटिन **लूकॅओ** (चमकना), **लुकॅर्न** (दीप) आलोक की परम्परा में हैं।

**रॉध्** के प्रतिरूप **रध्** के **रत्, रज्, रस्** जैसे रूप बनेंगे। संस्कृत में **रत्न** वह जो प्रकाशमान हो, **रजत** का व्यवहार चाँदी, सोना और रक्त तीनों के लिए होता था, **रजनी** और **राका** दोनों से चाँदनी रात का बोध होता है। **रक्त** और **रुधिर रध्, रॉध्** समकक्ष क्रियामूलों से बने हैं। **रश्मि** (किरण) का आधार चमकने का अर्थ देनेवाली **रस्** क्रिया होगी। **रस्>रह्>रव्** इस क्रम से **रवि** शब्द बनेगा। **रम्** (प्रसन्न होना) का **म् स्** का रूपान्तर है। संस्कृत **रंज्** (चमकना, लाल होना), **रंग** से तुलनीय हैं कोंड **रुन्** (गर्मी), कुवि **रिंजलि** (जलना), **लॅञ्जू** (चन्द्रमा), लैटिन **लूमॅन्** (प्रकाश), **लून** (चन्द्रमा)।

*(त) प्रकाश, दर्शन, ज्ञान*

प्रकाश से देखने, जागने, जानने की क्रियाएँ सम्बद्ध हों, यह स्वाभाविक है।

जागने के लिए संस्कृत की **जागृ** क्रिया में **वर्ण** की आवृत्ति हुई है। **गर्, गॅर्** आधारभूत रूप होगा। जानने के लिए संस्कृत क्रिया **ज्ञा** का पूर्वरूप **जान्** या **जन्** होगा। **ज्ञाति** (जाति) के **ज्ञा** का आधार **जन्** है; वैसे ही **ज्ञान** के **ज्ञा** का आधार **जन्** या **जान्** है। **जागने** का अर्थ देनेवाली **गर** क्रिया का अर्थ सम्भवत: जानना भी था और उसका पूर्वरूप **घर्** था। संस्कृत में **घर्** या **घृ** जैसी कोई क्रिया नहीं है जिसका अर्थ जागना या जानना हो। किन्तु संस्कृत **घ्रा** में क्रिया है जिसका अर्थ सूँघना, जानना है। कहा जा सकता है कि **घ्रा** का मूल अर्थ जानना नहीं है; अलंकार के रूप में सूँघने का अर्थ जानना हो सकता है। मोनियर विलियम्स ने 'राजतरंगिणी' का हवाला देते हुए **घ्रात** का अर्थ जानते हुए, देखते हुए, अनुभव करते हुए लिखा है। इससे लगता है कि **घ्रा** का अर्थ जानना केवल अलंकार के रूप में नहीं है। सम्भव है, किसी भी प्रकार के संवेदन के लिए पहले **घर्** क्रिया का व्यवहार होता हो। इस **घर्** का रूपान्तर होगा **गर्**। प्राकृत **झरग** (चिन्तक) की **झर्** किया का पूर्वरूप **घर्** होगा या **धर्**। **धर्** जैसी चिन्तन का अर्थ देनेवाली क्रिया संस्कृत में नहीं है। यह **झर्** उत्तर-पश्चिमी **घर्** क्रिया का रूपान्तर हो सकता है। द्रविड़ भाषाओं में देखने का अर्थ देनेवाला क्रियामूल **कन्** है किन्तु कोलमि **कर्स्** (सपने देखना) और गद्‌ब **किर्क्** (उप.) से विदित होता है कि **कर्** का व्यवहार भी होता है। **कन्** इस **कर्** का रूपान्तर है। यूरोप की भापायों में **न्** वाले रूप पहुँचे हैं।

ग्रीक **गिग्नोस्को** (जानना) में, **जागर्ति** के समान, वर्ण की आवृत्ति है। **ग्नोतॉस्** (ज्ञात), **ग्नोसिस्** (ज्ञान), रूसी **ज़्नात्** (जानना), **ज़्नानिए** (ज्ञान), पुरानी अंग्रेज़ी का **क्नावन्** (जानना), इन सबमें धातु का वर्ण-संकोची रूप है किन्तु जर्मन **कॅनॅन्** (पहचानना), **कॅनर्** (जानकार), अंग्रेज़ी **कॅन्** (दृष्टि-परिधि; पहचानना) में **क्न** के बदले **कन्** विद्यमान है।

द्रविड़ भाषाओं में आँख, देखना, जानना के लिए सम्बद्ध रूप हैं और इनसे अर्थ-संसर्ग की प्रक्रिया समझने में सहायता मिलती है। तमिल **कण्** (आँख), **काण्** (देखना), **काङ्गइ** (ज्ञान), **कण्णु** (सोचना) में यह प्रक्रिया देखी जा सकती है। तमिल **काट्जि** (दृश्य), **काट्टु** (दिखाना), तोद **कोट्** (उप.) का आधार **कर्त, कॉर्त** होंगे।

**कॅर्त** से **कित्** और **केतु** रूप बने। संस्कृत **केतु** का एक अर्थ है कान्ति, दूसरा है बुद्धि। **कित्** का रूपान्तर **चित्** आर्य भाषाओं में खूब फला-फूला। **चित्** का अर्थ है जानना, **चित्त** का अर्थ है प्रकाशमान। **चिकित्** (जानकार, प्रकाशमान) में **कित्** के दर्शन होते हैं। **चिकित्सा** का मूल अर्थ होगा जानकारी; विशिष्ट अर्थ हुआ औषधि उपचार की जानकारी। **चेतन** का एक अर्थ है दृश्यमान, दूसरा अर्थ है बुद्धिमान, चेतनायुक्त। जिससे संसार का ज्ञान प्राप्त होता है, वह है **चित्त**। अवधी **चितवत**

(देखता), ब्रज **चितवनि, चितौनि** में **चित्** का मूल देखनेवाला भाव है। संस्कृत **चिन्तन** की **चिन्त्** क्रिया में **कॅर्>चॅर्** के **र्** का रूपान्तर है **न्**।

**प्रकाश** के **कश्** का रूपान्तर **चश्** हुआ। इससे संस्कृत **चक्षस्** (प्रकाश, **चक्षु** (आँख) रूप बने। फ़ारसी **चश्म** (उप.) में यही **चश्** है।

**घ्** के **स्-श्** वाले रूपान्तर-क्रम में, संस्कृत **सूर्य** और **शुक्र** की प्रकाशवाचक शब्द-शृंखला में, तुलु **सूकॅ** (संवेदन), गोंडी **सूड़न्** (देखना), तुलु **हूपिनि** (उप.), गोंडी **हूड़ाना** (उप.), तुलु **चूळ्** (सोचना) हैं।

संस्कृत में **धर्** क्रियामूल का व्यवहार विशेष रूप से हुआ है। **धी** (जानना, चिन्तन, बुद्धि), **ध्यान, ध्येय** का आधार **धॅर्** है। **धिषण** में **र्** के स्थान पर **ष्** है। **धॅर्** क्रिया का व्यवहार, देखने के अर्थ में, पहले होता था, इसकी जानकारी ग्रीक रूपों से होती है : **थॅओरॅओ** (देखना, सोचना), **थॅओरेम** (दृश्य, चिन्तन का विषय), **थॅओरिअ** (दर्शन, चिन्तन)। इन ग्रीक रूपों में देखने और सोचने का अर्थ-सम्बन्ध भी स्पष्ट है। पालि **थेर** (विवेक) का आधार **धॅर्** का रूपान्तर **थॅर्** है। जब **र्** का स्थान **न्** ने लिया, तब कृदन्त **थॅङ्क** बना; यही अंग्रेज़ी की **थिंक्** (सोचना) क्रिया है। **थिंक्** का जर्मन प्रतिरूप **डॅङ्कॅन्** है। **डॅन्** क्रियामूल का पूर्वरूप था **दॅर्**; इससे संस्कृत **दृष्टि, दृग्** (आँख) बने। **दर्शन** में **दॅर्** का प्रतिरूप **दर्** है। अंग्रेज़ी **ड्रीम्** (सपने देखना), जर्मन **ट्राउमॅन्** (उप.) में **डॅर्, टर्** के वर्ण-संकोची रूप हैं।

तमिल **तॅरि** (दिखना, जानना), **तेर्** (जानना, परखना), **तॅरॅन्** (ज्ञानी) का आधार **तॅर्** है। कुइ **तिस्प** (जगाना) में **स्** ने **र्** का स्थान लिया है। तमिल **तोर्रम्** (दृष्टि, प्रकाश) में **तर्** का विकल्प **तॉर्** है। **तॉर्** का रूपान्तर **तॉस्** कुइ **तोस्प** (दिखाना) में है।

अंग्रेज़ी **सी** (देखना), जर्मन **ज़ेहॅन्** (उप.) का आधार भी **धॅर्** क्रियामूल जान पड़ता है।

**भर्** वाले क्रम में संस्कृत **भास्** (चमकना, स्पष्ट होना) है। **भास** प्रकाश है; मन पर जो प्रभाव पड़े, वह भी **भास** है। संस्कृत **बुध्** (जागना, देखना, जानना) का पूर्वरूप **भुर्ध्** था; यहाँ मूल क्रिया **भुर्** है, **ध्** कृदन्त-चिन्ह का अवशेष है। संस्कृत **भूरि** (बुद्धि) में यह **भुर्** है। **भूरि** का एक अर्थ स्वर्ण है; इससे ज्ञात होता है कि **भुर्** प्रकाशसूचक क्रिया थी। लिथुआनियन **बुद्रुमस्** (जागरण) का आधार **बुर्द** है। संस्कृत **बुन्द्** (जानना) में **र्** के स्थान पर **न्** है। ग्रीक **पुन्थनॉमइ** (पूछना, समझना) में **न्** है, **पॅउथॉमइ** (उप.) में **न्** लुप्त है। **बुद्धि, बोध, बुद्ध** आदि आर्य भाषाओं के बहुप्रयुक्त सुपरिचित शब्द हैं।

रूसी **ब्रुदीत्** (जागना) में **बुध्** का **ध्** अल्पप्राण हो गया है। जनपदीय भाषाओं का **समुझ**, मानक हिन्दी का **समझ सम्बुध** के **ध्** को तालव्य रूप देकर बना है।

ऊपर जिस **बुन्द्** का उल्लेख है, उसका प्राचीन अस्तित्व तमिल **पुन्दि** (बुद्धि) से प्रमाणित है। क्रियामूल **पुन्** है, यह कुइ **पुन्ब** (जानना; ज्ञान), कोलमि **पुन्त्** (उप.)

से प्रकट है। **पुन्** का एक कुइ प्रतिरूप **पुस्** है जो पूर्वरूप के **र्** की सूचना देता है। गद्‌ब **पुन्** के साथ **पुय्** है; यहाँ **न्** का रूपान्तर **य्** नहीं है, वह **र्** का रूपान्तर है। **पुर्** के साथ **पुल्** का होना अनिवार्य है। अतः तमिल में **पुलम्** (बोध), **पुलमइ** (ज्ञान) उपलब्ध हैं। ये प्रकाशवाचक तमिल **पुलर्** (भोर होना) से तुलनीय है।

**पुन्** का विकल्प **पिन्** आवृत्ति सहित तुलु **पिन्पिनि** (जानना) में है। तमिल **विळि** और **मिळि** (आँख, ज्ञान) का पूर्वरूप **पिळि** होगा; एक जगह **प्** का विकार **व्** है, दूसरी जगह **म्**। ये रूप कन्नड़ **बिळि**, तोद **पिळ्य्** (चाँदी), तमिल **वॅळि** (उजाला) से तुलनीय हैं।

देखने के लिए तमिल, कन्नड़ आदिभाषाओं की सामान्य क्रिया **पार्** है। इसका आधार **भर्ग** के **भर्** का रूपान्तर **पर्** है। **पर्** का **र्** जहाँ **स्** रूप बना, वहाँ संस्कृत की **पश्** (**पश्यति** आदि की **पश्**) क्रिया बनी। जहाँ **भर्>भस्** का **भ्** केवल **प्** नहीं, महाप्राणता का स्थान लेनेवाले **स्** के साथ, **स्प** बना, वहाँ **स्पष्ट** आदि की **स्पश्** क्रिया बनी। तमिल **पार्** लैटिन प्रतिरूप **पारॅओ** (प्रकट होना, दिखाई देना), अंग्रेज़ी **ट्रांसपैरेंट** (पारदर्शी) में है। कोश में लैटिन **पारॅओ** का पूर्वरूप **पर्रॅओ** दिया है जो **पर्** आधारित **पार्** के निर्माण की व्याख्या करता है। संस्कृत **स्पश्** के आधार पर लैटिन **स्पॅक्तो** (देखना) क्रिया बनी जो अंग्रेज़ी के **स्पेक्टेटर्** (दर्शक), **इंसपेक्ट्** (जाँचना) आदि में है।

रूसी **मुद्रइ** (बुद्धिमान) का पूर्वरूप **बुद्रु** है जो ऊपर उल्लिखित लिथुआनियन **बुद्रुमस्** (जागरण) में प्राप्त है। संस्कृत **मन्** (सोचना), **मनस्** (मन) में वही प्रकाशवाचक **मन्** है जो **मञ्जु** (सुन्दर) और **मणि** में है। **चन्द्रमस्** का **मस्** स्वयं चन्द्र का अर्थ देता है; **मस्** की आधारभूत क्रिया **मन्** है। **मन्स्** से **न्** का लोप हुआ, तब **मस्** प्रचारित हुआ। ग्रीक **मेनस्** (चन्द्र), **मेने** (उप.) में **न्** विद्यमान है, किन्तु कुछ कारक रूपों, यथा : **मेसि** में **न्** लुप्त है। संस्कृत **मास** के लैटिन प्रतिरूप **मॅन्सिस्** में **न्** है। **मस्** का **मन्** से वही सम्बन्ध है जो **मति** का है। **मति, मत, मस्** में **न्** लुप्त है।

द्रविड़ भाषाओं में **मस्** से मिलता-जुलता कोंड रूप **नॅस्** (जानना) है। तमिल **निनइ** (सोचना), कन्नड़ **नॅनसु** (उप.) में **नॅन्** क्रियामूल है। **नॅस्** का पूर्वरूप **नॅन्स्** होगा या फिर **नॅन्** और **नॅस्**, दोनों **नॅर्** के रूपान्तर हैं। तमिल में चमकने के लिए जो **मिन्नु** क्रिया है, उसका **मिन्** ग्रीक **मेने** और लैटिन **मॅन्सिस्** में प्राप्त है। लैटिन-ग्रीक में **मॅन्** संस्कृत **मन्** की तरह चिन्तन का द्योतक है। अतः इस बात की पूर्ण सम्भावना है कि तमिल **निन्** प्रकाशार्थी **मिन्** का रूपान्तर है।

ग्रीक **म्नओमइ** (याद करना), **म्नेसिस्** (स्मृति) में **मन्** का वर्ण-संकोची परिणाम **म्न** है। **मन्** का पूर्वरूप **मर्** था, इसका संकेत अनेक ग्रीक-लैटिन रूपों से मिलता है। ग्रीक **मॅरिम्न** (चिन्ता) में, **चन्द्रमस्** के समान, एक ही अर्थ वाले दो शब्द हैं। **मर्तुस्** (साक्षी) में दर्शनसूचक **पर्** का रूपान्तर **मर्** है। **मर्तुर्** (साक्षी होना) अंग्रेज़ी

में **मार्ट्यर्** बनकर शहीद हो गया। लैटिन **मॅमॉर्** (स्मृति) में **मर्, मॅर्** का विकल्प **मॉर्** है। संस्कृत **स्मर, स्मरण, स्मृति** में **स्**-युक्त **मर्, मॅर्** क्रियामूल हैं। जैसे **पश्य** के साथ **स्पष्ट** है, वैसे ही **भर्** का एक रूपान्तर **पर्** होगा, दूसरा **स्पर्**। **पर्** से प्राप्त हुआ **मर्**, और **स्पर्** से **स्मर्**। **स्मर्** का अर्थ स्मरण करने के अलावा काम-चेतना भी है। जैसे **काम** का **कम्** प्रकाश से सम्बद्ध है, वैसे ही **स्मर** का **स्मर्**।

संस्कृत **बुध** देवता का लैटिन समानार्थी **मॅर्कुरिउस्** है। होना ही चाहिए क्योंकि प्रकाश और ज्ञान से जो सम्बन्ध **बुध्** का है, वही **मॅर्** का है।

बुधवार के लिए अंग्रेज़ी के **वेन्ज़डे** में **बुध** ने लम्बी यात्रा की है। **बुन्ध** से **बुध्न**, फिर **ब्** के स्थान पर **व्** का प्रयोग करते हुए पुरानी अंग्रेज़ी का **वॉन्दॅस्** रूप बना। **वॉदॅन, ऑदिन्** रूपों का चलन भी हुआ। **वॉन्दॅस्** के समानान्तर **वॅन्दॅस्** रूप भी प्रचलित रहा होगा। **वॅन्दॅस्** का दिन **वॅड्नॅस्डे**, संक्षेप में **वेन्ज़डे** कहलाया।

**विद्या, विद्वान, वेद** ज्ञान-शब्द-शृंखला की चौथी कड़ी के शब्द हैं। पहली **ज्ञान**, दूसरी **ध्यान**, तीसरी **बोध**, चौथी **वेद** की कड़ी। **दर्शन** और **द्रष्टा** में देखने का जो भाव है, वही **विद्या** और **वेद** में है। लैटिन **विदॅओ** और रूसी **विदेत्** का अर्थ देखना है। इनका एक ग्रीक प्रतिरूप है **ॲइदो** जिसका अर्थ देखना, जानना है। ग्रीक **ॲइदॉस्** का अर्थ है रूप, आकृति, जो दिखाई दे। क्रियार्थी संज्ञा **इदॅइन्** में **ॲइ** के स्थान पर **इ** है। इसी से अंग्रेज़ी का **आइडिया** (विचार), फ्रांसीसी **ईदे** (उप.) बने हैं जो अब अमूर्त धारणा के व्यंजक हैं; इनका मूल अर्थ दृश्यमान आकार है। मूर्ति के लिए ग्रीक शब्द है **ॲइदोलॉन्** जिससे अंग्रेज़ी **आइड्ल्** बना है। अब **आइड्ल्** और **आइडिया** में स्थूल और सूक्ष्म का भेद हो गया है। इनके मूल में **विद्या** की **विद्** क्रिया है। ग्रीक क्रिया-रूपों में **विद्** के **द्** का संघर्षीकरण होने पर उसकी परिणति **स्** में होती है। अत: **विद्**-आधारित **ॲइसमेन्, इस्मॅन्, इस्तो** जैसे रूप भी मिलते हैं। अंग्रेज़ी के **विस्** (जानता हूँ), **वाइज़्** (बुद्धिमान), **विज़डम्** (बुद्धिमानी), जर्मन **वाइस्हाइट** (उप.) में इसी प्रकार **विद्** के विकार हैं। अंग्रेजी **विट्** (बोध) में **विद्** के **द्** का असंघर्षी प्रतिरूप है।

**विद्** का दूसरा प्रतिरूप **ऑइद** (जानता हूँ) है। तमिल **ओदु** (पाठ करना), **ओदुवि** (वेद पढ़ाना), **ओदि** (विद्या, विद्वान्), **ओत्तु** (वेद; मंत्र पाठ) में या तो **ऑइ** का संयुक्त स्वर दीर्घ **ओ** बना है या इन रूपों का आधार **विद्** का प्रतिरूप **वॉद्** है। कोत, कोडगु आदिभाषाओं में **ओद्** जैसी क्रिया का व्यवहार **विद्** या **वॉद्** के अखिल भारतीय प्रसार का सूचक है। कन्नड़, तुलु, मलयालम आदि अपेक्षाकृत विकसित समाजों की भाषाओं में **ओदु, ओदुनि, ओदुग** आदि रूप हैं ही। इन सबका सम्बन्ध पढ़ने, विशेषत: मंत्र पढ़ने से है।

**विद्** क्रिया के संस्कृत रूपों में **विन्दते, विन्दति** ध्यान देने योग्य हैं। **मति, गति** देखकर पहले विश्वास नहीं होता कि इनमें **न्** का लोप हुआ है; वैसे ही **विद्या**

और **वेद** को देखते **विन्दते** का **न्** फालतू मालूम होता है। किन्तु मूलक्रिया के **र्, न्, म्** का लोप बहुत बड़े पैमाने पर हुआ है, अतः **विन्दते** के **न्** को तुरत अतिरिक्त ध्वनि न मान लेना चाहिए। संस्कृत में एक शब्द **विन्दु** (जानकार) भी है। **विन्** क्रियामूल का अस्तित्व स्वीकार करें तो **विन्द** कृदन्त होगा, **विद** उसका **न्**-विहीन प्रतिरूप होगा, **विन्द्** और **विद्** कृदन्त-आधारित नई क्रियाएँ होंगी। **विन्** का सम्बन्ध तमिल **वॅण्** (प्रकाशमान, श्वेत), **विण्** (आकाश), **विण्णवन्** (दिव्य पुरुष) से है। इस **विन्** का सम्बन्ध तमिल **मिन्** (चमक) से होगा और **मिन्** का **तुलु पिन्पिनि** (जानना) से। **पिन्<पॅर्<भॅर** क्रम से हम फिर आदिस्थानीय **भ्** तक पहुँच सकते हैं पर इसका प्रमाण नहीं है। जो तथ्य प्रमाणित है, वह यह है कि ज्ञान-सम्बन्धी **विद्** का मूल अर्थ देखना है और जानने, देखने, पढ़ने के अर्थ में इससे सम्बद्ध रूपों का, आर्य-द्रविड़ भाषाओं तथा इंडो-यूरोपियन परिवार की अभारतीय भाषाओं में, व्यापक व्यवहार हुआ है। जानने और देखने के लिए जो अन्य शब्दमूल व्यवहार में आए हैं, उनका सम्बन्ध प्रकाश से है; अतः यह कल्पना तर्कसंगत है कि **विद्** का सम्बन्ध भी प्रकाश से रहा होगा।

संस्कृत **ईक्ष्** (देखना) का आधार **इश्<विश्** क्रिया होगी। **वीक्ष्** (देखना) में **वि** उपसर्ग हो सकता है, **विश्** का **वि** भी हो सकता है। **विश्** के वैकल्पिक रूप **वश्>अश्** से संस्कृत **अक्षि** (आँख) बना। ग्रीक **ऑस्से** (आँखें) का आधार निस्सन्देह **वस्** है जो प्रकाशवाचक क्रिया है। **वस्** और **वश्**, देखने, चमकने के अर्थ में, दोनों रूप प्रचलित थे। जहाँ दन्त्य सकार था, वहाँ ग्रीक **ऑस्सॅ** में वह सुरक्षित रहा, जहाँ तालव्य सकार था, वहाँ **क्** रूप में ग्रहण किये जाने से **ऑस्सॅ** का लैटिन प्रतिरूप **ऑकुलुस्** (आँख) बना। जर्मन **अउगॅ** (आँख) में **क्** सघोष है। **लोक, लोचन, अवलोकन** का प्रकाश-सन्दर्भ स्पष्ट ही है। अंग्रेज़ी **लुक्** (देखना) का आधार वह **लुक्** है जो **आलोक** में है।

पुरानी अंग्रेज़ी में **अउगॅ** का प्रतिरूप **अॅअगॅ** है, इससे अंग्रेज़ी के आधुनिक रूप **आइ** (आँख) का विकास हुआ। लिथुआनियन **अकिस्** (उप.), रूसी **ऑकॉ** (उप.), हिन्दी **आँख**, मस्तो **अग़** (जानना), कुड़ुख़ **अख़्ना** (उप.) परस्पर सम्बद्ध हैं।

### *(थ) अग्नि, आह्वान, वाणी*

संस्कृत **घट्** के अनेक अर्थ हैं। इनमें दो पर यहाँ ध्यान देना है। एक है बोलना, दूसरा है चमकना। आलंकारिक रूप से किसी चीज़ का प्रकाशित होना उसका अभिव्यक्त होना है। अभिव्यक्ति का प्रमुख साधन वाणी है। अतः एक ही क्रिया बोलने और चमकने का अर्थ दे सकती है। किन्तु शब्द के आलंकारिक व्यवहार की बात नहीं है। ऐसे अनेक शब्द हैं जिनका सम्बन्ध एक ओर प्रकाश या अग्नि से है दूसरी ओर बोलने, पढ़ने, चिल्लाने, या गाने से है। प्रश्न यह है कि प्रकाशवाचक

शब्दों से इनका सम्बन्ध क्या वैसा ही है, जैसा देखने और जानने की क्रियाओं का है। प्रकाश के बिना आदमी देख नहीं सकता, देखे बिना किसी वस्तु को जान नहीं सकता अर्थात् किसी वस्तु की प्रत्यक्ष जानकारी उसे नहीं हो सकती; यहाँ देखने और जानने से प्रकाश का सीधा भौतिक सम्बन्ध है। प्रकाश से बोलने का सम्बन्ध किस तरह का है? है भी कि नहीं?

**घट्** के समान संस्कृत में **घण्ट्** क्रिया के भी दो अर्थ हैं, चमकना और बोलना। **घट्** का आधार **घर्** है, **घण्ट्** का **घन्**। **केतु** का अर्थ **कान्ति** है और **केतन** का अर्थ है आह्वान। **भृंश्** का अर्थ है चमकना, बोलना; **नल्** का अर्थ है बोलना, चमकना। **चक्षस्** का अर्थ है प्रकाश, दृष्टि, आँख; **चक्षण** का अर्थ है भाषण। **भास्** का अर्थ है चमकना और **भाष्** का अर्थ है बोलना। यहाँ दन्त्य और मूर्धन्य सकारों का अन्तर है किन्तु जैसे **वसु** का **वस्** उषा के **उष्** का पूर्वरूप है, वैसे ही **भाष्** का पूर्वरूप **भास्** हो सकता है। मोनियर विलियम्स के अनुसार **हवन** का एक अर्थ है अग्नि; दूसरा अर्थ है आह्वान। यदि किसी क्षेत्र में अग्नि को देवता मानकर बार-बार उसका आह्वान किया जाता हो, भौतिक अग्नि प्रज्वलित करके उसका आह्वान किया जाता हो, तो उस क्षेत्र में, प्राचीन गण-समाजों के लिए, जलाने और बुलाने की क्रियाएँ इस तरह प्रत्यक्ष सम्बद्ध होंगी जिस तरह अन्य समाजों के लिए वे नहीं थीं, आधुनिक समाजों के लिए नहीं हैं।

अग्नि और वाणी का अर्थ-संसर्ग एक क्षेत्रविशेष की देन है।

**हवते, हुवते** (बुलाता है), **हुत, होम** (अग्नि में **घृत** आदि डालने की क्रिया), **होतृ** (पुरोहित) की आधारभूत **हव्, हॉव्** क्रिया का मूल अर्थ होगा जलना। अग्नि प्रज्वलित करना, उसमें कोई पदार्थ डालना, फिर देवता को बुलाना, ये तीनों परस्पर सम्बद्ध क्रियाएँ थीं। आग जलाये बिना न उसमें कोई पदार्थ डाला जा सकता है, न देवता को बुलाया जा सकता है। जिस क्रिया से अर्थ-प्रसार होगा, उसका सम्बन्ध जलने से होगा।

**हव्, हॉव्** का पूर्वरूप था **घव्, घॉव्**। **हवते, हुवते** के साथ **जुहुवे, जुहूमसि** का **ज्** अपने पूर्वरूप **घ्** की ओर संकेत करता है। **हन्ति** और **जघान** में **ह्-घ्-ज्** का सम्बन्ध स्पष्ट है। पुराने रूप थे **घवते, घुवते, घुत, घोम, घोतृ**।

**घर्म** की **घर्** क्रिया का रूपान्तर है **घव्**। **धरुण** (सूर्य) की **धर्** क्रिया का रूपान्तर है **धव्**। इस **धव्** से **धवल** बना। संस्कृत **दव** (प्रज्वलित) का पूर्वरूप था **धव**। वैसे ही जलने का अर्थ देनेवाले **घव्, गव्** रूप यहाँ कभी प्रचलित थे। कन्नड़ **काय्** (जलना), **कावु** (ऊष्मा) यहाँ स्मरणीय हैं। एक रूप में **य्** है, दूसरे में **व्**। एक का आधार **कय्** होगा, दूसरे का **कव्**। **घव्** का वैकल्पिक रूप होगा **घॉव्**, जैसे तमिल **काय्** (जलना) का तोद प्रतिरूप है **कोय्**।

तोद भाषा में **कोय्** के साथ **कोस्** रूप भी है। दोनों का एक ही अर्थ है जलना। **कोय्** और **कोस्** को साथ रखने से **धॉव्** और संस्कृत **घोष** का सम्बन्ध समझ में

आ जाएगा। तोद रूपों के **य्** और **स्** दोनों **र्** के रूपान्तर हैं; संस्कृत **घोष** का **ष्** भी **र्** का रूपान्तर है।

संस्कृत **घोष** का मूल अर्थ तोद **कोस्** (जलना) में सुरक्षित है।

संस्कृत **गायति** में **गै** (अर्थात् **गय्, गॅय्**) क्रिया है। इससे एक रूप बना **गेय** (जो गाया जाए), दूसरा **गेष्ण** (गानेवाला)। यहाँ भी **य्** और **ष्** दोनों **र्** के रूपान्तर हैं। **गिर्** (स्तवन, भाषण), **गिरा** (वाणी), **गृणाति** (पुकारता है), **गीर्णि** (प्रशंसा) में **र्** विद्यमान है।

**गायति** में **गै** क्रिया है तो हिन्दी **गावत** में **गौ** (अर्थात् **गव्, गॉव**) होगी। **गायति** और **गावति**—इन दोनों रूपों का चलन रहा होगा। रूसी **गॉवॉरीत्** (अथवा **गवारीत्,** बोलता है) में **गव्** आधार-क्रिया है; फ़ारसी **गुफ़्तन** (बोलना) का आधार **गॉव्** है। जैसे **अश्व** फ़ारसी में **अस्प** है, वैसे ही **गॉव्** पहले **गॉप्** बना, फिर अतिरिक्त महाप्राणता के योग से **गॉफ़्**। फ़ारसी के ही **गोया** और **गोयन्दा** (बोलते हुए) का आधार **गॉय्** होगा।

संस्कृत **गाय** (गीत), **गायक, गायत्र** (गीत), **गायत्रिन्** (गायक) का आधार **गय्** है। **गातु** (गीत), **गातृ** (गायक), **गाथा** (गीत), **गाथिन्** और **गाधिन्** (गायक) में **गर्** का रूपान्तर **गा** है, **गीत** में **गॅर्** का रूपान्तर **गी**। संस्कृत **गवते** में **गु** (ध्वनि करना) क्रिया मानी गई है। यहाँ **गर्-गॉर्** का रूपान्तर **गव्-गॉव्** होगा।

एक पशु जो बहुत ज़ोर से ध्वनि करता है **गर्दभ** है। **गर्** से कृदन्त **गर्द**, फिर उससे **गर्दभ**। **गर्द्** का रूपान्तर है **गर्जन** की **गर्ज्** क्रिया प्राप्त। **र्** का लोप होने पर बोलने का अर्थ देनेवाली **गद्** क्रिया प्राप्त हुई। **गद्य** वह जो बोला जाए। **गर्द** का एक पुराना संस्कृत प्रतिरूप **गल्द** (वाणी) था। **गल्** से **गल्प** बना, तालव्यीकरण से **जल्प;** इस कृदन्त को संस्कृत में फिर धातु बनाया गया **जल्प्** (बोलना)। पंजाबी **गल्ल** (बात) तालव्यीकरण के क्षेत्र से बाहर का रूप है, **गल्द-गल्प** से सम्बद्ध है।

जैसे प्रवाहसूचक शब्द आगे चलकर सामान्य गति का बोध कराने लगे, जल-संसर्ग छूट गया, वैसे ही आह्वान-गायनसूचक शब्द सामान्य भाषण का बोध कराने लगे, अग्निसंसर्ग छूट गया।

**गव्** का रूपान्तर हुआ **कव्**। इससे बना **कवि** जिसका मूल अर्थ होगा आह्वान करनेवाला। 'ऋग्वेद' के पहले ही सूक्त में **अग्निर्होता कविक्रत्तुः** आदि से यज्ञ, अग्नि, कवि, होता का परस्पर सम्बन्ध व्यक्त होता है। संस्कृत **कोक** (कोयल), **कोकिल** का आधार **कॉर्** अथवा **कॉव्** है। **केकय** नाम का प्राचीन गण, गन्धर्वों के समान, गानविद्या के लिए प्रसिद्ध रहा होगा। **कय्** की आवृत्ति से **केकय** बना। **केका** (मयूरध्वनि) में यही **कय्** है।

तमिल **कुरल्** (ध्वनि, शब्द), कन्नड़ **कुरल्** (चिल्लाना), तेलगू **कोलुचु** (गीत गाना, पढ़ना) में **कॉर** का **र्** विद्यमान है। वैदिक **कीरि** का अर्थ है कवि, प्रशंसक। **कीर्तन** (कथन), **कीर्ति** (विवरण, ख्याति) की **कीर्त्** क्रिया का आधार **कॅर्** है जिससे

**कीरि** रूप बना। द्रविड़ भाषाओं में **पॅङ्गो केर्** (गाना), कुवि **क्रे** (उप.) प्राचीन **कॅर्** से सम्बद्ध है। **कुरल्** का **कॉर्** और **कीरि** का **कॅर्** वैकल्पिक रूप हैं।

**कुर** का एक रूपान्तर **कुश** था। वाल्मीकि के लिए **कुशिन्, कुशीलव** का प्रयोग हुआ है। इनका मूल अर्थ होगा गायक, कवि।

**कर्** के रूपान्तर **कन्** से लैटिन **कनो** और **कन्तो** (गीत गाना) बने। पुरानी आइरिश के **कनिद्** (गाता है) में यही **कन्** है।

जैसे **गर्द** से **गद्** क्रिया बनी, वैसे ही **कर्थ** से संस्कृत की **कथ्** (कहा)। **कथा** और **गाथा** मूलतः एक हैं। **कथक** वह है जो कथा कहता है; गाता है, नृत्य के भाव बताता है, इस कारण **कुशीलव** के समान **कथक** अभिनेता का अर्थ देने लगा।

ध्वनि करने के लिए एक प्राचीन क्रिया **ध्वर्** थी। इससे **अध्वर्यु** (पुरोहित) बना। यहाँ **अ** घनत्वसूचक उपसर्ग है। **अध्वर्य** का काम यज्ञ के लिए वेदी बनाना, आग जलाना था। **ध्वृ** (झुकाना, कष्ट देना) से **ध्दर**, फिर निषेधात्मक **अ** जोड़कर **अध्वर। अध्वर** वह, जो दुख न दे अर्थात् यज्ञ, जो यज्ञ कराए, वह **अध्वर्यु;** यह सब कष्ट-कल्पना है। **ध्वर्** को क्रियामूल मानने से आग जलानेवाला, यह अर्थ सहज स्पष्ट हो जाता है। **ध्वर्** का रूपान्तर **ध्वन्** है; इससे **ध्वनि** बना। रूसी **ज़्वॉन्** (बजने का शब्द) का आधार **ध्वॉन्** है। **ध्वॉन्** के विकल्प **ध्वन्** से रूसी क्रिया **ज़्वॅनेत्** (बजना) बनी। **ध्वर्** के रूपान्तर **ध्वा** (अथवा घ्वा) से रूसी क्रिया **ज़्वात्** (बुलाना) बनी। **ज़्वानिए** (पदवी, नाम) का आधार वही है जो **ज़्वात्** का है। यहाँ ध्वनि करने का सामान्य अर्थ नहीं, आह्वान वाला विशिष्ट अर्थ है। रूसी **झ़ेर्त्वे** (बलिदान, यज्ञ) रूप भी उल्लेखनीय है। **धॉर्** के विकल्प **धॅर्** से यह रूप बना। रूसी में **ध्** ध्वनि **ज़्, झ़्**, दोनों रूपों में ग्रहण की जाती है। **धॉर्** और **धॅर्** का सम्बन्ध अग्नि और यज्ञ से था; जिस **धॅर्** से रूसी **झ़ेर्त्वे** बना, उसका विकल्प **धॉर्** संस्कृत **अध्वर्यु** में है।

हिन्दी **झूर, झूरा** (सूखा) का आधार **धॉर्** है।

**ध्वर्** का रूपान्तर है संस्कृत **ज्वर्, ज्वल्**।

**ध्वर्** का अन्य रूपान्तर है **स्वर्** (प्रकाश)। **स्वर** का अर्थ है घोष। प्रकाशवाचक **स्वर्** से **ध्वर्** का ऊपर प्रस्तावित अर्थ पुष्ट होता है। घोषवाचक **स्वर** के लिए, **स्वर्** से भिन्न, अन्य धातु की कल्पना अनावश्यक है।

जैसे **ध्वर्** का रूपान्तर संस्कृत **स्वर्** है, वैसे ही **ध्वन्** का रूपान्तर संस्कृत **स्वन्** (ध्वनि करना) है। **स्वन्** का लैटिन प्रतिरूप है **सॉनो** जिससे अंग्रेज़ी रूप **साउंड्** (ध्वनि; ध्वनि करना) बना।

**धॉर्** के विकल्प **धॅर्** का सम्बन्ध प्रकाश से था, यह संस्कृत **धृष्णि** (किरण) से सिद्ध है। **धॅर्** के रूपान्तर **धॅस्** से संस्कृत **धिषण** (भाषा, स्तुति) बना।

जैसे **घर्** से संस्कृत की **घट्** (बोलना) क्रिया बनी, वैसे ही **भर्** से संस्कृत का संज्ञारूप **भट्ट** (विद्वान्, कवि) बना। **भरत** का एक अर्थ है अग्नि, दूसरा पुरोहित,

तीसरा नट। गान, स्तुति, मंत्रोच्चार, ये सब किसी समय सम्बद्ध क्रियाएँ थीं। अत: यह स्वाभाविक है कि 'नाट्यशास्त्र' के रचयिता **भरत** नाम से विख्यात हों, वाणी की देवी का नाम **भारती** हो।

**घर्** के रूपान्तर **घन्** से संस्कृत की **घण्ट** (बोलना, शब्द करना) क्रिया बनी; उसी तरह **भर्** का रूपान्तर संस्कृत **भण्** (बोलना) है और उससे **भण्ड्** (बोलना, हँसी करना) क्रिया बनी।

जैसे **घण्ट्** के साथ **घुष्** (पुकारना) क्रिया है, वैसे ही **भण्ड्** के साथ **भाष्** क्रिया है। **घर्** के विकल्प **घॉर्** का रूपान्तर **घॉष्** होगा; उसी प्रकार **भर्** का रूपान्तर **भष्** होगा जिससे **भाष्** सम्बद्ध है।

**भर्** के **भ्** की महाप्राणता का लोप होने पर **बर्** क्रियामूल प्राप्त हुआ। इससे **केल्त** समुदाय में वेल्श भाषा का **बर्द्द्** (कवि) रूप बना; यही अंग्रेज़ी का **बार्ड्** (उप.) है। द्रविड़ समुदाय में कुड़ुख़ भाषा की **बार्ना** (कहा जाना, पदवी पाना) का आधार **वर्** है। तुलु **बुळ् पुनि** (चिल्लाना) में **र्** के स्थान पर **ळ्** है। मल्तो **बचॅ** (कहना), कुड़ुख़ **बाचस्** (उप.) का सम्बन्ध संस्कृत **वाक्** और **वचन** से है। द्रविड़ रूपों में संस्कृत **व्** बदलकर **ब्** हो गया हो, यह आवश्यक नहीं है। **बच्** का पूर्वरूप **बस्** होगा; यह **बस्** संस्कृत **भाष्** के आधार **भस्** का रूपान्तर होगा। ग्रीक **बज़ो** (बोलना) में **बस्** का **स्** सघोष है। मैथिली की **बज्** (बोलना) क्रिया ग्रीक **बज़ो** और मल्तो **बचॅ** की शृंखला में है।

**भर्** के रूपान्तर **पर्** का यथेष्ट विस्तार द्रविड़ भाषाओं में है। तमिल **परइ** (बोलना), कन्नड़ **परिसु** (उप.), गद्ब **पर्क्** (उप.), तमिल **परजु** (प्रशंसा करना), **परवु** (उप., गाना), कन्नड़ **परसु** (आशीर्वाद देना), तोद **पर्त्** (प्रार्थना करना), गोंडी **पाराना** (गाना), कोंड **पार्** (उप.) आदि में **पर्** क्रियामूल का **र्** स्पष्ट देखा जाता है। तमिल **पुगल्** (कहना), गद्ब **पॉक्** (उप.), तमिल **पाडु** (गाना), **पाट्टु** (गायन) में **र्** लुप्त है। इस शब्द-शृंखला से संस्कृत **पठ्** (पढ़ना), **पद** (गीत, शब्द) की आधार क्रिया **पर्** का ज्ञान होता है। तेलगू **पॉगडु** (प्रशंसा करना) का एक प्रतिरूप **पॉवडु** है, यही मराठी का **पवाडा, पँवाडा,** हिन्दी का **पॅवारा** है।

संस्कृत **पणित** (प्रशंसित), **पण्य** (स्तुत्य), **पणव** (वाद्ययंत्र), तमिल **पणि** (बोलना), **पणइ** (ढोल), ब्राहूइ **पानिंग्** (कहना) में **पर्** का रूपान्तर **पण्** है। रूसी **पॅस्न्या** (गीत) में **पॅर्** का रूपान्तर **पॅस्** ध्यान देने योग्य है। 'द्रविड़ व्युत्पत्ति-कोश' में तुलु **पेरनॅ** (कीर्ति), कुड़ुख़ **पेस्ना** (आज्ञा देना), **पेस्का** (आज्ञा), तमिल **पेजु** (बोलना) एक ही शब्दमूल के अन्तर्गत दिये गए हैं और यह कार्य उचित है। **पॅर्** ही बदलकर **पॅस्** हुआ है और **पॅस्** का रूपान्तर **पॅच्** है। इन रूपों से इस स्थापना की पुष्टि होती है कि संस्कृत **भाष्** के आधार क्रियामूल **भष्** का पूर्वरूप **भर्** था। रूसी **पॅवॅत्स्** (गायक), **पेनिए** (गायन), ग्रीक **पइअन्** (गान) का आधार **पर्** का रूपान्तर **पय्, पव्** है।

जर्मन **स्प्राख़ॅ** (भाषा), **स्प्रेख़ॅन्** (बोलना) में **भाष्** के **भ्** को **प्** रूप में ग्रहण करने के साथ महाप्राणता की दोहरी क्षतिपूर्ति **स्** और **र्** द्वारा की गई है। अंग्रेज़ी **स्पीक्** (बोलना), **स्पीच्** (भाषा) में या तो **र्** कभी था नहीं, और यदि था तो उसका लोप हो गया है।

**पर्** का एक रूपान्तर **मर्** हुआ। संस्कृत **मुरली, मुरज** (ढोल), तमिल **मुरल्** (ध्वनि करना), मलयालम **मार्रम्** (शब्द) में **र्** बना हुआ है। तमिल **मॉऴि** (बोलना) में **र्** के स्थान पर **ऴ्** है। संस्कृत **मति** (प्रार्थना), कन्नड़ **मात** (शब्द), तमिल **माट्टु** (उप.), इटालियन **मोत्तो** (उप.) में **र्** का लोप हुआ है।

**पर्** का दूसरा रूपान्तर **वर्** हुआ। जैसे **पर्** से संस्कृत **पद,** वैसे ही **वर्** से संस्कृत **वद्** (बोलना)। **वद्** क्रिया सीधे **पद्** का रूपान्तर भी हो सकती है। जैसे **पर्** का रूपान्तर **पन्** है, वैसे ही **वर्** का रूपान्तर **वन्** हुआ। संस्कृत **वाणी,** गोंडी **बङ्काना** (कहा) में यह **वन्** है। जैसे **पर्** का रूपान्तर **पस्** है, वैसे ही **वर्** का रूपान्तर **वस्** है। कुइ **वॅस्प** (कहा), कुवि **वॅस्सलि** का आधार **वॅस्** है। जैसे **पर्** का रूपान्तर **पय्** है, वैसे ही तमिल **वाय्** (शब्द) में **वर्** का रूपान्तर **वय्** है। जैसे तमिल **पुगल** (कहना) में **पुर्** का **र्** लुप्त है, वैसे ही तमिल **वगुणि** (ध्वनि), **वगुळि** (उप.) में **वर्** का **र्** लुप्त है। **वगुणि** का **वग्** सीधे **पग्** का रूपान्तर भी हो सकता है। यहाँ जिस बात पर जोर देना है, वह यह है कि आर्य-द्रविड़ भाषाओं में **भ्** और **प्** से आरम्भ होनेवाले शब्दों के ऐसे प्रतिरूप बराबर मिल रहे हैं जिनकी आदिस्थानीय ध्वनि **व्** है। इस सन्दर्भ में संस्कृत **वाक्** पर विचार करें तो यह मानने का पर्याप्त कारण दिखाई देगा कि इसका पूर्वरूप **भाष्** था। **वचन, वाक्य, वाच्य** आदि इसी क्रम में हैं।

ग्रीक **अॲइदो** (गीत गाना), **अऑइदे** (गीत) में **वय्** क्रियामूल का **व्** दो तरह के संयुक्त स्वरों में ग्रहण किया गया है, एक **अॲ**, दूसरा **अऑ**। **वय्** का पूर्वरूप होगा **वर्**।

**भर्** के **भ्** की सघोषता का लोप होने पर **फर्** क्रियामूल प्राप्त होगा। फ़ारसी **फ़र्मान्** (आज्ञा), **फ़र्माइश** (उप.), **फ़र्मूदन्** (आज्ञा देना) का आधार यह **फर्** है। **फर्** का रूपान्तर **फन्** अथवा सीधे **भन्** का रूपान्तर **फन्;** इससे ग्रीक **फोनॅओ** (बोलना, ध्वनि करना), **फोने** (ध्वनि) रूप बने। ग्रीक **फेमे** (वाणी, गीत), **फेमि** (कहना) इनसे सम्बद्ध हैं। **फोने** और **फेमे,** दोनों के लिए सम्भव है कि **र्** के लोप होने से प्रथम वर्ण दीर्घ हुआ हो। **फॅर्** से **फे, फॉर्** से **फो**।

**वर्** के **व्** का लोप होने पर **अर्** क्रियामूल से तमिल **अरइ** (बोलना), **उरइ** (उप.) रूप बने। **अर्** के रूपान्तर **अन्** से तमिल **ॲन्** (कहा) का सम्बन्ध है; **अर्** के रूपान्तर **अस्** से कन्नड़ **उसिर्** (उप.) का। कुइ **एस** (कहना, गाना), तमिल **इजइ** (ध्वनि, शब्द), **इयम्बु** (कहना, ध्वनि करना) में **स्** का **च्** में, फिर **च्** का **य्**

में रूपान्तर देखा जा सकता है। तमिल **अगवु** (गाना, ध्वनि करना), मलयालम **एगल्** (आदेश), **एगुग** (कहा) में **र्** लुप्त है। तमिल **एवु** (आदेश) के **व्** का पूर्वरूप **ग्** है।

इस शृंखला का शब्दमूल **भर्** वही है जो **भर्ग** में है; वह वाणी और प्रकाश का अर्थ-संसर्ग सिद्ध करता है।

वाणी और प्रकाश की व्यंजना करनेवाले शब्दों के विवेचन में **ऋषि** और **ऋच्** (स्तुति करना) पर भी ध्यान देना चाहिए। ऋषियों का सम्बन्ध यज्ञकर्म से था और अग्नि के बिना यज्ञ होता नहीं है, यह तो स्पष्ट है। किन्तु इस प्रकार **ऋच्** और अग्नि का सम्बन्ध प्रत्यक्ष न हुआ, दो भिन्न क्रियाएँ साथ-साथ सम्पन्न होती हैं, इतना ही ज्ञात होता है।

**धर्** वाली प्रकाशवाचक शब्द-शृंखला में **धरण** (सूर्य), **धृष्णि** (किरण), **धुर्** (चिनगी) को स्मरण करें। **धृष्णि** के आधारभूत क्रियामूल **धॅर्** का रूपान्तर **धॅस्** होगा। इससे संस्कृत का **धिषण** (भाषा, स्तुति, ज्ञानी) शब्द बना। **धिषण** की **धिष्** का एक संस्कृत प्रतिरूप है **दिश्** (आज्ञा देना)। बोलने के सामान्य अर्थ में इसके वैकल्पिक रूप **दस्स्** का प्रयोग पंजाबी में अब भी होता है। **दिश्** का ग्रीक प्रतिरूप है **लॅगो** (कहना, बोलना); इसका वैकल्पिक ग्रीक रूप है **लॉगॉस्** (शब्द)। **लॅगो** क्रिया लैटिन में भी है। इससे कृदन्त रूप **लॅक्तिओ** (पाठ) बना। अंग्रेज़ी **लॅक्चर्** (व्याख्यान) का आधार यही है। लेटिन में **लॅक्तिओ** के समानान्तर **दिक्तिओ** (भाषण), **दिक्तो** (आज्ञा देना) रूप भी हैं। एक जगह **दिश्** का **द्** बना रहा, दूसरी जगह वह **ल्** रूप में ग्रहण किया गया। अंग्रेज़ी **डिक्टेटर** का सम्बन्ध इस **दिक्तो** से है। रूसी **रॅच्** (भाषण), चेक **रिकात्** (बोलना) में **दिश** की **द्** ध्वनि **र्** रूप में ग्रहण की गई है। इस प्रकार **धिष्** क्रिया, **दिश्** की मंज़िल पार करती हुई, **लिक्** और **रिक्** तक पहुँचती है। आज्ञा देना, कहना, बोलना—ये गौण अर्थ हैं। **धिष्** और **ऋक्, ऋच्**—दोनों का मूल अर्थ स्तवन, मंत्रोच्चार है। ज्ञान, भाषा और प्रकाश का सम्बन्ध **धिषण** से स्पष्ट है।

### *(द) अग्नि, पवित्रता, उपासना*

प्राचीन गण-समाजों के सांस्कृतिक जीवन में अग्नि और प्रकाश की जो अन्यतम भूमिका रही है, उसकी छाप इंडो-यूरोपियन परिवार की भाषाओं पर अमिट है। पवित्रता और शुद्धता का भाव या तो जल से जुड़ा हुआ है या अग्नि से। संस्कृत **पावक** का अर्थ है पवित्र, प्रकाशमान; यह शब्द अधिकतर अग्नि के लिए प्रयुक्त होता रहा है किन्तु जल के लिए भी उसका व्यवहार हुआ है। **पवन** शब्द का अर्थ है पवित्र; यह शब्द गृहस्थ की पवित्र अग्नि के लिए प्रयुक्त हुआ है, जल के लिए भी। **पवन** और **पावक** की **पू** क्रिया का पूर्वरूप होगा **पॉव**। **पुनाति** (पवित्र करता है) में **पॉव्** का विकल्प **पॉन्** है। **पॉव्** और **पॉन्,** दोनों का पूर्वरूप होगा **पॉर्**। ग्रीक

**पुर्** का अर्थ है अग्नि। इससे लैटिन की एक क्रिया बनी **पुर्गो** (शुद्ध करना), दूसरी बनी **पूरिफिको** (उप.)। जो शुद्ध और पवित्र है, वह लैटिन में **पुरुस्** है; प्रकाशमान निरभ्र आकाश के लिए शब्द है **पूरुम्**। अंग्रेज़ी के **प्योर** (शुद्ध), **प्यूरीफाइ** (शुद्ध करना) आदि पर प्राचीन आग्नेय संस्कृति की छाप है। फ़ारसी **पाक्** (पवित्र) और संस्कृत **पाक** (जलने, पकने की क्रिया) मूलतः एक हैं।

शुद्ध और पवित्र के लिए ग्रीक भाषा में एक शब्द है **हग्नॉस्**। **हग्निज़ो** क्रिया का अर्थ पवित्र करना, यज्ञ की आग जलाना है। पवित्रता और अग्नि का सम्बन्ध यहाँ स्पष्ट है। **हग्नॉस्** और **अग्नि** की समानता आकस्मिक प्रतीत नहीं होती। ग्रीक भाषा में कुछ अन्य सम्बद्ध शब्द रोचक हैं : **हगिज़ो** (पवित्र करना), **हगिअस्म** (पवित्र स्थान), **हगिऑस्** (देवभक्त), **हगिस्तेस्** (पवित्रता)।

**हग्नॉस्, हगिज़ो, अग्नि** की व्याख्या इस प्रकार होती है।

क्रियामूल है **धर्** जिसका अर्थ है जलना, चमकना। **धर्** से **धर्घ**, फिर **धघ** और **हग**, यह एक क्रम हुआ। **धर्** से **धर्घ**, फिर **धघ्र, धघ्न, हग्न**—यह दूसरा क्रम हुआ। संस्कृत **स्रवति** (बहना) और **स्नौति** (उप.) सम्बद्ध रूप हैं। **स्रु** का **र्** ही **स्नु** का **न्** है। वैसे ही **धघ्र** का रूपान्तर होगा **धघ्न**। **धर्घ, धंघ, हंग, अंग**—इस क्रम से संस्कृत **अंगार** रूप प्राप्त होगा।

ग्रीक भाषा में शुद्धता का भाव अग्नि से सम्बद्ध है, यह तथ्य महत्त्वपूर्ण है।

रोमन जन आग जलानेवाले पुरोहित को **फ़्लामन्** कहते थे। **ब्राह्मण** से मिलता-जुलता शब्द है। लैटिन **फ़्लम्म** (प्रज्वलित अग्नि) **ब्रह्म** की याद दिलाता है। ग्रीक **फ़्लॅग्म** (उप.) का पूर्वरूप होगा **भ्रघ्म**। **भर्** क्रियामूल से **भर्घ**, फिर **भ्रघ**; इससे संस्कृत की **भ्राज्** (चमकना) क्रिया बनी, उसका लैटिन प्रतिरूप है **फ़्लाग्रो** (जलना, जलाना)। **भ्राज्** के अन्य लैटिन प्रतिरूप **फ़्लागितो** का अर्थ है प्रार्थना करना। अग्नि से प्रार्थना का भाव जुड़ा हुआ है। **ब्रह्मन्** का अर्थ भी यही है, प्रार्थना, मंत्र। **ब्रह्म** शब्द का मूलरूप **भ्रघ्म** था, मूल अर्थ अग्नि था, यह मान लिया जाए, तो मंत्र वाले अर्थ की व्याख्या सहज हो जाती है। अग्नि के संसर्ग से **ब्रह्म** का अर्थ मंत्र हुआ। जो अग्नि प्रज्वलित करे, मंत्र पढ़कर देवता का आह्वान करे, वह **ब्रह्मन्, ब्राह्मण**।

**ब्राह्मण** और **फ़्लामॅन्** का आपसी सम्बन्ध पकोर्नी ने स्वीकार किया है। अपने इंडो-जर्मैनिक व्युत्पत्ति-कोश में उन्होंने आदिम इंडो-यूरोपियन रूप **भ्लघ्मॅन्** दिया है, उसके बाद संस्कृत **ब्रह्मन्, ग्रीक ब्लमिनि** (पुरोहित), लैटिन **फ़्लामॅन्** रूप दिये हैं।

अग्निपूजक मनुष्य जहाँ रहते थे, वहाँ आग जलाये रखने के लिए एक विशेष स्थान निश्चित कर लेते थे। वह स्थान पूजागृह के समान पवित्र माना जाता था। अग्नि से संसर्ग होने के कारण कुछ भाषाओं में देवस्थान और मानव-भवन के लिए अग्नि से सम्बद्ध शब्दों का प्रयोग हुआ। संस्कृत **एध** (ईंधन), ग्रीक **अइथॉस्** (अग्नि) से सम्बद्ध लैटिन **अॲदेस्** शब्द का व्यवहार अग्निस्थान, देवस्थान, मानव-भवन

के लिए होता था। अंग्रेज़ी में **होम्** (घर) के साथ जिस **हर्थ्** का प्रयोग होता है, उसका अर्थ अग्निस्थान है। संस्कृत **गृह** का **गृ, ग्रीष्म** के **ग्री** के समान, मूलतः अग्निवाचक है। **गृह् गृध,** अग्नि रखने का स्थान संस्कृत **हर्म्य** का अर्थ भवन है; मोनियर विलियम्स ने ठीक सुझाव दिया है कि इसका सम्बन्ध **घृ** और **घर्म** से होगा और इसका मूल अर्थ होगा पारिवारिक अग्निस्थान। **हर्म्य** के पूर्वरूप **धर्म्य** के **घर्** से हिन्दी **घर** बना और **र्** के **न्** में रूपान्तरण के साथ **घ** प्रत्यय जोड़कर प्राकृत **घंघ** (घर) रूप बनाया गया।

**घर्** के प्रतिरूप **धर्** से, सघोषता का लोप होने पर, ग्रीक **थलमॉस्** (अन्तःपुर) रूप बना। इसका मूल अर्थ भी अग्निस्थान रहा होगा। **थलमॉस्** का **थल्** ग्रीक **थॅर्** का प्रतिरूप है जिससे ऊष्मावाचक **थॅर्मे** शब्द बना है।

ईरान के प्रान्त **आज़र् बायजान् (आज़र्-बादगान्)** का मूल अर्थ है अग्निमन्दिर। तबरीज़ नगर के अग्निमन्दिर की प्रसिद्धि से सारे प्रान्त का वही नाम पड़ा।

**ब्रह्मन्** का मूल अर्थ हुआ अग्नि। अग्नि का आह्वान करते हुए मंत्र पढ़ा गया, वह भी **ब्रह्मन्** कहलाया। मंत्र पढ़नेवाला भी **ब्रह्मन्** हुआ; आगे चलकर **ब्रह्मन्** से व्युत्पन्न **ब्राह्मण** का चलन अधिक हुआ।

रोमन जनों में पुरोहित का विशिष्ट स्थान था, वह यज्ञ के लिए आग जलाता था और **फ़्लामॅन्** कहलाता था, यह तथ्य असन्दिग्ध है। संस्कृत **ब्राह्मण** का लैटिन प्रतिरूप है **फ़्लामॅन्**।

इंडो-यूरोपियन परिवार की जिन भाषाओं का सम्बन्ध लैटिन से है, उनमें देवता या ईश्वर के लिए भारतीय **देव** के लैटिन प्रतिरूप **दॅउस्** और उसके तद्भव रूपों का व्यवहार होता है। **दॅउस्** का सम्बन्ध प्रकाश से स्पष्ट ही है। जर्मन समुदाय की भाषाओं में अंग्रेज़ी **गौड्** और उसके प्रतिरूपों का व्यवहार होता है। **गौड्** का सम्बन्ध भी अग्नि से है। ब्रुगमन ने अपने तुलनात्मक व्याकरण के दूसरे खंड में बताया है कि **गौड्** का पुराना गौथिक रूप **गुथ्** (या **गूथ्**) है, **अवेस्ता** में इसका प्रतिरूप **ज़ूत** और संस्कृत में **हूत** अथवा **हुत** है। (पृ. 225) जिसे पुकारा जाए, वह **हूत, ज़ूत, गूथ्** है। इस शब्द का सम्बन्ध सामान्य पुकारने से नहीं है; यह देवता का आह्वान है और अग्नि जलाकर आह्वान-क्रिया सम्पन्न की जाती है। जिस देवता का सर्वाधिक आह्वान किया जाता है, वह अग्नि है। संस्कृत **हुत** और **हूत** का अग्निवाला अर्थ-संसर्ग बहुत स्पष्ट है; धर्म और संस्कृति में परिवर्तन होने से **गौड्** का मूल अर्थ लोगों की चेतना से निकल गया। ऐतिहासिक भाषाविज्ञान की भूमि पर अर्थ-संसर्ग की प्रक्रिया पर विचार करते हुए प्राचीन सांस्कृतिक परिवेश को ध्यान में रखना उचित है।

**गौड्** से मिलता-जुलता शब्द फ़ारसी **ख़ुदा** है। 'भारतीय आर्य भाषा और हिन्दी' पुस्तक में डॉ. सुनीतिकुमार चाटुर्ज्या ने **ख़ुदा** का पूर्वरूप संस्कृत **स्वधा**

माना है। (पृ. 239) उनके अनुसार जो स्वत: कार्य करता है, वह **स्वधा** है। मोनियर विलियम्स ने इस मत का उल्लेख किया है कि **स्वधा** प्रकृति का नाम है क्योंकि वह स्वयं निर्मित हुई है। जो लोग अग्नि को आदितत्त्व मानते होंगे, वे भी उसे स्वयंभू, स्वनिर्मित के अर्थ में **स्वधा** कहते रहे होंगे। **स्वधा** की व्युत्पत्ति जो भी हो, अग्नि से उसका सम्बन्ध सन्देह से परे है। जो कुछ अग्नि को अर्पित किया जाए, वह **स्वधा** है। अर्पित करते समय जिस पवित्र शब्द का उच्चारण किया जाए, वह **स्वधा** है।

यहाँ विचारणीय है कि संस्कृत की **पूज्** (पूजना) क्रिया का सम्बन्ध संस्कृत की ही **पू** (प्रकाशित करना) क्रिया से है या नहीं। तमिल **पू** का अर्थ है फूल; अत: यह कल्पना की जा सकती है कि **पुष्प** अर्पित करने की क्रिया **पूजा** कहलाई। किन्तु **पू** का अर्थ फूल इसलिए हुआ कि **पू** प्रकाशवाचक क्रिया है। प्रकाशित करनेवाला अर्थ संस्कृत **पू** में बना हुआ। 'द्रविड़ व्युत्पत्ति-कोश' में **पू** शब्द-शृंखला के अन्तर्गत कुड़ुख़ भाषा की **पुइद्ना** क्रिया दी हुई है। इसका एक अर्थ है फूल का खिलना, दूसरा अर्थ है स्वर्णाभा से मंडित सूर्य का **अस्त** होना। इस दूसरे अर्थ में **पू** अथवा **पुइ** क्रिया का पुराना प्रकाशवाला सम्बन्ध बना हुआ है। अत: संस्कृत **पूज्** का सम्बन्ध पुष्पों से नहीं, सीधा अग्निवाचक **पू** से हो सकता है।

**पूज्** क्रिया अलग रखें, केवल **पुष्प**, तमिल **पू** पर विचार करें। जैसे प्रकाशवाचक शब्दों से आनन्द, शृंगार, सौन्दर्य, हास्य आदि की व्यंजना करनेवाले शब्दों का सम्बन्ध है, वैसे ही फूल के लिए जिन शब्दों का प्रयोग हुआ, वे अधिकतर प्रकाशवाचक शब्दमूलों से जुड़े हुए हैं। ऊपर जलने, प्रकाशित होने का अर्थ देनेवाली **पुर्** क्रिया की चर्चा की गई है जिससे अनेक पवित्रतासूचक शब्द बने। **पुर्** के **पुन्, पुय्, पुस्, पू** आदि विकार होंगे। लगभग ये सभी विकार द्रविड़ भाषाओं में सुरक्षित हैं। गोंडी **पुङ्गार्** (फूल), कुवि **पूङ्ङ** (उप.) का आधार **पुन्** है। कुड़ुख़ **पुइद्ना** (खिलना) का आधार **पुय्** है। संस्कृत **पुष्प** का आधार **पुस्** है। **पुष्प** का तमिल प्रतिरूप **पूप्पु** (खिलने की क्रिया) है। **पुस्** में **प** के बदले **क** कृदन्त प्रत्यय जोड़ने पर संस्कृत का **पुष्कर** (कमल) शब्द बना। **पुष्कर** के आधारभूत **पुष्क** का मलयालम प्रतिरूप है **पूक्क** (खिलना)। **पूप्पु** और **पूक्क** में सकार लुप्त है, **पुष्प** में वह सुरक्षित है। कुइ **पूजु** (फूल) में **स्** का रूपान्तर **ज्** है। **ज्** का पूर्वरूप **त्** भी हो सकता है; नइकि और कोलमि में फूल के लिए **पूत** रूप है।

हिन्दी **फूल** का सम्बन्ध संस्कृत **फुल्ल** (खिला हुआ) से है। **फुल्ल** का **फुल्** पूर्वोक्त **पुर्** का प्रतिरूप है। इस **फुल्** का वैकल्पिक रूप **फल्** है जिससे संस्कृत का **फल्गु** (रक्ताभ, वसन्त) रूप बना। लैटिन **फ़्लॉरॅओ** (खिलना), **फ़्लॉस्** (फूल), अंग्रेज़ी **फ़्लावर्** में **फॉल्** का वर्ण-संकोचन वाला **पलॉ** आधार है। अंग्रेज़ी **ब्लूम्** (खिलना), **ब्लौसम्** (उप.) में **पलॉ** का प्रतिरूप **ब्लॉ** है जो **भ्राज्** के **भर्** क्रियामूल की ओर संकेत करता है। कन्नड़ **मलर्** (फूल), तमिल **मलर्** (खिलना, प्रसन्न

होना), तेलगू **मलयु** (प्रसन्न होना, चमकना) में **फल्** का प्रतिरूप **मल्** है। फूल और प्रकाश का सम्बन्ध मलयालम **अलरि** (फूल) और **अलर्च्च** (ऊष्मा, कामवासना) से और भी स्पष्ट होता है। इस समस्त अर्थ-प्रक्रिया को देखते हुए तमिल **पू** (फूल) का सम्बन्ध प्रकाशवाचक संस्कृत **पू** से जोड़ना उचित है।

**ईश्वर** और **ऐश्वर्य** का सम्बन्ध स्पष्ट है। ईश्वर के लिए उत्तर भारत का सामान्य शब्द **भगवान्** है। **भग** शब्द के अर्थों में स्वामी, समृद्धि, गरिमा, सूर्य, चन्द्र आदि का उल्लेख है। **भग** का पूर्वरूप **भर्ग** मानें तो प्रकाशवाले अर्थ का आधार समझ में आ जाता है। **भग** का रूसी प्रतिरूप **बॉग्** (ईश्वर) है। **बॉगातिइ** (धनी) में ऐश्वर्य वाला भाव है। चेक भाषा में **बॉग्** का रूपान्तर **बुह्** प्रचलित है। इस प्रकार लैटिन समुदाय में देवकुल का **दॅउस्**, जर्मन समुदाय में **हुत, हूत** का प्रतिरूप **गौड्**, ईरानी समुदाय में **स्वधा** का प्रतिरूप **खुदा** और स्लाव समुदाय में **भग** का प्रतिरूप **बग** का चलन हुआ और ये सभी रूप प्रकाश और अग्नि से सम्बद्ध हैं।

संस्कृत **सूर्य** के **सूर** का कन्नड़ प्रतिरूप **सूळ्** और **सूळ्** का तमिल रूपान्तर **ऊळ्** (सूर्य, समय) है। तमिल **उऴियान्** (ईश्वर) का आधार कालवाचक **उळ्** है और उसका एक अर्थ सूर्य है। कन्नड़ **बेळ्** का अर्थ है अग्नि में किसी वस्तु की बलि देना; इसका तेलगू प्रतिरूप **वेलुचु** है। इससे देवता के लिए तेलगू शब्द **वेलुपु, वेल्पु** बना। कुइ **वेल** का अर्थ है सूर्य। कालवाचक शब्दों का एक स्रोत है गतिसूचक क्रिया, दूसरा स्रोत है प्रकाशवाचक क्रिया। ये क्रियाएँ एक दूसरे से इतना मिलती-जुलती हैं कि कहाँ गतिवाचक क्रिया आधार है, कहाँ प्रकाशवाचक, इसका विश्लेषण सरल नहीं होता। 'द्रविड़ व्युत्पत्ति-कोश' में तमिल **तेर्** (रथ) और कोलमि **देर्** (देवता) एक ही शब्दमूल के अन्तर्गत दिये गए हैं। **तेर्** की **तॅर्** क्रिया गतिवाचक है, **देर्** की **दॅर्** क्रिया प्रकाशवाचक।

भग का एक रूपान्तर **पग** होगा। तमिल **पगल्** (दिन, प्रभात, सूर्य), **पगरम्** (प्रकाश) का आधार यह **पग** है। पर्जि रूप **पङ्ग** (प्रभात) में **अ** का रूपान्तर **पन्** है; **पङ्ग** और **पगल्** का सम्बन्ध ध्यान में रखने से **भर्ग** और **भग** का सम्बन्ध समझ में आ जाएगा। **पङ्ग** के **पन्** का पूर्वरूप **पर्** है, **पर्** का पूर्वरूप **भर्** है। **भग** और **पगल** में **र्** लुप्त है; **पङ्ग** में **र्** के स्थान पर **न्** है, **भर्ग** में मूल **र्** है।

### *(ध) मुख्य निष्कर्ष*

उक्त शब्द-शृंखलाओं से जो मुख्य निष्कर्ष निकलते हैं, वे इस प्रकार हैं।

किसी समय **घ्-ध्-भ्** ध्वनियाँ स्वच्छन्द संचरण की स्थिति में रही हैं। यदि **घर्** शब्द का अर्थ बहना है, तो **धर्** और **भर्** शब्दों का अर्थ भी यही है। ये तीनों ध्वनियाँ तीन भिन्न केन्द्रों में विकसित हुई हैं, साथ ही ये केन्द्र एक दूसरे के इतना निकट रहे हैं कि **घर्, धर्, भर्** आदि शब्दों की निर्माण-प्रक्रिया, अर्थ-विस्तार की

प्रक्रिया एक-सी है। इनके साथ **अ, अँ, ऑ** स्वरों के तीन केन्द्र हैं जिससे **घर्** के साथ **घँर्** और **घॉर्, धर्** के साथ **धँर्** और **धॉर, भर्** के साथ **भँर्** और **भॉर** के अस्तित्व का प्रमाण मिलता है।

उक्त रूपों में जैसा परिवर्तन एक ध्वनि के साथ होता है, लगभग वैसा ही परिवर्तन दूसरी ध्वनि के साथ होता है। यदि **घ्** सघोष अल्पप्राण **ग्** रूप में ग्रहण किया जाता है तो **ध्** भी **द्** रूप में ग्रहण किया जाता है। यदि **घ्** अघोष अल्पप्राण **क्** रूप में ग्रहण किया जाता है तो **ध्** भी **त्** रूप में ग्रहण किया जाता है। इससे आशय यह नहीं है कि **क्-त्-प्** सर्वत्र **घ्-ध्-भ्** के रूपान्तर हैं। सम्भावना यह है कि **घ्-ध्-भ्** के समान **क्-त्-प्** के भी भिन्न और स्वतंत्र केन्द्र थे।

**घ्-ध्-भ्** के अनेक रूपान्तर ऐसे हैं जो इंडो-यूरोपियन तथा द्रविड़ परिवारों की अनेक भाषाओं में समान रूप से मिलते हैं। न केवल ध्वनि-परिवर्तन एक-से हैं, वरन् शब्द-विशेष का ध्वनि-रूप एक-सा है, अर्थ-संसर्ग की प्रक्रिया एक-सी है। भाषायी विकास की यह सारी प्रक्रिया ऐसे प्रदेश में घटित होती है जहाँ द्रविड़ तथा इंडो-यूरोपियन परिवारों की भाषाएँ बोलनेवाले गण-समाजों का पड़ोसी होना अनिवार्य है। इन दोनों समुदायों के निकट ही वे गण-समाज होंगे जो **घ्-ध्-भ्** ध्वनियों का व्यवहार करते आए थे और द्रविड़ जनों से सम्पर्क होने पर भी करते रहे थे। भाषायी विकास के विवेचन में आर्यों और द्रविड़ों को एक दूसरे से अलग रखिए, सारा इतिहास अज्ञात देशकाल के धुँधलके में खो जाएगा। दोनों को मिलाकर देखिए, न केवल आर्य भाषाओं के विकास में, वरन् इंडो-यूरोपियन भाषाओं के विकास में द्रविड़ों की भूमिका स्पष्ट हो जाएगी और उस प्रदेश का पता लगाने में कठिनाई न होगी जहाँ द्रविड़ तथा इंडो-यूरोपियन परिवारों की भाषाएँ बोलनेवाले समाज पड़ोसी थे।

द्रविड़ भाषाएँ **घ्-ध् भ्** को जिन रूपों में ग्रहण करती हैं, उन रूपों का चलन भारतीय आर्य भाषाओं में है, इंडो-यूरोपियन परिवार की अभारतीय भाषाओं में भी। यह सारी प्रक्रिया भाषायी विकास की सूचक है, भाषायी ह्रास की नहीं। **भर्** के साथ **पर्, बर्, वर्, अर्** का चलन होता है तो इससे भाषाओं के पास रूपों का बहुत बड़ा कोश एकत्र हो जाता है और आवश्यकतानुसार वे इसका उपयोग सूक्ष्म अर्थभेद के लिए कर सकती हैं। द्रविड़ों के मिश्रण से शुद्ध आर्य रक्त दूषित हो गया और भाषायी ह्रास आरम्भ हो गया, यह एक अवैज्ञानिक, अनैतिहासिक, रूढ़िवादी धारणा है। यदि **भर्** का **पर्** रूपान्तर द्रविड़ भाषाओं में है तो वह आर्य भाषाओं में भी है और उससे आर्य भाषाएँ समृद्ध हुई हैं। इंडो-यूरोपियन परिवार की अभारतीय भाषाओं का विकास ऐसे परिवर्तनों से ही सम्भव हुआ है। अज्ञात देशकाल की आदि इंडो-यूरोपियन भाषा का रूप स्थिर करके उसकी शाखाओं का प्रसार-विकास खोजने के बदले यहाँ सुनिश्चित, प्राप्त सामग्री के आधार पर, द्रविड़ और इंडो-यूरोपियन

भाषाओं के सम्बन्धों का अध्ययन करते हुए, विभिन्न गण-समाजों के भाषायी केन्द्रों, उनकी विशेषताओं और परस्पर सम्पर्क तथा विकास की लम्बी और पेचीदा, फिर भी एक मूर्त प्रक्रिया दिखाई देने लगती है।

द्रविड़ और इंडो-यूरोपियन (अभारतीय) समुदायों में व्यापक समानता यह है कि दोनों में सघोष महाप्राण ध्वनियों का अभाव है। इस व्यापक समानता के बाद यह स्मरणीय है कि द्रविड़ भाषाओं के अनेक केन्द्र हैं और इसी प्रकाश इंडो-यूरोपियन (अभारतीय समुदाय) के अनेक केन्द्र हैं। यही कारण है कि एक ही ध्वनि इनमें अलग-अलग प्रकार से ग्रहण की जाती है। **घ्** ध्वनि सभी द्रविड़ भाषाओं में **क्** रूप में ग्रहण की जाए, ऐसा कोई अखिल-द्रविड़ नियम नहीं है। इसी तरह इंडो-यूरोपियन (अभारतीय) भाषाएँ **घ्-ध्-भ्** को अनेक प्रकार से ग्रहण करती हैं। स्वयं आर्य भाषाएँ ध्वनि-परिवर्तन के ऐसे प्रकार अपनाती हैं, यथा : **घ्** ध्वनि का **क्ष्** और **झ्** रूप में ग्रहण, जो न द्रविड़ समुदाय में हैं, न अभारतीय इंडो-यूरोपियन भाषाओं में।

जिसे भाषा का मूल शब्द-भंडार कहते हैं, उसके अनेक तत्त्व पूर्वविवेचित शब्द-शृंखलाओं में मिलेंगे। ये तत्त्व द्रविड़ और इंडो-यूरोपियन परिवारों में सामान्य हैं। इससे भारत को भाषायी क्षेत्र मानकर भिन्न परिवारों के निर्माण और विकास का विवेचन करने की पद्धति सार्थक सिद्ध होती है। इससे सिद्ध होता है कि संस्कृति के अन्य उपकरणों के समान भाषा-तत्त्वों का विकास भी एकान्त शून्य की स्थिति में नहीं होता वरन् विभिन्न भाषा-केन्द्रों के परस्पर सम्पर्क से होता है।

**भ्** का एक रूपान्तर **प्** द्रविड़ भाषाओं में है तो वह अनेक इंडो-यूरोपियन भाषाओं में है; **प्** का ही रूपान्तर **व्** द्रविड़ भाषाओं में है तो इंडो-यूरोपियन भाषाओं में भी है और संस्कृत में भी है। **भ्** को **प्** कहनेवाले तो द्रविड़ थे, **प्** को **व्** कहनेवाले कौन थे? इन्हें हम न आर्य कह सकते हैं, न द्रविड़, न इंडो-यूरोपियन परिवार के किसी समुदाय से इन्हें जोड़ सकते हैं। इससे विदित होगा कि जो अब सुनिश्चित भाषा-परिवार दिखाई देता है, उसके निर्माण में अनेक भाषा-समुदायों का योग रहा है जिन्हें हम ज्ञात भाषा-परिवारों के दायरे में नहीं रख सकते।

द्रविड़ और इंडो-यूरोपियन परिवारों की भाषाएँ बोलनेवाले पड़ोसी थे। इनका क्षेत्र बृहत्तर भारत का उत्तर-पश्चिमी सीमान्त प्रदेश था। इनकी भाषाओं की विकास-प्रक्रिया बहुत पुरानी है; वैदिक भाषा की विकास-परम्परा सुमेर और सिन्धु घाटी की सभ्यता से पुरानी है, अर्थात् वह पाँचवीं सहस्राब्दी ई.पू. से पहले की है। इस प्रकार ऐतिहासिक भाषाविज्ञान के लिए देशकाल की एक अपेक्षाकृत मूर्त रूपरेखा प्राप्त होती है।

तब एक ही **भर्** जैसे रूप से जल, प्रकाश, भाषण आदि भिन्न अर्थों का बोध कैसे होता था? वैसे ही, जैसे **दिव्** क्रिया से दस अर्थों का बोध होता था : खेलना, जीतने की इच्छा करना, व्यवहार करना, सोना, मद के वशीभूत होना, प्रकाश करना, स्तुति करना, प्रसन्न होना, शोभित होना, गतिशील होना। शब्द के अर्थ का बोध

सन्दर्भ से होता है; व्यवहार में वाक्य से अलग शब्द की सत्ता नहीं है। मनुष्य के पास ध्वनि-रूप सीमिति संख्या में हैं, उनकी तुलना में जिन वस्तुओं और क्रियाओं का बोध कराना है, उनकी संख्या बहुत अधिक है। इसीलिए शब्द और अर्थ का सम्बन्ध सापेक्ष रूप में स्थिर है, निरपेक्ष रूप में नहीं। मनुष्य बाध्य है कि वह एक ही ध्वनि-रूप से अनेक वस्तुओं और अर्थों का बोध कराए। प्रस्तुत विवेचन में मैंने यह पता लगाने का प्रयास किया है कि अर्थ-विस्तार की वह प्रक्रिया किस तरह की है जिससे एक ही ध्वनि-रूप के चारों ओर अनेक सम्बद्ध अर्थों का एक वृत्त बनता जाता है। अर्थ-विस्तार की यह प्रक्रिया एक वस्तुगत प्रक्रिया है, वह भाषा पर विवेचक द्वारा आरोपित नहीं की गई। इस प्रक्रिया के दो पक्ष हैं : एक ओर एक ही ध्वनि-रूप से अनेक अर्थ जुड़ते चले जाते हैं, दूसरी ओर एक ही अर्थ के लिए अनेक ध्वनि-रूपों की शृंखला भी बढ़ती चली जाती है। यदि एक ही **भर्** क्रिया से जल, प्रकाश, भाषण आदि से सम्बद्ध अर्थों का बोध होता है तो दूसरी ओर केवल प्रकाश की व्यंजना के लिए **भर्, बर्, पर्, वर्** आदि अनेक ध्वनि-रूप सुलभ होते हैं। कोश में संस्कृत **वार** के जो अर्थ दिये जाते हैं—अवरोध, आवरण, द्वार, घेरा, अवधि, अवसर, दिन आदि—वे या तो असम्बद्ध हैं या फिर अर्थ-संसर्ग की किसी प्रक्रिया से परस्सर जुड़े हुए हैं। जो कोशकार **वार** के उक्त अनेक अर्थ देता है, वह अर्थ-विस्तार की प्रक्रिया स्वीकार करता है। यह प्रक्रिया कैसे सम्पन्न होती है, इसके अनुसंधान का प्रयत्न प्रस्तुत विवेचन में है।

ऐतिहासिक भाषाविज्ञान के ग्रंथों में ध्वनि-परिवर्तन पर बहुत लिखा गया है। इस ध्वनि-परिवर्तन की चर्चा को अर्थ-विस्तार की प्रक्रिया से अलग रखा गया है। मेरे विचार से दोनों को साथ रखकर देखना चाहिए क्योंकि वे सम्बद्ध प्रक्रियाएँ हैं। केवल ध्वनि-परिवर्तन का विश्लेषण करते समय यदि प्रत्येक भाषा-समुदाय को निरपेक्ष स्वाधीन इकाई माना जाएगा, तो ध्वनि-परिवर्तन की समस्त प्रक्रिया आकस्मिक और अकारण प्रतीत होगी। जहाँ हम विभिन्न ध्वनि-केन्द्रों की कल्पना करते हैं, वहाँ परिवर्तन के कारण दिखाई देने लगते हैं। यदि **भ्** ध्वनि अनेक द्रविड़ और इंडो-यूरोपियन भाषाओं में **प्**-वत् ग्रहण की जाती है, तो इसका कारण दो भाषा-केन्द्रों का अस्तित्व है : एक सघोष महाप्राण ध्वनि वाला, दूसरा अघोष अल्पप्राण वाला। इस तरह के परिवर्तन भाषा-परिवारों की सीमाएँ तोड़ते हुए सम्पन्न होते हैं। यदि **क्** का तालव्यीकरण आर्य भाषाओं में होता है तो वह द्रविड़ भाषाओं में भी होता है। इस प्रकार तालव्यीकरण के मुख्य केन्द्रों की भौगोलिक स्थिति का पता लगाने में सहायता मिलती है।

भारतीय भाषा-क्षेत्र में एक ओर सघोष महाप्राण ध्वनियों के केन्द्र हैं, दूसरी ओर अघोष अल्पप्राण ध्वनियों के। एक ओर **क्** वर्गीय केन्द्र हैं, दूसरी ओर **च्** वर्गीय केन्द्र हैं। एक ओर **त्** वर्गीय केन्द्र हैं, दूसरी ओर **ट्** वर्गीय केन्द्र हैं। एक ओर दन्त्य सकार

के केन्द्र है तो दूसरी ओर तालव्य और मूर्धन्य सकारों के। एक ओर **अ** स्वर के केन्द्र हैं तो दूसरी और **अॅ** और **ऑ** के। ध्वनि-परिवर्तन की प्रक्रिया इस मूर्त भाषायी परिवेश में सम्पन्न होती है। ध्वनि-परिवर्तन के प्रपंच में रास्ता पहचानने का महत्त्वपूर्ण साधन है सघोष महाप्राण ध्वनियों का सूत्र। जब से भारत में आर्य भाषाओं का अस्तित्व है, तब से भारत में इन ध्वनियों का अस्तित्व है। कौन-से भाषा-तत्त्व किस प्रदेश से कहाँ पहुँचे, इसकी जानकारी के लिए इस बात का पता लगाना चाहिए कि **घ्-ध्-भ्** ध्वनियों वाले शब्दों के प्रतिरूप भारत में और भारत के बाहर कहाँ मिलते हैं।

## 5. भाषा-परिवारों के सम्बन्ध-सूत्र

### *(क) कृदन्त*

कौन-से भाषा-तत्त्व किस प्रदेश से कहाँ पहुँचे, इसकी जानकारी के लिए एक अन्य सूत्र है कृदन्तों का क्रियामूलों के रूप में व्यवहार। **वस्** (ढाँकना, पहनना) से कृदन्त **वस्त** बना; इसे लैटिन में फिर क्रियामूल बनाया गया **वॅस्तिओ**। **वस्** क्रिया संस्कृत में है, लैटिन में उसका कृदन्त रूप पहुँचा है। इस भाषा-तत्त्व के प्रसार का केन्द्र वह है जहाँ **वस्** अभी क्रियामूल बना हुआ है। जहाँ **वॅस्त्** क्रियामूल है, वहाँ कृदन्त रूप पहुँचा है।

कृदन्तों का निर्माण और प्रसार एशिया और यूरोप के भाषायी विकास की महत्त्वपूर्ण घटना है। संस्कृत में ही बहुत-से क्रियामूलों से कृदन्त बनाए गए, उन कृदन्तों को फिर क्रियामूल बनाया गया। एक क्रिया है **सृ** और दूसरी है **सृप** (सरकना); भाषायी विकास में **सृ** के व्यवहार की मंज़िल पुरानी है। लैटिन में एक क्रिया है **फ़्लुओ**, दूसरी है **फ़्लुइतो** (बहना); इनमें **फ़्लुओ** के व्यवहार की मंज़िल पुरानी है।

लैटिन **वॅस्तिओ** का ग्रीक प्रतिरूप है **अॅस्थॅओ** (पहनना)। **वस्** क्रिया केवल संस्कृत में है। **जानाति** की **ज्ञा** क्रिया से कृदन्त बना **ज्ञात**। इसका रूपान्तर हुआ **ग्नास्**। **ग्नास्** के विकल्प **ग्नोस्** से ग्रीक क्रिया **गिग्नोस्को** (जानना) बनी। **ग्नोस्को** के **ग्** का लोप होने पर लैटिन की **नॉस्को** (उप.) क्रिया बनी। **स्वप्न** की **स्वप्** क्रिया संस्कृत में है, कृदन्त-आधारित **हुप्नॉओ** (सोना, सुलाना) ग्रीक में, **सॉम्निओ** (सपना देखना) लैटिन में है। **पश्यति** की **पश्** क्रिया का एक प्रतिरूप **स्पश्** था जिससे संस्कृत **स्पष्ट** बना। लैटिन में **पश्** या **स्पश्** जैसी क्रिया नहीं है, कृदन्तमूलक **स्पॅक्तो** (देखना) है। संस्कृत **वल्** (चलना, ढाँकना, घेरना) के आधार पर लैटिन क्रिया **वॉल्वो** (मुड़ना, घूमना) बनी। संस्कृत **वृ** (ढाँकना, घेरना) और **वृत्** (चलना, घूमना) परस्पर सम्बद्ध हैं। लैटिन में कृदन्तमूलक क्रिया है **वॅर्तो, वॉर्तो** (घुमाना)। संस्कृत **पण्** (सौदा करना) का **वण्** रूपान्तर **वणिज्** में है; लैटिन क्रिया है **वॅन्दो** (बेचना)। **भार्** की **भर्** क्रिया के विकल्प **भार्** से लैटिन की **पोर्तो** (ढोना, ले जाना) क्रिया बनी; **भृ** क्रिया संस्कृत में है जिससे **भरति** (ढोता है) रूप बनता है। इसी प्रकार संस्कृत **पा** (पीना) के विकल्प **पो** से लैटिन क्रिया **पोतो** बनी।

ग्रीक **अल्गॅओ** (दुखी होना) का आधार है तमिल **अल** (उप.); तेलगू **अलागु** (उप.) में वही कृदन्त प्रत्यय है जो ग्रीक **अल्गॉस्** (पीड़ा) में है। **अल्** से **अल्गॉस्**, फिर उससे क्रिया **अल्गॅओ**।

यदि भारतीय क्रियामूलों से बने कृदन्तों को यूरुष की भाषाओं ने मूल क्रिया मानकर अपनाया, तो इससे सिद्ध यह होता है कि वे क्रियामूल प्राचीन हैं, उनसे बने कृदन्त बाद के हैं, उन कृदन्तों को मूल क्रिया बनाने की प्रक्रिया और भी बाद की है।

*(ख) सर्वनाम : उत्तम पुरुष*

कौन-से भाषा-तत्त्व किस प्रदेश से कहाँ पहुँचे, इसकी जानकारी के लिए एक महत्त्वपूर्ण सूत्र सर्वनामों का है। वाक्य में सर्वनामों का व्यवहार स्वतंत्र रूप से होता है, अन्य शब्दों के अंशरूप में भी। अनेक भाषाओं में मूल क्रिया के बाद सर्वनाम या सर्वनाम चिन्ह का व्यवहार होता है; वहाँ सर्वनाम स्वतंत्र नहीं हैं। क्रिया के बाद सर्वनाम जोड़ने की पद्धति उन भाषाओं में है जिनके वाक्यतंत्र में विधेय पहले होता है, उद्देश्य बाद को। यह पद्धति प्राचीन है; क्रिया के बाद प्रयुक्त सर्वनाम चिन्ह भी प्राचीन हैं।

उत्तम पुरुष के लिए प्रयुक्त होनेवाला एक पुराना सर्वनाम था **मध्**। संस्कृत **बोधामसि, अचिन्महि**, ग्रीक **हिस्तमॅथ** (हम बनाते हैं), अवेस्ता के क्रिया-रूप **वरमइदि** (हम वरण करते हैं) में **मध्** के रूपान्तर हैं **मस्, मह् मॅथ, मॅन्**। **ध्** ध्वनि अनेक रूपों में ग्रहण की जाती है, उक्त क्रिया-रूपों की रचना एक ही पद्धति से हुई है, सभी रूपों के अन्त में एक ही सर्वनाम के रूपान्तर हैं, मूल सर्वनाम है **मध्**।

**मध्** का रूपान्तर **मद्** संस्कृत **मदीय** (मेरा) में है। **मद्** का रूपान्तर **मन्** तेलगू **मनमु** (हम) में है। यही फ़ारसी का **मन्** (मैं) है। संस्कृत **मम** (मेरा), **माम्** (मुझे), **मया** (मेरे द्वारा) में **मन्** का **म** अथवा **मा** है। **मह्यम्** (मेरे लिए) रूप का **ह्** पूर्वरूप के **ध्** की ओर संकेत करता है। **तुभ्यम्** (तेरे लिए) में सघोष महाप्राण ध्वनि सुरक्षित है। ग्रीक **दिदॉमॅन्** (हम देते हैं) में **मन्** का विकल्प **मॅन्** है।

संस्कृत **पठामि** के समान फिन भाषा के **लउलम्मॅ** (हम गाते हैं) में **मन्** से सम्बद्ध में है। संस्कृत **अपठम्** के समान तुर्की **ऑल्दुम्** मैं हुआ), **सॅवॅरिम्** (मैं पसन्द करता हूँ), **गिदॅचॅगिम्** (मैं जाऊँगा) में **मन्** का अवशेष **म्** है। यही **म्** तुर्की आदि में संज्ञा शब्दों के साथ जुड़ता है, यथा : तुर्की **बाबम्** (मेरा बाप)।

'लिंगुआ' पत्रिका (संख्या-14) में आस्ट्रो-एशियाटिक भाषाओं के सर्वनामों पर अपने निबन्ध में पिनोव् ने उत्तम पुरुष सर्वनाम के एकवचन रूपों **इङ्, अङ्** के साथ **मिङ्, मङ्** दिये हैं। फ़ारसी **मॅन्** का प्रतिरूप **मङ्**, ग्रीक **मॅन** का प्रतिरूप है **मिङ**। कोल समुदाय का **मा-नॅय्** दो सर्वनामों के योग से बना रूप है; **मा** का अर्थ है हम, **नॅय्** का मैं।

आर्य-द्रविड़-कोल भाषाओं में, भारत से बाहर की ग्रीक-फ़ारसी आदिभाषाओं में, एशिया की तुर्क मंगोल, एशिया-यूरोप की फिनोउग्रियन भाषाओं में उत्तम पुरुष के लिए ऐसे सर्वनाम का व्यवहार होता है जिसका मूलरूप **मध्** था।

पैशाची प्राकृत में उत्तम पुरुष का एक बहुवचन रूप **अम्फ** है। इसका पूर्वरूप **अम्भ** होगा। पैशाची समेत अनेक प्राकृतों में जो **अम्हे** (हम) रूप है, उसका सम्बन्ध बंगला **आमि**, मराठी **मी** से है। संस्कृत **अस्मि**, अंग्रेज़ी **ऐम्** (हूँ) के सर्वनाम-चिन्ह का सम्बन्ध या तो **अम्भ** से है या **मध्** से।

**मध्** का रूपान्तर हुआ **मह्** फिर **मह्** का रूपान्तर हुआ **नह्**। संस्कृत में कर्म-सम्प्रदान-सम्बन्ध का बहुवचन रूप है **नः**, द्विवचन रूप है **नौ**। **पठामि** के **मि** के समान कुछ प्राचीन संस्कृत रूपों में उत्तम पुरुष का चिन्ह **नि** है, यथा : **अद्य जीवानि** (मैं आज का दिन जिऊँ)। **जीवानि** के समान ग्रीक **हिस्तेन्** (मैंने रखा) में **न्** ध्वनि वाला उत्तम पुरुष का चिन्ह है। ग्रीक भाषा में कर्ता-कर्म का द्विवचन रूप **नो** है, सम्प्रदान-सम्बन्ध का वैसा ही रूप **नोन्** है।

**मध्** का रूपान्तर हुआ **मस्**, फिर **मस्** का रूपान्तर हुआ **नस्**। लैटिन **नोस्** (हम) का आधार यह **नस्** है। **मधु** का रूपान्तर हुआ **मद्**, फिर **मद्** का रूपान्तर हुआ **मन्**, पुनः **मन्** का रूपान्तर हुआ **नन्**। ब्राहूइ में यह **नन्** (हम) प्राप्त है। ब्राहूइ के पड़ोस में है फ़ारसी। फ़ारसी **मन्**, तेलगू **मनमु** और ब्राहूइ **नन्** परस्पर सम्बद्ध रूप हैं। तुलु **नम**, तमिल **नाम्**, **नाङ्गळ्** (हम) का आधाररूप **नन्** है। ग्रीक **हिस्तेन्** (मैंने रखा) के समतुल्य तमिल रूप हैं **पडिक्किरेन्** (मैं पढ़ता हूँ), **पडिप्पेन्** (मैं पढ़ूँगा) और **पडित्तेन्** (मैंने पढ़ा)।

जिन भाषाओं को **म्** और **न्** ध्वनियों वाले दोनों रूप सुलभ हुए, उन्होंने उनमें कार्य-भेद निश्चित किया। संस्कृत में **न्** वाले रूप बहुवचन और द्विवचन में हैं, एकवचन में नहीं; ग्रीक में केवल द्विवचन में हैं, लैटिन में बहुवचन में। इंडो-यूरोपियन भाषाओं में **न्** मूलक रूप कर्ता कारक में प्रयुक्त नहीं होता। **फिन** भाषा में **न्** वाला रूप एकवचन के लिए है, **म्** वाला बहुवचन के लिए, यथा : **तलोनि** (मेरा घर), **तलोमॅ** (हमारा घर)। **न्** वाले रूप का प्रसार सर्वाधिक हुआ है। कोल-समुदाय की नहाली भाषा में **नॅय्** (मैं), जुअङ् में **निन्** का रूपान्तर **निङ्** (हम), नाग-समुदाय की आओ में **नी** (में) और **ङी**, ख़ल्ख़ मंगोल में **नद्**, **नमइग्** (मुझे), अरबी **ना** (हम), **नहर्ना** (दिन हमारा अर्थात् हमारा दिन), एशिया और यूरोप के प्रमुख भाषा-परिवारों में **न्** ध्वनि वाला उत्तम पुरुष-सूचक सर्वनाम फैला हुआ है। कोल भाषाओं में **न्** ध्वनि बहुधा **ञ्** रूप में ग्रहण की जाती है।

**पठामि** की संरचना से मिलते-जुलते रूप कोल समुदाय की संथाली भाषा में देखें : **उडिञ्** (पियूँगा), **उड्तिञ्** (पीता हूँ), **गिलिञ्** (मारूँगा), **गिल्तिञ्** (मारता हूँ)। यहाँ **न्** के स्थान पर सर्वनाम-चिन्ह **ञ्** है। जैसे तुर्की में **बाबम्**

(मेरा बाप) रूप है, वैसे ही संथाली में **अपुञ्** (उप.) रूप है। संथाली में स्वतंत्र सर्वनाम **इञ्** (मैं) है।

नाग-समुदाय में सेम जनों की भाषा का **ङि** (मैं), **आओ** जनों का **ङी** (उप.), कुछ नाग बोलियों का **ङा** (उप.) **ञ्, न्** ध्वनियों वाले रूपों से सम्बद्ध हैं। कंठ्य नासिक्य ध्वनि का आदिस्थानीय प्रयोग नाग भाषाओं की विशेषता है।

**ङ्** ध्वनि वाले रूपों का व्यवहार अपेक्षाकृत कम है, **ञ्** वाले रूपों का व्यवहार अधिक है। **न्** वाले रूपों का प्रसार सर्वाधिक है। नाग भाषाओं का प्रभाव-क्षेत्र सीमित है, कोल भाषाओं का प्रभाव-क्षेत्र उससे बड़ा है। द्रविड़ भाषाओं का प्रभाव-क्षेत्र इन दोनों के प्रभाव-क्षेत्र से बड़ा है; नाग-कोल क्षेत्रों में **न्**-मूलक सर्वनाम द्रविड़ क्षेत्र से पहुँचे हैं। संस्कृत समेत इंडो-यूरोपियन भाषाओं में **न्** वाले रूप द्राविड़ प्रभाव से स्वीकृत हुए हैं। तेलगू जैसी भाषा में **म्** वाले रूप आर्य प्रभाव से पहुँचे हैं।

**मध्** का एक रूपान्तर होगा **मथ्**, दूसरा **मस्त्, मस्थ्**। इस **मस्त्** का फिर रूपान्तर होगा **वस्त्**। संस्कृत क्रिया-रूपों के सर्वनाम **मसि, महि** का एक ग्रीक प्रतिरूप है **मॅथ**, दूसरा है **मॅस्थ**। बरो ने ग्रीक **मॅस्थ** की तुलना हित्ती **वश्त** से की है, पुनः ग्रीक सर्वनाम-चिन्ह **मॅन** की तुलना हित्ती **वॅन्** से की है। यह तुलना इसलिए महत्त्वपूर्ण है कि उत्तम पुरुष के सर्वनामों में जहाँ आदिस्थानीय **व्** है, वहाँ उसे **म्** का रूपान्तर मानना चाहिए। संस्कृत का बहुवचन रूप है **पठामः**, द्विवचन रूप है **पठावः**। जैसे एकवचन सर्वनाम रूप है **मम** और बहुवचन रूप है **नः**, दोनों का स्रोत एक है; पर जब दो भिन्न ध्वनियों वाले सर्वनाम रूप सुलभ हो गए, तब उनमें कार्यभेद किया गया; वैसे ही **पठामः** और **पठावः** के **मः** और **वः** का स्रोत एक है, पर जब दो रूप सुलभ हो गए, तब **मः** सुरक्षित रहा बहुवचन के लिए, **वः** का उपयोग हुआ द्विवचन के लिए। संस्कृत **वयम्** (हम) का पालि प्रतिरूप **मयम्** (अथवा **मयङ्**) है। पालि **मयम्** अज्ञानी जनों का प्रयोग नहीं है। संस्कृत **इह** का पूर्वरूप पालि **इध** है। **मयम्** का रूपान्तर **वयम्** है, जैसे ग्रीक **मॅन्** का हित्ती प्रतिरूप **वॅन्** है।

**वॅन्** का पूर्वरूप **मॅन्** होगा, **नॅन्** नहीं; **वयम्** का पूर्वरूप **मयम्** होगा, **नयम्** नहीं। किन्तु **नॅन्** से **ञॅन्**, फिर नासिक्य गुण का लोप होने पर **यॅन्, अॅन्** रूपों का विकास सम्भव है। संथाली **बॉ**, मुंडारी **बु** उत्तम पुरुष सर्वनाम के बहुवचन रूप हैं। तुर्की **बॅन्** (मैं), ख़ल्ख़ मंगोल **बि** (उप.), अंग्रेज़ी **वी**, संस्कृत **वयम्** से सम्बद्ध हैं। तमिल में एक रूप है **नान्** (मैं), दूसरा है **यान्**; बीच की कड़ी है मलयालम **ञान्**। कन्नड़ **आन्** में **य्** का लोप हुआ। तमिल में एक रूप है **नाम्** (हम), दूसरा रूप है **याम्**; बीच की कड़ी है मलयालम **ञाङ्ङळ्**। कन्नड़ **आम्** में **य्** का लोप है। आदिस्थानीय **म्, न्, य्, अ** वाले रूप परस्पर सम्बद्ध हैं, यह तेलगू **मेमु, नेमु, एमु** (हम) को देखने से समझ में आ जाता है। **मे-ने-ओ-ञे-ए**, यह विकास-क्रम है। इनमें आदिम रूप **म्** ध्वनि वाला है। तमिल **ॲनव** (मेरा), **ॲङ्ङळ्** (हम), कन्नड़ **ॲन्**

(मैं) का आधार **नॅन्** है। कोल भाषाओं में एक ओर **न्** से आरम्भ होनेवाले सर्वनाम हैं, यथा : खरिया में **निङ्, निञ्** (हम), दूसरी ओर **अॅ** या **इ** से आरम्भ होनेवाले रूप हैं। यथा : मुंडारी **इङ्**, नहुआली **अॅङ्**, संथाली **इञ्** (मैं)। ये दोनों तरह के रूप परस्पर वैसे ही सम्बद्ध हैं, जैसे तेलगू **नेमु** और **एमु**। यह शृंखला दक्षिण-पूर्वी एशिया तक फैलती चली गई है। मोन्-ख्मेर **यङ्, यॉङ्** (हम) रूपों में **न्** के रूपान्तर **ञ्** का **य्** बना हुआ है, जैसे तमिल **नान्** के प्रतिरूप **यान्** में **य्** बना हुआ है।

द्रविड़ और कोल परिवारों के सर्वनामों का मिलान करने पर नतीजा यह निकलता है कि उक्त सर्वनाम-मूल कोल भाषाओं में द्रविड़ क्षेत्र से पहुँचे हैं। द्रविड़ भाषाओं में इनके ध्वनि-रूपान्तरों की सारी कड़ियाँ विद्यमान हैं।

कोल भाषाओं से मिलती-जुलती स्थिति नाग भाषाओं की है। गलोङ **ङो** (मैं), **ङोलु, ङोनु** (हम), आओ **नी, डी** (मैं) **न्**-मूलक वर्ग के हैं। बोरो **अङ्** (मैं) में आदि स्थानीय **न** की जगह **अ** है। नाग भाषाओं को ये सर्वनाम् द्रविड़ या कोल स्त्रोत से या दोनों स्त्रोतों से प्राप्त हुए होंगे।

### *(ग) सर्वनाम : मध्यम पुरुष*

**म्** और **न्** ध्वनियों से आरम्भ होनेवाले सर्वनाम रूप अनेक भाषाओं में मध्यम पुरुष के लिए भी प्रयुक्त होते हैं। ब्रुगमन ने इंडो-यूरोपियन भाषाओं में उत्तम और मध्यम पुरुषों के लिए एक से सर्वनाम रूपों का व्यवहार देखकर नतीजा निकाला था कि इन पुरुषों का आदिम भेद आगे चलकर मिट गया। लोग बहुवचन रूपों की जगह एकवचन रूपों का व्यवहार करने लगे; वे वचन-भेद भूल गए। वे मध्यम पुरुष रूपों की जगह उत्तम पुरुष रूपों का व्यवहार करने लगे, वे पुरुष-भेद भूल गए। किन्तु इस धारणा के विपरीत यह भी सम्भव है कि पहले पुरुष-भेद सुनिश्चित न हो, इस कारण वक्ता और श्रोता, दोनों के लिए एक ही रूप प्रयुक्त होता हो। लिथुआनियन **मॅनस्**, पुरानी आइरिश के **मॉ, मु** का सम्बन्ध मध्यम पुरुष से है। यह स्थिति द्रविड़ भाषाओं में भी है, यथा : तेलगू **मेमु** (हम) और **मीरु** (तुम), नइकि **नेम्** (हम) और ब्राहूइ **नी, ने** (तू)। इसी प्रकार कोल भाषाओं में : संथाली का मध्यम पुरुष एकवचन रूप मॅ मोन्-ख्मेर **मि, मॅइ** और वियतनामी **मि, मॅय** तक फैलता चला गया है। नहाली **नॅ** (तू), **नेको** (तुम) में **म्** के बदले **न्** वाला रूप है। इसी प्रकार नाग भाषाओं में, यथा : बोरो में, **नङ, नम्** (तुम)। तुर्की **किज़िन्**, (तेरी लड़की), **इदिन्** (तू था) में मध्यम पुरुष का चिन्ह **इन्** द्रविड़ भाषाओं में प्राप्त है; पर्जि **ईन्, इन्** (तू), कुइ **ईनु** (उप.)।

### *(घ) सर्वनाम : अन्य पुरुष*

उत्तम पुरुष सर्वनाम **मध्** में **म** स्वयं सर्वनाम मूल है, उसमें वस्तुवाचक **ध** प्रत्यय जोड़कर **मध** रूप बनाया गया। **मध** से **मध्** का विकास हुआ। **म** और **न**, ये दोनों

सर्वनाम मूल निकटवर्ती वस्तु की ओर संकेत करते थे; यही कारण है, **मद्, मन्, नन्** आदि वक्ता और श्रोता के लिए प्रयुक्त होते हैं। संस्कृत **नेदिष्ठ** (निकट) का आधार **नेद** है; सर्वनाम **नॅ** और वस्तुवाचक प्रत्यय **द** के योग से यह रूप बना। फ़ारसी नज़्दीक में **नध्** का रूपान्तर है **नज़्द**। संथाली और मुंडारी में **न, नॅ** (यह) निकटवर्ती वस्तुसूचक स्वतंत्र सर्वनाम है।

दूरस्थ वस्तुसूचक सर्वनाम-मूल **त** है। **मध्** के समान इससे **तथ्** रूप बना। जैसे **मध्** से **मद्**, वैसे ही **तथ्** से **तद्**। यह **तद्** संस्कृत का नपुंसकलिंगी सर्वनाम है, इसका प्रतिरूप है अंग्रेज़ी **दैट्** (वह)। ख़ल्ख मंगोल के **तॅद्, तॅदॅन्** (वे) इसी शृंखला के रूप हैं। जैसे **मद्** से **मन्**, वैसे ही **तद्** से **तन्**। तमिल **तान्**, ब्राहूइ **तेन्**, तोद **तोन्** स्वयम् के अर्थ में प्रयुक्त होनेवाले वैकल्पिक रूप हैं। **तद्** का एक रूपान्तर **तर्** हुआ। यह ख़ल्ख मंगोल का **तॅर्** (वह) है। तमिल **तम्बि** (छोटा भाई), **तन्दइ** (पिता), **ताय** (माँ) में आदिस्थानीय **त** वही सर्वनाम मूल **त** है। कोल समुदाय में खसी दूरस्थ वस्तुओं के लिए **त, तय्** सर्वनाम प्रत्ययों का व्यवहार करती है। यह सर्वनाम दक्षिण-पूर्वी एशिया की मोन्ख्मेर भाषाओं में पहुँचा है जहाँ **ते** (वह) दूरस्थ वस्तु की ओर संकेत करता है।

जैसे **मध्** से **मस्**, वैसे ही **तध्** (या **तद्**) से **तस्**। यह जर्मन भाषा का नपुंसकलिंगी **डास्** (वह) है। जर्मन पुल्लिंग **डॅर्** (उप.) और ऊपर उल्लिखित मंगोल **तॅर्** एक दूसरे के प्रतिरूप हैं।

**तस्** का रूपान्तर **सस्**, यह संस्कृत का पुल्लिंग व्यक्तिवाचक सर्वनाम **सः** है। **सः** का बहुवचन **ते** है। दोनों परस्पर सम्बद्ध रूप हैं। **ते** का अंग्रेज़ी प्रतिरूप है **दे** (वे)। हिन्दी **सो** (वह), बंगला **से** (उप.) संस्कृत **सः** से सम्बद्ध हैं।

**स** सर्वनाममूल का रूपान्तर हुआ है। ग्रीक भाषा में एक निर्देशक सर्वनाम है **हॉ, हे**, दूसरा है **तॉ**। ग्रीक **हॉ** और **तॉ** का आपस में वही नाता है जो संस्कृत **सः** और **ते** का है। **सध्>सद् >सन् >हन्**, इस क्रम से संथाली **हन्** (वह) प्राप्त हुआ। संथाली में ही इसके वैकल्पिक रूप हैं **हिन, हॉन्**। **हन्** का मलय रूपान्तर है **हाङ्** (वह, वे)। नौर्वे और स्वीडन की भाषाओं में पुल्लिंग रूप **हन्** (वह) है, स्त्रीलिंग रूप **हॉन्, हुन्** हैं। फिनलैंड की भाषा में **हन्** का प्रतिरूप है **हैन्** (वह)। अंग्रेज़ी ही (वह) और अरबी **हु** (उप.) का आधार **सॅ, सॉ** हैं।

**ह** की महाप्राणता का लोप होने पर **अ** बचा। **अ, अॅ, ऑ** सर्वनाममूलों का व्यवहार देशकाल वाचक विशेषकों, जैसे **इधर, उधर**, के निर्माण में व्यापक रूप से हुआ। इसके अतिरिक्त **हन्** के **ह्** का लोप होने पर अन्य रूप **अन्** प्राप्त हुआ। संथाली **उन्** (वह), रूसी **अन्** (पुल्लिंग, वह), **अना** (स्त्रीलिंग), **अनो** (नपुंसक लिंग) **हन्, हॉन्** आदि से सम्बद्ध हैं। **अ** का उपयोग अन्य सर्वनामों में उसे जोड़कर नये रूप बनाने के लिए हुआ। एक रूप **तस्** या **दस्**, उसमें **अ** जोड़ा तो संस्कृत सर्वनाम **अदस्** बना। एक रूप **तद**, उसमें **ए** जोड़ा तो संस्कृत सर्वनाम **एतद्** बना।

एक रूप **सः**, उसमें **ए** जोड़ा तो संस्कृत सर्वनाम **एषः** बना। एक सर्वनाम **ति**, उसमें **इ** जोड़ा तो संथाली **इति** (यह) बना। एक सर्वनाम ते, उसमें जोड़ा **उन्**, तो कोल समुदाय की सोर भाषा का **उन्ते** रूप बना। **उन्, इन्** में **ध** जोड़कर **उन्ध, इन्ध** रूप बने; हिन्दी के **उन्ह, इन्ह** इनके रूपान्तर हैं। भोजपुरी में **इन्हन्** के साथ उसका पूर्वरूप **हिन्हन्** है, **उन्हन्** के साथ उसका पूर्वरूप **हुन्हन्** है। यहाँ **ध** सर्वनाम हो, यह आवश्यक नहीं है। **ध** सर्वनाम था, इसकी चर्चा आगे करेंगे। **ध** वस्तुवाचक प्रत्यय भी था। **ध** में **म** जोड़कर **मध** रूप बनाया गया, वैसे ही **ध** में **उन्** जोड़कर **उन्ध** रूप बनाया गया। **ध** में **अ** जोड़कर **अध** रूप बनाया गया।

**अध** से **अधस्, अधम्, अधन्** रूप बने। विभिन्न पुरुषों के सर्वनाम एक दूसरे से कितना मिलते-जुलते हैं, यह **अध** शृंखला के रूपों में देखेंगे। **अधम्** का व्यवहार उत्तम पुरुष के लिए हुआ; पुरानी फ़ारसी में इसका रूपान्तर है **अदम्**, संस्कृत में **अहम्**। **अहम् >अअम् >अवम्**, इस क्रम से प्राप्त **अवम्** संस्कृत **अहम्** के द्विवचन रूप **आवाम्** में है। **अहम् >अम् >अयम्**, इस क्रम से संस्कृत का अन्यपुरुष-सूचक **अयम्** प्राप्त हुआ। अन्य पुरुष के लिए **अयम्** के साथ **अवम्** का चलन भी था, यह द्विवचन वैदिक **अवोः** से सिद्ध है। ब्रुगमन ने इसके समकक्ष अवेस्ता के **अवे, अवा**, पुरानी फ़ारसी के **अवइय्, अवा** रूपों का उल्लेख किया है। तमिल सर्वनाम **अवन्** (वह् पु.), **अवळ्** (वह् स्त्री.), **अवइ** (वह, वे) में वही **अव** है। संस्कृत **अयम्** और तमिल **अवन्** की रचना-प्रक्रिया एक है। **ह्** का लोप होने पर एक जगह **य्** श्रुति का आगम हुआ, दूसरी जगह **व्** श्रुति का।

संस्कृत में **अयम्** (पु.) के साथ **इयम्** (स्त्री.), **इदम्** (न.) रूप प्राप्त हैं। **अयम्** का आधार **अधम्** है, **इयम्** का **इधम्**। **घ्** का **द्** रूपान्तर **इदम्** में स्पष्ट है। **इयम्** का तमिल प्रतिरूप है **इवन्** (पु.), **इवळ्** (स्त्री.)। द्रविड़ भाषाओं में **इ, अ** के साथ मध्यवर्ती वस्तुसूचक सर्वनाम मूल **उ** भी है। **अवन्** और **इवन्** के साथ एक तमिल रूप **उवन्** है। इन तीनों रूपों के समानान्तर तमिल में **अदु, इदु, उदु** (यह् वह) है; **इदम्** के समान तीनों नपुंसकलिंगी हैं और **इदम्** के समान ही तीनों में **द्** सुरक्षित है। मध्यवर्ती व्यंजन का लोप किसी समय आर्यों और द्रविड़ों, दोनों के लिए सुसंस्कृत होने का चिन्ह रहा होगा, तभी दोनों ने **इदम्** को नपुंसक वर्ग में रखा। हिन्दी **इन्ह, उन्ह** का विकास **इन्ध, उन्ध** से हुआ, इसकी पुष्टि तमिल **इन्द, उन्द** (ये, वे) से होती है। इनके साथ तमिल **अन्द** भी है। इसके पूर्वरूप **अन्ध** से संस्कृत **अन्य** का विकास हुआ। **अयम्** की तरह **अन्य** में भी **ध** के स्थान पर **य** है।

**अधम्** के समानान्तर एक रूप **अघम्** था। संस्कृत **अहम्** का ग्रीक-लैटिन प्रतिरूप **ॲगो** है। **अघम्** का **अ** पहले **स** था, इसका प्रमाण मागधी प्राकृत का **हगे, हग्गे** (मैं) रूप है; **स** और **अ** के बीच की कड़ी है **ह**। अन्य पुरुष के लिए इसका निर्देशक सर्वनाम रूप कन्नड़ में **आकॅ** (वह स्त्री), कोन्ड में **अकन्** (वह पुरुष)

है। **अन्** में **भ** जोड़ने से एक रूप **अम्भ** बना; पैशाची प्राकृत में इसका रूपान्तर **अम्फ** (हम) है। अन्य पुरुष के लिए इसका निर्देशक सर्वनाम रूप **आमॅ** (वह स्त्री) तेलगू में है। तेलगू में **आमॅ** का प्रतिरूप **आपॅ** भी है। **आमॅ** इस **आपॅ** का रूपान्तर भी हो सकता है और **आपॅ** का पूर्वरूप होगा **अभ**।

**अध, अघ, अभ**—ये तीनों सर्वनाम प्रयुक्त होते थे, कहीं उत्तम पुरुष के लिए, कहीं अन्य पुरुष के लिए। **अस** का स्रोत **अघ** हो सकता है, **अध** भी। संस्कृत **अस्मद्** स्पष्ट ही **अस्** और **मद्** दो सर्वनामों के योग से बना रूप है। **अस्माकम्** आदि में **अस्** है। पुरानी स्लाव बोलियों में इसका प्रतिरूप **अस्, अज़ु** है। जर्मन **इश्** या **इख़्** (मैं) का एक पुराना रूप **इक्** है जो **अंघ** का रूपान्तर है। **इक्** का एक पुराना जर्मन प्रतिरूप **इह** है; **इक्** और **इस्**—दोनों से **इह्** का विकास सम्भव है। **ॲघ>ॲस>ॲह>ॲय**, इस क्रम से अंग्रेज़ी **आई** (मैं), रूसी **या** (उप.) रूप प्राप्त हो सकते हैं। **अस्मद्** के **अस्** से सम्बद्ध है पंजाबी **असां** (हम); **असांदा** का विकास है उसी भाषा का **साड्डा** (हमारा)। अन्य पुरुष के लिए **अस्**-वर्ग के निर्देशक सर्वनाम रूप **ॲस्** (यह), **ऑस्** (वह) भी पंजाबी में हैं। **अस्, ॲस्, ऑस्**, तीन रूप सुलभ होने पर इनमें कार्य का विभाजन हुआ; **अस्** आरक्षित हुआ उत्तम पुरुष के लिए, शेष दो अन्य पुरुष के लिए। **ॲस् ऑस** के हिन्दी प्रतिरूप हैं **इस, उस** और **यह, वह**। पुर्तगाली में **ॲस्, ऑस्** निश्चयार्थी संकेतक हैं।

**ॲघम्** का एक रूपान्तर **ॲगोन्** हुआ। इसके मध्यवर्ती **ग्** का लोप होने पर ग्रीक समुदाय की बिओशियन बोली का रूप **इओन्** बना। उसी बोली में इसका प्रतिरूप **हिओन्** है। इससे प्रमाणित होता है कि **ॲघम्** का पूर्वरूप **सॅघम्** था; **सॅ** और **ॲ** के बीच की कड़ी है **हॅ**।

**अघम्, अधम्** आदि में **घ, ध** वस्तुवाचक प्रत्यय हैं। **घ, ध, भ** स्वतंत्र सर्वनामों के रूप में भी प्रयुक्त होते थे। इनमें सबसे महत्त्वपूर्ण **ध** है। अवधी **करहि** का आधार **करधि** है, संस्कृत **करोति** का **करोधि**। **ध** का विकल्प **धॅ** अन्य पुरुष-सूचक सर्वनाम है। पुरानी फ़ारसी के **दिम्** (उसे; पु., कर्मकारक), **दइय्** (उन्हें; पु., कर्मकारक), **दिश्** (उन्हें; स्त्री., कर्मकारक) का आधार **धॅ** है। अंग्रेज़ी का निश्चयार्थी संकेतक **दि**, जर्मन **डी** (वह, स्त्री.) पुरानी फ़ारसी के **दिम्** से सम्बद्ध हैं। कोल समुदाय की कुर्कु भाषा में **दिकु** (वि) और **मोन्** में **दॅह्** (वह, वे) रूप हैं। अंग्रेज़ी **दि** का प्रतिरूप पश्तो का निश्चयार्थी संकेतक **दा** है।

**द** का रूपान्तर है **ल**। फ्रांसीसी में **ल** (पु.), **ला** (स्त्री.) निश्चयार्थी संकेतक के एकवचन रूप हैं, **लॅ** बहुवचन रूप है। इटालियन में **ला** (स्त्री.), निश्चयार्थी के अलावा अन्य पुरुष के तिर्यक् रूप **लुइ** (एकवचन) और **लोरो** (बहुवचन) हैं। **लुइ** रूप फ्रांसीसी में भी है। **ल** में एक ओर सर्वनाम जोड़ा तो **अल** रूप बना। फ्रांसीसी में **इल्** (पु.), **ॲल्** (स्त्री) व्यक्तिवाचक सर्वनाम के अन्य पुरुष वाले एकवचन रूप

हैं। इटालियन में इनके प्रतिरूप **ऑल्लि, अॅल्ला** हैं। लैटिन **इल्लॅ, ऑल्लॅ** निर्देशक और व्यक्तिवाचक, दोनों तरह के सर्वनामों का काम करते हैं। इटालियन **इल**, स्पैनिश **अॅल्** निश्चयार्थी संकेतक हैं। इन्हीं का प्रतिरूप है **अल्** क़ाहिरा, **इल्** किताब का अरबी निश्चयार्थी **अल्, इल्**।

**अल** संस्कृत **अदस्** के **अद** का प्रतिरूप है, **इल** संस्कृत **इदम्** के **इद** का। संस्कृत **अदः** (यह, वह) नपुंसक लिंग है, **इदम्** के समान। **इदम्** का पुल्लिंग रूप **अयम्** है; **अदस्** का पुल्लिंग रूप **असौ** है। **अद** का एक रूपान्तर है **अस**; दूसरा है **अन** जो **अयम्** के करणकारक रूप संस्कृत **अनेन** में है। **अद** का **अस** रूपान्तर केवल कर्ता के एकवचन रूप **असौ** में है, अन्यत्र आधार रूप **अम** है, यथा : कर्ता के बहुवचन रूप **अमी** में। इसी प्रकार **अयम्** केवल कर्ता के एकवचन में है, कर्ता का बहुवचन रूप है **इमे**। सम्भवतः **इमे** और **अमी** के पूर्व आधार रूप **इभ, अभ** थे। फ़ारसी के **इम्रोज़्** (आज का दिन), **इम्साल्** (यह साल) में संस्कृत **इमे** वाला **इम्** है। **रोज़्** का आधार संस्कृत **द्योस्** (दिवस) है। कन्नड़ **इन्दु** (आज), कोत **इन्द्य्** (उप.), कोडगु **इन्दि** (उप.) में **द्** बना हुआ है, तमिल **इन्रु** (उप.) में **द्** के स्थान पर **र्** है, फ़ारसी की तरह। द्रविड़ शब्दों में **इम्** का प्रतिरूप **इन्** है।

स्पेन और पुर्तगाल पड़ोसी देश हैं, दोनों की भाषाएँ एक-दूसरे से बहुत मिलती-जुलती हैं। स्पैनिश के निश्चयार्थी **अॅल्** का पुर्तगाली प्रतिरूप है **अस्, ऑस्**। दोनों का स्रोत एक है। एक जगह **अद** के **द्** का स्थान **ल्** ध्वनि ने लिया, दूसरी जगह **स्** ने। पुर्तगाली में निश्चयार्थी **अ, ऑ** सर्वनाम मूल **स, सॉ** के रूपान्तर हैं।

### *(ङ) सर्वनाम : संज्ञा-क्रियापद-रचना*

क्रिया और संज्ञा शब्दों के बाद सर्वनाम-चिन्ह जोड़ना, यह एक पद्धति है। यह पद्धति पुरानी है और इसका प्रसार आर्य भाषाओं के एक केन्द्र से अन्य क्षेत्रों में हुआ है। **अहम् पठामि** में **पठामि** की रचना पुरानी पद्धति से हुई है। इसी प्रकार **रामस्** का **स्** या **अस्** निश्चयार्थी संकेतक है। तमिल **रामन्** (या **इरामन्**) का **न्** या **अन्** अरबी **मलिकुन्** (राजा) का **उन्** इसी प्रकार निश्चयार्थी है। सर्वनामों की संरचना, उनके पूर्वरूपों के अध्ययन से हम इस निष्कर्ष पर पहुँचते हैं कि मूल शब्द के बाद सर्वनाम जोड़ने की प्रथा भारतीय है, वह आर्य भाषाओं के एक समुदाय की विशेषता है।

इससे विरोधी प्रवृत्ति वह है जो संज्ञा के पहले सर्वनाम जोड़ती है, क्रिया के पहले कर्ता को स्थान देती है। **अहम् पठामि** का **अहम्** आर्य भाषाओं के दूसरे समुदाय की देन है। संस्कृत **अद्य** (आज) का **अ**, कन्नड़ **इन्दु** (उप.) का **इन्** सर्वनाममूल हैं।

माता के लिए मराठी आदि का **आई** और तमिल आदि का **आय्** सम्बद्ध रूप हैं। इनमें **त** सर्वनाममूल जोड़ा तो हिन्दी **ताई**, तमिल **ताय्** (माँ) रूप प्राप्त हुए। अंग्रेज़ी **आंट्** (चाची) में **त** जोड़ने से फ्रांसीसी रूप **तांत** (उप.) बना। तमिल **अत्तन्**

का अर्थ है पिता; **त** जोड़ा तो तमिल **तात्ता** (पितामह), पर्जि **तात** (पिता) रूप बने। इस पुस्तक के दूसरे खंड में **तात** का सम्बन्ध मैंने प्रजननसूचक क्रिया से जोड़ा है, वह सही नहीं है। पिता के लिए एक अन्य तमिल शब्द है **अप्पु, अप्पन्**। नाग समुदाय की गलोङ् भाषा में **अप्पु** का प्रतिरूप **अबॉ** है। इसी समुदाय की इदु भाषा में **अबॉ** के प्रतिरूप **अब** में **न** सर्वनाम जोड़कर **नब** (पिता) रूप बनता है। **अप्पन्** में **ब** सर्वनाम जोड़ा जाए तो **बाप्पन्** रूप मिलेगा। हिन्दी **बाप** का स्रोतरूप संस्कृत **वप्तृ** (बोनेवाला) हो, यह सम्भव है, **अप्पन्** में **ब** जोड़ने से भी हिन्दी रूप बनेगा। **ब** सर्वनाम था, यह **आई** के समकक्ष रूप हिन्दी मराठी **बाई** से सिद्ध है। तुर्की **बाबा** भारतीय **बापा** का रूपान्तर है। अरबी **अब** (पिता), या **अबति** (ओ मेरे पिता) में **अप्पु** का प्रतिरूप **अब** है। **अबति** में सर्वनाम-चिन्ह मूल शब्द के बाद लगा है।

नाग समुदाय की बोरो भाषा में **नम्बाव्** (तुम्हारा बाबा), **अबाव्** (मेरा बाबा), **बिबाव्** (उसका बाबा) रूप हैं जहाँ मूल शब्द के पहले सर्वनाम लगा है। यहाँ **बाव्** हिन्दी **बाप** का रूपान्तर है। **बिबाव्** का **बि** हिन्दी **बाई** के **ब** का वैकल्पिक रूप है। बोरो में **बिबाव्** के साथ **बिप** (उसका बाप) रूप भी है। **बापू** की तरह **अप** के आधार पर **बिप** की रचना हुई है। तेलगू में **अप्प** शब्द पिता, माता, बड़ी बहन—तीनों के लिए प्रयुक्त होता है। तेलगू **अन्न** बड़े भाई के लिए प्रयुक्त होता है। तमिल **अन्नइ** बड़ी बहन, माता के लिए प्रयुक्त होता है। वृन्दावनलाल वर्मा के पुत्र सत्यदेव अपनी माँ को **नन्ना** कहते थे। **अन्न** में **न** सर्वनाम जोड़ने से **नन्ना** रूप बनेगा। मातामही के लिए हिन्दी का **नानी** शब्द इसी तरह बना है। गलोङ् भाषा का **आनॅ** (माँ) उक्त **अन्न** का प्रतिरूप है। इदु में **आनॅ** के पहले **न** जोड़कर **नानि** (माँ) रूप बनता है, हिन्दी **नानी** की तरह। बोरो में माँ के लिए आर्य शब्द है; **इदु** इसमें न जोड़कर **नाय्** (दादी) रूप बनाती है। **अत्तन्** के प्रतिरूप **आता** में **न** जोड़ने से **इदु** रूप **नाता** (दादा) बनता है। बोरो में इस प्रवृत्ति का व्यापक प्रसार हुआ है : **अगय्** (मेरा छोटा भाई), **अबो** (मेरी बड़ी बहन), **अमय्** (मेरा मामा) और इन्हीं के सम पर **अकाय्** (बाँह), **अतेङ्** (टाँग)। इन सबमें **अ** उत्तमपुरुष बोधक सर्वनाम है। **अतेङ्** का शाब्दिक अर्थ होगा मेरी टाँग। **तेङ्** हिन्दी टाँग का ही रूपान्तर है। नाग भाषाओं में न केवल सर्वनाममूल आर्य-द्रविड़ स्रोतों से पहुँचे हैं, वरन् जिन शब्दों में वे जोड़े जाते हैं, वे भी बहुधा वहाँ इन्हीं स्रोतों से पहुँचे हैं।

### *(च) सर्वनाम : विशेषक-कारक-चिन्ह-रचना*

सर्वनामों से अनेक भाषाओं में देशकालवाचक विशेषक बने हैं। इनकी रचना उस समय हुई है जिस समय सर्वनाम-चिन्ह मूल शब्द से पहले जोड़ने की प्रवृत्ति सुदृढ़ हो चुकी है। सर्वनाम-चिन्ह विशेषण का काम करता है, यथा : हिन्दी **इधर** का अर्थ होगा यह स्थान। **इ** सर्वनाम स्थान की विशेषता बताता है।

संस्कृत **मध्य**, उसके प्रतिरूपों ग्रीक **मॅत, मॅसॉस्**, लैटिन **मॅदिउस्**, रूसी **मॅझ्दु** में सर्वनाम **म** है, अतिदूर और अतिसमीप के बीच की स्थिति का सूचक; वह देशकालवाचक **ध** प्रत्यय में जोड़ा गया है। **त्, द्, स्, झ्दु** भारतीय **ध्** के रूपान्तर हैं।

संस्कृत **अधस्** (निम्न) के समान एक रूप **निधस्** था। इससे संस्कृत **नीच** बना। जर्मन **नीडॅर्** में **नी** सर्वनाम है, हिन्दी **इधर** के **धर** का रूपान्तर है **डॅर्**। अंग्रेज़ी में **नेदर्** (नीचा) है। संस्कृत **नेदिष्ठ** (अति निकट) में यही **नॅ** है। ग्रीक **नुन्** (अब), लैटिन **नुंक्** (उप.), अंग्रेज़ी **नाउ** (उप.) में **नॉ** सर्वनाम है। संथाली में **न, नॅ** का प्रसार देखते ही बनता है : **नण्डॅ** (यहाँ), **नॅण्डॅ** (उप.), **नॅतॅ** (इधर)।

संस्कृत **तदा, तत्र**, हिन्दी **तब, तहाँ**, अंग्रेज़ी **दिदर्** (वहाँ) में सर्वनाम **त** है। संस्कृत **सदा**, लैटिन **सुपॅर्** (ऊपर) में सर्वनाम **स** है। लैटिन **हॅइक्, हीक्** (यहाँ), अंग्रेज़ी **हिदर्** (इधर), द्रविड़ भाषाओं में कुड़ुख़ **हुदा** (अन्तराल), कोल भाषाओं में संथाली **हन्तॅ** (वहाँ), **हंडॅ** (उप.), **हंगॅ** (उप.) में **स** का रूपान्तर **ह** है। लैटिन **हीक्** और संथाली **हंगॅ** के **क्, ग्** मूल प्रत्यय **घ** के रूपान्तर हैं।

हिन्दी-क्षेत्र में अवधी **ईंघे** (यहाँ), बाँगरू **इंघे**, तमिल **इङ्गे** (यहाँ), संथाली **अङ्गे** (वहाँ) में **घ** और उसका रूपान्तर **ग** हैं। **स** और **सन्, ह** और **हन्, अ** और **अन्** सम्बद्ध सर्वनाममूल हैं। तमिल में **इङ्गे** के साथ **इंडु** (यहाँ) भी है। संस्कृत **अन्तर**, लैटिन प्रतिरूप **इन्तर**, फ़ारसी **अन्दर्** में **तर, दर** देशवाचक **धर** के रूपान्तर हैं। हिन्दी **इधर, उधर** में यह **धर** है। संस्कृत **इह** के पूर्वरूप पालि **इध** में देशवाचक **ध** है। **धर** के समकक्ष रूप **भर** का रूपान्तर **पर** संस्कृत **उपरि**, लैटिन **सुपॅर**, ग्रीक **हुपॅर्** में है। **अब, जब, कब, तब**, इन हिन्दी रूपों में कालवाचक **भ** का रूपान्तर **ब** है।

जैसे संस्कृत **अन्तर**, फ़ारसी **अन्दर** की रचना हुई है, वैसे ही हिन्दी **भीतर** की रचना हुई है। **तर** स्थानवाचक प्रत्यय है, **भी** निर्देशक सर्वनाम है। नाग समुदाय की बोरो भाषा में सर्वनाम **बि** (वह) इस **भी** का रूपान्तर है। **बितङ्** (वैसे, उधर), **बिबाव्** (उसका बाप) में यह **बि** है। बोरो के **ॲबी** (यही), **ऑबी** (वही) में **ॲ** निकटवर्ती, **ऑ** दूरवर्ती वस्तु की ओर संकेत करते हैं। जैसे **अब, जब** में **ब** कालवाचक प्रत्यय है, वैसे ही **ॲबी, ऑबी** में **ब** वस्तुवाचक है। लैटिन **इबी** (वहाँ), **उबी** (जहाँ) में वही **ब** प्रत्यय है। संस्कृत **निभ** (समान) में सम्भवतः **नि** समीपतासूचक सर्वनाम है और **भ** वस्तुवाचक प्रत्यय है। **जब, तब** के **ब** का पूर्वरूप होगा यह **भ**। इसका वैकल्पिक रूप होगा **भी**।

द्रविड़ भाषाओं में सर्वनाममूलों से बने कुछ अभावसूचक रूप दिलचस्प हैं। तमिल **इल्** (अभाव), **इल्लइ** (नहीं) का **इ** सर्वनाम है। कुइ **सिड**, पर्जि **चिल**, गोंडी **हिलॅ** तमिल **इल्** के प्रतिरूप हैं। **इ** सर्वनाम का मूल रूप है **सि**। निषेधवाचक प्रत्यय है **द**। तुलु **इज्जि** में **द्** का रूपान्तर **ज्** है, कुइ **सिड** में **ड्**, पर्जि **चिल** में **ल्**। द्रविड़ भाषाओं के निषेधसूचक्र द का अरबी प्रतिरूप है **ला (लावारिस, लामकान**

का **ला**)। द्रविड़ भाषाओं में **द्** का अस्तित्व प्रमाणित करनेवाले **इ़, ज्** हैं, अरबी में केवल **ल्** है। अरबी **अल्** का पूर्वरूप **अद्** था, इसकी पुष्टि **ला** से होती है।

सर्वनामों से सम्बन्धक, कारक-चिन्ह कैसे बनते हैं, इसका एक उदाहरण है तमिल **इल्**। यहाँ **इ** सर्वनाम है और **ल्** स्थानवाचक **द** का रूपान्तर है। **इल्** अधिकरण कारक का चिन्ह है। तमिल **इल** का एक अर्थ घर, स्थान है। 'यह स्थान', इस मूल अर्थ से 'में', 'पर' वाले अधिकरण भाव का विकास हुआ। **इल्** के कुइ प्रतिरूप **इड्डु** (घर) में **द्** का रूपान्तर **ड्** विद्यमान है। कन्नड़ **ॲड** (मध्य) की रचना भी इसी प्रकार हुई है। पुरानी तमिल में अधिकरण-चिन्ह **इल्** का प्रतिरूप **इन्** है। **द्** एक जगह **न्** में परिवर्तित हुआ, दूसरी जगह **ल्** में। **ल्** और **न्** भी एक दूसरे का स्थान ग्रहण करते हैं। संस्कृत **कस्मिन्, तस्मिन्** का **इन्** तमिल **इन्** से तुलनीय है। ग्रीक **ऑन्** स्वतंत्र सम्बन्धक है, यथा : **अन् अथेनइस्** (एथेंस में)। लैटिन **इन्** भी सम्बन्धक है और भीतर, ऊपर का भाव व्यक्त करता है। अंग्रेज़ी में भीतर और ऊपर के लिए **इन्** और **औन्** दो भिन्न रूप हैं; जर्मन में इनके प्रतिरूप **इन्, अन्** हैं। द्रविड़ भाषाओं से ज्ञात होता है कि इन सब रूपों का **न्** पहले **द्** था।

तमिल में **इन्** सम्बन्धकारक का चिन्ह भी है। तमिल **मगन्** (लड़का) में **इन्** जोड़ा तो रूप बना **मगनिन्** (लड़के का)। ठीक इसी तरह तुर्की में **अहमद** नाम के आगे **इन्** जोड़ा तो रूप बना **अहमदिन्** (अहमद का)। संस्कृत **दंड** में **इन्** जोड़ा तो **दंडिन्** का का अर्थ 'डंडे का' न हुआ वरन् 'डंडेवाला' हुआ। भाव वही सम्बन्धकारक का है। इसी तरह रूसी में **स्ताल्** (फौलाद) से **स्तालिन्** (फौलादी)। बुरिअत मंगोल में, तुर्की के समान, इन सम्बन्धकारक का चिन्ह है; **अख़** (बड़ा भाई) से **अख़िन्** (बड़े भाई का)। इसी तरह अरबी में **जन्नत** से **जन्नतिन्** (जन्नत का)।

### *(छ) संश्लिष्ट भाषा-पद्धति*

इंडो-यूरोपियन परिवार की संस्कृत, ग्रीक आदि और सामी परिवार की अरबी आदिभाषाएँ संश्लिष्ट रूपों वाली हैं, इनमें कारक-चिन्ह शब्दमूल से जुड़ा रहता है। जुड़ता इस तरह से है कि मूल शब्द पहले होता है और कारक-चिन्ह बाद में आता है। इस रचना-प्रक्रिया का आधार वाक्यतंत्र की वह पद्धति है जो स्वतंत्र सम्बन्धक को सदा मूल शब्द के बाद रखती है। आर्य-द्रविड़ भाषाएँ कारक-चिन्ह और सम्बन्धकों को सदा मूल शब्द के बाद रखती हैं। यूरोप की भाषाओं में जहाँ संश्लिष्ट रूप हैं, वहाँ कारक-चिन्ह सदा मूल शब्द के बाद आता है, यथा : अंग्रेज़ी **ही** (वह) के कर्मरूप **हिम्** में कारक-चिन्ह **म्** **हि** के बाद आया है। किन्तु यदि सम्बन्धक का व्यवहार करना हो, यथा : **टु हिम्** (उसको), तो सम्बन्धक मूल शब्द से पहले आएगा। यही स्थिति ग्रीक, लैटिन, जर्मन, रूसी की है। ठीक यही स्थिति अरबी की है, विभक्ति-चिन्ह मूल शब्द के बाद आएगा, सम्बन्धक उससे पहले। फिनोउग्रियन परिवार की फिन भाषा में कारक-रचना संस्कृत

पद्धति से होती है, सम्बन्धक मूल शब्द के पहले आते हैं, अंग्रेज़ी की तरह और बाद को भी, हिन्दी की तरह। तुर्क-मंगोल भाषाओं में सम्बन्धक मूल शब्द के बाद आते हैं, यही स्थिति नाग, द्रविड़, कोल भाषाओं की है। संश्लिष्ट पद-रचना का स्रोत भारत है जहाँ कारक-चिन्हों और सम्बन्धकों के व्यवहार में आन्तरिक संगति है। सम्बन्धकों की रचना का इतिहास भी भारतीय क्षेत्र को इस पद्धति का स्रोत सिद्ध करता है।

सर्वनामों के उद्‌भव और प्रसार से क्रियापद-रचना का इतिहास जुड़ा हुआ है। क्रियापद पुरुष की सूचना सर्वनाम-चिन्ह से देता है। इस तरह की क्रियापद-रचना संश्लिष्ट भाषाओं की विशेषता है। जैसे कारक-रचना में विभक्ति जोड़ने की प्रक्रिया उन्हें संश्लिष्ट बनाती है, वैसे ही क्रियापद-रचना में पुरुष-सूचक सर्वनाम-चिन्ह जोड़ने की प्रक्रिया उन्हें संश्लिष्ट बनाती है। क्रियापद-रचना की इस पद्धति का सम्बन्ध वाक्यतंत्र की उस पद्धति से है जिसमें क्रिया पहले आती है, कर्ता बाद में आता है। इस पद्धति का स्रोत कहाँ है, इसका निर्णय सर्वनामों के स्रोत के ज्ञान से होगा। जो सर्वनामों का स्रोत है, वही उक्त विन्यास-पद्धति का स्रोत है। सर्वनामों के बिना उस तरह की क्रियापद-रचना होती ही नहीं है। सर्वनामों के विवेचन से सिद्ध होता है कि उक्त विन्यास-पद्धति और तिङन्त क्रियापद-रचना का स्रोत आर्य भाषा-क्षेत्र है। इससे जो भिन्न पद्धति है, जिसमें कृदन्त-व्यवहार प्रधान है, उसका स्रोत भी आर्य भाषा-क्षेत्र है। कारण यह कि तिङन्त-प्रयोग पूर्वी आर्य भाषा-क्षेत्र की विशेषता है तो कृदन्त-प्रयोग उत्तरी क्षेत्र की।

**यजामहे** के **महे** का पूर्वरूप **मधे** है। **अहम्**, पुरानी फ़ारसी के **अदम्** का मूलरूप **अधम्** है। **श्रुधी हवम्** वैदिक पद में सर्वनाम-चिन्ह **धि** विद्यमान है। **तुभ्यम्, तेभ्यः** आदि कारक रूपों में सघोष महाप्राण में विद्यमान है। **स्कम्भ, स्तम्भ** में कृदन्त प्रत्यय **भ** है। बाँगरू-अवधी **इंघे, ईंघे** में सर्वनाम के बाद स्थानवाचक **घ** जोड़ा गया है। आर्य भाषा-क्षेत्र **घ्-ध्-भ्** ध्वनियों के अविच्छिन्न व्यवहार का एकमात्र क्षेत्र है। सर्वनाम, कारक, क्रियापद, सम्बन्धक, कृदन्त—इन सभी की रचना में **घ्, ध्, भ्** की महत्त्वपूर्ण भूमिका है। क्रियापदों के बाद सर्वनाम जोड़ने की प्रथा भी वहीं की है जहाँ के सर्वनाम हैं। संज्ञा के बाद कारक-चिन्ह जोड़ने की प्रथा, भाषा को संश्लिष्ट रूप देने की प्रथा वहीं की है जहाँ के सम्बन्धक हैं जो निरन्तर व्यवहार से कारक-चिन्ह बने हैं। क्रियामूल से कृदन्त बनाने की प्रथा वहीं की है जहाँ **घ्, ध्, भ्** इन मूल प्रत्ययों का व्यवहार होता था। इस प्रकार एशिया और यूरोप की भाषाओं के अनेक स्तरों पर भारतीय आर्य भाषाओं से उनके सम्पर्क की छाप है।

### *(ज) भाषा-परिवारों का निर्माण*

किसी भी भाषा-परिवार के मूल तत्त्वों का विश्लेषण किया जाए तो उनमें सर्वनामों की गिनती अवश्य होगी। एशिया और यूरोप की भाषाओं के सर्वनामों में बहुत बड़ी

समानता है। इसका अर्थ यह है कि यूरोप और एशिया के भाषा-परिवारों के मूल-तत्त्वों में बहुत बड़ी समानता है। इससे निष्कर्ष यह निकला कि किसी भी भाषा-परिवार का निर्माण एकान्त शून्य में नहीं होता; निर्माण और विकास की हर मंज़िल में उसका अन्य भाषा-समुदायों से सम्पर्क रहता है। भारतीय सन्दर्भ में द्रविड़ परिवार के मूल-तत्त्वों का विवेचन करें तो कोई ऐसी मंज़िल नहीं है जब आर्य भाषाओं से द्रविड़ सम्पर्क के प्रमाण न मिलते हों।

क्रिया के बाद सर्वनाम जोड़ने की पद्धति किसी भी भाषा-परिवार की मूल विशेषता मानी जाएगी। किन्तु हम देखते हैं कि यह मूल विशेषता अनेक भाषा-परिवारों में विद्यमान है। इसका अर्थ यह हुआ कि किसी भी भाषा-परिवार की मूल विशेषताएँ एकान्त शून्य में विकसित नहीं होतीं। ये विशेषताएँ केवल सापेक्ष रूप में मौलिक होती हैं। इससे निष्कर्ष यह निकला कि भाषा-परिवारों के आपसी सम्बन्ध अनेक प्रकार के होते हैं। सर्वनामों में समानता का यह अर्थ नहीं कि शब्द-भंडार के अन्य स्तरों पर वैसी ही समानता होगी; क्रिया में सर्वनाम जोड़ने के चलन का यह अर्थ नहीं कि भाषा की संरचना के हर स्तर पर वैसी ही समानता होगी।

भाषा-परिवार का निर्माण विभिन्न गण भाषाओं के संयोग से होता है। इन गण भाषाओं के ध्वनि-शब्द-रूपतंत्रों की अपनी विशेषताएँ होती हैं। सामाजिक-सांस्कृतिक कारणों से ऐसे गण भाषा-समवाय में यदि किसी एक गण भाषा का व्यवहार प्रधान हो, विभिन्न गण-समाजों में वह भाषा विचार-विनिमय का प्रमुख माध्यम बने, तो अन्य गण भाषाओं में उसकी विशेषताओं का प्रसार होगा। साथ ही इतर भाषाओं की विशेषताएँ पूरी तरह नष्ट न होंगी, वे गौण स्थान पर होंगी। यूनान के गण-समाजों में पहले इओनिक भाषा का प्राधान्य था; उसी में होमर के काव्य हैं और उसका प्रभाव सभी गण भाषाओं पर पड़ा। आगे चलकर अत्तिक गण भाषा का प्राधान्य हुआ और वह यूनान की जातीय भाषा बनी। भारत में संस्कृत का मूलाधार कोसल की भाषा है; वैदिक काल तक कोसल की भाषा ने कौरवी से प्रभावित होकर नया रूप ग्रहण किया और यह संस्कृत भाषा अन्तर्जनपदीय विचार-विनिमय का प्रमुख साधन बनी। स्वभावत: अन्य आर्य-गण भाषाओं पर उसका गहरा असर पड़ा। भिन्न गण भाषाओं की विशेषताएँ जब एक जगह सिमट आती हैं, तब उनका आपसी भेद लुप्त नहीं हो जाता। अत: प्रत्येक भाषा-परिवार में, हर स्तर पर, एक ही समय में, कभी-कभी एक ही स्थान पर, विरोधी प्रवत्तियाँ सक्रिय होती हैं। प्रत्येक भाषा का निर्माण विभिन्न प्रभावों से हुआ है, अत: प्रत्येक भाषा किन्हीं एकरूप लक्षणों का जड़ समवाय नहीं होती; भाषा-व्यवस्था में विरोधी तत्त्व सक्रिय रहते हुए भी समन्वय स्थापित करते हैं। भाषा का स्वरूप, उसकी अस्मिता इस समन्वय पर निर्भर है; उसका विकास, भाषा-व्यवस्था की परिवर्तनशीलता विरोधी तत्त्वों की क्रियाशीलता पर निर्भर है।

किसी भाषा-परिवार के पड़ोस में जो अन्य भाषा-परिवार होगा, वह भी गण भाषाओं का समवाय होगा। अतः दो परिवारों का सम्पर्क किन्हीं दो आदिभाषाओं का सम्पर्क नहीं होता; वह विभिन्न गण भाषाओं का सम्पर्क होता है। अतः उस सम्पर्क का परिणाम एकरूप नहीं होता; उसमें विविधता होती है। यह बिलकुल सम्भव है कि प्राचीन तमिल जनों का जैसा सम्पर्क कुरु जनों से रहा हो, वैसा कोसलों से न हो; आन्ध्रों का जैसा सम्पर्क कोसलों से हो, वैसा कुरु जनों से न हो। इसी तरह यह सम्भव है कि प्राचीन आर्मीनियन और आइरिश जनों का सम्पर्क कन्नड़-भाषियों से अधिक रहा हो, तमिल जनों से कम रहा हो या न रहा हो।

भारत को भाषायी क्षेत्र मानकर यदि हम आर्य, द्रविड़, नाग, कोल भाषा-परिवारों को एक नाम भारतीय भाषा-समुदाय दें और इस समुदाय से एशिया और यूरोप के भाषा-परिवारों की तुलना करें, तो अन्तर-पारिवारिक सम्बन्धों की सारी पेचीदगी, उनकी विविधता हमारे सामने उजागर होगी। यदि केवल स्पर्श-ध्वनियों के संघर्षीकरण की प्रवृत्ति ली जाए, तो विदित होगा कि भारतीय समुदाय की नाग भाषाओं का जितना प्रभाव जर्मन भाषावर्ग पर है, उतना इंडो-यूरोपियन परिवार के किसी अन्य आर्येतर भाषावर्ग पर नहीं है। यदि सघोष महाप्राण स्पर्श-ध्वनियों को अघोष अल्पप्राण रूप देने की प्रवृत्ति ली जाए, तो विदित होगा कि इस प्रवृत्ति को जन्म देनेवाला द्रविड़ प्रभाव जितना तुखारी और हित्ती पर है, उतना इंडो-यूरोपियन परिवार की अन्य भाषाओं पर नहीं है। यदि क्रियाभिमुख वाक्यतंत्र को लिया जाए, तो यह आर्य प्रभाव जितना केल्त भाषाओं पर है, उतना अन्य किसी भाषा-समुदाय पर नहीं है। वाक्यतंत्र की यह पद्धति जितने सुसंगत रूप में केल्त भाषाओं में बनी हुई है, उतने सुसंगत रूप में न आर्य भाषाओं में है, न कोल भाषाओं में।

भाषा-परिवार का निर्माण और विकास एक निरन्तर गतिशील प्रक्रिया है। वह मुख्यतः गण-समाजों के युग में सम्पन्न होती है किन्तु सामन्ती-पूँजीवादी युगों में वह पूरी तरह अवरुद्ध नहीं हो जाती। इसके विपरीत संचार साधनों के विकास के साथ भाषा-परिवारों का आपसी सम्पर्क और बढ़ता है और उनमें महत्त्वपूर्ण परिवर्तन होते हैं। साथ ही किसी भाषा-परिवार के अन्तर्गत जो भाषाएँ हैं, उनका आपसी सम्पर्क बढ़ता है; भाषा-परिवार आन्तरिक रूप से सुगठित होता है। साथ ही पिछड़े समाजों की भाषाएँ जब इतिहास के रंगमंच पर आगे आती हैं, तब भाषा-परिवार की जो विविधता प्रच्छन्न थी, वह उजागर होती है। ऐतिहासिक भाषाविज्ञान के लिए पिछड़े समाजों की इन भाषाओं का विशेष महत्त्व है। द्रविड़ भाषा-परिवार के निर्माण के जिन रहस्यों का पता तमिल से न चलेगा, उनका पता—सदा नहीं, कभी-कभी—तोद, कुइ, कुड़ुख़ से चल जाएगा। इसी प्रकार ऐतिहासिक भाषाविज्ञान के लिए मानक भाषा के अतिरिक्त उपभाषाओं, जनपदीय बोलियों का महत्त्व है। ऐतिहासिक भाषाविज्ञान से बोली-विज्ञान का गहरा नाता है। आधुनिक भाषाओं का विकास समझने के लिए

प्राचीन भाषाओं का ज्ञान आवश्यक है। साथ ही प्राचीन भाषाओं के विकास की अनेक बातों का ज्ञान हमें आधुनिक भाषाओं के विश्लेषण से होता है।

भाषा-परिवारों की भिन्नता और समानता भाषा के सभी स्तरों पर एक-सी नहीं होती। सर्वाधिक भिन्नता ध्वनितंत्र के स्तर पर देखी जाती है, उससे कम शब्द-भंडार में, उससे कम रूपतंत्र या वाक्यतंत्र में। किन्तु भिन्नता और समानता हर स्तर पर है और ऐतिहासिक भाषाविज्ञान के लिए दोनों महत्त्वपूर्ण हैं।

भारत को भाषायी क्षेत्र माननेवाले विद्वान् कहते हैं कि यहाँ अन्य देशों से विभिन्न परिवारों की भाषाएँ बोलनेवाले लोग आए और बहुत दिनों तक साथ रहने के कारण उन्होंने कुछ ऐसी सामान्य विशेषताओं का विकास किया जो मूल परिवारों में न थीं। एक ही क्षेत्र में बोली जानेवाली भाषाओं में अन्तर्-पारिवारिक विशेषताओं का विकसित होना स्वाभाविक है। एक क्षेत्र में रहने का अर्थ है निरन्तर सम्पर्क में आना, और इसका परिणाम भाषा-तत्त्वों का आदान-प्रदान होगा ही। किन्तु ये भाषा-परिवार अपनी मूल विशेषताएँ विकसित करके आए थे, इसका प्रमाण क्या है? जब तक इंडो-यूरोपियन परिवार की आर्येतर भाषाओं के साथ द्रविड़ भाषाओं का तुलनात्मक अध्ययन नहीं किया जाता, तभी तक भाषायी क्षेत्र की उक्त व्याख्या वैज्ञानिक होने का प्राभास देती रहेगी। जैसे ही संस्कृत **पितृ** और ग्रीक **पतेर्** (पिता) का सम्बन्ध पहचानने के साथ-साथ लोगों ने तमिल **अत्तन्** और ग्रीक **अत्त** (पिता) का भी सम्बन्ध पहचाना, वैसे ही भाषा-परिवारों के निर्माण के बारे में अनेक प्रचलित धारणाओं का यथार्थ अवैज्ञानिक रूप प्रकट हो जाएगा।

ग्रीक भाषा तमिल की पुत्री नहीं है, वह संस्कृत की पुत्री नहीं है, संस्कृत किसी आदि इंडो-यूरोपियन भाषा की पुत्री नहीं है। ग्रीक, जर्मन, केल्त, स्लाव आदिभाषा-समुदायों के अपने स्वतंत्र केन्द्र थे, हर समुदाय का एक मूल केन्द्र नहीं, अनेक केन्द्र थे, इसीलिए तो रूसी स्लाव **फ़िलिप** मजे में कह लेते हैं पर उक्रेनी स्लाव **फ़िलिप** की काया-पलट करके कहेंगे **ख़्विलिप**। यूरोप के इन भाषा-समुदायों के स्वतंत्र केन्द्र थे, हर समुदाय में भाषा-तत्त्वों का प्रान्तरिक विनिमय हुम्रा, हर समुदाय ने अन्य समुदायों से ऐसे तत्त्वों का लेन-देन किया। इस प्रक्रिया में इन समुदायों ने बहुत-से भारतीय भाषा-तत्त्व ग्रहण किये। इनमें काफी तत्त्व ऐसे हैं जो केवल आर्य भाषाओं में नहीं, द्रविड़ भाषाओं में भी प्राप्त हैं। द्रविड़ भाषाओं से तुलना करने पर एक ओर उन नये भाषा-तत्त्वों का पता लगता है जो यूरोप और भारत की भाषाओं में सामान्य हैं, दूसरी ओर ध्वनितंत्र और अर्थ-विस्तार की उन प्रक्रियाओं का बोध होता है जिन्हें पार करके ये भारतीय भाषा-तत्त्व यूरोप की भाषाओं में पहुँचे हैं।

भाषा-समुदायों में परस्पर कितना आदान-प्रदान होता है, यह मुख्यत: सामाजिक-सांस्कृतिक कारणों पर निर्भर है। कभी-कभी पड़ोसी भाषाएँ एक दूसरे से नितान्त अलग-थलग पड़ी दिखाई देती हैं, इसके विपरीत दूर देशों की भाषाओं

से गहरा सम्बन्ध स्थापित हो जाता है। भौगोलिक सान्निध्य या दूरी गौण होते हुए भी उपेक्षणीय नहीं है, विशेष रूप से उस युग में जब सामन्ती सम्बन्धों का विकास नहीं हुआ और समाज गण-आधार पर संगठित हैं। गण-व्यवस्था के युग से सामन्ती और पूँजीवादी युगों तक आते-आते पुरानी गण भाषाओं, फिर उनकी उत्तराधिकारी जनपदीय भाषाओं, की भौगोलिक स्थिति में काफी परिवर्तन हो, यह सम्भव है पर अनिवार्य नहीं। एक भाषा बोलनेवाला समाज दूसरी भाषा अपना ले, यह एक स्थिति है। जब उसकी भाषा का ही पता न चलेगा तब उस भाषा के भौगोलिक क्षेत्र का ज्ञान कहाँ से होगा? एक भाषा बोलनेवाला समाज किन्हीं कारणों से स्थानान्तरित हो जाए, यह दूसरी स्थिति है। किसी भाषा को बोलनेवाला पूरा समाज ही नष्ट हो जाए, उसके साथ उसकी भाषा का लोप हो जाए, यह तीसरी स्थिति है। यह स्थिति पूँजीवादी युग में बहुधा उत्पन्न होती है। उसे गण-व्यवस्था के युग पर आरोपित करना वास्तव में पूँजीवादी प्रचार के भुलावे में आ जाना है। यूरोप के पूँजीपति वर्ग ने जो कुछ उत्तरी-दक्षिणी अमरीका में किया, उसे इतिहास की सामान्य घटना बताने के लिए कहा जाता है कि ऐसा तो सनातन से होता आया है।

पठान देश की कुभा (काबुल) नदी के किनारे किसी समय यूनानियों की बस्तियाँ थीं। इतिहासकार काशीप्रसाद जायसवाल ने अपने ग्रंथ 'हिन्दू पौलिटी' (बंगलोर, 1943) में 'महाभारत' के शान्ति पर्व (अध्याय 65), पाणिनि की 'अष्टाध्यायी' और अशोक के शिलालेखों में यवनों के उल्लेख की चर्चा करते हुए बताया है कि कुभा या काबुल नदी के तट पर सिकन्दर के आक्रमण से बहुत समय पहले यूनानियों की बस्ती के बारे में निश्चित प्रमाण मिलते हैं। पतंजलि के **नैश्य** नाम जनपद में ये रहते थे। सिकन्दर के साथ के लोगों ने इन्हें देखा तो समझा कि ये भारतीय हैं। किन्तु उन्होंने कहा, हम यूनानी हैं; और पता चला कि वे यूनान की देवगाथाओं से भली भाँति परिचित हैं और यूनानी ही हैं। ये यूनानी वहाँ कब से रहते थे, पता नहीं; वे पठानों में घुल-मिल गए या यूनान चले गए, पता नहीं।

महाभारत के उक्त स्थल में यवनों के साथ तुषारों का उल्लेख है। इनकी तुखारी भाषा इंडो-यूरोपियन परिवार की केन्तुम् शाखा के अन्तर्गत मानी जाती है और प्राचीनता के लक्षणों के कारण हित्ती की समकक्ष कही जाती है। ये संस्कृत **श्** को **क्** कहनेवाले, ग्रीक-लैटिन बिरादरी की भाषा बोलनेवाले कहाँ विलीन हो गए, पता नहीं।

'महाभारत' में यवनों, तुषारों के साथ काम्बोज जनों का उल्लेख है। जायसवाल ने बताया है कि 'महाभारत' के अतिरिक्त इनका उल्लेख 'रामायण', 'मनुस्मृति' और अशोक के शिलालेखों में है। इन सब उल्लेखों में इनके साथ यवनों का नाम भी आता है। कौटिल्य के 'अर्थशास्त्र' में इन्हें **काम्भोज** कहा गया है। अपनी घुड़सवारी के कारण ये **अश्वक** नाम से विख्यात थे और जायसवाल के अनुसार पूर्वी अफगानिस्तान में रहते थे। अनेक भारतीय ग्रंथों में इनके निरन्तर उल्लेख से

ज्ञात होता है कि वे शताब्दियों तक भारतीय आर्यों के पड़ोसी रहे हैं। 'महाभारत' के अनुसार वे कौरवों का पक्ष लेकर पांडवों से लड़े थे। कौरव सेना के कृतवर्मा से युद्ध करने के बाद पांडव पक्ष के सात्यकि जब आगे बढ़े, तब काम्बोजवाहिनी ने उनका मार्ग अवरुद्ध कर दिया :

*प्रययौ त्वरितस्तूर्णं कम्बोजानां महाचमूम्।*
*स तत्र बहुभिः शूरैः संनिरुद्धो महारथैः।*

[द्रोण पर्व, अध्याय-113]

जो विद्वान् भाषा-परिवार को किसी नस्ल के साथ जोड़ते हैं और फिर एक नस्ल के लोगों को पराजित और दूसरी नस्ल के लोगों को विजय पाते दिखलाते हैं, वे देखें कि एक ही भाषा बोलनेवाले कौरव-पांडव आपस में लड़ रहे हैं और अन्य भाषा बोलनेवाले काम्बोज उनमें एक दल का साथ दे रहे हैं।

कम्बोज जनों के विशिष्ट भाषायी प्रयोगों को लक्ष्य करके पतंजलि ने 'महाभाष्य' में गत्यर्थे **शव्** क्रिया के व्यवहार का उल्लेख किया था :

*शवतिर्गतिकर्मा कम्बोजेष्वेव भाषितो भवति।*

कम्बोज जन पूर्वी अफगानिस्तान में रहते थे। अफगानिस्तान में, तुर्कों के प्रसार अभियान के बाद, भारी आन्तरिक परिवर्तन हुए। पुरातत्त्वज्ञ अलेग्ज़ेंडर कनिंघम् ने 'द एंशेंट जिओग्राफ़ी आफ़ इंडिया' (1871; वाराणसी, 1963) में लिखा है कि ई.पू. तीसरी-चौथी शताब्दियों में काबुल घाटी पर भारत का अधिकार था। यूनानियों और शकों की मुद्राओं पर सन् 100 ई. और बाद तक भारतीय भाषाओं का व्यवहार होता रहा था। दसवीं ईसवी सदी में काबुल घाटी पर ब्राह्मणवंश के राजाओं का शासन था और "इनकी शक्ति महमूद गज़नवी के शासनकाल के अन्तिम दिनों से पहले ध्वस्त नहीं की जा सकी।" (पृ. 13) स्मरणीय है कि महमूद ग़ज़नवी तुर्क था। कनिंघम् के अनुसार पूर्वी अफगानिस्तान के लोग भारतीय उद्‌भव के थे; वे बौद्ध धर्म के अनुयायी थे। ग़ज़नवी शासन में उनका दमन किया गया और उन्हें वहाँ से बाहर निकाला गया।

कम्बोज लोगों का मुख्य केन्द्र अब कम्पूचिया है। इनकी भाषा के वाक्यतंत्र में कुछ ऐसी विशेषताएँ हैं जो इंडो-यूरोपियन परिवार की आर्येतर भाषाओं में मिलती हैं, भारतीय आर्य भाषाओं में नहीं। इसका कारण भारत के उत्तरी सीमान्त पर कम्बोज गण का दीर्घकालीन निवास और यवन आदि आर्येतर गणों से उनका सम्पर्क हो सकता है।

जायसवाल ने 'मनुस्मृति' में कम्बोज, यवन, शक गणों के साथ द्रविड़जनों के नामोल्लेख का प्रसंग उद्धृत किया है। 'महाभारत' के 'भीष्म पर्व' (अध्याय 6) में जहाँ दक्षिण के जनपद गिनाये गए हैं, वहाँ केरल, कर्णाटक के साथ द्रविड़ों का नाम है। **द्रविड़** शब्द जिस व्यापक अर्थ में अब प्रयुक्त होता है, उस अर्थ में पहले,

'महाभारत' के रचनाकाल में, न प्रयुक्त होता था। इसीलिए केरल, कर्णाटक से भिन्न द्रविड़ जनपद का उल्लेख है। **द्रविड़ाः केरलाः** नाम एक साथ आए हैं; केरल के पड़ोसी द्रविड़ वे लोग हो सकते हैं जो अब तमिल कहलाते हैं। एक द्रविड़ केरल के पड़ोसी रहे हों, दूसरे द्रविड़ कम्बोज गण के पड़ोसी रहे हों, यह सम्भव है।

द्रविड़ भाषाएँ बोलनेवालों में एक प्रमुख समुदाय आन्ध्रों का है। मध्य पूर्व से द्रविड़ों का कितना घनिष्ठ और दीर्घकालीन सम्बन्ध रहा है, इसका ज्ञान वक्षु नदी तटवासी आन्ध्रों के अस्तित्व से होता है। ये लोग वहाँ अशोक के समय तक विद्यमान थे। जायसवाल ने लिखा है कि अशोक के शिलालेखों में अफगानिस्तान से गुजरात तक के उत्तर-पश्चिमी गणराज्य गिनाये गए हैं और फिर भारत से बाहर वक्षु प्रदेश के राज्यों का उल्लेख है। यहाँ पारदों और आन्ध्रों के राज्य हैं। जायसवाल ने कहा है कि ये उत्तरी आन्ध्र दक्षिणी आन्ध्रों से भिन्न थे। दो पीढ़ी पहले, चन्द्रगुप्त के शासनकाल में, आन्ध्रों का शक्तिशाली राज्य था; केवल मगध राज्य उससे अधिक शक्तिशाली था।

दक्षिण भारत के आन्ध्र अब भी अपनी जगह है; पश्चिमी एशिया के आन्ध्रों का पता नहीं, कहाँ विलीन हुए। वे उत्तर-पश्चिमी सीमान्तों में बहुत दिनों तक रहे, यह तथ्य असन्दिग्ध है। 'भागवत' में किरात, हूण, यवन आदि के साथ **अन्ध्र** जनों के उल्लेख का हवाला देने के बाद जायसवाल कहते हैं कि **आन्ध्र** से मिलता-जुलता कोई कबीलाई नाम अफगानिस्तान में है या नहीं, इसका पता नहीं लगा किन्तु बल्ख के पश्चिम में **अन्धखुइ** नाम का स्थान नक्शे में है और 'मत्स्य पुराण' के अनुसार **पुर अन्ध्र** जन बाह्लीक समुदाय में थे। फिर पाद-टिप्पणी में सूचना दी है कि ग़ज़नी के नज़र खाँ ने अफगानिस्तान के एक लड़ाकू गिल्ज़ाई कबीले का नाम **अँधेड़ी, अंध्ड़ी** बताया है। ('हिन्दू पॉलिटी', पृ. 130)

**आन्ध्र, अन्ध्र** का सम्बन्ध **अँधेड़ी** से हो चाहे न हो, ग्रीक **अन्थ्रोपॉस्** (पुरुष) और **अन्ड्रॅइअ** (पुरुषत्व) से अवश्य है। **आन्ध्र** शब्द तेलगू का शब्द नहीं है, न किसी अन्य द्रविड़ भाषा का है। यह एक खोया हुआ प्राचीन आर्य शब्द है जिसका मूल अर्थ उसके ग्रीक रूपान्तर में विद्यमान है। ठीक यही अर्थ उसके तमिल रूपान्तर **आण्** (पुरुष), **आण्मइ** (पुरुषत्व) में सुरक्षित है। **द्रविड़** अर्थात् **तमिल, आन्ध्र** अर्थात् **तेलगू** और **यवन** अर्थात् **यूनानी** कभी पड़ोसी रहे हों तो ऐसा होना स्वाभाविक है। जायसवाल ने **अन्धखुइ** नाम के स्थान का उल्लेख किया है। यह नाम स्पष्ट ही दो शब्दों से मिलकर बना है। इनमें **अन्ध** तो **आन्ध्र** है, **खुइ** द्रविड़ समुदाय की **कुइ** भाषा बोलनेवाला गण-समाज होगा।

भारत की एक भाषा नहाली है। कुछ लोग इसे कोल परिवार की भाषा मानते हैं; अन्य कहते हैं कि है तो कोल परिवार की, पर इस पर द्रविड़ और आर्य भाषाओं का काफी प्रभाव है। एक मत यह है कि कोल और द्रविड़ परिवारों के पूर्ववर्ती किसी भाषा-समुदाय से इसका सम्बन्ध है क्योंकि शरीर के अंगों के लिए

जो शब्द नहाली में हैं, उनके प्रतिरूप न तो कोल भाषाओं में हैं, न द्रविड़ भाषाओं में। ये तीनों मत अपनी-अपनी जगह सही हो सकते हैं। नहाली का अपना स्वतंत्र भाषा-केन्द्र रहा है, इसलिए उसके शब्द-भंडार का एक अंश अन्यत्र अप्राप्य है। उसके शेष शब्द-भंडार और रूपतंत्र पर कोल भाषाओं का इतना गहरा प्रभाव है कि वह वस्तुतः कोल परिवार की भाषा बन गई है। कोलजन आर्यों और द्रविड़ों के पड़ोसी रहे हैं, इसलिए नहाली पर आर्य-द्रविड़ प्रभाव पड़ना स्वाभाविक है। भाषाविद् कुइपर ने 'नहाली : ए कम्पैरेटिव स्टडी' (अम्स्टरडम, 1962) में लिखा है कि अकबर के समय में नहाली-भाषियों का कत्लेआम हुआ था। जिस राजा ने कत्लेआम का आयोजन किया था, उसे बादशाह से पुरस्कार मिला था। आगे चलकर, कुइपर के अनुसार, मराठा शासक सिन्धिया के अरब सैनिकों ने स्त्रियों, बच्चों समेत इनका कत्लेआम किया। ग्रियर्सन के सर्वेक्षण ग्रंथ (खंड 4) में 1901 के जनगणना विवरण के आधार पर उल्लेख है कि कुड़ुख़ जनों को उनकी भूमि से मुसलमानों ने भगाया था; गण-समाज का एक भाग राजमहल की पहाड़ियों में बस गया, दूसरा छोटा नागपुर के उत्तर-पश्चिमी भाग में जा बसा।

डी.एन्. मजूमदार ने अंग्रेज़ी राज में आदिवासियों की दशा पर अपनी पुस्तक 'रेसॅज़् एंड कल्चर्स् ऑफ़् इंडिया' (इलाहाबाद) में लिखा है : "इनके सांस्कृतिक जीवन को बहुत-सी अज्ञात या अल्पज्ञात बातों का अब पता लगा है। दस साल पहले जिस तरह के परिवर्तन कल्पनातीत थे, वे घटित हुए हैं। नये सम्पर्कों से नई असुविधाएँ पैदा हुई हैं। इन सब बातों से ऐसी समस्याएँ उठ खड़ी हुई हैं जिनका समाधान सचमुच कठिन है। उनके परिवेश में यहाँ, और भारत से बाहर, विकट परिवर्तन हुए हैं जिन पर इनका बस न था। अतः अनेक आदिम जातियों में जीते रहने की इच्छा नहीं रह गई। अनेक आदिम जातियों का ह्रास हुआ है या वैसा रुझान पैदा हुआ है। गंजम एजेंसी क्षेत्र के खोंड, छोटा नागपुर के असुर, यू.पी. और बिहार के कोर्वा, नीलगिरि के तोद उन बहुत सी आदिम जातियों में कुछ एक हैं जिनकी जिन्दगी मौत के बहुत नज़दीक पहुँच गई है।" (पृ. 256-57)

आदिम जातियों के परिवेश में जो विकट परिवर्तन हुआ है, उसका कर्ता साम्राज्यवाद है। इसलिए यह परिवर्तन भारत तक सीमित नहीं है। इस परिवर्तन की मुख्य दिशा ह्रास की है। इस ह्रास को रोकने में नवस्वाधीन देशों का पूँजीवाद असमर्थ सिद्ध हो रहा है। इन आदिम जातियों का पूँजीवादी-सामन्ती शोषण और बढ़ा है। केवल समाजवादी क्रान्ति इन जातियों को नष्ट होने से बचा सकती है, उन्हें नया जीवन दे सकती है। किन्तु पूँजीवादी युग में उनके विनाश को सामन्त-युग पर आरोपित न करना चाहिए और सामन्त-युग में उनके नरसंहार को गण-व्यवस्था के युग पर आरोपित न करना चाहिए। इससे शोषकों को राजनीतिक लाभ अवश्य होता है; भाषाओं का इतिहास उसके सहारे नहीं लिखा जा सकता।

*(झ) ऐतिहासिक भाषाविज्ञान और द्रविड़*

आर्य-द्रविड़ भाषाओं का सम्बन्ध बहुत पुराना है और बहुत घनिष्ठ है किन्तु वे एक ही परिवार की दो शाखाएँ नहीं हैं। द्रविड़ भाषाओं की उत्पत्ति संस्कृत से नहीं हुई; प्राचीन तमिल से संस्कृत की उत्पत्ति नहीं हुई। आर्य और द्रविड़ भाषाओं में मौलिक भेद महाप्राण ध्वनियों को लेकर है। ध्वनितंत्र, शब्दतंत्र, विन्यासतंत्र के स्तरों पर क्या द्रविड़ है, क्या आर्य है, इसके विश्लेषण में मतभेद और वाद-विवाद की बहुत गुंजाइश है, किन्तु द्रविड़ भाषा-क्षेत्र मूलतः अल्पप्राण ध्वनियों का क्षेत्र है और आर्य भाषा-क्षेत्र महाप्राण ध्वनियों का क्षेत्र है, इस बारे में मतभेद और विवाद की गुंजाइश नहीं है। विशेष-रूप से सघोष महाप्राण स्पर्श-ध्वनियाँ आर्य भाषाओं का लक्षण हैं और यह लक्षण उन्हें द्रविड़ भाषाओं से अलग करता है, यह तथ्य असन्दिग्ध है। कहनेवाले कह सकते हैं कि संस्कृत का जन्म प्राचीन तमिल से ही हुआ है, संस्कृत ने तमिल शब्दों की अल्पप्राण ध्वनियों में अतिरिक्त महाप्राणता जोड़कर उन्हें 'आर्य' बना लिया है अथवा तमिल का जन्म संस्कृत से हुआ है; संस्कृत की महाप्राण ध्वनियों को अल्पप्राण करके तमिल ने उन्हें द्रविड़ बना लिया है। इन दोनों मान्यताओं में कोई भी सही हो, तो उससे सिद्ध क्या होता है? यही कि एक क्षेत्र महाप्राण ध्वनियों का है और दूसरा उससे भिन्न प्रकृतिवाला, अल्पप्राण ध्वनियों का क्षेत्र है। यह ध्वनितंत्रीय मौलिक भेद दोनों परिवारों को एक दूसरे से अलग करता है।

द्रविड़ किसी विशेष वर्ग और शारीरिक गठन के जनसमुदाय का नाम नहीं है, द्रविड़ नाम की कोई नस्ल नहीं थी। द्रविड़ भाषा-समुदाय का निर्माण कई मंज़िलों में कई गण-समाजों के परस्पर सम्पर्क से हुआ है। **क्-त्-प्** इन तीन अल्पप्राण अघोष ध्वनियों के बिना द्रविड़ भाषाओं के अस्तित्व की कल्पना नहीं की जा सकती किन्तु इस स्थापना के अनेक प्रमाण हैं कि ये ध्वनियाँ तीन भिन्न केन्द्रों की उपज हैं। तमिल में एक रूप है **कडा** (भैंसा), **किडा** (उप.); तेलगू में प्रतिरूप है **पड्ड** (पड़िया), पर्जि में **पॅड्ड** (उप.); कन्नड़ में एक रूप है **गुंड** (चाकर), मलयालम में **कुंड** (गुलाम, गंदी स्त्री), कन्नड़ में सम्बद्धरूप है **पुंड** (बदमाश); तमिल **किड** (लेटना), कन्नड़ **कॅडॅ** (गिरना), इसके साथ कन्नड़ **पडु** (लेटना), पर्जि **पड्** (गिरना); तमिल **तूर्** (भरा जाना), इसके साथ कोलमि **पुर्** (उप.); तमिल **कुप्पइ** (ढेर, घूर), इसके साथ तुलु **तुप्पॅ** (अनाज का ढेर); कन्नड़ **दारु** (कौन) के साथ गोंडी **बार्** (क्या)। वास्तव में आर्य भाषाओं की अपेक्षा ऐसे भिन्न ध्वनियों और सम्बद्ध अर्थों वाले शब्द द्रविड़ भाषाओं में अधिक हैं। इसका कारण यह है कि द्रविड़ भाषा-क्षेत्र में किसी एक मानक अन्तर्जनपदीय भाषा का प्रसार उस तरह नहीं हुआ जिस तरह आर्य भाषा-क्षेत्र में संस्कृत का प्रसार हुआ। प्राचीन गण भाषाओं की विविधता द्रविड़ प्रदेशों में अधिक सुरक्षित है।

**क्-त्-प्** ध्वनि केन्द्रों में मिलते-जुलते रूपों का विकास हुआ, ये रूप द्रविड़ भाषाओं में पुरानी भिन्नता के प्रमाण हैं, किन्तु परस्पर सम्पर्क से वह भिन्नता समाप्त हो गई, अब हर द्रविड़ भाषा में **क्-त्-प्,** तीनों ध्वनियाँ विद्यमान हैं। अन्य ध्वनियों का विकास द्रविड़ भाषाओं में विषम रूप में हुआ है, यथा : तोद में **स्, श्** के साथ **ष्** भी है और अर्थ भेदक है; अन्य भाषाओं में **ष्** का पूर्ण अभाव है और **स्, श्** का व्यवहार कम होता है। तमिल में **ण्** की भरमार है, तेलगू में उसका अभाव-सा है। इसी प्रकार संरचना की दृष्टि से द्रविड़ भाषाओं में महत्त्वपूर्ण भेद है। तमिल में क्रियापद लिंगभेद सूचित करता है तो मलयालम में वह ऐसा भेद सूचित नहीं करता।

द्रविड़ गण-समाज भारत के उत्तरी और उत्तरी-पश्चिमी सीमान्तों पर रहते थे, वह बात अनेक भाषाविज्ञानी मानते हैं। बलूचिस्तान में ब्राहूइ भाषा इन सीमान्तों में उनके प्राचीन निवास का प्रमाण है। डॉ. सिद्धेश्वर वर्मा को कश्मीर के उत्तरी भाग में **नूरु** (सौ) आदि द्रविड़ शब्दों का जो व्यवहार होता दिखाई दिया था, वह उक्त प्रमाण को और पुष्ट करता है। किन्तु इससे यह सिद्ध नहीं होता कि उसी समय भारत के अन्य प्रदेशों में द्रविड़ जन न रहते थे। द्रविड़ भाषाओं के शब्द-भंडार के अनेक स्तर हैं। इनमें एक स्तर वह है जो द्रविड़ भाषाओं को आर्य भाषाओं से जोड़ता है, इसमें जल और प्रकाश से सम्बद्ध शब्द, अर्थ-प्रसार से विकासमान, इन शब्दों की दीर्घ श्रृंखलाएँ और सर्वनाम रूप सबसे महत्त्वपूर्ण हैं। दूसरा स्तर वह है जहाँ अनेक शब्द द्रविड़ भाषाओं में तो व्यापक रूप से व्यवहृत हैं किन्तु उनके प्रतिरूप आर्य भाषाओं में नहीं हैं। इनमें संख्यावाचक नूरु (सौ) है जिसके प्रतिरूप तमिल कन्नड़ आदि विकसित समाजों के अलावा तोद, गोंडी आदि अपेक्षाकृत अविकसित समाजों की भाषाओं में मिलते हैं। तीसरा स्तर उन शब्दों का है जो दो-चार भाषाओं में ही प्रयुक्त होते हैं। इनमें धान और चावल का अर्थ देनेवाले शब्द हैं, इनकी चर्चा इस खंड के दूसरे अध्याय में हो चुकी है।

द्रविड़ भाषाओं में ध्वनितंत्र, शब्दतंत्र और रूपतंत्र को लेकर आपस में जो समानता है और भिन्नता है, इन तंत्रों को लेकर आर्य भापात्रों से जो भिन्नता और समानता है, उस सबको ध्यान में रखें तो भाषा-परिवार के निर्माण की दीर्घकालीन पेचीदा प्रक्रिया समझ में आ जाएगी।

द्रविड़ भाषाएँ शक परिवार अथवा फिनोउग्रियन किंवा तुर्क मंगोल परिवार की शाखा नहीं हैं। फिनोउग्रियन और तुर्क मंगोल परिवारों से उनका सम्बन्ध अवश्य है। उत्तर-पश्चिमी भारतीय सीमान्तों पर बसे हुए द्रविड़ जनों की भौगोलिक स्थिति के कारण ऐसा होना अनिवार्य था। इसी तरह इंडो-यूरोपियन परिवार की प्राचीन भाषाएँ बोलनेवालों से भी उनका सम्पर्क होना अनिवार्य था। इस सम्पर्क की ओर लोगों ने कम ध्यान दिया है। इस अध्याय में जो शब्द-श्रृंखलाएँ दी गई हैं, उनसे ज्ञात होता है कि न केवल **घ्-ध्-भ्** ध्वनियों के रूपान्तर द्रविड़ और इंडो-यूरोपियन भाषाओं

में एक-से हैं, वरन् शब्द-रूप एक-से हैं, अर्थ-विस्तार की प्रक्रिया एक-सी है। इंडो-यूरोपियन परिवार के पड़ोस में द्रविड़ों की प्राचीन स्थिति को ध्यान में रखने से उक्त परिवार के विकास की अनेक समस्याएँ सुलझ जाती हैं। कुछ विद्वानों ने इस बात का उल्लेख किया है कि द्रविड़ और सामी भाषाओं में अनेक समानताएँ हैं। ऐसी समानताएँ होना स्वाभाविक है क्योंकि बाबुल, सामी जनों का पुराना केन्द्र, भारत के पड़ोस में है।

द्रविड़ भाषाएँ हिन्दी प्रदेश को घेरे हुई थीं और बहुत कुछ अब भी घेरे हुए हैं। इसी कारण महाप्राण ध्वनियों की जितती रक्षा मध्यदेश में हुई है, उतनी मध्यदेश के आसपास की आर्य भाषाओं में नहीं हुई। द्रविड़ जन मध्यदेश के निवासी नहीं थे; यदि होते तो आर्य भाषाओं में सघोष महाप्राण ध्वनियों का वैसे ही अभाव होता, जैसे फ़ारसी, पश्तो और कश्मीरी में है, इंडो-यूरोपियन परिवार की सभी प्राचीन नवीन आर्येतर भाषाओं में है।

ट-वर्गीय ध्वनियाँ द्रविड़ परिवार के प्रभाव से आर्य भाषाओं में आईं, यह धारणा निराधार है। जिन प्राचीन भाषाओं से सिन्धी, गुजराती, असमिया का सम्बन्ध है, वे भाषाएँ टवर्गीय ध्वनियाँ अन्य भाषाओं को देती रही हैं। ट-वर्गीय ध्वनियाँ द्रविड़ शब्दों में प्रायः आदिस्थानीय नहीं होतीं। ऐसे रूप भी मिलते हैं कि द्रविड़ भाषाओं में **त्** है किन्तु आर्य भाषाओं में **ट्** है। तमिल **नुदल्** (माथा) के साथ 'द्रविड़ व्युत्पत्ति-कोश' में संस्कृत **निटाल** (उप.) रूप दिया है। संस्कृत में **निटल** भी है और वह **नुदल्** से और भी मिलता है। संस्कृत में **द्** है, तमिल में **द्**। हिन्दी **टांडा** तेलगू में **तंडा** है, हिन्दी **टिल्लाना** कन्नड़ तमिल में **तिल्लाना** है, संस्कृत **तड्** (पीटना) कन्नड़ में **तदकु** है। स्वभावतः द्रविड़ भाषाओं में कभी-कभी **त-ट्** ध्वनियों वाले वैकल्पिक रूप मिलते हैं, यथा : तमिल **कॉत्तलम्** (दुर्ग-प्राचीर) और **कोट्टम्** (दुर्ग)।

आर्य और द्रविड़, दोनों भाषा-समुदायों में समस्त ट-वर्गीय ध्वनियों का विकास एक-सा नहीं हुआ। मूर्धन्य **ष्** द्रविड़ भाषाओं में केवल तोद की विशेषता है। **ण्** का प्रसार तमिल में अधिक है, तेलगू की स्थिति ब्रज और अवधी से मिलती-जुलती है। **ठ्, ढ्** ध्वनियाँ द्रविड़ भाषाओं में दुर्लभ हैं।

द्रविड़ गण-समाजों की अनेक भाषाएँ थीं; उनकी अपनी विशेषताएँ थीं, अतः उनका सम्पर्क जहाँ अन्य भाषाओं से हुआ है, वहाँ इस सम्पर्क का रूप भी अलग-अलग तरह का है। बहुधा ऐसा भी होता है कि द्रविड़ और गैर-द्रविड़ दो भाषा-समुदायों पर किसी तीसरे समुदाय का प्रभाव पड़ रहा है और उसके स्रोत्र का पता लगाना आसान नहीं है। टवर्गीय ध्वनियाँ यूरोप की भाषाओं में केवल जर्मन समुदाय में हैं। जर्मन में अंग्रेज़ी की अपेक्षा इनका वत्स्र्य रूप अधिक स्पष्ट है। कभी-कभी वे दन्त्य ध्वनियों जैसी भी सुनाई देती हैं। अंग्रेज़ी की **ट्, ड्,** ध्वनियाँ असमिया, तमिल और हिन्दी की वत्स्र्य ध्वनियों से मिलती-जुलती हैं। इंग्लैंड के उत्तरी भाग

नॉर्थम्बरलैंड में तथा नौर्वे और स्वीडन में प्रतिवेष्टित **ट, ण्** ध्वनियों का व्यवहार होता है, भारतीय मूर्धन्य ध्वनियों के समान। मूर्धन्य और वर्त्स्य ध्वनियों को पूरी तरह एक दूसरे से अलगाया नहीं जा सकता। भौगोलिक दृष्टि से जर्मन क्षेत्र की जो भाषाएँ उत्तरी सीमान्तों पर हैं, उन्हीं में मूर्धन्य लक्षण स्पष्ट है। इनसे नीचे उतरकर वर्त्स्य लक्षण की प्रधानता है। स्वयं जर्मनी में वर्त्स्य लक्षण उत्तर की ओर, दन्त्य लक्षण दक्षिण की ओर प्रधान है। स्लाव, लैटिन, ग्रीक आदि अन्य समुदायों में वर्त्स्य ध्वनियों का अभाव है। भारत के पड़ोस में पश्तो में वर्त्स्य-मूर्धन्य ध्वनियों की भरमार है, फ़ारसी में उनका अभाव है। इससे निष्कर्ष यह निकलता है कि इंडो-यूरोपियन भाषाओं के एक वर्ग में तथा द्रविड़ भाषाओं में वर्त्स्य-मूर्धन्य ध्वनियों के व्यवहार का लक्षण सामान्य है; इस सामान्य लक्षण का एक ही स्रोत है। यह स्रोत उन गण भाषाओं के क्षेत्र में है जिनसे सिन्धी, गुजराती और असमिया का विकास हुआ है।

इसी तरह तालव्य ध्वनियों के प्रसार की समस्या का विवेचन होगा। **क्-त्** के स्थान पर **च्** का व्यवहार कन्नड़ की अपेक्षा तमिल में अधिक है, इंडो-यूरोपियन परिवार के स्लाव समुदाय में इसका व्यवहार होता है, पड़ोस में फ़ारसी और तुर्की में इसका प्रसार है। **च्**-वर्ग की सभी ध्वनियों का विकास आर्य भाषाओं में हुआ है। इसी तरह **ट्**-वर्ग की सभी ध्वनियों का विकास आर्य भाषाओं में हुया है। जैसे **ट्-ण्** के साथ **ष्** है, वैसे ही **च्-ञ्** के साथ **श्** है। यह **श्** मागधी भाषा समुदाय का एक मात्र सकार था; अतः यह सम्भावना असंगत नहीं है कि तुर्क-स्लाव-द्रविड़ भाषाओं पर इस समुदाय की तालव्य ध्वनियों का प्रभाव पड़ा है।

जर्मन और द्रविड़ भाषाओं में मध्यवर्ती स्पर्श-ध्वनि को संघर्षी रूप देने, **ग्** को **र्** बोलने, की प्रवृत्ति है। अंग्रेज़ी में संघर्षी ध्वनि के लोप की प्रवृत्ति है। अनेक द्रविड़ शब्दों, यथा : तेलगू **तगु** और **तवु** (योग्य होना) में यही प्रवृत्ति है। प्राकृतों में इस प्रवृत्ति का चरम विकास देखा जाता है। यह सम्भव है कि जिन गण भाषाओं का यह लक्षण प्राकृतों में प्रतिबिम्बित है, उन्होंने द्रविड़-जर्मन समुदायों को समान रूप से प्रभावित किया हो।

द्रविड़ भाषाओं में कन्नड़ आदिस्थानीय **प्** का स्पर्शतत्त्व क्षीण करके उसे **ह्** रूप में ग्रहण करती है। यह प्रवृत्ति इंडो-यूरोपियन परिवार की आर्मीनियन और आइरिश भाषाओं में है। इससे मिलती-जलती प्रवृत्ति पूर्वी बंगाल की बोलियों में है। सम्भव है, द्रविड़-इंडो-यूरोपियन समुदायों का एक वर्ग नाग भाषाओं से प्रभावित हुआ हो।

तमिल-मलयालम में व्यंजन द्वित्व की प्रवृत्ति अपेक्षाकृत प्रबल है। तमिल **कुत्तु** (सीना, चुभाना), कोत-तोद **कुत**, तमिल **कप्पु** (गपकना), कन्नड़ **कप**, तमिल **चाक्कु** (बहाना), कन्नड़ **साकु**, तमिल **पट्टइ** (पटिया), तुलु-नइकि **पटि**, तमिल **पट्टु** (गायन), कन्नड़ **पाट**; व्यंजन-द्वित्व की यह प्रवृत्ति फिन भाषा में है, यथा : अंग्रेज़ी **लैम्प** और फिन **लम्प्पु**, अंग्रेज़ी **मैट** (चटाई) और फिन **मत्तो**, अंग्रेज़ी **कप्** और

फिन **कुप्पि**। सम्भव है, अन्य द्रविड़ भाषाओं की अपेक्षा तमिल गण फिन-क्षेत्र के अधिक समीप रहे हों। फिन भाषा में आदिस्थानीय **र्** का व्यवहार खूब होता है, तुर्की में तमिल के समान **र्** के पहले अतिरिक्त स्वर जोड़ने की प्रवृत्ति है। **र्** के पहले **ह्** जोड़ने की प्रवृत्ति ग्रीक और केल्त भाषाओं में है। यह समानता आकस्मिक नहीं है यद्यपि यह कहना कठिन है कि इस प्रवृत्ति का मूल स्रोत कहाँ है। तेलगू में **र्** से आरम्भ होनेवाले काफी शब्द हैं; इसका अर्थ यह है कि तमिल की अपेक्षा तेलगू उस स्रोत से दूर है।

**द्** को **र्-ल्** रूप में ग्रहण करने की प्रवृत्ति हिन्दी, पश्तो, फ़ारसी, लैटिन, तमिल आदि अनेक भाषाओं में है। यह प्रवृत्ति मूलतः किस भाषा-समुदाय की है, यह कहना कठिन है। इसका प्रसार-केन्द्र कहीं भारत के उत्तर-पश्चिमी सीमान्त पर था, यह निश्चित है। हिन्दी **दस** का पश्तो प्रतिरूप **लस्,** संस्कृत **देवर** का लैटिन प्रतिरूप **लेविर्** यहाँ स्मरणीय हैं। फ़ारसी **रोज़्** (दिन) का पूर्वरूप वैदिक **द्योस्** है। **द्यौस** (दिन, आकाश) इसी का प्रचलित विकल्प है। **इम्** सर्वनाम जोड़कर फ़ारसी रूप **इम् रोज़** बनता है, जैसे **द्य** में सर्वनाम-चिन्ह **न** जोड़कर संस्कृत **अद्य** बनता है। **इम् रोज़** का, फ़ारसी की यज़्दी बोली में, **इम् रु** प्रतिरूप है। **इम् रु** का तमिल जोड़ीदार है **इन् रु** (आज)। **इम् रु, इन् रु** और **इम् रोज़** का **र्** मूलतः **द्** है, इसका ज्ञान कन्नड़ **इन्दु,** कोत **इन्द्य,** कोडगु **इन्दि** आदि से होता है। इन रूपों का वही अर्थ है जो तमिल **इन् रु** का है। इसी अर्थ के द्योतक तेलगू **नेंडु,** गोंडी **नेन्ड्,** कुइ **नेञ्जु** हैं। इनमें सर्वनाममूल **न** जोड़ा गया है। **डु, जु** का पूर्वरूप **द्यु** है। तमिल प्रतिरूप **ञान्रु** (दिन, समय) में **द्** का रूपान्तर **र्** है। तमिल **ॲन् रु** (सूर्य) और **इन् रु** (आज) वास्तव में एक ही प्रकाशवाचक शब्दमूल से बने दो रूप हैं। तमिल **ॲन् रु** का तेलगू प्रतिरूप है **ॲण्ड** (सूर्य)। यहाँ **ड** पुनः **र्** के पूर्वरूप **द्** की ओर संकेत करता है। गोंडी **ॲद्दि** (धूप) में **द्** ही है। जहाँ प्रकाशवाचक **दि** में **न्** सर्वनाम जोड़ा गया, वहाँ पर्जि के **नॅन्दि, नॅण्डि** (धूप) रूप बने। तेलगू **नेंडु** (आज) और पर्जि **नेन्डि** में एक ही सर्वनाम **न** है, एक ही शब्दमूल **डु, डि** है।

इन रूपों से सिद्ध यह हुआ कि **द्** ध्वनि को जैसे तमिल **र्** बनाती है, वैसे सभी द्रविड़ भाषाएँ नहीं बनातीं। तमिल, फ़ारसी, पश्तो, हिन्दी इस व्यापार में एक दूसरे के बहुत निकट हैं।

इसी प्रकार आर्य भाषाओं से द्रविड़ भाषाओं का सम्बन्ध विविध प्रकार का है। संस्कृत **भण्डि** (गाड़ी) तुलु में **बण्डि** है और ज्यों-की-त्यों **भण्डि** भी है। तुलु के साथ कन्नड़, तेलगू और कोलमि में **बण्डि** रूप है। इसका अर्थ यह है कि आर्य भाषाओं की सघोष महाप्राण ध्वनियाँ द्रविड़ समुदाय में ज्यों-की-त्यों बहुत कम गृहीत होती हैं किन्तु उनका सघोष अल्पप्राण रूपान्तर आदिस्थान में अनेक द्रविड़ भाषाएँ ग्रहण करती हैं। संस्कृत **भ्रातृ** का रूसी प्रतिरूप **ब्रात्,** अंग्रेज़ी प्रतिरूप **ब्रदर्**

इस प्रवृत्ति के अनुरूप है। **बण्डि** का तमिल प्रतिरूप **पण्डि** है। तब संस्कृत क्रिया **भृ** (वहन करना) का लैटिन प्रतिरूप **पॉर्तो**, तमिल प्रवृत्ति के अनुरूप, यहाँ **भ्** का रूपान्तर **प्** ग्रहण करता है।

संस्कृत और बाँगरू के समान तमिल दीर्घस्वर के बाद व्यंजन-द्वित्व स्वीकार करती है, कन्नड़ में यह प्रवृत्ति नियंत्रित है। कुछ तमिल-कन्नड़ रूप इस प्रकार हैं : **काक्कइ—कार्क** (कौआ), **कूत्तु—कूतु** (नाचना), **कोट्टइ—कोटॅ** (कोट), **ताक्कु—ताकु** (टकराना), **पोक्किरि—पोकरि** (बदमाश), **ओत्ति—ओति** (गिरगिट), **ओक्काळम्—ओकाळ** (उल्टी करना, अवधी **उकिल्याबु**)। इससे विदित होता है कि तमिल का ध्वनितंत्र हिन्दी प्रदेश की नवीन-प्राचीन उत्तरी बोलियों से अधिक मिलता है, कन्नड़ का ध्वनितंत्र मध्यदेश की बोलियों से अधिक मिलता है। मानक हिन्दी का ध्वनितंत्र, बोलचाल के स्तर पर, मध्यदेशीय बोलियों से प्रभावित है। अत: यह ध्वनितंत्र तमिल की अपेक्षा कन्नड़ के ध्वनितंत्र से अधिक मिलता-जुलता है। संस्कृत और बाँगरू के समान तमिल में **ण्** ध्वनि का खूब व्यवहार होता है किन्तु इस बात में कन्नड़ की अपेक्षा तेलगू मध्यदेशीय बोलियों के अधिक निकट है। तेलगू **ण्** का पूर्ण बहिष्कार नहीं करती किन्तु उसकी मूल प्रवृत्ति **न्** का व्यवहार करने की ही है। यह प्रवृत्ति मध्यदेश के अलावा मागधी भाषाओं के क्षेत्र में भी है। उधर **ण्** के व्यवहार की प्रवृत्ति बाँगरू के अलावा राजस्थानी, गुजराती, मराठी आदि पश्चिमी भाषाओं में भी है। कन्नड़-तेलगू के **ण्-न्** ध्वनियोंवाले कुछ जोड़े इस प्रकार हैं : **कण्—कनु** (आँख), **काण्—कानु** (देखना), **पण्णु—पन्नु** (तैयारी करना), **पॅणॅ—पॅन** (बन्धन), **मण्—मनु** (मिट्टी), **अणॅ—अन** (बाँध)।

द्रविड़ भाषाएँ सामान्यत: शब्द के आरम्भ में व्यंजन-द्वित्व स्वीकार नहीं करतीं किन्तु तेलगू में **कङ्गु** (घण्टाध्वनि), **क्रन्दु** (ध्वनि करना), **क्रायु** (वमन करना), **क्रुक्कुडु** (ठूँसमठाँस) जैसे रूप काफी हैं। ये रूप बहुधा वर्ण-संकोचन के परिणाम हैं : कन्नड़ **करॅ** (ध्वनि करना), इससे तेलगू कृदन्त **क्रुङ्गु** और **क्रन्दु;** कन्नड़ **कार्** (वमन करना) से तेलगू **क्रायु;** तेलगू **कूरु** (ठूँसना) से **क्रुक्कुडु**। तेलगू में **क्-र्** संयुक्त हैं तो कुइ में **प्-ल्**। तेलगू **पलुकु** (कहना) और कुइ **प्लाप** (उप.), तमिल **पिळ** (दरकना) और कुइ **प्लिप्क** (उप.), कन्नड़ **पीलि** (मोरपंख) और कुइ **प्लिऑरि** (उप.); यहाँ भी संयुक्त व्यंजन वर्ण-संकोचन का परिणाम हैं।

द्रविड़ भाषाओं में तोद ऐसी भाषा है जो तमिल के **अ** के स्थान पर बहुधा **ऑ** का व्यवहार करती है, यथा : **कण्—कॉण्** (आँख), **तरु—तोर्** (देना), **पण्—पॉण्य्** (काम), **पर—पोर्** (उड़ना), **अड्—ऑड्** (पकाना), **अडि—ऑड्य्** (पैर)। तोद में **अ** का बहिष्कार नहीं है, इसलिए ऑकार वाले रूप और भी दिलचस्प हैं। सम्भव है, इसका कारण मागधी भाषाओं से तोद का सम्पर्क हो। इसी प्रकार एक द्रविड़ भाषा में **अ** है तो दूसरी में **अॅ** है। तमिल **पॅट्टइ** (मादा) और ब्राहूइ **पट्टी**

(उप.), तमिल **चॅम्मइ** और तुलु **चन्न** (लाल), तेलगू **तॅलुचु** (प्रार्थना करना) और गोंडी **तलह् काना** (माँगना), तमिल **तॅरु** (काँटों की टटिया) और कन्नड़ **तदलु** (उप.); सम्भव है, स्वर वाले रूपों का चलन कौरवी भाषा-समुदाय से सम्पर्क का परिणाम हो। हिन्दी-क्षेत्र में **छह** के **छै** (कौरवी), **छा** (कोसली) और **छौ** (मागधी) तीन स्पष्ट रूपान्तर तीन विशेष क्षेत्रों की देन हैं; वैसे तीन क्षेत्र द्रविड़ भाषाओं के नहीं हैं। इसीलिए **अॅ, अ, ऑ** स्वरों के मूल केन्द्र कौरवी, कोसली और मागधी भाषा-क्षेत्रों में थे, यह मानना युक्तिसंगत है। **अॅ** स्वर का व्यवहार द्रविड़ भाषाओं में व्यापक रूप से होता है किन्तु तमिल में ऐसा व्यवहार सर्वाधिक है। अन्य लक्षणों के साथ तमिल की इस विशेषता को भी तमिल-कौरवी सम्पर्क का परिणाम मानना चाहिए। किन्तु तेलगू में ही एक रूप **मट्टु** है तो उसके साथ **मॅट्टु** (कुचलना) है, एक रूप **मॅट्टॅ** है तो उसके साथ **मट्टॅ** (छल्ला) है, कन्नड़ में एक रूप **मॅलकु** है तो दूसरा **मलकु** (जुगाली करना) है, एक रूप **कय्** है तो दूसरा **कॅय्** (हाथ) है। इन समानार्थी रूपों के चलन का कारण यह है कि एक ही द्रविड़ भाषा का सम्पर्क स्वरों के अनेक मूल केन्द्रों से रहा है। **अ, अॅ, ऑ** स्वर किसी समय स्वच्छन्द संचरण की स्थिति में थे, इस धारणा की पुष्टि के लिए सर्वाधिक प्रमाण द्रविड़ भाषाओं में हैं; और उक्त स्थिति आकस्मिक नहीं है, **क्, त्, प्** के समान वह **अ, अॅ, ऑ** स्वरों के भिन्न केन्द्रों के अस्तित्व की सूचना देती है।

जैसे द्रविड़ भाषाओं में **अ, अॅ, ऑ** स्वरों के वैकल्पिक रूप प्रचुर हैं, वैसे ही उनमें **क्, त्, प्** व्यंजनों के वैकल्पिक रूप प्रचुर हैं। यह स्थिति आर्य भाषाओं तथा आर्येतर इंडो-यूरोपियन भाषाओं के विवेचन के लिए अतिशय महत्त्व की है। संस्कृत **गान** के साथ समानार्थी तमिल रूप **पाण्** देखकर समझना चाहिए कि ये वैकल्पिक रूप हैं, एक का सम्बन्ध **क्** केन्द्र से है, दूसरे का **प्** केन्द्र से। हिन्दी **पिल्ला** के साथ तमिल **पिळ्ळइ** को मिलाने से जानना चाहिए कि **पिल्ला** का मूल अर्थ बच्चा है। तमिल **कुट्टि** का अर्थ पिल्ला है और छोटी लड़की भी। इससे विदित होगा कि हिन्दी **कुत्ता** का मूल अर्थ वही है जो **पिल्ला** का है। **र्, स्, न्** ध्वनियाँ किसी समय स्वच्छन्द संचरण की स्थिति में रही हैं, यह तथ्य भी सर्वाधिक द्रविड़ भाषाओं से उद्घाटित होता है। इससे सम्बद्ध शब्दों को पहचानने, उनकी शृंखलाएँ निर्धारित करने, अर्थ-विस्तार की प्रक्रिया का विवेचन करने के लिए अलभ्य सामग्री प्राप्त होती है। इस सामग्री का यथेष्ट निदर्शन इस अध्याय के पूर्वभाग में हो चुका है।

यह मानने का पर्याप्त आधार है कि आर्य-द्रविड़ भाषाओं का प्राचीनतम विकास एक से सांस्कृतिक वातावरण में हुआ है। जल और प्रकाश से सम्बन्धित जो शब्द-शृंखलाएँ बनती हैं, उनमें अर्थ-विस्तार की जो सामान्य प्रक्रिया दिखाई देती है, उससे यही प्रमाणित होता है। संरचना के विचार से शब्द-निर्माण में अनेक आर्य-द्रविड़ प्रत्यय सामान्य हैं। उत्तरी आर्य भाषाएँ कृदन्त-रचना पर विशेष बल देती

रही हैं, द्रविड़ भाषाओं में कृदन्तों की भूमिका महत्त्वपूर्ण है। क्रिया में सर्वनाम-चिन्ह जोड़ने की पद्धति अनेक आर्य भाषाओं के समान अनेक द्रविड़ भाषाओं में है, पुनः आर्य भाषाओं के समान द्रविड़ भाषाओं के पुराने क्रियामुख वाक्यतंत्र पर कर्तामुख वाक्यतंत्र का प्रभाव पड़ा है।

जब से संस्कृत में **घ्-ध्-भ्** ध्वनियों वाले शब्दों के साथ **क्-त्-प्** ध्वनियों वाले समानार्थी वैकल्पिक रूपों का चलन आरम्भ हुआ, तब से लेकर अब तक आर्य-द्रविड़ भाषाएँ निरन्तर सम्पर्क में रही हैं। यह सम्पर्क 'ऋग्वेद' की रचना से पहले का है, वह सुमेर और बाबुल की सभ्यता से पहले का है, वह प्राचीन ग्रीक, लैटिन और हित्ती के निर्माण से पहले का है। इस सुदीर्घ अवधि में आर्य-द्रविड़ धुरी एशिया और यूरोप के अनेक भाषा-समुदायों के विकास को अनेक रूपों में प्रभावित करती रही है।

पुस्तक के अन्त में द्रविड़ तथा इंडो-यूरोपियन परिवारों के सामान्य शब्दों की सूची दी हुई है। इंडो-यूरोपियन परिवार में भारतीय आर्य भाषाएँ शामिल हैं। जहाँ आर्येतर इंडो-यूरोपियन भाषाओं से समानता है, वहाँ शब्द-संख्या कोष्टक में है; जहाँ केवल भारतीय भाषाओं से समानता है, वहाँ कोष्टक नहीं है। शब्द-संख्या बरो और एमेनो के 'द्रविड़ व्युत्पत्ति-कोश' की है।

बरो और एमेनो ने अपने कोश में यथासम्भव विशुद्ध द्रविड़ शब्दमूलों का संग्रह किया है। कोश में कुल मिलाकर 4572 शब्दमूल हैं। इसके प्रकाशन के बाद उन्होंने एक पूरक शब्द-सूची भी प्रकाशित की है। इसमें 889 नये शब्दमूल हैं : शेष सामग्री पहले वाले कोश में दिये हुए शब्दमूलों में जोड़ी गई है। पूरक कोश की यह सारी सामग्री अधिकतर मध्य द्रविड़ भाषा-समुदाय की है। दक्षिण की द्रविड़ भाषाओं के अध्ययन के लिए पहला कोश पर्याप्त है। अपनी शब्द-सूची के लिए मैंने उसी को आधार बनाया है। मूल और पूरक कोशों में एकाध जगह शब्द-संख्या दी गई है पर उसके साथ कोई शब्दमूल नहीं है। कोश में 4572 शब्दमूल हैं या 4571, यह प्रश्न महत्त्वपूर्ण नहीं है। महत्त्वपूर्ण बात यह है कि कहीं-कहीं एक ही शब्दमूल एक शब्द-संख्या के अतिरिक्त अन्य शब्द-संख्या के साथ भी दिया हुआ है और कहीं-कहीं भिन्न शब्दमूल एक ही संख्या के अन्तर्गत हैं। तमिल **विळि** चमकना (4456) और **वॅळ्** प्रकाशमान (4524) का शब्दमूल एक है किन्तु दोनों शब्द अलग-अलग दिये गए हैं। इसके विपरीत **मरल्** (युद्ध; 3900) और **मरल्** मृत्यु को एक ही शब्दमूल के अन्तर्गत दिया गया है। आर्य भाषाओं का **मर्** (मरना) क्रियामूल द्रविड़ भाषाओं में प्रयुक्त होता है, इसका प्रमाण तुलु **मर्गु** (मुर्दा) है जो फ़ारसी **मर्ग** (मौत) का प्रतिरूप है।

कोश में किसी शब्द का मूलरूप देने का प्रयास नहीं है। आदि द्रविड़ भाषा में शब्दों का मूलरूप कैसा था, यह बताना कोशकारों का उद्‌देश्य नहीं है यद्यपि

उनकी मान्यता यही है कि आदि द्रविड़ रूपों से ही विभिन्न द्रविड़ भाषाओं के प्रतिरूप बने हैं। शब्दों के मूलरूप न देने से कोश का महत्त्व घटा नहीं, और बढ़ा है। आधुनिक द्रविड़ शब्दों के पुराने रूपों की विविधता, प्राचीन द्रविड़ गण भाषाओं के ध्वनितंत्रों की भिन्नता यहाँ पहचानी जा सकती है।

कोशकारों ने अनेक शब्दमूलों के साथ आर्य भाषाओं के प्रतिशब्द दिये हैं। कहीं समानता की सम्भावना शंकासहित व्यक्त की गई है, कहीं **निःशङ्क** भाव से। अपनी शब्द-सूची में जहाँ कोश में उल्लिखित आर्य शब्द मैंने दिये हैं, वहाँ (द्र.) के संकेत से बता दिया है कि समानता वाले शब्द उक्त कोश से लिये गए हैं। इससे यह न समझना चाहिए कि कोशकारों की दृष्टि में ये सारे शब्द संस्कृत से द्रविड़ भाषाओं में पहुँचे हैं। वह प्रश्न अलग है। मेरी शब्द-सूची में आर्येतर इंडो-यूरोपियन भाषाओं से द्रविड़ शब्दों की जो समानता दिखाई गई है, उसके लिए उक्त कोशकार किसी प्रकार भी उत्तरदायी नहीं हैं।

किसी एक द्रविड़ शब्दमूल के अन्तर्गत द्रविड़ शब्दरूपों में जितनी ध्वनिगत भिन्नता है, उससे कम ध्वनिगत भिन्नता मेरे सुझाए इंडो-यूरोपियन प्रतिरूपों में है। **पगल, पोल्, पक्ट, पियल्** एक ही शब्दमूल के अन्तर्गत दिये हुए दिन-वाचक रूप हैं। इंडो-यूरोपियन प्रतिरूपों में इतनी भिन्नता न मिलेगी। तमिल **कॉरम्** और ग्रीक **कुरॉस्** (प्रभुत्व) में सामान्य शब्दमूल **कॉर्** पहचान में आता है। तमिल **कॉरु** (भोजन) और फ़ारसी **ख़ुर्दन्** (भोजन करना) में आदिस्थानीय ध्वनि की अल्पप्राण-महाप्राण भिन्नता स्वाभाविक है। **ख़ु** में महाप्राणता जोड़ी हुई है या महाप्राणता के लोप से **कॉ** प्राप्त हुआ, यह प्रश्न अलग है। इसका जो भी उत्तर दें, **कॉर्** और **खुर्** की समानता पहचानने में कोई दिक्कत न होगी। जिन भाषाओं में **ण्, ळ्** आदि ध्वनियाँ नहीं हैं, उनके प्रतिरूपों में **न्, ल्** आदि मिलती-जुलती ध्वनियाँ हों, यह स्वाभाविक है।

शब्द-सूची में सभी समान रूप प्राचीन काल के नहीं हैं। तमिल **तेक्कु** और अंग्रेज़ी **टीक्** (टीक वृक्ष) की समानता आधुनिक युग की है, भारत में अंग्रेज़ों के प्रवेश के बाद की है। तमिल **कूऴइ** (कूढ़मग्ज़ होना) और हिन्दी **कूढ़** की समानता भी आधुनिक लगती है। किन्तु अधिकांश प्रतिरूपों की समानता पुरानी है। इन प्रतिरूपों के अध्ययन में कुछ ध्वनियाँ विशेष महत्त्वपूर्ण हैं। इनमें एक है **र्**।

द्रविड़ भाषाओं में आदिस्थानीय **र्** का व्यवहार जितना विरल है, मध्यस्थानीय व्यवहार उतना ही व्यापक है। इससे यह निष्कर्ष निकलता है कि द्रविड़ भाषाओं में बहुत बड़ी संख्या ऐसे शब्दों की है जो **र्** क्षेत्र के हैं। आर्य शब्द, आर्येतर इंडो-यूरोपियन शब्द, द्रविड़ शब्द, इनमें **र्** ध्वनि वाले प्रतिरूप ऐतिहासिक दृष्टि से महत्त्वपूर्ण हैं।

तमिल क्रिया **परि** का अर्थ है विभाजित करना, तोड़ना। इसी के कुइ प्रतिरूप **पङ्ग** में **र्** के स्थान पर नासिक्य ध्वनि का व्यवहार हुआ है। जो **भंग** किया जाने को हो, वह **पङ्ग** है। संस्कृत **भङ्ग** का सहज द्रविड़ रूपान्तर **पङ्ग** है। **भंग** के लिए

संस्कृत की **भंज्** धातु है किन्तु **भाग** के लिए **भज्** है। **भंग** का एक अर्थ अलगाव है; जो अंश अलग किया जाए, वह भी **भंग** है। कुइ **पङ्ग** में तोड़ने और विभाजित करने में दोनों क्रियाओं के भाव शामिल हैं। वास्तव में संस्कृत **भंज्** और **भज्** एक ही क्रिया के दो रूप हैं।

कुइ **पङ्ग** की नासिक्य ध्वनि मूलतः **र्** थी, यह बोध तमिल **परि** के अलावा तुलु **पर्तॅ** (फटा हुआ), मल्तो **पर्गॅ** (चीरना) से होता है। इसकी पुष्टि अंग्रेज़ी **ब्रॅक्** (तोड़ना) के **र्** से होती है। इससे यह सिद्ध हुआ कि **भञ्ज्** का पूर्वरूप **भर्ज** है और धातु मूलतः **भर्** है, कृदन्त **भर्ज** को पुनः क्रियामूल बनाया गया है।

यदि **भज्** और **भञ्ज** एक ही क्रिया हैं तो **भज्** का पूर्वरूप भी **भर्ज्** होगा; **र्** का लोप होने से **भज्** बचा रहा। कहा जा सकता है कि तोड़ने और बाँटने में बड़ा अन्तर है; **भज्** और **भञ्ज** को मिलाना ठीक नहीं है। अंग्रेज़ी **पार्ट्** याद करें। **पार्ट्** में तोड़ने का भाव नहीं है। **पार्ट्** का अर्थ है विभाजित करना, विभाजन का परिणाम भाग भी **पार्ट्** है। तमिल **परि** के साथ कोलमि **पर्त्** (काटना) बता रहा है कि **पर्** के साथ **त** प्रत्यय जोड़कर **पर्त** कृदन्त बनाने, फिर उसे क्रियामूल के समान व्यवहार में लाने की प्रक्रिया उतनी ही पुरानी है जितनी अंग्रेज़ी **पार्ट्** के निर्माण की।

संस्कृत-हिन्दी **भाग** का पूर्वरूप होगा **भर्ग**। अंग्रेज़ी **पार्ट्** का पूर्वज है लैटिन **पर्तिओ** (विभाजित करना), **पर्स्** (भाग)। इससे प्रमाणित हो जाता है कि **भज्** का पूर्वरूप **भर्ज्** था। यह **भर्**, कृदन्त की मंज़िल पार किये बिना, अपने आदिम क्रिया-रूप में, तमिल भाषा में प्राप्त है। **भ्** का रूपान्तर **प्** तमिल में है, लैटिन में है। प्राचीन आर्य गण भाषाओं में **भज्** और **भंज** की रचना से पहले **भर्** क्रियामूल का व्यवहार बाँटने और तोड़ने के लिए होता था। **भज्** और **भञ्ज्** के विकास से पहले **भर्** का रूपान्तर **पर्** किन्हीं प्राचीन द्रविड़ गण भाषाओं में सुप्रतिष्ठित हो गया था। उस **पर्** के आधार पर लैटिन आदि-भाषाओं के **पर्तिओ, पर्स्** आदि रूपों की रचना हुई।

तमिल में एक क्रिया है **पगु** (विभाजित करना)। इसका निर्माण **र्** के लोप से वैसे ही हुआ है, जैसे संस्कृत **भज्** का।

तमिल **पाल्** (भाग) में **र्** का स्थान **ल्** ने लिया है। तेलगू **पञ्चु** (विभाजित करना) में **र्** की जगह **न्** है; **पञ्चु** और **भञ्ज** की रचना-प्रक्रिया एक है। **पञ्चु** के विभाजन वाले अर्थ से इस बात की पुष्टि होती है कि **भज्** और **भञ्ज** मूलतः एक हैं। कन्नड़ में **पञ्चु** के साथ **पसु** (विभाजित करना) रूप भी है। यहाँ या तो **पर्** का **र्** सीधे **स्** में बदल गया है या फिर **पञ्च** से **पच** और **पच** से **पसु** का विकास हुआ है। ग्रीक **पॉरो** (अपना भाग पाना), लैटिन **पॉर्तिओ** (भाग) में **पर्** का विकल्प **पॉर्** है।

हिन्दी में एक **भाग** विभाजन वाला है, दूसरा **भाग-दौड़** वाला। दूसरे **भाग** का पूर्वरूप संस्कृत में नहीं है। किन्तु यह **भाग-दौड़** वाला **भाग** उतना ही पुराना है जितना विभाजन वाला **भाग**। इसका ग्रीक प्रतिरूप **फॅउगो** (भागना) है। पकोर्नी ने

अपने इंडो-जर्मैनिक शब्दकोश में **भाग** का आदिम इंडो-यूरोपियन रूप **भॅगु** माना है और उससे व्युत्पन्न शब्दों में सबसे पहले **हिन्दी भाग्** का उल्लेख किया है। यह उल्लेख इसलिए महत्त्वपूर्ण है कि संस्कृत में अप्राप्त एक हिन्दी रूप का सीधा सम्बन्ध आदिम इंडो-यूरोपियन शब्द से जोड़ा गया है। इसका अर्थ यह हुआ कि पकोर्नी हिन्दी जैसी आधुनिक भाषाओं के कुछ शब्दों की प्राचीनता स्वीकार करते हैं। वह मानते हैं कि ग्रीक प्रतिरूप की तुलना के लिए संस्कृत में शब्द नहीं है, हिन्दी में है। ग्रीक प्रतिरूप में **फ्** है, हिन्दी रूप में **भ्** है। आदिम रूप **भॅगु** माना गया है। अत: स्पष्ट है कि उस रूप की मूल ध्वनि **भ्** हिन्दी में है और ग्रीक **फ्** की अपेक्षा अधिक प्राचीन है।

पकोर्नी ने **भाग** का ग्रीक प्रतिरूप **फॅबॉमइ** (भागना), **फॉबॉऑमइ** दिया है। उनकी कल्पना है कि मूलरूप **भॅग** का **उ** स्वर और व्यंजन, दोनों हैं। ग्रीक में व्यंजन तत्त्व **व्** बदलकर **ब्** हो गया, हिन्दी में **व्** का लोप हो गया, **ग्** बच रहा। यह कष्ट-कल्पना नितान्त अनावश्यक है। हिन्दी भाग का सीधा ग्रीक प्रतिरूप **फॅउगो** है। **फॅउगो** और **फॅबॉ** रूप परस्पर सम्बद्ध हैं किन्तु परम्परागत भाषाविज्ञान में इनकी सम्बद्धता न तो स्वीकार की जा सकती है, न स्वीकार करने पर उसकी कैफियत दी जा सकती है। यदि कहा जाए कि मूलरूप **भॅगु** के **उ** का **व्** तत्त्व **फॅबॉ** में **ब्** बना किन्तु **फॅउगो** में उसका लोप होने से **ग्** बच रहा तो एक ही भाषा में ध्वनि-परिवर्तन के दो 'अटल' नियम मानने होंगे और इससे ऐतिहासिक भाषाविज्ञान की सारी व्यवस्था ही उलट जाएगी। तब तो मानना होगा कि हिन्दी **भाग** और ग्रीक **फॅउगो** में **ग्** के अवतरण की एक ही सामान्य प्रक्रिया है। पकोर्नी ने स्वभावत: ग्रीक **फॅबॉ** को उसी भाषा के **फॅउगो** से अलग रखा है; **फॅबॉ** का आदिम रूप है **भॅगु** और **फॅउगो** का आदिम रूप है **भॅउग्**।

**फॅउगो** और **फॅबॉ**—दोनों रूप सम्बद्ध हैं और उनकी सम्बद्धता की कैफियत इस प्रकार है।

**फॅउगो** और **फॅबॉ**—दोनों कृदन्त हैं जिन्हें विशुद्ध क्रिया बनाया गया है। एक रूप में कृदन्त प्रत्यय **ग** है, दूसरे में **ब**। मूल क्रिया है **भर्** अथवा **भॅर्**। हिन्दी **भाग** के समान ग्रीक रूपों में भी **र्** का लोप हुआ है। **फॅउगो** में **र्** की क्षतिपूर्ति **उ** से हुई, **फॅबॉ** में, **भगना** की तरह क्षति हुई, पूर्ति नहीं। **भर्** क्रिया से कृदन्त **भर्ग** बना; **भर्ग** से **भग** और **भाग,** दोनों रूप व्युत्पन्न हुए। **भागना** और **भगना,** दोनों हिन्दी क्रिया-रूप **भर्ग** से विकसित हुए। किन्तु मूलक्रिया **भर्** थी, इसका प्रमाण क्या है?

यहीं द्रविड़ शब्दतंत्र इंडो-यूरोपियन परिवार के विवेचन में सहायक होता है।

तमिल **परि**, तुलु **परियुनि**, तेलगू **परुगु**, तमिल-कन्नड़ **परि** का अर्थ है दौड़ना। **पर्** क्रियामूल में **र्** विद्यमान है। तेलगू **परुगु** (दौड़) और तुलु **परपु** (उप.) **ग-प** प्रत्ययों वाले कृदन्त रूप हैं। तेलगू-कन्नड़ **परपु** (बहाना) में प्रेरणार्थक भाव के

साथ कृदन्त को क्रिया बनाया गया है। तेलगू **परुविडु** (दौड़ना) का **परुव** वास्तव में **परुग** है। तेलगू में **परुगु** का प्रतिरूप **परुवु** (दौड़) सुलभ है। इसी कृदन्त से **परुविडु** क्रिया बनी। इसी प्रकार विभाजन वाले **पर्** क्रियामूल से मेल्तो **पर्गॅ** और कोलमि **पर्त्** कृदन्तमूलक क्रियाएँ बनीं। तुलु **पर्तॅ** और पर्जि **पर्क** संज्ञा रूप हैं।

ग्रीक **फॅउगो** का एक विकार **फुगॅइन्** है जिससे **फुगे** (भगदड़) रूप बना। यहाँ स्पष्ट देखा जा सकता है कि **फुगे** कृदन्त रूप है; **फुगे** रूप **फुगॅइन्** क्रिया से नहीं बना, वास्तव में **फुगॅइन्** क्रिया **फुगे** कृदन्त से बनी है। **फॅउगो** और **फुगे,** दोनों का आधार **ग** प्रत्ययवाला कृदन्त रूप है। ग्रीक **फुगस्** (भगोड़ा) के **फुग** और हिन्दी **भगोड़ा** के **भग** की रचना-प्रक्रिया एक है; दोनों में **र्** का लोप हुआ है। **फुगस्** का कृदन्त मूल **फुग** लैटिन क्रिया **फुगियो** (भागना) में है। जर्गन **फ़्लुख़्ट** (भगदड़) में **फ़्लुख़्** का पूर्वरूप होगा **भ्रुग्**। यहाँ **भर्** या **भॉर्** क्रियामूल का **र्** अपने **ल्** रूपान्तर में प्राप्त है। वर्ण-संकोचन से **भ्रु,** सघोषता के लोप से **फ़्लू, ग** प्रत्यय जोड़कर **फ़्लुग,** इसे फिर क्रिया बनाया तब **फ़्लुग, ग्** को संघर्षी-रूप देने से **फ़्लुग,** इसमें कृदन्त प्रत्यय **ट** जोड़कर जर्मन रूप बना **फ़्लुख़्ट्**। जर्मन **फ़्लुख़्ट्** और तेलगू **परुगु** एक ही कुल के शब्द हैं। दोनों के क्रियामूलों में **र्-ल्** ध्वनियाँ विद्यमान हैं।

संस्कृत क्रिया **दा** का पूर्वरूप **दर्** था, इसका ज्ञान तमिल **तरु** (देना) से होता है। तमिल-कन्नड़ आदि प्रमुख द्रविड़ भाषाओं के अलावा कोत **तार्,** तोद **तोर्,** कोडगु **तर्** में **र्** युक्त क्रिया किसी समय **दर्** के व्यापक व्यवहार का प्रमाण है। करना, देना आदि क्रियाओं के लिए जो शब्द प्रयुक्त होते हैं, आर्य-द्रविड़ भाषाओं में उनसे सम्बद्ध शब्द हाथ के लिए प्रयुक्त होते हैं। जैसे हिन्दी क्रिया **करना** का कर और संस्कृत **कर** (हाथ), जैसे तमिल **पण्णु** (करना) और संस्कृत **पाणि** (हाथ)। संस्कृत **दा** का पूर्वरूप था **दर्;** इसका तमिल प्रतिरूप हुआ **तर्;** इनका मूलरूप हुआ **धर्**। **धर्** का **र्** जब **न्** रूप में ग्रहण किया गया, तब हिन्दी रूप **धन्धा** बना। कन्नड़ में **तर्** से एक रूप बना **तन्द्** (देना, ले जाना), ठीक उसी तरह **र्** के **न्** वाले रूपान्तर से। अंग्रेज़ी **हैंड** में उसी प्रक्रिया से **न्** विद्यमान है। रूसी **देलात्** में या तो **ल्** ने **र्** का स्थान लिया है या वह कृदन्त चिन्ह है। रूसी **दान्** (खिराज) के साथ उसी भाषा में **दार्** (भेंट की हुई वस्तु) में **र्** मूलक्रिया का अंश हो सकता है, कृदन्त चिन्ह भी। **धर्** का **र्** जब **स्** रूप में ग्रहण किया गया, तब **धस्त** रूप बना जिससे एक ओर संस्कृत **हस्त** और दूसरी ओर फ़ारसी **दस्त** की उत्पत्ति हुई। तोद भाषा में **तोर्** (देना) के साथ **तश्** प्रतिरूप भी है। **तश्** का **श्** तमिल **तरु** के **र्** का रूपान्तर है; इससे ज्ञात होता है कि फ़ारसी **दस्त** का **स्** पहले **र्** था। संस्कृत **हस्त** का **स्** भी पहले **र्** था। संस्कृत **दा** का पूर्वरूप **दर्** था; फ़ारसी **दादन्** (देना) के **दा** का पूर्वरूप **दर्** था। तमिल-कन्नड़ के साथ कोत और कोडगु में एक रूप **तर्** है, दूसरा **ता**। यहाँ पूर्वरूप की बात नहीं है, समवर्ती रूप की बात है। **तर्** का समवर्ती

रूप **ता** द्रविड़ भाषाओं में विद्यमान है। संस्कृत **दा** के पूर्वरूप **दर्** की पुष्टि **ता** और **तर्** के प्राप्त रूपों से होती है।

हिन्दी में एक शब्द-युग्म है **काम-काज**; प्रत्यय भिन्न हैं, क्रिया एक है। हिन्दी में अन्य शब्द-युग्म है **काम-धाम**। यहाँ **धाम** का अर्थ क्या घर है? या तो **काम-धाम** का **धाम** निरर्थक है या वह **घर** का अर्थ देनेवाले **धाम** से भिन्न है। मेरी समझ में **काम** और **धाम** समानार्थी हैं; **धाम** की रचना **धा** से हो तो संस्कृत **दा** का पूर्वरूप **धा** यहाँ प्राप्त है, न हो तो **कर्म** और **काम** की तरह **धाम** का पूर्वरूप होगा **धर्म**। जो किया जाए, वह **धर्म**। **धरम-करम** में दोनों शब्द मिलता-जुलता अर्थ देनेवाले हैं।

ठहरने, खड़े होने के लिए संस्कृत क्रिया **स्था** का पूर्वरूप **स्थर्** था। **स्थल** में **र्** के स्थान पर **ल्** है, **स्थिर** में **स्थ** के विकल्प **स्थि** के साथ **र्** है। संस्कृत **स्तम्भ** और अंग्रेज़ी **स्टैंड** में **र्** के स्थान पर **न्** है। तमिल **तरि** (ठहरना, खड़े होना) में **र्** अपरिवर्तित है, **तण्डु** (डण्ठल) में उसके स्थान पर **न्** है। तमिल **परुगु** (पीना) और संस्कृत **पा** (उप.) में तमिल रूप **र्** बनाए हुए है; लैटिन **पोतो** (उप.) में **र्** का लोप हुआ है। लैटिन **पोतो** के **पो** और संस्कृत **पा** की तुलना में तमिल **परुगु** का **पर्** क्रियामूल पुराना है। तमिल **उरु** (जलना) और संस्कृत **उष्** (उप.) में **उरु** पुराना रूप है। संस्कृत **ऊर्जा** में **र्** विद्यमान है। संस्कृत **उल्का** और कन्नड़ **उळकु** (चमकना) में **र्** के स्थान पर **ल्, ळ्** हैं। तमिल **नरम्बु** (नस), लैटिन **नॅर्वुस्** (उप.) का **र्** हिन्दी **नस** में **स्** बना है।

हिन्दी **कनेर** का पूर्वरूप संस्कृत **कणवीर** है और संस्कृत में ही इसका प्रतिरूप **करवीर** है। तमिल **कणवीरम्** में संस्कृत **कणवीर** के समान **र्** के स्थान पर **न्** है। तमिल **कून्** (मोड़), संस्कृत **कोण** के **न्** का पूर्वरूप **र्** लैटिन **कुर्वो** (मुड़ना) में है। कन्नड़ **गण्टलु** (कंठ) और फ़ारसी **गर्दन** का मूल **र्** फ़ारसी रूप में है। संस्कृत कंठ का **ण्** भी **र्** का रूपान्तर है। संस्कृत **गल्** (गला) में **र्** के स्थान पर **ल्** है। संस्कृत **सर्प** के रूपान्तर **सम्प** से हिन्दी **साँप** बना।

द्रविड़ शब्दों में **र्** सर्वत्र उन रूपों की मूल ध्वनि नहीं है; वह **त्, द्** का रूपान्तर भी है। तुलु **मदपुनि** और **मरपुनि** (भूलना) में **द्** वाला रूप पुराना है; कन्नड़ **इन्दु** (आज) और तमिल **इन्रु** (उप.) में उसी प्रकार **द्** वाला रूप पुराना है। मध्याह्न के लिए लैटिन रूप **मॅरीदिअॅस्** में **मॅरी** का पूर्वरूप **मॅदी** है और **मॅदी** संस्कृत **मध्य** का प्रतिरूप है। **द्** के **र्** में बदलने की प्रक्रिया वही है।

द्रविड़ भाषाएँ **र्** के स्थान पर बहुधा **ळ्** या **ऴ्**, का व्यवहार करती हैं। संस्कृत **कीर** तमिल में **किळि** (तोता) है। संस्कृत **जरा** के ग्रीक प्रतिरूप **गेरस्** (बुढ़ापा) का **गेर** तमिल में **किऴम्** (उप.) है। तमिल **नॅरि** (मुड़ना) का कन्नड़ प्रतिरूप **नॅऴ्गु** है। 'द्रविड़ व्युत्पत्ति-कोश' में इस **नॅऴ्गु** के दो अर्थ हैं : पहला अर्थ है मुड़ना, दूसरा अर्थ है डूबना। डूबनेवाला **नॅऴ्गु** भिन्न है, वह लैटिन **मॅर्गो** (डूबना) का प्रतिरूप है।

इस **मॅर्गो** से अंग्रेज़ी का **मर्ज्** (उप.) बना है। संस्कृत **मज्ज्** में **र्** लुप्त है। **नॅळ्गु** और **मज्ज्** में पहले कोई समानता नहीं दिखाई देती, किन्तु **मॅर्गो** पर ध्यान देने से दोनों का सम्बन्ध स्पष्ट हो जाता है। **म्** के स्थान पर कन्नड़ रूप में **न्** है, **र्** के स्थान पर **ळ्**।

**र्** के स्थान पर अनेक द्रविड़ शब्दों में **ळ्** का व्यवहार वैसे ही है, जैसे अरबी **जरा** के 'शुद्ध' किये हुए पछाँही उच्चारण **जड़ा** में **ड़्** है। **र्** और उसके साथ **ल्** के मूर्धन्यीकरण की प्रवृत्ति कुरु जनपद और पड़ोसी क्षेत्रों की विशेषता है। संस्कृत **तुलसी** इसी प्रकार तमिल में **तुळजि** है। तमिल **कुरु** (छोटा) का **र्** तमिल के ही **कुळ्ळम्** (छुटपन) में **ळ्** बना है। **र्** जहाँ **द्** से पहले आता है, वहाँ भी **र्द्** के स्थान पर **ळ** या **ळ्** का व्यवहार हो सकता है। संस्कृत **कर्दम** (कीचड) का **कर्द** तमिल में **कळ्नि** (उप.) है। **कर्द** का एक पुराना कन्नड़ प्रतिरूप **गळ्दॅ** है। यहाँ केवल **र्** परिवर्तित हुआ है। **गर्दभ** के तमिल प्रतिरूप **कळुदइ** में इसी प्रकार **र्** को अलग करके उसके साथ एक स्वर जोड़ दिया गया है। फ़ारसी **गर्दन** के तमिल प्रतिरूप **कळुत्तु** में इसी तरह **गर्द** का रूपान्तर **कळुत्तु** है। हिन्दी **कढ़ी** का एक तमिल प्रतिरूप **कळि** है, दूसरा **करि**। **ढ़्** का अल्पप्राण रूपान्तर हुआ **ड़्**; इसे एक जगह **ळ्** रूप में ग्रहण किया गया, दूसरी जगह **र्** रूप में। **गणेश** के ग्राम्य हिन्दी उच्चारण **गड़ेस** की तरह कभी-कभी **ण्** के स्थान पर द्रविड़ भाषाएँ **ळ्** का व्यवहार करती हैं। तमिल **आण्** (पुरुष) का एक प्रतिरूप उसी भाषा में **आळ्** है।

जैसे **र्** बहुधा **स्** रूप में ग्रहण किया जाता है, वैसे ही द्रविड़ भाषाएँ कभी-कभी **ल्** के स्थान पर **स्** का व्यवहार करती हैं। तमिल **नल** (अच्छा) के तोद प्रतिरूप **नष्** (सुन्दरता) में **ल्** के स्थान पर **ष्** है। तुलु **पेर् मॅ** (ख्याति) का **र्** कन्नड़ **पेळ्**, (बोलना) में **ळ्** है, कुड़ुख़ **पेस्ना** (आज्ञा देना) में **स्**। तमिल **पेच्चु** (भाषा) में **स्** का रूपान्तर **च्** है। संस्कृत **भाष्** का आधाररूप **भर्** है, **भर्** का रूपान्तर **भण्** है। संस्कृत में **भर्** का एक अर्थ प्रशस्तिगान है। इसी के क्रियामूल **भर्** से **भण्** और **भष्**, तमिल के **पणि** (बोलना) और **पेजु** (उप.) रूप बने हैं। कन्नड़ **ऑण** (सूखा), **ऑणगु** (सूखना), तमिल **उणङ्गु** (उप.) का आधार सम्भवत: संस्कृत **उष्** है। प्रकाश के **कश्** और **कनक** के **कन्** में जो सम्बन्ध है, वही **उष्** और **ऑण्** में है। किन्तु **कश्** और **उष्** के **श्-ष्** स्वयं **र** के रूपान्तर हो सकते हैं, अत: **ऑण्** का पूर्वरूप **ऑर्** भी हो सकता है।

द्रविड़ भाषाओं की **न्, ण्** ध्वनियाँ **स्** के अतिरिक्त **त्, द्** का रूपान्तर हो सकती हैं। पर्जि **टिट्ट** (सीधा), तेलगू **निट्ट** (सीधा खड़ा), तमिल **तॅरु** (मार्ग) और उसी भाषा में **नॅरि** (उप.), ब्राहूइ **दीर्** (पानी) और तमिल **नीर्** (उप.) में उस तरह का रूपान्तर देखा जा सकता है।

द्रविड़ भाषाओं में **स्** के स्थान पर कभी-कभी **त्** का व्यवहार होता है। **समय** का एक पुराना रूपान्तर **तमयम्** है। कुछ रूपों में **त्** मूल ध्वनि है, प्रतिरूपों का **स्** उसका रूपान्तर है। तुलु **तू** (आग) के साथ उसी भाषा में **सू** है। इस **तू** का तमिल

प्रतिरूप **ती** (जलना) है। संस्कृत **दीप्** के **दी** का प्रतिरूप है **ती**। अत: **सू** का पूर्वरूप होगा **तू**। यह सम्भव है कि **त्** के तालव्य रूपान्तर **च्** से **स्** का विकास हुआ हो। तमिल **चूरइ** (डकैती) और कन्नड़ **सूरॅ** (लूट) में सम्भवत: **च्** शब्द की मूल ध्वनि है। तोद **स्विट्** (बूँद), कन्नड़ **तॉटु** (उप.), तमिल **चॉट्टु** (उप.) में **र्, च्** दोनों **स्** के रूपान्तर प्रतीत होते हैं। अंग्रेज़ी **स्वॅट्** (पसीना), संस्कृत **स्विद्** (पसीना आना) तोद **स्विट्** से तुलनीय हैं। संस्कृत **च्यु** (टपकना) और तमिल **चॉट्टु** सम्बद्ध रूप हैं। दोनों के **च्** का पूर्वरूप होगा **स्**।

संस्कृत **मसि** (काली वस्तु) और **मलिन** का आधारभूत शब्द **मल्** होगा। तमिल **माल्** (काला) का कन्नड़ प्रतिरूप है **मासु** (धुँधला होना)। 'द्रविड़ व्युत्पत्ति-कोश' में एक कन्नड़ **मासु** (गन्दा होना) अन्य शब्दमूल के साथ दिखाया गया है। इसका तमिल प्रतिरूप है **माजु** (धब्बा)। दोनों शब्दमूल एक हैं। तमिल **माल्** (काला) का एक प्रतिरूप उसी भाषा में **माजु** (अँधेरा) है। दोनों तमिल **माजु** और दोनों कन्नड़ **मासु** एक हैं। **ल्** ध्वनि **स्** में परिवर्तित हुई, **स्** ध्वनि **च्** में परिवर्तित हुई।

तमिल **वेण्डु** (चाहना), **वेण्** (चाह), **वेट्टम्** (उप.), **विऴ़इ** (चाहना) का आधार **वॅर्** क्रियामूल है। यही संस्कृत की **वृ** धातु है। जो चाहा जाए, वह **वर** है, चाहनेवाला भी **वर** है। **वर्** का रूपान्तर संस्कृत **वश्** (चाहना) है, **वॅर्** का रूपान्तर अंग्रेज़ी **विश्** (उप.) है। **विश्** जैसा रूप भारत में भी प्रचलित था, इसके मूर्धन्यीकृत रूप **विष** के **व्** का लोप होने पर **इष्ट** की **इष्** क्रिया प्राप्त हुई; **इच्छा** का आधार यही **इष्** क्रिया है। **बॅर्** का प्रतिरूप अंग्रेज़ी **विल्** (इच्छा) है, **वॉर्** का लैटिन प्रतिरूप **वॉलो** (चाहना) है। **र्** अथवा **स्** का रूपान्तर **न्** हुआ; उससे तमिल **वेण्डु** (चाहना) और अंग्रेज़ी **वान्ट्** (उप.) रूप बने। **ण्** अथवा **र्-ल्** का रूपान्तर है; इससे तमिल का **वेऴ्** (चाहना) रूप बना। **वेट्टम्** (चाह) का पूर्वरूप **वॅण्टम्** हो सकता है, **वॅर्टम्** या **वॅर्तम्** भी। **वट्टम्** का एक तमिल प्रतिरूप **वेडम्** भी है। यहाँ **वॅट्टम्** का **वॅ** क्षतिपूर्ति के लिए **वे** बना। मानक हिन्दी में जैसे मध्यवर्ती **ड्**, उच्चारण में, **ड़्** बन जाता है, वैसे ही **वेडम्** तमिल उच्चारण में **वेळम्** हो सकता है, **वेऴ़म्** भी। तब तमिल **वेऴ्** (चाहना), **विऴ़इ** (उप.) के **ळ, ऴ्** का पूर्वरूप मध्यवर्ती **ड्** होगा।

तमिल **पोरइ** (छेद), **पोऴ्** (छिन्न करना) 'द्रविड़ व्युत्पत्ति-कोश' में अलग-अलग शब्दमूलों के अन्तर्गत दिखाए गए हैं। दोनों एक हैं। तेलगू-कन्नड़ **पॉञ्जु** (छिन्न करना) में **र्** का रूपान्तर **न्** है। पर्जि **पोड़्** (उप.) और तमिल **पोडु** (छेद), **पोऴ्** (छिन्न करना) में **ड्, ड़्, ऴ्** का सम्बन्ध देखा जा सकता है। तमिल **पोरइ** (छेद), **पोऴ्** (छिन्न करना) का अंग्रेज़ी प्रतिरूप **बोर्** (छेद करना) है। बढ़ई जिस औजार से लकड़ी में छेद करता है, वह हिन्दी में **बरमा** कहलाता है। तेलगू **बॉरिय** (छेद, कोटर) और अंग्रेज़ी **बोर्** सम्बद्ध रूप हैं। कन्नड़ **पोर्** (छेद) और **पॉळलु** (पोलापन) भिन्न शब्दमूलों से सम्बद्ध माने गए हैं। दोनों एक हैं। **पॉऴ्लु** का कन्नड़ प्रतिरूप

**हॉळ्ळु** अंग्रेज़ी **होल्** (छेद) और **हौलो** (पोला) की निर्माण-प्रक्रिया उद्घाटित करता है। हिन्दी **पोल** (ढोल के भीतर **पोल** वाला **पोल**), **पोला** कन्नड़ **पोर्, पॉळ्ळु** से सम्बद्ध हैं। कन्नड़ **पॉळ्ळु** के प्रतिरूपों में तमिल **पॉल्लु** (भूसा), कुवि **पॉरु** (उप.) आदि दिखाए गए हैं। ये भिन्न वर्ग के शब्द हैं। इनमें भीतर से पोले होने का भाव नहीं है। संस्कृत **वल्क,** अंग्रेज़ी **बार्क्** (छाल) की तरह इनमें किसी चीज़ को ऊपर से ढाँकने का भाव है। इनका प्रतिरूप लैटिन **पॅल्लिस्** (खाल) है।

**करना, कर** (हाथ) के साथ **क्रय, विक्रय** वाले शब्द मूल रूप का अर्थ-विस्तार करते हैं। इसी प्रकार तमिल **पण्णु** (करना), संस्कृत **पाणि** के साथ **पण्य** उसी तरह का अर्थ-विस्तार करता है। **पण्** क्रियामूल से **पणिक** रूप बनेगा। संस्कृत के **बणिज्, वणिज्** (व्यापारी) इसी के प्रतिरूप होंगे। जो मोल-भाव बहुत करे, कंजूस हो, वह वैदिक भाषा का **पणि** है। द्रविड़ भाषाओं में जैसे **त्** का रूपान्तर **न्** है, वैसे ही **प्** का रूपान्तर **म्** है। अतः तमिल **पण्णु** का एक प्रतिरूप उसी भाषा में **मण्णु** (करना) है। संस्कृत **पाणि** के समान, **मन्** क्रिया से लैटिन **मनुस्** (हाथ) सम्बद्ध है। अंग्रेज़ी के **मैनुअल्** (हाथ से जो किया जाए), **मैनुफैक्चर्** (दस्तकारी) आदि लैटिन **मनुस्** और तमिल **मण्णु** के सम्बन्धी हैं। हिन्दी में **बाजार** के लिए एक पुराना शब्द **मंडी** है। भारत के नगरों में **मंडी** नाम वाले **बाज़ार** (और **मॉहल्ले**) सबसे ज्यादा आगरे में हैं। **कर्** की तरह **पण्** और **मण्** का **ण्** भी पहले **र्** था। तमिल **मारु** (बेचना), तुलु **माराट** बिक्री, कन्नड़ **माराळि** (विक्रेता, वैश्य) में **पण्** और **मण्** के **ण्** की आधारभूत ध्वनि **र्** विद्यमान है। लैटिन **मॅर्कॉर** (खरीदना), **मॅर्कातूर्** (व्यापारी), अंग्रेज़ी **मर्चॅन्ट्** और **मार्कॅट्** में प्राचीन **मर्** प्रतिष्ठित है।

**मंडी** और **मार्कॅट्, बनिया** और **मर्चॅन्ट्, पण्य** और **मारु**, ये सब एक ही गोत्र के शब्द हैं।

देखना चाहिए, जैसे **मण्** का पूर्वरूप **मर्** है, वैसे ही **पण्** का पूर्वरूप **पर्** कहीं प्राप्त है या नहीं।

'द्रविड़ व्युत्पत्ति-कोश' की शब्द-संख्या 3255 के अन्तर्गत तमिल **पर** (फैलाना), **परक्कु** (इधर-उधर घूमना), तुल **परपुनि** (रेंगना), कुइ **प्राप** (बेचना), कुवि **प्रहनइ** (उप.) रूप दिये हुए हैं। अन्तिम रूप अन्य शब्दों से भिन्न वर्ग का है। पूरक सूची में फैलाने, रेंगने आदि का अर्थ देनेवाले शब्दों के साथ क्रय-विक्रय अर्थवृत्त के ये महत्त्वपूर्ण शब्द हैं : कन्नड़ **परदु** (व्यापार), **परद** (व्यापारी), कोंड **पॉर्** (बेचना), **पॅङ्ग्प्रॉ** (उप.), मंड **प्रॅ** (उप.), कुवि **प्र** (उप.)। इन शब्दों को देखने से सन्देह नहीं रह जाता कि **पर्** क्रियामूल बेचने के अर्थ में व्यापक रूप से प्रयुक्त होता था, यह **मर्** का पूर्वरूप है, **पण्** का पूर्वरूप भी यह **पर्** है और इसका सम्बन्ध करनेवाली क्रिया से है, घूमने-रेंगने-फैलाने की क्रिया से नहीं।

ग्रीक **पोलॅओ** (बेचना), **पोलेस्** (विक्रेता) में **र्** के स्थान पर **ल्** है।

जो वस्तु बिकाऊ हो, खरीदी जा सके, वह **मूल्य** है, उसके लिए जो पैसा दिया जाए, वह भी **मूल्य** है। संस्कृत **मूल्य** का मूल **पोलॅओ** के **पोल्** का रूपान्तर है, हिन्दी **मोल** ग्रीक **पोल्** के और भी निकट है। **मूल** (जड़) से **मूल्य** का कोई सम्बन्ध नहीं है।

तमिल **मारु** (बेचना) और संस्कृत **मूल्य** परस्पर सम्बद्ध रूप हैं।

हिन्दी **धन्धा** के **धन्** का पूर्वरूप **धर्** था। व्यापार वाले अर्थ में **मारु** और **मूल्य** के साथ तमिल **तरगु** (दलाली) और रूसी **तॉर्गॉवात्** (व्यापार करना) उल्लेखनीय हैं। विनिमय के लिए दो चीज़ों की समानता देखना आवश्यक होता है। समान मूल्य की वस्तुएँ **तुल्य** हैं; उनकी समानता पहचानने का एक तरीका उन्हें **तराज़ू** में **तौलना** है। संस्कृत में तौलने का उपकरण **तुला** है, तमिल में **तक्कडि**, मराठी में **तागडी**, हिन्दी में **तराज़ू** के साथ **तखरी**। डाँड़ी मारने की क्रिया बहुत पुरानी है, अत: तमिल **तक्कडि**, तेलगू **तक्कडि** का अर्थ धोखा भी है, अंग्रेज़ी **ट्रेड** (व्यापार) का मूल अर्थ, ऑक्सफोर्ड डिक्शनरी के अनुसार, रास्ता था और वह **ट्रॅड** (चलना) क्रिया से बना है। मेरी समझ में **ट्रेड** का आधार वही **तर्** क्रिया है जो तमिल **तरगु** और रूसी **तॉर्गॉवात्** में है।

व्यापार में जो लगाया जाए, व्यापार से जो कमाया जाए, वह धन है।

लैटिन **वॅन्दो** (बेचना) में **पण्** के **प्** का रूपान्तर **व्** है। लैटिन **वलॅओ** (बलवान होना) का आधार संस्कृत **बल** है; **वलॅओ** (मूल्यवान होना) का आधार **पर्-पल्** का रूपान्तर **वल्** है। तमिल **विल्** (बेचना), **विलइ** (विक्रय; मूल्य), **वीर्** (बेचना) का सीधा सम्बन्ध मूल्य वाले लैटिन **वलॅओ** से है। कन्नड़ **बिल्** (बेचना, खरीदना), तोद **पिल्** (मूल्य), तुलु **बिलॅ** (उप.) के **प्-ब् विल्** के **व्** के रूपान्तर हो सकते हैं, उसके पूर्वरूप भी। कुड़ुख़ **बीसना** (बेचना) हिन्दी **बेचना** का रूपान्तर जान पड़ता है।

द्रविड़ भाषाओं में आदिस्थानीय **र्** विरल है किन्तु मध्यस्थानीय **र्** उनमें बहुधा सुरक्षित मिलता है और वहाँ सुरक्षित मिलता है जहाँ वह संस्कृत में लुप्त हो गया है। यह तथ्य **र्** क्षेत्र की प्राचीन आर्य भाषाओं से उनका घनिष्ठ सम्पर्क प्रमाणित करता है।

द्रविड़ और इंडो-यूरोपियन (आर्य और आर्येतर) शब्दमूलों में समानता हो सकती है, इस समानता का पता किस तरह लगाया जाए। यह बताने के लिए ऊपर कही हुई बातें पर्याप्त होनी चाहिए। इंडो-यूरोपियन परिवार की आर्येतर भाषाओं के विकास की कुंजी द्रविड़ भाषाओं में है। इंडो-यूरोपियन परिवार की आर्य और आर्येतर भाषाओं का सम्बन्ध अपेक्षाकृत सरलता से पहचान में आ जाता है। इसका एक कारण यह है कि यह सम्बन्ध उतना पुराना नहीं है जितना आर्य-द्रविड़ भाषाओं का प्राचीनतम सम्बन्ध। जो सम्बन्ध ज्यादा पुराना होगा, उसे पहचानने में ज्यादा कठिनाई हो, यह स्वाभाविक है। आर्य भाषाओं के बिना द्रविड़ भाषाओं का, द्रविड़ भाषाओं के

बिना आर्य भाषाओं का, दोनों के बिना आर्येतर इंडो-यूरोपियन भाषाओं का विवेचन असम्भव है। इस विवेचन की आधारभूमि है भाषायी क्षेत्र भारत। यहाँ जो कुछ कहा गया है, शब्द-सचियों के रूप में जो सामग्री दी गई है, उसे केवल विषय प्रवर्तन के रूप में ग्रहण करना चाहिए। विवेचन का काम आगे आनेवाले विद्वान् करेंगे।

*(ञ) हिन्दी, संस्कृत और मध्यदेश*

हिन्दी भाषा के उद्‌भव और विकास का इतिहास लिखते समय सबसे पहले हिन्दी-क्षेत्र की जनपदीय उपभाषाओं पर ध्यान देना चाहिए। इन पर ध्यान देते ही यह तथ्य स्पष्ट होगा कि यह सारा क्षेत्र **न्** और **ण्** ध्वनियों के दो भागों में बँटा हुआ है। **ण्** ध्वनि बाँगरू जनपद की विशेषता है, ब्रज से लेकर मिथिला तक **न्** की प्रधानता है। इस तथ्य से जहाँ संस्कृत के ध्वनितंत्र का मिलान करेंगे, वहीं यह बात छिपी न रहेगी कि संस्कृत शब्दमूलों में, धातुओं, सर्वनामों, प्रत्ययों, उपसर्गों में, **ण्** की भूमिका नगण्य है। विदित होगा कि जो भाषा आगे चलकर संस्कृत कहलाई, वही नहीं, वैदिक भाषा भी एक दीर्घकालीन विकास-परम्परा का परिणाम है। इस विकास-परम्परा की अनेक विशेषताएँ हैं। वैदिक भाषा में जो **ण्** का महत्त्व है, वह उस मूल भाषा में नहीं है जिसका वह विकास-परिणाम है। वैदिक भाषा में **ष्, क्ष्** जैसी मूर्धन्य ध्वनियों की बहुलता है; मूल भाषा में इनका अभाव है। हिन्दी-क्षेत्र में ब्रज से लेकर मिथिला तक **न्** के समान **स्** की प्रधानता है। किसी समय बड़े पैमाने पर संस्कृत की मूल शब्दराशि की दन्त्य ध्वनियों का मूर्धन्यीकरण और तालव्यीकरण हुआ है। **श्-ल्** का व्यवहार मागधी प्राकृत की विशेषता है; **स्-र्** का व्यवहार मध्यदेश की भाषाओं की विशेषता है। इससे निष्कर्ष यह निकलता है कि जनपदीय स्तर पर बाँगरू को छोड़कर हिन्दी की शेष उपभाषाएँ उस प्राचीन भाषा से सम्बद्ध हैं जिसकी प्रमुख ध्वनियाँ **न्, स्, र्** हैं।

बनारस से लेकर दरभंगा तक की जनपदीय भाषाओं में **अ** का अभाव है। **अ** के स्थान पर ह्रस्व औकार बोला जाता है। किन्तु संस्कृत में **अ** ध्वनि सुप्रतिष्ठित है। अतः जिस मूल भाषा के आधार पर संस्कृत का विकास हुआ है, वह मूर्धन्य नासिक्य और ह्रस्व औकार के बीच के क्षेत्र, मध्यदेश की भाषा है।

संस्कृत में **न्, ण्, र्, ल्, श्, ष्, स्** आदि सभी ध्वनियाँ हैं किन्तु संस्कृत के ध्वनितंत्र में एक साथ इनका समावेश नहीं हो गया। जैसे ब्रज और बाँगरू क्षेत्रों में **न्, ण्** का भेद आज एक स्पष्ट विभाजक रेखा है, वैसे ही प्राचीनकाल में **स्, श्, र्, ल्** आदि के विभिन्न केन्द्र थे। संस्कृत में समानार्थी किन्तु भिन्न ध्वनियों वाले **स्कम्भ** और **स्तम्भ** जैसे रूपों के अस्तित्व का यही कारण है। जनपदीय बोलियों के **खड़े** का सम्बन्ध **स्क** क्रियामूल के क्षेत्र से है, **ठाढ़े** का **स्त, स्था** क्रियामूल के क्षेत्र से। **खाना** फ़ारसी में है, संस्कृत में नहीं; जनपदीय स्तर पर जहाँ अब **ठाढ़े, ठड़े,**

**ठाँव** आदि रूपों का व्यवहार होता है, वहीं प्राचीनकाल में **तिष्ठति, स्थिर, स्थान** आदि का होता था। मध्यदेशीय भाषा का विशेष सम्बन्ध त-वर्गीय ध्वनियों से है।

मध्यदेश के उत्तर में बाँगरू को लें और पश्चिम में बुन्देलखंडी को, इनके साथ मध्यदेश की ही ब्रजभाषा को लें, तो अवधी से इनकी तुलना करने पर ज्ञात होगा कि अवधी में जहाँ महाप्राण ध्वनियाँ सुरक्षित हैं, वहाँ उक्त बोलियों में उनके अल्पप्राण रूपान्तरों का चलन अधिक है। **हाथ** और **हात, पहिले** और **पैले** जैसे रूपों का भेद है। हिन्दी परिवृत्त की भाषाओं पर ध्यान दें तो पंजाबी, मराठी, बंगला आदि में महाप्राण के स्थान पर अल्पप्राण ध्वनियों के व्यवहार की प्रवृत्ति है। इसका कारण यह है कि मध्यदेश और उसके परिवृत्त को द्रविड़ भाषाएँ घेरे हुए हैं। मध्यदेश पर उनका प्रभाव भारत के अन्य आर्य भाषा-क्षेत्रों की अपेक्षा कम है, मध्यदेश में अवधी पर विशेष रूप से कम है। द्रविड़ भाषाएँ वर्तमान हिन्दी प्रदेश के उत्तर-पश्चिमी सीमान्तों में किसी समय बड़े पैमाने पर बोली जाती थीं। यही कारण है कि संस्कृत में धर्म और ग्रीष्म जैसे महाप्राण-अल्पप्राण ध्वनियों वाले, मिलते-जुलते अर्थवाले रूप मिलते हैं। किन्तु यह स्थिति उस समय नहीं है जिस समय मध्यदेश की भाषा का निर्माण हो रहा है।

मध्यदेश की भाषा का अर्थ है सामान्य लक्षणों वाली गण भाषाओं का समुदाय। यह समुदाय दूर-दूर तक फैला हुआ है। ऐसा न होता तो मध्यदेश से दूर सिन्धु नदी और सिन्ध प्रदेश का यह नाम न होता। कश्मीरी और सिन्धी में मध्यदेशीय भाषाओं के जो अनेक लक्षण मिलते हैं, उसका यही कारण है। द्रविड़ जन, और उनके साथ कोल, नाग आदि, वर्तमान हिन्दी प्रदेश के मूल निवासी नहीं हैं। होते तो संस्कृत या हिन्दी में सघोष महाप्राण ध्वनियों का अस्तित्व न होता, जैसे अब कश्मीरी में नहीं है।

हिन्दी का विकास समझने के लिए आदि इंडो-यूरोपियन भाषा से चलकर इंडो-ईरानी शाखा तक पहुँचने के बदले यदि आर्य भाषा-क्षेत्र से ईरान होते हुए एक ओर यूनान और दूसरी ओर स्लाव प्रदेश की दिशा में बढ़ें, तो विदित होगा कि प्राचीनतम अभिलेखों में कहीं भी भारत के बाहर सघोष महाप्राण ध्वनियों का व्यवहार नहीं होता। इंडो-यूरोपियन परिवार के विकास की जो गाथा रची गई है, उससे न यूरोप की भाषाओं का विकास समझ में आ सकता है, न संस्कृत का; तब हिन्दी का विकास क्या समझ में आएगा? किन्तु मध्यदेशीय भाषा-समुदाय पर ध्यान केन्द्रित करने से, विशेष रूप से सघोष महाप्राण ध्वनियों के सूत्र के सहारे, संस्कृत समेत इंडो-यूरोपियन भाषाओं का विकास समझ में आने लगता है। इसके साथ ही आर्येतर इंडो-यूरोपियन भाषाओं तथा द्रविड़ भाषाओं के तुलनात्मक विवेचन से प्राचीन आर्य भाषाओं के अनेक गुप्त या लुप्त भाषा-तत्त्व प्रकाश में आते हैं।

जैसे **आन्ध्र** शब्द संस्कृत में एक जनसमुदाय के लिए प्रयुक्त होता है, इसके अतिरिक्त उसका अपना कोई अर्थ नहीं है। ग्रीक और तमिल रूपों—अंथ्रोपॉस् और

प्राण—से इसके अर्थ 'पुरुष' का बोध होता है। गणों के नाम रखने की एक विशेष पद्धति से यह नाम मेल खाता है।

संस्कृत में बहुत-से मध्यदेशीय रूप बदल गए किन्तु इसका यह अर्थ नहीं कि उनका चलन सर्वथा बन्द हो गया। पालि और प्राकृतों में संस्कृत के अनेक शब्दों का रूपान्तर हुआ है पर इसके साथ उनमें कुछ प्राचीन रूप सुरक्षित भी रहे हैं। संस्कृत में इन मूल शब्दों का रूपान्तर मिलता है। इनमें एक है पालि **इध** जिसका संस्कृत रूपान्तर है **इह**। हिन्दी **इधर** का सम्बन्ध **इध** वर्ग के शब्दों से है, **इह** से नहीं। संस्कृत क्रिया **दिव्** और प्राकृत **धिप्पइ** में **धि** वाला रूप प्राचीन है। इसकी पुष्टि संस्कृत **देव** के ग्रीक प्रतिरूप **थॅऑस्** से होती है जहाँ **थॅ** मूल **धॅ** का रूपान्तर है। संस्कृत के अनेक प्राकृत रूपान्तर, जहाँ वे बहुत अप्राकृतिक नहीं हैं; हिन्दी तथा अन्य भारतीय भाषाओं में प्रचलित हुए हैं। जैसे **पुर** का रूपान्तर **वुर, उर, ऊर** अनेक आर्य-द्रविड़ भाषाओं में प्रचलित है। किन्तु कुछ रूप आधुनिक आर्य भाषाओं में ऐसे हैं जो न प्राकृतों में हैं, न संस्कृत में। ऐसा एक शब्द अवधी (बघेलखंडी) का **झन** है जो संस्कृत **जन** का पूर्वरूप है। संस्कृत में समानार्थी **घन** है और **झन** का विकास **घन** से ही हुआ है किन्तु **झन** और **जन** रूपों में संस्कृत ने **जन** ही स्वीकार किया।

आधुनिक आर्य भाषाओं का सम्बन्ध केवल संस्कृत से नहीं है, संस्कृत की समकालीन और उससे पूर्व की गण भाषाओं से है। इन गण भाषाओं में मध्यदेशीय भाषाओं की भूमिका निर्णायक है। संस्कृत के प्रसारकाल में यह मध्यदेशीय सरस्वती निरन्तर प्रवाहित रहती है। जब संस्कृत में **करोति** का व्यवहार होता है, तब अन्य क्षेत्र में **करोधि, करधि** जैसे रूप का चलन बना रहता है। पुरानी अवधी के **करहि** का आधार **करधि** है, **करति** या **करोति** नहीं। इसी के बहुवचन रूप **करन्धि** से **करहिं** रूप बनता है। अपभ्रंश में **करइ** का आधार **करहि** है; **करइ** से **करहि** का विकास नहीं हुआ। अपभ्रंश का ध्वनितंत्र प्राकृतों का है, उनका रूपतंत्र आधा प्राकृत है, आधा मध्यदेशीय, अर्थात् उसमें पुरानी अवधी के अनेक रूप हैं। अपभ्रंशों के आधार पर आधुनिक आर्य भाषाओं के विकास की व्याख्या नहीं हो सकती। वास्तव में आर्य भाषा-क्षेत्र की जनपदीय भाषाएँ उस समय विकसित होती हैं जिस समय साहित्य में प्राकृतों का बोलबाला है। प्राकृतों के ध्वनितंत्रीय लक्षणों में जनपदीय भाषा-तत्त्वों को मिलाकर अपभ्रंश की रचना हुई। इन भाषा-तत्त्वों में कोसल जनपद के तत्त्व प्रधान हैं।

हिन्दी का विकास समझने के लिए मानक भाषा की रचना में जनपदीय भाषाओं के योगदान पर ध्यान देना आवश्यक है। हिन्दी का व्याकरण मूलतः बाँगरू का है किन्तु उसके बोलचाल वाले अन्तर्-जनपदीय ध्वनितंत्र पर ब्रजभाषा की गहरी छाप है। यही कारण है कि रेख्ता, हिन्दुई, पुरानी उर्दू में **ण्** का अभाव है। उर्दू में **ण्** का अभाव अब भी है, हिन्दी में **ण्** की पैठ बोलचाल के स्तर पर कम, लिखित और शिष्ट भाषा के स्तर पर अधिक है। मानक हिन्दी के अनेक क्रिया-रूप अवधी के

आधार पर बने हैं, यथा : **करहु** से **करो,** फिर **करोगे** '**करहिं** से **करें**' फिर **करेंगे**। **करहि** से **करे**, फिर **करेगा**। मानक हिन्दी के निर्माण में अनेक जनपदीय भाषाओं का योगदान है, विशेष रूप से ब्रज और अवधी का, और इनका सम्बन्ध प्राचीन मध्यदेशीय आर्य भाषा से है।

किसी भी आधुनिक आर्य भाषा का विकास समझने के लिए उसकी जनपदीय उपभाषाओं पर ध्यान देना आवश्यक है। जनपदीय भाषाओं में कोई एक मानक भाषा के रूप में विकसित होती है और इस विकास-क्रम में वह अपना पुराना रूप काफी बदलती है, अन्य जनपदीय भाषाओं से अनेक तत्त्व ग्रहण करती है। यह प्रक्रिया उस मानक भाषा के क्षेत्र तक सीमित नहीं रहती, वह पड़ोसी भाषाओं के क्षेत्र तक फैलती चली जाती है। समस्त आधुनिक आर्य भाषाओं के विकास में केन्द्रीय स्थिति मध्यदेश के जनपदों की है। बारहवीं सदी के 'उक्ति-व्यक्ति-प्रकरण' में क्रिया के वर्तमानकालिक अन्य पुरुष एकवचन रूप इस प्रकार हैं : **मनावेउ न मानइ, रसु काहु न सीझइ, मीच्छें बोले काउ न रोहइ।** चौदहवीं सदी में 'मुग्धावबोधमौक्तिक' संस्कृत-व्याकरण गुजराती भाष्य के साथ रचा गया। ध्रुव द्वारा सम्पादित इस ग्रंथ के आधार पर ग्रियर्सन ने अपने सर्वेक्षण ग्रंथ के नवें खंड के दूसरे भाग में पुरानी गुजराती का संक्षिप्त व्याकरण लिखा। इसमें क्रिया के वर्तमानकालिक अन्य पुरुष एकवचन रूप इस प्रकार हैं : **शिष्य पूछइ, लोक देखइ, जीव धर्मिइँ संसारु तरइ। मानइ, सीझइ, रोहइ** के समान **पूछइ, देखइ, तरइ** का **इ** पहले **हि** था। बहुवचन रूपों में मुल्ला दाऊद, जायसी, तुलसीदास **हिं** वाले रूपों का प्रयोग करते हैं। इससे ज्ञात होता है कि एकवचन में **हि** था। चौदहवीं सदी में मुल्ला दाऊद 'चांदायन' में लिखते हैं :

*राधा कान्ह देस छद ल्यावहिं।*
*मटकि मूँड मसि देह चरावहिं।*
*गावहिं गीत औ कहहिं पँवारा।*
*नट नाचहिं अउ बाजहिं तारा।*

स्वामी विवेकानन्द ने गीत लिखा :

*ताथेइया ताथेइया नाचे भोला,*
*बोम् रव बाजे गाल,*
*डिमि डिमि डिमि डमरू बाजे, दूलिछे कपालमाल।*
*गरजे गंगा जटामाझे, उगरे अनल त्रिशूल राजे,*
*धक् धक् धक् मौलिबन्ध, ज्वले शशाङ्क-भाल।*

यहाँ **नाचे, बाजे, गरजे** आदि के पूर्वरूप होंगे **नाचहि, बाजहि, गरजहि**।

गुजराती, अवधी, बंगला, एक छोर से दूसरे छोर तक वर्तमानकालिक क्रिया-रूपों की ऐसी एकता है। **करइ** का पूर्व **करति** था, जो यह मानते हैं, वे सिद्ध करें कि **करहिं** के पूर्वरूप **करन्ति** का **त्** यहाँ **ह्** में परिवर्तित हुआ है। प्राकृतों में **ति** के स्थान पर **इ** का व्यवहार सम्भव है, **हि** का नहीं। अतः गुजराती, बंगला, अवधी के क्रिया-रूपों की व्याख्या करने के लिए **ह्** की कैफियत देनी होगी। मूलरूप **करधि** मानने से **करहि** और **करति,** दोनों की व्याख्या हो जाती है। और इससे आधुनिक आर्य भाषाओं के विकास में मध्यदेश की भूमिका स्पष्ट होगी।

सिन्धी **किओ, कयो, कीतो** से गुजराती **कीधो** (किया) की तुलना करें तो यह स्पष्ट होगा कि **कीधो** का विकास **कीतो** से नहीं हुआ, **कीतो** का विकास **कीधो** से हुआ है। **किओ** और **कयो** का **अ, य** पहले **त** था या **ध**, इसका निर्णय अवधी **दिहिसि, दीन्हॅसि** को देखकर किया जा सकता है। **दिह** का पूर्वरूप होगा **दिध, दीन्ह** का पूर्वरूप होगा **दिन्ध**। इन कृदन्तों से तिङन्त **करइ, करहिं** के प्रस्तावित पूर्वरूपों **करधि, करन्धि** की पुष्टि होती है।

संस्कृत के प्रसारकाल में पुरानी गण भाषाओं के रूप नष्ट नहीं हो जाते; साहित्य की भाषा में प्रवेश न पाने पर भी वे जनसाधारण की बोलचाल में बने रहते हैं। अतः मानक भाषाओं के विकास का अध्ययन करते समय उनके अन्तर्-जनपदीय सन्दर्भ पर ध्यान देना उचित है। बंगला और गुजराती के विकास में हिन्दी जनपदों का योगदान महत्त्वपूर्ण है।

आर्य भाषाओं के विकास में मध्यदेश की भूमिका की व्याख्या मैंने दूसरे ढंग से की है किन्तु यह भूमिका अत्यन्त महत्त्वपूर्ण है, यह बात अन्य विद्वान् बहुत जोरदार शब्दों में इससे पहले कह चुके हैं। जातीय प्रतिद्वंद्विता के युग में किसी बुद्धिमान पाठक का यह कहना असम्भव नहीं कि मध्यदेश की भूमिका की व्याख्या करते हुए मैंने इस क्षेत्र के साथ पक्षपात किया है। अतः इस प्रसंग में डॉ. चाटुर्ज्या का उल्लेख उचित है।

डॉ. सुनीतिकुमार चाटुर्ज्या ने पालि के प्रसार-व्यवहार के सन्दर्भ में लिखा है : "मध्यदेश की भाषा के रूप में, पालि भाषा आधुनिक हिन्दी या हिन्दुस्थानी की भाँति केन्द्र की—आर्यावर्त के हृदय-प्रदेश की—भाषा थी; अतएव, आसपास में पूर्व, पश्चिम, पश्चिमोत्तर, दक्षिण-पश्चिम आदि के जन इसे सरलता से समझ लेते थे।" ('भारतीय आर्य भाषा और हिन्दी', पृ. 175)

आर्य भाषाओं का क्षेत्र है आर्यावर्त। आर्यावर्त का केन्द्र, उसका हृदय-प्रदेश है मध्यदेश। भाषायी प्रभावों के विकिरण की यह केन्द्रभूमि है। यहाँ की भाषा पूर्व और पश्चिम, पश्चिमोत्तर और दक्षिण-पश्चिम के जन सरलता से समझ लेते थे। स्वभावतः आधुनिक आर्य भाषाओं के निर्माण में मध्यदेश की भूमिका प्रमुख होगी।

डॉ. चाटुर्ज्या ने आगे लिखा है : "मध्यदेशीय भाषा का प्रभुत्व अविच्छिन्न रूप से ईसा की प्रथम सहस्राब्दी के सारे काल में, और उससे पहले भी, कायम रहा; अर्थात् पालि के रूप में (ई.पू. की शतियों में), शौरसेनी प्राकृत के रूप में (ईसा की प्रारम्भिक शतियों में), 'प्राकृत' या संकुचित अर्थ में, तथाकथित 'महाराष्ट्री प्राकृत' के रूप में (लगभग 400 ई.स. के आसपास) तथा शौरसेनी अपभ्रंश के रूप में (400 ई.स. से 1000 ई.स. तक के बाकी काल में)। मध्यदेश वास्तव में भारत का हृदय एवं जीवन-संचालन का केन्द्र-स्थान था।" (उप., पृ. 177-78)

डॉ. चाटुर्ज्या के लिए जीवन-संचालन का अर्थ है सामन्ती व्यवस्था का संचालन, उसमें भी विशेष रूप से 'अखिल ब्राह्मणीय संस्कृति का सूत्र-संचालन'। (उप., पृ. 178) यद्यपि वह पालि भाषा के प्रसार-व्यवहार की बात करते हैं और उसे बौद्धों के थेरवाद सम्प्रदाय की 'महान् साहित्यिक भाषा' (उप., पृ. 175) मानते हैं, फिर भी वह ब्राह्मण संस्कृति के सूत्र से मध्यदेश को बाँधे रहते हैं। मैंने प्राचीन गण भाषाओं की विशेषताओं का विवेचन करके स्वयं संस्कृत के विकास में मध्यदेश की भूमिका प्रतिपादित की है, प्राकृत-अपभ्रंश के तानेबाने से अलग हटकर जनपदीय भाषा-तत्त्वों के आधार पर आधुनिक आर्य भाषाओं के निर्माण में मध्यदेश की भूमिका का उल्लेख किया है। मध्यदेश के महत्त्व की व्याख्या डॉ. चाटुर्ज्या ने जिस ढंग से की है, उससे मेरा ढंग बिलकुल अलग है, उसका उल्टा है। पर यह सत्य है कि मध्यदेश की भाषायी भूमिका के महत्त्व की चर्चा मेरी इस पुस्तक से आरम्भ नहीं होती; मुझसे बहुत पहले डॉ. सुनीतिकुमार चाटुर्ज्या उसे आरम्भ कर चुके हैं।

### *(ट) भारत और दक्षिण-पूर्वी एशिया*

मध्य एशिया, पश्चिमी एशिया और यूरोप के भाषा-समुदायों से भारतीय भाषाओं का गहरा सम्बन्ध रहा है। आर्य और द्रविड़, दोनों परिवारों के केन्द्र उत्तरी भारत में रहे हैं। अत: उक्त कोटि के सम्बन्धों का गहरा होना स्वाभाविक है। इन सम्बन्धों को लेकर केवल इंडो-यूरोपियन परिवार की छानबीन की गई है। ये सम्बन्ध, कहीं गहरे कहीं उथले, अन्य परिवारों तक फैले हुए हैं। इंडो-यूरोपियन परिवार की छानबीन में द्रविड़ों को अलग रखा जाता है, कोल-नाग जनों को और भी दूर माना जाता है। कम्बोज गण उत्तर भारत में रहते थे, यह ऐतिहासिक तथ्य है। यदि उनके साथ अन्य कोल समाज भी रहते हों तो यह स्वाभाविक घटना होगी। इससे उन शब्दों की व्याख्या आसानी से होगी जो कोल और आर्येतर इंडो-यूरोपियन भाषाओं में मिलते हैं। वाक्यतंत्र की अनेक विशेषताएँ कम्बोज तथा आर्येतर इंडो-यूरोपियन भाषाओं में मिलती हैं। क्रिया के बाद कर्म का व्यवहार, पश्चसम्बन्धक की जगह पूर्वसम्बन्धक (प्रिपोज़िशन) का व्यवहार अंग्रेज़ी को हिन्दी से अलग करता है। इस अलगाव की व्याख्या यूरोप की भाषाओं पर कम्बोज प्रभाव से होती है।

इंडो-यूरोपियन परिवार पर ध्यान केन्द्रित करने का एक परिणाम यह हुआ है कि दक्षिण-पूर्वी एशिया और हिन्द-प्रशान्त महासागरों के द्वीपसमूह से भारत के भाषायी सम्बन्ध का विवेचन उपेक्षित रहा है। आस्ट्रो-एशियाटिक भाषाओं से कोल भाषाओं के सम्बन्ध का जो विवेचन हुआ है, उससे आर्य-द्रविड़ भाषाओं को बाहर रखा गया है। दक्षिण-पूर्वी एशिया का क्षेत्र आर्थिक दृष्टि से पिछड़ा हुआ है, उसकी भाषाओं पर कम ध्यान दिया गया है, किन्तु इनसे भारत का भाषायी सम्बन्ध ऐतिहासिक भाषाविज्ञान के लिए महत्त्वपूर्ण है, उसका विवेचन मध्य और पश्चिमी एशिया की भाषाओं से भारतीय सम्बन्धों को समझने में सहायक होता है।

दक्षिण-पूर्वी एशिया में भारत के उपनिवेश थे और, तुर्क-अभियान से पहले, लगभग डेढ़ सहस्राब्दी तक वहाँ कायम रहे, विशेष रूप से इंडोनेशिया के द्वीपों में, यह बात अधिकांश पढ़े-लिखे लोग जानते हैं। इंडोनेशिया की भाषा में बहुत-से संस्कृत के शब्द प्रचलित हैं, इस बात से भी वे परिचित हैं। इंडोनेशिया की भाषाएँ कोल भाषाओं से मिलती हैं। इंडोनेशिया की भाषाओं में आर्य भाषा-तत्त्व वैसे ही घुल-मिल गए हैं जैसे ये तत्त्व भारतीय कोल भाषाओं में घुल-मिल गए हैं। आर्य-कोल भाषा-तत्त्वों का प्रसार अरब सागर, हिन्द महासागर और प्रशान्त महासागर के द्वीपों में दूर-दूर तक हुआ है। इस प्रसार का एक केन्द्र मलय-इंडोनेशिया का क्षेत्र है, इस बात पर बहुत कम ध्यान दिया गया है। इंडोनेशिया की भाषाओं में जो संस्कृत के शब्द मिलते हैं, वे भारतीय उपनिवेश कायम होने के बाद ही वहाँ पहुँचे हों, यह आवश्यक नहीं है। इनमें अनेक ऐसे प्राचीन रूप हो सकते हैं जिन्हें कोलजन अपने साथ भारत से इंडोनेशिया ले गए हों, इनमें कुछ रूप उस समय के हो सकते हैं जिस समय संस्कृत का वह रूप निश्चित न हुआ था जो साहित्य में प्राप्त है।

इस सन्दर्भ में मुंडारी रूप **सुर्द** (हृदय) याद करें। यह रूप संस्कृत **हृदय** से पुराना है और उसके समकक्ष रूप यूरोप की भाषाओं में हैं। ऐसे रूप इंडोनीशिया की 'संस्कृत' में भी मिल सकते हैं। जावा की भाषा में संस्कृत **हंस** के **अंस, कंस, गंस** और **रंस** प्रतिरूप हैं। यहाँ **अंस** की तुलना करें लैटिन **अन्सॅर्** से, **गंस** की जर्मन **गंज़्** से। **हंस** का पूर्वरूप **घंस** है; एक विकास **घ>ह>अ,** दूसरा विकास **घ>ग/क**। जावा की भाषा के **अंस** का आधार **हंस** है, जैसे लैटिन **अन्सॅर्** का आधार **हंस** है किन्तु **गंस** और **कंस** का आधार **घंस** है, जैसे वह जर्मन **गंज़्** का है। **रंस** में महाप्राण **ह्** का स्थान **र्** ने लिया है।

मलय भाषा में एक रूप है **दग,** दूसरा **हग,** दोनों का अर्थ प्यास है। यह **दाघ, निदाघ** वाले **दघ** से सम्बद्ध है, **दह** और **दाह** से नहीं। रोचक रूप है **हग**। यहाँ **द्** ध्वनि **ह** में परिवर्तित नहीं हुई। **हग** का पूर्वरूप है **धघ** जैसे **गंस** का पूर्वरूप है **घंस**। इस **हग** से तुलनीय है ग्रीक **हग्निज़ो** (शुद्ध करना, बलि को आग में जलाना)। जैसे **हंस** और **अंस,** वैसे ही **हग्नि** और **अग्नि**।

जावा की भाषा में **अग्नि** के लिए एक शब्द है **ग्रम**। यह उस समय का शब्द है जिस समय **घर्** का अर्थ जलना था और उसके रूपान्तर **गर्** से ऊष्मासूचक **ग्रीष्म** आदि शब्द बन रहे थे।

यहाँ उल्लेखनीय है कि जावा की भाषा में नवीं ईसवी सदी से साहित्य लिखा जाने लगा था; भाषाविज्ञानियों के अनुसार नवीं सदी में भारत की आधुनिक आर्य भाषाओं का जन्म न हुआ था। जावा की इस 'कवि' भाषा में संस्कृत शब्दावली की भरमार है, जैसे बंकिमचन्द्र चटर्जी की बंगला में संस्कृत शब्दावली की भरमार है। इंडोनेशिया की संस्कृत-गृर्भित भाषा और भारत की संस्कृत-गृर्भित आधुनिक बंगला भाषा में केवल एक हज़ार साल का अन्तर है। आदि-मध्य-नव्य की जो कालमापिका हमने आर्य भाषाओं के लिए बना रखी है, वह जावा में पहुँचकर टूट जाती है। वास्तव में वह आर्य भाषाओं का विकास-क्रम नापने के लिए भी असंगत और भ्रामक है।

इंडोनेशिया की भाषाओं में कुछ तत्त्व उस समय के हैं जब संस्कृत की निर्माण-प्रक्रिया समाप्त नहीं हुई; अधिकतर तत्त्व उस समय के हैं जिस समय यह प्रक्रिया समाप्त हो चुकी है, ये तत्त्व कोलों के, द्रविड़ों के, आर्य भाषा-भाषियों के माध्यम से पहुँचे हैं, इनमें संस्कृत के अतिरिक्त हिन्दी के तत्त्व हैं। इंडोनेशिया और शेष दक्षिण-पूर्वी एशिया से हमारा भाषायी सम्बन्ध पहले था और आधुनिक युग में भी बना हुआ है। इन आर्य भाषा-तत्त्वों पर कहीं प्राकृतों की छाप नहीं है। उत्तर भारत की आर्य भाषाओं के समान जावा की भाषा ने अपने ढंग से तद्भव रूप रचे हैं। जैसे बोलचाल की हिन्दी के लिए जो अनेक संस्कृत शब्द अपरिचित-से हैं किन्तु वे कोल भाषाओं के लिए सुपरिचित हैं, वैसे ही हिन्दी के लिए अपरिचित से अनेक प्राचीन शब्द जावा आदि की भाषाओं के लिए सुपरिचित हैं।

जे. गोंडा नाम के विद्वान् ने 'संस्कृत इन् इंडोनेशिया' (1952) नाम का महत्त्वपूर्ण ग्रंथ लिखा है। ग्रंथ के नाम का अर्थ लगाना चाहिए : इंडोनेशिया में भिन्न स्रोतों से पहुँचे हुए आर्य भाषा-तत्त्व। इन स्रोतों में द्रविड़ और हिन्दी का उल्लेख है, कोल स्रोत का नहीं।

इंडोनेशिया के द्वीपों में जो भाषाएँ अब बोली जाती हैं, वे वहाँ एशिया महाद्वीप से पहुँची हैं। इंडोनेशिया की भाषा, बहासा इंदोनेशिया, गोंडा के अनुसार प्राचीन मलय का आधुनिक रूप है। यहाँ आर्य भाषा-तत्त्वों की बात नहीं है। बात है उस आस्ट्रिक भाषा की जो इंडोनेशिया में बोली जाती है और जो वहाँ मलय प्रदेश से पहुँची है। द्वीप समूहों की भाषाएँ मलय प्रदेश में पहुँची हों, इसका प्रमाण नहीं है। यदि हिन्द महासागर के समीपवर्ती द्वीपों की भाषाएँ मलय प्रदेश में नहीं पहुँचीं, तब सोचने की बात है कि हिन्द या प्रशान्त महासागर के दूरस्थ द्वीपों की भाषाएँ भारत में कैसे पहुँच जाएँगी।

जावा की भाषा में महाप्राण ध्वनियाँ नहीं हैं। **भाषा** जैसा शब्द या तो **बहासा** बोला जाएगा या **बासा**। **भार, भय, भाग** या तो **बहर, बहय, बहगि** हैं या **बार, बय, बागि** हैं। सघोष ध्वनि से महाप्राण अंश अलग करने की यह पद्धति इस भाषा का अपना कौशल है। यह पद्धति न द्रविड़ भाषाओं में है, न कोल भाषाओं में। सघोष महाप्राण ध्वनियों के अलावा अघोष महाप्राण ध्वनियों के रूपान्तर में भी यही कौशल दिखाई देता है। **छाया** और **फल** या तो **चहय** और **पहल** हैं या **चाय** और **पल**। कोल भाषाएँ तथा हिन्द महासागर के द्वीपों की भाषाएँ **ह्** के स्थान पर बहुधा काकल्य स्पर्श-ध्वनि ऽ का व्यवहार करती हैं। उनमें **ह्** का व्यवहार आर्य भाषाओं के प्रभाव के कारण है। उनमें जहाँ भी ऽ का व्यवहार हो, वहाँ **ह्** के लोप की सम्भावना को ध्यान में रखना उचित है। संस्कृत **वहित्र** (जहाज़) मलय में **बह्तॅर** है। मध्यवर्ती **ह्** की सुरक्षा आर्य प्रभाव से सम्भव हुई है। मलय और बहासा इंदोनेशिया में सघोष महाप्राण ध्वनि बहुधा सघोष अल्पप्राण रूप में ग्रहण की जाती है, यथा : **भय** का रूपान्तर **बय** है, **अधिपति, विद्याधरी, भाग्यवान** क्रमशः **अदिपति, बिदिअदरि, बॅगवन्** हैं। यह वही प्रक्रिया है जिससे **भातृ** के रूसी-अंग्रेज़ी रूपान्तर **ब्रात्** और **ब्रदर** होते हैं। दक्षिण-पूर्वी एशिया में **अधिपति** आदि भारत से जाते हुए साफ़ दिखाई देते हैं, उनकी महाप्राणता क्षीण होते देखी जाती है। इससे **भ्रातृ** आदि के इंडो-यूरोपियन रूपान्तरों का रहस्य समझने में सहायता मिलनी चाहिए।

संस्कृत **ख्याति** का रूपान्तर **क्याति** जावा की पुरानी भाषा में है; जावा की आधुनिक भाषा में **शपथ** का रूपान्तर **सुपत** है। यहाँ महाप्राणता के लोप के बाद अघोष ध्वनि बची, जैसे संस्कृत **फल** के तमिल रूपान्तर **पळम्,** स्थल के तमिल रूपान्तर **तलइ, खंड** के तमिल रूपान्तर **कण्डम्** में अघोष ध्वनि बची। इसी प्रकार **पथ** का रूसी रूपान्तर **पुत्** है। सघोषता और महाप्राणता के लक्षण द्रविड़-कोल भाषाओं में मूलतः अर्थ-विच्छेदक न थे, अतः जावा, मलय आदि की भाषाएँ उधार लिये हुए शब्दों में अतिरिक्त सघोषता या अतिरिक्त महाप्राणता जोड़ भी देती हैं। **चंचल** का मलय रूपान्तर **चिंचल** (वाचाल) है, **जॅञ्जल** भी। **अर्थ** का मलय रूपान्तर **हर्त** है, **अर्त** भी। **अर्त** रूप में यह शब्द मलय से न्यूगिनी पहुँचा है।

जावा की भाषा में **अ** के स्थान पर **अॅ** के व्यवहार की प्रवृत्ति है। **शरीर, शत्रु, सन्तान, भ्रान्ति** क्रमशः **सॅलिर, सॅतॅरु, सॅन्तन, बॅरन्ति** (प्रेम) हैं। इसी प्रवृत्ति के अनुरूप दक्षिण तमिल में **तॅक्कणम्** है, **मधु** ग्रीक में **मॅथु** है।

मलय और इंडोनेशिया की भाषाएँ आर्य भाषाओं से प्राप्त शब्दों में बहुधा अतिरिक्त नासिक्य ध्वनि जोड़ देती हैं। **मिथुन, मैथिली, जटायु, भूतल, आकाश** के रूपान्तर क्रमशः **मिन्तुन, मन्तिलि, जॅन्तय, बुन्तल, अंकस** हैं। इससे **शतम्** और **कॅन्तुम्** का सम्बन्ध समझने में सहायता मिलनी चाहिए। इन भाषाओं में वर्ण-

संकोचन के अनेक उदाहरण मिलते हैं; **महाराज, परवश, गर्भिणी, पर्वत** क्रमशः **म्रज, प्रवस, ग्रम्बिनि, प्रवत** हैं। संस्कृत में **भर्** क्रियामूल से **भ्रम, कॅर्** क्रियामूल से **कृत, क्रिया**-रूप कैसे बनते हैं, तेलगू में **क्रायु** (कन्नड़ **कार्** उल्टी करना) जैसे रूप कैसे बने, यह समझने में उक्त रूपों से सहायता मिलेगी। जावा की साहित्यिक भाषा में **दिवाकर** के लिए **गिवंकर**, बाली द्वीप की भाषा में **भूमि** के लिए **गुमि,** जावा की पुरानी भाषा में **केयूर** के लिए **तयूर** स्पर्श-ध्वनियों के स्वच्छन्द संचरण की अवस्था के सूचक हैं। या तो **द्-ब्** को **ग्** रूप में, **क्** को **त्** रूप में जावा-बाली में ग्रहण किया गया, या यह प्रक्रिया भारत में घटित हो चुकी थी। गोंडा ने **किरीट** और **कन्दुक** के अर्द्ध-मागधी रूपान्तरों **तिरीड** और **तिन्दुस** का उल्लेख किया है। संस्कृत में **स्कम्भ** के साथ **स्तम्भ** है, ग्रीक में **कइओ** के साथ **दइओ** (जलाना) है। स्पर्श-ध्वनियों के भिन्न केन्द्र होने से जो स्थिति उत्पन्न होती है, उसके उदाहरण भारत से लेकर यूनान और इंडोनीशिया तक प्राप्त हैं।

जावा की पुरानी भाषा में तद्भव रूप गढ़ने की अपूर्व क्षमता है, गढ़ने की क्रिया में उसने मौलिकता का परिचय दिया है। मुख्य पद्धति आदिवर्ण का लोप करने की है। **हृदय** से **दय, निमित्त** से **मित, उपाय** से **पय, उपवास** से **पुवस, संशय** से **सय,** इसी प्रकार मलय में **विरही** से **रहि, तथापि** से **तपि** रूप बने हैं। अन्तिम उदाहरण में मध्य वर्ण का लोप है।

मलय और इंडोनेशिया की भाषाओं में संस्कृत के अनेक शब्द ऐसे हैं जो सामान्य हिन्दी-भाषियों के लिए अति साहित्यिक या अपरिचित हैं। प्रेम के लिए **अस्मर** (अर्थात् **स्मर**), जहाज़ के लिए **पल्व** (अर्थात् **प्लव**), इकरार के लिए **संकेत** (ठीक वैसे ही जैसे संस्कृत में), विश्वास के लिए **पॅर्चय** (अर्थात् **प्रत्यय**) उक्त धारणा के लिए प्रमाण हैं। साथ ही ये भाषाएँ संस्कृत शब्दों को नया अर्थ देकर उनका व्यवहार मौलिक सन्दर्भों में करती हैं। राज्य के लिए **नॅगर (नगर)** राष्ट्र या जाति के लिए **वंस (वंश)**, प्रेम के लिए **बॅरन्ति (भ्रान्ति)**, राजकुमारी के लिए **पुल्ति, पुतॅरि (पुत्री)**, क्रुद्ध के लिए **कद्गद् (गद्गद)**, और ऐसे मौलिक रूप मलय-इंडोनेशिया से सुदूर फिलीपीन टापुओं में पहुँचे हैं, यथा : प्रेमी या प्रेमिका के लिए **कलुन्य (कारुण्य)**।

गोंडा के अनुसार मलय-इंडोनेशिया की भाषाओं में अनेक शब्द सीधे हिन्दी से पहुँचे हैं। इनमें एक है नित्यप्रति के व्यवहार का शब्द **रोटी**। कसौटी के लिए **बतुचनइ** शब्द का **बतु** तो पर्वत का **वत**, हिन्दी के **सिलबट्टे** का **बट्टा** है। **चनइ** संस्कृत **शाण** का तमिल रूपान्तर है। **मुद्रा** के लिए **मॅतॅरइ** तमिल **मुत्तिरइ** के माध्यम से पहुँचा है।

मलयवासी समुद्री यात्राओं के अभ्यस्त थे। दूर-दूर के द्वीपों तक वे अपने भाषा-तत्त्वों के साथ आर्य भाषा-तत्त्व ले गए हैं। बनिये के लिए जावा में

**बिनिअग**, फिलीपीन में **बुन्याग** उनके अध्यवसाय का परिणाम है। मेडागास्कर में **असर, वत्रवत्र, फुस, मक, फिसक** क्रमशः **आषाढ़, भाद्रपद, पौष, माघ, वैशाख** हैं।

एशिया में जहाँ आर्य होंगे, वहाँ आसपास कहीं द्रविड़ अवश्य होंगे। इंडोनेशिया में इतने द्रविड़ थे कि सत्रहवीं सदी में डच ईस्ट इंडिया कम्पनी ने तमिल और तेलगू को पत्र-व्यवहार का माध्यम बनाया था। तब मुद्रा का रूपान्तर **मुत्तिरइ, अधिपति** का रूपान्तर **अदिपति** इंडोनेशिया में पहुँचा तो यह स्वाभाविक था। पर यह सिलसिला सत्रहवीं सदी से बहुत पहले शुरू हुआ था।

5

# भारतीय व्याकरण-परम्परा और ऐतिहासिक भाषाविज्ञान

## 1. व्याकरण-परम्परा की प्राचीनता और पाणिनि की भाषा

भारतीय आर्य भाषाओं की प्राचीनता के समान भारतीय भाषाशास्त्र की परम्परा भी प्राचीन है। इस परम्परा की सबसे महत्त्वपूर्ण कड़ी हैं पाणिनि। ध्वनियों का स्थान, प्रयत्न के अनुसार विश्लेषण, शब्दों का वर्गीकरण, धातु, प्रत्यय, उपसर्ग के उपकरणों द्वारा शब्द-निर्माण प्रक्रिया का विवेचन, लकारों और कारकों के आधार पर वाक्यतंत्र की व्याख्या, उच्चरित वाक्य में अर्थबोध के अनुरूप शब्द पर बलाघात का विवरण आदि व्याकरण की विशेषताएँ पाणिनि की 'अष्टाध्यायी' से आरम्भ नहीं होतीं, वे पाणिनि से पहले की व्याकरण-परम्परा में विद्यमान हैं। पाणिनि ने अनेक वैयाकरणों का जो नाम लेकर उल्लेख किया है, उसके अतिरिक्त वह अनेक बार प्राच्य वैयाकरणों के मत का उल्लेख करते हैं। इससे सिद्ध होता है कि उनके समय में उत्तरी और पूर्वी, कम से कम ये दो परम्पराएँ विद्यमान थीं। पाणिनि का महत्त्व इस बात में है कि वह अनेक वैयाकरणों के मतों और उत्तरी तथा पूर्वी व्याकरण-परम्पराओं को परखकर, विवेक सहित उन्हें आत्मसात् करके, एक समन्वित व्याकरण-परम्परा को जन्म देते हैं।

पाणिनि की 'अष्टाध्यायी' में उनकी विवेच्य भाषा का जैसा विवरण है, वैसा ग्रीक, लैटिन या अन्य किसी प्राचीन भाषा का विवरण उपलब्ध नहीं है। अठारहवीं सदी के उत्तरार्द्ध में जब यूरोप के विद्वानों का परिचय संस्कृत से हुआ और अनेक कठिनाइयों का सामना करते हुए जब उन्होंने पाणिनि का अध्ययन कर लिया, तब उनके इस ज्ञान का प्रभाव भाषाविज्ञान के हर अंग पर पड़ा। उन्नीसवीं सदी के ऐतिहासिक भाषाविज्ञान और बीसवीं सदी के विवरणात्मक भाषाविज्ञान को पाणिनि ने अनेक प्रकार से प्रभावित किया है।

प्राचीन भारतीय व्याकरण-परम्परा का सम्बन्ध मुख्यत: संस्कृत से है। संस्कृत में, और संस्कृत पर, लिखनेवालों का कोई युग ऐसा नहीं रहा जब उनसे पहले की एक भाषा-परम्परा, 'ऋग्वेद' की भाषा के रूप में, उनके सामने न रही हो। वैदिक और लौकिक संस्कृत एक ही भाषा-परम्परा के अन्तर्गत हैं, वे एक दूसरे

के समान हैं और एक दूसरे से भिन्न भी हैं। पाणिनि का व्याकरण भाषा-परम्परा की दोनों अवस्थाओं को एक ही व्यवस्था में समेटकर रचा गया है। इस प्रकार इस व्याकरण में भाषा के प्राचीन तथा अर्वाचीन रूपों की तुलना, उनकी भिन्नता का निदर्शन पग-पग पर विद्यमान है। प्रयोगों की विविधता और भाषा की परिवर्तनशीलता समस्त व्याकरण में अन्तर्धारा के समान प्रवाहित है। अन्य देशों में न 'ऋग्वेद' जैसा प्राचीन ग्रंथ था, न भारत की-सी भाषाविश्लेषण-परम्परा थी; अत: एक ही भाषा का व्याकरण लिखते हुए उस भाषा की दो अवस्थाओं का विवरण दिया गया हो, ऐसा कार्य वहाँ सम्पन्न नहीं हुआ।

'अष्टाध्यायी' विवरणात्मक भाषाविज्ञान का ही ग्रंथ नहीं है, वह तुलनात्मक और ऐतिहासिक भाषाविज्ञान का भी अद्वितीग ग्रंथ है।

पतंजलि के समय में संस्कृत के अतिरिक्त प्राकृतों का चलन था। उन्होंने संस्कृत-प्राकृत का सम्मिलित व्याकरण नहीं लिखा किन्तु वह संस्कृत-प्राकृत-भेद से परिचित हैं, यह उनके महाभाष्य से स्पष्ट है। जिन विद्वानों ने प्राकृतों, और आगे चलकर अपभ्रंशों का व्याकरण लिखा, उनके सामने संस्कृत के बाद वैदिक भाषा की यह तीसरी अवस्था थी और वे स्वभावत: संस्कृत रूपों को आधार मानकर प्राकृतों का विवेचन करते थे। संस्कृत व्याकरण-परम्परा के अनुकरण पर आगे बढ़नेवाली प्राकृत-परम्परा विवेचन की तुलनात्मक पद्धति अपनाए रहती है। दामोदर पंडित ने जब अवधी के माध्यम से बालकों को संस्कृत पढ़ाने का प्रयास किया, तब उन्होंने संस्कृत से समकालीन जनपदीय भाषा अवधी की एक नई कड़ी जोड़ दी। संस्कृत के रूप परिवर्तित होकर अवधी के रूप बने हैं, यह तुलनात्मक ऐतिहासिक दृष्टि उनके 'उक्ति-व्यक्ति-प्रकरण' में निहित है। उनके बाद हेमचन्द्र ने प्राकृत अपभ्रंश का व्याकरण लिखते समय देशी शब्दों की जो सूची बनाई, वह उसी जनपदीय भाषाओं के विवेचन-क्रम में है।

उन्नीसवीं सदी में जर्मन विद्वानों ने जब पहाड़ी जर्मन और मैदानी जर्मन, गौथिक और समकालीन जर्मन के रूपों की तुलना आरम्भ की, तब वह उसी तुलनात्मक ऐतिहासिक विवेचन-पद्धति का अनुसरण कर रहे थे, जिसके अनुसार यहाँ सैकड़ों वर्षों से संस्कृत, प्राकृत आदि के व्याकरण लिखे जाते रहे थे।

'अष्टाध्यायी' संस्कृत का व्याकरण ग्रंथ है। यह संस्कृत वैदिक भाषा के समान है और भिन्न है किन्तु वैदिक भाषा के बाद की संस्कृत भी एक-सी नहीं रही। जिस संस्कृत का अध्ययन करने के लिए 'अष्टाध्यायी' को आधारग्रंथ बनाया जाता है, वह 'रामायण', 'महाभारत' महाकाव्यों की संस्कृत है; कालिदास के नाटकों, दर्शन और तर्कशास्त्र के ग्रंथों की संस्कृत है। पाणिनि ने जिस भाषा का व्याकरण लिखा है, वह महाकाव्य-नाटक-दर्शन आदि की संस्कृत नहीं है। दोनों में साम्य है, यह तो स्पष्ट है। साम्य न हो तो उक्त संस्कृत के अध्ययन के लिए 'अष्टाध्यायी'

आधार-ग्रंथ कैसे बने? किन्तु वह आधार-ग्रंथ तभी तक है जब तक उसका वह अंश छोड़ दिया जाता है जो उक्त संस्कृत के ज्ञान के लिए अप्रासंगिक है। पूरे ग्रंथ को आधार माना जाए तो जो भाषा लिखी और बोली जाएगी, वह उक्त संस्कृत से काफी भिन्न होगी। 'अष्टाध्यायी' के जिस अंश का सम्बन्ध वैदिक भाषा से है, वही अंश संस्कृत के लिए अप्रासंगिक नहीं है। उसके अतिरिक्त पाणिनि जिस भाषा का व्याकरण लिख रहे हैं, उससे सम्बन्धित काफी अंश भी उक्त संस्कृत के लिए अप्रासंगिक हैं। पाणिनि की भाषा वेदों के अतिरिक्त महाकाव्यों की भाषा से भिन्न है, यह बात बलपूर्वक और बहुत स्पष्ट रूप में रामकृष्ण गोपाल भांडारकर ने कही थी।

सन् 1877 ई. में विलसन भाषाशास्त्रीय व्याख्यान-माला के अन्तर्गत अपने भाषण में उन्होंने कहा था कि जिस संस्कृत में पाणिनि के क्रियापदों और तद्धित रूपों का सही-सही प्रतिनिधित्व हो, उस संस्कृत में रचे हुए ग्रंथ प्राप्त नहीं हैं। पाणिनि की भाषा ब्राह्मण ग्रंथों की भाषा के अधिक समीप है और महाकाव्यों से पहले की है। उसमें अनेक शब्द ऐसे हैं जो बाद की संस्कृत के लिए पुराने पड़ चुके हैं। पाणिनि ने जिन क्रिया-रूपों की व्याख्या की है, वे किसी समय अवश्य प्रचलित रहे होंगे। ब्राह्मण ग्रंथों में जो क्रिया-रूप प्राप्त हैं, उनसे अलग और क्रिया-रूप भी उनके व्याकरण में हैं। "सम्भवतः उनके समय की बोलचाल की भाषा उनके व्याकरण का आधार है।" ('कलेक्टेड वर्क्स ऑफ़ आर.जी. भांडारकर', खंड 4, पूना; पृ. 263, 267)

भांडारकर का यह मत अनेक दृष्टियों से महत्त्वपूर्ण है। पाणिनि की भाषा महाकाव्यों की रचना से पहले की है; तब उसे उत्तर वैदिककाल की भाषा कहना अनुचित न होगा। इस उत्तर वैदिककाल और 'ऋग्वेद' के रचनाकाल में यथेष्ट अन्तर हो सकता है किन्तु इसी अन्तराल में व्याकरण की प्रशस्त परम्परा निर्मित हो चुकी है। भांडारकर के अनुसार पाणिनि का समय 800 ई.पू. के आसपास है। यदि 800 ई.पू. तक एक प्रशस्त व्याकरण-परम्परा निर्मित हो चुकी है, तो यह सहज अनुमेय है कि उसका प्रारम्भिक काल 800 ई.पू. से काफी पहले होगा। इस प्रारम्भिक काल के अन्तर्गत हम अनेक प्रकार के भाषा-सम्बन्धी चिन्तन का समय नहीं लेते; वह चिन्तन तो और भी पुराना है। जिस व्याकरण-परम्परा ने अपनी विश्लेषण-विधि निश्चित कर ली हो, सूत्र-शैली का व्यवहार व्यापक रूप से किया हो, शब्दों के वर्ग निश्चित कर लिए हों कि किसी वर्ग का प्रथम शब्द कहने से विशेषज्ञों को शेष शब्दों का ज्ञान हो जाए, जिसने व्याकरण के ऐसे पारिभाषिक शब्द स्थिर कर लिये हों जो सर्वत्र स्वीकृत हों, ऐसी व्याकरण-परम्परा का प्रारम्भिक काल दूसरी सहस्राब्दी ई.पू. का उत्तरार्द्ध होगा। भारत की व्याकरण-परम्परा कम से कम इतनी प्राचीन है।

पाणिनि ने सूत्र रचा : **भूवादयो धातवः** (1-3-1)। **भू** से आरम्भ होनेवाली धातुओं की सूची पाठक के सामने न होगी तो वह कैसे जानेगा कि **भू** आदि में संज्ञाशब्द सम्मिलित नहीं किये गए?

**चादयोऽसत्वे** (1-4-57)। **च** आदि किसी सत्त्व का बोध न कराएँ तो निपात कहे जाएँगे। पाठक को पहले से पता है कि **च** से आरम्भ होनेवाली सूची में अन्य शब्द कौन-से हैं। इसके बाद **प्रादयः** (1-4-58) में निपातों की दूसरी सूची की ओर संकेत है जिसकी शुरुआत **प्र** से होती है।

**तिष्ठद्गु प्रभृतीनि च** (2-1-17)। **तिष्ठद्गु** आदि अव्ययीभाव समास हैं। यहाँ समासों की एक सूची पहले से तैयार है जिसके आरम्भ में **तिष्ठद्गु** (गोदोहनवेला) पद है। **गवाश्वप्रभृतीनि** (2-4-11)। द्वंद्व समासों की एक सूची बनी जिसके आरम्भ में **गवाश्व** है और ये एकवचन में प्रयुक्त होते हैं।

**पैलादिभ्यश्च** (2-4-59)। **पैल** आदि शब्दों से गोत्रनाम बनाते समय **युवन्** प्रत्यय का लोप होगा। किन्तु न **तौल्वलिभ्यः** (2-4-61), **तौल्वलि** आदि से गोत्रनाम बनाते रामय **युवन्** का लोप न होगा। एक सूची **पैल** आदि की, दूसरी सूची **तौल्वलि** आदि की सामने होनी चाहिए, नहीं तो पता न चलेगा, कहाँ गोत्रनाम में प्रत्यय का लोप होगा, कहाँ न होगा। ये **पैल** आदि, **तौल्वलि** आदि प्रसिद्ध पुरुष रहे हैं जिनके नाम से उनका वंश चला; वे सब एक साथ पाणिनि के समय में पैदा न हुए होंगे, कई पीढ़ियों से उनका नाम चला आ रहा होगा, तब गोत्रनाम रचना के विचार से अलग-अलग वर्गों में विभाजित करके उनके नामों की सूचियाँ बनाई गई होंगी। इस सूची-निर्माण कार्य में काफी समय लगा होगा।

अनेक सन्दर्भों के लिए ऐसी बहुत-सी शब्द-सूचियाँ दरकार हैं। इन सन्दर्भों में बलाघात भी है, शब्द के वर्ण-विशेष का उदात्त, अनुदात्त या स्वरित उच्चारण भी है। **वृषादीनां च** (6-1-203)। **वृष** आदि शब्दों के प्रथम वर्ण का उच्चारण उदात्त होता है। शब्द का लिखित रूप देखकर, केवल लघुदीर्घ स्वर का ध्यान रखते हुए उसे बोल दो, इतना काफी नहीं है। लघु या दीर्घ स्वर पर बलाघात है कि नहीं, है तो किस प्रकार का है, इसका ध्यान रखना होगा। यदि बात वेदमंत्रों की हो तो समझ में आती है। उनके सही पाठ, अर्थात् गायन, के लिए स्वरों का उतार-चढ़ाव आवश्यक है। किन्तु बात वैदिक भाषा की नहीं है, बात है पाणिनि की समकालीन भाषा की। जब बोलचाल की भाषा का व्याकरण लिखना हो, तभी शब्दों के बलाघात को लेकर बहुत-से सूत्र रचना आवश्यक होगा।

पाणिनि की भाषा में बलाघात अर्थ-भेदक है। **क्षयोनिवासे** (6-1-201)। **क्षय** शब्द जब निवास के अर्थ में प्रयुक्त होता है, तभी उसका प्रथम वर्ण उदात्त बोला जाता है। जब विनाश का अर्थ होगा तो बलाघात दूसरे वर्ण पर होगा। लिखित रूप में जो एक शब्द प्रतीत होता है, वह उच्चारण में दो है। **जयः करणम्** (6-1-202)। जब **जय करण** का अर्थ दे, जिस वस्तु के व्यवहार से विजय मिली हो, उसकी ओर संकेत करे, तब प्रथम वर्ण पर बलाघात होगा; साधारण विजय के अर्थ में बलाघात दूसरे वर्ण पर होगा। यहाँ वास्तव में शब्द एक है किन्तु बलाघात से

प्रयोगभेद किया गया है। जब **द्वितीयः** का अर्थ होता है दूसरा, तब बलाघात दूसरे वर्ण पर होगा किन्तु जब अर्थ होगा आधा, तब बलाघात पहले वर्ण पर होगा। इसके लिए पाणिनि ने अलग सूत्र बनाया **पूरणाद्भागे तीयादन्** (5-3-48)। पूरी वस्तु के भाग की बात करनी हो तो **तीय** प्रत्यय में **अन्** जुड़ेगा; **अन्** जुड़ने का अर्थ है, बलाघात **द्वितीयः** के प्रथम वर्ण पर होगा। इसी प्रकार **तृतीयः** के दूसरे वर्ण पर आघात होने से अर्थ होगा तीसरा, किन्तु प्रथम वर्ण पर आघात होने से अर्थ होगा **तिहाई**। इसी प्रकार **चतुर्थः, पञ्चमः, सप्तमः, नवमः, दशमः** में दूसरे वर्ण पर आघात होने से अर्थ होगा चौथा, पाँचवाँ इत्यादि; पहले वर्ण पर आघात होने से अर्थ होगा चौथा भाग, पाँचवाँ भाग इत्यादि। यह वैदिक भाषा की नकल नहीं है। **प्रागेकादशभ्योऽच्छन्दसि** (5-3-49); ग्यारह से पहले **चतुर्थः** आदि के प्रथम वर्ण पर आघात से चौथा भाग आदि अर्थ पाणिनि की समकालीन भाषा में होता है, वैदिक भाषा में नहीं।

**चतुर्** का एक अर्थ है चार। तब आघात है प्रथम वर्ण **च** पर। **चतुर्** का दूसरा अर्थ है चार बार। अब आघात है **द्वितीय** वर्ण **तुर्** पर। आगे चलकर संस्कृत के लिए बलाघात की यह अर्थ-विच्छेदक भूमिका समाप्त हो गई। इस बाद वाली संस्कृत की छन्द-रचना-पद्धति पर ध्यान दें तो पाणिनि की भाषा की प्राचीनता आसानी से समझ में आ जाएगी। इस छन्द-रचना-पद्धति की विशेषता है गणों और मात्राओं के आधार पर लय का नियमन। प्रत्येक गण में तीन वर्ण होंगे। इस प्रकार गणात्मक छन्द की प्रत्येक पंक्ति में वर्णों की संख्या एक-सी रहेगी। अतः गणात्मक छन्द वर्णवृत्त है। साथ ही गण विशेष में गुरु-लघु वर्णों का क्रम निश्चित होगा; इस प्रकार उसकी मात्राएँ एक-सी होंगी। गणात्मक छन्द की प्रत्येक पंक्ति में मात्राओं की संख्या एक-सी होगी। अतः गणात्मक छन्द मात्रिक भी है। हम उसे वर्णमात्रिक छन्द कह सकते हैं। वैदिक छन्दों में वर्णों की संख्या निर्धारित है किन्तु गुरु-लघु वर्णक्रम की पाबन्दी नहीं है, मात्राओं को संख्या अनिश्चित है, लय में स्वच्छन्दता है, उदात्त-अनुदात्त उच्चारण-भेद के लिए छन्द में पूरी सुविधा है। गणात्मक छन्द में **क्षय** और **जय** का, **चतुर्** और **चतुर्थः** आदि का दो-दो प्रकार से उच्चारण करना सम्भव नहीं है। वास्तव में इन शब्दों के बलाघात का कोई मूल्य नहीं है; छन्द के लिए लघुगुरु वर्णक्रम और मात्राकाल पर्याप्त है। पाणिनि के बलाघात सम्बन्धी सूत्र गणात्मक छन्द रचनेवालों के लिए बेकार हैं। भांडारकर की बात सही है; पाणिनि की भाषा महाकाव्यों की भाषा से पहले की है।

संस्कृत का मूलाधार मध्यदेशीय है; गण-मात्रिक छन्दों की लय-पद्धति भी मध्यदेशीय है। संस्कृत से **ण्, ष्, क्ष्** निकाल दें तो उसके शब्दमूलों की रचना में, उनके परिमाण में विशेष अन्तर न पड़ेगा। शब्दमूलों की आधारभूत ध्वनियाँ अमूर्धन्य हैं, बहुत कुछ वही हैं जो मध्यदेश में अब भी प्रचलित हैं। मध्यदेश की

भाषा बलाघात से अर्थ-भेद नहीं करती; न वह स्वरतानों का व्यवहार करती है। गणात्मक वृत्तों में मध्यदेशीय भाषा की मूल प्रवृत्ति, उसकी लयात्मक प्रकृति पुनः व्यक्त हुई है। अनुष्टुप् वर्णवृत्त है यद्यपि उदात्त-स्वरित भेद से मुक्त है। वह वैदिक वर्णवृत्तों के अधिक समीप है।

संस्कृत में **र्-ल्** ध्वनियों के व्यवहार की चर्चा करते हुए संस्कृत पर अपने ग्रंथ में बरो ने लिखा है : "'ऋग्वेद' की भाषा का आधार उत्तर-पश्चिम की बोली है; संस्कृत ('दि क्लासिकल लैंग्वेज्') का निर्माण मध्यदेश में हुआ था।" (पृ. 83) छन्द-रचना की दृष्टि से यह बात सही है। यदि 'ऋग्वेद' की भाषा के शब्दमूलों का ध्वनितंत्रीय विश्लेषण किया जाए तो इस भाषा का प्राचीन अमूर्धन्य स्तर तुरत स्पष्ट हो जाएगा। ब्राह्मणों में 'ऋग्वेद' के पठन-पाठन का जो महत्त्व था, उसे देखते वैदिक छन्द-परम्परा कभी टूटती ही नहीं, यदि उसके साथ-साथ उच्चारण की अन्य परम्परा व्यापक और बलवती होने से दूसरी तरह की लय वाले छन्दों का व्यवहार अनिवार्य न बना देती।

पाणिनि के बारे में प्रचलित धारणा यह है कि उन्होंने संस्कृत का रूप स्थिर कर दिया। यह धारणा देश-विदेश के वैयाकरणों, संस्कृत-विशेषज्ञों में भी प्रचलित है। बरो ने भी यह धारणा व्यक्त की है। उनके अनुसार पाणिनि चौथी शताब्दी ई.पू. के हैं। उनके समय की जनभाषा वह है जो कुछ समय बाद अशोक के शिलालेखों में मिलती है। पाणिनि के व्याकरण ने संस्कृत का बाह्य कलेवर अन्तिम रूप से स्थिर कर दिया और उसके बाद किसी तरह का परिवर्तन निषिद्ध हो गया। वैदिक और क्लासिकल संस्कृत में जो भेद हैं, वे भाषा की ध्वनिगत संरचना को बहुत कम प्रभावित करते हैं। (पृ. 36) 'संस्कृत का समस्त क्लासिकल साहित्य भाषा के उस रूप में है जो छोटी से छोटी बात में भी पाणिनि और उनके अनुयायियों की कृतियों द्वारा निर्धारित है।' (पृ. 47)

इन छोटी बातों में अर्थ-भेदक बलाघात का व्यवहार भी है किन्तु पाणिनि द्वारा निर्दिष्ट बलाघात के नियमों के अनुसार संस्कृत की गणात्मक छन्द-रचना सम्भव नहीं है। पाणिनि का लक्ष्य केवल वैदिक भाषा का विवरण देना नहीं है। उनका प्रधान लक्ष्य समकालीन भाषा का विवरण देना है और यह भाषा, बलाघात समेत, अनेक बातों में पाणिनि से पहले और बाद की, दोनों तरह की, संस्कृत से भिन्न है। पाणिनि की भाषा और बाद की संस्कृत का भेद न पहचानने के कारण बरो ने पाणिनि का समय चौथी शताब्दी ई.पू. माना है।

## 2. जनपदीय प्रयोग-भेद

पाणिनि ने संस्कृत को जो स्थिरता प्रदान की, वह तो बाद को सोचने की बात है। उससे पहले यह देखना चाहिए कि जो सामग्री समेटकर वह व्याकरण लिखने बैठे

हैं, उसमें कितनी अस्थिरता अर्थात् विविधता है। विपाशा नदी के उत्तरी किनारे पर गुप्तजी ने कुआँ बनवाया; वह कुआँ **गौप्तः** कहलाएगा और प्रथम वर्ण उदात्त बोला जाएगा; किन्तु यदि कुआँ दक्खिनी किनारे पर है तो दूसरा वर्ण उदात्त होगा। केवल एक नदी का अन्तर है और बात है कूप-निर्माता के नाम के अनुसार कूप-नाम के उच्चारण की। उच्चारण दो तरह से होता है, उत्तरी किनारे पर एक तरह से और दक्खिनी किनारे पर दूसरी तरह से। इसके लिए पाणिनि को अलग सूत्र रचना पड़ा : **उदक् च विपाशः** (4-2-74)। पाणिनि भाषायी भूगोल लिख रहे हैं या मानक भाषा का रूप स्थिर कर रहे हैं?

रूपों और प्रयोगों की विविधता, प्रत्येक नियम के साथ अपवादों की भरमार, नियमों के बारे में अन्य वैयाकरणों के मतों का आदर, 'अष्टाध्यायी' की प्रमुख विशेषताएँ हैं। पाणिनि के समय में संस्कृत अन्तर्-जनपदीय भाषा बन चुकी है, इसमें सन्देह नहीं, किन्तु यह समय गण भाषाओं के युग से बहुत दूर नहीं है। पाणिनि अपने या किसी अन्य के जनपद की भाषा का व्याकरण नहीं लिख रहे, वह अन्तर्-जनपदीय भाषा का व्याकरण लिख रहे हैं, और यह शिष्ट जनों के सामान्य व्यवहार की भाषा है, केवल ब्राह्मणों के व्यवहार की भाषा नहीं है। इसी कारण इसके व्यवहार में जनपदीय भेद है; कभी-कभी एक ही जनपद में स्थानीय भेद हैं। पाणिनि शिष्ट जनों के प्रयोग-भेद को अस्वीकार नहीं करते; इसीलिए प्रयोग भिन्नता को 'शब्दानुशासन' में शामिल करन के लिए वे बहुत-से सूत्र बनाते हैं। यदि वे भाषा को स्थिर करने के लिए अस्थिर (या अनस्थिर!) रूपों को छाँटना शुरू करते तो आठ अध्याय के बदले दो से काम चल जाता।

**वेणु** में बलाघात कहाँ है? **इन्धान** में बलाघात कहाँ है? पाणिनि ने इन दो शब्दों के लिए एक सूत्र बनाया : **विभाषा वेण्विन्धानयोः** (6-1-215)। **वेणु** में **वे** पर हो सकता है, **णु** पर भी। इसी तरह **इन्धान** में **इ** पर हो सकता है, **धा** पर, और **न** पर भी हो सकता है। **वेणु** शब्द दो तरह से बोला जाता है, **इन्धान** तीन तरह से। पाणिनि एक तरह के उच्चारण को शिष्ट मानकर दूसरी तरह के उच्चारण का बहिष्कार नहीं करते। **विभाषा** का अर्थ है वैकल्पिक प्रयोग। केवल **विभाषा** शब्द से आरम्भ होनेवाले पाणिनि के सूत्र साठ से ऊपर हैं। जहाँ विभाषा कहे बिना सन्दर्भ से आदमी जान लेता है कि दो तरह के प्रयोग मान्य हैं, या **वा, अन्यतरस्याम्** आदि से विकल्प-संकेत करते हैं, उन सूत्रों की संख्या और भी अधिक है।

'अष्टाध्यायी' में ऐसे अनेक सूत्र हैं जिनसे जनपदों के अपने प्रयोगों की विशेषता का बोध होता है। उत्तर के लोग अपने ग्राम से सम्बन्ध व्यक्त करनेवाला शब्द बनाएँगे तब अन्य जनपदों की रीति छोड़कर भिन्न वर्ण पर बलाघात करेंगे। **शिवपुरम्** से जो सम्बन्धित हो, वह **शैवपुरम;** उत्तरी जनपदों का गाँव है, उदात्त उच्चारण प्रथम वर्ण का होगा। किन्तु **मथुरा** से **माथुरम्;** यहाँ उदात्त उच्चारण अन्तिम

वर्ण का होगा क्योंकि **मथुरा** उत्तरी जनपदों में नहीं है। उत्तरी जनपदों के ग्रामनामों से बने तद्धितों के लिए पाणिनि का विशेष सूत्र है : **उदीच्य ग्रामाच्च बह्वचोन्तोदात्तात्** (4-2-109)। यह नियम उन ग्राम-नामों के लिए है जिनमें दो से अधिक वर्ण हैं।

इस तरह का भेद बलाघात तक सीमित नहीं है। शब्दों के निर्माण और उनके प्रयोग में भी यह भेद दिखाई देता है। **कच्छ** में जो पैदा हुआ, वह **काच्छक** कहलाया। ऐसे तद्धित केवल मनुष्यों की ओर संकेत करने के लिए हैं। **मनुष्य तत्स्थयोर्वुञ्** (4-2-134)। कच्छादि शब्दों में **वुञ्**, अर्थात् **अक**, प्रत्यय तभी जोड़ा जाता है जब अर्थ हो मनुष्य, या मनुष्य के भीतर जो कुछ है वह। **साल्व** जनपद का आदमी हो तो उसे **साल्वक** कहेंगे; किन्तु वह पैदल फौज का सिपाही हुआ तो उसे **साल्व** ही कहेंगे। इसके लिए सूत्र : **अपदातौ साल्वात्** (4-2-135)। जब वह **पदाति** न होगा, तभी **साल्वक** कहा जाएगा। साथ ही **काच्छक** कहने से केवल कच्छ के मनुष्य का बोध होगा, वहाँ के पशुओं का नहीं। किन्तु **साल्वक** कहने से गाय और गाय के दूध और जौ से बने खाद्य यवागू का बोध भी होगा। इसके लिए अलग सूत्र लिखा : **गोयवाग्वोश्च** (4-2-136)।

तब सूत्र क्या हैं? नियम हैं जिनके अनुसार लोग संस्कृत बोलेंगे? सूत्र नियम हैं जिनके अनुसार शिष्ट जन अनेक प्रकार से अपने जनपदों में एक सामान्य जनपदीय भाषा का व्यवहार पाणिनि के समय में कर रहे थे। यह प्रयोग शुद्ध है और यह अशुद्ध है, यह बताने के लिए पाणिनि ने सूत्र नहीं रचे; यहाँ ऐसा होता है और वहाँ वैसा होता है, यह बताने के लिए उन्होंने सूत्र रचे हैं। सर्वत्र एक ही प्रयोग होता है, यह स्थिति का एक पक्ष है। इसके बिना विभिन्न जनपदों में एक ही भाषा सामान्य संचार-साधन बन नहीं सकती। पर इसके साथ ही जनपदों में प्रयोग-विविधता है, यह स्थिति का दूसरा पक्ष है।

**कुरु** से **कौरवक** और **कौरव,** दोनों रूप बनेंगे। यहाँ विभाषा है, वैकल्पिक प्रयोग की छूट है। इसी तरह जनपदवाचक **युगन्धर** से **यौगन्धरकः** और **यौगन्धरः,** दोनों रूप बनेंगे। इन दो जनपदों के लिए अलग सूत्र बना : **विभाषा कुरुयुगान्धराभ्याम्** (4-2-130) **मद्र** और **वृज** से **मद्रक** और **वृजिक** रूप बनते हैं, इन दो के **लिए मद्रवज्योः कन्** (4-2-131) सूत्र रचा। **वाहीक** प्रदेश के ग्राम नामों से **शाकलिकी, शाकलिका** रूप बनेंगे, किन्तु **उशीनरों** के यहाँ, **वाहीक** प्रदेश में ही, **सौदर्शिनिकी, सौदर्शनिका** के अलावा **सौदर्शनीया** रूप भी बनेगा। (4-2-117, 118)। **उशीनरों** के यहाँ **सुशम** के वंशजों **सौशमयों** का गाँव होगा तो **सोशमिकन्थम्** कहलाएगा किन्तु **दाक्षि** जनों का गाँव होगा तो **दाक्षिकन्था** कहा जाएगा। (2-4-20)। जिस युग में जनपदों का अस्तित्व महत्त्वपूर्ण है, उनमें बसे हुए गाँवों का अस्तित्व महत्त्वपूर्ण है। उस युग में ये सूत्र रचे गए हैं। जिस युग में इन जनपदों का अस्तित्व मिट गया, उस युग में संस्कृत के लिए ये सूत्र भी अप्रासंगिक हो गए।

जिस क्षेत्र में **भरद्वाज** जन रहते थे, उसमें **कृकण** और **पर्ण** से **कृकणीयम्** और **पर्णीयम्** रूप बनते थे; अन्यत्र **कार्कणम्** और **पार्णम्** का चलन था। (4-2-145)। **सौवीर** जनपद में **दत्तामित्र** ने गाँव बसाया, वह **दात्तामित्री** कहलाया; इसी प्रकार **साल्व** जनपद का ग्राम **वैधूमाग्नी**, पूर्वी जनपदों के ग्राम **काकन्दी, माकन्दी** स्त्रीलिङ्ग में हैं। **स्त्रीषु सौवीरसाल्वप्राक्षु** (4-2-76), सूत्र से स्पष्ट है कि ग्राम-नाम रखने की यह परिपाटी पूर्वी जनपदों में व्यापक है; जो अन्य दो जनपद इसका अनुसरण करते हैं और पूर्व में नहीं हैं, वे **सौवीर** और **साल्व** हैं। **पञ्चाल** जनपद के ब्राह्मण का लड़का **पाञ्चालि** कहलाएगा, क्षत्रिय का लड़का **पाञ्चाल** होगा। (4-1-168)। **मगध, कलिङ्ग, सूरमस** शब्द जब क्षत्रिय और जनपद, दोनों अर्थ व्यक्त करेंगे, तब **मागध, कालिङ्ग, सौरमस** रूप बनेंगे (4-1-170)। **मगधाः, अङ्गाः, वङ्गाः** शब्द जनपदों और जनपदवासियों, दोनों का बोध कराते हैं। (4-2-81)। **पाटलिपुत्र** से **पाटलिपुत्रकाः** जैसा रूप बनाना पूर्व की विशेषता है (4-2-123)। **मगध** का क्षत्रिय **मागध** है; **कम्बोज** का क्षत्रिय **कम्बोज** ही है (4-1-174)। पूर्वी जनपदों में **पन्नागर** के वंश में उत्पन्न पिता **पान्नागरि** है, पुत्र भी **पान्नागरि** है किन्तु उत्तरी जनपदों में **दक्ष** के वंश में उत्पन्न पिता **दाक्षि** है, पुत्र **दाक्षायण** है (2-4-60)। पूर्वी जनपदों के **कट** से आरम्भ होनेवाले स्थाननामों में **छ**, अर्थात **ईय**, प्रत्यय जोड़कर रूप बनाते हैं, यथा : **कटनगरीयम्, कटघोषीयम्** (4-2-139)। **सिन्धु** आदि में **अण** प्रत्यय लगाकर **सैन्धव** आदि रूप बने और **तक्षशिला** आदि में **अञ** प्रत्यय जोड़कर **ताक्षशिल** आदि रूप बनाए (4-3-93)। **सिन्धु** वर्ग और **तक्षशिला** वर्ग की शब्द-सूचियों से कुछ गाँवों के नाम छूटे जा रहे थे। इनमें एक था **शलातुर** जहाँ पाणिनि का जन्म हुआ था। इसके साथ तीन नाम और जोड़कर पाणिनि ने सूत्र बनाया : **तूदीशलातुरवर्मतीकूचवाराड्ढक्छण्डञ्यक** : (4-3-94)। **तूदी** से **तौदेय, शलातुर** से **शालातुरीय, वर्मती** से **वार्मतेय** और **कूचवार** से **कौचवार्य**। शलातुर ग्राम धन्य हुआ, अमर हो गया।

**दक्ष** वंश में उत्पन्न **दाक्षि** के शिष्य हुए **दाक्षाः** किन्तु **काशि** के शिष्य हुए **काशीयाः, पौष्कि** के शिष्य हुए **पौष्कीयाः**। **दाक्षाः** से भिन्न **काशीयाः** की रचना के लिए अलग सूत्र है : **न द्वयचः प्राच्यभरतेषु** (4-2-113)। **दाक्षि** में अण प्रत्यय जोड़कर **दाक्षाः** बनाया; **प्राच्यों** और **भरतों** के यहाँ **अण** न जोड़ा जाएगा। जिस क्षेत्र में **दाक्षाः** का चलन है, वह पूर्वी जनपदों से ही नहीं, भरतों के क्षेत्र से भी भिन्न है। कुछ बातों में भरतों और प्राच्यों की प्रयोग विशेषता एक-सी है।

**भरतों** और **प्राच्यों** का एक साथ उल्लेख अन्यत्र भी है : **परिस्कन्दः प्राच्य-भरतेषु** (8-3-75)। **परिस्कन्द** शब्द का चलन, वैकल्पिक **परिष्कन्द** के बिना, प्राच्यों और भरतों की विशेषता है। जिस समय **स्** के मूर्धन्यीकरण की प्रक्रिया जोरों पर थी, उस समय **स्-ष्** ध्वनियों वाले अनेक वैकल्पिक रूप बने। वैकल्पिक रूप

क्यों? एक-से मानक रूप क्यों नहीं? इसलिए कि दन्त्य **स्** वाले वीर अपने जनपद की मिट्टी पकड़े हुए थे; **ष्** क्षेत्र वालों से कहते थे, तुम्हारा **ष्** ठीक, हमारा **स्** ठीक, दोनों को चलने दो; **स्** को एकबारगी हटाएँ क्यों? **स्** और **ष्** दो भिन्न क्षेत्रों की ध्वनियाँ थीं, इसका पता कैसे लगा? **परिस्कन्दः प्राच्यभरतेषु** इस सूत्र से। इससे पहले पाणिनि बता चुके हैं कि **परिस्कन्ता** और **परिष्कन्ता,** दोनों रूपों का चलन है किन्तु **परि** उपसर्ग के बाद **परिस्कन्द** का विकल्प **परिष्कन्द** प्राच्यों और भरतों को स्वीकार नहीं है। वे **परिस्कन्द** ही कहेंगे, अपने यहाँ **परिष्कन्द** को घुसने न देंगे। इनसे भिन्न उत्तरी जनपदों में **परिष्कन्द** रूप भी चलेगा।

जो लोग **प्राच्य भरत** का अर्थ पूर्वी भरत करते हैं, वे इतना तो मानते ही हैं कि पूर्वी और पश्चिमी (अथवा उत्तरी) भरतों में **परिस्कन्द** को लेकर भेद था। किन्तु **प्राच्य-भरतेषु** का यहाँ भी वही अर्थ है जो **न द्वयचः प्राच्य-भरतेषु** में है। **ष्** ध्वनि का केन्द्र भरतों के क्षेत्र से उत्तर-पश्चिम में है, यह धारणा **प्राच्यों** और **भरतों** में वैकल्पिक रूप **परिष्कन्द** की अस्वीकृति से पुष्ट होती है।

संस्कृत के मूल ध्वनितंत्र में **स्** की भूमिका अन्यतम है; अनेक सन्दर्भों में **स्** का मूर्धन्यीकरण होता है, **ष्** का दन्त्यीकरण नहीं होता। संस्कृत का ध्वनितंत्रीय विकास पाणिनि के ग्रंथ के आठवें अध्याय में बहुत स्पष्ट दिखाई देता है। क्रिया है **शास्** किन्तु जहाँ **शा** के स्थान पर **शि** का व्यवहार होगा, वहाँ **स्** का स्थान **ष्** लेगा। इस प्रकार **शास्** से **अन्वशिषत्, शिष्टः** रूप बने। क्रिया है **वस्;** जहाँ **उ** ने **व** का स्थान लिया, वहाँ रूप बने **उषितः, उषित्वा**। क्रिया है **घस्;** रूप बनता है **जक्षतु, जक्षुः**। इन तीनों क्रियाओं का उल्लेख 8-3-60 में है। एक लम्बा सूत्र है जिसमें ग्यारह क्रियाएँ गिनाई गई हैं। इन सबका आदिस्थानीय व्यंजन **स्** है किन्तु उपसर्ग लगने पर इस **स्** के स्थान पर **ष्** का व्यवहार होगा (8-3-65)। **सिञ्चति** में **अभि** या **परि** जोड़ा तो सकार में परिवर्तन हुआ : **अभिषिञ्चति, परिषिञ्चति**। और ये मानक रूप हैं, **स्** के व्यवहार की गुंजाइश नहीं है। इसी प्रकार **सेवते** के पहले **परि, नि, वि** लगने पर **परिषेवते, निषेवते, विषेवते** रूप चलेंगे (8-3-70)। **स्तम्भ** के पहले **उपसर्ग** लगा तो **स्** के साथ **त्** का भी मूर्धन्यीकरण हुआ, **अभिष्टभ्नाति, परिष्टभ्नाति** रूप बने (8-3-67)। **स्यन्द** क्रिया में उपसर्ग लगेगा तो **ष्** के साथ **स्** वाला रूप भी चलेगा, **परिष्यन्दते** और **परिस्यन्दते,** दोनों रूप मान्य हैं (6-3-72)। इसी प्रकार **विष्कन्ता** और **विस्कन्ता, परिष्कन्ता** और **परिस्कन्ता,** दोनों रूप मान्य हैं (8-3-73, 74)। **निस्, नि, वि** के साथ **स्फुर्** और **स्फुल्** का **स्** बना रहेगा, विकल्प में बदलेगा भी; **निष्फुरति, निस्फुरति, निष्फुलति, निस्फुलति,** दोनों रूप मान्य हैं (8-3-76)। **ष्** क्षेत्र के प्रभाव से जिन रूपों में **स्** के स्थान पर **ष्** दृढ़ता से जम गया, उन्हें पाणिनि ने मानक रूप मान लिया। जहाँ **स्** क्षेत्र के प्रभाव से दन्त्य सकारवाले रूप का चलन बना हुआ था, वहाँ पाणिनि ने उसे भी वैकल्पिक

मानक रूप माना। जहाँ इच्छा हुई, वहाँ **ष्** वाला रूप स्वीकार किया। जहाँ इच्छा न हुई, वहाँ **ष्, स्** वाले दोनों रूपों को मान्यता दी। पाणिनि के 'शब्दानुशासन' में ऐसा स्वेच्छाचार नहीं है। वह अपने समय के प्रयोगों को देखते हुए सूत्र बना रहे हैं, इन सूत्रों से भाषा की स्थिरता नहीं; उसकी गतिशीलता प्रतिबिम्बित कर रहे हैं। ऐतिहासिक भाषाविज्ञान के लिए उनके ये सूत्र अमूल्य हैं; ढाई हज़ार साल बाद के पाठक को वह समकालीन भाषा की झाँकी दिखाते हैं जहाँ एक प्राचीन ध्वनि-व्यवस्था को एक अपेक्षाकृत अर्वाचीन ध्वनि-व्यवस्था प्रभावित कर रही है। दो ध्वनि-व्यवस्थाओं के मिलने से भाषा में जो तरलता उत्पन्न हुई है, उसे वह साकार कर देते हैं। वैदिक भाषा, अपने मूल रूप में, दन्त्य **स्** प्रधान है, यह तथ्य इन सूत्रों से पूर्णतः प्रकाशित हो जाता है।

**स्वसृ** के आदिस्थानीय **स्** का मूर्धन्य कायाकल्प **मातृ-पितृ** के बाद होता है। **मातृण्वसा, पितृष्वसा** ऐसे रूप बनेंगे (8-3-84)। किन्तु **मातुः** और **पितः** के बाद **ष्** के साथ **स्** वाला विकल्प चलेगा; **मातुःष्वसा** और **मातुःस्वसा, पितुःष्वसा** और **पितुःस्वसा** (8-3-85)। **ऋ** मूर्धन्य क्षेत्र का अपना स्वर है; अपनी शक्ति से वह समीपवर्ती **स्** को मूर्धन्य बना लेता है। किन्तु यह शक्ति अघोष **ह्**, अथवा विसर्गों, में नहीं है। विसर्गों का स्थान **स्** लेता है, **ष्** नहीं; सामान्य नियम है **विसर्जनीयस्य सः** (8-3-34)। किन्तु यदि विसर्गों के पहले **इ, उ** स्वर होगा और बाद को **क्** या **प्** से आरम्भ होनेवाला प्रत्यय होगा तो **स्** का स्थान **ष्** ले लेगा (8-3-39)। **सर्पिः** के आगे **ते** आया तो **सर्पिस्ते** रूप बना किन्तु **कल्प** या **पाश** आया तो **सर्पिष्कल्पम्, सर्पिष्पाशम्** रूप बने। **इ, उ** स्वर जहाँ मूर्धन्य होंगे, वहाँ **स्** अपनी जगह **ष्** को देगा किन्तु आगे यदि दन्त्य स्पर्श-ध्वनि **त्** है तो वह **इ, उ** की मूर्धन्यता को क्षीण कर देगा और अपनी समवर्गीय ध्वनि **स्** की रक्षा करेगा। **शास्** से **शिष्ट** और **वस्** से **उषितः** में **इ, उ** स्वर अपनी मूर्धन्य प्रकृति का प्रमाण दे रहे हैं। **नमस्कर्ता** और **पुरस्कर्ता** में विसर्गों के स्थान पर **स्** है, आगे **क्** भी है पर **स्** सुरक्षित रहता है (8-3-40)। **निष्कृतम्, निष्पीतम्** में **इ स्** को प्रभावित करती है (8-3-41)। समास में पहले शब्द के अन्त में **इस्, उस्** होगा और अगला शब्द **क-प**-वर्गीय होगा तो **स्** निरपवाद रूप में मूर्धन्य हो जाएगा—**सर्पिष्कण्डिका** और **सर्पिष्पानम्** के समान (8-3-45)। यहाँ भी मूर्धन्यीकरण में **इ** की भूमिका स्पष्ट है। **अग्नि** के साथ **स्तुत्** या **स्तोम** जोड़कर समास बनाया **अग्निष्टुत्, अग्निष्टोम; अग्नि** को **अग्नी** करके **सोम** के साथ मिलाया तो **अग्नीषोमः** रूप बना (8-3-82)। **इ** की भूमिका सर्वत्र निर्णायक नहीं होती, यह **अग्निसोमौ** से स्पष्ट है। **सह्** क्रिया से एक रूप बना **साट्**, तब **जलाषाट्** में **स्** मूर्धन्य हुआ; **सह्** क्रिया से अन्य रूप बना **साह**, तब **जलासाहम्** में **स्** अपरिवर्तित रहा (8-3-56)। यहाँ मूर्धन्य **ट्** अपने सान्निध्य से **स्** का रूपान्तर करता है; **ह्** का सान्निध्य **स्** के लिए निरापद है।

आठवें अध्याय के इन षत्व सम्बन्धी सूत्रों से यही विदित नहीं होता कि अनेक संस्कृत रूपों में **ष्** ने **स्** का स्थान लिया है वरन् उन ध्वनितंत्रीय स्थितियों का भी बोध होता है जिनमें ऐसा परिवर्तन घटित होता है। यह परिवर्तन कहीं अनिवार्य है, कहीं वैकल्पिक है। इस समस्त व्यापार की ऐतिहासिक व्याख्या केवल इस आधार पर हो सकती है कि दो भिन्न प्रकृति के ध्वनितंत्र घनिष्ठ सम्पर्क में आए हैं : एक में **स्** की प्रधानता है और संस्कृत के विकास की दृष्टि से यह ध्वनितंत्र उसका मूलाधार है। दूसरे में **ष्** की प्रधानता है और वह अधिकतर पहले से विद्यमान **स्** का रूपान्तर करता है। स्वभावतः इन दो ध्वनितंत्रों के दो भिन्न मूल केन्द्र होंगे।

संस्कृत में **ष्** की अपेक्षा **ण्** का व्यवहार और भी व्यापक है; शब्द-रचना में **ष्** को देखते **ण्** की भूमिका और भी सीमित है। पाणिनि के **णत्व** सम्बन्धी सूत्र ध्वनि-परिवर्तन का वैसा ही व्यापार प्रस्तुत करते हैं, जैसा उनके **षत्व** सम्बन्धी सूत्र। अनेक सन्दर्भों में **न्** के स्थान पर **ण्** का व्यवहार होता है, **ण्** के स्थान पर **न्** का नहीं। आगे चलकर जब सामान्य जन संस्कृत रूपों के **ण्** को **न्** में बदलने लगे, तो विद्वानों ने उसे अशुद्ध उच्चारण माना; वास्तव में वे मूर्धन्यीकरण से पहले की नासिक्य ध्वनि का व्यवहार चालू किये हुए थे। **ण्** की भरमार का मुख्य कारण यह है कि संस्कृत में **र्** ध्वनि की प्रधानता है, यह ध्वनि **स्** के समान दन्त्य थी किन्तु मूर्धन्य क्षेत्रवासियों के यहाँ उसका उच्चारण मूर्धन्य होता था। **स्** और **ष्** में तो लिपिचिन्ह का भेद है किन्तु **र्** को लेकर ऐसा भेद नहीं है। बोलचाल में ऐसा भेद था और **र्** का मूर्धन्य उच्चारण ही **न्** के **ण्** में बदलने का मुख्य कारण है। **स्-ष्** के समान **न्-ण्** के लिए भिन्न लिपिचिन्ह हैं, **र्** दन्त्य और **र्** मूर्धन्य के लिए नहीं हैं, केवल **ऋ** को स्वर मानकर **रि** और **ऋ** में लिपिचिन्ह का भेद किया गया है। **ऋ** में **र्** तत्त्व विद्यमान है, यह तथ्य स्वीकृत है।

**रषाभ्यां नो णः समानपदे** (8-4-1)—**णत्व**-सम्बन्धी यह मुख्य सूत्र है। एक ही शब्द में **र्, ष्** के बाद न हो तो वह **ण्** बोला जाएगा। **र, ष्** में **र्** की ही भूमिका प्रधान है। **ष्** के साथ **र्** का उल्लेख **णत्व**-सन्दर्भ में है, इसी से समझ लेना चाहिए कि **ष्** के समान **र्** मूर्धन्य है; सर्वत्र नहीं, किन्तु अनेक स्थितियों में वह मूर्धन्य बोला जाता था। **मातृणाम्** में दीर्घ **ॠ** ने इस सूत्र के अनुसार **न्** को **ण्** में बदला है। **विस्तीर्णम्** में **र्** के बाद ही **न्** था, वह **ण्** बना किन्तु **मूर्खेण, गुरुणा, दर्पेण** में **र्-न्** के बीच स्वर है या व्यंजन के साथ स्वर है (8-4-2)। थोड़ा फ़ासला होने पर भी **र्** ने **न्** को प्रभावित किया। उल्लेखनीय है कि **र्** के बाद इसी तरह **त्, थ्, द्, ध्** हों, तो **ना** के स्थान पर **ण्** का व्यवहार न होगा। **मूर्ध्ना, अर्थेन** में **न्** सुरक्षित है।

'ऋग्वेद' में सर्वनाम **नः** भी पड़ोसी **र्, ष्** से प्रभावित होता है (8-4-27)। **अग्ने रक्षा णः** (ऋ. 7-15-13) (हे अग्नि हमारी रक्षा करो), यहाँ मूल **नः** के पहले **र्**

और **ष्** (**क्ष्** का **ष्**), दोनों विद्यमान हैं। वेदोत्तर संस्कृत में **न्** से आरम्भ होनेवाला शब्द भिन्न पद के **र्, ष्** से प्रभावित होकर **ण्** नहीं बनता। इसका अर्थ यह है कि वैदिक काल में **णत्व** का जितना जोर है, उतना बाद में नहीं है। जो **ण्**-युक्त रूप बहुत प्रचलित हुए, उनमें **ण** दृढ़तापूर्वक जमा रहा; जो कम प्रचलित थे या **न्**-क्षेत्र में अधिक प्रचलित थे, वहाँ या तो वैकल्पिक रूप स्वीकृत हुए या **न्** अपरिवर्तित रहा। **र्** के सान्निध्य से भी **न्** ध्वनि बदलती नहीं है या बदलाव सीमित शब्दों में होता है, इसकी जानकारी से संस्कृत ध्वनितंत्र के विकास का, और इस विकास में भिन्न प्रवृत्तियों के अस्तित्व का बोध होता है। **शूर्पणखा** प्रसिद्ध नाम था। नियम बना कि पूर्वपद में **र्** हो तो उत्तरपद का आदिस्थानीय **न्** बदल जाएगा। किन्तु **चर्मनासिकः** में **न्** नहीं बदलता। अतः पाबन्दी लगाई कि नामों में **न्** बदलेगा। (8-4-3)। एक नाम **ऋगयनम्** है; यहाँ **ऋ** के रहते भी **न्** अचल रहा। तब एक पाबन्दी और लगाई कि पूर्वपद के अन्त में **ग्** होगा तो **न्** न बदलेगा।

अनेक समासों में **वन** का **वण** हो जाता है और अनेक में नहीं होता। अतः एक सूत्र में वे शब्द गिना दिये जिनका साथ होने पर **वन** का **न्** बदलेगा। **पुरगा, मिश्रका, सिध्रका, शारिका, कोटरा** के साथ **वन** जोड़कर समास बनेगा तो वहाँ **वण** बोला जाएगा। (8-4-4)। किसी समय क्षेत्र विशेष में **पुरगावणम्, मिश्रकावणम्** जैसे रूप बहुत प्रचलित रहे होंगे, इसीलिए **वन** का रूपान्तर करनेवाले **पुरगा, मिश्रका** एक सूत्र में गिना दिये। इन्हें गिनाने का मतलब ही यह है कि ऐसी ही ध्वनिगत परिस्थितियों में **न्** अन्यत्र नहीं बदलता, यथा : **कुबेरवनम्** में। **पुरगावणम्** आदि नाम हैं किन्तु **खदिरवणम्, शरवणम्** नाम नहीं हैं। एक सूत्र में फिर गिनाए, **प्र, निर्, अन्तर्, शर, इक्षु, पक्ष, आम्र, कार्ष्य, खदिर, पीयूक्षा** के साथ **वन** जोड़कर समास बनाया जाए तो वहाँ **वण्** बोला जाएगा। (8-4-5)। किन्तु **बदरीवनम्**? औषधियों, वनस्पतियों के साथ **ब** में परिवर्तन विकल्प से होगा। (8-4-6)। **बदरीवनम्** ठीक, **बदरीवणम्** भी। किन्तु **देवदारुवनम्** का विकल्प **देवदारुवणम्** होगा क्या? न होगा; पाबन्दी लगाई कि औषधि-वनस्पति वाले शब्द में दो या तीन वर्षों से अधिक न होने चाहिए! इसी तरह **अहन्** के पहले पूर्व आया तो **पूर्वाह्णः** बना। (8-4-7)। किन्तु **निर्** के बाद **अहन्** आया तो **निरह्न** बना; **न्** अपरिवर्तित रहा। पाबन्दी यह कि **अहन्** का **न्** तभी बदलेगा जब **र्**-युक्त पद के अन्त में **अ** होगा। समास में **र्-ष्** के सान्निध्य से वाहन का न बदलेगा, जैसे **इक्षुवाहणम्**। (8-4-8)। किन्तु **दाक्षिवाहनम्** में **न्** प्रभावित नहीं होता। पाबन्दी लगाई कि **वाहन** के साथ वाला पद जब यह बताए कि क्या ढोया जा रहा है, तभी वैसा परिवर्तन होगा। **इक्षुवाहणम्** ईख ढोने की गाड़ी है किन्तु **दाक्षिवाहनम्** में **दाक्षि** गाड़ी के मालिक हैं। समान ध्वनिगत परिस्थितियों में प्रयोग-भिन्नता के कारण एक जगह **णत्व** आदेश होता है, एक जगह नहीं होता।

**प्रणमति** समास नहीं है, उपसर्ग के **र्** ने **नमति** के **न्** को प्रभावित किया। आज्ञार्थी क्रिया-रूप का **आनि** इसी प्रकार **र्** के संसर्ग से **आणि** बनता है, यथा : **प्रयाणि, परियाणि** (8-4-16)। **प्र** के बाद **नि** उपसर्ग हो तो वह **णि** हो जाएगा, जैसे **पतति**, फिर **प्रणिपतति**। ऐसा सर्वत्र नहीं होता, इसलिए एक सूत्र में क्रियाएँ गिना दीं; **गद्, नद्, पत्, पद्, मा, या, वा, द्रा, प्सा** आदि (8-4-17)। इनके बाद बहुत-सी क्रियाएँ रह गईं; वहाँ **विभाषा** है, **न्** चलेगा, **ण्** भी। (8-4-18)। बहुप्रचलित **प्राण** शब्द में **प्र** उपसर्ग के **र्** से **न्** बदलता है। एक सूत्र इसी के लिए है (8-4-19)। **प्राणिति** अर्थात् **साँस** लेता है।

यद्यपि संस्कृत में **ण्** का व्यापक व्यवहार होता है, फिर भी शब्द के अन्त में उसका प्रयोग दुर्लभ है। सामान्य नियम यह है कि पद के अन्त में **न्** के स्थान पर **ण्** का व्यवहार न होगा। (8-4-37)। किन्तु पद के अन्त में **र**-युक्त उपसर्ग के बाद **अन्** हो तो **न्** का स्थान **ण्** ले लेगा। (8-4-20)। **हे प्राण! हे परण्!** यह उदाहरण भी अपवाद-सा है। इसके विपरीत तमिल **कण्** (आँख), **पण्** (सेवाकार्य), **मण्** (धरती) आदि में पदान्त **ण्** का व्यवहार सामान्य बात है। जिस **ण्** क्षेत्र ने मध्यदेशीय भाषा को प्रभावित किया है, उसने तमिल को और भी अधिक प्रभावित किया है।

संस्कृत में दो सघोष महाप्राण ध्वनियों का एक साथ व्यवहार असाधारण है; **भभूव** को **बभूव** बना लेने का चलन है। किन्तु दो **ण्** आसपास आ जाएँ तो उसे आपत्ति नहीं है। **अन्** क्रिया की आवृत्ति करके उपसर्ग सहित **प्राणिणिषति, पराणिणिषति** रूप बनेंगे। (8-4-21)। हिन्दी के लिए ऐसे रूप अस्वाभाविक हैं, **भूभल** जैसे रूप स्वाभाविक। **हन्** क्रिया से **प्र** के संसर्ग के कारण **प्रहण्यते** रूप बनेगा। (8-4-22)। **हन्** के बाद **व** या **म** हो तो **प्र** का संसर्ग होने पर भी **णत्व** अनिवार्य न होगा। **प्रहण्वः, प्रहन्वः,** दोनों रूप चलेंगे; **प्रहण्मः, प्रहन्मः,** दोनों शिष्ट प्रयोग हैं। कुछ प्रत्ययों का **न्** पूर्ववर्ती **र्** के प्रभाव से बदलता है, यथा : **प्रयायमाणम्** के **मान** का **न्** बदला है (8-4-29); अन्यत्र परिवर्तन वैकल्पिक रहता है, यथा : **प्रयापणम्** और **प्रयापनम्** (8-4-30), **प्रकोपणम्** और **प्रकोपनम्** (8-4-31)। कुछ क्रियाएँ ऐसी हैं जिनके **कृत्** प्रत्यय का **न्**, पड़ोसी **प्र** के **र्** से अप्रभावित रहता है; **भा** से **प्रभानम्, भू** से **प्रभवनम्, गम्** से **प्रगमनम्** (8-4-34)। **नश्** क्रिया से **नष्टः** बना, किन्तु **प्र** जोड़ने पर भी **प्रनष्टः,** का **न्** अडिग रहा। (8-4-36)। **र, ष्, ट्** का सान्निध्य भी **न्** को प्रभावित न कर सका। कहना न होगा कि ऐसे नियम पाणिनि के मन की उपज नहीं हैं। उन्होंने उत्तरी और पूर्वी जनपदों में **नष्टः, प्रनष्टः** का व्यापक व्यवहार होते देखा, इसीलिए उनके लिए अलग सूत्र बनाया। **आचार्यानी, परिनर्त्तनम्, क्षुभ्नाति** आदि में **न्** विस्थापित नहीं होता; एक सूत्र **क्षुभ्नादिषु च** (8-4-39) में **क्षुभ्न** से आरम्भ होनेवाली शब्द-सूची की ओर संकेत कर दिया। कोई आश्चर्य नहीं कि मध्यदेश और पूर्वी जनपदों के लोग **णत्व**-प्रसार के पहले जैसे **न्**

का व्यवहार करते थे, वैसे ही आधुनिक जनपदीय भाषाओं के अभ्युदय काल में करते रहे। और प्राकृतों में **ण्** की भरमार है! चाहे ब्रजभाषा हो, चाहे मैथिली हो, **णत्व**-बहुल प्राकृतों या अपभ्रंशों के ध्वनितंत्र से ये भाषाएँ दूर हैं। वे उस भाषा के ध्वनितंत्र के अधिक समीप हैं जिसके **न्** का स्थान, **र्** के संसर्ग से, **ण्** लेता है, किन्तु जहाँ अनेक वैकल्पिक रूपों का चलन भी है, और बहुत जगह मूर्धन्यीकरण के लिए उपयुक्त परिस्थिति के रहते भी **न्** अपरिवर्तित रहता है।

पाणिनि के समय तक, और उससे काफी पहले भी, **ष्** की अपेक्षा **श्** संस्कृत के ध्वनितंत्र में अधिक प्रतिष्ठित हो चुका था। **श्** और **ष्** की स्थितियों में भेद है। प्राच्यों और भरतों में **ष्** की स्थिति उतनी सुदृढ़ नहीं है जितनी **श्** की। इसका कारण यह है कि **ष्** उत्तरी जनपदों की ध्वनि है और **श्** मगध की। उत्तरी जनपदों की अपेक्षा अधिक, और उनसे पहले, मगध ने मध्यदेश को प्रभावित किया है। **वृक्षस् शेते**, ऐसी पद-रचना में **स्** और **श्** का सामना हो तो **स्** ही चोला बदलेगा, दन्त्य-तालव्य सकारों के मिलन का परिणाम होगा **वृक्षश्शेते**। (8-4-40)।

**ष्** के साथ जो सम्बन्ध **ट्** का है, वही **श्** के साथ **च्** का है। **ष्** और **ट्** का एक ही क्षेत्र रहा हो, यह आवश्यक नहीं; बोलचाल के स्तर पर हिन्दी-क्षेत्र में **ट्** की भरमार है, **ष्** का अभाव है। इसी तरह **श्** और **च्** के केन्द्र सम्भवतः पहले अलग-अलग थे। अब **श्** की प्रधानता बंगाल में है तो **च्** की महाराष्ट्र और पड़ोसी क्षेत्रों में। **वृक्षस् चिनोति** में **स्** और **च्** सामने हों तो **स्** का तालव्यीकरण होगा। **स्तोः श्चुना श्चुः** (8-4-40), तालव्यीकरण के बारे में यह मुख्य सूत्र है। **स्** और **श्** सामने हों तो **स्** बदलकर **श्** होगा; **त्** और **च्** सामने हों तो **त्** बदलकर **च्** होगा, यथा : **अग्निचित् चिनोति** से **अग्निचिच् चिनोति**। **यत्** में **न** प्रत्यय जोड़कर बनाया **यत्न** (3-3-90) किन्तु **यज्** में न जोड़ा तो **न्** का तालव्यीकरण हुआ और रूप बना **यज्ञ**। **त्** और **श्** सामने हुए तो **त्** का तालव्य रूप **च्** होगा, फिर **च्** के प्रभाव से **श्** के सकारतत्त्व का लोप होगा और वह **छ्** बनेगा। **अग्निचित् शेते,** परिणाम होगा **अग्निचिच्छेते**। **प्रश्न** और **प्रच्छ्** में मूलरूप की ध्वनि **छ्** है या **श्**? पाणिनि क्रिया-रूप को प्रधानता देते हैं; वे **प्रच्छ्** में न जोड़कर **प्रश्नः** बनाते हैं। (3-3-90)। **प्रच्छ्** से एक रूप **पृष्टः** बनता है। (6-1-16)। **ऋ** ने तालव्य सकार को मूर्धन्य किया। **प्रश्न** और **पृष्ट,** दोनों से संकेत मिलता है कि मूल क्रिया की ध्वनि, ऐतिहासिक दृष्टि से, **श्** है, **च्छ्** नहीं।

एक रूप है **स्फातिः**, दूसरा समानार्थी रूप है **स्फीतः**। यहाँ पाणिनि **स्फा** को मूल धातु मानते हैं; **निष्ठा** प्रत्यय लगने पर **स्फा** बदलकर **स्फी** हो जाएगा। (6-1-22)। जब ऐसे अनेक रूपों में स्वरभेद दिखाई दे, तब समझना चाहिए कि **ष्-स्** के समान यहाँ भी स्वरों के भिन्न केन्द्र हैं और **स्फा** तथा **स्फी** एक ही केन्द्र की उपज नहीं हैं। जहाँ कुछ प्रत्ययों के साथ **स्फी** या **स्फा** का प्रयोग रूढ़िबद्ध हो

गया, वहाँ तो नियम बन गया कि **स्फा** बदलकर **स्फी** हो जाएगा किन्तु जहाँ प्रयोग रूढ़ नहीं है, वहाँ विभाषा से काम चलेगा। **स्फुरति** की **स्फुर्** धातु में **घञ्** प्रत्यय लगा, तब **विस्फारः** रूप बना। (6-1-47) **मी, दी** क्रियाओं के बाद **ल्यप्** प्रत्यय लगेगा, तब **प्रमाता, उपदाता** रूप बनेंगे। (6-1-50)। किन्तु **विभाषा लीयतेः** (6-1-51); **विलाता, विलेता,** दोनों रूप मान्य हैं। **ल्यप्** प्रत्यय लगने से **ली** के स्थान पर **ला** का व्यवहार अनिवार्य नहीं है। **अपगारम्, अपगोरम्,** दोनों रूप मान्य हैं। पाणिनि ने **गुर्** धातु को मूलरूप माना; **अप** उपसर्ग लगाकर जब शब्द की आवृत्ति की जाए, तब वैकल्पिक रूप से **उ** के स्थान पर **आ** होगा। (6-1-53)। लोग **अपगारम्-अपगारम्** कहते थे, **अपगोरम्-अपगोरम्** भी। प्रयोग भिन्नता स्पष्ट है; दो भिन्न स्वरों वाली समानार्थी क्रियाओं का अस्तित्व स्पष्ट है। **स्फोरयति** और **स्फारयति,** दोनों रूप मान्य हैं। (6-1-54)। **चिरवाद** और **चिरवेद** (6-1-52), **जेरतुः** और **जजरतुः** (6-6-124), **रेजतुः** और **रराजतुः** (6-6-125) आदि वैकल्पिक रूपों का प्रयोग मान्य ठहराया, तो इसका कारण यही हो सकता है कि विभिन्न जनपदों में समानार्थी भिन्न रूपों का चलन था।

इसी तरह ह्रस्व और दीर्घ स्वरों के व्यवहार के बारे में प्रयोग-विविधता थी। **अशमि** और **अशामि** (6-4-93), **बिभितः** और **बिभीतः** (6-4-115), **जहितः** और **जहीतः** (6-4-116), **जहिहि** और **जहीहि** (6-4-117), दोनों तरह के रूप मान्य हैं। इससे यह निष्कर्ष न निकालना चाहिए कि एक केन्द्र में दीर्घ स्वरों का ही व्यवहार होता था, दूसरे में ह्रस्व स्वरों का। निष्कर्ष यह निकलेगा कि बोलचाल की भाषा में ह्रस्व-दीर्घ स्वरों का सदा भेद नहीं किया जाता; मानक भाषा में इस तरह का भेद क्रमशः निश्चित होता है। पाणिनि ह्रस्व-दीर्घ स्वरों वाले दोनों रूपों का चलन देखते हैं; अपनी ओर से एक को शुद्ध और दूसरे को अशुद्ध नहीं कहते। दोनों को मान्यता देते हैं। जब देखते हैं कि एक कोटि के रूपों में क्रिया का लघु या दीर्घ स्वर रूढ़ हो गया है, तब विभाषा की बात छोड़कर वह लघु या दीर्घ स्वर वाली क्रिया को आधार मान लेंगे और कहेंगे, अन्य रूपों में लघु के स्थान पर दीर्घ स्वर का व्यवहार होगा अथवा दीर्घ के स्थान पर लघु का व्यवहार होगा। **परन्तपः** में **ताप्** क्रिया ह्रस्व स्वर के साथ ही प्रयुक्त होगी; नियम बनाया **खचि** ह्रस्वः (6-4-94)। प्रेरणार्थक क्रिया के बाद **खच्** प्रत्यय होने पर दीर्घ स्वर ह्रस्व हो जाएगा। ऐसा भी होता है कि जब दो पद्धतियों से बने एक ही क्रिया के दो रूप प्राप्त होते हैं तो जनता उनमें सूक्ष्म अर्थभेद कर लेती है। **अर्य** और **आर्य** ऐसे ही दो रूप हैं। **अर्यो वैश्यः** किन्तु **आर्यो ब्राह्मणः**। नियम बना **अर्यः स्वामिवैश्ययोः** (3-1-103)।

**स्थान** और **स्थितः** सम्बद्ध रूप हैं। यहाँ ह्रस्व-दीर्घ के साथ अकार-इकार भेद भी है। पाणिनि ने **स्था** को मूलक्रिया मानकर **पा** के स्थान पर, स्थिति विशेष में, **इ** के व्यवहार का विधान किया। (7-4-5)। अन्य स्थिति में **स्था** से सम्बद्ध

क्रिया-रूप **अतिष्ठिपत्** है। वहाँ भी **आ** के लिए **इ** के व्यवहार का विधान किया। **दधाति** की **धा** क्रिया से **हितः** बना; **आ** के स्थान पर **इ** का प्रयोग, और **ध्** के स्थान पर **ह्** का, दोनों के लिए एक सूत्र बनाया **दधातेर्हिः** (7-4-42)। **निशितम्** और **निशातम्** स्वरभेद और मात्राभेद वाले दोनों रूप मान्य हैं; कहीं **विभाषा**, कहीं **वा**, कहीं **अन्यतरस्याम्**, बात एक ही है विकल्प की। **दा** क्रिया और **दत्तः** का सम्बन्ध स्पष्ट है; पाणिनि ने नियम बनाया कि देने के अर्थवाली **दा** क्रिया में जब **त्** से आरम्भ होनेवाला **कित्** प्रत्यय जुड़ेगा, तब **दा** के स्थान पर **दद्** का व्यवहार होगा। (7-4-46)। कहीं-न-कहीं **दित्तः** भी बोला जाता होगा; शिष्टजनों में प्रचलित न होने से पाणिनि ने उसका उल्लेख नहीं किया। यही पंजाबी का **दित्ता** है।

### 3. सूत्र और ऐतिहासिक भाषाविज्ञान

पाणिनि के सूत्रों से जिन भाषा-तत्त्वों की जानकारी होती है, उनसे ऐतिहासिक भाषाविज्ञान की अनेक समस्याओं के समाधान में सहायता मिलती है। यही नहीं, ऐतिहासिक भाषाविज्ञान की दृष्टि से उनके अनेक सूत्रों की नई और तर्कसंगत व्याख्या की जा सकती है। तीसरे अध्याय में एक निरर्थक-सा लगनेवाला सूत्र है : **स्तम्भुस्तुम्भुस्कम्भुस्कुम्भुस्कुञ्भ्यः श्नुश्च** (3-1-82)। यहाँ पाँच क्रियाएँ गिनाई गई हैं; कर्तासूचक सार्वधातुक प्रत्यय लगने पर इनमें **श्ना** के अतिरिक्त **श्नु** भी जोड़ा जाता है। अन्तिम क्रिया है **स्कु** जिससे **स्कुनाति, स्कुनुते** आदि रूप बनते हैं। इस क्रिया से उत्तरकालीन वैयाकरण परिचित थे। प्रथम चार क्रियाएँ धातुपाठ में नहीं हैं। इसलिए इन्हें केवल सूत्रों में प्राप्त धातुएँ कहा गया। इनका अर्थ क्या है, यह उत्तरकालीन विद्वानों के लिए स्पष्ट न था। कुछ का कहना था कि सबका एक ही अर्थ है रोकना। कुछ का मत था कि **स्तम्भ्** और **स्कम्भ्** का अर्थ है थामना, **स्तुम्भ** का अर्थ है निकालना, और **स्कुम्भ** का अर्थ है धारण करना। वार्तिक में कहा गया : **स्तम्भ्वादयश्चत्वारः सौत्राः। सर्वे रोधनार्था इत्येके। माधवस्तु प्रथमतृतीयौ स्तम्भार्थौ द्वितीयो निष्कोषणार्थश्चतुर्थो धारणार्थ इत्याह**। ये वाक्य पाणिनिकालीन भाषा की प्राचीनता सिद्ध करते हैं।

ये सब **स्कम्भ** और **स्तम्भ, स्कन्ध** और **स्तन्ध, खड़े** और **ठाढ़े** वाली क्रियाएँ हैं। मूल क्रिया में **भ्** जोड़कर कृदन्त रूप बना, फिर मूल क्रियावत् उसका व्यवहार हुआ, **स्तन्ध** के अंग्रेज़ी रूपान्तर **स्टैंड्** के समान। हिन्दी **खम्भ** और **थंभ** दोनों **स्कम्भ्** और **स्तम्भ्** क्रियाओं से सम्बद्ध हैं। यहाँ पहली ध्यान देने की बात यह है कि **क्** और **त्** ध्वनियों वाली दो समानार्थी क्रियाएँ हैं। इनमें किसी को मूलरूप मानकर पाणिनि ने **क्** के स्थान पर **त्** अथवा **त्** के स्थान पर **क्** के व्यवहार का नियम नहीं बनाया। **खड़े** और **ठाढ़े**, संस्कृत स्थान और फ़ारसी **ख़ाना** दो क्षेत्रों के रूप हैं। पाणिनि उसी क्षेत्र के हैं जहाँ **स्कम्भ्** का व्यवहार होता था; इसलिए उन्होंने

**स्तम्भ्** के साथ **स्कम्भ्** को जगह दी। दूसरी बात यह है कि उन्होंने **स्कम्भ्** के साथ **स्कुम्भ्, स्तम्भ्** के साथ **स्तुम्भ्** रूप भी दिये। आर्य भाषा-क्षेत्र में **अ** स्वर **अॅ, ऑ** रूपों में बोला जाता था, इसका प्रमाण है **स्तम्भ्-स्कम्भ्** के साथ **स्तुम्भ्-स्कुम्भ्** का अस्तित्व। तीसरी बात यह कि इन क्रियाओं में नासिक्य ध्वनि का लोप होने पर **स्तभ्नाति, स्तुभ्नाति** जैसे रूप बनते थे। **स्तम्भ** का जर्मन प्रतिरूप है **श्टुम्प्फ़्,** अंग्रेज़ी **स्टम्प्** (तना); **स्तुभ** का ग्रीक प्रतिरूप है **स्तुपॉस्** (उप.), अंग्रेज़ी प्रतिरूप है **स्टब्** (उप.)। लैटिन **स्तुपॉर्** में स्तम्भित रहने का भाव है और अंग्रेज़ी **स्ट्यूपिड्** (मूर्ख) में स्थिरता से जड़ता के अर्थ का विकास है। क्रियाओं का मूल अर्थ है स्थिर होना, खड़े होना; इससे अन्य अर्थों का विकास होता है। रुकने का अर्थ अंग्रेज़ी **स्टॉप** में है। पाणिनि के सूत्र से ज्ञात होता है कि उनके समय में **स्तुभ्, स्कुभ्** जैसी क्रियाओं का व्यवहार होता था। लैटिन **स्तिपुल** (तना, डंठल) में **स्तु** का विकल्प **स्ति** हैं। मलयालम और तुल **कुम्बि** (पुरुष की जननेन्द्रिय) का आधार **स्कुम्भ** है; अर्थ-प्रक्रिया वही है जो संस्कृत **दंड** (उप.) में है। **कुम्बि** और **दंड,** दोनों का मूल अर्थ है खड़ी हुई वस्तु।

इसी तरह ऐतिहासिक दृष्टि से रोचक अन्य सूत्र है : **द्व्यन्तरुपसर्गेभ्योऽपईत्** (6-3-96)। **द्वि, अन्तर्** और उपसर्गों के बाद **अप्** बदलकर **ईप्** हो जाएगा। यहाँ **द्वि** और **अन्तर्** से बने **द्वीप** और **अन्तरीप** शब्दों पर ध्यान देना है। पानी के बीच जो भूमि हो, वह **अन्तरीप** है; पानी से घिरी भूमि **द्वीप** है। दोनों शब्दों में **ईप** की व्यंजना स्पष्ट है। यह आप का विकल्प है। **अप** का पूर्वरूप **अभ** है, **पाप** का पूर्वरूप **आभ** होगा। **ईप** का पूर्वरूप **ईभ** होगा; **आप** के साथ **अप** है तो **ईभ** के साथ **इभ** भी होगा। संस्कृत में **इभ** का अर्थ हाथी है; ग्रीक **ऑफिस्,** संस्कृत **अहि,** पूर्वरूप **अभि** का अर्थ सर्प है। **हाथी** और **सर्प** का सम्बन्ध जल से मानकर ये नाम रखे गए थे, इसका उल्लेख पूर्व अध्याय में हो चुका है। **अम्भ** शब्द में **म्** का लोप दो तरह से होगा, क्षतिपूर्ति के बिना, तब **अभ, अप** रूप प्राप्त होंगे; क्षतिपूर्ति के लिए स्वर का दीर्घ होना, तब **आभ, आप** रूप प्राप्त होंगे। **अम्भ** से जैसे **अम्बु** का विकास हुआ, वैसे ही **इभ, ईभ** के पूर्वरूप **इम्भ** से **इम्बु** का विकास भी हुआ होगा। पाणिनि के समय तक **इभ, ईप, इम्बु** आदि का जल वाला अर्थ लुप्त हो गया था। तभी उन्होंने **द्वि** और **अन्तर्** के साथ उपसर्गों की बात कही। **समीप** की व्याख्या भी **द्वीप, अन्तरीप** के साथ उसी सूत्र से हो गई। यहाँ पाणिनि ने **अप्** के ध्वनि-रूप पर ध्यान दिया है। **द्वीप** और **अन्तरीप** का सम्बन्ध जल से है, **समीप** का नहीं।

**अम्भ** में **म्** का लोप होने पर **अभ** रूप बच रहेगा, इस तरह की ध्वनि-प्रक्रिया अन्यत्र भी देखी जाती है। **ध्वंस्** से **ध्वस्त** (6-4-24), **दंश्** से **दशति** (6-4-25), **रञ्ज** से **रजति** (6-4-26) और **राग** (6-4-27); **भञ्ज्** से **अभाजि** और **अभञ्जि** (6-4-33), **रंज्** से **रङ्क्त्वा** और **रक्त्वा**। आधुनिक ऐतिहासिक भाषाविज्ञान में

**गतः, मतः** जैसे रूपों को लेकर कुछ अनावश्यक माथापच्ची की गई है। पाणिनि ने इनमें नासिक्य ध्वनि का लोप माना है और ऐतिहासिक दृष्टि से यह सही है। उन्होंने नियम बनाया कि धातुपाठ की जिन धातुओं का स्वर अनुदात्त होगा, अर्थात् उस पर बलाघात न होगा, स्पर्श-ध्वनि से आरम्भ होनेवाला प्रत्यय जुड़ने पर उनके अनुनासिक का लोप होगा। इसका अर्थ यह है कि अनुदात्त स्वरवाली धातु, प्रत्यय लगने पर, अपना बलाघातहीन रूप बनाए रहती है। किन्तु **यम्** से **यतः, रम्** से **रतः, गम्** से **गतः, नम्** से **नतः, हन्** से **हतः, मन्** से **मतः**, यहाँ धातु के स्वर को अनुदात्त मान लिया गया है; धातुपाठ में वे उदात्त स्वरवाली हैं। कोई प्रवृत्ति ऐसी है जो **गतः, मतः** आदि में प्रथम वर्ण पर बलाघात पसन्द नहीं करती। सिन्धी और अवधी के प्रसंग में इसका उल्लेख इस पुस्तक के पहले खंड में हो चुका है। **गतिः** में **ग** का स्वर उदात्त माना गया है। यह भिन्न प्रवृत्ति है जो नासिक्य ध्वनि का लोप होने पर भी प्रथम वर्ण पर बलाघात बनाए रहती है। **वन्** से **वतिः**, और **वन्ति** दोनों; **वतिः** में **क्तिन्** प्रत्यय माना, **वन्ति** में **क्तिच्**। **तन्** से **ततः, क्षण्** से **क्षतः** आदि भी इसी क्रम में हैं। (6-4-37)। लैटिन **फिंगो** (निर्माण करना) से **फिगूर** (निर्मिति, आकार), संस्कृत **खुण्ड्** लँगड़ाना, कन्नड़ **कुण्टु** (उप.) के साथ तोद **कुट्** (लँगड़ापन) पर ध्यान दें तो विदित होगा कि अनुनासिक का लोप काफी बड़े क्षेत्र में होता था।

कभी **मित्र** को **मित्रा, इन्द्र** को **इन्द्रा** बोलते रहे हों तो यह बात बाँगरू और मानक हिन्दी के लिए रोचक होगी। अवधी **सार**, मानक हिन्दी में **साला**, अवधी **कार**, मानक हिन्दी में **काला**; एक क्षेत्र में अन्तिम स्वर को दीर्घ करके बोलने की प्रवृत्ति है। **इन्द्रावरुणौ, मित्रावरुणौ, अग्नीवरुणौ** में पूर्वपद का अन्त्य स्वर दीर्घ किया गया है। (6-3-26, 27)। **विश्वामित्र** ऋषि का नाम है (6-3-130); **विश्वानरः** नाम है (6-3-129) किन्तु ऋषि का नहीं। दोनों में **विश्व** की जगह **विश्वा** है। **सोमावती, अश्वावती, इन्द्रियावती** वैदिक रूप हैं (6-3-131); यहाँ भी **वती** के पहले वाला स्वर दीर्घ किया गया है। 'ऋग्वेद' में **विद्मा** को **विद्मा** कहेंगे (6-3-135), **एव** को **एवा** कर देंगे (6-3-136), कहाँ **तु** को **तू, नु** को **नू** पढ़ेंगे (6-3-133), यह सब बताने के बाद जब पाणिनि ने देखा कि अब भी अन्त्य लघु स्वर को दीर्घ करनेवाले रूप बच रहते हैं, तब उन्होंने एक सूत्र बना दिया : **अन्येषामपि दृश्यते** (6-3-137)। व्याकरण में कोश के सभी शब्दों की ध्वनितंत्रीय व्याख्या कर दी जाए, यह आवश्यक नहीं। शिष्ट जनों का प्रयोग देख लो; वे अन्त्य स्वर को दीर्घ बोलते हों तो उसे 'शब्दानुशासन' के बिना भी स्वीकार कर लो।

**हन्** क्रिया के **जहि** रूप में **ह्** के स्थान पर **ज्** है। पाणिनि ने यह नहीं कहा कि मूल क्रिया **घन्** है और **घ्** का रूपान्तर **ज्** है। उन्होंने प्रचलित रूप **हन्** को आधार मानकर **जहि** की व्याख्या यों कर दी कि **हि** से संयोग होने पर **हन्** के **ह्** के स्थान पर **ज्** होगा : **हन्तेजः** (6-4-36)। इसका यह अर्थ नहीं है कि वह **हन्ति** और **घ्नन्ति**

का सम्बन्ध जानते न थे। **सह** का पूर्वरूप **सध** था; वैदिककाल में ही **सह** ने **सध** को अपदस्थ कर दिया था, **सधस्थाः, सधमादः** जैसे कुछ पदों में **सब** बचा था। पाणिनि ने इन रूपों की व्याख्या के लिए **सह** को आधार माना; **सधमादस्थयोश्छन्दसि** (6-3-96)। इससे यह अर्थ न निकालना चाहिए कि संस्कृत में **ह्** ध्वनि जहाँ-तहाँ बदलकर **ध्** हो जाती है। **शास्** क्रिया से **शाधि, प्रशाधि** रूप बनते हैं। पाणिनि ने यहाँ भी **हि** के स्थान पर **धि** के व्यवहार का नियम माना (6-4-35); **भिन्द्धि, छिन्द्धि** के लिए भी **हि** के स्थान पर **धि** के प्रयोग का नियम माना (6-4-101)। एक सूत्र में उन्होंने कहा कि **हन्** के स्थान पर **वध्** का व्यवहार होगा। **हनश्च वधः** (3-3-76); **हन्** के पहले उपसर्ग न हो, कार्य की सूचना मिलती हो, आगे **अप्** प्रत्यय हो, तो **हन्** के स्थान पर **वध्** होगा, यथा : **वधो दस्यूनाम्**। **अप्** केवल बलाघात की सूचना के लिए है। **वध्** में **अप्** लगने का अर्थ है क्रिया के स्वर का अनुदात्त उच्चारण। अगले सूत्र में उसी **हन्** के स्थान पर **घन्** के व्यवहार का नियम है; **हन्** के बाद **अप्** होगा, अर्थ होगा मूर्तिमत्ता का। **मूर्तौ घनः** (3-3-77) यथा : **अभ्रघनः**। इन दो सूत्रों का यह अर्थ नहीं है कि ध्वनि-परिवर्तन के किन्हीं नियमों से एक जगह **हन्** बदलकर **वध्** हो जाता है, दूसरी जगह **घन्** हो जाता है! विश्लेषण की सुविधा के लिए **हन्** की जगह **वध्** और **घन्** के व्यवहार का विधान है

**इषुगमियमां छः** (7-3-77); **इष्, गम्, यम्** धातुओं के वर्तमानकालिक रूपों में **ष्, म्** के स्थान पर **छ** होगा। इसका यह अर्थ नहीं है कि संस्कृत में **ष्** की तरह **म्** ध्वनि का भी तालव्यीकरण होता है। **गम्** का पूर्वरूप **गश्** है, यथा : फ़ारसी **गश्तन्** में; **इष्** का पूर्वरूप **इश्** है। यह **श्** अन्य तालव्य ध्वनि **छ्** के रूप में ग्रहण किया जाता है। **श्** ध्वनि एक क्षेत्र में **म्** रूप में ग्रहण की जाती है। कश्मीर के प्राकृत प्रतिरूप **कम्भार** में **कश्** का रूपान्तर **कम्** है। **गश्** और **गम्**, दोनों का पूर्वरूप **गर्** है जो संस्कृत **गर्त** (रथ) में प्राप्त है।

जो नापा जाए, वह **मेयम्** है; इसका एक प्रतिरूप है **पाय्य**। पाणिनि ने **मा** क्रिया को आधार मानकर **म्** के **प्** में बदलने का विधान क्रिया। (3-1-129)। बहुत सम्भव है, मूलरूप **पा** हो। पाणिनि के एक सूत्र में **पथ** के समानार्थी **माथ** का उल्लेख है (4-4-37)। उन्होंने उसका सम्बन्ध **पथ** या **पाथ** से नहीं जोड़ा किन्तु ऐसा सम्बन्ध जोड़ना उचित होगा। एक सूत्र में **भद्र** के समानार्थी **मद्र** का उल्लेख है (5-4-67)। यहाँ भी दोनों शब्दों का सम्बन्ध जोड़ना उचित होगा। **भ्, प्** का रूप में ग्रहण इंडो-यूरोपियन परिवार की अनेक भाषाओं तथा द्रविड़ भाषाओं में उपलब्ध है।

**सह्** क्रिया से **साढ्यै, साढ्वा** जैसे रूप बने; वे वैदिक भाषा में हैं; **सोढा, सोढ्वा** जैसे रूप उत्तरकालीन संस्कृत में हैं (6-3-112, 113)। यहाँ हिन्दी **छह** के रूपान्तर **छा** और **छौ** को स्मरण करें, **बहन** के बंगला रूपान्तर **बोन्** को स्मरण करें। **वृक्षः** और **अत्र** के मिलने पर **वृक्षोऽत्र** कहेंगे (6-1-113); **पुरुषः** बाद **ददाति,**

कहेंगे **पुरुषो ददाति** (6-1-114); यजुर्वेद में **उरस्** से **उरः**, फिर **उरो अन्तरिक्षस्** (6-1-117), **आपो अस्मान्, जुषाणो अप्तुराज्यस्य, वृष्णो अंशुभ्यां** (6-1-118) में विसर्गों के स्थान पर **ओ** का व्यवहार उसी मागधी प्रवृत्ति का परिणाम है।

**प्र** और **सम्** के बाद **जानु** के स्थान पर **जु** का व्यवहार होगा (5-4-129)। यह वर्ण-संकोचन का बहुत स्पष्ट उदाहरण है। **ध्मा** को आधार मानकर पाणिनि कहते हैं **धमति** में **ध्मा** के स्थान पर **धम्** है; **म्ना** को आधार मानकर वह **मनति** में **म्ना** के स्थान पर **मन्** का व्यवहार मानते हैं (7-3-78)। इसी सूत्र में वह **दृश्** को मूल क्रिया मानकर **पश्यति** में **पश्य** को दृश् का स्थान लेते बताते हैं, **धावति** की **धौ** को **स्** क्रिया का स्थान देते हैं। यह सब यांत्रिक रूप से ग्रहण न करना चाहिए। अगले सूत्र में **जानाति** और **जायते,** दोनों की सिद्धि के लिए **ज्ञा** और **जन्** के स्थान पर **जा** के व्यवहार की बात कही (7-3-79)। ध्वनितंत्र की दृष्टि से **जान्** मूलरूप है, **ज्ञा** उसका वर्ण-संकोची परिणाम है। **जन्** में **न्** का लोप होने पर क्षतिपूर्ति के लिए क्रिया का ह्रस्व स्वर दीर्घ होता है।

संस्कृत में किसी समय क्रिया से संज्ञा रूप बनाते हुए क्रिया के स्वर को दीर्घ करने का बड़ा ध्यान रखा जाता था। 'अष्टाध्यायी' के पहले अध्याय का पहला सूत्र है **वृद्धिरादैच्, आ, ऐ, औ** वृद्धिस्वर हैं। सूत्रकार, चाटुकार जैसे शब्दों के हम अभ्यस्त हो गए हैं। **चित्रकरः, किङ्करः, दिवाकरः** में क्रियामूल **कर्** का स्वर दीर्घ नहीं होता। (3-2-21)। **पाण्य** के साथ **पण्य** का व्यवहार होता था (3-1-101)। **आर्य** के साथ इसी तरह **अर्य** का अस्तित्व था। **आर्य** महिमान्वित हुआ; पुराना रूप **अर्य** ही है। **वह्** से एक रूप बना **वह्य,** दूसरा **वाह्य; वह्य** सामान ढोने की गाड़ी के लिए आरक्षित हुआ, **वाह्य** सामान ढोनेवाले बैल के लिए (3-1-102)। **ज्वालः** और **ज्वलः, चालः** और **चलः,** दोनों रूप स्वीकार किये गए। (3-1-140)। **ग्रहः** और **ग्राहः** में अर्थभेद किया; **ग्राहः** जल में रहनेवाला जीव, **ग्रहः ग्रह**-नक्षत्रों वाला आकाशचारी प्रपंच (3-1-143)। **चकार** के साथ **चकर, पपाच** के साथ **पपच** क्रिया-रूप मान्य हैं (7-1-91)।

एक रूप है **नभ्यः** (5-1-2); इसका अर्थ है धुरी। अन्य रूप है **नाभ्यम्** (5-1-6); किसी जीव की नाभि के लिए जो उपयुक्त हो, वह है **नाभ्यम्**। दीर्घ स्वर वाला रूप जीव के लिए है, ह्रस्व स्वर वाला निर्जीव के लिए। **नाभि** से **नाभ्यः** बनाते हुए **आ** को ह्रस्व किया या **नभि** से **नाभ्यम्** बनाया, यह प्रश्न गौण है। आदि वर्ण में गुरु स्वर वाला रूप सम्मानसूचक है, यह मुख्य बात है। **शूरसेन** से पुंलिंग रूप **शौरसेनः** बना; स्त्रीलिंग के लिए **शूरसेनी** काफी है। (4-1-177)। **कुरु** से पुंलिंग **कौरव्यः**, स्त्रीलिंग में **कुरूः** से काम चलेगा। (4-1-176)। **अज्** क्रिया से **सम्** उपसर्ग सहित एक रूप बना समाज; यह मनुष्यों का समुदाय है; पशुओं का झुंड **समज** कहलाएगा (3-3-69)। **पर्वतीय** और **पार्वत** में प्रयोगभेद है। मनुष्य के

लिए **पर्वतीय** रूप का ही प्रयोग होगा; मनुष्येतर के लिए दोनों रूपों का प्रयोग हो सकता है। यहाँ वृद्धिवाला **पार्वत** रूप गौरवसूचक नहीं बन पाया, अत: वह मनुष्य के लिए, **समाज** के समान, आरक्षित नहीं हुआ।

पाणिनिकालीन शिष्ट भाषा में व्याकरणगत लिंगभेद सुप्रतिष्ठित है। फिर भी उसमें चेतन-अचेतन, मानव और मानवेतर का भेद महत्त्वपूर्ण बना हुआ है। **चित्तवति नित्यम्** (5-1-89), यहाँ द्विगुसमास में **वर्ष** शब्द के व्यवहार-सन्दर्भ में चेतन और अचेतन के बीच भेद किया गया है। **विभाषाऽ मनुष्ये** (4-2-144), यहाँ **पार्वत-पर्वतीय** को लेकर मनुष्य और मनुष्येतर में भेद किया गया है। इस तरह का भेद व्याकरणगत लिंगभेद की प्राचीन अवस्था सूचित करता है। **पर्वतीय** और **गार्वत, समज** और **समाज, शूरसेनी** और **शौरसेन**, ऐसे रूप देखकर लगता है कि लिंगभेद और वृद्धि स्वर वाली शब्द-रचना में कहीं भीतरी सम्बन्ध है।

यहाँ **ब्राह्मण** शब्द के व्यवहार और उसकी प्रतिष्ठा पर ध्यान देना उचित होगा। आधार शब्द तो **ब्रह्मन्** है। **ब्रह्महन्** कहने से ब्राह्मणघाती का बोध होगा (3-2-87), **सुराष्ट्रब्र:ह्म** कहने से सुराष्ट्र के ब्राह्मण का बोध होगा (5-4-104)। **ब्राह्मण** की प्रतिष्ठा का कारण प्रथम वर्ण का दीर्घ स्वर तथा दूसरे वर्ण का **ण्** है। मूर्धन्य स्वरों का गौरव और वृद्धिस्वरों का गौरव; **ब्राह्मण** के आगे आधाररूप **ब्रह्मन्** अपदस्थ हो गया। फिर भी **ब्राह्म** शब्द अस्त्रों, औषधियों के लिए प्रयुक्त होता रहा, **ब्राह्मं अस्त्रं, ब्राह्मी औषधि:। ब्राह्म** शब्द जातिगत अर्थ में प्रयुक्त न होगा, इसके लिए सूत्र बनाया : **ब्राह्मोऽजातौ** (6-4-171)। पाणिनि के समय में आयुधजीवी ब्राह्मण भी थे; **ब्राह्मणक** वह प्रदेश है जहाँ इस कोटि के ब्राह्मण रहते हैं। वर्ण धर्मवाला समाज अभी न तो देशव्यापी है, न सुदृढ़ और रूढ़िबद्ध है। गण-समाजों के अवशेष बिखरे पड़े हैं। इस स्थिति का प्रभाव भाषा पर है। **मद्र** का पुत्र **माद्र** होगा किन्तु **मद्र** और **माद्र** दोनों का बहुवचन रूप होगा **मद्रा:**। (4-3-100)। बहुवचन रूप गणवाचक है; उसने **माद्र** को अपदस्थ किया। **कठ** द्वारा उद्घोषित मंत्रों को पढ़नेवाले **कठा:** कहलाए। **कठा:** वैदिक प्रयोग है, प्राचीन है (4-3-107); उत्तरकालीन रूप है **काठा:**। **मद्रा:** के समान **कठा:** भी गणवाचक बहुवचन रूप है। इस प्रकार ऐतिहासिक भाषाविज्ञान की दृष्टि से पाणिनि के सूत्रों की नई व्याख्या की जा सकती है।

एक रूप है **अग्निमान्**, दूसरा रूप है **वृक्षवान्; मान्** और **वान्** की भूमिका एक-सी है। पाणिनि ने **मत्** को आधार मानकर **म्** के स्थान पर **व्** के व्यवहार की बात कही (8-2-9)। भारतीय परिवेश में **म्** ध्वनि **व्** में बदलती है, जैसे **ग्राम** के तद्भव रूप **गाँव** में; पाणिनि का नियम ऐतिहासिक भाषाविज्ञान के अनुकूल है। **एत** से **एता, एनी** रूप बने, **हरित** से **हरिता** और **हरिणी**। पाणिनि ने **त्** के स्थान पर **न्** के व्यवहार की बात कही (4-1-39)। भारतीय परिवेश में **त्** ध्वनि **न्** में बदलती

है, जैसे **तीर** के रूपान्तर **नीर** में। पाणिनि का नियम ऐतिहासिक भाषाविज्ञान के अनुकूल है। **तद्** और **सः** में **तद्** मूलरूप है, **एतद्** और **एषः** में **एतद्** मूलरूप है, **अदस्** और **असौ** में **अदस्** मूलरूप है; पाणिनि के अनुसार **त्-द्** के स्थान पर **स्** का व्यवहार हुआ (7-2-107, 108)। भारत के उत्तर-पश्चिमी क्षेत्र में **त्** के **स्** में बदलने की प्रवृत्ति है। अवधी में **हमते**, मानक हिन्दी में **हमसे**; संस्कृत में **रक्त** और **रक्षस्, भक्त** और **भक्षण, नक्त** और **नक्षत्र, लक्त** और **लाक्षा** के सम्बन्ध का यही रहस्य है। दूसरी ओर **मास** से **माद्भिः, उषस्** से **उषद्भिः** रूपों में **द्** ने **स्** का स्थान लिया है। **समय** के पुराने तमिल प्रतिरूप **तमयम्** के समान यहाँ **स्** ध्वनि **त्** रूप में भी ग्रहण की जाती रही है। एक ही भाषा के ध्वनितंत्र में दो भिन्न प्रवृत्तियाँ हैं। ऐतिहासिक भाषाविज्ञान की दृष्टि से दोनों का अस्तित्व स्वीकार करना होगा।

एक रूप है **धीवर**, दूसरा रूप है **धीवन्**। यहाँ **धीवन** को आधार मानकर पाणिनि ने नियम बनाया कि **न्** की जगह **र्** का व्यवहार होगा, तब स्त्रीलिंग रूप **धीवरी** बनेगा (4-1-7)। भारतीय सन्दर्भ में **र्** ध्वनि **न्** में बदलती दिखाई देती है, संस्कृत **कर्षण** और हिन्दी **खींचना** का सम्बन्ध इसी तरह ज्ञात होता है। पाणिनि के समय में **धीवर्** शब्द केवल **धीवरी** में सुरक्षित रहा किन्तु ऐतिहासिक भाषाविज्ञान की दृष्टि से है वह मूलरूप।

देखें गुणवृद्धि वाले नियमों की, ऐतिहासिक भाषाविज्ञान की दृष्टि से, ऐसी ही कोई व्याख्या सम्भव है या नहीं।

**इको गुणवृद्धी** (1-1-3); **इ** का गुण **ए** है, **उ** का गुण **ओ** है। **अ** का गुण रूप नहीं है। क्यों नहीं है? मेरी समझ में इसका कारण यह है कि **इ** और **ए** को जोड़नेवाली बीच की कड़ी **ऑ** है, **उ** और **ओ** को जोड़नेवाली बीच की कड़ी **ऑ** है। द्रविड़ भाषाओं में **अॅ** कहीं **इ** बनता है, कहीं **ए, ऑ** कहीं **उ** बनता है, कहीं **ओ**। मलयालम **पॅरुग** (जन्म देना), **पिरक्क** (पैदा होना), **पेरु** (जन्म), यहाँ **इ** स्वरवाली क्रिया, उसके गुण रूप **ए** वाली संज्ञा, बीच की कड़ी **अॅ** वाला क्रिया-रूप तीनों विद्यमान हैं। तमिल **कोडु** (मुड़ना), **कुडा** (मोड़), **कॉडु** (मुड़ा हुआ), यहाँ भी **उ, ऑ, ओ** स्वरोंवाले तीन सम्बद्ध रूप विद्यमान हैं। इसी प्रकार अवधी **बॉलावत** है, मानक हिन्दी में **बोलता है, बुलाता है** से **ऑ, उ, ओ** का आपसी सम्बन्ध समझा जा सकता है। यदि हिन्दी में **बोलता, बुलाता** ही सुलभ हों तो **बुल्** क्रिया मानकर **बोल्** को गुण प्रक्रिया से उसका रूपान्तर कहा जा सकता है। संस्कृत में **अ, ऑ** नहीं हैं किन्तु पालि में हैं, द्रविड़ भाषाओं में हैं, प्राचीन आर्य गण भाषाओं में भी रहे होंगे, सबमें नहीं तो कुछ में। ये **अॅ, ऑ** वास्तव में **अ** का कौरवी-मागधी प्रतिरूप हैं; ये जब **इ, उ** बनते हैं तब **ए, ओ** से उनका सम्बन्ध जोड़ना आवश्यक होता है क्योंकि **ए, प्रो** भी बहुधा **अॅ, ऑ** का विकास होते हैं। **अ** के साथ ऐसी कोई समस्या नहीं है, अतः उसका सगुण रूपान्तर भी नहीं है। संस्कृत में जहाँ भी **वेदति,**

**विदति, बोधति, बुधि** जैसे रूप मिलें जिनमें **इ-ए, उ-मो** का सम्बन्ध मूल क्रिया में दिखाई देता हो, वहाँ यह सम्भावना सदा विचारणीय है कि धातु का स्वर में **ॲ** या **ऑ** रहा होगा। **विध्यति** और **वेध** में **व्यध्** क्रिया मानी गई है, **व्याध** में **व्यध्** का आधार स्पष्ट है। यहाँ मूल क्रिया **वॅध्** मानी जाए तो इन सभी रूपों की व्याख्या हो जाएगी। **वॅध** का **ॲ व्यध्** में **य** बना है। व्यथा की क्रिया **व्यथ्** है, ठीक उसी अर्थ में **वेधते** की मूल क्रिया **वेध्** (काँपना) है। **व्यथ्** और **वेध्** के बीच की कड़ी है **वॅध्**। **त्वर्** (शीघ्रता करना) और **तुर** (शीघ्रता करनेवाला), **तुरग** (तेज़ दौड़नेवाला, घोड़ा) का **तुर्** परस्पर सम्बद्ध हैं; **तॉर्** का रूपान्तर है **त्वर्**।

**ऋ** का गुण स्वर **अर्** है। **करोति** और **कृति** पर ध्यान दें तो **कर्** का वर्ण-संकोची परिणाम होगा **कृ**। यहाँ ऐतिहासिक दृष्टि से **कर्** मूलरूप है, **कृ** उसका विकास है। पाणिनि से बहुत समय पहले **कर्-कृ** वाली विकास प्रक्रिया सम्पन्न हो चुकी है। कृदन्त रूप, अनेक संज्ञारूप बनाने में यह वर्ण-संकोचन पद्धति सक्रिय रही है। विश्लेषण की सुविधा के लिए **कृ** को आधाररूप और **कर्** को उसका रूपान्तर कहा जाए, तो इसे ऐतिहासिक तथ्य न मान लेना चाहिए। **अर्** में **अ** स्वर है, **र्** अर्द्धस्वर है। विश्लेषण की सुविधा के लिए **अर्** को स्वर मान लिया गया है। एक बात और। **कृ** के उच्चारण में या तो **इ** स्वर हो या **उ**; **वृक्ष** से **बिरिछ** और **रूख** तद्भव रूप बने, **ऋ** की इकार-उकारवादी दो उच्चारण-पद्धतियों के कारण। **करोति** का **कर्** एक जगह **कॅर्** बोला जाता था, दूसरी जगह **कॉर**। **कॅर, कॉर्,** दोनों का समाहार है **कृ**।

वृद्धि के **ऐ, औ** संयुक्त स्वर **अइ, अउ** हैं। ये संयुक्त स्वर **आ** से भिन्न स्तर के हैं। **आ** संयुक्त स्वर नहीं है, **ऐ, औ** संयुक्त स्वर हैं। फिर भी वृद्धि स्वरों में **ऐ, औ** के साथ **आ** भी है, विश्लेषण की सुविधा के लिए। **अइ, अउ** संयुक्त स्वरों में प्रथम स्वर **अ** है। यहाँ की अनेक आर्य-द्रविड़-कोल भाषाओं में **ॲइ, ऑउ** जैसे संयुक्त स्वर भी हैं। संस्कृत में **ॲइ ऑउ** नहीं हैं, केवल **अइ अउ** हैं, इसका कारण यह है कि संस्कृत मूलतः उस क्षेत्र की भाषा है जहाँ **अ** स्वर की प्रधानता थी।

**इ** का दीर्घ रूप **ई** है, **उ** का दीर्घ रूप **ऊ** है। इसी प्रकार **अ** का दीर्घ रूप आ माना गया है पर ध्वनितत्त्व की दृष्टि से ऐसा है नहीं। **आ** का उच्चारण विवृत है, **अ** का संवृत। **तुल्यास्यप्रयत्नं सवर्णम्** (1-1-9), इस सूत्र से पाणिनि ने सवर्ण ध्वनियों की व्याख्या की; जिनका उच्चारण-स्थान एक सा हो, उच्चारण में प्रयत्न एक-सा हो, वे सवर्ण ध्वनियाँ हैं। **अकः सवर्णे दीर्घः** (6-1-101); जहाँ दो सवर्ण स्वर आमने सामने हों, वहाँ दोनों के स्थान पर सवर्ण दीर्घ स्वर का व्यवहार होगा। **दण्ड** के साथ **अग्रम्, अ** का सवर्ण दीर्घ स्वर **आ**; अतः परिणाम हुआ **दण्डाग्रम्**। पाणिनि ने 'अष्टाध्यायी' के अन्तिम सूत्र में संकेत किया कि **आ** को **अ** का सवर्ण स्वर केवल व्याकरण की सुविधा के लिए माना गया है। **अ अ इति** (8-4-68), इस कूट सूत्र की व्याख्या यह की गई है कि समस्त ग्रंथ में **अ** को विवृत स्वर माना

गया है, तभी वह **आ** का सवर्ण है, किन्तु वास्तव में वह संवृत है। यह व्याख्या परम्परागत है और मेरी समझ में सही है। पाणिनि ने यहाँ ध्वनितत्त्व और ध्वनितंत्र में भेद किया है। ध्वनि के स्थान और प्रयत्न के विचार से उसका विवरण देना ध्वनितत्त्व है; भाषा में व्यवहार की दृष्टि से, व्याकरण में विश्लेषण की सुविधा के विचार से उसका विवरण देना, ध्वनितंत्र है। इसलिए ध्वनि-तांत्रिक मूल्य सदा ध्वनितात्त्विक मूल्यों से मेल नहीं खाते। पाणिनि ने ध्वनितत्त्व, ध्वनितंत्र शब्दों का प्रयोग नहीं किया किन्तु पूरी '*अष्टाध्यायी*' में **अ** को विवृत मानने का आधार एक है, अन्तिम सूत्र में उसे संवृत कहने का आधार दूसरा है। दोनों आधार वैज्ञानिक हैं, दोनों की अलग-अलग उपयोगिता है।

आधुनिक भाषाविज्ञान में **फॉनेटिक्स** (ध्वनितत्त्व) और **फॉनोलॉजी** (ध्वनितंत्र) को लेकर जो सार्थक भेद किया गया है, उसकी शुरुआत '*अष्टाध्यायी*' से होती है।

## 4. पाणिनि और आधुनिक भाषाविज्ञान

इसमें सन्देह नहीं कि आधुनिक भाषाविज्ञान पर—वह चाहे ऐतिहासिक और तुलनात्मक हो, चाहे विवरणात्मक—पाणिनि का गहरा प्रभाव है। फिर भी पाणिनि की विश्लेषण पद्धति में और आधुनिक भाषाविज्ञान की पद्धति में यथेष्ट अन्तर है।

सबसे पहले ऐतिहासिक भाषाविज्ञान को लें।

पाणिनि के विवेचन की सबसे बड़ी विशेषता उनकी जनपदीय दृष्टि है। उनके समय में अनेक जनपद हैं, इन जनपदों की भाषा में अनेक महत्त्वपूर्ण भेद हैं। वे इन भेदों को अस्वीकार नहीं करते, उन्हें अपने व्याकरण में स्थान देते हैं। यदि ऐतिहासिक भाषाविज्ञान के आधुनिक विशेषज्ञों ने पाणिनिकालीन भाषा में जनपदीय प्रयोग-विविधता पर ध्यान दिया होता, तो वे भारतीय आर्यों की एकरूप आदिम भाषा की कल्पना न करते। भारतीय रूढ़िवाद ने संस्कृत को देववाणी बनाकर उसे जनपदीय प्रयोग-विविधता से मुक्त कर दिया। पाणिनि के प्रति इस रूढ़िवादी दृष्टि का गहरा प्रभाव ऐतिहासिक भाषाविज्ञान के आचार्यों पर पड़ा। संस्कृत उनके सामने एक आदर्श परिनिष्ठित भाषा हो गई। पाणिनि के समय में आर्यों की आदिम एकरूप भाषा थोड़ा बदल गई; नैदिककाल में सभी आर्यों की एक परिनिष्ठित भाषा थी, यह धारणा उनके मन में मजबूती से जम गई। इसका प्रभाव आदि ग्रीक, आदि स्लाव, आदि जर्मन सम्बन्धी कल्पनाओं पर पड़ा, इन सबकी मातामही आदि इंडो-यूरोपियन भाषा सम्बन्धी कल्पना पर पड़ा। उन्होंने कल्पना की, आदि इंडो-यूरोपियन भाषा मूलतः एकरूप थी। इससे जो भी शाखा फूटी, वह भी मूलतः एकरूप थी। थोड़ा-थोड़ा परिवर्तन होता गया, इस क्रम से आधुनिक भाषाओं तक पहुँचे। इसे वे भाषाओं का विकास कहते थे; प्राप्त भाषाओं का ऐतिहासिक विवेचन करके वे कल्पित आदिभाषा का स्वरूप पहचानने का प्रयत्न करते थे।

पाणिनि के सूत्रों को शब्दों की व्युत्पत्ति समझाने के लिए सर्वाधिक उद्धृत किया जाता है। एक शब्द है **इन्द्रिय**। इसकी व्युत्पत्ति क्या है? पाणिनि कहते हैं : **इन्द्र** का चिन्ह **इन्द्रिय** है, चिन्ह से **इन्द्र** को पहचानते हैं, इसलिए चिन्ह का नाम **इन्द्रिय** पड़ा; अथवा **इन्द्र** उसे देखते हैं, इसलिए वह **इन्द्र** है; अथवा **इन्द्र** ने उसका सृजन किया है; अथवा **इन्द्र** ने उसकी कामना की है; अथवा **इन्द्र** ने उसे दिया है। ये सब विकल्प हैं, यह जताने के लिए सूत्र के अन्त में **वा** लिखा : **इन्द्रियम् इन्द्रलिङ्गम् इन्द्रदृष्टम् इन्द्रसृष्टम् इन्द्रजुष्टम् इन्द्रदत्तम् इति वा** (5-4-93)। (सुविधा के लिए यहाँ सन्धिरूपों का विग्रह करके सूत्र लिखा है।) जैसे पाणिनि प्रयोग-विविधता का ध्यान रखते हैं, वैसे ही वह व्यत्पत्ति के विषय में सम्भावित विकल्पों का ध्यान रखते हैं। जिस दृष्टि से पाणिनि ने अपना व्याकरण रचा है, वह उनके ग्रंथ में निहित है। वह दृष्टि रूढ़िवादी दृष्टि से भिन्न है, पाश्चात्य भाषाविज्ञानी दृष्टि से भिन्न है।

अब विवरणात्मक भाषाविज्ञान को लें। इस विज्ञान के संस्थापक आचार्य ब्लूमफील्ड पाणिनि के बड़े प्रेमी थे, 'अष्टाध्यायी' का कुछ अंश नित्य पढ़ते थे और तब सोते थे। उन्होंने ऐतिहासिक भाषाविज्ञान की पाठशाला में शिक्षा आई, फिर उस ज्ञान का उपयोग भाषाओं का विवरण प्रस्तुत करने के लिए किया। वह समझते थे कि उनकी पद्धति तटस्थ और वैज्ञानिक है; उसमें अर्थ-विचार को जितना ही कम स्थान दिया जाएगा, उतना ही वह अधिक वैज्ञानिक होगी। ब्लूमफील्ड पर यांत्रिक भौतिकवाद का प्रभाव काफी था। यांत्रिक भौतिकवाद से जो मनोविज्ञान प्रभावित था, उसका असर भी उन पर था। उनकी परम्परा में अन्य विद्वानों ने विवरणात्मक भाषाविज्ञान को परिष्कृत और विकसित करते हुए अर्थ-विचार से अपने को और भी दूर रखा। इसकी प्रतिक्रिया चोम्स्की के भाववादी चिन्तन में हुई जिसमें अर्थ-विचार की स्वीकृति के साथ भाषा को आत्मगत विचार-प्रक्रिया का प्रतिफलन मानने पर जोर दिया गया।

पाणिनि ने वैदिक और समकालीन भाषा का विवेचन किया है, उसका विवरण प्रस्तुत किया है। इस विवेचन-विवरण का आधार है शब्द, वाक्य में उसका प्रयोग। शब्द अर्थयुक्त होता है, अर्थहीन शब्द व्याकरण का विषय नहीं होता। **स्वं रूपं शब्दस्याशब्दसंज्ञा** (1-1-68), यहाँ उन्होंने शब्द की व्याख्या की है। शब्द का रूप होता है, वह बोला और सुना जाता है; रूप के साथ उसका **स्व, अर्थ** होता है। व्याकरण के लिए जो संज्ञाशब्द अर्थात् पारिभाषिक शब्द गढ़ लिये गए हैं, उन्हें 'शब्दानुशासन' के विवेच्य शब्दों से अलग रखा गया है।

**विभाषा दिक्समासे बहुब्रीहौ** (1-1-28), एक विशेष प्रकार के बहुव्रीहि समास में **सर्व, विश्व** आदि का सर्वनामवत् वैकल्पिक प्रयोग होता है। समास के इस विशेष प्रकार की पहचान अर्थ से होती है; जव समास का अर्थ दिशा का संकेत करे, तभी यह नियम लागू होगा। **षष्ठ्या आक्रोशे** (6-3-21); समास में षष्ठी रूप

तब बना रहेगा जब आक्रोश व्यक्त करना हो, यथा : **चौरस्यकुलम्**। **ब्राह्मणकुलम्** में आक्रोश-भाव नहीं है, षष्ठी रूप भी नहीं है। **स्यदो जवे** (6-4-28); **स्यन्द्** क्रिया से **स्यद** रूप तब बनता है जब उसका अर्थ वेग होता है। **स्ना** क्रिया से **स्नात** बना। **नि** उपसर्ग लगने पर **स्** के स्थान पर **ष** का प्रयोग हुआ। रूप बना **निष्णात**; उसके साथ **निस्नात** भी डटा रहा। दोनों में अर्थभेद हुआ। **निस्नात** वह जिसने **स्नान** किया है। **निष्णात** वह जो कुशल है। पाणिनि नियम बनाया **निनदीभ्यां स्नातेः कौशले** (8-3-89); **नि** और **नदी** के बाद **स्नात** का **स्** तभी **ष** होगा जब कौशल का भाव व्यक्त करना हो। इसी प्रकार **प्रतिष्णात** केवल **सूत्र** के साथ आएगा, **सूत्र** शुद्ध है, यह बताएगा; **प्रतिस्नात** का सामान्य नहानेवाला अर्थ होगा। (8-3-90)। **कपि** और **स्थल** के मेल से **कपिस्थल** बना, वानरों का स्थान; **षत्व** ने अर्थ बदल दिया, **कपिष्ठल** गोत्रनाम है। एक जगह **सेधयति**, दूसरी जगह **षेधयति**। जब चलने का अर्थ होगा तब **स्** बना रहेगा, निषेधभाव होगा तब **स्** का स्थान **ष** लेगा। (8-3-113)। एक ध्वनि के स्थान पर दूसरी ध्वनि के व्यवहार को ध्वनि-परिवर्तन कहें, **स्** के स्थान पर **ष्** का व्यवहार निस्सन्देह ध्वनि-परिवर्तन है, तो मानना होगा कि पाणिनि के लिए यह प्रक्रिया अर्थ-विचार से मुक्त नहीं है।

वाक्य **अहो** से आरम्भ हो और क्रिया प्रशंसा का भाव व्यक्त करे तब क्रिया में उसका बलाघात बना रहता है (8-1-40), जब प्रशंसा का भाव व्यक्त न हो, तब **शेषे विभाषा** (8-1-41); क्रिया में उसका बलाघात बना रहे चाहे जाए, कोई फर्क नहीं पड़ता। वाक्य के उच्चारण में सामान्य नियम यह है कि उसका अन्तिम स्वर प्लुत होगा और बलाघात उदात्त होगा। (8-2-82)। अभिवादन के उत्तर में आशीर्वाद दिया जाए तो यही नियम लागू होगा किन्तु शूद्र के अभिवादन का उत्तर दिया जाए तो यह नियम लागू न होगा। (8-2-83)। शूद्र और द्विज के अभिवादन का उत्तर देने में जो भेद प्रचलित था, वही पाणिनि के सूत्र में व्यक्त हुआ है। वार्तिक लिखनेवालों ने जोड़ा **स्त्रियां न**; स्त्री के अभिवादन का उत्तर देने में भी प्लुत स्वर, उदात्त बलाघातवाला नियम न चलेगा। पाणिनि ने शब्द और वाक्य के उच्चारण को लेकर जो सूत्र बनाए हैं, वे अर्थ-विचार और सामाजिक सन्दर्भ से मुक्त नहीं हैं।

पाणिनि के वाक्यतंत्रीय विवेचन में कारक-सम्बन्धी धारणा महत्त्वपूर्ण है। कारक प्रपञ्च किसी विश्वजनीन, मनुष्य के मन में सनातन से विद्यमान, अमूर्त चिन्तन-प्रक्रिया का प्रतिबिम्ब नहीं है। वह कोई सूक्ष्म मानसिक प्रक्रिया नहीं है जो व्याकरण में कारक-प्रक्रिया बनकर प्रकट हुई हो। उसका सम्बन्ध मनुष्य के सामाजिक जीवन से है, विचार-विनिमय की आवश्यकता से है, व्याकरण के अनेक विभागों के समान प्रयोग-विविधता से है। कारक प्रपंच भी अर्थ-विचार से मुक्त नहीं है।

वाक्य में कर्ता की स्थिति क्या है? **स्वतंत्रः कर्ता** (1-4-54); वाक्य में वह स्वतंत्र रूप से क्रिया सम्पन्न करता है। कर्ता और कर्म में क्या सम्बन्ध है? **कर्तुरीप्सित**

**तमं कर्म** (1-4-49), कर्ता अपनी क्रिया से जो पाने की सर्वाधिक कामना करता है, वह कर्म है। क्रिया सम्पन्न करने के लिए जो वस्तु सर्वाधिक साधक बनती है, वह करण है। **साधकतमं करणम्** (1-4-42)। कर्ता जिसे कर्म से सम्बद्ध करना चाहे, वह सम्प्रदान है; **कर्मणा यमभिप्रैति स सम्प्रदानम्** (1-4-32)। सम्प्रदान में देने की क्रिया का भाव निहित है। किन्तु सम्प्रदान कारक का सम्बन्ध केवल देने से नहीं है। अत: पाणिनि ने व्यापक व्याख्या की। किसी स्थिर बिन्दु से अलग हटने पर क्रिया सम्पन्न होती हो, तो प्रस्थान-बिन्दु सूचित करनेवाली संज्ञा अपादान होगी। **ध्रुवमपायेऽपादानम्** (1-4-24)। जिस स्थान पर क्रिया सम्पन्न हो, वह अधिकरण होगा। **आधारोऽधिकरणम्**। (1-4-45)। ये सभी कारक विभिन्न रूपों में क्रिया से सम्बद्ध हैं, इसीलिए वे कारक कहलाते हैं। वाक्य में क्रिया को विश्लेषण का आधार मानकर पाणिनि ने कारकों की व्याख्या की है। कर्ता स्वतंत्र है, शेष कारक उस पर निर्भर हैं किन्तु वह कर्ता इसलिए है कि कोई क्रिया सम्पन्न करता है।

प्रत्येक कारक के साथ प्रथमा, द्वितीया आदि शब्द लगाकर संख्या शब्द से उसे पुकारने का विधान किया। इससे एक लाभ यह हुआ कि जहाँ कोई कारक अपना मूल कार्य नहीं करता, वहाँ संख्या शब्द के अन्तर्गत उसके गौण कार्य समेट लिये जाते हैं। **देवदत्तेन कृतम्** इस वाक्य में कार्य देवदत्त द्वारा सम्पन्न हुआ किन्तु **देवदत्तेन** करण है। इसलिए पाणिनि ने सूत्र बनाया : **कर्तृकरणयोस्तृतीया** (3-2-18)। कर्ता और करण, दोनों के लिए तृतीया का प्रयोग होता है। इस प्रकार तृतीया के अन्तर्गत मूल भूमिका करण की, गौण भूमिका कर्ता की हुई। कर्ता की भूमिका करण निबाहता है, यह कहने से भ्रम पैदा होने की सम्भावना है। तृतीया से करण और कर्ता, दोनों की अभिव्यक्ति होती है, यह कहने से कर्ता और करण की मूलभूत भिन्नता बनी रहती है।

पाणिनि के लिए कारक रूप जड़ नहीं हैं, मुहावरों के शब्दों की तरह वे अपनी मूल भूमिका छोड़कर निरन्तर दूसरी भूमिका में क्रियाशील दिखाई देते हैं। कारक रूपों की इस गतिशीलता का एक कारण जनपदों की प्रयोग-भिन्नता अवश्य रही होगी। उदीच्यजन कृदन्त-प्रेमी थे; उत्तरी जनपदों में **देवदत्तेन कृतम्** शैली का चलन ज्यादा था। **कर्तृकरणयोस्तृतीया** सूत्र इन्हीं जनपदों के प्रयोगों की व्याख्या के लिए है।

**ग्रामं गच्छति** और **ग्रामाय गच्छति,** दोनों तरह के वाक्यों का चलन था। जो विद्वान् अपभ्रंशों में कारक-सम्बन्धी अराजकता देखकर खिन्न होते हैं, विशेष कर हिन्दी में कर्म-सम्प्रदान का भेद मिटते देखकर क्षुब्ध होते हैं, वे संस्कृत मुहावरों का अवलोकन करें। पाणिनि के समय में कर्म और सम्प्रदान का वैकल्पिक प्रयोग होता था और वास्तव में **ग्रामं गच्छति** का **ग्रामं** कर्म की भूमिका नहीं निबाहता। अर्थ-दृष्टि से **गच्छति** सकर्मक क्रिया नहीं है, उसका कर्म कहाँ से होगा? इसी

प्रकार **ग्रामाय गच्छति** में **ग्रामाय** की भूमिका सम्प्रदान की नहीं है। मुहावरेदार भाषा में दोनों प्रयोग सही हैं।

**रामम् विना, रामेण विना, रामात् विना** (या **रामाद्विना**), तीनों प्रयोग सही हैं। **विना** के साथ कर्म, करण, अपादान—किसी भी कारक का व्यवहार हो सकता है। (2-3-32)। इससे अधिक 'अराजकता' और क्या होगी? और उक्त प्रयोगों में **राम** न कर्म हैं, न करण, न अपादान! जीवन्त भाषा के मुहावरे इसी तरह के होते हैं।

सम्बन्धकारक का सीधा सम्बन्ध क्रिया से नहीं होता, फिर भी कारकों में उसकी गिनती होती है। पाणिनि ने उसे सम्बन्धकारक नहीं कहा; अधिकरण के लिए सप्तमी है और उससे पहले है षष्ठी। **षष्ठी शेषे** (2-3-50), इस सूत्र की व्याख्या उसी तरह की गई है जिस तरह सम्बन्धकारक की व्याख्या की जाएगी। **कारक प्रतिपादिकार्थव्यतिरिक्तः स्वस्वामिभावादि सम्बन्धः शेषस्तत्र षष्ठी स्यात्।** यह वार्तिक है। कारक-प्रतिपादिक अर्थ से भिन्न अपने स्वामी आदि का सम्बन्ध जताने के लिए षष्ठी का व्यवहार होगा। उदाहरण : **राज्ञः पुरुषः**, राजा का आदमी। संस्कृत मुहावरों में जितनी विविधता षष्ठी के व्यवहार में है, उतनी अन्य विभक्ति के व्यवहार में नहीं है। पाणिनि स्वयं षष्ठी का प्रयोग अपने सूत्रों में किस अर्थ के लिए करते हैं, उन्होंने स्पष्ट किया है। **षष्ठीस्थानेयोगा** (1-1-49), सूत्र में षष्ठी-प्रयोग से यह जानना कि 'उसके स्थान में' यह भाव है। **अस्तेर्भू** (2-4-52) में **अस्तेः** षष्ठी है; अर्थ हुआ **अस्** के स्थान में **भू** का प्रयोग होगा।

जिस हेतु कोई काम होता हो, उसे बताने के लिए षष्ठी का व्यवहार होगा। **अन्नस्य हेतोर्वसति**, अन्न के हेतु रहता है; हिन्दी की तरह **अन्नस्य** का प्रयोग है। **अन्न** और **हेतु** का सम्बन्ध स्वामी और सेवक वाला नहीं है। **हेतु** के लिए अलग सूत्र आवश्यक हुआ, **षष्ठी हेतु प्रयोगे** (2-3-26)। देवदत्त के तुल्य, यहाँ हिन्दी के समान षष्ठी होगी, तृतीया भी। (2-3-72)। **मातुः अध्येति**, माता को याद करता है। यहाँ षष्ठी का प्रयोग कर्मभाव दिखाने के लिए है (2-3-52)। दुख देने के अर्थ वाली क्रियाओं के साथ भाववाचक कर्ता के रहने पर षष्ठी प्रयोग होगा; **चौरस्य रुजति रोगः**, चोर को रोग सताता है (2-3-54)। आशीष देते समय **नाथ्** क्रिया का प्रयोग हो तो कर्म षष्ठी विभक्ति में होगा, **मधुनो नाथते**, मधु का अर्थात् मधु को आशीष देता है। (2-3-55)। विशुद्ध मुहावरे की बात है। सौदा करने और जुआ खेलने में इसी तरह षष्ठी होगी : **शतस्य व्यवहरति**, सौ का सौदा करता है, **शतस्य पणते**, सौ का दाँव लगाता है। (2-3-57)। **शतस्य दीव्यति**, यहाँ भी दाँव लगाने का भाव है, अतः षष्ठी है किन्तु जहाँ **दिव्** का यह अर्थ नहीं है, वहाँ षष्ठी न होगी। **ब्राह्मणं दीव्यति**, ब्राह्मण से हँसी करता है। यहाँ द्वितीया है। (2-3-58)। वैदिक भाषा में सौदा करने, जुआ खेलने के लिए **दिव्** क्रिया होगी तो द्वितीया आएगी। (2-3-60)। **घृतेन यजते**, घी से यज्ञ करता है, उसी अर्थ में **घृतस्य यजते**। वैदिक

भाषा में करण का भाव बताने के लिए षष्ठी का प्रयोग भी होता है। (2-3-63)। वैदिक भाषा में चतुर्थी के लिए षष्ठी का वैकल्पिक प्रयोग होता है (2-3-62); **पुरुषमृगश्चन्द्रमसः**, चन्द्रमा के लिए पुरुष मृग, यहाँ षष्ठी; **चन्द्रमसे** कहें तो चतुर्थी। दोनों सही हैं। इतनी बार ऐसा हुआ, यह बताने के लिए अधिकरण के स्थान पर षष्ठी का व्यवहार होगा (2-3-64)। **पंचकृत्वोऽह्नो भुंक्ते**, दिन में पाँच बार खाता है। शाब्दिक अर्थ होगा दिन का पाँच बार खाता है।

**क्तस्य च वर्तमाने** (2-3-67), यह सूत्र कारक के साथ क्रिया की प्रयोग-विविधता सूचित करता है। **राज्ञां पूजितः, पूजितः** में **क्त** प्रत्यय अतीतकाल की व्यंजना से सम्बद्ध है किन्तु यहाँ वर्तमान का अर्थ देता है। वर्तमान का अर्थ दे तो षष्ठी का व्यवहार होगा।

पाणिनि के **लट्, लिट्** आदि लकार क्रिया की भिन्न स्थितियाँ सूचित करने के लिए वैसे ही संकेत-शब्द हैं, जैसे कारकों के लिए **प्रथमा, द्वितीया** आदि। ये लकार कालभेद से मुक्त नहीं हैं। **वर्तमाने लट्** (3-2-123), इस सूत्र में वर्तमान की अभिव्यक्ति के लिए **लट्** के प्रयोग का विधान है। **परोक्षे लिट्** (3-2-115) यहाँ परोक्ष भूत के लिए **लिट्** के प्रयोग की बात है : **अनद्यतने लङ्** (3-2-111), जो कार्य आज का दिन शुरू होने से पहले हुआ हो, वह अन्य प्रकार का भूत है। इस अनद्यतन भूत के लिए **लङ्** का विधान है। किसी निश्चित भूत का आशय न हो तो **लुङ** का प्रयोग होगा (3-2-110)। क्रिया का समय चाहे भूत हो चाहे भविष्य, वह वर्तमान के निकट है तो वर्तमानकाल सूचक प्रत्ययों का व्यवहार हो सकता है। (3-3-131)। किसी कार्य के होने की आशंसा हो तो भविष्यकालिक रूप प्रयुक्त होंगे किन्तु भूतकालिक भी प्रयुक्त हो सकते हैं : **आशंसायां भूतवच्च** (3-3-132)।

**अभिज्ञावचने लट्** (3-2-1112); पुरानी बात याद करके कहें, हम ऐसा करते थे, वहाँ भविष्यकालिक रूप से अतीत का भाव व्यक्त किया जा सकता है। **अभिजानासि देवदत्त कश्मीरेषु वत्स्यामः**; देवदत्त, तुम्हें याद है, हम कश्मीर में रहेंगे, अर्थात् रहते थे। **यावत्** और **पुरा** इन निपातों के साथ वर्तमानकालिक क्रिया-रूप भविष्य का अर्थ देगा (3-3-4)। **आलोके ते निपतति पुरा**, तुम्हारे देखते उसका पतन अवश्य होता है अर्थात् होगा। **छन्दसि लुङ्लङ्लिटः** (3-4-6); वेद में **लुङ्, लङ्, लिट्** सभी कालों के लिए प्रयुक्त होते हैं। **अकरं नमः** नमस्कार किया अर्थात् करता हूँ; **देवो देवेभिरागमत्**, हे देव अग्नि, देवों के साथ आया, अर्थात् आओ।

जैसे **शौरसेनः** वृद्धि स्वर वाला रूप है, पुंलिंग है, सम्मानसूचक है, **शूरसेनी** सामान्य स्वर वाला रूप है, स्त्रीलिंग है, साधारण स्थिति का सूचक है, वैसे ही कहीं-कहीं कृदन्त रूप सम्मानसूचक हैं, तिङन्त सामान्य क्रिया के द्योतक। **सु** क्रिया से **सुन्वन्** रूप बना; यह रूप यज्ञ क्रिया से सम्बद्ध हो गया। **सुञो यज्ञसंयोगे** (3-2-132); यजमान है **सुन्वन्**। उसी **सु** से तिङन्त रूप **सुनोति सुरां** बना; **सुनोति सुरां** का अर्थ हुआ शराब बनाता है। **अर्हः प्रशंसायाम्** (3-2-133), किसी की

प्रशंसा करनी हो तो **अर्हन्** का प्रयोग करेंगे; **अर्हन्निह भवान् पूजाम्,** आप पूजा के योग्य हैं। **अर्हति चौरो वधम्,** चोर वध के योग्य है, यहाँ तिङन्त रूप **अर्हति** से काम चलाया। कृदन्त रूपों को यह अर्थगौरव उत्तरी जनपदों में प्राप्त हुआ है।

पाणिनि ने आधुनिक भाषाविज्ञान को प्रभावित किया है। फिर भी विवरणात्मक भाषाविज्ञान के रूपवादी दृष्टिकोण और पाणिनि के अर्थबद्ध दृष्टिकोण में मौलिक अन्तर है। ऐतिहासिक भाषाविज्ञान में आदि आर्य भाषा का जो विवेचन हुआ है, वह पाणिनिकालीन भाषा की जनपदीय प्रयोग-विविधता से मूलतः भिन्न है। आधुनिक भाषाविज्ञान के लिए पाणिनि से सीखने-समझने को अब भी बहुत कुछ शेष है।

पाणिनि ने जनपदीय प्रयोग-भिन्नता ही स्वीकार नहीं की, उन्होंने व्याकरणों और व्याकरण-परम्पराओं की भिन्नता भी स्वीकार की। प्राच्य और उदीच्य परम्पराओं का भेद स्पष्ट है। वेद में **पितरामातरा** है (6-3-33); उदीच्य परम्परा में **मातरपितरौ** का चलन है (6-3-32)। सामान्य प्रयोग था **मातापितरौ**। प्राच्य परम्परा में **शोणी वडवा** (लाल घोड़ी) कहेंगे, अन्यत्र **शोणा वडवा**। (4-1-43)। उत्तरी परम्परा में **क्षत्रिया** से **क्षत्रियका** बनेगा (7-3-46), अन्यत्र **क्षत्रियिका** चलेगा। प्राच्य परम्परा में इस तरह के विशिष्ट प्रयोग हैं : **खलु पीत्वा** (न पियो); **अलं कृत्वा** (न करो) (4-3-18)। पाणिनि यह व्यवस्था नहीं देते, अमुक प्रयोग सही मानो, अमुक प्रयोग छोड़ दो। वह दूसरे वैयाकरणों के मतों को अपने ग्रंथ में सम्मानपूर्वक स्थान देते हैं।

सब कुछ व्याकरण से नहीं सिखाया जा सकता। शिष्ट जनों की भाषा को प्रमाण मानकर उससे सीखना चाहिए। **दाराः** पुंलिंग बहुवचन है; स्त्रियों के लिए प्रयुक्त होनेवाला शब्द है। लिंग-वचन के बारे में जो बातें व्याकरण में नहीं कही गईं, उन्हें शिष्ट जनों के प्रयोग से सीखना चाहिए। **तदशिष्यं संज्ञाप्रमाणत्वात्** (1-2-53)। जो प्रयोग चल पड़ा है, वह संज्ञा है। संज्ञा अर्थात् समाज में प्रचलित प्रयोग प्रमाण है, अतः अशिष्य है, वह सिखाया नहीं जाता। **वरिवाहकः** समाज में **बलाहकः** बोला जाने लगा। **पृषद्** और **उदर** से समास बना **पृषोदर**। **द्** का लोप हो गया। पाणिनि ने ऐसे शब्दों के लिए एक सूत्र बनाया : **पृषोदरादीनि यथोपदिष्टम्** (6-3-109)। **पृषोदर** आदि शब्दों में कहाँ किस ध्वनि का लोप हुआ, किस ध्वनि के स्थान में अन्य ध्वनि का व्यवहार हुआ, यह सब व्याकरणों में नहीं है। **पृषोदर प्रकाराणि शिष्टैर्यथोच्चारितानि तथैव साधूनि स्युः**। इस व्याख्या के अनुसार **पृषोदर** आदि शब्दों का जैसा उच्चारण शिष्ट जन करते हैं, वह सही माना जाएगा।

## 5. लोकभाषाओं के विवेचन की परम्परा

पाणिनिकालीन भाषा की जो प्रयोगभिन्नता 'अष्टाध्यायी' में प्रतिबिम्बित है, उससे प्राकृत व्याकरणों की प्रयोग-सम्बन्धी अभिन्नता का मिलान करें तो कुछ महत्त्वपूर्ण निष्कर्ष सामने आएँगे। प्राकृतों में कुछ साधारण भेद ध्वनितंत्र को लेकर हैं, रूपतंत्र

में बहुत बड़ी समानता है। इसका कारण यह है कि पाणिनिकालीन भाषा में जनपदीय प्रयोग-विविधता बनी हुई है। जिस संस्कृत के आधार पर प्राकृतों की रचना हुई है, उसमें जनपदीय विविधता की अपेक्षा एकरूपता पर बहुत अधिक बल है। प्राकृतें यदि वास्तविक लोकभाषाएँ होतीं, तो उनके ध्वनितंत्र और रूपतंत्र में पाणिनि-भाषा की अपेक्षा कहीं अधिक विविधता होती। यह विविधता लगभग वैसी होती, जैसी आजकल जनपदीय भाषाओं में दिखाई देती है। मानक भाषाओं में जो भिन्नता है, उससे अधिक जनपदीय भाषाओं में है, गुजराती और बंगला में जितनी भिन्नता है, उससे अधिक गुजरात और बंगाल की जनपदीय भाषाओं में है। यह भिन्नता और विविधता प्राकृतों में दिखाई देनी चाहिए थी। पाणिनि शिष्ट जनों की भाषा का व्याकरण लिख रहे थे; प्राकृतें तो 'लोकभाषाएँ' थीं किन्तु पाणिनि की शिष्टजन भाषा की तुलना में इनका मानक रूप और भी स्थिर हो चुका था।

साहित्य में प्राकृतों का व्यवहार संस्कृत के विरुद्ध लोकभाषाओं का विद्रोह है, यह एक बचकानी मान्यता है। प्राकृतों में भाषायी विकास की जानकारी के लिए जो सामग्री है, उसका उपयोग सही तरीके से तभी हो सकता है जब पाणिनिकालीन भाषा में जनपदीय प्रयोगभिन्नता ध्यान में रखें। वर्ना जो संस्कृत में न मिले, वह सब देशज है! देशज और प्राकृत का भेद ही यह बताता है कि प्राकृत का आधार संस्कृत है। देशज की पहचान यह है कि वह प्राकृत में है, संस्कृत में नहीं है। यदि कोई प्राकृत संस्कृत का आधार होती तो जो कुछ संस्कृत में प्राप्त है, वह भी मूलतः प्राकृत होता, जो संस्कृत में नहीं है और प्राकृत में है, वह तो प्राकृत होता ही।

पाणिनि के ग्रंथ में व्याकरण-परम्पराओं को लेकर जो भेद है, उसका कारण जनपदीय प्रयोगों का भेद है। वैसा भेद प्राकृत व्याकरणों में नहीं है।

जो बातें प्राकृतों के बारे में कही गई हैं, वे पालि पर भी लागू होती हैं। जनपदीय प्रयोग-विविधता यहाँ भी क्षीण है।

तेरहवीं सदी में हेमचन्द्र ने जब अपना प्राकृत-अपभ्रंश व्याकरण लिखा, तब जनपदों में न प्राकृतें बोली जाती थीं, न अपभ्रंश। उनसे पहले बारहवीं सदी में दामोदर पंडित 'उक्ति-व्यक्ति-प्रकरण' में अवधी का विकसित रूप प्रस्तुत कर चुके थे। उनके इस ग्रंथ का युगान्तरकारी महत्त्व यह है कि उसमें एक आधुनिक जनपदीय भाषा का जीता-जागता स्वरूप उस समय प्रस्तुत कर दिया गया जब साहित्य और व्याकरण की रूढ़ परम्पराओं में प्राकृतों और अपभ्रंशों को मान्यता प्राप्त थी। उस समय अवधी का वह रूप निश्चित हो चुका था जो बहुत थोड़े हेरफेर से आज प्रचलित है; उस समय की लोकभाषाओं के नाम पर प्राकृतों और अपभ्रंशों की बात करना इतिहास-विरोधी कार्य है। 'उक्ति-व्यक्ति-प्रकरण' के अभाव में आधुनिक भाषाविज्ञानी यही कहते, कहते भी रहे हैं कि बारहवीं सदी में आधुनिक जनपदीय भाषाएँ अभी अपभ्रंशों की कोख में थीं!

दामोदर पंडित का मूल उद्देश्य अवधी का व्याकरण लिखना न था। वह अवधी के माध्यम से छात्रों को संस्कृत सिखाने का प्रयत्न कर रहे थे और इस प्रयत्न का फल ऐतिहासिक भाषाविज्ञान के लिए अमूल्य सिद्ध हुआ। वह समकालीन अवधी के बारे में दुर्लभ जानकारी दे गए। उनके ग्रंथ की प्रति खंडित रूप में प्राप्त है। पूरी प्रति होती तो वह जानकारी और भी उपादेय होती। अन्तर्-जनपदीय स्तर पर यदि लोग प्राकृत या अपभ्रंश बोलते होते तो दामोदर पंडित के लिए उस प्राकृत या अपभ्रंश के माध्यम से छात्रों को संस्कृत पढ़ाना सरल होता। किन्तु बोलचाल के स्तर पर ऐसी कोई प्राकृत या अपभ्रंश कभी सुलभ न थी।

दामोदर पंडित अपनी भाषा तथा अन्य जनपदीय भाषाओं को अपभ्रंश कहते हैं। उनकी अपभ्रंश साहित्य की अपभ्रंश से एकदम भिन्न है। **गांग न्हाए धर्मु हो, पापु जा**, दामोदर पंडित की अपभ्रंश इस प्रकार की है। वह जानते हैं कि विभिन्न प्रदेशों में विभिन्न भाषाओं का चलन है। इन सबको वह संस्कृत का भ्रष्ट रूपान्तर मानते हैं। ये रूपान्तर शिष्ट जनों में नहीं, पामर जनों में प्रचलित हैं। संस्कृत भाषा एक है, मूर्खों की बोली में उसके अनेक रूप हैं। संस्कृत भाषा को हटाकर जो अपभ्रंश चल पड़ी है, उसके स्थान पर यदि लौटकर संस्कृत का फिर व्यवहार होने लगे तो अपभ्रंश भाषा दिव्यत्व को प्राप्त होगी। ब्राह्मणी पतित हो गई, प्रायश्चित्त करने पर वह फिर ब्राह्मणी हो जाएगी। **पतिता ब्राह्मणी कृतप्रायश्चित्ता ब्राह्मणीत्वमिति चेति**। इस पुण्य कार्य में छात्रों का सहयोग अपेक्षित होगा। उन्हें हिम्मत बँधाते हुए कहते हैं कि संस्कृत में जो **सुप् तिङन्त** पद हैं, संज्ञा-क्रियापद हैं, वही अपभ्रंश में हैं, अर्थ में तनिक-सा भी अन्तर नहीं है। केवल अक्षरों में विपर्यय है। अपभ्रष्ट होने पर भी संस्कृत पद का धर्म अव्यभिचारी बना रहता है; नटी अपना वेश सँवारती है, तब पहचान में नहीं आती। संस्कृत का रूप अपभ्रंश-वेश में छिप गया है। दामोदर पंडित 'उक्ति-व्यक्ति' द्वारा अपभ्रंश का वास्तविक संस्कृत रूप प्रकट करेंगे। अपभ्रंश के शब्दों, कारकों, क्रिया-रूपों के स्थान में संस्कृत रूप रख दिये जाएँ तो अपभ्रंश की आधारभूत भाषा का ज्ञान हो जाएगा।

भारत में और भारत से बाहर जितने भाषाविज्ञानी माधुनिक आर्य भाषाओं को संस्कृत का अपभ्रंश रूप मानते रहे हैं, जिनके विवेचन का मुख्य लक्ष्य रहा है, नव्य आर्य-रूपों के स्थान पर प्राचीन आर्य-रूपों का बोध कराना, प्राचीन शुद्ध रूप कैसे अशुद्ध होकर आधुनिक रूप बने, यह बताना, वे सब दामोदर पंडित की शिष्य-परम्परा में हैं।

एक अन्तर है। दामोदर पंडित के साथ मध्य आर्य भाषा जैसा कोई झगड़ा नहीं है। वह अवधी का सम्बन्ध प्राकृत से, किसी साहित्यिक अपभ्रंश से नहीं, सीधे संस्कृत से जोड़ते हैं। आधुनिक भाषाविज्ञानियों की अपेक्षा प्राचीन और आधुनिक का सम्बन्ध उनके लिए अधिक स्पष्ट है। यदि वह अवधी को, अब से आठ सौ

साल पहले, किसी प्राकृत से सम्बद्ध देखते, तो अवधी को पहले उसी का रूपान्तर बताते। उनके बाद कुछ अन्य विद्वानों ने भी जनपदीय भाषाओं से सम्बन्धित सामग्री प्रस्तुत की और उन्होंने भी उसे संस्कृत का रूपान्तर माना। इस रूपान्तरण में उन्होंने प्राकृतों को दखल न देने दिया, यह तथ्य महत्त्वपूर्ण है।

**धर्मु आथि**; इसका संस्कृत रूप है **धर्मः अस्ति**। **अस्ति** का सीधा सम्बन्ध **आथि** से है। **धर्मु कीज**; संस्कृत में **धर्मः क्रियते**। **कीज** का सम्बन्ध **क्रियते** से। **आँखि देखत आछ, अक्ष्णा वीक्षमाण आस्ते**। **आछ्** क्रिया का सम्बन्ध **आस्** से है। **जीभें चाख**; यहाँ **चाख** ने मज़ा किरकिरा कर दिया। **जिह्वया खादति**, इस रूपान्तर में **चाख्** और **खाद्** परस्पर असम्बद्ध हैं। अतः देशज का सहारा लेना पड़ा। **चाख चीख एते तु देशिपदे। कांध ले**; ऐसा मुहावरा संस्कृत में है नहीं। **स्कन्धे गृह्णाति वहति वा**। **ले** का सम्बन्ध न **गृह्** से है न **वह्** से। देशिपद लिखना आवश्यक न समझा। **चूतडं तलं देइ बइस**; यहाँ कठिनाई बढ़ गई। दामोदर पंडित ने रूपान्तर किया **स्फिजोस्तले दत्वोपविशति। भोजन किएसि, जेंवेसि**; यहाँ संस्कृत के अनेक भूतकालिक रूप सामने आ गए। किसे आधार रूप मानें? **अभुङ्क्त, अभुक्त, बुभुजे, अभोक्ष्यत्—इत्येषामेकः प्रयोज्यः**। कई रूप हैं, किसी को आधार मान लो। **किएसि** वाली क्रियापद रचना नहीं है, **भुज्** और **जेंव्** अलग हैं, इसकी वह चिन्ता नहीं करते। **पढणिहारे—पठिष्यमाणेन; काह करब—किं करिष्यते; इंहाँ को पढिह—अत्र कः पठिष्यति**। पग-पग पर दामोदर पंडित की मूल स्थापना खंडित होती है, संस्कृत अवधी का सम्बन्ध काफी पेचीदा बनता जाता है। किन्तु उनका प्रयत्न उसी दिशा में है जिस दिशा में आधुनिक भाषाविज्ञान बढ़ा है। **सयाण—सज्ञान, सूख—शुष्क, जोन्ह—ज्योत्स्ना, सीझइ—सिध्यति, घाम—घर्म, जाग—जागृ, बूढ—वृद्ध, पूतु—पुत्र, अहिर—आभीर, नाउ—नापित, सासु—श्वश्रू, घिउ—घृत, मीठ—मिष्ट, अयाण—अज्ञान, भल—भद्र** आदि-आदि अवधी-संस्कृत रूप 'उक्ति-व्यक्ति' से संकलित किये जाएँ तो विदित होगा कि इन्हीं का तत्सम-तद्भव विवेचन आधुनिक भाषाओं का विकास प्रस्तुत करनेवाले ग्रंथों में काफी स्थान घेरता है।

जो सम्बन्ध आठ सौ साल पहले दामोदर पंडित ने पहचाना था, उसे बीसवीं सदी के विद्वान् फिर पहचनवाएँ, 'उक्ति-व्यक्ति' रचनाकार के लिए यह कम गौरव की बात नहीं है। इस परम्परा में वह अकेले नहीं हैं।

'प्राचीन गुजराती गद्य-सन्दर्भ' (सम्पादक : मुनि जिनविजय, गुजरात विद्यापीठ, अहमदाबाद, सं. 1986) में **बालशिक्षा** नाम की एक पुस्तक से कुछ अंश संकलित हैं। इसके कर्ता का नाम संग्रामसिंह और समय वि. सं. 1336 दिया है। **कीजउ, दीजउ, लीजउ इत्यादौ कर्मण्यात्मने पदं**। संस्कृत के माध्यम से भाषा-व्याकरण सिखा रहे हैं। **आजु—अद्य, किसउ—कीदृशः, जिसउ—यादृशः, इहाँ—अत्र, तीहाँ—तत्र**

आदि शब्द-सूची दी है। उक्त गद्य-सन्दर्भ पुस्तक में **मुग्धावबोध औक्तिक** से एक अंश संकलित है। इसमें जनपदीय भाषा के माध्यम से ही समकालीन भाषा का व्याकरण सिखाया गया है। **जु पूछइ सु कर्ता। तिहाँ प्रथमा। किसउँ पूछाई, अर्थ। जँ पूछाइ तँ कर्म्म। तिहाँ द्वितीया। जइ—यदि, ईहं—इह, अत्र, काँई—किमपि, हउ—अस्तु, भवतु** आदि शब्द-संग्रह है। 'मुग्धावबोध औक्तिक' के कर्ता कुलमंडन सूरि हैं। उनका समय संवत् 1450 वि. है।

सत्रहवीं सदी ईसवी के आरम्भ में साधुसुन्दर ने 'उक्ति रत्नाकर' लिखा। इसे मुनि जिनविजय ने सम्पादित करके राजस्थान पुरातत्त्वान्वेषण मन्दिर, जयपुर की ओर से सन् 1957 में प्रकाशित कराया। **करोतीति कर्ता। यत् क्रियते तत् कर्म**। संस्कृत के माध्यम से संस्कृत व्याकरण का परिचय कराया गया है। सम्पादक के अनुसार 'बाद में प्राय: 2400 जितने देश्य शब्द और उनके संस्कृत प्रतिरूप बतलानेवाले शब्दों का विशाल शब्द-संग्रह दिया गया है।' यह शब्द-संग्रह निस्सन्देह विशाल है और इस बात का पता लगाना चाहिए कि इसमें जो देश्य-संस्कृत प्रतिरूप दिये गए हैं, उनमें कितने बीसवीं सदी के भाषाविज्ञानियों को मान्य हैं। साधुसुन्दर के लिए यह समस्या नहीं है कि तत्समों के तद्भव बनने के नियम क्या हैं। सत्रहवीं सदी में सैकड़ों तद्भवों को तत्समों से मिलाना भाषाविज्ञान के क्षेत्र में बहुत बड़ी प्रगति है। इतना याद रखना चाहिए कि साधुसुन्दर सर्वत्र तद्भवों के साथ तत्सम रूप नहीं देते; उद्देश्य आधुनिक भाषा बोलनेवाले को संस्कृत सिखाना है, अत: वह समानार्थी संस्कृत शब्द दे देते हैं, देश्य शब्द का सम्बन्ध उससे हो, चाहे न हो। **बहिलउ—शीघ्रम्, जुआ-जुआ—पृथक्-पृथक्, दीरघइ कू—वृद्धौ कू, दडउ—कन्दुकः** आदि-आदि में देश्य और संस्कृत रूप भिन्न हैं।

**ओझउ—उपाध्यायः, वाजउ—वाद्यम्, आँसू—अश्रुः, छावडउ—शावकः, कायर—कातरः, सेठि—श्रेष्ठी, कोढ—कुष्टः, सगउ—स्वकः, बीकानयर—विक्रमनगरम्, जालउर—जाबालपुरम्, अथाह—अस्थाघम्, महूअउ—मधूकः, कोहलउ—कूष्माण्डः, गोह—गोधा, हलुअउ—लघुकः, पीलउ—पीतम्, ग्वालेर—गोपालगिरिः, मणिआर—मणिकारः, सूआर—सूपकारः, पहिरणउ—परिधानम्, रान—अरण्यम्, सु—सः, जो—यद्, यः**; इनसे साधुसुन्दर के कार्य का महत्त्व स्पष्ट होगा। क्रियापदों की सूची अलग है; **करइ, धरइ, भरइ, मरइ, हरइ, गिरइ, तरइ, भाजइ, सोचइ, बूडइ, नाचइ, हालइ, काँपइ, लहइ, सेवइ, निरखइ, परखइ** आदि इकारान्त क्रियापद हमें 'रामचरित मानस' के संसार में खींच ले जाते हैं। **छह—अस्ति, हवड—भवति** जैसे कुछ रूप उल्लेखनीय हैं जहाँ आधुनिक जनपदीय क्रियाओं का सम्बन्ध संस्कृत क्रिया-रूपों से जोड़ा गया है। **मरइ—म्रियते, कूदइ—कूर्दते, सीखइ—शिक्षते, काँपइ—कम्पते** आदि से स्पष्ट है कि संस्कृत में जहाँ आत्मनेपद रूप प्रचलित थे, वहाँ समानान्तर परस्मैपद रूपों का चलन भी था

जिनसे **मरइ** आदि का विकास हुआ। **करइ** और **करोति** में अन्तर है; साधुसुन्दर ने लिखा : **करइ करोति, करति वा**। यहाँ **करति वा** लिखकर उन्होंने सिद्ध कर दिया है कि वह **करति** रूप का प्राचीन अस्तित्व स्वीकार करते हैं, **करोति** की अपेक्षा **करति** से **करइ** के विकास की कल्पना अधिक तर्कसंगत मानते हैं। साधुसुन्दर जिस भाषा को आधार मानकर शब्द-संग्रह कर रहे थे, उसमें सम्बन्धवाचक **केर** का चलन था। अतः **तुम्ह केरउ—युष्मदीयः, अम्ह केरउ—अस्मदीयः**। शब्दों के साथ कहीं-कहीं उस समय के मुहावरे, कहावतें भी देते हैं : **अरत परत बाप सरीखउ—आकृत्या प्रकृत्या बप्प सदृशः; आगइ बाघ पाछइ दोतडि—अग्रे व्याघ्रः पश्चादुस्तटी** (**आगइ बाघ** अलग दिया है, **पाछइ दोतडि** अलग दिया है। दोनों एक ही कहावत के दो भाग।) **सुमिणउ—स्वप्नः** में लैटिन **सॉम्नुस्** के समान **प्** ध्वनि **म्** में परिवर्तित हुई है। **एकादशमः, द्वादशमः** आदि रूप देने से पहले **प्राच्यानां मते** लिखा है; **उदीच्य** और **प्राच्य** व्याकरण-परम्पराएँ अभी लोगों को याद थीं।

**हवइ, दियइ, लियइ, करइ, इत्यादौ वर्त्तमानायाः परस्मैपदम्। दीजइ, लीजइ, कोजइ इत्यादौ कर्मणि वर्त्तमानाया आत्मनेपदम्। देजे, लेजे, करिजे इत्यादौ एकारान्त वचने सप्तमी।** यहाँ वह संस्कृत का नहीं, जनपदीय भाषा का व्याकरण लिख रहे हैं। **दीधउ दत्तः दत्तवान्, लीधउ लातः लातवान्, कीधउ कृतः कृतवान्** आदि में उन्होंने गुजराती कृदन्त प्रत्यय **ध** का सम्बन्ध संस्कृत **त** से जोड़ा है। यह समस्या अगली पीढ़ियों के लिए छोड़ी कि यहाँ **ध** का पूर्वरूप **त** है या **त** ही **ध** का विकास है।

**उक्ति रत्नाकर** के साथ मुनि जिनविजय ने **उक्तीयक** और **औक्तिकपदानि** नाम की दो रचनाएँ और छापी हैं। उनके बारे में लिखा है : 'इन रचनाओं के कर्ता या संग्राहक के नाम नहीं उपलब्ध हुए। जिन प्राचीन प्रतियों पर से इनका मुद्रण किया गया है, वे प्रतियाँ विशेष प्राचीन हैं। अर्थात् 'उक्ति रत्नाकर' के कर्ता के समय से भी पूर्व लिखी गई ज्ञात होती हैं।

**उक्तीयक** में शब्द-सूची मात्र है। **लीधी—नीता, लीधुं—लातम्, गृहीतम्, आत्तम्, दीधुं—दत्तम्, दत्तवान्, पीधुं—पीतम्** और **क्रिया-रूप हुइ—भवति, छइ—अस्ति, वर्त्तते, विद्यते** उल्लेखनीय हैं। 'औक्तिकपदानि' में व्याकरण सिखाने के लिए संस्कृत और समकालीन जनपदीय भाषा, दोनों का उपयोग किया गया है। **अथ षट् कारकाणि लिख्यन्ते**। फिर **जु करइ सु कर्त्ता। जं कीजइ तं कर्म्मु**। अपादान की व्याख्या में **हुइ** का प्रयोग दर्शनीय है : **जेहतउ अपाय विश्लेष हुइ, जेहतउ भयु हुइ, जेहतन आदान ग्रहण हुइ, तं कारक अपादान संज्ञकु हुइ। ते उक्ति कर्त्ता जाणिवी में जाणिवी** रूप तुलसीदास के **पालबी, ध्याइबी** का समकक्ष है। शब्द-संग्रह में कहीं-कहीं पूरे वाक्य दिये हैं : **वैष्णावु रातिं च्यारउ पुहुर जागइ** (वैष्णव रात में चारों पहर जागता है)। कहीं कहावतें हैं : **ऊपरि ऊपरि गामु हेठलि**

**नगरु** (ऊपर-ऊपर गाँव, नीचे नगर)। **लिखइ, छाँडइ, दहइ के साथ लिखिवा, बोलिवा, सूँघिवा, पूजिवा** की लम्बी शृंखला है जिससे इन **वा (बा)** वाले रूपों के व्यापक चलन का बोध होता है।

'उक्ति-व्यक्ति-प्रकरण' से लेकर 'उक्ति रत्नाकर' तक, लगभग छह सौ वर्षों तक, आधुनिक भाषाओं के विवेचन से सम्बन्धित भाषाविज्ञान की गौरवशाली परम्परा है। प्रत्यक्ष या अप्रत्यक्ष रूप से इसमें अध्ययन का विषय संस्कृत-प्राकृत-अपभ्रंश से भिन्न आधुनिक जनपदीय भाषाएँ हैं। वे अपभ्रंश से भिन्न हैं और थोड़े-बहुत हेरफेर से अब भी बोली जाती हैं, इसलिए उन्हें आधुनिक कहा। वे मानक भाषाओं से भिन्न हैं, अतः जनपदीय हैं। ये उक्ति ग्रंथ आधुनिक आर्य भाषाओं का ऐतिहासिक विकास समझने के लिए, विशेष रूप से अवधी, राजस्थानी, गुजराती का विकास तथा इनका आपसी सम्बन्ध समझने के लिए अनमोल सामग्री का भंडार हैं। यह सारी सामग्री सम्पादित-प्रकाशित करके मुनि जिनविजय ने भाषाविज्ञानी शोधकर्ताओं का परम उपकार किया है। भाषाविज्ञान की प्रगति में यह उनका सराहनीय योगदान है।

उन्नीसवीं सदी में पुरानी व्याकरण-परम्परा जीवित ही नहीं थी, वह आधुनिक भाषाओं का विवरण प्रस्तुत करने में नये कीर्तिमान स्थापित कर रही थी। अंग्रेज़ी राज कायम हो जाने के बाद न तो किसी अंग्रेज़ ने, न अंग्रेज़ी विद्यालयों में शिक्षा पानेवाले किसी भारतीय विद्वान् ने किसी आधुनिक आर्य भाषा का वैसा विवरण प्रस्तुत किया, जैसा ईश्वर कौल ने सन् 1875-79 ई. में कश्मीरी भाषा का विवरण प्रस्तुत किया था। कश्मीरी उनकी मातृभाषा थी, वह संस्कृत के पंडित थे और अरबी-फ़ारसी के विद्वान थे। कश्मीर के राजा ने उन्हें संस्कृत और भाषा में अरबी-फ़ारसी ग्रंथों का अनुवाद करने के लिए रखा था। 'कश्मीर शब्दामृत' संस्कृत में कश्मीरी का विवरण प्रस्तुत करता है। संधिप्रकरण, लिङ्ग-प्रकरण, समास-प्रक्रिया, तद्धित प्रक्रिया, अव्यय प्रक्रिया, स्त्री प्रत्यय प्रकरण आदि परिच्छेदों में उन्होंने अपना विवरण प्रस्तुत किया है। इस ग्रंथ का पहला भाग सन् 1897 में कलकत्ते से एशियाटिक सोसायटी ने प्रकाशित किया था। दूसरा भाग 1898 में छपा था। इस ग्रंथ की प्रशंसा करते हुए ग्रियर्सन ने कहा है कि वह इतना अच्छा है कि स्वयं हेमचन्द्र उसके रचनाकार हो सकते थे।

इस ग्रंथ की एक विशेषता यह है कि कश्मीरी ध्वनियों के लिए ईश्वर कौल ने नागरी लिपि-चिन्हों का व्यवहार किया है। कश्मीरी के विशिष्ट स्वरों के लिए उन्होंने वर्ण के ऊपर या मात्रा के नीचे रेखा लगाई है। इसी तरह **च़, छ़** आदि के नीचे बिन्दी लगाकर उन्होंने **च़, च्** में भेद किया है। कश्मीरी स्वरों को उन्होंने प्रसिद्ध और अप्रसिद्ध, दो वर्गों में बाँटा है। प्रसिद्ध वे हैं जो संस्कृत में भी हैं, अप्रसिद्ध वे हैं जो केवल कश्मीरी में हैं।

अन्य वैयाकरणों के समान उन्होंने भी शब्द-सूची दी है, भाषाशब्दों के साथ उनके संस्कृत प्रतिरूप दिये हैं। इन प्रतिरूपों में सर्वत्र तत्सम-तद्भव का सम्बन्ध नहीं है। फिर भी उनकी शब्द-सूची देखते ही संस्कृत-कश्मीरी का सम्बन्ध तुरत स्पष्ट हो जाता है। उदाहरण के लिए कुछ कश्मीरी शब्द और उनके संस्कृत प्रतिरूप यहाँ देता हूँ। मुद्रण की सुविधा के लिए ईश्वर कौल के विशिष्ट स्वर-चिन्ह हटा दिये हैं। **अलतु—अलक्तः, आशिद्—आश्विनः, पोत्र्—पानीयम्, ऋथ्—ऋतुः, दरि—दृढ़ाः, पपु—पक्वः**। पुस्तक के दूसरे भाग में भी शब्द-सूची है, यह क्रियाओं की सूची है। जैसे 'अष्टाध्यायी' के साथ धातुपाठ का होना अनिवार्य है, वैसे ही 'कश्मीर शब्दामृत' के साथ ईश्वर कौल का धातुपाठ है। यहाँ **अच् प्रवेशे, अछ् दौर्बल्ये, अड नैर्बल्येऽभियोगे च** से एक ओर कश्मीरी की अपनी क्रियाओं का ज्ञान होगा, दूसरी ओर **अदराव आर्द्रीकरणे, अर्ज़ अर्जने, पावर आवरणे, बास भासने, ब्रम भ्रान्तौ, श्वङ्ग शयने, तछ तक्षणे, वट वेष्टने, वव वापने, वुष्ण उष्णीभवने** से कश्मीरी संस्कृत क्रियाओं की समानता का बोध होगा। जहाँ उन्होंने संस्कृत प्रतिरूप नहीं दिया, समानार्थी भिन्न शब्द दिया है, वहाँ भी अनेक स्थलों पर वैसा सम्बन्ध है, यथा : **अबराव मेघाविर्भावे**। यहाँ कश्मीरी क्रिया संस्कृत **अभ्र** से सम्बद्ध है।

यदि कश्मीरी भाषा से परिचय प्राप्त करते समय किसी भी छात्र के सामने क्रियामूलों की सूची रख दी जाए जिसमें लगभग 70 फीसदी कश्मीरी-संस्कृत की सामान्य धातुएँ हों, 29½ फीसदी कश्मीरी की अपनी हों, 3 फीसदी फ़ारसी की हों (यथा : **न्यवाज निवेदने**), तो कश्मीरी, संस्कृत समुदाय से भिन्न, दरद वर्ग की भाषा है, इस 'वैज्ञानिक' स्थापना का क्या होगा? यह वैज्ञानिक स्थापना हवा हो जाएगी! यदि कश्मीरी के लिए नागरी लिपि-चिन्हों का प्रयोग होता, जैसा कि 'कश्मीर शब्दामृत' में है तो इसका परिणाम क्या होता? इसका परिणाम यह होता कि कश्मीरी भाषा से भारत के अन्य प्रदेशों की जनता को अपना सम्बन्ध पहचानने में बड़ी सुविधा होती, कश्मीरी जन शेष आर्य भाषाओं से अपना सम्बन्ध प्रासानी से पहचानते और कश्मीर की निर्धन जनता को साक्षर बनाने का काम आसान होता। पर तब कश्मीर की समस्या भी राष्ट्रसंघ में न पहुँची होती।

व्याकरण ग्रंथ के साथ शब्द-सूची देने की परम्परा बहुत पुरानी है और मूल्यवान है। 'शब्दानुशासन' और कोशविज्ञान परस्पर सम्बद्ध विषय हैं। पाणिनि का उपयोग जिस तरह किया गया है, उससे उनका कोशविज्ञानी रूप छिप गया है। पाणिनि ने जिस शब्द-सामग्री को आधार बनाया है, वह एक ओर वेदों और ब्राह्मण-ग्रंथों में उपलब्ध है, दूसरी ओर वह तत्कालीन जनपदों की शिष्ट जनभाषा में—लिखित से भिन्न भाषित रूप में—उपलब्ध थी। या तो इस विशाल सामग्री के कोश पहले से बने हुए थे जिनका उपयोग पाणिनि ने किया, या उन्होंने स्वयं अपने उपयोग के

लिए ऐसा कोश बनाया, लिखकर बनाया हो चाहे स्मृति का भरोसा किया हो, यह निश्चित है कि शब्दकोश के बिना, लिखित या अलिखित रूप में शब्द-संग्रह के बिना, 'शब्दानुशासन' लिखा न जा सकता था।

पाणिनि के सामने प्रत्येक सूत्र रचते समय यह विपुल शब्दराशि प्रत्यक्षवत् उपस्थित रहती है। इस शब्दराशि को उन्होंने वर्गों में विभाजित कर लिया है। इन वर्गों में एक वर्ग क्रियाओं का है, दूसरा वर्ग क्रियाओं से बने शब्दों का है, तीसरा नाम शब्दों से बने नये नाम शब्दों का है। इनके अलावा उन्होंने एक वर्ग ऐसे शब्दों का बना रखा है जिनकी आधारभूत क्रियाओं के बारे में सन्देह है। इसके साथ कौन-सा प्रयोग वेदों में है किन्तु पुराना पड़ गया है, वेदों में है और अब भी है, वेदों में नहीं है पर अब है, एक जनपद में है पर दूसरे में नहीं है, इस तरह वर्गीकृत प्रयोग उनके सामने बराबर रहते हैं। शब्द, शब्दांश, शब्दकण, बद्धरूप और स्वतंत्र रूप, शब्द-समुदाय (समास), प्रत्येक शब्द का वाक्यगत सन्दर्भ और इसके साथ शब्द और वाक्य को सामाजिक सन्दर्भ, यह सब कोशविज्ञानी पाणिनि के सामने विद्यमान है। उन्होंने अपूर्व पराक्रम और अद्‌भुत मेधा का परिचय देते हुए यह सामग्री संकलित और वर्गीकृत रूप में अपने सामने विद्यमान कर ली है, तब उनके सूत्र स्वतःस्फूर्त मंत्रों के समान उनके मुख से निकलते हैं; **अथ शब्दानुशासनम्** से आरम्भ करके **अ अ इति** तक पहुँचते-पहुँचते वह एक अत्यन्त संवेदनशील कलाकार का परिचय देते हैं।

हेमचन्द्र ने देशी शब्दों की सूची बनाई, तब वह पाणिनीय परम्परा के अनुरूप कार्य कर रहे थे। साधुसुन्दर और ईश्वर कौल ने शब्द-सूचियाँ बनाईं, तब वह उसी सुपरिचित राजपथ पर चल रहे थे। ईश्वर कौल के समकालीन जर्मन विद्वान् ब्रुगमन ने अपने व्याकरण ग्रंथ के अन्त में शब्द-सूची दी; उन्नीसवीं सदी के अन्त में, बीसवीं सदी के आरम्भ में ग्रियर्सन और उनके सहयोगियों ने अनेक भाषाओं के चुने हुए शब्दों की सूचियाँ बनाईं। व्याकरण-रचना और कोश-निर्माण का आपसी सम्बन्ध उक्त विद्वानों की शब्द-सूचियों से सिद्ध है। हेमचन्द्र, ईश्वर कौल आदि की शब्द-सूचियाँ यह बराबर बताती हैं कि किसी भाषा में किन शब्दों के पूर्वरूप संस्कृत में हैं और किनके नहीं हैं। ग्रियर्सन ने अपने कश्मीरी व्याकरण में जो शब्द-सूची दी है, उसमें संस्कृत प्रतिरूप नहीं दिये।

ग्रियर्सन ने आधुनिक भारतीय भाषाओं के बारे में महत्त्वपूर्ण सामग्री संकलित की और कराई। संकलन-कार्य में दोष होते हुए भी अभी तक वह अद्वितीय है, भारतीय शासनतंत्र की अक्षमता के कारण। ग्रियर्सन ने भाषाओं का जो ऐतिहासिक विवेचन किया है, वह और भी दोषपूर्ण है। ज़ूल ब्लौख़् ने आर्य भाषाओं में केवल एक, मराठी, का ऐतिहासिक विवरण प्रस्तुत करके शोधकर्ताओं के सामने विवेचन का नया नमूना रखा। उनकी पुस्तक 'ला फ़ॉर्मासिओं द ला लांग् मराठ्' फ्रांसीसी

भाषा में लिखी गई थी और पेरिस से 1920 में प्रकाशित हुई थी। अंग्रेज़ी विद्यालयों में प्रशिक्षित भारतीय विद्वानों ने अपनी भाषाओं के उद्भव और विकास का विवेचन प्रस्तुत करते हुए ब्लौख़् के नमूने का अनुसरण किया था। इनके ग्रंथों में महत्त्वपूर्ण सामग्री वहाँ है जहाँ वे ऐतिहासिक विवेचन से हटकर समकालीन भाषा और उसकी जनपदीय उपभाषाओं का विवरण देते हैं। उनका ऐतिहासिक विवेचन संस्कृत को मूलभाषा, प्राकृतों-अपभ्रंशों को आधुनिक भाषाओं की पूर्वभाषा मानने के कारण त्रुटिपूर्ण है। जहाँ तक विवरणात्मक भाषाविज्ञान का सम्बन्ध है, ब्लूमफील्ड की 'लैंग्वेज' पुस्तक सन् 1933 में प्रकाशित हुई थी। उससे अर्द्धशताब्दी पूर्व ईश्वर कौल 'कश्मीर शब्दामृत' की रचना कर चुके थे। यह पुस्तक पाणिनीय परम्परा का अनुसरण करते हुए एक आधुनिक आर्य भाषा का विवरण प्रस्तुत करती है। अंग्रेज़ी में पुस्तक लिखी जाए तो आधुनिक होगी, संस्कृत में लिखी जाए तो मध्यकालीन होगी, बुद्धिजीवियों के उपचेतन में बसा हुआ यह एक अव्यक्त भाव है जिसकी अभिव्यक्ति उनके व्यवहार में होती है, वे स्वयं उसकी प्रेरक भूमिका के प्रति अचेत हैं। 'कश्मीर शब्दामृत' आधुनिक आर्य भाषाओं का विवरण प्रस्तुत करनेवाले आदि-ग्रंथों में है। इस कार्य का बीजारोपण 'उक्ति-व्यक्ति-प्रकरण' से हुआ था।

यदि भारत में अंग्रेज़ी राज कायम न होता तो भारत में भाषाविज्ञान का विकास न होता, इस धारणा के खंडन के लिए 'कश्मीर शब्दामृत' का अस्तित्व पर्याप्त है। बंगला भाषा के उद्भव और विकास पर डॉ. सुनीतिकुमार चाटुर्ज्या के ग्रंथ से कश्मीरी पर ईश्वर कौल की पुस्तक का तुलनात्मक (या व्यतिरेकी!) अध्ययन शिक्षाप्रद होगा। डॉ. जगदेवसिंह पाणिनि के विशेषज्ञ हैं, अमरीका में प्रशिक्षित हैं। बाँगरू पर उनकी पुस्तक से भी ईश्वर कौल की कृति का तुलनात्मक अध्ययन शिक्षाप्रद होगा। डॉ. चाटुर्ज्या की पुस्तक ऐतिहासिक विवेचन प्रस्तुत करती है, डॉ. जगदेवसिंह की पुस्तक विवरणात्मक पद्धति से बाँगरू का विश्लेषण प्रस्तुत करती है। दोनों से 'कश्मीर शब्दामृत' तुलनीय है। दोनों ग्रंथ अंग्रेज़ी में हैं। ऐतिहासिक भाषाविज्ञान में अनुसन्धान करनेवालों के लिए मेरी ओर से उक्त विषय प्रस्तावित हैं।

## 6. परम्परा और विकास की नई दिशाएँ

भारतीय व्याकरण-परम्परा के ज्ञान का यह अर्थ नहीं है कि हम वर्तमान से असम्बद्ध अतीत का परिचय प्राप्त कर रहे हैं। यह ज्ञान भारत के सांस्कृतिक नवनिर्माण का अभिन्न अंग है। अंग्रेज़ी राज कायम होने से पहले हम कहाँ थे, जिस दिशा में हम जा रहे थे, वही सही थी या ग़लत, पूँजीवाद के विकास के साथ जो भाषाविज्ञान पुष्पित और पल्लवित हुआ, उसमें क्या सही है और क्या ग़लत, यह जानने के लिए भारतीय व्याकरण-परम्परा का ज्ञान आवश्यक है क्योंकि आधुनिक भाषाविज्ञान पाणिनि से प्रभावित है और उसने पाणिनि का सही मूल्यांकन नहीं किया। पूँजीवाद

ने अपने अभ्युदयकाल में सामन्तवाद से समझौता किया, पूँजीवाद के गढ़ इंग्लैंड में ही हाउस् आफ़् लाड्र्स् स्थापित है, भारत के राजा और ज़मींदार अंग्रेज़ी राज के प्रमुख सहायक थे। साम्राज्यवाद और विश्वयुद्धों के युग में जर्जर पूँजीवाद सामन्तों, निरंकुश शासकों का सहारा और भी अधिक लेता है। बीसवीं सदी में पूँजीवादी भाषाविज्ञान और रूढ़िग्रस्त सामन्तवादी भाषाशास्त्र के बीच का फासला और भी कम हो गया है। सामन्ती रूढ़ियों से चार कदम और आगे बढ़कर पूँजीवादी चिन्तन ऐतिहासिक भाषाविज्ञान को नस्ल-सम्बन्धी धारणाओं से जोड़ देता है। आर्य नस्ल के लोगों ने द्रविड़ नस्ल के लोगों को पराजित किया, यह वर्तमान पूँजीवादी भाषाविज्ञान की आधारशिला है।

भारतीय व्याकरण-परम्परा का प्रारम्भिक विकास सामन्ती व्यवस्था के अभ्युदय काल में हुआ। द्विज और शूद्र में भेद करनेवाली यह व्यवस्था ऐतिहासिक विकास की दृष्टि से प्रगतिशील थी। यूनान के महान् नाटककार सोफोक्लेस् आदि, वहाँ के महान् गद्य-लेखक और विचारक प्लातोस् (उर्फ़ अफ़लातून) के ग्रंथों ने यूरोप की संस्कृति को, उसकी प्रत्येक विकासमान अवस्था में प्रभावित किया है। ये महान कवि और गद्य-लेखक दासों और दासों के स्वामियों के बीच का भेद स्वीकार करते थे, इस कारण उनका साहित्य तिरस्कृत नहीं होता। जिस समय अमरीका में दासप्रथा का चलन था, उस समय उसका कोई ऐतिहासिक औचित्य नहीं था। वर्तमान भारत में वर्ण-व्यवस्था का कोई औचित्य नहीं है। सामन्ती भारत में संस्कृत देववाणी बन गई; लोकभाषा संस्कृत का भ्रष्ट रूपान्तर मात्र रह गई। किन्तु इसी समाजतंत्र के भीतर जीवन्त जनपदीय भाषाओं का अध्ययन आरम्भ हुआ, और यह अध्ययन भी भारतीय व्याकरण-परम्परा का अंग है।

व्याकरण-परम्परा का ज्ञान ऐतिहासिक भाषाविज्ञान का अभिन्न अंग है, उसे भाषाओं के ऐतिहासिक विवेचन से अलग नहीं रखा जा सकता।

पाणिनि के लिए संस्कृत देववाणी नहीं है, वह भाषा है। वह वेदों की भाषा को अपनी समकालीन भाषा का प्राचीन रूप मानते हैं; जैसे अपनी भाषा की प्रयोग-विविधता का ध्यान रखते हुए उसका विश्लेषण करते हैं, वैसे ही वैदिक भाषा का। जहाँ वैदिक प्रयोग समकालीन प्रयोगों से भिन्न हैं, वहाँ उन्हें प्रमाण जानकर उनका व्यवहार करते रहने का विधान नहीं करते। समाज में शिष्टजन प्रयोग को वह सबसे बड़ा प्रमाण मानते हैं। रूढ़िवादी दृष्टि में संस्कृत कभी भाषा थी नहीं, वह देववाणी थी; वेदों में ईश्वर की वाणी है, तब संस्कृत देववाणी के अतिरिक्त और हो क्या सकती है? इसके ज्ञान और व्यवहार का ठेका पुरोहित वर्ग के पास है, अत: देववाणी के ठेकेदार होने के कारण मनुष्यों में यह वर्ग भी देवोपम है। आधुनिक भाषाएँ इस देववाणी का विकृत रूप हैं; उन्हें समृद्ध करने का एक ही उपाय है, यथासम्भव देववाणी के तत्त्व उनमें भर दिये जाएँ। इन भाषाओं का अपना स्वतंत्र

अस्तित्व नहीं है, उनकी अपनी कोई प्रकृति नहीं है, ये पराश्रित हैं, सांस्कृतिक ह्रास का परिणाम हैं, वे भाषा के विकास का परिणाम हों, यह कल्पनातीत है, असम्भव है। ऐसी है रूढ़िबद्ध दृष्टि।

आवश्यकता इस बात की है कि पूँजीवादी भाषाविज्ञान और सामन्ती रूढ़िग्रस्त भाषाशास्त्र के प्रभाव से आधुनिक भाषाचिन्तन को मुक्त किया जाए। ऐतिहासिक भाषाविज्ञान ने पिछले डेढ़ दो सौ साल में बहुत-सी ज्ञात, अज्ञात, अल्प ज्ञात भाषाओं की नई जानकारी देकर मानव-संस्कृति को समृद्ध किया है किन्तु भाषाओं का सम्बन्ध पहचानने में, भाषा-परिवारों के निर्माण का विवेचन करने में, विशेषत: भारतीय भाषा-परिवारों के प्रापसी सम्बन्धों के विवेचन में, एशिया और यूरोप के भाषायी विकास में भारतीय भूमिका के मूल्याङ्कन में उसने बहुत बड़ी भूलें की हैं। विवरणात्मक भाषाविज्ञान जहाँ यांत्रिक भौतिकवाद से प्रभावित है, वह रूपतत्त्व को अर्थतत्त्व से अलग करके देखता है, उसका विवेचन एकाङ्गी होता है और वह रूपतत्त्व का भी सही विवेचन प्रस्तुत नहीं करता। जहाँ यांत्रिक भौतिकवाद की प्रतिक्रिया में वह भाववाद से प्रभावित होता है, वहाँ वह भाषा को सामाजिक सन्दर्भ से अलग करके देखता है। वह भाषा की सरचना को मानव की जन्मजात मानसिक संरचना का परिणाम मानता है। उसके लिए भाषा के विकास की बात वैसे ही कल्पनातीत है, जैसे देववाणी के रूढ़िग्रस्त उपासक के लिए।

देववाणी नहीं, मानवभाषा विवेच्य है; मानवभाषा की शुरुआत 'ऋग्वेद' से नहीं होती, वैदिक भाषा एक सुदीर्घ विकास-परम्परा का परिणाम है। आधुनिक भाषाएँ ह्रास का परिणाम नहीं हैं, विकास का परिणाम हैं। व्याकरण शिष्ट जन प्रयोगों से ऊपर नहीं है, शिष्ट जन प्रयोग उससे ऊपर हैं। पाणिनि की गरिमा संस्कृत को एकरूपता देने में नहीं है, जीवन्त प्रयोगों और इन प्रयोगों की भिन्नता को स्वीकार करने में है। पूँजीवादी भाषाविज्ञान की सीमाओं का उल्लंघन करनेवाली, भारतीय रूढ़िग्रस्त चिन्तन को ध्वस्त करनेवाली मान्यताएँ हिन्दी में विद्यमान हैं, काफी समय से विद्यमान हैं। वे अभी समकालीन भाषाशास्त्र को प्रभावित नहीं कर पा रहीं क्योंकि भाषाविज्ञान पीठों में भारतीय रूढ़िवाद और अमरीकी तंत्रवाद का प्रभाव है। यह तंत्रवाद कुछ-कुछ वैसा ही है, जैसा भक्ति-आन्दोलन से पहले उत्तर भारत का तांत्रिक वाममार्ग था। भाषाविज्ञान में भारतीय रूढ़िवाद कुछ-कुछ वैसा ही है, जैसा साहित्य का वह रीतिवाद जिसके विरुद्ध महावीर प्रसाद द्विवेदी और रामचन्द्र शुक्ल ने आजीवन संघर्ष किया था। भारत में भाषाविज्ञान का विकास विचारधारात्मक संघर्ष से अलग रहकर नहीं किया जा सकता। दिन-पर-दिन भाषाविज्ञान की सामाजिक भूमिका स्पष्ट होगी, दिन-पर-दिन विचारधारात्मक संघर्ष सामाजिक संघर्ष से जुड़ता जाएगा।

इस सन्दर्भ में गर्व से मैं किशोरीदास वाजपेयी का स्मरण करता हूँ। वह भारतीय व्याकरण-परम्परा के श्रेष्ठ प्रतिनिधि हैं; पाणिनि की विश्लेषण-पद्धति का रचनात्मक

उपयोग करनेवाले वह समर्थ भाषाशास्त्री हैं। उन्होंने हिन्दी भाषा का विवेचन करते हुए जो दृष्टिकोण अपनाया है, वह केवल हिन्दी के लिए नहीं, समस्त भारतीय भाषाओं के विवेचन के लिए महत्त्वपूर्ण है। यह दृष्टिकोण पूँजीवादी भाषाविज्ञान की सीमाओं का उल्लंघन करता है, भारतीय रूढ़िवादी मान्यताओं का खंडन करता है। वह विकासोन्मुख है, भाषा को सामाजिक सन्दर्भ में परखनेवाला है, व्याकरण के नियमों और लोकव्यवहार का सम्बन्ध पहचाननेवाला है। वह सूत्र शैली का अनुसरण नहीं करता, 'हिन्दी शब्दानुशासन' की स्थापनाओं को समझाने के लिए वार्तिक दरकार नहीं है, भाष्य ग्रंथ आवश्यक नहीं है, वह सरस हिन्दी गद्य में रचा हुआ सुपाठ्य ग्रंथ है। उसकी गद्य शैली वर्तमान परिस्थितियों में भाषायी विवेचन के लिए आदर्श है। सूत्रों को बीजगणित का महत्त्व देकर, सूत्रों से या गणित-बीजगणित के फॉर्मूलों से, विवेचन को दुरूह बनाना वर्तमानकाल में भाषाविज्ञान की प्रगति को रोकना है। शैली-भेद के कारण 'हिन्दी शब्दानुशासन' पाणिनि के 'शब्दानुशासन' की परम्परा से विच्छिन्न नहीं होता; वह उसका अविच्छिन्न अंग है, वर्तमान परिस्थितियों में उस परम्परा का आवश्यक विकास है।

सबसे पहले पाणिनि और उनके व्याकरण के प्रति 'हिन्दी शब्दानुशासन' में वाजपेयीजी का दृष्टिकोण देखें। पाणिनिकालीन भाषा में प्रयोग-भेद थे या नहीं? वाजपेयीजी कहते हैं :

"ऐसा जान पड़ता है कि देश में **पाणिनि** के समय उच्च संस्कृत के दो प्रमुख भेद थे। भाषा एक होने पर भी शब्द-प्रयोग में कहीं कुछ अन्तर था। पाणिनि जिस भाषा के थे, उसी पर उनका ध्यान था। भाषा के दूसरे रूप में जहाँ कहीं उन्हें अन्तर दिखाई दिया, उसे भी **अन्यतरस्याम्** कहकर बतला दिया। दो में से एक भाषा—**अन्यतरा। अन्यतरस्याम्** कहने से उस समय **अन्यतरस्याम् भाषायाम्** लोग समझ लेते होंगे। दूसरी में ऐसा—यानी दूसरी संस्कृत में, संस्कृत के अन्यतर रूप में...पाणिनि का व्याकरण संस्कृत के दोनों रूपों ने मान लिया और आगे चलकर संस्कृत ने जब प्रादेशिक भेदभाव छोड़ दिया, तो दोनों तरह के प्रयोग सर्वत्र चलने लगे और **अन्यतरस्याम्** शब्द विकल्प में ले लिया गया। चाहे ऐसा प्रयोग करो, चाहे वैसा।" (पृ. 518)

अत्यन्त सारगर्भित स्थापना है, 'अष्टाध्यायी' ही नहीं, संस्कृत का विकास समझने में सहायक है। भाषा के दो प्रमुख भेद थे; पाणिनि जिस भाषा के थे, उसी पर अधिक ध्यान था; संस्कृत में प्रादेशिक भेद-भाव आगे चलकर समाप्त हुए, पाणिनि के समय में वे विद्यमान थे। आप विचार करें, इस प्रादेशिक भेदभाव को नकारते हुए संस्कृत का ऐतिहासिक विकास कैसे दिखाएँगे, प्रादेशिक भेदभावहीन बाद वाली स्थिति को पाणिनि की भाषा पर आरोपित करके 'अष्टाध्यायी' का सही रूप कैसे समझेंगे?

रूढ़िग्रस्त कठसिद्धान्ती दृष्टि वह है जो पाणिनि के प्रति बरो की है, जिसका उल्लेख इस अध्याय में पहले हो चुका है। यथार्थवादी, वैज्ञानिक दृष्टि वह है जो 'हिन्दी शब्दानुशासन' में है।

अब भाषा के जनप्रचलित प्रयोगों और व्याकरण का सम्बन्ध देखें। 'शब्दानुशासन' की व्याख्या करते हैं :

'शब्दानुशासन' में **अनु** शब्द ध्यान देने योग्य है। व्याकरण भाषा पर (भाषा के शब्दों पर) शासन नहीं करता है। व्याकरण अपनी आज्ञा से शब्दों के स्वरूप में परिवर्तन नहीं कर सकता, उनके अर्थों में कोई हेरफेर नहीं कर सकता, भाषा की गति बदल नहीं सकता। वह तो **अनुशासन** मात्र करता है। **अनु** का अर्थ है **पश्चात्** अथवा **अनुसार**। परम्परा से जिस शब्द का जो रूप चलता आ रहा है और जिसका जिस अर्थ में प्रयोग है, व्याकरण उसी का अनुगमन करेगा।' (पृ. 79)

और भी। "मैं यह हिन्दी व्याकरण लिख रहा हूँ, तो ध्यान प्रयोग-विधि पर है। वही यहाँ असली चीज़ है।" (पृ. 46) "हिन्दी ही नहीं, सभी भाषाओं की अपनी प्रकृति होती है। उसे कोई व्याकरण क्या, महाव्याकरण भी नहीं बदल सकता।" (पृ. 57) "व्याकरण का दर्पभंग, पद-प्रयोग के मार्ग में, जनता कर देती है!" (पृ. 62) "सारांश यह कि जन-प्रवाह ने जिस शब्द को जैसा बना दिया है, वह वैसा बन गया।" (पृ. 43) "स्वयं पाणिनि के ऐसे प्रयोग भाषा में नहीं चले, जो गति-विपरीत हैं।" (पृ. 79) "जब स्वयं पाणिनि का प्रयोग भाषा में गति-विरुद्ध होने के कारण नहीं चला, तो हम पामर जनों की चर्चा ही क्या!" (पृ. 80)

जनप्रवाह सर्वोपरि है। पाणिनि समेत समस्त वैयाकरण तभी तक महान हैं जब तक वे जन-प्रवाह के साथ हैं। जब वे उसके विरोध में खड़े होंगे तो प्रवाह उन्हें एक और ठेल देगा। कठसिद्धान्ती की विशेषता यह है कि वह स्वयं को, अपने रचे हुए व्याकरण को जनप्रवाह का नियामक मानता है, अनुशासन का अर्थ यह लगाता है कि वह जनता का, उसकी भाषा का शासक है। वाजपेयीजी का दृष्टिकोण इससे ठीक उल्टा है।

जनप्रवाह से व्याकरण का सम्बन्ध जोड़नेवाला व्यक्ति स्वभावत:भाषायी विकास को सामाजिक विकास के सन्दर्भ में देखता है। भाषा ईश्वरकृत नहीं है, सतयुग से कलियुग तक की यात्रा में उसका ह्रास होता चला गया हो, यह बात नहीं है। उसका विकास हुआ है। भाषागत परिवर्तन, भाषा का विकास समाज से असम्बद्ध मानसिक प्रक्रिया नहीं है; वह सामाजिक विकास से जुड़ी हुई प्रक्रिया है। कहते हैं : "भाषा मनुष्य की बनाई चीज़ है; परन्तु इसका विकास नैसर्गिक रूप में हुआ है-धीरे-धीरे। इस विकास में युग के युग बीत गए हैं। जैसे-जैसे मनुष्य का विकास होता गया, उसकी भाषा विकसित होती गई और जैसे-जैसे भाषा का विकास होता गया, मानव का विकास होता गया। यदि भाषा न बनती, तो मनुष्य

कभी भी **मनुष्य** न बन आता। मनुष्य ने भाषा का निर्माण किया और भाषा ने मनुष्य का निर्माण किया।" (पृ. 398)

रूढ़िवादी के लिए समस्त ज्ञान-विज्ञान सृष्टि के आरम्भ में ही विद्यमान था, विकास किस चीज़ का होगा? संस्कृत बिगड़कर प्राकृत बनी, प्राकृत बिगड़कर अपभ्रंश बनी. अपभ्रंश बिगड़कर हिन्दी बनी, इस बिगाड़ को विकास कैसे कहा जाएगा? वाजपेयीजी के लिए मनुष्य और भाषा के विकास परस्पर अटूट रूप में सम्बद्ध हैं। मनुष्य पशुओं से भिन्न है भाषा के कारण, अथवा इस भिन्नता का एक कारण है भाषा। भाषा का व्यवहार मानव-विकास का महत्त्वपूर्ण साधन रहा है। मानव समाज का विकास भाषा के विकास को प्रभावित करता रहा है। इसीलिए दोनों का अन्योन्याश्रय सम्बन्ध है।

भाषा का विकास होता है, समाज के साथ भाषा विकसित होती है, इस तरह की घोषणा चलते-फिरते अन्य लोगों ने भी की है। काव्य रस के समान उन्होंने उसका ऐसा साधारणीकरण किया है कि भारतीय सन्दर्भ में उसकी सार्थकता ही नष्ट हो गई है। विकास की बात करनेवाले सज्जन अपनी बात समझकर कह रहे हैं या दूसरों से सुनी-सुनाई बिन समझे कह रहे हैं, इसकी कसौटी यह है कि वह हिन्दी-संस्कृत सम्बन्धों को किस रूप में देखते हैं। वाजपेयीजी 'हिन्दी शब्दानुशासन' के आरम्भ ही में कहते हैं : "हिन्दी की उत्पत्ति उस संस्कृत भाषा से नहीं है, जो कि वेदों में, उपनिषदों में तथा वाल्मीकि या कालिदास आदि के काव्यग्रंथों में हमें उपलब्ध है।" (पृ. 1) हिन्दी का विकास संस्कृत से नहीं हुआ, यह बात समझने में भाषाविज्ञानियों को अभी समय लगेगा। शव-साधकों के समान वह अपनी कल्पना की देववाणी की पूजा करते रहे हैं, जीवन्त संस्कृत भाषा का विकास समझने का प्रयत्न उन्होंने किया ही नहीं। वाजपेयीजी की स्थापना युगान्तरकारी है किन्तु युग बहरा हो तो युगान्तर होगा कैसे?

हिन्दी का विकास संस्कृत से नहीं हुआ, इसलिए उसकी प्रकृति भी संस्कृत की प्रकृति से भिन्न होगी। वाजपेयीजी की मान्यता है कि "हिन्दी एक स्वतंत्र भाषा है, वह संस्कृत से अनुप्राणित है, जैसे अन्य भारतीय भाषाएँ; परन्तु वह अपने क्षेत्र में सार्वभौम सत्ता रखती है। हिन्दी की अपनी चाल है, अपनी प्रकृति है।" (पृ. 56) पुनश्च : "हिन्दी ही नहीं, सभी भाषाओं की अपनी प्रकृति होती है।" (पृ. 57) "हिन्दी सर्वत्र संस्कृत नियमों से बँधी नहीं है।" (पृ. 58) "संस्कृत के जो पंडित हैं, उन्हें पुनर्रचना जैसे शब्दरूप अखरेंगे, खटकेंगे। परन्तु उन्हें समझना चाहिए कि यह हिन्दी का क्षेत्र है। यहाँ अपना स्वरूप है, अपनी गति है।" (पृ. 113) "हिन्दी प्राकृत-परम्परा की भाषा है और इसका **अपना** विपुल शब्द-भंडार है। संस्कृत-साहित्य में उपलब्ध अनन्त शब्दराशि भी इसकी **अपनी** ही सम्पत्ति है और संस्कृत के **धातु** तो अटूट शब्दस्रोत के रूप में इसे प्राप्त हैं। परन्तु तो भी, हिन्दी एक स्वतंत्र भाषा है और किसी भी भाषा के मूल शब्द उसका **मूलधन** हैं,

या होते हैं—1. क्रियापद 2. अव्यय 3. विभक्तियाँ तथा 4. सर्वनाम। ये चार स्तम्भ हैं, जिन पर किसी भी भाषा का स्वतंत्र अस्तित्व टिका रहता है।" (पृ. 40)

अब विकास की बात सुनें।

"इस व्याकरण में आपको हिन्दी की सिद्ध और साध्य क्रियाओं का स्पष्टीकरण भी मिलेगा। इससे पता चलेगा कि हिन्दी का विकास कितना वैज्ञानिक है! निःसन्देह हिन्दी की पद्धति संस्कृत से भी अधिक कलात्मक तथा वैज्ञानिक है; यह आप स्वयं इस पुस्तक का अध्ययन करके कहेंगे!" (भूमिका) विकासवाद का साधारणीकरण नहीं है; भारतीय सन्दर्भ में उसका विशेषीकरण है। परिवर्तन और विकास की बात उन्होंने यों ही चलते फिरते नहीं कह दी; वह उनके भाषा-सम्बन्धी चिन्तन का अभिन्न अंग है।

"हिन्दी प्राकृत परम्परा की भाषा है," इस कथन में प्राकृत शब्द देखकर किसी को भ्रम न होना चाहिए। यह प्राकृत लिखित साहित्य में प्राप्त प्राकृत नाम की भाषा नहीं है। साहित्य की प्राकृत के बारे में वाजपेयीजी का मत है : "ऐसा विकृत रूप भाषा का कर दिया गया है कि अचरज होता है! **प्राकृत** के नमूने लीजिए—(शुक > सुअ + आ =) सुआ देखकर कोई वैसा नियम बना दे और **पिक** को **पिआ** तथा **काक** को **काया** कर दे तो कैसा रहेगा?...कर्णकटुता का तो कोई ठिकाना ही नहीं! संस्कृत में तथा हिन्दी आदि आधुनिक भाषाओं में ऐसा कोई शब्द न मिलेगा, जिसके आरम्भ में **ण** हो। परन्तु प्राकृतों में णकरादि शब्दों की बेहद भरमार है! यहाँ तक कि **न** भी **ण** कर दिया गया है!" (पृ. 11) आगे कहते हैं : "और, यदि यह मान लिया जाए कि उपलब्ध प्राकृत-काव्यों में जो भाषा है, वही उस समय की जनभाषा थी, तो कहना पड़ेगा कि वैसी किसी प्राकृत से हिन्दी का कोई दूर का भी सम्बन्ध नहीं है। उस प्राकृत की अपेक्षा तो संस्कृत ही हिन्दी के अधिक समीप है।" (पृ. 13)

प्राकृतों से 'भाषा' का विकास प्रमाणित नहीं होता, प्राकृतों के आधार पर हिन्दी के विकास की व्याख्या नहीं होती। यही हाल अपभ्रंश का है। पुष्पदन्त से **णंदणवणि** आदि दो पंक्तियाँ उद्धृत करने के बाद वाजपेयीजी कहते हैं : "क्या समझे? राहुलजी के द्वारा सम्पादित 'हिन्दी काव्यधारा' में ऐसी कविताओं का मज़ा लीजिए, यदि इच्छा हो।" (पृ. 12) फिर **गोरख वाणी** से **जड़ी-बूटी का नावं** आदि ग्यारह पंक्तियाँ उद्धृत करने के बाद टिप्पणी करते हैं : "गोरख पुष्पदन्त से एक शताब्दी पहले और भाषा उनकी ऐसी कि आज भी हम लोग सरलता से समझ लेते हैं। यही कारण है कि गोरख की वाणी समझाने के लिए राहुलजी को प्रतिरूप पंक्तियाँ नहीं देनी पड़ी हैं।" (पृ. 13) दोनों की भाषा में जो भेद है, वह कृत्रिम और सहज भाषा का भेद है। पूछते हैं : "तो फिर इस भाषा-भेद का कारण क्या है?" और उत्तर देते हैं : "वही सहज और कृत्रिम रूपों का प्रयोग! गोरख सहज जनभाषा में सब-कुछ कहते हैं और दूसरे **कवि** प्राकृत-व्याकरण टटोलते हैं!" (पृ. 13)

संस्कृत-प्राकृत-अपभ्रंश की नसेनी हटा लेने पर आधुनिक भाषाओं का उद्भव और विकास समझानेवाले पंडित धराशायी हो जाते हैं। इस नसेनी पर चढ़ने-उतरने के वे आदी हो गए हैं, छात्रों को वैसा ही व्यायाम कराके वे उन्हें भाषाविद् बनाते हैं, देश-विदेश के प्रतिष्ठित विद्वानों को वही क्रिया करते देखकर वे मुग्ध हो चुके हैं। न संस्कृत, न प्राकृत, न अपभ्रंश! तब भाषा के इतिहास के नाम पर क्या पढ़ें, क्या दूसरों को पढ़ाएँ?

डार्विन ने जब पहली बार अनुभव किया कि यह संसार ईश्वर ने नहीं बनाया तो अचानक स्वयं को ईश्वरविहीन संसार में पाकर वह विचलित हो उठा था। पर इसके बाद संसार के अध्ययन के लिए नये मार्ग निकल आए; डार्विन की पहल के बाद प्रकृति-विज्ञान ने चमत्कारी प्रगति की। ऐसी प्रगति ऐतिहासिक भाषाविज्ञान में सम्भव है। इसके लिए पहले संस्कृत-प्राकृत-अपभ्रंश की नसेनी उठाकर एक ओर रख देनी होगी।

नये मार्ग कौन-से हैं, इसका संकेत वाजपेयीजी के ग्रंथों में है।

भाषा की शुरुआत 'ऋग्वेद' से नहीं होती। वैदिक भाषा से पहले भाषायी विकास की सुदीर्घ परम्परा है। 'भारतीय भाषाविज्ञान' में कहते हैं : "क्या उस मूलभाषा या पहली प्राकृत की पहली रचना ही वेद है? सम्भव नहीं! इससे पहले छोटा-मोटा और हलका-भारी न जाने कितना साहित्य बना होगा, तब वेदों का नम्बर आया होगा।" (पृ. 113) किसी मूलभाषा का विकास है वेद की भाषा, सबसे पहले यह स्थापना ध्यान में रखनी चाहिए। इस मूलभाषा के प्रदेश-भेद थे, ध्यान में रखने की यह दूसरी स्थापना है। लिखा है : "सो, वेदों की रचना के समय तक वह मूलभाषा पूरी तरह विकसित हो चुकी होगी और देश-भेद या प्रदेश-भेद से उसके रूप-भेद भी हो गए होंगे।" (उप., पृ. 113-14) इसके साथ पाणिनि के **अन्यतरस्याम्** की जो व्याख्या वाजपेयीजी ने की है, उसे याद करें। वह तीसरा संकेत है। प्रादेशिक भेद वैदिक काल में थे, पाणिनि के समय में थे। इनकी जानकारी वेदों से होगी, 'अष्टाध्यायी' से होगी। प्रादेशिक भेदों की कल्पना ही मन में न होगी तो सामने रहते हुए भी वे दिखाई न देंगे। चौथा संकेत यह है कि संस्कृत की आधारभाषा के रूप, संस्कृत से बाहर, पालि, हिन्दी आदि में मिल सकते हैं। यथा : "पालि में **इध** है और संस्कृत में **इह** है। ऐसा जान पड़ता है कि **मूल भाषा** में **इध** ही था...हिन्दी का **इधर** पालि के **इध** से जान पड़ता है।" (उप., पृ. 126) संस्कृत की आधारभाषा का पता लगाने के लिए पालि में, स्वयं संस्कृत में, विशेषत: पाणिनि की समकालीन और पूर्वकालीन भाषा में तथा हमारी जनपदीय भाषाओं में विपुल सामग्री बिखरी पड़ी है। अनुसन्धान की इस नई दिशा की ओर स्पष्ट संकेत 'भारतीय भाषाविज्ञान' में है।

संस्कृत-प्राकृत-अपभ्रंश की नसेनी हटाकर धराशायी भाषाशास्त्री को वाजपेयीजी असहार्य नहीं छोड़ते, नसेनी पर चढ़ने-उतरने के व्यायाम के बदले वह उसे और

उपयोगी कार्य बताते हैं। इस नसेनी के हट जाने पर हम जनपदीय भाषाओं का आपसी सम्बन्ध और गहराई से पहचानने के योग्य बनते हैं, मानक भाषा के विकास में उनकी ऐतिहासिक भूमिका पहचानने के योग्य बनते हैं। 'हिन्दी शब्दानुशासन' में लिखा है : "ब्रज में **आयो-गयो** प्रयोग होते हैं, परन्तु **आवत** में वह अवधी से प्रभावित है। **आवत** के पीछे फिर **लावत, सोवत, रोवत** आदि का चलन। ब्रजभाषा पर खड़ी बोली, राजस्थानी, कन्नौजी तथा अवधी का प्रभाव है।" (पृ. 36) "सो, ब्रज पर खड़ी बोली, राजस्थानी तथा पश्चिमी पाञ्चाली का स्पष्ट प्रभाव है। **शौरसेन**-अपभ्रंश नाम से जो भाषा हमारे सामने है, उससे ब्रज की बोली का कोई सामञ्जस्य नहीं बैठता।" (पृ. 533)। यह जनपदीय भाषाओं के आपसी सम्बन्ध पहचानने की बात हुई। इस पहचान का सीधा सम्बन्ध अपभ्रंश-सम्बन्धी प्रचलित धारणाओं की अस्वीकृति से है।

अब मानक भाषा के विकास में जनपदीय भाषाओं का योगदान देखें। करहि से करे और करहु से करो का सम्बन्ध दिखा रहे हैं। 'हिन्दी शब्दानुशासन' में ही कहते हैं : "**करइ** तथा **करै** भी **करहि** के विकास हैं। परन्तु **करै** रूप बनते-बनते **हि** की स्मृति उड़ गई।...इसी तरह **करहु** विधि या आज्ञा के रूप भी **करउ-करौ** होते हैं। यही **हु** राष्ट्रभाषा के **करो** आदि में भी है। **ह्** का लोप और **अ-उ** में सन्धि होकर **ओ**। **पढ़ो, गुनो, पटको, झटको** आदि में उसी **हु** की आत्मा है, विभक्ति के रूप में।" (पृ. 40)

मानक भाषाओं के विकास में जो पेचीदा सामाजिक प्रक्रिया घटित होती है, उसमें यह अनिवार्य है कि मानक भाषा जनपदीय भाषा-तत्त्व ग्रहण करे। मानक हिन्दी की आधार बाँगरू ब्रज से प्रभावित है, ब्रज अवधी से। एक ओर ब्रज और दूसरी ओर बाँगरू, दोनों अवधी से कुछ तत्त्व ग्रहण करती हैं, विवेचन की यह भूमि 'हिन्दी शब्दानुशासन' में विद्यमान है।

भारत की व्याकरण-परम्परा संसार की प्राचीनतम व्याकरण-परम्परा है। वह जितनी प्राचीन है, उतनी ही नवीन है क्योंकि वह गतिरुद्ध, रूढ़िग्रस्त परम्परा बनकर नहीं रह गई। उसमें रूढ़ियों को तोड़ने और पूँजीवादी भाषाविज्ञान की सीमाएँ लाँघने की क्षमता है, इसका प्रमाण 'हिन्दी शब्दानुशासन' है। यह परम्परा संस्कृत से आतंकित नहीं होती, प्राकृतों-अपभ्रंशों के जाल में नहीं फँसती। क्या कृत्रिम है, क्या सहज है, इसका विवेक करती है। वह भाषा की प्रकृति, उसका स्वरूप पहचानने पर बल देती है, भाषा के प्रति विकासोन्मुख दृष्टिकोण अपनाती है। भारत में अंग्रेज़ी राज कायम न होता तो भी 'हिन्दी शब्दानुशासन' लिखा जाता। अंग्रेज़ी राज के बिना भारतीय भाषाओं के उद्‌भव और विकास पर जो अनेक ग्रंथ अंग्रेज़ी में लिखे गए, वे न लिखे जाते, यह निश्चित है। यदि अंग्रेज़ी राज की 'प्रगतिशील' भूमिका के बिना यह देश भाषाविज्ञान में प्रगति कर सकता है तो वह विज्ञान के

अन्य क्षेत्रों में, विशेष कर समाज-सम्बन्धी विज्ञान के क्षेत्र में, भी प्रगति कर सकता था, यह निश्चित है। इस प्रगति के लिए पुरानी रोढ़ियाँ तोड़ना आवश्यक है। आचार्य किशोरीदास वाजपेयी ने भाषाविज्ञान में यह काम साहसपूर्वक किया है, यह ऊपर दिये हुए उद्धरणों से स्पष्ट है।

अंग्रेज़ी राज न होता तो भी 'हिन्दी शब्दानुशासन' होता। 'अष्टाध्यायी' न होती तो भी पाश्चात्य भाषाविज्ञान अपने आधुनिक रूप में विकसित होता, इसमें सन्देह है।

## 7. अक्षर-धातु-कारक-विज्ञान

भाषाओं के तुलनात्मक और ऐतिहासिक विवेचन के लिए यह आवश्यक है कि प्रयत्न और स्थान के अनुसार ध्वनियों में भेद किया जाए—सघोष और अघोष ध्वनियों में, अल्पप्राण और महाप्राण ध्वनियों में, ह्रस्व और दीर्घ स्वरों में भेद किया जाए, भिन्न-सी लगनेवाली ध्वनियों का सम्बन्ध पहचाना जाए। किस सन्दर्भ में कौन-सी ध्वनि भिन्न रूप में ग्रहण की जाती है, इसका बोध हो, विश्लेषण के लिए किसी भाषा की न्यूनतम ध्वनि-इकाई स्थापित करने की कला ज्ञात हो।

प्रयत्न और स्थान के अनुसार ध्वनियों में भेद करके भारतीय वर्णमाला रची गई है। इस वर्णमाला के एक भाग में स्वर हैं, दूसरे में स्पर्श-ध्वनियाँ हैं। स्पर्श-ध्वनियों में कंठ से आरम्भ करके ओठों की ओर आते हैं। पहले कवर्ग, अन्त में पवर्ग। प्रत्येक वर्ग के अन्त में समानधर्मा नासिक्य ध्वनि। इन स्पर्श-ध्वनियों के बाद वे ध्वनियाँ आती हैं जिनका स्पर्श-तत्त्व क्षीण है, जो अर्द्धस्वर हैं, स्वर और व्यंजन के बीच स्थित हैं, अन्तःस्थ हैं। संसार की कोई भी वर्णमाला इस प्रकार ध्वनियों के विभाजन और वर्गीकरण के आधार पर नहीं रची गई। ध्वनियों के विश्लेषण के लिए ऐसी वर्णमाला का महत्त्व असन्दिग्ध है; ऐसी वर्णमाला रची भी तब जाएगी जब ध्वनिविज्ञान का यथेष्ट विकास हो चुका होगा। यूरोप और अमरीका के विद्वान् भारतीय क्रम उलटकर ओठों से कंठ की तरफ़ चलते हैं, पहले **प्**, अन्त में **क्**। वर्गीकरण वही है जो भारत में प्रचलित रहा है, केवल क्रम उलट दिया गया है। कुछ मौलिकता तो होनी ही चाहिए। किन्तु यह मौलिकता भाषाविज्ञान तक सीमित है, भाषा के सामान्य व्यवहार में वही वर्णमाला चालू है जो प्रथम सहस्राब्दी ई.पू. में यूनान में प्रचलित थी। पुरानी बुल्गारियन लिपि, आधुनिक रूसी लिपि, रोमन लिपि, पुरानी जर्मन लिपि आदि का आधार वही प्राचीन यूनानी लिपि है और इस लिपि का आधार फिनीशियन नाम के सामी जनों की लिपि है।

प्रयत्न और स्थान के अनुसार वर्णक्रम निर्धारित हो, यह आवश्यकता भाषा के मौखिक व्यवहार के लिए नहीं होती। बोलते समय मनुष्य के मुँह से जो ध्वनियाँ निकलती हैं, उनका वर्गीकरण न होने पर भी बोलने में कोई बाधा न पड़ेगी। यदि ध्वनियों के उचित वर्गीकरण के बिना लिपिचिन्ह स्थिर कर लिए जाएँ, तो लिखने

में बाधा न पड़ेगी। यदि ध्वनियों के लिए लिपिचिन्ह निश्चित करने के बदले मिस्र और चीन की तरह लोग चित्रलिपि से काम लें तो भी लिखने में बाधा न पड़ेगी, लिखाई-पढ़ाई का काम कठिन अवश्य हो जाएगा। प्रयत्न और स्थान के अनुसार ध्वनियों का वर्गीकरण न हो तो भाषा का ध्वनितंत्रीय विश्लेषण असम्भव होगा। भारत में जब से कवर्ग-पवर्ग वर्गीकरण आरम्भ हुआ, तब से यहाँ विकसित ध्वनिविज्ञान का अस्तित्व स्वीकार करना चाहिए।

यूरोप की भाषाओं में **क्—ग्, त्—द्, प्—ब्** का भेद था और है किन्तु वहाँ के विद्वान् घोषीकरण की प्रक्रिया से अपरिचित थे। अंग्रेज़ विद्वान् डब्ल्यू.एस्. ऐलेन अपनी पुस्तक 'फॉनॅटिक्स् इन् एन्शेंट् इंडिया' (ऑक्सफॉर्ड यूनिवर्सिटी प्रेस, 1953) में कहते हैं कि भाषाविज्ञान को भारत की सबसे बड़ी एक देन घोषीकरण की प्रक्रिया है। घोषीकरण की प्रक्रिया का बोध न होगा तो सघोषता और महाप्राणता के लक्षणों के मिश्रण की प्रक्रिया का बोध कहाँ से होगा? **ग्** का ध्वनितात्त्विक विश्लेषण न होगा तो **घ** का विश्लेषण कहाँ से होगा?

भारत से बाहर इंडो-यूरोपियन परिवार की समस्त प्राचीन-अर्वाचीन भाषाओं का ज्ञान भी यूरोप के विद्वानों को यह न बता सकता था कि **ब्रदर्** के **ब्** और **फ्रातर्** के **फ्** का पूर्वरूप **भ्रातृ** का **भ्** है; **भ्** की सत्ता का बोध उन्हें तभी हुआ जब वे संस्कृत से और भारतीय व्याकरण-परम्परा से परिचित हुए। भारत से बाहर किसी भी प्राचीन-अर्वाचीन भाषा में **घ्-ध्-भ्** का अस्तित्व नहीं है। इस एक तथ्य से ऐतिहासिक भाषाविज्ञान के लिए संस्कृत तथा भारतीय ध्वनिविज्ञान का महत्त्व स्पष्ट हो जाता है।

वर्गीय वर्णक्रम में पहले अघोष अल्पप्राण, फिर अघोष महाप्राण, उसके बाद सघोष अल्पप्राण, अन्त में सघोष महाप्राण। प्रत्येक वर्ग के वर्णक्रम में सघोषता और महाप्राणता के लक्षणों का ध्यान रखा गया है।

बरो का विचार है कि वैदिक आर्य लिखना-पढ़ना न जानते थे। लेखन-कौशल के अभाव में मौखिक परम्परा द्वारा वैदिक साहित्य को सुरक्षित बनाए रखने के कौशल का आविष्कार हुआ। पाणिनि और उनसे पहले के वैयाकरणों की सूत्रशैली के बारे में उन्होंने यह विचार प्रकट किया है कि समस्त शिक्षाकार्य मौखिक था और स्मृति पर निर्भर था। जिस तर्क से वैदिक काल में लेखन-कौशल का अभाव सिद्ध किया गया है, उस तर्क से पाणिनि काल में भी उसका अभाव सिद्ध होगा। भारत में लेखन-कौशल का आविर्भाव कब हुआ, बरो कहते हैं, इसका पता नहीं (सिन्धु घाटी के लेखन-कौशल को आक्रमणकारी आर्यों ने नष्ट कर दिया था, वह कह चुके हैं); जहाँ तक प्राप्त अभिलेखों की बात है, वे तीसरी सदी ई.पू. में दो लिपियों—ब्राह्मी और खरोष्ठी—में मिलते हैं। किन्तु तीसरी सदी ई.पू. में वैदिक साहित्य को कंठस्थ करने की परम्परा बनी हुई थी और सूत्रशैली में अभी उन्नीसवीं

सदी के अंतिम चरण में ईश्वर कौल कमीरी का व्याकरण लिख रहे थे। सूत्रशैली से यह सिद्ध नहीं होता कि शिक्षण-क्रम मौखिक था; वैदिक साहित्य को कंठस्थ रखने से यह सिद्ध नहीं होता कि वैदिक काल में लेखन-कौशल का अभाव था।

भारत पर अंग्रेज़ों से पहले भी अनेक दस्यु-समुदायों ने आक्रमण किया था। व्याकरण समेत समस्त वाङ्मय को कंठस्थ रखने की परम्परा का कारण लेखन-कौशल का प्रभाव नहीं है। इसका कारण भारतीय विद्वानों द्वारा अपनी ज्ञानराशि को सुरक्षित रखने की प्रबल आकांक्षा थी। इसके लिए उन्होंने परिचय दिया और समस्त दस्यु-अभियानों के समक्ष उस ज्ञानिराशि की रक्षा करने में सफल हुए। ऐसी सफलता संसार में किसी भी अन्य देश के विद्वानों को नहीं मिली।

आश्चर्य की बात है कि यूरोप के विद्वान् तीसरी सदी ई.पू. के पहले से पढ़ना-लिखना तो जानते थे किन्तु घोषीकरण की प्रक्रिया से अपरिचित बने रहे। इस प्रक्रिया का ज्ञान उन्हें तब हुआ जब वह भारतीय ध्वनिविज्ञान से परिचित हुए।

लिपि के सम्बन्ध में ऊपर की बातें यहाँ इसलिए कहीं कि भारतीय वर्णमाला की रचना का गहरा सम्बन्ध लेखन-कौशल से है, ध्वनिविज्ञान से है।

सामी लिपियों में स्वरों के लिए अलग ध्वनि-चिन्हों के व्यवहार की परम्परा नहीं है। यूनानियों ने फिनीशियन लोगों से जो लिपि सीखी, उसमें जो व्यंजन-चिन्ह उनकी भाषा के लिए आवश्यक थे, उन्हें स्वरों के लिए उन्होंने निश्चित कर लिया। **ॲ** और **ए, ऑ** और **ओ** के लिए अलग चिन्ह हो गए, पर **अ—आ, इ—ई, उ—ऊ** के लिए एक-एक चिन्ह ही रहा। लैटिन में **ॲ—ए, ऑ—ओ** का चिन्हभेद न रह गया। यह स्थिति भाषाविज्ञान के विकास में बाधक थी। भाषाविज्ञान में एक ही ध्वनिचिन्ह पर निशान लगाकर जो ह्रस्व-दीर्घ स्वरों का भेद बताने का प्रयास है, वह नागरी लिपि के अनुरूप रोमन लिपि को ध्वनि विश्लेषण के लिए अधिक उपयोगी बनाने का प्रयास है।

संस्कृत में **ॲ—ए, ऑ—ओ** का भेद अनावश्यक है; **ॲ—ऑ** के लिए ध्वनि-चिन्ह भी नहीं हैं। तमिल में यह भेद आवश्यक है; उसमें उनके लिए ध्वनि-चिन्ह हैं।

**क्** और **च्** में क्या सम्बन्ध है, यह **करोति** के **कर्** से **कार**, फिर आवृत्ति द्वारा **चकार** रूप का विश्लेषण करनेवाले जानते थे। इसी तरह **गम्** से **गाम**, फिर **जगाम** का विश्लेषण करनेवाले **ग्-ज्** का सम्बन्ध जानते थे। **हन्ति** और **घ्नन्ति** को क्रिया-रूपों की एक ही शृंखला में रखनेवाले **घ्-ह्** के परिवर्तन-सम्बन्ध से परिचित थे। **इ** का गुण **ए** है, **उ** का गुण **ओ** है, इस विश्लेषण-पद्धति के सहारे ही पाश्चात्य विद्वानों ने स्वरसंसृति (ऐब्लाउट) का ताना-बना रचा, विशेषत: ग्रीक-लैटिन संस्कृत के स्वरभेद निर्धारित करते हुए इन भाषाओं के सम्बद्ध प्रतिरूप निश्चित किये, उनकी शब्दरचना-प्रक्रिया और रूपतंत्र की विशेषताओं का विवेचन किया।

वर्णमाला में **क** है **क्** नहीं किन्तु **क्** की स्थिति ध्वनिविवेक के लिए आवश्यक है। वर्णमाला के रचनाकार **क्** और **क** के भेद से परिचित थे। **क** रूप उच्चारण-सुगमता के लिए है, जैसे अंग्रेज़ी में **क्** के लिए लिखा **K,** बोले **के**। पाणिनि के ग्रंथ में **क** का मूल्य **क्** है; **कपय्** प्रत्याहार सूत्र में **क** और **प** वर्ण हैं। इनका मूल्य है **क्** और **प्**। **ऋलृक्** में अन्तिम ध्वनि **क्** है; स्वर के बाद उसका उच्चारण सुगम है। **अइउण्** से लेकर **हल्** तक हर प्रत्याहार सूत्र के अन्त में स्वरहीन व्यंजन ध्वनि है। **इको गुणवृद्धी** सूत्र में **इक्** द्वारा **इ, उ, ऋ, लृ** स्वरों की ओर संकेत किया गया है। **अच्, हल्, इक्** आदि पाणिनि के संक्षिप्त ध्वनि-संकेत सम्भव ही न होते यदि वह **च—च्, ल—ल्, क—क्** में भेद न करते।

**क** ध्वनि की न्यूनतम इकाई नहीं है, न्यूनतम इकाई है **क्**। इस न्यूनतम इकाई को आधुनिक विद्वान्क फ़ॉनीम् हते हैं। **क** वर्ण है; न्यूनतम इकाई के लिए अक्षर शब्द उपयुक्त है। फ़ॉनीम् के प्रसंग में सोस्योर ने उस मूर्त इकाई को ढूँढ़ने की बात कही है जिसे घटाकर और सूक्ष्म न किया जा सके। उन्नीसवीं सदी के अन्तिम चरण में सोस्योर ने दस साल तक पेरिस में संस्कृत पढ़ाने का काम किया था। आधुनिक भाषाविज्ञान के विकास पर उनका भी प्रभाव है। मेरा अनुमान है कि ऊपर की बात उन्होंने अक्षर के अर्थ-तत्त्व को ध्यान में रखते हुए कही थी। संस्कृत के अन्य फ्रांसीसी विद्वान् रॅनू ने लिखा है कि फ़ॉनीम् के लिए संस्कृत में ठीक उसी अर्थ का द्योतक शब्द वर्ण है; उससे मिलता-जुलता शब्द अक्षर है जो 'सिलेब्ल्' के लिए प्रयुक्त होता था। फिर अक्षर के लिए पाद-टिप्पणी में लिखा है कि 'यह शब्द बहुधा फ़ॉनीम् के अर्थ में प्रयुक्त होता था।' ('ल तॅर्म ए पारफ़्वा आम्प्लॉइये ओ सां द फॉनेम'; देखें : जे.एफ़. स्टाल द्वारा सम्पादित 'ए रीडर ऑन् द संस्कृत ग्रमेरिअंस्', मैसाचुसेट्स संस्थान; पृ. 460-1) रॅनू ने यह भी लिखा है कि उकार, तकार आदि में **कार** का व्यवहार फ़ॉनीम् की व्यंजना के लिए है, उकार अर्थात् **उ** फ़ॉनीम्, तकार अर्थात् **त्** फ़ॉनीम्। तकार का अर्थ **त** कभी नहीं होता। फ़ॉनीम् के लिए चाहे अक्षर का व्यवहार हो, चाहे वर्ण का, उसकी कल्पना भारतीय व्याकरण में थी, यह निश्चित है।

डब्ल्यू.एस्. एलेन ने 'फॉनॅटिक्स इन् एन्शेंट इंडिया' में बताया है कि वर्ण से मूलतः ध्वनि-इकाई का बोध न होता था; वह ध्वनि का विशिष्ट गुण था, यह गुण वस्तुतः सदैव स्वर का गुण होता था। (पृ. 14)। यहाँ **इ** का गुण **ए** है, इस गुण से अभिप्राय नहीं है। वर्ण से ध्वनि की 'क्वालिटी' का बोध होता है और यह 'क्वालिटी' है स्वर।

अतः ध्वनि की इकाई के लिए अक्षर और 'सिलेब्ल्' के लिए वर्ण का व्यवहार उचित होगा। **उ** अक्षर है, वर्ण भी; **क्** केवल अक्षर है।

बनारस के पादरी एदरिंगटन ने 'भाषा भास्कर' नाम के अपने हिन्दी व्याकरण के आरम्भ में लिखा था : "शब्द के उस खंड का नाम अक्षर है जिसका विभाग

नहीं हो सकता।" आगरे के मदनमोहन ने अपने 'भाषा व्याकरण' में **राजा** पद का विश्लेषण करते हुए बताया था : **र्** में **आ** जोड़ा तब **रा** बना, **ज्** में **आ** जोड़ा तब **जा** बना, **रा** मिश्र ध्वनि है, **र्** और **आ** अमिश्र ध्वनि। 'ऐसे अमिश्र वर्णात्मक वे शब्द वा ध्वनिखंड अक्षर हैं जो मनुष्यों के मुख से निकलते हैं और सदा सर्वत्र अविकारी और एक-से हैं और सब बोली की जड़ हैं।' ये दोनों व्याकरण उन्नीसवीं सदी के उत्तरार्द्ध में लिखे गए थे। भाषा की न्यूनतम इकाई के लिए यहाँ अक्षर शब्द का व्यवहार होता था, यह स्पष्ट है।

इस अक्षर को नया नाम दिया गया फ़ॉनीम्। अक्षर की व्यंजना से अपरिचित विद्वानों ने फ़ॉनीम् के लिए ध्वनिग्राम, स्वनिम आदि शब्दों का प्रयोग आरम्भ किया। फ़ॉनीम् के बारे में अनेक तरह के सिद्धान्त हैं; शब्द और वाक्य के बारे में भी अनेक तरह के सिद्धान्त हैं। इससे यह सिद्ध नहीं होता कि भारतीय वैयाकरण शब्द और वाक्य के अस्तित्व से अपरिचित थे, भाषा के विश्लेषण में इन धारणाओं का उपयोग न करते थे। विवरणात्मक भाषाविज्ञान में फ़ॉनीम् का बड़ा माहात्म्य है। फ़ॉनीम्-सम्बन्धी कल्पना भारतीय व्याकरण की देन है। इस कल्पना के आधार पर ऐतिहासिक भाषाविज्ञान के आचार्यों ने ध्वनि-परिवर्तन के नियम बनाए, संस्कृत-ग्रीक-लैटिन आदिभाषाओं के वानतंत्र का तुलनात्मक अध्ययन किया। विवरणात्मक भाषाविज्ञान ने बीसवीं सदी में फ़ॉनीम् के बारे में कोई ऐसा नया सिद्धान्त प्रतिष्ठित नहीं किया जिससे ध्वनि-परिवर्तन के नियमों में परिवर्तन ज़रूरी होता। ऐतिहासिक भाषाविज्ञान की पुरानी मान्यताएँ अपनी जगह हैं; नये फ़ॉनीम्-सिद्धान्त इधर-उधर से कन्नी काटकर निकल जाते हैं।

ध्वनि की न्यूनतम इकाई, अक्षर, के आधार पर ऐतिहासिक भाषाविज्ञान में ही नहीं, विवरणात्मक भाषाविज्ञान में भी शब्द की ध्वनिसंरचना का विवेचन किया गया है। अक्षर के आधार पर पाणिनि का ध्वनि-विश्लेषण विभिन्न देशों और युगों में मनुष्य के भाषा सम्बन्धी चिन्तन को प्रभावित करता रहा है।

ध्वनितंत्र में जो महत्त्व अक्षर का है, शब्दतंत्र में वही महत्त्व धातु का है। **करोति, चकार, करिष्यति, कर्ता, कृति, कार्य, कर्म** आदि परस्पर सम्बद्ध रूप हैं, यह बोध धातु-सम्बन्धी कल्पना में व्यक्त होता है। अनेक संज्ञा-क्रिया-रूपों को एक शृंखला में पिरोनेवाली कड़ी है धातु। धातु में एक स्वर अवश्य होता है; विभिन्न रूपों में यह स्वर कैसे बदलता है, इसकी व्याख्या के लिए अनेक सूत्र रचे गए। धातु में कहाँ क्या जोड़ा जाता है, यह बताने के लिए सूत्र रचे गए। जिन भाषाओं में संज्ञा-क्रिया का भेद निश्चित हो चुका था, उनमें धातु के आधार पर शब्द-निर्माण की व्याख्या उपयोगी और भाषाओं की प्रकृति के अनुकूल थी। किन्तु जहाँ ऐसा भेद निश्चित नहीं था, वहाँ धातु-सम्बन्धी कल्पना भ्रामक हो सकती है। वहाँ धातु के बदले शब्दमूल कहा युक्तिसंगत होगा। इस पुस्तक में शब्दमूल, क्रियामूल के

साथ जहाँ-तहाँ धातु शब्द का व्यवहार किया गया है। धातु वैयाकरणों की आत्मगत कल्पना नहीं है; शब्द में उसका वस्तुगत आधार है। कहाँ कौन-सी धातु है, इसके बारे में विभिन्न मत सम्भव हैं; विभिन्न शब्दों और शब्द-रूपों का आपसी सम्बन्ध किस तरह पहचानते हैं, इस पर यह निर्भर है कि धातु का स्वरूप हम किस तरह निर्धारित करते हैं। आधुनिक ऐतिहासिक भाषाविज्ञान में धातु, प्रत्यय, उपसर्ग आदि के साथ रूप-निर्माण की पूरी प्रक्रिया ग्रीक, लैटिन आदि पर लागू की गई है और इस प्रकार संस्कृत से इन भाषाओं की तुलना की गई है।

इंडो-यूरोपियन परिवार की भाषाओं के विवेचन में धातुओं के वर्गीकरण पर, लकारों के विवेचन पर स्वभावतः संस्कृत का प्रभाव है।

लकार अर्थात् विभिन्न क्रिया-रूप और कारक अर्थात् क्रिया से सम्बद्ध विभिन्न संज्ञारूप वाक्य का ढाँचा निश्चित करते हैं, अतः वे वाक्यतंत्र का अंग हैं। ऐतिहासिक भाषाविज्ञान ने संस्कृत के सात कारक ज्यों के त्यों ले लिये हैं और उन्हें अपनी काल्पनिक आदि इंडो-यूरोपियन भाषा पर आरोपित कर दिया है। अपने तुलनात्मक व्याकरण के तीसरे खंड में ब्रुगमन ने यह मत प्रकट किया है कि मूल भाषा में सात कारक थे—कर्ता, कर्म, सम्बन्ध, अपादान, सम्प्रदान, अधिकरण और करण। इस वर्गीकरण का उपयोग सावधानी से करना चाहिए, यह बताते हुए कहते हैं : 'यह इंडो-जर्मैनिक की आदिम अवस्था के लिए ही मुख्यतः सही है। कारकों के पुराने भेद संस्कृत काफी अच्छी तरह सुरक्षित किये रही है। किन्तु अन्य भाषाओं में रूप-संसर्ग और पुनर्निमाण से बहुत हद तक उनका कायाकल्प हो गया है और वे मिट गए हैं।' (पृ. 59)

जैसे मूल भाषा की **घ्-ध्-भ्** ध्वनियाँ संस्कृत 'काफी अच्छी तरह' सुरक्षित किये रही, भले ही भारत से बाहर उनके अस्तित्व का कहीं पता न हो, वैसे ही सात कारकों का भेद संस्कृत 'काफी अच्छी तरह' सुरक्षित किये रही है, भले ही इनमें कुछ कारकों का अन्यत्र पता न हो। ग्रीक और लैटिन के तुलनात्मक व्याकरण में बक कहते हैं कि लैटिन में अधिकरण और करणकारक अपादान में घुल-मिल गए हैं; ग्रीक में अपादान सम्बन्धकारक में घुल-मिल गया है। अधिकरण और करणकारक सम्प्रदान में घुल-मिल गए हैं। इससे विदित होगा कि काल्पनिक आदिभाषा के ध्वनितंत्र के समान उसके रूपतंत्र के विश्लेषण को भी संस्कृत-व्याकरण की मान्यताएँ प्रभावित करती रही हैं।

पुराने समय में ग्रीक वैयाकरणों ने कारक-पद्धति से अपनी भाषा के रूपतंत्र का विवेचन किया। यह पद्धति उनका अपना आविष्कार थी या उन्होंने उसे अन्य किसी से सीखा था? ग्रीक वर्णमाला, उसके लिए प्रयुक्त लिपिचिन्ह फिनीशियन लोगों की देन हैं, यह सांस्कृतिक इतिहास का व्यक्त रहस्य है। कारक-भेद उन्होंने किससे सीखा, यह रहस्य अव्यक्त है। सामी जनों से वे कारक-पद्धति न सीख सकते थे,

यह निश्चित है। जॉन लायंस ने सैद्धान्तिक भाषाविज्ञान पर अपने ग्रंथ 'इंट्रोडक्शन् टु थ्योरेटिकल् लिंग्विस्टिक्स' (कैम्ब्रिज, 1968) में बताया है कि व्याकरण लिखने की कला यूनानियों से रोमनों ने, रोमनों से अरबों ने, अरबों से हीब्रू लोगों ने सीखी। इस शृंखला की पहली कड़ी यूनानी हैं, आखिरी कड़ी सामी जन हैं। भारतीय व्याकरण-परम्परा के लिए कहते हैं कि वह अधिक प्राचीन, स्वतंत्र और श्रेष्ठ है। (पृ. 18-19) यूनान के विद्वान् किसी से व्याकरण लिखना सीख सकते थे तो वह भारत था। ग्रीक भाषा का पहला भरा-पूरा व्याकरण द्योनिसुस् थ्राक्स ने लिखा था। वह दूसरी सदी ई.पू. के हैं और यूनान से बाहर मिस्र के सिकन्दरिया नगर में रहते थे। मिस्र से भारत का पुराना और घनिष्ठ सम्बन्ध रहा है, अतः ग्रीक व्याकरण रचना पर भारतीय प्रभाव की सम्भावना युक्तिसंगत है।

अक्षर, धातु और कारक भारतीय व्याकरण के तीन स्तम्भ हैं। यूनानियों ने व्याकरण लिखना चाहे जहाँ से सीखा हो, ऐतिहासिक भाषाविज्ञान की इमारत इन्हीं तीन स्तम्भों पर खड़ी की गई है और इस इमारत के निर्माताओं ने इन स्तम्भों का उपयोग करना भारत से सीखा।

6

# भाषाविज्ञान और भौतिकवाद

## 1. भौतिकवाद की प्राचीनता

भौतिकवाद भारतीय दर्शन की परम्परा के अन्तर्गत है। भौतिकवाद इस परम्परा का अभिन्न अंग है, वह उतना ही प्राचीन है जितना प्राचीन भारतीय दर्शन है। संसार के प्राचीनतम दार्शनिक चिन्तन में भौतिकवाद का अस्तित्व है और इस चिन्तन में उसका स्थान महत्त्वपूर्ण है।

भारत की प्रसिद्ध सांस्कृतिक संस्था रामकृष्ण मिशन ने इस देश के सांस्कृतिक ऋक्थ पर 'द कल्चरल हेरिटेज आफ़ इंडिया' नाम का ग्रंथ प्रकाशित किया है। इसके तीसरे खंड में नदिया (बंगाल) के संस्कृत अध्यापक दक्षिणारंजन शास्त्री ने सन्देहवाद, अज्ञेयवाद के साथ प्राचीन भौतिकवाद का परिचय दिया है। उनका कहना है कि बृहस्पति लौक्य अथवा ब्रह्मणस्पति भारतीय भौतिकवाद के संस्थापक हैं। उनकी मान्यता थी : **असतः सदजायत** (ऋग्वेद 10-72-2); भूत ही परम सत्य है। चेतना शरीर का धर्म है; भूतकणों में चेतना निहित नहीं है, केवल उपयुक्त मात्रा में संघटित होने पर परमाणुओं में जीवन के चिन्ह प्रकट होते हैं। जीवन और चेतना अभिन्न हैं, तत्त्वों के विघटन के साथ चिन्तनशक्ति का नाश होता है।

दर्शन शब्द का मूल अर्थ है प्रत्यक्ष अनुभव। लोकायत (अर्थात् प्राचीन भारतीय भौतिकवाद) में प्रत्यक्ष अनुभव पर बल है। 'फ़िलॉसफ़ी' जैसे शब्दों की अपेक्षा 'दर्शन' अपने मूल अर्थ से ही भारतीय भौतिकवाद की प्राचीनता सिद्ध कर रहा है। दक्षिणारंजन शास्त्री ने बताया है कि अन्य सभी दर्शन इसका खंडन करते दिखाई देते हैं, अतः कुछ लोग मानते हैं कि भारत का प्राचीनतम दर्शन भौतिकवाद ही है।

रोज़ेंथाल और यूदिन द्वारा सम्पादित दर्शनशास्त्र का कोश ('ए डिक्शनरी ऑफ़ फिलॉसफी', मास्को, 1967) में भौतिकवाद के अभ्युदय के बारे में लिखा है : "दर्शन शास्त्र के अभ्युदय के साथ भारत, चीन और यूनान के दासप्रथा वाले समाजों में खगोल गणित तथा ज्ञान के अन्य क्षेत्रों में प्रगति के फलस्वरूप प्रथम भौतिकवादी सिद्धान्त प्रकट हुए।"

भारतीय भौतिकवाद की प्राचीनता असन्दिग्ध है। भारत और सोवियत संघ, दोनों देशों के अनेक विद्वान यह तथ्य स्वीकार कर चुके हैं।

भारत में भौतिकवाद का अभ्युदय उस समय होता है जब गण-समाज विघटित हो रहे हैं और उनके गर्भ में सामन्ती व्यवस्था के नये सम्बन्ध पुष्ट हो रहे हैं। गण-समाजों का आधार सामूहिक श्रम की पद्धति है। पूरे गण-समाज के बदले जब उत्पादन का आधार कुटुम्बगत श्रम हो जाता है, तब श्रम-विभाजन के साथ कौशल का विकास होता है और गण-व्यवस्था अनावश्यक हो जाती है और क्रमशः नष्ट हो जाती है। दासप्रथा का चलन सामन्ती व्यवस्था के अन्तर्गत होता है। इस व्यवस्था में मुख्य अन्तर्विरोध भूस्वामियों-पुरोहितों तथा शेष जनता में होता है। पुरोहित नई व्यवस्था को सुदृढ़ बनाते हैं, धर्मशास्त्र रचते हैं, अधिकारहीन निर्धन जनों को अपनी स्थिति स्वीकार करने के लिए पुराणकथाएँ गढ़ते हैं। इसी कारण भारतीय भौतिकवाद की प्रमुख विशेषता पुरोहितों की आलोचना है। गणित, खगोल आदि में प्रगति के साथ भौतिकवाद और पुष्ट होता है किन्तु उसका उद्भव इससे पहले हो चुका है।

उक्त कोश में कहा गया है कि प्राचीन भौतिकवाद का सामान्य लक्षण यह है कि वह संसार की भौतिकता स्वीकार करता है और मनुष्य की चेतना से बाहर उसका स्वतंत्र अस्तित्व मानता है। कोश के अनुसार यह भौतिकवाद यथार्थ को बहुत सरल मानकर चलता है। उसमें पुराणकथाओं की विचारधारा की मिलावट है।

पहली बात बहुत कुछ सही है; दूसरी बात भारत के सन्दर्भ में सही नहीं है। उत्पादन और कौशल में जैसी प्रगति पिछले दो-ढाई सौ वर्षों में हुई है, वैसी प्रगति पहले न हुई थी। इस कारण प्रकृति और मनुष्य के बारे में ज्ञान सीमित था। किन्तु पुराणकथाओं की विचारधारा की मिलावट तो दूर की बात है, उसकी बहुत खरी आलोचना चार्वाक के चिन्तन में है। चार्वाक के निरन्तर विरोध—तर्क के बदले गालियों की बौछार—का कारण उनके द्वारा वेद को प्रमाण न मानना तथा वैदिक कर्मकांड की आलोचना है। आगे चलकर अनेक समाज-सुधारकों ने चार्वाक की बातें दोहराईं, भले ही वे चार्वाक की तरह नास्तिक न रहे हों। समाज के प्रतिक्रियावादियों की गालियाँ उन्होंने भी खाईं।

भारत का प्राचीन भौतिकवाद मनुष्य के सामाजिक जीवन से अपने को अलग नहीं रखता। पुरोहित वर्ग एक तरह का जीवन बिताने पर बल देता है, भौतिकवाद दूसरी तरह का। इस तरह वह मनुष्य के सामाजिक जीवन से, जीवन बिताने की विशेष पद्धति के लिए संघर्ष से घनिष्ठरूप में सम्बद्ध है। किन्तु इस भौतिकवाद के सामने विचारधारा और समाज-व्यवस्था का सम्बन्ध स्पष्ट नहीं है। तत्कालीन समाज-व्यवस्था कैसे बदली जाए, यह स्पष्ट नहीं है। उक्त व्यवस्था के बदले अन्य व्यवस्था किस प्रकार की होगी, यह स्पष्ट नहीं है। यह सब उस समय स्पष्ट हो भी

न सकता था। यह तब स्पष्ट होता है जब एक विशेष समाज-व्यवस्था, पूँजीवादी व्यवस्था, को बदलने में समर्थ एक विशेष वर्ग, मजदूर वर्ग, का आविर्भाव हो जाता है। आधुनिक युग में पुराने भौतिकवाद की सीमाएँ लाँघकर नई परिस्थितियों के अनुरूप उसे विकसित करने का युगान्तरकारी कार्य मार्क्स और एंगेल्स नाम के दो जर्मन विद्वानों ने किया।

## 2. अनेकान्तवाद

तर्कशास्त्र की एक प्राचीन पद्धति है अनेकान्तवाद। भारत में इसका विकास जैन आचार्यों ने किया। किसी भी प्रपंच के परस्पर विरोधी लगनेवाले अनेक पक्ष होते हैं। यदि कोई एक पक्ष देखे तो उसका दृष्टिकोण एकान्तवादी होगा; यदि वह अन्य पक्ष भी देखे तो उसका दृष्टिकोण अनेकान्तवादी होगा। मुनि नथमल ने 'जैन दर्शन, मनन और मीमांसा' ('आदर्श साहित्य संघ', चूरू, राजस्थान, 1973 ई.) में बताया है कि मनुष्य केवल अस्ति धर्म मात्र नहीं है, उसमें नास्ति धर्म भी है। जो वस्तु सत् है, वही असत् भी है। द्विरूपता वस्तु का स्वभावसिद्ध धर्म है, एकरूपता हमारे वचन से उत्पन्न है।

अनेकान्तवाद को स्यादवाद भी कहते हैं। अनेक विद्वान स्यादवाद को संशयवाद का पर्याय मानते आए हैं। मनुष्य अस्तिधर्म है और नास्तिधर्म है, तब उसका एक धर्म रह ही न गया और एक के बिना निश्चयात्मक ज्ञान सम्भव नहीं है। इस धारणा का खंडन करते हुए मुनि नथमल ने लिखा है : "संशय एक-रूप पदार्थ में अनेक रूपों की कल्पना करता है। इसलिए वह अनिर्णायक विकल्प है। स्याद्वाद अनेक धर्मात्मक पदार्थों में अनेक धर्मों की निश्चित स्थिति बताता है। वह निर्णायक विकल्प है।" ('जैन दर्शन', पृ. 312)

मुनि नथमल का यह तर्क विज्ञानसम्मत है। निश्चयात्मक ज्ञान प्राप्त करने के लिए एक ही प्रपंच के विरोधी पक्षों की जानकारी आवश्यक है। प्रत्येक तर्क-पद्धति का विकृत रूप प्रस्तुत किया जा सकता है। ऐसा तब होता है जब विवेचक यथार्थ की भूमि छोड़कर हवा में तर्कजाल फैलाता है। इससे मूल पद्धति की उपयोगिता खंडित नहीं होती।

हिन्दी साहित्य में निराला ने 'साहित्यिक सन्निपात या वर्तमान धर्म' नाम के अपने प्रसिद्ध निबन्ध में अनेकान्तवादी दृष्टि का ही प्रतिपादन किया है। एक पक्ष सृष्टि में केवल ज्ञान देखता है, दूसरा पक्ष ज्ञान के साथ अज्ञान भी देखता है; "बिना इस विरोध के सृष्टितत्त्व में उतरा नहीं जा सकता; कुछ कहा नहीं जा सकता। सृष्टितत्त्व है जब भला और बुरा, दोनों हैं।" ('प्रबन्ध प्रतिमा', पृ. 64)

अनेकान्तवाद के लिए अंग्रेज़ी में **डायलेक्टिक्स** शब्द का व्यवहार होता है। ग्रीक शब्द **दिअलॅक्तॉस्** का अर्थ है बातचीत, विवाद, भाषा, बोली। अंग्रेज़ी

**डायलॅक्ट्** (बोली) उक्त ग्रीक शब्द का प्रतिरूप है। विवाद के अर्थ से विवाद की पद्धति का भाव जुड़ गया।

भौतिकवाद के समान **डायलेक्टिक्स** का विकास भी मार्क्स और एंगेल्स ने किया। उनका भौतिकवाद डायलेक्टिकल मैटीरियलिज़्म अथवा द्वंद्वात्मक भौतिकवाद कहलाता है।

प्राचीनकाल में द्वंद्वात्मक चिन्तन का विकास भारत और यूनान में हुआ। इस समबन्ध में एङ्गेल्स ने अपनी पुस्तक 'प्रकृति का द्वंद्ववाद' (अंग्रेज़ी में 'डायलेक्टिक्स ऑफ़ नेचर' में लिखा है : "द्वंद्वात्मक चिन्तन केवल मनुष्य के लिए सम्भव है, क्योंकि उसके लिए विचारों के लक्षणों की छानबीन ज़रूरी होती है, और मनुष्य के लिए भी वह विकास की अपेक्षाकृत ऊँची मंज़िलों में (बौद्धों और यूनानियों में) सम्भव होता है। आगे चलकर उसका पूर्ण विकास आधुनिक दर्शन में होता है। फिर भी यूनानियों में उसके विराट् परिणाम पहले ही विद्यमान हैं और ये परिणाम बहुत हद तक [आगे की] छानबीन का पूर्वानुमान कर चुके हैं।" ('डायलेक्टिक्स ऑफ़ नेचर', लारेंस एंड विशार्ट, लंदन; 1946, पृ. 203-204)

तर्क की द्वंद्वात्मक पद्धति प्राचीन है, इसमें सन्देह नहीं रह जाता। इस पद्धति के विकास में भारत का योगदान है यद्यपि इस योगदान की पूरी छानबीन अभी नहीं की गई।

## 3. एकान्तवाद और यांत्रिक भौतिकवाद

**डायलेक्टिक्स** से ठीक उल्टी तर्कपद्धति का नाम **मेटाफ़िज़िक्स** है। इस शब्द का व्यवहार भी यूनान में होता था किन्तु द्वंद्ववाद की विरोधी तर्कपद्धति के लिए इसका व्यवहार जर्मनी में हेगेल ने किया। हेगेल के बाद मार्क्स और एंगेल्स ने, उनके बाद अन्य मार्क्सवादियों ने, उसी अर्थ में **मेटाफ़िज़िक्स** शब्द का व्यवहार किया है। ड्यूरिंग नाम के विचारक की स्थापनाओं का खंडन करने के लिए एंगेल्स ने 'एंटी-ड्यूरिंग' ग्रंथ लिखा था। इसकी भूमिका में उन्होंने मेटाफ़िज़िक्स चिन्तन-पद्धति की विशेषताएँ बताते हुए लिखा है : मेटाफ़िज़ीशियन के लिए वस्तुएँ और उनके मानसिक प्रतिबिम्ब, विचार, एक दूसरे से अलग-थलग हैं। वे छानबीन के लिए सदा को दे डाली गई जड़ और स्थिर वस्तुएँ हैं जिन पर एक के बाद दूसरी, इस क्रम से, अलग-अलग विचार करना होगा। उसके लिए दो वस्तुओं की भिन्नता पूर्ण और निरपेक्ष है। वह कहता है : या तो हाँ, या फिर नहीं; इनसे जो कुछ भी घट-बढ़कर है, वह शैतान की देन है। उसके लिए या तो किसी वस्तु का अस्तित्व है या फिर उसका अस्तित्व नहीं है। सकारात्मक और नकारात्मक निरपेक्ष रूप में एक दूसरे से अलग हैं; कारण और परिणाम इसी प्रकार जड़ बने हुए एक दूसरे के विरोध में हैं।'

एक ही समय में किसी वस्तु का अस्तित्व और अनस्तित्व, दोनों सम्भव हैं। इस दृष्टिकोण को भारत में अनेकान्तवाद कहा गया। जिस दृष्टिकोण के अनुसार

किसी वस्तु का या तो अस्तित्व होगा या अनस्तित्व, उसे यूरोप में **मेटाफ़िज़िक्स** कहा गया। वह अनेकान्तवाद का ठीक उल्टा है, इसलिए उसे एकान्तवाद कहा तर्कसंगत है। **मेटाफ़िज़िक्स** की अपेक्षा एकान्तवाद अधिक सार्थक भी है। जो **फ़िज़िक्स**, भौतिकी, से परे हुआ, वह **मेटाफ़िज़िक्स** है। जैसे द्वंद्ववाद की तर्कपद्धति का व्यवहार भाववादी हेगेल ने किया, वैसे ही मेटाफ़िज़िक्स नाम की तर्कपद्धति का व्यवहार वस्तुवादी (या भौतिकवादा) भी कर सकता है। एकान्तवाद के साथ भौतिक-अभौतिक का झंझट नहीं है। इसके सिवा **मेटाफ़िज़िक्स** नामक तर्कपद्धति की विशेषता है : दो वस्तुओं, स्थितियों का नितान्त अलगाव। यह विशेषता एकान्तवाद शब्द से बहुत अच्छी तरह व्यंजित होती है।

भाववाद, भारत का पुराना **विज्ञानवाद**, यूरोप का **आइडियलिज़्म** दो तरह का होता है; एक वह जो एकान्तवादी पद्धति अपनाता है, दूसरा वह जो अनेकान्तवादी पद्धति के अनुरूप चलता है। **डायलेक्टिक्स** की विरोधी तर्कपद्धति **मेटाफ़िज़िक्स** है; **डायलेक्टिकल मैटीरियलिज़्म** का उल्टा **मैटीरियलिज़्म** क्या कहलाएगा? कुछ लोग इसे वल्गर **मैटीरियलिज़्म** कहते हैं, ऐसा भौतिकवाद जिसे नासमझ लोग घटिया रूप दे देते हैं। भौतिकवाद अनेक प्रकार का है; एक प्रकार का भौतिकवाद वह है जिस पर यांत्रिकता का गहरा असर है। आधुनिक चिन्तन के सन्दर्भ में द्वंद्वात्मक भौतिकवाद से इस यांत्रिक भौतिकवाद को अलग करना बहुत ज़रूरी है। यांत्रिक भौतिकवाद की एक विशेषता उसकी एकान्तवादी तर्कपद्धति है। अनेकान्तवादी तर्कपद्धति के भौतिकवाद को द्वंद्वात्मक भौतिकवाद कहना उचित है; एकान्तवादी तर्क-पद्धति के भौतिकवाद को यांत्रिक भौतिकवाद कह सकते हैं।

जर्मन दार्शनिक **लुडविग फायरबाख़** पर अपनी पुस्तक में एंगेल्स ने 18वीं सदी के भौतिकवाद के बारे में लिखा है कि वह प्रधानतः यांत्रिक था। उन्होंने इसका कारण यह बताया है कि उस समय तक प्रकृतिविज्ञानों में केवल यांत्रिकी **(मेकैनिक्स)** का विकास हुआ था। उन्होंने उक्त भौतिकवाद की दूसरी विशेषता यह बताई है कि वह संसार को एक प्रक्रिया के रूप में, ऐतिहासिक प्रक्रिया के दौरान विकसित होते हुए भूत (मैटर) के रूप में नहीं देख आता। एंगेल्स कहते हैं : "उस समय प्रकृति-विज्ञान का जो स्तर था, और उससे जो मेटाफ़िज़िकल अर्थात् डायलेटिक्स-विरोधी दार्शनिक विवेचन-पद्धति सम्बद्ध थी, यह उसके अनुरूप ही था।" यहाँ एंगेल्स यांत्रिकी के विकास वाले प्रकृति-विज्ञान और एकान्तवादी विवेचन-पद्धति का सम्बन्ध दिखाते हैं। 18वीं सदी का भौतिकवाद एकान्तवादी है क्योंकि वह उस प्रकृति-विज्ञान से जुड़ा हुआ है जिसमें यांत्रिकी का विकास सर्वाधिक हुआ है।

19वीं सदी में अन्य विज्ञानों का विकास तेज़ी से हुआ। विशेष-रूप से डार्विन की स्थापनाओं ने एकान्तवादी चिन्तन की जड़ काट दी। उन्होंने दिखाया कि पशु, वनस्पति और मनुष्य लाखों वर्ष तक चलनेवाली विकास-प्रक्रिया का परिणाम हैं।

अतः संसार-सम्बन्धी एकान्तवादी चिन्तन समाप्त हो जाना चाहिए था। एंगेल्स ने 'एंटी ड्यूरिंग' में बताया कि द्वंद्वात्मक ढंग से सोचनेवाले प्रकृतिविज्ञानी बहुत थोड़े हैं। पुरानी परम्परागत चिन्तन-पद्धति से नई खोज टकराती है और इससे प्रकृतिविज्ञान के सिद्धान्त पक्ष में जो बेहिसाब उलझन पैदा होती है, उससे अध्यापक और छात्र, लेखक और पाठक, दोनों निराश हो जाते हैं। इस पुस्तक का पहला संस्करण सन् 1878 में प्रकाशित हुआ था। सात साल बाद 1885 में इसके दूसरे संस्करण की भूमिका में एंगेल्स ने जीवविज्ञान की प्रगति, उससे द्वंद्ववाद की पुष्टि की चर्चा करते हुए प्रकृतिविज्ञान के सिद्धान्त पक्ष के बारे में फिर लिखा : "जो उत्तरी-दक्षिणी ध्रुवों जैसे अमिट और असाध्य अन्तर्विरोध प्रस्तुत किये गए हैं, श्रेणियों के बीच विभेद और विभाजन की जो अचल खाएँ जबर्दस्ती खींची गई हैं, इन्हीं से आधुनिक प्रकृतिविज्ञान के सिद्धान्त पक्ष को उसका सीमित और मेटाफ़िज़िकल लक्षण प्राप्त हुआ है। ये विभेद और विभाजन प्रकृति में मिलते तो हैं किन्तु उनकी सार्थकता केवल सापेक्ष है। उनकी निरपेक्ष सार्थकता और कल्पित स्थिरता प्रकृति पर केवल हमारे मन द्वारा आरोपित की गई है, इस बात की पहचान प्रकृति के बारे में द्वंद्वात्मक धारणा का सारतत्त्व है।"

19वीं सदी के अन्त तक प्रकृति-विज्ञानियों का सैद्धान्तिक चिन्तन यदि एकान्तवाद के प्रभाव से मुक्त न हो पाया था, तो यह सोचना भ्रम होगा कि उस समय का भाषाविज्ञान इस प्रभाव से मुक्त हो गया था।

उक्त ग्रंथ के दूसरे संस्करण की भूमिका के अन्त में एंगेल्स ने प्रकृतिविज्ञान के लिए दर्शनशास्त्र का महत्त्व प्रतिपादित करते हुए लिखा : "पिछले ढाई हज़ार वर्षों में दर्शनशास्त्र का जो विकास हुआ है, प्रकृतिविज्ञान उसके परिणामों को आत्मसात् करना सीखे, तब वह अपने से अलग-थलग पड़े, अपने से अलग और अपने से ऊपर खड़े प्राकृतिक दर्शनशास्त्र से मुक्त हो सकेगा, साथ ही अपनी उस सीमित चिन्तन-पद्धति से मुक्त हो सकेगा जो उसे अंग्रेज़ी एम्पिरिसिज़्म (अनुभववाद) से विरासत में मिली है।"

ढाई हज़ार वर्षों में दर्शनशास्त्र का जो विकास हुआ है, उसके परिणाम प्रकृतिविज्ञान आत्मसात् करना सीखे, तब वह अपनी सीमित चिन्तन-पद्धति से मुक्त होगा। ये परिणाम जब भाषाविज्ञान आत्मसात् करेगा, तब वह एकान्तवादी चिन्तन-पद्धति से मुक्त होगा। ढाई हज़ार वर्षों में दर्शनशास्त्र का जो विकास हुआ है, उसमें एक हिस्सा भारतवर्ष का भी है।

### 4. भाषाविज्ञान में एकान्तवाद और यांत्रिक भौतिकवाद

ब्रुगमन जानते थे कि संस्कृत में **स्कम्भ** और **स्तम्भ** दो समानार्थी शब्द हैं और एक दूसरे से सम्बद्ध हैं। सम्बद्धता की व्याख्या करने का एक ही तरीका उनके सामने था, वह **क्** को **त्** का परिवर्तित रूप मानें या **त्** को **क्** का। दोनों ही स्थितियाँ उन्हें

स्वीकार न थीं, इसलिए इस तथ्य का उल्लेख करके, समस्या का समाधान नहीं मिल रहा, यह स्वीकार करके आगे बढ़ गए। यह उनका परम प्रशंसनीय कार्य है क्योंकि समस्या प्रस्तुत करने के बाद ही उसका समाधान ढूँढ़ा जा सकता है। समस्या का समाधान उनकी चिन्तन-पद्धति की सीमाओं में मिल ही न सकता था, इसका आभास उन्हें न था। वह चाहते तो संस्कृत, ग्रीक आदिभाषाओं से और ऐसे जोड़े तलाश कर सकते थे जिनका अर्थ एक था, ध्वनि-रूप एक था, केवल एक व्यंजन में अन्तर था। तब **स्कम्भ** और **स्तम्भ** का जोड़ा अपवाद जैसा न लगता। उनकी और अन्य भाषाविज्ञानियों की चिन्तन-पद्धति की सीमा यह थी कि वे कल्पित आदि इंडो-यूरोपियन भाषा की ध्वनियों को विकास का परिणाम न मानकर उन्हें उक्त भाषा के जन्मकाल से विद्यमान स्थिर इकाइयाँ समझते थे। इंडो-यूरोपियन परिवार की भाषाओं में **क्, त्** ध्वनियाँ हैं, इसलिए इनकी जननी भाषा में वे ध्वनियाँ रही होंगी; अतः जब किंचित् ध्वनिभेद वाले दो समानार्थी शब्द दो भाषाओं में मिले, तो वह भेद ध्वनि-परिवर्तन का परिणाम होगा, और ध्वनि-परिवर्तन के ये नियम निरपवाद और अटल होंगे। ध्वनि-परिवर्तन के प्रति इस एकान्तवादी दृष्टि के कारण वे **स्कम्भ** और **स्तम्भ** की सम्बद्धता की कैफियत न दे सके।

प्राणिजगत् और भाषा, दोनों में विकास होता है किन्तु दोनों का विकास एक ही ढंग से नहीं होता। दो गण-समाज हैं। एक ने **क्** ध्वनि का विकास किया, दूसरे ने **त्** का। परस्पर सम्पर्क के फलस्वरूप **क्** वाले समाज ने **त्** ध्वनि अपनाई, **त्** वाले समाज ने **क्** ध्वनि। इस प्रकार एक ही ध्वनितंत्र में दो भिन्न भाषा-केन्द्रों की ध्वनियों का समावेश हुआ। इस समावेश से ध्वनितंत्र का विकास हुआ; यह विकास मानवेतर प्राणिजगत् के विकास से भिन्न है।

**स्कम्भ** और **स्तम्भ** वाली समस्या एशिया के हर भाषा-परिवार में मौजूद है। जिन भाषा-परिवारों का सम्बन्ध पिछड़े हुए समाजों से है, जिनमें मानक भाषाओं का निर्माण, व्यवहार और प्रसार रुका रहा है, उनमें उक्त समस्या और भी बड़े पैमाने पर है। भाषाविज्ञानी इसकी अनदेखी नहीं कर सकते किन्तु ध्वनि-परिवर्तन के अटल नियमों में अपनी अडिग आस्था के कारण वे उक्त समस्या हल भी नहीं कर सकते।

ऐतिहासिक भाषाविज्ञान ध्वनि-परिवर्तन के जो नियम बताता है, उनके अनेक अपवाद एक ही भाषा में मिल जाते हैं। संस्कृत **भ्** ग्रीक में **फ्** है किन्तु वहाँ वह **ब्** और **प्** भी है। **भ्रातृ** का ग्रीक प्रतिरूप **फातेर्** है तो **भार** का प्रतिरूप **बरॉस्** भी है, **भर** (युद्ध) का प्रतिरूप **पॉलॅमॉस्** भी है। मान लीजिए, **बरॉस** और **पॉलॅमॉस्** संस्कृत **भार** और **भर** के प्रतिरूप नहीं हैं, लैटिन **रुबॅर्** तो संस्कृत **रुधिर** का प्रतिरूप है। यहाँ **ध्** की जगह अन्य वर्ग की ध्वनि **ब्** क्यों है? और लैटिन में **घ्-ध्-भ्** का महाप्राण रूपान्तर मिलेगा तो केवल **फ़्, न् थ्, न् ख्**। लैटिन **फ़ूमुस्** संस्कृत **धूम** का प्रतिरूप इसलिए है कि लैटिन में **फ्** के अतिरिक्त अन्य किसी महाप्राण ध्वनि

का विकास हुआ ही नहीं। **रुधिर** का लैटिन रूपान्तर **रुबॅर्** इसलिए है कि लैटिन का निर्माण दो ऐसी गण भाषाओं के सम्पर्क से हुआ है जिनमें एक सघोष महाप्राण ध्वनि को प्रघोष महाप्राण रूप में ग्रहण करती है, दूसरी सघोष अल्पप्राण रूप में।

भाषा का विवेचन उसके बोलनेवाले मानव-समाज के गठन को ध्यान में रखे बिना सम्भव नहीं है। गण भाषा, जनपदीय भाषा, जातीय भाषा, तीन भिन्न सामाजिक गठनों की भाषाएँ हैं, तीन भिन्न युगों की भाषाएँ हैं। इन तीन युगों की अवधि बहुत भिन्न है, भाषा-तत्त्वों के विनिमय की परिस्थितियाँ बहुत भिन्न हैं। प्राचीन काल में गण भाषा या जातीय भाषा से अलग कोई भाषा नाम की इकाई नहीं है।

विभिन्न पदार्थों में जो भूत, द्रव्य या मैटर है, उससे अलग भूत की सत्ता नहीं है, वैसे ही गण भाषाओं आदि से अलग भाषा की सत्ता नहीं है। प्रकृति के बारे में यांत्रिक धारणा का जो विवेचन 'एंटी-ड्यूरिंग' में है, उस पर एङ्गेल्स ने एक टिप्पणी लिखी थी। ऐसी अनेक टिप्पणियाँ उस ग्रंथ के साथ नहीं छपीं : वे बाद को 'प्रकृति का द्वंद्ववाद' के परिशिष्ट में दी गई हैं। वहाँ एंगेल्स कहते हैं कि भूत के विभिन्न निश्चित खंडों से अलग गोचर रूप में विद्यमान भूत कहीं नहीं है; उनसे अलग भूत कल्पना की सृष्टि है और अमूर्त है। ठीक यही बात गण भाषाओं से भिन्न 'भाषा' के विवेचन पर लागू होती है।

जो लोग यह मानते हैं कि गण-व्यवस्था सामाजिक विकास-क्रम की एक विशेष व्यवस्था है, वे ऐतिहासिक भाषाविज्ञान में गण भाषाओं के तथ्य की अनदेखी नहीं कर सकते।

दर्शनशास्त्र में जो भेद अस्ति और नास्ति में है, ऐतिहासिक भाषाविज्ञान में वही भेद आर्य और द्रविड़ में है। कोई प्राचीन शब्द आर्य हो और द्रविड़ भी हो, यह वैसे ही सम्भव नहीं है, जैसे मनुष्य अस्ति धर्म है तो उसका नास्ति धर्म होना सम्भव नहीं है। भारत में द्रविड़-सम्पर्क से शुद्ध आर्य शब्द विकृत हुआ हो, यह तो सम्भव है किन्तु ऐसी विकृति यूरोप की भाषाओं में हो, यह नितान्त असम्भव है। संस्कृत भर माने युद्ध, ग्रीक **पॉलमॉस्** माने युद्ध, तमिल **पोर्** माने युद्ध; इनमें कोई आपसी सम्बन्ध नहीं है। भाषा-परिवारों की सीमाएँ अचल हैं, उनकी भिन्नता निरपेक्ष है!

इस स्थिति में भाषायी क्षेत्रों के आधार पर विभिन्न भाषा-परिवारों का विवेचन स्वागत-योग्य है। इस पद्धति से भाषा-परिवारों का अलगाव निरपेक्ष, अचल, अपरिवर्तित नहीं रह जाता; उनके आपसी सम्पर्क, भाषा-तत्त्वों के आदान-प्रदान का पता लगाने में इससे सहायता मिलती है। किन्तु वास्तविक स्थिति में इससे न तो कोई उल्लेखनीय परिवर्तन हुआ है और न हो सकता है। कारण यह है कि भाषायी क्षेत्र की बातें करनेवाले विद्वान यह मानकर चलते हैं कि प्राचीन काल में विभिन्न परिवारों का निर्माण अलगाव की स्थिति में हो चुका है, किसी भाषायी क्षेत्र में उनका सम्पर्क बाद को हुआ है।

द्वंद्ववाद की यह स्थापना प्रसिद्ध है कि संसार के विभिन्न प्रपंच एक दूसरे से नितान्त अलग नहीं हैं वरन् आपस में जुड़े हुए हैं। यांत्रिक भौतिकवाद वस्तुओं को जड़, स्थिर इकाइयाँ मानकर उन्हें निरपेक्ष रूप में एक दूसरे से अलग करके देखता है। प्राचीन भाषा-परिवारों के सन्दर्भ में ठीक यही दृष्टिकोण ऐतिहासिक भाषाविज्ञान का है।

द्वंद्ववाद के लिए प्रत्येक वस्तु एक प्रक्रिया है, गतिशील है, उसकी गतिशीलता का एक कारण उसमें निहित अन्तर्विरोध है। ऐतिहासिक भाषाविज्ञान के लिए भाषा अन्तर्विरोधहीन, एकरूप व्यवस्था है। भाषाओं के विवेचन में पग-पग पर एक ही भाषा में परस्पर भिन्न ही नहीं, परस्पर विरोधी प्रवृत्तियाँ भी मिलती हैं। संस्कृत **सीमिक** का फ़ारसी प्रतिरूप **दीमक्** है, फिर विपरीत दिशा में संस्कृत **पुत्र** का फ़ारसी प्रतिरूप **पिसर्** है।

किसी प्रपंच के भीतर जो विरोध है, वह सापेक्ष रूप में भीतरी है; जो विरोध बाहरी है, वह बृहत्तर प्रपंच में भीतरी बन जाता है। ब्रज और अवधी में जो भेद है, वह इनका बाहरी विरोध है; मध्यदेश को आधार मानें तो वही इस क्षेत्र का भीतरी विरोध है।

जैसे भाषा-परिवार एक दूसरे से भिन्न हैं, वैसे ही शब्द एक दूसरे से भिन्न हैं, उनका अर्थ है एक दूसरे से भिन्न है। संस्कृत **पत्** का अर्थ है उड़ना और इसी **पत्** का अर्थ गिरना। ये दो विरोधी क्रियाएँ एक ही शब्दमूल से कैसे व्यक्त होने लगीं? आवरण, अवरोध, द्वार, घिरा हुआ स्थान, निर्धारित समय आदि अनेक अर्थ संस्कृत **वार** के हैं। ये भिन्न अर्थ हैं फिर भी सम्बद्ध हैं। किस कारण सम्बद्ध हैं? शब्द और अर्थ का सम्बन्ध स्थिर माना जाएगा तो ऐसी अर्थ-शृंखलाओं की व्याख्या नहीं हो सकती। किन्तु भाषाओं का विकास समझने के लिए, रूप (शब्द) और विषयवस्तु (अर्थ) का सम्बन्ध समझने के लिए, और भाषाओं का आपसी सम्बन्ध पहचानने के लिए, ऐसी अर्थ-शृंखलाओं का अध्ययन आवश्यक है। आर्येतर इंडो-यूरोपियन और द्रविड़ भाषाएँ अस्ति और नास्ति के समान एक दूसरे से जुदा लगती हैं, समान ध्वनि-रूपों और समान अर्थों वाले शब्दों की शृंखलाएँ देखने पर अस्ति और नास्ति का अभेद सम्बन्ध बहुत स्वाभाविक लगेगा।

यांत्रिक भौतिकवाद के लिए भाषा-परिवार ऐसा प्रपंच है जिसकी सीमाएँ दढ़तापूर्वक निर्धारित हैं और जब यह भाषा-परिवार निर्मित हो रहा था, तब ये सीमाएँ अन्य परिवारों से आनेवाले भाषा-तत्त्वों के लिए बन्द थीं। यद्यपि बारह कोस पर बोली बदलती है, जनसाधारण का पहचाना हुआ यह सुपरिचित सिद्धान्त है, फिर भी भाषा-परिवारों के विवेचक बड़ी दृढ़ता से उनकी सीमाएँ निर्धारित कर देते हैं। भाषा-परिवार के भीतर भाषाओं की सीमा निर्धारित करना और कठिन होता है किन्तु यह दुष्कर कार्य भी वे दृढ़तापूर्वक सम्पन्न कर लेते हैं। भाषा के भीतर

बोलियों की सीमाएँ निर्धारित करना सबसे कठिन कार्य होता है किन्तु यहाँ भी वे साहसपूर्वक सीमा-रेखाएँ खींच ही देते हैं। ये सीमा-रेखाएँ भौगोलिक ही नहीं होतीं, भाषातात्त्विक भी होती हैं। वे प्रदेशों और जनपदों के अलावा ध्वनि-शब्द-रूपतंत्रों की सीमा-रेखाएँ भी होती हैं। जब तक भाषाविज्ञानी यह मानकर चलता है कि ये सीमा-रेखाएँ अचल नहीं हैं, सापेक्ष रूप में ही उचित हैं, तब तक वह भटकाव से बचा रहता है। जहाँ उसने इन्हें अस्ति-नास्ति में भेद करनेवाली निरपेक्ष रेखा माना, वहीं भाषाविज्ञान की प्रगति के वह आड़े आया।

कोई बोली एकसाथ अवधी और ब्रज, दोनों हो सकती है, यह एकान्तवादी दृष्टि के लिए कल्पनातीत है किन्तु ऐसा होना सम्भव है। जर्मनी में कुछ बोलियाँ पहाड़ी ('हाई') और कुछ मैदानी ('लो') कहलाती हैं। इनका विभाजन जिस नियम के आधार पर किया गया था, उसे बहुत सुदृढ़ माना जाता था। 'प्रकृति का द्वंद्ववाद' में इस पर एंगेल्स की टिप्पणी महत्त्वपूर्ण है। उन्होंने लिखा है : "जे. ग्रिम के लिए यह अभी दृढ़तापूर्वक स्थापित नियम बना हुआ था कि कोई भी जर्मन बोली या तो पहाड़ी होगी या मैदानी। यहाँ फ्रैंकिश बोली उनकी निगाह से पूरी तरह ओझल हो गई थी।"

एंगेल्स ने बताया है कि एक समय की लिखित फ्रैंकिश पहाड़ी जर्मन थी, इससे ग्रिम ने कल्पना की कि फ्रैंकिश बोली एक जगह पुरानी पहाड़ी जर्मन में विलीन हो गई, दूसरी जगह फ्रेंच में। प्राचीन सालिक क्षेत्र की डच बोली के स्रोत की व्याख्या करना असम्भव हो गया। ग्रिम की मृत्यु के बाद फ्रैंकिश बोली के अस्तित्व का नये सिरे से पता लगा। सालिक नया जीवन पाकर डच बोली बनी; मध्य और निम्न र्हाइन क्षेत्र में रिपुआरिक बोलियाँ पहाड़ी जर्मन की विभिन्न अवस्थाओं में विलीन हुईं और अंशतः मैदानी जर्मन बनी रहीं।

इससे जो परिणाम निकला, वह यह है : 'फ्रैंङ्किश ऐसी बोली है जो पहाड़ी जर्मन और मैदानी जर्मन, दोनों है।' (शब्दों पर जोर एङ्गेल्स का है।)

एंगेल्स की संक्षिप्त टिप्पणी अनेकान्तवादी दृष्टिकोण का बहुत अच्छा उदाहरण है। वह भाषायी क्षेत्र से सामग्री जुटाकर इस दृष्टिकोण की सार्थकता सिद्ध करते हैं। यहाँ जिन ग्रिम का उल्लेख है, यह वही प्रसिद्ध ग्रिम-नियम वाले ग्रिम हैं।

ध्वनि-परिवर्तन के नियम अटल हों, इसके लिए आवश्यक है कि ध्वनि स्वयं प्रटल हो। ऐतिहासिक भाषाविज्ञान में जिस ध्वनि-परिवर्तन की बात की जाती है, उसमें कोई ध्वनि वास्तव में परिवर्तित नहीं होती, वह अन्य ध्वनि के रूप में ग्रहण की जाती है। इसलिए ध्वनि का अटल होना और ध्वनि का परिवर्तित होना, इन दो बातों में कोई विरोध नहीं है। ध्वनि-परिवर्तन की ध्वनि भाषाविज्ञानी के लिए अपरिवर्तित इकाई है। वह अटल है। उसकी जगह दूसरी अटल ध्वनि आ गई। इतना ही परिवर्तन है।

वस्तु स्थिर इकाई नहीं प्रक्रिया है। वस्तुओं का भेद निरपेक्ष नहीं, सापेक्ष है। यह मान्यता द्वंद्ववाद की है। वस्तु स्थिर इकाई है, वस्तुओं का भेद निरपेक्ष है, यह मान्यता एकान्तवाद की है। इसी एकान्तवादी मान्यता के अनुसार ध्वनि अटल है, उसके परिवर्तन के नियम अटल हैं। प्रत्यक्ष संसार में ऐसा होता नहीं है।

डॉ. सुनीतिकुमार चाटुर्ज्या ने बंगला भाषा के उद्‌भव और विकास वाले ग्रंथ में बताया है कि **प्** ध्वनि के बंगला उच्चारण में यह प्रवृत्ति है कि ओंठ एक दूसरे को न छुएँ। इसका परिणाम यह होगा कि **प्** ध्वनि **प्** जैसी सुनाई देगी और **व्** जैसी भी। जब उसका स्पर्शतत्त्व क्षीण हो जाएगा, तब **प्** ध्वनि **व्** बन जाएगी। यह वास्तविक ध्वनि-परिवर्तन हुआ। यह **प्** ध्वनि एक प्रक्रिया है जिसके एक छोर पर स्पर्शतत्त्व वाला **प्** है, दूसरे छोर पर स्पर्शतत्त्व से मुक्त **व्**। डॉ. चाटुर्ज्या ने पूर्वी बंगाल की बोलियों के बारे में बताया है कि उनमें **प्** संघर्षी महाप्राण **फ़्** रूप में बोला जाता है। इस **फ़्** के उच्चारण में ओंठ एक दूसरे से इतनी दूर रहते हैं कि **फ़्** ध्वनि अघोष **ह्** जैसी सुनी जाती है। यहाँ भी **प्** ध्वनि एक प्रक्रिया है जिसके एक छोर पर **फ़्** है, दूसरे छोर पर **ह्**। इस प्रक्रिया के बोध से समझ में आ जाता है कि अन्य द्रविड़ भाषाओं का आदिस्थानीय **प्** कन्नड़ में **ह्** क्यों बोला जाता है। कन्नड़ और पूर्वी बंगला में यह सामान्य विशेषता देखकर विद्वान् कहेंगे, यह आर्य भाषा पर द्रविड़ प्रभाव है। किन्तु जब यही प्रपंच भारत से बाहर आर्मीनियन भाषा में दिखाई देगा तब या तो कहेंगे कि यह समानता आकस्मिक है या फिर कुछ न कहेंगे।

कोई भी ध्वनि किसी अन्य ध्वनि से कितनी भिन्न है, यह किसी समाज विशेष की भाषायी संस्कृति पर निर्भर है। एक समाज सघोष-अघोष ध्वनियों में अर्थ-विच्छेदक भेद करता है, उसके लिए **क्-ग्, त्-द्, प्-ब्** का भेद महत्त्वपूर्ण है, अन्य समाज ऐसा भेद शब्द के आदिस्थान में करता है, अन्त्य में नहीं, उसके लिए ऐसा भेद अपेक्षाकृत कम महत्त्व का है। तीसरा समाज आदिस्थान में अघोष ध्वनि का व्यवहार करेगा और मध्यस्थान में सघोष का, उसके लिए ऐसा भेद अर्थ-विच्छेदक नहीं है। ऐसे समाज के लिए सघोष-प्रघोष के भेद का महत्त्व नहीं के बराबर है। तीनों समाजों की भाषायी संस्कृति अलग-अलग है, उसी के अनुसार उनके लिए ध्वनियों में तात्त्विक भेद है।

भौतिक प्रक्रिया के रूप में ध्वनि की बहुत-सी विशेषताएँ होती हैं जिन पर हम ध्यान नहीं देते। भाषाविज्ञान के लिए वही विशेषताएँ महत्त्वपूर्ण हैं जो शब्दों और वाक्यों को समझने में काम आती हैं। कौन-सी विशेषताएँ काम में आती हैं और कौन-सी नहीं आतीं, यह समाज विशेष की भाषायी संस्कृति पर निर्भर है।

जर्मनी में ऐतिहासिक भाषाविज्ञान के विकास के पहले दौर में ध्वनि-परिवर्तन के नियमों के बहुत-से अपवाद स्वीकृत थे। इस कारण ये नियम अटल नहीं थे। दूसरे दौर में अपवादों के कारणों का पता लगाया गया और नियम अटल हो गए। इस दूसरे दौर के भाषाविज्ञानी **फ़ॉनीम** शब्द का व्यवहार न करते थे किन्तु जिसे वह

ध्वनि कहते थे, वह थी वही स्थिर इकाई जिसे आगे चलकर अमरीका में **फ़ॉनीम** कहा गया। जैसे ग्रिम के बाद दूसरे दौर के जर्मन भाषाविज्ञानियों ने ध्वनि-परिवर्तन के नियमों को अटल बनाया, वैसे ही अमरीका में ब्लूमफील्ड के बाद भाषाविज्ञानियों ने **फ़ॉनीम** को अर्थ-संसर्ग से पूर्णतः मुक्त कर दिया। अर्थ से मुक्त होकर ध्वनि उनके लिए विशुद्ध रूप रह गई। इस प्रकार भाषाविज्ञान में रूपवाद का जन्म हुआ।

मनुष्य का शरीर एक यंत्र है, उसका मस्तिष्क इसी यंत्र का एक भाग है, उसकी चेतना यांत्रिक ढंग से काम करती है; इस मान्यता से जिस मनोविज्ञान का विकास हुआ, वह व्यवहारवाद ('बिहेवियरिज़्म') कहलाया। मनोविज्ञान के क्षेत्र में यांत्रिक भौतिकवाद का प्रतिफलन है व्यवहारवाद; भाषाविज्ञान के क्षेत्र में व्यवहारवाद का प्रतिफलन है रूपवाद, संरचनावाद। भाषा एक संरचना ('स्ट्रक्चर') है; अर्थ-विचार से अलग हटकर उसका विवेचन करना चाहिए। इस प्रकार संरचनावाद ('स्ट्रक्चरलिज़्म') एक प्रकार का रूपवाद ('फॉर्मेलिज़्म') हुआ।

यांत्रिक भौतिकवाद की परिणति सदा रूपवाद में हो, यह आवश्यक नहीं है। यांत्रिक भौतिकवाद ने 18वीं सदी के यूरोप में दर्शन, विज्ञान और साहित्य के विकास में महत्त्वपूर्ण सकारात्मक भूमिका निबाही। फ्रांस यांत्रिक भौतिकवाद का गढ़ था। जहाँ 18वीं सदी में इस दर्शन का विकास हुआ, वहीं 19वीं सदी में ज़ोला और अनातोल फ्रांस नाम के उपन्यासकारों ने साहित्य में 'नेचुरलिज़्म' का विकास किया। यह 'नेचुरलिज़्म' एक प्रकार का यथार्थवाद था जो यांत्रिक भौतिकवाद से प्रभावित था। 'नेचुरलिज़्म' रूपवाद नहीं है; विषयवस्तु की दृष्टि से उसने अनेक क्रान्तिकारी रचनाएँ दीं। ब्लूमफील्ड ने विवरणात्मक भाषाविज्ञान के लिए जो कौशल निखारा, उससे अनेक अज्ञात, अल्पज्ञात भाषाओं का विवरण देने में विद्वानों को सफलता मिली। दूसरे महायुद्ध के बाद भाषायी विवेचन कौशल को चुस्त-दुरुस्त बनाने के फेर में यांत्रिक भौतिकवाद ने उसे अधिक जड़ बना दिया। ब्लूमफील्ड परम्परा के भाषाविज्ञानी हॉकेट ने अपनी पुस्तक 'द स्टेट ऑफ़ पार्ट' (1968) में इस स्थिति का वर्णन किया है।

अर्थ क्या है? भाषायी रूपों का अर्थ वे वस्तुएँ और परिस्थितियाँ हैं जिनसे भाषा के बोलनेवाले का सामना होता है। रूप और अर्थ में जो संसर्ग-सम्बन्ध है, वह उस स्नायविक ताने-बाने ('न्यूरोलॉजिकल मेकैनिज़्म') के माध्यम से गुज़रता है जिसके बारे में हम बहुत कम जानते हैं। जिन परिस्थितियों से प्रेरित होकर मनुष्य कुछ कहते हैं, उनमें विश्व की प्रत्येक वस्तु, प्रत्येक घटना शामिल है। [यह अर्थ-विचार का 'नेचुरलिज़्म' है।] इस दृष्टि से अर्थ की व्याख्या करना कठिन है, इसलिए अर्थ-विचार एक तरफ रखकर रूपों का विवेचन करना चाहिए। व्याकरण क्या है? वह ऐसी रीतियों (पैटर्न्स) का समुदाय है जिनका अर्थ से कोई सम्बन्ध नहीं है। शब्दकोश और व्याकरण, दोनों को अर्थ-विचार से अलग रखना चाहिए; अर्थ-विचार पर कुछ

कहना ही हो तो उस पर अलग कहा चाहिए, शब्दकोश और व्याकरण की चर्चा में नहीं। [यहाँ मान्यता यह थी कि अर्थ आत्मगत है, मानसिक है; विज्ञान वस्तुगत है, इसलिए अर्थ की बात अलग रखना चाहिए। स्वभावतः अर्थ से बिछुड़कर वस्तु केवल रूप रह गई।] **फ़ॉनीम** क्या है? **फ़ॉनीम** भाषा का अल्पतम अर्थहीन तत्त्व है। **फ़ॉनीम** इतना लोकप्रिय हुआ कि उसके अनुकरण पर शब्द के लिए **मौर्फ़ीम** का चलन हुआ। फिर इनके अनुकरण पर हिन्दी में **ध्वनिम, रूपिम** आदि का अवतरण हुआ।

अर्थहीन अल्पतम ध्वनितत्त्वों से अर्थयुक्त अल्पतम रूपतत्त्व (**मौर्फ़ीम**) बनता है। इन अल्पतम रूपतत्त्वों को बड़े रूपतत्त्वों (वाक्यों) में व्यवस्थित करने की रीतियाँ व्याकरण हैं। ये रीतियाँ अमूर्त हैं। इस प्रकार भाषा की संरचना अमूर्त है।

हॉकेट ने अपने और अन्य रागकालीन संरचनावादियों के चिन्तन की सीमाओं की आलोचना की है, अर्थ-विचार का महत्त्व स्वीकार किया है।

रूपवाद के विरोध में जो भाववादी प्रतिक्रिया हुई, उसमें सामाजिक व्यवहार से मुक्त, मनुष्य की चेतना में निहित, अर्थ पर जोर दिया गया। मनुष्य की चेतना में अलिखित व्याकरण, भाषा-विशेष से मुक्त सभी भाषाओं के लिए सार्थक विश्वजनीन व्याकरण, विद्यमान है; भाषा के रूपतत्त्वों में, वाक्यतंत्र में, वही प्रतिफलित होता है। हॉकेट ने उक्त पुस्तक में इस दृष्टिकोण की भी उचित आलोचना की है।

रूपवाद में रूप और विषयवस्तु का द्वंद्वात्मक सम्बन्ध उपेक्षित है। उसके विरोध में जिस परिणामी व्याकरण-पंथ का चलन हुआ, उसमें भी उक्त सम्बन्ध उपेक्षित है। दूसरे महायुद्ध के बाद भाषाविज्ञान के क्षेत्र में संरचनावाद और परिणामवाद के बीच जो संघर्ष हुआ है, वह यांत्रिक भौतिकवाद और भाववाद का संघर्ष है और भाषाविज्ञान के विकास के लिए बहुत कुछ निरर्थक है।

## 5. मानवचेतना और प्रतिबिम्ब सिद्धान्त

कहा जा सकता है कि मनुष्य की चेतना, उसके विचार बाह्य जगत् का प्रतिबिम्ब है, इसलिए यांत्रिक भौतिकवाद और द्वंद्वात्मक भौतिकवाद में विशेष अन्तर तो होना न चाहिए।

जो भौतिकवाद चेतना को दर्पण मात्र समझता है, मानता है कि चेतना स्वयं निष्क्रिय है, सक्रिय केवल मनुष्य का प्राकृतिक और सामाजिक परिवेश है, चेतना का काम इस गतिशील सक्रिय परिवेश को प्रतिबिम्बित करना भर है, वह यांत्रिक भौतिकवाद है, द्वंद्वात्मक भौतिकवाद नहीं है। जो भौतिकवाद चेतना को विकासमान समझता है, मानता है कि मनुष्य की सचेत कार्यवाही उसके परिवेश को बदलती है और इस कार्यवाही के फलस्वरूप चेतना विकसित होती है, उसका काम केवल संसार को प्रतिबिम्बित करना नहीं है वरन् मनुष्य की भौतिक कार्यवाही द्वारा उसे बदलना है, वह द्वंद्वात्मक भौतिकवाद है।

मार्क्स और एंगेल्स से पहले का दर्शन भाववाद हो चाहे भौतिकवाद, वह संसार को जानने पर बल देता है, मार्क्स और एङ्गेल्स का दर्शन संसार को बदलने पर बल देता है। बदलने की क्रिया संसार को जानकर ही सम्पन्न की जा सकती है। चेतना की जैसी सक्रिय और रचनात्मक भूमिका द्वंद्वात्मक भौतिकवाद में है, वैसी अन्य किसी दर्शन में नहीं है।

एंगेल्स का एक निबन्ध है : 'बनमानुस के मानव बनने की प्रक्रिया में श्रम की भूमिका'।

आदमी के पुरखे बनमानुस थे कि नहीं, इस पर बहुत बहस हो सकती है। गाँवों और नगरों में बसने के पहले मनुष्य वन्य प्राणी था, इस बारे में बहस की बहुत कम गुंजाइश है। वन्य मानव के हाथ, अन्य पशुत्रों की अपेक्षा, उसके पैरों से अलग, स्वतंत्र इन्द्रियों के रूप में कार्य करते थे। मनुष्य वन्य दशा में भी हाथ से अनेक काम करता है जिन्हें दूसरे पशु नहीं करते। हाथ उसके लिए काम करने की मुख्य इन्द्रिय है। एक इन्द्रिय का विकास दूसरी इन्द्रियों को प्रभावित करता है। हाथ काम करने में जितना ही दक्ष हुआ, उतना ही मनुष्य प्रकृति के आगे विवश न होकर उस पर अधिकार करने लगा।

कोई भी बनमानुस खाना पकाने या अन्य किसी काम के लिए आग का व्यवहार नहीं करता। कोई भी बनमानुस हाथ से किसी भी तरह का हथियार या औजार नहीं बना सकता, कोई भी बनमानुस भाषा का व्यवहार नहीं करता। समाज के बिना भाषा नहीं है, भाषा के बिना समाज नहीं है। वन्य मानव भाषा का व्यवहार करनेवाला प्राणी और सामाजिक प्राणी एक साथ बनता है।

कर्म से ज्ञान का गहरा सम्बन्ध है। एंगेल्स ने डार्विन की मालोचना की है कि वह भाववादी चिन्तन के प्रभाव से मनुष्य के विकास में श्रम का महत्त्व नहीं समझ आता। एंगेल्स के अनुसार मानव-मस्तिष्क और इन्द्रियों के विकास का प्रभाव श्रम और भाषा पर पड़ता है, 'चेतना का निरन्तर निखार' इन्हें प्रभावित करता है, मनुष्य में अमूर्त चिन्तन और विवेक की क्षमता बढ़ती है और इससे श्रम और भाषा का और आगे विकास होता है।

एंगेल्स की उक्त स्थापना से स्पष्ट है कि उनके दर्शन में कर्म और ज्ञान के द्वैत की गुंजाइश नहीं है। मनुष्य का कर्म और उसकी बुद्धि दोनों एक दूसरे को प्रभावित करते हैं। बुद्धि और कर्म का सम्बन्ध यांत्रिक नहीं द्वंद्वात्मक है। इस कारण मानव चेतना दर्पण जैसा निष्क्रिय यंत्र नहीं है, वह कर्ममय जीवन से सम्बद्ध निरन्तर विकासमान प्रक्रिया है।

'प्रकृति का द्वंद्ववाद' में अन्यत्र एंगेल्स कहते हैं : "दर्शन के समान प्रकृति-विज्ञान अब तक मनुष्य के चिन्तन पर उसके कर्म के प्रभाव की पूरी तरह अनदेखी करता आया है; दोनों के लिए एक तरफ प्रकृति है तो दूसरी तरफ कर्म

है। मानव-चिन्तन का सर्वाधिक तत्त्वपूर्ण और निकटतम आधार **मानव द्वारा परिवर्तित प्रकृति** ही है, न कि कोरी प्रकृति। और उसकी बुद्धि उसी अनुपात में बढ़ी है जिस अनुपात में उसने प्रकृति को बदलना सीखा है।' (पृ. 172; शब्दों पर जोर एंगेल्स का है)

यहाँ फिर वही बुद्धि के विकास की बात है, कर्म और ज्ञान के द्वंद्वात्मक सम्बन्ध की बात है।

प्रतिबिम्ब दिखानेवाला दर्पण एकान्तवादियों के पास भी था। इसमें उन्हें वस्तुएँ अलग-थलग दिखाई देती थीं, 'तारतम्य विश्व का सघन' उनकी आँखों से ओझल रहता था। अनेकान्तवादियों ने यह तारतम्य देखा तो यह उनकी चेतना की रचनात्मक भूमिका थी। यांत्रिक भौतिकवादी संसार को यंत्र मानता है; स्वभावतः वह मस्तिष्क को भी यंत्र मानता है, चिन्तन-प्रक्रिया को यांत्रिक मानता है। 'प्रकृति का द्वंद्ववाद' में 'एंटी-ड्यूरिंग' ग्रंथ से सम्बन्धित जो टिप्पणियाँ प्रकाशित हैं, उनमें एक जगह एङ्गेल्स ने यांत्रिकी के लिए लिखा है कि उसमें केवल परिमाण की पहचान है, किन्तु भौतिकी और रसायन विज्ञान में परिमाणात्मक परिवर्तन के फलस्वरूप गुणात्मक परिवर्तन भी होता है। यही नहीं कि परिमाण बदलकर गुण बनता है वरन् यहाँ ऐसे गुणात्मक परिवर्तनों पर भी ध्यान देना होगा जिनकी परिमाणात्मक परिवर्तन पर भी निर्भरता सिद्ध नहीं है। गति केवल स्थान-परिवर्तन नहीं है; यांत्रिकी से उच्चतर क्षेत्रों में वह गुण-परिवर्तन भी है। (पृ. 320)

जिन्होंने प्रकृति में घटित गुणात्मक परिवर्तन पहचाने और यांत्रिक भौतिकवाद से आगे बढ़कर द्वंद्वात्मक भौतिकवाद का विकास किया, उन्होंने चेतना की सक्रिय भूमिका का अपूर्व उदाहरण प्रस्तुत किया।

मानव-चेतना की रचनात्मक क्षमता का श्रेष्ठ निदर्शन है भाषा। प्रकृति में ऐसी कोई चीज़ नहीं है, भाषा को जिसका प्रतिबिम्ब कहा जा सके। वह मानव-समाज की रची हुई वस्तु है। सैकड़ों मानव-समाज हैं और पहले हो चुके हैं; संसार में सैकड़ों भाषाएँ हैं और पहले भी रही हैं। चेतना की रचनात्मक क्षमता का इससे अच्छा निदर्शन और क्या होगा?

कोई मनुष्य प्राचीनकाल में यह तै करने नहीं बैठा कि अब भाषा की ज़रूरत है, इसलिए भाषा की रचना कर डाली जाए। मनुष्यों का समूह यह तै करने नहीं बैठा कि जिसे हम पीते हैं, उसे जल कहेंगे, सब लोग इस पदार्थ विशेष से जल शब्द का सम्बन्ध समझ लें। न मनुष्यों का समूह यह तै करने बैठा कि हर वाक्य में एक उद्देश्य और एक विधेय ज़रूर होना चाहिए, उद्देश्य और विधेय के बिना कोई मनुष्य कुछ कहेगा, तो उसे हम वाक्य न मानेंगे।

मानव-समूह भाषा की रचना स्वतःस्फूर्त ढंग से करता है। सामूहिक स्तर पर मानव-चेतना कैसे क्रियाशील होती है, उसका निदर्शन भाषा की रचना है। सामूहिक

जीवन जितना पशु के लिए आवश्यक है, जीवित रहने के लिए उससे अधिक वह मनुष्य के लिए आवश्यक है। व्यक्ति से अलग समूह की चेतना का कहीं अस्तित्व नहीं है; समूह से अलग व्यक्ति का जीवन सम्भव नहीं है। भाषा की रचना व्यक्ति ही करते हैं किन्तु ऐसा वे सामूहिक कार्यवाही के दौरान करते हैं। मनुष्य भाषा की रचना कर रहा है, कब और कैसे कर रहा है, इसका उसे पता नहीं। कोई आश्चर्य नहीं, वह जब भाषा के बारे में सोचने लायक बनता है तो कहता है, यह किसी दैवी शक्ति की रची हुई वस्तु है।

चेतना को पहचानने का अद्वितीय साधन है भाषा। विचारों की अभिव्यक्ति का साधन है भाषा, इसके साथ ही वह विचारों के निर्माण का साधन भी है। जो विचार भाषा द्वारा व्यक्त नहीं हुआ, वह अव्यक्त है; जो अव्यक्त है, वह विचार नहीं है। भावना, संवेदन, अनुभूति, सहजबोध, उसे किसी नाम से पुकारें, वह विचार नहीं है। विचार वही है जो भाषा द्वारा व्यक्त होता है। व्यक्त होने का अर्थ यह है कि उसका एक ध्वनि-रूप है जो बोला और सुना जाता है; इस रूप के बिना वह अव्यक्त है। अर्थ निर्गुण, निराकार, अनाम, अरूप नहीं होता। भाषा उसे रूपायित करती है, साकार करती है। साथ ही रूप अर्थ-संसर्ग से मुक्त नहीं होता। अर्थमुक्त शब्द ध्वनिमात्र है, भाषा का ध्वनि-रूप नहीं। शब्द और वाक्य तो अर्थयुक्त होते ही हैं, ध्वनि की अल्पतम इकाई भी भाषा-तत्त्व तभी है जब वह अर्थयुक्त शब्द में प्रयुक्त होने से अपनी निश्चित विशेषताओं के कारण पहचान में आती है। **क्** ध्वनि की बहुत-सी विशेषताएँ भौतिकी के लिए महत्त्वपूर्ण हो सकती हैं। कितनी ज़ोर से उसका उच्चारण किया, कितनी दूर तक सुनाई दी, हवा में कितने कम्पन पैदा हुए, उच्चारण की मंज़िल से श्रवण की मंज़िल तक पहुँचने में ध्वनि के घनत्व में कितना परिवर्तन हुआ, इस तरह की बहुत-सी बातें भौतिकी के लिए विवेच्य हो सकती हैं, भाषा में **क्** की वही विशेषताएँ महत्त्वपूर्ण हैं जिनसे विभिन्न सार्थक शब्दों में **क्** ध्वनि का अस्तित्व हम पहचान लेते हैं। इस प्रकार ध्वनि की अल्पतम इकाई भी अर्थ-संसर्ग से मुक्त नहीं है। रूपवाद अर्थ से अलग रूप देखता है, भाववादी रूप से अलग अर्थ देखता है। ज्ञानी दोनों का अटूट सम्बन्ध देखता है : **गिरा अरथ जल बीचि सम कहियत भिन्न न भिन्न**।

किसी ध्वनि-रूप से किसी वस्तु या क्रिया-विशेष का सम्बन्ध पशु भी पहचान लेते हैं, मनुष्य थोड़ा-सा प्रयत्न करके उन्हें यह सम्बन्ध पहचनवा देता है। मनुष्य के बिना भी आक्रमण, रक्षा, रति आदि के लिए पशुपक्षी विभिन्न ध्वनि-संकेतों का व्यवहार करते हैं। किन्तु विचारों की अभिव्यक्ति के लिए ध्वनि-रूपों का व्यवहार मानव की विशेषता है। इस विशेषता के कारण वह निरन्तर प्रकृति, समाज, व्यक्ति, चेतना आदि के बारे में अपनी जानकारी बढ़ाता है, जानकारी का विश्लेषण करता है, ज्ञान की एक मंज़िल से दूसरी मंज़िल की तरफ बढ़ता है।

प्रत्येक विचार मूलत: किसी न किसी एक मूर्त वस्तु या क्रिया से जुड़ा होता है; जब तक वह जुड़ा है, तब तक वह बिम्ब-विशेष से बँधा है, **विचार** संज्ञा पूर्णत: सार्थक नहीं करता। विचार अमूर्त है, केवल शब्द के माध्यम से उसकी अभिव्यक्ति मूर्त होती है। अमूर्त विचार के बिना मनुष्य प्रकृति, समाज आदि के बारे में अपनी जानकारी का विश्लेषण नहीं कर सकता, उस जानकारी का विस्तार नहीं कर सकता। मूर्त संसार से शब्द का जो अर्थ बिम्ब-विशेष के रूप में जुड़ा हुआ था, जैसे संस्कृत **कर** (हाथ), वह बिम्ब-विशेष से मुक्त होकर, विचार की विशेषताएँ प्राप्त करके, उसी मूर्त संसार को जानने का साधन बनता है, जैसे संस्कृत **कर्म**। कहीं जाना, कहीं बैठना, कुछ कहना, कुछ सुनना, कुछ सोचना, यह सब **कर्म** है। जैसे **कर** मनुष्य का मूर्त अंग-विशेष है, वैसे ही गई एक क्रिया-विशेष कर्म नहीं है। **कर्म** के व्यापक अर्थ के कारण उसके द्वारा अनेक मूर्त क्रियाओं का बोध कराया जा सकता है। अत: विचार सापेक्षरूप में अमूर्त है। जैसे ज्ञान का सम्बन्ध यथार्थ जगत् से नहीं टूटता, वैसे ही विचार का सम्बन्ध पूर्ण और निरपेक्ष रूप में संसार से नहीं टूटता। ऊपर से देखने में भाषा किसी परोक्ष सत्ता की कृति जान पड़ती है, विचार मूर्त गोचर संसार से स्वतंत्र जान पड़ता है। इस भाववादी धारणा का आंशिक कारण भाषा है जो ज्ञान-प्राप्ति का साधन है, विचारों की अभिव्यक्ति का माध्यम है, और जो मनुष्य के सामाजिक कर्मों से स्वतंत्र जान पड़ती है।

हेगेल ने कहा : बाह्य जगत् विचारों का प्रतिबिम्ब है। इसके विरोध में मार्क्स ने कहा : विचार बाह्य जगत् के प्रतिबिम्ब हैं। इसका यह अर्थ नहीं है कि मनुष्य की चेतना यांत्रिक ढंग से प्रतिबिम्ब ग्रहण करती है और चेतना की सक्रिय भूमिका नहीं है। यदि मनुष्य की चेतना ऐसा दर्पण होती जिसमें यथार्थ जगत् पूरी तरह प्रतिबिम्बित होता है तो ज्ञान की प्रक्रिया बहुत सरल हो जाती। 'एंटी-ड्यूरिंग' के पहले भाग में दर्शनशास्त्र पर लिखते हुए एंगेल्स कहते हैं : "मानवजाति के सामने यह अन्तर्विरोध रहता है, एक ओर उसे विश्व-व्यवस्था के तमाम आन्तरिक सम्बन्धों सहित उसका भरा-पूरा ज्ञान प्राप्त करना है, दूसरी ओर मनुष्यों और विश्व-व्यवस्था की प्रकृति ऐसी है कि यह कार्य कभी भी पूर्णत: सम्पन्न किया नहीं जा सकता। किन्तु यह अन्तर्विरोध विश्व-व्यवस्था और मनुष्य की प्रकृति के भीतर सीमित नहीं है। बौद्धिक प्रगति का वह मुख्य कारण भी है, उसका समाधान दिन-प्रति-दिन, निरन्तर, मानवजाति के अनन्त प्रगतिशील विकास में प्राप्त होता है।"

ज्ञान मनुष्य की प्रयत्नसाध्य अर्जित सम्पत्ति है। चेतना के निष्क्रिय दर्पण में उभरनेवाले बाह्य जगत् के बिम्ब विकासमान ज्ञान की अनन्त प्रक्रिया नहीं बनते। ज्ञान की यह प्रक्रिया भाषा के बिना सम्पन्न नहीं होती।

द्वंद्वात्मक भौतिकवाद विकासमान ज्ञान की प्रक्रिया की बात करता है, इस प्रक्रिया को अनन्त मानता है, इसीलिए वह ज्ञान की कोई भी पुरानी कड़ी हाथ से

जाने नहीं देता। वह स्वयं को इस प्रक्रिया की एक मंज़िल मानता है, उसका ख़ात्मा नहीं। यांत्रिक भौतिकवाद के लिए ज्ञानशृंखला की कड़ियाँ एक दूसरे से जुदा हैं; वह उनका आपसी सम्बन्ध पहचान नहीं पाता। जैसे वह बाह्य जगत् का विकास नहीं समझ आता, वैसे ही वह ज्ञान का विकास नहीं समझ पाता। किन्तु एंगेल्स वैज्ञानिकों से कहते हैं, ढाई हज़ार साल में दर्शनशास्त्र का जो विकास हुआ है, उसके निष्कर्षों को आत्मसात् करना सीखो, वर्ना अपनी सीमित चिन्तन-पद्धति के दायरे से बाहर न निकल पाओगे।

भारत में भाषाविज्ञान की प्रगति के लिए आवश्यक है कि हम अपने दर्शनशास्त्र के निष्कर्षों को विवेकपूर्वक आत्मसात् करें और दर्शनशास्त्र के अलावा यहाँ जो भाषाविज्ञान का विकास हुआ था और हुआ है, उसके निष्कर्षों को भी विवेकपूर्वक आत्मसात् करें। ज्ञान की विरासत ठुकराना यांत्रिक भौतिकवाद की विशेषता है।

## 6. भौतिकवाद, द्वंद्वात्मक और ऐतिहासिक, और भाषा

भौतिकवाद के दो भाग किये गए हैं। एक भाग है : द्वंद्वात्मक भौतिकवाद; दूसरा भाग है : ऐतिहासिक भौतिकवाद। जो भौतिकवाद प्रकृति का विवेचन करता है, वह द्वंद्वात्मक भौतिकवाद है। प्रकृति में वनस्पतियाँ और मानवेतर प्राणी शामिल हैं। जो भौतिकवाद मानव-समाज का विवेचन करता है, वह ऐतिहासिक भौतिकवाद है। यह विभाजन उपयोगी है क्योंकि मानव-समाज तथा मानवेतर प्रकृति में गुणात्मक अन्तर है। किन्तु ये पारिभाषिक शब्द भ्रामक भी हैं। प्रकृति का अपना इतिहास है। वनस्पतियों और मानवेतर प्राणियों का अपना इतिहास है, जीव-जन्तूओं से भिन्न शेष प्रकृति का अपना इतिहास है। इसलिए प्रकृति का विवेचन करनेवाला भौतिकवाद उतना ही ऐतिहासिक है जितना मानव-समाज का विवेचन करनेवाला भौतिकवाद। इसी प्रकार द्वंद्ववाद जितना प्रकृति के लिए सही है, उतना ही मानव-समाज के लिए। भौतिकवाद द्वंद्वात्मक है, ऐतिहासिक है, प्रकृति पर लागू होता है, मानव-समाज पर लागू होता है। फिर भी प्रकृति और मानव-समाज के विकास के नियम बिलकुल एक जैसे नहीं हैं, न हो सकते हैं।

जीव का उद्भव होने से पहले की प्रकृति और उसका उद्भव हो जाने के बाद की प्रकृति गुणात्मक रूप से भिन्न हैं। जीवित रहने के लिए प्राणी स्वयं को प्राकृतिक परिवेश के अनुकूल बनाने का प्रयास करते हैं। जो नहीं बना पाते, वे नष्ट हो जाते हैं। विकास के लिए यह स्थिति तभी उत्पन्न हो सकती है जब जीव का प्रादुर्भाव हो गया हो। जीव के विकास-क्रम में जब मानव का आविर्भाव होता है, तब प्रकृति में फिर गुणात्मक परिवर्तन होता है। मानव नाम का यह जीव ऐसा है जो अपने प्राकृतिक परिवेश में परिवर्तन करता है। मानवविहीन प्रकृति और मानवयुक्त प्रकृति, दोनों में परिवर्तन एक ही ढंग से नहीं होते। मानव-समाज ऐसे

जीवों का समूह है जो भाषा का व्यवहार करता है। अन्य किसी वर्ग के जीव भाषा का व्यवहार नहीं करते। जो मानव वन्य जन्तु है, वह सामाजिक प्राणी बनता है। दोनों में गुणात्मक अन्तर है और गुणात्मक अन्तर का एक कारण है भाषा। समाज से बाहर भाषा का अस्तित्व नहीं है किन्तु भाषा और समाज दो भिन्न वस्तुएँ हैं; एक ही वस्तु के दो नाम नहीं हैं। इस कारण सामाजिक विकास की सारी प्रक्रिया भाषा के क्षेत्र में ज्यों-की-त्यों घटित नहीं होती। पूँजीवादी समाज में वर्ग हैं, एक वर्ग द्वारा दूसरे वर्ग का उत्पीड़न है, वर्ग-संघर्ष है; इसका यह अर्थ नहीं है कि यह सारी प्रक्रिया भाषा में घटित होती है। मार्क्सवाद और भाषाविज्ञान पर अपने प्रसिद्ध निबन्ध में स्तालिन ने आर्थिक आधार और उस पर रचे जानेवाली संस्कृति की इमारत से भाषा-प्रपंच को अलग किया था। यह इस बात की स्वीकृति थी कि सामाजिक विकास के नियम ज्यों के त्यों भाषायी विकास पर लागू नहीं किये जा सकते। भाषा समाज से अलग नहीं है, साथ ही वह सापेक्ष रूप में स्वतंत्र है। इस कारण भाषाविज्ञान समाजशास्त्र से अलग नहीं किया जा सकता, साथ ही सापेक्ष रूप में स्वतंत्र वह उससे भिन्न विज्ञान है।

विकासमान ज्ञान की जिस कभी न समाप्त होनेवाली प्रक्रिया का उल्लेख पहले हो चुका है, भाषा की विकास-प्रक्रिया उससे जुड़ी हुई है। अपने ज्ञान का निरन्तर विकास करते हुए मनुष्य भाषा को ज्ञान अर्जित करने का कारगर माध्यम बनाता है। भाषा के पास सीमित ध्वनितत्त्व हैं। इन सीमित ध्वनितत्त्वों से वह नये-नये ध्वनि-रूप रचता है, उनका अर्थ-विस्तार करता है, अपनी आवश्यकताओं के अनुसार अर्थ-संसर्ग की प्रक्रिया में परिवर्तन करता है।

दर्शनशास्त्र में भौतिकवादी दृष्टिकोण, तर्कशास्त्र में अनेकान्तवादी पद्धति, ज्ञान के अन्य क्षेत्रों के समान, भाषाविज्ञान के विकास में सहायक हैं। जैसे प्रकृतिविज्ञान और समाजशास्त्र के विकास से भौतिकवाद समृद्ध हुआ है, वैसे ही वह भाषाविज्ञान के विकास से भी समृद्ध हो सकता है।

## 7. भौतिकवाद और भाववाद

यांत्रिक भौतिकवाद और द्वंद्वात्मक भौतिकवाद एक दूसरे के विरोधी हैं, एकान्तवादी और अनेकान्तवादी विवेचन-पद्धतियाँ एक दूसरे की विरोधी हैं। अनेकान्तवादी पद्धति केवल भौतिकवाद में प्राप्त नहीं है, वह भाववाद में भी प्राप्त है। इसलिए किसी दार्शनिक विचारधारा को अपने अध्ययन-क्षेत्र के बाहर इसलिए न कर देना चाहिए कि वह भाववादी है। यूरोप के भौतिकवादी दर्शन में अनेकान्तवाद वहाँ के भाववादी दर्शन से आया है। मार्क्स और एंगेल्स ने भाववादी हेगेल का द्वंद्ववाद आत्मसात् करके अपने भौतिकवाद में उसे नया रूप दिया। फ्रांस में अठारहवीं सदी में जो भौतिकवाद विकसित हुआ, वह एक तरफ़, और जर्मनी में उसके

समानान्तर हेगेल का जो भाववाद विकसित हुआ, वह दूसरी तरफ; इन दोनों में मार्क्सवादी विचारधारा के विकास के लिए जिस दर्शन का महत्त्व अधिक है, वह फ्रांस का भौतिकवाद नहीं, जर्मनी का भाववाद है। ऐसा इसलिए है कि फ्रांस का भौतिकवाद द्वंद्ववाद से मुक्त था किन्तु जर्मनी के भाववाद में यह बहुमूल्य तत्त्व विद्यमान था। भारत के सन्दर्भ में लोकायत दर्शन का महत्त्व प्रतिपादित करना उचित है क्योंकि इसके महत्त्व की अनदेखी की गई है। पर इसके साथ जैन और बौद्ध दर्शन की अनेक धाराओं, वेदान्त, सांख्य, न्याय आदि की दार्शनिक परम्पराओं में जहाँ भी अनेकान्तवाद के तत्त्व मिलते हैं, उन पर ध्यान देना उचित है, और इसलिए उचित है कि इनकी तर्कपद्धति की अनेकान्तवादी विशेषताओं की अनदेखी की गई है।

यांत्रिक भौतिकवाद और द्वंद्वात्मक भौतिकवाद एक दूसरे के विरोधी हैं, भाववाद और भौतिकवाद एक दूसरे के और भी अधिक विरोधी हैं। फिर भी यह सम्भव है कि भाववाद, अपनी सीमाएँ त्यागे बिना, भौतिकवाद की बहुत-सी विशेषताएँ आत्मसात् कर ले। ऐसे भाववाद की छानबीन किये बिना यदि कोई भौतिकवादी विचारक उसे त्याग देता है, तो वह अपना ही अहित करता है। अस्ति और नास्ति के समान भौतिकवाद और भाववाद एक दूसरे से भिन्न हैं। यह भिन्नता अचल और निरपेक्ष नहीं है। यूरोप के सन्दर्भ में इनकी सापेक्ष भिन्नता का बहुत अच्छा विवरण लुडविग फायरबाख़ पर अपनी पुस्तक में एंगेल्स ने दिया है। देकार्त से हेगेल तक और हौब्स से फायरबाख़ तक की लम्बी अवधि में दर्शनशास्त्री विशुद्ध विवेक से प्रेरित न हुए थे, जैसा कि वे समझते थे। (देकार्त फ्रांसीसी और हौब्स अंग्रेज़ दार्शनिक थे; दोनों का समय सत्रहवीं सदी है। हेगेल और फायरबाख़ दोनों जर्मन दार्शनिक थे; हेगेल अठारहवीं के अन्तिम चरण और उन्नीसवीं के प्रथम चरण के हैं, फायरबाख़ उन्नीसवीं सदी के मध्य के हैं।) इसके विपरीत जिस चीज़ ने दरअसल उन्हें आगे धकेला, वह 'प्रकृतिविज्ञान और उद्योग-धन्धों की शक्तिशाली और निरन्तर द्रुत वेग से बढ़ती हुई प्रगति' थी। जहाँ तक भौतिकवादियों का सम्बन्ध है, उन्हें प्रेरित करनेवाली यह प्रक्रिया सतह पर देखी जा सकती थी, किन्तु इनसे भिन्न भाववादी दार्शनिक व्यवस्थाओं ने भी स्वयं को अधिकाधिक भौतिकवादी विषयवस्तु से भर लिया' (यहाँ एंगेल्स केवल विवेचन-पद्धति की बात नहीं कह रहे हैं, वह भाववादी व्यवस्था के भौतिकवादी विषयवस्तु से भरे जाने की बात कह रहे हैं), और उन्होंने 'पैंथीइज़्म' के ढंग से, भूत और चेतना का भेद दूर करके, उन्हें मिलाने का प्रयत्न किया ('पैंथीइज़्म' उन लोगों का दर्शन है जो प्रकृति में परम सत्ता का अस्तित्व मानते हैं)। "इस प्रकार अन्ततः हेगेल की व्यवस्था उस भौतिकवाद का निदर्शन है जिसे विचारपद्धति और विषयवस्तु में भाववादी ढंग से सिर के बल खड़ा कर दिया गया है।"

एंगेल्स 18वीं-19वीं सदी के भाववाद की उस सामाजिक-सांस्कृतिक पृष्ठभूमि पर ध्यान देते हैं जिसकी दो मुख्य विशेषताएँ हैं : प्रकृतिविज्ञान की शक्तिशाली प्रगति और उद्योग-धन्धों का द्रुत विकास। इस पृष्ठभूमि से भाववाद और भौतिकवाद, दोनों प्रभावित होते हैं। भौतिकवाद में यह प्रभाव सतह पर है और साफ़ दिखाई देता है, भाववाद में वह सतह के नीचे है और अस्पष्ट है। जो सतह के नीचे है, उसे सतह पर लाना; जो अस्पष्ट है, उसे स्पष्ट करना एंगेल्स का काम है। भौतिकवाद से भाववाद कैसे प्रभावित होता है, इसका उदाहरण है 'पैंथीइज़्म'। उन्नीसवीं सदी में वड्र्सवर्थ और शेली जैसे अंग्रेज़ कवियों की प्रकृति सम्बन्धी रचनाओं में (और अनेक मानव-सम्बन्धी रचनाओं में भी) 'पैंथीइज़्म' भरा हुआ है। हमारे यहाँ उपनिषदों में, कालिदास, रवीन्द्रनाथ ठाकुर, जयशंकर प्रसाद, निराला के काव्य में, पूर्वी बंगाल के लोकगीतों में (जिनका गहरा असर रवीन्द्रनाथ पर है), पड़ोसी ईरान के उमर ख़ैयाम जैसे सूफ़ी कवियों में और यूनान के भाववादी दार्शनिक प्लेटो (प्लतोस् या अफ़लातून) के बहुत-से गद्य-लेखन में यह पैंथीइज़्म', प्रकृति और मानव में यह परम सत्ता का दर्शन, विद्यमान है। जब प्रकृतिविज्ञान का विकास न हुआ था, जब औद्योगिक क्षेत्र में आधुनिक प्रगति न हुई थी, 'पैंथीइज़्म' तब भी था। इसका कारण यह है कि भौतिकवाद का जितना ही विरोध हुआ, उतना ही वह चोला बदलकर भाववादी व्यवस्था में अपनी जड़ जमाता गया। भारत और ईरान में जितने समाज-सुधारक हुए हैं, वे कहीं-न-कहीं वेदान्त और सूफ़ी-दर्शन से प्रभावित हैं। समकालीन सामाजिक मर्यादाओं से अप्रसन्न सौन्दर्यप्रेमी कालिदास और रवीन्द्रनाथ प्रकृति को परम सत्ता का मूर्त रूप मानते हैं।

अस्ति और नास्ति के समान भौतिकवाद और भाववाद का भेद सापेक्ष है। यह सापेक्षता साहित्य में प्रतिफलित है, ज्ञान के अन्य क्षेत्रों में भी। वह भारत में प्रतिफलित है, यूरोप में भी प्रतिफलित है। उसका महत्त्व ज्ञान के सभी क्षेत्रों के लिए है, उसका महत्त्व विज्ञान के लिए भी है। 'रघुवंश' के आरम्भ में कालिदास कहते हैं :

*वागर्थाविव सम्पृक्तौ वागर्थप्रतिपत्तये।*
*जगतः पितरौ वन्दे पार्वतीपरमेश्वरौ॥*

वाणी और अर्थ को समझने के लिए कालिदास, वाणी और अर्थ के समान सम्बद्ध, संसार के माता-पिता पार्वती और शिव की वन्दना करते हैं। इस वन्दना के कारण वाणी और अर्थ की सम्बद्धता के सिद्धान्त का मूल्य नष्ट नहीं हो जाता। कालिदास ने वाणी और अर्थ के सम्पृक्त होने की बात कही है; तुलसीदास ने सम्पृक्त होने के साथ असम्पृक्त होने की बात भी कही है : **गिरा अरथ जल बीचि सम कहियत भिन्न न भिन्न**। भिन्नता और अभिन्नता की विरोधी स्थितियों का समन्वय अनेकान्तवादी दृष्टि से ही सम्भव है। तुलसीदास ने वाणी और अर्थ के भेद-अभेद सम्बन्ध का जो

सिद्धान्त प्रतिपादित किया है,· उसका महत्त्व इसलिए नष्ट नहीं हो जाता कि उन्होंने समस्त संसार को सियाराममय जानकर उसे प्रणाम किया है :

*सियाराममय सब जग जानी।*
*करौं प्रनाम जोरि जुग पानी॥*

## 8. भौतिकवाद और नियतिवाद

मान लीजिए, **हस्त** शब्द वाणी है। **हस्त** कहने से अंग-विशेष का बोध होता है, वह अर्थ है; दोनों का सम्बन्ध भिन्न और अभिन्न, दोनों है। किन्तु **हाथ** नामक अंग का बोध करानेवाला एक शब्द **कर** है, अन्य शब्द **पाणि** है; यदि शब्द और अर्थ का सम्बन्ध अभिन्न है, तो एक ही अर्थ के लिए ये तीन शब्द क्यों हैं?

**पाणि** या **कर** या **हस्त** कहे बिना अंग-विशेष का बोध नहीं होता; यही शब्द और अर्थ की अभिन्नता है। इसके साथ ही शब्द और अर्थ भिन्न हैं, इस कारण एक शब्द के अनेक अर्थ होते हैं और एक अर्थ के लिए अनेक शब्द होते हैं। इस प्रकार शब्द और अर्थ का अनेकान्तवादी सम्बन्ध भाषा की वास्तविक स्थिति से सिद्ध है।

भौतिकवाद हर प्रपंच के परिवर्तन, उसकी गति और उसके विकास के नियमों का पता लगाता है। द्वंद्वात्मक भौतिकवाद एक प्रकार का नियतिवाद है; हर प्रपंच की गति के नियम हैं, अत: उनकी जानकारी के आधार पर उसकी भावी गति पहले से बताई जा सकती है। संसार के हर प्रपंच के अपने नियम हैं, उसका अपना धर्म है, अत: संसार के समस्त प्रपंच नियतिवाद के दायरे में हैं, उसके बाहर नहीं हैं। तब एक समुदाय ने अंग-विशेष के लिए **हस्त** शब्द का व्यवहार किया, दूसरे ने **कर** का, अथवा एक ही समुदाय ने **हस्त** और **कर**, दो शब्दों का प्रयोग किया, ऐसा क्यों? मनुष्य किसी ध्वनि-रूप से वस्तुविशेष का सम्बन्ध जोड़ देते हैं, यह कार्य नियमित है या आकस्मिक? **हस्त** का पूर्वरूप **स्त** था, **ध्** जैसी सघोष महाप्राण ध्वनि का विकास केवल भारत में हुआ, क्या इसका कारण भारत का विशेष प्राकृतिक परिवेश था? या भारतीय मानव का शारीरिक गठन, उसके नादयंत्र की कोई विशेषता थी? यदि ऐसा था तो भारतीय प्रकृति के शेष विश्व प्रकृति से भिन्न होने का कारण रहा होगा! भारतीय मानव के विशेष शारीरिक गठन, उसके विशेष नादयंत्र का कारण रहा होगा! जब पृथ्वी पर मानव न था, तब भी यह कारण रहा होगा; जब पृथ्वी अपने मूल पिंड से अलग न हुई थी, तब भी यह कारण रहा होगा; यदि यह मानें कि समस्त प्रकृति पहले अव्यक्त थी, ऐसी ऊर्जा थी जो भूत में परिवर्तित न हुई थी, तो अव्यक्त प्रकृति में, अनादि ऊर्जा में **ध्** के भारत में ही विकसित होने का आदि कारण विद्यमान रहा होगा! यदि ऐसा नहीं था तो बताएँ कि वह कार्यकारण-शृंखला कहाँ से आरम्भ होती है जिसका परिणाम **ध्** का विकास है? यदि **ध्** का

विकास आकस्मिक है, तो नियतिवाद का तानाबाना बिखर जाता है; तब द्वंद्वात्मक भौतिकवाद की सार्थकता ही क्या रह जाती है?

ठीक यही प्रश्न नहीं किन्तु इससे मिलते-जुलते प्रश्न हेगेल और मार्क्स के समय दर्शन और विज्ञान में प्रस्तुत थे। एंगेल्स ने हेगेल का हवाला देते हुए इन प्रश्नों का उत्तर दिया है।

एक दृष्टि वह है जो प्रकृति में कुछ घटनाओं को कार्य-कारण-शृंखला के अनुरूप घटित मानती है और कुछ को इस शृंखला के प्रतिकूल अकस्मात् घटित मानती है। जो कुछ कार्य-कारण-शृंखला के अनुरूप घटित होता है, वह नियमित है, अनिवार्य है। जो कुछ अकस्मात् घटित होता है, वह आकस्मिक है, अनियमित है। एक ओर अनिवार्यता, दूसरी ओर आकस्मिकता, दोनों का मेल सम्भव नहीं है। एंगेल्स ने 'प्रकृति का द्वंद्ववाद' में लिखा है कि एकान्तवाद (मेटाफ़िज़िक्स) आकस्मिक और अनिवार्य के अन्तर्विरोध में उलझकर रह गया है। इन दो धारणामों से अधिक परस्पर भिन्न और क्या होगा? सहज बुद्धि कहती है, और उसके साथ बहुसंख्यक प्रकृतिविज्ञानी कहते हैं, (एंगेल्स बता रहे हैं) कि आकस्मिक और अनिवार्य एक दूसरे से निरपेक्षतः, पूर्णतः विलग हैं। कोई वस्तु, परिस्थिति, प्रक्रिया या तो आकस्मिक है या अनिवार्य है, दोनों एक साथ नहीं हो सकतीं। अतः प्रकृति में दोनों हैं; प्रकृति में तरह-तरह की चीजें हैं, तरह-तरह की प्रक्रियाएँ हैं, इनमें कुछ आकस्मिक हैं, कुछ अनिवार्य हैं। ध्यान केवल इस बात पर देना है कि दोनों को मिलाकर गड़बड़ न पैदा की जाए। जहाँ तक विज्ञान का सम्बन्ध है, उसे केवल अनिवार्य वस्तुओं से दिलचस्पी है; जो आकस्मिक है, उसकी तरफ से विज्ञान उदासीन है। जो नियमबद्ध हुआ, उसी का हमें ज्ञान हुआ, उसी से हमें दिलचस्पी है। जो नियमबद्ध न हुआ, वह ज्ञान की परिधि से बाहर है। उसके प्रति हम उदासीन हैं। एंगेल्स कहते हैं कि यहाँ विज्ञान का खात्मा ही हो जाता है क्योंकि जो ज्ञान की परिधि में नहीं आया, विज्ञान उसी को तो जानना चाहता है। जिसकी व्याख्या हो जाए, वह तो प्राकृतिक है। जिसकी व्याख्या न हो सके, वह प्रकृति से परे है, दैवी है!

यह एकान्तवादी दृष्टि हुई। इसकी विरोधी दृष्टि है नियतिवादी। एंगेल्स कहते हैं कि उपर्युक्त मत के विरोध में नियतिवाद अवतरित हुआ, फ्रांसीसी भौतिकवाद से प्रकृतिविज्ञान में पहुँचा। उसका कहना है कि प्रकृति में आकस्मिक कुछ होता ही नहीं है। इस मत के अनुसार प्रकृति में केवल सादी, प्रत्यक्ष अनिवार्यता का बोलबाला है। घर की एक फली में पाँच ही दाने हैं, चार या छह नहीं। किसी कुत्ते की पूँछ सिर्फ पाँच इंच लम्बी है, रत्तीभर घट-बढ़कर नहीं। इस साल किसी एक फूल पर मधुमक्खी बैठी और उससे उर्वरीकरण हुआ, दूसरे फूल का न हुआ, और इस विशेष मधुमक्खी ने एक विशेष समय में ही यह कार्य सम्पन्न किया। हवा किसी फूल के दो बीज उड़ाकर ले गई, इनमें एक से अंकुर फूटा, दूसरे से न फूटा। पिछली रात

के चौथे पहर किसी एक मच्छर ने काटा, दूसरे ने नहीं, और चार बजे काटा, तीन या पाँच बजे नहीं। दायें कन्धे में काटा, बाईं पिंडली में नहीं—ये समस्त घटनाएँ एक अपरिहार्य कार्य-कारण परम्परा का परिणाम हैं। वे ऐसी अप्रतिहत अनिवार्यता से प्रेरित हैं कि जिस गैस मंडल से सौरमंडल का उद्‌भव हुआ, उस गैसमंडल की संरचना पहले ही ऐसी थी कि इन समस्त घटनाओं को ठीक इसी रूप में घटित होना था, उस रूप से ज़रा भी इधर-उधर हटे बिना ही उन्हें घटित होना था। (यह सब एंगेल्स ने लिखा है। आगे कहते हैं :) इस तरह की अनिवार्यता हमें फिर वहाँ ले आई जहाँ प्रकृति में सब कुछ दैवी इच्छा से होता है। इसे चाहे भगवदिच्छा कहिए, चाहे भाग्य कहिए, चाहे अनिवार्यता कहिए, विज्ञान के लिए बात बहुत कुछ एक ही है। उक्त घटनाओं की कार्य-कारण-परम्परा का हम पता नहीं लगा सकते, इसलिए अनिवार्यता एक छूछा शब्दमात्र रह जाती है, और आकस्मिकता अपनी जगह जमी रहती है। जब तक हम यह बता न दें कि मटर की किसी फली में पाँच ही दाने क्यों हैं, तब तक उसमें पाँच दानों का होना आकस्मिक ही है [जब तक हम यह बता न दें कि **ध्** का विकास भारत में ही क्यों हुआ, तब तक भारत में उसका विकास आकस्मिक ही है!], और यह कहने से कि इसका मूल कारण सौरमंडल की आदिम संरचना में विद्यमान था, हम एक कदम भी आगे नहीं बढ़ते। इसके सिवा जो विज्ञान किसी फली में पाँच दानों के होने की कार्य-कारण-परम्परा का पता लगाने बैठेगा, वह विज्ञान नहीं, खिलवाड़ होगा, क्योंकि उस फली में दानों की संख्या के अलावा और बहुत-सी आकस्मिक लगनेवाली विशेषताएँ हैं, उसका रंग, मोटाई, फली की कोमलता या कठोरता, दानों का आकार; और माइस्क्रोस्कोप से उसकी जो अन्य विशेषताएँ उद्‌घाटित होंगी, उनकी बात अलग है। इस प्रकार एक फली को लेकर पता लगाने के लिए इतनी कार्य-कारण-परम्पराएँ प्रस्तुत हो जाएँगी कि संसार के समस्त वनस्पतिशास्त्री उनका पता लगाते ही रह जाएँगे।

एंगेल्स कहते हैं कि उक्त मत में [अर्थात् यांत्रिक भौतिकवाद के नियतिवाद में] आकस्मिक की व्याख्या इस प्रकार नहीं की जा सकती कि वह अनिवार्य प्रतीत हो वरन् अनिवार्य को ऐसा घटिया दर्जा दिया जाता है कि वह आकस्मिक प्रतीत होने लगता है। यदि किसी फली में पाँच दानों का होना उसी स्तर का तथ्य है जिस स्तर का तथ्य सौरमंडल की गति का नियम है अथवा ऊर्जा के रूपान्तर का नियम है, तो आकस्मिक का स्तर ऊँचा नहीं होता, वह ऊपर उठकर अनिवार्य सिद्ध नहीं हुआ, वरन् अनिवार्य का स्तर गिरा। वह नीचे गिरकर आकस्मिक सिद्ध हुआ।

उक्त दोनों धारणामों से हेगेल का मत भिन्न है।

एंगेल्स कहते हैं कि उक्त दोनों धारणाओं से भिन्न, हेगेल ऐसी स्थापनाएँ लेकर आए, जैसी पहले किसी ने सुनी न थीं। हेगेल ने कहा कि आकस्मिक सकारण होता है क्योंकि वह आकस्मिक है, इसके साथ ही उसका कोई कारण नहीं होता क्योंकि

वह आकस्मिक है; जो आकस्मिक है, वह अनिवार्य भी है और अनिवार्यता स्वयं को आकस्मिक के रूप में घटित होने देती है; यह जो आकस्मिक है, वह पूर्णतः अनिवार्य है। [बेसिर-पैर की बातें हैं न? प्रकृतिविज्ञानियों को भी ऐसी ही लगी थीं। एंगेल्स इन विज्ञानियों को लक्ष्य करके कहते हैं :] प्रकृति-विज्ञान ने इन स्थापनाओं को परस्पर विरोधी और बेसिर-पैर की बातें कहकर उनकी अवहेलना की; सिद्धान्त की दृष्टि से प्रकृतिविज्ञान एकान्तवाद की बंजर विचारभूमि नहीं छोड़ सका जिसके अनुसार कोई चीज़ या तो आकस्मिक होगी या अनिवार्य होगी, दोनों एकसाथ नहीं हो सकती। "यांत्रिक भौतिकवाद इससे कम विचारशून्य नहीं है; वह एक शब्द के प्रयोग भर से आकस्मिक को सामान्य रूप में अस्वीकार करता है, किन्तु किसी भी प्रपंच के विशेष रूप में उसे व्यवहारतः स्वीकार करता है।"

## 9. प्रकृति-सम्बन्धी निरंकुश स्थापनाएँ और विज्ञान

एंगेल्स की ऊपर कही हुई बातों से यांत्रिक भौतिकवाद और द्वंद्वात्मक भौतिकवाद का भेद स्पष्ट हो जाएगा। यदि किसी को लगे, यह सब चर्चा 19वीं सदी के प्रकृति-विज्ञान के लिए भले ही सार्थक रही हो, 20वीं सदी के भाषाविज्ञान के लिए वह व्यर्थ है, तो मैं उसे ब्लूमफील्ड की अर्थ-व्याख्या की ओर ध्यान देने को कहूँगा। ब्लूमफील्ड-परम्परा के प्रमुख विद्वान हॉकेट ने इसकी चर्चा की है और इस अध्याय में उसका उल्लेख हो चुका है। अर्थ में वे तमाम वस्तुएँ और परिस्थितियाँ शामिल हैं जिनसे प्रेरित होकर मनुष्य कुछ कहते हैं। इन वस्तुओं और परिस्थितियों का आकलन और मनुष्य की उक्ति विशेष से उनका सम्बन्ध-निर्धारण मटर की फली की विशेषताओं की कार्यकारण परम्परा का पता लगाने से कम मुश्किल नहीं है। इससे सिद्ध हुआ कि प्रकृतिविज्ञान पर यांत्रिक भौतिकवाद के जिस तरह के प्रभाव की चर्चा एंगेल्स ने की है, उसका भाषाविज्ञान पर उसी तरह का प्रभाव 20वीं सदी में बना हुआ था। यांत्रिक भौतिकवाद प्रकृतिविज्ञान और भाषाविज्ञान के अलावा राजनीति समेत समाजविज्ञान के अन्य क्षेत्रों को भी प्रभावित करता है और अक्सर वह मार्क्सवाद होने का दावा भी करता है, इसलिए उसे द्वंद्वात्मक भौतिकवाद से अलगाना अत्यन्त आवश्यक है।

इस प्रसंग में एंगेल्स की दो एक बातें और सुन लें। वह पूछते हैं : जब प्रकृतिविज्ञान इस प्रकार एकान्तवादी चिन्तन में लीन था, तब उसने डार्विन के रूप में क्या किया?

वह उत्तर देते हैं (उसी 'प्रकृति का द्वंद्ववाद' पुस्तक में) : जो कुछ आकस्मिक रूप से विद्यमान है, उसे अधिक-से-अधिक अपना आधार बनाकर डार्विन ने अपने युगान्तरकारी कार्य की शुरुआत की। एक ही जाति ('स्पिशीज़') के सदस्यों में जो अनन्त आकस्मिक भिन्नताएँ थीं, वे इतना प्रबल हुईं कि वे जाति के लक्षणों का

अतिक्रमण करने लगीं : ये भिन्नताएँ ऐसी थीं कि उनके तात्कालिक कारण भी बहुत कम बताए जा सकते थे। इन भिन्नताओं से बाध्य होकर डार्विन ने जीवविज्ञान में अब तक स्वीकृत नियमितता के आधार के आगे प्रश्नचिन्ह लगा दिया, अर्थात् जीव-जन्तुओं और वनस्पतियों की जातियों को अब तक जो अचल और अपरिवर्तनशील माना जाता था, उस धारणा के आगे उन्होंने प्रश्नचिन्ह लगा दिया। (डार्विन से पहले माना जाता था कि प्रकृति में सब कुछ नियमित है; प्राणिजगत् में सब कुछ नियमित होने का परिणाम हैं प्राणियों की जातियाँ। ये जातियाँ अपरिवर्तनशील हैं। जब से संसार है, तब से विद्यमान हैं। जब तक संसार रहेगा, तब तक विद्यमान रहेंगी। जातियों के लक्षण अचल हैं; एंगेल्स ने इस अचलता को एकान्तवादी जड़ता कहा है। जाति की जगह भाषा-परिवार कर दीजिए, जीव-विज्ञान की नियमितता की जगह ध्वनि-परिवर्तन की नियमितता कर दीजिए, जीवविज्ञान की एकान्तवादी दृष्टि भाषाविज्ञान में घटित होती दिखाई देगी।)

एंगेल्स कहते हैं : जाति-सम्बन्धी धारणा के बिना समस्त विज्ञान शून्य है। उसके सभी विभागों में इस धारणा की ज़रूरत थी। जीवविज्ञान, वनस्पतिशास्त्र, शरीरविज्ञान आदि में जाति-सम्बन्धी धारणा के बिना सब कुछ बेकार था। इन सब विज्ञानों ने जो निष्कर्ष अब तक निकाले थे, उनके आगे प्रश्नचिन्ह ही नहीं लगा, वे सब स्थगित कर दिये गए। जिसे लोग अब तक अनिवार्य समझते आए थे, उसे आकस्मिक ने पछाड़ दिया। आकस्मिक रूप से घटित होनेवाली घटनाओं के समवाय ने अनिवार्यता-सम्बन्धी पुरानी धारणा को ध्वस्त कर दिया। "उस धारणा को बनाए रखने का मतलब था, प्रकृति पर तानाशाही ढंग से मनुष्य की निरंकुश स्थापना को नियम कहकर लाद देना। यह ऐसी स्थापना थी जो स्वयं के और प्रकृति के विरोध में थी। उस धारणा को बनाए रखने का मतलब था, जीवन्त प्रकृति में समस्त आन्तरिक अनिवार्यता को नकारना, जीवन्त प्रकृति में आकस्मिकता की अराजकता को स्वीकार करना।"

यहाँ एंगेल्स की बात समाप्त हुई।

निरंकुश स्थापनाएँ प्रकृति पर तानाशाही ढंग से नहीं लादी जा सकतीं। भाषाओं के विकास पर कल्पित नियमितता भी नहीं लादी जा सकती। कल्पित नियमितता लादने का मतलब है : भाषाओं के विकास की आन्तरिक अनिवार्यता को अस्वीकार करना।

एक उदाहरण लें।

संस्कृत **विश** (बस्ती) का ग्रीक प्रतिरूप है **ऑइकॉस्**। दोनों शब्द पुराने हैं, दोनों का स्रोत एक होना चाहिए। यह मानें कि संस्कृत **श्** बदलकर ग्रीक में **क्** हुआ तो इससे आदि इंडो-यूरोपियन भाषा की मूल भूमि के बारे में अनचाही गड़बड़ी पैदा होती है। यह मूल भूमि भारत या कहीं उसके पास-पास, यूरोप को देखते पूर्व की ओर, माननी पड़ेगी। इस अनचाही स्थिति से बचने के लिए भाषाविज्ञानियों ने कंठ्य **क** से भिन्न एक तालव्य **क्** की कल्पना की। तालव्य **क्** ने यूरोप की भाषाओं में

अपना तालव्य तत्त्व त्याग दिया; भारत और पूर्व की भाषाओं में उसने **क्** का कंठ्य तत्त्व त्याग दिया और तालव्य तत्त्व **य्** को **श्** रूप में ग्रहण किया। यह सब तब तक कुछ युक्तिसंगत लग सकता है जब तक द्रविड़ भाषाओं को इंडो-यूरोपियन परिवार के मामलों में दखल न देने दें। जहाँ उन्हें दखल देने की अनुमति दी, वहीं तालव्य **क्** सम्बन्धी 'नियम' की निरंकुशता सिद्ध हो जाएगी। तमिल **ऑक्कल्** (सम्बन्धी), कोडगु **ऑक्क** (कुटुम्ब), कन्नड़ **ऑक्कल्** (घर), **ऑक्कल** (किसान) से संस्कृत **विश** को अलग रखना और केवल ग्रीक **ऑइकॉस्** से उसका सम्बन्ध जोड़ना सरासर अन्याय है। यदि तालव्य **क्** ने अपना तालव्य तत्त्व ग्रीक में त्याग दिया है तो मानिए कि उसने यह अनुपम कार्य द्रविड़ भाषाओं में भी सम्पन्न किया है।

संस्कृत **श्रु** (सुनना) का ग्रीक प्रतिरूप है **क्लुओ**; तमिल, कन्नड़, कोत, तोद आदि अनेक द्रविड़ भाषाओं में इसका प्रतिरूप है **केळ्** (सुनना)। संस्कृत **शेते** (लेटता है) का ग्रीक प्रतिरूप है **कॅइतइ** और द्रविड़ भाषाओं में सुलभ हैं तमिल **किड** (लेटना), कन्नड़ **कॅडॅ** (पड़ना), कोडगु **कडकॅ** (शय्या) आदि।

कल्पित तालव्य **क्** के समान तालव्य **ग्** भी है। संस्कृत **जरा** (बुढ़ापा) से सम्बद्ध ग्रीक रूप है **गॅरोन्** (बूढ़ा), इधर द्रविड़ भाषाओं में सुलभ हैं तमिल **किऴम्** (बुढ़ापा), कन्नड़ **कॅळव** (बूढ़ा)। मानना होगा, ग्रीक भाषा के समान द्रविड़ भाषाओं ने कल्पित **ग्** का तालव्य तत्त्व त्याग दिया।

तालव्य **क्** के समान एक ओष्ठ्य **क्** (**क्य्** की तरह **क्व्**) भी था। संस्कृत **कः** (कौन), ग्रीक **पॉथॅन्** (कहाँ से); यहाँ कंठ्य तत्त्व संस्कृत में बना रहा, ओष्ठ्य तत्त्व **व्** ग्रीक में **प्** हो गया। इधर गोंडी में **बोर, बोल्** (कौन) ग्रीक की तरह ओष्ठ्य तत्त्व सुरक्षित किये हैं। संस्कृत **कः** का एक ग्रीक प्रतिरूप **तिस्** (कोन) भी है। यहाँ **इ** स्वर के संसर्ग से ओष्ठ्य **प्** बदलकर **त्** हो गया! इधर कोडगु में **दारि** (कौन) **इ** स्वर के बिना भी ओष्ठ्य **ब्** को **द्** बना रहा है और कोल भाषा संथाली में प्रश्नवाचक **तिस्** (कब) ठीक ग्रीक रूप की तरह विद्यमान है। कल्पित ओष्ठ्य **क्** के समान् ओष्ठ्य **ग्** है। संस्कृत **ग्ना** (देवी, पत्नी) का ग्रीक प्रतिरूप **बना** है। इधर नारी, पत्नी के लिए तमिल और कन्नड़ का **पॅण्** रूप है। संस्कृत **घर्म** का **घ्** ओष्ठ्य था, इसलिए फ़ारसी में तो **गर्म** रूप प्राप्त हुआ, ग्रीक में **थॅर मॉस्** (गर्मी)। यहाँ भी **घ्** का ओष्ठ्य तत्त्व **प्**, आगे **अॅ** स्वर होने से, **थ्** बन गया। तमिल **तॅरु** (जलना), **तॅरल्** (गर्मी) में भी वही कल्पित परिवर्तन घटित होता है।

संस्कृत और ग्रीक पर तालव्य और ओष्ठ्य **क्, ग्** आदि लादना एक निरंकुशता है। इन भाषाओं के विवेचन से द्रविड़ भाषाओं को अलग रखना दूसरी निरंकुशता है।

एकान्तवादी दृष्टि की आलोचना करते हुए 19वीं सदी में एंगेल्स ने प्रकृतिविज्ञान के बारे में जो कुछ कहा था, वह 20वीं सदी में भाषाविज्ञान के सन्दर्भ में सार्थक है। यदि द्रविड़ और इंडो-यूरोपियन परिवारों की जबर्दस्ती खींची हुई अचल सीमा-

रेखाएँ नष्ट हो जाती हैं, तो इसका प्रभाव द्रविड़ और इंडो-यूरोपियन परिवारों के इतिहास तक सीमित न रहेगा, उसका प्रभाव एशिया और यूरोप के समस्त भाषा-परिवारों के ऐतिहासिक विवेचन पर पड़ेगा, ऐतिहासिक भाषाविज्ञान की सामान्य धारणाओं पर पड़ेगा।

जो आकस्मिक प्रतीत होता है, वह अनिवार्य है, एक उदाहरण इसका देखें।

गोंडी **सुंज्** (सोना) और फ्रंसीसी **सोंज़्** (स्वप्न) की समानता नितान्त आकस्मिक प्रतीत होती है। कहाँ भारत के पिछड़े हुए गोंड और कहाँ यूरोपियन सभ्यता के गढ़ फ्रांस के निवासी, दोनों का एक साथ नाम लेते ही हँसी आती है!

किन्तु **सोंज़्** शब्द उस समय का नहीं है जब फ्रांस सभ्यता का गढ़ बन चुका है, उससे पहले का है, और गोंड सदा निर्धन और आज की तरह पिछड़े हुए रहे हों, यह आवश्यक नहीं है। फ्रांस और गोंडों की निवासभूमि के बीच बहुत बड़ा फ़ासला है। पर उतना फ़ासला भारत की आर्य और यूरोप की आर्येतर इंडो-यूरोपियन भाषाओं के बीच भी है। द्रविड़ जन भारत के उत्तर-पश्चिमी प्रदेशों में रहते थे और आर्यों के पड़ोसी थे; दोनों में भाषा-तत्त्वों का आदान-प्रदान हो, इससे अधिक स्वाभाविक और क्या होगा? यह आदान-प्रदान केवल भारतीय आर्यों से होता है, इंडो-यूरोपियन परिवार के अन्य समाजों से नहीं, हम यह पहले ही से क्यों मान लें? भारतीय आर्य भाषा-तत्त्व यूरोप की भाषाओं में जा न सकते थे, यह एक निरंकुशता हुई। द्रविड़ तत्त्व यूरोप की भाषाओं में और भी न जा सकते थे, यह दूसरी निरंकुशता हुई।

संस्कृत **स्वप्** (सोना) से **स्वप्न** बना है। **स्वप्न** का मूल अर्थ होगा निद्रा; फिर नींद में जो दिखाई दे, वह भी **स्वप्न** कहलाया। लैटिन **सॉपॉर** (नींद) के **सॉप्** क्रियामूल का **प्** जब **म्** में बदला, तब **स्वप्न** का लैटिन प्रतिरूप **सॉम्नुस्** बना। **सॉम्नुस्** का एक अर्थ है नींद, दूसरा अर्थ है सपना। **सॉप्** क्रियामूल के **सॉम्** रूपान्तर से फ्रांसीसी भाषा में एक रूप बना **सॉमॅइ** (ल्) अर्थात् नींद, दूसरा रूप बना **सोज्** (या **सोंझ्**) अर्थात् सपना। **सोंज्** में वही **सॉम्** क्रियामूल है। **प्** का **म्** में रूपान्तरण द्रविड़ भाषाओं में भी प्रचलित है और यूरोप के किसी भी भाषा-समुदाय की अपेक्षा अधिक प्रचलित है। वहाँ **सॉपॉर्** और **सॉम्नुस्** के उदाहरण खोजने पड़ेंगे; यहाँ तमिल के **पण्णु-मण्णु** (करना) जैसे जोड़े भरे पड़े हैं। संस्कृत **स्वप्, सॉपॉर्** का **सॉप्** द्रविड़ भाषाओं में **सॉम्** बोला जाए, यह अत्यन्त स्वाभाविक है। **सॉम्** में **ग** प्रत्यय लगा तो **सॉङ्ग** रूप बना। **ग** का रूपान्तरण है **ज**। जैसे लैटिन **सागुस्** (भविष्यवक्ता) का अंग्रेज़ी प्रतिरूप **सेज़** (ज्ञानी) है, फ्रांसीसी प्रतिरूप **साज्** (या **साझ्**) है, वैसे ही **सॉङ्ग** का एक रूपान्तर है **सुञ्ज्**, दूसरा है **सुञ्ज़्**। **सुञ्ज** गोंडी में है, **सुञ्ज़्** कोंड में। तमिल में एक रूप है **तूङ्गु**, (सोना), दूसरा रूप है **तूञ्जु** (उप.)। संस्कृत **समय** के तमिल प्रतिरूप **तमयम्** की तरह **सूङ्गु** का रूपान्तर होगा **तूङ्गु**। **स्** के **ह्** रूपान्तर से **मंड** और कुवि भाषाओं में **हुंज्** रूप बना। कन्नड़ में अवधी की तरह **कागज**

जैसे **कागद** है, वैसे ही **सुंज्** का प्रतिरूप **सुन्दु** है। **स्** का एक रूपान्तर **च्** हुआ; उससे पर्जि में **चुञ्** (<**चुञ्ज्**) रूप बना। उसी भाषा में उसके समानान्तर **तुञ्** भी है। **सॉप्** के प्रतिरूप **सॉम्** का जैसा प्रसार द्रविड़ भाषाओं में है, वैसा यूरोप की भाषाओं में नहीं है। सम्भावना यही है कि **सॉम्** क्रियामूल यूरोप की भाषाओं में द्रविड़ भाषा-ससुदाय से पहुँचा है। अत: गोंडी **सुंज्** और फ्रांसीसी **सोंज्** सम्बद्ध हैं।

जो आकस्मिक प्रतीत होता था, वह सम्भव बना। आकस्मिक समानताओं के ऐसे काफी उदाहरण, मान लीजिए, सौ उदाहरण प्रस्तुत किये जाएँ, तो वे मात्र सम्भव न रह जाएँगे। वे द्रविड़ और इंडो-यूरोपियन परिवारों की विभाजन-रेखा केवल भारत के लिए नहीं, यूरोप के लिए भी तोड़ देंगे। जो प्राकस्मिक प्रतीत होता था, वह अनिवार्य सिद्ध होगा।

## 10. श्रम और संख्यासूचक शब्द

डार्विन के जीवविज्ञान में और मार्क्स-एंगेल्स के समाजविज्ञान में मौलिक अन्तर है श्रम की भूमिका को लेकर। वन में जीव अपने अस्तित्व के लिए संघर्ष करते हैं, निर्बल मारा जाता है, सबल विजयी होता है। वन्य जीव श्रम द्वारा वस्तुओं का उत्पादन नहीं करते, वे केवल वस्तुओं का संग्रह करते हैं। सामाजिक कार्यवाही के रूप में आवश्यक वस्तुओं का उत्पादन मनुष्य की विशेषता है। इस कार्यवाही का मुख्य उपकरण मनुष्य का हाथ है। हाथ के लिए जो शब्दमूल द्रविड़ और इंडो-यूरोपियन परिवारों में प्रयुक्त होते रहे हैं, उन्हीं से अर्थ-प्रसार द्वारा करने, लेने, देने, विनिमय, व्यापार आदि के भाव व्यक्त किये गए। ये कार्य हाथ से प्रत्यक्ष रूप में सम्बद्ध दिखाई देते हैं। किन्तु हाथ से ऐसे शब्द भी सम्बद्ध हैं जिनका सम्बन्ध प्रत्यक्ष नहीं है। ऐसा एक शब्द है तमिल **अइन्दु** (पाँच)।

केरल से प्रकाशित **'इंटरनेशनल जर्नल ऑफ़ ड्रैवीडियन लिंग्विस्टिक्स'** (खंड 5, संख्या 1; जनवरी, 1976) में सोवियत भाषाशास्त्री आन्द्रोनोव का एक रोचक लेख छपा है जिसका विषय संख्यासूचक द्रविड़ शब्दों की व्युत्पत्ति है। उन्होंने तमिल **अइन्दु** का सम्बन्ध **कय्** शब्दमूल से जोड़ा है जिसका अर्थ हाथ है। हाथ कहने से पाँच उँगलियों का बोध हुआ और इस बोध से मनुष्य ने पाँच की संख्या जोड़ी। इस प्रकार **अइन्दु** का पूर्वरूप हुआ **चइन्दु; च्** का लोप हुआ, तब **अइन्दु** रह गया। **चइ** का पूर्वरूप था **कय्**। पर्जि **चेविर्** (पाँच आदमी) में **च्** विद्यमान है।

जो बात आर्य-द्रविड़ भाषाओं को जोड़ती है, वह यह कि **कय्** का पूर्वरूप **कर** (हाथ) संस्कृत में है। संस्कृत में **कर** से पाँच की संख्या बतानेवाला शब्द नहीं बना। संस्कृत **पाणि** (हाथ) के **पण्** क्रियामूल से संस्कृत **पञ्च** बना; **पण्णु** (करना) क्रिया तमिल में है किन्तु उसमें हाथ के लिए **पाणि** या पाँच के लिए **पंच** जैसा शब्द नहीं है। जो चीज़ सामान्य है, वह है अर्थ-संसर्ग की प्रक्रिया और **कर्**

तथा **पण्** शब्दमूलों से बनी शब्दावली। संस्कृत में **कर्** क्रियामूल से **कर्म** शब्द बना, तमिल में **पण्, पणि** कर्मसूचक शब्द हैं। ग्रीक **खॅइर्** (हाथ) संस्कृत **कर** से सम्बद्ध है किन्तु तमिल की तरह ग्रीक में भी **कर्म** जैसा शब्द नहीं है। इसके विपरीत तमिल **पण्** के समान ग्रीक **पॉनॉस** श्रमसूचक है और संस्कृत **पाणि** से सम्बद्ध है।

अर्थ-प्रसार की प्रक्रिया सामान्य द्रविड़-इंडो-यूरोपियन परिवारों की अचल सीमा-रेखा भंग करके उनके प्राचीन सम्बन्धों की पुष्टि करती है।

एक हाथ की पाँच उँगलियों से पाँच की संख्या का बोध जुड़ा, फ़ारसी **पंज** (पाँच) और **पंजा** में संख्या और उँगलियों का सम्बन्ध देखा जा सकता है। दोनों हाथों की उँगलियाँ दस हुईं; अर्थ-संसर्ग की उसी प्रक्रिया से हस्तसूचक शब्द दस की संख्या के लिए प्रयुक्त हुआ। संस्कृत **दश** का पूर्वरूप **दस** फ़ारसी **दस्त** (हाथ) के **दस्** से सम्बद्ध है। पश्तो में **दस** का रूपान्तर **लस्** हाथ और **दस,** दोनों के लिए प्रयुक्त होता है। **दस्त** का पूर्वरूप **धस्त** है और **धस्** क्रिया का पूर्वरूप **धर्** है और **धर्** का एक रूपान्तर **धन्** है। इस **धन्** से एक ओर हिन्दी **धन्धा** बनता है, दूसरी ओर इसके **तन्** रूपान्तर से अंग्रेज़ी **टॅन्** (दस), जर्मन **त्सेन्** (उप.) रूप बनते हैं। **दश** के ग्रीक प्रतिरूप **दॅक, दशम्** के लैटिन प्रतिरूप **दॅकॅम्** में **क्** ध्वनि का पूर्वरूप **श्** है। **र्** ध्वनि **स्** और **न्** में बदलती है, इसका विवेचन इस पुस्तक के प्रस्तुत खंड के चौथे अध्याय में हो चुका है।

पाँच का सम्बन्ध हाथ से है, दस का सम्बन्ध हाथ से है। तमिल **अइन्दु** (पाँच) का सम्बन्ध हाथ से है और तमिल **पत्तु** (दस) का सम्बन्ध भी हाथ से है। **पंच** की **पन्** क्रिया से **पन्त, पन्द** जैसा कृदन्त रूप बनेगा। **पत्तु** का पूर्वरूप **पन्दु** था, इसका प्रमाण मलयालम **पण्ड्रण्डि** (बारह) और तेलगू **पण्ड्रॅण्डु** (उप.) हैं जहाँ **पण्ड्** दस के लिए है, **रण्डि** और **रॅण्डु** दो के लिए। तमिल **पन्न्इरण्डु** (बारह), **पन्नण्डु** (उप.) में **पन्द्** का रूपान्तर **पन्न्** है। **पत्तु, पदि** आदि रूप **पर्त** और **पन्त,** दोनों का विकास हो सकते हैं।

तमिल में **पत्तु** का एक प्रतिरूप **पक्तु** या **पगदु** भी है। यहाँ **पक्** का पूर्वरूप **पश्** वैसे ही है, जैसे ग्रीक **दॅक** का पूर्वरूप **दश** है। **पश्** और **पन्** सम्बद्ध रूप हैं और दोनों का आधार है **पर्**।

**पक्तु** के **पक्** का लैटिन प्रतिरूप है **फकिओ** (करना)।

तमिल **ऑरुबान्** (एक **दहाई** अर्थात् **दस**), **इरुबान्** (दो दहाई अर्थात् बीस), **मुप्पान्** (तीन दहाई अर्थात् तीस) के **पान्** का आधार वही **पन्** है जो **पंच** में है। **पन्** रूप आर्य-द्रविड़, दोनों समुदायों के पास है; एक ने उसका उपयोग पाँच की संख्या के लिए किया, दूसरे ने दस के लिए।

आन्द्रोनोव ने दस का बोध करानेवाले द्रविड़ शब्दों के लिए **पत्तु, पद्, पदि, पदु, पन्, पान्** और **पख़्दु** (अर्थात् **पगदु** अथवा **पक्तु**) आधाररूपों की कल्पना की है। इतने आधाररूप अनावश्यक हैं, केवल **पर्** काफी है। उन्होंने इनका सम्बन्ध तमिल **पल्**

(बहुत-से), आधाररूप **पल्** से, जोड़ा है जो और भी अनावश्यक है। तमिल **अइन्दु** (पाँच) और **पत्तु** (दस) आपस में वैसे ही सम्बद्ध हैं, जैसे संस्कृत **पञ्च** और **दश**।

ऊपर **पण्ड्रण्डि** (बारह) में दो का अर्थ देनेवाला जो **रण्डि** है, उसका सम्बन्ध भी हाथ से है। कोडगु **दण्डि** (दो चीजें), **दण्डनॅ** (दूसरा) में **रण्डि** का पूर्वरूप **दण्डि** स्पष्ट है। गोंडी, नइकि, कोलमि आदि में **दण्ड, दण्ड्** बाहुवाचक शब्द है। द्रविड़ भाषाओं में **दण्ड** रूप दो स्रोतों से आया है। एक स्रोत है **दन्** क्रिया जिसका अर्थ है खड़ा होना; संस्कृत **दण्ड** (डंडा), **तण्डक** (तना), तमिल **तण्डु** (उप.), तुलु **दण्डु** (उप.) का सम्बन्ध इस **दन्** से है। दूसरा स्रोत है **दन्** क्रिया जिसका अर्थ है करना; तमिल **तण्डु** (इकट्ठा करना), तुलु **दण्डियुनि** (कुछ पाने को हाथ पसारना), नइकि **दण्ड्** (बाँह) का सम्बन्ध इस क्रिया से है। इस दूसरे **दण्ड्** से कोडगु **दण्डि** (दो चीजें), **रण्डि** का विकास हुआ है। तमिल **इरण्डु** में **इ** अतिरिक्त स्वर है जो **र्** के पहले जोड़ा गया है। **इर्** को आधाररूप मानकर (**चीरने** के **चीर्** क्रियामूल के तमिल प्रतिरूप) **ईर्** से उसे जोड़ना कष्ट कल्पना है।

**दण्ड** और **पत्तु** कृदन्त रूप हैं **हस्त** के समान। यही स्थिति **अइन्दु** (पाँच) की है। यहाँ प्रश्न किया जा सकता है कि हाथ का बोध करानेवाले शब्द कृदन्त हैं तो हाथ से करने की क्रिया का भाव कैसे उत्पन्न हुआ? पहले **दस्** (करना), फिर **दस्त** (हाथ)। इस प्रश्न का उत्तर यह है कि **दस** शब्द पहले हाथ का बोध कराता था, इसीलिए पश्तो में उसका रूपान्तर **लस्** (हाथ; दस) प्राप्त है। इसके सिवा प्राकृत **दोस** (हाथ) में **त** प्रत्यय का प्रभाव है। उसी प्रकार संस्कृत **कर** (हाथ) कृदन्त रूप नहीं है। इस संज्ञा **कर** से क्रिया **कृ** उत्पन्न हुई है। अनेक भाषाओं में ऐसे काफी शब्द हैं जिनके संज्ञा और क्रिया-रूप एक हैं। **तू ऐसा कर**, यहाँ **कर** अपने शुद्ध क्रिया-रूप में है। **कर्** या **कृ** वह धातु है जो अनेक क्रिया-रूपों में प्राप्त है।

तमिल **नालु** (चार) का पूर्वरूप **तालु** हो सकता है। हिन्दी **तेंतालिस, पैंतालिस** आदि का **तालिस** ग्रीक (अत्तिक) **तॅत्तरॅस्** (चार) से तुलनीय है। द्रविड़ भाषाओं में **त्-द्** ध्वनियों का एक रूपान्तर **र्** है, दूसरा **न्**। एक ओर **दण्डि** का रूपान्तर **रण्डि** है, दूसरी ओर ब्राहूइ **दीर्** (पानी) का तमिल रूपान्तर **नीर्** है। हिन्दी और तमिल, दोनों में **चार** और **नालु** शब्द अनेक के अर्थ में प्रयुक्त होते हैं। **किसी की चार बातें क्यों सुनें**—यहाँ **चार** शब्द निश्चित संख्या बताने के लिए प्रयुक्त नहीं हुआ।

तमिल **आरु** (छह) का तुलु प्रतिरूप **आजि** है। **आजि** का **ज्** पहले **य्** होगा अथवा **स्**। **आरु** के **र्** को देखते, उसके रूपान्तर **स्** से, **आसि** रूप बनेगा। कुइ **सज्गि** (छह) में **अ** की जगह **स** है। तब **आसि** का पूर्वरूप होगा **सासि**। गोंडी **सारुंग्** (छह) से विदित होता है कि तमिल **आरु** का पूर्वरूप **सारु** था। संस्कृत **षष्** का पूर्वरूप **सर्** होगा। **सर्** से **सस्, सज्**; और **सर्** से **सस्, षष्**। **सारु** और **आरु** के बीच की कड़ी **हारु** गोंडी के **हुारूग्** (छह) रूप में है।

तमिल **एऴु** (सात) का तेलगू प्रतिरूप **एडु** है। कुइ प्रतिरूप **ऑद्गि** (उप.) का **द्** ध्यान देने योग्य है। **ऴ्** बदलकर **द्** नहीं हुआ, **द्** बदलकर **ड्, ऴ्,** हुआ है। गोंडी में **यॅदुंग्, अॅरूग्, अॅडुंग्** रूप हैं। इनमें **र्** बदलकर **द्** नहीं हुआ, **द्** बदलकर **र्, ड्** बना है। **सप्त-सत्त-सद्-हद-अद,** इस प्रकार **अॅदु, ऑदु** का विकास सम्भव है। फ़ारसी **हफ़्त** (सात), ग्रीक **हॅप्त** (उप.) में **ह्** विद्यमान है, आर्मीनियन **अॅविन्** (अंग्रेज़ी सॅवॅन्) में **ह्** का लोप हुआ है। द्रविड़ रूपों में सम्भवतः इसी तरह **ह्** का लोप हुआ है।

तमिल **अॅट्टु** (पाठ), कोत **अॅट्** सीधे संस्कृत **अष्ट** का विकास जान पड़ते हैं। कन्नड़ **अॅण्डु** (उप.) में **ष्** के स्थान पर **ण्** है। **कश्मीर** के प्राकृत प्रतिरूप **कम्भार** का स्मरण करें; संस्कृत **प्रकाश्** का **कश्** और **कनक, कञ्चन** का **कन्** एक हैं। कन्नड़ **अॅण्डु** इस सम्भावना को पुष्ट करता है कि अंग्रेज़ी **एट्** के समान तमिल **अॅट्टु** संस्कृत **अष्ट** का विकास है।

आन्द्रोनोव ने कॉल्डवेल की सुझाई हुई व्युत्पत्ति स्वीकार की है कि **अॅट्टु** का आधार **अॅण्** क्रिया है जिसका अर्थ संख्या, गिनना है। उन्होंने ध्यान दिलाया है कि द्रविड़ भाषाओं में गणना-पद्धति का आधार आठ की संख्या थी। कॉल्डवेल और आन्द्रोनोव की बात सही है। चार उँगलियों का चउआ, दो चउओं का अट्ठा; जब अँगूठे को शामिल कर लिया तब पाँच उँगलियों से बना पञ्जा, दो पञ्जों से दहला। गिनतीवाली **अॅण्** क्रिया का पूर्वरूप **अर्** है; **अर्** का रूपान्तर **अस्** संस्कृत **अष्ट** में है। **अस्** के अस्तित्व का प्रमाण तमिल **अण्** के प्रतिरूप पर्जि **अज** का **ज्** है। तमिल **आरु** (छह) का तुलु प्रतिरूप **आजि** है; तमिल **अॅण्** का पर्जि प्रतिरूप **अज** है। दोनों जगह मूल ध्वनि **र्** पहले **स्** में परिवर्तित हुई, फिर **स्** ध्वनि **च्** में बदली। गोंडी **सारुंग्** (छह) और कुइ **सज्गि** (उप.) के बीच की **स्** वाली कड़ी संस्कृत **षष्** है; तमिल **अॅण्** (गिनना) और पर्जि **अज** (आठ) के बीच की **स्** वाली कड़ी संस्कृत **अष्ट** है। **अॅण्** का पूर्वरूप **अर्** था, इसका एक प्रमाण और है; ग्रीक **अरिथ्मॉस्,** गौथिक **रथ्** का अर्थ है संख्या। कन्नड़ **अॅण्डु** (पाठ) के **अॅण्** का पूर्वरूप **अॅर्** था, इसकी पुष्टि संथाली **इरल्** (आठ) से होती है।

संस्कृत का विकास जिस क्षेत्र में हुआ है, उसमें मध्यदेशीय **र्** को **स्, श, ष्** में बदलने की जबर्दस्त प्रवृत्ति रही है। यह प्रवृत्ति द्रविड़ भाषाओं में भी है, यथा : तमिल **करुक्कल्** (अँधेरा) का तोद प्रतिरूप **कश्तल्** है, तमिल **वर** (सुखाना) का कुइ प्रतिरूप **वस** है। गणनासूचक **अर् अस्** हुआ, उसका कृदन्त रूप है **अष्ट**। तमिल **अॅट्टु, अइन्दु** आदि में **टु, दु** कृदन्त प्रत्यय है, नपुंसक लिंग सूचक **दु** प्रत्यय नहीं, इसका एक प्रमाण यह भी है कि **द** के समानान्तर अन्य कृदन्त प्रत्यय **ग** का व्यवहार भी होता है। नइकि **सेन्दि** (पाँच) का कुइ प्रतिरूप **सेङ्गि** है।

आठ वाली गिनती का चलन पहले था, दसवाली गिनती का चलन बाद में हुआ। **आठ** और **दस** (दो चउए और दो पंजे) प्राप्त हुए, तब बीच की संख्या के लिए संस्कृत

में **नव** शब्द का व्यवहार हुआ। द्रविड़ भाषाओं में भी नौ वाली संख्या की धारणा का विकास विलम्ब से हुआ, आन्द्रोनोव ने इस ओर ध्यान दिलाया है। तमिल **ऑन्पदु, ऑम्पदु** में **पदु** वही दस की संख्या बतानेवाला **पत्तु** है। एक कम दस, यह हुआ नौ।

आर्य-द्रविड़ संख्याशब्द सबके सब एक जैसे नहीं हैं, साथ ही उनमें यथेष्ट समानता है और उनका विकास समानान्तर हुआ है। इंडो-यूरोपियन रूपों से द्रविड़ संख्या-शब्दों की समानता आकस्मिक लग सकती है किन्तु अंग्रेज़ी के **ट्वेन्टीवन्** (बीस-एक) वाली गिनती की पद्धति द्रविड़ भाषाओं में है, आर्य भाषाओं में नहीं। उधर अंग्रेज़ी की ही **नाइन्टीन्** (नौ-दस) वाली पद्धति आर्य भाषाओं में है, द्रविड़ भाषाओं में नहीं। जब दो भाषा-परिवारों में संख्या शब्दों के साथ गणना-पद्धति में भी समानता हो, तब दो आकस्मिक समानताएँ मिलकर अनाकस्मिक हो जाएँगी।

द्रविड़ और इंडो-यूरोपियन परिवारों के बीच सीमा-रेखा है किन्तु वह अचल नहीं है।

द्रविड़ और इंडो-यूरोपियन परिवारों के बीच की सीमा-रेखा अचल बने रहने के बदले थोड़ा सचल हुई, तो अन्य परिवारों के बीच की सीमा-रेखाओं की अचलता भी समाप्त हो जाएगी। भारत के पूर्वी क्षेत्र में नाग भाषाएँ बोली जाती हैं। इनमें **आऑ** नागों की भाषा में संख्यासूचक **तॅर्** (दस) शब्द है। ऊपर **हस्त** के पूर्वरूप **धस्त** और **धस्** के पूर्वरूप **धर्** की बात हो चुकी है। **र्** और **स्,** दोनों ध्वनियाँ **न्** में बदलती हैं; अंग्रेज़ी **हैंड्** (हाथ) सीधे **हस्त** का रूपान्तर हो सकता है, **हर्त** जैसे रूप का भी। **आऑ** भाषा के **तॅर्** रूप की प्राचीनता में सन्देह नहीं हो सकता। यह रूप उस समय का है जब **दर** के रूपान्तर **दस** का चलन नहीं हुआ। संस्कृत समेत इंडो-यूरोपियन परिवार की सभी भाषाओं के संख्यासूचक **दश, दॅक** आदि की तुलना में **तॅर्** रूप पुराना है क्योंकि **धर्** का **र्** यहाँ अभी अपरिवर्तित है। इस रूप से पहले की मंज़िल वह है जिसमें हाथ के लिए **धर** शब्द का व्यवहार होता था। **धस्त, हस्त, दस्त, हैंड्, लस्** आदि रूप बाद के हैं।

देना क्रिया का भाव हाथ से सम्बद्ध है। तमिल **तरु** (देना) बता रहा है कि हाथ के लिए भारत में **धर** के रूपान्तर **तर** का चलन था। उसी **तर** से तमिल **तरु** सम्बद्ध है, उसी से **आऑ तॅर्**। **धर्** के रूपान्तर **दर्** से संस्कृत **दा** (देना) का विकास हुआ। करना के अर्थ वाला **दर्** लिथुआनियन **दर्बस्** (कर्म) में है। **दर्** के रूपान्तर **दस्** से **दास** शब्द बना; यही **दस्** फ़ारसी **दस्त** में है। **स्** का तालव्यीकरण होने पर संस्कृत का **दश**, पुनः **श्** के **क्** में बदलने पर **दक्ष** (**दक + स** अथवा **दस् + क > दस्क > दक्स > दक्ष**) रूप बने। **तर्** के रूपान्तर **तश्** से इसी प्रकार संस्कृत **तक्षन्** (कारीगर, बढ़ई) बना। पंजाबी **तिरखाणा** संस्कृत **तक्षन्** का प्रतिरूप है। सम्भव है, पंजाबी रूप में दो स्रोतों से आए हुए शब्द घुल-मिल गए हों; एक स्रोत **तर्** (करना, काटना) का, दूसरा **तक्ष्** (काटना) का। फ़ारसी **तराशीदन्** (काटना) में वही **तर्** क्रियामूल है जो तमिल **तरि** (उप.) में है।

हिन्दी **धन्धा** के **धन्** का अर्थ किसी समय करना रहा हो तो इसके रूपान्तर **तन्** का भी वही अर्थ रहा होगा। तमिल **तण्डि** (मेहनत करना) में सम्भवतः यह **तन्** है और किसी को जो दण्ड दिया जाए, उस दण्ड से यह **तण्डि** भिन्न है। **तन्** के अस्तित्व का प्रमाण तमिल **नण्णु** (करना, बनाना) भी है। जैसे तमिल **मण्णु** (उप.) का पूर्वरूप **पण्णु** है, वैसे ही **नण्णु** का पूर्वरूप **तण्णु** होगा। जर्मन **गॅतन्** (किया) में **गॅ** उपसर्ग है, क्रियामूल **तन्** है; उसी भाषा में सामान्य क्रियार्थी संज्ञारूप **तुन्** (करना) है जो **तन्** का वैकल्पिक रूप **तॉन्** है। तमिल **पण्णु-मण्णु** का **ण्** पहले **र्** था, इसका प्रमाण ग्रीक **पॉरु** (देना) और **मरे** (हाथ) हैं।

नाग भाषाओं में पाँच की संख्या बतानेवाले **पङ्गु, पॅङ्गु, पॉङ्गु, पूङ्गु** आदि रूप प्रचलित हैं। ग्रियर्सन के सर्वेक्षण ग्रंथ (खंड 3, भाग 2) में ये रूप दिये हुए हैं। इनका सम्बन्ध तमिल **पण्णु,** संस्कृत **पाणि, पञ्च** के क्रियामूल **पन्** से है। द्रविड़ भाषाओं में नइकि **सेन्दि** (पाँच) का कुइ प्रतिरूप **सेङ्गि** है; उसी प्रकार आर्य भाषाओं के **पञ्च** का नाग प्रतिरूप **पङ्ग** है। **सेङ्गि** और **पङ्ग**, दोनों में **ग** कृदन्त प्रत्यय है।

जैसे तमिल में **पण्णु** का प्रतिरूप **मण्णु** है, वैसे ही नाग भाषाओं में **पूङ्ग** का प्रतिरूप **मूङ्गा** (पाँच) है। यह **मूङ्गॉ** मुंडारी में **मॉड़ॅआ** (उप.) है।

श्रम के उपकरण हाथ का बोध करानेवाले शब्दों और उनसे सम्बद्ध संख्यासूचक शब्दों का व्यवहार भारत के अनेक भाषा-परिवारों में प्राचीन काल से होता चला आ रहा है।

**श्रम** शब्द में **श्र** का पूर्वरूप **शर** वैसे ही होगा, जैसे **क्रय** के **क्र** का पूर्वरूप **कर** है। **कर्म** और **कर** (हाथ) का सम्बन्ध स्पष्ट है; वैसे ही **श्रम** और **शर** में आपसी सम्बन्ध होना चाहिए। सुमेरी भाषा में करने का अर्थ देनेवाली **गर्** क्रिया है किन्तु हाथ के लिए **शु** शब्द है; **शु-गर्** का अर्थ होगा दस्तकारी। द्रविड़ भाषाओं में नइकि और कुइ के **सेन्दि** और **सेङ्गि** (पाँच) का **स्** इन रूपों की मूल ध्वनि हो, यह सम्भव है। वह **च्** का रूपान्तर हो, यह भी सम्भव है। असन्दिग्ध बात यह है कि नाग भाषा गारो में **सॉत्** शब्द का प्रयोग दस की संख्या बताने के लिए होता है। **बॉङ्ग** माने **पाँच, सॉत्-बॉङ्ग** माने इस **पाँच** अर्थात् **पचास; ब्रि** माने **चार, सॉत्-ब्रि** माने **चालिस**। दस की संख्या बताने बाले अनेक शब्दों का जो सम्बन्ध हस्तवाचक शब्दों से है, उसे देखते असम्भव नहीं कि **सॉत्** का मूल अर्थ हाथ हो। तब संस्कृत **श्रम**, सुमेरी **शु** (हाथ) और गारो **सॉत्** (दस) एक शृंखला के रूप होंगे। इस **सॉत्** का ऐतिहासिक महत्त्व यह है कि वह **शत** की पूरी ध्वनिछवि आत्मसात् किये है। दोनों का सम्बन्ध स्वीकार किया जाए तो **कॅन्तूम्** के **न्** की समस्या हल हो जाती है। **शर** माने हाथ; **शर्** माने करना; **शर्** के रूपान्तर **शन्** से **शन्त** रूप बना। शन्त के **न्** का लोप हुआ तब **शत** बचा जैसे **गम्** क्रिया से **गन्त**

रूप बना और **न्** का लोप होने पर **गत** बचा। **कॅन्तूम्** में **न्** का लोप नहीं हुआ; शब्द का मूल अर्थ हुआ हाथ।

गारो में हाथ के लिए **जक्** शब्द है जो **दक्** का रूपान्तर है। इसी भाषा में **दक्** का अर्थ है करना। इस **दक्** का पूर्वरूप होगा **दश्**। संस्कृत में **श्रम** और **कर्म** समानार्थी हैं; **क्लम्** (थकान) सीधे **श्रम** का रूपान्तर जान पड़ता है। संस्कृत में **घ्** के **क्** और **श्**, दोनों रूपान्तर मिलते हैं। **शर्** और **कर्** का मूल रूप होगा **घर्**। ग्रीक **खॅइर्** (हाथ) इस **घर्** का रूपान्तर होगा। **कॅन्तुम्** का सम्बन्ध हस्तवाचक शब्द से स्वीकार किया जाए तो **न्** ध्वनि **र्** का रूपान्तर होगी, ऊपर से जोड़ी हुई अतिरिक्त ध्वनि नहीं।

गारो में **दस** के लिए **चि** शब्द भी है, यथा : **कोर-चि** (बीस और दस अर्थात् तीस)। यह **चि** सम्भवतः **शि** का रूपान्तर है। हिन्दी **बीस, तीस** का **स** जैसे दहाई का संकेतक है, वैसे ही गारो **चि** है। **मॉन्प** में **सॅ** का अर्थ है दस।

सभी संख्यासूचक शब्दों का सम्बन्ध हाथ से नहीं है। **दस** तक की गिनती शुरू होती है **एक** से। संस्कृत **एक** का व्यवहार केवल एकवचन में होना चाहिए किन्तु इसके द्विवचन और बहुवचन रूप भी होते हैं। जो **एक** है, वह दो भी है, दो से अधिक अनेक भी है। हेगेल का द्वंद्ववाद प्रकट हो गया! एक-अनेक का अर्थ एक ही शब्द देता है, इस विरोधाभास का कारण यह है कि एक मूलतः सर्वनाम है, संख्यावाचक शब्द नहीं। भांडारकर ने अपने 'संस्कृत मन्दिरान्तः प्रवेशिका' नामक व्याकरण में पते की बात लिखी है कि एक का रूपविकार सर्वनाम के समान होता है; अंग्रेज़ी के अनिश्चयवाचक **वन्** (एक) का बहुवचन **वन्स्** होता है, यथा : **द ग्रेट वंस् ऑफ़् दिस् कंट्री** (इस देश के बड़े लोग), वैसे ही एक के बहुवचन और द्विवचन रूप होते हैं।

सर्वनाम का व्यवहार, एक नाम ऐसा जो अनेक नामों का स्थान ले सके, उसका चलन मानव-चिन्तन में बहुत बड़ी प्रगति का सूचक है। सर्वनाम अमूर्त है; वह अनेक मूर्त बिम्बों का स्थान लेकर उनका विश्लेषण करने में अपूर्व सुविधा उत्पन्न करता है।

संस्कृत **एक** सर्वनाम है और निर्देशक सर्वनाम है अर्थात् वह विशेषण का कार्य भी करता है। **एकः** पुंल्लिंग रूप के साथ **एका** और **एकम्** स्त्रीलिंग तथा नपुंसक लिंग रूप भी हैं। फिर भिन्न कारकों में इनके एक-द्वि-बहु-वचन रूप होते हैं। संस्कृत **एक** का ग्रीक प्रतिरूप **अइस्** है। यहाँ लिंग भेद नहीं है, कारक भेद है, वचन-भेद है। किन्तु **अॅइस्** का व्यवहार केवल कर्ताकारक के एकवचन रूप में होता है। अन्य कारकों के एकवचन रूपों का आधार है **हॅन्**। कर्ता सहित सभी कारकों के बहुवचन रूपों में भी यह **हॅन्** विद्यमान है। अद्भुत है द्विवचन रूपों का ग्रीक आधार **मिअ**। स्पष्ट है कि **अॅइस्, हॅन्** और **मिअ** तीन स्रोतों से आए हुए रूप हैं जो एक ही रूपव्यवस्था में शामिल कर लिये गए हैं।

**मिअ** जैसा कोई संख्यासूचक शब्द संस्कृत में नहीं है। किन्तु कोल भाषा-परिवार की एक भाषा है मुंडारी। इसमें **मिआद** का अर्थ है एक। **मिआद्** नपुंसक लिंग रूप है। **मॉद, मॉइआद, मिद्** रूप जीवधारियों के लिए प्रयुक्त होंगे। कोल भाषाओं का सिलसिला दक्षिण-पूर्वी एशिया तक फैलता चला गया है। कम्पूचिया की भाषाएँ कोल परिवार से सम्बद्ध हैं। वियतनाम में मोन-ख्मेर समुदाय की जो भाषाएँ (सॅदङ्, कतु आदि) बोली जाती हैं, उनमें **मॉन्य्, मुय्, मुऑइ, म्वॉइ** रूप हैं। इन सबका अर्थ है 'एक'। (ज़ाइड-सम्पादित 'स्टडीज़ इन कम्पैरेटिव आस्ट्रो-एशियाटिक लिंग्विस्टिक्स', 1966 ई., में डेविड डी. टामस ने वियतनाम की मोन-ख्मेर भाषाओं पर अपने लेख में उक्त रूप दिये हैं।)

एक ओर ग्रीक, दूसरी ओर वियतनाम की मोन्-ख्मेर भाषाएँ, बीच में मुंडारी, ऐसा प्रसार है भारतीय भाषा-तत्त्वों का। या मानिए कि ग्रीक **मिअ** का मुंडारी **मिआद्** से कोई सम्बन्ध नहीं है।

ग्रीक **अॅइस्** के बहुवचन रूपों का आधार **हॅन्** अभी और है जिसकी व्याख्या करना आवश्यक है। संस्कृत एक और ग्रीक **अॅइस्** दोनों से भिन्न है यह रूप **हॅन्**। मुंडारी के **हॅन्तरॅ** (उधर) में विद्यमान है यह निर्देशक सर्वनाम **हॅन्**। संथाली में **हन्, हॉन्** उसके प्रतिरूप हैं। स्वीडन की भाषा में **हन्** (पुं. वह), **हॉन्** (स्त्री. वह) प्राप्त हैं। इसी तरह नौर्वे की भाषा में **हन्** (पुं. वह), **हुन्** (स्त्री. वह रूप) हैं। मुंडारी में **हॅन्** का रूपान्तर **अॅन्** (वह) है, **अॅनादॉ** (तब), **अॅन्तारॅ** (उधर), **अॅन्तॅ** (वहाँ)। इसी प्रकार संथाली में **अनॅ** (वहाँ), **अॅन्क** (इस प्रकार), **अॅण्डॅ** (वहाँ), **ऑनॅ** (वह), **ऑण्डॅ** (वहाँ), **ऑन्तॅ** (उप.)। **हॉन्** का रूपान्तर है रूसी **ऑन्** (वह)।

ग्रीक **मिअ** और मुंडारी **मिआद्** की समानता आकस्मिक है तो मानना होगा कि कोल और इंडो-यूरोपियन भाषाओं में ऐसे काफी सर्वनाम रूप हैं जिनमें इसी तरह की आकस्मिक समानता है। समानता का एक उदाहरण आकस्मिक हो सकता है; समानता के अनेक उदाहरण आकस्मिक को अनिवार्य बना देते हैं।

**एक** सर्वनाम है; अंग्रेज़ी **वन्** सर्वनाम है। द्रविड़ भाषाओं में तमिल **ऑरु** सर्वनाम है। भारतीय परिवेश में **र्** ध्वनि **स्** में बदलती है, **र्** और **स्**—दोनों ध्वनियाँ **न्** में बदलती हैं। तब **हन्, हॅन्, हॉन्** के पूर्वरूप होंगे **हर्, हॅर्, हॉर्**। इनके रूपान्तर होंगे **हस्, हॅस्, हॉस्**। **ह्** का लोप होने पर **अर्, अन्, अस्** की शृंखलाएँ प्राप्त होंगी। ग्रीक **अॅइस्** का पूर्वरूप होगा **अॅइर्**। तमिल **ऑरु** (एक) का जोड़ीदार है, उसी भाषा का **ऑण्डि** (अकेला)। यहाँ **र्** का रूपान्तर **न्** है, यह स्पष्ट देखा जा सकता है। तमिल **ऑन्रु** (एक) में **र्** के स्थान पर **न्** है; **ऑन्रु** का पूर्वरूप कन्नड़ **ऑन्दु** (एक चीज़) है। सर्वनाम है **ऑन्, दु** वस्तुवाचक प्रत्यय है। कोत **ऑद्** (एक), तोद **विद्** (उप.) में चाहे **न्** का लोप हुआ हो, चाहे सर्वनाम मूल **ऑ, वि** में **द्** जोड़ा गया हो, कोत **ऑद्** और रूसी **ऑदिन्** (एक) की समानता जितनी आकस्मिक है, उतनी ही चमत्कारी भी।

तेलगू **ऑक** (एक) और संस्कृत **एक** की समानता अब आकस्मिक न लगनी चाहिए।

संस्कृत **एक** का बहुवचन रूप होता है। तमिल **ऑक्क** का अर्थ है एक साथ; मलयालम **ऑक्क** का अर्थ है एक साथ, सब। **एक** का अर्थ एक है, अनेक भी। भाषा में यह द्वंद्ववाद की अभिव्यक्ति है।

संस्कृत का एक पुराना सर्वनाम है **सम** (कोई, प्रत्येक) और संस्कृत का एक बहुप्रयुक्त उपसर्ग है **सम्** (एक साथ)। दोनों में अर्थगत वैसा ही सम्बन्ध है, जैसा तेलगू **ऑक** (एक) और तमिल **ऑक्क** (एक साथ) में है। **सम्** उपसर्ग उस युग की देन है जब गण-समाज के सभी सदस्य मिलकर **श्रम** करते थे। यह **संगच्छध्वं संवदध्वं** (एक साथ चलें, एक साथ बोलें) वाला **सम्** है। जहाँ सामूहिक श्रम होगा, वहाँ ऊँच-नीच का भेदभाव न होगा; स्वभावतः संस्कृत **सम** समानता का भाव भी व्यक्त करता है। जहाँ सामूहिक श्रम होगा, वहाँ श्रम-फल पर पूरे समाज का अधिकार होगा। **सम्पत्ति** शब्द में सामूहिक स्वामित्व का ही भाव है। सामूहिक श्रम के प्राचीन युग में उत्पादन के साधन आज की तुलना में पिछड़े हुए थे। वर्तमान समाज में सामूहिक श्रम की प्रतिष्ठा हो चुकी है किन्तु स्वामित्व अभी सामूहिक नहीं है। श्रमिक जनता अपने संगठित प्रयत्न से जब यह अन्तर्विरोध मिटा देगी, तब **सम्पत्ति** शब्द नये स्तर पर एक बार फिर सार्थक होगा।

भाषा मनुष्य की अर्जित सम्पत्ति है। यह ऐसी सम्पत्ति है जिसमें व्यक्तिगत स्वामित्व की गुंजाइश नहीं है। जो स्थिति भाषायी सम्पत्ति की है, वही स्थिति एक दिन श्रमिक जनता द्वारा निर्मित शेष सम्पत्ति की होगी।

नाग, कोल, द्रविड़, आर्य—इन सभी भाषा-परिवारों के बीच सीमा-रेखाएँ हैं पर वे अचल नहीं हैं। संस्कृत **सम** (प्रत्येक) का एक प्रतिरूप **सन्** (अकेला) नाग भाषा गारो में है। इसी **सन्** का संक्षिप्त रूप **स** गारो में एक की संख्या के लिए प्रयुक्त होता है। **स** का बोरो प्रतिरूप **सॅ** (एक) है। यह **सॅ** बंगला सर्वनाम **से** (वह) से बहुत मिलता-जुलता है।

ग्रीक **मिअ** का मुंडारी प्रतिरूप **मिआद्** है और मोन् ख्मेर भाषाओं में इसके **मॉञ्, मॉन्य्** आदि प्रतिरूप हैं। यहाँ शब्दमूल **मॉन्** ग्रीक **मॉनॉस्** (अकेला) का रहस्य उद्घाटित करता है। **मिआद्** का **मिअ** और **मॉनॉस** का **मॉन्** दोनों ग्रीक में हैं, कोल भाषाओं में हैं। आस्ट्रो-एशियाटिक और इंडो-यूरोपियन परिवारों के बीच की सीमा-रेखा अचल नहीं है।

मुंडारी के **मॉद्** (एक) रूप से तमिल **मुदल्** (आरम्भ), तोद **मुदाल्** (प्रथम) का **मुद्** तुलनीय है। इस रूप में सर्वनाम तत्त्व **मु, मॉ** है, **द्** वस्तुसूचक प्रत्यय है। **द्** के **न्** में बदलने पर **मॉन्** शब्दमूल प्राप्त हुआ। मोन् ख्मेर भाषाओं सहित कोल समुदाय में **मॉद्** और **मॉन** दोनों रूप प्राप्त हैं। **पहले ऐसा होता था**—इस वाक्य

में **पहले** संख्यासूचक नहीं है, कालवाचक है। इसी तरह तोद **मुदाल्** (पहला) का एक प्रतिरूप उसी भाषा में **मुद्दुक्** (अगला; अगले साल) है। **मुद्** का तमिल प्रतिरूप **मुन्** (सामने, पहले) है; **मुद्** से ही तमिल प्रतिरूप **मुर्रई** (पहले) बनता है। एक जगह **द्** का रूपान्तर **न्** है, दूसरी जगह **र्** है। द्रविड़कोल भाषाओं के **मॉद्** का केवल **मॉन्** रूपान्तर ग्रीक में प्राप्त है।

सर्वनाम **मुद्** से संख्यावाचक शब्द मिला; उससे कालवाचक विशेषक प्राप्त हुआ, और तमिल **मुन्** अधिकरणकारक का चिन्ह भी है। इस पुस्तक के प्रथम खंड में कारक-चिन्हों का विकास सर्वनाम मूलों से दिखाया गया है। उस स्थापना की पुष्टि उक्त **मुन्** से होती है। जो कारक-चिन्ह हैं, वे सम्बन्धक भी हैं। कहीं वे स्वतंत्र सम्बन्धक हैं, कहीं वे चिन्हमात्र रह गए हैं। **मॉद्** का प्राचीन सखा है **मध;** मराठी **मधीं** (मध्य में), **मधोमध** (बीचोबीच) में यही **मध** है। **मध** का विकास है संस्कृत **मध्य**। मराठी **मधील** (मध्यस्थित) जैसे रूप का विकास है अंग्रेज़ी **मिड्ल्**। **मध** का रूपान्तर है ब्रज अवधी आदि का **महँ** और इस **महँ** का एक रूपान्तर है आधुनिक अवधी का **मां**, दूसरा रूपान्तर है मानक हिन्दी का **में**। **में** स्वतंत्र सम्बन्धक है या कारक-चिन्ह मात्र, यह शास्त्रकारों के लिए विवाद का विषय है। इसी तरह रूसी **नाद्** (ऊपर) का पूर्वरूप **नध** होगा और इसके **नह** रूपान्तर से **नु, ने** आदि हिन्दी-पंजाबी के कारक-चिन्हों का विकास होगा। **कध** के **कहँ** रूपान्तर का प्रयोग **महँ** की तरह होता था, **को, कूं, का** आदि कर्म-सम्प्रदान चिन्ह **कहँ** के रूपान्तर हैं। ब्रज अवधी का **पहँ** इसी प्रकार **पो, पै, पर** रूपों से सम्बद्ध है जिनका व्यवहार हिन्दी की अनेक जनपदीय उपभाषाओं में होता है। रूसी **पॉद्** का अर्थ है नीचे और संस्कृत **पर** का अर्थ है ऊँचा। यह भी अर्थ की द्वंद्वप्रक्रिया है; जैसे संस्कृत **पत्** का अर्थ उड़ना और गिरना दोनों है, वैसे ही **पॉद्** और **पर** के परस्पर विरोधी लगनेवाले अर्थ परस्पर सम्बद्ध हैं।

**तहाँ** स्थानवाचक है, **तब, तद** कालवाचक हैं, **तिसे, तिन्हें** विशुद्ध सर्वनाम हैं, **ते** (से) कारक-चिन्ह है। हिन्दी के इन रूपों में सर्वनाम मूल **त** है जिसे **स, ह, अ** अपदस्थ करते आए हैं। **तहाँ** की जगह **वहाँ, तिन्हें** की जगह **उन्हें, ते** (यथा : अवधी **हमते**) की जगह **से** ने मानक हिन्दी में प्रतिष्ठा पाई किन्तु कालवाचक **तब** का **त** अडिग रहा। संस्कृत में **तद्** को नपुंसक लिंग का दर्जा दिया गया **पर** पुल्लिंग **सः** का बहुवचन रूप **ते** ही रहा।

**क, त, प** आदि सर्वनाममूल भारत के आर्य तथा आर्येतर भाषा-समुदायों में दीर्घकाल से प्रयुक्त होते रहे हैं। कन्नड़ **कय्** (हाथ) में नाग भाषा बोरो ने **अ** सर्वनाम जोड़ा तो रूप बना **अकय्** (उप.), उसी भाषा ने **न** सर्वनाम जोड़ा तो रूप बना **नकय्** (उप.)। संथाली **न** (यह), **नण्डॅ** (यहाँ), मुंडारी **ना** (अब) के **न** पर ध्यान दिये बिना ग्रीक **नु** (अब), **नुन्** (उप.), लैटिन **नुन्क्** (उप.), अंग्रेज़ी **नाउ** (उप.) की व्याख्या नहीं की जा सकती। तेलगू **ऑण्ड** (धूप) के पर्जि प्रतिरूप **नॅण्डि** में यही सर्वनाम **न**

है। आर्य, कोल, द्रविड़ और नाग, इन चार परिवारों में जो भाषा-तत्त्व सामान्य हो, उसका भारतीय होना असन्दिग्ध है। भारत के बाहर की भाषाओं में वह मिले तो उसे भारत से निर्यात किया हुआ भाषा-तत्त्व मानना चाहिए।

**सॅम** नागों की भाषा में **प** सर्वनाम का अर्थ है वह। बोरो में इसका प्रतिरूप है **बि; बिप** अर्थात् उसका बाप। मराठी **आई** में इसी तरह **ब** सर्वनाम जोड़ने से **बाई** रूप बनता है; तमिल **आय्** (माँ) में **त** सर्वनाम जोड़ने से **ताय्** (उप.) रूप बनता है। तमिल **अत्तन्** में **त** जोड़ने से **तात्ता** (पितामह) रूप बना। तमिल **अप्पन्** (पिता) में **ब** जोड़ने से **बप्पा, बाप, बाबा** आदि रूप बने। इन रूपों में सर्वनाम पहले है, मूलशब्द उसके बाद है। इससे भिन्न प्रवृत्ति वह है जो **रामस्** जैसे रूप में मूलशब्द पहले रखती है, सर्वनाम चिन्ह बाद को। नाग भाषा **बिप** में पहली पद्धति है, सर्वनाम के बाद मूलशब्द। कुकि नागों की भाषा में **कुरि हे** (घोड़ा यह) में दूसरी पद्धति है, पहले मूलशब्द, फिर निर्देशक सर्वनाम।

प्रत्येक भाषा-समुदाय में विरोधी प्रवृत्तियाँ क्रियाशील दिखाई देती हैं। भाषा-व्यवस्था निश्चल नहीं होती; उसमें विरोधी प्रवृत्तियों की क्रियाशीलता उसकी गति का एक कारण है। भाषा-परिवार भी निश्चल इकाई नहीं है; अन्य परिवारों से उसका सम्पर्क उसकी गति का एक कारण है। जो जानने को है, वह अनन्त है। जो जाना है, वह सीमित है : ज्ञात और ज्ञेय का चिरन्तन अन्तर्विरोध मानवज्ञान के सतत विकासमान होने का कारण है। वह भाषा के भी सतत विकासमान होने का कारण है। ज्ञान की समस्त प्रक्रिया भाषा की विकास-प्रक्रिया से अभिन्न रूप में जुड़ी हुई है। द्वंद्वात्मक भौतिकवाद इस विकास-प्रक्रिया की व्याख्या करता है, साथ ही इस प्रक्रिया से सम्बद्ध होकर वह स्वयं भी विकसित होता है।

## 11. पुरानी विश्लेषण-पद्धति की सीमा

द्वंद्वात्मक भौतिकवाद के अनुरूप भाषायी विश्लेषण के लिए जो भी पद्धति अपनाई जाएगी, वह ऐतिहासिक भाषाविज्ञान की वर्तमान पद्धति से भिन्न होगी और उससे भिन्न परिणाम निकलेंगे, यह बताने के लिए यहाँ डॉ. सुनीतिकुमार चाटुर्ज्या के एक लेख से प्राचीन शब्दों की व्युत्पत्ति के कुछ उदाहरण लेता हूँ।

भाषाविद् शहीदुल्ला को भेंट किये हुए ग्रंथ (1967) में डॉ. चाटुर्ज्या ने संस्कृत में ईरानी और तुर्की भाषाओं से उधार लिये हुए शब्दों पर एक निबन्ध लिखा था। यह निबन्ध 'सम् इरानियन एंड तुर्की लोंस् इन् संस्कृत्' उनकी पुस्तक 'सेलेक्ट राइटिंग्स' (विकास, 1978) में संकलित है। इसमें उन्होंने **मुद्रा** शब्द को संस्कृत में ईरानी क्षेत्र से उधार लिया हुआ शब्द बताया है। उनका तर्क है कि मिस्र में दस्तावेजों पर जो मुहर लगाई जाती थी, उसी से उस देश का यह नाम पड़ा। सामी भाषाओं में, जो शब्द **मिस्र, मिस्त्र** है, वह ईरान होता हुआ भारत में **मुद्रा** बन गया।

संस्कृत के **मुद्रा** शब्द की व्युत्पत्ति जानने के लिए पहले इंडो-यूरोपियन परिवार की भाषाओं में इससे मिलते-जुलते शब्द की खोज करनी चाहिए। इंग्लैंड, अमरीका और जर्मनी में इंडो-यूरोपियन परिवार को लेकर जो कार्य हुआ है, उसमें केल्त भाषा-समुदाय पर अपेक्षाकृत कम काम हुआ है। जो काम हुआ है, उससे भारत के भाषाविद् अनेक कारणों से प्रायः अपरिचित रहे हैं। यही कारण है कि संस्कृत के मुद्रा शब्द का विश्लेषण करते हुए डॉ. चाटुर्ज्या ने वेल्श **मॉड्रइ** (अँगूठी) का उल्लेख नहीं किया। यदि **मुद्रा** शब्द संस्कृत में ईरानी क्षेत्र से आया है, तो उसी स्रोत से समानार्थी **मॉड्रइ** भी वेल्श में पहुँचा है। इसमें असम्भव कुछ नहीं है; केवल ईरान से भारत में आर्यों के आगमन की गाथा हवा हो जाती है। आर्य ईरान से भारत आए, आगे चलकर ईरानी **मुद्रा** शब्द भारत आया। यहाँ तक ठीक; पर यह **मुद्रा** शब्द वेल्स कैसे पहुँच गया?

**मिस्र** और **मुद्रा** में जो भी सम्बन्ध हो, उससे कहीं अधिक स्पष्ट सम्बन्ध **मुद्रा** और **मॉड्रइ** में है।

वेल्स दूर है। पड़ोस की द्रविड़ भाषाओं को देखें। तमिल **मुरि** का अर्थ है मुड़ना। कन्नड़ **मुरि** का अर्थ है मुड़ना, मोड़, अँगूठी; तुलु **मुरि** का अर्थ है भंगिमा, वृत्त, अँगूठी। द्रविड़ शब्दावली बताती है कि **मुद्रा** और **मॉड्रइ** का अर्थ अँगूठी क्यों है। इन शब्दों का आधार **मुर्** क्रियामूल है जिसका अर्थ है मुड़ना। **मुर्द** कृदन्त रूप हुआ। जैसे फ़ारसी **चर्ख़** और **सुर्ख़** संस्कृत में **चक्र** और **शुक्र** हैं, **चर्ख़** और **चक्र** दोनों का पूर्वरूप है **चर्क, सुर्ख़** और **शुक्र** दोनों का पूर्वरूप है **सुर्क,** वैसे ही **मुर्द** का रूपान्तर **मुद्र** हुआ, उससे **मुद्रा। मुद्रा** का मूल अर्थ अँगूठी है। नामाङ्कित अँगूठी मुहर लगाने के काम आती थी, इसलिए मुहर के लिए **मुद्रा** शब्द का व्यवहार होने लगा। सीता को अपने रामदूत होने का विश्वास दिलाने के लिए हनुमान ने उन्हें रामनामाङ्कित अँगूठी दिखाई। दुष्यन्त ने शकुन्तला को दुष्यन्तनामाङ्कित अँगूठी दी थी। 'मुद्राराक्षस' में चाणक्य का गुप्तचर उन्हें **अंगुलिमुद्दा** दिखाता है, चाणक्य **मुद्रामवलोक्य गृहीत्वा राक्षस्य नाम वाचयति**; चाणक्य मुद्रा देखकर उसे लेते हैं और उसमें राक्षस का नाम पढ़ते हैं। अँगूठी और मुहर का सम्बन्ध स्पष्ट है। इसीलिए संस्कृत में **मुद्रा** का अर्थ मुहर और अँगूठी, दोनों है।

**मुर्** का पूर्वरूप **पुर्** है जो संस्कृत **पुर** (दुर्ग), ग्रीक **पुर्गॉस्** (उप.) में है। **पुर्** और **मुर्** में वही सम्बन्ध है जो तमिल **पण्णु** और **मण्णु** (बनाना) में है। किन्तु अँगूठी और दुर्ग, दोनों में बड़ा अन्तर है। **मुर्** का पूर्वरूप **पुर्** हो भी तो इससे क्या?

दुर्ग और अँगूठी के अर्थगत सम्बन्ध के बारे में डॉ. चाटुर्ज्या ही प्रमाण हैं।

उक्त निबन्ध में उन्होंने तुर्की शब्द **कतक्** लिया है, उसे एक पुराने तुर्की काव्य में प्रयुक्त बताया है, संस्कृत **कटक** को उसका रूपान्तर बताया है। तुर्की **कतक्** का अर्थ है दुर्ग, पड़ाव; **कटक** का भी यही अर्थ है। साथ ही **कटक** का अर्थ है अँगूठी,

**कंगन**! अँगूठी और दुर्ग के अर्थगत सम्बन्ध के बारे में डॉ. चाटुर्ज्या कहते हैं : "और दुर्गवाला अर्थ, बहुत सम्भव है, अँगूठी या कंगन वाले मूल अर्थ का प्रसार हो।"

अर्थ का प्रसार अँगूठी और दुर्ग जैसी दो भिन्न वस्तुओं को जोड़ता है। यहाँ से सिर्फ एक कदम आगे बढ़ने की ज़रूरत है और घेरने-मुड़नेवाले शब्दमूलों की अनेक शृंखलाएँ सामने दिखाई देने लगेंगी। एक कदम आगे बढ़ने का अर्थ रूढ़िवादी भाषाविज्ञान की सीमा लाँघ जाना होगा। डॉ. चाटुर्ज्या यह कदम नहीं उठाते, पर वह उस जगह खड़े हैं जहाँ से सीमा लाँघी जाएगी। यह तथ्य भी ऐतिहासिक महत्त्व का है।

और वह कहते हैं कि बहुत सम्भव है, दुर्गवाला अर्थ अँगूठी या कंगनवाले 'मूल अर्थ' का प्रसार हो। यह 'मूल अर्थ' तुर्की रूप से सम्बद्ध नहीं है, वह संस्कृत **कटक** से सम्बद्ध है! तब **कटक** तुर्की से आया?

द्रविड़ भाषाओं की ओर ध्यान दें तो कन्नड़ **कटक, कडग** का अर्थ कंगन है। कन्नड़ **कडॅ** का अर्थ अँगूठी भी है। संस्कृत **कट्** का अर्थ है घेरना। संस्कृत **कटक** का अर्थ है कंगन, छल्ला, वृत्त, पहिया, फौज, पड़ाव। संस्कृत **कट्** के साथ अर्थ-विस्तार की पूरी शृंखला विद्यमान है; **कटक** के उक्त सब अर्थ इसलिए हैं कि **कट्** का मूल अर्थ घेरना है। गोलबन्दी की धारणा से जनसमूह का जो अर्थबोध जुड़ा हुआ है, उसी से **कटक** का अर्थ सेना होता है। जनसमूह वाला अर्थ तमिल **कळगम्** में है।

जो सम्बन्ध तुर्की **कतक्** और तमिल **कळगम्** में है, वही सम्बन्ध तुर्की **ऑर्दु** (फौज, पड़ाव) और कन्नड़ **ऑड्ड** (फौज) में है। कन्नड़ में **ऑट्टु** क्रिया भी है जिसका अर्थ है एकत्र होना। **ऑट्टु** और **ऑड्ड** का आधार **वर्** क्रियामूल है जिसका अर्थ है घेरना। संस्कृत **वार** का एक अर्थ है समूह। **ऑर्दु** की व्युत्पत्ति तुर्की में ढूँढ़े न मिलेगी। **कतक्** की तरह **ऑर्दु** शब्द भी तुर्की में भारत से पहुँचा है। तुलनात्मक अध्ययन के लिए एक शब्द और उसके प्रतिरूप काफ़ी नहीं हैं। अनेक शब्द, उनके साथ अर्थ-संसर्ग की अनेक शृंखलाएँ दरकार हैं। तब अधिक विश्वास से हम किसी परिणाम तक पहुँच सकते हैं।

**मुद्रा** वाली बात **कटक** से सिद्ध होती है, **कटक** वाली बात **ऑर्दु** और **ऑड्ड** से पुष्ट होती है। **मुर्, कट्** और **वर्,** क्रियामूलों से व्युत्पन्न तीनों शब्द भारतीय उद्भव के हैं। जैसे **ऑड्ड** में **र्** लुप्त है किन्तु **लुप्त** होने से पहले **द्** को मूर्धन्य बना गया है, वैसे ही **कट्** में **र्** लुप्त है किन्तु लुप्त होने से पहले **त्** को मूर्धन्य बना गया है। इसकी जानकारी संस्कृत **कारा** (बन्दीगृह) से होती है। **वर्** क्रियामूल से हिन्दी **बाड़ा,** वैसे ही **कर्** क्रियामूल से संस्कृत **कारा**; दोनों में अर्थबीज है **घेरा**। तमिल **काप्पु** (दुर्ग, कारा) का पूर्वरूप होगा **कर्पु**।

**कर्** का **र्** जब **न्** रूप में ग्रहण किया जाएगा, तब **कन्** क्रियामूल से एक कृदन्त बनेगा **कण्ट** (गाँव की सीमा), दूसरा बनेगा **कंथ** (ग्राम, नगर) जिसका कौरवी रूप होगा **कंथा**। घेरेवाले अर्थ का प्रसार सीमा और नगर के लिए **कण्ट**

और **कंथ** शब्दों में है। डॉ. चाटुर्ज्या ने **कंथा** शब्द को ईरानी स्रोत से उधार लिया हुआ शब्द माना है। यह शब्द पाणिनि के 'शब्दानुशासन' में पाया है। बंगला में **कांथ** (दीवाल) और मध्य एशिया के समरकन्द, ताशकॅन्त् आदि का उल्लेख करने के बाद उन्होंने तुलना के लिए वासुदेवशरण अग्रवाल की पुस्तक 'पाणिनिकालीन भारतवर्ष' (अंग्रेज़ी) का हवाला दिया है।

वासुदेवशरण अग्रवाल ने लिखा है कि **कंथा** मूलत: 'शक भाषा का शब्द था जिसमें **कंथ** का अर्थ नगर होता है।' ('पाणिनिकालीन भारतवर्ष', बनारस, संवत् 2012 वि.) मध्यएशिया में **कंथान्त** नामों के उदाहरणस्वरूप समरकन्द, ताशकन्द आदि का उल्लेख भी उन्होंने किया है।

**कंथा** शक शब्द है, यह सूझ वासुदेवशरण अग्रवाल की भी नहीं है। इसकी शुरुआत की है ग्रियर्सन के सहयोगी स्टेन कोनो ने। वासुदेवशरण अग्रवाल ने पाद-टिप्पणी में इनका उल्लेख इस प्रकार किया है : "स्टेन कोनो, खरोष्ठी लेख; पृ. 43; लन्दन की राजकीय एशियाटिक सोसायटी की पत्रिका, 1934, पृ. 516; तथा शक स्टडीज़ (ओस्लो, 1929), पृ. 42, 149; कंथ, नगर।" (उप., पृ. 81)

1929 और 1934 में कोनो ने **कंथ** का सम्बन्ध शकों से जोड़ा। 1941 और 1945 में वासुदेवशरण अग्रवाल ने दो भागों में अपना पाणिनि-सम्बन्धी शोधप्रबन्ध लखनऊ विश्वविद्यालय में प्रस्तुत किया। 1953 में उनका शोधप्रबन्ध (अंग्रेज़ी) छपा। 1967 में शहीदुल्ला के सम्मान में समर्पित ग्रंथ में डॉ. चाटुर्ज्या का उक्त निबन्ध प्रकाशित हुआ। इस प्रकार **कंथा** के शक स्रोत की आवृत्ति। बीसवीं शताब्दी के अनेक दशकों में होती रही।

इस प्रसंग में पहली बात ध्यान देने की यह है कि इन विद्वानों ने **कंथ** या **कंथा** का इसी रूप में कहीं भी मध्य एशिया में प्रयोग होते नहीं दिखाया। उनके उदाहरणों में **द्** है या **त्; थ्** कहीं नहीं है। उन्होंने यह सहज भाव से मान लिया है कि ईरानी क्षेत्र का **त्** या **द्** भारत में आकर **थ्** हो गया है। अपने इस सहजबोध की पुष्टि के लिए उन्होंने कोई प्रमाण नहीं दिया। यदि यह माना जाए कि ईरानी **त्** भारत में आकर **थ्** हो जाता है, तो यह भी मानना चाहिए कि **सीस्तान, उजबेकिस्तान, ताजिकिस्तान, तुर्किस्तान** का **स्तान** भारत में आकर **स्थान** हो गया है! यदि मध्य एशिया के **समरकन्द, ताशकॅन्त्** आदि में **कन्द-कन्त** का ताँता लगा है तो उसी तरह वहाँ के प्रदेश-नामों में **स्तान** का ताँता लगा है। **सीस्तान** भारत में आकर **शकस्थान** हो गया, यह कहने में संकोच क्यों?

दूसरी बात यह कि कंथ नगरवाचक कैसे हुआ, इस बात की छानबीन करें तो **कन्** क्रियामूल के घेरनेवाले अर्थ तक पहुँचेंगे। संस्कृत **कङ्कण** में यही **कन्** है, संस्कृत **कण्ट** (ग्राम सीमा) में यही **कन्** है और यह **कन्** मूलरूप नहीं है, **कर्** का रूपान्तर है जो **कारा** में है। जो सम्बन्ध **मूर्धन्** और **मुंड** में है, संस्कृत **कर्ष**

और प्राकृत **खञ्च** में है, वही **कर्** और **कन्** में है। बंगला **कांथा** का अर्थ दीवाल इसीलिए है कि वह निवासभूमि को घेरती है। ग्राम-नगर के लिए **कंथ** शब्द इसलिए सार्थक है कि वे दीवाल से घिरे होते थे।

**कंथ** शब्द को निश्चयपूर्वक ईरानी मान लेने के बाद डॉ. चाटुर्ज्या इस सम्भावना का उल्लेख करते हैं कि वह संस्कृत **स्कन्ध** का प्रतिरूप है। यदि यह सम्भावना सही हो तो कहा होगा कि ईरानी **त्** भारत में आकर **थ्** ही नहीं, **ध्** भी हो गया। असम्भव इसमें कुछ नहीं है। ईरानी **हिन्दु** भारत में आकर **सिन्धु** बन गया, **कन्द** यहाँ **कन्ध** क्यों नहीं बन सकता? तब सघोष महाप्राण स्पर्श-ध्वनियों की समस्या भी हल हो जाएगी। तुखारी **प्रचर्** भारत में आकर **भ्रातर्** हो गया! **कन्द** से **कन्ध** का विकास होगा तो उससे ऐसा ही निष्कर्ष निकलेगा। पर ऐतिहासिक भाषाविज्ञान को ऐसा निष्कर्ष अभी स्वीकार नहीं है।

**स्कंध** के अर्थ-प्रसार के बारे में डॉ. चाटुर्ज्या कहते हैं, **स्कन्ध** माने **कन्धा**, फिर सेना का अंग या भाग, और दुर्ग। **स्कन्धावार** की व्याख्या करते हैं : **स्कन्धावार** माने शाही पड़ाव, **स्कन्ध + आवार** 'संरक्षण, परिवेश (सराउंडिंग्)'।

**स्कन्धावार** की अन्य व्याख्या सम्भव है। जैसे **कंथ** का कौरवी रूप **कंथा**, वैसे ही **स्कन्ध** का कौरवी रूप **स्कन्धा** (वैदिक **यत्रा, तत्रा** की तरह)। इसमें जोड़ा गया **वार** जिसका अर्थ है घिरा हुआ स्थान। मोनियर विलियम्स ने **स्कन्ध** का अर्थ एकत्र करना **धातुपाठ** के आधार पर लिखा है। यदि संस्कृत **कटक** (सेना) और तमिल **कऴगम्** (सभा) के सम्बन्ध पर विचार करें तो प्रतीत होगा कि **स्कन्ध** का **धातुपाठ** वाला अर्थ सही है। **स्कन्ध** का अर्थ हुआ जनसमूह, सेना। कन्धे का अर्थ देनेवाले **स्कन्ध** में वह क्रिया है जिससे **स्कम्भ** रूप बनता है। समूहवाचक **स्कन्ध** और है, **कंधे** का अर्थ देनेवाला **स्कन्ध** और।

**स्कन्धावार** का रूपान्तर है कन्दहार। जो **स्कन्ध** यहाँ **कन्द** बना है, वही **समरकन्द** और **ताशकन्द** में प्रतिष्ठित है। **समरकन्द** की व्याख्या करते समय **कन्दहार** को कैसे भुलाया जा सकता है? चूलिका पैशाची में **धूलि** का रूपान्तर जैसे **थूळि** है, वैसे ही **स्कन्ध** का रूपान्तर **कंथ** है। **स्कन्ध** और **कंथ** में आदिस्थानीय **स्** को लेकर जो भेद है, वह **स्पष्ट** और **पश्यति** का-सा भेद है।

वासुदेवशरण अग्रवाल का हवाला देते हुए डॉ. चाटुर्ज्या ने बाण के 'हर्षचरित' में प्रयुक्त **वारवाण** (एक प्रकार का कवच) को पहलवी **बर्वन्** का रूपान्तर बताया है। तमिल **वरि** का अर्थ है ढाँकना। इसी का क्रियामूल **वर्** संस्कृत **वर्म** (कवच) में है। जो अर्थ **वर्म** का है, वही **वारवाण** के **वार** का है। **वाणों** से रक्षा करनेवाला कवच **वारवाण** कहलाएगा। संस्कृत **वार** में रोकने, बचाने का भाव विद्यमान है। सामी भाषा अरमाइक में **वारवाण** यदि **वरपनक्** बना तो कहना होगा कि **अश्व** के फ़ारसी रूपान्तर **अस्प** की तरह यहाँ **वान** बदलकर **पन** हो गया है। सम्भवत: यह

रूप **वरपनक्** नहीं है, **वर्पनक्** है क्योंकि डॉ. चाटुर्ज्या ने इसी का अन्य अरमाइक रूप **क्रुर्मनक** लिखा है। **वर्ष** और **अस्प**, दोनों में मध्यवर्ती **व्** बदलकर **प्** बना है। एक सामी भाषा में **प्** का **म्** में रूपान्तरण बता रहा है कि पड़ोस में **पण्णु** (बनाना) को **मण्णु** (उप.) कहनेवाले कहीं विद्यमान हैं।

घेरने, ढाँकने के मूल भावों से जिस तरह का अर्थ-प्रसार हुआ है, उसका प्रमाण देनेवाली शब्द-शृंखलाएँ मुद्रा से लेकर **वारवाण** तक भारत में विद्यमान हैं।

अन्य कोटि का शब्द है संस्कृत **आयतन**। **आयतन** निवासस्थान है, वह अग्निस्थान भी है। डॉ. चाटुर्ज्या ने संस्कृत **यज्**, प्राचीन ईरानी **यज्**, पुरानी फ़ारसी **यद्** से इसका सम्बन्ध जोड़ा है। पुरानी फ़ारसी के **आयदन्** का अर्थ है मन्दिर, अग्निमन्दिर। **यज्, यज्** की अपेक्षा **आयदन्** का सीधा सम्बन्ध होगा लैटिन **अॲदेस्, अॲदिस्** (अग्निस्थान, निवासस्थान) से और लैटिन रूपों का सम्बन्ध होगा संस्कृत **एध** (प्रज्वलन) से। लैटिन **अॲदेस्** मुंडारी भाषा के **अदिङ्** (पुरखों को पूजने का स्थान) का प्रतिरूप है; दोनों का सम्बन्ध हौफमन ने जोड़ा था। ईरानी **आयदन्** और संस्कृत **आयतन** पर विचार करते समय **अदेस** और **अदिङ्** को ध्यान में रखना उचित है।

ईरान में अग्निपूजा भारत से गई है, उसके साथ यहाँ के यज्ञ-सम्बन्धी मंत्र वहाँ गए हैं। यही कारण है कि वैदिक मंत्रों की भाषा में थोड़े से परिवर्तन, मुख्यत: ध्वनि-सम्बन्धी, किये जाएँ, तो वे **अवेस्ता** की भाषा में रचे हुए मंत्र बन जाएँगे। खरोष्ठी लिपि में जिस प्राकृत के अभिलेख प्राप्त हैं, उसका व्यवहार वर्तमान भारत के उत्तर में, मध्य एशिया में, होता था। संस्कृत के प्राकृतीकरण की यह परम्परा **अवेस्ता** से आरम्भ होती है। ईरानी में अग्निपूजा और यज्ञसम्बन्धी मंत्रों के साथ पुजारी और पुरोहित भी भारत से ईरान पहुँचे। ये लोग **मग** कहलाते थे। आगे चलकर इनमें बहुत-से लोग भारत लौट आए, ईरान से बहुत-से वे लोग भी आए जो पारसी कहलाते हैं। इसका कारण यह था कि उनके धर्म का दमन किया जा रहा था और उन्हें भारत में ही शरण मिल सकती थी। मग लोग, उत्पीड़न से बचने के लिए, भारत लौट आए, इससे यह सिद्ध नहीं होता कि वे पहले भारत से ईरान गए न थे।

डॉ. चाटुर्ज्या ने **मग** शब्द पर विचार किया है, ईरान में **मग** नामी पुरोहितों से ग्रीक **मगॉस्** के सम्बन्ध का उल्लेख किया है, बाबुल की ज्योतिष को यूनानियों ने सँवारा, उसे **मग** भारत लाए, यह माना है। इस समस्त विवेचन में **मगध** के **मग** का उल्लेख उन्होंने नहीं किया।

**मग** भारत का प्रसिद्ध गण-समाज था। **मगध** शब्द से स्वतंत्र **मग** की सत्ता तमिल तथा अन्य द्रविड़ भाषाओं में है। **मग** का अर्थ है युवा, किशोर। यह उस युग का शब्द है जब पितृसत्ताक समाज की स्थापना नहीं हुई, जब पुत्र और पुत्री के लिए एक ही शब्द **मग** का व्यवहार होता था। तमिल, कन्नड़ आदि विकसित जातियों के अतिरिक्त कोत, तोद, कोलमि, मल्तो आदि पिछड़े समाजों की भाषाओं

में भी इस शब्द का व्यवहार होता है। भारत से बाहर केल्त भाषाओं में यही शब्द, **मक्, मैक्** रूप में प्रतिष्ठित, पुत्र का अर्थ देता है। गण-समाजों के नाम रखने के लिए एक परिपाटी पुरुष, युवा, पुत्र के लिए प्रयुक्त शब्द का उपयोग है। यह बात याद रखें तो द्रविड़ **मग** और आर्य **मगध** का सम्बन्ध सहज ही समझ में आ जाएगा। दो चार पुरोहित नहीं, पूरा एक **मग** समाज ईरान में बस गया था। ग्रीक **मगॉस्** का व्यवहार ईरान के एक कबीले का बोध कराने के लिए होता था। इसके साथ जो ईरानी स्वप्नों का अर्थ बताते थे, वे भी **मगॉस्** कहलाते थे। पुनः अर्थ-विस्तार से जो भी जादूगरी का-सा करिश्मा दिखाता था, वह भी यूनानियों के लिए **मगॉस्** था। यूनान से यह शब्द इटली पहुँचा। लैटिन **मुगस्** विद्वान् और जादूगर दोनों का अर्थ देता है; संज्ञा के अतिरिक्त वह विशेषण भी है। **मुगस्** का अर्थ जादू और जादू-सम्बन्धी, दोनों है। **मग** जनों की विद्या **मगीअ** है; **मगीअ** का अर्थ जादू है। लैटिन **मगीअ** अंग्रेज़ी में **मैजिक** बना। अरबी में **मग** लोग **मजूसी** कहलाए।

**मग** का प्राकृत रूपान्तर **मय** होगा। **मगध** से **मगह**, फिर प्राकृत **मयह मयह-सामिय** अर्थात् **मगध** के स्वामी। संस्कृत **माया** का अर्थ है कला, ज्ञान, दैवी शक्ति; मोनियर विलियम्स के अनुसार पुरानी संस्कृत में ही उसका यह अर्थ है, बाद की संस्कृत में भ्रान्ति, जादूगरी, प्रवञ्चना के अर्थ में इस शब्द का व्यवहार हुआ। **मय** शब्द का यह अर्थ-विस्तार **मगॉस्** के अर्थ-विस्तार से मिलता-जुलता है।

**मग** का पूर्वरूप **मघ** यहाँ छोड़ देते हैं, जल और क्षमता का अर्थ देनेवाले **मग** के इंडो-यूरोपियन रूपान्तर छोड़ देते हैं। किन्तु **मग** के प्रसंग में आर्य **मगध,** द्रविड़ **मग**, केल्त **मक** नहीं छोड़े जा सकते। इनका स्मरण करते ही आर्य अभियान की कथा ऐतिहासिक भाषाविज्ञान के लिए छलना मात्र रह जाती है।

'मृच्छकटिक' नाम के प्रसिद्ध संस्कृत नाटक में **नाणक** शब्द एक सिक्के के लिए आया है। डॉ. चाटुर्ज्या कहते हैं कि यह शब्द कुषाण काल में ईरान से भारत आया था। कुषाण काल के सिक्कों पर देवी-देवताओं की प्राकृति अंकित होती थी और उनके नाम लिखे होते थे। असुर-बाबुली देवीमाता का नाम **नन** था जो सुमेरी में **इनन्न** है। **नना** का स्रोत यह सुमेरी **इनन्न** है। इस देवी से उमा अथवा दुर्गा का तादात्म्य स्थापित किया गया और वह ईरान, बलूचिस्तान और भारत में **ननि** नाम से अब भी विख्यात हैं। बलूचिस्तान में हिङ्गलाज मन्दिर में इनकी मूर्ति है जिसके दर्शन करने भारत से हिन्दू जाते हैं। उनकी यात्रा को वहाँ प्रतिवर्ष **नानी की हज** कहते हैं। प्राकृत **नाणक** रूप से पंजाब के महात्मा गुरु नानक को यह नाम दिया गया। भारत में इस शब्द के फिर परिवर्तित होने पर **आना** रूप बना जो एक सिक्का था और चार पैसे के बराबर होता था।

डॉ. चाटुर्ज्या की दी हुई उक्त जानकारी महत्त्वपूर्ण है। (**नन** और **आना** का सम्बन्ध सन्दिग्ध है। संस्कृत **अणक, आणक** का अर्थ है क्षुद्र; छोटे सिक्के के

लिए **आणक,** हिन्दी **आना** का प्रयोग तर्कसंगत है।) **नन** शब्द निःसन्देह प्राचीन है और वह सुमेरी **इनन्न** में विद्यमान है। किन्तु कुषाण काल से बहुत पहले वह माता के लिए 'ऋग्वेद' में प्रयुक्त है। मोनियर विलियम्स ने **नना** का माता अर्थ लिखने के बाद 'ऋग्वेद' में उसका सन्दर्भ बता दिया है : **कारुरहं ततो भिषगुपलप्रक्षिणी नना।** (9-112-3)। (**असौ नना माता दुहिता वा**—सायण)। नाग भाषा **इदु** में **ननॅ** का अर्थ माता है। द्रविड़ भाषा कुड़ुख़ में **ननी** का अर्थ माता की माता है। हिन्दी **नानी** का कुड़ुख़ प्रतिरूप है **ननी**। हिन्दी में **नानी** के अतिरिक्त माता के लिए भी जहाँ-तहाँ **नन्ना** शब्द का प्रयोग होता है। उपन्यासकार वृन्दावनलाल वर्मा के पुत्र सत्यदेव अपनी माताजी को **नन्ना** कहते थे। उन्होंने बताया है कि बुन्देलखंड में बड़ों-बूढ़ों को लोग आदर से **नन्ना** कहते हैं।

आर्य-द्रविड़-नाग भाषाओं में जो शब्द प्राप्त हो, उसे अखिल भारतीय शब्द कहना उचित होगा। माता और माता की माता के लिए प्रयुक्त होनेवाला शब्द एक ही है। मातृसत्ताक समाज में माता की माता का ही स्थान महत्त्वपूर्ण है, पिता की माता का नहीं। तमिल **अम्मा** (माता), **अम्मन्** (देवीमाता), **अम्माय्** (नानी) मूलतः एक हैं, वैसे ही वैदिक **नना** और हिन्दी **नानी** एक हैं। यह सम्भव है कि मूलशब्द **अना** में **न** सर्वनाम जोड़कर **नना** रूप बना हो। तमिल **अन्नइ** (माँ) में **त** सर्वनाम जोड़ा तो **तन्नइ** रूप बना; तमिल **आय्** (माँ) में **न** सर्वनाम जोड़ा तो **ञाय् (< नाय्)** (तेरी माँ) रूप बना। नाग भाषा **इदु** में माता के लिए जहाँ **ननि** शब्द है, वहाँ पिता के लिए **नब** शब्द है। **नब** में स्पष्ट ही **न** सर्वनाम जोड़ा गया है। मुंडारी **आपु** और **अब्बा** (पिता), बोरो **बव्** पिता, **नम्बव्** (तुम्हारे पिता), तमिल **आय्** (माँ), **इदु नय** (दादी) रूप **नना** की रचना से तुलनीय हैं।

सुमेरी **इनन्न** का स्रोत भारतीय है; **नना** श्रृंखला के शब्दों का स्रोत सुमेर या ईरान नहीं है।

संस्कृत **ठक्कुर,** हिन्दी **ठाकुर** पर विचार करते हुए डॉ. चाटुर्ज्या ने पुरानी तुर्की के **तगिन्, तॅगिन्** (राजकुमार) और आधुनिक तुर्की के **तङ्रि, तॅन्रि** (ईश्वर) रूप याद किये हैं। **तॅगिन्** और **तॅन्रि** दो भिन्न रूप हैं और इन दोनों में एक का भी सम्बन्ध **ठक्कुर** से नहीं है। **तॅन्रि** का पूर्वरूप कन्नड़ **तन्दॅ** (पिता), तेलगू **तण्ड्रि** (उप.) है। उल्लेखनीय है कि तमिल **तन्दइ** के साथ उस भाषा में **नन्दइ** (हमारे पिता) रूप भी है। **ठक्कुर** के सन्दर्भ में तमिल **तक्कोर्** (श्रद्धेय जन), **तगवु** (शक्ति, ज्ञान) विचारणीय हैं।

भारत में प्रान्तपति किसी समय **क्षत्रप** कहलाते थे। डॉ. चाटुर्ज्या ने लिखा है कि पुरानी फ़ारसी का **क्षत्रपवन्** (प्रान्तपालक) यूनानियों के यहाँ **सत्रपेस्,** अंग्रेज़ों के यहाँ **सैट्रैप्,** भारत में **क्षत्रप** बना।

**क्षत्रपवन्** रूप अवश्य ही छापे की भूल का परिणाम है। पुराने फ़ारसी अभिलेखों पर सुकुमार सेन की पुस्तक (1941) में **ख्शस्सपावा** रूप है जिसका संस्कृत रूपान्तर

**क्षत्रपावा** है। **क्ष्** ध्वनि का एक व्यंजन **क्** पुरानी फ़ारसी में बहुधा **ख्** बनता है, जैसे **शुक्रस्य** के रूपान्तर **थुख़्रह्या** में; **ष्** ध्वनि **श्** रूप में ग्रहण की गई है, तब **क्ष** का रूपान्तर **ख़्श** हुआ। जब यह सिद्ध किया जाएगा कि फ़ारसी **ख़्** संस्कृत में **क्** हो जाता है, तब **ख़्शस्स** के **क्षत्र** बनने की सम्भावना विचारणीय होगी, उससे पहले नहीं। ईरान की किसी भाषा में किसी समय मूर्धन्य **ष्** का अस्तित्व प्रमाणित नहीं है, **क्षत्र** रूप पुरानी फ़ारसी में कहाँ से आ जाएगा? **पुत्र** पुरानी फ़ारसी में **पुस्स (< पुत्त)** है, वैसे हो **क्षत्र** का **त्र** वहाँ **स्स** है। **क्षत्र > ख़्शत्त > ख़शस्स**, विकास की यह सरणि है।

**क्ष्** उत्तर-पश्चिमी भारत की विशिष्ट ध्वनि है। **क्ष्** ध्वनि वाले काफी शब्द ईरान पहुँचे हैं और उनके रूपान्तर पुरानी फ़ारसी के अभिलेखों में विद्यमान हैं। ख़्शस्सपावा के साथ, सुकुमार सेन की पुस्तक में प्राप्त, पुरानी फ़ारसी के कुछ अन्य अवलोकनीय रूप इस प्रकार हैं : **ख्शस्सम्** (**क्षत्रम्** राज्य), **ख़्शायार्शा** (**क्षयार्षाः** सम्राट् विशेष), **अर्तख़्शस्सा** (**ऋतक्षत्रः** सम्राट् विशेष), **अख़्शत** (अक्षत)। एक पुरानी भारतीय क्रिया है **क्षि** जिसका अर्थ है शासन करना। **क्षय** का अर्थ हुआ शासित प्रदेश। मोनियर विलियम्स ने **क्षय** का यह अर्थ लिखते हुए 'ऋग्वेद' के सन्दर्भ की सूचना भी दे दी है : **सहि क्षयेण क्षम्यस्य जन्मनः साम्राज्येन दिव्यस्य चेतति**। (7-46-2)। (**क्षयेणैश्वर्येण चेतति**—सायण)।

यदि यह मान लिया जाए कि पुरानी फ़ारसी का **ख़्शाय** 'ऋग्वेद' में **क्षय** बन गया है, तो भी प्राचीन ग्रीक में संस्कृत **क्ष्** के ध्वनि-प्रतिरूप की समस्या बनी रहती है। संस्कृत **क्षोणि** का ग्रीक प्रतिरूप है **ख्थोन्** (धरती)। संस्कृत की अन्य **क्षि** (नष्ट होना) क्रिया का ग्रीक प्रतिरूप है **पिथओ**। पुनः **तक्षन्** से सम्बद्ध ग्रीक **तॅख्ने** (कौशल) और **दक्ष** से सम्बद्ध लैटिन **दॅक्स्तॅर्** (कुशल, दाहिना) में **क्ष्** के भिन्न ध्वनि-प्रतिरूप हैं। **क्स्, ख्, ख्थ्, पथ्, ख्श्,** इन सबका मूल ध्वनि-रूप है **क्ष्**। उल्लेखनीय है कि बारहवीं सदी के पल्लव अभिलेखों में **तक्षन्** का **तइच्चन्** (**तच्चन्** बढ़ई) रूपान्तर प्राप्त है। (ज़्वेलेबिल : 'कम्पैरेटिव ड्रैवीडियन फॉनोलॉजी', पृ. 44)

यूनान से लेकर दक्षिण भारत तक परस्पर सम्बद्ध शब्दों में **क्ष्** के भिन्न-भिन्न ध्वनि प्रतिरूप फैले हुए हैं। **क्षत्रप** का ईरानी उद्भव खोजते समय इन ध्वनि-प्रतिरूपों को ध्यान में रखना आवश्यक है।

डॉ. चाटुर्ज्या पर कोई भारी सैद्धान्तिक दबाव है जिससे वे ईरानी शब्दों पर विचार करते समय आर्य शब्दों के द्रविड़ तथा इंडो-यूरोपियन प्रतिरूप देख नहीं पाते। यदि **मुद्रा** के साथ वेल्श **मुद्रॉइ** और तमिल **मुरि** पर ध्यान दें, **मग** के साथ केल्त **मक**, तमिल **मग** पर विचार करें, **क्षत्रप** का स्रोत खोजते हुए **क्ष्** के ग्रीक-द्रविड़ रूपान्तरों को परखें तो अनेक भारतीय शब्दों के ईरानी उद्भव वाले उनके निष्कर्ष खंडित हो जाएँगे। तब आर्य अभियान की जो कथा उन्हें छात्र-जीवन में पढ़ाई गई थी, वह भी निस्सार सिद्ध होगी।

**मित्र** (सूर्य) शब्द के प्रसंग में उन्होंने उक्त निबन्ध में लिखा है : "आर्य नस्ल (द एर्यन् रेस्) की दोनों शाखाएँ, ईरानी और भारतीय, सूर्य की देवरूप में पूजा करती थीं।"

आर्यों की एक नस्ल है। इस नस्ल की एक आदिभाषा थी। आर्य नस्ल निरन्तर शाखाओं में बँटती चली गई, उसके साथ वह भाषा भी शाखाओं में बँटती चली गई। ईरान में किसी समय एक ही शाखा थी, फिर वह विभाजित हुई : एक ईरान में रह गई, दूसरी भारत आई। ईरानी और भारतीय आर्य भाषा में कोई सामान्य शब्द मिले तो वह ईरानी स्रोत का होगा। भारत में आर्यों के आ जाने के बाद ईरान से आर्य शब्दों की अवाती होती रही। यही वह सैद्धान्तिक दबाव है जिसके कारण डॉ. चाटुर्ज्या ईरान से भारत आनेवाले शब्दों के ग्रीक या केल्त प्रतिरूप देख नहीं पाते, यूरोप की भाषाओं में द्रविड़ भाषा-तत्त्वों का निवेश उनके लिए कल्पनातीत है। डॉ. सुनीतिकुमार चाटुर्ज्या जिस ऐतिहासिक भाषाविज्ञान के प्रतिनिधि हैं, उसकी आधारशिला यह नस्ल सिद्धान्त है।

प्रश्न दो-चार शब्दों के इधर-उधर पहुँचने का नहीं है, प्रश्न भाषा-परिवार के निर्माण का है, उसके मूल शब्द-भंडार की रचना का है, उसके ध्वनितंत्र, रूपतंत्र, वाक्यतंत्र की विशेषताओं के निश्चित होने का है। भारत को भाषायी क्षेत्र मानकर जब हम विस्तृत भाषायी परिवेश में इंडो-यूरोपियन परिवार अथवा द्रविड़ परिवार के निर्माण का अध्ययन करते हैं, तब हर स्तर पर किसी एक परिवार के अनेक भाषा-तत्त्वों को अन्य परिवार के भाषा-तत्त्वों के घनिष्ठ सम्पर्क में आते देखते हैं। चाहे शब्दतंत्र हो, चाहे ध्वनितंत्र और चाहे रूपतंत्र, किसी भी भाषा-तत्त्व का अध्ययन किसी एक परिवार की सीमाओं के भीतर सम्भव ही नहीं है। इन भाषा-तत्त्वों में वे अनेक तत्त्व भी शामिल हैं जिन्हें किसी भी परिवार के मूल-तत्त्व कहा जा सकता है। किसी भाषा की सम्पूर्ण व्यवस्था अनेक गण-समाजों से पाए तत्त्वों से निर्मित होती है। परम्परागत ऐतिहासिक भाषाविज्ञान मगध, कोसल, कुरु आदि इतिहास-प्रसिद्ध गण-समाजों की भाषायी विशेषताएँ पहचानने नहीं देता, वह द्रविड़ भाषाओं से आर्य भाषाओं के बहुमुखी सम्बन्धों को विजित विजेता के एकमुखी सम्बन्ध बना देता है, वह पड़ोसी क्षेत्रों से हमारे भाषायी सम्बन्ध विकृत रूप में प्रस्तुत करता है, आधुनिक भाषाओं के समस्त विकास को ह्रास का इतिहास बना देता है। ऐतिहासिक भाषाविज्ञान ने भाषा-समुदायों के बारे में जिन धारणाओं का प्रचार किया है, उनका गहरा असर भारतीय जनता के सामाजिक जीवन पर पड़ा है। विभिन्न राजनीतिक दलों की कार्यवाही उक्त धारणाओं से प्रभावित होती है। राजनीति ऐतिहासिक भाषाविज्ञान से असम्पृक्त नहीं है, न ऐतिहासिक भाषाविज्ञान राजनीति से असम्पृक्त है। वैज्ञानिक चिन्तन की प्रगति के लिए और भारतीय जनता की सामाजिक, सांस्कृतिक प्रगति के लिए आवश्यक है कि हम पूँजीवादी भाषाविज्ञान की रूढ़ियों से मुक्त हों। इस कार्य में भौतिकवादी दृष्टिकोण, अनेकान्तवादी विश्लेषण-पद्धति से सहायता मिलेगी।

# शब्द-सूची-1

## [ध्वनि-परिवर्तन और अर्थ-विस्तार प्रक्रिया]

[इस सूची में इंडो-यूरोपियन और द्रविड़-परिवारों के उन शब्दों को लिया गया है जिनके मूल रूपों में सघोष महाप्राण स्पर्श-ध्वनि थी और जो मूलत: प्रवाह और प्रकाश की अभिव्यक्ति के लिए प्रयुक्त होते थे। इनके विभिन्न प्रतिरूपों से एक ओर ध्वनि-परिवर्तन की रीतियाँ स्पष्ट होंगी, दूसरी ओर एक ही मूल रूप से सम्बद्ध भिन्न शब्दों की अर्थ-विस्तार प्रक्रिया स्पष्ट होगी। द्रविड़ भाषाओं की शब्दावली बरो और एमेनो के द्रविड़ व्युत्पत्ति-कोश—'ए ड्रैवीडियन एटीमोलॉजिकल डिक्शनरी'—से ली गई है। तमिल, मलयालम, कोत, तोद, कन्नड़, बदग, कोडगु, तुलु, तेलगू, कोलमि, नइकि, पर्जि, गद्‌ब, गोंडी, कोंड, कुइ, कुवि, कुडुख़, मल्तो और ब्राहूइ कोश में उल्लिखित द्रविड़ भाषाएँ हैं। कोश का पूरक अंश अलग से प्रकाशित हुआ है। उसमें पॅङ्गो और मंड दो अन्य द्रविड़ भाषाओं का भी उल्लेख है। शब्द-सूची में इनसे भिन्न जिन भाषाओं के नाम हैं, वे सब इंडो-यूरोपियन परिवार की हैं। तमिल के लिए त. और संस्कृत के लिए सं. संकेतचिन्ह हैं; शेष भाषाओं के पूरे नाम दिये गए हैं। इस सूची पर विस्तृत टिप्पणी चौथे अध्याय के तीसरे-चौथे अनुभागों में है।]

| | | |
|---|---|---|
| 1. | **घर्** | बहना |
| सं. | **घर्घर** | नदी विशेष |
| | **घार** | छिड़काव |
| | **घृ** | भिगोना |
| | **घृर्णि** | पानी; लहर |
| | **घृत** | पानी; छिड़का हुआ |
| हिन्दी | **घाघरा** | नदी विशेष |
| **घर्>गर्** | | |
| सं. | **गर** | भिगोने की क्रिया |
| | **गृ** | भिगोना |
| हिन्दी | **गीला** | <*गिर्द |

| | | |
|---|---|---|
| **गर्>गन्** | | |
| सं. | **गङ्गा** | नदी विशेष |
| **गर्>गव्/गो** | | |
| वेल्श | **गॉवॅर्** | पानी का बह निकलना |
| सं. | **गोदावरी** | नदी विशेष |
| प्राकृत | **गोदा** | नदी |
| **घर् >कर्** | | |
| सं. | **कर्द, कर्दम** | कीचड़ |
| | **कृत्स** | जल |
| त. | **कारि** | नदी |
| ग्रीक | **क्रॉउनॉस्** | झरना, धारा |

| | | |
|---|---|---|
| (दोरिक) | **क्रन** | झरना; जल |
| त. | **काल्** | बहना; नहर |
| सं. | **कुल्या** | छोटी नदी |
| | **कूल** | जलाशय |
| त. | **कुळम्** | उप. |
| | **कूळ्इ** | कीचड़ |
| ग्रीक | **क्लूदोन्** | लहर |
| | **क्लुज़ो** | तरंगित होना |
| मलयालम | **कऴम्** | जलाशय |
| सं. | **कट्** | बरसना |
| रूसी | **कतीत्** | बहना |
| सं. | **कधि** | समुद्र |
| कोडगु | **कड** | उप. |
| त. | **कडल** | उप. |
| | **किडङ्गु** | जलाशय |
| | **किडङ्गर** | समुद्र |
| | **कुट्टम्** | जलाशय |
| तुलु | **केदु** | कीचड़ |

**कर्भ्>कभ्**

| | | |
|---|---|---|
| सं. | **कुभा** | नदी विशेष |

**कभ्>कब्**

| | | |
|---|---|---|
| रूसी | **कुबान्** | नदी विशेष |

**कर्>कन्**

| | | |
|---|---|---|
| सं. | **कुंड** | जलाशय |
| त. | **कुंडम्** | जलाशय |
| ग्रीक | **कुम** | लहर |

**कर्>कय्/कव्**

| | | |
|---|---|---|
| सं. | **कावेरी** | नदी विशेष |
| ग्रीक | **केने** | जल; झरना |
| लैटिन | **कअॅनुम्** | कीचड़ |

**कर्>कस्**

| | | |
|---|---|---|
| गोंडी | **कस** | ताल |
| कन्नड़ | **कसि** | बहना |
| त. | **कजि** | रिसना |
| कन्नड़ | **कॉच्चॅ** | कीचड़ |
| हिन्दी | **कीच** | |

**धर>क्षर्**

| | | |
|---|---|---|
| सं. | **क्षर्** | बहना |
| | **क्षर** | जल |
| | **क्षार** | उप. |
| | **क्ष्विड्** | भीगा होना |

**घर>झर्**

| | | |
|---|---|---|
| सं. | **झर** | झरना |
| हिन्दी | **झरना** | |

**झर्>झन्**

| | | |
|---|---|---|
| प्राकृत | **झुण्टण** | प्रवाह |

**झर्>जर्**

| | | |
|---|---|---|
| सं. | **जल** | |
| तेलगू | **जल्लु** | वर्षा |
| गोंडी | **जीर्ला** | झरना |

**झर्>चर्**

| | | |
|---|---|---|
| त. | **चल्लु** | पानी छिड़कना |
| | **चॅल्** | बहना |
| तेलगू | **चिलुप** | ताल |
| पर्जि | **चिल्य** | छोटी नदी |
| त. | **चुरइ** | प्रवहमान |
| | **चुरप्पु** | झरना |
| | **चोरि** | वर्षा |

**चर्>चस्**

| | | |
|---|---|---|
| फ़ारसी | **चश्मा** | सोता |
| हिन्दी | **चूह** | उप. |

**घर्>घय्>श्चय्/चय्/चव्**

| | | |
|---|---|---|
| सं. | **श्चुत्, श्च्युत्** | टपकना |
| | **च्यु, च्युत्** | उप. |
| हिन्दी (अवधी) | **चुवबु** | उप. |
| हिन्दी | **चूना** | |

**घर्/क्षर्>खर्**

| | | |
|---|---|---|
| ग्रीक | **खूलॉस्** | रस |
| | **ख्लेदास्** | कीचड़ |
| | **खुतॉस्** | द्रवित |
| | **खुदेन्** | धरा प्रवाह |

**खर्>खन्**

| | | |
|---|---|---|
| ग्रीक | **खुमॉस्** | रस |

**खर्>खय्**

| | | |
|---|---|---|
| ग्रीक | **खॅइओ, खॅओ** | बहना |
| | **खॅउम** | धारा |

**खर्>खस्**

| | | |
|---|---|---|
| ग्रीक | **खुलिस्** | प्रवाह |

**घर्>हर्**

| | | |
|---|---|---|
| हिन्दी (अवधी) | **हील** | (< *हिर्द्) गीला |

**घर्>सर्**

| | | |
|---|---|---|
| सं. | **सर** | झरना; जलाशय |
| | **सरि** | झरना |
| | **सरित्** | नदी |
| | **सरिर** | जल प्लावन |
| | **सलिल** | प्रवहमान; जल |
| | **सिरा** | जल; नदी |
| प्राकृत | **सिरा** | धारा; प्रवाह |
| सं. | **सृ, सृज्** | बहना |
| | **स्रु** | उप. |
| | **स्रव** | प्रवहमान |
| | **स्रू** | नदी; झरना |
| बंगला | **सरि** | जिससे जल झरे |
| गुजराती | **सरवाणी** | सोता |
| | **सरा** | धारा |
| तुलु | **सॅरॅ** | लहर |
| कन्नड़ | **सॅलॅ** | भरना |
| | **सुरि** | बहना |
| ग्रीक | **सलॉस्** | समुद्र |
| लैटिन | **सलुम्** | उप.; धारा |
| पु.आइरिश | **स्रुथ्** | धारा |
| लिथुआनियन | **स्रूति** | उप. |

**स्त्र>स्त्र**

| | | |
|---|---|---|
| लैतवियन | **स्त्राव** | धारा |
| ग्रीक | **स्त्रुमोन्** | नदी विशेष |
| रूसी | **स्त्रुया** | धारा |
| अंग्रेज़ी | **स्ट्रीम्** | उप. |

**स्त्र>स्न**

| | | |
|---|---|---|
| सं. | **स्नुति** | धारा; प्रवाह |
| | **स्नव** | टपकने की क्रिया |

**सर्>सन्**

| | | |
|---|---|---|
| सं. | **सिन्धु** | नदी; समुद्र |
| | **स्यन्द् (<*सॅन्द्)** | बहना; टपकना |

**सर्>सव्/सय्**

| | | |
|---|---|---|
| सं. | **स्विद्** | पसीना आना |
| तोद | **स्विद्** | टपकना |
| अंग्रेज़ी | **स्वॅट्** | पसीना आना |
| तेलगू | **सोन** | वर्षा |
| हिन्दी | **सोन** | नदी विशेष |
| फ्रांसीसी | **सोम** | उप. |
| वेल्श | **सॅउ** | रस |
| हिन्दी | **सयी, सई** | नदी विशेष |

**सर्>तर्/दर्**

| | | |
|---|---|---|
| तुलु | **सोरुनि, तोरुनि** | रिसना |
| | **दॉरियुनि** | बहना |

**स्त्र>प्ल/प्र**

| | | |
|---|---|---|
| सं. | **प्रुष्** | गीला करना |
| | **पुष्य** | वर्षा ऋतु |
| | **प्लव, प्लावन** | बाढ़ |
| | **पलुत** | उप. |
| | **प्लुष्** | छिड़कना |
| लैटिन | **प्लुओ** | बरसना |
| लैतवियन | **प्लुदिनात्** | बहाता हूँ |

**प्ल>फ्ल**

| | | |
|---|---|---|
| ग्रीक | **फ्लओ** | बहना |
| | **फ्लुओ** | उप. |
| लैटिन | **फ़्लुओ** | उप. |
| | **फ़्लुविउस्** | नदी |
| जर्मन | **फ़्लुट्** | बाढ़ |
| अंग्रेज़ी | **फ़्लड्** | उप. |
| गेलिक | **फ़्लिउख़्** | गीला |

**धर् बहना**

| | | |
|---|---|---|
| सं. | **धारा** | |
| | **धरुणु** | पानी |
| | **धीर** | समुद्र |

**धर्>धन्**

| | | |
|---|---|---|
| सं. | **धन्व्** | बहना |
| | **धान** | नदी विशेष |

**धर्>धय्/धव्**

| | | |
|---|---|---|
| सं. | **धेन** | नदी; समुद्र |
| | **धव्** | बहना |
| | **धौति** | झरना |

**धर्>धस्**

| | | |
|---|---|---|
| हिन्दी | **धसान** | नदी विशेष |

**धर्>दर्**

| | | |
|---|---|---|
| सं. | **द्रव** | प्रवहमान |
| | **द्रह** | गहरा जलाशय |
| ब्राहूई | **दीर्** | जल |
| फ़ारसी | **दरिया** | नदी |
| अंग्रेज़ी | **ड्रिप्** | टपकना |

**दर्>दव्**

| | | |
|---|---|---|
| तेलगू | **दॉन** | पहाड़ी जलाशय |
| रूसी | **दोन्** | नदी विशेष |

**धर्>तर्**

| | | |
|---|---|---|
| सं. | **तरल** | सजल, लहर |
| कन्नड़ | **तॉरॅ** | धारा |
| लैटिन | **तॉर्रॅन्स्** | उप. |
| फ़ारसी | **तर** | गीला |
| कन्नड़ | **तडि** | उप. |
| प्राकृत | **तित्तिरिअ** | उप. |
| | **तिप्प** | टपकना |
| हिन्दी | **टपकना** | |

**तर्>तन्**

| | | |
|---|---|---|
| त. | **तुमि** | फुहार |
| प्राकृत | **तिम्म** | गीला होना |

**तर्>तय्**

| | | |
|---|---|---|
| सं. | **तोय** | जल |
| त. | **तोय्** | भीगना |

**तर्→तर्क>तक्/तच्**

| | | |
|---|---|---|
| रूसी | **तॅच्, तॅचेनिए** | धारा |
| | **तॅकूचॅस्त्** | प्रवहमानता |

**धर्>स्तर्**

| | | |
|---|---|---|
| सं. | **स्तीर्वि** | जल |
| ग्रीक | **स्तलओ** | टपकना |
| | **स्तिले** | बूँद |
| सं. | **स्तिप्** | टपकना |

**स्तर्>स्तय्/स्तव्/स्तम्**

| | | |
|---|---|---|
| सं. | **स्तिमित, स्तीमित** | गीला |
| | **स्तोक** | बूँद |
| प्राकृत | **थिम** | गीला करना |

**स्तर्→स्तर्क>स्तक्**

| | | |
|---|---|---|
| रूसी | **स्तॅकात्** | बहना |

**तर्>नर्**

| | | |
|---|---|---|
| सं. | **नीर** | जल |
| त. | **नीर्** | उप.; समुद्र; नमी |
| ग्रीक | **नारॉस्** | प्रवहमान |
| तोद | **नोल्** | भीगना |
| तेलगू | **नीळ्ळु** | जल |
| त. | **नीत्तम्** | बाढ़; समुद्र |
| कोत | **नात्** | बरसात में भीगने देना |
| लैटिन | **नतो** | बहना; उतराना |

**नर्>नन्**

| | | |
|---|---|---|
| त. | **ननइ** | भीगना |
| | **नीन्दु** | समुद्र |
| फ़ारसी | **नम** | |
| | **नमी** | |
| त. | **नम, नमु** | नम होना |

**नर्>नस्**

| | | |
|---|---|---|
| ग्रीक | **नस्मॉस्** | धारा; झरना |

**नस्>नच्**

| | | |
|---|---|---|
| त. | **नजइवु** | नमी |

**नर्>नय्/नव्/ना**

| | | |
|---|---|---|
| सं. | **नीवार** | जल; कीचड़ |
| कश्मीरी | **नाग** | झरना |
| ग्रीक | **नाओ** | बहना |

**धर्>थर्**

| | | |
|---|---|---|
| प्राकृत | **थाला** | धारा |
| ग्रीक | **थलस्स** | समुद्र |
| | **भर्** | बहना |
| सं. | **भिद्** | उमड़ना |
| | **भिद्य** | प्रवहमान नदी |
| | **भुर्वन्** | (जल के समान) चंचल |
| | भ्रम | निर्झर |
| | **भडि** | लहर |
| हिन्दी | **भीगना, भीजना** | |

**भर्>भन्**

| | | |
|---|---|---|
| सं. | **भिन्धि** | छिड़काव |

**भर्>भव्**

| | | |
|---|---|---|
| सं. | **भवन** | जल |
| | **भुवन** | उप. |
| | **भुविस्** | समुद्र |

**भर्>भस्**

| | | |
|---|---|---|
| बंगला | **भासा** | उतराना |
| | **भासा काल** | वर्षा ऋतु |

**भर्>बर्**

| | | |
|---|---|---|
| पु. नौर्वीजियन | **वर** | लहर |
| अंग्रेज़ी | **बोर** | ज्वार की लहर |
| गोंडी | **बॅरॅ्** | नदी; बाढ़ |

**बर्>बन्**

| | | |
|---|---|---|
| लिथुआनियन | **बंग** | लहर |

**भर्>पर्**

| | | |
|---|---|---|
| सं. | **पेरु** | समुद्र |
| | **पट्** | बहना |
| त. | **परि** | बहना |
| तेलगू | **पारु** | उप. |
| | **परत, परव** | बाढ़ |
| कोंड | **पिरु** | वर्षा |
| कन्नड़ | **पॉळॅ** | नदी |
| मलयालम | **पुऴ** | उप. |
| ग्रीक | **पेगे** | झरना |
| | **पेगज़ो** | बहना |
| | **पॅलगॉस्** | समुद्र |
| | **प्लेम्मूर** | ज्वार |
| रूसी | **पॉलिवात्** | सींचना |
| त. | **पदम्** | जल; सीलन |
| ग्रीक | **पॉतमॉस्** | नदी |
| रूसी | **पॉतोक्** | धारा |

**पर्>पन्**

| | | |
|---|---|---|
| सं. | **पान** | निर्झर |
| | **पंक** | कीचड़ |
| प्राकृत | **पंडविअ** | गीला |
| त. | **पनि** | बहना |
| | **पुनल्, पुनई** | जल; नदी |
| ग्रीक | **पॉन्तॉस्** | समुद्र |

**पर्>पय्/पव्**

| | | |
|---|---|---|
| सं. | **पयस्** | जल |
| कोत | **पॅय्** | नदी |
| तोद | **पाव्** | उप. |

**पर्>पस्**

| | | |
|---|---|---|
| ग्रीक | **पस्सो** | छिड़कना |

**पर्>मर्**

| | | |
|---|---|---|
| सं. | **मारि** | वर्षा |
| त. | **मारि** | उप.; जल |
| लैटिन | **मरॅ** | समुद्र |
| ग्रीक | **मुरो** | बहना |
| वेल्श | **मोर्** | समुद्र |
| | **मोरिन्** | लहर |
| रूसी | **मोरॅ** | समुद्र |
| | **मोर्स्** | जल |
| सं. | **मेघ (<*मॅर्घ)** | |
| | **मिह् (<*मिघ्)** | जल-वर्षण |
| मल्तो | **मॅहरॅ** | नम होना |
| हिन्दी (अवधी) | **मिहाबु** | उप. |
| पु. अंग्रेज़ी | **मैगॅन्** | समुद्र |
| त. | **मुग** | पानी भरना |
| सं. | **मधु (<मर्धु)** | जल |
| लैटिन | **मदॅओ (<*मर्द)** | बहना; भीगना |
| ग्रीक | **मुदओ** | भीगना |
| वेल्श | **मुद्** | कीचड़ |
| अंग्रेज़ी | **मड्** | उप. |
| त. | **मऴइ** | वर्षा; जल |
| | **मडु** | जलाशय |
| कन्नड़ | **मोड** | बादल |
| रूसी | **मोच (<*मॉर्त)** | पानी |
| | **मॉचीत्** | भिगोना |

**मर्>मन्**

| | | |
|---|---|---|
| लैटिन | **मानो** | बहना |
| पर्जि | **मुण्ड** | जलाशय |

**मर्>मय्**

| | | |
|---|---|---|
| वेल्श | **मुइदो** | भिगोना |

**मर्>मस्**

| | | |
|---|---|---|
| तोद | **मष्न्** | बाढ़ |
| रूसी | **मॉस्क्वा** | नदी विशेष |

**भर्>फर्**

| | | |
|---|---|---|
| ग्रीक | **फ्रॅअर्** | ताल |
| | **फ्लॅप्स्** | झरना |
| लैटिन | **फ्रॅतुस्** | समुद्र |
| गेलिक | **फ़इर् गॅ** | उप. |

**फर्>फन्**

| | | |
|---|---|---|
| लैटिन | **फ़ुन्दो** | भिगोना |
| | **फ़ॉन्स्** | झरना |

**फर्>फस्**

| | | |
|---|---|---|
| लैटिन | **फ़ूसिलिस्** | द्रवित |

**भर्>पर्>वर्**

| | | |
|---|---|---|
| सं. | **वारि** | जल; वर्षा |
| | **वर्षा** | |
| अवेस्ता | **वरि** | समुद्र |
| पु; आइस-लैंडिक | **वरि** | जल |
| लैटिन | **वीरुस्** | कीचड़ |
| त. | **वार्** | बहना |
| | **वरद** | धारा; जलप्लावन |
| | **वऴि** | बहना |
| प्राकृत | **विरय** | छोटी नदी |
| | **वीली** | लहर |
| जर्मन | **वॅल्लॅ** | उप. |
| रूसी | **वॉल्न** | उप. |
| | **वॉल्गा** | नदी विशेष |
| सं. | **वाह (<*वर्धा)** | प्रवाह |
| | **वडवा (<*वर्दा)** | नदी विशेष |
| त. | **वडि** | टपकना |
| मलयालम | **वडियुग** | बहना |
| हिन्दी (अवधी) | **वाद** | गीला |
| रूसी | **वोद** | जल |
| अंग्रेज़ी | **वाटर्** | उप. |
| | **वॅट्** | भीगा |

**वर्>वन्**

| | | |
|---|---|---|
| त. | वान् | वर्षा |
| | वन्द | छोटी नदी |
| बंगला | बान् | बाढ़ |
| गद्ब | **वाङ्ग्** | बहना |
| त. | **वंडल्** | कीचड़ |
| | **विण्** | बादल |

**वर्>वस्**

| | | |
|---|---|---|
| सं. | **वक्षु (<*वस्कु)** | नदी विशेष |
| प्राकृत | **विसालय** | समुद्र |
| तोद | **वस्य्** | झरना |
| सं. | **वीचि (<*वीसी)** | लहर |
| त. | **वजि** | जल |
| ग्रीक | **ओक्सॉस् (<*ऑस्कॉस्)** | नदी विशेष |

**वर्>व्र>र**

| | | |
|---|---|---|
| सं. | **रस** | जल; द्रव पदार्थ |
| | **रसा** | नमी |
| हिन्दी | **रिसना** | |
| सं. | **री** | बहना |
| | **रीति** | धारा |
| | **रेतस्** | उप. |
| | **रेवा** | नदी विशेष |
| लैटिन | **रीवुस्** | नदी |
| रूसी | **रेक** | उप. |
| लैटिन | **रेगो** | भिगोना |
| फ़ारसी | **रूद्** | नदी |
| | **रून्द** | द्रव पदार्थ |
| ग्रीक | **र्हॅओ (<ह्+रॅओ)** | बहना |
| | **र्हइनो** | छिड़कना |
| वेल्श | **र्हएद्र** | निर्झर |
| जर्मन | **र्हाइन** | नदी विशेष |
| | **र्होन** | उप. |

**वर्>अर्**

| | | |
|---|---|---|
| सं. | **अर्ण** | लहर |
| | **अर्षण** | प्रवहमान |
| | **इरा** | जल |
| | **ऊर्मि** | लहर |
| | **ओल** | भीगा |
| लैटिन | **अर्नुस्** | नदी विशेष |
| त. | **अरुवु** | बहना |
| | **अरुवि** | झरना |
| | **आल्** | जल |

| | | |
|---|---|---|
| | **आलम्** | उप.; समुद्र |
| | **ऑलियल्** | नदी |
| | **ईरि** | भीगना |
| | **ऊरु** | बहना |
| | **उरइ** | बरसना |
| सं. | **आर्द्र** | गीला |
| ग्रीक | **अर्दो** | पानी देना |
| सं. | **अभ्र (*अर्भ>अभ)** | बादल |
| कश्मीरी | **आबुर्** | उप. |
| पु. आइरिशि | **अबन्** | धारा |
| सं. | **आबिल,** | |
| | **आविल** | गंदला पानी |
| | **अपस्, आपस्** | |
| | **(<*अर्प)** | जल |
| वेल्श | **अवॉन् (<*अपॉन्)** | नदी |
| लैटिन | **अक्वा (<*अपस्)** | जल |
| सं. | **ओघ (<*ऑर्घ)** | बाढ़; धारा |
| प्राकृत | **ओग्गाले** | लघु प्रवाह |
| तोद | **ऑक्** | बहना |
| ग्रीक | **हुग्रॉस्** | भीगा |
| | **हुदोर्** | जल |
| सं. | **उद् (<उर्दू)** | बहना |
| | **उद्, उदन्** | जल |
| त. | **ओदम्** | बाढ़; लहर; समुद्र |
| कुवि | **ऊदलि** | भीगना |
| लैटिन | **उदुस्** | भीगा |
| कुवि | **ऊथ, उत** | झरना |
| सं. | **ओजस् (<*ओघ)** | जल |

**अर्>अन्**

| | | |
|---|---|---|
| सं. | **अम्भस** | जल |
| | **अम्बु** | उप. |

**अर्→अर्प→अप>अम**

| | | |
|---|---|---|
| मल्तो | **अमु** | उप. |
| कुड़ुख़ | **अम्म्** | उप. |
| इटालियन | **अम्निस्** | नदी |

**अर्>अस्**

| | | |
|---|---|---|
| गोंडी | **ऊसा** | बाढ़ |
| कन्नड़ | **ऑसर्** | बहना |
| कुई | **एसु** | जल |
| आइरिश | **उइस्गॅ** | जल; नदी |
| सं. | **उक्ष् (*उस्क्)** | छिड़कना |

**वर्/यर्**

| | | |
|---|---|---|
| त. | **यारु** | नदी |
| अंग्रेज़ी | **यैरो** | नदी विशेष |

**यर्>अर्**

| | | |
|---|---|---|
| त. | **आरु** | नदी |
| कश्मीरी | **आर्** | उप. |
| तेलगू | **एरु** | उप. |
| त. | **एरि** | जलाशय |
| ग्रीक | **इलुस्** | कीचड़ |

**यर्>यम्**

| | | |
|---|---|---|
| सं. | **यमुना** | नदी विशेष |
| फ़ारसी | **यम्** | नदी |

**यर्>यस्**

| | | |
|---|---|---|
| सं. | **यह्व** | प्रवहमान |
| | **यूष** | जूस |
| अंग्रेज़ी | **जूस्** | उप. |

| | | |
|---|---|---|
| 2. | **घर्** | घूमना; चक्कर खाना |
| सं. | **घट्ट्** | घुमाना |
| | **अरघट्ट** | रहँट |
| | **घूर्ण्** | घूमना |
| प्राकृत | **घरट्ट** | उप. |
| | **घोल (परिघोल)** | उप. |
| | **घोलिअ** | घुमाया हुआ |
| हिन्दी | **घुराना** | घुमाना |
| | **घिरनी** | चरखी |
| बंगला | **घुरानो** | घुमाना |
| सिन्दी | **घोरानो** | फेरीवाला |
| हिन्दी | **घूमना (<*घुर्म)** | |
| | **घुमनी** | |
| | **घुमरी** | भँवर |

**घर्> घन्**

| | | |
|---|---|---|
| प्राकृत | **वाण** | कोल्हू |
| हिन्दी | **घानी** | उप. |
| | **घुँघराले** | |
| | **घुंडी** | |

**घर्>गर्**

| | | |
|---|---|---|
| सं. | **गरगरा** | गड़ारी |
| | **गर्त** | रथ |
| हिन्दी | **गरेरना** | |
| | **गरारी, गड़ारी** | |
| गुजराती | **गरबो** | मंडलाकार नृत्य |
| लैटिन | **गर् गॅस्** | भँवर |
| ग्रीक | **गुरॉस्** | गोल |
| सं. | **गोल** | गेंद; गोला |
| फ़ारसी | **गोल, गोला** | |
| कन्नड़ | **गालि** | पहिया |
| | **गिरु** | चक्कर खाता हुआ |
| सं. | **गुड (<*गुर्व)** | गेंद; गोला |
| कन्नड़ | **गुडि** | वृत्त |
| | **गुड्डि** | अण्डा |

**गर्>गन्**

| | | |
|---|---|---|
| कन्नड़ | **गुंडु** | गोल वस्तु |
| तुलु | **गुंडॅ** | गोल |
| हिन्दी | **गेंद** | |

**गर्>गस्**

| | | |
|---|---|---|
| फ़ारसी | **गश्तन्** | चक्कर लगाना |

**गर्>कर्**

| | | |
|---|---|---|
| लैटिन | **कर्रुस्** | गाड़ी |
| | **कर्रुक** | रथ |
| अंग्रेज़ी | **कार्** | गाड़ी |
| | **कर्ल्** | छल्लेदार बाल |
| त. | **काल्** | पहिया; गाड़ी |
| | **कलुक्कइ** | गोल पात्र |
| ग्रीक | **किर्कॉस्** | चक्र |
| | **क्रिकॉस्** | उप. |
| लैटिन | **किर्कुस्** | चक्र |
| | **किर्रुस्** | छल्लेदार बाल |
| सं. | **कुरुल** | उप. |
| त. | **कुरुळ्** | उप. |
| लैटिन | **कुर्रुस्** | रथ |
| रूसी | **क्रुग** | वृत्त |
| | **क्रुझॅनिए** | चक्कर लगाना |
| ग्रीक | **कुलिन्दो** | लुड़कते जाना |
| | **कुक्लॉस् (<*कुल्कॉस्)** | चक्र |
| सं. | **कुळ्न्** | छल्लेदार बाल |
| प्राकृत | **कोल्हु** | कोल्हू |
| हिन्दी | **कोल्हू** | |

**कर्>कन्**

| | | |
|---|---|---|
| सं. | **कन्द** | गोला |
| | **कन्दुक** | गेंद |
| | **कुन्तल** | (छल्लेदार) केश |
| त. | **कून्तल्** | उप. |
| | **कण्डु** | सूत का गोला |
| | **कुण्डु** | गेंद |
| | **कॉण्डइ** | जूड़ा |
| गदुब | **किन्द्रप्** | घुमाना |
| मलयालम | **कण** | कोल्हू |
| त. | **कण्इ** | कोई गोल चीज़ |

**कन→कन्त्>कत्**

| | | |
|---|---|---|
| कन्नड़ | **कूदल्** | कुन्तल |

**कर्>कव्**

| | | |
|---|---|---|
| त. | **कवर्** | मथना |
| कन्नड़ | **कव्वरॅ** | चक्कर आना |

**घर्>खर्**

| | | |
|---|---|---|
| ग्रीक | **खॉरॉस्** | मंडलाकार नृत्य |
| रूसी | **खॉरॉवॉद्** | उप. |
| ग्रीक | **खरुब्दिस्** | भँवर |

**घर्>*हर्→*हर्द्>हल्ल्**

| | | |
|---|---|---|
| प्राकृत | **हल्लीस** | मंडलाकार नृत्य |
| त. | **कडइ (<*कर्द)** | मथना |
| कन्नड़ | **कडॅ** | उप. |

**घर्>सर्**

| | | |
|---|---|---|
| तेलगू | **सारि** | आवर्तन |
| कन्नड़ | **सुळि** | घूमना |
| तुलु | **सुळि** | भँवर |
| | **सुत्तु** | चक्कर खाना |
| तोद | **सॅड्** | गेंद |

**घर्>झर्>चर्; सर्>चर्; कर्>चर्**

| | | |
|---|---|---|
| सं. | **चक्र (<*चर्क)** | |
| फ़ारसी | **चर्ख़** | चक्र |
| त. | **चुर्रु** | चक्कर खाना |
| | **चूरइ** | बवंडर |

| | | |
|---|---|---|
| हिन्दी | **चिल्ला, चीला** | |
| त. | **चीडइ** | गोल टिकिया |
| **चर्>चन्** | | |
| त. | **चॅण्डु** | गेंद |
| कन्नड़ | **चॅण्डु, चॅण्डु** | उप. |
| **धर्** | | |
| हिन्दी | **ढुलकना (<*धुर)** | |
| | **लुढ़कना (<ढुलकना)** | |
| **धर्>धन्** | | |
| प्राकृत | **धङ्ग** | भौंरा |
| | **धन्धोलिय** | भ्रमित |
| **धर्>दर्** | | |
| तेलगू | **डोल्लु** | लुढ़कना |
| कुइ | **डुड़ि** | उप. |
| **धर्>तर्** | | |
| त. | **तेर्** | रथ |
| | **तिरि** | घूमना |
| | **तिरळ्** | गोल होन; गोला |
| | **तिगिरि (<*तिर्ग)** | पहिया; रथ |
| तुलु | **तगॉरि** | कुम्हार का चक्का |
| तोद | **तुत् (<*तुर्त)** | चक्कर खाना |
| **तर्>तन्** | | |
| त. | **तिण्डु** | गोल तकिया |
| **भर्** | | |
| **सं.** | **भ्रम** | भँवर; कुम्हार का चक्का |
| | **भ्रमर** | भौंरा; कुम्हार का चक्का |
| | **भृङ्ग** | उप. |
| | **भृमि** | चक्कर खाने की क्रिया |
| **भर् >भन्** | | |
| सं. | **भंडि** | गाड़ी |
| तुलु | **भंडि** | उप. |
| **भर्>भन्** | | |
| सं. | **भसन, भसल** | भौंरा |
| **भर्>बर्>बन्** | | |
| कन्नड़ | **बंडि** | पहिया; गाड़ी |
| हिन्दी | **बंगी** | लट्टू |
| **बर्>बस्** | | |
| कन्नड़ | **बीसु** | घुमाना; घूम जाना |

| | | |
|---|---|---|
| **भर्>पर्** | | |
| सं. | **परि** | गोल; चारों ओर |
| | **परिधि** | |
| | **पार्श्व** | चक्र की परिधि |
| त. | **पर** | भँवर |
| ग्रीक | **पॅरि** | चारों ओर |
| तोद | **पॉड्य्** | गाड़ी |
| **पर्>पन्** | | |
| त. | **पंडि** | गाड़ी |
| | **पन्दु** | गेंद |
| | **पम्बरम्** | लट्टू |
| सं. | **पिंड** | गोला |
| **पर्>वर्** | | |
| सं. | **वरंड** | गोल |
| | **वर्तते** | लुढ़कता है |
| | **वर्तन** | लुढ़कने की क्रिया |
| | **वर्तुल** | चक्राकार |
| | **वृत्त** | गोल; चक्र |
| | **वृत्ति** | लुढ़कने की क्रिया |
| | **वल्** | चक्कर खाना |
| | **वलन** | चक्र गति |
| | **वल्ग्** | नाचना; (मूल अर्थ : मंडलाकार नृत्य करना) |
| | **वेल्लन** | लुढ़कने की क्रिया; बेलन |
| रूसी | **वॅर्तेत्** | घुमाते जाना |
| पु. जर्मन | **वल्त्सु** | लुढ़कना |
| पु. आइस-लैंडिक | **वॅल्त्** | उप. |
| लैटिन | **वॉलूतो** | उप. |
| | **वॉल्वो** | चक्कर खाना |
| | **वॉलूमॅन्** | भँवर |
| सं. | **वट, वटक, वड** | गोल टिकिया |
| कन्नड़ | **वटक, वडॅ** | उप. |
| हिन्दी | **बड़ा, बरा** | |
| **वर्>वन्** | | |
| त. | **वण्डि** | गाड़ी |
| | **वण्डु** | भौंरा |
| पु. अंग्रेज़ी | **वॅण्डन्** | घुमाना |

**वर्>वस्>वच्**

| | | |
|---|---|---|
| त. | **विजिरु** | तेज़ी से घुमाना |

**वर्>व>र**

| | | |
|---|---|---|
| सं. | **रथ** | |
| लैटिन | **रॉत** | पहिया |
| | **रॉतालिओ** | घुमाना |
| | **रॉतो** | घूम जाना |
| | **रॉतुन्दो** | गोलाकार बनना |
| | **रॉतुन्दुस्** | गोल |
| अंग्रेज़ी | **राउण्ड्** | उप. |
| हिन्दी | **लट्टू** | |

**वर्>अर्**

| | | |
|---|---|---|
| फ़ारसी | **अराबा** | गाड़ी |
| लैटिन | **ऑर्बिस्** | वृत्त |
| त. | **उरुडइ** | गाड़ी |
| | **उरुंडइ** | गेंद; गोला |
| | **उरुळ्** | पहिया; चक्कर खाना |
| | **उळल्** | चक्कर खाना |
| | **उळलइ** | कोल्हू |
| ग्री | **ॲलुओ** | लुढ़कना |
| | **इतुस् (<*इर्तु)** | पहिये की परिधि |

**अर्>अन्**

| | | |
|---|---|---|
| त. | **उण्डइ** | गेंद |
| तेलगू | **उण्ड** | उप.; गोल |
| सं. | **अण्ड** | अण्डा; गोल वस्तु |
| ग्रीक | **अम्फि** | चारों ओर |
| लैटिन | **अम्बि** | उप. |
| जर्मन | **उम्** | उप. |

**अर्>अय्**

| | | |
|---|---|---|
| ग्रीक | **ॲइलो** | घूमना |

**पर्>मर्**

| | | |
|---|---|---|
| कन्नड़ | **मगुळ्** | घूम जाना |
| | **मॉट्टॅ** | अण्डा |
| त. | **मुट्टइ** | उप. |

**मर्>मन्**

| | | |
|---|---|---|
| सं. | **मंथ्, मथ्** | मथना |
| त. | **मुण्डइ** | अण्डा |

**भर्>फर्**

| | | |
|---|---|---|
| हिन्दी | **फेरी, फेरना, फिरकी** | |

**भर्>स्फर्>स्फन्/स्फय्**

| | | |
|---|---|---|
| ग्रीक | **स्फॉन्दुलॉस्** | गोलाकार जीव |
| | **स्फइर** | गेंद |
| अंग्रेज़ी | **स्फिअर्** | वृत्त |

| | | |
|---|---|---|
| 3. | **घर्** | घूमना; भ्रमण करना |
| प्राकृत | **घोर (घं-घोर)** | भटकनेवाला |
| | **घट्ट (<*घर्त)** | भ्रष्ट |
| | **घाड** | उप. |
| | **घुम्म (<*घुर्म)** | घूमना |
| बंगला | **घुरुनि** | भटकना |
| हिन्दी | **घूमना** | |
| | **घुमक्कड़** | |

**घर्>गर्**

| | | |
|---|---|---|
| फ़ारसी | **गर्दीदन्** | भ्रमण करना |

**घर्>कर्**

| | | |
|---|---|---|
| तेलगू | **क्रालु** | उप. |

**घर्>स्कर्**

| | | |
|---|---|---|
| रूसी | **स्कितात्स्य (<*स्कॅर्त)** | उप. |

**घर्>झर्>झन्**

| | | |
|---|---|---|
| प्राकृत | **झण्ट** | उप. |
| | **झम्प** | उप. |

**घर्>सर्**

| | | |
|---|---|---|
| कन्नड़ | **सुळि** | उप. |

**सर्>चर्**

| | | |
|---|---|---|
| त. | **चुर्र** | इधर-उधर घूमना |

**धर्**

**धर्>धन्**

| | | |
|---|---|---|
| प्राकृत | **ढुम** | घूमना |
| | **ढुंढुल्ल** | उप. |
| | **ढोङ्गर** | भ्रमणशील |

**धर्>धस्**

| | | |
|---|---|---|
| प्राकृत | **ढुस** | घूमना |

**धर्>दर्**

| | | |
|---|---|---|
| सं. | **दरिद्र** | घुमन्तू; निर्धन |

**धर्>तर्**

| | | |
|---|---|---|
| रूसी | **तॅर्यात्** | भूलना |
| कन्नड़ | **तॉळल्** | भटकना |
| दोत | **तुड्य्** | आवारा घूमना |

**धर्>स्तर्**

| | | |
|---|---|---|
| जर्मन | **श्ट्रोम्** | घूमना |
| अंग्रेज़ी | **स्ट्रोल्** | उप. |
| | **स्ट्रे** | उप.; भटकना |

**भर्**

| | | |
|---|---|---|
| सं. | **भ्रम** | भ्रमण करना |
| | **भ्रम** | भ्रमण; भ्रान्ति |
| | **भ्रान्त** | घुमन्तू; भटका हुआ |
| | **भ्रान्ति** | |
| | **भृम** | भ्रान्ति |
| हिन्दी | **भटकना (<*भर्त)** | |
| प्राकृत | **भुल्ल** | भूला हुआ |
| हिन्दी | **भूल** | |

**भर्>बर्**

| | | |
|---|---|---|
| रूसी | **ब्रॉदीत्** | घूमना |

**भर>पर्**

| | | |
|---|---|---|
| त. | **पर** | उप. |
| | **परक्कु** | उप. |
| पु. अंग्रेज़ी | **प्रोलॅन्** | उप. |
| अंग्रेज़ी | **प्राउल्** | उप. |

**पर्>मर्**

| | | |
|---|---|---|
| तेलगू | **मॅदलु** | घूमना |

**पर्>वर्**

| | | |
|---|---|---|
| सं. | **व्रज्** | उप. |
| | **व्रज** | (घुमन्तू जनों की भूमि); जनपद विशेष |
| | **व्रात्य** | घुमन्तू जन |
| | **वृजि** | (घुमन्तू जन); गण विशेष |
| पालि | **वज्जि** | उप. |
| त. | **वळु** | भूल |
| | **विलगु** | भटक जाना |
| | **विलत्तु** | भूल |
| मलयालम | **वलयुग** | घूमना |
| लैटिन | **वगातिओ (<*वर्ग)** | उप. |
| | **वादो (<*वर्द)** | उप. |
| त. | **वी (<*वॅर)** | भटक जाना |

**वर्>वन्**

| | | |
|---|---|---|
| सं. | **वन** | (घुमन्तू जनों का स्थान); जंगल |
| अंग्रेज़ी | **वांडर्** | घूमना |

**वर्>अर्**

| | | |
|---|---|---|
| सं. | **अरण्य** | वन |
| लैटिन | **अॅरों** | घूमना |
| | **अॅरोर्** | भ्रमण |
| अंग्रेज़ी | **अॅर्** | भटकना; गलती करना |
| | **एरर्** | गलती |
| त. | **अलइ** | घूमना |
| | **अलम्बु** | उप. |
| | **उलइ** | उप. |
| | **उळि** | उप. |
| ग्रीक | **अलॅ, अलूओ** | घूमना |
| | **अलतॉस्** | घुमन्तू |
| सं. | **अट् (*अर्त्)** | उप. |
| | **अटन** | भ्रमण |
| | **अटवी** | वन |
| त. | **आडु** | घूमना |

**भर्>फर्**

| | | |
|---|---|---|
| फ़ारसी | **फ़रामोश** | भूला हुआ |
| प्राकृत | **फिर** | फिरना |
| हिन्दी | **फिरना** | |

**फर्>फम्**

| | | |
|---|---|---|
| प्राकृत | **फुम** | घूमना |

**फर्>फस्**

| | | |
|---|---|---|
| प्राकृत | **फुस** | उप. |

| | | |
|---|---|---|
| 4. | **घर्** | मुड़ना, टेढ़े चलना |

**घर्>घन्**

| | | |
|---|---|---|
| सं. | **घुण्ट** | घुटना |
| हिन्दी | **घोंटू** | उप. |
| सं. | **घुट** | उप. |
| | **घोटते** | मुड़ता है |
| हिन्दी | **घुटना** | |

**घन्>गन्**

| | | |
|---|---|---|
| कन्नड़ | **गाण, गाळ** | अंकुश |
| | **गोण्टु** | कोना |
| कोत | **गोण्** | उप. |
| तुलु | **गूनु** | कूबड़ |
| गोंडी | **गुन्ति** | धनुष |
| ग्रीक | **गॉनु** | घुटना |

| | | |
|---|---|---|
| लैटिन | **गॅनु** | उप. |
| कन्नड़ | **गाटु** | कोना |

**घर्>कर्**

| | | |
|---|---|---|
| सं. | **कर्कट** | तराजू की डांड़ी का मुड़ा हुआ सिरा |
| | **कुल्फ** | घुटना |
| त. | **कुरंगु** | मुड़ना |
| | **कुरंड्डु** | मुड़ा होना |
| | **कूर्** | झुकना |
| कन्नड़ | **कुर्गु** | कूबड़ |
| | **कॉळिकॅ** | अंकुश |
| तेलगू | **कॉल्कि** | उप. |
| फ़ारसी | **कोर्निश्** | झुककर बन्दगी करना |
| ग्रीक | **कॉर्निस्** | टेढ़ा |
| | **कुर्तॉस्** | उप. |
| | **कॉर्निअओ** | झुकना |
| | **कोलॉन्** | अंग |
| | **कॅरस्** | सींग |
| लैटिन | **कुर्वो** | मुड़ना |
| | **कुर्वुस्** | वक्र |
| | **कॉर्नू** | सींग |
| गोंडी | **कोर्** | उप. |
| अंग्रेज़ी | **हौर्न् (<*कौर्न्)** | उप. |
| | **कौर्नर्** | कोना |
| | **क्रुक्** | टेढ़ा |
| रूसी | **क्रिवीत्** | मुड़ना |
| | **क्रिवोई** | टेढ़ा |
| | **क्रयूचॉक्** | अंकुश |
| वेल्श | **क्रुवि** | कूबड़ |
| | **क्रुम्प्** | उप. |
| | **क्रुक** | टेढ़ा |
| | **क्रिमन्** | हँसिया |
| | **क्रिमु** | झुकना |
| | **कॉर्नॅल्** | कोना |
| सं. | **कृमि** | कीड़ा |
| लिथुआनियन | **किर्मिस्** | उप. |
| पु. आइरिश | **क्रुइम्** | उप. |
| लैटिन | **कॉलुवॅर्** | साँप |
| अंग्रेज़ी | **क्रीप्** | रेंगना |
| त. | **कॉक्कि** | अंकुश |
| | **कॉक्करइ** | वक्रता |
| कन्नड़ | **कॉक्कि** | मोड़ |
| | **कॉक्कु** | चोंच |
| | **कॉग्ग** | वक्रता |
| पर्जि | **कॉकॉर्** | टेढ़ा होना |
| मल्लो | **कॉक्रॅ** | झुकना |
| सं. | **कीट** | कीड़ा |
| | **कुटिल** | |
| | **कुटी** | वक्रता |
| | **कोट** | उप. |
| | **कोटि** | मुड़ा हुआ सिरा |
| त. | **कोट्टु** | झुकना |
| | **कोडु** | मुड़ना |
| मलयालम | **कोट्टम्** | वक्रता |
| कन्नड़ | **कोडु** | सींग |
| गोंडी | **कोत्** | उप. |
| कोडगु | **कत्ति** | चोंच |
| सं. | **ककुद्** | बैल का कूबड़ |
| | **ककुभ** | वाद्ययंत्र का मुड़ा हुआ सिरा |
| कन्नड़ | **कॉल्लि** | कोना |
| सं. | **कुब्ज** | कुबड़ा; टेढ़ा |
| | **कुबेर** | टेढ़े-मेढ़े अंगों वाला |
| हिन्दी | **कूबर, कुबड़ा** | |
| तोद | **कुविड्** | बंदगी करना |
| फ़ारसी | **कज् (<*कर्द)** | टेढ़ा |
| | **कझ् (<*कर्ध)** | उप. |
| कश्मीरी | **कॉव्य् (<*कॉर्प्)** | कुबड़ा |
| त. | **कविऴ्** | झुकना |
| कोडगु | **कविन्** | उप. |

**कर्>कन्**

| | | |
|---|---|---|
| सं. | **कुणि** | टेढ़ा हाथ |
| | **कोण** | |
| | **कुंचित** | वक्र |
| | **कन्दर** | अंकुश |
| | **कुन्तल** | कुंचित केश |
| हिन्दी | **कुंडा; कुंडी** | |
| त. | **कून्** | मुड़ना; कूबड़ |
| | **कोण्** | कोण; वक्रता |
| | **कोणन्** | कुबड़ा |
| कन्नड़ | **कॉन्कु** | वक्र होना |
| | **कॉंकि** | अंकुश |

| | | |
|---|---|---|
| | **कुंडरु** | झुकना |
| मलयालम | **कुंजुग** | उप. |
| कन्नड़ | **कुम्बु** | झुकने की क्रिया |
| त. | **कुमिळ्** | बैल का कूबड़ा |
| वेल्श | **कम्** | वक्र |
| | **कमु** | झुकना |
| | **कमॅद्** | मोड़ |
| ग्रीक | **कम्पे** | उप. |
| | **कम्प्तो** | झुकना |
| | **कमर** | कमरा; महराबी छत वाला कोठा |
| जर्मन | **क्नी** | घुटना |
| अंग्रेज़ी | **नी** | उप. |

**कर्>कस्**

| | | |
|---|---|---|
| कन्नड़ | **कुसि** | झुकना |
| | **कोसु** | वक्रता |
| सं. | **केश** | |
| | **कच (*कस्)** | केश |

**घर्>स्कर्**

| | | |
|---|---|---|
| रूसी | **स्त्र-यूचिवात्** | मुड़ना |
| ग्रीक | **स्कॉलिऑस्** | वक्र |

**घर्>खर्**

| | | |
|---|---|---|
| हिन्दी | **खोर, खोरि** | दोष |
| ग्रीक | **खोलॉस्** | लँगड़ा |
| प्राकृत | **खव्व** | कूबड़ा |

**खर्>खर्**

| | | |
|---|---|---|
| प्राकृत | **खुम्मिय** | नवाया हुआ |
| कुड़ुख़ | **खोङ्घ्ना** | झुकाना |

**घ्>झर्**

| | | |
|---|---|---|
| प्राकृत | **झूर** | कुटिल |
| हिन्दी | **झुकना (<*झुर्क)** | |

**झर्>झन्**

| | | |
|---|---|---|
| प्राकृत | **झण्टलिअ** | कुटिल गमन |
| | **झण्डली** | कुलटा |

**झन्>जन्**

| | | |
|---|---|---|
| सं. | **जानु** | घुटना |
| प्राकृत | **जण्हुआ** | उप. |

**झर्>चर्**

| | | |
|---|---|---|
| प्राकृत | **चोल** | कुबड़ा |

| | | |
|---|---|---|
| त. | **चुळि** | टेढ़ा होना; चालाक होना |
| | **चिलइ** | धनुष |
| मलयालम | **चरिक्क** | मुड़ना |
| फ़ारसी | **चालाक** | |
| त. | **चॉत्ति** | लँगड़ा |
| | **चॉट्टु** | वक्रता |
| | **चप्पु** | वक्र होना |
| सं. | **चाप (<*चर्प)** | धनुष |
| त. | **चवट्टु (<*चर्प)** | झुकना |

**चर्>चन्**

| | | |
|---|---|---|
| सं. | **चंचु** | चोंच |
| कन्नड़ | **चुंचु** | घुँघराले बाल |

**धर्**

| | | |
|---|---|---|
| सं. | **धूर्व्** | झुकना |
| | **धूर्त** | |
| | **धूक** | धूर्त |

**धर्>धन्**

| | | |
|---|---|---|
| सं. | **धनु, धनुष** | |

**धर्>दर्>दन्**

| | | |
|---|---|---|
| सं. | **दम्भ्** | धोखा देना |
| | **दम्भ** | धूर्तता |
| | **दभ** | धोखा |
| हिन्दी | **डंक** | |
| तेलगू | **देंकु, डेंकु** | रेंगना |
| कन्नड़ | **डांङ्कु** | टेढ़ा |

**दन्>रन्**

| | | |
|---|---|---|
| सं. | **रिङ्ख्** | रेंगना |
| | **रिङ्ख्** | धोखा |
| | **रिङ्ग** | रेंगना |
| हिन्दी | **रेंगना** | |
| मलयालम | **इळयुग** | उप. |

**धर्>तर्**

| | | |
|---|---|---|
| सं. | **तिर्यक्, तिर्यञ्च** | वक्र |
| हिन्दी | **तिरछा** | |
| त. | **तिरुगु** | मोड़ |
| | **तुरडु** | अंकुश |
| | **तोट्टि** | उप. |
| | **तूण्डिल्** | मछली पकड़ने का काँटा |

  **तोंडान्** भेड़िया
तेलगू **तॉङ्ग्गु** झुकना
कोलमि **तॉङ्ग्गॅ** घुटना
त. **तवळ् (<*तर्प)** रेंगना

**तर्>नर्**
त. **नरि** शृगाल; शृगालवत् चतुर होना
**नॅरि** मुड़ना
मल्तो **नॅरु** साँप
कन्नड़ **नॅळ्गु** मुड़ा होना
**नॅग्गु** उप.

**नर्>नन्**
सं. **नम्** झुकना

**घर्/धर्/सर्**
सं. **सर्प**
कोंड **सरस्** साँप
कुइ **स्रासु** उप.
गोंडी **सेरि** उप.
कन्नड़ **सरपणि** ज़ंज़ीर
लैटिन **सॅर् पॅन्स्** साँप
अंग्रेज़ी **सर्पॅन्ट्** उप.
जर्मन **श्लाङ्गॅ** उप.
ग्रीक **हॅर्पो (<*सॅर्प)** रेंगना
**हॅर्पॅतॉन्** साँप
सं. **शृंग** सींग
**शृंखला** जंजीर
**शृगाल** सियार
कन्नड़ **सिडि** अंकुश
**सॉट्ट** वक्र; वक्रता
**सुत्तु** मोड़

**धर्>स्थर्**
सं. **स्थगु** कूबड़
**स्थडु** उप.
**स्थपुट** कुबड़ा

**भर्**
सं. **भृणाति** वक्र होता है
**भृष्टि** कोना
**भ्रू** भौंह
**भोग** वक्रता
**भुज्** झुकना
**भुजा** वक्रता; बाहु
**भुजग, भुजंग** सर्प
**भग्न, भुग्न** वक्र

**भर्>भन्**
सं. **भंज्** मोड़ना
**भंग** मोड़; धोखा
**भंगुर** वक्र; धूर्त
**भंट्** धोखा देना
**भंडन** धूर्तता

**भर्>भन्**
प्राकृत **भमुहा** भौंह
**भुमग** उप.
हिन्दी **भौंह**

**भर्>बर्**
अंग्रेज़ी **ब्राउ** उप.
फ़ारसी **अ-ब्रू** उप.
कन्नड़ **बलंकु** झुकना
**बिल्** धनुष
अंग्रेज़ी **बिल्** चोंच
कन्नड़ **बग्गु, बागु** झुकना
पु. अंग्रेज़ी **बॉग** वक्र रेखा; धनुष
**बुगन्** झुकना
अंग्रेज़ी **बाउ** उप.
**बो** धनुष

**बर्>बन्**
सं. **बन्धुर** वक्र
कन्नड़ **बंकु** टेढ़ा होना
कुड़ुख़ **बंकना** मुड़ना
कुवि **बांगिनई** झुकना
हिन्दी **बंसी** मछली पकड़ने का काँटा
फ़ारसी **बन्दगी**
अंग्रेज़ी **बॅन्ड्** झुकना; मोड़ना; मोड़

**भर्>पर्**
सं. **पर्शु** टेढ़ा चाकू; हँसिया; कुठार
**पर्व** जोड़
**पार्श्व** कपट गति
हिन्दी **पोर** जोड़
कुइ **पल्ग** झुकना

| | | |
|---|---|---|
| तोद | **पळ्** | उप. |
| त. | **पदिवु** | झुका होना |
| कन्नड़ | **पडुगु** | झुकना; झुकाना |
| प्राकृत | **पब्भ (<*पर्भ)** | नम्र |
| फ़ारसी | **फ़रेब (<*परेब)** | छल |

**पर्>पन्**

| | | |
|---|---|---|
| सं. | **पंगु** | लँगड़ा (टेढ़ी टाँगोंवाला) |
| लैटिन | **पन्दो** | झुकना |
| | **पन्दुस्** | वक्र |
| अंग्रेज़ी | **फिंगर् (<*पिंग)** | उँगली |

**पर्>मर्**

| | | |
|---|---|---|
| हिन्दी (ब्रज) | **मोरिबो, मुरिबो** | मोड़ना, मुड़ना |
| त. | **मरि** | झुकना |
| | **मुरि** | उप. |
| | **मूरि** | कूबड़ |
| तुलु | **मॉरम्पु** | घुटना |
| त. | **मूलइ** | कोना |
| कन्नड़ | **मलकु** | मोड़ |
| | **मालु** | झुकना |
| त. | **मुळि** | जोड़ |
| | **मुक्कु** | कोना |
| कन्नड़ | **मॉक्कु** | झुकना |
| कुड़ुख़ | **मूका** | घुटना |
| त. | **मुट्टु** | उप. |
| कोंड | **मॅड** | उप. |
| हिन्दी | **मटकना** | |
| त. | **मडंगु** | टेढ़ा होना |
| कन्नड़ | **मडि** | मोड़ना |
| हिन्दी | **मोड़ना, मुड़ना** | |
| | **मेढ़ा (टेढ़ा-मेढ़ा)** | |
| त. | **मुडंगु** | मुड़ना; झुकना |
| कन्नड़ | **मुडुगु** | टेढ़ा होना |
| त. | **मुडम्** | लुंजपुंज |
| हिन्दी | **नुक्कड़ (*मुर्क)** | |
| अंग्रेज़ी | **नुक्** | कोना |

**मर्>मन्**

| | | |
|---|---|---|
| कन्नड़ | **मणि** | झुकना |
| त. | **मण्डि** | उप. |
| कन्नड़ | **मण्डि** | घुटना |
| गोंडी | **मॅण्डा** | उप. |

**भर>फर्**

| | | |
|---|---|---|
| लैटिन | **फॉर्निक्स्** | महराब |
| | **आ-फ्रुस्** | भौंह |
| | **फ़ल्क्स्** | हँसिया |
| | **फ़ल्लो** | धोखा देना |
| अंग्रेज़ी | **फ़ाल्स** | मिथ्या |

**पर्>वर्**

| | | |
|---|---|---|
| सं | **वृक** | चोर; भेड़िया |
| | **वृजन** | नक्रता; धूर्तता |
| | **वृन्त** | रेंगनेवाला जीव |
| लैटिन | **वारुस्** | टेढ़ा |
| | **वार्मिस्** | कीड़ा |
| अंग्रेज़ी | **वर्म्** | उप. |
| | **वार्प्** | टेढ़ा होना |
| सं. | **वक्र (<*वर्क)** | |
| | **वम्र (<*वर्म)** | चींटी |
| | **वल्मी** | उप. |
| | **वल्** | रेंगना |
| | **वेल्लित** | वक्र |
| त. | **वळइ** | झुकना |
| | **वलयु** | लौट पड़ना |
| | **विल्** | धनुष |
| लैटिन | **वुल्पॅस्** | भेडिया |
| अंग्रेज़ी | **वुल्फ़्** | उप. |
| सं. | **वक् (*वर्क्)** | टेढ़ा होना |
| | **वक, बक** | बगुला; धूर्त |
| कोत | **वक्** | झुकना |
| त. | **वाक्कु** | मोड़ |
| सं. | **वाम (<*वर्म)** | टेढ़ा; बायाँ |
| फ़ारसी | **गुर्ग (*वुर्ग)** | भेड़िया |
| सं. | **ध्वरति (<*वरति** अथवा **<*धॉरति)** | झुकता है |

**वर्/वल्>व्र/व्ल>र/ल**

| | | |
|---|---|---|
| अंग्रेज़ी | **राइ (<*व्राइ)** | टेढ़ा |
| | **रौंग** | गलत; (जो टेढ़ा हो) |
| आइसलैंडिक | **रंग्र्** | टेढ़ा |
| ग्रीक | **लुकॉस्** | भेड़िया |
| लैटिन | **लुपुस्** | उप. |

**वर्>अर्**

| | | |
|---|---|---|
| सं. | **अराल** | वक्र |
| तुलु | **ऑरॅ** | उप. |
| कन्नड़ | **ऑरगु** | झुकना |
| | **ऑलॅ** | उप. |
| ग्रीक | **अर** | भंगिमा; प्रार्थना; धूर्तता |
| लैटिन | **अर्कुस्** | धनुष; महराब |
| अंग्रेज़ी | **आर्च्** | महराब |
| ग्रीक | **इरिस्** | इन्द्रधनुष |
| सं. | **अघ् (<*अर्घ)** | गलत राह पर चलना |
| | **अघ** | पाप |
| | **अग्** | टेढ़ी चाल चलना |
| ग्रीक | **अगॉस्** | अपराध |
| कन्नड़ | **ऑग्गु** | झुकना |
| तुलु | **ऑग्गि** | अंकुश |
| हिन्दी (अवधी) | **अउगी** | बैलों को हाँकने का चाबुक जैसा उपकरण |
| ग्रीक | **इद्नॉओ (<*इर्द)** | झुकाना |

**वर्>वन्**

| | | |
|---|---|---|
| सं. | **वंक** | टेढ़ा |
| | **वञ्च्** | ठगना |
| | **वम्भ** | भंगिमा; मोड़ |
| तेलगू | **वङ्गु** | झुकना |
| | **वञ्चु** | उप. |
| | **वम्पु** | उप. |
| त. | **वणङ्गु** | उप. |
| | **वाङ्गु** | उप. |
| | **वङ्गि** | अंकुश |
| गद्‌ब | **विन्डु** | धनुष |
| जर्मन | **वॅन्डॅन्** | मुड़ना |
| | **वॅन्डुंग्** | मोड़ |

**अर्>अन्**

| | | |
|---|---|---|
| सं. | **अङ्क** | भङ्गिमा; वक्र वस्तु |
| | **अङ्कुश** | |
| | **अङ्ग** (शरीर का वह भाग जो मुड़े) | |
| | **अङ्गुरि, अङ्गुलि** | उँगली |
| | **अङ्घ** | अघ; पाप |
| | **अञ्च्** | मुड़ना |
| | **अञ्चित** | मुड़ा हुआ |
| कन्नड़ | **ऑङ्कि** | अंकुश |
| तेलगू | **इंच** | वक्रता |
| ग्रीक | **अङ्क्ले** | मुड़ी हुई बाँह |
| | **अंकॉस्** | मोड़ |
| | **अंकुर** | लंगर |
| जर्मन | **अङ्क्ल्** | घुटना |
| लैटिन | **अङ्गुस्ले** | कोण |
| | **अङ्गुइस्** | साँप |
| लिथुआनियन | **अङ्गिस्** | उप. |

| | | |
|---|---|---|
| 5. | **घर्>** | घेरना, रक्षा करना |
| प्राकृत | **घार** | दुर्ग |
| हिन्दी | **घेरा, घेरना, घॅराव, घिरना** | |
| प्राकृत | **घग्घर (<*घर्घर)** | घाँघरा |
| सं. | **घुटति (<*घुर्त)** | रक्षा करता है |

**घर्>घन्**

| | | |
|---|---|---|
| हिन्दी | **घांघरा (<*घंघर)** | |

**घर्>गर**

| | | |
|---|---|---|
| प्राकृत | **गार** | घर |
| सं. | **अ-गार, आगार** | उप. |

**घर्>कर्**

| | | |
|---|---|---|
| सं. | **करभ** | दीवाल |
| | **कारा** | बन्दीगृह |
| त. | **करइ** | किनारा |
| रूसी | **क्राइ** | उप. |
| त. | **कारइ** | कंठी |
| वेल्श | **कअॅर्** | दुर्ग |
| तेलगू | **क्रंचु** | घेरना |
| अंग्रेज़ी | **कोर्ट्** | दीवालों से घिरा हुआ स्थान |
| तुलु | **कॅरॅ** | ताल |
| सं. | **कलत्र** | दुर्ग |
| | **कट् (<*कर्त्)** | घेरना |
| | **कटक** | कंगन |
| त. | **कडगम्** | उप. |
| | **कळन्** | कड़ा |
| हिन्दी | **कड़ा** | |
| तुलु | **किर्दॅ** | बाड़ा |
| सं. | **कुट, कोट** | दुर्ग |
| प्राकृत | **कोट्ट** | नगर |

| | | |
|---|---|---|
| त. | **कोट्टइ** | दुर्ग |
| | **काप्पु (<*कर्पु)** | किलेबन्दी; कारागार |
| | **कावल् (<*कापल्)** | उप. |
| | **कवि** | घेरना |
| लैटिन | **कवॅअ** | बाड़ा |
| त. | **का (<*कर)** | शरण देना |

**कर्>कन्**

| | | |
|---|---|---|
| सं. | **कंकण** | |
| | **काञ्ची** | करधनी |
| | **कन्दल** | कटिबन्ध |
| | **कुंठित** | घिरा हुआ |
| | **कुंडल** | |
| त. | **कम्मु** | घेरना |
| | **कानल** | समुद्रतट |

**कर्>कस्**

| | | |
|---|---|---|
| सं. | **कोष्ठ** | घेरे की दीवाल; घिरा हुआ स्थान |
| | **कक्ष (>*कश्क)** | किनारा; घिरा हुआ स्थान |
| | **कच्छ** | किनारा; कटिबन्ध |

**घर्>स्कर्**

| | | |
|---|---|---|
| अंग्रेज़ी | **स्कर्ट्** | किनारा; घाँघरा |

**घर्>खर्**

| | | |
|---|---|---|
| सं. | **खल** | खलिहान; अनाज रखने का स्थान |
| कुड़ुख़ | **खली** | खलिहान |
| त. | **खादि** | अँगूठी |

**घर्>झर्>झस्**

| | | |
|---|---|---|
| प्राकृत | **झस** | किनारा |

**झर्>जर्**

| | | |
|---|---|---|
| सं. | **अ-जिर** | प्राङ्गण |

**कर्/झर्>चर्**

| | | |
|---|---|---|
| त. | **चिरइ** | किनारा; बाँध; ताल; सीमा |
| मलयालम | **चिर** | बाड़ा; बाँध; ताल |
| त. | **चुर्रु** | घेरना; चारों ओर की दीवाल |

**चर्>चस्**

| | | |
|---|---|---|
| सं. | **चषाल** | अँगूठी |

**घर्>सर्**

| | | |
|---|---|---|
| सं. | **शरण** | (मूल अर्थ : दुर्ग यथा त. अरण् दुर्ग) |
| | **शाल** | घिरा हुआ स्थान; दीवाल; प्राङ्गण |
| | **शाला** | भवन |
| तुलु | **शॅरॅ** | कारागार |
| तोद | **सॅर्** | क़ैद |
| लैटिन | **सलूस्** | सुरक्षित अवस्था |
| | **सल्वुस्** | रक्षित |
| फ्रांसीसी | **साल** | शाला; कोष्ठ |
| सं. | **सेतु (<*सॅर्तु)** | किनारा; बाँध; सीमा |
| कन्नड़ | **सुत्तु** | घेरना; घेरा |

**सर् >हर्**

| | | |
|---|---|---|
| अंग्रेज़ी | **हाल्** | बड़ा कमरा |

**चर्/हर्>अर्**

| | | |
|---|---|---|
| त. | **अरण् (<शरण)** | दुर्ग (द्र.) |

**घर्**

| | | |
|---|---|---|
| सं. | **धरण** | किनारा |
| | **धारा** | उप.; बाड़े की दीवार |
| प्राकृत | **धाडिअ** | बाग |

**धर्>दर्**

| | | |
|---|---|---|
| सं. | **दरद्** | किनारा |
| | **दुर्ग** | |

**धर्>तर्**

| | | |
|---|---|---|
| सं. | **तीर** | किनारा |
| त. | **तॅरु** | काँटों का बाड़ा |
| | **तॉरु** | पशुशाला |
| मलयालम | **तिरुक्कु** | किनारा |
| सं. | **तट (<*ततं)** | उप. |
| | **तटाक** | उप.; ताल |
| प्राकृत | **तट्टी** | बाड़े की दीवाल |
| त. | **तडवु** | कारागार |
| | **तॉड्डु** | घेरना |
| | **तगइप्पु** | दुर्ग |
| | **तॉट्टि** | हाता |

**तर्>तन्**

| | | |
|---|---|---|
| त. | **तुम्बु** | किनारा |
| | **तॉण्डु** | पशुशाला |

**धर्>स्तर**

| | | |
|---|---|---|
| अंग्रेज़ी | **स्ट्रैंड्** | किनारा |

**भर्**

| | | |
|---|---|---|
| सं. | **भरति** | रक्षा करता है |
| | **भरण** | संरक्षण |

**भर्>भस्**

| | | |
|---|---|---|
| सं. | **भास्** | पशुओं का बाड़ा |

**भर्>बर्**

| | | |
|---|---|---|
| तुलु | **बर्** | हाते की दीवाल |
| जर्मन | **बुर्ग** | दुर्ग |
| | **बॅर्गॅन्** | शरण देना |
| रूसी | **बॉरॉन्** | सुरक्षा |
| हिन्दी | **बर्ग** | (गुलबर्ग आदि का बर्ग) |
| कन्नड़ | **बळसु** | घेरना; घिरना |
| | **बळॅ** | कंगन |
| हिन्दी | **बारी, बाली** | |

**भर्>पर्**

| | | |
|---|---|---|
| सं. | **पुर** | दुर्ग |
| त. | **पुर** | रक्षा करना |
| ग्रीक | **पुरगॉस्** | दुर्ग; दीवाल |
| सं. | **पाल्** | रक्षा करना |
| | **पालि** | किनारा; परिधि |
| तोद | **पर** | क्षितिज रेखा |
| | **पळ्** | कड़ा; चक्र |
| | **पेल्य्** | हाता |
| सं. | **पूग (<*पुर्ग)** | प्राङ्गण |
| तुलु | **पुडॅ** | किनारा |

**पर्>पन्**

| | | |
|---|---|---|
| सं. | **पुञ्ज** | प्राङ्गण |
| त. | **पेण्** | संरक्षण |
| ग्रीक | **पुक्नॉस् (<*पुन्कॉस्)** | सुरक्षित |

**पर्>पस्**

| | | |
|---|---|---|
| फ़ारसी | **पास्, पासबान्** | रक्षक |
| सं. | **पक्ष (<*पश्क)** | कंगन |

**भर्>प्सर्**

| | | |
|---|---|---|
| ग्रीक | **प्सलिऑन्** | कंगन |

**पर्>मर्**

| | | |
|---|---|---|
| हिन्दी | **मर्ग** | (गुलमर्ग आदि का मर्ग) |
| लैटिन | **मर्गो** | किनारा |
| त. | **मुरु** | घेरना |
| | **मुर्रम्** | प्राङ्गण |
| लैटिन | **मूरुस्** | नगरकोट; सुरक्षा |
| तेलगू | **मुरुगु** | कङ्गन |
| मराठी | **मुर्की** | बाली |
| सं. | **मुद्रा, मुद्रिका (<*मुर्द)** | अँगूठी |
| वेल्श | **मॉद्रुइ** | उप. |
| कन्नड़ | **मुत्तु** | घेरना |

**मर्>मन्**

| | | |
|---|---|---|
| सं. | **मन्दिर** | निवासस्थान; नगर; शिविर; घुड़साल |
| | **मन्दु, मन्दुरा** | घुड़साल |
| त. | **मन्दई** | गाँव के बीच सभास्थल |
| | **मन्रु (<*मन्दु)** | पशुशाला; सभाभवन |
| ग्रीक | **मन्द्र** | पशुशाला; अँगूठी में नग जड़ने का स्थान |
| त. | **मनइ** | घर |
| | **मनइवि** | घरैतिन |
| सं. | **मेना** | नारी |
| लैटिन | **मूनिओ** | किलेबंदी करना |

**पर्>वर्**

| | | |
|---|---|---|
| सं. | **वर** | घेरा |
| | **वार्** | रक्षक |
| | **वार** | घिरा हुआ स्थान; बाड़ा |
| | **वल** | उप. |
| | **वलय** | कंगन |
| त. | **वरइ** | किनारा |
| | **वरइप्पु** | घिरा हुआ स्थान |
| | **वळइप्पु** | उप. |
| | **वळइ** | घेरना |
| | **वेलि** | हाते की दीवाल |
| लैटिन | **वल्लुम्** | घेरे की दीवाल |
| अंग्रेज़ी | **वाल्** | दीवाल |

| | | |
|---|---|---|
| सं. | **वप्र (<*वर्प)** | किनारा; मिट्टी की दीवाल |
| | **वापी** | जलाशय |
| | **वाटिका** | |
| हिन्दी | **बाड़ा** | |
| बंगला | **बाड़ी** | घर |
| पर्जि | **बत् (<*वर्त)** | अँगूठी |
| **पर्>अर्** | | |
| त. | **अरइ** | कोठा |
| | **अरुण्म्** | दुर्ग |
| मलयालम | **अरु** | किनारा |
| त. | **आँरम्** | उप. |
| | **अळुवम्** | दुर्ग |
| कन्नड़ | **अळुर** | घेरना |
| लैटिन | **उर्ब्स्** | दीवाल से घिरा नगर |
| त. | **ऑरु** | कड़ा |
| | **ऑत्तु** | उप. |
| | **उडु** | घेरना |
| तुलु | **अर्दॅ** | कोठा |
| कन्नड़ | **ऑड्डु** | किनारा |
| **अर्>अन्** | | |
| सं. | **अङ्गन** | आँगन |
| | **अम्बर** | परिधि |
| त. | **अङ्गणम्** | दो खम्भों के बीच का स्थान |
| | **अम्बल** | शाला; सभास्थान |
| तुलु | **अम्बिल** | प्राङ्गण |
| 6. | **घर्** | ढाँकना, छिपाना |
| सं. | **घट (<*घर्त्)** | बन्द करना |
| **घर्>घन्** | | |
| हिन्दी | **घूँघट** | |
| बंगला | **घोम्टा** | घूँघट |
| **घर्>गर्** | | |
| सं. | **गर्त** | गुफा |
| | **गर्भ** | भीतरी भाग |
| लैटिन | **ग्लूबो** | छाल उतारना |
| | **ग्लूम** | भूसा |
| सं. | **गुध्** | ढाँकना |
| | **गूढ़** | प्रच्छन्न् |

| | | |
|---|---|---|
| | **गुह् (< गुध्)** | छिपाना; ढाँकना |
| | **गुहा** | गुफा |
| | **गुप् (<*गुर्प्)** | छिपाना |
| | **गुप्त** | |
| हिन्दी | **गुफा (<*गुभा)** | |
| **गर्>गन्** | | |
| सं. | **गुंठ्** | ढाँकना |
| | **गुंठन** | ढाँकने, छिपाने की क्रिया |
| **घर्>कर्** | | |
| सं. | **करंक** | कपाल |
| | **कर्पट** | कपड़ा |
| | **कर्पर** | कपाल; खप्पर |
| त. | **कर** | छिपाना; चुराना |
| | **करप्पु** | छल; छिपाने की क्रिया |
| तेलगू | **करटि** | ठग |
| त. | **कूरई** | वस्त्र |
| | **कुरम्बई** | झोंपड़ी |
| ग्रीक | **क्रुप्ते** | गुफा; धरती के भीतर बने मार्ग |
| रूसी | **क्रीत्** | ढाँकना |
| | **क्रीश** | छत |
| | **क्रीश्क** | ढक्कन |
| ग्रीक | **कर्** | बाल |
| | **कर** | शिर |
| सं. | **कलह** | म्यान; धूर्तता |
| ग्रीक | **क्लॅइओ** | बन्द करना |
| | **क्लॅप्तो** | चुराना |
| | **क्लॉपॉस्** | चोर |
| कुइ | **कॅलु** | पंख |
| गोंडी | **कॅल्कु** | बाल |
| सं. | **कितव** | धूर्त |
| कन्नड़ | **कॅयत्** | धूर्तता |
| सं. | **कट्** | ढाँकना |
| | **कूट** | धोखा; घर |
| | **उत्-कूट** | छाता |
| | **कुटी** | झोंपड़ी |
| त. | **कुडिल्** | उप. |
| | **कुडइ** | छाता; तम्बू |
| जर्मन | **ह्युट्टॅ (<*कुॅट्ट)** | झोंपड़ी |
| अंग्रेज़ी | **हट्** | उप. |

| | | |
|---|---|---|
| त. | **कत्तणम्** | कवच |
| लैटिन | **कुतिस्** | खाल |
| प्राकृत | **कभल्ल** | कपाल |
| सं. | **कपट** | |
| | **कपाल** | खोपड़ी; ढक्कन; अंडे का छिलका |
| प्राकृत | **कल्पर** | खोपड़ी |
| तेलगू | **कप्पु** | ढाँकना |
| तुलु | **कॉप्प** | झोंपड़ी |
| इटालियन | **कपो** | खोपड़ी |
| | **कपॅल्लो** | बाल; ऊन |
| लैटिन | **कपुत्** | खोपड़ी |
| | **कपिल्लुस्** | सिर के बाल |
| ग्रीक | **कॅफले** | कपाल |
| प्राकृत | **कफाड** | गुफा |
| सं. | **कवच (<*कप)** | |
| त. | **कवि** | ढाँकना |
| | **कावणम्** | पंडाल; झोंपड़ी |
| लैटिन | **कवॅर्न** | गुफा |
| अंग्रेज़ी | **केव** | उप. |
| | **कवर्** | ढाँकना |

**कर्>कन्**

| | | |
|---|---|---|
| सं. | **कञ्चुक** | कवच; आवरण |
| | कन्दरा | गुफा |
| | **कम्बल** | |
| | **केनार** | कपाल; कनपटी |
| त. | **किण्णि** | म्यान |
| गद्‌ब | **कॅन्दी** | बाल |
| कुइ | **कुम्बु** | घर |
| कन्नड़ | **कॉम्पॅ** | झोंपड़ी; छोटा गाँव |
| तेलगू | **कम्मू** | ढाँकना |
| लैटिन | **कॉम** | बाल |
| ग्रीक | **कॉमे** | उप. |
| | **कोमे** गाँव जो दीवाल से घिरा न हो | |

**कर्>कस्**

| | | |
|---|---|---|
| लैटिन | कस् | झोंपड़ी |
| इटालियन | **कासा** | घर |
| | **कास्सा** | पेटी; कोश |
| रूसी | **कास्सा** | उप. |
| अंग्रेज़ी | **केस्** | पेटी |
| | **कैश्** | द्रव्य |
| सं. | **कोश** | |
| | **कोष्ठ** घर का भीतरी भाग; छिलका | |
| | **कक्ष (<*कश्क)** | कोठा; छिपने का स्थान |
| | **कुक्षि** | भीतरी भाग; म्यान |

**घर्>स्कर्**

| | | |
|---|---|---|
| ग्रीक | **स्कुल्लो** | खाल उतारना |
| अंग्रेज़ी | **स्कल्** | खोपड़ी |
| ग्रीक | **स्कुतॉस् (<*स्कुर्त)** | खाल |
| | **स्कॅपस्** | आवरण |
| लैटिन | **स्कीतुस्** | चतुर |

**स्कर् >स्कन्**

| | | |
|---|---|---|
| ग्रीक | **स्केने** | तम्बू |
| अंग्रेज़ी | **स्किन्** | खाल |

**स्कर्>स्कय्**

| | | |
|---|---|---|
| ग्रीक | **स्कॅउए** | वस्त्र |
| | **स्किअ** | छाया |
| | **स्किअजो** | ढाँकना; छाया करना |

**घर् >खर्**

| | | |
|---|---|---|
| सं. | **खर्पर** | कपाल; छाता; धूर्त |
| हिन्दी | **खप्पर** | |
| ग्रीक | **खॉरिऑन्** | खाल |
| | **ख्रोस्** | उप. |
| सं. | **खल** | धूर्त |
| प्राकृत | **खलियार** | ठगना |
| सं. | **खोल** | शिरस्त्राण |
| ग्रीक | **ख्लइन** | लबादा |
| प्राकृत: | **खल्ला (<*खर्त)** | खाल |
| हिन्दी | **खाल** | |
| ग्रीक | **खितोन्** | कवच; अँगरखा |

**घर्>झर्**

| | | |
|---|---|---|
| प्राकृत | **झुट्ठ (<*झुर्थ)** | झूठ |
| हिन्दी | **झूठ** | |

**झर्>झन्**

| | | |
|---|---|---|
| प्राकृत | **झुप्पडा** | झोंपड़ी |
| हिन्दी | **झोंपड़ी** | |

| झर्>जर् | | |
|---|---|---|
| प्राकृत | **जूख (<*झुर्ख)** | ठगना |
| **झर्>चर्** | | |
| सं. | **चोर** | |
| | चर्म | खाल |
| | **चीर** | वस्त्र |
| | **चलि** | आवरण |
| त. | **चीरइ** | वस्त्र |
| | **चॉलि** | छीलना |
| कन्नड़ | **चक्कल (<*चर्क)** | खाल |
| प्राकृत | **चोलअ** | कवच |
| सं. | **चतुर** | |
| त. | **चदि** | धोखा देना |
| | **चदुर्** | चतुराई |
| मलयालम | **चाप्प** | झोंपड़ी |
| तेलगू | **चॉप्प** | भूसा |
| त. | **चवळि** | कपड़ा |
| **चर्>चन्** | | |
| त. | **चंडु** | भूसा |
| **झर्>छर्** | | |
| सं. | **छत्र (<*छर्त)** | छाता |
| | **छल** | |
| | **छद्** | ढाँकना |
| | **छद्मन्** | छत; धोखा |
| | **छन्न** | छिपा हुआ |
| | **छादन** | खाल; आवरण |
| | **छल्लि छाल** | |
| हिन्दी | **छत** | |
| | **छाता** | |
| | **छप्पर** | |
| | **छाल** | |
| प्राकृत | **छोल्ल** | छीलना |
| हिन्दी | **छोलना, छीलना** | |
| | **छिलका** | |
| | **छिपना** | |
| **छर्>छय्** | | |
| सं. | **छाया** | |
| हिन्दी | **छाँह** | |

| घर्>सर् | | |
|---|---|---|
| सं. | **शिरस्** | सिर |
| | **शल्क** | छाल |
| | **दु-शाला** | |
| फ़ारसी | **शाल** | |
| हिन्दी | **सारी; साड़ी** | |
| | **साटक** | छिलका |
| सं. | **शाट** | वस्त्र |
| जर्मन | **शाटॅन्** | ढाँकना |
| अंग्रेज़ी | **शर्ट्** | |
| ब्राहूइ | **सिल्** | खाल, छिलका |
| कन्नड़ | **सुलि** | छीलना |
| रूसी | **शॅर्स्त्** | बाल; ऊन |
| **धर्** | | |
| सं. | **धटी** | लँगोटी; कपड़ा |
| **धर्>धन्** | | |
| हिन्दी | **ढाँकना, ढाँपना, ढोंग** | |
| **धर्>धव्** | | |
| हिन्दी | **धोती** | |
| **धर्>धस्** | | |
| हिन्दी | **धुस्सा** | दुशाला |
| | **धज, धजा, धज्जी** | |
| **धर्>दर्** | | |
| ग्रीक | **दॅर्म** | चर्म |
| जर्मन | **डॅकॅ** | छत |
| | **डॅकॅन्** | ढाँकना |
| **धर्>तर्** | | |
| सं. | **तिरय** | छिपाना |
| | **तिरस्** | गुप्त रूप से |
| त. | **तॉलि** | छिलका |
| | **तोल्** | खाल |
| सं. | **त्वक् (<*तॉर्क)** | उप. |
| त. | **तॉक्कु** | छाल |
| कन्नड़ | **तॉगल्** | छिलका |
| त. | **तगर** | भेड़ |
| तेलगू | **तक्किडि** | धोखा |
| ग्रीक | **तॅगॉस्** | छत |
| लैटिन | **तॅगो** | ढाँकना; छिपाना |
| | **तक्तुम्** | छत |

| | | |
|---|---|---|
| पु. आइरिश | **तग्** | घर |
| कन्नड़ | **ताटि** | खाल; छाल |
| तुलु | **तुत्तुनि** | पहनना; पोशाक |

**तर्>तन्**

| | | |
|---|---|---|
| प्राकृत | **तमणि** | छाल |
| | **तम्मि** | वस्त्र |
| पर्जि | **तुन्द्** | पहनना |

**तर्>तय्**

| | | |
|---|---|---|
| सं. | **तायु** | चोर |

**धर्>स्तर्**

| | | |
|---|---|---|
| सं. | **स्तरति** | ढाँकता है |
| ग्रीक | **स्तंगे** | छत |
| | **स्तॅगो** | ढाँकना |

**स्तर् >स्तय्**

| | | |
|---|---|---|
| सं. | **स्तायु** | चोर |
| | **स्तेय** | चोरी |
| | **स्तेन** | चोर |

**धर्>स्थर्**

| | | |
|---|---|---|
| सं. | **स्थग्** | ढाँकना |
| | **स्थग** | ठग |
| | **स्थगन** | गोपन |
| हिन्दी | **ठग** | |

**धर्>थर्**

| | | |
|---|---|---|
| ग्रीक | **थेके** | म्यान; कोश |

**तर्>नर्**

| | | |
|---|---|---|
| त. | **निरम्** | खाल |
| | **नॅर** | गुप्त बात |
| तुलु | **निरवु** | गुदा |
| तेलगू | **नक्कु** | छिपना |
| सं. | **नाक** | आकाश |
| कोलमि | **नडि** | छिपना |
| सं. | **नापित (<*नर्पित)** | नाई |
| त. | **नविर् (<*नपिर)** | बाल |
| | **नविरम्** | जूड़ा; सिर |

**भर्**

| | | |
|---|---|---|
| सं. | **भेड (<*भॅर्द)** | मेढ़ा |
| हिन्दी | **भेड़** | |

**भर्>भन्**

| | | |
|---|---|---|
| सं. | **भंडन** | कवच |
| | **भेंड** | मेढ़ा |

**भर्>भस्**

| | | |
|---|---|---|
| स. | **भूषा** | वस्त्र धारण |
| हिन्दी | **भुस, भूसा** | |

**भर्>बर्**

| | | |
|---|---|---|
| ब्राहूइ | **बेरिफिंग्** | पहनाना; छत डालना |
| अंग्रेज़ी | **बार्क्** | छाल |
| कन्नड़ | **बॉब्बड** | उप. |
| सं. | **बब्बुल, बब्बूल** | बबूल |

(वह वृक्ष जो छाल के लिए महत्त्वपूर्ण हो)

**बर्>बन्**

| | | |
|---|---|---|
| ब्राहूइ | **बेनिंग्** | पहनना |

**बर्>बय्**

| | | |
|---|---|---|
| कुडुख़ | **बईना** | छत डालना |
| तुलु | **बेपुनि** | उप. |

**बर्>बस्**

| | | |
|---|---|---|
| सं. | **बुस** | भूसा |
| कन्नड़ | **बॉच्चु** | ऊन, बाल, पंख |

**भर्>पर्**

| | | |
|---|---|---|
| त. | **परम्** | कवच |
| कन्नड़ | **परॅ केंचुल;** | प्याज का छिलका |
| फ़ारसी | **पर्दा** | |
| त. | **पिरट्टु** | धोखा |
| | **पोर** | ढाँकना; पहनना |
| तेलगू | **पॉर** | खाल; केंचुल |
| | **पोरुव** | वस्त्र |
| त. | **पॉरुक्कु** | छाल; खाल |
| | **पोर्वइ** | लबादा |
| सं. | **पल** | भूसा |
| लैटिन | **पलॅअ** | उप. |
| सं. | **पुल** | (बाल) |

(**पुलक :** रोमांच;
**पुलस्त्य :** बालों से ढँका हुआ)

| | | |
|---|---|---|
| सं. | **पोत (<*पॉर्त)** | वस्त्र |
| प्राकृत | **पोत्ती** | धोती |
| त. | **पोत्ति** | वल्कल; वस्त्र |

| | | |
|---|---|---|
| सं. | **पट (<*पर्त)** | वस्त्र |
| | **पटल** | छत; ढक्कन |
| | **पट्ट** | रेशमी कपड़ा |
| त. | **पट्टइ** | छाल |
| | **पडङ्गु** | तम्बू |
| सं. | **पुट** | वस्त्र; लँगोटी |
| त. | **पुडवइ** | वस्त्र; साड़ी |
| लैटिन | **पल्ल** | लबादा |
| | **पॅल्लिस्** | खाल |

**पर्>पन्**

| | | |
|---|---|---|
| प्राकृत | **पङ्गुर** | ढाँकना |
| | **पङ्गुरण** | वस्त्र |
| त. | **पन्दल्** | पंडाल |

**पर्>पस्**

| | | |
|---|---|---|
| सं. | **पुस्त** | ढँका हुआ |
| फ़ारसी | **पोस्त** | खाल; छाल; कपड़ा |
| | **पोश** | आवरण |
| | **पोशाक** | |
| | **पश्म** | बाल; ऊन |
| तोद | **पोष्म्** | पूँछ |
| प्राकृत | **पोत्थ** | वस्त्र |
| सं. | **पक्ष (<*पस्क)** | पंख |
| | **पक्ष्मल** | बड़े, घने बालों वाला |
| त. | **पच्चइ** | खाल |
| ब्राहूइ | **पच्ख़ू** | खाल |
| त. | **पॉच्चु** | बाल |
| सं. | **पुच्छ** | पूँछ |

**भर्>प्सर्>प्सय्**

| | | |
|---|---|---|
| ग्रीक | **प्सॅउदो** | धोखा देना |
| | **प्सॅउदेस्** | झूठ |

**पर्>मर्**

| | | |
|---|---|---|
| सं. | **मुद्रित (< *मुदित)/** | ढँका हुआ; बन्द |
| तुलु | **मगर (<*मर्ग)** | बाल |
| | **मॉगुरु** | उप. |
| त. | **मयिर् (<*मगिर)** | उप. |
| | **मयिल्** | मोर |
| सं. | **मयूर (<*मगूर)** | उप. |
| प्राकृत | **मोर (<*मॉगर)** | |
| हिन्दी | **मेढ़ा** | |

**मर्>मन्**

| | | |
|---|---|---|
| सं. | **मंड** | वस्त्र पहनाना |
| | **मंड, मंडन** | अलंकरण |
| | **मंडप** | तम्बू; पंडाल |
| प्राकृत | **मंडी** | ढकनी |
| हिन्दी | **मूँदना** | |

**मर्>मन्/मव्**

| | | |
|---|---|---|
| त. | **मेय** | ढाँकना; छप्पर डालना |
| | **मेवु** | उप. |
| ग्रीक | **मुओ** | मूँदा जाना |

**मर्>मस्**

| | | |
|---|---|---|
| कुड़ुख़ | **मॅस्गा** | छत; छप्पर |
| तोद | **मीष्** | मोर |
| इटालियन | **मॉस्ताच्चिओ** | मूँछ |
| अंग्रेज़ी | **मौस्** | काइ |
| हिन्दी | **मस** | (मसें भीगना, ओठ पर रोएँ सघन होना) |
| | **मूँछ** | |
| मलयालम | **मेच्चल्** | छप्पर डालने की क्रिया |
| रूसी | **मॉख़् (<*मॉस्)** | काई |
| | **मॉख़्नातुइ** | बालोंवाला |

**भर्>स्पर्>स्मर्**

| | | |
|---|---|---|
| सं. | **श्मश्रु** | मूँछें, दाढ़ी के बाल |
| लिथुआनियन | **स्मक्रस्** | दाढ़ी |

**(*श्मर्शु>श्मश्रु; *स्मर्कस् >स्मक्रस्)**

**पर् >वर्**

| | | |
|---|---|---|
| सं. | **वार** | आवरण; पूँछ |
| | **वर्ण** | आवरण |
| | **वरुण** | आकाश |
| त. | **वरि** | ढाँकना |
| सं. | **वल्क, वल्कल** | छाल |
| | **वल्** | ढाँकना |
| लैटिन | **वॅलो** | उप. |
| | **वॅल्लुस्** | ऊन |
| अंग्रेज़ी | **वुल्** | उप. |
| त. | **वल** | बुनना |
| | **वाल्** | पूँछ |
| सं. | **वाल, बाल** | उप. बाल |

| | | |
|---|---|---|
| **वर्>वन्** | | |
| सं. | **वाणि** | बुनाई |
| हिन्दी | **बाना** | उप.; पोशाक |
| अंग्रेज़ी | **विम्प्ल** | अवगुंठन |
| **वर्>वय्** | | |
| सं. | **व्ये, वी** | ढाँकना |
| | **वाय (तन्तुवाय)** | बुनकर |
| | **वेमन** | करघा |
| | **व्योम** | आकाश |
| त. | **वेय्** | ढाँकना |
| | **वेय्वु** | आवरण |
| अंग्रेज़ी | **वीव्** | बुनना |
| | **वॅब्** | बुनी हुई चीज़ |
| **वर्>वस्** | | |
| सं. | **वसन** | वस्त्र |
| | **वस्मन्** | उप. |
| | **वस्** | पहनना |
| | **वास** | वस्त्र |
| | **वेष** | |
| लैटिन | **वॅस्तिस्** | वस्त्र |
| **व्र/व्ल>र/ल** | | |
| अंग्रेज़ी | **रैप्** | ढाँकना, लपेटना |
| ग्रीक | **लेनॉस्** | ऊन |
| लैटिन | **लान** | उप. |
| **यर्>अर्** | | |
| सं. | **उरा** | भेड़ |
| | **उरण** | उप. |
| | **ऊर्ण** | ऊन |
| | **ऊर्णु** | ढाँकना, छिपाना |
| त. | **उरई** | म्यान |
| कड़ुख | **ऑरॉक्** | छाल |
| त. | **अरुवइ** | वस्त्र |
| कन्नड़ | **अर** | उप. |
| ग्रीक | **अरेप्सो** | ढाँकना; छत डालना |
| त. | **ऑळि** | छिपाना |
| | **ऑलियल्** | खाल |
| कन्नड़ | **अळुर्** | ढाँकना |
| सं. | **उट** | घासफूस; पतावर (झोंपड़ी बनाने के उपकरण) |
| | **उटज** | झोंपड़ी |

| | | |
|---|---|---|
| | **ओतु (<*ऑर्तु)** | बाना; आड़ा धागा |
| | **ओतवे** | बुनाई |
| त. | **उडइ** | वस्त्र |
| | **उडु** | बाना; आड़ा धागा |
| हिन्दी | **उट** | (लंगोट में **उट<बुट<पुट**) |
| **अर्>अम्** | | |
| सं. | **उमि** | भूसा |
| **अर्>अस्** | | |
| ग्रीक | **ऑउर्** | पूँछ |
| | **ऑउरनॉस्** | आक्रोश |
| 7. | **घर्** | पार करना |
| सं. | **घट्ट** | घाट; नाव |
| प्राकृत | **घट्ट** | चलना |
| हिन्दी | **घाट** | |
| **घर्>गर्** | | |
| सं. | **गर्त** | नहर |
| कुवि | **ग्राञ्चलि** | पार करना |
| | **ग्लानइ** | उप. |
| लैटिन | **ग्रदिओर्** | कदम उठाना |
| | **ग्रदुस्** | कदम |
| पु. स्लाव | **गॅद** | आता हूँ |
| सं. | **गाध (<*गर्ध)** | नदी पार करने का स्थान |
| अंग्रेज़ी | **गेट्** | चाल |
| | **गेट्** | चाल |
| नइकि | **गॅट्ट** | पैर |
| हिन्दी | **गोड़** | |
| अंग्रेज़ी | **गो** | जाना |
| **गर्>गन्** | | |
| सं. | **गम्** | जाना |
| | **गन्ध्** | उप. |
| फ़ारसी | **गाम्** | कदम |
| जर्मन | **गांगू** | गति |
| **गर्>गस्** | | |
| सं. | **गच्छति (<*गश्)** | जाता है |
| कश्मीरी | **गछ्** | जा |
| जर्मन | **गसॅ** | गली |
| | **गेहॅन्** | जाना |

| | | |
|---|---|---|
| फ़ारसी | **गुज़श्तन्** | पार करना |
| | **गुज़र** | नाव; पार जाने का मार्ग |

**घर्>कर्**

| | | |
|---|---|---|
| सं. | **क्रप्** | जाना |
| | **क्रम्** | उप.; पार करना |
| | **कर्ण** | पतवार |
| कन्नड़ | **कारि** | नदी पार करने का स्थान |
| ब्राहूई | **कार्** | जाना |
| लैटिन | **करीन** | नाव |
| सं. | **कला** | नाव |
| | **कलह** | मार्ग |
| त. | **कलम्** | जहाज़ |
| | **काल्** | पैर |
| | **कळ्म्** | उप. |
| कन्नड़ | **कळि** | जाना |
| पर्जि | **केल्** | पैर |
| लैटिन | **कॅलॉक्स्** | नाव |
| सं. | **कोल** | उप. |
| त. | **कोलम्** | उप. |
| हिन्दी (अवधी) | **कॉलिया** | गली |
| कश्मीरी | **कदल (<*कर्द)** | पुल |
| त. | **कड** | पार करना; जाना |
| | **कडत्तु** | नाव |
| | **कडवु** | मार्ग |
| कन्नड़ | **कड** | नाव; नदी पार करने का स्थान |
| कुई | **काडु** | पैर |
| कुवि | **कॉड्ड** | उप. |
| त. | **कप्पल्** | जहाज़ |

**कर्>कन्**

| | | |
|---|---|---|
| ब्राहूई | **कान्** | जाना |
| | **काम्बॉ** | उप. |
| कुड़ुख़ | **काना** | उप. |
| अंग्रेज़ी | **कम्** | आना |
| सं. | **कंडरा** | नस |
| | **कांड** | पतवार |
| बंगला | **कांडार** | उप. |
| | **कांडारी** | केवट |
| ग्रीक | **कंथरॉस्** | नाव |

**कर्>कस्**

| | | |
|---|---|---|
| ब्राहूई | **कास्** | जाना |

**घर्>स्कर्**

| | | |
|---|---|---|
| ग्रीक | **स्कॅलॉस्** | पैर |

**घर्>खर्**

| | | |
|---|---|---|
| ब्राहूई | **खरिंग्** | चलना |
| सं. | **खल्ल** | नहर |
| रूसी | **ख़ॉद् (<*ख़ॉर्द)** | गति |
| | **ख़ॉदीत्** | चलना |

**घर्>झर्>झस्**

| | | |
|---|---|---|
| प्राकृत | **झत्थ (<*झस्त)** | गत |

**झर्>झन्>छन्**

| | | |
|---|---|---|
| प्राकृत | **छेंडी** | गली |
| हिन्दी | **छिड़िया** | उप. |

**घर्>सर्**

| | | |
|---|---|---|
| सं. | **सरति** | पार करता है |
| | **सर, सरक, सरण** | गमन |
| | **सरणि** | पथ |
| | **सृति** | उप. |
| कन्नड़ | **सार्** | आना; जाना |
| कोलमि | **सॅर्** | जाना |
| नइकि | **शॅर्** | उप. |
| कन्नड़ | **सल्** | चालू होना |
| कोंड | **सॉल्** | जाना |
| लैटिन | **सोलेन्** | नाली |
| प्राकृत | **सक्क (<*सर्क)** | जाना |
| | **सत्त (<*सर्त)** | उप. |
| | **सप्प (<*सर्प)** | उप. |

**सर्>सन्**

| | | |
|---|---|---|
| सं. | **स्नायु** | |
| कन्नड़ | **सन्द्** | चालू होना |
| गद्ब | **सॅन्** | जाना |
| कोंड | **सॉन्** | उप. |

**सन् >चन्**

| | | |
|---|---|---|
| तेलगू | **चनु** | जाना |
| पर्जि | **चॅन्** | उप. |

**घर्>झर्>चर्; सर्>चर्**

| | | |
|---|---|---|
| सं. | **चर्** | चलना |
| | **चरण** | गमन; पैर |
| | **चल्** | चलना |
| | **चलन** | गमन |
| तेलगू | **चलुपु** | चलाना; नाव खेना |
| त. | **चॅल्** | जाना |
| | **चॅलवु** | मार्ग |
| हिन्दी | **चप्पू (<*चर्पु)** | डाँड़ |
| फ़ारसी | **जल्द** | शीघ्र |

**सर्>हर्**

| | | |
|---|---|---|
| प्राकृत | **हल्लिअ** | गतिशील |
| सिन्धी | **हलि** | चलना |
| हिन्दी | **हल-चल** | |
| | **हाल-चाल** | |
| (अवधी) | **हल्दी** | जल्दी |
| | **हाल हाल** | उप. |

**हर्>हन्**

| | | |
|---|---|---|
| गोंडी | **हन्दाना** | जाना |

**धर्**

| | | |
|---|---|---|
| सं. | **धरणी** | नस |

**धर्>धन्**

| | | |
|---|---|---|
| सं. | **धमनि** | नली |

**धर्>दर्**

| | | |
|---|---|---|
| तुलु | **दारि** | मार्ग |
| हिन्दी | **डग (<*दर्ग)** | |

**धर्>तर्**

| | | |
|---|---|---|
| सं. | **तरति** | पार करता है |
| | **तरी** | नाव |
| | **तीर्थ** | जल; जलमार्ग |
| प्राकृत | **तरंड** | नाव |
| त. | **तारि** | मार्ग |
| | **तॅरु** | उप. |
| | **तुरइ** | उप.; घाट; नदी |
| रूसी | **त्रोप** | मार्ग |
| पर्जि | **ताक् (<*तर्क)** | चलना |
| लिथुआनियन | **तकस्** | मार्ग |
| त. | **तडम्** | मार्ग |
| | **ताळ्** | पैर |
| प्राकृत | **तप्प (<*तर्प)** | नाव |

**तर्>तन्**

| | | |
|---|---|---|
| त. | **तंडल्** | छोटे जहाज़ का नायक (***तंड** पतवार, यथा सं. **कांड** उप.) |
| हिन्दी | **टाँग** | |

**धर्>स्तर्**

| | | |
|---|---|---|
| सं. | **स्ताघ** | नदी पार करने का स्थान |
| | **स्तिघ्** | पैर उठाना; चलना |
| जर्मन | **श्टॅग्** | मार्ग |
| अंग्रेज़ी | **स्टॅप्** | चलना; कदम |

**धर्>स्थर्**

| | | |
|---|---|---|
| सं. | **स्थाघ** | नदी पार करने का स्थान |
| प्राकृत | **थग्ध** | थाह |
| हिन्दी | **थाह** | |

**तर्>नर्**

| | | |
|---|---|---|
| सं. | **नर्द्** | चलना |
| कन्नड़ | **नर** | नस |
| | **नरवु** | उप. |
| कोत | **नर्ब्** | उप. |
| त. | **नरम्बु** | उप. |
| लैटिन | **नॅर्वुस्** | उप. |
| अंग्रेजी | **नर्व** | उप. |
| सं. | **नाडी** | नली; नस |
| | **नाल** | उप. |
| कन्नड़ | **नल्लु** | नाला |
| हिन्दी | **नाला, नाली** | |
| (अवधी) | **नारु, नरिया** | |
| त. | **नड** | चलना |
| | **नडवई** | मार्ग |

**नर्>नव्/ना**

| | | |
|---|---|---|
| सं. | **नाव, नौ, नौका** | |
| कोंड | **ना** | पार करना |
| ग्रीक | **नाउस्** | जहाज़ |
| लैटिन | **नाविस्** | उप. |
| | **नावित** | नाविक |
| अंग्रेज़ी | **नेवी** | बेड़ा |
| ग्रीक | **नॅउरॉन्** | नस |

**नर्>नस्**

| | | |
|---|---|---|
| हिन्दी | **नस** | |

**भर्**

| | | |
|---|---|---|
| सं. | **भेल** | नाव |
| बंगला | **भेला** | उप. |

**भर्>भस्**

| | | |
|---|---|---|
| सं. | **भसद्** | उप. |

**भर्>बर्**

| | | |
|---|---|---|
| कन्नड़ | **बर्, बार** | आना |
| रूसी | **ब्रोद्** | नदी पार करने का स्थान |
| ग्रीक | **बदिज़ो (<*बर्द्)** | चलना |
| | **बतॉस्** | जिसे पार किया जा सके |
| फ्रांसीसी | **बातो** | नाव |
| अंग्रेज़ी | **बोट्** | उप. |
| हिन्दी | **बेड़ा** | |
| | **बाट** | |
| प्राकृत | **बेगड** | जहाज़ |

**बर्>बन्**

| | | |
|---|---|---|
| ब्राहूइ | **बन्निंग्** | आना |
| जर्मन | बान् | मार्ग |

**बर्>बय्**

| | | |
|---|---|---|
| ग्रीक | **बइनो** | चलना |

**बर्>बस्**

| | | |
|---|---|---|
| ब्राहूइ | **बस् (भूतकालिक)** | आना |

**भर्>पर्**

| | | |
|---|---|---|
| सं. | **पार** | पार उतरने की क्रिया |
| त. | **पारु** | पार उतरना |
| | **पारु** | जहाज़ |
| तुलु | **परि** | मार्ग |
| लैटिन | **परो** | लघु पोत |
| रूसी | **परोम्** | नाव |
| ग्रीक | **पॅरओ** | पार करना |
| | **पॉरॉस्** | जलमार्ग |
| | **पॉर्थमॉस्** | उप.; नाव |
| वेल्श | **पॉर्थ्** | नाव |
| सं. | **पालि** | पुल |
| त. | **पालम्** | उप. |
| तोद | **पॉल्म** | उप. |
| हिन्दी | **पुल** | |
| | **पग (<*पर्ग)** | |
| त. | **पुगु** | जाना |
| | **पुगुदि** | मार्ग |
| सं. | **पद (<*पर्द्)** | चलना |
| | **पद** | कदम; पैर |
| ग्रीक | **पॉद्** | पैर |
| कन्नड़ | **पादि** | मार्ग |
| त. | **पडि** | कदम |
| | **पडगु** | नाव |
| ग्रीक | **हॉदॉस् (< *पॉदॉस्)** | मार्ग; |
| लैटिन | **पॅदॅस्** | पैदल |
| सं. | **पथ** | |
| अंग्रेज़ी | **पाथ्** | मार्ग |
| रूसी | **पुत्** | उप. |
| ग्रीक | **पतँओ** | चलना |
| | **पतॉस्** | मार्ग |
| पु. स्लाव | **पति** | उप. |
| सं. | **पोत** | नाव; जहाज़ |
| हिन्दी | **पतवार** | |

**पर्>फर्**

| | | |
|---|---|---|
| पु. जर्मन | **फ़रन्** | यात्रा करना |
| अंग्रेज़ी | **फ़ॅअर** | उप. |
| | **फ़ोर्ड्** | नदी पार करने का स्थान |
| जर्मन | **फ़ुर्ट** | उप. |
| अंग्रेज़ी | **फ़ेरी** | नाव |

**पर्>पन्**

| | | |
|---|---|---|
| सं. | **पङ्किल** | नाव |
| | **पंथ** | |
| प्राकृत | **पुंडे** | जाओ |
| तेलगू | **पुन्त** | पशुमार्ग |
| लैटिन | **पॉन्स्** | पुल |
| | **पॉन्तॉ** | उप. |
| अंग्रेज़ी | **पंट्** | नाव |
| हिन्दी | **पाँव** | |
| कन्नड़ | **अङ्ग (<*हङ्ग<*पङ्ग)** | मार्ग |

**पर्>पव्/पय्**

| | | |
|---|---|---|
| सं. | **पवते** | चलता है |
| कोलमि | **पाव्** | मार्ग |
| हिन्दी | **पैर, पैदल** | |

**पर्/पव्>पो**

| | | |
|---|---|---|
| त. | **पो** | जाना |
| | **पोक्कु** | मार्ग |

| | | |
|---|---|---|
| ग्रीक | **पॉउस्** | पैर |

**पर्>पस्**

| | | |
|---|---|---|
| लैटिन | **पस्सुस्** | कदम |
| अंग्रेज़ी | **पास्** | गुज़रना |
| | **पैसॅज्** | यात्रा; सन्तरण मार्ग |

**पर्/पद् >पस्**

| | | |
|---|---|---|
| फ़ारसी | **पेशवा** | आगे चलनेवाला |
| रूसी | **पॅश्कॉम्** | पैदल |
| ग्रीक | **पॅज़** | पैर |
| | **पॅज़ॉस्** | पैदल यात्रा |
| लैटिन | **पेस्** | पैर |

**भर्>फर्>फस्**

| | | |
|---|---|---|
| लैटिन | **फ़िस्तुल** | नली |

**पर्>मर्**

| | | |
|---|---|---|
| सं. | **मार्ग** | |
| वेल्श | **मॉरिओ** | जल यात्रा करना |
| | **मॉरुर्** | मल्लाह |
| अंग्रेज़ी | **मार्च** | चलना |
| त. | **मदगु (<*मर्द)** | नाली |
| तेलगू | **मॅदलु** | सरकना |
| लैटिन | **मोतुस्** | |
| | **(<*मॉर्तुस्)** | गतिशीलता |
| अंग्रेज़ी | **मोटर्** | गति-प्रेरक |
| हिन्दी | **मग (<*मर्ग)** | |

**मर्>मन्**

| | | |
|---|---|---|
| त. | **मञ्जि** | बड़ी नाव |

**मर् >मव्**

| | | |
|---|---|---|
| लैटिन | **मॉवॅओ** | गतिशील होना |
| अंग्रेज़ी | **मूव** | उप. |

**पर्>वर्**

| | | |
|---|---|---|
| सं. | **वर्त्मन्** | मार्ग |
| त. | **वरु** | आना |
| | **वारि** | मार्ग |
| कश्मीरी | **वत् (<*वर्त्)** | उप. |
| कोत् | **वद्** | आना |
| लैटिन | **वदो** | पैदल नदी पार करना |
| | वादो | चलना |
| अंग्रेज़ी | **वेड** | पानी में चलकर पार जाना |
| जर्मन | **वेग्** | मार्ग |
| अंग्रेज़ी | **वे (<वेग्)** | उप. |
| कश्मीरी | **वल्** | आना |
| हिन्दी (मैथिली) | **बुल्** | चलना |
| अंग्रेज़ी | **वाक् (<*वल्क्)** | उप. |

**वर्>वन्**

| | | |
|---|---|---|
| त. | **वन्द्** | आना |
| मलयालम | **वञ्जि** | बड़ी नाव |
| पंजाबी | **वञ्ज** | आना |
| लैटिन | **वॅनिओ** | आना |
| अंग्रेज़ी | **वॅन्ड्** | जाना |

**वर्>वय्**

| | | |
|---|---|---|
| गोंडी | **वइआना** | आना |
| | **वायाना** | उप. |
| सं. | **वी** | जाना |
| | **वीथि** | मार्ग |
| त. | **वीदि** | उप. |
| लैटिन | **विअ, वॅअ** | उप. |

**वर्>वस्**

| | | |
|---|---|---|
| सं. | **विष** | पोत |

**वर्>व्र>र**

| | | |
|---|---|---|
| लैटिन | **रेमुस्** | डाँड़ |
| अंग्रेज़ी | **रो** | नाव खेना |

**वर्>अर्**

| | | |
|---|---|---|
| सं. | **अरित्र** | नौका चालन |
| ग्रीक | **अॅरॅस्सो** | नाव खेना |
| | **अॅरॅतॅस्** | नाविक |
| त. | **इग (<*इर्ग)** | पार करना |
| | **उरु** | लघु पोत |
| प्राकृत | **अडनी** | मार्ग |

**अर्>अन्**

| | | |
|---|---|---|
| त. | **अम्बि** | नाव |
| मराठी | **अम्बी** | नाविक |

| | | |
|---|---|---|
| 8. | **घर्** | भागना |
| सं. | **घोट, घोटक** | |
| | **(<*घॉर्त)** | घोड़ा |
| नइकि | **घुर्रम्** | उप. |
| | **घाळि** | हवा |

**घर्>गर्**

| | | |
|---|---|---|
| कश्मीरी | **गुरु** | घोड़ा |
| तेलगू | **गुर्रमु** | उप. |
| कन्नड़ | **गाळि** | हवा |

**घर्>कर्**

| | | |
|---|---|---|
| सं. | **कुरंग** | मृग |
| लैटिन | **कुर्रो** | दौड़ना |
| | **कुर्सिम्** | जल्दी |
| पु. | | |
| फ्रांसीसी | **कोर्सिअर्** | घोड़ा |
| अंग्रेज़ी | **कोर्सए्** | उप |
| त. | **काल्** | हवा |
| | **कदळ्** | तेज़ भागना |
| | **कडुक्कम्** | वेग |
| | **कुदिरइ** | घोड़ा |
| अंग्रेज़ी | **हौर्स (*कौर्त)** | उप. |

**घर्>झर्>झन्**

| | | |
|---|---|---|
| प्राकृत | **झन्दिय** | भागा हुआ |

**घर्>क्षर्**

| | | |
|---|---|---|
| सं. | **क्षिप्र (<*क्षिर्प)** | शीघ्र |
| प्राकृत | **छिप्प (<क्षिप्र)** | उप. |
| पंजाबी | **छेत्ती (<*क्षॅर्त)** | उप. |

**घर्>सर्**

| | | |
|---|---|---|
| सं. | **शीघ्र (<*शिर्घ)** | |

**घर्>स्कर्**

| | | |
|---|---|---|
| रूसी | **स्कोरो** | शीघ्र |

**धर्>धव्**

| | | |
|---|---|---|
| सं. | **धाव्** | दौड़ना |

**धर्>दर्**

| | | |
|---|---|---|
| सं. | **द्रु** | दौड़ना |
| | **द्रुत** | शीघ्र |
| | **द्रव** | द्रुत गमन |
| हिन्दी | **दौड़ना** (अवधी दौरबु) | |

**धव्>दव्>रव्**

| | | |
|---|---|---|
| फ़ारसी | **रवानी** | प्रवाह; तेज़ी |
| | **रविश्** | गति |

**धर्>तर्**

| | | |
|---|---|---|
| सं. | **त्वर् (<*तॉर्)** | जल्दी करना |
| | **तुर** | द्रुत |
| | **तरस्** | वेग |
| | **तुरग, तुरंग** | |
| कुडुख़ | **ताका (<*तर्क)** | हवा |
| मल्तो | **तर्क** | उप. |
| ब्राहूइ | **तहो (<*तको)** | उप. |
| कन्नड़ | **तूळ्** | भगाना |
| नइकि | **तूल्** | भागना; बहना |

**धव्>थव्**

| | | |
|---|---|---|
| ग्रीक | **थॅओ** | भागना |

**भर्**

| | | |
|---|---|---|
| सं. | **भुरण** | द्रुत |
| | **भुर्वन्** | जल की चंचलता |
| | **भूर्णि** | चंचल |
| | **भृश** | शीघ्र |
| हिन्दी | **भागना (<*भॅर्ग)** | दौड़ |

**भर्>बर्**

| | | |
|---|---|---|
| रूसी | **बॅग (<*बॅर्ग)** | दौड़ |
| | **बॅगात्, बॅझ़ात्** | चिड़िया |
| अंग्रेज़ी | **बर्ड्** | चिड़िया |

**वर्>वन्**

| | | |
|---|---|---|
| कुडुख़ | **बॉङ्गना** | उप. |
| मल्तो | **बॉङ्ग** | उप. |

**भर्>पर्**

| | | |
|---|---|---|
| त. | **पर** | उड़ना |
| | **पारु** | बाज़; चील |
| मलयालम | **पारु** | उड़ान |
| कन्नड़ | **परि** | उप. |
| तेलगू | **पारु** | उड़ना; बहना |
| फ़ारसी | **परवाज़्** | उड़ान |
| | **परीदन्** | उड़ना |
| | **परिन्दा** | पक्षी |
| | **परी** | पर वाली स्त्री |
| | **पर** | पंख |
| सं. | **पत् (<*पर्त्)** | उड़ना |
| | **पत्र (< *पर्त्)** | पत्ता; पक्षी |
| | **पर्ण** | पत्ता; पंख |
| | **पतंग** | उड़नेवाला जीव; घोड़ा |
| कुइ | **पाग** | धावा करना |

| | | |
|---|---|---|
| **पर्>फर्** | | |
| जर्मन | **फ़ाल्कॅ** | बाज |
| | **फ़्लीगॅन्** | उड़ना |
| | **फ़्लीहॅन्** | भागना |
| | **फ़्लूग्** | उड़ान |
| | **फ़्रॉगॅल् (< *फॉर्ग)** | पक्षी |
| अंग्रेज़ी | **फ़्लाइ** | उड़ना |
| | **फ़्ली** | भागना |
| **पर्>पन्** | | |
| कुइ | **पाञ्ज** | उड़ना |
| **पर्>पय्** | | |
| त. | **पाय्** | दौड़ना; उड़ना |
| **पर्>पस्** | | |
| कुइ | **पास्क** | उड़ना |
| **पर्>मर्** | | |
| सं. | **मरुत** | वायु |
| | **मृग** | |
| वेल्श | **मर्क्** | घोड़ा |
| कोलमि | **माग्** | मृग |
| तेलगू | **मावु (<*मागु)** | घोड़ा |
| **मर्>मस्** | | |
| सं. | **मशक** | मच्छर |
| | **मक्ष, मक्षा, मक्षिका (<*मस्क)** | मक्खी |
| | **मक्षु** | शीघ्र |
| हिन्दी | **मसा** | मच्छर |
| | **मच्छर (<*मक्ष<*मस्क)** | |
| लैटिन | **मुस्क** | मक्खी |
| ग्रीक | **मुइअ, मइस्क** | उप. |
| स्पैनिश | **मॉस्क** | उप. |
| अंग्रेज़ी | **मस्कीटो** | मच्छर |
| जर्मन | **म्युक्कॅ** | मक्खी |
| **भर्>फर्** | | |
| ग्रीक | **फॅउगो** | भागना |
| | **फुगे** | भगदड़ |
| लैटिन | **फुगिओ** | भागना |
| ग्रीक | **फॅबॉमइ** | उप. |
| **पर्>वर्** | | |
| सं. | **वल्** | जल्दी करना |
| त. | **वळि** | वायु |
| लैटिन | **वॉलु** | उड़ना |
| सं. | **वायु** | |
| | **वात** | |
| | **वेग** | |
| | **वज्, वाज्** | दौड़ना |
| | **वाजिन्** | घोड़ा |
| तेलगू | **वीगु** | भागना |
| **वर्>वन्** | | |
| त. | **विंडु** | वायु |
| लैटिन | **वॅन्तूस्** | उप. |
| अंग्रेज़ी | **विंड्** | उप. |
| **वर्>अर्** | | |
| सं. | **अर** | द्रुत |
| | **अरावन्** | घोड़ा |
| | **अर्वत्** | दौड़ता हुआ; घोड़ा |
| | **अर्वन्** | उप.; द्रुतगामी |
| | **अत् (<*अर्त)** | दौड़ना |
| | **अतस** | वायु; आत्मा |
| | **आत्मन्** | श्वास; आत्मा |
| ग्रीक | **अत्मॉस्** | धुआँ; भाप |
| अंग्रेज़ी | **ऐट्मौस्फिअर** | वायुमंडल |
| त. | **ओडु (<*ऑर्दु)** | भागना |
| कन्नड़ | **उरबु** | द्रुतगति |
| **कर्>अन्** | | |
| सं. | **अनिल** | वायु |
| **अर्>अस्** | | |
| सं. | **आशु** | शीघ्र |
| | **अश्व** | घोड़ा |
| लैटिन | **अकूपॅदिउस्** | द्रुतगामी |
| ग्रीक | **ओकुस्** | द्रुत |
| लैटिन | **अॅक्वुउस्** | अश्व |
| 9. | **घर्** | जलना; चमकना |
| सं. | **घर्म** | ऊष्मा; दिन |
| | **ग्रंस** | घाम |
| | **घट्** | चमकना |
| | **घृ** | उप. |
| | **घृत** | प्रकाशित |
| | **घृण** | ऊष्मा |
| | **घोर** | दिव्य; भयानक |

**घर्>घन्**

| | | |
|---|---|---|
| सं. | **घंट्** | चकमना |

**घर्>गर्**

| | | |
|---|---|---|
| फ़ारसी | **गर्म**, गर्मी | |
| सं. | **ग्रीष्म** | |
| कुइ | **ग्रीप** | शवदाह |
| रूसी | **ग्रेत्** | गरमाना |
| सं. | **गौर** | प्रकाशमान |
| कोलमि | **गॉरिअ** | हिरन |
| रूसी | **गॉरेत्** | चमकना; जलना |
| सं. | **ग्लौ** | चन्द्रमा |
| अंग्रेज़ी | **ग्लो** | दमकना |
| जर्मन | **ग्लुट्** | लपट |
| पु. जर्मन | **गुल्थ्** | सोना |
| अंग्रेज़ी | **गोल्ड्** | उप. |
| | **ग्लीम्** | चमकना |
| | **ग्लिटर्** | उप. |
| जर्मन | **गॅल्प्** | पीला |
| लैटिन | **गिल्वुस्** | उप. |

**गर्>गन्**

| | | |
|---|---|---|
| ग्रीक | **गनओ** | चमकना |
| जर्मन | **गंस्** | हंस |

**घर्>कर्**

| | | |
|---|---|---|
| सं. | **कर** | किरण |
| | **कर्क** | श्वेत |
| | **कर्पास** | कपास |
| | **कर्पूर** | कपूर |
| | **किरण** | |
| | **कुरण्ट** | पीताभ पुष्प |
| | **कुरबक** | रक्ताभ पुष्प |
| | **किरात** | (पीत वर्ण के) पहाड़ी जन |
| त. | **करुक्कु** | जलाना |
| गोंडी | **कर्वाना** | जलना |
| त. | **कुराल** | भूरा |
| मलयालम | **किराल्** | उप. |
| सं. | **कुलूस** | (पीत वर्ण के) पहाड़ी जन |
| हिन्दी | **कुल्लू** | (पहाड़ी जनों का) विशेष स्थान |
| त. | **कॉळ् ळि** | आग |
| तेलगू | **कालु** | जलना |
| लैटिन | **कलॅओ** | गरमाना |
| | **कलॉर्** | गर्मी |
| हिन्दी | **कौड़ा** | अलाव |
| सं. | **कद्रु (<*कर्दु)** | पीला |
| त. | **कदिर्** | चमकना |
| कन्नड़ | **कवरु** | प्रकाश |
| सं. | **केतु (<*कॅर्तु)** | प्रकाश |
| कोत | **केत्** | लाल |
| तेलगू | **कित्तु** | अग्नि |
| त. | **किच्चु (<कित्तु)** | उप. |
| कुड़ुख़ | **कुड़ना** | गरम होना |
| मल्तो | **कुड़ॅ** | जलाना |
| सं. | **कपि** | वानर |
| कुइ | **कप्प** | जलाना |
| कोत | **कॅप्** | लाल |
| ग्रीक | **कुप्रॉस् (<*कुर्पास्)** | तांबे की खानों के लिए प्रसिद्ध द्वीप |
| अंग्रेज़ी | **कौपर्** | तांबा |
| पर्जि | **कॉव्व** | कपि |
| कन्नड़ | **कॅक्करिसु** | लाल होना |
| फ़ारसी | **काग** | अग्नि |

**कर्>कन्**

| | | |
|---|---|---|
| सं. | **कनक** | स्वर्ण |
| | **कन्दल** | उप. |
| | **कनल** | प्रकाशमान |
| | **कान्ति** | |
| | **काञ्चन** | |
| | **कुन्द** | श्वेत पुष्प |
| | **कम्बोज** | (पीत वर्ण के) पहाड़ी जन |
| | **कांस्** | चमकना |
| | **कांस्य** | काँसा |
| त. | **कनल्** | अग्नि, जलना |
| कन्नड़ | **कनि** | दमक |
| कोत | **कॅन्** | लाल |
| कन्नड़ | **कॅङ्क** | लालिमा |
| तुलु | **कञ्च** | लाल |
| त. | **काणम्** | स्वर्ण |
| नइकि | **काङ्ग** | गरम होना |

| | | |
|---|---|---|
| कश्मीरी | **काँगड़ी** | अग्निपात्र |
| हिन्दी | **काँगड़ा** | वह प्रदेश जहाँ ज्वालामुखी पर्वत था |
| कुइ | **कम्ब** | जल जाना |
| तेलगू | **कॅम्पु** | लाल |
| लैटिन | **कानॅओ** | श्वेत होना |
| | **कन्दॅओ** | चमकना |
| | **कन्दॉर्** | प्रकाश |
| | **कन्देल** | बत्ती |
| अंग्रेज़ी | **कैंडल्** | मोमबत्ती |
| ग्रीक | **कमीनॉस्** | भट्ठी |

**कर्>कय्/कव्**

| | | |
|---|---|---|
| तमिल | **काय्** | जलना |
| ग्रीक | **कइओ** | उप. |
| (अत्तिक) | **कओ** | उप. |
| कुवि | **कइयि** | गरम |
| सं. | **कोक (कोकनद में)** | लाल |
| वेल्श | **कोख़्** | उप. |
| तोद | **को** | उप. |

**कर्>कस्**

| | | |
|---|---|---|
| सं. | **कस्** | चमकना |
| | **काश्** | उप. |
| | **कश्मीर, काश्मीर** | (गौर वर्ण के जनों का) प्रदेश विशेष |
| प्राकृत | **कम्भार (कश्>कम्)** | कश्मीर |
| मलयालम | **काशु** | स्वर्ण |
| त. | **काजु** | उप. |
| गोंडी | **किस्** | अग्नि |
| कन्नड़ | **किसु** | लालिमा |
| मल्तो | **कॅसॉ** | लाल |

**घर्>खर्**

| | | |
|---|---|---|
| सं. | **खरु** | श्वेत |
| | **प्र-खर** | अति उष्ण |
| हिन्दी | **खर** | गरम |
| ब्राहूइ | **ख़ाख़र्** | अग्नि |
| ग्रीक | **खॅर्सॉस्** | सूखी धरती |
| | **ख्रुसॉस्** | स्वर्ण |

**खर्>खन्**

| | | |
|---|---|---|
| कुड़ुख़ | **खेंसॉ** | लाल |
| ग्रीक | **खेन्** | बतख |
| (दोरिक) | **खन्** | उप. |

**खर्>खस्**

| | | |
|---|---|---|
| ब्राहूइ | **ख़ीसुन्** | लाल; स्वर्ण |

**घर्>झर्**

| | | |
|---|---|---|
| हिन्दी | **झार** | गर्मी; तेज़ी |
| | **झलकना** | चमकना |
| पालि | **झान** | अग्नि |
| | **झापन** | दहन |
| | **झाम** | उप. |
| | **झायति** | जलता है |
| प्राकृत | **झाम** | दग्ध |
| | **झाय** | उप. |

**झर्>झ़र्**

| | | |
|---|---|---|
| रूसी | **झ़र** | गर्मी |
| | **झ़रीत्** | भूनना |

**झर्>ज़र्**

| | | |
|---|---|---|
| अवेस्ता | **ज़रि** | पीला |
| फ़ारसी | **ज़र** | स्वर्ण |
| | **ज़र्द** | पीला |
| रूसी | **ज़र्देत्स्य** | लाल होना |
| | **ज़र्या** | प्रभात |
| | **ज़रेवो** | दमक |
| ग्रीक (थ्राके की बोली में) | **ज़ेलिअ** | पीला |

**ज़र्>जन्**

| | | |
|---|---|---|
| रूसी | **ज़्नोइ** | तेज़ गर्मी |

**झर्>चर्**

| | | |
|---|---|---|
| सं. | **चित्र (>*चिर्त)** | प्रकाशमान |
| पर्जि | **चिरिच्** | दिन |
| | **चॅंडि** | प्रकाश |
| तेलगू | **चिच्चु** | आग; लपट |

**झर्>झन्>चन्**

| | | |
|---|---|---|
| सं. | **चन्द्र** | प्रकाशमान |
| | **चण्ड** | उष्म |
| | **चम्पक** | पीताभ पुष्प |

हिन्दी **चमकना**
तुलु **चन्न** लाल
काडगु **चोन्दॅ** उप.
त. **चॅम्** उप.

**घन्>श्चन्**
सं. **श्चन्द्र** प्रकाशमान

**घर्>सर्**
सं. **सुर्** चमकना
**सुर** देवता
**सूर** सूर्य
**सूर्य**
**स्वर्** प्रकाश; सूर्य; आकाश
**श्री** प्रकाश
गद्ब **सिरिस्** दिन
नइकि **शिल्** उप.
रूसी **स्वॅर्कात्** चमकना
लैटिन **सीरिउस्** गर्मियों में दिखनेवाला नक्षत्र
सं. **शुक्र (<*शुर्क)** प्रकाशमान
फ़ारसी **सुर्ख़** लाल
सं. **शुक्ल (<*शुल्क)** श्वेत; प्रकाशमान
लैटिन **सोल्** सूर्य; दिन; धूप
सं. **शुच् (<*शुर्च्)** चमकना,
**शुचि** प्रकाशमान, श्वेत, पवित्र
पालि **सुक्क** नखत
गोंडी **सुक्कुम्** उप.
त. **चुक्कइ** उप.
सं. **सित (<*सॅर्त)** श्वेत; कान्तिमान
**शुब्ध** उप.
कन्नड़ **सुड्ड** जलाना
**सूटॅ** मशाल
प्राकृत **चुड्डुली** उप.
**चुड्ड** जलना
कोलमि **सिड्** दिन
पंजाबी **सड़ना** जलना
सं. **शुभ्र (<*शुर्भ)** कान्तिमान
**शुभ** उप.
**श्वित्** चमकना

**श्वेत** प्रकाशमान
लिथुआनियन **श्विअॅस्** प्रकाश
रूसी **स्वेत्** उप.
**स्वेतीत्** चमकना
पु. अंग्रेज़ी **ह्विट् (<*स्विट्)** श्वेत
अंग्रेज़ी **ह्वाइट्** उप.
फ़ारसी **सफ़ेद (<*स्पेद(<*स्वेत)**

**सर्>सन्**
सं. **शुन्ध्** शुद्ध होण
**शुंठ्** सूखना
**शुंठि** सोंठ
कन्नड़ **सुंण्टगॅ** जलाने की क्रिया
सं. **शोण** लाल
मलयालम **चोन** लालिमा
अंग्रेज़ी **सन्** सूर्य
**समर्** ग्रीष्म

**सर्>सस्**
सं. **शुष्** सूखना
**शुष्क** सूखा
फ़ारसी **ख़ुश्क** उप.
लैटिन **सिक्कुस्** उप.
**सिक्को** सुखाना
रूसी **सुशीत्** उप.
**सुश्क** सूखता हुआ
हिन्दी **सूखना**
रूसी **सुख़ोई** सूखा
बुल्गारियन **सुख़्** उप.

**घर्>हर्**
सं. **हर** अग्नि; कपि
**हरि, हरित** पीताभ
**हरिण** हिरण; सूर्य
**हरिद्रा** हल्दी
**हिरण्य** स्वर्ण
**होला, होलिका** होली
हिन्दी **हल्दी**
**होरी, होली**
कुवि **हूतिनई** जलाना
**हूदलि** उप.

**हर्>हन्**

| | | |
|---|---|---|
| सं. | **हंस** | |
| | **हेम** | स्वर्ण |
| ग्रीक | **हेमॅर्** | दिन |

**हर्>हस्**

| | | |
|---|---|---|
| ब्राहूइ | **हूशिंग्** | आग जलाना |

**झर्/सर्>चर्**

| | | |
|---|---|---|
| त. | **चेत्तु** | लाल |
| | **चेप्पु** | ललाई |
| मलयालम | **चोप्पु** | लाल |
| त. | **चॅव्व्** | उप. |
| | **चॅम्मई** | ललाई |
| | **चुडर्** | सूर्य; अग्नि; दीप |

**घर्/सर्>हर्**

| | | |
|---|---|---|
| ग्रीक | **हेलिऑस्** | सूर्य |
| | (दोरिक) **हलिऑस्** | उप. |

**हर्>अर्**

| | | |
|---|---|---|
| सं. | **अरु** | सूर्य |
| | **अरुण** | रक्ताभ; प्रभात |
| | **अर्क** | किरण; सूर्य |
| | **अर्च्** | चमकना |
| | **अर्चिस्** | किरण; प्रकाश |
| तुलु | **अर्लुनि** | जलना |
| | **अरतॆ** | गर्मी |
| त. | **ऑरि** | चमकना |
| | **इरलइ** | हिरन |
| त. | **उरु** | जलना |
| सं. | **उल्** | उप. |
| | **उल्का** | मशाल; आकाश से गिरनेवाली आग |
| कन्नड़ | **उळकु** | चमकना |
| त. | **ऑळि** | प्रकाश; सूर्य |
| | **ॲल्** | सूर्य; प्रकाश |
| | **ऑल्लि** | सूर्य; दिन |
| तेलगू | **ॲलमु** | चमकना |
| सं. | **अल** | पीत खनिज |
| | **अलात** | अंगार |
| हिन्दी | **अलाव** | जलना; चमकना |
| सं. | **उडु** | नखत |
| कोलमि | **उट्** | दिन |
| तेलगू | **उडुकु** | गर्मी |
| | **अलरारु** | चमकना |
| सं. | **इद्ध** (**<*इर्ध/इन्ध**) | प्रकाशमान; प्रज्वलित |
| गोंडी | **अद्दी** | गर्मी |
| लैटिन | **अर्दॅओ** | जलना |
| | **अर्दॅन्स** | प्रज्वलित |
| | **अर्दॉर्** | ऊष्मा |
| ग्रीक | **ॲलफॉस्** | हिरन |
| आर्मीनियन | **ॲले** | उप. |
| लिथुआनियन | **ॲलुनिस्** | उप. |
| पु. स्लाव | **यॅलन्** | उप. |
| अंग्रेज़ी | **यलो** | पीला |
| ग्रीक | **इदॉस्** | तेज़ गर्मी |
| लैटिन | **ईदुस्** | प्रकाशमान |

**अर्>अन्**

| | | |
|---|---|---|
| सं. | **अनल** | अग्नि |
| त. | **अनल्** | उप. |
| | **अनलि** | उप.; सूर्य |
| सं. | **इन्ध्** | जलाना |
| | **इन्दु** | चन्द्रमा |
| तेलगू | **ऑण्ड** | सूर्य |
| त. | **ॲन्रु** | उप. |
| | **अम्बुलि** | चन्द्रमा |
| लैटिन | **अंसॅर्** | हंस जैसा पक्षी |

**अर्>अय्**

| | | |
|---|---|---|
| सं. | **अयस्** | लोहा |
| त. | **अयिल्** | उप. |
| अंग्रेज़ी | **आयरन्** | उप. |
| लैटिन | **अॲस्** | तांबा |
| ग्रीक | **ॲइले** | धूप |

**धर्**

| | | |
|---|---|---|
| सं. | **धरण** | सूर्य |
| | **धृष्णि** | किरण |
| | **धुर्** | चिनगी |
| प्राकृत | **धिप्पइ (<*धिर्प)** | चमकता है |
| हिन्दी | **धूप (<*धुर्प)** | |

**धर्>धन्**

| | | |
|---|---|---|
| सं. | **धामन्** | प्रकाश |
| हिन्दी | **धूनी** | |

**धर्>धय्/धव्**

| | | |
|---|---|---|
| सं. | **धी** | प्रकाश |
| | **धवल** | श्वेत |

**धर्>दर्**

| | | |
|---|---|---|
| कुइ | **द्रे** | लपट |
| गेलिक | **द्यॅर्ग्** | लाल |
| | **द्यार्स्** | चमकना |
| सं. | **दिति (<*दिर्ति)** | देवी विशेष |
| | **अ-दिति** | उप. |
| | **आ-दित्य** | देव; सूर्य |
| | **दीति** | प्रकाश |
| | **दीद्यति** | चमकता है |
| | **दीप् (<*दिर्प्)** | जलना; चमकना |
| | **दीप** | |
| हिन्दी | **दिपना** | |
| | **दाघ (<*दर्घ)** | गर्मी |
| हिन्दी | **दाग** | जलाने का काम |
| सं. | **दह् (<*दघ्)** | जलाना |
| | **दाह** | जलन |
| हिन्दी | **दहकना** | |
| | **दहाड़ा (दिन दहाड़े)** | दिन |
| गुजराती | **दाड़ो** | उप. |
| सं. | **दग्ध** | |
| हिन्दी | **दाझना, दाजना** | जलाना |
| | **दाढ़ा, डाढ़ा** | दाह |
| डच | **डाग्** | दिन |
| अंग्रेज़ी | **डे (<*डाग)** | उप. |

**दर्>दन्**

| | | |
|---|---|---|
| सं. | **दिन** | |
| हिन्दी | **दमकना** | |
| | **दामिनी** | |

**दम् >लम्**

| | | |
|---|---|---|
| ग्रीक | **लम्पो** | चमकना |
| | **लम्पस्** | प्रकाश; मशाल; दीप |
| अंग्रेज़ी | **लैम्प** | |

**दर्>दव्/दय्; दप्>दव्**

| | | |
|---|---|---|
| सं. | **दिव** | चमकना |
| | **दिव्, दिवस** | आकाश; दिन |
| | **देव** | |
| | **द्यु** | आकाश; दिन |
| | **द्युति** | प्रकाश; सूर्य |
| | **द्योस, द्यौस** | आकाश; दिन |
| | **दू** | जलाना |
| | **दव** | प्रज्वलन |
| ब्राहूइ | **दे** | सूर्य |
| ग्रीक | **देओ** | देवी |
| | **दे-मेतेर्** | (देवी माता); कृषि की देवी |
| | **दिअ** | दिव्य; ज़ेउस् देवता |
| लैटिन | **दॅउस्, दीवुस्** | देव |
| | **दिएस्** | दिन; आकाश |
| | **दीवुम्** | आकाश |
| फ़ारसी | **रोज़् (<सं. द्योस्)** | दिन |

**दर्/दह्>दय्**

| | | |
|---|---|---|
| ग्रीक | **दइओ** | जलाना |

**दर्>दस्**

| | | |
|---|---|---|
| ग्रीक | **दिस्** | ज़ेउस् देवता |

**दव्< जव्**

| | | |
|---|---|---|
| सं. | **ज्योति** | ज्योत्स्ना |
| प्राकृत | **दोसिणा (<ज्योत्स्ना)** | चाँदनी |
| फ़ारसी | **रोशनी (<*दोसनी)** | |

**दग>जग**

| | | |
|---|---|---|
| हिन्दी | **जगमग** | |
| तेलगू | **जग्गु** | चमक |

**धर्>तर्**

| | | |
|---|---|---|
| सं. | **तरल** | चमकीला |
| | **तारा** | नखत |
| | **तृ** | उप. |
| कोलमि | **तरि** | जलना |
| त. | **तॅरु** | उप. |
| कन्नड़ | **तिरि** | प्रकाशमान |
| ब्राहूइ | **तीरून्क्** | चिनगारी |
| त. | **तॉरॅम्** | द्युति |
| | **तऴल्** | आग |

| | | |
|---|---|---|
| तेलगू | **तॅलि** | श्वेत |
| त. | **तुलङ्कु** | चमकना |
| जर्मन | **टाग् (<*तर्ग)** | दिन |
| सं. | **तडित्** | बिजली |
| गोंडी | **तड्मी** | आग |
| पर्जि | **तड्** | गरम होना |
| त. | **तिगळ्** | चमकना |
| सं. | **तिथि (<*तिर्थि)** | चान्द्र दिवस |
| कोलमि | **तर्प** | जलाना |
| नइकि | **तर्प** | आग लगना |
| सं. | **तप् (<*तर्प)** | चमकना; गरम होना |
| | **तपन** | सूर्य; प्रज्वलित |
| तुलु | **तोपु** | लाल |
| ब्राहूइ | **तूबे** | चन्द्रमा |
| वेल्श | **तॅरुइन्** | आग्नेय |

**तप्>तव्**

| | | |
|---|---|---|
| **हिन्दी** | **तवा** | |
| | **ताव** | |
| त. | **तुवर्** | सुखाना; ईंधन |

**तर्>तन्**

| | | |
|---|---|---|
| सं. | **टंक** | स्वर्ण मुद्रा |
| त. | **तंगम्** | स्वर्ण |
| | **तणल** | आग |
| | **तिंगळ्** | चन्द्रमा |
| तेलगू | **तनुकु** | जलना |

**तर्/तप्>तम्**

| | | |
|---|---|---|
| सं. | **ताम्र** | तांबा; लाल |
| | **तामरस** | स्वर्ण; कमल; तांबा |
| त. | **तामरइ** | कमल |
| | **तोम्बु** | लालिमा |
| कन्नड़ | **चम्बु** | तांबा |

**तर्>तय्**

| | | |
|---|---|---|
| त. | **ती** | जलना |

**तर्>तस्**

| | | |
|---|---|---|
| वेल्श | **तॅस्** | धूप; गर्मी |

**धर्>स्तर्**

| | | |
|---|---|---|
| सं. | **स्त्रि** | नखत |
| फ़ारसी | **सितारा** | |
| ग्रीक | **अस्तेर्** | उप. |
| लैटिन | **स्टॅल्ल** | उप. |
| अंग्रेज़ी | **स्टार्** | उप. |

**धर्>थर्**

| | | |
|---|---|---|
| ग्रीक | **थॅरो** | गरमाना |
| | **थॅर्मॉस्** | गरम |
| | **थल्पो** | गरम होना |

**तर्>नर्; मर्>नर्**

| | | |
|---|---|---|
| मल्तो | **नरॅ** | लपट |
| त. | **निर** | चमकना |
| | **निरम्** | प्रकाश |
| | **नॅरुप्पु** | आग |
| | **निलवु** | चाँदनी |
| कोलमि | **नल्** | दिन |
| तोद | **नोर्** | सूर्य |
| त. | **निगर्** | चमकना |
| | **नगु** | उप. |
| तेलगू | **नाडु** | दिन |
| त. | **नाळ्** | उप. |
| फ़ारसी | **नग, नगीना** | |
| सं. | **नग** | सूर्य |

**नर्>नन्**

| | | |
|---|---|---|
| पर्जि | **नॅन्दि** | गर्मी |

**नर्>नय्**

| | | |
|---|---|---|
| त. | **नायिरु** | सूर्य |

**नर्>नस्**

| | | |
|---|---|---|
| प्राकृत | **णेसर** | सूर्य |
| कन्नड़ | **नेसरु** | उप. |

**धक्>झक्**

| | | |
|---|---|---|
| हिन्दी | **झक** चमकीला; (दिमाग की) गर्मी | |

**धक्>झ़क्**

| | | |
|---|---|---|
| रूसी | **झ़गूचिइ** | जलता हुआ |

**दव्>ज़व्**

| | | |
|---|---|---|
| ग्रीक | **ज़ओ** | गरम होना |
| | **ज़ॅउस्** | देव; जॅउस् देवता |

**धर्/घर्>जर्**

| | | |
|---|---|---|
| हिन्दी | **जलना** | |
| (अवधी) | **जरबु** | जलना |
| सं. | **ज्वर** | ताप |

| | **ज्वल्** | जलना |
|---|---|---|
| **भर्** | | |
| सं. | **भर्ग** | प्रकाश |
| | **भ्राज्** | चमकन |
| | **भृगु** | शुक्र |
| | **भृंश्** | चमकना |
| | **भूरि** | स्वर्ण |
| | **ब्रभु** | भूरा |
| हिन्दी | **भोर** | |
| | **भूरा** | |
| सं. | **भा (<भर्)** | चमकना |
| | **प्रभात** | |
| | **भाल** | प्रकाश |
| **भर्>भन्** | | |
| सं. | **भानु** | सूर्य |
| | **भाम** | प्रकाश |
| **भर्>भस्** | | |
| सं. | **भस्, भास्** | चमकना |
| | **भासु** | सूर्य |
| **भर्>बर्** | | |
| हिन्दी (अवधी) | **बरबु, बारबू** | जलना; जलाना |
| | **बॅरउसी** | अँगीठी |
| मल्तो | **बॅरु** | सूर्य |
| कन्नड़ | **बरॅ** | सूखना |
| अंग्रेज़ी | **बर्न्** | जलना; जलाना |
| | **ब्रासु** | पीतल |
| फ्रांसीसी | **ब्रासिए(र्)** | अँगीठी |
| अंग्रेज़ी | **ब्राइट्** | चमकीला |
| जर्मन | **ब्रेनॅन्** | जलना |
| पु. आइस-लैंडिक | **ब्रीमे** | आग |
| पु. जर्मन | **बॅरख़्ट्** | चमकीला |
| ग्रीक | **बेरुल्लॉस्** | भारत से प्राप्त चमकीला पत्थर |
| अंग्रेज़ी | **ब्रिलिएंट** | चमकीला; हीरा |
| रूसी | **ब्रॅझ़ीत्** | चमकना |
| लैटिन | **अल्-बॉर्** | सफ़ेदी |
| | **अल्-बुर्नुस्** | सफ़ेद |

| सं. | **बलक्ष** | श्वेत |
|---|---|---|
| | **बलाक, बलाका** | सारस |
| लिथुआनियन | **बल्तस्** | श्वेत |
| कन्नड़ | **बॅळ** | प्रकाश |
| तुलु | **बिळि** | श्वेत |
| मल्तो | **बिल्पु** | चन्द्रमा |
| बलूची | **बेल्** | श्वेत |
| रूसी | **बेलुइ** | उप. |
| फ़ारसी | **बिल्लौर** | श्वेत परदर्शक पत्थर |
| तुलु | **बॉल्दु** | श्वेत |
| **बर्>बन्** | | |
| कन्नड़ | बान् | आकाश |
| फ़ारसी | **बाम्** | सबेरा |
| **भर्>पर्** | | |
| सं. | **पारु, पेरु** | सूर्य; अग्नि |
| | **पृष्णि** | किरण |
| | **पलित** | श्वेत; प्रज्वलित |
| | **पट्** | चमकना |
| | **पटर** | किरण |
| हिन्दी | **परचना, परचाना** | जलना; जलाना |
| त. | **पॉरि** | जलना |
| | **पॉलि** | चमकना |
| | **पॉलम्** | स्वर्ण |
| | **पुलर्** | भोर होना |
| तुलु | **पॉर्तु** | दिन; धूप |
| त. | **पॉळुदु** | सूर्य |
| ग्रीक | **पुर्** | अग्नि |
| | **पुर्सॉस्** | मशाल |
| लैटिन | **पूरे** | प्रकाशमान |
| रूसी | **प्लाम्या** | लपट |
| | **पलीत्** | जलाना |
| फ़ारसी | **पलीता** | आग लगाने की बत्ती |
| बंगला | **पोड़ानो** | जलाना |
| लैटिन | **पल्लॅओ** | पीला होना |
| **पर्>पन्** | | |
| सं. | **पांडु** | श्वेत; पीताभ |
| | **पुंड्र** | श्वेत कमल |
| | **पुंडरीक** | उप. |
| | **पिंज्** | चमकना |
| | **पिंगल** | पीला |

| | | |
|---|---|---|
| पर्जि | **पंग** | प्रभात |
| त. | **पॉन्** | स्वर्ण |

**पर्>पय्/पव्**

| | | |
|---|---|---|
| सं. | **पावक** | प्रकाशमान; अग्नि |
| | **पीत** | पीला |
| | **पूत** | प्रकाशमान |
| गोंडी | **पियल्** | दिन |
| हिन्दी (अवधी) | **पियर, पेर** | पीला |
| हिन्दी | **पीला** | |
| | **पौ फटना** | सबेरा होना |
| तोद | **पॉय्** | जलना |
| त. | **पूवल्** | लाल रंग |

**पर्>पस्**

| | | |
|---|---|---|
| सं. | **पिशंग** | पीताभ |

**पर्>भर्**

| | | |
|---|---|---|
| सं. | **मरकत** | हीरा |
| | **मराल** | रक्ताभ; हंस |
| | **मरीचि** | किरण |
| | **मर्कट** | कपि |
| पर्जि | **मर्त्, मर्प** | चमक उठना |
| कन्नड़ | **मिरुगु** | चमकना |
| पर्जि | **मॅद्** | उप. |
| गोंडी | **मिड्कॉस्** | नखत |
| त. | **मूट्टु** | जलाना |
| लैटिन | **मार्स् मंगल** | (रक्त वर्ण का ग्रह), युद्ध का देवता |

**मर्>मन्**

| | | |
|---|---|---|
| सं. | **मणि** | |
| | **मंह (<*मंघ्)** | चमकना |
| त. | **मंडु** | जलना; दमकना |
| | **मिन्नु** | चमकना |
| | **मीन्** | नखत |

**मर्>मस्**

| | | |
|---|---|---|
| सं. | **मस् (चन्द्र-मस्),** | |
| | **मास** | चन्द्रमा |

**भर्>फर्; पर्>फर्**

| | | |
|---|---|---|
| सं. | **फल्गु** | रक्ताभ; वसन्त |
| फ़ारसी | **आ-फ़्राज़्** | लपट |
| | **अ-फ़्रोग़्** | किरणें |
| | **अ-फ़्रोख़्** | प्रकाशमान |
| ग्रीक | **फ़्रुगो** | भूनना |
| | **फ़्रुक्तॉस्** | मशाल |
| लैटिन | **फ़ार्नुस्** | भट्ठी |
| | **फ़्लाग्रो** | जलना |
| | **फ़्लम्मो** | आग लगाना |
| | **फ़ुल्गॉओ** | चमकना |
| | **फॅर्वॅओ** | दमकना |
| ग्रीक | **फ़्लॅगो** | जलाना |
| | **फ़्लॉगिज़ो** | उप. |
| अंग्रेज़ी | **फ़्लॅयर्** | जल उठना |
| | **फ़्लैश** | चमक उठना |

**फर्>फन्**

| | | |
|---|---|---|
| फ़ारसी | **फ़ानूस्** | दीप पुंज |
| ग्रीक | **फानॉस्** | दीप; मशाल |
| | **फॅङ्गॉस्** | प्रकाश |

**फर्>फय्/फव्**

| | | |
|---|---|---|
| ग्रीक | **फलॅथो** | चमकना |
| | **फइद्रॉस्** | प्रकाशमान |
| | **फऑस्** | प्रकाश |
| | **फाओस्** | उप. |
| | **फॉइबे** | चन्द्रमा |
| | **फॉइबॉस्** | सूर्य |

**फर्>फस्**

| | | |
|---|---|---|
| फ़ारसी | **फ़ाश्** | स्पष्ट |
| ग्रीक | **अल्-फॉस्** | सफ़ेद |

**पर्>वर्**

| | | |
|---|---|---|
| सं. | **वर्चस्** | प्रकाश; रूप |
| | **वर्ण** | उप.; रंग |
| त. | **वर** | सूखना |
| | **वाळ्** | प्रकाश |
| | **विरगु** | ईंधन |
| | **विळि** | चमकना |
| | **वॅळ्** | श्वेत |
| कुइ | **वेल** | सूर्य |
| त. | **वक्कु** | जलाना |
| | **वडि** | गर्मी |
| | **वॅडि** | भोर होना |

| | | |
|---|---|---|
| लैटिन | **अउरुम्, ओरुम्** | स्वर्ण |
| | **अउरोर** | प्रभात |
| **वर्>वन्** | | |
| त. | **वॅण्** | श्वेत |
| | **वॅन्दि** | गरम होना |
| | **वेनल्** | गर्मी |
| लैटिन | **वॅनुस्** | नक्षत्र विशेष |
| **वर्>वय्/वव्** | | |
| त. | **वे** | जलना |
| | **वेवु** | प्रज्वलित |
| तेलगू | **वेगु** | भोर होना |
| **वर्>वस्** | | |
| सं. | **वसा** | श्वेत |
| | **वसु** | शुभ |
| | वसन्त | प्रकाशमान; ऋतु विशेष |
| | **वासर** | दिन |
| | **वसाति** | उषा |

| | | |
|---|---|---|
| कश्मीरी | **वशुन्** | उप. |
| कुई | **वस** | सूखना |
| | **वस्क** | भूनना |
| कुवि | **वॅस्क** | ईंधन |
| कोंड | **वॅस्नॅ** | गरम |
| रूसी | **वेस्न** | वसन्त |
| **वस्>अस्** | | |
| सं. | **उस्त** | प्रभात; कान्ति |
| | **उष्** | जलना; जलाना |
| | **उष्ण** | गरम |
| | **उष्मन्** | गर्मी |
| | **उषा** | |
| चेक | **उस्वित्** | प्रभात |
| ग्रीक | **अउऑस्** | सूखा |
| कन्नड़ | **ॲसॅ** | चमकना |
| तेलगू | **ॲसकमु** | प्रकाश |
| तोद | **अष्** | गर्मी |

# शब्दसूची-2

## [द्रविड़ शब्दों के इंडो-यूरोपियन प्रतिरूप]

[इस सूची में द्रविड़ शब्दों के इंडो-यूरोपियन प्रतिरूप दिखाए गए हैं। आर्येतर इंडो-यूरोपियन प्रतिरूप जिस शब्द-संख्या के साथ दिखाए गए हैं, उसे कोष्टकों में रखा गया है। शब्द-संख्या 'द्रविड़ व्युत्पत्ति-कोश' की है। जहाँ इस कोश में आर्य-द्रविड़ शब्दों की समानता की ओर किसी प्रकार का संकेत है, वहाँ इसका उल्लेख द्र. चिन्ह द्वारा कर दिया गया है। जिन शब्दों में ध्वनिगत अनुकरणात्मक समानता है, उन्हें छोड़ दिया गया है। वनस्पतियों के विशिष्ट नाम भी छोड़ दिये गए हैं। शब्दकोश के पूरक अंश से कुछ शब्द इस सूची के अन्त में दिये गए हैं। इन शब्दों के साथ जहाँ आर्य भाषाओं के शब्दों की समानता कोश के पूरक अंश में दिखाई गई है, वहाँ इसका उल्लेख द्र. पू. संकेतचिन्ह द्वारा किया गया है। पूरक अंश की सूची में शब्द-संख्या दो प्रकार से दी गई है। जिस संख्या के पहले पू. है, वह उस नये शब्दमूल की द्योतक है जो मूल कोश में नहीं है। इससे भिन्न सामान्य संख्या मूल शब्दकोश की संख्या है, पूरक अंश में नये शब्द उसके अन्तर्गत जोड़े गए हैं। त. और सं. क्रमशः तमिल और संस्कृत के लिए हैं। जिस शब्द के पहले * ऐसा पुष्पचिन्ह है, वह कल्पित रूप है। इस सूची पर टिप्पणी चौथे अध्याय के अनुभाग संख्या 5 (झ) में है।]

| | | | |
|---|---|---|---|
| (1) (क) | त. | **अ** | दूरस्थ वस्तुसूचक सर्वनाम |
| | सं. | **सः** | वह |
| | मराठी | **हा** | उप. |
| | ग्रीक | **हॉ** | उप. |
| | गुजराती | **आ** | यह |
| (ख) | नइकि | **अन्धर्** | उतने पुरुष |
| | संस्कृत | **अन्ध्र, आन्ध्र** | (पुरुष), गण विशेष |
| | | **अण्डर** | उप. |
| | | **अण्डीर** | पुरुष |
| | ग्रीक | **अंथ्रोपॉस** | पुरुष |
| | | **अन्द्रॉ-** | उप. |
| | | **अनेर्** | उप. |

(कुइ **अण्ड्र** नर 111, त. **आण्** पुरुष 342 से सम्बद्ध)

| | | | |
|---|---|---|---|
| 22 | त. | **अक्करम्** | मुँह का एक रोग |
| | तेलगू | **अक्षरमु** | उप. |
| | सं. | **अक्षर** | (द्र.) |
| 24 | त. | **अक्का** | बडी बहन |
| | सं. | **अक्का** | माता (द्र.) |
| 26 | त. | **अक्कि** | एक चर्म रोग |
| | सं. | **अग्नि** | (द्र.) |
| (27) | त. | **अक्कम्** | रस्सा |
| | कन्नड़ | **हग्ग (<पग्ग)** | उप. |
| | | **अग्ग** | उप. |
| | हिन्दी | **पगही** | पशु बाँधने की रस्सी |
| | | **पाग, पगड़ी** | (जो बाँधी जाए) |
| | पु. लैटिन | **पको, पगो** | बाँधना |
| | सं. | **पश्** | उप. |

| | | | |
|---|---|---|---|
| 28 | क. | **अग्गळ्** | महत्ता |
| | सं. | **अग्र** | |
| 29 | क. | **अङ्ग** | मार्ग |
| | तेलगू | **हङ्गु (<पङ्गु>)** | उप. |
| | सं. | **पंथाः** | उप. |

(गतिसूचक ***पन्** से णङ्ग और पंथ)

| | | | |
|---|---|---|---|
| 30 | त. | **अङ्गनम्** | दो खम्भों के बीच का स्थान |
| | सं. | **अङ्गन** | |
| 31 | क. | **अङ्क** | युद्ध |
| | सं. | **अङ्क** | उप. (द्र.) |
| 37 | गर्जि | **अङ्गॉड्** | आँगन |
| | त. | **अङ्गाडि** | बाजार |
| | सं. | **अङ्गण** | आँगन (द्र.) |
| (46) | त. | **अच्चन्** | पिता |
| | कन्नड़ | **अज्ज** | पितामह |
| | सं. | **आर्य** | |
| | ग्रीक | **अत्त** | पिता |

(त. **अत्तन्** पिता 121 से सम्बद्ध)

| | | | |
|---|---|---|---|
| 56 (क) | त. | **अडङ्गु** | छिपाना |
| | हिन्दी | **आड़** | (आड़ करना, आड़ में होना) |

(त. **अडइ** छिपाना, बन्द करना, 73 से सम्बद्ध)

| | | | |
|---|---|---|---|
| (ख) | नइकि | **ढाप** | ढाँकना |
| | हिन्दी | **ढाँपना** | |
| 62 | त. | **अडावडि** | ऊधम |
| | हिन्दी (अवधी) | **अडावटि** | बैर |
| | (अरबी | **अदावत** बैर) | |
| 66 | क. | **अट्टु** | सूखना |
| | सं. | **अट्ट** | सूखा (द्र.) |
| 69 | त. | **अडु** | पहुँचना |
| | सं. | **अट्** | घूमना |
| 73. (क) | त. | **अडइ** | छिपाना; बंद करना |
| | कन्नड़ | **अड्डन** | ढाल |
| | सं. | **अड्डन** | उप. (द्र.) |
| (ख) | कुड़ुख | **अड्डे, आड़े** | आड़ा |
| | पाकृत | **अड्ड** | उप. (द्र.) |
| | हिन्दी | **आड़ा** | |
| (ग) | ब्राहूइ | **अड़, अड़ी** | रुकावट |
| | हिन्दी | **अड़ी (अड़ी भिड़ी)** | उप. |
| | | **अड़ाना** | (द्र.) |
| (घ) | ब्राहूइ | **आड्** | बचाव की जगह |
| | हिन्दी | **आड़** | (द्र.) |
| (ङ) | तुलु | **अटकावु** | रोक |
| | हिन्दी | **अटकाना, अटकाव** | |
| | कन्नड़ | **आटङ्क** | अड़ङ्गा |
| | हिन्दी | **अड़ङ्गा** | |
| 83 | त. | **अट्टम्** | अटारी |
| | सं. | **अट्ट** | उप. (द्र.) |
| 99 | त. | **अणि** | सेना |
| | सं. | **अनीक** | उप. (द्र.) |
| 111 | कुइ | **अंड्र** | नर |
| | सं. | **अण्डीर** | उप. (द्र.) |
| | ग्रीक | **अन्द्रॉ** | पुरुष |
| | सं. | **अन्ध्र, आन्ध्र** (पुरुष); गण विशेष | |
| 112 | त. | **अण्णा** | बड़ा भाई; पिता |
| | | **अण्णि** | भौजाई |
| | प्राकृत | **अण्णअ** | देवर |
| | | **अण्णी** | देवरानी; ननद; बुआ |
| | मराठी | **अण्णा** | आदरणीय व्यक्ति |
| 121 | त. | **अत्तन्** | पिता |
| | कन्नड | **अत्तॅ** | सास |
| | ग्रीक | **अत्त** | पिता |
| | सं. | **अत्ता** | माता; बुआ; बड़ी बहन |

(त. **तात्ता** पितामह, कन्नड़ **तात** उप., पिता 2580, सं. **तात** से सम्बद्ध)

| | | | |
|---|---|---|---|
| 133 | त. | **अप्पन** | पिता |
| | ग्रीक | **अप्प** | बड़ों के लिए आदर-सूचक सम्बोधन |

(हिन्दी **बप्पा** से सम्बद्ध; तुलनीय मराठी **आई** माता और **बाई**)

| | | | |
|---|---|---|---|
| (141) | त. | **अमिऴ्** | डूबना |
| | सं. | **मज्ज्** | उप. |
| | लैटिन | **मॅर्गो** | उप. |

(त. **मुळुग** डूबाना 4096 से सम्बद्ध)

| | | | |
|---|---|---|---|
| (142) (क) | त. | **अमुङ्गु** | डूबना |
| | लैटिन | **मॅर्गो** | उप. |

(त. **मुळुगु** डूबना 4096 से सम्बद्ध)

| | | | |
|---|---|---|---|
| (ख) | कन्नड़ | **अमर्** | आलिंगन करना |
| | सं. | **अम्बर** | घेरा; वृत्त |

(त. **अम्बलम्** मैदान 145 से सम्बद्ध)

| | | | |
|---|---|---|---|
| (145) | त. | **अम्बलम्** | ग्राम सभा आदि के लिए मैदान |
| | तुलु | **अम्बिल** | मन्दिर के पास की भूमि |
| | ग्रीक | **अम्फि** | चारों ओर |
| | सं. | **अंगन** | आँगन |
| 149 | त. | **अम्बि** | नाव |
| | मराठी | **अम्बी** | उप. (द्र.) |
| 152 | त. | **अम्मम्** | स्तन |
| | मराठी | **अमा** | उप. (द्र.) |
| (154) | त. | **अम्मा** | माता |
| | सं. | **अम्बा** | उप. |
| | प्राकृत | **अम्मो** | उप. (द्र.) |
| | आइसलैंडिक | **अम्म** | दादी |
| 158 | कुडुख़ | **अम्म्** | जल |
| | सं. | **अम्म, अम्बु** | उप. (द्र.) |
| 161 | त. | **अयिल्** | लोहा |
| | मलयालम | **अयिर्** | उप. |
| | अंग्रेज़ी | **आयरन्** | उप. |
| | सं. | **अयस्** | उप. |
| 163 | त. | **अय्यन्** | पिता; गुरु; स्वामी |
| | सं. | **आर्य** | |
| | पालि | **अय्य** | (द्र.) |

(त. **अच्चन्** पिता 46 से सम्बद्ध)

| | | | |
|---|---|---|---|
| 164 | त. | **अरक्कु** | लाख |
| | सं. | **अलक्तक** | उप. (द्र.) |
| 166 | त. | **अरङ्गु** | रंगशाला |
| | सं. | **रङ्ग** | उप. (द्र.) |
| (167) | त. | **अरजन्** | राजा (क) |
| (क) | कन्नड़ | **अरसु** | उ. |
| | सं. | **राजन्** | (द्र.) |
| | ग्रीक | **अर्खोन्** | राजा; शासक |
| (ख) | त. | **अरण्** | दुर्ग |
| | सं. | **शरण** | (द्र.) |
| 175 | त. | **अरि** | काटना |
| | हिन्दी | **आरी, आरा** | |
| | सं. | **वर्ध्** | काटना |
| (185) | तेलगू | **अरुगु** | चलाना |
| | सं. | **ऋ** | उप. |
| | फ़ारसी | **रफ़्तन्** | उप. |
| | | **रवाज्** | चलन |
| 191 | कन्नड़ | **अर, अर्न** | रन्दा |
| | फ़ारसी | **रन्दा** | |
| (192) | त. | **अरइ** | आधा |
| | सं. | **अर्द्ध** | |
| | हिन्दी | **अढ़ाई** | ढाई |
| 194 | कन्नड़ | **अर्गल** | द्वार बन्द करने का डंडा |
| | सं. | **अर्गल** | उप. (द्र.) |
| (200) | त. | **अल** | पीड़ित होना |
| (क) | तेलगू | **अलागु** | दुखी होना |
| | ग्रीक | **अल्गॉस्** | पीड़ा |
| | | **अलॅगो** | चिन्तित होना |
| | सं. | **आर्त** | पीड़ित |
| (ख) | कन्नड़ | **अलसु** | थकना |
| | त. | **अलजु** | उप. |
| | सं. | **अलस** | आलसी; थका हुआ (द्र.) |
| | लिथुआनियन | **अल्सिनमस्** | थकना |
| (203) | त. अलइ | **घूमना** | |
| | ग्रीक | **अलऑमइ** | उप. |
| (211) | त. | **अलरु** | चिल्लाना |
| | ग्रीक | **अललज़ो** | उप. |
| | हिन्दी (अवधी) | **अललाबु** | उप. |
| 234 | त. | **अळल्** | जलना; चमकना |
| | सं. | **अलात्** | अंगार |
| (240) | त. | **अळु** | रोना |
| | ग्रीक | **अलॅगॉस्** | विलाप |
| 244 | कन्नड़ | **अळ्दु** | डुबोना |
| | सं. | **आर्द्र** | गीला |
| 253 | त. | **अळप्पु** | बातें करना |
| | सं. | **आलाप** | |
| (259) | मलयालम | **अळक्क** | विलाप |
| | ग्रीक | **अलॅगॉस्** | (उप.) |

(त. **अळु** रोना 240 से सम्बद्ध)

| | | | |
|---|---|---|---|
| 266 | त. | **अरु** | काटना |
| | सं. | **वर्ध्** | (उप.) |

(त. **अरि** काटना 175 से सम्बद्ध)

| | | | |
|---|---|---|---|
| 269 | कन्नड़ | **अरचु** | चिल्लाना |
| | त. | **अरइ** | शब्द करना; बोलना |
| | सं. | **रु** | शब्द करना |
| | | **रव** | शब्द |

277 त. **अनल्** अग्नि

सं. **अनल** उप. (द्र.)

290 त. **आडु** घूमना

सं. **अट्** उप.

295 त. **आणि** कील

सं. **आणि** उप. (द्र.)

(300) त. **आत्तइ** माता

ग्रीक **अत्त** पिता

(त. **अत्तन** पिता, **अत्तइ** बुआ, सास, आदरणीय स्त्री 121 से सम्बद्ध)

305 त. **आम्बि** कुकुरमुत्ता

प्राकृत **आलम्ब** उप. (द्र.)

308 त. **आयि** माता

(क) मराठी **आई** उप. (द्र.)

(ख) कुवि **माइय** मेरी माँ

हिन्दी **भैया, माई**

(ग) त. **ताय** माता

हिन्दी **ताई**

309 त. **आयिरम्** हज़ार

कन्नड़ **सासिर** उप.

सं. **सहस्त्र** उप. (द्र.)

311 त. **आय्वु** चौड़ाई

सं. **आयत** चौड़ा

312 त. **आर्** चिल्लाना

सं. **रु** शब्द करना

(कन्नड़ **अरचु** चिल्लाना 269 से सम्बद्ध)

328 त. **आलु** चिल्लाना

(त. **आर्** चिल्लाना 312 से सम्बद्ध)

331 त. **आवम्** धनुष की डोरी; तरकस

सं. **चाप** धनुष

335 त. **आवि** ताल

सं. **वापी** बावड़ी (द्र.)

336 कन्नड़ **आवि** आँवा

हिन्दी **आँवा**

342 त. **आण्, आळ्** पुरुष

सं. **आन्ध्र** (पुरुष); गण विशेष

(**आन्ध्र >*आन्ह्>आण्/आळ्**; कुइ **अंड्र** नर 111 से सम्बद्ध)

(351) त. **इ** निकटस्थ वस्तुसूचक सर्वनाम

(क) बंगला **से** वह

मराठी **हे** उप. (स्त्री.)

ग्रीक **हे** वह

गुजराती **ए** उप.

हिन्दी (अवधी) **ई** ये

(ख) कन्नड़ **इन्दु** आज

त. **इन्रु** उप.

(**इन्** यह; *दु<सं. द्यु दिन)

363 त. **इञ्जि** अदरक

सं. **शृंगवेर** उप. (द्र.)

381 नइकि **डाव** बायाँ

पर्जि **डॅब्रि** उप

प्राकृत **डव्व** उप.

हिन्दी (अवधी) **डॅबरा** उप.

(403) त. **इरलइ** हिरन

प्राकृत **एल** उप.

आर्मीनियन **ऍले** उप.

लिथुआनियन **ऍल् निस्** उप.

405 त. **इरिञन्** शत्रु

सं. **अरि** उप.

407 त. **इरु** रहना; होना

सं. **वृत्** उप.

(त. **वरु** होना 4311 से सम्बद्ध)

414 त. **इरह** शब्द करना

सं. **रु** उप.

(त. **अरइ** शब्द करना 269 से सम्बद्ध)

435 मलयालम **इळच्चल्** थकान

सं. **अलस** आलसी

(त. **अलजु** थकना, कष्ट पाना 200 से सम्बद्ध)

440 मल्तो **इच** एक मछली

सं. **इञ्चक** उप. (द्र.)

448 (क) त. **इरह** स्वामी

कन्नड़ **अरॅय** उप.

सं. **अर्य** उप.

(ख) मलयालम **रान्** उप.; राजा

**इरान्** उप.

हिन्दी **राणा**

454 त. **ईर्** पंख

हिन्दी **चिड़िया**

(त. **चिरइ, इरइ** पंख 2133 से सम्बद्ध)

459 त. **ईन्दु** खजूर

| | | | |
|---|---|---|---|
| | कुइ | **सीत** | उप. |
| | प्राकृत | **सिन्दी** | उप. |
| | सं. | **हिन्ताल** | उप. (द्र.) |
| 460 | कुडुख़ | **ईमा** | दीमक |

(कुवि **सीम** दीमक संख्या 2156 से सम्बद्ध)

| | | | |
|---|---|---|---|
| | सं. | **सीमिक** | चींटी |
| | फ़ारसी | **दीमक** | |
| 468 | त. | **ईळम्** | ताड़ी |
| | हिन्दी | **नीरा** | |
| 469 | त. | **ईळम्** | श्री लङ्का |
| | प्राकृत | **सीहल** | उप. |
| | सं. | **सिंहल** | (द्र.) |
| (475) | त. | **उ** | अनति दूरस्थ वस्तु-सूचक सर्वनाम मूल |
| | हिन्दी | **सो** | वह |
| | ग्रीक | **हॉ** | उप. |
| 480 | त. | **उगु** | बहना |
| | सं. | **वह् (>*वघ्)** | उप. |
| | | **ओघ** | प्रवाह |
| 481 | त. | **उक्कलइ** | नितम्ब |
| | सं. | **उख** | जाँघ का एक भाग (द्र.) |
| 486 | तुलु | **उक्कि** | भाप |
| | प्राकृत | **उक्कोल** | उमस (द्र.) |
| 487 | तेलगू | **उक्किस** | सुखी खाँसी |
| | सं. | **उत्कासति** | खाँसता है |
| | पालि | **उक्कासति** | उप. (द्र.) |
| 496 | तेलगू | **उच्चि** | शिखर |
| | सं. | **उच्च** | |
| 501 | कन्नड़ | **डॉल्लु** | तोंद |
| | | **आडॅल्** | शरीर; पेट |
| | त. | **उडल्** | शरीर |
| | हिन्दी | **डौल** | (सुडौल, डील-डौल का डौल) शरीर |
| 502 | त. | **उडु** | पहनना |
| | सं. | **पुट** | गुप्त अंग ढँकने का वस्त्र |
| 505 | त. | **उडुक्कइ** | हुडुक |
| | सं. | **हुडुक्क** | उप. (द्र.) |
| (516) | त. | **उण्** | खाना; पीना |
| | | **उण** | भोजन |
| | | **ऊट्टि** | उप. |
| | कन्नड़ | **ऊट** | उप. |
| | | **ऊडु** | खिलाना |

(सं. **अद्** खाना, **अन्न** के वैकल्पिक रूपों ***ऑद्**, ***ऑन्न** से सम्बद्ध)

| | | | |
|---|---|---|---|
| | सं. | **ओदन** | भोजन विशेष |
| | अंग्रेज़ी | **इट्** | |
| 517 | त. | **उणङ्गु** | सूखना, सुखाना |
| | कन्नड़ | **ऑणगु** | उप. |
| | सं. | **उष्** | जलना; जलाना |

(**उष्ण>*उण्ण>उण** अथवा **उष्>उण्**)

| | | | |
|---|---|---|---|
| 535 | त. | **उन्दि** | तोंदी; पेट |
| | सं. | **तुन्दि** | तोंदी |
| | | **तुन्द** | तोंद |

(**तुन्दि>*चुन्दि>उन्दि**)

| | | | |
|---|---|---|---|
| 536 | त. | **नुन्दु, उन्दु** | ठेलना |
| | सं. | **नुद्** | उप. |
| | कोत | **उद्** | उप. |
| 543 | कन्नड़ | **उब्बस** | साँस फूलना |
| | त. | **उप्पजम्** | उप. |
| | हिन्दी | **ऊबासाँसी** | |

(सं. ऊर्ध्व, पाकृत **उब्भ** ऊपर और श्वास)

| | | | |
|---|---|---|---|
| (547) (क) | त. | **उमि** | थूकना |
| | | **उमिळ्** | उप.; उल्टी करना |
| | सं. | **वम्** | उप. |
| | लैटिन | **वॉमो** | वमन करना |
| (ख) | तुलु | **उकालु** | वमन करना |
| | कन्नड़ | **उगळ्** | थूकना; लार बहाना |
| | हिन्दी | **उगलना** | |
| (ग) | कन्नड़ | **उब्बळ** | ऊब |
| | | **उब्बळिसु** | ऊबना |
| | हिन्दी | **ऊब; ऊबना** | |
| (घ) | त. | **उवट्टु** | ऊब |
| | हिन्दी | **ऊब** | |
| 553 | मलयालम | **मॉळ्ळ** | मूत |
| | कुइ | **मूल्क** | उप. |
| | कुवि | **मुन्क** | उप. |
| | हिन्दी | **मूत** | |
| 557 | त. | **उरइ** | गरजना |
| (क) | सं. | **रु** | शब्द करना |

| | | | |
|---|---|---|---|
| (ख) | तेलगू | **रॉद** | शोर |
| | सं. | **रुद्** | चिल्लाना; रोना |
| 560 | त. | **उरल्** | ओखली |
| | कोत | **ऑल्काल्** | उप. |
| | सं. | **उलूखल** | उप. |
| 565 | त. | **उरु** | जलना |
| (क) | सं. | **उष्** | उप. |
| (ख) | ब्राहूइ | **हुशिङ्** | जलाना |
| | सं. | **शुष्** | सुखाना |
| 566 | त. | **उरुपु, उरुव्** | रूप |
| | कोत | **उर्प्** | उप. |
| | सं. | **रूप** | (द्र.) |
| (571) | त. | **उरुट्टु** | घूमना |
| (क) | | **उरुडइ** | गाड़ी |
| | | **उरुळि** | पहिया; चक्र |
| | सं. | **रथ** | |
| | लैटिन | **रॉत** | पहिया |
| | | **रॉतो** | चक्कर खाना |
| (ख) | त. | **उण्डइ** | कोइ गोल चीज़ |
| | सं. | **अण्ड** | उप. |
| 573 | कन्नड़ | **उर्बर** | समृद्धि |
| | सं. | **उर्बर** | |
| 580 | त. | **उलक्कल** | मूसल |
| | सं. | **उलूखल** | ओखली (द्र.) |
| 581 | त. | **उलर्** | सूखना |
| | सं. | **उष्** | जलना |
| 584 | कोलमि | **उल्** | दिन |
| | सं. | **उषस्** | प्रभात |

(तुलनीय सं. **उल्का** और **उलूक**)

| | | | |
|---|---|---|---|
| 585 | तेलगू | **उप्पु** | उबालना |
| | हिन्दी | **उबालना** | |
| 588 | त. | **उऴि** | स्थान |
| | सं. | **पुर** | नगर |
| | प्राकृत | **वुर** | उप. |
| | कश्मीरी | **वुड़ी** | नगर विशेष |
| 592 | तुलु | **उर** | जोताई |
| | कोलमि | **उर्** | हल चलाना |
| | त. | **उळु** | उप. |

(सं. **उर्वर** से सम्बद्ध)

| | | | |
|---|---|---|---|
| (598) | तुलु | **उरॅ, उलॅ** | हिरन |
| | आर्मीनियन | **ॲलॅ** | उप. |
| 599 | तेलगू | **उण्डु** | रहना |
| | | **उनिकि** | निवासस्थान |
| | सं. | **वस्** | रहना |
| 600 | ब्राहूइ | **उरा** | घर |
| | सं. | **पुर** | |
| 606 | तेलगू | **ऑरगु** | झुकना, झुकाव |
| | हिन्दी | **ऑरौती**, **ओलती**, **ओरती** | ढलवाँ छप्पर का किनारा जहाँ से पानी गिरता है |
| 608 | त. | **उरु** | होना, रहना |
| (क) | सं. | **वृत्** | उप. |

(<***वर्**, ***वॅर्** होना, रहना)

| | | | |
|---|---|---|---|
| (ख) | त. | **उरु** | प्यार करना |
| | सं. | **वस्** | उप. |
| (ग) | त. | **उरुप्पु** | शरीर |
| | सं. | **रूप** | |
| 609 | त. | **उरु** | समृद्ध |
| | सं. | **उर्वर** | |
| 616 | त. | **उरुमु** | गरजना |
| | सं. | **रु** | शब्द करना |
| 617 | कन्नड़ | **उरुबु** | तीव्र गति |
| | सं. | **ऋ** | तीव्र गति से किसी ओर बढ़ना |
| 638 | त. | **ऊदु** | हवा का चलना, फूलना |
| | सं. | **वात** | हवा |
| 643 | त. | **ऊर्** | गाँव, नगर |
| | प्राकृत | **ऊर** | गाँव (द्र.) |
| | सं. | **पुर** | |
| | प्राकृत | **वुर** | पुर |
| 648 | कोडगु | **उत्त्** | बहना |
| | कुवि | **ऊत** | झरना |
| | त. | **ऊरु** | बहना |
| | गोंडी | **ऊसा** | जल प्रवाह |
| | सं. | **उद्** | बहना |
| (651) | कुइ | **अॅ** | निकटवर्ती वस्तुसूचक सर्वनाम मूल |
| | बंगला | **से** | वह |
| | ग्रीक | **हे** | उप. |
| 664 | त. | **अॅचर्** | अदहन |
| | कन्नड़ | **अॅसर्** | उप. |

(सं. **वस्** चमकना के विकल्प ***वॅस्** से)

| | | | |
|---|---|---|---|
| 665 | कन्नड़ | **अॅसॅ** | चमकना |

(सं. **वस्** चमकना के विकल्प ***वॅस्** से)

| | | | |
|---|---|---|---|
| 665 | त. | **अॅच्चम्** | शेष |
| | सं. | **शेष** | |
| (670) | त. | **अॅट्टु** | आठ |
| | सं. | **अष्ट** | उप. |
| | अंग्रेज़ी | **एट** | उप. |
| 691 | कन्नड़ | **अॅसु, इसु** | तीर मारना |
| | त. | **अॅय्** | उप.; तीर |
| | सं. | **इष्** | फेंकना |
| | | **इषु** | तीर |
| 693 | कन्नड़ | **अय्दु** | पहुँचना |
| | त. | **अॅयदु** | उप. |
| | सं. | **अय** | गमन |
| | | **अयति** | चलता है |
| 694 | त. | **अॅरि** | जलना, चमकना |
| | सं. | **अरु** | सूर्य |
| 696 | त. | **अॅरुगु** | गोबर करना |
| | सं. | **रेक** | विसर्जन |
| 699 | त. | **अॅरुमइ** | भैंसा |
| | हिन्दी | **अरना** | जंगली भैंसा |
| (700) | तेलगू | **अॅरुपु** | लाल |
| | लैटिन | **रुबॅओ** | लाल होना |
| 702 | कोलमि | **अॅर्** | घटित होना |
| | सं. | **वृत्** | होना |
| 707 | त. | **अॅल्** | सूर्य |
| | | **अॅल्लि** | उप. |

(त. **अॅरि** चमकना 694 से सम्बद्ध)

| | | | |
|---|---|---|---|
| 711 | तेलगू | **अॅलुँगु** | आवाज |
| | गोंडी | **लेङ्** | उप. |
| | लैटिन | **लिङ्गुअ** | भाषा; पक्षियों का कलरव |
| 713 | कुइ | **डीम्बु** | दीमक |
| | कुवि | **लीम्पु** | उप. |
| | गोंडी | **अॅलूम्** | उप. |
| | सं. | **सीमिक** | चींटी |
| | फ़ारसी | **दीमक** | |
| 714 | मलयालम | **अॅल्लु** | हड्डी |
| | सं. | **एडूक** | हड्डियाँ रखने का स्थान |

(बौद्धों की मिश्रित सं. में)

| | | | |
|---|---|---|---|
| | | **एलूक** | उप. (द्र.) |
| (718) | कन्नड़ | **अॅल्ल** | सब |
| | जर्मन | **आलॅ** | उप. |
| | अंग्रेज़ी | **आल्** | उप. |
| 732 | त. | **अॅरि** | चमकना |
| | सं. | **अरु** | सर्य |

(त. **अॅरि** चमकना 694 से सम्बद्ध)

| | | | |
|---|---|---|---|
| 734 | त. | **अॅरुम्बु** | चींटी |

(गोंडी **अॅलूम्** दीमक 713 से सम्बद्ध)

| | | | |
|---|---|---|---|
| 738 | तेलगू | **अॅण्ड** | सूर्य, धूप |
| | त. | **अॅन्रु** | सूर्य |
| | सं. | **इन्ध्** | जलाना |
| | | **इन्दु** | चन्द्रमा |
| 740 | त. | **एगु** | जाना |
| | सं. | **एति** | जाता है |
| 748 | मलयालम | **एषणि** | चुगलखोरी |
| | त. | **एच्चु** | अपमान |
| | सं. | **एषण** | प्रार्थना |
| 765 | कुड़ुख़ | **एर्ना** | देखना |
| | कुवि | **हेनइ** | पता लगाना |
| | प्राकृत | **हेर्** | देखना (द्र.) |
| | हिन्दी | **हेरना** | |
| 774 | कन्नड़ | **एर्** | चुनना |
| | सं. | **वृ** | उप. |
| 782 (क) | तोद | **विकिल्** | कुटुम्ब |
| | सं. | **विश्** | घर; गण |
| | | **वेश्म्** | घर |
| | अंग्रेज़ी | **विक्** | बस्ती, गाँव |
| | लैटिन | **वीकुस्** | उप. |
| (ख) | कन्नड़ | **ऑक्कल्** | घर; प्रजा; किसान |
| | त. | **ऑक्कल्** | कुटुम्बी जन |
| | सं. | **ओक** | घर |
| | प्राकृत | **ऑक्किअ** | उप. |
| | ग्रीक | **ऑइकॉस्** | उप. |

(त. **वीडु** घर 4419 से सम्बद्ध)

| | | | |
|---|---|---|---|
| (784) | कोत | **ऑक्** | मड़नी में पशुओं को हाँकना |
| | कन्नड़ | **ऑक्कु** | मड़नी माड़ना |
| | सं. | **अज्** | हाँकना |
| | ग्रीक | **अगो** | ले जाना |
| | लैटिन | **अगो** | उप.; हाँकना |

| | | | |
|---|---|---|---|
| 786 | मल्तो | **ऑकॅ** | बैठना |
| | कुड़ुख़ | **आक्कना** | उप. |
| | सं. | **वस्** | उप. |
| 487 | पर्जि | **ऑक्प** | ढोना |
| | कुवि | **ऑख़्नइ** | ले जाना |
| | सं. | **वह् (<*वघ्)** | ढोना |
| 795 | त. | **ऑच्चियम्** | काम-व्यंजक वार्ता |
| | सं. | **वाच्यम्** | कथनीय |
| 804 | त. | **ऑडुङ्गल्** | रोक, अटकाव |
| | सं. | **अड्डन** | ढाल |
| | हिन्दी | **अड़ंगा** | |

(त. **अडइ** रोकना, छिपाना 73 से सम्बद्ध)

| | | | |
|---|---|---|---|
| 808 | त. | **ऑट्टु** | शर्त बदना |
| | प्राकृत | **हुड्डा** | शर्त (द्र.) |
| 811 | कोत | **ऑड्** | जाल लगाना |
| | प्राकृत | **ओड्डेति** | जाल फेंकना (द्र.) |
| 812 | तेलगू | **ऑड्डु** | रुकावट |
| | हिन्दी | **अड़ाना** | |

(त. **ऑडुङ्गल्** रोक 804 से सम्बद्ध)

| | | | |
|---|---|---|---|
| 817 | त. | **ऑट्टु** | ओट होना |
| | हिन्दी | **ओट** | |
| 825 | कुड़ुख | **ऑदना** | आग जलाना |
| | सं. | **इन्ध** | उप. |
| | | **एध** | ईंधन |
| 831 | कन्नड़ | **ऑय्, उय्** | वहन करना |
| | सं. | **वह्** | उप. |
| (834) | कोत | **ऑद्** | एक |
| | रूसी | **ऑदिन्** | उप. |
| 837 | त. | **ऑलि** | आवाज़ |
| | ग्रीक | **अललज़ो** | चिल्लाना |
| 838 | तुलु | **उलॅवुनि** | चमकना |
| | सं. | **उल्** | जलना |
| 840 | त. | **ऑलियल्** | नदी |
| | सं. | **वर्षा, वारि** | |

**(*वर्>*ऑल्)**

| | | | |
|---|---|---|---|
| 841 | त. | **ऑलियल्** | खाल; वस्त्र |
| | सं. | **वल्क** | वल्कल |
| (843) | त. | **उलइ** | घूमना |
| | ग्रीक | **अलऑमइ** | उप. |

(त. **अलइ** घूमना 203 से सम्बद्ध)

| | | | |
|---|---|---|---|
| 845 | तुलु | **ऑल्लि** | चादर |

(त. **ऑलियल्** खाल, वस्त्र 841 से सम्बद्ध)

| | | | |
|---|---|---|---|
| 849 | कोत | **ऑक्** | बहना |
| | सं. | **ओघ** | प्रवाह |
| 854 | त. | **ऑळि** | प्रकाश |
| | सं. | **उल्** | जलना |
| 857 | कन्नड़ | **रोसु** | घृणा करना |
| | सं. | **रोष** | |
| 859 | तुलु | **ऑट्टुनि** | दबाना |
| | हिन्दी | **ओटना** | कपास को चरखी में दबाकर बिनौलो को अलग करना (संक्षिप्त हिन्दी शब्दसागर) |
| 864 | मलयालम | **ओगु** | प्रवाह द्वार, नाली |
| | सं. | **ओघ** | प्रवाह |
| 866 | त. | **ओक्काळम्** | वमन |
| | हिन्दी (अवधी) | **उकिल्याबु** | वमन करना |
| | हिन्दी | **ओकना** | उप. |
| 868 | कुड़ुख़ | **ओग्ना** | तैरना |
| | सं. | **ओघ** | प्रवाह |
| 870 | त. | **ओच्चम्** | ऊचाई |
| | सं. | **उच्च** | |
| (873) | मलयालम | **ओश** | आवाज़ |
| | | **ऑच्च** | उप.; ख्याति |
| | सं. | **वच्** | बोलना |
| | लैटिन | **वॉको** | बुलाना |
| | इटालियन | **वोचे** | आवाज़ |
| 874 | त. | **ओच्चन्** | पुजारी |
| | हिन्दी | **ओझा** | (द्र.) |
| 876 | त. | **ओडम्** | नाव |
| | सं. | **होड** | उप. (द्र.) |
| | सं. | **पोत** | उप. |
| | अंग्रेज़ी | **बोट्** | उप. |
| 877 | त. | **ओडु** | नाव खेना |
| | सं. | **उडुपु** | नाव |
| (882) | त. | **ओदम्** | नमी, प्रवाह |
| | सं. | **उद्** | बहना |
| | हिन्दी | **ओद** | गीला |
| | रूसी | **वॉद्** | पानी |

| | | | |
|---|---|---|---|
| 886 | त. | **ओदुवि** | वेद पढ़ना |
| | सं. | **वेद** | |
| 894 | त. | **ओरम्** | कोर, किनारा |
| | हिन्दी | **ओर** | (द्र.) |
| 896 | कन्नड़ | **ओर** | झुका हुआ |
| | हिन्दी (अवधी) | **ऑरवबु** | लटकाना |

(तेलगू **ऑरगु** झुकाव 606 से सम्बद्ध)

| | | | |
|---|---|---|---|
| 905 | पर्जि | **ओल्** | सुखाना |
| | सं. | **उल्** | जलना |
| 908 | कोलमि | **कक्करॅ** | तीतर |
| | पालि | **कक्कर** | वन्य कुक्कुट (द्र.) |
| 916 | कन्नड़ | **कसरु** | कचरा |
| | पालि | **कसट** | गन्दा |
| | सं. | **कच्चर** | उप. (द्र.) |
| (920) | त. | **कच्चु** | काटना |
| | सं. | **कर्तति** | काटता है |
| | अंग्रेज़ी | **कट्** | काटना |
| 921 | त. | **कच्चु** | चोली |
| | सं. | **कंचुक** | उप. (द्र.) |
| 922 | त. | **कच्चइ** | कमरबन्द, नया वस्त्र |
| | कन्नड़ | **कच्चॅ** | लाँग |
| | सं. | **कक्ष्या** | वस्त्र, लाँग (द्र.) |
| | | **कक्ष** | लाँग |
| | हिन्दी | **कच्छा** | |
| 925 | कन्नड़ | **कज्जि** | खुजली |
| | सं. | **खर्जु, कच्छू** | उप. (द्र.) |
| 927 | त. | **कञ्जि** | माड़ |
| | सं. | **काञ्जी, काञ्जिक** | उप. (द्र.) |
| 928 | कन्नड़ | **काञ्जि** | खट्टी नारंगी या नीबू |
| | सं. | **काञ्जी** | काँजी |
| 929 | कन्नड़ | **कड़** | नदी पार करने का उथला स्थान |
| | त. | **कड** | पार करना |
| | कश्मीरी | **कदल** | पुल |
| | सं. | **गाध** | जो पार किया जा सके |
| 931 | त. | **कडगम्** | कंगन |
| | सं. | **कटक** | उप. (द्र.) |
| | हिन्दी | **कड़ा** | |
| 933 | कन्नड़ | **गडबड** | गड़बड़ |
| | हिन्दी | **गड़बड़** | (द्र.) |
| 934 | त. | **कडम्** | ऋण |
| | सं. | **कर** | देय |

(त. **कट्टु** भुगतान करना 963 से सम्बद्ध)

| | | | |
|---|---|---|---|
| 938 (क) | गोंडी | **गन्धेल** | बर्र |
| | सं. | **गन्धाली** | उप. (द्र.) |
| (ख) | त. | **कडम्बइ** | उप. |
| | सं. | **कणभ** | डंक मारनेवाली मक्खी (द्र.) |
| (939) | त. | **कडल्** | समुद्र |
| | सं. | **कधि** | उप. |
| | रूसी | **कतीत्** | बहना |
| 943 | त. | **कडवु** | भैंसा |
| | सं. | **कटाह** | पड़िया (द्र.) |
| 944 | त. | **कडारम्** | पतीली |
| | सं. | **कटाह** | उप. |
| | कन्नड़ | **कडायि** | उप. |
| | हिन्दी | **कड़ाही** | (द्र.) |
| (945) | त. | **कडि** | काटना |
| | सं. | **कृत् (<*कर्त्)** | उप. |
| | अंग्रेज़ी | **कट्** | उप. |
| 946 | त. | **कडि** | काट लेना |
| | सं. | **कृत् (<*कर्त्)** | काटना |
| 952 (क) | त. | **कडु** | कड़वा |
| | सं. | **कटु** | (द्र.) |
| (ख) | त. | **कडु** | दर्द होना |
| | सं. | **कष्ट** | |
| 954 | त. | **कडुक्कन्** | बाली |
| | सं. | **कटक** | कंगन |

(त. **कडगम्** कंगन 931 से सम्बद्ध)

| | | | |
|---|---|---|---|
| 960 | त. | **कट्टिल्** | खाट |
| | सं. | **खट्वा** | उप. |
| | हिन्दी | **खाट** | (द्र.) |
| 961 (क) | त. | **कट्टु** | बाँधना |
| | तेलगू | **कट्ट** | गट्ठा |
| | सं. | **कट्ट** | ढेर लगाना |
| | हिन्दी | **गट्ठा** | |
| (ख) | तुलु | **कट्टाणि** | कंठी |
| | सं. | **कटक** | कंगन, डोरी |
| (ग) | त. | **कट्टडम्** | भवन |
| | मलयालम | **कॅट्टगम्** | घर |

सं. **केत, केतन** घर

962 त. **कट्टु** कठोर होना, जमना

सं. **कठिन**

**कठोर** (द्र.)

963 त. **कट्टु** भुगतान करना

सं. **कर (<*कर् देना)** देय

(त. **कडम्** क़र्ज 934 से सम्बद्ध)

965 त. **कट्टइ** नाटापन

हिन्दी **गिट्टा** नाटा

(966) त. **कट्टइ** शव

सं. **कट** उप. (द्र.)

लैटिन **कदावॅर** उप.

सं. **कलेवर** शरीर

969 कुड़ुख़ **गड़ूर्** पक्षी विशेष

सं. **गरुड़**

972 तेलगू **गड्डि** घास

सं. **कट** घास का पूला

974 त. **कण्** बाँस का जोड़

सं. **काण्ड** उप.

(975) त. **कण्** स्थान

बंगला **खान** उप.

फ़ारसी **खाना** उप.

(सं. **स्कम्भ** खम्भा के क्रियामूल स्कम् से सम्बद्ध)

977 त. **कणवीरम्** कनेर

**कविरम्** उप.

सं. **करवीर** उप.

पालि **कणवीर** उप. (द्र.)

979 त. **कणइ** तीर

सं. **कणय** भाला (द्र.)

980 त. **कण्णइ** मिर्च

सं. **कण** उप. (द्र.)

986 त. **कण्डन्** योद्धा

सं. **गण्ड, गण्डीर** उप. (द्र.)

990 त. **कण्डु** सूत का गोला

सं. **कन्दुक** गेंद

991 तेलगू **कण्डुवा** उत्तरीय

प्राकृत **गेण्हिअ** स्तन ढँकने का वस्त्र

(<***ग्रंथित** वस्त्र जिसकी गाँठ बाँधी जाए)

992 तेलगू **क्रन्न, क्रन्नन** द्रुतगति से

सं. **क्रम्** चलना

994 त. **कण्णि** गाँठ

कन्नड़ **कणि** उप.

(सं. **ग्रंथि**>***गण्हि** से)

995 त. **कण्णि** रस्सा, (जो बाँधने में काम आए)

(सं. **ग्रंथि**>***गण्हि** से)

1000 त. **कदरु** दुख से चिल्लाना

सं. **कातर** दुखी

हिन्दी (अवधी) **हदर्याबु** कातर होना

1001 त. **कदिर्** चमकना

कन्नड़ **कदुरु** प्रकाश

सं. **कद्रु** पीताभ

1006 त. **कदुप्पु** पशुओं का झुंड

सं. **कदम्बक** समूह

1007 त. **कदुप्पु** कपोल

कन्नड़ **कदपु** उप.

सं. **गण्ड** उप.

1009 तेलगू **कदियु** निकट आना, मिलना

(त. **कदुप्पु** झुंड 1006 और सं. **कदम्बक** समूह से सम्बद्ध)

1012 त. **कत्ति** चाकू

सं. **कृत् (*कर्त्)** काटना

1014 कन्नड़ **कत्तु** जलना, जलाना

(कन्नड़ **कदुरु** प्रकाश 1001 और सं. **कद्रु** पीताभ से सम्बद्ध)

1015 पर्जि **कत्त्** काट डालना

सं. **कृत् (*कर्त्)** काटना

1018 त. **कॅन्दि** कूदना

सं. **स्कन्द्** उप.

1024 त. **कवि** ढकना, घेरना

कन्नड़ **कविचु, कवचु** पहनना

सं. **कवच** (द्र.)

1025 (क) त. **कव्वु, कप्पु** मुँह में ठूँसना भकसना

सं. **कवल** कौर

त. **कवळम्** उप. (द्र.)

(ख) मलयालम **कप्पुग** गपकना

कन्नड़ **गबक्कॅन्** उप.

हिन्दी **गपकना**

ग्रीक **कप्तो (सं.<ग्रभ्)** उप.

| | | | |
|---|---|---|---|
| (1026) | कन्नड़ | **कप्पु** | खोदना, गड्ढा |
| | तेलगू | **कावु** | कूप, गड्ढा |
| | ग्रीक | **कुपे** | गड्ढा |
| | सं. | **कूप** | उप., कुआँ |
| (1028) | कुडुख़ | **कप्पना** | पकड़ने के लिए हाथ से टटोलना |
| | सं. | **ग्रभ्<*गर्भ** | पकड़ना |
| | लैटिन | **कपिओ** | पकड़ना, हथियाना |
| 1031 | त. | **कमरु** | भार अनुभव करना |
| | सं. | **कवर** | खटास, तीखापन (द्र.) |
| 1034 | गोंडी | **काक्री कक्री** | काख |
| | हिन्दी | **काख** | (द्र.) |
| | (अवधी) | **कखरी** | काख |
| (1036) | कन्नड़ | **कम्पण** | इलाका |
| | त. | **कम्बलइ** | खेतिहर प्रदेश |
| | लैटिन | **कम्पुस्** | मैदान |
| | | **कम्पानिअ** | मध्य इटली का उपजाऊ प्रदेश |
| | हिन्दी | **चम्पारन** | बिहार का एक क्षेत्र |
| 1045 | कन्नड़ | **कम्मरगॅ** | सुगंध |
| | हिन्दी | **गमक** | (द्र.) |
| 1047 | त. | **कच्चल्** | कसैलापन |
| | सं. | **कषाय** | कसैला (द्र.) |
| 1048 | कन्नड़ | **कॅय्त** | धूर्तता |
| | सं. | **कितव** | धूर्त |
| (1051) | त. | **कयिरु** | रस्सा |
| | अंग्रेज़ी | **क्वायर्** | नारियल के रेशे |
| (1054) | त. | **कर** | छिपाना |
| | | **करप्पु** | छल |
| | सं. | **खर्पर** | चोर |
| | ग्रीक | **क्रप्तो** | छिपाना |
| 1059 | कुइ | **काडि** | चीता |
| | प्राकृत | **करड** | उप. (द्र.) |
| 1060 | त. | **करडि** | ढोलकी |
| | सं. | **करट** | उप. (द्र.) |
| 1061 (क) | त. | **करट्टु** | खुरदुरा |
| | सं. | **करट** | दुष्ट (द्र.) |
| (ख) | तेलगू | **कर** | तेज़ |
| | सं. | **खर** | उप. (द्र.) |
| (ग) | तेलगू | **करकस** | खुरदुरापन |
| | सं. | **कर्कश** | (द्र.) |

| | | | |
|---|---|---|---|
| (घ) | सं. | **करुक्कु** | आरी के दाँत |
| | सं. | **करपत्र** | आरा |
| | पालि | **खर** | उप. (द्र.) |
| (1070) | मलयालम | **करिळ्** | हृदय |
| | कोत | **कर्ल** | उप. |
| | सं. | ***श्रद् (श्रद्धा का अद्)** | उप. |
| | ग्रीक | **कर्दिअ** | उप. |

(*<शर्द>*कर्द>कर्ल)

| | | | |
|---|---|---|---|
| (1073) | त. | **करु** | काला |
| | | **कार्** | कालापन |
| | तेलगू | **कारु** | काला |
| | हिन्दी (अवधी) | **कार** | |
| | सं. | **कार** | (अन्धकार का कार) |
| | रूसी | **च्योर्नुई** | काला |
| 1074 | त. | **करुप्पइ** | गर्भ |
| | सं. | **गर्भ** | |
| (1075) | त. | **करुक्कु** | पच्चीकारी |
| | सं. | **कारु** | शिल्प, शिल्पी |
| | पु. अंग्रेज़ी | **कॅऑर्फ़न्** | पच्चीकारी करना |
| | अंग्रेज़ी | **कार्व्** | उप. |
| 1076 | गद्‌ब | **करकॅ** | अंबिया, आम |
| | मलयालम | **करिक्कु** | कच्चा नारियल |
| | त. | **करुक्काय** | कच्चा फल |
| | हिन्दी | **केरी** | कच्चा आम |
| 1080 | त. | **करु निलम्** | ऊसर |
| | मलयालम | **करु, करुवि** | उप. |
| | सं. | **क्षार** | |
| | हिन्दी | **खार** | |
| 1083 | त. | **करुमइ** | महत्ता |
| | मलयालम | **करु** | तगड़ा |
| | पालि | **गरु** | बड़ा; भारी |
| | सं. | **गरिमा** | |
| 1086 | त. | **करइ** | गलना |
| | गोंडी | **गरॅमन्** | उप. |
| | सं. | **गल्** | पिघलना |
| | हिन्दी | **गलना** | |
| (1087) | त. | **करइ** | किनारा; कोर |
| | तोद | **कर्** | कपड़े की रंगीन किनारी |
| | रूसी | **काइ** | किनारा |

(***कर्** के प्रतिरूप ***कॉर्** से हिन्दी **कोर**)

| | | | |
|---|---|---|---|
| (1090) | त. | **कल्** | सीखना |
| | | **कलइ** | कला कौशल |
| | सं. | **कला** | (द्र.) |
| | लैटिन | **कल्लॅओ** | जानना |
| | | **कल्लुदुस्** | व्यवहारजन्य ज्ञान |
| (1091) | त. | कल् | पत्थर |
| | लिथुआनियन | **कल्नस्** | पहाड़ |
| | लैटिन | **कलकुलुस्** | छोटा पत्थर |
| | | **कल्लिस्** | पथरीली राह |
| | | **कल्लॅओ** | संगदिल होना |
| | अंग्रेज़ी | **कैलस्** | संगदिल |
| | सं. | **कलिङ्ग** | (पहाड़ी प्रदेश), प्रदेश विशेष |
| | | **कलिन्द** | पर्वत विशेष |
| | ब्राहूइ | **ख़ल्** | पत्थर |
| | ग्रीक | **खलिस्** | छोटा पत्थर |
| 1092 | त. | **कल्** | मिलाना |
| | सं. | **अवकल्कन** | मिश्रण (द्र.) |
| | | **कलिल** | मिश्रित |
| | | **कला** | लघु अंश |
| 1093 (क) | त. | **कल** | प्रकट होना, घटित होना |
| | सं. | **घट्** | घटित होना |
| | | **कट्** (**प्रकट** का **कट्<घट्**) | उप. |
| (ख) | कोलमि | **कल्** | करना |
| | हिन्दी | **कर्** (**करना** का कर्) | |
| 1096 | त. | **कलुळ्** | गँदला होना; गँदलापन |
| | सं. | **कलुष** | गँदला |
| 1097 | त. | **कलम्** | जहाज़ |
| | सं. | **कला** | नाव |
| 1104 | मलयालम | **कल** | दाग |
| | सं. | **कलङ्क** | (द्र.) |
| 1108 | त. | **कल्लु** | खोदना |
| | सं. | **खन्** | उप. |
| 1111 | त. | **कवण्** | गोफना |
| | सं. | **गोफण** | उप. (द्र.) |
| 1112 | क. | **कवदि** | रजाई |
| | सं. | **कवन्दि** | उप. |

(त. **कविप्पु** लिहाफ 1024 और सं. **कवच** से सम्बद्ध)

| | | | |
|---|---|---|---|
| 1113 | तुलु | **कब** | दो उँगलियों के बीच की जगह |
| | मलयालम | **कव** | दोनों पैरों के बीच की जगह |
| | | **कवर्** | एक शाखा से फूटती हुई दूसरी शाखा |
| | हिन्दी (अवधी) | **गावा** | दो उँगलियों के बीच की जगह |
| 1114 | क. | **कवर्** | बलपूर्वक ले लेना |
| | सं. | **कवरकी** | बन्दी स्त्री |
| | लैटिन | **कप्तो** | पकड़ने का प्रयत्न करना |
| | | **कप्तीवुस्** | युद्ध बन्दी |

**(कर्<*कर्प्*>कप्>*कव्)**

| | | | |
|---|---|---|---|
| 1115 | क. | **कबरि, कवरि** | वेणी |
| | सं. | **कबरी, कवरी** | उप. |
| (1119) | त. | **कॅवि** | गुफा, घाटी |
| | कन्नड़ | **गवि** | गुफा |
| | सं. | **गह्वर** | उप. |
| | लैटिन | **कवुस्** | उप. |
| | अंग्रेज़ी | **केव्** | उप. |
| 1120 | तेलगू | **कमरु** | जल जाना |

(सं. **काम** की ***कम्** जलना, चमकना क्रिया से सम्बद्ध)

| | | | |
|---|---|---|---|
| 1124 | त. | **कवुळ्** | गाल |
| | सं. | **कपोल** | (द्र.) |
| 1125 | तुलु | **गौळि** | एक तरह की छिपकली |
| | सं. | **गौली** | उप. (द्र.) |
| 1127 (क) | तेलगू | **कवकव** | ज़ोर की हँसी |
| | हिन्दी | **कहकहा** | |
| (ख) | त. | **कव्वइ** | बदनाम करनेवाली बातें |
| | हिन्दी | **गप** | |
| 1138 | त. | **कळल्** | कड़ा |
| | हिन्दी | **कड़ा** | |
| 1140 | पर्जि | **कर्रि** | बाँस की टहनी |
| | कन्नड़ | **कळिलॅ** | उप. |
| | सं. | **करीर** | उप. |
| | प्राकृत | **करिल्ल** | उप. |
| | पालि | **कळीर** | उप. (द्र.) |
| 1141 | त. | **कळनि** | कीचड़, खेत |
| | सं. | **कर्द, कर्दम** | कीचड़ |
| 1142 | त. | **कळि** | पार करना |
| | तुलु | **करियुनि** | उप. |

तोद **कॉड्य्** उप.
(सं. **गाध** के ***गध्** पार करना क्रियामूल और त. **कड** पार करना 929 से सम्बद्ध)

1143 मलयालम **कळियुग** सम्भव होना
सं. **घट्** घटित होना

1149 त. **कळुदइ** गधा
तेलगू **गाडिद** उप.
सं. **गर्दभ** उप. (द्र.)

(1151) कन्नड़ **गण्टलु** कंठ
सं. **कण्ठ** (द्र.)
त. **कळुत्तु** उप.
सं. **गल** उप.
कोंड **गड्लि** उप.
फ़ारसी **गर्दन**

(1152) त. **कळुन्दु** मूसल आदि का गोल सिरा
फ़रसी **गर्दिश** चक्कर
(***गर्दु गोल>कळु**)

1153 त. **कळुमु** केशों कीन-सी सघनता
सं. **गाढ़** सधन

1155 त. **कळि** डंडा
**कळइ** लट्ठा, बाँस, ईख का तना
**काळ्** खम्भा
(सं. **स्कम्भ** और **स्कन्ध** की ***स्क** खड़ा होना क्रिया से सम्बद्ध)

1156 कु. **खल्बस्** चोर
सं. **खल** दुष्ट
त. **कल्** चोरी करना
सं. **कलम** चोर (द्र.)
**खर्पर** उप.
ग्रीक **क्लोप्स्** उप.
गौथिक **ह्लिफ़** मै चोरी करता हूँ

1158 कुवि **काडु** ताड़ी
सं. **कड्** मत्त होना
**कडङ्ग** दारू
तुलु **कलि** उप.
तेलगू **कल्लु** ताड़ी
त. **कळ्** उप.
सं. **कल्या** उप.
प्राकृत **कल्ला** उप.
हिन्दी **कलवार, कलार** दारू विकेता (द्र.)
(सं. **कुटी** मदिरा और त. **कुडि** पीना 1378 से सम्बद्ध)

(1160) (क) त. **कळम्** खलिहान
तेलगू **कलनु** उप.
कुड़ुख़ **खली** उप.
सं. **खल** उप. (द्र.)
हिन्दी **खलिहान**

(ख) त. **कळम्** युद्धभूमि
तेलगू **कलनु** युद्ध
फ़ारसी **कार्** उप.

1162 त. **कळि** लप्सी
सं. **कलि, खलि** उप. (द्र.)

1166 त. **करवु, करइ** देय, कर
सं. **कर** (द्र.)

1168 त. **करङ्ग** चक्कर खाना
कन्नड़ **गर** चक्कर खाते हुए
फ़ारसी **गर्दीदन्** घूमना
**गिर्द्** गोल

1171 त. **करि** तरकारी, मांस
हिन्दी **कढ़ी**
अंग्रेज़ी **करी** साग और मांस से बना सालन

1172 तोद **कर्स्** हँसना
गोंडी **गर्साना** खेलना
सं. **हर्ष (<*घर्ष)**

1173 तोद **कार्य्** धातु पात्रों पर बिन्दी बनाकर अलंकृत करना
तुलु **करॅ** पच्चीकारी करना
सं. **कारु** पच्चीकारी
(त. **करुक्कु** पच्चीकारी 1075 से सम्बद्ध)

1175 त. **करु** काला होना
**कारु** काला किया जाना
सं. **कर्परि** काजल (द्र.)
**-कार** (अन्धकार) काला, अँधेरा

(1178) त. **करॅइ** गट्ठर
सं. **ग्रथ्** बाँधना
हिन्दी **गट्ठर**
ग्रीक **खॉर्दे** ताँत, रस्सी

| | | | |
|---|---|---|---|
| | फ्रांसीसी | **कोर्द** | रस्सी |
| 1180 | त. | **कन** | ताँबा |

(सं. **कनक** के **कन्** चमकना से सम्बद्ध)

| | | | |
|---|---|---|---|
| 1181 | त. | **कनम्** | सघनता |
| | सं. | **घन** | (द्र.) |
| 1183 | | **कनल्** | जलना, आग |
| | सं. | **कनल** | प्रकाशमान |
| | | **कनक** | स्वर्ण (द्र.) |
| 1185 | | **कनइ** | ढोल आदि की गंभीर ध्वनि करना |

(सं. घण्टा के क्रियामुल *घन् से सम्बद्ध)

| | | | |
|---|---|---|---|
| 1186 | कन्नड़ | **कन्दु** | झुलसना |
| | त. | **कन्रु** | उप. |

(त. **कनल्** जलना 1183 और सं. **कनल** प्रकाशमान से सम्बद्ध—द्र.)

| | | | |
|---|---|---|---|
| 1187 | कन्नड़ | **कन्द** | बच्चा |
| | कश्मीरी | **गन्दुर्** | युवा |
| 1188 | त. | **कन्नम्** | दीवाल में सेंध |
| | तुलु | **कन्नु** | छेद |
| | सं. | **खन्** | खोदना |
| 1189 | त. | **कन्नम्** | कान |
| | सं. | **कर्ण** | उप. |
| 1190 | त. | **कन्नल्** | गन्ना |
| | हिन्दी | **गन्ना** | |
| 1193 | त. | **का** | बहँगी |
| | कुवि | **काच** | उप. |
| | सं. | **काच, काज** | उप. (द्र.) |
| | कन्नड़ | **कागडि, कावडि** | उप. |
| | कोलमि | **कावड़ि** | उप. |
| | प्राकृत | **कावड** | उप. (द्र.) |
| | हिन्दी | **काँवर** | उप. |
| 1194 | त. | **कान्** | वन |
| | सं. | **कानन** | (द्र.) |
| | | **कन्** | जाना, (मूल अर्थ घूमना) |
| 1195 | कुड़ुख़ | **काना** | जाना |
| | सं. | **कन्** | उप. |
| 1197 | त. | **काक्कइ** | कौआ |
| | सं. | **काक** | (द्र.) |
| 1200 | तेलगू | **कासु** | मुद्रा |
| | त. | **काजु** | उप., स्वर्ण |
| | सं. | **कस्** | चमकना |
| 1205 | कन्नड़ | **काडिगॅ** | काजल |
| | सं. | **कज्जल** | उप. |
| 1207 | कन्नड़ | **काट** | कष्ट |
| | सं. | **कष्ट** | |
| 1210 | त. | **काणम्** | सोना |
| | सं. | **कन्** | चमकना |
| | | **कनक** | सोना |
| 1213 (क) | कन्नड़ | **कादुह** | लड़ाई |
| | सं. | **कलह** | उप. |
| | फ़ारसी | **कार्** | उप. |
| (ख) | त. | **कादु** | मारना, काटना |
| | सं. | **कद्** | मारना |
| | लैटिन | **कअँदो** | काट डालना |
| 1216 | त. | **काम्बु** | डंठल |
| | सं. | **स्कम्भ** | खम्भा |
| 1218 | कन्नड़ | **गाम्प** | देहाती |
| | सं. | **ग्राम** | गाँव |
| (1219)(क) | कन्नड़ | **कासु** | गरमाना |
| | सं. | **कस्** | चमकाना |
| (ख) | त. | **काय्** | गरम होना |
| | ग्रीक | **कइओ** | जलाना |
| (ग) | नइकि | **काङ्** | गरम होना |
| | हिन्दी | **काँगड़ी** | |
| (घ) | त. | **कान्दु** | जलना |
| | लैटिन | **कन्दॅओ** | चमकना |
| 1223 | त. | **कायम्** | चरफरा |
| | सं. | **क्षार** | उप. |
| 1227 | त. | **कार्** | खारा होना |
| | सं. | **क्षार** | खारा (द्र.) |
| (1230) | त. | **कारि** | नदी |
| | सं. | **कर्द** | कीचड़ |
| | ग्रीक | **क्रॉउनॉस्** | भरना |
| 1239 | त. | **काल्** | सिंचाई के लिए नाली |
| | सं. | **खल्ल** | नहर (द्र.) |
| (1242) | त. | **काल्** | पहिया, गाड़ी |
| | कन्नड़ | **गालि** | पहिया |
| | सं. | **गर्त** | रथ |
| | हिन्दी | **गाड़ी** | |
| | अंग्रजी | **कार्** | गाड़ी |

| | | | |
|---|---|---|---|
| 1251 | त. | **काट्टु** | कटुता |
| | सं. | **कटु** | |
| | त. | **काळ्** | खारा होना |
| | सं. | **क्षार** | खारा |
| 1253 | त. | **काळ्** | कालापन |
| | सं. | **काल** | काला (द्र.) |
| 1259 | ते. | **कालु** | जलना |
| | लैटिन | **कलॅओ** | गरम होना |
| (1260) | त. | **काळपम्** | युद्ध |
| | फ़ारसी | **कार्** | उप. |
| 1270 | त. | **कारु** | कड़वा लगना |
| | सं. | **क्षार** | खारा |
| 1277 | त. | **किड** | लेटना |
| | सं. | **शी** | उप. |
| 1279 | कन्नड़ | **कडगु** | नाली |
| | त. | **किडङ्गु** | ताल |
| | सं. | **कट्** | बरसना |
| 1289 | त. | **किंडि** | गड़ुवा, गड़ुई |
| | तुलु | **गिंडि** | उप. |
| | हिन्दी | **घंटी** | पानी पीना का छोटा बर्तन |
| 1294 | त. | **चिदर्** | बिखरना, बिखेरना |
| | हिन्दी | **छितराना** | |
| 1285 | त. | **चिदर्** | काटना, विभाजित करना |
| | मलयालम | **चिन्निग** | उप. |
| | सं. | **छिद्** | उप. |
| | | **छिन्न** | काटा, विभाजित |
| 1304 | त. | **चिरि** | हँसना, मज़ाक़ उड़ाना |
| | अंग्रेज़ी | **जिअर्** | मज़ाक़ उड़ाना |
| 1311 | त. | **चिलइ** | चिल्लाना |
| | हिन्दी | **चिल्लाना** | |
| (1315) | त. | **किळम्** | बूढ़ा, बुढ़ापा |
| | सं. | **जरा** | बुढ़ापा |
| | | **जृ (जीर्यति** इत्यादि) | बूढ़ा होना |
| | ग्रीक | **गॅरोन** | बूढ़ा |
| 1316 | त. | **किळि** | चिरना |
| | | **कीळ्** | चीरना |
| | हिन्दी | **चीरना** | |
| 1317 | मलयालम | **किलुन्नु** | किल्ला, अंकुर |
| | | **किलुक्क** | किल्ले फूटना; उगना |
| | हिन्दी | **किल्ला** | |
| | | **किल्ले फूटना** | |
| 1318 | त. | **किळि, किळ्ळइ** | तोता |
| | सं. | **कीर** | उप. |
| (1323) | त. | **किरावु** | पुकारना |
| | कन्नड़ | **गीरु, जीरु, चीरु** | उप. चिल्लाना |
| | सं. | **गृ (गृणाति** इत्यादि) | पुकारना |
| | ग्रीक | **गेरुओ** | पुकारना, बोलना, गाना |
| (1327) | कन्नड़ | **गिरु** | चक्कर खाता हुआ |
| | ग्रीक | **गुरॉस्** | गोल |
| | लैटिन | **गीरो** | चक्कर खाना |
| | अंग्रेज़ी | **जाइरेट्** | उप. |
| 1336 | कोडगु | **किन्** | छिन्न-भिन्न करना |
| | सं. | **छिन्न** | |

(*घिद् काटना>छिद्*किद्)

| | | | |
|---|---|---|---|
| 1346 | त. | **कीलम्** | कील |
| | सं. | **कील** | |
| 1347 | कुड़ुख़ | **किबा** | हिम, तुषार |
| | मल्तो | **कोवॅ** | शीत |
| | कश्मीरी | **शीन्** | हिम |
| | सं. | **शीत** | |
| 1351 | त. | **कील्** | चीरना |
| | तुलु | **चीलु** | चैला |
| | हिन्दी | **चिरना** | |
| 1352 | त. | **कीरु** | लिखना |
| | सं. | **किरिक** | लिपिक |
| 1353 | त. | **कीरु** | चीरना |
| | कोडगु | **कीत्** | उप. |
| | तेलगू | **गीरु, गींटु** | उप. |
| | सं. | **छिद्** | काटना, विभाजित करना |
| | हिन्दी | **चीरना** | |

(*घिद्>छिद्/*किदि)

| | | | |
|---|---|---|---|
| 1360 | कन्नड़ | **गुग्गरि** | उबले गेहूँ या उबला हुआ अन्य नाज |
| | हिन्दी (अवधी) | **घुघुरी** | उबले गेहूँ |
| 1361 | क. | **गुङ्गुरु, गुजुरु** | घुँघराले होने की दशा |
| | हिन्दी | **घुँघराले** | |

1368 त. **कुच्चु** गुच्छा
सं. **गुच्छ** उप. (द्र.)
कन्नड़ **कुञ्च** उप.
सं. **गुञ्ज** उप. (द्र.)
1371 ते. **कून** बच्चा
कोलमि **कून** पिल्ला
सं. **सूनु** पुत्र
(तुलनीय **पिळ्ळइ** पुत्र और हिन्दी **पिल्ला**)
1376 त. **कुडम्** जलपात्र
सं. **कुट** उप. (द्र.)
(त. **कुडि** पीना 1378 से सम्बद्ध)
प्राकृत **कुड** घड़ा
1378 त. **कुडि** पीना
सं. **कुटी** दारू (द्र.)
1379 (क) त. **कुडि** घर
**कुडिगइ** झोंपड़ी
सं. **कुट, कूट, कुटी** (द्र.)
हिन्दी **कुटिया**
(अवधी) **कुरिया** झोंपड़ी
(ख) त. **कुडिमइ** परिवार
मलयालम **कुडि** कबीला
सं. **कुटुम्ब** (द्र.)
1381 ते. **गुटक** घूँट
कन्नड़ **गुटकु** उप. कौर
**गुटुकिसु** गटकना
हिन्दी **गुटकना, गटकना**
1383 (क) कन्नड़ **गॉटरू** कोटर
सं. **कोटर**
(ख) कन्नड़ **कॉडॅ** गड्ढा करना
**गॉडगु** गड्ढा
सं. **कर्त, गर्त** उप.
हिन्दी **गड्ढा, गोड़ना**
(ग) त. **कुडवु** गुफा
सं. **गुहा** उप.
**गूढ़** छिपा हुआ
1386 त. **कुडइ** छाता
सं. **उत्कूट** उप. (द्र.)
1389 त. **कुंडम्** कुंड
**कुट्टम्** गहराई
सं. **कुंड** (द्र.)

1390 क. **गिड्ड** गिट्टा, बौना
तेलगू **गिटक** गिटा
हिन्दी **गिट्टा** नाटा
1391 त. **कुट्टु** कूटना
सं. **कुट्टयति** कूटता है (द्र.)
1392 क. **कुट्टु** चुभना
तेलगू **कुट्टु** चुभाना, सीना
कुइ **कुट** प्रेरित करना
सं. **सू** उप.
**सूचि** सुई
**शूल** (जो चुभे)
(त. **कुत्तु** कोंचना 1429 से सम्बद्ध)
1393 त. **कुट्टु** गुप्त बात
कन्नड़ **गुट्टु** उप.
सं. **कूट** प्रच्छन्न अस्त्र; धोखा
1397 मल्तो **कुडॅ** सुई जैसी चीज़ चुभाना
सं. **सूचि** सुई
(कन्नड़ **कुट्टु** चुभना 1392, त. **कुत्तु** कोंचना 1429 से सम्बद्ध)
1400 क. **गुडि** चक्र
सं. **गुड** गोल वस्तु, गेंद (द्र.)
1402 क. **कुड्ड** पहाड़
सं. **कूट** उप.
1408 मल. **कुंडन्** लँगड़ा
सं. **खुंड्** लँगड़ाना (द्र.)
1414 त. **कुंडु** गेंद
कन्नड़ **गुंडु** कोई गोल चीज़
सं. **गुड** गेंद
(कन्नड़ **गुडि** चक्र 1400 से सम्बद्ध)
1419 त. **कुदि** कूदना
हिन्दी **कूदना**
1423 ते. **गुर्रमु** घोड़ा
कश्मीरी **गुरु** उप.
सं. **घोट** उप.
हिन्दी **घोड़ा** उप.
अंग्रेज़ी **हौर्स** उप.
**(*घॉर् दौड़ना>*घॉर्त>घोट;*घॉर्त>*कॉर्त>हॉर्स)**
1429 त. **कुत्तु** सीना, चुभाना
(सं. **सूचि** और **शूल** तथा तेलगू **कुट्टु** सीना, चुभाना 1392 से सम्बद्ध)

1432 त. **कुन्दालि** कुदाल
कन्नड़ **गुद्दालि** उप.
सं. **कुद्दाल** उप. (द्र.)

1433 क. **कुन्द** खम्भा
(सं. **स्कन्ध** के विकल्प **स्कॉन्ध** से व्युत्पन्न)
हिन्दी **कुन्दा** लट्ठा

1440 कुवि **कूप** स्तूप
कन्नड़ **कुप्पॅ** उप.
सं. **स्कु** इकट्ठा करना
(सं. **स्तूप** के प्रतिरूप ***स्कूप** से)

1441 तेलगू **कॉम्प** घर
त. **कुप्पम्** गाँव
प्राकृत **खुम्पा** छप्पर (द्र.)
**झुँपड़ा** झोंपड़ी

1470 त. **कुयिल्** कोयल
सं. **कोकिल** उप. (द्र.)

(1472)(क) कन्नड़ **कुञ्चु** झुकना
सं. **कुञ्चित** वक्र
(ख) त. **कुरङ्गु** झुकना
लैटिन **कुर्वो** उप.
ग्रीक **कुर् तॉस्** झुका हुआ

1449 त. **कूप्पु** ढेर लगाना
सं. **स्कु** इकट्ठा करना

1454 त. **कुम्बम्** कन्धों के बीच का भाग
सं. **कुम्भक** खम्भे का निम्न भाग

(1458) कन्नड़ **कुम्बु** झुकने की क्रिया
वेल्श **कुमन्** उप.

1465 कन्नड़ **गुम्म** भूत
सं. **कूष्म** उप. (द्र.)

1474 त. **कुरच्चइ** खुर
सं. **खुर** (द्र.)

(1477) त. **कुरल्** आवाज़, गला
सं. **गृ** पुकारना
लैटिन **गुल** गला
**कलो** पुकारना
ग्रीक **कलॅओ** उप.

1479 मलयालम **किराल्** भूरा
सं. **किरात** (पीत वर्ण के पहाड़ी लोग), गण विशेष

1485 पर्जि **कुरि** हिरन
तेलगू **कॉरि** उप.
सं. **कुरङ्ग** (द्र.)

(1494) त. **कुरुन्** छल्लेदार बाल
**कुरल्** स्त्री के बाल
सं. **कुरल, करुल** छल्लेदार बाल (द्र.)
अंग्रज़ी **कर्ल्** उप.
लैटिन **कुर्वो** झुकना, वक्र होना

1496 त. **कुरइ** भूँकना
**कुक्कन्** कुत्ता
तेलगू **कुक्क** उप.
सं. **कुर्कुर, कुक्कुर, कुकुर** उप. (द्र.)

1505 त. **कुलइ** भूँकना
(त. **कुरइ** भूँकना 1496 सं. **कुर्कुर, कुक्कुर** से सम्बद्ध)

(1507) कन्नड़ **गुल्लु** गुल-गपाड़ा
फ़ारसी **गुल** हल्ला

(1511) (क) त. **कुळल्** छल्लेदार बाल
(त. **कुरुळ्** छल्लेदार बाल 1494 सं. **कुरल** से सम्बद्ध)
(ख) त. **कुळल्** बाँसुरी
कोत **कॉर्ल्** नली
तेलगू **कोलु** उप.
सं. **सुरङ्गा** दीवाल या धरती में बनाया हुआ छेद
**सुरुङ्ग** उप.
ग्रीक **सुरिङ्गॉस्** बाँसुरी, नली
**सुरिङ्क्स्** उप.
(ग) कोत **कुप्** गड्ढा
**कुय्** उप.
सं. **कूप**

1513 त. **कुळुम्बु** समूह
**कुळु** उप.
(त. **कुडि** परिवार 1379 और सं. **कुटुम्ब** से सम्बद्ध)

1514 (क) तुलु **कुरॅ** कूड़ा
हिन्दी **कूड़ा**
(ख) कन्नड़ **कॉच्चॅ** कीचड़
सं. **कच्छ** दलदल
हिन्दी **कीच, कीचड़, कचरा**

1517 त. **कुळगम्** माप विशेष
सं. **कुटप** उप. (द्र.)
1518 त. **कुळम्** जलाशय
सं. **कूल** उप. (द्र.)
1519 त. **कुळम्बु** खुर
कन्नड़ **कॉलगु** उप.
(त. **कुरच्चइ** 1474 और सं. **खुर** से सम्बद्ध)
1522 त. **कुळि** नहाना
(त. **कुळम्** जलाशय 1518 और सं. **कूल** से सम्बद्ध)
(1523) त. **कुळिर्** ठंढ
अंग्रेज़ी **कूल्** ठढा
1526 त. **कुळ्ळम्** बौनापन
प्राकृत **खुल्ल (<क्षुद्र)** छोटा
1527 पर्जि **कुदु** जाँघ
मलयालम **कुरगु** उप.
त. **कुरङ्गु** उप.
हिन्दी **कूल्हा**
1534 त. **कुरुम्बु** गाँव
सं. **कुटुम्ब**
(त. **कुडि** घर, नगर 1379 से सम्बद्ध)
1536 त. **कुत्तु** कूटना
सं. **कुट्ट्** उप.
1537 त. **कॉद** दोष, खोंट
प्राकृत **खोड** उप.
हिन्दी **खोंट, खोंट**
(अवधी) **खोरि**
1544 (क) पर्जि **कुट्ट्** काटना
सं. **कुट्टन** कटाई
हिन्दी **कुट्टी** चारा काटना
(ख) कुइ **क्रात्** आरा चलाना
सं. **क्रकच** आरा
(1548) मलयालम **कुरु** पर्वत
रूसी **गोर** उप.
कन्नड़ **कॉण्ड** उप.
सं. **कूट** उप.
1551 त. **कू** कुहू ध्वनि
सं. **कुहू**
1554 ते. **कूतु** लड़की
हिन्दी **कुत्ता**
(तुलनीय हिन्दी **पिल्ला** और त. **पिळ्ळइ** लड़की)

1557 म. **कुम्बि** पुरुष की जननेन्दिय
सं. **स्कुम्भ्** स्थिर होना
(सं. **दंड** के समान खड़ी हुई वस्तु)
1562 ते. **कूटमु** ढेर
**कुटुवु** उप.
मलयालम **कूट्टुग** ढेर लगाना
सं. **कूट** ढर
हिन्दी **कूड़ा**
1567 त. **कूट्टु** झाड़ू से बटोरना
कन्नड़ **गुडसु** झाड़ू लगाना
सं. **कूट** ढेर
हिन्दी **कूड़ा**
1570 त. **कूत्तु** नाच
(त. **कुदि** 1419 हिन्दी **कूदना** से सम्बद्ध)
1572 त. **कून्तल** केश
सं. **कुन्तल** (द्र.)
1574 त. **कुवळइ** नील कमल
सं. **कुवलय** (द्र.)
1575 त. **कूम्बु** मस्तूल
तुलु **कूवॅ** उप.
सं. **कूपक** उप.
प्राकृत **कूवय** उप. (द्र.)
सं. **स्कुम्भ्** स्थिर करना
(**स्कम्भ** के समान **स्कुम्भ** वह वस्तु है जो खड़ी हो)
1579 त. **कूर्** औज़ार की धार का तेज़ होना
सं. **क्षुर्** तेज़ धार का औज़ार
1579 त. **कूर्** किसी चीज़ की बढ़ती होना
सं. **कूट** ढर
हिन्दी (अवधी) **कूरा** उप.
(1580) कन्नड़ **कूर्** बैठना
फ़ारसी **कुर्सी** (जिस पर बैठा जाए)
1581 त. **कूरन्** कुत्ता
(त. **कुरइ** भूँकना 1466 और सं. **कुर्कुर, कुक्कुर** से सम्बद्ध)
1584 त. **कूरइ** झोंपड़ी
हिन्दी (अवधी) **कुरिया** उप.
सं. **कुटी**
(त. **कुडि** घर 1379 से सम्बद्ध)

| | | | |
|---|---|---|---|
| (1585) | गोडी | **कूल** | नितम्ब |
| | हिन्दी | **कूल्हा** | |
| | ग्रीक | **कोले** | जाँघ |
| 1590 | त. | **कूवल्** | कुआँ |
| | सं. | **कूप** | |
| 1592 | तुलु | **कूरु** | भात |
| | सं. | **कूर** | उप. (द्र.) |
| 1593 | त. | **कूळइ** | कूढ़ मगज होना |
| | हिन्दी | **कूढ़** | |
| 1595 | त. | **कूळ्** | एकत्र होना |
| | | **कूळि** | समूह, परिवार |
| | सं. | **कुल** | |
| 1599 | कोलमि | **कूल्** | पानी का रिसना |
| | सं. | **कूल** | जलाशय |
| | | **कुल्या** | नहर |
| 1600 | त. | **कूरु** | बोलना, पुकारना |

(कन्नड़ **कुरल्** पुकारना 1477, सं. **गृ** पुकारना से सम्बद्ध)

| | | | |
|---|---|---|---|
| 1605 | त. | **कूनु** | झुकना |
| | | **कून्** | भंगिमा, कूबड़ |
| | सं. | **कोण** | |
| 1607 (क) | कोत | **कॅन्** | लाल |
| | कन्नड़ | **कॅम्** | उप. |
| | सं. | **कन्** | चमकना |
| | | **कनक** | |
| (ख) | कोडगु | **कॅञ्च** | लाल |
| | सं. | **कञ्च्** | चमकना |
| (ग) | कोत | **कॅप्** | लाल |
| | सं. | **कपि** | (लाल मुँह का जीव) बन्दर |
| (घ) | कोडगु | **चोन्दॅ** | लाल |
| | सं. | **चन्द्र** | प्रकाशमान |
| (ङ) | कोत | **केत्** | लाल |
| | त. | **चेत्तु** | उप. |
| | सं. | **केतु** | चमक |
| (च) | त. | **चॅ** | ललाई |
| | | **चेप्पु** | उप. |
| | | **चेय्** | उप. |
| | | **चेक्कइ** | उप. |
| | सं. | **केतु** | चमक |
| 1614 | तुलु | **शॅट्टु** | सड़ा हुआ |
| | | **हॅट्टु** | उप. |
| | | **तॅट्टु** | उप. |
| | तेलगू | **चॅड्ड** | उप. |
| | त. | **कॅडु** | सड़ना |
| | हिन्दी | **सड़ना** | |
| (1615) | कुवि | **कॉड्ड** | पैर |
| | हिन्दी | **गोड़** | उप. (द्र.) |
| | कोलमि | **गॅट्ट** | पैर |
| | पर्जि | **गेट** | उप. |
| | अंग्रेज़ी | **गेट्** | चाल |

(सं. **गम्** के विकल्प **गो, गे** से सम्बद्ध)

| | | | |
|---|---|---|---|
| 1619 | तुलु | **गण्टु** | जोड़ |
| | सं. | **गण्डू** | उप. (द्र.) |

(त. **कण्** जोड़ 974 और सं. **काण्ड** से सम्बद्ध)

| | | | |
|---|---|---|---|
| 1624 | त. | **चॅत्तु** | काटना, छीलना |
| | कन्नड़ | **कॅत्तु** | छीलना |
| | सं. | **छिद्** | काटना |

(***घद्>*कित्/छिद्**)

| | | | |
|---|---|---|---|
| 1626 | त. | **चॅप्पु** | कहना |
| | सं. | **शप्** | सौगन्ध खाना; शाप देना |
| | प्राकृत | **चव** | कहना |
| | हिन्दी | **चवाव** | |
| 1628 | त. | **चॅय्** | करना |
| | कन्नड़ | **कॅय्** | उप. |
| | कोलमि | **कक्** | उप. |
| | ब्राहइ | **कन्निङ्ग (कर्)** | उप. |
| | सं. | **कृ (कर्)** | उप. |
| | गोंडी | **कियाना** | उप. |
| | हिन्दी | **किया** | |
| | गदब | **कॅद्, कॅन्** | करना |
| | सं. | **कृत** | |
| | प्राकृत | **चेअ** | करना, बनाना |
| (1629) (क) | तुलु | **कॅयि** | फसल |
| | कन्नड़ | **कॅय्** | खेत् |
| | त. | **चॅय्** | उप. |
| | पर्जि | **केन्** | उप. |
| | मराठी | **शेत** | उप. |
| | सं. | **क्षेत्र** | उप. |
| | | **सीता** | खेत में हल से बनी नाली |

ग्रीक **सितॉस्** अनाज
लैटिन **सॅरो** बोना
(ख) त. **कइदल्** धान का खेत
कोडगु **कॅर्तॅ** कीचड़
सं. **केदार** जलमग्न श्रेत्र
(तुलु **केदु** कीचड़ 1680 से सम्बद्ध)

1630 तेलगू **केरु** चिल्लाना
सं. **गृ** पुकारना

1631 त. **चॅरु** युद्ध
(फ़ारसी **कार्** युद्ध के विकल्प ***केर्** से सम्बद्ध)

1633 कन्नड़ **कॅर, कॅर्पु** जूता, चप्पल
गोंडी **सर्पुम्** चप्पल
त. **चॅरुप्पु** उप. जूता
हिन्दी **चप्पल** (द्र.)
(सं. **सृ** चलना से सम्बद्ध)

1641 त. **कॅलि** जीतना
**(त. वॅल्** 4522 से सम्बद्ध; **वॅल्>क्वॅल>कॅल्)**
अंग्रेज़ी **क्वॅल्** जीतना, दमन करना

(1642) (क) गोंडी **कॅल्कु** बाल
गदब **कॅन्दी** उप.
सं. **केश**
(ख) कुइ **कॅलु** बड़ा पंख
अंग्रेजी **क्विल्** पंख

(1645) कुइ **किरू** कान
कुवि **किरियू** उप.
कन्नड़ **किवि** उप.
त. **चॅवि** उप.
सं. **श्रु** सुनना
ग्रीक **क्लुओ** उप.
अंग्रेज़ी **हिअर** उप.
**(*शर्>कर्→सं.कर्ण;* शॉर् > सं. श्रु)**

1656 त. **चे** रहना; लेटना; सोना
सं. **शी** लेटना; सोना

1680 तुलु **केडु** कीचड़
त. **चेरु** उप.
सं. **केदार** जलमग्न क्षेत्र
प्राकृत **केआर** खेत (द्र.)
बंगला **केदार** उप.
हिन्दी **क्यारी**

1683 त. **कइ** हाथ
कन्नड़ **कय्, कॅय्** उप.
तेलगू **चॅयि** उप.
सं. **कर** उप.
ग्रीक **खॅइर्** उप.

1684 त. **कइ** सँवारना, अलंकृत करना
(सं. **कला** के समान क्रियामूल **कर्** से सम्बद्ध ***कर्> कल्/कय्)**

1686 कन्नड़ **कइदु** औजार
(सं. **कर्** क्रिया-मूल से सम्बद्ध, **कइदु** अर्थात् उपकरण, जिससे काम किया जाए)

1689 कन्नड़ **कॉङ्गु** मुड़ना, वक्र होना
**कॉङ्कि** मछली पकड़ने का काँटा
**कॉक्कि** वक्रता, मोड़
सं. **कोण**

1690 कन्नड़ **कॉक्कु** चोंच
सं. **चञ्चु**
हिन्दी **चोंच**
(सं. **कोण** के वक्रतासूचक क्रियामूल **कॉन्** के पूर्वरूप **कॉर्** से सम्बद्ध)

1692 तुलु **कॉङ्ग** केरल प्रदेश
त. **कॉङ्गु** तमिलनाडु का एक भाग
सं. **कोङ्कण** महाराष्ट्र का एक भाग
(सं. **कोण** के क्रियामूल **कॉन्** से सम्बद्ध वक्र सीमाओं के प्रदेश का सूचक)

1693 त. **कॉङ्गइ** कुच
सं. **कुच् (कुञ्च्)** वक्र होना
**कुच**
हिन्दी **चूँची**
**(कोण, कुञ्चित** आदि के क्रयामूल* **कॉन्** से सम्बद्ध)

1700 मलयालम **कॉडन्न** दो मुट्ठी
कोडगु **कॉडन्दॅ** उप., अँजुरी
(हिन्दी **गोई** जोड़ी के **गो** के समान **कॉ** का अर्थ है दो और **डन्द, दण्ड** का पूर्वरूप है **धन्ध** हाथ। हिन्दी **धन्धा,** उक्त **धन्ध, दण्ड,** अंग्रेज़ी **हैंड** परस्पर सम्बद्ध हैं। कोडगु **दण्डी** दो चीजें 104 में दो की सख्या का भाव दो हाथों के कारण उत्पन्न हुआ। यहाँ दण्ड का मूल अर्थ है हाथ।)

1701 **कॉडम्बॅ, कॉडमॅ** मछली पकड़ने की दोहरी डलिया
(दोहरी के भाव का आधार **कॉडन्न** 1700 के **कॉ** की तरह यहाँ **कॉ** है।)

| | | | |
|---|---|---|---|
| 1702 | तुलु | **कुडरि** | कुल्हाड़ी |
| | कन्नड़ | **कॉडलि** | उप. |
| | सं. | **कुठार** | (द्र.) |
| | | **कुद्दाल** | कुदाल |
| 1704 | त. | **कोड्डु** | चोटी, पहाड़ |
| | सं. | **कोटि** | चोटी (द्र.) |
| 1708 | त. | **कॉडु** | देना |

(त. **कइ** हाथ 1683, सं. **कर** से सम्बद्ध, जैसे सं. **दा** देना फ़ारसी **दस्त** हाथ से सम्बद्ध है)

| | | | |
|---|---|---|---|
| 1709 (क) | त. | **कॉडु** | टेढ़ा |
| | | **कुड** | उप. |
| | सं. | **कुटिल** | उप. (द्र.) |
| (ख) | त. | **कोडि** | कोना |
| | कोत | **कोंड्** | मोड़ |
| | सं. | **कोण** | |
| (1713) | तुलु | **कॉट्ट** | झोंपड़ी |
| | कोडगु | **कॉट्टि** | उप. |
| | त. | **कॉट्टम्** | पशु बाँधने का स्थान |
| | सं. | **गोष्ठ** | उप. (द्र.) |
| | अंग्रेज़ी | **कोट** | उप. |
| | | **कौटज्** | झोंपड़ी |
| 1717 | त. | **कॉट्टु** | पीटना |

(त. **कुट्टु** पीटना 1391, सं. **कुट्ट्** से सम्बद्ध)

| | | | |
|---|---|---|---|
| 1722 (क) | त. | **कॉट्टइ** | गुठली |
| | कुड़ुख़ | **गॉटा** | उप. |
| | हिन्दी | **गुठली** | |
| (ख) | त. | **कॉट्टइ** | फल का गूदा |
| | तुलु | **गॉट्टु** | उप. |
| | हिन्दी | **गूदा** | |
| 1729 | कन्नड़ | **कॉणपि** | नाज पीटने का उपकरण |
| | सं. | **कुणप** | भाला (द्र.) |
| 1734 | कुड़ुख़ | **खॉण्ड्खा** | गहरा गड्ढा |
| | हिन्दी | **खन्दक** | |
| 1739 | त. | **कॉत्तलम्** | दुर्ग |
| | सं. | **कोट** | उप. |

(त. **कोट्टइ** दुर्ग 1831 से सम्बद्ध)

| | | | |
|---|---|---|---|
| 1741 | त. | **कॉत्तु** | परिवार, सभा |
| | सं. | **कुटुम्ब** | |
| 1751 | त. | **कॉप्परइ** | नारियल |
| | हिन्दी | **खोपड़ा** | (द्र.) |
| 1755 | कुड़ुख़ | **खॉपा** | जूड़ा |
| | हिन्दी | **खोंपा** | उप. (द्र.) |
| 1758 | पर्जि | **कुप्लॉङ्ग** | कपोल |
| | सं. | **कपोल** | |
| 1759 | मलयालम | **कॉम्बु** | मस्तूल |
| | सं. | **स्कुम्भ** | स्थिर होना |

(त. **कूम्बु** मस्तूल 1575 से सम्बद्ध)

| | | | |
|---|---|---|---|
| 1767 | तेलगू | **कॉङ्ग** | सारस |
| | सं. | **कङ्क** | उप. |
| 1786 | त. | **कोदु** | खोदना |
| | हिन्दी | **खोदना** | |
| (1787) (क) | कोंड | **कॉडॉ** | पुत्र, लड़का |
| | तेलगू | **कॉडुकु** | पुत्र |
| | पंजाबी | **कुड़ी** | लड़की |
| | ग्राक | **कॉरे** | उप. |
| | | **कॉरॉस्** | लड़का |
| (ख) | कुइ | **कोड्डु** | कोंपल |
| | त. | **कॉऴुन्दु** | उप. |
| | सं. | **कॉर** | कली (द्र.) |
| | बंगला | **कुड़ी** | उप. |
| 1788 (क) | तेलगू | **कॉण्डि** | आँकड़ा, कुडी |
| | हिन्दी | **कुंडी** | |
| (ख) | कोलमि | **कॉर्** | लाना |
| | कुवि | **कोदलि** | लेना, खरीदना |
| | तेलगू | **कॉनु** | उप. |
| | त. | **कॉळ्** | उप. |

(सं. ***कर्** करना के विकल्प ***कॉर्** से सम्बद्ध)

| | | | |
|---|---|---|---|
| 1789 | त. | **कॉल्** | मारना |

(त. **कॉल्** मारना 1772 से सम्बद्ध)

| | | | |
|---|---|---|---|
| (1792) | त. | **कॉळइ** | गीत, धुन |
| | गेलिक | **केलूर** | गायन |
| (1794) | त. | **कॉळ्ळि** | आग |
| | हिन्दी | **कौड़ा** | अलाव |
| | लैटिन | **कलॅओ** | गरमाना |
| (1803) | त. | **कॉरम्** | विजय, प्रभुत्व |
| | ग्रीक | **कुरॉस्** | प्रभुत्व |
| (1805) | त. | **कॉरु** | भोजन |
| | फ़ारसी | **ख़ुर्दन्** | भोजन करना |
| (1807) | त. | **कॉनइ** | नोक; सिरा |

सं. **कण्ट** काँटा
ग्रीक **कॅन्तॅओ** चुभाना
(1811) त. **को** पहाड़
फ़ारसी **कोह्** उप.
1814 कन्नड़ **कोसु, कोचु** टेढ़ापन
सं. **कुच्** टेढ़ा होना
(1824) गोंडी **कोर्** सींग
त. **कोडु** उप.
लैटिन **कॉर्नू** उप.
सं. **शृंग** उप.
1830 मलयालम **कोद्दि** हँसी-मज़ाक़
सं. **गोष्ठी** (द्र.)
(1831) त. **कॉट्टइ** दुर्ग
तेलगू **कोट** उप.
सं. **कोट** उप. (द्र.)
अंग्रेज़ी **कोर्ट्** दीवालों से घिरा स्थान
1833 कन्नड़ **गोडॅ** दीवाल
सं. **कुड्य** उप. (द्र.)
(त. **कोट्टइ** दुर्ग 1831 से सम्बद्ध)
1834 त. **कोण्** कोण, वक्रता
सं. **कोण** (द्र.)
1835 त. **कोणि** बोरी
सं. **गोणी** उप.
अंग्रेज़ी **गनी** उप.
(**गोणी** और **गनी** के सम्बन्ध के लिए देखें आक्सफोर्ड डिक्शनरी)
1836 त. **कोदंडम्** विद्यार्थियों के हाथ बाँधकर दंड देने का रस्सा
सं. **कोदंड** धनुष
1837 कन्नड़ **गोन्दॅ** बैल
गोंडी **कोंडा, कोन्द** उप.
सं. **षंड** साँड़
1838 कुइ **कोप** पशुओं की देखभाल
सं. **गोप**
(1840) तेलगू **कोमटि** वैश्य
कन्नड़ **कोमटि** वैश्य दुकानदार
लैटिन **कउपो, कोपो** दुकानदार
ग्रीक **कम्पेलॉस्** उप.
सं. **काम्पिल्य** पाञ्चालों का नगर
(जो व्यापार केन्द्र रहा होगा)
(1841) त. **कोमाळि** विदूषक
कोत **कोमाळ्य्** नाटक का विदूषक
मलयालम **कोमाळम्** हास्य-विनोद
ग्रीक **कोमॉस्** उप.
**कोमोदॅओ** व्यंग्य करना, नकल उतारना
**कोमोदिअ** हास्य-व्यंग्य का प्रदर्शन
(1844) तेलगू **कोर** कटोरा
त. **कोरम्** उप. तश्तरी
हिन्दी **खोरा** कटोरा
फ़ारसी **आबखोरा** उप.
1853 त. **कोल्** नाव
सं. **कोल** उप. (द्र.)
1859 कुड़ुख़ **कूल्** पेट
सं. **कोल** छाती
1860 त. **कोवणम्** लँगोटी
सं. **कौपीन** उप. (द्र.)
1872 त. **चक्कळि** चपटा होना
प्रा. **चक्कल** विस्तीर्ण
हिन्दी (अवधी) **चाकल** चौड़ा
1880 कन्नड़ **जगति, जगलि, जगळि** चबूतरा
सं. **जगत्** मकान की कुर्सी
हिन्दी (अवधी) **जगति** कुएँ के चारों ओर बना चबूतरा
1881 तेलगू **जग्गु** चमक-दमक
हिन्दी **जगमग**
1882 तेलगू **जङ्कु** आगा पीछा करना; डरना
सं. **शंका**
1892 तेलगू **चट्टन** शीघ्र
हिन्दी **चट, झट**
सं. **झटिति** उप.
1894 कन्नड़ **जडि** पीटना
सं. **तड्** उप.
1897 त. **चडइ** जटा
कन्नड़ **जटॅ** उप.
सं. **जटा** (द्र.)
प्राकृत **झंटी** केशकलाप
1905 त. **चट्टुगम्** चम्मच

सं. **चटुक** काष्ठपात्र

1908 गद्ब **सट्** भूनना

पंजाबी **सड़ना** जलना

1909 कन्नड़ **जड्ड** निकटता

हिन्दी **सटना**

1910 कन्नड़ **जड्ड** जड़ता

सं. **जड**

1916 (क) मल. **चद** घाव

सं. **क्षत**

(ख) कन्नड़ **तदॅ** पीटना

स. **तड्** उप.

1917 त. **चदि** धोखा देना

सं. **छद्** उप.

**छद्म** छल (द्र.)

1920 त. **चदुर्** कौशल

सं. **चतुर**

1921 कन्नड़ **चन्द** सुन्दर, प्रसन्न करनेवाला

सं. **चन्द** प्रसन्न करना

1924 त. **चप्पट्टइ** चपटापन

सं. **चर्पट** पट लोटा हुआ (द्र.)

हिन्दी **चपटा**

1927 त. **चप्पु** चबाना

पालि **चप्पेति** उप. (द्र.)

सं. **चर्व्** उप.

हिन्दी **चबाना**

1929 त. **चप्पइ** नीरस

सं. **चपट** उप. (द्र.)

त. **चप्पट्टइ** चपटापन

हिन्दी **चपटा**

1934 कन्नड़ **समरु, सवरु** सँवारना

**संवरणॅ** तैयारी

सं. **संवरण** आच्छादन

हिन्दी **सँवरना, सँवारना**

1943 तेलगू **त्राडु** धागा

त. **चरडु** उप.

फ़ारसी **तार** सूत, धातु का तार

1948 कन्नड़ **सरपणि, सर्पळि** ज़ंजीर

त. **चरप्पणि** सोने की ज़ंजीर

(सं. **सर्प** की वक्रगति सूचक ***सर्** क्रिया से)

(1949) कोंड **सरर्** साँप

तेलगू **तरस्** उप.

त. **अरवु (<*सरपु)** उप.

सं. **सर्प**

अंग्रेज़ी **सर्पॅण्ट** उप.

1950 त. **चरि** सरक जाना

कन्नड़ **सरि** चलना, भागना

सं. **सृ (*सर्)** उप.

1953 गोंडी **सर्री** सड़क

सं. **सरणि** उप.

(गमनसूचक ***सर्** क्रिया से)

1959 त. **चलि** छानना

**चल्लडइ** चलनी

हिन्दी **छानना**

**चलनी (<छलनी)**

1964 तुलु **चल्लण** जाँघिया

सं. **चलनक** पेटीकोट (द्र.)

कन्नड़ **चड्डी** जाँघिया

हिन्दी **चड्डी**

1673 (क) त. **चवट्टु** नाश करना

सं. **शव**

प्राकृत **चव** मरण

(ख) कोडगु **चवटि** पगचिह्न

**चव्ट्** पैर रखना

त. **चवट्टु** पैर से कुचलना

कम्बोज **शव्** चलना

(शवतिर्गतिकर्मा **कम्बोजेष्वेव भाषितो भवति—महाभाष्य**)

1975 कन्नड़ **सवरु** काट छाँट करना

प्राकृत **सब्बल** शस्त्र विशेष

हिन्दी (अवधी) **सब्बरु, सबरा** लोहे का डंडा जो एक तरफ पैना होता है और खोदने के काम आता है।

1976 पर्जि **चविल्** ओखली

नइकि **सव्लि** उप.

त. **अवल्** भुने धान को कूटकर निकाला चावल

प्राकृत **चवल** चावल

हिन्दी **चावल**

1999 कन्नड़ **चन्नु** सुन्दरता

सं. **चन्** प्रसन्न होना

2002 कन्नड़ **सावु** मृत्यु, शव
त. **चावु** मृत्यु, प्रेत
सं. **शव** (द्र.)
प्राकृत **चव** मरण
2006 (क) कन्नड़ **सागु** चलना
कम्बोज **शव्** उप.
(**कोडगु चवटि** पगचिह्न 1973 से सम्बद्ध)
(ख) कन्नड़ **सागु** खेती
सं. **शाक**
हिन्दी (अवधी) **सागु**
(सं. **सृ** गैदा करना के प्रतिरूप ***सव्, *सा** बोना से सम्बद्ध)
2010 कन्नड़ **जादु, जाजु** लाल रंग
सं. **यातु** जादू
**यातुधान** राक्षस
फ़ारसी **जादू**
(जैसे **रक्त** से **रक्ष, राक्षस,** वैसे ही **यातु** से **यातुधान राक्षस** और **यातुधान** रक्त अथवा पीत वर्ण के लोग थे जो अपनी माया के लिए प्रसिद्ध थे।)
2021 त. **चान्दम्** चन्दन
सं. **चन्दन** (द्र.)
2022 त. **चात्तु** पहनना
सं. **छद्** उप., ढकना
**छादन** आवरण
2026 त. **चाय्** लेटना, झुकना
सं. **शी (शयते** इत्यादि) लेटना
2037 कन्नड़ **साकु** पर्याप्त होना
कोत **चाग्** सम्भव होना
सं. **शक्** योग्य होना
हिन्दी **सकना**
2038 कन्नड़ **साल्** हल से बनी नाली
त. **चाल्** उप.; खेत बोते समय बोनेवाल के आने-जाने से बनी राह
सं. **शालि** (जो बोया जाए); धान
2047 कन्नड़ **चार** रेखा, पट्टी
सं. **शार्** उप.
(यथा शार्दूल में; **शार्** रेखा, त. **तोल्** खाल। यह व्याख्या बरो की है।)
बंगला **सारि** पंक्ति

2050 सं. **चारु** रस
सं. **चरु** विशेष प्रकार की खीर
2051 गोंडी **सारुङ्** छह
**हरूङ्** उप.
**आरु** उप.
त. **आरु** उप.
कुइ **सज्** उप.
सं. **षष्, षट्** उप.
2053 कन्नड़ **जिगटु** चिपचिपाहट
सं. **चिक्क** गोंद
मराठी **चिकट** चिपचिपा (द्र.)
हिन्दी **चीकट, चिकटना**
2054 तुलु **सिगुरुनि** अंकुरित होना
**तिगुरुनि** उप.
**चिगुरुनि** उप.
**इगुरुनि** उप.
मराठी **शिग्री** कोंपल (द्र.)
2056 कुड़ुख **चीर्ना** चीरना
तेलगू **चीरु** उप.
हिन्दी **चीरना** (द्र.)
2065 त. **चिङ्गु** क्षीण होना
प्राकृत **सिंग** क्षीण (द्र.)
2068 कन्नड़ **चिटकि** चिटकी
हिन्दी **चुटकी**
2071 गद्‌ब **सिट्** काटना, विभाजित करना
पर्जि **चिट्ट्** उप.
सं. **छिद्** उप.
2071 त. **चिट्टिक्कई** उँगली चिटकाने की क्रिया
सं. **चोटिका** उप.
मराठी **चिट्की** उप. (द्र.)
हिन्दी **चिटकाना**
2086 कोलमि **सिन्ता** इमली
तेलगू **चिन्त** उप.
सं. **चिञ्चा** उप. (द्र.)
2089 त. **चिप्पि** सीप
पालि प्राकृत **सिप्पी** उप. (द्र.)
2090 कन्नड़ **सिब्ब, चिब्ब** कोढ़ का दाग
सं. **सिध्म** उप.
मराठी **शीबे** उप. (द्र.)

| | | | |
|---|---|---|---|
| (2093) | तुलु | **शिम** | ठंढ |
| | सं. | **हिम** | |
| | कश्मीरी | **शीन** | बरफ |
| | रूसी | **ज़िम** | शीतकाल |
| 2097 (क) | त. | **चिमिळ्** | आँख मारना |
| | सं. | **श्मील्** | उप. (द्र.) |
| (ख) | त. | **निमइ** | आँख मारना |
| | सं. | **निमिष्** उप., आँखें बन्द करना | |
| (2124) | कन्नड़ | **जिल्लु** | ठंढ लगना |
| | कुइ | **जिलि** | ठंढ |
| | अंग्रेज़ी | **चिल्** | उप. |
| 2110 | तेलगू | **चॅलगमु** | मकड़ा |
| | सं. | **शलक** | उप. (द्र.) |
| 2120 | ब्राहूइ | **सिल्** | खाल छिलका |
| | तुलु | **चिल् कुनि** | खाल उतारना |
| | हिन्दी | **छीलना** | (द्र.) |
| (2122) | तोद | **सिलोर्** | चाँदी |
| | अंग्रेज़ी | **सिल्वर्** | उप. |
| 2133 | त. | **चिरइ** | पंख |
| | हिन्दी (अवधी) | **चिरई** | |
| | | **चिड़िया** | |
| 2135 | त. | **चिन्न** | छोटा |
| | प्राकृत | **चीण** | उप. |
| (2156) | कुवि | **सीम** | चींटी |
| | तेलगू | **चीम** | उप. |
| | सं. | **सीमिक** | उप. (द्र.) |
| | फ़ारसी | **दीमक** | |
| 2158 | नइकि | **शीर्** | चीलर |
| | कोत | **चीर्** | उप. |
| | कन्नड़ | **सीर ईर्** | उप. |
| | हिन्दी | **चीलर** | |
| 2160 | नइकि | **शीर** | चिरौंजी |
| | कोलमि | **सिरॅ, चिरॅ** | उप. |
| | हिन्दी | **चिरौंजी** | |
| 2161 | त. | **चीरइ** | वस्त्र |
| | तुलु | **शीरॅ, सीरॅ** | उप. |
| | सं. | **चीर** | |

(**आवेष्टन**, आवरण का अर्थ देनेवाली हिन्दी **सारी** के क्रियामूल ***सार्** के विकल्प ***सीर्** से सम्बद्ध)

| | | | |
|---|---|---|---|
| 2167 | त. | **चीवल्** | ढीला बुना हुआ |
| | मलयालम | **चीवल्** | वस्त्र का झीनापन |
| | सं. | **चीवर** भिक्षुओं आदि का वस्त्र | |
| 2175 | कोलमि | **सुक्क** | नखत |
| | त. | **चुक्कइ** | उप. |
| | पालि | **सुक्क** | उप. (द्र.) |
| | सं. | **शुक्र** प्रकाशमान, नक्षत्र विशेष | |
| 2176 | कन्नड़ | **सुग्गि** | वसन्त, फसल काटने का समय, समृद्धि |
| | मराठी | **सुगी** | समृद्धि की ऋतु (द्र.) |
| 2180 | कन्नड़ | **चुञ्चु** | माथे के घुँघराले बाल |
| | प्राकृत | **चुञ्चुअ** | मस्तक का आभूषण (द्र.) |
| 2183 | कन्नड़ | **सुडु** | जलना |
| | त. | **चुडु** | उप. |
| | प्राकृत | **चुडुली** | मशाल (द्र.) |
| 2184 | कन्नड़ | **जुट्ट** | जूड़ा |
| | सं. | **जूट** | (द्र.) |
| 2190 | कन्नड़ | **सुंड** | छछूँदर |
| | सुंड | **इलि** | (सूँड वाला चूहा), उप. |
| | त. | **चुंडन्** | उप. |
| | सं. | **शुण्डि मूषिका** | उप. |
| | हिन्दी | **छछूँदर** | (द्र.) |
| 2191 | कन्नड़ | **सुंडु** | सूखना |
| | त. | **चुंडु** | उप. |
| | सं. | **शुंठ्** | उप. (द्र.) |
| 2193 | त. | **चुंडु** | चोंच |
| | सं. | **तुंड** | उप. |
| 2204 | त. | **चुम्माडु** | इँडुआ, इँडुरी |
| | पालि | **चुम्बट** | उप. |
| | प्राकृत | **चुम्भल** | सिर का आभूषण |
| | मराठी | **चुम्बळ्** | इँडुरी (द्र.) |
| 2207 | कन्नड़ | **सुयि** | साँस लेना |
| | सं. | **श्वस्** | उप. |
| 2211 | गोंडी | **सुरुंडाना** | चक्कर लगाना |
| | कन्नड़ | **सुरुटु** | कुंडली मारना |
| | कुडुख़ | **कूर्ना** | साड़ी लपेटना |
| | त. | **चुरि** | चक्कर खाना |
| | हिन्दी | **चूरी, चूड़ी** | |
| (2212) | त. | **चुरि** | छेद |
| | फ़ारसी | **सूराख़** | |

2213 कन्नड़ **सुर्कु, सुक्कु** मुरझाना सिकुड़ना
तुलु **कुरुंटुनि** उप.
त. **चुरुङ्गु** उप.
सं. **शुष्** सूखना
**शुष्क** सूखा
2219 गद्‌ब **सूवॅ** कुआँ
गोंडी **चुवा** उप.
सं. **स्रु** बहना
(***स्रुव से *सूव)**
हिन्दी **चूह, चूहा, चोया** सोता; धरती से फूट निकलने वाले पानी की जगह
2220 त. **चुवडु** पग; राह
(कोडगु **चव्टि** पगचिह्न 1973, प्राकृत **चव** चलना के विकल्प ***चॉव्** से सम्बद्ध)
2223 कन्नड़ **सुळि** चक्कर खाना; घूमना; चलना
**तुळि** चक्कर खाना
त. **चुळल्** उप.
**चूळ** घेरना; लपेटना
**उळल्** चक्कर खाना; घूमना
(त. **चुरि** चक्कर खाना 2211 से सम्बद्ध)
2233 त. **चुळ्ळइ** भट्ठी
सं. **चुल्ली** चूल्हा (द्र.)
2236 त. **चुरुक्कु** तेजी; शीघ्रता
सं. **त्वर्** जल्दी करना
2238 कन्नड़ **सुत्तु** घेरना; लपेटना
तोद **तुत्** भटकना; चक्कर खाना; लपेटना
कोत **चुत्** उप.
त **चुर्रु** उप.
(कन्नड़ **सुळि** चक्कर खाना 2223, त. **चुरि** उप. 2211 से सम्बद्ध)
2246 कन्नड़ **सूडग** कंगन
तुलु **चूड** उप.
सं. **चूडा** उप.
2246 त. **चूडु** घेरना; लपेटना
(तुलु **चूड** कंगन 2246 से सम्बद्ध)
2249 त. **चूत्तु** गुदा; गुप्त स्थान
सं. **चूति, चूत, च्युति** गुदा
हिन्दी **चूतड़** (द्र.)
2255 तेलगू **चूलु** बच्चा
प्राकृत **चुल्ल** उप.
2259 त. **चूळि** छत को सहारा देने के लिए दीवाल में ठोंकी हुई लकड़ियाँ
हिन्दी **चूल** किसी लकड़ी का वह पतला सिरा जो किसी दूसरी लकड़ी के छेद में उसे जोड़ने के लिए ठोंका जाए
(संक्षिप्त हिन्दी शब्दसागर)
2262 कन्नड़ **सूळॅ** वेश्या
सं. **शूला** उप. (द्र.)
2264 त. **चूरइ** डाका
सं. **चुर्** चुराना; लूटना
2266 कोलमि **सॅक्क, चॅक्क** छाल
हिन्दी (अवधी) **छॉकला** छिलका
2271 तुलु **शॅडिलु, तॅडिलु** बिजली
सं. **तडित्** उप. (द्र.)
2273 त. **चॅट्टि** गौरैया
सं. **चटक** उप. (द्र.)
2274 त. **चॅट्टइ** पंख
(त. **चिरइ** पंख 2133 से सम्बद्ध)
2282 त. **चॅम्बु** ताँबा; सोना
सं. **ताम्र** ताँबा
प्राकृत **तम्ब** उप. (द्र.)
2283 नइकि **शेद्** सेही
कन्नड़ **एदु** उप.
सं. **सेधा** उप. (द्र.)
2286 कोलमि **सॅर्** जाना
सं. **सृ** चलना, बहना
कन्नड़ **सल्** चालू होना
कुइ **सल्ब** जाना
सं. **सल्** चलना
त. **चॅल्** जाना बहना
सं. **चल्** चलना
कुवि **हल्ल** चल
प्राकृत **हल्ल** चलना

| | | | |
|---|---|---|---|
| | सिन्धी | **हालणुं** | उप. |
| | हिन्दी | **हाल** | (हाल चाल) |
| 2288 (क) | गोंडी | **सेलार्** | छोटी बहन |
| | तेलगू | **चॅल्लॅ** | उप. |
| | सं. | **स्वसृ** | बहन |
| | लैटिन | **सॉरोर्** | उप. |
| | लिथुआनियन | **सेसॅ, सेसॅलॅ** | उप. |
| (ख) | त. | **चिलडन्** | सेवक; सखा |
| | तेलगू | **चॅलि** | सखी |
| | सं. | **चेट** | सेवक |
| | | **चेटी** | सेविका |
| 2290 | कन्नड़ | **सॅलॅ** | झरना |
| | सं. | **सल्** | बहना |
| | | **सलिल** | प्रवहमान |
| (2291) | त. | **चॅल्वन्** | धनी; स्वामी |
| | तुलु | **चॅलुविकॅ** | सुन्दर पुरुष |
| | रूसी | **चॅलॉवॅक्** | मनुष्य |
| 2294 | कन्नड़ | **सॅळ्ळु** | लम्बी लचीली टहनी |
| | हिन्दी (अवधी) | **सॅल्ला** | सन के सूखे पतले पेड़ जिनके ऊपर से सन निकाल लिया गया हो |
| 2265 | कन्नड़ | **सळॅ** | तेज़ी से बढ़ना |
| | सं. | **सल्** | चलना; बहना |
| 2301 | मलयालम | **शेखरम्** | स्तूप |
| | सं. | **शेखर** | चोटी |
| 2308 | तेलगू | **सेद** | थकान |
| | सं. | **सीद्** | थकना |
| 2309 | कन्नड़ | **सेद्द** | खेती |
| | मराठी | **शेत** | खेत |
| 2313 | गोंडी | **सेर्** | हल |
| | कुवि | **हेरू** | उप. |
| | त. | **एर्** | उप. |
| | सं. | **सीर** | उप. |
| (2314) | गोंडी | **सेरि** | साँप |
| | सं. | **सर्प** | उप. |
| | लैटिन | **सॅर्पो** | रेंगना |
| 2320 | कन्नड़ | **सोगसु** | चमकना |
| | | **चॉक्क** | सुन्दरता |
| | सं. | **चोक्ष** | मनोहर |
| | हिन्दी | **चोखा** | (द्र.) |

| | | | |
|---|---|---|---|
| 2324 | त. | **चॉट्टु** | टपकना |
| | सं. | **च्यु** | (उप.) |
| 2325 | मलयालम | **चॉट्टु** | तमाचा |
| | हिन्दी | **चोट** | |
| 2335 | त. | **चॉल्** | कहना |
| | प्राकृत | **चव** | उप. |
| 2336 | त. | **चॉलि** | छीलना |
| | हिन्दी | **छोलना** | उप. (द्र.) |
| 2337 | त. | **उलइ** | चूल्हा |
| | प्राकृत | **चूल्लि** | उप. |
| 2353 | कन्नड़ | **सुरि** | बहना |
| | सं. | **स्रु** | उप. |
| 2359 | तेलगू | **जॉन्न** | ज्वार |
| | सं. | **युवनाल** | उप. (द्र.) |
| | हिन्दी (अवधी) | **जॉन्ढी** | |
| 2360 | त. | **चोरु** | भात |
| | सं. | **चरु** | खीर |
| (2364) | त. | **नरम्बु** | स्नायु |
| | तोद | **नर्ब** | उप. |
| | कन्नड़ | **नर, नरवु** | उप. |
| | लैटिन | **नॅर्वुस्** | उप. |
| | अंग्रेज़ी | **नर्व** | उप. |
| | हिन्दी | **नस** | |
| | ग्रीक | **नस्मॉस्** | प्रवहमान; धारा |
| 2368 | गदव | **नाङ्गल्** | हल |
| | कन्नड़ | **नेगल्** | उप. |
| | त. | **नाञ्जिल्** | उप. |
| | सं. | **लाङ्गल** | उप. |
| | पालि | **नङ्गल** | उप. |
| | बंगला | **नाङ्गल्** | उप. |
| | मराठी | **नांगर** | उप. (द्र.) |
| 2371 | ब्राहूइ | **दे** | सूर्य; दिन; धूप; समय |
| | कन्नड़ | **नेसरु** | सूर्य |
| | त. | **नायिरु** | उप. |
| | सं. | **दिव्, दिवस** | दिन; आकाश |
| 2379 | कन्नड़ | **नातु** | गन्ध |
| | तुलु | **नादुनि** | गन्ध आना |
| | कन्नड़ | **नारु** | उप. |
| | त. | **आरु** | उप. |
| | | **नरु** | सुगन्ध |

| | | | |
|---|---|---|---|
| | ग्रीक | **नर्दॉस्** | सुगन्धित तेल देने वाला वृक्ष |
| | सं. | **नासा** | नाक |
| 2381 | कोडगु | **मॉनिआन्दि** | परसों (गत) |
| | | **निन्नान्दि** | कल (गत) |
| | तेलगू | **नेंडु** | आज |
| | मलयालम | **ञान्नु** | दिन |
| | त. | **ञान्रु** | उप.; समय |

(सं. **दिव्** **द्यु** से सम्बद्ध ***दु** **दिवस** के आधार पर बने रूप)

| | | | |
|---|---|---|---|
| (2384) | तेलगू | **नॅगडि** | अलाव; तपता |
| | त. | **नॅगिळ्** | आग |
| | सं. | **नग** | सूर्य |
| | फ़ारसी | **भगीना, नग** | रत्न |
| (2387) (क) | कन्नड़ | **नॅळ्गु, नॅग्गु** | डूबना |
| | लैटिन | **मॅर्गो** | उप. |
| | सं. | **मज्ज्** | उप. |
| (ख) | त. | **नरुक्कु** | दलना पीसना |
| | सं. | **दरण** | दलने की क्रिया |
| | लैटिन | **तॅरो** | दलना; पीसना |
| (ग) | गोंडी | **नाड़** | मटके में दरार |
| | हिन्दी | **दरार** | |
| | फ़ारसी | **दर्ज़** | दरार |

**(*दर्>*नर्)**

| | | | |
|---|---|---|---|
| (2389) (क) | कुइ | **द्रे** | लपट |
| | गेलिक | **दुर्दॅर्ग्** | लाल |
| | | **द्यार्स्** | चमकना |
| | वेल्श | **तॅरुइन्** | अग्नेय |
| | सं. | **तरल** | चमकीला |
| | तारा | **नखत** | |
| (ख) | मल्तो | **नरॅ** | लपट |
| | त. | **नॅरुप्पु** | अग्नि |

**(*दर्/*तर्>*नर्)**

| | | | |
|---|---|---|---|
| 2391 (क) | कन्नड़ | **नल्लु** | नाला |
| | हिन्दी | **नल्ला, नाला** | |
| (ख) | तुलु | **नल्लॅ** | पोली जगह |
| | सं. | **नल** | सरकंडा |
| (2392) | कन्नड़ | **नॅळ्ळु** | कराहना |
| | फ़ारसी | **नाला** | प्रार्थना |
| | सं. | **नर्द** | चिल्लाना |
| 2395 | त. | **नॅरि** | मुड़ना |
| | कन्नड़ | **नॅरि** | धोती की लपेट |
| | मराठी | **निरी** | उप. (द्र.) |
| 2337 | कन्नड़ | **लॉदडि** | लार |
| | | **लोळ** | उप. |
| | तुलु | **नोणॅ** | उप. |
| | सं. | **लाला** | उप. |
| | हिन्दी | **लार** | (द्र.) |
| 2416 | त. | **इडङ्गर** | पगडंडी |
| | हिन्दी | **डगर** | |
| 2418 | त. | **टॉङ्गु** | वक्रता |
| | कन्नड़ | **डॉङ्क** | वक्र होना |
| | मराठी | **डोंगा** | वक्र (द्र.) |
| | हिन्दी | **डंक** | (जो टेढ़ा होता है) |
| 2425 | कन्नड़ | **तगडु** | धातु पीट कर बनाई हुई थाली |
| | मराठी | **तकट्** | उप. (द्र.) |
| | सं. | **स्तक्** | पीटना |
| 2430 | त. | **तगर्** | भेड़ |
| | मराठी | **तगर** | उप. (द्र.) |

(सं. **स्थग्** ढँकना; ***स्थगर** ऊन से ढँका हुआ; भेड़)

| | | | |
|---|---|---|---|
| 2431 | कन्नड़ | **तमर** | टीन |
| | सं. | **तमर** | उप. (द्र.) |
| 2432 | त. | **तगरम्** | सुगन्ध लता विशेष |
| | सं. | **स्थगर्, तगर** | सुगन्ध वाली लता (द्र.) |
| 2434 (क) | मल्तो | **तकॅ** | छूना |
| | कन्नड़ | **तगलु** | उप. |
| | सं. | **त्वक्, त्वच** | खाल |
| | इटालिटन | **तॉच्चारे** | छूना |
| | अंग्रेज़ी | **टच्** | उप. |
| (ख) | कन्नड़ | **तगुळ्चु** | आग जलाना |
| | सं. | **दह्** | जलाना |
| | फ़ारसी | **दाग़** | जलने के निशान |
| | जर्मन | **टाग्** | दिन |

**(*दघ्>*तग्)**

| | | | |
|---|---|---|---|
| 2435 | त. | **तक्कार्** | योग्य जन |
| | | **तक्कोर्** | उप. |
| | सं. | **ठक्कुर** | देव, श्रद्धेय |
| (2436) (क) | त. | **तगइ** | रोकना |

| | | | |
|---|---|---|---|
| | कन्नड़ | **तग** | रुकावट |
| | सं. | **स्था** | ठहरना |
| | | **स्थगित** | रुका हुआ |
| (ख) | त. | **तगैप्पु** | दुर्ग; प्रासाद; घर का एक भाग |
| | ग्रीक | **स्तॅगे** | छत; घर |
| | | **तॅगॉस्** | छत; कोठा |
| | सं. | **स्थग्** | ढाँकना (छत डालना) |
| 2437 | त. | **तक्कडि** | तराजू |
| | मराठी | **तागड़ी** | उप. (द्र.) |
| | हिन्दी | **तखरी** | उप. |
| | | **तगड़ी** | उप. |
| 2441 | त. | **तक्कइ** | कान छिदाने पर कान के छेद को बड़ा करने के लिए पहनी हुई पोंगी |
| | हिन्दी | **तर्की** | |
| 2442 | त. | **तङ्गम्** | सोना |
| | सं. | **टङ्कम्** | स्वर्ण मुद्रा (द्र.) |
| (2443) | त. | **तक्कु** | स्थायी होना |
| | | **तङ्गु** | ठहरना |
| | सं. | **स्था** | उप. |
| | जर्मन | **श्टाङ्ग** | डंडा |
| | | **श्टाकन्** | उप. |
| 2446 | त. | **तजइ** | मांस |
| | सं. | **तरस** | उप. (द्र.) |
| 2449 (क) | तुलु | **दट्टमु** | स्थूल |
| | मराठी | **दाट्** | उप. (द्र.) |
| (ख) | त. | **तड** | चौड़ा; बड़ा |
| | | **तडि** | फैलना; बड़ा होना |
| | प्राकृत | **तड्ड** | विस्तार करना |
| | | **तड्डिअ** | विस्तीर्ण |
| | सं. | **स्तृ (*स्तर्)** | फैलाना |

(*स्तर्द>*तर्द>तड)

| | | | |
|---|---|---|---|
| (ग) | कन्नड़ | **दट्टु** | समूह |
| | हिन्दी | **ठट्ठ** | |
| 2456 | त. | **तडा** | बर्तन |
| | प्राकृत | **ठट्ठार** | ठठेरा |
| 2459 | त. | **तडि** | डंडा |
| | कन्नड़ा | **दडि, दंडि** | उप. |
| | सं. | **दंड** | उप. |
| 2463 | तेलगू | **तट्ट** | तश्तरी |
| | हिन्दी | **टोठी** | थाली |
| 2464 | त. | **तट्टि** | टटिया |
| | प्राकृत | **टट्टी** | उप. (द्र.) |
| 2465 | तेलगू | **दट्टि** | लँगोटी |
| | सं. | **धटी** | उप. (द्र.) |
| 2466 | त. | **तट्टु** | पीटना |
| | सं. | **तड्** | उप. (द्र.) |
| 2473 | त. | **तण्णीर** | ठंढा पानी |
| | प्राकृत | **तण्णाये** | गीला (द्र.) |
| (2476) | कोलमि | **दंड** | हाथ |
| | मलयालम | **तंड** | उप. |

(सं. **हस्त** < *धस्त > फ़ारसी **दस्त**; *धस् करना > *धन्→हिन्दी **धन्धा**; *धन्→*धन्ध>*दंड हाथ; *धन्ध> *हन्द> अंग्रेज़ी **हैन्ड्**)

| | | | |
|---|---|---|---|
| (2477) | त. | **तंडल्** | नौकापति |
| | कन्नड़ | **तंडेल्** | उप. |
| | मराठी | **तांडेल** | उप. (द्र.) |
| | अंग्रेज़ी | **टिंडल्** | उप. |

(ऑक्सफोर्ड डिक्शनरी को अनुसार मलयालम **तण्डल्** से; जैसे सं. **काण्ड** पतवार से बंगला **काण्डार, काण्डारी** माँझी, वैसे ही सं. **दण्ड डाँड,** नाव खेने का बल्ला से **तण्डल्**)

| | | | |
|---|---|---|---|
| 2479 | मलयालम | **दण्डम्** | परिश्रम |
| | | **दण्डिक्क** | परिश्रम करना |
| | | **दण्डिप्पु** | परिश्रम और उसका फल; दक्षता |
| | हिन्दी | **धन्धा** | |

(*धन् करना)

| | | | |
|---|---|---|---|
| 2482 (क) | तुलु | **दण्डियुनि** | हाथ पसारना |

(हिन्दी **धन्धा** की *धन् करना *धन्ध हाथ से सम्बद्ध)

| | | | |
|---|---|---|---|
| (ख) | त. | **तण्डम्** | कर, टैक्स |
| | कोत | **दण्ड्** | ऋण चुकाना |
| | सं. | **दण्ड** | जुर्माना |
| 2483 | तेलगू | **तण्डा** | काफिला |
| | तुलु | **तण्ड** | समूह, सेना |
| | हिन्दी | **टांड़ा** | झुंड, काफिला |
| | मराठी | **टांडा** | उप. (द्र.) |
| | सं. | **दण्ड** | सेना |
| 2484 | त. | **तण्डु** | डंठल |

| | | | |
|---|---|---|---|
| | कन्नड़ | **दण्ड** | उप. |
| | सं. | **तण्डक** | पेड़ का तना (द्र.) |
| | हिन्दी | **डंठल** | |

(***स्तन्ध** जिससे **तन्द, तंड** और **डंठ, डंठल**)

| | | | |
|---|---|---|---|
| 2495 | त. | **तप्पु** | मरना |
| | सं. | **शव** | |
| 2503 | त. | **तप्पइ** | धप्पा |
| | हिन्दी | **धप्पा** | (धौलधप्पा का धप्पा) |
| 2509 | कन्नड़ | **तमङ्ग** | मंच |
| | सं. | **तमङ्ग** | उप. (द्र.) |
| 2518 | त. | **तयिर्** | दही |
| | सं. | **तक्र** | मठा (द्र.) |
| (2519) | त. | **तरगु** | दलाली |
| | रूसी | **तॉर्गॉवात्** | व्यापार करना |
| (2522) | त. | **तरि** | रुकना; खड़े होना |
| | अंग्रेज़ी | **टैरी** | रुकना |
| (2526) | त. | **ता** | देना |
| | सं. | **दा** | उप. |
| | रूसी | **दवात्, दात्** | उप. |
| 2529 | त. | **तलइ** | सिर; ऊपरी भाग |
| | मलयालम | **तल्प्** | सिरा |
| | सं. | **तल्प** | ऊपरवाला कोठा |
| | प्राकृत | **तल** | मुखिया |
| | हिन्दी | **तल्ला** | घर का ऊपरी भाग |
| 2532 | त. | **तल्लु** | मारना |
| | सं. | **तड्** | उप. |
| (2533) | त. | **तवक्कम्** | रुकावट |
| | अंग्रेज़ी | **स्टौप्** | रोकना; रुकना |
| | तेलगू | **तमकु** | रुकना |
| | हिन्दी | **थमना** | |
| | सं. | **स्था** | ठहरना |
| 2541 | तुलु | **तरॅपुनि** | पीसना |
| | सं. | **वरण** | दलने-पीसने की क्रिया |
| | लैटिन | **तॅरो** | दलना, पीसना |
| 2574 | गोंडी | **ताराना** | वस्त्रादि फैलाना |
| | नइकि | **ताङ्** | फैलाना |
| | सं. | **स्तृ (स्तरति)** | उप. |
| 2576 | कन्नड़ | **ताटु** | मारना |
| | तेलगू | **ताटिञ्चु** | तमाचा लगाना |
| | सं. | **ताड** | आघात |
| (2578) | त. | **ताण्डु** | नाचना |
| | सं. | **ताण्डव** | (द्र.) |
| | जर्मन | **टान्त्सॅन्** | नाचना |
| | अंग्रेज़ी | **डांस्** | उप. |
| 2580 | कन्नड़ | **तात** | पिता पितामह |
| | पर्जि | **तात** | पिता |
| | त. | **तात्ता** | पितामह |
| | सं. | **तात** | (द्र.) |
| | ग्रीक | **तॅत्त** | पिता |
| | रूसी | **त्यात्या** | उप.; दादा |
| 2581 | त. | **ताप्पु** | प्रतीक्षित अवसर |
| | हिन्दी | **टापना** | प्रतीक्षा करना |
| 2542 (क) | गोंडी | **तड्मी** | आग |
| | सं. | **तडाका** | प्रकाश |
| | | **तडित्** | बिजली |
| (ख) | कोलमि | **तरि** | जलना |
| | सं. | **तार** | प्रकाशमान |
| 2545 | त. | **तऴइ** | कोंपल |
| | सं. | **दल** | उप. |
| 2549 | त. | **तळुक्कु** | चमकना |
| | सं. | **तडित्** | बिजली |
| 2552 | तेलगू | **तरलु** | हिलना, काँपना |
| | सं. | **तरल** | (द्र.) |
| 2554 | कन्नड़ | **तळिसु** | पीटना |
| | सं. | **तड्** | उप. |
| 2555 | त. | **तळिर्** | कोंपल फूटना |
| | सं. | **दल्** | खिलना; फूटना |
| | दल | **कोंपल** | |
| 2559 | त. | **तल्लु** | हटाना |
| | हिन्दी | **टालना** | |
| 2566 | कन्नड़ | **तरट्** | गंजपन |
| | मराठी | **तर्टे** | उप. (द्र.) |
| 2570 | त. | **ताक्कु** | टकराना |
| | प्राकृत | **टक्कर** | टक्कर |
| 2571 | पर्जि | **ताक्** | चलना |
| | हिन्दी | **डग** | |
| (2582) | त. | **ताम्** | वे; वे स्वयं |
| | सं. | **ते** | वे |
| | अंग्रेज़ी | **दे** | उप. |
| 2583 | त. | **तामरइ** | कमल |
| | सं. | **तामरस** | उप. (द्र.) |

| | | | |
|---|---|---|---|
| (2586) | त. | **तार्** | रस्सा |
| | कन्नड़ | **दार्** | रस्सी |
| | सं. | **दोरक** | रस्सा |
| | हिन्दी | **डोर** | (द्र.) |
| | फ़ारसी | **तार** | धागा; (धातु का) तार |
| | हिन्दी | **तार** | |
| 2589 | त. | **तारि** | मार्ग |
| | कन्नड़ | **दारि** | उप. |
| | सं. | **तरति** | पार करता है |
| (2593) | तेलगू | **त्रागु** | पीना |
| | सं. | **तृष्** | प्यासा होना |
| | अंग्रेज़ी | **ड्रिङ्क** | पीना |
| | जर्मन | **ट्राङ्क** | पेय |
| 2594 | कन्नड़ | **तालि** | सोने की गोल पत्ती जिसे ब्याह के समय स्त्रियाँ पहनती हैं |
| | सं. | **तालि** | एक आभूषण (द्र.) |
| 2598 | त. | **ताळ्** | द्वार बन्द करने की लकड़ी |
| | सं. | **ताल** | उप. (द्र.) |
| | मलयालम | **ताळ्** | उप. (द्र.) |
| | हिन्दी | **ताला** | |
| 2599 | कन्नड़ | **ताऴ** | ताड़ |
| | सं. | **ताल** | उप. (द्र.) |
| 2600 | त. | **ताळि** | थाली |
| | सं. | **स्थाली** | उप. (द्र.) |
| 2605 | कन्नड़ | **तळॅ** | धारण करना |
| | सं. | **धरति** | धारण करता है |
| 2612 | कन्नड़ | **तान्** | वह |
| | सं. | **तद्** | उप. |
| (2641) | त. | **तिप्पइ** | ऊँची भूमि |
| | अंग्रेज़ी | **स्टीप्** | ढलान |
| (2652) | त. | **तिरक्कु** | खोजना |
| | ग्रीक | **थॅओरॅओ** | निरीक्षण करना |
| 2653 (क) | कन्नड़ | **तॅरॅ** | पर्दा |
| | सं. | **तिरस्** | गुप्त रूप से |
| (ख) | त. | **तिरङ्गु** | सलवटें पड़ना, बालों का छल्लेदार होना |
| | सं. | **तिर्यक्** | वक्र |

| | | | |
|---|---|---|---|
| (2662) | पर्जि | **तिरि** | काँपना |
| | कुवि | **त्रीगिनइ** | उप. |
| | सं. | **त्रस्** | उप. |
| | ग्रीक | **त्रॅओ** | उप. |
| | लैटिन | **त्रॅमो** | उप. |
| (2663) | कोलमि | **तीर् रॅ** | मीठा |
| | फ़ारसी | **शीरीं** | उप. |
| | | **शीर** | दूध |
| | सं. | **क्षीर** | उप. |
| 2664 | त. | **तिल्लाना** | एक गीत |
| | हिन्दी | **टिल्लाना** | |
| 2670 | त. | **तिन्** | खाना |
| | फ्रांसीसी | **दिने (र्)** | उप. |
| | अंग्रेज़ी | **डाइन** | उप. |
| (2672) (क) | त. | **तीय्** | जलना |
| | सं. | **दीप्** | उप. |
| | हिन्दी | **दिया** | |
| (ख) | तेलगू | **तींड्र** | प्रकाश |
| | पु. अंग्रेज़ी | **टिंड्र** | जलाना |
| 2687 | त. | **तुगिल्** | सुन्दर वस्त्र |
| | कन्नड़ | **दुकुल** | रेशमी वस्त्र |
| | सं. | **दुकूल** | (द्र.) |
| 2688 | त. | **तुक्कु** | क्षुद्रता |
| | सं. | **स्तोक** | क्षुद्र |
| 2712 | तुलु | **सुंड्ड** | टुकड़ा |
| | पु. अंग्रेज़ी | **सुण्ड्रिअन्** | टुकड़े करना |
| 2713 | त. | **तुंडम्** | चोंच, सूँड़ |
| | सं. | **तुण्ड** | उप. (द्र.) |
| | कन्नड़ | **सॉण्डलु** | सँड़ |
| | सं. | **शुण्डा** | उप. (द्र.) |
| 2733 | त. | **तुम्बि** | तूँबी |
| | सं. | **तुम्बी** | उप. (द्र.) |
| (2743) | त. | **तुर** | सुरंग बनाना |
| | कन्नड़ | **तुरि** | छेद करना |
| | ग्रीक | **तॉरॅओ** | उप. |
| | सं. | **सुरङ्गा** | सुरंग |
| (2753) | पर्जि | **तुल** | बुनकर |
| | फ़ारसी | **जूलाह्** | उप. |
| 2756 | त. | **तुवर्** | तीखा स्वाद |
| | सं. | **तुवर** | उप. (द्र.) |

| | | | |
|---|---|---|---|
| 2759 | त. | **तुवइ** | डुबोना |
| | हिन्दी | **डुबोना** | |
| 2761 | त. | **तुळजि** | तुलसी |
| | सं. | **तुलसी** | (द्र.) |
| 2762 | त. | **तुळङ्गु** | झमना |
| | सं. | **दुल्** | उप. |
| 2771 | तुलु | **तुरुत, तुर्त** | द्रुत |
| | हिन्दी | **तुरत** | |
| | सं. | **त्वर्** | जल्दी करना |
| | | **तुर** | जल्दी करनेवाला |
| (2773) | त. | **तुरइ** | नदी |
| | कन्नड़ | **तॉरॅ** | धारा |
| | लैटिन | **तॉर्रॅन्स्** | उप. |
| 2777 | तेलगू | **तूलु** | झुलना; हिलना |
| | सं. | **दुल्** | उप. |
| 2780 | त. | **तूण** | खम्भा, थूनी |
| | सं. | **दुल्** | उप. (द्र.) |
| 2786 | त. | **तूम्बु** | नाली, बाँस |
| | सं. | **तुम्बी** | तूंबी |
| 2798 | त. | **तूरुं** | ऑसाना, बिखराना |
| | सं. | **शूर्प** | सूप |
| 2809 | तेलगू | **तॅड्डु** | काठ का चमचा |
| | सं. | **तर्दू** | उप. (द्र.) |
| (2812) | त. | **तॅप्पम्** | नाव |
| | सं. | **तर्प** | उप. |
| | ग्रीक | **त्रप्पग** | उप. (द्र.) |
| 2818 | त. | **तॅरु** | मार्ग |
| | सं. | **तृ** | पार करना |
| 2828 | कन्नड़ | **तॅळ्ळनॅ** | पतला |
| | सं. | **तलिन** | उप. |
| 2829 | त. | **तॅरि** | फूटना |
| | सं. | **दल्** | उप. |
| (2831) | त. | **तॅरु** | देर करना |
| | हिन्दी | **देर** | |
| | फ़ारसी | **देर्** | देर |
| 2839 | मलयालम | **तॅक्कन्** | दक्खिनी |
| | हिन्दी | **दक्खिन** | |
| (2842) | त. | **तेक्कु** | टीक वृक्ष |
| | पुर्तगाली | **तेक** | उप. |
| | अंग्रेज़ी | **टीक्** | उप. |

| | | | |
|---|---|---|---|
| (2847) | कोत | **देर्** | देव; सिर पर देवता का आना |
| | वेल्श दॅर | **प्रेत** | |
| 2849 | त. | **तेरि** | टीला |
| | हिन्दी | **ढेरी** | |
| 2852 | कन्नड़ | **तेलु** | तैरना |
| | सं. | **तृ** | पार करना |
| | हिन्दी | **तैरना** | |
| (2857) | तुलु | **देरुनि** | हाँकना |
| | जर्मन | **ट्राइबॅन** | उप. |
| | अंग्रेज़ी | **ड्राइव्** | उप. |
| 2861 | त. | **तॉगइ** | समूह |
| | हिन्दी | **थोक** | |
| 2863 | त. | **तॉङ्गु** | टाँगना |
| | हिन्दी | **टाँगना** | |
| 2865 | त. | **तॉडु** | छूना |
| | प्राकृत | **छुत्त** | छुआ हुआ |
| | हिन्दी | **छूत** | |
| 2884 | कन्नड़ | **तॉदल्** | तुतलाना |
| | हिन्दी | **तुतलाना** | |
| 2886 | कन्नड़ | **दॉन्दडि** | संघर्ष |
| | सं. | **द्वंद्व** | उप. |
| 2888 | त. | **तॉन्दि** | तोंद |
| | सं. | **तुन्द** | उप. (द्र.) |
| | हिन्दी | **तोंद** | |
| | (अवधी) | **धोंधु** | उप. |
| 2890 | मलयालम | **तॉप्पन्** | बहुत |
| | सं. | **स्तूप** | ढेर |
| (2896) | कन्नड़ | **दॉरॅ** | प्राप्त होना |
| | रूसी | **दॉल्ग** | ऋण |
| 2900 | कन्नड़ | **तॉलगु** | चले जाना |
| | सं. | **सल्** | चलना; बहना |
| (2907) | त. | **तॉळ्** | छेद करना |
| | ग्रीक | **तॉरॅओ** | उप. |
| 2908 | कन्नड़ | **तॉळॅ** | धोना |
| | प्राकृत | **धोव** | उप. |
| 2911 | कन्नड़ | **तॉरॅ** | छेद |
| | ग्रीक | **तॉरॅओ** | छेद करना |
| 2913 | त. | **तॉन्नइ** | दोना |
| | हिन्दी | **दोना** | |
| | (अवधी) | **दॉन्ना** | उप. |

| | | | |
|---|---|---|---|
| 2917 (क) | कन्नड़ | **तोकु** | मारना |
| | हिन्दी | **ठोंकना** | |
| (ख) | कुइ | **तोग** | ठोकर लगाना |
| | हिन्दी | **ठोकर** | |
| 2919 | कन्नड़ | **दोचु** | लूटना |
| | सं. | **दस्यु** | लुटेरा |
| 2920 | तेलगू | **दोसॅ** | टिकिया; दोसा |
| | सं. | **धोसक, दोशा** | उप. (द्र.) |
| (2929) | तुलु | **तोपु** | वृक्ष समूह |
| | त. | **तोप्पु** | उप. |
| | अंग्रेज़ी | **टोपॅ** | उप. |
| 2931 | त. | **तोम्बु** | लालिमा |
| | सं. | **ताम्र** | |
| 2933 | त. | **तोय्** | नहाना |
| | सं. | **तोय** | पानी (द्र.) |
| (2935) | कन्नड़ | **तोर** | मुटापा |
| | लैटिन | **तॉरुस्** | फूला हुआ स्थान |
| 2937 | त. | **तॉक्कु** | खाल |
| | सं. | **त्वक्** | उप. (द्र.) |
| (2942) | त. | **तोर्रम्** | प्रकाश |
| | लैटिन | **तॉर् रॅओ** | जलाना |
| 2943 | त. | **नगर्** | नगर; घर |
| | सं. | **नगर** | (द्र.) |
| (2944) (क) | त. | **नगु** | हँसना |
| | हिन्दी (अवधी) | **नकटउरा** | ब्याह के समय स्त्रियों का हास्य विनोद और गायन |
| (ख) | ब्राहूइ | **मख़िङ्ङ्** | हँसना |
| | हिन्दी | **मखौल** | |
| | अंग्रेज़ी | **मौक्** | मज़ाक़ उड़ाना |
| (2957) (क) | त. | **नड** | चलना |
| | सं. | **नर्द्** | उप. |
| (ख) | कोंड | **ना** | पार करना |
| | सं. | **नौका** | |
| | ग्रीक | **नाउस्** | नाव |
| (2958) | तेलगू | **नाडु** | घुसना; घुसाना |
| | जर्मन | **नडॅल्** | सुई |
| 2959 | त. | **नडु** | मध्य |
| | तेलगू | **नट्टु** | उप. |
| | सं. | **मध्य** | |
| (2962) (क) | त. | **नट्बु** | नाता |
| | | **नट्टार्** | नातेदार |
| | हिन्दी | **नाता** | |
| | लैटिन | **नातिओ** | जन्म |
| | | **नातालिस्** | जन्म सम्बन्धी |
| | सं. | **ज्ञाति** | नातेदार |
| (ख) | त. | **नट्ट्** | निकट आना; मिलना |
| | सं. | **नश् नस्** | उप. |
| (2963) | त. | **नण्णु** | करना |
| | (त. | **मण्णु** | उप. |
| | | **पण्णु** | उप. |
| | ग्रीक | **पॉनॅओ** | श्रम करना |
| | सं. | **पाणि** | हाथ) |
| 2966 | त. | **नत्तु** | उल्लू |
| | सं. | **नक्तक** | उप. (द्र.) |
| 2968 | त. | **नन्दु** | समृद्ध होना |
| | सं. | **नन्द्** | प्रसन्न होना (द्र.) |
| (2969) | त. | **नम** | नम होना |
| | फ़ारसी | **नम्** | |
| 2971 | तेलगू | **अवुडु** | ओठ |
| | सं. | **ओष्ठ** | उप. |
| | हिन्दी (अवधी) | **ॲवठ** | बासन का ऊपरी किनारा |
| 2977 | त. | **नेयम्** | स्नेह |
| | सं. | **स्नेह** | |
| 2983 | तुलु | **नरडु** | नाटा |
| | हिन्दी | **नाटा** | |
| 2987 | तेलगू | **नलाचु** | मर्दन करना |
| | हिन्दी | **मलना** | |
| | सं. | **मर्दति** | मर्दन करता है |
| 2988 (क) | कन्नड़ | **नलि** | प्रसन्न होना |
| | सं. | **नन्द्** | उप. |
| (ख) | कुडुख़ | **नल्ना** | नाचना |
| | सं. | **नर्त** | नाच |
| 2991 | तेलगू | **निवरि** | धान |
| | सं. | **नीवार** | उप. (द्र.) |
| 2997 | त. | **नळ्** | रात |
| | सं. | **नक्त** | उप. |
| 3008 | तेलगू | **नन्न** | छोटा |
| | हिन्दी | **नन्हा** | |
| (3010) | त. | **नागु** | किशोर अवस्था |

| | | | |
|---|---|---|---|
| | ग्रीक | **नॅआसॅ्** | किशोर |
| 3011 | त. | **नाट्टम्** | आँख |
| | सं. | **नेत्र** | |
| 3014 | तुलु | **नाणु** | नग्नता |
| | हिन्दी | **नांग, नंगा** | |
| | सं. | **नग्न** | |
| 3017 | कन्नड़ | **नादिनि** | ननद |
| | सं. | **नन्दा, ननान्दृ** | उप. |
| | हिन्दी | **ननद** | (द्र.) |
| (3019) | त. | **नाम्** | हम |
| | ब्राहूइ | **नन्** | उप. |
| | सं. | **नः** | हमारा |
| | ग्रीक | **नो** | हम दोनों |
| | लैटिन | **नोस्** | हम |
| (3023) | त. | **नार्** | रेशे; रस्सी |
| | हिन्दी | **नारा** | |
| | लैटिन | **नॅवुॅस्** | स्नायु |
| 3027 | त. | **निगर्** | चमकना |
| | प्राकृत | **णिक्ख** | स्वर्ण |
| 3028 | त. | **निगर्** | युद्ध |
| | सं. | **निकर** | समूह |
| 3029 | त. | **निकऴ्वु** | वर्तमान काल |
| | सं. | **निकट** | |
| 3030 | कन्नड़ | **निऴ्कु** | अकड़कर खड़े होना |
| | (पर्जि | **टिट्ट** | सीधा खड़ा हुआ |
| | तेलगू | **निट्ट** | उप. |
| | सं. | **तिष्ठ** | खड़ा हो) |
| (3043) | त. | **निल्** | खड़े होना |
| | | **निरइ** | स्थिरता |
| | सं. | **स्थिर** | |
| | अंग्रेज़ी | **स्टिल्** | स्थिर |
| 3045 | मलयालम | **निवरु** | समूह |
| | सं. | **निकर** | उप. |
| (3046) | त. | **निळ्ळ्** | चमकना |
| | सं. | **स्त्रि** | नखत |
| | लैटिन | **स्तॅल्ल** | उप. |
| (3050) | कन्नड़ | **नॅनॅ** | सोचना |
| | सं. | **मन्** | उप. |
| | लैटिन | **मॅन्स्** | मन, चिन्तन |
| (3054) | त. | **नीन्दु** | तैरना |

| | | | |
|---|---|---|---|
| | कोडगु | **मीन्द** | उप. |
| | सं. | **मीन** | मछली |
| | लैटिन | **मॅर्गुस्** | गोताखोर |
| 3057 | त. | **नीर्** | पानी |
| | सं. | **नीर** | |
| (3061) | त. | **नुगम्** | जुआ |
| | सं. | **युग** | उप. (द्र.) |
| | अंग्रेज़ी | **योक्** | उप. |
| 3069 | त. | **नुदल्** | माथा |
| | सं. | **निटल** | उप. (द्र.) |
| 3076 | तुलु | **नुरुम्पॅ** | छेद |
| | त. | **नुऴइ** | प्रविष्ट करना |
| | सं. | **नुद्** | उप. |
| (3090) | त. | **नूरु** | सौ |
| | ग्रीक | **मुरिऑस्** | असंख्या |
| 3093 | कन्नड़ | **नॅगऴॅ** | मगर |
| | सं. | **नक्र** | उप. (द्र.) |
| | हिन्दी | **मगर** | |
| (3096) | पर्जि | **निको** | अच्छा |
| | कुइ | **नॅगि** | उप. |
| | फ़ारसी | **नेक** | उप. |
| | हिन्दी (अवधी) | **नीक** | उप. |
| 3097 | त. | **नॅञ्जु** | अन्तस; साहस |
| | सं | **मज्जा** | |
| (3100) (क) | कन्नड़ | **नीट, नॅटिट** | स्वच्छता |
| | मराठी | **नीट** | उचित (द्र.) |
| | लैटिन | **नितॅओ** | चमकना |
| | | **नितिदुस्** | सुन्दर |
| | अंग्रेज़ी | **नीट्** | स्वच्छ |
| (ख) | पर्जि | **टिट्ट** | सीधा |
| | तेलगू | **निट्ट** | सीधा खड़ा हुआ |
| | सं. | **तिष्ठ** | खड़ा हो |
| (3101) | तुलु | **नॅडिलु** | एक तरह की झाड़ी |
| | अंग्रेज़ी | **नेटल्** | उप. |
| (3103) | त. | **नॅय्** | बुनना |
| | लैटिन | **नॅओ** | दो चीजों को बुनते हुए मिलाना; कातना |
| | ग्रीक | **नॅओ** | कातना |
| 3104 | मल्तो | **नॅन्य** | चर्बी |
| | हिन्दी | **नेनू** | मक्खन |

| | | | |
|---|---|---|---|
| | तेलगू | **नेयि** | घी; तेल |
| | सं. | **स्नेह** | तैलाक्त पदार्थ |
| 3109 | ब्राहूइ | **दरो** | बीता हुआ काल |
| | कोत | **नेर्** | उप. |
| | हिन्दी | **नरसों** | |
| | (अवधी) | **नरों** | |
| (3113) | कुइ | **डाञ्जु** | चन्द्रमा |
| | कुवि | **लॅञ्जू** | उप. |
| | त. | **निलवु** | उप. |
| | लैटिन | **लून** | उप. |
| 3118 | कोलमि | **नॅत्ति** | माथा |
| | प्राकृत | **मत्थ** | उप. |
| | हिन्दी | **मत्था, माथा** | |
| | सं. | **मस्तक** | |
| 3121 | कन्नड़ | **निट्टिसु** | देखना |
| | सं. | **नेत्र** | |
| (3125) | त. | **नेर्** | सुकुमार होना |
| | | **नेर्मइ** | सुकुमारता |
| | फ़ारसी | **नर्म** | |
| 3137 | त. | **नॉडि** | कहना |

(त. **मॉऴि** कहना 4092 से सम्बद्ध)

| | | | |
|---|---|---|---|
| 3138 | त. | **नॉण्डि** | लँगड़ा |
| | सं. | **रुण्ड** | कटे अंगों वाला |
| | हिन्दी | **लुण्ड** | उप. |
| (3143) | मलयालम | **नोग** | कष्ट पाना |
| | त. | **नोवु** | कष्ट |
| | लैटिन | **नॉकओ** | कष्ट देना |
| (3144) (क) | त. | **नोक्कु** | देखना |
| | सं. | **लोक्** | उप. |
| | अंग्रेज़ी | **लुक्** | उप. |
| (ख) | कन्नड़ | **नोडु** | उप. |
| | लैटिन | **नॉतो** | उप. |
| 3151 | त. | **पगल्** | सूर्य; दिन |
| | सं. | **भग** | सूर्य |
| 3154 | त. | **पगु** | विभाजित करना |
| | सं. | **भज्** | उप. |
| | कुइ | **पङ्ग** | विभाजित |
| | सं. | **भङ्ग** | उप. |
| | त. | **पात्ति** | भाग |
| | हिन्दी | **पत्ती** | उप. |
| 3160 | कन्नड़ | **पङ्ग** | दोनों पैरों या दो शाखाओं का अलगाव |
| | सं. | **भङ्ग** | अलगाव |
| | हिन्दी (ब्रज) | **पैगा** | पैरों के बीच फासला देकर चलनेवाला |
| (3161) | कन्नड़ | **पसि** | हरियाली |
| | | **पसलॅ** | दूब; चरी |
| | लैटिन | **पस्तुस्** | चरी; चारा |
| | रूसी | **पस्तीस्** | चराना; चरी |
| | | **पस्ति** | चराना; चरवाहा |
| 3165 | कन्नड़ | **पसि** | भूख; भुखाना |
| | सं. | **भस्** | खाना |
| | लैटिन | **पस्को** | खिलाना |
| 3173 (क) | कन्नड़ | **पञ्जि** | कपास का गोला |
| | सं. | **पञ्जि** | उप. (द्र.) |
| (ख) | त. | **पञ्जि** | वस्त्र |
| | हिन्दी | **पञ्चा** | कमर में लपेटने का वस्त्र |
| 3175 | त. | **पडगु** | नाव |
| | सं. | **पोत** | उप. |
| (3177) | कोलमि | **पडस्** | लड़का |
| | पर्जि | **पडिच्** | उप. |
| | तेलगू | **पडुचु** | लड़की |
| | ग्रीक | **पइदॉस्** | बच्चा; पुत्र; पुत्री |
| | हिन्दी | **पड़ा, पड़िया** | |

(तेलगू **पइद** बच्चा 3248 से सम्बद्ध)

| | | | |
|---|---|---|---|
| 3180 | त. | **पडम्** | फन |
| | सं. | **(स्) फटा, फण** | उप. (द्र.) |
| 3181 | मलयालम | **पडम्** | हाथ या पैर का चपटा भाग |
| | सं. | **पट्ट** | चपटी सतह |
| | हिन्दी | **पट** | |
| 3183 | कन्नड़ | **पडि** | कपाट; द्वार |
| | त. | **पडल** | टटिया |
| | सं. | **पट, पटल** | आवरण, पर्दा |
| | हिन्दी | **पट** | कपाट |
| 3184 | त. | **पडलइ** | फलों का गुच्छा |
| | सं. | **पटल** | समूह |
| 3186 | त. | **पडि** | धूल आदि का दबना; पराधीन होना; डूबना |
| | हिन्दी | **पड़ना** | |

| | | | |
|---|---|---|---|
| 3188 | त. | **पडि** | कदम; सीढ़ का डंडा |
| | सं. | **पद** | |
| 3189 | तेलगू | **पडिसेमु** | जुकाम |
| | सं. | **प्रतिश्याय** | उप. (द्र.) |
| 3190 | त. | **पडु** | लेटना; सोना; मरना |
| | नइकि | **पड्** | गिरना |
| | हिन्दी | **पड़ना** | |
| | सं. | **पत्** | गिरना |
| 3191 | त. | **पडु** | घटित होना |
| | | **पाडु** | घटित होने की क्रिया |
| | मलयालम | **पॅडुक्क** | घेरना; फँसाना |
| | कन्नड़ | **पडु** | अनुभव होना; दुख उठाना |
| | सं. | **पत्** | घटित होना |
| 3195 | त. | **पडइ** | सेना; समूह |
| | सं. | **पटल** | समूह |
| 3197 | त. | **पट्टडइ** | गले का आभूषण |
| | हिन्दी | **पट्टा** | |
| 3199 (क) | त. | **पट्टि** | पशुशाला; गाँव |
| | हिन्दी | **पाड़ा** | |
| (ख) | त. | **पट्टिनम्** | समुद्र तटवर्ती नगर |
| | सं. | **पट्टन** | नगर |
| 3200 | त. | **पडिरु** | धोखा |
| | सं. | **पटु** | चतुर |
| 3204 | त. | **पट्टइ** | तख्त |
| | सं. | **पट्ट** | उप. |
| 3205 | त. | **पट्टइ** | छाल |
| | सं. | **पट, पट्ट** | वस्त्र |
| 3206 | कन्नड़ | **पट्टि** | धारी |
| | हिन्दी | **पट्टी** | |
| 3207 | त. | **पट्टइ** | चपटापन |
| | हिन्दी | **पट** | |
| 3208 | तेलगू | **पड्ड** | गर्भाधानयोग पड़िया या बछिया |
| | सं. | **पड्डिक** | बछड़ा |
| | प्राकृत | **पड्डिया** | पड़िया |
| | | **पड्डी** | पहली बार ब्याई गाय (द्र.) |
| (3209) | त. | **पण्** | काम |
| | ग्रीक | **पॉनॉस्** | श्रम |

| | | | |
|---|---|---|---|
| | सं. | **पाणि** | हाथ |
| (3212) | त. | **पणि** | कहना |
| | सं. | **भण्** | उप. |
| | ग्रीक | **फोने** | ध्वनि |
| 3216 | त. | **पणइ** | ढोल |
| | सं. | **पणव** | उप. (द्र.) |
| 3219 | त. | **पंडि, वंडि** | गाड़ी |
| | सं. | **भंडि** | उप. (द्र.) |
| 3220 | त. | **पंडि** | पेट |
| | सं. | **फंड** | उप. (द्र.) |
| 3223 | त. | **वंडइ** | भ्रष्ट |
| | तुलु | **भंड** | अश्लील |
| | सं. | **भंड** | विदूषक |
| (3227) | त. | **पदम्** | पानी |
| | ग्रीक | **पॉतमॉस्** | नदी |
| | रूसी | **पॉतोक्** | धारा |
| (3228) (क) | त. | **पदम्** | भात |
| | सं. | **भक्त** | उप. |
| | प्राकृत | **भत्त** | उप. |
| | कश्मीरी | **बत** | उप. |
| (ख) | त. | **पदम्** | औचित्य |
| | कन्नड़ | **पद** | उपयुक्त स्थिति |
| | सं. | **पद** | स्थिति, स्थान |
| (ग) | मल्तो | पथि | चलन |
| | सं. | **पथ** | राह |
| | अंग्रेज़ी | **पाथ्** | उप. |
| 3229 | त. | **पदर्** | भूसा |
| | हिन्दी (अवधी) | **पैरा** | पुयाल |
| 3230 | त. | **पदलइ** | पतीली |
| | मल्तो | **पत्लि** | उप. |
| | सं. | **पातिली** | मिट्टी का बर्तन |
| | हिन्दी | **पतेली** | |
| 3232 | मलयालम | **पदिवु** | चलन |
| | सं. | **पद्** | चलना |
| 3239 | कन्नड़ | **पन्द** | दाँव, शर्त |
| | सं. | **पण** | उप. |
| 3240 | त. | **पन्दल्** | पंडाल |
| | हिन्दी | **पंडाल** | |
| 3243 | त. | **पप्पडम्** | पापड़ |
| | सं. | **पर्पट** | उप. (द्र.) |

| | | | |
|---|---|---|---|
| 3244 | त. | **पम्बरम्** | लट्टू |
| | सं. | **भ्रमरक** | उप. (द्र.) |
| 3247 | कन्नड़ | **पञ्चु** | विभाजित करना |
| | सं. | **भज्** | उप. |
| (3248) | तेलगू | **पइद** | लड़का |
| | त. | **पइदल्** | उप. |
| | | **पइयन्** | उप. |
| | | **पयल्** | उप. |
| | तेलगू | **पेय** | बछड़ा |
| | गोंडी | **पइया** | उप. बछिया |
| | हिन्दी | **पोये** | बछड़े |
| | रूसी | **पइ, पइङ्क** | बच्चा |
| | ग्रीक | **पइदॉस् पइस्** | बच्चा |
| | अंग्रेज़ी | **ब्वाय्** | लड़का |
| | प्राकृत | **पुआय्** | उप. |
| (3255) (क) | त. | **पर** | फैलाना |
| | कोत | **पर्त्** | उप. |
| | सं. | **प्रथ्** | उप. |
| | | **प्रथु, पृथु** | फैला हुआ |
| | ग्रीक | **प्लतुस्** | चौड़ा |
| | अंग्रजी | **फ्लैट्** | फैला हुआ; चपटा |
| | हिन्दी | **फैलना; फैलाना** | |
| (ख) | त. | **परक्कु** | इधर-उधर घूमना |
| | सं. | **परि** | चारों ओर |
| | ग्रीक | **पॅरि** | उप. |
| (3256) | तुलु | **परकि, पर्कि** | गरीब |
| | कोत | **पर्क्** | गरीबी |
| | लैटिन | **परुम्** | बहुत थोड़ा |
| | | **पउकुस्** | थोड़ा |
| | | **पउपॅर्** | गरीब |
| | ग्रीक | **पउरॉस्** | थोड़ा |
| | अंग्रेज़ी | **पुअर्** | गरीब |
| 3257 | त. | **परजु** | स्तुति करना |
| | सं. | **भर** | स्तुति |
| 3259 | त. | **परण्** | अटारी |
| | सं. | **पर** | ऊँचा |
| 3260 | त. | **परणि** | बासन |
| | सं. | **बरणिय** | उप. (द्र.) |
| | हिन्दी | **बर्तन** | |
| (3264) | त. | **परम्** | कवच |

| | | | |
|---|---|---|---|
| | सं. | **वर्मन्** | उप. |
| | लैटिन | **अर्म** | उप. |

(लैटिन **अर्मुस्** कंधा, बाँह इससे भिन्न है)

| | | | |
|---|---|---|---|
| 3267 | त. | **परि** | विभाजित करना; तोड़ना |
| | पर्जि | **पर्क** | भाग |
| | कुइ | **पङ्गु** | भङ्ग करना |
| | सं. | **भज्** | विभाजित करना |
| | | **भञ्ज्** | तोड़ना |
| | लैटिन | **पर्स्** | भाग |
| | अंग्रेज़ी | **ब्रॅक्** | तोड़ना |
| | | **पार्ट्** | विभाजित करना; भाग |

**(*भर्>पर>पन्; *भर्>बर् ब; *भर्ज्>भज्)**

| | | | |
|---|---|---|---|
| (3268) | तुलु | **परि** | पथ |
| | त. | **परि** | दौड़ना |
| | कन्नड़ | **परि** | उप.; बहना; धारा |
| | ग्रीत | **पॉतमॉस्** | नदी |

**(*पर्>*पर्त्>*पत्)**

| | | | |
|---|---|---|---|
| (3269) | त. | **परि** | प्रीति |
| | | **परिवु** | प्रेम |
| | तेलगू | **पॅरिम** | प्रेम |
| | सं. | **प्री** | प्रसन्न होना |
| | सं. | **प्रिय** | |
| | | **प्रीति** | |
| | | **प्रेम** | |
| | रूसी | **प्रियात् नुइ** | प्रिय |
| | | **प्रियातॅल्** | मित्र |
| | लैटिन | **प्लकॅओ** | प्रसन्न करना |
| | अंग्रेज़ी | **प्लीज़्** | उप. |
| 3294 | त. | **पल्लि** | छिपकली |
| | सं. | **पल्ली** | उप. (द्र.) |
| 3295 | त. | **पवळम्** | प्रवाल |
| | सं. | **प्रवाल** | उप. (द्र.) |
| (3296) | त. | **पळ** | बूढ़ा |
| | सं. | **पलित** | उप. |
| | ग्रीक | **पलइऑस** | उप. |
| 3298 | त. | **पळिच्चु** | स्तुति करना |
| | सं. | **पणित** | प्रशंसित |
| 3299 | त. | **पळु** | पकना; पीला होना |
| | सं. | **पांडु** | पीला |
| 3301 | तुलु | **पर्कॅ** | शैया; नींद |

| | | | |
|---|---|---|---|
| | कन्नड़ | **पळ्कॅ** | शयन |
| | सं. | **पल्यङ्क** | पलँग |
| | हिन्दी | **पलका** | |
| 3303 | कन्नड़ | **पळकनॅ** | प्रकाश |
| | तुलु | **पळ्ळॅन** | उप. |
| | सं. | **भाल** | उप. |
| 3308 | तुलु | **पल्लयि** | मिट्टी की तश्तरी |
| | मराठी | **पाळे** | काठ का कटोर (द्र.) |
| (3307) | त. | **पळ्ळम्** | घाटी; तराई |
| | तेलगू | **पल्लमु** | उप. |
| | लैटिन | **वल्लॅस्, वल्लिस** | घाटी |
| | ग्रीक | **हॅलॉस्** | तराई |
| | अंग्रेज़ी | **व्हैली** | घाटी |
| 3309 | त. | **पळ्ळि** | गाँव |
| | सं. | **पल्ली** | उप. (द्र.) |
| (3311) | त. | **पर** | उड़ना |
| | | **परवइ** | पंख, पक्षी |
| | सं. | **पर्णिन्** | पंखवाला |
| | | **पारावत** | कबूतर |
| | हिन्दी | **पर** | पंख |
| | | **परेवा** | कबूतर, पक्षी |
| | फ़ारसी | **परिन्दा** | पक्षी |
| | | **परी** | पंखोवाली स्त्री |
| | अंग्रेज़ी | **बर्ड्** | चिड़िया |
| 3316 | त. | **परम्बु** | पर्वत |
| | सं. | **पर** | ऊँचा |
| (3318) | त. | **परइ** | बोलना, शब्द |
| | वेल्श | **परब् लु** | बोलना |
| | पुर्तगाली | **पलव्र** | शब्द |
| | फ्रांसीसी | **पार्ले (र्)** | बेलना |
| 3327 | मलयालम | **पन्नगम्** | पालकी या नाव पर पत्तों की छत |
| | सं. | **पर्ण** | पत्ता |
| 3333 | त. | **पाक्कु** | सुपारी |
| | सं. | **पूग** | उप. (द्र.) |
| 3347 | त. | **पाडि** | गाँव; नगर |
| | सं. | **पाटक** | गाँव; टोला |
| | मराठी | **पाडा** | खेड़ा (द्र.) |
| | हिन्दी | **पाड़ा, बाड़ा** | |
| (3348) | त. | **पाडु** | गाना |

| | | | |
|---|---|---|---|
| | कुवि | **पाचलि** | उप. |
| | सं. | **पद्य** | |
| | हिन्दी | **पद** | गीत |
| | ग्रीक | **पॉइएतेस्** | कवि |
| | लैटिन | **पॉएत** | उप. |
| | रूसी | **पॉयूत्** | गाता है |
| | | **पेनिये** | गायन |
| (3351) | त. | **पाण्** | गीत |
| (त. **पाडु** गाना 3348 से सम्बद्ध) | | | |
| 3354 | तुलु | **बाणॅ** | खेत के पास पहाड़ी या वन |
| | कोडगु | **बाणॅ** | ऊसर |
| | हिन्दी | **बाँगर** | ऊँची भूमि |
| | | **बंजर** | ऊसर |
| 3357 | तेलगू | **पादि** | वाटिका |
| | त. | **पात्ति** | छोटा खेत |
| | सं. | **वाटि** | घिरी हुई भूमि |
| | हिन्दी | **बारी** | खेत; बाग |
| (3360) | त. | **पाप्पाट्टि** | तितली |
| | कोडगु | **पापिलि** | उप. |
| | कुड़ुख़ | **पप्ला** | उप. |
| | लैटिन | **पापिलिओ** | उप. |
| 3361 | त. | **पाम्बु** | साँप |
| | कन्नड़ | **पावु** | उप. |
| | प्राकृत | **पाव** | उप. (द्र.) |
| (3362) | कन्नड़ | **पादि** | पथ |
| | सं. | **पथ** | |
| | अंग्रेज़ी | **पाथ्** | उप. |
| (3366) | त. | **पार्** | देखना |
| | लैटिन | **पारॅओ** | दिखाई देना |
| 3367 | तेलगू | **पार** | फावड़ा |
| | सं. | **फाल** | उप. |
| (3369) | त. | **पार्प्पु** | बच्चा |
| | कन्नड़ | **पाप** | उप. |
| | पंजाबी | **पापे** | उप. |
| | तोद | **पुपुप्** | उप. |
| | लैटिन | **पूपुस्** | उप. |
| 3370 | त. | **पाल्** | दूध |
| | तुलु | **पेरु** | उप. |
| | तोद | **पोष्** | उप. |

लैटिन **मुल्गॉओ** दुहना
ग्रीक **अमॅल्गो** निचोड़ना
अंग्रेज़ी **मिल्क्** दूध, दुहना
(मल्तो **पिल्कॅ** निचोड़ना 3437)
(3371) त. **पाल्** भाग
लैटिन **पर्स्** उप.
अंग्रेज़ी **पार्ट्** उप.
(त. **परि** विभाजित करना 3276 से सम्बद्ध)
3372 त. **पालम्** पुल, बाँध
सं. **पालि** उप. (द्र.)
(3379) कन्नड़ **पापॅ** कठपुतली
त. **पावइ** उप.
लैटिन **पूपुस्** बच्चा
अंग्रेज़ी **पपॅट्** कठपुतली
(3380) मल्तो **पावु** पथ
सं. **पथ**
अंग्रेज़ी **पाथ्** उप.
3381 त. **पाऴ्** उजाड़ होना
प्राकृत **पाल** जीर्ण (द्र.)
3383 त. **पाऴि** मन्दिर; नगर; बस्ती
सं. **वाटि** घिरा हुआ स्थान
हिन्दी **बाड़ा, पाड़ा**
बंगला **बाड़ी** घर
3384 कन्नड़ **पाळि** पाँति
सं. **पालि** उप. (द्र.)
3389 कोत **पाऴ्** पड़ा
प्राकृत **पड्डय** उप.
हिन्दी **पड़ा**
(तेलगू **पड्ड पड़िया** 3208 से सम्बद्ध)
(3391) त. **पारु** जहाज़
रूसी **परॉम्** नाव
(3392) त. **पारइ** चट्टान
ग्रीक **पोरॉओ** पत्थर बना देना
(3394) त. **पानइ** भांड
कन्नड़ **बान** उप.
सं. **भांड**
पु. अंग्रेज़ी **पन्नॅ** उप.
अंग्रेज़ी **पैन्** उप.
3395 तेलगू **पिकिलि** बुलबुल
सं. **पिक** कोयल (द्र.)

लैटिन **पीक्** एक वाचाल पक्षी
3398 मलयालम **पिक्कुग** टूटना
कुइ **पिञ्ज** फूटना
सं. **भिद्** तोड़ना
**भिन्न** टूटा हुआ
3403 तेलगू **पिसुनु** गोंद
त. **पिजिन्** उप.
सं. **पिच्छा** उप. (द्र.)
3404 तुलु **पीसुनि** दबाना
त. **पिजइ** उप.
सं. **पीड्** उप.
हिन्दी **पीसना**
3416 त. **पिडुङ्ङु** निचोड़ना; दुख देना
सं. **पीड्** उप.
3407 त. **पित्त, पिच्चु** पित्त
सं. **पित्त** (द्र.)
3411 कन्नड़ **पॅड** पीठ पीछे
सं. **पृष्ठ**
हिन्दी **पीठ**
**पीछे**
लैटिन **पोस्त्** पीछे
3412 तुलु **पुडि** मुठिया
सं. **मुष्टि** उप.; मुट्ठी
3417 गोंडी **पॅडॅ** बीज
सं. **बीज**
3418 त. **पिट्ट** चिड़िया
कोलमि **पिट्टॅ** छोटी चिड़िया
हिन्दी **पिद्दी**
3419 कन्नड़ **बिट्ल** विशालता
सं. **वृद्ध** बढ़ा हुआ
3420 तुलु **पुण** शव
प्राकृत **पुणइ** चांडाल
(3423) (क) त. **पिणइ** लपेटना; बाँधना
तेलगू **पेंडु** लपेटना; बटना
कोत **पिण्ड्** लपेटना
सं. **पिण्ड्** पिण्ड बनाना; बाँधना
(ख) त. **पुणर्** करना; बनाना
ग्रीक **पॉनॅओ** श्रम करना
3426 त. **पिदुक्क** दबाना; निचोड़ना
सं. **पीड्** उप.

| | | | |
|---|---|---|---|
| (3428) | तेलगू | **पित्तु** | पादना |
| | गोंडी | **पित्ताना** | उप. |
| | ग्रीक | **पॅर् दॉमइ** | उप. |
| | अंग्रेज़ी | **फ़ार्ट्** | उप. |
| | हिन्दी | **पादना** | |
| 3431 | कन्नड़ | **पिञ्जु** | कपास साफ करना |
| | सं. | **पिञ्ज** | कपास |
| 3432 | कुइ | **पकॉड़ि** | कन्धा |
| | कुड़ुख़ | **पखड़ा** | उप. |
| | सं. | **पक्ष** | उप. |
| | हिन्दी (अनभी) | **गखड़रा** | उप. |
| 3435 | गोंडी | **पिड़ाना** | फूटना, खिलना |
| | सं. | **भिद्** | फूटना |
| (3437) | मल्तो | **पिल्कॅ** | निचोड़ना |
| | अंग्रेज़ी | **मिल्क्** | दुहना; दूध |
| 3438 | त. | **पिल्लि** | बिल्ली |
| | हिन्दी | **बिल्ली** | (द्र.) |
| | सं. | **बिडाल, विडाल** | उप. |
| 3440 | त. | **पिऴि** | निचोड़ना |
| | सं. | **पीड्** | उप. |
| 3446 | त. | **पिळ्** | फूटना |
| | स्. | **भिद्** | उप. |
| (3449) | त. | **पिळ्ळइ** | बच्चा शावक |
| | स्. | **पिल्लिक** | चूज़ा |
| | हिन्दी | **पिल्ला** | (द्र.) |
| | प्राकृत | **पीलुअ, पेल्ल** | बच्चा |
| | लैटिन | **फ़ीलिउस्** | पुत्र |
| | तुलु | **पुळ्ळि** | नाती |
| | लैटिन | **पुऑर्** | बच्चा; लड़का |
| | | **पुऑल्ल** | लड़की |
| 3450 | त. | **पिरक्कम्** | भय |
| | कन्नड़ | **पिरिकि** | कायर |
| | सं. | **भीरु** | उप. |
| | अंग्रेज़ी | **फ़िअर्** | भय |
| (3452) (क) | गोंडी | **पज्जा, पिज्जा** | पीछे |
| | सं. | **पश्च** | पिछला |
| | लैटिन | **पोस्त्** | पीछे |
| (ख) | कुड़ुख़ | **पिसा** | पीछे से |
| | हिन्दी | **पीछा** | |
| (ग) | कोत | **पित् ल्, पितेल्** | पीठे |
| | हिन्दी | **पीठ** | |
| (घ) | त. | **पुरम्** | पीछे |
| | सं. | **पुरा** | पिछला |
| | ग्रीक | **परॉस्** | पिछला समय |
| (ङ) | त. | **पिन्** | पीछे |
| | कोत | **पिन्** | पुनः |
| | हिन्दी (कुछ बोलियें में) | **फिन्** | फिर |
| | सं. | **पुनः** | उप. |
| 3453 | पर्जि | **पिन्** | टूटना |
| | सं. | **भिन्न** | टूटा हुआ |
| 3454 | त. | **पिन्नु** | बुनना |
| | हिन्दी | **बुनना** | |
| | (अवधी) | **बिनबु** | |
| (3455) | त. | **पी** | मल |
| | सं. | **पाय्** | मल त्यागना |
| | फ़ारसी | **पाय्खाना** | मल त्यागने का स्थान |
| 3460 | कुड़ुख़ | **पीस्ना** | माड़ निकालना |
| | सं. | **प्रस्रव** | माड़ |
| 3462 | त. | **पीच्चु** | पिचकारी छूटना |
| | हिन्दी | **पिचकारी** | |
| 3465 | त. | **पीर्** | प्रवाह |
| | सं. | **पेरु** | समुद्र |
| 3466 | कन्नड़ | **पीर्** | पीना |
| | सं. | **पीत** | पिये हुए |
| | हिन्दी | **पीना** | |
| (3468) | तेलगू | **पूरि** | पयाल |
| | सं. | **पलाल** | उप. |
| | लैटिन | **पलॅअ** | भूसा |
| (3469) (क) | मल्तो | **पिचॅ** | मोर की पूँछ |
| | सं. | **पिच्छ** | उप. (द्र.) |
| (ख) | त. | **पीलि** | मोर पंख |
| | लैटिन | **पिलुस्** | बाल |
| 3474 | पर्जि | **पीद्** | निचोड़ना |
| | सं. | **पीड़** | उप. |
| 3475 | त. | **पुगर्** | चमक |
| | सं. | **भग** | सूर्य |
| | भर्ग | **प्रकाउश** | |
| 3476 | त. | **पुगल्** | कहना; शब्द करना |
| | हिन्दी | **पुकारना** | |

(तेलगू **पॉगडु** स्तुत करना 3478 से सम्बद्ध)

3477 त. **पुगल्वु** गर्व
सं. **प्रगल्भ** अभिमानी
3478 तेलगू **पॉगडु, पॉवडु** स्तुति करना
त. **पुगऴ्** उप.
मराठी **पॉवाडा, पवाडा** स्तुतिगीत
हिन्दी **पवाड़ा, पँवारा** उप.
3478 कन्नड़ **पुकळि** भग
सं. **भग**
3480 कन्नड़ **बुगडि** कान का आभूषण
मराठी **बुग्डी** उप. (द्र.)
(3481) (क) त. **पुगु** जाना; पहुँचना
**पुगुदि** द्वार; मार्ग
(सं. **पद्** चलना, त. **पो** चलना, **पोक्कु** मार्ग 3734 से सम्बद्ध)
(ख) त. **पुगुत्तु** घुसेड़ना
तुलु **पॉग्गुनि** उप.; घुसना
अंग्रेज़ी **पोक्** घुसेड़ना
(3483) तेलगू **पॉगपु** भूनना; बघार लगाना; धुआँ करना
कन्नड़ **पॉगॅ** धुआँ
त. **पुगइ** उप. भाप
सं. **भज्** भूनना
ग्रीक **फ्रुंगो** उप.
अंग्रेज़ी **स्मोक्** धुआँ
(3485) कन्नड़ **बुग्गि** गाल
कुवि **बुग्ग** उप.
इटालियन **बॉक्क** मुख
लैटिन **बुक्क** फुलाया हुआ गाल
3487 त. **पुङ्गन्** मूर्ख
हिन्दी **पोंगा**
3493 तेलगू **पोडु** युद्ध
**पॉडुचु** लड़ना
(देखें त. **पोर्** युद्ध 3708)
3494 त. **पुडइ** फूलना
तुलु **पुड्फॅ** मोटा
**बॉड्डॅ** मोटा आदमी
गोंडी **पोड़ाना** मोटाना
सं. **स्फोट** फूला हुआ
हिन्दी **मोटा**
(सं. **स्फाय्** मोटा होना, **स्फीत** फूला हुआ का विकल्प; **स्फोट>*पोट>मोट>मोटा**)

3497 तेलगू **पुट्टमु** वस्त्र
सं. **पुट** लँगोट
(3498) (क) कन्नड़ **पुट्ट, पुट** छोटा
सं. **पुट्ट्** छोटा होना (द्र.)
(ख) पर्जि **पिटित्** छोटा
अंग्रेज़ी **पॅटी** उप.
(त. **मुट्टु** छोटाई 4047 से सम्बद्ध)
3501 कन्नड़ **पुट्टु** पैदा होना
(त. **पॅरू** पैदा करना 3622 का विकल्प; हिन्दी पैदा से सम्बद्ध)
(3503) त. **पुट्टि** बोतल
कन्नड़ **बुड्डि** उप.
इटालियन **बॉत्तॅ** पीपा
(3504) त. **पुट्टा** फूला हुआ अंडकोश
हिन्दी **पोता** अंडकोश
फ़ारसी **फ़ोता** उप.
(3510) त. **पुद** द्वार
ग्रीक **पुले** उप.
3515 त. **पुर्** पालन करना; रक्षा करना
सं. **पुष्** उप.
(3516) तेलगू **पॉरलु** लुढ़कना, बहना
अंग्रेज़ी **पोर्** बहाना
(3517) कन्नड़ **पुरि** शक्ति, साहस
सं. **पुरुष**
लैटिन **पॉल्लॅओ** शक्तिशाली होना
3523 तुलु **पुर** घर
**पुरॅ** छत
सं. **पुर** घर
(3528) त. **पुल** घास
लैटिन **पुल्लॉ** अंकुरित होना
(3529) (क) तुलु **पुल** चरी
(त. **पुल्** घास 3528 से सम्बद्ध)
(ख) त. **पुलम्** खेत
कन्नड़ **पॉल** उप.
रूसी **पोलॅ** उप.
ग्रीक **पॉलॉस्** जोती हुई भूमि
फ़ारसी **पल** खेत
(3531) त. **पुलर्** भोर होना
हिन्दी **भोर**

| | | | |
|---|---|---|---|
| | ग्रीक | **पुर्** | अग्नि |
| | लैटिन | **पूरे** | प्रकाशमान |
| 3532 | त. | **पुलि** | चीता |
| | प्राकृत | **पुल्लि** | बाघ |
| 3537 | त. | **पुळु** | कीड़ा |
| | कुइ | **पिड़** | उप. |
| | स. | **पीलु, पुलक** | उप. (द्र.) |
| (3540) | त. | **पुळुक्कु** | धान उबालना |
| | सं. | **पुलाक** | भात (द्र.) |
| | फ़ारसी | **पुलाव** | |
| 3541 | त. | **पूति** | भस्म |
| | सं. | **भूति** | उप. (द्र.) |
| 3542 | तेलगू | **पुन्त** | पशुमार्ग |
| | सं. | **पंथ** | |
| 3543 | कोत | **पॅय्** | नदी |
| | सं. | **पय** | जल |
| (3544) | त. | **पुळ्** | चिड़िया |
| | मलयालम | **पुळ्** | छोटी चिड़िया |
| | लैटिन | **पुल्लुस्** | उप.; छोटा पशु |
| | ग्रीक | **पोलॉस्** | छोटा पशु; लड़की |
| 3547 | त. | **पुलिञन्** | पहाड़ी जन |
| | सं. | **पुलिन्द** | उप.; वन्यजन (द्र.) |
| 3549 | मल्तो | **पॉण्डॅ** | बाल पकना |
| | सं. | **पाण्डु** | पीलां |
| 3554 | त. | **पिर** | अन्य वस्तुएँ |
| | | **पुरम** | पराया |
| | सं. | **पर** | अन्य |
| 3556 | कन्नड़ | **पुत्तु** | चींटियों के बिल पर मिट्टी का ढेर |
| | सं. | **पुत्तिका** | चींटी (द्र.) |
| 3563 | त. | **पुन्दि** | बुद्धि |
| | पर्जि | **पुत्त, पुन्द्** | जानना |
| | सं. | **बुद्धि** | (द्र.) |
| | त. | **पुलम्** | ज्ञान |

**(बुध्>*पुद्>पुन्/पुल्)**

| | | | |
|---|---|---|---|
| (3564) | त. | **पू** | फूल |
| | फ़ारसी | **बू** | गन्ध |
| | सं. | **पुष्प** | |
| 3569 | कन्नड़ | **पूसु** | तेल लगाना; पलस्तर करना |
| | सं. | **पुस्त** | मिटी |
| | | **पुस्तकर्मन्** | चित्रकारी; पलस्तर लगाने का काम (द्र.) |
| (3588) | कोलमि | **पुर्, पुर्त्** | गड्ढे का भरा जाना |
| | तेलगू | **पूडु** | उप. |
| | सं. | **पूर** | भरे जाने की क्रिया |
| | हिन्दी | **पूरना** | |
| | ग्रीक | **प्लेरेस्** | भरा |
| | लैटिन | **प्लेनुस्** | उप. |
| | अंग्रेज़ी | फुल् | उप. |
| 3593 | कन्नड़ | **पॅङ्ग** | मूर्ख |
| | हिन्दी | **पोंगा** | |

(त. **पुङ्गन मूर्ख** 3487 से सम्बद्ध)

| | | | |
|---|---|---|---|
| (3598) | तेलगू | **पॅटिलु** | फूटना; खिलना |
| | सं. | **स्फुट्** | उप.; नाश करना |
| | | **स्फिट्** | नाश करना (फूटना) |
| | अंग्रेज़ी | **पेट्ल्** | पँखुड़ी |
| 3600 | त. | **पेट्टि** | पेटि |
| | सं. | **पेटिका** | उप. |
| | हिन्दी | **पेटी** | (द्र.) |
| (3601) | कन्नड़ | **पॅट्टु** | पीटना |
| | प्राकृत | **पिट्ट** | उप. |
| | हिन्दी | **पीटना** | (द्र.) |
| | अंग्रेज़ी | **बीट्** | उप. |
| 3606 | कन्नड़ | **पॅण्टॅ** | पिण्ड |
| | सं. | पिण्ड | |
| (3608) | त. | **पॅण्** | नारी; पत्नी; पुत्री |
| | पु. आइरिश | **बॅन्** | नारी |
| | वेल्श | **बॅनिउ** | उप. |
| | | बनॉन् | रानी |
| | हिन्दी | **बना, बन्ना** | दूल्हा |
| | | **बनी, बन्नी** | दुलहिन |
| | अंग्रेज़ी | **क्वीन्** | रानी |
| | पु. जर्मन | **क्वेन** | पत्नी |
| 3610 | त. | **पॅय्** | बरसना |
| | गोंडी | **पॅघ्** | वर्षा |
| | सं. | **मेघ** | |
| | | **पय** | वर्षा; जल |
| 3612 | कोडगु | **पॅद** | नाम |
| | तुलु | **पुदरु** | उप. |

त. **पॅयर्** उप.
सं. **पद** चिह्न
(3613) त. **पॅरुगु** संख्या में बढ़ना
**पॅरुक्कम्** बाढ़
ग्रीक **प्लेम्मूर** ज्वारा
**प्लेयॉस्** बड़ी संख्या
3614 त. **पिरजम्** शहद; मभाखी; पराग
सं. **पराग**
(3622) त. **पॅरु** देना; धारण करना
**पिर** पैदा होना
तुलु **पॅद् पिनि** जन्म देना
सं. **भृ** गर्भ धारण करना; धारण करना
ग्रीक **फॅरो** धारण करना; पैदा करना
लैटिन **फॅरो** गर्भ धारण करना
अंग्रेज़ी **बॅअर्** पैदा करना
फ़ारसी **फ़रज़न्द** पुत्र
**पैदा** उत्पन्न
(3626) मल्तो **बॅहॅ** होना
कुडुख़ **बेअॅना** रहना
हिन्दी (ब्रज) **भये** हुए
(अवधी) **भे** उप.
सं. **भू** होना
रूसी **बीत्** उप.
अंग्रेज़ी **बी** उप.
(3629) कुडुख़ **पेस्ना** आज्ञा देना
कन्नड़ **पेळ्** बोलना
त. **पेजु** उप.
सं. **भाष्** उप.
जर्मन **स्प्रेखॅन्** उप.
**स्प्राखॅ** भाषा
अंग्रेज़ी **स्पीच्** उप.
**स्पीक्** बोलना
3631 त. **पेडु** शिखंडी
कन्नड़ **पोट** कायर
सं. **पोट** शिखंडी (द्र.)
(3634) त. **पेदु** क्लेश; उलझन
तेलगू **पेद** गरीब; चाकर
ग्रीक **पथे** दुर्भाग्य
**पथॉस्** उप.

रूसी **बेद** उप.
**बेद्नुइ** गरीब
(3636) कन्नड़ **पेल्** मल त्यागना
गोंडी **पेंडा** गुदा
सं. **पायु** उप.
**पाय्** मल त्यागना
फ़ारसी **पाय्ख़ाना** मल त्यागने का स्थान
3637 त. **पेळ्इ** पेटी
सं. **पेटक** उप. (द्र.)
3638 मलयालम **पेळ्** वृक्ष विशेष
सं. **पीलु** उप. (द्र.)
3641 मलयालम पेरु बोझ
सं. **भार**
(कन्नड़ **पॉरॅ बोझ** 3729 से सम्बद्ध)
3642 तोद **पोर्** चोटी
सं. **पर** ऊँचा
3645 कन्नड़ **पड़** ऊपर; ऊपर का
सं. **पर** ऊँचा
3646 त. **पॉगु** छेद करना
सं. **भूक** छेद (द्र.)
(3658) (क) त. **पॉङ्गल्** प्रकाश
सं. **भर्ग** उप.
**(भर्ग>*पर्ग>*पङ्ग)**
(ख) गोंडी **पोङ्गाना** बहना; उमड़ना
सं. **भडि** लहर
लिथुआनियन **बङ्ग** उप.
(ग) कुइ **पॉङ्ग** टूटना
सं. **भङ्ग**
(3659) मलयालम **पॉङ्ङु** नाव
लैटिन **पॉन्तो** उप.
(3661) मल्तो **बॉङ्ग** भागना
हिन्दी **भागना**
ग्रीक **फॅउगो** उप.
**(*भर्ग>भाग/*बङ्ग/*फॅउग)**
3666 (क) कुइ **पॉज** गठरी बनाना
सं. **पोटल** पोटली
प्राकृत **पोट्ट** गठरी
(ख) ब्राहूइ **पुच्** वस्त्र
सं. **पोत** उप.

| | | | |
|---|---|---|---|
| (3667) | त. | **पॉडि** | चूरा |
| | लैटिन | **पुल्विस्** | उप. |
| | फ्रांसीसी | **पूद्र** | उप. |
| 3671 | तुलु | **पॉट्टु** | मूर्ख |
| | सं. | **पोट** | शिखंडी |
| 3673 | कुवि | **पोट** | चिड़िया |
| | सं. | **पोत** | शावक |
| | हिन्दी | **पोत** | बच्चा |
| 3674 | मलयालम | **पॉट्टुग** | फूटना; खिलना |
| | सं. | **स्फोट** | फूटने की किया |
| 3677 | कन्नड़ | **पॉट्टॅ** | पेट |
| | प्राकृत | **पोट्ट** | उप. |
| | मराठी | **पोट** | उप. (द्र.) |
| (3679) | कोत | **पॉट्** | फफोला |
| | सं. | **स्फोट** | फूटने की क्रिया |
| | हिन्दी | **फोड़ा** | |
| | | **फफोला** | |
| | ग्रीक | **पॉम्फॉस्** | फफोला |
| 3686 (क) | त. | **पुदइ** | वस्त्र |
| | कन्नड़ | **पॉदॅ** | पहनना |
| | सं. | **पोत** | वस्त्र |
| (ख) | मलयालम | **पॉदि** | गठरी |
| | सं. | **पोटल** | उप. |
| | प्राकृत | **पोट्ट** | उप. |
| 3689 | कन्नड़ | **पॉत्ति** | वस्त्र |
| | सं. | **पोतिका** | उप. (द्र.) |
| (3690) | त. | **पॉत्ति** | अंड़कोश |
| | हिन्दी | **पोता** | |
| | फ़ारसी | **फ़ोता** | |
| (3691) | कन्नड़ | **पॉत्तु** | जलना |
| | ग्रीक | **पुर्** | अग्नि |
| 3692 | कोलमि | **पॉत्तॅ** | उड़नेवाला कीड़ा |
| | सं. | **पतङ्ग** | |
| (3696) | मलयालम | **पॉन्दुग** | उतराना |
| | लैटिन | **पॉन्तुस्** | नाव |
| (3698) | कन्नड़ | **बॉब्बुलि** | बुलबुला |
| | सं. | **बुद्बुद** | उप. |
| | पालि | **बुब्बुल** | उप. (द्र.) |
| | अंग्रेज़ी | **बबल्** | उप. |
| | लैटिन | **बुल्ल** | उप. |
| | हिन्दी | **बुलबुला** | |

| | | | |
|---|---|---|---|
| 3703 | त. | **पॉय्गइ** | झरना; ताल |
| | सं. | **पयस्** | वर्षा; जल |
| (3705) | त. | **पॉरि** | जलना |
| | तुलु | **पॉरि** | चिनगी |
| | ग्रीक | **पुर्** | आग |
| (3708) | त. | **पॉरु** | लड़ना |
| | | **पोर्** | युद्ध |
| | सं. | **भर** | उप. |
| | ग्रीक | **पॉलॅमॅओ** | लड़ना |
| | रूसी | **बॉरोत्स्य** | उप. |
| | | **बोर्ब** | संघर्ष |
| | अंग्रेज़ी | **वार्** | युद्ध |
| 3718 | त. | **पुलाल्** | मांस |
| | सं. | **पल, पलल** | उप. (द्र.) |
| 3723 | कन्नड़ | **पुळिल्** | तट |
| | सं. | **पुलिन** | उप. (द्र.) |
| (3725) | त. | **पॉळ्** | छेद |
| | अंग्रेज़ी | **होल्** | उप. |
| (3726) | | | |
| (क) | मलयालम | **पॉळ्ळु** | पोला |
| | प्राकृत | **पोल्ल** | उप. |
| | हिन्दी | **पोला** | (द्र.) |
| | अंग्रेज़ी | **हौलो** | पोला |
| (ख) | त. | **पॉल्लु** | भूसा |
| | सं. | **पलाल** | पयाल |
| | लैटिन | **पलॅअ** | भूसा |

(तेलगू **पूडिपयाल** 3768 से सम्बद्ध)

| | | | |
|---|---|---|---|
| (3727) | त. | **पॉळ्ळु** | फफोला पड़ना |

(**कोत पॉट्** फफोला 3679 से सम्बद्ध)

| | | | |
|---|---|---|---|
| (ख) | मलयालम | **पॉळ्ळु** | बुलबुला |
| | लैटिन | **बुल्ल** | उप. |

(कन्नड़ **बॉब्बुलि** बुलबुला 3698 से सम्बद्ध)

| | | | |
|---|---|---|---|
| (3729) (क) | कन्नड़ | **पॉरॅ** | बोझ |
| | सं. | **भार** | |
| | ग्रीक | **बरॉस्** | उप. |
| (ख) | त. | **पॉरु** | वहन करना |
| | सं. | **भरति** | वहन करता है |
| | ग्रीक | **फॅरो** | वहन करना |
| | लैटिन | **पॉर्तो** | ढोना |
| | ग्रीक | **पॉरॅउओ** | ले जाना |

| | | | |
|---|---|---|---|
| 3730 | त. | **पॉरइ** | पहाड़ |
| | सं. | **पर** | ऊँचा |
| 3732 | त. | **पॉन्** | सोना |
| | सं. | **पाण्डु** | पीला |
| 3734 | त. | **पो** | जाना |
| | सं. | **पद** | उप. |
| | ग्रीक | **पॉरॅउओ** | उप. |
| 3745 | तेलगू | **पोहण** | पोहना |
| | हिन्दी | **पोहना** | |
| 3747 | त. | **पोत्तु** | पशु पक्षी आदि में नर |
| | सं. | **पोत** | शावक |
| 3748 | त. | **पोत्तु** | पौध |
| | सं. | **पोत** | शावक; पौधा (द्र.) |
| | हिन्दी | **पौध, पौधा** | |
| 3750 | कन्नड़ा | **बोयि** | कहार |
| | मराठी | **भोई** | उप. (द्र.) |
| 3751 | त. | **पोर्** | पहनना |
| | हिन्दी | **पहिरना; पहनना** | |
| | बंगला | **पॉरा** | उप. |
| (3756) | कन्नड़ | **बोरॅ** | पहाड़ी |
| | जर्मन | **बॅर्ग** | पहाड़ |
| 3759 | पर्जि | **पोल्** | पूरा करना |
| | सं. | **पूर** | पूरा |
| (3764) | कन्नड़ | **पोर** | बच्चा; लड़का; लड़की |
| | हिन्दी | **पोत** | बच्चा |
| | बंगला | **पोला** | बेटा |
| | ग्रीक | **पॉर्तिस्** | बछड़ा; लड़की |
| | | **पोलॉस्** | बछेड़ा; लड़की |
| (3765) | तेलगू | **बॉरिय्** | छेद |
| | अंग्रेज़ी | **बोर्** | छेद करना |
| | हिन्दी | **बरमा** | छेद करने का औजार |
| (3768) (क) | त. | **मग** | पुत्र; पुत्री |
| | मल्तो | **मकॅ** | लड़का |
| | | **मकि** | लड़की |
| | जर्मन | **मग्द्** | उप. |
| | आइरिश | **मक्** | पुत्र |
| | गोलिक | **मक्, मिक्** | उप. |
| | सं. | **मगंध** | गण विशेष |
| (ख) | मलयालम | **मोन्** | पुत्र |
| | | **मोळ्** | पुत्री |
| | मराठी | **मुलगा** | पुत्र |
| | हिन्दी (बुन्देलखंडी) | **मोड़ा** | लड़का |
| 3769 | कन्नड़ | **मगुळ्** | वापस आना |
| | तेलगू | **मगिडि** | फिर से |
| | प्राकृत | **मगा** | पीछे |
| | मराठी | **मग** | पीछे से |
| 3770 | त. | **मगिळ्** | उल्लसित होना |
| | सं. | **मख** | उल्लसित |
| 3771 | त. | **मगिळ्** | मौलसिरी |
| | सं. | **मकुल, बकुल** | उप. |
| | हिन्दी | **मौलसिरी** | (द्र.) |
| 3775 | त. | **मक्कम्** | करघा |
| | मराठी | **माग** | उप. (द्र.) |
| (3777) | तुलु | **मंगॉ** | बन्दर |
| | अंग्रेज़ी | **मंकी** | उप. |
| 3778 | कन्नड़ | **मसकु** | धुँधला |
| | सं. | **मसि** | काली वस्तु |
| 3781 | त. | **मच्चिगइ** | मठा |
| | सं. | **मथ्** | मथना |
| 3783 | तेलगू | **मच्च** | मसा; दाग |
| | मराठी | **मत्स्य** | उप. (द्र.) |
| | हिन्दी | **मसा** | |
| 3791 | त. | **मञ्जिगइ** | पेटी |
| | सं. | **मञ्जूषा** | उप. (द्र.) |
| 3793 | त. | **मयिल्** | मोर |
| | सं. | **मयूर** | उप. (द्र.) |
| 3796 (क) | त. | **मडक्कु** | अंग तोड़ना |
| | हिन्दी | **मटकना** | |
| (ख) | तोद | **मांख्** | झुकना |
| | हिन्दी | **मोड़ना; मुड़ना** | |
| 3797 | त. | **मडप्पम्** | नगर |
| | प्राकृत | **मडम्ब** | उप.; गाँव (द्र.) |
| 3798 | त. | **मडम्** | अज्ञान |
| | कन्नड़ | **मट** | उप.; उलझन |
| | | **मड्ड** | मूर्ख |
| | प्राकृत | **मट्ठ** | धीमा; मूर्ख (द्र.) |
| | सं. | **मंथर** | धीमा; आलसी |
| | हिन्दी (अवधी) | **मट्ठर, मठर** | धीमा |
| 3801 | त. | **मडा** | मटका |
| | कन्नड़ | **मडकॅ** | उप. |

| | | | |
|---|---|---|---|
| | प्राकृत | **मडक्क** | उप. |
| | हिन्दी | **मटका** | (द्र.) |
| 3802 | त. | **मडि** | आलस; आलसी होना |
| | प्राकृत | **मट्ठ** | आलसी; धीमा |
| | सं. | **मंथर** | |
| 3803 | त. | **मडि** | मरना |
| | प्राकृत | **मड** | मरा हुआ |
| | सं. | **मृत** | |

**(*मर् मरना→*मर्त मुर्दा>मड)**

| | | | |
|---|---|---|---|
| 3804 | त. | **मडि** | स्नानादि से शुद्धि |
| | कन्नड़ | **मडि** | शुद्धि; धुला वस्त्र |
| | प्राकृत | **मट्ठ** | धुला हुआ; शुद्ध |
| | सं. | **मृष्ट** | मार्जित |
| 3811 | त. | **मट्टम्** | नाप; सीमा |
| | सं. | **मात्रा** | नाप |
| 3812 | त. | **मट्टम्** | नाटापन |
| | हिन्दी | **नाटा** | |
| 3813 | त. | **मट्टु** | शहद; दारू |
| | मलयालम | **मडु** | शहद; मिठास |
| | | **मट्टु** | अमृत |
| | सं. | **मधु** | |
| 3817 | त. | **मण्** | मिट्टी; धरती |
| | तुलु | **मण्णु** | उप. |
| | सं. | **मृत्स्न** | धूल |
| | | **मृत्तिका** | मिट्टी |
| (3818) (क) | त. | **मण** | चमकना |
| | सं. | **मणि** | |
| (ख) | गोंडी | **मर्मिंग्** | ब्याह |
| | त. | **मणम्** | उप |
| | लैटिन | **मरीतुस्** | ब्याहना |
| | अंग्रेज़ी | **मैरिज्** | ब्याह |
| 3822 | तुलु | **मणिपुनि** | बोलना |
| | सं. | **भण्** | उप. |

(त. **पणि** बोलना 3212 से सम्बद्ध)

| | | | |
|---|---|---|---|
| (3824) | त. | **मणिक्कट्टु** | कलाई |
| | सं. | **मणिबन्ध** | उप. |
| | त. | **मङ्गट** | उप. (द्र.) |
| | ग्रीक | **मन्नॉस्** | कंठी |
| 3829 | त. | **मंडु** | दमकना |
| | सं. | **पांडु** | पीला |
| 3831 | त. | **मंडइ** | सिर |
| | सं. | **मंड** | उप. (द्र.) |
| 3832 | त. | **मण्णान्** | धोबी |
| | | **मण्णु** | नहाना; धोना |
| | सं. | **मज्ज्** | उप. |
| (3833) | त. | **मण्णु** | करना |
| | लैटिन | **मनुस्** | हाथ |

(त. **पण्णु** करना 3209 से सम्बद्ध)

| | | | |
|---|---|---|---|
| 3835 (क) | त. | **मद** | मस्त होना |
| | | **मदन्** | घमंड |
| | सं. | **मद** | (द्र.) |
| (ख) | त. | **मद** | सुन्दरता; शक्ति |
| | सं. | **मदन** | कामदेव |
| (3840) | त. | **मदि** | चन्द्रमा; महीना |
| | सं. | **मस् (चन्द्र-मस्)** | चन्द्रमा |
| | | **मास** | उप.; महीना |
| | लैटिन | **मॅन्सिस्** | महीना |
| (3841) | त. | **वदुवइ** | वधू; विवाह |
| | सं. | **वधू** | |
| | अंग्रेज़ी | **वॅड्** | ब्याहना |
| (3847) (क) | कन्नड़ | **मन्दि** | बाड़ा |
| | सं. | **मन्दिर** | शिविर; घुड़साल; नगर |
| (ख) | कन्नड़ | **मन्दि** | जन |
| | कोलमि | **मन्दि** | आदमी |
| | हिन्दी (छत्तीसगढ़ी) | **मन** | जन |
| (3851) | तुलु | **मम्म** | स्तन |
| | लैटिन | **मम्म** | उप. |
| 3852 (क) | त. | **मयक्कम्** | भ्रान्ति |
| | सं. | **माया** | |
| (ख) | त. | **मयल्** | कामवासना |
| | प्राकृत | **मयण** | मदन |
| 3854 | त. | **मयिर्** | बाल; पूँछ |
| | प्राकृत | **माइ, माइअ** | घने बालोंवाला |
| (3856) | त. | **मरम्** | वृक्ष |
| | मल्तो | **मनु** | उप. |
| | लिथुआनियन | **मॅदिस्** | उप. |
| 3857 | त. | **मरल्** | सन जिससे धनुष की डोरी बनाई जाती थी |
| | सं. | **मूर्वा** | उप. (द्र.) |
| (3863) | कोत | **मद्** | औषधि |
| | लैटिन | **मॅदिकीन** | उप. |

3864 मल्तो **मर्गॉ** हिरन
सं. **मृग**
(3865) त. **मरुवु** सम्भोग करना
तेलगू **मरगु** प्यार करना
सं. **मार** कामदेव
लैटिन **मरीतो** ब्याहना
(3866) (क) त. **मरुलु** काम-वासना
सं. **मार** कामदेव
(त. **मरुवु** सम्भोग करना 3866 से सम्बद्ध)
(ख) त. **मरुळ्** नशा
तुलु **मर्लु** पागल; पागलपन
सं. **मद**
अंग्रेज़ी **मैड्** पागल
ग्रीक **मर्गॉस्** उप.
3867 कन्नड़ **मरॅ** हिरन
सं. **मरुक** उप. (द्र.)
**मरु** उप.
3870 (क) तेलगू **मलयु** चमकना
सं. **मरीचि** किरण
(ख) कन्नड़ **मलॅ** बड़ा आदमी होना
सं. **मल्ल** पहलवान
(3871) त. **मल्लन्** पहलवान
सं. **मल्ल** उप. (द्र.)
ग्रीक **मोलॉस्** संघर्ष
3872 कन्नड़ **मल** अन्य
सं. **पर** उप.
(त. **मरु** अन्य 3903 से सम्बद्ध)
3873 कन्नड़ **मलकु** एक तरह की माला
सं. **माला**
(3875) कोडगु **मलङ्ग्** काम न करना और पड़े रहना
फ़ारसी **मलङ्ग** एक तरह के फ़कीर
3879 त. **मलर्** खिलना; फूल
तेलगू **मलंचु** खिलना
सं. **मालती** पुष्प विशेष
**माला**
बंगला **मालञ्च** पुष्पवाटिका
हिन्दी **माली**
(3881) त. **मलइ** लड़ना
सं. **मल्ल** पहलवान
ग्रीक **मोलॉस्** संघर्ष
3882 त. **मलइ** पर्वत
सं. **मलय** पर्वत विशेष (द्र.)
**मद्र** भारत का उत्तर-पश्चिमी सीमान्त (पहाड़ी क्षेत्र; वहाँ रहनेवाले जन)
3884 तेलगू **मल्ल** मिट्टी का पात्र
सं. **मल्लि** उप. (द्र.)
3887 त. **मऌ** बच्चा
कन्नड़ **मळक, मणक** पड़िया; बछिया
सं. **माणव, माणवक** लड़का; छोकरा
(3889) त. **मळु** कुल्हाड़ी
गोंडी **मरस्** उप.
कोडगु **मट्टि** उप.
सं. **परशु** फरसा
पुं अंग्रेज़ी **मट्टुक्** कुल्हाड़ी
अंग्रेज़ी **मैटॉक्** उप.
(3890) (क) त. **मऴ्कु** धुँधला होना
कन्नड़ **मङ्कु** धुँधलका
सं. **मङ्गुल** अस्वस्थ; पीला (द्र.)
मल्तो **मड्गॉ** काला
सं. **मल** गन्दगी
**मलिन** काला
लैटिन **मलुस्** गन्दगी
ग्रीक **मॅलुस्** धुँधला काला
अंग्रेज़ी **मर्की** धुँधला
रूसी **मरात्** गन्दा करना
(ख) तुलु **मर्गु** मुर्दा
तेलगू **म्रग्गु** मरना
त. **मक्कु** उप.
सं. **मरण**
हिन्दी **मरना**
लैटिन **मॉरिऑर्** मरना
फ़ारसी **मर्ग** मौत
3891 त. **मळुक्कु** माड़ना, पीटना
सं. **मर्द** पीटने-कुचलने की क्रिया
**मृण्** कुचलना
हिन्दी **माड़ना**

| | | | |
|---|---|---|---|
| 3894 | त. | **मळिगइ** | दुकान |
| | मराठी | **मळ्गी** | उप. (द्र.) |
| | सं. | **पण्** | खरीदना |
| 3895 | तुलु | **मळ्पुनि** | करना |

(त. **पण्णु** करना 3209 और त. **मण्णु** उप. 3833 से सम्बद्ध)

| | | | |
|---|---|---|---|
| 3897 | तुलु | **मदपुनि, मरपुनि** | भूलना |
| | त. | **मर** | उप. |
| | सं. | **मद** | |
| (3900) (क) | त. | **मरल्** | मृत्यु |
| | सं. | **मर्त** | मरणशील |
| | लैटिन | **मॉरिऑर्** | मरना |
| (ख) | त. | **मरम्** | युद्ध |
| | | **मरवोन्** | योद्धा |
| | ग्रीक | **मर्नमइ** | युद्ध करना |

(त. **पॉरु** लड़ना 3708 से सम्बद्ध)

| | | | |
|---|---|---|---|
| 3903 | त. | **मरु** | अन्य |
| | सं. | **पर** | उप. |
| (3904) | तेलगू | **मरक** | चिह्न |
| | अंग्रेज़ी | **मार्क्** | उप. |
| 3905 | कन्नड़ | **मरुगु** | जलना, कामवासना से दग्ध होना |
| | सं. | **मरीचि** | किरण |
| | | **मार** | कामदेव |
| 3906 | त. | **मरुगु** | गली |
| | सं. | **मार्ग** | |
| (3911) | त. | **मनइ** | घर |
| | सं. | **मान** | उप. |
| | लैटिन | **मनॅओ** | ठहरना |
| | | **मंसिओ** | घर |
| | ग्रीक | **मॉने** | उप. |
| | त. | **मनइ** | स्त्री |
| | सं. | **मेना** | उप. |
| 3913 | कन्नड़ | **मन्दु** | तोद जन का गाँव |
| | त. | **मन्रु** | सभाभवन; प्राङ्गण |
| | सं. | **मन्दिर** | |
| 3918 | कन्नड़ | **मासु** | धुँधला होना |
| | सं. | **मसि** | काली वस्तु |
| (3919) | त. | **माङ्गय्** | अंबिया |
| | सं. | **माकन्द** | आम का पेड़ (द्र.) |
| | कोडगु | **माङ्गँ** | आम |
| | अंग्रेज़ी | **मैङ्गो** | उप. |
| 3923 | त. | **मा** | बड़ा |
| | सं. | **महा** | |
| 3926 | त. | **मागुलर्** | अहेरी |
| | सं. | **वागुरिक** | उप. (द्र.) |
| 3927 | कन्नड़ | **मासु** | गन्दगी |
| | सं. | **मसि** | काली वस्तु |
| 3929 | कुड़ुख़ | **मास्** | बाँस |
| | हिन्दी | **बाँस** | |
| 3930 | त | **माडम्** | घर; झोंपडी |
| | | **मेडइ** | भवन; मंच |
| | सं. | **माडि** | भवन |
| | | **मेट** | उप. (द्र.) |
| (3931) (क) | कन्नड़ | **माडु** | बनाना |
| | सं. | **मा** | उप. |
| | जर्मन | **माखॅन्** | उप. |
| | अंग्रेज़ी | **मेक्** | उप. |
| | | **मेड्** | बनाया |
| (ख) | तेलगू | **माडिकि** | मार्ग; पद्धति |
| | लैटिन | **मॉदुस्** | उप. |
| 3937 | त. | **माणम्** | सम्मान |
| | सं. | **मान** | |
| 3940 | त. | **मादुलइ** | नीबू |
| | सं. | **मातुलुङ्ग** | उप. (द्र.) |
| 3942 | त. | **मादिग** | मोची; अछूत |
| | सं. | **मातंग** | चांडाल (द्र.) |
| 3945 | त. | **मामा** | मामा |
| | सं. | **माम (क)** | (उप.) |
| | हिन्दी | **मामा** | (द्र.) |
| (3946) (क) | त. | **माय्** | मरना |
| | फ़ारसी | **मैयत्** | मौत |
| (ख) | त. | **माय्** | छिपाना; गायब होना |
| | कन्नड़ | **माजु** | छिपाना; धोखा |
| | सं. | **माया** | |
| 3948 | त. | **मारि** | वर्षा |
| | सं. | **मारि** | उप. (द्र.) |
| 3949 | कोलमि | **मारॉङ्** | बेल का पेड़ |
| | सं. | **मालूर** | उप. (द्र.) |
| 3950 | त. | **मालि** | ताड़ी |
| | सं. | **मालका** | एक शराब (द्र.) |

| | | | |
|---|---|---|---|
| 3951 | त. | **मालर्** | शूद्र पिता ब्राह्मणी माता की सन्तान |
| | सं. | **माल** | शूद्र और सूत का पुत्र (द्र.) |
| 3954 | त. | **मालइ** | माला |
| | सं. | **माला** | (द्र.) |
| (3958) (क) | त. | **माट्टु** | मारना |
| | हिन्दी | **मारना** | |
| (ख) | तेलगू | **मालुगु** | क्षीण होना |
| | रूसी | **मालो** | थोड़ा |
| (3960) (क) | कन्नड़ | **मातु** | शब्द |
| | त. | **माट्टु** | उप. |
| | इटालियन | **मोत्तो** | उप. |
| (ख) | त. | **मारु** | बेचना; विनिमय करना |
| | तुलु | **माराट** | बिक्री; विनिमय |
| | कन्नड़ | **माराळि** | विक्रेता; वैश्य |
| | लैटिन | **मॅर्कातूस्** | व्यापार |
| | | **मॅर्कातूर** | व्यापारी |
| | | **मॅर्कॉर** | खरीदना |
| | अंग्रेज़ी | **मार्कॅट्** | बाज़ार |
| | | **मर्चॅण्ट्** | व्यापारी |
| | हिन्दी | **मंडी (*मर् बेचना>*मन्)** | |
| (ग) | तेलगू | **मारु** | अन्य |
| | सं. | **पर** | उप. |
| (3962) | त. | **मिगु** | बढ़ना |
| | | **मिक्क** | बड़ा |
| | सं. | **मह (<*मघ)** | उप. |
| | ग्रीक | **मॅगस्** | उप. |
| | | **मकॉस्** | अधिक |
| | अंग्रेज़ी | **मिकूल्** | उप. |
| | | **मच्** | उप. |
| 3965 | कन्नड़ | **मिसुगु** | चमकना |
| | प्राकृत | **मिसमिस** | चमकीला |
| 3969 | कन्नड़ | **मिट्किसु** | आँखें मिचमिचाना |
| | सं. | **मिष्** | उप. |
| 3973 | त. | **मिडि** | गरीबी |

(तेलगू **पेद** गरीब 3634 से सम्बद्ध)

| | | | |
|---|---|---|---|
| 3974 | कन्नड़ | **मिडितॅ** | टिड्डा |
| | सं. | **मटची** | उप. (द्र.) |
| 3996 | मलयालम | **मीश** | मूँछें |
| | मराठी | **मिशी** | मूँछ (द्र.) |
| 3999 | त. | **मीन्** | मछली |
| | सं. | **मीन** | उप. (द्र.) |
| 4000 | कन्नड़ | **मूसु** | सूँघना |
| | फ़ारसी | **मुश्क** | कस्तूरी |
| | अंग्रेज़ी | **मस्क** | उप. |
| | पु. अंग्रेज़ी | **नोसु** | नाक |
| | सं. | **नासा** | उप. |
| | हिन्दी | **नास** | सुँघनी |
| 4002 | त. | **मुगडु** | चोटी |
| | सं. | **मुकुट** | (द्र.) |
| 4003 | त. | **मुगम्** | मुख |
| | सं. | **मुख** | (द्र.) |
| 4006 | | **मुगिल्** | बादल |
| | सं. | **मेघ** | |
| 4007 | त. | **मुगिऴ्** | मुकुलित होना |
| | सं. | **मुकुल** | (द्र.) |
| 4011 | तेलगू | **बॉक्क** | भकसना |
| | त. | **मॉक्कु** | उप. |
| | सं. | **भक्ष्** | खाना |
| | | **बुभुक्षा (<*भॉक्ष्)** | भूख |
| (4012) | त. | **मुक्कु** | कोना |
| | अंग्रेज़ी | **नुक्** | उप. |
| (4014) | त. | **मुङ्गा** | नेवला |
| | कोलमि | **मुङ्गुस्** | उप. |
| | सं. | **मद्गुश** | उप. |
| | प्राकृत | **मंगुस** | उप. (द्र.) |
| | अंग्रेज़ी | **मंगूज्** | उप. |
| 4015 | तुलु | **मॉसरु** | दही |
| | सं. | **मोरट, मोरण** | मठा (द्र.) |
| (4025) | कुड़ुख़ | **मुन्धना** | मूँदना |
| | नइकि | **मुस्** | ढाँकना |
| | त. | **मुच्चु** | उप. |
| | | **मूय्** | उप. |
| | सं. | **मुद्रित** | मुँदा हुआ |
| | हिन्दी | **मूँदना** | |
| | ग्रीक | **मुओ** | बन्द होना |
| 4028 | पर्जि | **मुड्** | झुकना |
| | त. | **मुडक्कु** | मोड़ना |
| | हिन्दी | **मुड़ना** | |
| 4030 | त. | **मुडि** | बाँधना; गाँठ |

कन्नड़ **मुडिपु** पोटली
हिन्दी **मोटरी** उप.
(4035) त. **मुड्डुगु** अँगूठी
सं. **मुद्रिका** उप.
वेल्श **मॉड्रुइ** उप.
4038 त. **मुटटाळ्** मूर्ख
ग्रीक **मोरॉस्** उप.
(तुलु **मुर्ताप** मूर्खता 4111, त. **मॉत्तु** मूर्ख 4202 से सम्बद्ध)
4041 त. **मुट्टिगइ** हथौड़ी
कन्नड़ **मॉट्टु** किसी के सिर पर घूँसा मारना
सं. **मुष्टि** मुट्ठी
4047 तुलु **मुण्ड** छोटा
मलयालम **मुण्डन्** बौना; नाटा
प्राकृत **मुण्ट** हीन शरीर वाला
पंजाबी **मुण्डा** बच्चा
(4048) त. **मुण्डइ** अण्डा
**मुट्टइ** उप. धरती
लैटिन **मुन्दुस्** संसार
4055 पर्जि **मोच** मगर
सं. **माचल** उप. (द्र.)
4062 त. **मुत्तु** मोती
सं. **मुक्ता** उप.
प्राकृत **मुत्ता** उप. (द्र.)
(4070) कन्नड़ **मॉगसु** कार्य के लिए तैयार होना
तेलगू **मॉगि** प्रयत्न
रूसी **मॉगु** कर सकता हूँ
**मॉच्** कर सकने योग्य होना
4072 त. **मूरि** प्राचीनता
सं. **पुरा** प्राचीन
4076 त. **मुरल्** ध्वनि करना
**मुरळि** मुरली
**मुरजु** ढोल
सं. **मुरज** उप.
**मुरली** (द्र.)
4077 त. **मुरल्** एक मछली
सं. **मुरल** उप. (द्र.)
4078 त. **मुरवु** तोड़ना
प्राकृत **मुरिअ** टूटा हुआ (द्र.)
4080 त. **मुरि** झुकना, मोड़
तुलु **मुरि** वृत्त अँगूठी
प्राकृत **मूरिअ** मुड़ा हुआ
हिन्दी **मुड़ना**
(व्रज) **मुरिबो, मोरिबो** मुड़ना; मोड़ना
(त. **मुड्डुगु** अँगूठी 4035, सं. **मुद्रिका** <***मुर्दिका** से सम्बद्ध)
4082 तुलु **मुरु** कान की बाली
**मुर्गि** कड़ा
मराठी **मुर्की** कान की बाली (द्र.)
4083 तुलु **मुरिपुनि** जलना
सं. **मुर्मुर** जलता खर-फूस; बुझता अंगार (द्र.)
ग्रीक **पुर्** आग
(4084) त. **मुरुक्कु** पलाश
ग्रीक **पुर्** आग
(तुलनीय सं. **पलित** प्रज्वलित और **पलाश** तुलु **मुरिपुनि** जलना 4083 से सम्बद्ध)
4085 त. **मुरुङ्गइ** जिमीकन्द
सं. **मुरुङ्गी** उप. (द्र.)
4080 कन्नड़ **मॉल्लॅ** चमेली
सं. **मल्लिका** उप. (द्र.)
(4092) (क) त. **मॉळि** बोलना; बोल
कोलमि **मुड्** बोलना
रूसी **मॉल्** लोग कहते हैं
**मॉल्वा** अफ़वाह
इटालियन **मोत्तो** शब्द
(कन्नड़ **मातु** शब्द करना 3960 से सम्बद्ध)
(ख) त. **मुळङ्गु** शब्द करना
(त. **मुरल्** शब्द करना 4076 से सम्बद्ध)
4093 त. **मॉळि, मुळि** किसी अंग का जोड़
हिन्दी **मोड़**
(4095) त. **मुळु** समग्र; विशद
सं. **विपुल** उप.
ग्रीक **पॉलुस्** विशद; अनेक
मल **पॉल्ल** बहुत-से
**मल** बहुत
(त. **पल** अनेक 3289 से सम्बद्ध)

(4096) (क) कुइ **बुड्ड्ग** डूबना
प्राकृत **बुड्ड** उप.
हिन्दी (अवधी) **बूड़बु** उप.
(ख) त. **मुळुगु** डुबकी लगाना
लैटिन **मॅर्गो** उप.
सं. **मज्ज्** उप.
4099 त. **मुळि** जलना
(तुलु **मुरिपुनि** जलना 4083 से सम्बद्ध)
4105 त. **मुळा** मूली
सं. **मूलक** उप. (द्र.)
हिन्दी **मूली**
(4108) तेलगू **मुरुगु** सड़ना
पर्जि **मुर** सड़ा हुआ
सं. **पूय्** सड़ना; गँधाना
**पुरीष** मल
लैटिन **पूतॅओ** सड़ना; गँधाना
(4109) त. **मुरि** तोड़ना; टुकड़ा
लैटिन **मॉर्दॅओ** काटना
**मॉर्सुस्** कौर
अंग्रेज़ी **मौर्सल्** उप. टुकड़ा
(4111) त. **मुरड्** जड़ होना
तुलु **मुर्ताप** मूर्खता
सं. **मूर्ख**
ग्रीक **मोरॉस्** मूर्ख
लैटिन **मोरिऑन्** उप.
4112 त. **मुरुक्कु** घुमाना; बटना
(त. **मुरि** मोड़ 4080 से सम्बद्ध)
(4115) त. **मुरड्** समय; रीति
लैटिन **मोरॅस्** रीति-रिवाज
(4117) (क) कोत **मुत्** पकना
त. **मुरु** उप.
लैटिन **मातुरो** उप.
(ख) त. **मुर्र** पूर्णत
सं. **पूर** पूरा
(4118) त. **मुरु** घेरना; घॅराव
लैटिन **मूरुस्** नगरकोट; दीवाल; बर्तन की कोर
4119 तोद **मुदाल्** पहला
त. **मुत्तड्** सामना
**मुन्** सामने
सं. **पुरस्** उप.
मराठी **पढें** उप.
**(*पुर>*मुर्>*मुन्;*पुर्>*पुर्ध>*पुद>*मुद; *पुर्ध>पुढें)**
4120 कन्नड़ **मुनि** क्रुद्ध होना
तेलगू **मुनुगु** दुखी होना
सं. **मन्यु** क्रोध; शोक
4121 कुड़ुख **मूखा** मेढक
सं. **मूकक** उप. (द्र.)
4122 त. **मूक्कु** नाक
(कन्नड़ **मूसु** सूँघना 4000 से सम्बद्ध)
4124 त. **मूङ्ङ्** मूक
सं. **मूक** (द्र.)
(4129) (क) कन्नड़ **मूति, मोति** मुख
पु. अंग्रेज़ी **मूथ्** उप.
(ख) गोंडी **मासॉक** नाक
सं. **नासा**
4132 त. **मूडु** मूँदना
हिन्दी **मूँदना**
(कुड़ुख **मुन्धना** मूँदना 4025 से सम्बद्ध)
4134 कन्नड़ **मूटॅ** गठरी
**मॉट्टॅ** उप. झोला
सं. **मूट** झोला (द्र.)
हिन्दी **मॉटरी** गठरी
4135 त. **मूट्टड्** खटमल
सं. **मत्क, मत्कुण** उप.
4137 त. **मूरि** भैंसा; बैल
गोंडी **मूर्रि** गाय
हिन्दी **मुर्रा** एक तरह की भैंस
(4146) त. **मूळड्** मज्जा
कोत **मीळ्** उप.
कुड़ुख़ **मुर्मा** उप.
सं. **मूर्धन्** कपाल
जर्मन **मार्क्** मज्जा
अंग्रेज़ी **मैरो** उप.
4153 कन्नड़ **मॅदुळ्** मज्जा, मगज
मल्तो **मॅदॉ** मगज
सं. **मेध** मज्जा
हिन्दी **भेजा** मगज
**(*भॅर्ध>*भेध>*भेज/मेध;** त. **मूळड्** मज्जा 4146 से सम्बद्ध)

| | | | |
|---|---|---|---|
| (4155) | त. | **मॅदलु** | गतिशील होना |
| | लैटिन | **मोतुस्** | गति |
| 4159 | कन्नड़ | **मॅदु** | कोमल |
| | सं. | **मृदु** | |
| (त. **मॅल्** कोमल 4167 से सम्बद्ध) | | | |
| 4161 | त. | **मेदि** | मेथी |
| | सं. | **मेथी** | (द्र.) |
| 4163 | कन्नड़ | **मॅरुगु** | चमक |
| | मल्ती | **मॅर्गु** | आकाश |
| | सं. | **मरीचि** | किरण |
| **(सं. भर्ग प्रकाश>*मर्ग)** | | | |
| (4167) | त. | **मॅल्** | कोमल |
| | तुलु | **मॅल्ल** | उप. |
| | सं. | **मृदु** | |
| | लैटिन | **मॉल्लिस्** | उप. |
| | ग्रीक | **मलकॉस्** | उप. |
| 4172 | मल्तो | **मॅहर्** | नम होना |
| | हिन्दी | **मेह** | |
| | (अवधी) | **मिहाबु** | नम होना |
| 4174 | कन्नड़ | **मेकॅ** | बकरी |
| | सं. | **मेकर्** | उप. (द्र.) |
| (4179) | कन्नड़ | **मेसु** | चराना |
| | तेलगू | **मेंत** | चराई; चरी |
| | अंग्रेज़ी | **मेडो** | चरी |
| 4180 | कन्नड़ | **मेरुवॅ** | स्तूप शृंग |
| | सं. | **मेरु** | पर्वत विशेष |
| (4184) | तेलगू | **मिळिन्दमु** | भौंरा |
| | सं. | **मिलिन्द** | उप. (द्र.) |
| | | **मधु** | |
| | ग्रीक | **मॅलि** | शहद |
| | लैटिन | **मॅल्** | उप. |
| **(मधु>मॅल्→मिलिन्द)** | | | |
| 4187 | कन्नड़ | **मसि** | कालोंछ |
| | सं. | **मसि** | (द्र.) |
| 4198 | त. | **मॉट्टु** | कली |
| (त. **पॉट्टु** खिलना 3674 से सम्बद्ध) | | | |
| 4199 | त. | **मॉण्डि** | लँगड़ा |
| | | **मोळइ** | बिन सींग का जानवर |
| | सं. | **मुण्ड** | उप. (द्र.) |
| (4202) | त. | **मॉत्तु** | मूर्ख |
| | ग्रीक | **मोरॉस्** | उप. |
| 4207 | तुलु | **मुड्डु** | कन्धे का जोड़ |
| | हिन्दी | **मुड्ढे** | |
| 4209 | कन्नड़ | **मॉळ्गु** | झुकना |
| | हिन्दी | **मुड़ना** | |
| (4217) | त. | **मोडि** | पद्धति |
| | लैटिन | **मॉदुस्** | उप. |
| 4219 | त. | **मोडु** | मूर्खता |
| | सं. | **मूढ** | |
| 4220 | त. | **मोदु** | गठरी |
| | हिन्दी | **मॉटरी** | उप. |
| 4229 | ब्राहूइ | **हेट** | बकरी |
| | तुलु | **एडु** | उप. |
| | तेलगू | **एट** | मेढा |
| | हिन्दी | **भेड़** | |
| | सं. | **एड** | भेड़ |
| (4230) | त. | **याण्डु** | वर्ष |
| | गोंडी | **येड** | उप. |
| | जर्मन | **यार्** | उप. |
| (4231) | त. | **नाङ्गळ्** | हम |
| | सं. | **नः** | हमारा |
| | ग्रीक | **नो** | हम दोनों |
| (4233) | त. | **यारु, आरु** | नदी |
| | कश्मीरी | **यार्** | उप. |
| | अंग्रेज़ी | **यैरो** | नदी विशेष |
| | सं. | **अर्ण** | धारा |
| | इटालियन | **आर्नो** | नदी विशेष |
| (4234) | त. | **नान्** | मैं |
| | फ़ारसी | **मन्** | उप. |
| | सं. | **मम** | मेरा |
| | | **नः** | हमारा |
| | ग्रीक | **नो** | हम दोनों |
| 4235 | त. | **यानइ** | हाथी |
| | सं. | **यान** | वाहन |
| 4236 | तुलु | **रम्पि** | मोची का एक औज़ार |
| | हिन्दी | **राँपी** | |
| 4237 | कन्नड़ | **रंप, रंभ** | गर्जन |
| | सं. | **रंभ** | उप. (द्र.) |
| | हिन्दी | **रँभाना** | |
| 4255 | कन्नड़ | **बगॅ** | भाग |

सं. **भाग**
**भज्** बाँटना
त. **वगु** उप.
4256 तुलु **बगळुनि** बकवास करना
हिन्दी **बकना**
4258 त. **वक्का** बगुला
सं. **बक** उप. (द्र.)
4260 त. **वङ्गि** अंकुश
सं. **वंक** वक्रता
**भंग** मोड़
4264 कन्नड़ **बसि** टपकना; बहना
त. **वजि** वर्षा; पानी
बंगला **भासा काल** वर्षा ऋतु
**भासा** उतराना; बहना
4265 त. **वञ्जि** बेत
सं. **वञ्जुल** उप. (द्र.)
4267 त. **वड** उत्तरी
कन्नड **बड** उत्तर
हिन्दी **भोट** (बौद्ध, बौद्धों का देश)
कश्मीरी **ब्वटनु** उत्तरापथ
4268 त. **वडम्** रस्सा
सं. **वट** उप.
**वरत्रा** पट्टा
हिन्दी **बरेत** मोटा रस्सा बटना
**(*वर्→*वर्त>वट/बट)**
4269 त. **वडि** बहना
कन्नड़ **ऑडि** उप.
सं. **उद्** उप.
(4270) तुलु **बड** गरीब
रूसी **बॅद् नुइ** उप.
(तेलगू **पेद** गरीब 3634 से सम्बद्ध)
4272 कन्नड़ **बडि** मारना
मराठी **बडगा** डंडा (द्र.)
4279 तुलु **बटुवॅ** बटुवा
हिन्दी **बटुवा**
4281 त. **वणङ्गु** झकना
**वणक्कम्** प्रणाम
सं. **वन्द** प्रणाम करना
4285 त. **वण्णान्** धोबी
प्राकृत **वण्ण** स्वच्छ
(त. **मण्णान्** धोबी 3832 से सम्बद्ध)

(4291) तेलगू **वन्द** नदी
लैटिन **उन्द** लहर; पानी
4294 त. **बम्बु** पालकी का बाँस
सं. **वम्भ** बाँस (द्र.)
अंग्रेज़ी **बैम्बू** उप.
4301 त. **वरइप्पु** घेरा
**वरइ** किनारा; समय
सं. **वार** घेरा; समय
(4304) त. **वरि** लिखना
तेलगू **व्रायु** उप.
**रायु** उप.
**व्रांत** लेखन
पु. अंग्रेज़ी **व्रिटन्** लिखना
अंग्रेज़ी **रिटिन्** लिखित
**राइट्** लिखना
4305 त. **वरि** ढाँकना
सं. **वार** आवरण
4306 त. **वरि** धान
सं. **व्रीहि** उप.
4310 (क) कन्नड़ **वरिसॅ** बारी; समय
सं. **वार** समय
**वर्ष**
हिन्दी **बारी**
(ख) त. **वरिजइ** श्रेष्ठता
सं. **वर** श्रेष्ठ
(4311) (क) त. **वरु** आना; घटित होना
सं. **वृत्त** घटना
(ख) त. **वारि** द्वार
सं. **वार** उप.
रूसी **वॉरॉत** उप.
4314 त. **वरइ** रोकना
सं. **वरति** रोकता है
(4315) त. **वरइ** पर्वत
जर्मन **बॅर्ग्** उप.
(4317) त. **वल्** सबल
तुलु **बल** बल
सं. **बल**
लैटिन **वलिदुस्** सबल
(4318) त. **वलजइ** प्रवास; समूह
सं. **वल्** चलना

| | | | |
|---|---|---|---|
| | रूसी | **वलीत्** | भीड़ लगाना |
| (4321) | त. | **वलि** | कष्ट |
| | कुइ | **वल्ग** | क्षीण होना |
| | ग्रीक | **अल्गॉस्** | कष्ट |
| (4322) | त. | **वलि** | खींचना |
| | रूसी | **वल्यात्** | उप. |
| 4323 | कुइ | **वडि** | पत्थर |
| | हिन्दी | **बट्टा** | |
| (4324) | मलयालम | **वलयुग** | घूमना; भटकना |
| | सं. | **वल्** | चलना; इधर-उधर घूमना |
| | ग्रीक | **अलऑमइ** | घूमना; भटकना |
| 4325 | कन्नड़ | **भत्त, बत्त** | धान |
| | प्राकृत | **भत्त** | भात |
| | हिन्दी | **भात** | (द्र.) |
| | सं. | **भक्त** | पका हुआ अन्न (जो मुख्यत: चावल होता था) |
| | कश्मीरी | **बत** | भात |
| (4326) | त. | **वल** | घेरना |
| | सं. | **वल** | हाता |
| | | **वलय** | कंगन |
| | लैटिन | **वल्लो** | सुदृढ़ घेरा बनाना |
| 4339 | मल्तो | **बटङ्ङ्** | भाँटा |
| | तेलगू | **वङ्ग** | उप. |
| | सं. | **भंटाकि** | उप. |
| | | **वंगन** | उप. |
| | हिन्दी | **बैंगन** | (द्र.) |
| | | **भाँटा** | |
| (4348) | त. | **वळइ** | घेरना |
| | सं. | **वलय** | वृत्त; कंगन (द्र.) |
| | लैटिन | **वल्लो** | सुदृढ़ घेरा बनाना |
| 4351 | त. | **वळ्ळि** | लता |
| | सं. | **वल्लि** | उप. (द्र.) |
| 4352 | त. | **वळ्ळूरम्** | मांस |
| | सं. | **वल्लूर** | सूखा मांस (द्र.) |
| (4358) | तेलगू | **वरद** | बाढ़; धारा |
| | सं. | **वारि** | प्रवाह; जल |
| | पु. आइसलैंडिक | **वार्** | झरना |
| (4359) | कन्नड़ | **बर्दु** | मरना |
| | ग्रीक | **ब्रॉतॉस्** | मर्त्य |
| (4360) | त. | **वरु** | भूनना; तलना |
| | कोडगु | **बर** | |
| | सं. | **भ्रज्ज्** | भूनना |
| | ग्रीक | **फ्रुगो** | उप. |
| 4362 | कन्नड़ | **बान्** | बनाना |
| | | **बाम्ब** | कुम्हार |
| | हिन्दी | **बनाना** | |

(त. **पानइ** घड़ा 3394 से सम्बद्ध; तुलनीय त. **पण्णु** बनाना 3209)

| | | | |
|---|---|---|---|
| 4368 | त. | **वागु** | प्रकाश |
| | सं. | **भर्ग** | उप. |
| (4371) | त. | **वाङ्गु** | झुकना |
| | कोलमि | **वङ्ग्** | उप. |
| | सं. | **भङ्ग** | मोड़ |
| | | **वङ्क** | टेढ़ा |
| | ग्रीक | **अङ्कॉस्** | मोड़ |
| (4372) | त. | **वाङ्गु** | लेना; खरीदना |
| | अंग्रेज़ी | **वैङ्गल्** | छल से लेना |
| | लैटिन | **वॅन्दो** | बेचना |
| | सं. | **पण्य** | बिकाऊ |
| 4376 | त. | **वाडिक्कइ** | रीति |
| | हिन्दी | **बाट** | |
| 4381 | कन्नड़ | **बाणति** | हाल की जच्चा |
| | मराठी | **बाळात्** | उप. (द्र.) |
| 4387 | त. | **वार्** | बहना |
| | सं. | **वारि** | प्रवाह; जल |
| 4389 | त. | **वारम्** | भाड़ा |
| | सं. | **भट्** | भाड़े पर लेना |
| | हिन्दी | **भाड़ा** | |
| 4394 | त. | **वाल्** | पूँछ |
| | सं. | **वाल, बाल** | उप. |
| (4395) | त. | **वाल्** | श्वेतता |
| | लिथुआनियन | **बल्तस्** | श्वेत |
| | सं. | **भाल** | प्रकाश |
| 4405 (क) | त. | **वाळ्** | तलवार |
| | सं. | **करवाल** | उप. (द्र.) |
| (ख) | त. | **वाळ्** | हल का फाल |
| | सं. | **फाल** | उप. |
| (4406) | त. | **वाळ्** | प्रकाश |
| | सं. | **भाल** | उप. |

(त. **वॅळ्** श्वेत 4524 से सम्बद्ध)

| | | | |
|---|---|---|---|
| 4410 | त. | **वान्** | वर्षा; आकाश; बादल |
| | बंगला | **बान्** | |
| (4419) | त. | **वीडु** | बस्ती; घर |
| | कन्नड़ | **बिडु** | बसना |
| | तुलु | **बुडार** | डेरा |
| | मराठी | **बिडार** | घर (द्र.) |
| | सं. | **विश्** | बसना; निवास |
| | लैटिन | **वीकुस्** | बस्ती; गाँव |

(तोद **विकिल्** कुटुम्ब 782 से सम्बद्ध)

| | | | |
|---|---|---|---|
| (4422) | त. | **विंडु** | हवा |
| | लैटिन | **वॅन्तुस्** | उप. |
| | अंग्रेज़ी | **विंड्** | उप. |
| 4426 | त. | **विदिर** | बिखराना |
| | कुड़ुख | **बिद्ड़ाना** | उप. |
| | हिन्दी | **बिथराना** | |
| 4428 | त. | **वित्तु, विच्चु** | बीज; बोना |
| | गोंडी | **वीजा** | बीज |
| | | **विताना** | बोना |
| | सं. | **बीज** | |
| 4441 | कन्नड़ | **बिरुद** | प्रशंसा |
| | त. | **विरुद** | पदवी |
| | सं. | **बिरुद, विरुद** | प्रशंसात्मक काव्य (द्र.) |
| 4445 | त. | **विरइ** | बोना; बीज |

(त. **वित्तु** बीज, बोना 4428 से सम्बद्ध)

| | | | |
|---|---|---|---|
| (4448) | त. | **विल्** | बेचना |
| | कोत | **वॅल्** | मूल्य |
| | अंग्रेज़ी | **वैल्यू** | उप. |
| | लैटिन | **वलॉर्** | उप. |
| (4456) | त. | **विळि** | चमकना |

(त. **वॅळ्** प्रकाशमान 4524 से सम्बद्ध)

| | | | |
|---|---|---|---|
| 4479 | त. | **विजिरि** | पंखा |
| | सं. | **वीज्, व्यज्** | पंखा करना (द्र.) |
| 4485 | त. | **वीयम्** | बीज |
| | सं. | **बीज** | (द्र.) |
| 4493 | मलयालम | **वॅगुळि** | उद्विग्नता |
| | सं. | **वेग** | उप. |
| (4498) (क) | मल्तो | **बचॅ** | कहना |
| | कुड़ुख | **बाचस्** | उप. |
| | सं. | **वच्** | उप. |
| (ख) | कुइ | **वॅस्प** | कहना |
| | गोंडी | **वॅहाना** | उप. |
| | फ़ारसी | **बहाना** | |
| 4501 | त. | **वीडङ्गु** | सुन्दरता |
| | सं. | **विटङ्क** | सुन्दर (द्र.) |
| 4502 | त. | **वॅडी** | दरकना |
| | कन्नड़ | **बीडि** | दरार |
| | सं. | **भिद्** | टूटना |
| | | **भेद** | अन्तर |
| 4511 | त. | **वेण्णॅय्** | मक्खन |
| | सं. | **स्नेह** | चिकना पदार्थ |

(**वॅण्** श्वेत 4524 और **नॅय्** मक्खन 3104)

| | | | |
|---|---|---|---|
| (4512) | तेलगू | **वॅदकु** | खोजना |
| | कन्नड़ | **बॅदकु** | उप. |
| | सं. | **विद्** | जानना |
| | लैटिन | **विदॅओ** | देखना; जानना |
| | रूसी | **वॅदात्** | जानना |
| 4513 | कन्नड़ | **बिदिरु** | फैलाना |
| | कुड़ुख़ | **बिथ्रआना** | उप. |
| | सं. | **विस्तरति** | फैलाता है |
| | हिन्दी | **बिथराना** | |

(त. **विदिर** बिखराना 4426 से सम्बद्ध)

| | | | |
|---|---|---|---|
| 4515 | तेलगू | **बॅत्ता** | बित्ता |
| | हिन्दी | **बित्ता** | |
| (4519) | त. | **वॅरु** | भय |
| | सं. | **भीरु** | |
| | अंगेजी | **फिअर्** | भय |
| 4520 | कन्नड़ | **बॅर्कु** | बिल्ली |
| | सं. | **बिराल, बिडाल** | उप. (द्र.) |
| (4522) | त. | **वॅन्** | जीत |
| | लैटिन | **विन्को** | जीतना |
| 4523 | त. | **वेल्लम्** | गुड़ |
| | कन्नड़ | **बॅल्ल** | उप. |
| | हिन्दी | **भेली** | (गुड़ की) |
| (4524) | त. | **वॅळ्, वॅण्** | श्वेत; प्रकाशमान |
| | कन्नड़ | **बॅळ** | प्रकाश |
| | प्राकृत | **विल्ल, विल्ह** | स्वच्छ |
| | रूसी | **बेलुइ** | श्वेत |
| | लैटिन | **वॅनुस्** | नक्षत्र विशेष |
| | फ़ारसी | **बिल्लूर** | स्वच्छ पारदर्शक पत्थर |

| | | | |
|---|---|---|---|
| | लिथुआनियन | **बल्तस्** | श्वेत |
| | सं. | **बलक्ष** | श्वेत |
| (4526) | तेलगू | **वॅळ्ळु** | जाना |
| | कुइ | **वॅन्ड** | आगे बढ़ना |
| | अंग्रेज़ी | **वॅन्ड्** | जाना |
| (4529) | त. | **वॅळ्ळम्** | बाढ़ |
| | तेलगू | **वॅल्लि** | प्रवाह |
| | प्राकृत | **वीली** | लहर |
| | जर्मन | **वॅल्लॅ** | उप. |
| (4548) | त. | **वेळ्** | वासना |
| | | **वेण्** | चाह |
| | लैटिन | **वॅल्** | इच्छा करना |
| | | **वॉलॉ** | उप. |
| | अंग्रेज़ी | **विल्** | इच्छा |
| (4549) | त. | **वेन्दन्** | सूर्य; चन्द्र |
| | लैटिन | **वॅनुस्** | नक्षत्र विशेष |
| (4552) | ब्राहूइ | **बेरिफ़िंग्** | पहनाना |
| | | **बेनिंग्** | पहनना |
| | सं. | **भृ (<*भॅर्)** | धारण करना |
| | अंग्रेज़ी | **बॅअर्** | उप. |
| | | **वॅअर्** | पहनना |
| (4556) | त. | **वेलि** | दीवाल |
| | लैटिन | **वल्लुम्** | रक्षात्मक दीवाल |
| | अंग्रेज़ी | **वाल्** | दीवाल |
| 4558 | मल्तो | **बेरु** | सूर्य |
| | सं. | **पेरु** | उप. |
| 4564 | तुलु | **बेतॅ** | अलग |
| | मलयालम | **वेरु** | अलगाव |
| | सं. | **भेद** | |
| (4570) (क) | त. | **वइगल्** | प्रभात |
| | कन्नड़ | **बयिगॅ** | सन्ध्या |
| | बंगला | **बिकेल, बिकाल** | तीसरा पहर |
| (ख) | कुड़ुख़ | **बिज्ज्ना** | भोर होना |
| | रूसी | **वॅचॅर्** | सन्ध्या |

(द्रविड़ व्युत्पत्ति-कोश के पूरक अंश के आधार पर)

| | | | |
|---|---|---|---|
| (पृ. 30) | तेलगू | **अरक** | बैलों सहित हल |
| | मल्तो | **अॅर्** | हल |
| | ग्रीक | **अरॉओ** | हल चलाना |
| | लैटिन | **अरो** | उप. |

(त. **उऴु** हल चलाना 592 से सम्बद्ध)

| | | | |
|---|---|---|---|
| पृ. 54 | त. | **आरल्** | आग |
| | सं. | **अरु** | सूर्य |

(त. **ऑरि** जलना 694 से सम्बद्ध)

| | | | |
|---|---|---|---|
| (पृ. 108) | कन्नड़ | **ऑसगॅ** | वाणी; समाचार |
| | सं. | **वाच्** | वाणी |
| | लैटिन | **वॉको** | पुकारना |
| पृ. 112 | कुइ | **ऑड** | शुद्ध; प्रकाशमान |
| | सं. | **उडु** | नखत |
| (पृ. 125) | कुइ | **ओस्प** | चमकना |
| | | **ओस्तॉरि** | प्रकाश |
| | सं. | **उस्त** | प्रभात |
| | | **उष्** | जलना |
| | चेक | **उस्वित्** | प्रभात |
| (पृ. 126) | कुड़ुख | **ओड़ा** | पक्षी |
| | ग्रीक | **ऑर्निस्** | उप. |
| पृ. 133 | कोंड | **कस्** | जलना |
| | सं. | **कस्** | चमकना |
| पृ. 145 | कन्नड़ | **कडि** | कढी |
| | हिन्दी | **कढ़ी** | |
| पृ. 154 | तेलगू | **कन्दकमु** | खाईं |
| | हिन्दी | **खन्दक** | (द्र.पू.) |
| पृ. 155 | पर्जि | **कन्दि** | कंठी |
| | हिन्दी | **कंठी** | |
| पृ. 162 | मलयालम | **कम्ब** | मोटा रस्सा |
| | सिंहली | **कम्ब** | उप. (द्र.पू.) |
| पृ. 169 | त. | **कलि** | शक्ति |
| | सं. | **कलि** | तीर (द्र.पू.) |
| (पृ. 189) | तेलगू | **काटु** | जला हुआ |
| | ग्रीक | **कइओ** | जलना |
| पृ. 193 | कुवि | **गाति** | ढलान |
| | हिन्दी | **घाटी** | |
| पृ. 198 | गोंडी | **कार्, कात्, काड़्** | खोदना |
| | सं. | **खन्** | खोदना |
| | | **खात** | खोदा हुआ |
| पृ. 205 | कुड़ुख़ | **गिंजना** | मिलाना |
| | हिन्दी | **गींजना** | उप. |
| | (अवधी) | **गिंजावबु** | |
| पृ. 220 | पर्जि | **गिलगिलट्** | मुलायम |
| | हिन्दी | **गिलगीला** | |
| पृ. 221 | त. | **किळ्अन्** | दही |

सं. **किलाट किलाल** उप. (द्र.पू.)
पू. 223 कन्नड़ **किरिगॅ** चीर; वस्त्र
सं. **चीर**
(कन्नड़ **सीरॅ** वस्त्र 2161 से सम्बद्ध)
(पू. 226) कुइ **गीर** आवाज़
कुवि **गीत, गीग** शब्द; वर्ण
सं. **गिर्, गिरा, गीर्** भाषा
ग्रीक **गेरुस्** उप.; आवाज
पू. 234 नइकि **कुट्कॅ** छोटा टुकड़ा; कण
हिन्दी (अवधी) **कुटकी** उप.
(पू. 236) पर्जि **गुंड्** झुकना
सं. **घुण्ट** घुटना
ग्रीक **गॉनु** उप.
(कन्नड़ **गोण्टु** कोना 1709 से सम्बद्ध)
पू. 238 कुड़ुख़ **कुदर्** नीची सतह पर धान का खेत
(तुलु **केदु** कीचड़ 1680 सं. **केदार** जलमग्न खेत से सम्बद्ध)
पू. 245 कुइ **गुन्दुरि** वृत्त; गोल चीज
**गुज्जॅरि** गोल
कुवि **कून्द्रोमि ग्रायु** गोल छेद
सं. **कुंडल**
**कुंडली**
हिन्दी **गुँडली** कुंडली
(त. **कुंडु** गोल चीज 1414 से सम्बद्ध)
पू. 253 त. **कुरु** चमक
सं. **कुरबक** रक्ताभ पुष्प
(त. **कुराल** भूरा 1479 से सम्बद्ध)
पू. 254 कुड़ुख़ **गुद्दा** गूदा
हिन्दी **गूदा**
त. **कुरुदि** भेजा दिमाग
सं. **गोर्द** उप. (द्र.पू.)
(पू. 261) तोद **क्वल्** चक्कर खाना
त. **कुलवु** चलना; घूमना
हिन्दी **कोल्हू**
ग्रीक **कुलिन्दी** लुढ़कते जाना
पू. 277 तुलु **कूटु** नितम्ब
(त. **चूत्तु** नितम्ब, गुदा 2249 से सम्बद्ध)
पू. 285 कन्नड़ **कॅसवु** कुकुरमुत्ता
सं. **कचक** उप. (द्र.पू.)

(पू. 288) कोंड **कॅद्** उबालना
अंग्रेज़ी **कॅट्ल्** पानी उबालने का बर्तन केतली
(तेलगू **कित्तु** अग्नि 1272 से सम्बद्ध)
(पू. 297) पॅङ्गो **केर्** गाना
कुवि **केर्, के** उप.
सं. **गिर्** भाषा
**गै** गाना
ग्रीक **गेरुस्** आवाज़
(कुइ **गीर** आवाज़ पू. 226 से सम्बद्ध)
पू. 298 कन्नड़ **केल्** घड़ा
मराठी **केळी** छोटा बर्तन (द्र.पू.)
हिन्दी (बुन्देलखंडी) **घैला** घड़ा
पू. 300 कुड़ुख़ **काइया** काई
हिन्दी **काई**
पू. 302 गोंडी **कॉकॉ** बच्चा
बंगला **खोका** उप.
पू. 303 (क) तुलु **गॉङ्ग** घोंघा
सं. **शंख**
हिन्दी **घोंघा**
(ख) कुइ **गॉङ्गॉ** छोटी मछली
सं. **गाङ्गट** उप. (द्र.पू.)
पू. 309 कुइ **गुंगु** घुन
सं. **घुण** उप. (द्र.पू.)
पू. 406 गोंडी **सिड़ी, हिड़ी** तोता
सं. **कीर**
(त. **किळि** तोता 1318 से सम्बद्ध)
पू. 435 त. **चॅकिळ्** छिलका
सं. **शकल, शल्क** उप. (द्र.पू.)
(ब्राहूइ **सिल्** छिलका 2120 से सम्बद्ध)
पू. 475 गोंडी **डय्** भागना
सं. **धाव्** उप.
पू. 510 कुड़ुख़ **तड़्की** कान का आभूषण
हिन्दी **तरकी** उप.
पू. 522 त. **तिन्न** सीधा
(पर्जि **टिट्ट** सीधा 3100 से सम्बद्ध)
पू. 525 तुलु **धुळु** धूलि
**दूळि** उप.
मलयालम **तूळि** उप.
सं. **धूलि** (द्र.पू.)

| | | | |
|---|---|---|---|
| पृ. 555 | गोंडी | **तड़ि, तॉड़ि** | धरती |
| | सं. | **धरा** | |
| पृ. 562 | पॅङ्गो | **नागुड़ि** | नदी |
| | कश्मीरी | **नाग** | झरना |
| पृ. 580 | कुड़ुख़ | **नेग** | रस्म |
| | हिन्दी | **नेग** | |
| पृ. 587 | त. | **पगर्** | कहना |
| (त. **पुगल्** कहना 3476 से सम्बद्ध) | | | |
| पृ. 593 | तेलगू | **पसि** | गन्ध |
| | हिन्दी | **बास** | |
| पृ. 597 | कन्नड़ | **पडि** | पद्धति; मार्ग |
| | सं. | **पथ** | |
| (तुलु **परि** मार्ग 3268 से सम्बद्ध) | | | |
| पृ. 604 | त. | **पट्टि** | पुत्र |
| | हिन्दी | **पट्ठा** | |
| पृ. 606 | कुइ | **पट मल्ग** | पट गिरना |
| | हिन्दी | **पट** | |
| (पृ. 633) | पॅङ्गो | **पल** | छाल |
| | सं. | **वल्क** | उप. |
| | अंग्रेज़ी | **बार्क्** | उप. |
| पृ. 648 | कुइ | **पाण्ब** | पाना |
| | हिन्दी | **पाना** | |
| पृ. 665 | पॅङ्गो | **पियल्** | पुआल |
| | हिन्दी | **पुआल** | |
| (पृ. 686) | तेलगू | **बीद** | गरीब |
| | रूसी | **बेद्नुइ** | उप. |
| (तेलगू **पेद** गरीब 3634 से सम्बद्ध) | | | |
| (पृ. 698) | तुलु | **बुर्म** | छेद करने का औजार |
| | हिन्दी | **बरमा** | उप. |
| | अंग्रेज़ी | **बोर्** | छेद करना |
| (तेलगू **बॉरिय** छेद 3765 से सम्बद्ध) | | | |
| पृ. 751 | कुइ | **प्रास्का** | मच्छर |
| | सं. | **प्राचिक** | उप. (द्र.पू.) |
| पृ. 775 | कुइ | **माक** | पकाना |
| | सं. | **पाक** | पका हुआ |
| पृ. 806 | कोडगु | **मूडि** | लड़की |
| | हिन्दी (बुन्देलखंडी) | **मोड़ी** | उप. |
| पृ. 480 | पॅङ्गो | **लय्** | उबले चावल |
| | हिन्दी (अवधी) | **लइया** | भुने चावल |
| पृ. 849 | कुवि | **लॅङ्गुणि** | पूँछ |

| | | | |
|---|---|---|---|
| | सं. | **लाङ्गुल** | उप. (द्र.पू.) |
| पृ. 882 | तेलगू | **वेयु** | पहनना |
| (त. **वेय्** ढाँकना 4552 से सम्बद्ध) | | | |
| 16 | कुड़ुख़ | **अखुआ** | अंकुर |
| | हिन्दी (अवधी) | **अँखुवा** | उप. |
| 21 | तेलगू | **अक्कटिक (मु)** | दया |
| | सं. | **आ: कष्टम्** | (द्र.पू.) |
| 53 | त. | **अन्नइ** | माँ; बड़ी बहन |
| | प्राकृत | **अण्णी** | बुआ; ननद; देवर की स्त्री (द्र.पू.) |
| 132 | त. | **अप्पम्, आप्पम्** | पुआ |
| | सं. | **अपूप, पूप** | उप. (द्र.पू.) |
| 210 | तेलगू | **अलरारु** | चमकना |
| | सं. | **अलात** | अंगार |
| 308 | पॅङ्गो | **इय** | माँ |
| | प्राकृत | **इज्जा** | उप. (द्र.पू.) |
| 436 | तुलु | **अॅल्लयायॅ** | युवा |
| | प्राकृत | **लीव** | लड़का (द्र.पू.) |
| 483 | त. | **उक्कारि** | एक मिठाई |
| | सं. | **उत्करिका** | उप. (द्र.पू.) |
| 488 | त. | **उक्कम्** | बर्तन लटकाने की रस्सी |
| | प्राकृत | **उक्का** | रस्सा (द्र.पू.) |
| 535 | त. | **तुन्दि** | तोंदी; पेट |
| | सं. | **तुन्द** | उप. |
| | हिन्दी | **तोंदी** | |
| 585 | त. | **उवळम्** | उबला चावल |
| | कुवि | **ऊपलि** | उबालना |
| | हिन्दी | **उबालना** | |
| 970 | त. | **कट्टम्** | दाढ़ी |
| | प्राकृत | **खड्ड** | दाढ़ी-मूँछ (द्र.पू.) |
| 1024 | कुवि | **गम्च, गामुच्छा** | गमछा |
| | हिन्दी | **गमछा** | |
| 1178 | तेलगू | **कट्ट** | गट्ठा |
| | हिन्दी | **गट्ठा** | |
| 1272 | त. | **किच्चु** | आग |
| | प्राकृत | **चिच्ची** | उप. (द्र.पू.) |
| 1295 | त. | **चिदर्** | चिथड़ा |
| | हिन्दी (अवधी) | **चिथरा** | |
| | तेलगू | **चिन्दर** | उप. |

| | | | |
|---|---|---|---|
| | हिन्दी | **चिन्धी** | |
| 1327 | तेलगू | **गिर्रि** | गड़ारी |
| | हिन्दी (अवधी) | **गर्री** | |
| 1381 | कन्नड़ | **गुट्टि** | घूँटी |
| | हिन्दी | **घूँटी** | (द्र.पू.) |
| 1396 | गोंडी | **कुट्ट, गुट्ट** | खूँटा |
| | हिन्दी | **खूँटा** | (द्र.पू.) |
| 1433 | मल्तो | **कुन्द** | लट्ठा |
| | हिन्दी | **कुन्दा** | उप. |
| 1669 | त. | **चेरि** | गली |
| | प्राकृत | **सेरी** | उप. |
| | मराठी | **शेरी** | उप. (द्र.पू.) |
| 1807 | कोत | **कॉत्** | ओर; तरफ |
| | हिन्दी (अवधी) | **कोधी** | तरफ़; दिशा |
| 1838 | गोंडी | **कोपल्, कॉपाल्** | ग्वाला |
| | सं. | **गोपाल** | |
| 1844 | तेलगू | **कोर** | कटोरा |
| | प्राकृत | **खोर (य)** | पात्र (द्र.पू.) |
| | हिन्दी | **खोरा** | कटोरा |
| 1852 | त. | **कोल्** | डंडा |
| | पु. मराठी | **कोल** | उप. (द्र.पू.) |
| 1862 | नइकि | **गॉगॉडि** | मुर्गा |
| | सं. | **कुक्कुट** | |
| 1899 | त. | **चट्टगम्** | चौखटा |
| | सं. | **सट्ट** | उप. (द्र.पू.) |
| 1928 | गोंडी | **चापॉड़** | झाँपड़ |
| | हिन्दी | **झाँपड़** | |
| 1949 | कुवि | **नागराचु** | काला साँप |
| | | **राचु** | साँप |
| | सं. | **नागराज** | |
| 1956 | ब्राहूइ | **कल्** | पानी के इकट्ठे होने का स्थान |
| | हिन्दी | **खाल** | नहर (द्र.पू.) |
| 1970 | ब्राहूइ | **सालुम्** | साला |
| | सं. | **स्याल** | (द्र.पू.) |
| 2051 | नइकि | **सादि** | छह |
| | सं. | **षट्** | उप. |
| 2077 | कोंड | **सिर्कुलि** | गिलहरी |
| | सं. | **चिकोड** | उप. (द्र.पू.) |
| 2066 | कन्नड़ | **सक्कॅ, चक्कॅ** | टुकड़ा |

| | | | |
|---|---|---|---|
| | सं. | **शकल** | उप. (द्र.पू.) |
| (2308) | पर्जि | **सॅद** | पसीना |
| | सं. | **स्विद्** | पसीना आना |
| | अंग्रेज़ी | **स्वॅट्** | पसीना |
| 2648 | त. | **तिमिलइ** | एक तरह की ढोलकी |
| | सं. | **तिमिला** | एक बाजा (द्र.पू.) |
| 2674 | त. | **तेन्** | शहद |
| | प्राकृत | **तिणिस** | ममाखियों का छत्ता (द्र.पू.) |
| 2863 | कुड़ुख़ | **टँगना** | टाँगना |
| | हिन्दी | **टाँगना** | |
| 2875 | गोंडी | **ढॉड्ढल्, धोदाल्** | मोटा |
| | हिन्दी | **धोंधल** | |
| 2983 | कुड़ुख़ | **नर्म आना** | नर्म करना |
| | हिन्दी | **नर्माना** | |
| (3128) | ब्राहूइ | **दे** | सूर्य; दिन; समय |
| | सं. | **दह्** | जलना |
| | अंग्रेज़ी | **डे** | दिन |
| 3161 | कोंड | **पसिङ्** | हल्दी |
| | प्राकृत | **पसंडि** | सोना (द्र.पू.) |
| 3178 | मलयालम | **पडक्कम्** | पटाखा |
| | हिन्दी | **पटाखा** | |
| 3341 (क) | नइकि | **पास्** | बासी होना |
| | हिन्दी | **बासी** | |
| (ख) | कोंड | **पास्** | सड़ना और गँधाना |
| | हिन्दी | **बास, बसाना** | |
| 3370 | त. | **पाल्** | दूध |
| | सं. | **पालन** | नई ब्याई गाय का दूध (द्र.पू.) |
| 3400 | तुलु | **बिसरुनि** | फिसलना |
| | हिन्दी | **फिसलना** | (द्र.पू.) |
| 3431 | तेलगू | **पॅञ्जारि** | रुई धुनना वाला |
| | सं. | **पिञ्जन** | रुई धुनने की धनुहीं (द्र.पू.) |
| 3591 | ब्राहूइ | **पूंडू** | पोंद; गुदी |
| | हिन्दी | **पोंद** | |
| 3596 | तेलगू | **पॅच्चु, पॅच्चिक** | छिलका |
| | सं. | **पेशी, पेशिका** | उप. (द्र.पू.) |
| 3607 | कन्नड़ | **हणिगॅ** | कंधा |
| | प्राकृत | **फणग** | उप. (द्र.पू.) |

| | | | |
|---|---|---|---|
| 3613 | मल्तो | **बॅडॉ** | बड़ा |
| | हिन्दी | **बड़ा** | |
| (3618) | तेलगू | **बरडु** | छाल |
| | सं. | **वल्क** | उप. |
| | अंग्रेज़ी | **बार्क्** | उप. |
| 3731 | तेलगू | **बोडु** | घुटा सिर |
| | प्राकृत | **बोड** | उप. (द्र.पू.) |
| 3807 | त. | **मडइ** | उबले चावल |
| | हिन्दी | **माड़** | |
| 3904 | कुडुख़ | **मसा** | मसा |
| | हिन्दी | **मसा** | |
| 4297 | तेलगू | **वयणम्** | ब्योरा |
| | सं. | **वचन** | |
| | प्राकृत | **वयण** | (द्र.पू.) |
| 4304 | तेलगू | **व्रायु** | लिखना |
| | | **रायु** | उप. |
| | प्राकृत | **रज्जु** | लेखक (द्र.पू.) |
| | अंग्रेज़ी | **राइट्** | लिखना |
| 4370 | कुवि | **वाङ्** | बहना |
| | बंगला | **बान्** | बाढ़ |
| 4410 | मल्तो | **बनि** | बाढ़; धारा |
| | बंगला | **बान्** | बाढ़ |
| (4540) | | | |
| | कोंड | **वॅस्नि** | उष्ण |
| | सं. | **वस।** | श्वेत |
| | रूसी | **वेस्न** | वसन्त |

# शब्द-सूची-3

## [द्रविड़ तथा इंडो-यूरोपियन परिवार की आर्येतर भाषाओं में ध्वनि-परिवर्तन सम्बन्धी सामान्य रीतियाँ]

[यहाँ द्रविड़ भाषाओं से तथा इंडो-यूरोपियन परिवार की आर्येतर भाषाओं से ध्वनि-परिवर्तन सम्बन्धी कुछ सामान्य रीतियों के उदाहरण दिये गए हैं। ऐसी रीतियाँ और भी हैं और अन्य परिवारों में भी हैं। यहाँ भाषायी क्षेत्र को ध्यान में रखकर भाषा-परिवारों की निर्माण-प्रक्रिया के विवेचन पर बल देने के लिए द्रविड़ और आर्येतर इंडो-यूरोपियन भाषाओं से कुछ उदाहरण दिये गए हैं। इस सूची के प्रत्येक विभाग में पहले द्रविड़ भाषाओं में घटित होनेवाले ध्वनि-परिवर्तन के उदाहरण दिये गए हैं, फिर इंडो-यूरोपियन भाषाओं से। जहाँ **घ्-ध्-भ्** के रूपान्तर दिखाना आवश्यक है, वहाँ स्वभावत: मूलरूप आर्य भाषाओं से दिये गए हैं। जहाँ **अ, अॅ** अथवा **अ, ऑ** स्वरों का स्वच्छन्द संचरण है, वहाँ विवेचन की सुविधा के लिए उक्त स्वच्छन्द संचरण को ध्वनि-परिवर्तन के अन्तर्गत स्वीकार कर लिया है। एक जगह **त्** ध्वनि **स्** में बदलती है, दूसरी जगह **स्** ध्वनि **त्** में; पूछा जा सकता है कि **त्** या **स्** के मूल ध्वनि होने का प्रमाण क्या है? यहाँ विवेचन का लक्ष्य मूल ध्वनि का पता लगाना नहीं है; लक्ष्य है **त्** के **स्** में या **स्** के **त्** में बदलने की प्रवृत्ति निश्चित करना। जहाँ **ग** या **प** के **अ** में बदलने की बात है, वहाँ **अ** को अन्य स्वरों के लिए भी प्रयुक्त संकेत-चिह्न मानना चाहिए।]

**(क) अ/अॅ**

| | | | |
|---|---|---|---|
| 1 | कन्नड़ | **चल्लु** | बिखेरना |
| | | **चॅल्लु** | उप. |
| 2 | | **कय्** | हाथ |
| | | **कॅय्** | उप. |
| 3 | गोंडी | **तंडाना** | खींचना |
| | | **तॅण्डाना** | उप. |
| 4 | मलयालम | **पडुग** | गिरना |
| | | **पॅडुग** | उप. |
| 5 | त. | **अल्** | रात |
| | | **अॅल्** | उप. |
| 6 | ग्रीक | **बरथ्रॉन्** | खाड़ी; खड्ड |
| | (इऑनिक) | **बॅरॅथान्** | उप. |
| 7 | ग्रीक | **बथॉस्** | गहराई |
| | | **बॅन्थॉस्** | उप. |
| 8 | (दोरिक) | **ग** | तो, सचमुच |
| | ग्रीक | **गॅ** | |
| 9 | (दोरिक) | **कापॉस्** | बाग |
| | ग्रीक | **केपॉस्** | उप. |
| 10 | (दोरिक) | **मातेर** | माता |
| | ग्रीक | मेतेर् | उप. |
| 11 | (दोरिक) | **हादुस्** | सुख |
| | ग्रीक | **हेदुस्** | उप. |

**(ख) अ/ऑ**

| | | | |
|---|---|---|---|
| 1 | त. | **कट्टु** | बाँधना |
| | तोद | **कॉट्** | उप. |

| | | | |
|---|---|---|---|
| 2 | त. | **कण्** | आँख |
| | तोद | **कॉण्** | उप. |
| 3 | त. | **कइ** | हाथ |
| | तोद | **कॉय्** | उप. |
| 4 | त. | **तण्** | ठंढा |
| | तोद | **तॉण्य्** | ठंढा होना |
| 5 | त. | **पण्** | काम |
| | | **पॉण्य्** | उप. |
| 6 | कन्नड़ | **बाड्डि** | छिनाल |
| | | **बॉड्डि** | उप. |
| 7 | | **सटुक** | चमचा |
| | | **सॉटक** | उप. |
| 8 | लात् वियन | **मातॅ** | माता |
| | लिथुआनियन | **मोतॅ** | उप. |
| 9 | लात् वियन | **स्तात्** | खड़े होना |
| | लिथुआनियन | **स्तोति** | उप. |
| 10 | लात् वियन | **नास्** | नाक |
| | लिथुआनियन | **नोसिस्** | उप. |
| 11 | ग्रीक | **बल्लो** | फेंकना |
| | | **बॉलॉस्** | फिंकाई |
| 12 | | **ज़ाओ** | जीवित रहना |
| | | **ज़ोओ** | उप. |
| 13 | लैटिन | **पस्को** | चराना |
| | ग्रीक | **बॉस्को** | उप. |
| 14 | ग्रीक | **अक्रिस्** | पहाड़ी की चोटी |
| | | **ऑक्रिस्** | उप. |
| 15 | लैटिन | **दतुम्** | दी हुई वस्तु |
| | | **दतॉर्** | दाता |
| | | **दोनुम्** | दी हुई वस्तु; दान |

**(ग) घ्-ध्-भ्>ग्-द्-ब्**

| | | | |
|---|---|---|---|
| 1 | हिन्दी | **घंटी** | पानी पीने का छोटा बर्तन |
| | कन्नड़ | **गिंडि** | उप. |
| 2 | हिन्दी (अवधी) | **घुघुरी** | उबले हुए गेहूँ |
| | कन्नड़ | **गुग्गुरी** | उप. |
| 3 | हिन्दी | **घुँघराले** | |
| | कन्नड़ | **गुङ्गुरु** | घुँघराले होना |
| 4 | हिन्दी | **भट्ठी** | |
| | कन्नड़ | **बट्टि** | |
| 5 | हिन्दी (अवधी) | **ढील** | |
| | तुलु | **डील** | |
| 6 | सं. | **धूर्य** | नेता; सरदार |
| | कन्नड़ | **दॉरॅ** | उप. |
| 7 | प्राकृत | **भल्ल** | भाला |
| | कन्नड़ | **बल्लॅ** | |
| 8 | सं. | **भार** | |
| | ग्रीक | **बरॉस्** | भार |
| | | **ब्रिथो** | भारी होना |
| 9 | सं. | **भूरि** | बहुत |
| | ग्रीक | **ब्रुओ** | बहुत होना |
| 10 | सं. | **घण्ट्** | चमकना |
| | ग्रीक | **गनॉस्** | चमक |
| 11 | हिन्दी | **घोंट् (<*घॉन्)** | घुटना |
| | ग्रीक | **गॉनु** | उप. |
| 12 | सं. | **घूर्ण्** | चक्कर लगाना |
| | ग्रीक | **गुरॉस्** | गोल |
| 13 | सं. | **धाम** | |
| | ग्रीक | **दोम** | धाम |
| 14 | सं. | **स्तम्भित** | |
| | ग्रीक | **थम्बॅओ** | स्तम्भित होना |
| 15 | सं. | **ऊधर्** | स्तन |
| | लैटिन | **ऊबॅर्** | उप. |
| 16 | सं. | **रुधिर** | |
| | लैटिन | **रुबॅर्** | लाल |
| 17 | सं. | **भर** | युद्ध |
| | लैटिन | **बॅल्लुम्** | उप. |
| | रूसी | **बॉर्ब** | उप. |
| 18 | सं. | **भ्रातृ** | भाई |
| | रूसी | **ब्रात्** | उप. |
| 19 | सं. | **धर्म** | धाम |
| | रूसी | **गॉरेत्** | जलना |
| | फ़ारसी | **गर्म** | |

**(घ) घ्-ध्-भ्>क्-त्-प्**

| | | | |
|---|---|---|---|
| 1 | सं. | **धूम** | |
| | त. | **तूमम्** | धुआँ |
| 2 | सं. | **भूमि** | |
| | त. | **पूमि** | भूमि |
| 3 | सं. | **धन** | |
| | त. | **तनम्** | धन |

| | | | |
|---|---|---|---|
| 4 | सं. | **धूर्त** | |
| | त. | **तुरुत्ति** | धूर्त |
| 5 | सं. | **धर्म** | |
| | त. | **तरुमम्** | धर्म |
| 6 | सं. | **भंडि** | गाड़ी |
| | त. | **पंडि** | उप. |
| 7 | सं. | **भरति** | ले जाता है |
| | ग्रीक | **पॉऑरुओ** | ले जाना |
| | लैटिन | **पॉर्तो** | उप. |
| 8 | सं. | **हन् (<*घन्)** | मारना |
| | ग्रीक | **कइनो** | उप. |
| 9 | सं. | **घर्म** | घाम |
| | ग्रीक | **कइओ** | जलाना |
| | लैटिन | **कलॅओ** | गरम होना |
| 10 | सं. | **धरा** | |
| | लैटिन | **तॅर** | धरती |
| 11 | सं. | **घूर्ण** | चक्कर लगाना |
| | लैटिन | **कुर्वो** | वक्र होना |
| 12 | हिन्दी | **घिरना** | |
| | लैटिन | **किर्किनो** | चक्कर लगाना |
| | ग्रीक | **किर् कॉस्** | घेरा |
| 13 | सं. | **भरति** | गर्भ धारण करती है |
| | लैटिन | **परिओ** | पैदा करना |
| 14 | सं. | **मध्य** | |
| | ग्रीक | **मॅत** | बीच में |

**(ङ) क्-त्-प्>ख्-थ-फ्**

| | | | |
|---|---|---|---|
| 1 | त. | **कण्** | आँख |
| | ब्राहूइ | **ख़न्** | उप. |
| | कुड़ुख़ | **ख़न्न्** | उप. |
| 2 | त. | **कड़्वु** | पड़ा |
| | (सं. | **कटाह** | पड़िया) |
| | ब्राहूइ | **खङ्** | मेढ़ा |
| 3 | त. | **कडु** | कटुता |
| | (सं. | **कटु)** | |
| | कुड़ुख़ | **खड़्खा** | कटु |
| 4 | कन्नड़ | **बॅर्कु** | बिल्ली |
| | कुड़ुख | **बॅख़्र्रा** | उप. |
| 5 | कन्नड़ | **बिदुर्** | खुलना |
| | मल्तो | **बिथ्रॅ** | उप. |
| 6 | तेलगू | **पूत** | फूल |
| | मल्तो | **पूथ्रॅ** | खिलना |
| 7 | त. | **परइ** | ढोलक |
| | गोंडी | **फरा** | उप. |
| 8 | त. | **पर** | उड़ना |
| | गोंडी | **फर्हाना** | उप. |
| 9 | कुइ | **पूकि** | ममाखी |
| | गोंडी | **फुकी** | उप. |
| 10 | सं. | **क्रीत** | |
| | फ़ारसी | **खरीद** | |
| 11 | ग्रीक | **पतेर्** | पिता |
| | अंग्रेज़ी | **फ़ादर्** | उप. |
| 12 | सं. | **प्लुत** | बाढ |
| | अंग्रेज़ी | **फ़्लड्** | उप. |
| 13 | लैटिन | **कॉर्पुस्** | शरीर |
| | पु. आइरिश | **खॉर्प्** | उप. |
| 14 | अंग्रेज़ी | **क्वार्टर्** | स्थान |
| | वेल्श | **ख्वार्तर्** | उप. |
| 15 | ग्रीक (इओनिक) | **दॅकॉमइ** | ले लेना |
| | ग्रीक | **दॅखॉमइ** | उप. |
| 16 | ग्रीक (इओनिक) | **अउतिस्** | पुनः |
| | ग्रीक | **अउथिस्** | उप. |
| 17 | ग्रीक (इओनिक) | **अपिक्सिस्** | आगमन |
| | ग्रीक | **अफिक्सिस्** | उप. |
| 18 | लैटिन | **कल् कुलुस्** | छोटा पत्थर |
| | ग्रीक | **खलिस्** | उप. |

**(च) क्-ग्>च्-ज्**

| | | | |
|---|---|---|---|
| 1 | कन्नड़ | **कॅय्** | करना |
| | त. | **चॅय्** | उप. |
| 2 | कन्नड़ | **कॅदर्** | बिखरना |
| | त. | **चिदर्** | उप. |
| 3 | कन्नड़ | **किनिसु** | क्रोध करना |
| | त. | **चिन** | |
| 4 | कन्नड़ | **केरि** | गली |
| | त. | **चेरि** | उप. |
| 5 | कन्नड़ | **कॅरॅ** | एक साँप |
| | त. | **चारइ** | उप. |
| 6 | कन्नड़ | **कॅरॅ** | खरोंचना |
| | त. | **चुरण्डु** | उप. |

| | | | |
|---|---|---|---|
| 7 | सं. | **कार** | काला |
| | रूसी | **च्यॉर्नुइ** | उप. |
| 8 | सं. | **किम्** | क्या |
| | फ़ारसी | **चि** | उप. |
| | रूसी | **चॅइ** | किसका |
| 9 | लैटिन | **कॅलॅरितस्** | द्रुत गति |
| | इटालियन | **चॅलॅरिता** | उप. |
| 10 | लैटिन | **कॅन्त्रुम्** | केन्द्र |
| | इटालियन | **चॅन्त्रो** | उप. |
| 11 | ग्रीक | **कमर** | कमरा |
| | अंग्रेज़ी | **चेम्बर्** | उप. |
| 12 | जर्मने | **कल्क** | चूना |
| | अंग्रेज़ी | **चाक्** | खड़िया |
| 13 | जर्मन | **किन्** | ठोढ़ी |
| | अंग्रेज़ी | **चिन्** | उप. |
| 14 | लैटिन | **कन्तो** | गीत गाना |
| | अंग्रेज़ी | **चान्ट्** | उप. |
| 15 | लैटिन | **कर् मॅन्** | पद्य |
| | अंग्रेज़ी | **चार्म्** | उप. |
| 16 | लैटिन | **कस्तुस्** | शुद्ध |
| | अग्रेजी | **चेस्ट्** | उप. |
| 17 | हिन्दी | **गङ्गा** | |
| | अंग्रेज़ी | **गैञ्जॅज्** | |

**(छ) क्-ग्>ह्**

| | | | |
|---|---|---|---|
| 1 | त. | **कप्पु** | गपकना |
| | कुडुख़ | **हब्क आना** | उप. |
| 2 | मल्ते | **कव् रु** | जंगल |
| | कुडुख़ | **हर्गु** | उप. |
| 3 | नइकि | **केद्** | पछोरना |
| | गोंडी | **हेच्** | उप. |
| 4 | त. | **केळ्** | सीखना; सुनना |
| | | **केळ् वि** | ज्ञान; श्रुति |
| | ब्राहूइ | **हेल्** | ज्ञान |
| | | **हेल् कन्निंग्** | सीखना |
| 5 | कुडुख़ | **काना** | जाना |
| | ब्राहूइ | **कान्** | उप. |
| | | **हिनिंग्** | उप. |
| 6 | कुइ | **गोर** | नाखून |
| | ब्राहूइ | **होर्** | उँगली |
| 7 | कुडुख़ | **ताका** | हवा |
| | ब्राहूइ | **तहो** | उप. |
| 8 | सं. | **कुटी** | |
| | जर्मन | **हुट्टॅ** | झोंपड़ी |
| 9 | लैटिन | **कॉर्नू** | सींग |
| | अंग्रेज़ी | **हौर्न्** | उप. |
| 10 | लैटिन | **कपुत्** | सिर |
| | जर्मन | **हउप्ट्** | उप. |
| | अंग्रेज़ी | **हॅड्** | उप. |
| 11 | लैटिन | **कुतिस्** | खाल |
| | पु. जर्मन | **हूत्** | उप. |
| 12 | लैटिन | **कप्तुस्** | पकड़ा हुआ; बन्दी |
| | पु. जर्मन | **हफ़्त्** | उप. |
| 13 | लिथुआनियन | **कर्तुस्** | कठोर |
| | पु. जर्मन | **हर्डुस्** | उप. |
| | अंग्रेज़ी | **हार्ड्** | उप. |
| 14 | ग्रीक | **कर्दिअ** | हृदय |
| | अंग्रेज़ी | **हार्ट्** | उप. |

**(ज) ग>-व/अ**

| | | | |
|---|---|---|---|
| 1 | कन्नड़ | **तगर** | टीन |
| | | **तवर** | उप. |
| 2 | त. | **तुगिर्** | मूँगा |
| | | **तुवर्** | उप. |
| 3 | | **तुगिल्** | सुन्दर वस्त्र |
| | | **तुयिल्** | उप. |
| 4 | | **तॅगुळ्** | भर जाना भरने पर बह निकलना |
| | | **तॅवुळ्** | उप. |
| 5 | कुइ | **दॅग** | कूदना |
| | कुवि | **दॅवलि** | उप. |
| 6 | तेलगू | **निगुरु** | राख |
| | निवुरु | **उप.** | |
| | नीरु | **उप.** | |
| 7 | | **पॉगडु** | प्रशंसा करना |
| | | **पॉवडु** | उप. |
| 8 | त. | **मुगडु** | ऊँचाई |
| | | **मोडु** | उप. |
| 9 | | **मुगरइ** | मुख |
| | | **मोरइ** | उप. |

| | | | |
|---|---|---|---|
| 10 | | **मगिडि** | दो जादूगरों का द्वंद्व |
| | | **मोडि** | उप. |
| 11 | लैटिन | **मगिस्** | उच्चतर |
| | | **माइऑर्** | उप. |
| | (अंग्रेज़ी | **मेजर्)** | |
| 12 | लैटिन | **अउगुस्तुस्** | अगस्त |
| | वेल्श | **अउस्त्** | उप. |
| 13 | जर्मन | **फ़्रॉगॅल्** | चिड़िया |
| | अंग्रेज़ी | **फाउल्** | उप. |
| 14 | जर्मन | **टाग्** | दिन |
| | अंग्रेज़ी | **डे** | उप. |
| 15 | पु. अंग्रेज़ी | **मैगॅन्** | समुद्र |
| | अंग्रेज़ी | **मेन्** | उप. |
| 16 | पु. अंग्रेज़ी | **फ़ैगॅर्** | सुन्दर |
| | अंग्रेज़ी | **फॅयर्** | उप. |
| 17 | लैटिन | **बाक** | झलबेरी |
| | अंग्रेज़ी | **बे** | एक झाड़ी |
| 18 | पु. अंग्रेज़ी | **बॉग** | धनुष |
| | अंग्रेज़ी | **बो** | उप. |
| 19 | पु. अंग्रेज़ी | **स्टैगॅर्** | सीढ़ी का डंडा |
| | अंग्रजी | **स्टेअर्** | उप. |
| 20 | पु. अंग्रेज़ी | **ऐगॅन्** | स्वामी होना |
| | अंग्रेज़ी | **ओन्** | उप. |

**(झ) त्-द्>र्/ल्**

| | | | |
|---|---|---|---|
| 1 | कन्नड़ | **इन्दु** | आज |
| | त. | **इन्रु** | उप. |
| 2 | त. | **पोदुम्** | पर्याप्त |
| | (बोली) | **पोरुन्** | उप. (ज़्वेलेबिल) |
| 3 | त. | **चिदम्बरम्** | |
| | (बोली) | **चिलम्बरन्** | उप. |
| 4 | कोडगु | **दण्डि** | दो चीज़ें |
| | तेलगू | **रॅण्डु** | उप. |
| 5 | तुलु | **बदि** | बगल |
| | | **बरि** | उप. |
| 6 | कुइ | **सिड** | न होना |
| | कोंड | **सिल्** | उप. |
| 7 | तेलगू | **पॅद्द** | बड़ा |
| | | **पॅल्लु** | बड़प्पन |
| 8 | लैटिन | **मॅदिउस् दिअॅस्** | मध्य दिवस |
| | | **मॅदि-दिअॅस्** | उप. |
| | | **मेरीदिअॅस्** | उप. |
| 9 | सं. | **देवर** | |
| | ग्रीक | **दएर्** | देवर |
| | लैटिन | **लेविर्** | उप. |
| 10 | सं. | **मृदु** | |
| | लैटिन | **मॉल्लिस्** | मुलायम |
| 11 | सं. | **मधु** | |
| | ग्रीक | **मॅलि** | शहद |
| | लैटिन | **मॅल्** | उप. |
| 12 | हिन्दी | **दमकना (दम्)** | |
| | ग्रीक | **लम्पो** | चमकना |
| 13 | ग्रीक | **दक्रु** | आँसू |
| | लैटिन | **लक्रुम, लक्रिम** | उप. |
| 14 | सं. | **यकृत्** | जिगर |
| | फ़ारसी | **जिगर्** | |
| | अंग्रेज़ी | **लिवर् (<*दिगर्)** | उप. |
| 15 | सं. | **जीव्** | जीना |
| | अंग्रेज़ी | **लिव् (<*दिव्)** | उप. |
| 16 | सं. | **धाव्** | धोना |
| | लैटिन | **लवो** | उप. |
| 17 | ग्रीक | **दसुस्** | घने बालों वाला |
| | | **लसिऑस्** | उप. |
| 18 | फ़ारसी | **पिदर्** | पिता |
| | पश्तो | **प्लार्** | उप. |

**(ञ) त्-द्>स्**

| | | | |
|---|---|---|---|
| 1 | त. | **तरि** | खड़े होना |
| | ब्राहूइ | **सलिंग्** | उप. |
| 2 | त. | **तरु** | देना |
| | कोंड | **सी** | उप. |
| 3 | त. | **तङ्गम्** | सोना |
| | तोद | **सिन्** | उप. |
| 4 | तुलु | **तू** | आग |
| | | **सू** | उप. |
| 5 | त. | **तू** | मांस |
| | ब्राहूइ | **सू** | उप. |
| 6 | त. | **तुप्पु** | थूकना |
| | कुइ | **सूप** | उप. |
| 7 | लैटिन | **तू** | तू |

| | | | |
|---|---|---|---|
| | ग्रीक | **सू** | उप. |
| 8 | सं. | **धाव्** | दौड़ना |
| | ग्रीक | **थॅओ** | उप. |
| | (दोरिक) | **सॅओ** | उप. |
| 9 | ग्रीक (अत्तिक) | **थलत्त** | सगुद्र |
| | ग्रीक | **थलस्स** | उप. |
| 10 | ग्रीक | **मॅत** | मध्य |
| | | **मॅसॉस्** | उप. |
| 11 | सं. | **पति** | |
| | ग्रीक | **पॉसिस्** | पति |
| 12 | ग्रीक (अत्तिक) | **पॅत्तो** | मुलायम करना |
| | ग्रीक | **पॅस्सो** | उप. |
| 13 | सं. | **पतन** | |
| | ग्रीक | **प्तोम** | पतन |
| | | **पॅसेम** | उप. |
| 14 | सं. | **दन्त** | |
| | लैटिन | **दॅन्स्** | दाँत |
| 15 | सं. | **अद्** | खाना |
| | अंग्रेज़ी | **ईट्** | उप. |
| | जर्मन | **ऍस्सॅन्** | उप. |
| 16 | सं. | **श्वेत** | |
| | अंग्रेज़ी | **व्हाइट्** | श्वेत |
| | जर्मन | **व्हाइस्** | उप. |
| 17 | सं. | **उद** | जल |
| | अंग्रेज़ी | **वाटर्** | उप. |
| | जर्मन | **व्हास्सॅर्** | उप. |
| 18 | सं. | **पुत्र** | |
| | फ़ारसी | **पिसर्** | पुत्र |

**(ट) त/प>न्त/म्प**

| | | | |
|---|---|---|---|
| 1 | कुइ | **जूप** | चूसना |
| | | **जूम्ब** | उप. |
| 2 | तुलु | **तीडुनि** | घिसना |
| | | **तोंडुनि** | उप. |
| 3 | तुलु | **गुद्दालि** | कुदाल |
| | त. | **कुन्दालि** | उप. |
| 4 | कन्नड़ | **दिड्ड** | भीट |
| | | **दीण्डु** | उप. |
| 5 | कन्नड़ | **तीडु** | छूना |
| | त. | **तीण्डु** | उप. |
| 6 | त. | **मड्डु** | हड़पना |
| | | **मंडु** | उप. |
| 7 | | **मिडल्** | शक्ति |
| | | **मिंडु** | उप. |
| 8 | तुलु | **मुगुरु** | मुकुल |
| | | **मुङ्गॅ** | उप. |
| 9 | त. | **पिगु** | ऐंठन, घमंड |
| | कन्नड़ | **बिङ्कु** | उप. |
| 10 | त. | **अडु** | योग्य होना |
| | | **अण्डु** | उप. |
| 11 | तेलगू | **इडियु** | तोड़ना |
| | | **इण्ड** | उप. |
| 12 | रूसी | **लेनिनग्राद्** | प्रसिद्ध नगर; आधुनिक ग्रीक |
| | | **लेनिङ् क्रान्त्** | उप. |
| 13 | ग्रीक | **बथॉस्** | ऊँचाई या गहराई |
| | | **बन्थॉस्** | उप. |
| 14 | | **पथॉस्** | विपत्ति |
| | | **पॅन्थॉस्** | उप. |
| 15 | ग्रीक | **ऍइकॉसि** | बीस |
| | (दोरिक) | **ऍइकति** | उप. |
| | लैटिन | **विगिन्ति** | उप. |
| 16 | लैटिन | **पगो** | बाँधना |
| | | **पङ्गो** | उप. |
| 17 | ग्रीक | **केपॉस्** | बाग |
| | (दोरिक) | **कपॉस्** | उप. |
| | लैटिन | **कम्पुस्** | मैदान |
| 18 | सं. | **शतम्** | सौ |
| | लिथुआनियन | **शिम् तस्** | उप. |
| 19 | पु. आइरिश | **केत्** | उप. |
| | वेल्श | **कन्त्** | उप. |
| 20 | ग्रीक | **हॅकतॉन्** | उप. |
| | लैटिन | **कॅन्तुम्** | उप. |

**(ठ) प्>म्**

| | | | |
|---|---|---|---|
| 1 | त. | **पण्णु** | बनाना |
| | | **मण्णु** | उप. |
| 2 | | **पुगळि** | नारी की जननेन्द्रिय |
| | | **मुगळि** | उप. |
| 3 | | **पड्डु** | मरना |

| | | | |
|---|---|---|---|
| | | **मडि** | उप. |
| 4 | | **पॉक्कणम्** | झोला |
| | | **मॉक्कणम्** | उप. |
| 5 | मलयालम | **पॉट्टन** | मूर्ख |
| | त. | **मुट्टन्** | उप. |
| 6 | त. | **पॉदि** | बाँधना |
| | | **मुडि** | उप. |
| 7 | तोद | **पेय्** | छप्पर डालना |
| | त. | **मेवु** | उप. |
| 8 | त. | **चोबम्** | आलस |
| | | **चोमारि** | आलसी |
| 9 | तेलगू | **कप्पु** | ढाँकना |
| | | **कम्मु** | उप. |
| 10 | कन्नड़ | **उब्बस** | कठिनाई से साँस लेना |
| | | **उम्मलु** | उप. |
| 11 | लैटिन | **सॉपॉर** | नींद |
| | | **सॉम्नुस्** | उप. |
| 12 | सं. | **स्वप्न** | |
| | लैटिन | **सॉम्निओ** | सपना देखना |
| 13 | सं. | **पाणि** | हाथ |
| | लैटिन | **मनुस्** | उप. |
| 14 | सं. | **वि-पुल** | |
| | ग्रीक | **पॉलुस्** | बहुत-से |
| | लैटिन | **मुल्तुस्** | उप. |
| | ग्रीक | **मल** | उप. |
| 15 | सं. | **नभ** | |
| | पु. आइरिश | **नॅम्** | स्वर्ग |
| 16 | पु. आइरिश | **बॅन्** | स्त्री |
| | | **म्ना** | स्त्री का |
| 17 | वेल्श | **ब्रॉ** | भूमि |
| | पु. आइरिश | **भ्रुइग्** | उप. |
| 18 | अंग्रेज़ी | **पेल्** | पीला |
| | वेल्श | **मॅलॅन्** | उप. |
| 19 | सं. | **क-कुभ्** | चोटी |
| | वेल्श | **कुम्** | घाटी |

**(ड) प/ब>व/अ**

| | | | |
|---|---|---|---|
| 1 | त. | **पण्डि** | गाड़ी |
| | | **वण्डि** | उप. |
| 2 | | **पन्रि** | सुअर |
| | | **वन्रि** | उप. |
| 3 | | **पलप्पम्** | खड़िया |
| | | **वलप्पम्** | उप. |
| 4 | कन्नड़ | **बल्** | बल |
| | त. | **वल्** | सबल |
| 5 | कन्नड़ | **पॅडसु** | कठोरता |
| | त. | **वॅट्टनवु** | उप. |
| 6 | त. | **अलप्पु** | परेशानी |
| | | **अलवु** | उप. |
| 7 | कन्नड़ | **अलपु** | उप. |
| | | **अलवु** | उप. |
| 8 | लैटिन | **बि—** | दो |
| | | **बिस्** | दो बार |
| | | **विगिन्ति** | बीस |
| 9 | सं. | **बल** | |
| | लैटिन | **वलॅओ** | सबल होना |
| 10 | ग्रीक | **बॉर** | भोजन |
| | | **बिब्रोस्को** | भोजन करना |
| | लैटिन | **वॉरो** | भकसना |
| 11 | ग्रीक | **बिऑस्** | जीवन |
| | लैटिन | **वीवो** | जीना |
| 12 | लैटिन | **पॉरओ** | दिखाई देना |
| | जर्मन | **वार् टॅन्** | देखभाल करना |
| | अंग्रेज़ी | **वार्ड्** | उप. |
| | फ्रांसीसी | **वॉआर्** | देखना |
| 13 | रूसी | **बॉर्ब** | युद्ध |
| | अंग्रेज़ी | **वार्** | उप. |
| 14 | जर्मन | **हाबॅन्** | रखना |
| | अंग्रेज़ी | **हैव्** | उप. |
| 15 | जर्मन | **क्नाबॅ** | लड़का |
| | अंग्रेज़ी | **नेव** | बदमाश |
| 16 | लैटिन | **सपिओ** | स्वाद लेना |
| | अंग्रेज़ी | **सेव् र** | उप. |
| 17 | ग्रीक | **इप्नॉस्** | चूल्हा |
| | अंग्रेज़ी | **अवॅन्** | उप. |
| 18 | लैटिन | **सॅप्तॅम्** | सात |
| | जर्मन | **ज़ीबॅन्** | उप. |
| | अंग्रेज़ी | **सॅवॅन्** | उप. |
| 19 | लैटिन | **लपिस्** | पत्थर |
| | ग्रीक | **लअस्** | उप. |

**(ढ) प>ह/अ**

| | | | |
|---|---|---|---|
| 1 | कन्नड़ | **पॅग** | घृणा |
| | | **हगॅ** | उप. |
| 2 | कन्नड़ | **पावु** | साँप |
| | तुलु | **हावु** | उप. |
| 3 | कन्नड़ | **पळ्ळि** | गाँव |
| | | **हळ्ळि** | उप. |
| 4 | कन्नड़ | **पत्तु** | जोड़ा जाना |
| | तेलगू | **हत्तु** | उप. |
| | | **अत्तु** | उप. |
| 5 | तेलगू | **पॅद्द** | बड़ा |
| | तुलु | **हॅद्द** | उप. |
| 6 | ग्रीक | **पॅरुसि** | परसाल |
| | आर्मीनियन | **हॅरु** | उप. |
| 7 | ग्रीक | **पतेर्** | पिता |
| | आर्मी | **हइर्** | उप. |
| | पु. आइरिश | **अथिर** | उप. |
| 8 | सं. | **पंच** | पाँच |
| | आर्मी | **हिंग्** | उप. |
| 9 | लैटिन | **पॅन्न** | पंख |
| | अंग्रेज़ी | **हॅन्** | मुर्गी |
| | पु. आइरिश | **एन्** | चिड़िया |
| 10 | लैटिन | **पॉर्कुस्** | सुअर |
| | पु. आइरिश | **ऑर्क्** | उप. |

**(ण) र्-ल्>अर्-अल्**

| | | | |
|---|---|---|---|
| 1 | सं. | **राजन्** | राजा |
| | त. | **अरजन्** | उप. |
| 2 | सं. | **रंग** | |
| | त. | **अरंगु** | रागभवन |
| 3 | सं. | **रुधिर** | |
| | त. | **अॅरुवइ** | रक्त |
| | कोलमि | **अॅर् रॉडि** | लाल |
| 4 | सं. | **लक्ष्य** | |
| | त. | **इलक्कणम्** | लक्षण |
| 5 | सं. | **लक्षण** | |
| | त. | **इलक्कणम्** | लक्षण |
| 6 | सं. | **रुधिर** | |
| | ग्रीक | **अॅरुथ्रॉस्** | लाल |
| 7 | सं. | **लघु** | |
| | ग्रीक | **अॅलखुस्** | लघु |
| 8 | सं. | **रजत** | श्वेत |
| | ग्रीक | **अर् गॉस्** | चमकीला |
| 9 | सं. | **ऋक्ष** | रीछ |
| | ग्रीक | **अर्क् तॉस** | उप. |
| 10 | सं. | **ऋषि** | |
| | फ़ारसी | **अरिश्** | ज्ञानी |

**(त) श्>क्**

| | | | |
|---|---|---|---|
| 1 | तुलु | **शॅट्टुनि** | नष्ट होना |
| | | **कॅडगुनि** | नष्ट करना |
| | त. | **कॅडु** | नष्ट होना |
| 2 | नइकि | **शीम्** | पस |
| | कन्नड़ | **कीमु** | उप. |
| 3 | नइकि | **शॅदल्** | दीमक |
| | तोद | **कॅज़ल्** | उप. |
| 4 | सं. | **शव** | |
| | मल्तो | **कॅयॅ** | मरना |
| 5 | तुलु | **शेरुनि** | कुटुम्ब में शामिल होना |
| | कोडगु | **केत्** | किसी को घर में रखना |
| 6 | सं. | **शेते** | सोता है |
| | ग्रीक | **कॅइतइ** | सोना |
| 7 | सं. | **श्रु** | सुनना |
| | ग्रीक | **क्लुओ** | उप. |
| 8 | सं. | **दृश्** | देखना |
| | ग्रीक | **दॅर् कॉमइ** | उप. |
| 9 | सं. | **विश्** | बस्ती |
| | लैटिन | **वीकुस्** | उप. |
| 10 | सं. | **शत** | |
| | लैटिन | **कॅन्तुम्** | सौ |

**(थ) स्>क्**

| | | | |
|---|---|---|---|
| 1 | गद् ब | **सीन्दि** | खजूर |
| | कुडुख़ | **कीन्दा** | उप. |
| 2 | कन्नड़ | **सेर्** | ज़ाना |
| | कुडुख़ | **कॅर्** | उप. |
| 3 | कन्नड़ | **सुरुटु** | लपेटना |
| | कुडुख़ | **कूर्ना** | उप. |
| 4 | तुलु | **सुरुण्डुनि** | सिकुड़ना |
| | | **कुरुण्डु** | सिकुड़ना |

| | | | |
|---|---|---|---|
| 5 | नइकि | **सरु** | सरोवर |
| | कोत | **कॅर्** | उप. |
| 6 | ग्रीक | **ऑस्सॅ** | दो आँखें |
| | लैटिन | **ऑकुलुस्** | आँख |
| 7 | ग्रीक | **सुन्** | सहित |
| | लैटिन | **कुम्** | उप. |
| 8 | ग्रीक | **पस्सलॅउओ** | (खूँटे जैसी चीज़ गाड़ना) |
| | लैटिन | **पको, पगो** | उप. |
| 9 | लैटिन | **सेमॅन्** | बीज |
| | जर्मन | **कॅइम्** | उप. |
| 10 | सं. | **सृप्** | रेंगना |
| | अंग्रेज़ी | **कीप्** | उप. |

**(द) स्>त्**

| | | | |
|---|---|---|---|
| 1 | तुलु | **सुडुपिनि** | जलना |
| | | **तुडुपिनि** | उप. |
| 2 | | **सॉप्पु** | हरियाली |
| | | **तॉप्पु** | उप. |
| 3 | कन्नड़ | **सुत्तु** | घेरना |
| | तोद | **तुद्प्य्** | घेरा |
| 4 | कन्नड़ | **सॅर्कु** | कपड़े का एक भाग खोंस लेना |
| | मलयालम | **तॅरुक्कुग** | उप. |
| 5 | कन्नड़ | **सॉरॅ** | स्तन में दूध भरा होना |
| | | **तॉरॅ** | उप. |
| 6 | कन्नड़ | **सी** | मीठा |
| | त. | **तीम्** | उप. |
| 7 | सं. | **सि** | बाँधना |
| | ग्रीक | **दॅओ** | उप. |
| 8 | सं. | **सीमिक** | दीमक |
| | फ़ारसी | **दीमक्** | |

| | | | |
|---|---|---|---|
| 9 | अंग्रेज़ी | **स्मॅल्** | सूँघना |
| | ग्रीक | **ऑस्मे** | गन्ध |
| | (इओनिक) | **ऑद् मे** | उप. |
| 10 | सं. | **शव** | |
| | पु. जर्मन | **तॉउवॅन्** | मरना |
| 11 | सं. | **शाला** | |
| | गेलिक | **तल्ल** | |

**(ध) स्>ह्**

| | | | |
|---|---|---|---|
| 1 | कन्नड़ | **सी** | मीठा |
| | कुवि | **हेनि** | उप. |
| 2 | गोंडी | **सुंज्** | सोना |
| | कुवि | **हुंज्** | उप. |
| 3 | कुइ | **सोरु** | पहाड़ी |
| | कुवि | **होरू** | उप. |
| 4 | गोंडी | **सॉन्दाना** | जाना |
| | | **हन्दाना** | उप. |
| 5 | | **सरुंग्** | छह |
| | | **हरुंग्** | उप. |
| 6 | लैटिन | **सेमि** | आधा |
| | ग्रीक | **हेमि** | |
| 7 | लैटिन | **सॅप्तॅम्** | सात |
| | ग्रीक | **हॅप्त्** | उप. |
| 8 | लैटिन | **सॅक्स्** | छह |
| | ग्रीक | **हॅक्स्** | उप. |
| 9 | सं. | **सन** | प्राचीन |
| | वेल्श | **हॅन्** | उप. |
| 10 | लैटिन | **सोल्** | सूर्य |
| | वेल्श | **हउल्** | उप. |
| 11 | अंग्रेज़ी | **सीड्** | बीज |
| | वेल्श | **हद्** | उप. |

# शब्द-सूची-4

## [कोल शब्दों के द्रविड़ और इंडो-यूरोपियन प्रतिरूप]

[यहाँ कोल भाषाओं—मुंडारी, संथाली, बॉन्ड, कूर्कू, सवर, खरिया या खड़िया—से कुछ चुने हुए शब्द दिये गए हैं। उनके साथ उनके द्रविड़, इंडो-यूरोपियन प्रतिरूप दिये हुए हैं। जहाँ कुछ मुंडारी शब्दों के यूरोपियन प्रतिरूपों का उल्लेख हौफ़मन ने किया था, वहाँ कोष्टकों में उनका नाम दे दिया है। उनकी सूची से थोड़े ही शब्द यहाँ लिये गए हैं। मुंडारी, तमिल और संस्कृत के लिए संकेत-चिन्ह क्रमशः **मुं., त.** और **सं.** हैं।]

| | | | |
|---|---|---|---|
| 1 | मुं. | **अइउम्** | सुनना |
| | ग्रीक | **अइओ** | उप. (हौफ़मन) |
| 2 | मु. | **अऑङ्गा** | माँ |
| | संथाली | **ॲङ्ग** | उप. |
| | त. | **अम्मा** | उप. |
| 3 | संथाली | **अङ्गॅ** | प्रत्येक |
| | नइकि | **अङ्गॅल्न** | सब |
| 4 | बॉण्ड | **अजतत** | नाना |
| | सं. | **आर्य तात** | |
| 5 | संथाली | **अङ्** | चिल्लाना |
| | त. | **अळु** | उप. |
| 6 | बॉण्ड | **अण्ड्र** | नर |
| | कुइ | **अण्ड्र** | उप. |
| 7 | बॉण्ड | **अत** | वहाँ |
| | सं. | **अतः** | यहाँ से |
| 8 | संथाली | **अतर्** | जलाना |
| | सं. | **अथरि** | ज्वाला |
| | फ़ारसी | **आतिश्** | आग |
| 9 | मुं. | **अदल्** | सम्मान |
| | जर्मन | **अडॅल्** | अभिजात वर्ग (हौफ़मन) |
| 10 | मुं. | **अदॅलि** | अठन्नी |
| | हि. | **अधेली** | |
| 11 | मुं. | **अदिङ्** | घर में पुरखों की पूजा का स्थान |
| | लैटिन | **अऑदेस्** | मन्दिर (हौफ़मन) |

(**अऑदेस्** का मूल अर्थ है अग्निस्थान और वह सं. **एध प्रज्वलन** से सम्बद्ध है।)

| | | | |
|---|---|---|---|
| 12 | संथाली | **अन्हिक्** | दैनिक |
| | सं. | **आह्निक** | |
| 13 | बॉण्ड | **अप** | बड़ी बहन |
| | तुलु | **अप्पॅ** | माँ |
| 14 | मु. | **अपु** | पिता |
| | | **आपु, आबा** | उप. |
| | संथाली | **अप, अपु** | उप. |
| | त. | **अप्पन्** | उप. |
| 15 | संथाली | **अबॅ** | अभी |
| | हि. | **अभी** | |
| 16 | मु. | **अबॅन्** | हम तुम |
| | सं. | **आवाम्** | उप. (हौफ़मन) |
| 17 | संथाली | **अभ्र** | जलाशय |

| | | | |
|---|---|---|---|
| | सं. | **अभ्र** | बादल |
| 18 | संथाली | **अयाँ** | माँ, सास |
| | मु. | **आयाँ** | माँ |
| | त. | **आयि** | उप. |
| | कुड़ुख़ | **अयो** | उप. |
| | मराठी | **आई** | उप. |
| 19 | बॉण्ड | **अर्कॅ** | चन्द्रमा |
| | | **अङ्बेला** | दोपहर |
| | सं. | **अर्क** | सूर्य |
| 20 | कूर्कू | **इंग** | यहाँ |
| | त. | **इङ्गे** | उप. |
| | हि. (बाँगरू) | **इंघे** | उप. |
| 21 | मुं. | **इतुआना** | जानना |
| | | **इतुन्** | सीखना |
| | सं. | **विद्** | जानना |
| 22 | संथाली | **इसि** | बीसी |
| | हि. | **बीसी** | |
| 23 | खरिआ | **उप्लॅन्** | उतराना |
| | सं. | **प्लु** | उप. |
| | कुड़ुख़ | **उप्ल आना** | तैरना |
| 24 | मुं. | **उलार** | उलार |
| | हि. | **उलार** | |
| 25 | मु. | **उसुन् उसुन्** | थोड़ा गरम |
| | सं. | **उष्ण** | |
| 26 | बॉण्ड | **उँजुर्** | भोर |
| | हि. (अवधी) | **उज्यार** | |
| 27 | बॉण्ड | **उञ्जुर्** | अँधेरा |
| | हि. (अवधी) | **अँध्यार** | |
| 28 | खरिया | **उड्** | पीना |
| | सं. | **उद** | पानी |
| 29 | संथाली | **अॅ** | वह |
| | त. | **इ** | निकटवर्ती वस्तुसूचक सर्वनाम |
| 30 | संथाली | अॅण्डॅ | वहाँ |
| | त. | **इण्डु** | यहाँ |
| 31 | मु. | **अॅन्** | वह |
| | सं. | **अन्य** | |
| 32 | मु. | **अॅन्तॅ** | वहाँ |
| | हि. (अवधी) | **अन्ते** | अन्यत्र |
| 33 | संथाली | **अॅर्** | बोना; बिखराना |
| | कन्नड़ | **अॅरचु** | उप. |
| 34 | संथाली | **अॅलङ्** | जलना; गर्मी |
| | त. | **अऴ्ल्** | जलना |
| | हि. | **अलाव** | |
| | कुड़ुख़ | **ओल्ना** | जलना |
| 35 | मु. | **आड़न्** | भैंसा |
| | तुलु | **अॅरु** | उप. |
| 36 | मु. | **आॅड़ा** | घर |
| | संथाली | **आॅरक्** | उप. |
| | ब्राहूइ | **उरा** | उप. |
| | हि. (अवधी) | **उरा** | उप. (यथा **कंडउरा** कंडे रखने की कोठरी; **भुसउरा** भुस रखने की कोठरी) |
| 37 | मु. | **आॅड़ॅ** | पक्षी |
| | ग्रीक | **आॅर्निस्** | उप. |
| 38 | संथाली | **आॅनॅ** | वह |
| | रूसी | **आॅन्** | उप. |
| 39 | संथाली | **आॅण्डॅ** | वहाँ |
| | तुलु | **उन्दु** | यह |
| 40 | खरिया | **कट** | पर |
| | मुं. | **काटा** | उप. |
| | कुवि | **कॉड्ड** | उप. |
| | हि. (अवधी) | **गोड़** | उप. |
| 41 | संथाली | **कतॅ** | करके |
| | | **कॅदॅअ** | किया |
| | सं. | **कृत** | उप. |
| 42 | बॉण्ड | **कनि** | आँखें बन्द करना |
| | त. | **कण्** | आँख |
| 43 | खरिया | **करय्** | करना |
| | हि. | **करना** | |

(अवधी **करहि** करता है>**करइ<करय्**)

| | | | |
|---|---|---|---|
| 44 | मुं. | **काकला** | बातचीत |
| | सं. | **काकली** | मधुर ध्वनि |
| 45 | संथाली | **काङ्क** | मूर्ख |
| | हि. | **घोंघा** | |
| 46 | मुं. | **काङ्कॉम्** | केंकड़ा |
| | सं. | **कर्कट** | उप. |
| 47 | मुं. | **काडा** | भैसा |
| | त. | **कडा** | उप. |
| 48 | मुं. | **कड्ड** | पड़वा |

| | | | |
|---|---|---|---|
| | कुडुख़ | **कड़ा** | उप. |
| 49 | मुं. | **कापाजी** | गपशप |
| | हि. | **गप-बाजी** | |
| 50 | मुं. | **काम्‌रा** | कंबल |
| | हि. | **कम्बल** | |
| 51 | मुं. | **कालॉम्** | अगले साल |
| | सं. | **काल** | |
| 52 | संथाली | **कुड** | लँगड़ा |
| | गोंडी | **कूटा** | उप. |
| | सं. | **खुंड्** | लँगड़ाना |
| 53 | संथाली | **कुड़ि** | बीस |
| | बंगला | **कुड़ि** | उप. |
| 54 | संथाली | **कुड़ि** | लड़की |
| | पंजाबी | **कुड़ी** | उप. |
| 55 | संथाली | **कड़्बङ्** | टेढ़ा |
| | (क) त. | **कुरङ्गु** | झकना |
| | कन्नड़ | **कुर्गु** | कूबड़ |
| | लैटिन | **कुर्वो** | झुकना |
| | (ख) मु. | **कुबि** | मुड़ना |
| | संथाली | **कुब्ड़** | मुड़ा हुआ |
| | हि. | **कुबड़ा** | |

**(कुर्कु→र्भ>कुभ>कुब→कुब्ज)**

| | | | |
|---|---|---|---|
| | (ग) संथाली | **कॉम्बॅ, हॉम्बॅ** | टेढ़ा |
| | कूर्कू | **हॉम्ब** | झुकना |
| | वेल्श | **कुमन्** | उप. |
| | अंग्रेज़ी | **हम्प** | (कुम्प>हुम्प) कूबड़ |

**(कुर्>कुम्कु→म्ब)**

| | | | |
|---|---|---|---|
| 56 | संथाली | **कुम्ब** | झोंपड़ी |
| | तेलगू | **कॉम्प** | घर |
| | प्राकृत | **खुम्पा** | झोंपड़ी |
| 57 | संथाली | **कस् म्बि** | गणिका |
| | हि. (अवधी) | **कस् बिनि** | उप. |
| 58 | मु. | **कॅल्** | खेड़ा |
| | हि. | **खेड़ा** | |
| 59 | मुं. | **केड़ा** | पुकारना |
| | कुइ | **कॅल्प** | निवेदना मंत्रोच्चार |
| 60 | संथाली | **—कॉ** | क्या |
| | | **ऑकॉ** | उप. |
| | | **ऑकॉनि** | कोई |
| 61 | संथाली | **कॉल्** | पुरुष |
| | | **हॉड़्** | उप. |
| | मुं. | **हॉड़ों** | उप. |
| | कूर्कू | **कोरो** | उप. |
| | | **कुर्कु** | उप. (बहुवचन) |

(**कॉड, कॉड़, हॉड़्,** आदि शब्दों का प्रयोग ये लोग अपने लिए करते हैं—बोडिंग)

| | | | |
|---|---|---|---|
| 62 | संथाली | **कॉङ्** | लड़का |
| | मुं. | **कॉड़** | पति |
| | | **कुड़ि** | पत्नी |
| | संथाली | **कुड़ि** | लड़की |
| | खरिया | **कड़्** | व्यक्ति |
| | कोंड | **कॉड़ॉ** | पुत्र; लड़का |
| | तेलगू | **कॉडुकु** | पुत्र |
| | ग्रीक | **कॉरॉस्** | लड़का |
| | | **कॉरे** | लड़की |
| 63 | मुं. | **कॉलॉम्** | खलिहान |
| | त. | **कळम्** | उप. |
| | सं. | **खल** | उप. |
| 64 | संथाली | **गंडा** | चार |
| | बंगला | **गंडा** | उप. |
| | हि. | **गंडा** | उप.; एक आना |

(जो चार पैसों के बराबर था)

| | | | |
|---|---|---|---|
| 65 | संथाली | **गजड़्** | झाड़ी |
| | | **गॅझॅड़्** | घना |
| | हि. (अवधी) | **गझिन्** | उप. |
| 66 | संथाली | **गद्** | ढेर |
| | हि. | **गड्डी, गड्ड** | |
| 67 | संथाली | **गभ** | घर का भीतरी भाग |
| | सं. | **गर्भ** | |
| 68 | संथाली | **गभंड** | बाली में दाना आना |
| | सं. | **गर्भ** | |
| 69 | संथाली | **गाँड़ा ऑड़ा** | जानवर बाँधने की जगह |
| | हि. | **ग्वाँड़ा** | उप. |

(**ग्वाँड़ा + ऑड़ा** घर, स्थान)

| | | | |
|---|---|---|---|
| 70 | संथाली | **गुत्रि** | परिवार |
| | | **गुतिअ** | नातेदार |
| | सं. | **गोत्र** | |
| | हि. (अवधी) | **नात गोत** | उप. |

71 संथाली **गुर्** घूमना
सं. **घूर्ण्** उप.
बंगला **घुरुनि** उप.

72 संथाली **गुहुम्** गेहूँ
सं. **गोधूम**
हि. (अवधी) **गोॅहूँ**

73 संथाली **गॉज** छड़ी
हि. (अवधी) **गॉजाहु** डंडा; डाली तोड़कर मारने के लिए बनाया हुआ उसका एक भाग

74 बॉण्ड **ड्ग्गम्** गाँव
सं. **ग्राम**

75 संथाली **चउकट** चौखट
हि. (अवधी) **चउखटि**

76 संथाली **चऑलॅ** भूसी निकालना
नइकि **सव्लि** मूसल
कोलमि **चव्लि** उप.
त. **अवल्** धान कूटकर साफ किया हुआ चावल
हि. **चावल**

77 संथाली **चंग** बड़ी शाखा
हि. (अवधी) **जाँघा** उप.

78 संथाली **चन्दॉ** सूर्य; चन्द्रमा
सं. **चन्द्र**

79 संथाली **चपल** चपल
सं. **चपल** (**चल** में अन्तर्प्रत्यय **प** लगाकर बना परस्पर चंचलतासूचक शब्द)

80 संथाली **चांड्** शीघ्रता
हि. (अवधी) **चांड्** तेज़

81 मुं. **चांडु** चन्द्रमा
हि. **चाँद**

82 मुं. **चाद् लोम्** पूँछ
सं. **छाद + लूम** (**छाद** ढँका हुआ; **लूम** पूँछ, मूलतः रोम; **छादलूम** बालों से ढँकी हुई वस्तु)

83 मुं. **चितिर् बितिर्** बिखेरना
हि. (अवधी) **तितिर बितिर** बिखरा हुआ

84 संथाली **चित्रि** तीतर
हि. **तीतर**

85 संथाली **चुङ्** छोटा
ब्राहूइ **चुनक्** उप.
त. **चिन्न** उप.

86 संथाली **चॅ** प्रश्नवाचक सर्वनाम
**चॅत्** क्या
**चॅकतॅ** कैसे
**चॅदक्** क्यों
मुं. **चि** क्या
बंगला **के** कौन
हि. (भोजपुरी) **के** उप.
फ़ारसी **चे** उप.

87 संथाली **चॅचॅत्** करना
**चॅदॅक्** उप.
त. **चॅय्** उप.
**चॅय् दि** कार्य

(संथाली रूपों में प्रथम वर्ण की आवृत्ति है सं. चकार **वत्; चॅत्** शब्द-मूल सीधे सं. **कृत** का रूपान्तर हो सकता है। तुलनीय संथाली **कॅदॅअ** किया।)

88 खरिया **चॉन** चल
**चॉल्तकि** वे चलते हैं
हि. **चलना**

89 संथाली **छभ** बर्तन
हि. **झाबा** बड़ी टोकरी

90 मुं. **जन्** मारना
सं. **हन् (<*घन्)** उप.

91 बॉण्ड **जम्** दाढ़
संथाली **जम्बॅ** उप.
सं. **जम्भ** उप.

92 मुं. **जाजक** पुरोहित
सं. **याजक**

93 संथाली **जिवॅत्** जीवन जीवित
सं. **जीवित**

94 मुं. **जॅर्** जड़
हि. **जड़**

95 मु. **जॉण्ड्रा** मक्का
हि. (अवधी) **जॉन्ढी, जाँढरी** ज्वार
तेलगू **जॉन्न** उप.

96 मुं. **जॉति** पशुओं को जोतने की रस्सी

| | | | |
|---|---|---|---|
| | हि. | **जोतना** | |
| 97 | मुं. | **जॉम्** | खाना |
| | कूर्कू | **जॉम्** | उप. |
| | हि. | **जीमना** | |
| | मराठी | **जेंवणें** | उप. |
| | रूसी | **झ़्वानिए** | चबाना |
| 98 | संथाली | **ञतॅअ** | भौजाइयाँ |
| | सं. | **ज्ञाति** | नातेदार |
| 99 | मुं. | **टंडा** | पैर फैलाकर खड़े होना |
| | बंगला | **दाँड़ानो** | खड़े होना |
| 100 | मुं. | **टिकुरा** | थोड़-सी भूमि |
| | हि. (अवधी) | **टिकुरी** | थोड़ी-सी ऊँची भूमि |
| 101 | संथाली | **टॅङ्गॉन्** | खड़े हुए |
| | सं. | **स्था** | खड़े होना |
| | जर्मन | **श्टाङ्ग** | डंडा |
| 102 | संथाली | **ठँङ्ग** | डंडा |
| | हि. | **ठेंगा** | |
| 103 | बॉण्ड | **डक्रा** | बूढ़ा आदमी |
| | हि. (बुन्देलखंडी) | **डुकरा** | उप. |
| 104 | संथाली | **डग् दग्** | चमकना हुआ |
| | हि. | **धक् धक्** | |
| 105 | संथाली | **डङ्** | लाठी |
| | हि. (अवधी) | **डाँग** | उप. |
| 106 | संथाली | **डंग, डागल** | ऊँची बंजर भूमि |
| | मराठी | **डाँग** | प्रदेश विशेष जहाँ की भूमि ऊँची और बंजर है |
| 107 | संथाली | **डंग्र** | बैल |
| | हि. | **डाँगर** | उप. |
| 108 | संथाली | **डट** | दाँत |
| | सं. | **दत, दन्त** | |
| 109 | संथाली | **डबॅर्** | भीगा खेत |
| | | **डब्र** | पानी से भरा खेत |
| | | **ढब्** | उप. |
| | | **ढबॅर्** | बड़ा खेत |
| | मुं. | **डाबॅर्** | बड़ा खेत |
| | हि. | **डाबर** | मटमैला पानी |

| | | | |
|---|---|---|---|
| 110 | संथाली | **डब् डुब्** | डूबना |
| | हि. | **डूबना** | |
| 111 | मुं. | **डहर्** | राह |
| | हि. | **डगर** | |
| 112 | संथाली | **डि** | गाँव |
| | | **डिह्, डिहट्** | उप. |
| | | **डिहलि** | उप. |
| | फ़ारसी | **दिह** | उप. |
| | | **दिहात** | |
| | हि. | **डोह** | |

**दॅहली, दिल्ली, डिल्ली** (गाँव); भारत की राजधानी

| | | | |
|---|---|---|---|
| 113 | संथाली | **ठड्र** | ठठरी |
| | हि. | **ठठरी** | |
| 114 | संथाली | **ढरॅऑ** | ढालना |
| | हि. | **ढरकाना** | |
| 115 | संथाली | **ढॅऑ** | ज्वारा; बाढ़ |
| | बंगला | **ढॅउ** | लहर |
| 116 | संथाली | **ढॉम्पॉ** | ढेर |
| | ग्रीक | **थॉमॉस्** | उप. |
| | अंग्रेज़ी | **डम्प्** | उप.; ढेर लगाना |
| 117 | बॉण्ड | **तअस्** | खेत में काम करना |
| | सं. | **दास** | |
| 118 | बॉण्ड | **तत** | बाबा; नाना |
| | मु. | **ताता** | बाबा |
| | सं. | **तात** | |
| | कन्नड़ | **तात** | बाबा |
| 119 | बॉण्ड | **तरऽ** | चमकना |
| | त. | **तऴल्** | उप.; जलना |
| | सं. | **तारा** | नखत |
| | | **तडित्** | बिजली |
| 120 | बॉण्ड | **तरऽग** | तड़के |
| | हि. | **तड़के** | |
| 121 | मु. | **ता** | वह |
| | सं. | **ते** | वे |

(हिन्दी **तहाँ** का **त**)

| | | | |
|---|---|---|---|
| 122 | मुं. | **तिङ्** | आग जलाना |
| | त. | **तिङ्गळ्** | चन्द्रमा; महीना |
| 123 | संथाली | **तॅत्** | चाची |
| | रूसी | **त्यॉत्या** | उप. |
| | | **त्यॉत्का** | उप. |

| | | | |
|---|---|---|---|
| 124 | खरिया | **तॅर्** | देन |
| | सवर | **तिन्** | उप. |
| | | **तियॅतॅ** | दिया |
| | मुं. | **दा** | दे |
| | त. | **तरु** | देना |
| | | **ता** | दे |
| | मलयालम | **तन्न्** | देना |
| | सं. | **दा** | उप. |
| | हि. | **दिया** | |
| 126 | मुं. | **थोतना** | मुँह |
| | हि. | **थूथन** | |
| 127 | संथाली | **दउर** | डलिया |
| | मुं. | **दउरा, दउरी** | उप. |
| | हि. (अवधी) | **दउरी** | उप. |
| 128 | संथाली | **दप्** | ढाँपना |
| | हि. | **ढाँपना** | |
| 129 | संथाली | **दर** | स्थान |
| | | **इन्दर** | वह स्थान |
| | हि. | **-धर (इधर, उधर)** | |
| | फ़ारसी | **अन्दर** | भीतर; (वह स्थान) |
| 130 | संथाली | **दल्** | मारना |
| | सं. | **दल्** | तोड़ना |
| 131 | संथाली | **दहऑ** | जलाना |
| | | **डहि** | आग जलाना |
| | सं. | **दह्** | जलाना |
| | हि. | **डाह** | जलन |
| 132 | मुं. | **दारु** | पेड़ |
| | संथाली | **दरॅ** | उप. |
| | सं. | **दारु** | उप. |
| 133 | संथाली | **दिलॉ दॉलॉ** | ढीला-ढाला |
| | हि. | **ढीला-ढाला** | |
| 134 | मुं. | **दुलाड़** | प्यार |
| | हि. | **दुलार** | |
| 135 | बॉण्ड | **दुस्** | कम्बल |
| | हि. | **धुस्सा** | |
| 136 | संथाली | **धउँस-धउँसि** | डाँट-डपट |
| | हि. | **धौंसा-धौंसी** | |
| 137 | संथाली | **धिनुअड़** | बछड़े वाली गाय |
| | सं. | **धेनु** | |
| | ग्रीक | **थेले** | थन |
| | | **थेलज़ो** | दूध पीलाना |

(**धिनुअड़** का मूल अर्थ होगा दूध देने वाली गाय)

| | | | |
|---|---|---|---|
| 138 | संथाली | **धिपउ** | गर्मी |
| | प्राकृत | **धिप्पइ** | चमकता है |
| | सं. | **दीप्** | चमकना; जलना |
| 139 | संथाली | **धुड़सऑ** | जलना |
| | हि. | **झुलसना** | |
| 140 | मुं. | **धुन** | धुआँ |
| | सं. | **धूम** | |
| 141 | संथाली | **धुप्** | गरम |
| | हि. | **धूप** | |
| 142 | संथाली | **धुर्** | जिस बैल पर बोझ लादा जाए या जिसे नहा जाए |
| | सं. | **धुर्** | बोझ; जुआँ |
| 143 | संथाली | **धुस् ड़** | धूसर |
| | सं. | **धूसर** | |
| 144 | संथाली | **धॉर** | निश्चित |
| | सं. | **ध्रुव** | उप. |
| 145 | संथाली | **धॉरऑ** | पकड़ना |
| | हि. | **धरना** | |
| 146 | कूर्कू | **नंगर** | हल |
| | सं. | **लाङ्गल** | उप. |
| | पालि | **नङ्गल** | उप. |
| | त. | **नाञ्जिल्** | उप. |
| 147 | संथाली | **नॅ, नि, नॉ, न** | यह |
| | मुं. | **नॅन्ड** | यहाँ |
| | खरिया | **नॉ** | वह |
| | मुं. | **ना** | अब |
| | | **नी** | वह |
| | पर्जि | **नॅण्डि (तेलगू अॅण्ड)** | धूप |
| | ग्रीक | **नु** | अब |
| | अंग्रेज़ी | **नाउ** | उप. |
| 148 | मुं. | **नू** | पीना |
| | संथाली | **ञु** | उप. |
| | कूर्कू | **नू** | उप. |
| | त. | **नुगर** | पीना |
| | फ़ारसी | **नोश्** | पीनेवाला |
| 149 | मुं. | **नॅल्** | देखना |
| | संथाली | **ञॅल्** | उप. |
| | त. | **नेड्डु** | खोजना |

| | | | |
|---|---|---|---|
| | (बोरो | **नय्** | देखना) |
| | सं. | **नयन** | आँख |
| 150 | बॉण्ड | **पऽर्** | प्रभात |
| | त. | **पगल्** | दिन |
| | गोंडी | **पॅयल्** | उप. |
| 151 | मुं. | **पङ्कॅं** | पैगा |
| | कन्नड़ | **पङ्ग** | उप. |
| | हि. (ब्रज) | **पैंगा** | पैर फैला कर चलनेवाला |
| 152 | संथाली | **पसि** | जाल |
| | सं. | **पाश** | |
| 153 | मुं. | **पाल्** | फाल |
| | सं. | **फाल** | |
| 154 | मुं. | **पुंडि** | श्वेत |
| | सं. | **पुंडरीक** | श्वेत कमल |
| | कुडुख़ | **पुण्ड्री** | उप. |
| 155 | मुं. | **पुरा-सा** | अनेक |
| | सं. | **पुरु** | उप. |
| 156 | मुं. | **पुर्सा** | पुरुष की ऊँचाई भर |
| | हि. (अवधी) | **पुरछा** | उप. |
| 157 | खरिया | **पॅनॅर्** | पंख |
| | सं. | **पर्ण** | उप. |
| 158 | मुं. | **पॅरॅ** | भरना |
| | हि. | **भरना** | |
| 159 | खरिया | **पॅरवॉ** | कबूतर |
| | हि. | **परेवा** | पक्षी |
| 160 | मुं. | **पॉअ** | बोना |
| | हि. (अवधी) | **बवबु** | |
| 161 | बॉण्ड | **बऽ** | बाप |
| | मुं. | **अब्बा** | उप. |
| | (बोरी | **बव्** | बाबा) |
| | त. | **अप्पन्** | पिता |
| 162 | मुं. | **बइसऑ** | बसना |
| | हि. | **बसना** | |
| 163 | बॉण्ड | **बय्ग्** | भाग्य |
| | हि. | **भाग्य** | |
| 164 | मुं. | **बाँकुड़ा** | टेढ़ा |
| | हि. | **बाँका, बाँकुरा** | |
| 165 | मुं. | **बान्ड़िआ** | सौदागर |
| | हि. | **बनिया** | |
| 166 | बॉण्ड | **बिऽ** | बोना |
| | हि. (अवधी) | **बिया** | बीज |
| 167 | संथाली | **बुरि** | नारी की जननेन्द्रिय |
| | हि.(अवधी) | **बुरि** | उप. |
| | तेलगू | **बॉरॅ** | छेद |
| 168 | मुं. | **बुरु** | पहाड़ |
| | जर्मन | **बॅर्ग्** | उप. (हौफ़मन) |
| | त. | **पॉरइ** | पहाड़ |
| 169 | मुं. | **बुसु** | भूसा |
| | हि. (अवधी) | **भुसु** | उप. |
| 170 | मुं. | **बॅन्** | तुम दोनों |
| | अंग्रेज़ी | **बोथ्** | दोनों (हौफ़मन) |
| | गुजराती | **बॅ** | दो |
| 171 | संथाली | **बॉगॅ** | भद्र; भद्रता |
| | सं. | **भग** | भद्रता |
| 172 | संथाली | **बॉण्डॉ** | मूर्ख |
| | हि. | **भोंदू** | |
| 173 | मुं. | **भादुर्** | चमगादड़ |
| | बंगला | **बादुड़** | उप. |
| | अंग्रेज़ी | **बैट्** | उप. |
| 174 | मुं. | **माँडि** | भात |
| | हि. | **माड़** | भात का पानी |
| 175 | मुं. | **मिआद्** | एक |
| | ग्रीक | **मिअ** | उप. (हौफ़मन) |
| | बॉण्ड | **मुइ** | उप. |
| | खरिया | **मॉञ्** | उप. |
| | ग्रीक | **मॉनॉस्** | अकेला |
| | त. | **मुदल्** | प्रथम |
| | | **मुन्** | सामने |
| 176 | मुं. | **मिंडि** | भेड़ |
| | हि. | **मेढ़ा** | |
| 177 | मुं. | **मु** | नाक |
| | त. | **मो** | सूँघना |
| | | **मोप्पम्** | गंध; नाक |
| 178 | खरिया | **मुगम्** | सामने |
| | मलयालम | **मुगम्** | उप.; मुख |
| | सं. | **मुख** | |
| 179 | खरिया | **मॅजॅर्** | खिलना |
| | सं. | **मञ्जरी** | |
| 180 | मुं. | **मॅत** | कहना |

| | | | |
|---|---|---|---|
| | कन्नड़ | **मातु** | शब्द; भाषा |
| 181 | मुं. | **मॅद्** | आँख |
| | कुवि | **मॅह् नइ** | देखना |
| 182 | मुं. | **मॅन्** | सोचना |
| | जर्मन | **माइनॅन्** | उप. (हौफ़मन) |
| | सं. | **मन्** | उप. |
| | त. | **निनइ** | उप. |
| 183 | मुं. | **मॉअॅ** | कली |
| | तेलगू | **मॉग्ग** | उप. |
| | सं. | **मुकुल** | |
| 184 | संथाली | **मॉट्र** | गठरी |
| | हि. (अवधी) | **मॉटरी** | उप. |
| | त. | **मुडि** | बाँधना |
| 185 | मुं. | **मॉरा** | नाज का गट्ठा |
| | हि. (अवधी) | **मॉराई** | एक साथ खेत में बँधे थोड़े-से पौधे |
| 186 | मुं. | **रा** | पुकारना |
| | संथाली | **रक्** | चिल्लाना |
| | कन्नड़ | **अरचु** | उप. |
| | लैटिन | **रउकुस्** | कर्कश ध्वनि |
| | सं. | **रु** | चिल्लाना |
| 187 | खरिया | **रुसुङ्** | लाल होना |
| | सं. | **रुशत्** | चमकीला |
| 188 | संथाली | **रॉड्** | बोलना |
| | त. | **उरइ** | उप. |
| | तेलगू | **रॉद** | आवाज़ |
| 189 | मुं. | **लंगट्** | नंगा |
| | बंगला | **न्याङ्टा** | उप. |
| | हि. | **नंगा** | |
| 190 | मुं. | **लापाराइ** | लड़ाई |
| | हि. | **लड़ाई** | |
| | (अवधी) | **लराई** | |

(परस्परतासूचक **प** अन्तर्प्रत्यय लगाकर **लराई** से बना रूप जैसे **चल** से **चपल**)

| | | | |
|---|---|---|---|
| 191 | मुं. | **लॅङ्क** | बायाँ |
| | जर्मन | **लिङ्क्** | उप. (हौफ़मन) |
| | बंगला | **नॅङ्गा, न्याङ्गा** | वह व्यक्ति जिसका बायाँ दायें से ज्यादा मज़बूत हो |
| 192 | संथाली | **लॉ** | नौ |
| | हि. | **नौ** | |
| 193 | संथाली | **लॉ** | जलना |
| | हि. | **लौ** | |
| 194 | संथाली | **सअॅ** | सौ |
| | हि. (अवधी) | **सै** | (यथा **दुइ सै;** मानक हिन्दी में **सैकड़ा** का **सै**) |
| 195 | संथाली | **सगड़्** | गाड़ी |
| | सं. | **शकट** | उप. |
| 196 | संथाली | **समङ्** | सामने |
| | सं. | **सम्मुख** | |
| 197 | संथाली | **सर्** | तीर |
| | मुं. | **सार्** | उप. |
| | कुड़ुख़ | **चार्** | उप. |
| | सं. | **शर** | |
| 198 | संथाली | **सल्** | घर |
| | सं. | **शाला** | |
| 199 | मुं. | **सादॉम्** | घर |
| | सं. | **सद्म** | उप. |
| 200 | मुं. | **साब्ड़ॉ** | सब्बल |
| | हि. (अवधी) | **सबरा** | |
| 201 | मुं. | **सातॅ** | साथ |
| | | **सारॅ (सातॅ)** | उप. |
| | हि. | **साथ** | |
| 202 | संथाली | **सि** | जोतना |
| | मुं. | **सी, सीनि** | उप. |
| | सं. | **सीर, सील** | हल |
| 203 | मुं. | **सिनिबिल्** | मिठास |
| | कन्नड़ | **सी** | मीठा |
| | कुइ | **सॅम्ब, सॅम्बि** | मिठास |
| 204 | सवर | **सिन्दि** | खजूर |
| | प्राकृत | **सिन्दी** | उप. |
| | सं. | **हिन्ताल** | उप. |
| | त. | **ईन्दु** | उप. |
| 205 | बॉण्ड | **सियॅ** | लाल |
| | त. | **चॅय्य** | उप. |
| 206 | संथाली | **सिसिर्** | ओस |
| | मुं. | **सिसिर्दा** | उप. |
| | सं. | **शिशिर** | उप. |
| | जर्मन | **तउ** | उप. |

(मुं. रूप में **सिसिर्** और **दा** समानार्थी हैं।)

| | | | |
|---|---|---|---|
| 207 | मुं. | **सु** | किसी चीज़ में हाथ घुसेड़ना |
| | सं. | **सू** | प्रेरित करना |
| 208 | मुं. | **सइ** | सुई |
| | हि. | **सुई** | |
| 209 | संथाली | **सुकृरि** | सुअरिया |
| | सं. | **शूकर** | सुअर |
| 210 | मुं. | **सुरुद्, सुर्द्** | हृदय |
| | लैटिन | **कॉर्दिस्** | उप. |
| | अंग्रेज़ी | **हार्ट्** | उप. (हौफ़मन) |
| | रूसी | **सॅर्द्त्सॅ** | उप. |
| | सं. | **श्रद्-(श्रद्धा)** हृदय | उप. |
| 211 | मुं. | **सॅन्** | जाना |
| | गद् ब | **सॅन्, चॅन्** | उप. |
| | त. | **चॅल्** | उप. बहना |
| | सं. | **सृ (सर्)** | उप. |
| | | **चल्** | चलना |
| 212 | संथाली | **हन्** | वह |
| | | **हिन्** | उप. |
| | | **हॉ, हॉन्** | उप. |
| | सं. | **सः** | वह |
| | हि. | **सो** | उप. |
| | बंगला | **से** | उप. |

| | | | |
|---|---|---|---|
| | मराठी | **हा** | उप.; यह |
| | हि. (भोजपुरी) | **से** | वह, वे |
| | | **हिन्हि** | ये |
| | | **हुन्हि** | वे |
| | ग्रीक | **हो, हे** | वह |
| | स्वीडिश | **हन्** | वह (पुरुष) |
| | | **हॉन्** | वह (स्त्री) |
| 213 | संथाली | **हङ्कॅ, अङ्कॅ** | वहाँ |
| | त. | **अङ्क** | उप. |
| 214 | संथाली | **हंडॅ** | वहाँ |
| | त. | **आण्डु** | वह स्थान |
| 215 | खरिया | **हॉकड्** | वह (स्त्री,पुरुष) |
| | कोंड | **अकर्** | उप. |
| 216 | मुं. | **हादा, हाड़ा** | बैल |
| | हि. (अवधी) | **हरहा** | पशु |
| 217 | मुं. | **हुड़ार्** | भेड़िया |
| | हि. (अवधी) | **हुँड़ार** | उप. |
| 218 | मुं. | **हॉर** | देखभाल करना |
| | जर्मन | **वारॅन्** | उप. (हौफ़मन) |
| | अंग्रेज़ी | **वार्ड्** | उप. |
| | त. | **पार्** | देखना |
| | लैटिन | **पारॅओ** | दिखना |

# शब्द-सूची-5

## [नाग शब्दों के द्रविड़ और इंडो-यूरोपियन प्रतिरूप]

[यहाँ नाग भाषाओं के कुछ शब्द तथा उनके द्रविड़, इंडो-यूरोपियन (जहाँ-तहाँ कोल) प्रतिरूप दिये गए हैं। तन्खुर अथवा तन्खुड़ तथा बोरो अथवा बोड़ो की सामग्री शंकर भट की पुस्तकों से, मॉन्प और गलॉङ् की सामग्री दासगुप्त की पुस्तकों से, **इदु** की सामग्री नार्थ ईस्ट फ्रन्टियर एजेन्सी, शिलङ् द्वारा प्रकाशित 'ए फ्रेजबुक इन इदु' से और गारो की सामग्री बर्लिंग की 'ए गारो ग्रामर' से ली गई है। आऑ, अंगामि, सॅम तथा अन्य नाग भाषाओं और बोलियों की सामग्री ग्रियर्सन से ली गई है। उन्होंने जिस भाषा और बोली को जो नाम दिया है, शब्द-सूची में उसी का उल्लेख है। नाग शब्दों के साथ जहाँ 'हिन्दी' प्रतिरूप दिये गए हैं, यहाँ यह बात ध्यान में रखनी चाहिए कि ये रूप वहाँ असमिया और बंगला के माध्यम से भी पहुँच सकते हैं। जो शब्द हिन्दी में हो, असमिया और बंगला में न हो, किन्तु किसी नाग भाषा में हो, वहाँ उसके मूल स्रोत के बारे में निश्चयपूर्वक कुछ कहना कठिन होगा। एक कसौटी यह है कि कोई शब्द हिन्दी की अनेक जनपदीप भाषाओं में हो किन्तु उधर एक ही नागभाषा में हो तो सम्भावना यह है कि वह हिन्दी-क्षेत्र का शब्द है। **लोगबाग** का **बाग** हिन्दी की अनेक जनपदीय बोलियों में है किन्तु नाग भाषाओं में वह मुझे केवल मॉन्प में मिला, इसलिए मेरे विचार से वह हिन्दी का पुराना शब्द है जो अन्य अनेक शब्दों के साथ हिन्दी-क्षेत्र से पूर्व की ओर गया है।]

| | | | |
|---|---|---|---|
| 1 | तन्खुर | **अ** | वह |
| | त. | **अ** दूरस्थ वस्तुसूचक सर्वनाम | |
| 2 | गलॉङ् | **अऑ** | पुत्र |
| | पु. आइरिश | **अउअॅ** | नाती |
| 3 | तन्खुर | **अख** | एक |
| | तेलगू | **ऑक** | उप. |
| 4 | बोरो | **अङ्कर्** | वर्णमाला |
| | सं. | **अक्षर** | |
| **(अक्षर>अक्कर>अङ्कर)** | | | |
| 5 | तन्खुर | **अच** | आज |
| | हि. | **आज** | |
| 6 | बोरो | **अत्** | आठ |
| | त. | **अॅट्टु** | उप. |
| | सं. | **अष्ट** | |
| 7 | मॉन्प | **अत** | दादा |
| | त. | **अत्तन्** | पिता |
| | कन्नड़ | **तात (त-आत)** | दादा |
| 8 | मॉन्प | **अथ, ऑथ** | यहाँ |
| | सं. | **इत्थम्, इत्था** | इस प्रकार |
| | पंजाबी | **ऑत्थे** | वहाँ |
| 9 | तन्खुर | **अन** | वह |
| | रूसी | **ऑन्** | उप. |
| | संथाली | **ऑन** | उप. |
| 10 | चाङ् | **अन** | छोटा भाई |

| | | | |
|---|---|---|---|
| | कन्नड़ | **अण** | बड़ा भाई; लड़कों को प्यार से पुकारने का शब्द |
| | चाङ् | **अनॉउ** | बड़ी बहन |
| | गलॉङ् | **अनॅ** | माँ |
| | त. | **अण्णि** | भौजाई |
| | कन्नड़ | **अण्णु** | स्त्री |
| 11 | बोरो | **अन्द्रि** | साँझ |
| | | **अन्द्रय** | अँधेरा होना |
| | हि. | **अँधेरा** | |
| 12 | मॉन्प | **अप, अब** | बाप |
| | गलॉङ् | **अबॉ** | उप. |
| | त. | **अप्पन्** | उप. |
| | बोरो | **प** | उप. |
| | | **अप** | मेरा बाप |
| | | **बिप** | उसका बाप |
| | अङ्गामि | **पापु** | उप. |
| | बोरो | **बपय्** | पिता |
| | हिन्दी | **बाप** | |
| | बोरो | **बव** | बाबा |
| | हिन्दी | **बाबा** | |
| | लैटिन | **अवुस्** | बाबा |
| | पर्जि | **अव्व** | दादी |
| | त. | **अव्वइ** | माँ |
| | मॉन्प | **अबि** | दादी |
| | बोरो | **अबो** | बड़ी बहन |
| | त. | **अप्पि** | उप. |
| | तुलु | **अप्पॅ** | माँ |
| 13 | मॉन्प | **अम** | माँ |
| | त. | **अम्मा** | उप. |
| | हि. | **अम्मा** | |
| 14 | बोरो | **अय्** | माँ |
| | त. | **आय्** | उप. |
| | असमिया | **आई** | उप. |
| 15 | इदु | **अय** | वह |
| | सं. | **अयम्** | यह |
| 16 | बोरो | **अलय् बिलय्** | परेशानी |
| | हि. | **अलाय बलाय** | |
| 17 | बोरो | **अलु** | गरम होना |
| | त. | **अऴल्** | जलना |
| | हि. | **अलाव** | |
| 18 | मॉन्प | **अशि** | हम |
| | सं. | **अस् (अस्-मद्)** | उप. |
| | पंजाबी | **असां** | उप. |
| 19 | बोरो | **इ** | निकटस्थ वस्तुसूचक सर्वनाम |
| | त. | **इ** | उप. |
| 20 | बोरो | **उगलय्** | उगलना |
| | हि. | **उगलना** | |
| 21 | बोरो | **इत** | ईंट |
| | हि. | **ईंट** | |
| 22 | बोरो | **इन्द्र** | कुआँ |
| | हि. | **इन्दारा** | उप. |
| 23 | बोरो | **उतिकय्** | उठना |
| | हि. | **उठकर** | |
| | (अवधी) | **उठि कै** | उठकर |
| 24 | मॉन्प | **उथु** | वह |
| | त. | **उ** | मध्यवर्ती वस्तुसूचक सर्वनाम |
| 25 | बोरो | **उद्** | ऊँट |
| | हि. | **ऊँट** | |
| 26 | बोरो | **उरन् जहद्** | हवाई जहाज |
| | हि. | **उड़न जहाज** | |
| 27 | बोरो | **उर्माल्** | रूमाल |
| | हि. | **रूमाल** | |
| 28 | बोरो | **ॲ** | यह |
| | कुइ | **ॲ** | उप. (मध्यवर्ती वस्तुसूचक सर्वनाम) |
| | संथाली | **ॲ** | वह |
| 29 | इदु | **ॲच** | यह |
| | सं. | **एषः** | उप. |
| 30 | बोरो | **ॲसॅ** | इतना |
| | कुइ | **ॲसॅ** | उतना |
| 31 | बोरो | **ऑ** | वह |
| | त. | **उ** | मध्यवर्ती वस्तुसूचक सर्वनाम |
| 32 | बोरो | **ऑकॅ** | सबेरा |
| | सं. | **उषा** | |
| 33 | इदु | **ऑकॉ** | घर |
| | कन्नड़ | **ऑक्कल्** | उप. |
| | ग्रीक | **ऑइकॉस्** | उप. |

| | | | |
|---|---|---|---|
| | सं. | **विश** | बस्ती |
| 34 | बोरो | **ऑज़** | ओझा |
| | त. | **ओच्चन्** | उप. |
| | हि. | **ओझा** | |
| 35 | बोरो | **ऑरॉङ्** | वन |
| | सं. | **अरण्य** | |
| 36 | बोरो | **क** | वह |
| | सं. | **कः** | उप. |

(**कस्मै देवाय हविषा विधेम**—उस देवता को हवि देते हैं)

| | | | |
|---|---|---|---|
| 37 | इदु, बोरो | **क** | प्रश्नवाचक सर्वनाम |
| | सं. | **कः** | उप. |
| 38 | बोरो | **कगर्** | सागर |
| | सं. | **सागर** | |
| 39 | तन्खुर | **कङ** | जलना |
| | नइकि | **काङ्ग** | गरम होना |
| | हि. | **काँगड़ी** | |
| 40 | तन्खुर | **कचय्** | कीड़ा |
| | हि. | **कँचुवा** | |
| 41 | तन्खुर | **कथ** | कैसे |
| | सं. | **कथम्** | उप. |
| 42 | बोरो | **कद्** | सात |
| | सं. | **सप्त** | |
| 43 | बोरो | **कन्** | बच्चा पैदा करना |
| | सं. | **जन्** | उप. |
| 44 | बोरो | **कन्** | दिन; सूर्य |
| | सं. | **कन्** | चमकना |
| 45 | बोरो | **कनॅ** | सुनना |
| | तुलु | **केणुनि** | उप. |
| 46 | बोरो | **कप्नय्** | सपना दिखाना |
| | हि. | **सप्न्यान** | उप. |
| 47 | बोरो | **कमय्** | एकत्र होना |
| | सं. | **समय** | एकत्र होने की क्रिया |
| 48 | बोरो | **कय्** | हाथ |
| | कन्नड़ | **कय्** | उप. |
| | सं. | **कर** | |
| 49 | बोरो | **करिल्** | शरीर |
| | सं. | **शरीर** | |
| 50 | बोरो | **कलम्** | करना |
| | | **कलय्** | काम |
| | कोलमि | **कल्** | करना |
| | हि. | **कर (ना)** | |
| 51 | बोरो | **कलि** | दिन; समय |
| | सं. | **काल** | |
| 52 | बोरो | **कव्** | जलना |
| | त. | **काय्** | उप. |
| | नइकि | **काप्** | भूनना |
| 53 | बोरो | **कव् (म-कव्)** | गाय |
| | सं. | **गो** | |
| | अंग्रेज़ी | **काउ** | उप. |
| 54 | बोरो | **कव्रा** | अधपका |
| | हि. (अवधी) | **सॅवरा** | उप. |
| 55 | बोरो | **कस्ति** | दंड |
| | सं. | **शास्ति** | उप. |
| 56 | बोरो | **कस्यव्** | कछुवा |
| | सं. | **कश्यप** | उप. |
| 57 | बोरो | **किङ्गॉ** | सिंह |
| | सं. | **सिंह** | |
| 58 | बोरो | **किम** | सीमा |
| | सं. | **सीमा** | |
| 59 | बोरो | **कुग** | चोंच |
| | कन्नड़ | **कॉक्कु** | उप. |
| 60 | सॅम | **किवि** | कौन |
| | तन्खुर | **खि** | क्या |
| | असमिया | **की** | उप. |
| | मॉन्प | **गिति** | कब |
| 61 | बोरो | **कुकुर्** | शुक्र |
| | सं. | **शुक्र** | |
| 62 | बोरो | **कुज्** | कुबड़ा |
| | सं. | **कुब्ज** | उप. |
| 63 | बोरो | **कुतुरु** | शत्रु |
| | सं. | **शत्रु** | |
| 64 | बोरो | **कुद्** | विशेषतः |
| | बंगला | **शुधु** | केवल |
| 65 | बोरो | **कुद्रय्** | सुधारना |
| | हि. (अवधी) | **सुधारै** | ठीक करे |
| 66 | बोरो | **कुन्द** | कुण्ड |
| | सं. | **कुण्ड** | |
| 67 | बोरो | **कुर** | खुर |
| | हि. | **खुर** | |

| | | | |
|---|---|---|---|
| 68 | बोरो | **कुरङ्** | शब्द; कथा; ख़बर |
| | त. | **कुरल्** | शब्द; आवाज़ |
| 69 | बोरो | **कुरय्** | कुहरा |
| | हि. | **कुहरा** | |
| 70 | बोरो | **कुन्त** | खूँटा |
| | तेलगू | **कुन्द** | खम्भा |
| 71 | बोरो | **कुरि** | बीस |
| | बंगला | **कुड़ि** | उप. |
| 72 | बोरो | **कुरिय** | कोढ़ |
| | हिन्दी (मैथिली) | **कोढ़िया** | दुष्ट; कोढ़ी |
| 73 | बोरो | **कुलि** | लम्बा लोहे का डंडा |
| | सं. | **शूली** | |
| 74 | आओ | **कॉ** | क्या |
| | हि. (अवधी) | **को** | कौन |
| 75 | बोरो | **कॉ** | सौ |
| | हि. | **सौ** | |
| 76 | बोरो | **कॉक्लय** | कोयल |
| | हि. | **कोकिला** | |
| 77 | बोरो | **कॉङ्** | घोंघा |
| | हि. | **घोंघा** | |
| 78 | बोरो | **कॉङ्ग** | लूला |
| | कन्नड़ | **कॉङ्ग** | टेढ़ापन |
| 79 | बोरो | **कॉत्रव्** | सत्रह |
| | हि. | **सत्रह** | |
| 80 | बोरो | **कॉद्** | स्वाद |
| | सं. | **स्वाद** | |
| 81 | बोरो | **कॉनि** | शनि |
| | सं. | **शनि** | |
| 82 | बोरो | **कॉब** | सभा |
| | सं. | **सभा** | |
| 83 | बोरो | **कॉमय्** | समय |
| | सं. | **समय** | |
| 84 | बोरो | **कॉर्, कॉरॉ** | झील |
| | सं. | **सरस्** | जलाशय |
| 85 | पछाहीं और मध्यवर्ती नाग-भाषाओं में | **कॉर्, किर्, कॅरु, करुइ ग्विरि** (ग्रियर्सन) | घोड़ा |

| | | | |
|---|---|---|---|
| | मॉन्प | **कुर्त** | उप. |
| | तेलगू | **गुर्रमु** | उप. |
| | वेल्श | **गॉरुअद्** | उप. |
| | अंग्रेज़ी | **हौर्स** | उप. |
| | सं. | **घोट** | उप. |
| 86 | बोरो | **कॉल्लव्** | सोलह |
| | हि. | **सोलह** | |
| 87 | बोरो | **कॉहय्** | सहाय |
| | हि. | **सहाय** | |
| 88 | मॉन्प | **खु** | कुत्ता |
| | सं. | **श्वा** | उप. |
| 89 | मॉन्प | **गॉङ्गरि** | नदी |
| | बंगला | **गांग** | उप. |
| 90 | बोरो | **गबिन्** | गाभिन |
| | हि. | **गाभिन** | |
| 91 | बोरो | **गन्ति** | गाँठ |
| | सं. | **ग्रंथि** | |
| 92 | सॅम | **ग्वॉ, ग्व** | जाना |
| | सं. | **गम्** | उप. |
| | अंग्रेज़ी | **गो** | उप. |
| 93 | गारो | **ग्रिम्** | भीड़ में साथ होना |
| | सं. | **ग्राम** | समूह |
| 94 | तन्खुर | **चङ्** | चाँद महीना |
| | हि. | **चाँद** | |
| 95 | तन्खुर | **चि** | वह |
| | बंगला | **से** | उप. |
| 96 | बोरो | **ज़** | होना |
| | हि. | ***स** | उप. |
| | (बांगरू) | **सै** | है |
| 97 | तन्खुर, मॉन्प | **ज** | खाना |
| | मुण्डारी | **जॉम्** | उप. |
| | हि. | **जीमना** | |
| | मॉन्प | **जम्** | पीना |
| | सं. | **चम्** | उप. |
| 98 | बोरो | **ज़य्** | जनना |
| | हि. | **जनना** | |
| | सं. | **जाया** | (जननेवाली); पत्नी |
| 99 | तन्खुर | **जिङ्** | दिन |
| | हि. | **दिन** | |
| 100 | बोरो | **ज़ॉक्कय्** | चौका |

| | | | |
|---|---|---|---|
| | हि. | **चौका** | |
| 101 | बोरो | **ज़ॉन्** | जन |
| | सं. | **जन** | |
| 102 | गारो | **तङ्** | अपना |
| | मॉन्प | **दन्** | वह |
| | | **दशि** | वे |
| (103) त. | **तान्** | स्वंय | |
| | कन्नड़ | **तान्** | वह |
| | सं. | **तद्** | उप. |
| 104 | बोरो | **तय्** | मरना |
| | कन्नड़ | **साय्** | उप. |
| | सं. | **शव** | |
| | अंग्रेज़ी | **डाइ** | मरना |
| 105 | आओ | **ताता-र्** | गाँव का बूढ़ा |
| | त. | **तात्ता** | दादा |
| | हि. | **दादा** | |
| 106 | तन्खुर | **तुङ्** | ऊपरी भाग |
| | सं. | **तुङ्ग** | |
| 107 | तन्खुर | **तुय्** | पानी |
| | सं. | **तोय** | उप. |
| | त. | **तोय्** | नहाना |
| 108 | गारो | **तुसि** | सोना |
| | तोद | **तूष्** | नींद |
| 109 | आओ | **तॅर्** | दस |
| | अंगामि | **तॅरि** | उप. |
| | सं. | **दश** | |
| 110 | कछारी | **था** | ठहरना |
| | पछाहीं नाग | **था** | खड़े होना |
| | सं. | **स्था** | उप. |
| 111 | तन्खुर | **थि** | मरना |
| (बोरो **तय्** मरना से सम्बद्ध) | | | |
| 112 | गारो | **दक्** | करना |
| | | **जक्** | हाथ |
| | फ़ारसी | **दस्-त** | उप. |
| | सं. | **दक्ष (दक्-स)** | कुशल |
| 113 | बोरो | **ददय्** | चाचा |
| | | **तय्** | उप. |
| | हिन्दी | **दाऊ, ताऊ** | |
| 114 | बोरो | **दय्** | मीठा |
| | तेलगू | **तिय्य** | उप. |

| | | | |
|---|---|---|---|
| 115 | मॉन्प | **दि** | बहना |
| | गारो | **चि** | उप. |
| | ब्राहूइ | **दीर्** | पानी |
| 116 | बोरो | **दुबि** | डूबना |
| | हि. | **डूबना** | |
| 117 | बोरो | **दा** | बनाना |
| | जर्मन | **तैतॅर्** | कर्ता |
| | सं. | **दक्ष** | कुशल |
| **(*दर्>दा; *दर्>*दस्द→क्ष)** | | | |
| 118 | गारो | **दोर** | पशुवाचक शब्दों के साथ प्रयुक्त वर्गसूचक पद |
| | हि. | **ढोर** | |
| 119 | तन्खुर | **न** | तुम |
| | मॉन्प | **नन्** | उप. |
| | सॅम | **ना** | उप. |
| | गारो | **नॉ** | उप. |
| | त. | **नी** | उप. |
| | कुडुख़ | **नीन्** | उप. |
| | (तर्यक रूप) | **नीङ्ग्** | उप. |
| | पुरानी त. | **निन्** | उप. |
| 120 | गारो | **नख** | रात |
| | सं. | **नक्त** | उप. |
| 121 | बोरो | **नय्** | देखना |
| | | **नय्न** | देखने में सुन्दर |
| | गारो | **नि** | देखना |
| | कन्नड़ | **निट्टिसु** | उप. |
| | त. | **नोक्कु** | उप. |
| | प्राकृत | **णिअ** | देखना |
| | सं. | **नयन** | |
| 122 | इदु | **ननॅ** | माँ |
| | सं. | **नना** | उप. |
| | हि. | **नानी** | |
| | कुडुख़ | **नण्णॉस, ननी** | नाना; नानी |
| 123 | तन्खुर् | **निङ्** | मन |
| | त. | **नॅञ्जु** | उप. |
| 124 | गारो | **नॅंतु** | सूत |
| | कुइ | **नूडु** | उप. |
| | त. | **नूल्** | उप. |
| 125 | तन्खुर | **पङ्क्त्** | हाथ से बाँटना |

| | | | |
|---|---|---|---|
| | पछाहीं नाग | **पॅङ्, पॉङ्ग** | पाँच |
| | आओ | **पुङ्** | उप. |
| | अंगामि | **पॅङ्** | उप. |
| | कछारी | **फाङ्ओ** | उप. |
| | पूर्वी नाग | **बङ्ग** | उप. |
| | सं. | **पाणि** | हाथ |
| | | **पञ्च** | पाँच |
| 126 | बोरो | **पग** | पकाना |
| | हि. | **पकाना** | |
| 127 | बोरो | **पद्** | मंत्र; गीत |
| | सं. | **पद** | |
| 128 | बोरो | **पद्** | मारना |
| (**रयूपद्** मंत्र से मारना) | | | |
| | सं. | **वध** | |
| 128 | बोरो | **पन्** | बेचना |
| | कछारी | **फान्** | उप. |
| | सं. | **पण्** | खरीदना, भाव-तोल करना |
| 129 | बोरो | **पन्ति** | टुकड़ा |
| | त. | **पङ्** | भाग |
| 130 | बोरो | **पप, पब** | पाप |
| | सं. | **पाप** | |
| 131 | बोरो | **पय्** | आना |
| | तोद | **पोर्** | उप. |
| | गोंडी | **वइआना** | उप. |
| 132 | बोरो | **पय, पय्क** | खीर |
| | सं. | **पायस** | उप. |
| 133 | बोरो | **पय्रव्** | कबूतर |
| | कन्नड़ | **बॅळव** | जंगली कबूतर |
| 134 | बोरो | **पल** | फाल |
| | हि. | **फाल** | |
| 135 | बोरो | **पल** | झुंड |
| | त. | **पल** | बहुत-से |
| 136 | बोरो | **पलङ्** | साग |
| | हिन्दी (अवधी) | **पलांकी** | पालक |
| 137 | बोरो | **पितिमि** | पृथ्वी |
| | सं. | **पृथिवी** | |
| 138 | बोरो | **पिस** | सन्तान |
| | तुलु | **पसि** | बच्चा |

| | | | |
|---|---|---|---|
| 139 | बोरो | **पुग** | मुख |
| | कन्नड़ | **बुग्गि** | गाल |
| | तेलगू | **पुक्केडु** | मुँह भर |
| 140 | बोरो | **पॅङ्क** | पैंगा |
| | हि. | **पैंगा** | |
| 141 | बोरो | **पॅङ्ग** | पङ्गु |
| | हि. | **पङ्गु** | |
| 142 | गारो | **पॅत** | पक्षी |
| | सं. | **पत्** | उड़ना |
| | गोंडी | **पित्तॅ** | पक्षी |
| 143 | बोरो | **पॅन्** | फेन |
| | हि. | **फेन** | |
| 144 | बोरो | **पॅस** | उल्लू |
| | बंगला | **पेंचा** | उप. |
| 145 | बोरो | **पे** | पिये होना |
| | हिन्दी | **पीना** | |
| 146 | बोरो | **पॉङ्** | गायनवाचक शब्दों के साथ प्रयुक्त वर्गसूचक पद |
| | त. | **पाण्** | गीत |
| 147 | बोरो | **पॉलॉङ्** | पोला करना |
| | हि. | **पोला** | |
| | कन्नड़ | **पॉळ्ळु** | पोलापन |
| 148 | बोरो | **पॉलन्** | शिकारी |
| | त. | **पुळिञन्** | उप. |
| | सं. | **पुलिन्द** | |
| 149 | बोरो | **ब, बॉ** | प्रश्नवाचक सर्वनाम |
| | गोंडी | **बद्, बउ** | कौन |
| 150 | गारो | **बक्, भाग** | (वर्गसूचक पद) |
| | | **पक्** | आधा भाग |
| | सं. | **भाग** | |
| | त. | **पगु** | विभाजित करना |
| 151 | बोरो | **बकरी** | कोठा |
| | हि. | **बखरी** | |
| 152 | बोरो | **बक्ला** | छिलका |
| | हि. | **बकला** | |
| 153 | बोरो | **बज़ि** | बाँझ (पशु) |
| | हि. | **बाँझ** | |
| 154 | बोरो | **बय्क** | आयु |
| | सं. | **वयस्** | |

| | | | |
|---|---|---|---|
| 155 | बोरो | **बय्‌ग** | भाग्य |
| | सं. | **भाग्य** | |
| 156 | बोरो | **बय्‌सग** | वैशाख |
| | सं. | **वैशाख** | |
| 157 | बोरो | **बर्** | सप्ताह |
| | त. | **वारम्** | उप. |
| 158 | गारो | **बर्** | भार |
| | हि. | **भार** | |
| 159 | बोरो | **बरय्** | बूढ़ा |
| | त. | **पॅरु** | बड़ा |
| 160 | बोरो | **बसर** | वर्ष |
| | सं. | **वासर** | |
| 161 | मॉन्प | **बाग** | गण; (बहुत्वसूचक पद यथा सॉङ्ग बाग— आदमी लोग; **कुर्त बाग** घोड़ा लोग) |
| | हिन्दी | **-बाग (लेग-बाग)** | |
| 162 | गारो | **बिर्सि** | वर्ष |
| | हि. | **बरस** | |
| 163 | बोरो | **बुहुम्** | भूमि |
| | हि. | **पुहुमि** | |
| 164 | बोरो | **बॅल** | सूर्य |
| | कन्नड़ | **बॅळ** | प्रकाश |
| 165 | कुकि | **बॉऑ** | रहता है; जीता है |
| | सं. | **भू** | |
| | मल्तो | **बॅहॅं** | होना |
| | कुडुख़ | **बेअॅना** | रहना |
| 166 | मॉन्प | **म** | नहीं |
| | अंगामि | **मॉ** | उप. |
| | सं. | **मा** | उप. |
| | ग्रीक | **मे** | उप. |
| 167 | कुकि | **मङ्ग** | पाँच |

(अंगामि **पॅङ्** पाँच 125 से सम्बद्ध)

| | | | |
|---|---|---|---|
| 168 | इदु | **मजरि** | बिल्ली |
| | सं. | **मार्जार** | उप. |
| 169 | गारो | **मत्** | गाय |
| | त. | **माडु** | बैल |
| 170 | तन्खुर | **मतुय्** | बोलना |
| | कन्नड़ | **मातु** | शब्द; भाषा |
| 171 | बोरो | **मदय्** | मधु |
| | सं. | **मधु** | |
| 172 | गारो | **मन्** | मनुष्य |
| | बोरो | **मन्सय्** | उप. |
| | सं. | **मनुष्य** | |
| | हि. (अवधी) | **मन्सवा** | पुरुष |
| 173 | बोरो | **मन्** | पकना |
| | गद्‌ब | **माङ्ग्** | उप. |
| | तेलगू | **मांगु** | उप. |
| 174 | बोरो | **मुकङ्** | मुख |
| | त. | **मुगम्** | उप. |
| | सं. | **मुख** | |
| 175 | इदु | **यद्‌गो** | कितना |
| | गलॉङ् | **यॉगॉ** | क्या |
| | | **यॅदि** | उप. |
| | त. | **या** | क्या |
| 176 | तन्खुर | **र** | आना |
| | गारी | **रे** | उप. |
| | | **रो** | चलना |
| | सं. | **ऋ** | उप. |
| | फ़ारसी | **रवा** | चलना |
| | तेलगू | **अरुगु** | चलना |
| 177 | बोरो | **रन्द, लन्द** | विधुर |
| | | **रंडा** | विधवा |
| 178 | बोरो | **रयज्** | राज्य |
| | हि. | **राज्य** | |
| 179 | मिकिर | **रि** | सम्पदा |
| | सं. | **रयि** | उप. |
| 180 | बॉरॉ | **रॉतय्** | सड़ना |
| | अंग्रेज़ी | **रौट्** | उप. |
| 181 | बॉरो | **रॉदय्** | जड़ |
| | अंग्रेज़ी | **रूट्** | उप. |
| 182 | बोरो | **रॉतॉ** | चमकीला |
| | जर्मन | **रॉत्** | लाल |
| | सं. | **रुधिर** | |
| 183 | बोरो | **लय** | पत्ती |
| | त. | **इलइ** | उप. |
| 184 | बोरो | **लॅब्रा** | बायाँ |
| | हि. (अवधी) | **डॅब्रा** | उप. |
| 185 | मॉन्प | **वा** | जाना |

| | | | |
|---|---|---|---|
| | तन्खर् | **वय्** | उप. |
| | अंगामि | **वॉर्** | आना |
| | त. | **वरु, वा** | उप. |
| 186 | गारो | **वॅन्** | हवा |
| | त. | **विण्** | बादल; आकाश |
| | | **विंडु** | हवा |
| 187 | मॉन्प | **शरङ्** | सिर |
| | सं. | **शिरस्** | ('मूलरूप सम्भवत: शरस्'—मोनियर विलियम्स) उप. |
| 188 | गारो | **सि** | मरना |
| | इदु | **शिगॉ** | उप. |
| | | **शिब** | मृत |
| | मॉन्प | **शॅखन्** | उप. |
| | बोरो | **तय्** | मरना |
| | कन्नड़ | **साय्** | मरना |
| | सं. | **शव** | |
| | अंग्रेज़ी | **डाइ** | मरना |
| 189 | पछाहीं नाग | **सरॉ, सॅर सुरु, सइरउ** | छह |
| | गोंडी | **सारुङ्ग्** | उप. |
| | सं. | **षष** | उप. |
| 190 | बोरो | **सर्ग** | आकाश |
| | सं. | **स्वर्ग** | |
| 191 | सॅम | **सा** | साथ |
| | सं. | **सह** | |
| 192 | तन्खुर | **सि** | जाड़ा |
| | सं. | **शीत** | |
| 193 | बोरो | **सिकि** | सखा |
| | सं. | **सखि** | उप. |
| 194 | गलॉङ् | **सिगि, हिगि** | यह |
| | बंगला | **से** | वह |
| 195 | सॅम | **सु** | होना |
| | बोरो | **ज़** | उप. |
| | हि. (बाँरू) | **सै** | है |
| | फ़ारसी | **शुदन्** | होना। |
| 196 | बोरो | **सु (अव्-सु)** | बच्चा जनना |
| | सं. | **सू** | बच्चा पैदा करना |
| 197 | गारो | **सु** | जलना |
| | तुलु | **सू** | आग |
| 198 | बोरो | **सुगून्** | गिद्ध |
| | सं. | **शकुन** | पक्षी |
| 199 | गारो | **स्पॉ** | फूटना |
| | सं. | **स्फुट्** | उप. |
| 200 | कुकि | **हन** | वह |
| | संथाली | **हन्** | उप. |
| 201 | बोरो | **हलि** | हल |
| | हि. | **हल** | |

# शब्द-सूची-6

## [सामी शब्दों के द्रविड़ और इंडो-यूरोपियन प्रतिरूप]

[यहाँ कुछ चुने हुए सामी भाषाओं के, मुख्यत: अरबी के, शब्द दिये जाते हैं जिनसे द्रविड़, सामी और इंडो-यूरोपियन भाषाओं के सम्बन्ध पहचानने में सहायता मिलेगी। एकाध जगह कोल और नाग भाषाओं के प्रतिरूप भी दिये गए हैं। सामी भाषाओं के प्राचीन केन्द्र ईरान के पड़ोस में थे, अब भी हैं। इन केन्द्रों से अरबी क्षेत्र के पश्चिमी भागों में अनेक भाषा-तत्त्व फैले हैं। यही कारण है कि द्रविड़ और इंडो-यूरोपियन परिवारों की शब्दावली से बहुत जगह सामी शब्दावली मिलती-जुलती है। अरबी के बहुत-से शब्द फ़ारसी से होते हुए भारत की भाषाओं में आए हैं; यह प्रक्रिया अपेक्षाकृत आधुनिक है। ऐसे शब्द 'हिन्दी शब्दसागर' में मिल जाएँगे; उनकी आवृत्ति यहाँ नहीं की गई। प्रयत्न यह है कि सामी भाषाओं के यथासम्भव प्राचीन भाषायी परिवेश को पहचाना जाए। इस परिवेश में द्रविड़ भाषाओं का स्थान महत्त्वपूर्ण है।

इस सूची में अनेक सामी शब्द ऐसे हैं जो **फ़्** से प्रारंभ होते हैं। उनके द्रविड़ प्रतिरूपों की आदिस्थानीय ध्वनि **प्** है। **प्** में अतिरिक्त महाप्राणता का योग ईरानी क्षेत्र की विशेषता है। इस कोटि के आदि स्थानीय **प्-फ़्** ध्वनियों वाले द्रविड़-सामी शब्द द्रविड़-सामी-ईरानी समुदायों के पड़ोसी होने का प्रमाण है। कहना अनावश्यक है कि आशय सभी द्रविड़ सामी-ईरानी जनों से नहीं है, उनमें से कुछ जनसमुदायों से ही है। इसी तरह आदि स्थानीय **क्** ध्वनि वाले कुछ द्रविड़ शब्दों के सामी प्रतिरूप **ख़्** से आरम्भ होते हैं। अरबी शब्द **फ़ील** हाथी के प्रसंग में डॉ. सुनीतिकुमार चाटुर्ज्या के जिस लेख का हवाला दिया गया है, उसमें तमिल **पिटि** के **प्** को **फ़्** में बदलते बताया गया है।

द्रविड़ भाषाओं में कन्नड़ अपने बोलचाल के रूप में निरन्तर **प्** को **ह्** में बदलती है। इस शब्द-सूची में कुछ अरबी रूप **ह्** से आरम्भ होते हैं; उनके कन्नड़ या तुलु प्रतिरूप में **ह्** है, अन्य द्रविड़ भाषाओं में **प्** है। ये शब्द द्रविड़ स्रोतों से उधर गए हैं। स्मरणीय है कि इंडो-यूरोपियन परिवार की आर्मीनियन भाषा में ऐसा ही ध्वनि-परिवर्तन दिखाई देता है।

**आरमीनिया** का यह नाम उसके पहाड़ी प्रदेश होने से पड़ा। सम्भव है, संस्कृत **परम ऊँचा** का सामी रूपान्तर **अरम** हो। एक प्राचीन सामी भाषा **अरमाइक** थी; हो सकता है, यह भी पहले पहाड़ी क्षेत्र की भाषा रही हो।

सामी भाषाओं में **ग्-ज्** को लेकर वैसा ही भेद है जैसा द्रविड़ भाषाओं में। आर्य, स्लाव और तुर्क भाषा समुदायों के साथ इस ध्वनि-प्रपंच का अध्ययन करना उचित है।

**व्** के पहले **द्** जोड़ने की पुरानी आर्य और ईरानी प्रवृत्ति अरबी के **दार, दौर** जैसे शब्दों में लक्षित है। इनके चक्रगतिसूचक अर्थ का कारण **वार** आदि रूपों के **वर्** क्रियामूल का **वृत्त** वाला अर्थ है।

**अ.** अरबी के लिए**, सं०** संस्कृत के लिए**, त०** तमिल के लिए संकेत-चिह्न हैं।]

| | | | |
|---|---|---|---|
| 1 | अ. | **अ़इलम्** | कोमल |
| | त. | **इलइ** | उप. |
| 2 | अ. | **अ़क़्रब** | वृश्चिक |
| | ग्रीक | **स्कॉर्पिऑस्** | उप. |

(तुलनीय सं. **वक्र** और अ. **मुअ़क़्रब्** टेढ़ा)

| | | | |
|---|---|---|---|
| 3 | अ. | **अकल** | छीजना; जीर्ण होना |
| | त. | **अक्कु** | जीर्ण-शीर्ण होना |
| 4 | अ. | **अक़्लिम्** | प्रदेश; जलवायु |
| | ग्रीक | **क्लीम** | उप. |
| | अंग्रेज़ी | **क्लाइम्** | उप. |
| | | **क्लाइमेट्** | जलवायु |
| 5 | अ. | **अख़्** | भाई |
| | | **उख़्त** | बहन |
| | | **अख़वात्** | बहनें |
| | त. | **अक्का** | बड़ी बहन |
| | सं. | **अक्का** | माँ |
| 6 | अ. | **अख़ज़** | पकड़ लेना |
| | कन्नड़ | **अगचु** | मज़बूती से पकड़ना |
| 7 | अक्कादी | **अग** | वह |
| | | **अगन्नु** | यह |
| | कोंड | **अकन्** | वह आदमी |
| | कन्नड़ | **ऑक** | उप. |
| 8 | क़नानी | **अद् अद्** | पिता |
| | सुमेरी | **अद्द** | उप. |
| | ग्रीक | **अत्त** | उप. |

(देखें : क़नान के एक प्राचीन अभिलेख पर थिओडोर एच्. गैस्टर का 'निबन्ध जर्नल ऑफ़ अमेरिकन ओरिएंटल सोसायटी', खंड-66, सन् 1946)

| | | | |
|---|---|---|---|
| 9 | अ. | **अदल** | न्याय से काम करना |
| | | **आदिल्** | न्यायपूर्ण |
| | जर्मन | **अडॅल्** | अभिजात |
| | मुण्डारी | **अदल्** | सम्मान |
| 10 | हीब्रू | **अब्** | पिता |
| | अक्कादी | **अबु** | उप. |
| | अ. | **अब्** | उप. |
| | त. | **अप्पन्** | उप. |
| | मुण्डारी | **अपु** | उप. |
| 11 | अ. | **अब्ज़ना** | हाथ धोने का पात्र |
| | सुमेरी | **अब्ज़ु** | जल का देवता |
| | अक्कादी | **अप्सु** | उप. |
| | सं. | **अपः, आपः** | जल |
| | फ़ारसी | **आब्** | उप. |

(तुलनीय अ. **दूलाब्** रहँट, **आब्** पानी, **दौल्** चक्का)

| | | | |
|---|---|---|---|
| 12 | अ. | **अ़ब्ब** | गटकना; पीना |
| | | **अ़ुबाब्** | बाढ़ लहरें |

(फ़ारसी **आब्** पानी, अ. **अब्ज़न्** से 11 सम्बद्ध)

| | | | |
|---|---|---|---|
| 13 | अक्कादी | **अमतु** | शब्द |
| | कन्नड़ | **मातु** | उप. |
| 14 | अ. | **अमार** | बेड़ा; जहाज़ |
| | लैटिन | **मरॅ** | समुद्र |
| | सं. | **मीर** | उप. |
| 15 | अ. | **अमीराल्** | नौ सेनानायक |
| | अंग्रेज़ी | **एड्मिरल्** | उप. |
| 16 | अ. | **अ़रफ़** | जानना |
| | त. | **अरि** | उप. |
| 17 | अ. | **अ़रिक** | लड़ना |
| | सं. | **अरि** | शत्रु |
| | त. | **ऑरि** | मारना |
| 18 | अक्कादी | **अरिरु** | प्रज्वलित |
| | | **अरुतु** | सूखा |
| | लैटिन | **आरिदुस्** | उप. |

(अ. **हरक़्** अग्नि से सम्बद्ध)

| | | | |
|---|---|---|---|
| 19 | अ. | **अरुज़्ज़्** | चावल |
| | त. | **अरिजि** | उप. |
| 20 | अ. | **अर्क़्** | अनुभव |
| | कुड़ुख़ | **अख़्ना** | अनुभव करना |
| 21 | अ. | **अर्ज़्** | धरती |
| | हीब्रू | **ऑरॅस्** | उप. |
| | अरमाइक | **अरॅअ** | उप. |
| | जर्मन | **ऑर्डॅ** | उप. |
| | अंग्रेज़ी | **अर्थ्** | उप. |
| | ग्रीक | **ऑरज़ॅ** | धरती खोदना |

| | | | |
|---|---|---|---|
| 22 | अ. | **अल्** | वह (निश्चयार्थी संकेतक) |
| | स्पैनिश | **ॲल्** | उप. |
| 23 | अ. | **अलक्र** | चमकना |
| | त. | **अऴल्** | उप. |
| | | **इलगु** | उप. |
| | तेलगू | **अलरु** | उप. |
| | ग्रीक | **अलॅअ** | ऊष्मा |
| 24 | अ. | **अलम्** | दर्द |
| | त. | **अलम्** | उप. |
| | ग्रीक | **अल्गॉस्** | उप. |
| 25 | अ. | **आर** | इधर-उधर घूमना |
| | त. | **आडु** | उप. |
| | ग्रीक | **अलऑमइ** | उप. |
| 26 | अ. | **आलम्** | संसार |
| | त. | **ॲल्लाम्** | सब |
| | जर्मन | **आलॅ** | उप. |
| 27 | अ. | **इद्राक्** | बुद्धि; चेतना |
| | ग्रीक | **इद्रॅइअ** | ज्ञान; कौशल |
| | | **इद्रिस्** | कुशल |
| 28 | अ. | **इल्ला** | यदि; नहीं |
| | त. | **इल्लद** | नहीं |
| 29 | हीब्रू | **ईर्** | नगर |
| | त. | **ऊर्** | उप. |
| 30 | अ. | **अर्जी** | छावनी |
| | तुर्की | **ऑर्दु** | फ़ौज |
| | कन्नड़ | **ऑड्ड** | उप. |
| 31 | अ. | **उफ़ुक्** | क्षितिज |
| | सिन्धी | **उभु** | आकाश |
| 32 | अ. | **उक़ाब्** | बाज |
| | त. | **उंग ऊपर** | उठना; ऊँचे उड़ना |
| | लैटिन | **अक्किल** | बाज |
| 33 | अक्कादी | **ॲकलु** | मन्दिर; प्रासाद |
| | त. | **कोयिल्** | उप. |
| | | **को** | राजा |
| 34 | उक्कादी | **ॲम** | कहाँ |
| | स. | **अय्य्** | क्या |
| | | **ऐन** | कहाँ |
| | त. | **या** | क्या |
| | | **एन्** | क्यों; क्या |
| 35 | अक्कादी | **ॲर्शु** | बुद्धिमान |

| | | | |
|---|---|---|---|
| | सं. | **ऋषि** | |
| | फ़ारसी | **अरीश्** | चतुर |
| 36 | अ. | **कज़ा** | वह; उस तरह |
| | सं. | **कस्मै** | उसे |
| | बोरो | **क** | वह |
| 37 | अ. | **क़दम** | पहले आना; पहुँचना |
| | | **क़दम्** | डग |
| | | **क़दीम्** | पाचीन |
| | त. | **कड** | जाना; पार करना |
| | | **कडु** | निश्चित समय |
| 38 | अ. | **कदह्** | पान पात्र |
| | सं. | **कड्** | नशे में होना |
| | त. | **कळि** | उप. |
| | | **कुडि** | पीना |
| 39 | अ. | **कदुर** | गँदला होना |
| | | **कदिर्** | गँदला |
| | | **कुद्र** | गँदलापन |
| | कुइ | **गदॉ** | गँदला |
| | त. | **कळनि** | कीचड़ |
| | कोडगु | **कॅत्तॅ** | उप. |
| | सं. | **कर्दम** | उप. |
| 40 | अ. | **क़द्द** | काटना |
| | | **क़त्त** | उप. |
| | | **क़तल** | उप. |
| | | **क़स्स** | उप. |
| | | **क़लम** | उप. |
| | सं. | **कर्तन** | काटने की क्रिया |
| | त. | **कत्ति** | छुरी |
| | लैटिन | **कअॅदो** | काटना |
| | अंग्रेज़ी | **कट्** | उप. |
| 41 | अ. | **करब** | चिन्ता करना |
| | | **करस** | उप. |
| | अंग्रेज़ी | **कॅअर** | उप. |
| 42 | अ. | **क़ल्लम** | कम होना; छोटा होना |
| | | **क़िल्ल** | क्षुद्रता; कमी |
| | | **अक़ल्ल्** | और भी कम |
| | त. | **चिल्** | छोटा टुकड़ा |
| | | **चिन्न** | क्षुद्र; छोटा |
| 43 | अ. | **क़न्दील** | मोमबत्ती |
| | लैटिन | **कन्देल** | उप. |

| | | | |
|---|---|---|---|
| | | **कन्दॅओ** | चमकना |
| | त. | **कनल्** | जलाना |
| 44 | अ. | **कफ़न** | ढाँकना |
| | | **क़फ़न** | क़फ़न |
| | अंग्रेज़ी | **कौफ़िन्** | शव मंजूषा |
| 45 | अ. | **कफ़र** | ढाँकना |
| | त. | **कवि** | उप. |
| | कोत | **कव्च्** | कपड़े से ढाँकना |
| | कन्नड़ | **कप्पु** | ढाँकना |
| | सं. | **कवच** | |
| 46 | अ. | **क़फ़श्** | बटोरना |
| | तोद | **कॉफ़्च्** | भीड़ लगाना |
| | | **कॉफ़्य्** | घेर लेना |
| 47 | अ. | **क़रज** | उधार देना |
| | | **क़र्ज्** | ऋण |
| | त. | **कडम्** | उप. |
| | तोद | **कॉड्न्** | उप. |
| 48 | अ. | **क़लम्** | सरकंडे की लेखनी |
| | सं. | **कलम** | सरकंडा |
| | ग्रीक | **कलमॉस्** | उप. |
| 49 | अ. | **कवा** | जलाना |
| | | **कव्य्** | जलता हुआ |
| | त. | **काय्** | जलना; जलाना |
| | कन्नड़ | **कावु** | गर्मी |
| | ग्रीक | **कइओ** | जलाना |
| | (अत्तिक) | **कओ** | उप. |
| 50 | अ. | **कार्** | काम |
| | फ़ारसी | **कार्** | उप. |
| | हिन्दी | **करना** | |
| 51 | अ. | **कीमिया** | रसायन |
| | अंग्रेज़ी | **अल्कॅमि** | उप. |
| | | **केमिस्ट्री** | उप. |
| 52 | अ. | **क़िर्मिज्** | कृमि विशेष जिसके सूखे शरीर से लाल रंग बनता है |
| | अंग्रेज़ी | **कॅर्मॅस्** | उप. |
| | | **किम्सन्** | लाल |

(फ़ारसी **किर्म्**, सं. **कृमि** कीड़ा और अ. **क़ज़्ज़्** रेशम)

| | | | |
|---|---|---|---|
| 53 | अ. | **क़ीरात्** | एक नाप |
| | अंग्रेज़ी | **कैरट्** | उप. |

| | | | |
|---|---|---|---|
| 54 | अ. | **क़ुत्न्, क़ुतुन्** | कपास |
| | पु.स्पैनिश | **कॉतॉन्** | उप. |
| | अंग्रेज़ी | **कौट्न्** | उप. |
| 55 | अ. | **कुफ़्फ़्** | किनारा |
| | अंग्रेज़ी | **कफ़्** | वस्त्र में बाँह का निचला भाग जो अलंकरण के लिए होता था |
| 56 | अ. | **क़ुफ़्फ़्** | बड़ी डलिया |
| | ग्रीक | **कॉफिनॉस्** | लिया |
| 57 | अ. | **क़ुन्बूर्** | कूबड़ |
| | त. | **कोणल्** | उप. |
| 58 | हीब्रू | **क़ॉप्** | कपि |
| | सं. | **कपि** | |
| 59 | अ. | **खन्दक़** | खाई खोदना |
| | | **खन्दक़्** | खाई |
| | सं. | **खन्** | खोदना |
| 60 | अ. | **खलक़** | बनाना; रचना |
| | सं. | **कल्** | बनाना; करना |
| | कोलमि | **कन्** | करना |
| | कुवि | **कल्ग्** | होना |
| 61 | अ. | **ख़लत** | मिलाना; मिश्रित करना |
| | त. | **कल** | उप. |
| 62 | अ. | **ख़लस** | चुराना |
| | त. | **कर** | उप. |
| | सं. | **खर्पर** | चोर |
| 64 | अ. | **गूल्** | प्रेत |
| | अंग्रेज़ी | **ग़ूल्** | शवभक्षी प्रेत |
| 65 | हीब्रू | **गॅदॅरह्** | भेड़ो का स्थान |
| | | **गॅदॅरॉथ्** | उप. |
| | हिन्दी | **गाड़र** | |
| | | **गड़रिया** | |
| 66 | अ. | **जब्र** | टूटी चीज़ को जोड़ना |
| | अंग्रेज़ी | **अल्जॅब्रा** | बीजगणित |
| 67 | अ. | **जमल्** | ऊँट |
| | हीब्रू | **गामाल्** | उप. |
| | ग्रीक | **कमेलोस्** | उप. |
| | अंग्रेज़ी | **केम्ल्** | उप. |
| 68 | अ. | **ज़रअ्** | बोना; बिखेरना |
| | | **ज़िराअ्** | खेती |
| | रूसी | **ज़र्नो** | बीज |

| | | | |
|---|---|---|---|
| 69 | अ. | **ज़रफ़** | बहना |
| | | **ज़रा** | उप. |
| | सं. | **क्षर्** | उप. |
| | | **झर (निर्झर)** | प्रवाह |
| 70 | अ. | **जाम्** | पान पात्र |
| | सं. | **चम्** | पीना |
| 71 | अ. | **जिन्न्** | देव; प्रेत |
| | अंग्रेज़ी | **जीनियस्** | किसी वस्तु या व्यक्ति में अधिष्ठित देव |
| 72 | अ. | **जुल्ल्** | फूल |
| | फ़ारसी | **गुल्** | उप. |
| | अ. | **जुल्लाब्** | गुलाबजल |
| | अंग्रेज़ी | **जूलॅप्** | औषधिरूप मधुर पेय |
| 73 | अ. | **तब्ल** | तबला |
| | इटालियन | **तबल्लो** | डफ |
| | अंग्रेज़ी | **टेबर्** | उप. |
| | हिन्दी | **तबला** | |
| 74 | अ. | **तम्र** | हिन्दी भारत का खजूर; इमली |
| | अंग्रेज़ी | **टैमैरिंड्** | इमली |
| 75 | अ. | **तल्क़्** | माइका; चमक पैदा करनेवाला पदार्थ |
| | अंग्रेज़ी | **टैल्क्** | उप. |
| 76 | अ. | **तिलस्म्** | गंडा-ताबीज़ |
| | अंग्रेज़ी | **टैलिस्मैन्** | |
| 77 | अ. | **तुन् बूर्** | तम्बूरा |
| | त. | **तम्बट्टम्** | उप. |
| | ग्रीक | **तुम्पनॉन्** | ढोल |
| | अंग्रेज़ी | टैम्बूरिन् | उप. |
| | हिन्दी | **तम्बूरा** | |
| 78 | अ. | **तुलुअ़्** | सूर्य या नक्षत्र का उदित होना |
| | त. | **तुलङ्ङु, तुळुम्बु** | चमकना |
| 79 | अ. | **दरक़** | चमड़े की ढाल |
| | ग्रीक | **दॅर्म** | खाल |
| 80 | अ. | **दाग़्** | दागना |
| | फ़ारसी | **दाग़्** | निशाना |
| | सं. | **दह्** | जलाना |
| 81 | अ. | **दान** | उधार लेना |
| | | **दैन्** | ऋण |
| | सं. | **दा** | देना |
| | | **दान** | दी हुई वस्तु |
| 82 | अ. | **दार** | चक्कर खाना |
| | | **दौर** | चक्कर खाने की अवधि |
| | | **दार्** | घर |
| | सं. | **वार** | द्वार; घिरा हुआ स्थान |
| | | **द्वार** | |
| | रूसी | **वॉरॉत** | द्वार |
| | | **द्वॉरॅत्स्** | महल |
| | फ़ारसी | **दर** | द्वार |
| | | **दार** | घर |
| 83 | अ. | **दाल** | चक्कर खाना |
| | | **दौल** | दौर |
| | | **दुलाब्** | पहिया, रहँट |
| (अ. **दार** 82 से सम्बद्ध) | | | |
| 84 | अक्कादी | **दिपारु** | मशाल |
| | सं. | **दीप्** | चमकना |
| 85 | अ. | **नकत** | मज़ाक़ उड़ाना |
| | त. | **नक्कल्** | उप. |
| | लैटिन | **मक्कुस्** | मखौल |
| 86 | अ. | **नतज्** | पैदा करना |
| | | **निताज्** | संतान |
| | लैटिन | **नातालिस्** | जन्म-सम्बन्धी |
| | | **नातिओ** | जन्म |
| 87 | अ. | **नदा** | पुकारना |
| | सं. | **नद्** | चिल्लाना |
| 88 | अ. | **नशिक़** | सूँघना |
| | कन्नड़ | **मूसु** | उप. |
| | सं. | **नासा** | नाक |
| 89 | अ. | **नादिर** | श्रेष्ठ |
| | अंग्रेज़ी | **नेडिर्** | आकाश का वह भाग जो दर्शक के सिर के ठीक ऊपर हो |
| 90 | अ. | **नार्जील** | नारियल |
| | सं. | **नारिकेल** | उप. |
| 91 | अ. | **नारंज्** | नारंगी |
| | सं. | **नारङ्ग** | उप. |
| | अंग्रेज़ी | **औरॅञ्ज** | उप. |
| **(ए नारंज>ऐन् औरॅञ्ज)** | | | |
| 92 | अ. | **नाल** | देना |

| क्रम | भाषा | शब्द | अर्थ |
|---|---|---|---|
| | त. | **नल्गु** | उप. |
| 93 | अ. | **नूती** | मल्लाह |
| | सं. | **नौ** | जहाज़ |
| | ग्रीक | **नउस्** | उप. |
| | | **नउतिलॉस्** | मल्लाह |
| | अंग्रेज़ी | **नौटिकल्** | मल्लाहों या समुद्र यात्रा से सम्बन्धित |
| 94 | अक्कादी | **पिलक्कु** | फरसा |
| | सं. | **परशु** | |
| 95 | अ. | **फ़जर्** | प्रभात |
| | त. | **वइगल्** | उप. |
| | तेलगू | **वेगु** | भोर होना |
| 96 | अ. | **फ़खर्** | गर्व करना |
| | | **फ़ख़्र** | गर्व; गौरव |
| | पु. जर्मन | **फ़गर** | सुन्दर |
| | अंग्रेज़ी | **फ़ॅअर्** | उप.; निर्दोष |
| 97 | अ. | **फ़नार्** | रात में जहाज़ों के लिए मार्गदर्शक दीपस्तम्भ |
| | ग्रीक | **फइनो** | चमकना |
| 98 | अ. | **फ़रक़** | विलग करना |
| | | **फ़र्क़** | अन्तर |
| | | **फ़िर्क़** | भाग |
| | त. | **परि** | विलग करना |
| | पर्जि | **पर्क** | भाग; टुकड़ा |
| 99 | अ. | **फ़रत** | हद से ज्यादा होना |
| | | **इफ्रात्** | बहुतायत |
| | त. | **परप्पु** | उदारता से देना; फैलाव |
| 100 | अ. | **फ़रश** | फैलाना |
| | | **फ़र्श्** | चटाई या दरी |
| | | **फ़र्श** | बिस्तर |
| | त. | **परत्तु** | फैलाना |
| | | **पर** | फैलना |
| | सं. | **प्रथु** | फैला हुआ |
| 101 | अ. | **फ़र्र** | भाग जाना |
| | | **फ़र्रार्** | भगोड़ा; फ़रार |
| | त. | **परि** | भाग जाना |
| 102 | अ. | **फ़लक़** | चीरना |
| | कुड़ुख | **पल्क्ना** | उप. |
| 103 | अ. | **फ़ल्सफ़ा** | दर्शनशास्त्र |
| | अंग्रेज़ी | **फ़िलोसॉफ़ी** | उप. |

| क्रम | भाषा | शब्द | अर्थ |
|---|---|---|---|
| 104 | अ. | **फ़िर्फ़िर्** | पीला |
| | फ्रांसीसी | **पुर्पुरीन** | उप. |
| | अंग्रेज़ी | **पर्प्ल्** | उप. |
| 105 | अ. | **फ़िलफ़िल्** | काली मिर्च |
| | सं. | **पिप्पलि** | |
| | ग्रीक | **पॅपॅरि** | उप. |
| | लैटिन | **पिपॅर्** | उप. |
| | अंग्रेज़ी | **पॅपर्** | उप. |
| 106 | अ. | **फ़ील्** | हाथी |
| | पु. तमिल | **पिटि, पॅटि** | उप. |

(देखें : डॉ. सुनीतिकुमार चाटुर्ज्या की पुस्तक सॅलॅक्ट राइटिंग्स, खंड-1, विकास प्रकाशन, 1978 पृ. 290-93)

| क्रम | भाषा | शब्द | अर्थ |
|---|---|---|---|
| 107 | अ. | **बज़्र** | बोना |
| | | **बिज्र** | बीज |
| | गोंडी | **पॅडॅ** | उप. |
| | पर्जि | **पिड्क** | उप. |
| | सं. | **बीज** | |
| 108 | अ. | **बदुन** | मोटा होना |
| | | **बादिन्** | मोटा |
| | सं. | **वात** | हवा |
| | फ़ारसी | **बाद्** | उप. |
| 109 | अक्कादी | **बनु** | बनाना |
| | अ. | **बना** | उप. |
| | त. | **पण्णु** | उप. |
| | हिन्दी | **बनाना** | |
| 110 | हीब्रू | **बनॅ** | पुत्र |
| | अ. | **बनुन्** | उप. |
| | | **इब्न्** | उप. |
| | अक्कादी | **बिन्तु** | बेटी |
| | पु. आइरिश | **बॅन्** | स्त्री |
| | वेल्श | **बनॉन्** | रानी |
| | त. | **पॅण्** | स्त्री; लड़की |
| 111 | अ. | **बरक़** | चमकना |
| | | **बलज** | उप. |
| | सं. | **भ्राज्** | उप. |
| | कन्नड़ | **बॅळगु** | प्रकाश |
| | लिथुआनियन | **बल्तस्** | श्वेत |
| 112 | अक्कादी | **बाउ** | चलना |
| | ग्रीक | **बइनो** | उप. |

| क्रम | भाषा | शब्द | अर्थ |
|---|---|---|---|
| 113 | अ. | **बास** | चूमना |
| | | **बोसा** | चूमी |
| | फ्रांसीसी | **बइज़े (रे)** | चूमना; चूमी |
| 114 | अक्कादी | **बेलु** | स्वामी |
| | कुड़ुख़ | **बेलस्** | राजा |
| 115 | अ. | **बिल्लौर्** | |
| | कन्नड़ | **बॅळ्** | चमक |
| 116 | अक्कादी | **बीतु** | घर |
| | अ. | **बैत्** | उप. |
| | पु. आइरिश | **बिथ्** | संसार |
| | | **बॅथु** | जीवन |
| | सं. | **भुवन, भवन** | |
| | लिथुआनियन | **बुलस्** | घर |
| 117 | अ. | **बुर्ज्** | दुर्ग |
| | सं. | **पुर** | उप. |
| | ग्रीक | **पुर्गॉस्** | उप. |
| | जर्मन | **बुर्ग्** | उप. |
| 118 | अ. | **मख़ज़न्** | भंडार |
| | अंग्रेज़ी | **मैगज़ीन्** | उप. |
| 119 | अ. | **मल्अ** | भीड़ |
| | कन्नड़ | **मल्लळि** | उप. |
| | तेलगू | **मल्लडि** | उप. |
| | ग्रीक | **मल** | बहुत-से |
| 120 | अ. | **मलअ** | भर जाना |
| | त. | **मलर्** | उप. |
| 121 | अ. | **मलह** | सुन्दर होना |
| | त. | **मल्लल्** | सुन्दरता |
| 122 | अ. | **मल्लाह्** | |
| | वेल्श | **मॉरूर्** | मल्लाह |
| | | **मॉरिओ** | जलयात्रा |
| | | **मॉर्** | समुद्र |
| | लैटिन | **मरॅ** | उप. |
| | सं. | **मीर** | उप. |
| 123 | अ. | **मसक** | मुश्क से सुगंधित करना |
| | | **मुस्काती** | सुगंधित मदिरा |
| | कन्नड़ | **मुसु** | सूँघना |
| | फ़ारसी | **मुश्क** | |
| | अंग्रेज़ी | **मस्कॅडाइन्** | मुश्क की गन्ध वाले अंगूर |
| | | **मस्कॅट्** | उक्त अंगूरों की मदिरा |
| | | **मस्क** | कस्तूरी |
| | फ़ारसी | **मुश्क** | उप. |
| | सं. | **मुश्क** | अंडकोश |
| 124(क) | अ. | **मस्स** | छूना |
| | ग्रीक | **मस्सो** | उप. हाथ से काम करना |
| (ख) | अ. | **मसद्** | मालिश करना |
| | अंग्रेज़ी | **मसाझ्** | उप. |
| 125 | अ. | **मसह** | जमीन की नाप-जोख करना |
| | लैटिन | **मेतॉर्** | नापना |
| | | **मॅन्सूर** | नाप |
| | अंग्रेज़ी | **मेझर्** | नापना |
| | सं. | **मस्** | नापना |
| | | **मा** | उप. |
| | | **मात्रा** | नाप |
| 126 | अ. | **मा** | नहीं |
| | सं. | **मा** | उप. |
| | ग्रीक | **मे** | उप. |
| 127 | अ. | **मात** | मरना |
| | | **मौत्** | मृत्यु |
| | | **मइत** | शव |
| | सं. | **मृत** | |
| | लैटिन | **मॉर्स्** | मौत |
| | | **मॉर्तालिस्** | मर्त्य |
| 128 | अ. | **मुद्रिक्** | बुद्धिमान |
| | रूसी | **मुद्रइ** | उप. |
| 129 | अ. | **मूसवी** | रंगीन काँच; पत्थर आदि के टुकड़े जोड़कर चित्र बनाना |
| | अंग्रेज़ी | **मॉज़ेइक्** | उप. |
| 130 | अ. | **मूसीक़ा** | संगीत |
| | ग्रीक | **मॉउस** | संगीत आदि कलाओं की देवी |
| | | **मॉउसिकॉस्** | कला सम्बन्धी |
| | अंग्रेज़ी | **म्यूज़िक्** | संगीत |
| 131 | अ. | **मौसिम्** | ऋतु |
| | अंग्रेज़ी | **मौन्सून्** | मानसून |
| 132 | हीब्रू | **यॅलालाह्** | विलाप |

| | | | |
|---|---|---|---|
| | तेलगू | **ॲलूगु** | आवाज़ |
| | | **ॲलूगिञ्चु** | चिल्लाना |
| | ग्रीक | **ॲलॅगॉस्** | विलाप गीत |
| | लैटिन | **लूगॅओ** | विलाप करना |
| | अंग्रेज़ी | **ॲलॅजी** | विलाप गीत |
| 133 | अ. | **यासमिन्** | चमेली |
| | अंग्रेज़ी | **जैस्मिन्** | उप. |
| 134 | हीब्रू | **यॅम्** | दिन |
| | अ. | **यौम्** | उप. |
| | सं. | **याम** | एक प्रहर |
| 135 | अक्कादी | **रिग्मु** | शब्द |
| | सं. | **ऋच्** | स्तुति करना |
| | चेक | **रिकात्** | बात करना |
| 136 | अ. | **लइमून्** | नीबू |
| | अंग्रेज़ी | **लेमन्** | उप. |
| 137 | अ. | **लगा** | बोलना |
| | | **लुग़** | भाषा |
| | ग्रीक | **लॅगो** | कहना |
| | | **लॉगॉस्** | शब्द |
| 138 | अ. | **लमअ्** | चमकना |
| | | **लुम्अ्** | चमक |
| | लैटिन | **लूमॅन्** | प्रकाश |
| | ग्रीक | **लम्पो** | चमकना |
| 139 | अ. | **सन** | वर्ष |
| | सं. | **समा** | उप. |
| 140 | अ. | **सना** | चमकना |
| | | **सनाअ्** | प्रकाश |
| | पु. अंग्रेज़ी | **सुन्नॅ** | सूर्य |
| | अंग्रेज़ी | **सन्** | उप. |
| | लैटिन | **सॉल्** | उप. |
| 141 | अ. | **सन्न** | तेज़ करना |
| | | **मिसन्न्** | तेज करने का पत्थर |
| | सं. | **शो** | तेज़ करना |
| | | **शाण** | तेज़ करने का पत्थर |
| 142 | अ. | **सन्दल्** | चन्दन |
| | अंग्रेज़ी | **सैंडल् (वुड्)** | उप. |
| | सं. | **चन्दन** | |
| 143 | अ. | **सब्अ्** | सात |
| | हीब्रू | **शब** | उप. |
| | क़नानी | | |
| | (चौदहवीं सदी ई.पू.) | | |

| | | | |
|---|---|---|---|
| | | **शबद्** | उप. |
| | सं. | **सप्त** | |
| 144 | अ. | **सरअ्** | जल्दी करना |
| | | **सरिअ्** | शीघ्र |
| | | **सरिब** | बहना |
| | | **सराब** | (बहता पानी); मरीचिका |
| | | **सर्र** | जल बहुल |
| | | **सार** | चलना |
| | | **सैर्** | यात्रा |
| | | **साल** | बहना |
| | | **सैल्** | बहिया |
| | सं. | **सरिर** | उप. |
| | | **सर** | प्रवाह |
| | | **सृ** | बहना |
| | | **सल्** | चलना |
| | | **सलिल** | प्रवहमान |
| 145 | अ. | **सर्द** | ठंढ |
| | | **जलद** | ठंढ से जमना; बरफ़ से ढँक जाना |
| | | **सलज** | बरफ गिरी थी |
| | त. | **चळि** | ठंढ |
| 146 | अ. | **सलिम** | सकुशल होना |
| | | **सलाम** | कुशल; शान्ति |
| | लैटिन | **सलूस्** | सकुशल |
| 147 | अ. | **सल्सल** | शृंखलाबद्ध होना |
| | | **सिल्सिल** | शृंखला |
| | लैटिन | **सॅरिॲस्** | उप. |
| | कन्नड़ | **सरपणि** | उप. |
| | सं. | **शृंखला** | |
| 148 | अ. | **साआत्** | समय (बहुवचन) |
| | जर्मन | **त्साइट्** | समय |
| | हिन्दी | **साइत** | मुहूर्त |
| 149 | अ. | **सास** | शासन करना |
| | सं. | **शास्** | उप. |
| 150 | अ. | **सित्त** | छह |
| | | **अस् सात्त्** | छठा |
| | सं. | **षष्ठ** | छठा |
| 151 | अ. | **सिफ़्र** | शून्य |
| | अंग्रेज़ी | **साइफ़र्** | उप. |

| | | | |
|---|---|---|---|
| 152 | अ. | **सिम** | चिह्न |
| | ग्रीक | **सेम** | उप. |
| 153 | अ. | **सुक्कर्** | शक्कर |
| | अंग्रेज़ी | **शुगर्** | उप. |
| | सं. | **शर्करा** | उप. |
| 154 | अ. | **सुफ़्र** | पीला |
| | अंग्रेज़ी | **सैफ़्रन्** | उप. |
| 155 | अ. | **सौर्** | बैल |
| | ग्रीक | **तउरॉस्** | उप. |
| 156 | अ. | **शअ़र्** | बाल |
| | रूसी | **शॅर्स्त्** | उप.; ऊन |
| 157 | अ. | **शअ़ल** | जलना |
| | | **शुअ़ल** | आग |
| | सं. | **ज्वल्** | जलना |
| 158 | अ. | **शरिब** | पीना |
| | | **शराब्** | पेय; मदिरा |
| | लैटिन | **सॉर्बॅओ** | पी डालना |
| 159 | अ. | **शाह्मात्** | शतरंज में हराना |
| | अंग्रेज़ी | **चॅक्मेट्** | उप. |
| | फ़ारसी | **शाह्** | राजा |
| 160 | अ. | **शिता** | जाड़ा |
| | सं. | **शीत** | उप. |
| 161 | अ. | **शिरा** | एक नक्षत्र जिसका सम्बन्ध गर्मी पड़ने से है |
| | ग्रीक | **सॅइरिऑस्** | उप. |
| | | **सॅइरॉस्** | गरम |
| 162 | हीब्रू | **शुआल** | शृगाल |
| | अ. | **सुआल** | उप. |
| | सं. | **शृगाल** | |
| 163 | अ. | **शक्र** | गौरवर्ण; लालिमा |
| | सं. | **शुक्र** | प्रकाशमान |
| | फ़ारसी | **सुर्ख़** | लाल |
| 164 | अ. | **हरस** | खेत जोतना |
| | | **हारिस्** | हलवाहा |
| | | **अरस** | खेत जोतना |
| | | **अरीस्** | किसान |
| | ग्रीक | **अरॉओ** | खेत जोतना |
| | | **अलॉस्** | जोती हुई भूमि |
| 165 | अ. | **हरक़** | जलना |
| | | **हरक़्** | आग |
| | | **हरार** | गर्मी |
| | | **हर्र** | गरम होना |
| | | **हर्व** | जलता हुआ |
| | सं. | **हर** | आग |
| | | **हरस्** | उप.; लपट |
| 166 | अ. | **हर्ब्** | लड़ाई |
| | त. | **पोर्** | उप. |
| | रूसी | **बॉर्बे** | उप. |
| 167 | अ. | **हरब** | भागना |
| | | **हरब्** | भगदड़ |
| | त. | **परि** | भागना |
| 168 | अ. | **हलब** | दूध दुहना |
| | | **हलब्** | दूध |
| | कन्नड़ | **पाल्, हाल्** | दूध |
| 169 | अ. | **हल्ल** | चमकना |
| | ग्रीक | **हेलिऑस्** | सूर्य |
| | (दोरिक) | **हलिऑस्** | उप. |
| 170 | अ. | **हाल्** | प्रभामंडल |
| | ग्रीक | **हलोस्** | उप. |
| | अंग्रेज़ी | **हेलो** | उप. |
| 171 | अ. | **हय्य** | साँप |
| | | **हाविन्** | सँपेरा |
| | कन्नड़ | **पावु, हावु** | साँप |
| | तुलु | **हावु** | उप. |
| 172 | अ. | **हुर्र्** | अभिजात; भद्र |
| | जर्मन | **हॅर्** | उप. |
| 173 | अ. | **हूर्** | अप्सरा |
| | जर्मन | **हूरॅ** | वेश्या |
| | अंग्रेज़ी | **होर्** | उप. |

# शब्द-सूची-7

## [हाथ, श्रम, लेन-देन आदि से सम्बन्धित द्रविड़-इंडो-यूरोपियन शब्दावली]

[इस खंड के छठे अध्याय में हाथ और श्रम के बारे में जो बातें कही गई हैं, उनसे सम्बन्धित यहाँ द्रविड़-इंडो-यूरोपियन भाषाओं से कुछ चुने हुए शब्द दिये गए हैं। यहाँ अर्थ-प्रसार की एक व्यापक प्रक्रिया दिखाई देगी। साथ ही पहली शब्द-सूची में ध्वनि-परिवर्तन की जो रीतियाँ सामने आती हैं, उनकी प्रवृत्ति यहाँ भी है।]

**(क) घर्**

**1 घर्घ→र्त>घट**

| | | |
|---|---|---|
| सं. | **घट्** | बनाना |
| | **घटित** | नियोजित |
| प्राकृत | **घड** | बनाना; परिश्रम करना |
| | **घडण** | निर्माण |
| | **घडिअ** | निर्मित |
| मराठी | **घडण** | कारीगरी; रूप |
| | **घडणें** | बनाना |
| | **घडींव** | दोनों हाथों के बीच बनाई वस्तु जैसे रोटी |

**2 घर्घ→र्प>घप्प**

| | | |
|---|---|---|
| प्राकृत | **घेप्पइ** | ग्रहण करता है |

**3 घर्>घय्/घव्**

| | | |
|---|---|---|
| मराठी | **घेणें** | ग्रहण करना |
| | **घेणेकरी** | महाजन |
| | **घेणेंदेणें** | लेनदेन |
| | **घेवदेव** | व्यापार |
| | **घेवारी** | लघु विकेता |

**(ख) गर्**

| | | |
|---|---|---|
| 1 नेपाली | **गर** | करना |
| फ़ारसी | **-गर (कारगीर)** | करनेवाला |
| ग्रीक | **गेरस्** | दी हुई वस्तु |
| सं. | **गर्ध** | लोभ |
| | **गृध्** | पाने की इच्छा करना |
| | **गृभ्** | पकड़ना |
| | **ग्रह्** | उप. |
| | **गृभित** | पकड़ा हुआ |
| | **गृहीत** | उप. |
| फ़ारसी | **गिरिफ़्तन्** | पकड़ना |
| | **गिरिफ़्तारी** | |
| अंग्रेज़ी | **ग्रैब्** | उप. |
| | **ग्रास्प्** | उप. |

**2 गर्→र्ध>गध**

| | | |
|---|---|---|
| सं. | **गध्य** | लूट का माल |

**3 गढ>घट**

| | | |
|---|---|---|
| हिन्दी | **गढ़ना** | बनाना |

**4 गर्ग→र्भ>गभ**

| | | |
|---|---|---|
| जर्मन | **गबॅ** | दी हुई वस्तु |
| | **गॅबॅन्** | देना |
| अंग्रेज़ी | **गिव्** | उप. |
| जर्मन | **बॅगेबॅन्** | बेचना |

**5 गर्>गय्**

| | | |
|---|---|---|
| कन्नड़ | **गॅय्** | करना |
| | **गॅयमॅ** | कार्य |
| तुलु | **गइपिनि** | करना |
| | **गॅयिपिनि** | उप. |
| कुइ | **गिव** | करना कार्य |

**6 गर्→गर्त>गत**

| | | |
|---|---|---|
| अंग्रेज़ी | **गॅट्** | प्राप्त करना |

**(ग) कर्**

| | | |
|---|---|---|
| 1 सं. | **कर** | हाथ; कर्ता; कार्य |
| | **कार** | कर्ता; कार्य |
| | **कारक** | निर्माण; कार्य कारण |
| | **कर** | टैक्स |
| | **कार** | उप. |
| | **कारु** | निर्माता; शिल्पी; शिल्प |
| | **करोति** | करता है |
| | **कर्म** | |
| | **कार्य** | |
| | **कृति** | |
| | **कृत्रिम** | |
| | **कृत्य** | |
| | **कल्** | करना |
| | **कलन** | व्यवहार |
| | **कला** | शिल्प |
| | **कला** | ब्याज |
| | **क्रिया** | |
| | **कल्प** | व्यावहारिक; कार्यविधि |
| | **कल्पित** | निर्मित |
| | **कल्पना** | निर्माण; कार्य; मूर्ति |
| | **कल्प** | चतुर; कुशल |
| कोलमि | **कल्** | करना |
| कुवि | **कल्प्** | पाना |
| कन्नड़ | **कॅलस** | काम; व्यापार |
| त. | **कल्** | सीखना |
| | **कलइ** | शिल्प; ज्ञान |
| | **कल्वि** | व्यवहार; शिक्षा; विज्ञान |
| | **कर्कइ** | ज्ञान |
| कोत | **कल्य्व्** | कौशल |
| त. | **कॉळ्** | पकड़ना; पाना; खरीदना; सीखना; सोचना |
| | **कॉळ्ळइ** | लूट |
| | **कॉळ्वोन्** | ग्राहक |
| तेलगू | **कॉलुवु** | सेवा कार्य |

(तुलनीय तुर्की **कुल्** दास और अखिल भारतीय **कुली**)

| | | |
|---|---|---|
| त. | **कूलि** | पगार; मज़दूरी |
| | **कूलिक्कारन्** | कुली; मज़दूर |
| सं. | **क्री** | खरीदना |
| | **क्रीत** | खरीदा हुआ |
| | **विक्री** | बेचना; खरीदना और बेचना; व्यापार करना |
| हिन्दी | **बिक्री** | |
| | **बिकाऊ** | |
| | **बेचना** | |
| प्राकृत | **विकिण, विक्किण** | बेचना |
| हिन्दी | **किराना** | पसारी के यहाँ मिलनेवाला सामान |
| फ़ारसी | **खरीद (<क्रीत)** | खरीदा हुआ |

**2 कर्→कर्त>कत/कट**

| | | |
|---|---|---|
| त. | **कट्टु** | अदा करना |
| तोद | **कॉट्** | उप. |
| कन्नड़ | **कडगु** | प्रयत्न करना |
| त. | **कडम्** | ऋण; कर्तव्य |
| | **कडमइ** | टैक्स; कर्तव्य |
| तोद | **कॉड्न्** | ऋण |
| त. | **कॉडु** | देना |
| | **कॉडइमइ** | उदारता |
| तोद | **क्वड्** | जुर्माना |
| तुलु | **कॉर्पिनि** | देना |
| कुड़ुख | **कुड्पी** | बख्शीश |
| कुइ | **कॉड** | लेना; खरीदना |
| कुवि | **कोदलि** | उप. |

**3 कर्→कर्प>कप्प/कप**

| | | |
|---|---|---|
| कन्नड़ | **कप्प** | टैक्स |
| लैटिन | **कप्तो** | पकड़ना |

**4 कर>कॅन्**

| | | |
|---|---|---|
| गद्‌ब | **कन्** | करना |
| ब्राहूइ | **कन्निंग्** | उप. |

| | | |
|---|---|---|
| तुलु | **कॉणुनि** | लेना; पकड़ना |
| तेलगू | **कॉनु** | लेना; खरीदना; लूटना |
| बंगला | **केना** | खरीदना |
| सं. | **कांड** | विभाग |
| हिन्दी | **-कंडा (हथकंडा)** | कौशल का नाम |
| कुडुख़ | **खेन्दना (<केन्)** | खरीदना |

**5 कन्>चन्**

| | | |
|---|---|---|
| प्राकृत | **चुण्णाआ** | कला; विज्ञान |
| | **चुण्णासी** | दासी |

**6 कर्>कय्/कव्**

| | | |
|---|---|---|
| त. | **कइ** | हाथ |
| कन्नड़ | **कय्, कयि, कॉय्** | उप. |
| तोद | **कॉय्** | उप. |
| त. | **कइ** | अलंकरण |
| कन्नड़ | **कॅय, कइ** | करना |
| सं. | **केयूर** | कंगन |
| जर्मन | **कउफ़ॅन्** | खरीदना |

**7 कर्>कस्**

| | | |
|---|---|---|
| कोलमि | **कॉस्** | लेना; ले जाना |
| | **कॉसि** | लेना और देना |
| नइकि | **कॉस्** | लेना |

**8 कय्>चय्**

| | | |
|---|---|---|
| पाकृत | **चेअ** | करना |
| त. | **चॅय्** | उप. |

**(घ) घर्>खर्**

| | | |
|---|---|---|
| 1 ग्रीक | **खॅइर्** | हाथ |
| प्राकृत | **खरिआ** | दासी |
| | **खोट्टी (*खॉर्त)** | उप. |

**2 खर्>खन्**

| | | |
|---|---|---|
| ग्रीक | **खन्दानो** | पकड़ना |

**(ङ) घर्>सर्/शर्**

| | | |
|---|---|---|
| 1 सं. | **श्रम** | मेहनत; थकान |
| | **क्लम (<श्रम)** | थकान |
| कन्नड़ | **साल** | ऋण |

**2 सर्>सन्**

| | | |
|---|---|---|
| सं. | **सन्** | प्राप्त करना |
| | **सन** | लाभ |
| | **शम्** | श्रम करना; थकना |
| | **शमी** | परिश्रम |

**(च) धर्**

| | | |
|---|---|---|
| 1 हिन्दी | **धरना** | पकड़ना |
| | **धर (धर-पकड़)** | |
| सं. | **धृ** | उप. |

**2 धर्>धा/धी**

| | | |
|---|---|---|
| सं. | **धा** | बनाना; पकड़ना; पास रखना; देना |
| | **धायु** | दान करने में उदार |
| | **धि** | पकड़ना; पात्र |
| | **धित** | रखा हुआ |
| | **धितावन्** | दान करने में उदार |
| | **हित (धित)** | रखा हुआ; लाभकारी |

**3 धर्>धन्**

| | | |
|---|---|---|
| हिन्दी | **धन्धा** | कर्म |
| सं. | **धन** | लूट का माल; सम्पत्ति |

**4 धर्>धस्**

| | | |
|---|---|---|
| सं. | **-धस्** | देना; रखना |
| | **वयोधस्** | शक्ति देने वाला; शक्तिशाली |

**5 धस्>धह्**

| | | |
|---|---|---|
| प्राकृत | **धुहअ** | पहले किया हुआ |

**6 धर्>धव्**

| | | |
|---|---|---|
| पश्चिमी पंजाबी | **ढेवणी** | देनी |

**7 धर्>हर्**

| | | |
|---|---|---|
| सं. | **हरति** | लेता है; ले जाता है |
| ग्रीक | **हर्पजो** | हरण करना; पकड़ना |
| | **हर्पक्स्** | लूट |

**8 हर्>हस्**

| | | |
|---|---|---|
| सं. | **हस्त** | हाथ |
| हिन्दी | **हाथ** | |
| | **हथियाना** | |

**9 हर्/हस्>हन्**

| | | |
|---|---|---|
| पु. जर्मन | **हंडुस्** | हाथ |
| | **हंडुग्स्** | बुद्धिमान |

('**हंडुस्** 'हाथ' से, यद्यपि यह नितान्त सम्भव है कि दोनों शब्द ऐतिहासिक रूप से सम्बद्ध न हों, लोकप्रचलित व्युत्पत्ति ने उन्हें सम्बद्ध कर दिया हो'—**ब्रुगमन,** खंड-2, पृ. 259। किन्तु इससे आगे देखें : **दक्ष** और **पण्डित;** लोकप्रचलित व्युत्पत्ति सही है।)

| | | |
|---|---|---|
| जर्मन | **हान्ड्** | हाथ |
| | **हान्डॅल्** | व्यापार |
| | **हैन्ड्लर्** | व्यापारी |
| | **हान्डॅल्न्** | काम करना |
| | **हान्ड्लुंग्** | कार्य |
| | **हान्ड्वॅर्क्** | दस्तकारी |
| अंग्रेज़ी | **हैन्ड्** | हाथ |
| | **हैन्डीक्राफ़्ट्** | दस्तकारी |
| | **हैन्ड्ल्** | हाथ से छूना; व्यवहार करना |

**(छ) दर्**

| | | |
|---|---|---|
| 1 ग्रीक | **द्रओ** | करना |
| | **द्रस्सॉमइ** | हाथ से पकड़ना |
| रूसी | **दरीत्** | देना |
| | **बार्** | दी हुई वस्तु |
| लिथुआनियन | **दर्बस्** | कर्म; श्रम |
| ग्रीक | **दोरॅओ** | दोना |
| | **दोरॉन्** | दी हुई वस्तु |
| रूसी | **देलात्** | करना |
| | **देलो** | कार्य |
| प्राकृत | **दल** | देना |
| | **दलय** | दिलाना |
| | **दलाव** | उप. |
| वेल्श | **दॅलु** | आकृति; मूर्ति |

**2 दर्>दा/दे/दो**

| | | |
|---|---|---|
| सं. | **दा** | देना |
| | **देय** | देने योग्य |
| हिन्दी | **देना** | |
| लैटिन | **दो** | देना |
| | **दोनो** | उप. |
| अंग्रेज़ी | **डू** | करना |
| | **डीड्** | कार्य |

**3 दर्→दर्त>दत**

| | | |
|---|---|---|
| लैटिन | **दतो** | दे डालना |
| | **दतॉर्** | दाता |
| | **दतुस्** | दान क्रिया |
| सं. | **दित्सा** | देने की इच्छा |

**4 दर्>दस्**

| | | |
|---|---|---|
| प्राकृत | **दोस** | हाथ |
| ग्रीक | **दॉसिस्** | दी हुई वस्तु |
| अंग्रेज़ी | **डोज़** | एक बार दी जाने वाली दवा |
| फ़ारसी | **दस्त** | हाथ |
| सं. | **दस्म** | आश्चर्यजनक कर्म |
| | **दस्त्र** | उप. |
| | **दास** | (मूल अर्थ कर्म कुशल) |
| | **दस्यु** | उप. |
| प्राकृत | **दत्थर** | (<*दस्तर) हाथ का वस्त्र |

**5 दस्→दक्त>दवस**

| | | |
|---|---|---|
| सं. | **दक्ष** | कुशल |
| | **दक्षिण** | उप.; दाहिना; दक्षिण दिशा |
| ग्रीक | **दॅक्सिअ** | दाहिना हाथ |
| | **दॅक्सिऑस्** | दाहिनी ओर; शुभ |
| | **दॅक्सिस्तेस्** | कौशल |
| लैटिन | **दॅक्सतॅर्** | दाहिनी ओर; कुशल |
| ग्रीक | **दॅक्तेस्** | पानेवाला; भिखारी |
| | **दॅक्तॉस्** | प्राप्य |
| | **दॅक्सॉमइ** | लेना |

**6 दस्>दह्**

| | | |
|---|---|---|
| वेल्श | **दॅहॅउइग्** | कुशल |
| | **दॅहॅउलउ** | दाहिना हाथ |
| | **दॅहॅउबर्थ्** | दक्षिण दिशा |
| | **दॅअउ** | उप.; दाहिनी |

**7 दस्>दच्**

| | | |
|---|---|---|
| रूसी | **दाच** | देने की किया |
| | **ज़-दाच** | कर्तव्य |

**8 दर्→दर्भ>दभ>लभ/रभ**

| | | |
|---|---|---|
| स. | **रभ्** | पकड़ना; शीघ्रता में काम करना; बहुत चाहना |
| | **लभ्** | पकड़ना; लेना; पाना; |

**9 लभ्/रभ्>लब्/रब्**

| | | |
|---|---|---|
| रूसी | **रबॉत** | काम |
| | **रबॉतात्** | काम करना |
| | **रबॉत्निक्** | श्रमिक |
| | **राब्स्त्वॉ** | दासता |
| मराठी | **राबड़** | श्रम |
| हिन्दी (अवधी) | **रबर** | व्यर्थ का श्रम |
| लैटिन | **रपिओ** | पकड़ना; हरण करना |
| | **रपीन** | लूट |
| जर्मन | **अर्बाइट्** | श्रम |
| | **अर्बाइटॅन्** | काम करना |
| | **अर्बाइटॅर्** | श्रमिक |
| लैटिन | **लबॉर्** | श्रम |
| | **लबोरो** | श्रम करना |
| अंग्रेज़ी | **लेबर्** | श्रम; श्रम करना |

**10 लब्/रब्>लम्/रम्**

| | | |
|---|---|---|
| पु. आइरिश | **लम्** | हाथ |
| लिथुआनियन | **रंक** | हाथ |
| | **रॅङ्कु** | मै बटोरता हूँ |
| पु. स्लाव | **रक (<रॅङ्कु)** | हाथ |
| रूसी | **रुक** | उप. |

**(ज) तर्**

| | | |
|---|---|---|
| 1 त. | **तरु** | देना |
| कन्नड़ | **तर्** | उप. |
| तोद | **तोर्** | उप. |
| तेलगू | **तेर्, तेच्चु** | पाना; बनाना |
| त. | **तिरइ** | टैक्स |
| रूसी | **तॉर्ग्** | भाव तोल करना; बाजार |
| | **तार्गॉवात्** | बेचना; व्यापाक करना |
| | **तॉर्गॉवाल्य** | व्यापार |
| | **तॉर्गॉवॅत्स्** | व्यापारी |
| त. | **तॉल्लइ** | परिश्रम; कष्ट |
| | **तॉऴिल्** | काम; कारीगरी |
| | **तॉऴुक्कन्** | दास |
| | **तॉऴुम्बु** | दासता |
| | **तॉतन्, तॉत्तु (<*तॉऴ्त)** | दास |
| | **तॉण्डु (<*तॉऴ्दु)** | दासता |
| अंग्रेज़ी | **ट्रेड्** | पेशा; व्यापार |

**2 तर्→तर्क>तक**

| | | |
|---|---|---|
| अंग्रेज़ी | **टेक्** | हाथ से पकड़ना; प्राप्त करना |
| पु. अंग्रेज़ी | **टकन्** | उप. |

**3 तर्→तर्त>तत**

| | | |
|---|---|---|
| जर्मन | **टाट्** | कार्य |
| | **टैटॅर्** | कर्ता |

**4 तर्>तन्**

| | | |
|---|---|---|
| प्राकृत | **तमणि** | हाथ |
| जर्मन | **टुन्** | करना |
| | **गॅ-टन्** | किया |
| त. | **तंडि** | मेहनत करना |
| मलयालम | **तंड** | बाहु |
| त. | **तंडु** | वसूलना |
| | **तंडम्** | टैक्स |
| मलयालम | **तॅण्डुग** | प्राप्त करना |

**5 तर्>तश्→तक्त>तक्ष**

| | | |
|---|---|---|
| ग्रीक | **तॅक्तॉन्** | कारगीर; बढ़ई |
| सं. | **तक्षन्** | बढ़ई |
| ग्रीक | **तॅख्ने** | कला; कौशल |
| अंग्रेज़ी | **टॅक्नीक्** | कौशल |

**(झ) धर्>धस्>थस्**

| | | |
|---|---|---|
| 1 ग्रीक | **थेस्** | दास; बँधुआ |
| | **थेस्स** | श्रमिक नारी |
| (अत्तिक) | **थेत्त** | उप. |

**(ञ) भर्**

| | | |
|---|---|---|
| सं. | **भरित्र** | बाहु |
| प्राकृत | **भरण** | वस्त्र में बेलबूटे बनाना |

**(ट) बर्**

| | | |
|---|---|---|
| 1 जर्मन | **बॉरगॅन्** | उधार लेना |
| अंग्रेज़ी | **बौरो** | उप. |

| | | |
|---|---|---|
| कन्नड़ | **बिलि** | बेचना |
| तुलु | **बॅलॅ** | मूल्य |
| सिन्धी | **बेली** | सेवक |

**2 बर्>बन्**

| | | |
|---|---|---|
| हिन्दी | **बनाना** | |
| तुलु | **बॅन्पिनि** | श्रम करना |
| हिन्दी | **बनिहार** | दास |
| सिन्धी | **बान्ही** | उप. |

**3 बर्>बश्→बश्त>बख़्त>बख़्श**

| | | |
|---|---|---|
| फ़ारसी | **बख़्त** | सौभाग्य; समृद्धि |
| | **बख़्शीदन्** | |
| | **बख़्श्‌दन्** | देना |
| | **बख़्शिश** | बख़्शीस |

**4 बर्>बव्**

| | | |
|---|---|---|
| जर्मन | **बउअॅन्** | बनाना |

**(ठ) पर्**

| | | |
|---|---|---|
| 1 ग्रीक | **पॉरो** | देना |
| | **पलमे** | हाथ; हथेली; हुनर का काम |
| | **प्रास्सो** | काम करना |
| | **प्राक्सिस्** | कर्म |

**2 पर्→पर्त>पत/पट**

| | | |
|---|---|---|
| कोत | **पत्** | पकड़ना |
| कन्नड़ | **पट्टु** | उप. |
| पर्जि | **पत्त्** | पकड़ना; खरीदना |
| त. | **पर्रु** | पकड़ना; पाना |
| सं. | **पटु** | कुशल |
| त. | **पडु** | करना, बनाना |
| | **पडइ** | बनाना; पाना |
| कोत | **पड्** | काम |
| कन्नड़ | **पडु** | पकड़ना; पाना |

**3 पर्→पर्ध>पध**

| | | |
|---|---|---|
| सिन्धी | **पोढ़िओ** | श्रम |

**4 पर्>पन्**

| | | |
|---|---|---|
| सं. | **पाणि** | हाथ |
| त. | **पण्** | काम; सेवा; अलंकरण; धन्धा |
| | **पणि** | कार्य |
| | **पणिक्कन्** | बढ़ई |
| | **पण्णु** | बनाना |
| तेलगू | **पनि** | श्रम |
| | **पन्नु** | नई चीज़ बनाना |
| ग्रीक | **पॉनओ** | श्रम करना |
| | **पॉनॉस्** | कठिन परिश्रम |
| | **पॅनेस्** | प्रतिदिन के श्रम पर जीविका के लिए निर्भर; निर्धन |
| | **पॅनॅस्तेसे** | श्रमिक; सेवक |
| लैटिन | **पोनो** | बनाना |
| पर्जि | **पंड्प्** | करना; बनाना |
| गद्‌ब | **पंड्** | कर सकने योग्य होना |
| सं. | **पंडित** | ज्ञानी |
| | **पण्** | सौदा करना |
| | **पण** | मूल्य; सम्पत्ति; व्यापार |
| | **पणन** | क्रय-विक्रय |
| | **पणस** | पण्य वस्तु |
| | **पणि** | भावतोल करने वाला; बाज़ार |
| | **पण्य** | व्यापार-वस्तु |
| प्राकृत | **पंग** | ग्रहण करना |
| सं. | **नि-पुण** | कुशल |

**5 पर्>पद्**

| | | |
|---|---|---|
| ग्रीक | **पॉइअॅओ** | बनाना |
| | **पॉइएतेस्** | निर्माता |
| हिन्दी (अवधी) | **पवबु** | दोनों हाथों से रोटी जैसी चीज़ बनाना |

**6 पर्>पस्**

| | | |
|---|---|---|
| प्राकृत | **पेसण** | कार्य |
| फ़ारसी | **पेशा** | धन्धा |
| लैटिन | **ऑपुस्** | श्रम; कृति |

**(ड) भर्>फर्**

| | | |
|---|---|---|
| 1 लैटिन | **फ़ॉर्‌मो** | बनाना |
| फ्रांसीसी | **फ़ॅअर** | करना |

**2 फर→फर्क>फक**

| | | |
|---|---|---|
| लैटिन | **फ़किओ** | करना; बनाना |

**(ढ) पर्>मर्**

| | | |
|---|---|---|
| 1 ग्रीक | **मरे** | हाथ |
| लैटिन | **मॅर्कॅस्** | भाड़ा; पगार |
| | **मॅर्कॉर्** | व्यापार करना |
| अंग्रेज़ी | **मर्चॅन्ट** | व्यापारी |
| | **मार्कॅट्** | बाजार |
| तुलु | **मळ्पुनि** | करना; बनाना |
| तेलगू | **मलुचु** | बनाना |

**2 मर्>मर्त>मत**

| | | |
|---|---|---|
| कन्नड़ | **माडु** | करना; बनाना |
| अंग्रेज़ी | **मेड** | बनाया। |

**3 मर्-मर्क>मक**

| | | |
|---|---|---|
| जर्मन | **माख़ॅन्** | बनाना |
| अंग्रेज़ी | **मेक्** | उप. |

**4 मर्>मन्**

| | | |
|---|---|---|
| त. | **मण्णु** | करना; बनाना |
| | **मनइ** | बनाना |
| मलयालम | **मनयुग** | गढ़ना |
| | **मिन** | कर्म |
| लैटिन | **मनुस्** | हाथ |
| रूसी | **मॅन** | विनिमय |
| | **मॅन्याल** | सराफ |
| | **मॅन्यात्** | बदलना |
| हिन्दी | **मंडी** | |

**5 मर्>मस्**

| | | |
|---|---|---|
| ग्रीक | **मस्सो** | हाथ से काम करना; छूना |

**(ण) पर्>वर्**

| | | |
|---|---|---|
| 1 सं. | **वर्धक** | बढ़ई |
| फ़ारसी | **वर्जिश्** | मेहनत |
| पु. जर्मन (गौथिक) | **वउर्क्य** | काम |
| जर्मन | **वॅर्क्** | उप. |
| अंग्रेज़ी | **वर्क्** | उप. |
| ग्रीक | **ॲर्गो** | काम करना |
| | **ॲर्दो** | उप. |
| | **अर्गॉन** | धन्धा |
| त. | **वेलइ** | काम; कारीगरी |
| | **वेलइक्कारन्** | श्रमिक |
| मलयालम | **वेल** | श्रम |

**2 वर्>वन्**

| | | |
|---|---|---|
| कश्मीरी | **वान्** (यथा **गान्वान्** वेश्याओं का बाजार); | बाजार |
| त. | **विनइ** | काम |
| | **विनइनर्** | श्रमिक |
| मलयालम | **विन** | कर्म |
| लैटिन | **वॅन्दो** | बेचना |
| | **वेनालिस्** | बिकाऊ |

# शब्द-सूची-8

## [र् ध्वनि के स्, न् में बदलने के लिए द्रविड़-इंडो-यूरोपियन उदाहरण]

[**र्** ध्वनि का **स्** में परिवर्तन उत्तर-पश्चिमी भारतीय भाषा-क्षेत्र का विशिष्ट ध्वनि-परिवर्तन है। वह आर्य-द्रविड़ भाषाओं में घटित होता है और द्रविड़-इंडो-यूरोपियन परिवारों के मूल शब्द-भंडार के अनेक तत्त्वों का विकास समझने में सहायक है। मूल **र्** ध्वनि तमिल, संस्कृत आदि आर्य द्रविड़ भाषाओं के अतिरिक्त नाग-कोल भाषाओं के प्रतिरूपों में, तथा आर्येतर इंडो-यूरोपियन भाषाओं के प्रतिरूपों में भी मिलती है। इंडो-यूरोपियन परिवार के प्रत्येक भाषा-समुदाय के विकास की जटिलता इस बात से समझी जा सकती है कि तमिल **पार्** (देखना), लैटिन **पारॅओ** (दिखाई देना) में **र्** ध्वनि बनी हुई है किन्तु संस्कृत **पश्यति** और **स्पष्ट** का **श्, ष्** पुनः **क्** में रूपान्तरित होता है और लैटिन में **पारॅओ** के साथ **स्पॅक्लो** (देखना) भी प्रतिष्ठित हो जाता है। र् और **स्** ध्वनियाँ **न्** में भी बदलती हैं। यहाँ मुख्यतः द्रविड़-इंडो-यूरोपियन भाषाओं से इस प्रक्रिया के कुछ उदाहरण दिये जाते हैं।]

| | | | |
|---|---|---|---|
| 1 | ग्रीक | **अरिथ्मॉस्** | संख्या |
| | संथाली | **इरल्** | आठ |
| | त. | **अॅण्** | गिनना |
| | कन्नड़ | **अॅण्डु** | आठ |
| | सं. | **अष्ट** | उप. |
| | ग्रीक | **ऑक्तो** | उप. |
| 2 | कोलमि | **अॅर्** | होना |
| | त. | **इरु** | होना; रहना; बैठना |
| | तोद | **इर्** | रहना; बैठना |
| | | **इष्त्** | बिठना |
| | | **इष्क्** | निवास |
| | ग्रीक | **अॅस्-मॅन्** | हम हैं |
| | | **अॅस्-तॅ** | तुम हो |
| | सं. | **अस्ति** | वह है |
| | लैटिन | **अॅर्-इत्** | वह होगा |
| | | **अॅस्-त्** | वह है |
| | | **गद्ब अॅर्** | होना |
| | | **अॅन्** | उप. |
| | कन्नड़ | **इम्बु** | निवास स्थान |
| | अंग्रेज़ी | **आर** | हैं |
| | | **इज्** | है |
| 3 | त. | **उरु** | जलना |
| | ब्राहूइ | **हुशिंग्** | जलाना |
| | सं. | **उष्** | उप. |
| 4 | त. | **करल्** | ईंधन |
| | सं. | **कर** | किरण |
| | | **काष्ट** | लकड़ी; (ईंधन) |
| | | **काश्** | चमकना |
| | त. | **कनल्** | जलाना; आग |
| | सं. | **कन्** | चमकना |
| | | **कनक** | सोना |
| | | **कश्मीर** | प्रदेश विशेष; (गौर वर्ण के लोगों की निवासभूमि) |

| | | | |
|---|---|---|---|
| | प्राकृत | **कम्भार** | कश्मीर |
| | मं. | **कम्बोज** | गण विशेष; प्रदेश विशेष; (गौर अथवा पीतवर्ण के जन, उनकी निवासभूमि) |
| | लैटिन | **कमीनो** | भट्ठी |
| 5 | सं. | **गर्त** | रथ |
| | फ़ारसी | **गर्दीदन्** | घूमना |
| | | **गश्तन्** | उप. |
| | सं. | **गम्** | जाना |
| | | **गंत्री** | गाड़ी |
| 6 | सं. | **श्रम (<*शर्)** | काम करना; थकना |
| | | **शम्** | उप. |
| 7 | हिन्दी | **धरना** | पकड़ना |
| | सं. | **धृ** | उप. |
| | | **हस्त (<*धस्त)** | हाथ |
| | फ़ारसी | **दस्त** | उप. |
| | लिथुआनियन | **दर्बस्** | कर्म |
| | ग्रीक | **द्रओ** | करना |
| | रूसी | **दरीत्** | देना |
| | प्राकृत | **दोस** | हाथ |
| | ग्रीक | **दॉसिस्** | दी हुई वस्तु |
| | त. | **तरु** | देना |
| | सं. | **दास** | (श्रमिक) |
| | जर्मन | **गॅ-टन्** | किया |
| | हिन्दी | **धन्धा** | |
| 8 | आऑ | **तॅर्** | दस |
| | सं. | **दश** | |
| | ग्रीक | **दॅक** | दस |
| 9 | सं. | **पर** | उच्च |
| | | **परम** | उच्चतम |
| | त. | **परम्बु** | पर्वत |
| | सं. | **पाषाण** | |
| | पश्तो | **पश्तो, पश्तू** | (पहाड़ी जनों की भाषा) |
| | | **पख़्तून्** | पठान |
| | हिन्दी | **पठान** | |
| | | **पठार** | |
| | सं. | **पक्थ** | गणविशेष (पठान) |
| | पशइ | **पशइ** | (पहाड़ी जनों की भाषा) |
| 10 | त. | **पार्** | देखना |
| | लैटिन | **पारॅओ (परॅओ)** | दिखाई देना |
| | सं. | **पश्यति** | देखता है स्पष्ट |
| | लैटिन | **स्पॅक्तो** | देखना |
| | मराठी | **पाहणें** | (<पास) उप. |
| | फ़ारसी | **पास्बान्** | चौकीदार |
| 11 | ग्रीक | **पॉरु** | देना |
| | त. | **पक्तु, पग्दु (<*पश्तु)** | दस |
| | | **-पान्** | उप. |
| | | **(इरु-बान्)** | (दो दस); बीस |
| | | **पण्णु** | बनाना |
| | सं. | **पाणि** | हाथ |
| 12 | हिन्दी (अवधी) | **बारु** | बाल |
| | कन्नड़ | **बाल** | पूँछ; लम्बे बाल |
| | सं. | **वार** | पूँछ के बाल |
| | ग्रीक | **ऑउर** | पूँछ |
| | त. | **वाल्** | उप. |
| | तोद | **पोष्म** | उप. |
| | फ़ारसी | **पश्म** | बाल; ऊन |
| 13 | त. | **वर** | सूखना |
| | कुइ | **वस** | उप. |
| | सं. | **वस्** | चमकना |
| | लैटिन | **वेर्** | वसन्त |
| | रूसी | **वॅस्न** | उप. |
| | सं. | **वसन्त** | |
| 14 | रूसी | **मॅरीत्** | नापना |
| | लैटिन | **मॅन्सूरो** | उप. |
| | फ्रांसीसी | **मॅज़ुरे (र्)** | उप. |
| | अंग्रेज़ी | **मेझर्** | उप. |
| | त. | **मट्टम् (<*मर्त)** | नाप |
| | सं. | **मात्रा** | उप. |
| | | **मस्** | नापना |
| | | **मस** | नाप |
| 15 | गोंडी | **सारुंग्** | छह |
| | सं. | **षष्** | उप. |
| | गोंडी | **हारुंग्** | उप. |
| | त. | **आरु** | उप. |

| | | | |
|---|---|---|---|
| | सं. | **अरि** | उप. |
| | | **अराति** | उप. |
| 16 | ग्रीक | **मर्मइरो** | चमकना |
| | सं. | **मरीचि** | किरण |
| | | **मराल** | रक्ताभ; पीताभ |
| | | **-मस् (चन्द्रमस्)** | चन्द्रमा |
| | | **मास्, मास** | उप. |
| | | **मणि** | |
| | त. | **मण** | चमकना |
| | तेलगू | **मलयु** | उप. |
| | कन्नड़ | **मिसुगु** | उप. |
| | त. | **मिन्नु** | उप. |
| | ग्रीक | **मेने, मेनस्** | चन्द्रमा |
| | अंग्रेज़ी | **मुन्** | उप. |
| | जर्मन | **मॉन्ड्** | उप. |
| 17 | लैटिन | **मरॅ** | समुद्र |
| | सं. | **मीर** | उप. |
| | तोद | **मष्न्** | प्रवाह |
| 18 | ग्रीक | **मरे** | हाथ |
| | | **मस्सो** | हाथ से काम करना |
| | लैटिन | **मनुस्** | हाथ |